D0506791

RIEMANN MUSIKLEXIKON

RIEMANN
MUSIK
LEXIKON

*Zwölfte völlig neubearbeitete Auflage
in drei Bänden*

PERSONENTEIL
A-K

PERSONENTEIL
L-Z

herausgegeben von
WILIBALD GURLITT

SACHTEIL

*begonnen von Wilibald Gurlitt
fortgeführt und herausgegeben von*
HANS HEINRICH EGGEBRECHT

B. SCHOTT'S SÖHNE · MAINZ

SCHOTT & CO. LTD., LONDON · SCHOTT MUSIC CORP., NEW YORK
B. SCHOTT'S SÖHNE (EDITIONS MAX ESCHIG), PARIS

RIEMANN MUSIK LEXIKON

ERGÄNZUNGSBAND

PERSONENTEIL
L-Z

herausgegeben von
CARL DAHLHAUS

1975

B. SCHOTT'S SÖHNE · MAINZ

SCHOTT & CO. LTD., LONDON · SCHOTT MUSIC CORP., NEW YORK
B. SCHOTT'S SÖHNE (EDITIONS MAX ESCHIG), PARIS

Die erste Auflage des Werkes ist im Jahre 1882 erschienen unter dem Titel

HUGO RIEMANN MUSIK-LEXIKON .

Theorie und Geschichte der Musik, die Tonkünstler alter und neuer Zeit
mit Angabe ihrer Werke, nebst einer vollständigen Instrumentenkunde

© B. Schott's Söhne · Mainz 1975
Schutzumschlag und Einband: Günter Hädeler
Satz und Druck: Mainzer Verlagsanstalt und Druckerei Will und Rothe KG, Mainz

VORWORT DES HERAUSGEBERS

Ein Lexikon ist, strenggenommen, niemals abgeschlossen, und bei einem Ergänzungsteil ist die Tatsache, daß es sich um eine bloße Station auf einem Wege handelt, besonders fühlbar. Die Redaktion des *Riemann Musiklexikons* blieb ständig konfrontiert mit der Arbeit der früheren Herausgeber, Hugo Riemann (1849–1919), Alfred Einstein (1880–1952) und Wilibald Gurlitt (1889–1963). Daß der Abschluß des zweiten Ergänzungsbandes – nicht anders als die Vollendung vergleichbarer ausländischer Musiklexika – länger dauerte als ursprünglich erhofft, ist in dem Umstand begründet, daß die Ansprüche an die Genauigkeit und Vollständigkeit wissenschaftlicher Lexikographie in gleichem Maße gewachsen sind wie die Masse des Materials.

Die Prinzipien, aus denen sich Veränderungen gegenüber den früheren Auflagen ergaben – die Berücksichtigung außereuropäischer Hochkulturen sowie die Einbeziehung der Unterhaltungsmusik und einiger über den musikalischen Anteil hinausgehender Aspekte des Musiktheaters –, sind von den Rezensenten des ersten Ergänzungsbandes durchweg als sinnvoll anerkannt worden. Daß überhaupt ein Ergänzungsteil statt einer dreizehnten Auflage erschien, wurde manchmal mißverstanden: Der Entschluß beruhte auf der Erwägung, daß die Unbequemlichkeit, gelegentlich zweimal nachschlagen zu müssen, weniger bedenklich sei als die Zumutung, eine vierbändige dreizehnte Auflage erwerben zu sollen, wenn man über die zweibändige zwölfte, deren Substanz in die vierbändige eingegangen wäre, bereits verfügt.

Der Herausgeber dankt den auswärtigen Mitarbeitern, vor allem aber der Mainzer Redaktion, die sich durch die Materialmassen, die bewältigt werden mußten, in ihrer Akribie nicht beirren ließ.

Besonderen Dank schuldet er dem Verlag B. Schott's Söhne, der die Geduld nicht verlor und es sich zur Ehre anrechnete, das Unternehmen aus eigener Kraft zu Ende zu führen.

Berlin, Sommer 1975 ·   Carl Dahlhaus

DER VERLAG DANKT für die außerordentliche Leistung an schöpferischer Arbeit und wissenschaftlicher Akribie, die in die nunmehr vorliegenden Ergänzungsbände zum Personenteil, mit denen die 12. Auflage des Lexikons endgültig abgeschlossen ist, investiert wurde,
namentlich dem Herausgeber Carl Dahlhaus
sowie der Redaktion im Hause und den auswärtigen Mitarbeitern.

Mainz, Frühjahr 1975   B. Schott's Söhne

Redaktion

Rita Heinen-Oelsner   Siglinde Hohenstein   Eva von Marillac de Saint-Julien

Giselher Schubert   Dieter Thoma   Eleonora Voß   Gerd de Vries   Heinz Zietsch

Redaktionsleitung

Horst Adams   Kurt Oehl

Mitarbeiter und Referenten

(* nur für Stichwort-Neuaufnahmen)

Lars Ulrich Abraham* – Guglielmo Barblan* – Werner Bollert – Guy Bourligueux* – Dragotin Cvetko* – Dagmar Droysen (Schallplattenfirmen) – Hans Eppstein* – Hans Erdmann* – Imre Fábián – Fritz Feldmann* – Imogen Fellinger – Hans Gal* – Alexandra Gaumert – Michael Goldstein – Peter Gradenwitz* – Karl Dietrich Gräwe – Karl Grebe* – Karl Werner Gümpel – Robert Günther* (Musikethnologen) – Ursula Günther – Carsten E. Hatting – Seppo Heikinheimo* – Hallgrímur Helgason – Horst Heussner* – Helmut Kallmann – Santiago Macario Kastner – Werner Kleine* – Tibor Kneif* (Philosophen) – Horst Koegler* (Ballett) – Franz Krautwurst* – Friedhelm Krummacher* – Josef Kuckertz* (Indien) – Arntrud Kurzhals-Reuter – Fritz A. Kuttner* (China) – Francisco Curt Lange – Jan LaRue* – Walter Lebermann – Friedrich Lippmann* – Wilhelm Lutz* – Traute Marshall* (anglo-amerikanische Aussprache) – Andrew McCredie* – Heinz Merling – Ernst Mohr* – Wendelin Müller-Blattau* – Eckhard Neubauer (Naher Osten) – Terence Newcombe – Klaus Wolfgang Niemöller (Musiktheoretiker) – José Carlos Picoto* – Miguel Querol* – Hans Ferdinand Redlich* – Oskar Reisinger* – Wolfgang Sandner – Hans Schmid – Helmut Schneider* (Bühnenbildner) – Camillo Schoenbaum – Max Schönherr* – Heinrich W. Schwab* – Walter Senn – Nicolas Slonimsky – Federico Sopeña* – Christoph Stroux – José Subirá – Dimitris Themelis* – Otto Tomek* – Vasile Tomescu – Albert Vander Linden – Antanas Venckus – Torstein Volden – Klaus P. Wachsmann* (Afrika) – Zbigniew Wiszniewski – Hidekazu Yoshida – Juozas Žilevičius* – Eduard Zuckmayer

Namenssiglen gezeichneter Artikel

AKG	Adolf Karl Gottwald	HSCH	Hans Schmid
CSCH	Camillo Schoenbaum	HWE	Horst Weber
CST	Christoph Stroux	JH	Jürgen Hunkemöller
DD	Dagmar Droysen	JWI	Jens Wildgruber
EB	Elmar Budde	KDG	Karl Dietrich Gräwe
EFL	Ellinore Fladt	MB	Martin Bircher
ENE	Eckhard Neubauer	ML	Monika Lichtenfeld
EVO	Egon Voss	MR	Martin Ruhnke
FKR	Franz Krautwurst	REL	Rudolf Eller
FRK	Friedhelm Krummacher	SH	Siegfried Hermelink
GE	Gottfried Eberle	STK	Stefan Kunze
GN	Gösta Neuwirth	TN	Terence Newcombe
HHU	Helmut Hucke	UG	Ursula Günther
HK	Hellmut Kühn	WBR	Werner Breig
HS	Helmut Schneider	WLE	Walter Lebermann
	WO	Wolfgang Osthoff	

Benutzte neuere Nachschlagewerke

(Nachtrag zu Band I)

Répertoire international des musiques électroacoustiques | International Electronic Music Catalogue, hrsg. von H. Davies, = Electronic Music Rev. 1967, Nr 2/3. – *+Baker's Biographical Dictionary of Musicians* (N. Slonimsky, 1958ff.), *1971 Supplement,* NY 1971. – *+Internationales Musikinstitut Darmstadt . . .* (1966ff.), *Bibliothek Nachtrag 1971–73,* Darmstadt 1973. – *Kto pisal o musyke* (»Wer über Musik schrieb«), hrsg. von G. B. Bernandt und I. M. Jampolskij (Yampolsky), Bd I–II (A–I und K–P), Moskau 1971–74. – *Musykalnaja enziklopedija,* hrsg. von Ju. W. Keldysch, = Enziklopedii slowari sprawotschniki o. Nr, Bd I (A–Gong), ebd. 1973. – K. Thompson, *A Dictionary of Twentieth-Cent. Composers (1911–71),* London 1973. – *Dictionary of Contemporary Music,* hrsg. von J. Vinton, NY und Toronto 1974.

Abkürzungen und Siglen

(Ergänzungen zu Band I)

Aufl.	Auflage
Bol.	Boletín
class.	classic(al)
ebd.	ebenda
EI	Enzyklopaedie des Islām, hrsg. von M. Th. Houtsma, T. W. Arnold, R. Basset und R. Hartmann, 4 Bde, Leiden und Lpz. 1913–134
EI Suppl.	Enzyklopaedie des Islām, hrsg. von M. Th. Houtsma, A. J. Wensinck, W. Heffening, H. A. R. Gibb und E. Lévi–Provençal, Ergänzungsband, ebd. 1968
EI²	The Encyclopedia of Islam, NA hrsg. von H. A. R. Gibb, E. Lévi–Provençal und J. Schacht, bislang 3 Bde, Leiden und London 1954ff.
gesch.	geschichtlich
Git.	Gitarre
Hf.	Harfe
MT	The Musical Times
MuG	Musik und Gesellschaft
Neudr.	Neudruck
OPraem	Ordinis Praemonstratensium
Pk.	Pauke
pubbl., publ.	pubblicato, publiziert
Sax.	Saxophon
SM	Sowjetskaja musyka

L

Laade, Wolfgang Karl, * 13. 1. 1925 zu Zeitz; deutscher Musikforscher und Ethnologe, studierte an der Freien Universität Berlin, an der er 1960 mit einer Dissertation über *Die Struktur der korsischen Lamento-Melodik* (= Slg musikwissenschaftlicher Abh. XLIII, Straßburg 1962) promovierte. Seit 1971 lehrt er an der Universität Zürich, an der er sich 1972 habilitierte. – Veröffentlichungen: *Die Situation von Musikleben und Musikforschung in den Ländern Afrikas und Asiens und die neuen Aufgaben der Musikethnologie* (Tutzing 1969); *Gegenwartsfragen der Musik in Afrika und Asien. Eine grundlegende Bibliographie* (= Slg musikwissenschaftlicher Abh. LI, Baden-Baden 1971); *Neue Musik in Afrika, Asien und Ozeanien. Diskographie und historisch-stilistischer Überblick* (Heidelberg 1971); *Oral Traditions and Written Documents on the History and Ethnography of the Northern Torres Strait Islands,* Bd I: *Adi-Myths, Legends, Fairy Tales* (Wiesbaden 1971); *Klangdokumente historischer Tasteninstrumente. Orgeln, Kiel- und Hammerklaviere. Diskographie* (Zürich 1972). – Aufsätze (Auswahl): *An Example of Hammer-and-Chisel Music from Liberia* (in: African Music I, 4, 1957); *The Corsican Tribbiera. A Type of Work Song* (in: Ethnomusicology VI, 1962); *Die Geschichte der liturgischen Musik der Ostkirche auf Schallplatten* (MuK XXXIX, 1969 – XL, 1970 [Schallplatte und Kirche 1969, Nr 5 – 1970, Nr 3]); *Musik in Afrika* (in: Musik und Bildung III, 1971).

+Laaff, Ernst, * 4. 11. 1903 zu Wiesbaden.
L., Direktor des Staatlichen Hochschulinstituts für Musik in Mainz bis 1972, war von 1938 [nicht: 1939] bis 1956 als Leiter der Zeitschriftenabteilung im Verlag B. Schott's Söhne Mainz tätig, wo er 1948 die Zeitschrift *+Das Musikleben* gründete, deren Schriftleitung er bis zur Überführung in die »Neue Zeitschrift für Musik« (1955) innehatte. Weitere Veröffentlichungen: *C. Schuricht* (Gedächtnisansprache Wiesbaden 1967); *P. Hindemiths Sonate für 2 Klaviere* (in: Aus Kirche, Kunst, Leben, Fs. A. Stohr, = Jb. für das Bistum Mainz V, 1950); *Grenzen der Perfektion* (in: Melos XXI, 1954); *Berufsfragen des jungen Musikwissenschaftlers* (Kgr.-Ber. Kassel 1962); *Der musikalische Humor in Beethovens achter Symphonie* (AfMw XIX/XX, 1962/63); *Schuberts große C-dur-Symphonie* (Fs. Fr. Blume, Kassel 1963); *Prozeß um Mozarts »Entführung«* (in: Symbolae historiae musicae, Fs. H. Federhofer, Mainz 1971); *Zehn Jahre Wiederaufbau der Zeitschriften im Schott-Verlag* (Fs. für einen Verleger [L. Strecker], ebd. 1973); mehrere Beiträge in RM 1962, Nr 255, und zahlreiche Artikel besonders zu musikpädagogischen Fragen in der Zeitschrift »Musik im Unterricht«.

+Laban, Rudolf von, 1879–1958.
+Principles of Dance and Movement Notation (1956), Nachdr. = A Dance Horizons Republ. XX, Brooklyn (N. Y.) 1970.
Lit.: +A. HUTCHINSON [erg.:] u. S. J. COHEN, Labanotation (1954), revidiert = TAB Paperbook XXVII, NY 1970. – A. KNUST, Abriß d. Kinetographie L., München 1942, Hbg 1956, engl. als: Hdb. of Kinetography L., Hbg 1958; DERS., An Introduction to Kinetography L. (Labanotation), JIFMC XI, 1959; DERS., Die Bildhaftigkeit d. Kinetographie L. (Labanotation), Tanzarch. XVI, 1968/69; ŠT. TÓTH, Dve tanečné písma (»Zwei Tanzschriftarten«), in: Hudobnovedné štúdie V, 1961; V. M. PRESTON-DUNLOP, An Introduction to Kinetography L., London 1963, ²1966; DIES., Readers in Kinetography L., Series A, 3 Bde, ebd. 1966; DIES., Practical Kinetography L., ebd. u. NY 1969; R. LANGE, Kinetography L. (Movement Notation) and the Folk Dance Research in Poland, in: Lud L, 1964/65; M. BAKER u. J. SUTTON, A New Labanotation Section, in: Th. Arbeau, Orchesography, übers. v. M. St. Evans, London u. NY 1967 (mit neuer Einleitung u. Anm. v. J. Sutton).

+La Barre, Michel de, um 1675 – [erg.: Ende] 1743 [del.: oder 1744].
Ausg.: Sonate F dur f. Block-Fl. u. Kl., hrsg. v. F. KOSCHINSKY, Wilhelmshaven 1959; Suite E moll, hrsg. v. K. ZÖLLNER, = Flötenduette alter Meister II, Hbg 1962; Suite f. Fl. u. B. c., in: H. BECK, Die Suite, = Das Musikwerk XXVI, Köln 1964, engl. 1966; Sonate f. 2 Fl., 2 Ob. u. 2 V., hrsg. v. R. VIOLLIER, Wilhelmshaven 1964.
Lit.: A. CURTIS, Musique class. frç. à Berkeley. Pièces inéd. de L. Couperin, Lebègue, La B., etc., Rev. de musicol. LVI, 1970.

+Labarre, Théodore-François-Joseph, 24. [nicht: 5.] 3. 1805 – 1870.

L'Abbé (eigentlich Saint-Sevin), französische Musikerfamilie. –1) Pierre-Philippe, † wahrscheinlich 15. 5. 1768 zu Paris, wirkte als Geistlicher in der Chapelle St-Caprais in Agen (Lot-et-Garonne; daher der Beiname L'Abbé), wurde 1727 Violoncellist an der Pariser Opéra und avancierte 1749 zum Solovioloncellisten. –2) Pierre, † März 1777 zu Paris, Bruder von Pierre-Philippe L'A., war ebenfalls Geistlicher in der Chapelle St-Caprais in Agen, folgte seinem Bruder 1730 nach Paris und war bis 1764 Violoncellist an der Opéra, dann an der Ste-Chapelle. –3) Joseph Barnabé (L'Abbé le fils), * 11. 6. 1727 zu Agen, † 25. 7. 1803 zu Paris, Sohn und Schüler von Pierre-Philippe L'A., war ab 1739 Violinist an der Opéra-Comique, 1742–62 an der Opéra, wirkte außerdem 1741–55 im Orchester des Concert Spirituel. 1740 wurde er Schüler von J.-M. Leclair. Ab 1762 widmete er sich ganz der Komposition und dem Violinunterricht. Seine Werke markieren einen Höhepunkt violinistischer Virtuosität in der Zeit vor Paganini. Bemerkenswert sind Doppelgriffpassagen, Staccatotechnik und besonders die Entdeckung und Anwendung fast sämtlicher Möglichkeiten des künstlichen Flageoletts bis hin zu Flageolettdoppelgriffen und -trillern; so gibt er in seiner Violinschule *Principes du violon* (Paris 1761), die französische und italienische Tradition vereinigt, das Beispiel eines Menuetts, für das er ausschließlich künstliche und natürliche Flageoletts verwendet. – Werke (alle in Paris erschienen): *Sonates à v. seul* op. 1 (1748); *Première symphonie en concert à 3 v. et la b.* (um 1751) und *Seconde symphonie . . .* (um 1752); *Six symphonies à 3 v. et une b.* op. 2 (1753); *Premier recueil d'airs français et italiens avec des variations pour 2 v., 2 pardessus de viole ou pour 1 fl. ou 1 hautbois avec 1 v.* op. 3 (1756), *Deuxième recueil . . .* op. 4 (1757) und *Troisième recueil . . .* (1760); *Jolis airs ajustés et variés pour un v. seul* op. 7 (1763); *Menuet de Mr. Exaudet et Granier, mis en grande symphonie avec*

des variations (1764); *Six sonates à v. seul et b.* op. 8 (um 1764); *Recueil quatrième de duos d'opéra-comique* (1772). Ausg.: zu – 3): Sonate D dur aus op. 1, hrsg. v. B. ROUDANEZ, Paris 1905; *Principes du v.* (1761), Faks. hrsg. v. A. WIRSTA, ebd. 1961.
Lit.: L. DE LA LAURENCIE, *L'école frç. de v. de Lully à Viotti* II, Paris 1923, Nachdr. Genf 1971; E. VAN DER STRAETEN, *The Hist. of V.*, 2 Bde, London 1933, NY 1968; A. WIRSTA, *Ecoles de v. au XVIIIe s. d'après les ouvrages didactiques*, Thesis Paris 1955; B. S. BROOK, *La symphonie frç. dans la seconde moitié du XVIIIe s.*, 3 Bde, = Publ. de l'Inst. de musicologie de l'Univ. de Paris III, ebd. 1962; D. D. BOYDEN, *The Hist. of V. Playing from Its Origins to 1761*, London 1965, deutsch Mainz 1971.   EFL

+**Labey,** [erg.: Jean] M a r c e l, * 6. 8. 1875 zu Le Vésinet (Yvelines), [erg.:] † 25. 11. 1968 zu Nancy.

+**Labia,** M a r i a, 1880 – 1953 [erg.:] zu Malcesine (am Gardasee).
Ihre Schwester F a u s t a ([erg.:] 3. 4. 1870 [nicht: 1872] zu Verona – 6. 10. 1935 zu Rom) beendete ihre Bühnenlaufbahn erst 1908 [nicht: 1895].

+**Labitzky,** – 1) J o s e p h (Josef Labický), 5. [nicht: 4.] 7. 1802 – 19. [nicht: 18.] 8. 1881.
Lit.: J. FIALA in: Sborník pedagogické fakulty v Plzni, Umění VII, 1970, S. 25ff. (mit russ. u. deutscher Zusammenfassung).

+**Lablache,** L u i g i, 1794–1858.
Lit.: H. WEINSTOCK in: Opera XVII, (London) 1966, S. 689ff.

Labò (lab'ɔ), F l a v i a n o, * 1926 zu Borgonovo (bei Piacenza); italienischer Opernsänger (Tenor), studierte an der Gesangsschule der Mailänder Scala und privat bei Ettore Campogalliani in Mailand und debütierte 1953 am Stadttheater in Piacenza in der Rolle des Cavaradossi. Es folgten Engagements an der Mailänder Scala und am Opernhaus in Rom. Gastspiele führten L. u. a. an die Wiener Staatsoper und die Pariser Opéra. 1957 gab er als Alvaro in Verdis *La forza del destino* sein Debüt an der Metropolitan Opera in New York.

+**Labor,** J o s e f, 1842–1924.
Lit.: P. KUNDI, *J. L., Sein Leben u. Wirken, sein Kl.- u. Orgelwerk. Nebst thematischem Kat. sämtlicher Kompositionen*, 2 Teile, Diss. Wien 1963; DERS. in: Singende Kirche XII, 1964/65, S. 75ff.

+**Laborde,** J e a n - B a p t i s t e [erg.:] Thillais de (Delaborde), SJ, 1730 – [erg.: Ende] Januar 1777.
Lit.: +J. N. FORKEL, *Allgemeine Litteratur d. Musik* (1792), Nachdr. Hildesheim 1962.

+**Laborde,** J e a n - B e n j a m i n de (La Borde), 1734–94.
Lit.: J. WARMOES, *L'exemplaire de l'»Essai sur la musique ancienne et moderne« de J.-B. de L. annoté par Grétry* (à la Bibl. Royale de Bruxelles), Thesis Löwen 1956.

+**Labroca,** M a r i o, * 22. 11. 1896 und [erg.:] † 1. 7. 1973 zu Rom.
Programmdirektor bei der RAI war L. bis 1958. Er wurde 1959 wieder künstlerischer Direktor des Teatro La Fenice in Venedig, wo er auch das Festival internazionale di musica contemporanea della Biennale leitete. 1962 war er erneut Präsident des International Music Council. An der Università italiana per stranieri in Perugia lehrte er ab 1960 Musikgeschichte. Weitere Werke: 8 *Madrigali di Tomaso Campanella* für Bar. und Orch. (1958); Bühnen- und Filmmusiken (u. a. zu dem 1953 preisgekrönten Dokumentarfilm *Una notte a Cnosso*). Schriften: *Parole sulla musica* (Mailand 1954); *Malipiero, musicista veneziano* (= Civiltà veneziana, Saggi II, Venedig 1957); *L'usignolo di Boboli. Cinquant'anni di vita musicale* (= Collana di varia critica XV, ebd. 1959); *Arte di Toscanini* (mit V. Boccardi, = Saggi XLVII, Turin 1966).

la Bruchollerie (la bryʃɔlr'i), M o n i q u e Adrienne Marie Yver de, * 20. 4. 1915 und † 15. 12. 1972 zu Paris; französische Pianistin, Schülerin von I. Philipp, E. v. Sauer und Cortot, trat 1933 zum ersten Male öffentlich auf. Sie errang auf internationalen Klavierwettbewerben (Warschau 1937, Brüssel 1938) erste Preise, die den Auftakt zu einer internationalen Karriere bildeten. Ihre pianistische Laufbahn wurde auf einer Welttournee 1966 in Rumänien durch einen schweren Autounfall beendet.

+**Labunski,** Felix Roderick (Feliks Roderyk Łabuński), * 27. 12. 1892 zu Ksawerynów (Polen).
L., [erg.:] Bruder von Wiktor L., studierte 1922–24 privat bei W. Maliszewski [nicht: am Warschauer Konservatorium]; am College of Music der University of Cincinnati (O.) unterrichtete er bis 1964. Er ist amerikanischer Staatsbürger. L. schrieb kein +Concertino für Kl. und Orch. – Weitere Werke: Ballett *God's Man* (1937); Symphonie B dur (1954), Elegie (1955), Nocturne (1959), *Symphonic Dialogues* (1960), *Canto di aspirazione* (1963) und *Polish Renaissance Suite* (1967) für Orch.; Musik für Kl. und Orch. (1968), *Xaveriana* für 2 Kl. und Orch. (1956); *Intrada festiva* (1967) und *Salut à Nadia* (1967) für Blechbläser; 2. Streichquartett (1962), Divertimento für Bläserquartett (1955), *Diptych* für Ob. und Kl. (1959); 2. Klaviersonate (1957); 5 polnische Lieder für Org. (1965); die Kantaten *There Is No Death* für gem. Chor und Orch. (1950) und *Images of Youth* für Mezzo-S., Bar., Kinderchor und Orch. (1956); Messe für Diskantstimmen und Org. (1958).

+**Labunski,** W i k t o r (Łabuński), * 14. 4. 1895 zu St. Petersburg.
L., polnischer [nicht: russischer] Herkunft und [erg.:] Bruder von Felix L., war Lehrer (ab 1937) und Direktor (ab 1941) am Konservatorium in Kansas City (Mo.), das 1959 der University of Missouri (Kansas City) angegliedert wurde; seitdem ist er Professor emeritus und Pianist-in-Residence. 1935 erhielt er den Ehrendoktor des Curtis Institute of Music in Philadelphia. Er schrieb ferner *Patterns* (1952, revidiert 1962), *Rustic Dance* (1956, revidiert 1966) und *A Frivolous Passacaglia* (1956) für Kl. sowie Bearbeitungen für 2 Kl.
Lit.: W. WALISZEWSKA in: Ruch muzyczny XII, 1968, Nr 23, S. 18f.

La Casinière (la kazinj'ɛːr), Y v e s de, * 11. 2. 1897 zu Angers (Maine-et-Loire); französischer Komponist, Musikpädagoge, Drucker und Lithograph, erhielt in seiner Heimatstadt am Collège Mongazon Unterricht in Musik (Klavier, Orgel) und Naturwissenschaften, betätigte sich zugleich im Chor und als Posaunist und erwarb 1914 den Grad eines Bachelier. Eine im 1. Weltkrieg erlittene Verwundung zwang ihn zur Aufgabe einer Organistenlaufbahn; er hielt sich zunächst als Komponist in Tunis auf und studierte ab 1920 an der Ecole Normale de Musique de Paris bei d'Ollone, Nadia Boulanger und Georges Caussade. Mit den Kantaten *Béatrice* und *Adonis* gewann er 1923 und 1925 jeweils einen Rompreis. 1932 gründete er eine Druckerei, 1953 wurde er Inspecteur principal des Musikerziehungswesens. Von seinen Kompositionen seien außer den genannten die Symphonien Nr 1 (1922) und Nr 2 mit Kl. (1930), die Symphonischen Dichtungen *Hercule et les Centaures* (1924), *Epigramme funéraire*, *Au rude Arès* (1930), *Persée et Andromède* (1930) und *La naissance de Minerve* (1957), *Concert-improvisation* für Org. (1958), Kammermusik (Streichquartett, 1929; Klavierquartett, 1942; Klaviertrio, 1944; Sonatinen für V. und Kl., 1923, und für Vc. und Kl., 1923), eine Sonate (1923) und Etüden (1950) für Kl., Praeludien, Fugen und Choräle für Org. sowie Lieder und Filmmusik hervorgehoben.

+Laccetti, Guido, 1879 – 8. [nicht: 9.] 10. 1943 [nicht: 1945].

+La Cépède (Lacépède), Bernard Germain Étienne de La Ville sur Illon, comte de, 1756–1825. Ausg.: Poétique de la musique, Nachdr. d. Ausg. Paris 1785, Genf 1970 (2 Bde in 1). Lit.: M. Luxembourg, Lacépède et l'art mus., Un document inéd., Rev. de l'Agenais (Bull. de la Soc. des sciences, lettres et arts) XCVII, 1970; O. F. Saloman, Aspects of »Gluckian« Operatic Thought and Practice in France. The Musico-Dramatic Vision of Le Sueur and La C. (1785–1809) in Relation to Aesthetic and Critical Tradition, Diss. Columbia Univ. (N. Y.) 1970.

Lacerda (lɐsˈerðɐ), Francisco de, * 11. 5. 1869 auf der Insel S.Jorge (Azoren), † 18. 7. 1934 zu Lissabon; portugiesischer Dirigent und Komponist, studierte in Lissabon am Conservatório Nacional sowie in Paris ab 1895 am Conservatoire (Harmonielehre bei Péssard, Kontrapunkt bei Libert, Komposition bei Widor) und ab 1897 an der Schola Cantorum (Komposition bei d'Indy, Orgel bei Guilmant). Er war als Assistent bei den Bayreuther Festspielen tätig und absolvierte Dirigierkurse bei A.Nikisch und H.Richter. L. begann seine Dirigentenlaufbahn in Paris, dirigierte bei der Association des Concerts Historiques de Nantes von ihrer Gründung (1905) an und 1908–12 die Kursaal-Konzerte in Montreux (wo Ansermet sein Schüler war) sowie die Concerts Classiques in Marseille. Auf den Azoren widmete er sich Folklorestudien und sammelte in seinem *Cancioneiro musical português* über 500 Melodien (teilweise veröffentlicht). Von seinen Kompositionen seien die Symphonischen Dichtungen *Almourol* und *Alcácer*, Klavierstücke (*Epitáfios*; *Anteriana*), Orgelstücke, der Zyklus *Trovas* für Singst. und Kl. (teilweise auch in Orchesterfassung) sowie Ballette und Bühnenmusik (»A intrusa« von Maeterlinck) erwähnt. Lit.: F. de Sousa, Exposição comemorativa do primeiro centenário do nascimento. Fr. de L., Lissabon 1969.

Lacerda (lɐsˈerðɐ), Osvaldo, * 23. 3. 1927 zu São Paulo; brasilianischer Komponist, studierte 1952–62 bei Klíass (Klavier), Ernesto Kierski (Harmonielehre) und Camargo Guarnieri (Komposition) und vervollkommnete seine Studien in den USA bei V.Giannini und Copland. Er war Gründer und Direktor der Sociedade Paulista de Arte (1949–55) sowie Gründer und Präsident der Sociedade Pró-Música Brasileira (1961–66). An mehreren staatlichen Konservatorien lehrt er Harmonielehre, Kontrapunkt und Komposition. L. komponierte Orchesterwerke (*Suite piratininga*, 1962; Konzert für Streichorch., 1964; *Seresta* für Ob. und Streichorch.,1968), Stücke für Blechbläserensemble (*Trilogia*, 1968; *Ponto e Maracatú*, 1968), Kammermusik (Inventionen für Fl. und Fag., 1953, für Klar. und Horn, für Baßklar. und Ob., [2] für Trp. und Pos., für Fl., Fag. und Horn sowie für Trp., Horn und Pos., 1956; *Toccatina e fuga* für Klar. und Fag., 1957; Duo für Klar. und Fag., 1957; Sonatine für Fl. und Kl., 1959; Sonate für Va und Kl., 1962; *Chôro* für V. solo, 1964; Klaviertrio, 1969), Klavierwerke (*Cronos*, 2 H., 1971; *Pequenas lições*, 1971), Stücke für Schlagzeug mit brasilianischen Perkussionsinstrumenten (*3 estudos*, 1966; *3 miniaturas*, 1968), a cappella-Chöre, Werke für Gesang und Klavier, für Gesang und Schlagzeug (*Hiroshima, meu amor*, 1968) und Kirchenmusik (Messe für 2 St., Frauen- oder Männerchor und Org., 1966; *Próprio do espirito santo* für gem. Chor und Org., 1967; *Próprio das festas de nossa senhora* für Gesang und Git., 1968); ferner verfaßte er Orchestertranskriptionen und Schulwerke. Lit.: Werkverz. in: Compositores de América XV, Washington (D. C.) 1969.

+Lach, Robert, 1874–1958. Lit.: L. Nowak, R. L. u. d. Volksliedforschung, Jb. d. österreichischen Volksliedwerkes III, 1954; W. Graf in: ÖMZ XIII, 1958, S. 25ff., u. in: Ethnomusicology III, 1959, S. 130f.; E. Schenk in: Mf XII, 1959, S. 129ff., u. in: Almanach d. Österreichischen Akad. d. Wiss. CXV, 1965, S. 335ff.

Lachenmann, Helmut, * 27. 11. 1935 zu Stuttgart; deutscher Komponist, studierte 1955–58 an der Musikhochschule in Stuttgart (Klavier bei Jürgen Uhde, Komposition bei J.N.David) und 1958–60 bei Nono in Venedig. 1965 arbeitete er am Studio für Psychoakustik und Elektronische Musik der Universität Gent. 1966 wurde er Lehrbeauftragter für Musiktheorie und Tonsatz an der Musikhochschule in Stuttgart und 1970 Professor für Musik an der Pädagogischen Hochschule in Ludwigsburg; er ist außerdem Leiter einer Meisterklasse für Komposition an der Musik-Akademie der Stadt Basel. L. komponierte u. a.: Rondo für 2 Kl. (1958); *Souvenir* für 41 Instr. (1959); *Fünf Strophen* für 9 Instr. (1961); *Echo Andante* für Kl. (1962); *Introversion I* für 6 Spieler (1964) und *II* (1966); *Scenario*, Elektronische Musik (1965); Streichtrio (1966); *Interieur I* für einen Schlagzeugsolisten (1967); *Consolation I* für verschiedene St. und Schlagzeug (Text: Ernst Toller, 1968); *Trio fluido* für Klar., Marimba und Va (1968); *Consolation II* für 16 St. (Wessobrunner Gebet, 1968); *temA* für St., Fl. und Vc. (1968); *Notturno* für Vc. und kleines Orch. (1968); *Air* für Schlagzeug und großes Orch. (1969); *Pression* für Vc. solo (1969); *Interieur II (Dal niente)* für Klar. solo (1970); *Guero*, Studie für Kl. (1970); *Kontrakadenz*, Musik für großes Orch. (1970); *Gran torso*, Musik für Streichquartett (1971); *Klangschatten – Mein Saitenspiel* für 48 Streicher und 3 Konzertflügel (1972); *Consolation III* und *IV* für verschiedene St. und Instr. (1973); *Fassade* für Orch. (1973). Er schrieb den Beitrag *Klangtypen der neuen Musik* (Zs. für Musiktheorie I, 1970). Lit.: U. Stürzbecher, H. L., in: Werkstattgespräche mit Komponisten, Köln 1971; R. Oehlschlägel, Zum Beispiel H. L., Der Versuch, eine neue ästhetische Qualität zu formulieren, in: Musica XXVI, 1972.

+Lachmann, Robert, 1892–1939. +*Musik des Orients* (= Jedermanns Bücherei, Abt. Musik o. Nr, 1929), Nachdr. Oosterhout 1966.

+Lachner, Franz [erg.:] Paul, 1803–90. Lit.: G. Wagner, Fr. L. als Liederkomponist, = Schriften zur Musik III, Giebing 1970 (mit thematischem Verz. sämtlicher Lieder); H. Federhofer, Briefe v. Fr. u. V. L. an Fr. u. Betty Schott, Fs. f. einen Verleger (L. Strecker), Mainz 1973.

+Lachner [–1] Ignaz], –2) Vincenz, 1811–93. Lit.: H. Federhofer, Briefe v. Fr. u. V. L. an Fr. u. Betty Schott, Fs. f. einen Verleger (L. Strecker), Mainz 1973.

Lacodre (lakˈɔdr), François (genannt Blin), * 21. 6. 1757 zu Beaune (Côte-d'Or), † 9. 2. 1834 zu Paris; französischer Organist und Komponist, wurde von einem Verwandten namens Blin, einem Organisten bei den Dominikanern in Dijon, aufgezogen und nahm dessen Namen an. 1771 begab er sich nach Paris, wo er bei Abbé Rozé und N.Séjan studierte. Er wurde 1791 Organist an St-Germain-l'Auxerrois, 1799 am Temple de la Concorde, der früheren Kirche St-Philippe-du-Roule und 1806 an Notre-Dame in Paris. Seine Kompositionen für Orgel sind verloren; überliefert sind lediglich einige kleinere Werke (Airs, Romanzen, Arrangements, Opernouvertüren u. a.), die zwischen 1782 und 1789 bei Le Duc erschienen sind.

+Lacombe, Louis (Trouillon-L.), 1818–84.
Lit.: E. JONGLEUX, Un grand musicien méconnu, L. L., Bourges 1935.

+Lacoste, [erg.:] Louis de (La Coste), um 1675 [del.: um 1670] – nach 1757.

+Lacour, Marcelle Antoinette Eugénie de, * 6. 11. 1896 zu Besançon (Doubs).
Am Pariser Konservatorium leitete sie als Professor die Klasse für Cembalo von deren Gründung an (1955) bis 1967. 1952 wurde sie zum Chevalier de la Légion d'honneur ernannt.

Lacovich, Peter, * 2. 4. 1927 zu Linz; österreichischer Dirigent, studierte an der Wiener Musikakademie. Er war Korrepetitor in Graz (1947), Dirigent der Wiener Sängerknaben (1949–52), Gastdirigent der Orchester in Århus, Odense und Ålborg (Dänemark) und des Rundfunkorchesters in Wien sowie ab 1954 Kapellmeister an der Nationaloper in Helsinki. 1961 wurde er 1. Kapellmeister an den Bühnen der Stadt Köln und wechselte in gleicher Stellung 1964 an das Hessische Staatstheater in Wiesbaden über. 1967 debütierte er an der Wiener Staatsoper, an der er seitdem als Gastdirigent tätig ist. 1969 wurde L. Opernchef des Landestheaters in Linz.

+Ladegast, Friedrich, 1818–1905.
Lit.: J. BÖNECKE, Die Org. zu Schafstätt u. ihre Gesch., = Orgelmonographien aus d. Merseburger Land I, Merseburg 1953; H.-G. WAUER in: MuK XXV, 1955, S. 293f.; W. HAACKE, Hundert Jahre L.-Org. im Dom zu Schwerin, MuK XLI, 1971.

Laderman, (l'eidəmən), Ezra, * 29. 6. 1924 zu Brooklyn (N. Y.); amerikanischer Komponist, lebt freischaffend in Teaneck (N. J.). Er absolvierte das Brooklyn College (B. A. 1950) und die Columbia University in New York (M. A. 1952). 1963 erhielt er den Grand Prix de Rome. L. schrieb u. a. die Opern *Jacob and the Indians* (Woodstock/N.Y. 1957), *Sarah* (CBS-TV 1958) und *Goodbye to the Clown* (NY 1960), das Opernoratorium *Galileo Galilei* (CBS-TV 1967), Orchesterwerke (Symphonie Nr 1, 1964; *Stanzas* für Kammerorch., 1960), ein Violinkonzert, Kammermusik (Nonett für Fl., Klar., Fag., Trp., Horn, Pos., V., Vc. und Kl., 1963; 3 Streichquartette, 1959, 1965 und 1966; Klaviertrio, 1959; 2 Duos für V. und Vc.; Sonate für V. und Kl., 1959), 3 Klaviersonaten, Lieder (*Songs for Eve*, 1963) sowie Film- und Fernsehmusiken.

+al-Lādiqī, Muhammad ibn ʿAbdalhamīd, [erg.:] † um 1500.
Er schrieb außer der +*Risāla al-Fathīya* ein Buch über Logik und eine weitere musiktheoretische Abhandlung (*Zain al-alhān fī ʿilm at-taʾlīf wa-l-auzān*, »Melodienzier zur Kenntnis von Komposition und Metren«), die er 1483 vollendete und in der er sich, wie in der *Fathīya*, von Safiaddīn al-Urmawī und von ʿAbdalqādir al-Marāġī abhängig erweist.
Lit.: Hss.-Nachweise: +H. G. FARMER, The Sources of Arabian Music (1940), revidiert Leiden 1965; C. BROCKELMANN, Gesch. d. arabischen Lit. II, ebd. ²1949, Suppl. II ebd. 1938, III 1942; M. YEŞIL, Türk musikisi için bir bibliografya denemesi (»Versuch einer Bibliogr. zur türkischen Musik«), in: Musiki mecmuası 1966, Nr 221 (Istanbul). – H. G. FARMER, Turkish Instr. of Music in the 15th Cent., Journal of the Royal Asiatic Soc. 1940, wiederabgedruckt in: Oriental Studies, Mainly Mus., London 1953 (über d. Instr. aus d. »Fathīya«). – HAĞĞĪ HALĪFA, Kašf az-zunūn, Istanbul 1941 (Bibliogr. d. 17. Jh.); ʿABBĀS AL-ʿAZZĀWĪ, al-Mūsīqā al-ʿirāqīya fī ʿahd al-muġūl wa-t-turkumān (»Die Musik im Irak zur Zeit d. Mongolen u.

Turkmenen«), Bagdad 1951; ʿUMAR RIDĀ KAHHĀLA, Muʿğam al-muʾallifīn, Bd X, Damaskus 1960 (bio-bibliogr. Lexikon arabisch schreibender Autoren).

+Ladmirault, Paul Émile, 1877 – 1944 zu Kerbilien-Camoël (Morbihan).
Lit.: G. BRELET in: SMZ C, 1960, S. 242ff.; M.-L. SÉRIEUX, Documents pour servir à la connaissance de la carrière du compositeur breton P. L., SMZ CX, 1970.

Ladysz, (u̯'adiʃ), Bernard, * 24. 7. 1922 zu Wilno; polnischer Sänger (Baß), studierte ab 1946 an der Chopin-Musikschule in Warschau und gehört seit seinem Debüt (1950) der Warschauer Oper an. Gastspiel- und Konzertreisen führten ihn in zahlreiche Länder, u. a. in die USA, nach Kanada, Deutschland, Frankreich, Italien und in die UdSSR. Bei der Uraufführung von Pendereckis *Die Teufel von Loudun* (Hbg 1969) sang er die Partie des Pater Barré. Zu seinen Hauptrollen zählen auch Don Giovanni, Boris Godunow und Amonasro.

Längin, Folkmar, * 6. 2. 1907 zu Karlsruhe; deutscher Violoncellist und Gambist, studierte in München 1925–31 an der Staatlichen Hochschule für Musik bei J. Hegar und Döbereiner (Violoncello und Viola da gamba) und daneben 1928–29 an der Universität bei Sandberger (Musikwissenschaft). Er war 1947–50 Dozent für Violoncello und Viola da gamba und Leiter des Arbeitskreises für Alte Musik am Städtischen Hochschulinstitut für Musikerziehung in Trossingen (Württemberg) sowie 1955 Leiter einer Violoncelloklasse am Trapp'schen Konservatorium der Musik (heute R.-Strauss-Konservatorium der Stadt München), an der er seit 1962 Dozent für Violoncello und Viola da gamba sowie Leiter des Seminars für Alte Musik ist. Darüber hinaus übt er seit 1931 eine vielseitige Tätigkeit in Konzert und Rundfunk aus. Neben einer Reihe von Neuausgaben von Werken älterer Musik publiziert er Studienwerke für Violoncello bzw. Viola da gamba (*Praktischer Lehrgang für das Violoncello-Spiel*, 5 H., Wiesbaden 1964–67).
Lit.: W. ZENTNER, F. L., Musiker u. Pädagoge, Ekkhart-Jb. d. »Badischen Heimat« 1968.

+Läte, Aleksander (Pseudonym für Sprenk), 12. [nicht: 13.] 1. 1860 – 8. 9. 1948 zu Tartu [del. frühere Angabe].
Lit.: Eesti muusika I, hrsg. v. A. VAHTER, Reval 1968, S. 97ff.

+Lafage, Juste Adrien Lenoir de (La Fage), 28. 3. 1801 [del. frühere Angaben] – 1862.
Nachdrucke: +*Histoire générale de la musique et de la danse* (1844), = Bibl. musica Bononiensis III, 84, Bologna 1970 (2 Bde); +*Miscellanées musicales* (1844), ebd. III, 29, 1969; +*Essais de diphthérographie musicale* (1864), Amsterdam 1964.

+L'Affillard, Michel (L'Affilard), [erg.:] † nach 1717.
Ausg.: *Principes très faciles pour bien apprendre la musique*, Faks. d. Ausg. Paris 1705, Genf 1971.

Lafinur, Juan Crisóstomo, * 27. 1. 1797 zu La Carolina (Provinz San Luis), † 13. 8. 1824 zu Santiago de Chile; argentinischer Dichter, Schriftsteller und Musiker, promovierte 1810 am Colegio Montserrat zum Maestro en artes, studierte Mathematik an der von General Belgrano gegründeten Schule und nahm 1813 an dessen Feldzug im Norden Argentiniens teil. 1817 ließ er sich in Buenos Aires nieder, wo 1821 sein Singspiel *Clarisa y Betsi* als erstes argentinisches Bühnenwerk aufgeführt wurde. 1821–22 lehrte er am Colegio de la Santísima Trinidad in Mendoza u. a. Philosophie und Musik. Aufgrund seiner liberalen Einstellung wurde er ausgewiesen und ließ sich in Santiago de Chile nieder.

+Lafite, –1) Carl [erg.:] Johann Sigmund, 1872–1944 [nicht: 1945] zu St. Wolfgang (Salzkammergut) [nicht: Wien]. Generalsekretär der Gesellschaft der Musikfreunde in Wien war er 1912–22 [nicht: 1911–21]. –2) Peter, 1908–51. Die +Österreichische Musikzeitschrift (ÖMZ), weiterhin hrsg. von Elisabeth L., lag 1973 im 28. Jg. vor.
Lit.: zu –1): M. LAFITE u. R. SCHOLLUM in: ÖMZ XXVII, 1972, S. 608ff. bzw. 667f. – zu –2): W. WALDSTEIN, ebd. XI, 1956, S. 227. – E. LAFITE, ebd. XXV, 1970, S. 4ff.

+Lafont, Charles Philippe, 1781 – 14. 8. [erg.: oder 10. 1.(?); del.: 23.(?) 8.] 1839.
Lit.: +A. MOSER, Gesch. d. Violinspiels (1923), 2. Aufl. hrsg. v. H.-J. Nösselt, 2 Bde, Tutzing 1966–67.

+La Forge, Frank, * 22. 10. 1879 zu Rockford (Ill.), [erg.:] † 5. 5. 1953 zu New York.

Lagger, Peter, * 7. 9. 1931 zu Buchs (St. Gallen); Schweizer Sänger (Baß), studierte am Konservatorium in Zürich und an der Wiener Musikakademie (Diplom 1953) und debütierte 1953 am Stadttheater in Graz, dessen Ensemble er bis 1955 angehörte. Er war am Zürcher Opernhaus (1955–57), am Hessischen Staatstheater in Wiesbaden (1957–59) sowie an der Oper in Frankfurt am Main (1959–63) engagiert und wurde 1963 1. Bassist der Deutschen Oper Berlin (1970 Kammersänger). L. ist bei den Festspielen in Salzburg, Glyndebourne und Aix-en-Provence aufgetreten und hat Konzerte und Liederabende in Europa, den USA und Japan gegeben.

+Lagkhner, Daniel (Lackner), [erg.:] 2. Hälfte 16. Jh. – nach 1607.
Den Titel +Flores Jessaei trägt nur die Sammlung 3st. Motetten von 1606, die Sammlung von 1607 hat als Titel Flores Jessaeorum semina v. quatuor. – Gedruckt liegen auch 6st. Melodia funebris vor (Wien 1601).

+Lago, Giovanni del, † nach 1543.
Ausg.: Breve introduttione di musica misurata, Faks. d. Ausg. Venedig 1540, = Bibl. musica Bononiensis II, 17, Bologna 1969.

+La Grotte, Nicolas de, [erg.:] um 1530 – um 1600.
Ausg.: eine Chanson in: Cl. le Jeune, Airs (1608), hrsg. v. D. P. WALKER, Bd II, = Publ. of the American Inst. of Musicology, Miscellanea I, Rom 1951; Chanson »Nicolas« in: FR. LESURE, Anth. de la chanson parisienne au XVIIe s., Monaco 1952.

+Laguerre, Élisabeth-Claude de (Jacquet de La Guerre), um 1664 – 1729.
Ausg.: +Pièces de clavecin (P. BRUNOLD, 1938), 2. revidierte Aufl. hrsg. v. TH. DART, Monaco 1965. – V.-Sonate, hrsg. v. E. BORROFF, Pittsburgh (Pa.) 1961 (mit einer V.-Sonate v. J. F. Rebel).
Lit.: [del.:] R. VIOLLIER, Les sonates pour v. ... [Titel bibliogr. nicht zu ermitteln]. – +L. DE LA LAURENCIE, L'école frç. de v. ... (I, 1922), Nachdr. Genf 1971. – E. BORROFF, An Introduction to E.-Cl. Jacquet de La Guerre, = Musicological Studies XII, Brooklyn (N. Y.) 1966; H. BOL in: Mens en melodie XXIII, 1968, S. 170ff.

+La Gye, Paul (Lagye), * 8. 6. 1883 zu St. Gilles (Brüssel), [erg.:] † 18. 2. 1965 zu Brüssel.
An weiteren Werken ist eine Symphonie Nr 1 F moll (1955) und die symphonische Dichtung Légende de Sainte Gudule (1960) zu nennen.

La Hèle, Georges de → +De la Hèle, G.

Lai (lε), Francis, * 23. 4. 1932 zu Nizza; französischer Film- und Chansonkomponist, ließ sich privat ausbilden und kam nach Marseille, dann als Jazzmusiker und Begleiter von Claude Goaty nach Paris; hier wurde er Begleiter von Edith Piaf. Mit seinen Chansons, die er für Juliette Gréco, Montand, Edith Piaf (Emporte-moi,

Ce sale petit brouillard, Le bruit d'aimer), später für Petula Clark, Ella Fitzgerald, Johnny Halliday, Tom Jones, Marie Laforet, Mireille Mathieu, Nana Mouskouri, Sinatra u. a. schrieb, war er ebenso erfolgreich wie mit seinen bisher über 30 Filmmusiken; zu seinen zahlreichen Auszeichnungen gehören der Golden Globe und der Oscar, die ihm für die Musik zu dem Film Love Story verliehen wurden. Erwähnt sei seine Musik zu Filmen insbesondere von Claude Lelouch (Un homme et une femme, 1966; Vivre pour vivre, 1967; 13 jours en France, 1968; Smic Smac Smoc, 1971; L'aventure, c'est l'aventure, 1971) sowie von Peter Sellers (The Bobo, 1966), Michael Winner (I'll Never Forget What's His Name, 1967; Hannibal Brooks, 1968; The Games, 1968), Terence Young (Mayerling, 1968), Michel Boisrond (La leçon particulière, 1968; Le petit poucet, 1972), Christian Jaque (Les petroleuses, 1971), Arthur Hiller (Love Story, 1970) und René Clément (La course du lièvre à travers les champs, 1972).

Laires (l'airi∫), Fernando, * 3. 1. 1925 zu Lissabon; amerikanischer Pianist und Klavierpädagoge portugiesischer Herkunft, studierte am Conservatório Nacional in Lissabon und vervollkommnete seine Klavierstudien bei Lúcio Mendes, Winfried Wolf und (in New York) bei I. Philipp, Hutcheson und Friskin. 1949–56 lehrte er am Conservatório Nacional in Lissabon, war Gründer und Direktor (1951–56) der Sociedade Pro Arte und des Trio Pro Arte in Lissabon. Konzertreisen führten ihn nach England, Österreich, Australien und in die USA. 1956–61 lehrte er an der University of Texas in Austin und leitete dann das Piano Department am Oklahoma College for Liberal Arts, an dem er auch Festivals organisierte. 1968 wurde er Leiter der Klavierklasse an der Interlochen Arts Academy in Interlochen (Mich.).

+Lajarte, Théodore Édouard Dufaure de, 1826–90.
+Bibliothèque musicale du Théâtre de l'Opéra (1878), Nachdr. Hildesheim 1969 und Genf 1969.

+Lajovic, Anton, * 19. 12. 1878 zu Vače (bei Litija, Slowenien), [erg.:] † 28. 8. 1960 zu Ljubljana.
Lit.: L. M. ŠKERJANC, A. L., = Slovenska akad. znanosti in umetnosti. Razred za glasbeno umetnost XV, Ljubljana 1958.

+Lajtha, László, * 30. 6. 1892 und [erg.:] † 16. 2. 1963 zu Budapest.
L. wurde 1955 als Nachfolger G.Enescus zum korrespondierenden Mitglied des Institut de France (Académie des beaux-arts) ernannt. – [del. bzw. erg. im früheren Werkverz.:] Sonate für Kl. (1914); 10 Streichquartette (op. 5, 1923; op. 7, 1926; op. 11, 1929; op. 12, 1930; 5 Etüden op. 20, 1934; 4 Etüden op. 36, 1942; op. 49, 1950; op. 53, 1951; op. 57, 1953; op. 58, 1953); 9 Symphonien op. 24, 1936; op. 27, 1938; op. 45, 1948; Le printemps op. 52, 1951; op. 55, 1952; op. 61, 1955; L'automne op. 63, 1957; op. 66, 1959; op. 67, 1961); 2 Sinfonietten für Streicher (op. 43, 1946; op. 62, 1956); 1. Divertissement für Orch. op. 25 (1936); Tondichtung In memoriam op. 35 (1941); Orchestervariationen op. 44 (1947); einaktiges Ballett Lysistrata op. 19 (1933, Budapest 1937); Opéra-bouffe Le chapeau bleu op. 51 (S. de Madariaga, 1948–50). – Weitere Werke: 3. Orchestersuite op. 56 (1952); Intermezzo für Altsax. und Kl. op. 59 (1954); Magnificat op. 60 (1954) und 3 Hymnes pour la Ste Vierge op. 65 (1958) für Frauenchor und Org.; je eine Sonate en concert für Fl. op. 64 (1958) bzw. V. op. 68 (1962) mit Kl.; 2 Stücke für Fl. solo op. 69 (1958). – Er verfaßte ferner Dunántúli táncok és dallamok (»Tänze und Melodien aus Pannonien«, 2 Bde, = Népzenei monográfiák V-VI, Budapest 1962–65).

Lit.: Schriftenverz. v. I. VOLLY in: Magyar zene VIII, 1967, S. 65ff. – B. AVASI in: Acta ethnographica XI, 1962, S. 241ff.; I. VOLLY in: Muzsika X, 1967, Nr 7, S. 20ff.

Lakner, Yehoshua, * 24. 4. 1924 zu Bratislava; israelischer Komponist, studierte in Haifa, Jerusalem und Tel Aviv bei Partos, Boscovich und Pelleg, wirkte ab 1950 als Kompositionslehrer an der Israel Music Academy und setzte ab 1952 seine Studien bei Copland am Music Center in Tanglewood (Mass.) fort und studierte daneben Musikpädagogik an verschiedenen Universitäten und Instituten der USA. 1959–60 arbeitete er am Studio für elektronische Musik des WDR Köln und studierte gleichzeitig bei B. A. Zimmermann. Seit 1963 lebt er in Zürich, wo er Bühnenmusik für das Theater an der Winkelwiese (für alle Inszenierungen zwischen 1965–71), das Schauspielhaus (Musik zu Brechts *Turandot*, 1969) und das Theater am Neumarkt schrieb. L. komponierte ferner u. a. 3 Tänze für Kl. (1948), eine Sonate für Fl. und Kl. (1948), ein Nocturno für Kl. (1950), eine Toccata für Orch. (1953), Improvisation für Va solo (1958), *Cornerstones*, Studien für Kl. (1959), *Mohammeds Traum* für Chor und präpariertes Tonband (1968), *Kaninchen* für Sprecher, Schlagzeug und Tonband (1973) sowie Musik zu einer Reihe von Schweizer und deutschen Experimental- und Kulturfilmen. Er veröffentlichte *A New Method of Representing Tonal Relations* (Journal of Music Theory IV, 1960). Lit.: P. GRADENWITZ, Music and Musicians in Israel, Tel Aviv 1959; DERS., Die Mg. Israels, Kassel 1961.

Laks, Szymon, * 1. 11. 1901 zu Warschau; polnischer Komponist, studierte 1921–24 am Konservatorium in Warschau Komposition und Dirigieren bei Rytel, Statkowski und Melcer. Er ließ sich 1926 in Paris nieder und vervollkommnete 1927–29 seine Studien bei Paul Vidal und Henri Rabaud. 1941–45 war er in den Konzentrationslagern Auschwitz und Dachau inhaftiert. – Kompositionen (Auswahl): Symphonische Dichtung *Farys* (1924); *Blues symfoniczny* (»Symphonischer Blues«, 1928); *Poemat* (»Poem«) für V. und Orch. (1954); *Trzy polonezy warszawskie* (»3 Warschauer Polonaisen«) für Kammerorch. (1947); 5 Streichquartette (1928, 1932, 1946, 1962 und 1963); *Trois pièces de concert* für Vc. und Kl. (1933); *Sonate brève* für Cemb. (1947); ferner zahlreiche Lieder (*Echos de Pologne*, 8 Lieder für Männerchor und gem. Chor, 1939; *8 chants populaires juifs* für S. oder T. und Kl., 1947). L. veröffentlichte das Buch *La musique d'un autre monde* (Paris 1948), in dem er seine Erlebnisse in den Konzentrationslagern beschreibt.

+Lalande, Henriette Clémentine (eigentlich Henriette Clémence Lamiraux-L., verheiratete Méric, [erg.:] 4. 11. 1799 [nicht: 1798] – 4. [nicht: 7.] 9. 1867 zu Chantilly (Oise) [nicht: Paris]. Für sie schrieb Meyerbeer die Oper *Il crociato in Egitto* (Venedig 1824). Großen Erfolg hatte sie u. a. in Rossinis *Mosè* und *Semiramide*, vor allem aber in Opern Bellinis wie *Il pirata* und *La straniera*.

+La Laurencie, Marie Bertrand Lionel Jules, comte de [erg. frühere Angabe], 1861–1933. Nachdrucke: +*Le goût musical en France* (1905), Genf 1970; +*L'Académie de musique et le concert de Nantes à l'Hôtel de la Bourse (1727–67)* (1906), ebd. 1972; +*L'école française de violon . . .* (1922–24), ebd. 1971. Lit.: B. S. BROOK, L. de La L.'s »L'école frç. de v.«, in: Notes XXVI, 1969/70.

Lalewicz (lal'ɛvitʃ), Jorge (Jerzy), * 21. 8. 1875 zu Suwałki (Polen), † 1. 12. 1951 zu Buenos Aires; argentinischer Pianist polnischer Herkunft, studierte 1894–98 in St. Petersburg an der Universität und als Schüler von Anna Jessipowa und N. Rimskij-Korsakow am Kaiserlichen Konservatorium und gewann 1900 den Großen Preis des Konservatoriums sowie den 1. Preis beim Internationalen Wettbewerb »Anton Rubinstein« in Wien. Er war Professor für Klavierspiel an den Konservatorien in Odessa (1902–05) und Krakau (1905–12) sowie an der Wiener Musikakademie (1912–19). Nach vorübergehendem Aufenthalt in Paris ließ er sich in Buenos Aires nieder, wo er den Lehrstuhl für hohe Klavierstudien am Staatlichen Konservatorium innehatte. Zu seinen Schülern zählten u. a. Rodzinski, Rosenstock und Pía Sebastiani.

+Lalo, Édouard Victor Antoine, 1823–92. Lit.: +FR. NOSKE, La mélodie frç. . . . (1954 [nicht: 1958]), 2. Aufl. engl. revidiert v. R. Benton u. dems. als: French Song from Berlioz to Duparc, NY 1970.

+Laloy, Ernest Louis Alfred [erg. Vornamen], 1874 – 3. [nicht: 2.] 3. 1944. Generalsekretär der Pariser Opéra und Professor für Musikgeschichte am Conservatoire war er bis 1941. Lit.: Correspondance de Debussy et L., Rev. de musicol. XLVIII, 1962 (Sonder-H. Cl. Debussy).

Lam (læm), Basil Raymond, * 8. 3. 1914 zu London; englischer Musikforscher und Cembalist, absolvierte das St. John's College in Oxford, wirkte als Pädagoge und war bis 1973 als Herausgeber vorklassischer Musik bei der BBC tätig. Er leitet das B. L.-Ensemble, das sich auf die Darbietung von Kammermusik des Barocks spezialisiert hat und edierte praktische Ausgaben von Oratorien Händels; seine Fassung des *Messiah* ist wegen der hinzugefügten Verzierungen der Orchesterstimmen bemerkenswert. L. veröffentlichte ferner *The Church Music* und *The Orchestral Music* (in: Handel, hrsg. von G. Abraham, London 1954).

Lama, Lina (eigentlich Carolina), * 20. 4. 1932 zu Faenza (Emilia-Romagna); italienische Geigerin, studierte in Neapel am Conservatorio di Musica S. Pietro a Majella Violine, Bratsche, Klavier und Komposition und war Solobratschistin am Teatro S. Carlo, im Mozarteum-Orchester in Salzburg und im Orchestra Scarlatti von Radio Neapel. Sie trat als Solistin u. a. mit dem Israel Philharmonic Orchestra, dem BBC Symphony Orchestra in London und der Dresdner Staatskapelle auf. Außerdem konzertierte sie bei zahlreichen Rundfunk- und Fernsehanstalten und in den Musikzentren Europas und der USA. L. L. ist Professor für Bratsche am Conservatorio di Musica S. Cecilia in Rom.

Lamalle (lam'al), Pierre, * 1648 und † 28. 7. 1722 zu Lüttich; wallonischer Komponist, war als Chorknabe an der Maîtrise der Kathedrale St-Lambert in Lüttich Schüler von Pietkin und setzte seine Studien mit Hilfe eines Stipendiums der Bursa de Toledo 1664 fort. An der Lütticher Kathedrale wurde er Musiker (1669), Chanoine an St-Materne (1679) und erster Succentor oder Phonascus (1688); 1713 mußte er zurücktreten. Er schrieb zahlreiche kirchenmusikalische Werke in italienischer Manier; erhalten ist eine typisch »barock« geschriebene *Missa a 6 v.*, *2 strumenti*, *fag. e b. c.* (1672). Lit.: J. QUITIN, P. L. . . ., Bull. de la Soc. Royale Le Vieux Liège V, 1958, Nr 120.

Lamarque Pons (lam'arke pɔns), Juarés, * 6. 5. 1917 zu Salto; uruguayischer Komponist, studierte in Montevideo Klavier bei Wilhelm Kolischer sowie Harmonielehre, Kontrapunkt und Komposition bei Tomás Mujica, Santórsola und Enrique Casal Chapí. Seine *Suite de ballet según Figari* (1952) bezieht zum ersten Male in der uruguayischen Kunstmusik afro-uruguayische Elemente ein. Seine weiteren Kompositionen um-

fassen u. a. die Oper *Marta Gruni* (Montevideo 1967), *Tríptico montevideano* für Orch. (1956), ein Konzert für Kl., Streicher und Schlagzeug (1959), *Pequeña suite circense* für 4 Sax. (1956), 3 Fugen für Streichquartett (1962), *Danza a la manera popular* für Fl. und Kl. (1962), Klavierstücke (*Aires de milonga*, 1943; 3 Inventionen über ein Thema von P.Hindemith, 1950; 2 Sonaten, 1952 und 1953), *Milonga de la ciudad* für S. und Orch. (1963), Ballettmusiken *Sortilegio* (1951), *Un tal sombrero* (1963) und *Contrarritmo* (1965) für Orch. sowie Filmmusiken (*La raya amarilla*, 1962; *Punta del este*, 1962; *Un vintén p'al Judas*, 1963) und Bühnenmusiken.
Lit.: Werkverz. in: Compositores de América XVI, Washington (D. C.) 1970.

Lamas, José Angel, * 5. 8. 1775 und † 9. 12. 1814 zu Caracas; venezolanischer Komponist, trat jung als »bajonista« in den Chor der Kathedrale von Caracas ein und bekleidete diesen einfachen Posten bis zu seinem Tode. Er zählt zu den erstrangigen Komponisten der letzten Jahrzehnte der Kolonialperiode Venezuelas. Seine kirchenmusikalischen Werke, von denen über 40, darunter eine Messe in D dur, einige Salve regina sowie Motetten, erhalten sind, zeichnen sich durch reiche melodische Erfindung aus. Am bekanntesten wurde sein *Popule meus* für Soli, Chor und Orch. (1806).
Ausg.: 3 Lecciones para el oficio de difuntos, Salve Regina u. Popule meus, hrsg. v. J. B. PLAZA u. FR. C. LANGE, Arch. de música colonial venezolana, (Montevideo) 1942–43, H. 2, 5 u. 7.
Lit.: J. B. PLAZA, J. A. L., Caracas 1953; I. PEÑA, J. A. L., ebd. 1965.

+Lambardi [–1) Camillo], –2) Francesco, 1587 – [erg.: 25.] 7. 1642.
Ausg.: d. überlieferten Werke f. Tasteninstr. in: Neapolitan Keyboard Composers circa 1600, hrsg. v. R. J. JACKSON, = Corpus of Early Keyboard Music XXIV, (Rom) 1967.

+Lambert, Constant, 1905–51.
+*Music Ho!* (1934), 3. Aufl. London 1966 und NY 1967, Nachdr. (der Ausg. von 1937) NY 1969.
Lit.: G. E. HANSLER, Stylistic Characteristics and Trends in the Choral Music of Five 20th-Cent. British Composers. A Study of the Choral Works of B. Britten, G. Finzi, C. L., M. Tippett, and W. Walton, Diss. NY Univ. 1957; R. McGRADY, The Music of C. L., ML LI, 1970; CHR. PALMER in: ML LII, 1971, S. 173ff.

+Lambert, Michel, 1610 [nicht: 1613] zu Champigny-sur-Veude (bei Chinon, Indre-et-Loire) [nicht: Vivonne] – 1696.
Lit.: N. BRIDGMAN, M. L. maître de chant, Les cahiers de l'Ouest VII, 1955; L. MAURICE-AMOUR, Benserade, M. L. et Lully, in: Les divertissements de cour au XVIIe s., = Cahiers de l'Ass. internationale des études frç. IX, 1957, Teil 1; E. MILLET, Le musicien M. L. (1610–96) était de Champigny-sur-Veude, in: Les amis du vieux Chinon, Bull. VII, 1968.

+Lambertus, Magister, 13. Jh.
Lit.: G. PIETZSCH, Die Klassifikation d. Musik v. Boetius bis Ugolino v. Orvieto, Halle (Saale) 1929, Nachdr. = Libelli Bd 236, Darmstadt 1968; FR. RECKOW, Der Musiktraktat d. Anon. 4, Teil II, = BzAfMw V, Wiesbaden 1967; DERS., Proprietas u. perfectio, AMl XXXIX, 1967; W. FROBENIUS, Zur Datierung v. Francos »Ars cantus mensurabilis«, AfMw XXVII, 1970.

+Lambillotte, Louis, SJ, 1796 – 27. [nicht: 22.] 2. 1855.

+Lamm, Pawel Alexandrowitsch, 15.(27.) 7. 1882 – 1951 zu Nikolina Gora (bei Moskau) [nicht: zu Moskau].
1939 erhielt L. den Professorentitel und habilitierte sich 1944 als Kunstwissenschaftler.
Lit.: W. A. KISSELJOW in: SM XV, 1951, H. 6.

Lammers, Gerda, * 25. 9. 1915 zu Berlin; deutsche Sängerin (Sopran), studierte an der Musikhochschule ihrer Heimatstadt (Lula Mysz-Gmeiner, Margret Schwedler-Lohmann) und war zunächst als Konzertsängerin tätig. 1955 debütierte sie als eine der Walküren (Ortlinde) bei den Bayreuther Festspielen und wurde im gleichen Jahr an das Staatstheater in Kassel engagiert, dem sie bis 1969 angehörte. 1962 gab sie ihr Debüt an der Metropolitan Opera in New York. Zu ihren Partien gehören Medea (Cherubini), Isolde, Brünnhilde, Marie (*Wozzeck*) und Sängerin (*Cardillac*).

+Lamoninary, Jacques-Philippe, 1707–1802.
L. war 1734–36 und 1757–79 Violinist an der Kirche St-Pierre in Valenciennes (Nord).
Lit.: +L. DE LA LAURENCIE, L'école frç. de v. de Lully à Viotti II (1923), Nachdr. Genf 1971. – B. S. BROOK, La symphonie frç. dans la seconde moitié du XVIIIe s., = Publ. de l'Inst. de musicologie de l'Univ. de Paris III, Paris 1962 (Bd II).

La Montaine (lɑ mɔnt'ein), John, * 17. 3. 1920 zu Oak Park (Ill.); amerikanischer Komponist, studierte Klavier bei Rudolf Ganz am Chicago Musical College, Komposition bei Hanson und Bernhard Rogers an der Eastman School of Music in Rochester/N. Y. (B. M.) sowie bei Nadia Boulanger und B.Wagenaar an der Juilliard School of Music in New York. Er war 1962 Composer-in-Residence an der American Academy in Rom. 1964–65 wirkte er als Visiting Professor an der Eastman School of Music. Er schrieb u. a. die Gossip opera *Spreading the News* op. 27, die Pageant operas *Novellis, Novellis* op. 31 (Washington/D. C. 1961) und *The Shepardes Playe* mit der Fortsetzung *The Magi* (beide ebd. 1967), Orchesterwerke (Symphonie op. 28; *Canons* op. 10a; *Jubilant Overture* op. 20; *From Sea to Shining Sea* op. 30; Sonett *A Summer's Day* op. 32; *Canticles* op. 33; *Colloquy* für Streichorch. op. 21; Konzert für Kl. und Orch. op. 9, 1958; *Ode* für Ob. und Orch. op. 11; *Birds of Paradise* für Kl. und Orch. op. 34), Kammermusik (Streichquartett op. 16; *Recitativo, aria e finale* für Streichquartett op. 16a; Sonate für Vc. und Kl. op. 8; Sonate für Fl. solo op. 24), Klavierwerke (Toccata op. 1; Sonate op. 3; *The Puppets* für 2 Kl. op. 5; Sonate für Kl. 4händig op. 25), Chorwerke (Te Deum für Chor, verschiedene Blechinstr. und Schlagzeug op. 35; Kantaten *Sanctuary* für Bar., Chor und Org. op. 17 und *God of Grace and God of Glory* für Chor und Org. op. 22), *Songs of the Rose of Sharon* op. 6 und *Fragments from the Song of Songs* op. 29 für S. und Orch. sowie Klavierlieder.
Lit.: Werkverz. in: Composers of the Americas IX, Washington (D. C.) 1963.

+Lamote de Grignon [–1) Juan], –2) Ricardo, * 23. 9. 1899 und [erg.:] † 5. 2. 1962 zu Barcelona.

+La Motte, Antoine de (Houdar de La M.), 15. [nicht: 17.] 1. 1672 – 1731.
Lit.: P. DUPONT, Un poète-philosophe ..., H. de la M., Paris 1898; G. DOST, H. de la M. als Tragiker u. dramatischer Theoretiker, Weida (Thüringen) 1909.

Lamotte (lam'ɔt), Franz, * um 1751 in Belgien(?), † 1781 zu Den Haag(?); Violinist und Komponist wahrscheinlich flämischer Abstammung, nach Burney Schüler der Giardini in London, konzertierte 1766 in Wien, wurde dann auf Kosten des Hofes auf Reisen geschickt, war ab 1772 (1770?) 1. Violinist in der Hofkapelle Kaiserin Maria Theresias. L. gehörte zum Bekanntenkreis W. A.Mozarts, der L. sehr schätzte. Er komponierte (z. T. in Paris und London erschienen) u. a. 3 Violinkonzerte sowie Sonaten und Variationen für Violine und Baß (Klavier).
Lit.: O. WESSELY, Artikel Fr. L., MGG VIII, 1960.

+**Lamoureux,** Charles, 1834–99.
Lit.: P. Le Flem in: Musica (Disques) 1961, H. 85, S. 14ff.

+**Lampadarios,** Petros, um 1730 – 1777.
L. unterrichtete ab 1776 als Musiklehrer in der neugegründeten zweiten Musikschule des Patriarchats von
Konstantinopel. – In der Yale University Library
(Conn.) ist ein handschriftliches 'Αναστασιχατάριον
von L. mit kirchenslawischem Text in griechischer
Schrift erhalten, das eine Bearbeitung des »alten« 'Αναστασιχατάριον von Manuel Chrysaphes (um 1458) darstellt und im Zusammenhang mit der Unterstellung
der serbischen Kirche unter das Patriarchat von Konstantinopel wahrscheinlich 1766 für den Metropoliten
Serafim von Bosnien geschrieben wurde.
Lit.: M. M. Velimirović, Grčki muzičar P. Lampadarije
i bosanski Metropolit Serafim (»Der griech. Musiker P. L.
u. d. bosnische Metropolit Serafim«), in: Zvuk 1965, Nr
65; Ders. u. Dm. Stefanović, P. L. and Metropolitan
Serafim of Bosnia, in: Studies in Eastern Chant I, London 1966.

+**Lampe,** Walther, * 28. 4. 1872 zu Leipzig, [erg.:]
† 23. 1. 1964 zu München.
+W. A. Mozart, *Klaviersonaten* (1954), neue verbesserte
Ausg. München 1957 (2 Bde).

Lampersberg, Gerhard, * 5. 7. 1928 zu Hermagor
(Kärnten); österreichischer Komponist, studierte an der
Akademie für Musik und darstellende Kunst in Wien
Theorie und Komposition (A. Uhl), war 1959–66 am
Österreichischen Rundfunk tätig und lebt seither als
freischaffender Komponist. Er schrieb die Opern *Köpfe*
(Text Thomas Bernhard, Maria Saal 1960), *Der Knabe
mit dem Brokat* (3 Fassungen, Hans Carl Artmann, Wien
1965), *Die Rosen der Einöde* (Bernhard, Bln 1967), *Die
Fahrt zur Insel Nantucket* (Artmann, Bln 1967) und
*Strip oder wer unter den menschenfressern erzogen, dem
schmeckt keine zuspeis, es sei denn, sie hat hand und fuß*
(Artmann, Bln 1967), die Ballettoper *Pierrot weint* (Artmann, 1962) und *Die ungleichen Kinder Eve* (H. Sachs,
1968), Ballette (*Stallo*; *Ziffern*; *Xintranovadna*; *Formeln
des Todes*; *Die Sanfte*), eine *Missa* für Sprechstimme,
Klar., Sax., Trp., große Trommel und Kb. (1968), das
Oratorium *Passio aeterna* (1954), Kantaten (*Der verlore-
ne Sohn*; *In hora mortis* für S., B., gem. Chor und Orch.,
Text Bernhard), *Etroits sont les vaisseaux* für Sprecher,
Org. und Streicher, Orchesterwerke (Symphonie,
1961; *Musica luttuosa* für Org. und Orch. in memoriam
A. Orel, 1967; *elegie, intermezzo, fantasie* für Fl., V.,
Cemb. und Streichorch., 1969; 4 Sätze für Orch.;
Senso di spazio, 1971; *Painted plates*, 1971), *ghàdes* für
Ob., Pk., Org., Streicher und Kb. solo, Kammermu-
sik (Concertino für Klar., Trp., Xylophon, Rührtrom-
mel, kleine Trommel und Tamtam; Quartett für Fl.,
Baßklar., Git. und Va, 1956; Musik für Ob. und 13
Instr., 1959; Trio für Klar., V. und kleine Trommel,
1959; *Kammermusik 71*, 1971); 3 Stücke für Git.; fer-
ner Lieder nach Texten von Sappho, Hölderlin, Percy
Bysshe Shelley, Heine, Joyce, Artmann, Bernhard,
Peter Turrini u. a.

+**Lamperti,** Francesco, 1811 [nicht: 1813] – 1892 zu
Cernobbio (Como) [nicht: zu Como].
Sein Sohn Giovanni Battista, 24. 6. 1839 zu Mailand –
18. 3. 1910 zu Berlin [erg. frühere Angaben].
Lit.: +W. E. Brown, Vocal Wisdom. Maxims of G. B. L.
(1931), Neuaufl. NY 1957.

+**Lampugnani,** Giovanni Battista, 1706 – nach
1784 [nicht: 1781].
Lit.: G. Barblan u. A. Della Corte, Mozart in Italia,
Mailand 1956; Kl. Hortschansky, Gluck u. L. in Italien.
Zum Pasticcio »Arsace«, in: Analecta musicologica III,
1966.

Lamuraglia (lamur'aglĭa), Nicolás J., * 19. 2. 1896
zu Buenos Aires; argentinischer Rundfunkredakteur
und Komponist, Schüler von Palma, war Programmleiter am Städtischen (1935–43, 1959–66) und am Staatlichen Rundfunk (1945–46, 1956–64). Er komponierte
Bühnenwerke (*Sombras en el río*, 1939), Orchesterwerke
(*4 impresiones sinfónicas*, 1932; *Nocturno y danza* für Vc.
und Kammerorch., 1955; *Sinfonía dramática*, 1958),
Kammermusik (Streichquartett, 1954; Klaviertrio,
1956; Divertimento für Fl., Ob., Klar. und Fag., 1970),
Klavierstücke (2 Sonatinen, 1936 und 1964; 3 Praeludien, 1951), Stücke für Gesang und Orchester (*Poema
sinfónico* für T. und Orch., 1938) sowie Chöre und Lieder. Neben einer Reihe von Zeitschriftenbeiträgen
schrieb er *A. Palma. Vida, arte, educación* (= Músicos de
América o. Nr, Buenos Aires 1954).

Lamy, Fernand, * 8. 4. 1881 zu Chauvigny (Vienne),
† 18. 9. 1966 zu Paris; französischer Komponist und
Dirigent, studierte ab 1896 an den Konservatorien in
Poitiers, Paris (Louis Bleuzet, Georges Caussade) und
Nancy (Ropartz). Er leitete 1912–13 Chor und Orche-
ster am Théâtre des Champs-Elysées und war 1914–43
Direktor des Konservatoriums in Valenciennes (Nord).
1945–51 war er Inspecteur principal bei der Direktion
von »Arts et lettres«. Seine Kompositionen umfassen
Orchesterwerke (2 Symphonien; *Rustique*, 1947, und
Pastorales variées, 1951, für Ob. und Orch. oder Kl.;
Cantabile et scherzo für Horn und Orch. oder Kl., 1947),
Kammermusik, Vokalwerke (*La barque au crépuscule*,
Gedichte für Gesang und Orch., 1905; *Sur la mort de
Marie*, Sonett für 4 Frauen-St., Ob., Englisch Horn und
Fag., 1924; Motetten *Ave Maria* für 4 Frauen-St.,
Tantum ergo für 4 St. und *Pie Jesu* für 3 und 4 St.; *Quatre
ballades*, Text Paul Fort, 1917–22) und Bühnenmusik.
Er schrieb: *Leçons d'harmonie* (mit G. Ropartz, P. Vidal
u. a., 5 H., Paris 1905–10); *G. Ropartz, l'homme et
l'œuvre* (ebd. 1948).

+**Lamy,** Rudolf, * 15. 10. 1905 zu Sigmaringen,
[erg.:] † 2. 3. 1962 zu München.

Lana, Libero, * 18. 2. 1921 zu Triest; italienischer
Violoncellist, studierte am Conservatorio di Musica
G. Tartini in Triest (Diplom 1938). Er entwickelte eine
ausgedehnte Konzerttätigkeit, teilweise mit dem Trio
di Trieste (Klavier Dario De Rosa, Violine Renato Za-
nettowitsch), das sich internationalen Ruf erwarb und
dem er fast 3 Jahrzehnte angehörte. L. ist Professor für
Violoncello am Conservatorio di Musica G. Tartini in
Triest.

Lanari, Alessandro, * 1790 zu S. Marcello di Iesi,
† 3. 10. 1862 zu Florenz; italienischer Impresario, übernahm in häufigem Wechsel und zu wiederholten Ma-
len die Leitung einiger der bedeutendsten Theater
Italiens, darunter des Teatro Apollo und des Teatro
Argentina in Rom, der Mailänder Scala, des Teatro La
Fenice in Venedig und des Teatro La Pergola in Florenz. Der »Napoleon der Impresari«, dessen besonderes
Interesse der Oper galt, brachte u. a. *I Capuleti e i Montecchi*, *Norma* und *Beatrice di Tenda* von Bellini, *L'elisir
d'amore* von Donizetti, *Attila* und *Macbeth* von Verdi
sowie die italienischen Erstaufführungen von Meyerbeers *Robert le diable* (Florenz 1840) und Webers *Freischütz* (ebd. 1843) heraus.
Lit.: Jarro, Memorie di un impresario fiorentino, Florenz
1892; G. Monaldi, Impresari celebri del s. XIX, Rocca
S. Casciano 1918; U. Morini, La R. Accad. degli Immobili ed il suo teatro »La Pergola« (1649–1925), Pisa 1926;
A. De Angelis, La musica a Roma nel s. XIX, Rom 1935;
A. Cametti, Il Teatro di Tordinona poi di Apollo, Tivoli
1938.

Lancen (lasɛ̃), Serge Jean Mathieu, * 5. 11. 1922 zu Paris; französischer Komponist und Pianist, studierte am Pariser Conservatoire bei Aubin, Busser und N. Gallon. Er erhielt 1949 den Premier Prix de Rome für Komposition. – Werke (Auswahl): Kammeroper *La mauvaise conscience* (Paris 1964); Ballett *Les prix* (Bordeaux 1954); *Manhattan Symphony* (1962); Konzert für Kl. und Orch. (1947); Konzert für Mundharmonika (geschrieben für Larry Adler, 1955); Konzert für Kb. und Orch. (1960); *Concert à six* für 6 Klar. (1962); ferner Unterhaltungsmusik für den Rundfunk.

Lanciani (lantʃ'a:ni), Flavio Carlo, (genannt »romano«); italienischer Komponist und Sänger um 1700, wurde 1702 Sänger an S. Maria in Trastevere in Rom und 1704 dort und an S. Agostino Maestro di cappella. Er schrieb Oratorien (darunter 10 lateinische für die Erzbrüderschaft »del Crocifisso«), Opern (nur Libretti erhalten), Kantaten, Arien und eine *Serenata a 3 v.* mit 2 V. und Trp. 1689–90 stand er im Dienst des Kardinals Pietro Ottoboni. Im Palazzo Apostolico brachte er 1689 die Oratorien *La fede consolata* und *La gioja nel seno d'Abramo* zur Aufführung.
Lit.: A. SCHERING, Gesch. d. Oratoriums, = Kleine Hdb. d. Mg. nach Gattungen III, Lpz. 1911, Nachdr. Hildesheim u. Wiesbaden 1966; A. LIESS, Materialien zur römischen Mg. d. Seicento, AMl 1957; L. F. TAGLIAVINI, Artikel Fl. C. L., MGG VIII, 1960.

Lancien (lãsj'ɛ̃), Noël Daniel, * 24. 12. 1934 zu Paris; französischer Komponist und Dirigent, studierte ab 1948 am Pariser Conservatoire und erhielt 1958 den Premier Grand Prix de Rome in Komposition. Er lebte dann 1959–62 an der Académie de France in Rom, Villa Medici. 1964–70 war er Direktor des Conservatoire National de Région de Toulouse und wurde 1970 Direktor des Conservatoire National de Région de Nancy und Leiter des Orchestre Symphonique de Nancy. Er schrieb: *Chantefleurs et chantefables* für Chor a cappella (Text R. Desnos, 1957); *Une mort de Don Quichotte*, Oper in einem Akt (Libretto Randal-Lemoine, Paris 1958); Variationen für Vc. und Kl. (1960); Konzert für Trp. und Streichorch. (1961); *Vocalises pour trp. et ponctuation de piano* (1968).

Landa Calvet, Fabio, * 23. 3. 1924 zu Playa de Carahata (Stadtkreis von Quemada de Güines, Las Villas); kubanischer Komponist und Violoncellist, studierte 1943–50 Violoncello am Conservatorio Municipal de Música in La Habana bei Ernesto Xancó und A. Odnoposoff; in Komposition ist er Autodidakt. Er war 1961–68 Professor für Violoncello am Conservatorio Alejandro García Caturla, außerdem 1962–68 Dirigent am Teatro Lírico Nacional in La Habana und wurde 1969 Assessor des Konzertorchesters der Provinz Pinar del Río. Daneben ist er weiterhin als Violoncellopädagoge tätig. L. C. komponierte eine *Pequeña suite cubana* (homenaje a M. Ravel, 1950), Andante (1958) und *Tema y fugado* (1958) für Streichorch., *3 piezas cubanas* für Fl., Ob., Klar., Fag. und Horn (1960), Klavier- und Gitarrenstücke sowie Filmmusiken (*El tesoro de Isla de Pinos*, 1956; *Operación preludio*, 1962; *La ausencia*, 1968).

Landaeta, Juan José, * um 1780 zu Caracas, † 1814 (hingerichtet); venezolanischer Komponist der Kolonialperiode, wirkte in den ersten Jahren des 19. Jh. an verschiedenen Kirchen seiner Heimatstadt und war 1808 musikalischer Leiter der ersten französischen Operntruppe, die in Caracas spielte. Er unterstützte die sich gegen die spanische Herrschaft stemmenden venezolanischen Patrioten; sein Lied *Gloria al bravo pueblo* (Text Vicente Salias, um 1810) gewann dermaßen an

Popularität, daß es 1881 zur Nationalhymne Venezuelas erklärt wurde.
Ausg.: Pésame a la virgen, hrsg. v. J. B. PLAZA u. FR. C. LANGE, = Arch. de música colonial venezolana I, Montevideo 1942; Salve regina (1800), hrsg. v. DENS., ebd. XI, 1943.

Landau, Siegfried, * 4. 9. 1921 zu Berlin; amerikanischer Dirigent deutscher Herkunft, studierte in Berlin am Stern'schen Konservatorium und am Klindworth-Scharwenka-Konservatorium. Er emigrierte 1939 nach England, setzte seine Studien am Trinity College of Music in London fort und ging 1940 in die USA, wo er sein Dirigierstudium bei Monteux vervollkommnete. 1955 organisierte er das Brooklyn Philharmonic Orchestra, dessen Leitung er übernahm. L. komponierte Opern (*The Sons of Aaron*, Scarsdale/N. J. 1959), Ballette (*The Golem*, 1946; *The Dybbuk*), Orchesterwerke (*Longing for Jerusalem* für S. und Orch.) und Kammermusik (*Chassidic Suite* für Va und Kl., 1941).

Lander, Harald, * 25. 2. 1905 und † 14. 9. 1971 zu Kopenhagen; französischer Tänzer, Choreograph, Ballettmeister und Pädagoge dänischer Herkunft, studierte an der Schule des Königlich Dänischen Balletts, dessen Mitglied er 1923 wurde, sowie in den USA, wo er auch verschiedene Tourneen unternahm. 1929 kehrte er nach Kopenhagen zurück und war 1932–51 Chef des Königlich Dänischen Balletts. Danach war er in Paris in verschiedenen Positionen an der Opéra und ihrer Schule tätig und eröffnete auch ein eigenes Studio. Sein Ballett *Etude* (Musik von Riisager nach Czerny, Kopenhagen 1948) hat ihn allgemein bekannt gemacht. Außer verschiedenen bedeutenden Bournonville-Rekonstruktionen gehören zu seinen bekanntesten Choreographien Riisagers *Qarrtsiluni* (Kopenhagen 1942) und der Les fleurs-Akt von J.-Ph. Rameaus *Les Indes galantes* (Paris 1952).

Landgrebe, Karl, * 28. 5. 1889 zu Hoof (bei Kassel); deutscher Organist, Chordirigent und Musikpädagoge, studierte am Institut für Kirchen- und Schulmusik in Berlin-Charlottenburg (Thiel, Kretzschmar) und begann 1921 seine Laufbahn als Schulmusiker in Potsdam, wo er die Einrichtung der ersten Potsdamer Jugendmusikschule veranlaßte. Ab 1923 dirigierte er den 1814 gegründeten Gesangverein für klassische Musik, der sich 1935 mit dem Bachverein zusammenschloß. Mit diesem Chor gab er zahlreiche Konzerte. An der Akademie für Kirchen- und Schulmusik in Berlin-Charlottenburg (später Hochschule für Musikerziehung) leitete er das Seminar für Musikerziehung (1935 Professor). 1940 gründete er die »Potsdamer Musiktage«. Er gab 1957 seine Tätigkeit aus gesundheitlichen Gründen auf.

+Landi, Stefano, um 1590 – [erg.:] 28. 10. 1639 [nicht: um 1655].
Ausg. u. Lit.: S. A. CARFAGNO, The Life and Dramatic Music of St. L., 2 Bde (I Text, II Partitur: Übertragung u. Orchestrierung v. »Il Sant'Alessio«), Diss. Univ. of Calif. at Los Angeles 1960; J. O. DeLAGE JR., The Overture in 17th-Cent. Ital. Opera, Diss. Florida State Univ. 1961 (darin Ausg. v. L.s »Sinfonia per introduttione del prologo« aus »Il Sant'Alessio«); »Vive Alessio« aus »Il Sant'Alessio«, in: K. G. FELLERER, Die Monodie, = Das Musikwerk XXXI, Köln 1968, auch engl.

+Landini, Francesco (Landino), [erg.:] um 1335(?) – 1397.
L. wird in den Kirchenrechnungen von S. Lorenzo in Florenz vom 12. 8. 1369 bis 30. 4. 1396 als Organist geführt (D'Accone, 1966). Das Gedicht zu Ehren Ockhams ist wahrscheinlich nicht vor 1381 entstanden. L.

wurde wohl 1361 in Venedig zum Poeta laureatus ge-krönt. – Vermutlich stammen die beiden bisher als anonym geltenden Ballate in *Pit* (→ Quellen) von L. (Günther, 1966), möglicherweise auch die 3 Motetten-fragmente der Hs. Egidi in Rom (v. Fischer, 1964).
Ausg.: The Works of Fr. L. ([+]L. Ellinwood, 1939), Nachdr. NY 1970. – ein Virelai in: French Secular Compositions of the 14th Cent., Ascribed Compositions, hrsg. v. W. Apel, = CMM LIII, 1, (Rom) 1970.
Lit.: V. L. Hagopian, Ital. Ars nova Music. A Bibliogr. Guide to Modern Ed. and Related Lit., = Univ. of California Publ. in Music VII, Berkeley (Calif.) 1964. – [+]J. Wolf, Gesch. d. Mensural-Notation (1904), Nachdr. Hildesheim u. Wiesbaden 1965 (3 Bde in 1); [+]G. Reese, Music in the Middle Ages (1940), ital. Florenz 1964. – H. Nolthenius, Renaissance in Mei. Florentijns leven rond Fr. Landino, Utrecht 1956; B. Becherini, A. Squarcialupi e il cod. Mediceo Palatino 87, in: L'Ars nova ital. del Trecento, Kgr.-Ber. Certaldo 1959; K. v. Fischer, Les compositions à trois v. chez les compositeurs du Trecento, ebd., erweitert als: On the Technique, Origin, and Evolution of Italo Trecento Music, MQ XLVII, 1961; ders., Neue Quellen zur Musik d. 13., 14. u. 15. Jh., AMl XXXVI, 1964; ders., Ein Versuch zur Chronologie v. L.s Werken, MD XX, 1966; M. Schneider, Das gestalttypologische Verfahren in d. Melodik d. Fr. Landino, AMl XXXV, 1963; Th. Göllner, L.s »Questa fanciulla« bei O. v. Wolkenstein, Mf XVII, 1964; Fr. D'Accone in: MD XX, 1966, S. 152, Anm. 4; U. Günther, Die »anon.« Kompositionen d. Ms. Paris, B. N., f. it. 568 (»Pit«), AfMw XXIII, 1966; C. Schachter, L.'s Treatment of Consonance and Dissonance, in: The Music Forum II, 1970.

[+]Landmann, Arno, * 23. 10. 1887 zu Blankenhain (Thüringen), [erg.:] † 10. 5. 1966 zu Schriesheim (bei Heidelberg).

[+]Landolfi, Carlo Ferdinando, [erg.:] um 1714 – 1788 zu Mailand.
L. hat bis zu seinem Tode [nicht: bis um 1760] in Mailand gewirkt.

[+]Landon, Howard Chandler Robbins, * 6. 3. 1926 zu Boston (Mass.).
L., der seit 1960 in Italien lebt (Buggiano Castello, Pistoia), wurde 1969 Ehrendoktor (D. mus.) der Boston University. – Die [+]*Haydn-Ikonographie* (1959) ist nicht erschienen; die mit dem [falschen] Titel [+]*J. Haydn. The Letters* ... angegebene Veröffentlichung (1959) ist identisch mit der Edition von [+]*The Collected Correspondence and London Notebooks of J. Haydn* (London und Fairlawn/N. J. 1959). – Neuere Publikationen: [+]*The Symphonies of J. Haydn* (1955, auch NY 1956, [+]*Addenda and Corrigenda* in: MR XIX, 1958 – [erg.:] XX, 1959), dazu ein separates *Supplement*, London und NY 1961; *Haydn Symphonies* (= BBC Music Guides II, London 1966, Seattle/Wash. 1969); *Das kleine Haydnbuch* (Salzburg 1967); *Beethoven. A Documentary Study* (London und NY 1970, deutsch als *Beethoven. Sein Leben und seine Welt in zeitgenössischen Bildern und Texten,* Wien 1970); *Essays on the Viennese Classical Style. Gluck, Haydn, Mozart, Beethoven* (London und NY 1970, Wiederabdruck verstreuter Miszellen); *Haydn* (mit H. Raynor, = The Great Composers o. Nr, London 1972); *Beiträge zur Haydn-Forschung* (u. a. in dem von ihm mitredigierten »Das Haydn-Jb.« und in ÖMZ). – Die von ihm und D. Mitchell betreute Sammelschrift [+]*The Mozart Companion* (1956) liegt in einer korrigierten NA vor (London 1965, Paperbackausg. NY 1969); er edierte ferner (mit R. E. Chapman) die Fs. K. Geiringer (*Studies in Eighteenth-Cent. Music,* London 1970). Aus seiner umfangreichen Herausgebertätigkeit vor allem von Werken J. → [+]Haydns (S. 501f.) sei als neuere Ausgabe die in der Reihe »Diletto musicale« erscheinende GA der Klaviertrios genannt (Wien 1970ff.).

[+]Landowska, Wanda [erg.:] Alexandra, 1879–1959.
Gesammelte Schriften erschienen als *L. on Music* (hrsg. von D. Restout mit R. Hawkins, NY 1964, London 1965).
Lit.: A. van Os in: Mens en melodie XIV, 1959, S. 37ff.; G. Althoff-Loubère, Jeugdherinneringen aan W. L., ebd.; K. Pośpiech in: Ruch muzyczny XIII, 1969, Nr 14, S. 6f.; M. Zijlstra in: Mens en melodie XXIV, 1969, S. 336ff.; P. Aldrich, W. L.'s »Musique ancienne«, in: Notes XXVII, 1970/71.

[+]Landowski, Marcel, * 18. 2. 1915 zu Pont-l'Abbé (Finistère).
L. war 1959–64 Direktor des Konservatoriums in Boulogne-sur-Seine, 1962–65 Musikdirektor der Comédie-Française, wurde 1965 Inspecteur général de l'Enseignement musical und 1966 Directeur de la musique beim Ministerium für kulturelle Angelegenheiten. – Weitere Werke: »Légende lyrique et chorégraphique« [erg.: *Le rire de*] [+]*Nils Halérius* (1944–48, daraus die Ballettsuite *Les jeux du monde*); 3 *Histoires de la prairie* für Orch. (1950); 5 *Chants d'innocence* für Frauenchor a cappella (1952); Fagottkonzert (1957, als Ballett Paris 1968); Drame lyrique *Les adieux* (einaktig, ebd. 1960); symphonische Dichtung *L'orage* (nach dem Bild von Giorgione, 1960); *Chant de solitude* für 4 Frauen-St. und Orch. (1960); *Notes de nuit* für Kinder-Sprech-St. und Kammerorch. (1961, als Ballett Nancy 1970); Drame lyrique *L'opéra de poussière* (1958–62, Avignon 1962); 2. Klavierkonzert (1963); 4 Préludes für Schlagzeug und Kl. (1963); 2. und 3. Symphonie (1963; *Des espaces,* 1964); 6. Kantate *Aux mendiants du ciel* für S. (ohne Text, nur auf dem Ton a) und Orch. (1966); Konzert für Fl. und Kammerorch. (1968). – Er schrieb: *L'orchestre* (mit L. Aubert, = Que sais-je? Bd 495, Paris 1951]; *Honegger* (= Solfèges VII, ebd. 1957); *L. Aubert musicien français* (mit G. Morançon, ebd. 1967).
Lit.: Biogr. in: Le courrier mus. de France 1965, Nr 9. – H. de Carsalade du Pont, La crise de l'opéra. Menotti, L., in: Etudes XC, 1957; Cl. Chuteau, Entretien avec M. L., Journal mus. frç. 1967, Nr 157; A. Goléa, M. L., = Musiciens de tous les temps XLI, Paris 1969 (mit Werkverz.).

[+]Landré, –1) Willem, 1874–1948.
–2) Guillaume [erg.:] Louis Frédéric, * 24. 2. 1905 zu Den Haag, [erg.:] † 6. 11. 1968 zu Amsterdam.
G. L. war Generalsekretär des Raad voor de kunst (bis 1958) sowie Präsident der niederländischen Urheberrechtsgesellschaft BUMA, der niederländischen Tonkünstlervereinigung und der niederländischen Sektion der IGNM. Weitere Werke: die Opern [+]*De snoek* (»Der Hecht«, einaktig, Amsterdam 1938), *Jean Lévecq* (nach Maupassants *Le retour,* einaktig, Holland Festival ebd. 1965) und *La symphonie pastorale* (Cl. Rostand nach Gide, 1965–67, Rouen 1968); *Caleidoscopio* (1956), *Per mutationi sinfoniche* (1957), *Anagrammen* (1960) und *Variazioni senza tema* (1967) für Orch.; Sextett für Fl., Klar., 2 V., Va und Vc. (1959, danach eine *Sonata per orch. da camera,* 1961), 2. Bläserquintett (1960), 2. ([+]1943, Neufassung 1959) und 4. Streichquartett (1965), *Quartetto piccolo* für 2 Trp., Horn und Pos. (1962); *Egidius* für Frauenchor a cappella (1968).
Lit.: zu –1): P. Niessing in: Mens en melodie XIII, 1958, S. 34ff. – zu –2): J. Wouters in: Sonorum speculum 1961, Nr 8, S. 10ff. (zu d. »Permutationi«); ders., ebd. 1963, Nr 15, S. 1ff.; ders., ebd. 1964, Nr 20, S. 34ff. (zur 3. Symphonie); Cl. Rostand, ebd. 1968, Nr 34, S. 1ff., u. W. Paap in: Mens en melodie XXIII, 1968, S. 45ff. (zur »Symphonie pastorale«); W. Paap, ebd. XXIV, 1969, S. 3ff., gekürzt in: Sonorum speculum 1968/69, Nr 37, S. 1ff.; M. Flothuis, ebd. 1969, Nr 40, S. 20ff. (zum 4. Streichquartett).

phonieorchester leitete und Primarius eines nach ihm benannten Streichquartetts war.

+Lange, Kurt, * 18. 5. 1881 zu Lübben (Spreewald), [erg.:] † 29. 9. 1958 zu Berlin.

Lange, Mathieu, * 28. 1. 1905 zu Düren (Rheinland); deutscher Dirigent, studierte ab 1923 in Köln, wurde dort Korrepetitor, dann Chordirigent und Dirigent in Münster in Westfalen und 1936 Städtischer Musikdirektor in Göttingen. Dann war er GMD an den Opernhäusern in Hannover und Darmstadt und ab 1945 Kapellmeister an der Komischen Oper Berlin. 1950–73 war L. Direktor der Sing-Akademie in Berlin.
Lit.: E. KROLL, Die Sing-Akad. unter M. L., in: Sing-Akad. zu Bln, hrsg. v. W. Bollert, Bln 1966.

+Lange-Müller, Peter Erasmus, 1850 – 26. [nicht: 25.] 2. 1926.

Langen, Fred (Pseudonym für Fritz Ihlau), * 28. 8. 1909 zu Hannover; deutscher Komponist von Unterhaltungsmusik, studierte 1930–35 an den Universitäten in Marburg und München Musik-, Theater- und Zeitungswissenschaft und promovierte 1935 in München mit der Arbeit *Die Entwicklung der Musikberichterstattung in den Münchener »Neuesten Nachrichten« als Spiegelbild des Münchener Musiklebens von der Gründung der »Neuesten Nachrichten« bis zum Jahre 1860.* Er absolvierte dann eine Ausbildung als Tonmeister, war 1935 am Rundfunksender Hannover und 1936 bis Kriegsende bei Radio Königsberg tätig. 1950 wurde er 1. Tonmeister und Hauptprogrammgestalter am WDR Köln. Unter seinem eigentlichen Namen komponierte er E-Musik (Serenade für Fl., Ob. und Streichorch.; *Canzonetta* für V. und Orch.; *Zwei Mecklenburgische Tänze, Zigeuner-Rhapsodie* und *Musikanten-Suite* für Orch.; über 80 Lieder mit Klavier- bzw. Orchesterbegleitung; Kirchenmusik) sowie gehobene Unterhaltungsmusik, ferner die Operette *Das Zauberschloß* und das Ballett *Frühlingstraum.* Unter dem Pseudonym Fr. L. ist er mit rhythmischer moderner U-Musik hervorgetreten (*My Fair Melody*; *Tango amoroso*; *Mister Pinguin*; *Fox for Dancing*; *Pago-Pago*; *Romantic Love*; *Barock 72*; *Sangrilla*).

+Langer, Ferdinand, 1839 – 5. [nicht: 25.] 8. 1905 zu Kirneck (Villingen, Schwarzwald).

+Langert, Johann August Adolf, 1836 – 27. [nicht: 28.] 12. 1920.

+Langgaard, Rued Immanuel, 1893–1952.
Lit.: J. BRINCKER, L.s sjette symfoni, DMT XLIII, 1968; G. COLDING-JØRGENSEN, Den unge R. L. og C. Nielsen, ebd.; BO WALLNER, Om R. L. og »Sfaerernes musik«, ebd., schwedisch in: Konsertnytt IV, 1968/69, H. 1, S. 10ff.

Ernst Langhammer & Sohn OHG, Erste Hessische Spezial-Metallblas-Instrumentenfabrik in Industriehof bei Frankenberg an der Eder, gegründet 1869 von J.E. Langhammer (mit Sitz bis 1945) in Graslitz (Sudetenland). Die Firma wird gegenwärtig geleitet von Ernst L.

+Langlais, Jean, * 15. 2. 1907 zu La Fontenelle (Ille-et-Vilaine).
L., der [erg.: seit 1931] an der Institution nationale des jeunes aveugles unterrichtet, ist auch Professor an der Schola cantorum in Paris. Er unternahm zahlreiche Konzertreisen, darunter 13 in die USA. 1968 wurde er zum Offizier der Ehrenlegion ernannt. – Neuere Werke: 2. Konzert für Org. und Streichorch. (1962); Dixtuor *Elégie* (1965), *Cortège* für 2 Org., 8 Blechbläser und Pauke (1969), *Sonnerie* (Intrada) für 6 Blechbläser (1961), *Carillons* für Glocken (1967); 8 *Pièces modales* (1956), *Organ Book* (1956), *Triptyque* (1957), *Deo gratias*

(1958), *Miniature* (1959), *American Suite* (1959), *Rhapsodie savoyarde* (1960), 3 *Méditations sur la Ste Trinité* (1962), 12 kleine Stücke (1962), *Essai* (1962), *Homage to Rameau* (1963), *Poem of Life* (1965), *Poem of Peace* (1966), *Poem of Happiness* (1966), *Sonate en trio* (1967), *Livre œcuménique* (1968), *Prélude dans le style ancien* (1968), *Adoration* (1968) und 3 Voluntaries (1969) für Org.; *La Passion* für 8 Soli, Chor und Orch. (1957), *Mystère du Xrist* für Soli, Chor und Orch. (1957); 11 Messen (u. a. *Dona nobis pacem* unisono, englischer Text, 1962; *God Have Mercy*, 1964, und *On Earth Peace*, 1965, für Singst. und Org.; *Dieu prends pitié* für eine oder 4 St., 1965; Missa solemnis *Orbis factor* für gemischte St., Gemeindegesang, Org. und Blechbläser ad lib., 1968), 3 *Psaume solennel* für 2 Chöre, Org. und Blechbläser (1962, 1963, 1964), *Lauda Jerusalem* für 2 Chöre und Org. (1955), Psalm 150 für 3 Männer-St. und Org. (1958), *The Canticle of the Sun* für 3 gleiche St. und Org. (oder Streichorch. und Kl., 1965), Psalm 120 für 4 gleiche St. und Org. (1968), *Alleluia-Symphony* für gemischte St. und Org. (1969), 12 *Cantiques bibliques* für Singst. und Org. (1962), *Motet pour un temps de pénitence* a cappella (1960); Funkmusiken.
Lit.: S. BINGHAM, The Choral Masses of J. L., in: Caecilia LXXXVI, 1959; P. DENIS in: L'orgue 1961, Nr 100, S. 180ff. (zum Orgelwerk); P. GIRAUD, Le thème grégorien dans les œuvres pour orgue de J. L., ebd. 1967, Nr 122–123; R. S. LORD, Org. Music of J. L., Comments on Performance Style, in: American Organist LI, 1968.

Langley (l'æŋli), James, * 22. 9. 1927 zu Birmingham; englischer Komponist, studierte an der Birmingham School of Music, ist Producer beim BBC Manchester Network Production Centre. 1959–65 dirigierte er das Calliard Orchestra und ist seit 1967 Dirigent des Birmingham Brass Consort. Er schrieb u. a. eine Sinfonietta für Orch., *Overture and Beginners* für Orch. und Blechmusik, ein Konzert und eine Berceuse für Streichorch., eine Sinfonia für 10 Bläser, eine Suite für Posaunen, ein Quartett für Hörner, *Sonata elegiaca* für 4 Hörner, ein Scherzo für Kornette, ein Streichquartett, eine Sonate für 4 Vc., *Green Belt Suite* für Fl., Ob. und Klar., *Invocation and Dance* für Fl., Ob. und Kl., *Chansonette* für Ob. und Kl., *Fantasia on Christmas Carols* für Chor und Blechbläser sowie Chormusik.

Langner, Thomas-Martin, * 2. 11. 1920 zu Berlin; deutscher Musikforscher, studierte in Berlin an der Friedrich-Wilhelms-Universität und später an der Freien Universität, an der er 1952 mit der Arbeit *Studien zur Dynamik M. Regers* promovierte. 1946 wurde er Musikreferent am Sender RIAS Berlin und 1953 Leiter der Abteilung Ernste Musik und stellvertretender Hauptabteilungsleiter; 1963–65 war er Hauptabteilungsleiter Musik am NDR Hamburg und 1967–71 Chefdramaturg an der Deutschen Oper Berlin. 1958 wurde er Lehrbeauftragter an der Technischen Universität Berlin. Er ist Herausgeber der Programme des Berliner Philharmonischen Orchesters. L. schrieb: *Ausdrucks- und darstellungsbetonte Werkbilder* (in: Musikerkenntnis und Musikerziehung, Fs. H. Mersmann, Kassel 1957); *Rundfunk und Hausmusik, Gegensatz oder Ergänzung?* (= Musikalische Zeitfragen III, ebd. 1958).

+Langstroth, Ivan Shed, * 16. 10. 1887 zu Alameda (Calif.), [erg.:] † 18. 4. 1971 zu New York.
An neueren Werken sind zu nennen ein Klavierkonzert sowie (nach 1968) eine Sonate und eine Suite für Va und Kl., 10 Stücke für Kl. sowie Lieder für S. und Kl.

+Laniere, Nicholas (Laneare, Lanyere), 1588 – [erg.: 24.] 2. 1666 [erg.:] zu Greenwich.

Ausg.: Lieder in: Twenty Songs from Printed Sources, hrsg. v. D. GREER, = The Engl. Lute-Songs II, 21, London 1969; 11 Lieder in: Engl. Songs, 1625–60, hrsg. v. I. SPINK, = Mus. Brit. XXXIII, ebd. 1971. Lit.: A. J. SABOL, A Score f. »Lovers Made Men«. A Masque by B. Jonson, the Music Adapted and Arranged f. Dramatic Performance from Compositions by N. L., A. Ferrabosco and Their Contemporaries, Providence (R. I.) 1963; V. DUCKLES, Engl. Songs and the Challenge of Ital. Monody, in: ders. u. Fr. Zimmerman, Words to Music. Papers on Engl. 17th-Cent. Song, Los Angeles 1967.

+Lanner, Joseph Franz Karl, 1801–43.
Sein Sohn August Joseph, * 1834 und † 1855 [erg.:] zu Wien.
Lit.: PH. T. BARFORD, The Early Dances of J. L., MR XXI, 1960; DERS., ebd. S. 179ff.

+Lannoy, Heinrich Eduard Josef, Freiherr von, 1787–1853.
Ausg.: Grand Trio f. Kl., Klar. u. Vc., hrsg. v. W. SUPPAN, London 1970.
Lit.: W. SUPPAN, Die Musiksammlung d. Freiherrn v. L., FAM XII, 1965.

Lantier (lãtj'e), Pierre, * 30. 4. 1910 zu Marseille; französischer Komponist, studierte am Conservatoire de Musique de Marseille, am Pariser Conservatoire und am Institut de France. Er war 1943–56 Professor für harmonische Analyse und Formenlehre an der Ecole Normale de Musique de Paris und wurde 1957 Professor für Solfège sowie 1970 für Harmonielehre am Pariser Conservatoire. Seine Kompositionen umfassen u. a. das Pièce lyrique *Princesse Aurore*, das Ballett *Les deux syrinx*, Orchesterwerke (Symphonie H moll; Symphonische Dichtung *Le sorcier*), ein Klavierkonzert, ein Trompetenkonzert in 3 Teilen, Kammermusik (2 Streichquartette; 3 Stücke für Flötenquartett; Posaunenquartett; *Euskaldunak*, Sonate für Altsax. und Kl.) und Vokalmusik (Requiem für Soli, Chor und Orch.). Seine Frau Paule Maurice-L. (* 29. 9. 1910 und † 18. 8. 1967 zu Paris), Schülerin von J. und N. Gallon und Busser, lehrte ab 1942 am Pariser Conservatoire und war Professor für harmonische Analyse an der Ecole Normale de Musique de Paris. Sie trat als Komponistin u. a. mit einer Symphonie, 2 Klavierkonzerten sowie Kammer-, Klavier- und Vokalmusik hervor. P. L. und P. Maurice-L. veröffentlichten den *Traité d'harmonie »Complément du traité d'harmonie« de Reber* (Paris 1950).

+Lantins, Arnoldus und Hugo de (Lantinis, Lantius), 15. Jh.
Lit.: PH. GOSSETT, Techniques of Unification in Early Cyclic Masses and Mass Pairs, JAMS XIX, 1966.

Lanza (l'anθa), Alcides, * 2. 6. 1929 zu Rosario (Provinz Santa Fé); argentinischer Pianist, Dirigent und Komponist, studierte in Buenos Aires bei Ruwin Ehrlich (Klavier), bei Bautista und Ginastera (Komposition) sowie bei Robert Kinsky (Dirigieren) und vervollständigte seine Studien am Centro Latinoamericano de Altos Estudios Musicales bei Messiaen, R. Malipiero, Yvonne Loriod, Copland, Maderna und Ussachevsky. Er wirkte 1959–65 am Teatro Colón in Buenos Aires und bildete mit Armando Krieger das Klavierduo Krieger–L. Als Pianist und Dirigent widmet er sich vor allem zeitgenössischer Musik. Ab 1965 lehrte er u. a. am Electronic Music Center der Columbia University in New York. L. wurde 1971 Professor für Elektronische Musik an der McGill University in Montreal. Er ist Gründer und Mitglied der Composer's Group for International Performance sowie des New Sound Ensemble. L. schrieb u. a.: *Eidesis sinfónica* (1963), *Hip'nos I* (1969) und *Sensors I* (1970) für Orch.;

Transformaciones für Bläser, Streicher und Schlagzeug (1960); Klavierkonzert (1964). – Kammermusik: *Eidesis II* für 13 Instr. (1967); *Desplazamientos* für Fl., Trp., V., Kb. und Klar. (1959); Kammerkonzert für Klar., Baßklar., V., Vc., Schlagzeug und Kl. (1960); Streichquartett Nr 1 (1961), Nr 3 (1963) und Nr 5 (1967); Quartett Nr 2 für Fl., Klar., Fag. und Kl. oder Vibraphon (1962) und Nr 4 für 4 Hörner (1964); *Variantes* für Fl. solo (1963); *Acufenos* für Pos. und 4 Instr. (Fl., Klar., Schlagzeug und Kl., 1966). – Klavierwerke: *Tríptico* (1960); Invention (1963); Sonate für 2 Kl. (1958); *Plectros I* für 2 Spieler oder 2 Kl. (1962) und *II* für Kl. und elektronische Klänge (1966). – Vokalwerke: *La ahogada del cielo* für gem. Chor (1958); 3 Gesänge für S. und Kammerensemble (1963); *Let's Stop the Chorus* für irgendeine Gruppe von Personen, die nicht notwendigerweise Sänger zu sein brauchen, ohne Dirigenten (1963). – Elektronische Musik: *Exercise I* (1965); *Interferencias I* mit 2 Bläsergruppen (1966) und *II* mit Schlagzeugensemble (1967); *Strobo I* für Kb., verschiedene Schlagzeuginstr., Beleuchtung und Publikum (1967) und *II* für 3 Kontaktmikrophone, Schlagzeug und Beleuchtung (1968); *Ekphonesis II* mit St. und Kl. (1968), *III* mit Blas-, Streich- und Tasteninstrumenten (1969) und *IV* mit Dirigent und Orch. (1969); *Penetraciones I* (1968), *II* (1969), *III* (1969) und *IV* (1970); *Kron'ikelz 70* mit 2 Sprechern, Chor und Orch. (1970).
Lit.: Werkverz. in: Compositores de América XVII, Washington (D. C.) 1971.

+Lanza, Mario (Alfredo [del.: Arnold] Cocozza), 1921–59.
Lit.: K. KALLINIKOS (mit R. Robinson), The M. L. Story, NY 1960; H. M. HAUSNER, M. L., Tragödie einer St., München 1962; M. BERNARD, M. L., NY 1971; M. BURROWS, M. L., and M. Steiner, St. Austell (Cornwall) 1971.

+Laparra, Raoul [erg.:] Louis Félix Émile Marie, 1876 – 1943 zu Suresnes (Hauts-de-Seine) [nicht: Paris].

Lapeiretta, Ninón de Brouwer, * 4. 1. 1907 zu Santo Domingo; dominikanische Pianistin und Komponistin, studierte in ihrer Heimatstadt bei Blanca Mieses und Manuel Polanco (Klavier) sowie ab 1940 bei Enrique Casal Chapí (Komposition). Sie gründete 1953 die Sociedad Pro Arte, deren Präsidentin sie seitdem ist, und die Sociedad Dominicana de Conciertos Intarin. Ihre Kompositionen umfassen Orchesterwerke (2 Capriccios für Blasorch., 1941; *Preludio pastoral* für Kammerorch., 1950; *Suite de danzas*, 1963), Kammermusik (*Suite arcaica* für Streichquartett, 1944), Klavierwerke (Inventionen und Fugen; Sonate), *Abominación de la espera*, Rezitativ und Arie für S. und Orch. (1943) und Ballettmusik (*La reina del Caribe*, 1950).
Lit.: M. VALLDEPERES, La música en la República Dominicana, Bol. interamericana de música 1970, Nr 77.

+Lapicida, Erasmus, [erg.:] zwischen 1445 und 1450 – 19. 11. 1547 zu Wien.
Ausg.: Motette »Veni, electa mea«, in: G. Rhau, Musikdrucke aus d. Jahren 1538 bis 1545, Bd III, hrsg. v. H. ALBRECHT, Kassel 1959; Renaissance Lieder. Th. Stolzer, H. Finck, E. v. E. GAMBLE, = The Penn State Music Series IV, Univ. Park (Pa.) 1964; = eine Lamentation in: Mehrstimmige Lamentationen aus d. ersten Hälfte d. 16. Jh., hrsg. v. G. MASSENKEIL, = MMD VI, Mainz 1965; ein Satz in: The Medici Cod. of 1518, hrsg. v. E. LOWINSKY, 3 Bde, = Monuments of Renaissance Music III–V, Chicago 1968.
Lit.: +A. W. AMBROS, Gesch. d. Musik (III, 1868), Nachdr. Hildesheim 1968; +H. J. MOSER, P. Hofhaimer (1929), ebd. 21966.

Lapįnskas, Darius, * 9. 3. 1934 zu Kaunas (Litauen); amerikanischer Komponist, Dirigent und Musikpädagoge litauischer Herkunft, studierte 1953–57 am New England Conservatory of Music in Boston (Mass.), an der Wiener Musikakademie sowie an der Staatlichen Hochschule für Musik in Stuttgart (H. Reutter) und war dann als Kapellmeister u. a. am Landestheater in Tübingen tätig. Seit 1966 lebt er als freischaffender Komponist in Chicago und tritt als Gastdirigent auf. 1968 unternahm er eine Südamerika-Tournee. L. komponierte die Opern *Lokys* (nach Prosper Mérimée, Chicago 1966), *Maras* (ebd. 1967) und *Amadar* (1972), Orchesterwerke (Concerto grosso für Va und Orch., 1957; Konzert für Kl., Streicher und Schlagzeug, 1965), Kammermusik (*Aro*, Zitate aus Rilkes *Duineser Elegien* für Bläserquintett, 1972; Trio für Ob., Vc. und Kl., 1955), Vokalwerke (*Fünf Chinesische Gesänge* für T. und Kammerorch., Text Li Tai-pe/Klabund, 1961; *Haiku* für S. und Kl., 1961; litauischer Volksliederzyklus *Mergaitės Dalia* für Mezzo-S. und Orch., 1964; Konzertarie *Les sept solitudes* für Mezzo-S. und Orch., 1965; *Ainiu dainos*, 5 Lieder nach litauischen Volksweisen für Mezzo-S., Fl., Schlagzeug und Kl., 1969; *Laima oder »Der Künstler und sein Modell«* nach Braque für Gesang und Orch., 1972).

Laporte (lap'ɔrt), André, * 12. 7. 1931 zu Oplinter (Brabant); belgischer Komponist, studierte am Institut Lemmens in Mecheln (Orgel, Improvisation, Kontrapunkt) und an der Université Catholique de Louvain (Musikwissenschaft, Philosophie) sowie ab 1960 bei den Darmstädter Ferienkursen für Neue Musik (Boulez, Stockhausen, Berio, Ligeti) und 1964–65 bei den Kölner Kursen für Neue Musik (Stockhausen, M. Gielen). Er ist seit 1963 Produzent für »Musique ancienne« und »Musique nouvelle« bei den Emissions Néerlandaises der Radio-Télévision Belge. Daneben leitet er ein Seminar für »Neue Kompositionstechnik« am Conservatoire Royal de Musique de Bruxelles (Flämische Abteilung). Von seinen Kompositionen seien genannt: *Jubilus* für 12 Blechbläser und 3 Schlagzeuger (1966); *Ludus fragilis* für Ob. (1967); *Story* für 2 V., Vc. und Cemb. (1967); *Ascension* für Kl. (1967); *Inclinations* für Fl. solo (1968); *De profundis* für großen gem. Chor (1968); Kantate *Le morte chitarre* für T., Fl. und 14 Streicher auf eine Dichtung von Salvatore Quasimodo (1969); *Reflections*, Inner-Space Music, für Klar. solo (1970); *Nachtmuziek* für großes Orch. (1970); *La vita non è sogno*, weltliches Oratorium für Rezitator, T., Bar., gem. Chor und Orch. (1972). Lit.: H. Heughebaert in: Vlaams muziektijdschrift XXII, 1970, S. 195ff. (mit Werkverz.); H. Sabbe in: Mens en melodie XXVII, 1972, S. 133ff.

+La Poupelinière, Alexandre-Jean-Joseph Le Riche, sieur de, 26. [nicht: 29.] 7. 1693 zu Chinon (Indre-et-Loire) [nicht: Paris] – 1762. Lit.: +G. Cucuël, La Pouplinière … (1913), Nachdr. Genf 1971 u. NY 1971.

+Lappi, Pietro, [erg.:] † um 1630 zu Brescia(?). L. wurde um 1593 [nicht: 1600] Kapellmeister an S. Maria delle Grazie in Brescia. Ausg.: Canzoni Nr 11 u. 12, f. 2 Trp. u. 2 Pos. (2 Trp., Horn u. Pos.) hrsg. v. A. Lumsden, = Venetian Brass Music IV, London 1967; Canzon Nr 26 »La negrona«, f. 4 Trp. u. 4 Pos. (3 Trp., 2 Hörner u. 3 Pos.) hrsg. v. dems., ebd. 1969.

+La Prade, Ernest, * 20. 12. 1889 zu Memphis (Tenn.), [erg.:] † 20. 4. 1969 zu Sherman (Conn.).

+La Presle, Jacques [erg.: Paul Gabriel Guillaume] de Sauville de (Lapresle), * 5. 7. 1888 zu Versailles, [erg.:] † 6. 5. 1969 zu Paris.

+Lapschįn, Iwan Iwanowitsch, * [erg.: 12.(24.) 10.] 1870 zu St. Petersburg, [erg.:] † 17. 11. 1952 zu Prag. +*N. A. Rimskij-Korsakow* (1922), NA Prag 1945 (russ.). – In seiner Prager Zeit verfaßte L. ferner u. a. die Schriften *Smetana, kak wyrasitel tscheschskowo narodnowo musykalnowo genija* (»Smetana als Vertreter des tschechischen Volksmusikgenius«, Prag 1930, russ.) und *Ruská hudba. Profily skladatelů* (»Die russische Musik. Komponistenporträts«, tschechisch von Z. Pohorecka, ebd. 1947).

Lara, Agustín, * 30. 10. 1900 zu Tlacotalpán (Staat Veracruz), † 6. 11. 1970 zu México (D. F.); mexikanischer Komponist volkstümlicher Musik, schrieb mehr als 600 Lieder, von denen eine Reihe, u. a. *Granada, Valencia, María Bonita, Rosa, Solamente una vez, Morucha* und *Mujer* große Beliebtheit erlangten. 1966 erhielt er das spanische Ehrenbürgerrecht.

Lara-Bareiro (l'ara bar'eiro), Carlos, * 6. 3. 1914 zu Capiatá; paraguayischer Komponist und Dirigent, studierte am Ateneo Paraguay in Asunción bei R. Giménez und an der Escola Nacional de Música in Rio de Janeiro bei Chiaffitelli (Violine), Pádua, José Paulo da Silva und Virginia Fiuzza (Harmonielehre, Kontrapunkt, Fuge) sowie bei J. Octaviano und Mignone (Komposition und Dirigieren). Er debütierte in Rio de Janeiro als Dirigent und organisierte und leitete nach seiner Rückkehr nach Asunción (1951) das Orchester der Asociación de Músicos del Paraguay, das später in das Orquesta Sinfónica de la Ciudad de Asunción umgewandelt wurde. L.-B. lebt gegenwärtig in Buenos Aires. Er komponierte Orchesterwerke (*Suite paraguaya* Nr 1, 1948, und Nr 2, 1967; Klavierkonzert, 1949), Klavierstücke sowie Werke für Chor und Orch. (*Mi noche lejana*, 1967). Lit.: Werkverz. in: Compositores de América XV, Washington (D. C.) 1969.

Larchet (l'a:tʃit), John Francis, * 13. 7. 1884 und † 10. 8. 1967 zu Dublin; irischer Komponist, studierte bei M. Esposito an der Royal Irish Academy of Music in Dublin, war dort Musikdirektor des Abbey Theatre (1907–34) und außerdem Professor of Music (1920–55) und Vice-President der Royal Irish Academy of Music sowie Chair of Music am University College (1921–58). Er schrieb Orchesterwerke (*Dirge of Ossian | Macananty's Real; Carlow Tune | Tinker's Wedding*, 1941; je 12 *Irish Airs*, 1917 und 1922) sowie (größtenteils in gälischer Sprache) Chöre und Lieder.

Laredo (lar'eđo), Jaime, * 7. 6. 1941 zu Cochabamba; bolivianischer Violinist, studierte 1953 bei Josef Gingold in Cleveland (O.) und ab 1954 bei Galamian am Curtis Institute of Music in Philadelphia. Er gewann 1959 den Concours musical international Reine Elisabeth de Belgique und hat seither in Nord- und Südamerika sowie in Europa konzertiert. 1964 unternahm er Konzertreisen mit R. Serkin als Klavierbegleiter. Gegenwärtig tritt er vor allem mit seiner Frau Ruth L. (Schülerin von R. Serkin und Horszowski) auf.

Laretei, Käbi Alma, * 14. 7. 1922 zu Tartu/Dorpat; schwedische Pianistin estnischer Herkunft, lebt in Djursholm bei Stockholm. Sie studierte bei Born am Konservatorium in Tallin und Annie Fischer in Stockholm sowie bei Edwin Fischer und Anna Hirzel-Langenhan in der Schweiz und bei Marialuisa Strub-Moresco in Stuttgart. 1946 debütierte sie in Stockholm; seit 1964 konzertiert sie auch in den USA. In Anwesenheit von P. Hindemith spielte sie die schwedische Erstaufführung seines *Ludus tonalis*. K. L. ist seit 1967 Vorsitzende des Svenska Tonkonstnärsförbundet und seit 1968 Mitglied der Kungl. musikhögskolan. 1959 heiratete sie den Filmregisseur Ingmar Bergman.

Larionow, Michail Fedorowitsch, * 10.(22.) 5. 1881 zu Tiraspol (Odessa), † 10. 5. 1964 zu Fontenay-aux-Roses (Seine); russischer Maler und Bühnenbildner, studierte an der Moskauer Kunstakademie. Von den Neoimpressionisten beeinflußt, entwickelte er ab 1911 die rayonnistische Malerei (Manifest 1913). 1914 folgte er mit seiner Frau Nathalia →Gontscharowa einem Ruf Diaghilews nach Paris, wo er Dekorationen für die Ballets Russes schuf: *Le soleil de minuit* (Musik N.Rimskij-Korssakow, Choreographie Massine, Genf 1915); Tierpantomime *Histoires naturelles* (Ravel, nicht aufgeführt, 1916); *Contes russes* (A.Ljadow, Massine, Kostüme gemeinsam mit Nathalia Gontscharowa, Paris 1917); *Le chout* (Prokofjew, L. und Slawinsky, ebd. 1921); *Renard* (Strawinsky, Nischinska, ebd. 1922); *Symphonie classique* (Prokofjew, Slawinsky, ebd. 1930); *Sur le Borysthène* (Prokofjew, Lifar, ebd. 1932). – L. integrierte verschiedene Stile in sein Werk. Mit der Dynamik leuchtender Farben arbeitend, bezog er nach der rayonnistisch-kubistischen Periode konstruktivistische Elemente ein und gelangte dann zu einer Verschmelzung avantgardistischer Tendenzen mit russischer Folklore. Er schrieb *Les Ballets Russes. S. de Diaghilev et la décoration théâtrale* (mit N.Gontscharowa und P.Vorms, Belvès 1955 und 1969).
Lit.: B. KOCHNO, Le ballet en France du XVe s. à nos jours, Paris 1934; The Diaghilev Exhibition, Ausstellungskat. Edinburgh 1954; BR. READE, Ballet Designs and Illustrations 1581–1940, London 1967; Bühne u. bildende Kunst im XX. Jh., hrsg. v. H. RISCHBIETER u. W. STORCH, Velber bei Hannover 1968; Les Ballets Russes de S. de Diaghilev, Ausstellungskat. Straßburg 1969; Gontcharova et L., Témoignages et documents, hrsg. v. T. LONQUINE, Paris 1971.

Larmanjat (larmãʒ'a), Jacques, * 19. 10. 1878 und † 7. 11. 1952 zu Paris; französischer Komponist, studierte am Pariser Conservatoire bei Lavignac und Gédalge, war 1935–45 Direktor des Konservatoriums in Rennes und 1945–49 Mitarbeiter beim ORTF. Er komponierte Opern (*Gina*, Nizza 1912; *Chacun pour soi*, Paris 1914), Ballette (*Le général malade*, Deauville und Cannes 1925; *Le banquet*, Paris 1938; *Le doux caboulot*, ebd. 1949), Orchesterwerke (Divertissement für Kl. und Orch., 1927, 2. Fassung für 4 Hf. und Orch., 1930; Serenade, 1928; *L'écuyère aux cerceaux*, 1934; Petit concerto für Sax. und Orch., 1941; Violinkonzert, 1946), Kammermusik (*4 pièces en concert* für Sax. und Kl., 1951), Klavierstücke (*Suite facile*), eine Missa brevis a cappella (1942), Lieder (*Au pays*, 1929, *Les hiboux*, 1923, und *Il pleut*, 1942, für Gesang und Kl.) sowie Filmmusik (*Chanson d'Armor*, 1935) und Bühnenmusik.

+La Rocca, Nick (Dominick James), * 11. 4. 1889 und [erg.:] † 22. 2. 1961 zu New Orleans.
Mit der Original Dixieland Jazz Band (ODJB) nahm er 1917 die erste Schallplatte des Jazz überhaupt auf. La R. veröffentlichte in amerikanischen Zeitungen und Musikjournalen Aufsätze, in denen er den weißen Musikern zu Beginn der Jazzentwicklung eine entscheidende Rolle zuerkannte, im Gegensatz zur sonst in der Literatur vertretenen Ansicht, der Jazz sei anfangs ausschließlich Angelegenheit von Schwarzen gewesen.
Lit.: H. H. LANGE, Diskographie d. ODJB, in: The Fabulous Fives, Lübbecke 1959; DERS., N. La R., = Jazz Bücherei VIII, Wetzlar 1960; H. O. BRUNN, The Story of the ODJB, London 1961.

+Laroche, Hermann Augustowitsch ([erg.:] Pseudonym L. Neljubow), 1845 – 5. [nicht: 6.] (18.) 10. 1904.
Lit.: M. SABININA in: SM XVIII, 1954, H. 10, S. 67ff.

La Rosa Parodi (la r'ɔza par'ɔdi), Armando, * 14. 3. 1904 zu Genua; italienischer Dirigent und Komponist, studierte in Genua und Mailand (Montani, Mario Barbieri, Paribeni) und begann 1929 seine Dirigentenlaufbahn. Er war Dirigent bei RAI in Palermo, Genua, Mailand und Turin. Gastspielreisen führten ihn als Konzert- und Theaterdirigenten auch ins Ausland. Er komponierte die Opern *Il mercante e l'avvocato* (Turin 1934) und *Cleopatra* (ebd. 1938), Orchesterwerke (*Omaggio a Vivaldi*, 1932), *Concerto pastorale* für Kl. und Orch. (1941) sowie Bühnen- und Filmmusik.

Larrocha (larr'otʃa), Alicia de, * 23. 5. 1923 zu Barcelona; spanische Pianistin, trat schon als Kind in Konzerten auf und wurde Schülerin von Franck Marshall an der Academia Granados in Barcelona. Neben ihrer Konzerttätigkeit wirkt sie als Pädagogin; seit 1959 ist sie Direktorin der Academia Fr.Marshall in Barcelona. Häufig war sie auch Begleiterin von G.Cassadó.

+Larsen, Jens Peter, * 14. 6. 1902 zu Kopenhagen.
Als Leiter des musikwissenschaftlichen Instituts der Universität Kopenhagen wirkte L. bis 1965 (Emeritierung 1971). Er war 1954–63 Vorsitzender der dänischen musikwissenschaftlichen Gesellschaft; 1961 hatte er eine Gastprofessur an der University of California at Berkeley inne. Außer um die Haydn-Forschung hat L. sich auch um die Händel-Forschung verdient gemacht (1965 Händel-Preis der Stadt Halle/Saale). Zu seinem 70. Geburtstag wurde er mit einer Festschrift geehrt (hrsg. von N.Schiørring, H.Glahn und C.E. Hatting, Kopenhagen u. a. 1972, mit Schriftenverz. von C.E.Hatting und N.Krabbe). – Neuere Veröffentlichungen: +*Messetoner* [erg.:] *efter gammel kirkelig tradition* (1935), 3. revidierte Aufl. Kopenhagen 1965; *Et notationsproblem i H.Thomissøns Psalmebog (1569)* (in: Natalicia musicologica, Fs. Kn.Jeppesen, Kopenhagen 1962, deutsch in: Jb. für Liturgik und Hymnologie X, 1965); *Zur Bedeutung der »Mannheimer Schule«* (Fs. K.G.Fellerer, Regensburg 1962, wiederabgedruckt in: Musica Bohemica et Europaea, hrsg. von R.Pečman, Brünn 1970, auch tschechisch und engl.); *Probleme der chronologischen Ordnung von Haydns Sinfonien* (Fs. O.E.Deutsch, Kassel 1963); *Sonatenform-Probleme* (Fs. Fr.Blume, ebd. 1963); *Some Observations on the Development and Characteristics of Vienna Classical Instrumental Music* (StMl IX, 1967); *Tendenzen der kirchengesanglichen Erneuerungsbewegung in Dänemark und den anderen skandinavischen Ländern* (MuK XXXVII, 1967); *Zur Geschichte der »Messias«-Aufführungstraditionen* (Händel-Jb. XIII/XIV, 1967/68); *Der musikalische Stilwandel um 1750 im Spiegel der zeitgenössischen Pariser Verlagskataloge* (in: Musik und Verlag, Fs. K. Vötterle, Kassel 1968); *Omkring tilblivelsen af en »Brorson-melodi«-tradition* (»Zum Ursprung einer ,Brorsonmelodie'-Tradition«, Fs. O.Gurvin, Oslo 1968, mit engl. Zusammenfassung); *Schütz und Dänemark* (in: Sagittarius II, 1969); *Zu Schuberts Vertonung des Liedes »Nur wer die Sehnsucht kennt«* (in: Musa – Mens – Musici, Gedenkschrift W.Vetter, Lpz. 1969); *Zur Frage der Porträtähnlichkeit der Haydn-Bildnisse* (StMl XII, 1970); *Traditionelle Vorurteile bei der Betrachtung der Wiener klassischen Musik* (in: Symbolae historiae musicae, Fs. H.Federhofer, Mainz 1971); *Über Echtheitsprobleme in der Musik der Klassik* (Mf XXV, 1972); einige Beiträge in den Fs. »50 Jahre Göttinger Händel-Festspiele« (Kassel 1970). – Generaleditor der Boston–Wiener Haydn-GA war er 1949–51 und der Kölner 1955–60 [del. bzw. erg. frühere Angaben dazu].

+Larsén-Todsen, Nanny [erg.:] Isidora, * 2. 8. 1884 zu Hagby (Kalmar län).

Von den zahlreichen Ehrungen, die ihr zuteil wurden, sei die Ernennung zur Königlich Schwedischen Kammersängerin (1922) und die zum Mitglied der Kungl. ˙musikaliska akademien (1924) erwähnt. Nachdem sie sich von der Bühne zurückgezogen hatte, war sie lange Jahre als Pädagogin in Stockholm tätig, wo sie heute im Ruhestand lebt.

Larsson, Carl Rune Birger, * 6. 2. 1923 zu Malmberget (bei Gällivare, Norrbotten); schwedischer Dirigent, studierte an der Musikhochschule in Stockholm, am Mozarteum in Salzburg, in Glyndebourne und bei Werba in Wien (Liedbegleitung). Er war 1952–62 Dirigent in Göteborg (Stora Teatern) und 1962–67 in Gävle (Gävleborgs Orkesterförening). 1967 wurde er Director musices an der Universität in Uppsala.

+Larsson (l'arsən), Lars-Erik [erg.:] Vilner, * 15. 5. 1908 zu Åkarp (Malmöhus län). Dirigent und Mitarbeiter am schwedischen Rundfunk war L. bis 1954, Professor für Komposition an der Kungl. musikhögskolan in Stockholm [erg.:] 1947–59. Er wirkte 1961–65 als Director musices an der Universität in Uppsala; seitdem lebt er freischaffend in Helsingborg. Er ist seit 1943 Mitglied der Kungl. musikaliska akademien. – [del. bzw. erg. im früheren Werkverz.:] 1. +Konzertouvertüre op. 4 (1929); +Musik für Orch. op. 40 (1949); +2 Streichquartette (op. 31, 1944; *Quartetto alla serenata* op. 44, 1955); +*Prinsessan av Cypern* op. 3 (1930–36, Stockholm 1937); +*Förklädd gud* (»Verkleideter Gott«) für Sprecher, S., Bar., Chor und Orch. op. 24 (1940); +*Missa brevis* für 3st. Chor op. 43 (1954). – Neuere Werke: Ballett *Linden* op. 46 (Stockholm 1958); 12 kleine Klavierstücke op. 47 (1960); *Adagio* für Streichorch. op. 48 (1960); 3 Stücke op. 49 (1960) und Variationen op. 50 (1962) für Orch.; *Intrada solemnis* für gem. Chor, Blechbläser und Org. op. 51 (1963); 8 Lieder op. 52 (1964); *Soluret och urnan* (»Die Sonnenuhr und die Urne«) für Bar., Chor und Orch. op. 53 (1966); *Lyrisk fantasi* für kleines Orch. op. 54 (1967); *Divertimento Quattro tempi* für Bläserquintett op. 55 (1968); leichte Spielstücke op. 56, 5 Stücke op. 57 und 7 kleine Fugen mit Praeludien op. 58 (alle 1969) für Kl.; *Tre citat* a cappella op. 59 (1969); Sonatine für Vc. und Kl. op. 60 (1969); 3 Stücke für Klar. und Kl. op. 61 (1970); *Due auguri* für Orch. op. 62 (1971); *Aubade* für Ob. und Streichtrio op. 63 (1972). – Über seine Missa brevis verfaßte er einen Beitrag in »Modern nordisk musik« (hrsg. von I. Bengtsson, Stockholm 1957, mit Werkverz. S. 109f.).
Lit.: B. WALLNER, H. BLOMSTEDT u. F. LINDBERG, L.-E. L. och hans concertino, Stockholm 1957; G. PERCY in: Musikrevy XIII, 1958, S. 83f. (zu d. 12 +Concertini); A. BRANDEL, ebd. XIV, 1959, S. 267ff.; DERS., A Mature Generation. L., Wirén, de Frumerie, v. Koch, Musikrevy international 1960.

+LaRue (lər'u: [nicht: lar'ü], Adrian Jan Pieters, * 31. 7. 1918 zu Kisaran (Sumatra). L., 1967–68 Präsident der American Musicological Society, wurde 1970 Vorstand der Graduate School of Arts and Science der New York University. Neuere Veröffentlichungen: *Guidelines for Style Analysis* (NY 1970); *Major and Minor Mysteries of Identification in the 18th-Cent. Symphony* (JAMS XIII, 1960, vgl. dazu J. M. Barber in: MQ XLIX, 1963, S. 38ff.); *Significant and Coincidental Resemblance between Classical Themes* (JAMS XIV, 1961); *Watermarks and Musicology* (AMl XXXIII, 1961); *On Style Analysis* (Journal of Music Theory VI, 1962); *Finding Unusual Brass Music* (mit G. Wolf, Brass Quarterly VI, 1962/63); *Gluck or Pseudo-Gluck* (Mf XVII, 1964); *EDP for Thematic Catalogues*

(mit G. W. Logemann, in: Notes XXII, 1965/66); *Classification of Watermarks for Musicological Purposes* (FAM XIII, 1966); *Some Computer Aids to Musicology* (Kgr.-Ber. Lpz. 1966); *Symbols for Analysis* (JAMS XIX, 1966); *The Ruge-Seignelay Catalogue. An Exercise in Automated Entries* (in: Elektronische Datenverarbeitung in der Musikwissenschaft, hrsg. von H. Heckmann, Regensburg 1967); *Two Problems in Musical Analysis. The Computer Lends a Hand* (in: Computers in Humanistic Research, hrsg. von E. A. Bowles, Englewood Cliffs/N. J. 1967); *Ten Rediscovered Sale-Catalogues. Leuckart's Supplements, Breslau 1787–92* (in: Musik und Verlag, Fs. K. Vötterle, Kassel 1968); *Wasserzeichen* (MGG XIV, 1968); *Fundamental Considerations in Style Analysis* (in: Notes XXV, 1968/69); *Haydn Listings in the Rediscovered Leuckart Supplements* (in: Studies in 18th-Cent. Music, Fs. K. Geiringer, London 1970); *The Gniezno Symphony – not by Haydn* (Fs. J. P. Larsen, Kopenhagen 1972). Er edierte den Kgr.-Ber. NY 1961 (2 Bde) sowie die Festschriften für O. E. Deutsch (mit W. Gerstenberg und W. Rehm, Kassel 1963) und G. Reese (*Aspects of Medieval and Renaissance Music*, NY 1966, London 1967). – L. war Mitarbeiter (neue Stichworte USA) an den vorliegenden Ergänzungsbänden dieses Lexikons.

+la Rue, Pierre de, um 1460 – 1518. Zwischen Mai und Juni 1482 und von März 1483 bis März 1485 ist de la R. als Sänger an der Kathedrale von Siena nachweisbar.
Ausg.: Drie missen (Missa de Beata Virgine, de virginibus »O quam pulchra est«, de Sancta Anna), hrsg. v. R. B. LENAERTS u. J. ROBIJNS, = MMBelg VIII, Antwerpen 1960; 4 Motetten zu 4 St., hrsg. v. N. DAVISON, = Chw. XCI, Wolfenbüttel 1964; Magnificat quinti toni, hrsg. v. DEMS., = The Penn State Music Series VIII, Univ. Park (Pa.) 1965; Lamentationes Hieremiae Prophetae, hrsg. v. DEMS., Bryn Mawr (Pa.) 1967; 4st. Missa »L'homme armé«, hrsg. v. DEMS., = Chw. CXIV, Wolfenbüttel 1967; eine Lamentation in: Mehrstimmige Lamentationen aus d. ersten Hälfte d. 16. Jh., hrsg. v. G. MASSENKEIL, = MMD VI, Mainz 1965; Chansons in: The Chanson Album of Marguerite of Austria, hrsg. v. M. PICKER, Berkeley (Calif.) 1965; Missa »Assumpta est Maria«, hrsg. v. L. FINSCHER, = Musica divina XVIII, Regensburg 1966; ein Satz in: Das Liederbuch d. J. Heer v. Glarus (Cod. 462 d. Stiftsbibl. St. Gallen), hrsg. v. A. GEERING u. H. TRÜMPY, = Schweizerische Musikdenkmäler V, Basel 1967; 3 Sätze in: O. Petrucci, Canti B numero cinquanta (1502), hrsg. v. H. HEWITT, = Monuments of Renaissance Music II, Chicago 1967.
Lit.: +J. ROBIJNS, P. de la R. ... (1954; d. Werk enthält zwar einige Ungenauigkeiten, ist jedoch als umfassende Studie durchaus anzuerkennen [del. frühere Bewertung]). – A. AUDA, La transcription en notation moderne du »Liber missarum« de P. de la R., in: Scriptorium I, 1946/47; J. ROBIJNS, P. de la R. als overgangsfiguur tussen middeleeuwen en renaissance, RBM IX, 1955; M. PICKER, The Chanson Albums of Marguerite of Austria, Ann. mus. VI, 1958–63; W. RUBSAMEN in: MGG VIII, 1960, Sp. 225ff.; N. DAVISON, The Motets of P. de la R., MQ XLVIII, 1962; CHR. MAAS, Josquin, Agricola, Brumel, De la R., Een authenticiteitsprobleem, TVer XX, 3, 1966; M. ROSENBERG, Symbolic and Descriptive Text Settings in the Sacred Works of P. de la R., in: Miscellanea musicologica I, (Adelaide) 1966; W. ELDERS, Studien zur Symbolik in d. Musik d. alten Niederländer, = Utrechtse bijdragen tot de mw. IV, Bilthoven 1968; A. DUNNING, Die Staatsmotette 1480–1555, Utrecht 1970; M. STAEHELIN, P. de la R. in Italien, AfMw XXVII, 1970.

+Laruette, Jean-Louis, * 7. [nicht: 27.] 3. 1731 und † [erg.: 10.] 1. 1792 zu Paris [nicht: Toulouse]. Seine Frau Marie-Thérèse (geborene Villette), * 6. 3. 1744 und † 16. 6. 1837 zu Paris [del. bzw. erg. frühere Angaben].

Lit.: P. Letailleur, J.-L. L., chanteur et compositeur, RMFC VIII, 1968 – X, 1970.

Lasala, Angel E., * 9. 5. 1914 zu Buenos Aires; argentinischer Komponist, studierte am Staatlichen Konservatorium in Buenos Aires bei José Gil, Ernesto de la Guardia und Palma. 1936 begann er seine Tätigkeit als Konzertpianist und als Lehrer an verschiedenen Bildungsanstalten. Er ist gegenwärtig Professor und Vizerektor des Staatlichen Konservatoriums in Buenos Aires, außerdem Professor am Städtischen Konservatorium. L. komponierte Ballettmusik (*Chasca ñahui*, Buenos Aires 1944; *Achalay*, 1960), Orchesterwerke (Suite, 1937; Konzert für 2 Git. und Orch., 1961; *Movimientos orquestales*, 1964), Kammermusik (3 Streichquartette, 1945, 1958 und 1961), Klavierstücke (Sonatine, 1938; *Preludios brasileños*, 1969), Gitarrenstücke (*Homenaje a L. Gianneo*, 1968) und Vokalmusik (*Canciones norteñas* für St., Fl., Va, Vc. und Hf., 1940; *Poemas americanos* für St. und Kl.; *16 canciones del Arca Noé* für St., Chor und Kl., 1958).

+La Salette, [erg.: Pierre Joseph] Joubert de, [erg.:] 4. 9. 1743 [nicht: 1762] – 4. 2. 1833 [nicht: 1832].

La Salle Quartet, amerikanisches Streichquartett, 1946 gegründet und nach der LaSalle Street in New York benannt, wo die Quartettmitglieder in einer kleinen Wohnung ihre ersten Proben abhielten, gab 1949 sein offizielles Debüt am Colorado College in Colorado Springs anläßlich seiner Verpflichtung dorthin als Quartet-in-Residence. Seit 1953 ist es Quartet-in-Residence am College-Conservatory of Music der University of Cincinnati. – Besetzung: Walter Levin, * 6. 12. 1924 zu Berlin, Schüler von Galamian an der Juilliard School of Music in New York (Postgraduate Diploma 1949), wurde 1953 Associate Professor of Violin am College-Conservatory of Music der University of Cincinnati; Henry Meyer, * 29. 6. 1923 zu Dresden, Schüler der Prager Musikakademie (1936–38), von Enescu und René Benedetti in Paris (1945–48) sowie von Galamian an der Juilliard School of Music, wurde 1953 Associate Professor of Violin and Head of String Department am College-Conservatory of Music der University of Cincinnati; Peter Kamnitzer, * 27. 11. 1922 zu Berlin, Schüler der Manhattan School of Music in New York (1942–44) und der Juilliard School of Music (1947–49), wurde 1953 Associate Professor of Viola am College-Conservatory of Music der University of Cincinnati; Jack Kirstein, * 15. 2. 1921 zu Cleveland (O.), Schüler der Columbia University in New York (B. A. 1950, M. A. 1952), seit 1955 Mitglied des L. Qu., wurde im selben Jahr Associate Professor of Cello am College-Conservatory of Music der University of Cincinnati. – Das L. Qu. setzt sich vor allem für unbekanntere und vernachlässigte Werke der Vergangenheit wie auch für die Neue Musik ein. Eine Reihe von Kompositionen, u. a. von Apostel, Brün, Koenig, Ligeti, Pousseur und W. Rosenberg, wurden ihm gewidmet und sind z. T. als Auftragswerke entstanden. Levin und Meyer spielen Geigen von N. Amati (1648 bzw. 1682), Kamnitzer eine Bratsche von J. Amati (1619) und Kirstein ein Violoncello von N. Amati (1670/84).

+Laserna, Blas de, 1751–1816.
Ausg.: eine Tirana aus »El trueque de los amantes« u. 28 Texte in: J. Subirá, Tonadillas teatrales inéd., Madrid 1932; Solo-Tonadilla »Las murmuraciones del Prado«, Kl.-A. hrsg. v. dems., ebd. 1971.
Lit.: J. Subirá, La tonadilla escénica, 3 Bde, Madrid 1928–30; ders., Cat. de la sección de música de la Bibl. municipal de Madrid, Bd I: Teatro menor, tonadillas y sainetes, ebd. 1965.

Laskine (lask'in), Lily, * 31. 8. 1893 zu Paris; französische Harfenistin, absolvierte 1905 als Schülerin von Alphonse Jean Hasselmans und Georges Marty das Pariser Conservatoire (1er prix à l'unanimité). Sie war 1909–26 Mitglied des Orchesters der Pariser Opéra und war Solistin der Concerts Koussevitsky (ab 1921), der Association des Concerts Lamoureux (1921–40 und 1943–45), der Concerts Straram (ab 1926), des Orchestre National de la RTF (ab 1934) sowie des Orchestre Philharmonique und der Concerts »Toscanini« in Paris. L. L. trat auch u. a. bei den Festspielen in Salzburg (1934), bei den Musiktagen in Donaueschingen sowie in London, Rom, Brüssel, Amsterdam und Hilversum auf. 1948–58 war sie Professor am Pariser Conservatoire, 1936 erhielt sie das Kreuz der Légion d'Honneur und wurde 1958 Officier de la Légion d'Honneur. L. L. ist mit dem Violinisten und Professor des Conservatoire Roland Charmy verheiratet.

Lasser, Johann Baptist, * 9. 1. 1751 zu Steinakirchen am Forst (Niederösterreich), † 21. 10. 1805 zu München; österreichischer Sänger, Dirigent und Komponist, Jesuitenschüler in Linz, wurde 1781 Bassist, 1782 auch Orchesterdirektor der Waitzenhoferschen Theatergesellschaft in Brünn, war 1786–88 Direktor des Linzer Städtischen Theaters und gehörte 1788–90 wieder der Waitzenhoferschen Gesellschaft an, die in Graz spielte. 1791 wurde er als Hof- und Kammersänger nach München berufen. L. trat zunächst besonders als Bühnenkomponist hervor und schrieb die Singspiele *Die kluge Witwe* (Brünn 1782), *Das wüthende Heer* (Graz 1788), *Die glückliche Maskerade* (ebd. 1788), *Der Capellmeister* (1789), *Die unruhige Nacht* (Wien 1790), *Die Modehändlerin* (Graz 1790), *Der Jude* (ebd. 1791) sowie die Oper *Cora und Alonzo* (München). Später wandte er sich dem kirchenmusikalischen Schaffen zu; in Augsburg wurden gedruckt: *Missae tres* op. 1 (1795, ²1806) und *VI Missae* op. 2 (1801); weitere Messen sind handschriftlich erhalten. Ferner verfaßte er die Schulwerke *Anleitung zur Singkunst* (Landshut/Bayern o. J.), *Vollständige Anleitung zur Singkunst* (München 1798, ²1805 u. ö.) und *Duetti e solfeggi* für 2 Singst. (Ms. in: Wien, Bibl. der Gesellschaft der Musikfreunde).
Lit.: O. Wessely, Artikel J. B. L., MGG VIII, 1960.

Lasson (las'ō), Mathieu, † um 1550 zu Nancy; französischer Komponist, war Chorknabe an der Kathedrale von Cambrai und erhielt 1517 eine Freistelle zum Studium an der Universität in Löwen. Später (mindestens zwischen 1528 und 1544) stand er im Dienste des Lothringer Hofes als Kanoniker und Schatzmeister der Stiftskirche St-Georges in Nancy sowie Kapellmeister der herzoglichen Kapelle. Von ihm erhalten sind vier 4st. und eine 2st. Motette sowie vier 4st. Chansons, die in der Mehrzahl zwischen 1529 und 1549 bei Attaingnant erschienen sind.
Ausg.: eine Chanson in: Thirty Chansons f. 3 and 4 v. from Attaingnant's Collection, hrsg. v. A. Seay, = Coll. mus. II, New Haven (Conn.) 1960; 3 Motetten in: Treize livres de motets parus chez P. Attaingnant en 1534 et 1545, hrsg. v. A. Smijers, u. fortgeführt v. A. T. Merritt, Bd VIII, XI u. XIII, Paris 1962–63.
Lit.: A. Pirro, Hist. de la musique de la fin du XIVe à la fin du XVIe s., Paris 1940, S. 308; Fr. Lesure, Some minor French Composers of the 16th Cent., in: Aspects of Medieval and Renaissance Music, Fs. G. Reese, NY 1966.

+Lassus, Orlande de, um 1532 – 1594.
Die seit 1956 erscheinende GA hat das bisher verbreitete L.-Bild insofern verändert, als das früher (1961) noch unerwähnte Messenschaffen erstmals überschaubar und mit über 70 Einzelwerken (einschließlich der unvollständig überlieferten und der wenigen zweifel-

haften Messen) als ein wesentlicher Bestandteil des Gesamtwerks sichtbar geworden ist. L.s 4–8st. Messen, in der Phantasiefülle des musikalischen Einfalls und in der Qualität der Kontrapunktik in nichts hinter denen Palestrinas zurückstehend und abwechslungsreicher als jene, sind Belege für die verschiedenartigsten Messentypen der Zeit: Parodiemessen über Motetten, Madrigale und Chansons, Messen mit C. f.-Sätzen über gregorianische und Kirchenliedweisen, Messen mit freien Choralbearbeitungen und hinsichtlich der musikalischen Substanz ganz frei geschaffenen Sätzen, breit und feierlich angelegte Messen, gedrängte Kurzmessen (Missae breves, »Jägermesse«), nur Kyrie, Sanctus und Agnus Dei umfassende Ferialmessen sowie mehrere Totenmessen. – L.s Gesamtwerk umfaßt, außer den Messen, 4 Passionen, über 500 [nicht: 1200] Motetten, über 200 italienische Madrigale, 146 französische Chansons, 93 deutsche Lieder, 100 Magnificat, 32 Hymnen, 12 *Nunc dimittis* sowie Litaneien. – Die +*Sacrae cantiones ... quatuor vocum* wurden 1585 [nicht: 1595] veröffentlicht.

Der 1622 posthum erschienene +*Apparatus musicus* stammt von Ferdinand de L.(I) ([erg.:] um 1560 zu München – 1609), nicht aber von Rudolph de L. ([erg.:] um 1563 zu München – 1626 [nicht: 1625]) bzw. Ferdinand de L.(II) (um 1590 – 1636).

Ausg.: Kompositionen mit deutschem Text, = Bd XX d. +GA (FR. X. HABERL u. A. SANDBERGER, 1909), in 2. revidierter Aufl. hrsg. v. H. LEUCHTMANN, Wiesbaden 1971. – Sämtliche Werke, Neue Reihe (= +neue GA), hrsg. v. d. Acad. Royale de Belgique u. d. Bayerischen Akad. d. Wiss., Kassel 1956ff. (bringt als Fortsetzung d. v. Fr. X. Haberl u. A. Sandberger hrsg. GA, 1894–1926, nur dort nicht erschienene Werke; vgl. dazu Ch. Van den Borren in: Acad. Royale de Belgique, Bull. de la Classe des beaux-arts XLV, 1963, S. 3ff.), bisher erschienen: Bd I (hrsg. v. W. BOETTICHER, 1956), Lat. Motetten, frz. Chansons u. ital. Madrigale aus wiederaufgefundenen Drucken 1559–88; II (K. v. FISCHER, 1961), Die vier Passionen (vgl. dazu auch ders. in: Mf XV, 1962, S. 260ff.); III (S. HERMELINK, 1962), Messen 1–9 (Messen d. Drucke Venedig 1570 u. München 1574); IV (DERS., 1964), Messen 10–17 (Messen d. Druckes 1577); V (DERS., 1965), Messen 18–23 (Messen d. Drucke Paris 1577 u. Nürnberg 1581); VI (DERS., 1966), Messen 24–29 (Messen d. Druckes München 1589); VII (DERS., 1967), Messen 30–35 (Messen aus Einzel- u. Sammeldrucken 1570–88); VIII (DERS., 1968), Messen 36–41 (Messen d. Drucke Paris 1607 u. München 1610); IX–X (DERS., 1969–70), Messen 42–55 (hs. überlieferte Messen); XI (DERS., 1971), Messen 56–63 (zweifelhafte Werke). – Le quatoirsiesme livre à quatre parties ... (1555), hrsg. v. B. HUYS, = Corpus of Early Music in Facsimile I, 15, Brüssel 1970; Psalmi Davidis poenitentialis ... (1584), hrsg. v. DEMS., ebd. I, 25. – F. HABERL in: Musica sacra LXXX, 1960, S. 166ff. (»Zusammenstellung d. im Buchhandel greifbaren Ausg.«).

Lit. (im folgenden gilt die Abk. »L.« auch f. d. ital. Namensform): Musik in Bayern II, hrsg. v. F. GÖTHEL, Tutzing 1972 (Ausstellungskat. Augsburg 1972). – +H. OSTHOFF, Die Niederländer u. d. deutsche Lied (1938), Nachdr. Tutzing 1967 (mit neuem Anh.); +A. EINSTEIN, The Ital. Madrigal (II, 1949), Nachdr. Princeton (N. J.) 1970; +R. D. WILDER, The Masses of O. di L. with Emphasis on His Parody Technique, 2 Bde (I Text, II Musikbeispiele), Diss. Harvard Univ. (Mass.) 1952 [del. früherer Titel]. — W. BOETTICHER, Dokumente u. Briefe um O. di L., Archivalische Studien, Kassel 1960; DERS., Aus O. di L.s Wirkungskreis. Neue archivalische Studien zur Münchener Mg., = Veröff. d. Ges. f. bayerische Mg. o. Nr, Kassel 1963; W. FREI, Die bayerische Hofkapelle unter O. di L., Ergänzungen u. Berichtigungen zur Deutung v. Mielichs Bild, Mf XV, 1962, vgl. dazu R. Eras in: Mf XVI, 1963, S. 364ff.; H. SCHMID, Die Grabstätte O. di L.s, Mf XVII, 1964; R. WALTER, Pertenece O. L. a la familia de P. Lasso de Castilla?, AM XXIII 1968; H. LEUCHTMANN, O. di L. u. d. bayerische Hofkapelle, in:

Musik in Bayern I, hrsg. v. R. Münster u. H. Schmid, Tutzing 1972.

FR. W. STERNFELD, Vautrollier's Printing of L.'s »Recueil du Mellange« (London 1570), Ann. mus. V, 1957; W. BOETTICHER, Les œuvres de R. de L. mises en tablature de luth, in: Le luth et sa musique, hrsg. v. J. Jacquot, = Colloques internationaux du Centre national de la recherche scientifique. Sciences humaines o. Nr, Paris 1958; W. BRAUN, Th. Selles L.-Bearb., KmJb XLVII, 1963; W. ELDERS, The Lerma Cod., a Newly Discovered Choirbook from 17th-Cent. Spain, TVer XX, 4, 1967; R. W. STERL, Die Regensburger L.-Kodifikation Ambrosius II. Mayrhofers, Studien u. Mitt. zur Gesch. d. Benediktinerordens LXXVII, 1967; K. MORAWSKA, Kompozycje O. di L. w repertuarze instrumentalnym, in: Muzyka XIII, 1968. – H. OSTHOFF, Vergils Aeneis in d. Musik v. Josquin des Prez bis O. di L., AfMw XI, 1954; H. LEUCHTMANN, Die mus. Wortausdeutungen in d. Motetten d. »Magnum op. musicum« v. O. di L., = Slg mw. Abh. XXXVIII, Straßburg 1959, Nachdr. Baden-Baden 1972; DERS., L.s Huldigungsmotette f. Henri d'Anjou 1573, Mf XXIII, 1970; J. ROTH, Zum Litaneischaffen G. P. da Palestrinas u. O. di L.s, KmJb XLIV, 1960; W. BOETTICHER, Zum Parodieproblem bei O. di L., Kgr.-Ber. NY 1961, Bd I; DERS., Über einige neue Werke aus O. di L.s mittlerer Madrigal- u. Motettenkomposition (1567–69), AfMw XXII, 1965; DERS., New L. Studies, in: Aspects of Medieval and Renaissance Music, Fs. G. Reese, NY 1966; DERS., Weitere Beitr. zur L.-Forschung, in: Renaissance-muziek 1400–1600, Fs. R. B. Lenaerts, = Musicologica Lovaniensia I, Löwen 1969; KL.-U. DÜWELL, Studien zur Kompositionstechnik d. Mehrchörigkeit im 16. Jh., Diss. Köln 1963; B. MEIER, Wortausdeutung u. Tonalität bei O. di L., KmJb XLVII, 1963; S. HERMELINK, Jägermesse. Beitr. zu einer Begriffsbestimmung, Mf XVIII, 1965; DERS., Eine neu aufgefundene doppelchörige Messe v. O. di L, Mf XXI, 1968; M. STEINHARDT, The »Missa Si me tenes«. A Problem of Authorship, in: Aspects of Medieval and Renaissance Music, Fs. G. Reese, NY 1966; R. B. LENAERTS, Zur Ostinato-Technik in d. Kirchenmusik d. Niederländer, Fs. Br. Stäblein, Kassel 1967; W. ELDERS, Studien zur Symbolik in d. Musik d. alten Niederländer, = Utrechtse bijdragen tot de mw. IV, Bilthoven 1968; W. OSTHOFF, Theatergesang u. darstellende Musik in d. ital. Renaissance (15. u. 16. Jh.), 2 Bde (I Text, II Notenteil), = Münchner Veröff. zur Mg. XIV, Tutzing 1969; A. DUNNING, Die Staatsmotette 1480–1555, Utrecht 1970; J. V. MITCHELL, The Prologue of O. di L.'s »Prophetiae Sibyllarum«, in: The Music Forum II, 1970; R. CASPARI, Liedtradition im Stilwandel um 1600, = Schriften zur Musik d. München 1971; J. SIVEC, »Ecce, quomodo moritur justus« J. Gallusa, M. A. Ingegnerija in O. di Lassa, in: Muzikološki zbornik VII, 1971; J. VESELKA, Psalmus poenitentialis III. O. Lassa, in: O interpretaci staré hudby, = Sborník Janáčkovy akad. múzických umění VI, 1972.

zu F. de L.(I): S. WALLON, Une lettre de Judith de L. au Conseil municipal de Strasbourg, Rev. de musicol. XLV/XLVI, 1960.
SH

Last (lɑːst), James (eigentlich Hans L.), * 17. 4. 1929 zu Bremen; deutscher Orchesterleiter, Komponist und Arrangeur von Unterhaltungs- und Tanzmusik, lebt in Hamburg. Er studierte ab 1943 Klavier und Kontrabaß und war Kontrabassist in Tanz- und Unterhaltungsorchestern (Radio Bremen; Last-Becker-Ensemble). Seit 1956 ist er als Arrangeur (u. a. für Caterina Valente) und seit 1966 auch als Komponist (*Games That Lovers Play*, deutscher Titel: »Eine ganze Nacht«) tätig. Besondere Erfolge errangen Langspielplattenserien mit seinen Bearbeitungen, darunter *Non Stop Evergreens* (*Banana*; *In The Mood*), *Classics Up To Date* und *Happy Lehár*.

Lit.: H. J. FEURICH, J. L.s Bearb. d. 2. Satzes v. Beethovens »Pathétique« (Op. 13), in: Musik u. Bildung V, 1973.

Laszky, Béla, * 3. 6. 1867 zu Nyitra (Ungarn, heute Nitra, Tschechoslowakei), † 1. 11. 1935 zu Wien;

österreichischer Komponist und Pianist, einer polnischen, später magyarisierten Adelsfamilie entstammend, absolvierte in Wien musikalische Studien bei Bruckner und R. Fuchs, war als Kapellmeister in Innsbruck, Czernowitz, Brüssel, Amsterdam und Antwerpen tätig und wurde von E. v. Wolzogen als Nachfolger von O. Straus an das »Überbrettl« in Berlin berufen. Durch Hunderte von Chansons ist sein Name mit den Gründern des deutschen Kabaretts (Frank Wedekind, Hannes Ruch, Marya Delvard, Rideamus) eng verbunden. Nach Wien übersiedelt, heiratete er 1911 die Diseuse Mel(l)a Mars, für die er (auch als ihr ständiger Klavierbegleiter) seine bekanntesten Chansons schrieb (*Abbé und Gräfin*; *Mops und Windhund*; *Die Sternentaler*). Tourneen führten ihn und seine Partnerin durch ganz Europa, dreimal in die USA und bis nach La Habana; besondere Erfolge hatte er in Schweden und Norwegen. Eine Zeitlang war er auch Direktor des Théâtre Joli in Paris. Nach dem frühzeitigen Tode seiner Frau (1919) waren seine Interpretinnen u. a. Annemarie Hegner und seine Tochter Fifi Mars. Während seine kabarettistischen Arbeiten höchst gelungene Kleinkunstwerke voll Geist und hoher Musikalität darstellten, hatte er mit seinen meist einaktigen Operetten, Singspielen, Parodien, Puppenspielen usw. nicht den erhofften Erfolg (Textautoren in Klammern): *Amor im Panoptikum* (R. Bodanzky, 1907); *Drei kleine Mädel* (Julius Wilhelm, 1907); *Elektra* (Brammer und A. Grünwald, 1909); *Georgette* (dies., 1910); *Brigantino* (Grünbaum, 1915).

+**Laszlo,** Alexander (Sándor László), * 22. 11. 1895 zu Budapest.
Neuere Werke: die Musicals *The Beggar's Opera* mit der Fortsetzung *The Pirate's Opera* (Bearbeitungen von J. Gays *The Beggar's Opera* und *Polly*, 1963 bzw. 1965) und *Wanted: Sexperts and Serpents for Our Garden of Maidens* (1968); die Orchesterstücke *Mana Hawaii* (mit Chor ad libitum, 1962), *Pacific Triptych* (1962), *This World – Tomorrow* (für die Weltausstellung in Seattle/Wash., 1964), Suite *Deliberations* (mit Sprechchor, 1969) und eine Fantasie *Roulette hématologique* (1969); mittlerweile über 2450 Fernsehmusiken.

László (l'a:slǝ), Magda, * 1919 zu Marhosvasarhely (Siebenbürgen); ungarische Sängerin (Sopran), debütierte nach einem Studium an der Fr.-Liszt-Musikakademie 1943 in Budapest an der dortigen Nationaloper. 1946 siedelte sie nach Rom über, unternahm zunächst Konzertreisen und trat bald auch als Opernsängerin an den bedeutenden Bühnen Italiens und des westeuropäischen Auslands auf (Glyndebourne Festival). Sie wirkte bei den Uraufführungen der Opern *Il prigioniero* von Dallapiccola (RAI 1949, szenisch Florenz 1950) und *Troilus and Cressida* von Walton (London 1954) mit.

+**Latilla,** Gaetano, 10.(21.) [nicht: 12.] 1. 1711 – 1788.
L. war am Conservatorio di S. Onofrio in Neapel Schüler von Ignazio Prota und F. Feo [nicht: D. Gizzi].
Lit.: M. BELLUCCI LA SALANDRA, Vita e tempo di G. L., Arch. stor. pugliese VII, 1954; A. GIOVINE in: Musicisti e cantanti lirici baresi, = Bibl. dell'Arch. delle tradizioni popolari baresi o. Nr, Bari 1968, S. 41ff.

+**la Tombelle,** [erg.: Antoine Louis Joseph] Fernand de (eigentlich Fouant de la T.), 1854–1928.

Latoszewski (lɑtǝʃ'ɛfski), Zygmunt, * 26. 4. 1902 zu Posen; polnischer Dirigent und Musikforscher, studierte 1919–26 am Konservatorium seiner Heimatstadt bei Zdzisław Jahnke (Violine) und bei F. Nowowiejski (Musiktheorie) sowie an der dortigen Universität bei L. Kamieński, an der er 1933 mit der Dissertation

Pierwsze opery polskie M. Kamieńskiego (»Die ersten polnischen Opern von M. Kamieński«) promovierte. 1929 debütierte er als Dirigent an der Philharmonie und der Oper in Posen. Er leitete die Philharmonie in Krakau (1945), die Oper in Posen (1946–48) sowie die Warschauer Philharmonie (1948) und war Chefdirigent der Baltischen Philharmonie in Danzig/Gdańsk (1949–52 und 1955–60). 1949 gründete er dort mit Wiktor Brègy ein Opernstudio. 1952–55 war L. Direktor der Warschauer Oper. Er leitete dann bis 1972 die Oper in Łódź. Gastspiele führten ihn u. a. nach Deutschland, in die ČSSR, die UdSSR und nach Belgien. Er widmete sich auch der Musikkritik und -publizistik und veröffentlichte *Dzieje opery polskiej* (»Die Geschichte der polnischen Oper«, in: Muzyka polska IV, 1937).

+**Latrobe,** Christian Ignatius, 1757–1836.
Ausg.: 3 Kl.-Sonaten, hrsg. v. CH. E. STEVENS, Oceanside (N. Y.) u. London 1970.

+**La Trobe,** Johann Friedrich Bonneval de, 1769–1845.
Lit.: E. ARRO, Die deutschbaltische Liedschule, in: Musik d. Ostens III, Kassel 1965.

+**Lattuada,** Felice, * 5. 2. 1882 zu Caselle di Morimondo (Lombardei), [erg.:] † 2. 11. 1962 zu Mailand.
Leiter der Civica scuola di musica in Mailand war L. [erg.:] ab 1935 bis zu seinem Tode. Die Oper +*Caino* wurde 1957 in Mailand uraufgeführt. Er komponierte ferner *Impressioni sinfoniche* für Orch. (1954) und schrieb die Autobiographie *La passione dominante* (Bologna 1951).

+**Lau,** Heinz, * 8. [nicht: 9.] 9. 1925 zu Stettin.
L. studierte auch bei Hindemith an der Universität in Zürich (bis 1957). Seit 1963 ist er Dozent für Improvisation und Tonsatz (1971 Professor) an der Pädagogischen Hochschule in Berlin. Er schrieb ferner Kammermusik (Musik für Streicher, 1961), Chorwerke (*Weihnachtsgeschichte 1957* für 4 Soli, Knabenchor, gem. Chor, Gemeindegesang und Orch., 1957; *Olympische Ode* für Sprecher, Chor, Instrumente und Schlagzeug, nach Pindar, 1963, Kantaten (*Die Weihnachtsgeschichte* für gleiche St., Fl., Schlagzeug und ein Instr., 1961) und Motetten (*Anbetung des Kindes* für 5st. gem. Chor, nach J. Weinheber, 1952; *Dona nobis pacem*, 1954, mehrsprachig/mehrchörig) sowie *Requiem für eine Verfolgte – in memoriam Anne Frank* für T. und Streichquartett (Eich, Celan u. a., 1961) und *Competition* für Org., Vokalisten, Instrumentengruppen und Tonband (1971).

+**Laub,** Ferdinand, 1832 – 18. [nicht: 17.] 3. 1875.
Zu L.s Kompositionen zählen ein Violinkonzert A moll (1850), ein Streichquartett Cis moll (1846), Stücke für V. und Kl. sowie tschechische und deutsche Lieder.
Ausg.: Rondo scherzoso f. V. u. Kl. op. 6, hrsg. v. B. ŠICH u. V. FRAJT, Prag 1950; Etudes de concert et cadences op. 13, hrsg. v. DENS., ebd. 1953.
Lit.: +A. MOSER, Gesch. d. Violinspiels (1923), 2. Aufl. hrsg. v. H.-J. Nösselt, 2 Bde, Tutzing 1966–67.

+**Laub,** Thomas Linnemann, 1852–1927.
Ausg.: Sange med kl., hrsg. v. H. GLAHN u. M. WÖLDIKE, Kopenhagen 1958.
Lit.: +P. HAMBURGER, Th. L. (1942), Neuaufl. Kopenhagen 1957; G. HAHNE, Th. L.s Kirchenmusikreform in Dänemark, MuK XXXII, 1962; M. WÖLDIKE, Erindringer om L. og C. Nielsen, Dansk kirkesangs årsskrift 1967; A. H. HAUGE, Th. L. L. (1852–1927) and His Influence on the Revitalization of Danish Music, Diss. Boston Univ. 1969.

Laube, Anton (Antonín), * 10. 11. 1718 zu Brüx/Most (Böhmen), † 24. 2. 1784 zu Prag; böhmischer Kirchenkapellmeister und Komponist, war Sängerkna-

be, dann Organist in Prag, 1769–71 Chorregent an St. Gallus, ab 1771 Domkapellmeister an St. Veit. Er komponierte vor allem Kirchenmusik (9 Messen, 5 Te Deum, 12 Vespern, Litaneien, Proprien), die sich in ihrer volkstümlichen Art an Brixi orientierte; ferner blieben eine Symphonie, *9 Parthien* für Bläser und ein Konzert für Englisch Horn obligato erhalten.
Lit.: R. QUOIKA, Artikel A. L., MGG VIII, 1960.

Laubenthal, Horst Rüdiger, * 8. 3. 1939 zu Eisfeld (Thüringen); deutscher Sänger (lyrischer Tenor), ließ sich 1959–67 privat bei seinem Adoptivvater Rudolf L. und 1962–65 an der Staatlichen Hochschule für Musik in München ausbilden. Er debütierte 1967 in Würzburg als Don Ottavio (*Don Giovanni*) und wurde im selben Jahr an die Württembergische Staatsoper in Stuttgart verpflichtet. Seit 1970 wirkt er bei den Bayreuther Festspielen, seit 1972 bei den Osterfestspielen und den Sommerfestspielen in Salzburg mit; er ist außerdem Mitglied der Wiener Staatsoper und gastierte in zahlreichen Städten Westeuropas sowie in Buenos Aires. 1973 wurde er als 1. lyrischer Tenor an die Deutsche Oper Berlin verpflichtet. L. hat sich auch als Konzertsänger (Evangelist in den Werken von J. S. Bach) einen Namen gemacht.

Laubenthal, Paul Rudolf, * 18. 3. 1886 zu Düsseldorf, † 2. 10. 1971 zu Pöcking (Kreis Starnberg); deutscher Opernsänger (Heldentenor), absolvierte neben einem Medizinstudium seine Gesangsausbildung und wurde 1913 an das Deutsche Opernhaus in Berlin engagiert. Ab 1919 sang er an der Bayerischen Staatsoper München, 1923–33 an der Metropolitan Opera in New York; in dieser Zeit gastierte er außerdem an der Covent Garden Opera in London sowie in Chicago und San Francisco. Ferner trat er an den Staatsopern von Wien und Berlin auf.

+Lauber, [erg.: Anton] Joseph, 27. [nicht: 25.] 12. 1864 – 1952 zu Genf [nicht: Annecy].
L.s Oratorium *+Ad gloriam Dei* entstand 1905 [nicht: 1900]. Er schrieb insgesamt 6 [nicht: 5] Symphonien und 5 [nicht: 4] Orchestersuiten. Sein letztes Werk ist das Oratorium *Le drame de Saul de Tarse* (1951).

+Lauffenberg, Heinrich von, um 1390 – 1460.
Ausg.: 6 Lieder in: H. MOSER u. J. MÜLLER-BLATTAU, Deutsche Lieder d. MA, Stuttgart 1968.

Laugier (loʒj'e), Marc-Antoine, * 25. 7. 1713 zu Manosque (Basses-Alpes), † 7. 4. 1769 zu Paris; französischer Musikschriftsteller, studierte an der Universität Lyon, trat dort in den Jesuitenorden ein, kam 1756 nach Paris, wo er Hofprediger wurde, verließ dann aber den Orden, war als Journalist und Diplomat des Kurfürsten von Köln tätig und zog sich schließlich in die ihm 1757 als Pfründe verliehene Abtei Ribeauté (in der Languedoc) zurück, um sich ganz literarisch-historischen Arbeiten zu widmen. In seinen anonym erschienenen *Apologie de la musique française contre M. Rousseau* (Paris 1754) setzte er sich für die französische Opernmusik ein. Von der periodischen Schrift *Sentiment d'un harmoniphile sur différens ouvrages de musique* erschienen nur 2 Nummern (1756).
Lit.: H. GOLDSCHMIDT, Die Musikästhetik d. 18. Jh., Zürich u. Lpz. 1915, Nachdr. Hildesheim 1968; N. BOYER, La guerre des bouffons et la musique frç., Paris 1945; M. BARTHÉLEMY, M.-A. L. contre J.-J. Rousseau. Un épisode de la querelle des bouffons, in: La Provence hist. LXXIII, 1968.

+Laugs [–1) Robert], –2) Richard, * 10. 3. 1907 zu Hagen (Westfalen).
Seine Konzerttätigkeit setzte er auch nach seiner Berufung (1951) als Direktor der Städtischen Hochschule

für Musik in Mannheim fort. 1955 wurde er zum Professor ernannt. Er schrieb den Beitrag *Ist es heutzutage noch sinnvoll, Klavierlehrer auszubilden?* (in: Musik im Unterricht, Allgemeine Ausg. L, 1959).

Launay (lon'ɛ), Denise, * 7. 10. 1906 zu Paris; französische Musikforscherin, studierte Orgel am Pariser Conservatoire bei Dupré sowie Kontrapunkt und Fuge bei Georges Caussade und erhielt die Licence de concert für Orgel an der Ecole Normale de Musique de Paris. Sie begann 1939 ihre Tätigkeit an der Bibliothèque National und gehört seit 1960 dem Centre National de la Recherche Scientifique an. Außerdem ist sie Kapellmeister und Organist an Notre-Dame de Lorette in Paris. Sie veröffentlichte u. a.: *La fantaisie en France jusqu'au milieu du XVIIe s.* (in: La musique instrumentale de la Renaissance, hrsg. von J. Jacquot, Paris 1955); *Notes sur E. Moulinié, maître de la musique de Gaston d'Orléans* (in: Mélanges d'histoire et d'esthétique musicales, Fs. P.-M. Masson, ebd. 1955, Bd II); *A propos de quelques motets polyphoniques en l'honneur de St-Martin* (Rev. de musicol. XLVII, 1961); *La »Paraphrase des psaumes« de Godeau et ses musiciens* (ebd. L, 1964); *Essai d'un commentaire de Titelouze par lui-même* (RMFC V, 1965); *Les rapports de tempo entre mesures binaires et mesures ternaires dans la musique française (1600–50)* (FAM XII, 1965); *A propos de deux manuscrits musicaux aux armes de Louis XIII* (FAM XIII, 1966); ferner eine Reihe von Artikeln in MGG. D. L. gab eine *Anthologie du motet latin polyphonique en France (1609–61)* (= Publ. de la Société française de musicologie I, 17, Paris 1963) sowie Kirchenmusik u. a. von J.-B. Boësset, Bouzignac und M.-A. Charpentier heraus.

+Launis, Armas Emanuel, * 22. 4. 1884 zu Hämeenlinna (Finnland), [erg.:] † 7. 8. 1959 zu Nizza.

+Laurencin, Ferdinand Peter, Graf (d'Armond), 1819–90.
Lit.: R. FRIEDRICH, F. P. Graf L., Ein Beitr. zur Gesch. d. Wiener Musikkritik, Diss. Graz 1967.

Laurens (lor'ã), Jean-Joseph-Bonaventure, * 14. 7. 1801 und † 28. 6. 1891 zu Carpentras (Vaucluse); französischer Archäologe, Maler, Geologe, Botaniker, Musikforscher, Organist und Komponist, war Kompositionsschüler von Castil-Blaze. Bei seinen zahlreichen Reisen innerhalb Europas kam er mit Mendelssohn Bartholdy, R. Schumann und Brahms zusammen. Er schrieb u. a. Orgelwerke, etwa 300 Klavierlieder und ein Stabat mater für Frauenstimmen und Org. (1859) und gab *Lamentations de Jérémie* für 2 T. und B. von Carpentras sowie 33 Cembalostücke von Fr. Couperin (Paris 1841) heraus. Bilder und schriftliche Aufzeichnungen von ihm sind in der Bibliothèque d'Inguimbert in Carpentras aufbewahrt.
Lit.: ANON., J.-B. L., une vie artistique, Carpentras 1899; Cat. de la collection mus. J.-B. L. ..., ebd. 1901; J. CLAPARÈDE, Un interprète du romantisme et pittoresque. J.-J.-B. L., Montpellier 1960; M. HERRMANN, J.-J.B. L.' Beziehungen zu deutschen Musikern, SMZ CV, 1965.

+Laurenti, –1) Bartolomeo Girolamo, [erg.: um] 1644 – 1726. –2) Girolamo Nicolò, † 1751 [nicht: 1752].

Laurentius de Florentia, (Ser Lorenzo, Magister L., L. Masii = Sohn des Thomas), † vor 1385; italienischer Komponist, wirkte etwa zwischen 1350 und 1370 als Musiklehrer geistlichen Standes an Florentiner Kirchen und gehört zur gleichen Generation wie Gherardello und Donato di Florentia. Er vertonte u. a. Texte von Boccaccio, Niccolò Soldanieri, Franco Sacchetti und Gregorio Calonista. Von ihm erhalten sind ein Sanctus

und 10 Madrigale für 2 St. (Nr 5 im Strophenteil 3st.), eine Caccia für 3 St., 5 Ballate und eine Antefana (lateinisches Gesangslehrstück) für eine St. (überliefert in insgesamt 6 Quellen meist Florentiner Herkunft).
Ausg.: GA in: The Music of Fourteenth-Cent. Italy, hrsg. v. N. Pirrotta, = CMM VIII, 3, Antwerpen 1962. – weltliche Werke in: Der Squarcialupi-Cod. Pal. 87 ..., hrsg. v. J. Wolf, Lippstadt 1955.
Lit.: Ph. Villani, Liber de civitatis Florentiae famosis civibus, hrsg. v. G. C. Galletti, Florenz 1847; J. Wolf, Gesch. d. Mensural-Notation, Lpz. 1904, Nachdr. Hildesheim u. Wiesbaden 1965; A. Bonaventura, Il Boccaccio e la musica, RMI XXI, 1914; E. LiGotti u. N. Pirrotta, Il Sacchetti e la tecnica mus. del Trecento ital., Florenz 1935; Fr. Sacchetti, Il libro delle rime, Bari 1936; A. v. Königslöw, Die ital. Madrigalisten d. Trecento, Würzburg 1940; E. LiGotti, La poesia mus. ital. del s. XIV, Palermo 1944; Ders., Poesie mus. ital. del s. XIV, Atti della Reale Accad. di Scienze, Lettere e Arti di Palermo IV, 4, Teil II, 1944; K. v. Fischer, Studien zur ital. Musik d. Trecento u. frühen Quattrocento, = Publ. d. Schweizerischen Musikforschenden Ges. II, 5, Bern 1956; N. Pirrotta, Artikel L. de Fl., MGG VIII, 1960.

+Laurentius von Schnüffis, 1633–1702.
Ausg.: Mirantisches Flötlein (1682), Faks. d. 3. Aufl. Ffm. 1711, Darmstadt 1968 (mit Vorw. v. A. Daiger).
Lit.: +H. Kretzschmar, Gesch. d. neuen deutschen Liedes (1911), Nachdr. Hildesheim u. Wiesbaden 1966.

+Lauri-Volpi, Giacomo (eigentlich G. Volpi), * 11. 12. 1892 zu Lanuvio (bei Rom).
1959 beendete L.-V. offiziell seine über vier Jahrzehnte hinweg erfolgreiche Laufbahn als Opernsänger am Teatro dell'Opera in Rom als Manrico in Verdis *Il Trovatore*. Eine besonders für einen Tenor außergewöhnliche Erhaltung der Stimmkraft bis ins hohe Alter ermöglichte ihm jedoch auch weiterhin öffentliches Auftreten, so zuletzt 1972 am Teatro Liceo in Barcelona mit einer Arie des Kalaf aus Puccinis *Turandot*. Seit 1934 lebt er in Burjasot (bei Valencia). Weitere Schriften: +*Voci parallele* (1955), russ. Leningrad 1972; *Misteri della voce umana* (Mailand 1957); *La voz de Cristo* (= Los tres dados o. Nr, Madrid 1969); *Incontri e scontri* (= La carte nascoste I, Rom 1971); *Parlando a Maria* (ebd. 1972).

Lauro, Antonio, * 3. 8. 1917 zu Bolívar; venezolanischer Komponist und Gitarrist, studierte (Abschlußexamen 1947) an der Escuela de Música y Declamación in Caracas Klavier, Violoncello, Orgel, Gitarre (Raúl Borges) und Komposition (Sojo). Er war Direktor des Coro de Madrigalistas de Venezuela, Präsident des Sindicato Venezolano de Compositores und Delegierter für Kulturwesen der Asociación Musical de Caracas. L. schrieb zahlreiche Stücke für Gitarre solo, über 40 Stücke für 3 Gitarren und ein Lehrbuch *Lecciones para diversas dificultades en la guitarra*. Von seinen weiteren Kompositionen seien genannt: Symphonische Dichtungen *Cantaclaro* (1948) und *Canaima* (1952); Konzert für Git. und Orch. (1956); 2 Streichquartette (1947 und 1948); *Misterio del nacimiento* für S., A., T., Kinderchor, Sprecher und Orch. mit Verwendung des venezolanischen Pandero (1952); ferner a cappella-Chöre.
Lit.: Werkverz. in: Compositores de América XIV, Washington (D. C.) 1968.

Lautenbacher, Josef, * 27. 2. 1899 und † 15. 5. 1970 zu Augsburg; deutscher Musikpädagoge, empfing seine Ausbildung in München am Volksschullehrerseminar, am Konservatorium sowie bei Berberich an der Staatlichen Hochschule für Musik (1924–26; Diplom für Katholische Kirchenmusik); in Augsburg erhielt er bei Greiner Gesangsunterricht. 1920 wurde er in Augsburg Volksschullehrer und 1921 gleichzeitig Chordirektor an der St. Georgs-Kirche (1923 Singschullehrer),

1935 hauptamtlicher Lehrer am Singschullehrerseminar (1936 stellvertretender Direktor). 1947 arbeitete er am Aufbau der Städtischen Singschule Kempten (Allgäu) mit und wurde 1951 zum Leiter der A.-Greiner-Gesangsbildungsstätten in Augsburg berufen (Pensionierung 1964).

Lautenbacher, Susanne, * 19. 4. 1932 zu Augsburg; deutsche Violinistin, Tochter von Josef L., studierte an der Staatlichen Hochschule für Musik in München und dann bei Szeryng. 1960 wurde sie an die Badische Hochschule für Musik in Karlsruhe berufen. Sie ist heute Professor für Violine an der Staatlichen Hochschule für Musik in Stuttgart und Mitglied des Trio Bell'Arte.

Lautensack (Lauttensackh), deutsche Organistenfamilie. –1) Paul (I), * 1478 zu Bamberg, begraben 20. 8. 1558 zu Nürnberg, unterhielt eine bedeutende Maler- und Bildschnitzerwerkstatt in Bamberg, war dort auch Pfleger und Organist an der Oberen Pfarrkirche sowie ab 1525 Ratsherr und Gassenhauptmann, übersiedelte bei Abwehr der Reformation 1527 nach Nürnberg, wo er als Stadtorganist wirkte und 1533 mit Melanchthon und Luther in Briefwechsel stand, aber 1542–45 wegen Schwärmertums aus der Stadt verwiesen wurde. –2) Paul (II), * um 1515 zu Bamberg, begraben 24. 3. 1565 zu Nürnberg, Sohn und Schüler von –1), war dort ab 1541 Organist an St. Sebald. –3) Paul (III), * wahrscheinlich 1539 oder 1540 und begraben 18. 10. 1598 zu Nürnberg, Sohn und Schüler von –2), wurde 1565 in Nürnberg Organist an St. Lorenz und 1571 an St. Sebald, 1596 pensioniert. Als sein Adjunkt und Nachfolger wirkte H. Chr. Heyden. –4) Gabriel, getauft 19. 10. 1547 zu Nürnberg, † im Frühjahr 1592 zu Weiden (Oberpfalz), Sohn und Schüler von –2), bewarb sich 1568–69 vergeblich um ein Organistenamt in Eger, ging dann nach Nabburg (Oberpfalz) und wurde 1571 Organist an St. Michael in Weiden. –5) Simon, * 1570 zu Nabburg, † 1610 zu Weiden, Sohn und Schüler von –4), wurde 1592 Stadtorganist und Tertius der Lateinschule in Kemnath (Oberpfalz), dann Nachfolger seines Vaters an St. Michael in Weiden.
Lit.: A. J. Metzner, P. L. d. Aeltere. Maler, Musiker, Mystiker, in: Die St. Frankens XXVII, 1961.

Lautner, Karl-Heinz, * 18. 9. 1918 zu Braunschweig; deutscher Pianist, studierte 1935–38 an der Staatsmusikschule Braunschweig und 1946–48 an der Staatlichen Hochschule für Musik in Stuttgart (Klavier bei Walter Rehberg und Alfred Kreutz, Komposition bei K. Marx) sowie 1948–49 privat bei Gieseking. Seit 1949 wirkt er als Lehrer für Klavier (1963 Professor) an der Staatlichen Hochschule für Musik in Stuttgart. Ausgedehnte Konzertreisen führten ihn als Konzertsolisten, Kammermusikspieler und Begleiter namhafter Instrumentalsolisten durch verschiedene europäische Länder sowie nach Kanada und in die USA. Mit dem Violoncellisten Hoelscher bildet er ein ständiges Duo.

+Laux, Karl, * 26. 8. 1896 zu Ludwigshafen.
L. wurde 1951 zum Professor ernannt; bis zu seiner Emeritierung (1963) leitete er als Rektor die Hochschule für Musik in Dresden. 1959–68 war er Vizepräsident der Gesellschaft für Musikforschung; seit 1956 ist er Präsident der R.-Schumann-Gesellschaft (Zwickau), deren Musikfeste und internationale Wettbewerbe er leitete. – Neuere Veröffentlichungen: +*10 Jahre Musikleben in der DDR* (Lpz. 1960); *Dresdner Ansprachen* (Dresden 1956); *O. Gerster* (= Reclams Universal-Bibl. Bd 8928/29, Lpz. 1961); *Die Dresdner Staatskapelle* (ebd. 1964, auch engl. und frz.); *Lehrbriefe zum*

Thema: Musik im täglichen Leben (ebd. 1965); *C.M.v. Weber* (= Reclams Universal-Bibl. Bd 252, ebd. 1966, rumänisch Bukarest 1968); *Das Musikleben der DDR* (NZfM CXIX, 1958); *C.M.v. Webers Münchner Beitrag zur deutschen Oper* (Fs. H.Engel, Kassel 1964); *Bekenntnis zu M.Reger* (in: M.Reger. Beitr. zur Regerforschung, Meiningen 1966); *Was ist ein Musikschriftsteller? C.M.v. Weber und R. Schumann als Vorbild* (Sammelbände der R.-Schumann-Gesellschaft II, 1966); *C.M.v. Weber und die Gründung der »Deutschen Oper« in Dresden* (in: 300 Jahre Dresdner Staatstheater, bearb. von W.Höntsch und U.Püschel, Bln 1967); *R. Strauss und Dresden* (Mitt. der Internationalen R.-Strauss-Ges. 1969, Nr 62/63); *Wesen und Wandel des philharmonischen Gedankens* (in: Musa – Mens – Musici, Gedenkschrift W.Vetter, Lpz. 1970). Er edierte den Sammelband *Das Musikleben in der Deutschen Demokratischen Republik 1945–59* (Lpz. 1963) sowie unter dem Titel *Kunstansichten* ausgewählte Schriften C.M.v. Webers (= Reclams Universal-Bibl. Bd 423, ebd. 1969).
Lit.: J. HAAS in: Musica X, 1956, S. 549; E. ARRO, Über einige neuere deutsche Publ. zur russ. Mg., in: Musik d. Ostens I, Kassel 1962; J. P. THILMAN in: Musik in d. Schule XIII, 1962, S. 7ff.; S. KÖHLER, ebd. XXII, 1971, S. 364f.

Lauxmin, Sigismundus, SJ, * 1597 zu Schemaiten/Samogitia (Litauen), † 11. 9. 1670 zu Wilna; litauischer Theologe und Musiker, besuchte das Collegium Crosensis (Kražiai, Nordwestlitauen) und promovierte 1638 zum Doctor artium liberalium et philosophiae und 1642 zum Dr. theol. Er lehrte 1641–43 Philosophie in Brunsberg, war 1644–46 Rektor der Collegia Plocensis (Plotz), wurde 1651 IX elector generalis provinciae Lithuaniae Societatis Iesu und war 1651–57 Rektor der Collegia Ploscensis (Polotzk), 1657–60 Vizerektor der Academia Vilnensis, 1661–65 Rektor des Collegium Crosensis sowie 1665–70 Vizekanzler der Academia Vilnensis. Neben theologischen, philologischen und rhetorischen Werken (seine *Praxis oratoria sine praecepte artis rhetoricae* hatte 13 Auflagen) veröffentlichte er den musikpädagogischen Traktat *Ars at praxis musicae in usum studiosae iuventutis in collegiis Societatis Iesu permissu superiorum proposita* (Wilna 1667, ²1693, ³1742; enthält als Übungsbeilagen ein *Graduale pro exercitatione studentium* und ein *Antiphonale ad psalmos, iuxta ritum S. Romanae ecclesiae, decantandos, necessarium*).
Lit.: BrossardD; S. ROSTOWSKI, Litvanicarum S. J. historiarium provincialium pars prima, Wilna 1768; V. JURKŠTAS, Senieji lietuvių muzikai (»Alte litauische Musiker«), in: Kultūros barai II, 1966.

+Lavagne, André, * 12. 7. 1913 zu Paris.
L. ist auch als Musikkritiker (u. a. bei »Le Figaro«) tätig. – Die Oper *+Comme ils s'aiment* wurde 1941 in Paris, die Oper *+Corinne* 1956 in Enghien-les-Bains uraufgeführt. – Weitere Werke: symphonisches Fragment *Le poème d'Adonis* (nach La Fontaine, 1959); *Psaume 41* für Chöre, Org. und Orch. (1962); *Concerto pour la veillée pascale* für Org., Chöre, Blechbläser und Schlagzeug (1967). Er veröffentlichte eine Biographie über *Chopin* (Paris 1969) sowie gesammelte Musikkritiken als *La semaine de mélomane* (ebd. 1969).

Lavagnino (lavaɲˈiːno), Angelo Francesco, * 22. 2. 1909 zu Genua; italienischer Komponist, erlangte ein Diplom für Violine in Genua und absolvierte 1932 das Conservatorio di Musica G. Verdi in Mailand als Kompositionsschüler von Mario Barbieri, Renzo Bossi und Frazzi. 1948–62 war er Professor für Filmmusik an der Accademia Musicale Chigiana in Siena. Seine Kompositionen umfassen u. a. die Oper *Malafonte* (Antwerpen

1952), Orchesterwerke (*Volo d'api,* 1932; *Tempo alto,* 1938; *Pocket Symphony,* 1949; Symphonie *Le cronache,* 1951), ein Konzert für V. und Orch. (1941), *L'annunciazione,* Concerto sacro per 3 violini solisti e 3 fili di violini (1945), Kammermusik (Klavierquintett, 1942; Streichquartett, 1938; Trio für 2 V. und Va, 1939; 7 Inventionen für 2 V., 1944), Klavierwerke (Sonatine für 2 Kl., 1948), 20 Studien für Hf. (1943), Vokalmusik (*Messa Chigiana* für Solo, Chor und Orch., 1946; Kantaten und Chormotetten) sowie Musik für über 250 Filme, darunter die Orson Welles-Filme *Othello* (1951) und *Falstaff* (1966), ferner *Magia verde* (1953), *Continente perduto* (1954), *Tam tam mayumbe* (1955), *Impero del sole* (1956), *Maja desnuda* (1958), *Ombre bianche* (1960), *Venere imperiale* (1962) und *La grande Olimpiade* (1968). Er veröffentlichte *Schema fisso per le modulazioni* (Turin 1947) sowie Aufsätze über Filmmusik.

Lavalle-García (labˈaʎe garˈθˈia), Armando, * 23. 11. 1924 zu Ocotlán (Staat Jalisco); mexikanischer Komponist, war Schüler von József Smilowitz (Violine) sowie von Bernal Jiménez und Revueltas (Komposition) in México (D. F.). Er komponierte Ballettmusik (*La canción de los buenos principios,* México/D. F. 1957; *3 tiempos de Amor,* ebd. 1958; *Corrido,* ebd. 1959), Orchesterwerke (*Obertura colonial,* 1954; *Estructuras geométricas* für Streichorch., 1960; Konzert für Va und Streichorch., 1965; Violinkonzert, 1966), Kammermusik (Streichquartett, 1963; Suite für Vc. und Kl., 1967; *Trígonos* für Fl., Klar. und Fag., 1968; *Trio con acompañamiento* für Ob., Vc., Fag. und Schlagzeug, 1969) und Werke für Chor und Orch. (*Requiem y canto de tristeza* für gem. Chor, Kl. und Schlagzeug, 1968).
Lit.: Werkverz. in: Compositores de América XV, Washington (D. C.) 1969.

Lavallée, Calixa, * 28. 12. 1842 zu Verchères (Quebec), † 21. 1. 1891 zu Boston; kanadischer Komponist und Pianist, war 1870–72 Dirigent und künstlerischer Direktor des New York Grand Opera House, vervollständigte 1873–75 seine Ausbildung in Paris bei Bazin und A.L.Boieldieu (Komposition) sowie bei A.Fr. Marmontel (Klavier) und wirkte anschließend als Opernchordirigent in Montreal und Quebec. Er ging 1880 in die USA, wurde Klavierbegleiter von Etelka Gerster, Musikdirektor an der katholischen Kathedrale und Lehrer am Petersilea Conservatory in Boston. 1886 wurde er zum Präsidenten der Music Teachers National Association der USA gewählt. L. komponierte die Opern *Lou-Lou* (1872), *The Widow* (Boston 1882), *Tig* (ebd. 1883) und *Le jugement de Salomon* (1886), 3 Ouvertüren für Blaskapelle (1885–88), *Marche funèbre* für Papst Pius IX. (1878), Salonmusik, darunter die seinerzeit beliebte Etüde *Le papillon* (1875) und das patriotische Lied *O Canada!,* das 1967 zur offiziellen Nationalhymne Kanadas erklärt wurde. Die Mehrzahl seiner Kompositionen ist verschollen.
Lit.: E. LAPIERRE, C. L., Montreal 1936, revidiert 1950, ebd. u. Paris ³1966.

+La Vallière, Louis-César de La Beaume Le Blanc, duc de, 1708–80.
Ausg.: Ballets, opéras et autres ouvrages lyriques ..., Faks. d. Ausg. Paris 1760, London 1967.

+Lavater, Hans, * 24. 2. 1885 und [erg.:] † 27. 4. 1969 zu Zürich.
Er trat 1959 als Direktor der Musikakademie Zürich in den Ruhestand; im gleichen Jahr wurde ihm der G.-Nägeli-Medaille verliehen. Weitere Kompositionen: *Praeludium und Fuge im romantischen Stil* für Org., *Uraziun per la patria* für Männerchor (1955) und eine kleine Kantate *Wir Bauern* für B. und Orch. (1959).

Er schrieb über *Die Ausbildung des Berufsmusikers in der Schweiz* (= Neujahrsblatt zum Besten des Waisenhauses Zürich CXXV, = Neujahrsblätter der Chorherrenstube CLXXXIV, Zürich 1962).
Lit.: W. Bertschinger in: SMZ XCV, 1955, S. 66f.; E. Tobler, ebd. CIX, 1969, S. 185f.

Lavi, Daliah (eigentlich Daliah Lewinbuk), * 12. 10. 1942 zu Shavi Zion (bei Haifa); israelische Schlagersängerin und Filmschauspielerin, Tochter eines russischen Emigranten und einer Deutschen, absolvierte an der Königlichen Oper in Stockholm ein Ballettstudium, war dann in Israel als Photomodell tätig, erhielt 1959 ihren ersten Filmvertrag (30 Rollen in Hollywood) und 1969 einen Schallplattenvertrag. Zu den bekannten, von D. L. interpretierten Schlagertiteln gehören: *Liebeslied jener Sommernacht* (deutsche Version von *Love's Song*); *Oh, wann kommst du*; *Drei schwarze Rosen*; *Wer hat mein Lied so zerstört*; *Akkordeon*; *Jerusalem*; *Willst du mit mir gehn*; *In meiner Welt*; *Frag' mich nicht.* 1972 wurde sie mit dem »Silbernen Löwen« von Radio Luxemburg ausgezeichnet.

+Lavigna, Vincenzo, 1776 zu Altamura (Apulien) [nicht: Neapel] – 1836.

+Lavignac, Alexandre Jean Albert, 1846–1916.
Professor am Pariser Conservatoire wurde er 1875 [nicht: 1882]. – Die +*Encyclopédie de la musique et dictionnaire du Conservatoire* liegt in insgesamt 11 Bänden vor (2 Teile, I: *Histoire de la musique*, 5 Bde, II: *Technique, esthétique, pédagogie*, 6 Bde, Paris 1913–31). – +*The Music Dramas of R. Wagner and His Festival Theatre in Bayreuth* (1898), Nachdr. NY 1968.

Lavín, Carlos, * 10. 8. 1883 zu Santiago de Chile, † 27. 8. 1962 zu Barcelona; chilenischer Komponist und Musikforscher, begann seine musikalischen Studien in Valparaíso und setzte sie in Santiago de Chile fort. 1922 ging er nach Europa, wo er in Paris bei Roger Pénau und Caplet (1923) sowie in Berlin bei E. v. Hornbostel (1931) studierte. Er lebte dann einige Jahre in Barcelona, kehrte 1942 nach Santiago de Chile zurück und organisierte dort 1945–48 das Archiv für Folklore an der Dirección de Informaciones y Cultura des Innenministeriums. Nach Übernahme des Folklorearchivs durch die Facultad de Ciencias y Artes Musicales der Universidad de Chile (1948) wurde L. Direktor des Instituto de Investigaciones Musicales. 1959 ließ er sich wieder in Barcelona nieder. Er komponierte die Opern *La encantada* (Paris 1925) und *Friso atacameño* (ebd. 1954), die Ballette *Automnales* (Nizza 1928), *Quiray* (1930) und *Baile blanco* (Barcelona 1936), *Fiesta araucana* für Orch. (1926), *Lamentaciones huilliches*, 3 araukanische Gesänge für A. und Orch. (1928), Kammermusik (*Los cantos de la selva* für Kl., Klar. und Gesang über Araukanermotive, 1925; *Cantar eterno* für 4 Vc., 1947), Klavierstücke (*Suite andine*, 1926; *Mythes araucans*, 1926; *Las misiones* für 2 Kl., 1930) und Stücke für Klavier und Gesang (*2 lamentos anamitas*, 1936) sowie Bühnen- und Filmmusiken. Von seinen zahlreichen Aufsätzen seien genannt: *La musique des Araucans* (RM V, 1925, span. in: AM XVI, 1961, und Rev. musical chilena XXI, 1967; *Las fiestas rituales de la Candelaria* (Rev. musical chilena V, 1949); *La vidalita argentina y el vidalay chileno* (ebd. VIII, 1952); *Criollismo literario y musical* (ebd. XXI, 1967); *Romerías chilenas* (ebd.).
Lit.: M. Dannemann, Bibliogr. folklórica y etnográfica de C. L. A., Rev. mus. chilena XXI, 1967; ders., Semblanza de C. L., ebd.; J. Urrutia Blondel, C. L., compositor, ebd.; V. Salas Viu, C. L. y la musicología en Chile, ebd.

+LaViolette, Wesley, * 4. 1. 1894 zu St. James (Minn.).
Nach 1946 unterrichtete er am Los Angeles Conservatory. An neueren Kompositionen sind zu nennen je ein *Duet Album* für 2 Klar. (1958), 2 Kornette (1959) bzw. 2 Pos. (1961), je eine Suite für Fl. (1963) bzw. Klar. (1963) solo sowie ein *Delphic Psalm* für Chor und Blechbläser (1964). Er schrieb ferner mehrere Bücher zumeist mystisch-religiösen Inhalts.

Lavista, Mario, * 3. 4. 1943 zu México (D. F.); mexikanischer Komponist, studierte 1963–67 am Conservatorio Nacional de Música in México bei Quintanar und R. Halffter, dann an der Schola Cantorum in Paris bei Xenakis und Pousseur sowie an der Staatlichen Hochschule für Musik in Köln bei K. Stockhausen. 1969 wurde er stellvertretender Leiter der Kompositionsklasse am Conservatorio Nacional de Música in México. 1970 gründete er mit anderen Musikern zusammen die Improvisationsgruppe »Quanta«. 1971–72 war er Mitarbeiter eines Studios für Elektronische Musik in Tokio. L. komponierte u. a. *Monólogo* für Bar., Fl., Vibraphon und Kb. (1966), *2 canciones* für Cemb. und Mezzo-S. (1966), *6 piezas* für Streichorch. (1967), *5 piezas* für Streichquartett (1967), ein Divertimento für Bläserquintett und 3 Kurzwellenradioapparate (1968), *Homenaje a Samuel Beckett* für 3 gem. Chöre a cappella (1968), *Diacronía* für Streichquartett (1969), *Blen*, Improvisation für Tonband (1969), *Kronos* für 15 Uhrwerke, Mikrophon, Lautsprecher und Spannungsmesser (1969), *Tame* für Fl. solo (1970), *Pieza para UN* für eine Pianisten und ein Kl. (1970) und *Continuo* für Orch. (1971).
Lit.: Werkverz. in: Compositores de América XV, Washington (D. C.) 1969.

La Voye Mignot (la vwa mịn'o), de, französischer Mathematiker und Musiktheoretiker des 17. Jh., veröffentlichte nach Reisen durch England und Italien *Commentaires des éléments d'Euclide* (Paris 1649). Er schrieb auch einen *Traité de musique pour bien et facilement apprendre à chanter et à composer tant pour les voix que pour instruments* (ebd. 1656, erweitert um einen 4. Teil ²1666), der ein Elementar- und Satzlehre (der 1666 ergänzte Teil auch Begriffserklärungen in der Art der Appendices ohne alphabetische Ordnung) beinhaltet. Die Stimmführung weist durch häufige Querstände auf englische Vorbilder hin, während der Traktat allgemein im Gegensatz zu früheren französischen Satzlehren zunehmend Einflüsse des italienischen Barocks widerspiegelt.
Ausg.: Traité de musique ..., Paris ²1666, Faks. Genf 1972.
Lit.: H. Schneider, Die frz. Kompositionslehre in d. ersten Hälfte d. 17. Jh., = Mainzer Studien zur Mw. III, Tutzing 1972.

+Lavry, Marc, * 22. 12. 1903 zu Riga, [erg.:] † 20. 3. 1967 zu Haifa.
Die Musikabteilung des Jerusalemer Kurzwellensenders für Übersee »Die Stimme Zions« leitete er bis 1958. An weiteren Werken seien die Oper *Tamar*, die Orchesterrhapsodie *Dalat el carmel* und 5 lyrische Stücke für Hf. genannt.
Lit.: autobiogr. Skizze in: Tatzlil VIII, 1968, S. 47ff. (hebräisch).

+Lawes, –1) Henry, 1596–1662. –2) William, 1602–45.
Ausg.: Dialogues f. 2 St. u. B. c. (v. W. u. H. L.), hrsg. v. R. Jesson, = The Penn State Music Series III, Univ. Park (Pa.) 1964. – zu –1): 5 Airs in: A Maske at Ludlow. Essays on Milton's »Comus«, hrsg. v. J. S. Diekhoff, Cleveland (O.) 1968; 28 Lieder in: Engl. Songs, 1625–60,

hrsg. v. I. SPINK, = Mus. Brit. XXXIII, London 1971. – zu −2): Select Consort Music, hrsg. v. M. LEFKOWITZ, ebd. XXI, 1963; Trois masques à la cour de Charles Ier d'Angleterre, hrsg. v. DEMS., = Le chœur des muses (XVI), Paris 1970 (J. Shirleys »The Triumph of Peace« v. 1634 sowie W. Davenants »The Triumphs of the Prince d'Amour« u. »Britannia Triumphans« v. 1636 bzw. 1638); Pavane u. 2 Airs a 4 C dur, f. 4 Block-Fl. hrsg. v. L. RING, = Il fl. dolce o. Nr, London 1964; 6st. Consort-Suite C dur, f. 3 V., Va u. 2 Vc. (oder andere Instr.) hrsg. v. H. MÖNKEMEYER, = Consortium o. Nr, Wilhelmshaven 1966; Suite f. 2 Lauten (Git.), hrsg. v. J. BREAM, London 1967; Have Mercy on Us, Lord (Psalm 67), f. Bar., Chor u. Org., sowie The Lamentation, f. A., B., Chor u. Org., hrsg. v. G. DODD, ebd. 1970; 9 Lieder in: Engl. Songs, 1625–60, hrsg. v. I. SPINK, = Mus. Brit. XXXIII, ebd. 1971; 6 Songs (auf Gedichte v. Herrick), hrsg. v. E. H. JONES, ebd. 1972.

Lit.: zu −1): +W. M. EVANS, H. L. ... (= The Modern Language Ass. of America, Revolving Fund Series XI, 1941), Nachdr. NY 1966; DIES., Cartwright's Debt to L., in: Music in Engl. Renaissance Drama, hrsg. v. J. H. Long, Lexington (Ky.) 1968; P. J. WILLETS, A Neglected Source of Monody and Madrigal, ML XLIII, 1962; DIES., The H. L. Ms., London 1969 (British Museum, Add. Ms. 53723); R. J. MCGRADY, The Engl. Solo Song from W. Byrd to H. L., A Study of the Relationship Between Poetry and Music During the Period c. 1588 – c. 1662, Diss. Manchester 1962/63; DERS., H. L. and the Concept of »Just Note and Accent«, ML L, 1969; W. MELLERS, H. L. and the Caroline Ayre, in: Harmonious Meeting, London 1965 (darin auch Ausg. v. »Hymns to the Trinity«); J. STR. APPLEGATE, The H. L. Autograph Song Ms., A Critical Ed. of British Museum Loan MS 35, 2 Bde (I Text, II Ausg.), Diss. Univ. of Rochester (N. Y.) 1966; G. A. HILL, H. L., the Orpheus and Aesculapius of Engl. Music in the 17th Cent., A Study of the Lit., Hist. and Mus. Significance of His Song Books, Diss. Univ. of Kentucky 1967; A. DAVIDSON, Milton on the Music of H. L., Milton Newsletter II, 1968; J. G. DEMARAY, Milton and the Masque Tradition, Cambridge (Mass.) 1968; M. EMSLIE, Milton on L., The Trinity MS Revisions, in: Music in Engl. Renaissance Drama, hrsg. v. J. H. Long, Lexington (Ky.) 1968. – zu −2): +E. J. DENT, Foundations of Engl. Opera (1928), Nachdr. NY 1965; +E. H. MEYER, Engl. Chamber Music (1946), Nachdr. NY 1971, deutsch als: Die Kammermusik Alt-Englands, Lpz. 1958; J. P. CUTTS, W. L.'s Writing f. the Theater and the Court, JAMS XVI, 1963.

Lawrence (l'ɔ:ɹəns), Gertrude (Gertrud Alexandra Dagmar L. Klasen), * 4. 7. 1901 zu London, † 6. 9. 1952 zu New York; englische Schauspielerin, Tänzerin und Sängerin, trat als Kinderschauspielerin mit der Truppe ihres Vaters Arthur L., ab 1916 in den Musikrevuen verschiedener Londoner Kabaretts auf und feierte 1924 in *André Charlot's Revue of 1924* ein erfolgreiches Amerikadebüt. Mit Auftritten in *Oh, Kay* von G. und Ira Gershwin (1926), *Private Lives* (1930, für G. L. geschrieben) und *Tonight at 8:30* (1936, Einakterserie) von N. Coward, *Lady in the Dark* von Weill (1941) und *The King and I* von Rodgers und Hammerstein (1951) sowie als Film- und Fernsehschauspielerin erwarb sie sich Starruhm in den USA und in England. 1951 wurde sie Mitdirektor der School of Dramatic Arts an der Columbia University in New York. Eine Autobiographie erschien unter dem Titel *A Star Danced* (NY und Toronto 1945).

+Lawrence, Marjorie [erg.:] Florence, * 17. 2. 1909 zu Dean's March (Victoria).

M. L. war Professor of Voice am Newcomb College for Women der Tulane University (La.) 1956–60 und ab 1960 an der Southern Illinois University, an der sie zusätzlich eine Opernschule leitete. 1969 wurde ihr von der Ohio University die Ehrendoktorwürde verliehen. Ihre Autobiographie +*Interrupted Melody* ... (1949,

2. Aufl. = Arcturus Books L, Carbondale/Ill. 1968) wurde 1955 verfilmt.

+Lawrence, William John, 1862–1940.
+*The Elizabethan Playhouse* (1912–13), Neuaufl. NY 1966 (2 Bde).

Lawrowskij, Leonid Michajlowitsch, * 5.(18.) 6. 1905 zu St. Petersburg, † 26. 11. 1967 zu Paris; russisch-sowjetischer Tänzer und Choreograph, studierte an der Ballettabteilung der Theaterschule in Petrograd und trat 1922 in das GATOB-Ballett ein, wo er schon bald Hauptrollen in Klassikeraufführungen tanzte. Seine erste Choreographie schuf er 1930 zu R. Schumanns *Etudes symphoniques*. Bald folgten weitere Ballette, darunter auch *Fadetta* nach George Sands Roman *La petite fadette*, der er Delibes Musik zu *Sylvia* unterlegte (Leningrad 1934). 1937 wurde er künstlerischer Direktor des Kirow-Balletts, für das er seine ballettgeschichtlich wichtige Choreographie zu Prokofjews *Romeo i Dschuljetta* schuf (Leningrad 1940), die seither als eine der Gipfelleistungen des sozialistischen Ballettrealismus gilt. 1944–56 und 1960–64 war er künstlerischer Leiter des Bolschoj-Balletts in Moskau, wo er 1944 seine klassische *Giselle*-Inszenierung und 1954 Prokofjews *Kamennyj zwetok* (»Die steinerne Blume«) herausbrachte. Er war ab 1964 Direktor der Moskauer Akademischen Choreographischen Schule (der früheren Bolschoj-Ballettschule). Sein Sohn Michail L. ist heute einer der 1. Solisten des Bolschoj-Balletts. – L. L. veröffentlichte »*Sejf« twortscheskowo dara (Is wospominanij o S. Prokofjewe)* (»Ein ‚Safe' schöpferischer Begabung [Aus den Erinnerungen an S. Prokofjew]«, in: S. S. Prokofjew. Materialy, dokumenty, wospominanija, hrsg. von S. J. Schlifstein, Moskau 1956, ²1961, engl. ebd. 1960, deutsch Lpz. 1965).

Layolle (laj'ɔl), Alamanno de (dell'Aiolle, Aiolli, Aiuolla, Ajolle, Aiole), * um 1520 und † 19. 9. 1590 zu Florenz; italienischer Komponist, Sohn von François de L., war in Lyon Organist an der Kirche St-Dizier und wirkte ab 1565 in Florenz als Organist und Cembalist sowie als Mitarbeiter der Musikverleger Marescotti und Junta. 1570 unterrichtete er eine Tochter Benvenuto Cellinis. Er schrieb ein Buch *Chansons et vaudevilles à 4 v.* (Lyon 1561, verloren) und 6 3st. Madrigale (in: G. Marescotti, Della scelta di madrigali ... a tre v. Libro primo, Florenz 1582). Eine 1921 aufgefundene handschriftliche *Intavolatura di M. A. Aiolli* enthält im 1. (autographen) Teil Bearbeitungen von 6 Madrigalen und 2 Chansons, im 2. Teil 5 Sätze von Intavolierungen von Malvezzi und Cavalieri aus dem 6. Intermedium zu *La pellegrina* von 1589. Sein Sohn Francesco de L. (* 8. 10. 1570 zu Florenz) ist 1593 als Organist an S. Croce in Florenz nachgewiesen.

Lit.: G. TRICOU, Les deux L. et les organistes lyonnais du XVIe s., in: Mémoires de la Soc. Littéraire, Hist. et Archéologique de Lyon 1898, separat als: Documents sur la musique à Lyon au XVIe s., Lyon 1899; FR. A. D'ACCONE, The »Intavolatura di M. A. Aiolli«, MD XX, 1966.

+Layolle, François de ([erg.:] eigentlich Antonio Franceso Romolo di Agniolo di Piero Aiolle), [erg.:] 4. 3. 1492(?) zu Florenz – um 1540 zu Lyon(?).

Fr. de L. war 1505–07 Chorsänger an der Kirche SS. Annunziata in Florenz. 1518 verließ er Florenz, ließ sich dann in Lyon nieder (erstmals nachgewiesen September 1523) und war dort zeitweise als Organist an Notre Dame de Confort und besonders als musikalischer Berater von J. Moderne tätig.

Ausg.: Music of the Florentine Renaissance III–IV. Fr. de L., Collected Secular Works f. 2–5 v. bzw. 4 v., hrsg. v. FR. A. D'ACCONE, = CMM XXXII, 3-4, (Rom) 1969.

Lit.: D. A. SUTHERLAND, Fr. de L. (1492–1540), Life and Secular Works, 2 Bde, Diss. Univ. of Michigan 1968; S. FR. POGUE, J. Moderne, Lyons Music Printer of the 16th Cent., = Travaux d'Humanisme et Renaissance CI, Genf 1969; D. CRAWFORD, Reflections on Some Masses from the Press of Moderne, MQ LVIII, 1972.

Layriz, Fri(e)drich Ludwig Christoph Eduard (Layritz), * 30. 1. 1808 zu Nemmersdorf (Oberfranken), † 18. 3. 1859 zu Unterschwaningen (Mittelfranken); deutscher Theologe und Hymnologe, studierte Theologie und Philosophie in Leipzig (Dr. phil. 1829) und Erlangen, wo er ab 1830 Repetent an der Theologischen Fakultät war, und wurde 1837 Pfarrer in Merkendorf, 1842 in St. Georgen bei Bayreuth und 1846 in Unterschwaningen. Er gehörte zu den Wegbereitern der liturgischen und kirchenmusikalischen Erneuerung innerhalb des Luthertums im 19. Jh. und war bahnbrechend für die Reform des Gemeindegesangs und die hymnologische Forschung in Bayern. Von seinen Veröffentlichungen seien genannt: *CXVII Geistliche Melodien meist aus dem 16. und 17. Jh. in ihren ursprünglichen Rhythmen* (Erlangen 1839, erweitert als *Erstes* und *Zweites Hundert*, ²1844–50, ³1862); *Offener Sendbrief an die protestantische Geistlichkeit Bayerns ... in Betreff der Gesangbuchsreform* (Bayreuth 1843); *Kern des deutschen Kirchenlieds von Luther bis auf Gellert* (Nördlingen 1844); *Kern des deutschen Kirchengesangs. Eine Sammlung von CC Chorälen meist aus dem XVI. und XVII. Jh. in ihren ursprünglichen Tönen und Rhythmen* (ebd. 1844, erweitert auf 4 Bde ²1849–53, ³1854–55); *Die Liturgie eines vollständigen Hauptgottesdienstes nach lutherischem Typus* (ebd. 1849).
Lit.: J. ZAHN, Die Melodien d. deutschen ev. Kirchenlieder, Gütersloh, Bd V, 1892, S. 485, u. Bd VI, 1893, S. 434, 455 u. 463f., Nachdr. Hildesheim 1963.

Layton (l'eitən), Billy Jim, * 14. 11. 1924 zu Corsicana (Tex.); amerikanischer Komponist und Musikforscher, studierte als Schüler von Francis Judd Cooke, Qu. Porter, Piston (Komposition) sowie Gombosi und Pirrotta (Musikwissenschaft) am New England Conservatory of Music in Boston (B. Mus. 1948), an der Yale University in New Haven/Conn. (M. Mus. 1950) und der Harvard University in Cambridge (Mass.), an der er 1960 mit einer Dissertation über *Italian Music for the Ordinary of the Mass, 1300–1450* zum Ph. D. promovierte. 1959–60 lehrte er Komposition am New England Conservatory of Music und war 1960–66 Instructor und Assistant Professor an der Harvard University. 1966 wurde er Professor und Chairman des Department of Music der State University of New York in Stony Brook. Er schrieb: 5 Studien für V. und Kl. op. 1 (1952); *An American Portrait*, symphonische Ouvertüre für Orch. op. 2 (1957); *Three Dylan Thomas Poems* für gem. Chor und Blechbläsersextett op. 3 (1955); Streichquartett in 2 Sätzen op. 4 (1956); 3 Studien für Kl. op. 5 (1961); Divertimento für V., Klar., Fag., Vc., Pos., Cemb. und Schlagzeug op. 6 (1958); *Dance Fantasy* für Orch. op. 7 (1964). Zu erwähnen ist auch der Artikel *The New Liberalism* in: Perspectives of New Music III, 1964/65).
Lit.: Werkverz. in: Composers of the Americas IX, Washington (D. C.) 1963.

Layton (l'eitən), Robert, * 2. 5. 1930 zu London; englischer Musikkritiker, studierte 1949–53 am Worcester College in Oxford bei Rubbra (Komposition) und bei Wellesz (Musikwissenschaft) sowie 1953–55 an der Universität Uppsala. 1959 wurde er Mitglied des Music Department der BBC, wo er 1960 Talks Producer wurde. Neben Kritiken für »The Gramophone« und Beiträgen für »Twentieth Century Music« (hrsg. von R. H. Myers, London 1960) und »The Symphony« (hrsg. von R. Simpson, 2 Bde, = Pelican Books A772–773, Harmondsworth 1967) sowie Zeitschriftenaufsätzen schrieb er *Berwald* (= Musikens mästare o. Nr, Stockholm 1956, engl. London 1959), *Sibelius* (= Master Musicians o. Nr, ebd. und NY 1965) und *Sibelius and His World* (ebd. 1970).

†Lazăr, Filip, 6.(18.) 5. 1894 – 1936.
Lit.: V. TOMESCU in: Muzica VI, 1956, Nr 12, S. 3ff.; DERS., F. L., = Muzicieni romîni înaintaşi şi contemporani o. Nr, Bukarest 1963 (mit Werkverz.).

Lazaro (laθ'aro), Francisco, * zu Barcelona; spanischer Sänger (Tenor), studierte acht Jahre am Konservatorium in Barcelona sowie bei der russischen Pädagogin Galli Markoff. 1964 gab er sein Debüt bei den Salzburger Festspielen als Macduff in Verdis *Macbeth*. Gastspiele führten ihn an die Opernhäuser in München, Hamburg, Stuttgart, Oslo, Stockholm, Madrid, Berlin, Budapest und an die Deutsche Oper am Rhein in Düsseldorf–Duisburg. Zu seinen Hauptpartien zählen Manrico (*Il trovatore*), Radames, Cavaradossi und Turiddu (*Cavalleria rusticana*).

Lázaro (l'aθaro), Joaquín, * 1746 zu Aliaga (Provinz Teruel), † 1786 zu Mondoñedo (Provinz Lugo); spanischer Komponist, war Maestro de capilla an der Metropolitanbasilika Nuestra Señora del Pilar de Zaragoza (1771–77) sowie an den Kathedralen von Mondoñedo (1777–80) und Oviedo (1780–86). Er schrieb eine Reihe von kirchenmusikalischen Werken, u. a. Motetten, Psalmen, Hymnen, Miserere und Lamentationen.
Lit.: G. BOURLIGUEUX, Apuntes sobre los maestros de capilla de la catedral de Oviedo, Bol. del Inst. de Estudios Asturianos XXV, 1971.

Lazarof (l'æzərəf), Henri, * 12. 4. 1932 zu Sofia; amerikanischer Komponist bulgarischer Herkunft, lebt in Beverly Hills (Calif.). Er studierte an der Musikakademie in Sofia (1948), am New Conservatory of Music in Jerusalem (1952), am Conservatorio di Musica S. Cecilia in Rom bei Petrassi (1955–57) und an der Brandeis University in Waltham (Mass.) bei Shapero (M. A. 1959). Seit 1962 lehrt er an der University of California at Los Angeles. Er schrieb Orchesterwerke (*Piccola serenata*, 1959; *Odes*, 1963; *Structures sonores*, 1966; *Mutazione*, 1967; *Omaggio*, 1968; *Continuum*, 1970, und *Koncordia*, 1971, für Streicher; Konzerte für Kl. und Orch., 1956, für Va und Orch., 1960, für Kl. und 20 Instr., 1961, für Vc. und Orch., 1968; *Ricercar* für Va und Klaviersoli und Orch., 1969), Kammermusik (2 Streichquartette, 1956 und 1962; Streichtrio, 1957; *Tempi concertanti* für 6 Spieler, 1964; *Divertimenti* für 5 Spieler, 1969; Inventionen für Va und Kl., 1962; Sonate für V. solo, 1958) und Vokalwerke (Kantate, 1958, und *First Day* für gem. Chor und Bläserquintett oder gem. Chor a cappella, 1959).

Lazarska (uaz'arska), Helena, * 15. 8. 1934 zu Posen; polnische Sängerin (lyrischer Sopran), studierte bei Zofia Stachurska an der Krakauer Musikhochschule (1957–62), dann bei Lore Fischer (1963), Bernac (1965–66) sowie M. Tumiati-Mercie und P. Witsch (1968). 1963–71 war sie an der Schlesischen Oper in Beuthen/Bytom engagiert. Als Konzert- und Liedsängerin ist sie u. a. in Deutschland, Österreich, der UdSSR, Belgien, Ungarn, Rumänien und Jugoslawien aufgetreten. Sie hat sich auch als Mitwirkende des polnischen Avantgardeensembles »MW 2« von Krakau einen Namen gemacht. H. Ł. nahm bei der Uraufführung von Werken u. a. von Łuciuk und Krz. Meyer teil und sang die Sopranpartien in Pendereckis Filmmusiken *Passacalia* und *Arrasy Wawelskie*.

+Lazarus, Daniel, * 13. 12. 1898 und [erg.:] † 27. 6. 1964 zu Paris.
L. unterrichtete ab 1958 an der Schola cantorum in Paris. Als neueres Werk ist eine *Suite concertante* für Kammerorch. und Schlagzeug (1958) zu nennen. Er schrieb *Accès à la musique* (Paris 1960).

+Lazzari, Sylvio ([erg.:] eigentlich Josef Fortunat Silvester L.), 30. [nicht: 31.] 12. 1857 – 10. [nicht: 18.] 6. 1944.

Lazzarini, Adriana, * 5. 2. 1933 zu Mantua; italienische Opernsängerin (Mezzosopran), Schülerin von C. Zilotti in Verona und von Gilda Dalla Rizza in Venedig, debütierte 1952 am Teatro Nuovo in Mailand und wurde bald international bekannt. Zu ihren Hauptpartien gehören Amneris, Azucena und Carmen.

Leadbelly (l'edbeli), (auch Lead Belly, eigentlich Huddie Ledbetter alias Walter Boyd), * 1885 zu Mooringsport (La.), † 6. 12. 1949 zu New York; amerikanischer Blues- und Folksonginterpret (Gitarre, Akkordeon, Klavier, Gesang), als Musiker Autodidakt, verbrachte die Jahre 1918–25 und 1930–34 im Zuchthaus, trat häufig mit Blind Lemon Jefferson auf und wurde Mitte der 30er Jahre von A. Lomax entdeckt, der von ihm für die Library of Congress Aufnahmen machte. Er war einer der bedeutenden frühen Bluessänger, der auch Barrelhouse songs, Square dances, Balladen und Protestsongs interpretierte. – Aufnahmen: L. *The Library of Congress Recordings* (1933–42; Elektra EKL-301/2); *L.'s Legacy I–III* (1935–44; Folkways FP 4 – FP 24); *Blues Songs by the Lonesome Blues Singer* (1944; Royale 18131); *L.* (1944; Stinson SLP 17); *L. – His Guitar, His Voice, His Piano* (1944; Cap. T 1821); *L. – Keep Your Hands off Her* (1944; Verve-Forecast 9021); *Take This Hammer* (1944; Verve-Forecast 9001); *Rock Island Line* (1944; Folkways FA 2014); *L. – Last Session I–II* (1948; Folkways FP 241-2).
Ausg.: The L. Songbook, hrsg. v. M. Asch u. A. Lomax, NY 1962.
Lit.: J. A. u. A. Lomax, Negro Folk Songs as Sung by Lead Belly, NY 1936, weitere Aufl. 1938 u. 1959, London 1960; Jazz Music. A Tribute to H. Ledbetter, hrsg. v. M. Jones, A. J. McCarthy u. Fr. Ramsey jr., London 1966; P. Oliver, The Story of the Blues, ebd. 1969.

Leander, Zarah (eigentlich Zarah Stina Hedberg), * 15. 3. 1907 zu Karlstad; schwedische Sängerin und Schauspielerin, debütierte 1929 bei dem Revueproduzenten Ernst Rolf mit der Melodie *Vill ni se en stjärna* (»Willst du einen Stern sehen«). Ihr Debüt als Operettensängerin gab sie 1936 in Benatzkys *Axel an der Himmelstür* im Theater an der Wien. Berühmtheit erlangte sie, vor allem durch die mit ihrer außergewöhnlich dunkel timbrierten Stimme gesungenen Lieder, als Star einer Reihe großer UFA-Filme (1937–44): *La Habanera* (*Der Wind hat mir ein Lied erzählt*; Brühne); *Der Blaufuchs* (*Von der Pußta will ich träumen*; *Kann denn Liebe Sünde sein?*; Brühne); *Es war eine rauschende Ballnacht* (*Nur nicht aus Liebe weinen*); *Die große Liebe* (*Ich weiß, es wird einmal ein Wunder gescheh'n*; Jary). Noch vor Kriegsende kehrte sie nach Schweden zurück. Ein Comeback feierte sie 1958 in Wien in Kreuders Musical *Madame Scandaleuse*. Sie ist verheiratet mit dem Pianisten Arne Hülphers.

Leandros, Vicky (eigentlich Papathanassiou Vassiliki L.), * 28. 8. 1949 auf Korfu; deutsche Schlagersängerin griechischer Herkunft, Tochter des zunächst in Griechenland, dann auch in Deutschland in den 1950er Jahren bekannten Schlagersängers Leo L., der für V. L. als Manager, Produzent und Komponist tätig ist. V. L., die in Hamburg aufwuchs und dort eine Dolmetscher-

schule absolvierte, trat 1964 mit dem Schlager *Messer. Gabel, Schere, Licht* hervor. Gastspielreisen führten sie u. a. nach Japan, Kanada, Frankreich und Griechenland. 1972 gewann sie als Vertreterin Luxemburgs den Grand Prix Eurovision in Edinburgh mit *Après toi*. Zu weiteren V. L. gesungenen Schlagern zählen: *Bunter Luftballon*; *Ich bin*; *Wo ist er* (deutsche Fassung von *My Sweet Lord* von G. Harrison [→Beatles]).

Lear (liə), Evelyn, * 8. 1. 1928 zu Brooklyn (N. Y.); amerikanische Sängerin (Sopran), trat zunächst als Pianistin und Hornistin an die Öffentlichkeit, studierte dann Gesang an der Juilliard School of Music in New York und an der Musikhochschule in Berlin. Sie debütierte in der Partie des Komponisten in *Ariadne auf Naxos* an der Deutschen Oper Berlin, deren Ensemble sie bis 1964 angehörte, und tritt seitdem auch an den Staatsopern in München und Wien, an der Covent Garden Opera in London und der Metropolitan Opera in New York auf. Zu ihren Partien zählen Pamina, Frau Fluth (*Die lustigen Weiber von Windsor*), Marie (*Wozzeck*) und Lulu; sie ist auch als Konzertsängerin hervorgetreten. E. L. ist mit dem Sänger Th. Stewart verheiratet.

+Le Bé, Guillaume, 1525–98.
→Notendruck und -stich (Notendruck mit beweglichen Typen als Druck in zwei Arbeitsgängen [del.: Ziffer 5]).

+Le Beau, Luise [erg.: Karoline Marie Henriette] Adolpha, 1850 – 17. [nicht: 2.] 7. 1927.

+Lebègue, Nicolas Antoine, 1631–1702.
Lit.: +G. Frotscher, Gesch. d. Orgelspiels u. d. Orgelkomposition (II, 1936), Bln 21959, 31966; +N. Dufourcq, N. L., organiste de la Chapelle Royale, = La vie mus. en France sous les rois Bourbons I, 1, Paris 1954 [del. früherer Titel]. – A. Tessier, L'œuvre de clavecin de N. Le Bègue, Rev. de musicol. IV, 1923; J. E. Gillespie, The Harpsichord Works of N. Le Bègue, Diss. Univ. of Southern California 1951; N. Dufourcq, A travers l'inéd., N. L., G.-G. Nivers, »La Furstenberg« et Benaut, RMFC (I), 1960; A. C. Howell jr., French Baroque Org. Music and the Eight Church Tones, JAMS XI, 1968; R. A. Hough, The Org. Works of N. L., Diss. Univ. of Illinois 1969; A. Curtis, Musique class. frç. à Berkeley. Pièces inéd. de L. Couperin, L., La Barre etc., Rev. de musicol. LVI, 1970.

+Le Bel, Firmin, † zwischen 27. [del.: 25.] und 30. 12. 1573.
Lit.: H. W. Frey, Die Kapellmeister an d. frz. Nationalkirche S. Luigi dei Francesi in Rom im 16. Jh., Teil I, 1514–77, AfMw XXII, 1965.

Lebermann, Walter, * 23. 2. 1910 zu Karlsruhe; deutscher Musiker und Herausgeber älterer Musik, Schüler der Musikhochschule Karlsruhe und des Hoch'schen Konservatoriums in Frankfurt a. M., war 1936–64 Violinist und Bratschist. Daneben bildete er sich ab etwa 1956 autodidaktisch auf dem Gebiet der Musikwissenschaft. 1964 zog er sich als Privatgelehrter nach Bad Homburg v. d. H. zurück. Seine Ausgaben umfassen u. a. *Flötenkonzerte Mannheimer Komponisten* (= EDM LI, Abt. Orchestermusik V, Wiesbaden 1964) sowie Orchester- und Kammermusik (Erstausgaben) von W. Fr. Bach, Franz und G. Benda, Brixi, Innocenz Danzi, Dittersdorf, R. Hofstetter, J. M. Kraus, J.-M. Leclair, Juan Pla, Reicha, G. B. Sammartini, C. und J. Stamitz, G. Ph. Telemann und Vivaldi. Zu zahlreichen Instrumentalkonzerten schrieb er selbst Kadenzen. L. ist Mitarbeiter im MGG und am Supplement des »Riemann Musiklexikons«. Er schrieb u. a.: *Apokryph, Plagiat, Korruptel oder Falsifikat?* (Mf XX, 1967) mit dem Zusatz *Eine Mozart-Fälschung* (Acta Mozartiana XV, 1968); *Zur Genealogie der Toeschi* (Mf XXII, 1969);

J.C. Fischer der Jüngere (Mf XXIII, 1970; vgl. dazu L. Hoffmann-Erbrecht, ebd. S. 438ff.) und *J.C.F. und (oder) J.C. Fischer* (Mf XXIV, 1971; vgl. dazu L. Hoffmann-Erbrecht, ebd. S. 298f.).

+Lebert, Sigmund, 12. [nicht: 9.] 12. 1821 [nicht: 1823] – 1884.

+Lebertoul, François (Franchois), 14./15. Jh.
Ausg.: 5 Chansons in: Early 15th-Cent. Music II, hrsg. v. G. Reaney, = CMM XI, (Rom) 1959.

+Lebeuf, Jean, 1687 – 1760 zu Paris [nicht: Auxerre].
Ausg.: Traité hist. et pratique sur le chant ecclésiastique, Nachdr. d. Ausg. Paris 1741, Genf 1972.
Lit.: H. Lafeuillade, P. Berthier, S. Corbin, E. Amblard u. H.-R. Philippeau in: Kgr.-Ber. (31e Congrès de l'Ass. bourguignonne) Auxerre 1960, S. 81ff.

Lebič (l'ɛbitʃ), Lojze, * 23. 8. 1934 zu Prevalje (Slowenien); jugoslawischer Komponist, studierte an der Musikakademie in Ljubljana. Er wirkte 1962–71 als Dirigent des Kammerchors der RTV Ljubljana und wurde 1971 Professor an der Pädagogischen Akademie in Ljubljana. Seine Kompositionen umfassen Orchesterwerke (Sinfonietta, 1962; *Sentence*, »Sentenzen« für 2 Kl. und Orch., 1967), Kammermusik (*Concertino per cinque*, 1963; *Inscriptiones* für 7 Instr., 1965; *Meditacije za dva*, »Meditationen für zwei«, 1965; *Kons I* für Kammerensemble, 1968), Klavierwerke und Vokalmusik.

Lébl (lɛːbl), Vladimír, * 6. 2. 1928 zu Prag; tschechischer Musikforscher, studierte bei Očadlík und Sychra an der Karlsuniversität in Prag, legte 1953 die Diplomarbeit *Pět kapitol o L. Janáčkovi* (»5 Kapitel über L. Janáček«, Zusammenfassung in: Miscellanea musicologica II, 1957) vor und promovierte 1957 mit der Arbeit *V. Novák* (Zusammenfassung ebd. IV, 1958). Er war 1954–57 Assistent am musikwissenschaftlichen Institut und 1957–63 Leiter der Musikabteilung des Theaterinstituts und wurde 1960 auch Musikkritiker der »Literární noviny«. – Veröffentlichungen (Auswahl): *Novák a Sova* (»Novák und Sova«, in: Miscellanea musicologica III, 1957); *Dramatická tvorba O. Ostrčila a její jevištní osudy* (»O. Ostrčils dramatisches Schaffen und sein Bühnenschicksal«, in: Divadlo X, 1959); *Cesty moderní opery* (»Wege der modernen Oper«, = Hudba na každém kroku VI, Prag 1961); *M. Očadlík a jeho muzikologické dílo* (»M. Očadlík und sein musikwissenschaftliches Werk«, in: Hudební věda I, 1964); *V. Novák. Život a dílo* (»V. Novák. Leben und Werk«, Prag 1964); *Elektronická hudba* (»Elektronische Musik«, ebd. 1966); *Český hudební život 1890–1918* (»Das tschechische Musikleben 1890–1918«, in: Hudební věda IV, 1967); *Nástin typologie zvukového materiálu* (»Skizze einer Typologie des Klangmaterials«, ebd. VI, 1969, mit deutscher und engl. Zusammenfassung); *Některé komunikační problémy elektronické hudby* (»Einige Kommunikationsprobleme der Elektronischen Musik«, ebd. VII, 1970, mit deutscher, engl. und russ. Zusammenfassung); *Příspěvek k morfologii zvukové struktury* (»Ein Beitrag zur Morphologie der Klangstruktur«, ebd. VIII, 1971); *Houslový koncert A. Berga* (»Das Violinkonzert von A. Berg«, ebd. IX, 1972, mit deutscher und russ. Zusammenfassung).

G. Leblanc et Cie, S. A., französische Instrumentenbaufirma in Paris, baut Klarinetten, Flöten, Oboen und Saxophone. Die Firma, die gegenwärtig von Léon L. geleitet wird, hat Zweigbetriebe in London und Kenosha (Wis.).

+Le Blanc, Hubert (Leblanc), 18. Jh.
Ausg.: Verteidigung d. Va da gamba gegen d. Angriffe d. V. u. d. Anmaßung d. Vc., übers. u. hrsg. v. +A. Erhard (1951), 2. erweiterte Aufl. Kassel 1965.

+Le Borne, Aimé-Ambroise-Simon (Leborne), 1797 – 2. [nicht: 1.] 4. 1866.

+Lebrun, Ludwig August ([erg.:] eigentlich Ludwig Karl Maria), 1752–90.
Ausg.: Ob.-Konzert Nr 4 C dur, hrsg. v. W. Lebermann, Hbg 1964.

+Lebrun, Paul [erg.:] Henri Joseph (Le Brun), 1863 [nicht: 1861] – 1920.

Le Camus (lə kam'y), Sébastien, * um 1610, † 8. oder 9. 3. 1677 zu Paris; französischer Komponist, Bratschist und Theorbist, wurde um 1640 Ordinaire de la musique König Ludwigs XIII., 1648 Intendant de la musique bei Gaston d'Orléans, 1660 Maître de la musique bei der Königin Marie-Thérèse und 1661 Officier de la musique de chambre König Ludwigs XIV. Er gehörte wahrscheinlich der Gruppe um J.-B. Boësset und Moulinié an. Le C. besuchte die Salons der Madame de La Sablière und der Madame de Sévigné und vertonte Gedichte von Paul Scarron, Benserade, Ph. Quinault und der Mademoiselle de Scudéry. Postum erschien eine Sammlung von *Airs à deux et trois parties* für eine oder 2 St. und B. c. (Paris 1678), die von seinem Sohn Charles, seinem Nachfolger am Hof als Violinist und Theorbist, herausgegeben wurde. Weitere Airs wurden in den Sammlungen der *Airs de différents autheurs à deux parties* von R. Ballard (ab 1660) und der *Airs sérieux et à boire* von Chr. Ballard (ab 1695) veröffentlicht.
Lit.: Fr. Lesure, Hist. d'une éd. posthume. Les »Airs« de S. Le C. (1678), RBM VIII, 1954; N. Dufourcq, Autour de S. Le C., RMFC II, 1961/62; L. Boulay, Notes sur trois airs de S. Le C., ebd.

+Lecerf de la Viéville, Jean Laurent, Sieur de Fresneuse (Le Cerf), 1674 – 9. [nicht: 10.] 11. 1707 [nicht: 1710].
Ausg.: Comparaison de la musique ital. et de la musique frç., Faks. d. 2. Ausg. Brüssel 1705–06, Genf 1972 (2 Bde); dass., Faks. d. Ausg. Amsterdam 1725 (darin auch Bourdelot-Bonnets »Hist. de la musique et de ses effets« v. 1715), hrsg. v. O. Wessely, 2 Bde, = Die großen Darstellungen d. Mg. in Barock u. Aufklärung II, Graz 1966 (mit ausführlicher Einleitung).
Lit.: C. Girdlestone, Le Cerf de la V.'s »Comparaison«. Its Non-Mus. Interest, in: French Studies XVI, 1962; M. Just, L. de la V., Comparaison de la musique ital. et de la musique frç. (1704–06), Kgr.-Ber. Lpz. 1966.

Lečev (l'ɛtʃɛf), Bojan, * 29. 3. 1926 zu Sofia; bulgarischer Violinist, absolvierte 1947 als Schüler von Vladimir Avramov die Staatliche Musikakademie in Sofia und 1950 bei D. Oistrach die Aspirantur am Moskauer Konservatorium. Er wurde 1950 Dozent und 1961 Professor für Violine an der Staatlichen Musikakademie in Sofia und wurde daneben 1957 Konzertmeister und Solist bei der Staatlichen Philharmonie in Sofia. Konzertreisen führten ihn in die UdSSR, nach Frankreich, Belgien, in die DDR, ČSSR, nach Italien und in andere europäische Länder. Eine Reihe von Werken bulgarischer Komponisten, u. a. von Goleminov, Hadjiev, Iliev, Kazandžiev, L. Pipkov und A. Rajčev wurden ihm gewidmet.

Lechler, Benedikt (Taufname Johannes), OSB, * 24. 4. 1594 zu Füssen, † 18. 1. 1659 zu Kremsmünster (Oberösterreich); österreichischer Kirchenmusiker und Komponist, studierte 1607–15 in Wien, ging 1616 als Leiter der Abteischule und der Musik nach Admont (Steiermark), war ab 1617 im Stift Kremsmünster. Zunächst als Lautenist des Prälaten und in der Verwaltung tätig, trat er 1627 in den Orden ein und leitete ab 1628 die Musik des Stiftes, bis ihn der Konvent 1651 zum Prior nominierte. 1632–33 hielt er sich in Rom und Neapel auf. Von musikgeschichtlichem Interesse sind vier von L. geschriebene Sammelbände mit Partituren meist zeitgenössischer Kompositionen, auch eigener Werke (Kirchenmusik, Instrumentalsätze und eine Caccia aus der Musik zu einem geistlichen Spiel). Lit.: A. KELLNER in: MGG VIII, 1960, Sp. 427f.

+Lechner, Irmgard, * 5. 7. 1907 zu Bonn. I. L. gehört seit 1959 dem Ensemble »Deutsche Bachsolisten« an. Daneben unterrichtet sie weiterhin [erg.: als Professor] an der Nordwestdeutschen Musikakademie in Detmold.

+Lechner, Konrad, * 24. 2. 1911 zu Nürnberg. L. lehrte bis 1971 Komposition, Violoncello und Gambe an der Städtischen Akademie für Tonkunst in Darmstadt. Neuere Werke: +Psalmkantate für T., Chor, 2 Kl. und Schlagzeug (1956, revidiert 1966); Geistliches Konzert für T., Chor, Vc. und Org. (1958); Alte Volkslieder für gleiche St. (1960); 4 Lieder für hohen Bar. und Orch. (H.M.Enzensberger, 1960); *The Reproaches* für Chor (1961); 3 Orgelstücke (1962); *Kontraste* für Cemb., Streicher und Schlagzeug (1963); *Cantica* für S. und Kammerensemble (1965); *Metamorphosen* für Block-Fl. und Kl. (oder Cemb., 1966); *Hebräerbrief* für Chor (1966); Missa brevis für 12 Singst. (1968). Er schrieb *Die Kunst des Fidelspiels* (2 Bde, Wolfenbüttel 1967–68).

+Lechner, Leonhard, um 1553 – 1606. Ausg.: GA, im Auftrag d. Neuen Schütz-Ges. hrsg. v. K. AMELN, Kassel 1954ff., bisher erschienen: Bd I (hrsg. v. L. FINSCHER, 1956), Motectae sacrae quatuor, quinque et sex v. (1575); II (U. MARTIN, 1969), Newe Teutsche Lieder zu drey St., nach Art d. Welschen Villanellen; III (DERS., 1954), Newe Teutsche Lieder mit vier u. fünff St. (1577); IV (W. LIPPHARDT, 1960), Sanctissimae Virginis Mariae canticum secundum octo vulgares tonos, quatuor v. (1578); V (K. AMELN, 1970), Newe Teutsche Lieder mit fünff St. con alchuni madrigali (1579); VIII (W. LIPPHARDT, 1964), Liber missarum sex et quinque v., adjuncta aliquot introitibus in praecipua festa (1584); IX (E. FR. SCHMID, 1958), Neue lustige Teutsche Lieder nach Art d. Welschen Canzonen (1586–88); XII (K. AMELN, 1960), Hist. d. Passion u. d. Leidens unseres einigen Erlösers u. Seligmachers Jesu Christi (1593).
Lit.: B. MEIER, Bemerkungen zu L.s »Motectae sacrae« v. 1575, AfMw XIV, 1957; U. MARTIN in: Die St. Frankens XXIV, 1958, S. 124ff.; DERS., Die Nürnberger Musikges., Mitt. d. Ver. f. Gesch. d. Stadt Nürnberg XLIX, 1959; K. AMELN in: Lebensbilder aus Schwaben u. Franken VIII, 1960, S. 70ff., u. in: Württembergische Blätter f. Kirchenmusik XXVII, 1960, S. 117ff.; DERS., Gedenkrede auf L. L., Lüdenscheid 1961; DERS., L. L. in His Time, in: Cantors at the Crossroads, Fs. W. E. Buszin, St. Louis (Mo.) 1967; DERS., Ein Nürnberger Verlegerplakat aus d. 16. Jh., in: Musik u. Verlag, Fs. K. Vötterle, Kassel 1968; K. HAHN, Totentanz. L. L., »Deutsche Sprüche v. Leben u. Tod« – H. Distler, »Totentanz«, in: Musik im Unterricht (Ausg. B) LII, 1961; H. WEBER, Die Beziehungen zwischen Musik u. Text in d. lat. Motetten L. L.s, Diss. Hbg 1961; P. SCHALLER in: Musica sacra LXXXVI, 1966, S. 162ff.; W. BLANKENBURG, Zu d. Johannes-Passionen v. L. Daser (1578) u. L. L. (1593), in: Musa – Mens – Musici, Gedenkschrift W. Vetter, Lpz. 1970; R. CASPARI, Liedtradition im Stilwandel um 1600, = Schriften zur Musik XIII, München 1971; H. HARRASSOWITZ, L. L.s Nürnberger Jahre 1575–84, in: Gottesdienst u. Kirchenmusik 1971.

Lechner, Lothar → Lutz, Wilhelm.

+Lechthaler, Josef, 1891–1948. Lit.: E. KNOFLACH, Die kirchenmus. Werke J. L.s, Diss. Innsbruck 1962; E. TITTEL, J. L., = Österreichische Komponisten d. XX. Jh. VII, Wien 1966.

+Leclair, –1) Jean-Marie, 1697 – 22./23. 10. 1764 (am 23. ermordet aufgefunden) [erg. frühere Angaben]. –2) Jean-Marie (auch »le second« genannt), 1703–77.

Ausg.: zu –1): Konzert C dur f. Fl. (Ob.) u. Streichorch. op. 7 Nr 3, hrsg. v. K. REDEL, = Alte Musik Leuckartiana XVb, München 1957; Sonaten op. 3 Nr 2, 4 u. 6, hrsg. v. C. HERRMANN, NY 1958; Sonaten f. V. u. Kl., hrsg. v. FR. F. POLNAUER, 3 H., NY 1960; Konzert B dur f. V. u. Streichorch. op. 10 Nr 1, hrsg. v. DEMS., = Concertino o. Nr, Mainz 1968; 4 Sonaten f. V. u. B. c. aus op. 9, hrsg. v. DEMS. (Nr 3 u. 5 = V.-Bibl. o. Nr, ebd. 1969, Nr 2 London 1970, u. Nr 9 Wilhelmshaven 1970); Konzerte F dur f. V. solo op. 7 Nr 4 bzw. C dur f. Fl. solo mit 2 V., Va u. B. c., hrsg. v. CL. CRUSSARD, = Flores musicae X bzw. XIV, Lausanne 1960–64; V.-Konzerte op. 7 Nr 2 u. op. 10 Nr 2 u. 6, hrsg. v. J.-FR. PAILLARD, = Arch. de la musique instr. I u. IV–V, Paris 1962–63; 6 Sonaten f. 2 V., hrsg. v. W. ROST, Wilhelmshaven 1963; Konzert A moll f. V. u. Streichorch. op. 7 Nr 5, hrsg. v. H. RUF, = NMA CCIX, Kassel 1963; Sonaten f. Fl. u. B. c. op. 1 Nr 2 u. op. 9 Nr 2 u. 7, hrsg. v. DEMS., = Il fl. traverso o. Nr, Mainz 1967–68; Triosonate D dur f. V. (Fl.), Va da gamba (Vc.) u. Kl. op. 2 Nr 8, hrsg. v. DEMS., = Antiqua o. Nr, ebd. 1968; Sonaten f. 2 V. u. B. c. op. 4 Nr 1 u. 2, hrsg. v. H. MAJEWSKI, Wilhelmshaven 1964–65; Sonaten f. V. u. B. c. op. 5, hrsg. v. R. E. PRESTON, 2 Bde, = Recent Researches in the Music of the Baroque Era IV–V, New Haven (Conn.) 1968–69; 6 Sonaten f. 2 Va op. 12, hrsg. v. W. LEBERMANN, 2 H., = Va Bibl. XIX–XX, Mainz 1971.
Lit.: N. SLONIMSKY, The Murder of L., in: A Thing or Two About Music, NY 1948. – +L. DE LA LAURENCIE, L'école frç. de v. de Lully à Viotti (I, 1922), Nachdr. Genf 1971; +E. APPIA, Les sonates à v. seul . . . (1950), Wiederabdruck in: De Palestrina à Bartók, Paris 1965; +W. S. NEWMAN, The Sonata in the Baroque Era (1959), revidiert Chapel Hill (N. C.) 1966, London 1968, neuerlich revidiert NY u. London 1972 (Paperbackausg.). – R. E. PRESTON, The Sonatas f. V. and Figured B. by J.-M. L. l'Aîné, 2 Bde, Diss. Univ. of Michigan 1959; DERS., The Treatment of Harmony in the V. Sonatas of J.-M. L., RMFC III, 1963; DERS., L.'s Posthumous Solo Sonata, RMFC VII, 1967; A. HUTCHINGS, The Baroque Concerto, NY 1961; G. NUTTING in: MQ L, 1964, S. 504ff.; J.-FR. PAILLARD, Les concertos de J.-M. L., in: Chigiana XXI, N. S. I, 1964; G. WERKER in: Mens en melodie XIX, 1964, S. 296ff.; N. ZASLAW, Handel and L., in: Current musicology 1969, Nr 9; DERS., Materials for the Life and Works of J.-M. L. L'aîné, Diss. Columbia Univ. (N. Y.) 1970 (mit thematischem Kat.).

Leclerc (lǝkl'ɛrk), Félix, * 2. 8. 1914 zu La Touque (Quebec, Kanada); kanadischer Komponist, Textdichter und Interpret eigener Chansons, studierte an der University of Ottawa, war 1934–37 beim Rundfunk sowie als Schriftsteller und Schauspieler tätig. Sein Pariser Debüt als Chansonsänger gab er 1950 in den »Trois Baudets«; er trat dann im »ABC« auf und unternahm ausgedehnte Tourneen. L. begleitet sich selbst auf der Gitarre und besingt in seinen Chansons die Natur und die Arbeit. 1958 erhielt er den Grand Prix de l'Académie Charles Gros. Zu seinen bekannten Chansons zählen: *Bozo*; *Litanie du petit homme*; *A l'Angélus de ce matin*; *Le p'tit bonheur*; *La mer n'est pas la mer*; *L'eau de l'hiver*. L. ist auch mit Romanen und Theaterstücken hervorgetreten.
Lit.: L. BÉRIMONT, F. L., = Poètes d'aujourd'hui CXXIII, Paris 1964; F. SCHMIDT, Das Chanson, = Slg Damokles VIII, Ahrensburg u. Paris 1968.

Leclerc (lǝkl'ɛrk), François, getauft 23. 10. 1729 und † 2. 11. 1790 zu Lüttich; belgischer Kantor, studierte Musik als Chorknabe an der Kathedrale St-Lambert in Lüttich, an der er später als Kantor wirkte und zu jener Zeit Lehrer von Grétry war. 1772–77 war er Lehrer der Chorknaben an der Kathedrale unter Straßburg. Er kehrte dann wieder nach Lüttich zurück, wo er 1786 zum Stiftsherrn an St-Materne ernannt wurde.
Lit.: J. QUITIN, Les maîtres de chant et la maîtrise de la collégiale St-Denis, à Liège, au temps de Grétry, = Acad. Royale de Belgique, Classe des Beaux-Arts, Mémoires, 2. Serie, Bd XIII, 3, Brüssel 1964.

+Le Cocq, Jean (Lecocq, Maistre Jhan), [erg.:] * um 1494 (falls identisch mit einem Johannes Gallus, der um 1514 Sänger in der päpstlichen Kapelle war).
Mit Sicherheit war Le C. 1541–43 Kapellmeister des Herzogs Ercole II. in Ferrara. Vielleicht ist er auch identisch mit einem Giovanni Nasco († zwischen April und September 1561 zu Treviso?), der 1547–51 Kapellmeister in Verona und ab 1551 Kapellmeister in Treviso war. Nasco komponierte vor allem Madrigale (zu 4 St., Venedig 1554; 2 Bücher zu 5 St., ebd. 1548–57), Kanzonen, Motetten, Messen, Lamentationen, Hymnen und Psalmen.
Ausg. (zu Nasco): Passio secundum Matthaeum, in: Oberital. Figuralpassionen d. 16. Jh., hrsg. v. A. SCHMITZ, = MMD I, Mainz 1955; je ein Satz in: 6 ital. Madrigale zu 4–5 St. bzw. 5 Madrigale auf Texte v. Fr. Petrarca, hrsg. v. B. MEIER, = Chw. LVIII bzw. LXXXVIII, Wolfenbüttel 1956–61.
Lit.: CH. VAN DEN BORREN in: MGG VI, 1957, Sp. 1821ff., u. VIII, 1960, Sp. 448ff., sowie J. ROBIJNS, ebd. IX, 1961, Sp. 1270.

Lecuna, Juan Vicente, * 20. 11. 1899 zu Valencia (Staat Carabobo), † 16. 4. 1954 zu Rom; venezolanischer Komponist, studierte 1912–17 in Caracas Klavier bei Salvador Llamozas und Musiktheorie bei Aquiles Antich, anschließend (1918–25) in New York Komposition bei Savine sowie in Baltimore Instrumentation bei Strube. Er schlug die diplomatische Laufbahn ein und war zuletzt diplomatischer Vertreter Venezuelas im Vatikanstaat in Rom. Während seiner Dienstzeit in Argentinien (1939–41) studierte er Komposition bei Pahissa. L. komponierte Orchesterwerke (*2 danzas sinfónicas venezolanas*, 1942; Klavierkonzert, 1941), Kammermusik (Streichquartett, 1943; Sonate für V. und Kl., 1944), Klavierstücke, Chöre, Lieder und Kirchenmusik (Tantum ergo und Ave Maria für Gesang und Org.).
Lit.: L. F. RAMÓN Y RIVERA, El acento nacional en la obra de J. V. L., Rev. nacional de cultura XX, 1958; Werkverz. in: Compositores de América XIV, Washington (D. C.) 1968.

Lecuona, Ernesto, * 7. 8. 1896 zu Guanabacoa (heute La Habana), † 29. 11. 1963 zu Santa Cruz (Teneriffa, Spanien); kubanischer Komponist und Pianist populärer Musik, studierte bei Nin y Castellanos, Antonio Saavedra und H. De Blanck. Als Pianist wie auch als Dirigent eigener Orchester (»Lecuona Cuban Boys«, »Caribe«) bereiste er Kuba, die USA, Argentinien, Chile, Mexiko, Frankreich und vorzugsweise Spanien, um seine Kompositionen (insgesamt über 600) zu spielen. In seinen Klavierstücken entwickelte er den von Cervantes Kavanagh begründeten kubanischen Salonstil (Kreolen- und Negerrhythmen) weiter; er komponierte ferner Zarzuelas (*Niña Rita*, 1927; *La tierra de Venus*, 1927; *El Batey*, 1929; *María de la O*, 1930; *El Calesero*, 1930; *La de Jesús María*, 1933; *El cafetal*, 1935; *Lola Cruz*, 1935; *El sombrero de Yarey*, 1942), Revuen, Schauspielmusik, *Rapsodia negra* für Orch. (1943), *Concierto en rumba* für Kl. und Orch. (1963) und Lieder. Von L. stammen die Evergreens *Siboney* und *Malagueña* (1912).

+Ledebur, Carl [erg.:] Friedrich Heinrich Wilhelm Philipp Justus, Freiherr von, 1806–72.
+*Tonkünstler-Lexicon Berlins* ... (1861), Nachdr. Tutzing 1965.

+Lederer, Felix, 1877 – 26. [nicht: 27.] 3. 1957.

+Lederer, [erg.: Anton] Joseph, * 16. 12. 1877 zu Dresden, [erg.:] † 23. 8. 1958 zu Oedt (Rheinland).

+Lederer, Viktor [erg.: Lambert] (Pseudonym Siegward Gerber), * 7. 10. 1881 zu Prag, [erg.:] † nach dem

12. 10. 1944 (Datum der Deportation aus dem Getto Theresienstadt in das Vernichtungslager Auschwitz).

Ledesma (led'ɛzma), Nicolás, * 9. 7. 1791 zu Grisel (Provinz Zaragoza), † 4. 1. 1883 zu Bilbao; spanischer Komponist, erhielt seine musikalische Ausbildung als Chorknabe an der Kathedrale von Tarazona de Aragón, wurde Maestro de capilla und Organist in Borja (1809) sowie in Tafalla (1811) und bekleidete diesen Posten ab 1830 in Bilbao. Er komponierte zahlreiche kirchenmusikalische Werke (Messen, Psalmen, Motetten, Hymnen, Litaneien, Stabat mater, Responsorien, Lamentationen, Villancicos).
Ausg.: Stabat mater f. 3 Singst. (S., T., B.), 2 V., Va u. Vc., in: Lira sacro-hispana, hrsg. v. H. ESLAVA, 19. Jh., I, 2, Madrid 1869.

Leduc (ləd'yk), Jacques, * 1. 3. 1932 zu Jette (Bruxelles); belgischer Komponist, studierte am Conservatoire Royal de Musique de Bruxelles (Komposition bei Absil), an dem er seit 1961 Dozent für Harmonielehre ist. 1962 wurde er außerdem Direktor der Académie de Musique in Uccle (Brabant). Von seinen Kompositionen seien genannt: Symphonische Dichtung *Antigone* (1962); *Ouverture d'été*; Symphonie; *Fantaisie sur le thème de »la folia«* für Klar. und Kl. oder Kammerorch. (1961); Divertissement für Fl. und Streichorch. (1963); Concertino für Ob. und Streichorch. (1964); symphonische Skizze *Le printemps* (1968); Quintett für Bläser (1960); *Suite en quatuor* für Sax. (1965); Streichtrio (1967); 3 Impromptus für Hf.; Sonate für Fl. und Kl. (1967); Ballade für Klar. und Kl.; Sonate für V. und Kl. (1968); *4 pièces brèves* (1967), Praeludium, Variationen und Fugato sowie *Contrastes* für Kl.; *L'aventure*, Kantate für Soli, Chor und Orch. (1961); *La boule de jardin* für mittlere St. und Kammerorch. oder Kl. (1961); *Aquarelles* für mittlere St. und Kl. (1966); *Six ballades de P. Fort* für Vokaltrio a cappella; *Sortilèges africains* für mittlere St., Kl., Sax., Va und Schlagzeug (1967); *La valise de verre* für mittlere St. und Kl. (1967).

+Leduc (Le Duc), –1) Simon, um 1745 [del.: * 1748] – 1777.
–2) Pierre, 1755 – nach 1823 [del. frühere Sterbeangaben]. Er fallierte 1804 und ließ sich dann in Bordeaux nieder, wo er noch 1823 nachweisbar ist.
–3) Antoine-[erg.: Pierre-]Auguste, [erg.:] * 1779 und † 25. 5. 1823 zu Paris. –5) Alphonse (II), [erg.:] 29. 5. [nicht: 8.] 1844 – 1892. –6) [erg.: Émile] Alphonse (III), 1878–1951.
Die Éditions Alphonse Leduc stehen als Familienunternehmen weiterhin unter der Leitung von Claude Alphonse (* 22. 7. 1910 zu Lieusaint, Seine-et-Marne) und Gilbert Alphonse L. (* 17. 10. 1911 zu Paris), die assistiert werden von Claude Alphonses Söhnen (seit 1962) François (* 7. 9. 1939 zu Paris) und (seit 1966) Jean (* 28. 7. 1943 zu Palaiseau, Seine-et-Oise). Claude Alphonse L. ist u. a. Vizepräsident der Chambre syndicale des éditeurs de musique de France und der Société des auteurs, compositeurs et éditeurs de musique (SACEM). Von den zahlreichen Verlagskomponisten dieses Jahrhunderts seien G. Pierné, H. Busser, J. Ibert, B. Martinů, O. Messiaen und G. Migot genannt.
Ausg.: zu –1): Symphonie D dur, hrsg. v. F. OUBRADOUS, = Les musiciens de Versailles ... o. Nr, Paris 1957; 2. V.-Konzert C dur, hrsg. v. DEMS., ebd. 1958; 4 Sonaten f. V. u. B. c. op. 1 Nr 2 u. op. 4 Nr 1, 4 u. 6, hrsg. v. E. DOFLEIN, 2 H., Mainz 1964.
Lit.: +L. DE LA LAURENCIE, L'école frç. de v. ... (II, 1923), Nachdr. Genf 1971. – zu –1): B. S. BROOK, La symphonie frç. dans la seconde moitié du XVIIIᵉ s., 3 Bde,

= Publ. de l'Inst. de musicologie de l'Univ. de Paris III, Paris 1962; DERS., S. Le Duc »l'aîné«, a French Symphonist at the Time of Mozart, MQ XLVIII, 1962.

+Ledwinka, Franz, * 27. 5. 1883 zu Wien, [erg.:] † 21. 5. 1972 zu Salzburg.

+Lee, Dai-Keong, * 2. 9. 1915 zu Honolulu. 1951 erwarb er den M. A. der Columbia University (N. Y.). Weitere Werke: die Opern *Open the Gates* (einaktig, NY 1951), *Phineas and the Nightingale* (1952) und *Speakeasy* (einaktig, NY 1957); Ballett *Waltzing Matilda* (1951); *Polynesian Suite* (1958) und 3 *Pieces from the Pacific* (1959) für Orch., Concerto grosso für Streicher (1952); *Mele Ololi* für Solo, Chor und Orch. (1960), *Canticle of the Pacific* für Chor und Orch. (1968).

+Lee, Ernest Markham, 1874–1956. +*The Story of Opera* (1909) und +*The Story of Symphony* (1916), Nachdr. Detroit (Mich.) 1968.

Lee, Hye-ku (Pseudonym Man-dang), * 10. 1. 1909 zu Seoul; koreanischer Musikforscher, studierte an der Seoul National University (Ph. D.). Er zeichnete 1933–36 für das Musikprogramm an der Central Radio Station in Seoul verantwortlich und war 1945–47 Direktor dieses Senders. 1947 wurde er Professor (1970 Dean) des College of Music an der Seoul National University und 1954 Chairman der Korean Musicological Society. L. ist durch eine Festschrift von internationalen Fachkollegen geehrt worden. Seine Bemühungen gelten in Forschung und Lehre vor allem der koreanischen Musik. Er veröffentlichte u. a. (Erscheinungsort Seoul): *Han-guk umak yongu* (»Studien über koreanische Musik«, 1957); *Musical Instruments of Korea* (1962); *Han-guk umak sosol* (»Abhandlungen über koreanische Musik«, 1967); *Man-dang mun-chae-rok* (»Essays von Man-dang«, 1970, koreanisch und engl.).

Lee (li:), Noël, * 25. 12. 1924 zu Nanking (China); amerikanischer Pianist und Komponist, lebt in Paris. Er studierte an der Harvard University in Cambridge/Mass. (B. A. 1948), am New England Conservatory of Music in Boston (Diplom 1948) und 1948–52 in Paris bei Nadia Boulanger. Er unternahm ausgedehnte Konzertreisen als Pianist und Kammermusikspieler (u. a. 1955–65) mit dem Violinisten Paul Mankanowitzky) und hat über 60 Langspielplatten, darunter das gesamte Klavierschaffen von Debussy und Ravel, eingespielt. Neben einer Reihe von Klavierstücken (Sonate in einem Satz, 1955; Sonatine, 1960; je 4 Etüden, 1. Teil 1962, 2. Teil 1967) schrieb er u. a.: *Capriccio* für Orch. (1954); *Seis canciones amarillas* für hohe St. und Kl. auf Gedichte von García Lorca (1956); *Ouverture and Litanies* für Streichorch. (1957); Quintett für 4 Bläser und Kl. (1957); Streichquartett (1957); *Dialogues* für V. und Kl. (1958); *Sonnets of Summer and Sorrow* für B., Horn und Kl. auf Texte von Shakespeare (1959); *Deux mouvements* für V., Vc. und Kl. (1960); *Diversions* für Cemb. und Kammerorch. (1963); Doppelkonzert für Kl., V. und Orch. (1964).

Lee (li:), Peggy (Norma Dolores Engstrom), * 26. 5. 1920 zu Jamestown (N. Dak.); amerikanische Jazz- und Bluessängerin, Schauspielerin, Filmkomponistin und Liedtexterin, entwickelte in Rundfunksendungen und Auftritten mit verschiedenen Bands ihren Gesangsstil (»soft«, »cool«), bevor Benny Goodman sie 1941 in Chicago entdeckte und ihr zum endgültigen Durchbruch verhalf. Nach über zweijähriger Tätigkeit in Goodmans Band begründete P. L. ihre Schallplattenkarriere mit Songs wie *Golden Earrings, You Was Right, Baby, It's a Good Day, Manana, What More Can a Woman Do?* und *I Don't Know Enough About You.* Ab 1950

trat sie in Filmen (*Mr. Music* mit Bing Crosby; *The Jazz Singer*; *Pete Kelly's Blues*), ab 1960 auch in Fernsehshows auf. Für mehrere Filme schrieb sie Liedtexte und Musik. 1963 war sie als Programmautorin und Sängerin an »The Jazz Tree« beteiligt, einer Aufführung, die Ursprung und Entwicklung des Jazz dokumentierte. Ein Gedichtband *Softly, with Feeling* erschien NY 1953.

+Lee, –1) Sebastian, 1805 – 4. 1. [nicht: 6.] 1887.

+Leeb, Hermann, * 6. 2. 1906 zu Linz. L. war Leiter der Abteilung Musik im Studio Zürich des Schweizerischen Rundfunks bis 1971. Als neueren Beitrag schrieb er *Vom Trick in der Musikpädagogik* (SMZ CIV, 1964).

Leedy (l'i:di), Douglas, * 3. 3. 1938 zu Portland (Oreg.); amerikanischer Komponist, studierte am Pomona College in Claremont/Calif. (B. A. 1959) und an der University of California at Berkeley (M. A. 1962). Er war Hornist im Oakland Symphony Orchestra und bei der San Francisco Opera (1961–65), hielt sich dann zu Studien in Polen auf und gehörte 1967–70 der Musikfakultät der University of California at Los Angeles an. L. komponierte: *Exhibition Music* (1965); *Decay*, Theaterstück für Kl., »Wagner«-Tuba und Tonband (1965); *Antifona* für Blechbläserquartett (1965); *Usable Music I for Very Small Instruments with Holes* (1966); *Usable Music II* für Blechbläser (1966); *Teddy Bears Picnic*, elektronisches Theaterstück (1968); *Ave maris stella* für S., Instrumentaltrio, Org. und elektronische Klänge (1968); Elektronische Musik *The Electric Zodiac* (1969); *Entropical Paradise. Six Sonic Environments* (1970); *Gloria* für S., Chor und verschiedene Instr. (1970).

Lees (li:z), Benjamin, * 8. 1. 1924 zu Harbin (Mandschurei); amerikanischer Komponist, Sohn russischer Eltern, studierte Klavier in San Francisco und Los Angeles und (nach 1945) Musiktheorie und Komposition an der University of Southern California at Los Angeles bei H. Stevens, I. Dahl und Kanitz sowie privat bei Antheil. Er unternahm 1955–56 Studienreisen in verschiedene europäische Länder und ließ sich dann in Finnland nieder; 1962 kehrte er in die USA zurück. L. übernahm einen Lehrauftrag am Peabody Conservatory of Music in Baltimore (Md.) und ist gegenwärtig Professor of Music am Queens College in Long Island. Er komponierte die Opern *The Oracle* (1955) und *The Gilded Cage* (Metropolitan Studio, NY 1964), Orchesterwerke (3 Symphonien: 1953, 1958 und 1968; *Profile*, 1952; *Declamations* für Streichorch., 1953; Konzert für Orch., 1959; *Prologue, Capriccio and Epilogue*, 1959; *Spectrum*, 1964; Konzert für Kammerorch., 1966), 2 Klavierkonzerte (1956 und 1965), ein Violinkonzert (1960), ein Oboenkonzert (1963), ein Konzert für Streichquartett und Orch. (1964), Kammermusik (2 Streichquartette, 1952 und 1956; *Movement da camera* für Fl., Klar., Vc. und Kl., 1954; Sonate für Horn und Kl., 1951; Sonate für V. und Kl., 1954; *Evocation* für Fl. solo, 1953; Invention für V. solo, 1965), Klavierstücke (4 Sonaten, 1949, 1950, 1951 und 1964; Toccata, 1953; Fantasie, 1954; *Kaleidoscopes*, 1954; *Epigrams*, 1960; 3 Praeludien, 1962; *Odyssey*, 1970; Sonate für 2 Kl., 1952) und Vokalwerke (*Song of the Night* für S. und Orch., 1952; Kantate *Visions of Poets* für S., T., gem. Chor und Orch., 1961; *Medea of Corinth* für S., Mezzo-S., Bar., Baßbar., Bläserquintett und Pk., 1970; *Cyprian Songs* für Bar. und Kl., 1960); *The Trumpet of the Swan* für Erzähler und Orch. (1972).

Lit.: D. Cooke, The Recent Music of B. L., in: Tempo 1963, Nr 64; ders., B. L.'s »Visions of Poets«, ebd. 1964, Nr 68; N. O'Loughlin, B. L.'s String Quartet Concerto, ebd. 1967, Nr 82; ders., ebd. 1970, Nr 93, S. 19ff. (zum Kl.-Konzert Nr 2 u. zur Symphonie Nr 3).

+**Leeuw,** Ton [erg.: (Antonius) Wilhelmus Adrianus] de, * 16. [nicht: 26.] 11. 1926 zu Rotterdam.
T. de L., seit 1959 Kompositionslehrer an den Konservatorien in Amsterdam und Utrecht sowie Dozent für zeitgenössische Musik an der Universität in Amsterdam, ist seit 1972 Direktor des Konservatoriums in Amsterdam. – Neuere Werke: Elektronische Studie (1958); *Antiphony* für Bläserquintett und 4 Klangspuren (1960); *Ombres* (1961) und *Nritta* (1961) für Orch.; 2. Violinkonzert (1961); Oper *De droom* (»Der Traum«, 1963, Holland Festival Amsterdam 1965); Fernsehoper *Alceste* (1963); *Symphonies of Winds* (1963); 2. Streichquartett (1963); die Ballette *De bijen* (»Die Bienen«) für Orch. (1964) und *Krishna en Radha* für Fl., Hf. und Schlagzeug (1964); Trio *Schelp* (»Die Muschel«) für Fl., Va und Git. (1964); *The Four Seasons* für Hf. (1964); *Men Go to Their Ways* für Kl. (1964); *Lamento pacis* für gem. Chor und 16 Instr. (Erasmus von Rotterdam, 1969); Fernsehoper *Litany of Our Time* für S., T., Kontra-T., B., Fl., Hf., Schlagzeug, Kb., Kl., Tonband und Live-Electronics (1970); *Music for Strings* (1970); *The Magic of Music* für gem. Chor (1970); *Cloudy Forms* für Männerchor (1970); *Music for Org. and 12 Players* (1971); *Reversed Night* für Fl. (1971); ferner *Spatial Music I* (für Orch., 32–48 Spieler, 1966), *II* (für Schlagzeug, 1971), *III* (für Orch. in 4 Gruppen, 1967) und *IV* (»Homage to I. Stravinsky« für 12 Spieler, 1968), *Syntaxis I* (elektronisch, 1966) und *II* (für Orch., 1966) sowie *Haiku I* (für Singst. und Kl., 1963) und *II* (für S. und Orch., 1968). – Veröffentlichungen: *Experimentale muziek* (Amsterdam 1958); *Muziek van de twintigste eeuw* (Utrecht 1964 und 1970, schwedisch Stockholm 1967, engl. Middletown/Conn. 1973, daraus die Einleitung deutsch und engl. in: Sonorum speculum 1964, Nr 20, S. 1ff.); *Influences mutuelles des cultures dans le domaine de la musique* (Paris 1973, auch engl.); *Taal en muziek vandaag* (»Sprache und Musik heute«, in: Mens en melodie XX, 1965); *Music in Orient and Occident. A Social Problem* (in: The World of Music XI, 1969, auch deutsch und frz., nld. in: Mens en melodie XXV, 1970, S. 43ff., deutsch und engl. auch in: Sonorum speculum 1970, Nr 44, S. 30ff.); *Muzikale confrontatie oost–west* (in: Mens en melodie XXV, 1970).
Lit.: W. Paap in: Mens en melodie XVIII, 1963, S. 134ff.; ders., ebd. XX, 1965, S. 173ff., auch in: Sonorum speculum 1965, Nr 25, S. 24ff. (zum 2. Streichquartett); J. Wouters, ebd. 1963, Nr 14, S. 11ff. (zu »Ombres«); ders., ebd. 1964, Nr 19, S. 1ff.; E. Vermeulen, ebd. 1969, Nr 39, S. 23ff. (zu »Lamento pacis«); D. Manneke, ebd. 1971, Nr 48, S. 17ff. (zu »Music f. Strings«); ders., ebd. 1971/72, Nr 49, S. 7ff. (zu »Music f. Org. and 12 Players«); A. Schelp in: Mens en melodie XXVI, 1971, S. 71ff. (zu »Litany of Our Time«).

Leeuwen Boomkamp (l'euvɛn b'o:mkamp), Jan Carel van, * 11. 8. 1906 zu Borculo (Geldern); niederländischer Violoncellist, Schüler von G. Hekking und Diran Alexanian in Paris, war 1925–30 Soloviolloncellist des Concertgebouworkest und dann Mitglied von Het Hollands Strijkkwartet und des Sextetts Alma Musica. Daneben lehrte er an den Konservatorien in Amsterdam, Den Haag und Utrecht. Er veröffentlichte *De klanksfeer der oude muziek* (Amsterdam 1947).
Lit.: W. Paap, De verzameling oude muziekinstr. v. C. v. L. B., in: Mens en melodie XIV, 1959; Musizieren in 3 Jh., Graphische Blätter aus d. Slg v. L. B., Ausstellungskat. Ansbach 1969.

LeFanu (l'efənju:), Nicola, * 28. 4. 1947 zu Wickham Bishops (Essex); britische Komponistin, Tochter von Elizabeth Maconchy, studierte am St. Hilda's College in Oxford (B. A. 1968) sowie privat bei Petrassi, Thea Musgrave und P. M. Davies. Ihre Kompositionen sind von gemäßigter Modernität; genannt seien: *Soliloquy* für Ob. solo (1965); *Preludio* für Kammerorch. (1967); Oboenquartett *Variations* (1968); *Chiaroscuro* für Kl. (1969); *Quartettsatz* für Streichquartett (1970); Quintett für Klar. und Streicher (1970).

+**Lefébure,** Yvonne Élise, * 29. 6. 1904 zu Ermont (Seine-et-Oise).
1952–67 leitete sie eine Meisterklasse für Klavier am Pariser Conservatoire. 1965 gründete sie den Juillet musical de St-Germain, eine Veranstaltung von Konzerten und Kursen, die seitdem unter ihrer Leitung steht.

Lefeld (l'ɛfɛlt), Jerzy Albert, * 17. 1. 1898 zu Warschau; polnischer Pianist, Pädagoge und Komponist, studierte 1908–17 bei Michałowski (Klavier) und Statkowski (Komposition) am Warschauer Konservatorium (heute Staatliche Hochschule für Musik), an dem er seit 1918 lehrt (1933 Professor). Er ist besonders als Klavierbegleiter geschätzt. Seine Kompositionen umfassen u. a. 2 Symphonien (1916 und 1920), ein Streichsextett (1919), Klavierstücke und Lieder.

+**Lefèvre,** Jean Xavier, 1763–1829.
Ausg.: 7. Sonate f. Klar. u. Kl., hrsg. v. Fr. Robert, Paris 1966.
Lit.: L. V. Youngs, J. X. L., His Contributions to the Clarinet and Clarinet Playing, Diss. Catholic Univ. of America (Washington/D. C.) 1970.

Leffloth, Johann Matthäus (Löffelloth), getauft 6. 2. 1705 und begraben 2. 11. 1731 zu Nürnberg; deutscher Komponist, war Schüler seines Vaters Johann Matthäus L., bildete sich auf einer Europareise fort, wurde 1723 in Nürnberg Organist an St. Leonhard, 1731 an St. Bartholomäus. Schubart rühmt ihn als genialen Klavierspieler und selbständigen Tonsetzer. Er schrieb eine Ratswahlkantate, Partiten, Sonaten und Konzerte für Cembalo, 6 Sonaten für V. oder Fl. mit Gb. und eine (irrtümlich auch Händel zugeschriebene) Gambensonate.
Ausg.: Sonata C dur f. Va da Gamba u. Cemb. concertato (Händel zugeschrieben), hrsg. v. Fr. Chrysander, in: Händel-GA XLVIII, Lpz. 1894, Nachdr. London 1965; dass., hrsg. v. V. Längin, Wolfenbüttel 1935, Kassel ²1953; 4 Sätze aus d. Divertimento mus. (1726), hrsg. v. K. Herrmann, in: Alt-Nürnberger Kl.-Büchlein, Mainz o. J.; Konzert D dur f. obligates Cemb. u. Fl. oder V., hrsg. v. H. Ruf, = NMA CXXXIV, Kassel 1955.
Lit.: Chr. Fr. D. Schubart's Ideen zu einer Ästhetik d. Tonkunst, hrsg. v. L. Schubart, Wien 1806, Nachdr. Darmstadt 1969, S. 207f., Stuttgart ²1839, S. 214f.; A. Einstein, Zum 48. Bande d. Händel-Ausg., SIMG IV, 1902/03; H. Daffner, Die Entwicklung d. Klavierkonzerts bis Mozart, = BIMG II, 4, Lpz. 1906; Br. Studeny, Beitr. zur Gesch. d. Violinsonate im 18. Jh., München 1911; H. Uldall, Beitr. zur Frühgesch. d. Klavierkonzerts, ZfMw X, 1927/28.

Lefftz, Joseph, * 14. 4. 1888 zu Oberehnheim (Unterelsaß); französischer Volksliedforscher, studierte 1908–12 Germanistik, Volkskunde und Musik an der Universität Straßburg, trat nach einjähriger Lehramtstätigkeit in den Bibliotheksdienst ein und war bis zu seiner Pensionierung (1956) Bibliothekar an der Universitäts- und Landesbibliothek und Honorarprofessor an der Universität in Straßburg. Er veröffentlichte zahlreiche Bücher und Schriften aus dem Bereich der elsässischen Landeskunde. Von einer auf 5 Bände angelegten Volksliedsammlung (*Das Volkslied im Elsaß*) sind bisher Bd I *Erzählende und geschichtliche Lieder* (Colmar 1966), Bd II *Stände- und Wanderlieder aus Heimat und Fremde* (ebd. 1967) und Bd III *Lieder von der Liebe, Lust und Leid, vom Hochzeitsmachen und Eheleben* (ebd. 1969) erschienen.

+Le Flem, Paul, * 18. 3. 1881 zu Lézardrieux (Côtes-du-Nord).
Uraufführungsjahre der Bühnenwerke (alle Paris): Chantefable *+Aucassin et Nicolette* 1924, *+Le rossignol de St-Malo* 1942, die einaktige Légende lyrique *+La magicienne de la mer* 1954 und *+La folie de Lady Macbeth* 1935. – Neuere Werke: *Pour la main gauche* für Kl. (1961); 6 Stücke *Morvenn le gaélique* (*Hommage à Max Jacob*) für 5 Singst., Fl., Ob., Klar., Fag., Va und Kl. (1963); 8 kurze Stücke *Hommage à Rameau* a cappella (1964); Konzertstück für V. und Orch. (1965); 3. Symphonie (1967); »Gwerz« dramatique *La maudite* für Soli, Chor und Orch. (nach der keltischen Legende von der versunkenen Stadt d'Ys, 1967, Neufassung 1971). Neben zahlreichen Beiträgen für die Zeitschrift »Musica (Disques)« verfaßte er eine autobiographische Skizze (*Propos impromptu*, in: Le courrier musical de France 1967, Nr 18).
Lit.: P. Le Fl., in: Le courrier mus. de France 1966, Nr 13.

+Lefroid de Méreaux (Le Froid) [–1) Nicolas-Jean], –2) Jean-Nicolas, [erg.: 22. 6.] 1767 – 1838. –3) Jean-Amédée, [erg.:] 17. 9. 1802 [nicht: 1803] – 1874. *+Les clavecinistes* ... (1867), Nachdr. = Bibl. musica Bononiensis III, 41, A–B, Bologna 1969.

Legal, Ernst, * 2. 5. 1881 zu Schlieben (bei Merseburg), † 29. 6. 1955 zu Berlin; deutscher Schauspieler, Regisseur, Theaterleiter und Schriftsteller, einer französischen Emigrantenfamilie entstammend, besuchte in Weimar die Großherzogliche Theaterschule. Nach Anfängen als Schauspieler war er an verschiedenen Theatern auch als Regisseur und Dramaturg tätig. 1928 trat L., zum Direktor der (bis 1931 bestehenden) Staatlichen Kroll-Oper Berlin berufen, an die Seite Klemperers. Unter Regisseuren wie L., Gründgens, Jürgen Fehling, Dirigenten wie Klemperer, von Zemlinsky und Bühnengestaltern wie Ewald Dülberg, Neher, T. Otto, de Chirico und den Bauhaus-Mitgliedern Moholy-Nagy und Schlemmer entwickelte sich an der Kroll-Oper ein experimenteller Aufführungsstil, der Abstraktion, Konzentration und »Spiritualisierung« (Klemperer) mit te, Raum und Bewegung koordinierte und zuweilen durch rigorose Aktualisierung erschreckte. L. inszenierte neben Opern wie *Salome, Carmen*, »Hoffmanns Erzählungen« und »Die verkaufte Braut« zeitgenössische Werke wie *Neues vom Tage* von P. Hindemith (1929, Uraufführung) und *Leben des Orest* von Křenek. 1945 wurde er zum Generalintendanten der ehemaligen Staatstheater ernannt. Bis 1952 inszenierte er neben Standardwerken von Mozart bis R. Strauss auch selten gespielte Opern wie C. M. v. Webers *Euryanthe*, N. Rimskij-Korsakows *Sadko* und H. Goetz' *Der Widerspenstigen Zähmung*.
Lit.: H. KAISER, Modernes Theater in Darmstadt 1910–33, Darmstadt 1955; H. IHERING, E. L., Fanatiker d. Theaters, in: Deutsches Theater. Ber. über 10 Jahre, Bln 1955; Deutsche Staatsoper Bln, hrsg. v. W. OTTO u. G. RIMKUS, Bln 1955; W. PANOFSKY, Protest in d. Oper, München 1966.

Le Gallienne (lə gali'εn), Dorian, * 19. 4. 1915 und † 27. 7. 1963 zu Melbourne; australischer Komponist, absolvierte 1938 das University Conservatorium of Music der University of Melbourne und studierte 1938–39 am Royal College of Music in London bei Howells und Arthur Benjamin. Nach dem 2. Welt-

krieg war er Lektor für Tonsatzlehre am Melbourner University Conservatorium of Music, Kritiker bei Tageszeitungen sowie Tonmeister bei der Australian Broadcasting Commission. Er schrieb die Ballette *Contes héraldiques* (Melbourne 1947) und *Voyageur* (ebd. 1954), Orchesterwerke (Symphonie in E, 1953; Sinfonietta, 1956; *Symphonic Study*, 1963), Kammermusik (Trio für Ob., V. und Va, 1957; Duo für V. und Va, 1956), Klavierwerke (*Three Pieces*, 1947; *Lento*, 1951; Sonatine für 2 Kl., 1941), *Three Psalms* für Chor und Orch. (1951) und Lieder.
Lit.: M. R. BEST, Australian Composers and Their Music, in: Elder Music Library Series I, 1961; N. J. NICKSON, D. Le G., in: Australian Music Survey I, 1969; A. D. McCREDIE, Cat. of 46 Australian Composers and Selected Works, Canberra 1969.

Leger (lɔʒ'e), Fernand, * 4. 2. 1881 zu Argentan (Orne), † 17. 8. 1955 zu Gif-sur-Yvette (Seine-et-Oise); französischer Maler, der sich schon früh mit dem Experimentalfilm beschäftigte (*Ballet mécanique*, 1923/24), stattete Anfang der 20er Jahre 2 Produktionen der Ballets Suédois aus: *Skating Ring* (Musik A. Honegger, Choreographie Borlin, Paris 1922) und *La création du monde* (Musik Milhaud, Choreographie Borlin, ebd. 1923). In diesen Dekorationen setzte der Maler die dynamisierten, durch breite Farbbänder bestimmten Flächenkompositionen seiner »période mécanique« in monumentale Bühnenmalerei um. Die Tänzer agierten als bewegte Collagen (Objekte unter Objekten) in den sich ständig verwandelnden »paysages animés«. Nach *David triomphant* (Rieti, Lifar, Paris 1937) entwarf er die Dekorationen zu *Pas d'acier* (Prokofjew, ebd. 1948), *Bolivar* (Milhaud, ebd. 1950; ein nicht unproblematischer Versuch, seinen flächenbetonenden Spätstil auf die Bühne zu übertragen) und *Léonard de Vinci* (Ballett von Janine Charrat, Schloß Amboise 1952).
Lit.: R. COGNIAT, Décors de théâtre, Paris 1930; Les Ballets Suédois dans l'art contemporain, ebd. 1931 (mit Texten v. M. M. Fokin u. a.); G. AMBERG, Art in Modern Ballet, NY 1946; H. PARMELIN, Cinq peintres et le théâtre, Paris 1956; H. SCHWARZINGER, Das szenische u. kinematographische Werk v. F. L., Diss. Wien 1969; A. BOLL, Picasso et L., peintres de décors, in: Le courrier mus. de France 1972, Nr 37.

+Leginska, Ethel (eigentlich Liggins), * 13. 4. 1885 [nicht: 1886] zu Hull (Yorkshire), [erg.:] † 26. 2. 1970 zu Los Angeles.

+Legley, Vic (Victor), * 18. 6. 1915 zu Hazebrouck (Nord).
L. wirkt, neben seiner Lehrtätigkeit am Brüsseler Konservatorium (Harmonie und Komposition) und an der Chapelle musicale Reine Elisabeth, in leitender Stellung beim belgischen Rundfunk. Er ist Mitglied der Koninklijke Vlaamse Academie voor wetenschappen, letteren en schone kunsten van België in Brüssel. – Weitere Werke: Oper *De cluyte van de twee naakten* op. 59 (»Die Farce von den zwei Nackten«, 1963, Antwerpen 1966), Ballett *Le bal des halles* op. 43 (1954); mittlerweile 5 Symphonien (op. 10, 1942; op. 29, 1948; op. 42, 1953; op. 61, 1964; op. 64, 1965), symphonische Skizzen *La cathédrale d'acier* op. 52 (1958) und *Paradise Regained* op. 70 (1967), Ouvertüre *Lo spirito di contraddizione* op. 53 (für eine Goldoni-Komödie, 1958), *Dyptique* op. 60 (1964) und *Prélude pour un ballet* op. 75 (1969) für Orch., mittlerweile 2 Violinkonzerte (V. und Kl. op. 37, 1947; op. 67, 1967), Concertino für Pk. und Orch. op. 49 (1956), je ein Konzert für Hf. op. 66 (1966) und Va (1971) mit Orch.; 3 Stücke für Bläser- und Streichquintett op. 57 (1960), 3 Sätze für Blechbläser und Schlagzeug op. 76 (1969), Bläserquintett op. 58

(1961), mittlerweile 5 Streichquartette (op. 5, 1941; op. 28, 1948; op. 50, 1956; op. 56, 1963; *Esquisses* op. 79, 1971), 5 Miniaturen für 4 Sax. op. 54 (1958), Trio für Fl., Va und Git. op. 55 (1959), Rhapsodie für Trp. und Kl. op. 69 (1967), 5 Stücke für Git. op. 62 (1964), Suite für Hf. op. 72 Nr 1 (1968); *Musique 1966* für 2 Kl. op. 68 (1966), 3 Märsche für Kl. op. 74 (1968); 7 Lieder *Zeng* für S. und Streichquartett (-orch.) op. 63 (1965), 3 Lieder *Azul sin casa* für S. und Kl. op. 71 (1967), 4 Lieder für Bar. und Kl. (1968).

Legnani (leɲ'a:ni), Pierina, * 1863, † 1923; italienische Primaballerina assoluta des kaiserlichen Marientheaters in St. Petersburg, studierte bei Beretta in Mailand, debütierte an der Mailänder Scala und tanzte dann in Paris, London und Madrid. 1893 trat sie erstmalig in St. Petersburg auf, wo sie auf Grund ihrer virtuosen Technik rasch zur am meisten bewunderten Ballerina des kaiserlichen Opernhauses avancierte, dem sie bis 1901 angehörte. Sie war die erste Tänzerin, die die inzwischen sprichwörtlich gewordenen 32 Fouettés meisterte.

Legrand (legr'and), Diego, * 20. 9. 1928 zu Montevideo; uruguayischer Komponist, studierte in seiner Heimatstadt ab 1949 Klavier am Konservatorium Kolischer, dann bei Sarah Bourdillon an der Escuela Normal de Música, wo er auch Kompositionsschüler von Santórsola war. Von seinen Werken seien genannt: Sinfonietta (1963) und *Halos* (1968) für Orch.; *Figuraciones* für Kl. und Orch. (1967); Trio für Horn, V. und Kl. (1967); *Passim* für Bandoneon, Cemb., V., Kb. und Pos. (1969); Sonatine für Kl. (1963); *Constelaciones* für Klaviersaiten und -tasten (1970); *Cuadros sinfónico-corales* für Sprecher, Chor und Orch. (1965); *Jacet* für Streicher, Horn, Pos., Schlagzeug, Sprecher, 4 Solo-St. oder Chor (1970); ferner a cappella-Chöre und Lieder.

Legrand (ləgr'ã), Michel, * 24. 2. 1932 zu Paris; französischer Komponist, Sohn des Komponisten, Arrangeurs und Orchesterleiters Raymond L. (* 1908 zu Paris), studierte am Pariser Conservatoire Klavier und Komposition, machte sich einen Namen als Arrangeur (zuerst in Zusammenarbeit mit seinem Vater), komponierte Ballette für Roland Petit und Gene Kelly und schrieb während eines Aufenthalts in den USA Musik für Shows in Las Vegas. Von L.s Filmmusiken seien genannt: *L'Amérique insolite* (1960); *Le chien de pique* (1960); *Bande à part* (1964); *La vie de châteux* (1965); *Les demoiselles de Rochefort* (1967). Besonders erfolgreich war seine Musik zu dem Film *Les parapluies de Cherbourg* (1963) von Jacques Demy mit durchweg gesungenem Dialog. L. schrieb auch Orchesterstücke (*Porcelaines de Saxe*; *Trombones en délire*) und Chansons.
Lit.: H. ENGMANN, Filmmusik, München 1968.

+Legrant (Le Grant), −1) Guillaume, und −2) Johannes, 1. Hälfte 15. Jh.
Beide Komponisten sind französische [nicht: frankoflämische] Musiker.
Ausg.: zu −2): ein Rondeau in: A 15th-Cent. Repertory from the Cod. Reina, hrsg. v. N. E. WILKINS, = CMM XXXVII, (Rom) 1966.

+Legrenzi, Giovanni, 1626−27. [nicht: 26.] 5. 1690.
Ausg.: Sonata quarta G moll f. V. u. B.-Va (aus op. 10), in: FR. GIEGLING, Die Solosonate, = Das Musikwerk XV, Köln 1959, auch engl.; Triosonate »La Cornara« (aus op. 2), hrsg. v. CL. CRUSSARD, = Flores musicae XVI, Lausanne 1968; Ouverture zu »Il Giustino« f. Solo-V., Streichorch. u. B. c., hrsg. v. A. SEAY, NY 1968; Sonate da chiesa f. 2 V., Vc. u. Cemb. (op. 4 Nr 1−6 u. op. 8 Nr 7−10), hrsg. v. DEMS., = Le pupitre IV, Paris 1968; Sonata a tre B dur (1677) f. 2 Violen, Violone u. B. c., hrsg. v. A. PLANYAVSKY,

= Diletto mus. Nr 407, Wien 1970; Triosonate D moll »La Barnarda« op. 4 Nr 1, hrsg. v. E. SCHENK, ebd. Nr 446, 1971; Szenen u. Arien aus d. Oper »Il Giustino« in: H. CHR. WOLFF, Die Oper I, = Das Musikwerk XXXVIII, Köln 1971.
Lit.: +E. SCHMITZ, Gesch. d. Kantate u. d. geistlichen Konzerts (1914), Nachdr. Hildesheim 1966; +W. S. NEWMAN, The Sonata in the Baroque Era (1959), revidiert Chapel Hill (N. C.) 1966, London 1968, neuerlich revidiert NY u. London 1972 (Paperbackausg.). − R. MONTEROSSO in: Musicisti lombardi ed emiliani, hrsg. v. A. Damerini u. G. Roncaglia, = Accad. mus. Chigiana (XV), Siena 1958, S. 55ff.; J. A. MACDONALD JR., The Sacred Vocal Music of G. L., 2 Bde, Diss. Univ. of Michigan 1964; ST. BONTA, The Church Sonatas of G. L., 2 Bde, Diss. Harvard Univ. (Mass.) 1965 (mit Werkverz.).

Leguerney (ləgɛrn'ɛ), Jacques, * 19. 11. 1906 zu Le Havre; französischer Komponist, Schüler von Samuel-Rousseau und Nadia Boulanger, konnte sich erst spät, ab seinem 34. Lebensjahr, seinem kompositorischen Schaffen widmen, bei dem er die Vokalmusik, besonders das begleitete Lied, bevorzugt; genannt seien *Je vous envoie*, *Genièvres hérissés*, *Je me lamente*, *Bel aubépin*, *Si mille œillets* (1949), *Au sommeil* (Texte P. de Ronsard, 1949), *Sept poèmes de François Maynard* (1951) und 3 Lieder *La nuit* (Texte Saint-Amant, 1951) für Gesang und Kl. sowie *Psaume LXII* für Bar. und Chor. (1954). Ferner schrieb er Kammermusik (Streichquartett, 1948), Klavierstücke und das Ballett *Endymion* (Paris 1949).

+Lehár, Franz, 1870−1948.
Lit.: M. SCHÖNHERR, Fr. L., Bibliogr. zu Leben u. Werk, Baden bei Wien 1970, Auszug in: ÖMZ XXV, 1970, S. 330ff. − M. KELLNER, Die Operette in ihrer Entwicklung u. Darstellung, Diss. Wien 1950; I. TEUBER-KWASNIK, Fr. L., = Berckers kleine Volksbibl., Gelbe Reihe XVIII, Kevelaer 1953; GR. M. JARON in: SM XXII, 1958, H. 10, S. 67ff.; A. v. PRAAG, Rencontres avec Fr. L., in: Rencontres 1963, Nr 202; E.-M. v. FRENCKELL, Als »Die lustige Witwe« nach Finnland kam, in: Maske u. Kothurn X, 1964; G. JELLINEK, Fr. L. and the »Tauber Operetta«, HiFi/ Stereo Rev. XVIII, 1967; B. GRUN, Gold u. Silber. Fr. L. u. seine Welt, München 1970, engl. London u. NY 1970; W. HUSCHKE, Zur Herkunft Fr. L.s, in: Genealogie XIX, 1970; M. LUBBOCK, Fr. L. and Opera, in: Opera XXI, 1970; H.-G. OTTO u. W. RÖSLER, Die L.-Legende, in: Theater d. Zeit XXV, 1970; K. R. BRACHTEL, Fr. L.s Beziehungen zu d. Sudetenländern, in: Sudetenland XII, 1970.

Lehel (l'æhæl), György, * 10. 2. 1926 zu Budapest; ungarischer Dirigent, studierte in seiner Heimatstadt an der Liszt F. Zeneművészeti Főiskola bei László Somogyi (Dirigieren) und bei Kadosa (Komposition) und ist seit 1950 Dirigent des Symphonieorchesters des ungarischen Rundfunks und Fernsehens (1962 Chefdirigent). Er wurde 1955 und 1962 mit dem Liszt-Preis ausgezeichnet. Zahlreiche Konzerttourneen führten ihn in europäische und japanische Musikzentren. L. ist vor allem als Interpret der Neuen Musik bekannt geworden.

+Le Heurteur, Guillaume, 16. Jh.
Ausg.: 6 Motetten in: P. Attaingnant, Treizes livres de motets, hrsg. v. A. SMIJERS bzw. (ab Bd VIII) A. T. MERRITT, Bd III−VII u. IX, Monaco 1936−62; eine Chanson in: Theatrical Chansons of the 15th and Early 16th Cent., hrsg. v. H. M. BROWN, Cambridge (Mass.) 1963.

Lehmann, Albert Semjonowitsch (Leman), * 24. 6. (7. 7.) 1915 zu Wolsk (Gouvernement Saratow); russisch- und tatarisch-sowjetischer Komponist deutscher Herkunft, absolvierte am Leningrader Konservatorium 1940 die Kompositionsklasse bei M. Gnessin und 1941 die Klavierklasse von Wladimir Nielsen. Seit 1942 lebt er in Kasan, wo er 1945 eine pädagogische Tätigkeit am Konservatorium übernahm (1953 Dozent). Er schrieb

u. a. eine Symphonie (1940), eine symphonische Suite über tatarische Themen (1948), eine Festouvertüre (1951), 3 Klavierkonzerte (1939, 1943 und 1953), 2 Violinkonzerte (1950 und 1957), ein Kammerkonzert für Vc. und Orch. (1969), Kammermusik (Streichquartett, 1942), Klavierstücke (3 Zyklen von je 24 Praeludien, 1942, 1955 und 1958), die Oratorien *Lenin* (1961) und *Atlanty* (»Kämpfer«, 1967), Lieder und Romanzen auf Gedichte von Michail Lermontow, Heine, Puschkin u. a. sowie Bühnenmusik.

Lehmann, Anatolij Iwanowitsch (Leman), * 1.(13.) 6. 1859 zu Moskau, † 11.(24.) 9. 1913 zu St. Petersburg; russischer Geigenbauer, war zunächst Offizier in der zaristischen Armee, lernte dann aber ab 1884 Geigenbau bei Ernest-André Salsar und Ludwig Otto und vervollkommnete seine Studien auf Reisen nach Italien, Deutschland und Frankreich. Ab 1903 lebte er in St. Petersburg, wo er etwa 200 Geigen, Bratschen und Violoncelli baute. Darüber hinaus schrieb er: *Akustika skripki* (»Die Akustik der Geigen«, 2 Bde, Moskau 1903); *Kniga o skripke* (»Das Buch über die Geige«, ebd. ²1903); *Russkaja skripka* (»Die russische Geige«, St. Petersburg 1909).
Lit.: Je. Fr. Witatschek, Otscherki po istorii postrojenija smytschkowych instrumentow (»Skizzen zur Gesch. d. Streichinstrumentenbaus«), Moskau u. Leningrad 1952, 2. Aufl. als: Otscherki po istorii isgotowlenija . . ., Moskau 1964.

+Lehmann, Berthold, * 6. 1. 1908 zu Kiel.
L. war bis 1971 GMD der Stadt Hagen.

Lehmann, Dieter, * 29. 6. 1929 zu Stollberg (Sachsen); deutscher Musikforscher, studierte 1948–52 an der Leipziger Universität, an der er 1954 mit einer Dissertation über *Rußlands Oper und Singspiel in der zweiten Hälfte des 18. Jh.* (Lpz. 1958) promovierte und 1952–60 Lektor war. 1961–67 wirkte er als wissenschaftlicher Mitarbeiter an der Humboldt-Universität in Berlin, an der er sich 1962 mit der Arbeit *N. Dilezki und seine »Musikalische Grammatik« in ihrer Bedeutung für die Geschichte der russischen Musik* habilitierte. Seit 1968 ist L. wissenschaftlicher Mitarbeiter an der Leipziger Universität. Von seinen Veröffentlichungen seien genannt: *Das Lied in der bulgarischen Arbeiterbewegung* (BzMw IV, 1962); *Die Erforschung der deutsch-tschechischen musikalischen Wechselbeziehungen, ihre Methoden und ihre Aufgaben* (DJbMw VIII, 1963); *Zur Genesis der russischen Romanze* (DJbMw X, 1965); *Satire und Parodie in den Liedern M. Mussorgskis* (BzMw IX, 1967); *Zur Spezifik der Barockmusik bei den slawischen Völkern im Unterschied zur Barockmusik der Völker Westeuropas* (StMl X, 1968); *Zum Problem der Renaissance in der Musikkultur Rußlands* (BzMw XIII, 1971). Ferner schrieb er eine Reihe von lexikalischen Beiträgen und gab *Lieder sowjetischer Komponisten für Singstimme und Klavier* heraus (2 H., Lpz. 1968).

+Lehmann, Ludwig Fritz (Friedrich) [erg. Vornamen], 1904–56.
Lit.: W. Meyerhoff in: Händel-Jb. III, 1957, S. 153ff.; M. Hübscher in: Rheinische Musiker VII, hrsg. v. D. Kämper, = Beitr. zur rheinischen Mg. XCVII, Köln 1972, S. 70ff.

Lehmann, Hans-Peter, * 15. 12. 1934 zu Kassel; deutscher Opernregisseur, studierte an der Nordwestdeutschen Musikakademie in Detmold und an der Freien Universität Berlin. Als Regieassistent war er Mitarbeiter von C. Ebert (Städtische Oper Berlin, 1959) und 1960–66 von Wieland Wagner in Bayreuth. 1963 wurde er Oberspielleiter der Oper in Ulm, 1965 in Mainz und 1968 in Freiburg i. Br.; die gleiche Stellung

bekleidet er seit 1970 am Opernhaus Nürnberg. Gastverpflichtungen führten ihn u. a. an die Metropolitan Opera in New York, die Mailänder Scala und die Pariser Opéra; von seinen wichtigsten Inszenierungen seien genannt: *Lohengrin* (Zürich 1969); *Die Meistersinger* (Zagreb 1970); *Moses und Aron* und *Mathis der Maler* (Nürnberg 1971); *Salome* (Chicago 1972).

Lehmann, Hans Ulrich, * 4. 5. 1937 zu Biel; Schweizer Komponist, studierte an den Konservatorien in Biel (Violoncellodiplom bei Looser) und Zürich (Theoriediplom bei Müller-Zürich), nahm 1960–63 an der Meisterklasse für Komposition bei Boulez und K. Stockhausen an der Musik-Akademie der Stadt Basel teil. Außerdem betrieb er musikwissenschaftliche Studien an den Universitäten in Zürich und Basel. Heute wirkt L. als Lehrer an der Musik-Akademie der Stadt Basel. 1969 erhielt er einen Lehrauftrag für Musiktheorie an der Universität Zürich und daneben 1972 eine Dozentur für Komposition und theoretische Fächer an Konservatorium und Musikhochschule Zürich. – Werke (Auswahl): *Quanti I per fl. obbligato e complesso da camera* (1962); *Réǵion I pour un flûtiste* (1963) und *II, Objet sonore pour boîtes à musique* (1968); *Mosaik* für Klar. (1964); *Komposition für 19* (1965); *Episoden* für Bläserquintett (1965); *Spiele* für Ob. und Hf. (1966); *Notenbüchlein* für Hf. (1966); *Noten* für Org. (1967); *Studien* für Va solo (1967); *Rondo* für Singst. (S.) und Orch. auf einen Text von Helmut Heißenbüttel (1967); *Instants* für Kl. (1968); Konzert für Kl., Klar. und Streicher (1970); *Dis-Cantus I* für Ob. und Streicher (1971) und *II* für S., Org. und Kammerorch. (1971); *Klang-Wege* für Orch. (1971); *Positionen* für Orch. (1972).

+Lehmann, –1) Lilli ([erg.:] eigentlich Elisabeth Maria Kalisch geborene Loew), 1848–1929.
+*Meine Gesangskunst* (1902, ³1922), Bln ⁶1961.
Lit.: P. Lorenz, L. L.s Wirken f. Salzburg, ÖMZ XXVII, 1972.

+Lehmann, Lotte (verheiratete Krause), * 27. 2. 1888 zu Perleberg (Prignitz).
1919 sang sie die Färberin in der Uraufführung der Oper *Die Frau ohne Schatten* von R. Strauss. 1934–45 gehörte sie dem Ensemble der Metropolitan Opera in New York an; bis 1951 konzertierte sie dann vor allem als Liedsängerin. Anschließend war sie als Pädagogin tätig, leitete die Gesangsabteilung der Music Academy of the West in Santa Barbara (Calif.) und hielt zahlreiche Meisterkurse in den USA und Europa ab. Zu ihren bekanntesten Schülern zählt Grace Bumbry. 1962 inszenierte sie, die einst u. a. durch ihre Interpretationen der Sophie, des Octavian und besonders der Marschallin in der Oper *Der Rosenkavalier* Weltruhm erlangt hatte, diese Oper für die Metropolitan Opera. L. L., der zahlreiche Ehrungen zuteil wurden (u. a. Ehrenmitglied der Wiener Staatsoper), lebt heute in Santa Barbara. – Von der englischen Ausgabe ihrer autobiographischen Schrift +*Midway in My Song* (1938) erschien ein Nachdruck (Westport/Conn. 1970). Weitere Veröffentlichungen: *Five Operas and R. Strauss* (NY 1964, als *Singing with R. Strauss*, London 1964); *Eighteen Song Cycles. Studies in Their Interpretation* (London 1971, NY 1972); *Twelve Singers and a Conductor* und *Göring, the Lioness and I* (in: Opera 66, hrsg. von Ch. Osborne, London 1966); *A Tenor in Heaven* (in: Opera XIX, 1968).
Lit.: B. W. Wessling, L. L., mehr als eine Sängerin, Salzburg 1969 (mit Diskographie).

Lehmann, Markus Hugo, * 31. 3. 1919 zu Böhmisch Leipa/Cěská Lípa (Tschechoslowakei); deutscher Kom-

[handschriftliche Randnotiz:] d. Aug 26 1976.

ponist, studierte 1946–50 an der Universität in Salzburg Philosophie und Theologie, 1950–53 an der Nordwestdeutschen Musikakademie in Detmold Komposition (Maler), Dirigieren (Papst, Agop, K. Thomas) und Klavier (Richter-Haaser) und besuchte Kompositionskurse bei P. Hindemith, Fortner und Messiaen. Nach einer Tätigkeit als Korrepetitor und Kapellmeister sowie als freier Mitarbeiter des Musikverlags B. Schott's Söhne in Mainz wurde L. 1963 Dozent (Opernklasse) an der Staatlichen Hochschule für Musik in Freiburg i. Br. Er schrieb u. a. die Opern *Der kleine Bahnhof* (Freiburg i. Br. 1957), *Die Wette* (Saarbrücken 1966) und *Der Präsident* (1968), das Ballett *L'infer sur terre* (1962), *Sentenzen* für Orch. (1959), *In memoriam*, Musica funebre per archi (1967), Kammermusik (Trios für Fl., Klar. und Fag., 1952, und für Fl., Vc. und Kl., 1962), die Kantate *Lied der Kentauren* für dramatisch S. und Orch. (1955) sowie *Kriterium* für tiefe Männer-St. und Kammerensemble (1959).

Lehn, Erwin, * 8. 6. 1919 zu Grünstadt (Pfalz); deutscher Orchesterleiter und Komponist von Tanz- und Unterhaltungsmusik, studierte Violine, Klavier und Klarinette. Er wurde 1945 Pianist und Arrangeur im Radio Berlin-Tanzorchester, dessen Leiter er gemeinsam mit Horst Kudritzki 1947–50 war. Seit 1951 leitet er das Südfunk-Tanzorchester beim Süddeutschen Rundfunk. Aus seinem Orchester sind eine Reihe bekannter Jazzmusiker (u. a. Jankowski) hervorgegangen.

Lehner, Eugen → Léner, Jenő.

Lehner, Franz Xaver, * 29. 11. 1904 zu Regensburg; deutscher Komponist, studierte an der Akademie der Tonkunst in München, war ab 1928 als Chordirektor in Landshut (Bayern) und 1938–39 als Lehrer für Orgel an der Kirchenmusikschule in Regensburg tätig. 1948 wurde er Professor für Musiktheorie am Bayerischen Staatskonservatorium in Würzburg und 1958 Professor für Komposition an der Staatlichen Hochschule für Musik in München. Er schrieb die Opern *Die schlaue Susanne* (Nürnberg 1952), *Geliebtes Gespenst* (Würzburg 1954), *Die kleine Stadt* (Nürnberg 1957), *Die Bajuwaren* (München 1958), *Die Liebeskette* (Wiesbaden 1962) und *Die Erbschaft*, ein Konzert für Vc. und Orch. (1958), ein Konzert für Klar. und Orch. (1962), *Kleine Symphonie* (1966) sowie Kammermusikwerke für verschiedene Besetzungen.

Lehner, Leo, * 20. 7. 1900 zu Wien; österreichischer Chordirigent, einer Musiker- und Lehrerfamilie entstammend, studierte an der Wiener Musikakademie bei Fr. Schmidt und Lechthaler. Er gründete 1946 den Chor der Bundeslehrer- und Lehrerinnenbildungsanstalten sowie die Chorvereinigung »Jung-Wien«, mit der er zahlreiche Auslandstourneen unternahm und bisher 2000 Konzerte gab. 1948 wurde er Bundeschormeister für Wien und Niederösterreich. L., der zahlreiche Auszeichnungen erhielt, wurde 1947 zum Professor ernannt. Als Komponist ist er mit Chorwerken, Kinder- und Wanderliedern sowie mit Orchesterstücken hervorgetreten.

Lehrndorfer, Franz Xaver, * 10. 8. 1928 zu Salzburg; deutscher Organist, Sohn des Kemptener Chordirektors Franz L. (* 13. 4. 1889 zu Kempten), studierte 1948–51 Orgel und Katholische Kirchenmusik an der Staatlichen Hochschule für Musik in München (1952 Abschluß der Meisterklasse für Orgel). Er war 1951–62 Lehrer am Domgymnasium in Regensburg (Regensburger Domspatzen). 1951 erhielt er den 1. Preis für Orgel beim Internationalen Musikwettbewerb der Rundfunkanstalten der BRD in München. Seit 1962

ist er Lehrer für Orgel und Katholische Kirchenmusik an der Staatlichen Hochschule für Musik in München (1969 Abteilungsleiter für Katholische Kirchenmusik und Domorganist).

Lei, Familie von chinesischen Instrumentenbauern der T'ang-Dynastie (618–906 n. Chr.), die in Ch'eng-tu (Provinz Szechuan) wirkten. Die L., die mit den Instrumentenbauerfamilien des 17. und 18. Jh. in Cremona verglichen worden sind, haben vermutlich nur Ch'in (Halbröhrenzithern) hergestellt, deren Güte sie anscheinend mit den für die Griffmarken verwendeten Materialien gekennzeichnet haben (Nephrit, Edelsteine, Gold, Perlmutter). Die folgenden Familienmitglieder lassen sich aus Dokumenten nachweisen: –1) Lei Hsien, lebte etwa 620 n. Chr.(?). Ihm wird bereits eine besonders hervorragende Ch'in zugeschrieben. –2) Lei Hsiao, lebte zur Regierungszeit des Kaisers Hsüan-tsung (712–756). –3) Lei Sheng, lebte zur Regierungszeit des Kaisers Chen-yüan (785–804). –4) Lei Hsi, Enkel von Lei Sheng, lebte Ende des 9. Jh. –5) Lei Wen war zwischen 713 und 755 tätig. Eine Enzyklopädie der Ming-Dynastie (etwa 1607 erschienen) gibt eines seiner angeblichen Geheimrezepte wieder. –6) Lei Wei, 8. Jh. –7) Lei Ku, Lei Hsün und Lei Pan, deren Lebenszeit nicht bekannt ist, werden in Quellen des 13. und 14. Jh. erwähnt.
Lit.: M. GIMM, Das Yüeh-fu tsa-lu d. Tuan An-chieh, = Asiatische Forschungen XIX, Wiesbaden 1966, S. 451ff.

Leib, Günther, * 12. 4. 1927 zu Gotha; deutscher Sänger (Baßbariton), studierte Violine am Landeskonservatorium in Erfurt und später Gesang an der Hochschule für Musik in Weimar (Staatsexamen für Gesang und Gesangspädagogik). Er war 1949–50 1. Violinist am Landestheater Gotha. Seit 1952 ist L. als Sänger tätig. Über die Theater in Köthen (1952–53), Meiningen (1953–55), Nordhausen (1955–56) und Halle/Saale (1956–57) kam er 1957 an die Staatsoper Dresden (1959 Kammersänger). Seit 1964 ist er Professor für Gesang (Leiter der Gesangsabteilung) an der Hochschule für Musik in Dresden und daneben ständiger Gast an den Staatsopern in Dresden und in Berlin. Gastspiele führten L., der auch als Oratorien- und Liedsänger erfolgreich ist, in verschiedene europäische Länder. Zu seinen Hauptpartien zählen Figaro, Leporello, Beckmesser und Wolfram.
Lit.: W. SIEGMUND-SCHULTZE in: E. Krause, Opernsänger, Bln 1962, ³1965, S. 98ff.

+Leib, Walter, * 15. 3. 1893 zu Dossenbach (Baden).
An der Heidelberger Musikhochschule unterrichtete L. bis 1964, am Evangelischen Kirchenmusikalischen Institut bis 1968; Leiter des Evangelischen Orgel- und Glockenprüfungsamtes in Heidelberg war er ebenfalls bis 1968. Die Schriftleitung der »Süddeutschen Sängerzeitung« hatte er bis 1956 inne. 1963 entwickelte L. ein »Elektronisches Auxiliaire zur Pfeifenorgel« (s. u. Lit.). Von seinen neueren Veröffentlichungen seien genannt: *Die Entwicklung unseres Tonsystems* (= Studium musicale Nr 528, Stuttgart 1968); *Denkmäler der Orgelbaukunst im nordbadischen Raum* (in: Evangelisches Kirchenmusikalisches Institut Heidelberg, 1931–56, hrsg. von H. Haag, Karlsruhe 1956, auch in: Ars organi 1957, Nr 11); *Der Glockenklang* (MuK XXXII, 1962); *Das elektronische Auxiliaire* (in: Konsequenzen 1964, hrsg. von J. Michel, Stuttgart 1964); glockenkundliche Miszellen (in: Beitr. zur Glockenkunde, hrsg. von H. Rolli, Heidelberg 1971).
Lit.: KL. v. LOEFFELHOLZ u. J. MICHEL, Das elektronische Auxiliaire zur Pfeifenorg., Bln 1968; G. WAGNER in: Der Kirchenmusiker XIX, 1968, S. 77.

+Leibl, Carl, [erg.: 3. 9.] 1784 [erg.:] zu Fußgönheim (Pfalz) – 1870.
Lit.: P. Mies, Das Kölnische Volks- u. Karnevalslied, = Denkmäler rheinischer Musik II, Köln 1951 (darin Karnevalslieder u. -texte); Ders. in: Musica sacra LXXVIII, 1958, S. 83ff.; Ders. in: Rheinische Musiker I, hrsg. v. K. G. Fellerer, = Beitr. zur rheinischen Mg. XLIII, Köln 1960, S. 144ff.; G. Göller, Die L.sche Slg, Kat. d. Musikalien d. Kölner Domkapelle, ebd. LVII, 1964, Nachträge in: Mitt. d. Arbeitsgemeinschaft f. rheinische Mg. IV, 1967ff., S. 33ff. u. 55ff.

Leibniz, Gottfried Wilhelm, * 3. 7. 1646 zu Leipzig, † 14. 11. 1716 zu Hannover; deutscher Philosoph, studierte in Leipzig Philosophie, Mathematik und Jura und promovierte 1667 in Altdorf (bei Nürnberg) zum Dr. jur. Er trat 1668 als juristischer Rat in kurmainzische Dienste, reiste 1672 nach Paris, wo er 1675 die Grundlagen der Infinitesimalrechnung legte, und wurde 1678 Hofrat und Bibliothekar in Hannover. Seine Lehre von der »prästabilierten Harmonie« (*Monadologie*, 1714) vereinigt Metaphysik und Mathematik. In verschiedenen Werken und Briefen beschäftigt er sich mit den Zahlengrundlagen und den harmonikalen Zusammenhängen der Musik.
Lit.: R. Haase, L. u. d. Musik. Ein Beitr. zur Gesch. d. harmonikalen Symbolik, Hommerich 1963; K. Müller, L.-Bibliogr., = Veröff. d. L.-Arch. I, Ffm. 1967; Ders., Leben u. Werk v. G. W. L., ebd. II, 1969.

+Leibowitz, René, * 17. 2. 1913 zu Warschau, [erg.:] † 28. 8. 1972 zu Paris.
Weitere Werke: 6 Lieder für B. und Kl. op. 6 (1942); 3 Lieder für hohen S. und Kl. op. 9 (Picasso, 1942); 4 Lieder für S. und Kl. op. 18 (1949); 2 Lieder für S. und Kl. ohne op.-Zahl (1932–51); Duo für Vc. und Kl. op. 23 (1951); 5 Lieder für S. und Kl. op. 25 (1951); 6 kleine Orchesterstücke op. 31 (1954); 4 Lieder op. 34 (Joyce, 1954); *Rapsodia concertante* für V. und Kl. op. 36 (1955); Streichtrio op. 42 (1957); *Sonata quasi una fantasia* für Kl. op. 43 (1957); *Humoreske* für 7 Schlagzeuger op. 44 (1957); 4. Streichquartett op. 45 (1958); 3 Lieder für Singst. und 5 Instr. op. 46 (1958); Concertino für Kl. 4händig op. 47 (1958); Ouvertüre für Orch. op. 48 (1958); 5 Lieder für Mezzo-S. und Kl. op. 49 (1958); Violinkonzert op. 50 (1959); 3 Bagatellen für Streicher op. 51 (1959); Fantasie für Jazzband op. 52 (1959); Posaunenkonzert op. 53 (1960); *Marijuana* für V., Pos., Vibraphon und Kl. op. 54 (1960); Kammersymphonie op. 55 (1961); Fantasie für V. solo op. 56 (1961); *Introduktion, Fanfare und Trauermarsch* für Blechbläser und Schlagzeug op. 57 (1961); Cellokonzert op. 58 (1962); 5. Streichquartett op. 59 (1963); einaktige Opéra-bouffe *Les espagnols à Venise* op. 60 (1963, Grenoble 1970); 4 Bagatellen für Pos. und Kl. op. 61 (1964); Toccata für Kl. op. 62 (1964); *Rapsodie symphonique* für Orch. op. 63 (1965); 3 Miniaturetüden für Kl. op. 64 (1965); 6. Streichquartett op. 65 (1965); Suite für V. und Kl. op. 66 (1965); 2 Lieder für S. und Kl. op. 67 (1965); *A Prayer* für A., Männerchor und Orch. op. 68 (1965); Sonate für Fl., Va und Hf. op. 69 (1966); 3 Capriccios für Vibraphon op. 70 (1965); 2 Lieder für Chor a cappella op. 71 (1966); 7. Streichquartett op. 72 (1966); 3 Lieder für Bar. und Kl. op. 73 (1966); *Motifs* für Sprecher und 5 Instr. op. 74 (1966); kleine Suite für Kl. op. 75 (1966); *Chanson Dada* für Kinder-St. und 4 Instr. op. 76 (1968); Sonett für S. und 5 Instr. op. 77 (1967); *Rondo capriccioso* für Kl. op. 78 (1967); Capriccio für Fl. und Streichorch. op. 79 (1967); 4 Lieder für S. und Kl. op. 80 (1967); Suite für 9 Instr. op. 81 (1967); *A Legend* für S., Kl. und Orch. op. 82 (1968); 8. Streichquartett op. 83 (1968); Quar-

tett für 4 Sax. op. 84 (1969); einaktige Oper *Labyrinth* op. 85 (1969); 4 Lieder für B. und Kl. op. 86 (1969); 3 Intermezzi für Kl. op. 87 (1970); *Laboratoire central* für Sprecher, Frauenchor und Kammerorch. op. 88 (1970); Szene und Arie für S. und Orch. op. 89 (1970); Sextett für Klar. op. 90 (1970); 3 Chöre für Soloquartett und Kl. op. 92 (1971). L. arbeitete bis zu seinem Tod an einer zweiaktigen Oper (op. 91).
Weitere Schriften: +*Schœnberg et son école* (= La flute de Pan o. Nr, 1947 [nicht: 1946], engl. NY 1949 [nicht: 1947] und 1970); *Qu'est-ce que la musique de douze sons?* (Lüttich 1948); +*L'artiste et sa conscience* (1950 [nicht: 1951]); +*Evolution de la musique. De Bach à Schoenberg* (1951 [nicht: 1952]); *Sibelius le plus mauvais compositeur du monde* (= Brimborions XXXVII, Lüttich 1955); *Histoire de l'opéra* (Paris 1957, ital. Mailand 1966; einzelne Kap. daraus auch als Zeitschriftenbeitr.); *E. I. Kahn* (mit K. Wolff, Paris 1958 und 1959, engl. NY 1958); *Thinking for Orchestra. Practical Exercises in Orchestration* (mit J. Maguire, NY 1960, ital. Bari 1964); *Schoenberg* (= Solfèges XXX, Paris 1969). Gesammelte Essays erschienen als *Le compositeur et son double* (= Bibl. des idées o. Nr, ebd. 1971; darin u. a.: *L'art d'interprétation musicale selon F. B. Busoni*, ital. in: L'approdo musicale 1966, Nr 22, S. 96ff.; *Les malheurs du wagnérisme*, ital. in: nRMI II, 1968, S. 403ff.; *Le respect du texte*, ital. ebd. IV, 1970, S. 244ff.). Weitere Aufsätze: *La dialectique structurelle de l'œuvre de J. S. Bach* (La rev. internationale de musique 1950, Nr 8, deutsch in: J. S. Bach, hrsg. von W. Blankenburg, = Wege der Forschung CLXX, Darmstadt 1970); *Réflexions sur l'état actuel de la musique contemporaine* (in: Les temps modernes XV, 1959/60); *Moïse et Aron, opéra de Schoenberg* (ebd. XVI, 1960/61); *Les paradoxes de G. Mahler* (Cahiers du Sud XLIX, 1962/63); *Der Komponist Th. W. Adorno* (in: Zeugnisse, Fs. Th. W. Adorno, Ffm. 1963); *Vérisme, véracité et vérité de l'interprétation de Verdi* (Kgr.-Ber. »Studi verdiani« Venedig 1966).
Lit.: W. L. Ogdon, Series and Structure. An Investigation into the Purpose of the Twelve-Note Row in Selected Works of Schoenberg, Webern, Krenek and L., Diss. Indiana Univ. 1955.

+Leichtentritt, Hugo, 1874–1951.
+*Geschichte der Motette* (1908), Nachdr. Hildesheim 1967; +*Musikalische Formenlehre* (1911, ⁵1952), Wiesbaden ⁶1964, ⁷1967, Neuaufl. der +englischen Ausg. (*Musical Form*, 1951) Cambridge (Mass.) 1956 und 1961; +*Music. History and Ideas* (1938), Neuaufl. ebd. 1964.
Lit.: J. E. Seaich, L.'s »Hist. of the Motet«. A Study and Translation (Chapters 7–15), Diss. Univ. of Utah 1958.

+Leider, Frida, * 18. 4. 1888 zu Berlin.
1958 wurde sie zum Ehrenmitglied der Deutschen Oper Berlin ernannt. Ihre Autobiographie +*Das war mein Teil* (1959) wurde ins Englische übersetzt (*Playing My Part*, London und NY 1966).

Leidesdorf, Maximilian Joseph (jüdischer Taufname Marcus), * 5. 7. 1787 zu Wien, † 27. 9. 1840 zu Florenz; österreichischer Pianist, Musiklehrer und -verleger, Schüler von Albrechtsberger, Salieri und E. A. Förster, gründete 1822 mit Ignaz Sauer einen Musikverlag, war ab 1827 dessen Alleininhaber; seine Rechte gingen um 1830/35 an Diabelli über. Er war u. a. mit J. Haydn, Beethoven und Schubert befreundet. Nach der Aufführung seines Oratoriums *Esther* in Florenz (1829) ernannte ihn der Großherzog von Toskana zum Hof- und Kammervirtuosen. L. war ein Modekomponist; von den meist in Wien erschienenen Werken tragen 172 Opuszahlen. Er schrieb vor allem Klavierkompo-

sitionen, Kammermusik mit Klavier, ferner Lieder sowie einige Messen, Kantaten und Oratorien.
Lit.: W. Schmutzenhofer, Artikel M. J. L., MGG VIII, 1960.

+Leifs, Jón, * 1. 5. 1899 zu Sólheimar (Island), [erg.:] † 30. 7. 1968 zu Reykjavík.
L. war Gründer (1945) und 1. Vorsitzender des isländischen Komponistenverbandes sowie Gründer (1948) und Präsident der isländischen Gesellschaft für Autorenrechte (STEF), beides mit kurzer Unterbrechung bis zu seinem Tod, ferner Präsident des nordischen Komponistenrates (1952–54) und des Conseil international des compositeurs (1954/55). – Weitere Werke: *Geysir* op. 51, Ouvertüre *Hekla* (»Der Vulkan«) op. 52, Intermezzo *Vikingsvar* (»Des Wikings Entgegnung«) op. 54 sowie *Fine I* op. 55 und *II* op. 56 für Orch.; *Hinzta kveðja* (»Abschiedsgruß«) op. 53 und *Hughreysting* (»Consolation«) op. 65 (1968, seine letzte Komposition) für Streichorch.; *Scherzo concreto* für 10 Instr. op. 58, Quintett für Fl., Klar., Fag., Va und Vc. op. 50, 3. Streichquartett *El Greco* op. 64; 3. Edda-Oratorium »Götterdämmerung und Wiederauferstehen«; »Frühlingshymne« op. 46, Kantate *Dettifoss* (»Der Sturzwasserfall«) op. 57, *Darraðarljoð* (»Darrandlied«) op. 60 und *Hafís* (»Treibeis«) op. 63 für gem. Chor und Orch.; *Helga kviða hundingsbana* (»Das Lied von Heilig Hundingstöter«) für A., B. und Orch. op. 61; *Grógaldr* (»Grunas Zauberweisen«) für A., T. und Orch. op. 62; »Nacht« für T., B. und kleines Orch. op. 59.
Lit.: P. Mies in: Lied u. Chor LI, 1959, S. 199f.; W. R. Emmen Riedel in: Mens en melodie XXIV, 1969, S. 213f.

Leigh (li:), Adele, * 15. 6. 1928 zu London; englische Sängerin (Sopran), studierte an der Royal Academy of Dramatic Art in London sowie an der Juilliard School of Music in New York und vervollkommnete sich bei Maggie Teyte in London. Dort debütierte sie 1948 an der Covent Garden Opera, der sie bis 1956 angehörte. Ab 1961 war sie Mitglied des Opernhauses Zürich. 1965 wurde sie an die Volksoper Wien engagiert. Zu ihren Hauptpartien zählen Susanna (*Le nozze di Figaro*), Pamina und Sophie (*Der Rosenkavalier*). A. L. tritt auch in Operettenrollen auf.

Leigh (li:), Mitch, * 30. 1. 1928 zu Brooklyn (N. Y.); amerikanischer Komponist, Arrangeur und Produzent, erhielt seine Ausbildung an der Yale University in New Haven/Conn. (B. A., M. A.). Er schrieb die Musik zu dem Musical *Man of La Mancha* (Buch von Dale Wassermann nach Cervantes, Songtexte von Joe Darion, NY 1964, verfilmt 1971), das auch in Europa erfolgreich geworden ist (deutschsprachige Erstaufführung Wien 1968 in der Übersetzung von R. Gilbert, Hauptrolle Josef Meinrad) sowie Film-, Fernseh-, Rundfunk- und Bühnenmusiken.

+Leigh, Walter, * 22. [nicht: 23.] 6. 1905 zu Wimbledon (London) – 1942.

Leighton (l′eitən), Kenneth, * 2. 10. 1929 zu Wakefield (Yorkshire); englischer Komponist, studierte klassische Philologie und Musik am Queen's College in Oxford und vervollkommnete seine Kompositionsstudien ab 1951 bei Petrassi in Rom. 1953–56 war er Gregory Fellow in Music an der Leeds University und gehörte 1956–68 der Musikfakultät der University of Edinburgh an. 1968 wurde er Lecturer in Music am Worcester College in Oxford. Seit 1970 ist er Reid Professor of Music an der University of Edinburgh. Sein Schaffen, das mehrfach durch Preise gewürdigt wurde, umfaßt Orchesterwerke (Symphonie für Streicher op. 3, 1948; Ouvertüre *Primavera romana* op. 14,

1951; Passacaglia, Choral und Fuge op. 18, 1956; Klavierkonzert op. 11, 1951; Violinkonzert op. 12, 1952; Konzert für Va, Hf., Pk. und Streicher op. 15, 1952; Konzert für Ob. und Streicher, 1953; Konzert für 2 Kl., Pk. und Streicher op. 26, 1954; Violoncellokonzert op. 31, 1956), Kammermusik (Klavierquintett, 1962; Streichquartette, op. 32, 1956, und op. 33, 1957; 2 Sonaten für V. und Kl., 1951 und 1956; *Fantasia sopra il nome BACH* für Va und Kl. op. 29, 1955), Klavierstücke (3 Sonaten, 1947, 1953 und 1954; *Fantasia contrappuntistica* op. 24, 1956; Variationen op. 30, 1955; Scherzo für 2 Kl. op. 7, 1950), Vokalwerke (Kantate *Veris gratia* für T., Chor, Streicher, Fl. und Pk. op. 6, 1951; Sinfonia sacra *The Light Invisible* für T., Chor und Orch. auf Texte der Heiligen Schrift und Gedichte von T. S. Eliot op. 16, 1958) und Bühnenmusik.
Lit.: I. V. Cockshoot, The Music of K. L., MT XCVIII, 1957; E. Bradbury, The Light Invisible, MT XCIX, 1958.

+Leighton, Sir William, um 1560 – vor 1617.
Ausg.: The Tears or Lamentations of a Sorrowful Soul (1614), hrsg. v. C. Hill, = Early Engl. Church Music XI, London 1970 (darin d. 8 eigenen Sätze).

+Leimer, Kurt, * 7. 9. 1920 [nicht: 1922] zu Wiesbaden.
Über seine Konzerttätigkeit hinaus (u. a. Wien, Brüssel, London, New York, Philadelphia) ist L. auch durch Fernsehaufzeichnungen von ihm gespielter Klavierkonzerte (mit Karajan, Ormandy, Stokowski) bekannt geworden. Die Meisterklasse für Klavier am Salzburger Mozarteum leitet er seit 1953 (1956 Professor); seit 1957 unterrichtet er auch an der Internationalen Sommerakademie in Salzburg. Er erhielt 1956 zusätzlich die österreichische Staatsbürgerschaft und lebt heute in Vaduz (Liechtenstein). – Das zweite seiner 4 Klavierkonzerte ist für die linke Hand geschrieben.

+Leinert, Friedrich Otto, * 10. 5. 1908 zu Oppeln (Oberschlesien).
L. ist seit 1957 Dozent an der Hochschule für Musik und Theater in Hannover. Weitere Werke: mittlerweile 4 Opern (Opera buffa *Scherz, List und Rache*, 1949; Hannover 1961; *Andrea Delfin*; die komischen Opern *Spiel im Park* und *Die Wunderkur*), 3 Ballette (*Boulevard*, Hildesheim 1956; *Ulenspiegel*, mit Chor; *Evolutions*) und 6 Symphonien (*Phantasie*, 1946; 1951; *In memoriam*, 1956; *Tangenten*; *Arioso*; *La danza*); ferner 2 Oboenkonzerte (1947, 1968), Flötenkonzert (1965), Konzert für Pk. und Schlagzeug (1965), *Mouvements I* für Schlagzeug (1961), *Mouvements IV* (1970), 4 Streichquartette (1950–57), 4 Sonaten für Sax. und Kl., 5 Orgelsonaten.

+Leinsdorf, Erich, * 4. 2. 1912 zu Wien.
L. wirkte 1958–62 als musikalischer Berater und Dirigent an der Metropolitan Opera in New York. Als Nachfolger von Ch. Münch leitete er 1962–69 das Boston Symphony Orchestra. Gastverpflichtungen führen L. ständig zu den Musikzentren Amerikas und Europas (u. a. 1972 nach Bayreuth). Er schrieb u. a. die Beiträge *Je tradice šlendrián?* (»Ist Tradition Schlendrian?«, in: Hudební rozhledy XXV, 1972) und *Recipe for Survival* (in: Opera XXIII, 1972).
Lit.: I. Hermann, Mit E. L. im Gespräch, in: Das Orch. XVI, 1968.

Leister, Karl, * 15. 6. 1937 zu Wilhelmshaven; deutscher Klarinettist, erhielt zunächst Unterricht bei seinem Vater und studierte 1953–57 bei Geuser an der Hochschule für Musik in Berlin. 1957–59 war er 1. Klarinettist an der Komischen Oper Berlin. Seit 1959 ist er Soloklarinettist des Berliner Philharmonischen Orchesters und tritt als Konzertsolist auf.

Leistner-Mayer, Roland Anton, * 20. 2. 1945 zu Graslitz/Kraslice (Böhmen); deutscher Komponist, studierte 1968–72 an der Staatlichen Hochschule für Musik in München Komposition bei Bialas und Schlagzeug bei Peinkofer. Von seinen Kompositionen seien genannt: *Appetenzen* für Kl., Klar. und Schlagzeug (1969); *Mosaic* für 6 Schlagzeuger (1970); *Möglichkeiten* für variables Ensemble (1971); *Solo für einen Kb.* (1971); *mittelpunkte* für Va, Vc., Kb., Horn, Fl., Ob. und Klar. (1971); *Stauung* für Frauen-St., Git., Kb., Vc. und Schlagzeug (1972); *Monodie* für Kb. solo und 14 Streicher (1972).

Leitermeyer, Fritz, * 4. 4. 1925 zu Wien; österreichischer Komponist und Violinist, studierte ab 1942 Violine an der Wiener Musikakademie bei Franz Mairecker und bei Boskovsky, ist seit 1946 Mitglied der Wiener Philharmoniker. Er debütierte 1966 als Dirigent an der Wiener Kammeroper. 1967 wurde ihm der Titel Professor verliehen. Seit 1941 mit der Komposition gehobener Unterhaltungsmusik befaßt, begann er 1959 ein autodidaktisches Studium der Kompositionstechniken des 20. Jh. – Werke: 1. Streichquartett op. 10 (1946); *Polyphonie* für Streichquartett op. 15 (1960); *Polyphonie,* 1. Symphonie op. 16 (1960); *Rhapsodische Skizzen* für Kammerorch. op. 18 (1961); Konzert für V. und 21 Bläser op. 21 (1962, Österreichischer Staatspreis 1963); 2. Streichquartett op. 27 (1965); *Sinfonietta per archi* op. 29 (1965); *Mutatio* für großes Orch., 4 Singst. und Elektronik op. 35 (1967); Konzert für Trp. und Orch. op. 37 (1968); *Cantate Domino* (Psalm 97) für 5st. Knabenchor a cappella op. 39 (1968); *12 Epigramme* für Vc. und Kl. op. 41 (1969); *12 Dialoge* für Va und Kb. op. 42 (1969); Konzert für Kb. und Streicher op. 44 (1970); ferner Lieder sowie Ballett- und Bühnenmusiken.

+Leitner, Ferdinand, * 4. 3. 1912 zu Berlin. In Nachfolge von E.Kleiber wurde L. 1956 ständiger Dirigent am Teatro Colón in Buenos Aires. Als GMD wirkte er in Stuttgart bis 1969. Im gleichen Jahr ging er als musikalischer Oberleiter an das Opernhaus in Zürich. Er dirigierte als Gast in den Musikzentren Europas (Bayreuth, Wien, Holland-Festival, Edinburgh) sowie Amerikas (u. a. 1972 Buenos Aires und Chicago) und unternahm Konzerttourneen nach Japan und Australien. 1962 wurde er zum Professor ernannt. Lit.: E. SCHWARZ, Konzert in Stuttgart, Esslingen am Neckar 1964.

+Leitzmann, Albert, 1867–1950. +*Beethovens persönliche Aufzeichnungen* (1918), frz. als *L. van Beethoven. Carnets intimes,* Paris 1970 (mit Einleitung von E.Buenzod).

Leiwering, Hubert, * 16. 9. 1896 zu Warendorf; deutscher Kirchenmusiker, studierte 1918–20 Theologie und Philosophie in Münster in Westfalen und Innsbruck sowie 1924–27 Musikwissenschaft (Sandberger), Kirchenmusik (Berberich) und Gregorianik in München; er betrieb außerdem Studien bei Johner in Beuron sowie bei A.O.Lorenz und Heinrich Jacoby. 1922 wurde er zum Priester geweiht und zum Domvikar in Münster i.W. ernannt; 1947 wurde er Domchordirektor (1948 päpstlicher Geheimkämmerer, 1963 päpstlicher Hausprälat). 1928–30 war er in Essen Lehrer für Gregorianik an der Folkwangschule, 1946–64 in Münster Lehrbeauftragter für Kirchenmusik an der Universität und daneben 1952–64 Direktor der Bischöflichen Kirchenmusikschule. Er veröffentlichte u. a. *Die kirchenmusikalische Feiergestaltung* (Hdb. der katholischen Kirchenmusik, hrsg. von K.G.Fellerer und H.Lemacher, Essen 1949) und den musikalischen Teil (mit Aus-

nahme des Anhangs) des Münsterischen Gesangbuchs *Laudate* (Münster i.W. 1950).

Lejet (lɔʒ'ε), Edith, * 19. 7. 1941 zu Paris; französische Komponistin, Schülerin von Rivier und Jolivet, studierte 1963–68 Klavier, Harmonielehre, Kontrapunkt, Fuge, Komposition und Musikästhetik am Pariser Conservatoire (1er prix du Conservatoire). Sie erlangte mehrere Preise, u. a. 1968 den Grand Prix de Rome, und war 1968–70 Stipendiatin der künstlerischen Abteilung der Casa de Velázquez in Madrid. E. L. unterrichtete 1970–72 Harmonielehre am Institut de Musicologie der Sorbonne in Paris und ist seit 1972 Professeur titulaire am Pariser Conservatoire. – Werke: *Musique* für Trp. und Blechbläser (1968); *Monodram* für V. und Orch. (1968); *Journal d'Anne Frank* (1969) und *Fresque* (1970) für Orch.; *Musique* für Pos. und Kl. (1972).

+Lekeu, [erg.: Jean Joseph Nicolas] Guillaume, 1870–94. Berichtigungen und Ergänzungen zum früheren Werkverzeichnis: symphonische Etüde Nr 2 mit den Teilen *Hamlet* und *Ophélie* (nach Shakespeare, 1890); (2.) Violinsonate (1892); Klaviertrio (1890); Larghetto [nicht: Suite] für Vc., Streichquintett, Fag. und 2 Hörner (1892); Klavierquartett (1893, unvollendet); Streichquartett (1887); [del. und eine Cellosonate ...]. Lit.: O. G. SONNECK, G. L., MQ V, 1919, Wiederabdruck in: +Miscellaneous Studies in the Hist. of Music (1921), Nachdr. NY 1968. – L. DAVIES, C. Franck and His Circle, London 1970; L. LEYTENS in: Vlaams muziektijdschrift XXII, 1970, S. 165ff.; A. TISSIER u. P. G. LANGEVIN in: Musicalia I, (Genua) 1970, Nr 3, S. 16ff., u. Nr 4, S. 16ff. (mit Diskographie u. Werkverz.).

Lelarge (lɔl'arʒ), Jacques-Georges, getauft 14. 4. 1713 zu Lüttich u. † Ende 1793 oder Anfang 1794 zu Lüttich; wallonischer Organist, war vermutlich Schüler von Corneille de Tiège und Nicolas-Henri de Tiège an der Kollegialkirche St-Paul in Lüttich. Er wurde 1734 Organist an der Kirche St-Martin, 1745 als Nachfolger von Renotte an der Kathedrale St-Lambert; 1784 trat er in den Ruhestand. Er schrieb unter dem Einfluß von J.-Ph.Rameau einen *Traité d'harmonie* (Ms.). Lit.: J. QUITIN, Les maîtres de chant et la maîtrise de la collégiale St-Denis, à Liège, au temps de Grétry. Esquisse socio-musicologique, = Acad. Royale de Belgique, Bruxelles, Classe des Beaux-Arts, Mémoires, 2. Serie, Bd XIII, 3, Brüssel 1964; DERS., Orgues, organiers et organistes de l'église cathédrale Notre-Dame et St-Lambert, à Liège, aux XVIIe et XVIIIe s., Bull. de l'Inst. Archéologique Liégeois LXXX, 1967.

+Lem, Peder Mandrup, [erg.: getauft 7. 6.] 1754 [erg.:] zu Kopenhagen – [erg.:] 18. 1. 1828 [nicht: 1826].

+Lemacher, Heinrich, * 26. 6. 1891 zu Solingen, [erg.:] † 16. 3. 1966 zu Köln. Seine letzte Komposition ist ein Sextett für 3 Trp., 2 Pos. und Tuba op. 208 (1966). – +*Lehrbuch des Kontrapunktes* (1950), Mainz 41962; +*Generalbaßübungen* (1954), Düsseldorf 21965; +*Harmonielehre* (1958), Köln 31962, 51967. – L. schrieb ferner: *Formenlehre der Musik* (mit H. Schroeder, Köln 1962, 21968, von R. Kolben revidierte und mit neuen Musikbeispielen versehene englische Ausg. als *Musical Form*, 1967); *Spasso ostinato* (mit Zeichnungen von A. Oehlen, Köln 1964); *Cl.Lemacher (1861–1926)* (in: Beitr. zur Musikgeschichte der Stadt Solingen und des Bergischen Landes, hrsg. von K.G.Fellerer, = Beitr. zur rheinischen Musikgeschichte XXVI, Köln 1958); *Die Gesellschaft für Neue Musik in Köln 1925–33* (in: Studien zur Musikgeschichte des Rheinlandes II, Fs. K. G. Fellerer, ebd. LII, 1962); zahl-

reiche kleinere Beiträge, vor allem für »Musica sacra«.
Lit.: +Mus. Brauchtum ..., [erg.: Köln] 1956 (mit Kompositions- u. Schriftenverz.). – R. Koepe, H. L. u. d. brasilianische Kirchenmusik, in: Musica sacra LXXXI, 1961; P. Mies in: Mitt. d. Arbeitsgemeinschaft f. rheinische Mg. III, 1962–66, S. 109f.; ders. in: Musica sacra LXXXVI, 1966, S. 119f.; ders., ebd. XCI, 1971, S. 98ff. (zu op. 208). – Rheinische Musiker I, hrsg. v. K. G. Fellerer, = Beitr. zur rheinischen Mg. XLIII, Köln 1960, S. 149ff. (mit ausführlichem Werkverz.).

+Lemaire, Jean (Le Maire), um 1581–1650.
Lit.: A. Cohen, J. Le Maire and La Musique Almérique, AMl XXXV, 1963; J. R. Knowlson, J. Le Maire, the Almérie, and the »musique almérique«. A Set of Unpubl. Documents, AMl XL, 1968.

Lemaire (lǝm'ε:r), Louis, * 1693(?), † um 1750 zu Tours; französischer Komponist, erhielt seine musikalische Ausbildung an der Maîtrise der Kathedrale von Meaux, wo er bei Brossard studierte. Später war er Maître de musique in Paris. Er schrieb zahlreiche Airs (erschienen bei Ballard ab 1712), Kantaten, kleine Kantaten und Motetten, die zwischen 1728 und 1733 bei den Concerts Spirituels aufgeführt wurden. Ferner schrieb er *Fanfares* und *Concerts de chambre* (Paris 1741).

+Le Maistre, Mattheus (Matthieu), um 1505 – [erg.: vor April] 1577.
Ausg.: Schäm dich, du Tropf, in: Musik u. Wein, hrsg. v. A. Krings, = Der Kammerchor o. Nr, Köln o. J.; Missa u. Motette »Regnum mundi«, hrsg. v. G. Gruber, = Musik alter Meister XIV, Graz 1965; »Dies sind d. hl. zehn Gebot« u. »Die Furcht d. Herren« (»Geistliche u. weltliche teutsche Geseng« Nr 37 bzw. 68), hrsg. v. H. Poos, = Die Motette Nr 463 bzw. 471, Stuttgart 1968.
Lit.: +H. Osthoff, Die Niederländer u. d. deutsche Lied (1938), Nachdr. Tutzing 1967 (mit neuem Anh.). – R. Caspari, Liedtradition im Stilwandel um 1600. Das Nachleben d. deutschen Tenorliedes in d. gedruckten Liedersammlungen v. Le M. (1566) bis Schein (1626), = Schriften zur Musik XIII, München 1971.

Leman, Albert Semjonowitsch → Lehmann, A. S.

Leman, Anatolij Iwanowitsch → Lehmann, A. I.

Lemarque (lǝm'ark), Francis (eigentlich Nathan Korb), * 25. 11. 1917 zu Paris; französischer Komponist, Textdichter und Interpret eigener Chansons, einer baltischen Familie entstammend, übte verschiedene Berufe aus, bevor er sich dem Chanson zuwandte und, ab 1946 gefördert von Montand, der auch seine Chansons interpretierte, in kurzer Zeit bekannt wurde. Er begann dann, sich auf d. Gitarre begleitend, seine Chansons selbst zu singen und nahm 1949 seine erste Schallplatte auf. Von seinen zahlreichen (z. T. auch politischen, antimilitaristischen) Chansons seien genannt: *Les routiers; A Paris; Ma douce vallée; A côté du canal; Mon copin d'Pékin; Quand un soldat; Cornet de frites; Marjolaine.*

+Lemba, Artur, * 12.(24.) 9. [nicht: 2.] 1885 und [erg.:] † 21. 11. 1963 zu Reval (Tallin).
L. war Professor am Konservatorium in Tallin bis zu seinem Tode. Weitere Kompositionen: Phantasieouvertüre (1957), symphonische Dichtung *Oktoobrirevolutsiooni 40. aastapäevaks* (1957), Praeludiumpastorale für kleines Orch. (1957); 5. Klavierkonzert (1960), Rhapsodie *Tuljaku* für Kl. und Orch. (1962), Oktett für Blechbläser und Kl. (1956), Tanzsuite für Bläserquartett und Kl. (1955), Suite für Bläserquintett (1956); 2 Sonaten (1950, 1953), 2 Sonatinen (1954, 1962) und viele weitere Stücke für Kl.; die Kantaten *Kolhooside võistulaul* (»Kolchos-Siegesgesang«, 1952) und *Narva* (1959); Chöre. – Sein Bruder Theodor, [erg.:] 1876–1956.

Lit.: H. Kõrvits (Ch. Kyrwits) in: Musyka sowjetskoj Estonii, hrsg. v. E. Arro u. a., Tallin 1956, estnisch 1960; Eesti heliloojad ja muusikateadlased (»Estnische Komponisten u. Musikwissenschaftler«), hrsg. v. L. Kruusmaa, ebd. 1966, S. 55ff.

+Lemière de Corvey, Jean-Frédéric-Auguste, [erg.:] 3. 8. 1771 [nicht: 1770] – 24. [nicht: 19.] 4. 1832.

+Lemlin, Laurentius (Lorenz), * um 1495.
Ausg.: ein Satz in: 10 weltliche Lieder aus G. Forster, Frische teutsche Liedlein, hrsg. v. K. Gudewill, = Chw. LXIII, Wolfenbüttel 1957; Der Gutzgauch auf d. Zaune saß, in: G. Forster, Frische teutsche Liedlein II (1540), hrsg. v. dems. u. H. Siuts, = EDM LX, Abt. Mehrstimmiges Lied V, ebd. 1969.

+Lemnitz, Tiana, * 26. 10. 1897 zu Metz.
1953 übernahm sie als Nachfolgerin von Frieda Leider das Opernstudio der Berliner Staatsoper. Mit einer Liedermatinee beschloß sie 1957 ihre sängerische Laufbahn. T. L. lebt heute im Ruhestand in (West-)Berlin.

+Henry Lemoine.
–1) Antoine Marcel, 1753 – [erg.: 10.] 4. 1816 [nicht: 1817]. –2) Antoine Henry, 1786–1854. –3) Achille Philibert, [erg.: 15. 4.] 1813 – 1895. –5) Léon, 20. 7. 1855 – 7. 8. 1916 [erg. frühere Angaben]. –6) Henry Jean, * 10. 4. 1890 und [erg.:] † 20. 11. 1970 zu Paris. –7) André, * [erg.: 5. 4.] 1907 zu Paris. –8) Max, * [erg.: 27. 6.] 1922 zu Paris. – Die Gesellschaft firmiert seit 1968 als Editions Henry Lemoine.
Ausg.: zu –1): Nouvelle méthode courte et facile pour la guitare à l'usage des commençans, Nachdr. (mit A. Bailleux's »Méthode de guittare ...«) d. Ausg. Paris o. J., Genf 1972.

Lemos (l'emuʃ), Milton Figueira de, * 26. 9. 1898 zu Rio de Janeiro (Staat Guanabara); brasilianischer Pianist und Pädagoge, studierte am damaligen Instituto Nacional de Música der Universidade do Estado da Guanabara bei Barrozo Netto (Klavier) und Frederico Nascimento (Theorie und Harmonielehre). Er gründete 1922 das Konservatorium für Musik in Sant'Ana do Livramento und war bis 1953 Leiter des Conservatorio de Música de Pelotas. 1940 gründete er die Sociedade de Cultura Artística de Pelotas, die er bis 1953 leitete, und lehrte ab 1953 an der Escola de Artes da Universidade Rio Grande do Sul in Pôrto Alegre. Er schrieb u. a.: *Notação musical e interpretação objetiva* (Pôrto Alegre 1963); »*Os estudios*« *de Chopin* (ebd. 1963).

+Lemoyne, –1) Jean Baptiste, 1751–96.
Lit.: J. Rushton, An Early Essay in »Leitmotiv«. J. B. L.'s »Électre«, ML LII, 1971.

+Lenaerts, René Bernard [erg.:] Maria, * 26. 10. 1902 zu Bornem (Antwerpen).
L., 1958–61 Vizepräsident der Internationalen Gesellschaft für Musikwissenschaft, lehrte an der Katholieke Universiteit in Löwen und an der Rijksuniversiteit in Utrecht bis 1971. Er ist seit 1955 Mitglied der Koninklijke Vlaamse Academie voor wetenschappen, letteren en schone kunsten van België. Zu seinem 65. Geburtstag wurde er mit einer Festschrift geehrt (*Renaissance muziek, 1400–1600*, hrsg. von J. Robijns, = Musicologica Lovaniensia I, Löwen 1969, mit Bibliogr.). – Neuere Veröffentlichungen: *Die Kunst der Niederländer* (= Das Musikwerk XXII, Köln 1962, engl. 1964); *Les messes de L. Hellinck du Manuscrit 766 de Montserrat* (in: Miscelánea ..., Fs. H. Anglés, Bd I, Barcelona 1958–61); *Probleme der Messe in ihrer historischen Sicht* (Kirchenmusik-Kgr.-Ber. Köln 1961, auch engl., frz. und ital.); *Eine spanische Palestrina-Quelle des frühen 17. Jh.* (Fs. K. G. Fellerer, Regensburg 1962); *Polyphonische missen op nederlandse liederen* (in: Or-

ganicae voces, Fs. J. Smits van Waesberghe, Amsterdam 1963); *Parodia, reservata-kunst en muzikaal symbolisme* (in: Liber amicorum, Fs. Ch. Van den Borren, Antwerpen 1964); *Zur Ostinato-Technik in der Kirchenmusik der Niederländer* (Fs. Br. Stäblein, Kassel 1967); *Erasmus en de muziek* (Vlaams muziektijdschrift XXII, 1970); *Herdenking F. de Monte 1521–1971* (ebd. XXIV, 1972); *Die Kirchenmusik der Niederländer* (in: Geschichte der katholischen Kirchenmusik, hrsg. von K. G. Fellerer, Bd I, Kassel 1972); lexikalische Beiträge. L. betreut seit 1959 als Generaleditor die *Monumenta musicae Belgicae* (MMBelg; darin von ihm selbst herausgegeben: Bd VIII, P. de la Rue, *Drie missen*, Antwerpen 1960, mit J. Robijns; IX, *Nederlandse polyfonie uit spaanse bronnen*, 1963); er edierte ferner *Fünfzehn (2–5st.) flämische Lieder der Renaissance* (= Chw. XCII, Wolfenbüttel 1964).
Lit.: C. W. F. HILLEN in: Mens en melodie XXVI, 1971, S. 80ff.

Lendvai (lʼændvəj), Ernő, * 6. 2. 1925 zu Kaposvár; ungarischer Musikforscher, studierte 1943–49 an der Fr. Liszt-Musikhochschule in Budapest. 1949 wurde er Direktor der Musikschule in Szombathely und 1954 Direktor des Konservatoriums in Győr/Raab. 1960–65 war er Musikregisseur des Ungarischen Rundfunks. Er lebt heute als Privatgelehrter in Budapest. – Bücher: *Bartók stílusa a »Szonáta két zongorára és ütőhangszerekre« és a »Zene húros-, ütohangszerekre és celestára« tükrében* (»Bartóks Stil, dargestellt an der ‚Sonate für 2 Kl. und Schlagzeug‘ und der ‚Musik für Streicher, Schlagzeug und Celesta‘«, Budapest 1955 und 1964); *Bartók dramaturgiája. Színpadi művek és a Cantata profana* (»Bartóks Dramaturgie. Bühnenwerke und die Cantata profana«, ebd. 1964); *B. Bartók. An Analysis of His Music* (mit Einleitung von A. Bush, London 1971). – Studien und Aufsätze: *Introduction aux formes et harmonies bartókiennes* (in: B. Bartók, sa vie et son œuvre, hrsg. von B. Szabolcsi, Budapest 1956, deutsch ebd. 1957, ²1968); *Bartók und die Zahl* (in: Melos XXVII, 1960); *A kékszakállú herceg vára (Bartók operájának műhelytitkai)* (»Herzog Blaubarts Burg [Werkstattgeheimnisse der Oper Bartóks]«, in: Magyar zene II, 1961); *Der wunderbare Mandarin* (StMl I, 1961); *Az ismeretlen Bartók* (»Der unbekannte Bartók«, in: Valóság I, Budapest 1962); *Bartók pantomimje és táncjátéka* (»Bartóks Pantomime [‚Der wunderbare Mandarin‘] und Tanzspiel [‚Der holzgeschnitzte Prinz‘]«, in: Bartók B. emlékére, hrsg. von B. Szabolcsi und D. Bartha, = Zenetudományi tanulmányok X, ebd. 1962); *Duality and Synthesis in the Music of B. Bartók* (The New Hungarian Quarterly III, 1962, deutsch Brüssel 1969); *Bartók und der Goldene Schnitt* (ÖMZ XXI, 1966); *Toscanini and Beethoven (A Reconstruction of the Seventh Symphony)* (StMl VIII, 1966, ungarisch Budapest 1967); *Verdi's Formgeheimnisse* (Kgr.-Ber. »Studi verdiani« Venedig 1966); *Bartók vonósnégyesei* (»Bartóks Streichquartette«, in: Muzsika X, 1967–XI, 1968); *Tonalitás–Modalitás* (»Tonalität-Modalität«, in: Magyar zene IX, 1968); *Über die Formkonzeption Bartóks* (StMl XI, 1969, ungarisch in: Magyar zene XI, 1970, S. 31ff.)

+Lendvai, [erg.: Peter] Erwin, 1882–1949 zu Epsom (Surrey) [nicht: London].
Lit.: H. GAPPENACH in: Der Chor X, 1958, S. 48ff.; DERS., E. L.s Tätigkeit als Lehrer, ebd. XI, 1959; DERS., Rein – Jöde – L., in: Kontakte 1960; DERS., E. L.s »Einklang«. Die Gesch. eines berühmten Chorwerkes, in: Lied u. Chor LIV, 1962.

Léner (lʼe:nær), Jenő (Eugen Lehner), * 7. 4. 1894 zu Szabadka (heute Subotica, Jugoslawien), † 19. 11. 1948 zu New York; ungarischer Violinist, studierte 2 Jahre an der ungarischen Musikakademie bei J. Bloch, war aber im wesentlichen Autodidakt. Er begann seine musikalische Laufbahn in einem Militärorchester und wurde später Mitglied des Opernorchesters in Budapest. 1917 gründete er mit József Smilovits (2. Violine) und Imre Hartmann (Violoncello) ein Streichtrio, das sich mit Sándor Roth (Viola) zum L.-Quartett ergänzte und anfangs unter Weiner studierte; Smilovits und Roth waren Schüler von Hubay, Hartmann Schüler von Popper. Das L.-Quartett debütierte 1919, folgte 1920 einer Einladung Ravels zu Konzerten nach Paris und wurde die erste, international bekannte, reisende ungarische Quartettvereinigung. Sie machte sich vor allem durch Beethoven-Interpretationen einen Namen. Um 1925 übersiedelte das L.-Quartett nach London und 1929 in die USA. 1942 löste sich das Quartett in Mexiko auf. 1945 gründete L. sein Quartett (teils mit anderen Mitgliedern) neu, konzertierte noch 1948 in Europa und starb bald nach seiner Rückkehr in die USA.
Lit.: A. HUXLEY, Point and Counterpoint, London 1928 (mit Besprechung d. Schallplattenaufnahme v. Beethovens op. 132 durch d. L.-Quartett); A. MOLNÁR, A L.-vonósnégyes (»Das L.-Quartett«), Budapest 1968, engl. = Great Hungarian Performers VI, ebd. 1969.

+Leng, [erg.: Haygus] Alfonso, * 11. 2. 1884 zu Santiago de Chile.
L. wurde 1955 zum Direktor des Departamento de investigaciones paradontológicas de la Escuela dental de la Universidad de Chile ernannt, 1957 erhielt er den Premio nacional de arte. An weiteren Werken sind zu nennen eine Klaviersonate (1950) sowie *Warte nur* (1954) und *Vigilien* (1955) für A. und Kl.
Lit.: Sonder-H. L., = Rev. mus. chilena XI, 1957, Nr 54 (mit Werkverz.). – G. BECERRA, »El Leit Motiv« en la obra de A. L., ebd. XIV, 1960, Nr 70; D. VARGAS WALLIS, ebd. XVIII, 1964, Nr 90, S. 8ff. – Werkverz. in: Compositores de América XV, Washington (D. C.) 1969.

Leng, Ladislav, * 8. 10. 1930 zu Zelené; slowakischer Volksmusikforscher und Pädagoge, promovierte 1962 an der Universität Bratislava mit der Dissertation *Tradičné slovenské hudobné ľudové nástroje* (»Die traditionellen slowakischen Volksmusikinstrumente«). 1960 wurde er Mitarbeiter der Akademie der Wissenschaften in Bratislava. Von seinen Veröffentlichungen (Erscheinungsort Bratislava) seien genannt: *Pôvodné slovenské ľudové hudobné nástroje* (»Die ursprünglichen slowakischen Volksmusikinstrumente«, 1958); *Slovenský ľudový spev a ľudová hudba* (»Slowakischer Volksgesang und Volksmusik«, 1958); *Slovenský hudobný folklór* (»Slowakische Musikfolklore«, 1961); *Slovenské ľudové hudobné nástroje* (»Die slowakischen Volksmusikinstrumente«, 1967); *Technische Probleme bei der Schallaufzeichnung mehrstimmiger Volksmusik* (in: Studia instrumentorum musicae popularis I, hrsg. von E. Stockmann, = Musikhistoriska museets skrifter III, Stockholm 1969).

Lengyel, Vera, * zu Budapest; israelische Pianistin und Pädagogin, kam 1948 nach Israel, wo sie in Tel Aviv Lehrerin an der Israel Academy of Music wurde. Seit 1958 hat sie jährliche Konzerttourneen und Rundfunksendungen in West- und Osteuropa, 1973 erstmalig auch in den USA, unternommen. Sie hat sich auf die Aufführung zeitgenössischer Musik spezialisiert und eine Reihe von Werken israelischer Komponisten, u. a. von Avidom, Ben-Haim, A. Ehrlich, Gilboa, Lavry, Orgad, Paporisz, Partos, K. Salomon, Tal und Touma kreiert. V. L. ist mit dem Musikkritiker Ladislaus Pataki verheiratet.

Lenoir (lənwʼa:r), Jean (eigentlich Jean Bernard Daniel Neuburger), * 26. 2. 1891 zu Paris; französischer Chanson- und Filmkomponist, absolvierte das Pariser

d
1976

Conservatoire mit einem 1. Klavierpreis, wurde Orchesterleiter und komponierte über 300 Filmmusiken sowie an die 4000 Chansons. Weltberühmt wurde, zumal durch den Vortrag von Lucienne Boyer, das Chanson *Parlez-moi d'amour* (1925), zu dem L. auch den Text verfaßte. L. ist Chevalier de la Légion d'Honneur.

Lenya, Lotte, * 18. 10. 1900 zu Wien; österreichische Schauspielerin und Sängerin, war während des ersten Weltkrieges Ballettelevin am Stadttheater Zürich und kam dann als Schauspielerin nach Berlin. Hier wurde sie von →+Weill entdeckt, mit dem sie sich 1926 verheiratete. Ihr Name bleibt vor allem mit den Brecht/ Weill-Uraufführungen des Songspiels *Mahagonny* (1927), der *Dreigroschenoper* (1928) und der *Sieben Todsünden* (1933), mit der Verfilmung der *Dreigroschenoper* (1931) wie auch mit späteren Aufführungen von *Happy End* und der Oper *Aufstieg und Fall der Stadt Mahagonny* verbunden. 1933 emigrierten L. L. und Weill nach Paris und London und kamen 1935 in die USA. Hier trat L. L. wiederholt als Interpretin Weills, aber auch in Musicals anderer Autoren (*Cabaret*, NY 1968) erfolgreich auf. Sie wirkte außerdem bei zahlreichen Schallplattenaufnahmen von Werken Brechts und Weills als Sängerin und Beraterin mit. Ihre Erinnerungen erschienen unter dem Titel *That Was a Time* (in: Theatre Arts XLIX, 1956, deutsch als *Das waren Zeiten*, in: B. Brechts Dreigroschenbuch. Texte, Materialien, Dokumente, hrsg. von S. Unseld, = Suhrkamp Hausbuch 1960, Ffm. 1960).

+Lenz, Heinrich Gerhard, um 1764 – 1839.
Lit.: R. Hahn, Louis Ferdinand v. Preußen als Musiker. Ein Beitr. zur Gesch. d. mus. Frühromantik, Diss. Breslau 1935; D. Kämper in: Rheinische Musiker VII, hrsg. v. dems., = Beitr. zur rheinischen Mg. XCVII, Köln 1972, S. 72ff.

+Lenz, Wilhelm von (Wassilij Fjodorowitsch),1.(13.) 6. 1808 [nicht: 1809] – 19.(31.) 1. 1883.
+*Die großen Pianoforte-Virtuosen* ... (1872), Revision der +englischen Übersetzungsausg. (1899) hrsg. von Ph. Reder, London 1971.

+Lenzen, Karl, * 28. 5. 1905 zu Astenet (Eupen).
Er komponierte Variationen über ein Thema von Purcell für Orch. (1960) und eine Fantasie über Themen von Smetana für 2 Kl. (1963).

+Lenzewski, Gustav, * 16. 9. 1896 zu Berlin(-Charlottenburg).
L. lebt seit 1964 in Frankfurt am Main im Ruhestand. Er komponierte u. a. eine Sonate für V. und Kl. (1950), Musik für V. (1951) sowie ein Divertimento für Streichtrio (1967) und schrieb: *Ratgeber für die Leitung eines Streichorchesters* (Köln 1959); *Anregungen zur Entwicklung eines großen Geigentones* (in: Musik im Unterricht [Allgemeine Ausg.] XLVII, 1956); *Zielsetzungen in der Ausbildung von Instrumentalisten* (ebd. LI, 1960); *Nietzsche und Wagner* (in: R. Wagner und das neue Bayreuth, hrsg. von Wieland Wagner, = List-Bücher Nr 327, München 1962).
Lit.: G. Schweizer in: Musik im Unterricht (Allgemeine Ausg.) XLVII, 1956, S. 413, u. LII, 1961, S. 279f., u. in: Musica X, 1956, S. 717, u. XV, 1961, S. 511.

+Leo, Leonardo, 1694–1744.
L. war Schüler von N. Fago und A. Basso [nicht: Provenzale] am Conservatorio S. Maria della Pietà dei Turchini in Neapel, das er 1713 verließ. Er wurde dann überzähliger Organist der Hofkapelle und 1715 außerdem Kapellmeister beim Marchese Stella. An der Hofkapelle wurde L. 1730 [nicht: 1731] 3. Kapellmeister und 1737 [nicht: 1739] Vizekapellmeister.

Ausg.: Sinfonie zu »Emira«, »La morte di Abel«, »S. Elena« u. »S. Genoviefa«, hrsg. v. G. A. Pastore, Mailand 1957; Sinfonie zu »Le nozze di Psiche con Amore« u. »Olimpiade«, hrsg. v. dems., Padua 1960; Vc.-Konzert D moll (1738), hrsg. v. dems., ebd. 1970; Vc.-Konzert D dur, hrsg. v. F. Schroeder, London u. Zürich 1958; Vc.-Konzert F moll, hrsg. v. dems., = Sinfonietta o. Nr, Ffm. 1969; Vc.-Konzert A dur, hrsg. v. R. Fasano, = Antica musica strumentale ital. o. Nr, Mailand 1967. – Motette »Praebe, virgo benignas aures!«, hrsg. v. R. Ewerhart, = Cantio sacra XV, Köln 1957; Salve regina f. S., 2 V. u. B. c., hrsg. v. dems., = Die Kantate IV, ebd. 1960; Miserere mei (1739) f. 2 gem. Chöre u. B. c., hrsg. v. dems., Heidelberg 1962; Tenebrae f. Chor u. Org., hrsg. v. D. Darlow, Oxford 1964.
Lit.: Fr. Schlitzer, T. Traetta, L. L., V. Bellini. Notizie e documenti, Siena 1952; D. M. Green, The Instr. Ensemble Music of L. L. Against the Background of Contemporary Neapolitan Music, Diss. Boston Univ. 1958; Ders., Progressive and Conservative Tendencies in the Vc. Concertos of L. L., in: Studies in 18th-Cent. Music, Fs. K. Geiringer, London 1970; H. Hell, Die neapolitanische Opernsinfonie in d. ersten Hälfte d. 18. Jh., = Münchner Veröff. zur Mg. XIX, Tutzing 1971.

León, Argeliers, * 7. 5. 1918 zu Pinar del Río; kubanischer Musikethnologe und Komponist, promovierte an der Universidad de La Habana in Pädagogik und studierte Komposition bei Ardévol sowie in Paris bei Nadia Boulanger. 1938–57 war er Lehrer für Musikgeschichte, Theorie und Pädagogik am Conservatorio Municipal de Música in La Habana; daneben unternahm er umfangreiche Studien über kubanische Folklore an der Universidad de La Habana. Er gründete und leitete die Musikabteilung der Biblioteca Nacional »José Martí« (1959–67), war Direktor des Instituto de Etnología y Folklore der Academia de Ciencias de Cuba (1961–69) und Direktor der Abteilung Folklore am Nationaltheater Kubas (1959–61). An der Universidad de La Habana lehrte er afrikanische Kunst und die Negerkulturen Kubas. 1962 und 1969 weilte er zu Studien in Afrika. Seine wissenschaftlichen Arbeiten basieren auf den Forschungen von F. Ortiz. – Veröffentlichungen (Auswahl): *Apuntes sobre la bibliografía musical cubana* (Rev. bibliográfica de Cuba VIII, 1951); *Música folklórica de Cuba* (La Habana 1964); *Música folklore: Danzón* und *Rumba* (mit U. Odilio, ebd. 1967) sowie *Yoruba, bantú, abakuá* (ebd.); *Música popular de origen africano en América latina* (in: América indígena XXIX, [México/D. F.] 1969). Als Komponist trat L. mit Orchesterwerken (2 Symphonien, 1946 und 1962; Concertino für Fl., Kl. und Streichorch., 1948), Kammermusik (2 Streichquartette, 1957 und 1961; Bläserquintett, 1959; *5 piezas breves* für Fl., Klar. und Git., 1971), Klavierwerken (Sonate, 1944; *Capriccio concertante* für 2 Kl., 1946), Chorwerken (Kantate *Creador del hombre nuevo* für Soli, Sprecher, Chor, Bläser und Schlagzeug, zum Gedächtnis an Ernesto Che Guevara, 1969) und Liedern (*Canciones para cantar hoy*, 1970) hervor.

León, Felipe Padilla de, * 1. 5. 1912 zu Nueva Ecija; philippinischer Komponist, übernahm nach seiner Ausbildung am University of the Philippines Conservatory of Music in Manila die Leitung der Musikabteilung am Union College of Manila sowie mehrerer Orchester- und Chorgesellschaften. Er wirkte als Kritiker bei der »Manila Sunday Times« und ist 1. Vorsitzender des National Music Council of the Philippines und der Filipino Society of Composers, Authors and Publishers (FILSCAP). Seine Kompositionen umfassen u. a. die Opern *Noli me tangere* (Text, in Tagalog, Guillermo E. Tolentino, 1957, das erste abendfüllende musikdramatische Werk in philippinischer Sprache) und *El fi-*

libusterismo (Text, in Tagalog, Anthony Morli, 1970), die Symphonischen Dichtungen *Bataan* (1947), *The Cry of Balintawak* (1949) und *Roca encantada* (1950), die Suite *Banyuhai* für einen Vokalsolisten und Orch. (1947), *Manila Sketches* für Orch. (1949), ein Konzertstück für V. und Orch. (1952), ein *Divertimento filipino* (1967), zahlreiche Klavier- und Violinstücke, religiöse Musik, Hymnen und Lieder (vor allem Marschlieder) sowie Bühnenmusiken.

León, Tomás, * 1826 und † 1893 zu México (D. F.); mexikanischer Pianist und Organist, studierte bei Felipe Larios und trat als Konzertpianist auf, wobei er die klassische und romantische europäische Musikliteratur in Mexiko bekannt machte. Er gründete 1866 das Conservatorio Nacional de Música, an dem er den Lehrstuhl für Klavier übernahm. L. schrieb volkstümliche Musik (*4 danzas habaneras*) und Salonmusik.

Léon, Viktor (eigentlich Viktor Léon Hirschfeld), * 1. 4. 1858 zu Sčeniz bei Preßburg, † 23. 2. 1940 zu Wien; österreichischer Operettenlibrettist, war nach Studien an der Wiener Universität Regisseur am Karltheater und am Theater in der Josefstadt, daneben (und später freischaffend) als Schriftsteller und Librettist tätig. Er schrieb u. a. die Libretti (Mitautoren und Komponisten in Klammern) zu *Der Opernball* (mit Hugo von Waldberg, Heuberger, 1898), *Wiener Blut* (mit L. →Stein, Johann Strauß, 1898), *Die lustige Witwe* (mit Stein, Lehár, 1905), *Der fidele Bauer* (L.Fall, 1907), *Die geschiedene Frau* (mit Stein, Fall, 1908) und *Das Land des Lächelns* (mit Ludwig Herzer und Fr.Löhner, Lehár, 1923).

+Léonard, Hubert, 1819–90.
1849 [nicht: 1851] vermählte er sich mit Maria Joaquina Petronilla Paula Antonia Sitches (genannt de Mendi), 1827 – 21. 6. 1914 [erg. frühere Angaben hierzu].

+Leonard, Lotte, * 3. 12. 1884 zu Hamburg.
An der Juilliard School of Music sowie am Mannes College of Music in New York unterrichtete sie bis 1963 und anschließend an der Musik-Akademie Basel. Seit 1968 lebt sie zurückgezogen in Kfar Schmarjahu (Israel).

+Leoncavallo, Ruggero (Ruggiero), 23. 4. 1857 [nicht: 8. 3. 1858; Korrektur aufgrund mehrmaliger gleichlautender Auskünfte des Standesamtes Neapel] – 1919.
Lit.: R. De Rensis, U. Giordano e R. L., = Quaderni dell'Accad. chigiana XX, Siena 1949; J. W. Klein, R. L., in: Opera IX, (London) 1958; ders., The Other »Bohème«, MT CXI, 1970; E. Greenfield, The Other »Bohème«, Opera Annual V, 1958/59; G. G. Toradse, R. L. i jewo opera »Pajazy«, = Bibl. ljubitelja musyki o. Nr, Moskau 1960; P. D. Wright, The Musico-Dramatic Techniques of the Ital. Verists, Diss. Univ. of Rochester (N. Y.) 1965; R. Giazotto, Uno sconosciuto progetto teatrale di R. L., nRMI II, 1968; A. Marchetti, L. nel Ticino, in: L'opera V, (Mailand) 1969; T. Lerario, R. L. e il soggetto dei »Pagliacci«, in: Chigiana XXVI/XXVII, N. S. VI/VII, 1971.

+Leonhardt, [erg.: Gustav Heinrich] Carl, * 11. 2. 1886 zu Coburg, [erg.:] † 8. 5. 1969 zu Tübingen.

Leonhardt, Gustav, * 30. 5. 1928 zu 's-Graveland; niederländischer Cembalist, lebt in Amsterdam. Er studierte Cembalo und Orgel bei Eduard Müller an der Schola Cantorum Basiliensis (1947–50), war 1952–55 Professor für Cembalo an der Akademie für Musik und darstellende Kunst in Wien sowie ab 1953 am Konservatorium in Amsterdam und unternahm ab 1950 Konzertreisen. L. ist Leiter des L. Consort und Mitglied der Orgelkommission der Niederländischen

Reformierten Kirche. Er veröffentlichte *The Art of Fugue, J. S.Bach's Last Harpsichord Work* (Den Haag 1952) und gab von J.P.Sweelinck *The Instrumental Works. Fasc. 1. Keyboard Works, Fantasias and Toccatas* (= Sweelinck-GA I, Amsterdam 1968) heraus.
Lit.: W. Paap in: Mens en melodie XXVI, 1971, S. 3ff.

Leonhardt, Konrad, * 14. 11. 1907 zu Reichenau (Oberlausitz); deutscher Geigenbauer, nahm ab seinem 9. Lebensjahr Violinunterricht und absolvierte ab 1922 eine Geigenbaulehre bei Georg Winterling in Krailling bei München. Ab 1926 war er Praktikant in deutschen und ausländischen Werkstätten (Meisterprüfung 1933) und gründete 1934 eine eigene Geigenbauwerkstatt in München. 1958–72 war er Leiter der Staatlichen Fachschule für Geigenbau in Mittenwald (Oberbayern). L., der den Geigenbau auf der Grundlage akustisch-physikalischer Forschungen mit wissenschaftlichen Methoden betreibt und lehrt, veröffentlichte *Geigenbau und Klangfrage* (= Das Musikinstrument XXI, Ffm. 1968) und Beiträge für MGG.

+Leonhardt, [erg.: Johann] Otto, * 8. 10. 1881 zu Hildesheim, [erg.] † 16. 10. 1961 zu Düsseldorf.

+Leoni, Franco [erg.:] (Francesco) Gaetano Antonio Maria, 1864 – 8. 2. 1949 zu London [del. frühere Sterbeangaben].

+Leoni, Giovanni Antonio, [erg.:] † nach 1652.
Lit.: W. S. Newman, The Sonata in the Baroque Era, Chapel Hill (N. C.) 1959, revidiert 1966, London 1968, neuerlich revidiert NY u. London 1972 (Paperbackausg.).

+Leoni, Leone, um 1560 – 1627.
Lit.: H. J. Wing jr., The Polychoral Motets of L. L., 2 Bde (I Text, II Übertragung), Diss. Boston Univ. 1966.

+Leoninus, 2. Hälfte 12. Jh.
→ Notre-Dame.
Ausg.: 35 Conductus f. 2 u. 3 St., hrsg. v. J. Knapp, = Coll. mus. VI, New Haven (Conn.) 1965.
Lit.: +Fr. Ludwig, Repertorium organorum ... I, 1 (1910), 2. Aufl. erweitert hrsg. v. L. A. Dittmer, Hildesheim 1964; +H. Besseler, Die Musik d. MA ... (1931), Nachdr. Darmstadt 1964; +W. Apel, The Notation of Polyphonic Music (1942, ⁴1953), 5. revidierte Aufl. Cambridge (Mass.) 1961, deutsch = ApelN. – W. G. Waite, The Abbreviation of the »Magnus liber«, JAMS XIV, 1961; Th. Karp, Towards a Critical Ed. of Notre Dame Organa Dupla, MQ LII, 1966, vgl. dazu H. Tischler in: AMl XL, 1968, S. 28ff.; N. E. Smith, Tenor Repetition in the Notre Dame Organa, JAMS XIX, 1966; ders., Interrelationships Among the Alleluias of the »Magnus liber organi«, JAMS XXV, 1966; Fr. Reckow, Der Musiktraktat d. Anon. 4, 2 Bde, = BzAfMw IV–V, Wiesbaden 1967; F. Salzer, Tonality in Early Medieval Polyphony, in: The Music Forum I, 1967; H. Tischler, The Arrangements of the Gloria Patri in the Office Organa of the Magnus Liber Organi, Fs. Br. Stäblein, Kassel 1967; ders., Intellectual Trends in 13th-Cent. Paris as Reflected in the Texts of Motets, MR XXIX, 1968; J. Flotzinger, Der Discantsatz im Magnus liber u. seiner Nachfolge, = Wiener mw. Beitr. VIII, Wien 1969, vgl. dazu E. H. Sanders, Notre-Dame-Probleme, Mf XXV, 1972; G. A. Anderson, Clausulae or Transcribed-Motets in the Florence Ms.?, AMl XLII, 1970; ders., Notre Dame Lat. Double Motets, MD XXV, 1971; R. F. Erickson, Rhythmic Problems and Melodic Structure in Organum purum. A Computer-Assisted Study, Diss. Yale Univ. (Conn.) 1970.

+Leonowa, Darja Michajlowna, 9.(21.) 3. 1829 oder 4.(16.) 3. 1834 zu Wyschnij Wolotschok (Gouvernement Twer) – 25. 1. (6. 2.) 1896 zu St.Petersburg [del. bzw. erg. frühere Angaben].
Lit.: W. Jakowlew, D. M. L., Moskau 1950.

Leopardi, Giacomo, Conte di, * 29.(30.?) 6. 1798 zu Recanati, † 14. 6. 1837 zu Neapel; italienischer Dichter, verrät in den *Pensieri*, in Briefen und im *Zibaldone* wenn kein musikalisches Fachwissen so doch spontanen Sinn für Musik und spekulatives Interesse an Musikästhetik und -psychologie; dabei unterscheidet er die Wirkungen von Klangphänomen und Harmonie. Seine Vorliebe gilt der leicht faßlichen Volksweise und (mit Einschränkungen) Rossini, insbesondere dessen Oper *La donna del lago*. Er bestimmte die Musik als Medium der Freude, innerer Bewegung und freier Ideenassoziation. Sein literarisches und wissenschaftliches Schaffen steht ebenso im Zeichen einer leidenschaftlichen Verehrung zur Antike und zu den Werken Petrarcas wie es vom Verlust konfessioneller und patriotischer Überzeugung und vom Lebenszweifel geprägt ist. An Kompositionen auf Texte von L. sind hervorzuheben: Busoni, *Il sabato del villaggio* für Soli, Chor und Orch. (1883); G.Fr.Malipiero, *Canto notturno di un pastore errante nell'Asia* für Bar., Chor und Orch. (1910) und *Il commiato* für Bar. und Orch. (1934); Petrassi, *Coro di morti*, dramatisches Madrigal für Männerchor, 3 Kl., Blechbläser, Kb. und Schlagzeug (1941), und *Io qui vagando* für Bar. und Kl. (1944); G.Manzoni, *2 sonetti italiani* für 48 St. (1961, 2. Sonett).

Ausg.: GA, hrsg. v. F. FLORA, 5 Bde = I classici Mondadori o. Nr, Mailand 1937–49. – Ausgew. Werke, übers. u. hrsg. v. L. WOLDE, Lpz. 1924.
Lit.: Bibliogr. l.ana, hrsg. v. G. MEZZATINTI, M. MENGHINI, G. NATALI u. C. MUSMARRA, 3 Bde, Florenz 1931–53. – A. GRAF, Il L. e la musica, in: Nuova ant. v. 16. 4. 1897, auch in: ders., Foscolo, Manzoni, L., Turin 1955. – R. GIANI, La lirica e l'arte musica nei »Pensieri« di G. L., RMI X, 1903, auch in: L'estetica nei »Pensieri« di G. L., = Bibl. letterana I, Turin 1904, ²1929 = Letterature moderne XIX; B. CROCE, Poesia e non poesia, = Scritti di storia letterana e politica XVIII, Bari 1923, ⁴1946, engl. London 1924, deutsch = Amalthea Bücherei XLVI–XLVII, Zürich 1925; K. VOSSLER, L., München 1923; E. COZZANI, L., 4 Bde, Mailand 1946–49; W. BINNI, La nuova poetica l.ana, = Bibl. del Leonardo XXXV, Florenz 1947, ²1962 = Nuova bibl. del Leonardo V; K. MAURER, G. L.s Canti u. d. Auflösung d. lyrischen Genera, = Analecta Romanica V, Ffm. 1957; A. TORTORETO, Bibliogr. analitica l.ana 1952–60, hrsg. v. Centro Nazionale di Studi L.ani, = Bibl. di bibliogr. ital. XLIII, Florenz 1963; G. SH. SINGH, L. and the Theory of Poetry, Lexington (Ky.) 1964; D. CONSOLI, Cultura, coscienza letteraria e poesia in G. L., Florenz 1967; G. C. D'ADAMO, G. L., Introduzione e guida allo studio dell'opera l.ana, = Profili letterari, ebd. 1970 (mit Bibliogr.); S. RAMAT, Psicologia della forma l.ana, = Collana critica LXXXIX, ebd. 1970. KDG

+Leopold I., 1640–1705.
Ausg.: ⁺Mus. Werke d. Kaiser Ferdinand III., L. I. u. Joseph I. (G. ADLER, 1892), Nachdr. Farnborough 1971 (2 Bde in 1). – Quartett d. Elemente aus d. Sepolcro »Il lutto dell'universo«, in: G. MASSENKEIL, Das Oratorium, = Das Musikwerk XXXVII, Köln 1970.
Lit.: O. WESSELY, Habsburger Kaiser als Komponisten, in: Unica Austriaca, N. F., = Notring-Jb. 1959, (Wien) 1958; DERS., Kaiser L.s I. »Vermeinte Bruder- u. Schwesterliebe«. Ein Beitr. zur Gesch. d. Wiener Hoftheaters in Linz, StMw XXV, 1962; FR. W. RIEDEL, A. Pogliettis Oper »Endimione«, Fs. H. Engel, Kassel 1964; CH. D. HARRIS, Keyboard Music in Vienna During the Reign of L. I, 1658–1705, Diss. Univ. of Michigan 1967.

Leopoldi, Hermann (eigentlich Hersch Kohn, 1921 Name amtlich geändert), * 15. 8. 1888 und † 28. 6. 1959 zu Wien; österreichischer Liedersänger und Schlagerkomponist, Sohn eines Orchestermusikers, trat 1906 als Pianist an die Öffentlichkeit und war ab 1907 Varietékapellmeister. Während der Kriegsjahre 1914–18 begann seine Popularität als »Wiens beliebtester Klaviersänger«, die ihn und seine Partnerin Betja Milskaja auf Tourneen durch deutschsprachige Länder sowie

nach Paris, Prag, Budapest und Bukarest führte. 1938 wurde er verhaftet und zusammen mit Grünbaum, Fr. Löhner u. a. in die Konzentrationslager Dachau und Buchenwald gebracht. Nach 9 Monaten entlassen, emigrierte er in die USA, wo er in englischer Sprache, jedoch mit der ihm eigenen wienerisch-charmanten Art, und im Duett mit der Diseuse Helly Möslein bald wieder Erfolg hatte; mit ihr kehrte er 1947 nach Wien zurück. Die von L. komponierten und kreierten populärsten Schlagerlieder sind u. a. (Textdichter in Klammern): *Die Überlandpartie* (Wau-Wau, das ist Harry Waldau, Pseudonym für Valentin Pinner); *In einem kleinen Café in Hernals* (Peter Herz); *Schön ist so ein Ringelspiel* (Herz); *Ich bin ein stiller Zecher* (Salpeter, das ist Karl Pollach); *A guater Tropfen dreimal täglich* (Salpeter); *Wien, sterbende Märchenstadt* (Löhner); *Powidltatschkerln* (R. Skutajan).

+Leopolita, Martinus (Martin von Lemberg), um 1530 – 1589(?).
Ausg.: 2 Sätze in: Muzyka polskiego odrodzenia, hrsg. v. J. M. CHOMIŃSKI u. Z. LISSA, Krakau 1953, engl. als: Music of the Polish Renaissance, ebd. 1955; 2 Sätze in: Muzyka w dawnym Krakowie, hrsg. v. Z. M. SZWEYKOWSKI, ebd. 1964; ein Vokalsatz in: Muzyka staropolska, hrsg. v. H. FEICHT, ebd. 1966.
Lit.: M. PERZ, Motety Marcina Leopolity, in: Studia . . ., Fs. H. Feicht, Krakau 1967.

Leoz, Jesús García → García Leoz, J.

Le Petit (lə pti), Jean (Lepetit), französischer Komponist des 15./16. Jh., war 1506–10 Maître de la psalette, anschließend bis 1529 Domherr in Langres. Über seine mögliche Identität mit einigen zeitgenössischen Musikern gleichen oder ähnlichen Namens besteht keine volle Klarheit: Ein Ninot Le P. wurde im 16. Jh. wahrscheinlich in Nordfrankreich geboren; seine Chanson *En revenant de Noion* ist vielleicht Hinweis auf den Geburtsort Noyon (Oise). Von Le P. oder Johannes Parvus sind eine 5st. Messe und drei 4st. Motetten (Hss. 39 und 42 der Capella Sistina, Rom) überliefert. In der Kammerliste von St. Peter in Rom wird 1501 ein Sänger Pitigian (= Petit Jean?) geführt. In einem Brief von Lorenzo dei Medici an *Le Petit, maître à Lyon* läßt auch auf eine Tätigkeit Le P.s in Lyon schließen. In Sammlungen Petruccis (*Harmonice musices Odhecaton A*, Venedig 1501; *Canti B*, ebd. 1502, und C, ebd. 1504; *Motetti Libro quarto*, ebd. 1505) ist eine Reihe von Kompositionen überliefert, die Le P. zugeschrieben werden.
Ausg.: Notre cambrière, in: C. L. W. BOER, Chansonvormen op het einde v. de XVe eeuw, Amsterdam 1938; Harmonice musices Odhecaton, hrsg. v. H. M. HEWITT, = The Mediaeval Acad. of America Publ. XLII, = Studies and Documents V, Cambridge (Mass.) 1942, ²1946.
Lit.: A. VERNARECCI, O. de Petrucci, Bologna ²1882; L.-PH.-M. BURBURE DE WESEMBEEK, Les œuvres des anciens musiciens belges, , Brüssel 1882; FR. X. HABERL, Die römische »schola cantorum« u. d. päpstlichen Kapellsänger bis Mitte d. 16. Jh., VfMw III, 1887; L. TORCHI, I monumenti dell'antica musica francese a Bologna, RMI XIII, 1906; CH. VAN DEN BORREN, Inventaire des mss. de musique polyphonique qui se trouvent en Belgique, AMl V, 1933, u. VI, 1934; DERS. in: MGG VIII, 1960, Sp. 654f.; B. BECHERINI, Relazioni di musici fiamminghi con la corte dei Medici. Nuovi documenti, in: La Rinascita IV, 1941; G. REESE, Music in the Renaissance, NY 1954, revidiert 1959; FR. A. D'ACCONE, The Singers of S. Giovanni in Florence During the 15th Cent., JAMS XIV, 1961; FR. LESURE, La maîtrise de Langres au XVIe s., Rev. de musicol. LXX, 1966.

Leplin, Emanuel, * 3. 10. 1917 zu San Francisco, † 1. 12. 1972 zu Martinez (Calif.); amerikanischer Komponist, studierte Violine bei Enescu, Dirigieren bei Monteux und Komposition bei Sessions. Er war ab 1946 Violinist im San Francisco Symphony Orchestra, wurde 1954 von Kinderlähmung befallen und widmete sich von da an der Komposition. L. schrieb Orchesterwerke (Symphonie, 1962; Symphonische Dichtungen *Landscapes*, 1960, und *Skyscrapers*, 1960; *Galaxy* für 2 Vc. und Orch., 1942; *Cosmos* für V. und Orch., 1949), Kammermusik (3 Streichquartette) und Klavierstücke.

Leppard (l′epɑːd), Raymond, * 2. 8. 1927 zu London; englischer Dirigent und Cembalist, studierte am Trinity College in Cambridge (M. A.), lehrte dort 1958–68 an der Universität (Lecturer in Music) und war musikalischer Berater des Royal Shakespeare Theatre in Stratford upon Avon (1956–68). Ab 1963 leitete er das English Chamber Orchestra, mit dem er 1970 auf der Weltausstellung »Expo 70« in Tokio gastierte. Im gleichen Jahr dirigierte er bei den Festspielen in Glyndebourne sowie an der Covent Garden Opera und bei Sadler's Wells in London und am Teatro Colón in Buenos Aires. Er ist Direktor des Leppard Ensembles. 1973 wurde er zum Principal Conductor des BBC Northern Symphony Orchestra ernannt. L. hat sich auch mit der Bearbeitung von Werken Monteverdis und Cavallis einen Namen gemacht, die unter seiner Leitung in Glyndebourne bzw. London aufgeführt wurden. Von seinen Editionen (Erscheinungsort London) seien genannt: *Cl. Monteverdi. L'incoronazione di Poppea* (1964) und *L'Orfeo* (1965); *Fr. Cavalli. L'Ormindo* (1968) und *La Calisto* (1970). Er schrieb: *Cavalli's Operas* (Proc. R. Mus. Ass. XCIII, 1966/67); *»Realizing« Monteverdi* (in: Opera XII, 1971).

Le Roux (lər′u), Gaspard, * um 1660, † 1707 zu Paris; französischer Cembalist, der in Paris lebte, schrieb zahlreiche Airs und Motetten und veröffentlichte einen Band *Pièces de clavecin* ... (Paris 1705), die sowohl J. G. Walther als auch J. S. Bach bekannt waren und sich an L. Couperin, Lebègue und J.-H. d'Anglebert anschließen.
Ausg.: Pieces f. Harpsichord, hrsg. v. A. FULLER, NY 1959.
Lit.: A. TESSIER, Un claveciniste frç., G. Le R., RM V, 1923/24.

+Le Roux, Maurice, * 6. 2. 1923 zu Paris.
Le R. war 1960–68 Direktor des Orchestre National der ORTF. Zahlreiche Konzerttourneen führten ihn durch Europa, Nord- und Südamerika sowie Japan. Er komponierte ferner Bühnenmusiken und ab 1950 zahlreiche Filmmusiken (u. a. zu *La Chamade*, 1968).

+Le Roy, Adrien (Adrian), [erg.:] um 1520 – 1598 [erg.:] zu Paris.
Von seinen theoretischen Schriften wurden +*Briefve et facile instruction* ... (1551) 1568 von J. Alford und +*Instruction de partir* ... (1567) 1574 von einem gewissen F. K. ins Englische übersetzt (vgl. dazu RISM, B VII¹, München 1971, S. 499f.) [del. frühere Angaben dazu]. – Der anonyme +*Traicté de musique* (Paris 1583) erschien auch 1602 und (als *Traité de musique, contenant une sommaire instruction* ...) 1616 und 1617.
Ausg.: Premier livre de tabulature de luth (1551), hrsg. v. A. SOURIS u. R. DE MORCOURT, = Le chœur des muses o. Nr, Paris 1959 (mit Einleitung v. J. Jacquot u. einer Konkordanzstudie v. D. Heartz); Psaumes (Tiers livre de tabulature de luth, 1552) u. Instruction (1574), hrsg. v. R. DE MORCOURT, = ebd. 1962; Fantaisies et danses extraites de »A briefe and easye Instruction« (1568), hrsg. v. P. JANSEN, = ebd. (mit Konkordanzstudie v. D. Heartz). – 9 Branles de Bourgogne (aus d. »1er livre de tabulature«), hrsg. v. E. PUJOL, = Bibl. de musique ancienne et moderne pour guitare Nr 1071, ebd. 1961; eine Motette in: P. Attaingnant, Treize livres de motets 1534 et 1535, Bd VII, hrsg. v. A. SMIJERS, Monaco 1962.

Lit.: FR. W. STERNFELD, Vautrollier's Printing of Lasso's »Recueil du mellange« (London 1570), Ann. mus. V, 1957; Le luth et sa musique, hrsg. v. J. JACQUOT, = Colloques internationaux du Centre national de la recherche scientifique, Sciences humaines o. Nr, Paris 1958; H. CHARNASSÉ, Sur la transcription des recueils de cistre éd. par A. le R. et R. Ballard (1564–65), Rev. de musicol. XLIX, 1963; DIES., »Les deux livres de cistre« d'A. Le R. (1564–65) et leur influence en Europe occidentale au XVIᵉ s., Thesis Paris 1966; H. SCHNEIDER, Die frz. Kompositionslehre in d. ersten Hälfte d. 17. Jh., = Mainzer Studien zur Mw. III, Tutzing 1972.

+Le Roy, René, * 4. 3. 1898 zu Maisons-Laffitte (Seine-et-Oise).
1950–61 unterrichtete er Flöte und Kammermusik bei den Sommerkursen auf Schloß Weikersheim (an der Tauber), 1955–61 war er Direktor der städtischen Musikschule in Beauvais (Oise). 1955 wurde er Professor für Bläserkammermusik am Pariser Conservatoire, seit 1964 ist er Direktor des städtischen Conservatoire des 14. Pariser Arrondissement. Er schrieb (mit Cl. Dorgeuille) das Handbuch *Traité de la flûte. Historique, technique et pédagogique* (Paris 1966, deutsch als *Die Flöte. Geschichte, Spieltechnik, Lehrweise*, Kassel 1970).

+Lert, –1) Ernst Josef Maria, 1883–1955. Er war 1936–38 Leiter der Opernabteilung am Curtis Institute of Music in Philadelphia und danach am Peabody Conservatory in Baltimore.
–2) Johannes Richard, * 19. 9. 1885 zu Wien. Ab 1947 war er künstlerischer Direktor der Dirigentenklasse der American Symphony Orchestra League. Er lebt heute in Hollywood.

+Leschetizky, Theodor, 1830–1915.
Lit.: +M. BRÉE, Die Grundlage d. Methode L. (1902), NA Mainz 1924, engl. v. Th. Baker als: The Groundwork of the L. Method, NY 1902, ²1905, Nachdr. NY 1969, auch St. Clair Shores (Mich.) 1971; +E. NEWCOMB, L. as I Knew Him (1921), Nachdr. (mit neuer Einleitung v. E. Behre) NY 1967 (mit Werkverz.). – RH. R. HOLMES, Piano Methods and Memoirs from My Study with Madam L. in Paris (France), Ithaca (N. Y.) 1964; H. C. SCHONBERG, The Great Pianists, NY 1963, deutsch als: Die großen Pianisten, Bern 1967.

+L'Escurel, Jehannot de, † 1303(?).
Ausg.: Balades, Rondeaux et Diz Entez sus Refroiz de Rondeaux, hrsg. v. FR. GENNRICH, = Summa musicae medii aevi XIII, Monumenta II, Langen 1964; The Works of J. de L., hrsg. nach d. Ms. Paris, B. N., f. fr. 146, v. N. WILKENS, = CMM XXX, (Rom) 1966. – eine (zugeschriebene) Komposition in: French Secular Compositions of the 14ᵗʰ Cent. I, hrsg. v. W. APEL, ebd. LIII, 1970.

Leskovic (l′ɛskɔvits), Bogomir, * 29. 11. 1909 zu Wien; jugoslawischer Dirigent und Komponist, studierte am Konservatorium in Laibach/Ljubljana und an der Akademie für Musik und darstellende Kunst in Wien. Er war Operndirigent in Baden bei Wien und ist seit 1945 Dirigent der Slovenske Filharmonije und der Oper in Ljubljana, deren Direktor er gegenwärtig ist. L. schrieb u. a. Etüden für Orch. (1932), die Symphonische Dichtung *Domovina* (»Das Vaterland«, 1940), eine Partita für Streichorch. (1943), Kammermusik (Streichquartett; Sonate für Vc.), Klavierstücke und *Soneti nesreče* (»Sonette des Unglücks«) für St. und Orch. (1951).

Lessard (l′esɑːd), John Ayres, * 3. 7. 1920 zu San Francisco; amerikanischer Komponist, studierte bei Nadia Boulanger und der Longy School of Boston (Mass.) und an der Ecole Normale de Musique de Paris. Er schrieb Orchesterwerke (Violinkonzert, 1941; *Box Hill Overture*, 1946; *Cantilena* für Ob. und Streichorch., 1946; Konzert für Fl., Klar., Fag. und Streicher,

1953), Kammermusik (Quintett für V., Va, Vc., Fl. und Klar., 1943; Bläseroktett, 1954), Klavierstücke (2 Sonaten, 1944 und 1945), eine Toccata für Cemb. (1955) und Lieder.

+**Lessel,** Franciszek (Franz), um 1780 zu Warschau [del.: wahrscheinlich zu Puławy] – 1838.
Sein Vater Wincenty Ferdinand L., um 1750 – 1827 zu Puławy (bei Warschau) [del. bzw. erg. frühere Angaben].
Lit.: H. RUDNICKA-KRUSZEWSKA, W. L., Szkic biograficzny na podstawie listów do syna (»Biogr. Skizze auf d. Grundlage d. Briefe an d. Sohn«), Krakau 1968 (mit Briefen W. L.s, deutsch u. polnisch).

Lesser, Wolfgang, * 31. 5. 1923 zu Breslau; deutscher Komponist, studierte 1950–54 an der Musikhochschule in Berlin (Kochan, Wagner-Régeny, Eisler) und war 1954–61 als Komponist und Pädagoge im Staatlichen Volkskunstensemble der DDR tätig. Seit 1961 ist er freischaffender Komponist, außerdem seit 1968 1. Sekretär des Verbandes Deutscher Komponisten und Musikwissenschaftler; L. ist daneben Generalsekretär des Musikrats der DDR. Von seinen Werken seien genannt: Schuloper *Oktoberkinder* (Bln 1970); Violinkonzert (1962); Konzertante Suite für Orch. (1971); Sonate für V. solo (1963); Sonate für V. und Kl. (1964); ferner Kantaten, Chorsätze, Lieder, Chansons, Massenlieder sowie Musik für Bühne, Rundfunk und Film (*Beschreibung eines Sommers*, 1962).
Lit.: L. MARKOWSKI in: MuG XIII, 1963, S. 296ff.

Lessing, Gotthold Ephraim, * 22. 1. 1729 zu Kamenz (Sachsen), † 15. 2. 1781 zu Braunschweig; deutscher Dichter und Kritiker, studierte 1746–48 in Leipzig Theologie, Philologie und Medizin, begeisterte sich aber für das Theater und entschloß sich zum Beruf des freien Schriftstellers. Er lebte u. a. ab 1748 in Berlin (Bekanntschaft mit Fr. W. Marpurg, J. Fr. Agricola und C. Ph. E. Bach sowie mit Moses Mendelssohn; 1759–60 Mitherausgeber und -autor der *Briefe die neueste Literatur betreffend*, ab 1760 in Breslau (*Laokoon*, 1766; *Minna von Barnhelm*, 1767), in Hamburg (Dramaturg am Deutschen Nationaltheater; *Hamburgische Dramaturgie*, 1767–69; Wiederaufnahme der Beziehungen zu C. Ph. E. Bach) und ab 1770 in Wolfenbüttel (Bibliothekar; *Emilia Galotti*, 1772; *Nathan der Weise*, 1779). L. hat Literatur, Drama, Schauspielkunst und Bildende Kunst zu Gegenständen seiner kritischen Theorie und rationalen Ästhetik gemacht, jedoch spielen Musik und Oper trotz seiner Beziehungen zu führenden Köpfen des Musiklebens und der Musiktheorie nur eine untergeordnete Rolle. Um so stärker hat er mit seinen Gedichten zahlreiche Komponisten zur Vertonung angeregt; von den bekanntesten seien genannt: Agricola, J. Chr. Fr. Bach, C. Ph. E. Bach (*Die Biene*; *Bacchus und Helena*; *Lied 1748*), Beethoven (*Die Liebe* op. 52 Nr 6), Diabelli, C. Fr. Fasch, C. H. Graun, J. Haydn (*Lob der Faulheit* Hob. XXVIa Nr 22; *Die Beredsamkeit*, Quartett für S., A., T. und B. Hob. XXVc Nr 4; Hob. XXVIIb umfaßt u. a. die Kanons zu 3 St. *Auf einen adeligen Dummkopf* Nr 2, *An einen Geizigen* Nr 22, *Das böse Weib* Nr 23 und 23bis, *Der Verlust* Nr 24, *Der Furchtsame* Nr 27, den 4st. Kanon *Die Gewißheit* [*Trinklied*] Nr 28 und den 5st. Kanon *An den Marull* Nr 5), J. A. Hiller, Kirnberger, Marpurg, Quantz (*An eine kleine Schöne*) und Zelter (*Die Gewißheit*, 4st.; *Lob der Faulheit*; *Trinklied*). 1781 wurde in Bonn eine szenische Kantate *L.s Totenfeier* (Libretto G. Fr. W. Großmann, Musik G. Benda, Ouvertüre von Neefe) aufgeführt.
Ausg.: GA, hrsg. v. K. LACHMANN, 13 Bde, Bln 1838–40, 3. Aufl. hrsg. v. Fr. Muncker, 23 Bde, Stuttgart 1886–1924

(Bd 17–21: Briefe v. u. an L.); GA, hrsg. v. H. GÖRING, 20 Bde, = Cotta'sche Bibl. d. Weltlit., Stuttgart 1882–85 (dazu Suppl.-Bd: H. Göring, L.s Leben, = Cotta'sche Handbibl. LXIX, ebd. 1884, ²1903); GA, hrsg. v. J. PETERSEN u. W. v. OLSHAUSEN, 25 Bde, Bln, Lpz., Wien u. Stuttgart 1925–29.
Lit.: K. G. LESSING, G. E. L.s Leben (3 Bde, 1793–95), hrsg. v. O. F. Lachmann, = Reclams Universal-Bibl. Nr 2408/09, Lpz. 1888, Neudr. ebd. Nr 2407/2409, 1929; TH. W. DANZEL u. G. E. GUHRAUER, G. E. L. Sein Leben u. seine Werke, 2 Bde, Lpz. 1850–54, Bln ²1880–81 hrsg. v. W. Maltzahn u. R. Koberger; E. SCHMIDT, L., Gesch. seines Lebens u. seiner Schriften, 2 Bde, Bln 1884–92, ³1910, ⁴1923 hrsg. v. F. Schulz, Nachdr. 1967; A. CHR. KALISCHER, G. E. L. als Musikästhetiker, Dresden 1889; R. SAITSCHICK, Genie u. Charakter. Shakespeare, L., Schopenhauer, R. Wagner, Bln 1900, Darmstadt ³1926; M. FRIEDLÄNDER, Das deutsche Lied im 18. Jh., 2 Bde, Stuttgart 1902, Nachdr. Hildesheim 1962 (3 Bde in 2); H. KRETZSCHMAR, Gesch. d. neuen deutschen Liedes I, = Kleine Hdb. d. Mg. nach Gattungen IV, 1, Lpz. 1911, Nachdr. Hildesheim u. Wiesbaden 1966; A. DEDITIUS, Theorien über d. Verbindung v. Poesie u. Musik, Diss. München 1918; K. MAY, L.s u. Herders kunsttheoretische Gedanken in ihrem Zusammenhang, = Germanische Studien XXV, Bln 1923; F. LEANDER, L. als ästhetischer Denker, = Göteborgs Högskolas årskrift XLVIII, Göteborg 1942; W. DREWS, G. E. L. in Selbstzeugnissen u. Bilddokumenten, = Rowohlts Monographien LXXV, Reinbek bei Hbg 1962; J. S. UPTON, L. as a Music Critic, Diss. Univ. of Texas 1968; M. G. FLAHERTY, L. and Opera, Germanic Rev. XLIV, 1969; S. HEINECKE FOLTER, Stifters Ansichten über d. Wesen u. d. Grenzen d. Musik, Malerei u. Dichtkunst im Vergleich zu L.s Theorien im »Laokoon«, Diss. Univ. of Kansas 1969.   KDG

+**Lessing,** Gotthold Ephraim, * 27. 9. 1903 zu Wattenscheid (Nordrhein-Westfalen).
L. ist seit 1963 Chefdirigent des Staatlichen Türkischen Symphonieorchesters in Ankara.

+**Leßmann,** W. J. Otto, 1844–1918.
Seine Tochter [erg.: Irmgard Henriette] Eva (verheiratete Gilbert), 1878 – [erg.:] 1. 10. 1964 [nicht: 1922].

+**L'Estocart,** Pascal de (Paschal), * kurz vor 1540.
Ausg.: +150 Pseaumes de David, Faks. d. Ausg. Genf 1583, hrsg. v. H. HOLLIGER u. P. PIDOUX, = DM1 I, 7, Kassel 1954 (5 Stimmbücher) [del. früherer Titel]. – Second livre des Octonaires de la vanité du monde, hrsg. v. J. CHAILLEY u. M. HONEGGER, = Expert Monuments XI, Paris 1958. – A Dieu seul soit honneur, hrsg. v. J. DE VALOIS, ebd. 1957; 2 Sätze f. 4st. gem. Chor, hrsg. v. M. HONEGGER, = Soli Deo gloria o. Nr, ebd. 1961.
Lit.: S. FORNAÇON, L'E. u. sein Psalter, Mf XIII, 1960; J. V. COBB JR., The 1583 Psalter of P. de l'E., A Critical Ed., Diss. Univ. of Illinois 1966. → +Calvin.

+**Le Sueur,** Jean-François (Lesueur), 1760–1837.
Ausg.: ein Chor aus »Premier oratorio pour le couronnement« in G. MASSENKEIL, Das Oratorium, = Das Musikwerk XXXVII, Köln 1970.
Lit.: K. NEF, Die Passionsoratorien J.-Fr. L.s, in: Mélanges de musicologie, Fs. L. de La Laurencie, = Publ. de la Soc. frç. de musicologie II, 3/4, Paris 1933; F. GALLI, G.-Fr. RMI XLI, 1937; A. S. GARLINGTON JR., L., Ossian, and Berlioz, JAMS XVII, 1964; M. M. HERMAN, The Sacred Music of J. F. L., 2 Bde, Diss. Univ. of Michigan 1964; DERS., The Turbulent Career of J.-Fr. S. ..., A Source Study of His Sacred Music and the Circumstances Surrounding Its Composition, RMFC IX, 1969; J. MONTGRÉDIEN, La musique du sacre de Napoléon Ier, Rev. de musicol. LIII, 1967; O. F. SALOMAN, Aspects of »Gluckian« Operatic Thought and Practice in France, Diss. Columbia Univ. (N. Y.) 1970.

+**Lesure,** François, * 23. 5. 1923 zu Paris.
Leiter des Zentralsekretariats des »Répertoire international des sources musicales« (RISM) in Paris (vgl. dazu auch FAM IX, 1962, S. 7ff.) war er bis 1967 (darin von ihm selbst vorgelegt: *Recueils imprimés XVIe-*

XVIIe s., = RISM B I, München 1960; *Recueils imprimés XVIIIe s.*, = B II, ebd. 1964, Suppl. dazu in: Notes XXVIII, 1971/72, S. 397ff.; *Écrits imprimés concernant la musique*, 2 Bde, = B VI, ebd. 1971). Seit 1964 lehrt L., der weiterhin an der Musikabteilung der Bibliothèque Nationale in Paris wirkt (seit 1970 Conservateur en chef) und Chefredakteur der *Revue de musicologie* ist, als Professor an der Brüsseler Universität; 1971 wurde er Präsident der Société française de musicologie und 1973 Directeur d'études an der Ecole pratique des hautes-études in Paris. – Weitere Publikationen: *Collection musicale A. Meyer* (mit N. Bridgman, Abbeville 1961); *Musica e società* (Mailand 1966, deutsch als *Musik und Gesellschaft im Bild. Zeugnisse der Malerei aus sechs Jahrhunderten*, Kassel 1966, engl. University Park/Pa. 1968); *Bibliographie des éditions musicales publiées par E. Roger et M.-Ch. Le Cène, Amsterdam 1696–1743* (= Publ. de la Société française de musicologie II, 12, Paris 1969); *L'opéra classique française* (Genf 1973). – Von seinen neueren Aufsätzen (auch Briefeditionen) seien genannt: *La musicologie française depuis 1945* (AMl XXX, 1958); *Recherches sur les luthistes parisiens à l'époque de Louis XIII* (in: Le luth et sa musique, hrsg. von J. Jacquot, = Colloques internationaux du Centre national de la recherche scientifique o. Nr, Paris 1958); *2. Suppl. zur ⁺Bibliographie des éditions musicales publiées par N. du Chemin von 1953 bzw. 1956* (Ann. mus. VI, 1958–63); *L'Épitome musical de Ph. de Jambe de Fer* (ebd.); *Une querelle sur le jeu de la viole en 1688. J. Rousseau contre Demachy* (Rev. de musicol. XLV/XLVI, 1960); *Pour une sociologie historique des faits musicaux* (Kgr.-Ber. NY 1961, Bd I); *Le »Manuscrit Lavergne« et le répertoire des maîtrises du sud-ouest de la France vers 1750* (Fs. K. G. Fellerer, Regensburg 1962); *P. Trichet's »Traité des instruments de musique«* (GSJ XV, 1962, = Suppl. zu ⁺Ann. mus. III, 1955 – IV, 1956, separat ⁺Neuilly-sur-Seine 1957); *Tentativo di un catalogo della produzione di L. Cherubini* (mit Cl. Sartori, in: L. Cherubini ..., hrsg. von A. Damerini, = »Historiae musicae cultores« Bibl. XIX, Florenz 1962); *Some Minor French Composers of the 16th Cent.* (in: Aspects of Medieval and Renaissance Music, Fs. G. Reese, NY 1966); *Cotages d'éditeurs antérieurs à c. 1850* (FAM XIV, 1967); *Librarians and Musicologists* (in: Notes XXIV, 1967/68); der Abschnitt *France in the 16th Cent. (1520–1610)* zum Kap. *Latin Church Music on the Continent* (in: The Age of Humanism, hrsg. von G. Abraham, = New Oxford History of Music IV, London 1968, ital. Mailand 1970); *Ockeghem à Notre-Dame de Paris (1463–70)* (in: Essays in Musicology, Fs. Dr. Plamenac, Pittsburgh/Pa. 1968); *Le testament d'H. Berlioz* (Rev. de musicol. LV, 1969); *Lettere inedite dall'Italia di H. Berlioz (1830–32)* (nRMI III, 1969); *L'histoire de Pologne dans la musique française de 1830 à 1865* (in: Muzyka XVII, 1972); Beiträge zur Debussy-Forschung (u. a. in: Rev. de musicol. XLVIII, 1962, mit *Bibliographie debussyste*; H. Albrecht in memoriam, Kassel 1962; Fs. Fr. Blume, ebd. 1963; MQ XLIX, 1963; Debussy et l'évolution de la musique au XXe s., hrsg. von E. Weber, = Colloques internationaux ... [s. o.], Paris 1965; Humanisme actif, Fs. J. Cain, ebd. 1968; Rev. de musicol. LVII, 1971) sowie lexikalische Beiträge (u. a. als Hauptmitarbeiter an der *Encyclopédie de la musique*, 3 Bde, Paris 1958–61, und als Berater bei den vorliegenden Ergänzungsbänden dieses Lexikons). – L. besorgte die Herausgabe des Konferenzberichtes (Arras 1954) *La Renaissance dans les provinces du Nord* (= Le chœur des muses o. Nr, Paris 1956), ferner eine Reihe von Ausstellungskatalogen der Bibliothèque Nationale (u. a. zu H. Berlioz, Cl. Debussy, P. Dukas,

G. Fauré, A. Roussel, E. Satie). Er edierte M. Mersennes *Harmonie universelle* (1636) als Faks.-Ausg. (3 Bde, Paris 1963) sowie eine GA des »œuvre critique« Cl. Debussys (*Monsieur Croche et autres écrits*, ebd. 1971); mit A. T. Merrit gibt er die GA der *Chansons polyphoniques* von Cl. →⁺Janequin heraus (bislang 6 Bde, Monaco 1965–72). Seit 1967 ist er Generalherausgeber der »Collection de musique ancienne« *Le pupitre* (Paris, bis 1973 39 Bde).

⁺**Letelier** Llona, Alfonso, *4. 10. 1912 zu Santiago de Chile.

Leiter der Escuela moderna de música in Santiago de Chile war er bis 1953 und Dekan der Facultad de ciencias y artes musicales der Universität Chile [erg.: 1952] bis 1962. Er war 1950–56 Präsident der Asociación nacional de compositores. 1966 wurde er in die Academia de bellas artes del Instituto de Chile berufen, 1968 erhielt er den Premio nacional de arte. – Weitere Werke: 4 *Preludios vegetales* für Orch. (1968), Gitarrenkonzert op. 31 (1961); Saxophonquartett op. 30 (1958), Variationen op. 22 (1948), je 4 Stücke op. 32 (1955) und op. 33 (1965) für Kl.; Kantate *Vitrales de la anunciación* für S., Frauenchor und Kammerorch. op. 20 (1950), *Estancias amorosas* für A. und Streicher op. 34 (1966), 2 Gesänge für A. und Kammerensemble (aus Georges *Der Teppich des Lebens* und *Das Jahr der Seele*, 1968–69); 3 *Canciones antiguas* für A. und Kl. op. 24 (1951), 5 Stücke op. 17 (1951) und 3 Stücke op. 29 (1958) für gem. Chor, Kanon für 3 gleiche St. op. 28 (1956), *Hymne an den Orden der heiligen Ursula* für Frauenchor (1958). Er schrieb u. a. die Beiträge *P. H. Allende* (Rev. musical chilena XIV, 1960), *La música y el cristianismo* (ebd. XV, 1961) und *V. Salas Viú* (ebd. XXI, 1967).

Lit.: Sonder-H. L. Ll., = Rev. mus. chilena XXIII, 1969, Nr 109. – Werkverz. in: Compositores de américa II, Washington (D. C.) 1956, Nachdr. 1962. – G. Becerra, El estilo de los »Vitrales de la anunciación«, Rev. mus. chilena XII, 1958; D. Santa Cruz, ebd. XXI, 1967, Nr 100, S. 8ff. (mit Werkverz.).

Letocart (lətɔk'aːr), Henry, * 6. 2. 1866 zu Courbevoie (Seine), † 1. 4. 1945 zu Paris; französischer Organist und Komponist, studierte ab 1879 in Paris an der Ecole Niedermeyer (Gustave Lefèvre, Gigout) sowie am Conservatoire bei C. Franck und E. Guiraud und wirkte ab 1900 als Organist an der Kirche St-Pierre in Neuilly. Er komponierte Orgel- und Vokalwerke (*Trois pièces pour le grand org.*, 1907; *4 Recueils de pièces pour org. ou harmonium*; Motetten) und gab Werke von Delalande und M.-A. Charpentier heraus.

Lit.: F. Raugel, H. L., in: L'orgue 1947, Nr 44.

⁺**Létorey,** Pierre Henri Ernest, * 2. 11. 1867 zu Rouen, [erg.:] † 31. 12. 1947 zu Concarneau (Finistère).

Letorey (lətɔr'ε), Omer, * 4. 5. 1873 zu Châlon-sur-Saône, † 31. 3. 1938 zu Paris; französischer Organist, Chordirigent und Komponist, studierte an der Ecole Niedermeyer Kirchenmusik, war Schüler von Dubois am Pariser Conservatoire und erhielt 1895 für die Scène lyrique *Clarisse Harlowe* den Grand Prix de Rome für Komposition. Er war nacheinander Maître de chapelle, Organist, Chef des chœurs an der Pariser Opéra und 1904–22 Directeur de la musique an der Comédie-Française. Sein kompositorisches Schaffen umfaßt u. a. die Opéras-comiques *Cléopâtre* (Paris 1918), *L'œillet blanc* (ebd. 1930) und *Le Sicilien ou L'amour peintre* (ebd. 1930), die Symphonische Dichtung *Le Brand* nach Ibsen, Klavierstücke und Bühnenmusiken (*Macbeth* von Jean Richepin; *Mangeront-ils?* von Hugo; *Le malade imaginaire* und *Les fâcheux* von Molière).

Lettvin, Theodore, * 29. 10. 1926 zu Chicago; amerikanischer Pianist, studierte 1942–49 in Philadelphia an der University of Pennsylvania und bei R. Serkin und Horszowski am Curtis Institute of Music (B. Mus. 1949). 1955–56 war er Artist-in-Residence an der University of Colorado in Boulder und 1956–68 Head des Piano Department am Cleveland Music School Settlement (O.). 1968 wurde er Professor of Piano am New England Conservatory of Music in Boston. Konzertreisen führten ihn durch die USA, Europa, Afrika und nach Israel.

+Letz, Hans, * 18. 3. 1887 zu Ittenheim (Elsaß), [erg.:] † 14. 11. 1969 zu Hackensack (N. J.).

Leuchter, Erwin, * 10. 10. 1902 zu Berlin; argentinischer Musikpädagoge deutscher Herkunft, studierte bei G. Adler an der Wiener Universität, an der er 1926 mit einer Dissertation über *Die Kammermusikwerke Fl. L. Gaßmanns* promovierte, und besuchte die Kapellmeisterschule des Neuen Wiener Konservatoriums. 1930–36 war er in Wien als Chor- und Orchesterdirigent tätig und übersiedelte 1936 nach Buenos Aires, wo er privat Musiktheorie lehrte und 1943 musikalischer Berater des Verlages Ricordi-Americana wurde. L. war Dirigent des Philharmonischen Orchesters der Asociación del Profesorado Orquestal und der Sociedad Filarmónica de Buenos Aires. Er veröffentlichte u. a. (Erscheinungsort, wenn nicht anders angegeben, Buenos Aires): *La historia de la música como reflejo de la evolución cultural* (Rosario 1941, Buenos Aires ³1946); *J. S. Bach* (1942, ²1950); *La sinfonía. Su evolución y su estructura* (Rosario 1943); *Ensayo sobre la evolución de la música en occidente* (1946, ⁴1968). – Ausgaben: *Deutsche Volkslieder für Gesang und Kl.* (1952, ²1963); *Florilegium musicum. Historia de la música en 180 ejemplos* (1964); *J. S. Bach. 386 Choräle* (1968). – L. war verheiratet mit der Pianistin Henriette (Rita) Kurzmann-L. (* 4. 2. 1900 zu Wien, † 21. 10. 1942 zu Buenos Aires), Schülerin von E. Sauer am Neuen Wiener Konservatorium und Studentin der Wiener Universität, an der sie 1925 mit der Dissertation *Über die Modulation und Harmonik in den Instrumentalwerken Mozarts* (gedruckt in: StMw XII, 1925) promovierte. Sie trat als Konzertpianistin auf und lehrte 1927–36 am Neuen Wiener Konservatorium. Auch in Buenos Aires war sie pädagogisch tätig. H. Kurzmann-L. gab u. a. einen Kl.-A. des Violinkonzerts von A. Berg (Wien 1938) sowie *Canciones de navidad* (Buenos Aires 1941) heraus.

Leuchtmann, Horst, * 26. 4. 1927 zu Braunschweig; deutscher Musikforscher, studierte 1951–54 in München Englisch am Sprachen- und Dolmetscher-Institut, gleichzeitig Musikwissenschaft und Anglistik an der Universität, an der er 1957 mit der Arbeit *Die musikalischen Wortausdeutungen in den Motetten des Magnum opus musicum von Orlando di Lasso* (= Slg mw. Abh. XXXVIII, Straßburg 1959) promovierte. Er ist freier Mitarbeiter der Musikhistorischen Kommission der Bayerischen Akademie der Wissenschaften in München mit dem Auftrag der kritischen Neuausgabe der bisherigen O. di Lasso-GA. Ferner arbeitet er als Redakteur für das Polyglotte Musikfachwörterbuch der Association Internationale des Bibliothèques Musicales (AIBM) und für RISM. L. veröffentlichte u. a.: *Langenscheidts Fachwörterbuch Musik. Englisch–Deutsch, Deutsch–Englisch* (mit Ph. Schick, Bln 1964); *Das Polyglotte Musikfachwörterbuch der AIBM* (FAM XII, 1965); *Lassos Huldigungsmotette für Henri d'Anjou 1573* (Mf XXIII, 1970); *Organisten und Orgelbauer in ihrer Beziehung zum bayerischen Herzogshof 1550–1600* (Acta organologica VI, 1972). – Ausgaben: O. di Lasso, *Kompositionen mit italienischem Text I* (= Lasso-GA, Neue Reihe II, Wiesbaden 1968).

+Leuckart, Franz Ernst Christoph, 1748–1817. Die Produktion des Verlages F. E. C. Leuckart, der weiterhin von Erich Sander (* 8. 10. 1902 zu Leipzig) geleitet wird, umfaßt heute vor allem Orchestermusik, Chorwerke sowie Orgel- und Kammermusik.
Lit.: H.-M. PLESSKE, Bibliogr. d. Schrifttums zur Gesch. deutscher u. österreichischer Musikverlage, in: Beitr. zur Gesch. d. Buchwesens, hrsg. v. K.-H. Kalhöfer u. H. Rötzsch, Bd III, Lpz. 1968. – J. LaRUE, Mozart Listings in Some Rediscovered Sale-Cat., Breslau 1787–92, in: Musik u. Verlag, Fs. K. Vötterle, Kassel 1968; DERS., Haydn Listings in the Rediscovered L. Suppl., Breslau 1788–92, in: Studies in 18th-Cent. Music, Fs. K. Geiringer, London 1970.

Leukauf, Robert, * 5. 4. 1902 zu Wien; österreichischer Dirigent, Komponist und Musikschriftsteller, Sohn des auch als Komponist hervorgetretenen Beamten Gustav L. und der Sängerin Eugenie Schilhanek, studierte 1920–26 an der Wiener Musikakademie bei E. v. Mandyczewski (Musiktheorie), J. Marx (Komposition) und D. Fock (Dirigieren). Er wurde dann Theaterkapellmeister und war 1951–69 musikalischer Leiter des Volkstheaters in Wien. Mehrere seiner Kompositionen erhielten Auszeichnungen, darunter der *Vaterunser-Psalm* für Bar., gem. Chor und Orch. (1952) und die Opern *Ein Wintermärchen* (1949) und *Lilofee*. 1957 wurde ihm der Titel Professor verliehen. Er komponierte ferner Orchesterwerke (*Drei symphonische Fragmente*; 2 Divertissements für Kammerorch.), Kammermusik (Streichquartett, 1946; Bläserquintett, 1949), Klavierwerke (3 Fugensonaten, 1936), Violin-, Violoncello- und Gitarrenstücke, ein Requiem für Bar. und Orch. (nach Rilke), Zyklen für Sologesang mit Kl. (oder Orch.), Chöre mit Instrumentalbegleitung (*Zwischen Hudson und Donau*) und a cappella (*Vier Galgenlieder*) sowie zahlreiche Schauspielmusiken, die auch in Konzert- und Rundfunkprogrammen Aufnahme fanden. In seinen musikschriftstellerischen Arbeiten wendet sich L. vor allem gegen die »provokative Moderne«.

Leutwiler, Toni (Pseudonym Tom Wyler), * 31. 10. 1923 zu Zürich; Schweizer Komponist und Dirigent von Unterhaltungsmusik, studierte am Konservatorium seiner Heimatstadt 1940–44 Violine und Klavier (Lehrdiplom 1943) und besuchte die Konzertausbildungsklasse von Willem de Boer (1944). Er war dann in verschiedenen Schweizer Theater- und Symphonieorchestern Violinist und leitete 1946–52 ein eigenes Orchester für gehobene Unterhaltungsmusik bei Radio Bern und war 1949 war er auch für Radio Genf tätig. 1953–70 war er ständiger freier Mitarbeiter des Südwestfunks. Von seinen zahlreichen Werken seien genannt: *Romantische Phantasie* für Kl. und Orch. op. 56 (1954); *City Rhapsodie* für Orch. op. 61 (1954); Konzert für Kl., Symphonie- und Jazzorch. op. 72 (1956); *Three Rhythm Concerto* für V., Symphonie- und Jazzorch. op. 86 (1956); Concertino für Horn und Orch. op. 105 (1957); *Legende* für Va und Orch. op. 109 (1958); Orchestersuiten *Sommer* op. 118 (1959), *Am Lago Maggiore* op. 121 (1960) und *Psychologie in Dur und Moll* op. 155 (1964); *March in Blue* für Big band op. 170 (1968); ferner Kompositionen und Transkriptionen von E- und U-Musik für elektronische Orgel.

Leux, Leo (eigentlich Gottfried Wilhelm Leucks), * 7. 3. 1893 zu München, † 8. 9. 1951 zu Berlin(-Charlottenburg); deutscher Komponist von Unterhaltungs- und Filmmusik, war auch als Theaterkapellmeister in

Berlin tätig. – Filmmusiken: *Mein Herz sehnt sich nach Liebe* (1931); *Arzt aus Leidenschaft* (1936); *Truxa*; *Es leuchten die Sterne* (1938, mit P. Lincke u. a.); *Venus vor Gericht* (1941); *Spuk im Schloß* (1945); *Torreani* (1951). Nach dem musikalischen Lustspiel *Fräulein Hoffmanns Erzählungen* (1933) mit dem Walzer *Bei der blonden Kathrein* wurde 1934 ein gleichnamiger Film gedreht.

+Levadé, Charles Gaston, 1869 – 1948 zu Cabourg (Calvados) [nicht: Paris].

+Levant, Oscar, * 27. 12. 1906 zu Pittsburgh (Pa.), [erg.:] † 14. 8. 1972 zu Los Angeles.
L., Schüler von S. Stojowski, A. Schönberg und J. Schillinger, wirkte auch als Entertainer in Funk- und Fernsehshows (»Information Please«, »Who Said That?«, »General Electric House Party«) und trat in Spielfilmen auf (u. a. »Rhythm on the River«, »Humoresque«, »An American in Paris«). Er veröffentlichte weiter die autobiographischen Bücher *The Memoirs of an Amnesiac* (NY 1965) und *The Unimportance of Being Oscar* (NY 1968).

+Levarie, Siegmund, * 24. 7. 1914 [erg.:] zu Wien(?).
L. war 1952–61 Leiter des Department of Music am Brooklyn College der New Yorker City University, wo er weiterhin unterrichtend tätig ist. – *+Fundamentals of Harmony* (1954), 2. Aufl. = Musicological Studies V, Brooklyn 1962; *+G. de Machaut* (= Great Religious Composers Series o. Nr, 1954), Nachdr. hrsg. von J. J. Becker, NY 1969. – Neuere Veröffentlichungen: *Musical Italy Revisited . . ., A Supplement to Guidebooks* (NY 1963); *Tone. A Study to Musical Acoustics* (mit E. Levy, Kent/O. 1968); *La musique d'E. Levy* (SMZ CVIII, 1968); *The Closing Numbers of »Die Schöpfung«* (in: Studies in 18ᵗʰ-Cent. Music, Fs. K. Geiringer, London 1970).

+Levasseur, Nicolas Prosper, 1791 – 7. [nicht: 6.] 12. 1871.
An der Pariser Opéra sang L. 1813–19 und 1827–53, daneben auch am Théâtre-Italien in Paris (1819–27), an der Mailänder Scala (1820–21) und am King's Theatre in London (1815–16, 1829, 1832). Er wirkte auch bei Uraufführungen von Opern Rossinis, Meyerbeers und Halévys mit.

+Levasseur, –1) Pierre François (l'aîné), 1752 [nicht: 1753] – 2. 12. 1815 zu Paris [del. frühere Angaben]. –2) Jean Henri (le cadet), 1764 – 6. 5. 1826 zu Paris [del. frühere Angaben].

+Levens, [erg.:] Charles, um 1689 zu Marseille – 11. 3. 1764 zu Bordeaux.
Nach musikalischer Ausbildung an der Maîtrise der Metropolitankirche St-Sauveur in Aix-en-Provence wurde L. Maître de chapelle an der Kathedrale St-Pierre in Vannes (Morbihan). Zuletzt wirkte er an St-André in Bordeaux. L. komponierte auch Messen, Motetten sowie eine Kantate.
Lit.: G. BOURLIGUEUX, La maîtrise de la cathédrale de Vannes au XVIIIᵉ s., Bull. de la Soc. d'hist. et d'archéologie de Bretagne 1969/70.

Leveridge (l'evəɹɪdʒ), Richard, * um 1670 und † 22. 3. 1758 zu London; englischer Sänger (Baß) und Komponist, sang 1695–1751 an verschiedenen Londoner Theatern (ab 1732 an der Covent Garden Opera) in Schauspielen und Opern. Er schrieb Lieder, die sehr populär wurden (eine 2bändige Sammlung erschien London 1727), außerdem Musik zu Schauspielen (1702 zu Shakespeares *Macbeth*) und Masques und Gesangseinlagen zu Stücken von Colley Cibber, d'Urfey, George Farquhar u. a.

Lit.: M. SANDS, Old L., MMR LXXXI, 1951; O. BALDWIN u. TH. WILSON in: MT CXI, 1970, S. 592ff., 891ff. u. 988ff.

+Levi, Hermann, 1839–1900.
Lit.: R. SIETZ, Aus F. Hillers Briefwechsel VI, = Beitr. zur rheinischen Mg. LXX, Köln 1968 (darin Briefwechsel mit H. L.).

Levi, Lionello, * 19. 4. 1895 zu Triest; italienischer Musikschriftsteller, Bruder von Vito L., studierte 1914–18 an der Universität in Wien, lehrte Musikgeschichte und Musikästhetik an den Konservatorien in Triest (1919–22), Cagliari (1922–23) und Udine. 1930 wurde er Lehrer am Conservatorio Statale di Musica G. B. Martini in Bologna (1949 ordentlicher Professor). Er veröffentlichte: *Cenni storico-estetici su M. Clementi* (Udine 1930); *R. Wagner* (Bologna 1930); *Profilo di storia della musica* (ebd. 1931); *Musicisti secenteschi bolognesi* (ebd. 1934); *Nota su Arcimboldi musicista* (mit B. Geiger und O. Kokoschka, Florenz 1955, auch deutsch und engl.); *Il destino del suggeritore* (Fs. E. Desderi, Bologna 1963).

Levi, Vito, * 10. 8. 1899 zu Triest; italienischer Musikschriftsteller und Komponist, Bruder von Lionello L., studierte in Triest Violine am Conservatorio Statale di Musica G. Tartini und 1916–21 Komposition bei Smareglia. 1924–54 war er Lehrer für Komposition und Musikgeschichte am Conservatorio Statale di Musica G. Tartini (1955 ordentlicher Professor) und lehrte 1947–70 an der Universität Triest Musikgeschichte. Er schrieb u. a. *Le arie e ariette di Schubert su testo italiano* (StMw XXV, 1962), *L'»Italienisches Liederbuch« di H. Wolf* (RIdM I, 1966), *Stiffelio e il suo rifacimento* (Kgr.-Ber. »Studi verdiani« Venedig 1966) sowie *La vita musicale a Trieste* (Mailand 1968) und komponierte Orchesterstücke (*Il carso*, 1921; *Dodici fanciulle*, 1925; *Ballata*, 1956; *Musica per la piccola Franca*, 1968), ein Violinkonzert (1937), Kammermusik (Streichquartett, 1941; Streichtrio, 1940), Klavier- und Orgelstücke sowie Lieder.

Levin, Robert, * 7. 6. 1912 zu Oslo; norwegischer Pianist, lebt in Oslo. Er studierte bei Arpad Lehner (1921–24) und N. Larsen (1924–34). Seit seinem Debüt als Pianist (1932) hat er sich auf Kammermusik (Duopartner von Y. Menuhin, Szeryng, Rabin) und Liedbegleitung (Elisabeth Schwarzkopf, Rita Streich, Felicia Weathers, Aase Nordmo Løvberg, Ingrid Bjoner) spezialisiert.

Levin, Walter → La Salle String Quartet.

Levine (ləv'i:n), James, * 24. 5. 1943 zu Cincinnati (O.); amerikanischer Dirigent, studierte Klavier bei Rosina Lhevinne an der Juilliard School of Music in New York und trat als Solist und Begleiter auf. 1964–70 gehörte er dem Dirigentenstab des Cleveland Orchestra an und wurde 1965 Leiter des University Circle Orchestra und Vorsitzender der Orchesterausbildungsabteilung am Musikinstitut in Cleveland. 1971 debütierte er an der Metropolitan Opera in New York, an der er 1973 1. Dirigent wurde. L. hat als Gast eine Reihe von amerikanischen Orchestern dirigiert, u. a. die New York Philharmonic, das Los Angeles Philharmonic Orchestra, das Chicago Symphony Orchestra und das Philadelphia Orchestra.

+Levy, Ernst, * 18. 11. 1895 zu Basel.
L. war [erg.: 1954–59 Carnegie Visiting] Professor of Music am Massachusetts Institute of Technology in Cambridge (Mass.), 1959–66 Professor of Music am Brooklyn College der City University of New York; seit 1966 lebt er in Morges (Vaud). – Weitere Werke:

Symphonien Nr 6–15 (*Sinfonia strophica*, 1934; 1936; für Bläser, Schlagzeug und Kl., 1937; *Schemah Yisrael* für Chor und Orch., 1939; *France*, 1944; 1949; Kammersymphonie für S., A., T. und 11 Instr., 1951; 1955; 1962; 1967) und 4 Suiten (1935, 1951, 1957, 1959) für Orch.; *Ein Hauskonzert* für Nonett (1969), 3. Streichquartett (1958), Klavierquartett (1956), 2 Trios für Klar., Vc. und Kl. (1963, 1971), Trio für Klar., Va und Kl. (1968), 3 Streichtrios (1953, 1960, 1966), Trio für Fl., Va und Kb. (1960) und *Meditatio trium vocum* (1960), 3 Sonaten (1932, 1961, 1961) und 4 Sonatinen (1962, 1962, 1964, 1964) für V. und Kl., Sonatine für Vc. und Kl. (1964), Suiten für V. und Vc. (1956) bzw. 2 Va (1963), drei 2st. Studien für V. und Va (1972), Solostücke für Vc. (1955), Va (2 Suiten, 1956, 1972), V. (Suite, 1960) und Klar. (*Soliloquy*, 1972), ferner *Sonate à trois parties de violons solos ou en orch.* (1965) und *Sonata accompagnata per il v.* (1972); Stücke für Kl. (*Study on the Whole-Tone Scales*, 1971), Cemb. (Ricercar, 1960; *22 Exercises on a Scale*, 1967–68) und Org. (*Meditation on a Hebrew Raga*, 1961; *Fantasia ricercante*, 1964) sowie 55 Stücke für Clavichord (1956–61) und eine *Fantasia ricercante* für Clavichord oder Kl. (1966), *A Suzanne, pour le 17 mars* für ein Tasteninstr. (1972); 4.–5. Kantate (*Gaudeamus*, 1964; *Das Göttliche* für S., Bar. und Orch., Goethe, 1972), *Letzte Liebe* für S. und Streichorch. (1965), Motette *Et eux* (1968), *Epigramme* (1968) und 2 Hymnen (*Esprit de Dieu, A la mesure*, beide 1972) für gem. Chor a cappella, *Le désir des justes* und *Chanson triviale* für Männerchor (beide 1968). Er schrieb: *Tone. A Study to Musical Acoustics* (mit S. Levarie, Kent/O. 1968); *Essai sur la dodécaphonie* (SMZ CVI, 1966); *Commencement et fin* (SMZ CVIII, 1968). Lit.: S. LEVARIE in: SMZ CVIII, 1968, S. 178ff.

+Levy (l'i:vi [nicht: l'i:vaï]), Kenneth J., * 26. 2. 1927 zu New York.
L. wirkt seit 1966 als Professor of Music an der Princeton University (N. J.). – Der Titel seiner Promotionsarbeit (1955) lautet *The Chansons of Cl. Le Jeune*. – Neuere Veröffentlichungen: *The Byzantine Sanctus and Its Modal Tradition in East and West* (Ann. mus. VI, 1958–63); *A Hymn for Thursday in Holy Week* (JAMS XVI, 1963); *The Slavic Kontakia and Their Byzantine Originals* (in: Twenty-Fifth Anniversary Fs., 1937–62, hrsg. von A. Mell, NY 1964); *Die slavische Kondakarien Notation* (in: Anfänge der slavischen Musik, = Slowakische Akademie der Wissenschaften, Institut für Musikwissenschaft, Symposia I, Bratislava 1966); *Three Byzantine Acclamations* (in: Studies in Music History, Fs. O. Strunk, Princeton 1968); *The Italian Neophytes' Chants* (JAMS XXIII, 1970); »*Lux de Luce*«. *The Origin of an Italian Sequence* (MQ LVII, 1971).

Lévy, Lazare, * 18. 1. 1882 zu Brüssel, † 20. 9. 1964 zu Paris; französischer Pianist und Komponist, studierte 1894–98 am Pariser Conservatoire (Diémer, Gédalge, Lavignac). Er konzertierte in den europäischen Musikzentren und lehrte in Paris am Conservatoire (1921–53), an der Ecole Normale de Musique und an der Schola Cantorum. L. schrieb neben Klavierwerken (Etüden, Sonatinen, Walzer) je eine Sonate für Fl. und Kl. und für Vc. und Kl., Orgelstücke und 2 Streichquartette.

Levy (l'evi), Marvin David, * 2. 8. 1932 zu Passaic (N. J.); amerikanischer Komponist, studierte bei Ph. James an der New York University und bei Luening an der Columbia University in New York. Er komponierte die einaktigen Opern *Sotoba Komachi* (nach einem Nô-Spiel, NY 1957), *The Tower* (Santa Fe/N. M. 1957) und *Escorial* (Libretto nach Michel de Ghelderode, NY 1958) und die 1961 von der Metropolitan Opera in Auftrag gegebene 3aktige Oper *Mourning Becomes Electra* (nach Eugene O'Neill, NY 1967; europäische Erstaufführung Dortmund 1969), Orchesterwerke (*Caramoor Festival Overture*, 1959; Symphonie, 1960; Klavierkonzert, 1970), Kammermusik (Streichquartett, 1955; Rhapsodie für V., Klar. und Hf., 1956; *Chassidic Suite* für Horn und Kl., 1956), ein Weihnachtsoratorium *For the Time Being* (1959) sowie einen *Sacred Service* für die Park Avenue Synagogue in New York (1964).

+Levy, Michel-Maurice, * 28. 6. 1883 zu Ville-d'Avray (Seine-et-Oise), [erg.:] † 24. 1. 1965 zu Paris.
An weiteren Werken seien die Opern *Dolorès* (Paris 1952) und *Moïse* (Mülhausen 1955), das Ballett *La demoiselle de Carentan* (Paris 1951) sowie *Mirage du monde* für Kammerorch. (1963) genannt.

+Lewandowski, Leopold, 14. [nicht: 3.] 3. 1831 [nicht: 1833; erg.:] zu Kalisch – 1896.

+Lewandowski, Louis (eigentlich Lazarus), 1821 – 3. [nicht: 4.] 2. 1894.

Lewenthal (l'evənta:l), Raymond, * 29. 8. 1926 zu San Antonio (Tex.); amerikanischer Pianist, studierte an der Juilliard School of Music in New York (1946–48) und an der Accademia Musicale Chigiana in Siena (1957–60) sowie bei Lydia Cherkassky, Olga Samaroff, Cortot und Agosti. 1948 debütierte er mit dem Philadelphia Symphony Orchestra. Seither hat er Konzertreisen durch die USA, Europa und Südamerika unternommen. Er widmet sich mit Vorliebe der Wiedererweckung vergessener Klavier-, Kammermusik- und Orchesterwerke des 19. Jh. und trat mit Veröffentlichungen (über Liszt, Alkan u. a.) sowie als Herausgeber von Werken Alkans hervor: *The Piano Music of Alkan* (NY 1964); *Funeral March on the Death of a Parrot* für 4st. gem. Chor und Org. (oder Kl.) oder Holzbläser (NY 1972).

Lewin (l'u:in), David, * 2. 7. 1933 zu New York; amerikanischer Komponist und Musikforscher, studierte 1945–50 Klavier, Theorie und Komposition bei Steuermann in New York, 1950–54 Mathematik am Harvard College/Mass. (B. A.), 1954–55 Theorie und Analyse bei Erwin Polnauer sowie 1956–58 Komposition bei Sessions und Theorie bei Babbitt an der Princeton University/N. J. (M. F. A.). Er war 1962–67 Assistant Professor an der University of California at Berkeley; 1967 wurde er Associate Professor an der State University of New York in Stony Brook. Von seinen Kompositionen seien genannt: *Four Short Pieces* für Streichquartett (1956); *Essay on a Subject of Webern* für Kammerorch. (1958); Sonate für Va und Kl. (1958); *Three Spanish Songs* für Bar., Git. und Baßklar. (Texte García Lorca, 1959); Divertissement für Kl. (1959); *Classical Variations on a Theme by Schönberg* für Vc. und Kl. (1960); *Studies 1* und *2*, elektronische Kompositionen (1961); Fantasie für Org. (1962); *Five Characteristic Pieces* für 2 Kl. (1964); *Fantasy-Adagio* für V. und Orch. (1966). – Veröffentlichungen: *A Theory of Segmental Association in Twelve-Tone Music* (in: Perspectives of New Music I, 1962/63); *On Certain Techniques of Re-Ordering in Serial Music* (Journal of Music Theory X, 1966); »*Moses und Aron*«. *Some General Remarks, and Analytic Notes for Act I, Scene 1* (in: Perspectives of New Music VI, 1967/68); *A Study of Hexachord Levels in Schoenberg's Violin Fantasy* (ebd.); *Inversional Balance as an Organizing Force in Schoenberg's Music and Thought* (ebd.); *Some Applications of Communication Theory to the Study of Twelve-Tone Music* (Journal of Music

Theory XII, 1968); *Some Musical Jokes in Mozart's »Le Nozze di Figaro«* (in: Studies in Music History, Fs. O. Strunk, Princeton/N. J. 1968); *Behind the Beyond* (in: Perspectives of New Music VII, 1968/69; Erwiderung auf E. T. Cones *Beyond Analysis*, ebd. VI, 1967/68). Lit.: G. PERLE, Babitt, L., and Schoenberg, in: Perspectives of New Music II, 1963/64; B. J. LEVY, ebd. VII, 1968/69, H. 2, S. 167ff.

Lewina, Sara Alexandrowna, * 23. 1. (5. 2.) 1906 zu Simferopol (Krim); russisch-sowjetische Komponistin, lebt in Moskau, absolvierte als Pianistin 1923 das Konservatorium von Odessa und 1932 das Moskauer Konservatorium (Schülerin von Glière und Mjaskowskij). – Werke (Auswahl): Klavierkonzert (1945); Sonate für V. und Kl. (1948); 2 Klaviersonaten (1925 und 1955); *Pesnja o burewestnike* (»Das Lied vom Sturmvogel«) für Chor und Orch. (nach Gorkij, 1926); symphonisches Triptychon *Oda soldatu* (»Soldatenode«) für Soli, Chor, Org., Kl. und Orch. (1963); Romanzen (Texte von Puschkin und Michail Lermontow) für Gesang und Kl.; ferner verfaßte sie mehr als 200 volkstümliche Lieder sowie Kinderlieder und Volksliedbearbeitungen. Lit.: N. SAWADSKAJA in: Musykalnaja schisn VI, 1963, Nr 16.

Lewinski, Wolf-Eberhard von, * 2. 6. 1927 zu Berlin; deutscher Musikschriftsteller und -kritiker, studierte 1944–50 in Dresden Violine, Klavier und Dirigieren bei Meyer-Giesow, H. Abendroth und Keilberth sowie Theater-, Literatur- und Kunstgeschichte. Er trat ab 1947 als Gastdirigent auf, ist seitdem als Zeitungskritiker und Zeitschriftenmitarbeiter tätig (bis 1951 in Dresden und Berlin, ab 1951 in Darmstadt, seit 1971 in Mainz) und schrieb für eine Reihe deutscher und internationaler Zeitungen und Fachzeitschriften (Süddeutsche Zeitung, Melos, Musica, Opernwelt, MQ, SM, SMZ). Ferner arbeitet er für verschiedene Rundfunk- und Fernsehanstalten. – Veröffentlichungen (Auswahl): *Musik – wieder gefragt. Gedanken und Gespräche zum Musikleben von heute* (Hbg 1967); *L. Hoelscher* (Tutzing 1967); *A. Rubinstein* (= Rembrandt-Reihe LVII, Bln 1967); *J. Keilberth* (ebd. LIX, 1968); *A. Rothenberger* (Velber bei Hannover 1968); *A. Foldes* (= Rembrandt-Reihe LXI, Bln 1970); *Elektronische Musik und ihr Instrumentarium* (Fs. für einen Verleger [L. Strecker], Mainz 1973).

+Lewis, Sir Anthony [erg.:] Carey, * 2. 3. 1915 zu Bermuda.
An der University of Birmingham lehrte L. bis 1968. Er war 1963–69 Präsident der Royal Musical Association und ist seit 1968 Principal der Royal Academy of Music. – *The Songs and Chamber Cantatas* (in: Handel, hrsg. von G. Abraham, London 1954 [del. frühere Angabe als selbständige Schrift, 1955]). – Neuere Veröffentlichungen: *The Language of Purcell, National Idiom or Local Dialect?* (= Ferens Fine Art Lectures 1967, Hull 1968); *Handel and the Aria* (Proc. R. Mus. Ass. LXXXV, 1958/59); *Purcell and Blow's »Venus and Adonis«* (ML XLV, 1963); *Notes and Reflections on a New Edition of Purcell's »The Fairy Queen«* (MR XXV, 1964). Er edierte ferner in der →+Purcell-GA eine Reihe Bände.

+Lewis, Richard, * 10. 5. 1914 zu Manchester.
L. kreierte mehrere Opernpartien, so u. a. den Troilus in *Troilus und Cressida* (W. Walton, London 1954), den Mark in *The Midsummer Marriage* (M. Tippett, ebd. 1955), den Achilles in *King Priam* (M. Tippett, ebd. 1962) und sang die Tenorpartie in der Uraufführung des *Canticum sacrum* von Strawinsky (Venedig 1956). L. hält Meisterkurse für Lied- und Oratoriengesang am Curtis Institute in Philadelphia. 1963 wurde er zum Commander of the British Empire (C. B. E.) ernannt.

Lewis (l'uːis), Robert Hall, * 22. 4. 1926 zu Portland (Oreg.); amerikanischer Komponist, absolvierte die Eastman School of Music der University of Rochester/N. Y. (B. M. 1949, M. M. 1951, Ph. D. 1964) sowie das Pariser Conservatoire (Diplom in Dirigieren 1953) und die Wiener Musikakademie (Diplom in Theorie und Komposition 1957). Er war 1958–62 und 1964–66 Lecturer für Komposition am Peabody Institute in Baltimore (Md.). 1957 wurde er Professor of Music am Goucher College in Baltimore und 1967 daneben Lecturer für Komposition und musikalische Analyse an der Catholic University in Washington (D. C.). L. war Solotrompeter beim Oklahoma City Symphony Orchestra (1951–52) und beim Rochester Symphony Orchestra (1953–55). Er schrieb Orchesterwerke (*Sinfonia-Expression*, 1955; 1. Symphonie, 1964; *Designs*, 1969; *Poem* für Streichorch., 1952), Kammermusik (*Music* für 12 Spieler, 1967; *Tangents* für Doppel-Blechbläserquartett, 1969; 2 Streichquartette, 1956 und 1963; *Monophony I* für Fl. solo, 1968; *Monophony III* für Klar. solo, 1968) und Vokalwerke (5 Lieder für S., Klar., Horn, Vc. und Kl., 1957).

Lewjtin, Jurij Abramowitsch, * 15.(28.) 12. 1912 zu Poltawa; russisch-sowjetischer Komponist, absolvierte 1935 ein Klavierstudium bei Samarij Sawschinskij am Leningrader Konservatorium, vervollkommnete sich anschließend bis 1937 in der Meisterklasse als Aspirant und war 1931–41 als Pianist bei der Leningrader Philharmonie tätig. Bei Dm. Schostakowitsch begann er auf dessen Anraten ein Kompositionsstudium und absolvierte 1942 das Leningrader Konservatorium, während dieser in Taschkent evakuiert war. Seit 1942 lebt L. ständig in Moskau. Sein Schaffen ist sowohl von Prokofjew und Schostakowitsch als auch von der russischen Folklore beeinflußt. Er schrieb u. a.: Opern *Monna-Marianna* (nach Gorkij, 1939), *Mojdodyr* (»Eulenspiegel«, Kinderfunkoper nach Kornej Tschukowskij, 1955) und *Pamjatnik* (»Das Denkmal«, nach Sergej Michalkow, Moskau 1964). – Orchesterwerke: 3 Ballettsuiten (1945, 1945 und 1946); Symphonie *Junost* (»Die Jugend«, 1948, 2. Fassung 1955); Sinfonietta (1951); Symphonie (1955); Symphonie für Kammerorch. und Mezzo-S. (1962). – Konzert für Kl. und Streichorch. (1944); Concertino für Vc. und Orch. (ohne Streicher, 1962); Konzert für Ob. und Streichorch. (1960); Stücke für Symphonie- und Unterhaltungsorchester. – Kammermusik: 8 Streichquartette (1940, 1942, 1943, 1946, 1948, 1951, 1952 und 1958); Klaviertrio in memoriam A. Schdanow (1949); Sonaten für V. und Kl. (1958), für Fl. und Kl. (1958) und für Vc. und Kl. (1959); 24 Praeludien für Kl. – Vokalwerke: Oratorien *Ottschisna* (»Vaterland«, 1947) und *Ogni nad Wolgoj* (»Die Lichter über der Wolga«, 1951); Kantaten *Lenin schiw* (»Lenin lebt«, 1960) und *Wesselyje nischtschije* (»Die lustigen Bettler«, nach Robert Burns, 1963); Lieder. – Theater- und Filmmusik. Lit.: E. DOBRYNINA, »Ottschisna«, oratorija Ju. L.a (», Vaterland' . . .«), SM XX, 1956; O. LEWASCHEWA, Kamernaja wokalnaja musyka (»Vokale Kammermusik«), in: Istorija russkoj sowjetskoj musyki III, hrsg. v. A. D. Alexejew u. W. A. Wassina-Grossman, Moskau 1959.

Lewkovitch, Bernhard, * 28. 5. 1927 zu Kopenhagen; dänischer Komponist, Organist und Kantor, studierte Komposition an Det Kongelige Danske Musikkonservatorium (1945–50) und in Paris (1950), wurde 1947 Organist, später Kantor an der Sankt Ansgars Kirche in Kopenhagen. Er ist Leiter des von ihm gegründeten Chores »Schola Cantorum«. L. schrieb u. a.: *3 salmi* op. 9 (1952); 3 Motetten op. 11 (1952); Messe für gem. Chor, 10 Blasinstr. und Hf. op. 15 (1954); 3 Madrigale op. 13 (Text Tasso, 1955); *Tres orationes* für T., Ob. und Fag. (1958); *Cantata sacra* für T. und 6 Instr. (1959); *Improperia per voci* (1961); *Il cantico delle creature* für 8 Singst. (Text Franz von Assisi, 1963); *Veni creator spiritus* für Chor und 6 Pos. (1967); *Laudi a nostra Signora* (1969), Stabat mater (1969) und *Sub vesperum* (1970) für gem. Chor a cappella. Darüber hinaus komponierte er Klavierwerke (4 Sonaten, 1950–54; 2 Tanzsuiten, 1956 und 1957, Nr 1 auch für Orch.) und Sololieder.

Lit.: A. McCredie, B. L., in: The Chesterian XXXV, 1961.

Lex, Günter → Moesser, Peter.

+Ley, Henry George, * 30. 12. 1887 zu Chagford (Devonshire), [erg.:] † 24. 8. 1962 zu Ottery-Saint-Mary (Devonshire).
L. wirkte am Eton College in Windsor bis 1945.

Ley (lɛi), Salvador, * 2. 1. 1907 zu Guatemala City; guatemaltekischer Pianist und Komponist, studierte in seiner Heimat bei Herculan Alvarado (Klavier und Musiktheorie) und 1922–34 in Berlin bei Georg Bertram und E. Petri (Klavier) sowie bei Klatte und Leichtentritt (Musiktheorie und Komposition). Er debütierte als Pianist 1927 in Berlin, kehrte 1934 nach Guatemala zurück und leitete dort 1934–37 und 1944–53 das Conservatorio Nacional de Música. Seit 1953 lebt er in den USA; er ist neben seiner Konzerttätigkeit als Pädagoge tätig, gegenwärtig am Westchester Conservatory of Music in White Plains (N. Y.) und an der Mid-Westchester YMHA Music School in Scarsdale (N. Y.). Seine Kompositionen umfassen die Oper *Lera* (1960), Orchesterwerke (*Obertura jocosa*, 1950; Concertino für Kl. und Orch., 1952; *Concertante* für Va und Streicher, 1962), Kammermusik (Satz für Streichquartett, 1937; Stück für Va und Kl., 1960; Suite für Fl. und Kl., 1963; *Movimiento y improvisación* für V. solo, 1965) sowie zahlreiche Klavierstücke (*Danza fantástica*, 1952; *Danza exótica*, 1959) und Lieder (u. a. auf Texte von Rilke, Matthias Claudius, H. Hesse, Fritz Boehme, Conrad Aiken, Morgenstern, Angelus Silesius, Nietzsche und Rubén Darío).

+Leydensdorff, Herman, * 29. 9. 1891 zu Amsterdam.
L. unterrichtete am Konservatorium in Amsterdam bis 1957. Er lebt heute in Naarden (Nordholland).

+Leygraf, Hans, * 7. 9. 1920 zu Stockholm; schwedischer Pianist [erg.:] deutsch-österreichischer Herkunft.
Seit 1962 unterrichtet er an der Hochschule für Musik und Theater in Hannover (Professor 1965), seit 1972 auch als außerordentlicher Professor am Mozarteum in Salzburg. L. ist Mitglied der Kungl. Musikaliska akademien in Stockholm. Er lebt heute in Zell am Moos (Oberösterreich).

Leylâ Hanım (später angenommener Familienname Saz), * 1850 und † 6. 12. 1936 zu Istanbul; türkische Dichterin und Komponistin, Tochter des Hofarztes, Wesirs und Gouverneurs Ismail Paşa, wuchs am Osmanischen Hof auf, lebte 1860 und noch nach ihrer Heirat (1868) mit dem späteren Gouverneur Sırrı Paşa in anatolischen Provinzhauptstädten und ab 1895 wieder in Istanbul. Von ihrem 7. Lebensjahr an erhielt sie Klavierunterricht von einer italienischen Pianistin und ab 1876 Unterweisung in türkischer Musik, u. a. von Medenî Aziz Efendi (1842–95) und von Astik Ağa

(1858–1913). Sie schrieb etwa 200 Instrumental- und Vokalkompositionen traditioneller türkischer Kunstmusik, letztere meist auf eigene Texte, in feinsinnigem Stil und nicht frei von europäischen Einflüssen, daneben auch einige bis heute bekannte Märsche europäischen Stils. Für Frauen ihrer Generation von ungewöhnlich breiter Bildung, führte sie einen Künstlersalon, in dem türkische wie europäische Musik und Literatur gepflegt wurde.

Ausg.: Slg v. 50 Kompositionen bei Şamlı Iskender, Istanbul um 1923.
Lit.: Anon., L. H., in: Nota (Musik-Zs.), (Istanbul) 1933, Nr 16; L. Karabey, Bestekâr L. S. H., in: Musiki mecmuası, (Istanbul) 1951, Nr 41; Y. Öztuna, Türk musikisi lûgati (»Lexikon türkischer Musik«), ebd. 1951, Nr 44, 1954, Nr 73, und 1954, Nr 82 (mit Werkverz.); ders., Türk bestecileri ansiklopedisi (»Enzyklopädie türkischer Komponisten«), Istanbul 1969; H. Yenigün, Kadın bestekârlarımız (»Unsere Komponistinnen«), in: Musiki mecmuası 1958, Nr 126/127; I. M. K. Inal, Hoş sadâ, Istanbul 1958 (über türkische Musiker d. 19. u. frühen 20. Jh.); B. S. Ediboğlu, Ünlü türk bestekârları (»Bekannte türkische Komponisten«), ebd. 1962; B. Ökte, L. H., in: Musiki mecmuası 1963, Nr 188; S. K. Aksüt, 500 yıllık türk musikisi (»500 Jahre türkische Musik«), Ankara 1967; M. Rona, Yirminci yüzyıl türk musikisi (»Türkische Musik im 20. Jh.«), Istanbul 1970 (mit 44 ihrer Liedertexte). ENe

Leyser, deutsche Feldmesser- und Orgelbauerfamilie. –1) Georg Sigmund, * 30. 2. 1637 zu Bonnland (Unterfranken), begraben 31. 7. 1708 zu Rothenburg ob der Tauber, kam spätestens 1658 als Schreinergeselle nach Rothenburg, wo er für Weinlin als Orgelmachergehilfe tätig war, nach dessen Tod (1662) selbständig machte und 1672 das Bürgerrecht erwarb. Neben Neubauten in Donauwörth (Weinlin-Orgel, 1662), Schnodsenbach (1693), Gollhofen (1694) und Ohrenbach bei Ansbach (1702) führte er umfangreichere, zum Teil eingreifende Orgelreparaturen in Crailsheim (1658), Ansbach (St. Gumbertus, 1669), Rothenburg (St. Jakob, 1670), Leutershausen (1671), Wertheim (1680), Uffenheim (1684), Windsheim (1691) und Blaufelden (1699–1700) aus. Für sein überragendes Können spricht der Umbau der Traxdorff-Orgel in der Kirche St. Sebald in Nürnberg (18 St., 1691). –2) Johann Christoph, getauft 9. 12. 1663 und begraben 5. 8. 1707 zu Rothenburg ob der Tauber, Sohn und Schüler von Georg Sigmund L., hatte ab 1691 wesentlichen Anteil an den Arbeiten des Vaters. Selbständig baute er 1706 das Positiv der Schloßkirche zu Weikersheim. –3) Georg Albrecht, getauft 23. 1. 1673 und begraben 20. 4. 1755 zu Rothenburg ob der Tauber, Sohn, Schüler und Werkstattnachfolger von Georg Sigmund L., baute die mittelfränkischen Orgeln in Obernzenn (1717), Geslau (1719), Leuzenbronn (Denkmalorgel, 12 St., 1720), Wörnitz (1728) und Colmberg (1738) und reparierte die Werke in Rothenburg (St. Jakob, 1710–25) und Weikersheim (Stadtkirche, 1714). Der Orgel- und Klavierbauer Gessinger war sein Schwiegersohn.

Lit.: Th. Wohnhaas u. H. Fischer, Die Rothenburger Orgeltrias im Spiegel d. mainfränkischen Orgelbaugesch., Würzburger Diözesan-Geschichtsblätter XXVIII, 1966.

+Lhéritier, Jean (L'Héritier, Leretier, Liritier), [erg.:] * vermutlich um 1480.
Lh. ist 1521/22 als Kapellmeister an S. Luigi dei Francesi in Rom und 1540 bis Mai 1541 als Kapellmeister des Kardinals von Clermont, François-Guillaume de Castelnau, in Avignon nachweisbar [erg. frühere Angaben dazu].
Ausg.: Opera omnia I, hrsg. v. L. L. Perkins, = CMM XLVIII, (Rom) 1969, vgl. dazu H. C. Slim in: MQ LVII,

1971, S. 149ff. – 11 Motetten in: P. Attaingnant, Treize livres de motets, hrsg. v. A. Smijers bzw. (ab Bd VIII) A. T. Merritt, Bd I–II, VI, VIII–IX u. XII–XIII, Monaco 1934–63.
Lit.: Fr. Lesure, Notes pour une biogr. de J. Lh., Rev. de musicol. XLI/XLII, 1958; H. W. Frey, Die Kapellmeister an d. frz. Nationalkirche S. Luigi dei Francesi in Rom im 16. Jh., Teil I, 1514–77, AfMw XXII, 1965; L. L. Perkins, The Motets of J. L'H., 2 Bde (I Text, II Übertragung), Diss. Yale Univ. (Conn.) 1965.

+**Lhévinne,** Josef (Jossif Arkadjewitsch), 1.(13.) 12. 1874 – 1944.
Er schrieb Basic Principles in Pianoforte Playing (Philadelphia 1924), Nachdr. NY und London 1972. – Seine Frau Rosina Lh. (geborene Bessi, * 16./28. 3. 1880 zu Kiew) gab 1962 ihr letztes öffentliches Konzert.

+**Lhotka,** –1) Fran, * 25. 12. 1883 zu Mladá Vožice (Jungwoschitz, Südböhmen), [erg.:] † 26. 1. 1962 zu Zagreb. Professor an der Musikakademie in Zagreb war er [erg.: 1910] bis 1961. Weitere Werke: musikalisches Märchen Zlatokosi kraljević (»Der goldhaarige Prinz«, Zagreb 1909), fantastische Sage U carstvu sanja (»Im Reich des Traumes«, ebd. 1912); Ballette Đavo i njegov šegrt (»Der Teufel und sein Schüler«, ebd. 1931), Balada o jednoj srednjovjekovnoj ljubavi (»Ballade von einer mittelalterlichen Liebe«, Zürich 1937), Lûk (»Der Bogen«, Tanzdichtung in 3 Teilen, München 1939), Duša mora (»Die Seele des Meeres«, 1953) und Amazonke (1954); »Epilog« (1957) und »Fresken« (1958) für Orch. – Seine +Lehrbücher ... erschienen als Dirigiranje (Zagreb 1931, ²1968) und Harmonija (ebd. 1948, ²1952, ³1961) [del. bzw. erg. frühere Angaben].
–2) Ivo (Lh.-Kalinski), * 30. 7. 1913 zu Zagreb. Lh.-K. ist seit 1967 Abteilungsvorstand an der Musikakademie in Zagreb. Weitere Werke (seit 1955 auch zwölftönig): musikalische Burleske Analfabeta (+»Der Analphabet«, Funkoper, Radio Belgrad 1954), musikalische Satire Putovanje (+»Die Reise«, erste jugoslawische Fernsehoper, jugoslawisches Fernsehen Zagreb 1957), musikalische Groteske Dugme (»Der Knopf«, Fernsehoper, ebd. 1958), musikalisches Porträt Vlast (»Die Macht« [nicht: »Der Kampf«], Belgrad 1959) und Svijetleći grad (»Die funkelnde Stadt«, Zagreb 1967), alle einaktig, ferner die Kinderoper Velika coprarija (»Der große Zauberer«, 1952); Ballett Legenda o pesmi (»Die Legende vom Sänger«, 1955, Rijeka 1966); Žalobna muzika (»Trauermusik«, 1962) und 6 Eseja (»Essays«, 1965) für Orch., 7 Bagatellen für Ob., Fag. und Streichorch. (1955), Misli (»Gedanken«) für Klar. und Streicher (1965); Mikroforme für Kl. (1964); Kantate Kerempuhova pesem (»Kerempuhs Lied«, 1959), Pet Krležinih pjesama (»5 Gedichte nach Krleža«) für Singst. und Orch. (1964), 4 Epitafa für Singst. (1964) und Meditacje XX für Bar. (1965) mit Kammerensemble.

Li Ch'un-i, chinesischer Musikforscher, arbeitet am Nationalen Institut für Musikforschung in Peking. – Veröffentlichungen (alle chinesisch): »Über das Werk Yüeh-fu ch'uan sheng des Hsü Ta-ch'un« 1744 n. Chr. (in: Min-tsu yin-yüeh yen-chiu lun-wen chi [Peking] 1957, H. 2); »Untersuchungen über Glocken aus der Yin-Shang-Dynastie« (in: K'ao-ku hsüeh-pao / »Zeitschrift für Archäologie«, 1957, Nr 3); »Über 3 Hsün-Okarinas aus dem Neolithikum« (Peking 1957); »Über die Musikphilosophie des 5. und 4. Jh. v. Chr.« (in: Yin-yüeh yen-chiu 1958, H. 2); »Über die Musikphilosophie des Konfuzius« (ebd., H. 5); »Entwurf einer Geschichte der Musik des chinesischen Altertums« (H. 1, Peking 1958). (Englische bzw. französische Zusammenfassungen der genannten Arbeiten finden sich in: Rev. bibliographique de sinologie III, 1957 – IV, 1958.)

Ferner sei genannt »Über Mo Tzus Angriffe gegen die Musik« (in: Yin-yüeh yen-chiu 1959, H. 3).

Li Kuang-ti, * zu An Ch'i (Provinz Fukien), chinesischer Gelehrter der 2. Hälfte des 17. Jh., anerkannt als Sachverständiger der Musiktheorie, Kalenderkunde und chinesischen Reimphonetik, wurde unter der Regierung des Kaisers Kang Hsi der Ch'ing-Dynastie als Mitglied in die kaiserliche Hanlin-Akademie berufen (1670). Er verfaßte das für die Altertumsforschung wichtige Werk Ku yüeh ching ch'uan (»Untersuchung und Kommentar über die Musik des Altertums«) in 5 Abschnitten. In dieser Schrift wird das 22. Kapitel Ta ssu yüeh (»Der Generaldirektor der Musik«) aus dem Chou li (»Die Institutionen der Chou-Dynastie«), ein vermutlich während der Früheren Han-Dynastie im 2. oder 1. Jh. v. Chr. zusammengestelltes Werk, zur Grundlage des historischen Berichtes gemacht, während sich die Kommentare des Li auf das Yüeh chi (»Aufzeichnungen über die Musik«), eine Schrift des 1. Jh. v. Chr., stützen. Die westliche Musikwissenschaft ist auf das Ku yüeh ching ch'uan durch eine ungeklärte Behauptung →+Amiots aufmerksam gemacht worden.

Liang Tsai-ping, * 23. 4. 1911 zu Kaoyang (Provinz Hopei); chinesischer Spieler der Chêng (16saitige Halbröhrenzither) sowie der Ch'in (7saitige Halbröhrenzither), P'i-p'a und Nan-hu (größeres Modell der 2saitigen Violine Erh-hu für Konzertgebrauch) und Vorkämpfer für die Erhaltung der klassischen Musiktradition Chinas, erhielt seine Instrumentalausbildung zunächst bei Privatlehrern in Peking, ging aber 1945 in die USA, um an der Yale University (Conn.) seine Studien in westlicher Musik fortzusetzen. 1940 begann er eine ausgedehnte Konzerttätigkeit, die ihn u. a. durch Südostasien, die USA, Kanada und Europa führte. Nach der kommunistischen Revolution verlegte er seinen Wohnsitz nach Taipeh (Taiwan), wo er als Direktor des Department for Ethnomusicology am College of Chinese Culture wirkt und an der National Academy of Arts lehrt. Er ist der Gründer (1953) und Präsident der Chinese Classical Music Association. – Veröffentlichungen (Auswahl): »Chinesische Musik« (Taipeh 1955, chinesisch); »Die Musik der T'ang-Dynastie« (ebd. 1956, chinesisch); »Bibliographie chinesischer Musik« (ebd. 1957, chinesisch); Artikel Chinoise (Musique) (in: Larousse de la musique, hrsg. von N. Dufourcq, Bd I, Paris 1957); Brief Introduction to Chinese Music (in: West and East II, 1957); »Mein musikalisches Leben« (Taipeh 1960, chinesisch); Chinese Drum Music (in: West and East VI, 1961); On Chinese Music (Taipeh 1962); The Future of Chinese Music (in: West and East VIII, 1963); »Musik für die Chêng« (Taipeh 1966, chinesisch; enthält 6 von L.s 40 Kompositionen für dieses Instrument in westlicher Notation); Chung-hua yüeh-tien (»Lexikon der chinesischen Musik«, mit Yen Wen-hsiung, ebd. 1967).

+**Liban,** Georg (Jerzy), 1464 – nach 1546.
L. studierte ab 1501 an der Universität Krakau (1502 Baccalaureus, 1511 Magister; auch ein Studium an der Universität in Köln wird angenommen). Nach 1511 hielt er Vorlesungen über griechische Sprache und Grammatik (belegt 1513 und 1520) in Krakau. – Seinem Traktat +De accentuum ecclesiasticorum ... (um 1539) ist in Stimmheften der bekannt gewordene 4st. Hymnus Ortus de Polonia Stanislaus beigefügt.
Ausg.: ein Satz in: Muzyka w dawnym Krakowie, hrsg. v. Z. M. Szweykowski, Krakau 1964.
Lit.: K. Musiol in: NZfM CXXV, 1964, S. 528f.; E. Witkowska, Kilka uwag do biografii J. L.a z Legnicy (»Einige Fragen zur Biogr. v. G. L. aus Liegnitz«), in: Muzyka XVI, 1971.

+Liberati, Antimo, 1617–92.
Lit.: +P. KAST in: KmJb XLIII [nicht: XLII], 1959, S. 49ff.

+Libert, Gualterius (Gautier, Guatier Liebert), 15. Jh.
Ausg.: 3 Sätze in: Early 15th-Cent. Music, Bd II, hrsg. v. G. REANEY, = CMM XI, 2, Antwerpen 1959.
Lit.: +G. REESE, Music in the Renaissance (1954), revidiert NY 1959.

+Libert, Henri ([erg.:] eigentlich d'Esgrigny d'Herville), 1869–1937.
Lit.: F. RAUGEL in: L'orgue 1969, S. 109.

+Libert, Reginaldus (Reginald), 15. Jh.
L. wurde vermutlich 1424, als Nachfolger von N. Grenon, »maître de musique« an der Kathedrale von Cambrai.
Ausg.: 15 Sätze in: Early 15th-Cent. Music, Bd III, hrsg. v. G. REANEY, = CMM XI, 3, (Rom) 1966.

Lichnowsky, Felix Maria Vinzenz Andreas, Fürst, * 5. 4. 1814 zu Grätz (bei Troppau), † 19. 9. 1848 zu Frankfurt am Main (gefallen beim Frankfurter Aufstand); deutsch-österreichischer Adeliger, Enkel von Karl Fürst L., trat 1834 in die preußische Armee ein, war 1838–40 in spanischen Diensten, nahm 1847 am ersten preußischen Vereinigten Landtag als Mitglied der Herrenkurie teil und wurde 1848 Mitglied der Frankfurter Nationalversammlung. Er war mit Liszt befreundet und schrieb den Text zu dem von diesem 1843 vertonten Liede *Die Zelle von Nonnenwerth*.

+Lichnowsky, –1) Karl Alois Johann Nepomuk Vinzenz Leonhard, Fürst, 21. 6. 1761 zu Wien – 1814; seine Frau Christine, Gräfin von Thun-Hohenstein, 27. 5. 1765 zu Wien – 1841. –2) Moritz Josef Cajetan Gallus, Graf, 17. 10. 1771 zu Wien – 1837. – Die Schwester Maria Henriette Cajetana, 10. 5. 1769 zu Wien – nach 1829 (Ort unbekannt).
[del. bzw. erg. frühere Angaben.]
Lit.: L. IGÁLFFY-IGÁLY, Stammtafel d. Ritter, Freiherren, Grafen u. Fürsten L. v. Woszczyc v. 14. Jh. bis zur Gegenwart, in: Adler (Zs. f. Genealogie u. Heraldik) XVII, N. F. III, 1954. – TH. v. FRIMMEL, Beethoven-Hdb. I, Lpz. 1926, Nachdr. Hildesheim 1968; ST. LEY, Beethoven u. d. fürstliche Familie L., in: Aus Beethovens Erdentagen, Bonn 1948 u. Siegburg 1957.

Lichtenhahn, Ernst, * 4. 1. 1934 zu Arosa (Graubünden); Schweizer Musikforscher, studierte ab 1955 an der Universität in Basel (Schrade, A. Schmitz) und promovierte 1966 über das Thema *Die Bedeutung des Dichterischen im Werk R. Schumanns*. Er wurde 1961 Assistent und 1968 Lektor für Instrumentenkunde am Musikwissenschaftlichen Institut der Universität in Basel sowie 1969 außerplanmäßiger Professor an der Universität in Neuchâtel. L. ist Mitarbeiter an der Corelli-GA. – Veröffentlichungen (Auswahl): *Über einen Ausspruch Hoffmanns und über das Romantische in der Musik* (in: Musik und Geschichte, Fs. L. Schrade, Köln 1963); *»Ars perfecta«. Zu Glareans Auffassung der Musikgeschichte* (Fs. A. Geering, Bern 1972). Er gab unter dem Titel *De scientia musicae studia atque orationes* eine Sammlung von deutschen und englischen Aufsätzen und Vorträgen L. Schrades (Bern 1967) heraus.

+Lichtenstein, Karl August Ludwig, Freiherr von, 1767 – 10. [nicht: 16.] 9. 1845.
Lit.: W. H. RUBSAMEN in: MGG VIII, 1960, Sp. 735ff.

+Lichtenthal, Peter (Pietro), 1780–1853.
Trattato dell'influenza della musica sul corpo umano e del suo uso in certe malattie (Übers. von +*Der musikalische Arzt*), Faks. der Ausg. Mailand 1811, = Bibl. musica Bononiensis II, 68, Bologna 1969; +*Dizionario e biblio-*

grafia della musica (Mailand 1836), Faks. ebd. I, 6, 1970.
Lit.: CL. SARTORI, Un fedele di Mozart a Milano sul principio del s. scorso, in: Ricordiana II, 1956.

Lichtenwanger, (l'içtənwæŋə), William, * 28. 2. 1915 zu Asheville (N. C.); amerikanischer Musikbibliothekar, studierte an der University of Michigan in Ann Arbor (B. Mus. 1937, M. Mus. 1940). Er war 1940–53 Assistant Reference Librarian der Music Division der Library of Congress in Washington (D. C.), an der er 1953 Assistant Head und 1961 Head der Reference Section wurde. Er war 1946–61 Associate Editor von *Notes* und 1961–64 deren Editor.

+Lichtveld, Lou (Lodewijk) Alphonsus Maria (Pseudonym Albert Helman), * 7. 11. 1903 zu Paramaribo (Surinam).
L., zuletzt als Botschafter der Niederlande tätig, lebt heute im Ruhestand auf der westindischen Insel Tobago. Die Universität Amsterdam verlieh ihm 1962 für seine sprachwissenschaftlichen Forschungen den Ehrendoktortitel.

+Lickl, –1) Johann Georg, 1769–1843.
Ausg.: Trio Es dur f. Klar., Horn u. Fag., hrsg. v. H. STEINBECK, Zürich 1970.

+Lidholm, Ingvar Natanael, * 24. 2. 1921 zu Jönköping.
L., Leiter der Kammermusikabteilung des schwedischen Rundfunks bis 1965, ist seitdem Professor für Komposition an der Kungl. musikhögskolan in Stockholm. Neuere Werke: +*Musik für Streicher* (Orch. oder Quartett, 1952, revidiert 1955); *Canto LXXXI* für gem. Chor a cappella (Ezra Pound, 1956); Kantate *Skaldens natt* (»Die Nacht des Dichters«) für S., Chor und Orch. (1958); a cappella-Buch (1956–59); einaktiges Ballett *Riter* (1959, auch als Suite); *Mutanza* (1959), *Motus-Colores* (1960) und *Poesis* (1963) für Orch.; Szene *Nausikaa ensam* (»Nausikaa allein«) für S., Chor und Orch. (Eyvind Johnson, 1963); Fernsehoper *Holländarn* (nach A. Strindberg, schwedisches Fernsehen 1967). Analysen zu eigenen Werken veröffentlichte er in: Modern nordisk musik (hrsg. von I. Bengtsson, Stockholm 1957, zum *Ritornell*, 1955), und Melos XXXVI, 1969, S. 63ff. (zu *Poesis*); ein Gespräch mit Å. Falck erschien in: Nutida musik XI, 1967/68, H. 3/4, S. 2ff. (über *Holländarn*; mit Abdruck des Librettos). Mit Gy. Ligeti und W. Lutosławski veröffentlichte L. ferner *Three Aspects of New Music. From the Composition Seminar in Stockholm* (= Publ. utg. av Kungl. musikaliska akademien med musikhögskolan IV, Stockholm 1968).
Lit.: B. WALLNER, Blomdahl – Bäck – L., Musikrevy international 1959; DERS. in: Nutida musik VI, 1962/63, H. 9, S. 13ff., u. P.-A. HELLQUIST, ebd. III, 1959/60, H. 4, S. 2ff. (zu »Skaldens natt«); B. HAMBRÆUS, ebd. VIII, 1964/65, H. 1, S. 11ff. (zu »Poesis«); G. BERGENDAL in: Musikkultur XXXII, 1968, H. 8, S. 4ff., u. in: Musikrevy XXIII, 1968, S. 99ff.

+Lidón, José, [erg.:] 2. 6. 1748 [nicht: 1746] – 1827.
Ausg.: eine Cemb.-Sonate in: Silva Iberica, hrsg. v. M. S. KASTNER, Mainz 1954.
Lit.: S. RUBIO in: Tesoro sacro mus. LVI, 1973, S. 53ff. (mit Ausg. v. 3 Orgelwerken).

Lie, Harald, * 21. 11. 1902 und † 23. 5. 1942 zu Oslo; norwegischer Komponist, war Schüler des Musik-Konservatoriet in Oslo, brach aber sein Studium ab, reiste 1923 nach Amerika, arbeitete in verschiedenen Berufen und ging dann nach Leipzig, um Klavierbau zu erlernen. 1929 kehrte er nach Norwegen zurück, wo er ab 1930 Komposition bei Valen studierte. Er schrieb Orchesterwerke (2 Symphonien, op. 4, 1935, und op. 5, 1938; *Symfonisk dans* op. 13, 1942), Kammermusik

(Streichquartett op. 2, 1933) und Vokalwerke (Elegie für Bar. und Orch. op. 3, 1935; *Skinnvengbrev*, »Nächtlicher Brief«, op. 6, 1941, und *Zwei Sonette von Michelangelo* op. 9, 1941, für Singst. und Orch.; Chöre und Lieder).

Lit.: Gespräch mit L. in: Norsk musikliv IX, 1942, Nr 2 u. 5–6.

+Liebe, Annelise, * 29. 12. 1911 zu Halle (Saale). A. L. war an der Humboldt-Universität Berlin bis 1961 tätig, wirkte dann bis 1963 für die Deutsche Forschungsgemeinschaft und ist seitdem Oberassistent am musikwissenschaftlichen Institut der Freien Universität Berlin. – Neuere Aufsätze: *Musik in Weimar und Goethe* (in: Die Mitte. Jb. für Geschichte, Kunst- und Kulturgeschichte des mitteldeutschen Raumes, 2. Folge, 1966); *Musik aus Deutschlands Mitte. Im Zeichen J. S. Bachs* (in: Mitteldeutsche Vorträge 1966, H. 2); *M. Regers geistliche Werke in der Musikkritik 1966* (Mitt. des M.-Reger-Instituts Bonn 1966, H. 16); *Zur Rhapsodie aus Goethes »Harzreise im Winter«* (in: Musa – Mens – Musici, Gedenkschrift W. Vetter, Lpz. 1970).

Liebe, Christian (Lieben, Lieber), * 5. 11. 1654 zu Freiberg (Sachsen), † 3. 9. 1708 zu Zschopau (Erzgebirge); deutscher Komponist und Organist, erhielt seine musikalische Ausbildung in seiner Vaterstadt bei dem Domkantor Christoph Fröhlich. Ab 1676 studierte er an der Leipziger Universität Theologie, ging 1679 als Musiklehrer nach Dresden, wurde 1684 Rektor und Organist in Frauenstein (Erzgebirge) und verbrachte die letzten 18 Jahre seines Lebens in Zschopau, ebenfalls als Rektor. Von ihm sind zahlreiche Vokalwerke (9st. *Missa brevis*, Kantaten, Motetten) handschriftlich in der Deutschen Staatsbibliothek Berlin und im Thomasstift in Straßburg erhalten.

Lit.: J. MATTHESON, Grundlage einer Ehren-Pforte, Hbg 1740, Neudr. hrsg. v. M. Schneider, Bln 1910, Nachdr. Kassel 1968; CHR. A. BAHN, Das Amt, Schloß u. Städtgen Frauenstein, Friedrichstadt (bei Dresden) 1748; J. FR. LOBSTEIN, Beitr. zur Gesch. d. Musik im Elsaß u. besonders in Straßburg, Straßburg 1840; FR. KRUMMACHER, Die Überlieferung d. Choralbearb. in d. frühen ev. Kantate, = Berliner Studien zur Mw. X, Bln 1965.

+Liebermann, Rolf, * 14. 9. 1910 zu Zürich. L., der sich als Intendant der Hamburgischen Staatsoper (1973 Ehrenmitglied) vor allem auch für das zeitgenössische Bühnenschaffen einsetzte (zahlreiche Auftragswerke), ist seit 1973 Generalintendant der Vereinigten Pariser Opern. 1963 wurde ihm der Professorentitel verliehen. – Die Opera semiseria +*Leonore 40/45* wurde 1952 in Basel, die Opera semiseria +*Penelope* 1954 in Salzburg uraufgeführt, das Rondo buffo +*School for Wives* (einaktig, Louisville/Ky. 1955) in erweiterter, dreiaktiger Fassung als Die +*Schule der Frauen* 1957 in Salzburg. – An neueren Kompositionen entstand für die Schweizerische Landesausstellung 1964 in Lausanne die Symphonie *Les échanges* für 156 Maschinen. Er war ferner an zahlreichen Filmproduktionen beteiligt (u. a. 14 Opernverfilmungen und eine Dokumentarstudie über Strawinsky). Zu seinem 60. Geburtstag wurde er mit einer Festschrift geehrt (hrsg. von I. Scharberth und H. Paris, Hbg 1970). – Aufsätze: *Krise der Oper* (in: Melos XXI, 1954, und SMZ XCIV, 1954, schwedisch in: Musikrevy XII, 1957, S. 243ff.); *Oper in der Gegenwart* (ÖMZ XV, 1960); *Als Intendant sieht man alles anders* (in: Melos XXVIII, 1961, und in: Das Orchester IX, 1961); *Oper in der Demokratie* (u. a. in: Melos XXIX, 1962, und in: The World of Music V, 1963, S. 37ff.). Zur Entgegnung auf Boulez' *Sprengt die Opernhäuser in die Luft!* → +Boulez.

Lit.: R. KLEIN in: ÖMZ IX, 1954, S. 105ff., u. in: SMZ XCIV, 1954, S. 271ff. (zu »Penelope«); DERS., R. L. als

dramatischer Komponist, in: Melos XXI, 1954; DERS. in: ÖMZ XII, 1957, S. 151ff. (zu »Schule d. Frauen«); H. STROBEL in: Melos XXI, 1954, S. 193ff. (zu »Penelope«); DERS., Libretti f. Rolf, ebd. XXXVII, 1970; J. HÄUSLER, ebd. XXVII, 1960, S. 262ff.; H. LIEPMANN, ebd. XXX, 1963, S. 357ff., H. PAULI, ebd. S. 363ff., u. W. SCHUH in: SMZ CIV, 1964, S. 114f. (zu »Les échanges«); J. MÜLLER-MAREIN, Schöpferische Anfänge, in: W. Reich, Gespräche mit Komponisten, = Manesse Bibl. d. Weltlit. o. Nr, Zürich 1965; R. D. SNYDER, The Use of the Comic Idea in Selected Works of Contemporary Opera, Diss. Indiana Univ. 1968 (zu »School f. Wives«); P. HEYWORTH in: Opera XXIV, 1973, S. 399ff. (Interview); M. REICHERT in: NZfM CXXXIV, 1973, S. 282ff. (Interview).

Liebermann, Wiktor Semjenowitsch, * 10. 1. 1931 zu Leningrad; russisch-sowjetischer Violinist, absolvierte als Schüler von Weniamin Scher das Leningrader Konservatorium, an dem er sich dann bis 1960 als Aspirant vervollkommnete. 1958 erhielt er den 5. Preis beim Tschaikowsky-Wettbewerb in Moskau. Seit 1950 ist er Konzertmeister bei der Leningrader Philharmonie und seit 1957 Pädagoge für die Quartettklasse am Leningrader Konservatorium.

Liebeskind, Georg Gotthelf, * 22. 11. 1732 zu Altenburg (Thüringen), † 5. 2. 1795 zu Ansbach; deutscher Flötist, wurde von seinem Vater, der ab 1740 als Kammermusiker in Bayreuth wirkte, zum Fagottisten ausgebildet, wechselte aber zur Flöte über, auf der er in Potsdam Unterricht von J. J. Fr. Lindner (ab 1756) und Quantz (ab 1757) erhielt, und wurde 1759 Kammerflötist in Bayreuth, 1769 in Ansbach. Er war einer der bedeutendsten Flötenspieler der 2. Hälfte des 18. Jh.

Lit.: M. DEGEN, Nachricht v. d. berühmten Flötenisten L. in Anspach, in: J. G. Meusel, Miscellaneen artistischen Inhalts IX, Erfurt 1781.

Liebeskind, Johann Heinrich, * 25. 4. 1768 zu Bayreuth, † 18. 6. 1847 zu Eichstätt; deutscher Flötist, Sohn und Schüler von Georg Gotthelf L., besuchte das Gymnasium in Ansbach, studierte ab 1787 Jura in Erlangen (Dr. jur. 1793) und Göttingen, kam 1794 über Riga nach Königsberg, wurde 1797 Regierungsrat in Ansbach, 1806 Oberjustizrat in Bamberg, 1808 Oberappellationsgerichtsrat in München, 1827 Direktor des Appellationsgerichts in Landshut und wirkte 1829–38 als solcher wieder in Bamberg. Er genoß als Flötist internationalen Ruf und schrieb die für die Geschichte des Flötenspiels wichtigen Aufsätze *Versuch einer Akustik der deutschen Flöte* (AmZ IX, 1806/07), *Bruchstücke aus einem ... Versuche über die Natur und das Tonspiel der deutschen Flöte* (AmZ X, 1807/08), *Über den mechanischen Entstehungsgrund der harmonischen Töne auf der deutschen Flöte* (ebd.) und *Über die Doppelzunge* (AmZ XII, 1809/10).

Lit.: J. H. JÄCK, Pantheon d. Literaten u. Künstler Bambergs, 4 Teile, Erlangen 1812–14.

Liebner (l'i:bnɐr), János, * 26. 7. 1923 zu Budapest; ungarischer Violoncellist, Baryton- und Viola da gamba-Spieler, studierte in Budapest am Musikkonservatorium Violoncello (Hütter, Starker) und Komposition (Lajtha) sowie an der Universität Philosophie, Theaterwissenschaft und Pädagogik. Am Pariser Conservatoire vervollkommnete er seine Studien bei M. Maréchal, P. Fournier und Tortelier (Violoncello) sowie bei Calvet (Kammermusik). Er war 1. Solovioloncellist der Ungarischen Staatsoper und der Budapester Philharmonie (1947–58) und des Ungarischen Rundfunkorchesters (1958–63) sowie Violoncellist des Ungarischen Streichtrios (1958–65). Daneben war er als Redakteur bei Editio Musica Budapest (1951–56) sowie als Musik-, Theater- und Filmkritiker (1949–63) tätig. 1964–69 war L. Dramaturg der Staatsoper Berlin. Er ist seitdem

1. Solovioloncellist des Brucknerorchesters in Linz, außerdem 1. Solovioloncellist des ORF-Kammerorchesters und Mitglied des Ensembles Musica Rinata. Als Barytonspieler unternahm er Konzertreisen durch eine Reihe von europäischen Ländern sowie nach Nordafrika, Australien und Japan. Von L.s musikschriftstellerischen Arbeiten seien genannt: *L'influence de Schiller sur Verdi* (SMZ CI, 1961); *Mozart a színpadon. Dramaturgiai tanulmányok* (»Mozart auf der Bühne. Dramaturgische Studien«, Budapest 1961, engl. London und NY 1972); *Don Giovanni et ses ancêtres* (SMZ CIV, 1964); *Ein wiederentdecktes Werk B.Bartóks* (BzMw VI, 1964); *The Baryton* (in: The Consort XXIII, 1966).

+Robert Lienau.
Robert Heinrich L., 1866 zu Neustadt (Holstein) – 1949 zu Berlin, sein Bruder Wilhelm Friedrich, * 6. 1. 1875 zu Berlin [erg. frühere Angaben]. – Der Verlag, weiterhin unter der Leitung von Rosemarie und Robert Albrecht L. mit Sitz in Berlin, veröffentlicht neben älteren Werken zeitgenössische symphonische Musik, neue Instrumental- und Unterrichtsmusik, Kammermusik, Opernneufassungen, gehobene Unterhaltungsmusik sowie musiktheoretische Literatur.
Lit.: H.-M. PLESSKE, Bibliogr. d. Schrifttums zur Gesch. deutscher u. österreichischer Musikverlage, in: Beitr. zur Gesch. d. Buchwesens, hrsg. v. K.-H. Kalhöfer u. H. Rötzsch, Bd III, Lpz. 1968. – M. v. HASE, 150 Jahre Musikverlag R. L. in Bln, Börsenblatt f. d. deutschen Buchhandel (Frankfurter Ausg.) XVI, 1960.

+Lier, Bertus (Lambertus) van, * 10. 9. 1906 zu Utrecht, [erg.:] † 14. 2. 1972 zu Roden (Drenthe).
Van L. war bis 1960 Dozent an verschiedenen Konservatorien (Rotterdam, Utrecht, Amsterdam) und 1947–60 Musikredakteur an »Het Parool«; anschließend wirkte er als Dozent für Musikwissenschaft an der Rijksuniversiteit in Groningen (1964 Dr. phil. h. c.). – Weitere Werke: Fagottkonzert (1950); 3 *Oud-perzische kwatrijnen* für S., Alt-Fl., Ob. d'amore und Kl. (1956); *Divertimento facile* für Orch. (1957); konzertante Musik für V., Ob. und Orch. (1959); *Intrada reale e sinfonia festiva* für Orch. (1964); 136. Psalm für Bar., Chöre und Orch. (1964); *Variaties en thema* für Orch. (1967); *Cantate voor kerstmis* (»Weihnachtskantate«, 1970). Neben der Bühnenmusik zu Sophokles' +*Ajax* ([erg.:] Utrecht 1932) komponierte er eine weitere Bühnenmusik zu Sophokles' *Antigone* (Amsterdam 1952, beide Stücke in eigenen metrischen Übersetzungen). Eine Sammlung von Aufsätzen erschien als *Buiten de maatstreep* (»Jenseits des Taktstrichs«, Amsterdam 1948). Er schrieb ferner *Rhythme en metrum* (Groningen 1967) und *De metrische rhythmen van de lyriek in Sofokles' »Antigone« in muziekschrift* (Amsterdam 1968).
Lit.: J. WOUTERS in: Sonorum speculum 1966, Nr 29, S. 1ff.; W. PAAP in: Mens en melodie XXVII, 1972, S. 99ff.

+Liese, Johannes, * 28. 5. 1908 zu Landsberg (Warthe).
In den letzten Jahren entstanden u. a. ein Klavierkonzert und eine 3. Symphonie (1970).

+Liess, Andreas [erg.:] Karl Friedrich, * 16. 6. 1903 zu Klein-Kniegnitz am Zobten (Niederschlesien).
1964 wurde er zum außerordentlichen und 1972 zum ordentlichen Professor an der Hochschule für Musik und darstellende Kunst in Wien ernannt. – Neuere Schriften: +*C. Orff* (1955), engl. London und NY 1966, Paperbackausg. 1971; *C. Orff und das Dämonische* (Viernheim 1965); *Die Musik des Abendlandes im geistigen Gefälle der Epochen* (Wien 1970); ausgewählte Vorträge und Abhandlungen *Protuberanzen*, Bd I: *Zur Theorie der Musikgeschichte* (= Sonderpubl. der Österreich-Reihe o. Nr, ebd. 1970); *Materialien zur römi-*

schen Musikgeschichte des Seicento (AMl XXIX, 1957); *Die Sammlung der Oratorienlibretti (1679–1725) und der restliche Bestand des Fondo S. Marcello der Biblioteca Vaticana in Rom* (AMl XXXI, 1959); *Prolegomena zu einer Weltmusikgeschichtsschreibung* (Fs. A. Orel, Wien 1960); *Der junge Debussy und die russische Musik* (Kgr.-Ber. Kassel 1962); *Die okzidentale Gegenwartsmusik und der Einbruch der antiabendländischen Welt* (NZfM CXXIII, 1962); *Bausteine zur Weltmusikgeschichte* (in: Wissenschaft und Weltbild XVI, 1963); *Aktuelle Probleme der Musikgeschichtsschreibung* (NZfM CXXX, 1969, tschechisch in: Hudební rozhledy XXII, 1969, S. 666ff.); *Musikgeschichte an der Epochenwende. Zur Position von Musikgeschichte und Musikwissenschaft heute* (in: Beitr. 1970/71, Kassel 1971); *Musikgeschichte und dynamisch-pluralistisches Geschichtsbild* (NZfM CXXXII, 1971); *Zum Ursprung der Orchestra* (in: Symbolae historiae musicae, Fs. H. Federhofer, Mainz 1971); zahlreiche Beiträge über C. Orff. Er edierte Auszüge aus dem Wienerischen Diarium als *Wiener Zeitung. Ein Jahreskreis im barocken Wien* (= Österreich-Reihe Bd 282, Wien 1965).
Lit.: A. OREL in: NZfM CXXIV, 1963, S. 227; G. BERGER, Die hist. Dimension im musikphilosophischen Denken v. A. L. u. Th. W. Adorno, International Rev. of the Aesthetics and Sociology of Music II, 1971.

+Lifar, Serge, * 2. 4. 1905 zu Kiew.
Nach G. Auries Berufung 1962 an die Spitze der Pariser Opéra kehrte auch L. für kurze Zeit wieder an das Institut zurück, dem er bis heute als Gast verbunden ist. Als freischaffender Choreograph hat er die erfolgreichen Ballette aus seiner Pariser Wirkungszeit bei zahlreichen ausländischen Kompanien einstudiert und verschiedene neue Ballette kreiert, so u. a. *Le more de Venise* (Musik von M. Thiriet, Amsterdam 1960), *Parade* (E. Satie, Toulouse 1965), *Le grand cirque* (A. Chatschaturjan, Paris 1969) und *Fête chez le Roi soleil* (Rameau und Lully, Nervi 1969). 1970 wurde L. zum korrespondierenden Mitglied der Académie des beaux-arts ernannt. Seine Autobiographie erschien unter dem Titel *Ma vie* (Paris 1965, schwedisch Stockholm 1967, engl. London 1970). – +*Le manifeste du chorégraphe* (1935 [nicht: 1955]); +*La danse* (1938), auch russ. als *Tanez*, Paris 1938, frz. NA = Bibl. médiations XXX, ebd. 1965, span. Barcelona 1966; +*S. Diaghilev* (1954), zuerst engl. NY und London 1940. – Er schrieb ferner eine *Histoire du ballet* (= Connaissances o. Nr, Paris 1966).
Lit.: Hommage à S. L., in: Les saisons de la danse III, 1970 (mit Werkverz.); Dessins de P. Picasso. S. L. et la danse, = RM 1971, Nr 280/281. – +A. LEVINSON, S. L. (1934), NA Paris 1945; J. LAURENT u. J. SAZONOVA, S. L., rénovateur du ballet frç., ebd. 1960; O. HALLING. Är L. modern, Musikrevy XXI, 1966; Musica (Disques) 1966, Nr 145, S. 30ff.; G. LEEB, S. L. u. d. neoklass. Ballett, Diss. Wien 1969; A. SCHAIKÉVITCH, S. L. et le destin du ballet de l'opéra, = RM 1971, Nr 278/279.

Ligendza, Catarina (geborene Beyron), * 18. 10. 1937 zu Stockholm; schwedische Opernsängerin (jugendlich-dramatischer Sopran), studierte 1959–63 am Bayerischen Staatskonservatorium für Musik in Würzburg und 1965–68 an der Staatlichen Hochschule für Musik in Saarbrücken (Greindl). Nach gleichzeitigen Engagements in Linz (1963), Braunschweig (1964) und Saarbrücken (1966) wurde sie 1969 Mitglied der Deutschen Oper Berlin und der Württembergischen Staatsoper Stuttgart. Bei den Bayreuther Festspielen (ab 1971) und den Salzburger Osterfestspielen (1970–71) profilierte sich C. L. im Wagner-Fach. Seit 1971 gastiert sie regelmäßig an der Mailänder Scala, der Metropolitan Opera in New York, der Covent Garden Opera in London und an den Staatsopern in Wien, Hamburg und München. Zu ihren Hauptpartien gehören Leonore (*Fidelio*), Agathe, Elsa, Brünnhilde, Desdemona, Chrysothemis (*Elektra*) und Ariadne.

+Ligeti, György, * 28. 5. 1923 zu Diciosânmartin (heute Tîrnăveni, Siebenbürgen); österreichischer Komponist ungarischer Herkunft [del. frühere Angabe].
Freier Mitarbeiter am Studio für elektronische Musik in Köln war L. bis 1959. Er lebte 1959–69 hauptsächlich in Wien, unterrichtete alljährlich bei den Darmstädter Ferienkursen für Neue Musik, wirkte ab 1961 regelmäßig als Gastprofessor für Komposition an der Kungl. musikhögskolan in Stockholm und leitete Kompositionskurse in Madrid (1961), Bilthoven (1962 und 1963), Essen (Folkwang-Hochschule, 1963 und 1964) und Jyväskylä (Finnland, 1964 und 1965). 1969–73 lebte er vorwiegend in Berlin (1969/70 als Stipendiat des Deutschen Akademischen Austauschdienstes[DAAD]), 1972 auch als Composer-in-Residence an der Stanford University (Calif.). 1973 wurde er Professor für Komposition an der Staatlichen Hochschule für Musik in Hamburg. L., Vizepräsident der österreichischen Sektion der IGNM, erhielt mehrere internationale Kompositionspreise und ist Mitglied der Kungl. musikaliska akademien in Stockholm (seit 1964), der Freien Akademie der Künste in Hamburg (seit 1971), der Akademie der Künste in (West-)Berlin (seit 1972) sowie Ehrenmitglied des Musikvereins für die Steiermark in Graz (seit 1969). Retrospektive Aufführungen seiner Werke fanden 1969 in Paris (»Journée L.«, Semaines Musicales Internationales) und 1972 in Stanford (»L. Festival«) statt.
Seine Position als einer der führenden Komponisten der europäischen Avantgarde etablierte L. Anfang der 60er Jahre mit dem Orchesterstück *Atmosphères*, das der Entwicklung der Neuen Musik in technischer wie in ästhetischer Hinsicht eine neue Richtung wies. Ausgangspunkt für sein bereits in der zweiten Hälfte der 50er Jahre entwickeltes Konzept der »Klangflächenkomposition« war die kritische Auseinandersetzung mit Theorie und Praxis der seriellen Musik. Aus der Nivellierung von intervallischen und rhythmischen Charakteren im Spätstadium des seriellen Komponierens zog L. radikale Konsequenzen: Er verzichtete ganz auf Intervallprägnanz, rhythmisches Profil, durchhörbare Zeichnung und konzentrierte sich auf die Komposition des Klanges selber, seiner Farben und seiner Dichte, seines äußeren Volumens und seiner internen Textur. Aus komplexer Verflechtung einer großen Anzahl selbständiger Stimmen, die völlig miteinander verschmelzen (»Mikropolyphonie«), resultiert ein gleichsam übersättigtes polyphones Gewebe von irisierender Statik. Subtile Wechsel von Klangfarbe und Dynamik sind allein für die Artikulation des Formverlaufs verantwortlich. Zum ersten Male erscheinen diese Techniken im Orchesterstück *Apparitions* (Klangflächenkomposition im ersten, Mikropolyphonie im zweiten Satz). – Eine gegensätzliche stilistische Position beziehen die beiden Mimodramen *Aventures* und *Nouvelles aventures*: phonetische Kompositionen in nicht-semantischer, imaginärer Sprache, zugleich affekt- und assoziationsgeladenes, absurdes Musiktheater. Zu diesen kontrastreichen, mit abrupten Schnittfolgen operierenden Sprachkompositionen gehört auch *Artikulation*, ein Stück, das dem Duktus der menschlichen Sprache nachgebildete musikalische Formen auf rein elektronisch erzeugtes Material überträgt. Eine Synthese der beiden divergierenden Schreibweisen hat L. im Requiem entworfen: Während die lastende Statik des Introitus und die sanfte Fluktuation des Kyrie Züge der in *Atmosphères* exponierten mikropolyphonen Klangflächenkomposition fortführen, knüpft das expressive, dramatisch bewegte Dies irae unmittelbar an den in *Aventures* entwickelten Typ des spannungsgeladenen Mosaikwerks an. – Seit Mitte der 60er Jahre zeichnet sich in L.s Œuvre zunehmend eine Tendenz zur Ausbildung distinkter Charaktere, vor allem in der Harmonik ab. Pfeiler der Formkonstruktion bilden beispielsweise in *Lontano* durchhörbare Intervall- und Akkordgestalten, die sich aus Feldern harmonischer Trübung ganz allmählich herauskristallisieren und ebenso langsam wieder abgebaut werden. Ein verstärktes Interesse an der harmonischen Dimension bezeugen auch verschiedene Versuche zur mikrotonalen Differenzierung des Tonhöhenmaterials, etwa im 2. Streichquartett (unregelmäßige Tonhöhenabweichungen vom temperierten System), in *Ramifications* (Tonhöhenfluktuation durch Aufteilung des Streichorchesters in zwei verschieden gestimmte Gruppen) und im Doppelkonzert (Mikrointervallik auf Grund spezifischer Spieltechnik der Holzbläser). Zugleich entwickelte L. im rhythmischen Bereich eine Technik mehrschichtiger Überlagerung von »Zeit-Gittern« (eine Weiterführung der Idee des *Poème symphonique für 100 Metronome*), so in *Continuum*, im 2. Streichquartett und im Kammerkonzert. – Die Ausbildung distinkter harmonischer und rhythmischer Gestalten führt auch zu Veränderungen der Formstruktur: Zwischen Statik und Zersplitterung entsteht eine Vielzahl von differenzierten Bewegungstypen, die simultan wie sukzessiv in ständig variierten Kombinationen erscheinen. Modellhaft ausgeprägt ist diese »kaleidoskopische Form«, die L.s Werke seit etwa 1968 durchgängig charakterisiert, in den 10 Stücken für Bläserquintett. Wohl gilt auch hier noch das mikropolyphone Prinzip generell als verbindlich, doch werden die Texturen zunehmend transparenter, und im durchbrochenen Satz zeichnen sich mehr oder weniger deutliche melodische Konturen ab. Im Orchesterstück *Melodien* nimmt die Polyphonie schließlich den Charakter eines durchhörbaren melodischen Lineaments an: Eingebettet in einen übergeordneten harmonischen Verlauf, verbinden sich zahlreiche, in Duktus, Tempo und rhythmischer Artikulation divergierende Stimmen zu komplexer Simultaneität.
ML

Von seinen Werken der ungarischen Periode seien genannt: *Magány* (»Einsamkeit«) für 3st. gem. Chor a cappella (1946); 2 Lieder nach Weöres für Singst. und Kl. (1946); 2 Capriccios (1947) und Invention (1948) für Kl.; *Román koncert* für Orch. (»Rumänisches Konzert«, 1951); 2 Kanons für 4 gleiche St. a cappella (1946, 1952); *Musica ricercata* für Kl. (11 Stücke, 1951–53, daraus 6 Bagatellen für Bläserquintett, 1953, und ein Ricercar *Omaggio a Frescobaldi* für Org., 1953); *Pápainé* (»Frau Pápai«) für 4–8st. gem. Chor a cappella (1953); 1. Streichquartett *Métamorphoses nocturnes* (1954); *Éjszaka* (»Nacht«) für 8st. und *Reggel* (»Morgen«) für 5–7st. gem. Chor a cappella (1955); *Víziók* für Orch. (»Visionen«, 1956, der Konzeption nach eine Vorstudie zum ersten Satz der *Apparitions*). – Werke ab 1957: die elektronischen Kompositionen *Glissandi* (1957), *Pièce électronique Nr. 3* (1957, klanglich nicht realisiert) und *Artikulation* (1958); *Apparitions* (2 Sätze, 1958–59) und *Atmosphères* (1961) für Orch.; »*Die Zukunft der Musik*« – *Eine kollektive Komposition* (»‚Musikalische Provokation‘ für einen Vortragenden und Auditorium«, 1961); *Trois bagatelles* (»‚Musikalisches Zeremoniell‘ für einen Pianisten«, 1961); *Fragment* für Kammerorch. (1961); *Volumina* für Org. (1962, revidiert 1966); *Poème sym-*

phonique für 100 Metronome (»Musikalisches Zeremo-niell«, 1962); *Aventures* (1962) und *Nouvelles aventures* (1962–65) für Koloratur-S., A., Bar. und 7 Instrumentalisten, zusammen auch in szenischer Version als *Aventures & Nouvelles aventures* (»Musikalisch-dramatische Handlung«, Libretto 1966); Requiem für S., Mezzo-S., 2 gem. Chöre (1. Chor 20st., 2. Chor 5–10st.) und Orch. (1963–65); *Lux aeterna* für 16st. gem. Chor a cappella (oder Soli, 1966); Cellokonzert (1966); *Lontano* für Orch. (1967); 1. Orgeletüde *Harmonies* (1967); *Continuum* für Cemb. (1968); 2. Streichquartett (1968); 10 Stücke für Bläserquintett (1968); *Ramifications* für 12st. Streichorch. (oder Solostreicher, 1969); 2. Orgeletüde *Coulée* (1969); Kammerkonzert für 13 Instrumentalisten (1970); *Horizont* für Block-Fl. (mit M. Vetter, 1971); *Melodien* für Orch. (1971); Doppelkonzert für Fl., Ob. und Orch. (1972); *Clocks and Clouds* für 12st. Frauenchor (oder Soli) und Orch. (1973).
Von seinen neueren Schriften seien genannt (zu weiterem vgl. O. Nordwall, *Gy. L.*, Mainz 1971): *Die Funktion des Raumes in der Musik* (in: Forvm 1960, Nr 76); *Kompositorische Tendenzen heute* (in: Neue Musik, München 1960, H. 1); *Die Komposition mit Reihen und ihre Konsequenzen bei A. Webern* (ÖMZ XVI, 1961); *Zur Geschichte und Gegenwart der elektronischen Musik* (in: Forvm 1961, Nr 91/92); *Über neue Wege im Kompositionsunterricht* (= Beilage zu: Kungl. musikaliska akademiens årsskrift 1962, = Publ. utg. av Kungl. musikaliska akademien med musikhögskolan IV, Stockholm 1965, auch in: Three Aspects of New Music, ebd. 1968); *Neue Notation – Kommunikationsmittel oder Selbstzweck?* (in: Notation Neuer Musik, hrsg. von E. Thomas, = Darmstädter Beitr. zur Neuen Musik IX, Mainz 1965); ein Beitrag für »Form in der Neuen Musik« (hrsg. von dems., ebd. X, 1966); *Weberns Melodik* (in: Melos XXXIII, 1966); *Was erwartet der Komponist der Gegenwart von der Orgel?* (in: Orgel und Orgelmusik heute, hrsg. von H. H. Eggebrecht, = Veröff. der Walcker-Stiftung für orgelwissenschaftliche Forschung II, Stuttgart 1968); *Auswirkungen der elektronischen Musik auf mein kompositorisches Schaffen* (in: Experimentelle Musik, hrsg. von Fr. Winckel, = Schriftenreihe der Akademie der Künste VII, Bln 1970); *Fragen und Antworten von mir selbst* (in: Melos XXXVIII, 1971); *Musikalische Erinnerungen aus Kindheit und Jugend* (Fs. für einen Verleger [L. Strecker], Mainz 1973). – Beiträge zu eigenen Werken, u. a. zu *Apparitions* (in: blätter + bilder 1960, Nr 11, S. 50ff., Nutida musik IV, 1960/61, H. 7, S. 3f., und Musica XXII, 1968, S. 177ff.), *Atmosphères* (in: Nutida musik VI, 1962/63, H. 1, S. 10ff.), *Volumina* (in: Melos XXXIII, 1966, S. 311ff.), *Aventures & Nouvelles aventures* (in: Neues Forvm 1967, Nr 157), Requiem (in: Wort und Wahrheit XXIII, 1968, S. 308ff., mit Einleitung von M. Lichtenfeld), *Lux aeterna* (ÖMZ XXIV, 1969, S. 80ff., mit Einleitung von K. Roschitz) und *Lontano* (in: Programm-H. Donaueschinger Musiktage 1967, = Sonder-H. der Zs. »Begegnung«, Amriswil 1967).
Ausg.: Artikulation. Eine Hörpartitur, hrsg. v. R. We-hinger, Mainz 1970 (mit Schallplatte; vgl. dazu E. Karkoschka in: Melos XXXVIII, 1971, S. 468ff.).
Lit.: Gy. L., Verz. seiner im Verlag Schott erschienenen Werke, Mainz 1970 (mit Vorw. v. U. Dibelius). – L.-Sonder-H. = Numus-West 1972, Nr 2 (Mercer Island/Wash., mit Interview u. Bibliogr. v. L. Christensen). – O. Nordwall, Det omöjligas konst. Anteckningar kring Gy. L.s musik (»Die Kunst d. Unmöglichen. Bemerkungen zu ...«), Stockholm 1966 (Dokumente zur Werkgesch.); L.-dokument, hrsg. v. dems., ebd. 1968 (Briefe, Skizzen, Kommentare u. a.); ders., *Gy. L.*, Mainz 1971 (mit ausführlichem Verz. d. Schriften u. Kompositionen, Laudatio

v. H. Kaufmann u. 2 Interviews v. J. Häusler mit Gy. L., diese auch in: Melos XXXVII, 1970, S. 496ff., u. a. zu »Lontano«, bzw. in: NZfM CXXXI, 1970, S. 378ff., schwedisch in: Nutida musik XIV, 1970/71, H. 3, S. 2ff., zum 2. Streichquartett).
W. Paap in: Mens en melodie XVIII, 1963, S. 1ff. (zu »Atmosphères«); O. Nordwall in: Nutida musik VII, 1963/64, H. 6, S. 1ff. (mit Werkverz.); ders. in: Musica XXII, 1968, S. 173ff.; ders. in: Konsertnytt IV, 1968/69, H. 6, S. 7ff. (zu d. 10 Stücken f. Bläserquintett); E. Salmenhaara, Gy. L.n »Atmosphères«, in: Suomen musiikin vuosikirja 1963–64; ders., Vuosisatamme musiikki (»Ein Jh. d. Musik«), Helsinki 1968; ders., Das mus. Material u. seine Behandlung in d. Werken »Apparitions«, »Atmosphères«, »Aventures« u. »Requiem« v. Gy. L., = Acta musicologica fennica II, ebd. 1969, auch = Forschungsbeitr. zur Mw. XIX, Regensburg 1969; D. Schnebel in: Fs. W. Gerstenberg, Wolfenbüttel 1964, S. 151ff., auch in: Denkbare Musik, hrsg. v. R. Zeller, = DuMont Dokumente o. Nr, Köln 1972, S. 294ff. (zu »Volumina«); H. Kaufmann in: Nutida musik VIII, 1964/65, S. 154ff. (zum Requiem); ders., Spurlinien, Wien 1969 (darin S. 107ff. zu »Atmosphères«, S. 130ff. zu »Aventures«, »Nouvelles aventures« u. »Aventures & Nouvelles aventures«); ders. in: Melos XXXVII, 1970, S. 181ff. (zum 2. Streichquartett); ders. in: Protokolle 71, (Wien) 1971, S. 158ff. (zum Requiem); U. Dibelius, Moderne Musik 1945–65, München 1966 u. Stuttgart 1968 (mit Werkverz.); ders. in: Melos XXXVII, 1970, S. 89ff.; P. Rummenhöller in: Der Einfluß d. technischen Mittler auf d. Musikerziehung unserer Zeit, hrsg. v. E. Kraus, Mainz 1968, S. 311ff. (zu »Lux aeterna«); J. Häusler, Musik im 20. Jh., Bremen 1969; H. Keller, The Contemporary Problem, in: Tempo 1969, Nr 89; U.-Br. Edberg, Gespräche [mit Gy. L.] über d. schwedische Musik v. heute, in: Schwedische Musik, = Musikrevy 1970, Sonder-H.; W. Bachauer in: Melos XXXVII, 1971, S. 213ff. (Interview); Cl. Gottwald in: Musica XXV, 1971, S. 12ff. (zu »Lux aeterna«, vgl. dazu H. M. Beuerle, ebd., S. 279ff.); U. Stürzbecher, Werkstattgespräche mit Komponisten, Köln 1971, S. 32ff.; M. Lichtenfeld in: Musica XXVI, 1972, S. 48ff. (Gespräch); dies., Gy. L. oder d. Ende d. seriellen Musik, in: Melos XXXIX, 1972; dies., ebd., S. 326ff. (zu d. 10 Stücken f. Bläserquintett); Chr. Richter in: Musik u. Bildung IV, 1972, S. 237ff. (zu »Lux aeterna«); R. Stephan, Gy. L., Konzert f. Vc. u. Orch., Anm. zur Cluster-Komposition, in: Die Musik d. sechziger Jahre, = Veröff. d. Inst. f. Neue Musik u. Musikerziehung Darmstadt XII, Mainz 1972; B. A. Varga, Zenészekkel – zenéről (»Mit Musikern – über Musik«), Budapest 1972 (darin S. 55ff., Interview); H. Vogt, Neue Musik seit 1945, Stuttgart 1972 (darin S. 292ff. zu »Atmosphères«); Kl. Kropfinger, L. u. d. Tradition, in: Zwischen Tradition u. Fortschritt, hrsg. v. R. Stephan, = Veröff. d. Inst. f. neue Musik u. Musikerziehung Darmstadt XIII, Mainz 1973; U. Urban, Serielle Technik u. barocker Geist in L.s Cemb.-Stück »Continuum«, in: Musik u. Bildung V, 1973.

Lilburn (l'ilbə:n), Douglas, * 2. 11. 1915 zu Waitaki (Neuseeland); neuseeländischer Komponist, studierte 1934–36 am University of Canterbury College in Christchurch und 1937–39 am Royal College of Music in London. Er ist Professor an der Victoria University of Wellington. Von seinen Kompositionen seien genannt: *Festival Overture* (1939); Streichtrio (1945); Chaconne für Kl. (1946); Liederzyklen *Elegy* (1951) und *Sings Harry* (1954); 3 Lieder für Bar. und Va (1958); Symphonie Nr 3 (1961); *9 Short Pieces* für Kl. (1966).

+Lilien, Ignace, * 29. 5. 1897 zu Lemberg, [erg.:] † 10. 5. 1964 zu Den Haag.
Neuere Werke: Kantate *In het atrium der vestalinnen* für Bar., Sprecher, Frauenchor und kleines Orch. (1957); Klavierkonzert (1958); dramatisches Oratorium *Nyuk-Tsin* für Soli, Männerchor, Holz-, Blechbläser und Schlagzeug (1961); Kammerkonzert für Fl. und Streicher (1962).

+Liliencron, Rochus, Freiherr von, 1820–1912.
Nachdrucke: *+Die historischen Volkslieder der Deutschen
...* (1865–69), Hildesheim 1966 (2 Bde); *+Liturgisch-
musikalische Geschichte der evangelischen Gottesdienste von
1523 bis 1700* (1893), ebd. 1970; *+Deutsches Leben im
Volkslied um 1530* (= Kürschners Deutsche National-
Lit. XIII, 1884), ebd. 1966.
Lit.: H. J. MOSER, Das mus. Denkmälerwesen in Deutschland, = Mw. Arbeiten VII, Kassel 1952.

+Lilius [–1) Wincenty], –2) Franciszek, um 1600 –
1657. –4) Szymon, [erg.:] † nach 1652.
Ausg.: zu –2): 11st. Motette »Jubilate Deo omnis terra«,
hrsg. v. Z. M. SZWEYKOWSKI, = Wydawnictwo dawnej
muzyki polskiej XL, Krakau 1960, ²1964; Motette »Tua
Jesu dilectio«, hrsg. v. DEMS., ebd. LVI, 1965; 2 Sätze in:
Musyka w dawnym Krakowie, hrsg. v. DEMS., ebd. 1964.
Lit.: zu –2): Z. M. SZWEYKOWSKI, Wykaz ważniejszych
kompozitorów i ich dzieł (»Index d. bedeutenderen Komponisten u. ihrer Werke«), in: Z dziejów polskiej kultury
muzycznej I, hrsg. v. ST. ŁOBACZEWSKA, T. STRUMIŁŁO u.
DEMS., Krakau 1958; DERS., Fr. L. i ego twórczość w
wczesnego baroku w Polsce (»Das Schaffen v. Fr. L. u. d.
Frühbarock in Polen«), in: Muzyka V, 1960 u. VII, 1962.

+Liljefors [–1) Ruben], –2) Ingemar Kristian, * 13.
12. 1906 zu Göteborg.
L. ist [erg.: seit 1938] Kompositionslehrer (1968 Professor) an der Kungl. musikhögskolan in Stockholm;
bis 1963 war er Präsident des schwedischen Komponistenverbandes. Neuere Kompositionen: je eine Sonatine für V. (1958) bzw. Vc. (1958) und Kl.; *En tijdspegel*
(»Ein Zeitspiegel«) für Soli, Chor und Orch. (1959);
2. Trio für V., Va und Kl. (1961); Sinfonietta für Orch.
(1962); 2 Bagatellen für Kl. (1962); Streichquartett
(1963); 3 Studien für Kl. (1963); Sonatine für V. solo
(1964); 2 Intermezzi für Streichorch. (1965); Sonatine
für Kl. (1965); 3. Divertimento für Streichorch. (1968);
Chöre. Er schrieb: *Harmonilärans grunder med ackord-
analys enligt funktionsteorien* (Stockholm 1937); *Harmo-
nisk analys enligt funktionsteorien* (ebd. 1951); *Romantisk
harmonik ur pedagogisk synvinkel* (Kungl. musikaliska
akademiens årsskrift 1967, = Publ. utg. av Kungl. musikaliska akademien med musikhögskolan VI, ebd.
1969).

Lima, Fernando Castro Pires de → Castro Pires
de Lima, F.

Lima y Sintiago, Emirto de, * 25. 1. 1893 zu
Barranquilla; kolumbianischer Komponist und Musikschriftsteller, studierte in Genua bei Mario Ca-
stellano (Violine), Angelo Gasparini (Klavier) und
Lorenzo Parodi (Komposition) sowie anschließend an
der Schola Cantorum in Paris bei d'Indy (Komposition) und A.Parent (Violine). Nach seiner Rückkehr
war er als Dozent und Musikkritiker tätig. Er komponierte die Operette *El club de los solteros* (Barranquilla
1932), ein Klavierkonzert, Kammermusik (Streichquartett) und Klavierstücke. – Veröffentlichungen
(Auswahl): *La chanson populaire en Colombie* (AMl IV,
1932); *Diverses manifestations folkloriques sur la côte des
Antilles en Colombie* (AMl VII, 1935); *Del folklore colombiano* (Bol. latino-americano de música I, 1935);
Las flautas indígenas colombianas (ebd. III, 1937); *Folklore colombiano* (Barranquilla 1942).

Limantour (limant'oŭr), José Yves, * 9. 8. 1919 zu
Paris; mexikanischer Dirigent, studierte am Trinity
College in Cambridge und dirigierte das dortige Universitätsorchester. 1939 ließ er sich in México (D. F.)
nieder, wo er seine Studien am Conservatorio Nacional de Música vervollkommnete und Konzerte im Universitätstheater und am Teatro Arbeu leitete. Er studierte bei P.Hindemith (1940) und R.Halffter (1941)

und dirigierte mexikanische Werke mit den Orchestern
der NBC und CBS in New York. L. war Dirigent u. a.
des Ballet Russe des Colonel Basil, gab Konzerte in der
Kathedrale von México, ging 1944 mit dem Pianisten
J.Chavchavadze auf eine Mexikotournee und übernahm das Symphonieorchester von Jalapa. Danach leitete er das Symphonieorchester von Bilbao (Spanien)
und zog sich nach Gastkonzerten in México (D. F.)
vom Musikleben zurück.

+Limnander [nicht: Limmander], Armand Marie
Ghislain, baron de Nieuwenhove, 1814–92.

Limon (l'imɔn), José (Limón), * 12.1.1908 zu Culiacan
(Sinaloa, Mexiko), † 2. 12. 1972 zu Flemington (N. J.);
amerikanischer Tänzer, Choreograph und Leiter einer
eigenen Tanzgruppe, besuchte die Tanzschule von
Doris Humphrey und Weidman, in deren Kompanie
er eintrat, tanzte auch in vielen Broadway-Musicals
und begann 1939 selbst zu choreographieren. Nach
dem Krieg gründete er eine eigene Gruppe, die er
Mitte der 50er Jahre zu einer größeren Kompanie erweiterte und mit der er mehrfach auch im Ausland
gastierte. Er hat wiederholt auch unterrichtet, namentlich am Dance Department der Juilliard School
of Music in New York und an dem Connecticut
College Department of Dance in New London, verschiedentlich auch an der Tanzabteilung des Instituto
Nacional de Bellas Artes y Letras in México (D. F.).
Die Wesleyan University in Middletown (Conn.) ernannte ihn 1960 zum Ehrendoktor. 1964 wurde er
zum künstlerischen Direktor des American Dance
Theater ernannt, einer Vereinigung, die als Reper-
toirekompanie die besten Vertreter des Modern dance
in Amerika vereinigte. In seinen Balletten griff L.
immer wieder auf Stoffe und Motive des iberoame-
rikanischen Kulturkreises zurück. Zu seinen besten
Werken gehörten: *La Malinche* (Musik Norman Lloyd,
NY 1949); *The Moor's Pavane* (ein Othello-Ballett für
nur 4 Personen zu verschiedenen Kompositionen von
H.Purcell, arrangiert von Simon Sadoff, New London/
Conn. 1949); *The Traitor* (Schuller, *Symphony for Brass
and Percussion*, ebd. 1954); *Emperor Jones* (Villa-Lobos,
Ellenville/N. Y. 1956); *Missa brevis* (Kodály, NY 1958);
My Son, My Enemy (Vivian Faine, New London 1965).

+Lincke, Joseph (Linke), 1783–1837.
Lit.: +TH. V. FRIMMEL, Beethoven-Hdb. (I, 1926), Nachdr.
Hildesheim 1968. – J. HERRMANN, E. A. Förster, J. L.,
Zwei schlesische Musiker im Lebenskreis Beethovens, in:
Schlesien XI, 1966.

+Lincke, [erg.: Carl Emil] Paul, 1866 – 3. [nicht: 4.]
9. 1946.
Uraufführungen seiner *+Operetten: Frau Luna* (2. 5.
[nicht: 31. 12.] 1899), *Im Reiche des Indra* (17. [nicht:
18.] 12. 1899), *Fräulein Loreley, Lysistrata, Nakiris Hochzeit* und *Prinzess Rosine* (alle Bln), *Grigri* (am selben
Abend 1911 in Darmstadt und Köln), *Casanova* (Chemnitz 1913 [nicht: 1914]) und *Ein Liebestraum* (Hbg).
Lit.: P. L., Kompositions-Verz., Bln 1956. – FR. BORN,
Berliner Luft, Bln 1966; W. HUSCHKE, P. L.s Vorfahren,
in: Genealogie XV, 1966.

Lincoln (l'iŋkən), Harry B., * 6. 3. 1922 zu Fergus
Falls (Minn.); amerikanischer Musikforscher, absolvierte das Macalester College in St.Paul/Minn. (B. A.)
und die Northwestern University in Evanston/Ill. (M.
Mus.), an der er 1951 mit einer Dissertation über *A.
Zoilo. The Life and Works of a Sixteenth-Cent. Italian
Composer* zum Ph. D. promovierte. Seit 1951 lehrt er
an der State University of New York in Binghamton
(1963 Professor). – Veröffentlichungen (Auswahl): *I
manoscritti chigiani di musica organo-cembalistica della Bi-*

blioteca Apostolica Vaticana (in: L'organo V, 1964–67); *Musicology and the Computer. The Thematic Index* (in: Computers in Humanistic Research, hrsg. von E. A. Bowles, Englewood Cliffs/N. J., 1967); *Some Criteria and Techniques for Developing Computerized Thematic Indices* (in: Elektronische Datenverarbeitung in der Musikwissenschaft, hrsg. von H. Heckmann, Regensburg 1967); *Development of Computerized Techniques in Music Research with Emphasis on the Thematic Index* (Washington/D. C. 1968); *The Thematic Index. A Computer Application to Musicology* (in: Computers and the Humanities III, 1968). Er edierte die Sammelschrift *The Computer and Music* (Ithaca/N. Y. und London 1970). – Ausgaben: *Seventeenth-Cent. Keyboard Music in the Chigi Manuscripts of the Vatican* (3 Bde, = Corpus of Early Keyboard Music XXXII, Rom 1968); *The Madrigal Collection »L'Amorosa Ero« (Brescia 1588)* (Albany/N. Y. 1968).

Lind, Gitta, * 17. 4. 1925 zu Trier; deutsche Operetten- und Schlagersängerin (Sopran), studierte an der Folkwangschule in Essen. Sie ist durch ihr Auftreten im in- und ausländischen Rundfunk (Luxemburg, Oslo), in Film und Fernsehen und durch Schallplattenaufnahmen bekannt geworden.

+Lind, Jenny (eigentlich Johanna), 1820–87. 1883–86 unterrichtete sie Gesang am Royal College of Music in London. Lit.: The Lost Letters of J. L., aus d. Deutschen übers. u. hrsg. v. W. P. WARE u. TH. C. LOCKARD JR., London 1966. – L. G. D. SANDERS, J. L., Sullivan and the Mendelssohn Scholarship, MT XCVII, 1956; G. BRANDT, J. L.s religiosität, in: Stockholms stifts julbok 1958; Ö. TIGERSTEDT, En brukspatron är förälskad. Per A. Tamm och J. L. (»Ein Fabrikbesitzer ist verliebt. Über A. Tamm u. J. L.«), in: Fagersta forum XIII, 1958; B. KIELTY, J. L. Sang Here, = North Star Books XIV, Boston 1959; W. REICH, Mendelssohn sucht einen Operntext, in: Musica XIII, 1959; C. MUNTHE, J. L. och sångens Beateberg, Stockholm 1960; FR. CAVANAH, J. L. and Her Listening, NY 1961, Nachdr. 1964 (f. Jugendliche); DERS., J. L.'s America, Philadelphia 1969; GL. D. SCHULTZ, J. L., the Swedish Nightingale, ebd. 1962; W. DUFNER, J. L., in: Schwedische Porträts, Stockholm 1963; A. M. DUNLOP, The Swedish Nightingale, NY 1965; E. P. MYERS, J. L., Songbird from Sweden, Champaign (Ill.) 1968.

+Lindblad, Adolf Fredrik, 1801–78. Lit.: P. FRÖBERG, Ur ett hjärtas hist. (»Aus einer Herzensgesch.«). M. Silfverstolpe och A. Fr. L., Svensk litteraturtidsskrift XXXIII, 1970.

Linde, Bo, * 1. 1. 1933 und † 2. 10. 1970 zu Gävle; schwedischer Komponist, studierte 1948–52 an der Kungl. Musikhögskolan in Stockholm Klavier bei Wibergh und Komposition bei Larsson. Er war 1957–61 Lehrer für Musiktheorie an Stockholms Borgarskola und ließ sich dann als Musiklehrer und -kritiker in Gävle nieder. L. komponierte Orchesterwerke (2 Symphonien; *Ballet blanc* op. 3, 1953; *En munter uvertyr*, »Eine heitere Ouvertüre«, op. 13; *Konsertant musik* op. 27, 1962; *Pensieri sopra un cantico vecchio*, 1968), Kammermusik (*Quatuor en miniature pour clar.* op. 31, 1965; Streichtrio op. 37, 1968; Klaviertrio Nr 2 op. 38, 1969) und Vokalwerke (*Fyrkamp 1967*, »Vierkampf . . .«, für Gesang und Kl.; *Sånger om hösten*, »Herbstgesänge«, für Mezzo-S. und Kl. op. 36, 1969; *Sånger om våren*, »Frühlingsgesänge«, für S. und Kl. op. 40, 1969; *Vaggsång*, »Wiegenlied«, für 3st. Frauenchor und Kl., 1969). Lit.: Nachrufe in: Musikrevy XXV, 1970, S. 315ff. (mit Werkverz.).

Linde, Hans-Martin, * 24. 5. 1930 zu Werne (Westfalen); Schweizer Flötist und Komponist deutscher Herkunft, studierte 1947–51 an der Staatlichen Hochschule für Musik in Freiburg i. Br. Flöte bei Scheck so-

wie Chorleitung und Komposition bei K. Lechner. 1957 erhielt er einen Ruf an die Musik-Akademie der Stadt Basel als Dozent für Blockflöte, Traversflöte und Ensemblespiel in der Abteilung Schola Cantorum Basiliensis; daneben ist er Leiter des Vokalensembles der Schola Cantorum Basiliensis und Soloflötist der Cappella Coloniensis des WDR Köln. Zahlreiche Konzertreisen führten ihn als Solisten der Quer- und Blockflöte in zahlreiche europäische Länder, nach Asien (1963 und 1965) und in die USA (1967 und 1968). Er hat zahlreiche Schallplattenaufnahmen mit Blockflöte, barocker und moderner Querflöte eingespielt. – Kompositionen: Sonate in D für Block-Fl. und Kl. (1961); Trio für Block-Fl., Quer-Fl. und Cemb. (1963); Fantasien und Scherzi für Block-Fl. solo (1963); Capriccio für 3 Bläser, 3 Streicher und Handtrommel (1964); *Sonatine française* für Block-Fl. und Cemb. (1964); Divertimento für Block-Fl. und Schlagzeug (1965); *Serenata a tre* für Block-Fl., Git. und Vc. (1966); *Four Caprices* für Block-Fl. solo (1967); *4 Miniaturen* für mehrere Block-Fl., Stabspiele und Trommel (1968); *Noëls* für Block-Fl.-Trio (1969); *Musica notturna* für Baß-Block-Fl. und Kl. (1970); *Music for a Bird* für Block-Fl. solo (1971); *Consort Music* für 4 Instrumentalisten (1972); ferner zahlreiche Übungsstücke für Block- und Querflöte, Schulwerke (*Die Kunst des Blockflötenspiels*, Mainz 1958, engl. NY 1967; *Sopranflötenschule*, Mainz 1960) sowie Neuausgaben älterer Blockflötenmusik u. a. von G. Bassani, A. Corelli, G. Frescobaldi, G. Ph. Telemann und A. Vivaldi. – L. veröffentlichte außerdem: *Kleine Anleitung zum Verzieren alter Musik* (Mainz 1958, span. Buenos Aires 1967); *Handbuch des Blockflötenspiels* (Mainz 1962, engl. NY 1967); *Artikulation und Verzierung in alter Bläsermusik* (in: W. Ehmann, Der Bläserchor, Kassel 1969); ferner Zeitschriftenaufsätze zu Fragen der Aufführungspraxis älterer Musik.

+Lindeman, –1) Ole Andreas, 1769 zu Surnadal (Møre og Romsdal) – 1857 [nicht: 1859]. –3) Ludvig Mathias, 1812–87. –4) Just [erg.:] Riddervold, 1822 – [erg.: 21. 1.] 1894. –6) Kristian [erg.:] Theodor Madsen, 1870 – [erg.: 15. 11.] 1934. –7) Signe Augusta, * 2. 7. 1895 zu Oslo. Sie wirkte 30 Jahre lang als Organistin in Oslo. –8) Trygve Henrik, * 30. 11. 1896 [erg.:] zu Oslo. Nach seiner Emeritierung 1969 wurde das Osloer Konservatorium in eine Stiftung umgewandelt. Er schrieb u. a. *Tonetreffing og musikkdiktat* (Oslo 1951, ²1961). Ausg.: zu –3): Aeldre og nyere norske fjeldmelodier (1853–1907), Faks. hrsg. v. Ø. GAUKSTAD u. O. M. SANDVIK, = Norsk musikksamling, Universitetsbibl. i Oslo, Publ. III, Oslo 1963. Lit.: zu –3): Ø. GAUKSTAD, L. M. L.s komposisjoner. Bibliogr., in: Norsk musikkgranskning, Årbok 1959–61; O. M. SANDVIK, ebd., S. 166ff.

Lindeman, Osmo Uolevi, * 16. 5. 1929 zu Helsinki; finnischer Komponist, studierte an der Sibelius-Akatemia in Helsinki (Diplom in Komposition) und anschließend (1959–60) an der Staatlichen Hochschule für Musik in München bei Orff. Er ist heute Lehrer für Musiktheorie, Harmonielehre und Kontrapunkt an der Sibelius-Akatemia in Helsinki. Seine Kompositionen umfassen u. a. 2 Symphonien (1959 und 1964), *Variabile* für Orch. (1967), 2 Klavierkonzerte (1964 und 1965), Musik für Kammerorch. (1966), ein Konzert für Kammerorch. (1966), eine Partita für Schlagzeug (1963), *Two Expressions* für Vibraphon und Marimba (1967), *Counterpoint* für Blechbläser (1963) sowie Elektronische Musik (*Kinetic Forms*, 1969; *Mechanical Music* für Stereotonband, 1969; *Tropicana*, 1970; *Midas*, 1970; *Ritual*, 1972).

+Linden, Cornelis van der, 1839 – 29. [nicht: 28.] 5. 1918 zu Amsterdam [nicht: Dordrecht].

+Linden, Nico van der, * 4. 6. 1893 zu Amsterdam.
Er komponierte ferner eine weitere Operette, eine Messe für 3 Soli, gem. Chor, Knabenchor und Orch. (1964) und eine *Roosevelt Elegy.*

Linder, Klaus, * 29. 5. 1926 zu Basel; Schweizer Pianist und Musikpädagoge, studierte bei P. Baumgartner und Güldenstein am Konservatorium seiner Heimatstadt (Lehrerdiplom 1948, Solistendiplom 1952) und ist seit 1950 als Konzertpianist und Kammermusiker tätig. Er übernahm 1956 die Ausbildungs- und Konzertklasse für Klavier an der Abteilung Konservatorium der Musik-Akademie der Stadt Basel (ab 1964 Leiter dieser Abteilung) und wurde 1969 Direktor der Musik-Akademie der Stadt Basel.

Lindholm, Harmoniumfabrik in Borna bei Leipzig, gegründet 1894 von dem aus Trönö (Schweden) stammenden Olof L., der zunächst (ab 1892) bei Mannborg als Harmoniumbauer gearbeitet hatte. Es wurden kleinere Harmonien sowie große Pedalharmonien (für Kirchen und Konzertsäle) und das sogenannte Kunstharmonium hergestellt. Ab 1911 leitete die Fabrik Gustav Weischet und später dessen Sohn Hermann Weischet. Das Fabrikationsprogramm wurde um den Bau von Zungenorgeln (2 Manuale, Pedal, Trittspielhilfen) erweitert. 1930 wurde die Firma Magnus Hofberg und 1961 die Firma Th. Mannborg übernommen. Die Firma ist seit 1960 Kommanditgesellschaft mit staatlichem Partner. Hergestellt werden gegenwärtig Kofferharmonien (1 oder 2 Spiele, 3 Register), Kleinharmonien (2 Spiele, 6 Kippregister), Standardharmonien (2, 3¹/₂ und 4 Spiele), Orgelharmonien (6–8 Spiele und Jalousierückwand) und Harmonien mit verschiebbarer Klaviatur und Elektrogebläse. Seit 1964 besteht auch ein Bauprogramm für historische Tasteninstrumente (Clavichorde, Spinette, Cembali).

Lindholm, Berit Maria, * 18. 10. 1934 zu Stockholm; schwedische Opernsängerin (hochdramatischer Sopran), studierte in Stockholm bis 1963 an der Opernschule und debütierte im selben Jahr als Gräfin (*Le nozze di Figaro*) an der königlichen Oper. Seitdem ist sie an mehreren bedeutenden Opernbühnen aufgetreten, u. a. an der Covent Garden Opera in London, der Hamburgischen Staatsoper und der Bayerischen Staatsoper in München. 1968 debütierte sie als Brünnhilde bei den Bayreuther Festspielen. Zu ihren Hauptpartien zählen neben den einschlägigen Wagner-Partien Leonore (*Fidelio*), Cassandre (*Les Troyens*), Aida und Chrysothemis (*Elektra*).

+Lindlar, Heinrich, * 6. 8. 1912 zu Bergisch Gladbach (Rheinland).
L. wurde 1965 als Dozent für Musikgeschichte an die Musikhochschule in Freiburg i. Br. berufen (1966 Professor), an der er dann das Musiklehrerseminar leitete; seit 1969 ist er, bei gleichzeitiger Weiterführung seines Lehrauftrags für Musikgeschichte und Hörpsychologie an der Kölner Musikhochschule, Direktor der Rheinischen Musikschule (Konservatorium der Stadt) Köln. Zusammen mit H. Laurenzen leitet er seit 1965 auch die Internationale Sommerakademie des Tanzes Köln. Er programmiert ferner die Kölner Kurse für alte Musik sowie (in Verbindung mit dem WDR Köln) die städtischen Jugendkonzerte. – Neuere Schriften: *100 Jahre Rob. Forberg, Musikverlag* (Bad Godesberg 1962); *C. F. Peters Musikverlag. Zeittafeln zur Verlagsgeschichte* (Ffm. 1967); *Ravels Tanzpoetik* (in: Musica XIV, 1960); *Der*

Komponist *A. v. Zemlinsky* (NZfM CXXIII, 1962); *Zu Schumanns Eichendorff-Zyklus* (ebd.); *Viermal Bartóks Musik für Saiteninstrumente. Notizen zu einem Interpretationsvergleich* (in: Vergleichende Interpretationskunde, = Veröff. des Instituts für Neue Musik und Musikerziehung Darmstadt IV, Bln 1963); *Zur Geschichte der Musikbibliothek Peters* (in: Quellenstudien zur Musik, Fs. W. Schmieder, Ffm. 1972); zahlreiche Beiträge zu Strawinsky. Die von ihm herausgegebene Schriftenreihe +*Musik der Zeit* umfaßt 15 H. (Bonn 1952–60), die Reihe +*Kontrapunkte* 8 Bde (Rodenkirchen/Rhein 1958–65; von ihm selbst Bd VIII: gesammelte Opernkritiken 1958–64 als 77 *Opernpremieren*, 1965). Er edierte ferner in 3. und 4. Auflage *Meyers Handbuch über die Musik* (Mannheim 1966 bzw. 1971).

+Lindner, Edwin, 1884–1935.
Lit.: D. HÄRTWIG, Die Dresdner Philharmonie, Lpz. 1970.

+Lindner, Friedrich (Lindener, Lindtner, Linttner, Tilianus), um 1540 – 1597.
L. war ab 1565 Markgräflich Ansbachischer [nicht: Bayreuthischer] Tenorist. – Er ingrossierte 1573–94 für die Nürnberger Egidienkirche 17 (erhalten gebliebene) Chorbücher (mit insgesamt 427 Kompositionen), darin von ihm selbst zur Eröffnung der Universität Altdorf 1575 geschriebene 5st. Motette *Veni sancte spiritus*), die für die süddeutsche Lassus-Überlieferung und -Pflege bedeutsam sind.
Lit.: G. SCHMIDT, Die Musik am Hofe d. Markgrafen v. Brandenburg-Ansbach, Kassel 1956; H. KÄTZEL, Musikerziehung u. Musikpflege im Reformationsjahrhundert, = Veröff. d. Ev. Ges. f. Liturgieforschung IX, Göttingen 1957; W. H. RUBSAMEN, The International ‚Catholic‘ Repertoire of a Lutheran Church in Nürnberg (1574–97), Ann. mus. V, 1957; W. BOETTICHER, O. di Lasso u. seine Zeit, Kassel 1958; FR. KRAUTWURST in: MGG VIII, 1960, Sp. 894ff.; DERS., Musik d. 2. Hälfte d. 16. u. d. 17. Jh., in: Nürnberg, Gesch. einer europäischen Stadt, hrsg. v. G. Pfeiffer, München 1971.

+Lindner, Ernst Otto Timotheus, 1820–67.
+*Geschichte des deutschen Liedes im 18. Jh.* (L. Erk, 1871), Nachdr. Wiesbaden 1968.

+Lindström, Albert, 1853 – [erg.: 12. 1.] 1935 [erg.:] zu Stockholm.

Carl Lindström Gesellschaft mbH, gegründet 1897 von Carl Lindström in Berlin als eine Gesellschaft für Sprech- und Musikapparate, 1904 aufgekauft von dem Bankier Max Straus und 1908 in eine Aktiengesellschaft umgewandelt; Lindström blieb Werkmeister für die Herstellung von Grammophonen. 1910 wurden die Beka-Plattenfirma, Parlophon, Odeon und die International Talking Machine Co., 1911 die Società Italiana Fonotipia und 1912 die Grünbaum & Thoma AG mit der Lyrophon-Werke GmbH, Dacapo-Record Co. mbH, J. Pollak Apparatebau AG und Homophon GmbH mit der Nigrolit-Werke GmbH hinzugewonnen. Anfangs auf ein Repertoire von Operetten, Schlagern und Chansons (Fritzi Massary, R. Nelson) beschränkt, konnten später zahlreiche Patente und Warenzeichen erworben und Exklusivverträge mit Künstlern abgeschlossen, Niederlassungen in der ganzen Welt gegründet und Aufnahmen in vielen Sprachen herausgegeben werden. 1914 baute Straus' Sozius Otto Heinemann Okeh-Record in den USA als neue Produktion auf; 1918 kam die Serie Race-Records (in Deutschland ab 1922 unter der Spezialmarke »Lindström«-American Record sowie unter Odeon und Parlophon vertrieben) hinzu, die ausschließlich Jazzaufnahmen (King Oliver, Louis Armstrong, Bessie Smith, Duke Ellington) herausbrachte. 1925/26 kaufte die englische →Columbia (–2) die Aktienmehrheit der

C. L. Ges. mit den Marken Odeon und Parlophon, 1927 kauften die beiden Firmen wiederum die Aktienmehrheit von Pathé Frères. 1929 ließ die Gramophone Company bei der Firma Aufnahmen in Berlin herstellen. Ab 1931 wurde die C. L. Ges. von der Dachgesellschaft EMI kontrolliert. In Deutschland führte die C. L. Ges. die Marken Columbia (blaues Etikett mit aufsteigender Sechzehntelfigur), Electrola und His Master's Voice (rotes Etikett mit Hund vor dem Schalltrichter eines Grammophons), Imperial, MGM, Pathé, Parlophon (mit dem Lindström £) sowie Odeon (schwarzes Etikett mit Odeon-Tempel, als Marke 1904 in die Warenzeichenrolle eingetragen). Während des zweiten Weltkriegs wurden die Berliner Anlagen zum großen Teil zerstört. 1948 verlegte die C. L. Ges. ihren Sitz nach Nürnberg, 1952, wieder in eine GmbH umgewandelt, nach Köln, wo eine nach modernen Gesichtspunkten eingerichtete Fabrik eine neue Produktion (ab 1954 wieder auch für den Export) und die Marken Hör zu, Imperial, Kristall und Odeon vertreibt.
Lit.: 50 Jahre C. L. GmbH 1904–1954, hrsg. v. d. C. L. GmbH, Electrola GmbH, Köln 1954. **DD**

Linek (l'inɛk), Jiří Ignác (auch Linka), * 21. 1. 1725 und † 30. 12. 1791 zu Bakow/Bakov nad Jizerou (Böhmen); tschechischer Komponist, war von 1747 an bis zu seinem Tode Kantor in Bakow. Er ist der bedeutendste jener volkstümlichen tschechischen Kantorenkomponisten des 18. Jh., in deren Werken Elemente tschechischer Volksmusik enthalten sind. Weit verbreitet waren L.s Pastorellen und Weihnachtsmessen. Von seinen Kompositionen sind u. a. 4 Osteroratorien, mehrere Messen, Kirchenarien, Cembalokonzerte und Sinfonien erhalten. Im Prager Nationalmuseum sind 230 seiner Werke aufbewahrt.
Ausg.: Pastorella iucunda, in: České vánoční pastorely/ Pastorelle boemiche, hrsg. v. J. RACEK u. J. BERKOVEC, = MAB XXIII, Prag 1955; Praeambulum Ut maggiore, in: Čeští klasikové varhanní tvorby, hrsg. v. J. Reinberger, ebd. XII, 1955; Sinfonia pastoralis in D, Lpz. 1957(?); »Zpěv tří králů« (»Dreikönigsgesang«), in: Dějiny české hudby v příkladech (»Gesch. d. tschechischen Musik in Beispielen«), hrsg. v. J. POHANKA, Prag 1958, Nr 128; Concerto F-dur f. Cemb., 2 Hörner, 2 V. u. Vc., hrsg. v. FR. GOEBELS, Wilhelmshaven 1966.
Lit.: J. NĚMEČEK, Lidové zpěvohry a písně z doby roboty (»Volkssingspiele u. Lieder aus d. Zeit d. Leibeigenschaft«), Prag 1954; E. TOMANDLOVÁ, Skladby J. I. Linky pocházející z Bakova, uložené v HANM ... (»Die aus Bakow stammenden Kompositionen v. J. I. L., aufbewahrt im HANM ...«), Miscellanea musicologica V, 1958; DIES., Sepolkra J. I. Linka (»Die Sepolcri v. J. I. L.«), Diplomarbeit Prag 1958, Abriß in: Miscellanea musicologica XIV, 1960, S. 105ff.

Linjowa, Jewgenija → +Linowa, Je.

Linka, Jiří Ignác → Linek, J. I.

Linke, Norbert, * 5. 3. 1933 zu Steinau an der Oder (Niederschlesien); deutscher Komponist, studierte ab 1952 in Hamburg an der Staatlichen Hochschule für Musik Schulmusik und Komposition (Klussmann) sowie an der Universität Musikwissenschaft; 1959 promovierte er mit einer Dissertation über *Die Orchesterfuge in Spätromantik und Moderne.* Bei den Ferienkursen für Neue Musik in Darmstadt nahm er 1962–64 an Kompositionskursen bei Stockhausen, Ligeti, Boulez und Pousseur teil. L. wirkt in Hamburg als Komponist, Musikschriftsteller (seit 1965 Kritiker der »Welt«) und Schulmusiker (1969 Oberstudienrat). Seit 1971 hat er einen Lehrauftrag für Musikdidaktik an der Universität Hamburg; seit 1972 ist er daneben Dozent für Musikdidaktik und Geschichte der Musikpädagogik an der Staatlichen Fachhochschule für Musik in Lübeck.

1971 wurde L. zum ordentlichen Mitglied der Freien Akademie der Künste der Hansestadt Hamburg ernannt. – Orchesterwerke: *Sinfonie in einem Satz* (1964); *Divisioni* (1968); *Lyrical Symphony* für S. und Orch. (1969); *Strati* (1970); *Profit tout claire* (1971); Klavierkonzert (1972). – Instrumentale Kammermusik: *Fünf Stücke* für Klar. und Kl. (1961); *Konkretionen II* für Streichquartett (1963); *Fantasia und Zortzico* für Klar. solo (1965); *Coloratura per tre fl.* (1964); Bläserquintett (1970); *Konkretionen IV* für 3 Blechbläser (1970); *Profit tout claire* für Nonett (1968); *Fresko* für Vc. und Hf. (1971); *Violencia* für V. solo (1971). – Klavierwerke: *Polyrhythmika* Nr 1 (1961), Nr 2 (1963) und Nr 3 (1969); *Piccotelli* (1971). – Orgelwerke: *Rital* (1969); *Organ Pops (1–16)* (1970–72); Choralsuite (1972). – Chorwerke: Markuspassion für Sprecher, Soli und Chor (1961); Kantate *Das Verlorene* nach Texten von Jacob Böhme für Chor und 4 Instr. (1964); *Canticum I* (»... und nahm Gestalt an«) nach Else Lasker-Schüler (1967), *II* (»Was sterblich war ...«) nach N. Lenau (1969) und *III* (»... bedecke mit deinem fittig ...«) nach Klopstock (1972). – Vokale Kammermusik: *Kammermusik 61* für S., Klar. und Kl. (1961); *Benn-Epitaph* für A. und 5 Instr. (1967). – Audio-visuelle Arbeiten (musiktheatralisch-szenische Werke): *Varim I* für 1 Kl. und 2 Spieler (1963, Fernsehfassung Hessischer Rundfunk 1964); *Varim II* für S., obligates Kl. und Kammerensemble (1969, Fernsehfassung 1970); *O Musen* für Singst. und Kl. (1971); *Kontakt für Geeske,* Szene für eine Frauen-St. (1972). – *Zeitplan* für Live-Electronic-Group (5 Spieler) und 2kanaliges Tonband (1972). – Aufsätze: *Das Mißverständnis um die Form der Fuge* (in: Musica XIV, 1960); mehrere Kapitel (darunter *Der Kontakt zwischen Hörer und Massenmedien*) in: »Schlager in Deutschland« (hrsg. von S. Helms, Wiesbaden 1972).
Lit.: W. M. STROH in: Melos XXIX, 1972 (zu »Polyrhythmika« Nr 3).

+Linko, Ernst Fredrik, * 14. 7. 1889 zu Tampere, [erg.:] † 28. 1. 1960 zu Helsinki.

+Linley, –1) Thomas, 1733–95. –2) Thomas (junior), 7. [nicht: 5.] 5. 1756 – 5. [nicht: 7.] (begraben 11.) 8. 1778.
Ausg.: zu –2): Shakespeare Ode, hrsg. v. GW. BEECHEY, = Mus. Brit. XXX, London 1970.
Lit.: +CL. BLACK, The L.s of Bath (1911, ²1926), Neuaufl. London 1971. – M. BOR u. L. CLELLAND, Still the Lark. A Biogr. of Elizabeth L., ebd. 1962. – zu –2): Gw. BEECHEY, Th. L., Junior, Diss. Cambridge 1964/65; DERS. in: MQ LIV, 1968, S. 74ff.; C. PRICE, Sheridan–L. Documents, Theatre Notebook XXI, 1966/67.

[+Linowa, recte:] Linjowa, Jewgenija Eduardowna, 28. [nicht: 29.] 12. 1853 (9. 1. 1854) – [erg.: 24. 1.] 1919.
Lit.: S. AKSJUK in: SM XVIII, 1954, H. 12, S. 45ff.; Y. ARBATSKY, Etjudi po istorii russkoj musyki (»Studien zur Gesch. d. russ. Musik«), NY 1956; T. MÜLLER (Mjuller), O ziklitschnosti formy w russkich narodnych pesnjach, sapissannych Je. E. Linjowoj (»Über d. Zyklenform in d. v. Je. E. L. aufgezeichneten russ. Volksliedern«), in: Trudy kafedry teorii musyki I, hrsg. v. S. S. Skrebkow, Moskau 1960.

+Linz von Kriegner, Marta, * 22. 12. 1898 zu Budapest; ungarische [nicht: deutsche] Violinistin, [erg.: Dirigentin] und Komponistin.
Sie wurde 1924 als erste Frau in die Dirigentenklasse der Berliner Hochschule für Musik aufgenommen und absolvierte später die Meisterklassen von F. v. Weingartner in Basel sowie von Cl. Krauss in Salzburg. Neben ihrer Konzerttätigkeit als Violinistin trat sie in den 30er Jahren erfolgreich auch als Konzert- (u. a. Gürze-

nich-Orchester der Stadt Köln, Berliner Philharmoniker) und Operndirigentin auf (u. a. Koninklijk Vlaamse Opera in Antwerpen). M. L. v. Kr. lebt heute im Ruhestand in Berlin.

+Lioncourt, Guy de, * 1. 12. 1885 zu Caen (Calvados), [erg.:] † 24. 12. 1961 zu Paris.

+Lipatti, Dinu, 1917 – 1950 zu Chêne-Bourg (Kanton Genf) [nicht: zu Genf].
Lit.: +A. LIPATTI, La vie du pianiste D. L., écrite par sa mère (1954), auch als: D. L., La douleur de ma vie, Genf 1967. – Album commémorativ D. L., Paris 1955; 1970 in memoriam D. L., Genf 1970. – R. GHECIU, Arta pianistică a lui D. L., in: Muzica VI, 1956; C. J. BURCKHARDT, D. L., in: Begegnungen, Zürich 1958, Wiederabdruck in: Diener d. Musik, hrsg. v. M. Müller u. W. Mertz, Tübingen 1965; A. HOFFMAN, Un grand interprète roumain de la musique de Chopin: D. L., Chopin-Kgr.-Ber. Warschau 1960, rumänisch in: Studii și cercetări de istoria artei VII, 1960, S. 109ff.; DR. TĂNĂSESCU, D. L., = Viața în imagini o. Nr, Bukarest 1962; DERS., D. L. critic muzical și pedagog, in: Muzica XIV, 1964; DERS., L., Bukarest 1965 (Text auch frz., engl., deutsch u. russ.); DERS. u. GR. BĂRGĂUANU, Aspecte ined. ale artei lui D. L., Muzica XVII, 1967 (u. a. zu »Aubade«); DIES., Aspecte ined. din activitatea de interpret a lui D. L., in: L. van Beethoven, = Cercetări de muzicologie IV, Bukarest 1971; GR. BĂRGĂUANU, D. L. interpret, in: Muzica XIV, 1964; DERS., D. L. compozitor, ebd.; DERS. u. DR. TĂNĂSESCU, D. L., ebd. XXI, 1971 (mit Diskographie u. Bibliogr.); TH. BĂLAN, Cu Fl. Musicescu despre D. L., ebd. XVII, 1967; R. O. POP, O compoziție ined. a lui D. L., in: Lucrări de muzicologie III, 1967 (zum Nocturne f. Kl., 1937); M. ȘOAREC, D. L. în lumina unor scrisori ined., ebd. IV, 1968; R. LEJTES in: SM XXXIII, 1969, H. 8, S. 122ff.; R. ALEXANDRESCU, D. L., Impressions et souvenirs, in: Muzica XXII, 1972. – zahlreiche weitere Beitr. in d. Zs. »Muzica«.

Lipavský, Josef (Giuseppe), * 22. 2. 1772 zu Hohenmaut/Vysoké Mýto (Böhmen), † 7. 1. 1810 zu Wien; böhmischer Pianist und Komponist, begann als Siebenjähriger mit dem Musikunterricht und wurde bald als Wunderkind bekannt. In Königgrätz nahm er Orgel- und Klavierunterricht bei I. Haas. Ein Philosophie- und Jurastudium an den Universitäten Prag und Wien gab er zugunsten des Kompositionsunterrichts auf, den er bei dem Benediktinermönch Pasterwitz, vorübergehend auch bei Mozart und Vaňhal, absolvierte. Vor allem als Klaviervirtuose berühmt, stand er für 2 Jahre in Diensten des Grafen Adam Teleki. Er schrieb u. a. die Opern *Die Nymphen der Silberquelle* (Wien 1794) und *Bernardone* (Prag 1799), ein Menuett für Orch., Kammermusik (*Sinfonia* für 2 V., Va und Kb.; 2 Sonaten für V. und Kl. ohne Opuszahl bzw. op. 9; 2 Sonaten für V., Vc. und Kl. op. 11 und op. 18), Klavierwerke (6 Variationen über *Gott erhalte Franz, den Kaiser* op. 4, 1797; 8 Variationen über einen Tanz aus dem Ballett *Das Waldmädchen* op. 5; 3 Andante op. 19; 11 Variationen über eine Arie aus der Oper *La tour de Neustadt* von Dalayrac op. 20; *Fugue sur la marche terminant le finale du second acte de l'opéra »Les deux journées« de Cherubini* op. 24; 2 Rondos op. 23 und op. 30; *Grande sonate pathétique* op. 27; *Grande sonate* op. 32; Polonaisen; *6 fugues pour les org. ou le piano-forte* op. 29 sowie Lieder.

+Lipiński, Karol Józef, 30. 10. [del.: oder 4. 11., da nicht authentisch] 1790 – 1861.
L. wurde bereits 1809 [nicht: 1810] zum Konzertmeister ernannt und war 1811–15 [nicht: 1812–14] Kapellmeister in Lemberg. Er komponierte 2 [nicht: 1] Streichtrios op. 8 und op. 12.
Lit.: Bibliogr. polskich czasopism muzycznych (»Bibliogr. d. polnischen Musik-Zss.«), Bd I–IV, Krakau 1957–58 (mit Daten u. Rezensionen v. L.s Konzerte). – J. REISS, J. K. L.: in: Wiedza i życie XVIII, 1951; Cz. R. HALSKI, Paganini and L., ML XL, 1959; E. SZCZAWIŃSKA in: Ruch muzyczny V, 1961, Nr 24, S. 1ff.; I. M. JAMPOLSKIJ, K. L. i jewo russkije swjasi (»K. L. u. seine russ. Beziehungen«), SM XXVI, 1962; WL. JU. GRIGORJEW, K. L. w Rossii (»K. L. in Rußland«), in: Russko-polskije musykalnyje swjasi, hrsg. v. I. Belsa, Moskau 1963; DERS., Nowo odkryte utwory symfoniczne K. L.ego (»Neuentdeckte symphonische Werke v. K. L.«), in: Polsko-rosyjskie miscellanea muzyczne, hrsg. v. Z. Lissa, Krakau 1967; DERS. in: SM XXXII, 1968, H. 3, S. 103ff.; DERS., Młodzieńcza twórczość K. L.ego (»K. L.s Jugendwerke«), in: Z dziejów muzyki polskiej XIV, 1969; J. POWROŹNIAK, Spór K. L.ego z R. Wagnerem (»Der Streit zwischen K. L. u. R. Wagner«), in: R. Wagner a polska kultura muzyczna, hrsg. v. K. Musioł, = Państwowa wyższa szkoła muzyczna w Katowicach, Zeszyt naukowy V, Kattowitz 1964 (mit deutscher Zusammenfassung); DERS., K. L., = Bibl. słuchacza koncertowego, Seria biograficzna X, Krakau 1970.

Lipkin, Malcolm Leyland, * 2. 5. 1932 zu Liverpool; englischer Komponist, studierte 1944–48 am Liverpool College, 1949–53 am Royal College of Music in London sowie 1954–57 privat bei Seiber und promovierte an der University of London zum D. Mus. Seit 1967 ist er Tutor am Department of External Studies der University of Oxford. Er schrieb Orchesterwerke (*Movement for Strings*, 1957, Neufassung 1960; *Sinfonia di Roma*, 1965; *Mosaics* für Kammerorch., 1966, Neufassung 1969; 2 Violinkonzerte, 1952 und 1962; Klavierkonzert, 1957), Kammermusik (Sonate für V. und Kl., 1957; Streichtrio, 1964; Capriccio für Kl. und Streichquartett, 1966), Klavierwerke (4 Sonaten) und Vokalmusik (*Psalm 96* für gem. Chor und Kammerorch./30 Spieler, 1969; Lieder).

Lipkin, Seymour, * 14. 5. 1927 zu Detroit (Mich.); amerikanischer Pianist und Dirigent, studierte 1941–47 Klavier bei R. Serkin und Horszowski am Curtis Institute of Music in Philadelphia (B. Mus.) sowie 1946–49 Dirigieren bei Kussewitzky und Szell. 1948 gewann er den 1. Preis der Rachmaninoff Piano Competition und tritt seitdem als Konzertpianist auf. Er war 1959–60 Assistant Conductor der New York Philharmonic und 1966–68 musikalischer Leiter des New York City Center Joffrey Ballet, bei dem er dann ständiger Gastdirigent wurde. Neben seiner Tätigkeit als Pianist und Dirigent ist L. Chairman des Music Department am Marymont College in Tarry Town (N. Y.) und Lehrer für Klavier am Curtis Institute of Music.

+Lipovšek, Marijan, * 26. 1. 1910 zu Laibach (Ljubljana).
Die Slovenske filharmonije in Ljubljana leitete L. bis 1965. Er ist heute Rektor der Akademie für Musik und Professor an der musikwissenschaftlichen Abteilung der dortigen Universität. 1951–59 war er Hauptredakteur der slowenischen Musikzeitschrift »Slovenska glasbena revija«. – Weitere Werke: Ballettsuite *Žlahtni meščan* (»Der Bürger als Edelmann«, 1959); *Toccata quasi apertura* für Orch. (1966), *Mladinska suita* für kleines Orch. (1967), insgesamt 3 Streichersuiten (1939, 1948 [nicht: 1955], 1965) und 7 Miniaturen für Streicher (1960), 2. Rhapsodie für V. und Orch. (1962), Trompetenkonzert (1968); 2. Streichquartett (1973); Sonate (1954) und 10 Miniaturen (1946) für Kl.; Jugendkantate *Medved Brumček* (»Der Bär Brumček«) für 2 Soli, Knabenchor und Kammerorch. (1966); 14 Lieder *Sončece sij* (»Der Glanz der Sonne«) für Singst. und Kl. (1956, Fassung mit kleinem Orch. 1958–66), 6 Lieder *Verzi* (»Verse«) für Singst. und Kl. (1965, Fassung für T. und Kammerensemble 1967), 7 Lieder für Singst. und Kl. (1966), 16 Sologesänge (1957). Er verfaßte u. a.: *O bachovski trobenti* (»Über die Bach-Trompeten«, in: Muzikološki zbornik I, 1965); *Slovenska klavirska glasba* (»Slowenische Klaviermusik«, ebd. II,

1966); *Komposicioni stav J. Ravnika* (»J. Ravniks kompositorische Stellung«, in: Zvuk 1971, Nr 117/118).
Lit.: B. LOPARNIK O nacionalnom u L.ovim horskim kompozicijama (»Über d. Nationale in L.s Chorkompositionen«), in: Zvuk 1970, Nr 108.

Lipowsky, Felix Joseph, * 25. 1. 1764 zu Wiesensteig (bei Geislingen an der Steige, Württemberg), † 21. 3. 1842 zu München; deutscher Rechts- und Geschichtswissenschaftler, Politiker, Kunst- und Musikforscher und Komponist, betätigte sich während seiner Studien in Amberg als Organist und Chorleiter, promovierte 1787 zum Dr. jur. und wurde 1788 Professor für Geschichte in München. Ab 1791 war er kurbayerischer Staatsbeamter, 1799–1817 unter Minister Maximilian Graf von Montgelas, und widmete sich nach dessen Sturz nur noch seinen historischen Studien. Das von ihm verfaßte *Bairische Musiklexikon* (München 1811) enthält reiches, zum Teil allerdings flüchtig verarbeitetes biographisches Material, besonders zur Musikgeschichte des 18. Jh. Über Musik schreibt er auch in seinem *Bairischen Künstler Lexikon* (München 1810) und in seiner *Geschichte der Jesuiten in Bayern* (ebd. 1816). Er komponierte eine Messe G moll (1789) und einige Ballette (verschollen).
Lit.: A. v. SCHADEN, Gelehrtes München im Jahre 1834, München 1834 (mit Bibliogr.); J. GERSTNER, Züge aus d. Leben d. pens. k. Centralraths u. Stände-Archivars J. F. L. zu München, nach dessen im Original hinterlassener Selbstbiogr., Oberbayerisches Arch. f. vaterländische Gesch. XII, 1851/52; K. TH. V. HEIGEL, Artikel F. J. L., ADB XVIII, 1883.

+Rich. Lipp & Sohn.
Die Firma wird heute als oHG [del.: K. G.] geführt (Alleininhaber Klaus Beisbarth). Die Produktion umfaßt jährlich ca. 250 elektronische Kirchenorgeln und 50 Klaviere und Flügel. Die Gesamtzahl der seit der Gründung 1831 hergestellten Instrumente beträgt etwa 47000.

+Lipp, Wilma, * 26. 4. 1925 zu Wien.
W. L., die zunächst als Koloratursängerin hervorgetreten war, singt inzwischen auch Partien des lyrischen Faches. Sie wirkte bei zahlreichen Festspielen mit, so u. a. in Salzburg, Bayreuth, Glyndebourne und Edinburgh.

Lipparini, Guglielmo, OSA, italienischer Komponist der 1. Hälfte des 17. Jh., aus Bologna stammend, Mönch des Klosters S. Giacomo in Bologna und Schüler von Massaini, war Musiklehrer von Paolo Sfondrato, dem Sohn von Ercole Sfondrato, Herzog von Montemarciano. 1609–29 wirkte er als Maestro di cappella am Dom in Como und ging dann in sein Kloster nach Bologna zurück. In Venedig gedruckt, erschienen von ihm: *Il I° libro* (1600) und *Il II° libro delle Canzonette a 3 v.* (1605); *Il I° libro de Motetti a 7, 8 e 1 a 15 v.* (1609); *Canzoni a 2, 4, 8 v.* (1619); *Messe a 8 e 9 v. con il Te Deum a 8 v. e il suo b.* (1623); *Letanie della Beata Vergine a 1, 2 e 3 v. con il b. per l'org.* (1623); *Sacri concerti a 4, 5, 6, 8 e 10 v. con il b. c. Libro II°* (1627); *Sacri concerti a 5 v. con il suo b. per l'org. Libro I° op. 11* (1629); *Le sacre laudi che si cantano nella Santa Casa di Loreto a 3, 4, 5 e 8 v. op. 12* (1634); *Sacri concerti a 1, 2, 3, 4 v. con le litanie della Beata Vergine Maria ... et alcune sonate a 2 e 3 v. ... con il suo b. c. op. 13* (1635); *Salmi concertati a 8 v. con il suo b. c. op. 14* (1637). Ferner hat L. Motetten und 3 Bücher Madrigale veröffentlicht. Der Druckkatalog von A. Vincenti erwähnt noch aus dem Jahre 1649 ein Buch *Doi* (Bicinia) und *Messe a 5 da morti.*
Lit.: S. L. ASTENGO, Musici agostiniani anteriori al s. XIX, Florenz 1929, S. 27ff.; FR. VATIELLI, Primordi del

sinfonismo, RMI XLVII, 1943; O. MISCHIATI in: MGG VIII, 1960, Sp. 928.

Lippe, Anton, * 28. 4. 1905 zu St. Anna am Aigen (Steiermark); österreichischer Kirchenmusiker, schloß 1934 sein Musikstudium in Rom ab, war 1935–64 Domkapellmeister in Graz und außerdem 1948–64 Dirigent der Hofmusikkapelle in Wien. 1964 wurde er Domkapellmeister und Leiter des Chores der St. Hedwigs-Kathedrale in Berlin, ferner Leiter und Dozent der katholischen Abteilung des Kirchenmusikalischen Seminars sowie Vorsitzender des Kirchenmusikalischen Referats des Bistums Berlin. Er machte sich als Dirigent von Chor-Orchester-Konzerten auf zahlreichen Auslandstourneen und bei Musikfestspielen einen Namen. L. ist Doktor mus. und Professor ehrenhalber.

+Lipphardt, Walther, * 14. 10. 1906 zu Wiescherhöfen (bei Hamm, Westfalen).
Als Schulmusiker in Frankfurt a. M. wirkte er bis 1970. Neuere Schriften und Aufsätze: *J. Leisentrits Gesangbuch von 1567* (= Studien zur katholischen Bistums- und Klostergeschichte V, Lpz. 1963); *Punctum und Pes im Cod. Laon 249* [recte: 239] (KmJb XXXIX, 1955); *Flexa und Torculus im Cod. Laon 239* (ebd. XLI, 1957); *Einige unbekannte Weisen zu den Carmina Burana* (Fs. H. Besseler, Lpz. 1961); *Das Herodesspiel von Le Mans* (in: Organicae voces, Fs. J. Smits van Waesberghe, Amsterdam 1963); *Über die Möglichkeiten einer deutschen Psalmodie* (Liturgisches Jb. XIII, 1963); *Psalmen, Hymnen, Lieder* (in: Sakrale Sprache und kultischer Gesang, hrsg. von Th. Bogler, = Liturgie und Mönchtum XXXVII, Maria Laach 1965); *Das Hymnar der Metzer Kathedrale um 1200* (Fs. Br. Stäblein, Kassel 1967); *Studien zur Musikpflege in den mittelalterlichen Augustiner-Chorherrenstiften des deutschen Sprachgebietes* (Jb. des Stiftes Klosterneuburg XIX, 1970); *Die liturgische Funktion deutscher Kirchenlieder in den Klöstern niedersächsischer Zisterzienserinnen des Mittelalters* (Zs. für katholische Theologie XCIV, 1972); *Kontrafakturen weltlicher Lieder in bisher unbekannten Frankfurter Gesangbüchern von 1569* (in: Quellenstudien zur Musik, Fs. W. Schmieder, Ffm. 1972); zahlreiche weitere hymnologische Beiträge (besonders im »Jb. für Liturgik und Hymnologie«). Er gab heraus *Der karolingische Tonar von Metz* (= Liturgiewissenschaftliche Quellen und Forschungen XLIII, Münster i. W. 1965); ferner edierte er Faks.-Ausg. von *J. Leisentrits Gesangbuch von 1567* (Kassel 1966), von N. Beuttners *Catholisch Gesang-Buch von 1602* (Graz 1968) und von M. Vehes *Ein new Gesangbüchlein geistlicher Lieder* von 1537 (= Beitr. zur mittelrheinischen Musikgeschichte XI, Mainz 1970), sowie in der →+Lechner-GA die Bde IV, VIII und XIII (Kassel 1960ff.).
Lit.: H. HEINE in: Mitt. d. Arbeitsgemeinschaft f. mittelrheinische Mg. 1971, Nr 23, S. 269ff. (mit Bibliogr. d. Arbeiten L.s nach 1959).

+Lippius, Johann, 24. [nicht: 25.] 6. 1585 – 1612.
Lit.: R. DAMMANN, Der Musikbegriff im deutschen Barock, Köln 1967.

Lippman (l'ipmən), Edward Arthur, * 24. 5. 1920 zu New York; amerikanischer Musikforscher, studierte am City College of the City of New York (B. S. 1942), an der New York University (M. A. 1945) und der Columbia University in New York, an der er 1952 mit einer Dissertation über *Music and Space. A Study in the Philosophy of Music* zum Ph. D. promovierte. Seit 1954 ist er an der Columbia University tätig (1963 Associate Professor). Er schrieb *Musical Thought in Ancient Greece* (NY und London 1964) und mehrere Beiträge für MGG (*Schumann, Stil, Symbolik*). Von seinen Aufsätzen seien genannt: *Symbolism in Music* (MQ XXXIX, 1953); *Hellenic Conceptions of Harmony* (JAMS XVI, 1963); *Spatial Perception and Physical Locations as Factors in Music* (AMl XXXV, 1963); *The Sources and Development of the Ethical View of Music in Ancient Greece* (MQ XLIX, 1963); *Theory and Practice in Schumann's Aesthetics* (JAMS XVII, 1964); *The Place of Music in the System of Liberal Arts* (in: Aspects of Medieval and Renaissance Music, Fs. G. Reese, NY 1966); *The Tonal Ideal of Romanticism* (Fs. W. Wiora, Kassel 1967).

Lippmann, Friedrich, * 25. 7. 1932 zu Dessau; deutscher Musikforscher, studierte in Berlin (Humboldt-Universität 1951–53, Freie Universität 1953–56) und Kiel, wo er 1962 mit *Studien zu Libretto, Arienform und Melodik der italienischen Opera seria im Beginn des 19. Jh.* (gedruckt als *V. Bellini und die italienische Opera seria seiner Zeit,* = Analecta musicologica VI, Köln 1969) promovierte. Im Anschluß an eine Tätigkeit als Mitglied des J.-Haydn-Instituts Köln (1962–64) ging L. nach Rom, wo er seitdem als Leiter der musikgeschichtlichen Abteilung des Deutschen Historischen Institutes arbeitet. 1966 wurde L. Herausgeber der *Analecta musicologica* (ab Bd III). – Veröffentlichungen: *Die Melodien Donizettis* (in: Analecta musicologica III, 1966); *Verdi e Bellini* (1. Kgr.-Ber. »Studi verdiani« Venedig 1966); *G. Pacini. Bemerkungen zum Stil seiner Opern* (in: Chigiana XXIV, N. S. IV, 1967); *Pagine sconosciute de »I Capuleti e i Montecchi« e »Beatrice di Tenda« di V. Bellini* (RIdM II, 1967); *Quellenkundliche Anmerkungen zu einigen Opern V. Bellinis* (in: Analecta musicologica IV, 1967); *Die Sinfonien-Manuskripte der Bibliothek Doria-Pamphilj in Rom* (ebd. V, 1968); *Per un'esegesi dello stile rossiniano* (nRMI II, 1968); *Mozart-Aufführungen des frühen Ottocento in Neapel* (in: Analecta musicologica VII, 1969); *Wagner und Italien* (Colloquium »Verdi-Wagner« Rom 1969); *Zum Verhältnis von Libretto und Musik in den italienischen Opere serie der ersten Hälfte des 19. Jh.* (Kgr.-Ber. Bonn 1970); *Su »La straniera« di Bellini* (nRMI V, 1971). Er edierte *J. Haydn, Messe Nr 12 (Harmoniemesse)* (= Neue Haydn-GA XXIII, 5, München 1966).

+Lipsius, Marie, 1837–1927.
Eine englische Auswahlausgabe der *+Briefe Liszts* (1893–1905) erschien als *Letters of Fr. Liszt* (übers. von C. Bache, 2 Bde, London 1894, Nachdr. NY 1968–69).

Lira Espejo (l'ira esp'εxo), Eduardo, * 16. 4. 1912 zu Santiago de Chile; chilenisch-venezolanischer Musikschriftsteller und -organisator, studierte am Conservatorio Nacional de Música in Santiago de Chile (1926–36) und war künstlerischer Leiter von Radio Chilena (1931–36) sowie Vizepräsident des Staatlichen Symphonischen Orchesters (1936–39). Dann ließ er sich in Caracas nieder, wo er 1940 die Asociación Venezolana de Conciertos gründete und am Pädagogischen Institut lehrte. 1960 war er Gründer der Escuela Popular de Música in Caracas, an der er Dozent für Musikgeschichte ist. Seit 1968 ist L. E. Präsident der venezolanischen Gesellschaft für Musik der Gegenwart sowie Direktor des Instituto Interamericano de Música Experimental y Estudios Estéticos (INTER-MUSICA). L. E. schreibt für zahlreiche Zeitungen in Südamerika.

+Lisinski, Vatroslav, 1819–54.
Ausg.: Izabrana djela (»Ausgew. Werke«), hrsg. v. L. Županović, 8 Bde in 7, Zagreb 1969. – Zborovi (»Chöre«), hrsg. v. SL. Zlatic, ebd. 1956.
Lit.: Sonder-H. L., in: Zvuk 1969, Nr 96/97. – P. Markovac, V. L., in: Književnik 1930, Nr 5, auch in: Izabrana članci i eseji, hrsg. v. A. Tomašek, Zagreb 1957, russ. in:

Is proschlowo jugoslawskoj musyki, hrsg. v. I. M. Jampolskij, Moskau 1970; J. Andreis in: Zvuk 1955, Nr 1, S. 5ff.; K. Kovačević, Hrvatski kompozitori i njihova djela (»Kroatische Komponisten u. ihre Werke«), Zagreb 1960; T. Ujčić, V. L., Životna drama skladatelja prve hrvatske narodne opere (»Das Lebensdrama d. Komponisten als erste kroatische nationale Oper«), Pazin 1964; K. Kos, Hrvatska umjetnička popijevka od Lisinskog do Berse (»Das kroatische Kunstlied v. L. bis Bersa«), in: Rad Jugoslavenske Akad. znanosti i umjetnosti 1965, Bd 337 (mit engl. Zusammenfassung); Dies., Nekatere posebnosti vokalne melodike V. L.ega (»Einige Besonderheiten in d. Vokalmelodik V. L.s«), in: Muzikološki zbornik VII, 1971; L. Županović, Rezultati i značilnosti ustvarjalnosti V. Lisinskega (»Resultate u. Bedeutung d. Werkes v. V. L.«), Diss. Ljubljana 1965, Abriß in: Muzikološki zbornik II, 1966, S. 134ff. (slowenisch u. engl.); Ders., V. L. i češki narodni melos (»V. L. u. d. tschechische Volksmelos«), in: Zvuk 1967, Nr 79; Ders., V. L., Život, djelo, značenije (»Leben, Werk, Bedeutung«), Zagreb 1969; J. Bezić u. K. Kos, Prilog problematici folklornog i nacionalnog u opusu V. Lisinskog (»Ein Beitr. zu d. Problemen d. Volksmusikelemente im Werk v. V. L.«), in: Arti musices II, 1971; L. Šaban, Dvije nepoznate skladbe Lisinskoga u rukopisu Morfidisa–Nisisa (»2 unbekannte Kompositionen L.s in d. Hs. v. Morfidis–Nisis«), ebd.

+Lissa, Zofia, * 19. 10. 1908 zu Lemberg.
Z. L., 1947–54 auch Vizepräsidentin des polnischen Komponistenverbandes, wurde 1957 Ordinarius für Musikwissenschaft und Direktor des musikwissenschaftlichen Institutes der Universität Warschau. 1964–68 war sie Vorsitzende der polnischen musikwissenschaftlichen Gesellschaft. Sie ist korrespondierendes Mitglied der Berliner Akademie der Künste (seit 1957), der Sächsischen Akademie der Wissenschaften zu Leipzig (1963) und der Mainzer Akademie der Wissenschaften und der Literatur (1972). – *+Zarys nauki o muzyce* (»Grundriß der Musikwissenschaft [nicht: Musikerziehung]«, 1934), Krakau ⁴1966; *+Niektóre zagadnienia estetyki muzycznej ...* (1952), japanisch Tokio 1956, chinesisch Peking 1962. – Neuere Bücher: *»Bunt żaków«* T. Szeligowskiego (»‚Die Scholaren von Krakau' von T. Szeligowski«, = Mała bibl. operowa XII, Krakau 1955, ²1957); *Problemy stylu narodowego muzyki Chopina* (»Das Problem des nationalen Stils in der Musik Chopins«, Warschau 1955, erweitert in: Rocznik Chopinowski I, 1956, frz. in: Annales Chopin II, 1958); *Estetyka muzyki filmowej* (Krakau 1964, deutsch als *Ästhetik der Filmmusik,* Bln 1965, russ. Moskau 1970); *Szkice z estetyki muzycznej* (Krakau 1965, deutsch als *Aufsätze zur Musikästhetik. Eine Auswahl,* Bln 1969, ungarisch Budapest 1973, serbisch Belgrad 1973); *Wstęp do muzykologii* (»Einführung in die Musikwissenschaft«, Warschau 1970); *Polonica Beethovenowskie* (Krakau 1970); *Studia nad twórczością Fr. Chopina* (»Studien über Fr. Chopins Werke«, = Bibl. Chopinowska XII, ebd.). – Von ihren zahlreichen Zeitschriftenaufsätzen und Beiträgen zu Sammelschriften seien an neueren deutschsprachigen genannt: *Die Musikwissenschaft in Volkspolen (1945–56)* (Mf X, 1957); *Die Chopinsche Harmonik aus der Perspektive der Klangtechnik des 20. Jh.* (DJbMw II, 1957 – III, 1958); *Zur Periodisierung der Musikgeschichte* (BzMw II, 1960); *Chopins Briefe an Delfina Potocka* (Mf XV, 1962); *Szymanowski und die Romantik* (StMl III, 1962); *Zur Genesis des »Prometheischen Akkords« bei A. N. Skrjabin* (in: Musik des Ostens II, Kassel 1963); *Die Relativität ästhetischer Kategorien* (BzMw VI, 1964); *Musikalisches Hören in psychologischer Sicht* (Kgr.-Ber. Salzburg 1964); *Zur russischen Publikation von Beethovens »Heiligenstädter Skizzenbuch« 1802/03* (in: Musik des Ostens III, Kassel 1965); *M. Regers Metamorphosen der »Ber-*

ceuse op. 57 von Fr.Chopin (FAM XIII, 1966, und in: Fs. 1817–1967, Akademie für Musik und darstellende Kunst in Wien, Wien 1967, erweitert in: Mf XXIII, 1970); *Hegel und das Problem der Formintegration in der Musik* (Fs. W.Wiora, Kassel 1967); *Über den Einfluß Chopins auf Liadow* (DJbMw XIII, 1968); *Beethovens Einfluß auf den Klaviersatz Chopins* (in: Beethoven-Symposion Wien 1970, = Sb. Wien CCLXXI, = Veröff. der Kommission für Musikforschung XII, Wien 1971); *Beethovens Polonaisen* (BzMw XII, 1970); *Prolegomena zur Theorie der Tradition in der Musik* (AfMw XXVII, 1970, gekürzt in: Reflexionen über Musikwissenschaft heute, hrsg. von H.H.Eggebrecht, Kassel 1972); *Musikalisches Geschichtsbewußtsein – Segen oder Fluch?* (in: Zwischen Tradition und Fortschritt, hrsg. von R.Stephan, = Veröff. des Instituts für Neue Musik und Musikerziehung Darmstadt XIII, Mainz 1973). – Die Beispiel-Slg *+Muzyka polskiego Odrodzenia* (1953) erschien in leicht revidierter englischer Ausg. als *Music of the Polish Renaissance* (Krakau 1955). Sie gab ferner heraus (mit eigenen Beiträgen): *Kultura muzyczna Polski Ludowej 1944 do 1955* (»Musikkultur in Volkspolen 1944–55«, mit J.Chomiński, Krakau 1957); *Historia muzyki powszechnej* (»Allgemeine Musikgeschichte«, mit dems., 2 Bde, ebd. 1957–65); Kgr.-Ber. Warschau 1959 *O twórczości S. Prokofiewa* (»Über das Schaffen S.Prokofjews«, ebd. 1962); *F.F.Chopin* (= Prace Instytutu muzykologii Uniwersytetu warszawskiego o. Nr, Warschau 1960); *The Book of the First International Musicological Congress Devoted to the Works of Fr.Chopin, Warschau 1960* (ebd. 1963); Tagungsber. Warschau 1962 *K.Szymanowski* (= Prace Instytutu muzykologii Uniwersytetu warszawskiego o. Nr, ebd. 1964); Kgr.-Ber. Bydgoszcz 1966 *Musica antiqua Europae orientalis* (ebd. 1966); *Polsko-rosyjskie miscellanea muzyczne* (Krakau 1967); *Studia H.Feicht septuagenario dedicata* (ebd.). – Z. L. war Mitarbeiterin an zahlreichen Musiklexika und -enzyklopädien.
Lit.: Bibliogr. prac drukowanych Prof. Dr. Z. Lissy (»Bibliogr. d. gedruckten Arbeiten Prof. Dr. Z. L.s«), Biuletyn bibliograficzny Państwowego Instytutu Sztuki IV, 1953; K. MICHAŁOWSKI, Bibliogr. polskiego piśmiennistwa muzycznego (»Bibliogr. polnischer Musikschriftsteller«), Krakau 1955.

[**+Lissenko**, recte:] **Lyssenko,** Mykola Wytalijowytsch (Nikolaj Witaljewitsch), 10.(22.) 3. 1842 – 24. 10. (6. 11.) 1912.
Die Neuinstrumentierung der Oper *+Taras Bulba* hat B.M.Ljatoschinskij [erg.:] zusammen mit L.M.Rewuzkyj vorgenommen. – Schriften: *Charakterystyka musytschnych ossoblywostej ukrajinskych dum i pissen* ... (»Charakteristik der musikalischen Besonderheiten der ukrainischen Volkslieder und Lieder, die von dem Kobsaspieler Weressaj vorgetragen wurden«, in: Kobsar Ostap Weressaj, Kiew 1874, separat neu hrsg. von M.M.Gordejtschuk, ebd. 1955); *Narodni musytschni instrumenty na Ukrajini* (»+Die Volksmusikinstrumente der Ukraine«, ebd. 1909, NA hrsg. von N.Schtschegol, ebd. 1955); *Pro narodnu pisnju i pro narodnist w musyzi* (»Über das Volkslied und über das Volkstümliche in der Musik«, hrsg. von M.M.Gordejtschuk, ebd.).
Ausg.: Polnoje sobranije sotschinenij (GA), hrsg. v. M. I. WERIKOWSKIJ, 20 Bde, Kiew 1950–58.
Lit.: Lysty (»Briefe«), hrsg. v. O. M. LYSSENKO, Kiew 1964; M. W. L. u spohadach sutschasnykiw (»M. W. L. in d. Erinnerungen d. Zeitgenossen«), hrsg. v. DEMS., ebd. 1968. – M. L., borez sa narodnist i realism u mystetstwi (»Kämpfer f. Volkstümlichkeit u. Realismus in d. Kunst«), hrsg. v. M. P. SAGAJKEWITSCH, ebd. 1965. – V. ANDRIJENSKYI, M. L., Lemberg 1942; M. M. GORDEJTSCHUK u. L.

B. ARCHIMOWYTSCH, M. W. L., Kiew 1952, ²1963; A. A. GOSENPUD, N. W. L. i russkaja musykalnaja kultura, Moskau 1954; O. M. LYSSENKO, Pro M. L., Spohadi syna (»Über M. L., Erinnerungen eines Sohnes«), Kiew 1957, ⁴1966, russ. = Schisn sametschatelnych ljudej Bd 308, Moskau 1960; DERS., Twortscheskije swjasi N. A. Rimskowo-Korsakowa i N. W. L. (»Die schöpferischen Verbindungen zwischen N. A. Rimskij-Korsakow u. N. W. L.«), in: N. A. Rimskij-Korsakow i musykalnoje obrasowanije, hrsg. v. S. L. Ginsburg, Leningrad 1959; N. K. ANDRIJEWSKAJA, Dytjatschi opery M. W. L. (»Die Kinderopern v. M. W. L.«), Kiew 1962; I. DURNEW, Narodnaja osnowa »Tarassa Bulby« (»Die volkstümliche Grundlage v. ‚Taras Bulba'«), SM XXVI, 1962; JE. KROTEWITSCH, Is wospominanij (»Aus Erinnerungen«), ebd.; T. P. BULAT, Herojiko-patriotytschna tema w twortschosti M. W. L. (»Das heroisch-patriotische Thema im Schaffen v. M. W. L.«), Kiew 1965; S. I. WASSYLENKO, Folklorystytschna dijalnist M. W. L.a (»Das Wirken M. W. L.s auf d. Gebiet d. Volksliedes«), ebd. 1972.

+Lissmann, Kurt, * 29. 9. 1902 zu Wuppertal(-Elberfeld).
Neuere Werke: Konzertante Musik für Orch. (1955); Kantaten *Wo bist du, Mensch* für Bar., Männerchor und Kammerorch. (1959) und *Dreifach ist der Schritt der Zeit* für S., Männerchor und Instrumente (1968); weitere Männerchorwerke.

+List, Emanuel (eigentlich Fleißig), * 22. 3. 1888 [nicht: 1891] und [erg.:] † 21. 6. 1967 zu Wien.
L., der bis 1950 Mitglied der Metropolitan Opera in New York war, lebte ab 1952 wieder in Wien.

+List, Eugene, * 6. 7. 1918 zu Philadelphia.
L. spielte 1945 während der Potsdamer Konferenz vor Truman, Churchill und Stalin. In den letzten Jahren wurde er wiederholt zu Konzerten ins Weiße Haus in Washington eingeladen (zuletzt 1969). – Neben seiner Konzerttätigkeit, die ihn inzwischen auch nach Osteuropa, Asien, Australien, Afrika und Südamerika geführt hat, ist er seit 1964 Professor für Klavier an der Eastman School of Music der University of Rochester (N. Y.). Er brachte Klavierwerke von H.Barraud, C. Chávez, A.Fuleihan, H.Villa-Lobos u. a. zur Uraufführung.

List, George Harold, * 9. 2. 1911 zu Tucson (Ari.); amerikanischer Musikforscher, studierte in New York an der Juilliard School of Music (Diplom in Flöte 1933) und der Columbia University (B. S. 1941, M. A. 1948) und promovierte 1954 an der Indiana University in Bloomington mit der Dissertation *An Analysis of the Relationship of Non-Stepwise Melodic Movement to Tonality in Selected Works of W.A.Mozart* zum Ph. D. 1946–48 war er Assistent Professor of Music und 1948–53 Associate Professor an der Miami University in Oxford (O.). Seit 1954 gehört er dem Lehrkörper der Indiana University an. Als Leiter der dortigen Archives of Traditional Music (mit dem Center for African Oral Data) ist er Herausgeber von Schallplatten und Filmen und des Fachorgans *The Folklore and Folk Music Archivist*. 1966 begründete er das Inter-American Program in Ethnomusicology am Folklore Institute dieser Universität. L. ist auch als Komponist von Orchester-, Kammer- und Chormusik hervorgetreten. – Veröffentlichungen (Auswahl): *Speech Melody and Song Melody in Central Thailand* (in: Ethnomusicology V, 1961); *Song in Hopi Culture* (JIFMC XIV, 1962); *The Musical Significance of Transcriptions* (in: Ethnomusicology VII, 1963); *Acculturation and Musical Tradition* (JIFMC XVI, 1964); *Impresiones de etnomusicología y folklore en América Latina* (Rev. musical chilena XVIII, 1964); *Transcription of a Hukwe Song with Musical Bow* (in: Ethnomusicology VIII, 1964); *Ethnomusicology in Colombia* (ebd. X,

1966); *Ethnomusicology in Ecuador* (ebd.); *The Playing of the Musical Bow in Palenque* (JIFMC XVIII, 1966); *The Hopi as Composer and Poet* (Kgr.-Ber. Vancouver 1967); *Toward the Indexing of Ballad Texts* (Journal of American Folklore LXXXI, 1968); *A Statement on Archiving* (Journal of the Folklore Institute VI, 1969). Er gab heraus *Music in the Americas* (mit J. Orrega-Salas, = Inter-American Music Monograph Series I, Den Haag 1967).

List, Liesbeth, * 12. 12. 1941 auf Java (Indonesien); niederländische Chanson- und Schlagersängerin, wuchs auf der Nordseeinsel Vlieland auf, trieb Theater- und Gesangsstudien und ließ sich nach ihrer Verheiratung mit dem Schriftsteller Kees Nooteboom in Amsterdam nieder, wo sie häufig im Kabarett »Shaffy Chantant« auftrat. Tourneen führten sie durch verschiedene europäische Länder und nach Südamerika. Sie wurde u. a. mit dem Edison-Preis ausgezeichnet. Neben niederländischen Chansons (Hans Andreus) singt sie vor allem französische Lieder (Gainsbourg, M. Legrand).

+Listenius, Magister Nikolaus, 16. Jh.
Lit.: P. MATZDORF, Die »Practica Musica« H. Fincks, Diss. Ffm. 1957.

Listow, Konstantin Jakowlewitsch, * 19. 9. (2. 10.) 1900 zu Odessa; russisch-sowjetischer Komponist und Dirigent, studierte 1919–23 am Konservatorium in Saratow (Klavier bei I. Rosenberg, Komposition bei Leopold Rudolf) und war gleichzeitig als Theaterdirigent tätig. Seit 1923 lebt er in Moskau, wo er 1934–38 am Revuetheater und 1938–40 am Operettentheater als Dirigent wirkte. Er schrieb die Opern *Olessja* (Saratow 1959) und *Dotsch Kuby* (»Tochter von Kuba«, ebd. 1962), Operetten (*Korolewa oschiblas*, »Die Königin irrte sich«, Moskau 1928; *Metschtateli*, »Die Träumer«, ebd. 1950; *Ajra*, ebd. 1951; *Pojut stalingradzy*, »Es singen die Stalingrader«, Stalingrad 1955, heutiger Titel *Pojut wolgogradzy*, »... die Wolgograder«; *Sewastopolskij wals*, »Der Walzer von Sewastopol«, 1962; *Serdze baltijza. Pjat minut na rasmyschlenije*, »Das Matrosenherz. 5 Minuten zum Nachdenken«, 1964), Orchester- und Instrumentalwerke (Fantasie *Karnawal rewoljuzii*, »Revolutionskarneval«, 1922), das Oratorium *Oktjabr* (»Oktober«, 1921), zahlreiche Lieder sowie Musik für Bühne, Film und Rundfunk.
Lit.: A. TISCHTSCHENKO, K. L., Moskau 1962.

+Liszt, Franz von, 1811–86.
Die Mutter Maria Anna, geborene Lager (Laager, [erg.: 9. 5.] 1788 – 1866); Comtesse Marie Cathérine Sophie d'Agoult (getauft als Marie Catharina Sophia Vicomtesse de Flavigny, 30. [del.: 31.] 12. 1805 – 1876); die Kinder [erg.: Francesca Gaetana] Cosima (24. [nicht: 25.] 12. 1837 zu Como [nicht: Bellassio] – 1930) und Daniel [erg.:] Heinrich (1839 – 10. [nicht: 13.] 12. 1859).
Berichtigungen zum früheren Werkverzeichnis: *Hamlet* (1858, Uraufführung 1876) und *Trois odes funèbres* (*Les morts*, nach Abbé Lamennais, 1860, Männerchor ad libitum 1866; *La notte*, nach Michelangelo, 1864; *Le triomphe funèbre du Tasse*, 1866) für Orch.; *Malédiction* für Kl. und Streicher (um 1830, revidiert um 1840); 2. Ballade für Kl. (1853); Oratorien *Die Legende von der heiligen Elisabeth* für S., A., Bar., B., Chor, Orch. und Org. (1857–62) und *Christus* für S., A., T., Bar., B., Chor, Orch. und Org. (1855–66); *Sonnenhymnus* ... (1862, Umarbeitung 1880).
In der L.-Forschung der letzten anderthalb Jahrzehnte ist einerseits die Bedeutung der spröden, abstrakten Spätwerke, die Tendenzen der Neuen Musik des 20. Jh. vorausnehmen, betont worden. Andererseits

bemüht man sich um ein historisch fundiertes, durch Vorentscheidung unbelastetes Urteil sowohl über die Programmusik als auch über die kirchenmusikalischen Werke. Hinter der improvisatorischen Außenseite mancher Werke wurden spekulative Form- und Strukturprinzipien entdeckt; und so umstritten die Stellung der L.schen Werke im »imaginären Museum« der Musik ist, so fest wäre ihr Platz in einer Problemgeschichte des Komponierens. Eine Sozialgeschichte der Musik, die erst in Ansätzen existiert, müßte L., dessen ästhetische Entscheidungen fast immer gesellschaftliche Motive einschließen, eine paradigmatische Bedeutung einräumen.
Ausg.: +GA (F. BUSONI, P. RAABE u. a., 1907–36), Nachdr. (34 Bde in 33) hrsg. v. H. SEARLE, Farnborough 1966; Various Piano Pieces, = +L. Soc. Publ. V, London 1968 (= Sammelnachdr. aus d. GA). – Nachdr. (v. in d. +GA nicht enthaltenen Werken): Christus (Lpz. 1872), Farnborough 1971; Die Legende v. d. hl. Elisabeth (Lpz. 1869) u. Die hl. Cäcilia (Lpz. 1876), ebd. (1 Bd); Missa solemnis (Wien 1871), ebd.; Psalmen (6 Bde, Lpz. 1864–81), ebd. (1 Bd).
Fr. L., Neue Ausg. sämtlicher Werke, auf 10 Serien geplant, Budapest u. Kassel 1970ff., bisher erschienen: Serie I (Werke f. Kl. zu 2 Händen), Bd 1 (hrsg. v. Z. GÁRDONYI u. I. SZELÉNYI, 1970), Etudes d'exécution transcendante; I,2 (DIES., 1971), 3 Etudes de concert (3 Caprices poétiques), Ab irato, 2 Konzertetüden (Waldesrauschen, Gnomenreigen), Grandes études de Paganini; I,3 (DIES., 1972), Ungarische Rhapsodien Nr 1–9. (Vgl. auch: Z. GÁRDONYI u. O. GOLDHAMMER, Fr. L.s mus. Werke. Richtlinien f. d. Ed., Weimar u. Budapest 1960; O. GOLDHAMMER, Die neue L.-Ausg., BzMw II, 1960). – neuere (kritische) Einzelausg.: Hangnemnélküli bagatell (»Bagatelle ohne Tonart«) f. Kl., hrsg. v. I. SZELÉNYI, Budapest 1956, ²1960, ³1967, ⁴1972; Kantate »Hungaria (1848)« f. S., T., B., Männerchor u. Kl., hrsg. v. DEMS., ebd. 1961; The Final Years, hrsg. v. J. PROSTAKOFF, NY 1969 (späte Kl.-Stücke); Missa coronationalis (,Ungarische Krönungsmesse'), hrsg. v. I. SULYOK, = Kispartitúrák Nr 221, Budapest 1968 (²1972), auch = Ed. Eulenburg Nr 941, London 1968; Missa solemnis, hrsg. v. DEMS., ebd. Nr 238 bzw. Nr 942; Via crucis f. gem. Chor, Soli u. Org. (oder Kl., 1879), hrsg. v. DEMS., ebd. Nr 225 (³1972) bzw. Nr 1082; Requiem f. Männerstimmen, Soli, Chor u. Org. (2 Trp., 2 Pos. u. Pk. ad libitum), hrsg. v. G. DARVAS, ebd. Nr 252, 1969 (²1972) bzw. Nr 947, 1969; Christus, hrsg. v. DEMS., = Eulenburg Octavo Ed. Nr 10044, Zürich 1972, auch Budapest 1972; 3 späte Kl.-Stücke, hrsg. v. R. CH. LEE, = Das 19. Jh. o. Nr, Kassel 1969; Grand duo concertant u. Epithalam f. V. u. Kl., hrsg. v. Z. GÁRDONYI, = ebd. 1971; J. BLOCK, Die Zelle in Nonnenwerth, The Piano Quarterly XXI, 1973.
+Fr. Chopin, Paris 1852, mit Vorw. v. A. Cortot u. Einleitung v. J.-G. PROD'HOMME Paris 1941, 1957 u. 1959, auch = Le club frç. du livre, Visages et portraits III, 1950, als Taschenbuch = Poche-club o. Nr, 1963, deutsch v. H. Kühner, Basel 1948, russ. Moskau 1936, ²1956, polnisch = Bibl. chopinowska III, Krakau 1960, engl. v. E. N. Waters, London u. NY 1963, ital. = Bibl. universale Rizzoli Bd 1957/58, Mailand 1963 [erg. frühere Angaben dazu]. – L. o svých současnících (»L. über seine Zeitgenossen«), hrsg. v. I. VOJTĚCH, Prag 1956 (aus d. »Annalen d. mus. Fortschritts«; L. F. válogatott írásai (»Fr. L., Ausgew. Schriften«), hrsg. v. J. HANKISS, 2 Bde, Budapest 1959; De la Fondation-Goethe à Weimar / Zur Goethe-Stiftung in Weimar, hrsg. v. O. GOLDHAMMER, = Jahresgabe d. Nationalen Forschungs- u. Gedenkstätten d. klass. deutschen Lit. in Weimar 1961, Weimar 1961 (mit Faks. d. ersten 12 S. d. Ms.); »Mein letzter Wille«. Testament v. Fr. L. [Weimar 1860], aus d. Frz. übers. u. hrsg. v. E. K. HORVATH, Eisenstadt 1971. – Interpretazione letteraria dei preludi di Chopin attribuita a L., Faks. d. Ms. hrsg. v. E. CALZA, Bologna 1968.
+Letters of Fr. L. (C. BACHE, 1894), Nachdr. NY 1968 u. 1969, auch Westport (Conn.) 1970; +Briefwechsel zwischen

Wagner u. L. (engl. 1888, ²1897), revidiert v. W. A. ELLIS, NY 1969 u. Westport (Conn.) 1970. – A. SCHOLZ, L., A Hitherto Unpubl. Letter, ML XXXII, 1951; G. MARIE, Une lettre inéd. de L. à Nerval, Rev. d'hist. littéraire de la France LV, 1955; E. SZILÁGYI, Három ismeretlen L.-levél (»3 unbekannte L.-Briefe«), in: Uj zenei szemle VI, 1955, frz. in: SMZ XCIX, 1959, S. 17ff.; E. HARASZTI, Trois faux documents sur Fr. L., Rev. de musicol. XLI/XLII, 1958; A. N. SOCHOR, Pismo F. Listu ot awtorow »Parafraz« (»Ein Brief d. Autoren d. ‚Paraphrasen' an Fr. L.«), SM XXII, 1958 (mit L.s Antwort); B. LENGYEL, Heine és Nietzsche levele L. F. a Leningrádi Szaltikov-Scsedrin könyvtár kézirattárában (»Heines u. Nietzsches Briefe an L. in d. Hss.-Slg d. Saltikow-Schtschedrin-Bibl. in Leningrad«), in: Filológiai közlöny V, 1959; Z. HRABUSSAY, Neznáme rukopisy Fr. L.a na Slovensku (»Unbekannte Briefe Fr. L.s in d. Slowakei«), in: Hudobnovedné štúdie IV, 1960 (mit deutscher u. russ. Zusammenfassung); F. BÓNIS, L. F. kiadatlan levele Mosonyi M. (»Ein unveröff. Brief Fr. L.s an M. Mosonyi«), in: Magyar zene I [recte: II], 1961, Nr 5; ŠT. LAKATOS, Újabban talált L.-emlékek Kolozsváron (»Neu aufgefundene L.-Dokumente in Klausenburg«), ebd. Nr 7/8; DERS., Din istoria muzicii noastre. Noi doucumente despre legăturile lui L. cu ţara noastră (»Neue Dokumente über L.s Beziehungen zu Rumänien«), in: Muzica XI, 1961; A. VALKÓ, A L. család a levéltári iratok tükrében (»Die Familie L. im Spiegel d. Schriften d. Briefarch.«), in: Magyar zene I [recte: II], 1961, Nr 4–5; DERS., Szemelvények a fővárosi levéltár Erkel–L. leveleiből (»Ausw. aus d. Korrespondenz zwischen Erkel u. L. im Budapester Briefarch.«), ebd. Nr 7/8, u. ebd. III, 1962; M. VELIMIROVIĆ, L.iana, MQ XLVII, 1961 (mit 3 unveröff. Briefen); Ein L.-Dokument aus d. 1840er Jahren, StMl IV, 1963, S. 191ff.; R. A. MURÁNYI, Unknown L. Relics, ebd., ungarisch in: Magyar zene V, 1964, S. 528ff.; Fr. L., Briefe aus ungarischen Slgen 1835–86, hrsg. v. M. PRAHÁCS, Budapest u. Kassel 1966; E. N. WATERS, Fr. L. to R. Pohl, in: Studies in Romanticism VI, 1966/67 (48 Briefe aus d. Jahren 1853–84); DERS., Sur la piste de L., Notes XXVII, 1970/71; GY. GÁBRY, Neuere L.-Dokumente, StMl X, 1968; H. JOHN, Unveröff. Briefe v. Fr. L., BzMw X, 1968 (14 Briefe aus d. Sächsischen Landesbibl. in Dresden); 12 Original-Briefe Fr. L.s an L. Nohl, hrsg. v. G. SOWA, = Haus d. Heimat XII, Iserlohn 1968, auch in: Beitr. zur Gesch. Iserlohns, Fs. Fr. Kühn, ebd. 1968.

Lit.: Thematisches Verz. d. Werke ..., Lpz. 1855, neue vervollständigte Ausg. 1877, Nachdr. London 1965. – L. F. és Bartók B. emlékére (»Gedenkbuch f. Fr. L. u. B. Bartók«), hrsg. v. B. SZABOLCSI u. D. BARTHA, = Zenetudományi tanulmányok III, Budapest 1955 (mit deutschen, engl. u. frz. Zusammenfassungen); Bartók B. megjelenése az európai zenééletben. L. F. hagyatéka (»B. Bartók u. d. europäische Musikleben. Fr. L.s Nachlaß«), hrsg. v. DENS., ebd. VII, 1959 (darin: M. Prahács, A zeneművészeti főiskola L.-hagyatéka, »Der L.-Nachlaß d. Musikhochschule« mit frz. Zusammenfassung, als Anh. eine Tabelle über L.s Aufenthalte in Ungarn); Kgr.-Ber. L.–Bartók Budapest 1961, hrsg. v. Z. GÁRDONYI (f. L.) u. B. SZABOLCSI (f. Bartók), = StMl V, 1963; Fr. L. zum 150. Geburtstag. Fs. zu d. Bayreuther L.-Feiern 1961, Bayreuth 1961; L., = Génies et réalités XXXI, Paris 1967; Fr. L., The Man and His Music, hrsg. v. A. WALKER, London u. NY 1970. – L.-Sonder-H.: MQ XXII, 1936, H. 3; MuG XI, 1961, H. 10; ÖMZ XVI, 1961, H. 9; Weimar. Ein Kulturspiegel f. Stadt u. Land, Sonder-H. zum L.-Jahr 1961 (mit Beilage: G. KRAFT, Fr. L., Leben, Werk u. Vermächtnis).

⁺H. WEILGUNY u. W. HANDRICK, Fr. L., Biogr. in Bildern (1958), auch Lpz. 1961 u. 1967. – I. SZELÉNYI, Elete képekben (»Leben in Bildern«), Budapest 1956, ³1961; Zs. LÁSZLÓ u. B. MÁTÉKA, Fr. L., Sein Leben in Bildern, Kassel 1967, russ. Budapest 1967, engl. ebd. 1968 u. London 1969. – H. WEILGUNY, Das L.-Haus in Weimar, = Die Gedenkstätten d. deutschen Klassik o. Nr, Weimar 1957, revidiert ²1963, erweitert ebd. u. Bln ³1966 (vgl. auch MuG XIX, 1969, S. 694f.); J. KLAMPFER, L.-Gedenkstätten im Burgenland, = Burgenländische Forschungen XLIII, Eisenstadt 1961; E. SCHENK, Das Geburtshaus Fr. L.s zu Raiding im Burgenland, ÖMZ XXV, 1970. – G. GÁBRY, Das Kl. Beethovens u. L.s, StMl VIII, 1966; A. BUCHNER, L.ův klavír na Hradci (»L.s Kl. in Hradec«),

in: Časopis národního muzea, Historické muzeum 1967, Nr 136 (mit deutscher Zusammenfassung).

⁺A. FAY, Music Study in Germany (1880 [nicht: 1881]), NY 1965 (mit neuer Einleitung v. Fr. Dillon); ⁺A. P. BORODIN, Wospominanija o F. Liste (»Erinnerungen an Fr. L.«), hrsg. v. W. A. Kisseljow, = Russkaja klassitschnaja musykalnaja kritika o. Nr, Moskau 1953, deutsch in: H. Weilguny, Das L.-Haus in Weimar ... (s. o.), engl. gekürzt in: D. Lloyd-Jones, Borodin on L., ML XLII, 1961. – M. INGLOT, Moniuszko, L. i Glinka w nieznanych opiniach współczesnych (»Moniuszko, L. u. Glinka in unbekannten zeitgenössischen Äußerungen«), in: Ruch muzyczny I, 1957; A. FRIEDHEIM, Life and L., The Recollections of a Concert Pianist, hrsg. v. Th. L. Bullock, NY 1961; I. GÁL, L. F. Wesselényinél (»Fr. L. bei Wesselényi«), in: Magyar zene III, 1962 (unbekannte Briefe v. M. Wesselényi über L.s Besuch 1843); C. V. LACHMUND, Mein Leben mit Fr. L., Kassel 1969, Eschwege 1970 (zu d. Jahren 1882–84); E. BR. BARNETT, An Annotated Translation of M. Rosenthal's »Fr. L., Memories and Reflections«, in: Current Musicology 1972, Nr 13; A. GOODMAN, Die amerikanischen Schüler Fr. L.s, = Veröff. zur Musikforschung I, Wilhelmshaven 1973.

J. B. KLINGOHR, Zur Herkunft Fr. L.s. Neue Forschungen über d. Ahnen seiner Mutter, hrsg. v. W. Huschke, in: Genealogie XIV, 1965 (mit Ergänzungen S. 552); K. SEMMELWEIS, Das Adelswappen Fr. L.s, Burgenländische Heimatblätter XXXI, 1969; J. HARICH, Fr. L., Vorfahren u. Kinderjahre, ÖMZ XXVI, 1971.

⁺A. SCHÖNBERG, Fr. L.s Werk u. Wesen (1912), Wiederabdruck in: Melos XXXVI, 1969; ⁺P. RAABE, Fr. L. (1931), revidiert Tutzing ²1968; ⁺E. NEWMAN, The Man L. (1934, NY 1935), Nachdr. London 1969 u. NY 1970; ⁺S. SITWELL, L. (1934), 2. revidierte Aufl. London 1955 u. NY 1956, NA NY 1967, frz. Paris 1961; ⁺H. SEARLE, The Music of L. (1954), 2. revidierte Aufl. NY 1966 u. Magnolia (Mass.) 1968, tschechisch Bratislava 1961; ⁺W. BECKETT, L. (= The Master Musicians Series o. Nr, 1956, NY 1956), revidiert London u. NY 1963, nld. = Muziek-pockets II, Rotterdam 1958. – L. NOHL, L., = Musiker-Biogr. IV, Lpz. 1882, engl. Chicago 1889, Nachdr. Detroit (Mich.) 1970; A. SOMSSICH, L. F. élete (»Fr. L.s Leben«), Budapest 1925 (= erste ungarische L.-Biogr.); PA. ROËS, La musique, mystère et réalité, Paris 1955; JA. I. MILSTEIN, F. L., 2 Bde, Moskau 1956, Neuaufl. 1971, revidiert ungarisch v. 1. Subrik, Budapest 1965; TH. BĂLAN, Fr. L., Bukarest 1957, ²1963; J. ROUSSELOT, La vie passionnée de Fr. L., = Les vies passionnées o. Nr, Paris 1958, engl. als: Hungarian Rhapsody, NY u. London 1960; CL. ROSTAND, L., = Solfèges XV, Paris 1960, ital. = Enciclopedia popolare Mondadori o. Nr, Mailand 1961, engl. London 1972; W. FELIX, Fr. L., = Reclams Universal-Bibl. Bd 8995/97C, Lpz. 1961, auch ebd. Bd 399, 1969; L. KUSCHE, Fr. L., Porträt eines Übermenschen, München 1961; P. REHBERG, Fr. L., Zürich 1961 (mit einem Beitr. v. G. Nestler); R. STOCKHAMMER, Fr. L., Wien 1961; J. SZÉKELY, Vándorévek. L. F. élete (»Wanderjahre. Das Leben Fr. L.s«), = Nagy emberek élete o. Nr, Budapest 1962; FR. D'EAUBONNE, La vie de Fr. L., = Vies et visages o. Nr, Paris 1963; A. LEROY, Fr. L., = Musiciens de tous les temps V, Paris 1964, auch Lausanne 1967; J. BRUYR, Fr. L., = Figures IV, Paris 1966; KL. HAMBURGER, L. F., = Kis zenei könyvtár XXXIV, Budapest 1966; V. SEROFF, L., NY 1966 (vgl. dazu u. a. E. N. Waters in: Notes XXIII, 1966/67, S. 526); E. HARASZTI, Fr. L., Paris 1967 (geschrieben 1950); GY. S. GÁL, L. F. életének regénye (»Fr. L., Roman seines Lebens«), Budapest 1968; ST. SZENIC, Fr. L. = Ludzie żywi XVII, Warschau 1969; A. WALKER, L., = The Great Composers o. Nr, London 1971; E. HELM, Fr. L. in Selbstzeugnissen u. Bilddokumenten, = Rowohlts Monographien CLXXXV, Reinbek bei Hbg 1972; DERS., Fr. L., Ein Opfer seiner Biographen?, Fs. f. einen Verleger (L. Strecker), Mainz 1973.

I. RÉVÉSZ, L. és Lammenais, Fs. Z. Kodály, Budapest 1953; J. VIER, La comtesse d'Agoult et son temps, Paris 1955; E. N. WATERS, L. and Longfellow, MQ XLI, 1955; DERS., L., Bayreuth's Forgotten Man, StMl XXXI, 1969; O. B. Boise, An American Composer Visits L., MQ XLIII, 1957; CH. HALDANE, The Galley Slaves of Love. The Story of Marie d'Agoult and

Fr. L., London 1957; M. Léon-Bérard, Une élève de L., Rev. des deux mondes 1960 (zu C. de Saint-Cricq); R. Stockhammer, L.–Thalberg, in: Musikerziehung XIV, 1960/61; P. Ellmar, Heine, L., d. Gräfin d'Agoult u. d. Augsburger »Allgemeine Zeitung«, in: Der gute Tambour 1961, Nr 1 (Mitt. d. Internationalen H. Heine-Ges. Hbg); P. Szemző, Heckenast G., a zenei kiadó (»Der Musikverleger G. Heckenast«), in: Magyar könyvszemle LXXVII, 1961; A. de Andrade, Um rival de L. no Rio de Janeiro, Rev. brasileira de música I, 1962 (zu Thalberg); P. Badura-Skoda, Chopin u. L., ÖMZ XVII, 1962; St. A. Sochacki, L. F. és a lengyelek (»Fr. L. u. d. Polen«), = Bibl. musica VIII, Budapest 1963; A. H. Sokoloff, C. Wagner, Extraordinary Daughter of Fr. L., NY 1969, deutsch Hbg 1970, auch = List Taschenbücher Nr 392, München 1973; D. Sutherland, Cosima, Tübingen 1970; Vš. J. Gajdoš, Fr. L. u. St. Albach, Burgenländische Heimatblätter XXXIII, 1971; E. K. Horvath, Frauen um L., Eisenstadt 1971. – Wl. W. Stassow, L., Schumann i Berlioz w Rossii (»L., Schumann u. Berlioz in Rußland«), St. Petersburg 1896, ²1914, NA Moskau 1954, rumänisch Bukarest 1956, engl. in: Selected Essays on Music, hrsg. v. G. Abraham, London 1968; M. Szadrowsky-Burckhardt, Wagner u. L. in St. Alban, SMZ XCVI, 1956; N. Missir, Turneul de concerte întreprins de Fr. L. în 1846–47, in: Studii şi cercetări de istoria artei VIII, 1961; A. Niemeyer, Fr. L. in Arnstadt, Weimar 1961; Je. Rudakowa, List w Rossii, SM XXV, 1961, deutsch in: Sowjetwiss., Kunst u. Lit. X, 1962, u. in: Musik in d. Schule XIV, 1963; Zs. Vita, Erdélyi magyar naplóíró. L. F. Berlini hangversenyeiről (»Ein siebenbürgisch-ungarischer Chronist. L.s Berliner Konzertaufenthalt«), in: Magyar zene I [recte: II], 1961, Nr 7/8; A. Buchner, Fr. L. in Böhmen, Prag 1962, engl. London 1962; B. Johnsson, L. og Danmark, DMT XXXVII, 1962 – XXXVIII, 1963 (mit Ergänzungen S. 274ff.); Zs. László, Az ifjú L. (»Der junge L.« [1811–39]), Budapest 1962; Vš. J. Gajdoš, War Fr. L. Franziskaner?, StMI VI, 1964, tschechisch in: Slovenská hudba XII, 1968, S. 258ff.; B. Plevka, L. v Lázních Teplicích (»L. in Bad Teplitz«), Teplitz 1966; A. Vander Linden, L. et la Belgique, StMI XI, 1969.
J. Hankiss, L. F. az író (»Fr. L. als Schriftsteller«), Budapest 1943; W. Felix, Die Reformideen Fr. L.s, Fs. R. Münnich, Lpz. 1957; L. Hübsch-Pfleger, Fr. L. als Schriftsteller, in: Musica XV, 1961; E. N. Waters, Chopin by L., MQ XLVII, 1961; G. Roncaglia, L. e il suo pensiero sul melodramma ital., in: L'opera ital. in musica, Fs. E. Gara, Mailand 1965; Ch. Cooke, Chopin and L. with a Ghostly Twist, in: Notes XXII, 1965/66 (zur Chopin-Biogr.); G. Belotti, Okoliczności powstania pierwszej monografii o Chopinie (»Über d. Entstehung d. ersten Chopin-Monographie«), Annales Chopin VII, 1965–68. – G. Kogan, Pianistitscheskij put Lista (»L.s Werdegang als Pianist«), SM XX, 1956; H. Gil-Marchex, A proposito de la tecnica pianistica de L., Bol. de programas XX, 1961; A. J. Steinberg, Fr. L.'s Approach to Piano Playing, Diss. Univ. of Maryland 1971; W. S. Newman, L.'s Interpreting of Beethoven's Piano Sonatas, MQ LVIII, 1972. – R. Sietz, Das 35. Niederrheinische Musikfest 1857 unter d. Dirigenten Fr. L., Zs. d. Aachener Geschichtsver. LXIX, 1957. – E. L. Trummer, Klavierunterricht bei L., Nach Briefen einer seiner letzten Schülerinnen [H. Esinger], in: Musik im Unterricht (Allgemeine Ausg.) L, 1959; R. Stockhammer, L. als Pädagoge, ebd. LII, 1961; P. Michel, Fr. L. als Lehrer u. Erzieher, in: Musik in d. Schule XII, 1961, erweitert als: Fr. L.s Auffassungen über Musikerziehung u. Menschenbildung, BzMw V, 1963; E. J. Machnek, The Pedagogy of Fr. L., 2 Bde, Diss. Northwestern Univ. (Ill.) 1965; D. Legány, Erkel és L. zeneakadémiája (1875–76) (»Die Musikakad. Erkels u. L.s ...«), Fs. B. Szabolcsi, = Magyar zenetörténeti tanulmányok II, Budapest 1969 (mit deutscher Zusammenfassung); H. Gervers, Fr. L. as Pedagogue, Journal of Research in Music Education XVIII, 1970.
+R. Kókai, Fr. L. in seinen frühen Klavierwerken (1933), Nachdr. = Musicologica Hungarica, N. F. III, Budapest u. Kassel 1969; +B. Szabolcsi, Fr. L. an seinem Lebensabend (1959), ungarisch als: L. F. estéje, Budapest 1956, russ. ebd. 1959; +Fr. Noske, La mélodie frç. ... (1954), 2. Aufl. revidiert v. R. Benton u. dems. als: French Song

from Berlioz to Duparc, NY 1970. – A. Pirro, Fr. L. et la »Divine Comédie«, in: Dante. Mélanges de critique et d'érudition frç., Paris 1921, Wiederabdruck in: Mélanges A. Pirro, Genf 1972; H. Searle, L.'s Final Period (1860–86), Proc. R. Mus. Ass. LXXVIII, 1951/52; ders., L.'s Org. Music, MT CXII, 1971; Ju. Chochlow, Fortepiannye konzerty F. Lista, Moskau 1953; A. W. Marget, L. and »Parsifal«, MR XIV, 1953; Fr. Schnapp in: ML XXXIV, 1953, S. 232ff. (zur Romance oubliée«); W. Kurthen, Fr. L. u. d. römischen Pifferari, Zs. f. Kirchenmusik LXXV, 1955 (zum Hirtengesang an d. Krippe aus »Christus«); Zs. László, L. F. és az orosz zene (»Fr. L. u. d. russ. Musik«), Budapest 1955; J. Heinrichs, Fr. L.s kirchenmus. Reformplan, in: Musica sacra LXXVI, 1956; ders., ebd. LXXXII, 1962, S. 114ff. (zur Missa C moll f. Männerchor u. Org.); Ch. Joatton, Des »Préludes« de Lamartine aux »Préludes« de L., Annales de l'Acad. de Macon XLIV, 1958/59; J. Gergely, Reconstitution et première audition de la sonate pour v. et piano de L., Rev. de musicol. XLV/XLVI, 1960; L. Hernádi, G. Kroó u. Ja. I. Milstein in: Chopin-Kgr.-Ber. Warschau 1960, S. 168ff., 319ff. bzw. 341ff. (zum Kl.-Satz u. zu Problemen d. romantischen Sonate bei Chopin u. L.); A. A. Abert, L., Wagner u. d. Beziehungen zwischen Musik u. Lit. im 19. Jh., Kgr.-Ber. NY 1961, Bd I (zu Deutschland; zu Frankreich s. u. Guichard); I. Belsa, L. i kultura muzyczna narodów słowiańskich (»L. u. d. mus. Kultur d. slawischen Nationen«), in: Muzyka VI, 1961; C. Dahlhaus, Fr. L. u. d. Vorgesch. d. Neuen Musik, NZfM CXXII, 1961; ders., Zur Kritik d. ästhetischen Urteils. Über L.s »Prometheus«, Mf XXIII, 1970; M. I. Gorczycka, Nowatorstwo techniki dźwiękowej »Années de pèlerinage« L.a (»Die Neuerungen d. Klangtechnik in d. ‚Années de pèlerinage' v. L.«), in: Muzyka VI, 1961 (mit deutscher Zusammenfassung); L. Guichard, L., Wagner et les relations entre la musique et la littérature au XIXᵉ s., Kgr.-Ber. NY 1961, Bd I (zu Frankreich; zu Deutschland s. o. Abert); ders., L. et la littérature frç., Rev. de musicol. LVI, 1970; B. Hansen, »Nonnenwerth«. Ein Beitr. zu Fr. L.s Liedkompositionen, NZfM CXXII, 1961 (vgl. auch ebd. S. 451); D. Rabinowitsch, Mysli o listianystve (»Gedanken über L.s Musik«), SM XXV, 1961; A. Schaeffner, L., transcriptor de operas ital., Bol. de programas XX, 1961; L. Somfai, L. Faust-szimfóniájának alakváltásai (»Formwandlungen d. Faust-Symphonie v. L.«), in: Magyar zene I [recte: II], 1961, Nr 6–7/8, deutsch in: StMI II, 1962, S. 87ff.; R. Stockhammer, Die Bedeutung Beethovens im Leben Fr. L.s, in: Musica XV, 1961; K. Swaryczewska, Fr. L. a muzyka polska, in: Muzyka VI, 1961 (mit deutscher Zusammenfassung); Ph. Friedheim, The Piano Transcriptions of Fr. L., in: Studies in Romanticism I, 1961/62; G. Mollat du Jourdin, L. et l'esprit frç., La rev. des deux mondes 1961/62; W. Rackwitz, Die Händel-Beziehungen Fr. L.s, Händel-Jb. VII/VIII, 1961/62; I. Kecskeméti in: StMI III, 1962, S. 173ff., u. in: Magyar zene V, 1964, S. 191ff. (zum Autograph d. 18. Rhapsodie); ders., Die Eigenschrift d. ital. Fassung d. »Hymne de l'enfant« v. F. L., StMI XIII, 1971; Ju. Kremljow, Züge d. Romantischen bei Fr. L., in: Sowjetwiss., Kunst u. Lit. X, 1962; J. Morawski, Faktura fortepianowa L.a, in: Muzyka VII, 1962; H. Corbes, L'hymne »Crux« de Fr. L., Annales de Bretagne LXX, 1963; M. Prahács, L.s letztes Klavierkonzert, StMI IV, 1963; J. P. Fletcher, An Analytical Study of the Form and Harmony of the Pfte Music of Chopin, Schumann and L., Diss. Oxford (Christ Church) 1963/64; R. Fiske, Shakespeare in the Concert Hall, in: Shakespeare in Music, hrsg. v. Ph. Hartnoll, London 1964; C. Hill, L.'s »Via crucis«, MR XXV, 1964; B. Johnsson, Modernities in L.'s Works, STMf XLVI, 1964; L. Szelényi-Farago, L.s Opernpläne, NZfM CXXV, 1964, auch in: Das Orch. XIII, 1965; R. Woodward, The Large Sacred Choral Works of Fr. L. and Their Influence on Some Aspects of Modern Piano Composition, Diss. Indiana Univ. 1965; P. Kaufmann in: Musica sacra LXXXVI, 1966, S. 72ff. (zu »Via crucis«); W. Salmen, Gesch. d. Rhapsodie, Freiburg i. Br. 1966; K. Ph. Bernet Kempers, Die Instrumentalmusik im Banne d. Lit., in: Colloquium amicorum, Fs. J. Schmidt-Görg, Bonn 1967; E. Major,

Fejezetek a magyar történetéböl (»Kap. aus d. ungarischen Mg.«), Bd I, Budapest 1967 (darin zu d. Quellen v. L.s Rhapsodien); FR. RITZEL, Materialdenken bei L., Eine Untersuchung d. »Zwölftonthemas« d. Faust-Symphonie, Mf XX, 1967 (dazu s. u. Niemöller, 1969); I. SZELÉNYI, Elöfutár vagy valóraváltó? (»Vorläufer oder Vollender?«), in: Magyar zene VIII, 1967; L. BÁRDOS, L. F. »népi« hangsorai (»Die ,völkischen' Tonreihen Fr. L.s«), in: Írások Erkel F. és a magyar zene korábbi századairól, hrsg. v. F. Bónis, = Magyar zenetörténeti tanulmányok I, Budapest 1968; B. A. CROCKETT, L.'s Opera Transcriptions f. Piano, Diss. Univ. of Illinois 1968; J. BR. CONWAY, Mus. Sources f. the L. »Etudes d'exécution transcendante«. A Study in the Evolution of L.'s Compositional and Keyboard Techniques, Diss. Univ. of Arizona 1969; Z. FALVY, Fr. L. e B. Bartók, nRMI III, 1969 (vgl. dazu M. Mila, ebd. S. 955ff.); E. FARINA, Il finale del terzo atto nella parafrase pianistica di L., (2.) Kgr.-Ber. »Studi verdiani (Don Carlos / Don Carlo)« Verona u. a. 1969; Z. GÁRDONYI, Neue Tonleiter- u. Sequenztypen in L.s Frühwerken, StMI XI, 1969; W. S. NEWMAN, The Sonata Since Beethoven, Chapel Hill (N. C.) 1969, revidierte Paperbackausg. NY u. London 1972; KL. W. NIEMÖLLER, Zur nicht-tonalen Thema-Struktur v. L.s Faust-Symphonie, Mf XXII, 1969; P. A. PISK, Elements of Impressionism and Atonality in L.'s Last Piano Pieces, Radford Rev. XXIII, 1969; M. WEYER, Die deutsche Orgelsonate v. Mendelssohn bis Reger, = Kölner Beitr. zur Musikforschung LV, Regensburg 1969; A. EDLER, Studien zur Auffassung antiker Musikmythen im 19. Jh., = Kieler Schriften zur Mw. XX, Kassel 1970; DERS., »In ganz neuer u. freier Form geschrieben«. Zu L.s Phantasie u. Fuge über d. Choral »Ad nos ad salutarem undam«, Mf XXV, 1972; R. CH. LEE, Some Little Known Late Piano Works of L. (1869–86), Diss. Univ. of Washington 1970; A. WALKER, L. and the Beethoven Symphonies, MR XXXI, 1970; R. WANGERMÉE, Tradition et innovation dans la virtuosité romantique, AMI XLII, 1970; V. G. W. HARRISON, Fr. L., The »Faust Symphony«. A Psychological Interpretation, in: Musicalia II, (Genua) 1971; H. SITTNER, L. u. Mozart, ÖMZ XXVII, 1972; P. SCHWARZ, Studien zur Orgelmusik Fr. L.s, = Berliner mw. Arbeiten III, München 1973.

+Litaize, Gaston Gilbert, * 11. 8. 1909 zu Ménil-sur-Belvitte (Vosges).
L. ist heute als Orgel- und Kompositionslehrer an der Institution Nationale des Jeunes Aveugles in Paris tätig. Weitere Kompositionen: *Missa Virgo gloriosa* für 3 gem. St. und Org. (1958); *Messe de la Toussaint* (1964); *Messe solennelle en français* für 4 gem. St., Gemeindegesang und Org. (1966); *Prélude et danse fuguée* für Org. (1964); zahlreiche liturgische Werke (in französischer Sprache).
Lit.: P. DENIS, Les organistes frç. d'aujourd'hui. G. L., in: L'orgue 1951; (Mgr.) KALTNECKER, Deux Lorrains au service de la musique sacrée, in: Mémoires de l'Acad. Stanislas XLI, (Nancy) 1957–60.

+Literes [erg.:] Carrión, Antonio, [erg.:] um 1675 – 1747.
Sein Sohn Antonio Literes Montalvo, mit dem er oft verwechselt wurde, starb am 2. 12. 1768.
Ausg.: 2 Stücke in: Lira sacro-hispana, hrsg. v. H. ESLAVA, Serie 18. Jh., Bd I, 1 Band; Auszüge aus »Acis y Galatea« in: Teatro lírico español anterior al s. XIX, hrsg. v. F. PEDRELL, Bd II, ebd. 1897; einzelne Stücke aus Schauspielmusiken, hrsg. v. DEMS., ebd. IV/V, 1898.
Lit.: N. A. SOLAR-QUINTES, A. L. C. y sus hijos, AM V, 1950.

Litinskij, Genrich Iljitsch, * 4.(17.) 3. 1901 zu Lipowez (Ukraine); russisch-sowjetischer Komponist und Pädagoge, absolvierte 1928 die Kompositionsklasse bei Glière am Moskauer Konservatorium, an dem er dann bis 1943 als Pädagoge für Musiktheorie und Komposition (1931 Dozent, 1933 Professor) wirkte und 1932–43 Kathederleiter für Komposition war. 1944–47

war er als Kompositionskonsultant im Komponistenverband der UdSSR tätig. Seit 1947 ist er Professor für Komposition an der Gnessin-Musikhochschule in Moskau. 1949 wurde er daneben Professor am Konservatorium in Kasan. Zu seinen Schülern gehören u. a. Arutjunjan, Babadschanjan, Chrennikow, Farid Jarullin, Alexandr Lenskij, Makarow, Mirsojan Schiganow und Dawid Toradse. L. schrieb die jakutischen Opern *Oloncho* (mit Mark Schirkow, Jakutsk 1947, Neufassung als *Njurgun Bootur*, 1957), *Sygyj Kyrynaastyr* (ebd. 1947) und *Red Shaman* (ebd. 1967), die, basierend auf der Grundlage jakutischer Folklore, die ersten Opern in der kulturellen Geschichte des jakutischen Volkes darstellen. Darüber hinaus komponierte er einige Ballette, eine Reihe von Orchesterwerken (Symphonie, 1928; *Dagestanskaja sjuita*, 1931; Thema und Variationen, 1943; Festliche Rhapsodie, 1966), ein Trompetenkonzert (1934), ein Violinkonzert, Kammermusik (Streichoktett, 1944; 12 Streichquartette, 1923–61) sowie Chöre und Lieder. Von seinen theoretischen Werken seien genannt: *Polifonitscheskaja kompozisija* (Moskau 1951); *Sowjetskoje polifonitscheskoje iskusstwo* (»Sowjetische polyphone Kunst«, 3 Bde, ebd. 1952–54); *Obrasowanije imitazij strogowo pisma* (»Entstehung der Imitation für einen strengen Satz«, ebd. 1971).

+Litolff, Henry Charles, 1818 – 1891 zu Colombes (Hauts-de-Seine) [nicht: Paris].
Lit.: T. M. BLAIR, H. Ch. L., His Life and Piano Music, Diss. Univ. of Iowa 1968.

+Litschauer, Franz, * 6. 4. 1903 zu Laa an der Thaya (Niederösterreich), [erg.:] † 29. 2. 1972 zu Wien.
L. leitete das von ihm gegründete staatliche Symphonieorchester in Kairo 1956–60 [del. frühere Angaben dazu] und 1960/61 das Rundfunkorchester in Athen. Als Gast dirigierte er 1962–68 u. a. in Italien, Kanada und Südafrika.

Little (l'itl), Vera Pearl (verheiratete Augustithis), * zu Memphis (Tenn.); amerikanische farbige Sängerin (Mezzosopran), studierte am Talladega College in Alabama (B. Mus.) und privat in New York sowie am Pariser Conservatoire (Georges Jouatte, Bernac); sie war Preisträgerin des Internationalen Musikwettbewerbs der Rundfunkanstalten der BRD. 1958 debütierte sie in der Partie der Carmen an der Städtischen (heute Deutschen) Oper Berlin, deren Ensemble sie seitdem angehört (1970 Kammersängerin). Außerdem ist V. L. seit 1967 Mitglied der Wiener Staatsoper. Gastspiele führten sie an die Mailänder Scala, die Covent Garden Opera in London sowie zu den Salzburger Festspielen. Zu ihren Partien gehören u. a. Ulrica (*Un ballo in maschera*), Amneris (*Aida*), Gaea (*Daphne*), Jocaste (*Oedipus Rex*) und Türkenbab (*The Rake's Progress*).

Litz, Gisela, * 14. 12. 1922 zu Hamburg; deutsche Opernsängerin (Alt), studierte in Berlin und debütierte 1944 am Staatstheater in Wiesbaden. Seit 1949 ist sie Mitglied der Hamburgischen Staatsoper (Kammersängerin). 1960–62 hatte G. L. daneben einen Gastvertrag mit der Bayerischen Staatsoper in München. Ihr Repertoire umfaßt vorwiegend Partien des Spielaltfachs.

+Litzmann, Berthold, 1857–1926.
+Cl. Schumann (1902–08), Nachdr. der Aufl. Lpz. 1920–25, Hildesheim 1971; +Briefwechsel *Cl. Schumann – J. Brahms* (1927), Nachdr. ebd.

Liu An → Huai Nan Tzu.

+Liverati, Giovanni, 1772 – 18. 2. 1846 zu Florenz, wo er die letzten Lebensjahre verbrachte [del. frühere Angaben].

+Liviabella, Lino, *7. 4. 1902 zu Macerata (Marche), [erg.:] † 21. 10. 1964 zu Bologna.
L. war Direktor der Konservatorien in Pesaro (1953–59), Parma (1959–63) und Bologna (ab 1963). Weitere Werke: die Opern *Santina* (1922), *Zanira* (1922), *+Antigone* (Fassung in einem Akt Bologna 1960) und *Canto di natale* (nach Dickens, italienisches Fernsehen 1963, Bologna 1966), Operette *Il sei* (1919); 3 Serenaden (1959) und 2 Konzerte (1964) für Orch.; Streichquartett *La melanconia* (1955), 2 Bratschensonaten (1950, 1956), 7 kleine Duette für V. und Va (1957), 6 *Elevazioni* für Kl. und Org. (1956), *Dittico nuziale* (1957) und *Trittico nuziale* (1961) für V. und Org.; Symphonie *Quattro quartetti* für S. und Orch. (T. S. Eliot, 1963). Er schrieb den Beitrag *Bologna musicale e le sue gloriose tradizione* (in: Conservatorio di musica ... Bologna, Annuario 1963–64).
Lit.: A. B.(RAGA) in: Conservatorio di musica ... (s. o.), S. 5ff.; L. L., hrsg. v. A. ADVERSI, Macerata 1966.

Liwanowa, Tamara Nikolajewna (verheiratete Ferman), *5.(18.) 4. 1909 zu Kischinow; russisch-sowjetische Musikforscherin, studierte in Moskau 1926–30 am Gnessin-Musikinstitut und 1930–32 am Konservatorium. Nach einer Tätigkeit als Assistentin (1933–35) und Dozentin (1935–39) wirkt sie seit 1939 als Professor für Musikgeschichte am Moskauer Konservatorium, mit Ausnahme der Jahre 1946–48, in denen sie am Gnessin-Musikinstitut lehrte. 1940 promovierte sie zum Doktor der Kunstwissenschaft, 1946 wurde sie wissenschaftliche Mitarbeiterin am kunstgeschichtlichen Institut der Akademie der Wissenschaften der UdSSR. Sie schrieb u. a. (Erscheinungsort Moskau): *Otscherki i materialy po istorii russkoj musykalnoj kultury* (»Skizzen und Materialien zur Geschichte der russischen Musikkultur«, 1938); *Musykalnaja klassika XVIII weka, Gendel, Bach, Gljuk, Gajdn* (»Die musikalische Klassik des 18. Jh., Händel, Bach, Gluck, Haydn«, 1939); *Istorija sapadnojewropejskoj musyki do 1789 goda* (»Geschichte der westeuropäischen Musik bis zum Jahre 1789«, 1940); *Russkaja musykalnaja kultura XVIII weka w jejo swjasjach s literaturoj, teatrom i bytom* (»Die russische Musikkultur des 18. Jh. in ihren Zusammenhängen mit Literatur, Theater und Lebensweise«, 2 Bde, 1952–53); *N. J. Mjaskowskij* (1953); *M. I. Glinka* (mit Wl. W. Protopopow, 2 Bde, 1955); *Wl. Stassow i russkaja klassitscheskaja opera* (1957); *Musyka w proiswedenijach M. Gorkowo* (»Die Musik in den Werken M. Gorkijs«, 1957); *Mozart i russkaja musykalnaja kultura* (Kgr.-Ber. Wien Mozartjahr 1956); *Musykalnaja bibliografija russkoj periodischeskoj petschati XIX weka* (»Musikbibliographie der russischen periodischen Drucke des 19. Jh.«, 4 Bde, 1960–68); *W. G. Sacharow* (1962); *Opernaja kritika w Rossii* (»Opernkritik in Rußland«, 2 Teile, 1967–69). Sie gab Stählins *Nachrichten von der Musik in Rußland* russisch heraus (in: Musykalnoje nasledstwo I, 1935).

+Ljadow, Anatolij Konstantinowitsch, 1855 – 1914 zu Polynowka (bei Nowgorod) [nicht: zu Nowgorod].
Lit.: N. A. RIMSKIJ-KORSAKOW, Polnoje sobranije sotschinenij, Bd VI: Perepiska s A. K. L.ym i A. K. Glasunowym (»Gesammelte Werke ..., Briefwechsel mit A. K. L. u. A. K. Glasunow«, hrsg. v. E. E. Jasowizka, Moskau 1965. – +G. ABRAHAM, Random Notes on Lyadow (1945), Wiederabdruck in: Slavonic and Romantic Music, London 1968. – N. SAPOROSCHEZ, A. K. L., Moskau 1954; D. WL. SCHITOMIRSKIJ in: SM XIX, 1955, H. 4, S. 41ff.; D. K. MICHAJLOW, N. A. Rimskij-Korsakow i A. K. L., in: N. A. Rimskij-Korsakow i musykalnoje obrasowanije, hrsg. v. S. L. Ginsburg, Leningrad 1959; DERS., A. K. L., Otscherk schisni i tworschestwa (»Abriß d. Lebens u. Schaffens«), ebd. 1961; DERS., A. L., »Legendy«, in:

Russkaja musyka na rubesche XX weka, hrsg. v. dems. u. Je. M. Orlowa, Moskau 1966 (Ausg. d. Legenden); O. TOMPAKOWA, Folklornyje istoki »Detskich pessen« L.a (»Folkloristische Quellen v. L.s Kinderliedern«), SM XXIV, 1960; J. K. ANTIPOWA, Awtografy A. K. L.a, Moskau 1963 (zum L.-Material im M.-I.-Glinka-Zentralmuseum); S. W. JEWSEJEW, Russkije narodnyje pesni w obrabotke A. L.a (»Russ. Volkslieder in d. Bearb. v. A. L.«), hrsg. v. B. W. Budrina, = W pomoschtsch pedagogumusykantu o. Nr, ebd. 1965; JU. KREMLJOW, Ladow a Chopin, in: Polsko-rosyskie miscellanea muzyczne, hrsg. v. Z. Lissa, Krakau 1967; Z. LISSA, Über d. Einfluß Chopins auf Liadow, DJbMw XIII, 1968.

+Ljapunow, Sergej Michajlowitsch, 1859–1924.
Lit.: Perepiska Wl. Stassowa i S. L.a (»Briefwechsel Wl. Stassows u. S. L.s«), SM XXI, 1957. – M. JE. SCHIFMAN, Dwenadzat etjudow L.a i nekotoryje woprossy jich interpretazii (»L.s 12 Etüden u. einige Fragen zu ihrer Interpretation«), in: Woprossy musykalno-isponitelskowo iskusstwa II, hrsg. v. L. S. Ginsburg u. A. A. Solowzow, Moskau 1958; DERS., S. M. L., Otscherk schisni i tworschestwa (»Abriß d. Lebens u. Schaffens«), ebd. 1960; R. DAVIS, S. Lyapunov, the Piano Works. A Short Appreciation, MR XXI, 1960.

+Ljatoschynskyj, Borys Mykolajowytsch (Boris Nikolajewitsch Ljatoschinskij), * 22. [nicht: 24.] 12. 1894 (3. 1. 1895) zu Schitomir, [erg.:] † 15. 4. 1968 zu Kiew.
L. lehrte am Konservatorium in Kiew ab 1920 (1935 Professor); 1935–38 und 1941–43 gehörte er auch dem Lehrkörper des Moskauer Konservatoriums an. – Die Oper *Solotoj obrutsch* (»+Der goldene Ring«) wurde 1930 in Odessa uraufgeführt [del.: 1931]. – Weitere Werke: insgesamt 5 Symphonien (op. 2, 1918 [nicht: 1919]; op. 26, 1936; op. 50, 1950 [nicht: 1951], 2. Fassung 1955; op. 63, 1963; *Slawjanskaja*, »Die Slawische«, op. 67, 1967), die symphonischen Dichtungen *Liritscheskaja poema* (1947), *Wossojedinenije* (»Die Wiedervereinigung«, zum 10. Jahrestag der ukrainischen Einheit 1949), *Graschyna* (nach A. Mickiewicz, 1955) und *Na beregach Wisly* (»An den Ufern der Wisla«, 1958), die symphonische Suite *Taras Schewtschenko* (1952), *Polskaja sjuita* (»Polnische Suite«, 1961) und *Urotschista uwertjura* (»Festouvertüre«, 1968) für Orch.; *Slawjanskij konzert* für Kl. und Orch. (1953); Bühnen- und Filmmusiken. L. beendete das Violinkonzert von R. Glière.
Lit.: +I. F. BELSA [nicht: Boelza], B. N. L., Moskau 1947, ukrainisch Kiew 1947. – Aufsatzfolge (Erinnerungen) in: SM XXXIII, 1969, H. 9, S. 43ff. – M. B. ARCHIMOWYTSCH, B. M. L., Kiew 1955; A. OLKHOVSKY, Music under the Soviets, NY 1955; N. M. GORDEJTSCHUK in: SM XX, 1956, H. 4, S. 25ff., u. in: Ukrainskaja sowjetskaja musyka, hrsg. v. L. B. Archimowytsch u. a., Kiew 1960, S. 12ff. (zu »Graschyna«); DERS., Ukrainskij sowjetskij simfonism, ebd. 1967, ukrainisch 1969; I. BELSA, Tematyka mickiewiczowska w twórczości Latoszyńskiego (»Die Mickiewicz-Themen in L.s Schaffen«), in: Muzyka II, 1957; M. BJALIK in: SM XXI, 1957, H. 2, S. 98ff. (zur 3. Symphonie); N. A. GORJUCHINA, Intonazionnyje osnowy chorow a kapella B. L.owo (»Die Intonationsgrundlagen d. a cappella-Chöre v. B. L.«), in: Ukrainskaja sowjetskaja musyka, hrsg. v. L. B. Archimowytsch u. a., Kiew 1960; W. KIREJKO, ebd., S. 5ff. (zur 3. Symphonie); N. WL. SAPOROSCHEZ, B. N. L., Moskau 1960; A. N. DMITRIJEW in: 55 sowjetskich simfonii, hrsg. v. G. Gr. Tigranow, Leningrad 1961 (zur 3. Symphonie); DERS., in: Sowjetskaja simfonija za 50 let, hrsg. v. G. Gr. Tigranow, ebd. 1967, S. 178ff. (zur 4. u. 5. Symphonie); D. GOJOWY, Moderne Musik in d. Sowjetunion bis 1930, Diss. Göttingen 1966; W. JA. SAMOCHWALOW, Tscherty musykalnowo myschlenija B. L.owo (»Das Charakteristische in B. L.s mus. Denken«), Kiew 1970; DERS., B. L., ebd. 1972.

Ljudkewitsch, Stanislaw Filippowitsch → **+Ludkewycz,** St.

+Llobet, Miguel, 1875 [nicht: 1878] – 1938.

Llossas (ʎ'osas), Juan, * 27. 7. 1900 zu Barcelona, † 21. 5. 1957 zu Salzburg; spanischer Komponist von Unterhaltungs- und Tanzmusik, kam 1921 nach Deutschland, wo er an der Berliner Musikhochschule bei Rössler und Höffer studierte, war zunächst Unterhaltungspianist und gründete dann ein eigenes auf spanische und südamerikanische Tänze spezialisiertes Orchester, mit dem er ab 1926 ausgedehnte Tourneen durch zahlreiche europäische Länder unternahm. 1945–50 war Ll. mit seinem auf über 40 Musiker erweiterten Orchester für British Forces Network (BFN) in Hamburg verpflichtet (allwöchentliche »Tango Time«-Sendung). Von seinen Kompositionen seien *Tango Bolero* (1923), *Danza flamenca, Oh Fräulein Grete, Tango pastorale, Carambita, Alborada, Primavera, Bahia grande, Preludium-Tango, Palomita, Samba Caramba* und *Katalanische Rhapsodie* genannt.

+Lloyd, David, * 29. 2. 1920 zu Minneapolis (Minn.). Ll., der weiterhin als Opern- und Konzertsänger gastiert, wirkte u. a. 1970 in Boston bei der Uraufführung von G. Schullers Märchenoper *The Fisherman and His Wife* mit. Er ist seit einigen Jahren künstlerischer Direktor des Hunter College Opera Theater in New York.

+Lloyd, George, * 28. 6. 1913 zu St. Ives (Cornwall).
Er schrieb 4 weitere Symphonien, 4 Klavierkonzerte (u. a. *Scapegoat Concerto*), ein Violinkonzert sowie *The Aggressive Fishes* und *The Road Through Samarkand* (beide 1972) für Kl.

+Lobaczewska, Stefania (geborene Gérard de Festenburg), * 31. 7. 1888 [nicht: 1891] zu Lemberg, [erg.:] † 16. 1. 1963 zu Krakau.
St. Ł. promovierte 1928 [nicht: 1930] (+Auszug der Dissertation in: Kwartalnik muzyczny V [nicht: VIII], 1929). Am Lemberger Konservatorium (bis 1939 »Szymanowski-Konservatorium«) lehrte sie 1931–41. Rektor der Musikhochschule in Krakau war sie bis 1955 [nicht: 1954]; von 1954 an wirkte sie als Professor und Leiterin des musikwissenschaftlichen Instituts an der dortigen Universität. – *+Tablice do historii muzyki z dojaśnieniami* (»Tabellen zur Musikgeschichte mit Erläuterungen«, 1949 [nicht: 1952]); *+L. van Beethoven* (1953), 2. Aufl. = Małe monografie muzyczne I, Krakau 1955, 3. Aufl. = Monografie popularne o. Nr, 1968; *+Problem wartościowania i wartości w muzyce* (Kwartalnik muzyczny VII, 1949 [del. frühere Angabe]; *+Wkład Chopina do romantyzmu europejskiego* (1956), auch separat Warschau 1955, frz. als *L'apport de Chopin au romantisme européen* (Annales Chopin II, 1958); *Die Analyse des musikalischen Kunstwerkes als Problem der Musikwissenschaft* [del. früherer Titel] (Kgr.-Ber. Wien Mozartjahr 1956). – Neuere Schriften: *Style muzyczne* (»Die Stilarten der Musik«, 2 Bde, Krakau 1960–61); *Próba zbadania realizmu socjalistycznego w muzyce na podstawie polskiej twórczości 10-lecia* (»Versuch einer Untersuchung des sozialistischen Realismus in der Musik auf Grund des polnischen Schaffens in 10 Jahren«, in: Studia muzykologiczne V, 1956); *La culture musicale en Pologne au début du XIXᵉ s. et ses relations avec la musique de Chopin* (Chopin-Kgr.-Ber. Warschau 1960); *Agogika jako element stylu historycznego* (»Die Agogik als ein Element des historischen Stils«, in: Muzyka VII, 1962).
Lit.: Z. Lissa u. T. Kaczyński in: Ruch muzyczny VII, 1963, Nr 5, S. 3 f. bzw. 6 f.

+Lobatschow, Grigorij Grigorjewitsch, 26. 6. (8. 7.) [nicht: 8.(20.) 7.] 1888 – 1953.
Lit.: d. Kap. »Chorliederschaffen« in: Istorija russkoj sowjetskoj musyki I, hrsg. v. A. D. Alexejew u. W. A. Wassina-Grossman, Moskau 1956, S. 78 ff.

+Lobe, Johann Christian, 1797–1881.
+Katechismus der Musik (W. Neumann, 1949), 7. Aufl. = Musikbücherei für jedermann XXIII, Lpz. 1968; drei Aufsätze aus *+Consonanzen und Dissonanzen* (1869) wiederabgedruckt in: Gespräche mit Komponisten, hrsg. von W. Reich, = Manesse Bibl. der Weltliteratur o. Nr, Zürich 1965.
Lit.: B. Grimm, Die sozial-ökonomische Lage d. Weimarer Hofkapellisten in d. ersten Hälfte d. 19. Jh., dargestellt am Beispiel J. Chr. L.s, Diss. Lpz. 1964; R. Schmitt-Thomas, Die Entwicklung d. deutschen Konzertkritik im Spiegel d. Lpz.er AmZ (1798–1848), = Kultur im Zeitbild I, Ffm. 1969; R. Frisius, Untersuchungen über d. Akkordbegriff, Diss. Göttingen 1970.

+Lobkowitz, Franz Joseph Maximilian [erg.:] Ferdinand, Fürst, 1772 – 16. [nicht: 15.] 12. 1816 zu Raudnitz an der Elbe (Roudnice nad Labem, Böhmen) [nicht: Wittingau].
Die Fürsten Philipp Hyacinth, 1680 – 1735 [nicht: 1738], [erg.: Johann] Georg Christian und Ferdinand Philipp [erg.:] Joseph.
Lit.: *+Th. v. Frimmel, Beethoven-Hdb. I (1926), Nachdr. Hildesheim 1968. – R. Mužíková, Složení lobkovické kapely v r. 1811 (»Die Zusammensetzung d. L.-Kapelle im Jahre 1811«), in: Miscellanea musicologica XII, 1960; R. Schaal in: MGG VIII, 1960, Sp. 1069 ff.

+Lobo, Alonso, um 1555 – 1617.
Ausg.: Werke in: Polifonía de la Santa Iglesia Catedral Basilica de Cuenca, hrsg. v. N. Gonzalo u. a., = Publ. del Inst. de música religiosa . . . de Cuenca IV, Cuenca 1968.
Lit.: R. Stevenson, Span. Cathedral Music in the Golden Age, Berkeley (Calif.) 1961.

Lôbo de Mesquita (l'obu də miʃk'itɐ), José Joaquim Emérico, † April 1805 zu Rio de Janeiro; brasilianischer Komponist und Organist (Mulatte), sicher der fruchtbarste der intensiven Musikbewegung während der Diamant- und Goldausbeutung im Generalkapitanat Minas Gerais im 18. Jh., wirkte etwa ab 1778 in dem Arraial do Tejuco (später Diamantina), ging dann in die Hauptstadt Villa Rica, wo er als Organist und Kapellmeister des dritten Karmeliterordens und an der Hauptkirche Nossa Senhora do Pilar des Stadtteils Ouro Prêto bis Ende 1799 tätig war. Von Beginn des Jahres 1800 an war er in Rio de Janeiro beim dritten Karmeliterorden Organist. Er schrieb etwa 500 Kompositionen, die größtenteils verlorengegangen sind; erhalten sind u. a.: *Antífona de Nossa Senhora*; 2 Messen Es dur und F dur; *Te Deum*; *Offertório de Nossa Senhora*; *Domenica palmarum*; *Officium defunctorum*; *Quatro tractus ladainha de sabado santo*.
Lit.: Fr. C. Lange, Arch. de música religiosa de la »Capitania geral das Minas Gerais«, Brasil (s. XVIII), Bd I, Mendoza 1951 (mit Ed. d. Antífona de Nossa Senhora); ders., Os compositores na Capitania geral das Minas Gerais, Marília (São Paulo) 1965.

Lobwasser, Ambrosius, * 4. 4. 1515 zu Schneeberg (Sachsen), † 27. 11. 1585 zu Königsberg; deutscher Rechtsgelehrter und Humanist, studierte an den Universitäten Leipzig (Magister 1535), Löwen, Paris und Bologna (Dr. jur. 1562). 1563–80 war er Professor der Rechte an der Universität Königsberg. »Aus lust zu der lieblichen sprach« (Widmung an Herzog Albrecht von Preußen) übersetzte der Protestant L. in Königsberg die Psalmen Davids nach dem (calvinistischen) Genfer Hugenottenpsalter (1562) von Marot und Théodore de Bèze. Die Übersetzung, 1565 abgeschlossen, erschien 1573 in Leipzig, nachdem L. sie weiter verbessert und den Franzosen Jakob Gaurin als Berater hinzugezogen hatte. L. hatte, wie andere zeitgenössische Übersetzer dieses Psalters (Paulus Melissus Schede, 1572, Philipp von Winnenberg der Jüngere, 1588, u. a.), die Aufgabe zu lösen, sich an die bestehenden Psalmenmelodien zu halten und Strophenformen und Silbenzahl der französischen Vorlage nachzubilden. Er orientierte seine Übersetzung an der 3. (4st. homophonen) Fassung der Vertonung seines Freundes Goudimel, dessen Melodien auch in die deutsche Version übernommen wurden. L.s Übersetzung des 89. Psalms kann als erster, wenn auch sprachbedingt unangemessener Versuch einer Adaption des deutschen Verses an den französischen Alexandriner angesehen werden. Der L.-Psalter, der zusammen mit den Genfer Melodien erschien, setzte sich in seiner großzügigen Einfachheit gegen die Versionen Schedes und von Winnenbergs durch und behauptete sich gegen philologische Kritik ebenso wie gegen den von protestantischer Seite erhobenen Einwand procalvinistischer Haltung. Über zahlreiche weitere Ausgaben (in Deutschland immer in Verbindung mit anderen evangelischen Liedern) fand er in den reformierten Gebieten Westeuropas rasche Verbreitung. Lit.: Chr. Palmer, Ev. Hymnologie, Stuttgart 1865; E. E. Koch, Gesch. d. Kirchenlieds u. Kirchengesangs, Bd II, ebd. ³1867; S. Kümmerle, Artikel A. L., in: Enzyklopädie d. ev. Kirchenmusik II, Gütersloh 1890; W. Hollweg, Gesch. d. ev. Gesangbuchs v. Niederrhein im 16.–18. Jh., = Publ. d. Ges. f. rheinische Geschichtsfreunde XL, ebd. 1923; G. Müller, Gesch. d. deutschen Liedes, = Gesch. d. deutschen Lit. nach Gattungen III, München 1925, Nachdr. Bad Homburg u. a. H. 1959; E. Trunz, Die deutsche Übers. d. Hugenottenpsalters, in: Euphorion XXIX, 1928; ders., A. L., Humanistische Wiss., kirchliche Dichtung u. bürgerliches Weltbild im 16. Jh., in: Altpreußische Forschungen IX, 1932 (mit Bibliogr.); L. Cordier, Der deutsche ev. Liedpsalter, Gießen 1929; A. Heusler, Deutsche Versgesch., Bd III, = Grundriß d. germanischen Philologie VIII, 3, Bln u. Lpz. 1929, Bln ²1956; W. Blankenburg in: MGG VIII, 1960, Sp. 1074ff.; ders., Die Kirchenmusik in d. reformierten Gebieten d. europäischen Kontinents, in: Fr. Blume, Gesch. d. ev. Kirchenmusik, Kassel ²1965; N. Schiørring, A. L. i Danmark. Tidlige nodetryk efter Der Psalter Davids (»Früher Notendruck nach …«), in: Fund og forskning X, 1963; G. Schuhmacher, Der beliebte, kritisierte u. verbesserte L.-Psalter, Jb. f. Liturgik u. Hymnologie XII, 1967; D. Gutknecht, Vergleichende Betrachtung d. Goudimel-Psalters mit d. L.-Psalter, ebd. XV, 1970. KDG

+Locatelli, Giovanni Battista, 7. 1. 1713(?) zu Mailand oder Venedig – nach 1790 [del. bzw. erg. frühere Angaben].

L. war zunächst Librettist in der Truppe P. Mingottis; nach Reisen durch Europa ging er 1756 nach St. Petersburg, wo er ein Hoftheater leitete, und kam 1758 an ein Theater in Moskau, dessen Leitung er 1761, nach guten Anfangserfolgen, aufgeben mußte. Danach leitete er von 1763 bis wahrscheinlich 1783 das Moskauer Kabarett Krasnyj Kabak. L. hat in Rußland u. a. Opern von Galuppi, Gluck, G. M. Rutini und F. Zellbell (dem jüngeren) bekannt gemacht. 1790 mußte er Rußland verlassen. Danach verliert sich seine Spur. Lit.: R.-A. Mooser, Annales de la musique et des musiciens en Russie au XVIIIᵉ s., Bd I, Genf 1948.

+Locatelli, Pietro Antonio, 1695–1764. Ausg.: +3 Sonaten aus op. 2 f. Fl. u. B. c. (G. Scheck u. W. Upmeyer, 1944), Neudr. Kassel 1965. – Concerto grosso D moll f. 2 V., Va, Vc. u. Streichorch. op. 1 Nr 2, hrsg. v. Cl. Abbado, = Antica musica strumentale ital. o. Nr, Mailand 1961; Sonate B dur op. 2 Nr 3, hrsg. v. H. Ruf, = Il fl. traverso o. Nr, Mainz 1967; Sei introduttioni teatrali (op. 4, 1. Teil), hrsg. v. A. Koole, = Monumenta musica Neerlandica IV, Amsterdam 1961; 2 Duette f. 2 Fl. (V.) op. 4 Nr 4 u. 5, hrsg. v. H. Ruf, = Il fl. traverso o. Nr, Mainz 1967; Triosonate G dur f. 2 V.

(Fl.) u. B. c. op. 5 Nr 1, hrsg. v. H. Kölbel, = L'arte del v. o. Nr, Wilhelmshaven 1969; dass. E dur f. 2 Fl. (V.) u. B. c. op. 5 Nr 3, hrsg. v. H. Ruf, = Antiqua o. Nr, Mainz 1964; Sonata da camera op. 6 Nr 2, in: Fr. Giegling, Die Solosonate, = Das Musikwerk XV, Köln 1959, auch engl.; Concerto a 4 Es dur op. 7 Nr 6, hrsg. v. R. Giazotto, = Antica musica strumentale ital. o. Nr, Mailand 1965; Concerto grosso F dur f. 4 Solo-V. u. Streichorch. f. (aus op. 7), hrsg. v. N. Jenkins, London 1959. Lit.: +A. Moser, Gesch. d. Violinspiels (1923), 2. Aufl. hrsg. v. H.-J. Nösselt, 2 Bde, Tutzing 1966–67. – W. C. Gates, L.'s Concerti grossi. Some Practices in Late Baroque Orchestration, JAMS IX, 1956; B. Beccherini, Bibliogr. delle opere di P. A. L., in: Musicisti lombardi ed emiliani, hrsg. v. A. Damerini u. G. Roncaglia, = Accad. mus. Chigiana XV, Siena 1958; J. de Carpentier, P. L., musicien te Amsterdam, = AO-reeks Nr 1005, Amsterdam 1964; A. Dunning, P. L. te Amsterdam, in: Mens en melodie XIX, 1964; ders. u. A. Koole, P. L., Nieuwe bijdragen tot de kennis v. zijn leven en werken, TVer XX, 1–2, 1964–65 (mit Werkverz.); A. Koole in: Chigiana XXI, N. S. I, 1964, S. 29ff.; ders., P. L., Bergamo 1970; D. D. Boyden, The Hist. of V. Playing …, London 1965, revidiert 1967, deutsch als: Die Gesch. d. Violinspiels v. seinen Anfängen bis 1761, Mainz 1971; J. H. Calmeyer, The Life, Times, and Works of P. A. L., Diss. Univ. of North Carolina 1969 (mit thematischem Kat.).

+Lochamer, Wolflein von, [erg.:] um 1482 zu Nürnberg – nach 1512 außerhalb Nürnbergs.

L., Besitzer des zwischen 1452 und 1460 [del.: um 1450] entstandenen Liederbuchs, war nicht Angehöriger einer Nürnberger Patrizierfamilie. Die Identität mit Wolf (Wolfgang) von Locheim (Lochaim) ist nunmehr erwiesen (Petzsch). → Quellen: Loch, → +Paumann.

Ausg. u. Lit.: Locheimer Liederbuch …, Faks. hrsg. v. K. Ameln, Bln 1925, Nachdr. = DMI II, 3, Kassel 1972; Chr. Petzsch, Die Nürnberger Familie v. Lochaim, Zs. f. bayerische Landesgesch. XXIX, 1966; ders., Das L.-Liederbuch, = Münchener Texte u. Untersuchungen zur deutschen Lit. d. MA XIX, München 1967; ders., Weiteres zum L.-Liederbuch u. zu d. Hofweisen, Jb. f. Volksliedforschung XVII, 1972; Das L.-Liederbuch, hrsg. v. W. Salmen (Melodien) u. dems., = DTB II, Sonder-Bd II, Wiesbaden 1972.

+Locher, Carl, 1843–1915.
+*Die Orgel-Register und ihre Klangfarben* (J. Dobler, ⁵1923), Nachdr. = Bibl. organologica XII, Amsterdam 1971 (mit Einleitung von W. L. Sumner und Anm. von P. Williams).

+Locke, Matthew, um 1630–1677.
Ausg.: +M. L. u. Chr. Gibbons, Cupid and Death (E. J. Dent, 1951), 2. revidierte Aufl. London 1965. – Music f. His Majesty's Sackbuts and Cornetts, hrsg. v. A. Baines, Oxford 1952; Org. Voluntaries aus »Melothesia«, hrsg. v. Th. Dart, London 1957; Keyboard Suites, hrsg. v. dems., ebd. 1959; 12 Duos f. 2 Baßgamben, hrsg. v. N. Dolmetsch, = HM CLXVII, Kassel 1960; 6 Suiten f. 3 Violen da gamba (V., Va, Vc.), hrsg. v. dems. ebd. CLXXX, 1964; The Broken Consort. 6 Suiten f. 3 Instr., hrsg. v. H. Mönkemeyer, 2 H., = Consortium III, Wilhelmshaven 1961; 4 Suiten in: S. Beck, Engl. Instr. Music of the 16th and 17th Cent. from Mss. in the NY Public Library, NY 1963, Bd II; Keyboard Suites from »Melothesia«, hrsg. v. A. Kooiker, = The Penn State Music Series XVI, Univ. Park (Pa.) 1968 (darin einige Stücke v. L. selbst); Anthem »Turn thy Face from My Sins« f. A., T., B. u. 5st. gem. Chor, hrsg. v. A. Greening, London 1971; Chamber Music, 2 Bde, hrsg. v. M. Tilmouth, = Mus. Brit. XXXI–XXXII, ebd.
Lit.: +E. J. Dent, Foundations of Engl. Opera (1928), Nachdr. NY 1965. – R. E. M. Harding, A Thematic Cat. of the Works of M. L., Oxford 1971. – W. B. Squire, The Music of Shadwell's »Tempest«, MQ VII, 1921; A. Lewis, M. L., Proc. R. Mus. Ass. LXXIV, 1947/48; E. Halfpenny, The »Entertainment« of Charles II, ML XXXVIII,

1957; E. H. Meyer, L., Blow, Purcell. Drei Vorgänger Händels auf d. Gebiet d. Instrumentalschaffens, Händel-Jb. IX, N. F. III, 1957; A. Kooiker, L.'s »Melothesia«. Its Place in the Hist. of Keyboard Music in Restoration England, 2 Bde, Diss. Univ. of Rochester (N. Y.) 1962; D. Franklin, Five Mss. of Church Music at Lichfield, R. M. A. Research Chronicle III, 1963; W. A. Sleeper, Harmonic Style of Four-Part Viol Music of Jenkins, L., and Purcell, Diss. Univ. of Rochester (N. Y.) 1964; M. Lefkowitz, M. L. at Exeter, in: The Consort XXII, 1965; W. M. Vos, Engl. Dramatic Recitative Before ca. 1685, 2 Bde, Diss. Washington Univ. (Mo.) 1967; Chr. D. S. Field, M. L. and the Consort Suite, ML LI, 1970; M. Tilmouth, Revisions in the Chamber Music of M. L., Proc. R. Mus. Ass. XCVIII, 1971/72.

Lockhart (lʼɔkhɑ:t), James, * 16. 10. 1930 zu Edinburgh; schottischer Dirigent, Organist und Pianist, studierte an der University of Edinburgh sowie an der Royal School of Church Music und am Royal College of Music in London (B. Mus.), war zunächst als Organist und Kantor tätig. Er wurde 1955 Korrepetitor an der Städtischen Oper in Münster (Westf.), 1956 an der Bayerischen Staatsoper in München, 1957 beim Glyndebourne Festival und 1959 an der Covent Garden Opera in London. 1960–61 war er Assistant Conductor des BBC Scottish Orchestra, 1961–62 Dirigent der Sadler's Wells Opera und 1962–68 Dirigent und Korrepetitor an der Covent Garden Opera. Danach wurde L. Musical Director der Welsh National Opera Company in Cardiff. 1962–68 war er außerdem Professor am Royal College of Music in London. 1973 wurde er GMD am Staatstheater Kassel.

+Lockspeiser, Edward, * 21. 5. 1905 und [erg.:] † 3. 2. 1973 zu London.
L., 1948 für seine Forschungen zur französischen Musik mit dem Titel eines Officier de l'Académie geehrt, leitete das Goldsbrough Orchestra London bis 1957. Ab 1955 war er Musikreferent der »Encyclopaedia Britannica«; 1966–70 lehrte er als Gastdozent an der Faculty of Music des King's College London und 1971 am Collège de France in Paris. – +Debussy (= Master Musicians Series o. Nr, 1936, ²1951), 3. revidierte Aufl. London 1952, Nachdr. = Great Composers Series BS143V, NY 1962. – Neuere Schriften: Debussy et E.Poe. Manuscrits et documents inédits (= Domaine musical o. Nr, Monaco 1962); Debussy. His Life and Mind (2 Bde, London 1962–65, grundlegend); Music and Painting. A Study in Comparative Ideas from Turner to Schoenberg (ebd. 1973); Mahler in France (MMR XC, 1960); G. Fauré und M. Proust (in: The Listener XXXIII, 1961, Wiederabdruck in: Essays on Music, hrsg. von F. Aprahamian, London 1967); Debussy's Concept of the Dream (Proc. R. Mus. Ass. LXXXIX, 1962/63); Quelques aspects de la psychologie de Debussy (in: Debussy et l'évolution de la musique au XXᵉ s., hrsg. von E. Weber, Paris 1965); Debussy in Perspective (MT CIX, 1968); French Influences on Bach (in: Eighteenth Cent. French Studies, Fs. N. Ch. Suckling, Newcastle upon Tyne 1969); The Berlioz–Strauss Treatise on Instrumentation (ML L, 1969); Frère en art. Pièce de théâtre inédite de Debussy (Rev. de musicol. LVI, 1970).

Lockwood (lʼɔkwud), Lewis Henry, * 16. 12. 1930 zu New York; amerikanischer Musikforscher, studierte am Queens College in New York (Komposition bei Rathaus, Musikgeschichte bei Lowinsky; B. A. 1952) und an der Princeton University in Princeton/N. J. (Musikwissenschaft bei Strunk und A. Mendel; M. F. A. 1955), an der er 1959 mit einer Dissertation über The Counter-Reformation and the Sacred Music of V. Ruffo (= Studi di musica veneta II, Venedig und Wien 1970) zum Ph. D. promovierte und seit 1958 tätig ist (1958–59

Instructor, 1960–65 Assistant Professor, 1965–68 Associate Professor, seit 1968 Full Professor). 1963–66 war er Editor-in-Chief des Journal of the American Musicological Society (JAMS). Er veröffentlichte: V. Ruffo and Musical Reform After the Council of Trent (MQ XLIII, 1957); A Continental Mass and Motet in a Tudor Manuscript (ML XLII, 1961); A View of the Early 16ᵗʰ-Cent. Parody Mass (in: Queens College Department of Music. Twenty-Fifth Anniversary Fs., 1937–62, hrsg. von A. Mell, NY 1964); A Dispute on Accidentals in 16ᵗʰ-Cent. Rome (in: Analecta musicologica II, 1965); On »Parody« as Term and Concept in 16ᵗʰ-Cent. Music (in: Aspects of Medieval and Renaissance Music, Fs. G. Reese, NY 1966); A Sample Problem of »Musica Ficta«. Willaert's »Pater Noster« (in: Studies in Music History, Fs. O. Strunk, Princeton/N. J. 1968); The Autograph of Beethoven's Sonata for Vc. and Piano, Op. 69, First Movement (in: The Music Forum II, NY 1968, dazu als Suppl. Faks. des Autographs, NY 1970); Beethoven's Unfinished Piano Concerto of 1815. Sources and Problems (MQ LVI, 1970); On Beethoven's Sketches and Autographs. Some Problems of Definition and Interpretation (AMl XLII, 1970). – Ausgaben: A. Divitis, Missa Quem dicunt homines (= Chw. LXXXIII, Wolfenbüttel 1961); Drei Motetten über den Text »Quem dicunt homines« (ebd. XCIV, 1964).

+Lockwood, Normand, * 19. 3. 1906 zu New York. Nach Lehrtätigkeit an verschiedenen amerikanischen Universitäten [jedoch nicht, wie früher angegeben, an der University of Wyoming] lehrt L. seit 1961 an der University of Denver (Colo.). Weitere Werke: die Opern Early Dawn (einaktig, University of Denver 1961), Kammeroper The Wizards of Balizar (ebd. 1962), Requiem for a Rich Young Man (einaktig, ebd. 1964) und Hanging Judge (zum 100jährigen Bestehen der University of Denver, ebd. 1964); Symphonic Sequences für Orch. (1966), From an Opening to a Close für Bläser und Schlagzeug (1967), Konzert für Org. und Blechbläser (1950), Oboenkonzert (1966); Sonate für 2 Kl. (1966), Sonate für Org. (1967); Magnificat für S., Chor und Orch. (1954), Give Me the Splendid Silent Sun für Chor und Orch. (1954), Oratorium Light out of Darkness für Bar., Chor und Orch. (1956), Rejoice in the Lord (Psalm 33) für Chor, 2 Hörner, 2 Pos. und Pk. (1967), Choreographic Cantata für Chor, Org. und Schlagzeug (1968); Shine, Perishing Republic für Chor, Trompeten, Posaunen, Bratschen, Org. und Schlagzeug (1969), Weihnachtsmesse für Soli, Chor, Org. und Cemb. (1969), O Lord! What is Man für S., Bar., Chor und Kammerorch. (1970); The Dialogue of Abraham and Isaac für T. und Kl. (1964), Fallen is Babylon the Great! Hallelujah für Mezzo-S. und Kl. (1965).
Lit.: C. D. Sprenger, A Study of the Text-Music Relationships in the Choral Works of J. Berger, C. Effinger, and N. L., Diss. (paed.) Colorado State College 1969.

Löbner, Roland Werner, * 4. 3. 1928 zu Chemnitz; deutscher Komponist und Musikpädagoge, studierte an der Staatsmusikschule in Braunschweig, an der Hochschule für Musik in Weimar und an der Nordwestdeutschen Musik-Akademie in Detmold. Er war ab 1950 als Bühnenmusikkomponist für Inszenierungen von Luigi Malipiero und Gründgens tätig, 1962 Dozent für Tonsatz an der Rheinischen Musikschule in Köln und 1968 Leiter der Abteilung Musikgymnasium und stellvertretender Direktor dieses Instituts. – Kompositionen (Auswahl): Streichquartett D dur (1949); Konzert für Streichorch. (1952); Integer vitae für Chor und Orch. (1956); Musik für Blechbläser, 2 Kl. und Schlagzeug (1956); weltliches Oratorium Titanic für Sprecher, Soli, Chor und Orch. (1957);

3 Stücke für Vc. und Kl. (1960); *Tanzstücke* für Kl. 4händig (1960); *Windvögel über Oklahoma* für 2 Fl. (1960); *Soli* für Git. (1965); *Metrical 5/x* für Fl. (1971). Er veröffentlichte *Gehörbildung*, Bd I: *Unterrichtsbuch* (Köln 1969).

+Loeffel, Felix, * 25. 7. 1892 zu Köniz (Bern).
Lit.: F. L., Eine Freundesgabe zum 70. Geburtstag, hrsg. v. H. WÜRGLER u. A. LOOSLI, Bern 1962.

+Loeffler, Charles Martin, 1861–1935.
Lit.: O. H. COLVIN JR., Ch. M. L., 2 Bde, Diss. Univ. of Rochester (N. Y.) 1959.

+Löffler, Johann Heinrich, 1833 – 15. 4. [del.: (5.?)] 1903.

+Löhlein, Georg Simon, 1725–81.
Ausg.: Tänze u. Stücke in: Mus. Kleinigkeiten, hrsg. v. K. HERRMANN, Hbg 1950; Kl.-Konzert F dur op. 7 Nr 1, hrsg. v. FR. V. GLASENAPP, = Coll. mus. LXXX, Lpz. 1954; Sonate G dur (1765) f. Fl. u. Cemb. (Kl.), hrsg. v. D. SONNTAG, Wilhelmshaven 1967; eine Fantasia in: P. SCHLEUNING, Die Fantasie I, = Das Musikwerk XLII, Köln 1971.
Lit.: P. BENARY, Die deutsche Kompositionslehre d. 18. Jh., = Jenaer Beitr. zur Musikforschung III, Lpz. 1961; W. S. NEWMAN, The Sonata in the Class. Era, Chapel Hill (N. C.) 1963, revidiert NY u. London 1972 (Paperbackausg.).

Löhner, Fritz (Pseudonym für Schlagertexte Beda), * 24. 6. 1883 zu Wildenschwert (Böhmen), † Dezember 1942 im Konzentrationslager Auschwitz; österreichischer Operettenlibrettist und Textdichter von Schlagern und Chansons, studierte an der Wiener Universität Rechtswissenschaft (Dr. jur.), wandte sich in jungen Jahren der Literatur zu und war lange Zeit Theaterdramaturg, ehe er den Weg über das Kabarett zur Operette fand. Von seinen Libretti seien genannt (Mitautoren und Komponisten in Klammern): *Ich hab' mein Herz in Heidelberg verloren* (mit Bruno Hardt-Warden und Neubach, Raymond, Wien 1927); *Friederike* (mit Herzer, Lehár, Bln 1928); *Das Land des Lächelns* (mit Herzer und V.→Léon, Lehár, Bln 1929); *Victoria und ihr Husar* (mit A.→Grünwald, P. Abraham, Budapest 1930); *Die Blume von Hawaii* (mit Grünwald, Abraham, Lpz. 1931); *Ball im Savoy* (mit Grünwald, Abraham, Bln 1932); *Giuditta* (mit P. Knepler, Lehár, Wien 1934). Zu seinen für die 20er Jahre typischen Schlagertexten gehören (Komponisten in Klammern): *Es geht die Lou lila* (Katscher); *Wo sind deine Haare, August* (R. Fall); *Ausgerechnet Bananen* (deutscher Text, Musik von Frank Silver und Irving Cohn); *In der Bar zum Krokodil* (Willy Engel-Berger); *Was machst du mit dem Knie, lieber Hans* (Fall); *Heimweh* (deutscher Text zu *Always* von I. Berlin).

+Löhner, Johann, getauft [del.: *] 21. 11. 1645 – 1705.
L.s Opern *Der gerechte Zaleucus* (1687) und *+Theseus* (1688) sind verschollen.
Lit.: H. E. SAMUEL, The Cantata in Nuremberg During the 17th Cent., Diss. Cornell Univ. (N. Y.) 1963.

Loehrer, Edwin, * 27. 2. 1906 zu Andwil (St. Gallen); Schweizer Dirigent, studierte Komposition und Dirigieren 1928–30 an der Akademie der Tonkunst in München und am Konservatorium in Zürich sowie Musikwissenschaft an der Universität Zürich, wo er 1938 mit einer Dissertation über *Die Messen von L. Senfl* promovierte. Zusammen mit O. Ursprung gab er von L. Senfl *Sieben Messen zu vier bis sechs St.* (= EDM I, 5, Lpz. 1936, Nachdr. = Senfl-GA I, Wolfenbüttel 1962) heraus. 1936 gründete er den Chor von Radio Svizzera Italiana/RSI (Studio Lugano) und wurde 1937 Dirigent bei RSI, wo er die internationalen Radiopro-

gramme der Sendereihen *Monumenti musicali della polifonia vocale italiana* und *Rarità musicali dell'arte vocale italiana* gestaltet hat. 1961 gründete er die Solistenvereinigung Società Cameristica di Lugano, mit der er vor allem italienische Kompositionen der Renaissance und des Barocks aufgeführt hat.

+Lœillet, –1) Jean Baptiste, 1680–1730.
–2) Jacques (auch Jacob Jean Baptiste), 1685–1746. Er ist nur 1726 am Münchner Hof nachweisbar, trat aber wahrscheinlich schon früher in die Dienste des Kurfürsten Max Emanuel von Bayern ein, als dieser sich in den Niederlanden aufhielt [del. bzw. erg. frühere Angaben hierzu].
–3) Jean Baptiste, * 1688.
Ausg. (hrsg., wenn nicht anders angegeben, v. H. RUF): zu –1): Triosonaten (jeweils in Einzel-H.) aus op. 1: Nr 3 G moll u. Nr 5 C moll, = Moecks Kammermusik LXXVII–LXXVIII, Celle 1963, Nr 2 G dur, Nr 4 D dur u. Nr 6 E moll, = Il fl. traverso o. Nr, Mainz 1967; dass. aus op. 2: Nr 2 F dur, Nr 6 C dur u. Nr 4 D moll, = HM CLXVI, CLXXVI u. CLXXXI, Kassel 1961–64, Nr 7 E dur u. Nr 11 D dur, hrsg. v. L. HÖFFER-V.-WINTERFELD, Hbg 1963, Nr 12 G dur, = Flötenmusik o. Nr, Kassel 1964, Nr 11 D dur, = Il fl. traverso o. Nr, Mainz 1967; 6 Sonaten f. Alt-Block-Fl. (Fl.) u. B. c. op. 3 Nr 1–6, ebd. 1964, u. 6 Sonaten f. Fl. u. B. c. op. 3 Nr 7–12, ebd. 1967. – zu –2): Konzert D dur f. Fl., 2 V. u. B. c., Kassel 1959; Konzert f. Ob., Streichorch. u. B. c., hrsg. v. F. SCHROEDER, Wolfenbüttel 1968. – zu –3): +Sonaten op. 1 Nr 1–3 (H. 1, J. PH. HINNENTHAL, 1952), Neudr. Kassel 1967; dass. op. 3 Nr 9 u. op. 4 Nr 9–10 (H. 2), hrsg. v. DEMS., = HM CLXII, ebd. 1960; dass. op. 3 Nr 12 u. op. 4 Nr 11–12 (H. 3), hrsg. v. DEMS., ebd. CLXV; 6 Duette f. 2 Fl. (2 Ob., 2 V.) op. 5, 2 H., = Il fl. traverso o. Nr, Mainz 1969. – zu –3) oder –1) [del. frühere Zuweisung zu –2)]: +Quintett H moll f. 2 Fl., 2 f'-Block-Fl. u. B. c. (R. ERMELER u. E. BARTHE, 1955), Kassel ²1963.
Lit.: BR. PRIESTMAN, An Introduction to the L.s, in: The Consort XI, 1954; A. SKEMPTON, The Instr. Sonatas of the L.s, ML XLIII, 1962. – zu –1): BR. PRIESTMAN, The Keyboard Works of J. L., MR XVI, 1955.

Loesser (l'ousǝ), Frank, * 29. 6. 1910 und † 28. 7. 1969 zu New York; amerikanischer Komponist von Musicals und Filmmusik, Textdichter, Librettist und Produzent deutscher Abstammung, begann als Reporter, erhielt 1930 eine Anstellung als Texter in einem New Yorker Musikverlag und bei RKO Radio Pictures und ging nach seinen ersten Songerfolgen (1934) nach Hollywood, wo er u. a. für Lane, Styne, Carmichael und Fr. Hollaender als Texter tätig war. 1948 trat er als Komponist mit der Broadway-Show *Where's Charly* (nach Brandon Thomas' Komödie *Charly's Aunt*) hervor. 1949 wurde *Baby It's Cold Outside* aus seiner Filmmusik zu *Neptune's Daughter* als beste Filmmelodie des Jahres ausgezeichnet. Mit folgenden Stücken zählt L. zu den erfolgreichsten amerikanischen Musicalkomponisten: *Guys and Dolls* (Musik und Songtexte von L., NY 1950; darin die Songs *The Oldest Established, If I Were a Bell* und *I've Never Been in Love Before*; deutsche Erstaufführung als *Schwere Jungen – leichte Mädchen*, Bremen 1969); *The Most Happy Fella* (Buch, Musik und Songtexte von L., NY 1956; deutsche Erstaufführung als *Der glücklichste Mann der Welt*, Freiburg i. Br. 1972); *How to Succeed in Business Without Really Trying* (Musik und Songtexte von L., NY 1961, ausgezeichnet mit dem Pulitzer-Preis; darin die Songs *Been a Long Day, Rosemary, Love from a Heart of Gold* und *I Believe in You*; deutsche Erstaufführung als *Wie man was wird im Leben, ohne sich anzustrengen*, Trier 1968). Von L.s Evergreens aus Filmmusiken seien noch *Tallahassee* (aus *Variety Girl*, 1947) und *I Wish I Didn't Love You So* (aus *Perils of Pauline*, 1947) genannt.

Lit.: A. LOESSER, My Brother Frank, in: Notes II, 7, 1949/ 50; ST. GREEN, The World of Mus. Comedy, NY 1960; S. SCHMIDT-JOOS, Das Musical, = dtv Bd 319, München 1965; D. EWEN, Great Men of American Popular Song, Englewood Cliffs (N. J.) 1970.

+Loevensohn, Marix, 1880–1943.
Lit.: A. VAN PRAAG, De M. Ravel à M. Proust, in: Synthèses XXIV, 1969 (basierend auf Erinnerungen L.s an Ravel).

+Loewe, Johann Carl Gottfried, 1796–1869.
Seine Oper +*Die drei Wünsche* wurde in Berlin 1834 [nicht: 1832] uraufgeführt. L. schrieb 3 [nicht: 2] +große Sonaten für Kl. (zwei 1819 und eine 1829). – L.s zweite Frau Auguste, [erg.:] 10. 10. 1806 [nicht: 1805; erg.:] zu Königsberg – 1895.
Ausg.: +GA d. Balladen, Legenden, Lieder u. Gesänge (M. RUNZE, 17 Bde, 1899–1905), Nachdr. Farnborough 1970. – eine Sonate in: 13 Keyboard Sonatas of the 18th and 19th Cent., hrsg. v. W. S. NEWMAN, Chapel Hill (N. C.) 1947.
Lit.: FR. HAMANN, C. L. als Kantoren- u. Organisten-Erzieher, in: Der Kirchenmusiker XIV, 1963; E. G. PORTER, The Ballads of C. L., MR XXIV, 1963; J. E. SCHLEICHER, The Ballads of C. L., Diss. Univ. of Illinois 1966; B. BASELT, C. L., Zur Konzeption eines zeitgenössischen L.-Bildes, MuG XIX, 1969; M. J. E. BROWN in: MT CX, 1969, S. 357ff.; P. L. ALTHOUSE, C. L., His Lieder, Ballads and Their Performance, Diss. Yale Univ. (Conn.) 1971.

+Löwe, Ferdinand, 1865–1925.
Lit.: H. JANCIK in: ÖMZ XX, 1965, S. 123.

Loewe (l'oui), Frederick, * 10. 6. 1904 zu Wien; amerikanischer Musicalkomponist österreichischer Herkunft, Sohn des Operettentenors Edmund Löwe, erhielt früh Musikunterricht und war in Berlin Schüler d'Alberts, Busonis und Rezničeks. Im Alter von 13 Jahren trat er mit den Berliner Philharmonikern als Konzertpianist auf. Mit 15 Jahren schrieb er den Schlager *Kathrin, du hast die schönsten Beine von Berlin*, von dem über 1 Million Notenexemplare verkauft wurden. 1924 begleitete er den Vater auf eine Amerikatournee, blieb in den USA und wandte sich eine Reihe von Jahren ganz von der Musik ab, bevor er wieder als Unterhaltungspianist in New Yorker Restaurants begann. 1935 fand er Kontakt zum Theater (Song *A Waltz Was Born in Vienna* für die *Illustrators Show*, 1935; Musicals *Salute to Spring*, 1937, und *Great Lady*, 1938). Von 1942 an datiert seine Zusammenarbeit mit dem Textdichter und Librettisten Alan Jay Lerner (* 31. 8. 1918 zu New York); im Teamwork entstand nach einigen wenigen erfolgreichen Musicals (*Life of Party*, Detroit 1942; *What's Up*, NY 1943; *The Day Before Spring*, NY 1945; *Brigadoon*, NY 1947; *Paint Your Wagon*, NY 1951) der Welterfolg *My Fair Lady* (nach G. B. Shaws Komödie *Pygmalion*, NY 1956, 2717 Aufführungen; ausgezeichnet mit dem Pulitzer-Preis, Hauptrolle Julie →Andrews; darin die Songs *With a Little Bit of Luck, The Rain in Spain, I Could Have Danced All Night* und *On the Street Where You Live*; deutsche Erstaufführung Bln 1961 in der Textbearbeitung von Robert Gilbert; verfilmt in Hollywood 1964). 1960 schrieben L. und Lerner das mit außergewöhnlichem Kostenaufwand inszenierte Musical *Camelot* (darin die Songs *Follow Me, C'est moi* und *I Loved You Once in Silence*). Ferner schrieb er die Musik zu dem Film *Gigi* (1956, mit Leslie Caron und Chevalier in den Hauptrollen; darin *The Night They Invented Champagne*).
Lit.: ST. GREEN, The World of Mus. Comedy, NY 1960; S. SCHMIDT-JOOS, Das Musical, = dtv Bd 319, München 1965; D. EWEN, Great Men of American Popular Song, Englewood Cliffs (N. J.) 1970.

+Löwe, Johann Jakob, 1629–1703.
Ausg.: +2 Streichersuiten (A. RODEMANN, 1930), Neudr. Kassel 1960.
Lit.: +PH. SPITTA, J. S. Bach (I, 1873), Wiesbaden u. Darmstadt ⁵1962 (= Nachdr. d. 4. unveränderten Aufl. Lpz. 1930), ⁶1964.

Löwe, Johanna Sophie Christiane, * 24. 5. 1812 zu Oldenburg, † 29. 11. 1866 zu Pest; deutsche Opernsängerin (Sopran), studierte ab 1831 bei Giuseppe Ciccimarra in Wien und bei Lamperti in Mailand. 1832 debütierte sie am Hofoperntheater am Kärntnerthor in Wien in »Die Macht der kindlichen Liebe« (*Otto mesi in due ore*) von Donizetti. Nach einer Konzertreise durch Norddeutschland wurde sie 1837 an die Berliner Hofbühne verpflichtet; auf Gastspiele in London und Paris folgte 1841 ihr Debüt an der Mailänder Scala, wo sie bei der Uraufführung von Donizettis *Maria Padilla* in der Titelrolle auftrat. S. L. wirkte außerdem bei den Uraufführungen von Verdis *Ernani* (als Elvira, 1844) und *Attila* (1846) mit. 1848 verheiratete sie sich mit dem k. k. Feldmarschalleutnant Fürst Friedrich von Liechtenstein und zog sich von der Bühne zurück.

Loewenberg, Alfred, * 14. 5. 1902 zu Berlin, † 29. 12. 1949 zu London; englischer Musikforscher deutscher Herkunft, studierte an den Universitäten Berlin und Jena, wo er 1925 mit der Arbeit *Beiträge zur Psychologie der Gefühle* promovierte. 1935 emigrierte er nach London und wurde Mitarbeiter bei »Everyman's Dictionary of Music«, Grove und am »British Union Catalogue of Periodicals« (ab 1947 Mitherausgeber), 1948 auch Mitherausgeber des Index zu den *Proceedings of the Royal Musical Association* (I, 1874/75 – LXX, 1943/44). L. stellte die *Annals of Opera 1597–1940* (2 Bde, Cambridge 1943, revidiert Genf ²1955, postum hrsg. von Fr. Walker) zusammen, ferner die Bibliographien *Early Dutch Librettos and Plays with Music in the British Museum* (London 1947) und *The Theatre of the British Isles, Excluding London* (ebd. 1950).
Lit.: A. H. KING in: ML XXXI, 1950, S. 116ff.

+Loewenguth, Alfred, * [erg.: 11. 6.] 1911 zu Paris. L. ist Gründer und Leiter der Orchestres d'enfants et des cadets der Schola cantorum in Paris. Dem Quartett, das vielfach im europäischen und außereuropäischen Ausland konzertierte, gehören nunmehr (1970) als Mitglieder an: Jean-Pierre Sabouret (* 4. 12. 1944 zu Paris), Roger Roche (* 10. 1. 1914 zu Chelles, Seine-et-Marne) und Roger L. (* 22. 3. 1916 zu Viroflay, Seine-et-Oise). L. schrieb den Beitrag *Les enfants sont-ils tous musiciens?* (in: M. Légaud, Aimer la musique, = Nos enfants et nous X, Paris 1971).

+Löwlein, Hans, * 24. 6. 1909 zu Ingolstadt. 1961 wurde er stellvertretender GMD der Städtischen Bühnen Frankfurt a. M. Seit 1946 ist er musikalischer Oberleiter am Stadttheater in Basel. L., Professor seit 1959, übernahm 1964 die Leitung der Orchesterklasse an der Frankfurter Musikhochschule.

Logar, Mihovil, * 6. 10. 1902 zu Fiume/Rijeka; jugoslawischer Komponist, studierte 1921–26 am Prager Konservatorium (Jirák, J. Suk) und ließ sich 1927 in Belgrad nieder, wo er bis 1945 an der Musikschule »Mokranjac« als Lehrer tätig war und dann Professor für Komposition an der Musikakademie wurde. Seine Kompositionen, für die heitere Melodik, üppige Harmonik und reich kolorierte Instrumentation charakteristisch sind, umfassen u. a. die Opern *Sablast u dolini Sentflorijanskoj* (»Der Spuk im Tale von St. Florian«, 1937), *Pokondirena tikva* (»Die hochmütige Schusterswitwe«, Belgrad 1956) und *Četrdeset prva* (»Das Jahr

1941«, Sarajevo 1961), die Ballette *Zlatna ribica* (»Der Goldfisch«, Belgrad 1953) und *Expo* (1966), Orchesterwerke (1. Symphonie, 1947; Konzert für V. und Orch., 1954; *Sinfonia italiana*, 1964; Konzert für Klar., Horn und Orch., 1967), Kammermusik (5 Streichquartette; Klaviertrio, 1966), Klavierwerke, Kantaten, Chöre, Lieder und Filmmusiken.

+Logier, Johann Bernhard, 1777–1846.
→ Chiroplast.
Lit.: G. PÜGNER, J. B. L., Wegbereiter d. Gruppenunterrichts, in: Musik in d. Schule X, 1958; DERS., J. B. L., Diss. Lpz. 1960, Abriß in: Wiss. Zs. d. K.-Marx-Univ. Lpz., Ges.- u. sprachwiss. Reihe X, 1961, S. 119ff.

Logothetis (lɔgɔθ′ɛtis), Anestis, * 27. 10. 1921 zu Burgas (Bulgarien); österreichischer Komponist und Maler griechischer Herkunft, studierte 1942 in Wien zunächst an der Technischen Hochschule, dann 1945–51 an der Akademie für Musik und darstellende Kunst Komposition und Klavier. Seither lebt er als freischaffender Komponist und Klavierlehrer in Wien. Er entwickelte ab 1959 eine integrierende Notation (»Musikalische Graphik«), in der er das Spezifische der jeweils vorgestellten Klänge trotz der im voraus bestimmten Freiheitsgrade durch entsprechende »Aktions-Signale« und »Assoziations-Zeichen« wie auch »Tonhöhen-Symbole« vermittelt. Von den in dieser Notation aufgezeichneten Werken (teilweise in variabler Besetzung) seien genannt: Bühnenwerk *Himmelsmechanik* (7 Blätter, 1960–64); *Partie,* Bühnenwerk in einem Bild (1961); Bühnenwerk *5 Porträte der Liebe* (1967); *karmadharmadrama,* ein musikalisches Gesellschaftsspiel für die Bühne (1967–68). – *Katalysator* (1960); *Agglomeration* für V. und Saiteninstr. (1960); *Kulmination* (1961); *7 Kooptationen* (1961); *Mäandros* (1963); *Odyssee* (1963); *Dynapolis* (1963); *Kentra* (1964); *Dispersion* (1964); *Ichnologia* (1964); *Seismographie I* und *II* (1964); *Labyrinthos* (1965); *Reversible Bijunktion* (1965); *Desmotropie* für Klar. und Kl. (1965); *Orbitals* (1965); *Entropie* (1965); *Integration* (1966); *Diptychon* für Kl. (1966); *Enklaven* (1966); *Syrroë* (1967); *Konvektionsströme* (1968); *Zonen* (1969); *Pyriflegheton–Acheron–Kokkytos* für 3 Chöre und Instrumente (1971). – L. schrieb außerdem eine Reihe von Kompositionen in herkömmlicher Notation; genannt seien: *Konvolut,* griechische Suite für Kl. (1943); *Sonate* für Kl. (1948); *Integrationen 51* für V. solo (1951); *Humoreske,* Lied für B. und Kl. (1952); *Integration* für V., Vc. und Kl. (1953); *Polynom* für Orch. in 5 Gruppen (1958); *Texturen* für 2 Klaviergruppen (1959); *Kompression* für beliebige Instr. (1959); *Textur – Struktur – Spiegel – Spiel* (1959); *Fantasmata,* Tonbandballett (1960). Von seinen Aufsätzen sei *Kurze musikalische Spurenkunde. Eine Darstellung des Klanges* (in: Wort und Wahrheit XXIV, 1969, auch in: Melos XXXVII, 1970) angeführt.
Lit.: P. GRADENWITZ, Wege zur Musik d. Gegenwart, = Urban-Bücher LXX, Stuttgart 1963; E. KARKOSCHKA, Das Schriftbild d. Neuen Musik, Celle 1966; ANON., A. L., in: Neues Forvm XVII, 1970.

+Logroscino, Nicola [erg.:] Bonifacio (Lo Groscino), 1698 – um 1765/67.
Lit.: M. BELUCCI LA SALANDRA, Triade mus. bitontina, Bitonto 1935.

+Lohet, Simon, [erg.:] Mitte 16. Jh. zu Lüttich – 1611.
Ausg.: 3 Fugen in: Orgelwerke alter Meister aus Süddeutschland, hrsg. v. H.-A. METZGER, Tübingen 1954.
Lit.: +A. G. RITTER, Zur Gesch. d. Orgelspiels ... (1884), Nachdr. Hildesheim 1969 (2 Bde in 1); +G. FROTSCHER, Gesch. d. Orgelspiels ... I (1935), Bln ²1959, ³1966. – K. SWARYCZEWSKA, Fugi S. L.a, in: Muzyka II, 1957 (darin

als Anh. Ausg. v. 20 Fugen); A. REICHLING in: Musik u. Altar XI, 1958, S. 22f.

+Lohmann, [erg.: Gottfried] Paul, * 2. 4. 1894 zu Halle (Saale).
L. unterrichtete bis 1963 an der Musikhochschule in Frankfurt a. M. 1949–69 hielt er Ferienkurse in Luzern, daneben ständig in Oslo, Stockholm und anderen Städten ab. Seine Schrift +*Stimmfehler – Stimmberatung* (1938) wurde ins Tschechische übersetzt (*Chyby hlasové techniky a jejich náprava,* Prag 1968).

+Lohr, Ina, * 1. 8. 1903 zu Amsterdam.
Das Collegium musicum der Universität Basel leitete I. L. 1959–61; sie wurde 1968 an der Schola Cantorum Basiliensis pensioniert. Die Basler Universität verlieh ihr 1958 den Titel eines Dr. theol. h. c. – Neuere Kompositionen: 10 Chansons für eine Singst. und Fl. sowie 3 Psalmen für eine Singst. mit Tasteninstr. (1958); ferner Sätze in den Sammlungen *Deutsche Messgesänge* (Basel 1967), *25 dreistimmige Psalmsätze* (ebd.) und *Instrumentalgespräche* (Soest/Niederlande 1967) sowie in den Liedblättern der *Laudinella*-Reihe (St. Moritz 1963–70). – +*Solmisation und Kirchentonarten* (1943), Zürich ²1948. – Neuere Aufsätze: *Praktische Arbeit am Kirchenlied* (in: Musik und Gottesdienst X, 1956); *Musik aus der Sprache, Musik aus dem Spiel* (in: Singt und spielt XXV, 1958); *Versuch über die melodische Gebärde* (ebd. XXVII, 1960); *Von der »natürlichen« zu der »geschärften« und polierten Musica«* (SMZ CVIII, 1968).

+Lohse, Otto Fred, * 9. 4. 1908 zu Leipzig.
L. ist seit 1973 außerordentlicher Professor an der Leipziger Universität, wo er 1959 mit einer Arbeit über *Probleme des zweistimmigen vokalen Satzes. Grundlegung einer aus Untersuchungen der neuen Musik linear begründeten Methodik des musiktheoretischen Unterrichts* promoviert und sich 1967 mit einer Arbeit über *Die musikalische Linearität des 20. Jh. als ordnendes Prinzip einer historisch begründeten und neuentwickelten Systematik der Tonsatzes* habilitiert hatte. – Weitere Werke: 2. Symphonie (1962), Suite für Ob. und Streichorch. (1962), Konzert für Klar., Trp., Kl., Pk., Schlagzeug und Streicher (1963), Musik für Bläserquartett, Schlagzeug und Streicher (1968), Klavierkonzert (1970), ferner ein Divertimento für Streichorch. (1957) und eine *Kleine Suite nach alten Weisen* für Jugendsymphonieorch. (1963); Septett für Fl., Ob., Horn, V., Va, Vc. und Kb. (1968), Bläserquintett (1960), 2. Streichquartett (1960), Klaviertrio (1973), Violinsonate (1958), 7 Studien für V. solo (1956); Sonate (1961) und 5 Konzertetüden *Mouvements* (1971) für Kl., Suite (1953) und Sonate (1956) für Kl. 4händig; Kantaten *Verwandle das Zeitalter, das dich gebar* für Sprecher, Bar., gem. Chor und Instr. (1959) und *Im Anderen findest du zu dir* für gem. Chor, 2 Kl., Klar., Trp. und Schlagzeug (1969, zum 20. Jahrestag der DDR), 4 a cappella-Chöre *Land meines Lebens* (1959) und *Vier Sonette von Michelangelo* für hohe St. und Kl. (1956); weitere Chöre und Lieder. – Er schrieb *Anwendungsmöglichkeiten neuer musikalischer Gestaltungsprinzipien. (Dargestellt an Beispielen aus dem eigenen Schaffen.)* (in: In eigener Sache ..., Bekenntnisse und Aussagen von Komponisten der DDR, Bln 1961).
Lit.: J. BEYTHIEN in: MuG XV, 1965, S. 394ff. (zum Divertimento); B. PACHNICKE, ebd. XVII, 1967, S. 25ff. (zum 2. Streichquartett u. zur 2. Symphonie); DERS., ebd. XVIII, 1968, S. 277f.; R. PETZOLDT in: Musica XXII, 1968, S. 193; DERS. in: Musik in d. Schule XXIV, 1973, S. 209; S. RASCHKE, Charakteristik u. Wirksamkeit d. Prinzipien linearen Gestaltens, untersucht u. dargestellt an Kompositionen v. Fr. L., Diss. Lpz. 1969; W. ZIMMERMANN in: MuG XX, 1970, S. 35f. (zu »Im Anderen ...«).

+Lohse, Otto, 1858–1925.
Lit.: H.-J. IRMEN in: Rheinische Musiker VI, hrsg. v. D. Kämper, = Beitr. zur rheinischen Mg. LXXXIII, Köln 1969, S. 118f.

+Lolli, Antonio, um 1730 – [erg.: 10. 8.] 1802.
Konzertmeister im Stuttgarter Orchester war L. 1758 bis 1774 [nicht: 1755–73], danach wirkte er, mit Unterbrechungen durch ausgedehnte Konzertreisen, bis 1783 [nicht: 1778] in St. Petersburg.
Lit.: R. SCHAAL, Aus Mozarts Bekanntenkreis. A. L., L. im Spiegel zeitgenössischer Kritik, Acta Mozartiana XIV, 1967; N. K. NUNAMAKER, The Virtuoso V. Concerto Before Paganini, Diss. Indiana Univ. 1968; A. MELL, A. L.'s Letters to Padre Martini, MQ LVI, 1970.

+Lomakin, Gawriil Jakimowitsch, 1812 zu Borissowka (Gouvernement Kursk) [nicht: St. Petersburg] – 1885.
Lit.: D. LOKSCHIN, Sametschatelnyje russkije chory i jich dirischory (»Berühmte russ. Chöre u. ihre Dirigenten«), Moskau 1963.

Lomax (l'oumæks), Alan, * 31. 1. 1915 zu Austin (Tex.); amerikanischer Musikethnologe, Sohn von John A. L., studierte an der University of Texas in Austin (B. A. 1936) und an der Columbia University in New York. Er unternahm in den Jahren 1933–42 Forschungsreisen in den Südwesten und Mittelwesten der USA, nach den Bahamas und Haiti. 1960–61 arbeitete er am Department of Anthropology der Columbia University, an der er 1963 Leiter des Bureau of Applied Social Research und Department of Anthropology wurde. L. gab mehrere Schallplattensammlungen und (mit seinem Vater J. →Lomax) Editionen unbekannter Volksmusik heraus. – Weitere Veröffentlichungen: *American Folksong and Folklore. A Regional Bibliography* (mit S. R. Cowell, NY 1942); *Mr. Jelly Roll. The Fortunes of Jelly Roll Morton, New Orleans Creole and »Inventor of Jazz«* (NY 1950, schwedisch Stockholm 1956, deutsch Zürich 1960, frz. Paris 1964); *The Folk Songs of North America in the English Language* (NY und London 1960); *Song Structure and Social Structure* (in: Ethnology I, 1962); *Phonotactique du chant populaire* (mit E. Trager, in: L'homme 1964, Nr 1, und in: Ethnology IV, 1964); *Folk Songs of the Southern Appalachians as Sung by J. Ritchie* (NY 1965); *Hard Hitting Songs for Hard-Hit People* (NY 1967); *Folk Song Style and Culture* (Washington/D. C. 1968); *Choreometrics. A Method for the Study of Cross-Cultural Pattern in Film* (mit I. Bartenieff und F. Paulay, in: Research Film VI, 1969); *Folk Song Texts as Cultural Indicators* (mit J. Halifax, in: Structural Analysis of Oral Tradition, hrsg. von P. Maranda und E. Köngäs, Philadelphia 1971). – Schallplattensammlungen: *Columbia World Library of Folk and Primitive Music* (bisher 18 Platten); *The Library of Congress Folk-Song Collections* (12 Alben); *Folk Songs of Spain* (11 Platten); *Folk Songs of Great Britain* (10 Platten).
Lit.: D. P. MCALLESTER, A. L. and American Folk Song, in: Ethnomusicology VI, 1962.

Lomax (l'oumæks), John Avery, * 23. 9. 1867 zu Goodman (Miss.), † 26. 1. 1948 zu Greenville (Miss.); amerikanischer Volksliedsammler, Vater von Alan L., begann bereits in jungen Jahren mit der Sammlung von Liedern und Balladen und studierte 1895–97 an der University of Texas in Austin. Er war 1925–31 Vizepräsident der Republic National Company in Dallas (Tex.), Gründer der Texas Folklore Society und Präsident der American Folklore Society. – Veröffentlichungen (Auswahl): *American Ballads and Folksongs* (NY 1934); *Negro Folksongs as Sung by Lead Belly* (mit A. Lomax, NY 1936, erweiterte Aufl. NY 1938 und 1959,

London 1960); *Cowboy Songs and Other Frontier Ballads* (mit A. Lomax, NY 1938, erweiterte Aufl. NY 1965); *Our Singing Country* (mit A. Lomax, NY 1941); *Best Songs from the L. Collections for Pickers and Singers* (postum, mit A. Lomax, NY 1966). – Autobiographie *Adventures of a Ballad Hunter* (NY 1947, NA 1971).

Lombard (lŏb'a:r), Alain, * 4. 10. 1940 zu Paris; französischer Dirigent, studierte bei Suzanne Demarquez und G. Poulet, wurde 1961 Dirigent des Opernorchesters in Lyon, gab 1963 sein Debüt in New York und war dann mehrere Jahre lang Chefdirigent der Greater Miami Philharmonic (Fla.). 1971 wurde er zum Leiter des Philharmonischen Orchesters und der Oper in Straßburg ernannt.

Lombardo, Carlo (Pseudonyme Léon Bard und Leplanc), * 28. 11. 1869 zu Neapel, † 19. 12. 1959 zu Mailand; italienischer Operettenkomponist und -librettist, studierte am Conservatorio di Musica S. Pietro a Majella in Neapel bei Pietro Platania und wurde Dirigent, dann Direktor der Schauspieltruppe Maresca. Später gründete und leitete er, unterstützt von seinem Bruder Costantino L., eine eigene Truppe, mit der er die Operette in Italien verbreitete. L. gründete auch einen eigenen Musikverlag in Mailand. Er komponierte u. a. die Operetten *Un viaggio di piacere* (Turin 1891), *I coscritti* (ebd. 1892), *La milizia territoriale* (ebd. 1896), *La fornarina* (Text Adami, 1925), *Cri-cri* (Mailand 1928), *I merletti di Burano* (ebd. 1928), *La casa innamorata* (Text Simoni, ebd. 1929), *Le tre lune* (eigenes Libretto, Florenz 1931), *Parigi che dorme* (eigenes Libretto, Rom 1931) und *L'appuntamento nel sogno* (Text Simoni, Mailand 1932) und schrieb die Textbücher zu Operetten u. a. von Costa (*Scugnizza*, Turin 1922) und Pietri (*L'isola verde*, mit Simoni, Mailand 1926).

Lombardo, Costantino, * 13. 2. 1882 zu Casoria (Neapel), † 9. 5. 1960 zu Rom; italienischer Operettenkomponist und Dirigent, war Mitarbeiter in der Truppe seines Bruders Carlo L. Er schrieb u. a. die Operetten *Sullivan* (Mailand 1914), *Vita d'artista* (Rom 1916), *La vergine dell'Antella* (ebd. 1917), *La Pompadour* (Turin 1918) und *Diana al bagno* (Venedig 1924).

Lombardo (lɔmb'a:dou), Guy, * 19. 6. 1902 zu London (Ontario); amerikanischer Bandleader italienischer Abstammung, gründete mit seinem Bruder, dem Schlagerkomponisten und Saxophonisten Carmen L. (* 16. 7. 1903 zu London/Ontario, † 17. 4. 1971 zu Miami/Fla.) die Tanzkapelle »The Royal Canadians«, mit der er 1924 in die USA übersiedelte und dort mit seinen emotionell gesteigerten Arrangements großen Erfolg hatte. Besonders beliebt wurde seine Bearbeitung des schottischen Volkslieds *Auld Lang Syne*.

Lonati, Carlo Ambrogio (Lunati), * um 1645 zu Mailand; italienischer Violinist und Komponist, genannt il gobbo (»della Regina di Svezia«), war 1665–67 Violinist der Königlichen Kapelle in Neapel und ging dann nach Rom, wurde 1668 Mitglied der Congregazione di S. Cecilia, arbeitete mit Stradella zusammen und war 1673–74 Leiter der Hauskapelle der Königin Christine von Schweden. 1674–75 war er Violinist des Oratorio del SS. Crocifisso. Ab 1678 wirkte er in Genua. 1685 wurde ihm der Titel eines »virtuoso dei duchi di Mantova« verliehen. Dann war er in Mailand der erste Lehrer von Fr. Geminiani. L. schrieb Opern (*Amor stravagante*, Genua 1677; *Amor per destino*, ebd. 1678; *Ariberto e Flavio*, Venedig 1684; *L'Antioco principe della Siria*, Genua 1690), Pasticci, Kantaten, Arien, Kanzonetten und das Oratorium *L'innocenza di Davide illesa dai furori di Saullo* (Mantua 1686). Sein Haupt-

werk sind 12 Sonaten für V. und B. c. (Mailand 1701, Kaiser Leopold I. gewidmet).
Ausg.: Sonate V in: Fr. Giegling, Die Solosonate, = Das Musikwerk XV, Köln 1959, auch engl.
Lit.: R. Giazotto, La musica a Genova, Genua 1951, S. 223f.; ders., Vita di A. Stradella, Mailand 1962.

+London, George (eigentlich Burnstein), * 30. 5. 1919 [nicht: 1920] zu Montreal.
Neben seinen festen Verpflichtungen an der Wiener Staatsoper (bis 1956), der Metropolitan Opera in New York und am Kölner Opernhaus (1962/63) sang er als Gast u. a. auch an der Mailänder Scala und 1960 als erster Nichtrusse die Rolle des Boris Godunow am Moskauer Bolschoj teatr. Bei den Bayreuther Festspielen wirkte er 12 Jahre lang mit. L., der sich vor einigen Jahren von der Bühne zurückgezogen hat, wurde 1968 zum künstlerischen Direktor für Musik am J. F. Kennedy Center for the Performing Arts in Washington (D. C.), 1971 (mit Wirkung ab 1972/73) zum Generaldirektor des neugegründeten Opera Theater of Southern California an der University of Southern California at Los Angeles ernannt. Er schrieb die Beiträge *Don Giovanni, eine Aufgabe* (ÖMZ XI, 1956) und *Prima Donnas I Have Sung Against* (Opera Annual VI, 1959).

+Long, Marguerite [erg.:] Marie Charlotte, * 13. 11. 1874 [nicht: 1878] zu Nîmes, [erg.:] † 13. 2. 1966 zu Paris.
Im Laufe ihrer Konzerttätigkeit, die sie 1959 beendete, hat M. L. zahlreiche Klavierwerke von Debussy, Fauré, Ravel u. a. uraufgeführt. Konzertreisen führten sie auch in die UdSSR (1955 Ernennung zum Professor ehrenhalber am Moskauer Konservatorium) und nach Brasilien (zuletzt 1957). Bereits 1943 hatte sie mit J. Thibaud den Concours international de piano et violon M. L. – J. Thibaud (seit 1946 international, 1962 dem Staat übertragen) gegründet; der Wettbewerb, zuerst in dreijährigem Turnus abgehalten, findet seit 1949 alle zwei Jahre im Frühsommer in Paris statt. M. L.s letzter bedeutender Schüler war Br.-L. Gelber. – Schriften: *Le piano de M. L., Méthode* (Paris 1959); *Au piano avec Cl. Debussy* (ebd. 1960, rumänisch Bukarest 1968, engl. London 1972); *Au piano avec G. Fauré* (mit J. Weill, Paris 1963, rumänisch Bukarest 1970); *Au piano avec M. Ravel* (hrsg. von P. Laumonier, Paris 1971).
Lit.: Les concours M. L. – J. Thibaud, = RM 1959, Nr 245 (mit Diskographie zu M. L.); S. M. Chentowa, M. L., = Musykanty-ispolniteli o. Nr, Moskau 1961; Cl. Chamfray in: Le courrier mus. de France 1964, Nr 7 (Biogr.); Musica (Disques) 1966, Nr 145, S. 6ff.; J. Weill, M. L., Paris 1969.

+Longás [erg.:] Torres, Federico, * 18. 7. 1893 [del. früheres Datum] zu Barcelona, [erg.:] † 17. 6. 1968 zu Santiago de Chile.
L. war Klavierbegleiter u. a. auch von P. Casals und J. Thibaud, Amelita Galli-Curci, J. Kiepura, Lily Pons, T. Ruffo, F. Schaljapin und Gladys Swarthout; zeitweise wirkte er außerdem als Dirigent an verschiedenen Opernhäusern (u. a. Théatre Royal de la Monnaie in Brüssel). Um 1950 verlegte er seinen Wohnsitz nach Santiago de Chile. Als weitere Komposition sei die Operette *La reina del Ariel* (Santiago de Chile 1945) genannt.

+Longaval, Antoine de, 16. Jh.
Ausg.: ein Satz in: P. Attaingnant, Treize livres de motets, Bd XI, hrsg. v. A. T. Merritt, Monaco 1962.

+Longo, Alessandro, 1864–1945.
Lit.: M. Limoncelli, A. L., Neapel 1956; T. Aprea, A. L., Rass. mus. Curci XI, 1958; Ricordo di A. e Achille L., in: Conservatorio di musica »S. Pietro a Majella«, Annuario 1963–65.

Lonnendonker, Hans, * 20. 12. 1920 zu Mausbach (Kreis Aachen-Land); deutscher Musikpädagoge, studierte 1940 und 1946–48 Schulmusik an der Staatlichen Hochschule für Musik in Köln (1948 Staatsexamen) sowie 1955–58 Musikwissenschaft und Philosophie an der Universität des Saarlandes. 1949 wurde er Theorielehrer (1967 Professor) am Staatlichen Konservatorium des Saarlandes (heute Musikhochschule des Saarlandes). Daneben ist er seit 1959 Leiter des Instituts für katholische Kirchenmusik, seit 1967 Vorsitzender der »Konferenz katholischer kirchenmusikalischer Ausbildungsstätten Deutschlands« sowie seit 1971 Beauftragter für Deutschland im Allgemeinen Cäcilien-Verband.

+Lonque, Georges, * 8. 11. 1900 zu Gent, [erg.:] † 3. 3. 1967 zu Brüssel.
L. war 1938–64 Leiter der Musikakademie in Ronse/Renaix (Flandern). Weitere Werke: *Afgoden (Idoles)* für Klar. und Orch. op. 41 (1950); *Voilier* op. 42 (1952), *Tableaux d'une chambre bleue* op. 43 (1952) und Nocturne op. 45 (1955) für Kl.; *La question* op. 46 (1957) und *Portrait* op. 47 (1957) für Singst. und Kl.

Lonquich, Heinz Martin, * 23. 3. 1937 zu Trier; deutscher Komponist und Dirigent, studierte 1954–57 an der Staatlichen Hochschule für Musik in Saarbrücken (Klavier bei Alexander Sellier, Komposition bei Konietzny, Dirigieren bei Wüst) und war Kapellmeister an den Städtischen Bühnen in Münster in Westfalen (1957–61) und am Staatstheater Braunschweig (1961–64). Seit 1964 ist er als musikalischer Assistent an den Bühnen der Stadt Köln und als freischaffender Komponist tätig. 1966–69 vervollkommnete er seine Studien bei B. A. Zimmermann und Eimert an der Kölner Musikhochschule. L. gehört der »Gruppe 8 Köln« (H. U. →Humpert) an. Er war 1971–72 Stipendiat der Deutschen Akademie Villa Massimo in Rom. – Kompositionen: *Reflexionen* für 2 V. und Kl. (1964, Neufassung für 2 V., Fl., Vibraphon und Kl., 1969); *Der Weg nach Tsin,* 11 chinesische Gedichte für Bar. und Kl. (1964); *Incanto* für 2 Kl. (1966); *Mondblüten,* 17 Haikus für S. und Kl. (1966); *Vokalisation* für S., Mezzo-S., Vc., Schlagzeug und Tonband (1967); *Concerto da camera* für Hf., Fl., Klar. und 15 Solo-V. (1968); *Corrispondenza* für Orch. (1968); *Pentameron* für Git., Hf. und Kl. (1969); *Resurrexit* in memoriam Tilo Keil für Ob., Klar., Fag. und elektronische Klänge (1969); elektronische Kompositionen *Torso I* (1969) und *II* (1970); *Psalmenbuch* und *Zwei deutsche Ordinarien* (1970); *Widersprüche,* Improvisationsanweisungen für 5 Spieler (1970); *Emanation* in memoriam B. A. Zimmermann für elektrische Git., Kl. und elektronische Klänge (1971); Bläserquintett *Missa* (1971).

+Loose, Emmy (verheiratete Kriso), * [erg.: 22. 1. 1914] zu Karbitz (bei Aussig, Böhmen).
E. L., weiterhin Mitglied der Staatsoper Wien, war bis 1970 Professor für Gesang an der Akademie für Musik und darstellende Kunst in Wien. Seit 1967 gibt sie Kurse während der Internationalen Sommerakademie der Stiftung Mozarteum in Salzburg.

Loose, Rudolf-Günter, * 5. 2. 1927 zu Berlin; deutscher Textdichter von Liedern und Schlagern, lebt in Ascona (Tessin). Er studierte zunächst Medizin, war ab 1948 in einem Zeitschriftenverlag tätig und veranstaltete 1949–52 mit einer eigenen Gastspieldirektion Jazzkonzerte. 1952–55 war er Regieassistent beim Film. Seitdem lebt er freischaffend als Schriftsteller und Textdichter. Von seinen Schlagertexten seien genannt (Komponisten in Klammern): *Irgendwann gibts ein Wiedersehen* (Olias); *Wenn die Cowboys träumen* (Karl

Götz); *Er ist wieder da* (Chr. Bruhn); *Zwei Mädchen aus Germany* (Heinz Buchholz); *Eine ganze Nacht | Games That Lovers Play* (James Last).

Looser, Rolf, * 3. 5. 1920 in Niederscherli (Bern); Schweizer Violoncellist und Komponist, Schüler von Sturzenegger, Franz Walter und P. Fournier (Violoncello) sowie Frank Martin (Komposition) und W. Burkhard (Kontrapunkt), erlangte 1942 das Lehr- und 1944 das Konzertdiplom am Konservatorium in Bern. Er war 1946–47 im Orchester von Radio Svizzera Italiana/RSI (Studio Lugano) und 1947–49 als Solovioloncellist im Utrechts Stedelijk Orkest tätig. Seit 1952 unterrichtet er am Konservatorium in Biel (Violoncello, Kammermusik, Theorie), seit 1953 auch am Konservatorium in Bern. Außerdem widmet sich L. solistischer und kammermusikalischer Konzerttätigkeit (Streichtrio mit Schneeberger und Walter Kägi). – Kompositionen (Auswahl): *Quatre sonnets de Louïze Labé* für A. (Mezzo-S.) und kleines Orch. (1947); Suite für Orch. (1949); *Introduction et dialogues* (1950); *Konzertante Musik* für Pos., Streichorch., Hf. und Pk. (1951); *Drei herbstliche Lieder* für A. und Kl. (Hölderlin–Rilke, 1955); Fantasie für Vc. und Orch. (1958); *Rhapsodia* für Vc. und Kammerorch. (1961); *Pezzo per orch.* (1966); *Fantasia a quattro* (1966); *Alyssos,* 5 Stücke für Streichorch. und Schlagzeug (1968).
Lit.: FR. WALTER in: SMZ CX, 1970, S. 23ff.

Loparnik, Borut, * 5. 9. 1934 zu Podgorci (bei Maribor); jugoslawischer Musikforscher, studierte an der Musikakademie in Ljubljana (Diplom 1962) und wurde dann Chefredakteur des 2. Programms der RTV Ljubljana. Er veröffentlichte u. a.: *Dramaturška in kompozicijska zasnova Kogojeve opere »Kar hočete«* (»Die dramaturgische und kompositorische Anlage von Kogojs Oper ,Was ihr wollt'«, in: Muzikološki zbornik II, 1966); *Kogojevi pogledi na slovensko narodno pesem* (»Kogojs Ansichten über das slowenische Volkslied«, ebd. IV, 1968); *Privne melodične dikcije v Kogojevih ostroških pesmih* (»Elemente der melodischen Diktion in den Kinderliedern von Kogoj«, ebd. V, 1969).

+Lopatnikoff, Nicolai (Nikolai Lwowitsch Lopatnikow), * 16. 3. 1903 zu Reval.
L. ist seit 1944 amerikanischer Staatsbürger. Am Carnegie Institute of Technology in Pittsburgh (Pa.) wurde er 1969 emeritiert. Neuere Werke: 7 Studien *Intervals* für Kl. op. 37 (1957); *Variazioni concertanti* op. 38 (1958), Musik op. 39 (1958) und *Festival Overture* op. 40 (1960) für Orch.; Konzert für Blasorch. op. 41 (1963); *Fantasia concertante* für V. und Kl. op. 42 (1962); Konzert für Orch. op. 43 (1964); *Divertimento da camera* für 10 Instr. op. 44 (1967); *Partita concertante* für Kammerorch. op. 45 (1968); 4. Symphonie op. 47 (1970).
Lit.: Werkverz. in: Composers of the Americas XII, Washington (D. C.) 1966.

Lope de Vega Carpio (l'ope đe b'ega k'arpǐo), Félix, * 25. 12. 1562 und † 27. 8. 1635 zu Madrid; spanischer Dichter und Dramatiker, Autor ungezählter Werke (Comedias, Autos sacramentales, Gedichte, Novellen), hat sein Musikverständnis wiederholt bekundet, so in der Erzählung *El peregrino en su patria* und in Gedichten. Seinen Dramen wurden bei der Aufführung, dem Brauch der Zeit entsprechend, kleine Musikstücke (für Gesang oder Tanz) eingefügt; die Melodien waren meist volkstümlich oder aus anderen Stücken bereits bekannt. Breiteren Raum nahmen die Musikeinlagen, da vom Thema gefordert, in L. de V.s *El maestro de danzar* ein. 1599 schrieb er anläßlich der Hochzeit Philipps III. mit Margarete von Österreich

den Text zu einem dem Mischtyp des »szenischen Oratoriums« (vgl. Cavalieris *Rappresentazione,* Rom 1600) nahestehenden Festspiel *Las bodas entre el alma y el amor divino.* Seine einaktige Egloga pastoral *La selva sin amor* (1629 vor der Königsfamilie aufgeführt), deren 700 Verse vollständig komponiert und gesungen wurden, bezeichnet er im Vorwort zur Ausgabe von 1630 als *cosa nueva en España.* Das Stück, dessen Komponist unbekannt und dessen Musik verloren ist, gilt als erste spanische »Oper«; es enthält Nummern für 2, 3 und mehr Stimmen. Die Musik stand vermutlich dem Madrigalstil näher als dem Stile recitativo der Florentiner Camerata. L. de V.s Gedichte haben später Brahms, Turina und andere zu Liedern angeregt; Glière schrieb ein Ballett *Comédiens* nach einer seiner Dichtungen, A. Chatschaturjan eine Musik zu »Die Witwe von Valencia«, Wolf-Ferrari die Oper *La Dama Boba.*
Lit.: J. MARTÍNEZ, L. de V. en Valencia, en 1599, Bol. de la Real Acad. Española, Madrid ³1916; E. COTARELO Y MORI, Orígenes y establecimiento de la ópera en España ..., ebd. 1917; DERS., Hist. de la zarzuela ..., ebd. ²1934; A. SALAZAR, La música en la soc. de Europa, Bd II, México (D. F.) 1944; K. VOSSLER, L. de V. u. sein Zeitalter, München ²1947; M. MENÉNDEZ PELAYO, Estudios sobre el teatro de L. de V., 6 Bde, Santander 1949; J. SUBIRÁ, Hist. de la música española e hispano-americana, Bd II, Barcelona ³1958; A. CASTRO u. H. A. RENNERT, Vida de L. de V., Salamanca 1968.   KDG

+Lopes-Graça, Fernando, * 17. 12. 1906 zu Tomar (Santarém).
L.-Gr. war 1937–54 Redakteur für das Sachgebiet Musik der »Grande enciclopédia portuguesa e brasileira«; er ist Leiter des 1951 von ihm gegründeten Chores der Academia de amadores de música in Lissabon. – Weitere Werke: Divertimento (1957), *Poema de Dezembro* (1961) und Ouvertüre *Gabriela, cravo e canela* (1960–63) für Orch., *Para uma criança que vai nascer* (1961) und 4 *Bosquejos* (1965) für Streicher; je ein Concertino für Kl. (1954) bzw. Va (1962) und Orch., Kammerkonzert mit obligatem Vc. (1965); *Canto de amor e de morte* für Klavierquintett (1961, ursprünglich für Kl., Fassung für Orch. 1962), 7 *Lembranças para Vieira da Silva* für Bläserquintett (1966); Klavierquartett (1939, Neufassung 1963); Streichquartett (1964) und 14 *Anotações* für Streichquartett (1966); Partita für Git. (1971); 2 *Sonatinas recuperadas* (1960), 4. Sonate (1961), *Cosmorama* (1963) und 7 progressive Suiten *In memoriam B. Bartók* (1960–71) für Kl., 4 Stücke für Spinett (1971); Melodramkantate *D. Duardos e Flérida* für Soli, Chor und Orch. (nach der Tragikomödie von Gil Vicente, 1964–69); 2 Gesänge (nach F. Pessoa, 1960) und 6 *Cantos sefardis* (1971) für Singst. und Orch., *Cantos do Natal* für Frauenstimmen und Instrumentalensemble (1958); Zyklus *As mãos e os frutos* für T. und Kl. (1959) sowie 9 *Cantigas de amigo* (1960, Fassung mit Instrumentalensemble 1964) und *Cantigas de terreiro* (1960) für Singst. und Kl. – Weitere Schriften: +*Breve ensaio sobre a evolução das formas musicais* (= Cadernos »Inquérito«, Série I, Arte III, Lissabon 1941, ²1959 als *Sobre a ...,* = Cadernos culturais »Inquérito« 48, Serie I, Nr 3) [del. bzw. erg. frühere Angaben dazu]; +*A música portuguesa* [erg.:] *e os seus problemas* (Bd I 1944, in 2 Bden ebd. 1959); +*Dicionário de música* (1956–58, ebd. ²1962–63); *Em louvor de Mozart* (ebd. 1956); *Nossa companheira-música* (= Problemas III, ebd. 1964); *Páginas escolhidas de crítica e estética musical* (ebd. 1967); gesammelte Essays erschienen als *Musicália* (= Publ. da Universidade a Bahia II, 22, Salvador 1960, erweitert Coimbra 1968). Er gab ferner *Lieder aus Portugal* (= Lieder der Welt VI, Hbg 1961) und eine *Antologia da música popular portu-*

guesa (mit M. Giacometti, 5 Bde, Lissabon 1961–70) heraus.
Lit.: M. V. HENRIQUES, F. L. Gr. na música portuguesa contemporánea, Sacavém 1956; F. L.-Gr., = Ass. académica da faculdade de direito de Lisboa, Juventude mus. portuguesa, III ciclo de cultura mus., Lissabon 1966 (mit Werkverz.).

López (l'opeθ), Félix Máximo, getauft 23. 11. 1742 und † 9. 4. 1821 zu Madrid; spanischer Komponist und Organist, war 1. Organist der Real Capilla. Er schrieb vor allem Orgelmusik (ein Teil davon ist in der Biblioteca Nacional de Madrid aufbewahrt) und liturgische Werke, u. a. mehrere Villancicos, Werke für Cembalo und Gitarre, Lieder und Tonadillas.
Lit.: B. SALDONI u. B. REMENDO, Diccionario biogr.-bibliogr. de efemérides de músicos españoles, Bd II: Cat. ..., Madrid 1869; H. ANGLÉS u. J. SUBIRÁ, Cat. mus. de la Bibl. Nacional de Madrid, Bd I, Barcelona 1946; J. GILLESPIE, The Keyboard Sonatas of F. M. L., in: Studies in 18th-Cent. Music, Fs. K. Geiringer, London 1970.

Lopez (lɔp'e), Francis, * 15. 6. 1916 zu St-Jean-de-Luz (Basses-Pyrénées); französischer Komponist, schrieb zahlreiche Filmmusiken, über 50 Operetten (*La belle de Cadix*, 1945; *Andalousie*, 1947; *Quatre jours à Paris*, 1948; *Monsieur Bourgogne*, 1949) und viele Chansons, darunter *La chanson de nos beaux jours* (1943), *Robin des bois* (1943) und *Avec son tralala* (1947).

López (l'opeθ), Hugo, * 7. 10. 1936 zu Melo (Department Cerro Largo); uruguayischer Dirigent, studierte zunächst Klavier in seiner Heimatstadt, dann Rechtswissenschaft, Klavier, Dirigieren (C. Estrada) und Komposition in Montevideo (Diplom am Conservatorio Nacional de Música 1962) und wurde stellvertretender Leiter des Städtischen Symphonieorchesters Montevideo (1963). Seine Studien setzte er in Paris am Service de la Recherche de l'ORTF und am Conservatoire fort. 1970 übernahm L. als Nachfolger von Estrada die Leitung des Symphonieorchesters von Montevideo, gleichzeitig wurde er als Professor für Harmonielehre an das Conservatorio Nacional de Música berufen.

López Buchardo, Carlos → +Buchardo, C.

López Buchardo (l'opeθ butʃ'arðo), Próspero, * 2. 7. 1883 und † 8. 3. 1964 zu Buenos Aires; argentinischer Komponist, Violoncellist und Maler, Bruder von Carlos L. B., studierte bei Forino und Carlos Marchal sowie als Autodidakt; er lebte zeitweilig in Paris, wo er Malerei studierte. Seine Kompositionen umfassen u. a. die Ballettpantomime *Alí Babá y los 40 ladrones* (1936), die lyrische Fantasie *El Lobisón* (1936), Orchesterwerke (Symphonische Dichtung *Plenilunio*, 1935; Suite *Nidos* für Kl. und Orch., 1939), Kammermusik (Streichquartett, 1935; Saxophonquartett in memoriam Carlos L. B.; *Cantata* für 4 Sax.; *Recuerdos de Bariloche* für Kl. und Blasinstrumente), Klavierstücke und Vokalwerke (symphonisches Triptychon *Evocaciones* für Chor und Orch., 1935; Lieder).

López-Calo (l'opeθ k'alo), José, SJ, * 4. 2. 1922 zu Nebra (La Coruña); spanischer Musikforscher, trat 1942 in den Jesuitenorden ein, absolvierte 1949 ein Philosophiestudium in Comillas (Provinz Santander) und 1957 ein Theologiestudium in Granada, diplomierte sich 1955 in Gregorianischem Gesang an der Escuela Superior de Música Sagrada in Madrid und promovierte 1962 am Pontificio Istituto di Musica Sacra in Rom, an dem er 1962 Professor und 1967 stellvertretender Direktor wurde. 1963–68 war er Generalsekretär der Consociatio Internationalis Musicae Sacrae. Er schrieb u. a.: *La música en la catedral de Granada en el s. XVI* (2 Bde und eine Schallplatte, Granada 1963); *Pre-*

sente y futuro de la música sagrada (Madrid 1966, ital. Rom 1967); *Fray J. de Vaquedano, maestro de capilla de la catedral de Santiago (1681–1711)* (AM X, 1955); *El archivo de música de la Capilla Real de Granada* (AM XIII, 1958); *Corresponsales de M. de Irízar* (AM XVIII, 1963 und XX, 1965); *La controversia de Valls (Estudios sobre la música religiosa española en los s. XVII y XVIII)* (in: Tesoro sacro musical LI, 1968); *L'intervento di A. Scarlatti nella controversia sulla messa »Scala Aretina« di Fr. Valls* (in: Analecta musicologica V, 1968); *Il conflitto tra chiesa e stato nel »Don Carlos / Don Carlo«* ([2.] Kgr.-Ber. »Studi verdiani« Verona 1969).

+López-Chavarri [erg.:] y Marco, Eduardo, * 29. [nicht: 31.] 1. 1871 [nicht: 1875] und [erg.:] † 28. 10. 1970 zu Valencia.
Weitere Werke: Konzert für Hf. und Streichorch.; *Las 7 palabras de J. C. en la cruz* für Streichorch. und Pk.; *Fantasía de Almácera* für Klar. und Streichorch.; *Andaluza* für Vc. und Kl., Intermezzo für Git.; *Himno de Epifanía* für Soli, Chor und Orch.; *Ofrena* für Chor und Bläser. Weitere Schriften: +*Música popular española* (1927), Barcelona ³1958; *Catecismo historia de la música* (Valencia 1944, ⁴1962); *Chopin* (ebd. 1950).
Lit.: A. TEMPRANO in: Tesoro sacro mus. LIV, 1971, S. 21ff.

López Cobos (l'opeθ k'obos), Jesús, * 25. 2. 1940 zu Toro (Zamora); spanischer Dirigent, studierte Klavier und Komposition an den Konservatorien in Málaga und Madrid (1959–66), Philosophie an den Universitäten in Granada und Madrid (1960–65; Dr. phil.) sowie Dirigieren bei Swarowsky und Reinhold Schmid an der Akademie für Musik und darstellende Kunst in Wien (1966–69) und war Schüler der Juilliard School of Music in New York (1969–70). Er wirkte als ständiger Kapellmeister am Teatro La Fenice in Venedig (1970–71) und erhielt 1971 einen Gastvertrag für die Deutsche Oper Berlin, an der er seit 1972 ständiger Dirigent ist. Gastreisen führten ihn in verschiedene europäische Länder sowie in die USA; 1972 debütierte er bei den Salzburger Festspielen.

López Jiménez (l'opeθ xim'eneθ), Melchor, * 1759 zu Hueva (Guadalajara), † 1822 zu Santiago de Compostela; spanischer Komponist, erhielt seine musikalische Ausbildung an der Maîtrise der Capilla Real in Madrid, wo er Sängerknabe war. 1784 bis zu seinem Tode war er Maestro de capilla und Kanoniker an der Metropolitanbasilika in Santiago de Compostela. Er schrieb zahlreiche kirchenmusikalische Werke.
Lit.: G. BOURLIGUEUX, Unas oposiciones al magisterio de capilla de la catedral de Oviedo a principios del s. pasado. Apuntes hist., Bol. del Inst. de Estudios Asturianos XXIV, 1970.

López Ramos (l'opeθ r'amɔs), Manuel, * 4. 9. 1929 zu Buenos Aires; argentinischer Gitarrist, lebt in México (D. F.). Er studierte bei Miguel Michelone, erhielt 1948 den Preis der Asociación Argentina de Música de Cámara und begann danach seine Konzerttätigkeit, die ihn durch Amerika und Europa (1963 UdSSR) führte. L. R. gab Meisterkurse für Gitarre an der University of Santa Clara (Calif.), am Conservatorio Nacional de Música in Guatemala City und (ab 1965) an der Musikschule der Universidad Nacional Autónoma de México. 1968 erhielt er den 1. Preis auf dem Internationalen Wettbewerb für Gitarre in Paris.

López de la Rosa (l'opeθ ðe la r'osa), Horacio W., * 26. 10. 1933 zu Buenos Aires; argentinischer Komponist und Pianist, studierte am Staatlichen Konservatorium Klavier bei Orestes Castronuovo und Komposition bei Bautista, arbeitet seit 1953 am Staatlichen und

Städtischen Rundfunk. Er war Präsident der Asociación de Jóvenes Compositores und ist jetzt Sekretär der Unión de Compositores de la Argentina, deren Mitgründer er war. Seine Kompositionen umfassen u. a. die Ballettmusik *Camaruca* op. 27, Orchesterwerke (*Tempi* op. 12 und op. 20b; *Tercer surrealismo* op. 26), Kammermusik (Capriccio für Kl. 4händig, Pos. und Streichinstrumente op. 17; *Concertino concertante* für Fl., Klar., Fag., Horn, V. und Kl. op. 36; *Música para mimos* für 3 Trp. und 3 Pos.; *Himno a San Juan Juan Bautista* op. 11 und *Entelequias metodológicas paramétricas* op. 32 für Streichquartett; *Tempi* für Klaviertrio op. 29; *Daguerreotipo* für Fag., Kontrafag. und Kl. op. 31; *Tempi* für Fl. und Kl. op. 5; *Serenata* für Fl. und Hf. op. 9; *Sonatina ecuménica* für Va und Kl. op. 16; Variationen für Fl. solo op. 8), Klavierwerke (12 Variationen op. 2; Sonate op. 14; Sonate 4händig op. 6), Orgelwerke (*6 piezas* über ein Thema von Rattenbach op. 33; *Varianti*), Vokalwerke (*Cantata para mi país* für S., Sprecher, gem. Chor und Kammerorch. op. 28; *Salmo CXXVII* für Frauenchor, Englisch Horn, 4 Hörner, Hf. und Streichinstrumente op. 13; a cappella-Chöre) und Bühnenmusik.

Lopuchow, Fjodor, * 7.(19.) 10. 1886 zu St. Petersburg, † 28. 1. 1973 zu Leningrad; russisch-sowjetischer Tänzer, Choreograph und Pädagoge, wurde 1905 Mitglied des Balletts des Marientheaters, wo er sich besonders in Charakter- und Groteskenrollen auszeichnete. Er interessierte sich schon früh für Choreographie und brachte seine ersten kleineren Ballette 1916 heraus. Zu jener Zeit begann er auch mit der Niederschrift seines Buches *Puti baletmeistera*, das 1925 als »Die Wege eines Ballettmeisters« in Berlin erschien. Durch seine Choreographien gewann er bald den Ruf eines kühnen Experimentators und Erneuerers des klassischen Balletts. 1922–30 leitete er das Ballett des ehemaligen Marientheaters und beeinflußte nachdrücklich die junge Garde der sowjetischen Tänzer und Choreographen. Er galt bald als die »Choreograph für die Choreographen«. 1937 rief er die ersten Lehrgänge für Choreographen an der Leningrader Ballettschule ins Leben, 1961 übernahm er die Leitung der choreographischen Fakultät des Leningrader Konservatoriums. 1944–47 und 1955–58 leitete er das Kirow-Ballett. 1963 brachte er am Moskauer Stanislawskij-Nemirowitsch-Dantschenko-Musiktheater eine vielbeachtete Choreographie zu Mussorgskijs *Kartinki s wystawki* (»Bilder einer Ausstellung«) heraus. Er schrieb *60 let w balete* (»60 Jahre im Ballett«, Moskau 1966).
Lit.: Ju. Slonimskij, Sovjetskij balet, Moskau 1950.

+Loquin, Anatole, * 22. 2. 1834 zu Orléans, [erg.:] † 13. 4. 1903 zu Chabanais (Charente).

Loraine, Alan → Victory, Gerard.

Lorand (lɔr'ã), Colette (verheiratete Doetterl), * zu Zürich; Schweizer Sängerin (Sopran), studierte an der Musikhochschule in Hannover und bei Melitta Hirzel in Zürich. Sie debütierte in der Spielzeit 1949/50 am Stadttheater Basel als Margarete in Gounods *Faust* und war 1952–59 an den Städtischen Bühnen Frankfurt a. M., 1956–58 als Gast an der Hamburgischen Staatsoper, 1961–63 an der Bayerischen Staatsoper in München, 1962–69 an der Hamburgischen Staatsoper, 1969–70 an den Städtischen Bühnen Dortmund, 1969–73 als Gast an der Württembergischen Staatsoper in Stuttgart, 1970–72 als Gast an der Bayerischen Staatsoper sowie 1972–73 an der Deutschen Oper Berlin und der Bayerischen Staatsoper engagiert. Gastspiele führten sie u. a. an die Wiener Staatsoper, die Mailänder Scala, die Covent Garden Opera in London, die Pariser Opéra

sowie nach Rio de Janeiro, São Paulo und New York. Zu ihren Partien zählen die Königin der Nacht, Salome und vor allem Hauptrollen in neueren Opern (Io Inachis in *Prometheus* von Orff; Jeanne in *Die Teufel von Loudun* von Penderecki; Maria Stuart in *Elisabeth Tudor* von Fortner, Uraufführung an der Deutschen Oper Berlin 1972).

Lorca, Federico García → García Lorca, F.

Lord (lɔːd), David, * 3. 10. 1944 zu Oxford; englischer Komponist und Dirigent, studierte an der Royal Academy of Music in London bei Richard Rodney Bennet und ist seitdem als freischaffender Komponist für Filme, Festivals, Theater, Fernsehen und Rundfunk tätig. Er gestaltet und leitet Schulmusikprogramme der BBC und ist seit 1971 Lecturer in Music bei The Art of Movement Studio in Addlestone (Surrey). Er komponierte u. a. Kantaten für Kinderstimmen und Instrumente (*How the Stars Were Made*, 1968; *The Sea Journey*, 1970; *The Magic Fruit*, 1970; *The World Makers*, 1973), Anthems (*A Prayer for Peace* für S., A., T., B., Chor und Org., 1971; *Most Glorious Lord of Lyfe* für S., A., T., B., Chor und Org., 1972), Kantaten (*Wofully Araide* für S., A., T. und B., 1969; *The History of the Flood* für Erzähler, S., A., T., B., Chor, Schlagzeug und 2 Kl., 1972), den Liederzyklus *The Wife of Winter* für Mezzo-S. und Kl. (für Janet Baker, 1968) sowie ein Septett für Fl., Klar., Hf. und Streichquartett (1967) und ein Concertino für Cemb. und Streichorch. (für G. Malcolm, 1970).

Lorengar, Pilar (eigentlich Pilar Lorenza García), * 12. 10. 1921 zu Saragossa; spanische Sängerin (Sopran), erhielt ihre Gesangsausbildung in Barcelona und bei Angeles Otein in Madrid, debütierte 1949 als Mezzosopranistin in Barcelona, wo sie 1951 bei einem Gesangswettbewerb als Siegerin hervorging und von da an ins Sopranfach überwechselte. Durch Gastspiele an europäischen Opernbühnen (1951 Paris und London) und in den USA (1955 San Francisco und Chicago, 1965 New York) wurde sie international bekannt. Ab 1957 sang sie bei den Festspielen in Glyndebourne, ab 1961 in Salzburg. 1958 wurde sie an die Städtische (später Deutsche) Oper Berlin verpflichtet (1963 Kammersängerin). Besondere Erfolge erzielte sie in den Opern Mozarts. Im Konzert und bei Schallplatteneinspielungen widmete sie sich auch der älteren spanischen Musik.

Lorens, Karl, * 7. 7. 1851 und † 12. 12. 1909 zu Wien; österreichischer Volkssänger, Textdichter und Komponist, war zunächst Anstreichergehilfe und daneben Stegreifsänger (Debüt in der Vorstadt Matzleinsdorf), wurde beliebter Volkssänger und Schöpfer von volkstümlichen Reimen, zu denen er auch die Melodien erfand; nach A. Carolos Festschrift (Wien 1920, anläßlich der Enthüllung einer Gedenktafel an L.' Wohnhaus, XII. Schönbrunnerstraße 184) ist die Zahl seiner gedruckten Lieder »geradeaus 2000«. Den L. verliehenen Ehrentitel »Klassiker des Wiener Brettls« bestätigen seine noch heute populären und gesungenen Lieder bzw. Refrains *Allweil lustig, fesch und munter, Denn so a Räuscherl, das is' ma liaba, Jetzt trink' ma no a Flascherl Wein, Menschen, Menschen san mir alle, Mir gengan heut' nach Nußdorf 'naus, Pfüat di Gott, du alte Zeit, Solang der alte Steffel steht, Weana Chic und Weana Schan* oder die Liedertexte *Am Wasser bin i z'Haus* (G. Schiemer), *d'Banda kommt* (Th. F. Schild), *'s Herz von an echten Weana* (J. Schrammel) u. a. Auf seinen Vortragsreisen in östliche österreichische Provinz war L. vielbejubelt, wenn er Parodien in jiddischem oder böhmischem Dialekt vortrug, deren eine über Zellers *Grüaß enk*

Gott, alle miteinander ... (aus der Operette *Der Vogelhändler*) wohl die Legende entstehen ließ, daß die erwähnte Textzeile auch von ihm sei.
Lit.: J. KOLLER, Das Wiener Volkssängertum in alter u. neuer Zeit, Wien 1931.

+Lorenz, Alfred Ottokar, 1868–1939.
+Das Geheimnis der Form bei R. Wagner (1924–33), Tutzing ²1966 (4 Bde).
Lit.: FR. GRASBERGER in: ÖMZ XXIII, 1968, S. 555f.; C. DAHLHAUS, Formprinzipien in Wagners »Ring d. Nibelungen«, in: Beitr. zur Gesch. d. Oper, hrsg. v. H. Becker, =Studien zur Mg. d. 19. Jh. XV, Regensburg 1969; R. STEPHAN, Gibt es ein Geheimnis d. Form bei R. Wagner?, in: Das Drama R. Wagners als mus. Kunstwerk, hrsg. v. C. Dahlhaus, ebd. XXIII, 1970.

+Lorenz, Max, * 17. 5. 1901 zu Düsseldorf.
Er wirkte auch mehrfach bei Uraufführungen zeitgenössischer Opern mit. Kammersänger L. gehörte bis 1962 dem Ensemble der Staatsoper Wien an (seitdem deren Ehrenmitglied).

Lorenzi, Giovanni Battista (Giambattista), * 1721 und † 1807 zu Neapel; italienischer Librettist, gehörte der Theatergruppe am Hoftheater in Neapel an und war ab 1769 dessen Direktor. Er schrieb neben mehreren Komödien eine Reihe von Libretti, die u. a. von Porpora, Paisiello (*Don Chisciotte della Mancia*, Neapel 1769; *Il Socrate immaginario*, ebd. 1775; *La scuffiara*, ebd. 1787; *Nina ossia La pazza per amore*, Caserta 1789), N. Piccinni, G. Farinelli, Cimarosa (*L'infedeltà fedele*, Neapel 1779, dasselbe Libretto vertonte auch J. Haydn unter dem Titel *La fedeltà premiata*, Esterház 1780), Tritto (*Il convitato di pietra*, Neapel 1783; *La scuffiara*, ebd. 1784) und P. A. Guglielmi (*La finta zingara*, ebd. 1785) vertont wurden.
Lit.: M. SCHERILLO, L'opera buffa napoletana durante il Settecento, Palermo 1918; G. PANNAIN, »Don Chisciotte della Mancia« di G. B. L. e G. Paisiello, RMI LVI, 1954; ST. KUNZE, Die Entstehung eines Buffo-Librettos. Don-Quijote-Bearb., DJbMw XII, 1967; V. MONACO, Giambattista L. e la commedia per musica, Neapel 1968.

+Lorenzi, Sergio, * 21. [nicht: 24.] 4. 1914 zu Lonigo (Venetien) [nicht: Vicenza].
Das Klavierduo mit G. Gorini wurde bereits 1944 gegründet. Seit 1966 bildet er auch ein Duo mit dem Violoncellisten P. Tortelier. Kurse für Klavier und Kammermusik hielt er ständig auch am Mozarteum in Buenos Aires, an der Ecole normale de musique in Paris sowie an der Toho Gakuen School of Music in Tokio.

+Lorenzo Fernândez, Oscar, * 4. 11. 1897 und [erg.:] † 27. 8. 1948 zu Rio de Janeiro.
L. F. war Gründer (1936) und bis zu seinem Tod Leiter des Conservatório brasileiro de música in Rio de Janeiro, ab 1943 auch Professor für Chorgesang am dortigen Conservatório nacional de canto orfeônico. – Werke [del. frühere Angaben]: lyrisches Drama *Malazarte* (1931–33, Rio de Janeiro 1941); Ballett *Amaya* (1930, ebd. 1939); 2 Symphonien (1945, 1947), symphonische Suite über 3 brasilianische Volksthemen (1925), »Poema ameríndio« *Imbapara* (1928) und die Suite *Reisado do pastoreio* (1930) für Orch., Konzert (1924) und symphonische Variationen (1948) für Kl. und Orch., Violinkonzert (1941); Bläserquintett (1926), 2 Streichquartette (1927, 1946), 2 Trios (1921; *Trio brasileiro*, 1924) und *Idílio romântico* (1924) für Klaviertrio; Sonata breve (1947), *Suite brasileira* Nr 1–3 (1936, 1938, 1938), 2 Serien *Poemetos brasileiros* (1926, 1928), die Suiten *Historietas maravilhosas* (1922), *Prelúdios do crepúsculo* (1922), *Bazar* (1933) und *Boneca Yayá* (1944) sowie *Rêverie* (1923), *Acalanto da Saudade* (1928), 3 Stu

dien in Form einer Sonatine (1929) und *Valsa suburbana* (1932) für Kl.; zahlreiche Chorwerke (*Hino a la raza* für Solo, Chor und Orch., 1939) und Lieder.
Lit.: Werkverz. in: Compositores de América VII, Washington (D. C.) 1961, u. in: Bol. interamericano de música 1962, Nr 28. – E. NOGUEIRA FRANÇA, L. F., Rio de Janeiro 1950.

+Lorenzoni, Renzo, 1887 – [erg.: 11. 2.] 1951.

Loriod (lɔrjʹo), Jeanne, * 13. 7. 1928 zu Houilles (Seine-et-Oise); französische Ondes Martenot-Spielerin, Schwester der Pianistin Yvonne L., begann in sehr jungen Jahren ihre Karriere als Solistin und unternahm zahlreiche Tourneen durch Europa, Nordafrika sowie Nord- und Südamerika. Ihr Repertoire umfaßt u. a. Konzerte für Ondes Martenot und Orchester (Messiaen, Jolivet, Varèse, Bussotti, Bondon, Landowski, Kelkel), Orchesterwerke mit Ondes Martenot (A. Honegger, Koechlin, Chaynes, Martinon, Baudrier) sowie zahlreiche Werke für Ondes Martenot solo. J. L. ist Professor für Ondes Martenot am Pariser Conservatoire, an der Ecole Normale de Musique de Paris und an der Schola Cantorum in Paris.

+Loriod, Yvonne, * 20. 1. 1924 zu Houilles (Seineet-Oise).
Am Pariser Conservatoire unterrichtet sie Klavier, an der Musikhochschule in Karlsruhe leitet sie eine Meisterklasse für Klavier; nicht sie, sondern ihre Schwester Jeanne →L. ist als Spielerin der Ondes Martenot bekannt geworden [del. frühere Angaben dazu]. – Ihre rege Konzerttätigkeit erstreckt sich inzwischen auch auf Nordeuropa und Japan. Y. L. ist mit O. Messiaen verheiratet.

+Lorković, Melita, * 25. 11. 1907 zu Županja (Kroatien).
M. L. war bis 1960 (zuletzt als Professor) an der Belgrader Musikakademie tätig und wurde dann Leiterin der Klavierabteilung am Konservatorium in Kairo. Ab 1937 unternahm sie zahlreiche Konzertreisen im Inund Ausland, wobei sie sich besonders für die neuere jugoslawische Klaviermusik (auch Uraufführungen ihr gewidmeter Werke) einsetzte.

+Lortzing, Gustav Albert, 1801–51.
Seine Frau [erg.: Rosina] Regina (geborene Ahles), 1799 [nicht: 1800; erg.:] zu Bietigheim (Württemberg) – 1854 [erg.:] zu Berlin. – L.s Oratorium *+Die Himmelfahrt Christi* wurde 1828 [nicht: 1829] aufgeführt; nicht aufgeführt wurde dagegen sein Singspiel *+Szenen aus Mozarts Leben* (1832). Die Schauspielmusik zu *+Yelva* entstand 1830 [nicht: 1832] und die Revolutionsoper *+Regina* 1848 [nicht: 1846].
Lit.: [del.:] J. KNODT, A. L., 1955. – G. KRAFT, C. M. v. Weber u. G. A. L., in: C. M. v. Weber, hrsg. v. G. Hausswald, Dresden 1951; R. PETZOLDT, A. L., Lpz. 1951; E. SANDERS, »Oberon« and »Zar u. Zimmermann«, MQ XL, 1954; M. HOFFMANN, G. A. L., = Musikbücherei f. jedermann IX, Lpz. 1956; FR. HUI, L. u. d. Schweiz, SMZ XCVII, 1957; J. LODEMANN, L. u. seine Spielopern. Deutsche Bürgerlichkeit, Diss. Freiburg i. Br. 1962; FR. HOMMEL, L. and German Opera, in: Opera XIV, (London) 1963; H. OSSING in: Rheinische Musiker IV, hrsg. v. K. G. Fellerer, = Beitr. zur rheinischen Mg. LXIV, Köln 1966, S. 65ff.; FR. RACEK, Einiges über L.s Tätigkeit am Theater an d. Wien, in: Symbolae hist. musicae, Fs. H. Federhofer, Mainz 1971; I. KOBÁN, Magnet L., Werkprobleme u. Inszenierungsversuche, in: Theater d. Zeit XXVII, 1972. – Zwischen Anspruch u. Unbehagen. Eine L.-Diskussion, ebd. XXVIII, 1973, H. 5, S. 30ff.

+Los Angeles, Victoria de (eigentlich Victoria Gomez Cima, verheiratete Magriñá), * 1. 11. 1923 zu Barcelona.

Als Konzertsängerin trat sie bereits 1944 an die Öffentlichkeit, als Opernsängerin debütierte sie dann 1945 am Teatro Liceo in Barcelona [nicht: 1944 in Madrid]. Sie ist bis heute ständiger Gast an den großen Opernhäusern (des weiteren ab 1949 an der Scala in Mailand, ab 1950 an der Covent Garden Opera in London, ab 1957 an der Wiener Staatsoper, 1961 und 1962 in Bayreuth). V. de Los A. machte sich auch als bedeutende Liedsängerin einen Namen.
Lit.: G. MOORE, Am I too Loud?, London 1962, Paperbackausg. Harmondsworth (Middlesex) 1966, deutsch als: Bin ich zu laut?, Tübingen 1963, ²1964, auch Stuttgart 1968; A. LLOPIS, V. dels Angels, = Biogr. populars II, 5, Barcelona 1963; K. VL. BURIAN, V. de Los A., Prag 1970.

+Losse, Paul, * 23. 11. 1890 und [erg.:] † 21. 3. 1962 zu Leipzig.
Lit.: H.-J. ROTHE in: Musik in d. Schule XII, 1961, S. 42f., u. XIII, 1962, S. 371f.; M. DEHNERT in: Sammelbände d. R.-Schumann-Ges. II, 1966, S. 84ff.

Losy von Losinthal, Johann Anton, Graf (auch Logi, Logy, Lossi, Loßy), * um 1650 zu Schloß Steken bei Strakonitz (Südböhmen), † 21.(?, begraben 22.) 8. 1721 zu Prag; böhmischer Lauten- und Gitarrenvirtuose Schweizer Abstammung, promovierte 1668 an der Prager Universität mit der These *Conclusiones philosophicae seu philosophia Margaritis exornata*. Er bereiste Italien, angeblich auch Frankreich und Belgien, trat in den Staatsdienst und widmete sich als »nobile Dilettante« seinen musikalischen Interessen. L. v. L., als einer der ersten Lautenisten seiner Zeit geschätzt, gilt als der Begründer der Prager Lautenschule. Zahlreiche Kompositionen für Laute und Gitarre sind in handschriftlichen Sammlungen überliefert.
Ausg.: Partie, Courante extraordinaire u. Inventionen »Gigue qui imite coucou« u. »Echo«, in: Österreichische Lautenmusik zwischen 1650 u. 1720, hrsg. v. A. KOCZIRZ, = DTÖ XXV, 2 (Bd 50), Wien 1918, Nachdr. Graz 1960; Chaconne, Sarabande, Il marescalco u. 2 Menuette, in: Wiener Lautenmusik im 18. Jh., hrsg. v. DEMS., = LD Alpen- u. Donau-Reichsgaue I, Wien u. Lpz. 1942; 4 Menuette, 2 Sarabanden, eine Gigue u. eine Partie, in: Wiener Lautenmusik im 18. Jh., hrsg. v. K. SCHNÜRL, Graz 1966; Suite I–IX, Marche de Suisses, 3 Rondeaus, Passacaglia, Aria, Gigue, Bourrée, Tombeau, La noble marche u. Menuet à la manière engloise, in: J. A. L., Pièces de guitare, hrsg. v. J. POHANKA, = MAB XXXVIII, Prag 1958.
Lit.: E. VOGL, Zur Biogr. L.s (1650–1721), Mf XIV, 1961; E. POHLMANN, Laute, Theorbe, Chitarrone. Die Instr., ihre Musik u. Lit. v. 1500 bis zur Gegenwart, Bremen 1968.

+Lothar, Friedrich Wilhelm [erg.:] Emil, * 13. 7. 1885 zu Eppingen (Baden), [erg.:] † 22. 4. 1971 zu Freiburg im Breisgau.
An weiteren Werken sind zu nennen *Trinairia*, eine symphonische Rhapsodie und eine *Dorische Symphonie* für Orch., 10 Stücke für 2 V. (1963) und Lieder für tiefe St. und Kl. (F. García Lorca, 1950–59).

+Lothar, Mark, * 23. 5. 1902 zu Berlin.
Der »Gesang vom Leben« +*Sei uns, Erde, wohlgesinnt* für S., Bar., gem. Chor und Orch. op. 40 wurde 1953 [nicht: 1954] uraufgeführt; die +Duette für S. und A. op. 44–45 (1949) tragen den Titel *Jahresringe* [nicht: *Der Jahreskreis*] (H. 1 nach W. Bergengruen, H. 2 nach Chr. Morgenstern). – Neuere Werke: *Verwandlungen eines Barock-Themas* für Orch. op. 57 (1959); *Wandersprüche* op. 58 (Eichendorff) und *Der große Feierabend* op. 59 für a cappella-Chor; 8 Lieder op. 61 (1961); Opera piccola *Der Glücksfischer* op. 62 (Nürnberg 1962); Concertino für 4 Klar., Streichorch., Hf. und Schlagzeug op. 63 (1962); kleine Geburtstagskantate für S., Fl.,

Klar., V. und Vc. op. 68 (nach J. Fr. Reichardt, 1965); Liederzyklus *Musik des Einsamen* für Bar. und 7 Instr. op. 69 (1965); heitere Legende *Der widerspenstige Heilige* op. 73 (München 1968); *Molière-Skizzen* für Kammerorch. op. 75 (1972); Concertino für 2 Kl., Streichorch. und Schlagzeug op. 79 (1972); weitere Musiken für Bühne, Film, Funk und Fernsehen.
Lit.: M. L., hrsg. v. A. OTT, München 1968 (mit Werkverz.).

+Lott, Walter, 1892–1948.
Das +*Verzeichnis der Neudrucke alter Musik* liegt für die Jahre 1936–42 in 7 Bden vor (Lpz. 1937–43) [del. frühere Angaben dazu]. – Den Verlag Kistner und Siegel hatte sein Bruder [nicht: Sohn; erg.:] Rudolf L. (* 6. 10. 1896 und † 25. 4. 1965 zu Lippstadt) ab 1948 in Lippstadt weitergeführt (→+Kistner, Fr.).

+Lotter, –1) Johann Jacob (der Ältere), getauft 31. 7. 1683 – 23. 11. 1738 [del. frühere Lebensdaten]. –2) Johann Jacob (der Jüngere), 1726 – 18. 1. [nicht: 6.] 1804. –3) Esaias Daniel, getauft 7. 11. 1759 – begraben 19. 9. 1820 [erg. frühere Angaben]. Der Verlag bestand bis um 1830 [nicht: um 1840].
Lit.: A. LAYER, Die Augsburger Musikaliendrucker L., Gutenberg-Jb. XXXIX, 1964. – zu –2): DERS., Kat. d. Augsburger Verlegers L. v. 1753, = Cat. musicus II, Kassel 1964; DERS.; J. J. L. d. J., L. Mozarts Augsburger Verleger, in: L. Mozart, hrsg. v. L. WEGELE, Augsburg 1969; L. WEGELE, Ein Brief Mozarts an seinen Augsburger Verleger J. J. L., Acta Mozartiana XIII, 1966.

+Lottermoser, Werner, * 18. 6. 1909 zu Dresden.
An der Physikalisch-technischen Bundesanstalt in Braunschweig, an der L. 1956 zum Oberregierungsrat und 1968 zum Regierungsdirektor und Professor ernannt wurde, war er Leiter des Laboratoriums für musikalische Akustik; er trat 1971 in den Ruhestand. In den Artikeln zur musikalischen Akustik im Sachteil dieses Lexikons fanden Vorarbeiten L.s Berücksichtigung. Von seinen zahlreichen weiteren Veröffentlichungen zu akustischen Fragen besonders der Orgel (vor allem in den Zss. »Das Musikinstrument« und »Instrumentenbau-Zeitschrift«) seien im einzelnen genannt die Schrift *Orgelakustik in Einzeldarstellungen*, Teil I (mit J. Meyer, = Fachbuchreihe Das Musikinstrument XVI, Ffm. 1966) und die Aufsätze *Die Orgel als Kommunikationselement* (in: Ars organi XVI, 1968) sowie *Zum Klang des Dresdner Kreuzchors* (MuK XXXIX, 1969).

+Lotti, Antonio, Februar 1666 [del.: um 1667] – 1740.
Die Oper +*Giustino* (Venedig 1683) ist nicht von L., sondern von Legrenzi. Als seine erste Oper wurde 1692 *Il trionfo dell'innocenza* in Venedig aufgeführt.
Ausg.: Missa C dur »Studenten-Messe«, hrsg. v. A. SCHLÖGL, = Meisterwerke kirchlicher Tonkunst in Österreich o. Nr, Wien 1954; Neudr. 1960; dass. hrsg. v. E. TITTEL, Altötting 1958; Madrigal »Piange l'amante Ucciso«, hrsg. v. TH. DART, London 1959; Salve regina, hrsg. v. G. MALCOLM, =Westminster Series V, ebd. 1962; Crucifixus f. 8st. gem. Chor, hrsg. v. G. MASON, ebd. 1963; dass. hrsg. v. G. GRAULICH, =Die Motette Nr 532, Stuttgart 1967; Missa A dur »Missa pro defunctis«, hrsg. v. H. BÄUERLE, Lpz. 1965 (Neudr. d. +Ausg. v. 1927).
Lit.: +FR. CHRYSANDER, G. Fr. Händel (II, 1860), Nachdr. Hildesheim u. Wiesbaden 1966 (dazu separates Register v. S. Flesch, Lpz. u. Hildesheim 1967); +M. FÜRSTENAU, Zur Gesch. d. Musik ... am Hofe zu Dresden (II, 1862), Nachdr. Hildesheim 1971, auch Lpz. 1971; +A. SCHERING, Gesch. d. Oratoriums, Nachdr. Hildesheim u. Wiesbaden 1966. – B. BECCHERINI, Uno sguardo alla produzione vocale da camera di A. L., in: Musiche ital. rare e vive ..., hrsg. v. A. Damerini u. G. Roncaglia, =Accad. mus. Chigiana XIX, Siena 1962.

Lotto, Izydor, * 22. 12. 1840 und † 13. 7. 1936 zu Warschau; polnischer Violinist und Komponist, absolvierte 1853 als Schüler von Massart das Pariser Conservatoire und konzertierte dann mit großem Erfolg in ganz Europa. Wegen seiner glänzenden Technik wurde er ein »zweiter Paganini« genannt. Als er krankheitshalber diese Technik verlor, widmete er sich ab 1866 pädagogischem Wirken, ab 1872 in Straßburg und ab 1880 in Warschau, wo er noch 1880–86 Konzertmeister an der Oper war; zu seinen Schülern zählte u. a. Huberman. Die letzten vier Jahrzehnte seines Lebens war er gelähmt und lebte zurückgezogen. L. schrieb u. a. 5 Violinkonzerte, virtuose Vortragsstücke für Violine (*Le papillon*, *Valse de concert*) und *12 études pour v. seul.*

+Lotze, [erg.: Rudolf] Hermann, 1817–81.
+*Geschichte der Ästhetik in Deutschland* (= Geschichte der Wissenschaften in Deutschland, Neuere Zeit VII, 1868), Nachdr. NY 1965.

Loubé, Karl, * 13. 7. 1907 zu Mährisch-Kromau / Moravský Krumlov; österreichischer Komponist und Dirigent, Sohn eines Organisten und Musikschulinhabers, studierte am Staatlichen Janáček-Konservatorium in Brünn Klavier, Violoncello und Komposition bei Janáček. Das Klavierstudium an der Wiener Musikakademie (Victor Ebenstein, E. Sauer) mußte er sich durch eine Tätigkeit in Nachtlokalen als Komponist, Pianist und Arrangeur verdienen. Dieser Kontakt mit der Unterhaltungsmusik zeitigte einige Schlagererfolge (*Der Donaudampfschiffahrtsgesellschaftskapitän*; *Wenn der Mensch in Stimmung ist*) und Wiener Lieder (*Ich marschier' mit mein Dullieh*; *Ich kann mein Schlüsselloch net finden*). Nach Engagements als Kapellmeister am Wiener Stadttheater und am Wiener Bürgertheater übernahm er nach 1947 die Direktion des Wiener Stadttheaters und ab 1952 am Besatzungssender für die amerikanische Zone »Rot-Weiß-Rot« die Abteilung Unterhaltungsmusik. Gegenwärtig ist er freiberuflich als Komponist an verschiedenen europäischen Rundfunk- und Fernsehstationen tätig. Von seinen an Wiener Bühnen aufgeführten Stücken seien die Lustspieloperetten *Das Fräulein mit dem Koffer* (1941), *Brasilianischer Kaffee* (1942) und *Drei blaue Augen* (1942), das musikalische Lustspiel *Der Unverbesserliche* (1944) und die Operette *Ohne Geld wär' ich reich* (1948) genannt. L. schrieb eine Reihe von Filmmusiken (*Königswalzer*; *Rauschgift*; *Der Pfarrer mit der Jazztrompete*) sowie zahlreiche Fernsehmusiken, darunter die Fernsehserien *Wenn der Vater mit dem Sohne* und *Hallo – Hotel Sacher ... Portier!* (1973).

Loucheur, [luʃœːr], Raymond, * 1. 1. 1899 zu Tourcoing (Nord); französischer Komponist, studierte in Le Havre bei Henry Woolett und am Pariser Conservatoire bei Gédalge, d'Indy, Paul Vidal und d'Ollone. Für die Kantate *Héraklès à Delphes* erhielt er 1928 den Premier grand prix de Rome. 1941 wurde er als Nachfolger von Roger-Ducasse Inspecteur de l'enseignement musical de la ville de Paris, 1946 Inspecteur général de l'instruction publique und war 1956–62 Direktor des Pariser Conservatoire. Er schrieb die Ballettpantomime *Hop-Frog* (nach Edgar Allan Poe, Paris 1953), Orchesterwerke (2 Symphonien, 1936 und 1945), *Rapsodie malgache*, 1946; Violinkonzert, 1963), Kammermusik (Streichquartett, 1932; Suite *En famille* für Klarinettensextett, 1934; *4 pièces en quintette* für Fl., V., Va, Vc. und Hf., 1955; Sonatine für V. solo, 1959) und Vokalwerke (*Ballade des petites filles qui n'ont pas de poupée* für 4 Soli, Chor und Kl., 1936; *L'apothéose de la Seine* für Sprecher, Mezzo-S., Chor und Orch., 1937; *5 poèmes de R. M. Rilke* für S. und Streichquartett, 1957).

Lit.: FL. SCHMITT, A propos de Hop-Frog, in: L'Opéra de Paris 1953, Nr 7; P. WOLFF, La musique contemporaine, Paris 1954.

Loudová (l'ɔudɔv'a:), Ivana, * 8. 3. 1941 zu Chlumec nad Cidlinou (Mähren); tschechische Komponistin, studierte am Prager Konservatorium (1958–61) und absolvierte als Schülerin von Hlobil (ab 1961) die Prager Musikakademie. Sie ist in den letzten Jahren vor allem mit Vokalwerken hervorgetreten, die internationale Anerkennung gefunden haben. – Werke (Auswahl): Fantasie für Orch. (1961); Konzert für Kammerorch. (1962); 2. Symphonie für A., Chor und Orch. (1965); Chorwerk *Setkání s láskou* (»Begegnung mit der Liebe«, 1966); Kinderkantate *Malý princ* (»Der kleine Prinz«, 1967); Stabat mater für gem. Chor (1967); *Kurioso*, dramatische Freske nach dem Spiel von Tara Yamomoto für S. und gem. Chor (1968); Ballett *Rhapsody in Black* (Mannheim 1966); *Spleen. Hommage à Ch. Baudelaire* für Orch. (1971); Air für Baßklar. und Kl. (1972).

+Louël, Jean Hippoliet Oscar, * 3. 1. 1914 zu Ostende; belgischer Komponist, [erg.:] Dirigent und Pianist.
L. war 1949–56 Leiter der Musikakademie in Anderlecht (Brabant). Als Dozent am Brüsseler Konservatorium wirkt er seit 1955 sowie seit 1959 an der Chapelle musicale Reine Elisabeth de Belgique. 1956 wurde er Inspektor für den Musikunterricht im flämischen Teil Belgiens. Leiter der Brüsseler Middagconcerten und von deren Kammerorchester (1949 von ihm gegründet) war er bis 1970. Er ist Mitglied der Koninklijke Vlaamse Academie voor Wetenschappen, Letteren en Schone Kunsten van België. – Weitere Werke: 2. Symphonie für Streicher (1969), Fanfare für Blechbläser und Schlagzeug (1960), 2. Violinkonzert (1970); Bläserquintett (1958), Suite für Fl., Vc. und Hf. und Vibraphon (1967), Trio für Trp., Horn und Pos. (1951), Sonatine für 2 V. und Kl. (1955), Thema und Variationen für V. und Kl. (1953).
Lit.: H. HEUGHEBAERT in: Vlaams muziektijdschrift XXIII, 1971, S. 1ff. (mit Werkverz.).

Loughlin (l'ɔflin), George Frederick, * 7. 7. 1914 zu Liverpool; englischer Komponist, studierte am Royal College of Music in London (1933–36) und war Director of Music am Cheltenham College (1943–50). Nach Abschluß der Prüfung zum Doctor of Music an der University of Durham war er Associate Professor of Music an der University of Toronto (1950–53) und Dozent an der University of Glasgow (1954–57). Seit 1958 ist L. Ormond Professor an der University of Melbourne. Er schrieb u. a. ein Streichtrio (1960), eine Toccata für Kl. (1964) und eine Sonate für Vc. und Kl. (1968) sowie eine Harmonielehre mit dem Titel *Diatonic Harmony* (Melbourne 1966).

Loughran (l'ɔxɪən), James, * 30. 6. 1931 zu Glasgow; schottischer Dirigent, begann seine Laufbahn nach privaten Musikstudien als Korrepetitor am Theater der Stadt Bonn und gewann 1961 den 1. Preis eines Wettbewerbs der Philharmonia Orchestra in London. Er wurde 1962 Assistant Conductor, 1964 Associate Conductor des Bournemouth Symphony Orchestra und debütierte 1962 an der Sadler's Wells Opera und 1963 an der Covent Garden Opera in London. 1965 wurde L. Chefdirigent des BBC Scottish Symphony Orchestra in Glasgow, 1971 Chefdirigent und musikalischer Berater des Hallé Orchestra in Manchester.

+Louis Ferdinand, Prinz von Preußen, 1772–1806.
Ausg.: Lieder I, Wilhelmshaven 1953; Kl.-Quintett op. 1 u. Kl.-Quartett op. 5, 2 Bde, Wiesbaden 1969; Oktett F

dur f. Bläser, Streicher u. Kl. op. 10, hrsg. v. W. GENUIL u. D. KLÖCKER, London 1970.
Lit.: B. NADOLNY, L. F., Das Leben eines preußischen Prinzen, Düsseldorf 1967; E. KLESSMANN, Prinz L. F. v. Preußen. Gestalt einer Zeitwende, München 1972.

Louis Ferdinand, Prinz von Preußen, * 9. 11. 1907 zu Potsdam; deutscher Komponist, Sohn von Wilhelm, Kronprinz des Deutschen Reiches und von Preußen (einem Sohn Kaiser Wilhelms II.), und der Kronprinzessin Cecilie, Herzogin von Mecklenburg, erhielt ab 1916 Violinunterricht bei Gabriele Wietrowetz, Ulrich Pfeil-Schneider, Eldering und Rudolf Deman sowie ab 1925 Klavierunterricht bei Else Munding. Nach 1945 begann er zu komponieren und schrieb eine kleine Suite für Streichorch. (1962), Kammermusik sowie Klavierlieder im spätromantischen Stil (bisher 4 Bde, Wilhelmshaven 1952–66), u. a. auf Texte von Eichendorff, Mörike, Edgar Allan Poe und Puschkin, für die die Verarbeitung östlicher Einflüsse (lokrische Quinte, Mazurkarhythmus, Pendelmotive) charakteristisch sind.

+Loulié, Étienne, [erg.:] † 1702 zu Paris.
Ausg.: Elements or Principles of Music, übers. u. hrsg. v. A. COHEN, = Mus. Theorists in Translation VI, Brooklyn (N. Y.) 1965; Eléments ou principes de musique, Faks. d. Ausg. Paris 1696, Genf 1971.
Lit.: R. E. M. HARDING, Origins of Mus. Times and Expressions, London 1938; A. COHEN, É. L. as a Music Theorist, JAMS XVIII, 1965.

+Lourié, Arthur Vincent, * 14. 5. 1892 zu St. Petersburg, [erg.:] † 13. 10. 1966 zu Princeton (N. J.).
In seinen frühen Kompositionen verwendete L. zum Teil Vierteltöne und »entwickelte 1914 in seinen Klavierminiaturen *Synthèses* ein Tonsatzsystem, das zwölftönige und nichtzwölftönige Komplexe konfrontiert und in krebsläufige Reihenbildungen bringt« (Gojowy, 1969). Er komponierte ferner *The Mime* für Klar. solo (1956). Die +Kussewitzky-Biographie (*S. Koussevitzky and His Epoch*, 1931) erschien als Nachdr. Freeport (N. Y.) 1969; gesammelte Essays und Erinnerungen veröffentlichte er als *Profanation et sanctification du temps* (Paris 1966).
Lit.: C. CAMAJANI, The Music of A. L., in: Ramparts IV, (Menlo Park/Calif.) 1965; D. GOJOWY, Moderne Musik in d. Sowjetunion bis 1930, Diss. Göttingen 1966; DERS., N. A. Roslavec, ein früher Zwölftonkomponist, Mf XXII, 1969; H. DAVENSON in: Perspectives of New Music V, 1966/67, Nr 2, S. 166ff.

Loussier (lusj'e), Jacques, * 26. 10. 1934 zu Angers; französischer Pianist und Komponist, studierte am Pariser Conservatoire bei Nat, war als Unterhaltungsmusiker tätig und gründete 1959 mit Christian Garros (Schlagzeug) und Pierre Michelot (Baß) das Trio »Play-Bach«, mit dem er Kompositionen von J. S. Bach in Jazzform interpretierte. Er schrieb Chansons sowie eine Reihe Film-, Fernseh- und Ballettmusiken.
Lit.: E. MAYER-ROSA, »Play Bach« u. »Switched-on Bach«, in: Musik u. Bildung V, 1973.

Louvier (luvj'e), Alain, * 13. 9. 1945 zu Paris; französischer Komponist, Dirigent und Cembalist, studierte 1957–70 am Pariser Conservatoire bei Dufourcq, Henriette Puig-Roget, Messiaen, Aubin, Manuel Rosenthal, Georges Tzipine, Robert Veyron-Lacroix u. a. 1968 wurde er mit dem Premier Grand Prix de Rome für Komposition ausgezeichnet. Er ist gegenwärtig Leiter der Ecole Nationale de Musique in Boulogne-sur-Seine. – Kompositionen (Auswahl): *Etudes pour agresseurs*, Livre I und II für Kl., III für Cemb., IV für 2 Kl. und V für Cemb., 4 Lautsprecher und 11 Streichinstr. (1964–72); *Pentagone* für Bläserquintett (1966); Sonate für 2 Kl. (1966); *Hommage à Gauss* für V. und

Orch. (1969); *Chant des limbes* für Orch. (1969); *4 poèmes de Mallarmé* für S., Sprecher und Orch. (1969); *Houles* für Ondes Martenot, Kl. und Schlagzeug (1970); *4 préludes pour cordes* für Klaviersaiten (1970); *Shima* für 6 Schlaginstr. (1970); *Duel* für 2–5 Schlaginstr. (1971); *9 carrés pour 4 fl.* mit geometrischen Diapositiven (1972); *Etude 37 pour 8 agresseurs* für Kl. linke Hand (1972); *An de grâce 1947* für 3 Block-Fl. (1972).

Louvier (luvj'e), Nicole, * 23. 6. 1933 zu Paris; französische Chansonsängerin, Komponistin, Textdichterin und Interpretin eigener Chansons, arbeitete als Journalistin und Übersetzerin und ist mit mehreren Romanen auch als Schriftstellerin hervorgetreten. 1953 erhielt sie den Grand Prix de la chanson in Deauville für *Qui me délivrera?*. Von ihren weiteren Chansons seien *Mon p'tit copain perdu, A la vie comme à la guerre, J'ai quitté maman, J'ai peur de l'amour* und *Chanson pour la fin du monde* (1961) genannt.

Løvberg, Aase Nordmo, * 10. 6. 1923 zu Målselv (Troms); norwegische Sängerin (lyrisch-dramatischer Sopran), lebt in Oslo. Sie studierte bei Haldis Ingebjart Isene (1942–48) und debütierte 1948 in Oslo. Seit 1952 gehört sie der Stockholmer Oper an. Sie gastierte an einer Reihe großer Opernbühnen, u. a. der Wiener Staatsoper, der Metropolitan Opera in New York und der Covent Garden Opera in London. A. N. L. hat sich auch als Liedsängerin einen Namen gemacht.

+Loveridge, Iris, * 10. 4. 1917 zu London.
I. L., Ehrenmitglied der Royal Academy of Music in London, ist auch als Interpretin zeitgenössischer englischer Klaviermusik hervorgetreten.

Lovetti, Geminiano Ludovico → Capilupi, G.

Lowens (l'ouǝnz), Irving, * 19. 8. 1916 zu New York; amerikanischer Musikforscher und -kritiker, studierte an der Columbia University in New York (B. S. 1939) und der University of Maryland in College Park (M. A. 1957). 1953–60 war er Contributing Music Critic und wurde 1960 Chief Music Critic beim »Washington Evening Star«. Er arbeitete in der Music Division der Library of Congress als Reference Librarian für Tonaufnahmen (1959–61) und als Assistant Head der Reference Section (1961–66). Er verfaßte zahlreiche Zeitschriftenaufsätze (Notes, JAMS, MQ, MT), Kongreßbeiträge und enzyklopädische Artikel (MGG). Gesammelte Aufsätze erschienen als *Music and Musicians in Early America* (NY 1964). Er edierte *Lectures on the History and Art of Music. The L. Ch. Elson Memorial Lectures at the Library of Congress, 1946–63* (NY 1968).

+Lowinsky, Edward [erg.:] Elias, * 12. 1. 1908 zu Stuttgart.
L., seit 1947 amerikanischer Staatsbürger, lehrte 1949–52 und wiederum 1954–56 am Queens College in New York; 1952–54 war er Mitglied des Institute for Advanced Study an der Princeton University (N. J.). An der University of California at Berkeley lehrte er 1956–61; seitdem wirkt er als F. Schevill Distinguished Service Professor an der University of Chicago (1964/65 auch Colvin Research Professor). L. ist Mitglied der American Academy of Arts and Sciences. – Neuere Schriften: +*Secret Chromatic Art in the Netherlands Motet* (1946), Nachdr. = Columbia University Studies in Musicology VI, NY 1967; *Tonality and Atonality in 16th-Cent. Music* (Berkeley/Calif. und London 1961, ²1962, mit Vorw. von I. Strawinsky); *A. Willaert's Chromatic »Duo« Re-examined* (TMw XVIII, 1956); *On Mozart's Rhythm* (MQ XLII, 1956, Wiederabdruck in: The Creative World of Mozart, hrsg. von P. H. Lang, NY 1963); *The Medici Codex. A Document of Music,*

Art, and Politics in the Renaissance (Ann. mus. V, 1957); *Early Scores in Manuscript* (JAMS XIII, 1960); *A Treatise on Text Underlay by a German Disciple of Fr. de Salinas* (Fs. H. Besseler, Lpz. 1961); *Awareness of Tonality in the 16th Cent.* (Kgr.-Ber. NY 1961, Bd I); *Musical Genius. Evolution and Origins of a Concept* (MQ L, 1964); *Character and Purposes of American Musicology* (JAMS XVIII, 1965); *Taste, Style, and Ideology in 18th-Cent. Music* (in: Aspects of the 18th Cent., hrsg. von E. R. Wasserman, Baltimore 1965); *Music of the Renaissance as Viewed by Renaissance Musicians* (in: The Renaissance Image of Man and the World, hrsg. von B. O'Kelly, Columbus/O. 1966); *Problems in A. Willaert's Iconography* (in: Aspects of Medieval and Renaissance Music, Fs. G. Reese, NY 1966); *Echoes of A. Willaert's Chromatic »Duo« in 16th- and 17th-Cent. Compositions* (in: Studies in Music History, Fs. O. Strunk, Princeton/N. J. 1968); *The Musical Avant-Garde of the Renaissance or: The Peril and Profit of Foresight* (in: Art, Science, and History in the Renaissance, hrsg. von Ch. S. Singleton, Baltimore 1968); *Ockeghem's Canon for 36 Voices. An Essay in Musical Iconography* (in: Essays in Musicology, Fs. Dr. Plamenac, Pittsburgh/Pa. 1969); *Ms 1070 of the Royal College of Music in London* (Proc. R. Mus. Ass. XCVI, 1969/70); *A Music Book for Anne Boleyn* (in: Florilegium historiale, Fs. W. K. Ferguson, Toronto 1971); *Secret Chromatic Art Reexamined* (in: Perspectives in Musicology, hrsg. von B. S. Brook, NY 1972). – L. ist Generaleditor der *Monuments of Renaissance Music* (darin von ihm selbst hrsg. die Bde III–V: *The Medici Codex of 1518*, Chicago 1968); er gab ferner eine Faks.-Ausg. von N. Vicentinos *L'antica musica ridotta alla moderna prattica* (Rom 1555) heraus (= DMl I, 17, Kassel 1959).
Lit.: L. FINSCHER, Zu d. Schriften E. E. L.s, Mf XV, 1962; E. KRENEK, Atonality Retroactive, in: Perspectives of New Music II, 1963/64.

Loy, Max, * 18. 6. 1913 zu Nürnberg; deutscher Dirigent, studierte am Konservatorium in Nürnberg und an der Universität Erlangen (Steglich), an der er 1938 mit der Arbeit *Lortzings »Hans Sachs«. Ein Beitrag zur Geschichte und zum Stil der Komischen Oper im 19. Jh.* promovierte. Er wurde 1938 2. und 1942 1. Kapellmeister am Opernhaus Nürnberg, an dem er seit 1956 Musikdirektor (1971 stellvertretender GMD) ist. Als Gastdirigent ist L. in verschiedenen europäischen Ländern und in den USA aufgetreten. Er war Klavierbegleiter u. a. von Erna Berger, Sigrid Onegin, Erna Sack, K. Böhme, Patzak und Prey. L. trat mit Bearbeitungen von Opern Lortzings (*Hans Sachs*, Nürnberg 1940) und O. Nicolais (*Il proscritto* unter dem Titel »Mariana«, Bln 1942) hervor. Er komponierte auch Orchesterwerke, Kammermusik (Klavierquintett; 4 Streichquartette) und Vokalwerke (*Missa brevis* für 4st. Chor a cappella, 1946).

Lozano González (loθ'ano gɔnθ'aleθ), Antonio, * 1853 zu Avila, † 1900 zu Saragossa; spanischer Komponist, war Schüler von Cosme José de Benito und wurde 1879 Maestro de capilla an der Kathedrale von Salamanca sowie 1883 an der Metropolitanbasilika Nuestra Señora del Pilar in Saragossa. Er komponierte kirchenmusikalische Werke (Messen, Psalmen, Motetten, Villancicos, Choräle), schrieb eine Gesangsschule und eine Harmonielehre und veröffentlichte die Studie *La música popular, religiosa y dramática en Zaragoza desde el s. XVI hasta nuestros días* (Saragossa 1895).

Lozzi, Antonio, * 30. 1. 1871 zu Ascoli Piceno, † 8. 10. 1943 zu Colli del Tronto; italienischer Komponist, absolvierte 1892 das Conservatorio Statale di Musica

G. B. Martini in Bologna und war dann Direktor der Musikschule und der philharmonischen Konzerte in Ascoli. Außer Symphonischen Dichtungen (*La morte di Cleopatra*, 1911; *L'Adriatico*, 1918) und Kammermusik komponierte er eine Reihe von Opern (*Ulfrida*, Rom 1893; *Emma Liona*, Venedig 1895; *Evaldo*, Pisa 1895; *Le vergini*, Rom 1900; *Mirandolina*, Turin 1904; *Bianca Capello*, Mailand 1910; *Elixir di vita*, Bologna 1914; *Farandola*, ebd. 1923; *Fiamme e bagliori*, nicht aufgeführt), von denen einige (*Emma Liona*, *Mirandolina*) auch von Toscanini aufgeführt wurden.

+Lualdi, Adriano, * 22. 3. 1885 zu Larino (Campobasso), [erg.:] † 8. 1. 1971 zu Mailand.
Intermezzo giocoso +*Le furie di Arlecchino* (Mailand 1915, erweitert Buenos Aires 1925), +*Lumawig e la saetta* (1936, erweitert Mailand 1956) [erg. frühere Angaben]. – Weitere Werke: die Tragödie *Il testamento di Euridice* (1939–52, RAI 1962), die einaktige »Commedia a concerto« *Tre alla radarstratotropojonosferaphonotheca del Luna Park* (1953–58) und die Tragödie *Il cabaret della maga senzapena* (1957–60, unvollendet); das Oratorium *In festivitate S. Trinitatis* für Soli, 2 Chöre und Orch. (1958); Bühnenmusiken. – +*L'arte di dirigere l'orchestra* (Mailand 1940, ²1948, erweitert ³1957 [erg. bzw. del. frühere Angaben]). – Von seinen erschienenen Schriften seien ferner genannt: *L'arte della fuga di G. S. Bach* (Triest 1955); gesammelte Miszellen *Tutti vivi* (Mailand 1955); *A. Steffani* (in: Musiche italiane rare e vive ..., hrsg. von A. Damerini und G. Roncaglia, = Accademia musicale Chigiana XIX, Siena 1962); *Mascagni, d'Annunzio e »Parisina«* (Quaderni dannunziani 1966, Nr 30/31).

Luart (lɥa:r), Emma, * 1. 5. 1887 und † 26. 8. 1968 zu Brüssel; belgische Opernsängerin (Sopran), studierte am Conservatoire Royal de Musique de Bruxelles und dann bei Rosa Bosman. Sie debütierte am Theater in Brest (1911), sang bis 1914 in Frankreich, dann in Lausanne (1915), an der Französischen Oper in Den Haag (1916–19), am Théâtre Royal de la Monnaie in Brüssel (1919–22) und schließlich an der Opéra-Comique in Paris (1922–39). E. L. nahm an einer Reihe französischer Uraufführungen teil (G. Pierné, *Sophie Arnould*, 1927; Ibert, *Le roi d'Yvetot*, 1930).

+Lubin, Germaine Léontine Angélique, * 1. 2. 1890 zu Paris.
Als erste französische Künstlerin in Bayreuth ersang sie sich große Erfolge in den Partien der Kundry (1938) und der Isolde (1939). Zahlreiche Gastspiele führten sie als Wagner-Interpretin an die großen Opernbühnen Europas. Sie beendete ihre Karriere 1944.

+Lublin, Johannes de (Jan z Lublina), 1. Hälfte 16. Jh.
Ausg.: Tabulatura organowa Jana z L.a, hrsg. v. KR. WILKOWSKA-CHOMIŃSKA, = Monumenta musicae in Polonia, Serie B, I, 1, Krakau 1964 (thematisches u. alphabetisches Verz. sowie Faks.-Ausg.); Tablature of Keyboard Music, hrsg. v. J. R. WHITE, 6 Bde, = Corpus of Early Keyboard Music VI, (Rom) 1964–67.
Lit.: J. R. WHITE, The Tablature of J. of L., MS 1716 of the Polish Acad. of Sciences in Cracow, MD XVII, 1963; DERS., Original Compositions and Arrangements in the L. Keyboard Tablature, in: Essays in Musicology, Fs. W. Apel, Bloomington (Ind.) 1968; PH. GOSSETT, Techniques of Unification in Early Cyclic Masses and Mass Pairs, JAMS XIX, 1966.

+Luboshutz, –1) Léa, * 10.(22.) 2. 1885 [nicht: 1887] zu Odessa, [erg.:] † 18. 3. 1965 zu Philadelphia. Das Curtis Institute of Music, an dem sie unterrichtete, hat seinen Sitz in Philadelphia [nicht: New York].

–2) Pierre, * 5.(17.) 6. 1891 [nicht: 1894] zu Odessa, [erg.:] † 17. 4. 1971 zu Rockport (Me.). Mit seiner Frau Genia Nemenoff (* 23. 10. 1905 [nicht: 1908] zu Paris) leitete er 1962–68 die Klavierabteilung an der Michigan State University.

Lubozkij, Mark Dawidowitsch, * 18. 5. 1931 zu Leningrad; russisch-sowjetischer Violinist, absolvierte 1954 als Schüler von Abram Jampolskij das Moskauer Konservatorium, an dem er bis 1958 bei D. Oistrach sein Studium vervollkommnete. 1958 erhielt er den 4. Preis beim Tschaikowsky-Wettbewerb in Moskau und 1959 den 2. Preis beim Internationalen Mozart-Wettbewerb in Salzburg. L. hat sich bei Konzertreisen, auch ins Ausland, vor allem für die neuere sowjetische Violinmusik (Rosslawets, Schnittke) eingesetzt.

+Lubrich, –2) Fritz, * 26. 1. 1888 zu Neustädtel (Schlesien), [erg.:] † 15. 4. 1971 zu Hamburg. L. war u. a. 1948–52 Chorleiter der Hamburger Singakademie. Neuere Veröffentlichungen:»*Soli Deo gloria*« ... *Ein Beitrag zur Geschichte des Thomanerchores in Leipzig und des Kreuzchores in Dresden* (in: Hamburger mittel- und ostdeutsche Forschungen II, 1960); *Rückblick* (in: Musik des Ostens VI, Kassel 1971). Lit.: FR. FELDMANN in: Musik d. Ostens VI, Kassel 1971, S. 29ff.

+Lucas, Leighton, * 5. 1. 1903 zu London. L. wurde 1955 Lehrer für Komposition, Instrumentation und Dirigieren an der Royal Academy of Music in London. Weitere Werke: Divertissement für Hf. und 8 Instr. (1955); Klarinettenkonzert (1956); Fantasie für Va da gamba und Orch. (1956); Sonatine (1963) und Variationen (1966) für Vc. und Kl.; *Disquisition* für 2 Vc. und Kl. 4händig (1967); Messe G moll für Chor und Org. (1967); Kantate *St. Peter* für Soli, Chor und Orch. (1968); Terzett für Streichtrio (1969); *A Parish Mass* für Chor und Org. (1969). Er verfaßte die Schrift *Mini Music* (London 1967).

+Lucca, Francesco, 1802 – [erg.: 20. 11.] 1872.

+Lucchesi, Andrea (Luchesi), 23. [nicht: 28.] 5. 1741 – 21. 3. 1801 zu Bonn [del. frühere Sterbeangaben]. Lit.: A. HENSELER, A. L., Bonner Geschichtsblätter I, 1937; N. JERS in: Rheinische Musiker VII, hrsg. v. D. Kämper, = Beitr. zur rheinischen Mg. XCVII, Köln 1972, S. 77ff.

Luciani (lutʃ'a:ni), Sebastiano Arturo, * 9. 6. 1884 und † 7. 12. 1950 zu Acquaviva delle Fonti (Bari); italienischer Musikforscher und Komponist, studierte bei De Nardis in Neapel und bei Setaccioli in Rom. Er war Mitgründer des Centro di Studi Vivaldiani in Siena. L. trat auch als Filmdrehbuchautor hervor (*Tristano e Isotta*, 1920, auch Regie; *Scipione d'Africano*, 1937; *Confessione*, 1942). Außer Zeitschriftenaufsätzen veröffentlichte er u. a.: *La rinascita del dramma* (Rom 1921); *Verso una nuova arte. Il cinematografo* (ebd. 1921); *Problemi musicali* (Mailand 1927); *L'antiteatro. Il cinematografo come arte* (Rom 1928); *A. Vivaldi. Note e documenti* (mit A. Casella, V. Mortari u. a., Siena 1939); *D. Scarlatti* (Turin 1942); *Il cinema e le arti* (Siena 1942); *La musica in cinema* (Siena 1942); *S. Mercadante* (Bari 1945). Er komponierte (Uraufführung Rom 1923) die Mimodramen *La fantasima, La morte e la fanciulla* und *Malagueña*. Gesammelte Aufsätze erschienen als *Saggi e studi di S. A. L.* (hrsg. von G. Caputi, = Quaderni dell'Accademia Musicale Chigiana XXXII, Siena 1954).

Lucier (lusi'ei), Alvin, * 14. 5. 1931 zu Nashua (N. H.); amerikanischer Komponist, studierte am Yale College in New Haven/Conn. (B. A. 1954) und an der Brandeis University in Waltham/Mass. (M. F. A. 1960),

wo er 1962–68 Lecturer in Music und Dirigent des University Chamber Chorus war. Seit 1970 gehört er dem Lehrkörper der Wesleyan University in Middletown (Conn.) an. Er schrieb u. a.: *Action Music* für Kl. (Bd I, 1962); *Song* für S. (1962); *Composition for Pianist and Mother* (1964); *Mafia* (1964); *Elegy for A. Anastasia* für Tonband (1965); *Composition for Amplified Lip* für Live-Elektronische Musik (1965); *Music 16* für Tonband (1965); *From My First Book of Dreams*, Theaterstück mit Elektronischer Musik (1965); *Music for Solo Performer* (1965); *Shelter* (1966) und *Whistlers* (1966) für Live-Elektronische Musik; *Organ Music for D. Tudor* (1966); *North American Time Capsule 1967* für Tonband; *Vespers* für Live-Elektronische Musik (1968); *Chambers*, Live performance with found objects (1968); *The Only Talking Machine of Its Kind in the World* für »Mixed media, featuring electronic ventriloquy« (1969); ferner eine biographische Komposition für Ob. »accompanied by the Atlantic Ocean, a chest of drawers and the Federal Bureau of Investigation« (1970). Lit.: G. MUMMA, A. L.'s Music f. Solo Performer, in: Source 1967, Nr 2.

Łuciuk (u̯'utsiuk), Juliusz, * 1. 1. 1927 zu Brzeźnica (bei Radomsko); polnischer Komponist, studierte in Krakau Musikwissenschaft bei Jachimecki an der Universität (1947–52) und Musiktheorie und Komposition am Konservatorium (1947–56) sowie in Paris Komposition bei Nadia Boulanger und Max Deutsch (1959–60). Für sein bisheriges Schaffen charakteristisch ist die Verwendung von Klangfarbe und -stärke als Grundelement des Formbaus; mit Vorliebe bedient er sich des Prepared piano. Das Werk *Pour un ensemble* (1961) für rezitierende St. und 24 Streicher (Text Julian Przyboś) wurde 1962 mit dem Preis des niederländischen Rundfunks in Bilthoven ausgezeichnet. Von weiteren Kompositionen seien genannt: Liederzyklus *Sen kwietny* (»Blumentraum«, Text Przyboś) für Gesang und 12 Instr. (1960); *Narzędzie ze światła / Instrument de lumière* für Bar. und Orch. (Text Przyboś, frz. von Allan Kosko, 1966); Ballett *Niobe* für Chor und Orch. (Libretto A. Tatara-Skocka, Danzig 1967); *Brand – Peer Gynt*, Mimodram für 2 Kl. und Kammerensemble auf ein Libretto von Henryk Tomaszewski nach Ibsen (Oslo 1967); *Lirica di timbri* für Prepared piano (1967); *Pacem in terris* für Gesang und Prepared piano (1967); *Poème de Loire* für S. und Orch. (Text Kosko, 1968); *Speranza sinfonica* (1969) und *Lamentazioni Grażyna Bacewicz* (1970) für Orch.; *Skrzydła i ręce* (»Flügel und Hände«, Text Tadeusz Różewicz), 4 Lieder für Bar. und Orch. (1972).

+Lucke, Gottfried, * 8. 2. 1922 zu Dresden. 1. Konzertmeister der Sächsischen Staatskapelle und Professor für Violine an der Musikhochschule in Dresden war L. bis 1960. Seit 1962 leitet er die Meisterklasse für Violine an der Akademie für Tonkunst in Darmstadt. Kompositionen: Praeludium für V. solo (1966); *Kleiner Dialog* für Alt-Block-Fl. und V. (oder Klar. und Va, 1966); *Studie 1967* für Alt-Block-Fl. und Kl. (oder Kammerensemble, 1967).

Lucký (l'utski:), Štěpán, * 20. 1. 1919 zu Sillein/ Žilina (Slowakei); tschechischer Komponist und Musikkritiker, studierte in Prag 1936–39 am Konservatorium Klavier bei Albín Šíma und Komposition bei A. Hába und absolvierte 1947 die Meisterschule des Konservatoriums bei Řídky sowie 1948 die Karlsuniversität. Er war Musikkritiker der Tageszeitung »Práce« (1945–49) und der Wochenzeitung »Kulturní politika« (1946–49) und Leiter der Musikabteilung des tschechischen Fernsehens (1954–58). L. schrieb u. a. die Oper

Půlnoční překvapení (»Die mitternächtliche Überraschung«, Prag 1959), Orchesterwerke (Symphonische Dichtung *Mors imperator*, 1941; Divertimento für 3 Pos. und Streicher, 1946; *Prosté skladby*, »Einfache Kompositionen«, für Streicherensemble, 1949), ein Violoncellokonzert (1946), ein Klavierkonzert (1947), ein Konzert für V., Kl. und Orch. (1971), Kammermusik (*Ottetto per archi*, 1970; Bläserquintett, 1946; Quartett für 2 Trp., Horn und Pos., 1949; Elegie für Waldhorn und Kl., 1965; *Tre pezzi per i due Boemi* für Baßklar. und Kl., 1970; *Sonata doppia per 2 v.*, 1971; Sonate für V. solo, 1969), Klavierwerke (Sonate, 1940; Sonatine, 1945; *3 etudy* für Vierteltonklavier, 1946; *Malá suita*, »Kleine Suite«, 1971), mehrere Liederzyklen sowie Bühnen-, Funk- und Filmmusik.

Ludewig, Wolfgang, * 7. 12. 1926 zu Marburg an der Lahn; deutscher Komponist, studierte Komposition an der Hochschule für Musik in Mannheim bei R. v. Mojsisovics-Mojsvár und privat bei Fortner, daneben Musikwissenschaft an der Universität Heidelberg. Er war als Musikkritiker tätig, leitete 1963–67 die Werbeabteilung des Musikverlags B. Schott's Söhne in Mainz und wurde 1968 Referent in der Hauptabteilung Musik des Süddeutschen Rundfunks Stuttgart. L. schrieb u. a. die einaktige Oper *Die Probe* (Mannheim 1963), *Reflexionen* für Orch. (1972), eine Sinfonietta für Streicher (1959), *Essay* für Ob., Musette und Streicher (1968), Kammermusik (2 Streichquartette, 1951 und 1955; *Apokalyptische Vision* für Klar., V., Vc. und Kl., 1971; Bläserquintett, 1972), Klavierwerke (*Meditation*, 1970) und Vokalwerke (*Gesang der Nacht*, 3 Lieder für A. und Streicher, Text Georg Trakl, 1967).

Ludford (l'ʌdfəd), Nicholas, * um 1485, † um 1557 zu London; englischer Komponist, war kurz nach 1510 Musiker an der St. Stephen's College Chapel in Westminster (London) und blieb dort bis zu deren Auflösung (1547), wo er offensichtlich Kirchendiener und vielleicht auch Organist war. Dann wurde ihm anscheinend bis 1556 eine kleine Pension gegeben. Mit Fayrfax und Cornyshe dem Jüngeren bildete L. ein wichtiges Glied in der englischen Komponistengeneration vor der Gründung der Anglikanischen Kirche. Von seinen Werken sind etwa 20 handschriftlich überliefert, darunter 7 Festmessen für Festtage der Jungfrau Maria und die Messen mit dem Beinamen *Benedicta* für 6 St., *Lapidaverunt Stephanum* für 5 St., *Christi virgo* für 5 St., *Videte miraculum* für 6 St., *Inclina Domine* für 5 St. und *Regnum mundi* für 5 St.
Ausg.: Collected Works, hrsg. v. J. D. BERGSAGEL, bisher Bd I (7 Lady-Masses, = CMM XXVII, 1, (Rom) 1963. – 6st. Magnificat »Benedicta« in: Early Tudor Magnificats I, hrsg. v. P. DOE, = Early Engl. Church Music IV, London 1964.
Lit.: H. BAILLIE, N. L., MQ XLIV, 1958; J. D. BERGSAGEL, An Introduction to L., MD XIV, 1960; DERS., On the Performance of L.'s »Alternatim« Masses, MD XVI, 1962.

+Ludikar, Pavel (eigentlich P. Vyskočil), * 3. 3. 1882 zu Prag, [erg.:] † 19. 2. 1970 zu Wien.
L. lebte in den letzten Jahrzehnten als Übersetzer, Lehrer und Komponist in Wien.

+Ludkewycz, Stanislaw (Stanislaw Filippowitsch Ljudkewitsch), * 24. 12. 1879 zu Jaroslaw (Galizien).
L., ukrainischer [nicht: russischer] Komponist, wurde 1926 zum Inspektor der ukrainischen Musikschulen in Galizien, 1937 zum Mitglied der Schewtschenko-Forschungsgesellschaft und 1939 zum Professor am Lemberger Konservatorium ernannt. 1939–51 wirkte er als wissenschaftlicher Mitarbeiter am Lemberger ethnographischen Institut. – Weitere Werke: die Opern *Bar*

Kochba (1926, unvollendet) und *Dowbusch* (Lemberg 1955); Violinkonzert A dur (1945); symphonische Dichtungen *Dnipro* (»Dnjepr«, 1946), *Rondo junakiw* (»Rondo junger Kriegsgesellen«, 1948), *Nasche more* (»Unser Meer«, 1950), *Mojsej* (»Mose«, 1956), *Ne sabud junych dniw* (»Vergiß nicht die Jugendzeit«, 1957) und *Golossa Karpat* (»Die Stimmen der Karpaten«, 1964).
Lit.: S. PAWLISCHIN in: SM XX, 1956, H. 3, S. 17ff., u. XXVI, 1962, H. 10, S. 24ff.; M. SAGAJKEWITSCH, St. L., Kiew 1957.

Ludwig II. (L. Otto Friedrich Wilhelm von Bayern), * 25. 8. 1845 auf Schloß Nymphenburg (München), † 13. 6. 1883 in der Nähe von Schloß Berg (ertrunken[?] im Starnberger See); König von Bayern, lud unmittelbar nach seinem Regierungsantritt (1864) R. Wagner, dem schon die schwärmerische Bewunderung des jugendlichen Kronprinzen gehört hatte, zu sich, was der Auftakt einer außergewöhnlichen und höchst folgenreichen Freundschaft wurde. Wagner, total verschuldet, hoffnungslos (»Ich bin ... in der Entwicklung meines Endes begriffen«), hatte den ersehnten Mäzen gefunden, dem er alle Werke, die er noch vollenden wollte (und bis auf *Die Sieger* auch vollendet hat) in einem »Programm für den König« aufzählte (»... auszuführen, wenn mein theurer König will und hilft«). L. ermöglichte dem Komponisten bei Neuinszenierungen und Uraufführungen »Mustervorstellungen« seiner Werke. 1868 teilte er Wagner mit, daß er Schloß Neuschwanstein als »würdigen Tempel für den göttlichen Freund« zu errichten vorhabe, mit »Reminiscenzen aus Tannhäuser und Lohengrin« (später wurden dann auch Szenen aus *Parsifal* in das Bauprogramm miteinbezogen): Bühnenbilder verwandelten sich in reale Architektur, die Bilderwelt von Wagners Opern, die L.s Phantasie unablässig beschäftigte, konkretisierte sich in einem merkwürdigen und einzigartigen Bauwerk des Historismus. Vollends zur Phantasmagorie wurde die »Venusgrotte« im Park von Schloß Linderhof, in der die »künstlichen Paradiese« (Baudelaire) des *Tannhäuser* verwirklicht waren. L., der sich als Mitschöpfer der Werke Wagners verstanden hat, emanzipierte sich in seinen Bauwerken von diesen »Gemeinschaftsarbeiten« und erschuf eine opernhafte Traumwelt, die nur ihm allein gehörte.
Lit.: G. v. BÖHM, L. II., König v. Bayern. Sein Leben u. seine Zeit, Bln 1922, ²1924; König L. II. u. R. Wagner. Briefwechsel, 5 Bde, hrsg. v. O. STROBEL, Karlsruhe 1936–39; E. NEWMAN, The Life of R. Wagner, Bde III–IV, NY 1941–46; R. HACKER, L. II. v. Bayern in Augenzeugenber., Düsseldorf 1966; König L. II. u. d. Kunst, Ausstellungskat. München 1968; W. BLUNT, The Dream King, London 1970, deutsch München 1970; D. u. M. PETZET, Die R.-Wagner-Bühne L.s II., = Studien zur Kunst d. 19. Jh. VIII, München 1970 (mit ausführlicher Bibliogr.). HS

+Ludwig, Christa, * 16. 3. 1928 [nicht: 1932] zu Berlin.
Chr. L., deren umfangreiches Repertoire sowohl Alt- und Mezzosopranpartien als auch zunehmend solche des hochdramatischen Faches (Kundry, Leonore) umfaßt, war neben ihrer Verpflichtung an der Wiener Staatsoper während der letzten Jahre ständiger Gast der führenden Opernhäuser und Festspielorte Europas (u. a. Bayreuth und Luzern) und Amerikas. Gleichermaßen bedeutend ist sie als Konzert- (Schlußsatz der 9. Symphonie von Beethoven, Altrhapsodie von Brahms, G. Mahlers *Das Lied von der Erde*, Kirchenmusikwerke) und Liedsängerin (besonders Schubert und Mahler). 1962 wurde sie zur österreichischen Kammersängerin ernannt. Nach der Scheidung von W. Berry (1970) heiratete Chr. L. 1971 den an der Pariser Comé-

die-Française wirkenden Regisseur und Schauspieler Paul-Émile Deiber. Sie lebt heute in Meggen (Luzern).
Lit.: P. LORENZ, Chr. L., W. Berry, Wien 1968; G. PERCY in: Musikrevy XXIV, 1969, S. 9ff.; CH. OSBORNE in: Opera XXIV, 1973, S. 216ff.

+Ludwig, Franz, 1889–1955.
Lit.: G. KASCHNER, Fr. L., = Das schöne Münster, N. F. IX, Münster i. W. 1956 (mit Werkverz.).

+Ludwig, Friedrich, 1872–1930.
+*Repertorium organorum recentioris et motetorum vetustissimi stili*, Bd I, 1 (1910), 2. erweiterte Aufl. hrsg. von L. A. Dittmer, = Musicological Studies VII, NY und Hildesheim 1964, Bd I, 2 (*Handschriften in Mensuralnotation*) aus dem vollständigen Ms. zusammen mit +*Die Quellen der Motetten ältesten Stils* (1923) hrsg. von Fr. Gennrich, = Summa musicae medii aevi VII, Langen 1961, Bd II (*Musikalisches Anfangs-Verzeichnis des nach Tenores geordneten Repertorium*) aus dem unvollständigen Ms. hrsg. von dems., ebd. VIII, 1962, auch hrsg. von L. A. Dittmer als *Catalogue raisonné der Quellen. Ein vollständiges Anfangs-Verzeichnis sämtlicher Organa recentioris stili sämtlicher geschichtlich wichtigen Organa-Teile und sämtlicher Motetten der hier behandelten ältesten Motettenepoche*, = Musicological Studies XVII, Brooklyn (N. Y.) 1971; +*Studien über die Geschichte der mehrstimmigen Musik im Mittelalter* (1902–06), neu hrsg. von Fr. Gennrich, = Summa musicae medii aevi XVI, Langen 1966.
Lit.: FR. GENNRICH, Wer ist Initiator d. »Modaltheorie«?, in: Miscelánea . . . , Fs. H. Anglés I, Barcelona 1958–61.

Ludwig, Johann Adam Jakob, * 1. 10. 1730 zu Sparneck (Oberfranken), † 8. 1. 1782 zu Hof; deutscher Ökonom und Orgelsachverständiger, war Postschreiber und ab 1764 Kontorist der J. G. Vierling'schen Buchhandlung in Hof. Er forderte vom Orgelbauer u. a. umfassende Kenntnisse in Architektonik und Musikgeschichte und verteidigte Sorge gegen Fr. W. Marpurg, warb aber andererseits für die stets in gleichschwebender Temperatur gestimmten Orgeln der G. Silbermann-Schüler Graichen und J. N. Ritter. – Schriften: *Versuch von den Eigenschaften eines rechtschaffenen Orgelbauers* (Hof 1759); *Gedanken über die großen Orgeln* (Lpz. 1762); *Den unverschämten Entehrern der Orgeln* (Erlangen 1764); *Eine helle Brille für die blöden Augen eines Albern Haberechts zu Niemandsburg* (anon. überliefert, o. O. o. J.).
Ausg.: Gedanken über d. großen Org., hrsg. v. P. SMETS, Mainz 1931.
Lit.: H. HOFNER, Die Silbermannschule im Markgrafentum Bayreuth, ZfIB LIII, 1933.

+Ludwig, Leopold, * 12. 1. 1908 zu Witkowitz (heute Ostrava).
L. war 1939–43 1. Kapellmeister an der Staatsoper in Wien [nicht: Berlin]. – Als GMD der Hamburgischen Staatsoper wirkte er bis 1970 (in dieser Zeit mehrfach Uraufführungen zeitgenössischer Bühnenwerke, u. a.: Křenek, *Pallas Athene weint*, 1955; Henze, *Der Prinz von Homburg*, 1960; Klebe, *Figaro läßt sich scheiden* und *Jacobowsky und der Oberst*, 1963 bzw. 1965); durch einen Gastvertrag bleibt er weiterhin diesem Hause verbunden. 1969–70 war er zusätzlich als künstlerischer Leiter der Allgemeinen Musikgesellschaft Basel tätig, deren Abonnementskonzerte er teilweise dirigierte. Darüber hinaus gastierte L. ständig (auch mit dem Ensemble der Hamburgischen Staatsoper) an bedeutenden Musikzentren (u. a. Wien, London, Glyndebourne, New York). 1968 wurde er in Hamburg zum Professor ernannt.
Lit.: B. W. WESSLING, L. L., Bremen 1968.

+Ludwig, Otto, 1813–65.
Ausg.: Werke, hrsg. v. W. LEUSCHNER-MESCHKE, Bln 1961ff., bisher erschienen: Agnes Bernauer-Dichtungen, 3 Bde, 1961–69.
Lit.: H. LEBEDE, O. L. als Musiker, in: Deutsche Musikkultur II, 1937.

+Ludwig, Walther, * 17. 3. 1902 zu Bad Oeynhausen (Nordrhein-Westfalen).
L. war 1952–69 als Professor an der Berliner Musikhochschule tätig. Im Anschluß an seine Karriere als Sänger nahm er das in jungen Jahren bereits begonnene Medizinstudium wieder auf und promovierte 1971 in Berlin (FU) über das Thema *Musik und Medizin, Musik und Mediziner* zum Dr. med.

Ludwig Industries, amerikanische Instrumentenbaufirma in Chicago, gegründet 1910 von William F. Ludwig, Sr. (1879–1973) und seinem Bruder Theobald Ludwig als Ludwig & Ludwig, umfirmiert 1929 in Leedy & Ludwig, 1937 in W. F. Ludwig Drum Co., 1955 in Ludwig Drum Co. und 1966 in den heutigen Firmennamen. Die Firma stellt Trommeln, Pauken, Schlägel, Instrumente für rhythmisch-musikalische Erziehung und elektronische Instrumente her. Sie wird seit dem Tode von W. F. Ludwig, Sr., (1973) von dessen Sohn William F. Ludwig, Jr., geleitet. Angekauft wurden die Firmen Musser Marimbas, Inc. (1966), B. F. Kitching & Co. (1966) und Wm. Schuessler Co. (1968).

+Lübeck [–1) Johann Heinrich], –3) Louis, [erg.: 14. 2.] 1838 – 1904.

+Lübeck, Vincent, 1654 [erg.:] oder um den 29. 9. 1656 (Michaelistag) – 1740.
Ausg.: +*Orgelwerke* (H. KELLER, 1941), Neudr. Lpz. 1954; +*Clavieruebung* (1728; H. TREDE, 1941), Neudr. Lpz. 1959. – Praeludien u. Fugen G moll, E dur u. D moll sowie Partita über »Nun laßt uns Gott d. Herrn«, hrsg. v. R. FALCINELLI, = Anth. des maîtres class. de l'orgue LIX–LXII, Paris 1957; Sämtliche Orgelwerke, hrsg. v. KL. BECKMANN, Wiesbaden 1973. – Kantate »Hilf deinem Volk, Herr Jesu Christ« f. Chor, Streichorch. u. Gb., hrsg. v. FR. STEIN, Bln 1960; Weihnachtskantate »Willkommen süßer Bräutigam«, hrsg. v. G. GRAULICH (mit P. Horn), = Stuttgarter V. L.-Ausg. o. Nr, Stuttgart 1968, NY 1969.
Lit.: +G. FROTSCHER, Gesch. d. Orgelspiels . . . I (1935, 21959), Bln 31966.

+Lück, Stephan, 1806 – 3. [nicht: 4.] 11. 1883.

+Lüdig, Mihkel, * 27. 4. (9. 5.) 1880 [erg.: zu Reiu] (Kreis Pernau/Pärnu), [erg.:] † 7. 5. 1958 zu Vändra (Pärnu).
L. wirkte u. a. als Chorleiter und Musiklehrer 1925–28 in Buenos Aires, 1929–32 in Reval und ab 1934 in Vändra. Weitere Orchesterwerke: 2. Ouvertürenfantasie (1945), kleine Suite (1947), Suite über estnische Volksweisen (1955). »Erinnerungen« erschienen posthum als *Mälestused* (Tallinn 1969).
Lit.: N. LAANEPÕLD, M. L., Sõnas ja pildis (»Leben in Bildern«), Tallinn 1968. – Artikel L. in: Eestiheliloojad ja muusikateadlased, hrsg. v. L. KRUUSMAA, ebd. 1966, S. 62ff.

+Luedtke, Hans, * 19. 8. 1889 zu Mittelwalde (Niederschlesien), [erg.:] † 23. 10. 1953 zu Geismar (heute Göttingen).
L. war 1931–44 Kantor an der Auferstehungskirche in Berlin. 1945 ließ er sich in Göttingen nieder.

+Luening, Otto, * 15. 6. 1900 zu Milwaukee (Wis.).
L. wirkte am Barnard College der Columbia University (N. Y.) 1944–47 sowie 1949–68 als Mitglied ihrer Faculty of Philosophy; seitdem lehrt er an der Columbia School of the Arts. Er war 1940 Gründer

und bis 1960 Chairman des American Music Center; seit 1947 ist er Mitglied des National Institute of Arts and Letters, seit 1959 mit Vl. Ussachevsky, R. Sessions und M. Babbit Leiter des Columbia-Princeton Electronic Music Center. 1963 wurde er mit dem D. mus. der Wesleyan University (Conn.) geehrt. – Zu seinen frühen, teilweise avantgardistischen Stücken (polytonal, atonal, quasi-seriell) gehören die +Sextett für V., Va., Vc., Fl., Klar. und Horn (1918), die +3 Streichquartette (1919, mit obligater Klar.; 1922; 1928), das +Trio für V., Vc. und Kl. (1921), +*Music for Orch.* (1922), ein Trio für Fl., V. und S. (1924), +*The Soundless Song* für S., Streichquartett, Fl., Klar., Kl., »movements and lights« (1924) und die +Solosonate für Vc. (1924). – Ab Beginn der 50er Jahre beschäftigte sich L. als einer der ersten mit dem neuen Medium des Tonbandes (anfangs Arbeiten mit konkreten, später mit elektronischen Klängen): *Invention, Fantasy in Space* und *Low Speed* (alle 1952), Ballett *Theatre Piece No. II* für Tonband, Kl., S., Sprecher, Schlagzeug und Blechbläser (1956), *Dynamophonic Suite* (1958), *Gargoyles* für V. und synthetische Klänge (1960), *A Day in the Country* für V. und Tonband (1961), *Study in Synthesized Sounds* (1961), *Synthesis* für Orch. und Tonband (1962) und *Moonflight* (1967). In Zusammenarbeit mit Vl. Ussachevsky entstanden *Incantation* (1953), *Rhapsodic Variations* (1954, die erste Komposition überhaupt für Tonband und Live Symphony Orchestra), *A Poem in Cycles and Bells* (1954) und *Concerted Piece* (1960) für Tonband und Orch., das Ballett *Of Identity* (1954) und eine Bühnenmusik zu Shakespeares *King Lear* (Regie Orson Welles, NY 1956, daraus eine Suite), in Zusammenarbeit mit Halim El-Dabh *Electronic Fanfare* für Schlagzeug, Block-Fl. und synthetische Klänge (1960) sowie *Percussive Mixtures* und *Diffusion of Bells* (beide 1961). – Von seinen über 250 Kompositionen seien ferner genannt: *Prelude to a Hymn Tune* (1937), *Kentucky* [nicht: *Louisville*] *Concerto* (1951), *Musik* (1952) und *Fantasien* (1969) für Orch., *Pilgrim's Hymn* und *Prelude* für Kammerorch. (beide 1947), Serenade für 3 Hörner (1927) und Legende für Ob. (1951) mit Streichorch., Sonaten für Fl. (1937), Fag. (1952) und Pos. (1953) mit Kl. sowie eine Suite für Vc. (1946), eine Fantasie für Klar. (1936) und Nocturnes für Ob. (1951) mit Kl., 3 Duette für 2 Fl. (1962), 3 Suiten für Fl. solo (1947–52, 1959, 1961) und Solosonaten für V., Va., Vc. und Kb. (alle 1953); 3. Klaviersonate (1959); über 65 Lieder und Chorwerke; außerdem (nach 1958): *Entrance and Exit Music* für 3 Trp., 3 Pos. und Zimbeln, *The Bass with the Delicate Air* für Bläserquartett, *Suite for Diverse High and Low Instruments*, *Sonority Canon* für 3–37 Fl. (2 Fassungen), Suite für Streichtrio, Trio für 3 Flötisten, *Sonata Composed in Two Dayturns* für Vc., Suiten Nr 4 und 5 für Fl. solo und *Short Sonata* Nr 2–4 für Kl. – Er schrieb u. a. den Beitrag *Some Random Remarks about Electronic Music* (Journal of Music Theory VIII, 1964). Lit.: Werkverz. in: Bol. interamericano de música 1961, Nr 25, revidiert in: Composers of the Americas VII, Washington (D. C.) 1961. – CH. WUORINEN in: Perspectives of New Music IX/2–X/1, 1971, S. 200ff. (Gespräch).

+**Lütgendorff,** William Leo, Freiherr von, 1856–1937.
Sein grundlegendes Werk +*Die* [del.: *Geschichte der*] *Geigen- und Lautenmacher* ... erschien zuerst ein-[nicht: 2-]bändig (Ffm. 1904); erst spätere Auflagen (Ffm. ³–⁴1922 und ⁵–⁶1922) kamen in 2 Bänden heraus (unveränderter Nachdr. der 6. Aufl. Tutzing 1968).

Lugo, Giuseppe, * 18. 6. 1899 zu Sona (bei Verona); italienischer Sänger (Tenor), studierte bei Raffaele Te-

naglia in Mailand und debütierte 1930 als Rudolf (*La Bohème*) an der Opéra-Comique in Paris. Er trat 1937 am Teatro Comunale in Bologna und im gleichen Jahr an der Mailänder Scala auf. Gastspiele führten ihn zu den Festspielen in Verona, an die Pariser Opéra und an das Théâtre Royal de la Monnaie in Brüssel. Zu seinen Hauptpartien zählten der Herzog in *Rigoletto*, Faust (*Mefistofele* von Boito) und Cavaradossi (*Tosca*). L. wirkte auch in einer Reihe von Filmen mit.

Luipart, [lɥip`a:r], Marcel (eigentlich Fenchel), * 8. 9. 1912 zu Mülhausen (Elsaß); deutscher Tänzer, Choreograph und Ballettpädagoge, wurde bei Nikolaj Legat, Eugenie Edouardova und Victor Gsovsky ausgebildet. Er debütierte 1933 an der Düsseldorfer Oper bei Milloss von Miholy, errang 1934 einen Preis beim internationalen Tanzkongreß in Wien, war in Hamburg, Berlin und München engagiert und ging 1936 zu den Ballets de Monte Carlo, war danach in Mailand und Rom tätig und tanzte während der letzten Kriegsjahre im Ballett von Derra de Moroda. Nach Kriegsende war er der erste Ballettmeister der Bayerischen Staatsoper in München, nahm dann seine Tänzerkarriere wieder auf, war Ballettmeister in Bonn, Essen und Köln und wirkt heute als ordentlicher Professor für klassischen Tanz an der Akademie für Musik und darstellende Kunst in Wien. Als Choreograph schuf er mit der Uraufführung von Egks *Abraxas* (München 1948) sein bestes Ballett. Weitere von ihm choreographierte Uraufführungen waren *Das Wundertheater* (Henze, Heidelberg 1948), *Stoffreste* (A. Reimann, Essen 1959) und *Die Vogelscheuchen* (Reimann, Bln 1970).

+**Luise,** Melchiorre, * 21. 12. 1898 zu Neapel, [erg.:] † 22. 11. 1967 zu Mailand.

+**Lukačić,** Ivan, OFM, 1587–1648.
Ausg.: 16 Motetten aus d. »Sacrae cantiones« (1620), hrsg. v. J. ANDREIS, Zagreb 1970. Lit.: D. J. BERIĆ, Kada je rođen I. L.? (»Wann wurde I. L. geboren?«), in: Zvuk 1962, Nr 52; DR. PLAMENAC, Tragom I. L.a i nekih njegovih suvremenika (»Auf d. Spuren v. I. L. u. einigen seiner Zeitgenossen«), in: Rad Jugoslavenske akad. znanosti i umjetnosti 1969, Bd 351 (mit Ausg. d. Motetten u. Faks.); N. O'LOUGHLIN, A Note on L., MT CXIV, 1973.

Lukács, [l`uka:tʃ], Miklós, * 4. 2. 1905 zu Gyula; ungarischer Dirigent, absolvierte die Hochschule für Musik in Berlin, war 1930–43 als Kapellmeister an verschiedenen deutschen Opernbühnen tätig und wurde 1943 als Kapellmeister an die Staatsoper in Budapest berufen, deren Direktor er seit 1966 ist. Seit 1949 ist er auch Professor (Leiter der Opernschule und der Gesangsklassen) an der Liszt F. Zeneművészeti Főiskola in Budapest.

Lukas, Viktor, * 4. 8. 1931 zu Rothenburg ob der Tauber; deutscher Organist, studierte Dirigieren bei Fr. Lehmann sowie Kirchenmusik und Orgel an der Staatlichen Hochschule für Musik (A-Examen und Kapellmeisterexamen) und Musikwissenschaft bei R. v. Ficker an der Universität in München sowie 1955–56 Orgel bei Dupré und Falcinelli am Pariser Conservatoire. Er war 1957 Preisträger beim Internationalen Musikwettbewerb der Rundfunkanstalten der BRD in München. Seit 1960 ist er Organist und Leiter der Kantorei an der Stadtkirche (Kirchenmusikdirektor) und Lehrer an der Kirchenmusikschule in Bayreuth. Er ist Gründer des Viktor-Lukas-Consort und Initiator der Musica Bayreuth, eines Musikfestes mit Betonung der älteren und neueren geistlichen Musik. Konzertreisen führten ihn durch zahlreiche europäische Länder, darunter die UdSSR, sowie in die USA und nach Kanada. L. gab auch einen *Orgelmusikführer* (Stuttgart 1963, ²1967) heraus.

Lukáš (l'uka:ʃ), Zdeněk, * 21. 8. 1928 zu Prag; tschechischer Komponist und Dirigent, war 1955–65 Dirigent des Radiochors in Pilsen und wirkt seit 1965 in Prag. In seinen Werken nach 1965 verbindet er modale und serielle Strukturen mit aleatorischen Abschnitten. – Werke (Auswahl): Opern *Ať žije mrtvý* (»Es lebe der Tote«, Text J. Hurta, 1967) und *Domácí karneval* (»Hauskarneval«, Text Z. Barborka, 1968); Kinder-Rundfunkoper *O smutné princezně Upolíně* (»Von der traurigen Prinzessin Upoline«, Text K. Bednář, 1968). – Konzerte für Kl. (1955), V. (1956) und Vc. (1957) und Orch.; 4 Symphonien (Nr 1, 1960, Nr 2, 1961, Nr 3, *Dove sta amore*, Gedicht von Ferlinghetti, 1965, und Nr 4, 1965); Concerto grosso für Streichquartett und Streicher (1964); *Sinfonietta solemnis* für Kammerorch. (1965); *Sonata concertata* für Kl., Bläser und Schlagzeug (1966); *Musica rytmica* für Bläser und Schlagzeug (1966); Konzert für V., Va und Orch. (1968); Partita in C für Kammerorch. (1969). – 2. Streichquartett (1965); *Musica per piano* (1965); Bläserquintett (1969). – *Parabolae Salomonis* für gem. Chor (1965); *Omittamus studia* für Männerchor (1966); *Verba laudata* für S. und Streichquartett (1967); *Modlitba* (Gebet nach Texten ghanesischer Christen) für gem. Chor, Org. und Schlagzeug (1968); Oratorium *Adam a Eva* für S., A., Bar., Sprecher, gem. Chor und Orch. (1969); 5 Gesänge nach Versen von Puschkin für gem. Chor (1971); »Der Narr am Weg«, Zyklus für gem. Chor (1971); *Pět písní o lásce* (»5 Liebeslieder«) für gem. Chor und Kl. (1972). – Elektronische Musik und Musique concrète: *Arcecona* (1968); *Ecce quomodo moritur justus* (1969); »Du sollst nicht töten«, elektronisches Oratorium für gem. Chor und Instrumentalbegleitung (1971).
Lit.: A. Špelda, Tvůrčí vývoj Zd. L.e (»Die schöpferische Entwicklung v. Zd. L.«), in: Hudební rozhledy XXI, 1968; R. Budiš, Rozhlasové opery Zd. L.e (»Funkopern v. Zd. L.«), ebd. XXII, 1969.

Łukomska (ṳuk'ɔmska), Halina, * 29. 4. 1929 zu Suchedniów (Woiwodschaft Kielce); polnische Konzertsängerin (lyrischer und Koloratursopran), studierte an der Opernschule in Posen (1951–54) und an der Musikhochschule in Warschau, war 1958 Schülerin von Favaretto an der Accademia Musicale Chigiana in Siena und 1959–60 von Toti Dal Monte in Venedig. Seitdem ist sie mit wachsendem Erfolg in Europa und den USA aufgetreten. H. Ł. pflegt besonders die Werke der älteren italienischen Komponisten, ist aber auch als Interpretin zeitgenössischer Musik (Berg, Boulez, Nono, Lutosławski, Serocki, Webern) hervorgetreten. Werke für sie schrieben u. a. A. Bloch, H. U. Lehmann und Zender.

+Lullus, Raimundus, um 1232 (spätestens 1233) – zwischen Dezember 1315 und dem 25. 3. 1316 auf der Heimfahrt nach Mallorca (nach Steinigung in Bugia/Bougie, Algerien) [del. bzw. erg. frühere Angaben zu den Daten].
Sein Hauptwerk +*Ars generalis* besteht aus den Teilen *Ars maior* (1273), *Ars inventiva* (1289) und *Ars generalis ultima* (1305–08) [del. bzw. erg. frühere Angaben hierzu].
Ausg.: Opera omnia, 8 Bde, Mainz 1721–42 (lat. Werke, unvollständig). – +Obres, 21 Bde, Palma de Mallorca 1906–50 (katalanische Werke); Opera lat., hrsg. v. Fr. Stegmüller, ebd. 1959ff.
Lit.: Estudios Lulianos, Palma de Mallorca 1957ff. – A. Gottron, Was versteht I. Salzinger unter Lullistischer

Musik, in: Miscelánea ..., Fs. H. Anglés I, Barcelona 1958–61; E. W. Platzeck, R. L., 2 Bde, Düsseldorf 1962–63.

+Lully, Jean-Baptiste (de), 1632–87.
L. komponierte 12 [nicht: 11] große und 15 [nicht: 12] kleine Motetten.
Die Söhne Louis, 1664 – [erg.: 1. 4.] 1734, und Jean-Baptiste, 1665 – [erg.: März] 1743.
Ausg.: Ballettsuite »Le triomphe de l'amour«, hrsg. v. P. Angerer, = Diletto mus. XVI, Wien 1959; Orch.-Suite aus »Psyché«, hrsg. v. L. Soltesz, Paris 1961; »Le carneval« u. »Mascarade« f. 2 Fl. (Ob.), Fag. ad libitum, Streichorch. u. B. c., hrsg. v. K. Husa, = NMA CCXIX, Kassel 1968; Airs »Le carroussel du Roy« (1686), f. 3 Trp., Pos., Pk., 2 Ob., Engl. Horn u. Fag. hrsg. v. J.-Cl. Malgoire, = Plein jeu LXVIII–LXIX, Paris 1969; Chaconne (1683), f. Streichquintett, 2 Ob. (Fl.), Fag. u. B. c. hrsg. v. H. L. Schilling, Wiesbaden 1970. – Nine 17th-Cent. Org. Transcriptions from the Operas of L., hrsg. v. A. C. Howell jr., Lexington (Ky.) 1963.
Lit.: +J. Écorcheville, De L. à Rameau, 1690–1730. L'esthétique mus. (1906), Nachdr. Genf 1970; +H. Prunières, Le ballet de cour en France avant Benserade et L. (1914), Nachdr. NY 1970; +J. Eppelsheim, Das Orch. in d. Werken J.-B. L.s (1958), gedruckt = Münchner Veröff. zur Mg. VII, Tutzing 1961. – J. Écorcheville, L. gentilhomme et sa descendance, in: Mercure mus. VII, 1911; P.-M. Masson, Lullistes et Ramistes, in: L'année mus. I, 1911; M. Denizard, La famille frç. de L., in: Mercure mus. VIII, 1912; J. Chailley, Notes sur la famille de L., Rev. de musicol. XXXIV, 1952; J. Cordey, L. d'après l'inventaire de ses biens, ebd. XXXVII, 1955; Cl. Sartori, G. B. L. italiano so malgrado, in: Musicisti toscani, hrsg. v. A. Damerini u. Fr. Schlitzer, = Accad. mus. Chigiana (XII), Siena 1955; Ch. L. Cudworth, »Baptist's Vein«. French Orchestral Music and Its Influence, from 1650 to 1750, Proc. R. Mus. Ass. LXXXVIII, 1956/57; L. Maurice-Amour, Benserade, M. Lambert et L., in: Les divertissements de cour au XVIIIe s., = Cahiers de l'Ass. internationale des études frç. IX, 1957, Teil 1; dies., Comment L. et ses poètes humanisent dieux et héros, in: Opéra et littérature frç., ebd. XVII, 1965, Teil 1; C. Titcomb, Carrousel Music at the Court of Louis XIV, in: Essays on Music, Fs. A. Th. Davison, Cambridge (Mass.) 1957; B. A. Seagrave, The French Style of V. Bowing and Phrasing from L. to J. Aubert (1650–1730), Diss. Stanford Univ. (Calif.) 1958; A. M. Nagler, L.s Opernbühne, in: Kleine Schriften d. Ges. f. Theatergesch. XVII, (Bln) 1960; Ch. Masson, Journal du Marquis de Dangeau 1684–1720. Extraits concernant la vie mus. à la cour, RMFC II, 1961/62; N. Demuth, French Opera. Its Development to the Revolution, Horsham (Sussex) 1963; M. C.-M. Girdlestone, Tragédie et tragédie en musique (1673–1727), in: Opéra et littérature frç., = Cahiers de l'Ass. internationale des études frç. XVII, 1965, Teil 1; ders., La tragédie en musique (1673–1750) considérée comme genre littéraire, Genf 1972; D. Devoto, De la Zarabanda à la Sarabande, RMFC VI, 1966; M. F. Robinson, Opera Before Mozart, London 1966; W. P. Cole, The Motets of J.-B. L., 2 Bde, Diss. Univ. of Michigan 1967 (in Bd II Ausg. v. 2 Motetten); K. Cooper u. J. Zsako, G. Muffat's Observations on the L. Style of Performance, MQ LIII, 1967; H. M. Ellis, The Dances of J.-B. L., Diss. Stanford Univ. (Calif.) 1967; dies., The Sources of J.-B. L.'s Secular Music, RMFC VIII, 1968; dies., Inventory of the Dances of J.-B. L., RMFC IX, 1969 (mit thematischem Kat.); D. E. Tunley, The Emergence of the 18th Cent. French Cantata, in: Studies in Music I, 1967; Ll. Hibberd, Mme de Sévigné and the Operas of L., in: Essays in Musicology, Fs. W. Apel, Bloomington (Ind.) 1968; S. Harris, L., Corelli, Muffat and the 18th-Cent. Orchestral String Body, ML LIV, 1973.

Lumsdaine (l'ʌmzdein), David, * 31. 10. 1931 zu Sydney; australischer Komponist, studierte am N. S. W. State Conservatorium of Music in Sydney und an der University of Sydney (B. A. 1953), anschließend in England privat bei Seiber sowie an der Londoner

Royal Academy of Music (Berkeley). 1962 wurde er mit dem Aufbau des Manson Composition Centre beauftragt. Die University of Durham berief ihn 1970 zum Lecturer in Music. Von seinen Kompositionen sind hervorzuheben: *Missa brevis* für gem. Chor und Org. (1964); *Annotations of Auschwitz*, Kantate für S. und Kammerensemble (Text Peter Porter und aus dem Buch der Weisheit, 1964); *Easter Fresco*, Kantate für S. und Kammerensemble (Text nach dem Evangelium des Johannes, 1966); *Kelly Ground* für Kl. (1966); *Flights* für 2 Kl. (1967); *Mandala 1* für Bläserquintett (1968); *Episodes* für Orch. (1969); *Mandala 2* oder *Catches' Catch* für Fl., Klar., Va, Vc. und Schlagzeug (1969); *Looking Glass Music* für Blechbläserquintett und Tonband (1970); *Kangaroo Hunt* für Kl. und Schlagzeug (1971); *Caliban Impromptu* für Klaviertrio mit elektronischen Klängen (Text aus Shakespeares *The Tempest*, 1972); *Aria for Edward John Eyre* für S., 2 Sprecher, Kammerensemble und Tonband (1972).
Lit.: R. COOKE, D. L., in: Music and Musicians XXI, 1972/73.

Luna, Pablo, * 21. 5. 1880 zu Alhama de Aragón (Saragossa), † 28. 1. 1942 zu Madrid; spanischer Komponist und Dirigent, studierte an der Escuela de Música in Saragossa. Er war ein fruchtbarer Autor von Operetten, Zarzuelas und Revuen, die zu ihrer Zeit neben den Werken der Komponisten Vives und José Serrano weite Verbreitung fanden. Die Anzahl seiner Bühnenwerke umfaßt etwa 150; genannt seien: *Molinos de viento* (Sevilla 1910); *Los cadetes de la reina* (Madrid 1913); *El asombro de Damasco* (ebd. 1916); *El niño judío* (ebd. 1918); *Benamor* (ebd. 1923); *La pícara molinera* (ebd. 1928); *El pilar de la Victoria* (mit Gómez, Saragossa 1944).

Luna de Espaillat (l'una ðe espaiʎ'at), Margarita, * 31. 7. 1921 zu Santo Domingo; dominikanische Komponistin, studierte in Santiago Klavier am Liceo Musical und Komposition am Conservatorio Nacional und vervollkommnete ihre Studien bei Simó (1956–62) und in New York bei Overton (1964–67). Sie leitete in Santiago das Liceo Musical (1953–63), lehrte am Liceo Musical in La Vega (1966–71) und wurde dann Professor für Musikgeschichte und Formenlehre am Conservatorio Nacional de Música in Santo Domingo. Ihre Kompositionen umfassen Orchesterwerke (3 Praeludien für Streichorch., 1964), Kammermusik (Divertimento für 5 Blasinstr., 1967; Variationen für Vc., Klar., Kl. und Schlagzeug, 1970), Klavierwerke (2 Bagatellen, 1966; *Estructuras* I und II, 1971; Variationen, 1972) und Chorwerke (Oratorium *Vigilia eterna* für Soli, Chor und Orch., 1967; *Epitafio en el aire*, Elegie für gem. Chor, Sprecher und Orch., 1970).

Lunceford (l'ʌnsfəd), Jimmie (eigentlich James Melvin), * 6. 6. 1902 zu Fulton (Miss.), † 12. 7. 1947 zu Seaside (Oreg.); amerikanischer Jazzmusiker (Orchesterleitung, Blasinstrumente), studierte an der Fisk University in Nashville/Tenn. (B. A.) und am New York City College. Er gründete 1927 in Memphis (Tenn.) seine »Chickasaw Syncopaters«, die auch unter seinem Namen in den 30er Jahren mit den Orchestern von Duke Ellington, Count Basie und Benny Goodman zu den bedeutendsten Swingorchestern gehörten. Besonders die kontrapunktischen Arrangements von Sy Oliver (Trompete) und die Kollektivimprovisationen der Bläser prägten den als New-Orleans-Jazz für Big bands bezeichneten Stil. Nach dem Tode von J. L. existierte das Orchester unter dem Namen »The J. L. Band Under the Direction of Edwin Wilcox and Joe Thomas« weiter. – Aufnahmen: *Singin' Uptown* (1934; RCA 10119);

J. L. (1934–35; Brunswick 87532); *J. L. & His Orchestra* (1946; Pol. 623272).
Lit.: L. DEMEULDRE, Discography of the J. L. Orch., Brüssel 1961 (Privatdruck); The J. L. Band, hrsg. v. E. EDWARDS, G. HALL u. B. KORST, = Jazz Discographies Unltd. o. Nr, Whittier (Calif.) 1965.

+Lund, Signe, * 15. 4. 1868 und [erg.:] † 6. 4. 1950 zu Oslo.

+Lunde, Johan Backer, * 6. 7. 1874 zu Le Havre, [erg.:] † 4. 11. 1958 zu Oslo.

Lundquist, Torbjörn Iwan, * 30. 9. 1920 zu Stockholm; schwedischer Komponist und Dirigent, studierte Komposition bei Wirén und Dirigieren bei Dobrowen. Er war 1949–56 Dirigent am Königlichen Schloßtheater Drottningholm und leitete ab 1971 Gastkonzerte bei der Staatskapelle Dresden, der Stockholmer Philharmonie und dem Symphonieorchester in Malmö. Er komponierte *Nun aber bleiben*, Oper für das Konzerthaus für 8 agierende Sänger, Kammerorch., Symphonieorch. (live oder auf Tonband) und Lichtspiel (Originallibretto nach deutsch von Karin Boldemann, 1972), Orchesterwerke (Symphonie Nr 1, 1. Fassung 1956 als *Kammersymphonie 1956*, 2. Fassung 1971; Symphonie Nr 2, 1971, revidiert 1972; *Konfrontation*, 1968; *Galax*, 1971; *Hangarmusik* für Kl. und Orch., 1967; *Sogno* für Ob. und Streicher, 1968), Kammermusik (*Teamwork* für Holzbläserquintett, 1967; *Tempera* für 6 Blechbläser, 1969; Streichquartett Nr 1, 1972, und Nr 2, 1970), Vokalwerke (*Triptyk* für gem. Chor, 1963; *Anruf* für S. und Orch., 1964), Stücke für Akkordeon (*Concerto da camera* für Akkordeon und Orch., 1965; *Duell* für Akkordeon und Schlagzeug, 1965; *Bewegungen* für Akkordeon und Streichquartett, 1966), Bühnen- und Filmmusik sowie Musicals.

Lundsten, Ralph, * 6. 10. 1936 zu Ersnäs (Luleå kommun, Schweden); schwedischer Komponist und Film- und Fernsehexperimentator, begründete als Autodidakt 1959 das einzige schwedische Privatstudio für Elektronische Musik »Andromeda«, das er 1968–69 auch gemeinsam mit L. Nilson betrieb. Eine Reihe von Kompositionen entstand in Zusammenarbeit mit diesem (3 elektronische Popstücke, 1966; *Mizar*, 1968; *Tellus*, 1968; *Fågel Blå*, »Vogel Blau«, 1969; *Holmia*, 1969) und mit Blomdahl (Fernsehmusik *Altisonans*, 1965). Seine Fernsehmusik *EMS 1* (1966) erhielt einen Preis der Pariser Biennale 1967. An weiteren Kompositionen seien Ballettmusik (*Erik XIV* op. 45, Örebro 1969; *Ristningar*, »Einzeichnungen«, op. 44, Södertälje 1969; *Gustav III*, ebd. 1971; Nordische Natursymphonie Nr 1, 1972), Filmmusik (*Psychedelicha-Blues*, 1969; *Expressen* op. 48, 1970), *Främmande planet* (»Fremder Planet«), Elektronische Musik (1960), *Svit* (»Suite«) für elektronisches Akkordeon op. 33 (1968), *Reseminne* (»Reiseerinnerung«), Musique concrète (1968), *Cosmic Love* op. 51 (1970), *Cosmic Love – Trial and Discussion* op. 54 (mit Yngve Gamlin, 1970), *Hej plast* (»Hallo Plastik«, 1970) und Musik zu Gedichten von Hélène Aperia (1970) genannt. Außerdem drehte L. zahlreiche experimentelle Kurzfilme mit Musik.

+Lunelli, Renato, * 14. 5. 1895 und [erg.:] † 14. 1. 1967 zu Trient.
Er trat als Organist an S. Maria Maggiore und als Leiter der Stadtbibliothek Trient 1960 in den Ruhestand. Mitherausgeber der Zeitschrift *L'organo* war er bis zu seinem Tode. – +C. Antegnati, *L'arte organica* (1938), Mainz ²1958. – Als weitere Buchveröffentlichung liegt vor *Organi trentini* (hrsg. von R. Maroni, Trient 1964); gesammelte Aufsätze erschienen als *La musica nel Trentino dal XV al XVIII s.* (hrsg. von dems. und Cl. Lunelli,

2 Bde, = Voci della terra trentina IV–V, ebd. 1967) und als *Strumenti musicali nel Trentino* (hrsg. von dens., ebd. VI, 1968).
Lit.: Sonder-H. L., = L'org. V, Nr 2, 1967 (mit Wiederabdruck einiger Aufsätze u. Schriftenverz.). – CL. LUNELLI in: Studi trentini di scienze stor. XLVI, 1967, S. 95ff.; L. F. TAGLIAVINI in: RIdM II, 1967, S. 192f.

Lunetta (lun'etə), Stanley George, * 5. 6. 1937 zu Sacramento (Calif.); amerikanischer Komponist, studierte am State College in Sacramento/Calif. (B. A.) und an der University of California in Davis (M. A.) bei L. Austin, Jerome Rosen und Swift sowie bei K. Stockhausen. 1963 begründete er das New Music Ensemble für avantgardistisches Komponieren und Musizieren, mit dem er die westlichen USA bereiste. Daneben trat er als Solist auf, auch gemeinsam mit D. Tudor, mit dem er K. Stockhausens *Kontakte* aufführte. L. ist Besitzer und Leiter des Audio/Video Electronics Institute in Davis sowie seit 1971 Herausgeber der avantgardistischen Musikzeitschrift *Source*. In seinen Kompositionen bedient er sich elektronischer und meist audio-visueller Mittel; genannt seien: *A Measured Piece* für Blechbläserchor, Piccolo-Fl. und Marimba (1964); *Pfft, a Percussion Trio* (1965); *Quartet '65* (1965); *Zupfgeige Rinne* für Tonband (1966); *Piano Music* (1966); *PanJorGin* (1966); *The Word*, Theaterstück für eine Band, 2 Dirigenten, mehrere Schauspieler, Magnetophonbänder, Projektionen und Kinder (Davis/Calif. 1966); *Many Things* für Orch. (1966); *Funkart* für Mischpulte, Lichter und audio-visuelles Input-Material (1967); *TA-TA* für Chor mit »mailing tubes« (1967); *I am Definitely not Running for Vice President* für Photozellen, Modulatoren und 4 »governors« (1967); *Free Music* für Holzbläserquartett (1967); *The Wringer* (1967); *TWOMANSHOW*, »environmental theater« (mit Austin, 1968); *Spider-Song*, ein Comic-Buch und eine Situation (1968); *A Piano:Piece* (1968); *Mr. Machine* für Fl. und Electronics (1969); *Moosack Machine* (1970); *Epithalameum* für Schlagzeuger-Ehepaar (1970); *The Unseen Force* (1972).

+Lunn, –1) John Robert, 1831 – [erg.:] 23. 2. [nicht: 4.] 1899 zu Marton-cum-Grafton (Yorkshire) [nicht: Morton].

Lunn, Sven, * 10. 6. 1903 und † 30. 11. 1969 zu Kopenhagen; dänischer Musikforscher und Bibliothekar, studierte ab 1921 an der Universität Kopenhagen und promovierte 1931 zum Mag. art. Er war 1931–33 Musikkritiker beim »Ekstrabladet« und später beim »Radiolytteren«. 1935 wurde er Vikar an der Königlichen Bibliothek in Kopenhagen, 1939 Bibliothekar II und Leiter der Musikabteilung, 1947 Bibliothekar I und 1958 Førstebibliotekar (1. Bibliothekar). L. schrieb zahlreiche historische und aktuelle Artikel in der Fach- und Tagespresse und war Mitarbeiter u. a. von »Dansk biografisk leksikon«, »Den lille Salmonsen«, »Hagerups leksikon«, »Nordisk konversationsleksikon« und MGG. Er gab *C.E.F. Weyse. Breve* (»Briefe«, mit E. Reitzel-Nielsen, 2 Bde, Kopenhagen 1964) heraus.

+Lunssens, Martin, 1871–1944.
Lit.: R. MOULAERT in: Annuaire de l'Acad. royale de Belgique CXXVII, 1961, S. 3ff.

Lupacchino dal Vasto (lupak-k'i:no dal v'asto), Bernardino (auch Luppachino, Luppagino; eigentlicher Name Bernardino Carnefresca), * zu Vasto (Chieti); italienischer Komponist der 1. Hälfte des 16. Jh., Priester, tat 1543 Dienst an S. Maria in Vasto. 1552 wurde er Nachfolger von Paolo Animuccia als Maestro di cappella an S. Giovanni in Laterano in Rom. Bereits 1555 löste ihn Palestrina ab. Berühmt wurde er durch

seine textlosen Bicinien des *Primo libro a 2 v.* (mit Gioan Maria Tasso, Venedig ²1559), die zahlreiche (bis ins 18. Jh. reichende) Auflagen erlebten. – Weitere (in Venedig gedruckte) Werke: 2 Bücher 4st. Madrigale (1543 und 1546); ein Buch 5st. Madrigale (1547).
Lit.: A. EINSTEIN, The Ital. Madrigal I, Princeton (N. J.) 1949, Nachdr. 1970.

+Luper, Albert T., * 10. 1. 1914 zu Jacksonville (Tex.).
L. wirkt weiterhin als Professor of Music und Leiter des Department of Musicology an der University of Iowa. Als neuere Schriften sind zu nennen *The Musical Thought of M. de Andrade* (Inter-American Institute for Musical Research, Yearbook I, 1965) und *Words and Music. Form and Procedure in Theses, Dissertations, Research Papers, Book Reports, Programs, and Theses in Composition* (mit E. Helm, Hackensack/N. J. 1971).

+Lupi Second, Didier, † nach 1559.
Ausg.: Chansons spirituelles, hrsg. v. M. HONEGGER, 8 H., = Soli Deo gloria o. Nr, Paris 1960; Chansons, hrsg. v. DEMS., 6 H., = Chansons frç. o. Nr, ebd. 1964–65.
Lit.: M. HONEGGER, Les chansons spirituelles de D. L. et les débuts de la musique protestante en France au XVIᵉ s., 3 Bde, Lille 1971.

+Lupi, Johannes, um 1506 – 1539.
Ausg.: eine Chanson in: Theatrical Chansons of the 15th and Early 16th Cent., hrsg. v. H. M. BROWN, Cambridge (Mass.) 1963; Motetten »Ave verbum incarnatum« (6st.) u. »Gaude, tu baptista Christi« (5st.), in: P. Attaingnant, Treize livres de motets, Bd XIII, hrsg. v. A. T. MERRITT, Monaco 1963.
Lit.: B. J. BLACKBURN, The Lupus Problem, 2 Bde, Diss. Univ. of Chicago 1970.

+Lupi, Roberto, * 28. 11. 1908 zu Mailand, [erg.:] † 17. 4. 1971 zu Dornach (Solothurn).
L. hat sich auch als Dirigent einen Namen gemacht. – Weitere Werke: Sacra rappresentazione *La danza di Salomè* (einaktig, Perugia 1952), Misterio melodrammatico *La nuova Euridice* (Bergamo 1957), *Persefone* (Florenz 1970); 9 Stücke *Homunculus* (1958), *Fenomeni* (1961), *Azioni sonore* (1960–62) und 5 kurze Stücke (1966) für Orch.; *Bucolica* (»In memoriam«, 1953) und *Multilateralità* (1960) für Kammerorch., 3 Fugen und 2 Interludien für Streicher (1958); *12 Ricercari in forma di zodiaco* für Vc. und Orch. (1966, auch für Vc. und Kl., danach 5 Ricercari für Klar. und Kl.); *Diario secondo* für V., Va., Vc. und Git. (über B-A-C-H, 1969), *Diario* für Fl., Klar. und Kl. (1968), *Pentaulos* für Fl. und Kl. (1966), *Nonephon* für Fl. solo (1966); *Contrappunti* (1966) und *Galgenstücke* (1967) für Kl.; Kantate *Orpheus* für S., Bar., Chor und Orch. (1950), *Epigrammi enigmatici* (1960) und 7 *Ideogrammi* (1963) für Chor und Orch., *Cori del principio, di oggi, della fine* für Chor (1967); ferner *Varianti* für V. und Kl. (1944, Fassung für Orch. 1949, für 2 Kl. 1949 sowie für Vc. und Kl. 1954). Er schrieb *Temi e indicazioni orientative per il corso superiore di composizione* (Mailand 1965).
Lit.: A. BASSO in: nRMI V, 1971, S. 562; G. COGNI, La parola che è musica e la parola che diviene musica, in: Chigiana XXVI/XXVII, N. S. VI/VII, 1971 (zu d. »Cori del principio ...«).

+Lupot, Nicolas, 4. 12. 1758 – 13. 8. 1824 [erg. frühere Angaben].

Luppow, Anatolij Borissowitsch, * 2. 6. 1929 zu Kasan; tatarisch-sowjetischer Komponist, lebt in Kasan, wo er am Konservatorium seine Ausbildung erhielt. Er schrieb u. a. das Ballett *Lessnaja legenda* (»Eine Legende vom Wald«, Joschkar-Ola 1973), ein Fagottkonzert (1972), eine Concertino-Toccata für Kl. und Orch. (1971), ein Klavierquintett (1971) und Lieder.

+Lupus, 16. Jh.
Ausg.: Motetten »Jerusalem, luge« (5st.) u. »In convertendo Dominus« (4st.), »In te, Domine, speravi« (5st.) sowie »Usquesque, Domine« (4st.), in: P. Attaingnant, Treize livres de motets, Bd VIII–IX, hrsg. v. A. T. MERRITT, Monaco 1962.
Lit.: B. J. BLACKBURN, The L. Problem, 2 Bde, Diss. Univ. of Chicago 1970.

+Luscinius, Othmar, um 1478/80 – [erg.: 5. 9.] 1537.

+Lusitano, Vicente, Anfang 16. Jh. – nach 1553.
L. trat 1553 in die Dienste von Marc'Antonio Colonna in Rom; danach verliert sich seine Spur. – Nach neueren Forschungen (Stevenson) ist L. der Verfasser des um 1550 geschriebenen anonymen Musiktraktats Paris, Bibl. Nat., Ms. Esp. 219 (ediert bei Collet).
Ausg. u. Lit.: H. COLLET, Un tratado de canto de órg., Madrid 1913; M. JOAQUIM, Um madrigal de V. L. publ. no libro delle muse, Gazeta mus. II, 1952 (mit Ausg. d. Madrigals »All'hor ch'ignuda«); C. DAHLHAUS, Formen improvisierter Mehrstimmigkeit im 16. Jh., in: Musica XIII, 1959; R. STEVENSON, J. Bermudo, Den Haag 1960; DERS., V. L., New Light on His Career, JAMS XV, 1962.

+Lustgarten, Egon, * 17. 8. 1887 zu Wien, [erg.:] † 2. 5. 1961 zu Syosset (N. Y.).

+Lustig, Jacob Wilhelm, 1706–96.
Lit.: G. WERKER, 18e-eeuwse dansvormen, beschreven door J. W. L. in diens »Muzykaale spraakkonst«, in: Mens en melodie XV, 1960.

Lustig, Mosche, * 10. 11. 1922 zu Liegnitz, † 18. 9. 1958 zu Tel Aviv; israelischer Komponist und Pianist, kam 1933 nach Tel Aviv, wo er das Konservatorium und die Musikakademie absolvierte. Er trat als Klavierbegleiter von Sängern und Instrumentalisten hervor, betätigte sich zeitweilig auch als Hornist und schrieb eine Sonate für Horn und Hf. (1944), die er mit seiner Frau, der Harfenistin Anna L., aufführte, sowie verschiedene Werke für Bläserquintett (1945). – Weitere Kompositionen: Flötenquintett (1945); Sonate für Vc. und Kl. (1946); Orchesterfantasie *Kinneret* (1946); Scherzo für symphonisches Blasorch. (1952); Psalmen für Kammerensemble mit Hf. (postum).

+Luther, Martin, 1483–1546.
→Kirchenmusik (–2), →Gesangbuch, →Kirchenlied.
Ausg.: +Die Weimarer Ausg. d. Werke L.s (1883ff.), bis 1973 auf insgesamt 103 Bde angewachsen. – L.'s Works, Bd LIII: Liturgy and Hymns, hrsg. v. U. S. LEUPOLD, Philadelphia (Pa.) 1965. – +Geystliche Lieder . . ., Das Babstsche Gesangbuch v. 1545 (K. AMELN, 1929), Kassel ²1966 [nicht: 1959]. – Geystliche lieder . . ., Gedruckt zu Wittenberg durch J. Klug 1533 (Das Klugsche Gesangbuch), Faks. hrsg. v. K. AMELN, ebd. 1954; Die deutschen geistlichen Lieder, hrsg. v. G. HAHN, = Neudr. deutscher Literaturwerke, N. F. XX, Tübingen 1967.
Lit.: J. BENZING, L.-Bibliogr., Verz. d. gedruckten Schriften M. L.s bis zu dessen Tod, = Bibl. bibliogr. Aureliana X, XVI u. XIX, Baden-Baden 1966 (1 Bd). – L. (Zs. d. L.-Ges.) I, (Gütersloh) 1919 – XLI, 1970, 1971ff. ohne Jg.-Zählung; L.-Jb. Iff., (Hbg) 1919ff. (1973 im 40. Jg.). – +A. J. RAMBACH, Über Doktor M. L.s Verdienst um d. Kirchengesang (1813), Nachdr. Hildesheim 1972 (mit neuer Einleitung v. K. Ameln); +C. v. WINTERFELD, M. L.s deutsche geistliche Lieder (1840), Nachdr. ebd. 1966; +J. SMEND, Die ev. deutschen Messen bis zu L.s Deutscher Messe (1896), Nachdr. Nieuwkoop 1967; +J. RAUTENSTRAUCH, L. u. d. Pflege d. kirchlichen Musik in Sachsen (14.–19. Jh.) (1907), Nachdr. Hildesheim 1970; +K. ANTON, L. u. d. Musik (1916, ³1928), Bln ⁴1957; +FR. BLUME, Die ev. Kirchenmusik (1931), 2. Aufl. als: Gesch. d. ev. Kirchenmusik, Kassel 1965; +R. GERBER, Zu L.s Liedweisen (1935), Wiederabdruck in: Fs. J. Schmidt-Görg, Bonn 1957; +P. NETTL, L. and Music (1948), Nachdr. NY 1967. – K. AMELN, L.s Anteil an d. Lied »Nun laßt uns d. Leib begraben«, Jb. f. Liturgik u. Hymnologie III, 1957;

W. HERBST, J. S. Bach u. d. l.ische Mystik, Diss. Erlangen 1958; U. AARBURG, Zu d. Lutherliedern im jonischen Oktavraum, Jb. f. Liturgik u. Hymnologie V, 1960; CHR. MAHRENHOLZ, Ausw. u. Einordnung d. Katechismuslieder in d. Wittenberger Gesangbüchern seit 1529, Fs. O. Söhngen, Witten 1960; M. JENNY, Die beiden Weisen zu L.s Vater-Unser-Lied, Jb. f. Liturgik u. Hymnologie VI, 1961; DERS., Neue Hypothesen zur Entstehung u. Bedeutung v. »Ein' feste Burg«, ebd. IX, 1964; DERS., Zu d. Weisen v. »Sie ist mir lieb, d. werte Magd« u. »Allein zu Dir, Herr Jesu Christ«, ebd. X, 1965; DERS., The Hymns of Zwingli and L., in: Cantors at the Crossroads, Fs. W. E. Buszin, St. Louis (Mo.) 1967; O. SÖHNGEN, Die Musikauffassung d. jungen L., in: Gemeinde Gottes in dieser Welt, Fs. Fr.-W. Krummacher, Bln 1961; DERS., Theologie d. Musik, Kassel 1967; DERS., Die Musikanschauung d. Reformatoren u. d. Überwindung d. ma. Musiktheologie, in: Musa – Mens – Musici, Gedenkschrift W. Vetter, Lpz. 1970; J. MITTENZWEI, L.s mus.-volkstümliche Reform d. Kirchengesangs, in: Das Mus. in d. Lit., Halle (Saale) 1962; W. LIPPHARDT, L.s Lesetöne, in: Musik u. Altar XVI, 1964; E. SOMMER, Die Metrik in L.s Liedern, Jb. f. Liturgik u. Hymnologie IX, 1964; H. HUCHZERMEYER, L. u. d. Musik, in: Luther XXXIX, 1968; W. WIORA, Josquin u. »d. Finken Gesang«. Zu einem Ausspruch M. L.s, DJbMw XIII, 1968; J. W. BARKER, Sociological Influences upon the Emergence of L.an Music, in: Miscellanea musicologica IV, (Adelaide) 1969; G. HAHN, »Christ ist erstanden gebessert«. Zu L.s Stellung in d. Gesch. d. deutschen Gemeindeliedes, Fs. H. Kuhn, Stuttgart 1969; H. J. MOSER, L. als Musiker in: Speculum musicae artis, Fs. H. Husmann, München 1969; CH. ANDERS, L. and the Composers of His Time, in: The Mus. Heritage of the Church VII, 1970; R. L. GOULD, The Lat. L.an Mass at Wittenberg 1523–45, 2 Bde (I Text, II Übertragung), Diss. Union Theological Seminary (N. Y.) 1970.

+Luther, Wilhelm Martin, * 27. 11. 1912 zu Erdmannrode (Bad Hersfeld, Hessen), [erg.:] † 2. 6. 1962 zu Göttingen.
Weitere Aufsätze: *Die nichtliturgischen Musikinkunabeln der Göttinger Bibliothek* (in: Libris et litteris, Fs. H. Tiemann, Hbg 1959); *Der Komponist und seine Eigenschrift* (NZfM CXXIII, 1962).
Lit.: F. LINDBERG in: FAM XI, 1962, S. 58.

+Lutkin, Peter Christian, 1858–1931.
+*Music in the Church* (1910), Nachdr. NY 1970.

+Lutosławski, Witold, * 25. 1. 1913 zu Warschau.
L. hielt Kompositionskurse ab u. a. am Berkshire Music Center in Tanglewood (Mass., 1962), an der Dartington Summer School of Music (Devonshire, 1963–64), der Kungl. musikhögskolan in Stockholm (1965) und am Jydske Musikkonservatorium in Aarhus (1968); 1966 war er Composer-in-Residence am Dartmouth College in Hanover (N. H.). Seit 1963 tritt er auch als Dirigent hervor. Er ist Mitglied der Kungl. Musikaliska akademien in Stockholm (seit 1962), Ehrenmitglied der Freien Akademie der Künste in Hamburg (1966), außerordentliches Mitglied der Akademie der Künste in (West-)Berlin (1968), korrespondierendes Mitglied der Deutschen Akademie der Künste in (Ost-)Berlin (1970) und der Bayerischen Akademie der Schönen Künste in München (1973) sowie Ehrenmitglied des polnischen Komponistenverbandes und der IGNM. 1971 wurde ihm vom Cleveland Institute of Music (O.) und 1973 von der Warschauer Universität der Dr. h. c. verliehen; 1973 erhielt er auch den Grad eines Doctor of Fine Arts der Northwestern University (Ill.). – Bis zum Ende des 2. Weltkrieges von neoklassizistischen Tendenzen, später von Folkloreelementen im Bartókschen Sinn beeinflußt, wandte L. sich ab 1956 verstärkt neueren Kompositionstechniken zu (»aleatorischer Kontrapunkt«). Er gilt, neben Penderecki, als hervorragendste Gestalt der zeitgenössischen polnischen

Musik. – Neuere Werke: mittlerweile 2 Symphonien ([erg.: 1941–]47, 1967), Konzert ([erg.: 1951–]54), 3 Postludien (»Per humanitatem ad pacem«, zum 100jährigen Jubiläum des Roten Kreuzes, 1958–63; 1960; 1960) und *Livre pour orch.* (1968) für Orch., kleine Suite für Kammerorch. (1950, Fassung für Orch. 1951), *Jeux vénitiens* für kleines Orch. (1961), *Musique funèbre (Muzyka żałobna)* für Streicher (1958); Konzert für Vc. und Orch. (1970); +*Preludia taneczne* (»Tänzerische Präludien«) für Klar. und Kl. (1954, Fassung für Soloklar., Hf., Kl., Schlagzeug und Streicher 1955, Fassung für Fl., Ob., Klar., Horn, Fag., V., Va, Vc. und Kb. 1959), Streichquartett (1964), Praeludien und Fuge für 13 Solostreicher (1972); *Bukoliki* (1952, Fassung für Va und Vc. 1962) und *Tryptyk śląski* (»Schlesisches Triptychon«) für S. und Orch. (1951), 3 *Poèmes d'Henri Michaux* für 20st. gem. Chor, Bläser, 2 Kl., Hf. und Schlagzeug (1961–63), *Paroles tissées* für T. und 20 Solo-Instr. (1965), 5 Lieder für Mezzo-S. und Kl. (K.Iłłakowicz, 1957, Fassung mit 30 Instr. 1958); zahlreiche Kinderlieder und Stücke, Bühnen- und Hörspielmusiken. – Gesammelte Aufsätze erschienen als *W. L., Materiały do monografii* (hrsg. von St.Jarociński, Krakau 1967, mit biographischer Skizze, Werkverz. und Bibliogr.; darin u. a.: *O roli elementu przypadku w technice komponowania,* »Über die Rolle des Zufallselements in der Kompositionstechnik«, dänisch in: DMT XL, 1965, S. 58ff., engl. in: Three Aspects of New Music, = Publ. utg. av Kungl. musikaliska akademien med musikhögskolan IV, Stockholm 1968, deutsch als *Über das Element des Zufalls in der Musik,* in: Melos XXXVI, 1969, tschechisch in: Hudební rozhledy XXIII, 1970, S. 126ff.), Teile daraus erschienen als *L.* (hrsg. und mit Kompositionsanalysen von O.Nordwall, Stockholm 1968, engl., revidiert schwedisch ebd. 1969). Er schrieb ferner einen Beitrag für »The Orchestral Composer's Point of View« (hrsg. von R.St.Hines, Norman/Okla. 1970, polnisch als *Nowy utwór na orkiestrę symfoniczną,* »Ein neues Werk für Symphonieorchester«, in: Res facta IV, 1970; zur 2. Symphonie).

Lit.: Werkverz. 1934–64, zusammengestellt v. O. NORDWALL in: Nutida musik VIII, 1964/65, S. 128f. – T. KACZYŃSKI, Rozmowy z W. L.m (»Gespräche mit W. L.«), Warschau 1972. – B. SCHÄFFER, Polskie melodie ludowe w twórczości W. L.ego (»Die polnischen Volksmelodien im Schaffen v. W. L.«), in: Studia muzykologiczne I, 1956; DERS., W kręgu nowej muzyki (»Im Kreise neuer Musik«), Krakau 1967; ST. JAROCIŃSKI in: Polish Perspectives 1958, Nr 6, S. 29ff. (engl. u. frz.); A. KOSZEWSKI in: Ruch muzyczny II, 1958, Nr 21, S. 15ff. (zum Konzert f. Orch.); B. PILARSKI, ebd. Nr 7 (Interview), Wiederabdruck in: Szkice o muzyce, Warschau 1969 (hier noch weitere Beitr.; d. Aufsatz zu »Jeux vénitiens« schwedisch in: Nutida musik VI, 1962/63, H. 4, S. 32ff.); B. POCIEJ, ebd. Nr 4, S. 23ff. (zur Ouvertüre f. Streicher); DERS., ebd. XIII, 1969, Nr 22, S. 7ff.; W. BRENNECKE, Die »Trauermusik« v. W. L., Fs. Fr. Blume, Kassel 1963, auch in: Studia ..., Fs. H. Feicht, Krakau 1967; K. GREBE, W. L., in: Parabeln, = Jb. d. Freien Akad. d. Künste in Hbg 1966; O. NORDWALL, Fünf Iłłakowicz-Lieder v. W. L., in: Melos XXXIII, 1966 (auch in d. Ed. v. 1968 bzw. 1969, s. o., enthalten); DERS., »Pour enchaîner« Introduktion til L.s musik, DMT XLII, 1967; G. SANNEMÜLLER in: SMZ CVII, 1967, S. 258ff. (zum Konzert f. Orch.); L. MARKIEWICZ in: Muzyka XIII, 1968, H. 2, S. 67ff. (zur 2. Symphonie); H. SCHILLER in: Res facta II, 1968, S. 15ff. (zum Streichquartett); T. A. ZIELIŃSKI in: Ruch muzyczny XII, 1968, Nr 20, S. 3ff., u. Nr 21, S. 11ff.; W. PAAP in: Mens en melodie XXIV, 1969, S. 146ff. (zur 2. Symphonie); M. PIOTROWSKA, Aleatoryzm W. L.ego na tle genezy tego kierunku w muzyce współczesnej (»Die Aleatorik W. L.s in ihrer Entwicklungsrichtung in d. modernen Musik«), in: Muzyka XIV, 1969; L. RAPPOPORT in: SM XXXIII, 1969, Nr 7, S. 114ff.; A. THOMAS, A Deep Resonance. L.'s »Trois

poèmes d'H. Michaux«, in: Soundings I, 1970; TH. BĂLAN in: Muzica XXI, 1971, Nr. 12, S. 13ff.; J. HANSBERGER in: Musica XXV, 1971, S. 248ff. (zum Streichquartett); J. MAINKA in: MuG XXI, 1971, S. 344ff.; JU. BUZKO in: SM XXXVI, 1972, Nr 8, S. 111ff. (zu d. Instrumentalwerken); CHR. M. SCHMIDT in: Die Musik d. sechziger Jahre, hrsg. v. R. Stephan, = Veröff. d. Inst. f. Neue Musik u. Musikerziehung Darmstadt XII, Mainz 1972, S. 154ff. (zum Streichquartett); J. HÄUSLER in: NZfM CXXXIV, 1973, S. 23ff.; A. HUBER in: Melos XL, 1973, S. 229ff. (zum Vc.-Konzert); W. ROGGE in: Musik u. Bildung V, 1973, S. 24ff. (zu d. »Jeux vénitiens«).

+**Lutyens,** [erg.: Agnes] Elisabeth, * 9. 7. 1906 zu London.

E. L., 1969 zum Commander of the British Empire (C. B. E.) ernannt, wandte sich bereits Ende der 30er Jahre der Zwölftontechnik zu. – Weitere Werke: die Opern *The Numbered* op. 63 (nach E. Canettis *Die Befristeten,* 1965–67), »A Charade in 4 Scenes with 3 Interruptions« *Time Off? – Not a Ghost of a Chance!* für Bar., einen Schauspieler, Vokalquartett, 2 gem. Chöre und 10 Instr. op. 68 (1968, London 1972) und ein lyrisches Drama *Isis and Osiris* op. 74 (1970, daraus *Lament of Isis on the Death of Osiris* für S. solo, 1969); Ballett +*The Birthday of the Infanta* (London 1932); *Music for Orch. II* op. 48 (1962) und *III* op. 56 (1963), Choral op. 36 (»Hommage à Stravinsky«, 1956) und *Novenaria* op. 67 Nr 1 (1967) für Orch., *Symphonies* für Kl., Bläser, Harfen und Schlagzeug op. 46 (1961), Musik für Kl. und Orch. op. 59 (1964); *6 Tempi for 10 Instr.* op. 42 (1957), Musik für doppeltes Bläserquintett op. 60 (1964), Bläserquintett op. 45 (1960), Streichquintett op. 51 (1963), *Driving Out the Death* für Ob., V., Va und Vc. op. 81 (1971), *Capriccii* für 2 Hf. und Schlagzeug op. 33 (1955), Trio für Fl., Klar. und Fag. op. 52 (1963), Fantasie-Trio für Fl., Klar. und Kl. op. 55 (1963), Streichtrio op. 57 (1963), *Scena* für V., Vc. und Schlagzeug op. 58 (1964), *Music for Three* für einen Flötisten (Fl., Alt- und Piccolo-Fl.), Ob. und Kl. op. 65 (1966), *The Tides of Time* für Kb. und Kl. op. 75 (1969), Solostücke für Fl. (Variationen op. 38, 1957), Ob. (*Presages* op. 53, 1963) und Git. (*The Dying of the Sun* op. 51, 1969); *Piano e forte* op. 43 (1958) und 5 Bagatellen op. 49 (1962) für Kl.; *Temenos* op. 72 (1969), *Epithalamium* (1968, auch mit S.) und *3 Pièces brèves* (1969) für Org.; Kantaten *O saisons, o châteaux!* für S., Mandoline, Git., Hf., V. und Streicher op. 13 (Rimbaud, 1946) und *De amore* für S., T., Chor und Orch. op. 39 (Chaucer, 1957), *Quincunx* für S., Bar. und Orch. op. 44 (nach Sir Thomas Browne, 1960), *Essence of Our Happinesses* für T., gem. Chor und Orch. op. 69 (1968), *Catena* für S., T. und 21 Instr. op. 47 (1961), 8 Lieder *The Valley of Hatsu-Se* für S., Fl., Klar., Vc. und Kl. op. 62 (1965), *Akapotik Rose* für S., Fl., 2 Klar., V., Va, Vc. und Kl. op. 64 (E.Paolozzi, 1966), *And Suddenly It's Evening* für T. und 11 Instr. op. 66 (nach Quasimodo, 1966), *A Phoenix* für S., V., Klar. und Kl. op. 71 (nach Ovid, 1968), *Anerca* für Frauen-Sprech-St., 10 Git. und Schlagzeug op. 77 (1970), *Vision of Youth* für S., 3 Klar., Kl. (Celesta) und Schlagzeug op. 79 (J.Conrad, 1970), *Islands* für S., T., Sprecher und Instrumentalensemble op. 80 (1971), *The Tears of Night* für Countertenor, 6 S. und 3 Instrumentalensembles op. 82 (1971), *Dirge for the Proud World* für S., Kontra-T., Cemb. und Vc. op. 83 (1971), *Voice of Quiet Waters* für Chor und Orch. (1972), *Counting Your Steps* für Chor, 4 Fl. und 4 Schlagzeuger (1972), *Chimes and Cantos* für Bar., 2 Trp., 2 Pos., 4 V., 2 Kb. und Schlagzeug (1972); 6 Lieder *In the Temple of a Bird's Wing* für Bar. und Kl. op. 37 (1956–65), *In the Direction of the Beginning* für B. und Kl. op. 76 (1970), *Oda a la tormenta* für Mezzo-S. und

Kl. op. 78 (Neruda, 1970); Motette *Excerpta tractatus logico-philosophici* op. 27 (Wittgenstein, 1952) und *The Tyme Doth Flete* op. 70 (nach Petrarca und Ovid, 1968) a cappella; mittlerweile über 100 Musiken für Film, Funk und Bühne. – Ihre Autobiographie veröffentlichte sie unter dem Titel *A Goldfish Bowl* (London 1972).
Lit.: R. HENDERSON in: MT CIV, 1963, S. 551ff.; M. SCHAFER in: British Composers in Interview, London 1963, S. 103ff.; S. BRADSHAW in: MT CXII, 1971, S. 653ff.; R. R. BENNETT in: Opera XXIII, (London) 1972, S. 102ff. (zu »Time Off? . . .«); ST. WALSH in: MT CXIII, 1972, S. 137ff. (Interview über »Time Off?«).

Lutz, Wilhelm (Pseudonym Lothar Lechner), * 9. 8. 1904 zu Augsburg; deutscher Komponist, Bearbeiter, Musikredakteur und Dirigent, studierte 1922–27 am Städtischen Konservatorium in Augsburg bei Piechler, H. K. Schmid und Otto Hollenberg sowie 1929–33 an der Akademie der Tonkunst in München bei J. Haas, Pfitzner, S. v. Hausegger, v. Waltershausen und Röhr. Er war Kapellmeister 1933–35 an der Pfalzoper Kaiserslautern und 1935–41 an den Städtischen Bühnen in Königsberg. 1941–62 arbeitete er als Lektor und Redakteur im Musikverlag B. Schott's Söhne in Mainz. L. ist vor allem mit Tonsätzen von Volks-, Kinder- und Weihnachtsliedern sowie mit Arrangements von Unterrichts- und Unterhaltungsmusik hervorgetreten.

+Lutze, Walter Gustav Adolf, * 22. 8. 1891 zu Wittenberg.
An weiteren Kompositionen seien genannt: Suite (1962) und Fantasie (1965) für Kl., 2 Streichquartette (1967, 1969) sowie das Orchesterlied *Es geht der Tag zur Neige* (1968).

Luvisi (l'u: vi: si), Lee, * 12. 12. 1937 zu Louisville (Ky.); amerikanischer Pianist, studierte 1952–57 bei R. Serkin und Horszowski am Curtis Institute of Music in Philadelphia und debütierte 1957 in der New Yorker Carnegie Hall. Er konzertierte in den USA und in Europa. 1960 erhielt er den 3. Preis beim Concours musical international Reine Elisabeth de Belgique. 1962 wurde er Artist-in-Residence an der School of Music der University of Louisville.

+Lux, Friedrich, 1820–95.
Die Oper +*Der Schmied von Ruhla* wurde 1882 in Mainz und +*Die Fürstin von Athen* 1890 in Frankfurt a. M. uraufgeführt [del. frühere Angaben dazu]. Er komponierte ferner eine Oper *Rosamunde* (Dessau 1849).

Luypaerts (lμip'a: r), Guy, * 29. 9. 1917 zu Paris; französischer Komponist und Orchesterleiter, trat 1939 mit dem Chanson *Près de toi mon amour*, kreiert von Trenet, hervor. L., der auch eine Reihe von Filmmusiken schrieb, komponierte ferner die Chansons *Deux mots à l'oreille* (1942), *Rêver* und *Monde*, *Métamorphoses* (1943) sowie *Liberté* (1945).

+Luyton, Charles (Karel), um 1556/58 – 1620.
Ausg.: Fuga suavissima, in: Alte Musik f. Tasteninstr. I, hrsg. v. G. BÖNIGK, = Veröff. d. Ges. d. Orgelfreunde XXVI, Bln 1965.
Lit.: C. SASS, Ch. L., Ses madrigaux et ses œuvres instr., Thesis Löwen 1956.

+Luzzaschi, Luzzasco, um 1545 – 1607.
Ausg.: Madrigali per cantare e sonare f. 1–3 S. (1601), hrsg. v. A. CAVICCHI, = Monumenti di musica ital. II, 2, Brescia 1965.
Lit.: A. G. SPIRO, The Five-Part Madrigals of L. L., Diss. Boston Univ. 1961.

Luzzati, Arturo, * 24. 5. 1875 zu Turin, † 25. 6. 1959 zu Buenos Aires; argentinischer Dirigent, Pianist und

Komponist italienischer Herkunft, studierte in Mailand am Conservatorio di Musica G. Verdi bei Catalani. Er war 1912–13 Direktor des Boston Opera House und übersiedelte Anfang der 20er Jahre nach Buenos Aires, wo er die Orchester des Teatro Colón, der Asociación del Profesorado Orquestal (APO) sowie auch Ballett- und Opernaufführungen am Stadttheater leitete. Mit dem von ihm gegründeten Kammermusiktrio »Buenos Aires« unternahm er 1930 eine ausgedehnte Konzertreise durch Europa. Er war Professor am Conservatorio Nacional de Música in Buenos Aires. L. schrieb die Opern *Afrodite* (Buenos Aires 1928) und *Atala*, das Ballett *Judith*, Orchesterwerke (Symphonische Dichtungen *Eros*, *Oriental* und *Noche veneciana*; 2 Symphonien; Klavierkonzert; Violinkonzert), Werke für Soli, Chor und Orchester (*Gotas de rocío para la rosa mística*), Kammermusik (6 Streichquartette; Klavierquintett), zahlreiche Klavierstücke sowie Klavierlieder.

+Lwow (Lvoff) [–1) Fjodor], –2) Alexej Fedorowitsch, 1798–1870.
Lit.: A. VANDER LINDEN, Un collaborateur russe de Fétis, RBM XIX, 1965; L. RAABEN, Schisn sametschatelnych skripatschej (»Das Leben berühmter Geiger«), Moskau 1967; I. GARDNER, A. F. Lw., Jordanville (N. Y.) 1970, russ.

Lybbert (l'ibət), Donald, * 19. 2. 1923 zu Cresco (Ia.); amerikanischer Komponist, studierte an der University of Iowa in Iowa City (B. M. 1946) und bei E. Carter und Luening an der Columbia University in New York (M. A. 1950), außerdem 1961 bei Nadia Boulanger in Fontainebleau. Er ist gegenwärtig Associate Professor of Music am Hunter College in New York. Als Komponist verwendet er Zwölftontechnik und serielle Techniken, asymmetrische Rhythmen und polymetrische Muster, ohne jedoch die Bindung an klassische Vorbilder und die tonale Basis aufzugeben. Er schrieb die Opern *Monica* (Amsterdam 1952) und *Scarlet Letter* (1965), *Introduction and Toccata* für Blechbläser und Kl. (1955), ein Trio für Klar., Horn und Fag. (1957), eine Kammersonate für Horn, Va und Kl. (1958), *Sonorities* für 11 Instr. (1960), ein Praeludium für Blechbläser und Schlagzeug (1962), *Sonata brevis* für Kl. (1962), 2 Klaviersonaten, Chorwerke und Liederzyklen (*Leopardi canti* für S., Fl., Va und Baßklar., 1959).

+Lympany, Moura (geborene Johnstone), * 18. 8. 1916 zu Saltash (Cornwall).
Konzerttourneen führten sie auch ins europäische Ausland (u. a. Frankreich, Österreich, Italien, UdSSR).

Lyon (l'aiən), David (Pseudonym Leo Norman), * 29. 12. 1938 zu Walsall (Staffordshire); englischer Komponist und Pianist, studierte 1960–64 an der Royal Academy of Music in London (Royal Philharmonic Society Prize 1964). Er schrieb u. a. Orchesterwerke (Divertimento, 1964, und *Dance Prelude*, 1964, für kleines Orch.; *Intermezzo for Strings*, 1968; *Overture to a Comic Opera*, 1968; *Rondoletta*, 1969; *Country Lanes*, 1971; *Short Suite for Strings*, 1972), ein Klavierkonzert (1964), Kammermusik (Streichquartett, 1963; *Little Suite* für Blechbläsertrio, 1965; *3 Miniatures* für Fl. und Kl., 1965; Variationen für Horn und Kl., 1965; Partita für Horn solo, 1964), *3 Spring Songs* für 8st. Chor und Kl. sowie *God's Grandeur* für T. und Kl. (1963).

Lyon-Healy Inc., amerikanische Harfenbaufirma, Hauptsitz und Werkstätten in Chicago, Harp Salons in New York und Los Angeles. Die Firma wurde 1864 von George Washburn Lyon (* 1820) und Patrick Joseph Healy (* 17. 3. 1840, † 3. 4. 1905 zu Chicago)

als Musikalienhandlung gegründet. Sie übernahm 1871 die Klavierfirma Smith & Dixon und begann mit Instrumentenbau. Ab 1889 (bis 1905) leitete Healy die Firma allein, erweiterte die Werkstätten und brachte 1889 die von George Durkee entwickelte Lyon-Healy-Harp (heute weltbekannte Doppelpedalharfe) heraus. Samuel O. Pratt entwickelte die sogenannte Troubadour Harp und die Princess Louise Harp (1960). Die Firma, die heute von R. Gregory Durham (President), Don Broman (Vice President) und Paul Baker (Treasurer) geleitet wird, produziert jährlich etwa 150 Doppelpedalharfen.

Lyons (lˈaiənz), James, * 24. 11. 1925 zu Peabody (Mass.); amerikanischer Musikkritiker, studierte Musik an der Boston University (Mass.) bei Geiringer (B. S. 1947) und am New England Conservatory in Boston bei Warren Storey Smith sowie Psychologie an der New York University (M. A. 1964). Er schrieb u. a. für verschiedene Bostoner Zeitungen und 1953–62 für den in New York erscheinenden »Herald Tribune« Musikkritiken; 1953–55 war er außerdem Assistant Editor von *Musical America*. 1957 wurde er Herausgeber und Verleger von *The American Record Guide*. Als Forscher auf dem Gebiet der Musik Indiens und des Orients wurde er 1966 zum Vorsitzenden der Society for Asian Music gewählt. 1968–72 war er Kurator der National Academy of Recording Arts and Sciences. Neben musikschriftstellerischen Arbeiten revidierte er J. T. Howards *This Modern Music* (NY 1942) als *Modern Music* (NY 1957, neu gefaßt = A Mentor Book MD 212, NY und London 1958, auch NY 1963).

+Lyra, Justus Wilhelm, 1822–82.
Lit.: K. Stephenson, Charakterköpfe d. Studentenmusik, in: Zur 150-Jahrfeier d. Deutschen Burschenschaft, hrsg. v. W. Klötzer, = Darstellungen u. Quellen zur Gesch. d. deutschen Einheitsbewegung im 19. u. 20. Jh. VI, Heidelberg 1965; DERS. in: Rheinische Musiker IV, hrsg. v. K. G. Fellerer, = Beitr. zur rheinischen Mg. LXIV, Köln 1966, S. 67ff.

+Lyser, Johann Peter ([erg.:] eigentlich Ludwig Peter August Burmeister), 4. [nicht: 2.] 10. 1803–1870.
Lit.: O. E. Deutsch, L.s Beschreibung d. Mozartschen Sterbehauses, SMZ XCVI, 1956; M. Fr. Schneider, Ein unbekanntes Mendelssohn-Bildnis v. J. P. L., = Weihnachts- u. Neujahrsgabe d. Internationalen F.-Mendelssohn-Ges. 1958, Basel 1958.

Lysko, Zinovij, * 11. 11. 1895 zu Rakobuty (Galizien), † 3. 6. 1969 zu New York; ukrainischer Musikethnologe und Komponist, erhielt seine musikalische Ausbildung an der Musikhochschule in Lemberg und an der Universität in Prag. 1931–38 lehrte er Klavierspiel und Musiktheorie in Stryj und war 1938–44 Professor am Konservatorium und Professor für Musikwissenschaft an der Universität in Lemberg. In seinen letzten Lebensjahren wirkte er als Direktor des Ukrainischen Musikinstituts (UMI) in New York. Einen besonderen ethnographischen Wert stellt seine Sammlung von 12000 ukrainischen Volksmelodien dar, von der eine 10bändige Edition unter dem Titel *Ukranian Folk Melodies / Ukraїnski narodni melodiї* erscheint (bisher 6 Bde, Bd I–V NY 1961–70, Bd VI Jersey City/ N. J. 1971). L. schrieb auch eine Reihe von theoretischen Arbeiten über ukrainische Musik. Seine Kompositionen umfassen Orchesterwerke (Symphonie), Kammermusik, Klavierwerke und Lieder.

Lyssenko, Nikolaj Witaljewitsch → +Lissenko, N.

Lysy (lˈisi), Alberto, * 11. 2. 1935 zu Buenos Aires; argentinischer Violinist und Dirigent, studierte in Buenos Aires bei Ljerko Spiller und in London bei Y. Menuhin. Er wurde 1955 beim Concours musical international Reine Elisabeth de Belgique in Brüssel preisgekrönt und ließ sich im gleichen Jahr in London nieder, wo er 1962 Professor an der Y. Menuhin School wurde. 1963 übersiedelte er nach Rom und war dort Professor und Direktor der Accademia Internazionale di Musica da Camera. 1965 gründete er in Argentinien die Academia Interamericana de Música de Cámara, wirkte als Solist und Pädagoge beim Festival de San Carlos de Bariloche und dirigierte bis 1969 die Camerata Bariloche. Er ist gegenwärtig Dirigent der Camerata Argentina, mit der er Konzertreisen nach Europa, Nordamerika und Asien unternommen hat. L. leitet die jährlichen Kurse des Centro Internazionale di Violino in Rom und ist seit 1962 künstlerischer Leiter des Festival Internazionale Pontino und des Festival delle Nazioni (Città di Castello) in Italien. Als Kammermusikspieler ist er u. a. mit Casals, Y. Menuhin, Britten und Nadia Boulanger aufgetreten.

M

Ma Lien-liang, chinesischer Schauspieler-Sänger der Shên-Klasse (jugendliche Helden- oder Hauptrollen), ist ein bedeutender Ching Hsi-Sänger (Sänger des nordchinesischen bzw. Peking-Opernstils). Er wurde 1962 zum Direktor der Opernschule in Peking ernannt und unternahm im folgenden Jahr mit dem Peking-Opernensemble eine Gastspielreise nach Hongkong und Macau. 1964 war er ein Komiteemitglied der 4. Nationalversammlung der chinesischen Volksrepublik.

Ma Si-hon, * 3. 4. 1925 zu Kanton (Provinz Kwantung); chinesischer Violinist, studierte bei seinem Bruder Ma Si-tson, später bei Alfred Wittenberg in Schanghai und 1948–50 am New England Conservatory of Music in Boston bei Richard Burgin (Artist's Diploma, M. M.). 1951 gewann er den J. Heifetz-Preis. Seitdem konzertiert er regelmäßig als Solist und mit seiner Frau, der Pianistin Tung Kwong-kwong in den USA, in Europa und Asien. Ma ist der Erfinder der Roth-Si-Hon-Sordine für Streichinstrumente. Er erwarb 1967 die Joachim-Stradivarius von 1714.

Ma Si-tson (auch Ma Szu-tsung geschrieben), * 7. 5. 1912 zu Haifeng (Provinz Kwantung); chinesischer Komponist und Musikpädagoge, Bruder von Ma Si-hon, studierte 1926–27 am Konservatorium in Nancy, ging dann nach Paris zu Violinstudien bei Paul Oberdoerffer und Jules Boncherit. Später studierte er bei Binenbaum Komposition. In seine Heimat zurückgekehrt, begann er 1931 eine Konzertlaufbahn, fing an zu komponieren und gründete eine Musikschule in Kanton. 1937 erhielt er eine Professur an der Sun Yat-sen-Universität in Kanton. Die Nachkriegsjahre finden ihn in verschiedenen Lehrstellungen und Dirigiertätigkeiten in Schanghai, Taipeh, Tientsin und Peking. Bei der Kulturrevolution von 1966 wurde er zusammen mit anderen Vertretern westlicher Musik in China verfolgt. 1967 gelang ihm die Flucht aus der Volksrepublik China; seit 1968 lebt er in den USA. Er komponierte u. a. 2 Symphonien (1942 und 1959), *Chant des monts et des forêts* für Orch. (1954), ein Violinkonzert (1943), Kammermusik (Streichquartett, 1938; Klavierquintett, 1944), Stücke für Violine und Klavier (*Berceuse*, 1935; 2 Rondos, 1937 und 1949; *Suite mongole*, 1937; *Suite tibétaine*, 1943), Klavierstücke (4 Sonatinen, 1955–56; *3 pièces cantonaises*), Kantaten mit Soli, Chor und Orch. (*Ma patrie*, 1946; *Le printemps*, 1947; *Huai River*, 1953), *20 chansons populaires »Les fleurs«* für Chor a cappella (1953) sowie 3 Liederzyklen für Gesang und Kl. (1941–42).

+Maag, Peter, * 10. 5. 1919 zu St. Gallen. M. war GMD in Bonn bis 1959 und Chefdirigent der Wiener Volksoper 1964–68; seit 1972 ist er künstlerischer Leiter am Teatro Regio in Parma. Stationen seiner um 1960 beginnenden internationalen Karriere waren bedeutende europäische wie außereuropäische Opernhäuser (u. a. La Scala in Mailand, Staatsoper Wien, Covent Garden Opera in London, Teatro Colón in Buenos Aires, Metropolitan Opera in New York) und Orchester (Orchestre de la Suisse Romande, Berliner Philharmoniker, Leipziger Gewandhausorchester, Tschechische Philharmonie) sowie zahlreiche Festspielveranstaltungen (Glyndebourne, Holland Festival, Prager Frühling, Salzburg, Luzern, Aix-en-Provence); Gastspielreisen führten ihn mehrfach nach Südamerika, den USA und nach Japan. M. ist besonders als Mozart-Interpret bekannt geworden. 1968 und 1969 unterrichtete er an der Accademia musicale Chigiana in Siena, während seiner letzten USA-Tournee (Herbst 1972) auch an der Juilliard School of Music in New York.

Maas, Walter Alfred Friedrich, * 18. 7. 1909 zu Mainz; niederländischer Musikorganisator deutscher Herkunft, absolvierte ein Studium als Textilingenieur in Chemnitz (1929–33) und studierte privat Musik (Klavier, Laute, Musiktheorie). Er emigrierte 1933 in die Niederlande und gründete 1945 in Bilthoven die Stiftung Gaudeamus, deren Generaldirektor und stellvertretender Vorsitzender er ist.

+Maasalo, –1) Armas Toivo Valdemar, * 28. 8. 1885 zu Rautavaara (Kuopio, Mittelfinnland), [erg.:] † 9. 9. 1960 zu Helsinki. In Helsinki wirkte er als Organist [erg.:] 1926–56 an der Johanneskirche.
–2) Kai Armas Rafael, * 4. 11. 1922 zu Helsinki. Er wurde 1956 Hauptabteilungsleiter Musik [nicht: Musik-Programmchef] des finnischen Rundfunks. Schriften: *Suuri sinfoniamusiikki Haydnista Sibeliukseen* (»Große Symphoniemusik von Haydn bis Sibelius«, Porvoo 1956); *Suomalaisia sävellyksiä* (»Finnische Kompositionen«, 2 Bde, ebd. 1964–69).

+Maasz, Gerhard, * 9. 2. 1906 zu Hamburg. M. war während der nationalsozialistischen Zeit nicht Musikreferent der Reichsjugendführung, sondern verwaltete ein Jahr lang das Lektorat für Orchester- und Chorkompositionen junger Musiker aus den Reihen der Hitlerjugend im Kulturamt der Reichsjugendführung. – Er lebt seit 1965 als freischaffender Komponist und Gastdirigent in Ronco (Tessin). Weitere Werke: Cellokonzert (1947); Concertino für Fl., V., Vc. und Cemb. (1954); *miniatur* für Streichtrio (1955); Capriccio (1955) und festliche Ouvertüre *Lob des Handwerks* (1958) für Orch.; Kantate *Schwarzer Orpheus* (1959); *Baltische Kantate* für A., Männerchor und Kammerorch. (1961); *Tripartita* für 3 Fl., Cemb. und Streicher (1963); Suite für Fl., Vc. und Git. (1964); Suite für Git. solo (1965); 7 Stücke im alten Stil *Flötenbuch für Gisela* für Fl. und ein Tasteninstr. (1970); zahlreiche Kompositionen für Jugend- und Volksmusik und zu Kulturfilmen.

Ma'ayani, Ami, * 13. 1. 1936 zu Ramat Gan (Israel); israelischer Komponist und Dirigent, studierte Komposition bei Ben-Haim und Dirigieren bei Eytan Lustig sowie Architektur an der Technischen Hochschule in Haifa (Diplom 1960) und an der Columbia University in New York. Er wurde zunächst mit Kompositionen für Harfe bekannt (Toccata, 1962; Konzert Nr 1, 1963; *Maqāmāt*, 1964, und *Improvisations variées*, 1965, für Fl., V. und Hf.). Ferner schrieb er u. a. die Orchesterfantasien *Qumran*, *Te'amim* und *Regalim*, ein Divertimento für Kammerorch., ein Violinkonzert, ein Violoncellokonzert, ein Konzert für 2 Kl. und Orch. und *Mismorim* (Psalmen) für T. und Kammerorch.

+Maazel (ma:z′ɛl), Lorin [erg.:] Varencove, * 6. 3. 1930 zu Neuilly-sur-Seine (Hauts-de-Seine) [nicht: Paris].
M. war 1965–71 GMD der Deutschen Oper Berlin; seit 1965 ist er Chefdirigent und künstlerischer Leiter des Radio-Symphonie-Orchesters Berlin (1973 Asientournee unter seiner Leitung). 1970–72 zusätzlich als assoziierter Chefdirigent des (von O.Klemperer geleiteten) New Philharmonia Orchestra in London tätig, übernahm er 1972 in Nachfolge von G.Szell als Chefdirigent und künstlerischer Leiter das Cleveland Orchestra; feste Verpflichtungen verbinden ihn jedoch auch weiterhin mit dem New Philharmonia Orchestra. M., ständiger Gast der bedeutenden Opern- und Konzertzentren in Europa, Nord- und Südamerika, Australien sowie in Japan und Israel, wirkte auch bei zahlreichen Festspielen mit (u. a. Salzburg ab 1963, Bayreuth ab 1960, dort 1968 und 1969 Dirigent der von Wieland Wagner 1965 neu inszenierten *Ring*-Tetralogie). Die Pittsburgh University (Pa.) verlieh ihm 1968 den Titel eines Ehrendoktors. M. heiratete 1969 in zweiter Ehe die israelische Pianistin Israela Margalit. Er hat heute seinen Wohnsitz in Monte Carlo.
Lit.: J. GELENG, L. M., Bln 1971 (mit Diskographie).

Maʿbad ibn Wahb, Abū ʿAbbād, * zu Medina, † 743 zu Damaskus; arabischer Musiker der Umaiyadenzeit, Sohn eines schwarzen Sklaven, ist angeblich durch einen Traum – häufiges Motiv in der Vita orientalischer Sänger – zum Musiker berufen worden. Nach der Ausbildung durch führende Sänger Medinas wurde er Gesellschafter eines dortigen Notabeln. Er nahm an musikalischen Wettkämpfen mit seinen Konkurrenten aus Mekka teil und besuchte mehrfach Damaskus, um am Hof von al-Walīd I. (705–715) und von Yazīd II. (720–724) aufzutreten. Auf dem Höhepunkt seiner Laufbahn gehörte er zum Dichter- und Musikerkreis um den Prinzen und späteren Kalifen al-Walīd II. (743–744). Nach seinem Tode nahm der Kalif persönlich am Leichenzug teil, eine in islamischer Gesellschaft außergewöhnliche Ehrung. – M. war dafür bekannt, daß er die langsamen sogenannten ṯaqīl-Metren bevorzugte. In Anlehnung an die Eroberung der sieben stärksten Festungen Nordpersiens nannte er seine 7 schwierigsten Lieder mudun (»befestigte Städte«) oder ḥuṣūn (»Burgen«). Sein Stil, durch zahlreiche Schüler verbreitet, wurde Vorbild für Isḥāq al-Mauṣilī und dessen Bagdader Musikschule zu Beginn des 9. Jh. Eine Sammlung seiner Liedertexte, z. T. mit musikalischen Angaben, stellten u. a. sein Schüler Yūnus al-Kātib und später Isḥāq al-Mauṣilī zusammen, der auch eine Biographie M.s verfaßt hat. Fragmente dieser Bücher sind erhalten.
Lit.: IBN ḤURDĀDBIH († 911), Muḥtār min Kitāb al-Lahw wa-l-malāhī (Fragment seines »Buches d. Vergnügungen u. d. Musikinstr.«), Beirut 1961; ABU N-NAṢR AL-FĀRĀBĪ († 950), Kitāb al-Mūsīqī al-kabīr, frz. Übers. v. R. d'Erlanger als: La musique arabe, Bd I, Paris 1930, S. 10 u. 12; IBN ʿABD RABBIH († 957), al-ʿIqd al-farīd, engl. Übers. d. Musikkap. v. H. G. Farmer als: Music. The Priceless Jewel, Journal of the Royal Asiatic Soc. 1941; ABU L-FARAǦ AL-IṢFAHĀNĪ († 967), Kitāb al-Aġānī al-kabīr (»Großes Buch d. Lieder«), Bd I, Kairo ³1927, S. 36ff. u. ö.; IBN ḤALLIKĀN († 1282), Wafayāt al-aʿyān, engl. Übers. v. M. Guckin de Slane als: Ibn Khallikan's Biogr. Dictionary, Bd II, Paris 1843, S. 374f., Nachdr. NY 1961 u. Beirut 1970; A. CHRISTIANOWITSCH, Esquisses hist. de la musique arabe aux temps anciens, Köln 1863; A. CAUSSIN DE PERCEVAL, Notices anecdotiques sur les principaux musiciens arabes, Journal asiatique VII, 2, 1873;

O. RESCHER, Abriß d. arabischen Literaturgesch., Bd I, Konstantinopel 1925; H. G. FARMER, A Hist. of Arabian Music to the XIIIᵗʰ Cent., London 1929, Nachdr. 1967; DERS. in: EI III, 1936, S. 67; DERS., The Sources of Arabian Music, Bearsden 1940, revidiert Leiden 1965, Nr 16 u. 26; A. KUTZ, Mg. u. Tonsystematik; = Neue deutsche Forschungen, Abt. Mw. XI, Bln 1943, S. 341 u. 344; M. A. AL-ḤIFNĪ, al-Mūsīqā al-ʿarabīya wa-aʿlāmuhā (»Die arabische Musik u. ihre bekanntesten Vertreter«), Kairo 1951, ²1955; N. AL-IḤTIYĀR, Maʿālim al-mūsīqā al-ʿarabīya (»Wegbereiter d. arabischen Musik«), Ṣaidā u. Beirut 1953; S. ŠAIḤĀNĪ, Ašhar al-muġannīn ʿinda l-ʿarab (»Die berühmtesten Sänger bei d. alten Arabern«), Beirut 1962; A. TAIMŪR, al-Mūsīqī wa-l-ġinā' ʿinda l-ʿarab, Kairo 1963 (Text-Slg zur arabischen Mg.); Š. ḌAIF, aš-Šiʿr wa-l-ġinā' fī l-Madīna wa-Makka (»Poesie u. ġinā'-Musik in Medina u. Mekka«), Beirut 1967.
ENE

Macal (m′a:tsal), Zdenek (Zdeněk Mácal), * 8. 1. 1936 zu Brünn; tschechischer Dirigent, absolvierte 1956 das Konservatorium und 1960 die Janáček-Akademie in Brünn. Ab 1963 war er Dirigent der Mährischen Philharmonie in Olmütz und anschließend Chefdirigent der Prager Symphoniker. Seit seinem Debüt beim Prager Frühling 1966 mit der Tschechischen Philharmonie, die er auch auf Auslandstourneen dirigierte, gastiert er als Konzert- und Operndirigent in Europa und den USA. 1966 war er Preisträger des Mitropoulos-Wettbewerbs in New York. 1970–74 wirkte M. als Chefdirigent des Kölner Rundfunk-Sinfonie-Orchesters.

Macchi (m′ak-ki), Egisto, * * 4. 8. 1928 zu Grosseto (Toskana); italienischer Komponist, studierte in Rom Klavier, Violine, Gesang und Komposition (Vlad, Scherchen), daneben an der Universität Medizin und Literatur sowie Physiologie und befaßte sich mit Untersuchungen von Mikrointervallen und Vierteltonmusik. Er war (mit Guaccero, Evangelisti u. a.) Mitgründer des römischen Ensembles Nuova Consonanza (1961), der Compagnia del Teatro Musicale di Roma (1965) und des Studio R 7 für Elektronische Musik in Rom (1968). 1958 wurde er auch Mitarbeiter der Settimana Internazionale Nuova Musica in Palermo. Er schrieb Bühnenwerke (*Parabola*, Palermo 1963; *Anno Domini*, ebd. 1965; *A(lter) A(ction)*, Rom 1966), Orchesterwerke (*3 evocazioni*, 1953; *Composizione 1*, 1958, und *2*, 1961), Stücke für verschiedene Besetzungen (*2 variazioni*, 1955, und *4 espressioni*, 1956, für Kammerorch.; *Composizione 2 (Determinanti)* für 4 Instrumentengruppen, 1959; *Composizione 3 (Studio per 12 strumenti)*, 1960; *Composizione 4 (Coplas de otras tardes)* für 9 Instr., 1961; *Morte all'orecchio di Van Gogh* für Cemb., Kammerorch. und Tonband, 1964; *Comica con Happy End* für 4 Blasinstr., 1967; *Composizione 7* für Kammerorch., 1968), *Composizione 6 (Kleines Dachau-Requiem)* für Kinderchor (1968), *Cadenza 1–2* für S. solo (1967), *Schemi per combinazione di vari strumenti* (mit Guaccero, 1960) sowie Musik zu mehr als 1000 Filmdokumentationen, zu Fernsehstücken und über 20 Filmen.

MacClintock (mǝkl′intǝk), Carol Cook, * 19. 11. 1910 zu St.Joseph (Mo.); amerikanische Musikforscherin und Sängerin (Sopran), erhielt ihre Gesangsausbildung bei John D.Sample, Alice Moncrieff, Camille Decreus und Conrad von Bos sowie eine Klavierausbildung bei Iliff Garrison und R.Casadesus und studierte an der University of Chicago, der University of Illinois in Urbana (B. Mus.), der University of Kansas in Lawrence (M. Mus.1935) und der Indiana University in Bloomington, an der sie 1955 mit der Dissertation *The Five-Part Madrigals of G. de Wert* zum Ph. D. promovierte. Weitere Studien betrieb sie an der Juilliard

School of Music in New York und dem Conservatoire Américain in Fontainebleau. Sie lehrte an der University of Illinois (1941–44), der Indiana University (1944–47), der Southern Illinois University in Carbondale (1959–64) und ist seit 1964 an der University of Cincinnati (O.) Professor of Musicology. Bis 1960 trat sie häufig als Konzertsängerin auf. Sie schrieb u. a.: *A Court Musician's Songbook*. Modena *MS C311* (JAMS IX, 1956); *Some Notes on the Secular Music of G. de Wert* (MD X, 1956); *Molinet, Music, and Medieval Rhetoric* (MD XIII, 1959); *G. de Wert (1535–96), Life and Works* (= MSD XVII, Rom 1966); *New Light on G. de Wert* (in: Aspects of Medieval and Renaissance Music, Fs. G. Reese, NY 1966); *Two Lute Intabulations of Wert's »Cara la vita«* (Fs. W. Apel, Bloomington/Ind. 1968); *New Sources of Mantuan Music* (JAMS XXII, 1969). – Ausgaben: *P. Isnardi. Missa Angelus Domini* (= Musica liturgica I, 5, Cincinnati/O. 1959); *Works of G. de Wert. Collected Works* (mit M. Bernstein, = CMM XXIV, Antwerpen 1961ff.); *H. Bottrigari. Il desiderio* und *V. Giustiniani. Discorso sopra la musica* (übers. und mit Anm. versehen, = MSD IX, Rom 1962); *The Bottegari Lutebook* (= The Wellesley Ed. VIII, Wellesley/Mass. 1965).

+MacDowell, Edward Alexander, 1861–1908.
+*Critical and Historical Essays* (1912), Nachdr. NY 1969.
Lit.: +O. G. SONNECK, Cat. of the First Ed. of E. M. (1917), Nachdr. NY 1971; +L. GILMAN, E. M. (1909), korrigierter Nachdr. NY 1969. – E. FELS NOTH, M. and Germany, The American-German Rev. XXIV, 1958; W. DSCH. KONEN in: SM XXII, 1958, H. 9, S. 81ff.; B. REISFELD in: Musica XII, 1958, S. 46f.; W. S. NEWMAN, The Sonata since Beethoven, Chapel Hill (N. C.) 1969, revidiert NY und London 1972 (Paperbackausg.); I. LOWENS, E. M.'s »Critical and Historical Essays« (1912), Journal of Research in Music Education XIX, 1971; M. M. LOWENS, The NY Years of E. M., Diss. Univ. of Michigan 1971.

+Mace, Thomas, um 1613 – 1709(?).
Ausg.: +*Musick's Monument* (1676), 2 Bde (I Faks., II Kommentar u. Übertragung), hrsg. v. J. JACQUOT u. A. SOURIS, = Le chœur des muses o. Nr, Paris 1958, ²1966; dass., Faks., = MMMLF II, 17, NY 1966.
Lit.: FR. TRAFICANTE, Lyra Viol Tunings . . ., AMl XLII, 1970.

Maceda (maθ'eða), José Montserrat, * zu Manila (Philippinen); philippinischer Komponist, Dirigent, Pianist und Musikforscher; studierte 1937–41 Klavier bei Cortot an der Ecole Normale de Musique de Paris und 1946–49 bei Robert Schmitz in San Francisco (Calif.); nach dem Besuch verschiedener amerikanischer Colleges und Universitäten promovierte er 1963 an der University of California at Los Angeles mit einer Dissertation über *The Music of the Magindanao in the Philippines* zum Ph. D. Zwischen 1937 und 1957 gab er als Pianist zahlreiche Konzerte auf den Philippinen, in Paris, San Francisco und New York. Seit 1953 hat er musikethnologische Studien und Feldforschungen vor allem auf den Philippinen, in Südostasien, in Sarawak, in Afrika (Uganda, Nigeria, Ghana) und in Brasilien unternommen. 1952–60 lehrte er an der University of the Philippines in Rizal und an der Philippine Women's University in Manila; seit 1960 ist er Professor und neuerdings Chairman am Department of Asian Music der University of the Philippines in Quezon City. Von seinen Kompositionen seien genannt: *Ugma-Ugma, or Structures for Asian Instruments and Voices* (1963); *Agungan, or Gong Sounds for Six Gong Families* (1966); *Kubing, or Music for Bamboo Percussion & Men's Voices* (1966); *Pagsamba, or Ritual Music for a Circular Auditorium*

(1968). – Veröffentlichungen (Auswahl): *The Music of the Bukids of Mindoro* (in: Filipiniana, [Manila] 1955, Nr 1–2); *Music, where East and West Meet* (in: Panorama, [Manila] 1955, Nr 19); *Philippine Music and Contemporary Aesthetics* (in: Cultural Freedom in Asia, Proceedings of a Conference in Rangoon, Tokio 1956 auch separat); *The Music of Southeast Asia* (Journal of East Asiatic Studies V, [Manila] 1956); *Chants from Sagada, Mountain Province, Philippines* (in: Ethnomusicology II, 1958); *Setting for the Music of the Magindanao* (The Diliman Rev. 1959); *Field Recording Sea Dayak Music* (Sarawak Museum Journal X, 1962); *Qualidades latinas no Brasil* (in: Afro-Asia I, 1965).

+Macfarren, –1) Sir George Alexander, 1813–87. Seine Frau [del.: Clara] Natalia (geborene Andrae, [erg.:] Natalie Theodora Wilhelmine), [erg.:] 14. 12. 1826 [nicht: 1827] – 1916.

+Mach, Ernst, 1838 – 1916 zu Vaterstetten [nicht: Haar] (bei München).

Mácha, Otmar, * 2. 10. 1922 zu Mährisch-Ostrau/Moravská Ostrava; tschechischer Komponist, studierte 1943–45 am Prager Konservatorium und 1945–48 an der Meisterschule bei Řídký und war 1945–62 am Prager Rundfunk tätig. Seine Werke haben ihre Wurzeln in der mährischen und schlesischen Volksmusik; genannt seien: Opern *Polapená nevěra* (»Die gefangene Untreue«, Prag 1958) und *Jezero Ukereve* (»Der See Ukereve«, 1963); *Symfonická intermezza* (»Symphonische Intermezzi«, 1958), Symphonische Dichtung *Noc a naděje* (»Nacht und Hoffnung«, 1959), Variationen auf ein Thema von Rychlík (1964) und *Varianty* (»Varianten«, 1968) für Orch.; *Pláč saxofonu* (»Das Weinen des Saxophons«) für Sax. und Kl. (1968); Sonaten für V. (1948), Vc. (1949) und Fag. (1963) mit Kl.; *Klavírní vlastivěda* (»Heimatkunde für Kl.«, 1969); *Smuteční toccata* (»Trauertoccata«) für Org. (1964); Oratorium *Odkaz J. A. Komenského* (»Testament des J. A. Komenský«) für S., Orch. und Org. (1955); Kantate *Čtyři monology* (»Vier Monologe«) für S., Bar. und Orch. (1966); *Žalm č. 2* (»Psalm Nr 2«) für Bar. und Org. (1969); *Malý triptychon* (»Kleines Triptychon«) für S., Fl. und Tam-Tam (1971); Suite *Janinka zpívá* (»Janinka singt«) für S. und Orch. (1972); ferner Chöre, Lieder und Filmmusik.
Lit.: J. SMOLKA, O. Máchy Variace na téma a smrt J. Rychlíka (»O. M.s Variationen auf ein Thema u. d. Tod v. J. Rychlík«), in: Hudební rozhledy XIX, 1966; M. KUNA, O Máchově hudbě a hudbě vůbec s O. Máchou (»Gespräch mit O. M. über M.s Musik u. über Musik überhaupt«), ebd. XXIV, 1971.

+Machabey, Armand, * 7. 5. 1886 zu Pont-de-Roide (Doubs), [erg.:] † 31. 8. 1966 zu Paris.
+*Le »Bel Canto«* (1948), ital. = Piccola bibl. Ricordi XXII, Mailand 1963; +*La notation musicale* (= Que sais-je? Bd 514, 1952), Paris ²1960, 3., von M. Huglo revidierte Aufl. 1971, ital. = Piccola bibl. Ricordi XVII, Mailand 1963. – Von M.s neueren Veröffentlichungen seien genannt: *La musicologie* (= Que sais-je? Bd 978, Paris 1962, ²1969); *La musique de danse* (ebd. Bd 1212, 1966); *A propos des quadruples pérotiniens* (MD XII, 1958); *A propos de Thémison* (Rev. de musicol. XLI/XLII, 1958); *La Messe de Tournai* (RM 1958, Nr 243); *Les »Planctus« d'Abélard. Remarques sur le rythme musical du XII⁰ s.* (in: Romania LXXXII, 1961); *Remarques sur le Winchester Troper* (Fs. H. Besseler, Lpz. 1961); *Etude de quelques chansons goliardiques* (in: Romania LXXXIII, 1962); *Notions scientifiques disséminées dans les textes musicologiques du moyen-âge* (MD XVII, 1963); *De Ptolémée aux Carolingiens* (in: Quadrivium VI, 1964);

Remarques sur les mélodies goliardiques (Cahiers de la civilisation médiévale VII, 1964); *J.-Ph. Rameau et le tempérament égal* (RM 1965, Nr 260). Lit.: N. Dufourcq in: RMFC VII, 1967, S. 257ff.

+**Machaut,** Guillaume de, zwischen 1300 und 1305 (1302?) in der Champagne (bei Reims?) – April 1377 [erg. bzw. del. frühere Angaben].

M., der 1337 eine Präbende an Notre-Dame in Reims erhielt, wo er sich 1340 niederließ, hielt sich 1360 in St-Omer und 1363 abwechselnd in Paris, Reims, Meaux und Crécy-en-Brie auf. – Seine Liebe zu Péronne d'Armentières (die er 1362 kennengelernt hatte) fand ihren Niederschlag in seinem Buch *Voir dit* (1365, Briefe mit eingefügten Balladen und Rondeaux).

Im letzten Jahrzehnt standen Probleme der Werkgestalt, Übertragung und Datierung sowie stilistische Fragen im Zentrum der Forschung: Der Bestand an mehrstimmigen Lais ist durch zwei verschlüsselte kanonische vermehrt worden (in Fr. Ludwigs Ausgabe Nr 23–24, in der L. Schrades Nr 17–18), die in einer weniger zuverlässigen Handschrift überliefert sind (Hoppin, 1958; Hasselman/Walker, 1970). – Unter der Voraussetzung, daß die großen Sammelhandschriften das jeweils bekannte Œuvre vollständig überliefern, wobei Nachträge diese Absicht zusätzlich begründen, ergeben sich Anhaltspunkte für eine Datierung des Werkes: Die frühestmögliche Datierung für die 1st. Lais sowie 1–2st. (selten 3st.) Balladen und Virelais (der vorderen Nummern) ist 1349, für die Motetten (ohne die letzten, die 4st.) 1356, für den zweiten umfangreichen Teil der Balladen, der Rondeaux, der Messe und der 4st. lateinischen Motetten 1365. Zusätzlich lassen sich einige Stücke anhand des Briefwechsels zwischen M. und Péronne genau datieren (Günther, 1963; Reaney, 1971).

M. geht von einem gegenüber Vitry konstruktiveren motettischen Kompositionsprinzip aus und vollendet die Kombinatorik, indem tonale wie rhythmische Zubereitung des Tenors, isorhythmisches Schema und Klangfolge, geordnet nach Prinzipien des wechselnden Perfektionsgrades, miteinander verbunden werden, um den Ablauf des ganzen Stückes konsequent zu behandeln. Mit Hilfe einer formelhaften Melodik wird ein Höchstmaß an Varianten bis in Korrespondenzen einzelner Takte hinein verwirklicht. Der musikalischen Kombinatorik entspricht das Prinzip allegorischer Textexegese in der Kombination von Oberstimmentexten und Tenordevise (Eggebrecht, 1962/63 bzw. 1968; Kühn, 1970). – Ob M. seinen Liedsatz neu geschaffen (Dömling, 1970) oder aus dem motettischen Satz entwickelt hat (Apfel, 1964–65), ist sekundär gegenüber der Entwicklung des Typus. Denn trotz einer Übernahme isorhythmischer Techniken (Günther, 1962/63) sowie eines Zusammenhanges zwischen formelhaften Wendungen in allen Gattungen der Komposition (Reaney, 1971), ist die Ausbildung einer melodisch reichhaltigen Oberstimme entscheidend gewesen, woraus auf der Ebene des Kompositionssystems die Herrschaft zweier harmonischer Funktionen entstand und an die Stelle einer differenzierten Skala verschieden perfekter Intervalle der Gegensatz Konsonanz–Dissonanz trat. Neuerdings ist auch versucht worden, eine unmittelbare Beziehung zwischen Musik und Text im Sinne des Ausdrucks einzelner Wörter herzustellen (Günther, 1957; Dömling, 1970 und 1972; Kühn, 1970).

Ausg.: The Works of G. de M., hrsg. v. L. Schrade, 2 Bde (I: Lais, Complainte, Chanson royale, Motetten Nr 1–16; II: Motetten Nr 17–24, Messe, Doppelhoquetus, Balladen, Rondeaux, Virelais), = Polyphonic Music of the 14ᵗʰ Cent. II–III, Monaco 1956. – La louange des dames, hrsg. v. N. Wilkins, Edinburgh 1972 (im Anh. Ausg. v. 16 Balladen, 5 Rondeaux u. 1 Virelai). Lit.: +J. Wolf, Gesch. d. Mensural-Notation (1904), Nachdr. Hildesheim u. Wiesbaden 1965 (3 Bde in 1); +H. Besseler, Die Musik d. MA u. d. Renaissance (1931), Nachdr. Darmstadt 1964. – G. Zwick, Deux motets inéd. de Ph. de Vitry et de G. de M., Rev. de musicol. XXVII, 1948; S. J. Williams, The Music of G. de M., Diss. Yale Univ. (Conn.) 1952; dies., Vocal Scoring in the Chansons of M., JAMS XXI, 1968; dies., An Author's Role in 14ᵗʰ-Cent. Book Production. G. de M.'s »livre ou je met toutes mes choses«, in: Romania XC, 1969; S. Levarie, G. de M., = Great Religious Composers o. Nr, NY 1954, Nachdr. 1969; U. Günther, Der mus. Stilwandel d. frz. Liedkunst in d. zweiten Hälfte d. 14. Jh., Diss. Hbg 1957, Teildruck als: Zehn datierbare Kompositionen d. ars nova, = Schriftenreihe d. Mw. Inst. d. Univ. Hbg II, Hbg 1959; dies., The 14ᵗʰ-Cent. Motet and Its Development, MD XII, 1958; dies., Das Wort-Ton-Problem bei Motetten d. späten 14. Jh., Fs. H. Besseler, Lpz. 1961; dies., Datierbare Balladen d. späten 14. Jh., MD XV, 1961 – XVI, 1962; dies., Die Mensuralnotation d. Ars nova in Theorie u. Praxis, AfMw XIX/XX, 1962/63; dies., Chronologie u. Stil d. Kompositionen G. de M.s, AMl XXXV, 1963; R. H. Hoppin, An Unrecognized Polyphonic Lai of M., MD XII, 1958; ders., Notational Licences of G. de M., MD XIV, 1960; L. Schrade, G. de M. and the Roman de Fauvel, in: Miscelánea…, Fs. H. Anglés II, Barcelona 1958–61; S. Cape, The M. Mass and Its Performance, in: The Score 1959, Nr 25 – 1960, Nr 26; G. Reaney, The Poetic Form of M.'s Mus. Works I. The Ballades, Rondeaux and Virelais, MD XIII, 1959; ders., Modes in the 14ᵗʰ Cent. in Particular in the Music of G. de M., in: Organicae v., Fs. J. Smits van Waesberghe, Amsterdam 1963; ders., Towards a Chronology of M.'s Mus. Works, MD XXI, 1967; ders., Notes on the Harmonic Technique of G. de M., in: Essays in Musicology, Fs. W. Apel, Bloomington (Ind.) 1968; ders., G. de M., = Oxford Studies of Composers IX, London 1971; A. Damerini, G. de M. e l'»Ars nova« ital., = Bibl. degli eruditi e dei bibliofili LI, Florenz 1960; H. H. Eggebrecht, M.s Motette Nr 9, AfMw XIX/XX, 1962/63 u. XXV, 1968; M. L. Martinez, Die Musik d. frühen Trecento, = Münchner Veröff. zur Mg. IX, Tutzing 1963; Gl. E. Morgan, Stylistic Features of the Music of G. de M., Diss. Indiana Univ. 1963; W. Marggraf, Tonalität u. Harmonik in d. frz. Chanson v. Tode M.s bis zum frühen Dufay, Diss. Lpz. 1964, Zusammenfassung in: AfMw XXIII, 1966; E. Apfel, Beitr. zu einer Gesch. d. Satztechnik v. d. frühen Motette bis Bach, 2 Bde, München 1964–65; ders., Bemerkungen zum gesch. Zusammenhang zwischen d. barocken u. ma. modalen Rhythmus, Fs. J. Müller-Blattau, = Saarbrücker Studien zur Mw. I, Kassel 1966; W. Voisé, G. de M. w Polsce i o Polsce (»G. de M. in Polen u. über Polen«), in: Muzyka X, 1965; R. O. Pop, Elemente ale gîndirii funcţionale prezente în creaţica lui G. de M. (»Elemente funktionaler Harmonik, dargestellt an d. Werken G. de M.s«), in: Lucrări de muzicologie II, 1966; W. Dömling, Zur Überlieferung d. mus. Werke G. de M.s, Mf XXII, 1969; ders., Die mehrstimmigen Balladen, Rondeaux u. Virelais v. G. de M., = Münchner Veröff. zur Mg. XVI, Tutzing 1970; ders., Isorhythmie u. Variation. Über Kompositionstechniken in d. Messe G. de M.s, AfMw XXVIII, 1971; ders., Aspekte d. Sprachvertonung in d. Balladen G. de M.s, Mf XXV, 1972; M. Hasselman u. Th. Walker, More Hidden Polyphony in a M. Ms., MD XXIV, 1970; H. Kühn, Das Problem d. Harmonik in d. Musik d. Ars nova, Diss. Saarbrücken 1971; J. J. Wimsatt, The Marguerite Poetry of G. de M., = Studies in the Romance Languages and Lit. LXXXVII, Chapel Hill (N. C.) 1970.   HK

Mâche (mɑ:ʃ), François-Bernard, * 4. 4. 1935 zu Clermont-Ferrand; französischer Komponist, Musikforscher und Pädagoge, studierte Klavier am Conservatoire in Clermont-Ferrand und Musikwissenschaft am Pariser Conservatoire (Messiaen). Er war 1958 unter Schaeffer Mitbegründer der Groupe de Recherches

Musicales de l'ORTF. 1959 erhielt er einen Lehrauftrag der Université de Paris für Kunstgeschichte, wurde 1968 Professor für französische und griechische Literatur am Middlebury College in Paris und ist seit demselben Jahr auch Professor für Musikästhetik und -analyse am dortigen Sarah Lawrence College. Außerdem ist er leitender Redakteur der »Nouvelle Revue Française« und trat mit zahlreichen musiktheoretischen Aufsätzen hervor. Von seinen Kompositionen sind hervorzuheben: *Prélude* für 3 Tonbänder (1959); *Volumes* für 7 Pos., 2 Schlaginstr., 2 Kl. und 12 Tonbänder (1960); *La peau du silence* (3 Fassungen für Orch. mit 30, 100 bzw. 83 Ausführenden, 1962, 1966 bzw. 1970); *Le son d'une voix* für Kammerorch. (1964); *Canzone III* für 3 Trp. und 4 Pos. (1967); *Rituel d'oubli* für Orch. und 2 Tonbänder (1969); *Rambaramb* für Orch., Kl. und Tonband (1972); *Korwar* für Cemb. und 2 Tonbänder (1972).

Machl, Tadeusz, * 22. 10. 1922 zu Lemberg; polnischer Komponist, Organist und Pädagoge, studierte Theorie bei A. Sołtys sowie 1949–52 an der Musikhochschule in Krakau Komposition bei Malawski und Orgel bei Bronisław Rutkowski. Er wurde dann Assistent und 1966 Dozent für Komposition und Instrumentation an der Krakauer Musikhochschule. – Kompositionen (Auswahl): *3 miniatury symfoniczne* (1946), *Suita liryczna* (1956) und *Etiudy symfoniczne* (1959) für Orch.; 5 Symphonien (Nr 1, mit gem. Chor, 1947; Nr 2, 1948; Nr 3, *Tatry*, »Tatra«, 1949; Nr 4, 1955; Nr 5, für S. solo, 12st. Frauenchor und Orch., 1963); *Obrazki wiejskie* (»Dörfliche Bilder«), Suite für kleines Orch. (1949); 4 Orgelkonzerte (1950, 1952, 1953 und 1958); Konzert für Singst. und Orch. (1958); Violinkonzert (1961); Klavierkonzert (1965); Konzert für Cemb. und kleines Orch. (1967); 3 Streichquartette (1952, 1957 und 1962); Klaviersonate (1940); Orgelfantasie (1942); *Deux pièces pour grand orgue* (1964); Oratorium *Stabat mater* für Soli, Chor, Orch. und Org. (1945); Kantate *Dzień pracy* (»Tag der Arbeit«) für Soli und kleines Orch. (Text Leopold Staff, 1948); *Kantata młodzieżowa* (»Jugendkantate«) für Soli, Chor und Orch. (1954); ferner Lieder.

Maciejewski (matsjɛj′ɛfski), Roman, * 28. 2. 1910 zu Berlin; polnischer Komponist und Pianist, studierte ab 1916 in Berlin (Klavier bei S. Goldenweiser), Posen (Klavier bei B. Zaleski, Komposition bei Wiechowicz) und Warschau (Komposition bei K. Sikorski). Konzertreisen führten ihn ab 1933 durch Bulgarien und Jugoslawien, nach Paris und London; ab 1939 wohnte er in Schweden (Musik zu Inszenierungen von Ingmar Bergman). Seit 1951 lebt er in den USA, wo er den Roman Choir für ältere und Kirchenmusik gründete. – Kompositionen (Auswahl): Requiem für Soli, Chor und Orch. (1959); »Auferstehungsmesse« (1967); Konzert für 2 Kl. und Orch. (1935); *Allegro concertante* für Kl. und Orch. (1944); Variationen für Bläserquintett (1971); Streichquartett (1972); ferner Klaviermusik (Sonate, 1932; 25 Mazurken, 1932–55) und Lieder.

Mackerras (mɔk′eɪəs), Alan Charles, * 17. 11. 1925 zu Schenectady (N. Y.); englischer Dirigent und Oboist australischer Herkunft, lebt in London. Er absolvierte das N. S. W. State Conservatorium of Music in Sydney und nahm 1947–48 Dirigierunterricht bei Talich in Prag. Er war 1. Oboist des Sydney Symphony Orchestra (1945–47), Dirigent an der Sadler's Wells Opera in London (1948–54) und Dirigent des BBC Concert Orchestra (1954–56). Nach einer Tätigkeit als Gastdirigent in Europa, Kanada, Australien und Südafrika war er 1966–69 1. Kapellmeister an der Hamburgi-

schen Staatsoper. 1969 wurde er als Musical Director an die Sadler's Wells Opera berufen. M. arrangierte die Ballette *Pineapple Poll* (nach Sullivan, London 1951) und *Lady and the Fool* (nach Verdi, ebd. 1954). Er schrieb eine Reihe von Zeitschriftenaufsätzen, u. a. über Händel und Mozart sowie *Sense About the Appoggiatura* (in: Opera XIV, 1963).
Lit.: A. JACOBS, Is the Conductor the Boss?, in: Opera XVIII, 1967; H. ROSENTHAL, ebd. XXI, 1970, S. 291ff.

+Maclean [–1) Charles], –3) Quentin [erg.: Stuart] Morvaren, * 14. 5. 1896 zu London, [erg.:] † 9. 7. 1962 zu Toronto.
1939 ging M. nach Kanada und ließ sich in Toronto als Lehrer und Organist (Kirche, Kino, Rundfunk) nieder. Seine Kompositionen umfassen vor allem leichte Orchesterstücke und Kirchenmusik für Chor und Orgel.

+MacMillan, Sir Ernest [erg.: Alexander] Campbell, * 18. 8. 1893 zu Mimico (Ontario), [erg.:] † 6. 5. 1973 zu Toronto.
Die Composers, Authors and Publishers Association of Canada leitete er bis 1969 und den Canadian Music Council bis 1965. Er war 1961–63 Präsident (ab 1963 Ehrenpräsident) der Jeunesses musicales du Canada.
Lit.: Werkverz. in: Composers of the Americas XI, Washington (D. C.) 1965. – L. G. McCREADY, Famous Musicians, = Canadian Portraits o. Nr, Toronto 1957.

MacMillan (mɔkm′ilən), Kenneth, * 11. 12. 1929 zu Dunfermline (Schottland); schottischer Tänzer und Choreograph, studierte in London an der Sadler's Wells School, trat 1946 in das Sadler's Wells Theatre Ballet ein, wurde dann Mitglied des Sadler's Wells Ballet und des Royal Ballet und avancierte zum Resident Choreographer dieser Truppe (Debüt als Choreograph 1952); seine für London geschaffenen Ballette wurden aber bald auch von anderen Kompanien im Ausland übernommen. 1963 kam er zum erstenmal nach Stuttgart, wohin er dann in rascher Folge mehrfach zurückkehrte, bis er 1966 nach Berlin berufen wurde, wo er bis 1969 an der Deutschen Oper Ballettdirektor war. Seit 1970 ist er Direktor des Royal Ballet. M. arbeitet als Choreograph auf klassisch-akademischer Basis, verfügt aber über ein unverkennbar individuelles Idiom, das seinen Balletten ein hohes Maß an Kontemporaneität sichert. Zu seinen repertoirebeständigsten Balletten gehören: *Danses concertantes* (Strawinsky, London 1955); *House of Birds* (Mompou, bearbeitet von John Lanchbery, ebd. 1955); *Solitaire* (M. Arnold, *Country Dances*, ebd. 1956); *The Burrow* (Frank Martin, ebd. 1958); *The Invitation* (Seiber, ebd. 1960); *Diversions* (Bliss, ebd. 1961); »The Rite of Spring« (Strawinsky, ebd. 1962); *Las hermanas* (Martin, Cembalokonzert, Stuttgart 1963); *Lied von der Erde* (Mahler, ebd. 1965); »Romeo und Juliet« (Prokofjew, London 1965); *Concerto* (Schostakowitsch, Klavierkonzert op. 102, Bln 1966); *Anastasia* (Martinů, *Fantaisies symphoniques*, Bln 1967); *Olympiade* (Strawinsky, Bln 1968); *Kain und Abel* (Panufnik, Bln 1968). Darüber hinaus hat M. für das American Ballet Theater, das Königlich Dänische Ballett und das Königlich Schwedische Ballett sowie für Film und Fernsehen gearbeitet.
Lit.: P. BRINSON u. CL. CRISP, Ballet f. All, London 1970.

+Macnaghten, Anne Catherine, * 9. 8. 1908 zu Whitwick (Leicestershire).
A. M. ist seit 1967 vor allem musikpädagogisch tätig (u. a. Kammermusikspiel). Sie veröffentlichte eine Monographie über die walisische Musikerfamilie *The Williams Brothers* (Cambridge 1963).

MacNeil (mɔkn′iːl), Cornell, * 24. 9. 1922 zu Minneapolis; amerikanischer Opernsänger (Bariton), studierte bei Schorr in Hartford (Conn.) und debütierte 1950 in Philadelphia als Sorel in Menottis *The Consul*. Er sang 1952–55 an der New York City Center Opera, trat 1959 in Verdis *Ernani* zum ersten Male an der Mailänder Scala auf und wurde im gleichen Jahr Mitglied der Metropolitan Opera in New York, an der er sein Debüt als Rigoletto gab.

+Maconchy (mæk'ənki), Elizabeth, * 19. 3. 1907 zu Broxbourne (Hertfordshire); englische Komponistin [erg.:] irischer Herkunft.

Neuere Werke: die einaktigen Opern +*The Sofa* (1957 [nicht: 1958], London 1959) und +*The Three Strangers* (nach Th. Hardy, 1959, Bishop's Stortford/Hertford 1968) die Opern *The Departure* (London 1962), *The Birds* (nach Aristophanes, 1968) und *The Jesse Tree* (Text Anne Ridler, Dorchester Abbey 1970); *An Essex Overture* (1966) und 3 *Cloudscapes* (1968) für Orch., Musik für Holz- und Blechbläser (1966), *Serenata concertante* für V. und Orch. (1962), *Variazioni concertanti* für Ob., Klar., Fag., Horn und Streicher (1965); Quintett für Klar. und Streicher (1963), 8. (1966) und 10. Streichquartett (1972), Sonatine für Streichquartett (1963), *Reflections* für Ob., Klar., Va und Hf. (1960), Musik für Kb. und Kl. (1970), 3 Bagatellen für Ob. und Hf. (1972), *Conservations* für Klar. und Va (1972), 6 Stücke für V. solo (1966); *The Yaffle and Mill Race* für Kl. (1962), *Preludio, fugato e finale* für Kl. 4händig (1967), Sonatine (1965) und *Notebook* (1966) für Cemb.; *Samson and the Gates of Gaza* für Chor und Orch. (1963), *Ariadne* für S. und Orch. (1971), *The Starlight Night and Peace* für S. und Kammerorch. (1964), *Wittnesses* für 2 S., Fl., Ob., Klar., Horn, Vc., Schlagzeug und Ukulele (oder Banjo, 1966), Kantate *Christmas Morning* für S., Frauen-(oder Knaben-)Stimmen und Kl. (oder kleines Blasorch., 1963), *The Armado* für Chor und Kl. (1962), *Nocturnal* (1965) und *I Sing of a Maiden This Day* (1966) für gem. Chor, *Propheta mendax* für 3st. Frauen-(oder Knaben-)Chor (1965), 4 Lieder nach Shakespeare für S. (oder T.) und Kl. (1965) sowie 3 Gesänge nach Donne für T. und Kl. (1962–66). E. M. veröffentlichte einen Beitrag als *A Composer speaks* (in: Composer 1971/72, Nr 42).

+Macpherson, Stewart, 1865–1941. +*Aural Culture* ... (1912–18), Teil I revidiert = J. Williams Series of Hdb. on Music o. Nr, London und NY 1954.

+Macque, Jean de (Giovanni), um 1550 – 1614. M. war um 1563 Chorsänger an der Hofkapelle in Wien und ging dann nach Rom, wo er 1568 Organist an S. Luigi dei Francesi wurde. Lit.: +U. Prota-Giurleo, Notizie sul musicista belga J. M. (1930), Wiederabdruck in: Arch. d'Italia e rassegna internazionale degli arch. II, 24, 1957; +A. Einstein, The Ital. Madrigal (II, 1949), Nachdr. Princeton (N. J.) 1970. – W. R. Shindle, The Madrigals of G. de M., 4 Bde, Diss. Indiana Univ. 1970.

+Macrobius Ambrosius Theodosius, um 400 n. Chr. Lit.: +G. Pietzsch, Die Klassifikation d. Musik v. Boetius bis Ugolino v. Orvieto (1929), Nachdr. = Libelli Bd 236, Darmstadt 1968 (mit Ergänzungen). – G. Wille, Musica Romana, Amsterdam 1967; W. Wetherbee, Platonism and Poetry in the 12th Cent., The Literary Influence of the School of Chartres, Princeton (N. J.) 1972.

+Macropedius, Georgius, um 1475 – [erg.: Juli] 1558.

Madatow, Grigorij Jakowlewitsch, * 3.(15.) 4. 1898 zu Baku, † 14. 3. 1968 zu Moskau; aserbaidschanisch-sowjetischer Flötist und Musikpädagoge, studierte bis 1919 am Moskauer Konservatorium bei W. Kretschmann und Wladimir Zybin. 1919–37 war er 1. Flötist im Opernorchester von Baku und lehrte gleichzeitig am dortigen aserbaidschanischen Konservatorium. 1937–44 wirkte er in Tiflis in gleicher Position im Philharmonischen Orchester und unterrichtete am Konservatorium. 1944–48 gehörte M. als Soloflötist dem Großen Symphonieorchester des Sowjetischen Allunionsrundfunks an und leitete verschiedene Ensembles. 1948 wurde er Professor für Flöte an der Gnessin-Musikhochschule in Moskau. Er schrieb zahlreiche Flötenstücke für den Unterricht.

+Madeira, Jean (geborene Browning), * 14. 11. 1918 [nicht: 1924] zu Centralia (Ill.), [erg.:] † 10. 7. 1972 zu Providence (R. I.). Dem Ensemble der Wiener Staatsoper gehörte J. M. bis 1962 an. Neben ihrer Tätigkeit an der Metropolitan Opera in New York war sie 1965–71 auch Mitglied der Bayerischen Staatsoper. Zu ihren großen Partien, mit denen sie ständiger Gast an bedeutenden Opernhäusern (u. a. Deutsche Oper Berlin, Covent Garden Opera in London, La Scala in Mailand) sowie bei zahlreichen Festspielen (u. a. Salzburg, Bayreuth, Aix-en-Provence) war, gehörten besonders die Carmen, aber auch Verdi-(Amneris, Azucena, Frau Quickly, Ulrika) und Wagner-Partien (Erda u. a.) sowie die Klytämnestra in R. Strauss' *Elektra*. 1968 sang sie in Berlin bei der Uraufführung von Dallapiccolas *Ulisse* die Doppelrolle Circe/Melantho. J. M. trat auch als Konzertsängerin auf (u. a. 1967 Uraufführung von P. Crestons *From the Psalmist* für A. und Orch.). – Ihr Mann Francis M. ([erg.:] * 21. 2. 1917 zu Jenkintown/Pa.) gründete 1945 das Rhode Island Philharmonic Orchestra, das er heute noch leitet. Er gastierte auch bei ausländischen Orchestern (u. a. Wiener Symphoniker).

Madelka, Simon BarJona (Szymon Bar Jona), * zu Oppeln (Oberschlesien), † um 1598 zu Pilsen; kam um 1575 nach Pilsen, wurde in die Fleischerzunft eingetragen (1580 Zunftmeister) und war zugleich Kantor und Ratsherr der Stadt Pilsen. Sein 4st. *Canticum Beatissimae Virginis Mariae* (8 Magnificat, Prag 1581) nennt nur BarJona, nicht M. als Familiennamen. Dieser ist erst in den 5st. *Septem psalmi poenitentiales* (Altdorf bei Nürnberg 1586) hinzugefügt. Neben 7 textgleichen Vertonungen (darunter Lassus, L. Lechner u. a.) gehörten diese Bußpsalmen M.s zum Notenbestand der Münchener Hofkapelle. Lit.: Fr. Feldmann, Bilder aus d. Mg. Oberschlesiens, in: Der Oberschlesier XVII, 1935; J. Branberger, Lyra Kampanova, Prag 1942; L. Handzel, S. B. J. M., in: Muzyka II, 1957; ders., Siedem psalmów pokutnych i motet pokutny Sz. B. J. Madelki (»Die sieben Bußpsalmen u. d. Bußmotette ...«), ebd. VII, 1962; H. Weber, Die Beziehungen zwischen Musik u. Text in d. lat. Motetten L. Lechners, Diss. Hbg 1961, S. 182ff.

+Mader, Raoul Maria (Resző Máder), 1856–1940. Lit.: C. Nemeth, »Der weiße Adler«, Oper v. R. M. nach Motiven v. Chopin, Chopin-Jb. 1956.

Mader, Richard, * 26. 7. 1930 zu München; deutscher Dirigent und Komponist, studierte im Musikseminar von H. v. Waltershausen (Klavier bei Caroline von Waltershausen) und war 1954–64 Dirigent und Chordirektor an verschiedenen Bühnen sowie 1965–68 musikalischer Leiter und Lehrer für allgemeine Musiklehre, Musiktheorie und Musikgeschichte an der Opernschule »Bina« in München. Seit 1968 leitet er das musikdramatische Seminar der Münchner Volkshochschule und ist seit 1969 Dozent am R.-Strauss-Konservatorium der Stadt München. 1958 gründete er die

Camerata Musicale in München, ein Solistenensemble für vokale Kammermusik. Seine Kompositionen umfassen Lieder, Chöre, vokale und instrumentale Kammermusik sowie Schauspielmusik.

+Maderna, Bruno, * 21. 4. 1920 zu Venedig, [erg.:] † 13. 11. 1973 zu Darmstadt.

M., von 1958 bis zu dessen Auflösung 1967 Leiter des Internationalen Kammerensembles Darmstadt, wirkte ab 1967 als Dozent am Konservatorium in Rotterdam, 1971/72 auch bei den Sommerkursen des Berkshire Music Center in Tanglewood (Mass.) und ab 1972 als Chefdirigent des Symphonieorchesters der RAI in Mailand. Er war außerdem Gastdirigent bedeutender europäischer und amerikanischer Orchester (u. a. BBC Symphony Orchestra und Chicago Symphony Orchestra). – Neuere Werke: +*Serenata II* für 11 [nicht: 13] Instr. (1957); elektronische Musik +*Dimensioni II* (*Invenzioni su una voce*, 1960, auf Phoneme von H. G Helms); Funkoper *Don Perlimplin* (einaktig, nach F. García Lorca, RAI 1962), elektronische Musik *Serenata III* (1961); *Serenata IV* für 20 Instr. und Tonband (1961); *Honey rêves* für Fl. und Kl. (1961); 1. Konzert für Ob. und Kammerensemble (23 Spieler, 1962); elektronische Musik *Le rire* (1962); *Dimensioni III* für Fl. und Orch. (1963); *Aria da »Hyperion«* für S., Fl. und Orch. (nach Fr. Hölderlin, 1964); »Lirica in forma di spettacolo« *Hyperion* (= *Dimensioni III* und *Aria da »Hyperion«*, Venedig 1964); *Hyperion II* (= *Dimensioni III, Cadenze* für Fl. solo und *Aria da »Hyperion«*); *Stele per Diotima* für »Orch. con una cadenza per soli« (V., Klar., Baßklar. und Horn, 1965); *Hyperion III* (= *Hyperion* und *Stele per Diotima*); *Dimensioni IV* (= *Dimensioni III* und *Stele per Diotima*); *Aulodia per Lothar* für Ob. d'amore und Git. ad libitum (1965); *Amanda* für Kammerorch. (1966); *Widmung* für V. solo (1967); 2. Konzert für Ob. und Orch. (1967); Violinkonzert (1969); *Quadrivium* für 4 Schlagzeuger und 4 Orchestergruppen (1969); *Serenata per un satellite* für Instrumentalgruppe (7 Spieler, 1969); Oper *Von A bis Z* (Darmstadt 1970); *Grande aulodia* für Fl., Ob. und Orch. (1970); *Music of Gaity* für Kammerorch. (nach Stücken aus dem Fitzwilliam Virginal Book, 1970); *Aura* für Orch. (1971); *Ausstrahlung* für S., Chor und Orch. (1971); *Juilliard Serenade* für Kammerorch. und Tonband (1971); Scena drammatica *Bothwell-Journal* für T., Instrumentalensemble und Tonband (1972); *Giardino religioso* für Kammerensemble (1972); *Ages* für Tonband (mit G. Pressburger, Prix Italia 1972); Oper *Satyrikon* (nach Petronius, Den Haag 1973); 3. Konzert für Ob. und Orch. (1973). – Er gab Kompositionen von Josquin Desprez, G. Gabrieli, Cl. Monteverdi (*Orfeo*, Mailand 1967) und Viadana (*Le sinfonie*, ebd. 1966) heraus. Lit.: G. WERKER in: Mens en melodie XXII, 1967, S. 18ff.; L. PINZAUTI in: nRMI VI, 1972, S. 545ff. (Interview).

+Madetoja, Leevi Antti, 1887–1947.

M., ab 1937 Professor, war 1936–47 Vorstand des staatlichen Ausschusses für Musik und 1937–47 der finnischen Gesellschaft für musikalische Urheberrechte TEOSTO. – Die Opern +*Pohjalaisia* op. 45 (»Die Ostbottnier«) und +*Juha* op. 74 wurden 1924 bzw. 1935, das Ballett +*Okon Fuoko* op. 58 1930 in Helsinki uraufgeführt. – Weitere Werke: Konzertouvertüre op. 7 (1911), Lustspielouvertüre op. 53 (1923) und eine Fantasieouvertüre für Bläser op. 69 (1930), Klavierstücke (u. a. die Suite *Kuoleman puutarha*, »Der Garten des Todes«, op. 41, 1919, und 5 Stücke op. 65, 1928–42), Kantaten (u. a. *Elämän päivät*, »Die Tage des Lebens«, op. 47, 1920; *Planeettain laulu*, »Das Lied von den Planeten«, op. 59, 1927; *Pako Egyptiin*, »Die Flucht nach

Ägypten«, op. 61, 1924; *Lux triumphans* op. 63, 1927), Lieder (4 op. 44, 1920; Zyklus *Syksy*, »Herbst«, op. 68, 1930, Fassung mit Orch. 1940) und a cappella-Chöre (7 für Männer-St. op. 81, 1946; 2 für gem. Chor op. 82, 1946).
Lit.: V. PESOLA, L. M., in: Suomen säveltäjiä puolentoista vuosisadan ajalta, hrsg. v. S. Ranta, Porvoo 1945; K. TUUKKANEN, L. M., ebd. 1947; R.-E. HILLILA, The Songs of T. Kuula and L. M. and Their Place in 20th-Cent. Finnish Art Song, Diss. Boston Univ. 1964; T. MÄKINEN u. S. NUMMI, Musica Fennica, Helsinki 1965, deutsch 1972.

Mądey, Bogusław, * 31. 5. 1932 zu Sosnowiec (Kattowitz); polnischer Dirigent, Pianist und Komponist, studierte ab 1951 an der Musikhochschule in Posen (Dirigieren bei Wisłocki und Wodicko, Klavier bei Waclaw Lewandowski, Komposition bei Poradowski) sowie 1959–60 an der Guild Hall School of Music and Drama in London (Dirigieren bei Del Mar). 1960 wurde er als Dirigent an die Warschauer Oper, 1972 als Chefdirigent an die Oper in Łódź verpflichtet. 1958–59 war er Lehrer für Klavier an der Musikhochschule in Posen; seit 1960 lehrt er Dirigieren an der Musikhochschule in Warschau. Als Gastdirigent trat M. u. a. in der ČSSR, England und Kuba (Erstaufführung von Moniuszkos *Halka*) auf. Er komponierte u. a. ein Klavierkonzert (1957), ein Flötenkonzert (1966), *Impresje taneczne* (»Tanzimpressionen«) für Orch. (1952), *Scherzo fantastico* für Orch. (1954), *Uwertura dramatyczna* (1952), Kammermusik (*Transfiguracje,* »Transfigurationen«, für St. und Instr., 1968), Klavierwerke (Sonatine, 1952; 5 Praeludien, 1955) sowie Lieder und Bühnenmusik. M. ist verheiratet mit Anna Malewicz-M.

Madlseder, Nonnosus (Taufnamen Johannes Baptist), OSB, * 20. 6. 1730 zu Meran, † 3. 4. 1797 im Kloster Andechs am Ammersee (Bayern); deutscher Kirchenmusiker und Komponist österreichischer Abstammung, Singknabe im königlichen Damenstift und Gymnasiast in Hall (Tirol), studierte dann im Kloster Polling (Bayern) und in Freising, trat 1750 in das Benediktinerkloster am Berge Andechs ein, wurde 1754 zum Priester geweiht, 1755 Vizedirektor der Musik, 1757 Organist und Dirigent der Tafelmusik, 1760 Leiter des Figuralchors und ab 1767 Musikdirektor. Im Druck erschienen zwei Sammlungen *Offertoria XV* op. 1 und op. 2 (Augsburg 1765 und 1767), *Miserere V et Stabat mater I* op. 3 (ebd. 1768) und *Vesperae V* (St. Gallen 1771); ferner komponierte er Messen, Karwochenoratorien, Kantaten für Klosterfeierlichkeiten sowie Symphonien.
Ausg.: Symphonie D dur, in: Tiroler Instrumentalmusik im 18. Jh., hrsg. v. W. SENN, = DTÖ LXXXVI, Wien 1949.
Lit.: M. SCHREIBER, Beitr. zur Musikpflege im Kloster Andechs vor 1803, Birkeneck 1932.

Maduro (mədʒ'uːɾou), Charles, * 5. 10. 1883 zu Curaçao (Holländisch Westindien), † 4. 10. 1947 zu New York; amerikanischer Komponist von Unterhaltungsmusik, schrieb u. a.: *Filigrane*; *Mélodie créole*; *Curaçao*; *I Love the Rain*; *In Old Granada*; *Tropic Gardens*; *Scherzo espagnol*.

Mægaard, Jan, * 14. 4. 1926 zu Kopenhagen; dänischer Komponist und Musikforscher, studierte 1945–50 Komposition an Det Kongelige Danske Musikkonservatorium und 1951–57 Musikwissenschaft an der Universität in Kopenhagen (1957 mag. art.). Er war 1953–58 Lehrer an Det Kongelige Danske Musikkonservatorium und 1952–60 Musikkritiker bei verschiedenen Tageszeitungen. Seit 1959 ist er Lehrer (1961 Amanuensis, 1967 Adjunkt, 1971 Professor) am musikwissenschaftlichen Institut der Universität Kopenhagen, an der er 1972 mit der Arbeit *Studien zur Entwicklung des dodekaphonen Satzes bei A. Schönberg* (3 Bde, Kopenhagen 1972) zum Dr. phil. promovierte. Von seinen Kompositionen seien genannt: Trio für Ob., Klar. und Fag. (1951); Kantate *Gaa udenom sletterne* (»Entweichet den Ebenen«) für gem. Chor und Streichorch. (1954); *Jævndøgnselegi I* (»Elegie der Tagundnachtgleiche«) für S., Vc. und Org. (Text Ole Wivel, 1959); Kammerkonzert Nr 2 (1961); *Due tempi* für Orch. (1961); *Octomesi* für V. und Kl. (1962); [Musik zu *Antigone* von Sophokles für Rezitation, Männerchor und Orch. (dänisches Fernsehen 1967). Er schrieb Artikel für die »Enciclopedia dello spettacolo«, Aschehougs »Musikleksikon« und das »Dansk konversationsleksikon«, ferner: *Some Formal Devices in Expressionistic Works* (Dansk aarbog for musikforskning 1961); *A Study in the Chronology of op. 23–26 by A. Schoenberg* (ebd. 1962); *Musikalsk modernisme, 1945–1962* (Kopenhagen 1964, schwedisch Stockholm 1967, finnisch Helsinki 1967); *A. Schönberg og Danmark* (Dansk aarbog for musikforskning VI, 1968–72); »*... eine regulirte kirchen music ...*« (Fs. J. P. Larsen, Kopenhagen 1972).

Maehder, Jürgen, * 22. 3. 1950 zu Duisburg; deutscher Komponist, studierte 1969–72 Komposition bei Bialas an der Staatlichen Hochschule für Musik in München und begann 1969 ein Studium der Musikwissenschaft (Georgiades, St. Kunze), Philosophie und Theaterwissenschaft an der Münchner Universität. Er schrieb u. a.: *Sinfonia nocturna* für Orch. (1967); *Canticum* für Chor und Orch. (Text Hölderlin, 1969); *Ionen*, Totale Oper für Tonband, Instrumentalisten und chemisches Lichtenvironment (Juan Ramón Jiménez, Grafing bei München 1969); *Venedig* für A., Fl., Va, Kb. und Schlagzeug (Nietzsche, 1969); *Um hier zu leben* für S. und Org. (Paul Eluard, 1971); *Neue Mystik*, Lingual für Solo-B., (Sprech-)Chor, Schreibmaschine und Org. (Günter Grass, 1972).

+Maelzel (Melzl), –1) Johann Nepomuk, 1772–1838. –2) Leonhard Rupert, getauft 27. 3. 1783 – August 1855 [erg. frühere Angaben].
Lit.: zu –1): +A. W. Thayer, L. v. Beethovens Leben (III, 1879), Nachdr. d. +engl. Ausg. (1921) = Class. Series o. Nr, London u. Carbondale (Ill.) 1960 (3 Bde), revidiert u. hrsg. v. E. Forbes als: Thayer's Life of Beethoven, London u. Princeton (N. J.) 1964 (2 Bde), deutsch Princeton 1970; +Th. v. Frimmel, Beethoven-Hdb. (I, 1926), Nachdr. Hildesheim u. Wiesbaden 1968. – Z. Falvy, Beethoven, M., Festetics, in: Magyar könyvszemle LXXI, 1955; R. Angermüller, Aus d. Frühgesch. d. Metronoms. Die Beziehungen zwischen M. u. Salieri, ÖMZ XXVI, 1971.

Maendler, Karl → +Schramm, M. J.

+Märzendorfer, Ernst, * 26. 5. 1921 zu Oberndorf (Salzburg).
M. war Kapellmeister an der Städtischen Oper Berlin bis 1961, ging dann an die Staatsoper Wien, wo er ab 1966 als ständiger Gast (u. a. 1966 Uraufführung von Henzes Ballett *Tancredi e Cantilena*) und seit 1969 als Kapellmeister tätig ist. Darüber hinaus dirigiert er an der New York City Opera (seit 1965) und der Volksoper Wien (seit 1971). Bei den Salzburger Festspielen wirkt er seit 1954 mit. Eine von ihm geschaffene »Kompilation« des Schlußsatzes zu Bruckners 9. Symphonie wurde 1969 aufgeführt.

+Maes, Jef (Joseph), * 5. 4. 1905 zu Antwerpen.
Professor für Kammermusik am Koninklijk Vlaams Muziekconservatorium in Antwerpen wurde M. 1954, die Musikakademie in Bom (bei Antwerpen) leitet er seit 1943. Neuere Werke: Oper *De antikwaar* (1959,

Antwerpen 1963), Ballett *Tu auras nom ... Tristan* (1960, Genf 1963); 2. Symphonie (1965) und eine konzertante Ouvertüre (1961) für Orch., Partita für Streichorch. (1966), *Burleske* für Fag. und Orch. (1957); *Prélude et allegro* für 2 Trp., Horn, Pos. und Tuba (1959), 4 *Contrastes* für 4 Klar. (1965), Trio für V., Va und Schlagzeug (1964), Impromptu für Vc. (1966) und Studie für Kb. (1966) mit Kl.; 2. Etüde für Kl. (1960); Zyklus *Rosa mystica* für S. und Orch. (1958).

+Maessins, Pieter (Petrus Massenus von Massenberg), um 1500(?) – 10. 12. 1562 vor den Toren der Stadt Benfeld an der Ill (durch Verkehrsunfall) [del. frühere Angaben].
Lit.: +O. Wessely, Beitr. zur Lebensgesch. v. P. M., in: Gestalt u. Wirklichkeit, Fs. F. Weinhandl, Bln 1967 [del. frühere bibliogr. Angabe]; H. Leuchtmann, Der Tod d. kaiserlichen Kapellmeisters P. M., AMl XLI, 1969; A. Dunning, Die Staatsmotette 1480–1955, Utrecht 1970.

Maeterlinck (mˈɑːtəliŋk), Maurice (eigentlich Polydorus-Maria-Bernardus M.), * 29. 8. 1862 zu Gent, † 6. 5. 1949 zu Nizza; belgischer Dichter, studierte Rechtswissenschaft an der Universität seiner Heimatstadt, ließ sich dort zunächst als Advokat nieder, widmete sich aber dann ganz einer literarischen Laufbahn. Er begab sich 1886 nach Paris, kehrte 1889 nach Belgien zurück und ließ sich 1896 endgültig in Paris nieder. 1911 erhielt er den Nobelpreis für Literatur. Mit der Veröffentlichung des Dramas *La princesse Maleine* (Brüssel 1889) wurde er schlagartig berühmt; das Irreale, Übernatürliche und Traumhafte im Geschehen und die das Unausdrückbare mehr ahnen lassenden Dialoge kennzeichnen ihn als hervorragenden Repräsentanten des Symbolismus. Das Drama *Pelléas et Mélisande* (Brüssel 1892) mit der Musik Debussys (Paris 1902) gilt als ein grundlegendes Werk des modernen Musiktheaters. Von Vertonungen M.scher Dramen seien genannt: *La princesse Maleine* (Brüssel 1889) durch Lily Boulanger (unvollendete Oper), C. Scott (Ouvertüre mit Schlußchor, 1912) und M. Steinberg (Chorwerk, 1916); *L'intruse* (Gent 1890): Fr. Lacerda (Bühnenmusik) und Pannain (Oper, Genua 1940); *Les sept princesses* (Brüssel 1891): Bréville (Bühnenmusik) und Netschajew (Oper, 1923); *Pelléas et Mélisande* (Brüssel 1892): Fauré (Bühnenmusik, 1898), Wallace (Orchestersuite, 1900), Debussy (Drame lyrique, Paris 1902), Schönberg (Symphonische Dichtung, 1903), Sibelius (Bühnenmusik, 1905), C. Scott (Ouvertüre, um 1912) und M. Baumann (Ballett, Bln 1954); *Alladine et Palomides* (Brüssel 1894): Burian (Oper, 1923), Chlubna (Oper, Brünn 1925) und Burghauser (Kammeroper, 1944); *La mort de Tintagiles* (Brüssel 1894): Loeffler (Symphonische Dichtung, 1897, Neufassung 1900), Carse (Symphonische Dichtung, 1902), Nouguès (Oper, Paris 1905), Santoliquido (Symphonische Dichtung, 1907) und Collingwood (Oper, 1950); *Aglavaine et Sélysette* (Paris 1896): C. Scott (Ouvertüre, um 1912) und A. Honegger (Orchestervorspiel, 1917); *Ariane et Barbe-Bleue* (Lpz. 1901): Dukas (Oper, Paris 1907) und Anatolij Alexandrow (Bühnenmusik, 1920); *Sœur Béatrice* (Bln 1901): Ljadow (Chor, 1910), Gretschaninow (Oper, Moskau 1912), Albert Wolff (Oper, 1919), Mitropoulos (Oper, 1920) und Rasse (religiöses Drama, Brüssel 1944); *Monna Vanna* (Paris 1902): Février (Oper, Paris 1909); *L'oiseau bleu* (Moskau 1908): O'Neill (Bühnenmusik, 1909), Fritz Hart (13 Szenen für Orch., 1911), Křička (Ouvertüre, 1911), Humperdinck (Bühnenmusik, 1912), Albert Wolff (Oper, NY 1919), Szeligowski (Bühnenmusik) und Baeyens (Bühnenmusik, 1951); *Les fiançailles* (NY 1918): C. A. Gibbs (Bühnenmusik, 1921).

Aus der Gedichtsammlung *Les serres chaudes* (1889) komponierte Chausson 5 Lieder und Schönberg *Herzgewächse* für S., Celesta, Harmonium und Hf. op. 20 (1911), aus den *Quinze chansons* (1900) Zemlinsky *Sechs Gesänge* für mittlere St. und Kl. op. 13 (1914). Lit.: E. NEWMAN, M. and Music, in: Mus. Studies, London 1905, Nachdr. = Studies in Music o. Nr, NY 1969; J. BRUYR, M. et ses musiciens, in: Musica (Disques) 1962, Nr 105 (mit Diskographie); P. MAHONY, M. and Music, in: Composer 1972, Nr 43; H. WEBER, Zemlinskys M.-Gesänge, AfMw XXIX, 1972.

+Maffei, Giovanni Camillo, 16. Jh.
Ausg.: d. Verzierungen M.s zu Fr. Layolles Madrigal »Lasuar il velo« in: E. T. FERAND, Die Improvisation, = Das Musikwerk XII, Köln 1956, engl. 1961.

Mága, Othmar M. F., * 30. 6. 1929 zu Brünn; deutscher Dirigent, studierte 1948–52 an der Staatlichen Hochschule für Musik in Stuttgart und 1952–58 an der Universität Tübingen (Musikwissenschaft). 1960–61 war er Meisterschüler von Celibidache. M. war 1963–67 Chefdirigent des Göttinger Symphonie-Orchesters und ab 1968 Chefdirigent der Nürnberger Symphoniker; er wurde 1970 zum GMD der Stadt Bochum berufen. Als Gastdirigent ist er u. a. in Italien, Österreich und Frankreich aufgetreten.

+Magalhães, Filipe de, † 17. 12. 1652 zu Lissabon [del. frühere Sterbeangaben].
Ausg.: 10 Trechos selectos, hrsg. v. M. SAMPAYO RIBEIRO, = Cadernos de repertório coral Polyphonia, Série azul VI, Lissabon 1961.

+Magaloff, Nikita, * 8.(21.) 2. [nicht: 26. 1.] 1912 zu St. Petersburg.
Wegen zunehmender Konzertverpflichtungen (nunmehr auch in Japan, Israel und Südamerika sowie bei den Festspielen von Berlin, Edinburgh, Lausanne, Salzburg, Zürich u. a.) gab er 1960 die Leitung der Meisterklasse am Genfer Conservatoire auf und beschränkte seine pädagogische Tätigkeit auf Sommerkurse in Taormina (Sizilien), am Genfer Conservatoire und an der Accademia musicale Chigiana in Siena. M., Schweizer Staatsbürger seit 1956, lebt heute in Coppet (Vaud).

+Maganini, Quinto, * 30. 11. 1897 zu Fairfield (Calif.), [erg.:] † 10. 3. 1974 zu Greenwich (Conn.).
Das Symphonieorchester von Norwalk (Conn.) leitete er bis 1970.

+Mage, Pierre du (Dumage), 23. 11. 1674 [del.: um 1676] – 1751.
Lit.: F. RAUGEL, Notes sur P. Dumage, Rev. de musicol. XXXVII, 1955 u. XLV/XLVI, 1960.

+Mager, Jörg [erg.:] (Georg) Adam, 1880 – [erg.: 5.] 4. 1939.

+Maggini, Giovanni Paolo, getauft 29. 11. 1579 zu Botticino Sera (bei Brescia), † (an der Pest) wahrscheinlich 1630 zu Brescia [del. frühere Angaben].
Lit.: G. P. M., in: The Strad LXXVI, 1965/66, S. 46f., 69 u. 390f.; G. BIGNAMI in: Rass. mus. Curci XXI, 1968, S. 184; A. W. LIGTVOET, Viool v. M. in Haags Gemeentemuseum, in: Mens en melodie XXIV, 1969.

Maggioni (mad-dʒ'o:ni), Aurelio Antonio, * 8. 4. 1908 zu Mailand; italienischer Komponist, studierte in seiner Geburtsstadt am Conservatorio di Musica G. Verdi (A. Bossi, Ferroni, Pedrollo, Achille Schinelli) und erwarb Diplome in Klavierspiel (1926), Chormusik (1932) und Komposition (1933). Er wurde Professor für Musiktheorie und Harmonielehre am Conservatorio di Musica A. Boito in Parma und 1939 außerdem für Kontrapunkt an den Konservatorien in Florenz (1939–51) und Mailand (1951–59). 1954–59 war er Direktor und Kompositionslehrer am Konservatorium in

Lima (Peru), wo er sich auch musikethnologischen Forschungen widmete. 1959 wurde er am Conservatorio di Musica G. Verdi in Mailand Professor für Komposition. Von seinen Kompositionen seien die Oper *Il gioco di Soleima* (Bergamo 1955), *Quattro contrasti sinfonici*, *Danza cinese* für Orch. (1934), Toccata und Fuge für Kl. und Orch., ein Streichquartett (1951), *Suite incaica* für Vc. und Kl. (auch für Orch.), eine Sonate für V. und Kl. sowie Chöre und Lieder genannt.

Magirus, Johannes, * 1558 zu Kassel, beerdigt 25. 11. 1631 zu Braunschweig; deutscher Kantor und Musiktheoretiker, studierte ab 1577 an der Universität Marburg, war 1579–85 Subkonrektor an der Stadtschule Hannover und 1585–94 Kantor des Katharineums in Braunschweig. Sein im Vorwort auf 1592 datiertes Lehrbuch *Artis musicae, methodice legibus logicis informatae libri duo* erschien erst 1596, als M. bereits 2 Jahre Pfarrer an St. Blasien in Braunschweig war. In seinem Traktat vertritt er die Lehre des Glareanus von den 12 Kirchentönen auch für die Kompositionslehre (Notenbeispiele aus Werken von 23 Komponisten, u. a. von Lassus, Clemens non Papa, Herpol und Utendal).
Lit.: J. BESTE, Album d. ev. Geistlichen d. Stadt Braunschweig, Braunschweig 1900; E. GUTBIER, V. Geuck, Hessisches Jb. f. Landesgesch. X, 1960; KL. W. NIEMÖLLER, Untersuchungen zu Musikpflege u. Musikunterricht an d. deutschen Lateinschulen v. ausgehenden MA bis um 1600, = Kölner Beitr. zur Musikforschung LIV, Regensburg 1969; E. NOLTE, J. M. (1558–1631) u. seine Musiktraktate, = Studien zur hessischen Mg. IV, Kassel 1971 (mit Quellenverz., Bibliogr. u. Faks.-Anh.).

+Magnard, Lucien Denis Gabriel Albéric, 1865–1914.
Lit.: A. M., Kat. (d. Bibl. Nationale) hrsg. v. B. BARDET, Paris 1966. – A. VANDER LINDEN, Lettres de A. M. à O. Maus, RBM XVII, 1963; J. MAILLARD, A. M., Les 4 symphonies, in: L'éducation mus. XXII, 1966/67; J. FESCHOTTE in: SMZ CVIII, 1968, S. 34ff.; L. DAVIES, C. Franck and His Circle, London 1970.

Magne (ma:ɲ), Michel, * 20. 3. 1930 zu Lisieux (Calvados); französischer Komponist, studierte in Caen und am Pariser Conservatoire (Simone Plé-Caussade). Er schrieb das Ballett *Le rendez-vous manqué* (nach Françoise Sagan, Monte Carlo 1958), Orchesterwerke (*La symphonie humaine* für 150 Mitwirkende, 1955; daraus das Spiritual *The Sky* für gem. Chor, 1955), Klavierstücke, Lieder, Stücke für Jazzorch., Elektronische Musik und Filmmusik (*Le pain vivant*, 1955; daraus *Halleluyah* für B. und gem. Chor, 1955).

Magomajew, Abdul Muslim Magometowitsch, * 6. (18.) 9. 1885 zu Grosnyj (Nordkaukasus), † 28. 7. 1937 zu Naltschik (Kabardinische Republik); aserbaidschanisch-sowjetischer Komponist und Dirigent, absolvierte 1904 das Lehrerseminar in Gori (Grusinien), wurde 1905 Lehrer in Lenkoran (Südkaukasus), leitete Laienchöre und -orchester und begann 1906 zu komponieren. Er ist Mitgründer des ersten aserbaidschanischen Musiktheaters, das 1911 in Baku entstand und an dem er ab 1912 Dirigent war. 1921 wurde M. Leiter der Kunstabteilung der aserbaidschanischen Republik und 1924 künstlerischer Leiter der Oper in Baku. Die aserbaidschanische Nationalphilharmonie trägt seinen Namen. Er komponierte u. a. die Opern *Schah Ismail* (Baku 1919) und *Nergis* (ebd. 1935), das Ballett *Deli Muchtar* (unvollendet), die Operette *Chorus bej* (unvollendet), Orchesterwerke (Rhapsodien *Na poljach Aserbajdschana*, »Auf den Feldern Aserbaidschans«, und *Dschejrany*; Fantasie *Derwisch*), Klavierlieder sowie Bühnen- und Filmmusik. Mit Gadschibekow zeichnete er etwa 300 Volkslieder auf (teilweise veröff. in der Slg

Aserbajdschanskije narodnyje pesni, »Aserbaidschanische Volkslieder«, Baku 1927).
Lit.: K. KASSIMOW, A. M. M., Baku 1948 u. 1956; G. ISMAJLOWA in: Aserbajdschanskaja musyka, hrsg. v. Dsd. Gadschijew, Moskau 1961, S. 128ff.; DIES., M. M., Baku 1965.

Magyar Vonósnégyes → Hungarian String Quartet.

+al-Mahdī (vollständiger Name Ibrāhīm ibn al-M.), 779 – Juli [nicht: August] 839.
al-M. ist mit seinem persisch beeinflußten Stil Gegner von Isḥāq → +al-Mauṣilī. Gegen Ende seines Lebens zog er sich aus religiösen Gründen von der Musikausübung zurück. Biographische Notizen eines seiner Söhne und seines Sekretärs, seine Liedersammlung und Streitschriften zwischen ihm und Isḥāq al-Mauṣilī sind in Fragmenten erhalten.
Lit.: H. G. FARMER, A Hist. of Arabian Music to the XIIIth Cent., London 1929, Nachdr. 1967; DERS., The Sources of Arabian Music, Bearsden 1940, revidiert Leiden 1965; H. M. LEON, The Poet Prince who Became Khalifah, in: Islamic Culture III, 1929; A. KUTZ, Mg. u. Tonsystematik, = Neue deutsche Forschungen, Abt. Mw. XI, Bln 1943, S. 345 u. 363; M. A. AL-ḤIFNĪ, al-Mūsīqā al-ʿarabīya wa-aʿlāmuhā (»Die arabische Musik u. ihre bekanntesten Vertreter«), Kairo 1951, ²1955; N. AL-IḤTIYĀR, Maʿālim al-mūsīqā al-ʿarabīya (»Wegbereiter d. arabischen Musik«), Ṣaidā u. Beirut 1953; M. AL-ḤUSĀMĪ, I. b. al-M., Beirut 1960 (arabisch); S. ŠAIḤĀNĪ, Ašhar al-muġannīn ʿinda l-ʿarab (»Die berühmtesten Sänger bei d. alten Arabern«), ebd. 1962; E. NEUBAUER, Musiker am Hof d. frühen ʿAbbāsiden, Diss. Ffm. 1965; D. SOURDEL in: EI² III, 1971, S. 987.

Mahle, Ernst, * 1929 zu Stuttgart; brasilianischer Komponist deutscher Herkunft, studierte an der Staatlichen Hochschule für Musik in Stuttgart (J. N. David) und übersiedelte 1951 nach São Paulo, wo er seine Studien bei Koellreutter vervollkommnete. Gegenwärtig ist er künstlerischer Direktor der von ihm mitgegründeten Escola de Música in Piracicaba. Er schrieb Orchesterwerke (Sinfonietta, 1957; *Intervalos* für Orch., 1961; Variationen für Kl. und Orch., 1956; Concertinos für Vc., Flöten und Streichorch., 1957, für Fl. und Streichorch., 1957, und für Horn und Streichorch., 1960; *Diálogo* für Git. und Streichorch., 1971; *Peça concertante* für Pk. und Blasorch., 1958), Kammermusik (2 Streichquartette, 1952 und 1967; Quartett für Fl., Ob., Klar. und Fag., 1968; Trios und Sonaten in verschiedener Besetzung, Klavier- und Orgelwerke (Praeludium, Fuge und Toccata für Cemb., 1969; Sonaten für Kl., 1971, und für Org., 1971) sowie Vokalwerke (*Missa em mi* für 1st. Chor und Streichorch., 1962; *Salmo 148* für gem. Chor, Org. und Streichorch. oder gem. Chor und Orch., 1970; *Missa pentatônica* für Chor a cappella, 1972; *3 poesias de Cecília Meirelles* für St., Fl., Ob. und Kl., 1968).

Mahler, Fritz, * 16. 7. 1901 zu Wien, † 18. 6. 1973 zu Winston-Salem (N. C.); österreichisch-amerikanischer Dirigent, Neffe von Gustav M., studierte Komposition bei Schönberg, Berg und Webern, Dirigieren bei Reichwein sowie 1920–24 Musikwissenschaft bei G. Adler an der Universität in Wien. Er dirigierte das Orchester der Wiener Volksoper und das Radioorchester in Kopenhagen (1930–35). Ab 1936 lehrte er an der Juilliard Summer School in New York und leitete 1947–53 das Philharmonic Orchestra in Erie (Pa.). 1953 wurde er Dirigent des Hartford Symphony Orchestra (Conn.). M. gastierte u. a. beim Maggio Musicale Fiorentino sowie in London, Budapest und Warschau.

+Mahler, Gustav, 1860–1911.
Der Komponist und Dirigent M. ist als Reformator der

Opernbühne, als früher Vollstrecker der Idee vom Gesamtkunstwerk und der Konzeptionen A. Appias weniger bekannt geworden, jedoch nicht weniger bedeutend. Die Neuerungen, die M. als Direktor der Wiener Hofoper (1897–1907) durchsetzte, beruhten auf langjähriger, zuvor in Leipzig, Budapest und Hamburg gesammelter Theatererfahrung. Er verschärfte die Probenarbeit, führte Soloproben ein, versuchte das Sängerpersonal einschließlich des Chores aus der routinierten Haltungs- und Agierschablone zu befreien und im dramatischen Ausdruck zu schulen; darstellerische Intensität galt ihm mehr als bloße stimmliche Perfektion. Auf der Suche nach geeigneten Sänger-Darstellern hat er zahllose Gäste erprobt und größtenteils »verworfen«; Künstler wie Selma Kurz, Anna von Mildenburg, Marie Gutheil-Schoder, L. Slezak und Richard Mayr verdanken ihm indessen Entdeckung und außerordentliche künstlerische Förderung. Gewissenhaft führte er einen strichlosen Wagner, einen von Sängereitelkeiten gereinigten Mozart auf (er strich allerdings im *Don Giovanni* das Schlußsextett und fügte im *Fidelio* vor dem letzten Bild, um eine Pause während des langwierigen Umbaus zu vermeiden, die 3. Leonoren-Ouvertüre ein). – 1903 erlebte die Wiener Hofoper eine rigorose Szenenreform, als der Maler und Graphiker A. → Roller mit der Bühnengestaltung zu einem von M. dirigierten *Tristan* beauftragt wurde und, unter Verzicht auf realistische Details, mit kraftvollen Farb- und Lichtwirkungen das geforderte optische Gegenstück zur Partitur fand. In nun stetiger Zusammenarbeit bauten M. und Roller alles »Ausstattungshafte« und nur Dekorative ab, konzentrierten Linien und Formen, setzten Licht und Farbe im Sinne einer aus der Musik erwachsenen Vision bedeutsam ein und suchten die komplementären Elemente Wort, Ton, Gebärde und Bild zur Einheit zu verdichten.

M.s fanatischer Einsatz galt dem gesamten, ständig erweiterten und auch Novitäten (R. Strauss, *Feuersnot*, 1902; H. Wolf, *Der Corregidor*, 1904; H. Pfitzner, *Die Rose vom Liebesgarten*, 1905) aufgeschlossenen Repertoire; dessen Schwerpunkte bildeten sich schon vor und um 1900 mit Wagner (*Lohengrin* und *Der fliegende Holländer*, 1897; *Rienzi*, 1901), Verdi (»Ein Maskenball«, 1898; *Rigoletto*, 1899; »Der Troubadour«, 1900) und Mozart (*Così fan tutte*, 1900) heraus. 1904 brachte M. Webers *Euryanthe* mit einem selbstverfaßten Text, den ersten *Falstaff* in deutscher Sprache und seine berühmt gewordene Einstudierung des *Fidelio* auf die Bühne. *Das Rheingold* (1905) und *Die Walküre* (1907) legten den Grund zu einer neuen Konzeption der *Ring*-Tetralogie, die jedoch unvollendet blieb. Zu Mozarts 150. Geburtstag wurde ein Aufführungszyklus mit *Don Giovanni* und *Così fan tutte* (beide Neuinszenierungen 1905), *Die Entführung aus dem Serail*, »Die Hochzeit des Figaro« (mit bedrohlich zugespitzten Revolutionssymptomen) und *Die Zauberflöte* (alle 1906) veranstaltet. Bevor Intrigen und Widerstände seiner Direktionszeit ein Ende setzten, brachte M. 1907 noch »Othello« von Verdi und, als letzte Neuinszenierung, »Iphigenie in Aulis« von Gluck zur Aufführung. **KDG**
M.s frühe Kompositionen, z. T. wohl nur Entwürfe und Skizzen, sind entweder vernichtet (Kompositionen für Kl., 1870–75; Violinsonate und Fragment eines Klavierquartettsatzes G moll, 1876; »Conservatoire« Symphonie, 1877[?]; Klavierquintett und Suite für Kl., 1876–78[?]; Oper *Herzog Ernst von Schwaben*, Libretto J. Steiner nach Uhland[?], 1877/78[?]; Klavierquartett und Satz für Streich- oder Klavierquartett, 1879[?]; Oper *Die Argonauten*, eigener Text nach Grillparzer[?], 1880[?]; *Nordische Symphonie* oder *Suite*, 1882[?]; Mär-

chenoper *Rübezahl*, eigener Text, 1879[?]–83) oder verloren (Musik zu lebenden Bildern nach J. V. v. Scheffels *Trompeter von Säckingen*, Kassel 1884) oder auch bisher unveröffentlicht (Klavierquartett A moll, 1. Satz, 1876; 3 Liedfragmente, 1876–78[?]; 3 Lieder für T. und Kl. auf eigene Texte: *Im Lenz*, *Winterlied* und *Maitanz im Grünen*, eine frühe Fassung von *Hans und Grete* [s. u.], 1880; Fragment eines Scherzos A dur für Kl. 4händig, eine Skizze zur 1. Symphonie, 1880–83[?]; Symphonie A moll, 3 Sätze, 1882/83). Das eigentliche Œuvre setzt ein mit dem *Klagenden Lied* (+Briefe, 1924, S. 201: »Mein erstes Werk, in dem ich mich als ‚Mahler‘ gefunden habe ... Dieses Werk bezeichne ich als opus 1.«).

Die im folgenden gegebenen Entstehungszeiten bedeuten keineswegs das Ende der Beschäftigung M.s mit dem Material: Das Autograph bildet nur den Ausgangspunkt für eine schrittweise Verfeinerung, deren Ergebnisse in den verschiedenen Druck- und Aufführungsfassungen sichtbar werden. Es handelt sich dabei weniger um Eingriffe in die Struktur (Satzumstellungen, Striche, Neukomposition) als um einen Prozeß klanglicher Klärung und Kondensierung, der bei fast jeder neuen Aufführung zu neuen Varianten und Retuschen der Instrumentation führte (teils auch auf Grund spezieller Aufführungsprobleme und somit nicht unbedingt als Fassung letzter Hand anzusehen). Besonders aufschlußreich wie problematisch sind in diesem Sinne die späten Revisionen der 4. und der wiederholt völlig neu instrumentierten 5. Symphonie (1910/11). – M.s Lieder (von den *Liedern und Gesängen aus der Jugendzeit* für Singst. und Kl. abgesehen) liegen alle in Fassungen mit Kl. und mit Orch. vor; die Texte, von M. oft tiefgreifend umgestaltet (bis zur Neudichtung), stammen, wenn nicht anders angegeben, aus A. v. Arnims und Cl. Brentanos Sammlung *Des Knaben Wunderhorn*.

Werke: *Das klagende Lied* für S., A., T., gem. Chor und Orch. (eigener Text nach dem gleichnamigen Märchen von Ludwig Bechstein und dem Märchen *Der singende Knochen* der Gebrüder Grimm; 1. Fassung mit Baß 1878–80 als »Märchenspiel« mit den Teilen *Waldmärchen*, *Der Spielmann* und *Hochzeitsstück*, 1888 Streichung des 1. Teils und Umarbeitung der beiden anderen, 1898 deren nochmalige Revision für den Druck); *Lieder und Gesänge aus der Jugendzeit* (*Frühlingsmorgen* und *Erinnerung* nach R. Leander; *Hans und Grete* nach einem Volkslied; *Serenade* und *Phantasie* aus Tirso de Molinas *Don Juan*; 1880–83); *Lieder eines fahrenden Gesellen* (*Wenn mein Schatz Hochzeit macht* nach *Des Knaben Wunderhorn*; *Ging heut' morgen über's Feld*, *Ich hab' ein glühend Messer*, *Die zwei blauen Augen* auf eigene Texte; 1883–85, in einer früheren Fassung 6 Lieder mit Kl.); 1. Symphonie D dur (1884–88, Uraufführung Budapest 1889 als »Symphonische Dichtung in zwei Teilen«; Hbg 1892 und Weimar 1894 als *Titan*, nach dem Roman von Jean Paul, mit der Abteilung *Aus den Tagen der Jugend*: 1. Satz *Frühling und kein Ende*, 2. Satz *Bluminenkapitel*, 3. Satz *Mit vollen Segeln*, und der Abteilung *Commedia umana*: 4. Satz *Gestrandet. Ein Totenmarsch in Callots Manier*, 5. Satz *Dall'inferno al paradiso*; bei der Berliner Aufführung 1896 wieder ohne Titel und Programm; beim Druck 1899 Streichung des 2. Satzes); *Lieder und Gesänge aus der Jugendzeit* (*Um schlimme Kinder artig zu machen*, *Ich ging mit Lust durch einen grünen Wald*, *Aus! Aus!*, *Starke Einbildungskraft*, *Zu Straßburg auf der Schanz'*, *Ablösung im Sommer*, *Scheiden und Meiden*, *Nicht wiedersehen!* und *Selbstgefühl*; 1888–92); 5 Humoresken (*Der Schildwache Nachtlied*, *Verlorne Müh'*, *Trost im Unglück*, *Das himmlische*

Leben und *Wer hat dies Liedlein erdacht*; 1892), 4 Lieder (*Lied des Verfolgten im Turm*, *Lob des hohen Verstandes*, *Rheinlegendchen* und *Wo die schönen Trompeten blasen*; 1892/93) und 2 Lieder (*Urlicht* und *Des Antonius von Padua Fischpredigt*; 1893/94), alle im Druck (1900 Klavierfassung, 1905 Orchesterfassung) zusammengefaßt als 12 *Lieder aus Des Knaben Wunderhorn* (mit *Es sungen drei Engel* ... [s. u.] und *Das irdische Leben*, 1893, an Stelle von *Das himmlische Leben*); 2. Symphonie C moll für S., A., gem. Chor und Orch. (3. Satz = instrumentale Bearb. von *Des Antonius* ..., 4. Satz nach *Urlicht*, 5. Satz nach Klopstocks Ode *Aufersteh'n, ja aufersteh'n*; 1887–94); Lieder *Was mir die Morgenglocken erzählen* (Textdichter unbekannt, 1895, unveröff.) und *Es sungen drei Engel einen süßen Gesang* (1895); 3. Symphonie D moll für A., Frauenchor, Knabenchor und Orch. (4. Satz nach Worten aus Nietzsches *Also sprach Zarathustra*, 5. Satz nach *Es sungen drei Engel* ...; 1895/96); 2 Lieder (*Revelge* und *Der Tambourg'sell*; 1899); 4. Symphonie G dur für S. und Orch. (4. Satz nach *Das himmlische Leben*; 1899–1901); *Kindertotenlieder* (Rückert: *Nun will die Sonn' so hell aufgeh'n*, *Nun seh' ich wohl, warum so dunkle Flammen*, *Wenn dein Mütterlein*, *Oft denk' ich, sie sind nur ausgegangen* und *In diesem Wetter*; 1901–04); 5 Lieder (Rückert: *Blicke mir nicht in die Lieder!*, *Ich atmet' einen linden Duft*, *Ich bin der Welt abhanden gekommen*, *Um Mitternacht* und *Liebst du um Schönheit*; 1901–04, gedruckt 1905 mit *Revelge* und *Der Tambourg'sell* als 7 *Lieder aus letzter Zeit*); 5. Symphonie Cis moll (1901/02); 6. Symphonie A moll (1903/04); 7. Symphonie E moll (1904/05); 8. Symphonie Es dur für 3 S., 2 A., T., Bar., B., Knabenchor, 2 gem. Chöre und Orch. (genannt »Symphonie der Tausend« wegen der 1030 Mitwirkenden bei der Uraufführung München 1910, mit den Teilen Hymnus *Veni, creator spiritus* und Schlußszene aus Goethes *Faust*, 2. Teil; 1906/07); *Das Lied von der Erde*, eine »Symphonie« für T., A. (oder Bar.) und Orch. (nach chinesischen Gedichten in der Übertragung von Hans Bethge aus dessen Sammlung *Die chinesische Flöte*; 1907/08); 9. Symphonie D dur (1908/09); 10. Symphonie Fis dur (Adagio, 1910; *Purgatorio* als Partiturentwurf; 3 weitere Sätze als Particell und Skizzen. Versuche, einzelne Sätze bzw. die Symphonie zu vollenden, wurden unternommen von Křenek bzw. D. Cooke mit B. Goldschmidt); ferner Bearbeitungen von Webers Opern *Die drei Pintos* (Lpz. 1888), *Euryanthe* (Wien 1904) und *Oberon*, Mozarts »Die Hochzeit des Figaro« (Wien 1906) sowie Uminstrumentierungen Bachscher Suiten und der Symphonien von Beethoven und Schumann (1909/10).

Seine Frau Alma Maria Mahler-Werfel (geborene Schindler, * 31. 8. 1879 zu Wien, [erg.:] † 13. 12. 1964 zu New York. +*G. M.*, *Erinnerungen und Briefe* (1940), ital. = La cultura. Storica, critica, testi XXVIII, Mailand 1960, erweiterte Aufl. der engl. Ausg. (1946) hrsg. von D. Mitchell, London und Seattle (Wash.) 1968, NY 1969, dt. = *A. M.-W.*, *Erinnerungen an G. M.* | *G. M.*, *Briefe an A. M.*, Ffm. 1971; +*And the Bridge is Love* (1958), deutsch als *Mein Leben*, Ffm. 1960 und Stuttgart 1962, auch = Fischer-Bücherei Bd 545, Ffm. 1963.

Ausg.: Sämtliche Werke, hrsg. v. E. Ratz, bisher erschienen: Bd I, Symphonie Nr 1, Wien 1967; Bd II, Symphonie Nr 2, ebd. 1971; Bd IV, Symphonie Nr 4, London 1963; Bd V, Symphonie Nr 5, Ffm. 1964; Bd VI, Symphonie Nr 6, Lindau 1963; Bd VII, Symphonie Nr 7, Bln 1960; Bd IX, Das Lied v. d. Erde, Wien 1962; Bd X, Symphonie Nr 9, ebd. 1969; Bd XIa, Adagio aus d. Symphonie Nr 10, ebd. 1964, revidiert 1969. – Weitere Ausg. (hrsg. v. H. F. Redlich): Kindertotenlieder. = Ed. Eulenburg Nr 1060, London 1961; Symphonie Nr 1, ebd. 570, Zürich

1964, NA 1966; Symphonie Nr 4, ebd. 575, London 1967; Symphonie Nr 6, ebd. 586, Zürich 1968; Symphonie Nr 7, ebd. 492, London 1961, revidiert 1965. – X. Symphonie, Faks. nach d. Hs. hrsg. v. E. RATZ, München u. Meran 1967. – H. F. REDLICH, G. M., Probleme einer kritischen GA, Mf XIX, 1966.
+Briefe (A. M. MAHLER, 1924), Nachdr. Hildesheim 1969. – Dopisy (»Briefe«), hrsg. v. FR. BARTOŠ, = Paměti, korespondence, dokumenty XXVIII, Prag 1962; Pisma. Wospominanija (»Briefe. Erinnerungen«), hrsg. v. I. BARSOWA, Moskau 1964. – weitere Briefe u. Dokumente u. a. in: ÖMZ XII, 1957, S. 63f.; Musica XII, 1958, S. 592ff., u. XIV, 1960, S. 533f.; Magyar zene I, 1960, S. 299ff., u. StMI I, 1961, S. 475ff. (Beziehungen zu F. Erkel); NZfM CXXI, 1960, S. 237f.; FAM XIII, 1966, S. 33ff.; Musikerziehung XXIV, 1970/71, S. 69ff. u. 111ff. (Briefwechsel mit Pfitzner über »Die Rose v. Liebesgarten«).
Lit.: G. M. u. seine Zeit, Ausstellungskat. hrsg. v. FR. HADAMOWSKY, Wien 1960 (mit Anh. v. H. Haupt, G. M.s Leben u. Werk). – M.-Sonder-H.: Musica XIV, 1960, H. 6; ÖMZ XV, 1960, H. 6; L'approdo mus. 1963, Nr 16/17; Musik u. Bildung V, 1973, H. 11; Aufsatzfolgen in: NZfM CXXI, 1960, H. 8, u. CXXVIII, 1967, H. 11, u. in: Chord and Discord 1963, Nr 10. – G. M., Tübingen 1966 (Beitr. v. Schönberg, Bloch, Klemperer u. a.). – Diskographisches in: Musikhandel XI, 1960, S. 362f. (zu M.s Klavierspiel); G. FIERZ in: SMZ C, 1960, S. 185ff. (zu d. Symphonien); D. MITCHELL in: ML XLI, 1960, S. 156ff. – W. REICH, Musikkritik aus »Des Knaben Wunderhorn«, ÖMZ XXIII, 1968.
+H. F. REDLICH, Bruckner and M. (= The Master Musicians o. Nr, 1955), revidiert London u. NY 1963; +P. BEKKER, G. M.s Sinfonien (1921), Nachdr. Tutzing 1969; +G. ABRAHAM, An Outline of M. (1932), Wiederabdruck in: Slavonic and Romantic Music, London 1968; +G. ENGEL, G. M., Song-Symphonist (1932), Nachdr. NY 1970; +BR. WALTER, G. M. (1936), Nachdr. d. Ausg. NY 1941, NY 1970, tschechisch (mit einer Briefausw. u. a.) hrsg. v. Fr. Pekelská, Prag 1958; +N. LOESER, G. M. (1950), = Gottmer-muziek-pockets XXI, Haarlem 1958. R. SPECHT, G. M., = Moderne Essays LII, Bln 1905, andere Ausg. Bln 1913 u. 1918 (5.–8. Aufl.) sowie = Klassiker d. Musik o. Nr, Stuttgart 1925 (17. u. 18. Aufl.); L. KARPATH, Begegnung mit d. Genius, Wien 1934; K. PH. BERNET-KEMPERS, M. u. W. Mengelberg, Kgr.-Ber. Wien Mozartjahr 1956; PH. T. BARFORD, M. Today, MR XVIII, 1957; DERS., M., a Thematic Archetype, MR XXI, 1960; ZD. NEJEDLÝ, G. M., Prag 1958; M. RUBIN, G. Maler, kompozitor-gumanist, SM XXII, 1958, tschechisch gekürzt in: Hudební rozhledy XIII, 1960, S. 515ff.; I. F. FINLAY, G. M. in England, in: The Chesterian XXXIV, 1959; TH. W. ADORNO, M., Eine mus. Physiognomik, = Bibl. Suhrkamp LXI, Ffm. 1960, ²1964, ital. (zusammen mit »Wagner«) Turin 1962, mit »Wagner« u. »Berg« = Gesammelte Schriften XIII, Ffm. 1971; D. COOKE, G. M., London 1960; F. HEINLEIN in: Rev. mus. chilena XIV, 1960, Nr 72, S. 8ff.; O. KLEMPERER, Meine Erinnerungen an G. M. u. andere autobiogr. Skizzen, = Atlantis-Musikbücherei o. Nr, Zürich 1960, ungarisch Budapest 1964, engl. erweitert als: Minor Recollections, London 1964; E. LOCKSPEISER, M. in France, MMR XC, 1960; I. WL. NESTJEW, Zametki o Malera (»Notizen zu M.«), SM XXIV, 1960; F. SOPEŇA, Introducción a M., Madrid 1960; R. STILL, G. M. and Psychoanalysis, in: American Imago XVII, 1960; H. TRAMER, Ungekannte u. Umgetaufte, Bull. of the L. Baeck-Inst. III, 1960 (Beziehungen G. M. – G. Aschenbach in Th. Manns »Tod in Venedig«); D. MITCHELL, G. M., Prospect and Retrospect, Proc. R. Mus. Ass. LXXXVII, 1960/61; M. BROD, G. M., Beispiel einer deutsch-jüdischen Symbiose, = Vom Gestern zum Morgen XIII, Ffm. 1961; D. KERNER, G. M.s Ende, NZfM CXXII, 1961; W. RITTER, Souvenirs sur G. M., SMZ CI, 1961; E. WELLESZ, Reminiscences of M., in: The Score 1961, Nr 28; DERS., Erinnerungen an G. M. u. A. Schönberg, in: Orbis musicae I, (Tel Aviv) 1971; U. DUSE, G. M., = Istituto di storia della musica dell'Univ. di Palermo o. Nr, Padua 1962; R. LEIBOWITZ, Les paradoxes de G. M., Cahiers du Sud XLIX, 1962/63; G. BĂLAN, G. M. sau cum exprimă muzica idei (»G. M. oder d. mus. Darstellung d. Idee«), = Clasicii muzicii universale

o. Nr, Bukarest 1964; N. CARDUS, G. M., His Mind and His Music, bisher Bd I, London u. NY 1965 (zur 1.–5. Symphonie); T. GEDEON u. M. MÁTHÉ, G. M., Budapest 1965; M. VIGNAL, M., = Solfèges XXVI, Paris 1966; W. ZILLIG, Von Wagner bis Strauss, München 1966; JE. MNAZAKANOWA, G. Maler. Natschalo puti (»Der Anfang d. Weges«), in: Ot Ljulli do naschich dnej, Fs. L. A. Masel, Moskau 1967; K. L. ROSENSCHILD, Is Malerowskich wremen, SM XXXI, 1967, deutsch als: Zu M.s Zeiten, in: Sowjetwiss., Kunst u. Lit. XV, 1967; DR. CVETKO, G. M.s Saison 1881–82 in Laibach (Slovenien), in: Musik d. Ostens IV, Kassel 1968; G. HEMPEL, Eine Episode aus d. Kapellmeistertätigkeit G. M.s in Lpz., in: Arbeitsber. zur Gesch. d. Stadt Lpz. XIV, 1968; H. KRALIK, G. M., hrsg. v. Fr. Heller, = Österreichische Komponisten d. XX. Jh. XIV, Wien 1968; D. KUČEROVÁ, G. M. a Olomouc (»G. M. u. Olmütz«), in: Hudební věda V, 1968; W. F. MOONEY, G. M., A Note on Life and Death in Music, Psychoanalytic Quarterly XXXVII, 1968; B. PAUMGARTNER, Erinnerungen an G. M., ÖMZ XXIII, 1968; K. BLAUKOPF, G. M. oder Der Zeitgenosse d. Zukunft, = Glanz u. Elend d. Meister o. Nr, Wien 1969, Neuaufl. als Taschenbuch = dtv Bd 950, München 1973; H.-L. DE LA GRANGE, M. prigioniero della leggenda, nRMI III, 1969, engl. als: Mistakes About M., in: Music and Musicians XXI, 1972/73; J. WILLIAMS, M., London 1969; J. FREYENFELS, M. u. d. »fesche Pepi«, NZfM CXXXII, 1971 (zu M. u. Hellmesberger); A. MANDELLI in: Rass. mus. Curci XXIV, 1971, H. 2, S. 6ff. (zu Viscontis Verfilmung v. Th. Manns »Tod in Venedig«); W. SCHREIBER, G. M. in Selbstzeugnissen u. Bilddokumenten, = Rowohlts Monographien Bd 181, Reinbek bei Hbg 1971; G. ZÀCCARO, G. M., Studio per un'interpretazione, Mailand 1971; A. MAHLER, G. M. u. seine Heimat, Mf XXV, 1972, tschechisch in: Hudební rozhledy XXVI, 1973, S. 85ff.; E. R. REILLY, M. and G. Adler, MQ LVIII, 1972; I. BARSOWA, Maler w kontexte wremeni (»M. im Kontext d. Zeit«), SM XXXVII, 1973.
E. PIRCHAN, A. WITESCHNIK u. O. FRITZ, 300 Jahre Wiener Operntheater, Wien 1953; L. KITZWEGERER, A. Roller als Bühnenbildner, Diss. ebd. 1959; E. WELLESZ, G. M. u. d. Wiener Oper, in: Die Neue Rundschau LXXI, 1960; I.-M. KÜGLER, »Der Ring d. Nibelungen«, Diss. Köln 1967 (darin zu M.s u. Rollers Zusammenarbeit an d. Wiener Hofoper); H. C. SCHONBERG, The Great Conductors, NY 1967, London 1968, deutsch als: Die großen Dirigenten, Bern 1967, auch = List Taschenbücher Bd 391, München 1973; ST. STOMPOR, G. M. als Dirigent u. Regisseur. Ein Beitr. zur Gesch. d. Operninterpretation, Jb. d. Komischen Oper Bln VIII, 1967/68; B. PAUMGARTNER, G. M.s Bearb. v. Mozarts »Così fan tutte« f. seine Aufführungen an d. Wiener Hofoper, in: Musik u. Verlag, Fs. K. Vötterle, Kassel 1968; I. SCHARBERTH, G. M.s Wirken am Hamburger Stadttheater, Mf XXII, 1969; G. KL. KENDE, G. M.s Wiener »Figaro«, Acta Mozartiana XVIII, 1971, u. ÖMZ XXVI, 1971.
M. CARNER, Of Men and Music, London 1944 (zum »Lied v. d. Erde« u. d. Bearb. d. Schumann-Symphonien; d. Beitr. zur Schumann-Bearb. ital. in: L'orch., Gedenkschrift G. Marinuzzi, Florenz 1954, S. 23ff.); E. STEIN, Orpheus in New Guises, London 1953; J. DIETHER, M. and Atonality, MR XVII, 1956; DERS. in: MR XXIX, 1968, S. 268ff. (zum »Klagenden Lied«); DERS., Notes on Some M. Juvenilia, in: Chord and Discord III, 1969; H. RAYNOR, Walter, Klemperer and the »Song of the Earth«, in: The Chesterian XXXII, 1958; H. F. REDLICH, The Creative Achievement of G. M., MT CI, 1960; DERS. in: The Chesterian XXXV, 1961, S. 77ff. (zur 3. Symphonie); DERS. in: H. Albrecht in memoriam, Kassel 1962, S. 246ff. (zum »Lied v. d. Erde« u. d. 9.–10. Symphonie); DERS., M.'s Enigmatic »Sixth«, Fs. O. E. Deutsch, Kassel 1963; K. SCHUBERT, Vom Wesen d. Sinfonik G. M.s, MuG X, 1960; S. VESTDIJK, M., Over de structuur v. zijn symfonisch œuvre, Den Haag 1960; U. DUSE, Studio sulla poetica liederistica di G. M., Atti dell'Istituto veneto di scienze, lettere ed arti CXIX, 1960/61, revidiert in: Musica e cultura. Quattro diagnosi, Padua 1967; D. COOKE in: MT CII, 1961, S. 351ff., u. in: Essays on Music, hrsg. v. F. Aprahamian, London 1967, S. 146ff. (zur 10. Symphonie); E. KLEMM, Notizen zu M., Fs. H. Besseler, Lpz. 1961;

DERS., Über ein Spätwerk G. M.s, DJbMw VI, 1961; W. VETTER, G. M.s sinfonischer Stil, ebd.; E. KLUSEN, G. M. u. d. böhmisch-mährische Volkslied, Kgr.-Ber. Kassel 1962; DERS., G. M. u. d. Volkslied seiner Heimat, JIFMC XV, 1963; W. MATLOCH in: MR XXIII, 1962, S. 292ff. (zur 10. Symphonie; vgl. dazu D. Cooke in: MR XXIV, 1963, S. 95f.); S. SLONIMSKIJ, »Pesn o semle« G. Malera i woprossy orkestrowoj polifonii (»G. M.s ,Lied v. d. Erde' u. Probleme d. Orch.-Polyphonie«), in: Woprossy sowremennoj musyki, hrsg. v. M. S. Druskin, Leningrad 1963; J. MATTER, Strauss et M., SMZ CIV, 1964; CL. MEYLAN, ebd. S. 357ff. (zur 10. Symphonie); P. MYLEMANS, Orkestliederen v. G. M., = Leren luisteren VIII, Antwerpen 1964; M. MANN, Eine unbekannte »Quelle« zu Th. Manns »Zauberberg«, Germanisch-romanische Monatsschrift, N. F. XV, 1965 (M.s »Lied v. d. Erde« als Quelle zu Castorps Schneetraum); L. PINZAUTI in: L'approdo mus. 1965, Nr 19/20, S. 196ff., u. CH. REID in: MR XXVI, 1965, S. 318ff. (zur 10. Symphonie); R. STEPHAN, G. M., IV. Symphonie G-Dur, = Meisterwerke d. Musik V, München 1966; DERS. in: Neue Wege d. mus. Analyse, = Veröff. d. Inst. f. Neue Musik u. Musikerziehung Darmstadt VI, Bln 1967, S. 23ff. (zur 4. Symphonie, mit Anh. über d. verschiedenen Druckfassungen); L. U. ABRAHAM, Zur Harmonik in G. M.s Vierter Symphonie, ebd.; W. ROSENBERG, Warum M. keine Oper schrieb. Über Wortklang u. Wortsemantik bei G. M., in: Neues Forvm XIV, 1967; TH. W. ADORNO, Zu einer imaginären Ausw. v. Liedern G. M.s, in: Impromptus, = Ed. Suhrkamp Bd 267, Ffm. 1968; D. DE LA MOTTE, Mus. Analyse, 2 Bde, Kassel 1968 (zum 4. Satz d. 7. Symphonie); E. RATZ, Mus. Form in G. M., MR XXIX, 1968; L. MICHEJEWA, Tematitscheskije swjasi i samyssel I–IV simfonij Malera (»Thematische Verbindungen u. Grundgedanken . . .«), in: Woprossy teorii i estetiki musyki IX, hrsg. v. L. N. Raaben, Leningrad 1969; PH. BARFORD, M. Symphonies and Songs, = BBC Music Guides XII, London 1970 u. Seattle (Wash.) 1971; D. MITCHELL, M.'s Waldmärchen, MT CXI, 1970; E. RESTAGNO in: Musicalia I, (Genua) 1970, H. 1, S. 26ff. (zum »Lied v. d. Erde«); Z. ROMAN, M.'s Songs and Their Influence on His Symphonic Thought, 2 Bde, Diss. Univ. of Toronto 1970; DERS., Connotative Irony in M.'s »Todtenmarsch in ,Callots Manier'«, MQ LIX, 1973; P. GRANT, Bruckner and M., The Fundamental Dissimilarity of Their Styles, MR XXXII, 1971; S. O'BRIEN, The »Programme« Paradox in Romantic Music as Epitomized in the Works of G. M., in: Studies in Music V, 1971; H. OSTHOFF in: AfMw XXVIII, 1971, S. 217ff. (zur 1. Symphonie); M. TIBBE, Über d. Verwendung v. Liedern u. Liedelementen in instr. Symphoniesätzen G. M.s, = Berliner mw. Arbeiten I, München 1971; P. ANDRASCHKE, G. M.s IX. Symphonie. Kompositionsprozeß u. Analyse, Diss. Freiburg i. Br. 1972; I. BARSOWA, Problemy formy w rannich simfonijach G. Malera (»Formprobleme in d. frühen Symphonien G. M.s«), in: Woprossy musykalnoj formy II, Moskau 1972; W. DÖMLING, Collage u. Kontinuum. Bemerkungen zu G. M. u. R. Strauss, NZfM CXXXIII, 1972; W. ROSENBERG in: Musica XXVI, 1972, S. 119ff. (zum »Klagenden Lied«); G. TIMOSCHTSCHENKOWA, Strofitscheskaja wariantnaja forma u Malera (»Die strophische Variationsform bei M.«), SM XXXVI, 1972; T. KNEIF, Collage oder Naturalismus? Anm. zu M.s »Nachtmusik I«, NZfM CXXXIV, 1973. P. NETTL, A. M., Her Life with the Composer, The American-German Rev. XXV, 1958/59; H. FÄHNRICH, Musik u. Musiker in A. M.-Werfels »And the Bridge is Love«, NZfM CXX, 1959.

Mahling, Christoph-Hellmut, * 25. 5. 1932 zu Berlin; deutscher Musikforscher, studierte Musik und Musikwissenschaft in Trossingen, Tübingen und Saarbrücken, wo er 1962 mit *Studien zur Geschichte des Opernchors* (Trossingen 1962) promovierte. 1963 wurde er Assistent am Musikwissenschaftlichen Institut der Universität des Saarlandes in Saarbrücken. Er habilitierte sich dort 1972 mit einer Arbeit über *Orchester und Orchestermusiker in Deutschland von 1700 bis 1850* und wurde zum Wissenschaftlichen Rat und Professor ernannt. Seit 1968 ist er gemeinsam mit Finscher

Schriftleiter der Zeitschrift *Die Musikforschung* (Mf). Er schrieb (Auswahl): *Zur Geschichte des Theaterchors in Kassel* (Mf XVIII, 1965); *Zur Soziologie des Chorwesens* (Fs. J. Müller-Blattau, = Saarbrücker Studien zur Musikwissenschaft I, Kassel 1966); *Das »Haus der Musikanten« in Reims. Versuch einer ikonographischen Deutung* (Fs. W. Wiora, ebd. 1967); *Mozart und die Orchesterpraxis seiner Zeit* (Mozart-Jb. 1967); *Münchener Hoftrompeter und Stadtmusikanten im späten 18. Jh.* (Zs. für bayerische Landesgeschichte XXXI, 1968); *Verwendung und Darstellung von Volksmusikinstrumenten in Werken von Haydn bis Schubert* (Jb. des österreichischen Volksliedwerkes XVII, 1968); *Typus und Modell in Opern Mozarts* (Mozart-Jb. 1968/70); *Herkunft und Sozialstatus des höfischen Orchestermusikers im 18. und frühen 19. Jh. in Deutschland* (in: Der Sozialstatus des Berufsmusikers vom 17. bis 19. Jh., hrsg. von W. Salmen, = Musikwissenschaftliche Arbeiten XXIV, Kassel 1971); *Die Gestalt des Osmin in Mozarts »Entführung«. Vom Typus zur Individualität* (AfMw XXX, 1973). M. edierte (mit H. Kühn) *Historische und Systematische Musikwissenschaft. Ausgewählte Aufsätze von W. Wiora* (Tutzing 1972). In der Neuen Mozart-Ausgabe gab er (mit Fr. Schnapp) einen Band *Orchesterwerke* heraus (= IV, 11, Bd 6, Kassel 1970).

+Maḥmūd ibn Masʿūd ibn Muṣliḥ. [del. früherer Artikel.] → Quṭbaddīn aš-Šīrāzī.

+Mahrenholz, Christhard (Christian Reinhard), * 11. 8. 1900 zu Adelebsen (bei Göttingen).

M., seit 1960 Abt des (evangelischen) Klosters Amelungsborn (Kreis Holzminden), trat 1967 als Geistlicher Vizepräsident im hannoverschen Landeskirchenamt in den Ruhestand. Zu seinem 70. Geburtstag wurde er mit einer Festschrift geehrt (Kerygma und Melos, hrsg. von W. Blankenburg, H. v. Schade und K. Schmidt-Klausen, Kassel und Bln 1970, mit Bibliogr. 1960–70). – +*S. Scheidt, sein Leben und sein Werk* (1924), Nachdr. Farnborough 1968; +*Die Orgelregister . . .* (²1944), Nachdr. Kassel 1968; +*Die Berechnung der Orgelpfeifenmensuren* [erg.:] *vom Mittelalter bis zur Mitte des 19. Jh.* (1938), Nachdr. ebd. – Das +*Jahrbuch für Liturgik und Hymnologie,* das M. (mit K. Ameln und K. F. Müller) weiterhin herausgibt, lag 1972 im 17. Jg. vor. Vom +*Handbuch zum Evangelischen Kirchengesangbuch* (hrsg. mit O. Söhngen, Göttingen und Bln 1954ff. [nicht: 1956ff.]) ist mittlerweile erschienen: Bd I, Teil 1 (1954, 3. überarbeitete Aufl. 1970), Bd II, Teil 1–2 (1957), Sonder-Bd (1958), Bd III, Teil 1 (1970). M. ist ferner Mitherausgeber (mit K. Ameln und W. Thomas) des *Handbuchs der deutschen evangelischen Kirchenmusik* (Bd I, Teil 1–4, II, 1 und III, 1–2 [beide Teile noch unvollständig], Göttingen 1935ff.). – Weitere Veröffentlichungen: *Auswahl und Einordnung der Katechismuslieder in den Wittenberger Gesangbüchern seit 1529* (in: Gestalt und Glaube, Fs. O. Söhngen, Witten und Bln 1960); *Das Evangelische Kirchengesangbuch. Rückblick und Ausblick* (in: Kirchenmusik im Spannungsfeld der Gegenwart, hrsg. von W. Blankenburg, Fr. Hofmann und E. Hübner, Kassel 1968); *Die Compeniusorgel in Derneburg* (MuK XXXVIII, 1968); *Entwürfe zu neuen deutschen Texten für das gottesdienstliche Ordinarium* (MuK XL, 1970). Editionen: → +Scheidt-GA; J. Adlung, *Musica mechanica organoedi* (Faks. der Ausg. Bln 1768, = DMI I, 18, Kassel 1961); Dom Bedos de Celles, *L'art du facteur d'orgues* (Faks. der 4bändigen Ausg. Paris 1766–78, 3 Bde, ebd. I, 24–26, 1963–66). Lit.: J. G. MEHL in: Gottesdienst u. Kirchenmusik 1960, S. 104ff.; R. QUOIKA in: Ars org. VIII, 1960, S. 334ff.; W. REIMANN in: MuK 1960, S. 177ff.; A. STRUBE in: Der Kirchenmusiker XI, 1960, S. 153ff.; E. Weismann in: Württembergische Blätter f. Kirchenmusik XXVII, 1960, S. 65f.; O. Dietz in: Gottesdienst u. Kirchenmusik 1970, S. 136ff.

+Mahu, Stephan, [erg.:] vermutlich 1480/90 – nach 1541.

Maiguashca (maĭgŭ'aʃka), Mesías, * 24. 12. 1938 zu Quito; ekuadorianischer Komponist, studierte am Conservatorio Nacional de Música in Quito, setzte dann seine Studien an der Eastman School of Music in Rochester (N. Y.) und am Centro Latinoamericano de Altos Estudios Musicales (CLAEM) des Instituto Di Tella in Buenos Aires (1963–65) fort. Ab 1966 studierte er Elektronische Musik an der Staatlichen Hochschule für Musik in Köln. 1968 wurde er Assistent am elektronischen Studio des WDR in Köln. 1970 gehörte er der Gruppe von Musikern an, die unter der Leitung von K. Stockhausen auf der Weltausstellung in Osaka Elektronische Musik darboten. M. wurde dann wieder Mitarbeiter des Kölner Rundfunks. Von seinen Kompositionen seien genannt: Concertino für Klar. und Kammerorch. (1962); *Quiet Music* für Orch. (1963); Quartett Nr 1 für 2 V., Va und Vc. (1964) und Nr 2 für V., Va, Vc., Kb., Filter und Modulatoren (1970); *A Mouthpiece* für 6 Vokalisten mit Verstärkern (1970); ferner Musique concrète und Elektronische Musik (*Hör zu*, 1969, und *Ayayayayay*, 1971, für Tonband).
Lit.: Werkverz. in: Compositores de América XVII, Washington (D. C.) 1971.

Maillard (maj'a:r), Jean (Pseudonym Octave Morel), * 18. 4. 1926 zu Paris; französischer Musikforscher, studierte bei Chailley an der Pariser Universität, an der er 1963 zum Docteur ès lettres promovierte. Seine Stellungen als Lehrer für Musikgeschichte und -ästhetik an der Ecole de Musique in Fontainebleau (1954–68) und an der Schola Cantorum in Paris (1965–69) mußte er aus gesundheitlichen Gründen aufgeben. Neben zahlreichen Beiträgen für Zeitschriften (MD, Rev. de musicol., RBM) und Enzyklopädien (MGG, »Encyclopédie de la musique« [Fasquelle], »Dictionnaire de la musique« [Bordas], »Enciclopedia della Musica« [Ricordi]) veröffentlichte er u. a.: *Evolution et esthétique du lai lyrique des origines à la fin du XIVᵉ s.* (Paris 1963); *Lais et chansons d'Ernoul de Gastinois* (= MSD XV, Rom 1964); *Ph. de Vitry. Ars nova* (mit G. Reaney und A. Gilles, = CSM VIII, ebd.); *Anthologie de chants de troubadours* (Nizza und NY 1967); *Roi-trouvère du XIIIᵉ s., Charles d'Anjou* (= MSD XVIII, Rom 1967); *Anthologie de chants de trouvères* (mit J. Chailley, Paris 1969); *The Many Faces of Medieval Musicology* (in: Studies in Music IV, 1970).

+Maillart, Pierre, 1550–1622.
Sein Traktat, eine Quelle für die Einführung der Solmisation 1574 in Antwerpen, war im 17. Jh. im französischen Sprachgebiet weit verbreitet. M., zwar sehr belesen, aber wenig eigenständig, vertrat humanistische Auffassungen (Tyard). Er beeinflußte die französischen Musiktheoretiker, die von ihm die Unterscheidung der acht »tons de l'Eglise« von den zwölf »modes de musique« übernahmen.
Ausg.: Les tons, ou Discours sur les modes de musique, et les tons de l'Eglise, et la distinction entre iceux (1610), Faks.-Ausg. Genf 1972.
Lit.: H. Schneider, Die frz. Kompositionslehre in d. ersten Hälfte d. 17. Jh., = Mainzer Studien zur Mw. III, Tutzing 1972.

+Mainardi, Enrico, * 19. 5. 1897 zu Mailand.
M. hielt auch Meisterkurse beim Edinburgh-Festival, an der Sibelius-Akatemia in Helsinki, der Kungl. Mu-

sikaliska akademien in Stockholm und in Bonn (Internationale Meisterkurse). Mit dem Flötisten S. Gazzelloni und dem Pianisten G. Agosti bildet er ein Trio. Er lebt heute in Breitbrunn am Ammersee (Oberbayern). – Weitere Kompositionen: Konzert für 2 Vc. und Orch. (1969), Konzert (1966) und Divertimento (1972) für Vc. und Streichorch.; Streichquintett (1970), Klavierquartett (1968), Trio für Klar., Vc. und Kl. (1969); Bratschensonate (1968), 12 musikalische Puppenporträts *Burattini* für Vc. und Kl. (1968), *Elegische Phantasie* (1969) und 21 Etüden für Vc. solo; Lieder für Singst., Va und Kl. (Heym und Trakl, 1969).
Lit.: Fr. v. Hausegger in: Musica XI, 1957, S. 288f.; D. Lindner in: ÖMZ XII, 1957, S. 256f.; S. Palm in: NZfM CXXVIII, 1967, S. 203f.

+Maine, Basil Stephen, * 4. 3. 1894 zu Norwich, [erg.:] † 13. 10. 1972 zu Sheringham (Norfolk).
M. war Mitglied u. a. des Royal College of Organists. An neueren Kompositionen sind, neben Kirchenmusik, 3 *Blake Songs* für Frauen-St. und 2 Kl. (1967) sowie 3 Choralvorspiele für Org. (1971) zu nennen.

+Mainerio, Don Giorgio, um 1545(?) – [erg.:] 4. 5. 1582 zu Aquileia.
Ausg.: Il primo libro di balli (Venedig 1578), hrsg. v. M. Schuler, = MMD V, Mainz 1961.

+Mainwaring, John, 1735–1807.
Ausg.: Memoirs of the Life of the Late G. F. Handel, Faks. d. Ausg. London 1760, = Facsimiles of Early Biogr. II, Hilversum 1964.
Lit.: P. Kivy, M.'s »Handel«. Its Relation to Engl. Aesthetics, JAMS XVII, 1964; W. Dean, Ch. Jeunens's Marginalia to M.'s Life of Handel, ML LIII, 1972.

+Mainzer, Joseph, 1801–51.
Lit.: A. Thomas, J. M., Ein Trierer »Reformgeistlicher« u. bedeutender Musiker, Trierer theologische Zs. LVII, 1948; A. H. King, J. M. and the Mozart Family. A Postscript to the Clavier Duet K. 381, in: Mozart in Retrospect, London 1955; B. Rainbow, The Land Without Music. Mus. Education in England 1800–60 and Its Continental Antecedents, ebd. 1967; A. L. Ringer, S. Sulzer, J. M., and the Romantic a cappella Movement, StMl XI, 1969.

+Maio, Giovan (Gian) Tommaso di, [erg.:] † Januar 1563 zu Neapel.
M. ist ab 1548 als Organist in Neapel nachweisbar.
Lit.: +A. Einstein, The Ital. Madrigal (1949), Nachdr. Princeton (N. J.) 1970.

+Maison, René, * 24. 11. 1895 zu Frameries (Hennegau), [erg.:] † 15. 7. 1962 zu Le Mont-Dore (Puy-de-Dôme).
M., der ab 1943 als Gesangspädagoge tätig war, unterrichtete 1945–50 an der Juilliard School of Music in New York und ab 1957 an einer Schule in Boston.

Maiztegui (maĭθt'egŭi), Isidro B., * 14. 7. 1905 zu Gualeguay (Provinz Entre Ríos); argentinischer Komponist, studierte ab 1930 am Staatlichen Konservatorium in Buenos Aires. Er war stellvertretender Dirigent am Teatro Colón (1931–38), stellvertretender Direktor des Staatlichen Konservatoriums (1940–44) sowie Professor für Harmonielehre und Musikgeschichte an der Escuela Superior de Música der Universidad Nacional de Cuyo in Mendoza (1944–47). Seit 1970 lehrt er am Instituto Profesional de Arte Lírico in Buenos Aires. Er schrieb das Ballett *Levana y las tres tristezas* (Buenos Aires 1947), die szenische Kantate *Macías o Namorado* für S., T., gem. Chor und Orch. (auf einen Text eines galicischen Jongleurs des 15. Jh., 1956), Orchesterwerke (*Gran vals*, 1936), Solostücke für Harfe, Cembalo, Bandoneon, Gitarre und Klavier, Vokalwerke (*Salmo pluvial* für Singst., Fl., Ob., Fag. und Hf., 1945; *6 can-*

tares de memoria für Singst., Streichquartett, Holzbläserquartett und Hf., 1949; a cappella-Chöre und Lieder) sowie Bühnen- und Filmmusik.

+Majboroda, –1) Georgij Illarionowytsch, * 18. 11. (1. 12.) 1913 zu Pelechowschtschina (bei Gradischsk, Gouvernement Poltawa). M. schloß seine Studien 1946–49 [nicht: 1945–48] ab. – Weitere Werke: die Opern +*Milana* (Kiew 1957), *Arsenal* (ebd. 1960), *Taras Schewtschenko* (ebd. 1964) und *Jaroslaw Mudryj* (1972); symphonische Dichtungen *Lileja* (1939), *Guzulskaja rapsodija* (»Guzulische Rhapsodie«, 1949, 2. Fassung 1952), *Saporoschzy* (»Die Saporoger«, 1954) und *Korol Lir* (»King Lear«, 1959); Konzert für Stimme und Orch. (1969).
–2) Platon Illarionowytsch, * 1. 12. 1918 zu Pelechowschtschina. Er komponierte ferner die Kantate *Topolja* (»Die Pappeln«, 1965) und schrieb einige Aufsätze.
Lit.: zu –1): N. GERASSIMOWA, O twortschestwe G. M.y (»Über G. M.s Schaffen«), SM XXI, 1957, auch in: Ukrainskaja sowjetskaja musyka, hrsg. v. L. B. Archimowytsch u. a., Kiew 1960; M. M. GORDIJTSCHUK, G. I. M., ebd. 1963; JU. W. MALYSCHEW, Pewez Ukrainy (»Ein Sänger d. Ukraine«), SM XXVII, 1963; K. SAKWA in: SM XXIX, 1965, H. 9, S. 55ff. (zu »Taras Schewtschenko«). – zu –2): M. M. GORDIJTSCHUK, Pesni Pl. M.y (»Die Lieder v. Pl. M.«), in: Ukrainskaja sowjetskaja musyka, hrsg. v. L. B. Archimowytsch u. a., Kiew 1960; DERS., Pl. I. M., ebd. 1964.

Majewski, Hans-Martin Walter (Pseudonym Jan Troysen), * 14. 1. 1911 zu Schlawe (Pommern); deutscher Komponist, studierte 1931–35 am Konservatorium in Leipzig (Teichmüller, K. Thomas, H. Abendroth), erhielt 1935 ein Engagement als Kapellmeister am Berliner Theater des Volkes und trat Ende der 30er Jahre mit ersten Operetten- und Filmmusiken an die Öffentlichkeit. 1946–48 hatte er die musikalische Leitung des Hamburger Kabaretts »Kaleidoskop«, der »Bonbonniere« und des »Kabaretts der Zeit« im Hamburger NWDR inne. M. lebt heute freischaffend in Berlin. Seit 1947 hat er zahlreiche Hörspielmusiken (*Allah hat hundert Namen*, 1959; K. Sczuka-Preis des SWF Baden-Baden für die beste Hörspielmusik) und seit 1948 Musik zu über 90 Spielfilmen geschrieben, darunter: *Weg ohne Umkehr* (1954; Bundesfilmpreis); *Ohne dich wird es Nacht* (1957; Preis der deutschen Filmkritik); *Nasser Asphalt* (1958; Bundesfilmpreis); *Die Brücke* (1960; Bundesfilmpreis und Preis der deutschen Filmkritik). M. komponierte außerdem Musik zu zahlreichen Fernsehspielen und -serien sowie Bühnenmusiken, das Ballett *Die Jagd nach dem Glück* (Bln 1948), das Kabarettmusical *Zwei Berliner in Paris* (Berliner Komödie 1958) und Orchesterwerke (*Suite 52*; *Sinfonische Skizzen*).

+Majkapar, Samuil Moissejewitsch, 1867 zu Cherson [nicht: Taganrog] – 1938.
Lit.: B. Lw. WOHLMANN (Wolman), S. M. M., Leningrad 1963.

+Majo [–1) Giuseppe De], –2) Gian Francesco De (Di), 27. [nicht: 24.] 3. 1732 – 1770.
Ausg.: Sicut cerva f. S. u. Org., hrsg. v. R. EWERHART, = Cantio sacra XXXVI, Köln 1962.
Lit.: +H. ABERT, W. A. Mozart (I, 1919, ⁶1923), 7. Aufl. hrsg. v. A. A. Abert, 2 Bde, Lpz. 1955–56 (nebst Register-Bd v. E. Kapst, ebd. 1966). – D. DI CHIERA, The Life and Operas of G. Fr. De M., 2 Bde, Diss. Univ. of California at Los Angeles 1962.

+Major [–1) Gyula], –2) Ervin, * 26. 1. 1901 und [erg.:] † 10. 10. 1967 zu Budapest.
+*Erkel F. műveinek jegyzéke* (»Verzeichnis der Werke F. Erkels«, 1947 [nicht: 1948]), vervollständigt in:

Írások Erkel F. és a magyar zene korábbi századairól, hrsg. von F. Bónis, = Magyar zenetörténeti tanulmányok I, Budapest 1968. – Gesammelte Aufsätze erschienen unter dem Titel *Fejezetek a magyar zene történetéből* (»Kapitel aus der Geschichte der ungarischen Musik«, hrsg. von dems., = Magyar zenetudomány VIII, ebd. 1967). M. edierte ferner Dittersdorfs Violinkonzert D dur (= Thesaurus musicus XXVI, ebd.).
Lit.: Zs. LÁSZLÓ in: Magyar zene VIII, 1967, S. 533f.

Makarow, Walentin Alexejewitsch, * 10.(23.) 8. 1908 zu Tetjuschi (Gouvernement Kasan), † 26. 9. 1952 zu Moskau; russisch-sowjetischer Komponist, absolvierte 1931 seine Kompositionsstudien bei Boleslaw Jaworskij an der Moskauer Obermusikschule und studierte 1936–40 Komposition bei Litinskij sowie Instrumentation bei Ljatoschinskij am Moskauer Konservatorium. 1927–38 war er Klavierbegleiter in Stummfilmkinos, 1946–49 künstlerischer Leiter des Moskauer Russischen Volksliederchors. Er schrieb u. a. die Operette *Serdze morjaka* (»Das Seemannsherz«, 1944), die Suite *Swadba tkatschichi* (»Die Weberhochzeit«) für Soli, Chor, Ballett und Volksinstrumentenorch. (1940), *Altajskaja sjuita* (»Altaische Suite«) für Soli, Chor und Kl. (1949), die Suite *Reka-bogatyr* (»Der Stromheld«) für Soli, Chor und Orch. (1950), den Liederzyklus *Solnetschnaja doroga* (»Die Sonnenstraße«, 1949) sowie Instrumentalkompositionen.
Lit.: S. PITINA, W. A. M., Moskau 1959.

Makarowa, Nina Wladimirowna, * 30. 7. (12. 8.) 1908 im Kleindorf Jurjino (Gouvernement Nischnij-Nowgorod); russisch-sowjetische Komponistin und Pianistin, Frau von Aram Chatschaturjan, beendete 1936 ihr Kompositionsstudium bei Mjaskowskij am Moskauer Konservatorium und vervollkommnete sich bis 1938 als Aspirantin am gleichen Institut. Sie unternahm zahlreiche Auslandstourneen. N. M. schrieb u. a. die Opern *Muschestwo* (»Der Mut«, Moskau 1947) und *Soja* (1955), Orchesterwerke (Symphonie D moll, 1938, 2. Fassung 1962; symphonische Suite *Kak sakaljalas stal*, »Wie der Stahl gehärtet wurde«, 1955), Kammermusik (Sonate, 1934, sowie *Melodija* und *Skerzo*, 1938, für V. und Kl.; 2 Stücke für Ob. und Kl., 1934; Sonatine, 1933, und 6 Etüden, 1946, für Kl.), Gesänge und Lieder (Romanzen-Arien-Zyklus für Gesang und Kl., 1938; Liederzyklus *W dni wojny*, »In den Tagen des Krieges«, 1945; Kantate *Skas o Lenine*, »Sage über Lenin«, für hohe St., Chor und Kl., 1970) sowie Bühnen-, Funk- und Filmmusik.
Lit.: I. MARTYNOW, N. M., Moskau 1973.

Makeba, Miriam, * 4. 3. 1932 zu Prospect (bei Johannesburg); südafrikanische Sängerin, sang zunächst in einem Missionschor in Pretoria, trat dann einer reisenden Minstrel show bei und erregte Aufsehen in der Hauptrolle bei der Aufführung der afrikanischen Oper *King Kong* in Johannesburg (1959). Im gleichen Jahr übersiedelte sie nach New York, wo sie Fernsehsendungen machte und in Nachtklubs sang. Gastspiele führten sie durch Europa sowie nach Äthiopien und Kenia. Sie veröffentlichte *The World of African Song* (Chicago 1971). – Aufnahmen: *An Evening with Belafonte-M.* (LSP 3420 RCA); *The Best of M. M.* (LSP 10133 RCA); *The World of M. M.* (CAS 10174 RCA); *Appel à l'Afrique* (SLP 22); *Pata Pata* (RS 6274); *Keep Me in Mind* (RS 6381).

Makedonski-Taskov, Kiril, * 19. 1. 1925 zu Bitola/ Bitolj (Mazedonien); jugoslawischer Komponist, studierte in Skopje und bei Odak an der Zagreber Musikakademie sowie bei Brkanović in Sarajevo und bei

Škerjanc in Ljubljana. Er schrieb mit *Goce* (Skopje 1954) die erste mazedonische Nationaloper, der die Opern *Tsar Samuil* (»Zar Samuel«, ebd. 1968) und *Ilinden* (ebd. 1973) folgten. Darüber hinaus komponierte er u. a. 4 Symphonien, Kammermusik, zahlreiche Chöre und Filmmusik.
Lit.: Br. Karakaš, Muzicki stvaraoci u Makedoniji (»Das mus. Schaffen in Mazedonien«), Belgrad 1970.

+al-Makkī, −1) Yaḥyā ibn Marzūq, Abū ʿUṯmān, [erg.:] * um 718 zu Mekka, † um 833 zu Bagdad. Er gilt als einer der besten Kenner und Vermittler der traditionellen arabischen Musik des Ḥiǧāz. Ab 775 wirkte er als Hofmusiker in Bagdad und Lehrer fast aller namhaften Sänger der frühen ʿAbbāsidenzeit. Seine Liedersammlung älterer arabischer Musiker wurde wegen falscher Zuschreibungen von seinen Zeitgenossen kritisiert. − [erg.:]
−2) Aḥmad ibn Yaḥyā, Abū Ǧaʿfar, * um 800 und † um 864 zu Bagdad; Sohn von Yaḥyā al-M., Hofmusiker in Bagdad und Samarra von der Zeit des Kalifen al-Maʾmūn (813–833) bis zu al-Mustaʿīn (862–866), verbesserte und erweiterte die Liedersammlung seines Vaters unter dem Titel *Taṣḥīḥ Kitāb al-Aġānī* (»Berichtigung des Liederbuches«), ein Buch (in Fragmenten erhalten), das sich trotz terminologischer Abweichungen von der musikalischen Fachsprache der al-Mauṣilī-Schule großer Beliebtheit erfreute. −3) Muḥammad ibn Aḥmad, † um 890 zu Bagdad; Sohn von Aḥmad al-M., Hofsänger unter al-Muʿtamid (870–892), wurde »al-Murtaǧil« genannt, da er zu den Musikern gehörte, die *irtiǧālan* (»improvisierend«) ohne Lautenbegleitung sangen und statt dessen das Metrum mit einem »qaḍīb« (Schlagstab) markierten.
Lit.: Abu l-Faraǧ al-Iṣfahānī, Kitāb al-Aġānī al-kabīr (»Großes Buch d. Lieder«), 3. Aufl. Kairo 1927ff., Bd VI, 1935, u. XVI, 1961; H. G. Farmer, A Hist. of Arabian Music to the XIIIth Cent., London 1929, Nachdr. 1967; +Ders., The Sources of Arabian Music (1940), revidiert Leiden 1965, Nr 9 u. 34f.; A. Kutz, Mg. u. Tonsystematik, =Neue deutsche Forschungen, Abt. Mw. XI, Bln 1943, S. 346; M. A. al-Ḥifnī, al-Mūsīqā al-ʿarabīya waʾa·lāmuhā (»Die arabische Musik u. ihre bekanntesten Vertreter«), Kairo 1951, ²1955; Ḥ. az-Ziriklī, al-Aʿlām, Bd IX, Damaskus ²1957 (arabisches biogr.-bibliogr. Lexikon); ʿU. R. Kaḥḥāla, Muʿǧam al-muʾallifīn Bd XIII, ebd. 1961 (Lexikon arabischer Literaten); S. Šaiḥānī, Ašhar al-muġannīn ʿinda l-ʿarab (»Die berühmtesten Sänger bei d. alten Arabern«), Beirut 1962; A. Taimūr, al-Mūsīqī wa-l-ġinā' ʿinda l-ʿarab, Kairo 1963 (Text-Slg zur arabischen Mg.); E. Neubauer, Musiker am Hof d. frühen ʿAbbāsiden, Ffm. 1965; Ders., Neuere Bücher zur arabischen Musik, in: Der Islam XLVIII, 1971.   ENe

+Maklakiewicz, Jan Adam, 1899–1954.
1945–47 war M. Intendant der Krakauer und 1947/48 der Warschauer Philharmonie. Er lehrte ab 1947 als Professor für Komposition an der Warschauer Musikhochschule [nicht: Krakauer Konservatorium]. − Sein kompositorisches Œuvre umfaßt weitere Orchesterstücke und symphonische Dichtungen, Kammermusik, Klavierstücke, Kantaten, Messen, zahlreiche Chöre und Lieder sowie Bühnen- und Filmmusiken. In den +4 japanischen Gesängen (1930) bedient er sich auch der Vierteltontechnik.
Lit.: Z. Mycielski, Pieśni japońskie J. M.a (»Die japanischen Lieder v. J. M.«), in: Ruch muzyczny III, 1947.

+Malaniuk, Ira (Irene Baasch-M.), * [erg.:] 29. 1. 1923 zu Stanislaw (Ukraine).
I. M., seit 1953 ständiger Gast bei den Münchner Festspielen und seit 1959 beim Holland Festival, wurde 1971 zum außerordentlichen Hochschulprofessor für Liedgesang an der Hochschule für Musik und darstellende Kunst in Graz ernannt.

+Malats, Joaquín, 1872 − [erg.: 2.] 10. 1912.

+Malawski, Artur, 1904–57.
M. lehrte bis zu seinem Tode als Professor an der Krakauer Musikhochschule. − Seit 1962 veranstaltet die Stadt Krakau alle zwei Jahre M.-Wettbewerbe für junge polnische Komponisten.
Lit.: Sonder-H., = Ruch muzyczny II, 1958, Nr 6. − Fr. K. Prieberg in: NZfM CXIX, 1958, S. 173; M. I. Gorczycka, Trio fortepianowe A. M.ego, in: Muzyka VII, 1962; A. Stankiewicz, Folklor góralski w »Wierchach« A. M.ego (»Die Goralenfolklore in [d. Ballettpantomime] ,Wierchy' A. M.«), ebd.; A. M., Życie i twórczość (»Leben u. Werk«), hrsg. v. B. Schäffer, Krakau 1969; T. Kaczyński in: Ruch muzyczny XV, 1971, Nr 7, S. 16f.

Malcolm (m'ælkəm), Alexander, * 1687 zu Edinburgh, † Juni 1763 zu Queen Anne's County (Md.); schottischer Gelehrter, war vor allem Mathematiker und Musiktheoretiker. Seine umfangreiche Schrift *A Treatise of Musick, Speculative, Practical and Historical* (Edinburgh 1721, London ²1730) ist der erste schottische Musiktraktat. M. befürwortete bereits eine temperierte Stimmung und empfahl als Vorbild für die Kompositionslehre A. Corelli. 1740 wanderte er nach Amerika aus, wo er 1740–49 in der Nähe von Boston, dann im Staate Maryland Geistlicher war.
Lit.: H. G. Farmer, A Hist. of Music in Scotland, London 1947, Nachdr. NY 1970; M. Maurer, A. M. in America, ML XXXIII, 1952; E. R. Jacobi, Die Entwicklung d. Musiktheorie in England nach d. Zeit v. J.-Ph. Rameau, = Slg mw. Abh. XXXV u. XXXIX/XXXIXa, Straßburg 1957–60, Neudr. Baden-Baden 1971.

Malcolm (m'ælkəm), George John, * 28. 2. 1917 zu London; englischer Cembalist, Pianist und Dirigent, lebt in London. Er studierte an der University of Oxford (M. A., B. Mus.) und am Royal College of Music in London (Klavier), war 1947–59 Chordirigent an der Westminster Cathedral und begann dann eine Konzertlaufbahn, am Cembalo vorwiegend als Solist, am Klavier als Kammermusikspieler (u. a. mit dem Hornisten D. Brain). M. ist Ehrenmitglied der Royal Academy of Music in London (Hon. R. A. M.) und Commander of the British Empire (C. B. E.).

+Małcużyński, Witold (Malcuzynski), * 10. 8. 1914 zu Koziczyn (bei Wilna) [nicht: Warschau].
M. ist Ehrenmitglied der Warschauer Chopin-Gesellschaft.
Lit.: B. Pilarski, W. M. o swoun métier (»W. M. über seinen Beruf«) u. Lekcja wielkiej pianistyki (»Eine Lektion d. großen Pianisten«), in: Ruch muzyczny III, 1959, beides wiederabgedruckt in: Szkice o muzyce, Warschau 1969; Ders. in: Ruch muzyczny XIII, 1969, Nr 12, S. 3ff.; K. Régamey, W. M., Krakau 1960.

Malec (m'alɛts), Ivo, * 30. 3. 1925 zu Zagreb; jugoslawischer Komponist, lebt seit 1955 ständig in Paris. Er studierte an der Zagreber Musikakademie (Komposition bei Cipra, Dirigieren bei Zaun) und am Pariser Conservatoire. Er ist Mitarbeiter des Service de la Recherche der ORTF. Von seinen Werken seien genannt: Ballett *Makete* (»Skizzen«, 1956). − Symphonie (1951); *Mouvements en couleur* (1959) und *Sigma* (1963) für Orch.; *Sekvence* (»Sequenzen«) für Vibraphon und Streichorch. (1958); *Vocati* für Orch. (1968, als Ballett unter dem Titel *Aquathème*, Amiens 1968); *Tri stečka* (»3 Säulen«) für 12–14 Musiker (1963); *Echos* für 10 Instr. (1965); *Miniatures pour Lewis Caroll* für Fl., V., Hf. und Schlagzeug (1968); Klaviertrio (1950); Sonata brevis für Vc. und Kl. (1956); *Dijalozi* (»Dialoge«) für Cemb. oder Kl. (1961); Sonate für Kl. (1950). − *Radovanove pesme* (»Radovans Lieder«) für St. und Kl. (1952, Orchesterfassung 1957); *Tirena*, Suite für Chor und Kam-

merorch. (1958); *Dvanaest meseci* (»12 Monate«) für Soli, Chor und Kammerorch. (1960); *Dubravka*, Suite für Soli, Chor und Orch. (1961); *Faits précipices* für Sprecher und Kammerorch. (1964); *Oral* für Orch. und Rezitator (1967); *Lied* für Singst. und Streichorch. (1969). – Experimentelle Musik: *Tutti* für Orch. und Tonband (1962); *Cantate pour elle* für S., Hf. und Tonband (1966); *Lumina* für 12 solistische Streicher und Tonband (1968); *Dahovi I* und *II* für Tonband (1962). – Musique concrète: Kantate *Mavena* (1957); *Etudes* (1960); *Reflets* (1961). – Musik für Bühne, Film und Rundfunk. – M. schrieb u. a. *Musique concrète 1948–68* (in: Melos XXXVI, 1969).
Lit.: I. SUPIČIĆ, Aesthetic Views in Contemporary Croatian Music, in: Arti musices I, 1969, auch ebd., Special Issue 1970; R. LÜCK, I. M., in: U. Stürzbecher, Werkstattgespräche mit Komponisten, Köln 1971 (mit Werkverz.).

+**Maleingreau,** Paul [erg.: Eugène Constant Charles Joseph Marie] de, 1887–1956.
Lit.: H.-A. TIMMERMANN in: De Praestant XVI, 1967, H. 2, S. 37.

Málek, Viktor, * 20. 12. 1922 zu Veľká Poľana (Slowakei); tschechischer Dirigent, absolvierte 1946 das Prager Konservatorium, wirkte 1946–48 an der Oper in Ostrau und war 1948–62 Dirigent der Oper in Aussig/Ústí nad Labem. 1962 wurde er Dirigent am Slowakischen Nationaltheater in Bratislava. Er ist auch als Komponist von Klavier- und Bühnenmusik hervorgetreten.

+**Maler,** Wilhelm, * 21. 6. 1902 zu Heidelberg.
M., Mitglied (und zeitweilig Präsident) der Freien Akademie der Künste in Hamburg, lebt seit 1969 im Ruhestand. – +*Beitrag zur durmolltonalen Harmonielehre* (⁴1957), 6. Aufl. München 1967 (der dazugehörige Beispiel-Bd ²1960). – Er veröffentlichte ferner Aufsätze zur Musikpolitik und -pädagogik (u. a. in: Das Orchester XII, 1964, S. 37ff. und 284ff., XIII, 1965, S. 429ff., und XVI, 1968, S. 65ff.) sowie *Ansprache in memoriam P. Hindemith* (in: Freie Akademie der Künste . . ., Jb. 1964), *Die Tragik um den späten Hindemith* (in: Musik im Unterricht, Allgemeine Ausg. LV, 1964, und in: Das Orchester XII, 1964) und *Die dritte Zäsur* (Fs. für einen Verleger [L. Strecker], Mainz 1973).
Lit.: O. RIEMER in: Der Kirchenmusiker XIII, 1962, S. 141ff.; D. DE LA MOTTE in: Musica XXVI, 1972, S. 278ff.

Malewicz-Madey (malɛvitʃ mˈadɛj), Anna, * 13. 2. 1937 zu Pinsk; polnische Sängerin (lyrisch-dramatischer Mezzosopran), absolvierte die Warschauer Chopin-Musikschule (Zofia Brègy) und studierte privat bei Wanda Wermińska sowie 1967 an der Accademia Musicale Chigiana in Siena bei Favaretto. Seit 1959 ist sie Mitglied der Warschauer Oper. Ihr Opernrepertoire schließt die Hosenrollen Cherubino und Octavian ein, ihr Konzertrepertoire reicht von A. Scarlatti bis Ligeti (Requiem) und Lutosławski. Operngastspiele und Konzertreisen führten sie in verschiedene ost- und westeuropäische Länder. Sie ist verheiratet mit Bogusław Madey.

+**Malherbe,** Charles Théodore, 1853–1911.
Lit.: É. LEBEAU, Un mécène de la musique: Ch. M., in: Humanisme actif, Fs. J. Cain, Paris 1968.

+**Malherbe,** Edmond Henry Paul, * 21. 8. 1870 zu Paris, [erg.:] † 7. 3. 1963 zu Corbeil-Essonnes (Seine-et-Oise).
Die Opern +*Madame Pierre* (1903) und +*L'émeute* (1911) wurden 1912 in Paris uraufgeführt. Weitere Opern sind *L'avare* (1907), *Le mariage forcé* (1924), *Monsieur de Pourceaugnac* (1930) und die Tragédie lyrique *L'Amour*

et Psyché (1948, alle nach Molière) sowie *Anna Karénine* (nach L. Tolstoj, 1914) und *Néron* (1945). Er schrieb 3 Symphonien (*La classique* op. 37, 1948; *La romantique*, 1956; *Les muses*, 1957).

+**Malibran,** Maria Felicità (Felicia), 1808–36.
Lit.: H. MYERS, The Signorina, NY 1956; R. ELVIN in: MT XCIX, 1958, S. 314f.; E. GARA in: Rass. mus. XXXI, 1961, S. 1ff.; E. PARDINI, M. F. M. nella leggenda lucchese, Fs. E. Desderi, Bologna 1963; S. DESTERNES u. H. CHANDET (mit A. Viardot), La M. et P. Viardot, Paris 1969; V. HUBER, Flirt u. Flitter. Lebensbilder aus d. Bühnenwelt, Düsseldorf 1970.

Mālik aṭ-Ṭā'ī, Abū Walīd Mālik ibn Ğābir ibn Ṭa'laba (Mālik ibn Abi s-Samḥ), * um 670 und † nach 754 zu Medina; arabischer Sänger vom angesehenen Stamm der Ṭaiyi', lernte bei Maʿbad, überlieferte dessen Lieder und gehörte wie dieser zu den fünf namhaften Musikern der Umaiyadenzeit. Er wurde Gesellschafter von ʿAbdallāh ibn Ğaʿfar, einem Notabeln und Mäzen in Medina, sang am Hof in Damaskus unter Yazīd II. (720–724) und al-Walīd II. (743–744) und schloß sich aus politischer Anhänglichkeit dem Hāšimiten Sulaimān ibn ʿAlī an, den er im Jahre 750 an seinen Gouverneurssitz Baṣra begleitete. Nach kurzem Aufenthalt kehrte er nach Medina zurück, wo er in hohem Alter gestorben ist. Die Originalität seiner Lieder ist bezweifelt worden, da er sich von Melodien der Volksmusik, z. B. auch christlicher Mönche, anregen ließ. Isḥāq al-Mauṣilī wies dagegen auf den einheitlichen und damit persönlichen Stil hin, der allen seinen Liedern eigen sei. Texte seiner Lieder mit musikalischen Angaben befanden sich in mehreren Liedersammlungen und sind z. T. erhalten.
Lit.: IBN ḤURDĀḎBIH († 911), Muḫtār min Kitāb al-Lahw wa-l-malāhī (»Fragmente seines Buches d. Vergnügungen u. d. Musikinstr.«), Beirut 1961; IBN ʿABD RABBIH († 957), al-ʿIqd al-farīd, engl. Übers. d. Musikkap. v. H. G. Farmer als: Music, the Priceless Jewel, Journal of the Royal Asiatic Soc. 1941; ABU L-FARAǦ AL-IṢFAHĀNĪ († 967), Kitāb al-Aġānī al-kabīr (»Großes Buch d. Lieder«), 3. Aufl. Kairo 1927ff., Bd V, 1932 u. ö.; A CAUSSIN DE PERCEVAL, Notices anecdotiques sur les principaux musiciens arabes, Journal asiatique VII, 1873; O. RESCHER, Abriß d. arabischen Literaturgesch. I, Konstantinopel 1925; H. G. FARMER, A Hist. of Arabian Music to the XIIIᵗʰ Cent., London 1929, Nachdr. 1967; DERS. in: EI III, 1936, S. 229; DERS., The Minstrels of the Golden Age of Islam, in: Islamic Culture XVII, 1943 – XVIII, 1944; A. KUTZ, Mg. u. Tonsystematik, = Neue Deutsche Forschungen, Abt. Mw. XI, Bln 1943, S. 344; M. A. AL-ḤIFNĪ, al-Mūsīqā al-ʿarabīya wa-aʾlāmuhā (»Die arabische Musik u. ihre bekanntesten Vertreter«), Kairo 1951, ²1955; Ḥ. MARDAM, Ğamharat al-muġannīn (»Slg arabischer Sängerbiogr.«), Damaskus 1964; Š. ḌAIF, aš-Šiʿr wa-l-ġinā' fī l-Madīna wa-Makka (»Poesie u. ġinā'-Musik in Medina u. Mekka«), Beirut 1967.
ENe

Malinin, Jewgenij Wassiljewitsch, * 5. 11. 1930 zu Moskau; russisch-sowjetischer Pianist, Sohn der Sängerin Maria Malinina, absolvierte 1954 das Moskauer Konservatorium bei Neuhaus und vervollkommnete sich dort bis 1957 als Aspirant. Er erhielt 1949 einen Preis beim Internationalen Fr.-Chopin-Klavierwettbewerb in Warschau und 1953 den 2. Preis beim Concours international de piano et violon M. Long–J. Thibaud in Paris. 1957 wurde er Klavierpädagoge am Moskauer Konservatorium (1965 Dozent). Als Solist konzertiert er mit der Moskauer Staatlichen Philharmonie.

+**Malinowski,** Stefan, 1887 – [erg.:] 26. 6. 1944 [nicht: 1943] zu Warschau.

+**Malipiero,** Gian Francesco, * 18. 3. 1882 zu Venedig, [erg.:] † 1. 8. 1973 zu Treviso.

M., Mitglied des National Institute of Arts and Letters in New York (seit 1949), der Koninklijke Vlaamse Academie in Brüssel (1952) und des Institut de France (1954), wurde 1967 auch als ordentliches Mitglied in die Akademie der Künste in (West-)Berlin aufgenommen. – Zu den Gesamtausgaben der Werke von Monteverdi und Vivaldi →+Monteverdi bzw. →+Vivaldi. – Uraufführungen der Opern und Ballette: *Canossa* (1911, Rom 1914), *Pantea* für eine Tänzerin, Bar., Chor und Orch. (1919 [nicht: 1920], Venedig 1932), *L'Orfeide* (1919 [nicht: 1920] bis 1922, Düsseldorf 1925), *Tre commedie goldoniane* (Darmstadt 1926), *La mascherata delle principesse prigioniere* (einaktig, 1919 [nicht: 1924], Brüssel 1924), *Filomela e l'infatuato* (Prag 1928), *Il mistero di Venezia* (Coburg 1932), *Merlino mastro d'organi* (konzertant RAI 1934), »7 notturni per la scena« *Torneo notturno* (1929 [nicht: 1930], München 1931), *Il festino* (einaktig, 1930 [nicht: 1931], konzertant RAI Turin 1937, Bergamo 1954), *La favola del figlio cambiato* (nach Pirandello, Braunschweig 1934), *Giulio Cesare* (nach Shakespeare, Genua 1936), *Antonio e Cleopatra* (nach Shakespeare, 1937 [nicht: 1938], Florenz 1938), *Ecuba* (nach Euripides, Rom 1941), *La vita è sogno* (nach Calderón, 1940 [nicht: 1941], Breslau 1943), *I capricci di Callot* (nach E.T.A.Hoffmann, Rom 1942), »6 novelle in un dramma« *L'allegra brigata* (Mailand 1950), »Fantasia di istrumenti che ballano« *Stradivario* (Lissabon 1951), »3 atti con 7 donne« *Mondi celesti e infernali* (konzertant RAI 1950, Venedig 1961), »Quattro tempi in uno« *El mondo novo* (Rom 1951, Neufassung als *La lanterna magica*, 1955), *Il figliuol prodigo* (konzertant RAI 1953, Florenz 1957), *Donna Urraca* (einaktig, nach Mérimée, Bergamo 1954), »Mascherata eroica« *Il capitan spavento* (einaktig, 1955 [nicht: 1956], Neapel 1963). – +*Illustrazioni sinfoniche* ... (1915 [nicht: 1920]); +*Sinfonia in un tempo* (1950) und +*Sinfonia dello zodiaco* (1950) [del.: VIII. bzw. IX.].
Weitere Werke: 5. Streichquartett *Dei capricci* (1950); Oper *Venere prigioniera* (1955, Florenz 1957); 5. Klavierkonzert (1958); *Cinque studi per domani* für Kl. (1959); »Rappresentazioni da concerto« *L'asino d'oro* für Bar. und Orch. (nach Apuleius, 1959) und *Concerto di concerti ovvero dell'uom malcontento* für Bar., konzertante V. und Orch. (1960); Oper *Il marescalco* (nach Aretino, 1960, Treviso 1969); Sonate für Fag. und 10 Instr. (1961); »7 canzonette veneziane« *Serenissima* für Sax. und Orch. (1961); Ballettoper *Rappresentazione e festa di Carnasciale e della Quaresima* (1961, Venedig 1970); Praeludium für Git. (1961); *Sinfonia per Antigenida* (1962); *Abracadabra* für Bar. und Orch. (1962); Oper *Don Giovanni* (nach Puschkin, Neapel 1963); Variationen über ein Thema von J.S.Mayr für Orch. (1963); 6. Klavierkonzert *Delle macchine* (1964); (8.) Sinfonia brevis (1964); 2. Violinkonzert (1964); 8. Streichquartett *Per Elisabetta* (1964); Kantate *Ave Phoebe, dum queror* für kleinen Chor und 20 Instr. (1964); Opern *Le metamorfosi di Bonaventura* (Venedig 1966) und *Don Tartufo bacchettone* (nach Molière und Gilli, 1966, ebd. 1970); *Endecatode* für 14 Instr. (1966); 9. und 10. Symphonie (*Dell'ahimè*, 1966; *Atropo*, in memoriam H.Scherchen, 1967); Flötenkonzert (1968); »dramatischer Epilog« *Gli eroi di Bonaventura* (7 Szenen aus älteren Opern M.s mit verbindenden Rezitativen, Mailand 1969); 11. Symphonie *Delle cornamuse* (1969); einaktige Opern *L'iscariota* und *Uno dei dieci* (beide Siena 1971); ferner Bearbeitungen nach alten Meistern (u. a. *Vivaldiana* für Orch., 1952).
Weitere Bücher und Aufsätze: *Il filo d'Arianna* (= Saggi Bd 384, Turin 1966); *Ti co mi e mi co ti* (Mailand 1966); *Così parlò Cl. Monteverdi* (= La coda di paglia IV, ebd.

1967); *Di palo in frasca* (= L'armonioso labirinto II, ebd., mit den Libretti zu *L'Orfeide* und *Le metamorfosi di Bonaventura*); *Da Venezia lontan* ... (ebd. III, 1968); *Maschere della commedia dell'arte* (Bologna 1969); *Del teatro musicale* (Rass. mus. XXVII, 1957); *Così mi scrivera A.Casella* (in: L'approdo musicale I, 1958); *G.Casanova e la musica* (in: Musica d'oggi VI, 1963); *In Opposition to a New Form of Musical Theatre* (in: The Christian Science Monitor 1968, deutsch in: Melos XXXVI, 1969, S. 299ff.). – Weitere Ausgaben: D. Belli, *Orfeo dolente* (Rom 1951); *A. Willaert i e i suoi discendenti* (= Collana di musiche veneziane inedite e rare IV, Venedig 1963); G.B.Bassani, *Cantate a voce sola e b. c.* (ebd. V, 1964); A.Doni, *Dialogo della musica* (mit V. Fagotto, ebd. VII, Wien 1965).
Lit.: G. Fr. M., *Lettera a G. M. Gatti*, Venedig 1964. – Sonder-H. M., =L'approdo mus. III, 1960, Nr 9 (mit Werkverz. u. Diskographie). – H. LINDLAR, G. Fr. M., Aufriß einer Chronologie, in: Musica XI, 1957; L. PESTALOZZA, I »Dialoghi« di G. Fr. M., in: Ricordiana, N. S. III, 1957; R. VLAD, Riflessi della dodecafonia in Casella, M. e Ghedini, Rass. mus. XXVII, 1957; DERS., A. Schoenberg a G. Fr. M., nRMI V, 1971, deutsch in: Melos XXXVIII, 1971, S. 461ff. (unveröff. Schriften u. Briefe); C. Mosso, Lo sviluppo tematico nella musica strumentale di G. F. M., in: Musica d'oggi IV, 1961; P. SANTI, ebd. S. 4ff.; DERS., Estilo y humanismo de G. Fr. M., Rev. mus. chilena XVII, 1963; G. GAVAZZENI, Le »Sette canzoni« di G. Fr. M., Rass. mus. XXXII, 1962; E. HELM, In d. Casa M., in: Melos XXIX, 1962; DERS. in: Soundings I, 1970, S. 6ff. (mit Werkverz.); DERS., G. Fr. M. u. d. ital. Musik d. 20. Jh., NZfM CXXXIII, 1972; DERS., ebd. CXXXIV, 1973, S. 667f.; L. PINZAUTI in: nRMI I, 1967, S. 120ff. (Interview); DERS. in: Opera XX, (London) 1969, S. 670ff. (zu d. »Sette canzoni«); A. CIMA, G. Fr. M. a Venezia, =Occhio magico V, Mailand 1968 (mit einer Schrift M.s); J. CH. WATERHOUSE, M.s »Sette canzoni«, MT CX, 1969.

+**Malipiero,** Riccardo, * 24. 7. 1914 zu Mailand. M. lehrte 1963 am Centro de altos estudios musicales des Instituto Torcuato di Tella in Buenos Aires und 1969 an der University of Maryland. Zu seinem 50. Geburtstag wurde er mit einer Festschrift geehrt (hrsg. von P. Franci u. a., Mailand 1964). – Die Oper +*Minnie* [erg.:] *la candida* wurde 1942 in Parma, die einaktige Opera buffa +*La donna è mobile* 1957 in Mailand uraufgeführt. – Neuere Werke: *Cantata di Natale* für S., Chor und Kammerorch. (1959); *Motivi* für Singst. und Kl. (1959); 3. Streichquartett (1960); Sonate für Ob. und Kl. (1960, auch für Ob. und Streicher); einaktige Fernsehoper *Battono alla porta* (nach D.Buzzati, 1961, italienisches Fernsehen 1962, Genua 1963); *Concerto per Dimitri* für Kl. und Orch. (1961); *Mosaico* für Bläser- und Streichquintett (1961); *Nykteghersia* für Orch. (1962); *Preludio, adagio e finale* für S., Schlagzeug (5 Spieler) und Kl. (1963); *Cadencias* für Orch. (1964); *In Time of Daffodils* für S., Bar. und 7 Instr. (E.E.Cummings, 1964); *Costellazioni* für Kl. (1965); 2 Balladen für Singst. und Git. (1965); *Muttermusik* (1966) und *Mirages* (»in memoriam H.Scherchen«, 1966) für Orch.; *Nuclei* für 2 Kl. und Schlagzeug (3 Spieler, 1966); *Carnet de notes* für Kammerorch. (1967); *Cassazione* für Streichsextett (1967, als *Cassazione II* für Streichorch., 1967); *Rhapsodie* für V. und Orch. (1967); *Klaviertrio* (1968); *Serenata per Alice Tully* für Kammerorch. (1969); *Monologo* für Frauen-St. und Streicher (G.Leopardi, 1969); *Ciaccona di Davide* für Va und Kl. (1970). – Neuere Schriften: *G.S.Bach* (= Musicisti o. Nr, Brescia 1948, ²1958); *Debussy* (= ebd. 1948 und 1959); *Guida discografica alla musica sinfonica* (Mailand 1957); *Il libro completo dell'amatore di dischi* (mit R.Allorto u. a., = Il bivio o. Nr, ebd. 1958, revidiert und erweitert

²1960); *Guida alla dodecafonia* (= Piccola bibl. Ricordi XV, ebd. 1961); *Ricordo di A. Casella* (in: Musicisti piemontesi e liguri, hrsg. von A. Damerini und G. Roncaglia, = Accademia musicale Chigiana XVI, Siena 1959). Er gab ein *Dizionario di centouno capolavori del melodramma* (= Centouno capolavori XII, Mailand 1969) sowie eine Musikgeschichte *Musica ieri e oggi* (mit E. Radius und G. G. Severi, 6 Bde, Rom 1970) heraus. Lit.: CL. SARTORI u. P. SANTI, Due tempi di R. M., Mailand 1964 (mit Schriftenverz.); P. SANTI in: Chigiana XXV, N. S. V, 1968, S. 287ff. (zur »Cassazione«).

+**Maliszewski,** Witold, 1873 zu Mogilew (Podolien [nicht: am Dnjestr]) – 1939 zu Zalesie (bei Warschau) [nicht: zu Warschau].
M. schrieb insgesamt 5 Symphonien.

+**Malkin,** –1) Jacques, * 4.(16.) 12. 1875 [nicht: 1876] zu Slobodka (Podolien), [erg.:] † 8. 12. 1964 zu New York. –2) Joseph, * 12.(24.) 9. 1879 [nicht: 1884] zu Propoisk (Podolien [nicht: Gouvernement Mogilew]), [erg.:] † 1. 9. 1969 zu New York. –3) Manfred, * 30. 7. (11. 8.) 1884 [nicht: 1889] zu Odessa, [erg.:] † 8. 1. 1966 zu New York.

+**Malko,** Nikolaj (Nicolai) Andrejewitsch, * 22. 4. (4. 5.) 1883 zu Brailow (Podolien), [erg.:] † 23. 6. 1961 zu Sydney.
+*The Conductor and His Baton* (1950) wurde ins Russische übersetzt (*Osnowy techniki dirischirowanija,* Moskau 1965). Seine Autobiographie erschien unter dem Titel *A Certain Art* (mit Einleitung von G. Malko, NY 1966).
Lit.: N. M., Wospominanija, statji, pisma (»Erinnerungen, Aufsätze, Briefe«), hrsg. v. L. RAABEN, Leningrad 1972.

Mallarmé, Stéphane, * 18. 3. 1842 zu Paris, † 9. 9. 1898 zu Valvins (bei Paris); französischer Dichter, lebte als Gymnasiallehrer für Englisch ab 1863 in Tournon (Ardèche), Besançon und Avignon, ab 1870 in Paris, wo er ab 1874 die Zeitschrift *La dernière mode* herausgab und ab 1880 zu den Konversationsabenden »Mardis de la rue de Rome« für Künstler und Dichter (u. a. St. George) einlud. Er kam wiederholt mit dem Musikleben in Berührung: Durch Philippe Auguste Graf von Villiers de l'Isle-Adam, Catulle Mendès und Judith Gautier wurde er theoretisch mit R. Wagner vertraut, später durch E. Dujardin, den Begründer und Herausgeber der »Revue wagnérienne«, der ihn auch zu regelmäßigen Besuchen der Concerts Lamoureux (ab 1885) veranlaßte. In der »Revue wagnérienne« veröffentlichte M. die *Rêverie d'un poète français* (1885) und das an R. Wagner gerichtete Huldigungssonett *Hommage* (1886). – Einschätzung und Zuordnung der Musik (*La musique et les lettres,* 1894) ist negativ bestimmbar als Konsequenz einer »Sprachkrise« (*Crise de vers,* 1886–96). Scheint sich die Musik ihrer »Geheimnisse« und Esoterik wegen vor der Sprache auszuzeichnen (*Hérésies artistiques,* 1862), so ist letzterer doch, ihrer Begrifflichkeit, Intelligibilität und materiellen Autonomie wegen, die Vorrangstellung einzuräumen; sieht M. in der Musik die der Sprache ursprünglich immanente und ihre Verbindlichkeit sichernde, inzwischen aber verselbständigte Komponente (die den frühen Gedichten durch Klanglichkeit und das Zitieren exotischer Musikinstrumente nur scheinbar zurückgewonnen ist), so glaubte er nicht, die Poesie durch Musikalisierung und Metaphorik in ihren alten Stand einsetzen zu können, erst recht nicht durch Vertonung; bezeichnend ist seine Reaktion auf Debussys *L'après-midi d'un faune* nach der gleichnamigen Ekloge in Alexandrinern: »Ich dachte, ich hätte es

bereits selbst vertont« (H. Mondor, *Vie de M.,* S. 370). Das typographisch differenzierte, »partitur«-analoge, Lesetempo und Intonation suggerierende Gedicht *Un coup de dés n'abolira jamais le hasard* (1897; typographisch abweichende Fassung 1914, postum), vollends aber das nur in Notizen überlieferte Projekt des *Livre* verstehen sich als eine nur in determinierten Zeitabläufen aktualiter zu erfahrende Kunst der Strukturierung und kombinatorischen Sinngebung. Die Elemente des »Buches«, lose Bogen und Blätter mit Text, sollten durch eine Gruppe von (10–24) ausgewählten und in geometrischer Anordnung plazierten Lesern in verabredeten Lektüresitzungen nach dem Permutationsprinzip zu immer neuen Sinnkonstellationen, mehrdimensionalen Innovationen kombiniert werden. Auf Analogien zur 3. Klaviersonate und zur 2. *Improvisation (sur M.)* von Boulez (Strawinsky, Michel Butor) sowie zu Kompositionen von Webern, K. Stockhausen und Pousseur (Boulez, H. R. Zeller) ist hingewiesen worden. – Von Kompositionen nach Gedichten von M. sind hervorzuheben: Debussy, *Apparition* (1882–84), *Trois poèmes de St. M.* (*Soupir, Placet futile, Eventail,* 1913) und *L'après-midi d'un faune* für Orch. (1892–94); Ravel, *Sainte* und *Trois poèmes de St. M.* für Singst., Streichquartett, 2 Fl. und 2 Klar. (*Soupir, Placet futile* und *Surgi de la croupe et du bond,* 1913), Sauguet, *Renouveau* (*Vere Novo*) und *Tristesse d'été*; Milhaud, *Chanson bas* und *Petits airs*; Boulez, »*Pli selon pli*« – *Portrait de M.* (1957–62; der Titel wurde dem Sonett *Remémoration des amis belges* entnommen) mit der Mitteltrias *Improvisation (sur M.)* I–III.
Ausg.: Œuvres complètes, hrsg. v. H. MONDOR u. G. J. AUBRY, =Bibl. de la Pléiade LXV, Paris 1945; Sämtliche Gedichte, frz. u. deutsch, übers. v. C. FISCHER, Heidelberg 1957, Köln ²1969. – Propos sur la poésie, hrsg. v. H. MONDOR, Monaco 1946 (Briefe); Lettres et autographes, hrsg. v. B. DUJARDIN u. DEMS., = Empreintes X–XI, Brüssel 1912; Correspondance, Bd I (1862–71), hrsg. v. H. MONDOR u. J.-P. RICHARD, Paris 1959, Bd II (1871–85), hrsg. v. H. MONDOR u. L. J. AUSTIN, ebd. 1965, u. Bd III (1886–89), hrsg. v. DENS., ebd. 1969. – J. SCHÉRER, Le »Livre« de M., Premières recherches sur des documents inéd., ebd. 1957 (mit Vorw. v. H. Mondor); Ein Würfelwurf (Un coup de dés), frz. u. deutsch, übers. u. erläutert v. M.-L. ERLENMEYER, = Walter-Druck X, Olten 1966.
Lit.: A. THIBAUDET, La poésie de St. M., Paris 1912, ⁵1930; P. VALÉRY, Le coup de dés. Lettre au directeur des »Marges«, in: Les marges XVII, 1920, Wiederabdruck in: Variété, Bd II, Paris 1930; DERS., Au Concert Lamoureux en 1893, in: Pièces sur l'art, =Les essais V, ebd. 1934, ⁹1937, deutsch =Bibl. Suhrkamp LIII, Ffm. 1959; DERS., Ecrits divers sur M., Paris 1952 (Wiederabdruck aller genannten Schriften in: P. Valéry, Œuvres, Bd I, = Bibl. de la Pléiade Nr 127, u. II, hrsg. v. J. Hytier, ebd. 1957–60); DERS., Lettres à quelques-uns, ebd. 1952; A. CŒUROY, M., la musique et la poésie, RM II, 1921; FR. RAUHUT, Das Romantische u. Mus. in d. Lyrik St. M.s, =Die neueren Sprachen, Beihefte XI, Marburg 1926; M.-Sonder-Nr, in: La nouvelle rev. frç. 1928; E. CARCASSONNE, Wagner et M., Rev. de la lit. comparée XVI, 1936; E. DUJARDIN, M. par un de ses siens, Paris 1936; H. MONDOR, Vie de M., 2 Teile, ebd. 1941–42; DERS., Hist. d'un faune, ebd. 1948; J. BENDA, M. et Wagner, in: Domaine frç. (Sammel-Bd), Genf 1943; J. SCHÉRER, L'expression littéraire dans l'œuvre de M., Paris 1947; L. J. AUSTIN, »Le principal pilier«. M., V. Hugo et R. Wagner, Rev. d'hist. littéraire de la France LI, 1951; DERS., M. et le rêve du »Livre«, in: Mercure de France Bd 317, 1953, Nr 1073; DERS., M. on Music and Letters, Bull. of the J. Rylands Library XLII, 1959; S. BERNARD, le »coup de dés« de M. replacé dans la perspective hist., Rev. d'hist. littéraire de la France LI, 1951; DIES., M. et la musique, Paris 1959; R. G. COHN, L'œuvre de M., Un coup de dés, ebd. 1951; G. DELFEL, L'esthétique de St. M., ebd.; A. PATRI, M. et la musique du silence, RM 1952, Nr 210; D. PRIDDIN, The Art of

Dancing in French Lit., From Th. Gautier to P. Valéry, London 1952; K. WAIS, M., München 1952; G. DAVIES, Vers une explication rationelle du »Coup de dés«, Paris 1953; P. BOULEZ, Recherches maintenant, La nouvelle nouvelle rev. frç. II, 1954, auch in: Relevés d'apprenti, hrsg. v. P. Thévenin, = Tel quel o. Nr, Paris 1966, auch engl. u. ital., deutsch als: Einsichten u. Aussichten, in: Melos XXII, 1955, auch in: Werkstatt-Texte, hrsg. v. J. Häusler, Bln 1972; DERS., Zu meiner III. Sonate, in: Darmstädter Beitr. zur Neuen Musik III, Mainz 1960, auch in: Werkstatt-Texte, hrsg. v. J. Häusler, Bln 1972, frz. als: Sonate »que me veux-tu?«, in: Médiations 1964, Nr 7; H. FRIEDRICH, M., in: Die Struktur d. modernen Lyrik, =rde XXV, Hbg 1956, ¹²1971; D. HAYMANN, Joyce et M., 2 Bde, Paris 1956; R. PEACOCK, Music and Poetry, in: The Art of Drama, London 1957, ²1960; A. R. CHISHOLM, M.'s »L'après-midi d'un faune«, = Australian Humanities Research Council Monographs II, Melbourne u. London 1958; R. CRAFT, Conversations with I. Strawinsky, Garden City (N. Y.) u. London 1959, deutsch als: I. Strawinsky, Gespräche mit R. Craft, Zürich 1961; H. MAYER, Seriële muziek, in: Mens en melodie XV, 1960; H. R. ZELLER, M. u. d. serielle Denken, in: Sprache u. Musik, hrsg. v. H. Eimert, = die Reihe VI, Wien 1960, engl. London u. Bryn Mawr (Pa.) 1964; M. BUTOR, M. selon Boulez, in: Melos XXVIII, 1961, schwedisch in: Nutida musik VI, 1962/63, H. 3, S. 18ff.; J. W. GIELEN, M.'s »Unvollendete« en de serialisten, in: Mens en melodie XVI, 1961; M. ALLARD, The Songs of Cl. Debussy and Fr. Poulenc, Diss. Univ. of Southern California 1964; H. PETRI, Lit, u. Musik, = Schriften zur Lit. V, Göttingen 1964: E. LOCKSPEISER, M. and Music, MT CVII, 1966; P. RUSCHENBURG, Stilkritische Untersuchungen zu d. Liedern Cl. Debussys, Diss. Hbg 1966; H,-J. FREY, M. u. d. Neue Musik, Schweizer Monatshefte XLVI, 1966/67; H. BÖHMER, Alchimie d. Töne. Die M.-Vertonungen v. Debussy u. Ravel, in: Musica XXII, 1968: M. KESTING in: Melos XXXV, 1968, S. 45ff.; H. SCHMIDT-GARRE, M. u. d. Ballett, NZfM CXXIX, 1968; DERS., M. u. d. Wagnérisme, NZfM CXXX, 1969; DERS., Musique suggérée, ebd.; I. KRASTEWA, »Pli selon pli«. Portrait de M., SMZ CXIII, 1973. KDG

Malm (maːlm), William Paul, * 6. 3. 1928 zu La Grange (Ill.); amerikanischer Musikethnologe und Komponist, studierte Komposition an der Northwestern University in Evanston/Ill. (B. Mus. 1949, M. Mus. 1950) und Musikethnologie an der University of California at Los Angeles, an der er 1960 mit der Arbeit *Japanese Nagauta Music* (gedruckt als *Nagauta. The Heart of Kabuki Music*, Rutland/Vt. und Tokio 1963) zum Ph. D. promovierte. 1950 war er Instructor in Music Theory und Advisor des Dance Department an der University of Illinois in Urbana und 1958–59 Lecturer in Music an der University of California at Los Angeles. Seit 1960 gehört er dem Lehrkörper der School of Music an der University of Michigan an (1960–63 Assistant Professor, 1963–66 Associate Professor, 1966 Full Professor). Außerdem arbeitet er mit den Centers for Japanese, Chinese and Southeast Asian Studies der University of Michigan in Ann Arbor zusammen und ist Director ihrer Japanese Music Study Group. Forschungsreisen führten ihn nach Asien, in den Nahen Osten und nach Nordafrika. Von seinen Kompositionen seien das Oratorium *The Centurion* (1950) sowie die Ballette *Millenium Sunday* (Detroit 1950), *The Other Wiseman* (Urbana/Ill. 1950), *From the Rubayat* (Brooklyn/N. Y. 1953) und *This Is the Way the World Goes* (Tokio 1957) genannt. – Bücher und Aufsätze (Auswahl): *Japanese Music and Musical Instruments* (Rutland/Vt., London und Tokio 1959, ⁵1970); *An Introduction to Taiko Drum Music in the Japanese No Drama* (in: Ethnomusicology IV, 1960); *Notes on Bibliographies of Japanese Materials Dealing with Ethnomusicology* (ebd. VII, 1963); *The Eighth Day Festival on Miyakejima* (Journal of the American Folklore Society LXXVI, 1963); *Practical Approaches*

to Japanese Traditional Music (in: Studies in Japanese Culture, Univ. of Michigan, Center for Japanese Studies Occasional Papers 1965, Nr 9); *Music Cultures of the Pacific, the Near East, and Asia* (Englewood Cliffs/N. J. 1967); *Recent Recordings of Japanese Music* (in: Ethnomusicology XI, 1967); *On the Nature and Function of Symbolism in Western and Oriental Music* (in: Philosophy East and West XIX, 1969); *The Music of the Malaysian Ma' Yong* (in: Tenggara V, 1969); *The Special Characteristics of Gagaku* (= Performing Arts of Japan V, Tokio 1971).

Malmkvist, Siw, * 31. 12. 1936 zu Landskrona (Malmöhus län); schwedische Schlagersängerin, trat u. a. im »Olympia« in Paris und im »Tivoli« in Kopenhagen auf und erhielt beim Schlagerfestival in Baden-Baden 1962 mit dem Titel *Die Wege der Liebe sind wunderbar* den 2. Platz, 1964 mit *Liebeskummer lohnt sich nicht* den 1. Platz. 1968 wurde sie beim deutschen Schlagerwettbewerb Siegerin mit dem Schlager *Harlekin*. Sie trat auch im Film und in zahlreichen Fernsehshows auf. Weitere von ihr interpretierte Schlager sind *Danke für die Blumen, Wie im Rosengarten, Primaballerina, Adiolé* und *Zigeunerhochzeit.*

+Malmsjö, Johan Gustav, 1815–91.
Die Firma *Förenade Piano- & Orgelfabriker* mit Sitz zuletzt in Malmö hat um 1960 ihre Tätigkeit eingestellt.

Malovec (mʼaləvɛts), Jozef, * 24. 3. 1933 zu Hurbanovo (Slowakei); slowakischer Komponist, studierte in Bratislava bei A. Moyzes und in Prag bei Řídký und Vl. Sommer. Er ist ein vielseitiger Vertreter der slowakischen Avantgarde, der sowohl Chansons und Jazzmusik als auch Werke der Neuen Musik geschrieben hat, u. a. Bagatellen für Orch. (1957), Sonatine für Kl. (1957), *3 štúdie* für Streichquartett (1962), *Dvě časti* (»2 Stücke«) für Kammerorch. (1964), *Malá komorná hudba* (»Kleine Kammermusik«) für Fl., Klar., Trp., Vibraphon, Va, Vc. und Schlagzeug (1964), elektronische Komposition *Edison* (1965), *Kryptogram I* für Kl., Baßklar. und 6 Schlagzeuger (1965), *Koncertná hudba* (»Konzertmusik«) für großes Orch. (1967), elektronische Kompositionen *Orthogenesis* (1967), *Punctum Alpha* (1968), *Tmel* (»Kitt«, 1969) und *Theorema* (1971) sowie Filmmusik. Ferner verfaßte er: *Hudba, elektronika, současnost* (»Musik, Elektronik, Neuzeit«, Bratislava 1968); *Text o mojich elektronických skladbách* (»Ein Text über meine elektronischen Kompositionen«, in: Slovenská hudba XIII, 1969).

Malsio, José, * 2. 9. 1924 zu Bellavista (Callao); peruanischer Komponist und Dirigent, studierte am Instituto Bach in Lima, dann in den USA an der Eastman School of Music in Rochester (N. Y.), an der Yale University in New Haven (Conn.) und an der Columbia University in New York. Er war Schüler von Hindemith und Schönberg. Nach 7jährigem Aufenthalt in den USA ging er 1948 nach Europa. 1951 wurde er zum stellvertretenden Dirigenten des Symphonischen Nationalorchesters und zum stellvertretenden Direktor des Conservatorio Nacional de Música in Lima ernannt, wo er außerdem seit 1958 Professor für Harmonielehre und Komposition ist. Er ist Gründer und Dirigent des Philharmonischen Orchesters von Lima. 1970 erhielt er den Auftrag, das Symphonieorchester von Trujillo neu zu organisieren. M. schrieb Orchesterwerke (*Rondó concertante*; Divertimento; Concerto grosso für Kl., 4 V., Klar., Fag. und großes Orch.), Kammermusik (Streichtrio; Quintett für Kl., V., Horn, Klar. und Vc.) und Klavierstücke (Sonate; Toccata; *Temperamentos*).

+Malvezzi, Cristoforo (Cristofano), 1547–97.
M. wurde 1562 Kanonikus und 1571, als Nachfolger Corteccias, Kapellmeister an S. Lorenzo in Florenz. Als großherzoglicher Kapellmeister ist er ab 1577 nachweisbar [del. frühere Angaben hierzu].
Ausg.: ein Orgelstück in: I classici ital. dell'org., hrsg. v. I. Fuser, Padua 1955; Musique des intermèdes de la Pellegrina, hrsg. v. D. P. Walker, F. Ghisi u. J. Jacquot, = Les fêtes de Florence 1589, Bd I, = Le chœur des muses o. Nr, Paris 1963.
Lit.: +A. G. Ritter, Zur Gesch. d. Orgelspiels ... (1884 [nicht: 1844]), Nachdr. Hildesheim 1969 (2 Bde in 1); +H. Goldschmidt, Studien zur Gesch. d. ital. Oper im 17. Jh. (I, 1901), Nachdr. Hildesheim u. Wiesbaden 1967; +M. Schneider, Die Anfänge d. B. c. (1918), Nachdr. Farnborough 1971. – Fr. D'Accone, The Intavolatura di M. Alamanno Aiolli, MD XX, 1966.

Malzat, Ignaz, * 4. 3. 1757 zu Wien, † 20. 3. 1804 zu Passau; österreichischer Oboist und Komponist, Bruder von Johann Michael M., war 1774 Hofmusiker in Salzburg, wurde Schüler M. Haydns, bereiste dann Frankreich, Italien und die Schweiz, war 1778–88 Oboist des Pfarrchors in Bozen und wurde 1788 Kammermusiker und Kammerdiener des Fürstbischofs von Passau. Er komponierte Partiten für Blasinstrumente, Konzerte und Kammermusik.

Malzat, Johann Michael, * 21. 4. 1749 zu Wien, † 13. 5. 1787 zu Innsbruck; österreichischer Kirchenmusiker und Komponist, Bruder von Ignaz M., studierte im Stift Kremsmünster, kam dann in die Stifte Lambach und Stams als Sänger und Musiklehrer, war Mitglied des Pfarrchors in Bozen, Musikus beim Grafen Tannenberg in Schwaz und 1786–87 Chordirektor an der Universitätskirche in Innsbruck. Er komponierte Kirchenmusik (Messen, Requiems, Proprien, Motetten), das Oratorium Bußseufzer bei dem Grabe des Herrn, die Kantate Der Maezenat der freyen Künste (1778), das Singspiel Die Hirtenfeyer am Namenstage des Oberhirten (1779), ferner Sinfonien und Kammermusik.
Ausg.: Quintett Nr 5 f. Streicher, hrsg. v. W. Senn, Wien 1949.
Lit.: A. Kellner, Mg. d. Stiftes Kremsmünster, Kassel 1956.

Mamangakis, Nikos, * 3. 3. 1929 zu Rethymno (Kreta); griechischer Komponist, studierte 1949–53 Musiktheorie, Komposition und Dirigieren am Hellenischen Konservatorium in Athen, war ab 1953 als Musiklehrer und Kapellmeister auf Kreta tätig und setzte 1957–61 seine Kompositionsstudien in München bei Orff und Genzmer sowie am Institut für Elektronische Musik der Firma Siemens fort. 1961–64 lebte er als freischaffender Komponist in München, ab 1965 in Athen und 1969–71 in Berlin. Seine Musik enthält Elemente der griechischen Volksmusik, ohne folkloristisch gefärbt zu sein. – Werke (Auswahl): Konstruktionen für Fl. und Schlagzeug (1958); Musik für 4 Protagonisten für 4 Solo-St., Sprecher und kleines Orch. (1960); Sprechsymbole für B., S. und großes Orch. (1960); Monolog für Vc. solo (1960); Kassandra für S. und Kammerorch. (1963); Bühnenmusik zu Shakespeares »Othello« (1963) und zu Aristophanes' »Wespen« (1963); Ἀνταγωνισμοί (»Wettstreite«) für Vc. und Schlagzeug (1964); Τετρακτύς (»Vierer«) für Streichquartett (1964); Musik zum Film Μονεμβασία (1965); The Private Right, Musik zu einem Lichtspiel (1966); Τριττύς (»Dreier«) für Git., 2 Kb. und Cimbalom (1966); Musik zu Aristophanes' »Reichtum« (1966); Θέαμα – Ἀκόαμα (»Zu Sehendes – zu Hörendes«), Happening für 8 Instr., S., Schauspieler, Tänzerin und Maler (1967); Ἀντινομίες (»Antinomien«) für Kammerorch., Chor und Soli (1968); Bolivar, Volkskantate im Pop-art-Stil (1968); Βάκχαι, Ballettmusik (1969); Παράστασις (»Aufführung«) für Tonband, Flöten und St. (1970); Ἐρωφίλη, Volksoper in einem Akt (1970); Ἄσκησις (»Übung«) für Vc. solo (1970); Musik für eine Zeitung (»Der Tagesspiegel«, Berlin) für Tonband (1970); Ἀναρχία (»Anarchie«) für großes Orch. und Schlagzeug (1971); Πένθιμα (»Zur Trauer gehörig«) für Git. (1971) und für Vc. solo (1971); Κυκεών (»Wirrwarr«), ein Fall szenischer Psychomusik für Kammerensemble (1972). Darüber hinaus schrieb er das Buch Μουσικὴ ἀκούω καὶ μουσικὴ καταλαμβάνω (»Musik höre ich und Musik verstehe ich«, Athen 1970).

Mamiya, Michio, * 29. 6. 1929 auf Hokkaido; japanischer Komponist, absolvierte 1952 als Schüler von Ikenouchi die Staatliche Hochschule für Musik in Tokio. Er gilt als der erfolgreichste Repräsentant der nationalistischen Kompositionsschule. Von seinen Werken sind zu nennen: Opern Mukashi banashi hitokai Tarobê (»Eine Geschichte aus alter Zeit. Der Menschenhändler Tarobê«, 1959) und Nihonzaru sukitôrime (1965); Oratorium »15. Juni 1960« (1961); Symphonie (1955); 2 tableaux für Orch. (1965); 2 Klavierkonzerte (1954 und 1970); Violinkonzert (1959); 3 Sätze für Bläserquintett (1962); Quartett für japanische Instr. (1962); Streichquartett (1963); Sonate für V. solo (1970); Concerto für 9 Spieler (4 V., 2 Va, 2 Vc. und 1 Kb., 1972); Konsei gasshyô no tame no konpojishon Nr 1–8 (»Kompositionen für Chor«, 1959–71). M. gab eine Bearbeitung von Monteverdis L'incoronazione di Poppea heraus.

Manalt, Francisco, * zu Barcelona, † 16. 1. 1759 zu Madrid; spanischer Komponist und Violinist, war um 1733 Violinist in der Real Capilla de Madrid. Er veröffentlichte eine Obra harmónica a seis sonatas de cámara de violin y bajo solo, dedicadas al Excmo. Sr. D. P. Téllez Girón, Duque de Osuna ... (Madrid 1757).
Ausg.: »Obra harmónica ...«, hrsg. v. J. A. de Donostia, 3 Bde, Barcelona 1955–66 (mit Einleitung v. J. Subirá Puig).

Manara, Filippo, * 18. 6. 1869 zu Imola, † 13. 3. 1929 zu Triest; italienischer Komponist, Dirigent und Musikforscher, absolvierte 1892 als Schüler u. a. von Parisini, G. Busi d. J. und G. Martucci das Liceo Musicale in Bologna. Er wirkte zunächst als Dirigent bei Opernstagioni und von Musikkapellen und ließ sich dann in Triest nieder, wo er 1903 das Conservatorio di Musica G. Tartini gründete und es bis zu seinem Tode leitete; gleichzeitig dirigierte er Konzerte der Società Filarmonica. Er schrieb Orchesterwerke (2 symphonische Praeludien, 1903; Ouvertüre für Streicher), Kammermusik und Vokalwerke (Kantate für Soli, Chor und Orch., 1892; Lieder) und veröffentlichte Il Motu Proprio di Pio X (Triest 1905) sowie Un musicista poco noto. E. dall'Abaco (ebd. 1908).

Mancha (m'antſa), José María, * 4. 2. 1907 zu Guareña (Badajoz), † 13. 1. 1972 zu Las Palmas (Gran Canaria); spanischer Organist, Priester, Schüler von Germani und Heiller, war ab 1929 Organist an der Kathedrale von Astorga (León) sowie ab 1935 an der Kathedrale von Madrid. 1965 wurde er Professor für Orgel am Konservatorium in Madrid. Als Spezialist für ältere spanische Orgelmusik lehrte er auch an der Duquesne University in Pittsburgh (Pa.) und an der DePaul University in Chicago. Konzertreisen führten ihn durch verschiedene europäische Länder sowie in die USA und nach Südamerika. Er schrieb auch eine Reihe von Orgelwerken und Motetten und veröffentlichte einen Método completo de órgano (2 Bde, Madrid 1967–68).
Lit.: G. Bourligueux, J. M. M., organiste de la cathédrale de Madrid, in: Musique sacrée XCIX, 1973.

Manchet (mãʃ'ɛ), Eliane, * 26. 5. 1935 zu Bamako (Mali); französische Sängerin (Koloratursopran), studierte am Conservatoire de Musique in Straßburg (Diplom 1963) und war dann u. a. in Lyon (1966), Brüssel (1967), Lissabon (1968) und Amsterdam (1968–70) engagiert. Seit 1968 wirkt sie an der Pariser Opéra. Sie ist bei internationalen Festspielen (Holland Festival) und im Fernsehen aufgetreten. Zu ihren Hauptpartien gehören Mozarts Konstanze, Königin der Nacht und Fiordiligi, weiter Gilda, Zerbinetta und Strawinskys »Nachtigall«.

+Manchicourt, Pierre de (Mancicourt), um 1510 – spätestens Ende Januar 1562 [nicht: 10. 8. 1564].
Ausg.: Opera omnia, Bd I (Attaingnant Motets), hrsg. v. J. D. WICKS, = CMM LV, (Rom) 1971. – eine Chanson in: 12 frz. Lieder aus J. Moderne »Le parergon des chansons« (1538), hrsg. v. H. ALBRECHT, = Chw. LXI, Wolfenbüttel 1957; 24 Motetten in: P. Attaingnant, Treize livres de motets, hrsg. v. A. SMIJERS bzw. (ab Bd VIII) v. A. T. MERRITT, Bd V, VII u. XIII–XIV, Monaco 1960–64; eine Chanson in: Theatrical Chansons of the 15th and Early 16th Cent., hrsg. v. H. M. BROWN, Cambridge (Mass.) 1963; 29 Chansons, hrsg. v. M. A. BAIRD, = Recent Researches in the Music of the Renaissance XV, Madison (Wis.) 1970; Le neufiesme livre de chansons à quatres parties (1545), hrsg. v. B. HUYS, = Corpus of Early Music X, Brüssel 1970.
Lit.: J. D. WICKS, The Motets of P. de M., 2 Bde (I Text, II Übertragung), Diss. Harvard Univ. (Mass.) 1959; TH. DART in: ML XLV, 1964, S. 310f. (zum Tode P. de M.s); A. DUNNING, Die Staatsmotette 1480–1555, Utrecht 1970.

+Mancinelli, Luigi, 1848–1921.
Lit.: R. MARIANI, Il gusto di L. M., in: I grandi anniversari del 1960 ..., hrsg. v. A. Damerini u. G. Roncaglia, = Accad. mus. Chigiana (XVII), Siena 1960; L. SILVESTRI, L. M., Mailand 1967; V. GUI in: nRMI V, 1971, S. 242ff.

+Mancini, Francesco, 16. 1. 1672 – September (22.?) 1737 [del. frühere Daten].
M. war Schüler des Conservatorio di S.Maria della pietà dei Turchini in Neapel [nicht: S.Maria di Loreto]. 1704 wurde er 1. Organist der Hofkapelle und 1720 1. Kapellmeister des Conservatorio S.Maria di Loreto in Neapel, ist aber nicht als Direktor dieses Instituts nachweisbar. – Seine Oper +*Gli amanti generosi* (1704) steht zu der 1710 in London unter dem Titel *Idaspe fedele* (auch +*Hydaspes*) aufgeführten Oper in keiner Beziehung.
Lit.: U. PROTA-GIURLEO, Breve storia del teatro di corte e della musica a Napoli nei s. XVII–XVIII, in: Il teatro di corte del palazzo reale di Napoli, Neapel 1952.

+Mancini, Giambattista (Giovanni Battista), 1714–1800.
Ausg.: Practical Reflections on Figured Singing, nach d. Ausg. v. 1774 u. 1777 übers. u. hrsg. v. E. V. FOREMAN, = Masterworks on Singing VII, Champaign (Ill.) 1967; Riflessioni pratiche sul canto figurato, Faks. d. Ausg. Mailand 1777, = Bibl. musica Bononiensis II, 41, Bologna 1970.
Lit.: J. GARTNER, Die Gesangsschule G. B. M.s, in: Der junge Haydn, hrsg. v. V. Schwarz, = Beitr. zur Aufführungspraxis I, Graz 1972.

Mancini (mæntʃ'i:ni:), Henry, * 16.4.1924 zu Cleveland (O.); amerikanischer Komponist von Unterhaltungs- und Filmmusik, studierte an der Juilliard School of Music in New York und war Kompositionsschüler von Castelnuovo-Tedesco, Křenek und Sendrey in Los Angeles. 1945 ging er als Pianist und Arrangeur zum Orchester Glenn Miller – Tex Beneke. 1951–57 war er als Komponist für die Filmstudios der Universal-International tätig. Seit 1958 komponiert er auch für das Fernsehen. 1961 erhielt er den Academy Award für die

Filmmusik zu *Breakfast at Tiffany's* (daraus *Moon River*) und 1963 für *Days of Wine and Roses* aus dem gleichnamigen Film. Zu seinen weiteren Erfolgstiteln (Songs bzw. Orchesterstücke) gehören: *Mr. Lucky* (1950); *I Love You and Don't You Forget It*; *The Shadows of Paris*; *Song About Love*; *Charade*.
Lit.: D. EWEN, Great Men of American Popular Song, Englewood Cliffs (N. J.) 1970.

+Mandić, Josip (Josef), * 4. 4. 1883 zu Triest, [erg.:] † 5. 10. 1959 zu Prag.
M. komponierte ferner: die Opern *Mirjana* (Olmütz 1937) und *Kapetan Niko* (1944); 2.–4. Symphonie (1930, 1953, 1954); symphonische Variationen über ein Thema von Mozart (1956); Nonett (1934); Streichquartett (1927).

+Mandyczewski, Eusebius (Eusebie Mandicevschi), 17. [nicht: 18.] 8. 1857 – 1929.
Lit.: L. RUSU, Un veac de la naştera lui E. M. (»Ein Jh. seit d. Geburt v. E. M.«), in: Muzica VII, 1957; E. RIEGLER-DINU, Amintiri despre E. M. (»Erinnerungen an E. M.«), in: Studii muzicologice III, 1958; G. BREAZUL, Pagini din istoria muzicii româneşti, hrsg. v. V. Tomescu, Bukarest 1966; Z. VANCEA, Creaţia muzicală românească s. XIX–XX, Bd I, ebd. 1968.

+Manelli, Francesco, um 1595 – [erg.: vor dem 27.] 9. 1667.
Lit.: P. PETROBELLI, Fr. M., Documenti e osservazioni, in: Chigiana XXIV, N. S. IV, 1967; TH. ANTONICEK in: ÖMZ XXIII, 1968, S. 617f.

Manen (m'α:nə), Hans van, * 11. 7. 1932 zu Nieuwer Amstel (Nordholland); niederländischer Tänzer und Choreograph, studierte bei Sonia Gaskell, Françoise Adret und Nora Kiss. 1952 trat er der niederländischen Ballet Recital-Gruppe als Tänzer bei, die dann im Amsterdamer Opernballett aufging; 1959 wechselte er zu Roland Petit über. Ab 1960 gehörte er dem Nederlands Dans Theater an, 1973 wurde er als Choreograph und Ballettmeister an Het Nationale Ballet in Amsterdam verpflichtet. Sein erstes Ballett choreographierte er 1957 in Amsterdam: *Feestgericht* (Musik Luctor Ponse). Zu seinen weiteren wichtigen Choreographien zählen: *De maan in de trapeze* (»Der Mond im Trapez«, Britten, Klavierkonzert für die linke Hand, Utrecht 1959); *Klaar af* (»Fertig – los«, Duke Ellington, Den Haag, 1960); *Symphony in Three Movements* (Strawinsky, ebd. 1963); *Essay in de stilte* (»Essay in der Stille«, Messiaen, nach *Desseins éternels* aus *La nativité du Seigneur*, ebd. 1964); *Opus twaalf* (»Opus 12«, Bartók, Divertimento, ebd. 1964); *Point of No Return* (verschiedene Kompositionen von Pijper, K.Stockhausen und P.Henry, ebd. 1965); *Metaforen* (Daniel-Lesur, Variationen für Kl. und Streichorch., Köln 1966); *Dualis* (Bartók, »Musik für Saiteninstrumente, Schlagzeug und Celesta«, Den Haag 1967); *Mutations* (mit Tetley, K.Stockhausen, Telemusik und Mixtur, Scheveningen 1970); *Große Fuge* (Beethoven, Große Fuge op. 133 und Cavatina aus dem Streichquartett B dur op. 130, ebd. 1971); *Tilt* (Strawinsky, Concerto in D, Rotterdam 1971). Unter den Choreographen seiner Generation ist H. v. M. der am meisten formbewußte; seine Hauptanregungen bezieht er aus seinem engen Kontakt mit der avantgardistischen bildenden Kunst und dem Avantgardefilm.
Lit.: Ballett an einem Tag. Probenprotokoll v. H. KOEGLER, in: Ballett 1967, Velber bei Hannover 1967.

+Manén, Juan, * 14. 3. 1883 zu Barcelona.
Die Oper +*Acté* wurde in einer Neufassung 1928 in Karlsruhe als *Nero und Akté* uraufgeführt; das Triptychon +*Don Juan* beansprucht 3 [nicht: 2] Abende. – Neuere Werke (nach 1964): *Sinfonia ibérica* und die Ou-

vertüre *Festividad* (1966) für Orch.; *Rapsodia catalana* für Kl. und Orch. (1968); Concertino für V. und Orch. (1965), *Romanza mistica* und *Romanza amorosa* für V., Streichorch. und Hf. – Von seiner Autobiographie +*Mis experiencias* erschienen bisher 2 Bde (*El niño prodigio* und *El joven artista*, = Grandes biogr. o. Nr, Barcelona 1944–64); er schrieb ferner *Relatos de un violinista* (= Temas musicales o. Nr, Madrid 1964).

Manfrẹdi, Filippo (Filippino), * 1729 und † 12. 7. 1777 zu Lucca; italienischer Violinist und Komponist, studierte in Lucca bei Frediano Matteo Lucchesi und G. M. Gregori sowie 1746 in Livorno bei Nardini und Tartini. 1765 war er Violinist am Teatro S. Benedetto in Venedig, dann Violinlehrer in Genua. Ab 1767 unternahm er mit Boccherini zusammen Konzertreisen durch Oberitalien, nach Wien und 1768 über Frankreich nach Spanien, wo er bis 1772 als 1. Violinist im Orchester des Infanten Don Luis wirkte. Er kehrte dann nach Lucca zurück und übernahm wieder den Posten des 1. Violinisten in der Cappella Palatina, den er schon ab 1758 innegehabt hatte. 1765 hatte er in Mailand mit Boccherini, Nardini und Cambini ein Streichquartett gebildet. Gedruckt wurden einige Sonaten für V. solo und B. c. (op. 1 in Paris bei Boivin).
Lit.: A. BONACCORSI, F. M., il compagno di Boccherini, Atti dell'Accad. Nazionale dei Lincei IX, 1954; DERS., F. M., in: Musiche ital. rare e vive …, hrsg. v. A. Damerini u. G. Roncaglia, = Accad. Mus. Chigiana (XIX), Siena 1962; DERS., Maestri di Lucca. I Guami e altri musicisti, = »Hist. musicae cultores« Bibl. XXI, Florenz 1967.

+**Manfredini,** –1) Francesco Maria, um 1680–1748. Er war Kapellmeister in München [nicht: Monaco].
–2) Vincenzo, 1737–99. Seine 1763 in St. Petersburg aufgeführte Oper heißt +*Carlo Magno* [nicht: *Grande*].
Ausg.: zu –1): Concerto grosso op. 3 Nr 8, hrsg. v. A. HOFFMANN, Wiesbaden 1954; dass. op. 3 Nr 12, hrsg. v. H. MAY, = Concertino XCIV, Mainz 1967; Concerto C dur f. 2 Trp., Kl.-A. hrsg. v. R. VOISIN, NY 1967. – zu –2): Regole armoniche, Faks. d. Ausg. Venedig 1775 = MMMLF II, 10, NY 1966.

Manfroce (manfr'o:tʃe), Nicola Antonio, * 20. 2. 1791 zu Palmi (Kalabrien), † 9. 7. 1813 zu Neapel; italienischer Komponist, studierte ab 1804 bei Furno und Tritto am Conservatorio della Pietà dei Turchini in Neapel und anschließend bei Zingarelli in Rom. Seine verheißungsvolle Karriere wurde durch den frühen Tod jäh abgebrochen. Er schrieb u. a. die Opern *Alzira* (Rom 1810), *Ecuba* (Neapel 1812) und *Manfredi* (Mailand 1816), 6 Symphonien, die Kantate *La nascita di Alcide* (1812), 3 Messen sowie Arien und Duette.

+**Mangeant,** Jacques, [erg.:] um 1571 zu Caen (Calvados) – nach 1639.

Mangelsdorff, Albert, * 5. 9. 1928 zu Frankfurt am Main; deutscher Jazzposaunist, Bruder von Emil M., trat ab 1954 vorwiegend mit eigenen Gruppen auf, übernahm 1958 die Leitung des Jazzensembles des Hessischen Rundfunks in Frankfurt a. M. und gründete 1962 ein Quintett mit den Saxophonisten Heinz Sauer und Günter Kronberg, dem Bassisten Günter Lenz und dem Schlagzeuger Ralf Hübner. 1958 kam er erstmals in die USA; 1960 war er Mitglied des European All Stars, 1967 wirkte er in New York neben dem Orchester der Hamburgischen Staatsoper in Schullers *Visitation* mit. M. gilt als einer der bedeutendsten deutschen Jazzmusiker. Stilistisch hat er eine Entwicklung vom progressiven Swing zum Free Jazz durchlaufen. In seinen musikalischen Organisationen finden sich neben atonalen, ametrischen und völlig frei konzipierten Strukturen kontrapunktische Linienführungen und Anklänge an

traditionellere Jazzidiome. Er schrieb eine *Anleitung zum Improvisieren für Posaune* (Mainz 1965). – Aufnahmen: Langspielplatte *Tension* (1963 als beste Schallplatte des Jahres von der Deutschen Jazzföderation ausgezeichnet); *Now Jazz Ramwong* (1964; CBS 62398); *Folk Mond and Flower Dream* (1967; CBS S 63162); *A. M. and His Friends* (1969, Duette mit Karl Berger, Attila Zoller, Don Cherry u. a.; MPS 15210); *Wild Goose* (1969 mit dem Jazzensemble des Hessischen Rundfunks; MPS 15229); *The Down Beat Poll Winners in Europe* (1970; MPS 15259); *Never Let It End* (1970; MPS 15274).
Lit.: D. GLAWISCHNIG, Motivische Arbeit im Jazz, in: Jazzforschung I, 1969; W. SANDNER, Anm. zur Improvisationstechnik A. M.s, ebd. III/IV, 1973.

Mangelsdorff, Emil, * 11. 4. 1925 zu Frankfurt am Main; deutscher Jazzmusiker (Klarinette, Altsaxophon, Flöte), Bruder von Albert M., besuchte das Dr. Hoch'sche Konservatorium in Frankfurt a. M. (1941–42; Klarinette, Klavier, Schlagzeug). Ab 1949 trat er mit verschiedenen Jazzformationen in amerikanischen Clubs auf, spielte 1952 bei Joe Klimm, 1953 in der Jutta Hipp-Combo, die als erste deutsche Jazzgruppe zwei Schallplatten für amerikanische Firmen aufnahm (MGM; Blue Note). 1956 war er Mitglied der Frankfurter All Stars und der Deutschen All Star Band. Im gleichen Jahr entstanden Schallplattenaufnahmen mit den Two Beat Stompers. Seit 1957 ist er Mitglied des Jazzensembles des Hessischen Rundfunks. Er schrieb eine *Anleitung zur Improvisation für Saxophon in B* (Mainz 1964). – Aufnahmen: *Swinging EM Oil Drops* (1966; CBS S 63058); *Old Fashion–New Sound* (Europa E 386).

Mangelsdorff, Simone (eigentlich Isolde Nanny Margarete), * 19. 1. 1931 zu Bad Dürrenberg (bei Leipzig), † 26. 11. 1973 zu Köln; deutsche Opernsängerin (Sopran), studierte an der Staatlichen Hochschule für Musik in Frankfurt a. M. (Paul Lohmann) und trat ihr erstes Engagement am Landestheater in Coburg an. Über die Theater in Basel und Nürnberg (1965) kam sie 1968 an die Städtischen Bühnen Köln, deren Ensemblemitglied sie von da an war. S. M. sang bei den Festspielen in Bayreuth (1965) und Salzburg (1967) sowie an der Metropolitan Opera in New York (1968 und 1969). Zu ihren Partien gehörten Leonore (*Fidelio*), Senta, Elisabeth (*Tannhäuser*), Isolde, Aida, Leonore (*La forza del destino*), Tosca, Salome, Octavian, Komponist (*Ariadne auf Naxos*) und die Gräfin (*Capriccio*). Sie war mit Emil M. verheiratet.

+**Manicke,** Dietrich, * 29. 10. 1923 zu Wurzen (Sachsen).
M., der heute in Detmold lebt, ist seit 1967 Professor für Komposition und Tonsatz an der Nordwestdeutschen Musikakademie Detmold. Neuere Werke: Kleine geistliche Konzerte für Soli, Chor und Org. (zum Reformationsfest, 1958; zum 2., 4. und 1. Advent, 1961–63); Klaviersonate (1961); 4 lateinische Motetten (1961); Bläsersextett (1962); Choralpartita *Von Gott will ich nicht lassen* für Org. (1963); Evangelienmotette *Jesu Einzug in Jerusalem* (1963); Klaviertrio (1966); Flötenkonzert (1967); Magnificat für Mezzo-S. und Kammerorch. (1968); Evangelienmotette *Jesus und Johannes* (1969). Er schrieb *Der polyphone Satz*, Teil I: *Grundlagen und Zweistimmigkeit* (= Musik-Taschen-Bücher, Theoretica IV, Köln 1965), Aufsätze über E. Pepping (in: Kirchenmusik heute, hrsg. von H. Böhm, Bln 1959, S. 53ff.; Musica XXII, 1968, S. 86ff.; Fs. E. Pepping, Bln 1971, S. 105ff.) sowie *H. Schütz als Lehrer* (in: Sagittarius II, 1969) und gab *Balladen von G. A. Bürger, in Musik gesetzt von André, Kunzen, Zumsteeg, Toma-*

schek und Reichardt (2 Bde, = EDM XLV–XLVI, Abt. Oratorium und Kantate II–III, Mainz 1970) heraus. Lit.: G. HAUSSWALD in: Der Kirchenmusiker XXI, 1970, S. 92ff. (mit Werkverz.).

+Mankell, [erg.: Ivar] Henning, 1868–1930. M. kann nicht mit Sicherheit als Nachfahre der deutschen Musikerfamilie Mangold identifiziert werden. Er studierte 1892–95 bei Hilda Thegerström und 1895–99 bei Lundberg Klavier. Zu seinen Klavierwerken zählen 3 Sonaten (eine unvollendet) und 6 als Fantasien bezeichnete größere Werke. [del. bzw. erg. frühere Angaben.] Lit.: M. SÖDERBERG, H. M., en bortglömd kompositör (»H. M., ein vergessener Komponist«), in: Musikkultur XXX, 1966.

Mann (mæn), Alfred, * 28. 4. 1917 zu Hamburg; amerikanischer Musikforscher deutscher Herkunft, studierte an der Staatlichen Hochschule für Musik in Hamburg und am Curtis Institute of Music in Philadelphia (Diplom 1942) sowie an der Columbia University in New York, an der er 1955 mit einer Dissertation über *The Theory of Fugue* (gedruckt als *The Study of Fugue*, New Brunswick/N. J. 1958, London 1959, Paperback-Nachdr. NY 1966) zum Ph. D. promovierte. 1947 übernahm er eine Dozentur an der Rutgers University in New Brunswick (N. J.), an der er 1952 Professor of Music wurde. Er ist Director of Publications der American Choral Foundation und Herausgeber der *American Choral Review*. – Aufsätze (Auswahl): *The Artistic Testament of R. Strauss* (MQ XXXVI, 1950); *Zum Concertistenprinzip bei Händel* (in: Musik als Lobgesang, Fs. W.Ehmann, Darmstadt 1964); *Zum deutschen Erbe Händels* (NZfM CXXV, 1964); *Eine Kompositionslehre von Händel* (Händel-Jb. X/XI, 1964/ 65); *Eine Textrevision von der Hand J.Haydns* (in: Musik und Verlag, Fs. K.Vötterle, Kassel 1968); *The Present State of Handel Research* (AMl XLI, 1969); *Beethoven's Contrapuntal Studies with Haydn* (MQ LVI, 1970); *Haydn as Student and Critic of Fux* (in: Studies in 18th-Cent. Music, Fs. K.Geiringer, London 1970). Er übersetzte J.J.Fux' *Gradus ad Parnassum* ins Deutsche (*Die Lehre vom Kontrapunkt*, Celle 1938, 21951) und ins Englische (*Steps to Parnassus*, NY 1943, NA, mit J.Edmunds, als *The Study of Counterpoint*, NY und London 1965) und edierte ein Faksimile der Ausgabe Wien 1725 (= J.J.Fux, Sämtliche Werke VII, 1, Kassel und Graz 1967). Ferner gab er heraus *Documents of the Musical Past* (New Brunswick/N. J. 1953ff., bisher 7 Bde) und *Th. Attwoods Theorie- und Kompositionsstudien bei Mozart* (mit E.Hertzmann u. a., = Neue Mozart-Ausg. X, 30, Bd 1, Kassel 1965).

+Mann, Johann Christoph (Monn), 1726–82. Lit.: R. LÜCKE, Die Gb.-Aussetzungen A. Schönbergs, DJbMw VIII, 1963; G. A. HENROTTE, The Ensemble Divertimento in Pre-Class. Vienna, 2 Bde, Diss. Univ. of North Carolina 1967.

Mann, Józef → Riedl, Josef Anton.

Mann, Józef, * 24. 2. 1883 zu Lemberg, † 5. 9. 1921 zu Berlin; polnischer Sänger (Heldentenor), war zunächst in Lemberg als Anwalt (Dr. jur.) tätig und debütierte an der dortigen Oper. Er trat an der Wiener Volksoper auf (1912–16) und wurde dann als 1. Heldentenor an die Berliner Hofoper (später Staatsoper) engagiert, deren Ensemble er bis zu seinem Tode angehörte. M. gastierte an der Metropolitan Opera in New York, der Dresdner Staatsoper und anderen deutschen Bühnen. Seine wichtigsten Partien waren Tannhäuser, Lohengrin, Parsifal, Tristan, Othello, Canio, Don José und Faust. Er starb auf der Bühne der Berliner Staatsoper während seiner Abschiedsvorstellung als Radames.

Mann, Robert N. → Juilliard String Quartet.

+Mann, [erg.: Paul] Thomas, 1875–1955. Ausg.: Stockholmer +GA, Stockholm 1938, Amsterdam 1948, Wien 1949, Ffm. 1950–65 [erg. frühere Angaben]; Gesammelte Werke, 12 Bde, Bln 1955; Gesammelte Werke, 12 Bde, Ffm. 1960; Werke. Das essayistische Werk, hrsg. v. H. BÜRGIN, = Moderne Klassiker CXV, Ffm. 1968 (Taschenbuchausg. in 8 Bden). – Wagner u. unsere Zeit. Aufsätze, Betrachtungen, Briefe, hrsg. v. E. MANN, Ffm. 1963, ungarisch Budapest 1965. – Briefe, hrsg. v. DERS., 3 Bde, Ffm. 1961–65 (Ausw.); Th. M. über J. M. Hauer. Ein bisher unveröff. Brief, NZfM CXXI, 1960 (mit Faks.); Aus d. Briefwechsel Th. M. – E. Preetorius, hrsg. v. H. WYSLING, Blätter d. Th.-M.-Ges. 1963, Nr 4; Th. M., Br. Walter. Briefwechsel, hrsg. v. DEMS., ebd. 1969, Nr 9; H. Eisler, Th. M., Briefwechsel über »Faustus«, in: Sinn u. Form 1964, Eisler-Sonder-H.; Briefwechsel Th. M. – H. v. Hofmannsthal, in: S. Fischer-Almanach. Das 82. Jahr, hrsg. v. J. H. FREUND u. G. NIEDIECK, Ffm. 1968 (darin M.s Brief über d. »Rosenkavalier«). Lit.: E. NEUMANN, Fortsetzung u. Nachtrag zu H. Bürgins Bibliogr. »Das Werk Th. M.s« [+Ffm. 1959], in: Betrachtungen u. Überblicke, hrsg. v. G. Wenzel, Bln 1966; G. WENZEL, Th. M.s Briefwerk. Bibliogr. gedruckter Briefe aus d. Jahren 1889–1955, = Deutsche Akad. d. Wiss. zu Bln, Veröff. d. Inst. f. deutsche Sprache u. Lit. XLI, Reihe E, Bln 1969. – +KL. W. JONAS, Fifty Years of Th. M. Studies. A Bibliogr. of Criticism (1955), mit Bd II (bis 1965) fortgeführt v. DEMS. u. I. B. JONAS als: Th. M. Studies, = Univ. of Pennsylvania Studies in Germanic Languages and Lit. o. Nr, Philadelphia 1967; DERS., Die Hochschulschriften d. In- u. Auslandes über Th. M., in: Betrachtungen u. Überblicke, hrsg. v. G. Wenzel, Bln 1966, auch in: Börsenblatt f. d. deutschen Buchhandel (Frankfurter Ausg.) XXII, 1966, S. 1397ff.; DERS., Die Th.-M.-Lit., Bd I: Bibliogr. d. Kritik 1896–1955, Bln 1972; H. MATTER, Die Lit. über Th. M., Eine Bibliogr. 1898–1969, 2 Bde, ebd. (in Bd II, S. 352ff., ausführliche bibliogr. Angaben zur Kontroverse Schönberg-M. u. zur späteren Beilegung, ferner eigene Abschnitte u. a. zu R. Wagner, H. Pfitzner u. Br. Walter). – H. LEHNERT, Th.-M.-Forschung, DVjs. XL, 1966 – XLII, 1968, revidiert =Referate aus d. DVjs. o. Nr, Stuttgart 1969. Blätter d. Th.-M.-Ges. (Zürich): 1958, Nr 1 – 1959, Nr 2, 1962, Nr 3 – 1963, Nr 4, 1965ff., Nr 5ff. (1969, Nr 9: Sonder-H. M. – Br. Walter). – J. SZIGETI, The Phonograph in Th. M.'s »The Magic Mountain«, in: The American Music Lover IX, 1942, Wiederabdruck in: With Strings Attached, NY 1947, London 1949, NY 21967, deutsch als: Zwischen d. Saiten, Zürich 1962, ungarisch Budapest 1965; A. v. GRONICKA, Th. M.'s »Doktor Faustus«, The Germanic Rev. XXIII, 1948; G. v. LUKÁCZ, Th. M., Budapest 1948, deutsch Bln 1949, 51957, ital. Mailand 1956, frz. Paris 1967; E. DOFLEIN, Leverkühns Inspirator. Eine Philosophie d. neuen Musik, in: Die Gegenwart IV, 1949; A. DORNHEIM, Música novelesca y novela mus., Concepción mus. de las últimas novelas de H. Hesse y Th. M., Rev. de estudios mus. I, (Mendoza) 1949; W. KOHLSCHMIDT, Musikalität, Reformation u. Deutschtum, in: Zeitwende XXI, 1949, auch in: Die entzweite Welt, = Glaube u. Forschung III, Gladbeck 1953 (zum »Doktor Faustus«); J. MÜLLER-BLATTAU, Sinn u. Sendung d. Musik in Th. M.s »Doktor Faustus« u. H. Hesses »Glasperlenspiel«, in: Geistige Welt IV, 1949, revidiert in: Annales Univ. Saraviensis, Philosophische Fakultät II, 3, 1953, S. 145ff., Wiederabdruck in: Von d. Vielfalt d. Musik, Freiburg i. Br. 1966; V. A. OSWALD, Th. M. and the Mermaid. A Note on Constructivistic Music, in: Modern Language Notes LXV, 1950; J. M. STEIN, Adrian Leverkühn as a Composer, The Germanic Rev. XXV, 1950; H. GRANDI, Die Musik im Roman Th. M.s, Diss. Bln 1952 (HU) (masch.); DERS., Th. M. musiziert, in: Musa – Mens – Musici, Gedenkschrift W. Vetter, Lpz. 1970; J. KREY, Die gesellschaftliche Bedeutung d. Musik im Werk v. Th. M., Wiss. Zs. d. Fr.-Schiller-Univ. Jena, Gesellschafts- u. sprachwiss. Reihe III, 1953/54; P. BOULEZ, Docteur Faustus, Chapître XXII, in: Hommage de la France à Th. M., hrsg. v. M. Flinker, Paris 1955; G. W. FIELD, Music and Morality in Th. M. and H. Hesse, Univ. of Toronto Quarterly XXIV, 1955; O. H. MOE, Det mus. i Th. M.s verk, in: Åndsmenneskets ansvar, Fs. Th. M., Oslo 1955; G. C. SCHOOLFIELD, The Figure of the Musician in German Lit., = Univ. of North Carolina Studies in the Germanic Languages and Lit. XIX, Chapel Hill (N. C.) 1956; A. BRINER, Wahrheit u. Dichtung um J. C. Beissel, SMZ XCVIII, 1958, engl. in: The American-German Rev. XXVI, 1959/60; DERS., Th. M. and »The American-German Rev.«, ebd. XXX, 1963/ 64; M. GREGOR(-DELLIN), Wagner u. kein Ende. R. Wagner im Spiegel v. Th. M.s Prosawerk, Bayreuth 1958; DERS., »Tristan«, Faszination f. einen Dichter, in: Hundert Jahre Tristan, hrsg. v. W. Wagner, Emsdetten 1965; V. ŽMEGAČ, Uloga muzike u stvaralaštvu Th. M.a, Diss, Zagreb 1958, deutsch als: Die Musik im Schaffen Th. M.s, = Zagreber germanistische Studien I, ebd. 1959; E. E. CARO, Music and Th. M., = Stanford Honor Essays in Humanities II, Stanford (Calif.) 1959; D. DEVOTO, Deux musiciens russes dans le »Doktor Faustus« de Th. M., Rev. de lit. comparée XXXIII, 1959; W. BLISSET, Th. M., the Last Wagnerite, The Germanic Rev. XXXV, 1960; H. TRAMER, Ungekannte u. Umgetaufte, Bull. of the L. Baeck-Inst. III, 1960 (zu Gustav Aschenbach u. G. Mahler); R. W. WISEMAN, Music and the Problem of Evil. Music as a Means to New Vision in the Works of Th. M. and H. Hesse, Diss. Univ. of California at Berkeley 1960; W. DOBBEK, Th. M.s Weg zu einer humanen Musik, in: Vollendung u. Größe Th. M.s, hrsg. v. G. Wenzel, Halle (Saale) 1962; J. MITTENZWEI, Die Beziehungen zwischen Musik u. bürgerlicher Dekadenz in d. Werken Th. M.s, in: Das Mus. in d. Lit., ebd.; G. BERGSTEN, Th. M.s Doktor Faustus, = Studia litterarum Upsaliensia III, Stockholm 1963, engl. Chicago 1969; H. U. ENGELMANN, Joseph Berglinger u. Adrian Leverkühn oder: über d. Wärme u. über d. Kälte, NZfM CXXIV, 1963; J. MAINKA, Eine Polemik um Th. M.s Wagnerbild, BzMw V, 1963; CH. E. PASSAGE, Hans Castorp's Mus. Incantation, The Germanic Rev. XXXVIII, 1963; K. DICKSON, The Technique of a »Mus.-ideeller Beziehungskomplex« in »Lotte in Weimar«, Modern Language Rev. LIX, 1964; B. HEIMANN, Th. M.s »Doktor Faustus« u. d. Musikphilosophie Adornos, DVjs. XXXVIII, 1964; W. H. McCLAIN, Wagnerian Overtones in »Der Tod in Venedig«, in: Modern Language Notes LXXIX, 1964; H. PETRI, Lit. u. Musik, = Schriften zur Lit. V, Göttingen 1964; G. RÖDDING, Der Teufel u. d. Musik; in: Musik als Lobgesang, Fs. W. Ehmann, Darmstadt 1964; M. SCHÄDLICH, Th. M. u. d. christliche Denken. Eine Untersuchung über d. Zusammenhang v. Theologie u. Musik im »Doktor Faustus«, Bln 1964; J. BUŽGA, Leverkühn u. d. moderne Musik, in: Melos XXXII, 1965; M. MANN, Eine unbekannte »Quelle« zu Th. M.s »Zauberberg«, Germanisch-romanische Monatsschrift, N. F. XV, 1965 (G. Mahlers »Lied v. d. Erde«); E. TH. SCHELTINGA KOOPMAN, Die Funktion d. Musik in Th. M.s »Tristan« u. »Zauberberg«, in: Duitse kroniek XVII, 1965; V. ZUCKERKANDL, Th. M. the Musician, in: The Th. M. Commemoration at Princeton Univ., Princeton (N. J.) 1965; A. OPLATKA, Th. M. u. R. Wagner, Schweizer Monatshefte XLV, 1965/66; S. KROSS, Mus. Strukturen als literarische Form, in: Colloquium amicorum, Fs. J. Schmidt-Görg, Bonn 1967; ST. P. SCHER, Th. M.'s »Verbal Score«. Adrian Leverkühn's Symbolic Confession, in: Modern Language Notes LXXXII, 1967, auch in: Verbal Music in German Lit., = Yale Germanic Studies II, New Haven (Conn.) 1968; TH. KARST, Johann Conrad Beißel in Th. M.s Roman »Doktor Faustus«, Jb. d. Deutschen Schillerges. XII, 1968; G. POTEMPA, Bogen u. Leier. Eine Symbolfigur bei Th. M., Oldenburg 1968; W. V. BLOMSTER, Th. M. and the Munich Manifesto, in: German Life and Letters, N. S. XXII, 1968/69; U. JUNG, Die Musikphilosophie Th. M.s, = Kölner Beitr. zur Musikforschung LIII, Regensburg 1969; C. D. LINDBLOM, Mus. Description and Its Function in the Works of Th. M., Diss. Rutgers State Univ. (N. J.) 1969; A. W. RUSSAKOWA, T. M. i musyka, in: T. M. poiskach nowowo gumanisma, Leningrad 1969; H. DÖRR, Th. M. u. Adorno. Ein Beitr. zur Entstehung d. »Doktor Faustus«, Literaturwiss. Jb., N. F. XI, 1970; J. ALBRECHT, Leverkühn oder d. Musik als

Schicksal, DVjs. XLV, 1971; R. H. RIEMANN, The Role of Music in the Novels of Th. M., Diss. Univ. of Pennsylvania 1971; M. G, ROSE, More on the Mus. Composition of »Doktor Faustus«, in: Modern Fiction Studies XVII, 1971; S. SCHNITMAN, Mus. Motives in Th. M.'s »Tristan«, Modern Language Notes LXXXVI, 1971; H. OESCH, A. Moeschingers Briefwechsel mit Th. M., SMZ CXII, 1972; L. BECKETT, Aschenbach, M. and Music, MT CXIV, 1973; P. CARNEGY, Faust as Musician. A Study of Th. M.'s Novel »Doctor Faustus«, London 1973.

+**Mann,** Tor Gustaf Teodor, * 25. 2. 1894 zu Stockholm.
M. lebt seit 1963 im Ruhestand.

Mann (mæn), William Somervell (Pseudonym Hokus-Pokus), * 14. 2. 1924 zu Madras (Südindien); englischer Musikkritiker und Musikschriftsteller, studierte 1937–42 am Winchester College und 1946–47 am Magdalene College (B. A., B. Mus.) in Cambridge sowie privat bei Seiber und Orr (Komposition) und bei Ilona Kabos (Klavier). M. ist heute bei Presse (»The Times«, »Irish Times«), Rundfunk und Fernsehen tätig; er ist Mitherausgeber der Zeitschrift Opera sowie Rezensent bei »The Gramophone« und MT. Neben Zeitschriftenaufsätzen und Beiträgen für Grove schrieb er u. a.: Introduction to the Music of J. S. Bach (London 1950); R. Strauss. A Critical Study of the Operas (ebd. 1964, NY 1966, deutsch von W. Reich als R. Strauss. Das Opernwerk, München 1967, ²1969); R. Wagner, Der Ring bzw. Tristan und Isolde. Introduction, Synopsis, Translation (London 1964 bzw. 1968).

Manna, Ruggero, * 7. 4. 1808 zu Triest, † 13. 5. 1864 zu Cremona; italienischer Komponist, studierte in Triest, dann bei seinem Onkel Ladislao Bassi und bei Lavigna in Mailand sowie ab 1822 bei Mattei in Bologna (Accademico Filarmonico 1823) und vervollkommnete später seine Studien in Wien. Er war Lehrer für Cembalo und Assistent von G. Farinelli in Triest, reiste als Dirigent durch Italien und ließ sich 1835 in Cremona nieder, wo er Maestro di cappella am Dom sowie Direktor des dortigen Theaters wurde und eine Gesangsschule für junge Leute gründete. Er schrieb die Opern Francesca da Rimini, Jacopo da Valenza (Triest 1832), Preziosa (Cremona 1845) und Il profeta velato (Triest 1846), Orchester- und Konzertstücke sowie Vokalmusik (Oratorium Gli esuli d'Israello auf den Psalm 136, 1862; zahlreiche Messen, Litaneien, Hymnen, Responsorien und andere kirchenmusikalische Werke, Chöre und Lieder).

+**Mannborg,** Karl Theodor, 1861–1930.
Die Firma M. wurde 1961, bei Weiterführung des Harmoniumfabrikates M., von der »Harmonium-Fabrik und Herstellung historischer Tasteninstrumente« O. Lindholm in Borna (Bezirk Leipzig) übernommen.

Manne (mæn), Shelly (eigentlich Sheldon), * 11. 6. 1920 zu New York; amerikanischer Jazzmusiker (Schlagzeug, Orchesterleitung, Komposition), begann als Altsaxophonist, kam 1939 zum Orchester von Bobby Byrne, trat nach der Tätigkeit in verschiedenen Orchestern 1946 in die Band von Stan Kenton ein (1946–48) und spielte 1949 bei Woody Herman sowie 1950–51 wieder bei Stan Kenton. Er ließ sich 1952 in Kalifornien nieder, wo er einer der wichtigsten West-Coast-Jazz-Schlagzeuger wurde. 1960 eröffnete er in Los Angeles den Jazzclub »Shelly's Man Hole«.

+**Mannes,** –1) David, * 16. 2. 1866 und [erg.:] † 25. 4. 1959 zu New York. –2) Leopold Damrosch, * 26. 12. 1899 zu New York, [erg.:] † 11. 8. 1964 zu Martha's Vineyard (Cape Cod/Mass.).

Mannino, Franco, * 25. 4. 1924 zu Palermo; italienischer Komponist, Pianist und Dirigent, studierte an der Accademia Nazionale di S. Cecilia in Rom Klavier bei Renzo Silvestri (Diplom 1940) und Komposition bei Mortari (Diplom 1947). 1941 debütierte er als Pianist in Rom und entfaltete in den folgenden Jahren eine rege Konzerttätigkeit, die ihn in verschiedene europäische Länder, in die USA und nach Afrika führte. Seit 1952 ist er auch als Dirigent im In- und Ausland hervorgetreten; 1957 unternahm er mit dem Orchester des Maggio Musicale Fiorentino eine Tournee durch die USA. 1969–70 war er künstlerischer Leiter des Teatro S. Carlo in Neapel. M. komponierte die Opern *Vivì* (Neapel 1957), *La stirpe di Davide* (Rom 1962), *Il diavolo in giardino* (Palermo 1963), *Il quadro delle meraviglie* (nach Cervantes, Rom 1963), *Luisella* (nach Th. Mann, Palermo 1969), *Hatikva* (Triest 1970) und *La speranza* (ebd. 1970), die Rundfunkoper *Le notti della paura* (RAI 1963), Ballette (*Mario e il mago*, Mailand 1956; *Garden Party*, 1962), Orchesterwerke (*3 tempi*, op. 12, 1951; 3 Suiten, op. 14, 1952, op. 28, 1961, und op. 29, 1961; *Hommage à Jean Babilée* op. 15, 1953; *Sinfonia americana* op. 18, 1954; *Mottetti strumentali* op. 36, 1964; *Laocoonte* op. 45, 1966; *Capriccio di capricci*, 2 Studien nach Paganini, op. 50, 1967), Werke für Soloinstr. und Orch. (*Concertino lirico* für Vc., Kl. und Streicher op. 2, 1938; Klavierkonzert op. 17, 1954; Konzert für 3 V. und Orch. op. 40, 1965; *Suite galante* für Fl., Pos. und kleines Orch. op. 42, 1966), Kammermusik (*Aria* für 2 V., Vc. und Kl. op. 6, 1944; *A Little Music for Three Friends* für Fl., V. und Va op. 20, 1956; *Mélange capriccioso* für 3 V. op. 46, 1966; *Hommage à Élaine* für Fl. op. 55, 1968; *Improvvisazione* für V., Horn und Kl. op. 57, 1971; *Ballata drammatica* für V., Va, Vc. und Kl. op. 67, 1971), Klavierwerke (*Toccata* op. 1, 1932; Sonata op. 9, 1950; *Arlecchino boogie* op. 11, 1950; *Adagio-Allegretto* op. 25, 1958), Orgelstücke, Vokalwerke (*Serenata* für Mezzo-S. und 9 Instr. op. 10, 1950; *Domenica di Pentecoste* für Chor und Org. op. 53, 1967; *Due liriche tedesche e un congedo* für S. und kleines Orch. oder S. und Kl. op. 66, 1971) sowie Bühnenmusik und zahlreiche Filmmusiken.

+Manojlović, Kosta P., 22. 11. (4. [nicht: 3.] 12.) 1890 zu Krnjevo (Smederevska Palanka, Serbien) – 1949.
Lit.: Je. Milojković-Đurić, Zapisi narodnih pesama kompozitora K. P. M.a (»Die Volksliednotierung beim Komponisten K. P. M.«), in: Zvuk 1967, Nr 79; dies., Doprinos i uloga K. P. M.a u razdoblju između dva svetska rata (»Rolle u. Beitr. K. P. M.' in d. Periode zwischen d. beiden Weltkriegen«), ebd. 1969, Nr 100.

Manolov, Emanuil (Emanuil Ivanov), * 7.(19.) 1. 1860 zu Gabrovo, † 2.(15.) 2. 1902 zu Kazanlâk; bulgarischer Komponist und Dirigent, verließ um 1878/79 seine Heimatstadt und kam über Svištov, Bukarest und Odessa nach Moskau, wo er Musik (wahrscheinlich auch am Konservatorium) studierte. Nach seiner Rückkehr nach Bulgarien war er Kapellmeister bei verschiedenen bulgarischen Regimentern, wirkte als Chor- und Orchesterdirigent und veranstaltete literarisch-musikalische Abende und Konzerte, bei denen er gleichzeitig als Komponist, Dirigent und Solist (Sänger und Flötist) teilnahm. M. ist der Autor der ersten bulgarischen Oper (*Siromachkinja*, »Die Verarmte«, Kazanlâk 1900). Schnelle Verbreitung fanden seine Kinderlieder und Chorlieder (12 Bde *Slaveevi gori*, »Nachtigallenwälder«). Ferner schrieb er Orchestermusik (Walzer *Vâzdušni celuvki*, »Luftige Küsse«; Fantasie *V pregrâdkeite na ljubovta*, »In Umarmungen der Liebe«), Werke für Blasorch. (Fantasie über bulgarische Volksmusikmo-

tive, Walzer, Märsche), 2 Fantasien für V. und Fl., Klavierstücke und Sololieder.
Lit.: I. Kamburov, E. M., Sofia 1933; A. Balareva, E. M., ebd. 1961; K. Ganev, Pârvi stâpki na bâlgarskata klavirna muzika (»Anfänge bulgarischer Kl.-Musik«), in: Bâlgarska muzika XIX, 1968.

+Mansfield [–1) Orlando Augustine], –2) Purcell James, * 24. 5. 1889 zu Torquay (Devonshire), [erg.:] † 24. 9. 1968 zu Glasgow.

+Manski, Dorothée, * 11. 3. 1895 zu New York, [erg.:] † 24. 2. 1967 zu Atlanta (Ga.).

+Ferd. Manthey K.G.
Nach dem Tod von Hans Helmuth Ferdinand M. (* 23. 10. 1898 und † 8. 4. 1965 zu Berlin [erg. frühere Angaben]) wurde die Firma in eine Kommanditgesellschaft umgewandelt; die Betriebsleitung der Fabrik liegt heute bei Christian M. (* 17. 10. 1928 zu Berlin).

+Màntica, Francesco, * 23. 12. 1875 zu Reggio di Calabria, [erg.:] † 19. 5. 1970 zu Rom.
Neuere Kompositionen: *Allegro appassionato* und *Allegro festoso* (»Festa in paese«, 1960), *Rapsodia càlabra* (1960), 4 *Ghiribizzi* (nach Klavierstücken, 1965) und Fantasia coreografica *Omaggio a Tersicore* (1966) für Orch.; *Litanie e lodi alla Beata Vergine* für 3st. gem. Chor und Orch. (1967).

Mantilla Jimeno (mant'iʎa xim'eno), Alfredo, * 22. 5. 1910 zu Madrid; spanischer Musikkritiker, promovierte 1930 in Madrid zum Dr. jur. (war stellvertretender Professor für Internationales Recht), studierte privat Musikwissenschaft und war bis 1936 Musikkritiker bei den Zeitungen »La correspondencia« und »El heraldo«. 1942–46 war er Professor für Musikgeschichte am Conservatorio Nacional de Música in Santo Domingo. Dann lehrte er an der Universidad de Puerto Rico in Rio Piedras und war bis 1960 Musikkritiker für die Zeitung »El mundo«. 1960 wurde er Professor für Musikgeschichte und Ästhetik am Conservatorio de Música de Puerto Rico. Er schrieb eine Reihe von Texten, u. a. für Kompositionen von Casals.

Mantovani, Annuncio Paolo, * 15. 11. 1905 zu Venedig; englischer Orchesterleiter und Violinist italienischer Herkunft, erhielt Musikunterricht von seinem Vater (Violinist an der Mailänder Scala), kam mit seinen Eltern nach England und leitete mit 20 Jahren ein eigenes Unterhaltungsorchester in London. Seit den 30er Jahren spielt er im Rundfunk, unternimmt ausgedehnte Konzertreisen durch die USA und durch Europa und hat heute auch eigene Fernsehsendungen. Der unverkennbare Sound seines Orchesters beruht auf verstärkten Streichergruppen und differenzierten Arrangements, die den »Klang der verzauberten Geigen« hervorrufen. M. hat zahlreiche Schallplattenaufnahmen gemacht, vor allem von Operetten-, Musical- und Filmmelodien (*Song from »Moulin Rouge«* von Auric, bearbeitet von Percy Faith) sowie von Arrangements klassischer Musik. Zu seinen größten Schallplattenerfolgen zählt *Charmaine* von Rapée (1926 für den Stummfilm *What Price Glory?* komponiert).

+Mantovani, Tancredi, 1863 [nicht: 1864] – 24. [nicht: 25.] 2. 1932.

Mantzaros, Nikolaos, * 13.(24.) 10. 1795 und † 18.(30.) 3. 1872 zu Korfu; griechischer Komponist und Musikpädagoge, studierte zunächst in seiner Heimat und wurde 1824 Kompositionsschüler von Zingarelli am Conservatorio di Musica S. Sebastiano in Neapel. Ab 1826 wirkte er in Korfu als Musikpädagoge und Komponist. M. war eng befreundet mit dem griechischen Dichter Dionysios Solomos, von dem er eine große Zahl von Gedichten vertonte. Historische Bedeutung für Griechenland hat M.' Vertonung der »Hymne an die Freiheit« (Σὲ γνωρίζ' ἀπὸ τὴν κόψη, »Dich erkenn' ich an der Schneide«) von Solomos, die seit 1864 als Nationalhymne gesungen wird. M. komponierte ferner 24 Ouvertüren, Klavierstücke, 3 Messen (eine byzantinische, 1834, und 2 katholische, um 1825), eine Doxologie (1864), Θρῆνοι nach Jeremias und Davids Psalmen sowie Lieder.

Manuela (eigentlich Doris Wegener), * 18. 8. 1943 zu Berlin; deutsche Schlagersängerin, errang ihren ersten Erfolg 1963 mit dem Hit *Schuld war nur der Bossa Nova*, machte dann Karriere in den USA, wo sie Gast verschiedener Fernsehshows war und ihre erste amerikanische Schallplatte unter dem Titel *Manuela* herausbrachte. Zu den bekannten Schlagern von M., die 5 goldene Schallplatten erhielt und 1971 zu Deutschlands beliebtester Schlagersängerin deklariert wurde, zählen *Lord Leicester, Guantanamera* und *Alles und noch viel mehr.* Sie tritt seit 1971 in deutschen Fernsehshows und seit 1973 auch auf der Bühne in Musicalrollen auf.

Manzoni, Alessandro, * 7. 3. 1785 und † 22. 5. 1873 zu Mailand; italienischer Dichter, Hauptvertreter der italienischen Romantik, schrieb u. a. die *Inni sacri*, 5 Hymnen auf Feste des Kirchenjahres (1812–22), *Il cinque maggio*, eine Ode auf den Tod Napoleons (1821), die historischen Trauerspiele *Il conte di Carmagnola* (1820) und *Adelchi* (1822) und den Roman *I promessi sposi* (1825–27). Mit seinen Dichtungen und Stellungnahmen zu literarischen und sprachlichen Fragen nahm er bestimmenden Einfluß auf die italienische Einigungsbewegung. Verdi, der seine überaus starke Verehrung für den Dichter durch Bezeichnungen wie »il Grande«, »il Santo« (in Briefen an Clarina Maffei) bekundete, hat unter dem Eindruck von M.s Tod die Arbeit an seinem Requiem weitergeführt und beendet und am ersten Jahrestag des Todes die Uraufführung in Venedig selbst dirigiert. Aus der frühen Zeit Verdis datieren Vertonungen des *Cinque maggio* (unterdrückt) und von Chören aus M.-Tragödien. M., der kein Fachwissen, aber Neigung zur Musik hatte und sich gern am Klavier vorspielen ließ, unterhielt freundschaftliche Beziehungen zu Giovanni Arcangelo Gambarana (Vertonung von *Il cinque maggio*, 1824, und *La Pentecoste*, 1825) und Benedetto Neri (Vertonung der *Versi per una prima comunione*, 1832[?]). Opern nach M. schrieben Ponchielli (*Promessi sposi*, Cremona 1856; *Enrico Petrella*, Lecco 1869) und A. Thomas (*Le comte de Carmagnola*, Paris 1841); Pietro Tonassi vertonte *La Pentecoste* sowie *Il Natale, La passione* und *La risurrezione* für 4 Singst. und Kl. aus den *Inni sacri.*

Ausg.: Opere complete, hrsg. v. M. BARBI u. F. GHISALBERTI, 3 Bde, Mailand 1942–50; Opere complete, hrsg. v. A. CHIARI u. F. GHISALBERTI, 4 Bde, ebd. 1954–63. - Opere (Ausw.), hrsg. v. R. BACCHELLI, = La letteratura ital., Storia e testi LIII, ebd. u. Neapel 1953; Werke (deutsch), hrsg. v. H. BAHR u. E. KAMNITZER, Bd III–VI, München 1923 (Bd I–II nicht erschienen). - G. Verdi. I copialettere, hrsg. v. G. CESARI u. A. LUZIO, Mailand 1913.
Lit.: M. PARENTI, Bibliogr. m.ana, Florenz 1936; DERS., Indice della bibliogr. delle ed. a stampa delle lettere di A. M., = Amor di libro III, ebd. 1948. - ST. STAMPA, A. M., la sua famiglia, i suoi amici, 2 Bde, Mailand 1885–89; P. BELLEZZA, M. e Verdi, in: Nuova Ant. 1901, Nr 175; E. FONDI, A. M., la musica e i musicisti, RMI XVII, 1910; M. SCHERILLO, Verdi, Shakespeare, M., Spigolature nelle lettere di Verdi, in: Nuova Ant. 1912, Nr 244; L. PARIGI, A. M. e la musica, in: Il pianoforte VII, 1927; U. ROLANDI, »I promessi sposi« posti in musica per la prima volta, Velletri 1927; I. PIZZETTI, La Messa da requiem di Verdi, Einleitung zum Faks. d. Partitur, Mai-

land 1941, Wiederabdruck in: Musica d'oggi XXIII, 1941; M. GHISIO-ERBA, Com'era la musica? Rileggendo i »Promessi sposi«, Rom 1947; M. GORVA, M., = Storia della critica XX, Palermo 1959; L. TONELLI, M., = Collana »Vasari« o. Nr, Mailand 1963; R. BACCHELLI, M., Commenti letterari, = Bibl. moderna Mondadori Bd 794, ebd. 1964; A. CHIARI, L'opera di A. M., = Classe unica XCIX, Turin ²1967; D. ROSEN, La »Messa« a Rossini e il »Requiem« per M., RIdM V, 1970; G. PETROCCHI, M., Lettera-tura e vita, = Saggi Rizzoli o. Nr, Mailand 1971.   KDG

Manzoni, Giacomo, * 26. 9. 1932 zu Mailand; italienischer Komponist und Musikschriftsteller, lebt in Mailand. Er studierte ab 1948 bei Contilli in Messina Komposition, dann ab 1955 in Mailand und an der Università Commerciale L. Bocconi fremde Sprachen und Literaturen (1955 promovierte er über das Thema *Die Rolle der Musik im Werke Th. Manns*). M. war in Mailand 1958–63 im Musikverlag G. Ricordi & C. Mitglied der Redaktion der »Enciclopedia della Musica«, 1958–66 Musikkritiker bei der Tageszeitung »L'unità« und ab 1962 Lehrer am Conservatorio di Musica G. Verdi. Seit 1965 ist er Lehrer am Conservatorio di Musica Statale G. B. Martini in Bologna (seit 1969 für Komposition). Von seinen Kompositionen sind die früheren (1951–52) von einer freien Atonalität geprägt, während die jüngeren (seit 1954) die Zwölftontechnik einbeziehen. – Theaterarbeiten: *La sentenza* (1 Akt, Text Emilio Jona, Bergamo 1960); *Atomtod* (Oper in 2 Akten, Jona, Mailand 1965). – Orchesterwerke: *Fantasia, recitativo, finale* für Kammerorch. (1956); *Studio per 24* (1962); *Studio 2* für Kammerorch. (1963); *Insiemi* (1967); *Variabili* für Kammerorch. (1973). – Kammermusik: *Piccola suite* für V. und Kl. (1955); *Seconda piccola suite* für V. und Kl. (1957); *Preludio-»Grave« di W. Cuney-Finale* für S., Klar., V., und Va. (1958); *3 liriche di P. Eluard* für S. und verschiedene Instr. (1958); *Improvvisazione* für Va und Kl. (1958); *Klavieralbum 1956* (1958); *4 poesie spagnole* für Bar., Klar., Va und Git. (1961); *Musica notturna* für 5 Bläser, Kl. und Schlagzeug (1967); *Quadruplum* für 2 Trp. und 2 Pos. (1969); *Spiel* für 11 Streicher (1969); *Parafrasi con finale* für 10 Instr. (1969). – Vokalwerke: *5 vicariote* (über sizilianische Volkstexte) für gem. Chor und Orch. (1961); *Don Chisciotte* für S., kleinen Chor und Kammerorch. (1964); *Ombre (alla memoria di Che Guevara)* für Orch. und Chorklänge (1968). – *2 sonetti italiani* (Texte von Cecco Angiolieri und Leopardi) für 48 St. (1961). – Elektronische Musik *Studio 3* (1964); *Parole da Beckett* für 3 Instrumentengruppen, Chor und Tonband (1971). – Schriften (Auswahl): *Guida all'ascolto della musica sinfonica* (= Universale economica Nr 539, Mailand 1967); Aufsätze über Schönberg (in: La musica moderna, 4 H., ebd. 1968); *Monteverdi* (in: I protagonisti della storia universale, ebd. 1968). – Übersetzungen von Adornos *Philosophie der neuen Musik* (*Filosofia della musica moderna*, Turin 1959), *Dissonanze* (*Dissonanze*, Mailand 1959), *Wagner–Mahler* (Turin 1966), *Der getreue Korrepetitor* (*Il fido maestro sostituto*, ebd. 1969) sowie Schönbergs *Harmonielehre* (*Manuale di armonia*, ebd. 1963), *Structural Functions of Harmony* (*Funzioni strutturali dell'armonia*, ebd. 1967) und *Fundamentals of Musical Composition* (*Elementi di composizione musicale*, ebd. 1969).
Lit.: A. GENTILUCCI, G. M., nRMI II, 1968; M. BARONI, G. M., Le ultime opere (1966–69), in: Notiziario delle Ed. Suvini Zerboni 1970, April-Nr.

Manzotti, Luigi, * 2. 2. 1835 und † 15. 3. 1905 zu Mailand; italienischer Mime und Choreograph, ließ sich erst ziemlich spät zum Mimen und Tänzer ausbilden und kam über Florenz nach Rom, wo er am Teatro Argentina und am Teatro Apollo seine ersten Ballette

choreographierte. Patriotismus und ein ausgesproche-
ner Sinn für Theatereffekte ließen ihn im Italien des
Risorgimento rasch zu großem Erfolg gelangen. 1872
kehrte er nach Mailand zurück, wo er an der Scala seine
drei von der technischen Fortschrittsgläubigkeit des
Jahrhunderts durchdrungenen Hauptwerke herausbrachte: *Excelsior* (1881), *Amor* (1886) und *Sport* (1897).
Lit.: C. W. BEAUMONT, Complete Book of Ballets, London
1938, ⁴1956.

+Mapleson, James Henry, 1830–1901.
Seine Autobiographie +*The M. Memoirs. The Career of
an Operatic Impresario, 1858–88* (1888), hrsg. von H.
Rosenthal, London und NY 1966 (1 Bd).

Mar-Chaim, Josef, * 20. 10. 1940 zu Jerusalem; israelischer Komponist, Schüler von Sadaï, studierte an
der Rubin Academy of Music in Jerusalem. Nach einem Studienaufenthalt in den USA kehrte er nach Israel zurück und lebt seitdem in Tel Aviv. Er schrieb
u. a. ein Trio für Fl., Va und Git. (1964), eine Fantasie
für Cemb. (1967), *Three Zen-Songs* (1968), *Retroactions*
für Kl. mit Sprecher, *Journeys* für St. und Kammerorch. (1970), *A Child of Rain* für Gesang und Orch.
sowie Bühnen- und Filmmusik.

+Mara, Gertrud Elisabeth, 1749–1833.
Lit.: +G. CHR. GROSHEIM, Das Leben d. Künstlerin M.
(1823), Neudr. Kassel 1972. – V. HUBER, Flirt u. Flitter.
Lebensbilder aus d. Bühnenwelt, Düsseldorf 1970.

al-Marāġī → +'Abd al-Qādir ibn Ġaibī al-Ḥāfiẓ
al-M.

Maragno (mar'agno), Virtú, * 18. 3. 1928 zu Santa
Fé; argentinischer Komponist und Dirigent, studierte
in Buenos Aires Klavier bei De Raco und Scaramuzza
sowie in Rom Komposition bei Petrassi und Dirigieren
bei Capuana. Er ist heute Professor für Komposition
am Instituto Superior de Música der Nationaluniversität in Rosario. Er schrieb Orchesterwerke (*Combinacio-
nes y diferencias*, 1960; *Movimiento sinfónico*, 1960; *Ex-
presión* für 2 Orch. mit Schlagzeuggruppe, 1961; *In-
tensidad y espacio*, 1962), Kammermusik (Concertino
für Kl. und 14 Instr., 1954; 2 Streichquartette, 1958 und
1961), Klavierstücke, *Composición N° 1* für mehrere
St., Instr. und Tonband (1962), Chorwerke (*Cantata
de la vida nueva* für Soli, Chor und Orch., 1952; *Poema*
für T., Chor und Instrumentalensemble, 1956), a cappella-Chöre, Lieder sowie Bühnen- und Filmmusik.

+Marais, Marin, 31. 5. [nicht: 3.] 1656 – 1728.
Von M. sind keine Orgelstücke bekannt. Von seinen
19 [nicht: 10] Kindern wurden 4 [nicht: 3] Musiker.
Ausg.: Suite D moll, Fantaisie u. Suite D moll (letzteres
aus d. 3. Buch d. »Pièces de violes«, 1711), f. Va u. Cemb.
hrsg. v. R. u. L. BOULAY, Paris 1951, 1955 bzw. 1961; 4
Stücke in: Leichte Spielmusik f. Va da gamba u. B. c.,
hrsg. v. J. BACHER, = HM CXXIII, Kassel 1954, ³1963;
Orch.-Suite aus »Sémélé«, hrsg. v. L. BOULAY, Paris 1955;
2 Stücke f. Vc. u. Cemb., hrsg. v. DEMS., = L'Astrée o. Nr,
ebd. 1965; 3. Suite (aus d. 1. Buch d. »Pièces . . .«, 1686)
f. Basse de viole (Vc.) u. B. c., hrsg. v. DEMS., ebd. 1966;
Les folies d'espagne (aus »Pièces . . .«, 1701), f. Fl. hrsg.
v. H.-P. SCHMITZ, = Flötenmusik o. Nr, Kassel 1956;
Pièces en trio, f. 2 Diskant-Block-Fl. u. Kl. (Cemb.) hrsg.
v. L. RING, = Il fl. dolce o. Nr, London 1957; Chaconne
D dur f. Va da gamba u. B. c., hrsg. v. W. SCHULZ, Lpz.
1962; Suite D dur f. Va u. Kl. (Cemb.), hrsg. v. D. DAL-
TON, NY 1964; Tombeau de M. Meliton (aus »Pièces . . .«,
1686), in: E. SCHENK, Die außerital. Triosonate, = Das
Musikwerk XXXV, Köln 1970.
Lit.: CL. H. THOMPSON, M. M., 2 Bde (I Text, II Übertra-
gung), Diss. Univ. of Michigan 1956; DERS., M. M.'s
»Pièces de violes«, MQ XLVI, 1960; DERS., Instr. Style in
M. M.'s »Pièces de violes«, RMFC III, 1963.

+Mařák [–1) Jan], –2) Otakar, 1872–1939.
Lit.: E. KOPECKÝ u. V. POSPÍŠIL, Slavní pěvci Národního
divadla (»Berühmte Sänger d. Prager Nationaltheaters«),
= Edice umělců Národního divadla IV, Prag 1968.

Maranzano (maranθ'ano), José Ramón, * 27. 11.
1940 zu Santiago del Estero; argentinischer Kompo
nist, studierte in seiner Heimatstadt bei Gómez Carrillo, dann in Buenos Aires an der Facultad de Artes y
Ciencias Musicales der Pontificia Universidad Católica
Argentina »Santa María de los Buenos Aires« (Komposition bei Ginastera und Gandini, Instrumentation
bei Caamaño) und an der Universidad de Buenos Aires
(Klavier bei Oscar Trovato, Gesang bei Rosalina Croc-
co, Komposition bei Gandini, Elektronische Musik bei
Kröpfl). 1966–69 war er als Kritiker für die Zeitschrift
»Tribuna musical« tätig. M. komponierte Orchesterwerke (*Música para orquesta 1966*, 1966; *Primer estudio
sinfónico*, 1968; *Estudios sinfónicos*, Nr 2, 1970, und Nr 3,
1971; *Sinfonías de la cantata I*, 1970), Kammermusik
(Streichquartett Nr 1, 1965; *Pequeño tríptico* für 2 Kl.
und Schlagzeug, 1966), Klavierstücke (*Microformas*,
1965), Chorwerke mit Orchester (*Meditaciones peni-
tenciales* für S. und 2 Chöre, 1969) und a cappella (*Salmo 150*, 1969) sowie Elektronische Musik (*Frecuencia I*
mit Instrumentalensemble, 1966; *Mnemon*, 1970; *Mnemon II*, 1971).

+Marazzoli, Marco, um 1602 oder um 1608 [nicht:
um 1619] – 26. [nicht: 24.] 1. 1662; italienischer Kom-
ponist [erg.:] und Harfenist.
Päpstlicher Kapellsänger war M. 1637–40, danach
Kammermusiker bei der in Rom weilenden Königin
Christine von Schweden; er hielt sich in Ferrara und
Venedig auf, wurde 1643 von Kardinal Mazarin nach
Paris verpflichtet und kehrte schließlich 1645 nach
Rom zurück, wo er in Diensten Papst Urbans VIII.
stand. – Seine Oper +*Le armi e gli amori* wurde 1654
[nicht: 1656] aufgeführt.
Ausg.: Dialog »Par schutrà se favelli« aus d. Oper »Dal
male il bene«, in: K. G. FELLERER, Die Monodie, = Das
Musikwerk XXXI, Köln 1968, auch engl.; Rezitativ u.
Arie (»Romanesca«) aus d. Oratorium »S. Tommaso«, in:
G. MASSENKEIL, Das Oratorium, ebd. XXXVII, 1970.
Lit.: +H. GOLDSCHMIDT, Studien zur Gesch. d. ital. Oper
(I, 1901), Nachdr. Hildesheim u. Wiesbaden 1967. – P.
CAPPONI, M. M. e l'oratorio »Christo e i Farisei«, in: La
scuola romana, hrsg. v. A. Bruers u. a., = Accad. mus.
Chigiana (X), Siena 1953; DERS., Dalle corrispondenze
ined. di M. M., L'educazione di una virtuosa nel s. XVII,
in: Lo spettatore mus., III, 1968; ST. REINER, Collabo-
ration in »Chi soffre speri«, MR XXII, 1961; P. KAST,
Biogr. Notizen zu römischen Musikern d. 17. Jh., in:
Analecta musicologica I, 1963; DERS., Unbekannte Dokumente zur Oper »Chi soffre speri« v. 1637, Fs. H. Osthoff,
= Frankfurter musikhist. Studien o. Nr, Tutzing 1969;
W. WITZENMANN, Autographe M. M.s in d. Bibl. Vaticana,
in: Analecta musicologica VII, 1969 u. IX, 1970 (mit thematischem Verz.).

Marbé (marb'ε), Myriam, * 9. 4. 1931 zu Bukarest;
rumänische Komponistin, studierte 1944–54 am Conservatorul de Muzică C. Porumbescu, wo sie seit 1960
als Dozentin für Kontrapunkt tätig ist. Sie schrieb *Pie-
să lirică* (»Lyrisches Stück«) für Ob., 2 Hörner, Kl.,
Celesta, Schlagzeug und Streichorch. (1959), Kammermusik (Sonate für Va und Kl., 1955, und für Klar.
und Kl., 1961), Klavierwerke (Sonate, 1956) und Vokalmusik (Kantate *Noapte ţărănească*, »Nacht auf dem
Lande«, für gem. Chor und Orch., 1958; *Cîntec pentru
republică*, »Lied für die Republik«, für gem. Chor, 1963;
Suită corală, 1969).

+Marcabru, [erg.:] um 1100–50, aus der Gascogne
stammend.

Ausg.: +Fr. Gennrich, Der mus. Nachlaß d. Troubadours, 3 Bde,ᵗ =Summa musicae medii aevi III–IV u. XV, Darmstadt 1958–65 [erg. frühere Angaben]; +Ders., Troubadours, Trouvères, Minne- u. Meistergesang (1951), Neuaufl. Köln 1960, auch engl. Melodie zu P–C 293,35). – Ders., Lo gai saber, = Mw. Studienbibl. XVIII/XIX, Darmstadt 1959 (alle 4 Melodien); J. Maillard, Anth. de chants de troubadours, Nizza u. NY 1967 (P–C 293,30 u. 35).
Lit.: F. Pirot, Bibliogr. commentée du troubadour M., in: Moyen Age LXXIII, 1963. – P. Groult, Interprétation de quelques passages du »Vers del lavador« de M.n, in: Langue et littérature du Midi de la France, Kgr.-Ber. Avignon 1955 (1957); A. Roncaglia, Per un'ed. e per l'interpretazione dei testi del trovatore M.no, ebd.; Ders., M.no, »Aujatz de chan«, in: Cultura Neolat. XVII, 1957; Ders., »Cortesamen vuoill comensar«, Rivista di cultura e vita scolastica VII, 1965; P. Falk, Sur les vers de M. »Que.i ant faut li buzat d'Anjau, Cal desmerill« (P–C 293,33), in: Studia neophilologica XXXII, 1960; A. G. Hatcher, M.'s »A la fontana del vergier«, in: Modern Language Notes LXXIX, 1964; R. Lejeune, Pour le commentaire du troubadour M., Une allusion à Waïfre, roi d'Aquitaine, Annales du Midi LXXVI, 1964; F. Pirot, Ce n'était point le troubadour M. ..., ebd. LXXVIII, 1966; P. T. Ricketts u. E. J. Hathaway, Le »Vers del lavador« de M., Rev. des langues romanes LXXVII, 1966; Ders., »A l'alena del vent doussa« de M.n, ebd. LXXVIII, 1968 (kritische Ausg., Übers. u. Kommentar).

Marcel (marsˈɛl), Luc-André, * 26. 2. 1919 zu Entrecasteaux (Var); französischer Komponist, studierte bei Louis Saguer (1948). Er schrieb Orchesterwerke (Scherzo *Jeu des parallèles*, 1957; *Mythologies* mit den Teilen I: *La métamorphose de Narcisse*, II: *La course d'Atalante*, III: *Le sommeil d'Endymion*, IV: *La métamorphose de Daphné* und V: *L'enlèvement d'Europe*, 1968; *Etude pour une naissance de Vénus*, 1968; Konzert Nr 1 für Kl. und Orch. (1965) und Nr 2 für Kl. und Streichorch. (1966), *Exercice de la variation*, 5 concertos en forme de variations sur un thème de Bartók (bisher 1ᵉʳ volet: Konzert Nr 3 für Kl. und Orch., 1971, 2ᵉ volet: Konzert für V. und Orch., 1971, und 3ᵉ volet: Konzert für Trp. und Orch., 1972), Werke für Kammerensemble (*Etude pour une neige* für 17 Solisten, 1963; *Le livre des eaux* für 2 Kl., 12 Schlagzeuger und Sprecher, 1946, Neufassung für 4 Ondes Martenot, 2 Kl. und Schlagzeug, 1967; *Le secret de l'espadon*, Suite d'images für 14 Instr., 1964; Sonate für Blechbläser, 1965; *Lyres* für verschiedene Instr. und Streicher, 1ᵉʳ livre, I: *Brumes et soleils*, II: *Jeu dansé*, III: *La roche marine*, IV: *Route de Salernes* und V: *L'aube repeuplée*, 1969, 2ᵉ livre, VI: *Janvier aux Jonquerets*, VII: *Gaillarde à 5 temps*, VIII: *Elégie au bois de pins* und IX: *Ecrit pour les oiseaux*, 1970), Kammermusik (*Livre d'images* für Fl., 2 Ondes Martenot und Schlagzeug, 1959; Streichquartette Nr 1, 1953 und Nr 2, 1955, Neufassung als *Symphonie d'archets*, 1966; Klavierquartett *Le retable de Marie*, 1966; *Suite de variations* für Ondes Martenot, Kl. und Schlagzeug, 1950; 1ᵉʳ cahier pour trio à cordes, 1965, und 2ᵉ cahier ..., 1967; *L'oiseau de Java* für 2 Ondes Martenot, 1958; Sonaten für Va solo, 1959, für Vc. solo, 1965, und für V. solo, 1965; *Canto fermo* für Va d'amore solo, 1963; *Les herbes heureuses*, 21 Stücke für Ondes Martenot, 1964), Klavierwerke (Sonate, 1944, Orchesterfassung unter dem Titel *Mirologue*, 1954; *Cahier de sonates modales*, 1950; *Elégie funèbre*, 1950; *Toccata en 2 mouvements*, 1952, Endfassung 1958; *Les exercices et les jeux*, 4 cahiers de pièces progressives pour piano, für Kinder, 1955; *Concert pour 2 pianos*, 1964), Vokalmusik (*Cantate des choses nues* für S., A., Bar., 3st. Frauenchor und Streichorch., 1961; *Cantate grégoire de Narek* für Haute-contre, T., Baßbar., Männerchor und Orch., 1962; *Cahier de Cantobre* für Bar.

oder Mezzo-S. und 13 Instr., 1963; *Cantate au point du jour* für 12 St. und Instrumentalensemble, 1967; *Cantate de Léda* für S. oder T., Frauenchor und Streichorch., 1969; Lieder), Bühnenmusik und Werke für pädagogische Zwecke (*Les exercices et les jeux*, 34 Stücke für Instrumentalquintett »pour l'enseignement de l'expression gestuelle chez les enfants«, 1971; *Pour les cours de rythme*, 25 Stücke für 4 Instr., 1971; *Pour la pratique du métallophone chez les enfants*, 17 Stücke für 4 Instr., 1971). M. trat auch musikschriftstellerisch u. a. mit Aufsätzen über Debussy, Schönberg, A. Honegger, Bondon und A. Casanova sowie dem Buch *Bach* (= Solfèges XIX, Paris 1961, deutsch = Rowohlts Monographien LXXXIII, Reinbek bei Hbg 1963, auch japanisch) hervor.
Lit.: Werkverz. in: Le courrier mus. de France 1972, Nr 37.

+**Marcel-Dubois,** Claudie, * 19. 1. 1913 zu Tours.
Cl. M.-D., Forschungsleiterin am Centre national de la recherche scientifique in Paris, erhielt 1961 einen Lehrauftrag für Musikethnologie an der Ecole pratique des hautes études (Sorbonne). Neuere Veröffentlichungen: *Ethnomusicologie de la France 1945–59* (AMl XXXII, 1960); *Instruments de musique du cirque* (in: Arts et traditions populaires VIII, 1960); *Remarques sur l'ornementation dans l'éthnomusicologie européenne* (Kgr.-Ber. NY 1961, Bd I); *L'éthnomusicologie, sa vocation et sa situation* (Rev. de l'enseignement supérieure 1965, Nr 3); *Le tambour-bourdon, son signal et sa tradition* (in: Arts et traditions populaires XIV, 1966); musikethnologische Beiträge zu Lexika und Sammelschriften.

+**Marcello,** Benedetto, 9. [nicht: 2.] 8. 1686 – [erg.: 24. oder] 25. 7. 1739.
Das +Oboenkonzert D moll [nicht: C moll], das J. S. Bach in Weimar zum Cembalokonzert (BWV 974) umarbeitete, stammt nicht von ihm, sondern von seinem Bruder Alessandro (24. 8. 1669 zu Venedig – 19. 6. 1750 zu Padua [del. frühere Angaben]). – Die bislang als gedruckt nicht nachgewiesenen +*Concerti a cinque con v. solo e vc. obbligato* op. 1 sind in einer handschriftlichen Kopie erhalten (Venedig, Bibl. Marciana).
Ausg.: Estro poetico-armonico (1724–26), Faks.-Ausg. London 1967 (8 Bde in 4). – Arianna, hrsg. v. R. Nielsen, Bologna 1956. – Concerto grosso op. 1 Nr 4, hrsg. v. M. Zanon, = Antica musica strumentale ital. o. Nr, Mailand 1960; Concerti grossi op. 1 Nr 1–3, 5 u. 7–8, hrsg. v. E. Bonelli, Padua 1960–66. – Sonaten f. Alt-Block-Fl. (Fl., V.) u. B. c. op. 1 Nr 1–4 u. 6–7, hrsg. v. J. Glode, 3 H., = HM CLI–CLII (Nr 1–2 u. 6–7, = H. 1 u. 3) u. CXLII (Nr 3–4, = H. 2), Kassel 1958–63; 6 Sonaten f. Vc. u. B. c. op. 2, hrsg. v. E. Bonelli, Padua 1960; dass., hrsg. v. W. Kolneder, 2 H., Heidelberg u. London 1960; Suonate a fl. solo con b. c. op. 2, hrsg. v. A. Tassinari u. R. Tora, 2 H., = Musiche vocali e strumentali sacre e profane ... XIX, Rom 1964–66; Sonaten op. 2 Nr 8 D moll u. Nr 10 A moll f. Alt-Block-Fl. (Fl., V.) u. B. c., hrsg. v. H. Ruf, 2 H., = Originalmusik f. d. Block-Fl. Nr 63–64, Mainz 1965; Sonate A moll f. Vc. u. B. c., hrsg. v. Dems., = Cello-Bibl. CIV, ebd. 1966; Sonate f. Org. (Cemb.), hrsg. v. S. Dalla Libera, Padua 1971; Cemb.-Sonaten, hrsg. v. L. Sgrizzi u. L. Bianconi, = Le pupitre XXVIII, Paris 1971. – Il teatro alla moda, hrsg. v. G. A. Caula, = »Studia et documenta hist. musicae« Bibl. III, Turin 1965; dass., tschechisch v. A. Hartmanová (mit Einführung v. J. Bachtík), Prag 1970. – zu A. M.: Ob.-Konzert D moll, Originalfassung d. Vorlage zu BWV 974 hrsg. v. A. Hoffmann, = Corona LXXVI, Wolfenbüttel 1963; dass., hrsg. v. H. Ruf, = Antiqua LXXXIV, Mainz 1963; H. Derégis, A. M., Nel terzo centenario della nascita. Sei cantate da camera, = »Hist. musicae cultores« Bibl. XXVI, Florenz 1969.

Lit.: +W. S. Newman, The Keyboard Sonatas of B. M. (1957), »Postscript« dazu in: AMl XXXI, 1959, S. 192ff.; +ders., The Sonata in the Baroque Era (1959), revidiert Chapel Hill (N. C.) 1966, London 1968, neuerlich revidiert NY u. London 1972 (Paperbackausg.). – C. S. Fruchtman, Checklist of Vocal Chamber Works by B. M., = Detroit Studies in Music Bibliogr. X, Detroit 1967. – C. Sites, More on M.'s Satire, JAMS XI, 1958; dies., B. M.'s Chamber Cantatas, Diss. Univ. of North Carolina 1959; M. D. Cordovana, An Analytical Survey and Evaluation of the »Estro poetico-armonico« of B. M., = Studies in Music XXXI, Diss. Catholic Univ. of America (Washington/D. C.) 1967; O. Biba, Eine Quelle zu B. M.s Cemb.-Sonaten aus d. Besitz v. G. Reutter d. J., Mf XXVI, 1973. – zu A. M.: A. Vander Linden, B. Paumgartner u. E. T. Ferand in: Mf XI, 1958, S. 82f. bzw. S. 342, sowie XII, 1959, S. 86 (Miszellen zum früher B. M. zugeschriebenen Ob.-Konzert); Ch. Cudworth in: MT CVIII, 1967, S. 1231f.

March (mɑːtʃ), Peggy (eigentlich Margret Annemarie Batavio), * 8. 3. 1948 zu Lansdale (Pa.); amerikanische Schlagersängerin, studierte in den USA Gesang, Schauspiel und Tanz und kam mit ihrer ersten Schallplatte *I Will Follow Him* in die amerikanische Hitparade. 1963 gab sie ihr Debüt in Deutschland bei der Berliner Funkausstellung; sie war 1965 Siegerin der deutschen Schlagerfestspiele mit dem Titel *Mit siebzehn hat man noch Träume*. P. M., die in zahlreichen Fernsehshows auftrat, ließ sich 1969 in München nieder. Zu weiteren von ihr gesungenen Schlagern zählen *Romeo und Julia, Telegramm aus Tennessee, Memories of Heidelberg, Einmal verliebt ...* und *Das Lied des Regens*.

+Marchal, André, * 6. 2. 1894 zu Paris.
An St-Eustache in Paris wirkte er bis 1963 und an der Institution nationale des jeunes aveugles [erg.: 1913] bis 1959.
Lit.: N. Dufourcq, A. M. et l'école d'orgue en France, in: L'organo V, 1964–67.

+Marchand, Colette, * [erg.: 29. 4.] 1925 zu Paris.
Nach dem erfolgreichen Film +*Moulin Rouge* entstanden noch die Filme *Par ordre du tsar* und *Ungarische Rhapsodie*. 1954 wirkte C. M. erneut in den USA, 1955–56 in Italien, ab 1958 vorwiegend in Frankreich (Paris, Marseille, Bordeaux). 1960–66 kreierte sie am Opernhaus von Marseille zahlreiche Partien in Choreographien von Joseph Lazzini (u. a. 1961 in *Hommage à Jérôme Bosch*, Musik J. Meyerowitz, 1962 in *La tendre Eléonore*, J.-M. Damase, und in *Le mandarin merveilleux*, Bartók). In den letzten Jahren tanzte sie mehrfach in Choreographien von Adolfo Andrade (z. B. *La tragédie de Salomé*, Fl. Schmitt, Bordeaux 1967). Darüber hinaus tritt sie häufig in Revuen und Musicals (auch im Fernsehen) auf. C. M. lebt heute in Paris.

+Marchand, Louis, 1669–1732.
Ausg.: Pièces de clavecin, hrsg. v. Th. Dart, Monaco 1960.
Lit.: +G. Frotscher, Gesch. d. Orgelspiels u. d. Orgelkomposition (II, 1936, ²1959), Bln ³1966. – Fr. Morel, M. im Spiegel Marpurgs, in: Musik u. Gottesdienst XVI, 1962; G. B. Sharp, L. M., a Forgotten Virtuoso, MT CX, 1969; J.-M. Baffert, La jeunesse de L. M., in: Chigiana XXVI/XXVII, N. S. VI/VII, 1971.

Marchena Dujarric, Enrique de → +De Marchena Dujarric, E.

+Marchesi, Luigi (Lodovico), [erg.: 8. 8.] 1754 – 14. [nicht: 15.] 12. 1829.
Er debütierte 1773 in Rom [nicht: 1774 in Bonn].

+Marchesi [–1) Salvatore], –2) Mathilde, 1821–1913.
[del.:] → Graumann. – Ihre +Gesangschule (*Ten Singing Lessons*, NY 1910) wurde nachgedruckt als *Theoretical and Practical Vocal Method* (NY 1970, mit neuer Einleitung von Ph. L. Miller).
Lit.: R. Sietz in: Rheinische Musiker II, hrsg. v. K. G. Fellerer, = Beitr. zur rheinischen Mg. LIII, Köln 1962, S. 53ff.

Marchetti (mark'et-ti), Filippo, * 26. 2. 1831 zu Bolognola (bei Camerino, Marche), † 18. 1. 1902 zu Rom; italienischer Komponist, studierte ab 1850 am Conservatorio S. Pietro a Majella in Neapel bei Lillo und C. Conti. Seinen ersten Erfolg hatte er 1856 in Turin mit der Oper *Gentile da Varano*. 1872 wurde er zum korrespondierenden Mitglied der Accademia di Musica in Florenz ernannt. 1881–86 war er in Rom Präsident der R. Accademia di S. Cecilia und 1886–1902 Direktor des Liceo Musicale (heute Conservatorio di Musica S. Cecilia). Er schrieb ferner die Opern *La demente* (Turin 1856), *Romeo e Giulietta* (Triest 1865), *Ruy Blas* (Mailand 1869), *Gustavo Vasa* (ebd. 1875) und *Don Giovanni d'Austria* (Turin 1880), eine Symphonie, Klavierstücke, Chorwerke und Kirchenmusik (Ave Maria für S., Mezzo-S., A. und Kl.; eine Messe).
Lit.: J. Valetta, »Don Giovanni d'Austria« di F. M., Gazzetta mus. di Milano 1880; Fr. Florimo, La scuola mus. di Napoli III–IV, Neapel 1881–82; P. Mascagni, F. M., in: Cronache mus. e drammatiche, Rom 1902; E. Di San Martino Valperga, Commemorazione di F. M., in: R. Accad. di S. Cecilia, Annuario 1930/31; ders. in: R. Accad. di S. Cecilia, I concerti dal 1895 al 1933, Rom 1933, S. 274ff.

+Marchettus de Padua (Marchetto da Padova), 14. Jh.
Ausg.: Pomerium (Cesena 1321–26), hrsg. v. G. Vecchi, = CSM VI, (Rom) 1961. – Auszug (engl.) aus »Pomerium« in: O. Strunk, Source Readings in Music Hist., NY 1950, Paperbackausg. 1965 (5 Bde).
Lit.: +J. Wolf, Gesch. d. Mensuralnotation (I, 1904), Nachdr. Hildesheim u. Wiesbaden 1965 (3 Bde in 1). – M. L. Martinez(-Göllner), Die Musik d. frühen Trecento, = Münchner Veröff. zur Mg. IX, Tutzing 1963; dies., M. of P. and Chromaticism, in: L'Ars nova ital. del Trecento (III), Kgr.-Ber. Certaldo 1969; S. Gullo, Das Tempo in d. Musik d. XIII. u. XIV. Jh., Bern 1964; R. Monterosso, Un compendio ined. del »Lucidarium« di M. da P., in: Studi medievali III, 7, 1966; G. Vecchi, Primo annuncio del sistema proporzionale di M. in un passo del »Lucidarium«, in: Quadrivium IX, 1967; I. Adler, Fragment hébraïque d'un traité attribué à M. de Padoue, in: Yuval II, hrsg. v. A. Shiloah (mit B. Bayer), Jerusalem 1971.

Marchi (m'arki), Giovanni Maria, † 10. 12. 1740 zu Mailand; italienischer Komponist, war in Mailand Organist am Dom und Maestro di cappella an S. Maria della Pace (1720–28) und an S. Maria della Passione (1731). Mit G. Sammartini und anderen Musikern aus Mailand schrieb er das Oratorium *La calunnia delusa* (1724). Er komponierte für Mailand Oratorien (*Il trionfo della grazia*, 1708; *Oratorio per il SS.mo Natale*, 1719; *La morte in spavento*, 1720; *L'angelo a pastori*, 1721; *I portenti dello zelo eloquente*, 1722; *Li elementi in gara nell'ossequio di Gesù bambino*, 1724; *La probatica piscina*, 1728; *S. Antonio da Padova*, 1731), Bühnenwerke (*Il Catone in Utica*, 1733; *Emira*, 1737; *La clemenza di Tito*, 1738), Kantaten und Motetten sowie für Venedig die Oper *La generosità politica* (1736).
Lit.: Cl. Sartori, G. B. Sammartini e la sua corte, in: Musica d'oggi III, 1960; F. Mompellio, La cappella del duomo dal 1714 ai primi decenni del '900, in: Storia di Milano XVI, Mailand 1962.

Marciano (marθi'ano), Rosario, * 5. 7. 1944 zu Caracas; venezolanische Pianistin, lebt in Wien. Sie studierte an der Escuela Superior de Música »J. A. Lamas« in Caracas bei Sojo, Moleiro, Castellanos und Inocente

Carreño sowie in Wien bei Demus, P. Badura-Skoda, A. Brendel, Franz Holetschek, Viola Thern und ihrem späteren Mann Hans Kann, mit dem sie ein Klavierduo bildet und ausgedehnte Konzertreisen unternimmt. Sie schrieb *T. Carreño, o un ensayo sobre su personalidad a los 50 años de su muerte* (= Instituto Nacional de Cultura y Bellas Artes, Colección Música II, Caracas 1966).

+Marcilly, Paul [erg.:] Émile Ernest, * 11. 7. 1890 zu Paris.
Er wirkte ab 1963 als Organist an der Kathedrale von Perpignan.

Marckhl, Erich, * 3. 2. 1902 zu Cilli/Celje (Jugoslawien); österreichischer Komponist und Musikpädagoge, promovierte 1925 an der Universität Wien mit der Dissertation *Formgebung und Entwicklung der musikalischen Romantik mit besonderer Berücksichtigung des Standpunktes E. T. A. Hoffmanns* und studierte 1920–26 an der Akademie für Musik und darstellende Kunst in Wien (Fr. Schmidt). Er war anschließend als Pädagoge tätig (1940–45 Professor für Musikerziehung in Wien). 1952 wurde er Landesmusikdirektor der Steiermark und 1958 zusätzlich Direktor des Steiermärkischen Landeskonservatoriums in Graz; von dessen Umwandlung zur Akademie für Musik und darstellende Kunst an (1963) war er ordentlicher Professor (1972 emeritiert) und bis 1971 Präsident (vgl. dazu auch seine Schrift *Werden und Leistung der Akademie für Musik und darstellende Kunst in Graz*, Graz 1972). M. veröffentlichte neben einer Reihe von Beiträgen zum steiermärkischen Musikleben und zu musikpädagogischen Fragen das Buch *Mozart und die Gegenwart* (Graz 1956). Ansprachen, Vorträge und Aufsätze von M. erschienen unter dem Titel *Musik und Gegenwart* (Graz 1960). Seine Kompositionen umfassen Orchesterwerke (5 Symphonien, 1954–67), Kammermusik (Musik für 12 Streicher, 1970; 5 Streichquartette, 1928–56; 9 Sonaten für V. und Kl., 1958–66; 2 Duos für V. und Vc., 1954 und 1957), Klavier- und Orgelwerke, Chorwerke, Lieder und Kirchenmusik (*Missa*, 1963; *Requiem*, 1965; *Evangeliar*, 1972).
Lit.: E. WERBA, E. M., = Österreichische Komponisten d. XX. Jh. XX, Wien 1972.

Marco, Tomás, * 12. 9. 1942 zu Madrid; spanischer Komponist, studierte in Madrid Violine und Komposition und absolvierte außerdem ein Jurastudium. Ab 1962 arbeitete er als Kritiker für verschiedene Zeitschriften und Tageszeitungen (1966 für »Informaciones«, 1967–69 für »Diario SP« und ab 1970 für »Arriba«). 1967 war er Mitarbeiter in K. Stockhausens Kollektivkomposition *Ensemble*; im selben Jahr gründete er das Studio Nueva Generación und die Zeitschrift für zeitgenössische Musik *Sonda*. 1967 wurde er auch Redakteur der Programme für zeitgenössische Musik, 1969 Leiter der Abteilung Ernste Musik von Radio Nacional de España. – Werke (Auswahl): *Trivium* für Kl., Tuba und Schlagzeug (1963); *Roulis – Tangage* für Trp., Kl., Vc., (elektrische und spanische) Git., Vibraphon und Schlagzeug (1963); *Albayalde* für Git. (1965); *Car en effet* für 3 Klar. und 3 Sax. (1965); *Piraña* für Kl. (1965); *A Wandering* für Schlagzeug (1966); *Schwan* für Trp., Pos., Va, Vc. und 2 Schlagzeuger (1966); *Jabberwocky* für Schauspielerin, 4 Schlagzeuger, Kl., Tenorsax., Tonband und Lichtbilder (Text Lewis Carroll, 1967); *Anna Blume* für 2 Sprecher, Ob., Fl., Sax., Trp., Klar. und 2 Schlagzeuger (Text Kurt Schwitters, 1967); *Cantos del pozo artesiano* für Schauspielerin, Fl., Horn, Trp., Pos., V., Vc., Kb., 2 Schlagzeuger und Baßtuba (Text Eugenio de Vicente, 1967); *Los caprichos* für Orch. (1967); *Fetiches* für Kl. (1968);

Aura für Streichquartett (1968); *Küche – Kinder – Kirche* für Mezzo-S., 3 Sprecher, Kl. und Schlagzeug (Text Günter Grass, 1968); *Vitral* für Org. und Streichorch. (1969); *Maya* für Vc. und Kl. (1969); *Rosa – Rosae* für Fl., Klar., V. und Vc. (1969); *Tea-Party* für 2 S., T., Bar. und 4 Instr. (1969); *Floreal* für einen Schlagzeuger (1969); *Evos* für Kl. (1970); *Albor* für 5 Instr. (1970); *Miriada* für Git. und Schlagzeug (1970); *Mysteria* für Kammerorch. (1970); *Necronomicon* für 6 Schlagzeuger (1971); *L'invitation au voyage* für S. und 5 Instrumentalisten (1971); *Angelus novus* für Orch. (1971); *Les mécanismes de la mémoire*, Konzert für V. und Orch. (1973). – Neben mehreren Beiträgen für Sonda schrieb er: *Música española de vanguardia* (= Punto omega XCVII, Madrid 1970); *La música de la España contemporánea* (= Temas españoles Bd 508, ebd. 1971); *L. de Pablo* (= Artistas españoles contemporáneos VI, ebd. 1971).

Marcovici (m'arkɔvitʃ), Silvia, * 30. 1. 1952 zu Bacău; rumänische Violinistin, lebt in Bukarest. Sie studierte ab 1965 bei Stefan Gheorghiu und gewann 1. Preise beim Concours international de piano et violon M. Long–J. Thibaud (1969) und beim Internationalen Wettbewerb G. Enescu (1970). S. M. debütierte 1970 in London und 1972 in den USA.

+Marcussen & Søn.
Nach dem Tod von Sybrand [erg.: Alexander] Zachariassen (* 18. 7. 1900 und [erg.:] † 11. 10. 1960 zu Apenrade/Aabenraa) übernahm sein Sohn Sybrand Jürgen (* 22. 10. 1931 zu Flensburg) die Orgelbauanstalt. An neueren Werken seien genannt: Hälsingborg, St. Maria (41 St., 1959), Haarlem, St. Bavo (Restaurierung, 1961), Kopenhagen, Grundtvigskirke (55 St., 1965), Linzer Dom, »Rudigierorgel« (70 St., 1968), Lübecker Dom (47 St., 1970) und Rotterdam, Laurenskerk, Große Orgel (84 St., 1973).
Lit.: zu S. Zachariassen: L'organo X, 1972, Nr 1 (mit Diskographie d. v. ihm erbauten Org.).

+Maré, Rolf de, * 9. 5. 1888 und [erg.:] † 28. 4. 1964 zu Barcelona.
Das Théâtre Comédie et Studio des Champs-Elysées leitete M. ab 1920 [nicht: 1924]. Die früher angegebenen Schriften hat er nicht verfaßt, sondern lediglich verlegt. – Die Bestände der 1950 aufgelösten Archives internationales de la danse (Paris) befinden sich seit 1950 in Stockholm (seit 1970 öffentliches Museum).

+Maréchal, Henri [erg.:] Charles, 1842 – 12. [nicht: 10.] 5. 1924.

+Maréchal, Maurice, * 3. 10. 1892 zu Dijon, [erg.:] † 19. 4. 1964 zu Paris.
Am Pariser Conservatoire unterrichtete er bis 1963. 1950 wurde er zum Ritter der Ehrenlegion ernannt.
Lit.: L. S. GINSBURG, M. M., Moskau 1972.

Mareczek, Fritz, * 3. 7. 1910 zu Brünn; deutscher Komponist von Unterhaltungsmusik, studierte Klavier, Violine, Dirigieren und Komposition an der Deutschen Musikakademie und am Konservatorium in Brünn, war ab 1935 Lehrer für Klavier und Leiter der Orchesterklasse an der Musikakademie und 1939–44 Kapellmeister an den Städtischen Bühnen in Brünn. Nach dem Krieg ließ er sich in Stuttgart nieder, war als Operettendirigent und als 2. Dirigent am Süddeutschen Rundfunk Stuttgart tätig und 1965–67 Leiter der Operette am Staatstheater in Oldenburg. M., der von der Symphonik und Kammermusik herkommt, widmet sich seit 1947 der Unterhaltungsmusik: *Tänze aus Nordmähren*; *Praeludio sinfonico* (1950); *Wiener Kaffeehaus-Suite* (1953); *Fröhlicher Auftakt*; *Walzer-Burleske* (1959); *Zwei slawische Tänze* (1961); *Impressioni di*

Mallorca (1967); *Sabinchen-Variationen* (1968); Ouvertüren; Walzer; kleinere Stücke für Orchester; Kantate *Meiner Heimat Berge* (1952); Musical *Schlafwagen nach Grand Illusione* (1962); ferner Filmmusik.

+Marek, Czesław [erg.:] Józef, * 16. 9. 1891 zu Przemyśl.
Die *+Echos de la jeunesse* (1914) sind für 1 [nicht: 2] Kl. geschrieben. – M. wirkte in den letzten Jahren hauptsächlich als Pädagoge. Er veröffentlichte eine *Lehre des Klavierspiels* (Zürich 1972; der 1. Teil davon erschien vorab unter dem Titel *Was ist »musikalisch«?*, Winterthur 1961).
Lit.: TH. EPPRECHT in: SMZ CI, 1961, S. 329f.

+Marenzio, Luca, 1553 [erg.:] oder 1554 – 1599.
Im Gesamtwerk M.s nimmt die weltliche Musik (etwa 500 Madrigale und 80 Villanellen) eine zentrale Stellung ein. Der im allgemeinen die Spätphase der Gattung repräsentierende 5st. Madrigalsatz vermittelt einerseits zum neuen Concertoprinzip und steht andererseits in Relation zum deklamatorischen Gestus der Monodie. In diesem Zusammenhang ist M.s Verbindung mit den neuen Bestrebungen, die um 1600 auf ein musikalisches Theater abzielten, hervorzuheben. Während seines Aufenthaltes in Florenz nahm er u. a. Beziehungen zur Camerata auf und komponierte 2 von 6 Intermedien der Komödie *La pellegrina* von G. Bargagli zu der fürstlichen Hochzeit von 1589. Peripher hingegen blieben M.s Instrumentalstücke, von denen nur eine kurze Sinfonia erhalten ist (im Sammeldruck *Intermedii e concerti . . . von 1591). – Wenig Beachtung in der Forschung fand bisher M.s geistliche Musik (Motetten, *Sacrae cantiones*).
Ausg.: 10 Madrigale f. gem. Chor, hrsg. v. D. ARNOLD, London 1966; Giovane donna, hrsg. v. DEMS., = The Penn State Music Series XIII, Univ. Park (Pa.) 1967; Tre madrigali petrarcheschi a 4 v., hrsg. v. V. GIBELLI, = Antiquae musicae Ital. bibl., Monumenta Lombarda excerpta IV, Mailand 1970; 4st. Madrigal »Vedi le valli e i campi« (aus d. 1. Buch d. 4st. Madrigale v. 1585), in: P. M. Marsolo, Secondo libro de' madrigali a 4 v., opera X, hrsg. v. L. BIANCONI, = Musiche rinascimentali siciliane IV, Rom 1972. – Il primo libro delle villanelle a tre v. (1584), hrsg. v. M. BARONI, = Antiquae musicae Ital. bibl., Monumenta Lombarda A II, Mailand 1964. – 5st. Motette »Hor chi Clori beata«, hrsg. v. D. ARNOLD, London 1967; 4st. Motette »O Rex gloriae«, hrsg. v. M. MARTENS, NY 1963. – d. Intermedien zu »La pellegrina« in: Les fêtes du mariage de F. de Médicis et de Chr. de Lorraine, Florence 1589, Bd I: Musique des intermèdes de »La pellegrina«, hrsg. v. D. P. WALKER (mit F. Ghisi u. J. Jacquot), = Le chœur des muses o. Nr, Paris 1963.
Lit.: +A. EINSTEIN, The Ital. Madrigal (II–III, 1949), Nachdr. Princeton (N. J.) 1970. – M. C. BOYD, Elisabethan Music and Mus. Criticism, Philadelphia 1940, ²1962; W. W. WADE, The Sacred Style of L. M. as Represented in His Four-Part-Motets, 2 Bde (I Text, II Übertragung d. 1. Buches d. 4st. Motetten), Diss. Northwestern Univ. (Ill.) 1959; D. ARNOLD, M., = Oxford Studies of Composers II, London 1965; FR. B. ZIMMERMAN, Studies in Madrigalism, American Choral Rev. IX, 1967; FR. KRELL, Aufführungspraktische Prinzipien bei d. Interpretation d. Madrigale v. M., Gesualdo u. Monteverdi, Wiss. Zs. d. M.-Luther-Univ. Halle-Wittenberg, Ges.- u. sprachwiss. Reihe XVII, 1968; E. E. LOWINSKY, Echoes of A. Willaert's Chromatic »duo« in 16th- and 17th-Cent. Compositions, in: Studies in Music Hist., Fs. O. Strunk, Princeton (N. J.) 1968; DERS., The Mus. Avant-Garde of the Renaissance, in: Art, Science and Hist. in the Renaissance, hrsg. v. Ch. S. Singleton, Baltimore (Md.) 1968; P. PETROBELLI, »Ah, dolente partita«. M., Wert, Monteverdi, in: Cl. Monteverdi il suo tempo, Kgr.-Ber. Venedig u. a. 1968; J. STEELE, The Later Madrigals of L. M., in: Studies in Music III, 1969 (im Suppl. Ausg. d. Madrigale »Filli volgendo i lumi« u. »Diera legge d'amor«);

R. JACKSON, Two Newly-Found Motets by M.(?), JAMS XXIV, 1971; ST. LEDBETTER, L. M., New Biogr. Findings, Diss. NY Univ. 1971; W. KIRKENDALE, Franceschina, Girometta, and Their Companions in a Madrigal »a diversi linguaggi« by L. M. and O. Vecchi, AMl XLIV, 1972. STK

+Mareš, Jan Antonín (Johann Anton), 1719–94.
→Russische Hornmusik.
Lit.: K. A. WERTKOW, Russkaja rogowaja musyka (»Die russ. Hornmusik«), Moskau 1948; G. SEAMAN, The R Horn Band, MMR LXXXIX, 1959.

+Marescalchi, Luigi, 1. 2. 1745 [del.: um 1750] – nach 1806 zu Marseille(?) [del. frühere Sterbeangaben].
Er verließ 1789 aus politischen Gründen Neapel und ließ sich in Marseille nieder, wo er noch 1806 als lebend nachweisbar ist.

+Mareschall, Samuel, 1554–1640.
Ausg.: Selected Works, hrsg. v. J.-M. BONHÔTE, = Corpus of Early Keyboard Music XXVII, Rom 1968.
Lit.: +W. MERIAN, Der Tanz in d. deutschen Tabulaturbüchern (1927), Nachdr. Hildesheim u. Wiesbaden 1968. – R. KENDALL, The Life and Works of S. M., MQ XXX, 1944; M. JENNY, Gesch. d. deutschschweizerischen ev. Gesangbuches im 16. Jh., Basel 1962.

+Marescotti, André-François, * 30. 4. 1902 zu Carouge (Genf).
M. wurde 1967 zum Ehrenmitglied der Royal Academy of Music in London ernannt. – Das Ballett *+Les anges du Gréco* wurde 1947 in Zürich uraufgeführt. – Neuere Werke: 3 *Poëmes majeurs de Saint Jean de la Croix* für S., Frauenchor und Kinderchor ad libitum (1954); Ouvertüre *Festa* (1961), 3 Hymnen (1963) und ein 3. *Concert carougeois* (1966) für Orch.; 3 Motetten für gem. Chor und Org. (1967); 3 *Incantations* für gem. Chor und Schlagzeug (1969); ferner 3 *Insomnies* für mittlere St. und Orch. (1951–61).
Lit.: Liste des œuvres / Werkverz., = Zentralarch. schweizerischer Tonkunst, Werkverz. X, Zürich 1962. – R. DE GUIDE in: SMZ XCVII, 1957, S. 391ff. (zum Kl.-Konzert); FR. WALTER, Le 2e Concert carougeois . . ., SMZ XCIX, 1959; A. GOLÉA, A.-Fr. M., Paris 1963 (mit Werkverz.); DERS. in: SMZ CIV, 1964, S. 174ff. (zu d. 3 Hymnen); S. SCHULER, A.-Fr. M., SMZ CVIII, 1968; A. JACQUIER in: SMZ CXII, 1972, S. 164f.

Margaritis (m'argar'itis), Loris, * 15.(27.) 8. 1895 zu Äjion (Achaia), † 27. 9. 1953 zu Athen; griechischer Pianist, Pädagoge und Komponist, trat schon als Kind in Konzerten auf, u. a. in München, wo ihn Th. Mann hörte und seine Bewunderung in der Novelle *Das Wunderkind* zum Ausdruck brachte. Er studierte an der Hochschule für Musik in Berlin (Stavenhagen, Kahn) und 1908–14 an der Akademie der Tonkunst in München (Mottl, Fr. Klose). 1915–53 war er Professor für Klavier am Staatskonservatorium in Thessaloniki (ab 1935 Vizedirektor). Von 1928 bis zu seinem Tode lehrte er auch an der Internationalen Sommerakademie der Stiftung Mozarteum in Salzburg. 1945–53 war er Mitglied des griechischen Musikrats. M. war mit der Pianistin Ida Rosenkranz verheiratet, mit der er häufig an zwei Klavieren auftrat. Neben einer Reihe von Klavierwerken (Νεότης op. 4, 1921; Sonatine op. 5; Στίχοι γιὰ πιάνο op. 10; Ἑλληνικὰ βουκολικά op. 18 Nr 1 und 2; Variationen über griechische Volkslieder für 2 Kl. op. 23) schrieb er Orchester- und Chormusik (Ὀδυσσεὺς καὶ Ναυσικᾱ, epische Symphonie für großes Orch.; Μακεδονικὰ τραγούδια op. 22 Nr 1 und 2 und Ἀπ' τὸν Μωριᾱ op. 22 Nr 3 für Chor und Orch.).
Lit.: I. MARGARITIS, Ὁ Λ. M., Athen 1956.

+Margola, Franco, * 30. 10. 1908 zu Orzinuovi (Brescia).

M. war 1960–62 Leiter des Konservatoriums in Cagliari und lehrt seitdem Komposition am Konservatorium in Parma. Weitere Werke: *Concerto di Oschiri* für 2 Kl. und Orch. (1950); *Mosaico* für kleines Orch. (1954); Partita für Streichorch. (1955); Cellokonzert (1955); Fantasie für Vc. und Streichorch. (1957); Konzert für Streichorch. (1958); 3 *Epigrammi greci* für S., Horn und Kl. (1959); Konzerte für Horn (1960) bzw. Sprech-St. (*Per la candida pace*, 1960) und Orch.; Doppelkonzert für V., Kl. und Streichorch. (1960); *Sonatina a sei* für Bläser und Kl. (1961); Passacaglia für Orch. (1962); kleines Konzert für Ob. und Streichorch. (1962); *Partita a tre* (1963) und *Variazioni sopra un tema giocoso* (1965) für Streichorch.; Passacaglia für Streicher, Schlagzeug und Kl. (1970); 4 *Episodi* für Fl. und Git. (1970). Er verfaßte *Guida pratica per lo studio della composizione* (Mailand 1954).

Margraf, E r i k a , * 22. 3. 1924 zu Koblenz; deutsche Konzertsängerin (Sopran), vorwiegend Interpretin der Neuen Musik, studierte 1944–49 in Düsseldorf, Dresden und Karlsruhe (Hans Emge). Neben ihren Konzertreisen im In- und Ausland leitet sie seit 1964 an der Badischen Hochschule für Musik in Karlsruhe eine Gesangsklasse.

+Maria-Petris, J o l a n d a d i , * 5. 9. 1910 zu Pola (Pula, Istrien).
Konzerttourneen führten sie bis 1965 durch Europa und Nordamerika. Seit 1960 unterrichtet sie Gesang an der Sibelius-Akatemia in Helsinki. 1955 wurde sie zum Ehrenmitglied der Accademia musicale Chigiana in Siena ernannt.

+Mariani, A n g e l o [erg.:] Maurizio Gaspare, 1821–73.
Lit.: J. GHEUSI, A. M., le rival de cœur de G. Verdi, in: Musica (Disques) 1963, Nr 108.

Marić (m'arit), L j u b i c a , * 18. 3. 1909 zu Kragujevac (Serbien); jugoslawische Komponistin, studierte in Belgrad und 1929–32 am Prager Konservatorium (J. Suk). Sie vervollkommnete ihre Studien bei A. Hába (1936–37), Malko und Scherchen. 1945 wurde sie Dozentin an der Belgrader Musikakademie (1957 Professor für Komposition). Lj. M. schrieb Orchesterwerke (Passacaglia, 1958; *Musica octoicha* Nr 1, 1959; *Vizantijski koncert*, »Byzantinisches Konzert«, für Kl. und Orch., 1959); Kammermusik (Streichquartett, 1931; Bläserquintett, 1932; Sonate für V. und Kl., 1948; *Ostinato super tema octoicha* für Streichquintett, Hf. und Kl., 1963), Klavierstücke und Vokalmusik (Kantaten *Pesme prostora*, »Die Lieder des Raumes«, für Chor und Orch., 1956, und *Prag sna*, »Die Schwelle des Traumes«, für 2 Soli, Rezitator und Instrumentalensemble, 1961).

Marie, J e a n - É t i e n n e , * 22. 11. 1917 zu Pont-l'Évêque (Calvados); französischer Komponist, studierte 1947–49 am Pariser Conservatoire bei Messiaen, Simone Plé-Caussade und Daniel-Lesur. Er wurde 1949 Tontechniker bei der ORTF und übernahm daneben 1958 eine Professur für Tontechnik und Komposition experimenteller Musik an der Schola Cantorum in Paris. 1969 wurde er Mitarbeiter beim Service des Etudes bei der ORTF. Von seinen Kompositionen seien genannt: *Pièces vocales pour des textes du 3ᵉ dimanche de Carême* für Chöre a cappella (1951); *Poésies* für Chor a cappella (Texte George Schéhadé, 1956); *Polygraphie polyphonique N° 1* für Viertel-Ton-V., Tonband und 16 mm-Film (1957) und *N° 2* für Instrumentalensemble und Projektionen (1961); *Images thanaïques* für Tonband, Sprecher und Orch. (1960); *Expérience ambiguë* für Instrumentalensemble und Tonband (1962); *Tombeau de Julián Carrillo* für 2 Kl. (das eine drittteltönig) und Tonband mit Klavieraufzeichnungen fünftel- und

sechsteltönig (1966); *Tlaloc* für Orch. und Tonband (1967); Ballette *Nocturne marin* und *Appel au tiers monde*, experimentelle Musik (Toulouse 1968); *Gravure polymorphique* für 10 Solisten und Tonband (1968); *Concerto »Milieu divin«* für 2 Orch. und 2 Dirigenten mit Tonband (1969); *S. 68*, elektronische Symphonie (1969); *Introspectacle*, Action théâtrale für Sprecher, sichtbare Rhythmen und Tonband (1969); *Mimodrame 68* für Trp., Pos., Schlagzeug, Sänger und Sprecher (Orléans 1970); *Amandiers 70*, Environnement sonore für Tonband (1970); *Savonarole, hommage conjugué à Jérôme Savonarole et Evariste Galois* für Tonband, 2 Sprecher, gem. Chor und Instrumentalgruppen (1971); *La parole de Dieu est comme une épée Joie* für Org. und Tonband (1972); *Un fanal pour mes canaux et vos leurres de messe* für Horn, Trp. und Tonband (1972); ferner Musik für Kurzfilme.

+Marín, J o s é , 1619 – 16. [nicht: 17.] 3. 1699.

+Marin, Marie Martin M a r c e l d e , 1766 [nicht: 1769] zu St-Jean-de-Luz (Pyrénées-Atlantiques) [nicht: Bayonne] – nach 1861(?) [erg.:] zu Toulouse(?).

Marinelli, G a e t a n o , * 3. 6. 1754 zu Neapel, † nach 1820; italienischer Komponist, war bis 1772 Schüler von Gennaro Manna und Pietrantonio Gallo am Conservatorio S. Maria di Loreto in Neapel. Er setzte dann seine Studien am Conservatorio della Pietà dei Turchini bei Lorenzo Fago und bei Cafaro fort. 1786–89 war er in Madrid als Gesangspädagoge tätig, kehrte für kurze Zeit nach Neapel zurück, trug 1790–1817 den Titel eines Hofkomponisten in München und trat dann in den Dienst des Hofes in Lissabon. Etwa ab 1820 wirkte er als Gesangslehrer in Oporto. Von seinen Werken seien genannt die Opere serie *Lucio Papirio* (Neapel 1791), *Quinto Fabio* (Rom 1791), *Arminio* (Neapel 1791), *Attalo re di Bitinia* (ebd. 1793), *Alessandro in Efeso* (Mailand 1810) und *L'equivoco fortunato* (ebd. 1811) sowie die Opere buffe (bzw. Intermezzi) *Il barone di Sardafritta* (Neapel 1776), *Le tre rivali, ossia Il matrimonio inaspettato* (Rom 1784), *Gli uccellatori* (Florenz 1785), *La contadina semplice* (Neapel 1790), *La bizzarra contadina in amore* (ebd. 1790), *Gli accidenti inaspettati* (ebd. 1790), *Amore aguzza l'ingegno* (ebd. 1792) und *I vecchi burlati od Il concorso delle spose* (Venedig 1795).
Lit.: FR. FLORIMO, La scuola mus. di Napoli II, Neapel 1882, S. 436f.; U. PROTA-GIURLEO in: MGG VIII, 1960, Sp. 1653f.

+Marini, B i a g i o , [erg.: um] 1597 – 1665.
M. hielt sich bereits ab 1653 wieder in Venedig auf.
Ausg.: Sonate D moll f. V., Streichbaß (Gambe/Vc.) u. B. c., hrsg. v. W. DANCKERT, = HM CXXIX, Kassel 1955; Scherzi e canzonette a 1–2 v., hrsg. v. V. GIBELLI, = Antiquae musicae Ital. bibl., Monumenta Lombarda A IV, Mailand 1970; Canzon ottava u. decima à 6, f. 2 Trp. u. Pos. (Bläsersextett) hrsg. v. GL. SMITH, Buffalo (N. Y.) 1971.
Lit.: +W. S. NEWMAN, The Sonata in the Baroque Era (1959), revidiert Chapel Hill (N. C.) 1966, London 1966, neuerlich revidiert NY u. London 1972 (Paperbackausg.). – W. B. CLARK, A Contribution to Sources of Musica Reservata, RBM XI, 1957; DIES., The Vocal Music of B. M., 2 Bde, Diss. Yale Univ. (Conn.) 1966; BR. KLITZ, Some 17th-Cent. Sonatas f. Bassoon, JAMS XV, 1962; F. FANO, B. M. violinista in Italia e all'estero, in: Chigiana XXII, N. S. II, 1965; H. LEUPOLD-LANGFORT in: Rheinische Musiker IV, hrsg. v. K. G. Fellerer, = Beitr. zur rheinischen Mg. LXIV, Köln 1966, S. 73ff.; TH. D. DUNN, The Instr. Music of B. M., Diss. Yale Univ. (Conn.) 1969; E. SELFRIDGE-FIELD, Addenda to Some Baroque Biogr., JAMS XXV, 1972.

+Marini, C a r l o A n t o n i o [nicht: Ambrogio] (Marino), [erg.:] * 1671 zu Albino (Bergamo).

Marinković (mar'iŋkɔvitç), Josif, * 3. 9. 1851 zu Vranjevo (Banat), † 13. 5. 1931 zu Belgrad; jugoslawischer Komponist, studierte in Prag und wirkte als Leiter einer Reihe von Chorvereinigungen in Belgrad. Neben Instrumentalwerken und Bühnenmusik schrieb er vor allem religiöse und patriotische Chöre (a cappella und mit Klavierbegleitung) sowie volkstümliche Lieder.
Lit.: VL. PERIČIĆ, J. M., Život a dela (»Leben u. Werke«), = Srpska Akad. Nauka i Umetnosti Nr 414, Belgrad 1967.

Marino, Alessandro, OSA, italienischer Komponist der 2. Hälfte des 16. Jh., lebte zuerst in Venedig, dann in Rom, wo er 1570–96 Kanonikus an S. Giovanni in Laterano war. Auf seine Anregung hin wurde 1584 in Rom die Confraternità dei Musicisti de Urbe gegründet, die sich später in die Accademia di S. Cecilia umwandelte. Palestrina ist demnach nicht Gründer der Accademia. Nach seinem 1. Buch 5st. Madrigale (Venedig 1571) wandte sich M. ganz der Kirchenmusik zu. In Venedig gedruckt erschienen: *Psalmi vesperarum cum 4 v.* (1578, ^{2}1637); *Psalmi omnes qui ad vesperas decantantur cum 6 v.* (1579); *Psalmi vesperarum cum 4 v. liber secundus* (1587); *Sacrarum cantionum cum 6 v. liber primus* (1588); *Completorium ad usum Romanum 12 v.* (1596); *Il primo libro de Madrigali spirituali a 6 v. con una canzona a 12 nel fine* (1597).
Lit.: R. CASIMIRI, L'antica Congregazione di S. Cecilia fra i musici di Roma, Note d'arch. I, 1928; R. RUOTOLO, Dall'antica Congregazione di S. Cecilia all'attuale Ass. Ital. di S. Cecilia, Rom 1955.

Mariño (mar'iɲo) Bellini, Nybia, * 23. 3. 1920 zu Montevideo; uruguayische Pianistin, studierte in ihrer Heimatstadt bei Wilhelm Kolischer und vervollkommnete ihre Studien 1935–39 in Paris bei Marcel Ciampi und Cortot. Ausgedehnte Konzertreisen führten sie in verschiedene lateinamerikanische Länder und in die USA (Debüt in der Carnegie Hall in New York 1945). Sie ist Professor am Conservatorio Nacional de Música in Montevideo.

Marinov, Ivan Marinov, * 17. 10. 1928 zu Sofia; bulgarischer Komponist und Dirigent, absolvierte 1955 am Konservatorium seiner Heimatstadt ein Kompositionsstudium bei V. Stojanov und ein Dirigierstudium bei Goleminov. 1956 begann er seine Dirigententätigkeit, die er an den Opperntheatern in Plovdiv, Russe und Sofia ausübte. Gastspielreisen führten ihn in verschiedene europäische Länder. Seine Kompositionen umfassen u. a. die Symphonischen Dichtungen *Dvuboj* (»Zweikampf«) für T. und Orch. (1953) und *Ilinden* (1956), eine Paraphrase (1957) und Variationen *Fantastični sceni* (»Phantastische Szenen«, 1959) für Orch., eine Symphonie (1962), Kammer- und Klaviermusik, Vokalwerke sowie Bühnen- und Filmmusik.

+Marinuzzi, –1) Gino ([erg.:] eigentlich Giuseppe), 1882–1945. Unter dem Titel *L'orchestra* wurde ihm eine Gedenkschrift gewidmet (mit Vorw. von P. Castiglia, Florenz 1954).
–2) Gino (junior), * 7. 4. 1920 zu New York. G. M. befaßte sich als einer der ersten italienischen Musiker mit elektronischer Musik (1956 in Zusammenarbeit mit dem Techniker F. Savina Aufbau technischer Anlagen, die die Grundlage für das spätere Studio di fonologia der römischen Accademia filarmonica bildeten); 1957 entwickelte er mit den Technikern G. Strini und P. Ketoff den Fonosynth. Er gründete außerdem mit den Musikern Branchi, Evangelisti, Guaccero und Macchi sowie den Technikern Guiducci und Ketoff das Experimentalstudio R 7. Neuere Kompositionen: *Fantasia quasi passacaglia* (1952), 2. Konzert (1954) und 2 Im-

provvisi (1960) für Orch.; *Traiettorie* für Tonband (1961); die einaktige Funkoper *La Signora Paulatim* (italienischer Rundfunk 1964, Neapel 1966); Musik für Film und Fernsehen.
Lit.: zu –1): A. GARBELOTTO, G. M., Ancona 1965.

+Mario, Giovanni Matteo, conte di Candia, 1810–83.
Lit.: J. GHEUSI, Un grand couple lyrique. La Grisi et M., in: Musica (Disques) 1961, Nr 91.

+Mariotte, Antoine, 1875–1944.
Seine Oper *+Nele Dooryn* wurde 1940 in Paris uraufgeführt [del.: unaufgeführt].
Lit.: H. FÄHNRICH, Der Streit um d. Autorenrecht d. Vertonung v. O. Wilde's »Salome«, Mitt. d. Internationalen R.-Strauss-Ges. 1969, Februar-H.

Mariscal, Juan León, * 29. 8. 1899 zu Oaxaca; mexikanischer Komponist, studierte ab 1919 am Conservatorio Nacional de Música in México (D. F.) bei Horacio Avila (Violine und Violoncello) und Carrillo (Harmonielehre und Komposition) sowie in Berlin bei A. v. Fielitz und Bumcke. Abwechselnd mit Carrillo und Revueltas leitete er das Orquesta Sinfónica Nacional. Er gab die Zeitschrift *Arte* heraus und war Mitarbeiter der Zeitschrift »Cultura musical«. Gegenwärtig lehrt M. Komposition am Conservatorio Nacional de Música in México (D. F.). Er schrieb Orchesterwerke (2 Symphonien; Sinfonietta; *Allegro sinfónica*, 1923; *Fantasía mexicana*; *Guelaguetza*), Kammermusik (Septett für Kl., Org. und Streichquintett; Klavierquintett; 2 Streichquartette), Klavierstücke sowie Chöre und Lieder.

Marischka, Ernst, * 2. 1. 1893 und † 12. 5. 1963 zu Wien; österreichischer Drehbuchautor, Filmregisseur und Operettenlibrettist, Bruder von Hubert M., schrieb schon vor dem 1. Weltkrieg Filmdrehbücher, arbeitete ab den 30er Jahren auch als Filmregisseur, ab 1948 in der von ihm gegründeten ERMA-Filmproduktionsgesellschaft. Von seinen Filmen seien genannt: *Racoczy-Marsch* (1933); *Eva* (nach Lehár, 1935); *Stradivari* (1935); *Opernball* (nach Heuberger, 1939); *Rosen in Tirol* (nach *Der Vogelhändler* von Zeller, 1940); *Frau Luna* (nach P. Lincke, 1941); *Wiener Blut* (nach Johann Strauß, 1942) und *Die Fledermaus* (nach dems., 1945); Serie *Sissy*-Filme (1955–57). Er schrieb die Operettenlibretti (Mitarbeiter und Komponisten in Klammern) *Der Orlow* (mit Hubert M., Granichstaedten, 1925), *Das Schwalbennest* (Granichstaedten, 1926), *Die Königin* (mit Granichstaedten, O. Straus, 1927), *Sissy* (mit Hubert M., Kreisler, 1932), *Der singende Traum* (Tauber, 1934) und *Frühling im Prater* (R. Stolz, 1949).

Marischka, Hubert, * 27. 8. 1882 und † 4. 12. 1959 zu Wien; österreichischer Sänger (Tenor), Librettist, Theaterleiter und Regisseur, Bruder von Ernst M., debütierte 1904 in St. Pölten in Millöckers *Der arme Jonathan*. Er war in erster Ehe mit Lizzi Léon, der Tochter des Librettisten und Carltheaterdirektors V. Léon, in zweiter Ehe mit Lilian Karczag verheiratet, deren Vater Direktor des Theaters an der Wien war. 1922 übernahm M. die Leitung dieser Bühne und brachte in einer überaus erfolgreichen Direktionszeit Operetten von Lehár, E. Kálmán (*Gräfin Maritza*, 1924), O. Straus u. a. mit gefeierten Sängern wie R. Tauber heraus. Er schrieb u. a. die Libretti zu den Operetten *Sissy* (mit Ernst M., 1932) von Kreisler und *Die Walzerkönigin* (1948) von Schmidseder. 1932 spielte er in der Verfilmung von *Gräfin Maritza* mit; Regie führte er u. a. bei den Filmen *Wir bitten zum Tanz* (1941), *Ein Walzer mit dir* (1943), *Wiener Melodien* (1950, mit Theo Lingen), *Küssen ist keine Sünd* (1950), *Die Csardasfürstin* (1951),

Der fidele Bauer (1951), *Das Land des Lächelns* (1952)
und *Liebe, Sommer und Musik* (1956).

+Marix, Jeanne [erg.:] Julie, 1895 [nicht: 1894] –
1939.
*+Histoire de la musique et des musiciens de la cour de
Bourgogne* ... (1939), Nachdr. Genf 1972.

+Marix-Spire, Thérèse, * 5. [nicht: 9.] 2. 1898 zu
Nancy.
An der Sorbonne lehrte sie bis 1963. Weitere Veröffentlichungen: *Madame E. de Musset et Chopin. Documents inédits* (RM 1955, Nr 229); *G. Sand et l'orgue*
(in: *L'orgue* 1957); *Encore G. Sand et Chopin d'après
deux publications récentes* (Chopin-Jb. 1963; zu den
Briefausg. von Br. E. Sydow, Paris 1953–60, und zu
ihrer eigenen von **+1959**).

+Markevitch, Igor, * 14.(27.) 7. 1912 zu Kiew.
M. leitete 1952–55 das Stockholms Filharmoniska Orkester, 1957–58 das Philharmonische Orchester von
La Habana, 1956–60 das Orchestre symphonique de
Montréal, 1957–61 das Orchestre Lamoureux in Paris,
1965–69 das spanische Rundfunk- und Fernsehorchester in Madrid und 1968–73 (als künstlerischer Direktor) die Oper und das Symphonieorchester von Monte
Carlo. 1973 übernahm er als Nachfolger von F. Previtali Chor und Orchester der Accademia Nazionale
di S. Cecilia in Rom. Als Gast dirigierte er darüber hinaus die international bedeutenden Orchester (seit 1960
auch wieder in der UdSSR). Das Moskauer Konservatorium schuf für M. einen Lehrstuhl für Orchesterleitung, den er 1963 innehatte. Der internationale Dirigentenwettbewerb von Monte Carlo stand 1968–72
unter seiner Leitung. M. lebt seit mehreren Jahren in
St-Cézaire-sur-Siagne (Alpes-Maritimes).
Lit.: **+B.** Gavoty u. R. Hauert, I. M. (= Les grands interprètes o. Nr, 1954), deutsch Ffm. 1956. – W. Pfannkuch, J. S. Bachs »Mus. Opfer«, Mf VII, 1954 (darin
über M.s Orch.-Fassung); I. M., Point d'orgue. Entretiens
avec Cl. Rostand, Paris 1959, russ. Auszüge u. a. in:
Ispolnitelskoje iskusstwo sarubeschnych stran V, hrsg. v.
G. Edelman, Moskau 1970.

+Markova, Dame Alicia (eigentlich [erg.: Lilian]
Alicia Marks), * [erg.: 1. 12.] 1910 zu London.
A. M. war 1952–62 als Gast Primaballerina assoluta
u. a. der Metropolitan Opera in New York, wo sie
dann 1963–69 als Ballettdirektor wirkte. Ihre Abschiedsvorstellung als Ballerina gab sie 1962 mit dem
London's Festival Ballet. Seit 1958 ist sie Vizepräsidentin der Royal Academy of Dancing und seit 1970 Professor of Ballet and Performing Arts an der University
of Cincinnati (O.). A. M. wurde 1963 zur Dame of the
Order of the British Empire geadelt, 1966 erhielt sie
den Ehrendoktor der University of Leicester. Sie
schrieb *Giselle and I* (London 1960).
Lit.: G. Anthony, A. M., London 1951; A. Dolin, M.,
Her Life and Art, ebd. 1953.

Markovac (m'arkəvats), Pavao, * 5. 4. 1903 zu
Zagreb, † Sommer 1941 zu Kerestinec (bei einem
Fluchtversuch aus einem Lager); jugoslawischer Musikforscher, studierte 1921–26 bei G. Adler an der Wiener Universität, an der er 1926 mit einer Dissertation
über *Die Harmonik in den Werken M. P. Mussorgskijs*
promovierte. Er war als Kritiker und Schriftleiter verschiedener Musikzeitschriften (»Glazbeni vjesnik«,
»Muzička revija«) tätig und schrieb zahlreiche Aufsätze, in denen er Musikprobleme vom Standpunkt des
dialektischen und historischen Materialismus aus interpretierte; genannt seien: *Stil u muzici* (»Der Stil in
der Musik«, Muzička rev. 1932, Nr 3); *Muzika i društvo*
(»Musik und Gesellschaft«, in: Zvuk 1932/33, Nr 7);

Uz problem nacionalnog stila u muzici (»Über das Problem des nationalen Stils in der Musik«, in: Knji ževnik
1938, Nr 1–2). Postum erschien eine Aufsatzsammlung
unter dem Titel *Izabrani članci i eseji* (»Ausgewählte
Artikel und Aufsätze«, hrsg. von A. Tomašek, Zagreb
1957).

Markowski, Andrzej (Pseudonym Marek Andrzejewski), * 22. 8. 1924 zu Lublin; polnischer Dirigent
und Komponist, studierte 1939–41 in Lublin, 1946–47
am Trinity College of Music in London (Komposition
bei Rowley) und 1947–55 an der Musikhochschule in
Warschau (Komposition bei Rytel und Szeligowski,
Dirigieren bei Rowicki). 1949–50 wirkte er als musikalischer Leiter des Theaters in Stettin und 1954–59 als
Dirigent der Staatlichen Schlesischen Philharmonie in
Kattowitz. 1959–64 war er GMD der Staatlichen Philharmonie in Krakau und 1965–69 der Staatlichen Philharmonie in Breslau. 1971 wurde er Dirigent und stellvertretender künstlerischer Leiter der Nationalphilharmonie in Warschau. M. widmet sich besonders
der zeitgenössischen polnischen Musik. Gastspielreisen
führten ihn in verschiedene europäische Länder, in die
USA, den Nahen Osten und nach Australien. Er gründete das Krakauer Kammerorchester und das Gesangsfestival Wratislavia cantans. M. komponierte ein Quintett für Blasinstr. (1952), Klavierstücke, Vokalmusik
(Lieder für Chor, Partisanen- und Massenlieder) sowie
Bühnen- und Filmmusiken, darunter Musik zu einigen
Experimentalfilmen, in denen zum ersten Male in
Polen konkrete und elektronische Musik verwendet
wurde (1955).
Lit.: Z. Kułakowska, Problemy instrumentacji w muzyce filmowej A. M.ego (»Instrumentationsprobleme d.
Filmmusik A. M.s«), Kwartalnik filmowy XI, 1961; dies.,
Elementy formy w muzyce filmowej A. M.ego (»Formelemente d. Filmmusik A. M.s«), in: Życie i myśl XIII, 1963.

Markwort, Johann Christian, * 13. 12. 1778 zu
Reisling (Braunschweig), † 13. 1. 1866 zu Bessungen
(Darmstadt); deutscher Gesangspädagoge, studierte zunächst Theologie in Helmstedt und Leipzig, dann Gesang in Wien, ging als Tenor zur Bühne und war in
Feldsberg (Fürstentum Liechtenstein), Triest, München und Darmstadt engagiert, wo er 1810 zum Chordirektor ernannt wurde. Ab 1830 widmete er sich ganz
seiner gesangspädagogischen Tätigkeit. Er schrieb die
Lehrwerke *Umriß einer Gesammt-Tonwissenschaft überhaupt wie auch einer Sprach- und Tonsatzlehre* (Darmstadt und Mainz 1826), *Gesang-, Ton- und Rede-Vortragslehre* (Mainz 1827), *Über Klangveredelung der Stimme* (ebd. 1847) und *Elementar-Unterricht für Pianoforte*
(Ffm. o. J. [vor 1849]), außerdem zahlreiche Artikel
über Gesangslehre, Rhetorik, Mimik usw. für AmZ
(1820ff.), G. Webers »Cäcilia« u. a.

+Marmontel, –1) Antoine François, 1816 – 17.
[nicht: 15.] 1. 1898.
–2) Antonin Émile Louis Corbaz, 22. 11. [nicht: 24.
4.] 1850 – 1907. Am Pariser Conservatoire wurde er
1901 Klavierlehrer [nicht: Gesangslehrer].

+Marmontel, Jean-François, 1723–99.
Lit.: S. M. Finseth, J.-Fr. M. as a Literary and Music
Theorist and Critic, Diss. NY Univ. 1967; J. Rushton,
The Theory and Practice of Piccinnisme, Proc. R. Mus.
Ass. XCVIII, 1971/72.

Marolt, France, * 21. 6. 1891 zu Brdo (bei Kamnik,
Slowenien), † 7. 4. 1951 zu Laibach/Ljubljana; jugoslawischer Musikethnologe, studierte Musik in Ljubljana und Wien. Er war Gründer des musikethnologischen Institutes in Ljubljana, das er von 1934 bis zu seinem Tode leitete. – Veröffentlichungen (Auswahl):

Tri obredja iz Zilje (»3 Volksbräuche aus dem Zillertal«, = Slovenske narodoslovne študije I, Ljubljana 1935); *Tri obredja iz Bele Krajine* (»3 Volksbräuche aus Bela Krajina«, ebd. II, 1936); *Gibno-zvočni obraz Slovencev* (»Ein Klang- und Bewegungsbild der Slowenen«, ebd. III, 1954); *Slovenski glasbeni folklor* (»Slowenische Musikfolklore«, ebd. IV, 1954). – Aufsätze: *Slovenske prvine v kočevski ljudski pesmi* (»Slowenische Elemente im Gottscheer Volkslied«, in: Kočevski zbornik 1938); *Gibno-zvočni obraz slovenskega Korotana* (»Ein Klang- und Bewegungsbild vom slowenischen Kärnten«, in: Koroški zbornik 1946).

Máros (m'aːrɔʃ), Miklós, * 14. 11. 1943 zu Pécs; ungarischer Komponist, Sohn von Rudolf M., lebt in Stockholm. Er studierte in Budapest am Musikkonservatorium bei Sugár und an der Musikhochschule bei Szabó. 1967 ließ er sich in Stockholm nieder, wo er bei Lidholm und Ligeti weiterstudierte. Gegenwärtig arbeitet er am Studio für Elektronische Musik (EMS) in Stockholm. – Werke (Auswahl): einaktige Oper *Jag önskar, jag vore . . .* (»Ich wünschte, ich wäre . . .«, 1971). – *Coalottino* für Baritonsax., 3 Kl., Cemb., Hammondorg., 2 V., Va und 2 Vc. (1969); *Turba* für gem. Chor (1969); *Inversioni* für S., Fl., Klar., Trp., Hf., Schlagzeug, V. und Kb. (Text, ungarisch, Sándor Weöres, 1970); *Spel* (»Spiel« für Klar., Pos., Schlagzeug und Vc. (1970); *Anenaika* für S., Klar., Pos., V., Va, Vc., Kb. und Tonband (1971); *Cartello* für Fl., Hf., Kl., V. und Vc. (1971); *Denique* für S. und Orch. (1971); *Descort* für S., Fl. und Kb. (1971); *HCAB–BACH* für Kl. (1971); *Concertino* für Kb. oder Tuba solo und Blasorch. (1971); *Diversion* für S., A., Alt-Fl., Git., Va und Schlagzeug (1971); *Aspectus* für Fl., Ob., Klar., Fag., Horn, Tuba, V., Va, Vc. und Kb. (1972); *Causerie* für Fl. und Kl. (1972); *Laus Pannoniae* (Text, lateinisch, Janus Pannonius) für gem. Chor, Block-Fl., Ob., Hf., Cemb. und Org. (1972).

Maros (m'ɔrɔʃ), Rudolf, * 19. 1. 1917 zu Stachy (Böhmen); ungarischer Komponist, studierte 1938–42 an der Budapester Musikhochschule Viola bei János Temesváry sowie Komposition bei Siklós und Kodály und wirkte daneben (1939–42) als Bratschist im Budapester Konzertorchester. 1942–49 war er Professor und Direktor am Konservatorium in Pécs. 1949 vervollkommnete er seine Kompositionsstudien bei A. Hába in Prag und wurde im selben Jahr Professor für Kammermusik, Partiturspiel und Instrumentation an der Hochschule für Musik in Budapest. Begegnungen mit der Avantgarde in Darmstadt und Warschau führten zu einer Wandlung seiner Schreibweise, die bislang eher der folkloristischen Richtung gefolgt war. 1954, 1955 und 1957 erhielt er den Erkel-Preis. – Werke (Auswahl): Ballette *Bányászballada* (»Bergmannsballade«, Pécs 1961), *Quadros soltos* (Lissabon 1968, nach dem Orchesterwerk *Musica da ballo*, 1962) und *Cinque studi* (Wien 1967, nach den gleichnamigen, 1961 geschriebenen Orchesterstücken). – *Bábjáték nyitány* (»Puppenspielouvertüre« für kleines Orch. (1944); Sinfonietta Nr 1 für Schulorch. (1944) und Nr 2 für Orch. (1948); Concertino für Fag. und Orch. (1954); Ricercare für Orch. (1962); *Sinfonia per archi* (1964); *Eufonia 1* für Streicher, 2 Hf. und Schlagzeug (1964), *2* für Blechbläser, 2 Hf. und Schlagzeug (1964) und *3* für Orch. (1966); *Gemma* (1969) und *Monumentum 1945* (1969) für Orch. – *Musica leggiera* für Bläserquintett (1956); Divertimento für Streichtrio (1956); Streichquartett (1958); Suite für Hf. (1965); *Musica da camera per 11* (1967); Trio für Hf., V. und Va (1968); 6 Bagatellen für Org. (1969); 2 Nänien für S. und Kammerensemble (Text Sándor Weöres,

1963); ferner Chöre, Lieder sowie Bühnen- und Filmmusik.
Lit.: P. VÁRNAI, M. R., Budapest 1967; I. FÁBIÁN, R. M., The New Hungarian Quarterly X, 1969.

+Marot, Clément, 1496–1544.
Ausg.: Œuvres satiriques, œuvres lyriques, œuvres diverses, 3 Bde, kritische Ausg. hrsg. v. CL. A. MAYER, London 1962–66 (Kommentar dazu in: Bibl. d'Humanisme et Renaissance XXIX, 1967, S. 357ff.); Le psautier huguenot du XVIe s., Bd III: Les psaumes de Cl. M., hrsg. v. S. J. LENSELINK, Assen u. Kassel 1959 (Ed. d. ältesten Texte u. Varianten bis 1543, nebst d. definitiven Text v. 1562).
Lit.: +O. DOUEN, Cl. M. et le psautier huguenot (1878–79), Nachdr. Amsterdam 1967. – V.-L. SAULNIER, Les élégies de Cl. M., Paris 1952, erweitert 1968; DERS., D. Phinot et D. Lupi, musiciens de Cl. M. et des marotiques, Rev. de musicol. XLIII/XLIV, 1959; P. PIDOUX, Le psautier huguenot du XVIe s., 2 Bde, Basel 1962; DERS., L. Bourgeois' Anteil am Hugenotten-Psalter, Jb. f. Liturgik u. Hymnologie XV, 1970; CL. A. MAYER, Notes sur la réputation de M. aux XVIIe et XVIIIe s., in: Bibl. d'Humanisme et Renaissance XXV, 1963; DERS., Cl. M., Un tableau synoptique de la vie et des œuvres, Paris 1964 (mit Bibliogr.); G. DOTTIN, Aspects littéraires de la chanson »mus.« à l'époque de M., Rev. des sciences humaines 1964, Nr 116; M. JEANNERET, M. traducteur des psaumes, in: Bibl. d'Humanisme et Renaissance XXVII, 1965; M. FRANÇON, »L'enfer« de Cl. M., ebd. XXIX, 1967; F. JOUKOVSKY-MICHA, Cl. et J. M., ebd.; P. JOURDA, M., = Connaissance des lettres XXVI, Paris 1967; M. A. SCREECH, M. évangélique, = Etudes de philologie et d'hist. IV, Genf 1967; FR. A. JOHNS, Cl. M.'s »Pseaumes octantetrois . . .« 1551. Report of a Surviving Copy, in: Bibl. d'Humanisme et Renaissance XXXI, 1969; D. GUTKNECHT, Untersuchungen zur Melodik d. Hugenottenpsalters, = Kölner Beitr. zur Musikforschung LXVII, Regensburg 1972.

+Maróthi, György (Georg), 1715–44.
Lit.: B. SZABOLCSI, A magyar zene évszázadai (»Die Jh. d. ungarischen Musik«), Bd II (darin d. Kap.: A 18. század magyar kollégiumi zenéje, »Die Musik d. ungarischen Kollegien im 18. Jh.«), Budapest 1961; W. FUCHSS, Musik u. Erziehung als Mittler zwischen Ungarn u. d. Schweiz, StMl X, 1968; K. CSOMASZ TÓTH, M. Gy. és Varjas J. (»Gy. M. u. J. Varjas«), in: Református egyház XXI, 1969; DERS., M. Gy. zenei ismeretei és svájci kapcsolatai (»Gy. M.s mus. Kenntnisse u. seine Schweizer Beziehungen«), Fs. B. Szabolcsi, = Magyar zenetörténeti tanulmányok II, Budapest 1969 (mit deutscher u. engl. Zusammenfassung).

Maróthy (m'ɔroːti), János, * 23. 12. 1925 zu Budapest; ungarischer Musikforscher, promovierte 1948 an der Budapester Universität als Schüler von Georg Lukács in Ästhetik und studierte 1951 an der Budapester Musikakademie bei Viski Komposition sowie dann bis 1954 an der Ungarischen Akademie der Wissenschaften bei Szabolcsi Musikwissenschaft. Er ist seit 1961 am Bartók-Archiv tätig, das 1969 von der Ungarischen Akademie der Wissenschaften übernommen wurde. Neben zahlreichen kleineren Beiträgen u. a. für StMl, BzMw und SM veröffentlichte er: *A középkori tömegzene alkalmai és formái* (»Anlässe und Formen mittelalterlicher Massenmusik«, in: Zenetudományi tanulmányok I, 1953); *Erkel F. opera-dramaturgiája és az opera fejlődésének néhány kérdése* (»F.Erkels Operndramaturgie und einige Fragen zur Entwicklung der Oper«, ebd. II, 1954); *Az európai népdal születése* (»Die Geburt des europäischen Volksliedes«, Budapest 1960, deutscher Auszug in: BzMw IV, 1962); *Zene és polgár, zene és proletár* (»Musik und Bürger, Musik und Proletarier«, Budapest 1966, deutscher Auszug in: BzMw X, 1968); *Szabó F. indulása* (»Die erste Periode von F. Szabó«, Budapest 1970).

+Marotta, Erasmo, SJ, [erg.:] um 1565 – 1641.

+Marpurg, –1) Friedrich Wilhelm, 1718–95. Über die Lebensumstände M.s in den 1740er Jahren berichtet sein Jugendfreund J.J.Winckelmann (Brief an W.v.Stosch vom 19. 3. 1767; vgl. die Briefausg. Bln 1952–57), als Student habe M. ein »Pasquill« verfaßt, sei der auf Bitte des Betroffenen von Friedrich II. verfügten Verhaftung durch die Flucht nach Holland zuvorgekommen und dann sieben Jahre in Frankreich geblieben. – Durch sein reges historisches Interesse kam M. in Verbindung mit Gerbert, dessen Synopse von *De cantu et musica sacra . . .* (1774) und der *Scriptores . . .* (1784) er in den *Kritischen Briefen über die Tonkunst* (II, 1763) veröffentlichte; umgekehrt nimmt auch Gerbert in *De cantu . . .* häufig auf M.s *Historisch-kritische Beyträge . . .* (1754–78) Bezug. – Am Ende seines Lebens beschäftigte sich M. mit einer Geschichte der Orgel (Ms., Gesellschaft der Musikfreunde in Wien). Eine 4st. Motette *Gott ist unsre Zuversicht und Stärke* ist handschriftlich in Göttingen (Niedersächsische Staats- und Universitätsbibliothek) erhalten. – Nachdrucke (wenn nicht anders angegeben, Erscheinungsort Hildesheim): *Des critischen Musicus an der Spree erster Band* (1749–50), 1970; *Historisch-kritische Beyträge zur Aufnahme der Musik* (1754–78), 1970; *Kritische Briefe über die Tonkunst* (1760–64 [nicht: 1759–63]), 1971 (3 Bde in 2); *Die Kunst das Clavier zu spielen* (Bd I, 1750, ⁴1762, die französische Ausg. Paris 1755 [nicht: 1760]; Bd II, 1761), 1969 (2 Bde in 1: Bd I = ⁴1762); *Anleitung zum Clavierspielen* (²1765), 1970, dass. auch = MMMLF II, 110, NY 1969, die niederländische Ausg. (*Aanleiding tot het clavier-speelen*, übers. von J.W.Lustig, Amsterdam 1760) Amsterdam 1970; *Abhandlung von der Fuge* (1753–54), 1970; *Handbuch bey dem Generalbasse und der Composition* (I ²1762, II–III 1757–58), 1971; *Neue Methode, allerley Arten von Temperaturen dem Claviere aufs bequemste mitzutheilen* (1790), 1970. Ausg.: Auszüge aus »Abh. v. d. Fuge«, engl. in: A. MANN, The Study of Fugue, New Brunswick (N. J.) 1958, London 1960, Nachdr. NY 1966. – 21 Choralvorspiele f. Org., hrsg. v. R. M. THOMPSON, Minneapolis 1967; 5 Fugen f. Org., hrsg. v. DEMS., ebd. 1969; 8 Choralvorspiele f. Org., hrsg. v. W. EMERY, London 1968. Lit.: +M. FRIEDLAENDER, Das deutsche Lied im 18. Jh. (1902), Nachdr. Hildesheim 1962 (3 Bde in 2); +H. KRETZSCHMAR, Gesch. d. neuen deutschen Liedes (I, 1911), Nachdr. ebd. u. Wiesbaden 1966. – J. MEKEEL, The Harmonic Theories of Kirnberger an M., Journal of Music Theory IV, 1960; P. BENARY, Die deutsche Kompositionslehre d. 18. Jh., = Jenaer Beitr. zur Musikforschung III, Lpz. 1961; J. W. LINK, Theory and Tuning. Aron's Meantone Temperament and M.'s Temperament »i«, Boston 1963; I. HORSLEY, Fugue. Hist. and Praxis, NY u. London 1966; M. KARBAUM, Das theoretische Werk J. Fr. Daubes. Ein Beitr. zur Kompositionslehre d. 18. Jh., Diss. Wien 1968; FR. RITZEL, Die Entwicklung d. »Sonatenform« im musiktheoretischen Schrifttum d. 18. u. 19. Jh., = Neue mg. Forschungen I, Wiesbaden 1968; H. J. SERWER, Fr. W. M. . . ., Music Critic in a »Galant« Age, Diss. Yale Univ. (Conn.) 1969; DERS., M. versus Kirnberger. Theories of Fugal Composition, Journal of Music Theory XIV, 1970; R. FRISIUS, Untersuchungen über d. Akkordbegriff, Diss. Göttingen 1969.

Marriner, (mˈæɹinə), Neville, * 15. 4. 1924 zu Lincoln; englischer Dirigent und Violinist, studierte am Royal College of Music in London und am Pariser Conservatoire. Er wurde Lehrer 1947 am Eton College, 1952 am Royal College of Music, war Mitglied des Martin String Quartet (1946–53), des Virtuoso String Trio (ab 1950) und des von ihm und Dart gegründeten Jacobean Ensemble (ab 1952) sowie Stimmführer der 2. Violinen beim London Symphony Orchestra. 1959 gründete er die Academy of St. Martin-in-the-Fields, die er seitdem leitet. Daneben ist er Dirigent des Los Angeles Chamber Orchestra.

Marrocco (məˈɹɔkou), William Thomas, * 5. 12. 1909 zu West New York (N. J.); amerikanischer Musikforscher und Violinist, studierte am Conservatorio di Musica S.Pietro a Majella in Neapel (Diploma di Magistero 1930), an der Eastman School of Music (B. Mus. 1934) und der University of Rochester/N. Y. (M. A. 1940) sowie an der University of California at Los Angeles, wo er 1952 mit einer Dissertation über *Jacopo da Bologna and His Works* (gedruckt als *The Music of Jacopo da Bologna*, = University of California Publ. in Music V, Berkeley 1954) zum Ph. D. promovierte. 1945–46 war er Visiting Professor of Violin an der University of Iowa in Iowa City und 1946–49 Associate Professor of Music an der University of Kansas in Lawrence. 1950 wurde er Professor of Music an der University of California at Los Angeles. – Veröffentlichungen (Auswahl): *The Fourteenth Cent. Italian Madrigal* (in: Speculum XXVI, 1951); *The Enigma of the Canzone* (ebd. XXXI, 1956); *The Music Situation in Contemporary Italy* (Italian Quarterly III, 1959); *The Set Piece* (JAMS XV, 1962); *The Notation in American Sacred Music Collections* (AMl XXXVI, 1964); *The Newly-Discovered Ostiglia Pages of the Vatican Rossi Codex 215*. *The Earliest Italian Ostinato* (AMl XXXIX, 1967); *Integrative Devices in the Music of the Italian Trecento* (in: L'ars nova italiana del Trecento III, Kgr.-Ber. Certaldo 1969). – Ausgaben: *Fourteenth-Cent. Italian Cacce* (= The Mediaeval Academy of America, Publ. XXXIX, Cambridge/Mass. 1940, revidiert ²1961); *Music in America. An Anthology from the Landing of the Pilgrims to the Close of the Civil War (1620–1865)* (mit H.Gleason, NY 1964); *The Italian Trecento* (= Polyphonic Music of the Fourteenth Cent. VI, Monaco 1967); *Music in the United States* (mit A.Edwards, Dubuque/Ia. 1968).

+Marschner, Franz Ludwig Veit, 1855–1932. Lit.: R. IMIG, Systeme d. Funktionsbezeichnung in d. Harmonielehren seit H. Riemann, = Orpheus-Schriftenreihe zu Grundfragen d. Musik IX, Düsseldorf 1970.

+Marschner, Heinrich August, 1795–1861. Lit.: Z. HRABUSSAY, H. M. a Bratislava (»H. M. u. Preßburg«), in: Slovenská hudba V, 1961; K. GÜNZEL, in: Sächsische Heimatblätter VIII, 1962, S. 65ff.; R. SEEBOHM, »Fahr hin d. Erde Lust u. Leid . . .«, Eine Parallele zwischen M. u. Pfitzner, Mitt. d. H.-Pfitzner-Ges. 1967, Nr 18; G. ABRAHAM, M. and Wagner (verfaßt 1940), in: Slavonic and Romantic Music, London 1968.

Marschner, Wolfgang, * 23. 5. 1926 zu Dresden; deutscher Violinist, studierte an der Akademie für Musik und Theater in Dresden und am Mozarteum in Salzburg; nach dem Kriege führten ihn Konzerttourneen durch Europa und in die USA, wobei er sich besonders der Aufführung neuerer Werke widmete. 1956–57 leitete er eine Meisterklasse für Violine an der Folkwangschule in Essen; 1958–63 war er Professor an der Musikhochschule in Köln. Heute ist M. Professor an der Staatlichen Hochschule für Musik in Freiburg i. Br. Er ist auch als Komponist hervorgetreten; genannt seien: *Paganini-Variationen* für V. und Orch. oder Kl. (1955); *Portrait folklorique* für V. und Orch. (1957); Konzert für V. und Kammerorch. (1957); Konzert für V. und Orch. (1963, Neufassung 1967); *3 préludes* (1969) und *Sonata da Requiem* (1970) für V. solo. – *Liguria-Fantasie* für Orch. (1968); Konzert für Klar. und Orch. (1957). M. schrieb auch Kadenzen zu Violinkonzerten und veröffentlichte *Moderne Studien für Violine* (Köln 1970).

Marsh (mɑ:ʃ), Jane, * 25. 6. 1944 zu San Francisco; amerikanische Sängerin (lyrischer Sopran), studierte am Oberlin College/O. (B. Mus.) und debütierte 1965 in Spoleto als Desdemona. 1966 trat sie mit der New York Philharmonic auf und erregte im selben Jahr als 1. Preisträgerin des Tschaikowsky-Wettbewerbs in Moskau internationales Aufsehen. 1967–68 war J. M. Mitglied der San Francisco Opera Company. Seit 1968 gehört sie der Deutschen Oper am Rhein in Düsseldorf–Duisburg an. Gasttourneen führen sie durch Europa und die USA. Zu ihren Partien zählen Violetta, Mimi, Liu (*Turandot*), Antonia (*Les contes d'Hoffmann*) und Pamina. J. M. machte sich auch als Konzert- und Liedsängerin einen Namen.

Marshall (mʼɑ:ʃəl), Lois, * 1928 zu Toronto; kanadische Konzertsängerin (Sopran), studierte am Royal Conservatory of Music in Toronto, gab bereits mit 15 Jahren Konzerte und debütierte 1952 in der Town Hall in New York. Konzerttourneen führten sie dann durch Nordamerika, 1956 nach Großbritannien und auf den europäischen Kontinent sowie 1958 in die UdSSR. L. M., die als eine der besten Konzertsängerinnen ihrer Zeit gilt, hat auch bei zahlreichen Schallplattenaufnahmen von Opern und Oratorien mitgewirkt.

+Marsick [–1) Martin Pierre Joseph], –2) Armand [erg.:] Louis Joseph, 1877–30. 4. [nicht: 10. 5.] 1959.
Lit.: Werkverz., = Cat. des œuvres de compositeurs belges XV, Brüssel 1955. – J. QUITIN in: Bull. d'information de la vie mus. belge VIII, 1969, Nr 1, S. 5ff.

Marsolo, Pietro Maria (Marzoli, Marzolo), * 2. Hälfte 16. Jh. zu Messina; italienischer Komponist, ist 1604–14 in Ferrara nachweisbar. Er war Maestro di capilla am Dom in Fano (1608–10), dann (ab 1612?) am Dom in Ferrara und Maestro di musica der dortigen Accademia degli Intrepidi. Von ihm sind 5 5st. und 2 4st. Madrigalbücher, ein 8st. Meß- und Motettenbuch sowie 2 5st. Motettenbücher, ferner 7 Stücke in Sammeldrucken bekannt und nachgewiesen. Von Bedeutung ist sein *Secondo libro de' Madrigali a 4 v.*, op. X mit B. c., das auf Vorlagen monodischer Madrigale u. a. von G. Caccini, G. Guami und Rasi beruht.
Ausg.: Secondo libro de' Madrigali a 4 v., hrsg. v. L. BIANCONI, = Musiche rinascimentali siciliane IV, Rom 1972 (mit d. Stücken aus Sammeldrucken).
Lit.: G. M. ARTUSI(?), Discorso secondo mus. di A. Braccino, Venedig 1608; R. MICHELI, Musica vaga, et artificiosa continente motetti con oblighi, e canoni diversi, ebd. 1615; A. BERTOLOTTI, Musici alla corte dei Gonzaga in Mantova dal s. XV al XVIII, Mailand 1890; R. PAOLUCCI, La cappella mus. del duomo di Fano, Note d'arch. III, 1926; O. TIBY, I polifonisti siciliani del XVI e XVII s., Palermo 1969.

Marszalek, Franz, * 2. 8. 1900 zu Breslau; deutscher Kapellmeister und Komponist, studierte Musik am Akademischen Institut für Kirchenmusik (Siegfried Cichy) und Musikwissenschaft an der Universität in Breslau (Max Schneider). 1921–27 war er in Breslau Kapellmeister am Schauspielhaus und 1928–33 bei der Schlesischen Funkstunde. Er ging 1933 an das Theater des Westens in Berlin, war dort 1933–37 für Bühne, Tonfilm (in Zusammenarbeit mit Künneke) und Schallplatte tätig, wirkte 1937 am Theater im Admiralspalast, 1938–39 am Apollo-Theater in Köln, 1939–40 am Theater am Gärtnerplatz in München und 1941–45 am Europasender in Berlin und Königsberg. 1947–48 war er Kapellmeister am Corso-Theater in Berlin und ist seit 1949 am NWDR (später WDR) Köln tätig (seit 1965 als freier Mitarbeiter). Er komponierte Lieder, Chansons und Balladen, bearbeitete Kompositionen u. a. von L. Fall, Goetze, Lehár, P. Lincke, Richartz, O. Straus sowie Johann und Josef Strauß und gab verschiedene Werke von E. Künneke heraus.

Marteau, Fr. X. → Hammer, Fr. X.

+Marteau, Henri, 1874–1934.
Lit.: BL. MARTEAU, H. M., Siegeszug einer Geige, Tutzing 1971.

+Martelli, Henri, * 25. 2. 1895 zu Bastia (Korsika).
Weitere Werke: die einaktige Opéra-bouffe *Le Major Cravachon* (Cl. Rostand nach Labiche, Paris 1959) und das Poème lyrique *La chanson de Roland* (1924, Neufassung 1962–66, französischer Rundfunk 1967, Angers 1971); Sinfonietta (1948), symphonisches Bild *Le radeau de la Méduse* (nach dem Bild von Géricault, 1957), *Scènes à danser* (1963) und 3. Suite (1970) für Orch., Variationen für Streichorch. (1959); 1. Concertino (1938) und 1. Konzert op. 44 (1939) für V. und Orch., 2. Concertino für V. und Kammerorch. (1954), Concertino für Ob., Klar., Horn, Fag. und Streichorch. (1955), Doppelkonzert für Klar., Fag. und Orch. (1958), Rhapsodie für Vc. und Orch. (1967), Konzert für Ob. und Orch. (1970); *Danses folkloriques de Provence* für 2 Block-Fl., Git. und Schlagzeug (1963), 10 *Chants et danses de Noël du folklore français* für 3 Block-Fl. (1962); Werke mit Kl. für Va (Sonate, 1959; Konzertstück, 1962), Ob. (Sonate, 1972), Baßpos. (Sonate, 1956; *Dialogue*, 1966), Tuba oder Baßsax. (Suite, 1954) und Kornett (Concertino, 1966); Divertissement (1956) und Scherzando (1958) für Hf., 15 Etüden für Fag. (1953), Suite für Git. (1960), 5 Melodien für Block-Fl. (1960); *Chemin* für 12st. gem. Chor a cappella (1961).
Lit.: CL. CHAMFRAY in: Le courrier mus. de France 1968, Nr 21, Nachtrag ebd. 1972, Nr 40.

+Marten, Heinz, * 17. 1. 1908 zu Schleswig.
Als Konzert- und Oratoriensänger (Evangelist) war M. bis 1963 tätig. Seit 1957 ist er Professor für Sologesang an der Kölner Musikhochschule.

+Martenot, Maurice, * 14. 10. 1898 zu Paris.
M. ist weiterhin auf dem Gebiet der Musikpädagogik (besonders der musikalischen Früherziehung), des elektronischen Instrumentenbaus und der Ausbildung von Ondes M.-Spielern tätig. Von seinen neueren Veröffentlichungen seien genannt das Buch *Principes fondamentaux d'éducation musicale* (Paris 1967, ³1970) und der Beitrag *Lutherie électronique* (Cahiers de la Compagnie M. Renaud–J.-L. Barrault III, Paris 1954, Wiederabdruck in: La musique et ses problèmes contemporains, 1953–63, ebd. XLI, 1963). Kompositionen für Ondes M. schrieben u. a. auch J. Charpentier, J.-Cl. Éloy, M. Jarre, Ch. Koechlin, M. Landowski, O. Messiaen, D. Milhaud, J. Rivier und E. Varèse. – Seine Schwester Ginette M., [erg.:] * 27. 1. 1902 zu Paris.
Lit.: A. PALM, Die »Méthode M.«. Ein Beitr. zur frz. Musikpädagogik d. Gegenwart, in: Musik im Unterricht (Ausg. B) LVIII, 1967.

+Martens, [erg.: Wilhelm Carl Emil] Heinrich, * 5. 6. 1876 zu Isenhagen (Lüneburger Heide), [erg.:] † 31. 12. 1964 zu Berlin.
1945–50 war M. stellvertretender Direktor an der Hochschule für Musik Berlin-Charlottenburg und Leiter ihrer musikpädagogischen Abteilung. – +*Beiträge zur Schulmusik* (1930–32), Neubearb. hrsg. von W. Drangmeister (mit H. Fischer, ab 1966 mit H. Rauhe), Wolfenbüttel 1957ff., bis 1971 25 H. (darin von ihm selbst H. 1, 1957: *Musikdiktat und musikalisches Schreibwerk in der Schule*); +*Musikalische Formen in historischen Reihen* (1930–37), Neubearb. (mit H. Fischer, bzw. ab 1966 mit H. Rauhe, und W. Drangmeister) ebd., bis

1968 17 Bde (darin von ihm selbst: *Das Menuett*, 1958).
Lit.: H. Fischer, Schulmusik u. junge Musik, in: Junge Musik 1956.

Martí, Samuel, * 18. 5. 1906 zu El Paso (Tex.); mexikanischer Musikethnologe und Violinist, studierte am Bush Conservatory in Chicago, an dem er 1928 promovierte. Neben seiner Tätigkeit als ausübender Musiker und Komponist (*Cantos de Anahuac* für vorcortesianische Instrumente, mit Angel Salas, 1955) widmete er sich auf ausgedehnten Forschungsreisen in verschiedene Länder Zentralamerikas dem Studium der traditionellen Musik der Indianer. – Veröffentlichungen (Auswahl): *Música de las Américas* (Cuadernos americanos IX, 1950, Bd 7, Nr 4); *Flautilla de la penitencia. Fiesta grande de Tezcatlipoca* (ebd. XII, 1953, Bd 72, Nr 6); *Música precortesiana* (ebd. XIII, 1954, Bd 77, Nr 6); *Precortesian Music* (in: Ethnos XIX, 1954); *Instrumentos musicales precortesianos* (México/D. F. 1955, ²1968); *Canto, danza y música precortesianos* (ebd. 1961); *Etnomusicología en Colombia* (Rev. colombiana de folclor II, 1961); *The Eleanor Hague Manuscript of Mexican Colonial Music* (= Southwest Museum Leaflets XXXIII, Los Angeles 1969); *Alt-Amerika. Musik der Indianer in präkolumbischer Zeit* (= Musikgeschichte in Bildern II, 7, Lpz. 1970); *La música precortesiana* (México/D. F. 1971).

+Martianus Minneus Felix **Capella,** um 400 n. Chr.
Lit.: J. Willis, M. C. and His Early Commentators, Diss. London 1952; J. G. Préaux, Deux mss. gantois de M. C., in: Scriptorium XIII, 1959; W. H. Stahl, To a Better Understanding of M. C., in: Speculum XL, 1965; G. Wille, Musica Romana. Die Bedeutung d. Musik im Leben d. Römer, Amsterdam 1967; K. Meyer-Baer, Music of the Spheres and the Dance of Death. Studies in Mus. Iconology, Princeton (N. J.) 1970; W. Wetherbee, Platonism and Poetry in the 12ᵗʰ Cent., The Literary Influence of the School of Chartres, ebd. 1972.

+Martienssen-Lohmann, [erg.: Carolina Wilhelmine] Franziska (geborene Meyer-Estorf), * 6. 10. 1887 zu Bromberg, [erg.:] † 2. 2. 1971 zu Düsseldorf.
Die Meisterklasse für Gesang am R.-Schumann-Konservatorium in Düsseldorf leitete sie (als Professor) bis 1969, die internationalen Meisterklasse für Gesang in Luzern 1949–69. – +*Berufung und Bewährung des Opernsängers* (1944), Neuaufl. als *Der Opernsänger* (Mainz 1970); +*Der wissende Sänger. Gesangslexikon in Skizzen* (1956), Zürich ²1963.
Lit.: H. J. Moser, Eine Gesangsprofessorin comme il faut, in: Musik im Unterricht (Allgemeine Ausg.) XLVIII, 1957.

Martín, Edgardo, * 6. 10. 1915 zu Cienfuegos; kubanischer Komponist, Musikschriftsteller und Pädagoge, studierte in Cienfuegos bei Aurea Suárez und in La Habana bei Jascha Fischermann Klavier sowie bei Ardévol Komposition und promovierte an der Universidad de La Habana in Pädagogik. Er war Professor für Musikgeschichte am Conservatorio Municipal (1945–68) und Dozent für Musikanalyse an der Escuela Nacional de Arte (1969–73) in La Habana. M. bekleidete verschiedene offizielle Ämter (1962–71 Secretario ejecutivo des Comité Nacional de Música der UNESCO). Er komponierte das Ballett *El caballo de coral* (La Habana 1960), Orchesterwerke (2 Symphonien, 1947 und 1948; Fugen für Streichorch., 1947; Concertante für Hf. und kleines Orch., 1949; *Soneras* Nr 1, 1951, und Nr 2, 1973; *Cuadros de Ismaelillo*, 1970), Kammermusik (2 Streichquartette, 1967 und 1968; Konzert für 9 Blasinstr., 1944; *Cinco cantos de Ho* auf Texte von Ho-Chi-Minh für S., Fl., Va und Kl., 1969), Klavierstücke (So-

nate für Kl. 4händig, 1942; Sonate, 1943), Gitarrenstücke (Variationen, 1964), Harfenstücke (*Variaciones en rondó*, 1944), Kantaten (*Los dos abuelos* für Chor und Orch., 1949; *Canto de héroes* für S., B. und Orch., 1967; *La carta del soldado* für Erzähler, T., Chor, Sprechchor und Orch., 1970), Chöre sowie Lieder mit Instrumentalbegleitung. Er veröffentlichte u. a.: *La música hispanoamericana del presente* (La Habana 1945); *Catálogo biográfico de compositores de Cuba* (ebd. 1970); *Panorama histórico de la música en Cuba* (ebd. 1971).
Lit.: Werkverz. in: Bol. interamericano de música 1962, Nr 27, S. 39ff.

Martin (mart'ɛ̃), Émile, * 7. 5. 1914 zu Cendras (Gard); französischer Philosoph, Historiker, Musikforscher und Komponist, studierte zunächst bei seinem Onkel, einem Kanoniker und Kapellmeister an der Kathedrale von Nîmes, und dann an der Universität in Montpellier sowie an der Sorbonne und dem Institut Catholique in Paris. Er gründete 1944 die Chanteurs de St-Eustache in Paris, die er seitdem leitet. 1947 wurde M. Mitglied des Oratoire de France und promovierte 1953 an der Sorbonne zum Docteur ès lettres. – Veröffentlichungen (Auswahl): *Essai sur l'évolution des rythmes de la chanson grecque antique* (= Etudes et commentaires XIV, Paris 1953, Thèse lettres; Thèse complémentaire: *Essai de restitution rythmique de quelques fragments notés de la musique grecque*, ebd. 1952); *Trois documents de musique grecque* (= Etudes et commentaires XV, ebd. 1953); *Une muse en péril. Essai sur la musique et le sacré* (ebd. 1968); *La querelle du sacré* (mit P. Antoine, ebd. 1970, Transkription und Kommentar). – Kompositionen: *Messe du Sacré-Cœur des rois de France* für Soli, Chöre, Org. und Orch. (1949); *Psaume pour l'agonie d'un monde* (Text P. Tardiveau, 1953); Symphonische Dichtung mit Chören *Images liturgiques* (1956); *Libera me* für A., Blechbläser, Org. und Tamtam; *Le voilier sous la croix* für Soli, Chöre, Org. und Orch. (Text P. Martin, 1957); *Rex pacificus*, Oratorium für Bar., Chöre und Orch. (1959); *Hymne et messe des corporations* für 6 gemischte St., Org. und Blechbläser (1960); ferner Messen, Motetten, Hymnen und andere Kirchenmusik sowie Bühnenmusik.

Martin (mart'ɛ̃), François, * 1727, † Januar/Februar(?) 1757 zu Paris; französischer Violoncellist und Komponist, war Kammermusiker beim Duc de Gramont und von 1747 bis zu seinem Tode Mitglied des Orchesters der Opéra. Seine *Symphonies et ouvertures* für 2 V., Va und B. op. 4 (Paris 1751) mit ihrer bithematischen Struktur und 3teiligen Anlage (Exposition, Durchführung, Reexposition) gehören zu den ersten französischen Werken, die der Vorklassik zuzurechnen sind. Daneben veröffentlichte er (Erscheinungsort Paris) u. a. *Six sonates pour le violonchelle, y compris un duo pour un v. et un violonchelle* op. 2 (1746) und *Six trios ou Conversations à trois* für 2 V. oder Fl. und Vc. op. 3 (1746) sowie die Cantatilles *Le soupçon amoureux* (1747), *Le Suisse amoureux* (1747) und *Le bouquet de Thémire* (1748; uraufgeführt 1745, M.s erstes bekanntes Werk). Daneben schrieb er Ballettmusik (3. Entrée zu dem Ballett *Amusements lyriques*, Puteaux 1750) und mehrere Motetten.
Lit.: B. S. Brook, La symphonie frç. dans la seconde moitié du XVIIIᵉ s., 3 Bde, = Publ. de l'Inst. de musicologie de l'Univ. de Paris III, Paris 1962.

+Martin, Frank, * 15. 9. 1890 zu Genf.
M. gründete 1926 in Genf die Société de musique de chambre, in der er bis 1937 als Pianist und Cembalist wirkte. Lehrer für Komposition an der Kölner Musikhochschule war er bis 1957 [nicht: 1955]. M. ist Ehren-

mitglied der Accademia nazionale di S. Cecilia in Rom (seit 1955), der Accademia filarmonica Romana (1962) und der Musikakademie in Wien (1965); 1960 erhielt er den Ehrendoktortitel der Universität Lausanne. – *6 Monologe aus Jedermann* für Bar. und Kl. (H. v. Hofmannsthal, 1943, Fassung für Bar. und Orch. 1949), +Konzert für Cemb. und kleines Orch. (1952), *+Pièce brève* für Fl., Ob. und Hf. (1957), +Passacaglia für Org. (1944, Fassung für Streichorch. 1952, Fassung für Orch. 1963), *+Le mystère de la Nativité* für 9 Soli, großen und kleinen gem. Chor, kleinen Männerchor und Orch. (1957–59) [del. bzw. erg. frühere Angaben]. – Neuere Werke: *Ouverture en rondeau* für Orch. (1958); *Drey Minnelieder* für S. und Kl. (1960); *Ode à la musique* für Bar., gem. Chor, Trp., 2 Hörner, 3 Pos., Kb. und Kl. (Texte G. de Machaut, 1961); Oper *Monsieur de Pourceaugnac* (nach Molière, Genf 1963); *Inter arma caritas* (1963, zur 100-Jahr-Feier des Roten Kreuzes) und symphonische Etüden *Les quatre éléments* (1964) für Orch.; Kantate *Pilate* für 4 Soli, gem. Chor und Orch. (1964); Cellokonzert (1966); Streichquartett (1967); *Maria-Triptychon* für S., V. und Orch. (1968); Klavierkonzert (1969); 3 Sätze *Erasmi monumentum* für Orch. und Org. (1969); 3 Tänze für Ob., Hf., Soloquintett und Streichorch. (1970); *Poèmes de la mort* für 3 Männer-St. und 3 elektrische Git. (Fr. Villon, 1971); Requiem für 4 Solisten, gem. Chor, Orch. und Org. (1972); Ballade für Va, Bläser, Hf., Cemb. und Schlagzeug (1972); *Polyptique* für V. und Streichorch. (1972). – Weitere Schriften: *Notwendigkeit einer Gegenwartskunst* und *Gedanken zum »Vin herbé«* (zusammen Amriswil 1957); *Responsabilité du compositeur* (Genf 1966); *Entretiens sur la musique* (mit J.-Cl. Piguet, = Langages o. Nr, Neuchâtel 1967); *Das Absolute und das Werdende* (ÖMZ XI, 1956); *Littérature et musique* (SMZ XCVIII, 1958, deutsch in: ÖMZ XIV, 1959, S. 403ff.); *Moderne Musik und Publikum* (ÖMZ XV, 1960, zuvor frz. in: Pour ou contre la musique moderne?, hrsg. von B. Gavoty und Daniel-Lesur, Paris 1957); *Les sources du rythme musical* (Kgr.-Ber. »Rythme et rythmique«, Genf 1965); *Der Komponist und die öffentliche Meinung* (in: Beitr. 1967, Kassel 1967); ferner Beiträge in »É. Jaques-Dalcroze« (Neuchâtel 1965) und »The Orchestra Composer's Point of View« (hrsg. von R. St. Hines, Norman/Okla. 1970).
Lit.: E. ANSERMET in: ÖMZ XI, 1956, S. 172ff.; DERS., Fr. M.s hist. Stellung, ÖMZ XXIV, 1969; H. A. FIECHTNER in: Musica X, 1956, S. 498ff., sowie R. KLEIN in: SMZ XCVI, 1956, S. 238ff. (deutsch u. frz.), u. in: ÖMZ XI, 1956, S. 50ff. (zum »Sturm«); R. KLEIN, »Le mystère de la Nativité« v. Fr. M., ÖMZ XIV, 1959; DERS., Fr. M., = ÖMZ, Sonder-Bd 1960; DERS., Fr. M.s jüngste Werke, ÖMZ XX, 1965; W. TAPPOLET, Fr. M. u. d. religiöse Musik, SMZ C, 1960; A. KOELLIKER, Fr. M., Lausanne 1963; J. E. TUPPER, Stylistic Analysis of Selected Works by Fr. M., Diss. Indiana Univ. 1964; E. APPIA, Fr. M. et la conquête de la personnalité, in: De Palestrina à Bartók, Paris 1965; W. PAAP in: Mens en Melodie XX, 1965, S. 265ff.; Gespräche mit Komponisten, hrsg. v. W. REICH, = Manesse Bibl. d. Weltlit. o. Nr, Zürich 1965, S. 273ff.; H.-E. BACH in: Rheinische Musiker VI, hrsg. v. D. Kämper, = Beitr. zur rheinischen Mg. LXXXIII, Köln 1969, S. 124ff.; B. BILLETER, Fr. M., Ein Außenseiter d. Neuen Musik, = Wirkung u. Gestalt IX, Frauenfeld 1970 (mit Werkverz. u. Diskographie); DERS. in: Musicalia I, (Genua) 1970, Nr 4, S. 48ff. (mit Werkverz.); DERS., Die Harmonik bei Fr. M., = Publ. d. Schweizerischen musikforschenden Ges. II, 23, Bern 1971; F. APRAHAMIAN, Fr. M., in: Music and Musicians XIX, 1970/71; K. v. FISCHER in: SMZ CXI, 1971, S. 3ff.; H. SABBE in: Vlaams muziektijdschrift XXIII, 1971, S. 195ff.

Martin, Karl → Reichel, Karl-Heinz.

Martin, Marvin → Ulbrich, Siegfried.

Martin (m'a:tin), Mary, * 1. 12. 1913 zu Weatherford (Tex.); amerikanische Musicaldarstellerin und Filmschauspielerin, studierte bei Helen Fouts Cahoon. Ihre Karriere begann 1938 am Broadway in New York, als sie in C. Porters Musical *Leave It to Me* den Song *My Heart Belongs to Daddy* interpretierte. Ab 1939 war sie Hauptdarstellerin in einer Reihe von Paramount-Filmen (*The Great Victor Herbert*; *Kiss the Boys Goodbye*; *Birth of the Blues*; *Star Spangled Rhythm*; *True to Life*; *Night and Day*). 1943 erhielt sie in Weills *One Touch of Venus* ihre erste große Rolle in einem Broadway-Musical. Sie war dann Hauptdarstellerin in Rodgers' *South Pacific* (1949), Stynes *Peter Pan* (1954) und Rodgers' *The Sound of Music* (1959). Auf einer Tournee durch die USA 1947 trat sie in I. Berlins *Annie Get Your Gun* auf. Wiederholt war sie auch in England engagiert (1946 in London für N. Cowards musikalische Komödie *Pacific 1860*).

Martin, Nico → Hummel, Bertold.

+Martín y Soler, Atanasio Martín Ignacio Vicente Tadeo Francisco Pelegrin [erg. Vornamen], 1754–1806.
Lit.: T. N. LIWANOWA, Russkaja musykalnaja kultura XVIII weka, 2 Bde, Moskau 1952–53; A. BAUER, Opern u. Operetten in Wien, = Wiener mw. Beitr. II, Graz 1955; J. PROSNACK, Kultura muzyczna Warszawy XVIII wieku, Krakau 1955; Otscherki po istorii russkoj muzyki 1790–1825 (»Skizzen zur Gesch. d. russ. Musik ...«), hrsg. v. M. S. DRUSKIN u. J. Ws. KELDYSCH, Leningrad 1956; U. PROTA-GIURLEO, Del compositore spagnuolo V. M. y S., in: Archivi (Arch. d'Italia e rassegna internazionale degli arch.) II, 27, 1960; O. WESSELY in: MGG VIII, 1960, Sp. 1710ff.; L. TELL, »Valsens fader«, in: Musikkultur XXXI, 1967; R. JESSON, »Una cosa rara«, MT CIX, 1968; DERS., M.'s »L'arbore di Diana«, MT CXIII, 1972.

+Martinelli, Giovanni, * 22. 10. 1885 zu Montagnana (Padua), [erg.:] † 2. 2. 1969 zu New York.
M., zuletzt amerikanischer Staatsbürger, sang bis 1945 an der Metropolitan Opera in New York. Zu seinen großen Rollen zählten Otello, Don Carlos, Radames (*Aida*), Dick Johnson (Puccini, *La fanciulla del West*) sowie Don José (*Carmen*). Obgleich er sich Ende der 40er Jahre von der Bühne zurückgezogen hatte, trat er (oft zu Wohltätigkeitszwecken) bis ins hohe Alter gelegentlich auf. Er schrieb den Beitrag *La mia conoscenza dell'opera verdiana* (Kgr.-Ber. »Studi verdiani« Venedig 1966).
Lit.: D. SHAWE-TAYLOR in: Opera XIII, 1962, S. 300ff.; J. CL. ADAMS, G. M. and the Joy of Singing, Kgr.-Ber. »Studi verdiani« Verona u. a. 1969. – Nachrufe in: Opera XX, 1969, S. 290ff.

+Martinengo, Giulio Cesare, [erg.:] um 1565 zu Udine(?) [del.: Verona] – 1613.
Das +Buch 4–6st. Madrigale ist wahrscheinlich von [erg.: seinem Vater] Gabriele ([erg.:] * zu Verona, † 17. 12. 1584 zu Verona).
Lit.: S. DALLA LIBERA, Cronologia mus. della Basilica di S. Marco in Venezia, in: Musica sacra LXXXV, (Mailand) 1961.

+Martinet, Jean-Louis, * 8. 11. 1912 [nicht: 1914] zu Ste-Bazeille (Lot-et-Garonne).
Weitere Werke: symphonische Dichtung +*Orphée* (1944/45, Neufassung 1965) und symphonische Skizzen *+La trilogie des Prométhées* (1947, Neufassung 1965) für Orch.; +2 Stücke (1952 [nicht: 1955–56]) und die Suiten *Chants de France* Nr 1 (1955) und Nr 3 (1956) für gem. Chor a cappella; *Mouvement symphonique* Nr 5 für Streichorch. (1957) und Nr 6 (*Luttes*, 1959) für Orch.; Kantaten *Elsa* (Aragon, 1959) und *Les amours* (Ronsard, 1960) für gem. Chor a cappella sowie *Les*

douze für einen Sprecher, Chor und Orch. (A. Blok, 1961); Symphonie *In memoriam* für Orch. (1963); *Divertissement pastoral* für Kl. und Orch. (1966); 2 *Images* für Orch. (1966). Er schrieb den Beitrag *Quelques réflexions sur la musique* (in: L'âge nouveau 1955, Nr 92, polnisch in: Ruch muzyczny II, 1958, Nr 8, S. 2ff.).

+Martinez, Marianne de, 1744–1812.
Lit.: [+]CH. BURNEY, The Present State of Music in Germany ... (1773), Nachdr. = MMMLF II, 117, NY 1969; [+]M. KELLY, Reminiscences ([2]1826), NA NY 1968, 2 Bde (mit neuer Einleitung v. A. H. King); [+]C. F. POHL, J. Haydn (I, 1878), Nachdr. Wiesbaden 1970.

Martínez (martʾineθ), Orlando, * 17. 10. 1916 zu La Habana; kubanischer Musikschriftsteller und Pianist, studierte am Conservatorio Nacional de Música in La Habana, an dem er 1936 promovierte und auch den 1. Preis für Klavierspiel erhielt. Er trat zunächst als Konzertpianist auf, widmete sich aber bald der Musikkritik bei verschiedenen Zeitschriften und Zeitungen und leitete später eine Reihe von Jahren die Rundfunkstation CMBF. Ab 1952 lehrte er Musikgeschichte und -ästhetik am Conservatorio Nacional de Música, zu dessen Sekretär er 1955 ernannt wurde. M. veröffentlichte außer biographischen Arbeiten u. a.: *Evolución musical cubana* (La Habana 1936); *Canciones cubanas de antaño* (ebd. 1946); *Historia de la canción de arte cubana* (ebd. 1952); *La pedagogía musical en Cuba* (ebd. 1955).

+Martínez de Bizcargui, Gonçalo, [erg.:] † nach dem 25. 3. 1528 (Datum des Testamentes) zu Burgos oder Azpeitia (Guipúzcoa).
M. de B. war Kapellmeister [nicht: Kaplan] an der Kathedrale von Burgos. Seine [+]*Arte de canto llano* ... erschien erstmals Saragossa 1508 und erreichte bis 1550 zehn weitere Auflagen.
Ausg.: Arte de canto llano y contrapunto y canto de org. con proporciones y modos brevente compuesta, Faks. d. Ausg. Saragossa 1538, Kassel 1968.

Martinez-Göllner (mɑːtʾinəs gœlnə), Marie Louise, * 27. 6. 1932 zu Fort Collins (Col.); amerikanische Musikforscherin, studierte am Vassar College in Poughkeepsie/N. Y. (B. A. 1953) und bei Georgiades an der Universität München, wo sie 1962 mit einer Dissertation über *Die Musik des frühen Trecento* (= Münchner Veröff. zur Musikgeschichte IX, Tutzing 1963) promovierte. Ab 1964 war sie wissenschaftliche Mitarbeiterin der Bayerischen Staatsbibliothek in München. 1970 wurde sie an die University of California at Los Angeles berufen, an der sie als Assistant Professor tätig ist. Sie schrieb: *Die Augsburger Bibliothek Herwart und ihre Lautentabulaturen* (FAM XVI, 1969); *Musik des Trecento* (in: Musikalische Edition im Wandel des historischen Bewußtseins, hrsg. von Thr. G. Georgiades, = Musikwissenschaftliche Arbeiten XXIII, Kassel 1971); *Ars nova* (in: Geschichte der katholischen Kirchenmusik, hrsg. von K. G. Fellerer, Bd I, ebd. 1972). Sie ist verheiratet mit dem Musikforscher Theodor Göllner.

Martini, Gian Mario, * 4. 10. 1923 zu Boscomarengo di Alessandria (Piemont); italienischer Komponist, studierte in Turin am Conservatorio di Musica G. Verdi (Diplom in Komposition und Dirigieren 1948) und promovierte 1948 an der Universität bei Della Corte. 1956 wurde er Dozent für Musiktechnologie am Conservatorio di Musica S. Pietro a Majella und 1962 Leiter der Musikabteilung der RAI in Neapel. Er gibt die Musikzeitschrift *Le opinioni sulla musica* des 1958 von ihm begründeten Movimento Artistico Napoletano heraus. – Kompositionen (Auswahl): *Firmamento* für Orch. (1948); 1. Symphonie (1954); Konzert Nr 1 für

Orch. (1955), Nr 2 für Streicher (1956) und Nr 3 für Klar. und Streicher (1957); *L'ergastolano libero* (1955) und *L'evaso* (1956), »surreale Funkreportagen«; *I canti del fiume Wang* für Singst. und Orch. (1958); *Salmo funebre* für Orch. (1959); Improvisation für Fag. (1959); *Il piccolo Robot*, Miniballett für Kl. (1959); Trio für Fl., Klar. und Fag. (1960); *L'astronauta*, Oper in 3 Akten (1963); *Carnevale minimo* für Git. (1965).

+Martini, Giovanni Battista (Giambattista), 1706 – 3. 8. [nicht: 4. 10.] 1784.
Ausg.: Sonate d'intavolatura per l'org. e'l cemb., Faks. d. Ausg. Amsterdam um 1742, = MMMLF I, 19, NY 1967; Sonate da org. e cemb., Faks.-Ausg., = Antiquae musicae Ital. bibl., Monumenta organica A (Manuscripta) XLII, Bologna 1970. – Cemb.-Konzert G dur, hrsg. v. E. DESDERI, Padua 1955; Sinfonia a 4 f. Streicher, hrsg. v. DEMS., ebd. 1956; V.-Konzert F dur, hrsg. v. DEMS., ebd. 1956; 20 Composizioni originali per org., hrsg. v. I. FUSER, ebd. 1956; Konzert C dur f. Streichorch., hrsg. v. G. PICCIOLI, Mailand 1956; Cemb.-Konzert D dur, hrsg. v. P. BERNARDI u. FR. SCIANNAMEO, = Musiche vocali e strumentali sacre e profane ... XXXV, Rom 1968. – 4st. Motetten a cappella, hrsg. v. E. DESDERI, Bologna 1956; Concertato »De profundis« f. 5 St., Sonata f. u. B. c., hrsg. v. DEMS., = Le opere dei musicisti bolognesi I, Brescia u. Kassel 1963; 2 Salmi concertati f. 3 bzw. 4 St., hrsg. v. DEMS., ebd. III, 1964; Magnificat f. Soli, Chor u. Orch., hrsg. v. N. JENKINS, London 1957. – Faks.-Ausg.: Esemplare ... (1774–75), ebd. u. Wiesbaden 1965; Storia della musica (1757–81), 3 Bde, hrsg. v. O. WESSELY, = Die großen Darstellungen d. Mg. in Barock u. Aufklärung III, Graz 1967; Regola agli organisti ... (1756), = Bibl. musica Bononiensis IV, 201, Bologna 1969; Serie cronologica ... (1776), ebd. III, 36, 1970; Piano generale per una storia della musica di Ch. Burney con cat. della sua bibl. mus., hrsg. v. V. DUCKLES, = Antiquae musicae Ital. bibl., Monumenta Bononiensia XXI, ebd. 1972. – Auszüge aus d. 2. Bd d. »Esemplare« in engl. Übers. in: A. MANN, The Study of Fugue, New Brunswick (N. J.) 1958, London 1960, Nachdr. NY 1966. – [+]Carteggio ined. ... (F. PARISINI, 1888), Nachdr. = Bibl. musica Bononiensis V, 22, Bologna 1969.
Lit.: R. LUNELLI u. L. F. TAGLIAVINI, Lettere di G. Callido a Padre M., in: L'org. IV, 1963; E. R. JACOBI, Rameau and Padre M., New Letters and Documents, MQ L, 1964; A. MELL, A. Lolli's Letters to Padre M., MQ LVI, 1970. – [+]L. BUSI, Il padre G. B. M. musicista-letterato del s. XVIII (1891), Nachdr. = Bibl. musica Bononiensis III, 2, Bologna 1969; [+]W. S. NEWMAN, The Sonata in the Baroque Era (1959), revidiert Chapel Hill (N. C.) 1966, London 1968, neuerlich revidiert NY u. London 1972 (Paperbackausg.). – E. DESDERI, Il concerto in do magg., la sinfonia a 4 e il »Don Chisciotte« di G. B. M., in: Musicisti della Scuola emiliana, hrsg. v. A. Damerini u. G. Roncaglia, = Accad. mus. Chigiana (XIII), Siena 1956; H. BROFSKY, Padre M.'s Sonata f. Four Trp. and Strings, Brass Quarterly V, 1961/62; DERS., The Instr. Music of Padre M., Diss. NY Univ. 1963 (mit thematischem Index); DERS., The Symphonies of Padre M., MQ LI, 1965 (mit thematischem Verz.); DERS., Students of Padre M., FAM XIII, 1966; DERS., The Keyboard Sonatas of Padre M., in: Quadrivium VIII, 1967; R. ALLORTO, Il canto ambrosiano nelle lettere di G. B. M. e di Ch. Burney, StMw XXV, 1962; TH. STRAKOVÁ, V. Pichl a jeho vztah k G. B. M.mu (»V. Pichl u. seine Beziehungen zu G. B. M.«), in: Časopis moravského musea, Vědy společenské XLVII, 1962; B. WIECHENS, Die Kompositionstheorie u. d. kirchenmus. Schaffen Padre M.s, = Kölner Beitr. zur Musikforschung XLVIII, Regensburg 1968 (mit Werkverz.), Auszug in: Musica sacra XC, 1970, S. 3ff.; J. I. SYLVESTER, The Eximeno-M. Polemic, Diss. Syracuse Univ. (N. Y.) 1969; V. ZACCARIA, Padre G. M., Padua 1969 (mit Werkverz.); G. STEFANI, Padre M. e l'Eximeno, nRMI IV, 1970.

+Martini, Jean Paul Égide (eigentlich Johann Paul Aegidius Martin, führte anfangs den Decknamen Schwarzendorf [del. frühere Angaben hierzu]), getauft

31. 8. [nicht: * 1. 9.] 1741 zu Freystadt (Oberpfalz) [nicht: Freistadt (Pfalz)] – 1816.
Ausg.: Plaisir d'amour in: H. Berger, Hilly-Billy-Klänge. Foxtrott-Intermezzo, hrsg. v. O. REISINGER, = Concerto o. Nr, Köln 1958; dass. f. Kl. bearb. in: Mus. Plaudereien. 20 Standardwerke (Welterfolge) f. Kl., Hbg 1961.

Martini, Juan Emilio, * 19. 7. 1913 zu Buenos Aires; argentinischer Dirigent und Komponist, absolvierte 1932 das Conservatorio di Musica S. Cecilia in Rom und vervollständigte seine Studien in Turin (1931–32) sowie in seiner Heimatstadt am Staatlichen Konservatorium (Cayetano Troiani, Palma, José Torre Bertucci). 1934 wurde er stellvertretender Operndirigent am Teatro Colón und leitete als künstlerischer Direktor die Opernschule dieses Theaters (1955). Seit 1959 ist er Professor für Chorleitung und Orchestrierung an der Pontificia Universidad Católica Argentina »S. María de los Buenos Aires«. Als Komponist schrieb er u. a. ein Concertino für Kl. und Orch. (1942), die symphonische Suite *Mi ciudad* (1944), eine Sonate für Vc. und Kl. sowie lyrische Gesänge mit Klavierbegleitung (1940) und veröffentlichte zahlreiche Chorbearbeitungen.

+Martini, Nino (Antonio), * 7. [nicht: 8.] 8. 1902 [nicht: 1905] zu Verona.
M. lebt heute in Verona im Ruhestand.

d.
Dec. 9
1976

Martini, Renzo, * 1. 7. 1897 zu Parma; italienischer Komponist und Dirigent, Gründer und Leiter des Symphonieorchesters von Reggio Emilia, des Orchestra da Camera A. Bazzini und des Piccolo Teatro Lirico in Parma, trat auch als Pädagoge, Musikschriftsteller und Pianist hervor. Er komponierte Opern (*Raggio di sole*, Brescia 1954), Ballette (*Serenata d'aprile*, 1929), Orchesterwerke (Streicherserenade; Sinfonietta), Kammermusik (Streichquartett; Sonatine für V. und Kl.), Klavier- und Orgelstücke, Chöre und Lieder und veröffentlichte *Ricordi di un musicista* (Magenta 1959) sowie *Variazioni sul melodramma* (ebd. 1962).

Martino (mɑːˈtiːnou), Donald J., * 16. 5. 1931 zu Plainfield (N. J.); amerikanischer Komponist, studierte Klarinette, Oboe und Saxophon in seiner Heimatstadt sowie Komposition bei E. Bacon an der Syracuse University/N. Y. (B. Mus. 1952), bei Babbitt und Sessions an der Princeton University/N. J. (M. F. A. 1954) und bei Dallapiccola in Florenz (1954–56). Er war 1956–57 Lehrer für Musiktheorie und Holzblasinstrumente an der Third Street Settlement School in New York, 1957–59 Instructor of Music an der Princeton University und anschließend an der Yale University in New Haven (Conn.), an der er 1965–69 als Associate Professor Theorie lehrte. M. wurde dann Leiter der Abteilung Komposition am New England Conservatory of Music in Boston. – Kompositionen (Auswahl): Quodlibets für Fl. (1954); *Anyone Lived in a Pretty How Town* für Chor und Kl. 4händig (1955); *Portraits* für Soli, Chor und Orch. (1956); *Sette canoni enigmatici* für Streichquartett oder Klarinettenquartett oder 2 V. und 2 Vc. oder irgendeine Kombination der vorgenannten Instr. (1956); *Three Songs* für B. und Kl. (Texte Joyce, 1956); *Contemplations* für Orch. (1957); Klavierfantasie (1958); Trio für V., Klar. und Kl. (1959); *Cinque frammenti* für Ob. und Kb. (1962); *Fantasy Variations* für V. (1962); *Two Rilke Songs* für Mezzo-S. und Kl. (1962); Konzert für Bläserquintett (1964); *Parisonatina al' dodecafonia* für Vc. solo (1964); Klavierkonzert (1965, bearb. für 2 Kl., 1971); *B, a, b, b, it, t* für Klar. solo (1966); *Strata* für Baßklar. (1966); *Mosaic* für Orch. mit elektrischer Org. (1967). M. schrieb auch eine Reihe von Aufsätzen, darunter *The Source Set and Its Aggregate Formations* (Journal of Music Theory V, 1961) und

Notation in General, Articulation in Particular (in: Perspectives of New Music IV, 1965/66).

+Martinon, Jean, * 10. 1. 1910 zu Lyon.
M., bis 1957 Chefdirigent der Association des Concerts Lamoureux und bis 1966 Leiter der Düsseldorfer Symphoniker, leitete 1963–68 das Chicago Symphony Orchestra; seitdem wirkt er als Leiter des Orchestre National de la ORTF. M. ist Ritter der Ehrenlegion. – Werke: Oper *Hécube* op. 46 (nach Euripides, 1949, Straßburg 1956, daraus *Ouverture pour une tragédie grecque*), Ballett *Ambohimanga (ou la cité bleue)* für 2 Männer-St., Chor und Orch. op. 42 (1946, daraus eine Suite); 4 Symphonien (C dur op. 17, 1934–36; *Hymne à la vie* op. 37, 1942–44; »Irische« op. 45, 1948; *Altitudes*, 1965), *Musique d'exil* op. 31 (1941), Divertissement (1941), *La Cène* (nach Tintoretto, 1963) und *Hymne, variations et rondo* (1968) für Orch.; *Symphoniette* für Streicher, Kl., Hf. und Pk. op. 16 (1935), *Obsession* für kleines Orch. (1942), *Symphonies de voyages* für Kammerorch. op. 49 Nr 1 (1957), *Introduzione, Adagio et Passacaglia* für 13 Solostreicher (1967), *Vigintuor* Nr 1 für Kammerorch. (20 Musiker in 3 Gruppen, 1969); 2 Konzerte (*Concerto giocoso* op. 18, 1937–42; op. 51, 1958) und eine Rhapsodie *Romance bleue* (1942) für V. und Orch., Cellokonzert op. 52 (1963), Flötenkonzert (1971), *Concerto lyrique* für Streichquartett und kleines Orch. op. 38 (1944); Oktett (1969), Bläserquintett *Domenon* op. 21 (1938), 2 Streichquartette (op. 43, 1946; 1966), Klaviertrio (1945), Streichtrio op. 32 Nr 2 (1943), 7 Sonatinen (für V. und Kl. op. 19 Nr 1, 1935; für V. und Kl. op. 19 Nr 2, 1936, revidiert für Fl. und Kl., 1968; für Kl. op. 22, 1940; für Bläsertrio op. 26, 1940; für V. solo op. 32 Nr 1, 1942; für V. solo op. 49 Nr 2, 1958; für Fl. und Kl., 1958), Duo *Musique en forme de sonate* für V. und Kl. op. 47 (1953), Introduktion (*Prélude*) und Toccata für Kl. op. 44 (1947, Fassung für Orch. 1959); *Appel de parfums* für Sprecher, Männerchor (gem. Chor) und Orch. (1940), Psalm 136 (*Chant des captifs*) für S., T., Sprecher, Chor und Orch. op. 33 (1940–42), *Ode au soleil (né de la mort)* für Sprecher, gem. Chor und Orch. op. 39 (1945), Oratorium *Le lis de Saron (Le cantique des cantiques)* für Soli, Chor und Orch. (1952); Lieder, u. a. *Les vieux matelots* für Singst., Kl., V. (Fl.) und Vc. (1945; mit *Trois biches* als 3 *Nouvelles chansons*, 1969).
Lit.: P. VIDAL in: Musica (Disques) 1966, Nr 144, S. 6ff.; Cl. CHAMFRAY in: Le courrier mus. de France 1969, Nr 26, Nachtrag ebd. 1972, Nr 40; R. SAVOPOL in: Muzica XXI, (Bukarest) 1971, Nr 6, S. 23ff.

Martins (mɐrˈtiʃ), Francisco, * 1620 zu Évora, † 20. 3. 1680 zu Elvas (Portalegre); portugiesischer Komponist, trat am 20. 6. 1629 in das Priesterseminar von Évora ein, wo er seine Studien trieb und 1650 Mestre de capela wurde. Er schrieb Messen, Passionen, Responsorien für die Karwoche und Motetten. Zu seinen Werken zählt auch ein *Livro da quaresma* (1655), das in der Biblioteca Municipal in Elvas aufbewahrt ist.
Ausg.: 8 Responsórios da Semana Santa, hrsg. v. M. DE SAMPAYO RIBEIRO, = Cadernos de repertório coral Polyphonia, Série azul I, Lissabon 1954.
Lit.: M. DE SAMPAYO RIBEIRO, Do Padre Fr. M. e do seu precioso espólio mus., Évora 1959.

Martins (mɐrˈtiʃ), João Carlos, * 25. 6. 1940 zu São Paulo; brasilianischer Pianist, studierte bei Klíass, gewann 1959 ein Stipendium für das Casals-Festival, debütierte darauf in Washington (D. C.) und ist seither in Soloabenden sowie mit bedeutenden Orchestern in den USA und in Europa (1971 UdSSR) aufgetreten. Er hat sich besonders als Bach-Interpret einen Namen gemacht.

+Martinů, Bohuslav, 1890–1959.
M., der seiner Berufung als Professor am Prager Konservatorium nicht nachkam, verließ erst 1953 die USA, wo er auch an der Mannes School of Music in New York gelehrt hatte. Zunächst lebte er in Frankreich und Italien und ab 1956 [nicht: 1957] in Schönenberg (Pratteln) und Liestal. – Korrekturen und Ergänzungen zum Werkverzeichnis: Opern *Voják a tanečnice* (»Der Soldat und die Tänzerin«, einaktig, Brünn 1928), *Les trois souhaits ou Les vicissitudes de la vie* (1929 [nicht: 1928], als *Tři přání*, ebd. 1972), *Semaine* [nicht: *Journée*] *de bonté* (1930, unvollendet), Zyklus von 4 Mirakelspielen *Hry o Marii* (»Marienspiele«, Brünn 1935), *Divadlo za bránou* (»Das Vorstadt-Theater«, ebd. 1936), *Hlas lesa* (»Die Stimme des Waldes«, Prager Rundfunk 1935), einaktige Opera buffa *Alexandre bis* (Mannheim 1964), *Juliette* (tschechisch, Prag 1938), *Veselohra na mostě* (1935, Prager Rundfunk 1937, szenisch als *Comedy on the Bridge*, NY 1951), *The Marriage* und *What Men Live By* (beide NBC-Fernsehen NY 1953), *The Greek Passion* (Zürich 1961), *Ariane* (*Ariadne*, Gelsenkirchen [nicht: Freiburg i. Br.] 1961) und *Plainte contre inconnu* (1953, unvollendet); die Ballette *Istar* (Prag 1924), *Kdo je na světě nejmocnější?* (»Wer ist auf der Welt der Mächtigste?«, Brünn 1925), *Vzpoura* [nicht: *Revolt*] (»Aufruhr«, ebd. 1928), *La revue de cuisine* (Prag 1927), *Špalíček* (»Das Stöckchen«, ebd. 1933) und *The Strangler* (New London/Conn. 1948). – Orchesterwerke: *Half-Time* [nicht: *Polička*] (1924 [nicht: 1925]); [del.: *Entr'acte* (1928)]; symphonischer Satz [nicht: einsätzige Symphonie] *Le jazz* für 3 Singst. (Scat) und Orch. (1928); 1. Cellokonzert (1930 [nicht: 1931], endgültige Fassung 1955); 3. Klavierkonzert (1948 [nicht: 1937]); [del.: Konzert für Orch. (1949)]; Konzert für 2 V. und Orch. (1950); Intermezzo (1950); Ouvertüre (1953); Konzerte für V. und Kl. (1953) sowie Ob. (1955) mit Orch.; 5. Klavierkonzert (*Fantasia concertante*), *The Parables* und *Estampes* (alle 1958). – Kammermusik: 2 Nonette (1925, 1959); *Les rondes* für Ob., Klar., [erg.: Fag.], Trp., 2 V. und Kl. (1930 [nicht: 1932]); Fantasie für Theremin, Ob., Streichquartett und Kl. (1945); 2. und 3. Klaviertrio (1950, 1951); *Stowe Pastorals* für 5 Block-Fl., Klar., 2 V. und Vc. (1951); Serenade für 2 Klar., V., Va und Vc. (1951); Kammermusik I *Les fêtes nocturnes* für Klar., V., Va, Vc., Kl. und Hf. (1959). – Vokalwerke: kleine Kantate *The Hill of Three Lights* (1954); 5 Kantaten *Otvírání studánek* (»Das Öffnen der Brunnen«, 1955), *Legenda z dýmu bramborové nati* (»Legende aus dem Rauch des Kartoffelkrautes«, 1957), *Romance z pampelišek* (»Löwenzahn-Romanze«, 1957), *Mikeš z hor* (»Mikeš vom Berge«, 1959) und *The Prophecy of Isaiah* (1959); 10 Männerchöre *Zbojnické písně* (»Rebellenlieder«, 1957).
Lit.: B. M., Sborník vzpomínek a studií (»Slg v. Erinnerungen u. Studien«), hrsg. v. ZD. ZOUHAR, Brünn 1957; Skladatelé o hudební poetice 20. století (»Komponisten über d. mus. Poetik d. 20. Jh.«), hrsg. v. I. VOJTĚCH, = Otázky a názory XXVIII, Prag 1960 (darin Schriften v. B. M.); B. M., Domov, hudba a svět. Deníky, zápisníky, úvahy a články (»Heimat, Musik u. Welt. Tagebücher, Noten-H., Aufsätze u. Artikel«), hrsg. v. M. ŠAFRÁNEK, = Hudba v zrcadle doby III, ebd. 1966. – P. NOWÁK, Věčný poutník. Dopisy B. M. z let 1945–58 (»Der ewige Pilger. Briefe v. B. M. aus d. Jahren 1945–58«), in: Hudební rozhledy XVIII, 1965; M. KUNA, Korespondence B. M. V. Talichovi (1924–39) (»Briefe v. B. M. an V. Talich«), in: Hudební věda VII, 1970. Festival B. M. Brno 1966, hrsg. v. R. PEČMAN, Brünn 1966 (mit engl. u. deutschem Text); B. M.s Bühnenschaffen, hrsg. v. DEMS., = Mw. Kolloquien d. Internationalen Musikfestivale in Brno I, Prag 1967. – +M. ŠAFRÁNEK, B. M. (1944), 2. erweiterte Aufl. London 1946. – VL. ŠTĚ-

PÁNEK, Kosmopolitismus v díle B. M. (»Kosmopolitismus in B. M.s Werk«), Diss. Prag 1951; J. MIHULE, Symfonie B. M., = Hudební rozpravy VI, ebd. 1959; DERS., B. M. v obrazech (»B. M. in Bildern«), = Obrazové soubory o. Nr, ebd. 1964; DERS., B. M., Prag 1966, auch deutsche, engl., frz. u. russ. Ausg.; M. ŠAFRÁNEK, B. M. u. d. mus. Theater, in: Musica XIII, 1959; DERS., B. M., Život a dílo, Prag 1961, deutsch bearb. v. E. Bertleff als: B. M., Leben u. Werk, ebd. 1964, engl. London 1964; DERS., B. M. domovu (»B. M. an d. Heimat«), Prag 1962; DERS., M.'s Mus. Development, in: Tempo 1965, Nr 72; DERS., Vývoj názorov na B. M. a osudy jeho diela (»Entwicklung d. Ansichten über B. M. u. d. Schicksal seiner Werke«), in: Slovenská hudba XIII, 1969; M. BUREŠ, B. M. a Vysočina, = Postavy a tváře Vysočiny II, Havlíčkův Brod 1960; P. EVANS, M., the Symphonist, in: Tempo 1960, Nr 55/56; P. SACHER, B. M., Basel 1960; JU. LEWASCHEW, B. M. i jewo simfonitscheskoje tworstschestwo (»B. M. u. sein symphonisches Schaffen«), SM XXV, 1961; M. PRAŽANOVÁ, Aus d. Jugendzeit M.s, in: Musica XV, 1961; K. H. WÖRNER, B. M., Ein Blick auf sein Opernschaffen, ebd.; J. CLAPHAM, M.'s Instr. Style, MR XXIV, 1963; J. BÁRTOVÁ, Názorová orientace B. M. v počátečních letech jeho pařížského pobytu (»B. M.s musikstilistische Orientierung in d. ersten Jahren seines Pariser Aufenthaltes«), in: Časopis moravského musea v Brně, Vědy společenské L, 1965 (mit deutscher Zusammenfassung); DIES., M. a Stravinskij. K počátkům pařížské etapy B. M. (»... Die frühen Jahre v. B. M.s Pariser Aufenthalt«), ebd. LII, 1967; M. NEDBAL, B. M., = Edice přátel hudby I, Prag 1965; H. HALBREICH, B. M., Werkverz., Dokumentation u. Biogr., Zürich 1968; J. FUKAČ, B. M. v českej hudbe (»B. M. in d. tschechischen Musik«), in: Slovenská hudba XIII, 1969; J. BAYER, B. M. a evropská divadelní avantgarda (»B. M. u. d. europäische Theateravantgarde«), in: Hudební rozhled XXIV, 1971; J. LUDVOVÁ, Sonátová forma v klavírních koncertech B. M. (»Die Sonatenform in B. M.s Kl.-Konzerten«), in: Hudební věda VIII, 1971 (mit deutscher, engl. u. russ. Zusammenfassung); CH. MARTINŮ, Můj život s B. M. (»Mein Leben mit B. M.«), Prag 1971; K. IWANOW in: SM XXXVI, 1972, H. 2, S. 122ff.; H. HOLLANDER in: SMZ CXIII, 1973, S. 131ff.
CSCH

Martirano (mɑ:tiːˈɑ:nou), Salvatore, * 12. 1. 1927 zu Yonkers (N. Y.); amerikanischer Komponist, studierte bei Herbert Elwell am Oberlin Conservatory of Music/O. (B. M. 1951), bei Bernard Rogers an der Eastman School of Music der University of Rochester/N. Y. (M. Mus. 1952) und 1952–54 bei Dallapiccola am Conservatorio di Musica L. Cherubini in Florenz. Er ist zur Zeit Associate Professor of Music an der School of Music der University of Illinois in Urbana. M. schrieb: *A cappella Mass* für gemischten Doppelchor (1955); *Contrasto* für Orch. (1954); *Chansons Innocentes* für S. und Kl. (1957); *O, O, O, O, That Shakespearian Rag* für gem. Chor und Instrumentalensemble (1958); *Cocktail Music* für Kl. (1962); Oktett (1963); *Three Electronic Dances* für Tonband (1963); *Underworld* für 4 Schauspieler, 4 Schlagzeuger, 2 Kb., Tenorsax. und Tonband (1965); *Buffet* für Tonband (1965); *Ballad* für Amplified Nite-Club Singer und Instrumentalensemble (1966); *L's. G. A.* für Gassed-Masked Politico, Heliumbombe, 3–16 mm Filmprojektor und Tonband (1968); *The Proposal* für Tonband und Dias (1968); *Action Analysis* für Bunny, Controller und 12 Menschen (1968).

Martius, Jacob Friedrich (Marzius), * 27. 3. 1760 und † 2. 7. 1842 zu Erlangen; deutscher Kirchen- und Schulmusiker, studierte als Sohn des Kantors Friedrich M. (1726–98) Theologie in Erlangen, wurde dort 1781 Organist an der Altstädter, 1786 an der Neustädter Kirche, und war ab 1798 auch Stadt- und Universitätskantor sowie Leiter der »Musicalischen Gesellschaft«. Unter dem Einfluß Pestalozzis förderte er das Ziffernsingen und gab zahlreiche Sammlungen heraus, von denen hier genannt seien: *Sammlung vermischter Clavier-*

Stücke (Nürnberg 1781–84, mehrere Jg.); *Taschenbuch für Freunde und Freundinnen der Musik* (ebd. 1786–90, mehrere Jg.); *Melodien zu den Liedern und Gesängen des deutschen Kinderfreundes von J.P. Wilmsen* (Erlangen 1806); *Festlieder für Schulen* (2 Bde, Nürnberg 1824). M. schrieb auch Klavierstücke, Lieder und Chöre, ferner Aufsätze über Schul- und Kirchenmusik. Lit.: A. PONGRATZ, Mg. d. Stadt Erlangen im 18. u. 19. Jh., Diss. Erlangen 1958; FR. KRAUTWURST in: MGG VIII, 1960, Sp. 1731f.

Marttinnen, Tauno Olavi, * 27. 9. 1912 zu Helsinki; finnischer Komponist und Dirigent, begann seine Ausbildung am Musikinstitut in Viipuri, war ab 1928 als Pianist tätig und studierte 1935–37 an der Sibelius-Akatemia in Helsinki. Er war Kompositionsschüler von Palmgren (1950) und Wl. Vogel (1958). 1949–58 leitete er das Symphonieorchester der Stadt Hämeenlinna, wo er seit 1950 Direktor des Musikinstituts ist. M. schrieb auf eigene Libretti u. a. die Fernsehopern *Päällysviitta* (»Der Mantel«, nach Gogol, Finnisches Fernsehen 1964) und *Poltettu oranssi* (»Die gebrannte Orange«, ebd. 1971), die Opern *Kihlaus* (»Die Verlobung«, ebd. 1966), *Tulitikkuja lainaamassa* (»Die Entleiherin der Zündhölzer«, Helsinki 1966) und *Lea* (Turku 1967), die Ballette *Dorian Grayn muotokuva* (»Das Bildnis des Dorian Gray«, nach Oscar Wilde, Tampere 1968), *Lumikuningatar* (»Die Schneekönigin«, nach Hans Christian Andersen, Hämeenlinna 1971) und *Beatrice* (nach Dante, Helsinki 1972), 5 Symphonien (Nr 1, 1959, Nr 2, 1960, Nr 3, 1963, Nr 4, 1968 und Nr 5, 1967), *Linnunrata* (»Die Milchstraße«), Variationen für Orch. (1960), ein Violinkonzert (1962), ein Klavierkonzert (1965), ein Violoncellokonzert *Dalai Lama* (1966), *Panu, tulen jumala* (»Panu, Gott des Feuers«), Tongedicht für Kammerorch. (1966), *Rembrandt* für Vc. und Kl. (1962, auch für Vc. und Orch.), *Loitsu* (»Der Zauberspruch«) für Schlagzeugtrio (1972), *Kokko, ilman lintu* (»Adler, Vogel der Luft«) für Mezzo-S. und Orch. (Text aus dem *Kalevala*, 1957), die Kantate *Lemminkäinen* für Soli, Chor und Orch. (1968) sowie Stücke für verschiedene Instrumente, Chöre, Lieder und Filmmusik.

+Martucci, –1) Giuseppe, 1856–1909. Lit.: Mostra di autografi, cimeli e documenti, Kat. hrsg. v. A. MONDOLFI, Neapel 1956 (Ausstellung zu M.s 100. Geburtstag); G. A. FANO in: I grandi anniversari del 1960 ..., hrsg. v. A. Damerini u. G. Roncaglia, = Accad. mus. Chigiana (XVIII), Siena 1960, S. 109ff.; F. PERRINO in: Musicalia II, (Genua) 1971, Nr 2, S. 37ff. (zum Kl.-Konzert B moll op. 66).

Marty (mart'i), Adolphe, * 29. 9. 1865 zu Albi (Tarn), † 28. 10. 1942 zu Valence-d'Albigeois (Tarn); französischer Organist und Komponist, blind von Geburt, trat 1875 in das Institut National des Jeunes Aveugles in Paris ein und studierte auf Veranlassung von C. Franck am Pariser Conservatoire in dessen Orgelklasse und in der von E. Guiraud (1. Orgelpreis 1886). 1888 wurde er Lehrer für Orgel am Institut National des Jeunes Aveugles, war kurze Zeit Organist an St-Paul in Orléans und dann von 1891 bis zu seinem Tode an St-François-Xavier in Paris. M. war der Lehrer von Vierne, Marchal und Litaize. Neben zahlreichen Orgelwerken (*Cinq pièces*, 1892; *Six pièces*, 1897; *L'orgue triomphal*, 1898; *La Pentecôte*, 1903; *Ste-Cécile*, 1904; *Dix pièces en style libre*, 1910; *Offertoire pour la Pentecôte*, 1914; *Offertoire pour l'Immaculée-Conception*, 1914) schrieb er u. a. das Drame lyrique *Marthe la folle*, das Oratorium *L'immolation du Christ* sowie Kammermusik, Motetten und Lieder. Lit.: B. DE MIRAMON FITZ-JAMES, A. M., in: L'orgue 1947, Nr 44.

Martynow, Iwan Iwanowitsch, * 2.(15.) 1. 1908 zu Karatschew (Gouvernement Orel); russisch-sowjetischer Musikschriftsteller, lebt in Moskau. 1936 absolvierte er das Moskauer Tschaikowsky-Konservatorium und lehrte 2 Jahre am Konservatorium in Taschkent und danach ein Jahr am Konservatorium in Charkow. Er ist Sekretär des Komponistenverbandes der RSFSR. – Veröffentlichungen (Auswahl): *M.I.Glinka* (Moskau 1941 und 1947); *A.S.Dargomyschskij* (ebd. 1944); *D.D. Schostakowitsch* (ebd. 1946, ²1956 = Bibliotetschka chudoschestwennaja samodejatelnost o. Nr, deutsch Bln 1947, engl. NY 1947, NA 1969, ungarisch Budapest 1965); *A.Chatschaturjan* (Moskau 1947, ²1956); *B. Smetana* (ebd. 1950, NA 1963); *Musyka nowowo mira* (»Die Musik einer neuen Welt«, ebd. 1955); *B.Bartok* (ebd. 1956, NA 1968); *St. Mokranjaz i serbskaja musyka* (»St. Mokranjac und die serbische Musik«, ebd. 1958); *Istorija sarubeschnoj musyki perwoj polowiny XX weka* (»Die Geschichte der ausländischen Musik des 1. Hälfte des 20. Jh.«, ebd. 1963, erweitert ²1970); *Kl.Debjussi* (ebd. 1964); *Ju.Schaporin* (ebd. 1966); *Borba sa narodnost w sowremennoj musyke* (»Der Kampf für die Volkstümlichkeit in der neuzeitlichen Musik«, ebd. 1970); *S. Kodaj* (»Z.Kodály«, ebd. 1970).

+Martzy, Johanna, * 26. 10. 1924 zu Temesvár (heute Timişoara, Rumänien). Seit 1966 bildet sie mit dem ungarischen Pianisten István Hajdú ein Duo. J.M. lebt heute in Glarus (Schweiz).

Marvin (m'a:vin), Frederick, * 11. 6. 1923 zu Los Angeles; amerikanischer Pianist, studierte privat und debütierte mit 16 Jahren in seiner Heimatstadt. Er vervollkommnete dann seine Studien bei R. Serkin am Curtis Institute of Music in Philadelphia. Während des 2. Weltkrieges war er als Musiktherapeut in amerikanischen Lazaretten tätig. Nach 1945 setzte er seine Pianistenkarriere fort und unternahm 1954 seine erste Konzertreise in verschiedene europäische Länder. M. trat auch als Herausgeber von Werken A. Solers hervor.

+Marx, Adolf Bernhard, 1795–1866. *+Gluck und die Oper* (1863), Nachdr. Hildesheim 1970. Lit.: G. KÄHLER, Studien zur Entstehung d. Formenlehre in d. Musiktheorie d. 18. u. 19. Jh., Diss. Heidelberg 1958; K. G. FELLERER, A. B. M. u. G. W. Fink, Fs. A. Orel, Wien 1960; K. HAHN, Die Anfänge d. Allgemeinen Musiklehre, in: Die vielspältige Musik u. d. allgemeine Musiklehre, = Mus. Zeitfragen IX, Kassel 1960; A. EDLER, Zur Musikanschauung v. A. B. M., in: Beitr. zur Gesch. d. Musikanschauung im 19. Jh., hrsg. v. W. Salmen, = Studien zur Mg. d. 19. Jh. I, Regensburg 1965; H. KIRCHMEYER, Ein Kap. A. B. M., Über Sendungsbewußtsein u. Bildungsstand d. Berliner Musikpublikums zwischen 1824 u. 1830, ebd.; K.-E. EICKE, Der Streit zwischen A. B. M. u. G. W. Fink um d. Kompositionslehre, = Kölner Beitr. zur Musikforschung XLII, ebd. 1966; DERS., Das Problem d. Historismus im Streit zwischen M. u. Fink, in: Die Ausbreitung d. Historismus über d. Musik, hrsg. v. W. Wiora, = Studien zur Mg. d. 19. Jh. XIV, ebd. 1969; C. DAHLHAUS, Gefühlsästhetik u. mus. Formenlehre, DVjs. XLI, 1967; L. MISCH, Ein Kritiker, den Beethoven schätzte, in: Neue Beethoven-Studien, = Veröff. d. Beethovenhauses in Bonn, N. F. IV, 4, Bonn u. München 1967 (Wiederabdruck aus: Fs. d. Privaten Waldschule Grunewald, Bln 1937); P. RUMMENHÖLLER, Musiktheoretisches Denken im 19. Jh., = Studien zur Mg. d. 19. Jh. XII, Regensburg 1967; B. MEIER, Zur Musikhistoriographie d. 19. Jh., in: Die Ausbreitung d. Historismus über d. Musik, hrsg. v. W. Wiora, ebd. XIV, 1969; B. PL. MOYER, Concepts of Mus. Form in the 19th Cent., Diss. Stanford Univ. (Calif.) 1969; R. FRISIUS, Untersuchungen über d. Akkordbegriff, Diss. Göttingen 1970.

Marx, Hans Joachim, * 16. 12. 1935 zu Leipzig; deutscher Musikforscher, studierte an den Universitäten in Freiburg i. Br. und Basel, wo er 1966 mit einer Dissertation über *Die Orgeltabulatur des Cl. Hör (1535–1540)* (= Schweizerische Musikdenkmäler VII, Tabulaturen des XVI. Jh., Teil 2, Basel 1970) promovierte. 1967–68 hatte er einen Lehrauftrag an der Universität Zürich; 1969 wurde er Assistent am Musikwissenschaftlichen Seminar der Universität Bonn, an der er sich 1972 mit der Schrift *Quellenkritische Studien zum Werk A. Corellis* habilitierte. 1973 erhielt er die Berufung zum Wissenschaftlichen Rat und Professor an der Universität Hamburg. – Veröffentlichungen (Auswahl): *Von der Gegenwärtigkeit historischer Musik. Zu A. Schoenbergs Bach-Instrumentation* (NZfM CXXII, 1961); *Der Tabulatur-Codex des Basler Humanisten B. Amerbach* (in: Musik und Geschichte, Fs. L. Schrade, Köln 1963); *Die Musik am Hofe Pietro Kardinal Ottobonis unter A. Corelli* (in: Analecta musicologica V, 1968); *Ein neuaufgefundenes Autograph A. Corellis* (AMl XLI, 1969); *C. Rainaldi als Komponist* (in: G. Eimer, La fabbrica di S. Agnese in Navona, = Acta Universitatis Stockholmiensis, Studies in History of Art XVII, Stockholm 1970, zuvor ital. in: nRMI IV, 1969, S. 48ff.); *Some Corelli Attributions Assessed* (MQ LVI, 1970); *Monodische Lamentationen des Seicento* (AfMw XXVIII, 1971). – Ausgaben: *Die Tabulaturen aus dem Besitz des Basler Humanisten B. Amerbach* (= Schweizerische Musikdenkmäler VI, Tabulaturen des XVI. Jh., Teil 1, Basel 1967); *A. Corelli. Unveröffentlichte Kompositionen in zeitgenössischen Handschriften und Drucken* (= Corelli-GA VI, Köln 1970).

Marx (mɑːks), Josef, * 9. 9. 1913 zu Berlin; amerikanischer Oboist und Musikforscher deutscher Herkunft, studierte Oboe am College-Conservatory of Music der University of Cincinnati/O. (1935 A. B.); ferner betrieb er Studien bei Marcel Dandois und L. Goossens in London (1936) sowie bei Max Raphael und Wolpe. Er war als Oboist am Palestine Orchestra (1936–37) und im Pittsburgh Symphony Orchestra (1942–43) und als Englisch Horn-Spieler an der Metropolitan Opera (1943–51) tätig, spielte in Kammermusikvereinigungen, gab Soloabende und tritt seit 1963 mit The Group for Contemporary Music at Columbia University in New York auf. 1964 wurde er Associate Professor am C. W. Post College der Long Island University in Brookville (N. Y.). M. gründete 1945 den Verlag McGinnis & Marx in New York, der sich auf die Veröffentlichungen von Barock- und zeitgenössischer Musik spezialisiert hat. Für ihn als Oboisten sind eine Reihe von Kompositionen geschrieben worden, so von Pleskow, Schuller, Sollberger, Wolpe und Wuorinen. Er schrieb *The Tone of the Baroque Oboe* (GSJ IV, 1951 – V, 1952).

+Marx, Joseph [erg.:] Rupert Rudolf, * 11. 5. 1882 und [erg.:] † 3. 9. 1964 zu Graz.
M., Ehrenmitglied der Akademie der Wissenschaften in Wien ab 1956, war Professor an der Wiener Musikakademie bis 1952 und Honorarprofessor für Musikwissenschaft an der Universität Graz bis 1957. Neben kleineren Beiträgen veröffentlichte er die UNESCO-Schrift *Weltsprache Musik* (= Buchreihe der Österreichischen musikwissenschaftlichen Kommission VII, Wien 1964).
Lit.: H. v. DETTELBACH in: Musikerziehung X, 1956/57, S. 187ff.; DERS. in: Breviarium musicae, Darmstadt 1958, S. 312ff. (= Wiederabdruck aus: Das Joanneum III, 1940); DERS., J. M., Zum 80. Geburtstag, = Sonder-Nr d. »Mitt. d. SteirischenTonkünstlerbundes«, Graz 1962; E. SCHENK, L. NOWAK u. H. ULLRICH in: ÖMZ XII, 1957, S. 158f.; A. WITESCHNIK in: ÖMZ XVII, 1962, S. 180ff.; M. RUBIN in: SM XXVII, 1963, H. 5, S. 128ff.; E. WERBA, J. M.,

= Österreichische Komponisten d. XX. Jh. I, Wien 1964; DERS. in: ÖMZ XIX, 1964, S. 530ff.; DERS., Ital. Liederbücher v. H. Wolf u. J. M., ÖMZ XXV, 1970; E. SCHENK in: Almanach d. Österreichischen Akad. d. Wiss. CXVI, 1966, S. 254ff.; DERS. in: StMw XXVII, 1966, S. 5ff.

+Marx, Karl, * 12. 11. 1897 zu München.
M. trat 1966 in den Ruhestand. Zu seinem 70. Geburtstag wurde ihm eine Festschrift gewidmet (hrsg. von E. Karkoschka, Stuttgart 1967, mit Werkverz. und Bibliogr. von W. Wöhler). – Neben zahlreichen weiteren Chören und Kantaten (u. a. *Auftrag und Besinnung* für Chor und Orch., 1961; *Stufen* für Frauenchor und Instr., Text H. Hesse, 1963) sowie Instrumentalwerken (u. a. Konzert für Streichorch., 1964, Neufassung der +Passacaglia für Orch. op. 19; Partita über *Ein feste Burg* für Streichquartett, 1967) ohne op.-Zahl entstanden seit 1957: Kantate *Halt hoch dich über dem Leben* für Frauen-St. und Instr. op. 58 (Eichendorff, 1957); *Klaviermusik nach Volksliedern*, 2. Folge op. 59 (1960), Trio für Kl., Fl. und Vc. op. 61 (1962); Sonate für Vc. und Kl. op. 62 Nr 1 (1964); 4 Lieder für S., Fl. und Kl. op. 63 (R. Habetin, 1964); *Quattuor carmina Latina* für gem. Chor. op. 64 (nach Catull und Horaz, 1966); 3 Lieder für Singst. und Kl. op. 65 (Goethe, 1966); 3 Frauenchöre op. 66 (Hesse, 1958–66); *Fantasia sinfonica* für Orch. op. 67 (1967, Neufassung 1969); *Fantasia concertante* für V., Vc. und Orch. op. 68 (1972); Bläserquintett op. 69 (über Gesänge aus der Südsee, 1973); Fragment aus *Mnemosyne* (Fr. Hölderlin) für S. und Streichorch. op. 70 Nr 1 und *Versöhnender* (Hölderlin) für gem. Chor und Streichorch. op. 70 Nr 2 (1973). – M. verfaßte: *Analyse der Klaviersonate B-dur von W. A. Mozart (KV 333)* (= Studium musicale o. Nr, Stuttgart 1966); *Zur Einheit der zyklischen Form bei Mozart* (ebd. 1971); *Einige Anmerkungen zu Schuberts Forellenquintett und Oktett* (NZfM CXXXII, 1971).
Lit.: Werkverz. K. M., Zs. f. Musiktheorie III, 1972, H. 2 (Beilage). – F. OBERBORBECK in: Hausmusik XXI, 1957, S. 98ff.; K. SYDOW in: Musik im Unterricht (Allgemeine Ausg.) XLVIII, 1957, S. 345f.; H.-A. METZGER, Das geistliche Chorwerk v. K. M., Württembergische Blätter f. Kirchenmusik XXV, 1958; K. AICHELE, L. RINDERER u. K. M. KOMMA, ebd. XXXIV, 1967, S. 115ff.; E. KARKOSCHKA, Über späte Instrumentalwerke v. K. M., in: Musica XXVI, 1972.

+Marxsen, Eduard, 1806–87.
Lit.: S. MÜHLHÄUSER, »... Kaum wage ich d. Bekenntniß – ich verstehe keine Note ...«. Ein bisher ungedruckter Brief H. Heines an E. M., Mf XXVI, 1973.

Mas Porcel (mas pɔrθ'ɛl), Jaime, * 5. 9. 1910 zu Palma de Mallorca; spanischer Pianist und Komponist, studierte Klavier in seiner Heimatstadt bei Miguel Negre Nadal, in Madrid bei José Tragó sowie in Paris an der Ecole Normale de Musique bei Cortot. Er lehrte am Konservatorium in Palma de Mallorca und gab Konzerte in Frankreich und Spanien. Seine Kompositionen umfassen die Oper *El castell d'irás i no tornarás* (1952), Orchesterwerke (*Hommage à Maurice Ravel*; *Nocturno* für Kl. und Orch., 1951), Kammermusik (Divertimento für Bläser, 1955), Klavierwerke (Suite *Tonades i balls populars de Mallorca*; *Suite mallorquina*; 6 Sonatinen; *Metéores*) und Vokalmusik (*Cantata lluliana* für Soli, Chor und Orch., 1953; *Nadalenca*, *Só de pastera* und *Cançó de bressol* für gem. Chor; *Canciones amorosas*; Lieder auf Texte von Paul Verlaine und Miguel Forteza Pinya).

Masanetz, Guido, * 17. 5. 1914 zu Friedeck/Frýdek (Nordmähren); deutscher Komponist, studierte 1932–35 Klavier bei Gustav Götz in Mährisch Schönberg und 1935–37 Musiktheorie und Komposition bei Josef

Bartovsky in Pilsen. Er war dann 1939–41 Konzert-pianist bei Radio Brünn, 1945–48 Kapellmeister am Stadttheater Zittau und 1951–53 Musikalischer Ober-leiter des Staatlichen Volkskunstensembles der DDR. Seitdem lebt er als freiberuflicher Komponist in Ber-lin. In seinem vielseitigen Schaffen nehmen heitere Bühnenwerke einen besonderen Raum ein. Die Ope-rette *In Frisco ist der Teufel los* (Text Otto Schneidereit und Maurycy Janowski, Bln 1962, Umarbeitung von *Wer braucht Geld*, Bln 1956) zählt zu den meistgespiel-ten Werken des heiteren Musiktheaters der DDR. – Weitere Werke: Opern *Der Wundervogel* (Radebeul 1955) und *Sprengstoff für Tante Ines* (Felsenbühne Rathen 1973); Operetten *Barbara* (Brünn 1939), *Die Reise nach Budapest* (Bautzen 1942), *Ja, die Frauen* (Zittau 1945), *Die Mandelblüte* (Bautzen 1948), *Der Instrukteur soll hei-raten* (Lpz. 1959) und *Mein schöner Benjamino* (Bln 1963); musikalische Lustspiele *Ehe in Dosen* (Dresden 1946), *Die weiße Weste* (ebd. 1947), *Eva und der Moralist* (Nordhausen 1948) und *Eine unmögliche Frau* (Rostock 1954); ferner Bühnenmusik, Trickfilmmusik, Kan-taten, Massenlieder, Lieder und Tänze.

+Mascagni, Pietro, 1863–1945.
Lit.: Comitato nazionale delle onoranze a P. M. nel primo centenario della nascita. P. M., Contributi alla conoscen-za della sua opera ..., Livorno 1963; P. M., hrsg. v. M. MORINI, 2 Bde, Mailand 1964; R. GIAZOTTO, Quattordici lettere ined. di P. M., nRMI IV, 1970. – G. GAVAZZENI, Il teatro di M. nel suo tempo e nel nostro, in: La musica e il teatro, = Saggi di varia umanità X, Pisa 1954; DERS., Dis-corso per M. nel centenario della nascita, Rom 1964; R. MARIANI, Socialità del personaggio mascagnano, in: Mu-sicisti toscani, hrsg. v. A. Damerini u. Fr. Schlitzer, = Accad. mus. Chigiana (XII), Siena 1955; A. ANSELMI, P. M., Mailand 1959; J. W. KLEIN, P. M. and G. Verga, ML XLIV, 1963; M. MORINI, Illica e M. nell'esperienza dell'»Iris«, in: Musica d'oggi VI, 1963; DERS., M. e Ros-sini, in: L'opera IV, (Mailand) 1968; G. RONCAGLIA, Ri-cordo di P. M., in: Le celebrazioni del 1963 ..., hrsg. v. M. Fabbri, = Accad. mus. Chigiana (XX), Siena 1963; DERS., Un capolavoro:»Iris«, in: Musica d'oggi VI, 1963; KL. GEITEL, Der unbekannte M., in: Theater u. Zeit XI, 1963/64; Bari a N. Piccini e il discorso di P. M. del 1900, hrsg. v. A. GIOVINE, = Bibl. dell'Arch. delle tradizioni popolari baresi o. Nr, Bari 1964; D. CELLAMARE, P. M., Rom 1965; P. D. WRIGHT, The Musico-Dramatic Tech-niques of the Ital. Verists, Diss. Univ. of Rochester (N. Y.) 1965; A. LUALDI, M., d'Annunzio e »Parisina«, in: Qua-derni dannunziani 1966, Nr 30/31; P. SANTI, »Nei cieli bigi ...«, nRMI I, 1967; A. ALEXANDER, G. Verga, a Great Writer and His World, London 1972.

+Maschek (Machek), –1) Vincenc [erg.:] (Václav), 1755–1831. – 2) Pavel (Paul) Lambert, 1761–1826.
Ausg.: zu – 1): Notturno F dur, in: Serenate boheme, par-tite e notturni, hrsg. v. J. RACEK u. VR. BĚLSKÝ, = MAB XXXV, Prag 1958.
Lit.: J. BUŠEK, V. V. M. a P. L. M., in: Za hudebním vzděláním I, 1925/26; J. NĚMEČEK, Nástin české hudby XVIII. století (»Abriß d. tschechischen Musik d. 18. Jh.«), Prag 1955. – zu – 2): M. POŠTOLKA, K maďarské větvi naší hudební emigrace v XVIII. a XIX. století (»Zum ungari-schen Zweig unserer Musikemigration im 18. u. 19. Jh.«), in: Hudební rozhledy XII, 1959.

+Maschera, Florentio (Fiorenzo), um 1540 – 1580 oder 1584.
Ausg.: Canzon seconda »La Martinenga« u. Canzon quar-ta, f. 4 Block-Fl. hrsg. v. M. u. FR. GRUBB, = Arch. of Recorder Consorts LXXIII–LXXIV, London 1958; 2 Canzonen in: Venezianische Canzonen, hrsg. v. H. MÖN-KEMEYER, = Antiqua o. Nr, Mainz 1958.
Lit.: W. E. McKEE, The Music of Fl. M., Diss. North Texas State Univ. 1958.

+Mascheroni, Edoardo [erg.:] Antonio, 1852 [nicht: 1859] – 1941.

+Mascitti, Michele, 1663 oder 1664 – 1760.
Ausg.: 6 Sonate da camera op. 2, f. V. u. bezifferten B. hrsg. v. W. KOLNEDER, H. 1, Heidelberg 1963.
Lit.: +L. DE LA LAURENCIE, L'école frç. de v. ... (I, 1922), Nachdr. Genf 1971. – H. R. DEAN, The Music of M. M., 2 Bde, Diss. Univ. of Iowa 1970 (mit thematischem Verz.).

Masel, Lew (Leo) Abramowitsch, * 26. 5. 1907 zu Königsberg; russisch-sowjetischer Musikforscher, ab-solvierte 1930 das Moskauer Konservatorium und wur-de 1935 Kandidat sowie 1941 mit einer Dissertation über *Osnownoj prinzip strojenija temy gomofonno-garmo-nitscheskowo sklada* (»Das Grundprinzip des Themen-baus homophon-harmonischen Charakters«, Neufas-sung als *O melodii*, »Über Melodien«, Moskau 1952) Doktor der Kunstwissenschaft. 1933 wurde er Dozent, 1939 Professor am Moskauer Konservatorium. Er hat sich besonders als Chopin- und Schostakowitsch-For-scher einen Namen gemacht. Von seinen Publikatio-nen seien genannt (Erscheinungsort Moskau): *Otscherki po istorii teoretitscheskowo musykosnanija* (»Abrisse über die Geschichte der theoretischen Musikwissenschaft«, mit I. Ryschkin, 2 Bde, 1934–39); *F. Schopen* (»Fr. Cho-pin«, 1947, 21960); *Simfonii D. D. Schostakowitscha. Pu-tewoditel* (»... Ein Führer«, 1960); *Strojenije musykalnych proiswedenij* (»Der Aufbau der Musikwerke«, 1960); *Analis musykalnych proiswedenij. Elementy musyki i me-todika analisa malych form* (»Analyse musikalischer Wer-ke. Elemente der Musik und Methodik der Analyse kleiner Formen«, mit W. A. Zuckermann, 1967); *Neko-toryje woprossy klassitscheskoj i sowremennoj garmonii* (»Ei-nige Fragen über die klassische und moderne Harmo-nie«, 1967); *Problemy garmonii* (»Probleme der Harmo-nie«, 1967); *Problemy klassitscheskoj garmonii* (»Probleme der klassischen Harmonie«, 1970); *Issledowanija o Scho-pene* (»Chopin-Studien«, 1971). – Zu seinem 60. Ge-burtstag erschien eine Festschrift unter dem Titel *Ot Lully do naschich dnej* (»Von Lully bis zu unseren Ta-gen«, hrsg. v. I. Stepnew und W. Konen, Moskau 1967, mit Schriftenverz.).

Maselli, Gianfranco, * 24. 1. 1929 zu Rom; italieni-scher Komponist und Organist, studierte am Conser-vatorio di Musica S. Cecilia in Rom, wurde Mitarbei-ter verschiedener Musikzeitschriften und war 1958–68 Sekretär des Kompositionswettbewerbs der ISCM. Er komponierte Orchesterwerke (*Rondeaux*, 1960; *2 pezzi* für Kammerorch., 1962), Kammermusik (Streichtrio, 1952; *4 movimenti* für Streichquartett, 1961; Diverti-mento für 7 Instr., 1964; Sextett für Cemb., Celesta und Streichquartett, 1966; *Rentrée I* für 14 Instr., 1968, und *II* für 3 Tasteninstr., 1968), Klavierstücke (Sona-tine, 1953), Vokalwerke (*2 hors-d'œuvres* für gem. Chor, 1950) und Bühnenmusik.

Masetti, Enzo, * 19. 8. 1893 zu Bologna, † 11. 2. 1961 zu Rom; italienischer Komponist, absolvierte als Schü-ler von Alfano 1920 das Liceo Musicale in Bologna und widmete sich vorwiegend der Filmmusik. Er unter-richtete dieses Gebiet von 1942 an bis zu seinem Tode am Conservatorio di Musica S. Cecilia und am Centro Sperimentale di Cinematografia in Rom, veröffent-lichte *La musica nel film* (Rom 1950) und schrieb die Musik zu etwa 60 Tonfilmen. An weiteren Komposi-tionen seien die dramatischen Fabeln *La fola delle tre ochette* (Bologna 1928), *La mosca mora* (ebd. 1930) und *La bella non può dormire* (ebd. 1957) genannt.

+Masini, Angelo, 1844 – 28. [nicht: 26.] 9. 1926.

Mason (m'eisǝn), John Colin, * 26. 1. 1924 zu North-ampton, † 6. 2. 1971 zu London; englischer Musikkri-tiker, studierte am Trinity College of Music in Lon-don und an der Fr.-Liszt-Akademie in Budapest.

1951–64 war er beim »Manchester Guardian« und ab 1964 beim »Daily Telegraph« tätig. M. gab die Zeitschrift *Tempo* (ab 1962), den 3. (Supplement-)Band von Cobbetts *Cyclopedic Survey of Chamber Music* (Oxford 1963) und die *Oxford Studies of Composers* (ab 1965) heraus. Daneben ist er als Verfasser der *Music in Britain 1951–1962* (London 1963) und als Chairman der Macnaghten Concerts (1962–65 und ab 1968/69) zur Förderung der zeitgenössischen Kammermusik hervorgetreten. Er schrieb außerdem zahlreiche Aufsätze über zeitgenössische Musik, besonders über Bartók, Kodály, Britten, Tippett, Milhaud, Strawinsky und Hindemith, u. a. für »Tempo«, ML, MQ, MR und MT.
Lit.: R. SMALLEY in: Tempo 1972, Nr 100, S. 23f.

+Mason, –1) L o w e l l, 8. [nicht: 24.] 1. 1792 – 1872. +*Musical Letters from Abroad* (1853), Nachdr. NY 1967 (mit neuer Einleitung von E. A. Wienandt).
–2) W i l l i a m, 1829–1908. +*Memoires of a Musical Life* (1901), Nachdr. NY 1970.
–3) D a n i e l G r e g o r y, 1873–1953. Nachdrucke: +*From Grieg to Brahms* (NY 1902), Nachdr. der Ausg. NY 1927, NY 1971; +*The Romantic Composers* (NY 1906), Cleveland (O.) 1968, auch NY 1970 und Westport (Conn.) 1970; *Great Modern Composers* (ursprünglich Bd II von +*The Appreciation of Music*, NY 1916), Freeport (N. Y.) 1968; +*The Dilemma of American Music and Other Essays* (NY 1928), NY 1969; +*Tune in, America. A Study of Our Coming Musical Independence* (NY 1931), Freeport (N. Y.) 1969; +*The Chamber Music of Brahms* (NY 1933), ebd. 1970, auch NY 1970; +*Music in My Time, and Other Reminiscenses* (NY 1938), Freeport (N. Y.) 1970, auch Westport (Conn.) 1970.
Lit.: zu –1): FR. J. METCALF, American Writers and Compilers of Sacred Music, NY 1925, Neudr. 1967; A. L. RICH, L. M., The Father of Singing Among the Children, Chapel Hill (N. C.) 1946; H. ELLIS, L. M. and the Manual of the Boston Acad. of Music, Journal of Research in Music Education III, 1955; R. BENTON, Early Mus. Scholarship in the United States, FAM XI, 1964; J. V. HIGGINSON, Notes on L. M.'s Hymn Tunes, in: Hymn XVIII, 1967; C. A. PEMBERTON, L. M., His Life and Work, Diss. Univ. of Minnesota 1971; J. E. O'MEARA, The L. M. Library, Notes XXVIII, 1971/72. – zu –3): M. J. KLEIN, The Contribution of D. Gr. M. to American Music, Washington (D. C.) 1957; R. B. LEWIS, The Life and Music of D. Gr. M., Diss. Univ. of Rochester (N. Y.) 1959.

+Mason, W i l l i a m, 12.(23.) 2. 1725 (nach anglikanischem Kalender 1724) – 1797.
Lit.: J. W. DRAPER, W. M., NY 1924; W. GASKELL, The First Ed. of W. M., = Cambridge Bibliogr. Soc. Monograph Series I, Cambridge 1951.

Massa, J u a n B a u t i s t a, * 29. 10. 1885 zu Buenos Aires, † 7. 3. 1938 zu Rosario (Provinz Santa Fé); argentinischer Komponist, studierte in seiner Heimatstadt Violine, Klavier und Harmonielehre und nach seiner Übersiedlung nach Rosario bei Alfredo Donizetti Komposition. 1909 gründete er das private Conservatorio Argentino, das er bis zu seinem Tode leitete. Er schrieb u. a. die Zarzuela *Esmeralda* (Buenos Aires 1909), die Opern *Zoraida* (ebd. 1909), *Gentileza* (1919) und *L'evaso* (Rosario 1922), das biblische Drama *La Magdalena* (Buenos Aires 1927), das Ballett *El cometa* (ebd. 1932), Orchesterwerke (*Pequeña suite*, 1929; Symphonische Dichtung *La muerte del Inca*, 1932; *El hondo poema* für Sprecher und Orch., 1934), Kammermusik (2 Streichquartette, 1932 und 1937; *Duda* für V. und Kl.), Klavierstücke und Vokalwerke (*3 canciones indigenas* für Gesang, Hf., Fl., Englisch Horn, Vc. und kleine Indianertrommel, 1930; a cappella-Chöre; Klavierlieder).

+Massaini, T i b u r t i o, [erg.:] vor 1550 – nach 1609 zu Lodi oder Piacenza.
M. war 1585–87 Domkapellmeister in Salò, hielt sich 1589/90 in Innsbruck auf, kam dann nach Salzburg, ist 1592 in Prag nachweisbar und wirkte 1600–08 in Lodi [del. bzw. erg. frühere Angaben hierzu]. – Zu den gedruckten Werken M.s gehören ferner 2 Bücher 6st. Madrigale (1604).
Ausg.: Liber primus cantionum ecclesiasticarum (1592) u. 3 Instrumentalkanzonen (1608), hrsg. v. R. MONTEROSSO, = DTÖ CX, Graz 1964. – Kanzone f. 8 Instr. in 2 Chören, hrsg. v. P. WINTER, = Canticum o. Nr, Ffm. 1962; Canzon 34, f. 8 Block-Fl. hrsg. v. R. JOHNSON, = Il fl. dolce o. Nr, London 1963; Canzon f. 8 Pos. (aus Raverijs »Canzoni per sonare con ogni sorte di stromenti«, Venedig 1608), hrsg. v. R. KING, = Music f. Brass CXL, North Easton (Mass.) 1964; Canzon 33 (1608), f. 8 Pos. hrsg. v. A. LUMSDEN, = Venetian Brass Music VII, London 1969; Gabrieli angelus luctus est, f. 2 4st. gem. Chöre u. 2 Bläserchöre (2 Trp. u. 2 Pos.) hrsg. v. O. ULF, = Aulós 124C, Wolfenbüttel 1969.
Lit.: H. FEDERHOFER in: MGG VIII, 1960, Sp. 1770ff.; ST. KUNZE, Die Instrumentalmusik G. Gabrielis, 2 Bde, = Münchner Veröff. zur Mg. VIII, Tutzing 1963 (in Bd II, Anh., Ausg. v. 2 Kanzonen); CL. SARTORI, O. Vecchi e T. Massaino a Salò. Nuovi documenti ined., in: = Renaissance-muziek 1400–1600, Fs. R. B. Lenaerts, = Musicologica Lovaniensia I, Löwen 1969.

Massana, A n t o n i o, * 24. 2. 1890 zu Barcelona, † 9. 9. 1966 zu Raymat (Lérida); spanischer Komponist und Organist, studierte in Barcelona bei Mas y Serracant Solfège und Musiktheorie, bei E. Granados und Franck Marshall Klavier, bei Morera und Taltabull Balaguer Harmonielehre und Kontrapunkt sowie bei V. Maria de Gibert Orgel; weitere Studien unternahm er bei Ripollés und Pedrell. An der Scuola Superiore di Musica Sacra in Rom erhielt er 1948 ein Lizentiat in gregorianischer Musik und ein Meisterdiplom als Komponist geistlicher Musik. Nach Spanien zurückgekehrt, hatte M. verschiedene Organistenstellen, u. a. in Barcelona, inne. Er war ein Anhänger von Debussy und R. Strauss. M. schrieb die Opern *Nuredduna* (Mallorca 1948) und *Canigó* (Barcelona 1953), Orchesterwerke (*Elegia a Debussy*, 1930; *Sinfonia en do*, 1952; Konzert für Kl. und Orch., 1953), Kammermusik (Klavierquintett, 1931), Klavier- und Orgelwerke sowie Vokalmusik (Oratorien *Xavier*, 1929, *Montserrat*, 1933, *La creación*, 1946, *Ignis flagrans charitatis*, 1951, und *Le paradis perdut*, 1951; etwa 100 Motetten für Singst. und Org. und 50 Lieder).

+Massarani, R e n z o, * 26. 3. 1898 zu Mantua.
Die Uraufführung des Balletts +*Boè* fand 1937 in Bergamo [nicht: Rom] statt. – M., weiterhin Musikkritiker am »Jornal do Brasil« in Rio de Janeiro, veröffentlichte als neueren Beitrag G. *Verdi a Rio de Janeiro* (Kgr.-Ber. »Studi verdiani« Venedig 1966).

+Massart, Lambert J o s e p h, 1811–92.
Seine Frau L o u i s e A g l a ë (geborene Masson [nicht: Marson]), 1827 – 26. 7. [nicht: 6.] 1887.

+Massary, F r i t z i (eigentlich Friederike Massaryk, verheiratete Pallenberg), * 21. [nicht: 31.] 3. 1882 zu Wien [erg.:] † 30. 1. 1969 zu Los Angeles.
Nach ihrer Übersiedlung aus England lebte sie in den letzten Jahrzehnten zurückgezogen in Beverly Hills (Calif.).
Lit.: O. SCHNEIDEREIT, Fr. M., Bln 1970.

+Massé, V i c t o r, 1822 [nicht: 1812] – 1884.
Lit.: FR. NOSKE, La mélodie frç. de Berlioz à Duparc, Paris u. Amsterdam 1954. 2., v. R. Benton u. dems. revidierte Ausg. als: French Song from Berlioz to Duparc, NY 1970.

(handschriftlich am Rand: d. Mar 28 1975)

+Massenet, Jules Émile Frédéric, 1842–1912.
M.s Oper +*Werther* wurde 1892 in Wien [nicht: 1891 in Weimar] uraufgeführt. – +*Mes souvenirs*, Nachdr. der +engl. Ausg. (*My Recollections*, 1919) Freeport (N. Y.) 1970.
Lit.: Hommage à M., Plaquette du cinquantenaire de sa mort, Avon u. Fontainebleau 1962. – K. ANTAROWA, Studienarbeit mit Stanislawski ..., 5 Gespräche über d. Arbeit an d. Oper »Werther« v. M., aufgezeichnet in d. Jahren 1918–22, bearb. v. O. Gaillard, = Bühne d. Wahrheit o. Nr, Bln 1951; FR. NOSKE, La mélodie frç. de Berlioz à Duparc, Paris u. Amsterdam 1954, 2., v. R. Benton u. dems. revidierte Ausg. als: French Song from Berlioz to Duparc, NY 1970; R. BERTHELOT in: Musica (Disques) 1962, H. 103, S. 42ff.; J. BRUYR, M., musicien de la Belle époque, = Nos amis les musiciens o. Nr, Lyon 1964; Y. LEROUX, Hommage à M., Paris 1964; A. COQUIS, J. M., = Musiciens de tous les temps XX, ebd. 1965; CL. S. HISS, Abbé Prévost's »Manon Lescaut« as Novel, Libretto, and Opera, Diss. Univ. of Illinois 1967; A. N. VERVEEN, J. M. op bedevaart in Den Haag, in: Mens en melodie XXII, 1967; E. BOUILHOL, M., Son rôle dans l'évolution du théâtre mus., St.-Étienne 1969; JU. A. KREMLJOW, J. M., Moskau 1969; L. L. STOCKER, The Treatment of the Romantic Literary Hero in Verdi's »Ernani« and in M.'s »Werther«, Diss. Florida State Univ. 1969; J. HARDING, M., London 1970, NY 1971; E. KRAUSE, Traum u. Wirklichkeit d. Eros. Über d. Opern v. J. M., Jb. d. Komischen Oper Bln XII, 1970/71.

+Massenkeil, Günther Gregor, * 11. 3. 1926 zu Wiesbaden.
Assistent am Musikwissenschaftlichen Institut der Mainzer Universität war M. bis 1962. Er habilitierte sich dort 1961 mit *Untersuchungen zum Problem der Symmetrie in der Instrumentalmusik W. A. Mozarts* (Wiesbaden 1962) und wurde 1962 zum Privatdozenten ernannt; seit 1966 ist er Ordinarius an der Universität Bonn. Weitere Veröffentlichungen: *Das Oratorium* (= Das Musikwerk XXXVII, Köln 1970, auch engl.); *Zur Frage der Dissonanzbehandlung in der Musik des 17. Jh.* (in: Les »Colloques de Wégimont IV, 1957); *Zur Lamentationskomposition des 15. Jh.* (AfMw XVIII, 1961); *Eine spanische Choralmelodie in mehrstimmigen Lamentationskompositionen des 16. Jh.* (AfMw XIX/XX, 1962/63); *Über die Messen G. Carissimis* (in: Analecta musicologica I, 1963); *Ruhm und Nachruhm der Mannheimer Schule* (Mannheimer H. 1965, Nr 3, auch in: NZfM CXXVII, 1966); *M.-A. Charpentier als Messenkomponist* (in: Colloquium amicorum, Fs. J. Schmidt-Görg, Bonn 1967); *Eine unbekannte Quelle zur Geschichte der lateinischen choralen Passion in Frankreich* (in: Musicae scientiae collectanea, Fs. K. G. Fellerer, Köln 1973). Er edierte *Mehrstimmige Lamentationen aus der ersten Hälfte des 16. Jh.* (= MMD VI, Mainz 1965) und von T. Casati eine *Missa concertata* (= Chw. CXVI, Wolfenbüttel 1972).

Massenzio, Domenico, * zu Ronciglione (Latium), † um 1650 zu Rom; italienischer Komponist, war Sängerknabe an S. Luigi de' Francesi in Rom und trat 1606 in das Seminario Romano ein, wo er bei Agazzari, A. Orgas und vermutlich auch bei G. Fr. Anerio studierte. 1610–11 war er Tenorist an der Cappella Giulia im Vatikan, erhielt 1612 die niederen Weihen und war vom gleichen Jahr an (als Nachfolger Anerios) Kapellmeister der Congregazione dei Nobili nella Casa dei Gesuiti. 1626–27 leitete er den 2. Chor der Cappella Giulia. 1634 wurde er Canonico beneficiato und 1643 Decano an der Kirche S. Maria in Via Lata in Rom. – Kompositionen (Auswahl; wenn nicht anders angegeben, in Rom gedruckt): *Sacrae cantiones. Liber primus* zu 1–5 St. und Org. (1612); *Motecta cum litaniis. Liber secundus* zu 2–5 St. und Org. (1614); *Sacrorum cantuum ... cum litaniis liber tertius* zu 3–6 St. und Org. (Ronciglione 1616);

Sacrarum modulationum liber quartus zu 2–5 St. und Org. (1618); *Psalmi ... Liber primus* zu 4–5 St. und Org. (1618); *Completorium integrum ...* zu 8 St. und Org. (1630); *Psalmodia vespertina* zu 8 St. und Org. (1631); *Sacri motetti* zu 2 und mehr St. mit B. c. (1631); *Salmi vespertini* zu 4 St. (1632); *Quinto libro di Salmi vespertini* zu 5 St. (1635); *Davidica psalmodia vespertina 4 v. et gravi ad org. Liber septimus* (1643); *Concerti spirituali* zu 2–5 St. (1682). Weitere Stücke sind in Sammelwerken erhalten.
Lit.: R. CASIMIRI, »Disciplina musicae«. I maestri di cappella dopo il Concilio di Trento nei maggiori istituti ecclesiastici di Roma, Note d'arch. XV, 1938 u. XVIII, 1943; CL. SARTORI in: MGG VIII, 1960, Sp. 1777f.

Massęra, Giuseppe, * 24. 3. 1912 zu Bologna; italienischer Musikforscher, studierte an den Universitäten in Rom und Padua und erwarb ein Diplom in musikalischer Paläographie. 1956–65 lehrte er am Conservatorio di Musica A. Boito in Parma und wurde 1965 an die Universität in Parma berufen. Daneben hat er seit 1968 einen Lehrauftrag an der Universität in Bologna inne. Er veröffentlichte u. a.: *G. Anselmi Parmensis »De musica«* (= »Historiae musicae cultores« Bibl. XIV, Florenz 1961, Textausg.); *La »Mano musicale perfetta« di Fr. de Brugis dalle prefazioni ai corali di L. A. Giunta (Venezia, 1499–1504)* (ebd. XVIII, 1963); *Musica inspettiva e accordatura strumentale nelle »Scintille« di Lanfranco da Terenzo* (in: Quadrivium VI, 1964); *N. Burzio di Parma, trattatista e guardacoro* (in: Aurea Parma XLIX, 1965); *N. Burtii Parmensis »Regulae cantus commixti«* (in: Quadrivium VII, 1966 – VIII, 1967); *Dalle »Imperfezioni« alle »Perfezioni« della moderna musica* (in: Cl. Monteverdi e il suo tempo, Kgr.-Ber. Venedig u. a. 1968); ferner Beiträge für MGG und die »Enciclopedia della musica« (Ricordi).

Massias, Gérard, * 25. 5. 1933 zu Paris; französischer Bratschist und Komponist, studierte 1948–55 in Paris am Conservatoire (Daniel-Lesure) und ist als Komponist Autodidakt. Er wurde 1955 Solobratschist beim Mozarteum-Orchester in Salzburg, 1956 beim Orchestre de Chambre der ORTF und 1967 beim Orchestre de Paris. Seine Kompositionen umfassen die Action musicale *Nouveaux racontars sur Agassin et Virelette* (oder *Aucassin et Nicolette*) für einen Schauspieler, mehrere Sänger und alte Instr. (Paris 1971), Orchesterwerke (*Faciés*, Suite für Kammerorch., 1959), konzertante Musik (*Concert 52* für Fl. und Streichorch. oder Kl., 1952; *Concert bref* für Kl., Bläser und Schlagzeug, 1956; *Laude* für Vc. oder Sax. oder Va und Streichorch., 1961), Kammermusik (*Suite monodique* für Ondes Martenot und *Suite monodique N° 2* für Sax. solo, 1954; Variationen für 4 Ondes Martenot, 1955; Variationen für Ob., Klar., Sax. und Fag., 1955; *Dialogues* für 2 gleiche Instr., 1956; Streichtrio, 1961; *Mouvement chorégraphique*, 1965; *Tjurunga 1* für V. solo, *2* für Schauspieler und S., *3* für Streichtrio, *4* für Schauspieler und Streichtrio und *6* für 6 Schlagzeuger, 1966–69, als Action musicale unter dem Titel *Tjurunga*, Texte Antonin Artaud, mit zusätzlicher Pos., Avignon 1969; *Exorcisme* für Fag. und Kl. mit Schlagzeug ad libitum oder für Ondes Martenot, 1973; *Stigmates* für Fag. solo, 1973), Vokalmusik (*Les aveux*, 4 Frauenchöre auf Gedichte von Louise de Vilmorin, 1960), Filmmusik und Studienwerke (*Alice au pays des merveilles*, leichte Stücke für Kl., 1948; *12 études en 3 suites* für Va solo, 1954).

+Massimo, Leone, * 25. 1. 1896 zu Rom.
Musikgeschichte am Centro sperimentale di cinematografia in Rom lehrte M. bis 1968. Weitere Werke: *Mar-*

ce, intermezzi e finale für Orch. (1953); Musik für Bläserquintett (1955); Elogio della poesia für S. und 8 Instr. (1956); 6 Studien (1957) und 3 Fantasien (1958) für Orch.; Sonata a 6 für Cemb. und Streicher (1959); 2 Sonette für Bar. und Streichorch. (Tasso, 1960); Streichquartett (1964); Musik für Streicher, Kl. und Pk. (1966); Versetti für Orch. (1966); 2 Klaviersonaten (1966–67); Hymne für A. und Kl. (1967); 6 Inventionen für Org. (1967); Musica 1968 für Orch.; Psalm 8 für S. und Org. (1968); Psalm 148 für Chor und Org. (1968); Appunti e contrappunti für Fl., Ob., Klar., Fag., Horn und Kl. (1969); Messa bassa für Org. (1969); Ghirlanda votiva für S. und Kl. (1969); Segnali (1972) und Disegni (1973) für Orch. Er verfaßte eine Breve storia della musica occidentale (= Centro sperimentale di cinematografia, Collana di testi per l'insegnamento VI, Rom 1957).

+**Massine,** Leonide (Leonid Fedorowitsch Mjassin), * 9. 8. [nicht: 26. 3.] 1896 zu Moskau.
Neben S. Dali, A. Derain, J. Miró und P. Picasso schufen für ältere Choreographien M.s Bühnenbilder und Ausstattungen u. a. L. Bakst, A. und N. Benois, G. Braque, M. Chagall, N. Gontscharowa und M. Larionow. An weiteren Choreographien entstanden u. a.: Le peintre et son modèle (Libretto B. Kochno, Musik G. Auric, Paris 1949); Les saisons (Musik H. Sauguet, Bordeaux 1951); Resurrezione e vita (Musik venezianische Kompositionen des 16.–17. Jh. bearb. von V. Mortari, Venedig 1954); Hymne à la beauté (nach Baudelaire, Musik Fr. Mignone, Rio de Janeiro 1955); Mario e il mago (Libretto L. Visconti nach Th. Mann, Musik Fr. Mannino, Mailand 1956); Fantasmi al Grand-Hôtel (Musik L. Chailly, Mailand 1960). Für das Theater im Park von Nervi (Genua), dessen künstlerischer Direktor M. in der Sommersaison 1960 war, schuf er die Choreographien Il barbiere di Siviglia, Bal des voleurs (nach Anouilh, Musik G. Auric) sowie La commedia umana (nach 10 Novellen aus Boccaccios »Decamerone«, Musik des 14. Jh. bearb. von Cl. Arrieu). – Darüber hinaus hat M. mehrere seiner früheren Choreographien mit verschiedenen internationalen Kompanien neu einstudiert, so +Le Tricorne (1919) 1962 an der Städtischen Bühne in Köln und 1969 mit dem (New Yorker) City Center Joffrey Ballet. 1966 entstand eine revidierte Fassung des berühmten +Bacchanale (1939). An weiteren Tanzfilmen seien The Tales of Hoffmann (1951), Divertimento (1956) und Honeymoon (1958) genannt. – M., der heute auf der Isola dei Galli (Golf von Salerno) lebt, reiste 1961 auf Einladung erstmals wieder in die UdSSR. Seit mehreren Jahren unterrichtet er an der Royal Ballet School in London. Seine Erinnerungen erschienen als My Life in Ballet (hrsg. von Ph. Hartnoll und R. Rubens, London und NY 1968, mit Werkkat., deutscher Auszug in: Melos XXXVII, 1970, S. 1ff.).
Lit.: U. Körtvélyes, »M. és a szimfonikus balett (»M. u. d. symphonische Ballett«), in: Tánctudományi tanulmányok 1965/66; R. Breuer, Gespräch mit L. M., d. ersten Joseph, Mitt. d. Internationalen R. Strauss-Ges. 1969, Nr 62/63.

Massini, Egizzio, * 29. 7. 1894 zu Alexandria, † 18. 2. 1966 zu Bukarest; rumänischer Dirigent italienischer Herkunft, war Schüler des Conservatorio di Musica G. Rossini in Pesaro und trat bereits mit 15 Jahren in Istanbul als Dirigent von Leoncavallos Pagliacci hervor. Er war Mitgründer und 40 Jahre lang Dirigent der Oper in Bukarest (1946–50 künstlerischer Leiter) und hat sich besonders dem Opernrepertoire des 19. und 20. Jh. gewidmet. M. ist auch als Konzertdirigent hervorgetreten.

Massini, Esteban (eigentlich Stefano), * 1788 zu Genua, † 1838 zu Buenos Aires; argentinischer Gitarrist, lebte zunächst am kaiserlichen Hof in Rio de Janeiro, ab 1823 in Buenos Aires, wo er eine große Zahl von Schülern ausbildete (Fernando Cruz Cordero, Esteban Echeverría, Nicanor Albarellos). M. schrieb zahlreiche Werke für Gitarre (Gran rondó für Git. und Orch.) sowie Himno de los Restauradores und Canción fúnebre.

+**Masson,** Charles, † nach [nicht: vor] 1705.
Der +Nouveau traité ... erschien in Erstauflage Paris 1697 [nicht: 1694], die 4. Auflage Amsterdam o. J. (1708 [nicht: 1738]); weitere Auflagen sind Paris 1738 und 1755 erschienen. – M. schrieb ferner Divers traitez sur la composition de la musique (Paris 1705).
Ausg.: Nouveau traité des règles pour la composition de la musique, Nachdr. d. 2. Aufl. Paris 1699, NY 1967 (mit Einleitung v. I. Horsley); dass., Nachdr. d. 3. Aufl. ebd. 1705, Genf 1971.

Masson (mas'ɔ̃), Diego, * 21. 6. 1935 zu Tossa (Costa Brava, Spanien); französischer Dirigent, studierte am Pariser Conservatoire Schlagzeug sowie Komposition (Leibowitz) und Dirigieren (Boulez). Er war 1955–66 als Schlagzeuger tätig und tritt seitdem als Dirigent auf. Er dirigierte zahlreiche europäische Konzertorchester und leitete eine Reihe von Uraufführungen von Werken der Neuen Musik. Dirigierverpflichtungen führten ihn auch an die Pariser Opéra, an das Teatro La Fenice in Venedig und zur Sadler's Wells Opera in London. 1966 gründete er das Ensemble »Musique vivante«. M. komponierte Bühnen-, Film- und Ballettmusiken.

Masson (mas'ɔ̃), Gérard, * 12. 8. 1936 zu Paris; französischer Komponist, studierte bei K. Stockhausen, Pousseur und Earle Brown. Seine Kompositionen umfassen Pièces für 14 Instr. (8 Bläser, elektrische Git., Hf., Vc., Vibraphon, Celesta und Marimba, 1965); Dans le deuil des vagues I für 14 Instr. (1967) und II für Orch. (1968); Ouest I für 6 Bläser, Kl., Hf., V. und Vc. (1968) und II für Mezzo-S. und kleines Orch. (1971); Bleu loin für Kammerensemble (1973).

+**Masson,** Paul-Marie, 1882–1954.
+L'opéra de Rameau (1930), Nachdr. NY 1972. – Seine Frau Renée-Madeleine (geborene Girardon), * 20. 1. 1912 zu Cherbourg, [erg.:] † 5. 6. 1969 zu Montpellier, wo sie eine Reihe von Jahren als Bibliothekarin tätig war. Als neuerer Beitrag sei genannt André Cardinal Destouches, surintendant de la musique du roi, directeur de l'opéra (Rev. de musicol. XLIII/XLIV, 1959).
Lit.: zu P.-M. M.: J. Chailley in: AMl XXVI, 1954, S. 3ff., Mf VII, 1954, S. 332ff., u. Rev. de musicol. XXXVI, 1954, S. 3ff.

Massoneau (masɔn'o), Louis, * 10. 1. 1766 zu Kassel, † 4. 10. 1848 zu Ludwigslust (Mecklenburg); deutscher Komponist, Violinist und Dirigent, Schüler von Jacques Heuzé in Kassel, war Konzertmeister in Göttingen (1785), Frankfurt a. M. (1795), Altona (1797), Dessau (1799) und Ludwigslust (ab 1803 Adjunkt, 1812–37 Hofkapellmeister als Nachfolger von Eligio Celestino). Er ist der Verfasser des sogenannten »Ludwigsluster Diariums«, eines Verzeichnisses sämtlicher 1803–37 in den Hofkonzerten, Kirchen usw. aufgeführter Musikstücke. Als Dirigent der ersten 3 Mecklenburgischen Musikfeste (Wismar 1816, Rostock 1819, Wismar 1820), bei denen sich die Ludwigsluster Hofkapelle erstmalig mit den bürgerlichen Oratorienchören vereinigte, hat sich M. einen bleibenden Namen in der Musikgeschichte Mecklenburgs erworben. Seine Kompositionen umfassen die Oper Das Neptunfest, Symphonien (Pastoralsymphonie La tempête et la calme), So-

lokonzerte, Kammermusik (Streichquartette, Trios, Duos, Violinsonaten op. I–XII), Messen, ein Requiem Es dur, Offertorien (zum Gebrauch in der katholischen Kirche von Ludwigslust) und Lieder.
Lit.: C. Meyer, Gesch. d. Mecklenburg-Schweriner Hofkapelle, Schwerin 1913 (enthält d. Diarium).

Massoni, Santiago (eigentlich Giacomo), * 1798 zu Bologna, † 1878 zu Turin; argentinischer Violinist und Dirigent italienischer Herkunft, studierte an den Konservatorien in Bologna und Mailand (Asioli) sowie 1813 bei Paganini. 1820 wurde er Violinvirtuose am kaiserlichen Hof in Rio de Janeiro. Er ließ sich 1822 in Buenos Aires nieder, wo er das Orchester der Sociedad Filarmónica leitete. 1829 emigrierte er nach Lima. 1833 reiste er mit einem Opernorchester nach Asien und später nach Europa. Er ist mit *Grandes variaciones del triste y el cielito, Bayle variado en el país por el mismo, Variaciones sobre el gallinazo* und verschiedenen Hymnen auch als Komponist hervorgetreten.

Mastilovic (mast′ilovits), Danica (verheiratete Schöll), * 7. 11. 1933 zu Negotin (Serbien); jugoslawisch-deutsche Sängerin (dramatischer Sopran), studierte bis 1959 an der Belgrader Musikakademie bei N. Cvejić und wurde im selben Jahr an die Städtischen Bühnen in Frankfurt a. M. engagiert, denen sie seitdem angehört. Seit 1970 hat sie einen Gastvertrag mit dem Opernhaus Zürich. Gastspiele führten sie u. a. an die Wiener Staatsoper, das Teatro Colón in Buenos Aires und die Mailänder Scala sowie zu den Bayreuther Festspielen. Ihr Repertoire umfaßt neben den einschlägigen Partien in den Opern Verdis und Puccinis u. a. die Leonore (*Fidelio*), Senta (*Der fliegende Holländer*), Venus (*Tannhäuser*), Ortrud (*Lohengrin*) und Elektra.

Mastis, Roma Marija (Mastienė geborene Vilčinskas), * 5. 2. 1930 zu Vilkaviškis (Litauen); litauische Sängerin (Mezzosopran), studierte in München (1948–49), am Marian College in Indianapolis/Ind. (B. A. 1951) sowie bei Vincė Jonuša in New York (1951–53) und bei Alodia Dičiutė in Chicago (1954–55). Sie war in Chicago Mitglied der Lyric Opera Company (1954–63) und trat daneben bei der American Opera Company (1958) und der Apollo Opera Company (1963) auf. Gegenwärtig singt sie an der Lithuanian Opera of Chicago (Chicagos Lietuvių Opera) und gibt außerdem Konzerte in den USA und Kanada.

Mastrogiovanni (mastroxïob′ani), Antonio, * 26. 7. 1936 zu Montevideo; uruguayischer Komponist, studierte in Montevideo Komposition privat bei Tosar Errecart (1956–63) und am Conservatório Nacional de Música bei C. Estrada (1963–69) sowie neue Kompositionstechniken und Elektronische Musik bei Ginastera, Kröpfl und Fernando von Reichenbach am Centro Latinoamericano de Altos Estudios Musicales in Buenos Aires (1969–70). Er erhielt eine Reihe von Kompositionspreisen, darunter 1970 und 1971 Preise der Stiftung Gaudeamus in den Niederlanden. M. lehrt Harmonielehre am Conservatório Nacional de Música in Montevideo. Er schrieb u. a. die Ballettmusik *Auki Paukar* (1959), Orchesterwerke (*Introducción, passacaglia y danza*, 1963; *Contra-ritmos*, 1967; *Secuencial I*, 1970; *Sinfonía de cámara* für Kammerorch., 1965; Konzert für Kl. und Orch., 1964; Larghetto für Ob. und Streichorch., 1964), Kammermusik (*Reflejos* für Celesta, Kl., Hf., Cemb., Va, Vc. und Kb., 1969; *De cuerdas* für Streichquartett, 1972; *De cobres* für Trp., 2 Hörner und Pos., 1972; Sonate, 1963, und *Soliloquio*, 1964, für V. solo), Klavierwerke (*Tema ostinato*, 1959; *Canto y percusión*, 1962; Thema und Variationen, 1965; *Pulso-*

anamorfosis, 1968), Orgelstücke (*Pieza*, 1965), Vokalwerke (*2 canciones poético-religiosas*, 1961) und Elektronische Musik (*Secuencial II*, 1970).
Lit.: Werkverz. in: Compositores de América XVII, Washington (D. C.) 1971.

Mastromei (mastrom′ɛ:i), Gianpiero, * 1. 11. 1934 zu Camaiore (Lucca); italienischer Opernsänger (Bariton), studierte an der Gesangshochschule des Teatro Colón in Buenos Aires und debütierte 1959 als Schaunard (*La Bohème*) am Teatro Colón. 1962 begann seine internationale Karriere in Marseille. Danach trat er in Monte Carlo, Neapel (1969), Parma, Florenz und Triest, an der Mailänder Scala sowie in der Arena von Verona (1971) auf. Daneben gastierte er in Philadelphia, Rio de Janeiro, Wien, Berlin und Hamburg. Gegenwärtig wirkt er an der Covent Garden Opera in London sowie an den Opern in Tokio, San Francisco, Budapest und Madrid. Zu seinen wichtigsten Rollen zählen Barnaba (*La Gioconda*), Rigoletto, Jago (*Otello*), Amonasro (*Aida*), Macbeth, Scarpia (*Tosca*) und Tonio (*Pagliacci*).

Masur, Kurt, * 18. 7. 1927 zu Brieg (Schlesien); deutscher Dirigent, studierte ab 1944 an der Landesmusikschule Breslau und 1946–48 an der Musikhochschule in Leipzig. Er wirkte 1948–55 als Theaterkapellmeister in Halle (Saale), Erfurt und Leipzig, war 1955–58 Dirigent bei der Dresdner Philharmonie, 1958–60 GMD am Staatstheater Schwerin sowie 1960–64 Chefdirigent der Komischen Oper Berlin und war dann als Gastdirigent tätig. 1967–72 wirkte M. als Chefdirigent der Dresdner Philharmonie. 1970 wurde er zum Gewandhauskapellmeister der Stadt Leipzig berufen. Gastspiele führten ihn in zahlreiche europäische Länder.

Mata, Eduardo, * 15. 9. 1942 zu México (D. F.); mexikanischer Dirigent und Komponist, studierte Komposition bei R. Halffter am Conservatorio Nacional de Música seiner Heimatstadt (1954–60) und bei Chávez (1960–65) sowie Dirigieren bzw. Komposition bei Leinsdorf, Rudolf, Schuller und I. Kipnis am Berkshire Music Center in Tanglewood (Mass.), wo er 1964 Conductor-in-Residence war. Im gleichen Jahr übernahm er die Leitung des Ballet Clásico de México, dirigierte Opern und Konzerte in ganz Mexiko und übernahm dann das Orchester der Universidad Autónoma de Guadalajara und das Symphonieorchester der Universidad Nacional Autónoma de México. Seine Dirigententätigkeit führte ihn u. a. in die USA und nach Europa. M. setzt sich besonders für die Neue Musik ein. Als Komponist ist er mit Orchesterwerken (3 Symphonien, 1962, 1963 und 1967; *Improvisaciones* Nr 2 für Streichorch. und 2 Kl., 1964), Kammermusik (*Improvisaciones* Nr 1 für Streichquartett und Kl. 4händig, 1964, und Nr 3 für V. und Kl., 1965; *Aires* für Mezzo-S., 2 Fl., Ob., Fag., 2 Va, Vc. und Kb., 1965; Sonate für Vc. und Kl., 1966), Klaviermusik (Sonate, 1960) und dem Ballett *Los huesos secos* für Tonband (1963) hervorgetreten.

+Matačić, Lovro von, * 14. 2. 1899 zu Sušak (heute Rijeka); jugoslawischer [del.: österreichischer] Dirigent.
Als Dirigent an der Wiener Staatsoper wirkte M. bis 1964, als GMD und musikalischer Leiter der Museumskonzerte in Frankfurt a. M. bis 1966. 1970 wurde er GMD der Zagreber Philharmoniker.

Matejcek (m′aţ̣ɛɪt̯ʃɛk), Jan (Matějček), * 29. 12. 1926 zu Hamburg; kanadischer Musikschriftsteller und -organisator tschechischer Herkunft, studierte in Prag Klavier bei Ema Doležalová und Viktorie Švihlíková

(1939–46), Komposition bei Řídký (1943–45) sowie Rechtswissenschaft (Dr. jur. 1951) und Musikwissenschaft (1961–62) an der Karlsuniversität. Er war Sekretär des Tschechoslowakischen Komponistenverbands (1954–61), Verwaltungsdirektor des Symphonieorchesters FOK (1961–62), Leiter der Musikabteilung der Tschechoslowakischen Agentur für Theater und Literatur (DILIA) und des Zentralarchivs des Tschechischen Musikfonds (1962–65) sowie Mitgründer und späterer Direktor des Musikverlags Panton (1966–68). Nach vorübergehender Tätigkeit im Musikverlag B. Schott's Söhne in Mainz (1968–69) ließ er sich in Kanada nieder, wo er 1970–71 Generalsekretär der Ontario Federation of Symphony Orchestras und der Ontario Choral Federation sowie Gründer der Association of Canadian Orchestras war. M. ist gegenwärtig Leiter der Auslandsabteilung der kanadischen Urheberrechtsgesellschaft Composers Authors and Publishers Association of Canada Ltd. (CAPAC) und Sekretär des Komitees CAPAC–CAB (Canadian Association of Broadcasters). Er veröffentlichte u. a.: *Tschechische Komponisten von heute* (Prag 1957); *Neue tschechoslowakische Klaviermusik* (2 Bde, Köln und NY 1959–66); *Musik in der Tschechoslowakei* (Prag 1967, auch engl.). – Aufsätze: *Heutige Komponisten im Porträt* (in: Musica XI, 1957); *Kratak pregled savremene čehoslovačke muzike* (»Kurzer Überblick zeitgenössischer tschechoslowakischer Musik«, in: Zvuk 1965, Nr 64, ungarisch in: Magyar zene VI, 1965); *V. Novák, ein Spätromantiker aus der Tschechoslowakei* (NZfM CXXX, 1969); *Janáček's »Excursions«* (in: Opera XXI, 1970). M. trat auch als Übersetzer hervor.

Matheo de Aranda, * vor 1500 zu Aranda (Burgos), † vor dem 15. 2. 1548 zu Coimbra; spanischer Musiktheoretiker, besuchte vor 1524 die Universität in Alcalá de Henares, wo er bei Ciruelo Musiktheorie hörte, ging anschließend zu einer musikalischen Ausbildung nach Italien und emigrierte spätestens 1528 nach Portugal. Vor 1533 wurde er Kapellmeister der Kathedrale in Évora, deren Bischof er seine beiden Traktate widmete: *Tractado de canto llano* (Lissabon 1533) und *Tractado de cantu mensurable y contrapuncto* (ebd. 1535). 1544 wurde er zum Professor für Musik an der 1537 von Lissabon nach Coimbra verlegten Universität ernannt. Ausg.: Tractado de căto llano (1533), Faks. mit Einführung u. Anm. hrsg. v. J. A. Alegria, = Rei musicae Portugaliae monumenta II, Lissabon 1962.
Lit.: R. Stevenson, Span. Music in the Age of Columbus, Den Haag 1960.

Mather (m'eiðə), Bruce, * 9. 5. 1939 zu Toronto; kanadischer Komponist, studierte bei Morawetz und Weinzweig in Toronto, bei Harris und Milhaud in Aspen (Colo.) und bei Messiaen in Paris. 1964 erwarb er den M. A. an der Stanford University (Calif.) und 1967 den M. D. an der University of Toronto. Er erhielt einen Lehrauftrag an der McGill University in Montreal. Seine Kompositionen umfassen u. a. Orchesterwerke (*Orchestra Piece 1967*; *Ombres*, 1968; Konzert für Kl. und Kammerorch., 1958) und Kammermusik (Sonate für V. und Kl., 1956), Klavierstücke (*Smaragdin*, 1960; *Fantasy 1964*, 1967), *Sick Love* für S. und Orch. (1961), *The Song of Blodenwedd* für Bar. und Orch. (1961), *Venice* für S., Klar., Vc. und Kl. (1957), *Orphée* für S., Schlagzeug und Kl. (nach Paul Valéry, 1963), Chöre und Lieder.
Lit.: Werkverz. in: Composers of the Americas XIII, Washington (D. C.) 1967.

+Matheus de Perusio, † [erg.: vor dem 13. 1.] 1418.
Ausg.: 2 Motetten (Nr 11 u. 13) in: The Motets of the Mss. Chantilly, Musée Condé, 564 (olim 1047), and Mo-

dena, Bibl. Estense, α. M. 5,24 (olim Lat. 568), hrsg. v. U. Günther, = CMM XXXIX, (Rom) 1965; 22 Sätze in: French Secular Compositions of the 14th Cent., Bd I: Ascribed Compositions, hrsg. v. W. Apel, ebd. LIII, 1970.
Lit.: +J. Wolf, Gesch. d. Mensural-Notation (1904), Nachdr. Hildesheim u. Wiesbaden 1965 (3 Bde in 1). – K. v. Fischer, Trecentomusik, Trecentoprobleme, AMl XXX, 1958; U. Günther in: Kgr.-Ber. Ljubljana 1967, S. 48ff.; dies., Das Ms. Modena, Bibl. Estense α. M. 5,24 (»olim« Lat. 568 = »Mod«), MD XXIV, 1970; H. Kühn, Das Problem d. Harmonik in d. Musik d. Ars nova, Diss. Saarbrücken 1970.

Matheus de Sancto Johanne (Mayhuet de Joan), französischer Komponist aus der Diözese Morinum, gehörte 1378 der Kapelle Ludwigs I. von Anjou an und diente von 1382 bis mindestens 1386 als Capellanus in der päpstlichen Kapelle zu Avignon (aus dieser Zeit stammt eine lateinische Ballade auf Papst Clemens VII.). Möglicherweise ist er mit einem Mathieu du monastère Saint-Jean identisch, der 1363 als Kaplan am Hofe der Königin Johanna von Neapel nachweisbar ist. Er hinterließ eine 4st. und zwei 3st. Balladen, ein 4st. und ein 3st. Rondeau sowie eine 5st. Motette. M., der wahrscheinlich auch der Komponist einer in *PR I–III* (→ Quellen) anonym überlieferten Ballade auf Ludwig I. von Anjou ist, gehört zu den in den → Quellen *Ch* und *Mod A* vertretenen Nachfolgern Machauts, die die Ars subtilior (→ Ars nova) herbeigeführt haben.
Ausg.: d. Motette in: The Old Hall Ms. III, hrsg. v. A. Hughes, Burnham 1938; Ballade auf Clemens VII., in: Zehn datierbare Kompositionen d. ars nova, hrsg. v. U. Günther, = Schriftenreihe d. Mw. Inst. d. Univ. Hbg II, Hbg 1959; Ballade auf Louis d'Anjou, in: A 14th-Cent. Repertory from the Cod. Reina, hrsg. v. N. Wilkins, = CMM XXXVI, (Rom) 1966 (korrigiert v. U. Günther in: AfMw XXIV, 1967, S. 237ff.); 4 Sätze in: French Secular Compositions of the 14th Cent., Bd I: Ascribed Compositions, hrsg. v. W. Apel, ebd. LIII, 1970.
Lit.: J. Wolf, Gesch. d. Mensural-Notation, 3 Bde, Lpz. 1904, Nachdr. Hildesheim u. Wiesbaden 1965 (3 Bde in 1); N. Pirrotta, Il cod. Estense Lat. 568 e la musica francese in Italia al principio del '400, Atti della Reale Accad. di Scienze, Lettere e Arti di Palermo IV, Bd V, 2, Palermo 1945, Sonderdruck ebd. 1946; M. F. Bukofzer, Studies in Medieval & Renaissance Music, NY 1950, Nachdr. 1964; G. Reaney, The Ms. Chantilly, Musée Condé 1047, MD VIII, 1954; S. Clercx, J. Ciconia, la chronologie des mss. ital., Mod. 568 et Lucca (Mn), in: L'ars nova, = Les colloques de Wégimont II, 1955; R. Hoppin u. dies., Notes biogr. sur quelques musiciens frç., ebd.; U. Günther, Der Gebrauch d. tempus perfectum diminutum in d. Hs. Chantilly 1047, AfMw XVII, 1960; dies., Datierbare Balladen d. späten 14. Jh. II, MD XVI, 1962; dies., Zur Biogr. einiger Komponisten d. Ars subtilior, AfMw XXI, 1964; dies., Bemerkungen zum älteren frz. Repertoire d. Cod. Reina, AfMw XXIV, 1967; A. Hughes u. M. Bent, The Old Hall Ms., MD XXI, 1967. UG

+Mathias, [erg.: Marie] Franz Xaver (François Xavier), 1871–1939.
Lit.: M. F. X. M., l'extraordinaire musicien de Dieu, hrsg. v. A. Bender, Straßburg 1960 (mit Werkverz.). – Gr. Klaus in: Caecilia LXVII, (Straßburg) 1959, S. 64ff.; ders. in: Musica sacra LXXX, 1960, S. 112ff.; E. Bohn in: Caecilia LXXII, 1964, S. 147; P. Wagner in: La musique en Alsace, = Publ. de la Soc. savante d'Alsace et des régions de l'Est X, Straßburg 1970, S. 269ff.

Mathias (məθ'aiəs), William, * 1. 11. 1934 zu Whitland (Wales); britischer Komponist, studierte am University College of Wales in Aberystwyth und an der Royal Academy of Music in London (Parrott und Berkeley). Er ist gegenwärtig Professor of Music am University College of North Wales in Bangor. Seine Kompositionen, unter denen die Kammermusikwerke hervorragen, lassen mitunter den Einfluß P. Hinde-

miths erkennen; genannt seien: Improvisation für Hf. op. 10 (1958); Klavierkonzert Nr 2 op. 13 (1960) und Nr 3 op. 40 (1968); Sonate für V. und Kl. op. 15 (1961); Klaviersonate op. 23 (1963); Konzert für Orch. op. 27 (1964); Symphonie Nr 1 op. 31 (1966); Streichquartett op. 38 (1967).
Lit.: ST. WALSH, The Music of W. M., MT CX, 1969.

Mąthiassen, Finn, * 2. 3. 1928 zu Århus; dänischer Musikforscher und Komponist, studierte ab 1947 Orgel und Musikwissenschaft in Århus und promovierte dort 1956 zum Mag. art. und 1966 mit einer Dissertation über *The Style of the Early Motet (c. 1200–1250). An Investigation of the Old Corpus of the Montpellier Manuscript* (= Studier og publ. fra Musikvidenskabeligt Institut Aarhus Universitet I, Kopenhagen 1966) zum Dr. phil. Er ist seit 1953 Lehrer am Konservatorium in Århus und lehrte 1956–62 zugleich am Århus Seminarium. 1966 wurde er Professor für Musikwissenschaft an der Universität Århus. Er schrieb u. a.: *Jeppesen's »Passacaglia«* (in: Natalicia musicologica, Fs. Kn. Jeppesen, Kopenhagen 1962); *»Unsere Kunst heisst Poesie«. Om N. W. Gades Ossian-ouverture* (STMf LIII, 1971, mit deutscher Zusammenfassung); *Nationalismus und nationale Eigenart in der dänischen Musik des 19. Jh.* (BzMw XIV, 1972). M. komponierte Chor- und Orgelwerke.

d
Aug. 2
1975

+Mathieson, Muir, * 24. 1. 1911 zu Stirling (Schottland).
Neben seiner Tätigkeit als Komponist sowie Arrangeur und Dirigent von inzwischen über 600 Filmmusiken (darunter auch eine Serie von 21 Lehrfilmen über Orchesterinstrumente) dirigiert er verschiedene englische Jugendorchester.

+Mathieu, Émile Louis Victor, 18. [nicht: 16.] 10. 1844 – 1932.

+Mathieu, Julien Aimable, 1734–1811.
Lit.: L. DE LA LAURENCIE, L'école frç. de v. de Lully à Viotti, 3 Bde, Paris 1922–24, Nachdr. Genf 1971.

Mathieu (matj'ø), Mireille, * 22. 7. 1946 zu Avignon; französische Chansonsängerin, begann ihre Karriere 1965 als Sängerin realistischer Chansons. Seit ihrem Auftritt im Pariser »Olympia« (1967) singt M. M. auch eine Reihe tendenziöser Lieder (*Quand fera-t-il, jour, camarade?*). Den *Chant olympique* (Musik von Lai) sang sie bei der Eröffnung der Olympischen Winterspiele in Grenoble 1968. 1971 unternahm sie ihre erste Deutschlandtournee. Zu weiteren bekannten Chansons, die M. M. vorträgt, gehören: *La dernière valse; Les yeux de l'amour; Un monde avec toi; L'amour; Qu'elle est belle; Messieurs les musiciens; Histoire d'amour.* M. M. tritt in eigenen Fernsehshows sowie in Filmen auf und singt auch deutsche Chansons (*Hinter den Kulissen von Paris* und *Martin* von Chr. Bruhn).

Mathis, Edith, * 11. 2. 1938 zu Luzern; schweizerisch-deutsche Sängerin (lyrischer Sopran), besuchte das Konservatorium in ihrer Heimatstadt und debütierte während des Studiums 1957 am Stadttheater Luzern als 2. Knabe in der *Zauberflöte*. Nach weiterer Ausbildung bei Elisabeth Bosshart in Zürich war sie 1959–63 am Opernhaus Köln engagiert. Ab 1963 schloß sie Gastverträge mit der Deutschen Oper Berlin, der Hamburgischen Staatsoper, der Oper in Frankfurt a. M. und der Bayerischen Staatsoper in München ab. Seit 1960 tritt sie bei den Salzburger Festspielen, seit 1962 beim Glyndebourne Festival auf. Zu ihren Hauptpartien zählen Blondchen, Susanna, Zerlina, Despina, Marzellina und Ännchen. Daneben betätigt sie sich

auch als Oratorien- und Liedsängerin; bei Liederabenden ist ihr Mann B. →Klee ihr ständiger Begleiter.

Matičič (m'atit∫it∫), Janez, * 3. 6. 1926 zu Laibach/Ljubljana; jugoslawischer Komponist, absolvierte 1951 die Ljubljaner Musikakademie und studierte 1959–62 bei Nadia Boulanger in Paris, wo er sich der Groupe de Recherche de la Musique Concrète anschloß. Von seinen Werken seien genannt: *Deux poèmes* für V. und Kl. (1949); Symphonie E moll (1953); *Danses grotesques* (1959), Sonate (1960), Suite (1960) und *Résonances* (1963) für Kl.; *Logarithmes* für Schlagzeug (1963); Konzert für Kl. und Orch. (1965); *Intermittences* für Kl. (1967); *Oscillations* (1966) und *Strette* (1968), Musique concrète.

+Matielli, Giovanni Antonio, [erg.:] um 1733 – 18. 7. 1805 zu Wien.

Matiello (matĭ'eʎo), Angel, * 11. 1. 1913 zu Schio (Vicenza); argentinischer Sänger (Bariton) italienischer Herkunft, studierte ab 1936 in Buenos Aires und debütierte unter E. Kleiber in R. Strauss' *Elektra* am Teatro Colón, dessen Ensemble er seitdem angehört. Er erhielt für die Gestaltung der Partie des Moses bei der argentinischen Erstaufführung von Schönbergs *Moses und Aron* am Teatro Colón eine Goldmedaille. Als Gast trat er u. a. an der Mailänder Scala und der Pariser Opéra auf und war auch als Konzertsänger geschätzt. Als Mitgründer des Teatro de Opera de Cámara de Buenos Aires hat er sich um dessen Weiterentwicklung verdient gemacht.

+Matinskij, Michail [erg.:] Alexejewitsch, 1750 – zwischen 1820 und 1829 [del.: um 1820].
Nach neuesten Forschungen (Lewaschew) hat M. nicht komponiert: Für die bislang ihm zugeschriebene Oper *+Sankt-Petersburgskij gostinnyj dwor* (»Der St. Petersburger Kaufhof«) verfaßte er lediglich das Libretto, die Musik stammt von W. A. →+Paschkewitsch.
Lit.: JE. WOKSCHTSCHANINA, M., = Trudy gossudarstwennowo mus. pedagogitscheskowo inst. imeni Gnessinych I, Moskau 1959; G. SEAMAN, The National Element in Early Russ. Opera, ML XLII, 1961. – JE. LEWASCHEW, Suschtschestwowal li kompositor M.? (»Gibt es einen Komponisten M.?«), SM XXXVII, 1973.

Mátray (m'aːtrɔj), Gábor (eigentlich Joseph Rothkrepf, ab 1837 magyarisiert), * 23. 11. 1797 zu Nagykáta (Komitat Pest), † 17. 7. 1875 zu Budapest; ungarischer Pädagoge, Musikforscher und Komponist, begründete den Anfang der Volksliedforschung und der Musikkritik in Ungarn. Er trieb juristische Studien in Budapest; in der Musik war er im wesentlichen Autodidakt. 1817–30 war er als Erzieher bei der Familie des Grafen Lajos Széchényi angestellt, mit der er die Wintermonate meistens in Wien verbrachte. Ab 1840 bis zu seinem Tode war er Direktor des ungarischen Nationalkonservatoriums und ab 1846 außerdem Kustos der Bibliothek im ungarischen Nationalmuseum. Neben einer Gitarrenschule (1816, Ms.) und einer Deklamationslehre (Pest 1861) schrieb M.: *A muzsikának közönséges története* (»Allgemeine Musikgeschichte«, in: Tudományos gyűjtemény XII, 6 und 10, XIII, 2–3, XIV, 4 und XVI, 7–8, Pest 1828–32); *A magyar népdalok kitűnőbb sajátságairól* (»Über die hervorragenden musikalischen Eigenschaften des ungarischen Volksliedes«, in: Magyar Academiai Értesítő XII, 6, ebd. 1852); *A magyar zene és a magyar cigányok zenéje* (»Die ungarische Musik und die Musik der ungarischen Zigeuner«, in: Magyar és Erdélyország képekben, hrsg. von F. Kubinyi und I. Vahot, Bd II, ebd. 1854). – Ausgaben: *Magyar népdalok egyetemes gyűjteménye* (»Allgemeine

Sammlung ungarischer Volkslieder«, 94 Lieder in 3 Lieferungen, ebd. 1852–58, auch in deutscher Übers. von J. Czanyuga); *Történeti, bibliai és gunyoros magyar énekek dallamai a XVI. századból* (»Melodien historischer, biblischer und satirischer ungarischer Gesänge aus dem 16. Jh.«, ebd. 1859). – Außer Bühnenmusik, Transkriptionen von Tänzen und Liedern komponierte er einige kirchenmusikalische Werke (*Ave, verum corpus* für Chor) und Lieder.

Lit.: E. Major, M. G. és a nemzeti zenede megszervezése (»G. M. u. d. Aufbau d. Nationalkonservatoriums«), Budapest 1948; P. Várnai, Egy magyar muzsikus a reformkorban. M. G. élete és munkássága a szabadsághareig (»Ein ungarischer Musikus d. Reformzeitalters. G. M., Leben u. Wirken f. d. Freiheitskampf«), in: Zenetudományi tanulmányok II, 1954 u. IV, 1955 (mit engl. u. deutscher Zusammenfassung).

Matschawariani, Alexej Dawidowitsch, * 10.(23.) 9. 1913 zu Gori (Georgien); grusinisch-sowjetischer Komponist, war 1934–36 musikalischer Leiter des Operettentheaters in Tiflis und studierte gleichzeitig Komposition bei Rjasanow am dortigen Konservatorium, wo er sich 1936–40 als Aspirant vervollkommnete und ab 1940 Musiktheorie lehrte; 1942 wurde er dort Assistent für Kompositionslehre bei Balantschiwadse, 1952 Dozent und 1960 Professor. Er schrieb u. a. die grusinische Oper *Deda da schwili* (»Mutter und Sohn«, nach der gleichnamigen Dichtung von I. Tschawtschawadse, Tiflis 1945), die Oper *Gamlet* (»Hamlet«, 1966), die Ballette *Otello* (nach Shakespeare, Libretto und Choreographie von Tschabukiani, ebd. 1957) und *Witjas w tigrowoj schkure* (»Der Held im Tigerfell«, nach Schota Rustaweli, 1966), eine Symphonie E moll (1947), *Prasdnitschnaja uwertjura* (»Festouvertüre«, 1950), ein Klavierkonzert (1941), ein Violinkonzert (1950), weitere Instrumental- und Klavierwerke, das Oratorium *Den mojej rodiny* (»Der Tag meiner Heimat«, 1954), Lieder sowie Bühnen- und Filmmusik.

Lit.: P. Chutschua, »M.s V.-Konzert«, Moskau 1951, russ.; ders., Balet Otello (»Das Ballett Othello«), Tiflis 1958; G. Ordschonikidse, Otello, Moskau 1958.

Matsudaïra, Yoriaki, * 27. 3. 1931 zu Tokio; japanischer Komponist, Dr. rer. nat., Sohn von Yoritsuné M., schrieb: *Variationen* für V., Vc. und Kl. (1957); *Velocity Coefficient* für Fl., Tasteninstrumente, Schlagzeug und Kl. (1958); *Orbites I, II, III* für Fl., Klar. und Kl. (1960); *Instruction* für Kl. (1961); *Co-Action I und II* für Vc. und Kl. (1962); *Transient '64* für elektronische Klänge (1964); *Rhymes for Gazzelloni* für Fl. solo und Schlagzeug (1965); *Configuration* für Kammerorch. (1967); *What's Next* für S. und 2 Geräuschmacher (1967); *Alternation for Combo* (1967); *Distributions* für Streichquartett und Ringmodulator (1968); *Why Not?* für Live Electronics (1970); *Allotropy* für Kl. (1970); *The Symphonie* für 14 Spieler (1971); *Gradation* für V., Va und Oszillator (1971); *Substitution* für S. und Kl. (1972); *Messages* für Blasorch. und Tonband (1972).

+Matsudaïra, Yoritsuné, * 5. 5. 1907 zu Tokio. M. war 1953–55 Sekretär und 1956–60 Präsident der japanischen Gesellschaft für Neue Musik (= Sektion der ISCM) [del. bzw. erg. frühere Angaben dazu]. Neuere Werke: *U-Mai* für Orch. (1957); *Katsura* für S., Hf., Cemb., Git. und Schlagzeug (1957, revidiert 1967); *Koromogae* (»Canto d'amore«) für S. und 19 Instr. (1958); *Somakuha* für Fl. solo (1961); *Bugaku* für Kammerorch. (1962); 3 Sätze (1964) und ein Konzert (1964) für Kl. und Orch.; *Serenade* für Fl. und Instrumentalensemble (1964); *Danse sacrée et finale* für Orch. (1964); Kammerkonzert für Cemb., Hf. und Instrumentalensemble (1964); je eine choreographische Suite für

Kammerorch. (1965) bzw. 17 Spieler (1967); *Dialogue chorégraphique* für 2 Kl. und Instrumentalensemble (1966); *Portrait* für 2 Kl. (1968); *Portrait B* für 2 Kl. und 2 Schlagzeuger (1968); eine Sammlung Berceusen (1968) und 12 leichte Stücke (1969, beide im Stil japanischer Volkslieder) für Kl.; *Rôei »Jisei«* (»Deux étoiles de Vega«) für Mezzo-S. und Instrumentalensemble (1969); *Mouvements circulatoires* für 2 Kammerorch. (1971).

Matsushita, Shinichi, * 1. 10. 1922 zu Osaka; japanischer Komponist, studierte Mathematik an der Staatlichen Universität Kyushu in Fukuoka, an der er die Grade eines A. B., M. S. und D. S. erwarb; daneben studierte er privat Musik. 1958 wurde er Mitarbeiter am elektronischen Studio in Osaka. Gegenwärtig ist er Professor für Mathematik an der Städtischen Universität in Osaka, an der er auch Mitglied der Musikfakultät ist. 1965 weilte er zu Studien in Deutschland und Schweden (elektronisches Studio in Stockholm). Einige seiner Kompositionen wurden bei Wettbewerben und Festivals zeitgenössischer Musik mit Preisen ausgezeichnet. – Werke (Auswahl): *Composizione da camera per 8* (1958); *Canzona da sonare* für Kl. und Schlagzeug (1961); *Successioni* für Orch. (1962); *Isomorfismi–correlazioni per 3 gruppi* (1962); *Musique* für S. und Kammerensemble (1964); *Fresque sonore* für Fl., Ob., Klar., Horn, Hf., Va und Vc. (1964); *Spectra Nr 1–4* für Kl. (1964–71); *Kolonnen für Schlagzeuge* (1970); *Subject 17* für Fl., Horn, Trp., Pos., Tuba, Schlagzeug, elektrische Org., V., Va, Kb. und elektrische Git. (1968); *Musik der Steinzeit* für elektronische Klänge, Vibraphon, Ondes Martenot und Geräusche (1970); *Musik von der Liebe* für Tonband, Fl., Vibraphon, Hf., Kl. und elektronische Klänge (1970); *Tape Music »Requiem on the Place of the Execution«* für S., A., T., B. und gem. Chor (1970).

Matsuura, Toyoaki, * 5. 10. 1929 zu Osaka; japanischer Pianist, lebt in Hamburg. Er studierte 2 Jahre bei Susumu Nagai an der Staatlichen Hochschule für Musik in Tokio und dann 3 Jahre bei Roloff an der Berliner Hochschule für Musik, ferner in Meisterkursen bei W. Kempff, Artur Rubinstein und Nadia Boulanger. 1958 erhielt er eine Auszeichnung beim Tschaikowsky-Wettbewerb in Moskau, 1959 den 1. Preis beim Concours international de piano et violon M. Long–J. Thibaud in Paris. Eine rege Konzerttätigkeit führte ihn durch Europa und Japan.

Mattau, Joseph → +Matthau, J.

Mattauch, Hilde, * 7. 4. 1915 zu Kaiserslautern; argentinische Sängerin deutscher Herkunft, studierte in Karlsruhe und Mannheim, wo sie an das Nationaltheater engagiert wurde. 1936 übersiedelte sie nach Lissabon, trat dort als Konzertsängerin auf und vervollkommnete ihre Studien bei Fr. Giordana. 1943 ließ sie sich in Buenos Aires nieder. Neben ausgedehnten Konzertreisen, die sie zwischen 1954 und 1963 auch in westeuropäische Länder führten, widmet sie sich pädagogischer Tätigkeit.

+Matteis, –1) Nicola, [erg.:] * wahrscheinlich zu Neapel, † nach 1700 (vor 1702?). –2) Nicholas (Nicola), [erg.:] wahrscheinlich 1670 in England – um 1749 ([erg.:] oder 23. 10. 1737 zu Wien).

Ausg.: zu –1): Triosonate G dur, hrsg. v. M. Tilmouth, London 1963; Suiten G moll u. A moll, f. Block-Fl., V. u. B. c. bearb. v. dems., ebd. 1964.

Lit.: P. A. Evans in: MGG VIII, 1960, Sp. 1792f. – zu –1): +A. Moser, Gesch. d. Violinspiels (1923), 2. Aufl. hrsg. v. H.-J. Nösselt, 2 Bde, Tutzing 1966–67; G. A. Proctor, The Works of N. M., Sr., 2 Bde, Diss. Univ.

of Rochester (N. Y.) 1960; M. TILMOUTH in: MQ XLVI, 1960, S. 22ff.; S. GARNSEY, The Use of Hand-Plucked Instr. in the Continuo Body, ML XLVII, 1966. – zu –2): A. D. McCREDIE, N. M., Engl. Composer at the Habsburg Court, ML XLVIII, 1967; P. KEUSCHNIG, N. M. junior als Ballettkomponist, 2 Bde, Diss. Wien 1968 (mit thematischem Kat.).

Mattes, Willy (Pseudonym Charles Wildman), * 4. 1. 1916 zu Wien; österreichischer Dirigent und Komponist, lebt in München. Er studierte bis 1937 an der Musikakademie in Wien (F. von Weingartner), war 1937–39 Theaterkapellmeister in Oldenburg und Leipzig, 1939–43 Komponist der Filmgesellschaften UFA und Tobis in Berlin und 1944–50 Dirigent am Schwedischen Rundfunk in Stockholm. Ab 1951 war er als Dirigent beim Süddeutschen und Bayerischen Rundfunk sowie bei der Schallplattenfirma Electrola tätig. Seit 1971 ist M. Chefdirigent des Radio-Orchesters Stuttgart (früher Unterhaltungsorchester des Süddeutschen Rundfunks). Er komponierte Musik für etwa 90 Spielfilme und Orchestermusik (*Schwedische Rhapsodie*, 1946; *Skandinavische Suite*, 1958; Violinkonzert Nr 1, 1962).

Matteucci (mat-te′ut-ʃi), Juan, * 9. 2. 1920 zu Faenza (Emilia-Romagna); chilenischer Dirigent italienischer Herkunft, studierte Violoncello und Klavier an den Konservatorien in Lima und Santiago de Chile, dann Dirigieren bei Fr. Busch, später 1950–52 bei Giulini und Votto am Conservatorio di Musica G. Verdi in Mailand. 1954–64 war er Chefdirigent des Philharmonischen Orchesters von Chile und 1964–69 Dirigent des New Zealand Broadcasting Corporation Symphony Orchestra. Gegenwärtig ist M. Principal Conductor und Musical Director des Symphony Orchestra of Auckland.

+Matteuccio, 1666/67 in Apulien (vermutlich zu S. Severo, Foggia) – 15. 10. 1737 zu Neapel [del. frühere Angaben].
Lit.: U. PROTA-GIURLEO, Matteo Sassano detto »M.«, RIdM I, 1966.

Mattfeld (m′ætfəld), Julius, * 8. 8. 1893 und † 31. 7. 1968 zu New York; amerikanischer Musikforscher, Organist und Komponist, studierte am New York German Conservatory of Music. 1914–26 war er Mitglied des Music Staff der New York Public Library. Er gründete und leitete die Musikbibliotheken der National Broadcasting Company (1926–29) und des Columbia Broadcasting System (1929–59). Auch war er Organist an verschiedenen New Yorker Kirchen und bei der New Yorker Weltausstellung (1939–40). M. schrieb: *The Folk Music of the Western Hemisphere* (NY 1925); *One Hundred Years of Grand Opera in New York* (NY 1927); *Variety Music Cavalcade, 1620–1961. A Chronology of Vocal and Instrumental Popular Music in the United States* (Englewood Cliffs/N. J. 1952, ³1971); *A Handbook of American Operatic Premieres, 1731–1962* (= Detroit Studies in Music Bibliography V, Detroit 1963). Er war Associate American Editor von A. E. Hulls *A Dictionary of Modern Music* (London und NY 1924). Seine Kompositionen umfassen das Ballett *Virgins of the Sun* (NY 1922), Musik für Streichorchester, Übungsstücke für Klarinette und Klavier sowie Lieder.

Matthaei, Conrad, * 1619 zu Braunschweig, † nach 1667 zu Königsberg(?); deutscher Kantor, war in Braunschweig Schüler des Kantors Heinrich Grimm, studierte um 1650 in Königsberg Rechtswissenschaft und veröffentlichte dort einen *Kurtzen ... Bericht Von den Modis Musicis* (1652, ²1658), eine letzte ausführliche Darstellung der Kirchentöne in Deutschland im Anschluß an Calvisius und Lippius. Ab 1654 war er Kantor an der Altstädter Kirche in Königsberg und schrieb eine Reihe von Gelegenheitskompositionen, vornehmlich zu Psalmtexten.
Ausg.: 2 Sätze in: C. v. WINTERFELD, Der ev. Kirchengesang II, Lpz. 1845, Nachdr. Hildesheim 1966; 2 Sätze in: Preußische Festlieder. Zeitgenössische Kompositionen zu Dichtungen S. Dachs, hrsg. v. J. MÜLLER-BLATTAU, = LD Ostpreußen u. Danzig I, Kassel 1939.
Lit.: G. KÜSEL, Beitr. zur Mg. d. Stadt Königsberg i. Pr., = Königsberger Studien zur Mw. II, Königsberg 1923; A. FORCHERT, Ein Traktat über d. Modi musici v. Jahre 1652, Fs. Br. Stäblein, Kassel 1967.

+Matthaei, Karl, 1897–1960.
+M. Praetorius, *Sämtliche Orgelwerke* (1930), Nachdr. Wolfenbüttel 1966. – Als letzte größere Edition erschienen Händels *Orgelkonzerte* op. 4 Nr 1–6 (= Hallische Händel-Ausg. IV, 2, Kassel 1956).
Lit.: +E. NIEVERGELT, K. M. zum Gedächtnis, in: [erg.:] Musik u. Gottesdienst XIV, 1960. – DERS. in: SMZ C, 1960, S. 102f.

[**+Matthau,** recte:] **Mattau,** Joseph, 1788–1856.

+Matthay, Tobias Augustus, 1858 – 14. [nicht: 15.] 12. 1945.
+*Musical Interpretation* (1913), Nachdr. Westport (Conn.) 1970.
Lit.: W. C. M. KLOPPENBURG in: Mens en melodie XI, 1956, S. 17ff.; D. LASSIMONNE, Opening the Shutters. A Short Exposition on the Teachings and Personality of T. M., London 1962; S. LANGENFELDT, T. M., en banbrytare inam pianopedagogiken »T. M., ein Bahnbrecher d. Kl.-Pädagogik«, Musikrevy XXV, 1970; E. PULIDO, Técnica pianística di T. M., in: Heterofonía I, 1968/69 – III, 1970/71.

Matthes, René, * 20. 5. 1897 zu Basel, † 23. 4. 1967 zu Zürich; Schweizer Komponist, studierte 1913–15 am Konservatorium der Stadt Basel und 1925–26 an der Hochschule für Musik in Berlin. Er war 1919–20 als Pianist und Schlagzeuger im Orchestre de la Suisse Romande in Genf und 1922–24 als Korrepetitor und Kapellmeister am Stadttheater Zürich tätig. Später wirkte er in verschiedenen Schweizer Städten als Gastdirigent und Chorleiter. M. komponierte Orchesterwerke (*Sinfonia brevis*, 1953; *Unzeitgemäße Musik*, 1958; *Fantasie I*, 1935, und *III*, 1945, für Kammerorch., *II* für Orch., 1935; Konzert für Vc. und Streicher, 1960), Kammermusik (Streichtrio, 1953; Streichquartett, 1958; *Kleine Kammermusik* für 8 Instr., 1960), Klavierstücke (*Sonatina divertente*, 1951), Orgelwerke (Fantasie, 1950; Toccata, 1954), Sologesänge mit Orchester oder einzelnen Instrumenten (*Canticum* für S. und kleines Orch., 1958), Chorwerke (Oratorium *Aus der Chronik des Colas Breugnon* für Sprecher, Sprechchor, T., gem. Chor, Männerchor, Kinderchor und Orch. auf Texte von Rolland u. a., 1961), Klavierlieder, Schul- und Hausmusikwerke für Klavier bzw. Blockflöten sowie eine Reihe von Bearbeitungen. Er schrieb u. a.: *Elementare Musikerziehung* (Kassel 1951); *Generalbaßprobleme in der modernen Aufführungspraxis* (SMZ XCVII, 1957); *Wie gehört, so notiert. Beobachtungen aus fünf Jahrzehnten* (SMZ CII, 1962); *Pädagogische Überlegungen* (SMZ CVII, 1967).

+Matthes, Wilhelm [erg.:] Franz Georg, * 8. 1. 1889 zu Berlin, [erg.:] † 12. 4. 1973 zu Garmisch-Partenkirchen.

+Mattheson, Johann, 1681–1764.
1715 erhielt M. lediglich die Anwartschaft auf das Directorium musices und auf ein Kanonikat am Hamburger Dom, der Amtsantritt fand erst 1718 statt. 1741 [nicht: 1742] wurde er zum Legations-Sekretär des

Herzogs von Holstein ernannt. – Die 1720 gedruckten 12 Sonaten sind keine Triosonaten, sondern »Kammer-Sonaten« (*Der brauchbare Virtuoso*) für Quer-Fl. (oder V.) und Gb. Drei bislang G. Fr. Händel zugeschriebene *Deutsche Arien* (1711) stammen von M. (vgl. W. Braun, 1970).

Ausg.: Sonate Nr 3 A dur f. Fl. (V.) u. B. c., hrsg. v. H. Ruf, = II fl. traverso LVIII, Mainz 1968. – +Die wolklingende Finger-Sprache (L. Hoffmann-Erbrecht, 1953), Neudr. Lpz. 1969; Sonate u. Suite G moll f. 2 Cemb., hrsg. v. B. C. Cannon, London 1960; Pièces de clavecin, Faks. d. Ausg. London 1714 (2 Bücher), = MMMLF I, 5, NY 1965. – Das Lied d. Lammes, hrsg. v. B. C. Cannon, = Coll. mus. II, 3, New Haven (Conn.) 1971.
+Der vollkommene Capellmeister (M. Reimann, 1954), Kassel ²1969; +Grundlage einer Ehren-Pforte (M. Schneider, 1910), Nachdr. ebd. 1969. – weitere Nachdr.: Das forschende Orch. (1721), Rochester (N. Y.) 1957 u. Hildesheim 1969; Große General-B.-Schule (²1731), Hildesheim 1968; Critica musica (1722–25), Amsterdam 1964 (2 Bde in 1); Kern melodischer Wiss. (1737), Hildesheim 1971. – G. Fr. Händels Lebensbeschreibung, in: J. Mainwaring, G. Fr. Händel, hrsg. v. H. u. E. H. Müller v. Asow, Lindau 1949.
Lit.: +M. Friedlaender, Das deutsche Lied im 18. Jh. (1902), Nachdr. Hildesheim 1962 (3 Bde in 2); +Fr. Th. Arnold, The Art of Accompaniment ... (1931), Nachdr. London 1961, in 2 Bden = American Musicological Soc., Music Library Ass. Reprint Series o. Nr, NY 1965; +R. Schäfke, Gesch. d. Musikästhetik (1934), Tutzing ²1964; +B. C. Cannon, J. M. ... (1947), Nachdr. New Haven (Conn.) 1968. – H. Ph. Reddick, J. M.'s Forty-Eight Thorough-B. Test-Pieces, 2 Bde, Diss. Univ. of Michigan 1956 (engl. Teilübers. d. »Großen General-B.-Schule«, mit Kommentar); H. Lenneberg, J. M. on Affect and Rhetoric, Journal of Music Theory II, 1958 (mit engl. Übers. v. »Der vollkommene Capellmeister« I, 3 u. II, 14); E. Bauermeister-Thoma, M.s »Händel-Komplex«, in: Musica XIV, 1960; P. Benary, Die deutsche Kompositionslehre d. 18. Jh., = Jenaer Beitr. zur Musikforschung III, Lpz. 1961; Fr. Feldmann, Der Hamburger J. M. ... u. d. Musik in Deutschland östlich d. Elbe. Eine topographische Studie anhand d. »Ehrenpforte«, in: Hamburger mittel- u. ostdeutsche Forschungen IV, Hbg 1963; A. G. Huber, Gebärden d. Griechen. Skizze (Beitr. zu J. M.s Ideal einer humanistischen Bildung in. Musiker 1735), Zürich 1963; O. Wessely, J. J. Fux u. J. M., = Jahresgabe d. J.-J.-Fux-Ges. 1964, Graz 1965; G. J. Buelow, Thorough-B. Accompaniment according to J. D. Heinichen, Berkeley (Calif.) 1966; Ders., An Evaluation of J. M.'s Opera »Cleopatra« (Hbg 1704), in: Studies in 18ᵗʰ-Cent. Music, Fs. K. Geiringer, London 1970; C. Dahlhaus, Gefühlsästhetik u. mus. Formenlehre, DVjs. XLI, 1967; R. Dammann, Der Musikbegriff im deutschen Barock, Köln 1967; Fr. Ritzel, Die Entwicklung d. »Sonatenform« im musiktheoretischen Schrifttum d. 18. u. 19. Jh., = Neue mg. Forschungen I, Wiesbaden 1968; K. G. Fellerer, Sixteenth-Cent. Musicians in M.'s »Ehrenpforte«, in: Studies in Musicology, Gedenkschrift Gl. Haydon, Chapel Hill (N. C.) 1969; E. Ch. Harriss, J. M.'s »Der vollkommene Capellmeister«, Diss. G. Peabody College f. Teachers (Nashville/Tenn.) 1969 (Übers. u. Kommentar); W. Braun, Drei deutsche Arien, ein Jugendwerk Händels?, AMl XLII, 1970; H. Federhofer, J. J. Fux u. J. M. im Urteil L. Chr. Mizlers, in: Speculum musicae artis, Fs. H. Husmann, München 1970; P. Kivy, What M. Said, MR XXXIV, 1973.

+**Matthews,** Denis, * 27. 2. 1919 zu Coventry. Konzertreisen führten ihn inzwischen in zahlreiche europäische und außereuropäische Länder (1964 Welttournee). Er veröffentlichte als Autobiographie *In Pursuit of Music* (London 1966) sowie die Monographie *Beethoven Piano Sonatas* (= BBC Music Guides I, ebd. 1967 und Seattle/Wash. 1969) und edierte den Symposiumsbericht *Keyboard Music* (Harmondsworth 1972).

+**Matthison-Hansen,** –1) Hans ([erg.:] eigentlich Hans Matthias Hansen), 1807–90. –3) Waage [erg.:] Weyse, 1841 – [erg.: 23.] 6. 1911.
Lit.: N. Friis, Fra H. M.-H. ungdoms-år (»Aus H. M.-H.s Jugendzeit«), DMT XXIX, 1954.

Matthus, Siegfried, * 13. 4. 1934 zu Mallenuppen (Ostpreußen); deutscher Komponist, studierte in Berlin, ab 1952 an der Deutschen Hochschule für Musik bei Wagner-Régeny und 1958–60 an der Deutschen Akademie der Künste bei Eisler. Bevor er sich größeren Konzert- und Bühnenwerken zuwandte, trat er mit Liedern und Songs hervor. – Werke (Auswahl): Opern *Lazarillo von Tormes* (Uraufführung als »Spanische Tugenden«, Bln 1964), *Der letzte Schuß* (Bln 1967; daraus Vokalsymphonie, 1972) und *Noch einen Löffel Gift, Liebling?* (Libretto Peter Hacks nach der Komödie *Risky Marriage* von S. O'Hara, Bln 1972); *Kleines Orchesterkonzert* (1963); Inventionen für Orch. (1964); *Dresdner Sinfonie* für Orch. (1969); Konzertstück für Kl. und Orch. (1959); Konzerte für V. (1968) und für Kl. (1970) mit Orch.; *Kammermusik 65* (1965); Sonatine für Kl. und Schlagzeug (1960); *Das Manifest* für Soli, Chor und Orch. (1965); *Kantate von den beiden* für S., Bar., Sprecher und Orch. (1969); *12 Gesänge* für S. und T. (1959); ferner Rundfunk- und Fernsehmusik.
Lit.: H.-P. Müller in: MuG XIII, 1963, S. 145ff.; H. Schaefer, »Lazarillo v. Tormes«, MuG XV, 1965; Ders., »Noch einen Löffel Gift, Liebling?«, MuG XXII, 1972; Ders., Das Eigene u. d. Fremde, MuG XXIII, 1973 (zu »Noch einen Löffel ...«); Fr. Hennenberg, Dialektische musikdramaturgische Verfahren in d. Oper »Der letzte Schuß«, Jb. d. Komischen Oper Bln 1967/68; Fr. Schneider, Das Violinkonzert v. S. M., Sammelbände zur Mg. d. DDR II, Bln 1971; H. Gerlach, S. M., Violinkonzert (1968), in: Musik in d. Schule XXIV, 1973.

Mattiesen, Emil, * 24. 1. 1875 zu Dorpat, † 25. 9. 1939 zu Gehlsdorf (Rostock); baltischer Lieder- und Balladenkomponist, studierte in Leipzig neben Musik auch Philosophie und Naturwissenschaften (Dr. phil. 1896) und unternahm 1898–1903 Reisen nach Asien und Amerika. Er lebte dann in England und verschiedentlich in Deutschland, wo er sich 1925 endgültig in Gehlsdorf niederließ. Mit Komposition begann M., der »bedeutendste Balladenkomponist seit Loewe und Plüddemann« (H. J. Moser, 1937), sich intensiver erst ab etwa 1910 zu befassen. Ab 1929 hatte er einen Lehrauftrag für Kirchenmusik an der Theologischen Fakultät der Universität Rostock inne. Seine gedruckten Liederzyklen sind: *Balladen vom Tode* op. 1; *Gedichte* op. 2; *Lieder und Gesänge* op. 3; *Willkommen und Abschied* op. 4; *Künstler-Andachten* op. 5/6; *Heitere Lieder* op. 7; *Ricarda-Huch-Gesänge* op. 8; *Liebeslieder des Hafis* op. 9; *Balladen von der Liebe* op. 10; *Stille Lieder* op. 11/12; *Zwiegesänge zur Nacht* op. 13 (Duette); *Vom Schmerz* op. 14; *Überwindung* op. 15; *Der Pilger* op. 16; *Zärtliche Lieder* op. 17.
Lit.: E. Schenk, E. M. zum 60. Geburtstag ..., Mecklenburgische Monatshefte XII, 1936; H. J. Moser, E. M., ZfM CIV, 1937; W. Golther, E. M., in: Signale für d. mus. Welt XCVII, 1939.

Matton (m'ætən), Roger, * 18. 5. 1929 zu Granby (Quebec); kanadischer Komponist, studierte in Montreal am Quebec Provincial Conservatory bei Champagne und in Paris bei Andrée Vaurabourg, Nadia Boulanger und Messiaen. 1957 wurde er an der Laval University in Quebec City Mitarbeiter des Folklorearchivs und Professor für Komposition an der Faculty of Music. M. komponierte Orchesterwerke (*Pax*, symphonische Suite, 1950; *L'horoscope*, Suite chorégraphique,

1958; *Mouvement symphonique I*, 1960, und *II*, 1962; Saxophonkonzert, 1948; Konzert für 2 Kl. und Orch., 1964), Kammermusik (*Esquisse*, Streichquartett, 1949), Klavierstücke (3 Praeludien, 1946, 1948 und 1950) und Vokalwerke (*Escaouette* für Soli, Chor und Orch., 1957). Lit.: Werkverz. in: Composers of the Americas XII, Washington (D. C.) 1966.

Maturana, Eduardo, * 14. 4. 1920 zu Valparaíso; chilenischer Komponist, studierte am Conservatorio Nacional de Música in Santiago de Chile bei Luis Mutschler (Violine und Viola), P.H. Allende (Komposition) und Carvajal (Kammermusik). Er gründete mit Garrido die Gruppe Euphonia und später mit Eitler und Free Focke die Gruppe Tonus, die sich für die Pflege zeitgenössischer Musik einsetzte. 1958 ging er als Bratschist zum Philharmonischen Orchester von Santiago de Chile. M. war der erste chilenische Zwölftonkomponist. Er schrieb Orchesterwerke (*Gamma I*, 1962; *3 piezas*, 1965; *Introducción y allegro barroco*, 1963, und *5 móviles*, 1968, für Streichorch.; *Responso para el Che Guevara*, mit Tonband, 1969; Elegien für Vc. und Orch., 1966; *Concertante* für Horn und Orch., 1967), Kammermusik (*10 micropiezas* für Streichquartett, 1950, orchestriert 1966; Bläserquintett, 1961; Streichquartett, 1964; Quintett für Blechbläser, 1970), Klavierstücke, 4 Arien für Singst., Ob., Vc. und Schlagzeug (1959), *Retrato, balada y muerte del poeta Teófilo Cid* für S. und Orch. (1966) sowie Lieder.

Matys (m'atis), Jiří, * 27. 10. 1927 zu Bakov nad Jizerou (Mittelböhmen); tschechischer Komponist, absolvierte 1947 bei František Michálek im Fach Orgel das Brünner Konservatorium und 1951 als Kompositionsschüler von Kvapil die Brünner Musikakademie, an der er 1953–57 als Assistent seine Lehrtätigkeit begann. 1957–60 leitete er die Musikschule in Královo Pole (Brünn); seit 1960 lebt er als freischaffender Künstler und Organisator des Musiklebens in Ostrau. Er schrieb die Melodramen *Lyrické melodramy* (»Lyrische Melodramen«) op. 22 (Brünn 1957) und *Variace na smrt* (»Variationen über den Tod«) op. 27 (ebd. 1959), *Jitřní hudba* (»Morgenmusik«) für Orch. op. 33 (1962), ein Streichquartett mit Orch. (1971), Kammermusik (»Kinderballette« für Bläserquintett op. 26, 1959; 3 Sätze für Bläser, 1969; Musik für Bläserquintett, 1970; 3 Streichquartette, op. 21, 1957, op. 31, 1961, und op. 37, 1963; Bratschensonate op. 16, 1954; Violinsonate, 1965; Inventionen für Fl. und Vc., 1969; *Obrazy*, »Bilder«, für Vc. und Kl., 1970; Sonate für Va solo op. 38, 1963), Klavierwerke (Sonate op. 30) und Vokalmusik (Kantate *Ty velické zvony*, »Diese Velicer Glocken«, op. 17, 1954; Fantasie für S. und Kl. op. 19, 1955; zahlreiche Kinderchöre). Daneben pflegt M. das Gebiet der instruktiven Werke »im leichten Stil«; zu ihnen zählen ein Quartett für 4 V. op. 29a (1960), Inventionen für 3 V. op. 29b (1960), ein Streichquartett (1967), ein Duo für V. und Va op. 39 (1963), 5 Bagatellen für Akkordeon (1966) sowie mehrere Sammlungen von Klaverstücken.

Matz, Rudolf, * 19. 9. 1901 zu Zagreb; jugoslawischer Komponist und Violoncellist, studierte an der Musikakademie in Zagreb (Komposition bei Bersa, Violoncello bei Umberto Fabbri, Juro Tkalčić und Huml), an der er seit 1950 als Professor für Violoncello wirkt. 1947–51 lehrte er auch Kammermusik an der Musikakademie in Ljubljana. M. ist auch als Musikschriftsteller und -kritiker sowie als Organisator des kroatischen Musiklebens tätig. 1961 veranstaltete er zum ersten Male das Internationale Jugend-Festspieltreffen in Bayreuth. Seine Kompositionen umfassen

u. a. eine Elegie und Humoreske für Vc. und Streicher (1938), eine Passacaglia für V. und Streichorch. (1943), *Klasični koncert* (»Klassisches Konzert«) für Vc. und Orch. (1949), Thema und Variationen für Streichensemble (1959), *Lirske skice* (»Lyrische Skizzen«) für Streichorch. mit obligatem Vc. solo (1959), ein Konzert für Fl. und Orch. (1963), Kammermusik (4 Streichquartette, 1924, 1932, 1935 und 1944; Quartett für Fl., Ob., Va und Vc., 1943; *Balada i rondo in modo rustico* für Klaviertrio, 1956; *Barokni koncert* für Vc. und Kl. oder für 3 Vc. und B. c., 1952; 12 Sätze für 3 Vc. und Kl., 1960; Sonate für V. und Kl., 1941; 2 Sonaten für Vc. und Kl., 1941 und 1942; 11 Capricen im Zwölftonstil für Vc. solo, 1964), Klavierwerke und Vokalmusik (Messen, Kantaten, Chöre und Lieder).

+Matzenauer, Margarethe, * 1. 6. 1881 zu Temesvár (Ungarn, heute Timişoara, Rumänien), [erg.:] † 19. 5. 1963 zu Van Nuys (Calif.).
In erster [nicht: zweiter] Ehe war sie mit Ernst Preuße, desgleichen in zweiter [nicht: erster] Ehe mit E. Ferrari-Fontana verheiratet. – Der Metropolitan Opera in New York gehörte sie bis 1930 an.

+Matzerath, [erg.: Paul] Otto, * 26. 10. 1914 zu Düsseldorf, [erg.:] † 21. 11. 1963 zu Zama (Japan).
M., Chefdirigent des Symphonieorchesters des Hessischen Rundfunks in Frankfurt 1955–61, leitete ab 1962 auf ein Jahr das türkische Staatsorchester in Ankara. Im Herbst 1963, wenige Wochen vor seinem Tode, übernahm er die Leitung des Yomiuri-Nippon Symphony Orchestra in Tokio.

+Matzke, Hermann Karl Anton, * 28. 3. 1890 zu Breslau.
Den Lehrauftrag an der Technischen Hochschule Stuttgart hatte M. bis 1968 inne. – *+Musikgeschichte der Welt. Ein Überblick* (1949), 2. erweiterte Aufl. = Ullstein-Bücher Bd 314, Ffm. 1961. – Er veröffentlichte weiterhin zahlreiche Beiträge in der von ihm herausgegebenen *+Instrumentenbau-Zeitschrift* (1973 im 27. Jg.).

+Mauduit, Jacques, 1557–1627.
Ausg.: 2 Motetten in: Anth. du motet lat. polyphonique en France (1609–61), hrsg. v. D. LAUNAY, = Publ. de la Soc. frç. de musicologie I, 17, Paris 1963.
Lit.: *+M. MERSENNE, Harmonie universelle (1636), Faks. hrsg. v. Fr. Lesure, 3 Bde, Paris 1963, +R. E. Chapmans engl. Übers. v. »The Books on Instr.« (1954), gedruckt Den Haag 1957, Neudr. 1964.

+Mauersberger, –1) Rudolf, * 29. 1. 1889 zu Mauersberg (Erzgebirge), [erg.:] † 22. 2. 1971 zu Dresden.
Mit dem pädagogischen Ehrendoktortitel wurde an 1954 an der Humboldt-Universität in Berlin und mit dem theologischen 1959 an der Philipps-Universität in Marburg ausgezeichnet. Der Dresdener Kreuzchor, den M. bis zu seinem Tode leitete, fand nach 1945 unter seiner Führung erneut weltweite Anerkennung. Zu seinem 75. und 80. Geburtstag wurde er mit weiteren Festschriften geehrt (*Begegnungen mit R. M.*, hrsg. von E.H.Hofmann und I.Zimmermann, Bln 1963, ²1964; *Credo musicale. Komponistenporträts aus der Arbeit des Dresdener Kreuzchores*, hrsg. von U.v.Brück, Kassel 1969).
–2) Erhard, * 29. 12. 1903 zu Mauersberg. Als Landeskirchenmusikdirektor und Leiter des Bachchores in Eisenach sowie an der Musikhochschule in Weimar (1946 Professor) war er bis 1960 tätig. 1961 wurde er Thomaskantor in Leipzig, ein Amt, das er bis 1972 innehatte.
Lit.: zu –1): →Kreuzkantoren. – H. BÖHM in: MuG IX, 1959, S. 26ff.; E. LORENZ in: Musik in d. Schule XI, 1960, S. 423f.; I. ZIMMERMANN, R. M., = Christ in d. Welt

XXII, Bln 1969. – S. Greis in: Gottesdienst u. Kirchenmusik 1971, S. 43ff.; weitere Nachrufe u. a. in: Musica XXV, 1971, S. 167f., Musik in d. Schule XXII, 1971, S. 256ff., Musik u. Gottesdienst XXV, 1971, S. 66ff.

+Maugars, André, [erg.:] um 1580–1645.
Lit.: +E. Thoinan, M., célèbre joueur de viole ... (1865), Nachdr. London 1966(?).

+Mauracher, –1) Matthias, 24. 11. 1788 zu Oberbichl (bei Zell am Ziller, Tirol) – 22. 11. 1857. –2) Matthias [nicht: Matthäus], 20. 7. 1818 zu Zell am Ziller – 7. 8. 1884 zu Salzburg. –4) Matthäus, 26. 11. 1859 zu Zell am Ziller – 25. 1. 1939 zu Salzburg. [erg. frühere Lebensdaten.]

+Maurer, Ludwig Wilhelm (Louis Guillaume), 1789 – 13.(25.) 10. [del.: 6. 11.] 1878.

Mauri Esteve, José, * 12. 2. 1856 zu Valencia, † 11. 7. 1937 zu La Habana; kubanischer Komponist und Dirigent, studierte in La Habana bei Reinaldo Ravagliatti (Violine) und Anselmo López (Komposition) und führte 1874 seine erste Zarzuela *El sombrero de Felipe II* auf. Nach einem Europaaufenthalt dirigierte er die Banda Nacional de Música in Bogotá (1893–94) und leitete zahlreiche Konzerte und Opernaufführungen in Südamerika. 1901 wurde er künstlerischer Leiter des Teatro Albisu in La Habana; 1914 gründete er dort ein Konservatorium, das seinen Namen trug. Seine Kompositionen umfassen u. a. die Oper *La esclava* (La Habana 1921), die Operette *Natales de Doña Chumba*, 2 Symphonien, Symphonische Dichtungen (*Serenata de Don Quijote a Dulcinea*; *Alhambra*), ein Adagio für großes Orch., Kammermusik, Stücke für Gesang und Klavier sowie Kirchenmusik.

Mauro, italienische Familie von Bühnenbildnern, Theaterarchitekten und -ingenieuren (Geburts- und Todesdaten können nicht ermittelt werden; die in Klammern gesetzten Jahreszahlen bezeichnen den Zeitraum, für den sich ihre Tätigkeit nachweisen läßt). –1) Gaspare (1657–1719) war 1657–79 hauptsächlich an verschiedenen Theatern in Venedig beschäftigt: 1657 in der Funktion eines »ingegnero« als Mitarbeiter →Santurinis erstmals erwähnt, scheint er auch in der Folgezeit mehr Theatertechniker als Bühnenbildner gewesen zu sein; 1668 ist er zwar als »inventore delle scene« aufgeführt, aber noch 1679 wird seine Position am Teatro S. Giovanni Crisostomo mit »primo ingegnero« angegeben. Er wurde 1685 zusammen mit seinem Bruder Domenico zu den Festveranstaltungen anläßlich der Hochzeit des Kurfürsten Max Emanuel mit Maria Antonia, der Tochter Kaiser Leopolds I., nach München gerufen, wo er als entwerfender und verantwortlicher Architekt den Umbau des Opernhauses am Salvatorplatz leitete und für die von seinem Bruder ausgestatteten Aufführungen die notwendigen technischen Effekte beisteuerte. 1689 arbeiteten beide am Teatro Regio in Turin, 1690 in Parma und ab 1697 war G. M. wieder, als Architekt, in Venedig tätig. –2) Domenico (1669–1707), Bruder von Gaspare M., war 1669 Bühnenbildner am Teatro Ducale in Piacenza und ging 1685 mit Gaspare M. nach München (Dekorationen zu Steffanis *Servio Tullio* und E. Bernabeis *Erote ed Anterote*), 1689 nach Turin und 1690 anläßlich der Hochzeitsfeierlichkeiten für Odoardo Farnese und Dorothea Sophie von Neuenburg nach Parma, wo sein Bruder Pietro M. (1662–97) die Aufsicht über die Ausführung der Entwürfe führte. Bei der Ausstattung von Sabadinis *Il favore degli dei* kam es zu einer Begegnung D. M.s mit F. →Bibiena, der mit einer Dekoration daran beteiligt war; weiterhin hatte D. M. die künstlerische Oberleitung bei der Ausgestaltung der

Naumachie *La gloria di amore*. Er wirkte 1694 (*Zenobia, regina dei Palmireni* von Albinoni) und 1696 in Venedig, 1703 in Mailand (*Aretusa* von Clemente Monari) und 1707 wieder in Venedig (*Teuzzone* von Lotti). – D. M., in seinen Anfängen geprägt von Giacomo →Torelli, entwickelte ohne die Tiefe fluchtende Zentralachse einen stärker die Plastizität der Dekorationselemente betonenden Stil, der durch die Spannung zwischen architektonischer Konzeption und verschwenderischer Fülle der Details gekennzeichnet ist; im bizarren Überschwang der Formen nähert er sich →Burnacini. Für die Entwicklung des Theaters in Süddeutschland ist D. M. insofern bedeutsam, als er (nach Santurini) erneut den Glanz venezianischer Bühnenbildkunst vorbildlich sichtbar machte. –3) Alessandro (1709–48, † 1750?), »architetto e pittore«, Sohn(?) von Domenico M., war 1711 in Wien, anschließend in Venedig, wo er 1716 an der dekorativen Ausgestaltung einer zu Ehren von Kurprinz Friedrich August von Sachsen veranstalteten Regatta beteiligt war, ging 1717 nach Dresden, um mit Assistenz seines Bruders Gerolamo (1692–1719) die Innendekoration des Redoutensaales auszuführen, wo er noch im selben Jahr Lottis *Giove in Argo* ausstattete. Anläßlich der bevorstehenden Hochzeit des Kurprinzen mit der Erzherzogin Maria Josepha von Österreich war er mit Entwurf und Ausführung der Innenarchitektur des neuen Opernhauses im Zwinger, eines hufeisenförmigen Ranglogentheaters »all'italiana«, beschäftigt, das im Rahmen der Empfangsfeierlichkeiten für die Braut 1719 mit einer Neueinstudierung von *Giove in Argo* eröffnet wurde und für das er noch die Dekorationen zu Lottis *Teofane* (1719) entwarf. Bei der Hochzeit leitete A. M. alle Festveranstaltungen, die einen prunkvollen Höhepunkt höfischer Barockfeste bildeten: Beginnend mit den *Sieben Planetenlustbarkeiten* im Holländischen Palais (mit Heinichens Kantate *La gara degli dei*) folgten ein Feuerwerk auf der Elbe (*Die Eroberung des Goldenen Vlieses*), Turniere (u. a. Fest des Jupiter, mit dem der Zwinger eingeweiht wurde), ein Roßballett (*Carousel des elemens*), eine Wasserjagd (Dianafest mit Heinichens Kantate *Diana sul'Elba*), ein künstlicher Jahrmarkt (Nationenfest), ein Damenfest (Venusfest) und zum Abschluß als sächsische Besonderheit ein unter Saturns Schirmherrschaft stehendes Bergwerksfest im Plauenschen Grund. 1720–23 hielt er sich in Venedig, in den folgenden Jahren in Rom auf, wo er private Feste und religiöse Feierlichkeiten leitete. 1728–29 reiste er erneut nach Dresden, um die Veranstaltungen anläßlich des Besuches des preußischen Kronprinzen, des späteren Königs Friedrich II., zu leiten. 1737 wirkte er als Bühnenbildner am Teatro Regio in Turin und war 1747–48 wieder in Venedig, wo er zusammen mit seinem Bruder Romualdo M. (1699–1756) als Architekt erwähnt wird. – A. M.s Werk stellt in der Integration aller möglichen Formen festlicher Repräsentation eine der letzten großen Synthesen des Barocktheaters dar. Fußend auf venezianischer Tradition, verwendet er in seiner architektonisch von der Bibienesken Winkelperspektive geprägten Bühnenausstattungen Elemente rokokohafter Schmuckformen und taucht die Bühne durch Überfülle dekorativer Details in eine Atmosphäre exotischer Unwirklichkeit.
Lit.: M. Fürstenau, Zur Gesch. d. Musik u. d. Theaters am Hofe zu Dresden, 2 Bde, Dresden 1861–62, Nachdr. Hildesheim 1971 (1 Bd); J. L. Sponsel, Der Zwinger, d. Hoffeste u. d. Schloßbauplräne zu Dresden, ebd. 1924; P. Zucker, Die Theaterdekoration d. Barock, Bln 1925; H. Tintelnot, Barocktheater u. barocke Kunst, Bln 1939; H. Schnoor, Dresden, 400 Jahre deutsche Musikkultur, Dresden 1948; G. Löwenfelder, Die Bühnendekoration am Münchner Hoftheater v. d. Anfängen d. Oper bis zur

Gründung d. Nationaltheaters, 1651–1778, Diss. München 1955; H. KINDERMANN, Theatergesch. Europas, Bd III: Das Theater d. Barockzeit, Salzburg 1959; E. HEMPEL, Der Zwinger zu Dresden, Bln 1961; C. E. RAVA, Note sui M. ed i Bibiena a Parma per gli spettacoli farnesiani del 1690, in: Arte lombarda XI, 1966.　　　　HS

+Maus, Octave, 1856–1919.
Lit.: Lettres ... à O. M., mit Anm. v. A. VANDER LINDEN in: RBM XIV, 1960 – XV, 1961 (v. V. d'Indy), XVII, 1963 (A. Magnard) u. XXIV, 1970 (P. de Bréville). – A. VANDER LINDEN, Cl. Debussy, O. M. et P. Gilson, RBM XVI, 1962; DERS., E. Ysaye et O. M., Bull. de la Classe des beaux-arts de l'Acad. royale de Belgique LII, 1970.

+al-Mauṣilī, –1) Ibrāhīm ibn Māhān (alias Maimūn) ibn Bahman, 742–804. Er studierte auch in Persien, und zwar sowohl persische als auch arabische Musik. Als Anhänger der traditionellen arabischen ġinā'-Musik, die er u. a. von Yaḥyā → +al-Makkī gelernt hatte, war er Hofmusiker in Bagdad unter al-Mahdī (775–785), al-Hādī (785–786) und Hārūn ar-Rašīd (786–809). Für Hārūn stellte er zusammen mit seinem Kollegen (und Rivalen einer anderen Schulrichtung) Ibn Ğāmiʿ die »Auswahl der 100 (besten) Lieder« zusammen, die zur Grundlage des Kitāb al-Aġānī al-kabīr (»Großes Buch der Lieder«) von Abu l-Farağ → +al-Iṣfahānī wurde. Zu seinen Schülern zählten neben seinem Sohn Isḥāq die bedeutenden Musiker → Muḫāriq und → Zalzal. Die Sammlung seiner Lieder war in mehreren Überlieferungen noch im 10. Jh. bekannt.
–2) Isḥāq ibn Ibrāhīm ibn Māhān, 767 zu Raiy [erg.:] oder Arrağān (Persien) – 850. Er war als Gelehrter auf allen islamischen Wissensgebieten, als Dichter, Musiktheoretiker, Gesellschafter und Hofsänger unter den Kalifen Hārūn ar-Rašīd bis al-Mutawakkil (847–861) eine der hervorragenden Persönlichkeiten seiner Zeit. Er kämpfte gegen die persisch beeinflußten musikalischen Modeströmungen und deren Hauptvertreter Ibrāhīm ibn → +al-Mahdī für eine in Theorie und Praxis unveränderte traditionell arabische Musik. In seinen etwa 20 musikalischen Schriften, von denen sechs im 13. Jh. noch erhalten waren, beschäftigte er sich mit Tonsystem, musikalischen Metren, Komposition, Tanzgattungen und der Ausbildung musikalisch geschulter Hofgesellschafter, schrieb Biographien von Sängern und Sängerinnen der vor- und frühislamischen und der Umaiyaden-Zeit, so auch von → Maʿbad, und stellte deren Lieder mit musikalischen Angaben zusammen. Sein Kitāb al-Aġānī al-kabīr (»Großes Buch der Lieder«), mehr Kulturgeschichte als einfache Liedersammlung, ist als eine der Hauptquellen des gleichnamigen und ähnlich strukturierten Buches von Abu l-Farağ al-Iṣfahānī in bedeutenden Fragmenten erhalten. Auch aus seinen theoretischen Werken finden sich Zitate in späterer Literatur. Eine Interpretation der Ton- und Modusterminologie seiner Schule bringt Yaḥyā ibn ʿAlī → +al-Munağğim in seiner erhaltenen Abhandlung. – Sein Sohn Ḥammād ibn Isḥāq ibn Ibrāhīm, als Literat und Musiker im Schatten seines Vaters, verfaßte Biographien arabischer Dichter und Musiker, gab eine Auswahl der Liedertexte seines Großvaters Ibrāhīm al-M. heraus und tradierte die Bücher seines Vaters.
Lit.: +H. G. FARMER, A Hist. of Arabian Music to the XIIIᵗʰ Cent. (1929), Nachdr. London 1967. – E. NEUBAUER, Musiker am Hof d. frühen ʿAbbāsiden, Diss. Ffm. 1965 (mit Quellen u. weiterer Lit.; siehe auch: A. F. Rifāʾī, ʿAṣr al-Maʾmūn, Bd I, Kairo 1928 [,Das Zeitalter d. Kalifen al-Maʾmūn']). – A. KUTZ, Mg. u. Tonsystematik, = Neue deutsche Forschungen, Abt. Mw. XI, Bln 1943, S. 304–363 passim; H. G. FARMER, The Sources of Arabian Music (1940), revidiert Leiden 1965, Nr 13–31; M. A. AL-

ḤIFNĪ, Isḥāq al-M. al mūsīqār an-nadīm (»I. al-M., d. Musiker u. Hofgesellschafter«), Kairo o. J.　　ENE

Maw (mɔ:), Nicholas, * 5. 11. 1935 zu Grantham (Lincolnshire); englischer Komponist, studierte 1955–58 an der Royal Academy of Music in London und 1958–59 bei Nadia Boulanger und Max Deutsch in Paris. 1960–62 war er Lecturer der Worker's Educational Association und 1961–63 an den Extra Mural Departments der Universitäten von Oxford, Cambridge und London. 1966–69 war er Fellow Commoner für bildende Kunst am Trinity College in Cambridge. Er schrieb u. a. die Opern One Man Show (London 1964) und The Rising of the Moon (Libretto Beverly Cross, Glyndebourne 1970), eine Sinfonia für kleines Orch. (1966), Kammermusik (Chamber Music für Ob., Klar., Horn, Fag. und Kl., 1962; Streichquartett, 1965; Sonate für Streicher und 2 Hörner, 1967), Essay für Org. (1961), Scenes and Arias für S., Mezzo-S., A. und Orch. (1962, revidiert 1966) sowie den Liederzyklus The Voice of Love für Mezzo-S. und Kl. (1966).
Lit.: S. BRADSHAW, N. M., MT CIII, 1962; A. PAYNE, The Music of N. M., in: Tempo 1964, Nr 68; DERS., N. M.'s »One Man Show«, ebd. 1964/65, Nr 71; DERS., N. M.'s String Quartet, ebd. 1965, Nr 74; ST. WALSH, N. M.'s »Sinfonia«, ebd. 1966, Nr 77; DERS., M.'s Irish Opera, in: Opera XXI, 1970, sowie N. M.'s New Opera, in: Tempo 1970, Nr 92 (zu »The Rising of the Moon«); B. NORTHCOTT, N. M., in: Music and Musicians XVIII, 1969/70; A. WHITTALL, The Instr. Music of N. M., in: Tempo 1973, Nr 106.

+Mawet [–1) Fernand], –2) Lucien, * 13. 10. 1875 zu Chaudfontaine (bei Lüttich), [erg.:] † 4. 7. 1947 zu Lüttich. –3) Émile, * 2. 3. 1884 zu Prayon-Forêt (bei Lüttich), [erg.:] † 20. 12. 1967 zu Straßburg.

Maxąkow, Maximilijan Karlowitsch (eigentlich Max Schwarz), * 1869, † 26. 3. 1936 zu Moskau; russischer Sänger (Bariton), Regisseur und Gesangspädagoge österreichischer Abstammung, Schüler von Jewgenij Rjadnow, debütierte 1886 am St. Petersburger Opernhaus und trat dann an den Opernbühnen u. a. in Moskau, Odessa, Kasan, Charkow, Saratow und Tiflis auf. 1898 begann seine Regietätigkeit; er war auch Leiter von Operntruppen. Zu seinen Schülern zählte seine spätere Frau Marija M.a.
Lit.: S. JARON, Wospominanija o teatre (»Theatererinnerungen«), Kiew 1898, S. 407f.; N. A. Rimskij-Korsakow. Issledowanija, materialy, pisma (»Forschungen, Dokumente, Briefe«), hrsg. v. M. O. JANKOWSKIJ, Bd II, Moskau 1954; M. P. MAXAKOWA, Put k iskusstwu (»Der Weg zur Kunst«), SM XXVI, 1962.

Maxąkowa, Marija Petrowna (geborene Sidorowa), * 26. 3. (8. 4.) 1902 zu Astrachan; russisch-sowjetische Sängerin (Mezzosopran), war Schülerin ihres späteren Mannes M. Maxakow und debütierte 1923 als Amneris am Moskauer Bolschoj Teatr, dem sie von diesem Zeitpunkt an angehörte. 1925–27 war sie Solistin des Leningrader Operntheaters und 1927–53 I. Solistin am Moskauer Bolschoj Teatr. Zu ihrem Repertoire zählten u. a. der Orpheus sowie die einschlägigen Partien der Opern Mussorgskijs und anderer russischer Komponisten; als Konzertsängerin bevorzugte sie Schubert und R. Schumann sowie russische Volkslieder. Sie schrieb den Beitrag Put k iskusstwu (»Der Weg zur Kunst«, SM XXVI, 1962.
Lit.: M. Lwow, M. P. M., Moskau 1953.

Maxfield (mˈæksfi:ld), Richard Vance, * 2. 2. 1927 zu Seattle (Wash.), † 27. 6. 1969 zu Los Angeles (durch Freitod); amerikanischer Komponist der Avantgarde, studierte bei Sessions an der University of California at Berkeley und bei Babbitt an der Princeton University

(N. J.). Er nahm auch an Kompositionskursen bei Křenek und Dallapiccola teil. An der New School for Social Research in New York und am San Francisco State College lehrte er über experimentelle Musik. Neben Instrumentalwerken (*Structures* für 10 Blasinstr., 1954; *Orchestral Composition*, 1958) komponierte M. vor allem Elektronische Musik, darunter die Oper *Stacked Deck* für Tape music, singer-actors and lighting in free collage (NY 1960), die Ballette *Lunamble* (1959), *Exercise Music* (1960), *A Swarm of Butterflies Encountered on the Ocean* (1960), *Peripateia* für Sax., V., Kl. und Tonband (1960), *Dromenon* für Instrumentalensemble und Tonband (1961) und *Bacchanale* (1963) sowie die Stücke *Sine Music* (1959), *Cough Music* (1959), *Radio Music*, *Night Music*, *Perspectives* für V. und Tonband und *Amazing Grace* (alle 1960), *Piano Concert for David Tudor* für Kl., *Perspectives II for La Monte Young* für V. oder ein anderes Streichinstr. und *Clarinet Music* für 2 oder mehr Klar. (alle mit Tonband, 1961), *Toy Symphony* für Fl., V., Spielzeug, Holzschachteln, Keramikvase und Tonband (1962), *Garden Music* (1963), *Bhagavadgita Symphony, Chapter XI* (1963), *Electronic Symphony*, *African Symphony* und *Sirens* (alle 1964). Er schrieb *Essays* (in: An Anthology ..., hrsg. von L. M. Young, NY 1963, ²1970) und einen Beitrag für »Contemporary Composers on Contemporary Music« (hrsg. von E. Schwartz und B. Childs, NY 1967).

Maxián, František, * 9.11.1907 zu Teplitz-Schönau/Teplice-Šanov (Nordböhmen), † 18. 1. 1971 zu Prag; tschechischer Pianist, Schüler von Roman Veselý am Prager Konservatorium (1922–27) und von V. Kurz in dessen Meisterklasse (1928–31), war 1928–40 als Pianist und Dirigent des Prager Rundfunks tätig. Er wirkte als Solist vieler Orchesterkonzerte und als ständiger Partner des Ondříček-Quartetts, des Prager und des Tschechoslowakischen Quartetts sowie des Prager Bläserquintetts. 1940 wurde er Professor am Prager Konservatorium und 1946 an der Prager Musikakademie; er war der Lehrer zahlreicher tschechischer Pianisten (Kamil Hála, Stanislav Knor, Panenka).
Lit.: K. MLEJNEK in: Slovenská hudba XV, 1971, S. 152ff.

Maximowna, Ida, * 18.(31.) 10. 1914 zu Pleskau/Pskow; deutsch-russische Bühnenbildnerin, arbeitete nach privatem Malstudium in Paris und Besuch der Berliner Kunstschule in den ersten Nachkriegsjahren für Berliner Schauspieltheater, wandte sich dann aber mehr der Opernausstattung zu: *Les dialogues des Carmélites* von Pizzetti (Mailand 1955); *Le nozze di Figaro* (Salzburger Festspiele 1957); *Un ballo in maschera* (Wien 1958); *Ariadne auf Naxos* (Bln 1959); *Don Giovanni* (Buenos Aires 1963); *17 Tage und 4 Minuten* von Egk (Stuttgart 1966); *Così fan tutte* (Salzburg 1972). Heute ist sie als Gastbühnenbildnerin an einer Reihe von führenden Opernhäusern tätig. I. M.s Einfallsreichtum kommt vor allem in der intelligent-verspielten Gestaltung heiterer Opern zur Geltung.

+Maxylewicz, Wincenty, um 1685 – 1745.
Ausg.: Motette »Gloria tibi Trinitas« f. 4st. Chor, 2 V., 2 Clarinen u. B. c., in: Muzyka w dawnym Krakowie, hrsg. v. Z. M. SZWEYKOWSKI, Krakau 1964.
Lit.: J. BUBA, A. u. Z. M. SZWEYKOWSKI, Kultura muzyczna u Pijarów w XVII i XVIII wieku (»Die Musikkultur bei d. Piaristen im 17. u. 18. Jh.«), in: Muzyka X, 1965 (mit Nachweis einer weiteren Motette u. einer »Missa triumphalis«).

May, Angelica, * zu Stuttgart; deutsche Violoncellistin, studierte bei Hoelscher, R. v. Tobel und Walter Reichardt in Stuttgart, Trossingen und München sowie bei Casals in Zermatt (Sommerkurse) und 1954/55 in Prades. Sie gewann 1957 den 1. Preis beim Bundeswettbewerb der deutschen Musikhochschulen und begann im selben Jahr eine erfolgreiche Solistenkarriere, die sie in verschiedene europäische Länder und nach Japan geführt hat.

May, Gisela, * 31. 5. 1924 zu Wetzlar; deutsche Chansonsängerin, Rezitatorin und Schauspielerin, besuchte 1940–42 die Schauspielschule in Leipzig. Ab 1942 wirkte sie als Schauspielerin (auch als Soubrette) u. a. in Danzig (1943–44), am Schauspielhaus Leipzig (1945–47), am Staatstheater Schwerin (bis 1950), am Landestheater Halle sowie 1951–61 am Deutschen Theater und den Kammerspielen Berlin und ist seitdem Mitglied des Berliner Ensembles, seit 1963 auch Gast an der Deutschen Staatsoper Berlin. 1957 begann G. M. ihre Karriere als Chansonsängerin und Songinterpretin (vor allem mit Liedern nach Texten von Brecht, Kurt Tucholsky und Erich Kästner). Sie unternimmt Gastspielreisen u. a. mit einem Brecht-Abend (*Aus vier Jahrzehnten*, Premiere Mailand 1959) und einem Tucholsky-Abend (*K. Tucholsky haßt – liebt*, Premiere Lpz. 1965). Ihre Tätigkeit führte sie auch in die Bundesrepublik, nach Frankreich, Italien, Dänemark sowie in die Niederlande und die USA. 1973 erhielt sie einen Lehrauftrag für Chansoninterpretation an der Deutschen Hochschule für Musik H. Eisler in Berlin.

May, Hans (eigentlich Johann Mayer), * 11. 7. 1886 zu Wien, † 31. 12. 1958 zu London; englischer Komponist österreichischer Herkunft, Schüler der Wiener Musikakademie, war Opern- und Operettenkapellmeister. Er schrieb Begleitmusik für Stummfilme (*Ein Sommernachtstraum*, 1925; *Der Bettler vom Kölner Dom*, 1927) und war dann für den deutschen Tonfilm tätig (*Das gestohlene Gesicht*, 1930; *Wien, Du Stadt der Lieder*, 1930; *Hai Tang*, 1930). 1933 emigrierte er nach England. Von seinen zahlreichen weiteren Filmmusiken seien genannt: *Waltz Time* (1945); *Shadow of the Eagle* (»Graf Orloffs gefährliche Liebe«, 1950); *The Gipsy and the Gentlemen* (»Dämon Weib«, 1957). Von M. stammen die Schlager *Veronika, der Lenz ist da* (Text Fr. Rotter, 1928) und *Ein Lied geht um die Welt* (Text Neubach, aus dem gleichnamigen Tonfilm, 1933).

Mayer, Hans, * 19. 3. 1907 zu Köln; deutscher Literaturforscher und Essayist, wurde 1948 Direktor des Instituts für deutsche Literaturgeschichte an der Universität Leipzig und war 1965–73 Inhaber des Lehrstuhls für deutsche Literatur und Sprache an der Technischen Hochschule in Hannover. Er schrieb u. a.: *R. Wagners geistige Entwicklung* (Düsseldorf 1954); *R. Wagner in Selbstzeugnissen und Bilddokumenten* (= Rowohlts Monographien XXIX, Reinbek bei Hbg 1959, ital. Mailand 1967); *H. von Hofmannsthal und R. Strauss* (in: Sinn und Form XIII, 1961, auch in: Ansichten zur Literatur der Zeit, = Rowohlt Paperback XVI, Reinbek bei Hbg 1962); *Anmerkungen zu R. Wagner* (= edition suhrkamp Bd 189, Ffm. 1966); *Musik und Literatur* (in: G. Mahler, Tübingen 1966; vgl. dazu Th. W. Adorno in: Musik und Verlag, Fs. K. Vötterle, Kassel 1968); ferner Beiträge für die Programmhefte der Bayreuther Festspiele. Gesammelte Aufsätze erschienen als *Deutsche Literatur und Weltliteratur* (Bln 1957).

Mayer, Henry, * 18. 11. 1925 zu Nürnberg; deutscher Komponist von Musicals, Popmusik und Schlagern, lebt freischaffend in Castagnola (Tessin). Er studierte am Konservatorium in Nürnberg Klavier, Schlagzeug und Komposition und war 1947–59 als Arrangeur für die Orchester Kurt Edelhagen, Adalbert Luczkowsky und Willy Berking tätig. Er machte

Schallplattenaufnahmen u. a. mit Caterina Valente, Frank Sinatra und Vico Torriani. Zu seinen bekannten Schlagertiteln gehört *Memories of Heidelberg* (Text Georg Buschor, 1968).

Mayer, Ludwig Karl, * 9. 5. 1896 zu München, † 12. 5. 1963 zu Linz; deutscher Dirigent und Musikschriftsteller, studierte in München bei H. v. Waltershausen (Komposition), Richard Gschrey (Klavier und Theorie) und Alfred Lorenz (Dirigieren) sowie Musikwissenschaft bei Sandberger; er promovierte 1922 mit der Dissertation *Fr. Lachner als Instrumentalkomponist.* 1924 war er Kapellmeister in Klagenfurt, 1925 an der Sommeroper in Dresden, 1926–31 Kapellmeister und Dramaturg an der Städtischen Oper in Berlin, 1934–35 Dirigent beim Deutschlandsender, 1935–38 musikalischer Leiter des Senders Königsberg und bis 1943 Referent der Reichsmusikprüfstelle in Berlin. Er lebte dann als Gastdirigent und Musikschriftsteller in Linz. – Von seinen Veröffentlichungen seien genannt: *Musikgeschichte. Werden und Entwicklung der abendländischen Tonkunst* (= Leitners Studienhelfer o. Nr, Wels 1951, ³1960); *Die Musik des 20. Jh.* (= ebd. 1956); *A. Bruckner* (Linz 1961). Er bearbeitete Gaßmanns *La contessina* als »Die junge Gräfin« (München 1923) und Glucks *Cythère assiégée* als »Die Belagerung von Kythera« (Bln 1927) und gab C. M. v. Webers *Gitarrelieder* (München 1921) und *Preziosa* (Augsburg 1934) heraus.

Mayer, Sir Robert, * 5. 6. 1879 zu Mannheim; englischer Musikorganisator deutscher Herkunft, erhielt in seiner Kindheit Unterricht am Mannheimer Konservatorium und bei Weingartner, emigrierte 1896 nach England und wurde Bankbeamter. Angeregt durch die Damrosch-Konzerte in New York entwickelte er 1923 mit seiner Frau, der Sängerin Dorothy Moulton, einen Plan, nach dem Schulkindern Orchestermusik zu minimalen Kosten zugänglich sein sollte. Dieser Plan bewirkte eine der wichtigsten Bewegungen in der Musikerziehung in Großbritannien, die 1954 in der Bildung der Youth and Music nach den Richtlinien der Jeunesses Musicales gipfelte. 1939 wurde er zum Ritter geschlagen und erhielt zahlreiche Ehrungen von Universitäten und Konservatorien.
Lit.: Eternal Youth and Music. Tributes to Sir R. M. on the Occasion of His Ninetieth Birthday, hrsg. v. P. BANDER, Gerards Cross 1970.

+Mayer, Benjamin Wilhelm, 1831 – 23. [del.: 22.(?)] 1. 1898.
Zu seinen Schülern zählte auch E. N. v. Rezníček.
Lit.: W. SUPPAN, W. M. (W. A. Rémy), in: Neue Chronik zur Gesch. u. Volkskunst d. innerösterreichischen Alpenländer X, 1961; E. HILMAR, Eine stilkritische Untersuchung d. Werke F. Busonis aus d. Jahren 1880–90, Diss. Graz 1963; DERS., Der junge Busoni u. d. Steiermark, Zs. d. Hist. Ver. f. Steiermark LV, 1964.

Mayer, William, * 18. 11. 1925 zu New York; amerikanischer Komponist, studierte an der Yale University in New Haven/Conn. (B. A.) und an der Mannes Music School in New York und war Kompositionsschüler von Sessions und Salzer. Er schrieb die Kinderopern *The Greatest Sound Around* (1954) und *Hello, World!* (unter Teilnahme des Publikums für Erzähler und Orch.), NY 1956), die einaktige Oper *One Christmas, Long Ago* (Philadelphia 1964), die Micro-Opera *Brief Candle* (1964), das Ballett *The Snow Queen* (1963), Orchesterwerke (*Hebraic Portrait*, 1957; *Overture for an American*, 1958; *Two Pastels*, 1960; *Octagon* für Kl. und Orch., 1971), Kammermusik (Streichquartett; *Country Fair* für Blechbläsertrio, 1962; Elegie für Blechbläserquintett, 1964), Klavierwerke, Chöre und Lieder.

+Mayer-Reinach, Albert Michael, 1876–1954.
Seine 2. Frau Martha (geborene Rothe, * 21. 9. 1901 zu Hamburg), ging ebenfalls 1936 mit ihm nach Schweden und wirkt seit 1937 in Örebro als Pianistin und Musikkritikerin.

Mayer-Reinach, Ursula, * zu Kiel(-Russee); israelische Konzertsängerin (Alt), Tochter von Albert M.-R., lebt seit 1967 in Israel. Sie studierte Gesang, Musikgeschichte und Pädagogik an der Hamburger Musikhochschule und wirkte im norddeutschen Raum und auf Tourneen solistisch in Opern- und Oratorienaufführungen mit. Durch Liederabende und Rundfunksendungen in westeuropäischen Ländern und in Israel bekannt geworden, sang sie in Uraufführungen für sie komponierter zeitgenössischer Werke (Lieder, Kammermusik, Orchesterwerke) u. a. von Ben-Haim, K. Salomon und Staempfli. U. M.-R. ist mit dem Musikforscher P. Gradenwitz verheiratet, mit dem sie an Universitäten und Musikhochschulen gemeinsame Vorträge zur Geschichte der Vokalmusik, speziell des Liedes, veranstaltet hat.

+Mayer-Serra, Otto, * 12. 7. 1904 zu Barcelona, [erg.:] † 19. 3. 1968 zu México (D. F.).

+Mayerhofer, Elfie, * 15. 3. 1923 zu Marburg (Maribor, Slowenien).
Ab 1957 gastierte sie u. a. an der Deutschen Oper am Rhein in Düsseldorf, der Staatsoper Hamburg, den Städtischen Bühnen Köln und der Staatsoper Wien.

+Maynor, Dorothy (eigentlich Mainor), * 3. 9. 1910 zu Norfolk (Va.).
1963 beendete sie ihre künstlerische Laufbahn als Sängerin und gründete in New York (Harlem) eine Kunstschule für unterprivilegierte Kinder (Harlem School of the Arts, Inc.), deren Leitung sie innehat.

+Mayone, Ascanio (Maione), † [erg.: 9. 3.] 1627.
M. wurde 1595 in Neapel Kapellmeister an SS. Annunziata [nicht: Santa Casa] und ist dort bis 1621 nachweisbar.
Ausg.: Secondo libro di diversi capricci per sonare (1609), hrsg. v. M. S. KASTNER, = Orgue et liturgie LXIII u. LXV, Paris 1964–65; Io mi son giovinetta del Ferabosco diminuito per sonare (zusammen mit G. D. Montella u. Sc. Stella), in: Neapolitan Keyboard Composers circa 1600, hrsg. v. R. JACKSON, = Corpus of Early Keyboard Music XXIV, (Rom) 1967.
Lit.: R. H. KELTON, The Instr. Music of A. M., Diss. North Texas State Univ. 1961 (darin Übertragung d. »Diversi capricci per sonare, libro 1–2« v. 1603 u. 1609 f. Org. sowie »Ricercari a tre r.« v. 1606).

Mayr, Giovanni Simone (Johann Simon) → **+Mayr,** Simon.

+Mayr, Richard, 1877–1935.
Lit.: B. PAUMGARTNER in: ÖMZ XV, 1960, S. 421ff.

+Mayr, Johann(es) Simon (Giovanni Simone), 1763–1845.
Sein Œuvre umfaßt u. a. über 50 Kantaten und mehr als 70 Opern, von denen genannt seien: *Telemaco all'Isola di Calipso* (Venedig 1797), *Adriano in Siria* (ebd. 1798), *Adelaide di Guesclino* (ebd. 1799), *Ginevra di Scozia* (Triest 1801), *Alonso e Cora* (Mailand 1803), *L'amor coniugale* (nach → Bouillys *Léonore* ..., Padua 1805), *Adelaisa e Aleramo* (Mailand 1806), *Medea in Corinto* (Neapel 1813) und *Ifigenia in Tauride* (Florenz 1817).
Ausg.: 6 Stücke f. Org. in: Orgelmusik an europäischen Kathedralen III. Bergamo/Passau, hrsg. v. E. KRAUS, = Cantantibus org. XI, Regensburg 1963; I commedianti, Kl.-A. hrsg. v. H. MOEHN, Kassel u. London 1963; 5 Praeludien f. Org., hrsg. v. A. REICHLING, Altötting 1963;

L'amor coniugale, hrsg. v. A. GAZZANIGA, = Monumenta Bergomensia XXII, Bergamo 1967. – Biogr. di scrittori e artisti mus. bergamaschi nativi od oriundi di G. S. M., hrsg. v. A. ALESSANDRI, ebd. 1875, Nachdr. = Bibl. musica Bononiensis III, 20, Bologna 1969.
Lit.: A. GAZZANIGA, Il fondo mus. M. della Bibl. civica di Bergamo, = Monumenta Bergomensia XI, Bergamo 1963. – A. DAMERINI, G. Gazzaniga e G. S. M., in: Immagini esotiche nella musica ital., hrsg. v. dems. u. G. Roncaglia, = Accad. mus. Chigiana (XIV), Siena 1957; G. ZAVADINI, Parole pronunciate in occasione della ricorrenza della morte di G. S. M., Bergamo 1957; A. GEDDO, Bergamo e la musica, ebd. 1958; F. FANO, Uno sguardo su la vita e l'opera di S. M., maestro di Donizetti, in: Le celebrazioni del 1963 ..., hrsg. v. M. Fabbri, = Accad. mus. Chigiana (XX), Siena 1963; A. MELI, G. S. M. sulla linea mus. Baviera–Bergamo, Bergamo 1963; W. PANOFSKY, G. S. M., Gedanken zur Wiederbelebung seines Opernschaffens, in: Musica XVII, 1963; A. REICHLING, S. M. u. d. Org., in: Musik u. Altar XV, 1963; G. TINTORI in: Musica d'oggi VI, 1963, S. 116ff.; V. GIBELLI, Un ms. di G. S. M., in: Musica sacra II, 9, (Mailand) 1964; F. HABERL in: Musica sacra LXXXIV, 1964, S. 293ff.; FR. LIPPMANN, V. Bellini u. d. ital. Opera seria seiner Zeit, = Analecta musicologica VII, Köln 1969; M. CARNER, S. M. and His »L'amor coniugale«, ML LII, 1971; J. FREEMAN, J. S. M. and His »Ifigenia in Aulide«, MQ LVII, 1971; A. GAZZANIGA, Su »L'amor coniugale« di S. M., nRMI V, 1971; DERS., Il »Trattatello sopra agli stromenti ed istromentazione« di G. S. M., nRMI VII, 1973 (mit Ausg.).

+Mayrhofer, Johann, 1787 – 5. [nicht: 6.] 2. 1836.
Lit.: +Schubert, Die Erinnerungen seiner Freunde (O. E. DEUTSCH, 1957), Lpz. ²1966.

+Mayseder, Joseph, 1789 [erg.:] zu Wien – 1863.
Lit.: +TH. V. FRIMMEL, Beethoven-Hdb. (I, 1926), Nachdr. Hildesheim u. Wiesbaden 1968.

+Mayuzumi, Toshirō, * 20. 2. 1929 zu Yokohama.
Werke: Violinsonate (1946); Divertimento für 10 Instr. (1948); Symphonic Mood für Orch. (1950); Sphenograms für A., Fl., Altsax., Marimba, V., Vc. und Kl. 4händig (1951); Bacchanale für Orch. (1954); Tonepleromas 55 für Bläsersensemble, 6 Schlagzeuger und Singende Säge (1955); Ectoplasme für Clavioline, Git., 5 Schlagzeuger und Streichorch. (1956); Microcosmos für 7 Spieler (1957); Phonologie symphonique für Orch. (1957); Nirvana-Symphony für 12st. Männerchor und Orch. (1958); Stücke für Prepared piano und Streichquartett (oder -orch., 1958); Oratorium U-so-ri (1959); Mandala-Symphony für Orch. (1960); Bunraku für Vc. solo (1960); Prelude für Streichquartett (1961); Music with Sculpture für ein Stahl-Mobile und symphonisches Blasorch. (1961); symphonische Dichtung Samsara (»Ewige Wiedergeburt«) für Orch. (1962); Texture für symphonisches Blasorch. (1962); Ballett Bugaku (NY 1963); Essay für Streichorch. (1963); Fireworks für symphonisches Blasorch. (1963); buddhistische Kantate Pratidesana für T., Bar., B., 6st. Männerchor, 3 Hörner, Pk., 4 Schlagzeuger und 2 Kl. (1963); Metamusic für V., Sax., Kl. und einen Dirigenten (1964); Ongaku no tanjō (»Die Geburt der Musik«) für Orch. (1964); Ritual Overture für Frauenchor unisono und symphonisches Blasorch. (1964); Concertino für Xylophon und Orch. (1965); Incantation für Orch. (1967); Konzert für Schlagzeug und symphonisches Blasorch. (1969); Mandala für elektronische Klänge und Stimmen (1969); Shōwa-Tempyō raku (für Gagaku-Orch. 1970); ferner eine Oper Minoko und ein Ballett Olympics. Elektronische Musik: XYZ (1953), Boxing (1954), Ballett L'Eve future (Musique concrète, 1955), Music for Sine Waves (1955), Music for Modulated Waves (1955), Invention for Square Waves and Sawtooth Waves (1955), Variations on the Numerical Principle of 7 (mit M. Moroi, 1956), Aoi-no-ue

(1957), Campanology (Musique concrète, 1959) und 3 Hymnen (1964).

Mazak (m′azak), Albericus (Maczak), OCist, * 1609 zu Ratibor, † 9. 5. 1661 zu Wien; österreichischer Komponist, trat 1631 in den Zisterzienserorden in Heiligenkreuz ein und war Cantor chori und Kapellmeister in Wien, wo sein Hauptwerk Cultus harmonicus in 3 Teilen (I: Motetten, 1649; II: Messen, 1650; III: Offertorien, 1653) erschien. Zahlreiche handschriftliche Werke finden sich in den Bibliotheksbeständen des ehemaligen Schlosses in Kremsier.

+Mazas, Jacques Féréol, 1782 zu Lavaur (Tarn) [del.: oder Béziers] – 25. [nicht: 26.] 8. 1849 zu Bordeaux [del.: oder Béziers].

Mažvydas (maʒv′i:das), Martynas, * um 1520, † 2. 5. 1563 zu Ragainė; litauischer Theologe, studierte 1546–49 an der Universität in Königsberg. Nach Beendigung der Studien war er als evangelischer Pastor in Ragainė tätig. 1547 erschien in Königsberg Catechismusa prasty szadei, maskslas skaitima raschta yr giesmes del krikschianisted bei del berneliu iaunu (»Katechismus in schlichten Worten, die Lehre vom Lesen der Schrift und Lieder für Christen und Jünglinge«) und nach seinem Tod die 2teilige Choralsammlung Gesmes Chrikszoniskas (»Christliche Chöräle«), das erste Choralbuch in litauischer Sprache; der Choral Gyvenima tas tures für Contra-T., A. und B. gilt als das erste überlieferte Beispiel eines litauischen Chorals.

Mazzacurati, Benedetto, * 17. 9. 1898 zu Neapel; italienischer Violoncellist und Komponist, studierte bei Francesco Serato am Liceo Musicale in Bologna (Diplom 1915). Er war Lehrer für Violoncello (1926–42) und Ensemblespiel (1946–53) am Conservatorio di Musica G. Verdi in Turin sowie 1. Violoncellist des Orchesters von Radio Turin (1932–51). Daneben trat M. als Konzertsolist auf. Er schrieb Werke für Vc. und Kl. (Burlesca; Canto nostalgico), ferner veröffentlichte er Etüden für Vc. und Transkriptionen.

[handschriftliche Notiz: d. – Mar. 29 1984]

+Mazzaferrata, Giovanni Battista, † 1691.
Ausg.: +Sonata a tre op. 5 Nr 6 f. 2 V., Vc. u. B. c., hrsg. v. E. SCHENK, = Hausmusik CXLVIII, Wien 1953 [del. bzw. erg. früheren Titel].
Lit.: +W. S. NEWMAN, The Sonata in the Baroque Era (1959), revidiert Chapel Hill (N. C.) 1966, London 1968, neuerlich revidiert NY u. London 1972 (Paperbackausg.). – F. GHISI, Aspetti vocali e strumentali della Scuola bolognese secentesca, in: Musicisti della Scuola emiliana, hrsg. v. A. Damerini u. G. Roncaglia, = Accad. mus. Chigiana (XIII), Siena 1956.

+Mazzocchi, –1) Domenico, getauft [nicht: *] 8. 11. 1592 – 21. [nicht: 20.] 1. 1665. Er erwarb nur die Doktorwürde beider Rechte [del.: und der Philosophie]. Die Oper [erg.: La Genoinda overo] +L'innocenza difesa ist nicht von ihm, sondern von seinem Bruder Virgilio. – M. erläutert die von ihm neu eingeführten dynamischen Zeichen »C« (crescendo und diminuendo bei langen Tondauern) und »V« (→ Messa di voce) im Nachwort der +Dialoghi e sonetti (1638) und im Vorwort [nicht: Nachwort] zu seinen +Madrigali (1638).
–2) Virgilio, getauft [nicht: *] 22. 7. 1597 – 1646.
Ausg.: zu –1): La catena d'Adone, Faks. d. Ausg. Venedig 1626, = Bibl. musica Bononiensis IV, 9, Bologna 1969; Dialoghi e sonetti, Faks. d. Ausg. Rom 1638, ebd. IV, 10. – sechs 5st. Madrigale, hrsg. v. R. MEYLAN, = Chw. XCV, Wolfenbüttel 1965.
Lit.: +R. ROLLAND, Hist. de l'opéra en Europe ... (= Bibl. des Ecoles frç. d'Athènes et de Rome LXXI, 1895), Nachdr. Genf 1971; +A. SOLERTI, Le origini del melodramma (1903), Nachdr. = Bibl. musica Bononiensis III, 3, Bologna 1969, auch Hildesheim 1969; +A. SCHERING, Gesch.

d. Oratoriums (1911), Nachdr. Hildesheim u. Wiesbaden 1966. – zu –1): ⁺H. GOLDSCHMIDT, Studien zur Gesch. d. ital. Oper (I, 1901), Nachdr. ebd. 1967. – H. OSTHOFF, D. M.s Vergil-Kompositionen, Fs. K. G. Fellerer, Regensburg 1962; CL. GALLICO, Musicalità di D. M., »Olindo e Sofronia dal Tasso«, in: Chigiana XXII, N. S. II, 1965; DERS., La »Querimonia« di Maddalena di D. M. e l'interpretazione di L. Vittori, CHM IV, 1966; ST. REINER, »Vi sono molt'altre mezz'Arie ...«, in: Studies in Music Hist., Fs. O. Strunk, Princeton (N. J.) 1968; W. WITZENMANN, D. M., Dokumente u. Interpretationen, = Analecta musicologica VIII, Köln 1970 (mit Werkverz.). – zu –2): ⁺H. GOLDSCHMIDT, Studien zur Gesch. d. ital. Oper (I, 1901), Nachdr. Hildesheim u. Wiesbaden 1967. – ST. REINER, Collaboration in »Chi soffre speri«, MR XXII, 1961; P. KAST, Unbekannte Dokumente zur Oper »Chi soffre speri« v. 1637, Fs. H. Osthoff, = Frankfurter musikhist. Studien o. Nr, Tutzing 1969.

Mazzoni, Antonio Maria, * 4. 1. 1717 und † 8. 12. 1785 zu Bologna; italienischer Komponist, war Schüler von L. A. Predieri und wurde 1736 Mitglied (ab 1757 mehrfach »Principe«) der Accademia Filarmonica in Bologna. Vorübergehend übersiedelte er nach Fano (bis 1748); in Bologna wurde er Maestro di cappella an S. Giovanni in Monte (ab 1751) und am Dom (ab 1759). Reisen zu Aufführungen seiner Werke führten ihn wahrscheinlich bis nach Rußland. An einer Aufführung des *Trionfo de Clelia* von Gluck in Bologna wirkte er 1763 als »Primo maestro al cembalo« mit. Seine Kompositionen umfassen die Opern (Libretti, wenn nicht anders angegeben, von Metastasio) *Siroe, re di Persia* (Fano 1746), *L'Issipile* (Macerata 1747), *La Didone abbandonata* (Bologna 1753), *Il Demofoonte* (Parma 1754), *La clemenza di Tito* (Lissabon 1755), *Ifigenia in Tauride* (Coltellini, Treviso 1756), *Il re pastore* (Bologna 1757), *Il viaggiatore ridicolo* (Goldoni, Parma 1757), *Arianna e Teseo* (Pariati, Neapel 1758), *L'Eumene* (Zeno, Turin 1759), *Adriano in Siria* (Venedig 1760) und *Nitteti* (Neapel 1764), Oratorien und Kirchenkantaten (*Componimento sagro per il SS. Natale*, Text von Metastasio, 1735; *La madre de' Maccabei*, 1745; *Cantate flebili*, 1768; *Giacobbe*, 1769) sowie weitere Kirchenmusik (*Lezioni e lamentazioni per la Settimana Santa* für Stimmen und Instrumente; eine Messe für 4 St. mit Instrumenten; 2 Requiem, ein Tedeum), außerdem hinterließ er 2 Bände Solfeggi.
Lit.: C. RICCI, I teatri di Bologna, Bologna 1888; L. F. TAGLIAVINI, W. A. Mozart, Accademico filarmonico, in: Mozart in Italia, hrsg. v. G. Barblan u. A. Della Corte, Mailand 1956.

⁺Mazzucato, Alberto, 1813–77.
Lit.: FR. V. DE BELLIS u. F. GHISI, Alcune lettere ined. sul »Don Carlos« dal carteggio Verdi–M., in: Studi verdiani, Kgr.-Ber. Verona u. a. 1969.

McAllester (mək'ælistə), David Park, * 6. 8. 1916 zu Everett (Mass.); amerikanischer Musikforscher und Völkerkundler, studierte an der Harvard University in Cambridge (Mass.) und an der Columbia University in New York, an der er 1949 mit der Dissertation *Peyote Music* (= Vikind Fund Publ. in Anthropology XIII, NY 1949, Nachdr. NY 1968) in Anthropologie zum Ph. D. promovierte. 1946–47 lehrte er Völkerkunde am Brooklyn College in New York. 1947 wurde er Dozent an der Wesleyan University in Middletown/Conn. (1956 Professor). Er war 1952 einer der Gründer der Society for Ethnomusicology, 1959–62 Herausgeber von deren Zeitschrift *Ethnomusicology* und 1964–66 Präsident dieser Gesellschaft. Das Schwergewicht seiner Forschungen liegt auf dem Gebiet der nordamerikanischen Indianermusik. – Veröffentlichungen (Auswahl): *Menomini Peyote Music* (in: J. S. Slotkin, Menomini Peyotism, = Transactions of the American Philo-

sophical Society, N. S. XLII, Philadelphia 1952); *Enemy Way Music. A Study of Social and Esthetic Values as Seen in Navaho Music* (= Papers of the Peabody Museum of American Archeology and Ethnology XLI, 3, Cambridge/Mass. 1954); *American Indian Songs and Pan Tribalism* (in: Midwest Folklore V, 1955); *An Apache Fiddle* (Newsletter of the Society for Ethnomusicology VIII, 1956); *Myth and Prayers of the Great Star Chant* (Santa Fé/N. M. 1956); *Ethnomusicology. The Field and the Society* (in: Ethnomusicology VII, 1963); *The Present State of Musical Studies. 2. Ethnomusicology* (in: Studies in Music II, 1968). – M. gab Schallplatten mit *Navajo Creation Chants* (1952), *Music of the Pueblos, Apache and Navaho* (1962) und *American Indian Music* (1966) heraus.

⁺McBride, Robert Guyn, * 20. 2. 1911 zu Tucson (Ari.).
Er lehrt seit 1957 Komposition und Musiktheorie an der School of Music der University of Arizona (1957 Associate Professor, 1960 Professor). Von seinen mittlerweile über 1000 Kompositionen seien an neueren genannt: das Ballett *Brooms of Mexico* (Tucson/Ari. 1970) sowie *Panorama of Mexico* (1960), *Sunday in Mexico* (1961), *Overture on Whimsical Themes* (1962), *Hill-Country Symphony* (1960), *Country-Music Fantasy* (1964) und *Symphonic Melody* (1968) für Orch.
Lit.: N. McKELVY, Practical Music Maker R. McBr., ACA Bull. VIII, 1958 (mit Werkverz.). – Werkverz. in: Composers of the Americas IX, Washington (D. C.) 1963.

McCabe (mək'eib), John, * 21. 4. 1939 zu Liverpool; englischer Komponist und Pianist, lebt freischaffend in Southall (Middlesex). Er studierte 1957–60 an der Victoria University of Manchester (Mus. Bac.), 1960–64 am Royal Manchester College of Music und 1964–65 an der Staatlichen Hochschule für Musik in München. 1963–65 war er Lehrer für Klavier am Royal Manchester College of Music und 1965–68 Resident Pianist am University College in Cardiff. Er schrieb Orchesterwerke (2 Symphonien, 1966 und 1971; Variationen auf ein Thema von K. A. Hartmann, 1967; *Concertante Music*, 1968; Burleske, 1968), ein Violinkonzert (1959), *Concerto funèbre* für Va und Kammerorch. (1962), ein Kammerkonzert für Va, Vc. und Orch. (1965), *Concertante* für Cemb. und Kammerorch. (1965), ein Klavierkonzert (1967), *Metamorphoses* für Cemb. und Orch. (1972), Kammermusik (*Nocturnal* für Kl. und Streichquartett, 1966; *Rounds* für Blechbläserquintett, 1966; Partita für Streichquartett, 1960; Fantasie für Blechbläserquartett, 1967; *Musica notturna* für V., Va und Kl., 1964; Streichtrio, 1968; Bagatellen für 2 Klar., 1966; Partita für Vc. solo, 1967), Orgelwerke (*Sinfonia*, 1965; Elegie, 1966; *Pastorale sostenuto*, 1967), Klavierwerke (Variationen, 1966; Fantasie auf ein Thema von Liszt, 1968; Intermezzi, 1968), 5 Elegien für S. und Kammerorch. (1962) sowie Chöre und Lieder.

McCorkle (mək'ɔ:kl), Donald Macomber, * 20. 2. 1929 zu Cleveland (O.); amerikanischer Musikforscher, studierte nach einer Ausbildung als Klarinettist bei Viktor Polatschek in Boston (1943–46) an der Brown University in Providence/R. I. (1947–48), der Bradley University in Peoria/Ill. (B. Mus. 1951) und der Indiana University in Bloomington (A. M. 1953), an der er 1958 mit einer Dissertation über *Moravian Music in Salem, a German-American Heritage* (Winston-Salem/N. C. 1958) zum Ph. D. promovierte. 1954–63 war er Assistant Professor, 1963–64 Associate Professor am Salem College in Winston-Salem (N. C.) und wurde 1964 Professor of Musicology an der University of Maryland in College Park. 1954–63 war er Koordinator und Lektor für die Early American Moravian Music Festivals in Winston-Salem und Bethlehem (Pa.). Er gründete 1956 die Moravian Music Foundation, Inc., in Winston-Salem, war ihr Direktor bis 1964 und gab (ab 1957) die *Moramus Edition Series of American Moravian Compositions* heraus. M. war Council Member (1961–64) und Präsident (1967–69) der College Music Society in Winston-Salem und rief ihre Zeitschrift *College Music Symposium* ins Leben, deren erster Herausgeber er war (1961–63). Er veröffentlichte u. a.: *The Collegium Musicum Salem. Its Music, Musicians, and Importance* (The North Carolina Historical Rev. XXXIII, 1956); *J. Antes, »American Dilettante«* (MQ XLII, 1956); *Finding a Place for American Studies in American Musicology* (JAMS XIX, 1966); verschiedene Artikel über Musikgeschichte der USA und Kanadas in der »Enciclopedia della Musica« (Ricordi).

+McCormack, John [erg.:] Count, 1884 – 1945 im Glena Booterstown (bei Dublin) [nicht: zu Dublin].
Lit.: G. Moore, Am I too Loud?, London u. NY 1962, Paperbackausg. Harmondsworth (Middlesex) 1966, deutsch als: Bin ich zu laut?, Tübingen 1963, ²1964, auch Stuttgart 1968; R. Foxhall, J. McC., London 1963, NY 1964; R. u. P. Hume, The King of Song, NY 1964 (f. Jugendliche).

McCracken (məkɪˈækən), James, * 16. 3. 1926 zu Gary (Ind.); amerikanischer Sänger (Heldentenor), trat zuerst als Chorsänger und in kleineren Musicalrollen auf, war 1953–56 Eleve an der Metropolitan Opera in New York, kam dann nach Europa, wo er zunächst an verschiedenen Opernhäusern gastierte, um dann bei Marcello Conati in Mailand seine Gesangsstudien zu vervollkommnen. 1959 wurde er an das Opernhaus Zürich engagiert. 1960 debütierte er an der Wiener Staatsoper als Bacchus in *Ariadne auf Naxos*. Sein Debüt an der Metropolitan Opera in New York gab er 1963 mit der Partie des Otello. 1963 trat er bei den Salzburger Festspielen als Manrico auf. Zu seinen weiteren Hauptrollen gehören Florestan (*Fidelio*), Turiddu (*Cavalleria rusticana*) und Canio (*Pagliacci*). Mit seiner Frau, der Mezzosopranistin Sandra Warfield, schrieb er *A Star in the Family. An Autobiography in Diary Form* (hrsg. von R. Daley, NY 1971).
Lit.: A. Williamson, J. M., in: Opera XVIII, (London) 1967.

McCredie (məkɪˈiːdi), Andrew Dalgarno, * 3. 9. 1930 zu Sydney; australischer Musikforscher, studierte am N. S. W. State Conservatory of Music in Sydney und absolvierte als Schüler von Peart die University of Sydney (B. A. 1950, M. A. 1958) und studierte Komposition 1953–55 an der Royal Academy of Music in London (Berkeley) und 1955–56 in Kopenhagen (Holmboe) sowie Musikwissenschaft 1955–56 in Kopenhagen (Sørensen, J. P. Larsen), 1956–59 in Stockholm und 1960–64 in Hamburg (G. v. Dadelsen, Husmann, Heinz Becker, Holschneider), wo er 1964 mit der Dissertation *Instrumentarium and Instrumentation in the North German Baroque Opera* promovierte. 1964 wurde er als Senior Research Fellow an die University of Adelaide berufen, an der er 1970 Senior Lecturer wurde. – Veröffentlichungen (Auswahl): *Buxtehude and Baroque Instrumentation* (Sydney 1958); *D. Scarlatti and His Opera »Narcisso«* (AMl XXXIII, 1961); *J. Chr. Smith as a Dramatic Composer* (ML XLV, 1964); *G. Klebe* (MR XXVI, 1965); *Chr. Graupner as Opera Composer* (in: Miscellanea musicologica I, 1966); *Investigations into the Symphony of the Haydn-Mozart Era. The North German Manuscripts. An Interim Survey* (ebd. II, 1967); *The Munich School and R. Stephan (1887–1915). Some Forgotten Sources and Byways of Musical Jugendstil*

and Expressionism (MR XXIX, 1968); *Musical Composition in Australia* und *Catalogue of 46 Australian Composers and Selected Works* (beide Canberra 1969); *New Perspectives in European Music Historiography. A Bibliographical Survey of Current Research in Medieval and Renaissance Slavic and Byzantine Sources* (in: Miscellanea musicologica IV, 1969); *Systematic Musicology. Some 20th-Cent. Patterns and Perspectives* (in: Studies in Music V, 1971); *Some Aspects of Current Research into Russian Liturgical Chant* (in: Miscellanea musicologica VII, 1972); ferner Artikel für das »Australian Dictionary of National Biography«, MGG und das vorliegende Supplement des »Riemann Musiklexikons« sowie Ausgaben älterer Musikwerke. M. gibt auch das von ihm 1966 gegründete Jahrbuch *Miscellanea musicologica. Adelaide Studies in Musicology* heraus.

McDaniel (məkdˈæniəl), Barry, * 18. 10. 1930 zu Topeka (Kan.); amerikanischer Sänger (lyrischer Bariton), studierte an der Juilliard School of Music in New York und an der Hochschule für Musik in Stuttgart. Er begann seine Bühnenlaufbahn am Städtischen Theater Mainz (1954–55), kam 1957 an die Staatsoper Stuttgart, 1959 an das Staatstheater Karlsruhe und wurde 1962 Mitglied der Deutschen Oper Berlin (1970 Kammersänger). Gastspiele und Konzertreisen (mit einem Repertoire von Monteverdi bis Boulez) führten ihn in zahlreiche europäische Länder. Er trat bei den Festspielen in Bayreuth (1964 als Wolfram) und Salzburg (1968 als Allazim in Mozarts *Zaide*) auf.

+McDonald, Harl, * 27. 7. 1899 bei Boulder (Colo.), [erg.:] † 30. 3. 1955 zu Princeton (N. J.).
Lit.: M. Goss, Modern Music Makers, NY 1952.

McDowell (məkdˈauəl), John Herbert, * 21. 12. 1926 zu Washington (D. C.); amerikanischer Komponist, studierte an der Colgate University in Hamilton/N. Y. (B. A. 1948) sowie bei Luening, Beeson und Roger Goeb an der Columbia University in New York (M. A. 1957). Ab 1962 widmete er sich hauptsächlich dem Theater, war Theaterdirektor, Schauspieler und Choreograph und schrieb Musik für Theater und Tanz. Von seinen Kompositionen seien *Four Sixes and a Nine* für Orch. (1959), *Accumulation* für 35 Fl., Streicher und Schlagzeug (1964), *From Sea to Shining Sea*, »an Homage to Ives« (1965) und *Dark Psalters* (1968) genannt.

McHugh (məkjˈuː), Jimmy, * 10. 7. 1894 zu Boston (Mass.), † 22. 5. 1969 zu Los Angeles; amerikanischer Komponist von Schlager- und Filmmusik, war zunächst Pianist am Boston Opera House. Seine ersten Erfolgsschlager wurden *When My Sugar Walks Down the Street* (1924) und *The Lonesomest Girl in Town* (1925). Daneben komponierte er für die Bühne u. a. das Broadway-Musical *Blackbirds of 1928* mit dem bekannten Song *I Can't Give You Anything but Love, Baby*. Nach 1930 ging M. nach Hollywood und wurde dort ein erfolgreicher Filmkomponist. Viele seiner Songs wurden Evergreens, z. B.: *On the Sunnyside of the Street* (1930); *Exactly Like You* (1930); *Don't Blame Me* (1933); *I'm in the Mood for Love* (1935); *Can't Get Out of This Mood* (1942).

McIntyre (mækintˈaiə), Donald, * 22. 10. 1934 zu Auckland (Neuseeland); britischer Opernsänger (Bariton), studierte am Auckland Teachers Training College sowie an der Guildhall School of Music in London und debütierte 1959 als Nabucco bei der Welsh National Opera Company. Nach einem Engagement an der Sadler's Wells Opera in London wurde er Mitglied der Covent Garden Opera. Gastspiele führten ihn zu den Festspielen in Bayreuth, nach Holland, Belgien,

Italien, Buenos Aires, Kanada und in die USA. Zu seinen Partien gehören u. a. die Titelpartie des *Fliegenden Holländer*, Klingsor (*Parsifal*) und Golaud (*Pelléas et Mélisande*).

+McKinley, Carl, * 9. 10. 1895 zu Yarmouth (Me.), [erg.:] † 24. 7. 1966 zu Boston (Mass.).

McManus (məkm'ænəs), George Stewart, * 10. 10. 1886 zu Philadelphia (Pa.); amerikanischer Pianist und Musikpädagoge, studierte in Berlin und bei Tovey an der University of Edinburgh (B. Mus. und D. Mus.), trat als Pianist in den Musikzentren Europas, Nordamerikas und Australiens auf und konzertierte u. a. mit Casals, Jean Gerardy und Enescu. Er wirkte bis 1952 als Musikpädagoge an der University of California in Los Angeles, am Mills College in Oakland (Calif.), an der Harvard University in Cambridge (Mass.) sowie am New England Conservatory of Music in Boston.

+McPhee, Colin, * 15. 3. 1901 zu Montreal, [erg.:] † 7. 1. 1964 zu Los Angeles.
Die Aufsätze +*The Balinese »Wayang Kulit« and Its Music* (1936) und +*Children and Music* [erg.:] *in Bali* (1938), wiederabgedruckt in: Traditional Balinese Culture, hrsg. von J. Belo, NY 1970. – Die Zusammenfassung seiner Studien bringt das Buch *Music in Bali. A Study in Form and Instrumental Organization in Balinese Orchestral Music* (New Haven/Conn. 1966).
Lit.: W. Riegger, A. Weiss and C. M., in: American Composers on American Music, hrsg. v. H. Cowell, Stanford (Calif.) 1933, NA NY 1962.

Meale (mi:l), Richard Graham, * 24. 8. 1932 zu Sydney; australischer Komponist, studierte 1947–57 am N. S. W. State Conservatorium of Music in Sydney und 1960–61 an der University of California in Los Angeles sowie 1961 in Spanien. 1962–68 war er Sachbearbeiter für Musik am australischen Rundfunk ABC. Seit 1969 ist M. Dozent für Komposition an der University of Adelaide. Er schrieb Orchesterwerke (*Homage to García Lorca*, 1964; *Images (Nagauta)*, 1966; Nocturnes für Celesta, Vibraphon, Hf. und Orch., 1967; *Very High Kings*, 1968; *Clouds Now and Then*, 1969; *Soon It Will Die*, 1969; Variationen, 1969), Kammermusik (Sonate für Fl. und Kl., 1960; *Las alboradas* für V., Fl., Horn und Kl., 1963; *Interiors–Exteriors* für 2 Kl. und Schlagzeug, 1970; Bläserquintett, 1970) und Klavierwerke (*Orenda*, 1959, revidierte Fassung 1968).
Lit.: St. Walsh, R. M.'s Homage to García Lorca, in: Tempo 1965/66, Nr 75; D. R. Peart, The Australian Avant-Garde, Proc. R. Mus. Ass. XCIII, 1966/67; ders., R. M. ..., A New Voice in Australian Music, in: Music Now I, 1969; R. D. Covell, Australia's Music, Melbourne 1967, S. 211ff.; A. Boyd, Homage to García Lorca, in: Music Now I, 1969; A. D. McCredie, Mus. Composition in Australia, Canberra 1969; ders., Cat. of 46 Australian Composers and Selected Works, ebd.; R. Edwards, R. M., in: Music and Musicians XIX, 1970/71.

Mechetti (mek'et-ti), österreichische Musikverlegerfamilie italienischer Herkunft, –1) Carlo, * 1748 zu Lucca, † 30. 1. 1811 zu Wien, gründete in Wien 1799 ein Musikaliensortiment und begann um 1810 gemeinsam mit seinem Neffen Pietro unter der Firma Mechetti et Neveu auch Noten zu verlegen. –2) Pietro, * 1777 zu Lucca, † 25. 7. 1850 zu Wien, Neffe von Carlo M., führte den Musikverlag unter dem Namen Pietro Mechetti, qdm. Carlo weiter. 1818 übernahm er Musikwerke von den Verlegern Johann Traeg, P.Cappi und Josef Eder. Bis 1850 waren in seinem Verlag über 4000 Werke erschienen, darunter von Beethoven op. 10 und 13, R.Schumann op. 18, 19 und 20, Lanner op. 32–168, Johann Strauß Sohn bis op. 94 und Liszt op. 1.

–3) Therese, Frau von Pietro M., * 1788, † 28. 6. 1855 zu Wien, führte, unterstützt von Karl Schubert, das Unternehmen mit der Bezeichnung Pietro Mechetti's sel. Witwe weiter. 1855 ging der Verlag an Diabelli und dann an dessen Nachfolger Carl Anton Spina über.
Lit.: A. Weinmann, Verlagsverz. P. M. Quondam Carlo = Beitr. zur Gesch. d. Alt-Wiener Musikverlages II, 10, Wien 1966.

+Meck, Nadeschda Filaretowna von, 1831–94.
Lit.: Teure Freundin. P. I. Tschaikowski in seinen Briefen an N. v. M., hrsg. v. E. Baer u. H. Pezold, Lpz. 1964, ²1966. – G. A. Rimskij-Korsakow, Debussy w rodzinie M. (»Debussy in d. Familie M.«), in: Muzyka V, 1960; G. v. Meck, As I Remember Them, London 1972. → +Tschaikowsky.

+Medau, [erg.: Andreas] Hinrich, * 13. 5. 1890 zu Süderstapel (Schleswig-Holstein), [erg.:] † 1. 1. 1974 zu Gießen.
M. schrieb ferner *Moderne Gymnastik, Lehrweise M.* (Celle 1967).
Lit.: H. Günther, Hist. Grundlinien d. deutschen Rhythmusbewegung, in: Grundlagen u. Methoden rhythmischer Erziehung, hrsg. v. G. Brünner u. P. Röthig, Stuttgart 1971.

Medek, Tilo (bis 1971 Müller-Medek), * 22. 1. 1940 zu Jena; deutscher Komponist, studierte 1959–64 an der Humboldt-Universität in Berlin Musikwissenschaft bei Knepler, E.H. Meyer und Vetter (Diplom 1964), gleichzeitig an der Deutschen Hochschule für Musik H.Eisler Berlin und bis 1967 an der Deutschen Akademie der Künste zu Berlin Komposition bei Wagner-Régeny. Seit 1962 ist er freischaffend tätig. Er komponierte u. a. die Kurzoper *Einzug* (Potsdam 1969), die Singspiele *Icke und die Hexe Yu* (Dresden 1971) und *Appetit auf Frühkirschen* (Potsdam 1972), das Ballett *David und Goliath* (Bln 1972), Orchesterwerke (*Triade*, 1964; *Porträt eines Tangos*, 1968; *Der Streit zwischen David und Goliath*, 1969; *Das zögernde Lied*, 1970; Flötenkonzert, 1973), Kammermusik (Divertissement für Bläserquintett und Cemb., 1967; Bläserquintett, 1965; *Stadtpfeifer, ein Schwanengesang* für Klar., Pos., Vc. und Kl., 1973; *Tanzstudie* für Horn, Cemb. und Kl., 1963; Streichtrio, 1965; *Sensible Variationen um ein Schubertthema* für Fl., Alt-Quer-Fl. und Vc., 1973; Sonate für Fl. und Kl., 1962; *Rosenlied–Pergola–Rautenkranz* für Git., 1969; *Schattenspiele* für Vc. solo, 1973), Klavierwerke (*Miszellen* I, 1965, und II, 1967; *Kaminstücke*, 1970; *Adventskalender*, 1973; *Lesarten an zwei Klavieren*, 1971); *Verschüttete Bauernflöte* für Org. (1969); *Altägyptische Liebeslieder* für 2 Singst. und Orch. (1963), *Meine Wunder*, 8 Gesänge für eine singende Schauspielerin und Orch. (1968), *Die betrunkene Sonne* für Sprecher und Orch. (Melodram für Kinder, 1968), Chorwerke (*Todesfuge* nach Paul Celan für S. und 16 St., 1966; Kantate *De mirabili effectu amoris / Von der wunderbaren Wirkung der Liebe* für 2 Chöre a cappella, 1967; *Deutschland 1952* nach Brecht für 5st. Kinderchor, 1971), zahlreiche Lieder und Chansons sowie Bühnen-, Film-, Fernseh- und Hörspielmusiken. Neben mehreren Aufsätzen u. a. für MuG veröffentlichte er *R. Wagner-Régeny. Begegnungen, biographische Aufzeichnungen, Tagebücher und sein Briefwechsel mit C.Neher* (Bln 1968).
Lit.: K. Boehmer, Zwischen Reihe u. Pop, Wien 1970.

Meder, Erich, * 28. 7. 1897 zu Brünn, † 18. 9. 1966 zu Wien; österreichischer Schlagertextdichter, studierte an der Hochschule für Welthandel in Wien und war von Beruf Kaufmann. Von ihm stammen bekannte Texte wie z. B. (Komponistennamen in Klammern) *Der alte Herr Kanzleirat* (Hans Lang), *Du bist die Rose* *vom Wörthersee* (Lang), *Liebe kleine Schaffnerin* (Lang), *Schütt' die Sorgen in ein Gläschen Wein* (G. Winkler), *O Mister Swoboda* (Igelhoff) und *Florentinische Nächte* (Dostal).

+Meder, Johann Valentin, 1649–1719.
M.s +Capricci wurden 1698 [nicht: 1689] in Danzig gedruckt.
Ausg.: Singspiel »Die beständige Argenia« (1680), hrsg. v. W. Braun, = EDM LXVIII, Abt. Oper u. Sologesang VIII, Mainz 1973.
Lit.: +J. Mattheson, Grundlage einer Ehren-Pforte (M. Schneider, 1910), Nachdr. Kassel 1969. – B. Smallman, The Background of Passion Music. J. S. Bach and His Predecessors, London 1957, ²1970 (mit neuem Anh. u. Bibliogr.).

+Mederitsch, Johann Georg Anton Gallus, 1752–1835.
Ausg.: Streichquartett F dur, hrsg. v. W. Höckner, Hbg 1960.
Lit.: +E. v. Komorzynski, Grillparzers Klavierlehrer J. M., genannt Gallus (1919), Wiederabdruck in: Jb. d. Grillparzer-Ges. III, 3, 1960; K. Pfannhauser, Unechter Mozart, Mitt. d. Internationalen Stiftung Mozarteum 1958, H. 3/4; Th. Aigner, J. G. M., Komponist u. Kopist d. ausgehenden 18. u. frühen 19. Jh., Mf XXVI, 1973.

+Medici, Lorenzo dei, 1449–92.
Sein Großvater Cosimo, 1389 [nicht: 1339] – 1464.
Ausg.: Les fêtes du mariage de F. de M.s et de Chr. de Lorraine, Florence 1589, Bd I: Musique des intermèdes de »La pellegrina«, hrsg. v. D. P. Walker (mit F. Ghisi u. J. Jacquot), = Le chœur des muses o. Nr, Paris 1963; The M. Cod. of 1518. A Choirbook of Motets Dedicated to L. de' M., Duke of Urbino, hrsg. v. E. E. Lowinsky, 3 Bde (I Einführung u. Kommentar, II Übertragung, III Faks.-Ausg.), = Monuments of Renaissance Music III–V, Chicago 1968; A Renaissance Entertainment. Festivities f. the Marriage of Cosimo I, Duke of Florence, in 1539, hrsg. v. A. C. Minor u. B. Mitchell, Columbia (Mo.) 1968 (Ausg. d. Musik, Dichtung u. Komödie sowie Kommentar).
Lit.: A. Solerti, Musica, ballo e drammatica alla corte medicea dal 1600–37, Florenz 1905, Neuaufl. NY 1968, Nachdr. = Bibl. musica Bononiensis III, 4, Bologna 1969; A. Pirro, Léon X et la musique in: Mélanges d'hist. et de littérature, Fs. H. Hauvette, Paris 1934, wiederabgedruckt in: Mélanges A. Pirro, Genf 1972; F. Ghisi, Feste mus. della Firenze medicea, Florenz 1939; ders., Un aspect inéd. des intermèdes de 1589 à la cour médicéenne, in: Les fêtes de la Renaissance I, hrsg. v. J. Jacquot, = Le chœur des muses o. Nr, Paris 1956; L. Schrade, Les fêtes du mariage de Fr. dei M. et de B. Cappello, ebd.; H. W. Frey, Regesten zur päpstlichen Kapelle unter Leo X. u. seiner Privatkapelle, Mf VIII, 1955 – IX, 1956; E. E. Lowinsky, The M. Cod., a Document of Music, Art, and Politics in the Renaissance, Ann. mus. V, 1957; Fr. D'Accone, The Singers of S. Giovanni in Florence During the 15th Cent., JAMS XIV, 1961; M. Fabbri, A. Scarlatti e il principe Ferdinando de' M. [1663–1713], = »Hist. musicae cultores« Bibl. XVI, Florenz 1961; A. M. Nagler, Theatre Festivals of the M., 1539–1637, New Haven (Conn.) 1964; J. Haar, A Gift of Madrigals to Cosimo I., The Ms. Florence, Bibl. nazionale centrale, Magl. XIX, 130, RIdM I, 1966; W. H. Rubsamen, The Music f. »Quant'è bella giovinezza« and Other Carnival Songs by L. de' M., in: Art, Science, and Hist. in the Renaissance, hrsg. v. Ch. S. Singleton, Baltimore 1968; W. Osthoff, Theatergesang u. darstellende Musik in d. ital. Renaissance (15. u. 16. Jh.), 2 Bde, = Münchner Veröff. zur Mg. XIV, Tutzing 1969; A. Dunning, Die Staatsmotette 1480–1555, Utrecht 1970; N. Fr. Kümmel, Ein deutscher Ber. über d. florentinischen Intermedien d. Jahres 1589, in: Analecta musicologica IX, 1970; W. Kirkendale, L'aria di Fiorenza, id est Il ballo del Gran Duca, Florenz 1972. – A. Veretti, Gli strumenti mus. della corte medicea e il Museo del Conservatorio L. Cherubini di Firenze. Cenni storici e cat. descrittivo, ebd. 1969.

Medici (m'ɛ:ditʃi), Mario, * 19. 6. 1913 zu Modena; italienischer Musikkritiker und Komponist, studierte am Conservatorio di Musica G. B. Martini in Bologna, wo er 1935 in Komposition graduierte. Er war Bibliothekar an den Konservatorien von Bologna (1947–54) und Parma (1954–63) sowie künstlerischer Direktor der Festwochen von Verona (1969–70), daneben auch Mitarbeiter verschiedener italienischer Zeitschriften und Tageszeitungen. 1959 gründete er in Parma das Istituto di Studi Verdiani, als dessen Leiter er seither die Bollettini *Verdi* (Parma Iff., 1960ff., bisher 7 Bde), die *Quaderni dell'Istituto di studi verdiani* (ebd. Iff., 1963ff., bisher 4 H.; darin von M. selbst: *La musica* [zu »Il corsaro«], H. 1, S. 37ff.) sowie die *Atti* (Kongreßberichte, bisher 2 Bde, ebd. 1969 und 1971) zu den von ihm organisierten Congressi Internazionali di Studi Verdiani (bisher Venedig 1966, Verona 1969 und Mailand 1972) herausgibt. M. komponierte Kammermusik, eine *Introduzione a commedia* für Streicher und Pk. (1936), *Procedimento amoroso* für S. und 13 Instr. (1937) und ein Klavierkonzert (1937). Er veröffentlichte ferner *Parma a Toscanini* (Parma 1958) und *Osservazioni sulla Biblioteca Musicale di Parma* (in: Aurea Parma XLVIII, 1964).

Medin, Nino, * 18. 2. 1904 zu Spalato/Split, † 30. 7. 1969 zu Rom; italienischer Komponist und Dirigent, studierte am Conservatorio di Musica S. Cecilia in Rom Violine, bei R. Storti Harmonielehre und Komposition sowie bei A. Casella Komposition. Er war Gründer und Leiter des Orchestra Romana da Camera (1931–37) und des Orchestra da Camera A. Casella (1964–66). M. dirigierte auch die Orchester von RAI in Rom und Turin. Seine Kompositionen umfassen u. a. die Oper *Risveglio* (uraufgeführt als *Mater dolorosa*, Rom 1950), Ballette (*Danze per i cinque cerchi*, ebd. 1960), Orchesterwerke (2 Symphonien, 1959 und 1962; *Estate dalmatica*, 1930; *3 hommages*, für Hindemith, Schönberg und Milhaud, 1952; *Concerto ritmico* für Kl. und Jazzorch., 1962; Konzert für 2 Kl., Schlagzeug und Orch., 1966), Kammermusik (Introduktion, Arie und Finale für V. und 10 Instr., 1934; Streichquartett, 1938, revidiert 1948; Concertino für Fl., Vc. und Kl., 1959; *3 dialoghi e finale* für Fl., V. und Va, 1965; *Divertimento da camera* für Fl., Va und Vc., 1965; *Notturno, cadenza e finale* für Mandoline und Kl., 1967), Klavierstücke (7 *improvvisi*, 1961), *Natale '43* für Soli, Chor und Orch. (1944) sowie Chöre und Lieder (*Memoria di Edvige*, 1967).

+Mediņš, Jānis, * 27. 9. (9. 10.) 1890 zu Riga, [erg.:] † 4. 3. 1966 zu Stockholm, lettischer Komponist [erg.:] und Dirigent, Bruder von Jāzeps und Jēkabs M. M. gilt als einer der Begründer der lettischen Oper und des lettischen Balletts.

+Mediņš, Jāzeps, 1877–1947, lettischer Komponist [erg.:] und Dirigent, Bruder von Jēkabs und Jānis M. Die Oper +*Zemdegi* wurde 1947 von M. Zariņš [nicht: P. Vīlip, der der Librettist ist] beendet.

Mediņš (m'ɛdinʃ), Jēkabs, * 10. (22.) 3. 1885 und † 27. 11. 1971 zu Riga; lettisch-sowjetischer Komponist, Dirigent und Pädagoge, Bruder von Jāzeps und Jānis M., absolvierte 1905 das 1. Rigaer Musikinstitut (Emil Siegert). Er war Direktor des Volkskonservatoriums in Jelgava (1921–40) und wurde 1944 Lehrer am Staatskonservatorium in Riga (1946 Professor), das er 1948–50 leitete. Seine Kompositionen umfassen u. a.: 4 Miniaturen (1921–40) und 2 Suiten (1940 und 1943) für Orch.; Legende (1909), Intermezzo (1967), Nocturne (1967) und Andante cantabile (1969) für Streichorch.; 11 Konzerte für Soloinstr., u. a. für Klar. (1946),

Horn (1948 und 1962), V. (1951), das Volksinstr. Kokle (1952), Va (1958) und Pos. (1964) mit Orch.; 3 Streichquartette (1940, 1953 und 1956); Klavierwerke (6 Sonatinen, 1955–1968); Orgelwerke (3 Praeludien, 1940–56; Sonate, 1963); ferner Kantaten, zahlreiche Chor- und Sololieder sowie über 200 Volksliedbearbeitungen. Er veröffentlichte *Kora zinātņu pamati. Rokasgrāmata kordiriģentiem* (»Grundlagen des Chorwesens. Handbuch für Chordirigenten«, Riga 1956) und die autobiographischen Skizzen *Silueti* (»Silhouetten«, ebd. 1968).

+**Medtner,** Nikolaj Karlowitsch (Metner), 1879(80)–1951.

M. lebte ab 1936 [nicht: 1935] in London. – Aus seinem Nachlaß erschien *Powsednewnaja rabota pianista i komponista. Stranizy is sapisnich knischek* (»Die tägliche Arbeit eines Pianisten und Komponisten. Seiten aus dem Tagebuch«, hrsg. von P. I. Wassiljew, Moskau 1963).

Ausg.: Sobranije sotschinenij (GA), hrsg. v. A. F. GOEDICKE u. a., 12 Bde, Moskau 1959–63.

Lit.: B. PINSONNEAULT, N. M., Montréal 1956; H. TRUSCOTT, N. M., in: The Chesterian XXXI, 1956; DERS., M.'s Sonata in G minor op. 22, MR XXII, 1961; H. G. NEUHAUS: SM XXV, 1961, H. 11, S. 72ff.; P. I. WASSILJEW, Fortepjannyje sonaty M.a, Moskau 1962; M. BOYD, The Songs of N. M., ML XLV, 1965; JE. B. DOLINSKAJA, N. M., Moskau 1966; T. MALIKOWA, Swoje obrasnyje tscherty garmonii M.a (»Originelle Züge d. Harmonie M.s«), in: Teoretitscheskije problemy musyki XX weka I, hrsg. v. Ju. N. Tjulin, ebd. 1967; A. J. SWAN, Das Leben N. M.s Nach d. Unterlagen d. Familienarch. u. unveröff. Dokumenten, in: Musik d. Ostens IV, 1967; W. S. NEWMAN, The Sonata since Beethoven, Chapel Hill (N. C.) 1969, revidiert NY u. London 1972 (Paperbackausg.); I. SEMEL in: Woprossy musykalno-ispolnitelskowo iskusstwa V, hrsg. v. A. A. Nikolajew, Moskau 1969, S. 330ff.; B. H. LOFTIS, The Piano Sonatas of N. M., Diss. West Virginia Univ. 1970; CH. W. KELLER, The Piano Sonatas of N. M., Diss. Ohio State Univ. 1971; A. TAUBE in: Ruch muzyczny XV, 1971, Nr 19, S. 14ff.; R. SMALLEY, A Case of Neglect. Two Virtuosos' Cadenzas f. Beethoven, in: Music and Musicians XX, 1971/72; JU. TJULIN, A. SWAN u. P. WASSILJEW, Is wospominanij o N. K. M.e (»Aus Erinnerungen an N. K. M.«), SM XXXVI, 1972.

Meer, John Henry van der, * 9. 2. 1920 zu Den Haag; niederländischer Instrumentenkonservator, studierte an der Rijksuniversiteit Utrecht Rechtswissenschaft und Musikwissenschaft und am Konservatorium in Utrecht Musiktheorie. Er war 1954–63 Konservator der Musikabteilung des Gemeentemuseum in Den Haag; seit 1963 ist er Oberkonservator der Sammlung historischer Musikinstrumente am Germanischen Nationalmuseum in Nürnberg. – Veröffentlichungen (Auswahl): *The Keyboard Works in the Vienna Bull Manuscript* (TMw XVIII, 1956–59); *J. J. Fux als Opernkomponist* (4 Bde, = Utrechtse bijdragen tot de muziekwetenschap II, Bilthoven 1961); *Zu Benedictus a Sancto Josepho vom Karmeliterorden* (KmJb XLVI, 1962 – XLVII, 1963); *Gedanken zur Darbietung einer Musikinstrumentensammlung* (in: Museumskunde XXXIII, 1964); *A Flemish »Quint« Harpsichord* (GSJ XVIII, 1965); *Beiträge zum Cembalobau im deutschen Sprachgebiet bis 1700* (Anzeiger des Germanischen Nationalmuseums Nürnberg 1966); *Beitrag zur Typologie der westeuropäischen Sackpfeifen* (in: Studia instrumentorum musicae popularis I, hrsg. von E. Stockmann, = Musikhistoriska museets skrifter III, Stockholm 1969); *The C. van Leeuwen Boomkamp Collection of Musical Instruments* (Amsterdam 1971); *Wegweiser durch die Sammlung historischer Musikinstrumente* (Nürnberg 1971); *Die Verwendung der Blasinstrumente im Orchester bei Haydn und seinen Zeitgenossen* (in: Der junge Haydn, hrsg. von

V. Schwarz, = Beitr. zur Aufführungspraxis I, Graz 1972).

Meester, Louis Auguste Edmond Hendrik de, * 28. 10. 1904 zu Roeselare (Westflandern); belgischer Komponist, Autodidakt, betätigte sich 1927–33 als Unterhaltungsmusiker und war 1933–37 Lehrer für Gesang und Direktor des Conservatoire Municipal von Meknès (Marokko) sowie 1945–61 Tonmeister bei der Radiodiffusion Belge (flämische Abteilung). 1961 wurde er künstlerischer Leiter des Instituut voor Psychoakoestiek en Electronische Muziek an der Universität in Gent. De M. schrieb die Opern *2 = te weinig, 3 = te veel* (»2 = zu wenig, 3 = zu viel«, Kurzoper, flämisches Fernsehen 1966) und *Paradijsvogels* (Gent 1967), Orchesterwerke (*Sinfonietta buffa*, 1949; 2 Klavierkonzerte, 1952 und 1956; Concertino für 2 Streichorch., 1965; *Warai* für Kammerorch., 1967), Kammermusik (3 Streichquartette, 1947, 1949 und 1954; Sonate für V. und Kl., 1957), Klavierstücke (Sonatine, 1964), Vokalwerke (*La grande tentation de Saint-Antoine* auf einen Text von Michel de Ghelderode für Orch. und Chöre, 1957, szenisch Antwerpen 1960; Lieder), Musique concrète und Elektronische Musik (*Incantations*, 1958; *Poèmes de Paul Van Ostayen*, 1962; *Ringvariaties*, 1962; *Industrie*, 1962; *4 gedichten van Sybren Polet*, 1964; *Images*, 1964; *Nocturne malgache*, 1965; *Organon*, 1965; *Environnement*, 1967) sowie Musik für Film, Bühne, Rundfunk und Fernsehen.

Méfano, Paul, * 6. 3. 1937 zu Al-Başra (Irak); französischer Komponist, studierte an der Ecole Normale de Musique und 1959–64 am Conservatoire in Paris bei Dandelot, Messiaen, Yvonne Desportes und Milhaud sowie 1962–64 an der Musik-Akademie der Stadt Basel bei Boulez (Komposition 1962–63, Dirigieren 1964), ferner 1962–64 bei K. Stockhausen und Pousseur. Zu Studien hielt er sich auch in Los Angeles (1966–68) und Berlin (1968–69) auf. M. wurde mit einer Reihe von Preisen ausgezeichnet, darunter dem Kompositionspreis G. Enesco der SACEM (1971). Er komponierte: *Incidences* für Orch. und Kl. (1960); Madrigal für 3 Frauen-St. und kleines Ensemble (Text Paul Éluard, 1962); *Mélodies* für S. und 1–10 Instr. (1963); *Paraboles* für dramatischen S., Kl. und Kammerorch. (Text Yves Bonnefoy, 1965); *Lignes* für Bar., Blechbläser, Schlagzeug und Kb. (Text vom Komponisten, 1968); *La cérémonie* für Kontra-T., Falsettbar., S. und 3 Orchestergruppen (Text vom Komponisten, 1970); *Old Oedip* für Erzähler, einen Instrumentalisten und Tonband (1970); *Intersection* für 3 Tonbänder (1970); *Bifunction* für 2 Musiker, elektroakustische Anlage und Tonband (1971).

Lit.: M.-J. CHAUVIN in: Le courrier mus. de France 1968, S. 237ff.

Meguro, Sansaku, * 2. 1. 1904 zu Niigata; japanischer Musikverleger, wurde der erste geschäftsführende Direktor des 1941 gegründeten Musikverlages Ongaku-no-Tomo-Sha (1946 Präsident). Der Verlag gibt 10 musikalische Monatszeitschriften heraus, ferner die überwiegende Zahl aller in Japan erscheinenden Musikbücher und Partituren japanischer Komponisten.

Mehler, Julius Friedrich, * 27. 9. 1896 zu Frankfurt am Main; schwedischer Komponist, Dirigent und Regisseur deutscher Herkunft, begann sein Violin-, Klavier- und Kompositionsstudium 1905 in Hannover und setzte es 1914 in Berlin fort; 1926–27 war er Kompositionsschüler von Pfitzner. 1921 ließ er sich als Dirigent in Visby (Gotland) nieder und begründete 1929 das Visby Ruinspel (Vereinsgründung 1938), ein Festspiel mit seinem bis heute regelmäßig aufgeführten

Musikschauspiel *Petrus de Dacia* (Text Josef Lundahl, umgearbeitet von Hildegard und Fr. M.). Von seinen weiteren, zum großen Teil durch die gotländische Landschaft und Folklore angeregten Kompositionen seien hervorgehoben 2 Symphonien (1921 und 1927), die Symphonische Dichtung *Gotland* (1945), ferner Schauspielmusik, Stücke für Streichquartett, Klaviermusik und Lieder.

+Mehlich, Ernst, * 9. 2. 1888 zu Berlin.
M.s Kompositionen aus der Zeit vor 1933 sind nicht erhalten. An neueren Werken seien der Liederzyklus *Palavras musicadas* (1961) sowie ein Magnificat für 6st. Chor a cappella (1968) genannt. Er veröffentlichte *Beethoven. Cartas, documentos, testemunhos* (São Paulo 1964) sowie den Beitrag *Über brasilianische Folklore* (NZfM CXXIII, 1962).

Mehta, Mehli, * 25. 9. 1908 zu Bombay; indischer Violinist und Dirigent, Vater von Zubin M., studierte in seiner Heimatstadt und am Trinity College of Music in London (Diplom 1929). Er gründete 1935 das Symphonieorchester in Bombay und war 1955–59 Konzertmeister im Hallé Orchestra in Manchester. Dann übersiedelte er in die USA, wo er 1964 Leiter des Orchesters der University of California in Los Angeles wurde.

Mehta, Zubin, * 29. 4. 1936 zu Bombay; indischer Dirigent, Sohn von Mehli M., studierte zunächst bei seinem Vater Violine, dann ab 1954 an der Akademie für Musik und darstellende Kunst in Wien Klavier, Kontrabaß, Schlagzeug und Dirigieren (Swarowsky). Er vervollkommnete sich in Kursen an der Accademia Musicale Chigiana in Siena bei C. Zecchi und Galliera sowie am Berkshire Music Center in Tanglewood (Mass.) bei E. de Carvalho. 1959 war er Gastdirigent bei den Wiener Philharmonikern. Bald darauf trat er mit bedeutenden Orchestern in verschiedenen europäischen Ländern und in Kanada auf. 1961 wurde er Musical Director des Los Angeles Philharmonic Orchestra, und bei ihm ausgedehnte Konzertreisen unternahm. 1962–66 leitete er das Montreal Symphonic Orchestra. M. hat bei den Festspielen in Salzburg, Granada, Montreux, Zürich, Prag und Florenz, ferner an der Metropolitan Opera in New York und an der Scala in Mailand sowie häufig auch in Israel dirigiert. 1973 schloß er einen Vertrag für Gastkonzerte beim New Philharmonia Orchestra in London ab.

+Méhul, Étienne Nicolas, 1763–1817.
Ausg.: Ouvertüre F dur, f. »Modern band« hrsg. v. R. Fr. Goldman u. R. Smith, NY 1952; Ode anacréontique, in: Fr. Noske, Das außerdeutsche Sololied, = Das Musikwerk XVI, Köln 1958, auch engl.; Sonate A moll, in: Deux sonates class. pour piano, hrsg. v. Noël-Gallon, Paris 1961; Ouvertüren zu »Le jeune Henri« u. »Le trésor supposé«, hrsg. v. A. de Almeida, = L'offrande mus. IV u. XX, ebd. 1962–65.
Lit.: +H. Berlioz, Les soirées de l'orch. (1853), = Œuvres littéraires I, hrsg. v. L. Guichard, Paris 1968; +M. Dietz, Gesch. d. mus. Dramas in Frankreich ... (²1893), Nachdr. Hildesheim 1970; +H. Botstiber, Gesch. d. Ouvertüre u. d. freien Orchesterformen (1913), Nachdr. Wiesbaden 1969. – R. Dumesnil in: La Grive XXXV, 1963, Nr 118, S. 1ff.; W. Dean, Opera Under the French Revolution, Proc. R. Mus. Ass. XCIV, 1967/68; R. T. Laudon, Sources of the Wagnerian Synthesis. A Study of the Franco-German Tradition in 19th-Cent. Opera, Diss. Univ. of Illinois 1969.

+Mei, Girolamo, 1519 – Juli [del.: wahrscheinlich August] 1594.
Er studierte in Florenz bei dem Gräzisten P. Vettori, für den er um 1545 Übersetzungen anfertigte. Nach 1545 hielt er sich in Lyon, ab 1555 in Padua auf. – Sei-

ne Schrift *+De modis musicis antiquorum libri IV* entstand zwischen 1566 und 1572 [nicht: um 1574]. M. schrieb ferner *De nomi delle corde del monochordo* (Mailand, Bibl. Ambrosiana, Ms. R 100 sup.) und *Trattato di musica* (Paris, Bibl. Nat., Ms. lat. 7209, und Rom, Bibl. Vaticana, Ms. Regina latinus 2021).
Ausg.: *Discorso sopra la musica antica e moderna*, Faks. d. Ausg. Venedig 1602, = Bibl. musica Bononiensis II, 35, Bologna 1968.
Lit.: Cl. V. Palisca, G. M., Letters on Ancient and Modern Music to V. Galilei and G. Bardi. A Study with Annotated Texts, = MSD III, (Rom) 1960.

Mei Lan-fang, * 1893 oder 1894 zu Tai-chow (Provinz Kiangsu), † August 1961 zu Peking; chinesischer Opernsänger, trat 1912 mit großem Erfolg in Schanghai auf und begann von dort aus eine internationale Laufbahn als Darsteller von Frauenrollen des nordchinesischen (oder Peking-)Opernstils. Auslandstourneen führten ihn 1919 und 1924 nach Japan, wo er im kaiserlichen Theater in Tokio gastierte, sowie in die USA, wo er 1930 Ehrendoktorate der University of Southern California in Los Angeles und des Pomona College in Claremont (Calif.) erhielt. 1932 gab er Vorstellungen in England sowie Moskau und Leningrad. Unter dem kommunistischen Regime bekleidete er zahlreiche Ehrenämter. M., der berühmteste chinesische Opernsänger des 20. Jh., spielte und sang über 400 Opernrollen, etwa ein Drittel in eigenen Inszenierungen. Er führte den Bühnentanz, der mehrere Jahrhunderte aus der Operntradition so gut wie verschwunden war, in die chinesische Oper wieder ein.
Lit.: W. Dickson, Pekingoperans störste konstnär (»Der größte Künstler d. Pekingoper«), in: Perspektiv XIV, 1963; ders., Kroppsligt och andligt hos M. L.-f. (»Körperliches u. Geistiges bei M. L.-f.«), ebd.

+Meier, Bernhard, * 15. 12. 1923 zu Freiburg im Breisgau.
Er habilitierte sich 1963 in Tübingen, wo er weiterhin als wissenschaftlicher Rat und seit 1970 als Professor wirkt. Neuere Aufsätze: *Reservata-Probleme* (AMl XXX, 1958); *Wortausdeutung und Tonalität bei O. di Lasso* (KmJb XLVII, 1963); *Musikgeschichtliche Vorstellungen des Niederländischen Zeitalters* (Fs. W. Gerstenberg, Wolfenbüttel 1964); *Melodiezitate in der Musik des 16. Jh.* (TVer XX, 1–2, 1964–65); *C. v. Winterfeld und die Tonarten des 16. Jh.* (KmJb L, 1966); *Alte und neue Tonarten* (in: Renaissance-muziek 1400–1600, Fs. R.B.Lenaerts, = Musicologica Lovaniensia I, Löwen 1969); *Modale Korrektur und Wortausdeutung im Choral der »Editio Medicaea«* (KmJb LIII, 1969); *Staatskompositionen von C. de Rore* (TVer XXI, 2, 1969); *Zur Musikhistoriographie des 19. Jh.* (in: Die Ausbreitung des Historismus über die Musik, hrsg. von W. Wiora, = Studien zur Musikgeschichte des 19. Jh. XIV, Regensburg 1969). Er ist Herausgeber der →+Rore-GA.

+Meier, John, 1864–1953.
+Deutsche Volkslieder mit ihren Melodien (Balladen, Bd I–IV/1, Bln 1935–57, ab Bd III/2 unter Mitarbeit von E. Seemann und W. Wiora; ein Bd V erschien Freiburg i. Br. 1967), Nachdr. der Bde I–II = Deutsche Literatur in Entwicklungsreihen, Reihe X, Bd 1–2, Darmstadt 1964; *+Kunstlieder im Volksmunde* (1906), Nachdr. Hildesheim 1971. – Seit 1951 wird das *+Jahrbuch für Volksliedforschung* (1972 im 17. Jg.) von R. W. Brednich herausgegeben.
Lit.: P. Andraschke, Verz. d. Schriften J. M.s, Jb. f. Volksliedforschung XIV, 1969.

+Meier, Peter, 17. Jh.
Lit.: +C. v. Winterfeld, Der ev. Kirchengesang (II, 1845), Nachdr. Hildesheim 1966.

+Meiland, Jakob, 1542–77.

M. schrieb insgesamt 4 Bücher 4–5st. *+Cantiones sacrae* (1564, 1569, 1572, 1573 [del. frühere Angaben]). Ausg.: 3 Liedsätze in: Trinklieder alter Meister, hrsg. v. H. KULLA, = Christophorus-Chorwerk XI, Freiburg i. Br. 1955; Lobet d. Herren in seinem Heiligtum (Nr 22 aus »Sacrae aliquot cantiones« v. 1575), hrsg. v. E. ROLLER, = Geistliche Chormusik I, 236, Stuttgart 1964. Lit.: H. MALL in: Württembergische Blätter f. Kirchenmusik XXXI, 1964, S. 12f.; R. CASPARI, Liedtradition im Stilwandel um 1600, = Schriften zur Musik XIII, München 1971.

Meilhac (mɛj'ak), Henri, * 21. 2. 1831 und † 6. 7. 1897 zu Paris; französischer Schriftsteller und Bühnenautor, war Schüler des Lycée Louis-le-Grand und wirkte 1852–55 als Zeichner und Humorist für das »Journal pour rire« und die »Vie parisienne«. 1856 erschien in Paris seine erste Komödie *La sarabande du cardinal*, der zahlreiche weitere folgten. 1888 wurde er in die Académie Française aufgenommen. Eine Reihe von Bühnenstücken und Textbüchern (Uraufführungsort, wenn nicht anders vermerkt, Paris) verfaßte er in Zusammenarbeit mit L. →+Halévy, u. a. für Offenbachsche Operetten (*Le Brésilien*, 1863; *La belle Hélène*, 1864; *Barbe-Bleue*, 1866; *La vie parisienne*, 1866; *La grande-duchesse de Gérolstein*, 1867; *Le château à Toto*, 1868; *La Périchole*, 1868; *La diva*, 1869; *Les brigands*, 1869; *La boulangère a des écus*, 1875), Bizets *Carmen* (1875) und Lecocqs *Le petit duc* (1878). Weitere Libretti schrieb M. u. a. für Deffès (*Le café du roi*, Bad Ems 1861; *Les Bourguignonnes*, 1863), J. Cohen (*José-Maria*, mit Eugène Cormon, 1866), E. Durand (*L'élixir de Cornélius*, mit Germain Delavigne, 1868), Marie de Grandval (*La pénitente*, mit William-Bertrand Busnach, 1868), Offenbach (*Vert-vert*, mit Nuitter, 1869; *La Créole*, mit A. Millaud, 1875), Hervé (*Mam'zelle Nitouche*, mit Millaud, 1883; *La Cosaque*, mit Millaud, 1884), Massenet (*Manon*, mit Philippe Gille, 1884) und Delibes (*Kassya*, mit Gille, 1893). Lit.: G. McELROY, M. and Halévy – and Gilbert. Comic Converses, in: Gilbert and Sullivan, hrsg. v. J. Helyar, = Univ. of Kansas Publ., Library Series XXXVII, Lawrence (Kan.) 1971.

+Meili, Max, * 11. 12. 1899 zu Winterthur, [erg.:] † 17. 3. 1970 zu Zürich.

M.s Stimmlage war Tenor [nicht: Bariton].

+Meinecke, Ludwig, * 25. 12. 1879 zu Wiesbaden, [erg.:] † 12. 2. 1961 zu Koblenz.

Sein Sohn Siegfried M. (* 13. 1. 1916 zu Koblenz), Solobratschist der Münchner Philharmoniker, tritt regelmäßig auch als Solist auf.

Meisel, Edmund, * 14. 8. 1874 zu Wien, † 14. 11. 1930 zu Berlin; deutscher Komponist, Dirigent und Violinist, war in Berlin zunächst Violinist im Philharmonischen Orchester, dann ab 1926 Hauskomponist der Reinhardtbühnen und des Staatstheaters, 1927–28 Kapellmeister am Theater am Nollendorfplatz sowie Leiter eines Filmmusikstudios. Er komponierte Orchesterwerke, Balladen, Lieder, Melodramen und die Musik zu dem bekannten Stummfilm *Bronenossez Potjomkin* (»Panzerkreuzer ...«, 1926) von Sergej Eisenstein. M. machte sich auch einen Namen als Erfinder von Geräuschinstrumenten.

Meisel, August Will (Wilhelm), * 17. 9. 1897 zu Berlin(-Neukölln), † 29. 4. 1967 zu Müllheim (Baden); deutscher Komponist von Unterhaltungs-, Filmund Operettenmusik und Musikverleger, erhielt eine Tanz- und Musikausbildung, war 1907–23 Tänzer an der Berliner Hofoper, trat in Varietés und Kabaretts auf und lebte dann freischaffend als Komponist in

Berlin, wo er 1926 den Bühnen- und Musikverlag Edition Meisel & Co. GmbH gründete. Der Verlag, zu dem die Gruppe Monopol Verlag GmbH, Harrison Musikverlag und Ela Musikverlag gehört, betreut eine Reihe prominenter Autoren von Operette, Tanz- und Schlagermusik. M. komponierte außer zahlreichen Liedern, Chansons und Schlagern Musik zu 44 Filmen (*Die Sonne geht auf* mit dem Schlager *Schön ist jeder Tag, den du mir schenkst, Marie Luise*, 1934; *La Paloma*, mit Fritz Domina, 1934; *Ein Walzer für Dich* mit der Serenade *Tausend rote Rosen blühn*, 1943) und 8 Operetten (*Fräulein pardon*, 1929; *Eine Freundin so goldig wie Du*, 1930; *Königin einer Nacht*, 1943; *Was macht eine Frau mit zwei Männern*, 1949).

Meisen, Paul, * 19. 10. 1933 zu Hamburg; deutscher Flötist, studierte bei Johannes Lorenz in Hamburg und an der Nordwestdeutschen Musikakademie in Detmold. 1960 erhielt er den 1. Preis beim Internationalen Musikwettbewerb der Rundfunkanstalten der BRD in München. Er war Soloflötist im Philharmonischen Staatsorchester Hamburg und beim Bayerischen Staatsorchester. Gegenwärtig ist er Leiter der Hauptfachklasse Flöte an der Nordwestdeutschen Musikakademie in Detmold (1972 Professor) und tritt außerdem als Solist auf.

+Meister, Karl, * 25. 6. 1903 zu Augsburg.

Weitere Werke: die Oper *Weihnachtsmärchen* op. 63 (1961); 4. Symphonie op. 58 (»Münchner«, 1958, zur 800-Jahr-Feier der Stadt), Konzerte (u. a. für Fag. op. 39, Trp. op. 62 und ein Doppelkonzert für 2 Vc. op. 70, 1967), 2. Divertimento für 2 Ob., Hörner und Fag. op. 66, 7 kleine Stücke für Cemb. und einen Schlagzeuger op. 71 (1968), Sonatine für Melodica und elektronisches Instr. op. 72, Solomusiken für V. op. 50b (1958) sowie Vc., Va bzw. Fl. op. 59a–c (1958–63); Weihnachtsoratorium für Soli, Sprecher, Frauenchor und kleines Orch. op. 65 (1962), Oratorium *An Himmels Tor* op. 68 (1965). Lit.: K. M., hrsg. v. J. PESCHEK, = Bio- u. Bibliografisches v. u. über ... II, München 1968.

Mejía (mɛx'ia), Estanislao, * 13. 11. 1882 zu San Ildefonso de Hueyotlipan (Tlaxcala), † 15. 6. 1967 zu México (D. F.); mexikanischer Musikpädagoge und Komponist, studierte ab 1900 am Conservatorio Nacional de Música Kornett und Musiktheorie, dann Orgel und Komposition (Rafael J. Tello, Gustavo E. Campa). Seine Tätigkeit als Pädagoge, die von großem Einfluß auf das mexikanische Musikleben geworden ist, begann 1907 am Conservatorio Nacional de Música (Theorie 1907–29, Harmonielehre 1915–29, Komposition 1926–29), dessen Direktor er 1934–38 war. Er reformierte das Ausbildungssystem, gründete 1936 die Musikzeitschrift *Música* und organisierte 1926 den ersten nationalen Musikkongreß. 1942 gründete er die Musikzeitschrift *Orientación musical*, die er bis zu seinem Tode leitete. Er komponierte die Oper *Edith* (1922), Orchesterwerke, Klavierstücke, Chöre und Lieder.

+Mejtus, Julij Sergejewitsch, * 15.(28.) 1. 1903 zu Jelisawetgrad (heute Kirowograd).

M., der heute in Kiew lebt, komponierte mittlerweile 12 Opern: *Perekop* (mit W. Rybaltschenko und M. Tiz, Kiew 1939), *Gajdamaky* (mit dens., 1941), *Abadan* (mit A. Kulijew, Aschchabad 1943, 2. Fassung 1947), *Lejli i Medschnun* (»Lejli und Medschnun«, mit D. Owesow, ebd. 1946), *+Molodaja gwardija* (»Die junge Garde«, Kiew und [am gleichen Tag] Charkow 1947, 2. Fassung Leningrad 1950, dafür 1951 Verleihung des Stalinpreises), *Sorja nad Dwinoju* (»Morgenrot an der Dwi-

na«, Kiew 1955), *Ukradennoje stschastje* (»Das gestohlene Glück«, Lwow 1960), *Machtumkuli* (Aschchabad 1961), *Witrowa donjka* (»Die Tochter des Windes«, Odessa 1965), *Bratja Uljanowy* (»Die Brüder Uljanow«, Ufa 1967, 2. Fassung Alma-Ata und Kujbyschew 1970), *Anna Karenina* (1970), *Jaroslaw Mudryj* (1972). Weitere Werke: Chorzyklus *Kobsarju* (»An den Kobsar«, 1962); *Dorosch Moliboga* für Bar., Chor und Orch. (1967); ferner Chöre, Lieder, Schauspiel- und Filmmusiken.
Lit.: L. POLJAKOWA, Woploschtschenije dramatitscheskowo konflikta w operach »Semja Tarassa« i »Molodaja gwardija« (»Die Verwirklichung d. dramatischen Konfliktes in d. Opern ,Die Familie d. Taras' [v. Kabalewskij] u. ,Die junge Garde'«), SM XVIII, 1954; JU. WL. MALYSCHEW, Romansy Ju. M.a (»Ju. M.s Romanzen«), SM XXII, 1958; DERS., Romansy i pesni Ju. M.a (»Ju. M.s Romanzen u. Lieder«), in: Ukrainskaja sowjetskaja musyka, hrsg. v. L. B. Archimowytsch u. a., Kiew 1960; DERS., Ju. S. M., Otscherk schisni i twortschestwa (»Abriß d. Lebens u. Werks«), Moskau 1962; L. JEFREMOWA, Tema narodnowo stschastja (»Das Thema d. Glückes d. Volkes«), SM XXV, 1961; M. BJALIK, Swetloje wosprijatije schisni (»Eine helle Wahrnehmung d. Lebens«), SM XXVI, 1962; L. B. ARCHIMOWYTSCH, Ukradennoje stschastje (»Das gestohlene Glück«), SM XXVII, 1963; DERS. in: SM XXX, 1966, H. 12, S. 71ff. (zu »Witrowa donjka«); A. FILLIPENKO in: SM XXVII, 1963, H. 1, S. 138f.; T. LEONTOWSKAJA, Experiment prodolschajetsja (»Das Experiment wird fortgesetzt«), SM XXXIV, 1970 (zu »Bratja Uljanowy«); L. BASS, Ju. M., Kiew 1973.

+Mel, Renatus Del (Rinaldo Del Melle), um 1554 zu Ellemelle (Provinz Lüttich) [nicht: Mecheln] – nach Juli 1597 [del.: nach 1596].

Melachrino (meləkrɪ'ːnou), George Miltiades, * 1. 5. 1909 und † 18. 6. 1965 zu London; englischer Orchesterleiter, Komponist und Arrangeur von Unterhaltungsmusik, studierte am Trinity College of Music in London, war dann als Orchestermusiker (Violine, Violoncello, verschiedene Blasinstrumente) tätig und gründete 1939 ein eigenes Tanzorchester. Nach 1945 formierte er ein Orchester von etwa 50 Musikern (Melachrino Strings), mit dem er zahlreiche Rundfunkaufnahmen und (vor allem auch in den USA) Schallplatten einspielte (*Music for Relaxation*; *Music for Two People Alone*; *Music for a Nostalgic Traveller*, in Europa unter dem Titel *Rêverie*).

Melanchthon, Philipp (Schwartzerd), * 16. 2. 1497 zu Bretten (Baden), † 19. 4. 1560 zu Wittenberg; deutscher Humanist und Theologe, Reformator, der in seiner Schulzeit im Gregorianischen Gesang und im Figuralgesang geübt war, sah nach verschiedenen Vorreden zu Musikdrucken die Musik vornehmlich als Mittel zur religiösen Erziehung an. Als Reorganisator des lutherischen Schulwesens wurde die 4stündige Anordnung des Musikunterrichts in seiner kursächsischen Schulordnung (1528) weithin zum Vorbild. Als Verfasser von Lehrbüchern, Gutachter und Ratgeber war er auf dem Gebiet des Schulwesens der »Praeceptor Germaniae«. Unter seinen zahlreichen Schülern sind Coclico, S.Dietrich, H.Faber, G.Forster, Lossius, Paminger und Chr.Praetorius zu nennen.
Ausg.: Werke u. Briefe in: Corpus Reformatorum, hrsg. v. C. G. BRETSCHNEIDER u. H. E. BINDSEIL, 28 Bde, Halle (Saale), später Braunschweig 1834–60, Suppl. M.iana, 6 Bde, Lpz. 1910–26; Werke, in Ausw. hrsg. v. R. STUPPERICH, bisher 7 Bde, Gütersloh 1951ff.
Lit.: K. HARTFELDER, Ph. M. als Praeceptor Germaniae, = Monumenta Germaniae paedagogica VII, Bln 1889; R. JAUERNIG, Ergänzungen u. Berichtigungen zu Eitners Quellenlexikon f. Musiker u. Musikgelehrte d. 16. Jh., Mf VI, 1953, S. 155; FR. KRAUTWURST, Ph. M. u. d. Musik, in: Gottesdienst u. Kirchenmusik 1960; KL. W. NIEMÖLLER, Untersuchungen zu Musikpflege u. Musikunterricht

an d. deutschen Lateinschulen v. ausgehenden MA bis um 1600, = Kölner Beitr. zur Musikforschung LIV, Regensburg 1969.

+Melani, –1) Jacopo, getauft [nicht: *] 6. 7. 1623 – [erg.: 19. 8.] 1676, wurde 1647 Organist und war ab etwa 1667 [nicht: 1657–67] Kapellmeister am Dom in Pistoia. –2) Atto, getauft [nicht: *] 31. 3. 1626 – 1714 [erg.:] zu Paris. –3) Filippo, [erg.:] getauft 3. 11. 1628 zu Pistoia – nach 1663, zuletzt in Innsbruck nachweisbar. –4) Alessandro, getauft 4. 2. 1639 [del.: um 1630] – 1703, war in Rom 1667–72 Kapellmeister an S.Maria Maggiore und 1672–98 an S.Luigi dei Francesi [del.: Kapellmeister ab 1660 an S.Petronio in Bologna ...]. –5) Bartolomeo, getauft [nicht: *] 6. 3. 1634 – [erg.:] nach 1677 zu Pistoia(?). –6) Antonio, 17. Jh., veröffentlichte die +*Scherzi musicali* ... in Innsbruck 1659 [nicht: 1689]. –7) Domenico, um 1630 zu Pistoia – 12. 7. 1693 zu Florenz [erg. frühere Angabe].
Lit.: R. L. WEAVER, Florentine Comic Operas of the 17th Cent., Diss. Univ. of North Carolina 1958. – zu –1): +H. GOLDSCHMIDT, Studien zur Gesch. d. ital. Oper im 17. Jh. (I, 1901), Nachdr. Hildesheim u. Wiesbaden 1967. – zu –4): A. DAMERINI, Di alcuni maestri toscani, in: Musicisti toscani, hrsg. v. dems. u. Fr. Schlitzer, = Accad. mus. Chigiana (XII), Siena 1955. – zu –7) u. –8): E. SUNDSTRÖM, Notiser om drottning Kristinas ital. musiker (»Notizen über Königin Christines ital. Musiker«), STMf XLIII, 1961.

+Melba, Nellie, 1861–1931.
+*Melodies and Memories* (1925), Nachdr. Freeport (N. Y.) 1970. – 1973 entstand in Melbourne ein Melba Memorial Centre, in dem u. a. auch ihre Bibliothek (darin viele persönliche Erinnerungen) Aufnahme gefunden hat.
Lit.: J. WECHSBERG, Red Plush and Black Velvet, Boston u. Toronto 1961, deutsch als: Roter Plüsch u. schwarzer Samt. Die große M. u. ihre Zeit, = rororo-Taschenbuch Bd 697, Reinbek bei Hbg 1964; G. W. HUTTON, M., Melbourne 1962; F. SERPA u. J. B. RICHARDS in: Le grandi voci, hrsg. v. R. Celletti, = Scenario I, Rom 1964, S. 532ff. (mit Diskographie); J. HETHERINGTON, M., London 1967, NY 1968, Paperbackausg. London 1973; B. u. F. MACKENZIE, Singers of Australia, ebd. 1968; A. BEST, How I Sang with M., in: Opera XXI, 1970.

Melcelius, Georg (Jiří; Melzel, Melcl, Meltzl, Meltzelius, Moltzel), OPraem, * 1624 zu Horšovský Týn (Bischofteinitz, Westböhmen), † 31. 3. 1693 zu Prag(-Strahov); böhmischer Komponist, war Chorregent an der Benediktkirche in Prag und dann Kaplan in Saaz und Milevsko. Zuletzt lebte er im Kloster Strahov. Ihm wird die Einführung der konzertanten Kirchenmusik im Prager Orden zugeschrieben. Er komponierte kirchenmusikalische Werke (Messen, Vespern, Requiem, Te Deum), die in der Sammlung Kremsier überliefert sind.
Lit.: E. TROLDA, J. M., in: Cyril LIX, 1933 u. LXI, 1935 (tschechisch).

+Melcer, Henryk, 1869–1928.
M. studierte 1892–94 [nicht: 1891–93] bei Leschetizky in Wien. In Warschau leitete er 1910–12 die Philharmonie, 1915–16 die Oper und lehrte ab 1918 (1922–25 Direktor) am Konservatorium [del. frühere Angaben dazu].
Lit.: J. REISS, H. M., Warschau 1949; J. SIERPIŃSKI in: Ruch muzyczny VII, 1963, Nr 8, S. 8f.; W. MELCER, Pamięci ojca (»Zum Gedächtnis an d. Vater«), ebd. XII, 1968; DIES., »Protesilas« Wyspiańskiego i M.a (»Wyspiańskis u. M.s ,Protesilas'«), ebd. XIII, 1969; J. PROSNAK, Nieznana kompozycja H. M.a (»Unbekannte Kompositionen H. M.s«), in: Muzyka XV, 1970.

Melcher, Wilhelm → Melos-Quartett.

+**Melchers,** Henrik Melcher, * 30. 5. 1882 und [erg.:] † 9. 4. 1961 zu Stockholm.

+**Melchert,** Helmut, * 24. 9. 1910 zu Kiel.
M., weiterhin Mitglied der Hamburgischen Staatsoper, wirkt seit 1959 auch an der Städtischen Oper (heute Deutsche Oper) Berlin. Gastspiele führten ihn u. a. an die Covent Garden Opera in London und an die Staatsoper in Wien. M., der sich vor allem als Interpret zeitgenössischer Opernpartien einen Namen gemacht hat, wurde 1970 zum Berliner Kammersänger ernannt. Seit 1961 unterrichtet er (heute als Professor) an der Musikhochschule in Hamburg.

Melchinger, Siegfried, * 22. 11. 1906 zu Stuttgart; deutscher Theaterwissenschaftler und -kritiker, studierte klassische Philologie in Tübingen (Dr. phil. 1927) und war dann Feuilletonredakteur und Kritiker in Frankfurt a. M. (1930–40), Wien (1941–52), München (1952–53) und Stuttgart (1953–62, zuletzt Feuilletonchef der »Stuttgarter Zeitung«). 1948–50 war er zugleich als Chefdramaturg und stellvertretender Direktor am Theater in der Josefstadt Wien tätig. Seit 1963 ist er Professor für Theorie des Theaters an der Staatlichen Hochschule für Musik und darstellende Kunst in Stuttgart. 1963–71 war er Mitherausgeber der Zeitschrift *Theater heute*. – Schriften (Auswahl): *Theater der Gegenwart* (= Fischer-Bücherei CXVIII, Ffm. 1956); *Modernes Welttheater* (Bremen 1957); *Drama zwischen Shaw und Brecht* (ebd. 1958, ⁴1961); *Keine Maßstäbe? Versuche einer Selbstkritik der Kritik* (= Schriften zur Zeit XXII, Zürich 1959); *Musiktheater* (mit W. Felsenstein, Bremen 1961); *C. Neher* (mit G. v. Einem, Velber bei Hannover 1967).

+**Melchior,** Lauritz Lebrecht Hommel, * 20. 3. 1890 zu Kopenhagen, [erg.:] † 18. 3. 1973 zu Santa Monica (Calif.).
Aus Anlaß seines 75. Geburtstages gründete M., der auch mit dem Titel eines Kgl. dänischen Kammersängers ausgezeichnet war, die Melchior Heldentenor Foundation zur Förderung junger Heldentenöre.
Lit.: H. HANSEN, L. M., A Discography, Kopenhagen 1965.

Melgaz (mɛlɡ'aʃ), Diogo Dias, * 11. 4. 1638 zu Beja (Kuba), † 13. 3. 1700 zu Évora; portugiesischer Komponist, studierte bei dem Kapellmeister an der Kathedrale von Évora Manuel Rebelo, dessen Nachfolger er wurde. Von seinen zahlreichen kirchenmusikalischen Kompositionen ist ein Großteil verlorengegangen. Überliefert ist ein *Livro quaresmal* mit Messen, Graduale und Offertorien (im Archiv der Kathedrale von Évora) sowie ein Salve regina und 9 4st. Motetten für die Fastenzeit (im Archiv der Kathedrale von Lissabon). M. war der letzte der bedeutenden Kapellmeister des 16. und 17. Jh., die in Évora wirkten.
Ausg.: 9 Motetos da quaresma, hrsg. v. M. DE SAMPAYO RIBEIRO, = Cadernos de repertório coral Polyphonia, Série azul V, Lissabon 1959.

+**Melichar,** Alois, * 18. 4. 1896 zu Wien.
Neben weiteren Bühnen- und Hörspielmusiken sowie mittlerweile mehr als 250 Liedern komponierte M. ferner die Operette *Der Walzerkrieg* (München 1965).
Lit.: P. J. KORN, Apropos Zwangsjacke. Eine Analyse d. Angriffstaktik gegen A. M., Wien 1959; H. KAUFMANN, A. M. u. d. Ursachen, in: Forum IX, 1962.

Melkich, Dmitrij Michejewitsch, * 31. 1. (12. 2.) 1885 und † 22. 2. 1943 zu Moskau; russisch-sowjetischer Komponist, absolvierte 1913 als Schüler von Boleslaw Jaworskij das Moskauer Volkskonservatorium. 1923–25 lehrte er Musikliteratur am Moskauer Konservatorium. Sein kompositorisches Schaffen war so-

wohl vom späten Impressionismus als auch von einem russischen Modernismus beeinflußt. Er schrieb u. a. *U morja* (»Am Meer«), symphonische Skizzen op. 1 (1911), *Epitaph* für Orch. op. 7, die Symphonische Dichtung *Alladine et Palomides* nach Maeterlinck, 3 Symphonien (1925, 1933 und 1938), 4 Streichquartette, Klaviersonaten und einen Liederzyklus für Gesang und Orch. op. 15. M. trat auch als Musikschriftsteller hervor.

Melkus, Eduard, * 1. 9. 1928 zu Baden (Niederösterreich); österreichischer Violinist, studierte 1943–53 in Wien Violine an der Akademie für Musik und darstellende Kunst und daneben Musikwissenschaft an der Universität. Er vervollkommnete sein Violinstudium bei Touche in Paris (1953), bei Schaichet in Zürich (1956) und bei Peter Rybar in Winterthur (1958). 1955–56 war er Solobratschist im Tonhalleorchester Zürich, 1957 im Winterthurer Orchester und 1955–58 1. Violinist im Neuen Züricher Streichquartett. Er ist Gründer (1965) und Leiter der Capella Academica Wien (ein Orchester mit Originalinstrumenten des 18. Jh.). 1958 wurde er zum Professor für Violine an die Akademie (heute Hochschule) für Musik und darstellende Kunst in Wien berufen. Ausgedehnte Konzertreisen führten ihn durch Europa und die USA. M. ist Wirkendes Mitglied der Gesellschaft zur Herausgabe der Denkmäler der Tonkunst in Österreich. – Veröffentlichungen (Auswahl): *Eine vollständige 3. Violinsonate Schumanns* (NZfM CXXI, 1960); *Schumanns letzte Werke* (ÖMZ XV, 1960); *Zur Interpretation des Violinkonzertes Opus 61 von L. v. Beethoven* (ÖMZ XIX, 1964); *Zur Ausführung der Stricharten in Mozarts Werken* (Mozart-Jb. 1967); *Zur Auszierung der Da-capo-Arien in Mozarts Werken* (ebd. 1968/70); *Bogensetzung und Stricharten im Werk Beethovens* (in: Beethoven-Almanach, hrsg. von E. Tittel, = Publ. der Wiener Musikhochschule IV, Wien 1970); *Die Entwicklung der freien Auszierung im 18. Jh.* (in: Der junge Haydn, hrsg. von V. Schwarz, = Beitr. zur Aufführungspraxis I, Graz 1972); *Die Violine. Eine Einführung in die Geschichte der Violine und des Violinspiels* (= Unsere Musikinstrumente III, Stuttgart 1973).

+**Mellers,** Wilfrid Howard, * 26. 4. 1914 zu Leamington Spa (Warwick).
M., an der University of Birmingham bis 1959 tätig, war 1960–63 A. Mellon Professor of Music an der University of Pittsburgh (Pa.); seit 1964 lehrt er als Professor of Music an der University of York. – +*Fr. Couperin* ... (1950), Nachdr. London 1963 und NY 1968; +*The Sonata Principle* (= Man and His Music III, 1957, Nachdr. NY 1969) und +*Romanticism and the 20th Cent.* (ebd. IV, 1957, Nachdr. ebd.), beide deutsch als *Musik und Gesellschaft* (2 Bde, = Bücher des Wissens, Fischer-Bücherei Bd 619 und 674, Ffm. 1964–65). – Neuere Schriften: *Music in a New Found Land. Themes and Developments in the History of American Music* (London 1964, NY 1965); *Harmonious Meeting. A Study of the Relationship Between English Music, Poetry and Theatre, c. 1600–1900* (London 1965); *Caliban Reborn. Renewal in 20th-Cent. Music* (= World Perspectives XXXVI, NY 1967, London 1968, schwedisch Stockholm 1969); Beiträge vor allem für MT. – Neuere Kompositionen: Oper *The Borderline* (London 1959); 6st. *Canticum incarnationis* a cappella (1960); *Alba in Nine Metamorphoses* für Fl. und Orch. (1961); *Noctambule and Sun-Dance* für Blasorch. (1962); *Voices and Creatures* für Sprecher, Fl. und Schlagzeug (1962); *Rose of May. A Threnody for Ophelia* für Sprecher, S., Fl., Klar. und Streichquartett (1964); *A May Magnificat* für Mezzo-S. und kleines Orch. (1966); *Natalis invicti solis* für Kl.

d.
Apr. 9
1976

(1968); *Canticum resurrectionis* (16 St., 1969) und *Cloud Canticle* (1970) für Doppelchor; Monodram *The Ancient Wound* für singende Schauspielerin, 2 Sprecher, 9 Instr. und Tonbänder (1970); *De vegetalibus et animalibus* für S., Klar., V., Vc. und Hf. (1971); *Venery for Six Plus* für »dancing singer«, Klar., Fl., Pos., Kb., Schlagzeug und Tonband (1972) sowie die Trilogie *Life Cycle* für 3 Chöre und 2 Orch. (nach Tanzliedern der Eskimos und Gaban-Pygmäen, 1968), *Yeibichai* für Chor, Orch., Jazztrio, Koloratur-S., Scat-Singer und Tonbänder (auf Gedichte über den Wilden Westen, 1968) und *The Word Unborn* für Doppelchor, Fl., Klar., Vc., Pos. und 2 Schlagzeuger (1970). Lit.: R. HENDERSON, The Music of W. M., MT CIV, 1963.

Melles (m'ɛlɛʃ), Carl, * 15. 7. 1926 zu Budapest; österreichischer Dirigent ungarischer Herkunft, lebt in Mödling (bei Wien). Nach seinem Studium an der Musikakademie in Budapest leitete er den Budapester Fr.-Liszt-Chor, wurde 1951 Dirigent des ungarischen Staats- und Rundfunkorchesters, war 1954–56 Professor an der Musikakademie in Budapest und 1958–60 Chefdirigent bei Radio Luxembourg. Seither ist M. Gastdirigent; er dirigierte u. a. die Wiener und Berliner Philharmoniker und das New Philharmonia Orchestra in London und ist bei den Bayreuther und Salzburger Festspielen aufgetreten.

Mellnäs, Arne, * 30. 8. 1933 zu Stockholm; schwedischer Komponist, studierte Komposition bei L.-E. Larsson und Blomdahl an der Kungl. Musikhögskolan in Stockholm, bei Blacher in Berlin, bei Max Deutsch in Paris und bei Ligeti in Wien und Stockholm sowie Elektronische Musik bei Koenig in Bilthoven. Er war 1964–65 am San Francisco Tape Music Center tätig und ist gegenwärtig Lehrer für Musiktheorie an der Kungl. Musikhögskolan in Stockholm und Mitglied der Komponistengruppe für Elektronische Musik am Stockholmer Rundfunk. – Er schrieb u. a.: *Musik* (1959), *Chiasmos* (1961), *Collage* (1962), *Aura* (1964) und *Interludier* (1970) für Orch. – Sonate für Ob. und Kl. (1957); *Per caso* für Kammerensemble (1962); *Tombola* für Pos., Horn, elektrische Git., Kl. und Hammondorg. (1963); *Gestes sonores* für beliebiges Ensemble (1964); *Quasi niente* für Streichtrio (1969); *Capricorn Flakes* für Kl., Cemb. und Vibraphon (1970); *Cabrillo* für Klar., Pos., Vc. und Schlagzeug (1970). – *Tre miniatyrer* für Kl. (1964); *Fixations* für Org. (1967). – *Färgernas hjärta* (»Das Herz der Farben«) für Vokalquartett und Instrumentalbegleitung (1961); a cappella-Chöre. – Elektronische Musik: *Intensity 6.5* (der Erinnerung an Varèse gewidmet, 1966); *Conglomerat* (1967); *Eufoni* (1969); *Monotrem* (1969); *Kaleidovision* (für Sveriges Radio-TV-Ballett, Stockholm 1969); *Far Out* (1970); *Splinters* (1970); *Appassionato* (1970).

Męlngailis, Emīlis, * 3.(15.) 2. 1874 zu Igate (Livland), † 20. 12. 1954 zu Riga; lettisch-sowjetischer Komponist, Chordirigent und Musikethnologe, studierte 1896–97 am Konservatorium in Dresden bei Draeseke (Chor, Dirigieren, Komposition) und 1898–1901 am Konservatorium in St. Petersburg bei A. Rimskij-Korsakow (Komposition). Er war 1902–04 Musikkritiker der deutschen »St. Petersburger Zeitung« und lebte 1906–20 als Sprachlehrer in Taschkent. 1920 ließ er sich in Riga nieder, wo er einen Chor gründete, mit dem er 1920–26 zahlreiche Konzerte gab. Daneben sammelte er fast 5000 lettische Volksmelodien (ferner auch litauische, kirgisische und jüdische) und veröffentlichte davon *Latviešu dancis* (»Lettische Tänze«, Riga 1949) und *Latviešu mūzikas folkloras materiāli* (»Materialien der lettischen Musikfolklore«, 3 Bde, ebd.

1951–53). Von seinen Kompositionen seien genannt: Ballett *Maija, Turaidas roze* (»Maija, Rose von Turaida«, 1926); Symphonische Dichtungen *Velnu rija* (»Die Teufelstenne«, 1924) und *Zilais kalns* (»Der blaue Berg«, 1926); Streichquartett (1946); *Latvju rekviēma* (»Lettisches Requiem«) für Chor a cappella; 10 Sammelbände Chorlieder (erschienen unter dem Titel *Birzēs un norās*, »In Hainen und Feldern«, 1902–57). Ferner schrieb er Kammermusik, Klavierwerke und Sololieder und bearbeitete lettische Volksmelodien für Instrumental- und Vokal-Instrumental-Ensembles.
Lit.: J. VĪTOLIŅŠ, E. M., in: Latviešu mūzikas hrestomātija LVI, 1957; S. STUMBRE, E. M., Riga 1959.

Melo Gorigoytía (m'elo gorigoïť'ia), Héctor, * 30. 10. 1899 zu Santiago de Chile; chilenischer Komponist, studierte ab 1916 am Conservatorio Nacional de Música seiner Heimatstadt (Soro Barriga). Entscheidende Anregungen erhielt er von C. Lavín, mit dem er 1921 die Grupo de los Nuevos gründete. M. G. setzte sich für die Verbreitung zeitgenössischer europäischer Musik in Chile ein und beeinflußte dadurch die Entwicklung der jungen Komponistengeneration seines Heimatlandes. Er war Direktor der Sociedad de Compositores Chilenos, der Kammermusikgesellschaft und der Asociación Nacional de Compositores. In La Serena gründete und leitete er ein Symphonieorchester (1933–37), war Musikkritiker der Zeitschrift »Juventud« und der Zeitung »Ultimas noticias« in Santiago de Chile und wurde mehrfach für seine Kompositionen mit Preisen ausgezeichnet. Nach einer kritischen Sichtung seines umfangreichen kompositorischen Schaffens erkennt er heute noch folgende Werke an: *Alucinaciones de primavera*, Zwischenaktmusik (1919); *Chiflén 7 sur* für Orch. (1939); Klavierquintett (1923); *Minera* für V. und Kl. (1961); Klaviersuiten *Manchas de color* (1943) und *Estampas chilenas* (1970); *Chañarcillo* für Soli, Chor und Orch. (1971); *Folklórica* für 4 St. und Kl. (1961); *5 canciones románticas* (1920–65).

Melos-Quartett, deutsches Streichquartett, 1965 in Stuttgart gegründet und nach einer Kontamination der Namen der Gründungsmitglieder Melcher und Voss benannt, debütierte 1966 mit Wilhelm Melcher als Primarius (* 5. 4. 1940 zu Hamburg, Schüler von Röhn, Pina Carnivelli und Arrigo Pelliccia sowie 1962 der Kammermusikklasse des Quartetto Italiano, bis 1967 tätig als Konzertmeister in Hamburg und beim Württembergischen Kammerorchester in Stuttgart), Gerhard Voss 2. Violine (* 17. 12. 1939 zu Burscheid im Bergischen Land, Schüler von Fr. J. Maier, W. Marschner und Végh, 1963–65 tätig als Konzertmeister beim Württembergischen Kammerorchester), Hermann Voss Bratsche (* 9. 7. 1934 zu Brünen bei Wesel, Schüler von Maier, Végh und Ulrich Koch sowie 1959 und 1960 von Casals bei dessen Sommerkursen, 1960 bis 1967 tätig als Solobratscher in Stuttgart, 1962 Preisträger beim Internationalen Wettbewerb der Rundfunkanstalten der BRD) und Peter Buck Violoncello (* 18. 5. 1937 zu Stuttgart, Schüler von Hoelscher, 1960 Preisträger beim Internationalen Wettbewerb der Rundfunkanstalten der BRD, bis 1967 tätig als Solovioloncellist beim Württembergischen Kammerorchester). Im selben Jahr trat es beim Concours international d'exécution musicale in Genf als bestes Streichquartett hervor und erhielt zusätzlich den Prix américain. Seitdem hat das Ensemble zahlreiche Tourneen im In- und Ausland unternommen.

Menalt, Gabriel, * um 1665 zu Mataró (Barcelona), † vor dem 7. 9. 1687 zu Barcelona; katalanischer Komponist, wurde 1679 Organist an S. María del Mar in

Barcelona, wo ihm am 7. 9. 1687 (»por muerte de G. M.«) Ignacio Vidal nachfolgte. Von ihm erhalten sind eine Reihe von Orgelwerken (Tientos, Gaytillas, 3 Pange lingua), die im Stil der spanischen Polyphonie des 16. und 17. Jh. geschrieben sind.

Ausg.: 5 Tientos in: Ant. de organistas españoles del s. XVII, hrsg. v. H. ANGLÈS, 2 Bde, Barcelona 1965–66.

+Menasce, Jacques-Paul de [del. bzw. erg. frühere Angabe], 1905 – 28. [nicht: 30.] 1. 1960.

Lit.: E. APPIA in: SMZ C, 1960, S. 103f.

+Menchaca, Ángel, 1855–1924.

Lit.: E. AZZARINI, La Plata, cuna del sistema mus. de doce notas. A. M., teórico genial, Rev. de la Univ. nacional de La Plata X, 1960.

Mende, Heinz, * 8. 2. 1915 zu Radebeul (bei Dresden); deutscher Chordirigent, studierte 1934–37 an der Orchesterschule der Sächsischen Staatskapelle in Dresden und war Kapellmeistervolontär unter K. Böhm (1937) sowie Dirigent des Sinfoniechors der Dresdner Staatsoper (1939). 1946 wurde er Chordirektor der Württembergischen Staatstheater in Stuttgart und Dirigent und künstlerischer Leiter des dortigen Philharmonischen Chores. Seit 1953 ist er Dozent an der Staatlichen Hochschule für Musik und darstellende Kunst in Stuttgart (Professor). Daneben hat er einen Gastvertrag als Chordirektor beim Bayerischen Rundfunk in München. M. leitete zahlreiche Erstaufführungen im In- und Ausland (darunter das gesamte Orff-Chorwerk sowie Kompositionen von H. Reutter und Britten).

+Mendel, Arthur, * 6. 6. 1905 zu Boston.

M., 1941–47 Mitarbeiter des Verlages Associated Music Publishers in New York, hatte die Leitung des Department of Music der Princeton University (N. J.) bis 1967 inne. – +The Bach Reader (1945 [nicht: 1954]), revidiert NY 1966; neben A. J. Ellis' On the History of Musical Pitch (1880) sind die Aufsätze +Pitch in the 16th and Early 17th Cent. (1948), +Devices for Transposition ... (AMl XXI, 1949 [nicht: XXII, 1950]) und +On the Pitches in Use in Bach's Time (1955) wiederabgedruckt in Studies in the History of Musical Pitch (Amsterdam 1968, mit neuer Einleitung und Anm.). – Neuere Aufsätze: Recent Developments in Bach Chronology (MQ XLVI, 1960, deutsch in: J. S. Bach, hrsg. von W. Blankenburg, = Wege der Forschung CLXX, Darmstadt 1970); Evidence and Explanation (Kgr.-Ber. NY 1961, Bd II); Traces of the Pre-History of Bach's St. John and St. Matthew Passions (Fs. O. E. Deutsch, Kassel 1963); Wasserzeichen in den Originalstimmen der Johannes-Passion J. S. Bachs (Mf XIX, 1966); Some Ambiguities of the Mensural System (in: Studies in Music History, Fs. O. Strunk, Princeton/N. J. 1968); Some Preliminary Attempts at Computer-Assisted Style Analysis in Music (in: Computers and the Humanities IV, 1969/70). Mit A. Dürr gab er die Kantaten zum 2. und 3. Pfingsttag heraus (= Neue Bach-Ausg. I, 14, Kassel 1962).

Mendelsohn, Alfred, * 17. 2. 1910 und † 9. 5. 1966 zu Bukarest; rumänischer Komponist, studierte 1927–31 bei J. Marx und Fr. Schmidt an der Akademie für Musik und darstellende Kunst in Wien sowie bei Jora am Konservatorium in Bukarest, wo er ab 1949 als Professor für Kontrapunkt tätig war. 1944–54 dirigierte er an der Opera Romînă in Bukarest und war 1954–63 Sekretär und 1963–65 Vizepräsident des rumänischen Komponistenverbandes. M. schrieb u. a. die dramatische Symphonie in 7 Bildern Imnul iubirii (»Die Liebeshymne«, 1946), das lyrische Drama Meşterul Manole (»Meister Manole«, 1949), die Oper Michelangelo (Timişoara 1964), die Operette Anton Pann (Bukarest

1963), die Ballette Harap alb (»Der weiße Mohr«, ebd. 1949) und Călin (ebd. 1956), Orchesterwerke (Suită comemorativă für Streichorch., 1943; 8 Symphonien, 1944–63; Symphonische Dichtungen Flori pentru Nikos Beloiannis, »Blumen für ...«, 1953, und Sapte miniaturi, »Sieben Miniaturen«, für Bläserquintett und kleines Orch., 1963), 2 Klavierkonzerte (1946 und 1949), ein Violoncellokonzert (1949), 2 Violinkonzerte (1950 und 1957), Kammermusik (Streichsextett Cîntare omului, »Gesang dem Menschen«, 1956; 10 Streichquartette, 1930–64; Sonaten für V. und Kl. Nr 2, 1957, und Nr 3, 1957; Sonate für Vc. solo, 1965), Klavierwerke (Sonate, 1947), die Oratorien Horia (1955) und 1907 (1956) für Soli, Chor und Orch., Kantaten, Chöre, Lieder sowie Bühnen- und Filmmusik. Ferner veröffentlichte er didaktische Arbeiten, Zeitschriftenbeiträge sowie die Schrift Melodia şi arta învestmîntării ei (»Die Melodie und die Kunst ihrer Bearbeitung«, Bukarest 1963).

Lit.: R. GHECIU, Sinfonia de cameră ..., in: Muzica XII, 1962; W. BERGER, Sonata a-III ..., ebd. XVI, 1966 (zur 3. V.-Sonate).

+Mendelssohn, Arnold Ludwig, 1855 – 19. [nicht: 18.] 2. 1933.

Lit.: +W. NAGEL, A. M., [del.:] Lpz. 1906, [erg.:] MK VII, 1907/08. – G. STRECKE, Mus. Aphorismen v. A. M., in: Schlesien IV, 1959.

+Mendelssohn Bartholdy, Jakob Ludwig Felix, 1809–47. (Der Vater Abraham M., 10. [nicht: 11.] 12. 1776 – 1835.)

Unverkennbar zeichnet sich, etwa seit dem Gedenkjahr 1959, ein wachsendes Interesse für M. B. und seine Musik ab. Dokumentiert wird das nicht nur durch den Beginn neuer Gesamtausgaben der Werke (1960) und Briefe (1968), sondern auch durch eine Reihe von Untersuchungen zu Persönlichkeit, Wirksamkeit und Kompositionsart. E. Werners Biographie (1963) betonte, gestützt auf bislang unbeachtete Dokumente, neue Züge von M. B.s Charakter und Position, so vor allem die Spannungen, die sich im Verhältnis zur Herkunft, Familie und Umwelt ergaben. G. Knepler (1961) verwies eindringlich auf die Konflikte, die für den Komponisten aus der Auseinandersetzung mit der Situation der Zeit und aus der Rezeption musikalischer Traditionen resultierten.

Der Ouvertüre zum Sommernachtstraum op. 21 (1826) ging nicht nur im Oktett op. 20 (1825) ein ebenbürtiges Werk voran, sondern ein erstaunlich umfängliches und vielseitiges Schaffen, das erst jetzt zum Vorschein kommt. Es erhellt die rasche Entwicklung des frühreifen Komponisten, umschließt aber auch Leistungen von bemerkenswerter Qualität wie die Konzerte für 2 Kl. (1823–24) und die letzten Streichersinfonien (1822–23), neben denen auch Singspiele, Kammermusik und geistliche Vokalwerke hervorzuheben sind. – Als selbständige Leistung des jungen M. B. hat sich die gegen Widerstände durchgesetzte Wiederaufführung der Matthäuspassion (1829) erwiesen, der nicht eine retuschierte Fassung Zelters zugrunde lag. In M. B.s eigener Partitur wurden neben praktisch motivierten Strichen nur so behutsame Änderungen vorgenommen, daß seine Aufführung geradezu als werkgetreu bezeichnet werden kann. – Zuvor schon vollzog sich ab 1827 die Auseinandersetzung mit Beethovens Spätwerk. Von M. B.s Verständnis für die späten Quartette zeugen die kaum beachteten Briefe an A. Fr. Lindblad (hrsg. von L. Dahlgren, Stockholm 1913) ebenso wie die Werke aus dieser Zeit, zumal das Quartett op. 13. In den Reisejahren 1830–32 wurden bis auf das Klavierkonzert op. 25 (Uraufführung München 1831 [nicht: London 1832]) größere Werke nur konzipiert

und dann erst später fertiggestellt (*Schottische* und *Italienische Symphonie* op. 56 bzw. 90, *Die erste Walpurgisnacht* op. 60). Die in diese Zeit fallenden *Lieder ohne Worte* folgen nicht, wie lange angenommen, dem Vorbild W. Tauberts, dessen *Minnelieder* op. 16 vielmehr wohl erst nach M. B.s Muster zu Klavierstücken umgearbeitet wurden. Nach der Rückkehr geriet M. B. in Berlin in eine lähmende Krise, zu der neben manchen Erfahrungen der Reisezeit das Fehlschlagen der Bewerbung um Zelters Nachfolge beitrug. Demgegenüber bedeuteten die Düsseldorfer und die ersten Leipziger Jahre eine Konsolidierung, deren Ergebnis außer dem *Paulus* op. 36 die reifen Klavier- und Kammermusikwerke waren (op. 35, 37, 44, 45, 49, 54, 58 u. a.). Dem Einsatz für ältere Musik bei den Rheinischen Musikfesten (1833–46) entsprachen in Leipzig die Historischen Konzerte im Gewandhaus (1837/38, 1840/41, 1846/47), ebenso folgenreich war aber auch M. B.s Engagement für die Musik Beethovens, Schuberts und Schumanns. Das ihm angetragene Thomaskantorat lehnte er 1842 ab, doch führte die weitgespannte Aktivität als Dirigent, Pianist, Organist, Editor und Organisator, zu der er sich verpflichtet fühlte, zu aufreibenden Belastungen. Die zeitweise Berliner Tätigkeit (1841–45), die neben geistlichen Vokalwerken auch die Reihe der Schauspielmusiken veranlaßte, brachte zusätzliche Lasten und Irritationen mit sich. All das ergab einen wachsenden Druck, ohne daß der Vorsatz verwirklicht wurde, sich den Tagespflichten in Konzentration auf die kompositorische Arbeit zu entziehen. Die Phasen von Depression und Krankheit sind aber auch als Zeichen einer veränderten Haltung zur Umwelt zu verstehen, mit der sich die zunehmend kritische Reflexion des eigenen Komponierens verband. Zeugnisse solcher Konflikte wurden dann die bedeutenden Spätwerke der Jahre 1845–47: nach den Orgelsonaten op. 65 die Kammermusikwerke op. 66 und 87 sowie der *Elias* op. 70 und vor allem das Quartett F moll op. 80 als letztes vollendetes Werk, dessen expressive Kraft und strukturelle Eigenart zugleich vorausweist. – Die Deutsche Staatsbibliothek Berlin besitzt nicht nur Autographe der Jugendwerke, sondern den Hauptbestand des kompositorischen Nachlasses, weitere Quellen bewahren die Staatsbibliothek Stiftung Preußischer Kulturbesitz Berlin und die Bodleian Library Oxford, der Rest befindet sich in anderen Bibliotheken oder in Privatbesitz.
Insgesamt erscheint das hergebrachte Bild von M. B.s glücklich unkomplizierter Persönlichkeit als ebenso unzureichend wie die Vorstellung vom mühelos produzierenden, problemlos glatten Komponisten. Seiner Musik ist nicht mit Kategorien wie Klassizismus und Biedermeier oder mit Etiketten wie epigonal und akademisch beizukommen. Die Schwankungen der Urteile über M. B. müssen, rechnet man pure Ressentiments ab, nicht einfach hingenommen werden. Sie lassen sich vielmehr auch als Indizien sachlicher Schwierigkeiten verstehen. Unleugbar sind im Gesamtwerk die qualitativen Diskrepanzen zwischen Gattungen und Werktypen, aber auch zwischen zeitlich benachbarten Werken. Befinden sich Solo- und Chorlieder ebenso wie die *Lieder ohne Worte* am ehesten im Einklang mit bürgerlichen Konventionen, so stehen auf der anderen Seite die Werke, die kompositorische Konflikte mit solchen Normen austragen (wie besonders die frühe und späte Kammermusik). Einzelne repräsentative Hauptwerke wurden in ihrem Rang zwar nie ernstlich bezweifelt, indessen verteilen sich wirklich bedeutsame Leistungen auf fast alle Bezirke des Œuvres. Die hochgradige Konstanz mancher Eigenarten in M. B.s

Schaffen ist nicht zu bestreiten: noch der stereotype Vorwurf der »Manier« ist Zeuge dessen. Ebenso deutlich sind aber auch markante Differenzen zwischen experimentellen frühen, ausgeglichenen reifen und zwiespältigen späten Werken. Sie markieren weniger eine stete Entwicklung als einen Weg mit manchen Sprüngen. Die Autographe bekunden, wie der Arbeitsprozeß zunehmend langwieriger und mühsamer wurde, und auch darin spiegeln sich die wachsenden Komplikationen im Verhältnis M. B.s zur Tradition und zur eigenen Gegenwart. Momente des Neuen manifestieren sich nicht nur in der Ausprägung von Werktypen wie der *Lieder ohne Worte*, der Scherzi, der Orgelsonaten oder der Ouvertüren. Auch wo überkommene Gattungen aufgenommen werden, finden sie nicht bloße Nachahmung, sondern erfahren ihre Umbildung durch vielfache Eingriffe. M. B.s reflektierendes Verhalten zur Überlieferung, das sich nicht mit dem des Historismus deckt, schließt eine persönliche Stellungnahme keineswegs aus. Der Konflikt zwischen Respektierung der Tradition und Einsicht in den unentrinnbaren Wandel ist geradezu konstitutiv für den Spalt in seinem Schaffen. Bei aller Verbreitung sind die kleinen Liedformen durchaus nicht so zentral wie lange geglaubt. Nicht nur stehen ihnen als Gegenpol die Scherzi gegenüber, deren artifizielles Spiel – mehr als bloße »Elfenmusik« – klangliche Subtilität und intrikate Struktur paart. Kennzeichnend sind im ganzen weniger »Charaktermotive«, deren Gestaltung dann nur ein Ergebnis der Schulung wäre. Eher maßgeblich sind die weiträumigen Themenkomplexe, die sich strenger motivischer Arbeit entziehen und damit das Problem thematisch legitimierter Vermittlung zwischen melodisch geschlossenen Phasen mit sich bringen – von der Binnenstruktur der Sätze bis hin zu ihrer Abfolge im Zyklus. Die Lösung besteht einerseits in der Kombination variativer und kontrapunktischer Verfahren im Satzablauf, andererseits in der Bindung der Sätze durch Themenzitate in früheren, durch verdeckte Beziehungen in späteren Werken. Beides wurde gleichermaßen bedeutsam für das weitere 19. Jh.
M. B.s Œuvre ist weit umfangreicher, als die (alte) GA erkennen läßt, in der neben den meisten Frühwerken auch nicht wenige spätere Werke fehlen. Die Quellen sind erst teilweise erschlossen, das Thematische Verzeichnis (siehe Lit.) erfaßt, zudem unvollständig, nur veröffentlichte Werke; auch die Werkliste in Grove nennt (z. T. mit genauen Daten) nur publizierte Werke, und E. Werner verzeichnet in MGG nur einen Teil der Jugendwerke. – Nachgetragen werden im folgenden unveröffentlichte Kompositionen von Belang sowie einige, z. T. erst neuerdings gedruckte Werke; nicht genannt werden ungedruckte kleine Einzelstücke, über die noch kein Überblick besteht, und unberücksichtigt bleiben auch Skizzen, Entwürfe und Fragmente. Die Entstehungsgeschichte der reifen Werke ist vielfach langwierig, von größeren Werken existieren oft mehrere Fassungen; insofern sind die geläufigen Datierungen weithin zu ergänzen. Dennoch können hier nur fehlende Daten komplettiert und irrige Angaben korrigiert werden.
O r a t o r i e n : *Paulus* op. 36 (1832–36), weitere Sätze unveröff., dazugehörig die Arie *Der du die Menschen*, zusammen mit *Doch der Herr* posthum erschienen als op. 112; *Elias* op. 70 (1845–46, Revision 1847), daraus Nr 7 *Denn er hat seinen Engeln* als Motette a cappella (1844), Chorsatz *Er wird öffnen die Augen der Blinden* aus der Endfassung eliminiert (Erstdruck in: MT XXIV, 1883); *Christus* op. 97 (1847), 7 Sätze veröff., weitere Entwürfe Ms. – K a n t a t e n : *Die erste Walpur-*

gisnacht op. 60 (Ballade von Goethe [nicht: aus »Faust«], 1831–32, Endfassung 1842–43); *Lauda Sion* op. 73 (1845–46), dazu der Satz *Sub diversis speciebus* (abgedruckt bei A. Vander Linden in: AMl XXVI, 1954, S. 48ff.). Unveröffentlicht: Kantate *In rührend feierlichen Tönen* für Soli, Chor und Kl. (1820); *Festmusik zum Dürerfest* für Soli, Chor und Orch. (J.Levetzow, 1828); *Festmusik zum Fest der Naturforscher* für Männerchor, Bläser und Pk. (L.Rellstab, 1828); *Festlied zur Enthüllung der Statue Friedrich Augusts von Sachsen* für 2 Männerchöre und Bläser (1843).

Geistliche Vokalmusik: Unveröffentlicht: 3 fugierte Sätze (1820–21); Psalm 19 für S., A., Chor und Cemb. (1821); Psalm 66 für 3 Frauen-St., Soli und B. c. (1822); Gloria und Magnificat für Soli, Chor und Orch. (1822); *Jube Dom'ne* (1822) und Kyrie C moll (1823) für 8st. Doppelchor und Solo-St.; *Salve regina* für S. und Streichorch. (1824; abgedruckt bei: R. Werner, F. M.-B. als Kirchenmusiker, Diss. Ffm. 1930); Motette *Jesus meine Zuversicht* für B., Chor und Kl. (1824); Te Deum für 8st. Doppelchor und B. c. (1826); 7 Choralkantaten für Chor (z. T. mit Soli) und Orch. (*Christe du Lamm Gottes*, 1827; *Jesu meine Freude*, 1828, Faks. siehe unter Ausg.; *Wer nur den lieben Gott läßt walten*, 1829; *O Haupt voll Blut und Wunden*, 1830; *Vom Himmel hoch*, 1831; *Wir glauben all*, 1831; *Ach Gott vom Himmel*, 1832); *Ave maris stella* für S., Orch. und Org. (1828); *Hora est* für 16st. Chor, Soli und Org. (1828); Motette *O beata et benedicta* für 3 Frauen-St. und Org. (1830); *Und ob du mich züchtigst, Herr* (Kanon) für 5 St. (1835); Choral *Herr Gott dich loben wir* für 8st. Doppelchor, Orch. und Org. (1843); *Cantique pour l'Eglise wallone de Francfort* für 4st. Chor (1846); 2 englische *Psalm Tunes* für 4st. Chor (1839, davon veröff. *Defend me, Lord*); *Deutsche Liturgie* für 4–8st. Chor (1846, daraus veröff. nur Kyrie, *Ehre sei Gott* und *Heilig*). – Veröffentlicht: Kyrie D moll für 5st. Chor, Orch. und Org. (1825, siehe unter Einzelausg. 1964); 100. Psalm für 4st. Chor (1843–44). – Weitere Ergänzungen: 115. Psalm op. 31 (1830), 42. Psalm op. 42 (1837–38) und 95. Psalm op. 46 (1838–39, 1841) für Soli, Chor und Orch.; 114. Psalm op. 51 (1839) und 98. Psalm op. 91 (1843) für 8st. Chor und Orch.; *Tu es Petrus* für 5st. Chor und Orch. op. 111 (1827); *Kirchenmusik* op. 23 (3 Motetten für 4–8st. Chor, z. T. mit Soli und Org., 1830); 3 Motetten für Frauen-St. und Org. op. 39 (1830, umgearbeitet 1837); *Lord have mercy* (*To the Evening Service*) für 4st. Chor (1833); *We praise Thee* (*Morning Service* – Te Deum) für Chor, Soli und Org. (1832); 3 Motetten (mit deutschem und englischem Text) für Chor und Solo-St. op. 69 (1847); 3 Psalmen (Ps. 2, 43 und 22) für 8st. Chor und Solo-St. op. 78 (1843–44); 2 geistliche Chöre für Männer-St. op. 115 (1833?); *Vespergesang* (*Responsorium et Hymnus*) für Männer-St. und Org. op. 121 (1833); Hymne *Laß o Herr* für A. solo und Chor, als *Drei geistliche Lieder* (1840), mit Orch. als op. 96 (1843); 6 *Sprüche* [nicht: Anthems] op. 79 (1843–46); Motette *Denn er hat seinen Engeln* (1844) für 8st. Chor.

Schauspielmusiken: zu Calderóns *Der standhafte Prinz* 5 Sätze (1833–34, Ms.); zu V.Hugos *Ruy Blas* Ouvertüre op. 95 und *Chor der Wäscherinnen* (veröff. als op. 77 Nr 3, beide 1839) – Dramatische Werke: Szene *Quel bonheur pour mon cœur* (1820, Ms.); *Ich J. Mendelssohn* (1820, Ms. unvollständig); 4 Singspiele *Soldatenliebschaft* (1820, Ms.), *Die beiden Pädagogen* (1821, siehe unter Lpz.er GA 1966), *Die wandernden Musikanten* (1821, Ms.) und *Die beiden Neffen oder Der Onkel aus Boston* (1822–23, Ms.; Texte von J.L.Casper, für die beiden letzten fehlen die Zwischentexte); Oper

Die Hochzeit des Camacho op. 10 ([erg.:] 1824–25, nach Cervantes' *Don Quixote* von Fr. Voigts und C.Klingemann); Liederspiel *Die Heimkehr aus der Fremde* (1829) [erg.:] op. 89; Oper *Loreley* op. 98 ([erg.:] 3 Stücke veröff.: Finale 1. Akt, *Winzerchor*, Ave Maria; weitere Sätze in Entwürfen und Skizzen).

Chöre a cappella: [erg.:] zu op. 41 (1834–37), zu op. 59 (1837–43), zu op. 88 (1839–44); ferner *Die Frauen und die Sänger* (1845–46, siehe unter Einzelausg. 1959).
Männerchöre a cappella: [erg.:] zu op. 50 (1838–40), zu op. 76 (1844–47), zu op. 120 (1846–47); ferner Kanon *Der weise Diogenes* und *Musikantenprügelei* für Männer-St. (1833; vgl. A.Kopfermann in: Mk VIII, 1908/09, sowie die Ausg. von dems., Lpz. 1909); je 2 unveröffentlichte Lieder für Männer-St. (1820 bzw. 1822). Weitere Chorlieder aus späteren Jahren sind unveröffentlicht bzw. verschollen. – Duette mit Kl.: [erg.:] op. 8 Nr 12 Duett (von Fanny M. B. komponiert); drei 2st. Volkslieder (1836, gedruckt ohne op.-Zahl 1836–38).

Lieder: unveröffentlicht je 2 Lieder (1820, 1821 und 1822), ein Lied (1823); 6 *Schottische Volksliedbearbeitungen* (1838–39, anon. erschienen Lpz. 1839); weitere z. T. fragmentarisch erhaltene Lieder sind noch unveröffentlicht. Zu den veröffentlichten Liedern erg. die Daten: op. 8–9 (1825–30), op. 19a (1830–34), op. 34 (1833–34), op. 47 (1832–39), op. 57 (1839–42), op. 71 (1842–47), op. 84 (1831–39), op. 86 (1826–47), op. 99 (1841–45), op. 112 (1835–36, s. o. Oratorium *Paulus*); *Todeslied des Bojaren* (1832), *Warnung vor dem Rhein* (1840) und *Ich hör ein Vöglein* (1841). Ferner: *Nacht ist um mich her* (undatiert; Faks.-Ausg. in: F. M. B., Denkmal in Wort und Bild, hrsg. von M.Fr. Schneider, Basel 1947); *Zarter Blumen leicht Gewinde* (1837, siehe unter Einzelausg. 1960); *Ich flocht ein Kränzlein* (siehe unter Lit. P.Losse, 1959). Unveröffentlichte Arien: Rezitativ und Arie für A. und Orch. (1829), Arie für B. und Kl. (1825) sowie unvollständige Arie für B. (1847?).

Orchesterwerke: 12 Sinfonien und ein Sinfoniesatz für Streichorch. (Nr 1–6 1821, Nr 7 wohl 1822, Nr 8 1822, in Zweitfassung auch mit Bläsern und Pk., Nr 9–12 1823, Sinfoniesatz C moll undatiert, wohl 1823); Fragment eines Sinfoniesatzes C dur (abgedruckt bei Grove, 1.–2. Aufl., Artikel M.); Scherzo aus Oktett op. 20 (1825) orchestriert für die 1. Symphonie op. 11 (1829). Symphonien: erg. die Daten zu Nr 2 *Lobgesang* op. 52 (1839–40), Nr 3 *Schottische* op. 56 (Entwürfe 1829–32, Abschluß 1842), Nr 4 *Italienische* op. 90 (1. Fassung 1832–33, später mehrfach umgearbeitet), Nr 5 *Reformations-Symphonie* op. 107 (1829–30, 1832) (Nr 4 und 5 von M. B. nicht zur Veröff. vorgesehen und abgeschlossen). Ouvertüren: erg. die Daten zu op. 24 (1829–32 in 3 Fassungen), op. 27 (1828–33), op. 32 (1833–35), op. 95 (1839), op. 101 (1826, 1833).

Konzerte: Jugendwerke: Konzert D moll für V. und Streichorch. (um 1822); Konzert A moll für Kl. und Streichorch. (um 1822/23); Konzert D moll für V., Kl. und Streichorch. (1823); 2 Konzerte für 2 Kl. und Orch. E dur (1823) und As dur (1824). Zu den Konzertstücken für Kl. und Orch. erg. die Daten: op. 22 (1832–34), op. 29 (1834), op. 43 (1838). Erste Pläne für das Violinkonzert op. 64 reichen zurück bis 1838, das Werk entstand dann ab etwa 1841 und wurde 1844 beendet. Ferner: *Duo concertant en variations brillantes* über ein Thema aus C.M. v. Webers *Preziosa* für 2 Kl. und Orch. (1833 gemeinsam mit I.Moscheles komponiert, gezählt als dessen op. 87b).

Kammermusik: Unveröffentlicht: Trio für Kl., V. und Va C moll (1820); Violinsonaten F dur (1820) und

D moll (2 Sätze, 1820); Klavierquartett D moll (1821); Fragment einer Violinsonate D moll (undatiert). Veröffentlicht außerhalb der GA (siehe unter Einzelausg.): Streichquartett Es dur (1823); Sonate für Va und Kl. C moll (1823–24); Sonate für Klar. und Kl. Es dur (1823?). Zu den Werken mit op.-Zahl erg. folgende Daten: op. 2 (1823–24), op. 3 (1824–25), op. 4 (1823 [nicht: 1825]), op. 18 (Erstfassung 1826, nachkomponiertes Intermezzo 1832, dafür ausgeschieden ein unveröffentlichtes Menuett mit kanonischem Trio), op. 20 (Erstfassung 1825, Revision 1832), op. 44 Nr 1–3 (1837–38), op. 58 (1842), op. 81 (1.–2. Satz 1847, 3. Satz Capriccio 1843, 4. Satz Fuga Es dur 1827), op. 113–114 (1832–33).

Klaviermusik: Unveröffentlicht: *Recitativo* (7. 3. 1820 als erstes erhaltenes Werk, anschließend dazu Streichersatz); etwa 10 einzelne Stücke (1820); Sonaten A moll und E moll (1820); 3 Etüden (1820–21); 3 Fugen (1820–22); Fantasie (1823); Fuge Cis moll (1823); Sonate H moll (undatiertes Fragment); Sonatina (1821) und Moderato A dur (1837, beide in Faks. bei: J. Petitpierre, Le mariage de M. ..., Lausanne 1937, engl. 1948). Unveröffentlichte Stücke zu 4 Händen: Lento (1820), Andante und Presto (1820); Fantasie (1824). – Veröffentlicht: *Gondellied* A dur (1837); Andante cantabile B dur und Presto agitato G moll (undatiert). Ferner erg. die Daten: op. 14 (1830), op. 15 (1827), op. 28 Fantasie (ursprünglich *Sonate écossaise*, 1833), op. 83 und 83a (1841), Sonate G moll op. 105 [nicht: op. 102] (1820–21); *Lieder ohne Worte* op. 19 (1829–32), op. 30 (1833–34), op. 38 (1836–37), op. 53 (1839–41), op. 62 (1842–44), op. 67 (1842–45), op. 85 (1834–46); 7 Charakterstücke op. 7 (1825?), 3 *Fantaisies ou caprices* op. 16 (1829), op. 33 (1833–34), op. 72 (1842–43), op. 104 (1834–36), op. 117 (1837), Scherzo H moll (1829), *Scherzo a capriccio* Fis moll (1835); *Allegro brillant* A dur 4händig op. 92 [nicht: op. 94] (1841). Weitere Klavierstücke (*Lieder ohne Worte*, Praeludien, Fugen u. a.), z. T. fragmentarisch oder verschollen, sind noch unveröffentlicht.

Orgelmusik: Unveröffentlichte Jugendwerke: Praeludium D moll (1820); drei 3st. Fugen (1820–21); Andante D dur (1821); Passacaglia C moll (1821); Choralpartita *Die Tugend wird durchs Kreuz geübet* (1823); Fantasie und Fuge G moll (um 1823; die Fuge unvollständig, vgl. dazu Sinfonia Nr 12 G moll, 1. Satz). Zu veröffentlichten Werken erg.: op. 37 (Praeludien 1837, Fugen 1832–36), op. 65 (zumeist 1844–45, Einzelsätze früher); veröffentlicht außerhalb der (alten) GA: 3 Fugen (1839; zu Nr 1 und 3 siehe unter Einzelausg. 1962, Nr 2 übernommen in op. 65 Nr 2), Praeludium C moll (1841), Andante mit Variationen D dur und Allegro B dur (1844). Weitere Stücke sind verschollen. Unveröffentlicht ferner 12 4st. Fugen nebst 3 Fragmenten (1821) sowie eine Reihe von Kanons (1830–31, u. a. Kanon über das Hauptthema aus Beethovens Klavierkonzert C moll op. 37, 1. Satz, datiert 1831).

Editionen: G. Fr. Händel, *Israel in Egypt* (London 1846), posthum ferner *Acis and Galathea* (ebd. o. J., Novello) und *Dettinger Tedeum* (Lpz. 1869); J. S. Bach, *Organ Compositions, Book I–IV* (44 kleine, 15 große Choralvorspiele, London 1845–46, als *Choralvorspiele*, Lpz. und London 1845–46), Variationen *Christ der du bist der helle Tag* (London und Lpz. 1846), Variationen *Sei gegrüßt Jesu gütig* (ebd.), Chaconne für V. solo mit hinzugefügter Klavierbegleitung (London und Hbg 1847, Paris 1848, London und Lpz. 1848).

Ausg.: Collected Works (= F. M. B.'s Werke, [+]GA, J. RIETZ, 1874–77), Nachdr. Farnborough 1967–68, Neuaufl. z. T. 1969 (23 Bde in teilweise veränderter Abfolge

bei Wahrung d. originalen Serien- und Werk-Nr: Bd I = Serie 1 u. 3, II = 2, III = 4 u. 8, IV = 5–7, V = 9 [Nr 41–47] u. 12, VI = 9 [Nr 37–40], VII = 11 [Nr 50–66], VIII = 11 [Nr 67–82] u. 10, IX = 13 [Nr 85], X = 13 [Nr 86–87], XI–XIII = 14 [A–C], XIV–XXI = 15, XXII = 16–18, XXIII = 19). – Lpz.er Ausg. d. Werke F. M. B.s, Lpz. 1960ff. (Deutscher Verlag f. Musik in Zusammenarbeit mit d. Deutschen Staatsbibl. Bln u. d. Internationalen F.-M.-Ges. Basel), angelegt auf 8 Serien (I: Orch.-Werke, II: Konzerte u. Konzertstücke, III: Kammermusikwerke, IV: Kl.- u. Org.-Werke, V: Bühnenwerke, VI: Geistliche Vokalmusik, VII: Weltliche Vokalmusik, VIII: Suppl.), bislang erschienen: Serie I, Bd 1, Sinfonien I–VII (Hrsg.: H. CHR. WOLFF, 1972), I/2, Sinfonie D dur (VIII), Streicher- u. Bläserfassung (DERS., 1965), I/3, Sinfonien IX–XII u. Sinfoniesatz C moll (DERS., 1967); II/4, Konzert f. 2 Kl. u. Orch. E dur (K.-H. KÖHLER, 1960), II/5, Konzert f. 2 Kl. u. Orch. As dur (DERS., 1961); V/1, Die beiden Pädagogen. Singspiel in einem Aufzug (DERS., 1966).

neuere (Einzel-)Ausg. (Erstausg.): Streichquartett Es dur ohne op.-Zahl, Bln 1872, Neudr. Bln o. J.; Sonate C moll f. Bratsche u. Kl. ohne op.-Zahl, Lpz. 1966 (= Vorabdruck aus d. Lpz.er Ausg.); 2 Konzertstücke f. 2 Klar. u. Kl., hrsg. v. J. MICHAELS, Hbg 1957 (= Bearb. v. op. 113–114: Konzertstücke f. Klar., Bassetthorn u. Kl., Erstausg. Ffm. 1869); Schweizer Sinfonie C moll f. Streichorch., Erstdruck hrsg. v. A. HOFFMANN, = Corona LXXX, Wolfenbüttel 1962 (= Sinfonia IX, 2. Fassung); Kyrie (D moll) f. Chor u. Orch. (Org.), hrsg. v. R. LEAVIS, London 1964; Jesu meine Freude, Faks.-Ausg. d. Autographs, mit Einleitung v. O. JONAS, Chicago 1966; 2 Orgelfugen E moll u. F moll (1839), in: S. Wesley and F. M. B., Three Org. Fugues, hrsg. v. L. ALTMAN, London 1962; Kinderstücke op. 72, nach d. Eigenschrift hrsg. v. O. HIEKEL, München 1968. – als Veröff. d. Internationalen F.-M.-Ges. (o. Nr), hrsg. v. M. FR. SCHNEIDER (alle Basel): [+]Drei Lieder im Freien zu singen u. [+]Sechs Lieder ohne Worte op. 30 (Faks. d. Autographe), [erg.:] in: F. M. B., Denkmal in Wort u. Bild, 1947; Die Frauen u. d. Sänger nach d. Gedicht »Die vier Weltalter« v. Fr. Schiller f. gem. Chor, 1959 (mit Einführung v. K.-H. Köhler); »Auf Wiedersehen«, Faks. aus d. Lied »Es ist bestimmt in Gottes Rat«, 1959; »Zarter Blumen leicht Gewinde«. Ein bisher ungedrucktes Goethe-Lied v. F. M. B., Faks.-Ausg., 1960. – außermus. Werke: [+]Reisebilder aus d. Schweiz 1842, Basel 1954 (mit Einführung v. M. Fr. Schneider, F. M.s Schweizer Reisen) [del. früherer Titel]; Reisebilder aus d. Schweiz (Souvenirs d'un voyage en Suisse 1842), neue H. v. MENDELSSOHN BARTHOLDY, ebd. 1966 (darin: J. Burdes, F. M. u. d. Schweiz. Das Album v. 1847); Aquarellenalbum. 13 Schweizer Ansichten aus d. Jahre 1847 aus d. Besitz d. M.-Arch. d. Staatsbibl. Preußischer Kulturbesitz, Bln 1968; Pamphleis. Ein Spott-Heldengedicht, hrsg. v. U. GALLEY, = Jahresgabe 1961 d. Internationalen F.-M.-Ges., Basel 1961.

Thematisches Verz. im Druck erschienener Compositionen v. F. M. B., Lpz. 1846 (1. Aufl., 1. Ausg.; 2. Ausg. 1853), 2. Aufl. 1873, 3. Aufl. 1882, Nachdr. d. letzteren London 1966; J. RIETZ, Verz. d. sämmtlichen mus. Compositionen v. F. M. B., in: F. M. B., Briefe aus d. Jahren 1833–47, hrsg. v. P. u. C. Mendelssohn-Bartholdy, Lpz. 1863 u. ö., engl. London 1864, Nachdr. Freeport (N. Y.) 1970. – R. ELVERS, Verz. d. v. F. M. B. hrsg. Werke J. S. Bachs, in: Gestalt u. Glaube, Fs. O. Söhngen, Witten 1960. – Y. ROKSETH, Mss. de M. à la bibl. du Conservatoire, Rev. de musicol. XVIII, 1934; M. FR. SCHNEIDER, Eine M.-Slg in Basel, in: Der Amerbach Bote, Almanach Basel 1947; DERS., Eine M.-Stätte in Basel, CIBA-Blätter XIX, 1962; DERS., Die Wach'sche M.-Slg auf d. Ried in Wilderswil bei Interlaken. Ein Beitr. zur Gesch. d. Nachlasses v. F. M. B., (Bln 1966, maschr.); Musikbibl. d. Stadt Lpz., Kat. F. M. B. ..., Lpz. 1959; A. ZIFFER, Kat. d. Arch. f. Photogramme mus. Meisterhandschriften, = Museion, Publ. Nr. III, 3, Wien 1967; E. FR. FLINDELL, Ursprung u. Gesch. d. Slg Wittgenstein im 19. Jh., Mf XXII, 1969; O. BILL, Unbekannte M.-Hss. in d. Hessischen Landes- u. Hochschulbibl. Darmstadt, Mf XXVI, 1973.

Briefe, = Veröff. d. Hist. Kommission zu Bln beim Fr.

Meinecke-Inst. d. Freien Univ. Bln o. Nr, bisher Bd I: Briefe an deutsche Verleger, hrsg. v. R. ELVERS, Bln 1968. – +Reisebriefe ... 1830–32 (P. MENDELSSOHN-BARTHOLDY, 1861), NA d. +Nachdr. v. 1947 (A. KNAUS) als: Meeresstille u. glückliche Fahrt. Reisebriefe an d. Familie, = Piper-Bücherei XIX, München 1959; +Briefe ... 1833–47 (P. u. C. MENDELSSOHN-BARTHOLDY, 1863), engl. London 1864, Nachdr. Freeport (N. Y.) 1970; +Briefe ... (F. MOSCHELES, 1888), Nachdr. d. +engl. Ausg. (1888) Freeport (N. Y.) 1970 u. NY 1971; +Briefwechsel ... (J. SCHUBRING, 1892), Nachdr. Walluf bei Wiesbaden 1973. – R. SIETZ, Vier unbekannte Briefe F. M.s an F. Hiller, Mitt. d. Arbeitsgemeinschaft f. rheinische Mg. I, 1955–57, Nr 3; W. REICH, M. sucht einen Operntext. Fünf unbekannte Briefe d. Komponisten, in: Musica XIII, 1959; FR. SCHNAPP, F. M. B.s Brief an seine Schwester F. Hensel v. 26./27. Juni 1830, SMZ XCIX, 1959; E. WERNER, The Family Letters of F. M. B., Bull. of the NY Public Library LXV, 1961; R. ELVERS, Ein Jugendbrief v. F. M., Fs. Fr. Smend, Bln 1963; Briefe v. F. M. B. 1843–47. Zum 125jährigen Jubiläum d. Hochschule f. Musik Lpz., Lpz. 1968 (Faks.-Ausg.); Glückliche Jugend. Briefe d. jungen Komponisten, hrsg. v. G. SCHULZ, Bremen 1971; W. ANACKER, Zwei Briefe v. F. M. B., MuG XXII, 1972; Briefe aus Lpz.er Arch., hrsg. v. H.-J. ROTHE u. R. SZESKUS, Lpz. 1972.

Lit.: zu Biogr., Persönlichkeit u. Schaffen allgemein: +E. DEVRIENT, Meine Erinnerungen ... (1869), Nachdr. d. +engl. Ausg. (1869) NY 1972; +S. HENSEL, Die Familie M. (²1880), engl. London 1882, 2 Bde, Nachdr. = Studies in Music o. Nr, NY 1969, ungarische Ausw.-Ausg. Budapest 1968; +C. WINN, M. (1927), London ²1947; +S. KAUFMAN, M., »a Second Elijah« (1934), Nachdr. Westport (Conn.) 1971; +J. PETITPIERRE, The Romance of the M.s (1948), zuerst frz. als: Le mariage de M. 1837–1937, Lausanne 1937; +A. KOOLE, F.-M.-B. (Haarlem [nicht: Bloemendaal] 1953), auch = Gottmer-muziekpockets XII, Haarlem 1958; +PH. RADCLIFFE, M. (= Master Musicians Series o. Nr, 1954, auch NY), revidiert London u. NY ³1967; +H. CHR. WORBS, F. M.-B. (1956), Lpz. ²1957; M. FR. SCHNEIDER [nicht: anon.], +Ein unbekanntes M.-Bildnis ... (1958); +H. E. JACOB, F. M. u. seine Zeit (1959), auch Stuttgart 1967, engl. Englewood Cliffs (N. J.) 1963. – U. GALLEY, Bilder aus Düsseldorfs mus. Vergangenheit. M. u. Immermann, in: 110. Niederrheinisches Musikfest in Düsseldorf, Jb. 1956; S. JEMNITZ, F. M. B., = Kis zenei könyvtar III, Budapest 1958; H. CHR. WORBS, F. M. B., Wesen u. Wirken im Spiegel v. Selbstzeugnissen u. Ber. d. Zeitgenossen, Lpz. 1958, russ. Moskau 1966; R. SIETZ, F. Hiller u. Paul M. B., Mitt. d. Arbeitsgemeinschaft f. rheinische Mg. II, 1958–61, Nr 16; ders., M. ging nicht nach Weimar, NZfM CXX, 1959; R. ELVERS, »An d. Mann habe ich viel wieder gut zu machen«. Bemerkungen über F. M., in: Der Kirchenmusiker XV, 1959; F. M. B., Dokumente seines Lebens, hrsg. v. DEMS., = Staatsbibl. Preußischer Kulturbesitz, Ausstellungskat. III, Bln 1972; G. KNEPLER in: MuG IX, 1959, S. 72ff.; ders., Mg. d. 19. Jh., Bd II, Bln 1961; R. PETZOLD in: Musik in d. Schule X, 1959, S. 11ff.; H. PISCHNER in: Fs. zur Händel-Ehrung ..., Lpz. 1959, S. 89ff.; K. H. WÖRNER in: NZfM CXX, 1959, S. 69ff., u. in: Das Orch. VII, 1959, S. 41ff.; FR. WOHLFAHRT in: Fundamente, Jb. d. Freien Akad. d. Künste in Hbg 1959, S. 61ff.; K.-H. KÖHLER, Epilog auf d. M.-Jahr, MuG X, 1960, u. in: Der unbekannte junge M., Basel 1960; DERS., F. M. B., = Reclams Universal-Bibl. Bd 301, Lpz. 1966; E. WERBA in: ÖMZ XV, 1960, S. 17ff.; H. CHR. WOLFF in: Universitas XV, 1960, S. 961ff.; ders., Das M.-Bild in Vergangenheit u. Gegenwart, in: Musa – Mens – Musici, Gedenkschrift W. Vetter, Lpz. 1970; D. MINTZ, M.'s Water Color of the Gewandhaus, in: Notes XVIII, 1960/61; H. SEEGER, Im Geiste M.s. Die Lpz.er NA d. Werke ..., Wiedereinsetzung d. M.-Stipendiums, MuG XI, 1961; W. VETTER, Die geistige Welt M.s, in: Vermächtnis u. Verpflichtung, Fs. Fr. Konwitschny, Lpz. 1961; M. FR. SCHNEIDER, Mendelssohn oder Bartholdy? Zur Gesch. eines Familiennamens, = Jahresgabe 1962 d. Internationalen F.-M.-Ges., Basel 1962; DERS., Die Internationale F.-M.-Ges. in Basel, SMZ CIII, 1963; N. TEMPERLEY, M.'s Influence on

Engl. Music, ML XLIII, 1962; H. ENGEL, Die Grenzen d. romantischen Epoche u. d. Fall M., Fs. O. E. Deutsch, Kassel 1963; E. WERNER, M., A New Image of the Composer and His Age, NY u. London 1963 (grundlegend); DERS., M.–Wagner. Eine alte Kontroverse in neuer Sicht, in: Musicae scientiae collectanea, Fs. K. G. Fellerer, Köln 1973; H. ENKE, M. u. d. Manierismus, NZfM CXXV, 1964; KL. W. NIEMÖLLER, F. M.-B. u. d. Niederrheinische Musikfest 1835 in Köln, in: Studien zur Mg. d. Rheinlandes III, Fs. H. Hüschen, = Beitr. zur rheinischen Mg. LXII, Köln 1965; G. BALLIN, Die Ahnen d. Komponisten F. M. B., in: Genealogie XVI, 1967; R. JAKOBY, Zum heutigen M.-Bild, Jb. d. Stiftung Preußischer Kulturbesitz 1967; J. A. MUSSULMAN, M.ism in America, MQ LIII, 1967; D. KERNER, M.s Tod, Deutsches medizinisches Jb. XIX, 1968; F. M. im Spiegel eigener Aussagen u. zeitgenössischer Dokumente, hrsg. v. W. REICH, = Manesse Bibl. d. Weltlit. o. Nr, Zürich 1970; B. ALEXANDER, F. M. and the Alexanders, in: M.-Studien, Bd I, hrsg. v. C. Lowenthal-Hensel, Bln 1972; F. M. B., hrsg. v. M. CRUM, = Bodleian Picture Books, Special Series III, Oxford 1972; H. KUPFERBERG, The M.s Three Generations of Genius, NY 1972, deutsch Tübingen 1973; G. R. MAREK, Gentle Genius. The Story of F. M., NY 1972; P. RANFT, F. M. B., Eine Lebenschronik, Lpz. 1972; G. SCHÖNFELDER, »Was wollen wir Politik streiten!«, MuG XXII, 1972; Y. TIÉNOT, M., musicien complet, = Pour mieux connaître o. Nr, Paris 1972.

zu M. B.s Verhältnis zu älterer Musik: D. MINTZ, Some Aspects of the Revival of Bach, MQ XL, 1954; P. NETTL, Die Bildnis-Arie. M. als Verteidiger d. Original-Textes, Acta Mozartiana IV, 1957; H. CHR. WOLFF, M. and Handel, MQ XLV, 1959; M. GECK, Die Wiederentdeckung d. Matthäuspassion im 19. Jh., = Studien zur Mg. d. 19. Jh. IX, Regensburg 1967; S. GROSSMANN-VENDREY, F. M. B. u. d. Musik d. Vergangenheit, ebd. XVII, 1969; DIES., M. u. d. Vergangenheit, in: Die Ausbreitung d. Historismus über d. Musik, hrsg. v. W. Wiora, ebd. XIV.

zum Œuvre, zu Einzelwerken u. Quellen: H. BUNKE, Die Barform im romantischen Kunstlied bei Fr. Schubert, J. Brahms, H. Wolf u. F. M.-B., Diss. Bonn 1955; D. MINTZ, Melusine. A M. Draft, MQ XLIII, 1957; DERS., The Sketches and Drafts of Three of F. M.'s Major Works, 2 Bde, Diss. Cornell Univ. (N. Y.) 1960; DERS., M.'s »Elijah« Reconsidered, in: Studies in Romanticism III, 1963/64; DERS., M. and Romanticism, ebd.; L. W. LEVEN, M.'s Unpubl. Songs, MMR LXXXVIII, 1958; KL. TRAPP, Die Fuge in d. deutschen Romantik v. Schubert bis Reger, Diss. Ffm. 1958; K.-H. KÖHLER, Der unbekannte junge M., Einige Bemerkungen zu d. unveröff. Jugendkompositionen F. M. B.s, MuG IX, 1959, u. in: Der unbekannte junge M., Basel 1960; DERS., Zwei rekonstruierbare Singspiele v. F. M.-B., BzMw II, 1960; DERS., Das Jugendwerk F. M.s und The vergessene Kindheitsentwicklung eines Genies, DJbMw VII, 1962; P. LOSSE, Ein bisher ungedrucktes Lied v. M., MuG IX, 1959; K. SCHÖNEWOLF, M.s Humboldt-Kantate, ebd.; E. WERNER, Instr. Music Outside the Pale of Classicism and Romanticism, in: Instr. Music, hrsg. v. D. G. Hughes, = Isham Library Papers I, Cambridge (Mass.) 1959; DERS., M.s Kirchenmusik u. ihre Stellung im 19. Jh., Kgr.-Ber. Kassel 1962; H. CHR. WORBS, Die Entwürfe zu M.s Violinkonzert E moll, Mf XII, 1959; H. E. PFATTEICHER, The Hymn Tunes of M., in: The Hymn XI, 1960; R. SIETZ, Zu M.s »Antigone«, MuG XV, 1960; DERS., Die mus. Gestaltung d. Loreleysage bei M. Bruch, F. M. u. F. Hiller, in: M. Bruch-Studien, hrsg. v. D. Kämper, = Beitr. zur rheinischen Mg. LXXXVII, Köln 1970; M. RASMUSSEN, The First Performance of M.'s »Festgesang An d. Kuenstler« op. 68, Brass Quarterly IV, 1960/61; A. MOLNAR, Die beiden Klaviertrios in d-moll v. Schumann (op. 63) u. M. (op. 49), Sammelbände d. R.-Schumann-Ges. I, 1961; O. SPRECKELSEN, Zu Unrecht vergessen. M.s »Walpurgisnacht«, in: Musica XV, 1961; M. GECK, Sentiment u. Sentimentalität im volkstümlichen Liede F. M. B.s, in: H. Albrecht in memoriam, Kassel 1962; D. SIEBENKÄS, Zur Gesch. d. Lieder ohne Worte v. M., Mf XV, 1962; P. MIES, Über d. Kirchenmusik u. über neuentdeckte Werke bei F. M. B., in: Musica sacra LIII, 1963; A. Vander Linden, A propos du »Lauda Sion« de M., RBM XVII, 1963; H. Wirth, Natur u. Märchen in Webers »Oberon«, M.s »Ein Sommernachtstraum« u. Nicolais »Die lustigen Weiber von Windsor«, Fs. Fr. Blume, Kassel 1963; R. Fiske, Shakespeare in the Concert Hall, in: Shakespeare in Music, hrsg. v. Ph. Hartnoll, London 1964; E. Rudolph, Der junge F. M., Ein Beitr. zur Mg. d. Stadt Bln, Diss. Bln 1964 (HU); ders., M.s Beziehungen zu Bln, BzMw XIV, 1972; S. Vendrey, Die Orgelwerke v. F. M. B., Diss. Wien 1964; R. Jordahl, A Study of the Use of the Chorale in the Works of M., Brahms, and Reger, Diss. Univ. of Rochester (N. Y.) 1965; H. W. Schwab, Sangbarkeit, Popularität u. Kunstlied. Studien zu Lied u. Liedästhetik d. mittleren Goethezeit 1770–1814, = Studien zur Mg. d. 19. Jh. III, Regensburg 1965; J. Werner, M.'s »Elijah«. A Hist. and Analytical Guide to the Oratorio, London 1965; H.-E. Bach, M. als Komponist geistlicher a-cappella-Musik, in: Musica sacra LXXXVIII, 1968; D. de la Motte, Mus. Analyse, mit kritischen Anm. v. C. Dahlhaus, 2 Bde, Kassel 1968; H. Chr. Wolff, Zur Erstausg. v. M.s Jugendkomposition, DJbMw XIII, 1968; G. Friedrich, Die Fugenkomposition in M.s Instrumentalwerk, Diss. Bonn 1969; W. S. Newman, The Sonata since Beethoven, Chapel Hill (N. C.) 1969, revidierte Paperbackausg. NY u. London 1972; M. Weyer, Die deutsche Orgelsonate v. M. bis Reger, = Kölner Beitr. zur Musikforschung LV, Regensburg 1969; A. J. Filosa jr., The Early Symphonies and Chamber Music of F. M. B., Diss. Yale Univ. (Conn.) 1970; Fr. Krummacher, Über Autographe M.s u. seine Kompositionsweise, Kgr.-Ber. Bonn 1970; ders., M., d. Komponist. Studien zur Kompositionsart am Beispiel d. Kammermusik f. Streicher, Habil.-Schrift Erlangen–Nürnberg 1972; J. A. McDonald, The Chamber Music of F. M.-B., 2 Bde, Diss. Northwestern Univ. (Ill.) 1970; R. Gerlach, M.s Kompositionsweise. Vergleich zwischen Skizzen u. Letztfassung d. Violinkonzerts op. 64, AfMw XXVIII, 1971; ders., M.s schöpferische Erinnerung d. »Jugendzeit«. Die Beziehungen zwischen d. Violinkonzert, op. 64, u. d. Oktett f. Streicher, op. 20, Mf XXV, 1972; E. Glusman, Taubert and M., Opposing Attitudes Toward Poetry and Music, MQ LVII, 1971; J. Horton, M. Chamber Music, London 1972; G. Schönfelder, Zur Frage d. Realismus bei M., BzMw XIV, 1972; H. Eppstein, Zur Entstehungsgesch. v. M.s Lied ohne Worte op. 62, 3, Mf XXVI, 1973; M. Thomas, Das Instrumentalwerk F. M.-B.s. Eine systematisch-theoretische Untersuchung unter besonderer Berücksichtigung d. zeitgenössischen Musiktheorie, = Göttinger mw. Arbeiten IV, Göttingen 1973. – Das Problem M., hrsg. v. C. Dahlhaus, = Studien zur Mg. d. 19. Jh. XLI, Regensburg 1974.   FrK

Mendes, Gilberto, * 13. 10. 1922 zu Santos (Staat São Paulo); brasilianischer Komponist, begann 18jährig seine Studien bei Savino de Benedictis, Antonieta Rudge, Santoro und G. Olivier Toni. 1962 und 1968 nahm er an den Internationalen Ferienkursen für Neue Musik in Darmstadt (Boulez und Pousseur) teil. Er wurde Mitarbeiter zahlreicher Zeitungen und Zeitschriften (1963 polemisches Manifest in »Invenção«). 1965 gründete er die Festspiele für Neue Musik in Santos. M. verwendet Texte konkreter Dichtung; seine ästhetische Einstellung ist an statistischen Methoden orientiert. – Kompositionen: Ricercar für Streicher und 2 Hörner (1960); *Cantata sobre a »Fala inicial do romanceiro da inconfidência« de Cecilia Meirelles* für S., Männerchor, Fl., Klar., Fag., Englisch Horn, Trp., Tenor- und Baßpos., Kl., Va und Vc. (1961); *Música* für Fl., Trp., Tenorpos., Baßklar., Mandoline, Vibraphon, Bongos, Berimbau, Kl., V., Vc. und Kb. (1961); *Rotationis* für Fl., Klar., Ob., Altsax., Trp., Tenorpos., Horn, Vibraphon, Xylophon, Celesta, V., Vc. und Kb. (1962); *Música para piano N° 1* (1963); *nascemorre* für verschiedene St., Schlagzeug, 2 Schreibmaschinen und Tonbandgerät (konkretes Gedicht von Haroldo de Campos, 1963); *blirium a–9* für 12 Streichinstr., *b–9* für 12 verschiedene Instr. und *c–9* für 1, 2 oder 3 Tastaturen oder gleiche Instr. (1965); *Beba Coca-Cola*, Motette für gem. Chor (konkretes Gedicht von Décio Pignatari, 1967); *Asthmatour* für gemischte St. und Schlagzeug (Text Antonio José Mendes, 1971); *Omaggio a De Sica* für Tenorpos. und Horn (1972). – Visuelle Musik: *Gidade* für verschiedene St., Schlagzeug, Kb., Küchenmaschine, Fußbodenwachsmaschine, umgekehrt funktionierenden Staubsauger, Fernsehgeräte und Bestreuung des Publikums in einem Schlußhappening mit Schnupftabak (1964); *O apocalipse*, Textmontage nach dem Evangelisten Johannes, Zeitungsnachrichten u. a. (1967); *Son et lumière* für Gliederpuppe, einen Pianisten darstellend, 2 Photographen und 2 Blitzgeräte (1968); *Santos Football Music* für verschiedene Instr. und 2 Tonbänder (1973).

+Mendes, Padre Manuel, um 1547 zu Lissabon [nicht: Évora] – 1605.
Ausg.: Missa pro defunctis, hrsg. v. M. Joaquim, Lissabon 1951.
Lit.: M. Joaquim, A missa »Pro defunctis« de M. M., Évora 1951.

+Mendoza, Juan Alberto, * 30. 3. 1889 und [erg.:] † 2. 7. 1960 zu Guatemala.

Mendoza (mend'oθa), Vicente T., * 27. 1. 1894 zu Cholula (Staat Puebla), † 27. 10. 1964 zu México (D. F.); mexikanischer Musikforscher und Komponist, studierte in seiner Heimatstadt, war Schüler von Carrillo (1913–26), lehrte Musiktheorie am Conservatorio Nacional de Música (1930–34) und war von 1936 bis zu seinem Tod im Instituto de Investigaciones Estéticas der Universidad Nacional Autónoma de México tätig. Seine zahlreichen Studien über Indianer- und Volksmusik erschienen im »Anuario« der Sociedad Folklórica de México, in den »Anales« des Instituto de Investigaciones Estéticas, im »Bol. latino-americano de música«, in der »Rev. de estudios musicales« und in der »Rev. mexicana de sociología«. – Veröffentlichungen: *Cincuenta romances* (México/D. F. 1940); *Danzas de los concheros de San Miguel de Allende* (mit J. Fernández, ebd. 1941); *La canción chilena en México* (= Colección de ensayos del Instituto de investigaciones musicales de la Universidad de Chile IV, Santiago de Chile 1947); *Música indígena otomí* (Mendoza 1951, Nachdr. ebd. 1963); *Folklore de San Pedro Piedra Corda* (mit V. Rodriguez Mendoza, México 1952); *Lírica narrativa de México* (= Estudios de folklore II, ebd. 1954); *El corrido de la revolución mexicana* (= Bibl. del Instituto nacional de estudios históricos de la Revolución mexicana V, ebd. 1956); *Glosas y décimas de México* (ebd. 1957); *La canción de aliento entrecortado en México y en América de su orígen hispano* (in: Miscelánea . . ., Fs. H. Anglés II, Barcelona 1958–61); *La canción mexicana. Ensayo de clasificación y antología* (México 1961). – Seine Kompositionen umfassen Orchesterwerke (*Tríptico de los mendigos*, 1927; *Tierras solares*, 1936), Kammermusik (Streichquartett *Canto funeral*, 1935), Klavierstücke (*Suite pentáfona*, 1929), Vokalwerke (Kantate *Los bardos* für 2 Chöre, 2 Hf. und Tuba, 1933; Lieder) und Kulturfilmmusik.
Lit.: G. Moedano Navarro, Biobibliogr. del Profesor V. T. M., in: 25 estudios de folklore, México (D. F.) 1971.

Mendt, Marianne, * 29. 9. 1945 zu Wien; österreichische Chanson- und Schlagersängerin, studierte in Wien Klavier und Gesang, unternahm Tourneen als Sängerin durch Deutschland, Frankreich und die Schweiz und trat in Fernsehsendungen beim ORF, ZDF und der ARD auf. Besonderen Erfolg hat sie mit

Titeln im Wiener Dialekt (*Wia a Glock'n, die vierazwanzig Stunden läut*).

+**Meneghini-Callas,** Maria → +Callas, M.

+**Ménestrier,** Claude-François, 1631–1705.
Ausg.: Des représentations en musique anciennes et modernes u. Des ballets anciens et modernes, Faks. d. Ausg. Paris 1681 bzw. 1682, Genf 1972 (2 Bde).

+**Mengden,** Gustav, Freiherr von, 1627–88.
Lit.: E. ARRO, Die deutschbaltische Liedschule, in: Musik d. Ostens III, Kassel 1965.

+**Mengelberg,** Karel Willem Joseph, * 18. 7. 1902 zu Utrecht.
M. ist auch als Musikkritiker tätig; kleinere Beiträge von ihm erschienen in »Mens en melodie« (u. a. *Schönbergs opera »Mozes en Aäron«*, XXIII, 1968).

Mengelberg, Misha, * 5. 6. 1935 zu Kiew; niederländischer Komponist und Pianist, studierte bei K. van Baaren am Koninklijk Conservatorium vor Muziek in Den Haag, außerdem Architektur an der Technische Hogeschool in Delft. Er war 1967 Mitgründer des Instant Composers Pool (ICP). M. lebt in Amsterdam als freischaffender Komponist sowie als Lehrer an der Toneelschool. – Kompositionen (Auswahl): *Heptameron* für Kl. (1958, Neufassung 1966); 3 Klavierstücke (1959); *Musica per 17* für Orch. (1959); *Anatoloose* für Orch. und Tonband (1967); Streichquartett *Medusa* (1962); 4. Klavierstück (1962); Musik zu dem Fernsehspiel *Parafax* (1962); *Commentary* für Orch. (1965); Bläserquintett *Omtrent een komponistenactie* (»Um eine Komponistentätigkeit«, 1966); *Amaga* für 3 Git. und Electronica (1968); *Hello Windyboys* für 10 Bläser (1968); ferner Film- und Bühnenmusik.
Lit.: E. VERMEULEN, M. M., Anatoloose, in: Sonorum speculum 1971, Nr 48.

+**Mengelberg,** Kurt Rudolf, 1892 – 1959 zu Beausoleil (Alpes-Maritimes) [nicht: Monte Carlo], Neffe [nicht: Vetter] von Willem M.
Lit.: W. PAAP in: Mens en melodie XIV, 1959, S. 349f.

+**Mengelberg,** Josef Willem, 1871 – 1951 zu Sent (Unterengadin) [nicht: Remus bei Schuls].
Lit.: K. PH. BERNET KEMPERS, Mahler u. W. M., Kgr.-Ber. Wien Mozartjahr 1956; W. PAAP, W. M., Amsterdam 1960; DERS., Hist. M.-opnamen, in: Mens en melodie XV, 1960; DERS., ebd. XXVI, 1971, S. 69ff.; E. B. HEEMSKERK in: Diener d. Musik, hrsg. v. M. Müller u. W. Mertz, Tübingen 1965, S. 146ff.; H. C. SCHONBERG, The Great Conductors, London 1968, deutsch als: Die großen Dirigenten, Bern 1970, auch = List Taschenbücher Bd 391, München 1973. – Herdenkingstentoonstelling W. M., Kat. hrsg. v. CL. V. GLEICH, Den Haag 1971.

+**Menges** [–1) Isolde], –2) Siegfried Frederick Herbert, * 27. 8. 1902 zu Hove (Sussex), [erg.:] † 20. 2. 1972 zu London.
[del. letzter Satz und erg.:] M. war Musikdirektor des Londoner Theaters The Old Vic bis 1950 und leitete von 1925 bis zu seinem Tode als Chefdirigent und musikalischer Direktor die (von seiner Mutter gegründete) Brighton Philharmonic Society. Zeitweise war er ferner musikalischer Direktor der Laurence Olivier Productions Ltd. sowie des Chichester Festival Theatre. Als Gast dirigierte M. verschiedene Orchester (besonders in Großbritannien und Südafrika).

+**Ménil,** Félicien [erg.:] Auguste Marie de (eigentlich Menu de M.), baron, 1860–1930.

+**Mennicke,** Carl, 1880–1917.
+*Riemann-Festschrift* (1909), Nachdr. Tutzing 1965.

+**Mennin,** Peter (Mennini), * 17. 5. 1923 zu Erie (Pa.).
Direktor des Peabody Conservatory in Baltimore war

M. bis 1963; im gleichen Jahr wurde er Präsident der Juilliard School at Lincoln Center in New York. – Weitere Werke: +7 Symphonien (1942; 1944; 1946; The Cycle für Chor und Orch., 1948; 1950; 1953; »Variation Symphony«, 1963 [del. frühere Angaben dazu]), Concertato *Moby Dick* (1952), *Canto* (1963) und *Symphonic Movements* (1971, später als *Sinfonia*) für Orch., *Canzona* für Blasorch. (1951), Cellokonzert (1955); 2. Streichquartett (1951), *Sonata concertante* für V. und Kl. (1956), Klaviersonate (1963); Kantate *The Christmas Story* für S., T., gem. Chor und Orch. (1949), *Pied Piper of Hamelin* für Sprecher und Orch. (R.Browning, 1969); 4 a cappella-Chöre (nach Kiang Kang-Hu, 1948).
Lit.: Werkverz. in: Composers of the Americas V, Washington (D. C.) 1959, Nachdr. 1964, auch in: Bol. interamericano de música 1960, Nr 15. – M. R. SCHN. RHOADS, Influences of Japanese »hogaku« Manifest in Selected Compositions by P. M. and B. Britten, Diss. Michigan State Univ. 1969.

+**Mennini,** Louis A., * 18. 11. 1920 zu Erie (Pa.).
Lehrer für Komposition an der Eastman School of Music in Rochester (N. Y.) war M. bis 1965; seitdem wirkt er als Dean der School of Music an der North Carolina School of the Arts in Winston-Salem. – Die Kammeropern +*The Well* und +*The Rope* wurden 1951 in Rochester bzw. 1955 in Tanglewood (Mass.) uraufgeführt. – Weitere Werke: *Overtura breve* (1949), *Tenebrae* (1958) und 2 Symphonien (1960, 1963) für Orch.; Streichquartett (1961); kurze Klavierstücke (1965); Chöre und Lieder.

+**Menotti,** Gian Carlo, * 7. 7. 1911 zu Cadegliano (bei Varese, Lombardei).
M., der seit +*The Medium* (1946) alle Uraufführungen seiner Opern selbst inszenierte, tritt, besonders beim Festival dei due mondi in Spoleto, auch als Regisseur fremder Opern hervor (u. a. *La Bohème, Carmen, Pelléas et Mélisande, Don Giovanni, Tristan und Isolde*). – *Amelia al ballo* (Philadelphia 1937 [nicht: 1936] als +*Amelia Goes to the Ball*), +*Amahl and the Night Visitors* (NBC-Fernsehen 1951, Bühnenfassung Bloomington/Ind. 1952), +*Sebastian* (NY 1944) [erg. frühere Angaben dazu]. – Weitere Werke: die Opern *Le dernier sauvage* (Paris 1963, ursprünglich italienisch), Fernsehoper *Labyrinth* (NBC 1963), einaktige Kirchenoper *Martin's Lie* (Bristol Cathedral 1964), Kinderoper *Help! Help! The Globolinks!* (Hbg 1968), *The Most Important Man (in the World,* NY 1971), Kammeroper *Tamu-Tamu* (nach einem indonesischen Stoff, Chicago 1973); Bühnenmusiken zu Cocteaus *Le poète et sa muse* (Spoleto 1959) und *Romeo and Juliet* (Paris 1968); *Triplo concerto a tre* (1970); Kantate *The Death of the Bishop of Brindisi* (1963); Liederzyklus *Canti della lontananza* (1967). M. schrieb ferner die Libretti zu S. Barbers *A Hand of Bridge* (Spoleto 1959) und zu L. Foss' *Introductions and Goodbyes* (ebd. 1960). Er verfaßte auch Kurzgeschichten, Schauspiele (*A Copy of Madame Aupic,* Paris 1959; *The Leper,* Tallahassee/Fla. 1970) und Drehbücher.
Lit.: W. MELLERS, Music, Theatre and Commerce. A Note on Gershwin, M. and M. Blitzstein, in: The Score 1955, Nr 12; H. DE CARSALADE DU PONT, La crise de l'opéra. M., Landowski, in: Etudes XC, 1957; W. L. CROSTEN, G.-C. M.s operor, Musikrevy XIV, 1959; M. LILLICH, M.'s Music Dramas, Educational Theatre Journal XI, 1959; G. BALDINI in: Rass. mus. XXXII, 1962, S. 242ff. (zu »The Consul«); N. HIRSCH, Un renovateur du drame lyrique, G.-C. M., in: Musica (Disques) 1962, Nr 99; L. LEVI, Il teatro di M., in: Conservatorio di musica »G. B. Martini« Bologna, Annuario 1963–64; S. CHOTZINOFF, A Little Night-Music. Intimate Conversations . . ., NY 1964 (darin ein Interview mit M.); R. TRICOIRE,

G. C. M., = Musiciens de tous les temps XXVI, Paris 1966 (mit Werkverz. u. Diskographie); A. KENIGSBERG, Sowremennaja amerikanskaja opera ... (»Die zeitgenössische amerikanische Oper. M. u. Floyd«), in: Musyka i sowremennost VI, hrsg. v. T. A. Lebedewa, Moskau 1969; L. PINZAUTI, A colloquio con G. C. M., nRMI IV, 1970.

+Menter, –1) [erg.: Simon] J o s e p h, 23. [nicht: 19.] 1. 1808 zu Teisbach (Bayern) [nicht: Deutenkofen] – 1856. –2) S o p h i e (Sofie), 1846 – 1918 zu München [nicht: Stockdorf], wo sie sich wenige Wochen vor ihrem Tode niederlassen hatte.
Lit.: J. MENTER, Eine Münchnerin erobert Europa, in: Münchner Stadtanzeiger XXIII, 1967, Nr 3.

+Mentzel, I g n a z, [erg.:] um 1670 zu Landeck (Schlesien) – nach 1729 zu Breslau.

+Menuhin, –1) Y e h u d i, * 22. 4. 1916 zu New York. M. spielte 1938 die amerikanische Erstaufführung [nicht: Uraufführung] von R. Schumanns Violinkonzert (Uraufführung 1937 in Berlin durch G. Kulenkampff). – Neben den seit 1959 in Gstaad bzw. Saanen (Berner Oberland) stattfindenden Festspielen begründete M. 1969 auch die Festspiele in Windsor (Berkshire); er war ferner 1959–68 künstlerischer Direktor des Bath Festival (Somersetshire). Mit dem Menuhin Festival Orchestra (früher Bath Festival Orchestra) unternahm er weltweite Tourneen. Um seine Vorstellungen von musikalischer Früherziehung zu verwirklichen, gründete er 1963 die Y. M. School in Stoke d'Abernon (Surrey). In den letzten Jahren wandte er sich auch außereuropäischer, besonders der indischen Musik zu (u. a. Zusammenspiel mit R. → Shankar). – 1969 wurde M. zum Präsidenten des Internationalen Musikrates der UNESCO gewählt. Seit 1972 ist er (als Nachfolger Barbirollis) Präsident des Trinity College of Music in London. M. erhielt 1970 das Ehrenbürgerrecht der Gemeinde Saanen und besitzt nunmehr neben der amerikanischen auch die Schweizer Staatsangehörigkeit. Zahlreiche Preise, Orden sowie weitere Ehrungen wurden ihm zuteil (u. a. Ehrendoktorwürde von neun englischen Universitäten, 1969 Ehrenmitglied der Wiener Musikakademie). – Eine Sammlung von Artikeln und Vorträgen erschien unter dem Titel *Theme and Variations* (London und NY 1972); an neueren Beiträgen in deutscher Sprache seien genannt *Die vollendete Erziehung. Nachdenkliche Betrachtungen eines Künstlers* (München 1963) und *Die Bedeutung der Musik für die Menschheit in unserer Zeit* (in: Universitas XXVI, 1971, auch in: Das Orchester XIX, 1971, S. 473ff.).
–2) H e p h z i b a h (verheiratete Hauser), * 20. 5. 1920 zu San Francisco. H. M., die sich besonders dem Kammermusikspiel widmet, wirkt zumeist bei den von ihrem Bruder veranstalteten Festspielen mit.
Lit.: V., Six Lessons with Y. M., London 1971, NY 1972 (aufgrund v. 6 Filmen d. Y. M. School of Music aufgezeichnet v. B. Maxie). – N. WYMER, Y. M., = Living Biogr. Series o. Nr, London 1961, ungarisch Budapest 1966; H. O. SPINGEL, Y. M., = Rembrandt-Reihe L, Bln 1964; O. WENZEL, Y. M., = Edice současné poezie cesty LXII, Prag 1966; I. KOLODIN, Educação según el plan M., Bol. interamericano de música 1966, Nr 56; G. PERCY, Ett sällsamt kunstnärsöde (»Ein seltsames Künstlerschicksal«), Musikrevy XXI, 1966, u. M.s 50. Geburtstag); R. LEWIN in: The Strad LXXVII, 1966/67, S. 244ff.; E. FENBY, M.s House of Music. An Impression of the Y. M. School at Stoke d'Abernon, London 1969, NY 1970.

Merath, S i e g f r i e d (Pseudonyme Paul Korff, Peter Tannwald), * 7. 10. 1928 zu Gessertshausen (Schwaben); deutscher Komponist von Unterhaltungsmusik, lebt in München. Er erhielt früh Klavierunterricht und bildete sich später in der Musik autodidaktisch weiter.

1949–54 studierte er Geschichte, Literaturwissenschaft und Rechtswissenschaft in München (Dr. phil. 1954). 1947 veröffentlichte er erste Kompositionen und begann als Arrangeur für Rundfunk und Schallplatte. Seit 1966 hat er eine eigene Musikproduktion (edition stereo; Savoy-Orchester). Er erhielt Kompositionsaufträge zu internationalen Festivals der leichten Musik (Stuttgart 1951: *Iberische Rhapsodie*; München 1963: *Sternbilder-Suite*; Stuttgart 1964: Ouvertüre *Humoris causa*; München 1965: *Violinissimo*). Von seinen über 150 weiteren, meistens speziell für Rundfunk- und Schallplattenaufnahmen zugeschnittenen Kompositionen (darunter über ein Dutzend mehrsätziger Suiten) seien *Concerto d'amore* für Kl. und Orch. und *Furioso e cantabile* für Orch. genannt. M. gab *Tanz-Typen*, eine Einführung in moderne Tänze für Klavierschüler (2 Bde, Mainz 1957–62) und Akkordeonschüler (ebd. 1958), heraus.

+Merbecke, J o h n, um 1510 ([erg.:] möglicherweise auch um 1505 bzw. 1500) – um 1585.
Ausg.: +d. erhaltenen mehrstimmigen Werke (Messe, 2 Motetten u. ein Carol) in: H. Aston, J. M., O. Parsley, hrsg. v. P. C. BUCK, E. H. FELLOWES, A. RAMSBOTHAM u. S. T. WARNER; = Tudor Church Music X, London 1929, Nachdr. NY 1963 [erg. früheren Titel]. – A Virgin and Mother f. S., A. u. B., hrsg. v. FR. HUDSON, London 1960; dass. hrsg. v. C. F. SIMKINS, ebd. 1965; Motette »Domine Jesu Christe« f. Soli u. 5st. gem. Chor, hrsg. v. FR. HUDSON, ebd. 1960; Music f. the Congregation at Holy Communion, hrsg. v. CH. CLEALL, ebd. 1963.
Lit.: H. BYARD, Farewell to M.?, MT CXIV, 1973 (vgl. auch ebd., S. 597f.).

+Mercadante, Giuseppe S a v e r i o Raffaele, 1795–1870.
In M.s Geburtsort Altamura (Apulien) besteht eine Associazione civica »S. M.«, in deren Archiv das Werk M.s gesammelt wird.
Lit.: B. NOTARNICOLA, Verdi non ha vinto M., Rom 1955; G. ZACCARIA, S. M. nei ricordi di un suo discepolo di Assisi, in: Altamura. Boll. dell'Arch. ..., Bari 1960, Nr 7; A. CAMURRI, S. M., in: Idea XVIII, 1962 (mit unveröff. Briefen); A. CANDIAGO, Ined. di Verdi e M., in: Estudos ital. em Portugal XXIV, 1965; FR. LIPPMANN, V. Bellini u. d. ital. Opera seria seiner Zeit, = Analecta musicologica VII, Köln 1969; D. RIGOTTI in: Rass. mus. Curci XXIII, 1970, Nr 2, S. 25ff.; G. C. BALLOLA in: Chigiana XXVI/XXVII, N. S. VI/VII, 1971, S. 465ff.; F. D'AMICO, Il »Ballo in maschera« prima di Verdi, ebd.; S. A. LUCIANI, S. M. e la critica sowie S. M. nei giudizi dei musicisti contemporanei, ebd. (beide Aufsätze = Wiederabdrucke aus d. Sammelschrift »+S. M. ..., Note e documenti«, 1945).

Mercé, Antonia → +Argentina, La.

Mercer (m'ɔ:sɔ), J o h n n y (eigentlich John H.), * 18. 11. 1909 zu Savannah (Ga.); amerikanischer Liedtexter und Komponist, kam 1927 nach New York, gewann einen von Paul Whiteman veranstalteten Sängerwettbewerb und arbeitete anschließend mit den Orchestern Paul Whiteman, Benny Goodman (1938) und Bob Crosby (1939–40) zusammen. 1940 ging er nach Hollywood, wo er Liedtexte für Filme schrieb und 1942 mit Glenn Wallichs und Buddy DeSylva die Capitol Records Incorporation gründete. Mit Arlen stellte er in Orchester auf, aus dem später die Quincy Jones Big Band hervorging. Erstmals Anteil an einem durchschlagenden Erfolg hatte M. 1933 mit seinem Text zu dem Song *Lazybones* (Musik Hoagy Carmichael); weitere Hits wurden (Musik Arlen) *Blues in the Night* (1940), *That Old Black Magic* (1941) und *Accentchuate the Positive* (1945). Zu *Something's Gotta Give, G. I. Jive, Dream* und *I'm an Old Cowhand* (1936) schrieb er auch selbst die Musik. Für den Song *Aitchison, Topeka, and*

*d.
June 25
1976*

Santa Fe (Musik H. Warren, aus dem Film *The Harvey Girls*) erhielt er 1946 einen Academy Reward.
Lit.: D. EWEN, Great Men of American Popular Song, Englewood Cliffs (N. J.) 1970.

Mercure (mɛrk'ɥ:r), Pierre, * 21. 2. 1927 zu Montreal, † 29. 1. 1966 (durch Autounfall zwischen Avallon und Auxerre, Yonne); kanadischer Komponist, studierte bei Champagne in Montreal, bei Nadia Boulanger und Hoérée in Paris (1949–50), bei Dallapiccola in Tanglewood/Mass. (1951), bei Pousseur und Maderna in Darmstadt (1962–63) sowie bei Nono und Berio in Dartington (Devon). In Montreal wurde er 1946 Orchesterfagottist, 1952 Regisseur und später Leiter für musikalische Fernsehprogramme am kanadischen Rundfunk. Von seinen Werken seien genannt: *Kaleidoscope* (1948), *Triptyque* (1959) und *Lignes et pointes* (1965) für Orch.; *Pantomime* für Bläser und Schlagzeug (1948); *Divertissement für Streichquartett und Streichorch.* (1957); *Cantate pour une joie* für S., Chor und Orch. (Text Gabriel Charpentier, 1960); Radiokantate *Psaume pour abri* für Solisten, Chöre, Orch. und elektronische Instr. (Text Fernand Ouellette, 1963); Ballettmusik *Tetrachromie* für 7 Instrumentalisten und elektronische Instr. (1963); *Incandescence* (Ballettmusik, 1961), *Structures métalliques I et II*, *Répercussions* und *Improvisation* (1961) für Tonband.

Mercury Record Corporation, 1947 in Chicago gegründet und gegenwärtig geleitet von Irving B. Green, einem ehemaligen Mitgründer. Die Firma ist außer in den USA hauptsächlich in Europa, Südamerika und Ostasien vertreten. Für Deutschland übernahm 1959 die Electrola Gesellschaft den Vertrieb; zur Zeit führt die Phonogram Tongesellschaft (→+Philips) das Label Mercury. Als Interpreten und Orchester für das klassische Repertoire seien A. Dorati, R. Kubelik und Adelina Patti sowie das Minneapolis Symphony Orchestra, für das umfassende Jazzprogramm Sarah Vaughn, Billy Eckstine und Gerry Mulligan genannt.

+Mergner, Adam Friedrich Christoph, 1818–91.
M. wurde 1874 Stadtpfarrer in Erlangen-Altstadt und 1880 Pfarrer in Heilsbronn [del. frühere Angaben dazu].

+Merian, Wilhelm, 1889–1952.
+Der Tanz in den deutschen Tabulaturbüchern (1927), Nachdr. Hildesheim und Wiesbaden 1968.

+Merikanto, –1) Frans Oskar, 1868–1924.
–2) Aarre, * 29. 6. [nicht: 7.] 1893 und [erg.:] † 28. 9. 1958 zu Helsinki. 1951 wurde er an der Sibelius-Akatemia in Helsinki zum Professor für Komposition ernannt. Seine Oper *+Juha* wurde 1967 in Helsinki uraufgeführt.
Lit.: zu –1): Y. SUOMALAINEN, O. M., Helsinki 1950; T. KARILA, Vesimaisemat J. Sibeliuksen, O. M.n ja Y. Kilpisen yksinlaulujen melodiikassa (»Wasserlandschaft in d. Melodik d. Lieder v. J. Sibelius, O. M. u. Y. Kilpinen«), Diss. Helsinki 1954.

Merikäinen, Usko, * 27. 1. 1930 zu Tampere; finnischer Komponist, studierte 1951–56 an der Sibelius-Akatemia in Helsinki Dirigieren (Kapellmeisterexamen 1953) und bei A. Merikanto Komposition (Diplom 1956) und vervollkommnete seine Studien privat bei Wl. Vogel in Ascona (Schweiz). Er war Chordirigent an der Finnischen Nationaloper in Helsinki (1955–56) und Kapellmeister am Volkstheater in Tampere (1957–60), wo er später als Dozent für Musik an der Universität tätig wurde. Er tritt häufig als Gastdirigent auf. Seine Kompositionen umfassen u. a. Ballette (*Arius*, Helsinki 1961), 3 Symphonien (1953, 1964 und 1971), ein Konzert (1956) und *Epyllion* (1964) für Orch.,

2 Klavierkonzerte (1956 und 1970), *Concerto da camera* für V., 2 Streichorch. und Schlagzeug (1963), *Impression* (1965) und Divertimento (1969) für Kammerensemble, *Concerto per 13* (für Streicher, 1972), *Metamofora per 7* (1970), ein Streichquartett (1966), 3 Sonaten (1960, 1966 und 1972) und *Tre notturni* (1969) für Kl. sowie Bühnen- und Filmmusik.

+Merklin, Joseph, 1819–1905.
Von 1926 an, nach dem Tode von Th. Kuhn (1865–1925), firmiert das Stammhaus in Lyon als Société des Anciens Etablissements Michel–Merklin & Kuhn. Die Firma, seit 1960 von Jean Brugière geleitet, verlegte 1967 ihren Sitz in die Bannmeile Lyons (St-Genis-les-Ollières). Die Schweizer Werkstatt Orgelbau Th. Kuhn AG in Männedorf (Zürich) wird seit 1967 von Friedrich Jakob geleitet; aus ihrer Arbeit ist als neueres Werk die Orgel für den St. Galler Dom (73 St.) zu nennen.

Merkù, Pavle, * 12. 7. 1929 zu Triest; italienisch-slowenischer Komponist, studierte Komposition bei Ivan Gobec und V. Levi in Ljubljana und absolvierte slawistische Studien 1950 an der dortigen Universität sowie 1960 an der Universität in Rom. Nach Lehrtätigkeit an Schulen in Ljubljana und Triest wurde er Sendeleiter für das slowenische Programm bei der RAI in Triest. Er schrieb Orchesterwerke (*Ouvertura barocca* für 2 Streichorch., Kl. und Schlagzeug, 1950; *Concertino per piccola orch.*, 1957; *Concerto lirico* für Klar. und Orch.*, 1959; *Musica per archi*, 1962; Konzert für V. und Orch., 1970), Kammermusik (*Quartetto breve* für Streichquartett, 1952, und Streichquartett Nr 2, 1968; Suite für Fl., Ob., Klar. und Kl., 1954; Divertimento für Fl., 2 Klar. und Fag., 1954; *Astrazioni* für Klar., Vc. und Kl., 1956; *Invocazione* für 2 Kl. und Metallophon, 1966; *Invocazione* für Hf., Kl. und Metallophone, 1966; Stücke für Soloinstr. und Kl.), Vokalmusik (*Von der Kindesmörderin Marie Farrar*, Kantate nach Brecht für Bar., gem. Chor, 2 Kl. und Schlagzeug, 1958; *Kadar gre romar*, »Wenn ein Pilger unterwegs ist«, 3 Sonette nach Srečko Kosovel für Bar. und Streichorch., 1960; *Ex Alchuini carminibus*, Konzert für Horn und Chor, 1962; *Divertimento*, 6 Lieder für T. und Kammerorch., 1965; Chöre und Lieder) und Bühnenmusik.

Merman (m'ə:mæn), Ethel Agnes (geborene Zimmermann), * 16. 1. 1909 zu Astoria (Long Island, N. Y.); amerikanische Sängerin und Schauspielerin, begann ihre Laufbahn in Night clubs. Der Durchbruch gelang ihr, ohne daß sie je Unterricht genommen hatte, über Nacht in *Girl Crazy* von Gershwin mit dem Song *I Got Rhythm* (NY 1930). Ihre Erfolge steigerten sich in Broadway-Musicals wie *Scandals* von George White (1932), *Anything Goes* (1934), *Du Barry Was a Lady* (1939) und *Panama Hattie* (1940) von C. Porter, *Annie Get Your Gun* von I. Berlin (1946) und *Call Me Madam* von Howard Lindsay und Russel Crouse (1950). Auch im Film (erste tragende Rolle in *We're Not Dressing*, 1934; *There's No Business Like Show Business*, Musik I. Berlin, 1954), im Rundfunk (ab 1935) und im Fernsehen war sie, nicht zuletzt in Remakes ihrer Musicals, sehr erfolgreich. Eine Autobiographie veröffentlichte sie als *Who Could Ask for Anything More?* (NY 1955).
Lit.: M. ZOLOTOW, No People Like Show People, NY 1951.

Merriam (m'ɛɹɪəm), Alan Parkhurst, * 1. 11. 1923 zu Missoula (Mont.); amerikanischer Musikethnologe, studierte an der Montana State University in Bozeman (B. A. 1947) und an der Northwestern University in Evanston/Ill. (M. M. 1948), an der er 1951 mit der Dissertation *Songs of the Afro-Bahian Cults. An Ethnomu-sicological Analysis* zum Ph. D. in Anthropologie pro-movierte. Er war Assistant Professor (1954–56) und Associate Professor (1956–58) am Department of An-thropology der Northwestern University. 1962 wurde er Professor am Department of Anthropology an der Indiana University in Bloomington. M. war Mitgrün-der der Society for Ethnomusicology (1962–64 Präsi-dent) und Herausgeber von deren Zeitschrift *Ethno-musicology* (1953–58). In seinen Veröffentlichungen, von denen hier eine Auswahl geboten wird, widmet er sich speziellen Fragen der Musik Afrikas, der Musik der Indianer Nordamerikas, der afroamerikanischen Musik, des Jazz und der Methodik. – Afrikanische Musik: *African Music* (in: Continuity and Change in African Cultures, hrsg. von W.R.Bascom und M.J. Herskovits, Chicago 1959); *The Music of Africa* (in: Africa and the United States, hrsg. von der U. S. National Commission for UNESCO, Boston/Mass. 1961); *The African Idiom in Music* (Journal of American Folklore LXXV, 1962); *The Epudi, a Basongye Ocarina* (in: Ethnomusicology VI, 1962); *The Use of Music as a Technique of Reconstructing Culture History in Africa* (in: Reconstructing African Culture History, hrsg. von Cr. Gabel und N.R.Bennett, = Boston University African Research Studies VIII, Boston 1967); *The Eth-nographic Experience. Drum-Making Among the Bala (Basongye)* (in: Ethnomusicology XIII, 1969); *African Music on LP. An Annotated Discography* (Evanston/Ill. 1970). – Indianermusik: *Notes on Cheyenne Songs* (JAMS III, 1950); *Ethnomusicology of the Flathead Indians* (= Viking Fund Publ. in Anthropology XLIV, Chicago 1967); *Music and the Origin of the Flathead Indians. A Problem in Cultural History* (in: Music in the Americas, hrsg. von G.List und J.Orrego-Salas, = In-ter-American Monograph Series I, Bloomington/Ind. 1967). – Afroamerikanische Musik: *Songs of a Rada Community in Trinidad* (mit S.Whinery und B.G.Fred, in: Anthropos LI, 1956); *Songs of the Gêge and Jesha Cults of Bahia, Brazil* (Jb. für musikalische Volks- und Völkerkunde I, 1963). – Jazz: *A Bibliography of Jazz* (mit R.J.Benford, = Publ. of the American Folklore Society, Bibliogr. Series IV, Philadelphia/Pa. 1954, Nachdr. NY 1970); *The Jazz Community* (in: Social Forces XXXVIII, 1960); *Jazz – The Word* (in: Ethno-musicology XII, 1968). – Allgemeine Themen: *Purposes of Ethnomusicology. An Anthropological View* (in: Ethno-musicology VII, 1963); *The Anthropology of Music* (Evanston/Ill. 1964); *Ethnomusicology and Folk Music. An International Bibliography of Dissertations and Theses* (= The Society for Ethnomusicology, Special Series in Ethnomusicology I, Middletown/Conn. 1966); *Ethno-musicology Revisited* (in: Ethnomusicology XIII, 1969); *The Arts and Anthropology* (in: Anthropology and Art, hrsg. von Ch. M. Otten, NY 1971).

+**Merrick,** Frank, * 30. 4. 1886 zu Clifton (Bristol). 1953 wurde er Klavierlehrer am Trinity College of Music in London. Eine Anzahl von Liedern (meist auf Gedichte in Esperanto) entstand in den 50er Jahren. M. schrieb *Practising the Piano* (London 1958, ²1960, Nachdr. 1965) sowie *Chopin in the 20ᵗʰ Cent.* (MT CI, 1960) und gab von J.Field *Piano Concertos* heraus (Nr 1–3, = Mus. Brit. XVII, London 1961).

Merrill (m'eɹil), Bob, * 17. 5. 1922 zu Atlantic City (N. J.); amerikanischer Komponist und Textdichter von Schlagern und Musicals, war zunächst Schauspie-ler und Aufnahmeleiter beim Film in Hollywood. Er wandte sich dann ganz der Unterhaltungsmusik zu und schrieb ab Mitte der 40er Jahre bis 1952 Text und Mu-sik zahlreicher Schlager (*My Truly, Truly Fair*; *Sparrow in the Tree Top*; *Candy and Cake*; *How Much Is That Doggie in the Window?*). M. komponierte die erfolgrei-chen Musicals *New Girl in Town* (nach Eugene O'Neills Drama *Anna Christie*, NY 1957, mit den Songs *Sun-shine Girl* und *Did You Close Your Eyes?*), *Take Me Along* (nach O'Neills *Ah, Wilderness*, NY 1959) und *Carnival* (NY 1961, mit dem Song *Makes the World Go Round*). Zu dem Musical *Funny Girl* (1964) von Styne dichtete M. die Songtexte.

Merrill (m'eɹil), Robert, * 4. 6. 1919 zu Brooklyn (N. Y.); amerikanischer Opernsänger (Bariton), stu-dierte bei Samuel Margolis in New York und debütier-te 1944 als Amonasro (*Aida*) in Trenton (N. J.). 1945 ge-wann er die Metropolitan Opera Association Audition of the Air und gab im selben Jahr als Germont in *La Traviata* sein Debüt an der Metropolitan Opera in New York, der er seitdem angehört. Gastspiele führten ihn u. a. an die Covent Garden Opera in London und an das Teatro Colón in Buenos Aires. Sein umfangreiches Repertoire umfaßt u. a. Partien aus *Il barbiere di Si-viglia*, *Rigoletto*, *Un ballo in maschera*, *Don Carlos*, *Faust*, *Lucia di Lammermoor* und *Andrea Chénier*. M. schrieb auch eine Autobiographie (*Once More From the Begin-ning*, NY 1965).

Merriman (m'eɹimən), Nan (Katherine-Ann), * 28. 4. 1920 zu Pittsburgh (Pa.); amerikanische Sängerin (Mezzosopran), studierte bei Alexia Bassian in Los An-geles, wurde zunächst als Konzertsängerin bekannt, gab 1942 ihr Bühnendebüt in Cincinnati und kam 1943 an die Metropolitan Opera in New York. Sie machte Rundfunk- und Schallplattenaufnahmen unter Tosca-nini (Orfeo, Maddalena in *Rigoletto*, Emilia in *Otello*, Meg in *Falstaff*). Nach 1945 entfaltete sie eine rege Kon-zert- und Gastspieltätigkeit, die sie auch nach Europa führte. Sie trat bei den Festspielen in Glyndebourne, Edinburgh und Aix-en-Provence auf und war Gast an der Wiener Staatsoper, an der Covent Garden Opera in London und an der Mailänder Scala. N. M. ist auch als Liedsängerin bekannt geworden (Mahler, Debussy, Ravel, de Falla).

+**Merritt,** Arthur Tillman, * 15. 2. 1902 zu Calhoun (Mo.).
M. war 1968–72 Chairman des Department of Music der Harvard University (Mass.). Zu seinem 70. Ge-burtstag wurde er mit einer Festschrift geehrt (*Words and Music. The Scholar's View*, hrsg. von L.Berman, Cambridge/Mass. 1972). – Als neuerer Aufsatz liegt vor *Janequin. Reworkings of Some Early Chansons* (in: Aspects of Medieval and Renaissance Music, Fs. G. Reese, NY 1966). Die von A.Smijers begonnene Aus-gabe der bei →+Attaingnant 1534–35 erschienenen *Treize livres de motets* führte er mit Bd VIII–XIII zu Ende (Monaco 1962–63) und ergänzte sie mit dem *Quatorzième livre ...* von 1539 (ebd. 1964, 19 Motet-ten von P. de Manchicourt). Mit Fr.Lesure gibt er fer-ner eine GA der *Chansons polyphoniques* von →+Ja-nequin heraus.

+**Merseburger** Berlin GmbH.
Max M., 1853 [nicht: 1852] – 1935; Georg M., 1871–1958 [nicht: 1872–1957]. Der Sitz des Unterneh-mens in Leipzig wurde 1943 [nicht: 1945] zerstört. Karl M. (* 31. 12. 1905 zu Leipzig) schied 1955 [nicht: 1956] aus der Firma aus; die *Cantate*-Schallplatten-Pro-duktion seines Verlages in Darmstadt ging 1964 an den J.-Stauda-Verlag in Kassel über. – Adolf Strube (* 31. 7. 1894 zu Halberstadt, † 6. 4. 1973 zu Berlin [er war nicht Herausgeber der Zeitschrift +*Völkische Musik-*

erziehung]) übernahm den Verlag 1955 und war nach der Umwandlung 1964 in eine Familien-GmbH ihr Geschäftsführer (bis 1972) [del. frühere Angaben zu: R.Elvers; Filiale Heidelberg; Merseburger & Co. Hamburg]; derzeit sind Gesellschafter und Geschäftsführer des Verlages die Sohn Friedemann Strube (* 29. 11. 1939 zu Berlin) und Wolfgang Matthei (* 26. 12. 1925 zu Landshut, Nordmähren). Die Zeitschrift des Verbandes evangelischer Kirchenmusiker *+Der Kirchenmusiker* (1973 im 24. Jg.) erscheint seit der Gründung 1950 ausschließlich in Berlin [del.: bis 1955 in Hamburg]. Die neuere Verlagsproduktion umfaßt seit 1956 auch musikwissenschaftliche Literatur.
Lit.: H.-M. PLESSKE, Bibliogr. d. Schrifttums zur Gesch. deutscher u. österreichischer Musikverlage, in: Beitr. zur Gesch. d. Buchwesens III, hrsg. v. K.-H. Kalhöfer u. H. Rötzsch, Lpz. 1968.

+Mersenne, Marin, 1588 zu La Soultière (Maine) [nicht: Oizé (Sarthe)] – 1648.
Der 1627 unter dem Pseudonym »de Sermes« erschienene *Traité de l'harmonie universelle* [del.: *Livre premier de la musique théorique*] steht in keiner Übereinstimmung mit der *Harmonie universelle.*
Ausg.: *+Harmonie universelle. The Books on Instr.,* (R. E. CHAPMAN, 1957), Neudr. Den Haag 1964. – *+Correspondance du P. M. M.,* Religieux Minime (begonnen v. Mme P. TANNERY, hrsg. v. C. DE WAARD, Bd I–II, 1932–35), Bd III, Paris 1946, ²1969, IV–XI, 1955–70. – *Harmonie universelle contenant la théorie et la pratique de la musique,* Faks. d. Ausg. Paris 1636 hrsg. v. FR. LESURE, 3 Bde, ebd. 1963; *Questions harmoniques,* Faks. d. Ausg. ebd. 1634, Stuttgart 1972; *Harmonicorum Libri XII,* Faks. d. Ausg. Paris 1648, Genf 1972.
Lit.: *+H. LUDWIG, M. M. u. seine Musiklehre* (1935), Nachdr. Hildesheim 1971. – J. B. EGAN, M. M., »Traité de l'harmonie universelle«, Diss. Indiana Univ. 1962 (kritische Übers. d. 2. Buches); R. VAUGHT, M.'s Unknown Engl. Viol Player, GSJ XVII, 1964; E. M. RIPIN, The French Harpsichord Before 1650, GSJ XX, 1967; D. KRICKEBERG, Studien zu Stimmung u. Klang d. Quer-Fl. zwischen 1500 u. 1850, Jb. d. Staatl. Inst. f. Musikforschung ... 1968; F. DOUGLASS, The Language of the Class. French Org., New Haven (Conn.) 1969; A. M. GRUBER, M. and Evolving Tonal Theory, Journal of Music Theory XIV, 1970; D. T. MACE, M. M. on Language and Music, ebd.; H. SCHNEIDER, Die frz. Kompositionslehre in d. ersten Hälfte d. 17. Jh., = Mainzer Studien zur Mw. III, Tutzing 1972.

+Mersmann, Hans, * 6. 10. 1891 zu Potsdam, [erg.:] † 24. 6. 1971 zu Köln.
Vorsitzender des Deutschen Musikrates (Deutsche Sektion des Internationalen Musikrates) war M. bis 1964 (seitdem Ehrenpräsident). Von seinen neueren Veröffentlichungen seien genannt: *+Musikgeschichte in der abendländischen Kultur* (²1955), Hbg ³1967 (mit neuen Illustrationen); *Deutsche Musik des XX. Jh. im Spiegel des Weltgeschehens* (= Kontrapunkte I, Rodenkirchen/ Rhein 1958); *Die Kirchenmusik im XX. Jh.* (Nürnberg 1958); *Freiheit und Bindung im künstlerischen Schaffen* (= Musikalische Zeitfragen VIII, Kassel 1960); gesammelte Aufsätze und Ansprachen *Lebensraum der Musik* (= Kontrapunkte VII, Rodenkirchen/Rhein 1964); *Stilprobleme der Werkanalyse* (in: Quantität und Qualität in der modernen deutschen Musikerziehung, hrsg. von E. Kraus, Mainz 1963, auch separat Neuß 1963); *I. Strawinsky und sein Lebensweg für die moderne Musik* (in: Universitas XX, 1965); *M. Reger in Tradition und Moderne* (Mitt. des M.-Reger-Instituts 1966, H. 16); *Die moderne Oper und die Neue Musik unserer Zeit* (in: Universitas XXII, 1967); *Historische Beziehungen in der gegenwärtigen Musik* (in: Aspekte der Neuen Musik, Fs. H. H. Stuckenschmidt, Kassel 1968).

180

Lit.: C. DAHLHAUS in: Musica XV, 1961, S. 624f.; W. WIORA in: Musik im Unterricht (Allgemeine Ausg.) LII, 1961, S. 307. – TH.-M. LANGNER in: Musica XXV, 1971, S. 500; O. SCHREIBER in: Mitt. d. M.-Reger-Inst. 1971, H. 18, S. 1ff.; W. WIORA in: Mf XXIV, 1971, S. 365ff.; FR. SCHIERI in: Musik u. Altar XXIV, 1972, S. 86ff. – E. DRLÍKOVÁ, Hudba a člověk. Problemy moderní hudby v pojetí H. M.a (»Musik u. Mensch. Probleme d. modernen Musik in d. Konzeption v. H. M.«), in: Opus musicum II, 1970; H. OESCH, Das »Melos« u. d. Neue Musik, Fs. f. einen Verleger (L. Strecker), Mainz 1973.

+Mertz, Leonhard (Martius, [erg.:] Marcae, Mirtz), † nach [del.: um] 1497.
Von M. sind an weiteren Orgelbauten nachweisbar: vor 1475 Liebfrauenkirche Frankfurt a. M. (Chororgel), 1477–79 ebd. (Hauptorgel), 1480/81 Rothenburg o. d. Tauber, 1480–82 Heilsbronn (Münster-Hauptorgel), 1482 St. Marien Würzburg und 1482/83 Barfüßerkirche Frankfurt a. M.
Lit.: FR. KRAUTWURST, Die erste Org. d. St. Jakobskirche in Rothenburg o. d. T., ein Werk d. Frankfurter Barfüßers L. M., Jb. f. fränkische Landesforschung XXIII, 1963.

+Merula, Tarquinio, um 1590 – 1665.
Ausg.: Composizioni per org. e cemb., hrsg. v. A. CURTIS, = Monumenti di musica ital. I, 1, Brescia 1961.
Lit.: *+W. S. NEWMAN, The Sonata in the Baroque Era (1959 [nicht: 1958]), revidiert Chapel Hill (N. C.) 1966, London 1968, neuerlich revidiert NY u. London 1972 (Paperbackausg.). – A. CURTIS, L'opera cemb.-organistica di T. M., in: L'org. I, 1960; J. ROCHE, Music at S. Maria Maggiore, Bergamo, 1614–43, ML XLVII, 1966.

+Merulo, Claudio, 1533–1604.
M. kam 1586 [nicht: 1584] als Hoforganist nach Parma, wo er 1587 Domorganist und 1591 Organist an der herzoglichen Kirche La Steccata wurde.
Ausg.: Musica sacra, hrsg. v. J. BASTIAN, bisher 2 Bde (I: Messen »Benedicta es«, »Susanne un giour«, »Oncques amour« u. »Aspice Domine«, II: d. Messen v. 1609), = CMM CLI, (Rom) 1970–71. – Madrigal »Madonna poich' uccider mi volete«, hrsg. v. D. ARNOLD, London 1967; Kyrie aus d. Messe »Benedicam Dominum«, in: J. SCHMIDT-GÖRG, Gesch. d. Messe, = Das Musikwerk XXX, Köln 1967, engl. 1968. – Toccata prima, in: E. VALENTIN, Die Tokkata, ebd. XVII, 1958, auch engl.; Toccata sesta terza tuono, in: Orgelmusik an europäischen Kathedralen I, hrsg. v. E. KRAUS, = Cantantibus org. II, Regensburg 1959; Canzon F dur im. org., = Das Musikwerk XIX, Köln 1960, engl. 1961; Canzon Nr 5, f. 2 Trp. u. 2 Pos. (2 Trp., Horn u. Pos.) hrsg. v. A. LUMSDEN, = Venetian Brass Music VI, London 1969; Canzoni 18, 23 u. 26, f. 2 Trp. u. 3 Pos. (2 Trp., Horn u. 2 Pos.) hrsg. v. R. P. BLOCK, ebd. XVIII, 1970.
Lit.: *+A. EINSTEIN, The Ital. Madrigal (I–II, 1949), Nachdr. Princeton (N. J.) 1971; *+O. KINKELDEY, Org. u. Kl. in d. Musik d. 16. Jh. (1910), Nachdr. Hildesheim u. Wiesbaden 1968; *+G. FROTSCHER, Gesch. d. Orgelspiels ... I (1935, ²1959), Bln ³1966. – R. JEANDIN, Cl. M. and his importance dans l'évolution de la musique d'orgue au XVIe s., Mitt. d. Schweizerischen musikforschenden Ges. I, 1934; A. FURLOTTI in: Aurea Parma XXXVII, 1953, S. 29ff.; L. H. DEBES, Über d. Stand d. Forschungen zu Cl. M., Kgr.-Ber. Kassel 1962; DERS., Die mus. Werke v. Cl. M. (1533–1604). Quellennachweis u. thematischer Kat., Diss. Würzburg 1966; O. MISCHIATI, L'intavolatura d'org. tedesca della Bibl. Nazionale di Torino. Cat. ragionato, in: L'org. IV, 1963; J. G. BASTIAN JR., The Sacred Music of Cl. M., 2 Bde, Diss. Univ. of Michigan 1967; DERS., The Masses of Cl. M., Touchstones of Parody Technique in Venetian Style, American Choral Rev. XXI, 1970; G. VÖLKL, Die Toccaten Cl. M.s, Diss. München 1969.

Méry, François-Joseph, * 21. 1. 1798 zu Les Aygalades (bei Marseille), † 17. 6. 1865 zu Paris; französischer Librettist, war als Journalist zunächst in seiner Heimatstadt und ab 1824 in Paris tätig (1834–35 Mitarbeiter bei der »Gazette musicale«). Bis 1850 war er auch

Bibliothekar in Marseille. Er schrieb mehrere Libretti u. a. für Félicien David und für Reyer und begann kurz vor seinem Tode die Ausarbeitung des Textes zu Verdis *Don Carlos*, den Du Locle vollendete.

+Merzdorf, Walter, * 4. 4. 1896 zu Merseburg (Saale).
Die Werkstatt wurde 1969 nach Wilferdingen (bei Pforzheim) verlegt. 1970 übernahm M.s Sohn Eckehart (* 29. 11. 1938 zu Markneukirchen, Sachsen) die Firma. Neben Cembali (1948–70 ca. 430), Spinetten (ca. 100) und Clavichorden (238) werden seit 1969 auch Hammerflügel der Mozart-Zeit nachgebaut.

Mésangeau (mezãʒ´o), René (Mézangeau, Mesangio, Mésengeot, Mesengé, Meziniot, Meschanson, Messangior), * Ende 16. Jh., † Januar 1638 zu Paris; französischer Lautenist, wurde 1621 fest angestellter Musiker König Ludwigs XIII. (musicien ordinaire du Roi). Wahrscheinlich war er Lehrer von E. Gaultier, der in *Tombeau de M.* komponierte. Stücke von ihm sind teils als Manuskript erhalten, teils veröffentlicht bei Bésard (*Novus partus*, Augsburg 1617), R. Ballard (*Tablatures*, Paris 1631 und 1638), Mersenne (*Harmonie universelle*, ebd. 1636) und Perrine (*Livre de musique de lut*, ebd. 1680).
Ausg.: Œuvres de R. M., hrsg. v. A. Souris, = Le chœur des muses o. Nr, Paris 1971 (mit biogr. Studie u. kritischem Apparat v. M. Rollin).
Lit.: M. Le Moël, Pour une meilleure biogr. de Mézangeau, RMFC III, 1963.

Mešāqa, Mīḥā'īl → **Mušāqa,** M.

+Mesomedes, 1. Hälfte 2. Jh. n. Chr.
Ausg. u. Lit.: +Musici scriptores Graeci (K. v. Jan, 1895–99), Nachdr. Hildesheim 1962; +H. Husmann, Zur Metrik …, in: Hermes LXXXIV, 1956 [nicht: LXXXIII, 1955]; +I. Henderson, Ancient Greek Music, in: Ancient and Oriental Music, hrsg. v. E. Wellesz (1957), ital. Mailand 1962; +H. Abert, Gesammelte Schriften u. Vorträge (1929), Tutzing ²1968. – d. Text d. Berliner Papyrus in: Die griech. Dichterfragmente d. römischen Kaiserzeit, hrsg. v. E. Heitsch = Abh. d. Akad. d. Wiss. in Göttingen, Philologisch-hist. Klasse III, 49, Göttingen 1961.

+Messager, André Charles Prosper, 1853–1929.
Lit.: H. Borgeaud, Lettres d'A. M. à A. Carré, Rev. de musicol. XLVIII, 1962.

+Messchaert, Johannes Martinus, 1857–1922.
Lit.: Fr. Martienssen-Lohmann in: Mens en melodie XII, 1957, S. 241ff., u. in: Musik im Unterricht (Allgemeine Ausg.) XLVIII, 1957, S. 276ff. – M. C. Canneman, Inventaris v. gedenkstukken met betrekking tot de zanger J. M. M., Hoorn 1968.

Messel, Oliver, * 13. 1. 1905 zu London; englischer Bühnenbildner, erhielt seine Ausbildung an der Slade School of Art in London, arbeitete zuerst als Maskenschnitzer, dann als Bühnen- und Kostümbildner für »Cochran's Revue« (1928–33), kam in diesen Jahren mit M. Reinhardt in Kontakt und stattete später für das Sadler's Wells Ballet in London »Dornröschen« (1940) und für die Covent Garden Opera in London *Die Zauberflöte* (1947), »Pique Dame« (1950) und *Samson* von Händel (1958) aus. Für das Glyndebourne Festival schuf er die Entwürfe zu *Le bourgeois gentilhomme* und *Ariadne auf Naxos* (1950), *Idomeneo* (1951), *La Cenerentola* (1952), *Le nozze di Figaro* (1955), *Die Entführung aus dem Serail* (1956) und *Der Rosenkavalier* (1959) sowie für die Metropolitan Opera in New York zu *Ariadne auf Naxos* (1962). 1954 entwarf M. die Ausstattung für das Broadway-Musical *House of Flowers* von Arlen. – Seine atmosphärisch farbigen Bühnenbilder halten Gleichgewicht zwischen Illusionszauber und als »Theater« sichtbar gemachter szenischer Struktur.

+Messiaen, Olivier [erg.:] Eugène Prosper Charles, * 10. 12. 1908 zu Avignon.
M., der an der Ecole normale de musique und der Schola cantorum in Paris 1936–39 unterrichtete, wirkt weiterhin als Organist an der Kirche Sainte Trinité in Paris; 1966 wurde er zum Professor für Komposition am Pariser Conservatoire ernannt. Er ist Grand Officier de la Légion d'honneur, Commandeur des arts et lettres, Grand Officier de l'Ordre national du mérite, Mitglied des Institut de France (Académie des beaux-arts, seit 1967), der Bayerischen Akademie der Schönen Künste, der Akademie der Künste in (West-)Berlin, der Accademia nazionale di S. Cecilia, der American Academy of Arts and Letters, des National Institute of Arts and Letters, der American Academy of Arts and Sciences (seit 1973) und der Kungl. Musikaliska akademien. 1971 wurde er mit dem niederländischen Erasmus-Preis ausgezeichnet. M. ist verheiratet mit der Pianistin Yvonne →+Loriod. – Weitere Werke (nebst Ergänzungen zum früheren Werkverzeichnis): *La dame de Shalott* für Kl. (1916); *2 Ballades de Villon* für Singst. und Kl. (1921); *La tristesse d'un grand ciel blanc* für Kl. (1925); *Esquisse modale* für Org. (1927); *Le banquet eucharistique* (1928, nach +*Le banquet céleste*) und Fuge D moll (1928) für Orch.; *Variations écossaises* (1928) und *L'hôte aimable des âmes* (1928) für Org.; *3 Lieder* für S. und Kl. (1929); *Simple chant d'une âme* für Orch. (1930); +*Fantaisie burlesque* für Kl. (1931); *4 »Méditations symphoniques«* +*L'Ascension* für Orch. (1933, Orgelfassung mit *Transports de joie* an Stelle von *Alleluia sur la trompette*); +*Diptyque* für Org. (1930); *Thema und Variationen* (1932) und eine *Fantasie* (1933) für V. und Kl.; *Vocalise* (1935) und +*Poèmes pour Mi* (1936, danach die Fassung mit Orch., 1937) für S. und Kl.; *Pièce pour le tombeau de Dukas* für Kl. (1936); *Fêtes des belles eaux* für 6 Ondes Martenot (1937); Motette *O sacrum convivium* für 4st. gem. Chor (oder S. und Org., 1937); *2 Monodies* für Ondes Martenot (vierteltönig, 1938); *2 Chœurs pour une Jeanne d'Arc* für großen und kleinen gem. Chor a cappella (1941); *Musique de scène pour un Œdipe* für Ondes Martenot (1942); *Rondo* für Kl. (1943); +*Turangalîla-Symphonie* (1946–48, als Ballett von R. Petit mit Bühnenbildern von Max Ernst, Paris 1968); »Etude de rythme« *Cantéyodjaya* für Kl. (1948); +*Livre d'orgue* (7 Stücke, 1951); *Le merle noir* für Fl. und Kl. (1952); +*Timbres-durées* (1952); +*Catalogue d'oiseaux* (13 Stücke, 1956–58, darunter +*La rousserolle* [nicht: *rousselote*] *effarvatte*); *Verset pour la fête de la Dédicace* für Org. (1960); »Esquisses japonaises« *Sept Haïkaï* für Kl., Xylophon, Marimba und kleines Orch. (1962); *Couleurs de la cité céleste* für Kl., Bläser und Schlagzeug (1963); *Et exspecto resurrectionem mortuorum* für Holzbläser, Blechbläser und Schlagzeug (1964); Oratorium *La transfiguration de Notre-Seigneur Jésus-Christ* für gem. Chor (100 Sänger in 10 Gruppen), 7 Instrumentalsolisten (Fl., Klar., Xylorimba, Vibraphon, Marimba, Vc. und Kl.) und Orch. (lateinischer Text, 1965–69); Zyklus *Méditations sur le mystère de la Sainte Trinité* für Org. (9 Stücke, 1969); *La fauvette des jardins* für Kl. (1970). – +*Technique de mon langage musical* (1944), engl. auch Paris 1956, deutsch als *Technik meiner musikalischen Sprache*, ebd. 1966; +*Vingt leçons d'harmonie* (1939), Neuaufl. ebd. 1951; +*Traité de rythme* (nach M.s eigener Angabe »en préparation depuis 20 ans« [nicht: Paris 1954]). – M. veröffentlichte ferner: *La musique et l'ornithologie* (Rev. d'esthétique XV, 1962); *Propos impromptu* (in: Le courrier musical de France 1964, Nr 8); *Notice sur la vie et les travaux de J. Lurçat (1892–1966)* (Paris 1968).

Lit.: P. MESSIAEN, Images, Paris 1944 (Memoiren v. M.s Vater); M. FRÉMIOT, Le rythme dans le langage d'O. M., in: Polyphonie 1949; D. DREW, M., A Provisional Study, in: The Score 1954, Nr 10 u. 1955, Nr 13–14; N. DEMUTH, M. and His Org. Music, MT XCVI, 1955; DERS., M.'s Early Birds, MT CI, 1960; CL. ROSTAND, M. et ses trois styles, SMZ XCVII, 1957; DERS. in: ÖMZ XIII, 1958, S. 522ff.; E. SEIDEL, M.'s Livre d'orgue, in: Musik u. Altar X, 1957/58; DERS. in: Musica sacra XCIII, 1973, S. 348ff. (zur 2. »Pièce en trio« d. »Livre d'orgue«); A. BENDER in: Caecilia LXVI, (Straßburg) 1958, S. 97ff. u. 150ff.; S. GUNTHER, O. M., Trois petites liturgies . . ., Eine rhythmische Studie, MuK XXVIII, 1958; DERS., Das Orgelwerk v. O. M., MuK XXX, 1960; B. SCHÄFFER, Nowa muzyka, Krakau 1958, ²1969; B. GAVOTY in: Tempo 1961, Nr 58, S. 33ff. (Interview); A. GOLÉA, Rencontres avec O. M., Paris 1961; DERS., O. M., »Chronochromie«, in: Melos XXIX, 1962; DERS., M.s »Turangalîla« in d. Pariser Großen Oper, NZfM CXXIX, 1968; DERS., Das Weltbild d. Komponisten O. M., NZfM CXXX, 1969; J.-CL. HENRY, M. et l'orgue, in: L'orgue 1961, Nr 100; J. ROY, Présences contemporaines, Musique frç., Paris 1962; P. NØRGÅRD in: DMT XXXVIII, 1963, S. 256ff. (zu »Mode de valeurs . . .«); N. ARMFELT, Emotion in the Music of M., MT CVI, 1965; G. CHAJMOWSKIJ u. JU. N. CHOLOPOW: in: SM XXIX, 1965, H. 10, S. 119ff. (zu Werk u. Theorie); P. MARI, O. M., = Musiciens de tous les temps XXI, Paris 1965, ²1970 (mit Werkverz.); JU. N. CHOLOPOW, O trjoch sarubeschnych sistemach garmonii (»Über 3 ausländische Harmoniesysteme«), in: Musyka i sowremennost IV, hrsg. v. T. A. Lebedewa, Moskau 1966; DERS., Simmetritschnyje lady w twortscheskich sistemach Jaworskowo i Messiana (»Symmetrische Tonleitern in d. Kompositionssystemen v. Jaworskij u. M.«), ebd. VII, 1971; GH. COSTINESCU in: Muzica XVI, 1966, Nr 9, S. 21ff.; U. DIBELIUS, Moderne Musik 1945–65, München 1966, Stuttgart 1968; P. MALAVARD, Visions de l'amen. Chorégraphie sur la musique d'O. M., Bd I, Paris 1966; G. CHAJMOWSKIJ in: SM XXXI, 1967, H. 1, S. 104ff., u. H. 3, S. 105ff. (zur »Turangalîla-Symphonie«); CL. SAMUEL, Entretiens avec O. M., = Entretiens o. Nr, Paris 1967 (mit Werkverz. u. Diskographie); C. TĂRANU, Confluenţă Enescu–M. şi reflectarea ei în muzica contemporană, in: Lucrări de muzicologie III, 1967; H. E. FRISCHKNECHT, Rhythmen u. Dauerwerte im Livre d'orgue v. O. M., in: Musik u. Gottesdienst XXII, 1968; F. KLINDA, Die Orgelwerke v. O. M., MuK XXXVIII, 1968 – XXXIX, 1969, tschechisch in: Slovenská hudba XV, 1971, S. 22ff. u. 63ff.; H. MAYER, De vogelmuziek v. M., in: Mens en melodie XXIII, 1968; DERS., Kleurenmuziek bij M. (»Farbenmusik v. M.«), ebd. XXV, 1970; DERS., ebd. XXVI, 1971, S. 131ff.; R. SMALLEY, Debussy and M., MT CIX, 1968; M. TROUP, M. and the Modern Mind, Diss. York Univ. 1968; DERS. in: Composer 1970, Nr 37, S. 31f., u. 1970/71, Nr 38, S. 21ff.; ST. WAUMSLEY, The Org. Music of O. M., Paris 1968; B. D. ADAMS, The Org. Compositions of O. M., Diss. Univ. of Utah 1969; S. AHRENS u. H.-D. MÖLLER, Das Orgelwerk M.s, Duisburg 1969; FR.-B. MÂCHE in: Res facta III, (Krakau) 1969, S. 5ff.; H. HEISS in: Zs. f. Musiktheorie I, 1970, H. 2, S. 32ff., u. III, 1972, H. 2, S. 22ff. (zu Struktur u. Symbolik v. Stücken aus d. »Livre d'orgue«); G. TREMBLAY, Oiseau-nature, M., musique, in: Les cahiers canadiens de musique 1970, Nr 1; P. GRIFFITHS, Poèmes und Haïkaï. A Note on M.'s Development, MT CXII, 1971; TR. HOLD, M.'s Birds, ML LII, 1971; T. KACZYŃSKI in: Ruch muzyczny XV, 1971, Nr 18, S. 3ff.; R. MYERS, Modern French Music, = Blackwell's Music Series o. Nr, London u. NY 1971; L. PINZAUTI in: nRMI V, 1971, S. 1028ff., deutsch in: Melos XXXIX, 1972, S. 270ff. (Interview); L.-M. SUTER, La polyrythmie de O. M. dans un fragment de la Turangalîla-Symphonie, SMZ CXI, 1971; I. KRASTEWA, Le langage rythmique d'O. M. et la métrique ancienne grecque, SMZ CXII, 1972; D. DETONI in: Zvuk 1973, Nr 1, S. 8ff.; FR. GOEBELS, Bemerkungen u. Materialien zum Studium neuer Klaviermusik, SMZ CXIII, 1973; G. R. KOCH in: Musica XXVII, 1973, S. 558ff.; KL. SCHWEIZER, O. M.s Klavierétüde »Mode de valeurs . . .«, AfMw XXX, 1973; W. WITTEMAN, »Dieu parmi nous« v. O. M., in: Gregoriusblad XCVII, 1973.

+Messner, Joseph, * 27. 2. 1893 zu Schwaz (Tirol), [erg.:] † 23. 2. 1969 zu St. Jakob am Thurn (bei Salzburg).
M. leitete die Domkonzerte der Salzburger Festspiele bis 1967. Er wurde 1968 von der Salzburger Universität zum Ehrendoktor der Theologie ernannt. Weitere Kompositionen: Cellokonzert op. 80 (1954); Streichquartett op. 78 (1953); 95 Proprien für das ganze Kirchenjahr [nicht: Motetten... op. 50], insgesamt 11 Messen (darunter große Festmesse E dur zur Wiedereröffnung des Salzburger Domes 1959); ferner Chorwerke, Lieder, Fanfaren und Bühnenmusiken. Er schrieb u. a. den Beitrag *Salzburger Domchor in Geschichte und Gegenwart* (in: Singende Kirche X, 1962/63).
Lit.: H. GSCHWENTER in: Musica sacra LXXXIII, 1963, S. 185ff.

Mestdagh (mˈɛstdax), Karel, * 23. 10. 1850 und † 10. 3. 1924 zu St-Pierre-lez-Bruges; belgischer Komponist, studierte am Konservatorium in Brügge bei Waelput und Leo Van Gheluwe sowie bei Benoît und Gevaert. Er wurde 1900 zum Leiter des Brügger Konservatoriums ernannt und 1913 in die Classe des Beaux-Arts der Académie Royale de Belgique gewählt. Seine Hauptwerke sind: *Jubelouverture* (1878); *Van Eycks inhuldigingsmarsch* (1878); *De zege van Groeninghe* (»Der Sieg von Groningen«, 1902); Symphonische Dichtung *Excelsior* für Org. und Orch.; Divertimenti für Kl.; Kantate *De meermin* (»Die Meerfrau«, 1876); 150 Lieder.
Lit.: P. LAUWERS in: Vlaams muziektijdschrift XXIV, 1972, S. 232ff.

Mester, Jorge, * 10. 4. 1935 zu México (D. F.); amerikanischer Dirigent ungarischer Herkunft, studierte 1952–58 an der Juilliard School of Music in New York (Jean Morel) sowie am Berkshire Music Center in Tanglewood/Mass. (L. Bernstein) und war 1959–60 Chefdirigent des St. Louis Philharmonic Orchestra (Mo.), 1961–62 des Greenwich Village Symphony Orchestra in New York. 1965 wurde er zum Leiter der P. D. Q. Bach Series im Lincoln Center in New York, 1967 des Louisville Symphony Orchestra (Ky.) und 1969 des Aspen Music Festival (Colo.) berufen. Seit 1965 hat M. als Gast zahlreiche Orchester in den USA, in Japan, Deutschland und in der Schweiz dirigiert.
Lit.: P. TUROK in: Music Journal XXX, 1972, Nr 5, S. 52f.

Mestral, Patrice, * 7. 8. 1945 zu Paris; französischer Komponist und Pianist, Schüler von Amy, studierte in Paris am Conservatoire und an der Ecole Normale de Musique. Er schrieb Kompositionen in serieller Technik, u. a. *Lignes I et II* für 15 Solisten, das Ballett *Les affinités électives* für die Kompanie von Roland Petit (1966), *Relations* für 17 Instr. (1967), *L'œil-oiseau* für Orch. und 5 Solisten (1968), *L. V. C. V. F.* für Chor und 12 Instr., *Blocs lumineux* für 32 St. und 16 Instr. (1969), *Eléments* für Orch. (1969), *Alliages* für Trompeten und 11 Instr. (1969), *Unité* für Koloratur-S. und 10 Instr. (1970), *Bloc II* für Fl., V. und Cemb. (1972) und *Dissentions–Insertions* für Orch. (1973).

Mestres Quadreny, Josep María, * 4. 3. 1929 zu Manresa (Katalonien); katalanischer Komponist, studierte 1950–56 bei Taltabull Balaguer in Barcelona. 1952 wurde er Mitglied des »Círculo M. de Falla« und war in Barcelona 1960 Mitgründer der Gruppe »Musica Abierta« sowie 1970 des Laboratoriums für Elektronische Musik. – Kompositionen (Auswahl): Kammeroper *El ganxo* (1959); Ballette *Roba i ossos* (1961), *Petit diumenge* (1962) und *Vegetació submergida* (1962); *Concert per a representar*, Teatro musical für 6 Musiker und 6 Schauspieler (1964); *Suite bufa*, Teatro musical

für einen singenden Pianisten und eine Tänzerin (1966; Libretti aller genannten Werke Joan Brossa). – *Digodal* für Streichorch. (1964); *Conversa* (1965), *Ibemia* (1969) und *Quadre* (1969) für Kammerorch.; Doppelkonzert für Ondes Martenot, Schlagzeug und Orch. (1970); *Homenatge a Joan Prats* für Fl., Klar., Trp., 2 Pos., Tuba, 4 Schlagzeuger, Streichquartett, elektroakustische Installation und 6 Schauspieler (1972). – *Triade per a Joan Miró* mit den Teilen *Música de cámara N.° 1* für Fl., Kl., Schlagzeug, V. und Kb., *Música de cámara N.° 2* für 3 Klar., Englisch Horn, Trp., Pos., Schlagzeug, V., Va und Vc. und *Tres moviments per a orquesta de cámara* (1961); *Invencions movils*, Nr 1 für Fl., Klar. und Kl. und Nr 2 für Singst., Trp. und Git. (1961); *Tramesa a Tàpies* für V., Va und Schlagzeug (1962); *Quartet de Catroc* für Streichquartett (1962); Trio für V., Va und Vc. (1968); *Variacions essencials* für V., Va, Vc. und Schlagzeug (1970). – Sonaten für Kl. (1957) und für Org. (1960); *Tres canons en homenatge a Galileu* für Soloinstr. (3 Versionen, die zusammen oder einzeln gespielt werden können: für Kl., 1965, für Schlagzeug, 1968, und für Ondes Martenot, 1969) und 3 Tonbänder; *Micos i papallones* für Git. und Schlagzeug (1970). – *Epitafios*, Kantate für S., Streicher, Hf. und Celesta (1958); *Tríptic carnavalesc*, Kantate für S., Fl., Klar., Trp., Pos., 2 Schlagzeuger und Kl. (1966); *Poema* für S. und Kl. (1969). – *Peça per a serra mecànica*, Elektronische Musik (1964); *Frigoli–Frigola* (1969) und *Aronada* (1972), »Música ambiental« für unbestimmte Instrumentalgruppe.
Lit.: H.-E. v. LEWINSKI, Vier katalanische Komponisten in Barcelona, in: Melos XXXVIII, 1971; J. CASANOVAS, J. M. M. Qu., in: Imagen y sonido 1972, Nr 114.

Metallo, Grammatico, * 1540 zu Bisaccia (bei Avellino, Kampanien), † nach 1615 zu Venedig(?); italienischer Komponist, Priester, Schüler von Tommaso Cimello in Neapel, wurde 1594 Maestro di cappella am Dom in Bassano (Venetien), begab sich dann nach Ägypten und ins Heilige Land; 1601 hielt er sich in Alexandria auf. 1602 erhielt er die Ernennung zum Maestro di cappella an S.Marcuola in Venedig. – Werke (wenn nicht anders angegeben, in Venedig gedruckt): *2° libro di Canzoni a 3 e 4 v.* (Neapel 1577); *Villanelle alla napolitana a 3 v.* (1592); *Canzoni alla napolitana a 4 e 5 v.* (1593); *Motetti a 3 v.* (1602); *Messe comodissime a 4 v.* (1602); *Magnificat a 4 e 5 v.* (1603); *Ricercari a 2 v. per sonare e cantare* (1603, zahlreiche Nachdr.); *Messe a 5 v. e org. op.* 17 (1610); *Motetti a 5 v. e org. op.* 18 (1610); *Motetti a 4 v. op. 19 e 20* (1610); *Messa, motetti e vn magnificat a 5 v. con magnificat e motetti a 6 v. op. 21* (1611); *Epistola, introiti, offertorii ... a 4 v. op. 24* (1613); *Motetti, magnificat e madrigali spirituali a 3 v. con org. Libro 3° op. 25* (1613).
Lit.: G. VALE, Vita mus. nella Chiesa Metropolitana di Aquileia, Note d'arch. IX, 1932; N. PELICELLI, Musicisti in Parma, ebd. X, 1933; CL. SARTORI in: MGG IX, 1961, Sp. 223f.

+Metallow, Wassilij Michajlowitsch, 1862 – [erg.:] 1. 6. 1926 [nicht: 1927].

+Metastasio, Pietro (eigentlich Pietro Antonio Domenico Bonaventura Trapassi [erg. Vornamen]), 1698–1782.
Ausg.: Opere, hrsg. v. M. FUBINI, = La letteratura ital. XLI, Mailand 1968 (mit Einleitung v. L. Ronga, L'opera metastasiano, u. Anh., L'opera per musica dopo M., hrsg. v. M. Fubini u. E. Bonora); Opere scelte, hrsg. v. FR. GAVAZZENI, = Classici ital. X, Turin 1968.
Lit.: +CH. BURNEY, Memoirs of the Life and Writings of the Abate M. (1796), Nachdr. NY 1971; +A. C. BOMBET, Lettres écrites de Vienne ... (1814), übers. u. hrsg. v. R.

N. Coe als: Lives of Haydn, Mozart and M. by Stendhal, London 1972. – H. ABERT, Gesammelte Schriften u. Vorträge, hrsg. v. Fr. Blume, Halle (Saale) 1929, Tutzing ²1968; A. TRIGIANI, Il teatro raciniano e i melodrammi di P. M., = Pubbl. della Facoltà di lettere e filosofia, Univ. di Torino III, 2, Turin 1951; W. J. WEICHLEIN, A Comparative Study of Five Settings of M.'s Libretto »La clemenza di Tito« (1734–91), 2 Bde, Diss. Univ. of Michigan 1956; J. G. FUCILLA, Nuove lettere ined. del M., in: Convivium, N. S. XXVI, 1958; R. GIAZOTTO, Canto semplice e canto composto nell'aria di M., in: Musurgia nova, Mailand 1959; L. RUSSO, La letteratura ital. del Settecento, in: Belfagor XIV, (Florenz) 1959; W. VETTER, Deutschland u. d. Formgefühl Italiens. Betrachtungen über d. Metastasianische Oper, DJbMw IV, 1959; M. S. TOWNELEY, M. as a Librettist, in: Art and Ideas in 18th-Cent. Italy, = Pubbl. dell'Istituto ital. di cultura di Londra IV, Rom 1960; A. M. NAGLER, M., d. Hofdichter als Regisseur, in: Maske u. Kothurn VII, 1961; W. BINNI, L'Arcadia e il M., = Studi critici VI, Florenz 1963; FR. GAVAZZENI, Studi metastasiani, = Guide di cultura contemporanea o. Nr, Padua 1964; H. BOSCH, Die Opernaufführungen d. Abate P. M. am Wiener Kaiserhof nach Zeugnissen aus seinen Briefen, Diss. Wien 1967; N. BURT, »Plus ça change«, or, The Progress of Reform in 17th- and 18th-Cent. Opera as Illustrated in the Books of Three Operas, in: Studies in Music Hist., Fs. O. Strunk, Princeton (N. J.) 1968 (zu »L'Olimpia« v. 1733); FR. GIEGLING, M.s Oper »La clemenza di Tito« in d. Bearb. durch Mazzolà, Mozart-Jb. 1968/70; R. PEČMAN in: Opus musicum I, 1969, S. 101ff. u. 139ff.; DERS., P. M. jako libretista Myslivečkových oper (»P. M. als Librettist f. Myslivečeks Opern«), in: Theatralia et cinematographica II, (Brünn) 1970; L. BIANCONI, Die pastorale Szene in M.s »Olimpiade«, Kgr.-Ber. Bonn 1970; P. J. SMITH, The Tenth Muse. A Hist. Study of the Opera Libretto, NY 1970; H. CHR. WOLFF, Das Märchen v. d. neapolitanischen Oper u. M., in: Analecta musicologica IX, 1970, d. 1. Teil davon erweitert engl. in: Studies in 18th-Cent. Music, Fs. K. Geiringer, London 1970; I. MAMCZARZ, Les intermèdes comiques ital. au XVIIIe s. en France et en Italie, Paris 1972; M. F. ROBINSON, Naples and Neapolitan Opera, London 1972.

+Methfessel (Methfeßel), –1) Johann Albert (Albrecht) Gottlieb, 1785–1869. –2) Friedrich, 1771 – [erg.: 14.] 5. 1807. –3) Adolph, [erg.:] 7. 3. 1807 [nicht: 1802] – 1878.
Lit.: zu –1): K. STEPHENSON, Das Lied d. studentischen Erneuerungsbewegung 1814–19, in: Darstellungen u. Quellen zur Gesch. d. deutschen Einheitsbewegung im 19. u. 20. Jh., hrsg. v. dems., A. Scharf u. W. Klötzer, Bd V, Heidelberg 1965.

Métra, Jules-Louis-Olivier, * 2. 6. 1830 zu Reims, † 22. 10. 1889 zu Paris; französischer Komponist, studierte ab 1845 am Pariser Conservatoire bei Elwart und A. Thomas, leitete die Maskenbälle an zahlreichen Pariser Theatern (ab 1871 auch an der Opéra-Comique, später an der Opéra) und war 1872–77 musikalischer Leiter der Folies-Bergères. Er war ein beliebter Dirigent und Komponist von Tanzmusik (Walzer, Polkas, Mazurkas, Quadrillen, Märsche, auch Tanzarrangements) und schrieb eine Reihe von Operetten (*Le valet de chambre de madame*, Paris 1872; *Le mariage avant la lettre*, ebd. 1888) und Ballettdivertissements.

Métru (metr'y), Nicolas, * Anfang 17. Jh. zu Bar-sur-Aube (Champagne), † um 1670 zu Paris(?); französischer Organist und Komponist, ist 1631 in Paris als »maître compositeur de musique« nachweisbar und erscheint um die Mitte des 17. Jh. als Organist an der Kirche St-Nicolas-des-Champs in Paris. Er war einer der Lehrer von Lully. M. schrieb (Erscheinungsort Paris) *3 Livres d'air à 4 et 5 parties* (1. Buch verloren; 2.–3. Buch, 1646–61), *Fantaisies à deux parties pour les violes* (1642) und eine *Missa 4 v., ad imitationem moduli »Brevis oratio«* (1663).

Lit.: D. Launay, La fantaisie en France jusqu'au milieu du XVIIe s., in: La musique instr. de la Renaissance, hrsg. v. J. Jacquot, Paris 1955.

+Metternich, Josef, * 2. 6. 1915 zu Hermülheim (bei Köln).
Er war Mitglied der Bayerischen Staatsoper München bis 1971, daneben ständiger Gast der Hamburgischen Staatsoper bis 1963 und der Deutschen Oper Berlin bis 1967. Seit 1965 leitet er als Professor eine Gesangsklasse an der Musikhochschule in Köln. M. hat den Titel eines Bayerischen Kammersängers.

d.
Apr. 2
1977

+Metzger, Hans-Arnold, * 5. 12. 1913 zu Stuttgart.
M., weiterhin Leiter der Kirchenmusikschule in Esslingen am Neckar und Dozent an der Musikhochschule in Stuttgart, hatte 1945–67 in Esslingen auch das Amt des Stadtkirchenmusikdirektors inne. Kleinere Beiträge über evangelische Kirchenmusik veröffentlichte er vor allem in den »Württembergischen Blättern für Kirchenmusik«.
Lit.: E. Schwarz, Konzert in Stuttgart, Esslingen am Neckar 1964, S. 89ff.

Metzger, Heinz-Klaus, * 6. 2. 1932 zu Konstanz; deutscher Musiktheoretiker und -kritiker, studierte 1949–52 an der Musikhochschule in Freiburg i. Br. (Seemann, Doflein), 1952–54 in Paris (Komposition bei Max Deutsch) und in Tübingen (Musikwissenschaft) sowie 1955–56 an der Städtischen Akademie für Tonkunst in Darmstadt (Abschlußexamen). Ab 1957 lebte er in Köln, Florenz, Frankfurt a. M., Paris, Essen, Zürich und (1970) Venedig. Er schrieb u. a.: *Webern und Schönberg* (in: A.Webern, hrsg. von H.Eimert, = die Reihe II, Wien 1955, auch in: Kommentare zur Neuen Musik I, = DuMont Dokumente, Köln 1961 und 1963); *Intermezzo I. Das Altern der Philosophie der Neuen Musik* (in: Junge Komponisten, hrsg. von H. Eimert, = die Reihe IV, Wien 1958, engl. London und Bryn Mawr/Pa. 1960); *Gescheiterte Begriffe in Theorie und Kritik der Musik* (in: Berichte–Analysen, hrsg. von dems., ebd. V, 1959, engl. ebd. 1961, auch in: Kommentare zur Neuen Musik I, = DuMont Dokumente, Köln 1961 und 1963); *Hommage à E.Varèse* (in: Darmstädter Beitr. zur Neuen Musik II, Mainz 1959); *J.Cage o della liberazione* (in: Incontri musicali III, 1959, schwedisch in: Nutida musik X, 1966/67, H. 3/4, S. 44ff., deutsch als *J.Cage oder Die freigelassene Musik*, in: Musik auf der Flucht vor sich selbst, hrsg. von U.Dibelius, = Reihe Hanser XXVIII, München 1969); *Das Altern der jüngsten Musik* (in: Forum X, 1963, ital. in: Collage 1964, Nr 2); *O odpowiedzialności kompozytora* (»Über die Verantwortung des Komponisten«, in: Ruch muzyczny X, 1966, schwedisch in: Nutida musik X, 1966/67, H. 1, S. 2ff.); *Sulla musica non figurativa* (in: Nova musica, = Il verri 1969, Nr 30); *Zur Beethoven-Interpretation* (in: Beethoven '70, Ffm. 1970); *Musique, pourquoi faire?* (in: La musique aujourd'hui?, = Musique en jeu 1970, Nr 1).

Metzler, Friedrich, * 18. 2. 1910 zu Kanth (Schlesien); deutscher Komponist, studierte 1929–31 Theologie, Philosophie und Musikwissenschaft an den Universitäten Tübingen, Marburg und Berlin sowie anschließend bis 1935 Komposition bei Wetzel und H. Chemin-Petit an der Staatlichen Akademie für Kirchen- und Schulmusik in Berlin-Charlottenburg; ab 1938 war er Meisterschüler für Komposition von M. Trapp an der Akademie der Künste in Berlin. 1942 wurde er Lehrer für Komposition am Konservatorium der Reichshauptstadt (ab 1945 Städtisches Konservatorium, das 1967 in die Staatliche Hochschule für Musik

und darstellende Kunst eingegliedert wurde). 1969 erhielt er die Ernennung zum Professor. – Werke (Auswahl): Symphonisches Praeludium (1941); 4 Symphonien (1951, 1955, 1969 und 1970); Passacaglia für Orch. (1957); Konzert für Streichorch. und Pk. (1957); Sonatine für Streichorch. (1960); Violinkonzert (1943); Konzert für Ob. und Streichorch. (1953); Flötenkonzert (1958); Violoncellokonzert (1963); Klavierkonzert (1965); Klavierquartett (1940); Harfenquintett (1959); Klaviertrio (1963); Violinsonate (1968); ferner Klavier- und Orgelstücke, eine Kammerkantate nach russischen Dichtern (1950), das Oratorium *Kreuzweg* für Erzähler, Soli, Chor und Orch. (1967) sowie Chöre und Bühnenmusik.

Metzler, Johann Georg → Gieseke, Karl Ludwig.

+Meulemans, Arthur-Jozef-Ludovicus [erg. Vornamen], * 19. 5. 1884 zu Aarschot (Brabant), [erg.:] † 29. 6. 1966 zu Brüssel.
M. war ab 1941 Mitglied (1954 Präsident) der Koninklijke Vlaamse Academie in Brüssel; zu seinem 80. Geburtstag wurde er mit einer Festschrift geehrt (*Aan meester A. M.*, Antwerpen 1964). – Weitere Werke: die Opern *Vikings* (1919, Antwerpen 1937), *Adriaen Brouwer* (1925, ebd. 1947) und *Egmont* (1944, ebd. 1960); 15. Symphonie (1959); 2. und 3. Sinfonietta (1959), *Middelheim* (1961), *Aforismen* (1961), *Aspecten* (1961), *Cirkus* (1961), *Het Zwin* (1963) und *Torenhof* (1963) für Orch.; 2 Concerti grossi (4 Sax., Streichorch. und Schlagzeug, 1961; Fl., Ob., Klar., Fag., Horn, Trp., Streichorch., Hf. und Schlagzeug, 1962), 2 Concertini (4 Sax., Fl., Ob., Trp., Streichorch. und Schlagzeug, 1962; 4 Klar., Streichorch., Hf. ad libitum, Carillon, Xylophon und Schlagzeug, 1963), Suite für 4 Klar. und Orch. (1964), 2. Orgelkonzert (1958), 3. Klavierkonzert (1960), 2. Hornkonzert (1961); Rhapsodie für 4 Klar. und Altsax. (1961), Konzert für Horn, Trp., Pos. und Org. (1962), Holzbläserquartett (1962), 2. Trio für Ob., Klar. und Fag. (1959), 2. Trio für Horn, Trp., und Pos. (1959), Sonate für Trp. und Kl. (1959); *Atmosferiliën* für Kl. (1962); 6 Stücke (1959) und *Pièce héroïque* (1959) für Org.; *Alborada* (1960) und Toccata (1964) für Turmglockenspiel; weitere Kammermusik, Chöre und Lieder sowie 10 Messen und ein 4. Oratorium *Kinderen van deze tijd* (1956). – Schriften: *Aspecten van het moderne orkest* (= Mededelingen van de K.Vlaamse Academie voor wetenschappen, letteren en schone kunsten van Belgie, Klasse der schone kunsten XV, 3, Brüssel 1953); *E. Tinel* (ebd. XVI, 1, 1954); *De muziek en haar evolutie* (ebd. XVI, 4); *P.Gilson* (ebd. XVII, 1, 1955); *Muzieknotities* (ebd. XXV, 1, 1963).
Lit.: T. Bouws u. J. v. Mechelen, A. M., Antwerpen 1960; W. Paap in: Mens en melodie XIX, 1964, S. 140ff.

+Meusel, Johann Georg, 1743–1820.
M. gab ferner die folgenden, auch musikgeschichtlich belangvollen Nachschlagewerke heraus: *Das gelehrte Teutschland oder Lexikon der jetzt lebenden teutschen Schriftsteller* (mit G.Chr.Hamberger, 23 Bde, Lemgo ⁵1796–1834, Nachdr. in 24 Bden Hildesheim 1965–67, mit Geleitwort von P.Raabe); *Lexikon der von 1750 bis 1800 verstorbenen teutschen Schriftsteller* (15 Bde, Lpz. 1802–16, Nachdr. Hildesheim 1967–68, mit Geleitwort von dems.).
Lit.: Th. Kolde, Die Univ. Erlangen unter d. Hause Wittelsbach, Lpz. 1910.

Meven, Peter, * 1. 10. 1929 zu Köln; deutscher Sänger (seriöser Baß), studierte in Köln an der Opernschule der Staatlichen Hochschule für Musik sowie privat bei Robert Blasius und debütierte 1957 an den Städtischen Bühnen in Hagen. Er war an den Opernhäusern in Mainz (1959–61) und Wiesbaden (1961–64) engagiert und gehört seit 1964 dem Ensemble der Deutschen Oper am Rhein in Düsseldorf–Duisburg an. Gastverträge binden ihn an die Staatsopern in Hamburg und Stuttgart. M. ist auch als Konzertsänger hervorgetreten.

Mey, Reinhard, * 21. 12. 1942 zu Berlin; deutscher Chansonsänger, Komponist, Texter (auch unter dem Pseudonym Alfons Yondraschek) und Interpret eigener Chansons, studierte in Berlin ab 1965 an der Technischen Universität Wirtschaftswissenschaft und am Konservatorium Gitarre. Er besuchte schon als Gymnasiast und später als Student Frankreich und sang dort seine Lieder, die er mit der Gitarre selbst begleitete. Seine ersten Erfolge hatte er mit Vertonungen von Balladen von François Villon und Gedichten von Georg von der Vring. M. war 1968 der erste Ausländer, der in Frankreich mit dem Prix international de l'Académie de la Chanson ausgezeichnet wurde. Seitdem hatte er auch in der Bundesrepublik Erfolge. Von seinen von Sozialkritik, Selbstironie und Humor geprägten Liedern seien genannt: *Ich wollte wie Orpheus singen*; *In meiner Stadt*; *Ich bin aus jenem Holz geschnitzt*; *Ankomme Freitag den 13.*; *Aus meinem Tagebuch*; *Diplomatenjagd*; *Vertreterbesuch*; *Trilogie auf Frau Pohl*. Unter dem Titel *Ich wollte wie Orpheus singen* veröffentlichte er Chansons (Bad Godesberg 1968, Bonn 1972).

†Meyer, Ernst Hermann, * 8. 12. 1905 zu Berlin; deutscher Musikforscher [erg.:] und Komponist.
Während seiner Emigration wirkte M. in England u. a. im »Freien Deutschen Kulturbund«, einer Organisation antifaschistischer deutscher Emigranten. 1951 gründete er die Zeitschrift *Musik und Gesellschaft* (MuG). Er ist Mitglied (seit 1950) und war 1965–69 Vizepräsident der Deutschen Akademie der Künste in (Ost-)Berlin; seit 1967 ist er ferner Präsident der G.-Fr.-Händel-Gesellschaft und seit 1968 des Verbandes der Komponisten und Musikwissenschaftler der DDR (1965–71 auch des Musikrates der DDR). Seinem mit zahlreichen Ehrungen ausgezeichneten künstlerischen und wissenschaftlichen Schaffen (u. a. 1965 Dr. h. c. der M.-Luther-Universität Halle–Wittenberg) wird bei der Erarbeitung eines musikalischen »Sozialistischen Realismus« große Bedeutung beigemessen. – †*English Chamber Music* (1946), Nachdr. NY 1971 (deutsch als *Die Kammermusik Alt-Englands*, 1958 [nicht: 1959]). – Neuere Schriften: G. *Mahler* (MuG XI, 1961, russ. in: SM XXV, 1961); *Tradition und Neuerertum* (MuG XIII, 1963, dänisch in: DMT XXXIX, 1964, Nr 2/3, S. 42ff.); *Aus der Tätigkeit der »Kampfgemeinschaft der Arbeitersänger«* (BzMw VI, 1964, auch in: Sinn und Form XVI, 1964); *Über die wechselseitige Beziehung der musikwissenschaftlichen und kompositorischen Tätigkeit* (= Hallesche Universitätsreden o. Nr, Halle/Saale 1966, auch in: BzMw XI, 1969); *Concerted Instrumental Music* (in: The Age of Humanism, hrsg. von G. Abraham, = New Oxford History of Music IV, London 1968, ital. Mailand 1970); *Die Bedeutung der Sowjetunion für mein Schaffen* (MuG XVIII, 1968); *N.Notowicz* (Sammelbände zur Musikgeschichte der DDR, Bln 1971); *Das Werk L. van Beethovens und seine Bedeutung für das sozialistisch-realistische Gegenwartsschaffen* (Beethoven-Kgr.-Ber. Bln 1970); weitere Aufsätze u. a. zu H.Eisler und G.Fr.Händel.
Aus seinem kompositorischen Œuvre sei genannt: die Oper *Reiter der Nacht* (1969–72); *Sinfonischer Prolog* (»Den Freiheitskämpfern zum Gedächtnis«, 1949), *Serenata pensierosa* (1965), Symphonie in B (1967), *Leinefel-*

der Divertimento (1969), Toccata (1971) und *Divertimento concertante* (1973) für Orch., Symphonie für Streicher (1946, Umarbeitungen 1957 und 1958); konzertante Symphonie für Kl. und Orch. (1961), *Poem* für Va und Orch. (1962), Violinkonzert (1964), Concerto grosso für 2 Trp., Posaunen, Pk. und Streichorch. (1966), Konzert für Hf. und Kammerorch. (1969); Suite für 2 Trp., 2 Kl., Schlagzeug und Pk. (1944, Umarbeitung 1955), Klarinettenquintett (1944), 3 Streichquartette (1935, 1959, 1967), Trio für Fl., Ob. und Hf. (1935), Klaviertrio *Reflections and Resolution* (1948), Violinsonate (1929), *Sonatina fantasia* (1966) und 6 Praeludien (1973) für V. solo; 9 Stücke (1927–28), *Thema, 15 Variationen, Chaconne und Fughetta* (1935), 9 Miniaturen *Aus dem Tagebuch eines kleinen Mädchens* (1946), 4 Stücke (1957) und *Toccata appassionata* (1966) für Kl.; *Mansfelder Oratorium* für Sprecher, Soli, Chor und Orch. (1950); Kantaten *Nun, Steuermann* für Bar. und Streichorch. (nach W. Whitmans *Now Voyager*, 1946, Umarbeitung 1955), *Der Flug der Taube* für Soli, Chor und Orch. (1952), *Ein Leben wahrhaft lebenswert* für Solo, Chor und Orch. (1953), *Gesang von der Jugend* für Soli, gem. Chor, Kinderchor und Orch. (zur Jugendweihe, 1957), *Frohe Ferientage für alle Kinder* für Kinderchor und Orch. (1957), *Du, Mutter der Freien* (1957) und *Das Tor von Buchenwald* (1959) für Bar., Chor und Orch., *Es wurde Macht* für 2 S., A., T., Bar., B. und Orch. (1959), *Freundschaft, des Friedens liebliche Schwester* für Kinderchor und Orch. (1960), *Jahrhundert der Erstgeborenen* und *Der Herr der Erde* für T., Chor und Orch. (1961), *Kleine Freundschaftskantate* für Bar., Kinderchor und Orch. (oder Kl., 1962), *Der Staat* für Chor und Orch. (1967), *Dem Neugeborenen* für Mezzo-S., Bar., Chor und Streichorch. (1967), *Lenin hat gesprochen* (1970); etwa 300 Lieder und Gesänge; Musik zu Filmen, Hörspielen, Theaterstücken und Sportfesten.
Lit.: Aufsatzfolge in: MuG XV, 1965, H. 12. – H. Koch, »Landschaftsbilder aus Deutschland«, MuG VI, 1956; H. Kleinschmidt in: Musik in d. Schule IX, 1958, S. 249ff.; H. Pezold, 1959, S. 23ff. (zum »Mansfelder Oratorium«); K. Schönewolf, Ardens sed virens. Zwei Streichquartette v. E. H. M., MuG IX, 1959; H. Schaefer, in: MuG XI, 1961, S. 656ff. (zur Symphonie f. Streicher); ders.: in: MuG XX, 1970, S. 846ff.; W. Siegmund-Schultze, E. H. M., Dm. Schostakowitsch. Ihre Beziehungen zu Händel, in: 15. Händelfestspiele Halle (Saale) 1966; ders., Das sinfonische Schaffen E. H. M.s, Sammelbände zur Mg. d. DDR I, Bln 1969; L. Markowski in: MuG XIX, 1969, S. 451ff. (zum 3. Streichquartett); G. Rienäcker, E. H. M., Sinfonie in B (Versuch einer Analyse), Sammelbände ... (s. o.), zusammengefaßt in: Probleme d. Realismustheorie, Bln 1970, S. 84ff.; Th. Kunath in: Musik in d. Schule XXI, 1970, S. 516ff. (zur Symphonie f. Streicher); K. Niemann, ebd. S. 521ff.; J. Rudolph, »Kammermusik Alt-Englands«. Methodologisches Beispiel einer neuen Musikhistoriographie, in: Musikrat d. DDR, Bull. VIII, 1971; H. Hillmann in: Musik in d. Schule XXIII, 1972, S. 147ff. (zum »Leinefelder Divertimento«).

Meyer, Friedrich, * 5. 3. 1915 zu Bremen; deutscher Komponist, schrieb die Musik zu zahlreichen deutschen Nachkriegsfilmen (*Illusion in Moll*, 1952; *Die süßesten Früchte*, 1954; *Die Barrings*, 1955; *Friederike von Barring*, 1956). 1959 heiratete er die deutsche Filmschauspielerin und Sängerin Margot Marie Else Hielscher (* 29. 9. 1919 zu Berlin), die auch in Filmen mitwirkte, zu denen er die Musik komponierte (*Hallo, Fräulein –!*, 1949; *Liebe auf Eis*, 1950; *Dämonische Liebe*, 1950; *Die vertagte Hochzeitsnacht*, 1953; *Das ewige Lied der Liebe*, 1954). Sie kreierte auch dessen *Schwabing-Lied* und das Chanson *Versuch's doch mal mit einer Frau von 30*.

+**Meyer,** Gregor, [erg.:] um 1510(?) – 1576.
Ausg.: 5 Sätze in: Bicinien aus Glareans Dodekachordon, »zum Singen u. Spielen auf 2 Instr.« hrsg. v. W. Frei, = HM CLXXXVII, Kassel 1965. →+Glareanus.

Meyer, Kerstin Margareta, *3. 4. 1928 zu Stockholm; schwedische Sängerin (Mezzosopran), studierte in ihrer Heimatstadt an der Kungl. Musikhögskolan bei Arne Sunnegårdh und Andrejewa von Skilondz, in New York bei Piola Novikova sowie in Italien und debütierte 1952 als Azucena an der Oper in Stockholm, der sie bis 1962 angehörte. Seit 1959 ist sie Mitglied der Deutschen Oper Berlin, seit 1965 auch der Hamburgischen Staatsoper. Sie sang 1960–63 an der Metropolitan Opera in New York, wirkte wiederholt bei den Festspielen in Bayreuth, Salzburg, Glyndebourne und Edinburgh mit und gastierte als Opern- und Konzertsängerin in Europa, Nord- und Südamerika sowie in Japan. Zu ihren Hauptpartien zählen Carmen, Octavian, Fricka und Eboli. K. M. wurde 1963 schwedische Hofsängerin.
Lit.: B. Berthelson, K. M., hemtam i stora världen (»K. M., heimisch in d. großen Welt«), Musikrevy XXIV, 1969; J. Amis in: Opera XXIV, (London) 1973, S. 879ff.

Meyer (m'ɛjər), Krzysztof, *11. 8. 1943 zu Krakau; polnischer Komponist und Musikschriftsteller, studierte 1962–65 an der Musikhochschule seiner Heimatstadt Komposition (Wiechowicz, Penderecki) und Musiktheorie (A. Frączkiewicz) und wurde dort 1966 Assistent, 1970 Adjunkt sowie 1972 Dozent und Prorektor. Eine Zeitlang war er Mitglied des Ensembles »MW-2« für Neue Musik. 1966 gewann er mit seinem Liederzyklus Pieśni rezygnacji i zaprzeczenia (»Lieder der Resignation und Verneinung«) den 1. Preis des Concours des jeunes compositeurs in Paris und mit seiner 2. Symphonie den Preis des polnischen Komponistenverbands. M. schrieb eine Biographie über Szostakowicz (Krakau 1973) sowie Aufsätze für »Melos«, »Ruch muzyczny«, »Muzyka« und SM. In seinem frühen Schaffen bis zur 1. Klaviersonate (1962) bediente sich M. der Zwölftontechnik. Danach traten in der 2. Klaviersonate (1963), im 1. Streichquartett (1965) und der 1. Symphonie (1964) Klangstrukturen als Kompositionsfaktor in den Vordergrund; nach seiner Hinwendung zur Aleatorik entstanden die Symphonien Nr 2 (Epitaphium St. Wiechowicz in memoriam, 1968) und Nr 3 (Symphonie d'Orphée, 1970) sowie die 4. Klaviersonate (1969). Sein jüngstes, an Mathematik, mathematischer Philosophie und Kombinatorik orientiertes Schaffen umfaßt die Oper Cyberiada (»Kyberiade«, Libretto von Lem und M. selbst, Fernsehaufführung 1971), Konzerte für V. und Orch. (1969), Vc. und Orch. (1972) und Ob., Schlagzeug und Streicher (1972), Quattro colori für Klar., Pos., Kl. und Vc. (1971) und die Streichquartette Nr 2 (1969) und Nr 3 (1971).
Lit.: T. Marek, Composer's Workshop. Krz. M., in: Polish Music I, 1971; Grz. Michalski, Symfonie Krz. M.a, in: Ruch muzyczny XV, 1971.

Meyer (m'aiə), Leonard B., *12. 1. 1918 zu New York; amerikanischer Musikforscher, studierte an der Columbia University in New York (M. A. 1948) und an der University of Chicago, an der er 1954 mit der Dissertation Emotion and Meaning in Music (Chicago 1956, Auszug tschechisch in: Nové cesty hudby, hrsg. von E. Herzog, Prag 1970, S. 37ff.) zum Ph. D. promovierte und seit 1946 tätig ist (1957–60 Associate Professor, seit 1961 Professor of Music und Chairman des Music Department). Er erhielt 1967 vom Grinnell College (Ia.) einen Doctor of Humane Letters. M. schrieb The Rhythmic Structure of Music (mit Gr. W. Cooper, Chicago 1960, London 1961), Music, the Art and Ideas,

Patterns and Predications in 20th-Cent. Culture (Chicago 1967) sowie Explaining Music. Essays and Explorations (Berkeley/Calif. 1973) und verfaßte ferner Artikel für »Ethnomusicology«, »Journal of Aesthetics and Art Criticism« und JAMS.

Meyer (mɛj'ɛ:r), Philippe-Jacques, *1737 zu Straßburg, †1819 zu London; französischer Harfenist, studierte zunächst Theologie, wandte sich dann aber der Musik zu, wurde in Paris Harfenschüler von Chr. Hochbrucker und trat 1761–64 in den Concerts Spirituels mit eigenen Werken auf. 1780 konzertierte er in London, wo er ab 1784 seinen ständigen Wohnsitz nahm. In seinem Essai sur la vraie manière de jouer de la harpe avec une méthode pour l'accorder op. 1 (Paris 1763) findet sich in erster Versuch einer Geschichte der Harfe; die Nouvelle méthode pour apprendre à jouer de la harpe op. 9 (ebd. 1774) enthält eine Grifftabelle für Verzierungen sowie eine Anleitung zum Stimmen der (pedallosen) Hakenharfe. Von den in Paris erschienenen Werken seien weiter genannt: Sei divertimenti per l'arpa con v. op. 2 (1767); Sei sonate a solo per l'arpa op. 3 (1768); Six sonates à solo pour la harpe op. 4 (1770); Huit divertissements pour la harpe, avec accompagnement de v. et b. op. 6 (1771); Six sonates pour harpe avec accompagnement de v. ad lib. op. 7 (1773); Deux duos (für 2 Hf. bzw. Hf. und V., 1784); ferner Romanzen und Arietten mit Begleitung der Harfe sowie Transkriptionen für Harfe. – Seine Söhne Philippe (* zu Straßburg, †1841 zu London) und Frédéric-Charles M. waren ebenfalls als Harfenisten in London tätig und veröffentlichten Kompositionen für ihr Instrument.

Meyer, Waldemar Julius, *4. 2. 1853 zu Berlin, †30. 12. 1940 zu Unterschönau (Gemeinde Schönau, Kreis Berchtesgaden); deutscher Violinist und Violinpädagoge, Schüler Joachims, war 1873–81 Mitglied der Berliner Hofkapelle und wurde später Lehrer am Stern'schen, dann am Mohr'schen Konservatorium. Er war Primarius eines Streichquartetts. Als Komponist ist er mit Werken für Violine hervorgetreten.

+**Meyer,** Wilhelm, 1845–1917.
+Gesammelte Abhandlungen zur mittellateinischen Rythmik (Bd I–II, 1905), Nachdr. Hildesheim 1970.

+**Meyer-Baer,** Kathi [erg.:] Gertrud, *27. 7. 1892 zu Berlin.
Neuere Veröffentlichungen: Liturgical Music Incunabula. A Descriptive Catalogue (London 1962); Music of the Spheres and the Dance of Death. Studies in Musical Iconology (Princeton/N. J. 1970, grundlegend); Der Musikdruck in Inkunabeln, ein übersehenes Hilfsmittel zur Beschreibung (in: Libri X, 1960); Music in Dante's »Divina Commedia« (in: Aspects of Medieval and Renaissance Music, Fs. G. Reese, NY 1966); From the Office of the Hours to the Musical Oratorio (MR XXXII, 1971).

+**Meyer-Eppler,** Werner, 1913–60.
Von seinen letzten Veröffentlichungen sind zu nennen: Grundlagen und Anwendungen der Informationstheorie (= Kommunikation und Kybernetik in Einzeldarstellungen I, Bln 1959); Informationstheoretische Probleme der musikalischen Kommunikation (in: Musique expérimentale, = RBM XIII, 1959, und in: Rückblicke, = die Reihe VIII, Wien 1962, Wiederabdruck u. a. in: Musik und Bildung IV, 1972); Zur Systematik der elektrischen Klangtransformationen (in: Darmstädter Beitr. zur Neuen Musik III, Mainz 1960). – Als Gedenkschrift erschien In memoriam W. M.-E. (= Alma Mater. Beitr. zur Geschichte der Universität Bonn XIII, Bonn 1962).
Lit.: O. v. Essen in: Zs. f. Phonetik u. allgemeine Sprachwiss. XIII, 1960, S. 189ff. (mit Schriftenverz.); H. Eimert

in: Rückblicke, = die Reihe VIII, Wien 1962, S. 5f.; J. SCHMIDT-GÖRG, W. M.-E. u. d. Mw., in: In memoriam ... (s. o.).

Meyer-Helmund, Erik, * 13.(25.) 4. 1861 zu St. Petersburg, † 4. 4. 1932 zu Berlin; deutscher Konzertsänger und Komponist, studierte in Berlin Gesang bei J. Stockhausen und Komposition bei Kiel. Als Komponist machte er sich durch ansprechende Lieder (meist auf eigene Texte) bekannt; weitverbreitet waren *Ballgeflüster, Rokoko-Liebeslied* und *Das Zauberlied*. Konzertreisen führten ihn durch ganz Europa. 1911 ließ er sich in Berlin nieder. M.-H. schrieb auch die Opern *Margitta* (Magdeburg 1889), *Der Liebeskampf* (Dresden 1892) und *Heines Traumbilder* (Bln 1912), das Tanzspiel *Münchener Bilderbogen* (München 1910), das Singspiel *Taglioni* (Bln 1912), die Spieloper *Die schöne Frau Marlies* (Altenburg 1916), ferner Burlesken, Ballette, Orchester- und Klavierstücke sowie Männerchöre.

+Meyer-Olbersleben [–1) Max], –2) Ernst Ludwig, * 30. 10. 1898 zu Würzburg.
M.-O. war stellvertretender Direktor der Musikhochschule in Weimar bis 1946; in Berlin war er Lektor am Institut für Musikerziehung der Humboldt-Universität bis 1956. Er unterrichtete dann 1956–67 (zuletzt als Professor) an der Hochschule für Musik in (West-)Berlin, wo er heute im Ruhestand lebt.

+Meyerbeer, Giacomo (eigentlich Jakob Liebmann Meyer Beer, wobei auch »Meyer« als Vorname zu gelten hat [del. frühere Angaben zur Namensentstehung]), 1791–1864.
Nach dem Erfolg von +*Il crociato in Egitto* (1824, deutsch als +*Der* [nicht: *Die*] *Kreuzritter in Ägypten*) machte M. keine Kompositionspause von 6 Jahren, sondern arbeitete vielmehr +*Margherita d'Anjou* (1820) sowie *Il crociato in Egitto* für die Pariser Opéra um und begann die Arbeiten an der Fragment gebliebenen Oper *La nymphe de Danube* (1826). – M. hat sich (ab 1831) nicht in Paris niedergelassen, sondern weilte dort, mit ansonsten wechselnden Wohnsitzen, stets nur mehrere Monate. – Die Oper +*Emma di Resburgo* wurde in Venedig 1819 [nicht: 1919], +*L'esule di Granada* in Mailand 1821 [nicht: 1822] uraufgeführt. Der Textentwurf zur Oper +*Ein Feldlager in Schlesien* (1844) stammt von E. Scribe, von L. Rellstab wurde er in deutsche Versform gebracht. Bereits 1837 [nicht: 1838] begann M. mit der Komposition von +*L'Africaine*, die er später in *Vasco da Gama* umbenannte; in der Endfassung (1864) gab er ihr wieder den ursprünglichen Titel. In der Zwischenzeit begann M. mit den Arbeiten an +*Le prophète* (1838 Abschluß des Kompositionsvertrages), die 1841 vorläufig und 1848/49 endgültig zum Abschluß kamen. Zum Schauspiel +*Murillo* (1853) schrieb M. nur eine Balladeneinlage, nicht aber eine vollständige Schauspielmusik.
Ausg.: *Sizilianische Volkslieder,* hrsg. v. FR. BOSE, Bln 1970.
Lit.: +*Briefwechsel u. Tagebücher,* hrsg. v. H. BECKER, bisher 2 Bde (I: bis 1824, II: 1825–36), Bln 1960–70. – +H. ABERT, G. M., in: Gesammelte Schriften ... (1929), Tutzing ²1968. – G. M., Ausstellungskat. d. Bibl. Nationale et Universitaire Jérusalem 1964, mit Vorw. v. J. TEYNIER u. I. ADLER, Jerusalem 1964 (frz. u. hebräisch). – M.-Sonderheft. = RM 1904, Nr 19. – M. COOPER in: Fanfare, Fs. E. Newman, London 1955, S. 38ff., u. in: Proc. R. Mus. Ass. XC, 1963/64, S. 97ff.; FR. SCHLITZER, Rossini, Beulé e un »Elogio« di M., Quaderni dell'Accad. Chigiana XXXVI, 1956; I. I. SOLLERTINSKIJ, Dsch. M., in: Musykalno-istoritscheskije etjudy, hrsg. v. M. S. Druskin, Leningrad 1956 (= Wiederabdruck aus: »Gugenoty«. Musyka Dsch. M.a, Leningrad 1935); FR. GARRECHT, Zu einer Wiederbelebung d. Oper Rossinis u. M.s,

NZfM CXVIII, 1957; H. BECKER, M.s erstes Bühnenwerk »Der Fischer u. d. Milchmädchen«, in: Kleine Schriften d. Ges. f. Theatergesch. XVI, Bln 1958; DERS. in: L. Baeck Year Book IX, 1964, S. 178ff.; DERS., G. M.s Mitarbeit an d. Libretti seiner Opern, Kgr.-Ber. Bonn 1970; R. SIETZ, Unbekannte Briefe M.s an Hiller, Mitt. d. Arbeitsgemeinschaft f. rheinische Mg. II, 1958–61, Nr 14; J. W. KLEIN, M.'s Strangest Opera, MMR LXXXIX, 1959 (zu »Le prophète«); DERS. in: MR XXV, 1964, S. 142ff.; J. BUCHOWIECKI, Ein unveröff. Brief Fr. Grillparzers an G. M., in: Euphorion LIV, 1960; M. A. WENEWITINOW, Glinka i M., Wospominanija (»Erinnerungen«), SM XXV, 1961; A. BONACCORSI in: Chigiana XXI, N. S. I, 1964, S. 91ff.; M. BROD, Some Comments on the Relationship Between Wagner and M., L. Baeck Year Book IX, 1964; W. DEAN, The Riddle of M., in: Opera XV, 1964; M. GOLDSTEIN, Zwei Zeugnisse d. jungen A. Rubinstein, BzMw VI, 1964; H. KIRCHMEYER in: NZfM CXXV, 1964, S. 298ff., 372ff. u. 471ff. (3 Aufsätze: Zur Frühgesch. d. Meyerbeerkritik in Deutschland; Die deutsche Librettokritik bei E. Scribe u. G. M.; Psychologie d. M.-Erfolges); DERS., Situationsgesch. d. Musikkritik u. d. mus. Pressewesens in Deutschland, dargestellt v. Ausgang d. 18. bis zum Beginn d. 20. Jh., = Studien zur Mg. d. 19. Jh. VII, Regensburg 1967ff. (darin Teil IV, Das zeitgenössische Wagner-Bild, 1. Bd: Wagner in Dresden, 1972); J. MEYEROWITZ in: Musica XIX, 1965, S. 9ff., u. in: Theater u. Zeit XIII, 1965/66, Nr 12, S. 13ff.; G. BALLIN, Die Ahnen d. Komponisten G. M., in: Genealogie XV, 1966; R. BEBB u. V. LIFF, »Les Huguenots«, in: Opera XX, (London) 1969; H. FREDERICHS, Das Rezitativ in d. »Hugenotten« G. M.s, in: Beitr. zur Gesch. d. Oper, hrsg. v. H. Becker, = Studien zur Mg. d. 19. Jh. XV, Regensburg 1969; CHR. FRESE, Dramaturgie d. großen Opern G. M.s, Bln 1970; P. GÜLKE, Der verdrängte M., Versuch einer Wiedergewinnung, in: Theater d. Zeit XXV, 1970.

+Meyerowitz (m'aiɪovits), Jan ([erg.:] eigentlich Hans-Hermann M.), * 23. 4. 1913 zu Breslau.
M., der 1951 die amerikanische Staatsbürgerschaft erhielt, lehrt seit 1962 am New York City College. – Weitere Werke: die Opern +*Simoon* (einaktig, nach Strindberg, Tanglewood/Mass. 1949), +*The Barrier* (Columbia University/N. Y. 1950), +*Eastward in Eden* (nach E. Dickinson, Wayne University/Mich. 1951), +*Bad Boys in School* (einaktige Farce nach Nestroy, Tanglewood 1953), +*Esther* (nach Racine, University of Illinois 1957), *Port Town* (einaktig, Tanglewood 1960), *Godfather Death* (Riverside Church, NY 1961) und *Winterballade* (nach G. Hauptmann, Hannover 1967 als *Die Doppelgängerin*); Symphonie *Midrash Esther* (1954), 6 Stücke (1963), *Sinfonia brevissima* (1967) und 7 Stücke (1973) für Orch., *Silesian Symphony* für Streicher (1957), Musik für die Fastenzeit *Ecce homo* für Bläser, Hf. und Schlagzeug (1957); Konzerte für Fl. (1957), V. (1959) und Ob. (1963) mit Orch.; Violin- (1959) und Flötensonate (1961), 4 Stücke (1957) und Sonate (1958) für Kl.; Oratorium *The Rabbis* (1965), zahlreiche weitere Vokalwerke, darunter an neueren: *Missa Ecce vere* für Chor und Org. (1963), 4 französische Volkslieder (1959) und 3 kurze Motetten für die Fastenzeit (1959) a cappella, 5 geistliche Lieder für B. und Orch. (1963), 4 Lieder *The Story of Ruth* für Koloratur-S. und Kl. (1956), 5 Lieder für Bar. und Kl. (1970), Zyklus *Zwei Balladen und drei Lieder* für Singst. und Kl. (1971). – Er veröffentlichte: *A. Schönberg* (= Köpfe des XX. Jh. XLVII, Bln 1967); *G. Meyerbeer* (in: Musica XIX, 1965, und in: Theater und Zeit XIII, 1965/66); ferner *Der echte jüdische Witz* (Bln 1971).

+Meylan, Jean, * 22. 12. 1915 zu Genf.
Als Dirigent des Symphonieorchesters von St. Gallen wirkte M. bis 1956. Er wurde 1957 ans Genfer Opernhaus berufen, wo er zunächst als Kapellmeister und Chorleiter, dann als musikalischer Oberleiter tätig war (bis 1962); seitdem wirkt er wieder als Gastdirigent.

1969 wurde er zum Präsidenten des Organisationskomitees des Concours international d'exécution musicale in Genf ernannt.

Lit.: J. VIRET in: Rev. mus. de Suisse Romande XX, 1967, H. 5, S. 10ff. (Interview).

Meylan (mɛl'ã), Pierre, * 22. 10. 1908 zu Lucens (Vaud); Schweizer Musikforscher, studierte Philologie an den Universitäten in Lausanne, Halle (Saale) und Leipzig sowie Klavier am Institut de Ribaupierre in Lausanne. 1933 begann er eine Laufbahn als Musikjournalist und wurde Mitarbeiter bei schweizerischen und ausländischen Tageszeitungen und Zeitschriften. Er ist Chefredakteur der *Revue musicale de Suisse Romande*. Von seinen Veröffentlichungen seien genannt: *Les écrivains et la musique* (2 Bde, Lausanne 1944–52); *R. Strauss. Anecdotes et souvenirs* (ebd. 1951); *Etude comparative sur les bibliothèques musicales publiques dans différents pays* (FAM III, 1956); *Les plus belles lettres de Mozart* (Lausanne 1956); *Musik und Musiker der Französischen Schweiz* (in: Musica XIII, 1959); *Une amitié célèbre. C.-F. Ramuz, I. Stravinsky* (Lausanne 1961); *R. Morax et A. Honegger au théâtre du Jorat* (ebd. 1965); *G. Doret musicien de théâtre* (SMZ CVI, 1966); *L'originalité de Janáček* (Rev. musicale de Suisse Romande XX, 1967); *A. Honegger. Humanitäre Botschaft der Musik* (= Wirkung und Gestalt VIII, Stuttgart 1970).

Meylan (mɛl'ã), Raymond, * 22. 9. 1924 zu Onex (Genève); Schweizer Flötist und Musikforscher, studierte Flöte am Conservatoire de Musique in Genf (Diplom 1943) und am Pariser Conservatoire bei Marcel Moyse (Diplom 1948) sowie Musikwissenschaft an der Universität Zürich, wo er 1967 mit der Dissertation *L'énigme de la musique des basses danses du quinzième s.* (= Publ. der Schweizerischen musikforschenden Gesellschaft II, 17, Bern 1968) promovierte. Er war 1951–54 Soloflötist bei der Associazione A. Scarlatti in Neapel sowie 1954–58 bei den Pomeriggi Musicali in Mailand und gehört seit 1958 dem Orchester von Radio-Beromünster in Zürich an. Er ist Mitglied des Ensembles mit alten Instrumenten »Ricercare« in Zürich und hält seit 1967 Vorlesungen an der Zürcher Universität. M. schrieb Kadenzen u. a. zu Mozarts Oboenkonzert C dur K.-V. 314, gab eine Reihe Konzerte und Symphonien der Barockzeit und der Klassik heraus und veröffentlichte ferner u. a.: *Documents douteux dans le domaine des concertos pour instruments à vent en XVIIIᵉ s.* (Rev. de musicol. XLIX, 1963); *A propos du développement de l'instrumentation au début du 19ème s.* (AMl XLII, 1970); *Kadenzen und Verzierungsvorschläge zur konzertanten Oboenmusik des 18. Jh.* (Zürich 1970).

+Meyrowitz, Selmar (Meyerowitz), 1875 – [erg.:] 24. 3. [nicht: 5.] 1941.

Meza (m'eθa), Miguel C., * 29. 9. 1903 zu San Luis Potosí; mexikanischer Komponist, studierte 1923–32 in México (D. F.) am Conservatorio Nacional de Música bei Teresa R. de Rojas (Klavier) und Mejía (Komposition) sowie an der Hochschule für Musik der Universidad Nacional Autónoma de México (Promotion 1932). Er schrieb u. a. das Ballett *Las Biniguendas de Plata* (1933), Orchesterwerke (Symphonie in G; *Sinfonía en estilo mexicano*; Symphonische Dichtung *Revolución*, 1935; Suite *Impresiones*), ein Klaviertrio (1931), eine Sonate und die Suite *Primicias* für Kl.

Mézangeau, René → Mésangeau, R.

Mezger, Manfred, * 11. 4. 1911 zu Stuttgart; deutscher Theologe, studierte 1929–33 Theologie und Philosophie in Tübingen, Marburg und Berlin und nach Vikardienst (1933–35) Kirchenmusik in Leipzig bei Straube, Ramin und J. N. David (1935–37). Nach dem 2. theologischen Examen (1938) und Kriegsdienst studierte er Musikwissenschaft in Tübingen, wo er 1947 mit der Dissertation *Die evangelische Kirchenmusik unter dem Gesichtspunkt der Perikopenordnung* promovierte. 1956 habilitierte er sich in Tübingen für Praktische Theologie, war 1956–58 Professor an der Kirchlichen Hochschule Berlin und ist seit 1958 Ordinarius für Praktische Theologie (mit Abteilung Evangelische Kirchenmusik) an der Evangelisch-theologischen Fakultät der Mainzer Universität, deren Rektor er 1968–69 war. 1961 wurde er D. theol. h. c. der Universität in Tübingen. Von seinen Veröffentlichungen seien genannt: *Bachs Amt und Erbe im Thomaskantorat von K. Straube* (in: Theologia viatorum VIII, 1961/62); *Botschaft und Glaube in J. S. Bachs Kirchenmusik* (= Jahresgabe 1963 der Internationalen Bach-Gesellschaft Schaffhausen, Wolfenbüttel 1964, ²1968); *Verkündigung heute* (Hbg 1966); *Verantwortete Wahrheit* (Hbg 1968); ferner zahlreiche theologische und musikalische Aufsätze und Beiträge, u. a. für die Zeitschriften »Evangelische Theologie«, »Zs. für Theologie und Kirche«, MuK, AfMw, »Musik und Gottesdienst«, »Der Kirchenmusiker«, für die Enzyklopädie »Religion in Geschichte und Gegenwart«, für das Handbuch »Theologie für Nichttheologen« und für verschiedene Festschriften.

+Mezzrow, Mezz (Milton, [erg.:] Zuname eigentlich Mesirow), * 9. 11. 1899 zu Chicago, [erg.:] † 5. 8. 1972 zu Neuilly-sur-Seine.

M., der auch Saxophon spielte, formierte 1938 mit H. Panassié die »Panassié-Sessions« (New Orleans- und Swing-Stil). – Seine Autobiographie *+Really the Blues* (1946) erhielt zahlreiche Neuauflagen und Übersetzungen (u. a. NY 1957 und 1964, auch London 1946, zuletzt 1961, dänisch als *Min aske til de sorte*, Kopenhagen 1954, frz. als *La rage de vivre*, Paris 1950 und 1964, gekürzt 1965, ital. als *Ecco i blues*, = Il cammeo III, Mailand 1949, zuletzt 1968, schwedisch als *Dans till svart pipa*, Stockholm 1953, ²1955).

Lit.: H. PANASSIÉ, Hist. des disques swing enregistrés à NY par T. Ladnier, M. M., Fr. Newton, etc., Genf 1944, revidiert als: Quand M. enregistre, Paris 1952 (mit Vorw. v. M.).

Míča (m'i:tʃa), František Adam (eigentlich Jan Adam František de Paula M.; auch Mitscha, Micza, Mischa), * 11. 1. 1746 zu Jaroměřice (Jarmeritz, Mähren), † 19. 3. 1811 zu Lemberg; böhmischer Komponist, Neffe von František Václav M., trat nach beendeten Rechtsstudien in den österreichischen Staatsdienst (1803 Hofrat, 1807 Landespräsident, 1810 in den Ritterstand erhoben). Seine zahlreichen Werke standen W. A. Mozart, mit dem ihn persönliche Freundschaft verband, nahe und bezeugen eine beachtliche Begabung. M. schrieb u. a. das Singspiel *Bernardon die Gouvernante* (Prag 1761), die komische Oper *Adrast und Isidore oder die Nachtmusik* (nach Molière, Wien 1780), eine Reihe von Symphonien, Tänze für Orch., 4 Violinkonzerte (1777–81), ein konzertierendes Divertissement für Kl., 2 V., 2 Va, 2 Ob., 2 Waldhörner und Kb., 6 Notturnen für 2 V., 2 Va, 2 Waldhörner und Kb., 6 Streichquartette, 4 Harfensonaten (1781), einige Konzertarien, *Studenten Cassation* für 2 T., B., Chor und Bläseroktett sowie das Oratorium *David's fünfzigster Psalm* (1809). Eine handschriftliche Selbstbiographie und eine gedruckte Lebensbeschreibung (1829) befinden sich im Archiv der Gesellschaft der Musikfreunde zu Wien.

Ausg.: Symphonie D dur, hrsg. v. J. RACEK, Prag 1946 (fälschlich Fr. V. M. zugewiesen); Concertino notturno

Dis dur f. V. principale, 2 V., 2 Ob., 2 Hörner, 2 Fag., 2 Va u. Kb., hrsg. v. DEMS. u. FR. BARTOŠ, = MAB XIX, ebd. 1954; Streichquartett C dur, hrsg. v. J. BACHTÍK u. A. NĚMEC, ebd. VI, 1949, ²1956; Ob.-Quartett C dur, hrsg. v. H. STEINBECK, = Diletto mus. Nr 258, Wien 1967.
Lit.: J. RACEK in: Zpravy Bertramky 1961, Nr 25, S. 6ff.; O. VESELÝ, Rod Míčů (»Die Familie M.«), in: Hudební věda V, 1968 (zu Fr. A. M.: S. 276ff. u. 285ff.).

+**Míča** (Mitscha, Micza), [del.: –1)] František Václav (Franz Anton), 1694 – 1744 [erg.:] zu Jaroměřice (Jarmeritz, Mähren).
M. war erst ab 1722 [nicht: 1712] Kapellmeister des Grafen Questenberg. In der Österreichischen Nationalbibliothek und in den Sammlungen der Gesellschaft der Musikfreunde in Wien sind 2 Kantaten, das Sepolcro *Abgesungene Betrachtungen über Etwelche Geheimnüsse des büttern Leyden und Sterbens Jesu Khristij* (1727) sowie die Opern *L'origine de Jaromeriz in Moravia* (1730) und *Operosa terni Colossi Moles* (1735) erhalten. [Zu den früheren Angaben unter –2) vgl. Fr. A. →Míča.]
Ausg.: Szene aus »L'origine de Jaromeriz in Moravia«, in: J. POHANKA, Dějiny české hudby v príkladech, Prag 1958; Kantate »Čtyři živlové« (»Die 4 Elemente«, 1734), hrsg. v. H. KRUPKA, ebd. 1960.
Lit.: J. BUŽGA in: MGG IX, 1961, Sp. 262ff.; O. VESELÝ, Rod Míčů (»Die Familie M.«), in: Hudební věda V, 1968; VL. TELEC, Stará libreta a míčovská otázka (»Alte Libretti u. d. M.-Frage«), in: Opus musicum II, 1970.

Michaca (mitʃ'aka), Pedro, * 26. 11. 1897 zu Canatlán (Staat Durango); mexikanischer Musikpädagoge und Komponist, studierte 1919–27 am Conservatorio Nacional de Música in México (D. F.) bei Ponce (Klavier), Aurelio Barrios y Morales (Orgel), Campo und Rafael Tello (Kontrapunkt, Fuge und Komposition). Nach Gründung der Musikhochschule der Universidad Nacional Autónoma de México übernahm er verschiedene Lehrstühle, u. a. den für Theorie, den für Musikgeschichte und den für Ästhetik; ab 1955 war er auch Sekretär der Hochschule. Er schrieb Orchesterwerke (Symphonische Dichtung *El zarco*, 1937), Orgelstücke und Klavierwerke (*Pequeña suite*, 1960, dodekaphonisch), Gesangsstücke und Chöre und veröffentlichte *El nacionalismo musical mexicano* (México/D. F. 1931) und *La evolución de la armonía a través del principio cíclico musical* (ebd. 1970).

Michael, Hermann, * 24. 3. 1937 zu Schwäbisch Gmünd; deutscher Dirigent, studierte 1956–60 an der Staatlichen Hochschule für Musik in Stuttgart (Schulmusik) sowie 1960–62 in Berlin am Städtischen Konservatorium (Dirigieren) und besuchte Dirigierkurse bei Swarowsky (1958), R. Kubelík (1961) und H. v. Karajan (1960–62). M. war 1962–64 Kapellmeister und Assistent H. v. Karajans an der Wiener Staatsoper und 1965–67 Kapellmeister am Opernhaus in Frankfurt a. M. Seit 1970 ist er GMD der Stadt Bremen.

+**Michael**, –1) Rogier, um 1554 – [erg.: nach dem 25. 1.] 1619. –2) Tobias, 1592–1657.
Ausg.: zu –2): Adventskonzert »Machet d. Tore weit« f. T., 5st. gem. Chor u. Instr., hrsg. v. A. ADRIO, Bln 1948, NA 1958; geistliches Duett »Herzlich lieb hab' ich dich« f. 2 S. u. B. c., in: E. T. FERAND, Die Improvisation, = Das Musikwerk XII, Köln 1956, engl. 1961.
Lit.: +H. OSTHOFF, Die Niederländer u. d. deutsche Lied (1938), Nachdr. Tutzing 1967 (mit neuem Anh.). – J. K. MUNSON, The »Mus. Seelenlust« of T. M., 2 Bde, Diss. Univ. of Rochester (N. Y.) 1953; A. ADRIO in: MGG IX, 1961, Sp. 264ff.; DERS., T. M.s »Mus. Seelenlust« (1634/37). Über einige Fragen d. mus. Aufführungs- und Editionspraxis im frühen 17. Jh., Fs. H. Osthoff, Bln 1961.

Michaelides (miçail'iðis), Solon, * 12.(25.) 11. 1905 zu Nikosia (Zypern); griechischer Komponist, Dirigent und Musikforscher, studierte in London am Trinity College of Music und in Paris bei Nadia Boulanger (Komposition), P. Maire und Cortot (Klavier) an der Ecole Normale de Musique sowie bei G. de Lioncourt (Komposition) und Labey (Dirigieren) an der Schola Cantorum. 1934–56 leitete er das Konservatorium in Limassol (Zypern) und war auch als Dirigent tätig. 1957–70 war er Direktor des Staatskonservatoriums und Chefdirigent des Staatssymphonieorchesters in Thessaloniki. Nach seiner Pensionierung (1970) übersiedelte er nach Athen. Seine Kompositionen sind von der byzantinischen Musiktradition und von der griechischen Volksmusik beeinflußt. Er schrieb u. a. die Oper 'Οδυσσεύς (1951), das Ballett Ναυσικᾶ (1961), Orchesterwerke (Δύω βυζαντινὰ σκίτσα, »2 byzantinische Skizzen«, 1946; Δύω συμφωνικὲς εἰκόνες, »2 symphonische Bilder«, 1959; 'Αρχαϊκὴ σουῖτα, »Archaische Suite«, für Fl., Ob., Hf. und Streicher, 1962), Kammermusik (Suite für Vc. und Kl., 1966; Suite für Kl., 1966), Vokalmusik (Kantaten 'Ο τάφος, »Das Grab«, für S., B., gem. Chor und Orch., 1945, und 'Ελεύθεροι πολιορκημένοι, »Die freien Belagerten«, für Bar., Chor und Orch., Text Dionysios Solomos, 1960; Crux fidelis, Motette für gem. Chor, 1949) sowie Bühnenmusik zu den Tragödien Οἰδίπους τύραννος und 'Ηλέκτρα von Sophokles sowie Μήδεια und 'Ιφιγένεια ἐν Ταύροις von Euripides. Von musikwissenschaftlichen Veröffentlichungen seien genannt: 'Η σύγχρονη αγγλικὴ μουσικὴ (»Die zeitgenössische englische Musik«, Nikosia 1939); 'Η κυπριακὴ λαϊκὴ μουσικὴ (»Die zypriotische Volksmusik«, ebd. 1944, ²1956); 'Αρμονία τῆς σύγχρονης μουσικῆς (»Die Harmonik der modernen Musik«, 2 Bde, Limassol 1945); 'Η σύγχρονη ἑλληνικὴ μουσικὴ (»Die zeitgenössische griechische Musik«, Nikosia 1952); The Neohellenic Folk-Music (in: Volksmusik Südosteuropas, Fs. R. Vogel, = Südosteuropa-Schriften VII, München 1966).

+**Michaelis**, Ruth, * 27. 2. 1909 zu Posen.
Dem Ensemble der Bayerischen Staatsoper in München gehörte sie bis 1961 an. Nachdem sie bis 1960 an der staatlichen türkischen Opernschule in Istanbul unterrichtet hatte, wurde sie 1961 Dozentin für Stimmbildung an der University of Southern California in Los Angeles; darüber hinaus ist sie Gastdozentin an der University of California in Santa Barbara. Für deren Opernabteilung sowie für die Santa Barbara Civic Opera und die Pasadena Opera Company (Los Angeles) war sie auch mehrfach als Opernregisseurin tätig. R. M., Bayerische Kammersängerin seit 1955, lebt heute in Santa Barbara.

+**Michaels**, Jost, * 25. 2. 1922 zu Hamburg.
M. ist Gründer und Leiter des Detmolder Bläserquintetts und des Detmolder Bläserkreises, mit denen er zahlreiche Auslandsreisen unternahm. Ihn selbst führten Konzertreisen u. a. nach Asien, Südafrika und -amerika.

Michajlow, Maxim Dormidontowitsch, * 13.(25.) 8. 1893 zu Kolzowka (Gouvernement Kasan), † 31. 3. 1971 zu Moskau; russisch-sowjetischer Sänger (Baß), studierte bei F. Oschustowitsch am Konservatorium in Kasan und übersiedelte 1924 nach Moskau, wo er als Konzertsänger auftrat. 1931 debütierte er in Dargomyschskijs Oper Kamennyj gost (»Der steinerne Gast«) am dortigen Allunions-Operntheater; 1932–61 war er 1. Bassist des Bolschoj Teatr. Zu seinen Hauptpartien gehörten u. a. Iwan Susanin, Fürst Igor und Boris Godunow. Daneben wurde er als Sänger russischer Volkslieder sehr geschätzt.
Lit.: W. JENDRSCHEJEWSKIJ u. E. OSSIPOW, M. D. M., Moskau u. Leningrad 1951; M. LWOW, Russkije pewzy (»Russ. Sänger«), Moskau 1965.

Michałowski (miçaṷ'ɔfski), Aleksander, *5. 5. 1851 zu Kamieniec Podolski, † 17. 10. 1938 zu Warschau; polnischer Pianist, Komponist und Musikpädagoge, studierte 1867–69 bei Moscheles und C. Reinecke in Leipzig sowie bei C. Tausig in Berlin und debütierte 1868 im Leipziger Gewandhaus. 1874 ließ er sich in Warschau nieder. Er trat in Polen als Pianist und Klavierbegleiter (Duo mit dem Violinisten Barcewicz) auf und wurde als Chopin-Interpret geschätzt. M. war in Warschau Professor für Klavier am Musikinstitut (1891–1918) sowie an der Schule der Musikgesellschaft (ab 1918). Zu seinen Schülern zählen Wanda Landowska, B. Woytowicz und Żurawlew. M. schrieb zahlreiche Klavierstücke im spätromantischen Stil und gab Walzer, Balladen, Impromptus und Etüden von Chopin heraus, die unter dem (irreführenden) Titel *Œuvres complètes de Fr. Chopin* (Warschau 1922–30) erschienen. Lit.: Album pamiątkowy. A. M., ku uszczeniu 65-lecia pracy artystycznej (»Gedenkalbum A. M., zu Ehren d. 65jährigen künstlerischen Arbeit«), hrsg. v. W. WALTER, Warschau 1934; B. WOYTOWICZ, A. M. jako pedagog (»A. M. als Pädagoge«), in: Muzyka II, 1951; J. MECHANISZ, A. M., Diss. Warschau 1961; J. SIERPIŃSKI, A. M., in: Ruch muzyczny V, 1961; ST. ALLINA, A. M., in: Zeszyty naukowe PWSM w Katowicach 1969, Nr 10.

Michałowski (miçaṷ'ɔfski), Kornel, *23. 2. 1923 zu Posen; polnischer Musikforscher und -bibliograph, studierte 1947–51 an der Universität in Posen und wurde 1950 Leiter der Musikabteilung der Posener Universitätsbibliothek. Er veröffentlichte u. a. (Erscheinungsort Krakau): *Opery polskie* (»Polnische Opern«, = Materiały do bibliografii muzyki polskiej I, 1954); *Bibliografia polskiego piśmiennictwa muzycznego* (»Bibliographie des polnischen Musikschrifttums«, ebd. III, 1955, Suppl. 1964); *»Gazeta teatralna« 1843–44* (= Bibliogr. polskich czasopism muzycznych II, 1956; Bibliogr. der Theater-Zs. »Gazeta teatralna«); *»Ruch muzyczny« 1857–62* (mit W. Bogdany, ebd. III, 1957; Bibliogr. der Zs. »Ruch muzyczny«); *»Muzyka« 1924–38* (ebd. IX, 1962, ²1967; Bibliogr. der Zs. »Muzyka«); *K. Szymanowski 1882–1937. Katalog tematyczny dzieł i bibliografia* (»Thematischer Katalog und Bibliographie«, = Polskie wydawnictwo muzyczne I, 1967); *Katalog polskich druków muzycznych 1800–63* (»Katalog der polnischen Musikdrucke ...«, mit Wł. Hordyński, H. 1ff., 1968ff.); *Bibliografia Chopinowska 1849–1969* (1970); *Muzyka w czasopismach polskich z lat 1919–39* (»Musik in den polnischen Zeitschriften in den Jahren ...«, 1973).

+Miche, Paul [erg.:] Gustave, *20. [nicht: 26.] 4. 1886 zu Courtelary (Bern), [erg.:] † 7. 9. 1960 zu Genf.

+Micheau, Janine, *6. 1. [nicht: 17. 4.] 1914 zu Toulouse.
J. M. erhielt ihre Ausbildung am Toulouser [nicht: Pariser] Conservatoire. – 1969 beendete sie ihre Karriere als Opernsängerin, in deren Verlauf sie auch bei verschiedenen Uraufführungen mitgewirkt hatte (u. a. 1938 Titelpartie in Milhauds *Médée*). Zu ihren Hauptpartien zählten Mélisande, Gilda, Zerbinetta sowie Konstanze und Pamina. J. M., weiterhin als Konzertsängerin tätig, ist heute Gesangsprofessor am Pariser Conservatoire.

+Micheelsen, Hans Friedrich [erg.:] Hinrich, *9. 6. 1902 zu Hennstedt (Dithmarschen), [erg.:] † 23. 11. 1973 zu Glüsing (bei Heide, Holstein).
Ab 1962 lebte M. in Sasbachwalden (Schwarzwald) im Ruhestand. Weitere Werke: Orgelkonzert *Christ, der du bist Tag und Licht* (1952); Oratorium *Wachstum und Reife* für S., Männerchor und Orch. (1953); Konzert

für Org. und Blechbläser (1954); *Markuspassion* für T., B. und Chor a cappella (1954); Kantate *Land der Väter* (1955); Konzert für Orch. (1955); evangelische Messe *Unser Wandel ist im Himmel* für T., gem. Chor, Gemeinde und Orch. (1957); Concertino für Streichorch. (1961); *Johannespassion* für Chor a cappella (1961); *Meditationen* für Org. (1963); Konzert für Org. und Streichorch. (1965); Suite für Fl. und Kl. (1970); zahlreiche Vokal- und Orgelwerke sowie Spielmusiken.
Lit.: O. BRODDE in: Gottesdienst u. Kirchenmusik 1963, S. 215ff.; DERS. in: Musica XXVII, 1974, S. 58; J. MICHEL in: MuK XXXVII, 1967, S. 263ff.

Michel (miʃ'ɛl), Paul-Baudouin, *7. 9. 1930 zu Haine-St-Pierre (Hennegau); belgischer Komponist, lebt in Brüssel. Er studierte Klavier und Dirigieren am Conservatoire Royal de Musique in Brüssel und Komposition bei Absil an der Chapelle Musicale de la Reine Élisabeth (Diplom 1962). Beim Concours musical international Reine Élisabeth de Belgique erhielt er 1967 den 1. Preis für Komposition. – Werke (Auswahl): *Variations symphoniques* für Orch. (1960); *Symphonium* für Orch. (1966); *Cinq inframorphoses* für Streichorch. (1963); *Concaténation* für Kammerorch. (1967); *Ultramorphoses*, Mobile für 8 Instrumentalisten (1965); Bläserquintett *Hommage à Fr. Rabelais* (1960); *Quadrance* für Streichquartett (1965); *Délitation II* für Streichquartett und Tonband (1969); *Trio d'anches* (1956); *Colloque* für Kl., Trp. und Schlagzeug (1967); *Oscillonance*, 5 Folios für 2 V. und Kl. (1967); *Toreutique I* für V., Klar. und Kl. (1969); Sonate für V. und Kl. (1960); *Sérénade concertante* für V. und Kl. (1962); *Délitation I* für Baßklar. und Kl. (1968); *Bassonnance* für Fag. und Tonband (1966); *Transsonnance* für Kl. (1966); *Transphonies pour plusieurs nefs* für Org. (1969). – Kantate *Équateur* für Soli, Chor und Orch. (1962); *Rex pacificus*, radiophonische Motette für Solisten, Chor, Orch. und Tonband (1968); ferner Chöre, Lieder und Ballettmusik.

Michelęt, Michel (eigentlich Michail Isaakowitsch Lewin), *14.(26.) 6. 1899 zu Kiew; russisch-amerikanischer Komponist und Violoncellist, studierte Violoncello bei Friedrich von Mulert am Kiewer Konservatorium und ab 1913 in Leipzig bei J. Klengel, Komposition bei Reger sowie Klavier bei Teichmüller und setzte ab 1917 seine Kompositionsstudien in Kiew bei Glière fort. 1919 wurde er Professor am Kiewer Konservatorium und Mitglied eines Klaviertrios mit Neuhaus und Kochański, 1921 Professor am Neuen Wiener Konservatorium sowie 1922 Musikdirektor des Berliner Russischen Romanoffschen Ballettheaters. 1929 übersiedelte M. nach Paris, wo er als Filmkomponist arbeitete (auch für die UFA in Berlin). Seit 1941 lebt er in Hollywood. – Kompositionen (Auswahl): Oper *Hannele* (nach Hauptmanns *Hanneles Himmelfahrt* in der englischen Übersetzung von Henry Meltzer, 1972); Ballett *Die Jagd der Diana* (Bln 1923); Elegie für Streichorch. (1920); Symphonische Dichtungen *New York* für Solisten, Chor und Orch. (1962) und *Of Tears and Triumph* für Solisten, Org. und Orch. (1969); Konzert D dur für V. und Orch. (1943); *Introduction et pavane* für 4 Fl. und Hf. (1948); *Memories*, Thema und Variationen für Streichquartett (1949); *Lisztiana*, Romantisches Trio für V., Vc. und Kl. (1943); Sonate H moll für Vc. und Kl. (1937); 10 Praeludien für Vc. und Kl. (1953); Sonate Nr 2 für V. und Kl. (1972); Sonate für Balalaika und Kl. (1972); *Chinoiserie* für S., 2 Fl., Fag., Hf., Vc. und Kl. (1952); »Eliesar und Rebekka – eine biblische Version« für T., Klar., Hf. und Streichquartett (1969); »5 orientalische Stimmungen«, Suite

für S., Klar., Hf. und Streichquartett (1970); *Harmonies de soir* für Bar. und Kl. (1973); ferner Lieder und Musik zu mehr als 200 Filmen. M. bearbeitete (mit neuer englischer Übersetzung) und ergänzte auch N. Rimskij-Korsakows Oper *Mozart i Salieri* (1969).
Lit.: GD. SALESKI, Famous Musicians of Jewish Origin, NY 1949.

+**Micheli,** Romano, 1575 oder 1578 – nach 1659 oder nach 1662 [del. bzw. erg. frühere Lebensdaten].
M., Schüler von G. M. Nanino und Fr. Soriano, war um 1596 bis vor 1598 Musiker im Dienst des Fürsten Gesualdo da Venosa. Nach längeren Reisen durch Italien wirkte er als Kirchenkapellmeister in Tivoli (1609–10), an der Kathedrale von Concordia (bei Udine, 1616) und an der Metropolitankirche von Aquilea (bei Udine, 1618–21). Ab 1636 ist er für mehrere Jahre als Kanonikus in Neapel nachweisbar. Zuletzt lebte M. in Rom. – Das +*Vivit Deus* . . . wurde bereits 1644 in Rom gedruckt (^{2}1649).
Lit.: H. E. SMITHER, R. M.'s »Dialogus Annuntiationis« (1625). A Twenty-V. Canon with »Obblighi«, in: Analecta musicologica V, 1968 (mit Übertragung).

+**Michi,** Orazio ([erg.:] genannt »dell'Arpa«), um 1595 – 26. [nicht: 27.] 10. 1641.

+**Michl,** Artur, * 18. 1. 1897 und [erg.:] † 8. 6. 1965 zu Graz.
Lit.: Steirisches Musiklexikon, hrsg. v. W. SUPPAN, Graz 1962–66, S. 378ff.

Michl, Rudolf (eigentlich Michel), * 25. 7. 1906 zu Peiperz (Böhmen); deutscher Dirigent, studierte bis 1930 am Prager Konservatorium bei J. Suk, A. Hába und E. Schulhoff Komposition, Dirigieren und Klavier, anschließend Dirigieren auch bei Malko sowie an der Prager Universität Musikwissenschaft bei Rietsch und Rechtswissenschaft (Dr. jur. 1932). 1930–33 war er als Pianist und Liedbegleiter tätig und wurde dann Kapellmeister und Chordirektor am Stadttheater Aussig/Ústí nad Labem. 1936–38 war er Mitglied des Staatstheaters Kassel und darauf Opernchef wieder in Aussig. 1940 kam er als Kapellmeister und Chordirektor an das Stadttheater Saarbrücken. 1945–71 war M. Chefdirigent des Symphonieorchesters des Saarländischen Rundfunks (1967 GMD).

Michna z Otradovic (m'içna z'ɔtradɔvits), Adam Václav (Michna von Otradovic), * 1600, † zwischen 30. 6. und 16. 10. 1676 zu Jindřichův Hradec/Neuhaus (Böhmen); tschechischer Komponist und Dichter, Organist in Neuhaus, über dessen Leben nur wenig bekannt ist, war der bedeutendste tschechische Musiker des 17. Jh. Seine groß angelegten konzertierenden Kirchenwerke sind teils gedruckt (*Sacra et litaniae*, Prag 1654), teils handschriftlich in Breslau und Kremsier überliefert. Für die im 30jährigen Krieg dezimierten Kirchenchöre gab er Sammlungen von Kirchenliedern in ad libitum-Besetzungen heraus (*Česká mariánská muzyka,* »Tschechische Marienmusik«, Prag 1647; *Loutna česká,* »Tschechische Laute«, 1653; *Svatoroční muzyka,* »Musik für das heilige Jahr«, ebd. 1661).
Ausg.: Loutna česká, hrsg. v. E. TROLDA, Prag 1943; Missa S. Wenceslai, = MAB II, 1, ebd. 1966; A. M. z O., Das dichterische Werk, hrsg. v. A. ŠKARKA = Slavische Propyläen XXII, München 1967 (GA d. Texte d. Slgen v. 1647, 1653 u. 1661).
Lit.: J. MUK, A. M. v. O., Neuhaus 1941 (tschechisch); O. URBAN, Sacra et litaniae A. Michny z O., Diss. Brünn 1948; J. BUŽGA, Der tschechische Barockkomponist A. M. z O., Fs. H. Besseler, Lpz. 1961; A. ŠKARKA, Novost básnického umění A. Michny z O. (»Das Neue in d. Dichtkunst v. A. M. z O.«), Acta Univ. Carolinae, Slavica Pragensia IX, 1967; B. SROKA, Nález původního tisku

Michnovy Loutny (»Der Fund d. Originaldrucks v. M.s Loutna«), in: Hudební věda V, 1968.

Micza, František Adam → Míča, Fr. A.

+**Mieg,** Peter, * 5. 9. 1906 zu Lenzburg (Aargau).
M. hat das +Klavierkonzert (1947), das Ballett +*Daphne* (1945), die beiden +Streichquartette (1938, 1945) und die +Klaviersonaten zurückgezogen. – +*Concerto veneziano* [nicht: *Veneraziano*] (1955). – Weitere Werke: +Violinkonzert (1949, revidiert 1959); *Toccata, Arioso, Gigue* für Streicher (1959); 2. Klavierkonzert (1961); Konzert für Fl. und Streichorch. (1962); *Mit Nacht und Nacht* für T. und Orch. (1962); *Rondeau symphonique* für Orch. (1964); *Meilener Ballette* für Streichorch. (1966); Konzert für Vc. und Orch. (1966); *Sur les rives du Lac Léman* für V. und Kl. (1968); *La passeggiata* für Kl. 4händig (1968); 3 Gesänge für T. und Kl. (Hofmannsthal, 1968); Konzert für Hf. und Streichorch. (1969); Konzertstück für Kl. 4händig und Streichorch. (1969); Quintett für Fl., 2 V., Vc. und Cemb. (1969); *Morceau élégant* für Fl. und Hf. (1969); *Les humeurs des Salis* für Fl. und Cemb. (1970); *La sombre* für V. (1970); *Canto lirico* für Englisch Horn (1970); *Les jouissances de Mauensee* für 3 Fl. (1971); *Les plaisirs de Rued* für Fl. (1971); *Les charmes de Lostorf* für 2 Fl. (1971); *Lettres à Goldoni* für Kl. (1971); Konzert für 2 Fl. und Streicher (1973); Konzertstück für 2 Hf. (1973). – M. verfaßte u. a. eine *Autobiographische Notiz* (SMZ CVI, 1966) sowie *Musik im Werk von Annette Kolb* (SMZ CVIII, 1968).
Lit.: FR. MUGGLER in: SMZ CIII, 1963, S. 64ff. (mit Werkverz.).

Miehler, Otto, * 24. 8. 1903 zu Passau; deutscher Dirigent und Komponist, studierte in Würzburg am Bayerischen Staatskonservatorium bei H. Zilcher (Klavier, Dirigieren und Komposition) sowie an der Universität (Musikwissenschaft). Er war Kapellmeister am Stadttheater in Augsburg (1927–31 und 1932–34), musikalischer Oberleiter am Landestheater Neustrelitz (1934–38) und Musikdirektor der Städtischen Bühnen Flensburg (1938–50). 1951–61 wirkte er als freischaffender Komponist, Gastdirigent und Klavierbegleiter. Seit 1961 ist er Dozent an der Staatlichen Hochschule für Musik in München. Er schrieb *Missa dominicalis* für 4st. gem. Chor, Org. oder Orch. (1931), *Hymnus* auf einen Text von Friedrich Wilhelm Weber für 4st. Männerchor und 2 Kl. oder Orch. (1945), *Marienkantate* nach Texten des 16. und 17. Jh. für S., 4st. Frauenchor und Orch. (1947), *Arie, Serenade und Elegie* nach Texten von Paul Fleming und Mörike für T. und Orch. (1948), Kammermusik, Klavierstücke, Chöre, Lieder und Bühnenmusiken.

+**Mielck,** Ernst Leopold Christian, 1877–99.
Lit.: J. ROSAS, E. M., = Acta Acad. Aboensis, Humaniora XXI, 1, Åbo 1952.

+**Mielczewski,** Marcin, [erg.:] 1590 – 1651.
Ausg.: +*Deus in nomine tuo* (A. CHYBIŃSKI u. K. SIKORSKI, 1929 [nicht: 1928]), NA Krakau 1961, auch in: Muzyka polskiego odrodzenia, hrsg. v. J. M. CHOMIŃSKI u. Z. LISSA, ebd. 1953, engl. als: Music of the Polish Renaissance, ebd. 1955; +Canzona a 3 (DERS. u. Z. JAHNKE, 1930), neu hrsg. v. A. CHYBIŃSKI, ebd. 1961. – Canzona (in d. 2. Aufl.: [2] Canzoni) a 2, hrsg. v. Z. M. SZWEYKOWSKI, = Wydawnictwo dawnej muzyki polskiej XXIX, 1956, ^{2}1963; Concerto a 3 »Veni dominke«, hrsg. v. DEMS., ebd. XXXVIII, 1958; Vesperae dominicales f. 8 St., 3 Instr. u. B. c., hrsg. v. DEMS., ebd. XLII, 1962; Canzoni a 3 f. 2 V., Fag. (oder Pos.) u. B. c., hrsg. v. DEMS., ebd. LXI, 1966; Benedicto et claritas a 6 v., 2 violini e 4 tromboni con b. c., hrsg. v. DEMS., ebd. LXVI, 1969; Canzon prima a 2 u. Canzon terza a 3, in: Musica antiqua Polonica. Barok, Bd II, hrsg. v. DEMS., ebd. 1969; ein Satz in: Muzyka staropolska, hrsg. v. H. FEICHT, ebd. 1966.

Lit.: Z. M. SZWEYKOWSKI, Nowe canzony M. M.ego, in: Ruch muzyczny II, 1958; DERS., ebd. VI, 1962, Nr 15, S. 18ff.; J. STĘSZEWSKI, M. M.ego »Canzon prima a 2« na tle rękopisu Bibl. Jagiellońskiej sygn. 127/56 (»M. M.s ‚Canzon prima a 2' in d. Hs. d. Jagiellonen-Bibl. ...«), in: Muzyka XII, 1967.

Mielenz, Hans (Pseudonym Peter Rambo), * 16. 12. 1909 zu Berlin; deutscher Komponist, studierte in Berlin 1928–32 an der Akademie für Kirchen- und Schulmusik, daneben an der Universität und 1933–34 an der Hochschule für Musik (Kapellmeisterdiplom). 1927–39 war er als freiberuflicher Musiker, Komponist, Arrangeur und Dirigent tätig. 1946 wurde er Kapellmeister am Varieté »Neue Scala« in Berlin und 1950 Leiter des Großen Tanzorchesters des (Ost-)Berliner Rundfunks. Seit 1956 lebt er als freiberuflicher Komponist in Aschau (Chiemgau). 1968/69 wirkte er als Kapellmeister am Stadttheater Baden (Niederösterreich). Seine Kompositionen umfassen u. a. ein *Romantisches Konzert* für Vc. und Orch. op. 12 (1949), die Kantate *Der Struwwelpeter* op. 13 (1949), ein *Concerto für Heckelphon und Orch.* op. 60, ein Streichquartett op. 76 (1969), *Divertimento in Jazz* für Bläserquintett op. 93 (1972), zahlreiche Stücke der gehobenen Unterhaltungsmusik (*Broadway-Impression* op. 25, 1950; Suite *Gardesana* op. 82, 1967) und Bearbeitungen.

Mierczyński (mjɛrtʃiɲski), Stanisław, * 16. 8. 1894 zu Warschau, † 25. 2. 1952 zu Otwock (bei Warschau); polnischer Musikethnograph, Violinist und Komponist, studierte am Warschauer Konservatorium bei Barcewicz (Violine) sowie privat bei Adolf Gużewski (Theorie und Instrumentation) und war als Volkslied- und Volksmusiksammler tätig. Er beschäftigte sich u. a. mit der Musik der Bergbewohner der polnischen Tatra und gab *Muzyka Podhala* (»Die Musik des [Gebiets] Podhale«, Lemberg und Warschau 1930, Krakau ²1949) heraus. Ferner schrieb er *Muzyka Huculszczyzny* (»Musik der Huzulen«, postum hrsg. von J. Stęszewski, Krakau 1965).

Miereanu, Costin, * 27. 2. 1943 zu Bukarest; rumänischer Komponist, studierte 1960–66 am Bukarester Konservatorium (Komposition bei D. Constantinescu und Mendelsohn, Musikgeschichte bei O. L. Cosma) sowie 1968–69 in Paris bei der Groupe de Recherches Musicales de l'ORTF und am Conservatoire (Schaeffer). 1967 war er Preisträger bei der Stiftung Gaudeamus in Bilthoven. Er schrieb u. a.: *Donum sacrum Brancusi / Omagiu lui Brâncuși* für Singst. und Orch. (1965); *Espace dernier*, aleatorische Musik für Chor, 6 Instrumentengruppen und Tonband (1965) und *Espace au-delà du dernier*, aleatorische Musik für Kammerensemble (1969); *Variante* (»Varianten«) für Klar. solo (1966); *Monostructuri I* für 2 Orch. (Streicher und Blechbläser, 1967) und *II* für Streicher, Blechbläser und Tonband (1967); *Finis coronat opus* für Kl. und 6 Instrumentengruppen (1967); *În noaptea timpurilor* (»In der Nacht der Zeiten«), aleatorische Musik für variable Besetzung und Tonband (1968); *Noapte* (»Nacht«) für Mezzo-S. und gem. Chor (Text García Lorca, 1968); *Culori ale timpului* (»Farben der Zeit«), 3 Fassungen: für Streichorch. (1968), für Streichquartett und Tonband (1968) und für Doppelstreichquartett und Kb. (1969); *Spații II* für Streichorch., Kl. und Tonband (1969); *Polymorphies* für Orch. (1969); *Trei pentru cinci* (»Drei für fünf«) für Orch. mit aleatorischer Struktur (mit Mitrea-Celarianu und Jean-Yves Bosseur, 1969). Er veröffentlichte auch eine Reihe von Zeitschriftenbeiträgen.

Mierzejewski, Mieczysław, * 10. 11. 1905 zu Posen; polnischer Dirigent und Komponist, studierte

1926–29 in seiner Heimatstadt Theorie, Klavier und Orgel, 1927–28 am Konservatorium in Warschau Komposition (K. Sikorski) und Dirigieren (Grz. Fitelberg, Młynarski) sowie 1930–32 an der Berliner Hochschule für Musik Dirigieren (Prüwer), Klavier (Eisner) und Theorie (Höffer). Seine Dirigentenlaufbahn begann er 1926 an der Oper in Posen. Seit 1929 ist er mit Unterbrechungen in Warschau Dirigent der Oper und der Philharmonie. 1935–37 dirigierte er das polnische Radiosymphonieorchester, 1945–46 leitete er das Theater der polnischen Armee und 1946–47 die Schlesische Oper in Beuthen/Bytom. Konzertreisen führten ihn in verschiedene europäische Länder und in die USA. Seine Kompositionen umfassen u. a. das Volksschauspiel *Dożynki* (»Das Erntefest«) für Soli, Chöre und Blasorch. (Posen 1928), ein symphonisches Praeludium (1927), Lieder sowie Bühnen- und Filmmusik.

⁺Mies, Paul, * 22. 10. 1889 zu Köln. ⁺*Die Bedeutung der Skizzen Beethovens ...* (1925), russ. Moskau 1932, Nachdr. den ⁺engl. Ausg. (*Beethoven's Sketches. An Analysis of His Style Based on a Study of His Sketch-Books*, 1929) NY 1969; ⁺*Das kölnische Volks- und Karnevalslied ...* (1951), Köln ²1964. – M. ist (mit J. Schmidt-Görg) Herausgeber des *Beethoven-Jahrbuchs* (Iff., 1953/54ff., bis 1969/70 im 7. Jg.; darin eine Reihe eigener Beiträge zur Beethoven-Forschung). Gesammelte Aufsätze erschienen unter dem Titel *Bilder und Buchstaben werden Musik* (Rodenkirchen/Rhein 1964, mit Bibliogr. 1961–64; für die Zeit bis 1960 vgl. »Rheinische Musiker« I, 1960). Weitere Bücher und Aufsätze: ⁺*Die geistlichen Kantaten J. S. Bachs und der Hörer von heute* (3 Teile, = Jahresgabe 1958–59 und 1964 der Internationalen Bach-Gesellschaft Schaffhausen, Wiesbaden 1959–60 und 1964 [erg. frühere Angaben]); *Kleines Musik-Titel-Lexikon* (Bonn 1961); *Studien zum Klavierspiel Beethovens und seiner Zeitgenossen* (mit H. Grundmann, = Abh. zur Kunst-, Musik- und Literaturwissenschaft XXXVI, ebd. 1966, russ. Teilübers. als *Kak Betchowen polsowalsja pedalju?*, »Wie gebrauchte Beethoven das Pedal?«, in: Musykalnoje ispolnitelstwo VI, hrsg. von G. Ja. Edelman, Moskau 1970); *Die weltlichen Kantaten J. S. Bachs und der Hörer von heute* (= Jahresgabe 1966 der Internationalen Bach-Gesellschaft Schaffhausen, Wiesbaden 1967); *Das instrumentale Rezitativ* (= Abh. zur Kunst-, Musik- und Literaturwissenschaft LV, Bonn 1968); *Die Krise der Konzertkadenz bei Beethoven* (ebd. CI, 1970); *Das Konzert im 19. Jh., Studien zu Formen und Kadenzen* (ebd. CXXVI, 1972); *Die Artikulationszeichen Strich und Punkt bei W. A. Mozart* (Mf XI, 1958); *Die Entwürfe Fr. Schuberts zu den letzten drei Klaviersonaten von 1828* (BzMw II, 1960); *Über ein besonderes Akzentzeichen bei J. Brahms* (BzMw V, 1963, Kurzfassung in: Kgr.-Ber. Kassel 1962); ... *Quasi una Fantasia* (in: Colloquium amicorum, Fs. J. Schmidt-Görg, Bonn 1967); *Zu Werdegang und Struktur der Paganini-Variationen op. 35 für Kl. von J. Brahms* (StMl XI, 1969); *Trauermusiken von H. Schütz bis B. Britten* (in: Musica sacra XCIII, 1973); zahlreiche Miszellen vor allem in den Zss. »Musica sacra« und »Musikhandel«. – Neuere Editionen: in der Haydn-GA *Lieder für eine Singst. mit Begleitung des Kl.* (= Werke XXIX, 1, München 1960); Fr. Schubert, *Klaviersonaten* (2 Bde, ebd. 1961); in der Beethoven-GA *Streichquartette* (2 Bde, = Werke VI, 3–4, ebd. 1962–68).

Lit.: Rheinische Musiker I, hrsg. v. K. G. FELLERER, = Beitr. zur rheinischen Mg. XLIII, Köln 1960, S. 168ff. – H. LEMACHER in: Musica sacra LXXIX, 1959, S. 283ff., u. LXXXIV, 1964, S. 341ff.; J. SCHWERMER, ebd. LXXXIX, 1969, S. 271f.

+**Migne,** Jacques Paul, 1800–75.
+*Patrologiae cursus completus* (1844–67), Nachdr. Turnhout 1960ff. (*Series Latina*) bzw. 1965ff. (*Series Graeca*). Ausg.: +A. Hammann, Patrologiae cursus completus, Series Lat., Suppl. Bd. I–III, Paris 1958–63.

+**Mignone,** Francisco, * 3. 9. 1897 zu São Paulo.
An der Escola nacional de música da Universidade do Brasil in Rio de Janeiro lehrte er bis 1967. Zu seinem 50. Geburtstag erschien die autobiographische Schrift *A parte do anjo* (São Paulo 1947, mit eigenen Aufsätzen sowie mit Beiträgen von L. H. Corrêa de Azevedo, M. de Andrade und L. Chiaffarelli). – Werke: die Opern *O contratador dos diamantes* (1921, Rio de Janeiro 1924, daraus die Suite *Congada* für Orch.) und *O inocente* (ebd. 1928), Operette *Mizú* (ebd. 1937), die Ballette *Maracatú de chico-rei* (1933, ebd. 1939), *Leilão* (1941), *O espantalho* (Rio de Janeiro 1942), *Iára* (1942, São Paulo 1946), *O guarda chuva* (zur 400-Jahrfeier São Paulos, ebd. 1954), *Sugestões sinfônicas* (1969); symphonische Dichtungen *Caramurú* (1917) und *Festa dionisíaca* (1923), *Suite saturiana* (1928), *Abertura das três máscaras perdidas* (1934), *Babaloxá* (1936), *Sinfonia do trabalho* (1939), Suite *Festa das igrejas* (1940) und *Sinfonia tropical* (1958) für Orch., 7 *Quadros amazônicos* für kleines Orch., 4 *Fantasias brasileiras* (1929, 1931, 1934, 1936), *Burlesca e Toccata* (1958) und ein Konzert (1958) für Kl. und Orch., Violinkonzert (1961), Konzert für V., Kl. und Orch. (1966), je ein Concertino mit Orch. für Klar. (1957) bzw. Fag. (1957); Streichoktett (1956), 2 Stücke (Notturnos) für Kl. und Streichquintett (1956), 2 Bläserquintette (1960, 1962), 2 Streichquartette (1956, 1957), Sonate für 4 Fag. (1966), 2 Trios für Ob., Klar. und Fag. (1967, 1968), 3 Violinsonaten (1964, 1965, 1966), Cellosonate (1967), 2 Sonaten für 2 Fag. (1960, 1965), 2 Sonaten für Fl. und Ob. (1969, 1970), Sonate für Trp. solo (1970); 4 Sonaten (1941, 1962, 1964, 1967), 4 Sonatinen (1949), 9 *Lendas sertanejas* (1923–40, davon zahlreiche Bearb.), 12 *Valsas de esquina* (1938–43), 12 *Valsas-chôros* (1946–55), 6 *Pequenas valsas de esquina* (1964) und Rondo (1969) für Kl.; *Samba rítmico* (1953), *Sai, sai* (1955), *Sonata humorística* (1968) und *Paulistana* (1968) für 2 Kl.; Oratorien *Alegrias de Nossa Senhora* (1948) und *Santa Clara* (1962) für Soli, Chor und Orch.; 7 a cappella-Messen (1962–68); Chöre und Lieder.
Lit.: in: Compositores de América IV, Washington (D. C.) 1958, Nachdr. 1962, auch in: Bol. interamericano de música 1959, Nr 9/10; M. Verhaalen, Fr. M., His Music f. Piano, Inter-American Music Bull. 1970/71, Nr 79 (mit Werkverz.).

+**Migot,** Georges [erg.:] Elbert, * 27. 2. 1891 zu Paris.
Konservator des Instrumentenmuseums am Pariser Conservatoire war M. ab 1949 [nicht: 1948] bis 1961. – Berichtigungen und Ergänzungen zum früheren Werkverzeichnis: die Kammeroper *Le rossignol en amour* (1926, Genf 1937), Opéra chorégraphique *La belle et la bête* (»Conte de fée«, 1938), Opéra en concert *La Sulamite* für Soli, Chor und Kammerorch. (1969), Chorégraphie lyrique *Le Zodiaque* für Soli, Chor und Orch. (1958–60); Symphonien Nr 1–8 und 10–13 (*Les Agrestides*, 1920, ursprünglich für Klavierquintett; *Introduction, salut et danse*, 1927; 1949, nach 5 der 12 *Préludes* für Kl., 1947; 1949, nach 7 der 12 *Préludes* für Kl., 1947; *Sinfonia da chiesa* für Bläser, 1955; für Streicher, 1951, nach dem Streichtrio, 1945; für Kammerorch., 1953, nach der *Sonate fuguée* für Org., 1948; für 10 Bläser, 1961, nach demselben Sonate; 1962; für Bläser, 1963; *Les nombres*, 1964; *L'espace et le temps*, 1967), *Polyphonie* (nach Breughels »Der Sturz des Ikarus«, 1958), *Phonie sous-marine* (1960) und »Polyphonie spatiale« *D'un cercle de l'enfer du Dante* (1966) für Orch.,

kleine Symphonie für Streichorch. (1970), *Introduction pour un concert* für Kammerorch. (oder Dixtuor, 1964); Klavierkonzert (1962), Konzert für Cemb. und Kammerorch. (1964); Bläserquintett (1954), Fantasie für Streichquintett (1971), 4 Streichquartette (5 *Mouvements d'eau*, vor 1917; 1957; 1966), *Incantation*, 1972), Quartett für Fl., V., Vc. und Kl. (1960), Klavierquartett (1961), Trios für Fl., Vc. und Hf. (1965) sowie Fl., Vc. und Cemb. (1968), Werke mit Kl. für V. (*Grave*, 1965), Vc. (Sonate, 1958) und Pos. (*Prélude et choral*, 1970), 3 Fantasien für Fl. bzw. Klar. bzw. Ob. und Kl. (1968), *Epithalame* für Trp. und Org. (1971), 5 Stücke für Fl. und Org. (1972), Sonatine für Ob. und Englisch Horn (1962), Suiten für 2 Vc. (1962) sowie Englisch Horn und Vc. (1963), Sonate für Fl. und Git. (1965); 3 Sonaten (*Polonia*, 1939; »d'octaves«, 1952; 1959), 10 Variationen (1963), *Prélude, choral, postlude* (1965), *Guirlandes* (1968), 20 *Préludes nominés* (1968–72), 8 *Fantaisies nominées* (1970), 2 *Préludes-chorals nominés* (1970), *Rhapsodie sur les touches blanches* (1970), 5 *Chorals nominés* (1970–72) und *Ronde nominée* (1972) für Kl., Sonate (1965), *Prélude-choral* (1971) und *Dialogue* (1973) für 2 Kl., Rhapsodie für Kl. 4händig (1972); 2 *Livre d'orgue* (1937, 1954–71), *Déploration* (1965), *Choral nominé* (1971) und 3 *Préludes nominés* (1970–72) für Org.; 3 *Petites prières* (1960) und 3 Nocturnes (1965) für Hf., 4 *Préludes* für keltische Hf. (1971); Sonate für Git. (1960), 2 *Préludes* (1961) und Sonate (1962) für 2 Git.; Solowerke für V. (Sonate, 1951; Sonatine, 1959), Va (Sonate, 1958), Vc. (Sonate, 1954), Fl. (28 Monodien *Le mariage des oiseaux*, 1970; *Dialogue nominé*, 1970) und *Etudes permodales* für verschiedene Blasinstr. oder Singst. (1967); Oratorium *L'Annonciation* für 2 Soli, Frauenchor und Streichorch. (1946), *Cantate de la vie meilleure* für Kinder-, Jugend- und gem. Chor mit Orch. (1956), *De ciel et de mer* für Kinderchor, Frauenchor und Orch. (1961), *L'ecclésiaste* für Bar., Chor und Orch. (1963), *In memoriam* für Chor und Orch. (1963), »Polyphonie spatiale« *L'arche* für S., 3st. Frauenchor und Orch. (1971), *De Christo* für Bar., gem. Chor, Fl. und Org. (1972); *La plate, vaste savane* für S., V., Va, Klar., Hf., Kb. und Tamtam (1967), 2 Gesänge mit Trp., Vc. und Org. (1972), 3 *Chansons de joie et de souci* für Singst. und Git. (1969), 3 *Dialogues* für Singst. und V. (1972), 3 *Quatrains* (1957), *Confins* (1960), 6 *Poèmes* (1963), 3 *Sonnets funéraires* (1965), *Partir* (1966), *Inscription* (1968), *Chanson de la reine Berthe* (1972), *Seigneur, du fond de mon abîme* (1972), *La châtelaine du castel d'Oz* (1972), *Heureusement* (1972) und 5 *Chants initiatiques* (1973) für Singst. und Kl., 5 Monodien für Solo-St. (1968) und *Pour trois chanteueses* für 3 St. (1968); a cappella-Chöre (u. a. *L'aurore est venue*, 1966; *Sacre du printemps*, 1968; *Sacrement, voyage, manne*, 1969; *Okéanos*, 1972). – +*Essais pour une esthétique générale* (1920 [nicht: 1921]); +*Les écrits de G. M.* (1932, hrsg. von J. Delaye [nicht: Lelaye]). – M. veröffentlichte ferner ein autobiographisches *Propos impromptu* (Le courrier mus. de France 1969, Nr 28) sowie das Buch *Kaléidoscope et miroirs* (Toulouse 1970).
Lit.: A. Bender in: Caecilia LXVII, (Straßburg) 1959, S. 147ff.; M. Honegger, G. M. et la musique religieuse, Rev. d'hist. et de philosophie religieuse XXXIX, 1959, deutsch in: MuK XXXI, 1961, S. 19ff.; ders. in: SMZ CV, 1965, S. 348ff.; ders. in: Dictionnaire de la musique II, Paris 1970, S. 718ff.; ders., G. M. et le chant choral, Rev. mus. de Suisse Romande XXV, 1972; M. Pinchard, Connaissance de G. M., Paris 1959 (mit Werkverz.); ders. in: Musica (Disques) 1966, Nr 146, S. 6ff.; J. Roy, Présences contemporaines, Musique frç., Paris 1962 (mit Werkverz.); Cl. Chamfray in: Le courrier mus. de France 1967, Nr 19, Nachtrag ebd. 1972, Nr 40.

Miguéz (mig′eʃ), Leopoldo, * 9. 9. 1850 zu Niterói (Rio de Janeiro), † 6. 7. 1902 zu Rio de Janeiro; brasilianischer Komponist und Dirigent, studierte in Oporto (Portugal) bei Nicolau Ribas, war dann im kaufmännischen Beruf tätig und vervollkommnete seine Studien 1882–84 in Paris bei A.Thomas. Nach seiner Rückkehr nach Brasilien wirkte er als Operndirigent und leitete von 1890 bis zu seinem Tode das Instituto Nacional de Música in Rio de Janeiro. Er komponierte, beeinflußt von Wagner und Liszt, die Opern *Pelo amor* (Rio de Janeiro 1897) und *Os saldunes* (ebd. 1901), Orchesterwerke (Symphonie B dur; Symphonische Dichtungen *Ave libertas*, *Parisina*, *Prometeu*, *Odes à Benjamin Constant* und *Ode à Victor Hugo*; *Suite à l'antique*; Ouvertüren, Märsche und Walzer), Kammermusik (Sonate für V. und Kl.), Klavierstücke und zahlreiche Lieder. Nach der Ausrufung Brasiliens zur Republik (1889) gewann er bei einem Wettbewerb für eine neue Nationalhymne (die heute gelegentlich als »Hymne zur Proklamation der Republik« vorgeführt wird) den 1. Preis.

+Mihalovici (mih′aləvitʃ [nicht: mialəv′itʃi]), Marcel, * 22. 10. 1898 zu Bukarest.
M., der 1955 die französische Staatsbürgerschaft erhielt, lehrte 1959–62 als Professeur de morphologie musicale an der Schola cantorum in Paris; 1964 wurde er zum korrespondierenden Mitglied des Institut de France (Académie des beaux-arts) gewählt. – Werke: die einaktigen Opern *L'intransigeant Pluton* (1928, französischer Rundfunk 1939), *Phèdre* (Y.Goll, Stuttgart 1951), *Die Heimkehr* op. 70 (nach Maupassant, Düsseldorf 1954, 2. Fassung Hbg 1955) und *Krapp (ou La dernière bande)* op. 81 (nach S.Beckett, Bielefeld 1961), Opéra bouffe *Les jumeaux* op. 84 (nach Plautus, Braunschweig 1963), die einaktigen Ballette *Une vie de Polichinelle* (»ballet chanté«, Paris 1923), *Le postillon du roy* (1924), *Divertimento* (Paris 1925), »Ballet plastique« *Karagueuz* (Chicago 1926), *Thésée au labyrinthe* (Braunschweig 1957, 2. Fassung als *Scènes de Thésée*, Köln 1958) und »Symphonie pour un ballet« *Alternamenti* (Braunschweig 1959); *Symphonies pour le temps présent* (1944), *Sinfonia giocosa* op. 65 (1951), *Sinfonia partita* für Streichorch. op. 66 (1952), *Sinfonia variata* op. 82 (1960), *Sinfonia cantata* für Bar., gem. Chor und Orch. op. 88 (nach Prediger Salomonis, 1963), 5. Symphonie für dramatischen S. und Orch. (S.Beckett, 1966–69), *Notturno* (1923), *Introduction et mouvement symphonique* (1923–25), Fantasie (1927), *Divertissement* op. 38 (1934), *Capriccio roumain* (1936), Variationen für Blechbläser und Streicher (1946, als Ballett Bielefeld 1960), *Séquences* (1948), *Ritournelles* op. 61 (1950), *Elégie* op. 72 (1955), *Ouverture tragique* op. 76 (nach Delacroix' *Les massacres de Chio*, 1957), *Périples* für Kammerorch. op. 93 (1967) und »Action symphonique« *Borne* op. 98 (1970) für Orch.; *Prélude et invention* op. 42 (1937), *Esercizio* op. 80 (1959) und *Aubade* (1964) für Streicher; Violinkonzert (1930), Toccata für Kl. und Orch. op. 44 (1938, revidiert 1940), *Etude en deux parties* für Kl., 2 Trp., Pos., Tuba, Celesta und Hf. op. 64 (1951), *Musique nocturne* für Klar., Streichorch., Hf. und Celesta (1963), *Prétextes* für Ob., Baßklar., Kl., 4 Schlagzeuger und Streichorch. op. 95 (1968); *Eglogues* für Fl., Ob., Klar., Fag. und Kl. (1945), 3 Streichquartette (1923; op. 31, 1931; op. 52, 1946), Klavierquartett (1922), Serenade für Streichtrio (1929), Sonate für 3 Klar. (1933), Bläsertrio (1955), Stücke mit Kl. für V. (2 Sonaten: 1920, 2. Fassung 1927; 1941), Va (Sonate op. 47, 1942), Fl. (*Pastorale triste*, 1958; *Mélodie*, 1958), Ob. (Sonatine, 1924), Klar. (Sonate op. 78, 1958;

Dialogues op. 92, 1965), Fag. (Sonate op. 76, 1958), Horn (*Variantes* op. 96, 1969, auch mit Orch.), Baßsax. (*Serioso* op. 99, 1971), Tenorsax. (Sonate *Chant premier*, 1973, auch mit Orch.) und Schlagzeug (*Improvisation*, 1961); Sonaten für V. und Vc. (1944), V. solo op. 59 (1949) und Vc. solo op. 60 (1949), *Récit* für Klar. solo (1973), *Melopeia* für Ob. solo (1973); Klavierwerke (*Chindia*, 1929, auch für Orch., »Variations libres« *Ricercari* op. 46, 1941; 3 *Pièces nocturnes* op. 63, 1948; Sonate op. 90, 1964; *Cantus firmus* für 2 Kl. op. 97, 1970), Vokalwerke (Kantate *La genèse* für Bar., Chor und Orch., Text Y.Goll, 1935–40; 5 Motetten »sur un mot« *Mémorial* a cappella, 1952; *Cantilène* für Mezzo-S. und Kammerorch. op. 100, 1972), Lieder (Zyklen *Abendgesang*, Y.Goll, 1957, und *Stances* op. 91, 1964–68) sowie Musiken für Bühne (*Melusine*, Y.Goll, Wiesbaden 1956), Funk (Invention für Musik und Stimme *Cascando*, S.Beckett, 1962) und Film.
Lit.: Werkverz., Paris 1968 (mit Vorw. v. Cl. Rostand). – G. Beck, M. M., Paris 1954; Cl. Rostand in: Melos XXV, 1958, S. 309ff., auch in: Bayerischer Rundfunk, Konzerte mit Neuer Musik X, 1959, S. 56ff.; Cl. Chamfray in: Le courrier mus. de France 1966, Nr 15, Nachtrag ebd. 1972, Nr 40; J.-V. Padelescu in: Muzica XVIII, (Bukarest) 1968, Nr 10, S. 26ff.; ders., ebd. XXI, 1971, Nr 10, S. 30ff. (Interview); C. Drăgoi, ebd. XX, 1970, Nr 8, S. 45ff.

Mihály (m′ixaːj), András, * 6. 11. 1917 zu Budapest; ungarischer Komponist und Dirigent, studierte an der Musikhochschule in Budapest Violoncello bei Adolf Schiffer, Kammermusik bei Weiner und Waldbauer sowie Komposition bei Kadosa. Er war 1941–45 als Leiter von Arbeiterchören tätig, wurde 1946 Solovioloncellist im Orchester der Ungarischen Staatsoper und war 1948–50 deren Generalsekretär. Seit 1950 ist M. Professor für Kammermusik an der Musikhochschule in Budapest. 1967 begründete er das Ungarische Kammerensemble zur Pflege der Avantgarde. 1955 wurde er mit dem Kossuth-Preis, 1950 und 1965 mit dem Erkel-Preis ausgezeichnet. – Werke (Auswahl): Oper *Együtt és egyedül* (»Zusammen und allein«, Budapest 1965); 3 Symphonien (*Sinfonia da requiem*, 1946; 1950; 1962); Konzert für Vc. und Orch. (1953); Konzert für Kl. und Orch. (1954); Fantasie für 5 Bläser und Orch. (1955); Konzert für V. und Orch. (1959); 3 Sätze für Kammerensemble (1968); 2 Streichquartette (1942 und 1960); Klaviertrio (1940); *Mouvement* für V. und Kl. (1962); Sonate (1958), Rondo (1958) und *Négy kis darab* (»4 kleine Stücke«, 1958) für Kl.; ferner Chöre und Lieder.
Lit.: J. Kárpáti, M. A., Budapest 1965.

+Mihevec, Georg (Jurij), 1805 – 21. [nicht: 31.] 8. 1882 zu Mennécy (Essonne) [nicht: Paris].
Lit.: L. M. Škerjanc, J. M., slovenski skladatelj i pianist (»G. M., ein slowenischer Komponist u. Pianist«), Ljubljana 1957.

Mikołaj z Krakowa → +Nicolaus Cracoviensis.

Mikołaj z Radomia → +Radomski, N.

+Mikorey [–1) Max], –2) Franz, 1873–1947.
Lit.: Fr. Fritz, Im Schatten v. R. Strauss, in: Das Orch. XXII, 1974.

+Mikuli, Karol (Carol Miculi), 1819 [nicht: 1821] – 1897.
Lit.: O. Beu, M., un prieten romîn al lui Chopin (»M., ein rumänischer Freund Chopins«), in: Studii muzicologice II, 1957; Z. Vancea, Der Chopin-Schüler C. M., ein Bindeglied zwischen der rumänischen u. polnischen Musikkultur, Chopin-Kgr.-Ber. Warschau 1960; H. Federhofer, Der Chopinschüler C. M. in Rom u. Graz, DJbMw X, 1965.

Mikulskis, Alfonsas, * 1.(14.) 9. 1909 zu Daglienių (Panevėžys, Litauen); litauischer Violoncellist, Chordirigent und Komponist, studierte Violoncello und Dirigieren am Staatskonservatorium in Kaunas (1930–37) sowie Komposition bei Gruodis (1937–38) und an der Musikschule in Wilna (1941–43).Er vervollkommnete sich im Fach Komposition bei G. v. Albrecht in Stuttgart (1947) und bei H. Herrmann in Reutlingen (1948–49). M. war Dozent der Musikschule in Klaipėda und Dirigent des Kleinen Philharmonischen Orchesters in Wilna. 1940 gründete er das Volkskunstensemble »Čiurlionis«, mit dem er 1949 nach Cleveland (O.) emigrierte. Er komponierte Suiten und Rhapsodien für Orch. und zahlreiche Lieder mit Begleitung des litauischen Volksinstrumentes Kanklės.

+Mila, Massimo, * 14. 8. 1910 zu Turin.
M., Mitglied u. a. der Accademia di S. Cecilia in Rom seit 1956, war Musikkritiker bei »L'espresso« 1955–67; seitdem schreibt er für die Tageszeitung »La stampa«. Neben seiner Lehrtätigkeit am Turiner Konservatorium ist er seit 1960 auch Professor für Musikgeschichte an der dortigen Universität. M. gehört dem Herausgebergremium der »nuova« Rivista musicale italiana an (nRMI Iff., 1967ff.). – Weitere Buchveröffentlichungen: +Breve storia della musica (1946), Neuaufl. = Piccola bibl. Einaudi XXXI, Turin 1963; +L'esperienza musicale e l'estetica (1950), ebd. ²1956 = Saggi Bd 121, ³1965 = Piccola bibl. Einaudi LVI; G. Verdi (= Bibl. di cultura moderna Bd 529, Bari 1958; darin als Kap. 1–2, in leicht veränderter Fassung, +Il melodramma di Verdi, 1933, auch separat = Universale economica Bd 304, Mailand 1960); Chronache musicali, 1955–59 (= Saggi Bd 258, Turin 1959); La musica pianistica di W. A. Mozart (ebd. 1963); Le sinfonie di Mozart (ebd. 1967); Beethoven. I quartetti galitzine e la grande fuga (ebd. 1969). – An neueren Aufsätzen seien genannt: Itinerario stilistico, 1901–42 (in: A. Casella, hrsg. von F. D'Amico und G. M. Gatti, = Symposium . . . I, Mailand 1958); La linea Nono. A proposito de »Il canto sospeso« (Rass. mus. XXX, 1960); Problemi di filologia e d'interpretazione. Intorno alla partitura del »Ballo in maschera« (in: Verdi I, 1960, auch engl. und deutsch); La natura e il mistero nell'arte di B. Bartók (in: Chigiana XXII, N. S. II, 1965); L'equivoco della rinascita verdiana, 1932–64 (in: L'opera italiana in musica, Fs. E. Gara, Mailand 1965); La dialogizzazione dell'aria nelle opere giovanile di Verdi (Kgr.-Ber. »Studi verdiani« Venedig 1966); Verdi minore. Lettura dell'»Alzira« (RIdM I, 1966); Musica e scuola nel costume italiano (nRMI I, 1967); L'unità stilistica nell'opera di Verdi (nRMI II, 1968); Lettura del »Corsaro« di Verdi (nRMI V, 1971); Te Deum e Stabat mater di Verdi (in: Chigiana XXVI/XXVII, N. S. VI/VII, 1971). – M. ist auch als Übersetzer aus dem Deutschen hervorgetreten (Schriften u. a. von Goethe, Schiller, Hesse und R. Wagner).
Lit.: E. GIANTURCO, M. M. and Present Ital. Aesthetics, The Journal of Aesthetics and Art Criticism XI, 1952/53.

+Milán, Don Luis (Luys) de, um 1500 – nach 1561.
Ausg.: Fantasia del octavo tono, hrsg. v. E. PUJOL, = Bibl. de musique ancienne et moderne pour guitare Nr 1055, Paris 1959; Tientos del séptimo y octavo tono, hrsg. v. DEMS., ebd. Nr 1098, 1968; Tientos del tercero y quarto tono, hrsg. v. DEMS., ebd. Nr 2002, 1969; Pavanen, Fantasien, Romanzen u. Villancicos, f. Singst. u. Git. hrsg. v. S. BEHREND, = Alte Meister d. Laute- u. Git.-Spiels VIII, Hbg 1966; El maestro, f. Git. hrsg. v. R. CHIESA, Mailand 1965; dass., hrsg. v. CH. JACOBS, Univ. Park (Pa.) 1971; Fantasia I u. XI (1536), f. Vihuela oder Git. hrsg. v. J. HINOJOSA, = Git.-Arch. Nr 231, Mainz 1969; Fantasia del 2º tono, f. Git. hrsg. v. L. DE AZPIAZU, = Guitare Nr 79, Paris 1970; eine Fantasia in: P. SCHLEUNING, Die

Fantasie I, = Das Musikwerk XLII, Köln 1971, auch engl.; 6 Pavanen, hrsg. v. J. M. SIERRA, = L'heure de la guitare class. o. Nr, Paris 1971.
Lit.: L. SCHRADE, L. M., the Vihuelista, The Guitar Rev. IX, 1949; J. M. WARD, The »vihuela de mano« and Its Lit. (1536–76), Diss. NY Univ. 1953; D. DEVOTO, Poésie and musique dans l'œuvre des vihuelistes, Ann. mus. IV, 1956; J. H. VAN DER MEER, Het »Libro de música de vihuela de mano« v. L. M., in: Mens en melodie XIV, 1959; H. C. SLIM, The Keyboard Ricercar and Fantasia in Italy, c. 1500–55, 2 Bde, Diss. Harvard Univ. (Mass.) 1961; J. ROBERTS, Some Notes on the Music of the Vihuelistas, The Lute Soc. Journal VII, 1965; E. POHLMANN, Laute, Theorbe, Chitarrone, = Veröff. d. Arch. »Deutsche Musikpflege« o. Nr, Bremen 1968; CH. JACOBS, An Introduction to L. de M.'s »El Maestro«, in: The Canada Music Book 1970, Nr 1.

Milanollo, Clotilde, * 1. 11. 1864 zu Cuneo (Piemont), † 19. 10. 1937 zu Hamburg; deutsche Violinistin italienischer Herkunft, wurde zusammen mit ihrer Schwester Adelaide M. (* 26. 9. 1870 zu Cuneo, † 30. 12. 1933 zu Witten) von ihrer Tante Teresa M. gefördert. Die Schwestern studierten am Pariser Conservatoire bei Massart und traten bald darauf als Violinduo in Italien, Frankreich, Deutschland und Rußland erfolgreich auf. Cl. M. ließ sich 1891 in Hamburg nieder, wo sie in zahlreichen Konzerten mitwirkte und als Pädagogin tätig war.

+Milanollo, [erg.: Domenica Maria] Teresa, 1827–1904.
Ihre Schwester Maria [erg.:] Margherita Lucia M., 19. 6. [nicht: 7.] 1832 – 1848.

+Milanov, Zinka ([erg.:] geborene Kunc, Schwester von B. →+Kunc), * 17. 5. 1906 zu Zagreb.
Nach fast 30jähriger Zugehörigkeit zum Ensemble der Metropolitan Opera in New York beendete Z. M. 1966 ihre künstlerische Laufbahn.

Milanova, Stoika, * 5. 8. 1945 zu Plovdiv; bulgarische Violinistin, studierte bis 1964 an der Musikhochschule in Sofia (Trendafil Milanov) und bis 1969 am Moskauer Konservatorium (D. Oistrach). 1967 wurde ihr der 2. Preis beim Concours musical international Reine Élisabeth de Belgique verliehen. Tourneen führten sie u. a. in die UdSSR, die Bundesrepublik Deutschland, die DDR, nach Skandinavien, Belgien, Frankreich, Italien und Großbritannien.

+Milanuzzi, Carlo, um 1590 – nach 1647 [del.: um 1645].
Lit.: R. A. HUDSON, The Development of Ital. Keyboard Variations on the »Passacaglio« and »Ciaccona« from Guitar Music in the 17th Cent., Diss. Univ. of California at Los Angeles 1967.

Milde-Meissner, Hanson, * 1. 4. 1899 zu Habelschwerdt (Grafschaft Glatz, Schlesien); deutscher Komponist und Dirigent, lebt in Baden-Baden. Er studierte in Berlin ab 1921 Komposition an der Hochschule für Musik (Schreker, Juon, Rezniček) sowie Musikwissenschaft und (Elektro-)Akustik an der Universität. Ab 1930 war er bei den Filmgesellschaften Tobis und Ufa als Komponist, Dirigent, Cutter und Musikreferent tätig. Nach 1945 wurde er freier Mitarbeiter am Berliner Rundfunk, später bei der ARD (Funk und Fernsehen). Er komponierte die Musik zu zahlreichen deutschen Vorkriegsfilmen (Die Nacht gehört uns, erster deutscher Tonfilm; Traumulus) unter häufiger Verwendung elektronischer Mittel, ferner Sinfonische Gesänge (nach Musik des Einsamen von H. Hesse, 1923), Operetten, Singspiele, ein Klavierkonzert und gehobene Unterhaltungsmusik; nach dem Krieg produzierte er Dokumentar- und Lehrfilme (u. a. über »Kybernetische Musik«) sowie Funk- und Fernsehsendungen (*Die Kosmo-nauten-Suite*; *Serenade für 20 Solo-Generatoren*).

Miletić (m'iletitç), Miroslav, * 22. 8. 1925 zu Sisak (Kroatien); jugoslawischer Komponist und Violinist, studierte in Zagreb bei Ivan Pinka an der Musikakademie (Violindiplom 1953) und privat bei Stanko Horvat (Komposition) sowie 1958 in Prag bei Vaša Černý (Bratsche) und Borkovec (Komposition) und vervollkommnete sich in Dirigieren bei W. van Otterloo in Hilversum und bei Matačić in Salzburg. 1957–59 war er Solist der Zagreber Philharmonie, 1953 wurde er Lehrer an der Musikschule »Pavao Markovac« in Zagreb. Er ist Gründer (1960) und Mitglied des Streichquartetts »Pro Arte«, das sich überwiegend der Neuen Musik widmet. Von M.s Kompositionen seien genannt: Funkoper *Auvergnanski senatori* (»Die Senatoren der Auvergne«, 1957); Opernhumoreske *Slučaj s djetetom* (»Eine Kinderaffäre«, 1961); Opern »Der Fall Ruženka« (1961) und *Hasanaginica* (1964); Fernsehballett *Vizija* (»Vision«, 1958); Ballett *Snovi slijepih* (1959); Suite für Streicher (1955); Symphonie (1958); Konzert für Va (1958) und V. (1959) mit Orch.; *Proporcije* (»Proportionen«) für Fl., Ob., Klar., V., Va und Vc. (1962); 4 Streichquartette (1951, 1954, 1960 und 1963); *Koralni kvartet* (»Choralquartett«, 1968); *Lamentacija* für Va und elektronische Klänge (1963); *Rapsodijske varijacije* für V. und Kl. (oder Orch., 1962); Rhapsodie für Va und Kl. (1958); *Diptih* (»Diptychon«) für Vc. und Kl. (1967); *Microsuita* für Kl. (1968); Kantate *Venera i Adonis* (»Venus und Adonis«, 1953); ferner Lieder sowie Bühnen- und Filmmusik.

+Milford, Robin (Robert) Humphrey, 1903–59. Seinem Werkverzeichnis sind hinzuzufügen eine Suite *A Festival* für Streicher (1951), *Fishing by Moonlight* für Kl. und Streicher (1952) sowie eine Oper *The Scarlet Letter* (1959).

+Milhaud (mij'o [nicht: mil'o]), Darius, * 4. 9. 1892 zu Aix-en-Provence, [erg.:] † 22. 6. 1974 zu Genf. M., bis 1962 Professor für Komposition am Pariser Conservatoire, wurde 1967 mit dem Titel eines Dr. h. c. des Cleveland Institute of Music (O.) ausgezeichnet. Er war Grand Officier der Légion d'honneur, Commandeur des arts et lettres, Mitglied der Akademie der Künste in (West-)Berlin (seit 1968) sowie als Nachfolger M. Duprés ab 1972 Mitglied des Institut de France (Académie des beaux-arts). – Ergänzungen und Berichtigungen zum früheren Werkverzeichnis: Trilogie *Orestie* (Bln 1963) mit den Teilen *Agamemnon* (1913, konzertant Paris 1927 [nicht: szenisch Paris 1915]), *Les Choéphores* (1915, konzertant ebd. 1919, Brüssel 1935) und *Les Euménides* (1917–22, konzertant Brüssel 1949); *Médée* (einaktig, Antwerpen 1939 [nicht: Paris 1938]); *Bolivar* (Paris 1950; zur gleichnamigen Bühnenmusik besteht keine Beziehung); *Protée* (1913–19, 2. [nicht: 4.] Fassung ebd. 1955); *L'annonce faite à Marie* (1932, konzertant ebd. 1933, Brüssel 1934); *La sagesse* (1935, Rom 1950); Ballett *The Man of Midian* (*Moses*, 1940, nur konzertant als *Opus americanum No. 2*, San Francisco 1943 [nicht: Perugia 1957]); *Vendanges* (Nizza 1972); *Trois chansons de négresse* für Singst. und Kl. (oder Orch. [nicht: Chorwerk], 1936, aus der Bühnenmusik zu *Bolivar*). – Von seinen mittlerweile über 450 Kompositionen seien weiter genannt: Oper *La mère coupable* (nach Beaumarchais, Genf 1966), Opernoratorium *Saint Louis, roi de France* (Rio de Janeiro 1972); Ballette *La rose des vents* (Paris 1958) und *La branche des oiseaux* (1959, Nizza 1965, Festival de Cimiez); 9.–12. Symphonie (1959, 1960, 1960, 1961), *Les funérailles de Pho-*

cion (1960), *Aubade* (1960), *Ouverture philharmonique* (1962), Suite *Un Français à New-York* (1962), *Meurtre d'un grand chef d'état* (»à la mémoire de John Kennedy«, 1963), *Odes pour les morts des guerres* (1963), *Musique pour Prague* (1965), *Musique pour l'Indiana* (1966), *Musique pour la Nouvelle-Orléans* (1966), Suite *Promenade-concert* (1967), *Musique pour l'univers claudelien* (1968), *Suite en sol* (1969) und *Ode pour Jérusalem* (1972) für Orch. sowie *Musique pour San Francisco* für Orch. »avec participation du public« (1971), *Symphoniette* für Streichorch. (1957); *Symphonie concertante* für Trp., Horn, Fag., Kb. und Orch. (1959), *Musique pour Lisbonne* für 2 Ob., 2 Hörner und Streicher (1966), *Concerto Marimba* für Marimba, Vibraphon und Orch. (1947), 2. Konzert für 2 Kl. und Schlagzeug (1961), Konzerte für Klar. (1941), Hf. (1953) und Ob. (1957) mit Orch., 3. Konzert *Concert royal* für V. und Orch. (1958), Kammerkonzert für Kl., Bläser- und Streichquintett (1961), Konzert für Cemb. und Orch. (1964), *Music for Boston* für V. und Kammerorch. (1965), *Stanford Serenade* für Ob. und 11 Instr. (1969); *Musique pour Ars nova* für 13 Instr. »avec un groupe aléatoire pour chaque morceau« (1969), *Aspen Serenade* für 9 Instr. (1957), *Musique pour Graz* für 9 Instr. (1969), Septett (1964) und Sextett (1958) für Streicher, 6 Stücke *Paris* für 4 Kl. (1948, mit Orch. 1959), Klavierquartett (1966), Klaviertrio (1968), 3 Stücke *Scaramouche* (1937, Fassung für Sax. bzw. Klar. und Orch. 1939) und *Six danses en trois mouvements* (1970) für 2 Kl., Sonatine für Vc. und Kl. (1959), Sonate für Va und Vc. (1959), *Segoviana* für Git. (1957), Sonate für Hf. (1971); *Pacem in terris* für A., Bar., gem. Chor und Orch. (1963), *Hommage à Comenius* für S., Bar. und Orch. (zum 20. Jahrestag der UNESCO, 1966), *Cantate de psaumes* für Bar. und 20 Instr. (Claudel, 1967), eine Kantate auf Texte von Chaucer (1960) und *Cantate de l'initiation* (1960) für Chor und Orch., Kantate *Invocation à l'ange Raphaël* für 2 Frauenchöre und Orch. (Claudel, 1962), *Caroles* für 5 Instrumental-Vokal-Gruppen (Charles d'Orléans, 1963), *Suite de quatrains* für Sprecher und 7 Instr. (1962), *Adieu* für Singst., Fl., Va und Hf. (Rimbaud, 1964), Suite *L'amour chante* für Singst. und Kl. (9 Lieder, 1964), *The Lord Answered Job* für Singst. und Org. (1965), *Traversée* (Verlaine, 1961), *Promesse de dieu* (1972) und eine »Comédie chorale« *Les momies d'Égypte* (1972) für Chor a cappella, *Adam* für Vokalquartett (Cocteau, 1964); Bühnenmusiken. – Schriften: +*Notes sans musique* (1949), revidiert Paris 1963, Nachdr. der +engl. Ausgabe (1953) NY 1970, hebräisch Tel Aviv 1954, deutsch als *Noten ohne Musik. Eine Autobiographie*, München 1962, ungarisch Budapest 1964 (Auszüge russ. in: SM XXVII, 1963, H. 2, S. 114ff., und H. 3, S. 105ff.); +*Entretiens avec Cl. Rostand* (1952), japanisch Tokio 1957; *Ich bin immer am Kommenden interessiert* (in: Melos XXXVI, 1969).

Lit.: Exposição D. M., Kat. hrsg. v. Fr. Lesure, Lissabon 1968. – P. Claudel et D. M., Correspondance 1912–53, hrsg. v. J. Petit, = Cahiers P. Claudel 1961, Nr 3. – R. M. Larson, Stylistic Characteristics in »a cappella« Composition in the United States, 1940–53, as Indicated by the Works of J. Berger, D. Diamond, D. M. and M. Rozsa, Diss. Northwestern Univ. (Ill.) 1953; P. Collaer, La musique moderne, Brüssel 1955, deutsch als: Gesch. d. modernen Musik = Kröners Taschenausg. Bd 345, Stuttgart 1963; E. Helm, M., XIV + XV = Oktett, in: Melos XXII, 1955; ders. in: NZfM CXXXIII, 1972, S. 500ff.; A. Espiau de la Maestre, M.s »Christophe Colomb«, ÖMZ XII, 1957; Ju. Krejn in: SM XXI, 1957, H. 8, S. 127ff.; K. H. Ruppel, Zu einem Film über D. M., in: Antares V, 1957; Cl. Chamfray, Gespräche mit D. M., Melos XXVIII, 1961; ders. in: Le courrier mus. de France 1965, Nr 12, »Additions« ebd. 1967, Nr 20, u. 1972, Nr

40; V. Holzknecht, Kapitola z hudby našeho věku (»Ein Kap. Musik d. Gegenwart«), in: Hudební rozhledy XIV, 1961; K. Laux in: MuG XII, 1962, S. 546ff.; Cl. Rostand, M. komponiert seit 50 Jahren, in: Melos XXIX, 1962; J. Roy, Présences contemporaines, Musique frç., Paris 1962; Ders., D. M., L'homme et son œuvre, = Musiciens de tous les temps XXXIX, ebd. 1968 (mit Werkverz. u. Diskographie); J. Rosen, A Note on M., in: Perspectives of New Music II, 1963/64; A. Lunel, L'adolescenza creatrice di D. M., in: Il gruppo dei Sei, = L'approdo mus., 1965, Nr 19/20; R. Zinar, Greek Tragedy in Theatre Pieces of Stravinsky and M., Diss. NY Univ. 1968; A. Braga, D. M., Neapel 1969; M. Zijlstra, D. M. in Nederland, in: Mens en melodie XXV, 1970; L. Kokorewa, Nekotoryje tscherty opernowo twortschestwa Mijo (»Einige Eigenarten d. Opernwerks v. M.«), SM XXXVI, 1972; Chr. Palmer in: MT CXIII, 1972.

Milici (mil′iθi), Luis, * 23. 11. 1910 zu Rosario; argentinischer Komponist und Musikpädagoge, Schüler von A. Boretto und Juan Bautista Massa. Er gründete 1934 in Rosario ein eigenes Konservatorium, war 1949–56 Professor an der Musikhochschule in Rosario sowie Gründer und Leiter (1962–65) des Kammerorchesters der Asociación Pro Cultura. M. komponierte Orchesterwerke (*Aire de gato*, 1938; *2 piezas* für Streichorch., 1962), Kammermusik (*5 miniaturas* für Ob., Klar. und Fag.*, 1959), Klavierstücke, Chorwerke (Kantate *Catilina* für T., gem. Chor und Orch., 1960) und Stücke für Gesang und Klavier. Er gab u. a. *16 danzas tradicionales argentinas* (Buenos Aires 1942–47, mit Erklärungen der Tanzfiguren) heraus.

+Milinkovic, Georgine von (eigentlich Đurđa Milinković, verheiratete Hassinger), * 7. 7. 1913 zu Prag; österreichische und [erg.:] deutsche Sängerin (Mezzosopran) kroatischer Herkunft.
Sie gehörte dem Ensemble der Wiener Staatsoper bis 1968 an. Bei den Salzburger Festspielen 1952 kreierte sie die Partie der Danae (R. Strauss). G. v. M. ist österreichische Kammersängerin.

Mill, Arnold van, * 26. 3. 1923 zu Schiedam (Südholland); niederländischer Opernsänger (Baß), absolvierte die Konservatorien von Rotterdam und Den Haag und schloß 1945 sein Gesangstudium bei Segers de Beyl ab. Er debütierte 1946 in Brüssel und war 1947–50 an der Koninklijk Vlaamsch Opera in Antwerpen engagiert. 1953 wurde er an die Hamburgische Staatsoper verpflichtet (Kammersänger). Er gastierte u. a. an der Mailänder Scala, der Wiener Staatsoper und der Pariser Opéra und sang bei den Bayreuther Festspielen.

+R. & M. Millant-Deroux.
1949 erhielt die Werkstatt den 1. Preis für Streichquartett-Bau auf der Geigenbauausstellung in Cremona. Sie stellte 1969 ihre Tätigkeit ein. – Der +*Manuel pratique de lutherie* (1952) erschien deutsch als *Praktisches Handbuch des Geigenbaues* (übers. von W. Kolneder, = Schriften zur Musik V, Giebing/Obb. 1970).

+Mille, Agnes [erg.: George] de, * [nicht: 1908] zu New York.
A. de M. schuf zahlreiche weitere Ballettlibretti und Choreographien (teils zu Musicals), auch für Film und Fernsehen. An neueren Kreationen entstanden u. a. die Ballette *The Rib of Eve* (M. Gould, 1956), *Bitter Weird* (1961), *The Rehearsal* (M. Gould, 1964), *The Four Mary's* (1965), *The Golden Age* (nach Rossini, 1967) und *A Rose for Miss Emily* (A. Hovhaness, 1970). Ihr wurden zahlreiche Ehrungen zuteil (u. a. Ehrendoktor mehrerer amerikanischer Universitäten). – Schriften: die Autobiographien *Dance to the Piper* (London 1951, NY 1952, zahlreiche Neuaufl., japanisch Tokio 1956, deutsch als *Tanz und Theater*, Wien 1957, griech. Athen

1959, port. Buenos Aires 1960) und *And Promenade Home* (London 1959), das Handbuch *To a Young Dancer* (= An Atlantic Monthly Press Book o. Nr, Boston 1962, London 1963, schwedisch Stockholm 1964), ferner *The Book of the Dance* (NY 1963, London 1964, frz. als *L'âme de la danse*, = Livre d'or o. Nr, Paris 1964) und *Lizzie Borden. A Dance of Death* (= An Atlantic Monthly Press Book o. Nr, Boston 1968).

+Miller, [erg.: Alton] Glenn, 1904–44.
M. schrieb *Method for Orchestra Arranging* (London 1943 und 1956).
Lit.: D. Boulton, Dedication to Gl. M. and His Orch., NY 1936, NA London 1948; St. Fr. Bedwell, A Gl. M. Discography and Biogr., London 1956; E. Edwards, G. Hall u. B. Korst, Gl. M. Alumni, 2 Bde, = Jazz Discographies Unltd. o. Nr, Whittier (Calif.) 1965; J. Flower, Moonlight Serenade. A Bio-Discography of the Gl. M. Civilian Band, New Rochelle (N. Y.) 1972.

Miller, Mildred, * 16. 12. 1924 zu Cleveland (O.); amerikanische Sängerin (Mezzosopran), studierte am Cleveland Institute of Music (Mus. B. 1946) und am New England Conservatory of Music in Boston (Diplom 1948). Sie trat 1949–50 am Württembergischen Staatstheater in Stuttgart, 1950–51 an der Bayerischen Staatsoper in München und 1951 erstmals an der Metropolitan Opera in New York auf (Debüt als Cherubino in *Le nozze di Figaro*). 1960 erhielt sie ein Ehrendoktorat für Musik von der Bowling Green State University (O.). M. M. hat sich auch als Konzertsängerin einen Namen gemacht.

Miller, Philip Lieson, * 23. 4. 1906 zu Woodland (N. Y.); amerikanischer Musikbibliothekar, studierte in New York an der Manhattan Music School und am Institute of Musical Art (Juilliard). 1927–66 war er an der Musikabteilung der New York Public Library tätig, der er 1959–66 vorstand. Er veröffentlichte u. a. *The Guide to Long-Playing Records*, Bd II: *Vocal Music* (NY 1955); *The Ring of Words. An Anthology of Song Texts* (NY 1963, ²1966).

Miller International Schallplatten GmbH, 1961 in Hamburg von David L. Miller, Erich Beurmann und Wilhelm Wille gegründet, wurde 1969 an MCA (Music Corporation of America), ebenfalls in Hamburg, übertragen. Neben den Labels Sonic und MCA Records (Jazzprogramm) führt die Firma, erstmalig für Deutschland, eine Billig-Platten-Serie unter den Schutzmarken Somerset und Europa und vertritt seit 1969 auch die amerikanische Marke Coral. M. I. Sch. werden außer in Deutschland auch in Belgien, Dänemark, Finnland, Frankreich, den Niederlanden, Luxemburg, Norwegen, Österreich, Spanien, Schweden und der Schweiz vertreten. Als Interpreten seien M. André, Eschenbach, Melitta Muszely und Elly Ney, für das MCA-Programm Ella Fitzgerald, Louis Armstrong, Count Basie, Bing Crosby, Sammy Davis jr., Benny Goodman, Glenn Miller und Segovia genannt.

+Millet, Lluis (Luis), 1867–1941.
Lit.: +M. García Venero [nicht: Venao], L. M. (1951). – E. Vendrell, El mestre M. i yo, Barcelona 1953.

Millet (miʎ′et), Luis María, * 21. 6. 1906 zu Barcelona; katalanischer Komponist und Musikpädagoge, Sohn von Lluis M., studierte bei seinem Vater sowie bei Joaquín Canals (Klavier) und Gibert y Serra (Kontrapunkt, Fuge und Orgel) und ist seit 1945 Leiter der von seinem Vater gegründeten Chorvereinigung Orfeó Catalá. Als Komponist pflegt er besonders volkstümlichen und geistlichen Chorgesang.

+Milleville [–1) Jean de], –2) Alessandro, [erg.: um] 1521 – 7. [erg.: oder 8.] 9. 1589.

–3) Francesco (Klostername Barnaba), [erg.:] † nach 1639 zu Arezzo(?). Er schrieb 5 [nicht: 7] Bücher Motetten; die 8st. Messe, das Domine, die 2 [nicht: ein] Dixit, das Magnificat und die 9st. Motette erschienen 1616 [nicht: 1626].

+Millico, [erg.: Vito] Giuseppe, [erg.:] 19. 1. 1737 [nicht: 1739] zu Terlizzi (bei Bari [nicht: bei Modena]) – [erg.: 2. 10.] 1802.
Er ging um 1758 nach St.Petersburg, wo er bis Ende 1765 an der Italienischen Oper wirkte.
Lit.: M. BELLUCCI LA SALANDRA, V. G. M., Bari 1951.

+Milloss, Aurel von (auch Aurelio M. Milloss, eigentlich Aurél Milloss de Miholý), * 12. 5. 1906 zu Újozora (heute Uzdin, Serbien).
Er war Ballettdirektor und Chefchoreograph 1960–63 in Köln (Ballett der Bühnen der Stadt Köln), 1963–66 an der Staatsoper Wien, 1966–69 wieder am Teatro dell'Opera in Rom und übernahm 1971 erneut die Leitung des Balletts der Wiener Staatsoper. Als Gastchoreograph arbeitete er u. a. mit M.Béjarts Ballet du XXᵉᵐᵉ siècle, wirkte ferner fast alljährlich beim Maggio musicale fiorentino mit, daneben auch bei verschiedenen anderen Festspielen (u. a. 1961 Holland Festival, 1968 Festival dei due mondi in Spoleto). Die Anzahl der von ihm realisierten Ballette beläuft sich inzwischen auf über 160; an neueren seien genannt: +*Hungarica* (1956 [nicht: 1923]); *Wandlungen* (nach Schönbergs Variationen für Orch. op. 31, Köln 1960); *Die Wiederkehr* (R. Vlad, ebd. 1962); *Estro barbarico* (nach Bartóks 2. Klavierkonzert, ebd. 1963); *Die Einöde* (nach Varèses *Déserts*, Wien 1965); *Les jambes savantes* (nach Strawinskys Violinkonzert in D, ebd.); *Alpbach Quintett* (nach Křeneks gleichnamigem Bläserquintett, ebd. 1966); *Divigando con brio* (nach Ghedinis *Sonata da concerto*, Rom 1967); *Ricercare* (Vlad, ebd. 1968); *Estri* (Petrassi, Spoleto 1968); *Tautologos* (nach L.Ferraris *Tautologos II*, Rom 1969); *Raramente* (Bussotti, Florenz 1971). An Zeitschriftenbeiträgen veröffentlichte er u. a.: *Das Ballett im eigenen Labyrinth. Geständnisse eines Choreographen* (in: Atlantis XXXV, 1963); *Zur Aktualität der Ballettklassik* (ÖMZ XVIII, 1963); *Das Erbe des Expressionismus im Tanz* (in: Maske und Kothurn XI, 1965); *Strawinsky und das Ballett* (ÖMZ XX, 1965).
Lit.: A. L. MAKAROWA, Tanz als Spiel. M. Béjart, J. Robbins, A. v. M., in: Theater heute II, 1961; O. FR. REGNER, M. u. d. große Synthese, in: Das neue Ballettbuch, = Fischer-Bücherei Bd 478, Ffm. 1962; A. SCHULZE-VELLINGHAUSEN, Der unbequeme Choreograph. M. u. d. Gesamtkunstwerk, in: Theater heute III, 1962; B. DE ZOETE, The Thunder and the Freshness. A. M., London 1963; L. PINZAUTI in: nRMI II, 1968, S. 1135ff.; M. NEAMA, Récits sur la danse, Paris 1969; R. VÁLYI, A táncművészet ·története (»Gesch. d. Tanzkunst«), Budapest 1969; A. TESTA, Discorso sulla danza e sul balletto, Rom 1970.

+Mills, Charles Borromeo, * 8. 1. 1914 zu Asheville (N. C.).
M. lebt als freischaffender Komponist und Privatmusiklehrer in New York. Neuere Werke: 3. Symphonie (1955), *Crazy Horse Symphony* (1958) und Praeludium und Fuge für Orch. (1953); *Prologue and Dithyramb* für Streicher (1955); Concertino für Ob. und Streicher (1957); 4. Streichquartett C dur, 5. Streichquartett (1957); 4. Violinsonate (1970), 4 *Stanzas* für V. solo (1958).

Mills-Cockell (milzkɔkl), John, * 19. 5. 1943 zu Toronto; kanadischer Komponist, studierte Komposition und Elektronische Musik an der University of Toronto und am dortigen Royal Conservatory of Mu-
sic (Samuel Dolin). 1966 schloß er sich der Mixed media-Gruppe »Intersystems« an und entwickelte zusammen mit Blake Parker, Michael Hayden und Dick Zander eine audio-kinetische Kompositions- und Aufführungsmethode, in der Musik, Film und bildende Kunst integriert wurden. Als Mitglied der Bands »Kensington Market« in Toronto und »Hydroelectric Streetcar« in Vancouver verwendete er (live) den Moog synthesizer, ebenso in dem 1970 von ihm gegründeten Trio »Syrinx«. Für diese Gruppe komponierte er u. a. *Mescal Boogie*, *Bistrix* und *December Angel*; zu nennen sind ferner *Canonic Variations* für Prepared piano, Fag. und Stereotonband, ein Bläserquartett, *Reverberations* für Solopos. und 2 Stereobandschleifen, zahlreiche Mixed media-Stücke (*Journey Tree*; *Father of Light*; *Apaloosa-Pegasus*; *Hollywood Dream Trip*; *Gold Rush*) sowie Fernseh- und Filmmusik (*Icon*).

Milner (m′ilnə), Anthony Francis Dominic, * 13. 5. 1925 zu Bristol; englischer Komponist und Cembalist, studierte 1945–47 am Royal College of Music in London bei H.Fryer (Klavier) und Morris (Musiktheorie) sowie 1944–47 privat bei Seiber (Komposition). 1954–65 war er Leiter und Cembalist des London Cantata Ensemble und Lecturer in Music an der University of London. Er lehrte in London Musikgeschichte und -theorie am Morley College (ab 1962), wurde Lecturer in Music am King's College der Universität (1965) und Senior Lecturer in Music am Goldsmith's College der Universität (1971). Er schrieb Orchesterwerke (Variationen op. 14, 1959; Ouvertüre *April Prologue* op. 17, 1961; Divertimento für Streichorch. op. 18, 1961; *Sinfonia pasquale* für Streicher mit Holz- und Blechbläsern ad libitum op. 21, 1964; *Chamber Symphony* für Streichorch., 1968; Symphonie Nr 1 op. 23, 1972), Kammermusik (Bläserquintett op. 22, 1964; Quartett für Ob. und Streicher op. 4, 1953), Orgelwerke (*Rondo saltato* op. 6 Nr 1, 1955; *Fugue for Advent*, 1958), Vokalwerke (Oratorium *The Water and the Fire* für S., T., Bar., Knabenchor, gem. Chor und Orch. op. 16, 1961; Kantaten *Salutatio angelica* für A., Chor und Streichorch. op. 1, 1948, *The City of Desolation* für S., Chor und Orch. op. 7, 1965, *St.Francis* für T., Chor und Orch. op. 8, 1957, *The Harrowing of Hell* für B. und Chor op. 9, 1956, und *Roman Spring* für S., T., Chor und Orch. op. 27, 1969; Te Deum für Chor und Orch. oder Org., 1967; *The Song of Akhenaten* für S. und Kammerorch. op. 5, 1954; *Three Anthems* op. 13, 1958–59, und *Introit for All Saint's Day*, 1968, für Chor und Org.; 2 Motetten op. 10, 1959, und *Partsong Cast Wide the Folding Doorways of the East* op. 12, geschrieben zum 85. Geburtstag von Vaughan Williams, 1957, für Chor a cappella; Liederzyklus *Our Lady's Hours* für S. und Kl. op. 11, 1957; Kinderchöre) sowie Musik für Funk und Fernsehen. M. veröffentlichte u. a.: *Harmony for Class Teaching* (2 Bde, London 1950); *Schönberg's Variations for Organ* (in: The Organ XLIII, 1963/64); *The Music of M. Tippett* (MQ L, 1964).
Lit.: A. JACOBS, The Music of A. M., MT XCIX, 1958; D. STEVENS, M.'s »St. Francis«, MQ XLIV, 1958; E. BRADBURG, The Progress of A. M., MT CIV, 1963.

Milnes (milnz), Sherrill E., * 10. 1. 1935 zu Downers Grove (Ill.); amerikanischer Sänger (Bariton), studierte Pädagogik an der Drake University in Des Moines/Ia. (B. Mus. 1957, M. Mus. 1958) sowie privat Gesang bei Andrew White und 1958–63 bei Hermanus Baer. Er debütierte 1960 als Masetto (*Don Giovanni*) an der Oper in Boston, trat 1964 an der New York City Opera auf und kam 1965 an die Metropolitan Opera in New York, deren Ensemblemitglied er seitdem ist.

M. gastierte in Südamerika, Barcelona sowie an den Staatsopern in Wien und Hamburg. 1972 wurde ihm der Dr. h. c. der Northwestern University in Evanston (Ill.) verliehen. Zu seinen Partien gehören neben den einschlägigen Rollen in den Opern Mozarts und Verdis u. a. Pizarro (*Fidelio*), Lord Ashton (*Lucia di Lammermoor*), Gerard (*Andrea Chénier*), Scarpia (*Tosca*) und Jochanaan (*Salome*).

+Milojević, Miloje, 1884–1946.
Lit.: DR. CVETKO, Iz pisma M. M.a Sl. Ostercu (»Aus Briefen v. M. M. an Sl. Osterc«), in: Spomenica SANU XLIV, 1970; N. MOSUSOVA, M. M. …, Jedna skica o stvaralačkom liku (»Eine Skizze zum schöpferischen Bild«), in: Zvuk 1972, H. 124/125; R. PEJOVIĆ, M. M. kao muzički pisac i kritičar (»M. M. als Musikschriftsteller u. -kritiker«), ebd.

Milošević (milʼəʃevitç), Predrag, *4. 2. 1904 zu Knjaževac (Serbien); jugoslawischer Komponist und Dirigent, studierte an der Musikschule in Belgrad bei Milojević, an der Akademie der Tonkunst in München (1922–24) und an der Meisterschule des Prager Konservatoriums bei J. Suk und Pavel Dědeček (1924–31). Er war 1932–38 Lehrer an der Musikschule in Belgrad und 1938–41 Dozent an der Belgrader Musikakademie, an der er 1945 Professor für Komposition und Dirigieren wurde (1960–67 Dekan). 1946–48 war er auch Direktor der Musikschule »Mokranjac« in Skopje. Als Dirigent wirkte er 1932–55 an der Staatsoper in Belgrad und 1955–60 an der Oper in Novi Sad, die er 1955–57 auch leitete. M. schrieb u. a. mehrere Instrumentalwerke (Sinfonietta, 1930; Streichquartett, 1928; Sonatine für Kl., 1935) und Vokalkompositionen (Chöre und Lieder); originelle Schreibweise fand er besonders in Bühnenmusiken, u. a. in *Kraljević Marko* (»Prinz Markus«, 1928), *Ženidba Charlie Chaplina* (»Die Hochzeit von Ch. Chaplin«, 1934), *Optimistička tragedija* (1957) und *Pesnička duša* (»Eine Dichterseele«, 1960).

+Milstein, Nathan (Natan Mironowitsch), *18.(31.) 12. 1904 zu Odessa.
M. wurde 1956 zum Chevalier und 1968 zum Officier de la Légion d'honneur ernannt. Er ist Mitglied der Accademia nazionale di S. Cecilia in Rom. Neben verschiedenen Bearbeitungen schrieb er Kadenzen zu den bekanntesten Violinkonzerten sowie Variationen für V. solo (*Paganiniana*).
Lit.: B. GAVOTY u. R. HAUERT, N. M., = Les grands interprètes o. Nr, Genf 1956, auch deutsch u. ital.; J. W. HARTNACK, Große Geiger unserer Zeit, Gütersloh 1968.

Milt, Jupiter → Wüsthoff, Klaus.

+Milton, –1) John, um 1563 – 1647. –2) John, 1608–74.
Ausg.: zu –1): +6 Anthems (G. E. P. ARKWRIGHT, = The Old Engl. Ed. XXII, 1900 [nicht: 1889–1902]), Nachdr. NY 1969; +The Triumphes of Oriana (E. H. FELLOWES, 1923 [nicht: 1913–24]), revidiert v. TH. DART, = EMS XXXII, London 1963. – W. Leightons »The Tears or Lamentations of a Sorrowful Soul« (1614), hrsg. v. C. HILL, = Early Engl. Church Music XI, ebd. 1970.
Lit.: zu –2): +D. MASSON, Life of M., 7 [nicht: 6] Bde, London 1859–94 [nicht: 1859–80]. – M. Newsletters, Jg. I, 1967 – III, 1969, ab IV, 1970 als: M. Quarterly. – C. HUCKABAY, J. M., A Bibliogr. Suppl., 1929–57, = Duquesne Studies, Philological Series I, Pittsburgh (Pa.) 1966. – S. G. SPAETH, M.'s Knowledge of Music, Diss. Princeton Univ. (N. J.) 1913, auch = Ann Arbor Paperbacks AA 82, Ann Arbor (Mich.) 1963; J. B. BROADBENT, M., »Comus« and »Samson Agonistes«, = Studies in Engl. Lit. I, London 1961; GR. L. FINNEY, Mus. Backgrounds f. Engl. Lit., 1580–1650, New Brunswick (N. J.) 1962; H. u. P. WILLIAMS, M. and Music, MT CVII, 1966; J. ARTHOS, M. and the Ital. Cities, London 1968; A. DAVIDSON, M. on the Music of H. Lawes, in: M. Newsletters II, 1968; J. G. DEMARAY,

M. and the Masque Tradition. The Early Poems, »Arcades« and »Comus«, Cambridge (Mass.) 1968; A Masque at Ludlow. Essays on M.'s »Comus«, hrsg. v. J. S. DIEKHOFF, Cleveland (O.) 1968; M. EMSLIE, M. on Lawes. The Trinity MS Revisions, in: Music in Engl. Renaissance Drama, hrsg. v. J. H. Long, Lexington (Ky.) 1968; R. CL. STOCK, M. in Mus. and Theatrical Adaptation, Diss. Rutgers Univ. (New Brunswick/N. J.) 1968; J. CAREY, M., = Lit. in Perspective o. Nr, London 1969; A. FLETCHER, The Transcendental Masque. An Essay on M.'s »Comus«, Ithaca (N. Y.) 1971.

Milveden, Ingmar, *15. 2. 1920 zu Göteborg; schwedischer Komponist, Organist und Musikforscher, studierte ab 1940 in Göteborg, Basel und Uppsala, wo er 1972 mit der Dissertation *Zu den liturgischen »hystorie« in Schweden. Choral- und liturgiegeschichtliche Untersuchungen* (Uppsala 1972) promovierte. Er ist heute u. a. als Universitätsdozent in Uppsala tätig. Von seinen weiteren Veröffentlichungen seien genannt *Die schriftliche Fixierung eines Quintenorganums in einem Antiphonar-Fragment der Diözese Åbo* (STMf XLIV, 1962) und *Manuskript, Mönch und Mond. Ein Hauptteil des Cod. Upsal. C 23 in quellenkritischer Beleuchtung* (STMf XLVI, 1964). Sein kompositorisches Schaffen umfaßt u. a. eine *Mässa i skördetid* (»Messe in der Erntezeit«) für Gemeinde, Liturgen, 2 Chöre, 2 Org., 2 Orch., Kirchenglocken und Tonband (1969), die Kirchenoper *Vid en korsväg* (»An einem Kreuzweg«; Libretto Bengt V. Wall, 1972), Bühnenmusik zu Werken von Georg Büchner, Shakespeare, Brecht u. a., *Pezzo concertante* für solistisch behandelte Holzbläser, Streicher und Schlagzeug gegen Streichertutti (1970) und *Concertino al fresco*, Klarinettenkonzert (1971).

Milwid, Antoni, polnischer Komponist der 2. Hälfte des 18. Jh., schrieb einige Symphonien, Messen, Offertorien, Litaneien und den Zyklus *Sub tuum praesidium*, 12 Kantaten für S., B., 2 V., Fl., Klar. und Org. Er wird als der erste polnische Komponist angesehen, der symphonische Werke schrieb.
Ausg.: Sinfonia concertante f. Ob. u. Orch., bearb. u. hrsg. v. J. KRENZ, Warschau 1952.

Mimaroğlu, İlhan Kemaleddin, *11. 3. 1926 zu Istanbul; türkischer Komponist und Musikkritiker, lebt in New York. Er studierte u. a. bei Ussachevsky und Wolpe an der Columbia University in New York (M. A.) sowie privat bei Varèse. 1965–67 war er Affiliate Composer und Mitglied des Lehrstabs am Columbia Princeton Electronic Music Center in New York und hatte 1970 einen Lehrauftrag für Elektronische Musik an der Columbia University inne. Er ist als Musikkritiker für verschiedene Publikationen in der Türkei (»Ulus«, »Akis«, »Yeni Istanbul«) und den USA (»Musical America«) sowie als Rundfunk- und Fernsehkommentator tätig. M. schrieb u. a.: *Parodie sérieuse* für Streichquartett (1947); *3 Pieces* für Klar. und Kl. (1952); *Metropolis* für Orch. (1955); *Pièces futiles* für Klar. und Vc. (1958); *Monologue I* für Klar., *II* für V., *III* für Englisch Horn und *IV* für Kl. rechte Hand (1958–69); *Bagatellen* für Kl. (1959); *Conflict* für V. und Orch. (1960); *Trio 1961* für Klar., V. und Kl.; *Musik für 4 Fag. und Vc.* (1964); *Streichquartett Nr 2* (1964); *Nocturne* für Streicher und Tonband (1964); *Transitives I–II* für Tonband (1965); *Conjectus I* für Fl., Klar. und Vc. (1965) und *II* für 2 oder mehrere Kl. (1966); *Klaviersonate* (1966). Bei seinen Kompositionen nach 1967 sieht M. (zum Unterschied von der »habitual composition«, die des Interpreten bzw. Aufführenden bedarf) in der Elektronischen Musik die Möglichkeit einer »authentic composition« durch Identifikation von Komposition und Ausführung; genannt seien: *Visual Studies* (1967), Praeludien (1967) und *Wings of the Delirious Demon* (1969) für Tonband; *Sing Me a Song of Songmy* für Jazzensemble und Tonband (1970).

Minąto, Niccolò (Nicola), Conte, * zu Bergamo, † nach 1698 zu Wien(?); italienischer Dichter und Librettist, wirkte in Venedig (u. a. für Cavalli und Sartorio) und 1669–98 als kaiserlicher Hofdichter in Wien, wo er für die von A. Draghi bzw. Leopold I. komponierten und von Burnacini in Szene gesetzten Opern und Azioni teatrali (auch Oratorien) die Texte verfaßte.
Ausg.: Libretto »Xerse« in: Drammi per musica dal Rinuccini allo Zeno, hrsg. v. A. Della Corte, = Classici ital. LVII, Turin 1958, Bd I.
Lit.: A. Sandberger, Zur venetianischen Oper II, JbP XXXII, 1925; Fr. Hadamowsky, Barocktheater am Wiener Kaiserhof, Jb. d. Ges. f. Wiener Theaterforschung 1951/52; A. A. Abert in: MGG IX, 1961, Sp. 348ff.

+Minchejmer, Adam (eigentlich Münchheimer), 1830 – 27. [nicht: 28.] 1. 1904.
Professor am Warschauer Musikinstitut (später Konservatorium) war M. 1861–63; 1864 wurde er Operndirigent an der dortigen Oper, deren Leitung er 1872–91 innehatte. Die Warschauer Musikgesellschaft wurde 1870 [nicht: 1876] gegründet. – Das frühere Werkverzeichnis ist um eine weitere Polonaise für Orch. und um 2 weitere Messen zu ergänzen; von den +4 Trauermärschen ist einer für Chor und Orch. geschrieben.

+Mingotti, –1) Angelo, * um 1700, und Pietro, um 1702 – 1759.
Lit.: O. Wessely, Die m.schen Opernunternehmungen in Österreich, in: Theater in Österreich, = Notring-Jb. 1965.

Mingotti, Antonio (Grubhofer-M.), * 3. 3. 1900 zu Bozen, † 8. 3. 1974 zu München; italienischer Violinist und Musikkritiker, studierte Violine an der Wiener Musikakademie und in der Meisterklasse von Ševčík in Pisek und wurde dessen Vertreter am Wiener Konservatorium. Später lehrte er in Mailand, Rom, Kopenhagen, Berlin und (bis 1968) am Münchner Konservatorium (Professor). Konzertreisen führten ihn u. a. durch Österreich, Ungarn, Italien, die Schweiz, die Türkei, Polen und Skandinavien. Ab 1956 war er Musikkritiker der Münchner »Abendzeitung«. Von seinen musikschriftstellerischen Arbeiten seien genannt: *Das Bewegungsgesetz im Streichinstrumentenspiel* (Lindau 1949); *M. Cebotari* (Salzburg 1950); *Der hoffnungsvolle Musikus. Kleiner Ratgeber für Musikbeflissene* (München 1953 und 1958); *Gershwin. Eine Bildbiographie* (= Kindlers klassische Bildbiographien o. Nr, ebd. 1958); *Wie übt man Ševčíks Meisterwerke für Violine? Eine Anleitung zum Studium* (Köln 1956, engl. London 1957). Ferner schrieb er u. a. analytische Studien zu Paganinis Capriccios, ein Violinkonzert sowie 2 Streichquartette.

Minguęt e Irǫl, Pablo, * zu Barcelona, † 1801 zu Madrid; spanischer Tanzlehrer, Kupferstecher und Musikverleger, veröffentlichte eine Reihe von Schriften, von denen genannt seien (aufbewahrt in der Bibl. Nacional in Madrid und in der Bibl. Central in Barcelona): *Reglas y advertencias generales que enseñan el modo de tañer todos los instrumentos mejores y más usuales* ... (Madrid 1754); *Arte de danzar a la francesa, adornado con quarenta y tantas láminas que enseñan el modo de hacer todos los pasos de las danzas de la Corte, con todas sus reglas* ... (ebd. 1758).
Lit.: H. Anglés u. J. Subirá, Cat. mus. de la Bibl. Nacional de Madrid III, Barcelona 1951.

+Mingus, Charlie (Charles), * 22. 4. 1922 zu Nogales*(Ari.).

M., der auch Pianist und Komponist ist, wuchs in Los Angeles auf, wo er 1940 seine Musikerlaufbahn begann. Um 1955 gründete er eine eigene Band, die experimentierend Elemente der Kunstmusik (Kontrapunktik, Atonalität) mit dem aufkommenden expressiven Hard bop verschmolz; ab 1960 spielte er auch mit Eric Dolphy und Ted Curson zusammen. Neben der Platteneinspielung *The Black Saint and the Sinner Lady* (1963) seien an Aufnahmen genannt: *Pithecanthropus erectus* (1956), *Mingus Ah-um* (1959, darin *Fables of Faubus*) und die Gedenkplatte für Dolphy *So long Eric* (1965). Als Pianist ist M. zu hören u. a. in *Smooch* (1953, mit Dolphy) und *Four Hands* (1954). 1958 komponierte er die Musik zu dem Film *Shadows*. Seine Autobiographie erschien unter dem Titel *Beneath the Underdog. His World as Composed by M.* (hrsg. von N. King, NY 1971).
Lit.: N. Hentoff in: These Jazzmen of Our Time, hrsg. v. R. Horricks, = Jazz Book Club XXXVII, London 1960, S. 176ff.; R. G. Reisner, The Jazz Titans, Garden City (N. Y.) 1960; B. Coss, Ch. M., NY 1961; J. Goldberg in: Jazz Masters of the Fifties, = Jazz Masters I, NY u. London 1965, S. 132ff.; B. McRae, The Cataclysm, South Brunswick (N. Y.) u. London 1967; R. J. Wilbraham, Ch. M., A Biogr. and Discography, London 1967, revidiert 1970; D. H. Kraner, M. in Europe 1964. A Listing of Private Recordings, in: Discographical Forum X, 1969.

Miniño (min'iɲo), Manuel Martino, * 2. 1. 1930 zu Bani; dominikanischer Komponist, war als Diplomat in Paris und dann in Rom tätig, wo er bei Alfredo de Ninno Kontrapunkt und Fuge studierte. M. komponierte Orchesterwerke (*Sinfonía masónica*, 1959; Symphonische Dichtung *Evocación*, 1964; Concerto grosso für V., Va, Vc. und Streichorch., 1967; Klavierkonzert, 1972) und Chorwerke (Kantate *Presencia del angel* für Soli, Chor und Orch., 1966).

+Minkus, [erg.: Aloysius] Ludwig (oder Léon), * [erg.:] 23. 3. 1826 [nicht: 1827] zu Wien, † vermutlich nach 1890 in Österreich(?).
Nach 1890 soll M. St. Petersburg verlassen und danach in Italien, in der Türkei und zuletzt in Österreich gelebt haben; jedoch noch 1891 kam des weiteren in St. Petersburg das Ballett *Kalkabrino* mit M.' Musik zur Uraufführung. – In Zusammenarbeit mit L. Delibes entstand u. a. das Ballett +*La source* (1866), nicht jedoch +*La fiammetta* (1864).

Minnelli, Liza May, * 12. 3. 1946 zu Hollywood (Calif.); amerikanische Filmschauspielerin und Musicaldarstellerin, Tochter von Judy Garland, begann ihre Laufbahn als Musicaldarstellerin 1962 am Broadway in New York (*Best Foot Forward*), ihre Filmkarriere 1966 (*Charlie Bubbles*) und trat ab 1965 auch als Sängerin in Nachtclubs von Las Vegas, Miami, New York, London und Paris sowie im Fernsehen hervor. Von ihren Musicals seien *Carnival* (1964), *Flora, the Red Menace* (1965), *Fantasticks* und *The Pajama Game*, von ihren Filmen *The Sterile Cuckoo* (1969), *Tell Me That You Love Me, Junie Moon* (1970) und *Cabaret* (1972, nach dem gleichnamigen Musical) genannt.

+Mioduszewski, Michał Marcin (Michael Martin), [erg.: 16. 9.] 1787 zu Warschau [nicht: Krakau] – [erg.: 31. 5.] 1868.
Lit.: H. Feicht, M. M. M., in: Księga pamiątkowa ku czci prof. A. Chybińskiego, Krakau 1930.

Mirąssou, Pedro, * 28. 6. 1896 zu Buenos Aires, † 22. 6. 1963 zu Córdoba; argentinischer Opernsänger (Tenor), studierte an der Gesangsakademie des Teatro Colón in Buenos Aires, dann in Europa und debütierte als Alfredo in *La Traviata*. 1926–27 sang er an der Mailänder Scala, dann an bedeutenden Opernhäusern in

Belgien, Frankreich, den Niederlanden und Spanien, später vorwiegend am Teatro Colón.

Mirecki (mir'ɛtski), Franciszek, * 1. 4. 1794 (31. 3. 1791?) und † 29. 5. 1862 zu Krakau; polnischer Komponist, Dirigent und Musikpädagoge, studierte 1814–17 Klavier bei J. N. Hummel in Wien und vervollkommnete seine Studien bei Cherubini in Paris. Er war Operndirigent in Lissabon (1825–26), Genua (1830) und Krakau (1844–50), wo er auch eine Schule für Operngesang gründete. M. schrieb 9 Opern, darunter *Cornelio Bentivoglio* (Mailand 1844) und *Nocleg w Apeninach* (»Nachtlager in den Apenninen«, Krakau 1845), eine Symphonie, ein *Adagio et Allegro concertant* für Kl., 2 V., Va und Vc., ein Klaviertrio, 2 Violinsonaten, 9 Klaviersonaten und Lieder. Er gab außerdem einen *Trattato intorno degli stromenti ed all'instrumentazione* (Mailand 1825) sowie *Cinquanta psalmi di B. Marcello cogli accompagnamenti di Fr. M.* (Paris 1830) heraus. Lit.: Z. LISSA, Beethoven i Fr. M., in: Ruch muzyczny XVII, 1972.

Mireille (mir'ɛ:j; eigentlich Mireille Hartuch), * 1906(?) zu Paris; französische Chansonsängerin, Komponistin und Interpretin eigener Chansons, studierte in Paris Klavier und Gesang, debütierte als Opernsängerin (Cherubino in Mozarts »Le mariage de Figaro« im Odéon-Theater in Paris), wandte sich ab 1926 der Revue und dann speziell dem Chanson zu (1934 Debüt im »A. B. C.« in Paris). In Zusammenarbeit mit dem Textdichter Jean Nohain (* 1900 zu Paris) entstanden mehr als 500 Chansons, von denen u. a. besonders *Couché dans le foin*, *Le petit chemin* und *Quand un vicomte* bekannt wurden. M., die auch am Broadway in New York und in Hollywood-Filmen auftrat, machte sich verdient als Förderin junger Talente (Brassens, Trenet); 1955 eröffnete sie in Paris ein »Petit Conservatoire de la Chanson«.

[+**Mireille**, Fleri; recte:] **Fleri**, Mireille, * 7. 6. 1912 zu Istanbul (Stadtteil Pera).
Mitglied der Athener Oper war M. Fl. bis 1968. Seit 1965 unterrichtet sie am Athener Konservatorium.

Miroglio (mirəj'o), Francis, * 12. 12. 1924 zu Marseille; französischer Komponist, studierte am Konservatorium in Marseille und am Pariser Conservatoire sowie bei den Darmstädter Ferienkursen für Neue Musik in Darmstadt; zu seinen Lehrern zählen Milhaud (Komposition) und Maderna (Dirigieren). 1965 gründete er in St-Paul-de-Vence (Alpes maritimes) die »Nuits de la Fondation Maeght«, ein Festival für moderne Musik und Kunst, und wurde dessen künstlerischer Leiter. In seinen eigenen Kompositionen will M. die ästhetischen Werte von Musik und Werken der bildenden Kunst in Beziehung setzen. – Werke (Auswahl): Ballett *Salomé* mit Plastiken von Claude Viseux (Amiens 1968); Bühnenmusik zu *Le barbier de Séville* von Beaumarchais (1964), *Le malade imaginaire* von Molière (1964), »Henri VI« von Shakespeare (Regie Jean Louis Barrault, 1967) und *Les incantations* von J. Guimet und F. Arnaud (Festspiele Avignon 1970); Filmmusik zu *Mallarmé et l'absence* (Text Mallarmé, 1969) und *Alexander Calder* (1970). – *Espaces I* für Orch. (1962), *II* für Bläser und Schlagzeug (1962, als Ballett ORTF 1969), *III* für Streichorch. (1962), *IV* für Instrumentalensemble und Tonband (1962) und *V* für Instrumentalensemble (1968); *Tremplins* für 15–32 Ausführende (Text Jacques Dupin, 1968); *Extensions I* für Orch. (1970) und *II* für 6 Schlagzeuger (1970). – *Fluctuances* für Fl., Hf. und 2 Schlagzeuger (1961); *Projections* für Streichquartett und Diapositive von Gemälden von Joan Miró ad libitum (1967); *Pierres noires* für Ondes Martenot und 2 Schlagzeuger (1958, als Ballett *Eppur si muove* mit Mobiles und Stabiles von Alexander Calder, Marseille 1965); *Refractions* für V., Fl., Kl. und Schlagzeug (1968); *Choréiques* für Git. (1958); *Insertions* für Cemb. (1969). – *Magies* für S. und Instrumentalensemble (1960, als Ballett Paris 1968).
Lit.: J.-P. GARNIER in: Le courrier mus. de France 1967, Nr 17, S. 4ff.

Mirouze (mir'u:z), Marcel, * 24. 9. 1906 zu Toulouse, † 1. 8. 1957 zu Gaja-le-Selve (Aude; durch Autounfall); französischer Komponist und Dirigent, studierte bei Busser am Pariser Conservatoire, war dann Dirigent des Orchesters der ORTF in Paris (1935–40) und des Radioorchesters von Monte Carlo (1940–43). Er komponierte die Oper *Geneviève de Paris* (zur 2000-Jahr-Feier der Gründung von Paris, als Rundfunkoper 1952, szenisch Toulouse 1952), Ballette (*Paul et Virginie*, 1942; *Les bains de mer*, 1946), Orchesterwerke (Symphonische Dichtungen *Afrique*, 1936, und *Asie*, 1938), Kammermusik (Septett für Kl. und Bläser, 1935), Klavierstücke, Lieder und Filmmusik (*La fiancée des ténèbres*, 1945).

Mirsojan, Edward Michajlowitsch, * 12. 5. 1921 zu Gori (Grusinien); armenisch-sowjetischer Komponist, Sohn des Komponisten Mikael Oganessowitsch M., absolvierte als Schüler von Wardkes Taljan das Konservatorium in Jerewan und vervollkommnete sich 1946–48 am Musikstudio im Haus der Armenischen Kultur in Moskau bei Genrich Litinskij und Pejko. Er wurde 1948 Lehrer für Komposition am Konservatorium in Jerewan. 1950–52 war M. auch als verantwortlicher Sekretär des armenischen Komponistenverbandes tätig, dessen Leitung ihm 1957 übertragen wurde. Von seinen Werken seien genannt: Symphonische Dichtungen *Lorezi Sako* (1941); *Gerojam Welikoj Otetschestwennoj wojny* (»Den Helden der Großen Vaterländischen Krieges«, 1944) und *Poema* (»Gedicht«, 1955); symphonische Tänze (1946); Festouvertüre (1947); Symphonie für Streicher und Pk. (1961); *Introdukzija i Perpetuum mobile* für V. und Orch. (1957); Konzert für Pos. und Orch. (1965); 2 Streichquartette (1947 und 1956); Kantate *Sowjetskaja Armenija* (»Sowjetisches Armenien«, 1948); ferner Klavierstücke, Chöre, Lieder und Filmmusik.
Lit.: T. ARASJAN, E. M., Jerewan 1963; N. SCHACHNA-SAROWA, Swojej dorogoj (»Auf eigenem Weg«), SM XXIX, 1965; M. P. TER-SIMONJAN, M., Moskau 1969.

+**Misch**, Ludwig, * 13. 6. 1887 zu Berlin, [erg.:] † 22. 4. 1967 zu New York.
Verstreute (neuere) Aufsätze erschienen gesammelt als *Neue Beethoven-Studien und andere Themen* (= Veröff. des Beethovenhauses in Bonn, N. F. IV, 4, Bonn und München 1967).
Lit.: W. HESS in: Musica XI, 1957, S. 356f.; P. MIES in: Mf XX, 1967, S. 243ff.; FR. A. KUTTNER in: JAMS XXI, 1968, S. 409f.

Mischa, František Adam → Míča, Fr. A.

Mischiati (miskj'a:ti), Oscar, * 11. 7. 1936 zu Bologna; italienischer Musikforscher, promovierte 1960 in Bologna mit einer Dissertation über *L'estetica musicale barocca* und ist seit 1964 Bibliothekar des dortigen Conservatorio di Musica G.B. Martini. Mit L.F. Tagliavini gibt er die Zeitschrift *L'organo* (Brescia I–III, 1960–63, Bologna IVff., 1964ff.) heraus. Er schrieb u. a.: *L'arte organistica in Emilia* (mit L.F. Tagliavini, in: *Musicisti lombardi ed emiliani*, hrsg. von A. Damerini und G. Roncaglia, = Accademia Musicale Chigiana XV, Siena 1958); *L'organo della Basilica di S. Martino di Bologna, capolavoro di G. Cipri* (in: L'organo I, 1960); *Per* la storia dell'oratorio a Bologna. Tre inventari del 1620, 1622 e 1682 (CHM III, 1962); L'intavolatura d'organo tedesca della Biblioteca Nazionale di Torino. Catalogo ragionato (in: L'organo IV, 1963); Studenti ultramontani di musica a Bologna nella seconda metà del s. XVI (in: Analecta musicologica III, 1966); Uno sconosciuto frammento di codice polifonico quattrocentesco nella Biblioteca Musicale »G. B. Martini« di Bologna [Q 1] (CHM IV, 1966); Uno sconosciuto frammento appartenente al codice vaticano Rossi 215 [Ostiglia] (RIdM I, 1966); Un'inedita testimonianza su B. Ramis de Pareia (FAM XIII, 1966); La situazione degli antichi organi in Italia (in: L'organo VII, 1969); A. Banchieri (1568–1634). Profilo biografico e bibliografia delle opere (in: Conservatorio di Musica »G. B. Martini« Bologna, Annuario 1965–70); Composizioni polifoniche del primo Quattrocento nei libri corali di Guardiagrele (mit G. Cattin und A. Ziino, RIdM VII, 1972); zahlreiche Artikel für MGG und andere Nachschlagewerke. – Ausgaben: G. Cavazzoni, Orgelwerke (2 Bde, Mainz 1959–61); C. M. Trabaci, Composizioni per org. e cemb. (2 Bde, Brescia 1964–69); G. Guami, Canzoni da sonare a 4, 5 e 8 v. con b. c. (mit I. Fuser, = Accademia lucchese di scienze, lettere ed arti, Studi e testi II, Florenz 1968).

+**Misón,** Luis, † 1776 [nicht: 1766].
Lit.: J. SUBIRÁ, Cat. de la Sección de música de la Bibl. municipal de Madrid, Bd I: Teatro menor, tonadillas y sainetes, Madrid 1965.

Misraki, Paul, * 28. 1. 1908 zu Konstantinopel; französischer Komponist, studierte Altphilologie und Philosophie. Er war 1931–35 Mitglied des Orchesters Ray Ventura & ses Collégiens als Arrangeur, Komponist, Pianist und Sänger. Seitdem lebt er als freischaffender Komponist in Paris (mit Ausnahme der Jahre 1942–45, die er in Amerika verbrachte). M. schrieb neben den Operetten Normandie (Paris 1935), Si Eva se hubiese vestido (Buenos Aires 1944) und Le Chevalier Bayard (Paris 1947), der musikalischen Komödie L'heure éblouissante (ebd. 1958) und Orchestermusik (Rhapsodia brasileira, 1967) vor allem Chansons (Tout va très bien, Madame la Marquise, 1934; Chez moi, 1935, für Lucienne Boyer; Dans mon cœur, 1937; Insensiblement, 1941; Le petit souper aux chandelles, 1943; Una mujer, 1944; Tu ne peux pas te figurer, 1950; La tête à l'ombre, 1952) und die Musik zu über 140 Filmen (Tourtillon de Paris, 1938, mit den Chansons Sur deux notes und Tiens, tiens, tiens; Manon, 1947; Mademoiselle s'amuse, 1947, mit den Chansons Maria aus Bahia und Sans vous; Nous irons à Paris, 1949; Le garçon sauvage, 1951; La minute de vérité, 1952; Les orgueilleux, 1953, mit dem Chanson Valse des orgueilleux; Monsieur Arkadine, 1954; Montparnasse 19, 1955; La mort en ce jardin, 1956; Maigret tend un piège, 1957; Les cousins, 1958; A double tour, 1959; Le Doulos, 1962).

Mistinguett (mistɛg'ɛt, eigentlich Jeanne Florentine Bourgeois), * 5. 4. 1875 zu Enghien-les-Bains (bei Paris), † 5. 1. 1956 zu Bourgival (bei Paris); französische Chansonsängerin und Schauspielerin, debütierte 1895 unter dem Namen Miss Tinguette im Casino de Paris mit dem Lied La môme du Casino. In den Folies-Bergère war → Chevalier ihr Partner, mit dem sie eine Reihe von Revuen spielte. In den 20er Jahren stieg sie zur »Königin der Pariser Revuetheater« auf. Zu ihren bekannten Chansons gehörten: La vertinguette; Mon homme (1920); En douce (1922); Ça c'est Paris (1926); Je cherche un millionaire; Je suis une midinette; La femme torpille; Valencia; La Java. Die M. veröffentlichte Erinnerungen unter dem Titel Toute ma vie (Paris 1954, deutsch Zürich 1954, engl. London 1954).
Lit.: G. FRÉJAVILLE, Au music-hall, Paris 1922; L. MARTIN, Le music-hall et ses figures, ebd. 1926; P. DERVAL,

Folies-Bergère, ebd. 1926; J. COCTEAU, Adieu à M., ebd. 1956.

Mitchell (mitʃl), Donald Charles Peter, * 6. 2. 1925 zu London; englischer Musikkritiker, studierte in London 1939–42 am Dulwich College und nach einer Lehrtätigkeit (1945–49) Musik an der University of Durham (1949–50). In dieser Zeit schrieb er für verschiedene Zeitschriften und Zeitungen und gründete 1947 mit Hans Keller die Zeitschrift Music Survey. 1953–57 war er Musikkritiker für MT, 1959–64 für »The Daily Telegraph« und ab 1964 für »The Listener«. 1958–62 war er Editor von Tempo. 1965 wurde er Geschäftsführer von Faber Music Ltd. Außer zahlreichen Zeitschriftenbeiträgen veröffentlichte M. u. a.: B. Britten. A Commentary on His Works (mit H. Keller, London 1952, NY 1953); Mozart. A Short Biography (London 1956); The Mozart Companion (mit H. C. R. Landon, ebd., Paperbackausg. 1965, NY 1969); G. Mahler. The Early Years (London und NY 1958); The Language of Modern Music (ebd. 1963, ²1966, Paperbackausg. NY 1970).

+**Mitchell,** William John, * 21. 11. 1906 zu New York, [erg.:] † 17. 8. 1971 zu Binghamton (N. Y.).
M. war 1962–67 Chairman des Music Department der Columbia University (N. Y.). Am Mannes College of Music in New York lehrte er bis 1968, danach an der State University of New York in Binghamton. – +Elementary Harmony (1939, ²1949), 3. Aufl. Englewood Cliffs (N. J.) 1965. – Mit F. Salzer edierte er die Sammelschrift The Music Forum (2 Bde, NY 1967–70; in Bd I von ihm selbst: The Tristan Prelude. Techniques and Structure, in Bd II: The Prologue to O. di Lasso's »Prophetiae Sibyllarum«). Von seinen neueren Aufsätzen seien weiter genannt: The Study of Chromaticism (Journal of Music Theory VI, 1962); Chord and Context in 18th-Cent. Theory (JAMS XVI, 1963); »A Hitherto Unknown ... or ... A Recently Discovered ...« (in: Musicology and the Computer, hrsg. von B. S. Brook, = American Musicological Society, Greater NY Chapter Publ. II, NY 1970); Modulation in C. P. E. Bach's »Versuch« (in: Studies in 18th-Cent. Music, Fs. K. Geiringer, London 1970).
Lit.: P. H. LANG in: JAMS XXIV, 1971, S. 503f.

Mitrea-Celarianu (m'itrĕatʃɛlari'anu), Mihai G., * 20. 1. 1935 zu Bukarest; rumänischer Komponist, studierte 1948–53 am Bukarester Konservatorium (Komposition bei Mendelsohn, Orchestration bei Rogalski), 1949–51 privat bei Jora sowie 1968–69 in Paris bei der Groupe de Recherches Musicales de l'ORTF und am Conservatoire (Schaeffer, Pousseur). Er war 1954–60 Dozent für Harmonielehre und Musikgeschichte an der Şcoala Populară de Artă in Bukarest, wirkte 1960–62 als Musikredakteur bei der Editura Muzicală in Bukarest und nahm 1962 seine Lehrtätigkeit wieder auf. – Kompositionen (Auswahl): Piese progresive für Kl. (1956); Sonaten für V. und Kl. (1957) und für Kl. (1958); Variationen für Orch. (1958); Sonatine für Kl. (1960); Kantate für Chor und Orch. (1960); Cîntecul stelelor (»Das Lied der Sterne«), Kantate für Mezzo-S. und 33 Instr. (1964); Glosă (»Glosse«) für Va solo (1965); Petite histoire d'avantmonde für kleine Instrumentalformation (1967); Convergenţe II »Colinda« für Schlagzeug und elektronische Org. (1967), III »Idéophonie M«, aleatorische Musik für 19 Instr., Kinderchor und Rezitation (1968), IV, Text für aleatorische Musik für einen Instrumentalisten (Klar., Trp., Pos., Hf., Schlagzeug oder Kl.) oder variables Ensemble oder elektroakustische Realisation (1968) und V »Jeux dans le blanc« für Chor, Schlagzeug und Tonband (1969); *Trei pentru cinci* (»Drei für fünf«) für Orch. mit aleatorischer Struktur (mit Miereanu und Jean-Yves Bosseur, 1969); ferner Lieder.

+Mitropoulos, Dimitri, 18. 2. (1. 3.) 1896 – 1960.
M. war Leiter der New York Philharmonic bis 1958 [nicht: 1959] (Nachfolger L. Bernstein). Er veröffentlichte den Beitrag *Bekenntnisse eines Dirigenten* (ÖMZ XI, 1956). – Seit 1961 findet jährlich ein internationaler M.-Musikwettbewerb für Dirigenten in New York statt.
Lit.: D. M., ʽΗ ἀλληλογραφία του μὲ τὴν Κ. Κατσογιάννη (1929–60), hrsg. v. K. KATSOJANNI, Athen 1966 (mit Vorw. v. G. Seferis; M.' Briefwechsel mit K. Katsojanni). – H. STODDARD, Symphony Conductors of the USA, NY 1957; R. LEIBOWITZ, L'eredità di D. M., in: L'approdo mus. III, 1960; D. LINDNER in: ÖMZ XI, 1960, S. 524f.; P. BLOCH in: NZfM CXXII, 1961, S. 22f.; DERS. in: Bayerischer Rundfunk, Konzerte mit Neuer Musik XII, 1961, Nr 46, S. 71ff.; R. BREUER, M., Mystiker u. Moralist, in: Melos XXVIII, 1961; E. MINETTI in: Rass. mus. Curci XX, 1967, S. 164ff.; ST. PROKOPIOU, Δ. M., τό παιδί τῆς ζούγκλας (»D. M., d. Junge aus d. Dschungel«), Athen 1967; H. C. SCHONBERG, The Great Conductors, London 1968, deutsch als: Die großen Dirigenten, Bern 1970, auch = List Taschenbücher Bd 391, München 1973.

Mitscha, František Adam → Míča, Fr. A.

+Mitsukuri, Shukichi, * 21. 10. 1895 zu Tokio, [erg.:] † 10. 5. 1971 zu Kanagawa.
M. wirkte zuletzt als Professor an der Nagoya-Art-University und als Dozent für Komposition an der Niigata University. Werke: *Classic Suite* (1932), 2 symphonische Dichtungen (1928), *Sinfonietta classica in re* (1936), *10 Haikai de Bashô* (1937), 1. Symphonie in F (1950), *Two Movements for Orch. A* (1956) und *B* (1957), 2. Symphonie *Three Movements for Orch.* (1963, 2. Satz *Freedom from Hunger Campaign* für die Vereinten Nationen); Sonate für V. und Orch. (1937), Concertino (1953) und Konzert (1955) für Kl. und Orch.; Klavierquintett (1955), *Poems Without Words* für Klar. und Streichquartett (3 H., 1957), Violinsonate F dur (1935); *Night Rhapsody* (1935), *Sakura-sakura* (1940) und *Haruno yayoi* (1956) für Kl.; *Elegy* für Chor und Orch. (1949), 14 Liedersammlungen, 3 Sammlungen japanischer Volkslieder (1950–55), 3 Volkslieder aus dem alten Tokio *Edo* (1956) und 5 Sammlungen nach zeitgenössischen japanischen Gedichten *Gendai Shishū* für Singst. und 7–8 Instr. (1931, 1932, 1933, 1952 und 1960).

Mittelmann (m'itlmən), Norman, * 25. 5. 1932 zu Winnipeg (Manitoba); kanadischer Sänger (Bariton), studierte am Curtis Institute of Music in Philadelphia bei M. Singher und in Santa Barbara (Calif.) bei Lotte Lehmann. 1959 debütierte er an der Toronto Opera. Er war an den Städtischen Bühnen Essen (1960–61), der Deutschen Oper am Rhein in Düsseldorf–Duisburg (1961–63) und den Städtischen Bühnen Frankfurt a. M. (ab 1967) engagiert und ist seit 1965 Mitglied des Opernhauses Zürich und seit 1970 der Hamburgischen Staatsoper. Zahlreiche Gastspiele haben ihn an die Opernhäuser in Wien, München, Berlin, Florenz, seit 1961 auch an die Metropolitan Opera in New York und seit 1965 an die Covent Garden Opera in London geführt. M. tritt auch als Konzertsänger auf. Er hat sich besonders als Verdi-Sänger einen Namen gemacht.

+Mitterer, Ignaz Martin, 1850 – 18. [nicht: 2.] 8. 1924.
Lit.: R. CORAZZA, I. M. als Kirchenkomponist, Diss. Wien 1938; DERS., I. M., d. große Kirchenkomponist Südtirols, = An d. Etsch u. im Gebirge X, Brixen 1949.

+Mitterwurzer, Anton, 1818 – 1876 [nicht: 1872].

Mittler, Franz, * 14. 4. 1893 zu Wien, † 28. 12. 1970 zu München; amerikanischer Komponist und Pianist österreichischer Herkunft, studierte in Wien bei Heuberger und K. Prohaska sowie in Köln bei Fr. Steinbach und Friedberg. 1921–38 wirkte er in Wien als Pianist und Kammermusiker. 1939 übersiedelte er nach New York. Er schrieb die Oper *Rafaella* (Duisburg 1930), ein Klaviertrio, zahlreiche Klavierstücke und Unterhaltungsmusik (*Manhattan Suite, Suite in 3/4 Time, Newsreel Suite, Waltz in Blue* und *One Finger-Polka* für Kl.; Lieder *In Flaming Beauty, From Dreams of Thee, Soft Through My Heart* und *Over the Mountains*).

+Mixa, Franz, * 3. 6. 1902 zu Wien.
Das Steiermärkische Landeskonservatorium in Graz leitete M. bis 1958, seitdem lebt er als freischaffender Künstler abwechselnd in Graz und München. Neuere Kompositionen: die Opern *Der Traum ein Leben* (nach Grillparzer, Graz 1963) und *Eyvind und sein Weib* (1967–69); 3. und 4. Symphonie (1969, 1970); 2 Streichtrios (1967, 1970); Klaviersonate (1952); Kantate *Gott geht in uns ein ohne Glockenläuten* für A., gem. Chor, Fl., Klar., Ob., Fag. und Schlagzeug (R. W. Emerson, 1957, Neufassung 1960).
Lit.: H. KAUFMANN, Neue Musik in Steiermark, Graz 1957; P. VUJICA in: Mitt. d. Steirischen Tonkünstlerbundes 1962, Nr 9, S. 1f.

+Miyagi, Michio, 1894 – 24./25. 6. 1956 in der Präfektur Aichi (während einer Bahnfahrt zwischen Tokio und Osaka durch Sturz aus dem Zug) [erg. frühere Angaben].
An der staatlichen Hochschule für Musik und Bildende Kunst [del.: Kunst-Universität] in Tokio unterrichtete M. [erg.:] ab 1930 bis zu seinem Tode. – Gesammelte Schriften erschienen posthum als *Arne-no nembutsii* (»Bitte um den Regen«, hrsg. von M. M. Zenshû, 3 Bde, Tokio 1957–58).
Lit.: E. KIKKAWA, M. M. den (»Das Leben M. M.s«), Tokio 1962.

Miyoshi, Akira, * 10. 1. 1933 zu Tokio; japanischer Komponist, studierte Romanistik an der Staatlichen Universität Tokio und Komposition privat bei Kôzaburô Hirai und Ikenouchi sowie 1955–57 am Pariser Conservatoire bei Gallois Montbrun. Mit einer Reihe von Preisen ausgezeichnet, gilt er als erfolgreicher Repräsentant der französischen Kompositionsschule in Japan. – Hauptwerke: *Trois mouvements symphoniques* (1960), Konzert für Orch. (1964); Symphonie concertante für Kl. und Orch. (1954), Violinkonzert (1965); 2 Streichquartette (1961 und 1967), *Hommage à »Musique de chambre '70«* für Fl., V. und Kl. (1970), Violinsonate (1955), Klaviersonate (1958); *Ondine, Ongaku-shigeki* (»..., Poetisches Musikdrama«, 1959); *Ketto* (»Das Duell«) für S. und Orch. (1964); *Transit* für Schlagzeug, mehrere Tasteninstr. und elektronische Klänge (1970).

+Mizler, Lorenz Christoph, 1711–78.
M. habilitierte sich an der Universität Leipzig 1736 [nicht: 1737], an der er dann bis 1742/43 lehrte. – Die *+Neu eröffnete Musikalische Bibliothek ...* erschien gedruckt Lpz. 1739 [nicht: 1736] bis 1754, der *+Musicalische Starstecher* 1739/40 [nicht: 1736/40]. Von der 1.–4. *Sammlung +auserlesener moralischer Oden ...* für Singst. und Kl. erschien nur die 1.–3. Sammlung (I: 1740, ²1741; II: 1741, ²1746; III: 1743), die 4. wurde 1746 lediglich angezeigt [del. bzw. erg. frühere Angaben]. – *+Neu eröffnete Musikalische Bibliothek* (1739–54), Nachdr. Hilversum 1966 (4 Bde in 3); *+Anfangsgründe des Generalbasses* (1739), Nachdr. Hildesheim 1971.
Ausg.: Slgen auserlesener moralischer Oden, Faks. d. ein-

zig erhaltenen Exemplare d. Originalausg., hrsg. v. DR. PLAMENAC, Lpz. 1973.
Lit.: +J. MATTHESON, Grundlage einer Ehren-Pforte (M. Schneider, 1910), Nachdr. Kassel 1969. – H. LEMKE, L. M.s Anfänge in Polen, in: Deutsch-slawische Wechselseitigkeit in 7 Jh., Fs. E. Winter, Bln 1956; W. H. SCHEIDE u. A. DÜRR in: Mf XIV, 1961, S. 60ff., 192ff. bzw. 423ff. (zu M.s Ber. über Bachs Kantaten); J. BIRKE, Chr. Wolffs Metaphysik u. d. zeitgenössische Lit.- u. Musiktheorie. Gottsched, Scheibe, M., = Quellen u. Forschungen zur Sprach- u. Kulturgesch. d. germanischen Völker, N. F. XXI, Bln 1966; L. RICHTER, »Des Psellus vollständiger kurzer Inbegriff d. Musik« in M.s »Bibl.«. Ein Beitr. zur Rezeption d. byzantinischen Musiktheorie im 18. Jh., BzMw IX, 1967, engl. Fassung in: Studies in Eastern Chant II, hrsg. v. M. Velimirović, London 1971; H. FEDERHOFER, J. J. Fux u. J. Mattheson im Urteil L. Chr. M.s, in: Speculum musicae artis, Fs. H. Husmann, München 1970.

+Mjaskowskij, Nikolaj Jakowlewitsch, 1881 – 8. [nicht: 9.] 8. 1950.
1940 erhielt M. den Titel eines Doktors der Kunstwissenschaften. Seine +Awtobiografitscheskije sametki ... (»Autobiographische Bemerkungen ...«, 1936) erschienen auch in: Leningradskaja konserwatorija w wospominanijach, 1862–1962 (hrsg. von G.Gr. Tigranow, Leningrad 1962).
Ausg.: Sobranije sotschinenij (GA), 12 Bde, Moskau 1953–56.
Lit.: Notografitscheskije sprawotschnik (»Werkverz.«), hrsg. v. S. I. SCHLIFSTEIN, Moskau 1962. – Briefe u. Kritiken in: S. Prokofjew. Materialy, dokumenty, wospominanija, hrsg. v. DEMS., ebd. 1956, erweitert ²1961, engl. ebd. u. London 1960, ²1968, deutsche Übers. d. 2. Aufl. v. F. Loesch, Bln 1965; N. Ja. M., Statji, pisma, wospominanija (»Aufsätze, Briefe, Erinnerungen«), hrsg. v. S. I. SCHLIFSTEIN, 2 Bde, Moskau 1959–60, 2. Aufl. als: Sobranije materialow (»Slg u. Materialien«), 1964. – Aufsatzfolge über M. in: SM XXV, 1961, H. 4. – +A. A. IKONNIKOW, N. Ja. M. (1944, engl. 1946), Nachdr. d. engl. Ausg. NY 1970. – L. S. GINSBURG, Wiolontschelnyj konzert N. M.owo, SM X, 1946, wiederabgedruckt in: Issledowanija, statji, otscherki, Moskau 1971; K. LAUX, Der Meister d. 27 Sinfonien, MuG V, 1955; A. OLKHOVSKY, Music Under the Soviets, NY 1955; S. I. SCHLIFSTEIN, M. i opernoje twortschestwo (»M. u. d. Opernschaffen«), SM XXIII, 1959; I. W. BELEZKIJ, Skripitschnyj i wiolontschelnyj konzerty N. Ja. M.owo (»Das Vl- u. d. Vc.-Konzert v. N. Ja. M.«), Moskau 1962; T. W. BOGANOWA, Prinzipy polifonii w twortschestwe N. M.owo (»Prinzipien d. Polyphonie im Werk v. N. M.«), in: Musykalno-teoretitscheskije problemy twortschestwa sowjetskoj musyki, hrsg. v. S. S. Skrebkow, = Trudy kafedry teorii musyki o. Nr, ebd. 1963; WL. FERE in: SM XXX, 1966, H. 10, S. 12ff.; D. GOJOWY, Moderne Musik in d. Sowjetunion bis 1930, Diss. Göttingen 1966; M. FILATOWA, O roli garmonii w simfonijach M.owo (»Über d. Rolle d. Harmonie in M.s Symphonien«), u. W. W. MORENOW, Traktowka tonitscheskoj funkzii w garmonii M.owo (»Die Behandlung d. tonalen Funktion in d. Harmonie bei M.«), in: Teoretitscheskije problemy musyki 20 weka, Bd I, hrsg. v. Ju. N. Tjulin, Moskau 1967; A. A. IKONNIKOW, Chudoschnik naschej dnej, N. Ja. M. (»Ein Künstler unserer Zeit, N. Ja. M.«), ebd. 1967; M. MICHAJLOW in: Sowjetskaja simfonija sa 50 let, hrsg. v. G. Gr. Tigranow, Leningrad 1967, S. 215ff. (zur 6., 16., 21. u. 27. Symphonie); I. F. KUNIN, N. Ja. M., Schisn i twortschestwo w pismach, wospominanijach, krititscheskich otsywach (»Sein Leben u. Werk in Briefen, Erinnerungen u. Kritiken«), Moskau 1969; ST. D. KREBS, Soviet Composers and the Development of Soviet Music, London 1970; DM. B. KABALEWSKIJ, Patriarch sowjetskoj musyki, SM XXXV, 1971 (mit Briefen); L. KARKLINS, Garmonija N. M.owo, Moskau 1971; W. MORENOW, Ladofunkzionalnost w twortschestwe M.owo (»Tonartfunktionen in M.s Werk«), SM XXXVI, 1972.

+Młynarski, Emil, 1870–1935.
Mł. war 1901 Mitbegründer der Warschauer Philhar-

monie. Das Konservatorium in Warschau leitete er bis 1907 [nicht: 1909].
Lit.: P. RYTEL in: Ruch muzyczny IV, 1960, Nr 20, S. 16f.; J. WALDORFF, Diabły i anioły (»Teufel u. Engel«), Krakau 1971.

+Moberg, Carl-Allan, * 5. 6. 1896 zu Östersund (Jämtland).
1961 wurde M. an der Universität Uppsala emeritiert; die Svensk tidskrift för musikforskning (STMf) redigierte er bis 1960 (Jg. XLII). Er war 1960–64 Präsident der Kungl. Musikaliska akademien in Stockholm. Zu seinem 65. Geburtstag wurde er mit einer Festschrift geehrt (Studier tillägnade C.-A. M., = STMf XLIII, 1961, mit Schriftenverz. von M.Tegen). Verstreute Aufsätze erschienen gesammelt als Studien zur schwedischen Volksmusik (Acta Universitatis Upsaliensis, Studia musicologica Upsaliensia, N. S. V, Uppsala 1971). – Neuere Veröffentlichungen: +Från kyrko- och hovmusik till offentlig konsert (1942), Nachdr. = ebd. IV, 1970; Kühreihen, Lobetanz und Galder (DJbMw III, 1958, auch in: In memoriam J.Handschin, Straßburg 1962); Gregorianische Reflexionen (in: Miscelánea ..., Fs. H. Anglés II, Barcelona 1958–61); Äkthetsfrågor i Mozarts Rekviem (Uppsala universitets årsskrift 1960, mit deutscher Zusammenfassung); Zur Melodiegeschichte des Pange-lingua-Hymnus (Jb. für Liturgik und Hymnologie V, 1960); Die hl.Birgitta von Schweden und die Musik (Fs. K.G.Fellerer, Regensburg 1962, schwedisch in: Svenskt gudstjänstliv XL, 1965, S. 3ff.); Fistula und Fidhla. Zur Kritik altschwedischer Musiknotizen (Fs. E.Schenk, = StMw XXV, Wien 1962); V.Albrici und das Kirchenkonzert (in: Natalicia musicologica, Fs. Kn.Jeppesen, Kopenhagen 1962); V.Albrici ..., Eine biographische Skizze mit besonderer Berücksichtigung seiner schwedischen Zeit (Fs. Fr.Blume, Kassel 1963); Breviariehymn och laudasång (Fs. O.Gurvin, Oslo 1968); Porträt av Bach (mit I.Bengtsson und B.Hambraeus, Stockholm 1968); Musikens historia i Västerlandet intill 1600 (ebd. 1973). Er edierte (mit J.O.Rudén) Drei Vokalwerke (von G. Düben, O.Rudbeck und L.Dijkman) der schwedischen Großmachtepoche (= Monumenta musicae Sveciae V, Stockholm 1968).

+Mocquereau, Dom André, 1849–1930.
Das von M. in der »+Paléographie musicale« (→Denkmäler, Frankreich 2) herausgegebene Cantatorium de St-Gall (Serie II, Bd 2, Tournai 1924) erschien als Nachdr. Bern 1968.
Lit.: A. LE GUENNANT, J. JEANNETAU bzw. J. CLAIRE in: Rev. grégorienne XXXIV, 1955, S. 7ff.; P. COMBE, Hist. de la restauration du chant grégorien d'après des documents inéd., Solesmes 1969.

+Modern Jazz Quartet.
Connie Kay, * [erg.: 27. 4.] 1927 zu Tuckahoe (N. Y.). – Ab 1960 machte das M. J. Qu. vor allem für die Schallplattenfirmen Atlantic und Philips mehrere Einspielungen (auch Neueinspielungen älterer Titel). Aus dem Konzertmitschnitt (für Atlantic) des 1960 in Kopenhagen veranstalteten »European Concert« wurden u. a. Bluesology, I Remember Clifford und Festival Sketch bekannt. 1972 entstand die Einspielung (für Atlantic) The Legendary Profile. Auch zahlreiche Komponisten (u. a. W. Heider, A.Hodeir und G.Schuller) widmeten dem M. J. Qu. Werke.
Lit.: J. GR. JEPSEN, M. Jackson, Kopenhagen 1957 (Diskographie); R. WILBRAHAM, M. Jackson, London 1968 (Diskographie). – K. GOODWIN, M. »Bags« Jackson, Jazz Journal X, 1957; M. HARRISON, Looking Back at the M. J. Qu., in: The Art of Jazz, hrsg. v. M. T. Williams, NY 1959 u. 1960, auch = Jazz Book Club XXXV, London 1960 u. 1962; B. GREEN in: These Jazzmen of Our

Time, hrsg. v. R. Horricks, = ebd. XXVII, 1960, S. 122ff. (zu J. Lewis); N. HENTOFF, J. Lewis, NY 1960; J. GOLDBERG, Jazz Masters of the Fifties, = Jazz Masters I, NY u. London 1965; A. MATZNER u. I. WASSERBERGER in: Jazzové profily, Prag 1969, S. 252ff. (zu J. Lewis); M. T. WILLIAMS, J. Lewis and the M. J. Qu., Modern Conservative, in: The Jazz Tradition, NY 1970 (mit Bibliogr.).

+Moderne, Jacques, [erg.:] Ende 15. Jh. – um 1561 [del.: nach 1551].
M. ist etwa ab 1523 bis um 1561 in Lyon als Buchhändler und Buchdrucker nachweisbar.
Lit.: O. MISCHIATI, Tornano alla luce i ricercari della »Musica nova« del 1540, in: L'org. II, 1961; J. VIAL, Un imprimeur lyonnais méconnu, Gutenberg-Jb. XXXVII, 1962; S. FR. POGUE, J. M., Lyons Music Printer of the 16th Cent., = Travaux d'Humanisme et Renaissance CI, Genf 1969 (mit Verz. d. Ed. M.s); D. CRAWFORD, Reflections on Some Masses from the Press of M., MQ LVIII, 1972.

Modrone, Luchino Visconti, Conte di → Visconti, L.

Modugno (mod'u:ɲo), Domenico, * 9. 1. 1928 zu Polignano a Mare (Sizilien); italienischer Schlagerkomponist und -sänger, war zunächst Filmschauspieler, trat dann (nach einer Rolle als Balladensänger) mit eigenen Liedern im sizilianischen Dialekt im italienischen Rundfunk hervor (*La donna riccia*). Er erzielte Welterfolge (nach jeweils ersten Preisen beim Schlagerfestival in San Remo) mit *Volare* (*Nel blu, dipinto di blu*, 1958) und *Piove* (1959).

+Moeck, Hermann, * 9. 7. 1896 zu Elbing (Ostpreußen) [nicht: Lüneburg].
M., der den Verlag 1930 [nicht: 1925] gründete, schied 1960 aus der Firma aus; seitdem ist sein Sohn Hermann Alexander M. (* 16. 8. 1922 zu Lüneburg [nicht: Celle]) Alleininhaber (Firmierung seit 1966 als Moeck Verlag + Musikinstrumentenwerk). Neben dem Ausbau einer Orchesterabteilung mit Werken moderner Musik wurde 1964 unter Mitarbeit von O. → Steinkopf die Herstellung von Holzblasinstrumenten der Renaissance- und Barockzeit aufgenommen. Die früher firmeneigene Musikinstrumentensammlung befindet sich heute im Besitz der Universität Göttingen. – H. M.s (jun.) Dissertation *+Ursprung und Tradition der Kernspaltflöten* ... (2 Bde, 1951 [nicht: gedruckt Lpz. 1956], vgl. hierzu auch *Die skandinavischen Kernspaltflöten in Vorzeit und Tradition der Folklore,* STMf XXXVI, 1954) erschien gekürzt als *Typen europäischer Kernspaltflöten* (in: Studia instrumentorum musicae popularis I, hrsg. von E. Stockmann, = Musikhistoriska museets skrifter III, Stockholm 1969, auch separat als *Typen europäischer Blockflöten,* Celle 1967).

+Mödl, Martha, * 22. 3. 1912 [nicht: 1913] zu Nürnberg.
M. M., Württembergische und Österreichische Kammersängerin, gehörte ab Beginn der 50er Jahre auch dem Ensemble der Wiener Staatsoper an. In den letzten Jahren sang sie ständig an führenden Opernhäusern Europas (Bayerische Staatsoper, Deutsche Oper Berlin, Covent Garden Opera, La Scala) und der USA (Metropolitan Opera). Wie zu Beginn ihrer Karriere bevorzugt sie neuerdings Mezzosopranpartien (u. a. Klytämnestra in R. Strauss' *Elektra*).
Lit.: W. E. SCHÄFER, M. M. (mit einem Beitr. v. Wieland Wagner), Velber bei Hannover 1967 (mit Diskographie v. M.-W. Reinecke v. Fromberg).

Möhrenschlager, Theo (Pseudonym Theo Möhrens), * 16. 3. 1917 zu Wiesbaden; deutscher Komponist und Dirigent, studierte an der Staatlichen Hochschule für Musik in München. Er wirkte 1947–49 als musikalischer

Leiter am Stadttheater Landshut, 1949–51 als Kapellmeister beim Südostbayerischen Städtebundtheater und dann freiberuflich als Komponist und Liedbegleiter. 1955–59 war er Dirigent am Münchner Singspielhaus und 1960–62 am Theater in der Briennerstraße in München. Seit 1964 ist er musikalischer Leiter der Bayerischen Opernbühne und der Münchner Märchenbühne. Außer einer Reihe von Bühnenmusiken, einer Bearbeitung von Johann Strauß' *Eine Nacht in Venedig,* dem Musical *Liebe, Mode und Ganoven* (Text Ludwig Bender) komponierte M. zahlreiche Unterhaltungsmusikstücke. Zu seinen bekanntesten Titeln gehören (Textautoren in Klammern): *Weißer Holunder* (Edy Ernst); *Blauer Himmel, weiße Wolken* (Ernst); *Presto, presto* (S. Walter); *Blauer Enzian* (Ernst).

+Mölders, Johannes [erg.:] Baptist, 1881 – 29. [nicht: 16./17.] 6. 1943.
Er war ab 1932 auch Leiter der Abteilung für katholische Kirchenmusik an der Kölner Musikhochschule.
Lit.: E. WEISS in: Rheinische Musiker VII, hrsg. v. D. Kämper, = Beitr. zur rhein. Mg. XCVII, Köln 1972, S. 86ff.

+Möller, Heinrich, 1876–1958.
Lit.: H. R. JUNG in: Musica X, 1956, S. 422f.

+Max Möller N. V.
Paul Max M., [erg.:] 26. 8. 1875 zu Markneukirchen (Sachsen) – 22. 1. 1948 [nicht: 1947] zu Amsterdam. – Neben Guillaume Max M. (* 8. 5. 1915 zu Amsterdam) arbeitet jetzt auch sein Sohn Berend-Max (* 8. 4. 1944 zu Amsterdam) in der Geigenbauwerkstatt mit. Die Zeitschrift +»Violins & Violinists« erschien bis 1960.

+Der Mönch von Salzburg, 14./15. Jh.
Die frühere Vermutung einer Identität mit dem Abt Johannes Rossess II. oder dem Prior Hermann scheint nunmehr unwahrscheinlich (vgl. Spechtler, 1963); sein Wirken kann jedoch während der Amtszeit (1365–96) des Salzburger Erzbischofs Pilgrim II. vermutet werden. – Insgesamt sind 107 weltliche und geistliche Lieder nachweisbar (davon 84 in der Mondsee-Wiener Liederhandschrift und 2 im Lochamer Liederbuch [del. frühere Angaben dazu]).
Ausg.: +Die Sangesweisen d. Colmarer Hs. (P. RUNGE, 1896), Nachdr. Hildesheim 1965. – 10 Lieder in: H. MOSER u. J. MÜLLER-BLATTAU, Deutsche Lieder d. MA, Stuttgart 1968.
Lit.: R. WH. LINKER, Music of the Minnesinger and Early Meistersinger. A Bibliogr., = Univ. of North Carolina Studies in the Germanic Languages and Lit. XXXII, Chapel Hill (N. C.) 1962. – J. SCHABASSER, Der M. v. S. in seinen geistlichen Liedern, 2 Bde, Diss. Wien 1936; H. NOACK, Der M. v. S., Diss. Breslau 1941; FR. V. SPECHTLER, Eine bisher unbekannte Hs. d. M.s v. S., Mitt. d. Ges. f. Salzburger Landeskunde CII, 1962; DERS., Der M. v. S., Untersuchung über Hss., Gesch., Gestalt u. Werk ... als Grundlegung einer textkritischen Ausg., Diss. Innsbruck 1963; DERS., Der M. v. S. u. O. v. Wolkenstein in d. Hss., DVjs. XL, 1966; E. HINTERMAIER, Die mehrstimmigen Lieder d. M.s v. S., ÖMZ XXV, 1970; W. RÖLL, Zur Überlieferung d. Lieder d. M.s v. S., Zs. f. deutsches Altertum u. deutsche Lit. XCIX, 1970.

Mönkemeyer, Helmut, * 26. 9. 1905 zu Göttingen; deutscher Hornist und Musikpädagoge, studierte ab 1924 an der Hochschule für Musik in Berlin bei Gmeindl, P. Hindemith, Schünemann, Seiffert und C. Sachs und wurde 1929 Solohornist des Rheinisch-Westfälischen Symphonie-Orchesters in Oberhausen. Er wirkte 1930–34 als Orchesterleiter und Musikerzieher in Oberhausen und leitete 1934–70 die Musikschule der Stadt Krefeld (1959 Direktor). M. veröffentlichte Schul- und Kammermusikwerke, u. a. (Erscheinungsort, wenn nicht anders angegeben, Celle):

Das Spiel auf der Sopran-Blockflöte (1937, [37]1973); *Handleitung für das Spiel der Alt-Blockflöte* (2 Teile, 1937, [30]1973, auch dänisch, schwedisch, norwegisch, nld., frz., span. und ital.); *Krefelder Liederbuch* (1937); *Schule für Sopran-Gambe* (1938, [41]1971); *Schule für Alt-Tenor-Gambe* (1938, [51]1972); *Schule für Tenor-Baß-Gambe* (1938, [61]1971); *Das Spiel auf der Baß-Blockflöte* (1940, [71]1971); *Grundlehre der Musik* (1951); *Antiqua Chorbuch* (10 H., Mainz 1951); *Die Quintfiedel* (4 H., 1952, [61]1971); ferner die Reihen *Consortium* (Wilhelmshaven 1959ff., bisher 42 H.), *Wir spielen Gitarre* (Rodenkirchen/Rhein 1959ff., bisher 14 H.), *Musica instrumentalis* (Zürich 1960ff., bisher 12 H.), *Der Bläserchor* (1965ff., bisher 17 H.) und *Die Tabulatur* (Hofheim a. Ts. 1965ff., bisher 14 H.).

Gebrüder Mönnig KG, Holzblasinstrumente, Markneukirchen (Vogtland), gegründet 1875 als Handwerksbetrieb. 1906 erfolgte die Firmeneintragung in das Handelsregister durch die Gebrüder M. Die Firma wird gegenwärtig geleitet von Willi M.

+Moeran, Ernest John, 1894–1950.
Lit.: S. A. WILD, E. J. M., an Assessment, M. A.-Thesis Univ. of Western Australia 1967; G. COCKSHOTT, Warlock and M., in: Composer 1969, Nr 33; V. L. YENNE, Three 20th Cent. Engl. Song Composers. P. Warlock, E. J. M. and J. Ireland, Diss. (Music) Univ. of Illinois 1969.

Mörike, Eduard Friedrich, * 8. 9. 1804 zu Ludwigsburg, † 4. 6. 1875 zu Stuttgart; deutscher Dichter, absolvierte 1826 sein theologisches Examen am Tübinger Stift und wurde nach achtjähriger Vikariatszeit, während der er vergeblich als Schriftsteller Fuß zu fassen suchte, Pfarrer in Cleversulzbach. Bereits 1843 pensioniert, lebte er u. a. in Bad Mergentheim, Stuttgart, Lorch und Nürtingen. M. hat weder Musiktheorie systematisch betrieben noch ein Instrument gespielt, doch hat die Vorliebe für Mozart von Jugend an sein Denken und Fühlen beeinflußt. 1824 sah er in Stuttgart erstmals dessen Oper *Don Giovanni*, die für ihn zum Inbegriff der Oper wurde, zumal sich der Eindruck der Aufführung mit anderen persönlichen Erlebnissen nachhaltig verband (Begegnung mit Maria Meyer, seiner »Peregrina«, 1823). M.s Verhältnis zu Mozart schlug sich, zwar subjektiv gefärbt, aber in genialer poetischer Verdichtung in der Novelle *Mozart auf der Reise nach Prag* (1855) nieder. Neben Mozart und Händel kannte er auch die Musik von Gluck, J. Haydn, Beethoven, Rossini, Mendelssohn Bartholdy, Spohr, C. Kreutzer u. a. – I. Lachner komponierte auf einen Text M.s die Oper *Die Regenbrüder* (Stuttgart 1839), Lindpaintner die *Kantate bei Enthüllung der Statue Schillers* (1839); das ländliche Singspiel *Ein Fest im Gebirge* blieb unvertont, der Opernplan *Ahasver* unvollendet. Außerordentlich stark hat M. mit seiner Lyrik das kompositorische Schaffen angeregt. Hetsch vertonte u. a. 4, M.s Bruder Karl 2 Lieder aus dem Roman *Maler Nolten*. Die fruchtbarsten M.-Komponisten sind H. Wolf (nach verschiedenen Liedern wie *Mausfallensprüchlein* u. a. der Zyklus *Gedichte von E. M.*, 1888: 53 Lieder, davon 13 orchestriert, 1889–91), H. Distler (*M.-Chorliederbuch* op. 19: 48 Lieder) und Schoeck (aus op. 7, 14, 15, 17, 31 und 51; Zyklus *Das holde Bescheiden* op. 62: 36 Lieder); zu nennen sind ferner Liedkompositionen von Brahms (aus op. 19, 59 und 61 [Duett]), M. Bruch (aus op. 59 und 60), R. Franz (op. 27 Nr 1–6, aus op. 28 und 3 Chorlieder op. 53), Pfitzner (aus *6 Jugendlieder* und aus op. 30), Reger (aus op. 62 und 70; *Er ist's* für Frauenchor op. 111) und R. Schumann (aus op. 59, 64, 67, 79, 89, 91, 107 und 125).
Ausg.: Sämtliche Werke, hrsg. v. R. KRAUSS, 6 Bde, Lpz. 1905, [21]1909, Nachdr. 1922; Sämtliche Werke [u.] Briefe,

hrsg. v. G. BAUMANN u. S. GROSSE, 3 Bde, Stuttgart 1954–59; Sämtliche Werke, mit Nachwort, Anm. usw. hrsg. v. B. v. WIESE u. H. UNGER, 2 Bde, München 1967–70; Werke u. Briefe, Hist.-kritische GA, hrsg. v. H.-H. KRUMMACHER, H. MEYER u. B. ZELLER, Stuttgart 1967ff. – Briefe, hrsg. v. FR. SEEBASS, Tübingen 1939; Unveröff. Briefe, hrsg. v. DEMS., Stuttgart 1941, [2]1945.
Lit.: B. GUGLER, E. M., AmZ 1875, Nr 43–44 (wiederabgedruckt in: M. Koschlig, M. ..., 1954 [s. u.]); R. KRAUSS, E. M. u. seine Komponisten, Neue Musikzeitung XXV, 1904; D. F. HEILMANN, M.s Lyrik u. d. Volkslied, = Berliner Beitr. zur germanistischen u. romanistischen Philologie XLVII, Germanistische Abt. XXXIV, Bln 1913; G. MÜLLER, Gesch. d. deutschen Liedes v. Zeitalter d. Barock bis zur Gegenwart. Gesch. d. deutschen Liedes II, = Gesch. d. deutschen Lit. nach Gattungen III, München 1925, Nachdr. Darmstadt 1959; B. SEUFFERT, M.s Nolten u. Mozart, Graz 1925; V. O. LUDWIG, E. M. in d. Lyrik H. Wolfs, Wien 1930; TR. ROSENTHAL, Le rôle du monde extérieur dans les deux principaux récits en prose de M., Thesis Paris 1935; S. GOSLICH, Beitr. zur Gesch. d. deutschen romantischen Oper zwischen Spohrs »Faust« u. Wagners »Lohengrin«, = Schriftenreihe d. Staatl. Inst. f. Deutsche Musikforschung I, Lpz. 1937; W. LEGGE, H. Wolf's Afterthoughts on His M. Lieder, MR II, 1941; A. TAUSCHE, H. Wolfs M.-Lieder, Wien 1947; J. HOSKAM KNEISEL, M. and Music, Diss. Columbia Univ. (N. Y.) 1949 (mit fast vollständigem Verz. d. M.-Vertonungen); R. PIRKEL-LEUWER, Die M.-Lyrik in ihren Vertonungen, Diss. Bonn 1953; M. KOSCHLIG, M. in seiner Welt, = Veröff. d. Deutschen Schiller-Ges. XX, Stuttgart 1954; K. K. POLHEIM, Der künstlerische Aufbau in M.s Mozart-Novelle, in: Euphorion XLVIII, 1954; FR. SIEBURG, Wo ist d. Musik? Die Größe d. Dichters M., in: Die Gegenwart IX, 1954; F. H. MAUTNER, M.s »Mozart. Reise nach Prag«, Krefeld 1957; C. HEINEN, Der sprachliche u. mus. Rhythmus im Kunstlied. Vergleichende Untersuchung einer Ausw. v. M.-Vertonungen, Diss. Köln 1958; R. B. FARRELL, M., Mozart auf d. Reise nach Prag, = Studies in German Lit. III, London 1960; S. S. PRAWER, M. u. seine Leser. Versuch einer Wirkungsgesch., mit einer M.-Bibliogr. u. Verz. d. wichtigsten Vertonungen, = Veröff. d. Deutschen Schiller-Ges. XXIII, Stuttgart 1960; R. M. TSCHERPEL, Die rhythmisch-melodische Ausdrucksdynamik in d. Sprache E. M.s, Diss. Tübingen 1964; G. STORZ, E. M., Stuttgart 1967; H. UNGER, M., Kommentar zu seinen Werken, München 1970; H. E. HOLTHUSEN, E. M. in Selbstzeugnissen u. Bilddokumenten, = rowohlts monographien CLXXV, Reinbek bei Hbg 1971.
KDG

+Moeschinger, Albert, * 10. 1. 1897 zu Basel.
M.s +*Violinkonzert* op. 40 entstand bereits 1935 (revidiert 1949); er schrieb 6 [nicht: 4] +*Streichquartette* (1922–40) und mittlerweile 6 +*Bläsertrios* (1950–60); +*Visions du moyen-âge* für T., Klar. und Streicher [nicht: Bar. und Orch.] op. 52 (1940); +*Missa in honorem Sancti Theoduli* für gem. Chor und Org. [nicht: Orch.] – Weitere Werke: *Ballade symphonique* op. 82 (1957), *Impromptu* op. 88 (1959), 5. Symphonie op. 89 (1960), *Extra muros* für Holz- und Blechbläser, Harfen, Kl. und Schlagzeug op. 97 (1964), Ballet de concert *Ignis divinus* op. 101 (1966), *Sarcasmes* (1967), *Erratique* (1969), *On ne traverse pas la nuit* (1970) und *Tres Caprichos* (1972) für Orch.; *Consort for Strings* op. 99 (1965), *Concerto lyrique* für Sax. und Orch. op. 83 (1958), *Fantaisie concertante* für Fl., Klar., Fag. und Orch. op. 95 (1963), 4. Klavierkonzert op. 96 (1964), *Toccata cromatica* für Kl., Holz-, Blechbläser und Schlagzeug op. 100 (1965), 5. Klavierkonzert (1970); Oktett (»Huit soldats armés d'instruments«) für 4 Holzbläser und Streichquartett (1971), *Concert en sextuor* für Kl. und Streicher op. 91 (1961), *Conversazioni* für Fl., Klar., Fag., V., Vc. und Hf. op. 93 (1963), Klavierquintett *Musique pour cinq* op. 86 (1959), *Images* für Fl., V., Sax. und Vc. op. 85 (1958), *Divertimento* für 2 V. und Cemb. op. 84

(1958, auch als Kammerkonzert für Cemb. und kleines Orch., 1966), Klarinettensonate op. 87 (1959), Sonatine für Fl. und Kl. (1968), *Poésies perdues* op. 90 (1960) und *Sonata disinvolta* op. 98 (1964) für Vc. und Kl., Duo für 2 Fl. (1968); *Implacable* (1968) und *Eglogue, variations et toccata* (1969) für Kl., Suite für 2 Kl. 4händig op. 81 (1957); Kantate *Miracles de l'enfance* für Mezzo-S., 2 Fl., 2 Klar., Ob., Hf., Kb. und Schlagzeug op. 92 (1961), *Labyrinth* für 3 Frauen-St. und Orch. op. 94 (Dante, 1963).
Lit.: E. MOHR in: SMZ XCIII, 1953, S. 153ff.; W. SCHUH, A. M.s »Sinfonie Nr. 5«. Mit einem Briefwechsel zwischen Komponist u. Kritiker, SMZ CI, 1961; H. OESCH in: SMZ CVIII, 1967, S. 2ff. (mit Werkverz., sowie Veröff. einer »Petite danse macabre« f. Kl., vgl. dazu auch ebd. S. 95 u. 158f.); DERS., A. M.s Briefwechsel mit Th. Mann, SMZ CXII, 1972.

+Möseler Verlag.
Der Verlag führt sich nicht auf den Holleschen Musikverlag zurück, sondern auf den 1821 in Wolfenbüttel gegründeten Verlag von C. Ph. H. Hartmann (1797–1840), der dann ab 1837 (ab 1850 in Alleininhaberschaft) von Louis (Ludwig) Holle (1817–95) weitergeführt wurde. – Besitzer und Leiter des Unternehmens ist weiterhin Karl Heinrich M. (* 11. 1. 1912 zu Hildesheim). An wissenschaftlichen Editionsreihen wurden, neben der M.→+Praetorius-GA, neu aufgelegt die fortgeführt die →+Senfl-GA, +*Das Chorwerk* (bis 1972 in 115 H.) und die »Werkreihe für Kammerorchester« +*Corona* (über 110 H.). Neu aufgebaute Verlagsreihen sind u. a. die »Werkreihe für Blasmusik« *Aulós* (65 H.) sowie die von H. Martens und R. Münnich begründeten *Beiträge zur Schulmusik* (hrsg. von W. Drangmeister und H. Rauhe, 26 Bde) und dazu die Beispielsammlung *Musikalische Formen in historischen Reihen* (begründet von H. Martens, neubearb. mit dens., 17 Bde). Der Verlagskatalog umfaßt ferner verschiedene, jeweils mehrbändige Musik-Schulbücher, Orchester-, Kammermusik- und Chorwerke, auch eine Anzahl musikgeschichtlicher Buchtitel, ferner weiterhin zahlreiche Liederbücher und -blätter (*Lose Blätter*). 1961 erweiterte der Verlag seine Tätigkeit um eine Schallplattenproduktion (Label *Camerata*). Die Publikation von Zeitschriften (+*Kontakte*, +*Pro musica*) wurde 1969 eingestellt; auch ein Vertrieb von Musikinstrumenten findet nicht mehr statt.
Lit.: H.-M. PLESSKE, Bibliogr. d. Schrifttums zur Gesch. deutscher u. österreichischer Musikverlage, in: Beitr. zur Gesch. d. Buchwesens, hrsg. v. K.-H. Kalhöfer u. H. Rötzsch, Bd III, Lpz. 1968.

Moesser, Peter (Pseudonym Günter Lex), * 25. 9. 1915 zu Wilhelmshaven; deutscher Komponist und Textdichter von Schlagern, lebt freischaffend in Ascona. Er studierte Musik in seiner Heimatstadt und an der Akademie der Tonkunst in München, war während des Krieges in Kabaretts tätig, unternahm Tourneen und wurde 1945 Inhaber einer Gastspieldirektion. 1948–52 wirkte er als Synchron-Drehbuchautor und Regisseur und hatte ab 1953 erste Erfolge als Schlagerkomponist. Er schrieb u. a. Text und Musik zu *Morgen* (1959).

Moevs (møvz), Robert Walter, * 2. 12. 1920 zu La Crosse (Wis.); amerikanischer Komponist, Absolvent der Harvard University in Cambridge/Mass. (A. B. 1942, A. M. 1952), studierte am Pariser Conservatoire bei Nadia Boulanger (1947–51) und war 1952–55 Rompreisträger der American Academy in Rom. Er war 1955–63 Instructor und Assistant Professor in Music an der Harvard University und ist heute Professor of Music an der Rutgers University in New Brunswick (N.

J.). – Werke (Auswahl): Ouvertüre für Orch. (1950); 14 Variationen für Orch. (1952); *Three Symphonic Pieces* für Orch. (1955); *Musica da camera* für Kammerorch. (1968); Konzert für Kl., Orch. und Schlagzeug (1960); *In festivitate* für Bläser und Schlagzeug (1962); Streichquartett (1967); *Variazioni sopra una melodia* für Va und Vc. (1967); Duo für Ob. und Englisch Horn (1957); *Pan* für Fl. solo (1951); *Fanfara canonica* für 6 Herold-Trp. (1966); Sonate (1951) und *Fantasia sopra un motivo* (1952) für Kl.; *Et occidentem illustra* für Chor und Orch. (1967); *Cantata sacra* für Bar., Männerchor, Fl., 4 Pos. und Pk. (lateinischer Text aus der Osterliturgie, 1952); *Attis* für T., gem. Chor, Schlagzeug und Orch. (1958); ferner a cappella-Chöre (*The Bacchantes*, 1947; *Ave maria*, 1966; *Itaque ut*, 1967) und Stücke für Gesang und Kl. (*Youthful Song*, 1952).
Lit.: BR. ARCHIBALD, Composers of Importance Today, R. M., Diss. Temple Univ. (Pa.) 1971.

+Moffat, Alfred Edward, 1863 [nicht: 1866] – 1950.

Moffo, Anna, * 27. 6. 1932 zu Wayne (Pa.); amerikanische Sängerin (lyrischer Sopran) italienischer Herkunft, studierte Philologie und Literaturgeschichte an der University of Pennsylvania in Philadelphia (M. A.) sowie Musik am Curtis Institute of Music und vervollkommnete ihr Studium in Italien. Sie debütierte 1955 als Norina (*Don Pasquale*) in Spoleto, sang 1957 bei den Salzburger Festspielen und in Chicago und trat 1957 zum ersten Male an der Metropolitan Opera in New York, 1958 an der Mailänder Scala und 1960 in San Francisco auf. Gastspiele führten sie auch u. a. an die Staatsopern in Wien und München und die Pariser Opéra. Zu ihren Hauptpartien zählen Lucia di Lammermoor, Violetta, Gilda und Mimi. Sie tritt in eigenen Fernsehshows auf und wirkte in einer Reihe von Musik- und Spielfilmen mit.

+Mohaupt, Richard, 1904–57.
Berichtigungen und Ergänzungen zum früheren Werkverzeichnis: die Oper *Die Wirtin von Pinsk* (nach Goldoni, Dresden 1938, Neufassung Bln 1956); die Ballette *Lysistrata* für Soli, Chor und Orch. (1941, daraus *Choreographische Episoden* für Orch., 1946, Neufassung als *Der Weiberstreik von Athen* für Orch., 1955) und *Max und Moritz* (1945, Fassung für Sprecher und Orch. 1946); *Drei Episoden* (1938), *Stadtpfeifermusik* (1939, auch für Blasorch., 1953), Symphonie *Rhythmus und Variationen* (1940), Konzert (1942) und *Offenbachiana* (1955) für Orch.; *Banchetto musicale* für 12 Soloinstr. und Orch. (1955); dramatische Kantate *Das goldene Byzanz* für Chor und Instrumentalensemble (1954); *Bucolica* für 4 Soli, Chor und Orch. (1955) sowie die Kinderoper *Boleslaw der Schamhafte* und eine Ballettsuite *Mademoiselle Angot* für Orch. (nach Ch. Lecocq, 1945, auch für Bläser, 1951).

+Mohler, Philipp [erg.:] Heinrich, * 26. 11. 1908 zu Kaiserslautern.
M., dessen kompositorisches Schaffen gleichermaßen anspruchsvolle Musik für den Konzertsaal wie Musik auch für Laien umfaßt [del. frühere Charakterisierung], ist weiterhin Direktor (ab 1971 Rektor) der Frankfurter Musikhochschule. – Weitere Werke: Klavierkonzert op. 16 (1937); 2 Humoresken op. 26 (1945), Konzertwalzer op. 26c (1948) und *La Quarta* op. 37 (1957) für Akkordeon; 2 Canzonen für Org. op. 17 (1940–46); Kantaten *Vergangen ist die Nacht* für Jugend- oder Frauenchor, Fl. und Streichorch. op. 23 (1942), *Viva la musica* für S. (oder T.), Männerchor (oder gem. Chor), Streichorch. und 3 Trp. (bzw. großes Orch.) op. 41 (1960) und *Laetare* für hohe Solo-St., Männer-

chor (Knaben- oder Massenchor ad libitum) und Orch. op. 43 (nach C.Zuckmayer, 1968). Lit.: CHR. ENGELBRECHT in: Der Chor X, 1958, S. 185ff.; G. SCHWEIZER in: Das Orch. XVII, 1969, S. 16f.

Moholy-Nagy (m'əhəjnəd̥), László, * 20. 7. 1895 zu Bácsborsod, † 24. 11. 1946 zu Chicago; ungarischer Maler, Typograph und Designer, war am Bauhaus in Weimar und Dessau 1923–28 Leiter des Vorkurses und setzte sich, angeregt durch → Schlemmers Theaterexperimente, mit Bühnenproblemen auseinander (*Theater, Zirkus, Varieté*, in: Die Bühne im Bauhaus, hrsg. von W.Gropius, = Bauhausbücher I, 4, Dessau 1925). Er stattete für die Berliner Krolloper »Hoffmanns Erzählungen« (1929), *Hin und zurück* von P.Hindemith (1930) und »Madame Butterfly« (1931) aus. – M.-N. gehört zu den wichtigen Anregern heutiger Szenengestaltung (→ Svoboda). Er definiert die Bühne als synästhetisch aktivierten Raum, der funktionales Medium zur Verdeutlichung stückimmanenter Struktur und zugleich formal autonomer Ausdruck szenischer Beziehungen ist; konstruktivistische Klarheit, dynamisches Licht und vom Film beeinflußte Veränderbarkeit des Raumeindrucks rücken seine Bühnenbauten in die Nähe kinetischer Plastiken. Lit.: H. CURJEL, M.-N.s Arbeiten f. Berliner Bühnen, in: Bühnenbild u. bildende Kunst, Ausstellungskat. Iserlohn 1959, u. in: O. Schlemmer u. d. abstrakte Bühne, Ausstellungskat. Zürich u. München 1961; DERS., M.-N. u. d. Theater, in: du XXIV, (Zürich) 1964; V. PTÁČKOVÁ, Tradice Bauhausu (»Die Tradition d. Bauhauses«), in: Divadlo XVI, 1965; Bauhaus, Ausstellungskat. Stuttgart 1968.

Mohr, Albert Richard, * 27. 12. 1911 zu Frankfurt am Main; deutscher Musikschriftsteller und Opernagent, studierte am Hoch'schen Konservatorium und an der Universität in Frankfurt a. M., wo er 1935–37 Assistent am Musikwissenschaftlichen Institut war. 1937–44 war er Dramaturg und Spielleiter am Opernhaus und Dozent an der Staatlichen Hochschule für Musik in Frankfurt a. M. 1946 wurde er Beauftragter der Bundesanstalt für Arbeit (Sektor Oper). 1970 erhielt er die Ernennung zum Professor of Music an der Southern Illinois University in Edwardsville. Zu seinen zahlreichen Auszeichnungen gehört auch der Dr. lit. hum. (Rom 1969). Von seinen in Frankfurt erschienenen Buchveröffentlichungen seien genannt: *Das Frankfurter Theater von der Wandertruppe zum Komödienhaus* (1967); *Das Frankfurter Mozart-Buch* (1968); *Die Römerberg-Festspiele Frankfurt am Main 1932–39* (1969); *Die Frankfurter Oper, 1924–44* (1971); *Die Frankfurter Singakademie 1922–72* (1972).

+Mohr, Ernst [erg.:] Werner, * 4. 3. 1902 zu Basel. Generalsekretär der Internationalen Gesellschaft für Musikwissenschaft war M. bis 1972. – *Das Werk W. Geisers* (in: Musica III, 1949 [nicht: *W.Geiser* ..., 1948]). – *Neuere Aufsätze: W.Geiser* (SMZ XCVII, 1957); *W.Müller von Kulms Weg als Musiker und Komponist* (SMZ C, 1960); *Zur Kompositionstechnik R.Kelterborns* (in: Musica XIV, 1960); *Zum Kompositionsstil von C.Beck* (SMZ CI, 1961); *R.Kelterborn. Analytische Hinweise zu seiner Missa für S., T., Chor und Orch.* (in: Musica XVI, 1962); *Über einige neue Werke von R.Kelterborn* (SMZ CII, 1962). Lit.: VL. FÉDOROV in: AMl XXXIV, 1962, S. 1ff., u. in: FAM IX, 1962, S. 34; FR. BLUME in: AMl XLIV, 1972, S. 29ff.; W. SCHUH in: SMZ CXII, 1972, S. 95.

Mohr, Gerhard, * 13. 10. 1901 zu Glatz (Schlesien); deutscher Komponist von Unterhaltungs-, Tanz- und Tonfilmmusik, studierte 1922–23 am Leipziger Konservatorium bei Graener und bildete sich dann autodidaktisch weiter. 1927–31 war er als Pianist und Saxo-

phonist in Berliner Tanzorchestern tätig. Außer zahlreichen Werken der gehobenen Unterhaltungsmusik (Suite *Mediterranea*, 1950) schrieb er ein Violoncellokonzert (1960), zahlreiche Arrangements sowie über 300 Tanzmusikstücke.

Mohr, Karel → +Moor, K.

Mohr, Wilhelm, * 3. 12. 1838 zu Münstereifel, † 25. 11. 1888 zu Obernigk (Schlesien); deutscher Musikkritiker, promovierte 1863 an der Bonner Universität mit der Dissertation *Observationes Sophocliae*, war dann Lehrer am Kölner Marzellengymnasium und wurde 1868 inoffizieller, 1869 hauptamtlicher Kritiker der »Kölnischen Zeitung«. Daneben war er Korrespondent mehrerer deutscher Musikzeitungen (»Neue Berliner Musikzeitung«, »Signale«). Er veröffentlichte u. a.: *R. Wagner und das Judentum* (Elberfeld 1869); *Das Gründertum in der Musik* (Köln 1872); *R. Wagner und das Kunstwerk der Zukunft* (ebd. 1876); *Köln in seiner Glanzzeit. Neue Forschungen* (ebd. 1885). Lit.: S. GROSSMANN-VENDREY, W. M., ein liberaler Kritiker v. Wagners »Ring«, in: R. Wagner, Werk u. Wirkung, hrsg. v. C. Dahlhaus, = Studien zur Mg. d. 19. Jh. XXVI, Regensburg 1971.

Mohr, Wilhelm, * 18. 2. 1904 zu Hamburg; deutscher Musikschriftsteller und Komponist, studierte in seiner Heimatstadt Klavier, Orgel, Musiktheorie und Komposition am Brahms-Konservatorium (Anton Penkert, Julius Spengel) und Musikwissenschaft an der Universität (Anschütz) sowie Rechtswissenschaft an den Universitäten in Tübingen, Kiel und Hamburg (Dr. jur. 1927). Er war 1929–33 Musikkritiker am »Hamburger Fremdenblatt« und lebt seit 1938 freischaffend in Falkenstein im Taunus. Seit 1965 ist er Präsident der H. Pfitzner-Gesellschaft. Er veröffentlichte u. a.: *C.Franck* (Stuttgart 1942, erweitert Tutzing ²1969); *Über Mischformen und Sonderbildungen der Variationsform* (Kgr.-Ber. Kassel 1962); *Über Mozarts Adagio in h-moll (KV 540)* (Acta Mozartiana IX, 1962); *Über Pfitzners Kammermusik* (Mitt. der H. Pfitzner-Gesellschaft 1965, Nr 13); *H.Pfitzners Liedschaffen* (ebd. 1965, Nr 14); *J.Brahms' formenschöpferische Originalität, dargestellt im ersten Satz seiner Violinsonate, op. 108, und seiner Rhapsodie, op. 79, Nr 2* (Kgr.-Ber. Lpz. 1966); *Händel als Bearbeiter eigener Werke. Dargestellt an fünf Orgelkonzerten* (Händel-Jb. XIII/XIV, 1967/68); *Die Klavierfassung von Beethovens Violinkonzert* (ÖMZ XXVII, 1972); *Hat Bach ein Oboe-d'amore-Konzert geschrieben?* (NZfM CXXXIII, 1972); ferner zahlreiche Bearbeitungen und Ausgaben von Werken des Barocks. Seine Kompositionen umfassen ein Concertino für Englisch Horn und Orch. (1960), Kammermusik (Streichquartett Es dur op. 1, 1939; Klaviertrio op. 5, 1950; Bläserquintett Fis moll op. 6, 1943; Klavierquintett C dur op. 13a, 1953), Klavierwerke (Sonate Fis moll für 2 Kl., 1947) und Vokalmusik (*Reformationskantate* für Soli, gem. Chor, Orch. und Org. op. 2, 1933; *Geistliche Abendmusik* für Soli, gem. Chor und Orch. op. 4, 1937; Lieder und Duette).

+Moiseiwitsch, Benno, * 10.(22.) 2. 1890 zu Odessa, [erg.:] † 9. 4. 1963 zu London. Seine frühere Frau, die Violinistin Daisy [erg.: Fowler] Kennedy ([erg.: verwitwete Drinkwater], * 16. 1. 1893 zu Burra Burra, South Australia), lebt heute in London. Lit.: M. MOISEIWITSCH, M., Biogr. of a Concert Pianist, London 1965.

Moissejew, Igor Alexandrowitsch, * 8.(21.) 1. 1906 zu Kiew; ukrainisch-sowjetischer Tänzer und Choreograph, absolvierte nach anfänglichem Privatunterricht

1924 die Ballettschule des Moskauer Bolschoj Teatr und trat in das Bolschoj-Ballett ein, dem er bis 1939 als Tänzer für klassische und demicaractère-Rollen angehörte. Er begann sich schon früh für Choreographie zu interessieren und brachte als seine ersten Ballette *Futbolist* (»Der Fußballspieler«, Musik Wiktor Oranskij, Moskau 1930), *Salambo* (»Salammbô«, A. Arends, ebd. 1932) und *Tri tolstjaka* (»Die drei Dicken«, Oranskij, ebd. 1935) zur Uraufführung, in denen schon klar seine Begabung für Humor und scharfe Satire und seine Fähigkeit, einprägsame Genreszenen zu gestalten, erkennbar waren. 1936 wurde er choreographischer Leiter am Theater für Volkskunst und gründete dann im folgenden Jahr das erste Volkstanzensemble der UdSSR, das er seitdem leitet und von seinen amateurhaften Anfängen zu seinem heutigen durchaus professionellen Niveau geführt hat. M. arbeitet zwar auf der Basis des Volkstanzes, reichert ihn aber in seinen Choreographien mit allen möglichen theatralischen Elementen an. Sein Vorbild hat die Gründung zahlreicher anderer, ähnlich orientierter Ensembles angeregt, doch hat kaum eine der jüngeren Truppen einen so weltweiten Erfolg erringen können wie das M.-Ensemble. 1958 choreographierte er A. Chatschaturjans *Spartak* (»Spartacus«) für die Inszenierung am Bolschoj Teatr.
Lit.: G. SORIA, Le ballet Moisseiev, Ensemble officiel de danses populaires de l'U. R. S. S., Paris 1955.

+**Mojsisovics**, [erg.: Ladislaus Anton Julius] Roderich, Edler von Mojsvár, 1877–1953.
Lit.: K. HAIDMAYER, R. v. M., Diss. Graz 1951.

+**Mokranjac**, Stevan [erg.:] Stojanović, 1856 – 28. [nicht: 29.] 9. 1914.
Zapisi narodnih melodija (»Aufzeichnungen von Volksmelodien«, hrsg. von St. Đurić-Klajn, = Muzikološki institut, Posebna izdanja XIII, Belgrad 1966.
Lit.: P. BINGULAC, St. M. i njegove »Rukoveti« (»St. M. u. seine ‚Rukoveti'«), in: Godišnjak Muzea grada Beograda III, 1956; P. KONJOVIĆ, St. St. M., = Bibl. portreti o. Nr, Belgrad 1956; M. ŽIVKOVIĆ, »Rukoveti« St. St. Mocranjca, ebd. 1957; I. I. MARTYNOW, St. M. i serbskaja musyka, Moskau 1958; VL. NIKOLOVSKI, Makedonski muzički folklor u kompozicionom tretmanu St. Mokranjca, in: Rad VII-og Kongresa saveza folklorista Jugoslavije u Ohridu 1960 godine, Ohrid 1964 (mit frz. Zusammenfassung); M. VUKDRAGOVIĆ in: Hudební rozhledy XVII, 1964, S. 714f.; VL. PERIČIĆ (mit D. Kostića u. D. Skovrana), Muzički stvaraoci u Srbiji (»Musikschöpfer in Serbien«), Belgrad 1969; N. MOSUSOVA, Uticaj folklornih elemenata na strukturu romantizma u srbskoj muzici (»Der Einfluß d. Folkloreelemente auf d. romantische Struktur in d. serbischen Musik«), Diss. Ljubljana 1970.

Mokranjac (m'ɔkranjats), Vasilije, * 11. 9. 1923 zu Belgrad; jugoslawischer Komponist, absolvierte als Schüler von Rajičić 1951 die Belgrader Musikakademie, an der er seit 1956 Komposition lehrt (1965 außerordentlicher Professor). Er schrieb Orchesterwerke (3 Symphonien, 1961, 1965 und 1967), Kammermusik (Streichquartett, 1950; *Platana*, Suite für 3 Fl., Hf., Vibraphon, Kl. und Celesta, 1965), Klavierwerke (Sonate, 1948; *Fragmenti*, »Fragmente«, 1954) sowie Bühnen- und Filmmusik.

Mokrý (m'ɔkri:), Ladislav, * 2. 6. 1932 zu Topolčany; slowakischer Musikforscher, promovierte 1955 an der Universität in Bratislava, wo er 1963 leitender Assistent des musikwissenschaftlichen Instituts der Akademie der Wissenschaften, Sekretär der musikwissenschaftlichen Sektion des slowakischen Komponistenverbands und Lehrer für Musikgeschichte an der Musikakademie wurde. Er schrieb u. a.: *Hudobná paleografia* (Bratislava 1957); *Pestrý sborník. Levočská tabulaturná kniha z konca 17. storočia* (»Der bunte Kodex.

Ein Leutschauer Tabulaturbuch vom Ende des 17. Jh.«, in: Hudobnovedné štúdie II, 1957); *Zu den Anfängen der Mehrstimmigkeit bei den Westslawen* (Chopin-Kgr.-Ber. Warschau 1960); *O hudební sociológii* (»Über Musiksoziologie«, in: Hudební věda XV, 1962); *Der Kanon zur Ehre des hl. Demetrius als Quelle für die Frühgeschichte des kirchenslavischen Gesanges* (in: Anfänge der slavischen Musik, = Slowakische Akademie der Wissenschaften, Institut für Musikwissenschaft, Symposia I, Bratislava 1966); *Počiatky hudobného baroka na Slovensku* (»Die Anfänge des musikalischen Barocks in der Slowakei«, in: Hudobnovedné štúdie VII, 1966); *Die musikalischen Interessen der Pubeszenten und deren Motivation* (in: Sborník prací filosofické fakulty brněnské university XVII, H 3, 1968). M. gab auch eine *Malá encyklopédia hudby* (»Kleine Musikenzyklopädie«, mit M. Jurík, Bratislava 1969) heraus.

+**Molck**, Johann Heinrich Conrad, 1798 – 22. [nicht: 23.] 12. 1875.
M. wirkte ab 1818 [nicht: 1820] in Peine. Sein gleichnamiger Neffe [nicht: Vetter] war Organist an der Marktkirche in Hannover [erg.:] ab 1855.
Ausg.: Eine Orgelreise im Jahre 1861, hrsg. v. FR. HAMANN, in: Der Kirchenmusiker XII, 1961.
Lit.: FR. HAMANN in: Mf XIV, 1961, S. 64f.

+**Moldenhauer**, Hans, * 13. 12. 1906 zu Mainz.
M. organisierte und leitete 1962 an der University of Washington in Seattle das First International Webern Festival. Zur gleichen Zeit wurde die Internationale Webern-Gesellschaft gegründet, deren Präsident er seitdem ist. – Das Moldenhauer Archive (»Music History from Primary Sources«) ist inzwischen auf mehr über 10 000 Autographen unter besonderer Berücksichtigung von Werken dieses Jahrhunderts angewachsen (z. T. jetzt im Besitz der Northwestern University/Ill.); bedeutender Bestandteil ist eine große Anzahl von M. entdeckter Manuskripte (auch Skizzen) von Kompositionen A. Weberns. – Neuere Veröffentlichungen (Auswahl): *The Death of A. Webern. A Drama in Documents* (NY 1961, deutsch von G. Sievers als *Der Tod A. v. Weberns*, Wiesbaden 1970); *A. v. Webern. Perspectives* (zusammengestellt von M., hrsg. von D. Irvine, Seattle/Wash. 1966, mit einleitendem Interview mit Strawinsky; enthält Kat. des Webern-Archivs); *A. v. Webern, Sketches (1926–45)* (Faks.-Ausg. mit Vorw. von M. und Kommentar von E. Krenek, NY 1968); *Busonis Kritik an Beethovens letzten Quartetten* (NZfM CXXI, 1960); *Das Webern-Archiv in Amerika* (ÖMZ XX, 1965); *P. A. Pisk and the Viennese Triumvirate* (in: Essays ..., Fs. P. A. Pisk, Austin/Tex. 1966); *A Webern Pilgrimage* (MT CIX, 1968); *Webern's Projected op. 32* (MT CXI, 1970); *A. v. Webern, Neue Sichten. Über einige posthume Werke* (ÖMZ XXVII, 1972).
Lit.: P. NETTL, H. M., Pionier d. Mw., Seine Slg in Spokane, Washington, Fs. A. Orel, Wien 1960; M. CL. L. HUTCHINSON, The Mus. and Lit. Mss. of F. Praeger (1815–91) in the M. Arch., Diss. Indiana Univ. 1969; D. L. ROBERTS, Music Hist. from Primary Sources. The M. Arch., in: Beitr. 1972/73 (Webern-Kgr.-Ber.).

Moleiro, Moisés, * 28. 3. 1905 zu Zaraza (Staat Guárico); venezolanischer Komponist, Pianist und Pädagoge, studierte ab 1924 Klavier an der Escuela de Música y Declamación bei Salvador N. Llamozas und debütierte 1927 als Konzertpianist. Er wurde 1938 Professor für Klavier an der Escuela Superior de Música in Caracas. M. komponierte Orchesterwerke und Chöre, vor allem aber Klaviermusik (5 Sonatinen; 3 Toccaten; *Estudio de concierto*; *2 danzas*; *Estampas del llano*).
Lit.: Werkverz. in: Compositores de América XIV, Washington (D. C.) 1968.

Moles (mɔl), Abraham André, * 19. 6. 1920 zu Paris; französischer Akustiker und Psychologe, studierte Physik und Mathematik (Dr. rer. nat.), Ästhetik und Psychologie (Dr. phil.) sowie Elektrotechnik. Er wirkte am Centre National de la Recherche Scientifique (Arbeiten über musikalische Instrumente, Saiten; Informationstheorie), war 1952–56 Mitarbeiter bei der Groupe de Recherche de Musique Concrète der ORTF (Entwicklung des Begriffs »Klangobjekte«) und hatte 1956–60 die wissenschaftliche Direktion des elektroakustischen Instituts Hermann Scherchen in Gravesano inne. 1960 wurde er Professor an der Straßburger Universität (Direktor des Instituts für Sozialpsychologie). – Veröffentlichungen (Auswahl): *Théorie de l'information et perception esthétique* (Paris 1958, ²1972, engl. Urbana/Ill. 1966, russ. Moskau 1966, ital. Rom 1969, port. Rio de Janeiro 1969, deutsch Köln 1971, span. Madrid 1972, ungarisch Budapest 1973); *Les musiques expérimentales* (Zürich, Brüssel und Paris 1960, span. Madrid 1966); *Art et ordinateur* (Tournai 1971, deutsch als *Kunst und Computer*, = dumont kunst-taschenbücher I, Köln 1973); *L'art du bonheur* (Paris 1971, deutsch als *Psychologie des Kitsches*, München 1972); ferner eine Reihe von Zeitschriftenbeiträgen, u. a. für RBM, RM, »Rev. d'esthétique«, »Rev. scientifique«, »Rev. du son« und »Gravesaner Blätter« (besonders über akustische und informationstheoretische Fragen).

+**Molière,** Jean-Baptiste, 1622–73.
Als neuere Vertonungen nach M. seien Fr. Martins *Monsieur de Pourceaugnac* (Genf 1963) und J. Pauers *Zdravý nemocný* (»Der eingebildete Kranke«, Prag 1970) genannt.
Ausg.: Œuvres complètes, hrsg. v. M. RAT, 2 Bde, = Bibl. de la Pléiade VIII–IX, Paris 1956; Théâtre complet, hrsg. v. R. JOUANNY, 2 Bde, = Classiques Garnier o. Nr, ebd. 1960.
Lit.: M. JURGENS u. E. M. MILLER, Cent ans de recherches sur M., sur sa famille et sur les comédies de sa troupe, Paris 1963. – L. GOSSMANN, Men and Masks. A Study of M., Baltimore (Md.) 1963; J. MEYER, M., Paris 1963; G. MANDER, J.-B. M., = Friedrichs Dramatiker d. Welttheaters XXXIX, Velber bei Hannover 1967; P. TINEL, M. et la musique, Bull. de la Classe des beaux-arts de l'Acad. Royale de Belgique XLIX, 1967; R. JASINSKI, M., = Connaissance des lettres o. Nr, Paris 1969; H. W. HITCHCOCK, Problèmes d'éd. de la musique de M.-A. Charpentier pour »Le malade imaginaire«, Rev. de musicol. LVIII, 1972; D. RIGOTTI, M. e l'opera, Rass. mus. Curci XXVI, 1973.

Molina, Antonio J., * 26. 12. 1894 zu Manila; philippinischer Komponist, Sohn von Juan M., dem Begründer des Molina-Orchesters, wirkte zunächst als Violoncellist in diesem Orchester und am Opernhaus Manila, wurde danach Kompositionsschüler von Nicanor Abelardo und schloß 1923 seine Studien ab. Er wurde 1926 Dozent und 1939 Professor am University of the Philippines Conservatory of Music in Manila; 1948 wurde er zum Direktor des Centro Escolar-Universitätskonservatoriums ernannt. Seine Kompositionen, die sowohl vom Impressionismus als auch von der philippinischen Folklore beeinflußt sind, umfassen u. a. 2 Streichquartette (1925), ein Klavierquintett (1927), ein Streichquintett in C (1929), ein Klavierquartett (1932), *The Living Word*, Weihnachtshymne für gem. Chor und Orch. (1936), ein Trio für V., Va und Kl. (1957), *Missa Antoniana* für Chor und Orch. (1964) und *Cantata of the Bells* (1970).

Molina, Olivia, * 3. 1. 1946 zu Kopenhagen; mexikanisch-deutsche Schlagersängerin und Bühnendarstellerin, studierte Musik in México (D. F.), gewann dort 1964 das »Jazz-Festival-México-City«, war 1967 Mit-

gründerin des ersten deutschen Frauenkabaretts »Kleines Renitenz-Theater« in Stuttgart und vervollkommnete ihre Ausbildung (Gesang, Schauspiel, Tanz) in Hamburg. Sie hat zahlreiche Lieder (darunter 20 auf eigene Texte) in Lateinamerika und Europa auf Schallplatte gesungen. Zu ihren bekannten deutschen Titeln zählen *Aber wie, Von heut auf morgen, Caminante* und *Die größte Manege der Welt.* O. M. tritt auch in Theaterrollen auf (Musical *Alexis Sorbas* von John Kander). 1973 bestritt sie ein Konzert mit dem Programm »Meine Lieder« bei den Hersfelder Festspielen, wo sie bereits 1972 die Rolle der Spelunken-Jenny in den Aufführungen von Weill-Brechts *Dreigroschenoper* übernommen hatte.

Molinari Pradẹlli, Francesco, * 6. 7. 1911 zu Bologna; italienischer Dirigent, begann sein Studium am Conservatorio Statale di Musica G. B. Martini in Bologna bei F. Ivaldi (Klavier) und C. Nordio (Komposition) und schloß es 1938 mit einem Diplom in Dirigieren bei B. Molinari am Conservatorio di Musica di S. Cecilia in Rom ab. Seit 1945 dirigiert er an den großen Bühnen Italiens. Gastspiele führten ihn an die Covent Garden Opera in London (1951) sowie an die Staatsopern in Budapest (1951 und 1956) und Wien (ab 1959). Gegenwärtig wirkt er an der Metropolitan Opera in New York.

+**Molinaro,** Simone, um 1565 – um 1615 [erg.:] zu Genua.
M. wurde bereits um 1602 [del.: um 1605] Kapellmeister an S. Lorenzo in Genua.
Ausg.: +O. CHILESOTTI, Lautenspieler d. XVI. Jh. (1891), Nachdr. = Bibl. musica Bononiensis IV, 31, Bologna 1969.
Lit.: G. RONCAGLIA in: RMI XIX, 1941, S. 184ff.

+**Molinet,** Jehan, 1435 – [erg.: 23. 8.] 1507 [erg.:] zu Valenciennes (Nord).
Lit.: +J. MARIX, Hist. de la musique et des musiciens de la cour de Bourgogne ... 1420–67 (1939), Nachdr. Genf 1972.

Molino, Antonio (genannt Burchiella; Pseudonym Manoli Blessi), * zu Vicenza; italienischer Dichter, Schauspieler und Komponist des 16. Jh., stand in enger Beziehung zu dem Kreis um Willaert. Er kam als Kaufmann in den Orient und verfaßte dabei Texte in der Lingua → greghesca, von denen er das Scherzgedicht *I fatti, e le prodezze di Manoli Blessi Strathioto* (Venedig 1561) separat veröffentlichte. Eine Sammlung von Greghesche, in Musik gesetzt von Willaert und seinem Kreis, erschien 1564 in Venedig unter dem Titel *Di Manoli Blessi il primo libro delle Greghesche con la musica disopra, composta da diversi autori, a 4, a 5, a 6, a 7, et a 8 v.* In seinen letzten Lebensjahren stand er vermutlich mit A. Gabrieli in engerer Verbindung, der in einer eigenen Sammlung von *Greghesche et justiniane* (Venedig 1571) in der Widmung M. ausdrücklich als Textverfasser anführt. M. schrieb ferner *I dilettevoli madrigali a 4 v. ... Libro I* (ebd. 1568) und *Il II° libro de Madrigali a 4 v., con uno dialogo a 8, nouamente da lui composti* (ebd. 1569).

+**Molique,** Wilhelm Bernhard, 1802–69.
Ausg.: Concerto F moll f. Klar. u. Orch., Erstausg. hrsg. v. J. MICHAELS, = Das 19. Jh. o. Nr, Kassel 1970.

+**Molitor** [–1] Gregor, [–2] Raphael, 1873–1948.
+*Die nachtridentinische Choralreform zu Rom* (1901–02), Nachdr. Hildesheim 1967 (2 Bde).

+**Mollenhauer,** Johann [erg.:] Andreas, 1798–1871.
Nach Thomas M. (1840 – [erg.: 1. 7.] 1914 [erg.:] zu Fulda) übernahmen seine Söhne Nicolaus Joseph

(* 20. 7. 1875 und † 4. 12. 1964 zu Fulda) und Adalbert Konrad M. (* 10. 9. 1876 zu Fulda, † 12. 10. 1943 zu Friesenhausen bei Fulda) die Musikinstrumentenbau-Firma (Holzblasinstrumente). Unter der Bezeichnung J. Mollenhauer & Söhne wird sie heute in der vierten Generation geleitet von Oskar Pius (* 14. 12. 1914 zu Fulda) und Georg Otto M. (* 10. 2. 1920 zu Fulda). – Als weitere Zweigfirma, die 1908 aus dem Stammhaus hervorging, ist die Musikinstrumentenfabrik Conrad Mollenhauer zu nennen, die, mit Sitz ebenfalls in Fulda, derzeit unter der Leitung von Bernhard M. (* 27. 2. 1944 zu Fulda) steht.

Lit.: Gedenkartikel zum 150jährigen Bestehen in: Das Musikinstr. XXI, 1972, S. 926ff.

+Mollet, Pierre, * 23. 3. 1920 zu Neuchâtel.
M., als Sänger weiterhin in Europa und Nordamerika tätig, wirkte an der Pariser Opéra-Comique bis 1959. Er unterrichtete 1957–68 am Genfer Conservatoire, ist seit 1968 Professor für Gesang und Chordirektor am Conservatoire in Montréal und hält zusätzlich seit 1971 Interpretationskurse (französisches Repertoire) an Det Jydske Musikkonservatorium in Aarhus. M. lebt heute in Genf und Montréal. Er schrieb den Beitrag *Pelléas et Mélisande* (SMZ CII, 1962).
Lit.: P. Druey in: SMZ CXI, 1971, S. 28ff.

+Mollo, Tranquillo [erg.:] Maria Laurentio, [erg.:] * 10. 8. 1767 und † 29. 3. 1837 [del.: nach 1837] zu Bellinzona (Tessin).
M. war bis 1798 [nicht: 1796] Teilhaber von Artaria. Lediglich zwischen 1798 und 1804 hieß das Verlagshaus Tr. Mollo & Co., dann bis 1832 nur noch Tr. Mollo; zwar laufen auch nach 1802 (Verkauf der Firma C. Artaria an M.) Drucke unter »Artaria« oder »Artaria & Co.« weiter, häufiger jedoch sind die mit »Tr. Mollo & Co.« bezeichneten [del. bzw. erg. frühere Angaben dazu]. – Sein Sohn Eduard, [erg.:] 1799 zu Wien – 1842.
Lit.: +O. E. Deutsch, Music Publisher's Numbers (1946), 2. verbesserte (u. 1. deutsche) Aufl. Bln 1961. – A. Weinmann, Verlagsverz. Tr. M. (mit u. ohne Co.), = Beitr. zur Gesch. d. Alt-Wiener Musikverlages II, 9, Wien 1964.

+Molnár, Antal, * 7. 1. 1890 zu Budapest.
M., der 1919 den Solfège-Unterricht in Ungarn einführte und der erste Biograph Kodálys war (*Kodály Z.*, = Nepszerű zenefüzetek IV, Budapest 1936), wurde 1959 als Professor (Lehrer für Musikgeschichte, Ästhetik, Kammermusik und Theorie) an der Budapester Musikakademie emeritiert. – Mitglied im Klavierquartett Dohnanyi–Hubay–M.–Kerpely war er 1917–19 [nicht: 1915–17]. +*A danaidák* (»Die Danaiden«) für 3 Frauen-St. (1926) ist ein a cappella-Werk [del.: und Orch.]. – Gesammelte Aufsätze erschienen als *Irások a zenéről* (»Schriften über Musik«, hrsg. von F. Bónis, = Magyar zenetudomány III, Budapest 1961) und *A zenéről* (»Über Musik«, ebd. 1963). Weitere Bücher (alle in Budapest erschienen): *J. Brahms* (= Kis zenei könyvtár V, 1959); *Repertórium a barokk zene történetéhez* (»Repertorium zur Geschichte der Barockmusik«, 1959); *A német zene 1750-től napjainkig* (»Die deutsche Musik von 1750 bis zur Gegenwart«, = Bibl. musica XVII, 1964); *A Léner–vonósnégyes* (»Das Léner-Quartett«, = Nagy magyar előadóművészek VI, 1968); *Zenéről mindenkinek, zenei alapismeretek* (»Über Musik für Jedermann«, 1968); *A zeneszerző világa* (»Über die Welt des Komponisten«, 1969). Von seinen Aufsätzen (in deutscher Sprache) seien genannt: *Der gestaltpsychologische Unterschied zwischen Haydn und Mozart* (Haydn-Kgr.-Ber. Budapest 1959); *Die Persönlichkeit Chopins* (Chopin-Kgr.-Ber. Warschau 1960); *Die beiden Kla-*

vier-Trios in d-moll von Schumann (op. 63) und Mendelssohn (op. 49) (Sammelbände der R.-Schumann-Ges. I, 1961); *Über Transkriptionen und Paraphrasen von Liszt* (Kgr.-Ber. Liszt–Bartók Budapest 1961, auch = StMl V, 1963); *Kodály und der Realismus* (StMl III, 1962).
Lit.: I. Vitányi, A Magyar zenetudomány kezdetei (»Die Anfänge d. ungarischen Mw.«), in: Muzsika XI, 1968.

Molt (moult), Theodor Friedrich (eigentlich Johann Friedrich), * 13. 2. 1795 zu Gschwend (Grafschaft Limpurg, später Württemberg), † 19. 11. 1856 zu Burlington (Vt.); amerikanisch-kanadischer Musikpädagoge, Sohn eines Schulmeisters und lutherischen Organisten, wurde in der Armee Napoleons Hilfszahlmeister und ging 1820 nach Nordamerika, landete 1823 in Quebec und unterbrach 1825 seine Tätigkeit als Musiklehrer, um in Europa weiterzustudieren. Er soll in Wien Czerny, Moscheles und Schubert getroffen haben; fest steht, daß Beethoven ihm 1825 den Kanon *Freu' dich des Lebens* (WoO 195) widmete (Autograph seit 1966 in der Laurence Lande Collection of Canadiana in Montreal). M. unterrichtete von 1826 bis etwa 1833 in Quebec und war dort um 1840–49 Organist an der katholischen Kathedrale. 1833 ging er nach Burlington, wo er 1835 Musiklehrer am Female Seminary wurde. Er soll dort bis 1842 und wieder seit 1847 bis zu seinem Tode tätig gewesen sein. Als Autor musikalischer Lehrbücher war er in Kanada ein Pionier. Von seinen Kompositionen wurde das patriotische Lied *Sol canadien, terre chérie* (gedruckt 1859) bekannt. – Pädagogische Werke: *Elementary Treatise on Music. More Particularly Adapted to the Piano Forte* (Quebec 1828, engl. und frz.); *New and Original Method for the Piano Forte* (Burlington/Vt. 1835); *Remarks on Piano Forte Instruction* (ebd. 1836); *Traité élémentaire de musique vocale* (Quebec 1845). – Liedersammlung: *Lyre sainte* (2 Teile, ebd. 1844–45).
Lit.: biogr. Skizze in: The Vermont Hist. Gazetteer I, (Burlington/Vt.) 1868, S. 533f.; H. Kallmann, A Hist. of Music in Canada, 1534–1914, Toronto 1960, Nachdr. 1969.

+Molter, Johann Melchior, [erg.:] 10. 2. 1696 zu Tiefenort (Werra) – 1765.
Ausg.: Concerto pastorale f. Streichorch. u. B. c., Erstdruck hrsg. v. K. Schultz-Hauser, = Musikschätze vergangener Zeiten o. Nr, Bln 1961, Neudr. 1963; Symphonie C dur f. 4 Hörner, hrsg. v. K. Janetzky, London 1968; Klar.-Konzert Nr 3, Kl.-A. hrsg. v. P. Weston, ebd.; Concerto D dur f. Trp. u. Orch., hrsg. v. H. O. Koch, Heidelberg 1971; Concerto C dur f. Vc., 2 V., u V. u B. c., Kl.-A. hrsg. v. F. Längin, Wiesbaden 1971; Trp.-Konzerte Nr 1–3 (alle D dur), hrsg. v. M. Talbot, London 1971; Trp.-Konzerte Nr 1 u. 2, hrsg. v. S. L. Glover u. J. F. Sawyer, = Blair Acad. Series o. Nr, Nashville (Tenn.) 1972.
Lit.: F. Längin, J. M. M., d. Markgräflich Baden-Durlachische Kapellmeister u. Hofkomponist, in: Ekkhart (Jb. f. d. Badener Land) 1965; N. O'Loughlin in: MT CVII, 1966, S. 110ff.; E. Fr. Lanning, The Clarinet as the Intended Solo Instr. in J. M. M.'s Concerto 34, Diss. Univ. of Missouri 1969 (mit Ed. d. Konzertes).

Moltkau, Hans, * 30. 7. 1911 zu Magdeburg; deutscher Komponist und Dirigent, lebt in Bad Wiessee (Tegernsee). Er studierte an der Hochschule für Musik in Berlin 1929–30 Violoncello bei Mainardi und Feuermann sowie 1933–34 Dirigieren bei Schmalstich, dazwischen an der Staatlichen Hochschule für Musik und an der Universität in Köln Schulmusik. 1934 wurde er Theaterkapellmeister in Saarbrücken und kam über Oldenburg und Plauen 1941 an das Landestheater Innsbruck. 1945–59 war er Kapellmeister beim Österreichischen Rundfunk (Gründer und Chefdirigent des Vorarlberger Funkorchesters). Als Gastdirigent trat er

u. a. mit den Wiener Symphonikern, dem Mozarteum-Orchester Salzburg sowie bei den Rundfunkanstalten in Stuttgart, Oslo und Kopenhagen auf. 1960–62 war er beim Bayerischen Rundfunk in München Dirigent, Programmgestalter und Aufnahmeleiter der Musikabteilung und 1963–71 beim ZDF in Mainz Redakteur und Leiter der Musikabteilung. Er schrieb u. a. die Operetten *Korsika* (Lübeck 1937) und *Sensation auf dem Ozean* (Bielefeld und Heidelberg 1940), zahlreiche Stücke der gehobenen Unterhaltungsmusik, Kammermusik, Orchesterlieder und Chöre.

Moltschạnow, Kirill Wladimirowitsch, * 7. 9. 1922 zu Moskau; russisch-sowjetischer Komponist, absolvierte als Schüler von Anatolij Alexandrow 1949 das Moskauer Konservatorium und wurde 1951 Sekretär des Komponistenverbandes der UdSSR. Er schrieb u. a. die Opern *Kamennyj zwetok* (»Die steinerne Blume«, Moskau 1950), *Sarja* (»Das Morgenrot«, Perm 1956), *Uliza del Korno* (»Die Cornostraße«, Kujbyschew 1960), *Romeo, Dschuljetta i tma* (»Romeo, Julia und die Finsternis«, Leningrad 1962) und *Neiswestnyj soldat* (»Der unbekannte Soldat«, Moskau 1967), 3 Klavierkonzerte (1945, 1947 und 1953), den Klavierzyklus *Russkije kartiny* (»Russische Bilder«, 1953), das Kantatenpoem *Pesnja o druschbe* (»Das Lied von der Freundschaft«) für Chor und Orch. (1955), die Suite *Tschornaja schkatulka* (»Die schwarze Schatulle«) für St., Rezitation und Kl. (1968) sowie Lieder, Bühnen- und Filmmusik. Lit.: Istorija russkoj sowjetskoj musyki, hrsg. v. A. D. ALEXEJEW u. W. A. WASSINA-GROSSMAN, Bd IV, 1, Moskau 1963; K. SAKWA, Bessmertnyj garnison (»Die unsterbliche Garnison«), SM XXXI, 1967; JU. KOREW, K. M., Moskau 1971.

⁺Momigny, Jérôme Joseph de, 1762–1842. Ausg.: Streichquartett D dur op. 1 Nr 2, hrsg. v. A. PALM, = Das 19. Jh. o. Nr, Kassel 1969. – La seule vraie théorie ... (1821), Nachdr. d. ital. Ausg. v. 1823 (La sola e vera teorica della musica), = Bibl. musica Bononiensis II, 66, Bologna 1969; Bd II (1818) d. Teiles »Musique« d. »Encyclopédie méthodique«, Nachdr. NY 1971. Lit.: W. GERSTENBERG, Ein Dictionnaire M.s u. seine Lehre v. mus. Vortrag, Fs. K. G. Fellerer, Regensburg 1962; J. CHAILLEY, Un grand théoricien belge méconnu de la musique, Bull. de la Classe des beaux-arts de l'Acad. Royale de Belgique XLVIII, 1966; FR. RITZEL, Die Entwicklung d. »Sonatenform« im musiktheoretischen Schrifttum d. 18. u. 19. Jh., = Neue mg. Forschungen I, Wiesbaden 1968; M. S. COLE, M.'s Analysis of Haydn's Symphony No. 103, MR XXX, 1969; A. PALM, J.-J. de M., Leben u. Werk. Ein Beitr. zur Gesch. d. Musiktheorie im 19. Jh., Köln 1969 (vgl. auch d. zahlreichen kleineren Beitr. dess. Autors); H. HEUGHEBAERT, Muziekopvatting en muziekanalyse v. J.-J. de M., Vlaams muziektijdschrift XXII, 1970.

Mompẹllio, Federico, * 9. 9. 1908 zu Genua; italienischer Musikforscher, studierte zunächst Klavier und Komposition am Conservatorio di Musica A. Boito in Parma und promovierte 1932 an der Genueser Universität zum Dott. in lettere. 1933 in Palermo, ab 1934 in Parma als Dozent für Musikgeschichte tätig, war er 1939–68 Bibliotheksdirektor und 1949–68 Professor für Musikgeschichte am Conservatorio di Musica G. Verdi in Mailand und wurde 1968 auf den Lehrstuhl für Musikwissenschaft an der Universität in Parma (Scuola di Paleografia Musicale mit Sitz in Cremona) berufen. Er schrieb (Auswahl): *P.Vinci madrigalista siciliano* (Mailand 1937); *M.E.Bossi* (ebd. 1952); *S. d'India, musicista palermitano* (ebd. 1956); *L.Viadana. Musicista fra due s. (XVI–XVII)* (= »Historiae musicae cultores« Bibl. XXIII, Florenz 1967); *La musica nel duomo e alla corte sino alla secondo metà del Cinquecento* (mit Cl. Sartori und G. Barblan, in: Storia di Mi-

lano IX, Mailand 1961); *La musica a Milano nell'età moderna* (mit G. Barblan, ebd. XVI, 1962); *S. F. Neri e la musica »pescatrice di anime«* (in: Chigiana XXII, N. S. II, 1965); *Musica provvisoria nella prima »Forza del destino«* (in: Verdi. Boll. dell'Istituto di studi verdiani 1966, Nr 6). Er gab u. a. heraus G. C. Conestabiles *Vita di N. Paganini da Genova* (Mailand 1936) und S. d'Indias *Madrigali a 5 v., Libro I* (= I classici musicali italiani X, ebd. 1942).

⁺Mompou, Federico, * 16. 4. 1893 zu Barcelona. M. ist seit 1959 auch Mitglied der Real Academia de bellas artes de San Fernando in Madrid. – ⁺*Scènes d'enfants* (1915–18), ⁺*Canción y danza* Nr 1–10 (1918–53), ⁺*Cants màgics* (1917–19) und ⁺10 *Préludes* (1927–51) für Kl. [del. bzw. erg. frühere Angaben dazu]. – Weitere Werke: das Ballett *House of Birds* (MacMillan, London 1955); Variationen (über ein Thema von Chopin, 1938–57), 3 *Paisajes* (1942, 1947, 1960) und *Música callada* (4 H., 1959–67) für Kl., *Suite compostelana* für Git. (1963); Oratorium *Los improperios* für Soli, Chor und Orch. (1964), *Cantar del alma* für Chor und Org. (San Juan de la Cruz, 1960), *Vida interior* für Chor (1966), *Sant Martí* (1960) und *Primeros pasos* (1964) für Singst. und Kl.

Monạco, Alfredo del, * 29. 4. 1938 zu Caracas; venezolanischer Komponist, studierte in seiner Heimatstadt Klavier bei Moleiro sowie Komposition bei Primo Casale und promovierte daneben in Rechtswissenschaft an der Universidad Central de Venezuela. Er setzte sich besonders für die Verbreitung zeitgenössischer Musik in Venezuela ein, war als Programmorganisator für Rundfunk und Fernsehen tätig und gründete die venezolanische Gesellschaft für zeitgenössische Musik in Caracas. Am Studio für musikalische Phonologie des Instituto de Cultura y Bellas Artes (INCIBA) begann er seine Versuche auf dem Gebiet der Elektronischen Musik. 1969 übersiedelte er nach New York, wo er als Visiting Composer am Columbia Princeton Electronic Music Center unter der Leitung von Ussachevsky und Davidowsky tätig wurde. M. komponierte Kammermusik (Sonate, 1965, und *Alternancias*, 1971, für Streichquartett), Vokalwerke (*La noche de las alegorías* für 8 Solo-St., 1968) und Elektronische Musik (*Cromofonías I*, 1967, und *II*, 1968; *Estudio electrónico I*, 1968, und *II*, 1970; *Dualismos* für verschiedene Instr. und Tonband, 1971; *3 ambientes coreográficos* für die venezolanische Tänzerin Sonia Sanoja, 1971). Lit.: Werkverz. in: Compositores de América XVII, Washington (D. C.) 1971.

Moncạyo, José Pablo, * 29. 6. 1912 zu Guadalajara, † 16. 6. 1958 zu México (D. F.); mexikanischer Komponist und Dirigent, studierte bei Chávez und gründete 1935 mit Ayala Pérez, Contreras und Galindo Dimas den »Grupo de los Cuatro«, der sich für die Verbreitung der mexikanischen Musik einsetzte. Ab 1944 war er künstlerischer Leiter des Orquesta Sinfónica de México. 1949 wurde er Dozent für Komposition und Dirigieren am Conservatorio Nacional de Música in México. Er schrieb die Oper *La mulata de Córdoba* (México/D. F. 1948), die Ballette *Muros verdes, Tierra de temporal zapata* und *Tierra*, Orchesterwerke (Symphonie; Sinfonietta; Symphonische Dichtungen *Huepayán, Cumbres* und *Homenaje a Cervantes; Huapango*, 1941; *Amatzinac* für Fl. und Streichorch., 1935) und Kammermusik (Violinsonate, 1936; 3 Stücke für Kl., 1948).

⁺Mondonville, –1) Jean-Joseph Cassanéa de, 1711–72.

Er debütierte bereits 1734 [nicht: 1737] im Orchester des Concert spirituel in Paris. Die Oper +*Psyché* wurde bereits 1762 [del.: 1769] aufgeführt.
Ausg.: Pièces de clavecin avec voix ou violon op. 5, Faks. d. Originalausg. v. 1748 hrsg. v. M. PINCHERLE, London 1966. – Pièces de clavecin ... op. V (1748), hrsg. v. E. BORROFF, Paris 1950 (vgl. auch Lit.); Motetten »Jubilate« u. »Cantate Domino«, hrsg. v. DERS., Pittsburgh (Pa.) 1961; Sonate F dur f. V. u. Cemb. (Kl.) aus »Pièces de clavecin ...« op. 3, hrsg. v. W. HÖCKNER, Wilhelmshaven 1963; Sonates en trio op. 2 (1734), hrsg. v. R. BLANCHARD, = Le pupitre III, Paris 1967; Sonaten f. V. u. B. c. op. 1 Nr 3 D dur u. Nr 4 C dur, hrsg. v. FR. POLNAUER, = V.-Bibl. XIX, Mainz 1967; Sonate C dur f. V. u. B. c. op. 4 Nr 2, hrsg. v. DEMS., = L'arte del v. o. Nr, Wilhelmshaven 1970; Sonate f. V. u. B. c. op. 4 Nr 2, in: G. HAUSSWALD, Die Musik d. Gb.-Zeitalters, = Das Musikwerk XLV, Köln 1973, auch engl.
Lit.: +L. DE LA LAURENCIE, L'école frç., de v. de Lully à Viotti (1922–24), Nachdr. Genf 1972. – E. BORROFF, The Instr. Works of J.-J. C. de M., Diss. Univ. of Michigan 1959 (in Bd II Ausg. d.»Pièces de clavecin ...« op. 5 v. 1748); DIES., The Instr. Style of J.-J. C. de M., RMFC VII, 1967; W. S. NEWMAN, The Sonata in the Class. Era, Chapel Hill (N. C.) 1963, revidiert NY u. London 1972 (Paperbackausg.); H. BOL, De triosonates op. II v. J.-J. C. de M., in: Mens en melodie XXIII, 1968.

Mondstein, Christian → Kiessling, Heinz.

+Mone, Franz Joseph, 1796–1871.
+*Lateinische Hymnen des Mittelalters* (1853–55), Nachdr. als *Hymni Latini medii aevi,* = Bibl. musica Bonóniensis V, 5, Bologna 1969.

Monetarius, Stephan (Münzer), * um 1475 zu Kremnitz; slowakischer Musiktheoretiker, studierte ab 1494 in Krakau und hielt später Vorlesungen über Musik an der Universität Wien, die er teilweise in den *Epithoma utriusque musices practice* St. M. 1520 in Krakau veröffentlichte, wohin er von Wien zurückgekehrt war.
Lit.: O. WESSELY, Alte Musiklehrbücher aus Österreich, in: Musikerziehung VII, 1953/54; R. RYBARIČ, St. M. a jeho hudobná teória (»St. M. u. seine Musiktheorie«), Bratislava 1960.

+Monferrato, Padre Natale, [erg.:] um 1603 zu Venedig – [erg.:] 23. 4. [nicht: 8.] 1685.
Lit.: CL. SARTORI, Le origini di una casa editrice veneziana, FAM VII, 1960.

Monfred (mɔ̃frˈɛd), Avenir Henry de, * 4.(17.) 9. 1903 zu St. Petersburg; amerikanischer Komponist russisch-französischer Abstammung, studierte am St. Petersburger Konservatorium Klavier bei Blumenfeld sowie Komposition 1915–21 bei Wihtol, Schitomirskij, Kalafatij und Glasunow, verließ 1923 die UdSSR, studierte ab 1924 bei d'Indy an der Schola Cantorum in Paris und vervollkommnete sich ab 1929 bei Ravel. 1930 wurde er Musikdirektor bei den Studios Salabert de Montrouge und 1936 bei der Société Electro-Acoustique in Paris. Seit 1947 experimentiert er mit neuen diatonischen Modalprinzipien (NDM), die auf einer gleich temperierten Tonart basieren. Über seine Prinzipien verfaßte er *The NDM Principle of Relative Music* (NY 1970, mit Einleitung von N. Slonimsky). Von seinen Kompositionen seien genannt: Ballett *Suite newyorkaise* (Monte Carlo 1956); 2 Symphonien (1938 und 1957); symphonische Suite *Manhattan Sketches* (1956); Klavierkonzert (1944); Violinkonzert *Manhattan 1913* (1948); *Variations symphoniques* für Kl. und Orch. (1973); 2 Streichquartette (1940 und 1960); Klaviertrio (1922); 3 Sonaten für V. und Kl. (1922, 1926 und 1947, erste Komposition mit NDM Polymodal); *Five Pieces for a Low Mass* für Org. (1956, NDM Polymodal); *Five Equations* für Orch. (1972,

NDM Polymodal). M. schrieb ferner Chöre, Lieder und Filmmusik.
Lit.: P. LEMEL, A. de M., Paris 1967.

Monge de Montaudọ (Mönch von Montaudon), * vielleicht zu Vic-sur-Cère (Dordogne), † um 1220(?); provenzalischer Trobador, war Prior in Montaudon. Als Dichter wirkte er etwa zwischen 1155 und 1220 und stand mit einer Reihe von Trobadors seiner Zeit (u. a. mit Richard Cœur de Lion, Kaiser Otto IV. und Maria von Ventadorn) in Verbindung. Von ihm sind etwa 17 Lieder überliefert, darunter 7 Cansos, 2 Tensos und 4 sogenannte Enogs (enuegs), in denen er von ihm verabscheute Situationen und Vorkommnisse behandelt. Musik ist erhalten zu *Ara pot ma domna saber* (P–C 305,6) und *Fort m'enoja, so auzes dire* (P–C 305,10).
Ausg.: E. PHILIPPSON, Der Mönch v. Montaudon, ein prov. Troubadour, Halle (Saale) 1873; O. KLEIN, Die Dichtungen d. Mönchs v. Montaudon, = Ausg. u. Abh. VII, Marburg 1885. – Ed. d. Melodien zu P–C 305,6 u. P–C 305,10 in: Der mus. Nachlaß d. Troubadours, Bd I: Kritische Ausg. d. Melodien, hrsg. v. FR. GENNRICH, = Summa musicae medii aevi III, Darmstadt 1958 (nebst einer erschlossenen Melodie zu P–C 305,16 »Pos Peire d'Alvergn'a chantat«), u. in: DERS., Lo gai saber, = Mw. Studienbibl. XVIII/XIX, ebd. 1959, zu P–C 305,6 auch in: H. ANGLÉS, La música a Catalunya fins al s. XIII, = Publ. del Departament de música X, Barcelona 1935, zu P–C 305,10 auch in: J. B. BECK, La musique des troubadours, Paris 1910, in: E. LOMMATZSCH, Leben u. Lieder d. prov. Troubadours II, Bln 1959, u. in: J. MAILLARD, Anth. de chants de troubadours, Nizza 1967.
Lit.: E. SABATIER, Le moine de Montaudon, Mémoires de l'Acad. de Nîmes VII, 1, 1878; C. FABRE, Le moine de Montaudon et l'empereur Othon IV, Annales du Midi XX, 1908; Biogr. des troubadours, hrsg. v. J. BOUTIÈRE u. A.-H. SCHUTZ, = Bibl. Méridionale I, 27, Toulouse u. Paris 1950, revidiert (mit I.-M. Cluzel) = Les classiques d'oc (I), Paris 1964; FR. GENNRICH in: MGG IX, 1961, Sp. 459f.; I.-M. CLUZEL, Artikel M. de M., in: Le moyen âge, hrsg. v. G. Greute u. A. Pauphilet, = Dictionnaire des lettres frç. I, 1, Paris 1964; M. ROUTLEDGE, Essai d'établissement du texte du sirventés »Pos Peire d'Alvernhe a chantat«, Rev. des langues romanes LXXVIII, 1969. TN

Moniglia (mon'i:ʎa), Giovanni Andrea, * 1624 und † 1700 zu Florenz; italienischer Dichter und Librettist, war Professor für Medizin an der Universität in Pisa. Er gehörte der Accademia della Crusca an und war unter dem Namen Nardilo Aronzio Mitglied der Arcadia. Neben *Poesie drammatiche* (3 Bde, Florenz 1689–90) schrieb er eine Reihe von Libretti, die u. a. von J. Melani (*La Tancia, ovvero Il potestà di Colognole,* Florenz 1656), Cavalli (*L'Hipermestra,* ebd. 1658), A. Cesti (*La Semirami,* Wien 1667), Legrenzi und G. Porta in Musik gesetzt wurden.
Ausg.: Libretto »Il potestà di Colognole« in: Drammi per musica dal Rinuccini allo Zeno, hrsg. v. A. DELLA CORTE, = Classici ital. LVII, Turin 1958, Bd II.

+Moniot d'Arras, [erg.:] um 1190 – nach 1239.
Die Melodie zu R 94 (*Ce fu en Mai*) verwendete Hindemith in der Orchestersuite *Nobilissima visione* (1938).
Ausg. u. Lit.: +FR. GENNRICH, Grundriß einer Formenlehre d. ma. Liedes (1932), Nachdr. Tübingen 1970; +DERS., Troubadours, Trouvères, Minne- u. Meistergesang (1951), Neuaufl. Köln 1960, auch engl. – J. MAILLARD, Anth. de chants de trouvères, Paris 1967 (darin R 94).

+Moniot de Paris, 13. Jh.
Ausg. u. Lit.: +FR. GENNRICH, Troubadours, Trouvères, Minne- u. Meistergesang (1951), Neuaufl. Köln 1960, auch engl.

+Moniuszko, Stanisław, 1819–72.
Ausg.: Dzieła (GA), hrsg. v. W. RUDZIŃSKI, auf 34 Bde geplant (Serie A: Sololieder, B: Opern, C: Bühnenmusik, D: Chormusik, E: Instrumentalmusik), Krakau 1965ff.,

bislang erschienen: Serie A, Bd I–IV (= d. GA 1.–4. Bd), hrsg. v. E. Nowaczyk, 1965–72; Serie D, VI (= 30. Bd), hrsg. v. J. Berwaldt, 1972; Serie E, II (= 33. Bd), hrsg. v. Krz. A. Mazur, 1972.
Lit.: Listy zebrane (»Gesammelte Briefe«), hrsg. v. W. Rudziński (mit M. Stokowska), Krakau 1969. – ⁺Zdz. Jachimecki, St. M. (1921), NA hrsg. v. W. Rudziński, = Z pism Zdz. Jachimeckiego III, ebd. 1961; ⁺W. Poźniak, Niezrealizowane projekty operowe St. M.i, Kwartalnik muzyczny VI, 1948 [del.: Krakau 1949]; ⁺W. Rudziński, St. M. (1954), Krakau ²1957, ³1969, russ. Moskau 1960; ⁺Ders., St. M., 2 Bde, = Studia i materiały do dziejów muzyki polskiej I–II, Krakau 1955–61. – Ders., »Halka« St. M.i, = Mała bibl. operowa IV, ebd. 1954; Ders., »Straszny dwór« St. M.i (»,Das Gespensterschloß' v. St. M.«), ebd. V, 1956; Ders., Glinka i M., in: Pamjati Glinki 1857–1957, hrsg. v. W. A. Kisseljow u. a., Moskau 1958; Ders., M. i jewo swjasi s russkoj kulturoj (»M. u. seine Beziehungen zur russ. Kultur«), in: Russko-polskije musykalnyje swjasi, hrsg. v. I. Belsa, ebd. 1963; Ders., St. M., in: Z dziejów polskiej kultury muzycznej, hrsg. v. Z. M. Szweykowski, Krakau 1966; Ders., Z zagadnień m.wskiej dramaturgii operowej (»Zur Frage d. Operndramaturgie M.s«), in: Z dziejów muzyki polskiej XIV, 1969; I. Karasińska, Mizkewitsch i M. (»Mickiewicz u. M.«), in: Isbrannyje statji polskich musykowedow II, Moskau 1959; M. Prokopowicz, Rękopisy St. M.i w zbiorach Warszawskiego Towarzystwa Muzycznego (»Die Hss. v. M. in d. Slgen d. Warschauer Musikges.«), in: Przegląd biblioteczny XXVII, 1959; T. Kaczyński, Texte poétique, en tant que source d'inspiration mus. dans certains chants de Chopin et de M., Chopin-Kgr.-Ber. Warschau 1960; Ders., Dzieje sceniczne »Halki« (»Die Bühnengesch. d. ,Halka'«), Krakau 1969; K. Bula, St. M. a reforma Wagnerowska (»St. M. u. Wagners Reform«), in: R. Wagner a polska kultura muzyczna, hrsg. v. K. Musioł, = Państwowa Wyższa szkoła muzyczna w Katowicach, Zeszyt naukowy X, Kattowitz 1964 (mit deutscher Zusammenfassung); J. Prosnak, St. M., Album, Krakau 1964, ²1968 (mit Diskographie v. K. Michałowski); Krz. A. Mazur, Pierwodruki St. M.i (»St. M.s Erstausg.«), Warschau 1970, Abriß in: Muzyka XV, 1970, Nr 3, S. 80ff.

⁺**Monk,** Thelonious, * 10. 10. 1920 zu Rocky Mount (N. C.) [del. frühere Angaben].
Von M.s älteren Aufnahmen wurde ferner *Humph* (1947), *Misterioso* (1948) und *Bag's Groove* (mit Miles Davis, 1954) bekannt. 1955–59 entstanden Einspielungen (für Riverside) u. a. mit Sonny Rollins, John Coltrane und Jimmy Griffin; hervorzuheben sind *Blue Monk* (mit Griffin, 1958) und *Rhythm-a-ning* (1958). Von 1962 bis um 1969 spielte er u. a. mit Charlie Rouse (Aufnahmen bei CBS: z. B. *Lulu's Back in Town*, 1964). Als Komponist ist M. ferner mit *Epistrophy* und *Strait No Chaser* hervorgetreten.
Lit.: J. Gr. Jepsen, Discography of Th. M. and S. Rollins, Brande (Dänemark) 1960; Ders., A Discography of Th. M. and B. Powell, Kopenhagen 1969. – M. James, Th. M., A Personal Appreciation, Jazz Monthly III, 1957; B. R. Henrichsen, Midt i en M.-tid, Jazz årbogen III, 1959; R. Horricks, These Jazzmen of Our Time, = Jazz Book Club XXVII, London 1960; R. G. Reisner, The Jazz Titans, Garden City (N. Y.) 1960; N. Hentoff, Th. M., NY 1961; A. Hodeir, Toward Jazz, NY 1962, auch = Jazz Book Club LIV, London 1965 (gesammelte Aufsätze); G. Schuller, Th. M., in: Jazz Panorama, hrsg. v. M. T. Williams, NY 1962, 1963 u. 1964, auch = Jazz Book Club LII, London 1965 (Aufsätze aus »The Jazz Rev.«); J. Goldberg, Jazz Masters of the Fifties, = Jazz Masters I, NY u. London 1965; A. Matzner u. I. Wasserberger in: Jazzové profily, Prag 1969, S. 208ff.; M. T. Williams, Th. M., Modern Jazz in Search of Maturity, in: The Jazz Tradition, NY 1970 (mit Bibliogr.).

⁺**Monn,** Mathias ([erg.:] eigentlich Johann) Georg, [erg.: 9. 4.] 1717 [erg.:] zu Wien – 1750.
Die in DTÖ XV, 2 (= Bd 31: *Wiener Instrumentalmusik vor und um 1750*, hrsg. von K. Horwitz und K. Riedel,

1908) edierte und ihm zugewiesene Sinfonie Es dur ist ein Werk Fr. X. Pokornys.
Lit.: ⁺K. Nef, Gesch. d. Sinfonie u. Suite (1921), Nachdr. Wiesbaden 1970. – R. Philipp, Die Messenkompositionen d. Wiener Vorklassiker G. M. M. u. G. Chr. Wagenseil, Diss. Wien 1938; J. LaRue, Major and Minor Mysteries of Identification in the 18th-Cent. Symphony, JAMS XIII, 1960; J. M. Barbour, Pokorny Vindicated, MQ XLIX, 1963; R. Lück, Die Gb.-Aussetzungen A. Schönbergs, DJbMw VIII, 1963; W. Kirkendale, Fuge u. Fugato in d. Kammermusik d. Rokoko u. d. Klassik, Tutzing 1966; G. A. Henrotte, The Ensemble Divertimento in Pre-Class. Vienna, 2 Bde, Diss. Univ. of North Carolina 1967.

⁺**Monnikendam,** Marius, * 28. 5. 1896 zu Haarlem.
Neuere Werke: *Missa solennissima* für Chor, Org. und 7 Blechbläser ad libitum (1959); 10 Inventionen (1959) und *Sonata da chiesa* (1961) für Org.; Konzert für Trp., Horn und Orch. (1962); *Missa pro defunctis* für A., Org. und Schlagzeug (1962); *Apocalyps* für Männerchor, Sprech-St. und Org. (1966); *Madrigalesca* für Chor, 9 Bläser und Schlagzeug (1966); Magnificat II (1966); *De kinderkruistocht* (»Der Kinderkreuzzug«) für Frauenchor, 7 Bläser und Schlagzeug (1967); Sonatine für Kl. (1967); *Suite biblique* für Kl. 4händig (1967); Konzert für Org., 20 Bläser und Schlagzeug (6 Pk., 1968); *Invocation* für S. und Org. (1969); Toccata II für Org. (1970); *Via sacra* für Chor, Kinderchor, Schlagzeug und Org. (1970); *Tre cantici* für S. und Org. (1971); *Missa concertata* (1971) und 3 *Psaumes pour le temps présent* (1971) für Soli, Chor und Orch.; *Toccata batalla* für Org., 2 Trp., 2 Pos. und Pk. ad libitum (1972); Praeludium *The Bells* für Org. (1972); *Carmen vagabundis* für Männerchor (1973); Concertino für Kl. und Orch. (1974). – Schriften: *C. Franck* (= Muziekbibl. o. Nr, Amsterdam 1949, NA = Componisten-serie V, Haarlem 1966); *I. Strawinsky* (= Componisten-serie XVII, Haarlem 1951, 1958 = Componisten-serie o. Nr und = Gottmer-muziekpockets VIII, NA = Componisten-serie III, 1966); *Vijftig meesterwerken der muziek* (Den Haag 1953, erweitert ²1960, Neudr. 1961 und 1962); *Brieven van beroemde componisten* (= Prismaboeken Bd 321, Utrecht 1958); *De symfonie van C. Franck* (= Leren luisteren XIII, Antwerpen 1963); *Nederlandse componisten van heden en verleden* (Amsterdam 1968); ferner Beiträge besonders für »Mens en melodie« und »Musica pro sancta ,sancta sancte'«.

Monnot (mɔn'o), Marguerite Angèle, * 26. 5. 1903 zu Decize (Nièvre), † 12. 10. 1961 zu Paris; französische Komponistin und Pianistin, war Klavierschülerin ihres Vaters und studierte dann Klavier bei Cortot und Komposition bei Nadia Boulanger. Die auch außerhalb ihres Heimatlandes bekannte Pianistin schrieb außer mehreren Filmmusiken (*Si le roi savait ça*; *Désert de Pigalle*) und einer Reihe Chansons (*Mon légionnaire*, 1935; *Le petit monsieur triste*, 1938; *Je n'en connais pas la fin*, 1939; *J'ai dansé avec l'amour*; *Milord*, 1959) das auch in Deutschland, England und am New Yorker Broadway erfolgreiche Musical *Irma la Douce* (Buch Alexandre Breffort, Paris 1957).

⁺**Monod,** Edmond, * 4. 2. 1871 zu Lyon, [erg.:] † 12. 3. 1950 zu Ziama-Mansouriah (bei Bougie, Algerien).

Monoetius, Bartholomäus (Monachius, Monaecius, Mönnich, Monch), * um 1540 zu Kronach (Oberfranken), † 1585 zu Niederstetten (Württemberg); deutscher Theologe, Schulmann und Komponist, studierte 1560 in Wittenberg, wurde 1563 Rektor der Lateinschule in Crailsheim und wirkte als Pfarrer ab 1569 in Triensbach (Württemberg), ab 1573 in Niederstetten. Er schrieb 1565 für Kirche und Schule in Crailsheim

die später nach ihm benannte Handschrift (2214, Erlangen, Universitätsbibl.), die deutsche und lateinische Motetten, Kirchenliedsätze sowie einstimmige liturgische Weisen enthält und für einige Gemeindeliedmelodien als Primärquelle gilt.
Ausg.: 5 Melodien in: J. ZAHN, Die Melodien d. deutschen ev. Kirchenlieder, 6 Bde, Gütersloh 1888–93, Nachdr. Hildesheim 1963; ein 1st. Vater unser in: Hdb. d. deutschen ev. Kirchenmusik I, 1, hrsg. v. K. AMELN, CHR. MAHRENHOLZ u. W. THOMAS, Göttingen 1941; ein 5st. Amen, ebd. I, 2, 1942.
Lit.: M. SIMON, Ansbachisches Pfarrerbuch, = Einzelarbeiten aus d. Kirchengesch. Bayerns XXVIII, Nürnberg 1956.

Monpou (mɔ̃p'u), Hyppolite, * 12. 1. 1804 zu Paris, † 10. 8. 1841 zu Orléans; französischer Organist und Komponist, wurde bereits mit 5 Jahren Sänger an St-Germain-l'Auxerrois in Paris, trat 1817 als Schüler in die von Choron gegründete Institution Royale de Musique Classique et Religieuse ein, wo er auch, nach kurzer Organistentätigkeit an der Kathedrale von Tours, Assistent wurde. In der Folgezeit war er in Paris Organist an St-Nicolas-des-Champs, an St-Thomas-d'Aquin und an der Sorbonne. Bei Chelard und Fétis hörte er Vorlesungen über Harmonielehre. In seinem kompositorischen Schaffen überwiegen Opern (Uraufführungsort Paris): Les deux reines (1835); Le luthier de Vienne (1836); Piquillo (1837); Un conte d'autrefois (1839); Le planteur (1839); La chaste Susanne (1839); La reine Jeanne (1840); L'orfèvre (unvollendet); Lambert Simnel (vollendet von A. Adam, 1843). Ferner schrieb er ein 3st. Notturno Si j'étais petit oiseau (1828) sowie Balladen und Lieder nach Texten von Musset, Hugo u. a.
Lit.: D. R. SIMON, A Comprehensive Performance Project in Solo Vocal Lit. with an Essay on the Life and Songs of H. M., Diss. Univ. of Iowa 1970.

Monroe (mənɪ'ou), Marylin (Norma Jean Mortenson, auch Norma Jean Baker), * 1. 6. 1926 und † 5. 8. 1962 zu Los Angeles; amerikanische Filmschauspielerin, profilierte sich auch als Sängerin. 1956–60 war sie mit dem Dramatiker Arthur Miller verheiratet. Zu ihren bekanntesten Filmen gehören: Gentlemen Prefer Blondes (1953, nach dem Musical von Styne, daraus A Little Girl From Little Rock, Bye Bye Baby und Diamonds Are a Girl's Best Friend); Niagara (1953, daraus Kiss); River of No Return (1954, daraus der Titelsong, I'm Going to File My Claim und One Silver Dollar); There's No Business Like Show Business (1954, daraus After You Get What You Want, Heat Wave und Lazy, Musik von I. Berlin); The Seven Year Itch (deutsch als »Das verflixte 7. Jahr«, 1955); Bus Stop (1956); Some Like It Hot (1959, daraus I Wanna Be Loved by You); Let's Make Love (mit Montand, 1960, daraus Specialization und von C. Porter My Heart Belongs to Daddy); The Misfits (1960).
Lit.: J. FRANKLIN u. L. PALMER, The M. M. Story, NY 1953; L. ZANETTI u. G. CALZOLARI, M. M., Mailand 1955; T. GIGLIO, M. M., Parma 1956; G. C. CASTELLO, Il divismo. Mitologia del cinema, Turin 1957; Positif, Sonder-Nr M. M., Oktober 1962; M. ZOLOTOW, M. M., Stuttgart 1962; M. LACLOS, M. M., Paris 1963; M. CONWAY u. M. RICCI, The Films of M. M., NY 1964; N. MAILER, M. M., Los Angeles 1973.

Monrou, Daddy → Twardy, Werner.

+Monsigny, Pierre-Alexandre, 1729–1817.
Ausg.: Ouvertüre zu »On ne s'avise jamais de tout«, hrsg. v. A. DE ALMEIDA, = L'offrande mus. XVI, Paris 1964; Arie d. Louise aus »Le Déserteur«, in: H. CHR. WOLFF, Die Oper II, = Das Musikwerk XXXIX, Köln 1971.
Lit.: CH. E. KOCH JR., The Dramatic Ensemble Finale in the Opéra Comique of the 18th Cent., AMl XXXIX,

1967; L. ST. FOX, »La belle Arsène« (1773) by P.-A. M., RMFC IX, 1969.

+Montagnana, Domenico, um 1690–1750.
Lit.: +W. L. v. LÜTGENDORFF, Die Geigen- u. Lautenmacher v. MA bis zur Gegenwart (1904 in 1 Bd, 61922, 2 Bde), Nachdr. Ffm. 1968; +A. FUCHS, Taxe der Streich-Instr. (1907, 51955), Ffm. 61960; +K. JALOVEC, Ital. Geigenbauer (1957), 3. verbesserte Aufl. Prag 1964, auch tschechisch u. engl. – D. M., in: The Strad LXXVIII, 1967/68, S. 334f.

Montagne (mɔ̃t'a:ɲ), Joachim Havard de la, * 30. 11. 1927 zu Genf; französischer Organist und Komponist, studierte an der Ecole C. Franck in Paris und wurde in Paris 1949 Organist an der Kirche Ste-Marie de Batignolles, 1952 Kapellmeister und Organist an der Kirche Ste-Odile und 1967 Kapellmeister und Chordirigent an der Kirche Madeleine. Er schrieb eine Reihe von Orgel- und Chorwerken und stellte Neubearbeitungen älterer Kirchenmusik für Soli, Chor und Orchester her.

Montagu-Nathan (m'ɔntəgju:n'eiθən), Montagu (bis 17. 3. 1909 Nathan Montagu), * 17. 9. 1877 zu Banbury (Oxfordshire), † 15. 11. 1958 zu London; englischer Musikschriftsteller und Violinist, studierte an den Konservatorien von Brüssel und Frankfurt a. M. und konzertierte in Belfast (1900–05), Leeds (1907–11) und London (1913–14). Er war Musikkritiker und Mitarbeiter bei zahlreichen Zeitschriften und trat vor allem mit Veröffentlichungen über russische Musik (Handbook to the Piano Works of A. Scriabin, London 1916, 21922; Contemporary Russian Composers, ebd. 1917, Nachdr. Westport/Conn. 1970; A History of Russian Music, ebd. 1918, NY 21969; Balakirev's Letters to Calvocoressi, ML XXXV, 1954) hervor.

Montalbano, Bartolomeo, OFM, * zu Bologna, † 1651 zu Venedig; italienischer Komponist, trat 1619 in den Franziskanerorden ein, wurde 1629 Maestro di cappella an S. Francesco in Palermo und war von 1642 bis zu seinem Tode Maestro di cappella an S. Francesco in Bologna. Er komponierte Sinfonie ad uno, e doi violini, a doi, e trombone, con il partimento per l'org., con alcune a quattro viole (Palermo 1629), Motetti ad 1, 2, 3, 4 & 8 v. con il partimento per l'org. op. 2 (ebd. 1629) und Motetti . . . con una messa a 4 v. op. 3 (ebd. 1629). Sein Bruder Guido M. (* 1600 und † 26. 8. 1698 zu Bologna), OFM, war sein Nachfolger an S. Francesco in Bologna (1651–75).
Lit.: A. SCHERING, Zur Gesch. d. Solosonate, Fs. H. Riemann, Lpz. 1909, Nachdr. Tutzing 1965; FR. VATIELLI, Primizie del sinfonismo, RMI XLVII, 1943, deutsch in: SMZ XCI, 1951, S. 341ff.; FR. GIEGLING in: MGG IX, 1961, Sp. 485f.

+Montalto, Kardinal, 1570–1623.
Lit.: +A. SOLERTI, Le origini del melodramma (= Piccola bibl. di scienze moderne LXX, 1903), Nachdr. Hildesheim 1969 u. = Bibl. musica Bononiensis III, 3, Bologna 1969.

Montand (mɔ̃t'ã), Yves (eigentlich Yvo Livi), * 13. 10. 1921 zu Monsumano (Toskana); französischer Chansonsänger italienischer Herkunft, lebte zunächst in Marseille, wo er in verschiedenen Berufen tätig war. 1944 übersiedelte er nach Paris und trat als Sänger von Cowboyliedern (Dans les plaines du Far-West), Jazz (Il fait des) und Folklore (Roi Renaud au chant des partisans) auf. Edith Piaf förderte entscheidend seine Karriere. Ab 1950 machte er die ersten Schallplattenaufnahmen (Chansons populaires de France). Neben Liedern, die die Szenen aus dem Alltagsleben schildern (La fête à Loulou; La bicyclette), und politischen Liedern (Actualités; Quand un soldat) interpretierte er Chansons nach Gedichten von R. Desnos, Hugo, Louis Aragon, Guillaume Apollinaire

und Paul Éluard. Darüber hinaus bevorzugt er Chansons von Prévert in der Vertonung von Kosma (*Barbara*; *Les feuilles mortes*). Von weiteren, von M. interpretierten Chansons seien genannt: *Elle a*; *Matilda*; *Le cireur de souliers de Broadway*; *Luna-Park*; *Ma grosse, ma p'tite môme*; *A Paris*; *C'est à l'aube*; *Il n'y a plus d'après*. M. hat sich auch als Filmschauspieler einen Namen gemacht.
Lit.: F. SCHMIDT, Das Chanson, = Slg Damokles VIII, Ahrensburg u. Paris 1968; J. CHARPENTREAU, Nouvelles vieillées en chanson, Paris 1970.

+Montani, Pietro, * 31. 8. 1895 zu Corno Giovine (Mailand), [erg.:] † 9. 6. 1967 zu Mailand.
M., Redaktionsleiter (1951–57) von »Ricordiana« und dann von »I quaderni di Ricordiana«, war ab 1965 Präsident der Accademia filarmonica di Bologna. An weiteren Werken sind zu nennen ein Konzert für Org., Streicher, 2 Trp. und Pk. (1938) und *Carmen saeculare* für Chor und Orch. (Horaz, 1958).

+Montanos, Francisco de (Montaños), um 1530(?) – nach 1592.
Lit.: FR. J. LEÓN TELLO, Estudios de hist. de la teoría mus., Madrid 1962; D. M. URQUHART, Fr. de M.'s »Arte de música theórica y práctica«, 2 Bde, Diss. Univ. of Rochester (N. Y.) 1969 (Übers. u. Kommentar).

Montạrsolo, Paolo, * 16. 3. 1925 zu Portici (bei Neapel); italienischer Sänger (Baßbuffo), studierte bei Enrico Corti und an der Opernschule der Mailänder Scala. Er sang bei der Operngruppe »I Cadetti della Scala«, die italienische Opern des 17. Jh. aufführte, und debütierte am Teatro Regio in Turin. Seit 1950 ist er an der Mailänder Scala, der Römischen Oper sowie bei den Festspielen in Glyndebourne, Salzburg und Spoleto aufgetreten.

+Monte, Philippe de, 1521–1603.
Ausg.: 6st. Missa sine nomine, hrsg. v. H. LEMACHER u. K. G. FELLERER, = Basilica o. Nr, Düsseldorf 1952; 5 Madrigale in: I diporti della villa in ogni stagione di Fr. Bozza, posti in musica a cinque v. da diversi famosi autori, hrsg. v. S. CISILINO, =Collana di musiche veneziane ined. o rare I, Mailand 1961; Il primo libro de madrigali spirituali a sei v. (Venedig 1583) sowie Il secondo libro de madrigali spirituali a sei & sette v. (ebd. 1589), hrsg. v. B. HUYS, =Corpus of Early Music in Facsimile I, 27 u. 29, Brüssel 1970.
Lit.: +A. EINSTEIN, The Ital. Madrigal (II, 1949), Nachdr. Princeton (N. J.) 1970; +G. REESE, Music in the Renaissance (1954), revidiert NY 1959. – R. B. LENAERTS, Contribution à l'hist. de la musique belge de la Renaissance, RBM IX, 1955; DERS. in: Vlaams muziektijdschrift XXIV, 1972, S. 65ff.; G. A. MICHAEL, The Parody Mass Technique of Ph. de M., 2 Bde, Diss. NY Univ. 1959; A. DE SUTTER, »Missa seconda sine nomine« v. Ph. de M., in: Musica sacra »sancta sancte« LX, 1959; W. ELDERS, Enkele aspecten v. de parodie techniek in de madrigaal-missen v. Ph. de M., TVer XIX, 3/4, 1962/63; DERS., Studien zur Symbolik in d. Musik d. alten Niederländer, = Utrechtse bijdragen tot de mw. IV, Bilthoven 1968; A. VANDER LINDEN, Note sur les dédicaces de Ph. de M., Bull. de la Classe des beaux-arts de l'Acad. Royale de Belgique L, 1968; P. NUTEN, Enkele stijlkritische beschouwingen over de franse chansons v. F. de M., in: Renaissance-muziek 1400–1600, Fs. R. B. Lenaerts, = Musicologica Lovaniensia I, Löwen 1969; DERS. in: Vlaams muziektijdschrift XXIII, 1971, S. 261ff.

Montecino (məntəθ'ino) Montalva, Alfonso, * 28. 10. 1924 zu Osorno; chilenischer Pianist und Komponist, studierte 1938–45 in Santiago de Chile bei Alberto Spikin (Klavier) und bei Domingo Santa Cruz (Komposition), an der Princeton University (N. J.) bei R. Thompson (1947–48) sowie in New York an der Mannes Music School bei Martinů, der Columbia Uni-

versity bei Varèse und der Juilliard School of Music bei Sessions (1948–50). 1948–57 vervollkommnete er seine Klavierstudien bei Arrau und Rafael Silva. Er unternahm Konzertreisen durch Lateinamerika und Europa (1967 in die UdSSR), ging 1959 nach Chile zurück und lehrt seit 1964 an der Indiana University in Bloomington. M. schrieb Orchesterwerke (*Obertura concertante*, 1948; Concertino, 1965), Kammermusik, Klavierstücke (Sonate, 1946; Suite, 1948; *Composición en 5 movimientos* für die linke Hand, 1951; 4 Inventionen, 1965), a cappella-Chöre und Klavierlieder. Er verfaßte *Algunos apuntes sobre la interpretación del clave bien temperado de J. S. Bach* (Rev. musical chilena XIV, 1960).

+Montéclair, Michel Pignolet (Pinolet) de, 1667 – 22. [nicht: 27.] 9. 1737 zu Aumont (Oise oder Somme[?]) [nicht: St-Denis bei Paris].
Schon 1687 und ab 1695 nach seiner Tätigkeit als Musiklehrer des Prince de Vaudémont in Italien ist M. in Paris nachweisbar und soll dort bereits ab 1699 als Kontrabassist an der Oper gewirkt haben. – +*Cantates françoises et italiennes* (nach 1709 – 1728 [nicht: 1709–17]). – M. komponierte ferner 6 Konzerte für 2 Fl. ohne B., 6 Konzerte sowie *Brunètes anciènes et modernes* für Fl. und B. c. Seine +*Petite méthode pour apprendre la musique aux enfans* erschien um 1730 [nicht: um 1737].
Ausg.: Concertos I–III f. 2 Fl. (V. oder andere Instr.) ohne B., hrsg. v. R. VIOLLIER, Locarno 1962–63; 6 Konzerte f. 2 Fl. oder andere Instr. ohne B., hrsg. v. G. FROTSCHER, Heidelberg 1966; 10 Menuets qui se dansent aux bals de l'Opéra (aus 1er Recueil des plus beaux menuets) f. V. (Fl., Ob. oder Klar.), hrsg. v. L. BOULAY, =L'astrée o. Nr, Paris 1969. – Principes de musique, Faks. d. Ausg. Paris 1736, Genf 1972.
Lit.: +L. DE LA LAURENCIE, L'école frç. de v. de Lully à Viotti (III, 1924), Nachdr. Genf 1971. – M. BRIQUET, Deux motets inéd. de M., Kgr.-Ber. Köln 1958; S. MILLIOT, Le testament de M. P. de M., RMFC VIII, 1968.

Montefụsco, Licinio, * 30. 10. 1936 zu Rho (bei Mailand); italienischer Opernsänger (Bariton), studierte privat bei Rhéa Toniolo in Mailand und debütierte dort 1961 am Teatro Nuovo als Zurga in *Les pêcheurs de perles* (Bizet). Er ist seither an den großen Bühnen Italiens (Debüt an der Mailänder Scala 1970 in »I vespri siciliani«), in ost- und westeuropäischen Ländern (Staatsoper Wien seit 1964, Deutsche Oper Berlin seit 1966) und in den USA aufgetreten, besonders in den tragenden Baritonpartien der Opern Verdis.

Montẹlla, GiovanDomenico (genannt Mico), * um 1570 und † 1607 zu Neapel; italienischer Komponist, war ab 1591 »musico di liuto« in der königlichen Kapelle in Neapel. – Werke (wenn nicht anders angegeben, in Neapel gedruckt): *1o libro de Madrigali a 5 v.* (1595); *2o libro de Madrigali a 5 v.* (Venedig 1596); *Motectorum et missarum cum 8 v. liber primus* (1600); *Lamentationes et alia ad officium hebdomadae sanctae 4 v.* (1601); *3o libro de Madrigali a 5 v.* (1602); *4o libro de Madrigali a 5 v.* (1602); *1o libro de Villanelle a 3 e 4 v.* (1602); *5o libro de Madrigali a 5 v.* (1603); *6o libro de Madrigali a 5 v.* (1603); *Motectorum 5 v. liber primus* (1603); *2o libro de Villanelle et arie* (1604); *1o libro de Madrigali a 4 v.* (1604); *7o libro de Madrigali a 5 v.* (1605); *Psalmi ad completorium 8 et 4 v.* (1605); *3o libro di Villanelle a 4 et arie a 2 v.* (1605, 21613); *4o libro di Villanelle a 4 v.* (1606, 21612); *2o libro de Madrigali a 5 v.* (1607); *8o libro de Madrigali a 5 v.* (1607). Weitere Stücke sind in Sammelwerken der Zeit erschienen.
Lit.: G. PANNAIN, L'oratorio dei Filippini e la scuola mus. di Napoli, in: Istituzioni e monumenti dell'arte mus. ital. V, Mailand 1934; U. PROTA-GIURLEO, G. M. Trabaci e gli

organisti della Real Cappella di Palazzo di Napoli, in: L'org. I, 1960; CL. SARTORI in: MGG IX, 1961, Sp. 506f.

Montéro (mõter'o), Germaine (eigentlich Heyge), * 1909 zu Paris; französische Chansonsängerin und Schauspielerin, debütierte als Bühnenkünstlerin in Madrid in Stücken und unter Leitung von García Lorca. Sie trat ab 1938 in Paris auf (besonders erfolgreich als Brechts »Mère Courage«) und teilte bald ihre Tätigkeit zwischen Bühne, Film und Rundfunk. G. M. war eine der ersten, die Chansons von Kosma mit Texten von Prévert sang (*En sortant de l'école*; *Chanson pour les enfants d'hiver*; *Et la fête continue*; *Et puis après*). Zu ihrem Repertoire gehörten u. a. auch Chansons von Pierre Jean de Béranger, Brecht–Weill und Ferré.

Montero, José Angel, * Ende 1832 oder 1839 und † 24. 8. 1881 zu Caracas; venezolanischer Komponist und Dirigent, Sohn des Kirchenkapellmeisters José María M. (* 1782 in Spanien, † 1869 zu Caracas), studierte Flöte und verschiedene andere Instrumente, spielte als Violoncellist in einem von ihm gebildeten Streichquartett, war Maestro de capilla an der Kathedrale von Caracas und lehrte an der Academia de Música des Instituto Nacional de Bellas Artes. Außerdem leitete er lange Jahre die staatliche Blaskapelle. M. komponierte die erste venezolanische Oper *Virginia* (Libretto Domenico Bancalari, Caracas 1873, revidiert und neu instrumentiert von Primo Casale, 1969), Zarzuelas (*Los Alemanes en Italia*; *Doña Inés o La política en el hogar*), Ouvertüren, Messen (*Misa del Nazareno*), 3 Te Deum, ein Graduale und Offertorium zur Einsegnung der Kathedrale von Caracas sowie zahlreiche Märsche für Blaskapelle und Salonmusik.

+Monterosso, Raffaello, * 18. 1. 1925 zu Cremona.

M. ist seit 1968 Professor für Musikgeschichte an der Universität Pavia (dort seit 1971 auch Direktor der Scuola di paleografia e filologia musicale). Von seinen neueren Schriften seien genannt: *G.Visconti, violinista cremonese del s. XVIII* (StMw XXV, 1962); *L'ornamentazione nella monodia medievale* (Rivista di cultura classica VII, 1965); *Un»auctoritas« dantesca in un madrigale dell'Ars nova* (CHM IV, 1966); *Un compendio inedito del »Lucidarium« di Marchetto da Padova* (in: Studi medievali III, 7, 1966); *L'estetica di G. Zarlino* (in: Chigiana XXIV, N. S. IV, 1967); *Tecnica ed espressione artistica nella musica del s.XII* (= Instituta et monumenta II, 2, Cremona 1967); *La tradizione melismatica sino all'Ars nova* (in: L'Ars nova italiana del Trecento [III], Kgr.-Ber. Certaldo 1969). Er edierte *Cl. Monteverdi e il suo tempo* (Kgr.-Ber. Venedig, Mantua und Cremona 1968) und gab ferner heraus: T.Massaino, *Liber primus cantionum ecclesiasticarum (1592). Drei Instrumentalcanzonen (1608)* (= DTÖ CX, Wien 1964); A.Vivaldi, *La fida ninfa* (= Instituta et monumenta I, 3, Cremona 1964); *Sponsus. Dramma delle vergini prudenti e delle vergini stolte* (mit D'A. S. Avalle, = Documenti di filologia IX, Mailand 1965); in der (neuen) Monteverdi-GA die *Madrigali a 5 v., Libro primo* (= Opera omnia II, = Instituta et monumenta I, 3, Bd 2, Cremona 1970).

Montés, John (Juan), * 26. 11. 1902 zu Warschau; argentinischer Pianist und Musikschriftsteller polnischer Herkunft, studierte in Warschau Klavier bei Jan Łusakowski und M.Rüdiger, Komposition bei Felicjan Szopski und Dirigieren bei Młynarski. Er vervollkommnete seine Klavierstudien bei Teichmüller am Leipziger Konservatorium (Diplom 1923). Nach solistischer Tätigkeit in Europa bildete er 1925 ein Klavierduo mit seiner Frau, Tila M. (geborene Horowitz,

* zu Lemberg, Schülerin von Wilhelm Rinkens in Eisenach und Teichmüller in Leipzig), und übersiedelte nach Buenos Aires, von wo aus beide zahlreiche Konzertreisen durch Südamerika, in die USA und (ab 1945) auch nach Europa unternahmen. Er ist Dekan der argentinischen Musikkritiker und Mitarbeiter argentinischer und ausländischer Fachzeitschriften. M. komponierte Orchesterwerke, Kammermusik, Klavierstücke und Lieder.

+Monteux, Pierre, * 4. 4. 1875 zu Paris, [erg.:] † 1. 7. 1964 zu Hancock (Me.).
Ab 1961 war M. Chefdirigent des London Symphony Orchestra.
Lit.: E. v. ROYEN in: Mens en melodie XIX, 1964, S. 228ff.; P. CRONHEIM in: Diener d. Musik, hrsg. v. M. Müller u. W. Mertz, Tübingen 1965, S. 37ff.; D. G. MONTEUX, It's All in the Music, NY 1965.

+Monteverdi, Claudio [erg.:] Zuan (Giovanni) Antonio, 1567–1643.
Die Mailänder Reise des Vaters Baldassare M. fällt erst in das Jahr 1587 [nicht: 1586]. M. heiratete Claudia Cattaneo [erg.:] am 20. 5. 1599 [nicht: 1595]. – Von *Arianna* (1608) ist lediglich das Lamento erhalten (die vollständigste Fassung findet sich bei E.Vogel in: VfMw III, 1887, S. 443ff.). An der Intermedienmusik zu *Idropica* war Marco da Gagliano [nicht: Monco] beteiligt. M. hatte keine offizielle Stelle an der Hofkirche S.Barbara in Mantua inne. *Il ritorno d'Ulisse in patria* kam schon 1640 [nicht: 1641] heraus. – Die Vertreter der →Prima pratica hatten keineswegs geradezu die Umkehrung der M.schen Forderung *L'oratione sia padrona dell'armonia e non serva* als Richtschnur, nur zogen sie nicht, um die »Rede« musikalisch zu realisieren, M.s auf den Dissonanzgebrauch bezogene satztechnische Konsequenzen. Die der (in Deutschland beheimateten) musikalischen Figurenlehre entstammenden lateinischen Termini lassen sich bei M. selber nicht belegen. Das von M. zur musikalischen Wiedergabe des Affekts der Erregung erfundene »concitato genere« wurde erst in der musikhistorischen Literatur unzutreffend als Stil (stile concitato) bezeichnet. – Aus B.Casolas Brief geht nicht hervor, daß M. noch 1610 mit der Komposition seiner 6st. bzw. 7st. Messe *In illo tempore* beschäftigt war. Die zwei stilistisch scharf voneinander getrennten Einheiten der Publikation von 1610 sind nicht identisch mit Prima und Seconda pratica, sondern stellen sich als a cappella-Satz (Messe) und konzertierender Satz (Vespern) dar.
Ergänzungen zum früheren Werkverzeichnis: *L'Orfeo* (1607), Neudr. der Musik 1615; das *Lamento d'Arianna* wurde 1623 zweimal gedruckt und ist außerdem in mehreren Handschriften erhalten; das Ballett *La vittoria d'Amore* (Piacenza 1640, verloren); eine 2st. Motette (gedruckt bei G.B.Bonometti, 1615), eine 5st. und drei 6st. Motetten (G.C.Bianchi, 1620), zwei 2st. Motetten (L.Calvo, 1624), eine 2st. Motette (F. Sammaruco, 1625), vier 1st. Motetten (L.Simonetti, 1625, ²1636), zwei 2st. Motetten (J.Donfrid, 1627, davon eine bereits bei G.B. Ala, 1618), zwei 1st. Motetten (G. Casati, 1651) und die 3st. Villanella *Ahi che si parti* (Ms. Modena, Biblioteca Estense). – Werke M.s bearbeiteten in neuerer Zeit u. a. P.Hindemith (*Orfeo*, Versuch einer Rekonstruktion der ersten Aufführung, Wien 1954) und C.Orff (»Trittico teatrale« *Lamenti*, Schwetzingen 1958).
Ausg.: An Alphabetical Index to Cl. M., Tutte le opere, = Music Library Ass., Index Series I, NY 1965. – +GA (Tutte le opere di Cl. M., G. FR. MALIPIERO, 1926–42, 16 Bde in 17), Nachdr. Wien 1966–68 (nebst einem Suppl.-Bd, hrsg. v. DEMS., insgesamt 17 Bde in 22), daraus Bd

XV–XVI in 2. Aufl. revidiert hrsg. v. D. ARNOLD, ebd. 1967–68: Bd I–VII, 1.–7. Madrigalbuch; VIII (2 Bde), Madrigali guerrieri, et amorosi; IX, 2- u. 3st. Madrigali e canzonette; X, 3st. Canzonette e scherzi mus.; XI, L'Orfeo, Lamento d'Ariana u. Musiche de alcuni (Maddalena); XII, Il ritorno d'Ulisse in patria; XIII, L'incoronazione di Poppea; XIV, 1, Sacrae cantiunculae tribus v. u. Sanctissimae virgini (1610); XIV, 2, Musica religiosa (1610); XV (3 Bde), Selva morale e spirituale (Musica religiosa 2. Teil); XVI (2 Bde), Missa et psalmi (Musica religiosa 3. Teil; enthält auch Fragmente u. Stücke aus Slgen); XVII, Suppl.-Bd. – Opera omnia, hrsg. v. d. Fondazione Cl. M., Cremona 1970ff., bisher erschienen: Madrigali a 5 v., Libro primo, hrsg. v. R. MONTEROSSO, = Inst. et monumenta I, 3, Bd 2, 1970. – Kritische GA, hrsg. v. CL. GALLICO, Wien 1973ff. (in Vorbereitung).
+L'incoronazione di Poppea (H. GOLDSCHMIDT, 1904), Nachdr. Hildesheim u.Wiesbaden 1967. – L' Orfeo, Faks. d. Ausg. Venedig 1615, hrsg. v. D. STEVENS, Farnborough 1971; L'incoronazione di Poppea, Faks.-Ausg. hrsg. v. S. MARTINOTTI, = Bibl. musica Bononiensis IV, 81, Bologna 1969. – L'Orfeo, hrsg. v. D. STEVENS, London u. NY 1967. – Messa a 4 v. (1651), hrsg. v. H. F. REDLICH, = Ed. Eulenburg Nr 982, London 1957; Missa »In illo tempore« a 6 (1610), hrsg. v. DEMS., ebd. Nr 991, 1962 (darin auch d. gleichnamige Motette v. N. Gombert); Il ballo delle ingrate, hrsg. v. D. STEVENS, ebd. 1960; Vespers, f. Soli, Doppelchor, Org. u. Orch. hrsg. v. DEMS., ebd. 1961; Il combattimento di Tancredi e Clorinda, hrsg. v. DEMS., ebd. 1962; Hor che'l ciel e la terra, hrsg. v. DEMS., = The Penn State Music Series VII, Univ. Park (Pa.) 1965; Ballo »Movete al mio bel suon«, f. T., 5 Soli (oder Chor), 2 V., Vc. u. Cemb. hrsg. v. DEMS., London 1967; Magnificat (aus »Selva morale . . .«), f. Soli, Doppelchor, Org. u. Orch. hrsg. v. DEMS. u. J. STEELE, ebd. 1969; Lamento d'Arianna, f. A., 5st. Chor u. B. c. hrsg. v. H. J. MOSER u. TR. FEDTKE, Kassel 1961; Messa a 4 v. da cappella (1641), hrsg. v. D. ARNOLD, = Ed. Eulenburg Nr 990, London 1962; Laudate Dominum, f. Soli, Chor, Streichorch., B. c. u. Pos. ad libitum hrsg. v. DEMS., ebd. Nr 1069, 1966; Gloria a 7 v. sowie »O ciechi ciechi« u. »Voi ch'ascoltate«, f. 5 St., 2 V. u. B. c. hrsg. v. DEMS., Wien 1967 (3 Bde); Magnificat a 6 v. (aus d. Vespern v. 1610) f. Chor u. Org., hrsg. v. DEMS. = Ed. Eulenburg Nr 1071, London 1968; Vesperae Beatae Mariae Virginis (1610), hrsg. v. G. WOLTERS (mit M. Siedel u. W. Lipphardt), Wolfenbüttel 1967; Ballo »Tirsi e Clori« f. 5 St. u. Instr., hrsg. v. K. COOPER, = The Penn State Music Series XIV, Univ. Park (Pa.) 1968; Gloria concertata a 7 v., hrsg. v. J. STEELE, ebd. XVIII; Lamento d'Arianna, f. Singst. u. Streicher hrsg. v. CL. GALLICO, Wien 1969; Il primo libro de madrigali, 2 Bde (I Ausg., II Faks.), hrsg. v. B. BAILLY DE SURCY, NY 1972.
Lit.: Exposição comemorativa do 4. centenario do nascimento de Cl. M., Kat. hrsg. v. FR. LESURE, Lissabon 1967. – Cl. M. e il suo tempo, hrsg. v. R. MONTEROSSO, Kgr.-Ber. Venedig, Mantua u. Cremona 1968. – M.-Sonder-H.: MT CVIII, 1967, H. 5, Musikrevy XXII, 1967, H. 4, u. RIdM II, 1967, H. 2. – G. BARBLAN, CL. GALLICO u. G. PANNAIN, Cl. M. nel quarto centenario della nascita, Turin 1967; The M. Companion, hrsg. v. D. ARNOLD u. N. FORTUNE, London u. NY 1968 u. 1972 (mit Bibliogr.); D. SOMMERFIELD in: Current Musicology 1969, H. 9, S. 215ff. (Diskographie).
+C. v. WINTERFELD, J. Gabrieli u. sein Zeitalter (1834), Nachdr. Hildesheim 1965 (3 Bde); +A. W. AMBROS, Gesch. d. Musik (IV, ³1909), Nachdr. ebd. 1968; +A. SOLERTI, Le origini del melodramma (= Piccola bibl. di scienze moderne LXX, 1903), Nachdr. = Bibl. musica Bononiensis III, 3, Bologna 1969, auch Hildesheim 1969; +DERS., Gli albori del melodramma (1904–05), Nachdr. Hildesheim 1969; +H. PRUNIÈRES, La vie et l'œuvre de Cl. M. (1926), Nachdr. d. +engl. Ausg. (M., His Life and Work, 1926) NY 1972; +H. F. REDLICH, Cl. M. (1949), Nachdr. d. engl. Ausg. (1952) Westport (Conn.) 1971; +A. EINSTEIN, The Ital. Madrigal (II, 1949), Nachdr. Princeton (N. J.) 1970; +L. SCHRADE, M., Creator of Modern Music (1950), London 1950, NY 1951, NY u. London ²1964, Nachdr. d. 1. Aufl. v. 1950, NY 1969; +G. PANNAIN, Studi m.ani I–XV, Rass. mus. XXVIII, 1958 –

XXXII, 1962, fortgesetzt in: La nuova musicologia ital., = Quaderni della Rass. mus. III, 1965, S. 13ff.
H. F. REDLICH, M. e l'orch., in: L'orch., Gedenkschrift G. Marinuzzi, Florenz 1954; DERS. in: NZfM CXVIII, 1957, S. 411ff. (zu »L'Orfeo«); DERS., The Re-Discovery of M., MR XXIII, 1962; DERS. in: The Consort XXIV, 1967, S. 224ff. (über Ed.-Probleme); W. OSTHOFF, Zu d. Quellen v. M.s »Ritorno di Ulisse in patria«, StMw XXIII, 1956; DERS., Zur Bologneser Aufführung v. M.s »Ritorno di Ulisse« im Jahre 1640, Anzeiger d. philosophisch-hist. Klasse d. Österreichischen Akad. d. Wiss. XXIV, 1958 (= Mitt. d. Kommission f. Musikforschung XI); DERS., M.s »Combattimento« in deutscher Sprache u. H. Schütz, Fs. H. Osthoff, Tutzing 1961; DERS., Per la notazione originale nelle pubbl. di musiche antiche e specialmente nella nuova ed. M., AMl XXXIV, 1962; DERS., Maske u. Musik, in: Castrum peregrini LXV, 1964, ital. in: nRMI I, 1967, S. 16ff.; DERS., Cl. M. in unserer Zeit, in: Musica XXI, 1967; D. STEVENS, L'interprétation de la musique de Cl. M., in: Le »baroque« mus., = Les colloques de Wégimont IV, 1957; DERS., Ornamentation in M.'s Shorter Dramatic Works, Kgr.-Ber. Köln 1958; DERS., Where are the Vespers of Yesteryear?, MQ XLVII, 1961; DERS. in: MQ LIII, 1967, S. 161ff. (zu d. »Madrigali guerrieri, et amorosi«); DERS., M.'s Necklace, MQ LIX, 1973 (mit Briefen in engl. Übers.); W. WEISMANN, Ein verkannter Madrigal-Zyklus M.s, DJbMw II, 1957; H. OSTHOFF, Gedichte v. T. Stigliani auf G. Caccini, Cl. M., S. Garsi da Parma u. Cl. Merulo, in: Miscelánea . . ., Fs. H. Anglés II, Barcelona 1958–61; D. D. BOYDEN, M.'s Violini piccoli alla francese and Viole da brazzo, Ann. mus. VI, 1958–63; M. ROCHE, M., = Solfèges XIV, Paris 1960; D. ARNOLD, The M.an Succession at St. Mark's, ML XLII, 1961; DERS., M., = Master Musicians, N. S. o. Nr, London u. NY 1963; DERS., M. and the Technique of »concertato«, The Amor Artis Bull. VI, 1967; DERS., M. Madrigals, = BBC Music Guides VII, London 1967 u. Seattle (Wash.) 1969; DERS., M.'s Singers, MT CXI, 1970; M. PÁNDI, Cl. M., = Kis zenei könyvtár XIX, Budapest 1961; CL. GALLICO, Nuovi documenti su M., Rass. mus. XXXII, 1962, engl. in: MQ XLVIII, 1962, S. 68ff.; DERS., M. e i dazi di Viadana, RIdM I, 1966; DERS., Emblemi strumentali negli »Scherzi« di M., RIdM II, 1967; DERS., I due pianti di Arianna di Cl. M., in: Chigiana XXIV, N. S. IV, 1967; DERS., La »Lettera amorosa« di M. e lo stile rappresentativo, nRMI I, 1967; F. GHISI, L'orch. in M., Fs. K. G. Fellerer, Regensburg 1962; L. SCHRADE, Cl. M., ein Revolutionär d. Mg., NZfM CXXIII, 1962, wiederabgedruckt in: De scientia musicae studia atque orationes, Bern 1967; P. J. WILLETS, A Neglected Source of Monody and Madrigal, ML XLII, 1962; S. SØRENSEN, M., Förster, Buxtehude. Entwurf zu einer entwicklungsgesch. Untersuchung, Dansk aarbog f. musikforskning III, 1963; M. R. TORLASCO, L'ispirazione class. di Cl. M., in: Convivium XXXI, N. S. X, 1963; I. LAVIN, Lettres de Parmes (1618, 1627–28) et débuts du théâtre baroque, in: Le lieu théâtral à la Renaissance, hrsg. v. J. Jacquot, Paris 1964; A. M. NAGLER, Theatre Festivals of the Medici, 1539–1637, New Haven (Conn.) 1964; ST. REINER, Preparations in Parma, MR XXV, 1964; R. TELLART, Cl. M., = Musiciens de tous les temps IV, Paris 1964; E. APFEL, Beitr. zu einer Gesch. d. Satztechnik v. d. frühen Motette bis Bach, Bd II, München 1965; S. CLARO, Cl. M., G. M. Artusi. Una controversia mus., Rev. mus. chilena XIX, 1965; A. DAMERINI, Il senso religioso nelle musiche sacre di Cl. M., CHM IV, 1966; G. MASSERA, Artusi e la seconda pratica m.ana, Parma 1966; A. ROSENTHAL, A Hitherto Unpubl. Letter of Cl. M., in: Essays . . ., Fs. E. Wellesz, Oxford 1966; J. L. A. ROCHE, The Duet in Early 17th-Cent. Ital. Church Music, Proc. R. Mus. Ass. XCIII, 1966/67; DERS., M., An Interesting Example of Second Thoughts, MR XXXII, 1971; R. BACCHELLI, M.ana, Mantua 1967; H.-E. BACH, Die Stellung d. Marienvesper im Schaffen Cl. M.s, in: Musica sacra LXXXVII, 1967; ST. BONTA, Liturgical Problems in M.'s Marian Vespers, JAMS XX, 1967; W. DSCH. KONEN in: SM XXXI, 1967, H. 5, S. 89ff.; DIES., Poslednaja opera M., Istorija i teorija (»Die letzte Oper M.s . . .«), SM XXXII, 1968; DIES., Kl. M., Moskau 1971; G. FR. MALIPIERO, Così parlò Cl. M., = La coda di paglia IV, Mailand 1967; E. SANTORO, La

famiglia e la formazione di Cl. M., Note biogr. con documenti ined., = Annali della Bibl. governativa e Libreraria civica di Cremona XVIII, 1, Cremona 1967; DIES., Iconografia m.ana, ebd. XIX, 1, 1968; J. ARTHOS, Milton and the Ital. Cities, London 1968; C. DAHLHAUS, Untersuchungen über d. Entstehung d. harmonischen Tonalität, = Saarbrücker Studien zur Mw. II, Kassel 1968; G. HUST, Untersuchungen zu Cl. M.s Meßkompositionen, Diss. Heidelberg 1968; FR. KRELL, Aufführungspraktische Prinzipien bei d. Interpretation d. Madrigale v. Marenzio, Gesualdo u. M., Wiss. Zs. d. M.-Luther-Univ. Halle–Wittenberg, Ges.- u. sprachwiss. Reihe XVII, 1968; N. PIRROTTA, Early Opera and Aria, in: New Looks at Ital. Opera, Fs. D. J. Grout, Ithaca (N. Y.) 1968, ital. in: Li due Orfei, Turin 1969; DERS., Scelte poetiche di M., nRMI II, 1968; G. PONTIROLI, Notizie sui M., su personaggi ed artisti del loro ambiente, = Bibl. stor. cremonese XVII, 15, Cremona 1968; W. SIEGMUND-SCHULTZE, Beitr. zu einem neuen M.-Bild, Wiss. Zs. d. M.-Luther-Univ. Halle–Wittenberg, Ges.- u. sprachwiss. Reihe XVII, 1968; R. SMITH BRINDLE, M.'s G Minor Mass. An Experiment in Construction, MQ LIV, 1968; N. ANFUSO u. A. GIANUARIO, Cl. M., »Lamento d'Arianna«. Studio e interpretazione sulla ed. a stampa del Gardano, Venezia 1623, Florenz 1969; DIES., Preparazione alla interpretazione della ποίησις m.ana, ebd. 1971; ST. BEDWORD, The Problems of »Poppea«, in: Opera XX, 1969; A. GIANUARIO, Proemio all'»Oratione« di M., RIdM IV, 1969; »Orfeo«. Exempla di semeiografia ed armonia nell'ed. del 1609, hrsg. v. DEMS., Florenz 1972; G. VECCHI, Le accad. bolognesi del primo Seicento e M. a Bologna, Atti dell'Accad. delle scienze dell'Istituto di Bologna, Classe di scienze morali LXI, Bologna 1969; JE. BRONFIN, Cl. M., Kratkij otscherk schisni i twortschestwa (»Kurzer Abriß d. Lebens u. Werkes«), Leningrad 1970; P. E. CARAPEZZA, L'ultimo oltramontano o vero l'antimonteverdi, nRMI IV, 1970; TH. GÖLLNER, Falsobordone-Anklänge in Prologen u. Auftritten d. frühen Oper, Kgr.-Ber. Bonn 1970; E. H. TARR, M., Bach u. d. Trompetenmusik ihrer Zeit, ebd.; TH. ANTONICEK, Cl. M. u. Österreich, ÖMZ XXVI, 1971; H. H. CARTER JR., A Study of the Concertato Psalm Settings in M.'s »Selva morale e spirituale«, Diss. Univ. of Illinois 1971; W. FROBENIUS, Zur Notation eines Ritornells in M.s »L'Orfeo«, AfMw XXVIII, 1971; R. K. MAYS, Harmonic Style in the Madrigals of Cl. M., Diss. Indiana Univ. 1971; Studi sul Teatro Veneto fra Rinascimento ed età barocca, hrsg. v. M. T. MURARO, = Civiltà veneziana, Studi XXIV, Florenz 1971. WO

Monteverdi, Giulio Cesare (Monteverde), getauft 31. 1. 1573 zu Cremona, † um 1630 wahrscheinlich an der Pest zu Salò (Lombardei), Bruder von Claudio M., wirkte neben diesem in Mantua bis 1612. In diese Zeit fällt die Abfassung der berühmten *Dichiaratione* (→ Seconda pratica). M. komponierte das 4. Intermedium zu *L'idropica* von Guarini (Mantua 1608) und eine Oper *Il rapimento di Proserpina* (Casale Monferrato 1611), beides verloren; erhalten sind 2 Canzonetten (veröffentlicht 1607 in den *Scherzi musicali a tre v.* seines Bruders) und *Affetti musici. Libro primo, ne quali si contengono Motetti a 1, 2, 3, 4 et 6 v., col modo per concertari nel b. per l'org.* (Venedig 1620). 1612 ist M. als Organist in Castellone nachweisbar; 1622 wurde er zum Maestro di cappella am Dom zu Salò gewählt.
Lit.: CL. SARTORI, G. C. M. a Salò. Nuovi documenti ined., nRMI I, 1967.

+Montfort, Hugo von (Hugo VIII., Graf von M.-Bregenz und Tannenberg), 1357–1423.
Ausg.: 3 Lieder in: H. MOSER u. J. MÜLLER-BLATTAU, Deutsche Lieder d. MA, Stuttgart 1968.
Lit.: +H. J. MOSER, Gesch. d. deutschen Musik (I, 1920, 41926), Nachdr. (mit Ergänzungen als »vermehrte u. verbesserte« Aufl.) Hildesheim 1966. – E. JAMMERS, H. v. M.s Liederhandschrift (Cod. Pal. germ. 329 d. Univ.-Bibl. Heidelberg), in: Ruperto-Carolina IX, 1957, Bd XXI, auch separat Heidelberg 1957; R. WH. LINKER, Music of the Minnesinger and Early Meistersinger. A Bibliogr.,

= Univ. of North Carolina Studies in the Germanic Languages and Lit. XXXII, Chapel Hill (N. C.) 1962; G. MOCZYGEMBA, H. v. M., Fürstenfeld (Österreich) 1967.

Monti, Nicola, * 21. 11. 1920 zu Mailand; italienischer Sänger (lyrischer Tenor), studierte in seiner Heimatstadt und vervollkommnete seine Ausbildung 1950–51 an der Opernklasse der Scala. Er debütierte 1951 am Teatro S. Carlo in Neapel als Elvino in *La sonnambula* von Bellini und danach an der Mailänder Scala als Nemorino in *L'elisir d'amore* von Donizetti und hat seitdem auch an Opernhäusern außerhalb Italiens gastiert. M. ist besonders in den einschlägigen Partien der italienischen und französischen Oper und auch als Mozart-Sänger hervorgetreten.

Montoya, Carlos García, * 13. 12. 1903 zu Madrid; amerikanischer Flamencogitarrist spanischer Herkunft, Autodidakt, trat zunächst in Konzertcafés auf, gehörte 1928–31 der Flamencotruppe von Antonia Mercé an, begleitete 1931–33 den Tänzer Vicente Escudero, wechselte in die Truppe von La Teresina über und spielte 1938 bei der Truppe Encarnación Argentinita. Bald darauf gab er Soloabende. Gastspiele führten ihn durch Nord- und Südamerika, nach Spanien, Tokio und Saigon. Von den zahlreichen Kompositionen, die er für sein Instrument schrieb, seien genannt: Suite in 4 Sätzen für Git. und Orch. (mit Julio Esteban); *Suite flamenca* für Git. und Orch. (1966).

+Montrose, Jack, * 30. 12. 1928 zu Detroit (Mich.). N. lebt seit 1970 in Las Vegas (Nev.), wo er vor allem als Saxophonist in Hotels zusammen mit Show-Orchestern auftritt.

+Montsalvatge [erg.:] Bassols, Xavier, * 11. 3. 1911 zu Gerona.
M., Vorsitzender der spanischen Sektion der IGNM, unterrichtet seit 1960 Harmonie und Komposition an der Academia Marshall in Barcelona. Neuere Kompositionen: 3 *Danzas inciertas* für 2 Solostreicher (1956); *Divagación* für Kl. (1956); *Partita 1958* für Orch.; symphonische Dichtung *Cant espiritual* für Chor und Orch. (1958); 2 *Canciones negras* für gem. Chor (1960); *Sonatine pour Yvette* für Kl. (1961); einaktige Oper *Una voce in off* (Barcelona 1962); *Desintegración morfológica de la chacona de Bach* für Orch. (1963); musikalische Fabel für Kinder *Viatge a la lluna* für Sprecher und Orch. (1966); Oper *Babel* (1967); 5 *Invocaciones al crucificado* für S. und 12 Instrumentalsolisten (1969).

Monza, Carlo, * um 1735 und † 19. 12. 1801 zu Mailand; italienischer Komponist, studierte bei G. A. Fioroni, war ab 1768 in Mailand Organist der herzoglichen Kapelle unter G. B. Sammartini und ab 1775 dessen Nachfolger; er war daneben auch Maestro di cappella an S. Giovanni in Conca, an S. Maria Segreta (ab 1770) und an der Chiesa della Rosa. 1787 wurde er Maestro di cappella am Mailänder Dom. Die Accademia Filarmonica in Bologna ernannte ihn 1771 zu ihrem Mitglied. Außer Kirchenmusik und Kammermusik (6 Trios für 2 V. und Vc. op. 1; 6 Streichquartette op. 2; 6 Sonaten für Cemb. und V. op. 3) schrieb er eine Reihe von Opern, in denen die schemahafte Bravourarie vorherrscht: *L'Olimpiade* (Mailand 1758); *Sesostri re d'Egitto* (ebd. 1759); *Achille in Sciro* (ebd. 1764); *Temistocle* (ebd. 1766); *Adriano in Siria* (Neapel 1769); *Germanico in Germania* (Rom 1770); *Il cavaliere parigino* (Mailand 1774); *Alessandro nell'Indie* (ebd. 1775); *Cleopatra* (Turin 1776); *Ifigenia in Tauride* (Mailand 1784); *Erifile* (Turin 1786).
Lit.: G. BARBLAN, La musica strumentale e cameristica a Milano nel '700, Mailand 1962, S. 619; F. MOMPELLIO, La

cappella del duomo dal 1714 ai primi decenni al '900, in: Storia di Milano XVI, ebd.; CL. SARTORI, Sammartini post-mortem, in: H. Albrecht in memoriam, Kassel 1962.

Moog (mo:g), Robert A., * 23. 5. 1934 zu Flushing (N. Y.); amerikanischer Elektroingenieur, studierte am Queens College of the City of New York in Flushing (B. S. in Physics 1957), an der Columbia University in New York (B. S. in Electrical Engineering 1957) und an der Cornell University in Ithaca/N. Y. (Ph. D. in Engineering Physics 1965). 1954 gründete er The R. A. Moog Co. (Inc. 1968, Sitz Trumansburg/N. Y.) zur Herstellung elektronischer Musikinstrumente. Der Moog synthesizer ist als ein Tasteninstrument von großem, effektvollem Farbenreichtum durch die Bach-Adaptionen von Walter Carlos (»Switched-on Bach«) weltbekannt geworden.

+Moolenaar, Frieso, * 20. 6. 1881 und [erg.:] † 23. 1. 1965 zu Groningen.

Moór (m'ɔo:r), Emánuel, * 19. 2. 1863 zu Kecskemét (Ungarn), † 20. 10. 1931 zu Chardonne (Vaud); englischer Pianist und Komponist ungarischer Herkunft, studierte in Kecskemét, Prag, Wien und Budapest Klavier, Orgel und Komposition. Er unternahm 1885–97 Konzertreisen in die USA, nach Deutschland und England. 1915 erfand er ein Doppelklavier (Duplex-Coupler Grand Pianoforte, Emánuel-Moór-Klavier oder Pleyel-Moór-Klavier genannt), das 2 übereinanderliegende, durch Pedale zu koppelnde Klaviaturen hatte und Effekte (Dynamik, Registrierung) ermöglichte, die sonst nur auf dem Cembalo oder der Orgel erzeugt werden konnten. In zweiter Ehe war er mit der Pianistin Winifred Christie (* 26. 2. 1882 zu Stirling, † 8. 2. 1965 zu London) verheiratet, die sich für die Verbreitung des Doppelklaviers einsetzte. M. komponierte die Opern La Pompadour (Köln 1902, nach Musset), Andreas Hofer (ebd. 1902), Hochzeitsglocken (Kassel 1908), Der Goldschmied von Paris und Hertha (unvollendet), 8 Symphonien (1893–1910), Orchesterstücke, Werke für Soloinstrumente mit Orchester, darunter Auftragswerke von E. Ysaye, Marteau, Flesch und Casals (4 Klavierkonzerte, 1886, 1888, 1906 und 1911; 4 Violinkonzerte; 2 Violoncellokonzerte; Violakonzert; Tripelkonzert für V., Vc. und Kl.; Harfenkonzert), Kammermusik, zahlreiche Klavierstücke, Harfenstücke (Sonate für 4 Hf.), Transkriptionen (J. S. Bach, Händel, Ravel) für das Doppelklavier, Kirchenmusik (Requiem für Soli, Chor und Orch., 1916) und etwa 50 Lieder. Er schrieb The Duplex Coupler Pianoforte (Royal Society of Arts, Journal LXXII, 1923). Lit.: D. FR. TOVEY, The Pfte Music of E. M., ML III, 1922; A. HUTH, Das Doppelklavier, in: Auftakt VII, 1927; L. DEUTSCH, Das M.-Kl., Musikpädagogische Zs. XVIII, 1928; DERS., Die Technik d. Doppelklaviatur, ebd. XXII, 1932; G. KÁLMÁN, A Pleyel-M. zongora (»Das Pleyel-M.-Kl.«), in: Crescendo IX/X, (Budapest) 1928; H. BINDERNAGEL, Das Duplex-Kl., Schweizerische musikpädagogische Blätter XIX, 1930; E. BLOM in: Grove II, S. 937f.; M. PIRANI, E. M., London 1959.

+Moor, Karel ([erg.:] eigentlich Mohr), 1873–1945. Nach einer Tätigkeit als Chorleiter, Theaterdirektor und Kapellmeister (1900–23 u. a. in Triest, Brünn, Zadar, Belgrad, Ostrau, Pilsen, Laibach und Sarajewo) lebte M. ab 1923 in Prag. Erfolgreich war seine Operette Pan profesor v pekle (»Der Herr Professor in der Hölle«, Brünn 1908). Er schrieb eine Autobiographie in Romanform (K. Martens, Prag 1906) sowie die Erinnerungen Vzpomínky (Pilsen 1917) und V dlani osudu (»In der Hand des Schicksals«, hrsg. von A. Sixtl, Nový Bydžov 1947, mit Werkverz.).

+Moore, Douglas Stuart, * 10. 8. 1893 zu Cutchogue (N. Y.), [erg.:] † 25. 7. 1969 zu Greenport (N. Y.). M. erhielt seine musikalische Ausbildung an der Yale [nicht: Harvard] University (Conn.). An der Columbia University (N. Y.) unterrichtete er bis 1962. Sein Schaffen wurde mit zahlreichen Preisen ausgezeichnet (u. a. 1934 Guggenheim Fellowship und 1951 Pulitzer-Musikpreis). – Weitere Werke: die Opern Puss in Boots (Kinderoper, 1949), The Wings of the Dove (E. Ayer nach H. James, NY 1961), The Greenfield Christmas Tree (Weihnachtsoper für Kinder, Baltimore 1962) und Carry Nation (University of Kansas 1966); Farm Journal für Kammerorch. (1948), Suite Cotillion für Streichorch. (1952); Suite Down East für V. und Kl. (1948); Prelude für Kl. (1958); Prayer for the United Nations für A., Chor und Orch. (1952); Lieder, a cappella-Chöre und Filmmusiken. – +Listening to Music (1932 bzw. 1937), revidiert NY 1963. Lit.: J. BEESON in: Perspectives of New Music VIII, 1969/70, S. 158ff.; H. WEITZEL, A Melodic Analysis of Selected Vocal Solos in the Operas of D. M., Diss. NY Univ. 1971.

+Moore, Gerald, * 30. 7. 1899 zu Watford (Hertfordshire). 1967 zog sich M. vom Konzertleben zurück, ist aber weiterhin mit Schallplatteneinspielungen (u. a. Gesamtaufnahme der Lieder Schuberts mit J. Fischer-Dieskau) hervorgetreten. Darüber hinaus veranstaltet er Meisterkurse und unternimmt Vortragsreisen. 1968 ernannte ihn die University of Sussex in Brighton und 1973 die Cambridge University zum Ehrendoktor. M. lebt heute in Penn Bottom (Buckinghamshire). – Schriften: +The Unashamed Accompanist (1943), deutsch als Freimütige Bekenntnisse eines Begleiters, München 1961, japanisch Tokio 1959, ungarisch Budapest 1968; +Singer and Accompanist (1953), japanisch Tokio 1959. Seine Erinnerungen erschienen als Am I Too Loud? (London und NY 1962, Paperbackausg. Harmondsworth/Middlesex 1966, deutsch als Bin ich zu laut?, Tübingen 1963, ²1964, auch Stuttgart 1968). Lit.: C. B. REES, G. M., MT XCVIII, 1957.

+Moore, Grace [erg.:] Elizabeth, 1901 in der Gegend von Cocke County (bei Del Rio/Tenn.) [nicht: zu Slabtown] – 27. [nicht: 26.] 1. 1947. Sie schrieb die Autobiographie You're Only Human Once (NY 1944).

+Moore, Thomas, 1779 – 25. [nicht: 28.] 2. 1852. M. komponierte auch (mit C. E. Horn) eine komische Oper M. P. or the Blue Stocking (London 1811) und veröffentlichte ferner A Collection of the Vocal Music of Th. M. (ebd. 1814), Sacred Songs (Musik von J. Stevenson, ebd. 1816) sowie A Selection of Popular National Airs (ebd. 1818–28). Lit.: Memoirs, Journals and Correspondence of Th. M., hrsg. v. J. RUSSELL, 8 Bde, London 1853–1956; The Letters of Th. M., hrsg. v. W. S. DOWDEN, 2 Bde, Oxford 1964. – W. F. TRENCH, Th. M., Dublin 1934; S. MACCALL, Th. M., ebd. 1936; L. A. G. STRONG, The Minstrel Boy. A Portrait of Th. M., London 1937; H. O. MACKEY, The Life of Th. M., Dublin 1951; M. A. DE FORD, Th. M., = Twayne's Engl. Authors Series XXXVIII, NY 1967.

+Moos, Paul, 1863–1952. Lit.: P. MIES, P. M. zum Gedächtnis. Aus seinen Briefen, in: Musicae scientiae collectanea, Fs. K. G. Fellerer, Köln 1973.

+Mooser, Robert Aloys, * 20. 9. 1876 und [erg.:] † 24. 8. 1969 zu Genf. +Opéras, intermezzos, ballets, cantates, oratorios joués en Russie durant le XVIIIᵉ s. (1945, ²1955), 3. revidierte Aufl. Basel 1964. – Gesammelte Kritiken aus der Zeitung »La Suisse« erschienen unter dem Titel Visage de la

musique contemporaine, 1957–61 (Paris 1962). Weitere Veröffentlichungen: *Deux violonistes genevois, G.Fritz (1716–83), Chr.Haensel (1766–1850)* (Genf 1968); *Grétry sur les scènes russes du XVIII*e *s.* (in: Liber amicorum, Fs. Ch. Van den Borren, Antwerpen 1964); *L'apparition des œuvres de Mozart en Russie* (Mozart-Jb. 1967); *Un musicista veneziano in Russia. C.Cavos (1775–1840)* (nRMI III, 1969).
Lit.: M. MILA in: nRMI III, 1969, S. 902ff.; A. JACQUIER in: SMZ CX, 1970, S. 160ff.

+Mooser, –1) Joseph Anton, 1731–92. –2) Jean Pierre Joseph Aloys, 1770–1839. –3) Joseph, 1794–1876.
Lit.: +FR. J. HIRT, Meisterwerke d. Klavierbaus (1955), revidierte engl. Ausg. als: Stringed Keyboard Instr., 1440–1880, Boston 1968.

Morago (mur'agu), Estêvão Lopes, portugiesischer Kirchenkapellmeister und Komponist des 16./17. Jh., stammte wahrscheinlich aus Vallecas (bei Madrid). Er wurde in Évora Chorknabe am Dom, war Mitschüler von Filipe de Magalhães, empfing mit dem Eintritt ins Seminar die Priesterweihe und schloß seine Kunststudien an der Universität Évora um 1597 mit dem Erwerb der Lehrbefähigung ab. 1599–1628 war er Kapellmeister an der Kathedrale von Viseu (bei Coimbra). Die Mehrzahl seiner Werke ging 1755 bei dem Erdbeben in Lissabon verloren; erhaltene Kompositionen (von Joaquim 1939 entdeckt) sind in einem *Livro da Coresma* (Messen, Motetten, Responsorien) und einem *Vesperal* (Psalmen, Hymnen, Magnificat) überliefert; ferner schrieb M. je eine *Passio Domini* nach Matthäus und Johannes.
Ausg.: Motette »Intellige clamorem« in: Em louvor do grande polifonista E. L. M., hrsg. v. M. JOAQUIM, Porto 1948; Várias obras de música religiosa »a cappella«, hrsg. v. DEMS., = Portugaliae musicae, Serie A IV, Lissabon 1961.
Lit.: M. JOAQUIM, Um inéd. mus., O »Te Deum« do licenciado L. M., Lissabon 1940; DERS., Nótulas sobre a música na Sé de Viseu, Viseu 1944 (mit Faks. d. Motetten »Oculi mei«, »De profundis« u. »Montes Israel«); M. DE SAMPAYO RIBEIRO in: MGG IX, 1961, Sp. 551f.

Moral, Pablo del, spanischer Komponist und Violinist des 18./19. Jh., war Violinist in der Kirche S. Cayetano in Madrid und ab 1778 daneben in den Madrider Theatern, an denen er 1790 als Nachfolger von Esteve Maestro compositor wurde. 1805 ließ er sich in den Ruhestand versetzen. Er trat im letzten Jahrzehnt des 18. und Anfang des 19. Jh. als Autor zahlreicher Bühnenwerke hervor. Von seinen Kompositionen sind neben der Oper *La dama inconstante* (erhalten das Manuskript mit Singstimmen und Baß) etwa 130 Tonadillas, u. a. *La ópera casera* (1799) und *El presidario*, Musik zu zahlreichen Komödien und Sainetes und eine Sinfonie (aufbewahrt in der Bibl. Municipal in Madrid, nicht ediert) sowie mehrere kirchenmusikalische Werke, u. a. Messen, Komplets und ein Salve regina (aufbewahrt im Monasterio de Montserrat) überliefert.
Ausg.: La ópera casera, Kl.-A. hrsg. v. J. SUBIRÁ, in: La tonadilla escénica III, Madrid 1930, separat ebd. 1970.

Morales, Angélica, * 22. 1. 1911 zu México (D. F.); mexikanische Pianistin, studierte an der Hochschule für Musik in Berlin bei E. Petri, dann bei I. Philipp und E. v. Sauer, mit dem sie sich später verheiratete. Sie debütierte 13jährig in Berlin und begann ihre internationale Laufbahn mit dem Berliner und Dresdner Philharmonischen Orchester. 1946 kehrte sie nach Mexiko zurück, von wo aus sie ihre Konzerttätigkeit fortsetzte.

+Morales, Cristóbal (Cristoval) de, um 1500 – [erg.: zwischen 4. 9. und 7. 10.] 1553.

Ausg.: +Opera omnia, hrsg. v. H. ANGLÉS, Rom 1952ff., bisher erschienen: Bd I (= MMEsp XI, 1952), Missarum liber I (Rom 1544); II (= XIII, 1953), Motetes I–XXV; III (= XV, 1954), Missarum liber II (Rom 1544), 1. Teil; IV (= XVII, 1956), XVI Magnificat (Venedig 1545); V (= XX, 1959), Motetes XXVI–L; VI (= XXI, 1962), Missarum liber II (Rom 1544), 2. Teil; VII (= XXIV, 1964), Misas XVII–XXI; VIII (= XXXIV, 1971), Motetes LI–LXXV.
Lit.: +P. WAGNER, Gesch. d. Messe (I, 1913), Nachdr. Hildesheim u. Wiesbaden 1963. – R. STEVENSON in: MGG IX, 1961, Sp. 553ff.; DERS., Span. Cathedral Music in the Golden Age, Berkeley (Calif.) 1961; H. ANGLÉS, Der sakrale Charakter d. Kirchenmusik v. Cr. de M., in: Musicus-Magister, Fs. Th. Schrems, Regensburg 1963; DERS. in: The Age of Humanism, hrsg. v. G. Abraham, = New Oxford Hist. of Music IV, London 1968, S. 381ff., ital. Mailand 1970; DERS., Problemas que presenta la nueva ed. de las obras de M. y de Victoria, in: Renaissance-muziek 1400–1600, Fs. R. B. Lenaerts, = Musicologica Lovaniensia I, Löwen 1969; V. SALAS VIU, Cr. M. y el desconocimiento de los clásicos españoles, in: Música y creación mus., = Ser y tiempo XXXVIII, Madrid 1966; S. RUBIO, Cr. de M., Estudio crítico de su polifonía, = Bibl. »La ciudad de Dios« I, 15, S. Lorenzo de El Escorial 1969; A. DUNNING, Die Staatsmotette 1480–1555, Utrecht 1970.

Morales, Melesio, * 4. 12. 1838 und † 12. 5. 1908 zu México (D. F.); mexikanischer Komponist und Musikpädagoge, Schüler von Jesús Rivera, Agustín Caballero, Felipe Larios und Antonio Valle, schrieb schon mit 18 Jahren seine erste Oper *Romeo y Julieta*, die 1863 am Teatro Nacional uraufgeführt wurde, und der 1866 die Oper *Ildegonda* folgte. Er organisierte das Conservatorio Nacional de Música, dem er ein ständiges Orchester und einen Chor anfügte. M. schrieb außer Orchesterwerken noch 6 Opern, von denen *Gino Corsini* (1877) und *Cleopatra* (1891) in México (D. F.) uraufgeführt wurden.

+Morales, Olallo Juan Magnus, 1874–1957.
Seine Frau Clary Charlotta, * 31. 5. 1876 zu Kristinehamn (Värmland), [erg.:] † 16. 6. 1959 zu Stockholm.
Lit.: B. WALLNER, En turnépianists vedermödor. Ett brev från W. Stenhammar till O. M., Fs. G. Boon, Stockholm 1966.

+Moralt (Muralter, von Muralt), –1) Joseph, 1775 – 13. 11. 1855 [del.: nach 1836], gehörte ab 1786 [nicht: 1797] der Münchener Hofkapelle als Accessist an. –2) Johann Baptist, 10. 3. [nicht: 1.] 1777 – 1825. –3) Philipp, [erg.: 29. 12.] 1780 – [erg.:] 10. 1. 1830 [nicht: 1829]. – 4) Jakob, * 29. 12. 1780 und † 21. 5. 1820 zu München [erg. bzw. del. frühere Angaben].
Lit.: A. ASCHL, Die M., Lebensbilder einer Familie, Rosenheim 1960.

Moran (m'ɔːɹən), Robert Leonard, * 8. 1. 1937 zu Denver (Colo.); amerikanischer Komponist und Pianist, studierte in Wien privat bei Apostel (1957–58) sowie am Mills College in Oakland (Calif.) bei Milhaud und Berio (M. A. 1963). 1969–72 war er Associate Director des New Music Ensembles in San Francisco. Konzertreisen führten ihn auch nach Schweden (1969 und 1971) und nach Deutschland (1970). Eine Reihe Komponisten schrieben Klavierstücke für M., darunter Matsushita, Haubenstock-Ramati, Logothetis und Mellnäs. – Werke (Auswahl): *Four Visions* für Fl., Hf. und Streichquartett (1963); *Interiors* für Orch., Kammerorch. oder Schlagzeugensemble (1964); *Bombardments No. 2* für 1–5 Schlagzeuger (1964); *Elegant Journey with Stopping Points of Interest* für beliebige Instr. (1965); *L'après-midi du Dracula* für beliebige klangproduzierende Instr. (1966); *For Organ – 1967* für Org. mit 1–3 Spielern (1967); *Jewell-Encrusted Butterfly Wing Ex-*

plosions für Orch., Tonband, Filme, zahlreiche Musikensembles, Fernsehen usw. (1968); *Let's Build a Nut House*, eine Oper in memoriam P. Hindemith (1969); *Silver and the Circle of Messages* für Kammerensemble (1969; als Ballett *Wendekreise*, München 1972, Choreographie Ronald Hynd); *Divertissement No. 3*, Street opera (BBC Television London 1971); *Illuminatio nocturna* für Stimmen (Kammerensemblefassung) oder Orch. ohne Stimmen (1971); *Evening Psalm of Dr. Dracoula* für Prepared piano und Tonband (1973).

+Morandi, R o s a [erg.:] Paolina, 5. [nicht: 7.] 7. 1782 zu Senigallia (Sinigaglia, Ancona) – 6. 4. [nicht: 5.] 1824.
Lit.: E. P. VECCHIONI, R. M. 1824–1924, Boll. della Soc. degli amici dell'arte e della cultura in Senigallia II, 1927.

Moravec (m'ɔravɛts), I v a n, * 9. 11. 1930 zu Prag; tschechischer Pianist, studierte in Prag am Konservatorium und bei Ilona Štěpánová an der Musikakademie (Diplom 1952). Seit 1948 tritt er als Konzertsolist auf. Tourneen führten ihn in verschiedene europäische Länder und 1964 in die USA.

Morawetz, O s k a r, * 17. 1. 1917 zu Světlá nad Sázavou (Ostböhmen); kanadischer Komponist tschechischer Herkunft, studierte Klavier bei Adolf Mikeš und K. Hoffmeister (1929–36) sowie Komposition bei Křička (1933–36). 1938 übersiedelte er nach Paris und kam über Italien und die Dominikanische Republik 1940 nach Kanada, wo er an der University of Toronto studierte (D. Mus. 1944). 1946–51 lehrte er am Royal Conservatory of Music in Toronto und wurde 1951 Professor of Music an der University of Toronto. Er schrieb u. a. 2 Symphonien (1955 und 1959), eine Sinfonietta für Streicher (1959), *Dirge* (1960) und *Passacaglia on a Bach Chorale* (1968) für Orch., eine Sinfonietta für Bläser und Schlagzeug (1968), ein Klavierkonzert (1966), ein Konzert für Blechbläserquintett und Orch. (1968), Kammermusik (3 Streichquartette, 1944, 1955 und 1958; Trio für Fl., Ob. und Cemb. oder Kl., 1960; Duo für V. und Kl., 1961), Klavierwerke (*Sonata tragica*, 1945; *Fantasy, Elegy and Toccata*, 1968; *Ten Preludes*, 1968), Chorstücke und Lieder sowie Filmmusik.

Morawska, K a t a r z y n a (geborene Michael, früher verheiratete Swaryczewska), * 25. 11. 1933 zu Węgrzynów (bei Warschau); polnische Musikforscherin, studierte 1951–56 bei Chomiński an der Warschauer Universität (Dr. phil.). Sie wurde 1966 Adjunkt an der Anstalt für Musikgeschichte und Theorie des Kunstinstituts der polnischen Akademie der Wissenschaften. Von ihren Veröffentlichungen seien genannt: *Kompozycje O. di Lasso w repertuarze instrumentalnym* (»Die Kompositionen O. di Lassos im Repertoire der Instrumentalmusik«, in: Muzyka XIII, 1968); *Rozwój badań nad historia dawnej muzyki polskiej w okresie 25-lecia Polski Ludowej* (»Die Entwicklung der Forschungen über die Geschichte der frühen polnischen Musik im Zeitraum der 25 Jahre Volkspolens«, ebd. XIV, 1969). Unter dem Namen Swaryczewska publizierte sie u. a.: *Fugi S. Loheta* (»S. Lohets Fugen«, in: Muzyka II, 1957); *Repertuar muzyki organowej na przełomie XVI i XVII wieku* (»Das Repertoire der Orgelmusik an der Wende des 16. und 17. Jh.«, ebd. IX, 1964); *Msza organowa w polskich zabytkach średniowiecznych* (»Die Orgelmesse in den polnischen mittelalterlichen Denkmälern«, in: Musica medii aevi II, hrsg. von J. Morawski, Krakau 1968).

+Morawski, E u g e n i u s z (M.-Dąbrowa), 1876 – [erg.: 23.] 10. 1948.
M. wurde 1930 Direktor des Posener Konservatoriums,

dann Leiter der Musik-Mittelschule des Warschauer Konservatoriums und erst 1932 [nicht: 1930] Rektor des Warschauer Konservatoriums, ein Amt, das er bis 1939 innehatte. Er komponierte insgesamt 6 [nicht: 4] Symphonien (H moll; A moll; G moll; +*Prometheus*, mit Soli und Chören; *Fleurs du mal*; *Vae victis*), 6 [nicht: 4] symphonische Dichtungen und 8 [nicht: 7] Streichquartette.
Lit.: J. KĘPSKI, E. M., kompozytor niesłusznie zapomniany (»E. M., ein zu Unrecht vergessener Komponist«), in: Ruch muzyczny VIII, 1964.

Morawski, J e r z y, * 9. 9. 1932 zu Warschau; polnischer Musikforscher, studierte in Warschau 1951–58 bei Chomiński an der Universität (Dr. phil.). Er wurde 1970 Adjunkt an der Anstalt für Musikgeschichte und Theorie des Kunstinstituts der polnischen Akademie der Wissenschaften. 1972 übernahm er dazu als Nachfolger von Chomiński die Leitung der Denkmälerreihe *Monumenta musicae in Polonia*. Er ist auch der Herausgeber von *Musica medii aevi* (bisher 3 Bde, Krakau 1965–69). – Weitere Veröffentlichungen (Auswahl): *Antologia muzyki polskiej średniowiecza* (»Anthologie der mittelalterlichen polnischen Musik«, ebd. 1972); *Polska liryka muzyczna w średniowieczu* (»Polnische Musiklyrik im Mittelalter«, Warschau 1972); *Inskrypcje teoretyczne w trzynastowiecznych rękopisach cystersow śląskich* (»Theoretische Inschriften in den Zisterzienserhandschriften des 13. Jh. aus Schlesien«, in: Muzyka X, 1965); *Uwagi o wielogłosowej praktyce wykonawczej na Śląsku w XIII–XV wieku* (»Bemerkungen zur mehrstimmigen Aufführungspraxis in Schlesien im 13.–15. Jh.«, ebd.); *Sekwencja »Grates nunc omnes« w polskich zabytkach chorałowych* (»Die Sequenz ‚Grates nunc omnes' in polnischen Choraldenkmälern«, in: Studia ..., Fs. H. Feicht, Krakau 1967); *Śląskie diagramy sistemu tonalnego w świetle teorii średniowiecznej* (»Schlesische Tonsystemdiagramme in der Sicht der mittelalterlichen Theorie«, in: Musica medii aevi II, ebd. 1968); *Warunki rozwoju kultury muzycznej w dawnych wiekach w Polsce i we Francji* (»Die Entwicklungsbedingungen in frühen Jahrhunderten in Polen und Frankreich«, in: Muzyka XVII, 1972, mit frz. Übers.).

Morbitzer, E g o n, * 6. 2. 1927 zu Olmütz/Olomouce; deutscher Violinist, studierte bei Boskovsky an der Akademie für Musik und darstellende Kunst in Wien (1941–43) und bei Walter Hansmann in Erfurt (1943–46). Er war 1. Konzertmeister der Weimarischen Staatskapelle (1947–50) und gehört seit 1950 in gleicher Stellung der Staatskapelle Berlin an. Seit 1953 ist M. Primarius des Streichquartetts der Deutschen Staatsoper Berlin. 1949 wurde ihm der Titel Professor verliehen.

Moreau (mɔr'o), H e n r i, getauft 16. 7. 1728 und † 3. 11. 1803 zu Lüttich; belgischer Komponist, studierte am Lütticher Kollegium in Rom (1752–56) und wurde 1758 Maître de chapelle an der Kollegialkirche St-Paul in Lüttich. Er war 1758–61 Kontrapunkt- und Kompositionslehrer von Grétry. 1798 wurde er korrespondierendes Mitglied am Institut National in Paris. M. komponierte u. a. 6 Triosonaten (1777) und Kirchenmusik (Kantaten; Te Deum; Tantum ergo für A. und Orch.) und schrieb: *L'harmonie mise en pratique avec un tableau de tous les accords, la méthode de s'en servir, et des règles utiles à ceux qui étudient la composition ou l'accompagnement* (Lüttich 1783); *Nouveaux principes d'harmonie, selon le système d'A. Ximenès, précédés d'observations sur la théorie de Rameau* ... (Ms., um 1800).
Lit.: J. QUITIN, Les maîtres de chant et la maîtrise de la collégiale St-Denis, à Liège, au temps de Grétry. Esquisse

socio-musicologique, = Acad. Royale de Belgique, Classe des Beaux Arts, Mémoires, 2. Serie, Bd XIII, 3, Brüssel 1964 (darin Ausg. d. »Cantate N° 104« f. Bar., 3st. gem. Chor u. Orch., 1787).

Moreira (mur'eirɐ), António Leal, * 1758 zu Abrantes (Distrikt Santarém, Provinz Estremadura), † 21. 11. 1819 zu Lissabon; portugiesischer Komponist, studierte mit João José Baldi und Portugal bei J. de Sousa Carvalho am Seminário Patriarcal in Lissabon und war Organist, Kapellmeister der Capela Real sowie Dirigent der Operntruppe am Teatro da Rua dos Condes und am Teatro de S. Carlos von dessen Einweihung (1793) bis zum Amtsantritt von Portugal (1800). Er schrieb italienische Opern (*Siface e Sofonisba*, Queluz 1783; *Ascanio in Alba*, ebd. 1784; *Gli eroi spartani*, Ajuda 1788; *L'eroina lusitana*, Lissabon 1795; *Il disertore francese*, Turin 1800), portugiesische Opern (*A saloia namorada ou O remédio é casar*, Lissabon 1793; *A vingança da cigana*, ebd. 1794), Serenate (*Os voluntários do Tejo*, ebd. 1793), das Oratorium *Ester* (1786) sowie Kantaten und kirchenmusikalische Werke.
Lit.: M. DE SAMPAYO RIBEIRO, A música em Portugal nos s. XVIII e XIX, Lissabon 1939.

Morel, François d'Assise, * 14. 3. 1926 zu Montreal; kanadischer Komponist, studierte am Quebec Provincial Conservatory in Montreal bei E. Trudel und G. Malépart (Klavier), bei A. Mignault und R. Lessens (Solfège), bei Isabelle Delorme und Papineau-Couture (Musiktheorie) und bei Champagne (Komposition). Er wurde dann Mitarbeiter der Canada Broadcasting Corporation (CBC) in Montreal, für die er zahlreiche Rundfunk- und Fernsehmusiken komponierte. Von seinen Werken seien genannt: *Esquisses* (1947) und *Suite* (1948) für Orch.; 2 Streichquartette (1948 und 1963); *4 chants japonais* für Gesang und Kl. (1949); *3 miniatures* für Fl. und Kl. (1950); *Antiphonie* für Orch. (1951); *Spirale* für Kammerorch. (1956); *Rythmologue* für Schlagzeugensemble (1957); Symphonische Dichtungen *Le rituel de l'espace* (1959), *Boréal* (1959), *Le mythe de la roche percée* (1961) und *L'étoile noire* (1962, benannt nach einem Gemälde des kanadischen Malers Paul-Émile Borduas) für Orch.; Bläserquintett (1962); ferner *Beatnik* (1959), *Jazz Baroque Suite* (1960) und *Symphonies* (1963) für Jazz-Orch.

+Morel, August Fritz (Friedrich) [erg.: Vornamen], * 30. 11. 1900 und [erg.:] † 9. 6. 1973 zu Basel.
Orgellehrer am Basler Konservatorium war er bis 1965. Neuere Aufsätze veröffentlichte er vor allem in der Zs. »Musik und Gottesdienst« (u. a. in XV, 1961: *Über die Registrierung der »Einundzwanzig Orgelchoräle schweizerischer Komponisten«*; XXI, 1967: *Organisten und Kapellmeister am Wiener Hof um 1700*; XXIV, 1970: *Zeitgenössische Orgelmusik im Gottesdienst*); genannt sei ferner der Aufsatz *Schweizerische Musik im Basler Konzertleben früherer Zeit* (in: Basler Stadtbuch 1963).
Lit.: A. SCHLEGEL in: Musik u. Gottesdienst XXIV, 1970, S. 163f.

Morel, Marisa (eigentlich Merlo), * 13. 12. 1914 zu Turin; italienische Sängerin (Koloratursopran) und Opernregisseurin, debütierte nach ihrem Turiner Studium 1933 an der Mailänder Scala als Musetta (*La Bohème*) und trat 1938–39 an der Metropolitan Opera in New York auf. Ab 1941 führte sie mit eigenem Ensemble Mozart-Opern auf (u. a. in Aix-en-Provence und Paris).

Morel Campos, Juan, * 12. 5. 1857 und † 12. 5. 1896 zu Ponce; puertorikanischer Komponist, war als Flötist, Organist, Kontrabaßspieler und Kapellmeister tätig. Seine über 200 *Danzas puertorriqueñas* für Kl. (sei-

nerzeit orchestriert dargeboten), wurden sehr populär. Er schrieb auch drei Zarzuelas, eine Symphonie, viele Salonmusikstücke und mehrere kirchenmusikalische Werke.
Ausg.: Danzas puertorriqueñas u. Klavierstücke, hrsg. v. Inst. de cultura puertorriqueña, San Juan 1958.

+Moreno, Segundo Luis, * 3. 8. 1882 zu Cotacachi (Imbambura), [erg.:] † 18. 12. 1972 zu Quito.
Das 3. Festival de danzas indígenas fand 1945 [nicht: 1948] statt, Direktor des Conservatorio nacional de Guayaquil war er bis 1950 [nicht: 1952]. Seine Schriften +*Música y danzas* [erg.: *autóctonas*] *del Ecuador* (1949) und +*La música de los Incas* (1957) erschienen in Quito.
Lit.: CH. E. SIGMUND, S. L. M., His Contributions to Ecuadorian Musicology, 2 Bde. Diss. Univ. of Minnesota 1971.

Moreno Bascuñana (mor'eno baskuɲ'ana), José, * 8. 3. 1909 zu Madrid; spanischer Musikpädagoge und Komponist, wurde 1944 Professor für Harmonielehre am Real Conservatorio Superior de Música de Madrid und Direktor der Sociedad Didáctica Musical. Von seinen Kompositionen seien die Zarzuela *Allá va la nave* (Madrid 1932), *Evocación castellana* für Orch. (1935), die Symphonische Dichtung *Cumbres de Gredos* (1936) und eine *Sinfonía rural* (1937) genannt.

Moreno Buendia (mor'eno bu'endia), José, * 25. 3. 1932 zu Murcia; spanischer Komponist, wurde 1955 Professor am Real Conservatorio Superior de Música de Madrid. Er schrieb u. a. ein Streichquartett (1955), zahlreiche Filmmusiken und eine Sammlung von Kinderliedern für Gesang und Kl. (1957).

Moreno González (mor'eno gɔnθ'aleθ), Juan Carlos, * 19. 2. 1916 zu Asunción; paraguayischer Komponist, studierte bei Manuel José Benavente und Luzzati in Buenos Aires sowie bei Fúrio Franceschini in São Paulo. 1940 wurde er in Asunción Direktor des Ateneo Paraguayo, lehrte dort bis 1964 Klavier und Komposition und erhielt 1965 die Ernennung zum Direktor des Städtischen Konservatoriums. 1969 wurde er Leiter der städtischen Kulturinstitute von Asunción. M. G. komponierte Zarzuelas (*Las alegres Kyguá Verá*, 1961; *Palomapará*, 1964), Orchesterwerke (*Paragua-y co'é* für Orch., Chor und Ballett, 1970), Kammermusik (Streichquartett, 1935), Klavierstücke sowie Chöre und zahlreiche Lieder (*Margaritas* für den Film *El cantor de los barrios*, 1929).

+Moreno Torroba, Federico, * 3. 3. 1891 zu Madrid.
M. T., Vizepräsident der Sociedad general de autores de España, war auch Musikkritiker der Madrider Tageszeitung »Informaciones«. Von seinen etwa 70 Bühnenwerken seien an weiteren genannt: die Oper +*La virgen de Mayo* (Madrid 1926); die Zarzuelas *La marchenera* (1928), *Monte Carmelo* (1939), *Maravilla* (1941), *La caramba* (1942), *Baile de trajes* (1945) und *Baile en capitanía* (1960); das Ballett *Aventuras y desventuras de Don Quijote* (1964). M. T. schrieb auch (z. T. mit A. Segovia) zahlreiche Werke für Git. solo (u. a. *Suite castellana*; *Nocturno*; *Piezas características*; *Madroños*).

+Morera [erg.:] Viura, Enric (Enrique), 1865–1942.
Lit.: I. IGLESIAS, E. M., Barcelona 1921; J. PENA, E. M., ebd. 1937; M. QUEROL in: MGG IX, 1961, Sp. 573ff.; M. SAPERAS, El mestre E. M., = Ahir-Demà IV, Andorra la Vella 1969; R. PLANES, El mestre M. i el seu món, Barcelona 1972.

+Moreschi, Alessandro, 1858 zu Montecompatri (bei Rom) [nicht: zu Rom] – 1922.
Lit.: +A. HERIOT, The Castrati in Opera (1956), ital. Mailand 1962.

Morętti, Federico, † 1838 zu Madrid; spanischer Komponist und Gitarrist italienischer Herkunft, war 1799 Hauptmann im spanischen Heer und Leutnant der Guardia Valonas und später bis zu seinem Tode Brigadier im spanischen Heer. Er veröffentlichte: *Principe per la chitarra* (Neapel 1793, span. als *Principios para tocar la guitarra de seis órdenes, precedidos de los elementos generales de la música*, Madrid 1799, erweitert als *Metodo per la chitarra* ..., Neapel 1804); *Gramática razonada musical* (Madrid 1821); *Sistema uniclave* ... (ebd. 1824). Als Komponist schrieb er *Doce canciones con acompañamiento de guitarra* ... op. 24 und verschiedene Werke für Git. solo.
Lit.: J. SUBIRÁ, F. M., Pretéritos músicos hispánicos, in: Anales y bol. »Acad.« de la Real Acad. de bellas artes de S. Fernando 1965.

[**+Morillo,** recte:] **García Morillo,** Roberto, * 22. 1. 1911 zu Buenos Aires.
Werke: Mimodram *Usher* op. 8 (nach E. A. Poe, Buenos Aires 1942), Ballett *Harrild* op. 9 (ebd. 1941), choreographische Kantate *Moriana* für S., T., Bar., gem. Chor und Orch. op. 23 (ebd. 1958) und ein choreographisches Konzert *La máscara y el rostro* für Kl. und Orch. op. 33 (1963); 3 Symphonien (op. 17, 1946–48; op. 22, 1955; op. 30, 1961), »Movimiento sinfónico« *Berseker* op. 1 (1933), 3 *Pinturas de Paul Klee* op. 12 (1944), *Movimiento sinfónico* op. 15 (1946), Ouvertüre für ein romantisches Drama op. 21 (1954), *Variaciones olímpicas* op. 24 (1958), Elegie op. 27 (1959) und 3 *Pinturas de Piet Mondrian* op. 29 (1960) für Orch., *Ciclo de Dante Alighieri* für Kammerorch. op. 38 (1970); Klavierkonzert op. 6 (1937–39), *Concerto a 9* für 3 Klar. und Streicher op. 11 (1943), Musik für Ob. und Orch. op. 32 (1962), Musik für V. und Streichorch. op. 35 (1967); Quartett für V., Vc., Klar. und Kl. op. 5 (1935–37), *Las pinturas negras de Goya* für V., Vc., Fl., Klar., Fag. und Kl. op. 7 (1939), Streichquartett op. 19 (1951), Divertimento über Themen von P. Klee für Bläserquintett op. 37 (1967, Fassung für Orch. 1969); 5 Sonaten (*Sonata del sur*, 1935, revidiert 1957, und Nr 2, 1935, revidiert 1959, beide auch als op. 4; op. 14, 1945; op. 26, 1959; op. 31, 1962), *Variaciones 1942* op. 10, *Variaciones 1944* op. 13, *Variaciones apolíneas* op. 25 (1959) und eine Serenade op. 36 (1968) für Kl.; Kantate *Marín* für T., gem. Chor und Orch. op. 18 (1948–50), Kammerkantate *El Tamarit* für S., Bar. und Orch. op. 20 (F. García Lorca, 1953), *Romances del amor y de la muerte* für B. und Orch. op. 28 (1959), *Cantata de los caballeros* für S. und Orch. op. 34 (F. García Lorca, 1965), *Cantata festiva* a cappella op. 39 (1971); Bühnen- und Filmmusiken. – Die Bücher +*Musorgsky* (1943), +*Rimsky-Korsakoff* (1945) und +*Siete músicos europeos* (= Cuatro vientos II, 1949 [nicht: 1948]) erschienen in Buenos Aires, +*Estudios sobre danza* (mit D. Kriner, 1948) in Montevideo. – Er verfaßte ferner *J. Bautista en la música española contemporánea* (= Colección de ensayos VI, Santiago de Chile 1949) und *C. Chávez* (México/D. F. 1960) sowie *Consideraciones sobre la formación del compositor* (Bol. interamericano de música 1962, Nr 27) und *La enseñanza de la composición en el Conservatorio nacional de música de Buenos Aires* (ebd. 1963, Nr 36).
Lit.: Werkverz. in: Compositores de América VIII, Washington (D. C.) 1962.

+Morin, Gösta, * 14. 4. 1900 zu Ludvika (Kopparberg län).
Leiter der Kungl. Musikaliska akademiens bibliotek in Stockholm war M. bis 1965. Er lebt heute in Ludvika. – Weitere Aufsätze: *W. A. Mozart und Schweden* (Kgr.-Ber. Wien Mozartjahr 1956); *F. Zellbell d. ä., Liv och verk* (STMf XLIII, 1961).

+Morin, Jean-Baptiste, um 1677 – 1745.
Ausg.: 2 Motetten, hrsg. v. R. EWERHART, 2 H., = Cantio sacra XLV u. L, Köln 1963.
Lit.: M. A. HALL, The Solo Cantatas of J.-B. M., Diss. Univ. of Illinois 1967 (mit Ed. v. 2 Kantaten); D. TUNLEY, The Emergence of the 18th Cent. French Cantata, in: Studies in Music I, 1967.

Morison (m'ɔɹɪsn), Elsie Jean, * 15. 8. 1924 zu Ballarat (Victoria); australische Sängerin (lyrischer Sopran), studierte 1943–45 am University Conservatorium of Music in Melbourne sowie bei Clive Carey am Royal College of Music in London. Sie debütierte dort 1947 an der Sadler's Wells Opera und gehört seit 1953 der Covent Garden Opera an. 1953–56 trat sie bei den Festspielen in Glyndebourne auf. E. M. wirkt auch als Konzertsängerin im In- und Ausland. Zu ihren wichtigsten Partien zählen Pamina, Mimi, Antonia (*Les contes d'Hoffmann*) und Anne Trulove (*The Rake's Progress*).

C. W. Moritz, Blasinstrumentenfabrik in Berlin, gegründet 1808 von Johann Gottfried M. (1777–1840), fortgeführt von seinem Sohn Carl Wilhelm M. (1811–55) und nach dessen Tod von dessen Söhnen Carl Wilhelm Theodor (1837–72) und Johann Carl Albert M. (1839–97). 1897 übernahmen Albert M.' Söhne Carl Willy Hermann (1873–1932) und Camillo Walter Arthur M. (1877–1946) das Unternehmen, das zuletzt von Camillo M.' Sohn Camillo Willi Hans M. (1906–68) bis zu seiner Liquidation (1955) geleitet wurde. Die Firma entwickelte unter Mitarbeit von Wieprecht Druckventile (»Berliner Pumpen«) für Hörner und Trompeten (1833) und stellte die erste Baßtuba her (patentiert 1835); sie baute eine Baßtrompete und eine Doppelzugkontrabaßposaune (nach 1860) und konstruierte die →»Wagner«-Tuba (um 1870). Zeitweilig wurden auch Holzblasinstrumente (Altquerflöte, Baßquerflöte, Kontrafagott mit 4 nebeneinanderlaufenden Röhren) hergestellt.
Lit.: W. ALTENBURG, Zur Hundertjahrfeier d. Musikinstrumentenfabrik C. W. M. in Bln, ZfIB XXVIII, 1907/08; FR. ERNST, Die Blasinstrumentenbauer-Familie M. in Bln, in: Das Musikinstr. XVIII, 1969.

+Moritz, Edvard, * 23. 6. 1891 zu Hamburg.
M. komponierte mittlerweile 9 Instrumentalkonzerte, 6 Quintette und 17 Quartette für verschiedene Besetzungen, zahlreiche Sonaten für ein Soloinstr. mit Klavierbegleitung (darunter 6 für V. und 3 für Sax.), Solosonaten für V., Va und 2 V., Klavierwerke (Klaviersonaten, über 200 Klavierstücke) und weitere Lieder.

+Morlaye, Guillaume, [erg.:] um 1515 – nach 1560.
Ausg.: Psaumes de P. Certon réduits pour chant et luth (1554), hrsg. v. R. DE MORCOURT (mit Einleitung v. Fr. Lesure) = Le chœur des muses u. Nr, Paris 1957.
Lit.: P. PIDOUX, Les psaumes d'A. de Mornable, G. M. et P. Certon (1546, 1554, 1555), Ann. mus. V, 1957; D. HEARTZ, Parisian Music Publishing Under Henry II, MQ XLVI, 1960.

+Morley, Thomas, 1557 – [erg.:] Oktober 1602 [del.: 1603(?)].
Ausg.: +GA d. weltlichen Vokalwerke (E. H. FELLOWES), revidiert v. TH. DART, = The Engl. Madrigalists I–IV, London 1956–65; +The First Booke of Ayres (E. H. FELLOWES, 1932), revidiert v. DEMS., = The Engl. Lute Songs XVI, ebd. 1959; +The Fitzwilliam Virginal Book (J. A. FULLER MAITLAND u. W. B. SQUIRE, 1894–99), Nachdr. NY 1963. – 9 Fantasien f. 2 Va da gamba oder andere Instr. (aus d. »First Booke of Canzonets to Two Voyces« v. 1595), hrsg. v. N. DOLMETSCH = HM CXXXVI, Kassel 1956 u. 1964; Two Consort Lessons Collected by Th. M. (aus d. »First Booke of Consort Lessons« v. 1599), hrsg. v. TH. DART, London 1957; Keyboard Works, hrsg. v. DEMS., 2 Bde, = Early Keyboard Music (XII–XIII), ebd.

1959; Collected Motets, hrsg. v. DEMS. u. H. K. ANDREWS, ebd.; The Triumphes of Oriana, nach E. H. Fellowes (= EMS XXXII) revidiert v. DEMS., = The Engl. Madrigalists XXXII, ebd. 1963; Magnificat u. Nunc dimittis (aus d. »First Evening Service«), nach E. H. Fellowes revidiert hrsg. v. P. LE HURAY u. D. WILLCOCKS, = Tudor Church Music LXIV, ebd. 1964; Canzonets ... to Foure Voyces (1597), hrsg. v. C. A. MURPHY, = Florida State Univ. Studies XLII, Tallahassee (Fla.) 1964; 2st. Canzonets (aus d. »First Booke of Canzonets« v. 1595), f. V. u. Instr. (Violen oder Block-Fl.) hrsg. v. D. H. BOALCH, London u. Ffm. 1967. – +A Plaine and Easie Introduction to Practicall Musicke (A. HARMAN u. TH. DART, 1952), auch London 1957, NY 1954 u. 1963; dass., Faks.-Ausg. Farnborough 1970. – Lyrics from Engl. Airs, 1596–1622, hrsg. v. E. DOUGHTIE, Cambridge (Mass.) 1970 (kritische Ausg. d. Texte zu »The First Booke of Ayres« v. 1600). – Lit.: +E. H. FELLOWES, The Engl. Madrigal Composers (1921), Nachdr. d. 2. Aufl. (1948) London 1958; +DERS., The Engl. Madrigal (1925), ebd. ³1947. – DERS., Engl. Madrigal Verse, 1588–1632, ebd. 1920, ²1929, 3. Aufl. hrsg. v. Fr. W. Sternfeld u. D. Greer, Oxford 1967; D. BROWN, Th. M. and the Catholics, MMR LXXXIX, 1959; DERS., The Styles and Chronology of Th. M.'s Motets, ML XLI, 1960; R. STRONG, Queen Elizabeth I as Oriana, in: Studies in the Renaissance VI, 1959; FR. B. ZIMMERMAN, Ital. and Engl. Traits in the Music of Th. M., AM XIV, 1959; J. KERMAN, The Elizabethan Madrigal, Oxford 1962; C. A. MURPHY, Th. M., Ed. of Ital. Canzonets and Madrigals, 1597 and 1598, 2 Bde (I Kommentar, II Übertragung v. 24 Canzonets u. 24 5st. Madrigalen), Diss. Florida State Univ. 1963; W. SHAW, Th. M. of Norwich, MT CVI, 1965; D. GREER, The Lute Songs of Th. M., Lute Soc. Journal VIII, 1966; P. LE HURAY, Music and the Reformation in England 1549–1660, = Studies in Church Music o. Nr, London 1967; L. PIKE, »Gaude Maria virgo«: M. or Philips?, ML L, 1969; J. R. McGRADY, Th. M.'s »First Booke of Ayres«, MR XXXIII, 1972; D. SCOTT, The Music of St. Paul's Cathedral, London u. NY 1972.

Mornable, Antoine de, * um 1510; französischer Komponist, war Chorknabe an der Ste-Chapelle in Paris und wurde 1546 Maître de chapelle und Kammerdiener beim Grafen Guy de Laval. Er veröffentlichte *LVII pseaulmes de David* (2 Bücher, Paris 1546, nur Superius erhalten; 13 Psalmen des 1. Buches, intavoliert von Morlaye für Laute und Gesang, erschienen unter dem Namen Certon, ebd. 1554, 2 Psalmen des 2. Buches, intavoliert von Francesco Bianchini für Laute, Lyon 1547), die neben den Psalmvertonungen von L. Bourgeois und Certon zu den ältesten mehrstimmigen Kompositionen der »Calvinistischen Musik gehören, ferner *A. de M. doctissimi musici motetorum musicalium liber I.* (Paris 1546, enthält 25 4–8st. Motetten). Weitere Werke (Motetten, ein Magnificat, zahlreiche Chansons) sind in Sammeldrucken erhalten. Ausg.: Chansons »O mes amys« u. »Ung seul desir«, in: 60 Chansons zu 4 St. aus d. ersten Hälfte d. 16. Jh. v. frz. u. nld. Meistern, hrsg. v. R. EITNER, = PGfM XXVII (Bd 23), Lpz. 1899; Chanson »L'heur d'amitié«, in: Zwölf Lieder aus J. Moderne: Le parangon des chansons (1538) zu 4 St., hrsg. v. H. ALBRECHT, = Chw. LXI, Wolfenbüttel 1956; Psaumes de P. Certon, réduits pour chant et luth par G. Morlaye, hrsg. v. R. DE MORCOURT (mit Einleitung v. Fr. Lesure), = Les chœurs des muses o. Nr, Paris 1957; 3 Sätze in: P. Attaingnant, Treize livres de motets, Bd V u. VII, hrsg. v. A. SMIJERS, Monaco 1960–62. – Lit.: P. PIDOUX, Les psaumes d'A. de M., G. Morlaye et P. Certon (1546, 1554, 1555), Ann. mus. V, 1957; DERS., Le psautier huguenot du XVIᵉ s., Bd II: Mélodies et documents, Basel 1962.

+Mornington, Garrett Colley Wellesley, 1735 – 1781 [erg.:] zu Kensington (London).

Moroder, Giorgio, * 26. 4. 1944 zu Ortisei (Südtirol); Schweizer Schlagerkomponist und -sänger, spielt auch Baß, Gitarre, Klavier und Schlagzeug. Zu seinen erfolgreichsten Titeln zählen *Ein verrückter Tag, Moody Trudy, Arizona Man, Mein Herz kannst du nicht kaufen, Ich sprenge alle Ketten, Looky, Looky* und *Underdog.* M. ist auch als Produzent für Schlagersänger (Gaby Berger, Adriano Celentano, Michael Holm) hervorgetreten.

+Moroi, Makoto, * 17. 12. 1930 zu Tokio. Neuere Werke: *Une espèce de bagatelle* für S. und Kl. op. 16 (1957); »Komposition« Nr 2 für Orch. op. 17 (1958); *Ordre* für Vc. und Kl. op. 18 (1958); *Metamorphosis* für tiefe Männer-Sprech-St. und Tonband op. 19 (1958); »Komposition« Nr 3 für Sprecher, Männerchor und Orch. op. 20 (1958); Cantata da camera Nr 1 für Sprecher, Männerchor, Ondes Martenot, Cemb. und Schlagzeug op. 21 (1959) und Nr 2 (1959); *Pitagorasu no hoshi* (»Sterne des Pythagoras«) für Sprecher, Chor, Kammerorch. und Tonband (1959); *A Red Cocoon* für Sprecher, Pantomime, Chor, Kammerorch., Tonband, Dias und Filmprojektion (1960); *Nagai nagai michi ni sotte* (»Die lange, lange Straße lang«) für einen Sprecher, Chor, Kammerorch. (nach W. Borchert, 1961); »Komposition« Nr 5 (*Ode à A. Schoenberg*) für Kammerorch. (1961); elektronische Musiken *Yamamba* (3 japanische Legenden, 1962) und *Variété* (1962); Suite concertante für V. und Orch. (1962); 5 *Epigrammes* für Fl., Klar., Vibraphon, Celesta, Hf., V. und Vc. (1962); *Kusabira* (»Pilze«) für 2 St. und elektronische Klänge (1964); *Chikurai gosho* (»5 Sätze für Shakuhachi« [= japanische Bambusflöte], 1964); *Taiwa godai* (»5 Dialoge für 2 Shakuhachi«, 1965); *Phaeton* für Sprecher, Stimmen, Orch. und Tonband (1965); Cantata da camera Nr 3 (1965); Klavierkonzert (1967); Symphonie (1968); *Izumo, My Home* für S., Bar., Chor, Orch. und elektronische Klänge (1970); *Les farces* für V. solo (1971).

Moroi, Saburô, * 7. 8. 1903 zu Tokio; japanischer Komponist und Musiktheoretiker, absolvierte 1928 die Kaiserliche Universität in Tokio (Ästhetik, Kunstgeschichte), bildete sich autodidaktisch in Komposition aus und studierte dann an der Staatlichen Hochschule für Musik in Tokio. 1932–34 setzte er seine Studien an der Berliner Hochschule für Musik bei Leo Schrattenholz (Komposition und Musiktheorie), Gmeindl (Orchestration) und M. Trapp (Komposition) fort. Nach seiner Rückkehr nach Japan war er als Komponist und Kompositionslehrer tätig. Zu seinen Schülern zählen Dan, Irino, Shibata und sein Sohn Makoto M. 1946 folgte er einem Ruf des Kultusministeriums und führte eine radikale Umorganisation der Musikerziehung vom Kindergarten über die Grundschule bis zur Musikhochschule durch. So ist u. a. die Einführung der instrumentalen Musikübungen und die stärkere Betonung der musiktheoretischen Erziehung auf ihn zurückzuführen. 1965–67 wirkte M. als Intendant des neu gegründeten Städtischen Orchesters Tokio. Seit 1967 steht er der Musikabteilung der privaten Senzoku-Gakuen-Universität in Kawasaki vor, an der er auch Komposition und Musikologie lehrt. Von seinen Werken seien genannt: 5 Symphonien (1934, 1938, 1950, 1952 und 1970); Sinfonietta (1943); Klavierkonzert (1934); Violoncellokonzert (1937); Streichsextett (1939); Streichquartett (1933); Klavierquartett (1935); Streichtrio (1942); Sonate für Va und Kl. (1936); Sonate für Fl. und Kl. (1937); 2 Sonaten für Kl. (1933 und 1943); ferner zahlreiche Lieder. Er veröffentlichte u. a. (Erscheinungsort Tokio): *Bêtôven no gengaku-shijûsôkyoku no bunseki* (»Analyse der Streichquartette von Beethoven«, 1949); *Junsui taiihô* (»Strenger Kontrapunkt«, 1949); *Gakushiki no kenkyû* (»Studien zur Entwicklungsgeschichte der musikalischen Formen«, 5 Bde, 1957–68); *Bêtôven no piano-sonata no bunseki* (»Analyse der Klaviersonaten von Beethoven«, 1958).

Morosow, Igor Wladimirowitsch, * 6.(19.) 5. 1913 zu Lugansk (bei Woroschilowgrad), † 24. 11. 1970 zu Moskau; russisch-sowjetischer Komponist und Dirigent, studierte bis 1938 am Moskauer Konservatorium Komposition (Schebalin) und Dirigieren (Jurij Timofejew) und war Leiter der Musikabteilung des Moskauer Filmstudios sowie 1938–39 Kapellmeister des Blasorchesters der Moskauer Schukowskij-Militärakademie. Er schrieb die Oper *Solotoj kljutschik* (»Ein goldenes Schlüsselchen«, Moskau 1972), das Ballett *Doktor Ajbolit* (nach einem Märchen von Kornej Tschukowskij, Nowosibirsk 1947), Orchesterwerke (3 Symphonien, 1944, 1958 und 1967; symphonische Byline *Jermak*, 1962; Kammersymphonie, 1936), Kammermusik (Streichquartett, 1936; Sonate und 10 Praeludien für Kl., 1935), zahlreiche Lieder nach Texten von Puschkin und modernen sowjetischen Autoren, Musik für Volksinstrumentenorchester sowie Bühnen- und Filmmusik.

Morpurgo (mərp'urgo), Adolfo, * 9. 12. 1897 zu Görz (Venetien); argentinischer Violoncellist und Komponist, studierte an den Konservatorien in Triest und Budapest (Violoncello bei Popper, Komposition bei Fischler) und wurde 1913 zu Konzerten nach Buenos Aires verpflichtet, wo er sich niederließ. Er wurde 1926 zum ordentlichen Professor am Staatlichen Konservatorium in Buenos Aires ernannt. 1937 gründete er die Agrupación Argentina de Instrumentos Antiguos, mit der er zahlreiche Konzerte älterer Musik gab. Außer den Opern *Don Beppone* und *Pigmalion* sowie Bühnenmusik schrieb er Musik zu Filmen: *El reñidero* (1964); *La intimidad de los parques* (1965); *Castigo al traidor* (1966); *Don Segundo Sombra* (1969).

Morricone, Ennio, * 10. 11. 1928 zu Rom; italienischer Komponist, studierte am Conservatorio di Musica S. Cecilia in Rom bei Petrassi und gehört gegenwärtig der Improvisationsgruppe »Nuova Consonanza« an. Er schrieb die Musik zu zahlreichen Filmen, u. a. zu *Prima della rivoluzione* von Bernardo Bertolucci (1964), *C'era una volta il West* (»Spiel mir das Lied vom Tod«, 1968), *H₂S* von Roberto Faenza (1969) und *Metello* von Mario Bolognini (1970), daneben Bühnenmusik, u. a. zu *Caput coctu show* von Pier Paolo Pasolini (Rom 1967). An weiteren Kompositionen seien genannt: Ballett *Requiem per un destino* (RAI/TV 1967); Konzert für Orch. (1960); *Distanze* für 11 V. (1962); Streichsextett (1962); 12 Variationen für Ob. d'amore, Vc. und Kl. (1959); Klaviertrio (1962); Klaviersonate (1960).

Morris, Harold Cecil, * 17. 3. 1890 zu San Antonio (Tex.), † 6. 5. 1964 zu New York; amerikanischer Komponist und Pianist, studierte an der University of Texas (B. A.) und am Cincinnati Conservatory of Music/O. (Godowsky, Scalero), lehrte in New York 1922–39 an der Juilliard School of Music und 1939–46 am Teachers College der Columbia University. Er war einer der Gründer der American Music Guild (1921). M. schrieb u. a. Orchesterwerke (3 Symphonien, Nr 1 *Prospice*, 1925, Nr 2 *Victory*, 1936, und Nr 3 *Amaranth*, 1945; Suite für kleines Orch., 1937; Ouvertüre *Joy of Youth*, 1938; Passacaglia und Fuge, 1938; *American Epic*, 1943; Variationen über das Negro spiritual *Dum-a-Lum* für Kammerorch., 1925; Suite für Kl. und Streicher, 1943; ein Klavierkonzert (1927), ein Violinkonzert (1938), Kammermusik (2 Klavierquintette,

1929 und 1937; 2 Streichquartette, 1928 und 1937; Suite für Fl., V., Vc. und Kl., 1935; 2 Klaviertrios, 1917 und 1937; Violinsonate, 1919), 4 Klaviersonaten und andere Stücke für Klavier.

+Morris, Reginald Owen, 1886–1948.
Lit.: G. A. Marco, Zarlino's Rule of Counterpoint in the Light of Modern Pedagogy, MR XXII, 1961.

Morris, Wynn, * in Wales; britischer Dirigent, studierte an der Royal Academy of Music in London und bei E. de Carvalho, gewann 1957 den Kussewitzky-Preis und wurde Assistant Conductor beim Cleveland Orchestra (O.), später Dirigent des Cleveland Chamber Orchestra. 1960 kehrte er nach Großbritannien zurück (1963 Debüt in der Royal Festival Hall in London). Konzertreisen führten ihn durch zahlreiche europäische Länder und in die USA. M. hat sich besonders für die Musik Mahlers eingesetzt.

+Mors, –1) Anton (Antoon), um 1500 zu Antwerpen – vor August 1562 [erg. frühere Angaben]. –2) Hieronymus, 1521 [nicht: 1518; erg.:] zu Antwerpen – 1598 (begraben 19. 12.), wurde 1538 Hoforganist Herzog Albrechts von Mecklenburg und 1552 [nicht: 1548] Domorganist in Schwerin. –3) Jacob, [erg.:] 1515 zu Antwerpen – zwischen 1585 und 1602 zu Berlin(?), wirkte schon ab 1557 [nicht: 1572] in Berlin. –4) Joachim, [erg.:] um 1560 zu Berlin(?) – nach 1605, war 1579–81 Hoforganist in Dresden und kam danach als Hoforganist nach Berlin. –5) Anton (II), [erg.:] um 1555 zu Schwerin – 1619 zu Rostock, war Organist an St. Jacobi in Rostock 1573–1613 [nicht: 1575–1615].
Lit.: M. A. Vente in: MGG IX, 1961, Sp. 606ff. – zu –1): A. Corbet, A. M., a Flemish Org. Builder, ML XXVIII, 1947.

Mors, Rudolf Ernst Theodor, * 16. 7. 1920 zu München; deutscher Komponist und Dirigent, Sohn von Richard M. (1873–1946), studierte 1942–43 und 1948–49 an der Münchner Musikhochschule Dirigieren bei Heinrich Knappe und K. Eichhorn (1949 Reifeprüfung) sowie Komposition bei J. Haas und Höller (1950 Meisterdiplom), wurde 1951 Kapellmeister an den Städtischen Bühnen in Ulm und 1963 Kapellmeister und Leiter der Schauspielmusik an den Städtischen Bühnen in Bielefeld. Er schrieb die Oper *Vineta* (Bielefeld 1968), die Musicalparodien *Freiheit in Krähwinkel* (nach Nestroy von Hanns Dieter Hüsch, Ulm 1957) und *Der Weiber Streik* (nach Aristophanes' *Lysistrata* von Hüsch, ebd. 1959); das Märchenmusical *Das tapfere Schneiderlein* (Bielefeld 1972), Orchesterwerke (2. Symphonie, 1955; *Symphonische Kantate*, auf Texte von Morgenstern, 1950; *Die Flamme*, Elementarfantasie für S. und Orch., nach Morgenstern, 1971), Kammermusik (Streichquartett, 1944; Klaviersonate 4händig, 1950; 12 Miniaturen für V. und Vc., 1972) sowie Klavierlieder und zahlreiche Bühnenmusiken.

+Mortari, Virgilio, * 6. 12. 1902 zu Passirana di Lainate (Mailand).
Soprintendente des Teatro La Fenice in Venedig war M. bis 1959; 1963 wurde er Vizepräsident der Accademia nazionale di S. Cecilia in Rom. – Neuere Werke: die Opern +*La scuola delle mogli* (Mailand 1959) und *Il contratto* (RAI 1962, szenisch Rom 1964), Divertimento scenico *Alfabeto a sorpresa* für 3 St. und 2 Kl. (Venedig 1959); Ballett *Specchio a tre luci* (1973); Ouvertüre *Eleonora d'Arborea* (1968) und *Tripartita* (1972) für Orch.; Konzerte für Kl. (1960), Va (*Concerto dell'osservanza*, 1966), Kb. (1966), V. (1967), V. und Kl. (1968), Vc. (1969) und Hf. (1972) mit Orch.; *Fantasia concertante* für Kammerorch. (1971); *Duettini concertati* für V. und

Kb. (1966), Capriccio für V. solo (1967); *Serenata für Kl.* (1967); *Fantasia für Org.* (1968); *Poesie di G.Vigolo* für gem. Chor a cappella (1972), *Poesie di A.Basile* für S., Mezzo-S., T., B. und Kl. (1966), 14 Lieder *Xenia I* für Singst. und Kl. (1972). – +*La tecnica dell'orchestra contemporanea* (1947), Mailand ²1950, deutsch als *Die Technik des modernen Orchesters*, ebd. 1961, rumänisch Bukarest 1965.

+Mortaro, Antonio, [erg.:] * zu Brescia, † nach 1620 zu Verona(?).
Ausg.: 4 Canzoni, f. Block-Fl.-Quartett hrsg. v. G. Houle, NY 1970.

Mortellari, Michele, * 1750 zu Palermo, † 27. 3. 1807 zu London; italienischer Komponist, genannt »the elder M.«, Schüler von Piccinni in Neapel, war mit seinen Opere buffe und serie sowie mit Kantaten zunächst in ganz Italien, ab 1785 in London erfolgreich. 1790–91 wirkte er auch als Trompeter im Orchester des King's Theatre. Nach kurzen Aufenthalten in Italien (1796) und St.Petersburg (1798/99) ließ er sich endgültig in London nieder. Von Michele C. M. (»the younger M.«), wahrscheinlich einem Sohn M.s, ist nur bekannt, daß er Ballettkomponist und 1804–06 Cembalist am King's Theatre war. Antonio M., dessen Bruder oder Vetter(?), ist vielleicht identisch mit einem nur durch die Initialen »A. B. M.« bekannten Autor von Vokalstücken, Klavierstücken und Klavierarrangements. Zwei Töchter, »the Misses M.«, waren Sängerinnen, von denen Marietta Augusta M., verheiratete Woolrych, in Nebenrollen am Haymarket Theatre auftrat. – Kompositionen von M. M. the Elder umfassen die Opern *Troja distrutta* (Rom 1770), *Didone abbandonata* (Florenz 1772), *Arsace* (Padua 1775), *Armida* (Modena 1775), *Le astuzie amorose* (Venedig 1775), *Antigona* (ebd. 1776), *Don Salterio civetta* (ebd. 1776), *Il baron di lago nero* (ebd. 1776), *La governante* (Rom 1777), *Ezio* (Mailand 1777), *Alessandro nell'Indie* (Siena 1778), *Lucio Silla* (Turin 1778), *Il finto pazzo per amore* (Venedig 1779), *Medonte* (Verona 1780), *Li rivali ridicoli* (Venedig 1780), *La muta per amore* (ebd. 1781), *La fata benefica* (ebd. 1783), *Semiramide* (Mailand 1784), *Armida abbandonata* (Florenz 1785) und *Angelica* (Padua 1796), Kantaten (*Telemaco nell'isola di Ogigia*; *Venere e Adone*; *Il ritorno* op. 8; *La primavera* op. 9; *Il nido degli amori* op. 10; *La pesca* op. 11) sowie Kirchenmusik, Arien, Lieder und Quartette.

+Mortelmans, –1) Lodewijk, 1868–1952.
–2) Ivo Oscar, * 19. 5. 1901 zu Antwerpen. Theorielehrer am Konservatorium in Antwerpen war M. bis 1952; zugleich unterrichtete er an den Musikakademien von Berchem (1925–66), Deurne (1939–70) und Mortsel (1946–67) Theorie, Komposition und Musikgeschichte. – [del.:] 2 Opern. – Weitere Werke: Singspiel *De krekel en de mier* (»Die Grille und die Ameise«, nach La Fontaine, 1945); Oratorium *Eeuwig vlecht de bruid haar kroon* (1964); Liedertryptichon *Drie liefdezangen* (1967); Bühnenmusiken.
Lit.: zu –1): H. Heughebart in: Harop XX, 1968, S. 99ff.

Mortensen, Finn, * 6. 1. 1922 zu Oslo; norwegischer Komponist, lebt freischaffend in Oslo. Er studierte in seiner Heimatstadt Harmonielehre bei Thorleif Eken (1941–42) und Kontrapunkt bei Egge (1943–44) sowie in Kopenhagen Komposition bei N. V. Bentzon (1956). 1961–64 war er Vorsitzender von Ny Musikk, der norwegischen Sektion der ISCM, und 1967–68 Direktor der norwegischen Rikskonsertene. – Werke (Auswahl): Symphonie op. 5 (1953); *Evolution* für Orch. op. 23 (1963); Konzert für Kl. und Orch. op. 25 (1963); Fan-

tasie für Kl. und Orch. op. 27 (1966); *Per orch.* op. 30 (1967); *Kammermusikk für Orch.* op. 31 (1968). – Bläserquintett op. 4 (1951); Sonaten für Fl. solo op. 6 (1953), für Kl. op. 7 (1956), für V. und Kl. op. 17 (1959) und für 2 Kl. op. 26 (1964); Fantasie und Fuge für Kl. op. 13 (1958); *Tolv små tolvtonstykker for barn* (»12 kleine Zwölftonstücke für Kinder«) für Kl. op. 22 Nr 1–2 (1964).
Lit.: Sv. Lind in: Nutida musik VII, 1963/64, S. 16ff.; Bo Wallner, Vår tids musik i Norden. Från 20-tal till 60-tal (»Musik unserer Zeit im Norden. Von d. 20er bis zu d. 60er Jahren«), = Publ. utg. av Kungl. Mus. akad. med musikhögskolan V, Stockholm 1968, S. 225ff.

+Mortensen, Otto, * 18. 8. 1907 zu Kopenhagen.
M. unterrichtete am Konservatorium in Kopenhagen bis 1966; seitdem hat er einen Lehrauftrag für Musiktheorie am musikwissenschaftlichen Institut der Universität Århus. Er komponierte ferner ein 2. Streichquartett (1955) und schrieb die Beiträge *The Polish-Dance in Denmark* (Chopin-Kgr.-Ber. Warschau 1960) und *Über Typologisierung der Couranten und Sarabanden Buxtehudes* (Dansk aarbog for musikforskning VI, 1968–72).

Morthenson, Jan Wilhelm, * 7. 4. 1940 zu Örnsköldsvik (Västernorrlands län); schwedischer Komponist, studierte 1956–60 bei Runar Mangs und 1960–61 bei Lidholm in Stockholm sowie am Studio für Elektronische Musik beim NDR in Köln. Unter dem Einfluß von Ligeti entwickelte er einen »nonfigurativen« Stil, der jegliche musikalische Gestik verneint und ausschließlich Klang und Dynamik in den Vordergrund stellt. Von seinen Werken sind zu nennen: *Sinfonia da camera* (1960); *Angelus* für verschiedene Instr. und Tonband (1961); *Canzona* für 6 Chöre, Schlagzeug und mehrere Lautsprecher (1961); *Wechselspiel I* für Vc. solo (1961), *II* für Fl. solo und 3 Lautsprecher (1961) und *III* für Kl. und Schlagzeug (1961); *Some of These ...* für Org. (1961); *Interjections* für Schlagzeug (1961); *Coloratura I* für Streicher (1961), *II* für Orch. (1962), *III* für Kammerensemble (1963) und *IV* für Orch. (1963); *Courante II* und *III* für Kl. (1962); *Madame Bovary* für Org. (1962); *Chains-Mirrors*, elektroakustische Bearbeitung der Stimme Cathy Berberians (1963); *Antiphonia I* für Orch. (1963) und *II* für Kammerorch. (1965); *Eternes* für Org. (1964); *Decadenza* für Org. und Tonband (1968); elektronische Kompositionen *Neutron Star* (1968), *Spoon River* (1969) und *Supersonics* (1970); *Labor* für Orch. (1973); *City-drama*, Multimediakomposition (Bonn 1973). Er schrieb *Nonfigurative Musik* (Stockholm 1966, deutsch; vgl. dazu D. Schnebel in: *Denkbare Musik*, hrsg. von H. R. Zeller, = DuMont Dokumente o. Nr, Köln 1972, S. 398f.).

+Mortimer, Peter, 1750 – 1828 zu Herrnhut (Sachsen) [nicht: Dresden].

+Morton, Jelly Roll, 1885–1941.
Die von M., der auch als Komponist und Sänger hervorgetreten ist, in den 20er Jahren gemachten Aufnahmen erschienen neuerdings auf Neupressungen bei den Firmen RCA (Frankreich) und Bygum (Frankreich und Italien). – M. schrieb *I Discovered Jazz in 1902* (in: down beat V, 1938, Wiederabdruck in: Frontiers of Jazz, hrsg. von R. de Toledano, NY 1947, ²1962, auch = Jazz Book Club LVIII, London 1966).
Lit.: +A. Lomax, Mister J. R., The Fortune of J. R. M., New Orleans Creole and »Inventor of Jazz« (1950), Neudr. NY 1956, London 1952 (dazu ein separates Suppl. v. Th. Cusack, J. R. M., An Essay in Discography, London 1952), ³1959, dänisch Kopenhagen 1958, deutsch als: Doctor Jazz. Mister J. Rolls Moritat v. Jazz, = Sanssouci Jazz Bibl. I, Zürich 1960 u. 1964, frz. Paris 1964, schwe-

disch Stockholm 1964. – J. Gr. Jepsen, Discography of J. R. M., 2 Bde, Brande (Dänemark) 1959; J. R. T. Davies u. L. Wright, M.'s Music, London 1968 (Diskographie). – O. Keepnews, J. R. M., in: The Jazz Makers, hrsg. v. N. Shapiro u. N. Hentoff, NY u. Toronto 1957, London 1958; N. Russel, J. R. M. and the »Frog-i-more Rag«, in: The Art of Jazz, hrsg. v. M. T. Williams, NY 1959 u. 1960, auch = Jazz Book Club XXXV, London 1960 u. 1962; K. Hulsizer, J. R. M. in Washington, in: This is Jazz, hrsg. v. K. Williamson, London 1960; M. T. Williams, J. R. M., = Kings of Jazz XI, ebd. 1962, NY 1963; ders., J. R. M., Three-Minute Form, in: The Jazz Tradition, NY 1970 (mit Bibliogr.); The American Composer Speaks. A Hist. Anth., 1770–1965, hrsg. v. G. Chase, Baton Rouge (La.) 1966; G. Schuller, The Hist. of Jazz, Bd I: Early Jazz, NY 1968; A. Matzner u. I. Wasserberger in: Jazzové profily, Prag 1969, S. 15ff.

+**Morton,** Robert, um 1440 – Anfang 1475 [del. frühere Angabe].
Lit.: +J. Marix, Hist. de la musique et des musiciens de la cour de Bourgogne ... (1939), Nachdr. Genf 1972; +G. Reese, Music in the Renaissance (1954), revidiert NY 1959. – P. Gülke, Das Volkslied in d. burgundischen Polyphonie d. 15. Jh., Fs. H. Besseler, Lpz. 1961, S. 182; H. Besseler, Deutsche Lieder v. R. M. u. Josquin, BzMw XIII, 1971 (geschrieben 1948).

Mosca, Giuseppe, * 1772 zu Neapel, † 14. 9. 1839 zu Messina; italienischer Komponist, Bruder von Luigi M., studierte am Conservatorio di S. Maria di Loreto in Neapel bei Fenaroli und trat bereits 1791 in Rom mit der Komödie *Silvia e Nardone* als Bühnenkomponist hervor. Er begab sich dann zur Aufführung weiterer Opern nach Mailand, Venedig, Turin und 1803 nach Paris (wo einige seiner Stücke am Théâtre des Italiens aufgeführt wurden), kehrte 1809 nach Italien zurück und brachte 1813 in Rom eines seiner bemerkenswerten Werke, *Don Gregorio in imbarazzo*, heraus. 1817–20 war er Musikdirektor des Real Teatro Carolino in Palermo und ab 1827 bis zu seinem Tode Kapellmeister am Theater und am Dom in Messina. Von seinen über 40 Opere buffe und Opere serie seien genannt: *La vedova scaltra* (Rom 1796); *I matrimoni liberi* (Mailand 1798); *Ifigenia in Aulide* (Venedig 1799); *Ginevra di Scozia o sia Ariodante* (Turin 1802); *La gioventù d'Enrico V* (Libretto F. Romani, Palermo 1817); *Federico II, re di Prussia* (ebd. 1817); *L'abate de L'épée* (Neapel 1826). M. schrieb auch Kirchenmusik.
Lit.: O. Tiby, Il Real Teatro Carolino e l'Ottocento mus. palermitano, = »Hist. musicae cultores« Bibl. IX, Florenz 1957, S. 268; U. Prota-Giurleo u. L. Paduano in: MGG IX, 1961, Sp. 615f.

Mosca, Luigi, * 1775 und † 13. 11. 1824 zu Neapel; italienischer Komponist, Bruder von Giuseppe M., Schüler von Fenaroli am Conservatorio S. Maria di Loreto in Neapel, war Cembalist am Teatro S. Carlo in Neapel, wo er 1797 mit der Oper *L'impresario burlato* debütierte. Er war mit Paisiello befreundet, wurde dessen »coadiutore« bei der Hofkapelle und 1813 Gesangslehrer am Collegio di Musica S. Sebastiano. Seine 16 Opere buffe wurden, ausgenommen *L'italiana in Algeri* (Mailand 1808, auf das 1813 auch von Rossini vertonte Libretto von Angelo Anelli), alle in Neapel aufgeführt. M. schrieb auch geistliche Musik und das Oratorium *Gioas* (1806).
Lit.: U. Prota-Giurleo u. L. Paduano in: MGG IX, 1961, Sp. 615f.

+**Moscheles,** Ignaz (eigentlich Isack M.), 23. [nicht: 30.] 5. 1794 – 1870.
Lit.: +Thematisches Verz. im Druck erschienener Compositionen v. I. M. (1885), Nachdr. London 1967; +Recent Music and Musicians as Described in the Diaries [erg.: and Correspondence] of I. M. (1873), Nachdr. NY 1970; +Briefe ... (F. Moscheles, 1888), Nachdr. d. [erg.:]

engl. Ausg. (Letters of F. Mendelssohn to I. and Ch. M., London 1888), Freeport (N. Y.) 1970 u. NY 1971. – I. Heussner, I. M. in seinen Kl.-Sonaten, -Kammermusikwerken u. -Konzerten, Diss. Marburg 1963; dies., Formale Gestaltungsprinzipe bei I. M., Fs. H. Engel, Kassel 1964; A. Tyson, M. and His »Complete Ed.« of Beethoven, MR XXV, 1964; W. S. Newman, The Sonata Since Beethoven, Chapel Hill (N. C.) 1969, revidierte Paperbackausg. NY u. London 1972; J. Roche in: MT CXI, 1970, S. 264ff.; J. Davies in: The Consort XXVIII, 1972, S. 82ff.; J. Former, Mendelssohns Mitstreiter am Lpz.er Konservatorium, BzMw XIV, 1972.

Moscóna (mɔsk'ounɑ), Nicola, * 23. 9. 1909 zu Athen; amerikanischer Sänger (Baß) griechischer Herkunft, studierte in Athen am Nationalkonservatorium bei Elena Theodorini und an der Musikakademie. Er debütierte 1929 in seiner Heimatstadt und wurde 1937 an die Metropolitan Opera in New York engagiert (Antrittsrolle Ramphis in *Aida*), der er bis 1962 als 1. Baß angehörte. M. lehrt heute an der Academy of Vocal Arts in Philadelphia.

+**Mosel,** Ignaz Franz [erg.:] de Paula Vinzenz Ferrerius Joseph, Edler von, 1. [nicht: 2.] 4. 1772 – 1844.
Lit.: +G. Schünemann, Gesch. d. Dirigierens (1913), Nachdr. Hildesheim u. Wiesbaden 1965; +Th. v. Frimmel, Beethoven-Hdb. (I, 1926), Nachdr. Hildesheim u. Wiesbaden 1968. – Th. Antonicek, I. v. M., 2 Bde, Diss. Wien 1962; Chr. Raeburn, M. u. Zinzendorf über Mozart, Fs. O. E. Deutsch, Kassel 1963; L. Nowak, Die Erwerbung d. Mozart-Requiems durch d. k. k. Hofbibl. im Jahre 1838, Fs. J. Stummvoll, = Museion, N. F. II, 4, Wien 1970, Bd I.

+**Moser,** –1) Andreas, 1859–1925. +*Geschichte des Violinspiels* (1923, mit +Einleitung *Das Streichinstrumentenspiel im Mittelalter* von H. J. M.), 2. Aufl. in 2 Bden hrsg. von H.-J. Nösselt, Tutzing 1966–67 (Bd I: *Das Violinspiel bis 1800 (Italien)*, II: *Das Violinspiel von 1800 (Deutschland) bis in die erste Hälfte des 20. Jh.*).
–2) Hans Joachim, * 25. 5. 1889 und [erg.:] † 14. 8. 1967 zu Berlin. Die Einleitung zur *Geschichte* ... (s. o.) ist seine Hallenser Habil.-Schrift von 1919. Als Leiter des Städtischen Konservatoriums Berlin wirkte er bis 1960. – Neuere Nachdrucke, Neuauflagen usw. (von den im früheren Artikel genannten Schriften): *Die Musikergenossenschaften im deutschen Mittelalter* (1910), Nachdr. Wiesbaden 1972; *Geschichte der deutschen Musik* (Bd I–II 51930, III 21928), Neuaufl. Hildesheim 1968 (= Nachdr. mit Ergänzungen); *P. Hofhaimer* (1929), ebd. 21966 (ergänzt); *Die mehrstimmige Vertonung des Evangeliums* (1931), ebd. und Wiesbaden 21968 (ergänzt); *Corydon* ... (1933), Nachdr. Hildesheim 1966 (2 Bde in 1); *Musiklexikon* (1935, 41955), *Ergänzungsband*, Hbg 1963; *Lehrbuch der Musikgeschichte* (1936, 121953), Bln 131959 (neubearb.), 141967; *Musikgeschichte in hundert Lebensbildern* (1952), Stuttgart 31964; *Die Musik* [nicht: *Musikleistung*] *der deutschen Stämme* (1957 [nicht: 1954]). – Neben zahlreichen Aufsätzen und Miszellen über fast alle Aspekte der Musik veröffentlichte M. weiter: *Das deutsche Lied seit Mozart* (2 Bde, Zürich 1937, 2. umgearbeitete Aufl. Tutzing 1968, einbändig); *Blinde Musiker aus 7 Jahrhunderten* (= Kleine Musikbücherei XI, Hbg 1956); *Die Tonsprachen des Abendlandes. Zehn Essais als Wesenskunde der europäischen Musik* (Bln 1960); *Musik in Zeit und Raum. Ausgewählte Abhandlungen* (ebd.); *Die Harfe mit dreizehn Saiten* (Stuttgart 1961; belletristische Musikergeschichten); *Orgelromantik. Ein Gang durch Orgelfragen von gestern und übermorgen* (Ludwigsburg 1961); *Bachs Werke. Ein Führer für Musikfreunde* (Kassel 1964); *Luther als Musiker* (in: Speculum musicae artis, Fs. H. Husmann, München 1970; einer seiner letzten größeren publizier-

ten Aufsätze); einige Hefte in der Slg »Musikalische Formen in historischen Reihen«. – An weiteren (umfangreicheren) Editionen liegen vor: +*Gassenhawerlin und Reutterliedlin* ... (1927), Nachdr. Hildesheim 1970; A.Hammerschmidt, *Weltliche Oden oder Liebesgesänge* (=EDM XLIII, Abt. Oper und Sologesang V, Mainz 1962); *65 Deutsche Lieder ... nach dem Liederbuch von P. Schöffer und M. Apiarius* für 4–5st. gem. Chor a cappella (Wiesbaden 1967). M. besorgte ferner den Neudruck der DDT (→Denkmäler, Deutschland 5). Lit.: zu –2): W. VETTER, Gedanken zur mus. Biogr., Mf XII, 1959 (zu M.s 70. Geburtstag); J. WULF, Musik im Dritten Reich, Gütersloh 1963, auch = rororo Taschenbuch Nr 818–820, Reinbek bei Hbg 1966; A. A. ABERT in: AMl XL, 1968, S. 91f.; O. SÖHNGEN in: Mf XXI, 1968, S. 154ff.; FR. FELDMANN, Zu H. J. M.s »Schlesischer Musikantenhimmel«. Eine Schul- u. Hausmusiksammlung altschlesischer Meister d. 14. bis 19. Jh., in: Schlesien XIV, 1969 (bis dahin unveröff., jetzt hrsg. v. Fr. Feldmann u. G. Speer als: Sing- u. Musizierbuch ..., = Silesia cantat VI, Dülmen 1971).

Moser, Edda Elisabeth (verheiratete Csobádi), * zu Berlin; deutsche Sängerin (dramatischer Koloratursopran), Tochter von Hans Joachim M., studierte Gesang in Berlin bei Weißenborn und Gerty König, erhielt ihr erstes Bühnenengagement 1963 in Würzburg und kam über Hagen und Bielefeld 1967 an die Deutsche Oper Berlin. 1968–71 gehörte sie den Städtischen Bühnen Frankfurt a. M. an. 1968 gab sie ihr Debüt an der Metropolitan Opera in New York. Seit 1971 ist sie Mitglied der Wiener Staatsoper und ständiger Gast der Hamburgischen Staatsoper. Sie wirkt seit 1968 in Salzburg bei den Osterfestspielen, seit 1970 bei den Sommerspielen mit. Ausgedehnte Konzertreisen unternahm sie im In- und Ausland. Zu ihren Hauptpartien gehören Konstanze, Königin der Nacht, Gilda und Nedda (*Pagliacci*). E. M. machte sich auch einen Namen als Interpretin neuer Musik; u. a. sang sie bei der Uraufführung von B. A. Zimmermanns *Requiem für einen Dichter* (1969) mit.

Moser, Franz Joseph, * 20. 3. 1880 und † 27. 3. 1939 zu Wien; österreichischer Dirigent und Komponist, studierte 1895–1901 Musik am Konservatorium der Gesellschaft der Musikfreunde in Wien, zugleich Philosophie an der Universität, war 1901–04 Theaterkapellmeister in Darmstadt, Troppau, Znaim, Pilsen und München, gehörte 1904–26 und 1929–32 dem Orchester der Wiener Staatsoper und den Wiener Philharmonikern als Kontrabassist an und war 1926–29 Chordirigent der Wiener Staatsoper. Er unterrichtete an der Wiener Musikakademie Klavier und wirkte 1910–38 als Universitätslektor für Gesang. M. schrieb Orchesterwerke (4 Symphonien, op. 20, op. 34, op. 48 und op. 50), bemerkenswerte Bläsermusik (Serenade für 15 Bläser op. 35, 1922; Suite für 17 Bläser op. 37, 1925), Kammermusik (Klavierquintett op. 18, 1927; Streichsextett op. 23, 1919; 2 Streichquartette op. 19, 1919, und op. 32, 1924), Klavierstücke, Chorwerke und Lieder.

+Moser, [erg.: Albert] Rudolf, 1892 – 20. [nicht: 21.] 8. 1960 zu Silvaplana (Graubünden). Lit.: R. M., Werkverz.: = Zentralarch. schweizerischer Tonkunst, Werkverz. VII, Zürich 1962. – H. BUCHLI, R. M., Zürich 1964.

+Mosonyi, Mihály, [erg.: * 2.] (getauft 4.) 9. 1815 – 1870. Ausg.: Gyászhangok Széchenyi I. halálára (»Trauermusik auf d. Grafen I. Széchenyi«), in: B. SZABOLCSI, A magyar zenetörténet kézikönyve, Budapest 1947, ²1955; dass., hrsg. v. I. LÁNG, ebd. 1955; Gyermekjelenetek (»Kinderszenen«), ausgew. Stücke f. Kl. hrsg. v. P. KADOSA, ebd. 1953; Tanulmányok a magyar zene előadása

képzésére (»Übungen zur Bildung d. Vortrags d. ungarischen Musik«), f. Kl. hrsg. v. DEMS., ebd.; Szép Ilonka (»Die schöne Helena«), hrsg. v. M. VÖRÖSMARTY u. J. FEKETE, Pécs 1955; A tisztulás ünnepe az Ungnál (»Läuterungsfest beim Fluß Ung«), in: B. SZABOLCSI, A magyar zene évszazadai II, = Magyar zenetudományi II, Budapest 1961; Almos, hrsg. v. A. FARKAS, ebd. 1965; Concerto f. Kl. u. Orch., hrsg. v. K. VÁCZI, = Kispartiturák Nr 207, ebd. 1966; Libera me Domine f. gem. Chor u. Streicher (1870), hrsg. v. F. BÓNIS, ebd. 1971. Lit.: I. SONKOLY, M. M. ismeretlen kéziratai (»Unbekannte Mss. v. M. M.«), in: Zenei szemle XLII, 1948; F. BÓNIS, M. M., = Kis zenei könyvtár XV, Budapest 1960; DERS., M. M. önéletrajzi töredéke (»Ein autobiogr. Fragment v. M. M.«), in: Muzsika III, 1960; DERS., Liszt F. kiadatlan levele M. M. (»Ein unveröff. Brief Fr. Liszts an M. M.«), in: Magyar zene I [recte: II], 1961, Nr 5; DERS., M. M. magyar operái (»M. M.s ungarische Opern«), in: Az opera történetéből, hrsg. v. B. Szabolcsi u. D. Bartha, = Zenetudományi tanulmányok IX, Budapest 1961, deutsch in: StMl II, 1962; G. PROIER, M. Brand oder M. M.?, ÖMZ XXV, 1970.

Moss, Lawrence, * 18. 11. 1927 zu Los Angeles; amerikanischer Komponist, absolvierte die University of California in Los Angeles (A. B. 1949), die Eastman School of Music der University of Rochester/N. Y. (A. M. 1951) und die University of Southern California in Los Angeles (Ph. D. in Komposition 1957), an der er bei L.Kirchner studierte. 1956–59 war er Instructor am Mills College in Oakland (Calif.) und 1960–66 Assistant Professor an der School of Music der Yale University in New Haven (Conn.), wo er 1968 Associate Professor wurde. M. schrieb die komische Kammeroper *The Brute* (Norfolk/Conn. 1963) und die Oper *The Queen and the Rebels* (1968). – Weitere Kompositionen: Sonate für V. und Kl. (1959); *Four Scenes* für Kl. (1963); *Three Rilke Songs* (1963); *Music for Five* für Blechbläserquintett (1965); *Scenes* für kleines Orch. (1965); *Windows* für Fl., Klar. und Kb. (1966); *Omaggio* für Kl. zu 4 Händen (1967); *Remembrances* für Kammerensemble (1968); *Patterns* für Fl., Klar., Va und Kl. (1968); *Exchanges* für Kammerensemble (1968).

+Mossolow, Alexandr Wassiljewitsch, * 29. [nicht: 30.] 7. (11. 8.) 1900 zu Kiew, [erg.:] † 12. 7. 1973 zu Moskau. Am Moskauer Konservatorium war M. Schüler u. a. von R. Glière und N. Mjaskowskij (1921–25). Ab 1948 sammelte und bearbeitete er vor allem nordkaukasische, turkmenische und kirgisische Volkslieder. – Weitere Werke: 5 Suiten für Orch.; 2 Klavierkonzerte (1927, 1932), Harfenkonzert (1939), Cellokonzert (1946); 2 Streichquartette (1928, 1942), Trio für Klar., Vc. und Kl. (1926), Klaviertrio (1927), Cellosonate (1927), Bratschensonate (1928); Lieder. Lit.: D. GOJOWY, Moderne Musik in d. Sowjetunion bis 1930, Diss. Göttingen 1966.

+Mosto, Giovanni Battista, [erg.:] Mitte 16. Jh. – vermutlich Juni 1596 [nicht: 1597].

+Moszkowski [–1) Alexander], –2) Moritz (Maurycy), 1854–1925. Lit.: R. M. LONGYEAR, Schiller, M., and Strauss. Joan of Arc's »Death and Transfiguration«, MR XXVIII, 1967.

Moszumańska-Nazar [mɔ∫um'a:jnskan'azar], Krystyna, * 5. 9. 1924 zu Lemberg; polnische Komponistin, studierte 1948–55 an der Krakauer Musikhochschule (Komposition bei Wiechowicz, Klavier bei Jan Hoffman), an der sie 1964 Assistentin, 1967 Adjunkt und 1970 Dozentin wurde. Von ihren Kompositionen seien genannt: *Hexaèdre* für Orch. (1960); *Muzyka na smyczki* (»Musik für Streicher«, 1961); *Exodus* für Orch. und Tonband (1964); *Variazioni concertanti* für Fl. und Kammerorch. (1966); *Interpretacje* (»Interpretationen«)

für Fl., Tonband und Schlagzeug (1967); *Pour orchestre* (1969); *Intonacje* (»Intonationen«) für 2 gem. Chöre und Orch. (1971).

Mota, José Viana da → +Motta, J. V. da.

Motay, Hubert, * 4. 3. 1924 zu Ulm; deutscher Komponist und Flötist, studierte an der Akademie der Tonkunst in München Flöte, Klavier und Komposition, ist seit 1947 Soloflötist im Städtischen Orchester Ulm. Er komponierte die Operette *Nur du allein* (Ulm 1943) und eine Reihe Werke der gehobenen Unterhaltungsmusik (Tanzintermezzo *Spanisches Feuerwerk*, 1956; konzertante Mamboskizze *Karneval in Rio*, 1965; Revuemarsch *Marching-Time*, 1968; Tanzfantasie *Im neuen Stil*, 1970; Ouvertüre *Premiere im Metropol*, 1972).

Mothers of Invention → Zappa, Frank.

Mo Ti → Mo Tzu.

+Motta, José Vianna da (nach der neuen portugiesischen Rechtschreibung Viana da Mota), 1868 – 1. 6. [nicht: 31. 5.] 1948.
Weitere Schriften: *Zur Einführung in R. Wagners Bühnenweihfestspiel »Parsifal«* (Bayreuth 1897); gesammelte Aufsätze *Música e músicos alemães. Recordações, ensaios, criticas* (Coimbra 1941, ²1947 in 2 Bden); *Vida de Liszt* (Porto 1945).
Lit.: F. DE SOUSA, Exposição comemorativa do centenário de V. da M., Lissabon 1968. – J. DE FREITAS BRANCO, Sobre a percepção mus. de V. da M., in: Arte mus. XXIX, 1960; DERS., V. da M., Lissabon 1960; DERS., V. da M., un valor absoluto numa relatividade de culturas, in: Colóquio XIX, 1962; DERS., V. da M., Uma contribuição para o estudo de sua personalidade e de sua obra, Lissabon 1972.

+Motte, Diether de la, * 30. 3. 1928 zu Bonn.
1962 wurde de la M. an die Staatliche Musikhochschule in Hamburg berufen (1964 Professor); seit 1972 ist er Vizepräsident der Freien Akademie der Künste in Hamburg. – Neuere Werke: Oper *Der Aufsichtsrat* (R. Schneider, Hannover 1970); Orchesterkonzert (1963), Symphonie (1964), Symphonische Ouvertüre (1966), *Haus-Konzert* (1971) und *Klang-Wege* (1971) für Orch.; Klavierkonzert (1965), Flötenkonzert (1967); Septett für Klar., Fag., Trp., Pos., V., Kb. und Schlagzeug (1965), 3. Streichquartett (1961); *10 Fantasien am Kl.* (1968); Praeludium (1965) und *Orgelstück mit Fenstern* (1970) für Org.; Kantate *Es wartet alles auf dich.* Predigt über *Psalm 104* für Chor, 5 Instr. und Org. (1965); *Psalmen-Motette* (1960) und *Wie eine Rose* (5 Lieder nach J. R. Jiménez, 1964) für gem. Chor; *Die Niemandsrose* für Bar. und 7 Instr. (Celan, 1966), 3 Gesänge für Bar. und Org. (Gryphius, 1966); seit 1969 auch Tonbandkompositionen unter ausschließlicher Verwendung konkreter Geräusche *Mixed Music 1–3* sowie *Musikalische Handlungen* (sichtbare Musik). – Weitere Schriften: *Musikalische Analyse* (Kassel 1968, ²1973, mit kritischem Anm. von C. Dahlhaus nebst separatem Beispiel-Bd); *»Elegie für junge Liebende«* (in: Melos XXVIII, 1961); *Kontrapunkt* (in: Terminologie der Neuen Musik, = Veröff. des Instituts für Neue Musik und Musikerziehung Darmstadt V, Bln 1965); *Reform der Formenlehre?* (in: Probleme des musiktheoretischen Unterrichts, ebd. VII, 1967); *»Ich bin gespannt, wie es weitergeht«* (in: Musik und Verlag, Fs. K. Vötterle, Kassel 1968); *Konzerte im Wandel(n)* (in: Musica XXV, 1971); *Plädoyer für eine Reform der Harmonielehre* (mit R. Birnstein und Cl. Kühn, ebd. XXVI, 1972). Er gab auch H. Grabners *Allgemeine Musiklehre* in der 10. Aufl. heraus (Kassel 1970).
Lit.: K. GREBE, Musik f. ein singendes Orch., in: Musica XXI, 1967.

Motte-Haber, Helga de la, * 2. 10. 1938 zu Ludwigshafen; deutsche Musikforscherin, studierte Psychologie an den Universitäten in Mainz, Wien und Hamburg (1961 Diplomhauptprüfung für Psychologen) und 1962–65 Musikwissenschaft in Mainz und Hamburg, wo sie 1968 über das Thema *Ein Beitrag zur Klassifikation musikalischer Rhythmen. Experimentalpsychologische Untersuchungen* (= Veröff. des Staatlichen Instituts für Musikforschung Preußischer Kulturbesitz II, Köln 1968) promovierte. Ab 1965 arbeitete sie am Staatlichen Institut für Musikforschung Preußischer Kulturbesitz in Berlin. 1971 habilitierte sie sich an der Technischen Universität Berlin für das Fach Systematische Musikwissenschaft. 1972 wurde sie zum Wissenschaftlichen Rat und Professor an der Pädagogischen Hochschule Rheinland, Abteilung Köln, ernannt. Sie veröffentlichte u. a.: *Über einige Beziehungen zwischen Rhythmus und Tempo* (Mf XX, 1967); *Zum Problem der Musikalität* (in: Didaktik der Musik 1967, hrsg. von W. Krützfeldt, Hbg 1968); *Zum Problem der Klassifikation von Akkorden* (Jb. des Staatlichen Instituts für Musikforschung ... 1968); *Eine Methode zur Klassifizierung mittelalterlicher Harfendarstellungen* (Mf XXII, 1969); *Konsonanz und Dissonanz als Kriterien der Beschreibung von Akkorden* (Jb. des Staatlichen Instituts für Musikforschung ... 1970); *Typologien musikalischen Verhaltens* (in: Musica XXIV, 1970); *Musikpsychologie. Eine Einführung* (Köln 1972); *Sozialisierungsprozesse im Musikunterricht?* (in: Musik und Bildung VI, 1974). Sie ist mit Diether de la M. verheiratet.

+Mottl, Felix Josef, 1856–1911.
Lit.: W. KRIENITZ, F. M.s Tagebuch-Aufzeichnungen 1873–76, in: Neue Wagner-Forschungen, hrsg. v. O. Strobel, = Schriften d. R. Wagner Forschungsstätte o. Nr, Karlsruhe 1943; A. MINGOTTI in: Fs. ... 1811–1961, Mus. Akad., Bayerisches Staatsorch., München 1961, S. 28ff.; R. DELAGE, Correspondance inéd. entre E. Chabrier et F. M., Rev. de musicol. XLIX, 1963.

+Motz, Georg, [erg.: 24. 12.] 1653 – [erg.:] 25. 9. 1733 [nicht: 1730].
Lit.: +J. MATTHESON, Grundlage einer Ehren-Pforte (M. Schneider, 1910), Nachdr. Kassel 1969.

Mo Tzu (Mo Ti), chinesischer Philosoph des 5./4. Jh. v. Chr. (470–391?), war der Begründer der mohistischen Schule. Das nach ihm benannte *Mo Tzu* (»Buch des Meisters Mo«), vermutlich nicht von ihm, sondern von seinen Jüngern geschrieben, zeichnet sich durch heftige Angriffe gegen die Konfuzianer aus und enthält ein berühmtes Kapitel »Gegen die Musik«. Er war ein praktisch und wirtschaftswissenschaftlich denkender Geist, dessen Lehre vorwiegend den Gedanken und Bedürfnissen des bescheidenen Mittelstandes entsprach, der den größten Teil der Steuern aufbringen mußte. So argumentiert das *Mo Tzu*, daß Musik teuer und ohne Wert für die Mittelklassen sei.

+Moulaert, Raymond, * 4. 2. 1875 und [erg.:] † 18. 1. 1962 zu Brüssel.
M. wurde 1955 in die Académie Royale de Belgique aufgenommen. An weiteren Werken seien genannt: Konzert für Fl., Ob., Klar., Horn, Fag. und Hf. (1950); *Petites légendes I* für 3st. Frauenchor (1950) und *II* für 3st. Männerchor (1950); symphonische Variationen für Orch. (1952); *6 Oud-nederlanse liederen* für mittlere St. und Kl. (1952); 10 Monodien *L'eau passe* für mittlere St. solo (1952); Bagatellen für 2 V. (1960).

+Moulinié, Estienne (Étienne), um 1600 wahrscheinlich zu Carcassonne – um 1670 zu Carcassonne [erg. frühere Angaben].
Ausg.: *Missa pro defunctis*, hrsg. v. D. LAUNAY, Paris 1952; Motette »Veni, sponsa mea« f. 5 gem. St., Soli u.

Org. (aus: Meslanges de sujets chrétiens, 1658), hrsg. v. DERS., = Œuvres frç. du temps de Richelieu et du XVIIᵉ s. LI, ebd. 1953; 5 Motetten in: Anth. du motet lat. polyphonique en France (1609–61), hrsg. v. DERS., = Publ. de la Soc. frç. de musicologie I, 17, ebd. 1963; 7 Airs in: Airs de cour pour v. et luth, 1603–43, hrsg. v. A. VERCHALY, ebd. I, 16, 1961; 3 Fantaisies, f. Streichquartett bearb. v. A. COHEN, NY 1963. Lit.: ⁺H. PRUNIÈRES, Le ballet de cour en France avant Benserade et Lully (1914), Nachdr. NY 1970. – G. J. MOT, Un musicien carcassonnais sous Louis XIII, Bull. de la Soc. d'études scientifiques de l'Aude LVII, 1956; N. DUFOURCQ, Autour des M., Notes bibliogr. sur les ass. de violonistes au XVIIᵉ s., RMFC IV, 1964.

Mouloudji (muludʒ'i), Marcel, * 16. 9. 1922 zu Paris; französischer Chansonsänger und Schauspieler, begann 1934 als Wunderkind beim Film, veröffentlichte 1945 seinen ersten (autobiographischen) Roman *Enrico*, mit dem er den »Prix de la Pléïade« gewann. Gefördert u. a. von Prévert, wandte er sich ab 1949 dem Chanson zu, vor allem dem poetischen Liebeslied (*Un jour tu verras*, 1954, Musik Georges Van Parys). 1953 gewann er den Grand Prix du disque der Académie Charles Gros mit *Comm' un p'tit coquelicot* (Text Raymond Asso, Musik Marguerite Monnot). M. widmete sich in den folgenden Jahren vor allem der Malerei und dem Romanschreiben und trat erst ab 1966 wieder als Chansonsänger (mit eigenen Texten und Musik) an die Öffentlichkeit.

Moulson (m'oulsən), John, * 25. 7. 1928 zu Kansas City (Miss.); amerikanischer Sänger (Tenor), studierte privat Gesang, wurde aber Funk- und Fernsehingenieur und sang daneben bei Oratorien- und Konzertaufführungen. 1961 übersiedelte er nach Europa und besuchte die Meisterkurse in Bayreuth. Er wurde dort mit Felsenstein bekannt, der ihn an die Berliner Komische Oper engagierte. Gastspiele führten ihn nach England und in die USA.

⁺Moulu, Pierre, 16. Jh. Ausg.: 3 Motetten in: P. Attaingnant, Treize livres de motets, 1534–35, Bd X u. XII, hrsg. v. A. T. MERRITT, Monaco 1962–63; 2 Chansons in: Theatrical Chansons of the 15ᵗʰ and Early 16ᵗʰ Cent., hrsg. v. H. M. BROWN, Cambridge (Mass.) 1963. Lit.: J. C. CHAPMAN, The Works of P. M., A Stylistic Analysis, 2 Bde (I Kommentar, II Übertragung), Diss. NY Univ. 1964.

⁺Mouret, Jean-Joseph, 1682–1738. Ausg.: 12 Airs à chanter et à danser f. 2 Fl., hrsg. v. G. AUBANEL, Paris 1967; 1. Suite (Fanfare) f. Trp., Pk., V. u. Ob., hrsg. v. M. SANVOISIN, = Les cahiers de plein-jeu o. Nr, ebd. 1970. Lit.: M. BARTHÉLÉMY, Les divertissements de J. J. M. pour les comédies de Dancourt, RBM VII, 1953.

Mouskouri (musk'uri), Nana, * 13. 10. 1936 zu Athen; griechische Schlagersängerin, studierte in ihrer Heimatstadt Klavier und Gesang, trat ab 1956 als Jazz- und Folkloresängerin im Athener Rundfunk auf und sang ab 1958 von Hadjidakis komponierte Lieder, mit denen sie u. a. beim Festival de la chanson mediterranéenne 1960 in Barcelona den 1. Preis erhielt. Ihre internationale Karriere führte sie auch in die USA. Zu den von Hadjidakis komponierten Schlagern, die sie in Deutschland bekannt machte, gehören *Weiße Rosen aus Athen* (Goldene Schallplatte 1962), *Ich schau' den weißen Wolken nach* und *Am Horizont irgendwo*.

⁺Mouton, Charles, 1626 – um 1699. Lit.: M. ROLLIN, Le »Tombeau« chez les luthistes, in: XVIIᵉ s. (Bull. de la Soc. d'études du XVIIᵉ s.) VI, 1954, Nr 21/22.

⁺Mouton, Jehan, um 1459 [nicht: spätestens 1458] – 1522.

Ausg.: Opera omnia, hrsg. v. A. C. MINOR, =CMM XLIII, (Rom) 1967ff., bisher erschienen: Bd I (1967), Missae Alleluya, Alma redemptoris mater u. Benedictus Dominus Deus; II (1968), Missae Dictes moy toutes voz pensees, Ecce quam bonum u. Faulte d'argent; III (1969), Missae Lo serai je dire, Quem dicunt homines, Regina mearum u. Sans cadence. – [weitere] Motetten in: P. Attaingnant, Treize livres de motets, 1534–35, hrsg. v. A. SMIJERS bzw. (ab Bd VIII) v. A. T. MERRITT, Bd IV, VI–IX u. XI, Monaco 1960–62; 2 Chansons in: Theatrical Chansons of the 15ᵗʰ and Early 16ᵗʰ Cent., hrsg. v. H. M. BROWN, Cambridge (Mass.) 1963; 3 Chansons hrsg. v. G. DOTTIN, = Chansons frç. o. Nr, Paris 1967, 3 H.; 4st. Chanson »La, la, la, l'oisillon du bois«, hrsg. v. M. HONEGGER, ebd.; 10 Motetten in: The Medici Cod. of 1518, hrsg. v. E. E. LOWINSKY, 3 Bde (I Einführung u. Kommentar, II Übertragung, III Faks.-Ausg.), = Monuments of Renaissance Music III–V, Chicago 1968; 3st. Chanson »Le grand désir d'aimer me tient«, hrsg. v. A. AGNEL, = Plein jeu Nr 160, Paris 1970. Lit.: ⁺GLAREANUS, Dodecachordon (1547), Faks.-Ausg. = MMMLF II, 65, NY 1967, auch Hildesheim 1969; ⁺A. W. AMBROS, Gesch. d. Musik (III, ²1893), Nachdr. Hildesheim 1968. – E. E. LOWINSKY, The Medici Cod., Ann. mus. V, 1957; A. DUNNING, Die Staatsmotette 1480–1555, Utrecht 1970.

⁺Moyzes, –1) Mikuláš, 1872–1944. –2) Alexander, * 4. 9. 1906 zu Klǎstor pod Znievom (Slowakei). Seit 1969 ist er Vorsitzender des slowakischen Komponistenverbandes. – M. arbeitete die szenische Kantate ⁺*Svätopluk* (1935) zur Oper *Udatný kráľ* um (»Der heldenmütige König«, Bratislava 1967); die Orchestrierung des ⁺Bläserquintetts op. 17a (1933) zählt als 3. Symphonie op. 17b. – Neuere Werke: 7.–9. Symphonie (op. 50, 1955; op. 64, 1968; op. 69, 1971); Sonatine für Streichensemble und Cemb. (oder Streichorch., 1962); Violinkonzert op. 53 (1958), Flötenkonzert (1968); Streichquartett (1969); Duo (1960) und eine kleine Sonate (1969) für V. und Kl.; *Baladická kantáta* (»Balladenkantate«) für T., gem. Chor und Orch. op. 55 (1960, = Neufassung der Kantate *Demontáž* von 1930). Lit.: zu –1): ZD. BOKESOVÁ, M. M., klasik slovenskej hudby (»M. M., ein Klassiker d. slowakischen Musik«), in: Hudobnovedné štúdie I, 1955. – zu –2): L. BURLAS, A. M., Bratislava 1956; DERS. in: Slovenská hudba I, 1957, S. 13ff., IV, 1960, S. 430ff. (zur »Baladická kantáta«), V, 1961, S. 369ff., u. X, 1966, S. 281ff.; E. ZAVARSKÝ in: Ľudová tvorivosť IV, 1956, S. 187ff.; ZD. BOKESOVÁ in: Hudebni rozhledy XII, 1959, S. 673ff. (zum V.-Konzert); A. GABAUER, 40 rokov so slovenskou hudbou. A. M. a kritika (»40 Jahre slowakischer Musik. A. M. u. d. Kritik«), in: Slovenská hudba X, 1966; I. HRUŠOVSKÝ, A. M. pedagog, in: Hudebni rozhledy XIX, 1968.

⁺Mozart, Karl (Carl) Thomas, 1784–1858. Lit.: ⁺W. HUMMEL, W. A. M.s Söhne (1956), neuere Ergänzungen in: Mitt. d. Internationalen Stiftung Mozarteum XV, 1967, Nr 3–4, S. 19ff.; DERS. in: Acta M.iana V, 1958, S. 46ff.; R. SCHAAL, Teilweise unbekannte Briefe v. C. M. u. Fr. Niemeczek, ebd. XIV, 1967. – vgl. auch d. Lit-Angaben bei Leopold ⁺M. (letzter Absatz).

⁺Mozart, Maria Konstanze (Constantia) Caecilia Josepha [erg.: Johanna] Aloisia, 1762–1842. Die von ihr unter G. N. v. Nissens Namen herausgegebene ⁺*Biographie W. A. M.s* ([erg.: Lpz.] 1828) erschien als Nachdr. Hildesheim 1964. Lit.: ⁺d. Briefe an André in: The Letters of M. and His Family III (E. ANDERSON u. C. B. OLDMAN, 1938), 2. Aufl. hrsg. v. A. H. KING u. M. CAROLAN, NY 1966. – L. BERGER, Die unverhoffte Lebensreise K. M., aus d. verlorenen Aufzeichnungen d. Königlich dänischen Wirklichen Etats-Raths G. N. v. Nissen, Tübingen 1955 u. 1957, Bln 1962 u. Darmstadt 1964; E. H. MÜLLER v. ASOW, Ein unbekannter Briefentwurf C.s, ÖMZ XI, 1956; DERS., Zu einer unbekannten Photographie C. M.s, ÖMZ XIII, 1958; DERS., Ein unveröff. Brief d. Witwe C. M., ÖMZ

XVI, 1961; C. B. OLDMAN, C. Nissen. 4 Unpubl. Letters from M.'s Widow, MR XVII, 1956; L. PANETH, C., Eine Ehrenrettung, M.-Jb. 1959; M. PISAROWITZ, K.s jüngere Geschwister, Mitt. d. Internationalen Stiftung M.eum XII, 1964; R. SCHAAL, Zwei unveröff. Dokumente v. C. Nissen, Acta M.iana XIII, 1966; J. H. EIBL, Aus d. Briefen C. M.s an d. Verleger Breitkopf & Härtel u. J. A. André, in: Musik u. Verlag, Fs. K. Vötterle, Kassel 1968; R. ANGERMÜLLER u. S. DAHMS-SCHNEIDER, Neue Brieffunde zu M., M.-Jb. 1968/70. – vgl. auch d. Lit.-Angaben bei Leopold +M. (letzter Absatz).

+Mozart, Johann Georg Leopold, 1719–87.
Der Quellenlage nach ist die +*Kindersinfonie* (um 1760) L. M. ebensowenig zuzuschreiben wie J. und M. Haydn oder einem P. E. Angerer. Vermutlich handelt es sich um Bearbeitungen einer bereits existierenden *Berchtesgadener Musik* bzw. Sinfonia durch die genannten Komponisten (vgl. R. Münster, 1969).
Ausg.: +Trompetenkonzert D dur v. 1762 (M. SEIFFERT, 1930), Lpz. ³1960. – Kleine Sinfonie f. Musikfreunde F dur, hrsg. v. W. HÖCKNER, Hbg 1959, auch Wilhelmshaven 1962; Trp.-Konzert G dur u. Sinfonia di caccia F dur, hrsg. v. G. DARVAS, = Concertino XCVIII, Mainz 1967, auch Budapest; Sinfonia di caccia G dur, hrsg. v. J. BRAUN, = Ed. Eulenburg Nr 580, London 1968; Sinfonia burlesca (1760) f. 2 Va, 2 Vc. u. B., hrsg. v. P. ANGERER, = Diletto mus. Nr 83, Wien 1970; Sinfonie G dur u. B dur f. Streichorch., hrsg. v. H. C. R. LANDON, ebd. Nr 293–294; Sinfonia Nr 25 G dur, hrsg. v. H. MÖNKEMEYER, Wilhelmshaven 1970; Jagd-Sinfonie G dur, hrsg. v. H. RIESSBERGER, = Diletto mus. Nr 311, Wien 1970. – +12 V.-Duette (A. HOFFMANN, 1951), Kassel ²1963; 16 Duos f. 2 V. oder V.-Ensemble aus d. Violinschule v. 1756), hrsg. v. F. BRODSZKY, = Thesaurus musicus VI, Budapest 1959, NA 1965. – (Der Morgen u. d. Abend oder) 12 Musikstücke f. d. Clavier, hrsg. v. K. H. TAUBERT, Bln 1971. – +Nannerl-Notenbuch, 1759 (E. VALENTIN, 1956), NA Wilhelmshaven 1969. – Gründliche Violinschule, Faks.-Ausg. d. 3. Aufl. Augsburg 1787, hrsg. v. H. R. JUNG, Lpz. 1968 (mit Geleitwort v. D. Oistrach); d. nld. Ausg. (Grondig onderwys in het behandelen d. viool, Haarlem 1766), Nachdr. hrsg. v. A. POTH, Utrecht 1965.
Lit.: E. H. MÜLLER v. ASOW, L. M.s Münchener Reise 1786, in: Musikerziehung VIII, 1954/55 (mit einem ungedruckten Brief); DERS., Zu L. M.s Wiener Reise 1785, ebd. IX, 1955/56 (mit Erstveröff. eines Briefes); O. E. DEUTSCH in: SMZ XCVI, 1956, S. 44f. u. 291ff. (4 Briefe); DERS., Ein neuer Brief L. M.s an seine Tochter, in: Wiss. u. Praxis XXI, 1958; L. WEGELE, Ein Brief L. M.s an seinen Augsburger Verleger J. J. Lotter, Acta M.iana XIII, 1966. – M. H. SCHMID, Die Musikaliensammlung d. Erzabtei St. Peter in Salzburg. Kat. I: L. u. W. A. M., J.u.M. Haydn, = Schriftenreihe d. Internationalen Stiftung Mozarteum III–IV, = Publ. d. Inst. f. Mw. d. Univ. Salzburg I, Salzburg 1970. – L. M., 1719–87. Bild einer Persönlichkeit, hrsg. v. L. WEGELE, Augsburg 1969 (mit Beitr. v. W. Egk u. a.). – A. KOZÁR, W. A. M. (1756–91) im Spiegel d. Briefe seines Vaters L. M., in: Beitr. zur Kulturgesch. d. 18. Jh., Diss. Graz 1955; E. FR. SCHMID: in: ÖMZ XI, 1956, S. 27ff.; DERS., Neues zu L. M.s Bildungsgang, Acta M.iana III, 1956; W. EGK, Anm. zur Violinschule v. L. M., in: Gestalt u. Gedanke IV, 1957; D.-R. DE LERMA, Händel-Spuren im Notenbuch L. M.s, Acta M.iana V, 1958; DERS., The Nannerl Notebook, MR XIX, 1958; W. LIDKE, Übereinstimmung u. Gegensatz d. Violinschulen v. L. M. u. L. Spohr, L. Spohr-Fs., Weimar 1959; E. SIMON, Mechanische Musikinstr. früherer Zeiten u. ihre Musik, Wiesbaden 1960 (mit Ausg. v. 4 Stücken aus »Der Morgen u. d. Abend«); W. PLATH, Beitr. zur M.-Autographie I. Die Hs. L. M.s, M.-Jb. 1960/61; DERS., L. M.s Notenbuch f. Wolfgang (1762). Eine Fälschung?, ebd. 1971/72; L. F. TAGLIAVINI, Un oratorio sconosciuto di L. M., Fs. O. E. Deutsch, Kassel 1963; A. A. ABERT, Stilistischer Befund u. Quellenlage. Zu M.s Lambacher Sinfonie KV Anh. 221 = 45a, Fs. H. Engel, ebd. 1964; J. KAY, Mein Sohn W. A., Glück u. Tragik d. Vaters L. M., Wien 1965; R. MÜNSTER, Neues zu L. M.s Augsburger Gymnasialjahren, Acta M.iana XII, 1965; DERS., ... beym

Herzoge Clemens . . ., Ein Beitr. zum Thema M. in München, M.-Jb. 1965/66; DERS., München u. Wasserburg am Inn als Stationen d. Mozartreisen v. 1762 u. 1763, Acta M.iana XV, 1968; DERS., Wer ist d. Komponist d. »Kindersinfonie«?, ebd. XVI, 1969; L. WEGELE, Augsburg u. die M., in: Musik in d. Reichsstadt Augsburg, Augsburg 1965, auch in: 17. Deutsches Mozartfest . . ., hrsg. v. E. Valentin, ebd. 1968; E. MELKUS, Über d. Ausführung d. Stricharten in M.s Werken, M.-Jb. 1967; A. LAYER, L. M. im Urteil seiner Zeitgenossen, Schwäbische Blätter f. Heimatpflege u. Volksbildung XX, 1969; W. SENN, Das wiederaufgefundene Autograph d. Sakramentslitanei in D v. L. M., M.-Jb. 1971/72; D. THEMELIS, Violintechnik in Österreich u. Italien um d. Mitte d. 18. Jh., in: Der junge Haydn, hrsg. v. V. Schwarz, = Beitr. zur Aufführungspraxis I, Graz 1972.
zu Marianne Thekla M. (»Bäsle«): L. WEGELE, Der Lebenslauf d. M. Th. M., Augsburg 1967.
zur Familie (vgl. auch d. Einzelartikel): The Letters of M. and His Family, 3 Bde, hrsg. v. E. ANDERSON u. C. B. OLDMAN, London 1938, 2. Aufl. hrsg. v. A. H. KING u. M. CAROLAN, 2 Bde, London u. NY 1966. – +Neues Augsburger Mozartbuch, = Zs. d. hist. Ver. f. Schwaben LXII/LXIII, 1962 [nicht: 1960]. – De familie M. in Nederland, Ausstellungskat. Den Haag 1965. – L. WEGELE, Die M., Neue Forschungen zur Ahnengesch. W. A. M.s, Acta M.iana XI, 1964; W. LIEVENSE, De familie M. op bezoek in Nederland. Een reisverslag, Hilversum 1965; K. M. PISAROWITZ, Parerga zur Cruxiade. Nachträge zu Eigenem, Mitt. d. Internationalen Stiftung M.eum XV, 1967; L. E. STAEHELIN, Die Reise d. Familie M. durch d. Schweiz, Bern 1968; A. LAYER in: Arch. f. Gesch. d. Buchwesens XI, 1970, S. 873ff. (zu Johann Georg M.); DERS., Die Augsburger Künstlerfamilie M., Augsburg 1971 (revidierte NA d. Beitr. aus: Neues Augsburger Mozartbuch, 1962); J. H. EIBL, Das »Große Gemälde d. M.schen Familie«, ÖMZ XXVII, 1972.

+Mozart, Maria Anna Walburga Ignatia, 1751–1829.
Lit.: O. E. DEUTSCH, Bruchstücke eines Tagebuchs v. Nannerls Hand, Acta M.iana IV, 1957; DERS., Ein neuer Brief L. M.s an seine Tochter, in: Wiss. u. Praxis XXI, 1958; W. HUMMEL, Nannerl M.s Tagebuchblätter. Neue Funde, neue Fragen, Mitt. d. Internationalen Stiftung Mozarteum VII, 1958; K. PFANNHAUSER, Nannerl M.s Tagebuchblätter mit Eintragungen ihres Bruders W. A., Eine Forschungsstudie zur gleichnamigen Publ., ebd. VIII, 1959. – vgl. auch d. Lit.-Angaben bei Leopold +M. (letzter Absatz).

+Mozart, Wolfgang Amadeus, 1756–91.
Das angeblich von Leopold M. 1762 angelegte Notenbuch ist eine Fälschung des 19. Jh. Zu den Musikern, mit denen die M.-Familie 1763/64 in Paris zusammentraf, zählt J. G. Eckard [nicht: Eckhardt]. Experimente, die zu einem kritisch abgesicherten Urteil über die Begabung des Achtjährigen führen sollten, stellte in London D. Barrington an. Das »Londoner Skizzenbuch« entstand 1764/65. Erst im August [nicht: Juli] 1765 verließ die Familie England; sie hielt sich 1766 [nicht: 1760] in Amsterdam auf. Für einen satztechnischen Unterricht auf der Grundlage des *Gradus ad Parnassum* von J. J. Fux (sei es 1767 oder zu einem anderen Zeitpunkt) fehlen jegliche dokumentarischen Anhaltspunkte. Die Begegnung, die M. 1777 mit dem Klavierbauer J. A. Stein hatte, fand in Augsburg [nicht: München] statt. Unter den Musikern, die er 1777/78 in Mannheim kennenlernte, kann A. Filtz († 1760[!]) nicht gewesen sein. Die Reise nach Frankfurt a. M. wurde 1790 unternommen.
Die Vermutung, die frühen Streichquartette hätten für eine Alternativversion Bläserfüllung erhalten, findet in den Quellen keinerlei Stütze und dürfte auch wenig Wahrscheinlichkeit beanspruchen. In der Kammermusik mit Klavier ist es nicht J. Schuster, sondern M. selbst, der erstmals Sonaten als realen Dialog schreibt;

dies gilt in gleicher Weise für Violinsonaten und Kompositionen für größere Besetzung. An der Komplettierung des Requiem-Torso ist neben Fr. X. Süßmayr auch J. →+Eybler beteiligt.

Die Quellenforschung hat im Zusammenhang mit der Neuen M.-Ausgabe (mit »NMA« als eingeführtem Sigel abgekürzt) einen Grad an Intensität und Exaktheit erreicht, der in der M.-Philologie lange unbekannt war. Für die Biographie ist durch den Dokumentenband und die Ikonographie der NMA sowie durch die Edition des Briefcorpus eine zuverlässige Grundlage erarbeitet worden. Auch zum Thema »M. als Lehrer« stehen die Materialien bereit. Die Pathographie geriet, besonders in der Frage nach der Todesursache, in eine breite Diskussion; sie dürfte inzwischen einen (vorläufigen) Abschluß gefunden haben. Der Blick für gattungsbedingte Eigenarten schärfte sich. So hat die Erarbeitung topischer und damit traditionsmächtiger Züge in der Opernkomposition zur behutsamen Retusche eines M.schen »ex nihilo« geführt. Eine verstärkte Erforschung personalstilistischer Konstanten in Synopse mit der zeitgenössischen Szenerie fordern Deszendenzfragen. Untersuchungen zum sozialen Kontext und zur Ästhetik, auch und gerade mit philosophischer Grundierung, sind Desiderat. Ansätze zu einer neuen Gesamtdeutung des Phänomens M. (die ja nicht erst auf eine vollständige Erschließung des Faktenmaterials zu warten hätte) zeichnen sich nirgends ab.

Durch die Arbeiten an der NMA (vor allem) ist es zu zahlreichen neuen Ergebnissen für die Kenntnis des M.schen Œuvres gekommen. Vier bislang unbekannte Kompositionen wurden entdeckt (K.-V.⁶ deest): eine Arie für S. mit Orchesterbegleitung *Cara, se le mie pene* (1769?); ein bislang unter dem Namen Chr. W. Glucks überliefertes, von M.Stadler vervollständigtes Fragment für 2 Kl. Es dur (1781); die für Streichquartett bearbeitete und nach C moll transponierte Fuge B moll aus J. S. Bachs »Wohltemperiertem Klavier« II, ein ebenfalls von Stadler zu Ende geführtes Fragment (1782?); die Szene *Siano pronte alle gran nozze* aus dem Opernfragment *L'oca del Cairo* (K.-V. 422, 1783). – Dubiose Kompositionen konnten als nicht authentisch ausgeschieden werden: die »romantischen Violinsonaten« (K.-V. 55–60, Komponist?); der Psalm *De profundis clamavi* (K.-V. 93, G. Reutter der Jüngere); die Motette *Justum deduxit Dominus* (K.-V. 326, J. E. Eberlin); die Sarti-Variationen (K.-V. 460, Komponist?); die Skizzen zum Ballett *Le gelosie del Serraglio* (K.-V. Anh. 109, J. Starzer); 3 der 4 »Mailänder Quartette« (K.-V. Anh. 210–212, J. Schuster). – Zweifelhafte Kompositionen konnten endgültig M. zugewiesen werden: die »Neue Lambacher Symphonie« (K.-V.⁶ deest); die *Missa brevis* G dur (K.-V. 140); das *Tantum ergo* B dur (K.-V. 142); das *Tantum ergo* D dur (K.-V. 197). – In ihrer Authentizität nach wie vor umstritten sind u. a. folgende Kompositionen: die Symphonie F dur (K.-V. 98); das Violinkonzert Es dur (K.-V. 268); das Violinkonzert D dur (K.-V. 271i); das Freimaurer-Lied *Laßt uns mit geschlungenen Händen* (K.-V. 623a); die Symphonie B dur (K.-V. Anh. 216); die »Lambacher Symphonie« (K.-V. Anh. 221); das Divertimento B dur (K.-V. Anh. 227); das »Adelaide-Konzert« (K.-V. Anh. C 14.05). Von den 10 Stücken für Bläser und Pk. (K.-V. 187) fußen 9 auf Originalversionen von J.Starzer (5) und Chr. W. Gluck (4), ohne daß der Bearbeiter hätte identifiziert werden können. Chronologische Änderungen ergaben sich wie folgt: *Missa solemnis* C moll/C dur (K.-V. 139) 1768/69; Symphonie C dur (K.-V. 73) 1769; *Concertone* für 2 V. und Orch. (K.-V. 190) 1774; Symphonie C dur (K.-V.

200) 1774; Flötenkonzert D dur (K.-V. 314) 1778; Singspiel *Zaide* (K.-V. 344) 1779/80; Kantate *Dir Seele des Weltalls* (K.-V. 429) 1785. – Weitere Korrekturen: Die Klaviervariationen K.-V. 180 G dur (1773) sind über eine Violinstimme aus der Oper *La fiera di Venezia* von A. Salieri gearbeitet. K.-V. 101 (1776) ist eine Folge von Tänzen für Orch. Die Tonart der verschollenen Sinfonia concertante für Fl., Ob., Horn und Fag. K.-V. Anh. 9 (1778) ist nicht bekannt. Das Rondo für V. und Orch. C dur (1781) hat die Nr K.-V. 373. Das Fugenfragment K.-V. 401 G moll (1782) ist für Kl. zu 2 Händen konzipiert. Die Klavierkomposition K.-V. 394 C dur (1782) besteht aus Praeludium und Fuge. Das Hornkonzert K.-V. 412 D dur (1782) ist ein Einzelsatz, der mit K.-V. 514 (1787) als 2. Satz (Schlußsatz) kombiniert wird. Die »Krönungskonzerte« sind als Nr 2 K.-V. 459 F dur (1784) und Nr 1 K.-V. 537 D dur (1788) zu numerieren. Das Freimaurer-Chorlied *Ihr unsre neuen Leiter* (1785) hat die Nr K.-V. 484. Sowohl für das Klarinettenkonzert K.-V. 622 (1791) wie für das Klarinettenquintett K.-V. 581 (1789) ist eine ursprüngliche, d. h. originale Fassung für Bassetthorn glaubhaft gemacht worden. – In die Werkübersicht aufzunehmen ist u. a. das Sextett *Ein musikalischer Spaß* K.-V. 522 (1787). JH

Ausg.: +W. A. M.s Werke. Kritisch durchgesehene GA (69 [nicht: 67] Bde, 1876ff. [nicht: 1867ff.]), Nachdr. in 40 Bden Ann Arbor (Mich.) 1951–56 (Nachdr. d. Revisionsber., hrsg. v. B. E. Wilson, 1956).

+Neue Ausg. sämtlicher Werke (NMA), in Verbindung mit d. Mozartstädten Augsburg, Salzburg u. Wien hrsg. v. d. Internationale Stiftung M.eum, Editionsleitung (seit 1960) W. PLATH u. W. REHM, angelegt auf 10 Serien mit 35 Werkgruppen (I: Geistliche Gesangswerke; II: Bühnenwerke; III: Lieder, mehrstimmige Gesänge, Kanons; IV: Orchesterwerke; V: Konzerte; VI: Kirchensonaten; VII: Ensemblemusik f. größere Solo-Besetzungen; VIII: Kammermusik; IX: Klaviermusik; X: Suppl.), Kritischer Ber. separat zu jedem Bd, Kassel 1955ff., bisher erschienen (d. im folgenden gegebenen K.-V.-Nrn entsprechen d. in d. 6 Aufl. d. Verz. jeweils zuerst eingeführten): Serie I, Geistliche Gesangswerke: Werkgruppe 1, Messen u. Requiem, Abt. 1, Messen (Bd I, hrsg. v. W. SENN, 1968: K.-V. 49, 139, 65–66, 140); I/1, Abt. 2, Requiem (2 Teil-Bde, L. NOWAK, 1965: K.-V. 626); I, Werkgruppe 2, Litaneien u. Vespern, Abt. 1, Litaneien (H. FEDERHOFER u. R. FEDERHOFER-KÖNIGS, 1969: K.-V. 109, 125, 195, 243); I/2, Abt. 2, Vespern u. Vesperpsalmen (K. G. FELLERER u. F. SCHROEDER, 1959: K.-V. 193, 321, 339, 321a); I, Werkgruppe 3, Kleinere Kirchenwerke (H. FEDERHOFER, 1963: K.-V. 34, 47, 117, 141, 143, 85, 86, 108, 72, 127, 165, 198, 222, 260, 277, 273, 276, 618, 142, 197); I, Werkgruppe 4, Oratorien, geistliche Singspiele u. Kantaten (Bd I, FR. GIEGLING, 1958: K.-V. 35; Bd II, L. F. TAGLIAVINI, 1960: K.-V. 118; Bd IV, FR. GIEGLING, 1957: K.-V. 42, 146, 471, 619, 623, 429). – Serie II, Bühnenwerke: Werkgruppe 5, Opern u. Singspiele (Bd I, A. OREL, 1959: K.-V. 38; Bd IV, L. F. TAGLIAVINI, 1966: K.-V. 87; Bd V, DERS., 1956: K.-V. 111; Bd X, FR.-H. NEUMANN, 1957: K.-V. 344; Bd XI in 2 Teil-Bden, D. HEARTZ, 1972: K.-V. 366; Bd XIII, FR.-H. NEUMANN, 1960: K.-V. 422, dazu Nachtrag »Siano pronte alle gran nozze«, A. HOLSCHNEIDER, 1966; Bd XIV, L. FINSCHER, 1973: K.-V. 492; Bd XV, G. CROLL, 1958: K.-V. 486; Bd XVII, W. PLATH u. W. REHM, 1968: K.-V. 527; Bd XIX, G. GRUBER u. A. OREL, 1970: K.-V. 620; Bd XX, FR. GIEGLING, 1970: K.-V. 621); II, Werkgruppe 6, Musik zu Schauspielen, Pantomimen u. Balletten (Bd I, H. HECKMANN, 1956: K.-V. 345; Bd II, DERS., 1963: K.-V. Anh. 10, 300, 367, 299c, Anh. 103, 446); II, Werkgruppe 7, Arien, Szenen, Ensembles u. Chöre mit Orch. (Bd I, ST. KUNZE, 1967: K.-V. 21, 23, 78–79, 36, 70, deest, 88, 77, 82–83, 74b, 209–210, 217, 152; Bd II, DERS., 1968: K.-V. 255–256, 272, 294–295, 486a, 316, 368–369, 374; Bd III, DERS., 1971: K.-V. 383, 416, 418–420, 432, 431, 479–480, 505, 119, 178; Bd IV, DERS., 1972: K.-V. 512–513, 528,

538–539, 541, 578, 582–583, 612, Anh. 245, 71, 209a, 440, 433–435, 580). – Serie III, Lieder, mehrstimmige Gesänge, Kanons: Werkgruppe 8, Lieder (E. A. BALLIN, 1963: K.-V. 53, 147–148, 307–308, 349, 351, 392, 391, 390, 468, 472–474, 476, 506, 343, 517–520, 523–524, 529–531, 552, 596–598, 152, 178, Anh. 26, Anh. 25 u. a.); III, Werkgruppe 9, Mehrstimmige Gesänge (C.-G. ST. MÖRNER, 1971: K.-V. 20, 441, 483–484, 439, 438, 436–437, 346, 549, Anh. 24a, 532, Anh. 5). – Serie IV, Orchesterwerke: Werkgruppe 11, Sinfonien (Bd III, W. FISCHER, 1956: K.-V. 128–130, 132–134, 141a; Bd VI, H. BECK, 1960: K.-V. 162, 184, 199, 181–183, 200; Bd V, DERS., 1957: K.-V. 201–202, 196, 121, 297, 208, 102; Bd IV, CHR.-H. MAHLING u. FR. SCHNAPP, 1970: K.-V. 318–319, 338, 385; Bd VII, G. HAUSSWALD, 1959: K.-V. 204, 250, 320; Bd VIII, FR. SCHNAPP u. L. SOMFAI, 1971: K.-V. 425, 504; Bd IX, H. C. R. LANDON, 1957: K.-V. 543, 550–551); IV, Werkgruppe 12, Kassationen, Serenaden u. Divertimenti f. Orch. (Bd I, G. HAUSSWALD u. W. PLATH, 1970: K.-V. 32, 63, 99, 62, 100; Bd II, G. HAUSSWALD, 1961: K.-V. 113, 131, 189, 185; Bd III, DERS., 1962: K.-V. 237, 203, 215, 204, 239; Bd VI, K. H. FÜSSL u. E. FR. SCHMID, 1964: K.-V. 136–138, 525, Anh. 223c, Anh. 69); IV, Werkgruppe 13, Tänze u. Märsche f. Orch., Abt. 1, Tänze (Bd I, R. ELVERS, 1961: K.-V. 65a, 123, 122, 103–105, 61h, 164, 176, 101, 267, 61g II, 94, 176, deest, 315a u. a.). – Serie V, Konzerte: Werkgruppe 15, Konzerte f. ein oder mehrere Kl. u. Orch. mit Kadenzen (Bd I, M. FLOTHUIS, 1972: K.-V. 175, 382, 238, 242; Bd V, E. u. P. BADURA-SKODA, 1965: K.-V. 453, 456, 459; Bd VI, H. ENGEL u. H. HEUSSNER, 1961: K.-V. 466–467, 482; Bd VII, H. BECK, 1959: K.-V. 488, 491, 503; Bd VIII, W. REHM, 1960: K.-V. 537, 595, 386, Anh. 65, Anh. 59, Anh. 58, Anh. 63–64, deest, Anh. 62, Anh. 60, Anh. 57, Anh. 61 u. a.). – Serie VI, Kirchensonaten: Werkgruppe 16, Sonaten f. Org. u. Orch. (M. E. DOUNIAS, 1957: K.-V. 67–69, 144–145, 212, 241, 224–225, 244–245, 263, 274, 278, 329, 328, 336, Anh. 65a, 124c). – Serie VIII, Kammermusik: Werkgruppe 19, Streichmusik u. Quintette mit Bläsern, Abt. 1, Streichquintette (E. HESS u. E. FR. SCHMID, 1967: K.-V. 174, 515–516, 406, 593, 614, Anh. 80, Anh. 87, Anh. 79, Anh. 86, Anh. 83, Anh. 81–82); VIII/19, Abt. 2, Quintette mit Bläsern (E. FR. SCHMID, 1958: K.-V. 407, 581, Anh. 91 Anh. 90, Anh. 88); VIII, Werkgruppe 20, Streichquartette u. Quartette mit einem Blasinstr., Abt. 1, Streichquartette (Bd I, K. H. FÜSSL, W. PLATH u. W. REHM, 1966: K.-V. 80, 155–160, 168–173, 168a; Bd II, L. FINSCHER, 1962: K.-V. 387, 421, 458, 428, 464–465; Bd III, DERS., 1961: K.-V. 499, 575, 589, 590, Anh. 77, Anh. 76, Anh. 84, Anh. 75, Anh. 71–72, Anh. 74, Anh. 68, Anh. 73 u. a.); VIII/20, Abt. 2, Quartette mit einem Blasinstr. (J. POHANKA, 1962: K.-V. 285, 285a, Anh. 171, 298, 370); VIII, Werkgruppe 22, Quintette, Quartette u. Trios mit Kl. u. mit Glasharmonika, Abt. 1, Quartette u. Quintette mit Kl. u. mit Glasharmonika (H. FEDERHOFER, 1957: K.-V. 478, 493, 452, 617, Anh. 53, Anh. 92); VIII/22, Abt. 2, Klaviertrios (W. PLATH u. W. REHM, 1966: K.-V. 10–15, 254, 496, 498, 502, 542, 548, 564, 442, Anh. 52, Anh. 51); VIII, Werkgruppe 23, Sonaten u. Variationen f. Kl. u. V. (Bd I, E. REESER, 1964: K.-V. 6–9, 26–31, 301–306, 296, 378; Bd II, DERS., 1965: K.-V. 379, 376–377, 380, 454, 481, 526, 547, 359, 360, 404, 372, 403, 402, Anh. 48, 396, Anh. 50, Anh. 47). – Serie IX, Klaviermusik: Werkgruppe 24, Werke f. 2 Kl. u. f. Kl. zu 4 Händen, Abt. 1, Werke f. 2 Kl. (E. FR. SCHMID, 1955: K.-V. 448, 426, Anh. 42–43, Anh. 45, Anh. 44); IX/24, Abt. 2, Werke f. Kl. zu 4 Händen (W. REHM, 1955: K.-V. 19d, 381, 358, 497, 501, 521, 357); IX, Werkgruppe 26, Variationen f. Kl. (K. v. FISCHER, 1961: K.-V. 24–25, 180, 179, 354, 265, 353, 264, 352, 398, 455, 500, 573, 613, Anh. 38, 460, 54). – Serie X, Suppl.: Werkgruppe 28, Bearb., Ergänzungen u. Übertragungen fremder Werke, Abt. 1, Bearb. v. Werken G. Fr. Händels (Bd I, A. HOLSCHNEIDER, 1973: K.-V. 566; Bd II, DERS., 1961: K.-V. 572; Bd III, DERS., 1969: K.-V. 591; Bd IV, DERS., 1969: K.-V. 592); X/28, Abt. 2, Bearb. v. Werken verschiedener Komponisten, Klavierkonzerte u. Kadenzen (W. GERSTENBERG u. E. REESER, 1964: K.-V. 37, 39–41, 107, 624 u. a.); X, Werkgruppe 30, Studien, Skizzen, Entwürfe, Fragmente, Varia (Bd I, E. HERTZMANN, C. B. OLDMAN, D. HEARTZ u. A. MANN, 1965: Th.

Attwoods Theorie- u. Kompositionsstudien bei M., K.-V. 506a); X, Werkgruppe 31, Nachträge zu allen Serien u. Werkgruppen (G. CROLL, 1964: Vorabdruck d. Fragments f. 2 Kl., K.-V. deest); X, Werkgruppe 32, M. u. seine Welt in zeitgenössischen Bildern (M. ZENGER u. O. E. DEUTSCH, 1961); X, Werkgruppe 34, M., Die Dokumente seines Lebens (O. E. DEUTSCH, 1961).
Lit.: M.-Hdb., Chronik, Werk, Bibliogr., hrsg. v. O. SCHNEIDER u. A. ALGATZY, Wien 1962. (In Anbetracht d. hier erstmals gebotenen umfassenden M.-Bibliogr. u. d. weiterführenden Jahresbibliogr. im M.-Jb., bis 1961 besorgt v. R. SCHAAL, seit 1962 v. O. SCHNEIDER, wird im folgenden, abgesehen v. Ergänzungen zu d. früher genannten Titeln u. v. größeren Studien, d. neuere Schrifttum erst aus d. letzten Jahren detaillierter zitiert.)
[+]L. Ritter v. KÖCHEL, Chronologisch-thematisches Verz. ... (1862), 4. u. 5. Aufl. (= Nachdr. d. 3. Aufl. A. Einsteins v. 1937), Lpz. 1958 bzw. 1961, 6. Aufl. (K.-V.[6]) bearb. v. Fr. Giegling, A. Weinmann u. G. Sievers, Wiesbaden 1964, [7]1965 (unverändert), auch Lpz. 1969 (vgl. dazu u. a. L. Finscher in: FAM XI, 1964, S. 95ff., A. H. King in: Mf XVIII, 1965, S. 307ff., J. LaRue in: JAMS XX, 1967, S. 495ff., u. als vorerst letzten Beitr. P. v. Reijen in: M.-Jb. 1971/72, S. 342ff.); [+]Der kleine Köchel (H. v. HASE, 1951), Wiesbaden [3]1958, [4]1961, [5]1965 (nach K.-V.[6]), [6]1968, [7]1971, frz. Paris 1969; G. R. HILL u. M. GOULD, A Thematic Locator f. M.'s Works as Listed in Koechel's »Chronologisch-thematisches Verz.«, Sixth Ed., = Music Indexes and Bibliogr. I, NY 1970; B. S. BROOK, Thematic Cat. in Music, Hillsdale (N. Y.) 1972.
Briefe u. Aufzeichnungen, GA hrsg. v. d. Internationalen Stiftung M.eum Salzburg, 4 Bde Text, gesammelt v. W. BAUER u. O. E. DEUTSCH, Kassel 1962–63, 2 Doppel-Bde Kommentar, erläutert v. J. H. EIBL, ebd. 1971. – [+]The Letters of M. and His Family (E. ANDERSON u. C. B. OLDMAN, 1938], 2. Aufl. hrsg. v. A. H. KING u. M. CAROLAN, London u. NY 1966 (3 Bde in 2), in Ausw. hrsg. v. E. BLOM als: M.'s Letters, Harmondsworth 1956, [2]1968. – M.s Briefe, hrsg. v. M. ZENGER u. O. E. DEUTSCH, = Fischer Bücherei Bd 318, Ffm. 1960; Briefe, in Ausw. hrsg. v. H. WANDREY, Bln 1964, [2]1970; Die schönsten M.-Briefe, hrsg. v. E. VALENTIN, München 1972 (= NA einer Ausg. L. Schiedermairs v. 1926).
M. u. seine Welt in zeitgenössischen Bildern, hrsg. v. M. ZENGER u. O. E. DEUTSCH, = NMA X, 32, Kassel 1961; M., Die Dokumente seines Lebens, hrsg. v. O. E. DEUTSCH, = NMA X, 34, ebd., engl. Ausg. London u. Stanford (Calif.) 1965, deutsche Ausw.-Ausg. (mit Korrekturen) = dtv Bd 140, München 1963. – M. u. Prag, hrsg. v. A. BUCHER u. a., Prag 1957, auch tschechisch u. engl. 1962 (Bilderpubl.); E. VALENTIN, M., Eine Bildbiogr., = Kindlers klass. Bildbiogr. o. Nr, München 1959, engl. London 1959, NY 1960, [2]1970, frz. = Les musiciens par l'image o. Nr, Paris 1961; A. GREITHER, W. A. M. in Selbstzeugnissen u. Bilddokumenten = Rowohlts Monographien LXXVII, Reinbek bei Hbg 1962; J. H. EIBL, W. A. M., Chronik eines Lebens, Kassel u. Lpz. 1965; H. C. FISCHER u. L. BESCH, Das Leben M.s (Eine Dokumentation, Salzburg 1968, schwedisch Stockholm 1968, NY u. London 1969. – M. en France, Paris 1956 (Ausstellungskat. d. Bibl. Nationale); M. in the British Museum, London 1956, revidiert 1968 (Ausstellungskat.); FR. HADAMOWSKY u. L. NOWAK, M., Werk u. Zeit, Wien 1956 (Ausstellungskat. d. Österreichischen Nationalbibl.). – G. RECH, Besuch bei M., Ein Führer durch d. M.-Gedenkstätten Salzburgs, = MM-Bildführer IV, Salzburg 1969.
Wiener Figaro. Mitteilungsblatt d. Mozartgemeinde Wien (zwischenzeitlich wechselnde Titel u. Untertitel), Jg. Iff., (Wien) 1931ff. (1945 keine Publ.; XX, 1951/52; XXIff., 1953ff.); M.-Jb. d. Zentralinst. f. Mozartforschung d. Internationalen Stiftung M.eum (Schriftleitung seit 1954 G. RECH, ohne Jg.-Zählung, (Salzburg) 1950ff. (jährliche Bde bis 1959, dann: 1960/61, 1962/63, 1964, 1965/66, 1967, 1968/70 u. 1971/72; seit 1951 mit Jahresbibliogr., rückgreifend bis 1945); Mitt. d. Internationalen Stiftung M.eum, Jg. Iff., (ebd.) 1952ff.; 1.(ff.) Deutsches Mozartfest d. Deutschen M.-Ges., 1952(ff.) (Programmbücher mit wechselndem Erscheinungsort); Acta M.iana. Mitt. d. Deutschen M.-Ges. (Schriftleitung E. VALENTIN), Jg. Iff., 1954ff. (I–II Kassel, III–XII Wiesbaden, XIII–XV Re-

gensburg, XVIff. Augsburg). – Internationale Konferenz über d. Leben u. Werk W. A. M.s, Prag 1956, = Hudební rozhledy 1956, Jubiläums-Nr; L'année M. en France. Livre d'or du bi-centenaire, = RM 1956, Nr 231; W. A. M. emlékére (»W. A. M. zum Gedächtnis«), hrsg. v. B. Szabolcsi u. D. Bartha, = Zenétudományi tanulmányok V, Budapest 1957; The Creative World of M., hrsg. v. P. H. Lang, NY 1963 (= separate Wiederveröff. v. zuvor in MQ erschienenen Aufsätzen); M., = Génies et réalités XX, Paris 1964, nld. = Genie en wereld o. Nr, Hasselt 1971. – +The M. Companion (H. C. R. Landon u. D. Mitchell, 1956), revidiert London 1965, NY 1969 (Paperbackausg.); +Neues Augsburger Mozartbuch, = Zs. d. Hist. Ver. f. Schwaben LXII/LXIII, 1962 [nicht: 1960]. – (Von einer Einzelzitierung d. Beitr. aus diesen f. d. M.-Forschung wichtigen Sammelschriften wurde im folgenden abgesehen, da bibliogr.-bibliothekarisch leicht verfügbar.)
+G. N. v. Nissen, Biogr. W. A. M.s ..., hrsg. v. C. Wittwe v. Nissen, früher Wittwe M. (1828), Nachdr. Hildesheim 1964; +C. F. Pohl, Mozart u. Haydn in London (1867), Nachdr. NY 1970; +B. Paumgartner, M. (1927, ⁴1950), Zürich ⁵1957, 6. überarbeitete Aufl. Zürich 1967, ³1973 (unverändert), frz. Paris 1951, ital. Turin 1957, nld. Utrecht 1957 (2 Bde), span. Barcelona 1957; +A. Einstein, M., His Character, His Work (1945, deutsch 1947), NY ⁴1959 u. ö., deutsch revidiert Zürich 1953 (³1956), NA Ffm. 1968, ferner weitere Übers. ins Hebräische (Tel Aviv 1954), Japanische (Tokio 1961) u. Dänische (2 Bde Kopenhagen 1963–64); +P. Nettl (u. a.), W. A. M. (1955), frz. = Petite bibl. Payot XXVII, Paris 1962; +E. Schenk, W. A. M. (1955), engl. hrsg. v. R. u. Cl. Winston, NY 1959. – weitere Ergänzungen zu früher verstreuten Titeln nach d.»+speziellen Lit.« zum Werk: +P. Nettl, Musik u. Freimaurerei (²1956), Nachdr. d. +engl. Ausg. (M. and Masonry, 1957) NY 1970; +A. H. King, M. in Retrospect (1955), London ²1955, revidiert ³1970; +K. Barth, W. A. M. (1956), Zürich ⁶1963, frz. Genf 1956, ²1969 dänisch = Hasselbalchs kultur-bibl. Nr 221, Kopenhagen 1963.
St. Jarociński, W. A. M., Krakau 1954, ²1956, revidiert ³1968; L. Wegele, M. u. Augsburg, Augsburg 1954, ²1971; E. Forneberg, W. A. M., Lebens- u. Werkstil, = Literarhist.-mw. Abh. XIV, Würzburg 1954; R. Giazotto, Annali m.iani, Mailand 1956; J.-P. Hocquard, La pensée de M., = Pierres vives o. Nr, Paris 1958 (Thesis Paris 1956); ders., M., = Solfèges VIII, ebd., NA 1970; B. Karásek, W. A. M., = Hudební profily V, Prag 1959; J. u. Br. Massin, W. A. M., = Essais XV, Paris 1959, Nachdr. 1970; B. Ebisawa, W. A. M., Tokio 1961; S. Jemnitz, W. A. M., = Kis zenei könyvtár XXI, Budapest 1961; J. Fricsay, Über M. u. Bartók, Ffm. 1962; W. Paap, M., Portret v. een muziekgenie, = Prisma-boeken Bd 784, Utrecht 1962; K. Stromenger, M., = Ludzie żywi III, Warschau 1962; I. Weinberg (mit A. Stroe), M., = Clasicii muzicii universale o. Nr, Bukarest 1962; Fr. Weyr, M. in Bayern, München 1962; G. Gugitz, M.iana, = Wiener Bibliophilen-Ges., Jahresgabe 1963, Wien 1963 (gesammelte Aufsätze); W. Hildesheimer, Betrachtungen über M., = Opuscula aus Wiss. u. Dichtung VII, Pfullingen 1963; K. Hammer, W. A. M., eine theologische Deutung, = Basler Studien zur hist. u. systematischen Theologie III, Zürich 1964; W. Plath, Zum gegenwärtigen Stand d. M.-Forschung, Kgr.-Ber. Kassel 1964, Bd I u. II; L. Schrade, W. A. M., Bern 1964; E. Stöckl, Zur sowjetischen Diskussion über M.s Tod, Mf XVII, 1964; C. Bär, M., Krankheit, Tod, Begräbnis, = Schriftenreihe d. Internationalen Stiftung M.eum I, Salzburg 1966, ergänzte 2. Aufl. 1972; M. Cadieu, W. A. M., = Musiciens de tous les temps XXV, Paris 1966; J. Dalchow, G. Duda u. D. Kerner, W. A. M., Die Dokumentation seines Todes, Pähl (Obb.) 1966; dies., M.s Tod 1791–1971, ebd. 1971; St. J. Sadie, M., London 1966, auch = Library of Composers I, NY 1970; E. Valentin, Die goldene Spur. M. in d. Dichtung H. Hesses, Augsburg 1966; ders., M., Sinnbild d. Mitte, ebd. 1967 (4 Vorträge); ders., Zeitgenosse M., ebd. 1971 (4 Vorträge); P. N. Kivy, Child M. as an Aesthetic Symbol, Journal of the Hist. of Ideas, XXVIII, 1967; A. R. Mohr, Das Frankfurter M.-Buch, Ffm. 1968; W. Fr. Kümmel, Aus d. Frühzeit d. M.-Pflege in Italien, in: Analecta musicologica VII, 1969; A. L.

Ringer, M. and the Josephian Era. Some Socio-Economic Notes on Mus. Change, in: Current musicology 1969, Nr 9; Fr. Hennenberg, W. A. M., = Reclams Universal-Bibl. Bd 455, Lpz. 1970; A. H. King, M., A Biogr., London 1971; G. W. Tschitscherin, M., 2. Aufl. hrsg. v. Je. F. Bronfin, Leningrad 1971; Lives of Haydn, M. and Metastasio, by Stendhal, übers. u. hrsg. v. R. N. Coe, London 1972; U. Dibelius, M.-Aspekte, = dtv Bd 802, München 1972; A. J. Borowitz, Salieri and the »Murder« of M., MQ LIX, 1973. – vgl. auch d. Lit.-Angaben bei Leopold +M. (letzter Absatz).
Die Bedeutung d. Zeichen Keil, Strich u. Punkt bei M., hrsg. v. H. Albrecht, = Mw. Arbeiten X, Kassel 1957; W. E. Durham, The Harmonic Language of M., A Detailed Study of Selected Instr. Works, Diss. Univ. of Rochester (N. Y.) 1957; W. Siegmund-Schultze, M.s Melodik u. Stil, Lpz. 1957; D.-R. de Lerma, W. A. M., the Works and Influences of His First Ten Years, Diss. Indiana Univ. 1958; P. Mies, Die Artikulationszeichen Strich u. Punkt bei W. A. M., Mf XI, 1958; P. Nettl, M. u. d. Tanz, Stuttgart 1959; K. Pfannhauser, M.s kirchenmus. Studien im Spiegel seiner Zeit u. Nachwelt, KmJb XLIII, 1959; M. Taling-Hajnali, Der fugierte Stil bei M., = Publ. d. Schweizerischen musikforschenden Ges. II, 7, Bern 1959; J. Ujfallussy, Charakterbildung u. Typengestaltung in M.s Werken, StMl II, 1961; G. Massenkeil, Untersuchungen zum Problem d. Symmetrie in d. Instrumentalmusik M.s, Wiesbaden 1962; K. Stockhausen, Kadenzrhythmik bei M., in: Darmstädter Beitr. zur Neuen Musik IV, hrsg. v. E. Thomas, Mainz 1962; Ch. Fr. Schroder, Final Period of M., Beethoven, and Bartók, Diss. State Univ. of Iowa 1965; Sh. Davis, Harmonic Rhythm in M.'s Sonata Form, MR XXVII, 1966; J. A. Eversole, A Study of Orchestrational Style Through the Analysis of Representative Works of M. and Beethoven, Diss. Columbia Univ. (N. Y.) 1966; W. Gerstenberg, Über M.s Klangwelt = Tübinger Universitätsreden XXIV, Tübingen 1966; H. Goldschmidt, Über d. Einheit d. vokalen u. instr. Sphäre in d. klass. Musik, Kgr.-Ber. Lpz. 1966; H. Grundmann u. P. Mies, Studien zum Klavierspiel Beethovens u. seiner Zeitgenossen, = Abh. zur Kunst-, Musik- u. Literaturwiss. XXXVI, Bonn 1966, ²1970; W. Kirkendale, Fuge u. Fugato in d. Kammermusik d. Rokoko u. d. Klassik, Tutzing 1966; K. Marguerre, Forte u. piano bei M., NZfM CXXVIII, 1967; S. Babitz, Modern Errors in M. Performance, = Early Music Laboratory Bull. V, Los Angeles 1969 (= ergänztes Separatum aus M.-Jb. 1967); M. Benn, M. and the Age of Enlightenment, in: Studies in Music III, 1969; E. Herttrich, Studien zum Ausdruck d. Melancholischen u. seiner kompositionstechnischen Mittel in d. Musik W. A. M.s, Diss. Würzburg 1969; H. C. R. Landon, Essays on the Viennese Class. Style, London u. NY 1970; R. Klinkhammer, Die langsame Einleitung in d. Instrumentalmusik d. Klassik u. Romantik, = Kölner Beitr. zur Musikforschung LXV, Regensburg 1971; K. Marx, Zur Einheit d. zyklischen Form bei M., Stuttgart 1971; Ch. Rosen, The Class. Style, London u. NY 1971, Paperbackausg. 1973; K. Gudewill, Von M. zu Schubert. Sequenzmelodik in Instrumentalwerken aus d. Zeit v. ca. 1780 bis ca. 1830, in: Musicae scientiae collectanea, Fs. K. G. Fellerer, Köln 1973; R. Hellyer, M.'s Harmoniemusik, MR XXXIV, 1973.
Geistliche Gesangswerke: C.-A. Moberg, Äkthetsfrågor i M.s rekviem, = Uppsala univ. årsskrift 1960, Nr 4 (mit deutscher Zusammenfassung); Fr. Blume, Requiem but no Peace, MQ XLVII, 1961, deutsch als: Requiem u. kein Ende, in: Syntagma musicologicum, Kassel 1963; I. Kecskeméti, Beitr. zur Gesch. v. M.s Requiem, StMl I, 1961; O. E. Deutsch, Zur Gesch. v. M.s Requiem, ÖMZ XIX, 1964; L. Nowak, Das Requiem v. W. A. M., Einige Probleme u. Fragen, ÖMZ XX, 1965; W. A. Briggs, The Choral Church Music of W. A. M., Diss. Columbia Univ. (N. Y.) 1966; M. Vachon, La fugue dans la musique religieuse de W. A. M., Québec u. Paris 1970.
Bühnenwerke: +E. J. Dent, M.'s Operas (1913, ²1947), auch London 1955 u. ö., frz. = Pour la musique o. Nr, Paris 1958; +H. Goerges, Das Klangsymbol d. Todes im dramatischen Werk M.s (1937), Nachdr. München 1969. – Fr. M. Breydert, Le génie créateur de W. A. M., Essai

sur l'instauration mus. des personnages dans »Les noces de Figaro«, »Don Juan« et »La fl. enchantée«, Paris 1956; A. GREITHER, Die sieben großen Opern M.s. Versuche über d. Verhältnis d. Texte zur Musik, Heidelberg 1956, Neuaufl. (mit einer hinzugefügten »Pathographie«) 1970; D. MANICKE, Die Sprache als mus. Gestaltträger in M.s Zauberflöte, Diss. Bln 1956 (FU); A. DELLA CORTE, Tutto il teatro di M., Turin 1957; CHR. BITTER, Wandlungen in d. Inszenierungsformen d. »Don Giovanni« v. 1787 bis 1928, = Forschungsbeitr. zur Mw. X, Regensburg 1961; J. LIEBNER, M. a színpadon, Budapest 1961, engl. als: M. on the Stage, NY 1972; W. SENN, M.s Skizze d. Ballettmusik zu »Le gelosie del serraglio« (KV Anh. 105/139a), AMl XXXIII, 1961; G. LETZ, Die M.-Inszenierungen bei d. Salzburger Festspielen, Diss. Wien 1963; JE. S. TSCHORNAJA, M. i awstrijskij musykalnij teatr (»M. u. d. österreichische Musiktheater«), Moskau 1963; H. R. BEARD, Figaro in England. Productions of M.'s Opera and the Early Adaptions of It in England Before 1850, in: Maske u. Kothurn X, 1964; BR. BROPHY, M. the Dramatist. A New View of M., His Operas and His Age, London u. NY 1964; DIES., »Figaro« and the Limitations of Music, ML LI, 1970; C. FLOROS, Das »Programm« in M.s Meisterouvertüren, StMw XXVI, 1964; A. ROSENBERG, Die Zauberflöte. Gesch. u. Deutung v. M.s Oper, München 1964, ²1972, nld. Rotterdam 1965; DERS., Don Giovanni. Don Juans Gestalt u. M.s Oper, München 1968; R. DUMESNIL, M. présent dans ses œuvres lyriques, Brüssel 1965; J. DURON, M. et le mythe de Don Juan, = RM 1965, Nr 256; ST. KUNZE, Die Vertonung d. Arie »Non sò d'onde viene« v. J. Chr. Bach u. W. A. M., in: Analecta musicologica II, 1965; R. MÜNSTER, Die verstellte Gärtnerin. Neue Quellen zur authentischen Singspielfassung v. W. A. M.s »La finta giardiniera«, Mf XVIII, 1965; P. BRANSCOMBE, »Die Zauberflöte«. Some Textual and Interpretative Problems, Proc. R. Mus. Ass. XCII, 1965/66; D. KEAHEY, »Così fan tutte«, Parody or Irony?, in: Essays . . . , Fs. P. A. Pisk, Austin (Tex.) 1966; G. MACCHIA, Vita avventure e morte di Don Giovanni, = Universale Laterza XLVIII, Bari 1966; V. SALAS VIU, Genio y figura en el teatro de M., in: Música y creación mus., = Ser y tiempo XXXVIII, Madrid 1966; The »Opera News« Book of »Figaro«, hrsg. v. FR. MERKLING, NY 1967 (gesammelte Beitr. aus »Opera News« 1949–67); R. B. MOBERLY, Three M. Operas. Figaro, Don Giovanni, The Magic Fl., London 1967, NY 1968; DERS., M. and His Librettists, ML LIV, 1973; G. REISS, Komödie u. Musik. Bemerkungen zur mus. Komödie »Così fan tutte«, Mf XX, 1967; O. SCHNEIDER, Die »Zauberflöte« in d. Lit., ÖMZ XXII, 1967; DERS., M.s »Don Giovanni« in d. Lit., ÖMZ XXIII, 1968; J. CHAILLEY, »La fl. enchantée«, opéra maçonnique, Paris 1968, engl. NY 1971, London 1972; J. A. ECKELMEYER, Recurrent Melodic Structures and Libretto Continuity in M.'s »Die Zauberflöte«, Syracuse Univ. (Ut.) 1968; FR. R. NOSKE, Mus. Quotation as a Dramatic Device. The Fourth Act of »Le Nozze di Figaro«, MQ LIV, 1968; DERS., Social Tensions in »Le Nozze di Figaro«, ML L, 1969; DERS., Don Giovanni. Mus. Affinities and Dramatic Structure, StMl XII, 1970; L. F. TAGLIAVINI, Qu. Gasparini and M., in: New Looks at Ital. Opera, Fs. D. J. Grout, Ithaca (N. Y.) 1968; H. WEBER, Studien zu M.s Musiktheater, Diss. Wien 1968; E. M. BATLEY, A Preface to »The Magic Fl.«, = The Student's Music Library o. Nr, London 1969; D. HEARTZ, The Genesis of M.'s »Idomeneo«, MQ LV, 1969; R. LEIBOWITZ, Tempo e senso drammatico nel »Don Giovanni« di M., nRMI III, 1969, frz. in: Le compositeur et son double, Paris 1971; J. MÜLLER-BLATTAU, Goethe, M. u. d. Zauberflöte, in: Goethe u. d. Meister d. Musik, Stuttgart 1969; W. OSTHOFF, M.s Cavatinen u. ihre Tradition, Fs. H. Osthoff, = Frankfurter musikhist. Studien o. Nr, Tutzing 1969; I. M. SCHENCK, The Interrelationship of Music and Drama in M.'s »Don Giovanni«, Diss. Northwestern Univ. (Ill.) 1969; M. SEE, Don Giovannis Ende. Zu einem Regieproblem, NZfM CXXX, 1969; P. P. VÁRNAI, La funzione dell'unisono nella drammaturgia di M., nRMI III, 1969; A. A. ABERT, Die Opern M.s, Wolfenbüttel 1970; B. GALLOP, M.s »Figaro« u. Grundformen menschlichen Verhaltens, Diss. Wien 1970; M. MILA, Le nozze di Figaro, Turin 1970; K. G. FELLERER, M.s Zauberflöte als Elfenoper, in: Symbolae

hist. musicae, Fs. H. Federhofer, Mainz 1971; GL. J. ASCHER, »Die Zauberflöte« u. »Die Frau ohne Schatten«. Ein Vergleich zwischen zwei Operndichtungen d. Humanität, Bern 1972; H. H. EGGEBRECHT, Versuch über d. Wiener Klassik. Die Tanzszene in M.s »Don Giovanni«, = BzAfMw XII, Wiesbaden 1972; D. J. GROUT, M. in the Hist. of Opera, Washington (D. C.) 1972; R. ANGERMÜLLER, Idomeneo-Aspekte, ÖMZ XXVIII, 1973; FR. FRIEBE, Idealisierung u. skeptischer Realismus bei M.s Frauengestalten, Mf XXVI, 1973; CHR.-H. MAHLING, Die Gestalt d. Osmin in M.s »Entführung«. Vom Typus zur Individualität, AfMw XXX, 1973.

Lieder . . . : R. STUBER, Die Klavierbegleitung im Liede v. Haydn, M. u. Beethoven, Diss. Bern 1958; A. WEINMANN, Zwei unechte M.-Lieder, Mf XX, 1967, Nachtrag in: XXI, 1968, S. 223f.; E. WERBA, Das M.-Lied in d. Aufführungspraxis d. Gegenwart, ÖMZ XXII, 1967; FR. GRASBERGER, Zur Österreichischen Bundeshymne, ÖMZ XXIII, 1968.

Orchesterwerke: ⁺G. DE SAINT-FOIX, Les symphonies de M. (1932), Nachdr. d. ⁺engl. Ausg. (1947) NY 1968; ⁺J. N. DAVID, Die Jupiter-Symphonie (= Kleine Vandenhoeck-Reihe XXI, 1953), Göttingen ⁴1960. – O. L. GIBSON, The Serenades and Divertimenti of M., Diss. North Texas State Univ. 1960; E. ADDAMS, Source and Treatment of Thematic Material in the Developments of the Sonata-Allegro Movements in the Symphonies of W. A. M., Diss. Univ. of Rochester (N. Y.) 1962; D. E. WHITWELL, The First Nine Symphonies of M., An Examination of Style, Diss. Catholic Univ. of America (Washington/ D. C.) 1963; A. A. ABERT, Stilistischer Befund u. Quellenlage. Zu M.s Lambacher Sinfonie KV Anh. 221 = 45a, Fs. H. Engel, Kassel 1964; M. MILA, Le sinfonie di M., Turin 1967; ST. KUNZE, W. A. M., Sinfonie g-moll, KV 550, = Meisterwerke d. Musik VI, München 1968; W. KLENZ, »Per aspera ad astra« or The Stairway to Jupiter, MR XXX, 1969; F. J. SMITH, M. Revisited, K. 550. The Problem of the Survival of Baroque Figures in the Class. Era, MR XXXI, 1970; W. STEGER, Rhythmische Kernformeln in M.s letzten Sinfonien, Mf XXIII, 1970; J. E. ROGERS, Pitch-Class Sets in Fourteen Measures of M.'s »Jupiter« Symphony, in: Perspectives of New Music IX/2–X/1, 1971.

Konzerte: ⁺C. M. GIRDLESTONE, M. et ses concertos pour piano (1939), erweiterte Neuaufl. d. ⁺engl. Ausg. (M.'s Piano Concertos, 1948) London 1958, Nachdr. NY 1964. – H. TISCHLER, A Structural Analysis of M.'s Piano Concertos, = Musicological Studies X, Brooklyn (N. Y.) 1966, auch deutscher u. frz. Text; M. W. COBIN, Aspects of Stylistic Evolution in Two M. Concertos, K. 271 and K. 482, MR XXXI, 1970; KL. WEISING, Die Sonatenform in d. langsamen Konzertsätzen M.s, = Hamburger Beitr. zur Mw. III, Hbg 1970; D. FORMAN, M.'s Concerto Form. The First Movements of the Piano Concertos, London u. NY 1971; J. DRONKE, Ritornell u. Solo in M.s Klavierkonzerten, Diss. München 1972.

Kirchensonaten bzw. Ensemblemusik . . . : TH. HARMON, The Performance of M.'s Church Sonatas, ML LI, 1970. – D. N. LEESON u. D. WHITWELL, M.'s »Spurious« Wind Octets, ML LIII, 1972.

Kammermusik: ⁺TH. F. DUNHILL, M.'s String Quartets (1927), Nachdr. Westport (Conn.) 1970. – C. E. FORSBERG, The Clavier-V. Sonatas of W. A. M., Diss. Indiana Univ. 1964; L. FINSCHER, M.s »Mailänder« Streichquartette, Mf XIX, 1966; A. H. KING, M. Chamber Music, = BBC Music Guides IV, London 1968, auch NY 1969; G. CROLL u. K. BIRSACK, A. Stadlers »Bassettklar.« u. d. »Stadler-Quintett« KV 581, ÖMZ XXIV, 1969; W. S. NEWMAN, The Duo Texture of M.'s K. 526. An Essay in Class. Instr. Style, in: Essays in Musicology, Fs. Dr. Plamenac, Pittsburgh (Pa.) 1969; W. HÜMMEKE, Versuch einer strukturwiss. Darstellung d. ersten u. vierten Sätze d. zehn letzten Streichquartette v. W. A. M., = Veröff. zur theoretischen Mw. II, Münster (Westf.) 1970; J. HUNKEMÖLLER, W. A. M.s frühe Sonaten f. V. u. Kl., = Neue Heidelberger Studien zur Mw. III, Bern 1970.

Klaviermusik: ⁺E. u. P. BADURA-SKODA, M.-Interpretation (1957), engl. revidiert als: Interpreting M. on the Keyboard, London u. NY 1962, NY ²1965, Paperbackausg. 1971, japanisch Tokio 1963, russ. Moskau 1972. –

M. MILA, La musica pianistica di W. A. M., Turin 1963; K. MARX, Analyse d. Klaviersonate B-Dur v. W. A. M. (KV 333), = Studium mus. o. Nr, Stuttgart 1966; H. NEUMANN u. C. SCHACHTER, The Two Versions of M.'s Rondo K. 494, in: The Music Forum I, 1967; J. E. P. CAMP, Temporal Proportion. A Study of Sonata Forms in the Piano Sonatas of M., Diss. Florida State Univ. 1968; W. BURDE, Studien zu M.s Klaviersonaten. Formungsprinzipien u. Formtypen, = Schriften zur Musik I, Giebing 1969; E. BADURA-SKODA, M., Klavierkonzert c-moll KV 491, = Meisterwerke d. Musik X, München 1972; R. ROSENBERG, Die Klaviersonaten M.s. Gestalt- u. Stilanalyse, Hofheim a. Ts. 1972; P. SCHLEUNING, Die freie Fantasie. Ein Beitr. zur Erforschung d. klass. Klaviermusik, = Göppinger akademische Beitr. LXXVI, Göppingen 1973.
Suppl. (zugleich Verschiedenes): A. HOLSCHNEIDER, Händels »Messias« in M.s Bearb., Diss. Tübingen 1960 (Kritischer Ber.); DERS., Zu M.s Bearb. Bachscher Fugen, Mf XVII, 1964; A. KÜHN, M.s humoristische Briefe. Literaturhist. Beitr. zum Verständnis d. Briefe u. dichterischen Versuche, Diss. Saarbrücken 1960; G. RECH, Aus d. Briefarch. d. Internationalen Stiftung M.eum, Fs. O. E. Deutsch, Kassel 1963; G. CROLL, Zu d. Verz. v. M.s nachgelassenen Fragmenten u. Entwürfen, ÖMZ XXI, 1966; DERS., Eine neuentdeckte Bach-Fuge f. Streichquartett v. M., ebd.; FR. BOSSARELLI, M. alla Bibl. del Conservatorio di Napoli, in: Analecta musicologica V, 1968, VII, 1969 u. IX, 1970; H. EPPSTEIN, M.s »Fantasie« KV 396, Mf XXI, 1968; M. FLOTHUIS, M.s Bearb. eigener u. fremder Werke, = Schriftenreihe d. Internationalen Stiftung M.eum II, Salzburg 1969; Salzburg, Erzabtei St. Peter. Kat., Teil I: L. u. W. A. M., J. u. M. Haydn, hrsg. v. M. H. SCHMID, ebd. III/IV, = Publ. d. Inst. f. Mw. d. Univ. Salzburg I, 1970.

+Mozart, Wolfgang Amadeus, 1791–1844.
Ausg.: Rondo E moll f. Fl. u. Kl., hrsg. v. R. ERMELER, Wilhelmshaven 1962; Kl.-Quartett G moll op. 1, hrsg. v. H. RIESSBERGER, = Diletto mus. Nr 180, Wien 1966; Grande Sonate f. Kl. u. Vc. op. 19, hrsg. v. W. BOETTCHER, Mainz 1969.
Lit.: +H. HUMMEL, W. A. M.s Söhne (1956), neuere Ergänzungen in: Mitt. d. Internationalen Stiftung Mozarteum XV, 1967, Nr 3–4, S. 19ff. – K. GEIRINGER, W. A. M. the Younger, MQ XXVII, 1941; A. E. SCHROEDER, De betekenis v. M.'s zoon W. A. aan de hand v. zijn reisdagboek (1819–21), RBM IV, 1950; A. VANDER LINDEN, Lettres de W. A. M. junior, RBM V, 1951; DERS., Le dernier fils de W. A. M., Bull. de la Classe des beaux-arts de l'Acad. Royale de Belgique L, 1968; W. HUMMEL, Eine Geschlechterfolge pianistischer Begabungen. Erinnerungen an d. Lieblingsschüler W. A. M.s d. Sohnes, Acta M.iana IV, 1957; DERS., Ein unveröff. Brief v. W. A. M.-Sohn an seinen Freund M. A. Petschacher, in: Musikerziehung XII, 1958/59, u. in: Wiener Figaro XXVII, 1959; DERS., Unveröff. Briefe v. W. A. M.-Sohn, ebd. XV, 1961/62, bzw. XXX, 1962; DERS., Ein Enkel L. M.s in Schwaben, in: Neues Augsburger Mozartbuch, = Zs. d. Hist. Ver. f. Schwaben LXII/LXIII, 1962; C. NEMETH, Der »Fest-Chor« u. ein unbekanntes Autograph v. W. A. M. Sohn, ÖMZ XIII, 1958; K. NEJDL: Na západní výspě III, 1961, S. 49ff.; E. H. MÜLLER V. ASOW, Ein ungedruckter Brief v. H. Vieuxtemps an W. A. M. Sohn, StMw XXV, 1962; H. FEDERHOFER, Ein M.-Autograph aus d. Besitz v. W. A. M. d. J., M.-Jb. 1964; R. ANGERMÜLLER u. S. DAHMS-SCHNEIDER, Neue Brieffunde zu M., ebd. 1968/70. – vgl. auch d. Lit.-Angaben bei Leopold +M. (letzter Absatz).

+Mrawinskij, Jewgenij Alexandrowitsch, * 22. 5. (4. 6.) 1903 zu St. Petersburg.
Mr. wirkt weiterhin als Chefdirigent der Leningrader Philharmonie. Zahlreiche Konzertreisen machten ihn auch im westlichen Ausland bekannt. Er schrieb u. a. den Beitrag *Stschastliwaja pora* (»Eine glückliche Zeit«, in: Leningradskaja konserwatorija w wospominanijach 1862–1962, hrsg. von G.Gr.Tigranow, Leningrad 1962).

Lit.: G. ROSCHDESTWENSKIJ in: SM XXVII, 1963, H. 7, S. 93f.; D. SLAWENTANTOR in: Lenin Prize Winners. Soviet Stars in the World of Music, hrsg. v. A. Lipovsky, Moskau 1967, S. 184ff.; Leningradskaja gossudarstwennaja ordena Trudnowo Krasnowo Snameni filarmonija. Statji, wospominanija, materialy (»Leningrader Staatliche ... Philharmonie. Aufsätze, Erinnerungen, Materialien«), hrsg. v. W. FOMIN, Leningrad 1972; W. SALMANOW bzw. W. LIBERMAN in: SM XXXVII, 1973, H. 6, S. 53ff.

Mrowiec (mr'ɔvjɛts), Karol, CM (Congregationis Missionis), * 24. 10. 1919 zu Ruda Śląska (Kattowitz); polnischer Theologe und Musikforscher, studierte nach Absolvierung des theologischen Seminars in Krakau Philosophie am Theologischen Institut des Lazaristenordens in Krakau (1938–43) sowie Komposition, Musiktheorie und Orgelspiel an der Krakauer Musikhochschule (1952–56) und promovierte 1959 zum Dr. theol. an der Katholischen Universität in Lublin, an der er sich 1968 mit der Arbeit *Pasje wielogłosowe w muzyce polskiej XVIII wieku* (»Mehrstimmige Passionskompositionen in der polnischen Musik des 18. Jh.«, Krakau 1973) habilitierte; 1970 wurde er zum Dozenten ernannt. Von seinen weiteren Veröffentlichungen seien genannt: *Z problematyki polskiej pieśni kościelnej* (»Zur Problematik des polnischen Kirchenlieds«, in: Ruch biblijny i liturgiczny XII, 1959); *Liturgia i muzyka u Księży Misjonarzy w Polsce (1651–1939)* (»Musik und Liturgie im Missionarsorden in Polen ...«, in: Nasza przeszłość XIII, 1961); *Polska pieśń kościelna w opracowaniu kompozytorów XIX wieku* (»Das polnische Kirchenlied in der Bearbeitung von Komponisten des 19. Jh.«, = Towarzystwo naukowe Katolickiego Uniwersytetu Lubelskiego LXXV, Lublin 1964); *Duety na dwoje skrzypiec Z. St. Grossmanna* (»Die Duette für 2 V. von Z. St. Grossmann«, in: Studia ..., Fs. H. Feicht, Krakau 1967); *Plankty polskie na zespoły wokalno-instrumentalne* (»Polnische Planctus für vokal-instrumentale Ensembles«, Bd I, = Zródła do historii muzyki polskiej XV, ebd. 1968).

Mrygoń (mr'igɔɲ), Adam, * 23. 11. 1935 zu Pyzdry (bei Wreschen); polnischer Musikforscher, studierte 1952–54 an der Posener Universität und 1954–59 an der Warschauer Universität (Feicht) sowie 1959–63 an der Warschauer Musikhochschule (Dirigieren bei Wisłocki). Er übernahm an der Warschauer Universitätsbibliothek 1971 die Leitung der Musiksammlung. Seine Publikationen behandeln bibliographische Themen: *VR Polen 1945–65* (mit Ewa Mr., = BzMw, Sonderreihe ... Musikwissenschaftliche Literatur sozialistischer Länder II, Bln 1966); *Problemy katalogowania alfabetycznego druków muzycznych* (»Probleme der alphabetischen Katalogisierung von Musikdrucken«, in: Muzyka XII, 1967); *Polonica muzyczne w zbiorach austriackich* (»Musik-Polonica in österreichischen Sammlungen«, ebd. XV, 1970); *Bibliografia polskiego piśmiennictwa muzykologicznego 1945–70* (»Bibliographie des polnischen musikwissenschaftlichen Schrifttums ...«, mit Ewa Mr., Warschau 1972).

Mschwelidse, Schalwa Michajlowitsch, * 15.(28.) 5. 1904 zu Tiflis (Georgien); grusinisch-sowjetischer Komponist, absolvierte 1930 als Schüler von Michail Bagrinowskij und Sergej Barchudarjan seine Kompositionsstudien am Konservatorium seiner Heimatstadt, wo er sich bis 1933 als Aspirant bei Schtscherbatschow vervollkommnete. Seit 1929 wirkt er als Pädagoge am Konservatorium in Tiflis (1942 Professor). Zu seinen Schülern zählt Zinzadse. 1931–36 war er stellvertretender Konservatoriumsdirektor, 1947–50 Direktor und künstlerischer Leiter des Volkslieder- und Tanzensembles der Grusinischen SSR sowie 1950–52 Direk-

tor des Opern- und Ballett-Theaters in Tiflis. Er schrieb u. a. die Opern *Ambawi Tarielissa* (»Erzählungen von Tariel«, nach einem Gedicht von Schota Rustaweli, Tiflis 1946) und *Desniza welikowo mastera* (»Der Helfer des großen Meisters«, ebd. 1961), Orchesterwerke (Symphonische Dichtungen *Swiadauri*, 1940, *Mindija*, 1950, und *Junoscha i bars*, »Der Jüngling und der Panther«, 1962; 3 Symphonien, 1943, 1944 und 1952; symphonische Suiten *Indijskaja*, »Indische«, und *Na prostorach Birmy*, »In den weiten Räumen Birmas«, 1958; »5 Poeme auf indische Themen«, 1971), Vokalwerke (Oratorium *Kawkassioni*, »Kaukasus«, 1949; Chöre, Massen- und Sololieder) sowie Bühnen- und Filmmusik.
Lit.: G. ORDSCHONIKIDSE, Sch. Msch., SM XXVIII, 1964.

Mucci (m'ut-tʃi), Emidio, * 22. 7. 1886 zu Rom; italienischer Librettist und Musikkritiker, promovierte an der Universität in Rom zum Dr. jur. und war 1910–40 als Rechtsanwalt tätig. Daneben studierte er an der Universität in Rom Theatergeschichte bei Pietro Paolo Trompeo (1915–16) und privat Musik bei Carabella (1910–15) und B. Somma (1916–20). Er schrieb Libretti zu Opern (Carabella, *Il candeliere*, Genua 1939; Liviabella, *Antigone*, Parma 1943, und *La conchiglia*, Florenz 1955; Refice, *Cecilia*, Rom 1934, und *Margherita da Cortona*, Mailand 1938), Ballette (Carabella, *Volti la lanterna!*, Rom 1934; Porrino, *Proserpina*, Florenz 1937, und *Altaîr*, Neapel 1942) sowie Oratorien und Kantaten, übersetzte ins Italienische die Texte u. a. von Händels *Samson*, Glucks *Iphigénie en Aulide*, A. Honeggers *Jeanne d'Arc au bûcher* und *La danse des morts*, Milhauds *Christophe Colomb* und Brittens *The Rape of Lucretia* und veröffentlichte: *L'oratorio musicale e La risurrezione di Cristo di L.* Perosi (mit E. Carabella, Mailand 1924); *B. Molinari* (Lanciano 1941); *L. Refice. La vita* (Assisi 1955, Perugia ²1968); *Le composizioni di L. Refice* (mit T. Onofri, Assisi 1966); *B. Somma* (Rom 1968).

+Muck, Carl, 1859–1940.
Seine Promotion ist an der Leipziger Universität nicht nachgewiesen.
Lit.: N. STÜCKER, K. M., Graz 1939; I. LOWENS, L'affaire M., in: Musicology I, 1947; H. C. SCHONBERG, The Great Conductors, London 1968, deutsch als: Die großen Dirigenten, Bern 1970, auch = List Taschenbücher Bd 391, München 1973.

Muck, Friedrich Johann Albrecht, * 24. 4. 1763 zu Forheim (bei Nördlingen), † 4. 11. 1839 zu Rothenburg ob der Tauber; deutscher Theologe, Pädagoge und Komponist, besuchte ab 1772 das Gymnasium in Oettingen (Bayern) und ab 1783 die Universität Erlangen, wirkte als Pfarrer ab 1788 in Euerbach (bei Schweinfurt), ab 1800 in Ippesheim (Mittelfranken) und wurde 1809 Dekan und Distriktsschulinspektor in Rothenburg ob der Tauber. Er komponierte Lieder, Chöre, liturgische Gesänge (Vaterunser, Einsetzungsworte) und das Oratorium *Die Nazarener in Pompeji*. – Veröffentlichungen: *Musikalische Wandfibel zum Gesangunterricht in Volksschulen* (mit H. Stephani, Erlangen 1815); *Biographische Notizen über die Componisten ... im Baierischen neuen Choral-Buche* (ebd. 1823); musikpädagogische Aufsätze (in: Der Baierische Schulfreund VI, 1814 – XIII, 1820).
Lit.: G. A. LEHMUS, Erinnerung an Fr. J. A. M., Rothenburg o. d. T. 1839; W. SPERL, Der Baierische Schulfreund d. ... Dr. Heinrich Stephani, Zs. f. bayerische Kirchengesch. XVI, 1941.

Muczynski (mutʃ'i:nski), Robert, * 19. 3. 1929 zu Chicago; amerikanischer Komponist polnischer Ab-

stammung, studierte an der DePaul University in Chicago Klavier bei Walter Knupfer und Komposition bei A. Tscherepnin. 1958 gab er sein Debüt als Pianist in der Carnegie Hall in New York mit eigenen Klavierwerken. Er komponierte Orchesterwerke (Symphonie Nr 1 op. 5, 1953; *Dovetail Overture* op. 12, 1959; *Dance Movements* op. 17, 1962; Divertimento für Kl. und Orch. op. 2, 1951; Klavierkonzert Nr 1, 1954), Kammermusik (*Allegro deciso* für Blechbläsersextett und Pk. op. 4, 1952; *Movements* für Bläserquintett op. 16, 1962; *Fuzzette, the Tarantula* für Erzähler, Fl., Altsax. und Kl., 1963), Klavierwerke (*Five Sketches* op. 3, 1952; *Six Preludes*, 1954; Variationen über ein Thema von A. Tscherepnin, 1955; Sonate Nr 1, 1957; Toccata op. 15, 1962), Orgelstücke und Chöre.
Lit.: Werkverz. in: Composers of the Americas IX, Washington (D. C.) 1963.

+Mudarra, Alonso de, um 1508 [del.: um 1510] – 1580.
Ausg.: ein Satz in: Die Org. im Choralamt, hrsg. v. E. KRAUS, = Cantantibus organis IV, Regensburg 1960; Fantasia II, f. Git. hrsg. v. R. KROOGMAN, Hilversum 1970.
Lit.: J. M. WARD, The Use of Borrowed Material in 16th-Cent. Instr. Music, JAMS V, 1952; DERS., The »vihuela de mano« and Its Music (1536–76), Diss. NY Univ. 1953; M. SCHNEIDER, Un villancico de A. de M. procedente de la música popular granadina, AM X, 1955; K. G. FELLERER, Josquins Missa »Faisant regretz« in d. Vihuela-Transkription v. M. u. Narváez, in: Span. Forschungen d. Görresges. I, 16, Münster (Westf.) 1960; M. E. GREBE, Modality in the Span. Vihuela Music of the 16th Cent. and Its Incidence in Lat.-American Music, AM XXVI, 1971.

Mudde (m'œdə), Willem, * 25. 10. 1909 zu Amsterdam; niederländischer Kirchenmusiker, studierte bei Jan Zwart in Zaandam (Orgel) sowie an der Berliner Kirchenmusikschule bei Heitmann, Grote, Söhngen und W. Reimann. Er war ab 1932 Organist an der lutherischen Kirche in Hilversum und ab 1937 in Amsterdam, wurde 1942 Kantor und Organist an der lutherischen Kirche in Utrecht und kam 1966 in die gleiche Stellung nach Den Haag. M. gründete 1947 die Utrechts Motetgeselschap zur Aufführung zeitgenössischer Kirchenmusik sowie 1950 die Zeitschrift *Musica sacra*, deren Schriftleiter er ist, und war 1957 Mitgründer einer evangelischen Weltkonferenz für Kirchenmusik. Von der Valparaiso University (Ind.) wurde ihm das Ehrendoktorat verliehen. 1962 wurde er zum Hauptlehrer für Kirchenmusik an das Konservatorium in Utrecht berufen. Er schrieb Orgelwerke (*Kanonische Orgelchoräle*, 1946), Liedmotetten und Liedsätze.

+Mügeln, Heinrich von, [erg.:] † nach 1369.
Ausg.: +*Die Sangesweisen d. Colmarer Hs.* (P. RUNGE, 1896), Nachdr. Hildesheim 1965; +*Das Singebuch d. A. Puschmann* (G. MÜNZER, 1906), Nachdr. ebd. 1970. – Die Colmarer Liederhandschrift, Faks. hrsg. v. FR. GENNRICH, = Summa musicae medii aevi XVIII, Langen 1967; ein Lied in: H. MOSER u. J. MÜLLER-BLATTAU, Deutsche Lieder d. MA, Stuttgart 1968.
Lit.: K. STACKMANN, Der Spruchdichter H. v. M., Heidelberg 1958; U. AARBURG, Verz. d. im Kolmarer Liedercod. enthaltenen Töne u. Leiche, Fs. H. Besseler, Lpz. 1961; R. WH. LINKER, Music of the Minnesinger and Early Meistersinger. A Bibliogr., = Univ. of North Carolina Studies in the Germanic Languages and Lit. XXXII, Chapel Hill (N. C.) 1962. →Liederbücher (Kolmarer Liederhandschrift).

Mühlbauer, Hans (Pseudonym Ralf Arland), * 4. 3. 1922 zu München; deutscher Komponist von Tanz- und Schlagermusik, war nach einer Tätigkeit als Kapellenmusiker und Alleinunterhalter ab 1956 Rundfunk- und Schallplattensachbearbeiter bei den Musik-verlagen August Seith und Chappell & Co. Er lebt heute freischaffend in Neugilching (Oberbayern) und ist vor allem mit Liedern für Roy Black hervorgetreten (*Ganz in Weiß*; *Du bist nicht allein*, 1966; *Ich denk' an dich*; *Das Mädchen Carina*).

⁺Muelich von Prag, 14. Jh.
Ausg.: ⁺Die Sangesweisen d. Colmarer Hs. (P. RUNGE, 1896), Nachdr. Hildesheim 1965. – Die Colmarer Lieder-handschrift, Faks. hrsg. v. FR. GENNRICH, = Summa musicae medii aevi XVIII, Langen 1967; ein Lied in: H. MOSER u. J. MÜLLER-BLATTAU, Deutsche Lieder d. MA, Stuttgart 1968. →Liederbücher (Kolmarer Liederhandschrift).

Müller, Adolf, d. Ältere (eigentlich Matthias Schmid), * 7. 10. 1801 zu Tolna (Ungarn), † 29. 7. 1886 zu Wien; österreichischer Komponist und Sänger, erhielt in Brünn seine Ausbildung als Schauspieler und Musikunterricht, den er nach Engagements in Prag, Lemberg und Brünn bei J. v. Blumenthal in Wien fortsetzte. Hier schrieb er 1825 seine erste Operette. Große Erfolge hatten seine parodistischen Opern (*Schwarze Frau*, Wien 1826). Zunächst Sänger am Kärntnertortheater, rückte er 1827 nach der Aufführung seines Singspiels *Die erste Zusammenkunft* zum Kapellmeister auf. 1828 wurde er Kapellmeister und Hauskomponist am Theater an der Wien und (bis 1847) am Theater in der Leopoldstadt. Seine Opern, Singspiele, Lokalparodien, Possen mit Gesang (→Nestroy) und Vaudevilles beherrschten viele Jahre hindurch den Spielplan der Wiener Theater. M. schrieb etwa 640 Bühnenwerke, über 400 Lieder und zahlreiche Instrumentalwerke.
Ausg.: Wiener Comödien aus 3 Jh., hrsg. v. BL. GLOSSY u. R. HAAS, Wien 1924.
Lit.: A. BAUER, Die Musik A. M.s in d. Theaterstücken J. Nestroys. Ein Beitr. zur Mg. d. volkstümlichen Theaters in Wien, Diss. Wien 1935 (mit Biogr. u. Werkverz.); DERS., Die Musik in d. Theaterstücken J. Nestroys, Jb. d. Ges. f. Wiener Theaterforschung 1944, Wiederabdruck in: ÖMZ XXIII, 1968; DERS., Opern u. Operetten in Wien, = Wiener mw. Beitr. II, Graz 1955; E. HILMAR, Die Nestroy-Vertonungen in d. Wiener Slgen, in: Maske u. Kothurn XVIII, 1972.

Müller, Adolf, der Jüngere, * 15. 10. 1839 und † 14. 12. 1901 zu Wien; österreichischer Komponist und Kapellmeister, Sohn von Adolf M. dem Älteren, war Opernkapellmeister in Posen, Düsseldorf, Rotterdam (Deutsche Oper) und kam schließlich an das Theater an der Wien. Er komponierte Opern (*Heinrich der Goldschmied*, Magdeburg 1867; *Waldmeisters Brautfahrt*, Hbg 1873; *Van Dyck*, Rotterdam 1877) und während seiner Wiener Tätigkeit Operetten (*Das Gespenst in der Spinnstube*, 1870; *Der Liebeshof*, 1888; *Des Teufels Weib*, 1898; *Der Blondin von Namur*, 1898).
Lit.: A. BAUER, Opern u. Operetten in Wien, = Wiener mw. Beitr. II, Graz 1955.

⁺Müller, August Eberhard, 1767–1817.
Lit.: ⁺H. ENGEL, Die Entwicklung d. deutschen Klavierkonzertes v. Mozart bis Liszt (1927), Nachdr. Hildesheim 1971. – N. BRODER, The First Guide to Mozart, MQ XLII, 1956.

Müller, Bruno → Müller-Brunow.

⁺Müller, Christian, [erg.:] 1690 zu St. Andreasberg (Harz) – um 1770 zu Nimwegen (Geldern).
Lit.: H. L. OUSSOREN, Het Chr. M.-org. in de Grote-of St. Bavokerk te Haarlem, in: Nld. orgelpracht (Beitr. v. H. P. Baard u. a.), Haarlem 1961.

⁺Müller, Edmund Joseph, 1874–1944.
M., 1928 zum Professor ernannt, war Leiter der Abteilung für Schulmusik an der Kölner Musikhochschule bis 1935.

Lit.: F. OBERBORCECK in: Rheinische Musiker II, hrsg. v. K. G. Fellerer, = Beitr. zur rheinischen Mg. LIII, Köln 1962, S. 58ff.

⁺Müller, Eduard, * 12. 10. 1912 zu Sissach (Basel-Land).
Sein Repertoire umfaßt auch zeitgenössische Werke u. a. von O. Messiaen, H. U. Lehmann und Gy. Ligeti.

Müller, Franz Xaver, OSA, * 10. 5. 1870 zu Dimbach (Oberösterreich), † 3. 2. 1948 zu Linz; österreichischer Komponist, wurde 1880 Sängerknabe in St. Florian, studierte dort Theologie, erhielt 1895 die Priesterweihe und wurde dann Schüler von Habert in Gmunden sowie 1898–99 von Wöß in Wien. Ab 1904 war er Stiftsorganist und 1906–24 Regens chori in St. Florian sowie 1924–43 Domkapellmeister in Linz. Neben einer Symphonie D dur (1910), dem Oratorium *Der heilige Augustinus* (1915), den Kantaten *Die Geburt Christi* für Frauenchor, Streichquintett und Kl. (1910) und *Herr, Du bist groß* für Frauenchor und Harmonium (1919) schrieb er u. a. 7 lateinische Messen (*Missa in honorem St. Augustini*, 1911, Messe G moll, 1936, und *St.-Josephs-Messe*, 1944, für Soli, gem. Chor, Orch. und Org.; *Missa et proprium in honorem Sanctissimi nominis Jesu*, für gem. Chor, 2 Trp., 3 Pos. und Org., 1939; *Xaverius-Messe* für Soli, gem. Chor und Org., 1940; *Missa diatonica* für 6st. Chor a cappella, 1940; Requiem für 4st. gem. Chor a cappella) und 4 deutsche Messen, darunter eine *Festmesse zu Ehren des hl. Franz von Sales* für Singst. und Org. (1948?).
Lit.: J. MAYR-KERN, Fr. X. M., ein oberösterreichischer Komponist zwischen A. Bruckner u. J. N. David, Linz 1970.

Müller, Fritz Richard Gottfried, * 21. 7. 1905 zu Bärenstein (Erzgebirge); deutscher Dirigent, studierte 1920–25 am Konservatorium in Dresden und an der Orchesterschule der Sächsischen Staatskapelle. Er war Kapellmeister am Stadttheater in Würzburg (1926–29) und in Saarbrücken (1929–34), 1. Kapellmeister der Oper in Lübeck (1934–43), Musikalischer Oberleiter und Musikdirektor am Theater der Stadt Cottbus (1943–49) sowie GMD der Städtischen Bühnen in Rostock (1949–51). 1951 wurde er GMD und Leiter des Staatlichen Sinfonieorchesters Thüringen (mit Sitz in Gotha).

⁺Müller, Joachim Gottfried, * 8. 6. 1914 zu Dresden.
M. unterrichtet seit 1961 Komposition am Konservatorium in Nürnberg. – Neuere Werke: Musik für Streicher und Pk. (1957); Capriccio (1959) und *Dürersymphonie* (1962) für Orch.; Concertino für 3 Kl. (1963); Konzert für Cemb., Fl., Va, Fag. und kleines Orch. (1965); Streichquartett (1966); Sonate für Kl. 4händig (1966); Konzert für 2 Kl. und Orch. (1967); Kantate *Von den Plagen und vom Licht* (1968); Klavierkonzert (1969).
Lit.: S. GREIS, Flucht in d. Tradition?, in: Gottesdienst u. Kirchenmusik 1972, S. 115ff.

⁺Müller, Hermann, 1868–1932.
Lit.: TH. HAMACHER in: Musica sacra LXXXVIII, 1968, S. 259ff.

⁺Müller, Iwan, 3.(14.) 12. 1786 – 1854.
M. schrieb 6 Konzerte für Klar. [nicht: Fl.] und 2 [nicht: 3] Quartette für Klar.

Müller, Karl Ferdinand, * 21. 2. 1911 zu Stettin; deutscher Musikforscher und Theologe, studierte 1929–34 in Tübingen, Berlin, Erlangen und Greifswald und promovierte 1952 in Kiel mit der Dissertation *Die Neuordnung des Gottesdienstes in Theologie und Kirche* (abgedruckt in: Theologie und Liturgie, hrsg. von L. Hennig, Kassel 1952) zum Dr. theol. 1934–55 war er seelsorgerisch tätig, wurde 1946 Dozent für Liturgik und Hymnologie, später Leiter der Kirchenmusikabteilung an der Schleswig-Holsteinischen Musikakademie und Norddeutschen Orgelschule in Lübeck. 1955–72 war er Direktor der Kirchenmusikschule der Evangelisch-Lutherischen Landeskirche Hannover in Hannover. Seit 1967 ist er Dozent für Liturgik und Hymnologie an der Staatlichen Hochschule für Musik und Theater in Hannover und leitet seit 1972 die Arbeitsstelle für Gottesdienst und Kirchenmusik der Evangelisch-Lutherischen Landeskirche Hannover. Er gibt mit K. Ameln und Chr. Mahrenholz das von ihm mitgegründete *Jahrbuch für Liturgik und Hymnologie* (Iff., Kassel 1955ff.) heraus. – Weitere Veröffentlichungen: *Leiturgia. Handbuch des evangelischen Gottesdienstes* (mit W. Blankenburg, 5 Bde, Kassel 1952–70); *Der Kantor. Sein Amt und seine Dienste* (Gütersloh 1964); *Church Music Instruction in the Church Music Schools of Germany* (in: Cantors at the Crossroads, Fs. W.E.Buszin, St. Louis/Mo. und London 1967); *Das Amt des Kirchenmusikers* (in: Die evangelische Kirchenmusik, hrsg. von E. Valentin und Fr. Hofmann, Regensburg 1968); *Theologische und liturgische Aspekte zu den Gottesdiensten in neuer Gestalt* (Jb. für Liturgik und Hymnologie XIII, 1968); *Der evang.-luth. Gottesdienst im Lichte der katholischen Liturgieforschung* (ebd. XIV, 1969); *Gottesdienst in einem säkularisierten Zeitalter* (Kassel und Trier 1971); ferner Zeitschriftenbeiträge (MuK, Der Kirchenmusiker, Pastoraltheologie).

+**Müller,** Ludwig (Waldmüller), * 11. 1. 1879 zu Eslarn (Oberpfalz), [erg.:] † 2. 7. 1964 zu München.

+**Müller,** Maria, 1898 [nicht: 1878] – 1958.
Lit.: H. REINOLD in: NZfM CXXIX, 1968, S. 126f.

Müller, Rolf-Hans, * 10. 4. 1928 zu Dresden; deutscher Orchesterleiter und Komponist von Unterhaltungs- und Tanzmusik, Schüler des Gymnasiums zum Heiligen Kreuz in Dresden (Kreuzchor), studierte an der Musikhochschule in Heidelberg und wurde 1949 Hauspianist und Komponist beim SWF Baden-Baden. Seit 1958 ist er als Leiter des SWF-Tanzorchesters sowie als Arrangeur und Komponist für Rundfunk und Fernsehen tätig. Von seinen Kompositionen seien genannt: *Broadway-Melodie*; *Trumpet Rhapsody*; *Mister Lucky*.

+**Müller,** Sigfrid Walther, 1905 – 2. 11. 1946 im Kriegsgefangenenlager Mingitschaur (bei Baku) [erg. frühere Angabe].

+**Müller,** Walther, * 7. 11.·1884 und [erg.:] † 18. 8. 1962 zu St. Gallen.

+**Müller,** Wenzel, 1767 [nicht: 1759] – 1835.
Lit.: A. WÜRZ in: MGG IX, 1961, Sp. 865ff.

Müller, Werner, * 2. 8. 1920 zu Berlin; deutscher Orchesterleiter und Komponist von Unterhaltungs- und Tanzmusik, studierte 1937–39 am Städtischen Konservatorium in Hannover und 1939–42 an der Musikhochschule in Berlin. Er gründete 1948 das RIAS-Tanzorchester. 1967 übernahm er das Tanzorchester des WDR in Köln. Als Komponist ist er mit Filmmusik, Orchesterwerken und Schlagern (*Nur die Ruhe*) hervorgetreten. M. hat über 2000 Schallplatten produziert.

+**Müller,** Wilhelm, 1794–1827.
Lit.: H. BRANDENBURG, Die »Winterreise« als Dichtung, in: Aurora XVIII, 1958; KL. G. JUST, W. M.s Liederzyklen »Die schöne Müllerin« u. »Die Winterreise«, Zs. f. deutsche Philologie LXXXIII, 1964, auch in: Übergänge, Bern 1966; M. J. E. BROWN, M.'s and Schubert's »Win-

terreise«, in: Essays on Music, hrsg. v. F. Aprahamian, London 1967; THR. G. GEORGIADES, Schubert. Musik u. Lyrik, Göttingen 1967; E. SCHWARMATH, Mus. Bau u. Sprachvertonung in Schuberts Liedern, = Münchner Veröff. zur Mg. XVII, Tutzing 1969; C. L. CLOUGHLY BAUMANN, The Life and Works of W. M., Diss. Northwestern Univ. (Ill.) 1970; A. P. COTTRELL, W. M.'s Lyrical Song-Cycles. Interpretations and Texts, = Studies in the Germanic Languages and Lit. LXVI, Chapel Hill (N. C.) 1970; N. REEVES, The Art of Simplicity. H. Heine and W. M., in: Oxford German Studies V, 1970; D. B. GREENE, Schubert's »Winterreise«. A Study in the Aesthetics of Mixed Media, The Journal of Aesthetics and Art Criticism XXIX, 1970/71; D. FISCHER-DIESKAU, Auf d. Spuren d. Schubert-Lieder, Wiesbaden 1971; J. SCHULZE, O Bächlein meiner Liebe. Zu einem unheimlichen Motiv bei Eichendorff u. W. M., in: Poetica IV, 1971. → +Schubert.

+**Willy Müller,** Süddeutscher Musikverlag.
Die Verlagsproduktion umfaßt Orchestermusik, Kammermusik (Erstausgaben von Barockmusik), Chormusik und geistliche Musik älterer und zeitgenössischer Autoren sowie Musikbücher und Unterrichtswerke. Als weitere Editionsreihen seien genannt: *Cantate e sonate* und *Laudate Dominum* für Chor sowie *Oberrheinische Musikblätter* für Laienorchester.

+**Müller von Asow,** –1) Erich Hermann (auch nur Müller), * 31. 8. 1892 zu Dresden, [erg.:] † 4. 6. 1964 zu Berlin. – +*Liebesbriefe berühmter Musiker* (1934, ²1942), Ffm. ³1962; +*The Letters and Writings of G.Fr.Handel* (1935), Nachdr. Freeport (N. Y.) 1970. – Das von ihm begonnene Werk +*R. Strauss. Thematisches Verzeichnis* (in Lieferungen 1955ff.) wurde von A. Ott und Fr. Trenner vollendet und herausgegeben (3 Bde, Wien 1959–74). An neueren Aufsätzen seien genannt: *J.Haydns Tod in zeitgenössischen Berichten* (in: Musikerziehung XII, 1958/59); *Beethovens Briefstil* (ÖMZ XVI, 1961); *H.Cohen, ein Lieblingsschüler Fr.Liszts* (ebd.); *R. Strauss und G.Verdi* (ebd.); *Fr.Chopin in Deutschland* (Chopin-Jb. 1963); *Katharina Müller-Ronneburger* (in: Genealogie XV, 1966).
–2) Hedwig, * 13. 1. 1911 zu Dresden. Sie wirkt seit 1967 als Musikepistolographin in Wien. Zusammen mit ihrem Mann veröffentlichte sie die Edition *The Collected Correspondence and Papers of Chr. W.Gluck* (London 1962) und schrieb den Beitrag *Frauen als Komponistinnen*. *Komponistinnen-Discographie* (in: Musikerziehung XV, 1961/62, gekürzt als *Komponierende Frauen*, Kgr.-Ber. Kassel 1962).
Lit.: zu –1): E. SCHENK in: Erasmus XVI, 1964, S. 321ff.

+**Müller-Blattau,** –1) Joseph Maria, * 21. 5. 1895 zu Colmar. An der Universität des Saarlandes wurde er 1964 emeritiert. Die +*Festgabe* zum 65. Geburtstag (hrsg. von W.Salmen, 1960) liegt in einer 2. erweiterten Auflage vor (Saarbrücken 1962); zu seinem 70. Geburtstag wurde er mit einer weiteren Festschrift geehrt (hrsg. von Chr.-H.Mahling, = Saarbrücker Studien zur Musikwissenschaft I, Kassel 1966). Als Sammlung verstreuter Schriften (z. T. umgearbeitet) erschien *Von der Vielfalt der Musik* (Freiburg i. Br. 1966, mit Schriftenverz.). – +*Grundzüge einer Geschichte der Fuge* (1923, ²1931), 3. erweiterte Aufl. als *Geschichte der Fuge*, Kassel 1963 [nicht: 1958]; +*Geschichte der Musik in Ost- und Westpreußen* (1931), 2. ergänzte Aufl. Wolfenbüttel 1968. – Weitere (neuere) Veröffentlichungen: *Vom Wesen und Werden der neueren Musikwissenschaft* (= Saarbrücker Universitätsreden III, Saarbrücken 1966); *Deutsche Lieder des Mittelalters* (mit H. Moser, Stuttgart 1968, Studienausg. 1971); *Die Fuge II. Von G.Fr.Händel bis zur Gegenwart* (= Das Musikwerk XXXIII, Köln 1968, auch engl.); *Goethe und die Meister der Musik. Bach, Händel, Mozart, Schubert* (Stuttgart 1969); *H.Pfitzner*

(Ffm. 1969); *Sehnsucht von Goethe, viermal komponiert von Beethoven* (in: Miscelánea . . ., Fs. H. Anglés II, Barcelona 1958–61); *A. Schweitzers Weg zur Bach-Orgel und zu einer neuen Bach-Auffassung* (in: A. Schweitzer, hrsg. von H. W. Bähr, Tübingen 1962); *Herzog Albrecht von Preußen und die Musik* (in: Studien zur Geschichte des Preußenlandes, Fs. E. Keyser, Marburg 1963); *Sänger als Interpreten* (in: Vergleichende Interpretationskunde, = Veröff. des Instituts für Neue Musik und Musikerziehung Darmstadt IV, Bln 1963); *Lothringische und pfälzische Volkslieder* (Jb. für Volksliedforschung IX, 1964); *Wiener Klassik und Wiener Volkstheater* (in: Volks- und Hochkunst in Dichtung und Musik, Tagungsber. Saarbrücken 1966); *Benda, Veichtner, Reichardt, Amenda. Zur Geschichte des nordostdeutschen Violinspiels in der Frühklassik* (in: Musik des Ostens IV, Kassel 1967); *Goethes Kantate zur Jubelfeier der Reformation (1817). Ein Beitrag zur Religiosität des späten Goethe* (Fs. W. Wiora, ebd.); *Eine Liedkantate von S. Dach und H. Albert* (in: Musa – Mens – Musici, Gedenkschrift W. Vetter, Lpz. 1970); *Goethes Weg zu Bach* (in: Speculum musicae artis, Fs. H. Husmann, München 1970); *Aus der Geschichte des elsässischen Volksliedes* (in: Musicae scientiae collectanea, Fs. K. G. Fellerer, Köln 1973). – Ausgaben: *+Die Kompositionslehre H. Schützens in der Fassung seines Schülers Chr. Bernhard* (= Habil.-Schrift 1922, erschienen 1926), Kassel ²1963; Bd V der *Verklingenden Weisen* von L. Pinck (mit A. Merkelbach-Pinck, ebd. 1962); *Pfälzische Volkslieder, mit ihren Singweisen gesammelt von G. Heeger und W. Wüst* (mit Fr. Heeger, = Veröff. der Pfälzischen Gesellschaft zur Förderung der Wissenschaften XLIV, Mainz 1963).
–2) **Wendelin**, * 16. 9. 1922 zu Freiburg im Breisgau. Er habilitierte sich 1966 mit einer Arbeit über *Tonsatz und Klanggestaltung bei G. Gabrieli* an der Universität des Saarlandes, wo er seitdem neben seiner Tätigkeit als Universitätsmusikdirektor lehrt (1971 Professor). Weitere Veröffentlichungen: *Melodietypen bei Neidhart von Reuental* (Fs. J. Müller-Blattau, = Annales Universitas Saraviensis IX, 1, Saarbrücken 1960, ²1962); *Untersuchungen zur Kompositionstechnik in den Oratorien G. Carissimis* (Mf XVI, 1963); *Chanson, Vaudeville und Air de cour* (in: Volks- und Hochkunst in Dichtung und Musik, Tagungsber. Saarbrücken 1966); *Klangliche Strukturen im Satzbau des Psalmus primus aus den »Sieben Bußpsalmen« von A. Gabrieli* (Fs. J. Müller-Blattau, = Saarbrücker Studien zur Musikwissenschaft I, Kassel 1966); *Zur Dissonanzbehandlung bei G. Gabrieli* (Kgr.-Ber. Lpz. 1966); *Der Humanismus in der Musikgeschichte Frankreichs und Deutschlands* (Fs. W. Wiora, Kassel 1967); *Das deutsche Volkslied im 19. Jh.* (Jb. des österreichischen Volksliedwerkes XX, 1971); *Versuche zur musikalischen Gestaltung des mittelalterlichen Liedes* (Zs. für deutsche Philologie XC, 1971).
Lit.: zu –1): W. Schwarz in: Musik u. Bildung II, 1970, S. 237.

Müller-Brunow, Bruno (eigentlich Bruno Müller), * 3. 11. 1853 und † 15. 12. 1890 zu Leipzig; deutscher Stimmbildner, war zuerst Schauspieler, studierte dann Gesang bei dem Tenor Ludwig Bär und war als geschätzter Gesangslehrer in Leipzig tätig. Er ist der Verfasser der Broschüre *Tonbildung oder Gesangsunterricht* (Lpz. 1890, ⁶1912), welche die Register der Singstimme in Frage stellt und zuerst die durch eine Anzahl seiner Schüler (L. C. Törsleff, Bruns-Molnar) propagierte Lehre vom »primären Ton« aufstellte.
Lit.: G. Hermann, M.-Br., Straßburg 1907.

Müller-Hermann, Johanna, * 15. 1. 1878 und † 19. 4. 1941 zu Wien; österreichische Komponistin und Musikpädagogin, studierte bei Nawrátil, Labor, G. Adler, v. Zemlinsky und J. B. Foerster und lehrte ab 1918 Musiktheorie am Neuen Wiener Konservatorium. Sie schrieb Orchesterwerke (*Heroische Ouvertüre* op. 21; *Symphonische Fantasie nach Ibsens Brand* op. 25; Symphonie D moll für Soli und Orch. op. 27), Kammermusik (Streichquintett op. 7; Klavierquintett op. 31; Streichquartett op. 6; Violinsonate op. 5; Violoncellosonate op. 17), Klavierwerke (Sonate op. 8), Chorwerke (Oratorium *In memoriam* für St. und Orch. op. 30, Text Walt Whitman; *Der sterbende Schwan* für Chor und Orch. op. 16; *Von Minnelob und Glaubenstreu* für Chor und Orch. op. 37) und Lieder.

+Müller-Kray, Hans [erg.:] (Johann) Albert, * 13. 10. 1908 zu Kray (heute Essen), [erg.:] † 30. 5. 1969 zu Stuttgart.
Ab 1958 leitete er, neben seiner Tätigkeit am Süddeutschen Rundfunk, die Kapellmeister- und Orchesterklasse der Stuttgarter Musikhochschule (1962 Professor).
Lit.: E. Schwarz, Konzert in Stuttgart, Esslingen am Neckar 1964, S. 28ff.; D. Schorr in: Das Orch. XVII, 1969, S. 317.

+Müller von Kulm, Walter, * 31. 8. 1899 zu Basel, [erg.:] † 3. 10. 1967 zu Arlesheim (Basel-Land).
Direktor an der Musik-Akademie (vormals Konservatorium) der Stadt Basel war M. v. K. bis 1964. – Er veröffentlichte u. a.: *Grundriß der Harmonielehre* (Basel 1948); *Bibel und Musik* (Schweizer musikpädagogische Blätter XLIII, 1955, auch in: Musik und Gottesdienst XIX, 1965); *Das Monochord im Musikunterricht* (ebd. XLIV, 1956); *Zum Nachwuchsproblem* (SMZ CI, 1961); *E. Ansermet als Musikphilosoph* (SMZ CIV, 1964); *Pestalozzis »Anschauungskunst« im Musikunterricht* (ebd.); *Über musikalische Erziehung* (SMZ CVII, 1967).
Lit.: Verz. d. Werke v. W. M. v. K., Zürich 1959. – E. Mohr in: SMZ C, 1960, S. 76ff.; R. Kelterborn, Dank an d. Lehrer, SMZ CIV, 1964; H. Oesch, Die Musik-Akad. d. Stadt Basel, Basel 1967.

+Müller-Lancé, Karl Heinz, * 22. 4. 1926 zu Essen.
Während seiner Wirkungszeit in Portugal widmete sich M.-L. dort auch der Restauration historischer Orgeln. 1962 wurde er Professor für Musik und Musikdidaktik an der Pädagogischen Hochschule in Freiburg i. Br.

Müller-Medek, Tilo → Medek, T.

+Müller(-Zürich), Paul, * 19. 6. 1898 zu Zürich.
M.-Z., Präsident des Schweizerischen Tonkünstlervereins 1960–63, unterrichtete 1927–69 am Konservatorium in Zürich auch Komposition und Dirigieren. – Sinfonia I C dur für Streichorch. op. +40 (1944), Sinfonia II E moll für Streichorch. und Fl. op. +53 (1953), 2. Violinkonzert op. +60 (1957) [del. bzw. erg. frühere Angaben]. – Neuere Werke: Sinfonietta I D dur op. 66 und II op. 68 für Orch. (beide 1964); Sonata für Streichorch. op. 72 (1968); Cellokonzert op. 55 (1954), Konzert für 2 V., Streichorch. und Cemb. op. 61 (1959); Quintett für junge Spieler für Klar., Fag., V., Vc. und Kl. op. 74 (1973), 2. Streichquartett op. 64 (1961), Trio für Fl., Klar. und Kl. op. 70 (1960), Capriccio für Fl. und Kl. (1973); 20 Choräle op. 58 (1955), 25 Choräle op. 63 (1960) und Passacaglia op. 65 (1962) für Org.; *Psalm 148* für gem. Chor und Orch. op. 67 (1964), *Wasser-Kantate* für T., Männerchor und Kl. op. 69 (1964), *Osternachtfeier* für gem. Chor, Org. und Bläser op. 73 (1971); zahlreiche Chöre.
Lit.: Werkverz., = Schweizerisches Musik-Arch. o. Nr, Zürich 1968. – E. de Stoutz in: SMZ XCVIII, 1958, S. 241ff.; H. Funk, P. M.s choralgebundene Orgelmusik, SMZ CI, 1961; Fr. Jakob, P. M., Biogr. u. Werk-

verz., = Neujahrsblatt d. Allgemeinen Musikges. Zürich CXLVII, Zürich 1963; R. WITTELSBACH in: SMZ CVIII, 1968, S. 150ff.

Müllerhartung, Carl, * 19. 5. 1834 zu Stadtsulza (Thüringen), † 11. 6. 1908 zu Berlin(-Charlottenburg); deutscher Musikpädagoge und Dirigent, studierte bei Friedrich Kühmstedt in Eisenach, war 1857–59 Theaterkapellmeister in Dresden, wurde dann als Nachfolger Kühmstedts Musikdirektor und Lehrer am Seminar in Eisenach (1864 Professor) und erhielt 1865 auf Empfehlung Liszts seine Berufung als Musikdirektor nach Weimar. 1872 gründete er in engem Kontakt mit Liszt die Großherzogliche Orchester- und Musikschule, die er bis 1902 leitete. Von seinen Kompositionen sind Orgelsonaten hervorzuheben, außerdem Psalmen, liturgische Chöre und Männerchöre. Von seinen Liedern wurde besonders *Thüringen, holdes Land* (Text Ernst V. Schellenberg) bekannt.
Lit.: H. PISCHNER, Musik u. Musikerziehung in d. Mg. Weimars, Weimar 1934; P. MICHEL, Zur Vorgesch., Gründung u. Entwicklung d. Hochschule, Fs. d. Fr.-Liszt-Hochschule, ebd. 1956.

+Münch [–1) Ernst], –2) Fritz, * 2. 6. 1890 zu Straßburg, [erg.:] † 10. 3. 1970 zu Niederbronn-les-Bains (Bas-Rhin). Er war Direktor des Straßburger Konservatoriums bis 1961.
–3) Charles (eigentlich Carl; Munch), * 26. 9. 1891 zu Straßburg, [erg.]: † 6. 11. 1968 zu Richmond (Va.). Das Boston Symphony Orchestra leitete er bis 1962 und ab 1967 das neugegründete Orchestre de Paris. Von den zahlreichen Ehrungen, die ihm zuteil wurden, sei die Verleihung der Ehrendoktorwürde durch verschiedene amerikanische Universitäten (u. a. Boston und Harvard University/Mass.) genannt. – *+Je suis chef d'orchestre* (1954), engl. NY 1955, nld. Leiden 1955, deutsch als *Ich bin Dirigent*, Zürich 1956, russ. Moskau 1965.
–4) Hans [erg.:] (Johann) Sebastian, * 9. 3. 1893 zu Mülhausen. Die Basler Liedertafel leitete er 1925–65, die Abonnementskonzerte der Allgemeinen Musikgesellschaft Basel bis 1966; als Leiter des Basler Gesangvereins und als Gastdirigent ist er weiterhin tätig. Er komponierte ferner 2 Kantaten (für S., Bar., gem. Chor und Orch., Gryphius, 1949; für Bar., Männerchor und Orch., C.F.Meyer, 1952), eine Symphonie (1951) sowie *Symphonische Improvisationen* für Orch. (1971). – Sein Bruder Eugen Gottfried M., * 3. 5. 1888 zu Mülhausen, † 24. 6. 1944 zu Straßburg [erg. frühere Angabe].
Lit.: zu –3): H. STODDARD, Symphony Conductors of the USA, NY 1957. – zu –4): H. OESCH, Die Musik-Akad. d. Stadt Basel, Basel 1967; A. MÜRY in: SMZ CXIII, 1973, S. 86f.

+Münch-Holland, Hans Rudolph, * 15. 1. 1899 zu Bern, [erg.:] † 7. 12. 1971 zu Lemgo (Nordrhein-Westfalen).
M.-H., bis 1964 Professor und zeitweise stellvertretender Direktor an der Nordwestdeutschen Musikakademie Detmold, zu deren Begründern er zählte, war neben seiner solistischen Konzerttätigkeit auch lange Jahre Mitglied bedeutender Kammermusikvereinigungen (u. a. Trio mit Fr.Busch und M. Strub, Strub-Quartett, Kehr-Streichtrio). Er schrieb den Beitrag *Methodik am Streichinstrument* (in: Musik im Unterricht, Allgemeine Ausg. XLVIII, 1957).

Münchheimer, Adam → +Minchejmer, A.

+Münchinger, Karl, * 29. 5. 1915 zu Stuttgart.
Neben dem Stuttgarter Kammerorchester, mit dem er zahlreiche Tourneen in Europa (1973 Sowjetunion) so-

wie im außereuropäischen Ausland unternahm (u. a. Nord- und Südamerika, Israel, Persien, Japan), leitet er seit 1966 die von ihm gegründete Klassische Philharmonie Stuttgart. Seit 1970 verbinden ihn regelmäßige Verpflichtungen auch mit dem Südfunk-Sinfonieorchester des Süddeutschen Rundfunks in Stuttgart. 1954 wurde ihm der Professorentitel verliehen.
Lit.: E. SCHWARZ in: Das Orch. V, 1961, S. 5ff.; DERS., Konzert in Stuttgart, Esslingen am Neckar 1964, S. 36ff.

+Münnich [–1) Rudolf], –2) Richard, * 7. 6. 1877 zu Berlin(-Steglitz), [erg.:] † 4. 7. 1970 zu Weimar.
M. wurde 1951 emeritiert, behielt jedoch bis 1964 einen Lehrauftrag an der Fr.-Liszt-Hochschule in Weimar, von der er 1957 zum Ehrensenator ernannt wurde. – Sein →Jale-System mit Tonsilben, Handzeichen und Rhythmussilben verbindet die Vorteile der Tonica-Do-Methode mit denen des Eitzschen →Tonwortes [erg. frühere Angaben dazu]. – Weitere Veröffentlichungen: *Die Suite* (= Musikalische Formen in historischen Reihen o. Nr, Bln 1934, neu bearb. von H.W. Schmidt, Wolfenbüttel 1958); *E. Th. A. Hoffmann, Musikalische Novellen und Schriften nebst Briefen und Tagebuchaufzeichnungen* (mit Anm. von M., = G.Kiepenheuer-Bücherei XVII, Weimar 1961); *D. Diderot, Rameaus Neffe* (in der Übers. von Goethe, ebd. XXIII, 1964).
Lit.: H. FISCHER in: Musik im Unterricht (Allgemeine Ausg.) XLVIII, 1957, S. 232f.; H. GROSSMANN in: MuG VII, 1957, S. 352f.; DERS. in: Musik in d. Schule XXI, 1970, S. 468f.; A. KRAUSS, ebd. VIII, 1957, S. 159ff., u. XVIII, 1967, S. 210ff.; R. GÜNTHER in: Musik u. Bildung III, 1971, S. 44.

Münster, Robert, * 3. 3. 1928 zu Düren (Rheinland); deutscher Musikforscher und Bibliothekar, studierte an der Universität München, wo er 1956 mit einer Dissertation über *Die Sinfonien Toeschis. Ein Beitrag zur Geschichte der Mannheimer Sinfonie* promovierte. Er war 1957–59 Assistent in der Editionsleitung der Neuen Mozart-Ausgabe und ist seit 1959 an der Bayerischen Staatsbibliothek in München tätig, an der er 1969 die Leitung der Musiksammlung übernahm (1970 Bibliotheksdirektor). M. ist Mitherausgeber der Schallplattenreihe *Musica Bavarica* mit Musik des 18. Jh. aus bayerischen Städten und Klöstern. Er veröffentlichte: *Thematischer Katalog der Musikhandschriften der ehemaligen Klosterkirchen Weyarn, Tegernsee und Benediktbeuren* (mit R. Machold, = Kat. bayerischer Musiksammlungen [I], München 1969); *R.Dedler (1779–1822). Ein Lebensbild des Komponisten der Oberammergauer Passionsmusik* (ebd. 1970); *C. Orff. Das Bühnenwerk* (= Ausstellungskat. der Bayerischen Staatsbibliothek X, ebd. 1970); *Musik in Bayern I. Bayerische Musikgeschichte* (mit H.Schmid, Tutzing 1972, darin von ihm selbst *Die Musik in den bayerischen Klöstern seit dem Mittelalter* und *Das kurfürstliche München*); zahlreiche Aufsätze (überwiegend zu Mozart, der Mannheimer Schule und der Musik in den bayerischen Klöstern) u. a. für »Musica«, Mf, »Acta Mozartiana« und Mozart-Jb.; Artikel für MGG und NDB. M.s Wirken erstreckt sich auch besonders auf das Gebiet der Edition älterer Musik (u. a. Werke von Boccherini, Chr.Cannabich, Danzi, Mysliveček, C. G. Toeschi, P. v. Winter).

Münzer, Stephan → Monetarius, St.

Müren, Zeki, * 6. 12. 1931 zu Bursa; türkischer Sänger, erregte bereits als Gymnasiast in Istanbul mit seiner außerordentlich schönen Tenorstimme Aufsehen. Nach Studien an der Güzel Sanatlar Akademisi (»Akademie der Schönen Künste«) in Istanbul bei Şerif Içli, Refik Fersan u. a. avancierte er zum Starsänger der heu-

tigen Türkei in Konzerten, Filmen und auf Schallplatten. Seine eigenen Kompositionen sind nicht frei von stilistischer Unsicherheit und Sentimentalität.
Lit.: M. Rona, Yirminci yüzyıl türk musıkisi (»Die türkische Musik im 20. Jh.«), Istanbul 1970.

+Müthel, Johann Gottfried, 1728 – [erg.: 14. 7.] 1788.
Ausg.: Sonaten B dur (mit 6 Variationen) u. C dur, hrsg. v. L. Hoffmann-Erbrecht, = Organum V, 29 bzw. 33, Lippstadt 1961–64; Concerto C dur f. Fag. u. Kammerorch., hrsg. v. H. Wollheim, Bln 1963; eine Fantasia in: P. Schleuning, Die Fantasie I, = Das Musikwerk XLIII, Köln 1971.
Lit.: L. Hoffmann-Erbrecht, Sturm u. Drang in d. Klaviermusik v. 1753–63, Mf X, 1957; W. Reich, J. S. Bach u. J. G. M., Zwei unbekannte Kanons, Mf XIII, 1960, vgl. dazu E. Stam in: Mf XXI, 1968, S. 317ff.; W. Salmen, J. G. M., d. letzte Schüler Bachs, Fs. H. Besseler, Lpz. 1961; E. Kemmler, Zur Biogr. J. G. M.s, in: Musik d. Ostens II, 1963; ders., J. G. M. u. d. nordostdeutsche Musikleben seiner Zeit, = Wiss. Beitr. zur Gesch. u. Landeskunde Ost-Mitteleuropas LXXXIII, Marburg 1970; R. G. Campbell, J. G. M., 2 Bde, Diss. Indiana Univ. 1966.

+Muffat, –1) Georg, 1653–1704. G. M. ging wahrscheinlich 1663 [nicht: 1672] für 6 Jahre nach Paris. 1669 ist er als Schüler des Jesuitenkollegs von Schlettstadt, dann 1671 am Jesuitenkolleg von Molsheim nachgewiesen. Hier wurde er 1671 Organist der Pfarrkirche und blieb in dieser Stellung vermutlich bis 1674, als ihn die Kriegsereignisse vertrieben. Das nächste sichere Datum ist M.s Immatrikulation an der Universität Ingolstadt (27. 11. 1674). – Eine Generalbaßlehre *Regulae concentuum partiturae* (1699) ist handschriftlich in Wien (Minoritenkonvent I B 7) erhalten.
–2) Gottlieb, 1690 – 9. [nicht: 10.] 12. 1770. Erster Hoforganist wurde er 1741 [nicht: 1751]. Der Bruder Franz Georg Gottfried, 1681 – 1710 [nicht: 1701].
Ausg.: zu –1): +Apparatus musico-organisticus (S. de Lange, 1888), Neudr. Lpz. 1959; +dass. (R. Walter, = Süddeutsche Orgelmeister d. Barock III, 1957), Altötting ²1968. – eine Anzahl Orch.-Ouvertüren aus d. »Florilegium«, hrsg. v. G. Darvas in d. Reihe »Diletto mus.«, Wien 1968ff.; Sonata D dur, f. V. u. Kl. hrsg. v. W. Kolneder, = V.-Bibl. XXII, Mainz 1969; 2 Suiten aus d. »Blumenbüschlein« f. 4 oder 5 St. (Streich- oder Blasinstr. u. B. c.), hrsg. v. W. Woehl, = HM CCXII, Kassel 1972. – An Essay on Thoroughbass, engl. Übers. d. »Regulae concentuum partiturae«, übers. u. hrsg. v. H. Federhofer, = MSD IV, (Rom) 1961; G. M.'s Observations on the Lully Style on Performance, übers. v. K. Cooper u. J. Zsako, MQ LIII, 1967 (Übers. aus d. »Florilegium« II, 1698). – zu –2): Toccata, Fuge u. Capriccio, hrsg. v. Fr. W. Riedel, = Die Org. II, 8, Lippstadt 1958; 6 Toccaten u. Capriccios, hrsg. v. dems., ebd. II, 10–13, 1958–60; 12 Praeludien u. 6 Fugen, hrsg. v. dems., ebd. II, 16–17, 1961; 2 Pastorell-Fugen u. ein Alleluia, in: Die Org. im Kirchenjahr I–II, hrsg. v. E. Kraus, = Cantantibus organis I bzw. VIII, Regensburg 1958–62; Sonata pastorale f. 2 V. u. B. c., hrsg. v. H. M. Kneihs, = Diletto mus. Nr 470, Wien 1970. – 12 Toccaten u. 72 Versetl. Faks. d. Ausg. Wien 1726, = MMMLF I, 18, NY 1967.
Lit.: H. Federhofer u. Fr. W. Riedel in: MGG IX, 1961, Sp. 915ff. bzw. 919ff. – zu –1): R. T. Gore, The Instr. Works of G. M., Diss. Univ. of Rochester (N. Y.) 1956; H. Federhofer, Biogr. Beitr. zu G. M. u. J. J. Fux, Mf XIII, 1960; ders., Ein Salzburger Theoretikerkreis, AMl XXXVI, 1964; A. Layer, G. M.s Ausbildungsjahre bei d. Jesuiten, Mf XV, 1962, vgl. dazu H. Federhofer, ebd. S. 367ff.; Y. Tokumaru, »G. M. in the Hist. of the Concertos«, in: Bigaku XIII, 1962 (japanisch); D. D. Boyden, The Hist. of V. Playing . . ., London 1965, revidiert ebd. 1967, deutsch als: Die Gesch. d. Violinspiels v. seinen Anfängen bis 1761, Mainz 1971; W. Kolneder, G. M. zur Aufführungspraxis, = Slg mw. Abh. L, Baden-Baden 1970; Cr. A. Monson, Eine neuentdeckte Fassung einer Toccata v. M., Mf XXV, 1972; S. Harris,

Lully, Corelli, M. and the 18th-Cent. Orchestral String Body, ML LIV, 1973. – zu –2): L. Hoffmann-Erbrecht, Deutsche u. ital. Klaviermusik zur Bachzeit, = Jenaer Beitr. zur Musikforschung I, Lpz. 1954; G. Gellrich, M. in Händels Werkstatt, Mf XIII, 1960; Fr. W. Riedel, Der Einfluß d. ital. Klaviermusik d. 17. Jh. auf d. Entwicklung d. Musik f. Tasteninstr. in Deutschland während d. ersten Hälfte d. 18. Jh., in: Analecta musicologica V, 1968; S. Wollenberg, Handel and G. M., A Newly Discovered Borrowing, MT CXIII, 1972.

Mugnone (muɲ'o:ne), Leopoldo, * 29. 9. 1858 zu Neapel, † 22. 12. 1941 zu Capodichino (bei Neapel); italienischer Dirigent und Komponist, Schüler von B. Cesi und Paolo Serrao in Neapel, komponierte bereits mit 12 Jahren die Oper *Il dottor Bartolo Salsapariglia* (Neapel 1870) und begann seine Dirigentenlaufbahn 1874 am Teatro La Fenice in Venedig; ab 1875 war er Chordirektor am Teatro Nuovo und ab 1877 am Teatro dei Fiorentini. Bald dirigierte er an den bedeutendsten Opernhäusern in Italien, England, Frankreich und den USA. Für den Verlag Sonzogno leitete er Opernstagioni. Er dirigierte u. a. die Uraufführungen von Mascagnis *Cavalleria rusticana*, Verdis *Falstaff* und Puccinis *Tosca*. Als Konzertdirigent setzte er sich vor allem für zeitgenössische italienische Komponisten ein. M. komponierte Opern (*Il birichino*, Venedig 1892; *Vita brettone*, Neapel 1905) und mehrere Operetten für das Ensemble der Schauspielerin Fanny Sadowska.

Muḥammad ʿUṯmān, * 1855 zu Kairo, † 19. 12. 1900 zu Sūhāǧ; arabischer Sänger; neben seinem Konkurrenten ʿAbduh (→ ʿAbdʾal)-Ḥāmūlī der namhafteste ägyptische Musiker in der 2. Hälfte des 19. Jh., war Sohn eines Lehrers an einer Kairoer Moschee, arbeitete zunächst in einer Metallwerkstatt und wurde dann durch Unterstützung seines Vaters von guten Musikern, darunter al-Mansī al-Kabīr (»al-Mansī der Ältere«) in Gesang, Lautenspiel und Theorie ausgebildet. Nach erfolgreichem Start im Orchester (taḫt) des ʿAlī ar-Rašīdī gründete er ein eigenes Orchester, wurde durch seinen persönlichen Gesangsstil schnell bekannt, verlor aber durch Krankheit seine Stimme und beschränkte sich von da an auf das Komponieren. Im daur (»Zyklus«), der mehrsätzigen ägyptischen Großform, führte er Neuerungen ein, die sich durchsetzten und bis heute Schule gemacht haben. M. ʿU. hat über 50 bekannte Stücke dieser daur-Form hinterlassen.
Lit.: M. K. al-Ḫulaʿī, al-Mūsīqī aš-šarqī (»Die orientalische Musik«), Kairo 1904; Q. Rizq, al-Mūsīqā aš-šarqīya wa-l-ǧinā' al-ʿarabī (»Orientalische Musik u. arabische Gesangskunst«), Bd I, ohne d. o. J. [nach 1932]; M. A. al-Ḥifnī, Saiyid Darwīš, ebd. 1955; A. Abu l-Ḫidr Mansī, al-Aġānī wa-l-mūsīqā aš-šarqīya bain al-qadīm wa-l-ḥadīṯ (»Orientalische Lieder u. Musik in alter u. neuer Zeit«), ebd. ²1966; M. M. Sāmī Ḥafiz, Taʾrīḫ al-mūsīqī wa-l-ǧinā' al-ʿarabī (»Gesch. d. arabischen Musik u. Gesangskunst«), ebd. 1971, S. 228ff.; H. H. Touma, Die Musik d. Araber im 19. Jh., in: Musikkulturen Asiens, Afrikas u. Ozeaniens im 19. Jh., hrsg. v. R. Günther, = Studien zur Mg. d. 19. Jh. XXXI, Regensburg 1973.

Muḫāriq ibn Yaḥyā Abu l-Muhannā', † um 845 zu Bagdad; arabischer Sänger, Sohn eines Metzgers aus Medina oder Kufa, kam durch glückliche Umstände bei Ibrāhīm →+al-Mauṣilī in die Lehre, der ihn bald als seinen Lieblingsschüler bezeichnete. Nach Auftritten in der Bagdader Aristokratie wurde er Hofsänger unter Hārūn ar-Rašīd (786–809) und blieb es bis zum Kalifen →al-Wāṯiq bi-llāh (842–847), der ihn dadurch auszeichnete, daß er seine eigenen Kompositionen vortragen ließ. Als Anhänger der Schule von Ibrāhīm ibn →+al-Mahdī pflegte er den persisch beeinflußten Modestil seiner Zeit. Die Sammlung seiner Lieder(texte mit musikalischen Angaben) war noch im 10. Jh. bekannt.

Lit.: Abu n-Naṣr al-Fārābī, Kitāb al-Mūsīqī al-kabīr (»Großes Buch d. Musik«), frz. Übers. v. R. D'ERLANGER, in: La musique arabe I, Paris 1930, S. 12; Ibn ʿAbd Rabbih, al-ʿIqd al-farīd, engl. Übers. d. Musikkap. v. H. G. FARMER als: Music, the Priceless Jewel, Journal of the Royal Asiatic Soc. 1941; Abu l-Faraǧ al-Iṣfahānī, Kitāb al-Aǧānī al-kabīr (»Großes Buch d. Lieder«), Bd XXI, hrsg. v. R. BRÜNNOW, Leiden 1888; Ibn Ḫallikān, Wafayāt al-aʿyān, engl. Übers. v. MAC GUCKIN DE SLANE als: Ibn Khallikan's Biogr. Dictionary, Bd I, Paris 1842, Nachdr. NY 1961 u. Beirut 1970; H. G. FARMER, A Hist. of Arabian Music to the XIIIᵗʰ Cent., London 1929, Nachdr. 1967; DERS., Artikel M., EI Suppl.; O. RESCHER, Abriß d. arabischen Literaturgesch. II, Stuttgart 1933; A. KUTZ, Mg. u. Tonsystematik, = Neue deutsche Forschungen, Abt. Mw. XI, Bln 1943, S. 345 u. 347; E. NEUBAUER, Musiker am Hof d. frühen ʿAbbāsiden, Diss. Ffm. 1965 (mit weiteren Quellen).

+Mul, Jan [erg.:] (Johannes) Nicolaas, * 20. 9. 1911 und [erg.:] † 30. 12. 1971 zu Haarlem.

Organist und Chorleiter in Overveen war M. bis 1960; anschließend unterrichtete er Komposition und Theorie am Konservatorium in Maastricht. – Die Orchestrierung der +Klaviersonate (1940) zählt als +Sinfonietta (1957). – Neuere Werke: Oper *Bill Clifford* (1964); *Ik, Jan Mul* (1965) und *Confetti musicali* für Orch.; Konzert für Kl. 4händig und kleines Orch. (1962), Divertimento für Kl. und Orch. (1967), *Balladino* für Vc. und Orch. (1968); Trio für 2 V. und Kb. (1969); *Les Donemoiselles* für Kl. (1968); weitere kirchenmusikalische Werke. M. instrumentierte S.Dresdens nachgelassene Oper *François Villon* (Holland Festival 1958) und Sweelincks Variationen über »Mein junges Leben hat ein End«. Er veröffentlichte eine Reihe von Beiträgen besonders in »Mens en melodie«.

Lit.: H. ANDRIESSEN in: Sonorum speculum 1961, Nr 8, S. 2ff.; G. WERKER in: Mens en melodie XIX, 1964, S. 265ff., engl. u. deutsch in: Sonorum speculum 1964, Nr 21, S. 41ff. (zu »Bill Clifford«); W. PAAP, De propriumgezangen v. J. M., in: Mens en melodie XXVI, 1971, DERS. in: Gregoriusblad XCVI, 1972, S. 2ff.; H. L. PRENEN in: Mens en melodie XXVII, 1972, S. 47ff.

+Mulder, Ernest Willem, * 21. 7. 1898 und [erg.:] † 12. 4. 1959 zu Amsterdam.

Mule (myl), Marcel, * 24. 6. 1901 zu Aube (Orne); französischer Saxophonist, studierte Klarinette und Saxophon bei seinem Vater. Er war 1923–36 Angehöriger der Musique de la Garde Républicaine, bei der er ein Saxophonquartett gründete, das sich ab 1952 Quatuor de Saxophones M. Mule nannte. 1942 wurde er Lehrer der neueingerichteten Saxophonklasse am Pariser Conservatoire. M. ist der Gründer der klassischen französischen Saxophonschule.

+Mulligan, Gerry (Gerald Joseph), * 6. 4. 1927 zu New York.

M., der auch als Pianist (1965–66 gelegentlich auch als Klarinettist) und Komponist (*Apple Core, Bweebida Bwobbida, Line for Lyons* und *Nights of the Turntable*) hervorgetreten ist, gründete 1960 seine »Concert Jazz Big Band«, mit der er auch Europa besuchte. 1966 bildete er wieder eine kleine Combo und arbeitet seitdem u. a. mit Bill Holman zusammen. – In der Salle Pleyel in Paris gab M. 1954 Konzerte mit Bob Brookmeyer (Ventilposaune), Red Mitchell (Kontrabaß) und Frank Isola (Schlagzeug), die auch auf Schallplatte (Vogue) festgehalten wurden (u. a. *The Lady is a Tramp, Bernie's Tune, Walkin' Shoes* und *Moonlight in Vermont*). Während der Europatourneen 1971 und 1972 spielte M. u. a. zusammen mit Dave Brubeck in der Berliner

Philharmonie (Fernsehaufzeichnung, Schallplattenmitschnitt für CBS).

Lit.: J. GR. JEPSEN, G. M., Kopenhagen 1957 (Diskographie); DERS., Discography of Lee Konitz / G. M. (1949–60), Brande (Dänemark) 1960. – J. TRACY, Says G. M., »Get Rid of the Amateurs«, in: down beat XXIX, 1956; A. MORGAN u. R. HORRICKS, G. M., = Jazz Information III, London 1958; M. HARRISON in: These Jazzmen of Our Time, hrsg. v. R. Horricks, = Jazz Book Club XXVII, ebd. 1960, S. 68ff.; R. G. REISNER, The Jazz Titans, Garden City (N. Y.) 1960; J. GOLDBERG, Jazz Masters of the Fifties, = Jazz Masters I, NY u. London 1965; A. MATZNER u. I. WASSERBERGER in: Jazzové profily, Prag 1969, S. 262ff.

+Mulliner, Thomas, 16. Jh.

Ausg.: +The M. Book (D. STEVENS, 1951), revidierte 2. Aufl. London 1954.

Lit.: J. WARD, Les sources de la musique pour le clavier en Angleterre, in: La musique instr. de la Renaissance, hrsg. v. J. Jacquot, Paris 1955; D. STEVENS in: MGG IX, 1961, Sp. 926ff.; W. APEL, Gesch. d. Org.- u. Klaviermusik bis 1700, Kassel 1967, engl. revidiert v. H. Tischler, Bloomington (Ind.) 1972.

Mumma (mʼumə), Gordon, * 30. 3. 1935 zu Framingham (Mass.); amerikanischer Komponist, studierte Klavier und Horn an der University of Michigan in Ann Arbor und begann 1954 mit der Komposition Elektronischer Musik. 1957 entwickelte er zusammen mit Robert Ashley und Milton Cohen das mit Elektronischer Musik und Projektionen arbeitende Multimedia-Experiment »Manifestations: Light and Sound«, später »Space Theatre« genannt (Biennale Venedig 1964). Bei Gemeinschaftskompositionen und Intermedia-Veranstaltungen arbeitete er u. a. mit Cage und D.Tudor zusammen. M. war Mitbegründer des Cooperative Studio for Electronic Music (1958) und Mitdirektor des ONCE Festival (1960–63) in Ann Arbor. Als Gastlektor wirkte er an verschiedenen amerikanischen Universitäten und Instituten, seit 1966 auch als Komponist und ausübender Musiker bei der Merce Cunningham Dance Company und der Sonic Arts Union in New York. Allein und mit Gruppen unternahm er Konzertreisen durch mehrere europäische und südamerikanische Länder sowie nach Japan und dem Iran. – Kompositionen (Auswahl): *Vectors* für Tonband (1959); *Densities* für Tonband (1959); Sinfonia für 12 Instr. und Tonband (1958–60); *Mirrors* für Tonband (1960); *Meanwhile, a Twopiece* für Schlagzeug und Tonband (1961); *Epoxy* für Tonband (1962); *Very Small Size Mograph 1962* für beliebige Anzahl von Kl. und Ausführenden; *Medium Size Mograph 1962* für Kl. und beliebige Anzahl von Ausführenden; *Large Size Mograph 1962* für Kl.; *Megaton for W. Burroughs* für 10 »electronic, acoustical and communications channels« (1963); *Medium Size Mograph 1963* für Cybersonic piano mit 2 Spielern; *Very Small Size Mograph 1964* für Kl. 4händig; *Music for the Venezia Space Theatre* für Tonband (1964); *Small Size Mograph 1964* für Kl. 4händig; *The Dresden Interleaf 13 February 1945* für Tonband (1965); *Le Corbusier* für Orch., Org., Tonband und Cybersonic concertante (1965); *Horn*, Elektronische Musik für Waldhorn und Cybersonic consoles (1965); *Mesa*, Elektronische Musik für Cybersonic bandoneon (1966); *Diastasis, as in Beer* für 2 Cybersonic guitars (1967); *Hornpipe*, Elektronische Musik für Cybersonic french horn (1967); *Swarmer* für V., Concertina, Säge und Cybersonic modification (1968); *Assemblage*, Stereo film soundtrack (mit Cage und Tudor, 1969); *Digital Process with Poem Field* für Tonband mit Digital control circuitry und neun 16-mm-Filmprojektoren (mit Stan Van Der Beek, 1969); *In* *me(mor I amric)H(ardma)X-field* für Tonband (1969); *Telepos* für Tänzer mit »telemetry belts and accelerometers« (1971); *Phenomenon Unarticulated* für frequenzmodulierte Ultraschall-Oszillatoren (1972); *Ambivex* für »Surrogate myoelectrical telemetering system with pairs of performing appendages« (1972). – Von seinen Veröffentlichungen seien genannt: *An Electronic Music Studio for the Independent Composer* (Journal of the Audio Engineering Society XII, 1964); *Four Sound Environments for Modern Dance* (in: Impulse, The Annual of Contemporary Dance 1967); *The ONCE Festival and How It Happened* (in: Arts in Society IV, 1967); *A Report on Tape Recorders* (Electronic Music Rev. 1968, Nr 6); *A Brief Introduction to the Sound Modifier Console* (in: E. A. T. Pepsi-Cola Pavilion. A Technical Description, NY 1970); *From Decade 6, Tour Process, Years 6–9* (in: J. Cage, hrsg. von J. Bekaert, Brüssel 1970); *Live Electronic Music* (in: Introduction to Electronic Music, hrsg. von J. Appleton und R. Perera, Englewood Cliffs/N. J. 1972); *Home Canning: Guerilla Facility* (in: E. Schwartz, Electronic Music Guide, NY 1973).

†al-Munaǧǧim, arabische Gelehrtenfamilie persischer Herkunft (Astronomen, Hofgesellschafter, Dichter, Literaten, Musiker und Musiktheoretiker) in Bagdad über 4 Generationen hin zur Zeit der frühen ʿAbbāsiden; hervorzuheben sind: –1) ʿAlī ibn Yaḥyā, Abu l-Ḥasan, * 816 zu Bagdad, † 886 zu Samarra; Gesellschafter am Hofe von al-Mutawakkil (847–861) bis zu al-Muʿtamid (870–892), Schüler von Isḥāq →†al-Mauṣilī, dessen Biographie er schrieb und dessen Bücher er tradierte. Für seine bedeutende Bibliothek wurden Bücher aus dem Griechischen übersetzt und arabische Traktate über Musik verfaßt. Auf ihn geht eine Rezension der »Auswahl der 100 (besten) Lieder« zurück, die u. a. von Ibrāhīm →†al-Mauṣilī für Hārūn ar-Rašīd zusammengestellt worden war, und die Abu l-Faraǧ →†al-Iṣfahānī seinem *Kitāb al-Aǧānī al-kabīr* (»Großes Buch der Lieder«) zugrunde gelegt hat. –2) Yaḥyā ibn ʿAlī, Abū Aḥmad, * 856, † 912 wohl zu Bagdad, Sohn von ʿAlī ibn Yaḥyā, Hofgesellschafter, Theologe und Dichter. Unter seinen Schriften befand sich ein *Kitāb an-Naǧam* (»Buch über die Tongeschlechter«), das vielleicht mit der erhaltenen *Risāla fi l-mūsīqī* (»Abhandlung über die Musik«) identisch ist, in der er die Ton- und Modusterminologie von Isḥāq al-Mauṣilī und seiner Schule, der »aṣḥāb al-ǵinaʾ al-ʿarabī« (‚Anhänger der traditionellen arabischen Musik') erläutert und sie den Anschauungen der »aṣḥāb al-mūsīqī« (‚Anhänger der griechischen Musiktheorie') gegenüberstellt. Ausg.: Risālat Y. ibn al-M. fi l-mūsīqī (»Die Abh. v. Y. ibn al-M. über d. Musik«), hrsg. v. Zakarīyāʾ Yūsuf, Bagdad 1964; dass. unter d. Titel »Kitāb an-Naǧam« hrsg. v. Muḥammad Baḥǵat al-Aṯarī, in: Maǧalla al-maǵmaʿ al-ʿilmī al-ʿirāqī (»Zs. d. Irakischen wiss. Ges.«) I, (ebd.) 1950; H. G. Farmer, The Song Captions in the »Kitāb al-āghānī al-kabīr«, Transactions of the Glasgow Univ. Oriental Soc. XV, 1955 (Auswertung d. Traktats). Lit.: H. G. Farmer, A Hist. of Arabian Music to the XIIIth Cent., London 1929, Nachdr. 1967; ders. in: EI IV, 1934, S. 1244f.; †ders., The Sources of Arabian Music (1940), revidiert Leiden 1965, Nr 58–59 u. 143–144; H. az-Ziriklī, al-Aʿlām, 10 Bde, Damaskus ²1954–59 (arabisches biogr.-bibliogr. Lexikon); ʿU. R. Kaḥḥāla, Muʿǧam al-muʾallifīn, 15 Bde, ebd. 1957–61 (Lexikon arabisch schreibender Autoren); E. Neubauer, Musiker am Hof d. frühen ʿAbbāsiden, Diss. Ffm. 1965; O. Wright, Ibn al-Munajjim and the Early Arabian Modes, GSJ XIX, 1966. ENe

†Mundy, –1) William, um 1529–1591(?). –2) John, um 1550/54 – 29. 6. (begraben 30. 6.) 1630 zu Eton [del. bzw. erg. frühere Angaben].

Ausg.: zu –1): Lat. Antiphons and Psalms, hrsg. v. Fr. Ll. Harrison, = Early Engl. Church Music II, London 1963; Motette »O Lord, the Maker of All Things«, hrsg. v. P. Le Huray, ebd. 1970. – zu –2): †The Fitzwilliam Virginal Book (J. A. Fuller Maitland u. W. B. Squire, 1899), Nachdr. NY 1963; †The Mulliner Book (D. Stevens, 1951), revidierte 2. Aufl. London 1954; †The Triumphes of Oriana (E. H. Fellowes, = EMS XXXII), revidiert v. Th. Dart, = The Engl. Madrigalists XXXII, ebd. 1963. – Songs and Psalms Composed into 3, 4 and 5 Parts (1594), nach d. (unvollständigen) Ausg. v. E. H. Fellowes (= EMS XXXV) revidiert u. vervollständigt v. Th. Dart u. Ph. Brett, ebd. XXXV, 1961. Lit.: zu –1): H. Baillie, A London Church in Early Tudor Times, ML XXXVI, 1955. – zu –2): †E. H. Fellowes, The Engl. Madrigal Composers (1921, ²1948), Nachdr. London 1958; ders., The Engl. Madrigal Verse 1588–1632, ebd. 1920, ²1929, 3. Aufl. revidiert u. erweitert v. Fr. W. Sternfeld u. D. Greer, Oxford 1967; P. Le Huray, Music and the Reformation in England 1594–1660, = Studies in Church Music o. Nr, London u. NY 1967.

[del.:] **Munkittrick,** Richard Lansdale → Talbot, Howard.

Muñoz (muɲˈɔθ), Ricardo, * 4. 11. 1887 zu Sevilla, † 24. 8. 1967 zu Buenos Aires; argentinischer Gitarrenspezialist spanischer Herkunft, studierte bei Justo T. Morales, Hilarión Lelou und María Luisa Anido und widmete sich ab 1935 technologischen Untersuchungen von Gitarren. 1939 konstruierte er den Vibrografómetro für Messungen akustischer Schwingungen, 1940 den Calibrador de precisión für Messungen am Resonanzboden und den Impulsador constante zur Erreichung eines zeitlich genauen Anschlags auf den Instrumenten. Gitarren nach seinen Forschungen bauten u. a. Pater J. Manuel Luna in Mexiko und Odon Bittermann. In Buenos Aires gründete M. die Asociación Guitarrística Argentina (1934) und die Escuela Nacional del Luthier. Er war Mitarbeiter bei Spezialzeitschriften (»La chitarra«, Mailand; »L'arte chitarristico«, Modena; »Guitar News«, London) und veröffentlichte (Erscheinungsort Buenos Aires): *Historia de la guitarra* (2 Bde, 1930); *La psico-pedagogía en la guitarra* (1936); *Identificaciones vibrométricas* (1941); *Tecnología de la guitarra argentina* (1953); *Observaciones cordales guitarrescas* (1958); *F. Sors* (1965). Eine 10bändige *Historia universal de la guitarra* ist unveröffentlicht.

Muñoz Molleda (muɲˈɔð moʎˈeða), José, * 16. 2. 1905 zu La Línea de la Concepción (Cádiz); spanischer Komponist, lebt in Madrid. Er studierte ab 1921 in Madrid am Konservatorium Klavier bei Antonio Cardona und José Tragó sowie Komposition bei Campo y Zabaleta und an der Escuela Superior de Pintura y Escultura de San Fernando Malerei. 1934–40 lebte er in Rom, wo er mit O. Respighi in Kontakt kam. 1960 wurde er Mitglied der Real Academia de Bellas Artes de San Fernando. Er komponierte Ballette (*La niña de plata y oro*, 1937; *La rosa viva*, 1957), Orchesterwerke (Suite *Postales madrileñas*, 1931; Symphonische Dichtungen *Scherzo macabro*, 1932, und *De la torre alta*, 1932; 2 Klavierkonzerte, 1935 und 1968; Introduktion und Fugato, 1945; Symphonie A moll, 1959), Kammermusik (Divertimento für Piccolo-Fl., Fl., Ob., Klar., Fag. und Trp., 1944; Streichquintett G moll, 1950; Streichquartette F moll, 1934, und A dur, 1952; Klaviertrio F dur, 1951), Klavierstücke (*Suite de danzas*, 1939; *Miniaturas medievales*, 1948, Orchesterfassung 1952; Suite *Circo*, 1954), Vokalwerke (Oratorium *La resurrección de Lázaro* für Soli, Chor und Orch., 1937; Klavierlieder) und zahlreiche Filmmusiken (darunter für den deutschen Film *So lange du lebst*, 1955). Lit.: A. Temprano in: Tesoro sacro mus. LVI, 1973, S. 39ff.

Muñoz de Quevedo (muɲˈɔð ðe kevˈeðo), María, * 27. 9. 1894 zu La Coruña (Spanien), † 14. 12. 1947 zu La Habana; kubanische Chorleiterin und Organisatorin spanischer Herkunft, studierte am Konservatorium in Cádiz und bei José Tragó und de Falla am Real Conservatorio de Música y Declamación in Madrid. Nach ihrer Heirat mit dem Musikschriftsteller Antonio Quevedo gründete sie in La Habana 1922 das Conservatorio Bach, 1928 die Musikzeitschrift *Musicalia* sowie 1930 die kubanische Abteilung der Gesellschaft für zeitgenössische Musik und die Sociedad Coral de La Habana. Als Leiterin und Gründerin vieler Chorgruppen gab sie zahlreiche Konzerte. M. M. de Qu. trat auch als Musikschriftstellerin u. a. mit Veröffentlichungen über spanische Folklore hervor.

Munsel (mˈʌnzəl), Patrice, * 14. 5. 1925 zu Spokane (Wash.); amerikanische Sängerin (lyrischer und Koloratursopran), studierte bei William Pierce Herman und Renato Bellini in New York und debütierte 1947 als jüngste Sängerin, die jemals an der Metropolitan Opera zum ersten Male auftrat, als Philine in A. Thomas' *Mignon*. 1948 unternahm sie ihre erste Tournee nach Europa; 1950 wurde sie an der Metropolitan Opera als Adele in der *Fledermaus* gefeiert. Sie machte sich auch einen Namen als Musicaldarstellerin (*Hello, Dolly*; *My Fair Lady*; *Kiss me, Kate*; *Can Can*), ferner in Fernsehrollen und als Star eines Films über Nellie Melba (1953).

+Munteanu, Petre, * 26. 11. 1916 [nicht: 1919] zu Câmpina (Cîmpina, Ploiești); rumänischer Sänger [erg.:] und Dirigent italienischer Staatsangehörigkeit.
Ständige Stationen seiner internationalen Karriere waren die Opern- und Konzertzentren Europas, ferner die Metropolitan Opera in New York sowie zahlreiche Festspielveranstaltungen. Eine Tournee führte ihn 1958 nach Australien, Indien und Pakistan. Sein umfangreiches Repertoire umfaßt auch Konzert- bzw. Opernpartien von Mahler, Busoni, Ravel, Berg, Křenek, Strawinsky, Janáček, Martinů und Nono. Nach Absolvierung eines Dirigentenkurses (1966) bei Fr. Ferrara in Siena trat er 1969 in Turin erstmals öffentlich als Dirigent auf.

+Muradeli, Wano Iljitsch (Muradow), * 24. 3. (6. 4.) 1908 zu Gori (Georgien), [erg.:] † 14. 8. 1970 zu Tomsk (Sibirien).
1958 wurde M., der 1948 in den asiatischen Teil der Sowjetunion verbannt worden war, wieder rehabilitiert. Ab 1959 bis zu seinem Tode war er Sekretär des Moskauer Komponistenverbandes. Neuere Werke: die Opern *+Welikaja druschba* (»Die große Freundschaft«, 1947, 2. Fassung 1960) und *Oktjabr* (»Oktober«, Moskau 1964); die Operetten *Dewuschka s golubymi glasami* (»Das Mädchen mit den blauen Augen«, ebd. 1966) und *Moskwa–Parisch–Moskwa* (»Moskau–Paris–Moskau«, 1967); musikalische Erzählung für Kinder *Sawetnoje slowo* (»Das liebe Wort«, 1966); feierliche Ouvertüre (1969, zu Lenins 100. Geburtstag), symphonisches Bild *Prischla woda w pustynju* (»Das Wasser kam in die Wüste«, 1970); Kantaten *Naweki wmeste* (»Immer zusammen«, 1959, auf die sowjetisch-chinesische Freundschaft), *Poema swerschenij* (»Gedicht von der Vollendung«, 1961) und *Dobroje utro, Rossija* (»Guten Morgen, Rußland«, 1965); Chöre (auch für Kinder) und Lieder.
Lit.: +d. Beschluß d. Zentralkomitees (1948) deutsch in: Beschlüsse d. Zentralkomitees d. KPdSU zu Fragen d. Lit. u. Kunst (1946–48), = Kleine Bücherei d. Marxismus-Leninismus o. Nr, Bln 1952; G. POLJANOWSKIJ, Pesni W. M. (»W. M.s Lieder«), SM XX, 1956; Istorija russkoj sowjetskoj musyki, hrsg. v. A. D. ALEXEJEW u. W. A.

WASSINA-GROSSMAN, Bd III u. IV, 1, Moskau 1959–63 (in Bd III besonders d. Kap. über »Symphonische, Konzert- u. Kammermusik«, S. 336ff., in Bd IV, 1 d. Kap. über »Massenlieder«, S. 108ff., u. über »Opern«, S. 274ff.); K. K. SESCHENSKIJ, W. M., ebd. 1962; M. BJALIK in: SM XXIX, 1965, H. 3, S. 49ff. (zu »Oktjabr«); JE. BARUTSCHEWA in: Sowjetskaja simfonija sa 50 let, hrsg. v. G. Gr. Tigranow, Leningrad 1967, S. 199ff. (zur 1. Symphonie); A. SPADAWEKIA in: SM XXXIV, 1970, Nr 11, S. 46f.

Muratore (myratˈɔːr), Lucien, * 29. 8. 1876 zu Marseille, † 16. 7. 1954 zu Paris; französischer Opernsänger (Tenor), war zunächst Schauspieler, studierte dann Gesang am Konservatorium seiner Heimatstadt und später am Pariser Conservatoire. 1902 debütierte er in R. Hahns *La carmélite* an der Opéra-Comique in Paris; ab 1905 war er auch an der Pariser Opéra engagiert. Er sang in über 30 Uraufführungen, u. a. in Massenets *Ariane* (1906), *Bacchus* (1909) und *Roma* (1909) sowie in H. Févriers *Monna Vanna* (1909). 1913 debütierte er in den USA bei der Boston Opera Co., 1917 in Buenos Aires am Teatro Colón. Er war dann bis 1922 bei der Chicago Opera Co. tätig. 1931 zog er sich von der Bühne zurück und widmete sich (ab 1944 in Paris) der Lehrtätigkeit. 1913–27 war er in 2. Ehe mit der italienischen Sopranistin Lina Cavalieri (* 25. 12. 1874 zu Viterbo, † 7. 2. 1944 zu Florenz) verheiratet.
Lit.: K. NEATE in: Opera V, (London) 1954, S. 674f.; G. LAURI VOLPI, Voci parallele, Mailand 1955.

+Muris, Johannes de, um (nach?) 1295 [del.: um 1290] – nach 1351.
J. de M. hielt sich 1326–27 zu astronomischen Beobachtungen in Fontevrault (Maine-et-Loire) auf, erhielt 1329 vom Papst eine Pfründe im Bereich des Klosters Le Bec-Hellouin (Diözese Rouen), lebte 1338–42, unter Beibehaltung seiner Lehrtätigkeit an der Sorbonne, am Hofe des Königs von Navarra, Philippe d'Evreux, und erhielt in Mézières-en-Brenne (Indre) [nicht: Mazières bei Bourges (Cher)], wo er sich 1342–44 aufhielt, ein Kanonikat. – Die Mehrzahl seiner Traktate behandelt die Astronomie und Mathematik; seine Musikschriften sind in 126 handschriftlichen Quellen überliefert. Der Traktat *+Ars novae musicae* ist unter diesem Titel nur in einer einzigen Quelle belegt (Paris, Bibl. Nat., lat. 7378A); nach neueren Forschungen (Michels) hat J. de M. diesen Traktat, der 1321 entstand (1319 ist eine irrige Lesart bzw. spätere Interpolation), selbst als *Notitia artis musicae* bezeichnet. Sie besteht aus 2 Büchern: *Musica theorica* (2. Teil in teilweise wörtlicher Übereinstimmung erweitert als *+Musica speculativa*, 1323) und *Musica practica* (einen Auszug daraus stellt das *Compendium musicae practicae*, vor 1324, dar, nur in der Hs. St. Paul als *+Quaestiones super partes musicae* überliefert). Der Traktat *+De discantu et consonantiis* stammt nicht von J. de M., dagegen scheint er aber als Autor des *+Libellus cantus mensurabilis* gesichert zu sein [del. bzw. erg. frühere Angaben dazu].
Ausg.: Pr. de Beldemandis, Opera I: Expositiones tractatus practice cantus mensurabilis Magistri de M., hrsg. v. F. A. GALLO, = Antiquae musicae Ital. scriptores III, Bologna 1966.
Lit.: N. C. CARPENTER, Music in the Medieval and Renaissance Univ., Norman (Okla.) 1958; L. GUSHEE, New Sources f. the Biogr. of J. de M., JAMS XXII, 1969; U. MICHELS, Die Musiktraktate d. J. de M., = BzAfMw VIII, Wiesbaden 1970.

+Mūriṣṭus, 9./10. Jh.
Lit.: +H. G. FARMER, The Sources of Arabian Music (1940), revidiert Leiden 1965, S. 18f. (nachzutragende Mss.: Istanbul, Aya Sofya Nr 2407, f. 1–13, 3 Traktate; ebd., Fatih Nr 5411, f. 161–163, Auszug aus einem d. Traktate). – AL-ḤASAN IBN AḤMAD IBN ʿALĪ AL-KĀTIB (um 1000), Kamāl adab al-ġinā', übers. v. A. Shiloah als: La

perfection des connaissances mus., = Bibl. d'études islamiques V, Paris 1972, S. 203; H. G. Farmer, Hist. Facts f. the Arabian Mus. Influence, London 1930, Nachdr. Hildesheim u. NY 1970; Ders. in: EI Suppl., 1938; A. Kutz, Mg. u. Tonsystematik, = Neue deutsche Forschungen, Abt. Mw. XI, Bln 1943, S. 426ff.; al-Mausūʿa at-Taimūrīya min kunūz al-ʿarab fī l-luġa wa-l-fann wa-l-adab, Kairo 1961, S. 182 (posthume Schriften-Slg v. Aḥmad Taimūr zur arabischen Kulturgesch.). → Hydraulis.

Murr, Christoph Gottlieb von, * 6. 8. 1733 und † 8. 4. 1811 zu Nürnberg; deutscher Jurist, Historiker und Kunstsachverständiger, besuchte 1751–56 die Universität Altdorf, unternahm 1757–62 Studienreisen nach Straßburg, den Niederlanden, England, Hamburg, Wien und Italien und lebte ab 1763 als Schriftsteller in Nürnberg, wo er 1770 Waagamtmann wurde. Er war mit G.Ph.Telemann, C.Ph.E.Bach, L.Mozart und J.Haydn befreundet, stand u. a. mit Forkel in Briefwechsel und besaß eine umfangreiche Musiksammlung, zu der 1811 das Lochamer Liederbuch gehörte. Als einer der ersten Lokalmusikhistoriker plante er, angeregt durch W.Chr.Müller (*Versuch einer Geschichte der Tonkunst in Bremen,* in: Hanseatisches Magazin I, 1799), den *Versuch einer Geschichte der Musik in Nürnberg,* der aber nicht mehr ausgeführt wurde. Die Materialien hierzu (mit zahlreichen Originalbriefen) besitzt die Staatsbibliothek Bamberg. Von M.s Veröffentlichungen seien genannt: *Der Zufriedene* (4 Bde, Nürnberg 1763–64, mit Musikbeilagen von C.H.Dretzel, L.Mozart, Siebenkäs u. a.); *Notitia duorum codicum musicorum Guidonis Aretini s. XI et S.Wilhelmi Hirsaugiensis s. XII* (ebd. 1801; Haydn gewidmet); *Philodem von der Musik ... Nebst einer Probe des Hymnenstils altgriechischer Musik* (Bln 1806). Er gab das *Journal zur Kunstgeschichte und zur allgemeinen Litteratur* (17 Bde, Nürnberg 1775–89, mit vielen musikgeschichtlichen Beiträgen) heraus.
Lit.: E. Mummenhoff, Artikel Chr. G. v. M., ADB XXIII, 1886; Fr. Krautwurst, Das Schrifttum zur Mg. d. Stadt Nürnberg, = Veröff. d. Stadtbibl. Nürnberg VII, Nürnberg 1964; Chr. Petzsch, Ein unbekannter Brief v. C. Ph. E. Bach an Chr. G. v. M. in Nürnberg, AfMw XXII, 1965; H. Heckmann, Ein später Brief v. J. Stainer, Fs. W. Wiora, Kassel 1967. → †Lochamer, W. v.

Murrill (mˈʌɹəl), Herbert Henry John, * 11. 5. 1909 und † 25. 7. 1952 zu London; englischer Komponist, studierte 1925–28 in London an der Royal Academy of Music bei Bowen, Stanley Marchant und A.Bush sowie 1928–31 in Oxford am Worcester College bei W. Harris, Ernest Walker und H. P. Allan (M. A., B. Mus.). 1933 wurde er Professor für Komposition an der Royal Academy of Music in London, 1942 übernahm er die Organisation des Musikprogramms der BBC (1948 Assistant Head of Music, 1950 Head of Music). Er schrieb u. a. die Jazzoper *Man in Cage* (London 1930), das Ballett *Picnic* (1927), Orchesterwerke (*Three Hornpipes,* 1932; *Set of Country Dances* für Streicher, 1945; 2 Konzerte für Vc. und Orch., 1935 und 1950), Kammermusik (Streichquartett, 1939; Capriccio für Vc. und Kl., 1932; *Four French Nursery Songs* für Vc. oder Va und Kl., 1941; Sonate für Block-Fl. oder Quer-Fl. und Cemb. oder Kl., 1950), Chorwerke (Magnificat, 1945, und *Nunc dimittis,* 1945, für gem. Chor und Org.; 2 Lieder aus Shakespeares *Twelfth Night,* 1941, und *The Souls of the Righteous,* 1947, für Chor a cappella), Klavier- und Orgelstücke, Lieder sowie Bühnen- und Filmmusik.

+Murschhauser, Franz Xaver Anton, 1663–1738.
Ausg.: Finale et fuga septimi toni, in: Orgelmusik an europäischen Kathedralen I, hrsg. v. E. Kraus, = Cantantibus organis II, Regensburg 1959; Praeambulum D moll, in: Orgelmusik im baierischen Raum, hrsg. v. Dems., ebd.

III; Praeambeln, Fugen u. Finali in d. 8 Kirchentonarten (aus: Octi-tonium novum organicum op. 1, 1696), hrsg. v. R. Walter, = Süddeutsche Orgelmeister d. Barock VI, Altötting 1962; Prototypon longo-breve organicum, hrsg. v. Dems., ebd. X, 1970; Variationen über d. Lied »Laßt uns d. Kindlein wiegen«, f. Block-Fl.-Quartett hrsg. v. H. Sölter, Wilhelmshaven 1966.
Lit.: G. Frotscher, Gesch. d. Orgelspiels u. d. Orgelkomposition I, Bln 1935, ²1959, ³1966 (mit Beispiel-Bd).

Mursell (məzˈel), James Lockhart, * 1. 6. 1893 zu Derby (England), † 2. 1. 1963 zu North Conway (N. H.); amerikanischer Psychologe und Musikpädagoge, kam 1915 in die USA und promovierte 1918 an der Harvard University in Cambridge (Mass.) zum Ph. D. 1935 wurde er an der Columbia University in New York Associate Professor für Pädagogik und 1939 Full Professor. 1940–59 war er Direktor des Department of Music and Music Education der Columbia University. Außer zahlreichen Zeitschriftenaufsätzen schrieb er: *Principles of Musical Education* (NY 1927); *The Psychology of School Music Teaching* (mit M. Glenn, NY 1931, ²1938); *Human Values in Music Education* (NY 1934); *The Psychology of Music* (NY 1937, Nachdr. 1970); *Music in the American Schools* (NY 1943); *Education for Musical Growth* (Boston 1948); *Music and the Classroom Teacher* (NY 1951); *Music Education. Principles and Programs* (Morristown/N. J. 1956).
Lit.: L. J. Simutis, J. L. M. as Music Educator, Diss. Univ. of Ottawa 1961; Ders., J. L. M., An Annotated Bibliogr., Journal of Research in Music Education XVI, 1968; V. Ch. O'Keeffe, J. L. M., His Life and Contribution to Music Education, Diss. Columbia Univ. (N. Y.) 1970.

al-Musallam al-Mauṣilī, Aḥmad ibn ʿAbdarraḥmān al-Qādirī ar-Rifāʿī, Abū Ṣāliḥ, † um 1737 wohl zu Mosul; arabischer Mystiker und Musiktheoretiker, schrieb *ad-Durr an-naqī fīʿilm al-mūsīqī* (»Erlesene Perle über die Theorie der Musik«), bestehend aus 5 kurzen Kapiteln über den legendären Ursprung der zunächst 7, dann 12 Maqāmāt, ihre Benennung (z. T. mit persischen Entsprechungen), ihre Zusammensetzung, ihre außermusikalischen Bezüge (zu Elementen, Planeten usw.), ihre Aufführungszeiten und -praxis je nach Publikum. Er beruft sich auf die Generation seiner Lehrer und über diese indirekt auf eine (nicht erhaltene) persische Abhandlung von ʿAbdalmuʾmin ibn Ṣafiaddīn al-Balḫī (Pseudonym), dem bedeutendsten persischen Theoretiker des 17. Jh. Die Parallelen zu dessen erhaltenem Traktat *Bahǧat ar-rūḥ* (»Freude der Seele«) sind offensichtlich und zeigen die provinzielle Abhängigkeit der irakischen Musiktheorie des frühen 18. Jh. von der persischen des 17. Jh.
Ausg.: ad-Durr an-naqī ..., hrsg. v. Ǧalāl al-Ḥanafī, Bagdad 1964.
Lit.: C. Brockelmann, Gesch. d. arabischen Lit., Suppl. II, Leiden 1938, S. 508; I. al-Baġdādī, Hadīyat al-ʿārifīn, Bd I, Istanbul 1951, S. 171 (arabisches bibliogr. Lexikon); ʿU. R. Kaḥḥāla, Muʿǧam al-muʾallifīn, Bd I, Damaskus 1957, S. 270 (Lexikon arabischer Literaten).

Mušāqa, Mīḫāʾīl (Mešāqa), * 20. 3. 1800 zu Rošmāya (heute Libanon), † 6. 7. 1888 zu Damaskus; arabischer Mediziner, Naturwissenschaftler, Musiktheoretiker und Schriftsteller, lebte ab 1820 in Damaskus, konvertierte 1849 vom griechischen Katholizismus zum anglikanischen Protestantismus und wurde Konsul der USA in Damaskus. 1830 begann er mit musikalischen Studien, um dann die ägyptische Hegemonie über das syrische Musikleben zu durchbrechen und gleichzeitig eine (europäisch-)wissenschaftliche Darstellung des arabischen Tonsystems zu geben. So entstand vor 1840 seine *ar-Risāla aš-Šihābīya fī ṣ-ṣināʿa al-mūsīqīya* (»Abhandlung für Šihāb [= Amīr Muḥammad Fāris Šihāb, Anreger dieser Schrift] über die Kunst der Musik«), in der er unter Bezugnahme auf die gleichschwebende Temperatur eine der arabischen Musik fremde 24stufig temperierte Skala propagierte (→Arabisch-islamische Musik). Der große Erfolg dieses Buches in der arabischen Welt hat Diskussionen über »Viertelton«-Theorien ausgelöst, die auf dem Kairoer Musikkongreß von 1932 ihren Höhepunkt fanden und bis heute nicht abgeschlossen sind.

Ausg.: ar-Risāla ..., freie engl. Übers. v. E. SMITH als: A Treatise on Arab Music, Chiefly from a Work by M. Meshakah of Damaskus, Journal of the American Oriental Soc. I, 1849; dass., arabisch hrsg. v. L. RONZEVALLE in: al-Mašriq II, (Beirut) 1899, auch separat Beirut 1900, mit frz. Übers. v. dems. als: Un traité de musique arabe moderne, in: Mélanges de la Faculté orientale VI, (Beirut) 1913.
Lit.: C. BROCKELMANN, Gesch. d. arabischen Lit., Suppl. II, Leiden 1938; H. G. FARMER, Artikel M., EI Suppl., 1938 (mit weiteren Angaben); A. KUTZ, Mg. u. Tonsystematik, = Neue deutsche Forschungen, Abt. Mw. XI, Bln 1943, S. 556f.; R. D'ERLANGER, La musique arabe V, Paris 1949; L. MANIK, Das arabische Tonsystem im MA, Leiden 1969, S. 129ff.; Y. ŠAUQĪ, Qiyās as-sullam al-mūsīqī al-ʿarabī / Measuring the Arabic Mus. Scale, Kairo 1969.

+Musard, Philippe, 8. 11. 1792 zu Tours [del. frühere Angabe] – 30. [nicht: 31.] 3. 1859.

Muschel, Georgij Alexandrowitsch, * 16.(29.) 7. 1909 zu Tambow; russisch- und usbekisch-sowjetischer Komponist, studierte 1930–36 am Moskauer Konservatorium (Komposition bei Mjaskowskij und M. Gnessin, Klavier bei Oborin) und übernahm 1936 eine pädagogische Tätigkeit am Konservatorium in Taschkent. Sein kompositorisches Schaffen, das sich besonders mit usbekischen Themen befaßt und für die usbekische Musikkultur eine bedeutsame Rolle spielt, umfaßt u. a. die Oper Farchad i Schirin (»Farchad und Schirin«, Taschkent 1957), die Ballette Balerina (»Die Ballerina«, ebd. 1952), Zwetok stschastja (»Die Glücksblume«, Tscheljabinsk 1959) und Kaschmirskaja legenda (»Legende aus Kaschmir«, Taschkent 1961), 3 Symphonien (1938, 1941 und 1942), 6 Klavierkonzerte (1936, 1943, 1946, 1950, 1951 und 1962), ein Violinkonzert (1945, Neufassung 1960), Kammermusik (2 Klavierquintette, 1945), Klavierwerke (Rosowaja sonatina, »Sonatine in Rosa«, 1965) sowie Romanzen, Lieder und Bühnenmusik.
Lit.: JA. PEKKER, G. M., Moskau 1966.

Musco, Angelo, * 18. 10. 1925 zu Catania, † 31. 12. 1968 zu Palermo; italienischer Komponist und Dirigent, studierte am Conservatorio di Musica V. Bellini in Palermo (Diplom 1950) und promovierte daneben in Rechtswissenschaft. Er war ab 1957 stellvertretender Leiter und dann Chefdirigent des Orchestra Sinfonica Siciliana sowie ab 1959 Dozent für Orchesterpraxis am Istituto Musicale Pareggiato A. Corelli in Messina, wo er auch das Kammerorchester A. Laudamo leitete. Zuletzt war er künstlerischer Direktor des Teatro Massimo in Palermo. M. komponierte die Oper Il gattopardo (Palermo 1967), die Ballette Sei danze per Demetra (ebd. 1958) und Una storia di pupi (Catania 1959) sowie Bühnen- und Filmmusik.

+Musen.
→Griechische Musik.
Lit.: E. KOLLER, Muse u. musische Paideia. Über d. Musikaponetik in d. aristotelischen Politik, = Museum Helveticum XIII, Zürich 1956; H. KOLLER, Musik u. Dichtung im alten Griechenland, Bern 1963; M. WEGNER, Griechenland, = Mg. in Bildern II, 4, Lpz. 1963; DERS., Kalliope, in: Musa – Mens – Musici, Gedenkschrift W. Vetter, Lpz. 1970; K. M. KLIER, Musizierende M., ÖMZ

XXI, 1966; N. SWERDLOW, »Musica dicitur a moys, quod est aqua«, JAMS XX, 1967; K. MEYER-BAER, Music of the Spheres and the Dance of Death. Studies in Mus. Iconology, Princeton (N. J.) 1970.

Musgrave (mʹʌsgɹeiv), Thea, * 27. 5. 1928 zu Edinburgh; schottische Komponistin, studierte Musik an der University of Edinburgh und Komposition bei Nadia Boulanger in Paris. 1955 ließ sie sich in London nieder, wo sie mehrere Jahre lang Leiterin und Begleiterin der Saltire Singers war. 1970 war sie Visiting Professor an der University of California in Santa Barbara. Sie schrieb die Oper The Decision (London 1967), die einaktige Kammeroper The Abbot of Drimock (ebd. 1962), die Ballette A Tale for Thieves (1953) und Beauty and the Beast (London 1969), Orchesterwerke (Divertimento für Streichorch., 1957; Obliques, 1958; Scottish Dance Suite, 1959; Perspectives, 1961; Theme and Interludes, 1962; Symphonie, 1963; Festival Overture, 1965; Nocturnes and Arias, 1966; Concerto for Orch., 1967; Klarinettenkonzert, 1969; Night Music für Kammerorch., 1969; Memento vitae, 1970; Hornkonzert, 1971; Bratschenkonzert, 1973), Kammermusik (Streichquartett, 1958; Trio für Fl., Ob. und Kl., 1960; Serenade für Fl., Klar., Hf., Va und Vc., 1961; 3 Kammerkonzerte, Nr 1 für 9 Instr., 1962, Nr 2 für 5 Instr., 1966, und Nr 3 für 8 Instr., 1966; Sonata for Three für Fl., V. und Git., 1966; Elegie für Va und Vc., 1970; Impromptu Nr 2 für Fl., Ob. und Klar., 1970), For One to Another für Va und Tonband (1970), Klavierstücke (Monologue, 1960; Excursions für Kl. 4händig, 1965), Vokalwerke mit Instrumentalbegleitung (Cantata for a Summer's Day für Vokalquartett, Sprecher, Fl., Klar., Streichquartett und Kb., 1954; 5 Love Songs für T. und Git., 1955; Triptych für T. und Orch., 1959; The Phoenix and the Turtle, 1962, und The Five Ages of Man, 1964, für Chor und Orch.) sowie a cappella-Chöre (4 Madrigale, 1953; Song of the Burn, 1954; Memento creatoris, 1967).
Lit.: S. BRADSHAW, Th. M., MT CIV, 1963; A. PAYNE, Th. M.'s Clarinet Concerto, in: Tempo 1969, Nr 88; N. KAY, Th. M., in: Music and Musicians XVIII, 1969/70.

Musi, Maria Maddalena → +Antonii, P. degli.

Musicescu (muzitʃʹesku), Gavriil, * 20. 3. 1847 zu Ismail, † 8. 12. 1903 zu Iași; rumänischer Komponist und Dirigent, studierte am Konservatorium in Iași und bei Hunke am St. Petersburger Konservatorium. 1872 wurde er Professor für Harmonielehre am Konservatorium in Iași, dessen Leitung er 1901 übernahm. Er setzte sich besonders für die Verbreitung der Chormusik in Rumänien ein und schrieb selbst Chorlieder, in denen er modale Eigenheiten der rumänischen Folklore einarbeitete; genannt seien: Imnele sfintei liturghii (»Die Hymnen der heiligen Messe«, 1885); 25 cânturi (»25 Lieder«, 1898). M. veröffentlichte auch didaktische Werke, folkloristische Sammlungen und Artikel in Fachzeitschriften.
Ausg.: Opere alese (»Gesammelte Werke«), hrsg. v. G. BREAZUL, Bukarest 1958.
Lit.: G. BREAZUL, G. M., Bukarest 1962.

Musik-Klein K. G., Instrumentenbaufirma, gegründet 1928 von dem Geigenbauer Max Klein als selbständiger Betrieb in Schwäbisch-Gmünd, hat seinen Sitz seit 1935 in Koblenz, ist seit 1950 umgestellt auf Gitarrenbau, speziell historische Lauten (Knickhalslauten), Gamben, Fiedeln und Mandolinen von Spitzenqualität. 1966 wurden die beiden Söhne Rolf und Jürgen Klein in die Firma aufgenommen, die seitdem die heutige Firmenbezeichnung trägt.

Musikwissenschaftlicher Verlag Wien, 1932 im Rahmen der Internationalen Bruckner-Gesellschaft von

M. Auer, Norbert Furreg und Dr. Friedrich Werner gegründet. 1938 wurde der Verlag aufgelöst und in den »Deutschen Bruckner-Verlag« in Leipzig übergeführt, 1945 in Wien jedoch wiedererrichtet. Er wird gegenwärtig von Christian Wolff, Margarete Puhlmann und Professor Dr. Ullrich geleitet. Der Verlag ediert die Gesamtausgaben der Werke →+Bruckners und H.→+Wolfs.

Musin (m'ysin), Ovide, * 22. 9. 1854 zu Nandrin (Belgien), † 24. 11. 1929 zu New York; belgischer Violinist und Komponist, studierte bei Désiré Heynberg und Léonard am Conservatoire Royal de Musique in Lüttich, wo er im Alter von 15 Jahren eine Goldmedaille gewann, sowie am Pariser Conservatoire. Seine Virtuosenkarriere führte ihn dann durch zahlreiche Länder. 1896–1908 leitete er die Meisterklasse für Violine am Conservatoire Royal de Musique in Lüttich; 1908 ließ er sich in New York nieder, wo er eine Belgian School of Violin gründete. Seine Werke umfassen Charakterstücke und Fantasien für Violine. Er veröffentlichte auch eine Violinschule (*The Belgian School of the Violin*, 4 Bde, 1916) und schrieb eine Autobiographie (*My Memories*, NY 1920).

Musioł (m'usiǫu), Karol, * 8. 3. 1929 zu Mikulczyce (Schlesien); polnischer Bibliothekar, studierte in Krakau 1949–52 an der Opernschule (Cz. Zaremba) und an der Universität (Sprachwissenschaft bei J. Kuryłowicz) sowie 1952–54 in Posen (Philologie bei J. Berger) und promovierte 1964 in Bibliothekswissenschaft an der Warschauer Universität bei J. Remer. 1954–58 war er an der Schlesischen Bibliothek in Kattowitz tätig; seit 1958 ist er Bibliotheksdirektor und Lektor an der dortigen Musikhochschule. 1968 gründete er das »Archiv der schlesischen Musikkultur an der Bibliothek der Staatlichen Hochschule für Musik in Kattowitz«. – Veröffentlichungen (Auswahl): *Mozart in Schlesien. Bibliographischer Versuch* (Mozart-Jb. XIV, 1965/66, tschechisch in: Zpravy Bertramky 1966); *Mozart und die polnischen Komponisten des XVIII. und der ersten Hälfte des XIX. Jh.* (Mozart-Jb. XV, 1967/68). – *Chopiniana w Bibliotece Państwowej Wyższej Szkoły Muzycznej w Katowicach* (»Chopiniana in der Bibliothek der Staatlichen Hochschule für Musik in Kattowitz«, = Prace Biblioteki PWSM w Katowicach III, Kattowitz 1961); *Fr. Chopin im Lichte unbekannter Quellen aus der ersten Hälfte des XIX. Jh. Ein Beitrag zur Geschichte der Ästhetik und Musikkritik* (Mf XXV, 1972). – *R. Wagner a Polska ...* (»R. Wagner und Polen ...«, Ausstellungskat.«, = Prace Biblioteki PWSM w Katowicach V, Kattowitz 1963); *R. Wagner und Polen* (BzMw VI, 1964); *Über die Herkunft eines Tannhäuser-Motivs* (Mf XXI, 1968). – *A. Kahlert und Beethoven. Ein Beitrag zur Ästhetik und Musikkritik der 1. Hälfte des 19. Jh.* (Kgr.-Ber. Bonn 1970). – *Biblioteka Państwowej Wyższej Szkoły Muzycznej w Katowicach* (»Die Bibliothek der Staatlichen Hochschule für Musik in Kattowitz«, = Prace Biblioteki PWSM w Katowicach I, Kattowitz 1960); *Organizacja i inwentaryzacja zbiorów muzycznych* (»Organisation und Inventarisierung von Musiksammlungen«, in: Przegląd biblioteczny XXIX, 1961); *Bibliografia śląskich czasopism muzycznych* (»Bibliographie schlesischer Musikzeitschriften«, in: Studia śląskie, N. S. XXII, 1972, mit engl., deutscher und russ. Zusammenfassung).

+Muskatblüt, [erg.:] † nach 1458. M. ist bis 1443 [nicht: 1441] als fahrender Musiker nachweisbar und lebte danach am Hof des Erzbischofs von Mainz.

Ausg.: +*Die Sangesweisen d. Colmarer Hs.* (P. Runge, 1896), Nachdr. Hildesheim 1965; +*Das Singebuch d. A. Puschmann* (G. Münzer, 1906), Nachdr. ebd. 1970. Lit.: W. Salmen, Zur Biogr. M.s u. M. Beheims, Zs. f. deutsches Altertum u. deutsche Lit. LXXXVIII, 1957/58; R. Wh. Linker, Music of the Minnesinger and Early Meistersinger. A Bibliogr., = Univ. of North Carolina Studies in the Germanic Languages and Lit. XXXII, Chapel Hill (N. C.) 1962.

Musset (mys'ε), Alfred de, * 11. 12. 1810 und † 2. 5. 1857 zu Paris; französischer Dichter, war auf den Gebieten der Lyrik, der Verserzählung, der Novelle und des Dramas einer der hervorragenden Literaten der Romantik in Frankreich. Er schloß sich früh, aber nur kurze Zeit dem Kreis um Hugo an. Seine Liebe zu George Sand und das Scheitern der Beziehung nach zwei Jahren (1834) bestimmten nachhaltig sein Schaffen (4 Gedichte *Les nuits*, 1835–37; autobiographischer Roman *Les confessions d'un enfant du siècle*, 1836). Den aus dem Verlust idealer Ziele und gesellschaftlicher Bindung und aus einem politischen Pessimismus resultierenden »Weltschmerz« variiert M. schillernd zwischen artistischem Dandyismus und bekenntnishafter Gefühlstiefe. Die Musik war für ihn als dichterisches Thema (Gedichte *Le saule*, *Lucie*, *A la Malibran* u. a.) als biographischer Einfluß von Bedeutung (Bekanntschaft mit Maria Malibran, Pauline Viardot-García, Berlioz, Chopin, Liszt, Paganini u. a.). M. war ein Verehrer der italienischen Oper. In kritischen Essays setzte er sich mit Musik und dem Verhältnis von Poesie und Melodie auseinander. Seine Dichtungen regten zahlreiche Musiker an; von Kompositionen nach M. seien genannt: Operetten *La chanson de Fortunio* von Offenbach (Paris 1861), *Fantasio* von Offenbach (ebd. 1872) und *Carmosine* von H. Février (ebd. 1912); Opern *Djamileh* von Bizet (ebd. 1872), *Les caprices de Marianne* von Chausson (1880, unveröff.) und Sauguet (Aix-en-Provence 1954), *Edgar* von Puccini (Mailand 1889), *Fantasio* von Ethel Smyth (Weimar 1898), *La Pompadour* von Moór (Köln 1902), *Déidamia* von Rasse (Brüssel 1906), *La nuit vénitienne* von Inghelbrecht (Paris 1908), *On ne badine pas avec l'amour* von G. Pierné (ebd. 1910), *Faire sans dire* von C. R. Rey (1920), *La Rosiera* von Gnecchi (Gera 1926) und *Lorenzaccio* von Bussotti (Venedig 1972); Comédie lyrique *Fortunio* von Messager (Paris 1907); Ballette *Namouna* von É. Lalo, vollendet von Gounod (ebd. 1882) und *La nuit vénitienne* von Thiriet (ebd. 1939); Bühnenmusik zu *On ne badine pas avec l'amour* von Saint-Saëns (1917) und A. Honegger (1951), zu *Fantasio* von Huré (1913) und Honegger (1922), zu *Les caprices de Marianne* von M.-Fr. Gaillard (1930), zu *Il ne faut jurer de rien* von Beydts (1937), zu *A quoi rêvent les jeunes filles* von Sauguet (1944) und zu *Barberine* von A. Zecchi (1949); *Suite pour une comédie de Musset* für Orch. von Barraud (1937); Symphonische Dichtung *Andrea del Sarto* von Daniel-Lesur (1949); *La vision* für Singst., Fl., Ob., V., Va und Vc von R. W. Wood (1945); *Chansons et bergerettes* für hohen S. und Kammerorch. von H. L. Hirsch (1967); ferner Lieder und Theaterchansons von Beydts, Bizet, Fr.-A. Boieldieu, Castelnuovo-Tedesco, Cui, Félicien David, Debussy, Delibes, C. Franck, B. Godard, Gounod, Lalo, Liszt, Massenet, Monpou, Offenbach, Pierné und Tschaikowsky.

Ausg.: Œuvres complètes, hrsg. v. P. de Musset, 11 Bde, Paris 1866–83; dass., hrsg. v. M. Allem, 3 Bde, ebd. 1933–38, ²1954; dass., hrsg. v. G. Sigaux, 10 Bde, ebd. 1969. – Correspondence, hrsg. v. L. Séché, ebd. ³1907; Correspondence entre G. Sand et M., hrsg. v. F. Decori, ebd. 1904.

Lit.: P. DE MUSSET, Biogr. d'A. de M., Paris 1877; P. WACHTER, A. de M. u. d. Musik, Greifswald 1920; PH. CRUMP, M. and Malibran, Cambridge 1932; J.-G. PROD'HOMME, Berlioz, M., and Th. de Quincey, MQ XXXII, 1946; PH. VAN TIEGHEM, M., Paris 1947, ²1963; J. POMMIER, Variétés sur A. de M. et son théâtre, ebd. 1947, Neuaufl. 1966 (darin: M. et la musique, Verz. v. Vertonungen nach M.); TH. MARIX-SPIRE, Les romantiques et la musique, ebd. 1955; L. MAURICE-AMOUR, M., la musique et les musiciens, Rev. des sciences humaines 1958, H. 1; A. LEBOIS, Vues sur le théâtre de M., Avignon 1966; H. S. GOCHBERG, The Dramatic Art of A. de M., Genf 1967.   KDG

+Mussorgskij, Modest Petrowitsch, 1839–81.
Ergänzungen und Berichtigungen zum früheren Werkverzeichnis (einschließlich Entwürfe, Fragmente und verschollene Werke): Opern: *Gan Islandez* (»Han, der Isländer«, Entwurf, 1856); *Salambo* (Fragment, 1863–66); *Boris Godunow* (1. Fassung in 7 Bildern, 1868/69, Leningrad 1928; 2. Fassung, 4 Aufzüge mit 9 Bildern, 1871/72, St.Petersburg 1874); *Leschij* (»Der Waldgeist«, Entwurf, 1869); *Bobyl* (»Der Taglöhner«, Entwurf, 1870; die Wahrsageszene diente als Material für eine Szene in *Chowanschtschina*); *Grech da beda* (»Sünde und Unglück«, Entwurf, 1870); *Chowanschtschina* (1873–80; die Rimskij-Korsakowsche Endfassung erfolgte 1883); *Sorotschinskaja jarmarka* (Fragment, 1876 [nicht: 1872]–1881); *Pugatschowschtschina* (Entwurf, 1877?). – Lieder (Auswahl): Sammlung von 16 Liedern *Junyje gody* (»Jugendjahre«, 1857–66); musikalisches Pamphlet *Klassik* (1867); Romanze *Notsch* (»Nacht«, 1864, Orchesterfassung 1868); unvollständiger Zyklus *Na datsche* (»Auf der Datscha«, 1872, 2 weitere Lieder Entwurf); Walzer in Capriccioform *Posle bala* (»Nach dem Ball«, 1879); *Pesnja Mefistofelja* (»Lied des Mephisto«, genannt »Flohlied«, nach Goethe, 1879; instrumentiert von N. A. Rimskij-Korsakow, 1883). – Orchesterwerke: Marsch *Alla marcia notturna* (1861); Menuetto (für Kl.?, verschollen, 1861); *Simfonija* (verschollen, 1861/62); *Intermezzo H moll* (»in modo classico«, 1867; 1. Fassung für Kl. 1863 [nicht: 1867]); symphonisches Gedicht *Podibrad Tscheschsky* (Entwurf, 1867); Suite *Ot bolgarskich beregow tscheres Tschernoje more, Kawkas, Kaspij, Fergan do Birmy* mit Harfen und Kl. (»Von den bulgarischen Ufern über das Schwarze Meer, den Kaukasus, das Kaspische Meer, Fergan bis Birma«, Entwurf, 1880). – Chorwerke: Marsch *Schamilja* mit T., B. und Orch. (verschollen, 1859). – Klavierwerke: Polka *Port-enseigne* (1852); *Wospominanije detstwa* (»Kindheitserinnerung«, 1857); Allegro (für Orch.?, verschollen, 1858); *Detskoje scherzo* (»Ein Kinderscherz«, 1858 [nicht: 1859]); Scherzo Cis moll (1858); Sonaten Es dur und Fis moll (verschollen, 1858); *Impromptu passionné* (1859); *Preludio in modo classico* (für Orch.?, verschollen, 1861); Sonate C dur für Kl. 4händig (verschollen, 1861); Sonate D dur (verschollen, 1862); *Duma* (»Gedanke«, 1865); *La capricieuse* (1865); Scherzino *Schweja* (»Die Näherin«, 1870/71); *Na juschnom beregu Kryma* (»Am Südufer der Krim«, 1879); Capriccio *Blis juschnowo berega Kryma* (»Nahe am Südufer der Krim«, 1880); *Méditation* (1880); *W derewne* (»Im Dorf«, 1880?); ferner zahlreiche Klavierbearbeitungen u. a. aus Werken von Balakirew, Beethoven (darunter das Streichquartett B dur op. 130 für 2 Kl.), Berlioz, Glinka und Sarti.
Ausg.: +GA, hrsg. v. P. LAMM, A. ALEXANDROW u. N. MJASKOWSKIJ, Moskau, Wien u. Lpz. 1928–39, v. d. geplanten 8 Bden sind nur erschienen: Bd I, Boris Godunow (Neudr. d. Kl.-A. London 1968, mit engl. Übers. v. D. Lloyd-Jones); II, Chowanschtschina; IV, Mlada; V, Romanzen u. Lieder; VI, Chorwerke; VII, Orchesterwerke u. Chorwerke mit Orch.; VIII, Klavierwerke [del. bzw.

erg. frühere Angaben]. – Romansy i pesni (»Romanzen u. Lieder«), vollständige Ausg. hrsg. v. A. N. DMITRIJEW, Leningrad 1960.
Lit. (im folgenden gilt d. Abk. »M.« auch f. andere Transkriptionsformen): Literaturnoje nasledije (»Literarisches Erbe«), hrsg. v. A. A. ORLOWA u. M. S. PEKELIS, Bd I, Moskau 1971 (auf 2 Bde geplant); +The M. Reader. A Life of M. P. M. in Letters and Documents (hrsg. u. übers. v. J. LEYDA u. S. BERTENSSON, 1947), Nachdr. NY 1970. – JE. K. ANTIPOWA, Awtografy M. P. M.owo i materialy, swjasannyje s jewo dejatelnostju v fondach Gossudarstwennowo zentralnowo museja musykalnoj kultury imeni M. I. Glinki (»M. P. M.s Autographen u. Materialien, d. sich auf sein Schaffen in d. Fonds d. Staatlichen M. I. Glinka-Zentralmuseums f. Musikkultur beziehen«), Moskau 1962 (Kat.). – Hudba života. Korespondence a fragment autobiografie M. P. M.ého a vzpomínky jeho současníků (»Die Musik d. Lebens. Die Korrespondenz u. d. Fragment d. Autobiogr. v. M. P. M. u. d. Erinnerungen seiner Zeitgenossen«), hrsg. v. V. KUČERA, = Paměti, korespondence, documenty XX, Prag 1959. – Aufsatzfolgen u. a. in: SM XXIII, 1959, H. 3 u. 7, XXXIII, 1969, H. 9, u. XXXIV, 1970, H. 3.
+WL. W. STASSOW, Sobrannyje statji o M. P. M.om (»Gesammelte Aufsätze über M. P. M.«, 1922), neu hrsg. [nicht: 2. Aufl.] v. A. S. Ogolewez als: Isbrannyje statji o M. P. M.om (»Ausgew. Aufsätze ...«), Moskau[1952; +M. D. CALVOCORESSI, M. M., His Life and Works (G. Abraham, 1956), auch Fair Lawn (N. J.) 1956, Nachdr. Boston 1967; +O. V. RIESEMANN, Monographien zur russ. Musik (II, 1926), Nachdr. Hildesheim 1971, Nachdr. d. engl. Ausg. [erg.: NY 1929], NY 1970 u. 1971, Westport (Conn.) 1970, auch London 1972; +M.-R. HOFMANN, M. (1952), Neuaufl. als: Le vrai visage de M., Sa vie, son œuvre, Paris 1952, NA als: La vie de M., = Vies et visages o. Nr, ebd. 1964.
V. I. SEROFF, The Mighty Five, NY 1948, deutsch als: Das mächtige Häuflein, Zürich 1963, ²1967; DERS., M. M., NY 1968; I. I. MARTYNOW, M. P. M., = W pomoschtsch sluschatelju musyki o. Nr, Moskau 1951, Neuaufl. 1956 u. 1960; C. SANKE, M. M., Halle (Saale) 1953; I. GLEBOW (d. ist B. Wl. Assafjew), Isbrannyje trudy (»Gesammelte Werke«), Bd III, Moskau 1954; T. W. POPOWA, M., ebd. 1955, ³1967 = Schkolnaja bibl. o. Nr, rumänisch Bukarest 1970; E. SCHMITZ, Das mächtige Häuflein, = Musikbücherei f. Jedermann IV, Lpz. 1955; V. CHRISTIAN, M. P. M., Bukarest 1956; M. A. CHUDNOWSKIJ, M. P. M., = Wsessojusnoje obschtschestwo po rasprostraneniju politischeskich i nautschnych snanij VI, 5, Moskau 1957; É. HARASZTI, Trois faux documents sur Fr. Liszt, Rev. de musicol. XLI/XLII, 1958; L. P. JEFREMOWA, M. i Ukrajna (»M. u. d. Ukraine«), Kiew 1958; N. LOESER, M., = Gottmer-muziek-pockets XXIII, Haarlem 1959; A. M. POLS, M., Amsterdam 1959; P. PETSCHERSKIJ, M. M., Otscherk schisni i twortschestwa (»Abriß d. Lebens u. Werks«), Riga 1961; M. MARNAT, M., = Solfèges XXI, Paris 1962; P. SOUVTCHINSKY, Der Fall M., NZfM CXXIII, 1962; E. L. FRID, M. P. M., Leningrad 1963, Neuaufl. 1968, ungarisch Budapest 1966; GY. GÁBRY, M. P. M., = Kis zenei könyvtár XXV, ebd. 1963; A. A. ORLOWA, Trudy i dni M. P. M.owo ... (»Arbeiten u. Tage M. P. M.s«, Chronik d. Lebens u. Schaffens), Moskau 1963; G. N. CHUBOW, M. M., = Klassiki mirowoj musykalnoj kultury o. Nr, ebd. 1969; H. SWOLKIEŃ, M., = Monografie popularne o. Nr, Krakau 1970.
G. ABRAHAM, Studies in Russ. Music, London 1936, Nachdr. = Essay Index Reprint Series o. Nr, Freeport (N. Y.) 1968; DERS., Slavonic and Romantic Music, London u. NY 1968 (enthält Wiederabdruck v. 2 älteren Aufsätzen); N. A. SCHUMSKAJA, »Sorotschinskaja jarmarka« M. P. M.owo, = Putewoditeli po russkoj musyke o. Nr, Moskau 1952, ²1970 = Putewoditeli po operam o. Nr; L. HOFFMANN-ERBRECHT, Grundlagen d. Melodiebildung bei M., Kgr.-Ber. Bamberg 1953; DERS., Die russ. Volkslieder in M.s »Boris Godunow«, Fs. W. Wiora, Kassel 1967; A. G. SCHNITKE, »Kartinki s wystawki« M. P. M.owo (»Die Bilder einer Ausstellung‹ v. M. P. M.«), in: Woprossy musykosnanija I, hrsg. v. A. S. Ogolewez, Moskau 1954; P.-E. BÉHA in: SMZ XCVI, 1956, S. 473ff., XCVII, 1957, S. 90ff., u. XCVIII, 1958, S. 200ff. (zur Ori-

ginalfassung d. »Boris Godunow«); W. A. WASSINA-GROSSMAN, Russkij klassitscheskij romans, Moskau 1956; A. L. DOLIWO, Ispolnitel i chudoschestwennyje prinzipy M.owo (»Der Interpret u. M.s Kunstprinzipien«), in: Woprossy musykalno-ispolnitelskowo iskusstwa II, hrsg. v. L. S. Ginsburg u. A. A. Solowzow, ebd. 1958; D. LLOYD-JONES, The Songs of M., in: The Listener 1960, Wiederabdruck in: Essays on Music, hrsg. v. F. Aprahamian, London 1967; TH. CORNELISSEN in: Musik u. Bildung in unserer Zeit, hrsg. v. E. Kraus, Mainz 1961, S. 133ff. (zu »Boris Godunow«); R. KLEIN, Die Fassungen d. »Boris Godunow«, ÖMZ XVI, 1961; R.-A. MOOSER, Rimsky-Korsakof contra M., SMZ CI, 1961; W. SCHTSCHEGLOW, Obraz »rassweta« w »Chowanschtschine« (»Die Form d. ‚Sonnenaufgangs‘ in d. ‚Chowanschtschina‘«), SM XXV, 1961; D. LEHMANN, Charakter u. Bedeutung d. »Promenaden« in M.s »Bilder einer Ausstellung«, StMl IV, 1963; DERS., Satire u. Parodie in d. Liedern M. M.s, BzMw IX, 1967; H. SCHMOLZI, Hartmann, M., Kandinsky, Ravel, NZfM CXXIV, 1963; JE. K. ANTIPOWA, Dwa warianta »Schenitby« (»2 Varianten d. ‚Schenitba‘«), SM XXVIII, 1964; H. STAHL, Zur Ästhetik M. M.s, Jb. d. Komischen Oper Bln V, 1964/65; G. MEYER, Puschkins u. M.s »Boris Godunow«, ÖMZ XX, 1965; A. S. OGOLEWEZ, Wokalnaja dramaturgija M.owo, Moskau 1966; N. WL. SAPOROSCHEZ, Opery M.owo »Boris Godunow« i »Chowanschtschina«, = Universitetam kultury o. Nr, ebd.; W. P. BOBROWSKIJ, Analis komposizii »Kartinok s wystawki« M.owo (»Analyse v. M.s Komposition ‚Bilder einer Ausstellung‘«), in: Ot Ljulli do naschich dnej, Fs. L. A. Masel, ebd. 1967; I. PONIATOWSKA, O środkach harmonicznych w cyklu »Piesni i tańce smierci« M. M.ego (»Über d. harmonische Technik in M. M.s Zyklus ‚Lieder u. Tänze d. Todes‘«), in: Polsko-rosyjskie miscellanea muzyczne, hrsg. v. Z. Lissa, Krakau 1967; S. I. SCHLIFSTEIN, »Kasn Stepana Rasina« Schostakowitscha i tradizii M.owo (»‚Die Hinrichtung Stepan Rasins‘ v. Schostakowitsch u. d. M.-Tradition«), in: Dm. Schostakowitsch, hrsg. v. G. Sch. Ordschonikidse, Moskau 1967; DERS., Ot Gogolja k Puschkinu (»Von Gogol zu Puschkin«), SM XXXV, 1971; DERS., Otkuda sie rasswet? (»Woher d. Sonnenaufgang?«), ebd. (zu »Chowanschtschina«); I. I. SEMZOWSKIJ, Toropezkije pesni. Pesni rodiny M. M.owo (»Toropezer Lieder. M. M.s Lieder d. Heimat«), Leningrad 1967; K. REYLE in: SMZ CIX, 1969, S. 332ff. (zur ‚Urfassung‘ d. »Boris Godunow«); M. M. SOKOLSKIJ in: SM XXXIII, 1969, H. 9, S. 58ff., u. H. 10, S. 71ff. (zu »Lieder u. Tänze d. Todes«); M. SMIRNOW, Fortepiannyje proiswedenija kompositorow »Mogutschej kutschki« (»Die Kl.-Werke d. Komponisten d. ‚Mächtigen Häufleins‘«), Moskau 1971; A. ZUKER, Tema naroda u Schostakowitscha i tradizii M.owo (»Das Volksthema bei Schostakowitsch u. d. M.-Tradition«), in: Woprossy teorii i estetiki musyky X, hrsg. v. L. N. Raaben, Leningrad 1971; W. BELJAJEW, M., Skrjabin, Strawinskij. Sbornik statej (»Aufsatz-Slg«), Moskau 1972.

+Musulin, Branka, * 6. 8. 1920 zu Zagreb. Konzertverpflichtungen führten sie u. a. mehrfach nach Nordamerika sowie nach Japan (zuletzt 1973). 1963 wurde sie zum Professor ernannt.

Muszely (m′usɛli), Melitta (verheiratete Filippi), * 13. 9. 1928 zu Wien; österreichische Sängerin (Sopran), studierte am Konservatorium der Stadt Wien und debütierte 1950 am Stadttheater in Regensburg. Über Kiel (1952), Hamburg (1954) und Berlin (Komische Oper 1956; Staatsoper 1957, Kammersängerin 1957) kam sie 1964 an die Wiener Staatsoper, deren ständiges Mitglied sie ist. Sie wirkte bei den Uraufführungen von Křeneks *Pallas Athene weint* (Hbg 1957) und Klebes *Figaro läßt sich scheiden* (Hbg 1964) mit und spielte 1957 bei der Erstaufführung der Felsenstein-Bearbeitung von »Hoffmanns Erzählungen« alle 3 Frauengestalten. Gastspiele führten sie u. a. an die Mailänder Scala, nach Florenz und Paris sowie 1964 zu den Salzburger Festspielen. M. M. ist auch als Lied- und Konzertsängerin hervorgetreten.

Muti, Riccardo, * 28. 7. 1941 zu Neapel; italienischer Dirigent, studierte am Conservatorio di Musica S. Pietro a Majella in Neapel bei Rota und J. Napoli, am Conservatorio di Musica G. Verdi in Mailand bei Votto (Dirigieren) und Bettinelli (Komposition) sowie an der Mailänder Universität (Literatur und Philosophie). 1967 wurde ihm der internationale Dirigentenpreis »G. Cantelli« verliehen. Seit 1968 ist er Direttore stabile d'orchestra am Teatro Communale in Florenz und des Maggio Musicale Fiorentino. Mit Wirkung ab 1974 wurde er außerdem zum Chefdirigenten des New Philharmonia Orchestra in London berufen. Daneben dirigiert M. bei der RAI in Rom. Gasttourneen führten ihn u. a. nach Philadelphia, New York, London und an die Wiener Staatsoper.

Mutter, Gerbert, * 21. 8. 1922 zu St. Blasien; deutscher Komponist, studierte am Staatlichen Hochschulinstitut für Musikerziehung in Trossingen Klavier und Komposition (Brehme, H. Degen, Frommel, von Knorr), lehrt an der Pädagogischen Hochschule in Lörrach (Musiktheorie, Klavier) und tritt auch als Pianist und Organist hervor. Er komponierte u. a. zahlreiche Werke für Blasinstrumente (*Bläserintrada*, 1964; *Klingender Tag*, 1966; *Feierlicher Aufruf*, 1967; Ballade Nr 1, 1970; *Fröhliche Musik*, 1972), Kammermusik (Concertino für Fl., V., Kl. und Triangel), Klavierstücke und Vokalmusik (*Missa brevis*, 1961).
Lit.: H. MÜNZ, Der Komponist G. M., in: Ekkart (Jb. f. d. badische Land) 1974.

Muttusvāmī Dīkṣitar, * 24. 3. 1776 zu Tiruvārūr (Tanjore-Distrikt), † 1835 zu Eṭṭiyāpuram; aus einer Musikerfamilie stammender Brahmane, gehört mit Tyāgarāja und Śyāmā Śāstrī zu den großen Klassikern der neueren karnatischen Musik Südindiens. Während seiner Ausbildung verbrachte er 5 Jahre in Benares und wurde dort vom nordindischen Dhrupad-Stil tief beeindruckt. Die Kompositionstätigkeit des Sängers und Vīṇā-Spielers begann in Tiruttani (in der Nähe von Madras) und wurde in Tiruvārūr fortgesetzt. M. D. ist der bedeutendste Komponist von kṛti-Kompositionen mit Sanskrittexten. Als Meister der Verskunst bediente er sich auch bei seinen kṛti-Musikstücken eines sehr kunstvollen, der Vīṇā-Spieltechnik verpflichteten Stils. Er bevorzugte langsame Tempi, und dies gab ihm die Möglichkeit, ausgedehnte Ornamentfiguren in die musikalische Textur einzufügen. M. D.s kṛti-Kompositionen bringen die Strukturen der verwendeten Rāgas besonders klar zum Vorschein.
Ausg.: Kṛti-maṇi-mālai (»Kṛti-Edelstein-Girlande«), Bd III, hrsg. v. R. RANGARĀMĀNUJA AYYANGĀR, Madras ²1967 (enthält 400 kṛti-Kompositionen v. M. D.; Texte u. Melodien sind in Tamil-Schrift notiert).
Lit.: V. RĀGHAVAN in: Journal of the Music Acad. Madras XXVI, 1955, S. 131ff.; P. SAMBAMOORTHY, Great Composers, Bd I, Madras ²1962, S. 126ff.; T. V. SUBBA RAO, Studies in Indian Music, Bombay, London u. NY 1962, S. 119ff.

Mužík (m′uʒiːk), František, * 1. 5. 1922 zu Dux/Duchcov (Nordböhmen); tschechischer Musikforscher, promovierte 1952 an der Prager Karlsuniversität mit einer Dissertation über *Hudební dějepisectví* (»Die Musikgeschichtsschreibung«), habilitierte sich dort 1960 mit der Schrift *Trnavský rukopis* (»Die Tyrnauer Handschrift«) und wurde auf den Lehrstuhl für Musikwissenschaft berufen. Er schrieb u. a.: *Nejstarší nápěv písně »Jesu Kriste, ščedrý kněže« a jeho vztah k Husově variantě* (»Die älteste Melodie des Liedes ‚Jesu Christe, mildtätiger Fürst‘ und ihr Verhältnis zur Variante von Hus«, in: Geras, Fs. G. Thomson, = Acta Universitatis Carolinae, Philosophica et historica I, Prag 1963); *Nejstarší* *památky české hudby* (»Die ältesten Denkmäler der tschechischen Musik«, Prag 1963, auch deutsch, engl. und frz.); *Die Tyrnauer Handschrift (Budapest, Országos Széchenyi Könyvtár c. l. m. ae. 243)* (in: Studie a materiály k dějinám starší české hudby, = Acta ... II, 1965); *Hospodine pomiluj ny. K dějinám forem nejstarších českých písní* (»Herr, erbarme dich unser. Zur Geschichte der ältesten tschechischen Gesangsformen«, in: Miscellanea musicologica XVIII, 1965); *Systém rytmiky české písně 14. století* (»Das Rhythmiksystem des tschechischen Liedes des 14. Jh.«, ebd. XX, 1967); *Christ ist erstanden – Buóh všemohúcí* (ebd. XXI-XXIII, 1968–70). M. ist Chefredakteur der Zeitschrift *Hudební věda*.

Muzio, Claudia (eigentlich Claudina Emilia Maria Muzzio), * 7. 2. 1889 zu Pavia, † 24. 5. 1936 zu Rom; italienische Opernsängerin (Sopran), studierte in Turin und Mailand, debütierte 1910 in Arezzo in der Titelpartie von Massenets *Manon*, sang 1912–14 an der Mailänder Scala, gastierte an der Covent Garden Opera in London und war 1916–21 die Primadonna der Metropolitan Opera in New York (Debüt als Tosca). 1926–27 trat sie wieder an der Mailänder Scala auf, sang dann an der Opera di Roma und außerdem an der Oper in Chicago. Gastspielreisen führten sie auch nach Südamerika. 1933 wurde sie nochmals an die Metropolitan Opera verpflichtet. Sie sang in einer Reihe von Uraufführungen, u. a. die Giorgietta in Puccinis *Il tabarro* (NY 1918) und die Titelpartie von Refices *Cecilia* (Rom 1934). Zu ihren Hauptpartien zählten Leonore (*Il trovatore*), Violetta, Desdemona und Mimi. Wegen ihrer großen Darstellungskunst wurde Cl. M. die »Duse der Oper« genannt.
Lit.: H. M. BARNES, Cl. M., Austin (Tex.) 1947 (mit Diskographie); M. RINALDI, La Duse del canto, in: La Scala VIII, 1956.

Mycielski, Zygmunt, * 17. 8. 1907 zu Przeworsk (Galizien).
Chefredakteur von +*Ruch muzyczny* war M. 1945–48 und wiederum 1960–68 (darin zahlreiche Beiträge von ihm selbst). – Weitere Werke: insgesamt 3 Symphonien (1947; 1961; *Sinfonia breve*, 1967) und *Symfonia polska* (1951) für Orch.; 5 *Préludes* für Klavierquintett (1967); 6 *Préludes* für Kl. (1954); 6 Lieder *Kragly rok* (»Das runde Jahr«) für T. und Kl. (1967). M. instrumentierte auch 13 Choralvorspiele von J.S.Bach für Orch. (1967). Gesammelte Essays und Musikkritiken erschienen als *Ucieczki z pięciolinii* (»Flucht aus den Notenlinien«, Warschau 1956) und *Notatki o muzyce i muzykach* (»Notizen über Musik und Musiker«, Krakau 1961). Er veröffentlichte ferner (mit C.Regamey) *La vie musicale en Pologne* (= Feuilles musicales XI, 1958, Nr 2/3).
Lit.: M. WALLEK-WALEWSKI u. T. KACZYŃSKI in: Ruch muzyczny XVI, 1972, Nr 1, S. 8ff.; L. LUDWIK, ebd. Nr 10, S. 7f.

Myers, Rollo Hugh, * 23. 1. 1892 zu Chislehurst (Kent).
Die Zeitschrift +*The Chesterian* erschien bis 1961, +*Music Today* lediglich einmal 1949. M. lebt heute in Eynsham (bei Oxford). – Neuere Veröffentlichungen: +*E. Satie* (1948), Paperbackausg. NY 1968, frz. Paris 1959; *Ravel, Life and Works* (London 1960, Paperbackausg.

1971); *Chabrier and His Circle* (ebd. 1969, Cranbury/ N. J. 1970); *Modern French Music. Its Evolution and Cultural Background from 1900 to the Present Day* (= Blackwell's Music Series o. Nr, Oxford 1971, auch NY 1971); *Cl.Debussy and Russian Music* (ML XXXIX, 1958, tschechisch in: Hudební rozhledy XII, 1959); *Ch.Koechlin. Some Recollections* (ML XLV, 1965); *A. Holmès. A Meteoric Career* (MQ LIII, 1967); *E.Gurney's »The Power of Sound«* (ML LIII, 1972); lexikalische Beiträge. Er edierte: *Twentieth-Cent. Music* (London 1960, 2. revidierte und erweiterte Aufl. London und NY 1968, Paperbackausg. London 1970); *R.Strauss and R. Rolland. Correspondence* (mit Einleitung von G.Samazeuilh, London und Berkeley/Calif. 1968; nach der frz. Ausg. = Cahiers R.Rolland III, Paris 1951).

+Mysliveček, Josef, 1737–81.
M. komponierte 9 [nicht: 4] Oratorien. Zu seinem Œuvre zählen ferner Ouvertüren, Klavierkonzerte, ein Cellokonzert, Streichquintette, weitere 6 Triosonaten, 6 Divertimenti und 6 Sonaten für V. und Kl., Klavierstücke sowie Kantaten.
Ausg.: 4 Rondos, 2 Menuette u. eine Sonate f. Kl., in: České sonatiny / Sonaten alter tschechischer Meister, hrsg. v. J. RACEK, K. EMINGEROVÁ u. O. KREBDA, = MAB XVII, Prag 1954; dass. in: České sonatiny / Sonaten alter tschechischer Meister, hrsg. v. K. EMINGEROVÁ, = Musica viva hist. V, ebd. 1961; Ouvertüre zur Oper »Ezio« (1775), hrsg. v. R. MÜNSTER, Ffm. 1962; 3 Ottetti f. 2 Ob., 2 Klar., 2 Hörner u. 2 Fag., hrsg. v. J. RACEK u. C. SCHOENBAUM, = MAB LV, Prag 1962; Concerto Nr 2 f. Cemb. u. Orch., f. Kl. 4händig hrsg. v. E. FENDLER, London 1964; Konzert D dur f. Fl. u. Orch., hrsg. v. M. MUNCLINGER, = Musica viva hist. XXIII, Prag 1969; Sonate B dur f. Fl. (Ob.), V. u. Vc. (Fag.), hrsg. v. H. STEINBECK, London 1972.
Lit.: J. RACEK, Zur Frage d. »Mozart-Stils« in d. tschechischen vorklass. Musik, Kgr.-Ber. Wien Mozartjahr 1956, tschechisch in: Musikologie V, 1958, S. 71ff.; M. POŠTOLKA, J. Haydn a naše hudba 18. století (»J. Haydn u. unsere Musik im 18. Jh.«), = Hudební rozpravy IX, Prag 1961; I. STOLAŘÍK, Leningradsky rukopis opery J. Myslivečka »Nitteti« (»Das Leningrader Ms. d. Oper ,Nitteti' v. J. M.«), Oppeln 1963 (mit russ., frz. u. engl. Zusammenfassung); R. PEČMAN, De Gamerrovo libreto k poslední opeře J. Myslivečka (»De Gamerras Text zur letzten Oper v. J. M.«), in: Sborník prací filosofické fakulty brněnské univ. XIV, F 9, 1965; DERS., Zur Leningrader Hs. d. letzten Oper J. M.s, ebd. XV, H 1, 1966 (mit tschechischer u. russ. Zusammenfassung); DERS., Skladatel J. M. a jeho jevištní epilog, Diss. Brünn 1967, deutsch als: J. M. u. sein Opernepilog, = Opera Univ. Purkynianae Brunensis, Facultas philosophica CLXIV, ebd. 1970; DERS., Vorgänger oder Bewußtsein d. Zusammenhänge. Die Mannheimer, J. Benda u. M. im Brennpunkt d. Entwicklung, in: Musica Bohemica et Europaea, = 5. Internationale Musikfestspiele Brno, ebd. 1970 (auch tschechisch u. engl.); DERS., P. Metastasio jako librettista Myslivečkových oper (»P. Metastasio als Librettist f. M.s Opern«), in: Otázky divadla a filmu II, 1971 (mit deutscher Zusammenfassung); V. NOSEK, Tamerlan, opéra de M., Remarques sur la réalisation scénique, in: Musica antiqua, hrsg. v. R. Pečman, = Mw. Kolloquien d. Internationalen Musikfestivale in Brno II, Brünn 1968; M. FLOTHUIS, Ridente La Calma, Mozart oder M.?, Mozart-Jb. 1971/72.

+Mysz-Gmeiner, Lula, 1876–1948.
Ihre Schwestern Ella ([erg.:] eigentlich Gabriele Louise, verheiratete Weise), 1878 – [erg.:] 21. 12. 1954 [del.: oder 1955], und Luise, 1.(13.) 2. 1885 – 1951.

N

Nabažas (nab'aʒas), Jonas, * 1.(14.) 9. 1907 zu Jonava (Gouvernement Kaunas); litauisch-sowjetischer Komponist, studierte 1923–33 an der Musikschule und am Konservatorium in Kaunas (Gruodis) sowie 1937–39 an der Ecole Normale de Musique in Paris (Nadia Boulanger). 1940–49 unterrichtete er am Konservatorium in Kaunas und lehrt seit 1950 am Konservatorium in Wilna. Er schrieb Orchesterwerke (Symphonische Dichtung *Daina apie liūdesį ir džiaugsma,* »Lied über Kummer und Freude«, nach Nietzsche; *Perpetuum mobile*; Suite *Darbo dainos,* »Arbeitslieder«, nach litauischen Volksliedern), Kammermusik (Streichquartett, 1932; Capriccio für V. und Kl.), Klavierwerke (Variationen, 1930; Sonate, 1931), Chöre und Lieder.

+Nabokov, Nicolas (Nicolai), * 17. 4. 1903 zu Lubscha (Minsk).
Generalsekretär des Congress of Cultural Freedom war N. bis 1963. Er hatte 1963–68 die künstlerische Leitung der Berliner Festwochen inne; 1970–71 lehrte er als Professor of Aesthetics an der New York State University in Buffalo, 1972–73 wirkte er am Department of Music der New York University (an beiden Universitäten auch Composer-in-Residence). – Die Oper *+The Holy Devil* (1958) erweiterte N. auf 3 Akte als *Rasputin's End* (Köln 1959 als *Der Tod des Grigori Rasputin*). – Neuere Werke: die Oper *Love's Labour's Lost* (W.H. Auden nach Shakespeare, Brüssel 1973), das Ballett *Don Quichotte* (NY 1966, daraus auch *Ballet de cour du 17ème s.,* *Ballet romantique* und *Symphonic Variations*); *Studies in Solitude* (1961) und 3. Symphonie *A Prayer* (1964) für Orch.; Praeludium, Variationen und Finale über ein Thema von Tschaikowsky für Vc. und Orch. (1969); Elegie *The Return of Pushkin* für hohe St. und Orch. (1948), *Symboli Chrestiani* (1953) und 4 Gedichte (aus B. Pasternaks »Doktor Schiwago«, 1961) für Bar. und Orch. – Er schrieb *I. Strawinsky* (= Köpfe des XX. Jh. XXXVI, Bln 1964).

Nacchini (nak-ki:'ni), Pietro (Nachini, Nanchini; Petar Nakić), OFM, getauft Februar 1694 zu Podgrebača (Dalmatien), † um 1770 zu Conegliano (Venetien); kroatisch-italienischer Orgelbauer, studierte Philosophie in Šibenik und Theologie in Venedig, wo er auch Orgelbau bei einem gewissen Piaggio (Piaggia, Piazza) lernte. Er wirkte in Italien und Dalmatien und baute etwa 500 Instrumente, darunter die Doppelorgel der Chiesa di S. Giustina und zwei der 4 Orgeln der Basilica del Santo in Padua; erhalten sind noch Werke in Zadar, Šibenik und Split. Es wird ihm auch die Erfindung des »tira tutti« (Betätigung aller Register zugleich) zugeschrieben.
Lit.: F. BULIĆ, Orgulje glasovith umjetnika po crkvama u Dalmaciji (»Org. berühmter Künstler in d. Kirchen Dalmatiens«), in: Sv. Cecilija 1918, Nr 5–6; P. KOLENDIĆ, Mesto i godina rodjenja don P. Nakića (»Don P. N.s Geburtsort u. -jahr«), in: Prilozi za književnost, jezik, istoriju i folklor I, (Belgrad) 1921; L. ŠABAN, Graditelj orgulja P. Nakić i Šibenik (»Der Org.-Bauer P. N. u. Šibenik«), in: Acta Inst. Acad. Jugoslavicae scientiarum et artium in Zadar XIII/XIV, 1967, u. in: Kulturna baština samostana Sv. Franc u Šibeniku, Zadar 1968;

DERS., Umjetnost i djela graditelja orgulja P. Nakića u Dalmaciji i Istri (»Kunst u. Werke d. Orgelbauers P. Nakić in Dalmatien u. Istrien«), in: Arti musices IV, 1974.

Nachtigal, Sebald, * um 1465 und † im Frühjahr 1518 zu Nürnberg; deutscher Organist, gehörte zum Humanistenkreis um Celtis in Nürnberg, wo er von 1490 bis zu seinem Tod Organist an St. Sebald war. Er ist vermutlich der Komponist eines 4st. Reimoffiziums auf den hl. Sebaldus und des 3st. Hymnus *Regiae stirpis soboles Sebalde* (Celtis) im »Halberstädter Kodex« (Staatsbibl. Bln, ms. mus. 40021).
Lit.: R. GERBER, Die Sebaldus-Kompositionen d. Berliner Hs. 40021, Mf II, 1949.

Nadal (nað'al), Jaime, * 2. 5. 1789 zu Lérida, † 28. 12. 1844 zu Astorga (León); spanischer Komponist, erhielt seine musikalische Ausbildung am Benediktinerkloster Montserrat (1802–07) und war Maestro de capilla an den Kathedralen von Palencia (1830–34) und Astorga (1834–44). Er schrieb zahlreiche kirchenmusikalische Werke (Messen, Requiem, Psalmen, Lamentationen, Villancicos, Hymnen).

+Nadel, Arno, 1878 – nach dem 12. 3. 1943 (Datum der Deportation ins Konzentrationslager Auschwitz) [del. frühere Angabe].

+Naderman (Nadermann), –1) François Joseph, 1781 [nicht: um 1773] – 1835. Nicht ein Pierre Joseph N. ist Vater von –1) und –2), sondern –3) Jean Henry. –2) Henri, 1782 [nicht: 1780] – [erg.:] nach 1835 zu Paris. –3) Jean Henry, † zwischen Oktober 1802 und November 1803. J. H., Vater von –1) und –2), ist ab 7. 11. 1777 als Verleger in Paris nachweisbar. Nach seinem Tod führten seine Witwe und seine Söhne das Geschäft fort. Die Bestände von Boyer übernahmen sie um 1806. [del. frühere Angaben zu –3).]

+Nägeli, Hans Georg, 1773–1836.
Ausg.: Männerchöre, hrsg. v. P. MÜLLER-ZÜRICH, 7 H., Zürich 1936; 10 alemannische Gedichte f. 1 oder 2 Singst., hrsg. v. G. WALTER, = Schweizer Sing- u. Spielmusik XIV, ebd. 1942; H. G. N. in Sprüchen, Liedern u. Gesängen, hrsg. v. FR. JÖDE, Wolfenbüttel 1961; Abendlandschaft f. Singst. u. Kl. sowie Nachtgesang f. 4st. Chor, in: K. STEPHENSON, Romantik in d. Tonkunst, = Das Musikwerk XXI, Köln 1961, engl. 1962.
Lit.: J. MÜLLER-BLATTAU, M. Bigot an H. G. N., NZfM CXX, 1959; H. J. SCHATTNER, Volksbildung durch Musikerziehung. Leben u. Wirken H. G. N.s, Otterbach 1960; DERS., H. G. N., Pestalozzianer, Musikerzieher, Chorbildner, Verleger, Kunstwissenschaftler, SMZ CV, 1965; B. RAINBOW, The Land Without Music. Mus. Education in England 1800–60 and Its Continental Antecedents, London 1967; D. GOJOWY, Wie entstand H. G. N.s Bach-Slg?, Bach-Jb. LVI, 1970.

+Nagel, Wilibald, 1863–1929.
Lit.: H. CONRADIN, Die Mw. an d. Univ. Zürich, = 155. Neujahrsblatt d. Allgemeinen Musikges. Zürich, Zürich 1972.

+Nagels Verlag.
[erg.: Georg Wilhelm] Adolph Nagel, [erg.:] * 29. 6. 1800 und † 22. 9. 1873 zu Hamburg; Alfred Grens-

ser, 25. 7. [nicht: 5. 8.] 1884 [erg.:] zu Leipzig – 1950 [erg.:] zu Celle. – Die Editionsreihe +*Nagels Musik-Archiv* (Instrumentalwerke älterer Meister) ist inzwischen auf über 200 H. angewachsen.

+Nagler, Franciscus, 1873 – [erg.: 6.] 6. 1957.

+Naich, Hubert, 16. Jh.
Lit.: +A. EINSTEIN, The Ital. Madrigal (I-II, 1949), Nachdr. Princeton (N. J.) 1970. – J. QUITIN, A propos des H. N. de Liège et d'un tableau de la Galleria Pitti à Florence, RBM XI, 1957; E. SINDONA, È H. N. e non J. Hobrecht il compagno cantore del Verdelot nel quadro della Galleria Pitti, AMl XXIX, 1957.

+Naidenoff, Assen (Asen Jakov Najdenov), * 12.(24.) 9. 1899 zu Varna.
N. war bis 1962 Hauptdirigent der Staatsoper in Sofia, während der Spielzeit 1962/63 Dirigent am Leningrader Kleinen Akademischen Operntheater und 1963/64 Dirigent am Moskauer Bolschoj teatr. Ende 1964 verlegte er seine Haupttätigkeit wieder nach Bulgarien, wo er dann 1966 leitender Hauptdirigent der Staatsoper in Sofia wurde. Als Gast (z. T. auch mit dem Ensemble der Staatsoper) dirigierte N. an verschiedenen ausländischen Opernhäusern (u. a. Staatsoper Berlin), besonders Opern von Mussorgskij und Rimskij-Korsakow. Darüber hinaus trat er auch als Konzertdirigent auf. N. schrieb den Beitrag *Operen repertoar i chudožestveno izpolnitelsko ravnište na spektaklite* (»Das Opernrepertoire und das künstlerische Niveau der Interpretation in den Aufführungen«, in: Bâlgarska muzika XVI, 1965).
Lit.: B. IKONOMOV in: Bâlgarska muzika XV, 1964, H. 10, S. 51f.; ST. RAZBOJNIKOV, Doajen na opernija pult (»Doyen am Opernpult«), ebd. XX, 1965; E. NIKOLOVA in: Muzica XX, (Bukarest) 1970, H. 6, S. 42f.

+Nakanoshima, Kin-ichi, * 16. 12. 1904 zu Tokio.
An weiteren Kompositionen von N., seit 1937 Professor an der Staatlichen Hochschule für Musik (seit 1950: und bildende Künste) in Tokio, seien genannt *Mittsu no dansho* (»3 Fragmente«) und eine Suite für Koto und Sangen. Er ist, neben M. Miyagi, als der bedeutendste Kotospieler dieses Jahrhunderts anzusehen.

Nakić, Peter → Nacchini, Pietro.

Namysłowski (namisu'ɔfski), Karol, * 9.9.1856 und † 21. 8. 1925 zu Chomęciska Szlacheckie (bei Lublin); polnischer Komponist und Dirigent, studierte am Warschauer Musikinstitut. Er gründete in seinem Heimatort mit den dort ansässigen Bauern eine Kapelle, die zunächst während der Gottesdienste spielte, später aber Konzerte in Lublin und Radom gab. 1885 ging N. mit seiner Kapelle nach Warschau; während der Sommermonate spielten sie in verschiedenen Kurorten. Mit Erlaubnis Zar Alexanders III. durfte die Kapelle im gesamten Rußland konzertieren. Als N. 1915 erblindete, übernahm sein Sohn Stanisław N. (1879–1963), ein Komponist populärer Musik, die Leitung der Kapelle, die er zu einem großen Orchester ausbaute. K. N. schrieb etwa 200 Tänze (Mazur, Kujawiak, Oberek, Obertas), von denen mehrere bis heute lebendig geblieben sind.
Lit.: A. BRYK, K. N., Lublin 1961 (mit Werkverz. u. Bibliogr.).

Nan Cho, * um 790(?), † 854 n. Chr.; chinesischer Staatsbeamter, Kalligraph und Dichter der T'ang-Dynastie, verfaßte um 848–850 das Werk *Chieh-ku-lu* (»Abhandlung über die Chieh-ku-Trommel«), eine wichtige Quelle zur Geschichte und Blütezeit des Instruments, das vermutlich aus Zentralasien oder Indien nach China eingeführt worden war und sich großer Beliebtheit am Hofe des T'ang-Kaisers Hsüan-tsung

(847–860 n. Chr.), der es selbst spielte, erfreute. Der Anhang des Werkes enthält eine Liste von vorwiegend fremdländischen Musikstücken.
Lit.: M. GIMM, Das Yüeh-fu tsa-lu d. Tuan An-Chieh, = Asiatische Forschungen XIX, Wiesbaden 1966, S. 458f. (über d. Trommel selbst); DERS., Nan Cho († 854), in: Oriens extremus XIV, 1967.

+Nanino, –1) Giovanni Maria, um 1544/45 – 1607.
–2) Giovanni Bernardino, um 1560 – 1623, war 1591 [erg.:] bis 1608 Kapellmeister an der Kirche S.Luigi dei Francesi in Rom.
Ausg.: zu –1): im 5st. Madrigal in: I diporti della villa in ogni stagione di Fr. Bozza (1601), hrsg. v. S. CISILINO, = Collana di musiche veneziane ined. o rare I, Mailand 1961; 14 Liturgical Works, hrsg. v. R. J. SCHULER, = Recent Researches in the Music of the Renaissance V, Madison (Wis.) 1969.
Lit.: H.-W. FREY, Die Kapellmeister an d. frz. Nationalkirche S. Luigi dei Francesi in Rom im 16. Jh., AfMw XXII 1965 – XXIII, 1966. – zu –1): +G. REESE, Music in the Renaissance (1954), revidiert NY 1959; R. J. SCHULER, The Life and Liturgical Works of G. M. N., 2 Bde (Bd II Übertragungen), Diss. Univ. of Minnesota 1963; DERS., The Life of G. M. N., in: Caecilia XC, (Omaha) 1963.

+Nanny, Édouard, 1872 – [erg.: 12. 10.] 1942.

+Napoleão, Artur (Arthur), 1843–1925.
N. gründete 1868 in Rio de Janeiro außerdem einen eigenen Musikverlag, der vor allem durch die Edition der meisten Werke von H. Villa-Lobos bekannt wurde. – N.s Oper *O remorso vivo* wurde 1866 in Rio de Janeiro uraufgeführt.
Lit.: G. DE JONG, Music in Brazil, Inter-American Music Bull. 1962, Nr 31; Memórias de A. N., Rev. brasileira de musica I, 1962 – III, 1964; L. H. CORRÊA DE AZEVEDO in: Arquivos do Centro cultural portugues III, 1971, S. 572ff.

+Napoli, –1) Gennaro, 1881 – 28. [nicht: 26.] 6. 1943.
–2) Jacopo, * 26. 8. 1911 zu Neapel. Das Konservatorium in Neapel leitete N. bis 1962; seitdem ist er Direktor des Conservatorio di musica G. Verdi in Mailand. 1972 wurde unter seiner Leitung eine Musikschule für Pianisten, Geiger und Bläser in Cremona eröffnet. – Werke: die Opern *Il malato immaginario* (Neapel 1939), *Miseria e nobiltà* (ebd. 1946), *Un curioso accidente* (Bergamo 1950), *Masaniello* (Mailand 1953), *I pescatori* (Neapel 1954), *Il tesoro* (Rom 1958), *Il rosario* (Brescia, 1962), *Il povero diavolo* (Triest 1963) und *Il barone avaro* (Kurzoper nach Puschkin, Neapel 1970); Oratorium *La passione di Cristo* für Chor und Orch. (1951); Kantaten *Piccola cantata per il Venerdì Santo* für gem. Chor und Orch. (1962) und *Munasterio* für Männerchor und Orch. (1969); *Lauda della Trinità* für S., Mezzo-S. und Orch. (1969); *Grida di venditori napoletani (1700–1800)* für Chor und Kl. (1968). N. bearbeitete auch zahlreiche Werke aus der neapolitanischen Opernschule des 18. Jh. und schrieb *Educazione musicale, per la scuola media* (Mailand 1966).

Napolitano, Emilio, * 12. 11. 1907 zu Buenos Aires; argentinischer Violinist und Komponist, studierte am Staatlichen Konservatorium seiner Heimatstadt bei Edmundo Weingand (Violine), Luzzati (Klavier), Ugarte (Komposition) und Gaito (Orchestrierung). Er war 1922–50 1. Violinist am Teatro Colón in Buenos Aires und am Teatro Argentino in La Plata (1959) sowie Gründer und Primarius des Streichquartetts der Sociedad Nacional de Música (1931), des Quinteto Argentino de Música de Cámara (1954) und des Streichquartetts des Staatlichen Konservatoriums »Renacimiento«. 1946–48 hatte er die Position des künstlerischen Direktors am Teatro Colón inne, war 1939–60 Professor für Violine und Kammermusik am Staatlichen Konservatorium in Buenos Aires und ist seit 1960 in gleicher Stellung am Konservatorium in Mar del Plata (Provinz Buenos Aires) tätig. – Kompositionen: Ballette *Apurimac* (Buenos Aires 1944) und *Fiesta pampeana* (ebd. 1947); *3 motivos argentinos* für Orch. (Instrumentation von Iglesias Villoud, 1947); *Suite criolla* für Streichquartett (1940); Quartett für Fl., Klar., Fag. und Kl. (1939); *Suite argentina* für Klaviertrio (1954); *Mi canción* für S. und Streichquartett; ferner Klavierwerke sowie Chor- und Sololieder.

+Naprawnik, Eduard Franzewitsch (Nápravník), 1839 – 10.(23.) 11. 1916.
2. Kapellmeister an der Kaiserlichen Oper in St.Petersburg wurde N. erst 1867 [nicht: 1862]. – Neben seiner bekanntesten Oper *Dubrowskij* (St.Petersburg 1895) komponierte er die Opern *Nischegorodzy* (»Die Nischni-Nowgoroder«, ebd. 1869), *Garold* (»Harold«, ebd. 1886) und *Francesca da Rimini* (ebd. 1902) sowie 4 Symphonien, ein Klavierkonzert, Orchesterstücke, 2 Streichquintette, 2 Streichquartette, ein Klavierquartett, 2 Klaviertrios, weitere Kammermusik, Klavierstücke, Lieder und Chöre.
Lit.: Awtobiografitscheskije, twortscheskije materialy, dokumenty, pisma (»Materialien zur Autobiogr. u. zum Werk, Dokumente, Briefe«), hrsg. v. L. M. KUTATELADSE u. JU. WS. KELDYSCH, Moskau 1959. – JE. M. GORDEJEWA, »Dubrowskij« N.a, ebd. 1949, ²1960; B. WL. ASSAFJEW, Isbrannyje trudy (»Ausgew. Arbeiten«), Bd III, ebd. 1954; M. POSTLER, Český hudebník na Rusi (»Ein tschechischer Musiker in Rußland«), in: Praha–Moskva VII, 1957; DERS., Život a dílo českého hudebníka v Rusku (»Leben u. Werk eines tschechischen Musikers in Rußland«), in: Slovanský přehled XLV, 1959.

+Nardini, Pietro, 1722–93.
Ausg.: +6 Streichquartette (H. RIEMANN, NA v. W. ALTMANN, 1937), Neudr. Wiesbaden 1966. – Trio C dur, hrsg. v. M. GÜMBEL, = Flötenmusik o. Nr, Kassel 1960; V.-Konzert F dur op. 1 Nr 3, hrsg. v. W. LEBERMANN, Kl.-A. = V.-Bibl. XXIII, Partitur = Concertino CX, Mainz 1968; 6 Duette f. Va, hrsg. v. DEMS., = Va-Bibl. XXIII, ebd. 1969; Concerto A dur f. V., Streichorch. u. Org. (Cemb.) op. 1 Nr 1, hrsg. v. G. KEHR, = Concertino CIX, ebd.; V.-Konzert A dur f. Streichorch. u. B. c., Kl.-A. hrsg. v. C. BARISON, Mailand 1970; V.-Konzert G dur, Kl.-A. hrsg. v. ZVI ZEITLIN, NY 1970.
Lit.: +A. MOSER, Gesch. d. Violinspiels (1923), 2. Aufl. hrsg. v. H.-J. Nösselt, Tutzing 1966–67 (2 Bde). – CL. SARTORI, P. N. »violinista dell'amore«, in: Musicisti toscani, hrsg. v. A. Damerini u. Fr. Schlitzer, = Accad. mus. Chigiana (XII), Siena 1955, wiederabgedruckt in: Musiche ital. rare e vive . . ., hrsg. v. dems. u. G. Roncaglia, ebd. (XIX), 1962.

+Nares, James, 1715–83.
Lit.: P. D. ANDERSEN, The Life and Work of J. N., Diss. Washington Univ. (Mo.) 1968.

Narholz, Gerhard (Pseudonym Otto Sieben), * 9. 6. 1937 zu Vöcklabruck (Oberösterreich); österreichischer Komponist von Unterhaltungs-, Tanz- und Schlagermusik, lebt in München. Er studierte in Wien Komposition an der Akademie für Musik und darstellende Kunst sowie Musikwissenschaft an der Universität. Bereits 1956 wurden seine ersten Stücke auf Schallplatten aufgenommen. Ab 1959 komponierte er vorwiegend Schlager und war als Arrangeur und Dirigent bei deutschen Schallplattenfirmen tätig. Seit 1961 schreibt er auch Musik für Spiel- und Fernsehfilme. 1963 gründete er ein eigenes Orchester für Studioaufnahmen und 1965 einen eigenen Verlag mit Musikproduktion. Er komponierte über 400 Unterhaltungs- und Tanzmusikstücke sowie das Musical *Wiener Panoptical*.

Narké, Víctor de, * 21. 12. 1930 zu Goya (Provinz Corrientes); argentinischer Sänger (Baß), erhielt seine Ausbildung an der Opernschule des Teatro Colón in Buenos Aires, an dem er auch debütierte. Seine internationale Laufbahn begann in Europa, wo er zunächst in Zürich und Genf, dann u. a. an deutschen, österreichischen, italienischen und französischen Opernbühnen auftrat. Er sang auch bei den Festspielen in Glyndebourne und Aix-en-Provence.

+Narváez, Luys de (Luis), um 1500 – [erg.:] nach 1550(?).
Ausg.: +Collección de vihuelistas españoles del s. XVI (E. M. TORNER, 1923), Nachdr. Barcelona 1965 (darin: El Delphin de música, 1538). – Fantasia III, f. Git. bearb. v. L. DE AZPIAZU, = Guitare XXVIII, Paris 1966.
Lit.: J. M. WARD, The »vihuela de mano« and Its Music (1536–76), Diss. NY Univ. 1953; D. DEVOTO, Poésie et musique dans l'œuvre des vihuelistes, Ann. mus. IV, 1956; Le luth et sa musique, hrsg. v. J. JACQUOT, = Colloques internationaux du Centre national de la recherche scientifique, Sciences humaines o. Nr, Paris 1958; K. G. FELLERER, Josquins Missa »Faisant regretz« in d. Vihuela-Transkription v. Mudarra u. N., in: Span. Forschungen d. Görresges. I, 16, Münster (Westf.) 1960; M. A. GREBE, Modality in the Span. Vihuela Music of the 16th Cent. and Its Incidence in Lat.-American Music, AM XXVI, 1971.

Nasco, Giovanni → +Le Cocq, J.

Naṣīraddīn aṭ-Ṭūsī, Muḥammad ibn Muḥammad ibn al-Ḥasan, Abū Ǧaʿfar, * 18. 2. 1201 zu Ṭūs (Persien), † 26. 6. 1274 zu Bagdad; persischer Naturwissenschaftler und Polyhistor, spielte eine politische Rolle als militanter Šīʿit und als Hofastrologe mehrerer Fürsten während der Eroberung von Bagdad (1258) durch den Mongolen Hülägü († 1265) und als dessen Minister. Für Hülägüs Nachfolger Abaqa (1265–82) gründete er die Sternwarte in Marāġa (Westpersien). Unter seinen zahlreichen dogmatischen, philosophischen und naturwissenschaftlichen Schriften findet sich eine kurze arabische Abhandlung über Intervalle (abʿād), die wohl als Kapitel eines medizinischen Werkes oder Kommentars konzipiert war. Er spricht darin nach einem Überblick über »große« und »kleine« Intervalle von den fünf Intervallen Duodezime, Oktave, Quinte, Quarte und Terz, deren Proportionen den Zahlenverhältnissen entsprächen, die im Puls (des gesunden Menschen) wahrnehmbar seien; eine Anschauung, die Avicenna in seinem *Qānūn fī ṭ-ṭibb* (»Kanon der Medizin«) auf Galen zurückführt, und die im Anschluß an Avicenna mehrfach, auch lateinisch, kommentiert worden ist.
Ausg.: Risālat Naṣīraddīn aṭ-Ṭūsī fī ʿilm al-mūsīqī / al-Ṭūsī's Treatise on Musicology, hrsg. v. Z. YŪSUF, Kairo 1964.
Lit.: E. G. BROWNE, A Literary Hist. of Persia, Bd II, London 1906, ²1929; H. G. FARMER, A Hist. of Arabian Music to the XIIIth Cent., ebd. 1929, Nachdr. 1967; DERS., An Outline Hist. of Music and Mus. Theory, in: A. U. Pope, A Survey of Persian Art III, u. a. NY 1939, S. 2796; DERS., The Sources of Arabian Music, Bearsden 1940, revidiert Leiden 1965, Nr 245; R. STROTHMANN u.J. RUSKA, Artikel N. aṭ-Ṭ., EI III, 1934 (mit weiterer Lit.); C. BROCKELMANN, Gesch. d. arabischen Lit. II, Leiden ²1949, Suppl. II, 1938; M. ʿA. TABRĪZĪ, Raiḥānat al-adab, Bd II, Tabrīz 1949 (persisches biogr. Lexikon islamischer Gelehrter); Ḥ. AZ-ZIRIKLĪ, al-Aʿlām VII, Damaskus ²1956 (arabisches biogr.-bibliogr. Lexikon); ʿU. R. KAḤḤĀLA, Muʿǧam al-muʾallifīn XI, Damaskus 1960 (biogr.-bibliogr. Lexikon arabisch schreibender Autoren). ENE

+Nasolini, Sebastiano, um 1768 – [erg.: um] 1798 (1816?).
Lit.: +O. G. TH. SONNECK, Cat. of Opera Librettos . . . (1914), Nachdr. NY 1967.

Nassarre, José de (Nazarre), spanischer Organist und Orgelbauer des 18. Jh., lebte in Mexiko, wo er um 1730 die Orgel der Kathedrale von Guadalajara errichtete. Für die Kathedrale in México (D. F.) restaurierte er die Orgel der Epistelseite und erbaute die Orgel der Evangelienseite (Fertigstellung 1736).

+Nassarre, Pablo (Nasare, Nasarre), um 1654 [nicht: 1664] – 1730 [nicht: 1724].
N.s +*Fragmentos músicos* erschienen bereits 1683 in Zaragoza und dann wesentlich erweitert, hrsg. von J. de Torres, als *Fragmentos músicos repartidos en quatro tratados* Madrid 1700 [del. frühere Angaben hierzu].
Lit.: D. W. FORRESTER, P. N.'s »Fragmentos músicos«, Diss. Univ. of Georgia 1969 (Übers. u. Kommentar); A. C. HOWELL JR., P. N.'s »Escuela musica«, in: Studies in Musicology, Gedenkschrift Gl. Haydn, Chapel Hill (N. C.) 1969.

Nast, Minnie, * 10. 10. 1874 zu Karlsruhe, † 20. 6. 1956 zu Füssen (Allgäu); deutsche Sängerin (Koloratursopran) und Gesangspädagogin, studierte am Konservatorium ihrer Heimatstadt und gab ihr Bühnendebüt 1897 in Aachen. 1898 wurde sie an die Hofoper in Dresden engagiert, der sie bis 1919 angehörte. M. N. wurde vor allem als Mozart- und R. Strauss-Sängerin gefeiert. In der Uraufführung des *Rosenkavaliers* 1911 in Dresden sang sie die Sophie. Nach 1919 war sie bis 1945 als Pädagogin in Dresden tätig.

+Nat, Yves [erg.:] Philippe, 28. [nicht: 29.] 12. 1890 – 31. 8. [nicht: 1. 9.] 1956.
Er komponierte ferner ein Klavierkonzert (1954).
Lit.: M. PINCHARD, Y. N., le poète du piano, in: Musica (Disques) 1961, Nr 84.

Nataletti, Giorgio, * 12. 6. 1907 und † 15. 7. 1972 zu Rom; italienischer Musikethnologe und Komponist, studierte Komposition bei Vincenzo Di Donato und absolvierte das Conservatorio di Musica G.Rossini in Pesaro. Er war 1922–23 künstlerischer Direktor der ersten italienischen Rundfunkstation »Radio Araldo« in Rom, begann 1926 seine Tätigkeit als Musikethnologe und unterrichtete 1932–34 in Tunis und ab 1940 am Conservatorio di Musica S.Cecilia in Rom Geschichte der Volksmusik (ab 1961 auch Musikgeschichte). 1948 gründete er das Centro Nazionale Studi di Musica Popolare (CNSMP), das gegenwärtig über mehr als 15 000 Dokumente verfügt. Für die RAI gestaltete er zahlreiche Sendungen über Volksmusik und war daneben als Journalist, Dirigent, Pianist und Violinist tätig. Neben zahlreichen Zeitschriftenaufsätzen veröffentlichte er u. a. (Erscheinungsort, wenn nicht anders angegeben, Rom): *Canti della campagna romana* (mit G.Petrassi, Mailand 1930); *Musica e canti della patria* (Tunis 1933); *Catalogo del Museo strumentale di Tunisi* (1935); *La raccolta dei canti popolari della CIATP* (1936); *Il folklore musicale in Italia dal 1918 ad oggi* (1948); *Il CNSMP e gli studi etnomusicologici in Italia dal 1948 al 1958* (1958); *Studi e ricerche del CNSMP* (1962); *Catalogo sommario delle registrazioni del CNSMP 1948–1962* (1963); *Canti delle tradizioni marinare* (mit P.Toschi, G.Tucci und A.M.Cirese, 1968). Seine Kompositionen umfassen Orchesterwerke (Ballade für Streicher und Kl.; Ballade H moll, 1927; Praeludium und Fuge für Streicher), Kammermusik (Variationen über *Canti di Tortosa* für Streichquartett, 1926; Bläserquintett, 1927; *Ninna nanna* für Ob. und Kl. oder für Singst., Hf. und Vc., 1926), *Il cantico dei cantici* für Soli, Chor und Orch. (1929), *Le sette parole di Gesù Cristo in croce* für 2 Singst., Org., Harmonium und V. (1930) sowie Klavierstücke, Chöre und Lieder.

Natanson, Tadeusz, * 26. 1. 1927 zu Warschau; polnischer Komponist, studierte 1952–56 bei Wiłkomirski, Perkowski und Poradowski an der Musikhochschule in Breslau/Wrocław, an der er seit 1958 als Lehrer tätig ist. Er schrieb u. a. das Ballett *Quo vadis* (1970), 4 Symphonien (die 3. »in memoriam J. F. Kennedy«), *Vers libre* für Orch. (1966), *Kain's Demand* für Orch. und rezitierende St. (1967), *Six pièces pour six exécutants* (1967), 10 Etüden für Chor a cappella (1968) und ein Konzert für Va und Orch. (1971).

+Nathan, Hans, * 5. 8. 1910 zu Berlin.
1964 wurde er an der Michigan State University zum Ordinarius ernannt. Neuere Veröffentlichungen: *D. Emmett and the Rise of Early Negro Minstrelsy* (Norman/Okla. 1962); die Kapitel (»The Modern Period«) *Hungary* und *United States of America* (in: A History of Song, hrsg. von D. Stevens, London 1960, NY 1961); *L. Dallapiccola. Fragments from Conversations* (MR XXVII, 1966); *American Panorama of 20th Cent. Music* (American Choral Rev. XI, 1969); *W.Billings. A Bibliography* (in: Notes XXIX, 1972/73). Er edierte ferner eine Faks.-Ausg. von W.Billings' *The Continental Harmony* (Cambridge/Mass. 1961).

+Nathan, Isaac, 1790 [nicht: 1792] – 1864.
N. schrieb die erste australische Oper (*Don John of Austria*, Sydney 1847).
Ausg.: *Musurgia vocalis* (²1836), Faks.-Ausg. in: The Porpora Tradition, hrsg. v. E. FOREMAN, = Masterworks on Singing III, Champaign (Ill.) 1968.
Lit.: +O. S. PHILLIPS, I. N. (1940), Nachdr. Port Washington (N. Y.) 1971. – C. MACKERRAS, The Hebrew Melodist, Sydney 1963; E. IRVIN, Sydney's Early Opera Performances, in: Opera XX, 1969.

+Natorp, –1) Bernhard Christoph Ludwig, 1774–1846.
Lit.: R. SIETZ, B. Chr. L. N.s Vorschläge f. Konzertgestaltung 1804, Mitt. d. Arbeitsgemeinschaft f. rheinische Mg. II, 1958–61; W. KLARE, B. Chr. L. N. u. d. Schulmusik, in: Westfalen XLIV, 1966; L. VOHS in: Rheinische Musiker IV, hrsg. v. K. G. Fellerer, = Beitr. zur rheinischen Mg. LXIV, Köln 1966, S. 76ff.

Natra, Sergiu, * 12. 4. 1924 zu Bukarest; israelischer Komponist, studierte bis 1951 am Bukarester Konservatorium (Klepper) und war dann als freischaffender Komponist tätig. Er erhielt 1945 den Kompositionspreis beim Internationalen Wettbewerb G.Enescu in Bukarest. 1961 wanderte er nach Israel aus und lebt heute in Tel Aviv. – Kompositionen (Auswahl): Divertimento im klassischen Stil für Streichorch. (1943); Suite für Orch. (1950); Symphonie (1951); 4 Gedichte für Bar. und Orch. (1958); Musik für V. und Hf. (1960); Symphonie für Streicher (1960); Toccata für Orch. (1963); Musik für Cemb. und 6 Instr. (1964, als Ballettmusik *The Wait*, Tel Aviv 1971); Sonatine für Hf. (1965); Variationen für Kl. und Orch. (1966); *Commentary on Nehemia* für Bar., Chor und Orch. (auf einen Bibeltext, 1967); Ballett *Voices of Fire* (Libretto Pearl Lang, Tel Aviv 1967); *Song of Deborah* für Mezzo-S. und Kammerorch. (Bibeltext, 1967); Solosonatinen für Trp. (1969), für Pos. (1969) und für Ob. (1969); *Prayer* für Hf. (1970); *Environment for an Exhibition*, Geräuschcollage für Tonband (1970, 2. Fassung 1971); Klaviertrio in einem Satz (1971); ferner Filmmusik.

Natschinski, Gerd, * 23. 8. 1928 zu Chemnitz; deutscher Komponist von Unterhaltungs- und Tanzmusik, lebt in Berlin-Köpenick. Er studierte 1945–48 in Dresden und Chemnitz bei Kurzbach, Werner Hübschmann und Fritz Just, wurde 1949 Leiter eines großen Unterhaltungsorchesters beim Rundfunk in Leipzig, war 1951–52 Schüler von Eisler an der Akademie der Künste in Berlin und 1952–54 Chefdirigent des Tanz- und Unterhaltungsorchesters des Berliner Rundfunks.

Seitdem ist er freischaffend als Komponist und Dirigent tätig. Er komponierte u. a. das Vaudeville *Der Soldat der Königin von Madagaskar* (1959), die Operette *Messeschlager Gisela* (1960), das musikalische Lustspiel *Servus Peter* (1961), die Musicals *Die Frau des Jahres* (1963) und *Mein Freund Bunbury* (nach Oscar Wilde, Bln 1964), über 200 Titel Tanzmusik (*Du bist so jung*, 1956; *Was macht ein Seemann, wenn er Sehnsucht hat*, 1958), zahlreiche Chansons (*Die Rose war rot*), Fernsehmusik und über 60 Filmmusiken sowie eine Reihe von Arrangements.
Lit.: H. P. HOFMANN, G. N., in: Sammelbände zur Mg. d. DDR II, hrsg. v. H. A. Brockhaus u. K. Niemann, Bln 1970.

Naudot (nod'o), Jacques-Christophe, *Ende 17./ Anfang 18. Jh., † 25. 11. 1762 zu Paris; französischer Flötist und Komponist, wirkte als zu seiner Zeit berühmter Musiker in Paris und war einer der ersten, die die Querflöte in Frankreich einführten. Er schrieb u. a. (Erscheinungsort Paris): *6 fêtes rustiques pour les musettes, vièles, fl., hautbois et v. avec la b.* op. 9; *6 babioles pour deux vièles, musettes, fl. à bec, fl. traversières, hautbois ou v. sans b.* op. 10 (um 1730); *6 concertos en sept parties pour une fl. traversière, trois v., un alto viole, avec deux b.* op. 11 (um 1735); *6 concerti a quattro*; ferner Sammlungen von Sonaten und Triosonaten sowie Divertissements, Menuette und Stücke für 2 Jagdhörner.
Ausg.: 2 Sonaten, hrsg. v. L. FLEURY, Paris 1928; Ière fête rustique, hrsg. v. G. MIGOT u. G. FAVRE, Genf 1949; Konzert G dur, hrsg. v. H. RUF, = HM CLIII, Kassel 1958; Sonate f. Fl. u. B. c., hrsg. v. DEMS., ebd. CLXXXII, 1963; Trio I C dur f. Block-Fl., Ob. (Quer-Fl.) u. B. c., hrsg. v. DEMS., = Antiqua LXXXII, Mainz 1965; Trio III C dur f. Block-Fl., Ob. (Quer-Fl., V.) u. B. c., hrsg. v. DEMS., ebd. LXXXIII; Concerto C dur f. Block-Fl., 2 V. u. B. c., hrsg. v. DEMS., ebd. LXXXI, 1967; 6 Duette »Babioles« f. Alt-Block-Fl. (Quer-Fl., Ob., V.), hrsg. v. DEMS., 2 H., = Originalmusik f. d. Blockflöte Nr 86–87, ebd. 1968; 6 Sonaten f. Quer-Fl. u. B. c. op. 1, hrsg. v. A. M. GURGEL, Lpz. 1972.
Lit.: L. DE LA LAURENCIE u. G. DE SAINT-FOIX, Contribution à l'hist. de la symphonie frç. vers 1750, in: L'année mus. I, 1911; TR. J. UNDERWOOD, The Life and Music of J.-Chr. N., Diss. North Texas State Univ. 1970.

+Naujalis, Juozas (Novialis, Nowialis), [erg.: 28. 3. (9. 4.)] 1869 – 9. [nicht: 10.] 9. 1934.
N., der 1909–10 die erste litauische Musikzeitschrift *Vargonininkas* (»Der Organist«) herausgab, gründete in Kaunas 1919 die zunächst private, 1920 dann verstaatlichte Musikschule und leitete sie bis 1927. Er wirkte 1891–1914 und 1916–34 auch als Kantor am Dom von Kaunas.
Lit.: J. N., Straipsniai, laiškai, dokumentai, amžininkų atsiminimai, straipsniai apie kūryba (»Aufsätze, Briefe, Dokumente, Erinnerungen d. Zeitgenossen, Artikel zu seinem Werk«), hrsg. v. O. NARBUTIENĖ, Wilna 1968. – J. K. GAUDRIMAS, Iš lietuviu muzikinės kultūros istorijos, 1861–1917 (»Aus d. Gesch. d. litauischen Musikkultur …«), ebd. 1958, russ. Moskau 1964; A. TAURAJIS, Lithuanian Music, Past and Present, Wilna 1971.

+Naumann, Johann Gottlieb, 1741–1801.
Ausg.: Sonaten Nr 2, 5 u. 6 aus »6 Sonates pour l'harmonica«, hrsg. v. H. EPPSTEIN, Stockholm 1950.
Lit.: +R. ENGLÄNDER, J. G. N. als Opernkomponist (1922), Nachdr. Wiesbaden u. Farnborough 1970. – I. LEUX-HENSCHEN, Ett epigram till Kellgren som »Herr Misarmonicus«, STMf L, 1968.

Naumann, Siegfried, * 27. 11. 1919 zu Malmö; schwedischer Komponist und Dirigent, studierte 1942–45 an der Kungl. Musikhögskolan in Stockholm, 1950–51 an der Accademia Nazionale di S. Cecilia in Rom, danach am Mozarteum in Salzburg sowie bei Orff und

Pizzetti (Komposition) und Furtwängler (Dirigieren). Er war 1945–49 Dirigent von Örnsköldsviks Musiksällskap und 1954–55 der Gävleborgs läns Orkesterförening in Gävle. Seit 1963 leitet er die von ihm gegründete Instrumentalgruppe Musica Nova und ist Dozent für Dirigieren an der Kungl. Musikhögskolan in Stockholm. Er schrieb u. a.: *Trasformazioni* für Orch. op. 5 (1962); *Risposte I* für Fl. und Schlagzeug op. 6 (1963) und *II* für Kl., Hammondorg., Git., Pos. und Schlagzeug op. 7 (1963); *Il cantico del sole* für Soli, Chor und Orch. op. 8 (1963); *Cadenze* für 9 Instr. op. 10 (1964); *Messa in onore della Madonna di Loreto* op. 11 (1965); *Massa vibrante* für einen Schlagzeuger op. 20 (1969); *Spettacolo nr. 2* für S., A., Bar., gem. Chor und Orch. (1969).

+Naumbourg, Samuel, [erg.: 15. 3.] 1817 zu Dennenlohe [nicht: Donaulohe] (Bayern) – [erg.: 1. 5.] 1880.

+Nauwach, Johann, um 1595 – um 1630 [erg.: vermutlich] zu Dresden.
Ausg.: Ach Liebste, laß uns eilen, in: H. J. MOSER, Das deutsche Sololied u. d. Ballade, = Das Musikwerk XIV, Köln 1957, engl. 1958.
Lit.: +H. KRETZSCHMAR, Gesch. d. neuen deutschen Liedes (= Kleine Hdb. d. Mg. nach Gattungen IV, 1911), Nachdr. Hildesheim u. Wiesbaden 1966.

+Navarra, André, * 13. 10. 1911 zu Biarritz.
Ständige Konzertverpflichtungen führten ihn ins europäische wie außereuropäische Ausland. Dabei widmete er sich auch Werken zeitgenössischer französischer Komponisten, die er z. T. in Uraufführungen spielte, so u. a. die Cellokonzerte von Cl. Pascal (1960), A. Jolivet (Nr 1, 1962) und H. Tomasi (1970). Seit 1954 hält er Sommerkurse an der Accademia musicale Chigiana in Siena ab; 1958 wurde er Professor für Violoncello an der Nordwestdeutschen Musikakademie in Detmold.
Lit.: CL. CHAMFRAY in: Le courrier mus. de France 1966, Nr 14.

+Navarro, Fats (Theodore), 1923–50.
N. spielte außer Trompete auch Klavier und Tenorsaxophon.
Lit.: Diskographien v. J. GR. JEPSEN, Kopenhagen 1957, Brande/Dänemark 1960, u. W. F. VAN EYLE, Zaandam 1966. – R. G. REISNER, The Jazz Titans, Garden City (N. Y.) 1960.

Navarro, Francisco, † 1650 zu Valencia; spanischer Komponist, wurde 1630 Maestro de capilla an der Kathedrale in Segorbe (bei Valencia) und 1634 Altist an der Kathedrale in Valencia, an der er als Nachfolger von Comes von 1644 bis zu seinem Tode die Leitung der Kapelle innehatte. Werke von ihm befinden sich in der Kathedrale von Valencia (12st. Magnificat; 12st. *Beatus vir*) und im dortigen Colegio del Patriarca (12st. Magnificat; 9st. Motette *Veni de Libano*), im Pilar de Zaragoza (8st. *Beatus vir*; 8st. Villancico *Dulce y regalada esposa*), in der Kathedrale von Segorbe (12st. Psalmen *Laetatus sum* und *Lauda Jerusalem*) und in der Kathedrale von Orihuela (Alicante).
Lit.: J. SANCHIS SIVERA, La catedral de Valencia, Valencia 1909; J. CLIMENT, La música en Valencia en el s. XVII, AM XXI, 1966.

+Navarro, Juan (»Hispalensis«), um 1530 [del.: um 1525] – 1580 zu Palencia [nicht: Valencia].
N. war Kapellmeister in Ávila (1565/66), in Salamanca (1566–74), in Ciudad Rodrigo (1574–78) und ab 1578 bis zu seinem Tode in Palencia [del. bzw. erg. frühere Angaben dazu].
Ausg.: weltliche Sätze in: Cancionero mus. de la Casa de Medinaceli, 2 Bde, hrsg. v. M. QUEROL, = MMEsp VIII–IX, Barcelona 1949–50; Ave maris stella u. Ave virgo

sanctissima, in: Proprium Sanctorum, hrsg. v. S. RUBIO, = Ant. polifónica sacra II, Madrid 1957.
Lit.: R. STEVENSON, Span. Cathedral Music in the Golden Age, Berkeley (Calif.) 1961.

+Navarro, Juan (»Gaditanus«), um 1560 [nicht: um 1550] – nach 1604 [nicht: † 1610; erg.:] in Mexiko (in der Gegend von Michoacán?).
Lit.: R. STEVENSON, Music in Mexico, NY 1952; DERS., Music in Aztec & Inca Territory, Berkeley (Calif.) 1968.

+Navarro, Theodore → +Navarro, Fats.

Navoigille (navwaʒ'i:j), Guillaume (genannt »l'Aîné«), * um 1745 zu Givet (Ardennen), † November 1811 zu Paris; französischer Komponist, stand im Dienste des Herzogs von Orléans und war während der Französischen Revolution als Violinist und Dirigent in Paris tätig. 1806 trat er mit seinem Bruder Julien (genannt »le Cadet«, * um 1749 zu Givet, † nach 1811 zu Paris, wirkte als Violinist und Dirigent in Paris) in den Dienst von Louis Bonaparte, dem Bruder Napoleons I., des damaligen Königs von Holland, ein. Von G. N. wurden in Paris gedruckt: 6 Duos für 2 V. (1765); 12 Sonaten für 2 V. und B. (1765–66); *6 symphonies à grand orch.* (1774); 9 Trios für verschiedene Instr. (um 1777). Er ist vermutlich der Verfasser einer Reihe seinem Bruder zugeschriebener, in Paris aufgeführter Bühnenwerke (*La naissance de la pantomime*, 1797; *L'héroïne suisse ou Amour et courage*, 1798; Opéra-comique *L'orage, ou Quel Guignon*, 1793; Pantomime *L'empire de la folie, ou La mort et l'apothéose de Don Quichotte*, 1799). Von J. N. sind u. a. *6 quatuors concertants* (Paris um 1771), 6 Trios für 2 V. und B. (ebd. o. J.) sowie Stücke für Violine und Harfe und Klavierstücke erhalten. – Ihr Neffe Joseph N. (* Mitte 18. Jh., † Anfang 19. Jh.) veröffentlichte *6 alletamenti da camera* für 2 V. oder Quer-Fl. und B. (Paris o. J.) sowie 6 Trios für 2 V. oder Quer-Fl. und B. (ebd. 1778).

Nayî Osman Dede → Osman Dede.

Nazareth (nɛzɐr'ɛt), Ernesto Júlio de, * 20. 3. 1863 und † 4. 2. 1934 zu Rio de Janeiro; brasilianischer Komponist, dessen umfangreiches Schaffen (hauptsächlich Klavierstücke) im Zeichen einer Chopin-Nachfolge steht und zugleich durch Entwicklung nationaler Züge wie das von A. Levy und Nepomuceno auf Villa-Lobos vorausweist.
Lit.: B. SIQUEIRA in: Rev. brasileira de música I, 1962, Nr 2, S. 47ff.; A. DE ALENCAR PINTO, ebd. II, 1963, Nr 5, S. 13ff., u. Nr 6, S. 31ff.; Werkverz. in: Compositores de América X, Washington (D. C.) 1964.

Neander, Alexius, * um 1565 zu Kolberg (Pommern), † 1605 oder kurz zuvor auf einer Romreise; deutscher Komponist, studierte ab 1580 in Frankfurt an der Oder und besuchte ab 1590 das Priesterseminar in Würzburg, wo er nach 1591 als Musikpräfekt am Collegium Kilianum wirkte. Er veröffentlichte mehrere Motetten in Sammelwerken; nach seinem Tod erschienen, hrsg. von W. Goetzmann, *Liber primus (secundus, tertius) sacrarum cantionum 4–12 v.* (Ffm. 1605–06) und *Cantiones 4 et 5 v.* (Ffm. 1610).

+Neate, Charles, 1784–1877.
Lit.: +TH. v. FRIMMEL, Beethoven-Hdb. (I, 1926), Nachdr. Hildesheim u. Wiesbaden 1968. – E. ANDERSON, Ch. N., A Beethoven Friendship, Fs. O. E. Deutsch, Kassel 1963; Thayer's Life of Beethoven, revidiert u. hrsg. v. E. FORBES, 2 Bde, London u. Princeton (N. J.) 1964, Paperback-ausg. Princeton 1970.

+Nebelong, Johan Hendrik, 1847 – [erg.: 14. 9.] 1931 [erg.:] zu Kopenhagen.

+Nebra, José de, [erg.:] 6. 1. 1702 [nicht: um 1688; erg.:] zu Catalayud (Zaragoza) – 1768.

N., Onkel von → +Blasco de N., wurde 1751 [nicht: 1739] Vizekapellmeister der königlichen Kapelle in Madrid. Ab 1761 unterrichtete er den Infanten Don Gabriel im Clavichordspiel. Zu seinen Schülern gehörte A. Soler.
Lit.: +A. SOLAR-QUINTES in: AM IX, 1954 [nicht: 1955], S. 179ff.

Nedbal, Manfred J. M., * 20. 10. 1902 zu Wien; österreichischer Komponist, studierte in Wien Violoncello bei Josef Haša und Komposition bei Kanitz sowie Musikwissenschaft an der Universität. Er war 1937–39 Violoncellist im Kärntner Landessymphonieorchester und Kritiker beim »Kärntner Tagblatt« und war dann freiberuflich als Komponist tätig. Ihm wurden die Titel Doktor und Professor verliehen. Von seinen Kompositionen seien genannt: *Sechs Lieder* (1936); Klaviertrio (1941); Streichquartett (1952); Konzert für Vc. und Orch. (1952); Rondo (1954) und *Symphonischer Tanz* (1959) für Orch.; Kammersymphonie (1960); *Der Webegesang* für S., gem. Chor und Orch. (1961); *Sinfonia breve* für Orch. (1962); Variationen und Fuge für Orch. (1964); *Campanellas Sonnengesang*, weltliches Oratorium für Bar., Sologesangsquartett, gem. Chor und Orch. (1966); Sonatine für Baßklar. und Kl. (1969); 3 Lieder für A. oder Bar. mit Streichorch. (1972); Concertino für 2 Solo-Vc., Streicher und Schlagzeug (1973).

+Nedbal, –1) Oskar, 1874–1930. Er komponierte ferner eine Oper, 6 Operetten, 6 Ballette (heute noch öfters aufgeführt die Pantomimen *Pohádka o Honzovi,* »Das Märchen vom Hans«, Prag 1902 – zur Wiener Aufführung 1903 als *Der Faule Hans* wurde der bekannte *Valse triste* hinzukomponiert –, und *Z pohádky do pohádky,* »Aus dem Märchen ins Märchen«, ebd. 1908), Orchesterstücke (*Scherzo caprice* op. 5, 1892), Kammer- und Klaviermusik. – Die Operette *+Polenblut* wurde 1913 in Wien uraufgeführt.
–2) Karel, * 28. 10. 1888 zu Königinhof an der Elbe (Dvůr Králové nad Labem), [erg.:] † 20. 3. 1964 zu Prag. Er veröffentlichte seine Erinnerungen als *Půl století s českou operou* (»Ein halbes Jahrhundert mit der tschechischen Oper«, Prag 1959) und schrieb ferner *Slavní světoví dirigenti* (»Berühmte Dirigenten der Welt«, = Hudba na každém kroku XIV, ebd. 1963).
Lit.: zu –1): O. N., Soupis pozůstalosti (»Verz. d. Nachlasses« [im Prager Nationalmuseum]), bearb. v. A. BUCHNER, = Prameny k dějinám českého divadla I, Prag 1964. – J. KVĚT, O. N. ebd. 1947; M. ŠULC, O. N., ebd. 1959; K. NEDBAL in: Slovenská hudba IV, 1960, S. 598f.; A. BUCHNER, O. N. v Pavlovsku (»O. N. in Pawlowsk«), in: Časopis Národního muzea CXXXIII, 1964; B. ŠTĚDROŇ, Vzpomínám O. N.a (»Erinnerungen an O. N.«), in: G 66, (Prag) 1966.

+Nedden, Otto Carl August zur, * 18. 4. 1902 zu Trier.
O. zur N., der heute in Köln lebt, war 1957–67 Leiter der Studiobühne der Universität Köln und außerplanmäßiger Professor für Theaterwissenschaft. Neuere Veröffentlichung: *Europäische Akzente. Aussprachen und Essays* (Wuppertal-Barmen 1968).

Nederlands Strijkkwartet → Klijn, Nap de.

+Neefe, Christian Gottlob, 1748–98.
N.s *+Sophonisbe* wurde 1778 in Mannheim [nicht: Lpz. 1782] uraufgeführt.
Ausg.: Variationen über d. Priestermarsch aus Mozarts »Zauberflöte« in: K. v. FISCHER, Die Variation, = Das Musikwerk XI, Köln 1956, engl. 1962; ein Lied in: H. J. MOSER, Das deutsche Sololied u. d. Ballade, ebd. XIII, 1957, engl. 1958; 12 Kl.-Sonaten, hrsg. u. W. THOENE, 2 Bde, = Denkmäler rheinischer Musik X–XI, Düsseldorf 1961–64; Das große Hallelujah f. gem. Chor u. Orch.,

hrsg. v. W. ENGELHARDT, ebd. XII, 1965; Fantasia per il clavicemb., in: P. SCHLEUNING, Die Fantasie II, = Das Musikwerk XLIII, Köln 1971, auch engl. Lit.: +M. FRIEDLAENDER, Das deutsche Lied im 18. Jh., (1902), Nachdr. Hildesheim 1962. – W. ENGELHARDT in: Rheinische Musiker I, hrsg. v. K. G. Fellerer, = Beitr. zur rheinischen Mg. XLIII, Köln 1960, S. 177ff.; K. H. OEHL, Die Don Giovanni-Übers. v. Chr. G. N., Mozart-Jb. 1962/63; H. DRUX, Eigenheiten in d. Klavierkomposition Chr. G. N.s, in: Studien zur Mg. d. Rheinlandes III, Fs. H. Hüschen, = Beitr. zur rheinischen Mg. LXII, Köln 1965; W. KADEN in: Sächsische Heimatblätter XII, 1966, S. 211ff.; A. BECKER, Chr. G. N. u. d. Bonner Illuminaten, = Bonner Beitr. zur Bibl.- u. Bücherkunde XXI, Bonn 1969; K. v. FISCHER, Arietta Variata, in: Studies in 18th-Cent. Music, Fs. K. Geiringer, London 1970; M. SOLOMON, Beethoven's Productivity at Bonn, ML LIII, 1972.

+Neel, Louis Boyd, * 19. 7. 1905 zu Blackheath (London).
Mit dem von ihm 1954 gegründeten Hart House Orchestra trat N. als Repräsentant Kanadas bei den Weltausstellungen in Brüssel (1958) und Montreal (1967) auf. Seit 1970 lebt er im Ruhestand.

Nees, Staf (Gustaaf) Frans, * 2. 12. 1901 und † 25. 1. 1965 zu Mecheln; belgischer Glockenspieler, Organist und Komponist, studierte in Mecheln am Konservatorium, am Lemmensinstitut für katholische Kirchenmusik (Lemmens–Tinel-Preis für Orgel und Komposition) sowie bei Jef Denyn an der Koninklijke Beiaardschool »Jef Denyn«. Er unterrichtete ab 1924 Klavier, Harmonielehre und Choralimprovisation am Lemmensinstitut, wurde 1932 zum Stadtglockenspieler von Mecheln ernannt und übernahm 1945 als Nachfolger von Jef Denyn die Leitung der Koninklijke Beiaardschool »Jef Denyn« in Mecheln, an der er auch Spieltechnik und Komposition lehrte. Zahlreiche Konzertreisen führten ihn durch Europa, nach Kanada und in die USA (1961 Meisterkursus für Glockenspiel an der Michigan State University in Lansing). N. war auch Leiter der Chorvereinigung E. Tinel in Mecheln und ab 1955 Vorsitzender des flämischen Chorbundes Madrigaal, der aus etwa 130 Chören bestand. N. schrieb u. a. 3 Oratorien (*Simon Petrus*, 1935; *Maria*, 1938), 4 Messen (*Missa Te Deum*, 1960), 4 Kantaten (*Beiaardcantate*, 1947), ein Te Deum (1938), Motetten, geistliche und weltliche Lieder, Orgel- und Klavierstücke, Werke für Glockenspiel (Praeludien, Fantasien, Suiten), zahlreiche Bearbeitungen für Glockenspiel sowie Bühnenmusik.
Lit.: J. ROTTIERS, Beiaarden in Belgie, Mecheln 1952; L. GOFFINET, Meester St. N., Kortrijk 1953; W. PAAP in: Mens en melodie XX, 1965, S. 69ff.

+Nef, –1) Karl, 1873–1935. Er promovierte 1896 [nicht: 1906]. – +*Geschichte der Sinfonie und Suite* (1921), Nachdr. Wiesbaden 1970; +*Geschichte unserer Musikinstrumente* (1926), Basel ²1949; +*Die neun Sinfonien Beethovens* (1928), Nachdr. Wiesbaden 1970.
–2) Albert, * 30. 10. 1882 zu St. Gallen, [erg.:] † 6. 12. 1966 zu Bern. Als stellvertretender Direktor des Berner Stadttheaters wirkte er bis 1958.
–3) Walter [erg.:] Robert, * 8. 4. 1910 zu St. Gallen. 1960–68 war er Lektor für Instrumentenkunde an der Universität Basel. Seit 1960 ist er Leiter der Sammlung alter Musikinstrumente des Historischen Museums in Basel und seit 1964 Leiter der Schola Cantorum Basiliensis (Abteilung für alte Musik an der Musik-Akademie der Stadt Basel). – +*Der sogenannte Berner Orgeltraktat* (AMl XX, 1948 [erg.:] – XXI, 1949); er schrieb ferner einen Beitrag über *Das neue Basler Musikinstrumenten-Museum* (Schweizer musikpädagogische Blätter XLV, 1957).

Neglia (n'eʎa), Francesco Paolo, * 22. 5. 1874 zu Enna, † 31. 7. 1932 zu Intra; italienischer Komponist und Dirigent, studierte bei Guglielmo Zuelli in Palermo, begann seine Karriere als Orchesterdirigent, ließ sich 1901 in Hamburg nieder, gründete und leitete dort eine Musikschule und war daneben als Orchester- und Operndirigent (Hamburger Stadttheater) tätig. Bei Ausbruch des 1. Weltkriegs kehrte er nach Italien zurück, wo er als Musiker ignoriert wurde und seinen Lebensunterhalt als Volksschullehrer verdienen mußte. Er schrieb die Oper *Zelia* (postum Catania 1950), Orchesterwerke (2 Symphonien, 1900 und 1912; Fantasie, 1910), Kammermusik (Klavierquartett, 1905; Streichquartett, 1910), zahlreiche Klavierstücke, Lieder und Kirchenmusik.
Lit.: M. BARBIERI, Fr. P. N., La vita e le opere, Genua 1944.

Negrea (n'ɛgrea), Marţian, * 29. 1. 1893 zu Vorumloc (Transsilvanien), † 13. 7. 1973 zu Bukarest; rumänischer Komponist, studierte 1910–14 in Sibiu bei Timotei Popovici (Theorie und Solfège), anschließend in Wien bei Friedrich Buxbaum (Violoncello) sowie 1918–21 an der dortigen Musikakademie bei Mandyczewski (Harmonielehre, Kontrapunkt und Formenlehre) und Fr. Schmidt (Komposition und Orchestration). 1921 wurde er Dozent für Komposition am Konservatorium in Cluj und 1941 am Bukarester Konservatorium (1963 Professor). Er schrieb die Oper *Marin pescarul* (»Marin der Fischer«, Cluj 1934), Orchesterwerke (*Fantezie simfonică*, »Symphonische Fantasie«, op. 6, 1921; *Rapsodia română*, »Rumänische Rhapsodie«, Nr 1 op. 14, 1938, und Nr 2 op. 18, 1950; symphonische Suite *Poveşti din Grui*, »Märchen aus Grui«, op. 15, 1940; *Simfonia primăverii*, »Frühlingssymphonie«, op. 23, 1956; Konzert für Orch. op. 28, 1963), Kammermusik (Streichquartett op. 17, 1949; Suite für Klar. und Kl. op. 27, 1960; *4 piese pentru harpă*, »4 Stücke für Hf.«, op. 16, 1945), Klavierwerke (Sonate Ges dur op. 5; Suite *Impresii de la ţară*, »Impressionen vom Lande«, op. 7, 1921; Sonatine op. 8, 1922), Chorwerke (Requiem für Soli, gem. Chor und Orch. op. 25, 1957, und *Oratoriul patriei*, »Oratorium der Heimat«, für Soli, Rezitator, gem. Chor und Orch., 1959) sowie a cappella-Chöre, zahlreiche Lieder (*10 cîntece pe versuri de Lucian Blaga*, »10 Lieder auf Verse von . . .«, 1969; Kinderlieder) und Filmmusik.
Lit.: E. PRICOPE in: Muzica XIV, 1964, Nr 4, S. 5ff.; L. GLODEANU, Hommage à M. N. pour ses 80 ans, ebd. XXIII, 1973. – Nachrufe, ebd. Nr 11, S. 33ff.

Negrete (negr'ete), Woolcock Samuel, * 18. 12. 1892 zu Santiago de Chile; chilenischer Komponist, studierte am Conservatorio Nacional de Música seiner Heimatstadt, wo er Professor für Theorie (1920–28), Harmonielehre (1928–40) und Komposition (1940–46), zeitweise auch Direktor (1944–46) war. Er schrieb Orchesterwerke (Symphonische Dichtung *La fiesta del camino*; *Escenas sinfónicas*), Kammermusik (Bläserseptett; 3 Streichquartette), Klavierstücke, a cappella-Chöre und Lieder.
Lit.: V. SALAS VIU, La creación mus. en Chile (1900–51), Santiago de Chile 1952.

+Negri, Cesare, * um 1536 und † nach 1604 zu Mailand(?) [erg. frühere Angabe].
Ausg.: Nuove inventione di balli (1604), GA d. 43 Balli in einer Übertragung aus einer intav. Tabulatur f. Git., hrsg. v. H. MÖNKEMEYER, Rodenkirchen/Rhein 1967. – Brando gentile, bearb. f. Hf. in: Dal liuto all'arpa, hrsg. v. E. GRAMAGLIA GROSSO, Mailand 1958.
Lit.: C. COLOMBO, La danza nel Seicento, Bellinzona 1962 (darin Ausw. aus »Le gratie d'Amore«).

Negri, Gino, * 25. 5. 1919 zu Mailand; italienischer Komponist, studierte in seiner Heimatstadt am Conservatorio di Musica G. Verdi bei Paribeni und R. Bossi (Diplom 1942). 1959 wurde er künstlerischer Leiter des Teatro del Popolo in Mailand. Er komponierte Bühnenwerke (*Divertimenti di Palazzeschi*, Mailand 1949; *Antologia di Spoon River*, Florenz 1949; *Vieni qui Carla*, Mailand 1956; *Massimo*, ebd. 1958; *Il tè delle tre*, Como 1958; *L'armonium è utile*, 1958; *Gli inconvenienti regali*, 1958; *Giorno di nozze*, Mailand 1959; *Il circo Max*, Venedig 1959; *Il testimone indesirato*, RAI 1960; *Giovanni Sebastiano*, RAI 1967, szenisch Turin 1970; *Publicità, ninfa gentile*, Mailand 1970), Fernsehopern *Sirene* (RAI 1961), *Fragile* (RAI 1961) und *La fine del mondo* (1969), Bühnenmusik zu Pirandellos *Sei personaggi in cerca d'autore* (1951), Filmmusik sowie Kammermusik und Klavierstücke.

Lit.: M. MILA, Cronache mus. 1955–59, = Saggi Nr 258, Turin 1959.

Neher, Caspar, * 11. 4. 1897 zu Augsburg, † 30. 6. 1962 zu Wien; deutscher Bühnenbildner und Librettist, studierte 1918–22 an der Kunstgewerbeschule und der Kunstakademie in München. Er übernahm die szenische Gestaltung der Frühwerke Brechts und war 1924–26 an M. Reinhardts Deutsches Theater sowie 1926–28 an Leopold Jessners Staatsschauspiel in Berlin engagiert. Als Ausstattungschef an den Städtischen Bühnen in Essen schuf er die ersten Operndekorationen (*Idomeneo*, 1927; *Antigone* von A. Honegger, 1928). Gleichzeitig war er Gastbühnenbildner der Berliner Krolloper (*Carmen*, 1928; »Aus einem Totenhaus« von Janáček, 1931), später an der Städtischen Oper Berlin (*Macbeth*, 1931; »Ein Maskenball«, 1932). N. war szenischer Mitarbeiter bei den Gemeinschaftswerken von Brecht und Weill (*Mahagonny-Songspiel*, Baden-Baden 1927; *Dreigroschenoper*, Bln 1928; *Aufstieg und Fall der Stadt Mahagonny*, Lpz. 1930; *Die sieben Todsünden der Kleinbürger*, Paris 1933). 1934–41 arbeitete er an den Städtischen Bühnen in Frankfurt a. M. (*Tannhäuser*, 1934; »Othello«, 1935), häufig in Wien (*Carmen*, 1937; *Fidelio*, 1942; *Così fan tutte*, 1943) und in Hamburg (*Orpheus* von Orff nach Monteverdi und *Carmina Burana*, 1943). Nach dem Krieg stattete er bei den Salzburger Festspielen 31 Opern und Schauspiele aus, darunter *Dantons Tod* von G. v. Einem (1947), »Der Zaubertrank« von Frank Martin und Glucks »Orpheus und Eurydike« (1948), *Antigonae* von Orff und *Die Zauberflöte* (1949), *Romeo und Julia* von Blacher und *Don Giovanni* (1950), *Wozzeck* (1951), *Der Prozeß* von G. v. Einem (1953), *Penelope* von Liebermann (1954), *Irische Legende* von Egk (1955), *Le nozze di Figaro* (1956), *Schule der Frauen* von Liebermann (1957), *Don Carlos* (1958), *Julietta* von Erbse (1959) und *Iphigenie in Aulis*« (1962). N. gastierte an der Mailänder Scala (*Peter Grimes*, 1947; *Parsifal*, 1948; *Dr. Faust* von Busoni, 1960), an der Hamburgischen Staatsoper (*Der Zerrissene* von G. v. Einem, 1964 postum), am Münchner Prinzregententheater (*Die Bernauerin* von Orff, 1947), beim Glyndebourne Festival (*Un ballo in maschera*, 1949), an der Wiener Staatsoper (»Julius Caesar«, 1954; *Don Giovanni* und *Wozzeck*, 1956; *Trionfi* von Orff, 1957; *Oedipus Rex*, 1958), an der Städtischen Oper Berlin (*Dr. Faust*, 1954), der Württembergischen Staatsoper in Stuttgart (*Jephta* von Händel, 1957; *Oedipus der Tyrann* von Orff, 1959), der Metropolitan Opera in New York (*Macbeth*, 1959) und den Städtischen Bühnen in Köln (*Falstaff*, 1959; »Der feurige Engel« von Prokofjew, 1960; »Hoffmanns Erzählungen« und *Fidelio*, 1961). Daneben verfaßte er, stilistisch von Brecht beeinflußt, einige Libretti für Opern von Weill (*Die Bürgschaft*, 1932, Neufassung 1957, Städtische Oper Berlin) und von Wagner-Régeny (*Der Günstling*, 1935, Staatsoper Dresden; *Die Bürger von Calais*, 1939, Staatsoper Berlin; *Johanna Balk*, 1941, Staatsoper Wien). – N., der »größte Bühnenbauer unserer Zeit« (Brecht), nimmt unter den Szenengestaltern des 20. Jh. eine Sonderstellung ein. Nicht eigentliche Entwürfe im üblichen Sinn, sind seine Skizzen visuelle Kommentare zur Dramaturgie einer Szene, autonome Kunstwerke, die Wesentliches der Handlung sichtbar machen. In barocker Weise – er hat die Arbeiten von N. → Sabbatini und I. → Jones studiert – faßt er Theater als eine von den Wechselbeziehungen zwischen Bühne und Zuschauer geprägte Realität auf. Teilweise Elemente der barocken Architekturbühne direkt zitierend, teilweise mit den Mitteln aktueller Kunst arbeitend, ist N. zu Lösungen gelangt, die, bezogen auf die adäquate Umsetzung des dramatischen Gehalts in szenische Symbole, als archaisch-monumental zu kennzeichnen sind.

Ausg.: Der Zerrissene. Nestroy f. Gottfried, Faks. hrsg. v. Inst. f. Theaterwiss. d. Univ. Köln, Köln 1964 (N.s Bühnenbildentwürfe zu »Der Zerrissene« v. G. v. Einem). Lit.; C. N., Zeugnisse seiner Zeitgenossen, Ausstellungskat. Köln 1960; K. H. RUPPEL, C. N., Mitschöpfer d. modernen Musiktheaters, in: Melos XXIX, 1962; H. CURJEL, Portrait C. N., ebd. XXX, 1963; O. FR. SCHUH, C. N., in: Jahresring 1963/64; C. N., Ausstellungskat. Augsburg 1964 (mit Texten v. N.); C. N. u. Salzburg, Ausstellungskat. Salzburg 1965; C. N., hrsg. v. G. v. EINEM u. S. MELCHINGER, Velber bei Hannover 1966 (mit ausführlicher Bibliogr.); W. BOHAUMILITZKY, C. N.s Bühnenbild in d. zwanziger Jahren. Sein Frühwerk (1923–30), Diss. Wien 1968; R. Wagner-Régeny. Begegnungen, biogr. Aufzeichnungen, Tagebücher u. sein Briefwechsel mit C. N., hrsg. v. T. MÜLLER-MEDEK, Bln 1968; C. N.s szenisches Werk, bearb. v. FR. HADAMOWSKY, = Museion, N. F. I, 5, Wien 1972. **HS**

+Neidhardt von Reuenthal (Neidhart von Reuental, Riuwental), um 1180 – um 1240 (vermutlich zwischen 1237 und 1246).
Bereits in der Handschrift der Carmina Burana finden sich linienlose Hakenneumen zu einem lateinischen Lied, dem die Eingangsstrophe von N.s Kreuzzugslied (Haupt–Wießner 11,8) angehängt ist. Das +Frankfurter Pergamentbruchstück stammt vermutlich aus dem Beginn [nicht: Ende] des 14. Jh.

Ausg.: N.-Lieder. Kritische Ausg. d. N. v. R. zugeschriebenen Melodien, hrsg. v. FR. GENNRICH, = Summa musicae medii aevi IX, Langen bei Ffm. 1962; N.s Sangweisen, hrsg. v. E. ROHLOFF, 2 Bde (I Text, II Notenteil), = Abh. d. Sächsischen Akad. d. Wiss. zu Lpz., Phil.-hist. Klasse LII, 3–4, Bln 1962; 3 Melodien (davon 1 Pseudo-N.) in: R. J. TAYLOR, Die Melodien d. weltlichen Lieder d. MA, Bd II, = Slg Metzler XXXV, Stuttgart 1964; 38 N. zugeschriebene Lieder in: DERS., The Art of the Minnesinger, 2 Bde (I Melodien, II Kommentar), Cardiff 1968; Lieder, Ausw. hrsg. mit nhd. Übers. v. H. LOMNITZER, = Reclams Universal-Bibl. Nr 6927/28, Stuttgart 1968 (mit 9 Melodien); 11 Melodien (davon 1 Pseudo-N.) in: Deutsche Lieder d. MA, hrsg. v. H. MOSER u. J. MÜLLER-BLATTAU, ebd. – +Die Lieder N.s (E. WIESSNER, 1955), 2. Aufl. revidiert v. H. Fischer, Tübingen 1963, ³1968. – vgl. u. a. auch: K. H. BERTAU in: Zeitschr. f. deutsches Altertum u. deutsche Lit. LXXII, 1960/61, S. 23ff.; U. HENNIG in: Beitr. zur Gesch. d. deutschen Sprache u. Lit. LXXXV, (Tübingen) 1963, S. 414ff.; H. LOMNITZER in: Fs. H. Engel, Kassel 1964, S. 231ff., u. in: Zs. f. deutsche Philologie LXXXIV, 1965, S. 290ff.; P. HAUSCHILD in: BzMw VII, 1965, S. 76ff.; FR. KUR in: Anzeiger f. deutsches Altertum u. deutsche Lit. LXXVII, 1966, S. 63ff.
Lit.: R. WH. LINKER, Music of the Minnesinger and Early Meistersinger. A Bibliogr., = Univ. of North Carolina Studies in the Germanic Languages and Lit. XXXII, Chapel Hill (N. C.) 1962; E. SIMON, N. v. R., Gesch. d. Forschung u. Bibliogr., = Harvard Germanic Studies IV,

Den Haag 1968. – U. Aarburg in: MGG IX, 1961, Sp. 1363ff.; B. Kippenberg, Der Rhythmus im Minnesang. Eine Kritik d. literar- u. musikhist. Forschung, = Münchener Texte u. Untersuchungen zur deutschen Lit. d. MA III, München 1962; R. J. Taylor, Die Melodien d. weltlichen Lieder d. MA, Bd I, = Slg Metzler XXXIV, Stuttgart 1964; D. Boueckе, Materialien zur N.-Überlieferung, = Münchener Texte u. Untersuchungen zur deutschen Lit. d. MA XVI, München 1967; Kl. H. Kohrs, Zum Verhältnis v. Sprache u. Musik in d. Liedern N.s v. R., DVjs. XLIII, 1969; E. Simon, N.e and N.ianer. Notes on the Hist. of a Song Corpus, in: Beitr. zur Gesch. d. deutschen Sprache u. Lit. XCIV, (Tübingen) 1972; E. Rohloff, Gedanken zu »N.s Sangweisen«, Wiss. Zs. M.-Luther-Univ. Halle–Wittenberg, Ges.- u. sprachwiss. Reihe XXII, 1973.

+Neidhardt, Nino ([erg.:] eigentlich Hans Adolf Michael N.), 1887 [nicht: 1889] zu Chemnitz [nicht: St. Nicola] – 1950 zu Geising (Erzgebirge) [nicht: Dresden].

Neidlinger, Günter, * 4. 10. 1930 zu Heidelberg; deutscher Dirigent, studierte an den Musikhochschulen in Heidelberg, Stuttgart (Klavier bei Horbowski, Dirigieren bei Müller-Kray), Detmold und Freiburg i. Br. (Komposition bei Fortner) sowie 1949–62 an der Universität Heidelberg (Musikwissenschaft) und war daneben als Pianist, Komponist von Hörspiel- und Schauspielmusiken sowie als Leiter von Kammerorchestern, Chören und Opernstudios tätig. 1962 wurde er Kapellmeister am Stadttheater Saarbrücken und 1966 Chefdirigent des Bodensee-Sinfonie-Orchesters in Konstanz (1967 GMD). Seit 1970 ist N. Chefdirigent der Nürnberger Symphoniker.

+Neidlinger, Gustav, * 21. 3. 1910 [nicht: 1912] zu Mainz.
N., lange Jahre auch Mitglied der Deutschen Oper Berlin sowie der Deutschen Oper am Rhein in Düsseldorf-Duisburg, gastierte während der letzten Jahre (vorwiegend als Wagner-Sänger) an zahlreichen Opernhäusern in Europa (La Scala in Mailand erstmals 1953, Covent Garden Opera in London erstmals 1963), in Südamerika (Teatro Colón in Buenos Aires 1968 und 1970) und in den USA (Metropolitan Opera in New York erstmals 1972).

Neikrug, Marc, * 24. 9. 1946 zu New York; amerikanischer Komponist und Pianist, lebt in Rolandseck (bei Bonn). Nach Klavier- und Theoriestudien in Los Angeles kam er 1964 nach Europa und wurde an der Nordwestdeutschen Musikakademie Detmold Kompositionsschüler von Klebe. Seine pianistische Ausbildung erhielt N. von Jakob Gimpel und Askenase. Von seinen Kompositionen seien genannt: 2 Solosonaten für Vc. (1965 und 1966); Streichquartett Nr 2 (1966); Klavierkonzert (1967); Fantasie für großes Orch. (1967); Klarinettenkonzert (1968).

+Neithardt, Heinrich August, 1793–1861.
Lit.: M. Thomas, H. A. N., Diss. Bln 1959 (FU).

+Neitzel, Otto, 1852–1920.
Lit.: R. Sietz in: Rheinische Musiker I, hrsg. v. K. G. Fellerer, = Beitr. zur rheinischen Mg. XLIII, Köln 1960, S. 181ff.

Nejedlý (n'ɛjɛdli:), Vít, * 22. 6. 1912 zu Prag, † 1. 1. 1945 an der Front bei Dukla (Beskiden); tschechischer Dirigent, Komponist und Musikkritiker, Sohn von Zdeněk N., studierte bei Jeremiáš (Komposition) und Talich (Dirigieren) sowie an der Prager Karlsuniversität (Philologie, Philosophie, Musikwissenschaft), an der er 1936 mit der Dissertation *Počátky moderní české harmoniky* (»Die Anfänge der modernen tschechischen Harmonik«) promovierte. Er war Musikkritiker und

wirkte als Leiter der Chorvereinigung »Lukes« (1935–36) sowie als Kapellmeister und Korrepetitor am Stadttheater in Olmütz (1936–38). 1939 emigrierte er mit seinem Vater nach Moskau, wo er seine Dirigierstudien bei Lew Ginsburg fortsetzte und beim Moskauer Rundfunk sowie als Filmkomponist tätig war. 1943 übernahm er die Leitung der tschechischen Armeekorps innerhalb der Roten Armee. Seine Kompositionen umfassen u. a. die beiden unvollendeten Opern *Nelson* (1933) und *Tkalci* op. 15 (»Die Weber«, nach Gerhart Hauptmann, 1938, vollendet von Hanuš, Uraufführung Pilsen 1961), Orchesterwerke (Symphonien: Nr 1 op. 2, 1931; Nr 2, *Symfonie bídy a smrti*, »Symphonie des Elends und des Todes«, op. 7, 1934; Nr 3, *Španělská*, »Spanische«, op. 14, 1938; Sinfonietta op. 13, 1937; *Lidová suita*, »Volkstümliche Suite«, 1940), Kammermusik (2 Stücke für Bläserquintett op. 8a, 1934; Nonett op. 8b, 1934; kleine Suite für V. und Kl. op. 11, 1935; Streichquartett op. 12, 1937; Concertino für 9 Instr. op. 18, 1940), Chorwerke (Kantaten *Den*, »Der Tag«, op. 10, 1935, und *Tobě, Rudá Armádo*, »An die Rote Armee«, für Soli, Chor und Orch., 1943; *Olympiádní pochod*, »Olympischer Marsch« für gem. Chor; *150.000.000* für Männerchor a cappella op. 9, Text Wladimir Majakowskij, 1935) sowie Klavierstücke, Lieder und Filmmusik.
Lit.: *Vzpomínky na V. N.* (»Erinnerungen an V. N.«), hrsg. v. J. Plavec, Prag 1948; J. Jiránek, V. N., Z historie bojů o novou, socialistickou kulturu (»Aus d. Gesch. d. Kampfes um eine neue, sozialistische Kultur«), ebd. 1959 (vgl. dazu M. Ladmanová in: BzMw IV, 1962, S. 74ff.).

+Nejedlý, Zdeněk, * 10. 2. 1878 zu Leitomischl (Litomyšl, Ostböhmen), [erg.:] † 9. 3. 1962 zu Prag. Neuere Neudrucke: +*O. Hostinský* (1907), = Knihovnička Varu LVIII, Prag 1955; +*B. Smetana* (einbändig, 1924), ebd. 1962; +*G. Mahler* (1913), ebd. 1958; *R. Wagner, zrození romantika* (»R. Wagner, ein geborener Romantiker«, 1916), ebd. 1961. – Auswahlsammlungen aus seinen Schriften erschienen russisch als *Statji ob iskusstwe* (»Aufsätze über Kunst«, hrsg. von W. D. Sawizkij und W. Dostal, Leningrad 1960) und ungarisch als *Válogatott zenei tanulmányok* (»Ausgewählte Studien zur Musik«, übers. von J. Szántó = Bibl. musica X, Budapest 1963).
Lit.: St. Jonášová, Bibliogr. díla Zd. N.ého (»Bibliogr. d. Werke Zd. N.s«), Prag 1959. – Zd. N. dnešku (»Zd. N. heute«), = Knižnice hudebních rozhledů IV, 4/5, ebd. 1958; Sonder-H. zum 80. Geburtstag, = Hudební rozhledy XI, 1958, Nr 2; Zd. N. zum Gedenken, Zs. f. Geschichtswiss. X, 1962, S. 1685ff. – J. Paclt, Tři kapitoly o Zd. N.ém, = Knižnice hudebních rozhledů III, 3/4, Prag 1957; ders. in: Slovenská hudba II, 1958, S. 46ff.; J. Jiránek, Der Beitr. Zd. N.s zur Erforschung d. hussitischen Gesanges, Kgr.-Ber. Köln 1958; ders., Die tschechische proletarische Musik in d. 20er u. 30er Jahren, BzMw IV, 1962; ders. in: Hudební věda II, 1962, S. 7ff.; ders., Zd. N., utschonyi marxist (»Zd. N., ein marxistischer Wissenschaftler«), SM XVIII, 1964; B. Štědroň in: Sborník prací filosofické fakulty brněnské univ. XI, F 6, 1962, S. 152ff. (Nachruf); J. Fukač, L. Janáček a Zd. N., F 7, 1963; Z. Lissa, R. Heck u. J. Magnuszewski, in: Pamiętnik słowiański XIII, 1963, S. 231ff.; J. Vysloužil, K počátkům českého hudebního dějepisectví o d. Anfängen d. tschechischen Musikgeschichtsschreibung«, in: Hudební rozhledy XX, 1967; Fr. Červinka, Zd. N., Prag 1969; L. Dědková, Arch. Zd. N.ého, in: Arch. časopis 1970, H. 1; St. Zachařová, Návrh kritické edice díla Zd. N.ého (»Entwurf einer kritischen Ed. d. Werke Zd. N.s«), in: Hudební věda VIII, 1971; J. Bajer u. V. Holzknecht in: Hudební rozhledy XXVI, 1973, S. 406ff. bzw. 408f. – St. Zachařová u. M. K. Černý, Konference o vědeckém odkazu Zd. N.ého (»Konferenz über d. wiss. Vermächtnis Zd. N.s«), ebd. V, 1968.

Nejgaus, Genryk Gustawowitsch → +Neuhaus, H.

+Nekes, Franz, 13. [nicht: 14.] 2. 1844 – 1914.
Lit.: H. HILBERATH, Fr. N. contra W. Bäumker, Mitt. d.
Arbeitsgemeinschaft f. rheinische Mg. III, 1962–66; U.
WAGNER, Fr. N. u. d. Cäcilianismus im Rheinland, = Beitr.
zur rheinischen Mg. LXXXI, Köln 1969 (mit Werkverz.);
DERS. in: Rheinische Musiker VI, hrsg. v. D. Kämper,
ebd. LXXXIII, 1969, S. 141ff.

+Nel, Rudolf, * 30. 7. 1908 zu Berlin.
N. war bis 1965 Solobratscher im Bayerischen Rundfunkorchester. Er schrieb den Beitrag *Gute, aber selten
gespielte Bratschenmusik* (in: Musik im Unterricht, Allgemeine Ausg. LII, 1961, auch in: Das Orchester IX,
1961).

Nelhýbel (nˈɛlhiːbɛl), Václav, * 24. 9. 1919 zu Po-
lanka nad Odrou (bei Ostrau); tschechischer Komponist, studierte ab 1940 Komposition am Prager Konservatorium und nach Übersiedlung in die Schweiz ab
1946 Musikwissenschaft an der Université de Fribourg,
an der er 1947 einen Lehrauftrag für Musiktheorie
übernahm. 1957 übersiedelte er nach New York, wo er
neben seinem kompositorischen Schaffen auch als Dirigent tätig wurde. Er schrieb u. a. die Oper *Four Readings from Marlowe's Dr.Faustus*, Ballette, Orchesterwerke (*Etude symphonique*, 1949; *3 modes*, 1952; *Sinfonietta concertante*, 1960; Bratschenkonzert, 1962; Passacaglia, 1965; *Houston Concerto*, 1967), Kammermusik
(3 Holzbläserquintette; 2 Blechbläserquintette, 1961
und 1965; *Quintetto concertante*, 1965; 2 Streichquartette; Hornquartett, 1957), Klavierstücke, Chöre und
Lieder.

+Nelle, Wilhelm, 1849 – 15. [nicht: 18.] 10. 1918.
+*Geschichte des deutschen evangelischen Kirchenliedes*
(1904), +3. erweiterte Aufl. hrsg. von Karl N., Lpz.
1928, Nachdr. Hildesheim 1962.
Lit.: H. NELLE in: Rheinische Musiker VII, hrsg. v. D.
Kämper, = Beitr. zur rheinischen Mg. XCVII, 1972, S.
90ff.

Nelson (nˈelsən), Havelock, * 25. 5. 1917 zu Cork
(Südirland); britischer Dirigent, Organist und Komponist, studierte an der University of Dublin und an der
Royal Irish Academy of Music in Dublin, promovierte zum Ph. D. und D. Mus. und war Privatschüler
von G.Moore und Martinon. Er war Organist und
Chorleiter in Dublin (1936–43), Gastdirigent des Radio
Eireann Symphony Orchestra (1940–43), Dozent an
der Royal Irish Academy of Music und Chorleiter der
Ulster Singers (1954). 1947 wurde er als Komponist
von Hörspiel- und Fernsehspielmusiken, als Klavierbegleiter und Dirigent der BBC Belfast verpflichtet.
Daneben leitet er das von ihm gegründete Studio Symphony Orchestra, das sich besonders der experimentellen Musik widmet. N. komponierte u. a. das Ballett
Goblin Market (1947), Orchesterwerke (Sinfonietta,
1950; *Variations on an Old Irish Tune* für Streichorch.,
1950; Concertino für Kl. und Streichorch., 1956; Suite
Land of Heart's Desire für S. und Orch., 1959), Kammermusik (Sonate für Vc. und Kl., 1942; Sonatine für
Klar. und Kl., 1952), Chöre a cappella und mit Instrumentalbegleitung, Lieder (Zyklus *Love's Joy and Pain*
für Mezzo-S. und Kl., 1951) sowie Filmmusik.

Nelson, Rudolf (eigentlich Lewysohn), * 8. 4. 1878
und † 5. 2. 1960 zu Berlin; deutscher Komponist von
Kabarettchansons, Revuen und Operetten, studierte in
Berlin am Stern'schen Konservatorium und bei H.v.
Herzogenberg. Durch E.v.Wolzogens »Überbrettl«
fand er Anschluß an das Kabarett, begann im »Roland
von Berlin« als Begleiter von ihm komponierter Chan-

sons und war 1907–14 alleiniger Direktor des »Chat
noir« in Berlin. Für das »Sanssouci«, für sein in den 20er
Jahren gegründetes Nelson-Theater (am Kurfürstendamm) und andere Bühnen (Metropoltheater) schrieb
er Revuen und Operetten. 1933 mußte er emigrieren,
stellte in Amsterdam ein neues Ensemble zusammen
und kam während der Besetzung der Niederlande vorübergehend ins Konzentrationslager. 1949 rief er in
Berlin die Nelson-Revue-Gastspiele ins Leben. Von
seinen Bühnenwerken seien genannt die Revuen *Chauf-
feur, ins Metropol, Was träumt Berlin?, Der rote Faden, Es
geht schon besser* und *Etwas für Sie* sowie die Operetten
Hoheit tanzt Walzer, Miß Dudelsack (Bln 1908), *Die Da-
men vom Olymp* und *Die tanzenden Fräuleins*.
Lit.: W. V. RUTTKOWSKI, Das literarische Chanson in
Deutschland, Bln 1966; E. JAMESON, Am Flügel: R. N.,
= Berlinische Reminiszenzen XV, Bln 1967; D. SCHULZ-
KOEHN, Vive la chanson, Gütersloh 1969.

Nelsova, Zara, * 24. 12. 1924 zu Winnipeg (Manitoba); amerikanische Violoncellistin russischer Abstammung, lebt in New York. Sie studierte bei Herbert
Walenn in London, bei Casals in Prades und bei Feuermann in New York, gab 13jährig ihr Debüt mit dem
London Symphony Orchestra unter Sargent und konzertierte dann als Solistin und als Mitglied des Canadian
Trio (mit ihren beiden älteren Schwestern) in Großbritannien, Australien und Südafrika. 1942 trat sie zum ersten Male in der New Yorker Town Hall auf. Es folgten Konzerttourneen durch Südamerika (1953), Israel
(1954), Europa (1957) und die UdSSR (1966). Z. N.
lehrt an der Juilliard School of Music in New York. Sie
ist mit dem Pianisten Grant Johannesen verheiratet.

Němeček, František Petr → Niemetschek, Franz
Xaver.

Němeček (ɲˈɛmɛtʃek), Jan, * 25. 2. 1896 zu Příbram
(Mittelböhmen); tschechischer Musikforscher, im
Hauptberuf Mittelschullehrer, promovierte 1937 an der
Karlsuniversität in Prag mit einer Dissertation über
Světské skladby J.J.Ryby (1765–1815) (»Die weltlichen
Kompositionen von J.J.Ryba...«, gedruckt Prag 1949),
habilitierte sich dort 1947 mit der Schrift *Z vrcholné doby
klasicismu českých kantorů* (»Aus der klassischen Zeit
tschechischer Kantoren«) und wurde dann Dozent. Er
schrieb u. a.: *A.Dvořák a Vysoká* (»A.Dvořák und
Vysoká«, Prag 1938); *Lidové zpěvohry a písně z doby
roboty* (»Volkssingspiele und Lieder aus der Zeit der
Leibeigenschaft«, ebd. 1954); *Nástin české hudby XVIII
století* (»Abriß der tschechischen Musik des 18.Jh.«, ebd.
1955); *Zpěvy 17. a 18. století* (»Gesänge des 17. und
18. Jh.«, ebd. 1956, kommentierte Anth.); *J.J.Ryba.
Život a dílo* (»Leben und Werk«, ebd. 1963); *Opera
Národního divadla v období K. Kovařovice 1900–20* (»Oper
im Nationaltheater während der Zeit von K.Kovařo-
vić ...«, 2 Bde, ebd. 1968).

Nemescu, Octavian, * 29. 3. 1940 zu Pașcani (Kreis
Iași); rumänischer Komponist, studierte 1956–63 am
Bukarester Konservatorium bei Chirescu (Theorie),
P.Constantinescu (Harmonielehre), Vancea (Kontra-
punkt), Mendelsohn und Vieru (Orchestration), Emilia
Comișel (Folklore) und Madeleine Cocorăscu (Klavier). 1963 wurde er Lehrer für Klavier an der Kunstschule Nr 3 in Bukarest. Er schrieb u. a. Orchesterwerke (*Triunghi*, »Dreieck«, 1964; *Dimensiuni în timp*, »Dimensionen in der Zeit« I, 1965, II, Zyklus für großes
Orch. und gem. Chor, 1966, III, 1967, und IV, 1968;
Plurisens, Zyklus für variable Formationen, 1968),
Kammermusik (Sonate für Klar. und Kl., 1962; *Poli-
ritmii* für Klar., Kl. und Prepared piano, 1963; *Com-
binații în cercuri*, »Kombinationen in Kreisen«, für Vc.

solo, 1965; *Memorial*, 1968; *Concentric*, »Konzentrisch«, 1969; *Efemeride*, »Ephemeriden«, 1969) und Chormusik.

Németh (n'e:mɛt), Mária (verheiratete Grünauer), * 13. 3. 1899 zu Körmend (Ungarn), † 28. 12. 1967 zu Wien; ungarische Opernsängerin (dramatischer Sopran), studierte bei Georg Anthes in Budapest und Fernando de Lucia in Neapel. Sie debütierte 1923 an der Nationaloper in Budapest als Amelia (*Un ballo in maschera*) und war 1924–26 Mitglied der Wiener Staatsoper. Zu ihren bekanntesten Partien zählten Donna Anna, Violetta, Aida, Tosca und Turandot.

Nemiroff, Isaac, * 16. 2. 1912 zu Newport (Ky.); amerikanischer Komponist, Schüler von Wolpe, studierte am Cincinnati Conservatory of Music (O.) und am Cincinnati College of Music. Er wurde 1959 Professor of Music an der State University of New York in Stony Brook. Von seinen Kompositionen seien genannt: Concertino für Fl., V. und Streichorch. (1958); Konzert für Ob. und Streichorch. (1959); Sonaten für V. und Kl. Nr 1 (1948) und Nr 2 (1961); Streichquartett (1962); *Solo Cantata* für Singst., obligate Fl. und Streichorch. (1964); *Chamber Work* für Kl. und 10 Instr. (1968).

+Nenna, Pomponio, um 1550 – um 1618 zu Rom [erg.:] oder Neapel. Zwischen 1594 und 1599 stand N. in Diensten des Fürsten von Venosa in Neapel, wo er noch 1607 weilte; ab 1608 hielt er sich in Rom auf.
Lit.: O. Mischiati in: MGG IX, 1961, Sp. 1370ff.

Nenov, Dimitâr (Dimitâr Stefanov), * 19. 12. 1901 (1. 1. 1902) zu Razgrad, † 30. 8. 1953 zu Sofia; bulgarischer Komponist und Pianist, studierte ab 1920 in Dresden an der Technischen Hochschule Architektur sowie am Konservatorium Klavier und Komposition (Blumer). 1925–27 wirkte er als musikalischer Leiter des Balletts »Thea Jolles«. Nach seiner Rückkehr nach Bulgarien war er einige Jahre als Architekt tätig. Ab 1932 konzertierte er als Pianist in Ost- und Westeuropa sowie im Nahen Osten und in Ägypten. 1933–35 und 1937–43 war N. Dozent für Klavier an der Musikakademie in Sofia (1943 Professor). Er schrieb Orchesterwerke (Symphonie Nr 1, 1922; *Poema*, 1923; *Balada*, »Ballade«, 1924; Symphonische Dichtung *Kanât*, 1926; *Četiri skici*, »4 Skizzen«, 1926; *Rapsodična fantazija*, 1943), ein Klavierkonzert (1936), 2 Balladen für Kl. und Orch. (1942 und 1943), Kammermusik (Sonate für V. und Kl., 1921), Klavierwerke (Sonate, 1922; Thema mit Variationen, 1931) und Vokalwerke (5 Lieder nach volkstümlichen Texten für Singst., Frauenchor und Streichorch., 1950; 4 Lieder für St. und Orch., 1932; 7 Volkslieder, 1937, und 6 Volkslieder, 1938, für St. und kleines Orch.).
Lit.: K. Iliev, Beležki vârchu tworčestvoto na D. N. (»Anm. zum Schaffen v. D. N.«), in: Bâlgarska muzika VIII, 1957; D. N., Spomeni i materiali (»Erinnerungen u. Materialien«), hrsg. v. L. Nikolov, Sofia 1969.

Nepgen, Rosa Sophia Cornelia, * 12. 12. 1909 zu Barkly-Ost (Kapprovinz); südafrikanische Komponistin, studierte in Johannesburg bei Horace Barton und Kirby sowie 1954–55 in den Niederlanden bei Mulder (Kontrapunkt) und Badings (Instrumentation). Ab 1944 lebte sie in Grahamstadt (wo ihr Mann, der Dichter W.E.G. Louw, Professor an der Universität war), dann bis 1968 in Kapstadt, seitdem in Stellenbosch. Seit 1928 hat sie mehr als 120 Lieder auf Texte in Afrikaans und daneben zahlreiche Lieder auf niederländische, englische und italienische Texte geschrieben (Teildruck Kapstadt 1956, 7 H.). Mit ihrer Sammlung

Met hart en mond (1966), 4st. Choralbearbeitungen der 150 von Totius in afrikaans gereimten Psalmen, machte sie einen anregenden Versuch zur Wiederherstellung des Kirchengesangs nach dem Genfer Psalmbuch von 1562. Sie veröffentlichte *Ons kerklied* (in: Die kerkbode LXXIX, [Kapstadt] 1957).
Lit.: J. Bouws, Suid-afrikaanse komposiste v. vandag en gister, Kapstadt 1957; Ders., Woord en wys v. d. afrikaanse lied, ebd. 1962; J. H. Potgieter, 'n analitiese oorsig v. d. afrikaanse kunslied, Diss. Pretoria 1967.

+Nepomuceno (nəpumus'enu), Alberto, 1864–1920.
Lit.: Werkverz. in: Compositores de América X, Washington (D. C.) 1964; C. A. Corréa, Cat. general das obras de A. N., Obras mus., discografia, bibliogr., Rev. do livro X, (Rio de Janeiro) 1965. – Exposição comemorativa do centenário do nascimento de A. N., Rio de Janeiro 1964 (Bibl. Nacional). – G. Béhague, The Beginnings of Mus. Nationalism in Brazil, = Detroit Monographs in Musicology I, Detroit (Mich.) 1971.

Neralić (n'ɛralitç), Tomislav, * 9. 12. 1917 zu Karlovac (Kroatien); jugoslawischer Sänger (Baßbariton), studierte an der Musikakademie in Zagreb und debütierte 1939 als Mönch in Verdis *Don Carlos* an der Oper des Kroatischen Nationaltheaters in Zagreb, an der er dann bis 1943 engagiert war. 1943–47 war er Mitglied der Wiener Staatsoper und dann wieder des Kroatischen Nationaltheaters. Seit 1955 gehört er der Deutschen Oper Berlin an (Kammersänger). Gastspiele führten ihn in verschiedene europäische Länder, die USA, nach Lateinamerika und Israel. Er ist vor allem als Wagner-Interpret hervorgetreten; zu seinen Hauptpartien gehören auch der Komtur, Pizarro, Boris Godunow, der Großinquisitor, Jago und Scarpia. In der Uraufführung von Henzes *König Hirsch* (1956) sang er die Partie des Statthalters. N. hat sich auch als Konzertund Oratoriensänger einen Namen gemacht.

+Neri, Filippo, 1515–95.
Lit.: +Il primo processo per S. F. N. nel Cod. Vaticano lat. 3798 e in altri esemplari dell'Arch. dell'Oratorio di Roma, 4 Bde, hrsg. v. G. Incisa della Rocchetta u. N. Vian, = Studi e testi Bd 191, 196, 205 u. 224, Vatikanstadt 1957–63 [del. früherer Titel]. – L. Ponnelli u. L. Bordet, St Ph. N. [erg.:] et la soc. romaine de son temps (1928), Paris 2 1958, ital. Florenz [nicht: Rom] 1931; +A. Schering, Gesch. d. Oratoriums (1911), Nachdr. Hildesheim u. Wiesbaden 1966. – R. Pazzagli, S. F. N. e A. Cesalpino, Atti e memorie dell'Accad. Petrarca ... Arezzo, N. S. XXXVI, 1952–57; C. Gasbarri, L'oratorio filippino (1552–1952), Rom 1957; P. Pecchiai, Il primo processo per la canonizzazione di S. F. N., in: Archivi (Arch. d'Italia e rassegna internazionale degli arch.) II, 36, 1959; F. Mompellio, S. F. N. e la musica »Pescatrice di anime«, in: Chigiana XXII, N. S. II, 1965; H. E. Smither, Narrative and Dramatic Elements in the »Laude Filippine«, 1563–1600, AMl XLI, 1969; H. J. Marx, Monodische Lamentationen d. Seicento, AfMw XXVIII, 1971.

Neri, Giulio, * 21. 5. 1909 zu Torrita di Siena, † 21. 4. 1958 zu Rom; italienischer Sänger (Baß), studierte am Conservatorio di Musica S. Cecilia in Rom, wo er 1938 am Teatro dell'Opera debütierte. Bald darauf sang er an den großen italienischen Bühnen. Nach 1945 begann seine internationale Karriere (Bayerische Staatsoper München, Covent Garden Opera London, Teatro Colón Buenos Aires, Metropolitan Opera New York). Zu seinen Glanzpartien zählten der Mephisto in Gounods *Faust*, Don Basilio in *Il barbiere di Siviglia* und König Philipp in Verdis *Don Carlos*.

+Neri, Massimiliano, [erg.:] Anfang 17. Jh. zu Brescia(?) – nach 1666 zu Bonn(?).
Ausg.: +J. W. v. Wasielewski, Die V. im XVII. Jh. (1874), Nachdr. = Bibl. musica Bononiensis III, 21, Bologna 1969.

+Nérini, Émile, * 2. 2. 1882 zu Colombes (Seine), [erg.:] † 22. 3. 1967 zu Paris; Bruder von Emmanuel-Charles N.

Weitere Werke: *+Manoël* (Paris 1905 [nicht: Rouen 1907]); Bergerette *Au bord du bois joli* (einaktig, 1937); Operette *Mademoiselle Sans-Gêne* (1944, Bordeaux 1966 als *Mam'zelle Sans-Gêne*); *Petite suite* für V. und Kl. (1964); *L'art d'être grand-père* für Kl. (1964); Liederzyklen (*Etudes latines*; *Stances*; *Chansons et rondels*; *Poésies chantées*; *Vers en musique*; *Chansons brèves*; *Ballades françaises*; 14 »Chansons de la vieille France« *Qui veut ouir, qui veut savoir*); zahlreiche Lehrwerke, darunter ein *Traité d'harmonie*.

+Nérini, Emmanuel-Charles, * 9. 6. 1883 zu Le Vésinet (Seine-et-Oise), [erg.:] † 21. 2. 1960 zu Paris; Bruder von Émile N.

Nérini, Pierre, * 7. 10. 1915 zu Paris; französischer Violinist, Sohn von Emmanuel-Charles N., absolvierte das Pariser Conservatoire (1934), war Konzertmeister der Association des Concerts Lamoureux (1939) und des Orchesters der Opéra (1945) und konzertierte mit zahlreichen Orchestern in Frankreich, Belgien und der Schweiz. Er wirkt als Solist bei der ORTF, der Radiodiffusion Belge und beim Schweizer Rundfunk und gibt zusammen mit dem Nouveau Trio de Paris Kammermusikabende. Seit 1957 ist er Professor für Violine an der Ecole Nationale de Musique in Versailles.

Nero, Paul → Doldinger, Klaus.

+Neruda, Johann Baptist Georg (Jan Křitel Jiří), 18. Jh.
Die früher angegebenen Lebensdaten [1706 zu Rositz bei Pardubitz – 1780 zu Dresden] sind urkundlich nicht gesichert: Weder in Rosice bei Pardubice (Pardubitz) noch in Rosice bei Chrast ist in den Taufmatrikeln 1706–10 sein Name zu finden; auch das Todesjahr ist nicht belegt.

+Neruda, –1) Wilma (Vilemína) Maria Franziska, 1839–1911.
–2) Franz (František) Xaver [erg.:] Viktor, 1843 – 20. [nicht: 19.] 3. 1915. Er komponierte insgesamt 5 Cellokonzerte.
Lit.: zu –1): Fr. Collingwood, Madam N.-Norman (Lady Hallé), in: The Strad LXXII, 1961/62.

Nessler, Robert, * 6. 11. 1919 zu Innsbruck; österreichischer Komponist und Dirigent, studierte am Städtischen Konservatorium in Innsbruck (Fritz Weidlich) und 1940–41 an der Staatlichen Akademie der Tonkunst in München (Komposition bei J. Haas). Er war Kapellmeister am Landestheater in Salzburg und Assistent von M. v. Zallinger am Mozarteum (1941), Kapellmeister am Landestheater Innsbruck und am Studio Tirol des ORF (1945–53) und ist seitdem in freier Mitarbeit Dirigent und Komponist beim ORF. Er gastierte als Dirigent u. a. in Straßburg, Berlin und Wien. Seine Kompositionen umfassen die Ballettmusik *Mariage des fleurs* (Linz 1955), Orchesterwerke (*Nachtmusik* für Kammerorch., 1945; *BACH-Variationen* für Orch., 1959; 2 Symphonien, 1964 und 1966), ein Concertino für V. und Kammerorch. (1942), ein Kammerkonzert für Klar., Kl. und Streicher (1963), ein Konzert für Kl. und Orch. (1961, auch als Ballettmusik *Sam und die Lilie*, Innsbruck 1968), Kammermusik (*Motionen* für 7 Soloinstr., 1964; *Magische Fische*, 4 Studien für Fl. und Vc. nach einem Bild von Paul Klee, 1968), *Sonnengesang des heiligen Franziskus von Assisi* für S. und Orch. (1965), Klavierstücke, Lieder sowie eine Reihe von Hörspiel- und Bühnenmusiken.

+Nessler, Victor Ernst, 1841–90.
Lit.: C. Schneider, V. N., compositeur alsacien du »Trompette de Säkkingen«, in: La musique en Alsace hier et aujourd'hui, = Publ. de la Soc. savante d'Alsace et des régions de l'Est X, Straßburg 1970.

Nestjew, Israil Wladimirowitsch, * 4. (17.) 4. 1911 zu Kertsch (Krim); russisch-sowjetischer Musikforscher, studierte am Konservatorium in Tiflis und dann an der historisch-theoretischen Fakultät des Moskauer Konservatoriums (Abschlußdiplom 1937), an dem er sich 1940 als Aspirant vervollkommnete und seit 1948 pädagogisch wirkt (1956 Dozent). 1945 promovierte er mit der Dissertation *Twortscheskij put S. S. Prokofjewa* (»Der Schaffensweg von S. S. Prokofjew«) zum Kandidaten der Kunstwissenschaft. 1939–41 und 1949–60 war er Chefredakteur der Zeitschrift *Sowjetskaja musyka* (SM). Von seinen Veröffentlichungen seien genannt: *S. Prokofjew* (Moskau 1945, ²1957, engl. von Fl. Jonas, Stanford/Calif. 1960, nach Chr. Schubert-Consbruch, Bln 1962); *Massowaja pesnja* (»Das Massenlied«, in: Otscherki sowjetskowo musykalnowo twortschestwa I, Moskau 1947); *G. Ejsler i jewo pessennoje twortschestwo* (»H. Eisler und sein Liedschaffen«, ebd. 1962); *Dsch. Putschtschini* (»G. Puccini«, ebd. 1963, ²1966); *Na rubesche dwuch stoletij* (»An der Grenze von 2 Jahrhunderten«, ebd. 1967); *B. Bartók* (ebd. 1969); *Swjosdy russkoj estrady* (»Sterne der russischen Bühne«, ebd. 1970). Ferner schrieb er zahlreiche Aufsätze für SM und andere Zeitschriften. Er gab heraus *S. Prokofjew 1953–63. Statji i materialy* (»Aufsätze und Materialien«, mit G. Ja. Edelman, Moskau 1962, erweitert ²1965).

+Nestler, Gerhard Walter, * 22. 9. 1900 zu Frankenberg (Sachsen).
N. leitete die Badische Hochschule für Musik Karlsruhe bis 1965. Er war 1946–70 Akademischer Musikdirektor der dortigen Universität (1967 Honorarprofessor). Neuere Veröffentlichungen: *Der Stil in der neuen Musik* (= Atlantis Musikbücherei o. Nr, Freiburg i. Br. 1958); *Geschichte der Musik* (Gütersloh 1962); *Neues vom Klang* (in: Melos XXXV, 1968).

Nestroy, Johann Nepomuk Eduard Ambrosius, * 7. 12. 1801 zu Wien, † 25. 5. 1862 zu Graz; österreichischer Sänger (Baß), Schauspieler und Dramatiker, wirkte in verschiedenen musikalischen Akademien und Konzerten der Wiener Gesellschaft für Musikfreunde u. a. als 1. Baß in Quartetten für Männerstimmen von Schubert mit und debütierte 1822 als Opernsänger im k. k. Hoftheater nächst dem Kärntnerthore als Sarastro. 1823–25 war er am Deutschen Theater in Amsterdam engagiert (Debüt als Kaspar im *Freischütz*), war dann als Sänger und Schauspieler in Brünn, Graz, Preßburg und Lemberg tätig und gab Gastspiele in Klagenfurt (1829) sowie in Wien am Josefstädtertheater (1829 und 1831) und am Kärntnerthortheater (1830). Mit seinem Engagement an das Theater an der Wien (1831) begann seine Laufbahn als Komiker und Bühnenschriftsteller (ab 1838 auch Auftreten im Leopoldstädter Theater, ab 1845 nur an dieser Bühne tätig, die 1847 als Carltheater neu erbaut wurde, daneben Gastspiele u. a. in Graz, Brünn, Prag, Berlin, Breslau, Hamburg und München). 1854–60 hatte er die Direktion des Carltheaters inne. Seine letzten Lebensjahre verbrachte er in Graz. – N. begann seine Laufbahn als Bühnenschriftsteller mit Zauberstücken in der Tradition der Alt-Wiener Volkskomödie (*Die Verbannung aus dem Zauberreiche*, 1828; *Der konfuse Zauberer*, 1832; *Der böse Geist Lumpazivagabundus*, 1833) und schrieb später Parodien und satirische Stücke (»Posse mit Gesang«). Seine Ballett- und Opernparodien ironisieren zeitgenössische Libretti, so *Der gefühlvolle Kerkermeister oder Adelheid, die verfolgte Wittib* (1832) das historisch-pantomimische Ballett *Adelaide di Francia* (Musik Pugni), *Zampa der Tagdieb* (1832) Hérolds *Zampa, Robert der Teuxel* (1833) Meyerbeers *Robert le diable* sowie *Martha oder die Mischmonder Markt-Mägde-Mietung* (1848) Flotows *Martha.* Die *Tannhäuser-* und *Lohengrin*-Parodien (1857 bzw. 1859) richten sich sowohl gegen das Libretto als auch gegen die Wagnersche Musik. Von seinen Possen mit Gesang wurden *Der Talisman* (1840), *Das Mädl aus der Vorstadt* (1841), *Einen Jux will er sich machen* (1842), *Der Zerrissene* (1844) und *Frühere Verhältnisse* (1862) N.s größte Erfolge. Sein letztes Stück, die indianische Faschingsburleske *Häuptling Abendwind oder Das greuliche Festmahl* (1862) stellt eine Bearbeitung der Offenbach-Operette *Vent du soir ou L'horrible festin* dar. Die Stoffe sind bei den meisten seiner 83 Stücke fremden (überwiegend französischen) Vorlagen entnommen und in das Wiener Milieu transponiert. N.s Leistung liegt im geschliffenen Dialog, in den seine z. T. sarkastischen Aphorismen eingebaut sind, und in der Einfügung von satirischen Couplets. – Bühnenmusik (Ouvertüren, Arien, Couplets, Duette, Terzette, Quartette, Quodlibets, Chöre, Melodramen, Zwischenaktsmusik, sogar ausgebaute Finales) schrieben für N. u. a. K. Binder, M. Hebenstreit, Georg Ott, Andreas Skutta, Carl Franz Stenzl, Anton Maria Storch und vor allem A. Müller (der Ältere). Eine Begleitmusik Lortzings zu der Posse *Der Zerrissene* blieb unveröffentlicht, Ránki schrieb eine Musik zum *Lumpazivagabundus* (1907), M. Lothar zu *Der konfuse Zauberer* in der Bearbeitung von Karl Kraus (München 1954) und zu *Das Mädl aus der Vorstadt* (ebd. 1963), ferner P. Burkhard zu Bearbeitungen von H. Weigel. Opern nach N.-Stücken schrieben u. a. G. v. Einem (*Der Zerrissene*, Blacher, Hbg 1964) und Sutermeister (*Titus Feuerfuchs* nach *Der Talisman*, Basel 1958), ferner R. Stolz die Operette *Drei von der Donau* nach dem *Lumpazivagabundus* (R. Gilbert und Rudolf Österreicher, Wien 1947) und Rudolf Mors die Musicalparodie *Freiheit in Krähwinkel* (Textbearb. Hans Dieter Hüsch, Ulm 1957). In Ludwig Gottslebens Lebensbild mit Gesang *Nestroy* (Wien 1871), C. Haffners Lebensbild mit Gesang *Scholz und Nestroy* (Wien 1866) und A. M. Willners und R. Österreichers Singspiel *Johann Nestroy* mit der Musik nach Altwiener Motiven von Siegmund Eibenschitz und Ernst Reiterer (Wien 1919) erscheint N. als Bühnenfigur.

Ausg.: J. N.s Gesammelte Werke, hrsg. v. V. CHIAVACCI u. L. GANGHOFER, 12 Bde, Stuttgart 1890–91 (darin: M. Necker, J. N., Eine biogr.-kritische Skizze); J. N.s Sämtliche Werke. Hist.-kritische GA, hrsg. v. FR. BRUKNER u. O. ROMMEL, 15 Bde, Wien 1924–30 (darin: O. Rommel, J. N., Ein Beitr. zur Gesch. d. Wiener Volkskomik, mit Werkverz., Rollenverz. u. einem ikonographischen Beitr. v. Fr. Brukner); Gesammelte Werke, hrsg. v. O. ROMMEL, 6 Bde, ebd. 1948–49, Nachdr. 1962, (darin: ders., J. N., d. Satiriker auf d. Altwiener Komödienbühne, mit Werkverz.). – Wiener Comödienlieder aus drei Jh., hrsg. u. bearb. v. BL. GLOSSY u. R. HAAS, ebd. 1924; Des wüsten Lebens flücht'ger Reiz. Theaterlieder. Aus N.s Stücken ausgew. v. H. POLITZER, Ffm. 1961; Die Welt steht auf kein' Fall mehr lang. Couplets u. Monologe, hrsg. v. H. HAKEL, Wien 1962.
Lit.: O. ROMMEL, Die Alt-Wiener Volkskomödie, Wien 1952; O. BASIL, J. N. in Selbstzeugnissen u. Bilddokumenten, = Rowohlts Monographien Bd 132, Reinbek bei Hbg 1967 (mit ausführlicher Bibliogr.); H. WEIGEL, J. N., = Friedrichs Dramatiker d. Weltheaters XXVII, Velber bei Hannover 1967, ²1972 (mit Werkverz. u. Bibliogr.); K. KAHL, J. N. oder Der wienerische Shakespeare, = Glanz u. Elend d. Meister VI, Wien 1970 (mit Werkverz. u. Bibliogr.). – M. BÜHRMANN, J. N. N.s Parodien, Diss. Kiel 1933; A. BAUER, Die Musik A. Müllers in d. Theater-

stücken J. N.s. Ein Beitr. zur Mg. d. volkstümlichen Theaters in Wien, Diss. Wien 1935; DERS., Die Musik in d. Theaterstücken J. N.s, Jb. d. Ges. f. Wiener Theaterforschung 1944, Wiederabdruck in: ÖMZ XXIII, 1968, S. 246ff. fort.; CH. LANG, Die Tanzeinlagen in N.s Spielen, Diss. Wien 1942; A. OREL, Opernsänger J. N., Jb. d. Ver. f. Gesch. d. Stadt Wien XIV, 1958; O. E. DEUTSCH, N.s erstes Auftreten. Ein Dokumentenfund im Dorotheum (1933), ÖMZ XVIII, 1963; E. HILMAR, Die N.-Vertonungen in d. Wiener Slgen, in: Maske u. Kothurn XVIII, 1972.   AKG

+**Netschajew,** Wassilij Wassiljewitsch, * 16.(28.) 9. 1895 und [erg.:] † 5. 6. 1956 zu Moskau.

+**Nettl,** –1) Paul, * 10. 1. 1889 zu Hohenelbe (Vrchlabí, Ostböhmen), [erg.:] † 8. 1. 1972 zu Bloomington (Ind.). – An der Prager Universität promovierte er 1915 zum Dr. phil. (*Studien zur Spielarie nebst einem Beitrag zur Geschichte der österreichischen Suitenkomposition im 17. Jh.*) und habilitierte sich dort 1920 (+*Die Wiener Tanzkomposition in der 2. Hälfte des 17. Jh.*, 1921). – Nach seiner Emeritierung (1959) setzte er seine Vorlesungstätigkeit an der Indiana University [erg.:] bis 1964 fort. – Nachdrucke, Übersetzungen usw. (gemäß der früheren Reihenfolge): *Casanova und seine Zeit* (1949), engl. als *The Other Casanova. A Contribution to 18th-Cent. Music and Manners*, NY 1950, Nachdr. 1970; *The Story of Dance Music* (1947), NY 1969; *Luther and Music* (1948), NY 1967; *The Book of Musical Documents* (1948), NY 1969; *Forgotten Musicians* (1951), Westport (Conn.) 1970; *Mozart and Masonry* (1957), NY 1970; *W. A. Mozart, 1756–1956* ([erg.:] mit Beitr. von A. Orel, R. Tenschert und H. Engel, 1955 [nicht: 1956]), frz. = Petite bibl. Payot XXVII, Paris 1962; *Beethoven Encyclopedia* (1956), auch London 1957, 2. Aufl. als *Beethoven Handbook*, NY 1967. – Von seinen Büchern und Aufsätzen sei weiter genannt: *National Anthems* (NY 1952, erweitert ²1967); *Tanz und Tanzmusik. Tausend Jahre beschwingte Kunst* (= Herder-Bücherei CXXVI, Freiburg i. Br. 1962, frz. als *Histoire de la danse et de la musique de ballet* = Bibl. historique o. Nr, Paris 1966); *The Dance in Classical Music* (NY 1963, London 1964); *Prag im Studentenlied* (= Schriftenreihe der sudetendeutschen Ärzte VI, München 1964); *H. Fr. Biber von Bibern* (StMw XXIV, 1960); *Volks- und volkstümliche Musik bei Bach* (Fs. E. Schenk, = StMw XXV, 1962); *Etwas über das erste Wiener Liederbuch* (Fs. H. Engel, Kassel 1964); *Jewish Connections of Some Classical Composers* (ML XLV, 1964); *Österreichische Folklore des 17. Jh.* (in: Musa – Mens – Musici, Gedenkschrift W. Vetter, Lpz. 1970).

–2) Bruno, * 14. 3. [nicht: 5.] 1930 zu Prag. 1960–64 wirkte er als Musikbibliothekar und Assistant Professor for Music an der Wayne State University (Mich.) und wurde dann Professor of Musicology and Anthropology an der University of Illinois (seit 1969 Leiter deren Division of Musicology). Er war 1969–71 Präsident der Society for Ethnomusicology (zuvor 1961–66 auch Herausgeber von deren Zeitschrift *Ethnomusicology*) und ist Generaleditor der bedeutsamen Reihe *Detroit Studies in Music Bibliography* (Detroit/Mich. 1961ff., bis 1973 28 Bde). Neben zahlreichen musikethnologischen Aufsätzen (u. a. in: AMl XXX, 1958; MQ XLVII, 1961, LI, 1965, LIV, 1968 und LVI, 1970; Fs. Fr. Blume, Kassel 1963; Jb. für musikalische Volks- und Völkerkunde II, 1966; Ethnomusicology XI, 1967 – XII, 1968 und XVI, 1972; Fs. W. Wiora, Kassel 1967; Essays in Musicology, Fs. Dr. Plamenac, Pittsburgh/Pa. 1969; Musik als Gestalt und Erlebnis, Fs. W. Graf, = Wiener musikwissenschaftliche Beitr. IX, Wien 1970) veröffentlichte er an weiteren Büchern: *An Introduction to Folk Music*

in the United States (= Wayne State University Studies, Humanities VII, Detroit 1960, revidiert ²1962); *Cheremis Musical Styles* (= Indiana University Folklore Series XIV, Bloomington/Ind. 1960); *Reference Materials in Ethnomusicology. A Bibliographical Essay* (= Detroit Studies in Music Bibliography I, Detroit 1961, revidiert ²1967); *Theory and Method in Ethnomusicology* (NY und London 1964); *Folk and Traditional Music of the Western Continents* (= Prentice-Hall History of Music Series o. Nr, Englewood Cliffs/N. J. und London 1965, ²1973); *Daramad of Chahargah. A Study in the Performance Practice of Persian Music* (mit B. Foltin jr., = Detroit Monographs in Musicology II, Detroit 1972).
Lit.: TH. ATCHERSON, Ein Musikwissenschaftler in zwei Welten. Die mw. u. literarischen Arbeiten v. P. N., Wien 1962.

+Netzer, Joseph, 1808 zu Zams [nicht: Imst] (Tirol) – 1864.
N.s erste Oper *+Die Belagerung von Gothenburg* wurde 1839 in Wien uraufgeführt [del.: nicht aufgeführt]. Als Kapellmeister am Theater an der Wien (1845/46) führte er 1846 seine Oper *+Die seltsame* [nicht: *seltene*] *Hochzeit* auf. Bis 1862 [nicht: 1864] war N. Kapellmeister am Ständischen Theater, Direktor des Musikvereins für Steiermark in Graz und zugleich erster Chormeister des Grazer Männergesangvereins.
Lit.: Artikel N. in: Steirisches Musiklexikon, hrsg. v. W. SUPPAN, Graz 1962–66.

Neubach, Ernst, * 3. 1. 1900 zu Wien, † 21. 5. 1968 zu München; österreichischer Textdichter von Liedern und Schlagern, Filmregisseur und -produzent, war einer der erfolgreichen Textdichter der 30er Jahre und schrieb u. a. (Komponisten in Klammern): *Heute Nacht am Lido* (H. May); *Die Fenster auf, der Lenz ist da* (May); *Ein Lied geht um die Welt* (May, 1933); *Du bist das süßeste Mädel der Welt* (W. Heymann); *Ich hab mein Herz in Heidelberg verloren* (Raymond, 1925); *In einer kleinen Konditorei* (Raymond, 1928).

+Neubauer, Franz Christoph (František Kryštof), 21. 3. 1750 zu Mělník (Böhmen) [del. frühere Angaben] – 1795.
Lit.: R. D. SJOERDSMA, The Instr. Works of Fr. Chr. N., 2 Bde, Diss. Ohio State Univ. 1970 (mit Werkverz. u. thematischem Kat.).

Neudecker, Gustav, * 19. 10. 1921 zu Klein-Auheim (bei Hanau am Main); deutscher Hornist, studierte an der Staatlichen Hochschule für Musik in Frankfurt a. M., war 1948 Preisträger beim Concours international d'exécution musicale in Genf. Er ist seit 1946 Solohornist im Sinfonie-Orchester des Hessischen Rundfunks und lehrte 1953–66 an der Nordwestdeutschen Musikakademie Detmold (1960 Professor). 1966 übernahm er als Dozent die Bläserausbildung an der Staatlichen Hochschule für Musik in Frankfurt. Konzertreisen führten ihn nach Osteuropa, Asien sowie Süd- und Nordamerika.

+Neuendorff, Anton Adolf Heinrich Magnus [erg. Vornamen], 1843 – 4. 12. [nicht: 11.] 1897.

Neues Prager Streichquartett → Prager Streichquartett.

Neufville (nœfv'il), Johann Jakob de (Deneufville), * 5. 10. 1684 und † 4. 8. 1712 zu Nürnberg; deutscher Komponist, war in Klavierspiel und Komposition Schüler J. Pachelbels, studierte ab 1707 in Italien, Graz und Wien und wurde 1709 als Nachfolger W. H. Pachelbels Organist an St. Bartholomäus in Nürnberg.
Er schrieb: *Sex melea sive Ariae cum variationibus ad or-*

ganum pneumaticum (o. O. o. J., Vorw. Venedig 1708); *IV encomia ... a v. sola, 3 stromenti e continuo* (ebd. 1708); *Honig-Opffer auf andächtigen Lippen ... in IV Denck-Sprüchen* (Nürnberg 1710); ferner Suiten für Cemb., Kirchenkantaten und (mit M. Zeidler) eine 16st. Festmusik zum Einzug Kaiser Karls VI. in Nürnberg (1712), in der bereits Klarinetten verwendet werden.
Ausg.: 2 Suitensätze f. Cemb., in: Alt-Nürnberger Klavierbüchlein, hrsg. v. K. HERRMANN, Mainz o. J.
Lit.: E. BORN, Die Variation ... im mus. Schaffen J. Pachelbels, = Neue deutsche Forschungen, Abt. Mw. X, Bln 1941; FR. KRUMMACHER, Die Überlieferung d. Choralbearb. in d. frühen ev. Kantate, = Berliner Studien zur Mw. X, Bln 1965; FR. KRAUTWURST, Musik d. 18. Jh., in: Nürnberg. Gesch. einer europäischen Stadt, hrsg. v. G. Pfeiffer, München 1971.

Neugebauer, Hans, * 17. 11. 1916 zu Karlsruhe; deutscher Opernregisseur, war nach anfänglicher Ausbildung zum Bühnenbildner in Mannheim bis 1956 Opernsänger in Karlsruhe und Frankfurt a. M. und bis 1959 Hausregisseur an der Frankfurter Oper. Danach wirkte er als Oberspielleiter der Oper bis 1962 in Heidelberg, bis 1964 in Kassel und ging dann in gleicher Eigenschaft an das Opernhaus Köln. Von seinen Inszenierungen sind zu erwähnen: *Der Rosenkavalier* (Glyndebourne 1965); *Die Soldaten* (B. A. Zimmermann, Köln 1965, Uraufführung); »Fausts Verdammnis« (Berlioz, Ffm. 1968); *Der Ring des Nibelungen* (Kiel 1970/71, Regie und Bühnenbild). Aufsehen erregte seine umstrittene Deutung von Rossinis »Barbier von Sevilla« (Ffm. 1966).

+Neuhaus, Heinrich Gustawowitsch (Genrich Nejgaus), * 31. 3. (12. 4.) 1888 [nicht: 1890] zu Jelisawetgrad (heute Kirowograd), [erg.:] † 10. 10. 1964 zu Moskau; russisch-sowjetischer Pianist [erg.:] und Pädagoge deutscher Abstammung.
N. erhielt seinen ersten Unterricht im Elternhaus sowie von seinem Onkel F. → +Blumenfeld. In Deutschland debütierte er 1904 mit großem Erfolg in Dortmund; dort wurde er auch mit R. Strauss bekannt, der ihn in seiner weiteren Konzerttätigkeit sehr förderte. Konzertreisen führten ihn durch Deutschland, Österreich, Italien und andere europäische Länder. Nach kurzen Studien bei L. Godowsky in Wien und bei P. Juon (Komposition) in Berlin beendete er 1915 am Petrograder Konservatorium als Externer seine Ausbildung. – Am Moskauer Konservatorium lehrte er, ausgenommen die Jahre 1941–44, bis zu seinem Tode. – N.' pädagogisches Wirken und seine Methodik des Klavierspiels (niedergelegt in der Schrift *Ob iskusstwe fortepiannoj igry*, Moskau 1958, ²1961, rumänisch Bukarest 1960, ungarisch Budapest 1961, deutsch hrsg. von A. Schmidt-Neuhaus als *Die Kunst des Klavierspiels*, übers. von D. Nitsche, Köln 1967, sowie, übers. von L. Fahlbusch, Lpz. 1970, serbokroatisch Belgrad 1970, frz. Tours 1971, engl. NY und London 1973) sind Ausgangspunkt und Grundlage der neueren russischen Klaviertechnik. Aus der Vielzahl seiner bedeutenden Schüler seien E. Gilels und Sw. Richter genannt. Er schrieb auch eine Reihe von Zeitschriftenbeiträgen (u. a. *O poslednich sonatach Betchowena*, »Über die letzten Sonaten Beethovens«, SM XXVII, 1963, bulgarisch in: Bâlgarska muzika XIV, 1963, Nr 7, S. 31ff.); posthum erschienen von ihm *Awtobiografitscheskije sapiski* (»Autobiographische Notizen«, Moskau 1974).
Lit.: Aufsatzfolge in: SM XXX, 1966, H. 1, S. 86ff. – A. A. NIKOLAJEW, Wsgljady G. G. N.a na raswitije pianistitscheskowo masterstwa (»Die Anschauungen v. H. N. über d. Entwicklung zur pianistischen Meisterschaft«), in: Mastera sowjetskoj pianistitscheskoj schkoly, Moskau

1954; DERS., G. G. N. i S. Je. Fejnberg o fortepiannom iskusstwe (»H. N. u. S. Feinberg über d. Kl.-Kunst«), in: Woprossy musykalno-ispolnitelskowo iskusstwa V, hrsg. v. A. A. Nikolajew, ebd. 1969; D. A. RABINOWITSCH, Portrety pianistow, ebd. 1962, ²1970; M. GOLDSTEIN in: Musik im Unterricht (Allgemeine Ausg.) LVI, 1965, S. 334ff.; L. KUNDERA, Nad Nejgauzovou poetikou klavíru, in: Hudební rozhledy XVIII, 1965; W. JU. DELSON, G. N., Moskau 1966; A. TAUBE in: Ruch muzyczny XI, 1967, Nr 6, S. 9ff., XIV, 1970, Nr 17, S. 15f., u. Nr 19, S. 13f.; W. CHR. M. KLOPPENBURG in: Mens en melodie XXIV, 1969, S. 131ff. (zu »Die Kunst d. Klavierspiels«); M. SCHOLSKIJ in: SM XXXVII, 1973, H. 4, S. 60ff.

Neuhaus, Rudolf, * 3. 1. 1914 zu Köln; deutscher Dirigent, studierte an der Staatlichen Hochschule für Musik in Köln (H. Abendroth), war Kapellmeister 1934–44 am Landestheater in Neustrelitz und 1945–52 am Staatstheater in Schwerin (1950 GMD). 1953 wurde er Dirigent an der Staatsoper in Dresden sowie Gastdirigent an der Deutschen Staatsoper in Berlin, beim Leipziger Gewandhausorchester und beim Städtischen Sinfonieorchester in Berlin. N. setzt sich besonders für die zeitgenössische Musik ein. 1959 erhielt er den Titel Professor.

+Neukomm, Sigismund, Ritter von, 1778–1858. Ausg.: Tantum ergo D dur f. Chor, Orch. u. Org., in: 20 Tantum ergo v. Haydn bis Bruckner I, hrsg. v. K. PFANN-HAUSER, = Österreichische Kirchenmusik III, 1, Wien 1947; 3 Fanfaren f. 4 Trp., hrsg. v. D. TOWNSEND, NY 1965; Quintett D dur f. Klar., 2 V., Va u. Vc. op. 8, hrsg. v. A. HEINE, Hbg 1966.
Lit.: L. H. CORRÊA DE AZEVEDO, S. N., an Austrian Composer in the New World, MQ XLV, 1959; DERS., As modinhas de J. Manuel, in: Estudos e ensaios folclóricas, Fs. R. Almeida, Rio de Janeiro 1960; DERS., Esplendor da vida mus. fluminense no tempo de Dom João VI., S. N. no Rio de Janeiro, in: 3. Colóquio internacional de estudos luso-brasileiros, Bd II, 1960; H. SEEGER, Zur musikhist. Bedeutung d. Haydn-Biogr. v. A. Chr. Dies (1810), BzMw I, 1959; H. P. SCHANZLIN, Briefe d. Haydn-Schülers N. an d. Schweizer Komponisten Schnyder v. Wartensee, Fs. A. v. Hoboken, Mainz 1962; M. VIGNAL, A Side-Aspect of S. N.'s Journey to France in 1809, Das Haydn-Jb. II, 1963/64; A. SEEBOHM, Das deutsche Klavierlied S. N.s, Diss. Wien 1968; M. ARAUJO, S. N., um músico austríaco no Brasil, Rev. brasileira de cultura I, 1969 (mit Bibliogr. u. thematischem Kat.).

+Neumann, Angelo, 18. 8. [nicht: 10.] 1838 – 1910.
Lit.: KL. GEITEL, A. N.s »Wanderndes R. Wagner Theater«, in: Theater u. Zeit XII, 1964/65.

+Neumann, František (Franz), 1874–1929.
Lit.: VL. HELFERT, Fr. N., Prostějov 1936; O. CHLUBNA in: Opus musicum I, (Brünn) 1969, S. 239ff.; E. HAINS, Fr. N. a Prostějov (»Fr. N. u. Prošnitz«), in: Zprávy Vlastivědného muzea v Prostějově 1969, Suppl.; J. VRATISLAVSKÝ, N.ova éra v brněnské opeře (»Die N.-Epoche an d. Brünner Oper«), = Plamen divadla II, Brünn 1971.

Neumann, Friedrich, * 30. 10. 1915 zu Salzburg; österreichischer Musikforscher und Komponist, studierte Mathematik und Physik in Wien (1934–38), Komposition bei Frischenschlager am Mozarteum in Salzburg und bei J. N. David in Leipzig sowie Musikwissenschaft bei Federhofer in Graz, wo er 1958 mit der Dissertation *Der Typus des Stufenganges der Mozart'schen Sonatendurchführung* promovierte (gekürzt in: Mozart-Jb. 1959). Er übernahm 1966 eine Klasse für Komposition an der Akademie (heute Hochschule) für Musik und darstellende Kunst in Wien (ordentlicher Hochschulprofessor und Leiter der Abteilung Komposition 1972). – Veröffentlichungen (Auswahl): *Synthetische Harmonielehre* (Lpz. 1951); *Tonalität und Atonalität. Versuch einer Klärung* (= Beitr. zu Gegenwartsfragen der Musik I, Landsberg a. Lech 1955); *Die Zeitgestalt. Eine*

Lehre vom musikalischen Rhythmus (2 Bde, Wien 1959); *Zur formalen Anlage des Seitensatzes der Sonatenform bei Mozart* (Mozart-Jb. 1960/61); *Das Verhältnis von Melodie und Harmonie im dur-moll-tonalen Tonsatz, insbesondere bei J. S. Bach* (Mf XVI, 1963); *Philosophische Denkmodelle und musiktheoretische Begriffe* (Mf XVIII, 1965); *Zur Frage der Echtheit der »Romantischen Violinsonaten«* (Mozart-Jb. 1965/66); *Typische Stufengänge im Bachschen Suitensatz* (Bach-Jb. LIII, 1967); *Physikalismus in der Musiktheorie* (AMl XLI, 1969, und in: Musikerziehung XXIV, 1970/71); *Zur harmonischen Typik des Durchführungsteiles bei Mozart und Beethoven* (Beethoven-Almanach 1970, hrsg. von E. Tittel. = Publ. der Wiener Musikhochschule IV, Wien 1970); *Zur Problematik musikgeschichtlicher Diagnosen und Prognosen* (ÖMZ XXVIII, 1973); *Zwölftonprinzip und Tonalität* (Mf XXVI, 1973). – Kompositionen: Konzert für Streichorch. (1956); *Sinfonia in sol* für Kammerorch. (1969); Bläserquintett (1958); 3. Streichquartett (1960); ferner 5 Klaviersonaten (1952–65), Kantaten, Chöre, Lieder und didaktische Gebrauchsmusik.

+Neumann, Friedrich-Heinrich, 1924–59.
Seine +Dissertation (1955) erschien gedruckt als *Die Ästhetik des Rezitativs. Zur Theorie des Rezitativs im 17. und 18. Jh.* (= Slg musikwissenschaftlicher Abh. XLI, Straßburg 1962). Posthum veröffentlicht wurde der Aufsatz *Zur Vorgeschichte der Zaide* (Mozart-Jb. 1962/63).

Neumann, Günter Christian Ludwig, * 19. 3. 1913 zu Berlin, † 17. 10. 1972 zu München; deutscher Schriftsteller, Komponist und Pianist, studierte an der Berliner Musikhochschule (Tiessen) und trat ab 1930 als Textdichter und Komponist u. a. für Kabarettprogramme (»Die Katakombe« und »Kabarett der Komiker« in Berlin), und Varietérevuen (*Utopis*, Bln 1944), als Leiter einer eigenen politisch-satirischen Sendereihe »G. N. und seine Insulaner« ab Dezember 1948 bei RIAS Berlin sowie als Autor von Filmdrehbüchern (*Paradies der Junggesellen*, 1944; *Berliner Ballade*, 1948; *Herrliche Zeiten*, 1950; *Das Wirtshaus im Spessart*, 1957; *Wir Wunderkinder*, 1958; *Spukschloß im Spessart*, 1960) und mit der deutschen Bühnenbearbeitung von Porters *Kiss me, Kate* (Ffm 1955) hervor. N. war mit der Schauspielerin und Kabarettistin Tatjana Sais verheiratet.

Neumann, Klaus-Günter, * 30. 6. 1920 zu Berlin; deutscher Komponist von Schlagern, Kabarettist und Schauspieler, lebt in Berlin. Er besuchte 1938–39 die Schauspielschule des Deutschen Theaters in Berlin und studierte privat Musik. Seit 1946 ist er für Rundfunk, Fernsehen, Theater, Film und Schallplattengesellschaften tätig. 1948 gründete er das erste Kabarett nach dem Kriege in Berlin (»Greifi«). Er verfaßte zahlreiche Kabarettrevuen. Von seinen Schlagern seien genannt *Tulpen aus Amsterdam* (Text Arnie und Bader, 1958) und *Wonderland by Night* (Arrangement B. Kaempfert, 1960; in den USA 1961 Hit Nr 1).

+Neumann, Mathieu (Matthias), 1867–1928.
Lit.: H. GAPPENACH, M. N. u. A. v. Othegraven, in: Der Chor XII, 1960; R. HEINEMANN in: Rheinische Musiker IV, hrsg. v. K. G. Fellerer. = Beitr. zur rheinischen Mg. LXIV, Köln 1966, S. 81ff.

Neumann, Václav, * 29. 9. 1920 zu Prag; tschechischer Dirigent, studierte am Prager Konservatorium, wurde 1945 Bratschist der Tschechischen Philharmonie und war Mitbegründer des Smetanovo kvarteto. Als er 1948 kurzfristig die Leitung eines Konzerts der Tschechischen Philharmonie übernahm, wurde er als Dirigent engagiert. Nach 1950 war er Chef des

Symphonieorchesters in Karlsbad, Dirigent der Brünner Philharmonie und der Prager Symphoniker. Ab 1963 arbeitete er wieder enger mit der Tschechischen Philharmonie zusammen. 1955–60 war er auch Chefdirigent der Komischen Oper in Berlin, 1964–68 GMD der Leipziger Oper und Dirigent des Gewandhausorchesters sowie 1970–72 GMD und Leiter der Sinfoniekonzerte der Württembergischen Staatsoper in Stuttgart. Seitdem ist er Chefdirigent der Tschechischen Philharmonie.

Neumann, Věroslav, * 27. 5. 1931 zu Citoliby (bei Louny); tschechischer Komponist, Schüler von Řídký, ist Generalsekretär des tschechischen Komponistenverbands. Er hat als Komponist auf der Basis der Reihentechnik einen eigenen Ausdruck gefunden. – Werke (Auswahl): *Panoráma Prahy* (»Prags Panorama«) für Bar. und Orch. (1962); Liederzyklus *Osamělá* (»Die Einsame«) mit Kl. (1964); *Opera o komínku* (»Oper vom Kamin«, 1965); *Óda pro orch.* (»Ode für Orch.«, 1966); Musik für Va und Kl. (1968); *Pozvánka na koktejl* (»Einladung zum Cocktail«) für Orch. (1969); *Omaggio a Prokofieff* für 2 V. (1969); »Klage der verlassenen Ariadne« für Frauenchor mit Rezitation nach Monteverdi (1970); Kinderchorzyklus »Intervalle« (1971).

+Neumann, Werner, * 21. 1. 1905 zu Königstein (Sachsen).
N., 1954 zum Professor ernannt, leitet das Bach-Archiv Leipzig, das als zentrale Sammel- und Forschungsstätte internationale Bedeutung erlangte, seit 1950 [nicht: 1951]. – +*Handbuch der Kantaten J. S. Bachs* (1947, ²1953), neubearb. Lpz. und Wiesbaden ³1967, ⁴1970; +*Auf den Lebenswegen J. S. Bachs* (1953), Bln ⁴1962; +*J. S. Bach. Sämtliche Kantatentexte* (1956), Lpz. ²1967. – Neben zahlreichen Aufsätzen zur Bach-Forschung (besonders in dem von ihm mit A. Dürr seit 1953 herausgegebenen *Bach-Jb.*, 1972 im 58. Jg.) sowie einer Reihe von ihm edierter Kantatenbände und der *Bach-Dokumente* (mit H.-J. Schulz) in der Neuen Bach-GA (→ +Bach, Ausg.) veröffentlichte er weiter die Bücher *Bach. Eine Bildbiographie* (= Kindlers klassische Bildbiographien o. Nr, München 1960 [sekretiert] und 1961, auch Bln 1965, dänisch Kopenhagen 1960, engl. London und NY 1961, revidiert London 1969, NY 1970) und *Das kleine Bachbuch* (Salzburg 1967). N. bearbeitete neu und erweiterte J. Chr. Lobes *Katechismus der Musik* (Lpz. 1949, 5. Aufl. = Musikbücherei für jedermann XXIII, ebd. 1965, ⁷1968, auch Wiesbaden).

+Neumark, Georg, getauft 7. [nicht: * 16.] 3. 1621 – 1681.
Ausg.: +J. Zahn, Die Melodien d. deutschen ev. Kirchenlieder (1889–93), Nachdr. Hildesheim 1963.
Lit.: +C. v. Winterfeld, Der ev. Kirchengesang (II, 1845), Nachdr. Hildesheim 1966; +H. Kretzschmar, Gesch. d. neuen deutschen Liedes (I, 1911), Nachdr. ebd. – Z. Stęszewska, Tańce polskie w publikacjach G. N.a (»Polnische Tänze in G. N.s Veröff.«), in: Muzyka XV, 1970.

Neumeier, John, * 24. 2. 1942 zu Milwaukee (Wis.); amerikanischer Tänzer, Choreograph und Ballettdirektor, studierte bei Sheila Reilly in Milwaukee, Bentley Stone und Walter Camryn in Chicago sowie bei Vera Volkova in Kopenhagen und an der Royal Ballet School in London. Er tanzte bei der Kompanie von Sibyl Shearer, war 1963–69 Tänzer beim Stuttgarter Ballett, wirkte 1969–73 als Ballettdirektor in Frankfurt a. M. und ist seit 1973 Ballettdirektor der Hamburgischen Staatsoper. Als Choreograph begann er 1968 mit kleineren Arbeiten für die Stuttgarter Noverre-Matineen. Für Frankfurt choreographierte er als wichtigste Ballette »Der Feuervogel« (Strawinsky,

1969), *Unsichtbare Grenzen* (diverse Komponisten, 1970), »Romeo und Julia« (Prokofjew, 1971), »Der Nußknacker« (Tschaikowsky, 1971), »Der Kuß der Fee« (Strawinsky, 1972), »Daphnis und Chloe« (Ravel, 1972), *Bilder I, II, III* (diverse Komponisten, 1972), *Don Juan* (Gluck, 1972) und »Le Sacre« (Strawinsky, 1972). N., der nie seine klassisch-akademische Herkunft verleugnete, hat vor allem durch die dramaturgische Neuakzentuierung der von ihm choreographierten Ballette Aufmerksamkeit auf sich gezogen und sich in *Unsichtbare Grenzen* und *Bilder I, II, III* um die Gewinnung einer neuen abendfüllenden, nicht mehr auf einer kontinuierlichen Handlungsnacherzählung basierenden Form bemüht.
Lit.: J. N. unterwegs, hrsg. v. M. Schlösser, Darmstadt 1972.

+Neumeister, Erdmann, 1671–1756.
Lit.: +Ph. Spitta, J. S. Bach (I, 1873), 5. Aufl. (= Nachdr. d. 4. unveränderten Aufl. Lpz. 1930) Wiesbaden u. Darmstadt 1962, ⁶1964. – H. Streck, Die Verskunst in d. poetischen Texten zu d. Kantaten J. S. Bachs, = Hamburger Beitr. zur Mw. V, Hbg 1971.

+Neumeyer, Fritz, * 2. 7. 1900 zu Saarbrücken.
Das von ihm mit G. Scheck und A. Wenziger gegründete Kammertrio für alte Musik bestand bis 1963. Seine Lehrtätigkeit als Professor für historische Klavierinstrumente und Generalbaß an der Musikhochschule in Freiburg i. Br. beendete er 1969. Als weitere Komposition sei das Chorwerk *Betrachtungen und Sprüche aus dem westöstlichen Diwan* für 3–8st. gem. Chor (Goethe, 1963) genannt.

+J. C. Neupert.
Die Verlegung der Werkstätten von Münchberg (Oberfranken) nach Bamberg fand 1874 [nicht: 1872] statt. – Julius N., * 23. 5. 1877 zu Bamberg, † 17. 5. 1970 zu Nürnberg; Alfred N., * 29. 10. 1900 und † 13. 2. 1970 zu Nürnberg. – Geschäftsführende der Firma, von der in den 100 Jahren des Bestehens 1868–1968 etwa 24 000 Instrumente hergestellt wurden, sind derzeit Arnulf (* 14. 4. 1904 zu Nürnberg) und Hanns N. (* 22. 2. 1902 zu Bamberg). Neuere Veröffentlichungen der letzteren: +*Das Cembalo* (1933, ³1956), Kassel ⁴1966; +*Das Klavichord* (1948, ²1956), engl. als *The Clavichord*, ebd. 1965; *Harpsichord Manual. A Historical and Technical Discussion* (ebd. 1960, ²1968); *Musikwissenschaftler und Instrumentenbau* (Kgr.-Ber. ebd. 1962). – Der Bestand des Musikhistorischen Museums N. mit über 250 Tasteninstrumenten ging 1968 in den Besitz des Germanischen Nationalmuseums Nürnberg über.
Lit.: J. H. van der Meer, Die klavierhist. Slg N., Anzeiger d. Germanischen Nationalmuseums Nürnberg 1969; ders., Flämische Kielklaviere im Germanischen Nationalmuseum, Nürnberg, in: Restauratieproblemen v. Antwerpse klavecimbels, Colloquium Antwerpen 1970.

Neveu (nəv'ø), Ginette, * 11. 8. 1919 zu Paris, † 28. 10. 1949 bei einem Flugzeugabsturz über San Miguel (Azoren); französische Violinistin, erhielt ihren ersten Unterricht bei ihrer Mutter, später bei Line Talluel. Mit 11 Jahren wurde sie Schülerin von Jules-Eugène Boucherit am Pariser Conservatoire. Nach 4 Jahren Unterricht bei Flesch in Knocks (Belgien) gewann sie 1935 auf dem ersten internationalen Wieniawski-Violinwettbewerb in Warschau den 1. Preis. Die größten Erfolge ihrer internationalen Solistenlaufbahn errang sie mit ihrer Interpretation der Violinkonzerte von Beethoven, Brahms und Sibelius sowie von Ravels *Tzigane*.
Lit.: M. J. Ronze-Neveu, G. N., Paris 1952, engl. London 1957.

Neway (nj'u:ei), Patricia, * 30. 9. 1919 zu Brooklyn (N. Y.); amerikanische Sängerin (Sopran), studierte in New York bei Morris Gesell, mit dem sie sich später verheiratete. Sie debütierte 1946 bei der Chautauqua Summer Opera (N. Y.) als Fiordiligi, wurde dann Mitglied der New York City Center Opera und kreierte 1950 die Partie der Magda Sorel in Menottis *The Consul* am Opernhaus in Philadelphia. Sie trat mit dieser Partie auch in London, Paris und anderen europäischen Musikzentren auf. 1952–54 war sie an der Pariser Opéra-Comique engagiert. 1958 sang sie in Brüssel bei der Uraufführung von Menottis *Maria Golovin* die Titelpartie. Zu den Hauptpartien von P. N., die sich auch als Konzertsängerin einen Namen gemacht hat, gehören weiter Iphigenie (Gluck), Tosca und Marie (*Wozzeck*).

Newcombe (nj'u:kəm), Terence Harvey, * 17. 3. 1935 zu Cheltenham (Gloucester); englischer Philologe (Romanist), studierte 1954–59 an der University of Nottingham (B. A., M. A.) und bildete sich als Klarinettist aus (A. R. C. M. 1959). Er war 1959–67 in Nottingham im Schuldienst tätig, dirigierte 1965–67 das Nottingham Chamber Orchestra und ist seit 1967 Lecturer am Department of French an der University of Edinburgh. Zu seinen Spezialgebieten gehört mittelalterliche französische und provenzalische Literatur einschließlich der Lyrik und Musik; von Veröffentlichungen seien genannt: *Bérenger de Palazol, troubadour roussillonnais* (Cahiers d'études et de recherches catalanes d'archives XXXVII/XXXVIII, 1967); *The Troubadour Berenger de Palazol. A Critical Edition of His Poems* (in: Nottingham Mediaeval Studies XV, 1971); *A Salut d'amor and Its Possible Models* (in: Neophilologus LXXIII, 1972); *Les poésies du trouvère Jehan Erart* (Genf 1972, kritische Ed.). N. war Mitarbeiter am vorliegenden Supplement des »Riemann Musiklexikons«.

Newlin (nj'u:lin), Dika, * 22. 11. 1923 zu Portland (Oreg.); amerikanische Musikforscherin und Komponistin, studierte an der Michigan State University in East Lansing (B. A. 1939), an der University of California in Los Angeles (M. A. 1941) und an der Columbia University in New York, an der sie 1945 mit einer Arbeit über *Bruckner, Mahler, Schönberg* (NY 1947, deutsch Wien 1954) zum Ph. D. promovierte, sowie bei Schönberg und Sessions (Komposition) und bei Ignace Hilsberg, R. Serkin und A. Schnabel (Klavier). Sie lehrte am Western Maryland College in Westminster (1945–49), an der Syracuse University/N. Y. (1949–51) und an der Drew University in Madison (N. J.), wo sie Professor of Music und Head of the Music Department war (1952–65). 1965 wurde sie Professor of Musicology an der North Texas State University in Denton. Neben Zeitschriftenbeiträgen trat sie mit der Edition bzw. Übersetzung folgender Bücher hervor: R. Leibowitz, *Schoenberg et son école* (NY 1949); A. Schönberg, *Style and Idea* (NY und Toronto 1950); J. Rufer, *Das Werk A. Schönbergs* (London und NY 1962); E. Werner, *F. Mendelssohn* (London und NY 1963). – Kompositionen (Auswahl): *Sinfonia* für Kl. (1947); Klaviertrio (1948); Kammersymphonie für 12 Soloinstr. (1949); *Sonata da chiesa* für Org. oder Kl. (1956); *Fantasia* (1957) und *Fantasy on a Row* (1958) für Kl.; *Study in Twelve Tones* für Va d'amore und Kl. (1959). Lit.: K. Wolff, D. N., American Composers Alliance Bull. X, 1962.

Newman (nj'u:mən), Alfred, * 17. 3. 1901 zu New Haven (Conn.), † 17. 2. 1970 zu Hollywood; amerikanischer Filmkomponist und -dirigent, studierte Klavier bei A. Lambert und Sigismond Stojowski sowie Komposition bei R. Goldmark, George Wedge und Schönberg. Er war zunächst in New York als Pianist tätig und ließ sich 1930 in Hollywood nieder. N. schrieb Musik für über 300 Filme und wurde achtmal mit dem »Oscar« ausgezeichnet. Von seinen Filmen seien genannt: *The Devil to Pay* (1930); *The Song of Bernadette* (1943); *The Razor's Edge* (1946); *Gentleman's Agreement* (1947); *The Snows of Kilimanjaro* (1952); *Desirée* (1954); *Love Is a Many Splendored Thing* (1955); ·*The Diary of Anne Frank* (1959). Zu seinen erfolgreichsten Liedern gehören: *The Moon of Manakoora*; *The Best of Everything*; *Adventures in Paradise*; *How Green Was My Valley*.

+**Newman,** Ernest ([erg.:] eigentlich William Roberts), 1868 – 1959 zu Tadworth (Surrey [nicht: Sussex]).
N. wirkte bis wenige Monate vor seinem Tode als ständiger Musikkritiker an »The Sunday Times«. 1959 wurde ihm von der University of Exeter der Ehrendoktortitel verliehen. Als weitere Schriftensammlung erschien posthum ein *Testament of Music* (hrsg. von H. van Thal, London 1962, NY 1963). – Nachdrucke, Neuauflagen usw.: +*Gluck and the Opera* (1895), London 1964 und 1967, NY 1968; +*Musical Studies* (1905), NY 1969 = Studies in Music o. Nr; +*H. Wolf* (1907), NY 1966, London 1967, auch Magnolia (Mass.) 1967 (mit neuer Einleitung von W. Legge); +*R. Strauss* (1908), Freeport (N. Y.) 1969 = Selected Biographies Reprint Series o. Nr (mit Einleitung von A. Kalischer); +*The Unconscious Beethoven* (1927, [erg.:] revidiert 1931), London 1968 (Einleitung N. Cardus) und NY 1970 (Einleitung I. Kolodin); +*Stories of the Great Operas* (1929–31), portugiesisch als *História das grandes óperas e de seus compositores*, 5 Bde, Rio de Janeiro 1957; +*The Man Liszt* (1934), London 1969, NY 1970; +*The Life of R. Wagner* (1933–46), NY 1960; +*More Essays from the World of Music* [del. früherer Titel] (ausgew. von F. Aprahamian, 1958). – Weitere (neuere) Publikationen seines Namens: *Wagner as Man and Artist* (London 1914, revidiert 1924, Nachdr. 1963 = Classics of Musical Literature II, und 1969 = J. Cape Paperback LXVI, auch NY 1952 und 1960 sowie Gloucester/Mass. 1963 und 1965); *Wagner Nights* (London 1949, amerikanische Ausg. als *The Wagner Operas*, NY 1949, Nachdr. als *The Wagner Operas*, London 1961, NY 1963); *More Opera Nights* (London 1954, amerikanische Ausg. als *Seventeen Famous Operas*, NY 1955); *Great Operas. The Definitive Treatment of Their History, Stories, and Music* (2 Bde, NY 1958, Gloucester/Mass. 1965; enthält 30 Essays aus *More Stories of Famous Operas*, NY 1943, und aus *Seventeen Famous Operas*, 1955)).
Lit.: W. Blissett, E. N. and Engl. Wagnerism, ML XL, 1959; H. Raynor, E. N. and the Science of Criticism, MMR XC, 1960; E. Blumenthal, E. N. u. seine R.-Wagner-Biogr., SMZ CI, 1961; J. A. Westrup in: ML XLIV, 1963, S. 1ff.; V. Newman, London 1963.

Newman (nj'u:mən), Joe (Joseph) Dwight, * 7. 9. 1922 zu New Orleans; amerikanischer Jazztrompeter, war 1943–46 und 1952–61 Solist der Count Basie Big Band. Er war 1962 mit dem Benny Goodman Orchestra auf Tournee (UdSSR), arbeitete danach vorwiegend mit eigenen Combos und leitet seit 1964 mit dem Pianisten Roger Kellaway Jazzgottesdienste in Kirchen und an theologischen Hochschulen. – Aufnahme: *J. N., Kenny Burrell Sextet* (Musidisc SA 6028).

+**Newman,** William Stein, * 6. 4. 1912 zu Cleveland (O.).
N. wurde 1962 an der University of North Carolina zum Alumni Distinguished Professor und 1966 zum

Director of Graduate Studies in Music ernannt. 1969–70 war er Präsident der American Musicological Society. Sein umfassendes Werk *A History of the Sonata Idea* liegt nunmehr abgeschlossen vor: Bd I, +*The Sonata in the Baroque Era* (Chapel Hill/N. C. 1959, revidiert 1966, auch London 1968), Bd II, *The Sonata in the Classic Era* (1963), Bd III, *The Sonata Since Beethoven* (1969), revidierte Paperbackausg. aller 3 Bde NY und London 1972. – Von seinen neueren Veröffentlichungen seien genannt: +*Understanding Music* (1953), revidiert NY 1961; *Performance Practices in Beethoven's Piano Sonatas* (NY 1971, London 1972); *K. 457 and op. 13. Two Related Masterpieces in C minor* (MR XXVIII, 1967); *Is There a Rational for the Articulation of J. S. Bach's String and Wind Music?* (in: Studies in Musicology, Gedenkschrift Gl. Haydon, Chapel Hill/N. C. 1969); *The Duo Texture of Mozart's K. 526. An Essay in Classic Instrumental Style* (in: Essays in Musicology, Fs. Dr. Plamenac, Pittsburgh/Pa. 1969); *Beethoven's Pianos versus His Piano Ideals* (JAMS XXIII, 1970); *On the Rhythmic Significance of Beethoven's Annotations in Cramer's Etudes* (Kgr.-Ber. Bonn 1970); *Liszt's Interpreting of Beethoven's Piano Sonatas* (MQ LVIII, 1972). Er übersetzte C. Ph. E. Bachs Autobiographie (*E. Bach's Autobiography*, MQ LI, 1965, die Originalausg. von 1773 auch als Faks.-Ausg., = Facsimiles of Early Biographies IV, Hilversum 1967) und edierte *Six Keyboard Sonatas from the Classic Era* (Evanston/Ill. 1965).

+**Newmarch,** Rosa Harriet, 1857 – 9. [nicht: 10.] 4. 1940.
Nachdrucke: +*Tchaikovsky* (1900), Westport (Conn.) 1969; +*The Russian Opera* (1914), ebd. 1972; +*The Music of Czechoslovakia* (1942), NY 1969.

Newmark (nj'u:mɑ:k), John, * 12. 6. 1904 zu Bremen; kanadischer Pianist deutscher Herkunft, nahm Klavierunterricht bei Karl Boerner in Bremen und Anny Eisele in Leipzig, gründete 1931 die Gesellschaft Neue Kammermusik in Bremen und konzertierte 1936–38 mit Sz. Goldberg in Spanien. 1944 ließ er sich in Montreal nieder. Er wirkt seither als Klavierbegleiter namhafter Sänger (London, Maureen Forrester) und Duopartner u. a. von Tortelier und ist beim kanadischen Rundfunk und Fernsehen tätig.

+**Newsidler,** –1) Melchior, 1531 zu Nürnberg – 1591 oder 1592 zu Augsburg [del. frühere Angaben]. Sein Vater [nicht: Bruder] –2) Hans, 1508–63, veröffentlichte ferner *Ein newes Lauten Büchlein* (2 Bücher, Nürnberg 1547–49).
–3) Conrad, 1541 zu Nürnberg – nach 1604 zu Augsburg [del. frühere Angabe], Sohn [nicht: Bruder] von –2).
Ausg.: zu –2): +O. CHILESOTTI, Lautenspieler d. 16. Jh. (1891), Nachdr. = Bibl. musica Bononiensis IV, 31, Bologna 1969. – Ein newgeordnet künstlich Lautenbuch. Der erste Teil f. d. anfahenden Schüler (1536), = Die Tabulatur I, Hofheim a. Ts. 1965; Preambel oder Fantasey in: P. SCHLEUNING, Die Fantasie I, = Das Musikwerk XLII, Köln 1971, auch engl.
Lit.: K. DORFMÜLLER, Studien zur Lautenmusik in d. ersten Hälfte d. 16. Jh., = Münchner Veröff. zur Mg. XI, Tutzing 1967. – zu –1): A. LAYER in: Lebensbilder aus d. bayerischen Schwaben V, 1956, S. 180ff. – zu –2): M. PODOLSKI, Le Juden Tantz, RBM XVII, 1963 (Analyse u. Übertragung).

+**Ney,** Elly, * 27. 9. 1882 zu Düsseldorf, [erg.:] † 31. 3. 1968 zu Tutzing (Starnberger See).
Lit.: Briefwechsel mit W. v. Hoogstraten, hrsg. v. E. VAN HOOGSTRATEN, Bd I (1910–26), Tutzing 1970. – Worte d. Dankes an E. N., hrsg. v. DERS., ebd. 1968. – H. SCHINDLER, E. N., = Rheinische Porträts VII, München 1957; R.

SIETZ in: Rheinische Musiker I, hrsg. v. K. G. Fellerer, = Beitr. zur rheinischen Mg. XLIII, Köln 1960, S. 184ff.; FR. HERZFELD, E. N., = Die großen Interpreten o. Nr, Genf 1962 (mit Diskographie); E. VALENTIN, E. N., Symbol einer Generation, München 1962; E. KROLL in: Mitt. d. H.-Pfitzner-Ges. 1966, Nr 18, S. 15f.

+**Neyses,** Johann Joseph Matthias, * 10. 11. 1893 zu Gummersbach (Rheinland).
N., 1954 zum Professor ernannt, war Direktor des R.-Schumann-Konservatoriums in Düsseldorf bis 1964.
Lit.: H. LEMACHER in: Musica sacra LXXX, 1960, S. 322f.

Nibelle (nib'ɛl), Henri-Jules-Joseph, * 6. 11. 1883 zu Briare (Loiret), † 18. 11. 1966 zu Nizza; französischer Organist und Komponist, studierte in Paris an der Niedermeyerschen École de Musique Religieuse (Gigout) und am Conservatoire (Busser, Fauré, Gédalge, Guilmant, Lenepveu, Vierne). Er wirkte als Organist an der Kathedrale St-Louis in Versailles sowie an den Kirchen St-Vincent-de-Paul und St-François-de-Sales in Paris (an letzterer war er ab 1931 als Maître de chapelle tätig). Seine Kompositionen umfassen u. a. Orgelwerke (*Carillon orléanais*, 1938; Toccata, 1947; *Les dimanches et les fêtes de l'organiste grégorien*, 1956) und Vokalmusik (Messen *Ecce sacerdos* und *Ave maris stella*; *Messe en l'honneur de Jeanne d'Arc*; *Messe héroïque de Jeanne d'Arc*, 1951; *Messe solennelle*; Motetten *Adoramus te* und *Inviolata*; Ave Maria für 4 St.; *Ave verum* für 4 St. und Org.; *Psaume 116*; *Regina coeli*; Te Deum).
Lit.: A. CHABAUD in: L'orgue 1968, Nr 125, S. 22.

Nicastro, Oscar, * 24. 3. 1894 und † 22. 6. 1971 zu Montevideo; uruguayischer Violoncellist, Sohn des neapolitanischen Pianisten und Komponisten Niccolò N., studierte im Alter von 10 Jahren am Conservatorio di Musica S. Pietro a Majella in Neapel sowie ab 1908 an der Hochschule für Musik in Berlin bei Hausmann und H. Becker. Nach dem Konzertexamen gründete er in Buenos Aires das Konservatorium Gorin-Nicastro und das Streichquartett Thibaud-Piazzini und unternahm Konzertreisen in die USA, nach Südamerika und Europa (bis 1938). Er wirkte in Buenos Aires als Solist beim Staatlichen Symphonieorchester des Rundfunks SODRE, lehrte an der Städtischen Musikschule und am Staatlichen Konservatorium, gründete die Zeitschrift *Orientación musical* und war Musikkritiker der Zeitung »El debate« (1951–62). N. schrieb etwa 200 Werke für Violoncello.
Lit.: J. SILVA VILA, O. N., héroe de la música, Montevideo 1972.

+**Nichelmann,** Christoph, 1717–62.
Lit.: D. A. LEE, The Instr. Works of Chr. N., 2 Bde, Diss. Univ. of Michigan 1968; DERS., Chr. N. and the Early Clavier Concerto in Bln, MQ LVII, 1971; DERS., The Works of Chr. N., A Thematic Index, = Detroit Studies in Music Bibliogr. XIX, Detroit 1971.

+**Nicholls,** Agnes, * 14. 7. 1876 zu Cheltenham, [erg.:] † 21. 9. 1959 zu London.

+**Nick,** Edmund [erg.:] Josef, * 22. 9. 1891 zu Reichenberg (Böhmen), [erg.:] † 11. 4. 1974 zu Geretsried (Bayern).
Er war 1957–60 Musikkritiker der Zeitung »Die Welt«. Ab 1962 lebte er als Musikkritiker der »Süddeutschen Zeitung« in München. Als neuere Komposition sei *Die dreizehn Monate* für Sprecher und Orch. (Kästner, 1969) genannt. Eine Auswahl seiner Musikkritiken (1945–52 und 1963–70) erschien als *Münchner Musikberichte* (Tutzing 1971).
Lit.: Rheinische Musiker II, hrsg. v. K. G. FELLERER, = Beitr. zur rheinischen Mg. LIII, Köln 1962, S. 62ff. – R. QUOIKA in: Sudetenland III, 1961, S. 261ff.; K. R. BRACHTEL, ebd. VIII, 1966, S. 304f.

+**Nicodé,** Jean Louis, 1853–1919.
Lit.: A. Ott, R. Strauss u. J. L. N. im Briefwechsel, in: Quellenstudien zur Musik, Fs. W. Schmieder, Ffm. 1972.

Nicolai, Elena → Nikolaj, E.

+**Nicolai,** Carl Otto Ehrenfried, 1810–49.
Ausg.: Salve Regina, f. S., V. u. Org. bearb. v. J. Messner, Augsburg 1954; Pater noster f. 8st. gem. Doppelchor op. 33, hrsg. v. R. Ewerhart, = Die Motette V, Köln 1964; Duett Nr 2 (aus 6 Duette f. 2 Hörner), Erstausg. hrsg. v. K. Janetzky, London 1965; 3 Duette f. 2 Waldhörner, hrsg. v. O. Stösser, Hofheim a. Ts. 1965; Duette Nr 4–6 f. 2 Hörner, hrsg. v. M. Buyanovsky, London 1966; Canzone, f. Bläser bearb. v. J. F. Baumgartner, Adliswil (Zürich) 1967.
Lit.: H. Koegler, Drei Variationen über ein Thema v. Shakespeare. Ein Beitr. zur Operndramaturgie, SMZ XCIV, 1954; I. Samson, O. N. als Mitarbeiter Schumanns, NZfM CXXI, 1960; E. Schenk, O. N. e le sue »Vispe comari di Windsor«, in: Volti mus. di Falstaff, hrsg. v. A. Damerini u. G. Roncaglia, = Accad. mus. Chigiana (XVIII), Siena 1961; E. Rieger, Zwei Briefe O. N.s an R. G. Kiesewetter, StMw XXV, 1962; H. Wirth, Natur u. Märchen in Webers »Oberon«, Mendelssohns »Ein Sommernachtstraum« u. N.s »Die lustigen Weiber v. Windsor«, Fs. Fr. Blume, Kassel 1963; A. Planyavsky, Der Beginn d. philharmonischen Ära, ÖMZ XXII, 1967; J. W. Klein, Verdi and N., a Strange Rivalry, MR XXXII, 1971.

+**Nicolai,** Philipp, 1556–1608.
Lit.: W. Blankenburg, Die Kirchenliedweisen v. Ph. N., MuK XXVI, 1956; ders., Neue Forschungen über Ph. N., Ein Literaturber., Jb. f. Liturgik u. Hymnologie IV, 1958/59; E. Weismann in: Württembergische Blätter f. Kirchenmusik XXIII, 1956, S. 61ff.; W. Zeller, Zum Verständnis Ph. N.s, Jb. d. Hessischen kirchengesch. Vereinigung IX, 1958.

+**Nicolaidi,** Elena (Nikolaidi), * 13. 6. 1909 zu Smyrna (Türkei).
Sie war Mitglied der Wiener Staatsoper 1936–48 [del. frühere Jahresangabe]. – An der Metropolitan Opera in New York gastierte sie 1951–56. Verpflichtungen als Opern- und Konzertsängerin führten sie bis 1964 an die Musikmetropolen der USA, Kanadas, Australiens und Europas. Sie sang u. a. die Altpartien in Verdis Requiem und G. Mahlers *Das Lied von der Erde* sowie dessen *Kindertotenlieder*. Seit 1960 ist sie Gesangsprofessor an der School of Music der Florida State University in Tallahassee.

Nicolaus von Capua, italienischer Musiktheoretiker und Priester, schrieb 1415 ein *Compendium musicale*, in dem außer den Kirchentönen auch Kontrapunktregeln behandelt werden.
Ausg.: N. Capuani, Compendium mus., hrsg. v. J. A. de Lafage, Paris 1853; ders., Essais de diphthérographie mus., ebd. 1864, Neudr. Amsterdam 1964, S. 309ff.
Lit.: C. Dahlhaus, Der »Modus duodecimae« d. N. v. C., Mf XVI, 1963.

+**Nicolaus Cracoviensis** (Mikołaj z Krakowa), 1. Hälfte 16. Jh.
Ausg.: Stücke u. Tabulaturen in folgenden Slgen: 36 Tańców z tabulatury organowej Jana z Lublina, hrsg. v. A. Chybiński, = Wydawnictwo dawnej musyki polskiej XX, Krakau 1948; Muzyka polskiego odrodzenia. Wybór utworów z XVI i początku XVII wieku, hrsg. v. J. M. Chomiński u. Z. Lissa, ebd. 1953, ³1958, engl. als: Music of the Polish Renaissance, ebd. 1955; Muzyka w dawnym Krakowie, hrsg. v. Z. M. Szweykowski, ebd. 1964; Tabulatura organowa Jana z Lublina, hrsg. v. Kr. Wilkowska-Chomińska, = Monumenta musicae in Polonia, Serie B, I, ebd. (thematisches u. alphabetisches Verz. sowie Faks.-Ausg.); dass., hrsg. v. J. R. White, 6 Bde, = Corpus of Early Keyboard Music VI, (Rom) 1964–67; Muzyka Staropolska, hrsg. v. H. Feicht, Krakau 1966.
Lit.: Kr. Wilkowska-Chomińska, Nicolas de Cracovie et la musique de la Renaissance en Pologne, Chopin-Kgr.-

Ber. Warschau 1960; dies., Twórczość Mikołaja z Krakowa (»Das Werk d. N. Cr.«), = Monumenta musicae in Polonia, Serie A o. Nr, Krakau 1967; J. R. White, The Tablature of John of Lublin, MD XVII, 1963; ders., Original Compositions and Arrangements in the Lublin Keyboard Tablature, in: Essays in Musicology, Fs. W. Apel, Bloomington (Ind.) 1968.

Nicolaus de Perugia (Magister Ser Nicolaus prepositi, Ser Nicholo del Proposto), italienischer Komponist des 14. Jh., war vermutlich Sohn eines »proposto« aus der Verwaltung Perugias. Er hat neben Werken aus Niccolò Soldanieri mindestens 10 Texte von Franco Sacchetti vertont (nur 5 sind mit Musik erhalten geblieben) und dürfte daher zwischen 1360 und 1375 in Florenz gewirkt haben. Die Satztechnik und die Stellung seiner Werke im Squarcialupi-Codex weisen ihn als einen etwas älteren Zeitgenossen Landinis aus. Seine Ballate gehören zu den frühesten mehrstimmigen Werken dieser Gattung. Sie haben teilweise sehr kurze, syllabisch vertonte Texte (ballata minima). Von seinen Kompositionen sind ein 3st. Madrigal und 15 2st. Madrigale, 4 3st. Cacce sowie eine 1st. Ballata und 19 bzw. 20 2st. Ballate (eine im Cod. Mancini aus Lucca überlieferte Dialogballata stammt möglicherweise von seinem Sohn) nachweisbar.
Ausg.: 4 Cacce in: Fourteenth-Cent. Ital. Cacce, hrsg. v. W. Th. Marrocco, = Mediaeval Acad. of America Publ. XXXIX, Cambridge (Mass.) 1942, ²1961; 16 Madrigale, 3 Cacce u. 17 Ballate in: Der Squarcialupi-Cod. Pal. 87 ..., hrsg. v. J. Wolf, Lippstadt 1955.
Lit.: J. Wolf, Gesch. d. Mensural-Notation, 3 Bde, Lpz. 1904, Nachdr. Hildesheim u. Wiesbaden 1965; N. Pirrotta u. E. LiGotti, Il Sacchetti e la tecnica mus. del Trecento ital., Florenz 1935 (mit Übertragungen); dies., Il cod. di Lucca, MD III, 1949 – V, 1951; A. v. Königslöw, Die ital. Madrigalisten d. Trecento, Würzburg 1940; K. v. Fischer, Studien zur ital. Musik d. Trecento u. frühen Quattrocento, = Publ. der Schweizerischen musikforschenden Ges. II, 5, Bern 1956; G. Reaney, The Ms. Paris, Bibl. Nat., fonds ital. 568, MD XIV, 1960; ders., The Ms. London, British Museum Additional 29987, = MSD XIII, (Rom) 1965; U. Günther, Zwei Balladen auf Bertrand u. Olivier du Guesclin, MD XXII, 1968.

Nicolaus de Senis, Frater Ordinis S. Mariae, schrieb um 1400 die in der Biblioteca Colombina in Sevilla überlieferten *Regulae in discantu*, die außer Kontrapunktregeln auch kurz *Ballate, rondellus, virondellus* behandeln.
Ausg.: H. Anglés, Dos tractats medievals de música figurada, in: Mw. Beitr., Fs. J. Wolf, Bln 1929.

+**Nicolet,** Aurèle [erg.:] Georges, * 22. 1. 1926 zu Neuchâtel.
N., der heute in Basel lebt, konzertiert als Solist wie als Kammermusiker ständig in zahlreichen europäischen Ländern. Tourneen führten ihn in die USA, nach Japan und Israel. An der Berliner Musikhochschule unterrichtete er bis 1965, seitdem lehrt er (als Professor) an der Musikhochschule in Freiburg i. Br. Er veröffentlichte das Lehrwerk *Cl. Debussy. Syrinx* (= Wie Meister üben IV, Zürich 1967, engl. = Learning with the Masters II, ebd. 1968, darin auch seine Biographie und Diskographie).

Nicolini, Giuseppe, * 29. 1. 1762 und † 18. 12. 1842 zu Piacenza; italienischer Komponist, Sohn und Schüler des Organisten und Kapellmeisters Omobono N., studierte 1778–84 am Conservatorio di S. Onofrio in Neapel bei Insanguine und dann bei Cimarosa, debütierte er mit dem Oratorium *Daniele nel lago dei leoni*, als Bühnenkomponist 1793 in Parma mit der Opera buffa *La famiglia stravagante*. 1816–31 stand er in Piacenza im Dienste des Teatro Comunale; ab 1819 war er auch Maestro di cappella an der Kathedrale. Seine Bühnenwerke machten ihn auch außerhalb Italiens bekannt. Von seinen etwa 70 (ernsten und heiteren) Opern seien genannt *Il principe spazzacamino* (Genua 1794), *Le nozze campestri* (Mailand 1794), *Alzira* (Genua 1797), *Bruto* (ebd. 1798), *Gli Sciti* (Mailand 1799), *I baccanali di Roma* (ebd. 1801), *Coriolano* (ebd. 1808), *Le nozze dei Morlacchi* (Wien 1811), *Annibale in Bitinia* (Padua 1821), *Aspasia ed Agide* (Mailand 1824) und *Il trionfo di Manlio* (Piacenza 1833); ferner schrieb er Symphonien, Kammermusik, Cembalostücke, Oratorien, Kirchenmusik (etwa 40 Messen, 100 Psalmen, 2 Requiem), Kantaten, Arien und Kanzonetten.

Lit.: È. DE GIOVANNI, G. N. e S. Nasolini, Piacenza 1927; A. RAPETTI u. C. CENSI, Un maestro di musica piacentino. G. N., = Bibl. stor. piacentina XXIV, ebd. 1944.

Niculescu, Ştefan, * 31. 7. 1927 zu Moreni (Ploieşti); rumänischer Komponist, studierte am Conservatorul de Muzică C. Porumbescu in Bukarest (Theorie bei Chirescu, Harmonielehre bei I. Dumitrescu, Formenlehre bei Ciortea, Komposition bei Andricu und Orchestration bei Rogalski), an dem er 1963 Professor für Komposition und Formenlehre wurde. Sein kompositorisches Schaffen verbindet Einzelaspekte der rumänischen Volksmusik mit den Prinzipien der Heterophonie und der Aleatorik. – Werke (Auswahl): Symphonie für großes Orch. (1957); *Scene* (»Szenen«) für Bläser, Schlagzeug und Kb. (1962); Symphonie für 15 Soloinstr. (1963); *Eteromorfie* für großes Orch. (1967); *Formanţi* (»Formanten«) für Streicher (1968); *Unisonos* für Orch. (1970, Neufassung 1972). – Bläsersextett (1969); Streichtrio (1957); Sonate (1955) und Inventionen (1965) für Klar. und Kl.; Sonate (1963) und *Tastenspiel* für Kl. – Kantate I für Frauenchor und Kammerorch. (1959), II für T., gem. Chor und Orch. (1960) und III, *Răscruce* (»Kreuzweg«), für Mezzo-S. und 5 Holzbläser (1965); *Aforisme de Heraclit* für Chor a cappella (1968); Inventionen für A. (bzw. Va) und Kl. (1965); ferner Lieder und Bühnenmusik. – Publikationen: *Culoarea în muzică* (»Die Klangfarbe in der Musik«, Fs. G. Oprescu, Bukarest 1961); *A. Webern* (in: Muzica XV, 1965); *G. Enescu şi limbajul muzical din s. XX | G. Enesco et le langage musical du XXe s.* (in: G.Enescu-Symposium, = Studii de muzicologie IV, 1968); *Eterofonia* (ebd. V, 1969, auch in: Tradiţie şi inovaţie în creaţia interpretarea şi pedagogia muzicală, = Cercetări de muzicologie III, 1971).

Lit.: I. ODĂGESCU, »Simfonia« de Şt. N., in: Muzica XII, 1962; L. VARTOLOMEI, »Eteromorfie« de Şt. N., ebd. XIX, 1969; C. D. GEORGESCU, »Aforisme« de Şt. N., ebd. XXI, 1971; A. DOGARU, »Formanţi« de Şt. N., ebd. XXIII, 1973.

Nidecki (nid'etski), Tomasz Napoleon (Nidetzki), * 1806 bei Radom, † 5. 6. 1852 zu Warschau; polnischer Komponist und Dirigent, studierte am Warschauer Konservatorium bei Elsner und dann in Wien. 1833–38 war er Dirigent am Theater der Leopoldstadt in Wien und ab 1838 an der Warschauer Oper, deren Leitung er 1841 übernahm. Neben einer Reihe von Instrumental- und Vokalwerken, u. a. Kirchenmusik, schrieb er die Musik zu Parodien, Possen und Zauberstücken (*Kathi von Hollabrunn*, Wien 1831; *Schneider, Schlosser und Tischler*, ebd. 1831; *Der Waldbrand oder Jupiters Strafe*, ebd. 1833; *Der Schwur bei den Elementen oder Das Weib als Mann*, ebd. 1834; *Versöhnung, Wohltätigkeit und Liebe*, ebd. 1834; *Der Traum am Tannenbühl oder Drei Jahre in einer Nacht*, ebd. 1835; *Die Junggesellen-Wirtschaft im Monde*, ebd. 1835; *Der Temperamentenwechsel*, ebd. 1836; *Der Geist der düstern Insel oder Der Spiegel der Zukunft*, Warschau 1837).

+**Niecks,** Friedrich (Frederick), 1845–1924. +*Programme Music in the Last Four Centuries* (1907), Nachdr. NY 1969.

Lit.: E. R. JACOBI, Die Entwicklung d. Musiktheorie in England nach d. Zeit v. J.-Ph. Rameau, Bd II, = Slg mw. Abh. XXXIX, Straßburg 1960; G. BELOTTI, Okoliczności powstania pierwszej monografii o Chopinie (»Die Entstehungsumstände d. ersten Monographien über Chopin«), Annales Chopin VII, 1965–68.

Niedecken-Gebhard, Hanns Ludwig, * 4. 9. 1889 zu Oberingelheim (Rheinhessen), † 7. 3. 1954 zu Michelstadt (Odenwald); deutscher Opernregisseur und Theaterleiter, studierte Musikwissenschaft in Lausanne, Leipzig und Halle (Saale) und promovierte 1914 bei H. Abert mit einer Arbeit über *J. G. Noverre 1727–1810. Sein Leben und seine Beziehungen zur Musik* (Halle 1919). Er wurde 1921 als Oberregisseur nach Münster (Westf.), 1922 nach Hannover berufen; 1922 übernahm er auch die szenische Leitung bei den Göttinger Händel-Festspielen. 1924 kehrte er als Intendant nach Münster zurück, ging 1927 als Regisseur an die Staatsoperette Berlin und wirkte 1931–33 als Oberspielleiter an der Metropolitan Opera New York. 1941–45 war er in Leipzig Professor an der Musikhochschule und Oberspielleiter der Oper; ab 1947 lehrte er als Professor der Theaterwissenschaft in Göttingen und widmete sich als Spielleiter weiterhin den Festaufführungen von Händel-Opern. N.-G.s Wirken ist mit der von seinem Studienfreund Oskar Hagen (Bearbeiter, Regisseur und Dirigent der *Rodelinde*, erstes Aufführungsexperiment Göttingen 1920) ins Leben gerufenen Händel-Bewegung eng verbunden. 1922 trat er dem aus akademischen Kräften und Liebhabern gemischten Ensemble Hagens als Berufsregisseur bei. Händel wurde nicht als »historische Aufgabe«, sondern als »Ausdruck unserer Zeit« verstanden. Der choreographische Bewegungsstil (Choreograph Jooss) ließ den Einfluß R. v. Labans und des Ausdruckstanzes erkennen. Die fast requisitenlose Bühne (Paul Thiersch, Heckroth) unterstrich die Absicht der Regie, Bewegungsspannung und Körperausdruck statt historisierender Tableaus zu vermitteln. Gleiche Prinzipien hat N.-G. auch in Hannover und Münster, weiteren Zentren der Händel-Bewegung, verfolgt. Er schrieb *Ein Rückblick. Dreißig Jahre Händel-Renaissance* (in: Die Göttinger Händel-Festspiele, Fs. Göttingen 1953).

Lit.: R. STEGLICH, Die neue Händel-Opern-Bewegung, Händel-Jb. I, 1928; C. NIESSEN, Das Szenische in d. Göttinger Händel-Festspielen, in: Die Göttinger Händel-Festspiele, Fs. Göttingen 1953; H. CHR. WOLFF, Die Händel-Oper auf d. modernen Bühne, Lpz. 1957. KDG

+**Niedermeyer,** Louis Abraham, 1802 – 15. [nicht: 14.] 3. 1861.

+**Niedt,** Friedrich Erhardt (Erhard), 1674 – [erg.:] April 1708 [nicht: 1717].

Ausg.: Motette »Ich will aufstehen u. suchen«, in: Thüringische Motetten d. ersten Hälfte d. 18. Jh., hrsg. v. M. SEIFFERT, = DDT XLIX/L, Lpz. 1915, revidiert v. H. J. Moser, Wiesbaden u. Graz 1960.

Lit.: P. BENARY, Die deutsche Kompositionslehre d. 18. Jh., = Jenaer Beitr. zur Musikforschung III, Lpz. 1961; FR. RITZEL, Die Entwicklung d. »Sonatenform« im musiktheoretischen Schrifttum d. 18. u. 19. Jh., = Neue mg. Forschungen I, Wiesbaden 1968.

+**Niedzielski,** Stanislaus (Stanisław), * 31. 3. 1905 [nicht: 1915] zu Warschau.

N., nunmehr australischer Staatsbürger, hat heute seinen ständigen Wohnsitz in Sydney. Konzerttourneen unternahm er u. a. durch Australien, die USA, Südafrika und Europa.

Niehaus, Manfred, * 18. 9. 1933 zu Köln; deutscher Komponist, studierte in seiner Heimatstadt 1954–57 an der Rheinischen Musikschule Violine bei Heinz Schkommodau, 1957–61 an der Staatlichen Hochschule für Musik Schulmusik und bei B. A. Zimmermann Komposition sowie 1954–61 an der Universität Germanistik. 1963–65 war er als Dramaturg und Spielleiter an der Württembergischen Landesbühne in Esslingen am Neckar tätig und 1965–67 freischaffend als Komponist und Regisseur. 1967 wurde er Redakteur in der Musikabteilung des WDR in Köln. N. gehört der »Gruppe 8 Köln« (H. U.→Humpert) an. Er komponierte u. a.: Kammeroper *Bartleby* (Libretto vom Komponisten nach Herman Melville, Bln 1967); musikalische Farce *Die Pataphysiker* (Libretto nach Alfred Jarry, 1969); szenische Komposition *Maldoror* (Libretto von Alfred Feußner und dem Komponisten nach der Prosa von Comte de Lautréamont, Kiel 1970, simultane Aufführung von 4 verschiedenen Versionen der Schlußszene ebd. 1972); radiophonisches Lustspiel *Die Badewanne* (textlich eingerichtet von Johann M. Kamps und dem Komponisten nach einer Idee von Ivan Vyscocil, 1972); *It Happens*, 30 aleatorische Wortspiele, von Yohanan Zarai (Bonn 1973); Kammerspiel in einem Akt *Sylvester* (Libretto von Gabriele Wohmann, Stuttgart 1973). – Violinkonzert (1965); *Pop & Art* für Orch. (1968); *Sinfonia I–III* (1970); *Badineries* für Orch. und Live-Elektronik (1972); Fantasie über ein Thema von Paganini für Orch. (1973); *Sequenzen und Blenden* für Va, Schlagzeug und beliebiges Begleitensemble (3–9 Spieler oder Tonband, 1967); Quintett für Ob., Klar. in Es, Sax. in Es, Tenorhorn und Flügelhorn (1966); *Streichquartett in Negativform* (1970); Streichtrio (1959); *Scènes lyriques & électriques* für Fag., Vc. und elektrische Baßgit. (Bar. solo ad libitum, 1968); 6 Orgelstücke zur Kommunion an Werktagen (1959). – Kantate *den Hampelmännern »an Drähten aufgehängt und neue Drähte hängend«* für Vokalquartett, Streichorch., Kl. und Schlagzeug (Text Franz Wurm, 1966); *Hommage à Günter Eich* für S., Kontra-T., T., Bar., 3 V., Va und Schlagzeug, 1967); *Landkarte (Hommage à Nelly Sachs)* für Gesang, 3 V., Va, Akkordeon oder Harmonium (1966); *7 Haiku* für S., Sprecherin, Piccolo-Fl., V., Git. und Gläserspiel (1961); *Verkündigung* für S., Hf. und Org. oder S., Hf., 2 Klar., Harmonium, Celesta und Kb. (1960). – Bühnen-, Film- und Hörspielmusik.

+Niehoff, –1) Hendrik, um 1495 [erg.:] wahrscheinlich zu Leeuwarden (Friesland) – 1560 [erg.:] zu 's-Hertogenbosch (Nordbrabant). →Svijs.

–2) Nicolaas, um 1525 [erg.:] zu Amsterdam – um 1604 [erg.:] zu 's-Hertogenbosch, Sohn von –1). Er baute Orgeln in Köln zwischen 1569 [nicht: 1519] und 1602.

–3) Jacob, [erg.:] um 1565 zu 's-Hertogenbosch – 1626 [erg.:] wahrscheinlich zu Köln, Sohn von –2). Lit.: M. A. VENTE, Die Org. d. 16. Jh. in Nordbrabant u. am Niederrhein, in: Beitr. zur Musik im Rhein-Maas-Raum, hrsg. v. C. M. Brand u. K. G. Fellerer, = Beitr. zur rheinischen Mg. XIX, Köln 1957; DERS. in: MGG IX, 1961, Sp. 1511ff.

+Nielsen, Carl August, 1865–1931.
+Levende musik (1925), NA Kopenhagen 1957, ¹²1963, NA der +engl. Ausg. (1953) ebd. 1968, schwedisch Stockholm 1946, NA 1963; *+Min fynske Barndom* (1927), NA Kopenhagen 1954, ¹¹¹1960, schwedisch Stockholm 1947.
Lit.: C. N.s Breve, hrsg. v. I. EGGERT MØLLER u. T. MEYER, Kopenhagen 1954. – N., ebd. 1964 (Werkverz.); C. N. i hundredåret f. hans fødsel, hrsg. v. J. BALZER, ebd. 1965, engl. als: C. N., Centenary Essays, London 1966; C. FA-

BRICIUS-BJERRE, C. N. discography, Kopenhagen 1965, ²1968 = Publ. of Nationaldiskoteket CCI; D. FOG (mit T. Schousboe), C. N. kompositioner. En bibliogr., ebd. 1965, auch engl.; Oplevelser og studier omkring C. N., ebd. 1966 (7 Beitr. v. K. Clausen u. a.). – +R. W. SIMPSON, C. N. Symphonist (1952), NA (mit Einleitung v. C. Reventlow u. Anh. v. T. Meyer) London 1964. – K. J. NIELSEN, C. N., = Musikken og dens maend IV, Kopenhagen 1956; Sv. LUNN, C. N. skildret af H. Knudsen, in: Nordisk musikkultur VI, 1957; Sv. CHR. FELUMB, »De gamle blaesere« og C. N., DMT XXXIII, 1958; P. WEIS, At spille C. N., DMT XXXVII, 1962; A. GIBBS, C. N.'s »Commotio«, MT CIV, 1963; KN. JEPPESEN in: Dansk aarbog f. musikforskning 1964/65, S. 137ff.; J. FABRICIUS, C. N., 1865–1931. En billedbiogr., Kopenhagen 1965, auch engl.; L. HEDWALL, N. och Sibelius, in: Kyrkosångsförbundet XLI, 1965; S. MARTINOTTI, Sibelius e N. nel sinfonismo nordico, in: Chigiana XXII, N. S. II, 1965; R. W. SIMPSON, Sibelius and N., A Centenary Essay, London 1965; A. M. TELMANYI, Mit barndomshjem. Erindringer om Anne Marie og C. N. skrevet af deres datter (»Mein Elternhaus. Erinnerungen an A. M. u. C. N., geschrieben v. ihrer Tochter«), Kopenhagen 1965, ²1966; J. C. G. WATERHOUSE, N. Reconsidered, MT CVI, 1965; D. CL. WILSON, An Analytical and Statistical Study of the Harmony in C. N.'s Six Symphonies, Diss. Michigan State Univ. 1967; M. WÖLDIKE, Erindringer om Laub och C. N., Dansk kirkesangs årsskrift 1967; G. COLDING-JØRGENSEN, Den unge R. Langgaard og C. N., DMT XLIII, 1968; E. D. R. NEILL, Moti e atteggiamenti umani nella musica di C. N., Rass. mus. Curci XXI, 1968; N. SCHIØRRING, C. N. i sin samtids danske musik, Dansk aarbog f. musikforskning VI, 1969–72; DERS. in: Musicalia I, (Genua) 1970, Nr 3, S. 4ff. (mit Werkverz. u. Diskographie S. 67ff.); K. A. BRUUN, Dansk musiks hist. fra Holberg-tiden til C. N., Bd II, Kopenhagen 1969; E. STAL in: SM XXXIV, 1970, H. 8, S. 113ff.; H. F. W. KRUIZE u. W. VAN DER LUGT in: Mens en melodie XXVI, 1971, S. 371ff.; BO WALLNER, C. N. – romantiserad, STMf LIII, 1971 (mit engl. Zusammenfassung).

+Nielsen, Ludvig, * 3. 2. 1906 zu Borge (bei Fredrikstad, Østfold).
N. wurde 1935 Organist und Kantor am Nidarosdom in Trondheim [nicht: Oslo]. – Weitere Kompositionen: *Fagnadarsongar* für Soli, Chor und Orch. (1957); Passacaglia für Org. (1963); liturgisches Oratorium *Draumkvedet* für Bar., Rezitation, Schriftlesung, 2 Chöre, 2 Org., Instr. und Gemeindegesang (1964). Er veröffentlichte *Lærebok i kontrapunkt etter Bach-stilen* (mit N. Grinde, = Institutt for musikkvitenskap, Universitetet i Oslo, Skrifter VII, Oslo 1966) und *Orgelmusik i høytidene* (»Orgelmusik an Feiertagen«, ebd. 1969).

Nielsen, Poul, * 22. 3. 1939 zu Ribe; dänischer Musikforscher und Organist, studierte ab 1957 in Kopenhagen an Det Kongelige Danske Musikkonservatorium (Orgelexamen 1962) und an der Universität (Mag. art. 1966), an der er ab 1964 Lehrer und ab 1966 Amanuensis am musikwissenschaftlichen Institut war. Er wurde 1963 Kritiker bei »Berlingske tidende« sowie 1967 Schriftleiter der *Dansk musiktidsskrift* (DMT) und war 1966 Mitgründer der experimentellen Kunstzeitschrift *Ta*'. N. veröffentlichte u. a. *Danske komponister* (in: Dansk musik, Kopenhagen 1968), *Some Comments on V. Holmboe's Idea of Metamorphosis* (Dansk aarbog for musikforskning IV, 1968–72) und *Marxisme og modernisme* (DMT XLVII, 1972/73). N. ist Mitarbeiter an den vorliegenden Ergänzungsbänden dieses Lexikons.

+Nielsen, Riccardo, * 3. 3. 1908 zu Bologna.
N. wirkt weiterhin als Direktor des Liceo musicale pareggiato »G. Frescobaldi« in Ferrara. – *+Requiem nella miniera* [nicht: *muniera*] (1957). – Neuere Werke: *Vier Goethelieder* für S. und Orch. (1958), *Invenzioni e sinfonie* für S. und Orch. (1959), *Varianti* für Orch. (1965); *6 + 5 fasce sonore* für Streicher (1968); Klavierquartett

(1961), 7 *Aforismi* für Klar. und Kl. (1958), Sonate (1958) und *Cadenza a due* (1967) für Vc. und Kl.; Kammerkantate für S., 3st. Frauenchor, Fl., Kl., Xylophon, Vibraphon, Pk. und Schlagzeug (1969), *Ganymed* für S., Klar., Vc. und Kl. (1958), 4 *Poesie di Apollinaire* für Singst. und Kl. (1961). – N. veröffentlichte *Le forme musicali* (Bologna 1961).

Nielsen, Tage, * 16. 1. 1929 zu Frederiksborg; dänischer Komponist und Musikpädagoge, studierte 1948–55 Musikwissenschaft an der Universität Kopenhagen. Er war 1957–63 Programmleiter der Musikabteilung des dänischen Rundfunks. 1963 wurde er Leiter (1964 Professor) an Det Jydske Musikkonservatorium in Århus. Er komponierte u. a. eine Klaviersonate (1950), 2 Nocturnes für Kl. (1960 und 1961), das Orchesterstück *Bariolage* (1965) sowie Kammermusik, Bühnenmusik, Lieder und Schulmusik.

Nieman (nʹiːmən), Abbe Alfred, * 25. 1. 1913 zu London; englischer Komponist und Musikpädagoge, studierte 1929–38 an der Royal Academy of Music in London (Komposition bei Dale, Klavier bei Bowen und später bei Claude Pollard) und ging nach wechselnden Tätigkeiten als Konzertpianist und Unterhaltungsmusiker für 5 Jahre zur BBC. 1947 wurde er an die Guildhall School of Music in London berufen, wo er heute als Professor für Klavier und Komposition lehrt und Kurse in Musiktherapie hält. Sein kompositorisches Schaffen umfaßt u. a. *3 Chinese Songs* (1945), *3 Villon Songs* (1945), *Children's Pieces*, Stufe 1, 2 und 3 (1950), *3 Songs for Mary* (1958), Variationen und Finale für Kl. (1962), Kammersonaten für Kl., V. und Vc. (1963), *Rilke Song Cycle* für S. oder T. und Streichquartett (1964), 2 Serenaden für Kl. (1965), die Klaviersonate Nr 2 (1965), *Adam*, Kantate für Solo-St., 4 Pos. und 5 Schlaginstr. (1969, Text vom Komponisten) und *Chromotempera* für Vc. und Kl. (1971).

+Niemann, Albert, 1831–1917.
Lit.: K. WAGNER, A. N. als Wagner-Darsteller. Eine Studie zur Durchsetzung d. musikdramatischen Darstellungsstils, Diss. München 1954; O. KIRMSE, Kammersänger A. N. als Hundesteuerpächter, in: Der Bär v. Bln XI, 1962.

+Niemann [–1) Rudolph], –3) Walter, 1876–1953.
+*Über die abweichende Bedeutung der Ligaturen in der Mensuraltheorie der Zeit vor Johannes de Garlandia* (1902), Nachdr. Niederwalluf bei Wiesbaden 1971; +*Brahms* (engl. 1929), Nachdr. NY 1969. – Bislang unveröffentlichte Miszellen teilte K. Dreimüller mit: *W. N.s Erinnerungen an E. Humperdinck* (Mitt. der Arbeitsgemeinschaft für rheinische Musikgeschichte II, 1958–61); *Die Phonola* (in: Musikhandel X, 1959); *Erinnerungen an H. Riemann* (in: Musik im Unterricht, Allgemeine Ausg. L, 1959); *W. N.s Klaviermission* (in: Das Klavierspiel II, 1960).
Lit.: W. KLEMUND in: Musica VIII, 1954, S. 29ff.

Niemetschek, Franz Xaver (Niemeczek, Němeček, eigentlich František Petr), * 24. 7. 1766 zu Sadská (Böhmen), † 19. 3. 1849 zu Wien; böhmischer Schriftsteller, Professor der Philosophie an der Universität Prag (1802–20) und nach 1820 in Wien, war ein naher Freund der Mozartschen Familie. Sein *Leben des k. k. Capellmeisters W. Gottlieb Mozart* (Prag 1798, erweitert ²1808) ist die älteste Mozart-Biographie in Buchform. N. wird auch der vielzitierte Aufsatz *Über den Zustand der Musik in Böhmen um 1800* (AmZ 1799/1800) zugeschrieben.
Ausg.: Leben d. k. k. Capellmeisters W. G. Mozart, Faks. d. 1. mit Lesarten u. Zusätzen aus d. 2. Aufl., hrsg. v. E. RYCHNOVSKY, Prag 1905; dass., Nachdr. d. 1. Aufl.,

hrsg. v. B. LOETS, in: Almanach auf d. Jahr 1942, Lpz. 1941, engl. v. H. Mautner u. A. H. King, London 1956, tschechisch v. M. Jirko, Prag o. J., u. v. I. Jirko, ebd. 1956.
Lit.: P. NETTL, Mozart in Böhmen, Prag 1937; ST. DEAS, An Early Mozartian, ML XLIII, 1962; R. SCHAAL, Teilweise unbekannte Briefe v. C. Mozart u. Fr. N., Acta Mozartiana XIV, 1967.

+Niemöller, Klaus Wolfgang, * 21. 7. 1929 zu Gelsenkirchen.
Er habilitierte sich 1964 mit *Untersuchungen zu Musikpflege und Musikunterricht an den deutschen Lateinschulen vom ausgehenden Mittelalter bis um 1600* (= Kölner Beitr. zur Musikforschung LIV, Regensburg 1969) an der Universität Köln, wo er seitdem lehrt (1969 Professor). Von seinen neueren Veröffentlichungen seien weiter genannt: *Die Musik im Bildungsideal der allgemeinen Pädagogik des 16. Jh.* (AfMw XVII, 1960); *F. Mendelssohn-Bartholdy und das Niederrheinische Musikfest 1835 in Köln* (in: Studien zur Musikgeschichte des Rheinlandes III, Fs. H. Hüschen, = Beitr. zur rheinischen Musikgeschichte LXII, Köln 1965); *Das Fugato als Ausdrucksmittel im 19. Jh.* (Fs. W. Wiora, Kassel 1967); *Die Anwendung musiktheoretischer Demonstrationsmodelle auf die Praxis bei Engelbert von Admont* (Tagungsber. »Methoden in Wissenschaft und Kunst des Mittelalters« Köln 1968, = Miscellanea mediaevalia VII, Bln 1970); *Zur Ästhetik der symphonischen Dichtungen von R. Strauss* (in: Internationale R.-Strauss-Gesellschaft, Mitt. 1968, Nr 57/59); *Der Recitativo-Satz in M. Bruchs zweitem Violinkonzert* (in: M. Bruch-Studien, hrsg. von D. Kämper, = Beitr. zur rheinischen Musikgeschichte LXXXVII, Köln 1970); *Zur Musiktheorie im enzyklopädischen Wissenschaftssystem des 16./17. Jh.* (in: Über Musiktheorie, hrsg. von Fr. Zaminer, = Veröff. des Staatlichen Instituts für Musikforschung ... V, ebd. 1970); *Die Theorie des gregorianischen Gesanges im Mittelalter* (in: Geschichte der katholischen Kirchenmusik, hrsg. von K. G. Fellerer, Bd I, Kassel 1972); *Zur Musiktheorie im 20. Jh., G. Capellens Ideen einer Erneuerung des Tonsystems* (in: Musicae scientiae collectanea, Fs. K. G. Fellerer, Köln 1973). Er edierte *Die Musica figurativa des M. Schanppecher. Opus aureum, Köln 1501, pars III/IV* (= Beitr. zur rheinischen Musikgeschichte L, Köln 1961) und eine Faks.-Ausg. von S. Virdungs *Mvsica getutscht* (Basel 1511; = DMI I, 31, Kassel 1970). N. war Mitarbeiter an den vorliegenden Ergänzungsbänden dieses Lexikons (Beiträge zu älteren Musiktheoretikern).

Nienstedt, Gerd, * 10. 7. 1932 zu Hannover; deutsch-österreichischer Sänger (Baß), studierte 1951–54 an der Akademie für Musik und Theater in Hannover und debütierte 1954 am Stadttheater in Bremerhaven. Er kam nach Engagements in Gelsenkirchen (1955–59) und Wiesbaden (1959–61) an die Bühnen der Stadt Köln (1961–72). 1965–73 war er Mitglied der Wiener Staatsoper. Ab 1962 ist er bei den Bayreuther Festspielen aufgetreten.

Niessen, Charly (Carl), * 22. 8. 1923 zu Dresden; deutscher Komponist von Schlagern, Chansons, Film- und Bühnenmusik, lebt in Prien am Chiemsee. Er war Sängerknabe in Wien und Dresden (Kreuzchor), studierte Musik an den Hochschulen in Weimar und Wien sowie Theaterwissenschaft an den Universitäten in Wien und Jena. 1945–50 war er als Kabarettkomponist und Kapellmeister in Wien tätig, 1951–53 freischaffend für Rundfunkanstalten in Paris, London und Hamburg. 1953 war N. Komponist für das Kabarett »Die Stachelschweine« in Berlin. Er schrieb Musik für über 30 Spielfilme (*Der lachende Vagabund*; *Das große Liebesspiel*; *Schüsse im Dreivierteltakt*, 1965) sowie die Musicals

Wonderful Chicago (Wiesbaden 1965) und *Kiek mol wedder in* (Hbg 1968). 1960 erhielt er die Goldene Schallplatte für *Banjo Boy*. Seit 1962 ist er Autor und Komponist von Chansons für Hildegard →Knef.

Niessen, Josef, * 24. 11. 1922 zu Escherbrück (Rheinland); deutscher Komponist von Unterhaltungs-, Schlager- und Filmmusik, lebt freischaffend in Bad Wiessee (Oberbayern). Er studierte Klavier und Komposition an der Musikhochschule in Köln und an der Musikakademie in Berlin, war nach 1945 Dirigent bei Radio München und schrieb Musik für das Münchner Kabarett »Der bunte Würfel«. Seit 1949 hat N. über 20 Spielfilm- und (seit 1955) über 30 Fernsehmusiken sowie Orchesterstücke (Suiten; Klavierkonzert *La Cubana*; Capriccio für Kl. und Orch.), das Musical *Duell um Aimée* (nach der Komödie von Heinz Coubier, Libretto Dehmel, Bln 1964) und zahlreiche Schlager komponiert.

Niessing, Paul, * 5. 5. 1917 zu Rotterdam; niederländischer Pianist, studierte Klavier bei W. Andriessen und Musikwissenschaft bei Dresden, Bernet Kempers und Reeser. 1935 begann er seine Konzertlaufbahn, die ihn nach Belgien, Deutschland, England, Frankreich und in die Schweiz führte. Er lehrt Klavier und Methodik am Brabants Conservatorium in Tilburg (Professor) und ist Mitarbeiter bei mehreren Musikzeitschriften und Lexika.

+Nietzsche, Friedrich [erg.:] Wilhelm, 1844–1900. An Vertonungen von N.-Texten sind u. a. zu nennen: Fr. Delius, *Eine Messe des Lebens* für Soli, Chor und Orch. (1904/05) und Requiem für Soli, Chor und Orch. (eine Zusammenstellung von N.-Texten, 1914–16); P. Hindemith, »Nun da der Tag des Tages müde ward«, Nr 2 aus 3 Chöre für Männerchor (1939); G. Mahler, 4. Satz aus der 3. Symphonie D moll (1895/96); E. N. v. Rezniček, *Ruhm und Ewigkeit* für T. und Orch. (1903); A. Schönberg, »Der Wanderer«, Nr 8 aus 8 Lieder op. 6 (1903); R. Strauss, Tondichtung *Also sprach Zarathustra* op. 30 (1896); S. I. Tanejew, »Unter Feinden«, Nr 10 aus 10 Lieder op. 26 (1909); A. Webern, »Heiter«, Nr 6 aus *Acht frühe Lieder* (1901–04).
Ausg.: +Werke in 3 Bden (K. SCHLECHTA, 1954–56), München ⁶1969 (mit Index, ebd. 1965, ²1967), 5bändige Taschenbuchausg. = Ullstein Buch Bd 2907–11, Ffm. 1972. – Werke (kritische GA), hrsg. v. G. COLLI u. M. MONTINARI, Bln 1967ff., geplant auf 30 Bde, v. d. Bden mit Schriften zur Musik erschienen bisher: Abt. III, Bd 1, 1972 (darin: Die Geburt d. Tragödie); IV, 1 u. IV, 4, 1967–69 (R. Wagner in Bayreuth, Nachber. dazu v. M. Montinari), VI, 3, 1969 (Der Fall Wagner, N. contra Wagner, Götzendämmerung, Ecce Homo), frz. Ausg. d. Werke, Paris 1967ff. – [del.:] +Briefe v. C. Fuchs an N., hrsg. v. H. MÖLLER (in Vorbereitung). – The N.-Wagner Correspondence, hrsg. v. E. FÖRSTER-NIETZSCHE, NY 1921, NA 1970, London 1922, ital. als: Carteggio N.-Wagner, hrsg. v. M. Montinari = Enciclopedia di autori class. XXIX, Turin 1959; J. BERGFELD, Drei Briefe N.s an Cosima Wagner, in: Maske u. Kothurn X, 1964; Sieben unbekannte Briefe Fr. N.s an R. Wagner, AfMw XXVII, 1970.
Lit.: International N. Bibliogr., hrsg. v. W. REICHERT u. K. SCHLECHTA, Chapel Hill (N. C.) 1968. – N.-Studien (Internationales Jb. f. d. N.-Forschung), hrsg. v. M. MONTINARI u. a., Bd 1ff., Bln 1972ff. (in Bd I: C. P. JANZ, Die Kompositionen Fr. N.s); +CH. ANDLER, N., sa vie, sa pensée (1920–31), NA in 3 Bden = Bibl. des idées o. Nr, Paris 1958; +TH. W. ADORNO, Versuch über Wagner (1952), Wiederabdruck in: Die mus. Monographien, = Gesammelte Schriften XIII, Ffm. 1971. – E. GÜRSTER, N. u. d. Musik, München 1929; F. REYNA, N., musicien refoulé, RM 1953/54, Nr 223; E. W. DAVIS, Cosima Wagner u. Fr. N., Eine Studie ihrer Freundschaft auf Grund d. Briefe v. C. Wagner an Fr. N., Diss. Radcliffe College

(Cambridge/Mass.) 1957; E. LAUER, Fr. N. u. d. Musik (nach Briefen u. Selbstzeugnissen), Mf XI, 1958; C. v. WESTERNHAGEN, N.s Dionysos-Mythos, NZfM CXIX, 1958; B. LENGYEL, Heine és N. levele Liszt F. a Leningrádi Szaltikow-Scsedrin könyvtár kézirattárában (»Heines u. N.s Briefe an Fr. Liszt in d. Hss.-Slg d. Saltikow-Schtschedrin-Bibl. in Leningrad«), in: Filológiai közlöny V, 1959; R. HOLLINRAKE, N., Wagner, and E. Newman, ML XLI, 1960; J. W. KLEIN, N.'s Attitude to Bizet, MR XXI, 1960; W. VETTER, Fr. N.s mus. Geistesrichtung, in: Mythos – Melos – Musica II, Lpz. 1961 (= Wiederabdruck aus: Mk XVII, 1924); A. BRINER, Fr. N. d. Musiker, SMZ CII, 1962; J. MITTENZWEI, N.s Leiden am Schicksal d. Musik, in: Das Mus. in d. Lit., Halle (Saale) 1962; FR. R. LOVE, Young N. and the Wagnerian Experience, = Univ. of North Carolina Studies in the Germanic Languages and Lit. XXXIX, Chapel Hill (N. C.) 1963; H. P. PÜTZ, Kunst u. Künstlerexistenz bei N. u. Th. Mann, = Bonner Arbeiten zur deutschen Lit. VI, Bonn 1963; L. SCHRADE, Tragedy in the Art of Music, Cambridge (Mass.) u. London 1964, deutsch als: Vom Tragischen in d. Musik, Mainz 1967; U. ECKART-BÄCKER, Fr. N. als Sänger in Köln, in: Studien zur Mg. d. Rheinlandes III, Fs. H. Hüschen, = Beitr. zur rheinischen Mg. LXII, Köln 1965; M. VOGEL, N.s Wettkampf mit Wagner, in: Beitr. zur Musikanschauung im 19. Jh., hrsg. v. W. Salmen, = Studien zur Mg. d. 19. Jh. I, Regensburg 1965; DERS., N. u. d. Bayreuther Blätter, in: Beitr. zur Gesch. d. Musikkritik, hrsg. v. H. Becker, ebd. V; DERS., Apollinisch u. Dionysisch. Gesch. eines genialen Irrtums, ebd. VI, 1966; G. EPPERSON, The Mus. Symbol. A Study of the Philosophic Theory of Music, Ames (Ia.) 1967; E. LOCKSPEISER, Schönberg, N., and Debussy, in: Essays on Music, hrsg. v. F. Aprahamian, London 1967 (= Wiederabdruck aus: The Listener v. 9. 3. 1961); G. ABRAHAM, N.'s Attitude to Wagner, in: Slavonic and Romantic Music, ebd. 1968 (= Wiederabdruck aus: ML XIII, 1932); D. DILLE, Bartók, lecteur de N. et de La Rochefoucauld, StMl X, 1968; J. GAŁECKI, N. u. Bizets Carmen, in: Wiss. u. Weltbild XXI, 1968; Der Streit um N.s »Geburt d. Tragödie«. Die Schriften v. E. Rohde, R. Wagner u. U. v. Willamowitz-Möllendorff, hrsg. v. K. GRUNDER, = Olms Paperback XL, Hildesheim 1969; I. FRENZEL, Fr. N. in Selbstzeugnissen u. Bilddokumenten, = Rowohlts Monographien Bd 95, Reinbek bei Hbg 1970; G. MOURIN, N. et Beethoven, in: Documents (Rev. des questions allemandes) XXV, 1970; R. PRILISAUER, Fr. Chopin u. Fr. N., Chopin-Jb. 1970; P. R. FRANKLIN, Strauss and N., A Revaluation of »Zarathustra«, MR XXXII, 1971; H. MAINZER, Th. Manns »Doktor Faustus«, ein N.-Roman?, in: Wirkendes Wort XXI, 1971; D. S. THATCHER, N. and Brahms. A Forgotten Relationship, ML LIV, 1973.

+Niewiadomski, Stanisław, 1859 – 15. [nicht: 16.] 8. 1936.

Nigetti (nidʒ'et-ti), Francesco, * 26. 4. 1603 und † 12. 2. 1680 zu Florenz; italienischer Organist, Theoretiker und Komponist, Schüler von M. da Gagliano und Frescobaldi, war ab 1629 Kapellmeister und Organist an der Kathedrale in Prato und erhielt 1649 am Dom in Florenz den 1. Organistenposten, den er bis zu seinem Tode innehatte. Er war ein Orgel- und Theorbenspieler von Ruf und als Komponist und Theoretiker hochgeschätzt. Auf den Theorien von Vicentino über die Einführung der 3 Tongeschlechter fußend, erfand und konstruierte er ein Omnicordo (cembalo omnicordo), auch Proteo genannt, ein 5manualiges Cembalo, das so gestimmt war, daß jeder Ton in 5 Teile geteilt war (beschrieben im *Trattato del sistema armonico* von B. Bresciani, Mss. Palat. Nr 802 der Bibl. Nazionale in Florenz). Von seinen Kompositionen sind *Ohymè quel viso amato* für eine St. und B. c. und *Chi t'ha detto bella Clori* für 3 St. und B. c. erhalten; Sinfonien für V., Va und Theorben sind verschollen.
Lit.: B. BECHERINI in: MGG IX, 1961, Sp. 1526f.; M. FABBRI, G. M. Casini, »Musico dell'umana espressione«, Fs. E. Schenk, = StMw XXV, 1962.

+Nigg, Serge, * 6. 6. 1924 zu Paris.
Neuere Werke: *+Petite cantate des couleurs* für Kinder-St. a cappella (1952) [nicht: Frauen-St., 1950]; »Ballet radiophonique« *L'étrange aventure de Gulliver à Lilliput* (Prix Italia 1958); *Le combat des Amazones* (nach Rubens, 1958), *Jérôme Bosch-Symphonie* (1960), *Sève* (1965), *Visages d'Axël* (1967) und *Fulgur* (1969) für Orch., *Musique funèbre* für Streichorch. (1959), Konzert für Fl. und Streichorch. (1961), 2. Klavierkonzert (1971); 2. Klaviersonate (1965, 2. und 3. Satz ursprünglich als *Variations* und *Strepitoso*, 1964); Sonate für V. solo (1965); *La croisade des enfants* für Bar., Sprecher, gem. Chor, Kinderchor und Instrumentalensemble (nach M. Schwob, 1959), »Conte radiophonique« *Histoire d'œuf* für 2 Sprecher, 6 Schlagzeuger und Kl. (nach Blaise Cendrars, 1961), *Le chant du dépossédé* für Bar., Sprecher und Orch. (nach Mallarmés *Notes poétiques*, 1964; ursprünglich als *Fils résorbé*).
Lit.: Biogr. in: Le courrier mus. de France 1966, Nr 13. – J. ROY, Présences contemporaines, Musique frç., Paris 1962 (mit Werkverz. u. Diskographie).

+Nigrin, Georg ([erg.:] bekannt auch unter dem Namen Jiří Černý), † 1606 [erg.:] zu Prag(?).
Lit.: J. VANICKÝ, N.ovy hudebni tisky (»Notendrucke v. N.«), in: Hudebni rozhledy XII, 1959.

Nikiprowętzky, Tolia, * 12.(25.) 9. 1916 zu Feodosija (Krim); französischer Komponist und Musikethnologe russischer Herkunft, studierte ab 1937 am Pariser Conservatoire bei Simone Plé-Caussade (Kontrapunkt und Fuge) und Laloy (Musikgeschichte), später bei Leibowitz. 1947–50 war er Musikberichterstatter für die »Cahiers du Sud« und 1950–55 Vorstandsmitglied der Musikabteilung von Radio Marokko. Seit seiner Rückkehr nach Frankreich gehört er der Radiodiffusion Outre-Mer SORAFOM (dem späteren Office de Coopération Radiophonique/OCORA) an. Seine Kompositionen umfassen u. a. die Tragédie chorégraphique *Macbeth en sa nuit* (1953), den Conte lyrique *Les noces d'ombre* (1957), Orchesterwerke (Sinfonietta, 1954; Symphonie *Logos 5*, 1964; *Hommage à Antonio Gaudi*, 1965; Adagio, 1955, und *Diptyque*, 1963, für Streichorch.; Symphonie concertante für Bläserquintett und Streichorch., 1956), Kammermusik (Streichquartett, 1961), Klavierwerke (Sonate, 1960) und Vokalwerke (*Cantate en 3 psaumes* für Vokalensemble und 4 Instr., 1958; Chöre und Lieder). Neben einer Reihe von Aufsätzen (u. a. für JIFMC) veröffentlichte er (Erscheinungsort Paris): *La musique de la Mauritanie* (1961, frz. und engl.); *Les griots du Sénégal et leurs instruments* (1962, frz., engl. und deutsch); *Les instruments de musique au Niger* (1963, frz. und engl.); *Trois aspects de la musique africaine. Mauritanie, Sénégal, Niger* (1965). Er gab heraus *La musique dans la vie* (2 Bde, I: *L'Afrique, ses prolongements, ses voisins,* und II: *Rayonnement des cultures africaines, regards sur les civilisations asiatiques, quelques problèmes du monde actuel,* 1967–69).

+Nikisch, –1) Arthur, 1855–1922.
Seine Frau Amélie (geborene Heußner), [erg.:] 28. 12. 1862 – [erg.: 18.] 1. 1938.
Lit.: H. MOSER in: Fs. zum 175jährigen Bestehen d. Gewandhauskonzerte, Lpz. 1956, S. 21ff.; FR. BUSCH, Begegnungen mit Dirigenten, in: Musica XII, 1958; Schauspieler sein . . ., Die Erinnerungen B. Wildenhains, hrsg. v. F. u. K. MAY, Bln 1958 (darin ein Kap. über N.); M. GOLDSTEIN, Ein unbekannter Brief A. N.s an Baron K. v. Stackelberg, in: Das Orch. XIV, 1966; H. C. SCHONBERG, The Great Conductors, London 1968, deutsch als: Die großen Dirigenten, Bern 1970, auch = List Taschenbücher Bd 391, München 1973.

Nikolaidi, Elena → +Nicolaidi, E.

Nikolaj, Elena (Nicolai; eigentlich Stojanka Savova Nikolova), * 24. 1. (6. 2.) 1905 zu Cerovo (Kreis Pazardžik); bulgarische Sängerin (Mezzosopran), lebt in Mailand. Sie studierte bei Ivan Vulpe in Sofia, am Oberlin Conservatory of Music (O.) und am Conservatorio di Musica G. Verdi in Mailand, debütierte als Laura in *La Gioconda* von Ponchielli am Openrtheater in Cremona und wurde dann an die Mailänder Scala engagiert. Gastspielreisen führten sie u. a. an das Teatro dell' Opera di Roma, das Teatro S. Carlo in Neapel, die Covent Garden Opera in London, an die Pariser Opéra, das Teatro Colón in Buenos Aires und die San Francisco Opera. Zu ihren Partien zählen Ortrud, Azucena, Prinzessin Eboli, Amneris, Carmen und Klytemnästra (»Iphigenie in Aulis« von Gluck und *Elektra* von R. Strauss).

Nikolajew, Alexej Alexandrowitsch, * 24. 4. 1931 zu Moskau; russisch-sowjetischer Komponist, Sohn des Pianisten und Musikschriftstellers Alexander Alexandrowitsch N. (* 22. 8./4. 9. 1903 zu Charkow, Doktor der Kunstwissenschaft, Professor am Moskauer Konservatorium), absolvierte 1953 die Kunstabteilung der Historischen Fakultät an der Moskauer Universität und als Schüler von Schebalin 1956 das Moskauer Konservatorium, wo er seit 1959 Komposition lehrt. Er schrieb u. a. die Opern *Gore ne beda* (»Das Leid ist keine Not«, Moskau 1962) und *Zenoju schisni* (»Der Wert des Lebens«, ebd. 1965), die Operette *Lastotschka* (»Die Schwalbe«, 1961), 4 Symphonien (1960, 1961, 1962 und 1966), die symphonische Dichtung *Sudba tscheloweka* (»Ein Menschenschicksal«, nach Michail Scholochow, 1959), Kammer- und Instrumentalwerke, Lieder, Bühnen- und Filmmusik sowie zahlreiche Artikel für die sowjetische Presse.
Lit.: D. BLAGOJ in: SM XXXVI, 1972, S. 24ff.

+Nikolajew, Leonid Wladimirowitsch, 1.(13. [nicht: 14.]) 8. 1878 – 11. 10. [nicht: 11.] 1942.
Lit.: S. I. SAWSCHINSKIJ, L. Wl. N., pianist, kompositor, pedagog, Moskau 1950; DERS., L. Wl. N., Otscherk schisni i twortschestwa (»Abriß d. Lebens u. Schaffens«), ebd. 1960.

Nikolajewa, Tatjana Petrowna (verheiratete Tarassewitsch), * 4. 5. 1924 zu Beschiza (bei Brjansk); russisch-sowjetische Pianistin und Komponistin, absolvierte als Schülerin von Goldenweiser 1942 die Moskauer Zentralkindermusikschule und studierte anschließend bis 1947 an der Klavierfakultät sowie bis 1950 als Kompositionsschülerin von Golubew am Moskauer Konservatorium, an dem sie seit 1959 eine Lehrtätigkeit für Klavier ausübt (1965 Professor). Sie ist auf den Konzertpodien zahlreicher Länder Europas und Amerikas aufgetreten. T. N. erhielt mehrere Preise, u. a. 1950 den 1. Preis beim internationalen J. S. Bach-Wettbewerb in Leipzig. Ihre Kompositionen, die deutlich von Skrjabin beeinflußt sind, umfassen u. a. 2 Klavierkonzerte, ein Klavierquintett (1947), *Polifonitscheskaja triada* (»Polyphonische Triade«) für Kl. und Streichquartett (1967), ein Trio für Fl., Va und Kl., eine Sonatine für V. und Kl. (1953), eine Klaviersonate (1949) und Lieder.

Nikolaus von Radom → +Radomski, N.

Nikolov, Lazar (Lazar Kostov), * 26. 8. 1922 zu Burgas; bulgarischer Komponist, absolvierte als Schüler von Nenov 1947 die Musikakademie (heute Staatliches Konservatorium) in Sofia, wo er seit 1961 als Lehrer wirkt. 1965–69 war er Sekretär des bulgarischen Komponistenverbands. Er schrieb die Kammeroper »Der gefesselte Prometheus« (nach Aischylos, Textfassung bulgarisch und deutsch), Orchesterwerke

(2 Symphonien, 1956 und 1961; Konzert für Streichorch., 1951; Symphonie für 13 Streichinstr., 1965; konzertantes Divertimento für Kammerorch., 1968; 2 Klavierkonzerte, 1949 und 1960; Concertino für Kl. und Kammerorch., 1964), Kammermusik (Klavierquintett, 1967; 2 Streichquartette, Nr 1, *Virtuozni igri*, »Virtuose Spiele«, 1967, und Nr 2, 1972; Sonaten für verschiedene Besetzungen, u. a. für V. und Kl., 1959, für Fl. und Kl., 1962, und für Va und Kl., 1964), Klavierwerke (4 Sonaten; *Miroitements pianistiques*; Sonate für 2 Kl., 1968) und Vokalmusik (Gesänge für gem. Chor und kleines Instrumentalensemble über Hölderlin-Gedichte, Textfassung bulgarisch und deutsch, 1970) sowie Bühnen- und Filmmusik.

Lit.: G. GAITANDŽIEV in: Bâlgarska muzika XXII, 1972, H. 7, S. 29ff. (zum Konzert f. Streichorch.); M. KEVORKJAN, ebd., S. 33ff. (zum Streichquartett Nr 1).

Nikolovski, Vlastimir, * 20. 12. 1925 zu Prilep (Mazedonien); jugoslawischer Komponist, studierte an der Mittelschule für Musik in Skopje (Milan Stefan Gajdov), 1946–47 am Leningrader Konservatorium (O. Jewlachow) und 1948–55 an der Musikakademie in Belgrad (Živković). Ab 1955 lehrte er in Skopje an der Mittelschule für Musik, wirkte als Operndirektor, als Redakteur bei Radio Skopje und als Professor an der Pädagogischen Hochschule. Er war Präsident des Komponistenverbands von Mazedonien (1956–61) und der Komponistenvereinigung von Jugoslawien (1961–66). Seit 1966 ist N. Direktor der Musikhochschule in Skopje. Er komponierte Orchesterwerke (*Sinfonia brevis*, 1956; lyrische Suite *In modo antico*, 1957; *Mala svita*, »Kleine Suite«, 1961; Passacaglia, 1964), Kammermusik (Streichquartett in D, 1954; *Trio sonoro* für Klar., Va und Kl., 1965; Suite, 1950, Sonatine, 1953, und Concertino, 1963, für V. und Kl.; Suite für Ob. und Kl., 1956; Variationen für Klar. und Kl., 1958), Klavierwerke (*Tri igre*, »Drei Spiele«, 1948; Variationen, 1952; Toccata, 1955; *Omladinski album*, »Jugendalbum«, 1960; *Lirski preludiji*, »Lyrische Praeludien«, 1962; Sonate, 1965), Vokalwerke (Oratorium *Klimentu*, 1966; Kantate *Serdarot* für Soli, Chor und Orch., 1963; Bauernmadrigal *Picanterii* für Soli, Chor und Orch., 1963; *Po putevima*, »Auf den Straßen«, Zyklus für Gesang und Orch., 1964; Zyklen *Parodije*, »Parodien«, 1953, und *Seoske burleske*, »Bäuerliche Burleske«, 1960, für gem. Chor) sowie Bühnen- und Filmmusik.

+Nikomachos, 2. Jh. n. Chr.
Neben dem +*Kitāb al-Mūsīqī al-kabīr* (»Großes Buch über die Musik«) waren vom 9. Jh. an auch andere Titel bei den Arabern bekannt (z. T. in Fragmenten erhalten).

Lit.: +K. v. JAN, Musici scriptores Graeci (1895–99), Nachdr. Hildesheim 1962. – AL-ḤASAN IBN AḤMAD IBN 'ALĪ AL-KĀTIB (um 1000), Kamāl adab al-ġinā', frz. v. A. Shiloah als: La perfection des connaissances mus., = Bibl. d'études islamiques V, Paris 1972 (mit arabischen N.-Zitaten). – L. SCHRADE, Das propädeutische Ethos in d. Musikanschauung d. Boethius, Zs. f. Gesch. d. Erziehung u. d. Unterrichts XX, 1930, Wiederabdruck in: De scientia musicae studia atque orationes, Bern 1967; FL. R. LEVIN, Nicomachus of Gerasa »Manual of Harmonics«, Diss. Columbia Univ. (N. Y.) 1967 (Übers. u. Kommentar); J. CHAILLEY, Nicomaque, Aristote et Terpandre devant la transformation de l'heptacorde grec en octocorde, in: Yuval, hrsg. v. I. Adler, Bd I, Jerusalem 1968. – H. G. FARMER, The Sources of Arabian Music (Bearsden 1940), revidiert Leiden 1965, Nr 99ff.; E. NEUBAUER, Neuere Bücher zur arabischen Musik, in: Der Islam XLVIII, 1971, S. 7f.

Nikorowicz (nikər'ovitʃ), Józef, * 2. 4. 1827(24?) zu Zboiska (bei Lemberg), † 6. 1. 1890 zu Chyrów (bei Rzeszów); polnischer Komponist, studierte bei Rudolf Schwarz in Lemberg und bei Nottebohm in Wien. Er schrieb Klavierstücke (Mazurken, Fantasien), Lieder (Ave Maria; *Znaleziony*, »Gefunden«, nach Goethe, 1884) und den Choral *Z dymem pożarów* (»Mit dem Rauch der Brände«, Text K. Ujejski), dessen Melodie Mussorgskij in dem Lied *Polkowodez* (»Der Feldherr«, aus *Pesni i pljaski smerti*, »Lieder und Tänze des Todes«) verwendete.

+Nilius, Rudolf, * 23. 3. 1883 zu Wien, [erg.:] † 31. 12. 1962 zu Bad Ischl (Oberösterreich).

+Nilson, Einar (Nilsson), * 21. 2. 1881 zu Kristianstad, † 20. 4. 1964 zu Hollywood (Calif.).
N., der bei der Gründung der Salzburger Festspiele mitgewirkt hatte, schrieb in Zusammenarbeit mit B. Paumgartner die Musik zu der M. Reinhardt-Inszenierung von Hofmannsthals *Jedermann*, mit der 1920 die Salzburger Festspiele eröffnet wurden. Ab 1924 war er vielfach auch in den USA tätig, bis in die Mitte der 30er Jahre vor allem in Zusammenarbeit mit M. Reinhardt. 1936 emigrierte N. in die USA und wirkte in Kalifornien als Komponist, Arrangeur und Herausgeber von Filmmusiken bei den Warner Brothers Studios in Burbanck (Calif.).

Nilson, Leo, * 20. 2. 1939 zu Malmö; schwedischer Komponist, studierte an der Kungl. Musikhögskolan in Stockholm, an der er das Organisten-, Pianisten- und Pädagogenexamen ablegte. Kompositionsstudien betrieb er in Paris. N. komponierte hauptsächlich Elektronische Musik: *Skorpionen* (1965); *Kalejdoskop* (1965); *Aurora* (1966); *Sculpture Music I, II* und *III* (1966); *Music for the Ether Hypothesis* (1967); *Satellitmusic* (1967); *Lyckomusik* (»Glücksmusik«, 1968); *Feel-It* (1968); *Mizar* (1968); *Tellus* (1969); *Viarp I* und *II* (1971).

+Nilsson, Märta Birgit, * 17. 5. 1918 auf einem Hof bei Karup (Kristianstads län) [nicht: zu Karup].
B. N., ständiger Gast der bedeutenden Bühnen in aller Welt (Metropolitan Opera in New York erstmals 1959), wurden zahlreiche Ehrungen zuteil, so u. a. 1968 die Ernennung zum Mitglied der Stockholmer Kungl. Musikaliska akademien, zur Österreichischen Kammersängerin und zum Ehrenmitglied der Wiener Staatsoper.

Lit.: H. OSBORNSON in: Musikrevy IX, 1954, S. 141ff.; R. RAPHAEL in: The American Scandinavian Rev. LII, 1964, S. 410ff. – Interviews mit B. N. u. a. in: Musica (Disques) 1966, Nr 146, S. 18ff., Music and Musicians XX, 1971/72, Nr 10, S. 18ff., Opernwelt 1973, H. 3, S. 20ff., sowie fonoforum 1973, S. 420ff.

+Nilsson, Bo, * 1. 5. 1937 zu Skelleftea (Västerbottens län).
N. lebt heute in Lidingö (Stockholms län). Neuere Werke: *Et blocks timme* (»Stunde eines Blocks«) für S. und 6 Spieler (1958); *Versuchungen* für Orch. (1958–61); *Szene II* und *III* für Instrumentalensemble (1960–61); *Entrée* für Orch. und mehrere Lautsprecher (1962); *Der Weg* (1962) und *Séance* (1964) für Orch.; *Vieles kann ersetzt werden* für Ob. und 5 Schlagzeuger (1964); *4 Prologer* (1965); *Litanei über das verlorene Schlagzeug* (1966); *Revue* für Orch. (1967); *Aylasma* für gem. Chor (1967); *Déjà-vu* für Bläserquartett (1968); *Quartets* für 36 Bläser, Schlagzeug und Tonband (1968); *Der Glückliche* für gem. Chor (1968); *Vi kommer att träffas i morgon* (»Wir kommen, um uns am Morgen zu treffen«) für S., gem. Chor und Triangel (1969); *Caprice* für Bläser, Schlagzeug (5 Spieler), Streicher und Tonband (1970); *Eurythmical Voyage* für Kl., Orch. und Tonband (1970); *Om kanalerna på Mars* (bzw.

Dödens ö, »Über die Marskanäle« bzw. »Die Toteninsel« für Mezzo-S., T., 8 Spieler und Tonband (1970); *Nazm* für Rezitation, Soli, Chor, Orch. und Elektronik (1973); Fernsehmusiken (»Swedenborg träumt«, 1969; *Röda rummet*, »Der rote Raum«, 1969, auch konzertant). Er veröffentlichte: *Spel med enkla svängningar* (»Spiel mit einfachen Schwingungen«, Musikrevy XII, 1957) und *Tre kantater* (in: Musik och ljudteknik IV, 1962). Seine Autobiographie erschien als *Spaderboken* (Stockholm 1966).
Lit.: G. LARSSON in: Nutida musik III, 1959/60, H. 5, S. 1ff. (zu »Et blocks timme«); DERS., ebd. V, 1961/62, H. 4, S. 25f.; CL. M. CNATTINGIUS in: Musik XXVIII, 1964, S. 4ff.; I. LAABAN, B. N.s Scener, in: Nutida musik VIII, 1964/65; M. RYING in: Nutida musik XVI, 1972/73, H. 3, S. 34ff. (Interview).

+Nilsson, Kristina, 1843–1921.
Lit.: D. FRYKLUND in: STMf XXV, 1943, S. 183ff.; G. DAHL in: Gudmundgillets årsbok XXIX, 1962, S. 55ff.

+Nilsson, Sven, * 11. 5. 1898 zu Gävle (Bottnischer Meerbusen), [erg.:] † 1. 3. 1970 zu Stockholm.
Er war Mitglied der Königlichen Oper in Stockholm bis 1969. Daneben gastierte er an zahlreichen Opernhäusern in Europa (Drottningholms Slottsteater, Covent Garden Opera in London, Bayerische Staatsoper in München, La Scala in Mailand u. a.) sowie in den USA (Metropolitan Opera in New York 1950–51), trat bei Festspielen auf (u. a. Holland Festival) und wirkte in mehreren Filmen mit.

Nilsson, Torsten, * 21. 1. 1920 zu Höör (Malmöhus); schwedischer Komponist und Organist, studierte 1938–43 an der Kungl. Musikhögskolan in Stockholm sowie 1961 und 1963 bei Heiller in Wien. 1966 wurde er Dozent für liturgische Musik an der theologischen Fakultät der Universität Uppsala. Sein Schaffen konzentriert sich im wesentlichen auf Orgelwerke (*Partita über »De profundis«*, 1950; Introduktion und Passacaglia, 1963; *Kyrie*, 1966; *Septem improvisationes*, 1969; Kammerkonzert für Org. und 7 Holzbläser, 1963; *Epiphania II* für Org. und Tonband, 1969; *Verwerfungen* für Org. und 13 Schlaginstr., 1970) und Vokalkompositionen (Oratorium *Pro nobis* für Soli, Vokal- und Instrumentalgruppen, 1965; Oratorium *Dantesvit* für Soli, Vokalgruppen, Org., Schlagzeug und Lautsprecher, 1969; Passionsmusik *Crucificatur I* für Soli, Vokalgruppen und Org., 1968; Te Deum für gem. Chor, Kinderchor, Bläser, Pk., 2 Org. und Hf., 1959. – 55 Evangelienmotetten für das ganze Kirchenjahr, 1959–67, *Ordinarium missae*, 1963, und *Sten*, 1967, für gem. Chor a cappella; *Hymnen der Angst und der Furcht* für A., Kl. und Schlagzeug, 1967; *Epiphania I* für T., Org. und Schlagzeug, 1968; *Ecce ego mitto angelum meum*, Geistliches Konzert für S., Fl. und Org., 1970; *Skapelse*, »Schöpfung«, für Vokalgruppe, Fl., Org. und Tonband, 1970).

Nimsgern, Siegmund, * 14. 1. 1940 zu St. Wendel (Saarland); deutscher Sänger (Baßbariton), studierte Gesang bei Sibylle Fuchs an der Musikhochschule des Saarlandes in Saarbrücken (1960–66) und bei Jakob Stämpfli und Paul Lohmann sowie Musikwissenschaft an der Saarbrücker Universität (1960–66). 1966 erhielt er den 2. Preis für Gesang beim Internationalen Musikwettbewerb der Rundfunkanstalten der BRD. Er ist seit 1965 als Konzertsänger im In- und Ausland bekannt geworden. 1967 wurde er an das Stadttheater Saarbrücken, 1972 auch an die Deutsche Oper am Rhein in Düsseldorf–Duisburg engagiert. Zu seinen Bühnenrollen gehören Don Giovanni, Telramund, Wotan, Simon Boccanegra und Escamillo.

+Nin y Castellanos, Joaquín, 1879 (nicht: 1883] – 1949.
N. hat kein Ballett +*L'Echarpe bleue* (1937) komponiert. – Zuletzt war er auch Leiter einer Klavierklasse am Städtischen Konservatorium in La Habana.

Nin-Culmell (ninkulm'εʎ), Joaquín María, * 5. 9. 1908 zu Berlin; kubanischer Pianist, Dirigent und Komponist, Sohn von Joaquín Nin, studierte in Paris Klavier an der Schola Cantorum und privat bei Cortot sowie Komposition am Conservatoire bei Dukas und privat in Granada bei de Falla (1930–34). 1940–50 war er Professor of Music und Chairman des Department of Music am Williams College in Williamstown (Mass.); 1950 wurde er Professor am Department of Music der University of California in Berkeley. N.-C.s kompositorisches Schaffen, das sowohl in der altspanischen Musik als auch in der spanischen Folklore des 19. Jh. wurzelt, umfaßt die Oper *La Celestina*, das Ballett *El burlador de Sevilla*, Orchesterwerke (*Diferencias*; 2 Klavierkonzerte, 1939 und 1946; Violoncellokonzert, 1963), Kammermusik (Klavierquintett, 1938; *Jorge Manrique* für S. und Streichquartett, 1963), Klavierwerke (Sonate, 1934; *Sonata breve*), Chöre und Lieder. Von seinen Veröffentlichungen sei *The Music of Cuba* (Washington/D. C. 1943) genannt.

Nippon Gakki Manufactoring Co., Ltd., japanische Instrumentenbaufirma, von →Yamaha 1889 in Tokio als Yamaha Organ Manufactoring Co., Ltd., gegründet, erhielt 1897 die heutige Firmenbezeichnung. 1917 übernahm Chiyomaru Amano, 1927 K. →Kawakami und 1950 G. Kawakami die Firma. Das Unternehmen baute und reparierte zunächst Orgeln; seit 1899 werden Klaviere, seit 1914 Harmonika- und seit 1933 auch Akkordeoninstrumente hergestellt. Seit 1961 wird die elektrische Orgel »Electon« produziert. Die Firma, die im 2. Weltkrieg völlig zerstört wurde, hat gegenwärtig eigene Filialen u. a. in Hamburg, Los Angeles, México (D. F.) und Manila. – 1954 wurde das Yamaha Music Studio für die vorschulische Musikerziehung von Kindern gegründet.

+Nisard, Théodore, 1812–88.
+*Revue de musique ancienne et moderne* (Nr 1–12, Rennes 1856), Nachdr. Scarsdale (N. Y.) 1968 (2 Bde).

+Nischinskij (Nijinsky), –1) Wazlaw Fomitsch (eigentlich Wacław Niżyński), 17.(29.) 12. 1889 [nicht: 1890] zu Kiew (wo sich seine polnischen Eltern zum Zeitpunkt seiner Geburt auf einer Tournee befanden; getauft wurde er jedoch in Warschau) – 8. 4. 1950 [erg. frühere Angaben]. Als weitere Choreographie N.s, dessen bahnbrechende Bedeutung als Ballettschöpfer (u. a. +*Le sacre du printemps*, 1913) erst später erkannt wurde, sei noch die zu Debussys *Jeux* (Paris 1913) genannt. – +*The Diary of V. N.* (1936) erschien in zahlreichen Übersetzungen, ferner in NA London 1966 und Berkeley (Calif.) 1968. – Nach N.s Tagebüchern schuf M. Béjart für sein Ballet du XXᵉ siècle das phantasmagorische Ballett *Nijinsky, Clown de Dieu* (Brüssel 1971).
–2) Bronislawa Fomitschina (als amerikanische Bürgerin Bronislava Nijinska), * 8. 1. 1891 [erg.:] zu Minsk, [erg.:] † 21. 2. 1972 zu Pacific Palisades (Calif.). Ihre erneute Zusammenarbeit mit Diaghilew begann bereits 1921 [nicht: 1923]. Sie wirkte u. a. auch am Teatro Colón in Buenos Aires (1926–27, 1933), beim Ballet Russe de Monte Carlo (ab 1933) und leitete 1937 das Ballet Polonais in Paris. Ferner war sie als Choreographin für M. Reinhardt tätig (u. a. für den Film »Ein Sommernachtstraum«). Ende der 30er Jahre ging sie in

die USA und wirkte weiterhin bei verschiedenen Kompanien sowie als Pädagogin. Br. N. war in ihren letzten Lebensjahren vor allem mit Neueinstudierungen ihrer bedeutenden, für Diaghilews Ballet Russe entstandenen Choreographien hervorgetreten, so mit *Les Biches* (Poulenc, Monte Carlo 1924) 1964 in London (Royal Ballet), 1969 in Rom (Teatro del Opera) und 1970 in Florenz (Teatro Comunale) sowie mit +*Les noces* (1923) 1966 in London (Royal Ballet).
–3) K y r a , * 19. 6. 1914 zu Wien [erg. frühere Angabe]. Sie wirkte als Tänzerin, bisweilen auch als Choreographin an verschiedenen Opernhäusern (u. a. 1936 in Budapest, 1945 in Florenz) und arbeitete zusammen mit S. Lifar und beim Ballet Russe de Monte Carlo mit L. Massine. 1959 trat sie letztmals als Tänzerin auf. Die eigene +Tanzschule in Florenz bestand 1940–46. K. N. ging 1955 in die USA und lebt heute in San Francisco.
Lit. (Abk. »N.« = Nijinsky): zu –1) u. –2): H. KOEGLER, Friedrichs Ballettlexikon, Velber bei Hannover 1972, S. 419ff.; →+Diaghilew. – zu –1): J. COCTEAU, Trente photographies du baron A. de Meyer sur »Le prélude à l'après-midi d'un faune«, Paris 1914; CL. AVELINE u. M. DUFET, Bourdelle et la danse. Isadora et N., ebd. 1969. – TH. MUNRO, »The Afternoon of a Faun« and the Interrelation of the Arts, The Journal of Aesthetics and Art Criticism X, 1951/52; R. NIJINSKA, The Last Years of N., London 1952; K. LAHM, N. u. Diaghilews Ballet Russe, in: Opernwelt I, 1960; M. NIEHAUS, N., Gast aus einer anderen Welt, München 1961; I. TURSKA, W kręgu tańca (»Im Kreise d. Tanzes«), Warschau 1965; R. BUCKLE, N., London 1971; N. on Stage, hrsg. v. DEMS., ebd. (mit Skizzen v. V. Gross u. einer Chronologie v. J. Hugo).

+**Nissen**, G e o r g N i k o l a u s , 1761–1826.
+*Biographie W. A. Mozarts* (1828), Nachdr. Hildesheim 1964.
Lit.: ST. DEAS, An Early Mozartian, ML XLIII, 1962; R. MÜNSTER, N.s »Biogr. W. A. Mozarts«, Acta Mozartiana IX, 1962; R. SCHAAL, Unveröff. Briefe v. G. N. N., Mozart-Jb. 1965/66; W. A. BAUER, N.s »Einband«, in: Musik u. Verlag, Fs. K. Vötterle, Kassel 1968; R. ANGERMÜLLER, Aus d. Briefwechsel M. Kellers mit Jähndl. Neues zu N.s Mozartbiogr., Mitt. d. Internationalen Stiftung Mozarteum XIX, 1971; DERS., Feuerstein, Jähndl u. d. Ehepaar N., in: Wiener Figaro XXXIX, 1971; DERS., N.s Kollektaneen f. seine Mozartbiogr., Mozart-Jb. 1971/72; J. H. EIBL, Die früheste Mozart-Briefausg., ÖMZ XXVIII, 1973.

+**Nissen**, H a n n s - H e i n z , * 21. 5. 1905 zu Hamburg(-Bergedorf), [erg.:] † 24. 9. 1969 zu Berlin.
N. war bis zu seinem Tode Mitglied der Deutschen Oper Berlin. Sein Repertoire umfaßte neben den klassischen Baritonrollen auch Partien aus Opern u. a. von Blacher, Britten, Hindemith (Cardillac) und Milhaud. 1963 wurde er zum Berliner Kammersänger ernannt.

+**Nissen**, H a n s H e r m a n n , * 20. 5. 1893 [nicht: 1896] zu Zippnow (bei Marienwerder, Westpreußen) [nicht: Danzig].
N., Bayerischer Kammersänger, war bis 1967 Mitglied der Bayerischen Staatsoper in München. Er ist vor allem als Interpret von Partien in Opern von Wagner, R. Strauss und Pfitzner hervorgetreten. N. lebt heute als Gesangspädagoge in München.

Nitrowski, J e r z y , polnischer Orgelbauer des 17. Jh., wirkte 1630–42 in Krakau, dann in Warschau. Die große Orgel der Danziger Marienkirche wurde 1673 von ihm umgebaut. – A n d r z e j N., wahrscheinlich sein Sohn, lebte in der 2. Hälfte des 17. Jh. in Danzig. Er baute 1693 die Orgel der Kollegiatkirche in Sandomierz (bei Krakau).
Lit.: A. CHYBIŃSKI, Z dziejów muzyki krakowskiej (»Aus d. Gesch. d. Krakauer Musik«), Kwartalnik muzyczny II,

1914; DERS., Luźne uwagi o staropolskich organach, organistach i organmistrzach (»Einige Betrachtungen über altpolnische Org., Organisten u. Orgelbauer«), in: Muzyka kościelna 1926; DERS., Artikel N., in: Słownik muzyków dawnej Polski do roku 1800, Krakau 1949.

+**Nitsche,** P a u l E d u a r d , * 24. 12. 1909 zu Diedenhofen (Thionville, Moselle).
N. wurde 1960 ständiger Mitarbeiter beim Schulfunk des WDR in Köln, wo er die Sendung »Wir singen« leitete. An neueren Beiträgen schrieb er *Musik in der Schulgemeinde* (in: Musik und Altar XIII, 1961) und *Schulmusik und Chorgesang* (in: Musik im Unterricht, Ausg. B, LVI, 1965).

+**Niverd,** [erg.: Adolphe] L u c i e n , * 20. 9. 1879 zu Vouziers (Ardennes), [erg.:] † 22. 5. 1967 zu Paris.

+**Nivers,** G u i l l a u m e G a b r i e l , 1632 [del.: oder 1631] wahrscheinlich in der Nähe von Paris [nicht: zu Paris] – 1714.
Ausg.: Premier livre d'orgue (1665), 2 Bde, hrsg. v. N. DUFOURCQ, Paris 1963. – Treatise on the Composition of Music, übers. u. hrsg. v. A. COHEN, = Music Theorists in Translation III, Brooklyn (N. Y.) 1961.
Lit.: M. GARROS, L'art d'accompagner sur la b.-c., d'après G.-G. N., in: Mélanges d'hist. et d'esthétique mus., Fs. P.-M. Masson, Paris 1955, Bd II; DIES., Les motets à vl. seule de G. G. N., Kgr.-Ber. Köln 1958; A. C. HOWELL JR., French Baroque Org. Music and the Eight Church Tones, JAMS XI, 1958; N. DUFOURCQ, A travers l'inéd., N. Lebègue, G.-G. N., »La Furstenberg« et Benaut, RMFC I, 1960; A. DE KLERK, Over de franse orgelmis en in het bijzonder de messe uit het »Livre d'orgue« v. G.-G. N., Gregoriusblad LXXXIII, 1962; GW. BEECHEY, G. G. N. (1632–1714), His Org. Music and His »Traité de la composition«, in: The Consort XXV, 1968/69; W. H. PRUITT, The Org. Works of G.-G. N., Diss. Univ. of Pittsburgh (Pa.) 1969.

Nixon (niksn), R o g e r , * 8. 8. 1921 zu Tulare (Calif.); amerikanischer Komponist, studierte an der University of California in Berkeley 1940 bei Bliss, 1941 bei E. Bloch und ab 1947 bei Sessions (Ph. D. 1952). 1948 war er auch Privatschüler von Schönberg. Er wurde Dozent am San Francisco State College. N. komponierte die Kurzoper *The Bride Comes to Yellow Sky* (Eastern Illinois State University in Charleston 1968, revidiert San Francisco State College Opera Workshop 1969), Orchesterwerke (*Air for Strings*, 1952; Violinkonzert, 1956; *Elegiac Rhapsody* für Va und Orch., 1962; *Three Dances*, 1963; Violakonzert, 1970), Kammermusik (Streichquartett Nr 1, 1949), Klavierstücke, *The Wine of Astonishment*, Kantate für Bar. und gem. Chor (1960) sowie Chöre und Lieder.

+**Njaga,** S t e p a n T i m o f e j e w i t s c h , 1900–51.
Lit.: N. I. SCHECHTMAN, St. N., Moskau 1959; A. S. SOFRONOW, St. N., Otscherk schisni i twortschestwa (»Abriß d. Lebens u. Schaffens«), ebd. 1968.

+**N'kaoua,** D é s i r é , * 13. 6. 1933 zu Constantine (Algerien).
1961 gewann er den 1. Preis beim Concours international d'exécution musicale in Genf. Konzerttourneen führten ihn das weiteren auch 1967 erstmals in die USA und nach Kanada. Er lebt heute in Paris und ist Lehrer für Klavier am Konservatorium von Versailles.

Nketia, J o s e p h H a n s o n K w a b e n a , * 22. 6. 1921 zu Mampong Ashanti (Ghana); ghanesischer Musikforscher und Afrikanist, studierte in Akropong Akuapem 1937–40 am Teacher Training College und in London 1944–46 an der School of Oriental and African Studies der University of London sowie 1946–49 am Trinity College of Music (B. A.). Er vervollkommnete seine Studien 1958–60 an der Columbia University und an der Juilliard School of Music in New York sowie an der Northwestern University in Evanston (Ill.). 1963 wurde er Professor an der Universität von Ghana (1965 Leiter des Instituts für afrikanische Studien). Von seinen zahlreichen Veröffentlichungen seien genannt: *Funeral Dirges of the Akan People* (Achimota 1955); *Possession Dances in African Societies* (JIFMC IX, 1957); *Changing Traditions in Folk Music in Ghana* (JIFMC XI, 1959); *African Music in Ghana. A Survey of Traditional Forms* (London 1962, Evanston/Ill. 1963 = Northwestern University African Studies XI); *The Hocket-technique in African Music* (JIFMC XIV, 1962); *The Problem of Meaning in African Music* (in: Ethnomusicology VI, 1962); *Drumming in Akan Communities of Ghana* (London 1963); *Folk Songs of Ghana* (ebd. 1963); *The Interrelations of African Music and Dance* (StMl VII, 1965); *Musicology and African Music* (in: Africa and the Wider World, hrsg. von D.Brokensha und M.Crowder, Oxford 1967).

Noack, Elisabeth Margarethe, * 29. 7. 1895 zu Mainz, † 20. 4. 1974 zu Darmstadt; deutsche Musikforscherin, Schwester von Friedrich N., studierte an der Universität Berlin, wo sie 1921 über *G.Chr.Strattner (c. 1645–1708)* (Teildruck in: AfMw III, 1920/21) promovierte. Sie war Dozentin an der Pädagogischen Hochschule in Kiel (1929–34 und 1946–51). 1941–57 leitete sie den Tonika Do-Verlag in Kiel. – Veröffentlichungen: *Ein Beitrag zur Geschichte der älteren deutschen Suite* (AfMw II, 1919/20); *Die Bibliothek der Michaeliskirche zu Erfurt* (AfMw VII, 1925); *W.C.Briegel. Ein Barockkomponist in seiner Zeit* (Bln 1963); *Wir musizieren mit Kindern* (= Handbücherei für die Kinderpflege IV, Witten 1964); *Musikgeschichte Darmstadts vom Mittelalter bis zur Goethezeit* (= Beitr. zur mittelrheinischen Musikgeschichte VIII, Mainz 1967); *G.Chr.Lehms, ein Textdichter J.S.Bachs* (Bach Jb. LVI, 1970). Sie gab eine Neubearbeitung von A.Hundoeggers *Lehrweise nach Tonika Do* als 9. (Kiel 1951) bzw. 10. Aufl. (Köln 1967) heraus.

+Noack, Friedrich, 1890–1958.
N. war auch ab 1947 bis zu seinem Tode als Dozent an der Abteilung Kirchen- und Schulmusik der Frankfurter Musikhochschule tätig. Er veröffentlichte ferner: *Der Wandel im Werturteil über Kirchenmusik und weltlichen Chorstil in den letzten 100 Jahren* (Württembergische Blätter für Kirchenmusik XXV, 1958); *Die Steinmetz-Manuskripte der Landes- und Hochschulbibliothek Darmstadt* (Mf XIII, 1960). Zu der von ihm begonnenen Graupner-Ausg. →+Graupner.
Lit.: PH. SCHWEITZER in: Mitt. d. Arbeitsgemeinschaft f. mittelrheinische Mg. 1970, Nr 21, S. 232ff.

+Nobel, Felix de, * 27. 5. 1907 zu Haarlem.
Von den zahlreichen Sängern, deren Klavierbegleiter er früher war, seien Elisabeth Schumann, Elisabeth Schwarzkopf und J.Patzak genannt. In den letzten Jahren konzertierte er vor allem mit Agnes Giebel. Die Klasse für Klavierbegleitung und Liedinterpretation am Amsterdamer Konservatorium hat er inzwischen abgegeben. Den unter seiner Führung zu internationaler Bedeutung gelangten Nederlands Kamerkoor leitete er bis 1973.

+Noble, Dennis ([erg.:] eigentlich William N.), * 25. 9. 1899 zu Bristol, [erg.:] † 14. 3. 1966 zu Jávea (Alicante).
N. war lange Jahre Mitglied der Covent Garden Opera in London, wo er neben dem italienischen Repertoire vor allem durch seine Mitwirkung bei Uraufführungen zeitgenössischer englischer Opern (A.Coates, E. Goossens u. a.) hervortrat. Darüber hinaus gastierte er in Italien, Belgien und den USA. N., der sich ferner als

Konzertsänger einen Namen gemacht hatte (Solist in der Uraufführung von Waltons Oratorium *Belshazzar's Feast*), widmete sich später auch der Unterhaltungsmusik. Als Gesangslehrer war er zunächst an der Guildhall School of Music in London, zuletzt an der Royal Irish Academy of Music in Dublin tätig.
Lit.: L. AYRE in: Opera XVII, 1966, S. 487f.

Nobre (n'obrə), Marlos, * 18. 2. 1939 zu Recife (Staat Pernambuco); brasilianischer Komponist, studierte 1945–59 in Recife am Conservatório Musical und am Instituto Ernani Braga der dortigen Universität, 1961–62 bei Koellreutter und Camargo Guarnieri sowie 1963–64 am Centro Latinoamericano de Altos Estudios Musicales (CLAEM) in Buenos Aires bei Ginastera, Messiaen, R.Malipiero und Dallapiccola. 1968 arbeitete er auf Einladung Ussachewskys im elektronischen Laboratorium der Columbia University in New York. Gegenwärtig leitet er die Musikabteilung des Rundfunks des Ministeriums für Erziehung und Kultur und die Abteilung für Musikdokumentation des Ordem dos Músicos do Brasil in Rio de Janeiro. Seine Kompositionen umfassen die szenische Kantate *Cantata do café* für Soli, Chor, Ballett und Orch. (Rio de Janeiro 1971), Orchesterwerke (*Convergências* op. 28, 1968, und *Ludus instrumentalis* op. 34, 1969, für Kammerorch.; *Mosaico* op. 36, 1970; *Biosfera* für Streichorch. op. 35, 1970; Concertino op. 1, 1959, Divertimento op. 14, 1963, und *Concerto brève* op. 33, 1969, für Kl. und Orch.; *Desafio* für Va und Streichorch. op. 31, 1968), Kammermusik (*Canticum instrumentale* für Fl., Hf., Kl. und Pk. op. 25, 1967; *Tropicale* für Piccolo-Fl., Piccoloklar., Kl. und Schlagzeug op. 30, 1968; *Variações rítmicas* op. 15, 1963, und *Sonancias* op. 37, 1968, für Kl. und Schlagzeug; *Rhythmetron* für Schlagzeug op. 27, 1968; Bläserquintett op. 29, 1968; 1. Streichquartett op. 26, 1967; Klaviertrio op. 4, 1960; Variationen für Ob. solo op. 3, 1960; Sonate für Va solo op. 11, 1963), Klavierwerke (*Nazarethiana* op. 2, 1960; *3 ciclos nordestinos*, Nr 1 op. 5, 1960, Nr 2 op. 13, 1963 und Nr. 3 op 22, 1966; Thema und Variationen op. 7, 1961; *16 variações sôbre um tema de Fructuoso Vianna* op. 8, 1962; *Tocatina, ponteio e final* op. 12, 1963; *Sonata breve* op. 24, 1966) und Vokalwerke (*Ukrínmakrinkrín* für S., Bläser und Kl. op. 17, 1964); a cappella-Chöre; Gesangsstücke mit Klavierbegleitung.
Lit.: Werkverz. in: Compositores de América XVII, Washington (D. C.) 1971.

Nobre Olivares (n'obre olib'ares), Ramón, * 25. 9. 1920 zu Pachuca (Staat Hidalgo); mexikanischer Chorleiter und Musikpädagoge, studierte Klavier, Orgel, Gitarre und Komposition am Conservatorio Nacional de Música in México (D. F.). Mit dem von ihm gegründeten Coral Mexicano, der später mit dem Ballet Folclórico de México eine Chortanzgruppe bildete, gastierte er in Lateinamerika, den USA und in Europa. Gegenwärtig ist er stellvertretender Direktor des Conservatorio Nacional de Música in México (D. F.), wo er Chordirigieren lehrt. Er schrieb Orchesterwerke (*Allegro sinfónico*), Chormusik, Orgelwerke und zahlreiche Kompositionen für Gitarre (*Zapateado*; *Tríptico mexicano*; *Suite medieval*).

Nocker, Hanns, * 23. 5. 1926 zu Altenbögge (bei Dortmund); deutscher Sänger (Tenor), studierte an der Folkwangschule in Essen sowie in Bielefeld und trat 1951 in das Studio der Berliner Komischen Oper ein, deren Ensemblemitglied er seit 1954 ist (Debüt 1954 als 1. Geharnischter in Mozarts *Zauberflöte*; 1960 Kammersänger). Er ist dort als Protagonist in zahlreichen von Felsenstein inszenierten Aufführungen hervorgetreten, u. a. als Max (*Freischütz*), Pedro (*Tiefland*), Hoffmann, Cavaradossi (*Tosca*), Herodes (*Salome*), Othello, Ritter Blaubart (Offenbach) und Brocklesby (*Noch einen Löffel Gift, Liebling?* von Matthus).

Nöcker, Hans Günter, * 22. 1. 1927 zu Hagen; deutscher Sänger (Charakter- und Heldenbariton), war 1946–50 Regieassistent am Schloßtheater Wolfenbüttel, studierte 1948–52 Gesang bei Carl Momberg in Braunschweig und debütierte 1952 als Bassist an den Städtischen Bühnen Münster in Westfalen. Nach Engagements am Stadttheater Gießen (1953–54) und an der Württembergischen Staatsoper in Stuttgart (1954–62) wurde er als Bariton an die Bayerische Staatsoper in München verpflichtet (Kammersänger). Seit 1964 gehört er auch dem Ensemble der Deutschen Oper Berlin an und tritt an den Bühnen der Stadt Köln auf. N. unternimmt Gastspiele im In- und Ausland.

Noel, J. C. → Thomas, Peter.

Nörmiger, Augustus (Nöringer, Noringer), * um 1560 zu Dresden(?), † 22. 7. 1613 zu Dresden; deutscher Organist und Komponist, war von 1581 bis zu seinem Tode Hoforganist in Dresden. Für die Tochter des Herzogs Friedrich Wilhelm von Weimar verfaßte er 1598 ein *Tabulaturbuch auff dem Instrumente* mit evangelischen Kirchenliedern, weltlichen Liedern und Tänzen.
Ausg.: 3 Stücke in: Gesch. d. Musik in Beispielen, hrsg. v. A. Schering, Lpz. 1931, Nachdr. 1954, engl. NY 1950; 4 Stücke in: Musik aus früher Zeit, hrsg. v. W. Apel, Mainz 1934; 12 Tänze in: Altdeutsche Tanzmusik aus N.s Tabulatur 1598, hrsg. v. Fr. Dietrich, Kassel 1937; 3 Stücke in: Alte Liedsätze f. Org. oder Kl., hrsg. v. W. Ehmann, ebd. 1939.
Lit.: W. Merian, Der Tanz in d. deutschen Tabulaturbüchern, Lpz. 1927, Nachdr. Hildesheim u. Wiesbaden 1968; G. Kittler, Gesch. d. protestantischen Orgelchorals v. seinen Anfängen bis zu d. Lüneburger Orgeltabulaturbüchern, Diss. Greifswald 1931; L. Schierning, Die Überlieferung d. deutschen Org.- u. Klaviermusik aus d. ersten Hälfte d. 17. Jh. = Schriften d. Landesinst. f. Musikforschung Kiel XII, Kassel 1961; W. Apel, Gesch. d. Org.- u. Klaviermusik bis 1700, ebd. 1967, engl. revidiert v. H. Tischler, Bloomington (Ind.) 1972.

Nogueira França, Eurico → Improta, Ivy.

+Nohl, Karl Friedrich Ludwig, 1831 – 15. [nicht: 16.] 12. 1885.
Die geschichtliche Entwicklung der Kammermusik und ihre Bedeutung für den Musiker, Braunschweig 1885, Nachdr. Wiesbaden 1969; *Life of Haydn*, Chicago 1902, Nachdr. NY 1971. – +*Briefe Beethovens* ... (+engl. Ausg. als *Beethoven's Letters* ...), 1866 und 1868), Nachdr. Freeport (N. Y.) 1970 (2 Bde in 1).
Lit.: G. Sowa, Zwölf Original-Briefe Fr. Liszts an L. N., in: Beitr. zur Gesch. Iserlohns, Fs. Fr. Kühn, = Haus d. Heimat XII, Iserlohn 1968.

+Nola, Giovan Domenico (Del Giovane), um 1510 – 1592.
Ausg.: eine Villanelle in: H. Engel, Das mehrstimmige Lied d. 16. Jh. in Italien, Frankreich u. England, = Das Musikwerk III, Köln 1952, engl. 1961; ein Satz in: The Bottegari Lutebook, hrsg. v. C. McClintock, = The Wellesley Ed. VIII, Wellesley (Mass.) 1965.
Lit.: +A. Einstein, The Ital. Madrigal (1949), Nachdr. Princeton (N. J.) 1970. – B. M. Galanti, Le villanelle alla napolitana, = Bibl. dell'Arch. Romanicum I, 39, Florenz 1954.

Nolasco, Flérida de, * 27. 2. 1891 zu Santo Domingo; dominikanische Musikforscherin, studierte an der Universität ihrer Heimatstadt, hatte den Lehrstuhl für Musik, Folklore und Literatur der Universität inne und war daneben stellvertretender Direktor des Liceo Mu-

sical in Santo Domingo. Von ihren in Ciudad Trujillo erschienenen Veröffentlichungen seien genannt: *Cultura musical* (1928); *La música en Santo Domingo y otros ensayos* (1939); *La poesía folklórica en Santo Domingo* (1946); *Santo Domingo en el folklore universal* (1956); *Grandes momentos de la historia de la música* (1957).

Nomęika, Zenonas, * 28. 3. (10. 4.) 1911 zu Pedziai (Kedainiai); litauischer Organist, studierte 1925–29 am Staatskonservatorium in Kaunas (Orgel- und Klavierdiplom) und 1929–36 an der Ecole Normale de Musique de Paris bei Dupré (Orgel) und d'Indy (Dirigieren). Er lehrte Orgel und Klavier an litauischen Konservatorien; 1949 übersiedelte er nach Rochester (N. Y.), wo er seither als Organist tätig ist. Daneben entfaltete er ab 1936 eine rege Konzerttätigkeit als Orgelsolist in Litauen, Deutschland, den USA und Kanada.

Noni, Alda, * 30. 4. 1916 zu Triest; italienische Sängerin (Koloratursopran), studierte am Konservatorium ihrer Heimatstadt und in Wien und debütierte 1937 als Rosina (*Il barbiere di Siviglia*) an der Oper in Ljubljana, deren Ensemble sie bis 1940 angehörte. 1942–46 war sie Mitglied der Wiener Staatsoper und trat ab 1948 an der Mailänder Scala auf. Gastspiele führten sie zu den Festspielen nach Edinburgh (1949) und Glyndebourne (1949–53), an die Covent Garden Opera in London, die Pariser Opéra und die Bayerische Staatsoper in München. Zu ihren Partien gehören Susanna (*Le nozze di Figaro*), Blondchen (*Entführung*), Norina (*Don Pasquale*), Lucia di Lammermoor, Gilda (*Rigoletto*), Traviata und Zerbinetta (*Ariadne auf Naxos*).

+Nono, Luigi, * 29. 1. 1924 zu Venedig.
L. N., der 1946 den Dr. jur. der Universität Padua erwarb, lehrte 1958–59 bei den Darmstädter Kursen für Neue Musik und unterrichtet seit 1959 an der Dartington Summer School of Music. – +*Variazioni canoniche* für Orch. (über die Zwölftonreihe aus Schönbergs *Ode to Napoleon Buonaparte* op. 41, 1950), +*Composizione per orch. I* (1951), +*Epitaffio per F. García Lorca* (1952–53) mit den Teilen *España en el corazón* (3 Studien) für S., Bar., kleinen gem. Chor und Instrumente, *Y su sangre ya viene cantando* für Fl. und kleines Orch. sowie *Memento* (*Romance de la guardia civil española*) für Sprecherin, Sprechchor, gem. Chor und Orch., +*Composizione per orch. II* (*Diario polacco '58*, 1959, Neufassung mit Tonband 1965) [del. bzw. erg. frühere Angaben]. – Neuere Werke: elektronische Musik *Omaggio a Emilio Vedova* (1960), »azione scenica in due tempi« *Intolleranza 1960* (Venedig 1961, daraus eine Konzertsuite für S., Orch. und Tonband); *Canti di vita e d'amore* für S., T. und Orch. (1962, mit den Teilen *Sul ponte di Hiroshima*, *Per Djamila Boupachà* für S. solo und *Tu*); *Canciones a Guiomar* für S., 6st. Frauenchor, 2 Git., Va, Vc., Kb., Schlagzeug und Celesta (A. Machado, 1963); *La fabbrica illuminata* für Singst. und Tonband (G. Scabia und C. Pavese, 1964); Bühnenmusik zu P. Weiss' *Die Ermittlung* für Tonband (Bln 1965, daraus *Ricorda cosa ti hanno fatto in Auschwitz* für Stimmen und Tonband); *a floresta é jovem e cheja de vida* für Stimmen, Klar., Bronzeplatten und Tonbänder (der nationalen vietnamesischen Befreiungsfront gewidmet, 1966); *per Bastiana: Tai-Yang Cheng* für Tonband und Instrumente (1967); stereophonische Komposition *Contrappunto dialettico alla mente* (1968); *Musica manifesto Nr 1* für Tonband und Stimmen (1969, mit den Teilen *Un volto, del mare* und *Non consumiamo Marx*); *Y entonces comprendió* für 6 Frauen-St., Chor und Tonband (gewidmet »Ernesto ,Che' Guevara und allen Kampfgefährten der Sierras Maestras auf der Welt«, 1970); *Voci*

destroying muros für Frauenstimmen und Orch. (1970); *Ein Gespenst geht um in der Welt* für S., Chor und Orch. (1971); *Como una ola de fuerza* für S., Kl., Orch. und Tonband (1972). – Weitere Aufsätze: *+Presenza storica* ... (deutsch auch in: Darmstädter Beitr. zur Neuen Musik III, 1960, S. 41ff., engl. in: The Score 1960, Nr 27, S. 41ff., polnisch in: Ruch muzyczny IV, 1960, H. 16, S. 7ff., slowakisch in: Slovenská hudba XII, 1968, S. 174ff.); *Die Entwicklung der Reihentechnik* (in: Darmstädter Beitr. zur Neuen Musik I, Mainz 1958); *Appunti per un teatro musicale attuale* (Rass. mus. XXXI, 1961, deutsch als *Gedanken zu einem Musiktheater von heute*, in: Bayerischer Rundfunk, Konzerte mit Neuer Musik XIII, 1962); *Gioco e verità del nuovo teatro musicale* (in: Il filo rosso I, 1963); *Musica e resistenza* (in: Rinascita XX, 1963); *Possibilità e necessità di un nuovo teatro musicale*, in: Il verri 1963, Nr 9, tschechisch in: Divadlo XIV, 1963, H. 4, S. 16ff.); *Intolleranza 1960*. *Poznámky k hudobnému divadlu súčasnosti* (»... Anmerkungen zum Musiktheater der Gegenwart«, in: Slovenská hudba VIII, 1964); *Der Musiker in der Fabrik* (Mitt. der Deutschen Akademie der Künste V, 1967). Lit.: R. KOLISCH, N.s »Varianti«, in: Melos XXIV, 1957; JU. W. KELDYSCH in: SM XXIII, 1958, H. 11, S. 126ff., u. K. STOCKHAUSEN in: Darmstädter Beitr. zur Neuen Musik I, Mainz 1958, S. 57ff., auch in: Sprache u. Musik, hrsg. v. H. Eimert, = die reihe VI, Wien 1960, S. 36ff., engl. London u. Bryn Mawr (Pa.) 1964, u. in: K. Stockhausen, Texte ... II, hrsg. v. D. Schnebel, = DuMont Dokumente o. Nr, Köln 1964, S. 157ff. (zu »Il canto sospeso«); U. UNGER in: Junge Komponisten, hrsg. v. H. Eimert, = die reihe IV, Wien 1958, S. 9ff. (zu »Polifonica ...« u. »Il canto sospeso«); M. MILA, La linea N. (A proposito di »Il canto sospeso«), Rass. mus. XXX, 1960; L. PESTALOZZA in: La Biennale XI, 1961, Nr 43, S. 18ff. (zu »Intolleranza 1960«); DERS. in: Rev. mus. chilena XVII, 1963, Nr 85, S. 79ff.; U. SEELMANN-EGGEBERT in: NZfM CXXII, 1961, S. 241ff., u. in: Musik im Unterricht (Allgemeine Ausg.) LII, 1961, S. 239ff. (zu »Intolleranza 1960«); J. S. WEISSMANN in: SMZ CI, 1961, S. 358ff.; M. BORTOLOTTO, La missione teatrale di L. N., in: »Paragone« 1962, Nr 146; DERS., Le missione di N., in: Fase seconda. Studi sulla Nuova musica, = Saggi Bd 445, Turin 1969 (mit Werkverz.); F. D'AMICO, La polemica su L. N., in: »Paragone« 1962, Nr 156, auch in: I casi della musica, = La cultura LXV, Mailand 1962; H. MAYER in: Mens en melodie XVII, 1962, S. 9ff., u. XXV, 1970, S. 167ff.; T. EKBOM in: Nutida musik VI, 1962/63, H. 1, S. 1ff. (zu »Il canto sospeso«); J. BUŽGA in: Slovenské divadlo XI, 1963, S. 286ff. (zu »Intolleranza 1960«); E. VEDOVA, Réalisation scénique de »Intolleranza 60« de L. N., in: Zeitgenössisches Musiktheater, Kgr.-Ber. Hbg 1964; U. DIBELIUS, Moderne Musik 1945–65, München 1966 u. Stuttgart 1968; R. SM. BRINDLE in: MQ LIII, 1967, S. 95ff. (zu »a floresta ...«); A. GENTILUCCI, La tecnica corale di L. N., RIdM II, 1967; M. H. WENNERSTROM, Parametric Analysis of Contemporary Mus. Form, Diss. Indiana Univ. 1967 (zu »Incontri«); B. HAMBRÆUS in: Nutida musik XI, 1967/68, H. 5/6, S. 21ff.; P. FALTIN in: Slovenská hudba XII, 1968, S. 171ff.; L. PINZAUTI, A colloquio con L. N., nRMI IV, 1970, tschechisch in: Hudební rozhledy XXII, 1970, S. 267ff.; PH. K. BRACANIN, The Abstract System as Compositional Matrix. An Examination of Some Applications by N., Boulez, and Stockhausen, in: Studies in Music V, 1971; H. LACHENMANN, L. N. oder Rückblick auf d. serielle Musik, in: Melos XXXVIII, 1971; R. OEHLSCHLÄGEL, Non consumiamo L. N., Kompositorische Entpolitisierung politischer Texte, in: Musica XXV, 1971; H. PAULI, »Für wen komponieren Sie eigentlich?«, = Reihe Fischer XVI, Ffm. 1971; C. VILA u. A. BODENHOFER, Entrevista a L. N., Rev. mus. chilena XXV, 1971, Nr 115/116; G. PONÉ, Webern and L. N., The Genesis of a New Compositional Morphology and Syntax, in: Perspectives of New Music X, 1971/72; S. BORRIS, L. N., Zur Problematik engagierter Musik, in: Musik u. Bildung IV, 1972;

H.-P. RAISS in: H. Vogt, Neue Musik seit 1945, Stuttgart 1972, S. 277ff. (zu »Il canto sospeso«, Nr 9); J. STENZL in: Melos XXXIX, 1972, S. 150ff. (zu »Incontri«); L. N., Texte. Studien zu seiner Musik, hrsg. v. DEMS., Zürich 1974 (mit Werkverz. u. Bibliogr. d. Schriften v. u. über N.).

Noorden, Karl von, * 11. 9. 1833 zu Bonn, † 25. 12. 1883 zu Leipzig; deutscher Historiker und Musikschriftsteller, erhielt den ersten Klavierunterricht von seiner Mutter, bildete sich dann selbst weiter, studierte ab 1851 Rechtswissenschaft in Bonn, ab 1853 Sanskrit und vergleichende Mythologie in Marburg a. d. Lahn und promovierte 1855 an der Universität Bonn, an der er sich 1862 für Geschichte habilitierte. 1857 entwarf er den Text des Chorwerks *Die Braut von Liebenstein* für A. Dietrich und war 1860–62 Mitarbeiter der in Wien erscheinenden »Deutschen Musik-Zeitung« und 1863 der Neuen Folge der AmZ, in denen er Berichte über das Bonner und Kölner Musikleben, über die Niederrheinischen Musikfeste von 1860, 1862 und 1863 sowie umfangreichere Aufsätze über Brahms, Th. Kirchner, Wagners *Tristan* und über Programmusik brachte. Er gehört zu den ersten Kritikern, die sich mit Brahms' Werk ernsthaft auseinandersetzten.
Lit.: W. KAHL, Artikel K. v. N., in: Rheinische Musiker I, hrsg. v. K. G. Fellerer, = Beitr. zur rheinischen Mg. XLIII, Köln 1960; DERS. in: Bilder u. Gestalten aus d. Mg. d. Rheinlandes, ebd. LIX, 1964, S. 67ff.

+Noordewier-Reddingius, Aaltje, 1868–1949.
Lit.: W. PAAP in: Mens en melodie XXIII, 1968, S. 261ff.

+Noordt, Anthoni van, [erg.:] um 1620 – [erg.: begraben 23. 3.] 1675.
Ausg.: +Tabulatuur-Boeck (M. SEIFFERT, 1896), Nachdr. Amsterdam 1957. – Psalmbearb. f. Org. (1569), hrsg. v. P. PIDOUX, Kassel 1954; eine Fantasia in: P. SCHLEUNING, Die Fantasie I, = Das Musikwerk XLII, Köln 1971, auch engl.
Lit.: P. FISCHER, Rond een thema v. A. v. N., in: Organicae voces, Fs. J. Smits v. Waesberghe, Amsterdam 1963; M. FALK in: Musik u. Gottesdienst XXIII, 1969, S. 6ff.

Noort (no:rt), Henk, * 6. 10. 1899 zu Leiden; niederländischer Opernsänger (Heldentenor), debütierte nach seinem Studium bei Cornelie van Zanten 1928 in Koblenz und kam über Wuppertal an die Städtische Oper Berlin, an der er als Manrico (*Il trovatore*) besonders erfolgreich war. Dann nahm er ein Engagement in Düsseldorf an. 1937 sang er bei den Salzburger Festspielen unter Toscanini den Walther von Stolzing in Wagners *Die Meistersinger von Nürnberg*. Nach einer 2jährigen Nordamerikatournee wurde er 1939 an die Berliner Staatsoper verpflichtet (Kammersänger). 1944 kehrte er in die Niederlande zurück. Ab 1945 gastierte N. in Belgien, den Niederlanden und der Schweiz sowie zusammen mit Kathleen Ferrier und Elisabeth Schwarzkopf in Deutschland (1949). 1954 trat er am Staatstheater in Braunschweig zum letzten Male auf. Zu seinen wichtigsten Partien zählten Lohengrin, den er auch in dem gleichnamigen UFA-Film verkörperte, Othello und Pedro (*Tiefland*). Gegenwärtig ist N. als Gesangspädagoge in Schiedam (Südholland) tätig.

Noras, Arto, * 12. 5. 1942 zu Turku; finnischer Violoncellist, studierte an der Sibelius-Akatemia in Helsinki und 1962–66 bei Tortelier in Paris (1. Preis des Pariser Conservatoire als bester Schüler des Jahres 1966; 2. Preis beim Tschaikowsky-Wettbewerb in Moskau 1966). Er konzertierte in zahlreichen westeuropäischen Ländern, in den USA und in Südamerika.

Nordheim, Arne, * 20. 6. 1931 zu Larvik (Vestfold); norwegischer Komponist und Musikkritiker, lebt in Oslo. Er studierte 1948–52 am Osloer Konservatorium und 1955 bei Holmboe in Kopenhagen. 1959–62 war er Musikkritiker bei der Osloer Zeitung »Morgenposten«; seit 1963 schreibt er für die Osloer Zeitung »Dagbladet«. Als Komponist wurde N. international bekannt mit der *Canzona per orch.* (1960). – Weitere Werke: Ballett *Katharsis* (Bergen 1962) und *Epitaffio* (1963) für Orch. und elektronische Klänge; *Response* für 2 Schlagzeuggruppen und Tonband (1966); *Signaler* für Akkordeon, elektrische Git. und Schlagzeug (1967); *Eco* für gem. Chor, Kinderchor, S. und Orch. (auf einen Text von Salvatore Quasimodo, 1968); *Solitaire* für elektronische und konkrete Klänge (1968); ferner Bühnen-, Funk- und Fernsehmusik.

Lit.: Bo WALLNER, Vår tids musik i Norden. Från 20-tal till 60-tal (»Musik unserer Zeit im Norden. Von d. 20er bis zu d. 60er Jahren«), = Publ. utg. av Kungl. Mus. akad. med musikhögskolan V, Stockholm 1968, S. 228ff. u. 296; BJ. KORTSEN, Contemporary Norwegian Orchestral Music, Bergen 1969, S. 300ff.

+Nordica, Lillian B., 12. 12. [nicht: 5.] 1857 – 1914.
Lit.: I. GLACKENS, Yankee Diva. L. N. and the Golden Days of Opera, NY 1963 (darin ihre Schrift »Hints to Singers«); Le grandi voci, hrsg. v. R. CELLETTI, = Scenario I, Rom 1964 (mit Diskographie); E. R. SIMMONDS (mit D. J. Holland), Schumann-Heink and »George Washington«, in: Opera XVIII, 1967; DIES. u. D. J. HOLLAND, N. at the Palace, ebd. XXII, 1971.

+Nordiska Musikförlaget AB.
Leiter bis 1962 war Erik Börjegard (* 4. 10. 1905 [erg.:] zu Stockholm), danach bis 1971 Lennart Reimers (* 31. 3. 1928 zu Algutsboda); seit 1971 sind Geschäftsführer Lennart Desmond (* 2. 1. 1931 zu Stockholm) als Verwaltungs- und Trygve Nordwall (* 7. 5. 1947 zu Stockholm) als künstlerischer Leiter. Der Verlagskatalog umfaßte 1972 etwa 8000 Werke (auch zahlreiche jüngere schwedische Komponisten). Aus dem Verlagsprogramm sind, neben Unterrichtsmusik, hervorzuheben die Editionsreihe *Monumenta musicae Svecicae* (hrsg. von der Svenska samfundet för musikforskning, 7 Bde bis 1972) und die *Skrifta utg. av Kungl. Musikaliska akademien* (11 Bde). Schwestergesellschaften sind in Dänemark Musik-Forlag Wilhelm Hansen, in Norwegen Norsk Musikforlag A/S, in Großbritannien J. & W. Chester Ltd. und in Deutschland Wilhelmiana Musikverlag. Als Tochtergesellschaften firmieren Ehrling & Löfvenholm AB (U-Musik) und Edition Wilhelm Hansen AB Stockholm (neue schwedische Musik).

+Nordoff, Paul, * 4. 6. 1909 zu Philadelphia.
Assistant Professor am Michigan State College wurde N. 1945 [nicht: 1940]; am Bard College (N. Y.) wirkte er bis 1959. Er war 1959–68 als Musiktherapeut tätig. Seitdem ist er Forschungsleiter für Musiktherapie am Child Study Center in Philadelphia. Er lebt heute in Chester Springs (Pa.). N. schrieb Musik für behinderte Kinder und veröffentlichte *Music Therapy for Handicapped Children* (mit Cl. Robbins, = St. George Books o. Nr, NY 1965, 2. Aufl. als *Therapy in Music for Handicapped Children,* NY und London 1971, mit Vorw. von B. Britten) sowie *Music Therapy in Special Education* (NY 1971).

+Nordraak, Rikard, 1842–66.
Ausg.: ein Lied in: FR. NOSKE, Das außerdeutsche Sololied, = Das Musikwerk XVI, Köln 1958, auch engl.
Lit.: O. GURVIN, »Ja, vi elsker dette landet«. Et essay om utførelsen, STMf XLIII, 1961; D. SCHJELDERUP-EBBE, Et nyfunnet orkesterpartitur med R. N.s musikk til Bj. Bjørnsons drama »Maria Stuart i Skotland«, in: Studia musicologica Norvegica I, hrsg. v. O. Gurvin, = Inst. f. musikkvitenskap, Univ. i Oslo, Skrifter VII, Oslo 1968.

Nordwall, Ove Björnson, * 19. 3. 1938 zu Stockholm; schwedischer Musikforscher, studierte 1959–66 Rechtswissenschaft, Kulturanthropologie und Musikwissenschaft an der Stockholmer Universität und nahm 1962–67 am Kompositionsseminar der Stockholmer Musikhochschule (Blomdahl, Bo Wallner, Lidholm, Ligeti) teil. 1966–68 war er Redaktionsmitglied bei »Nutida musik«. Seit 1968 ist er Musikproduzent bei den Rikskonserter in Stockholm tätig. Neben zahlreichen Zeitschriftenbeiträgen u. a. für DMT, Melos, Musica, Musikrevy, Nutida musik, Perspectives of New Music, Ruch muzyczny, Slovenská hudba, StMl und Tempo, veröffentlichte er (Erscheinungsort, wenn nicht anders angegeben, Stockholm): *Från Mahler till Ligeti. En antologi om vår tids musik* (»Von Mahler bis Ligeti. Eine Anthologie unserer zeitgenössischen Musik«, 1965); *Det omöjligas konst. Anteckningar kring Gy. Ligetis musik* (»Die Kunst des Unmöglichen. Bemerkungen zu Gy. Ligetis Musik«, 1966); *Gy. Ligeti. Aventures & Nouvelles aventures – Libretto* (1967, Übers. mit Kommentar); *I. Stravinsky. Ett porträtt med citat* (1967); *Ligeti-dokument* (1968); *Lutosławski* (1968, engl., revidiert schwedisch 1969); *Gy. Ligeti. Eine Monographie* (Mainz 1971); *B. Bartók, traditionalist/modernist* (1972).

Noreika, Virgilijus Kestutis, * 22. 9. 1935 zu Šiauliai; litauisch-sowjetischer Sänger (Tenor), lernte in seiner Heimatstadt zunächst Trompete, studierte dann Gesang bei Antanas Karosas, darauf bei K. Petrauskas und absolvierte 1958 das Konservatorium; später vervollkommnete er sich noch an der Mailänder Scala. 1957 wurde er an der Litauische Oper in Wilna engagiert, wo er als Lenskij (»Eugen Onegin«) debütierte. Er ist der erste Interpret einer Reihe neuer litauischer Opern. Zu seinen Partien zählen noch u. a. Graf Almaviva (*Il barbiere di Siviglia*), Gabriele (*Simon Boccanegra*), Pinkerton (*Madama Butterfly*) und Cavaradossi (*Tosca*). Gastreisen führten ihn u. a. nach Finnland, Österreich, Dänemark, Kanada, in die USA, nach Japan, Ungarn und in die DDR. N. ist auch als Konzert- und Liedsänger hervorgetreten.

+Noren, Heinrich [erg.:] Suso Johannes (ursprünglicher Familienname Gottlieb), 5. [nicht: 6.] 1. 1861 – 1928 zu Kreuth-Oberhof (am Tegernsee) [nicht: Rottach].

Nørgård, Per, * 13. 7. 1932 zu Gentofte (bei Kopenhagen); dänischer Komponist, studierte ab 1952 an Det Kongelige Danske Musikkonservatorium in Kopenhagen bei Bjørn Hjelmborg, Høffding und Holmboe und setzte 1956–57 seine Kompositionsstudien bei Nadia Boulanger in Paris fort. 1958–60 war er Lehrer am Konservatorium in Odense und ist seit 1965 Lehrer für Komposition am Konservatorium in Århus. Die wichtigsten seiner Werke sind: Quintett für Fl., V., Va, Vc. und Kl. op. 1 (1952); *Metamorphose* für Streicher op. 4 (1952); Sonate in einem Satz für Kl. op. 6 (1952, revidiert 1956); *Sinfonia austera* für Orch. op. 13 (1954); *Quartetto brioso* für Streichquartett op. 21 (1958); *Konstellationer,* Konzert für 12 Streicher oder Streichgruppen op. 22 (1958); *4 Fragmente (I–IV)* für Kl. (1960); *Fragment V* für V. und Kl., Paraphrase eines Gedichts von Rilke (1961); *Fragment VI* für 6 Orchestergruppen (1961); Oper *Labyrinten* (»Das Labyrinth«, Libretto von seinem Bruder Bent N., Kopenhagen 1967); *Prisma,* Liederkreis nach einem Gedicht von Jørgen Sonne, für Instrumente und 3 Vokalisten (1964); Ballett *Le jeune homme à marier* (nach Ionesco, Kopenhagen 1965); *Iris* (1966) und *Luna* (1967) für Orch.; *Rejse ind i den gyldne skærm* (»Reise ind in den goldenen Schirm hinein«, 1969); Symphonie Nr 2 (1970); Bläserquintett (1970); *Wenn*

die Rose sich selbst schmückt, schmückt sich auch der Garten für S., Fl., B. und Schlagzeug (1971); *Sub rosa* für 2 St. und Git. (1971); *Canon* für Org. (1971); *Lila* für Kammerensemble (1972); Oper *Gilgamesch* (Risskov 1973).
Lit.: M. ANDERSEN, P. N.s »Konstellationer«, DMT XXXIV, 1959; K. HANSEN u. BO HOLTEN in: DMT XLVI, 1971, S. 232ff. (zu »Rejse ...«); IB PL. LARSEN, Porträt P. N., in: Melos XXXIX, 1972; J. I. JENSEN, Nogle indfaldsveje til P. N.s »Canon« (»Einige Aufschlüsse über ...«), DMT XLVII, 1972/73; P. NIELSEN in: DMT XLVIII, 1973/74, S. 8ff. (offener Brief an N. nebst dessen Antwort).

Nørholm, Ib, * 24. 1. 1931 zu Kopenhagen; dänischer Komponist, studierte ab 1950 Orgel, Musiktheorie und Musikgeschichte an Det Kongelige Danske Musikkonservatorium in Kopenhagen. Er war 1956–64 Mitarbeiter von »Information« und 1964–66 des »Ekstrabladet«; 1957–63 war er an der St. Olai-Kirche in Helsingør und ist seit 1963 an der Bethlehemskirche in Kopenhagen als Organist tätig. Seit 1960 ist er auch Lehrer an Det Kongelige Danske Musikkonservatorium in Kopenhagen und seit 1964 zugleich Lehrer am Konservatorium in Odense. – Kompositionen (Auswahl): Motette *Salvum me fac. Ps. LXIX* für S. und Org. op. 5 (1955); Symphonie Nr 1 op. 10 (1958); Violinkonzert op. 18 (1959); *Kenotaphium* für S., Chor und Orch. op. 23 (Text Asger Pedersen, 1961); *Fluctuationer* für 34 Solostreicher, 2 Hf., Cemb., Mandoline und Git. op. 25 (1962; beim Gaudeamus-Festival 1964 prämiert); *Relief I & II* für Kammerensemble (23 Spieler) op. 27 (1963); Fernsehoper *Invitation til skafottet* (»Einladung zum Schafott«) op. 32 (Text Poul Borum nach Vladimir Nabokov, 1965); Streichquartett Nr 4 *September-oktober-november* op. 38 (1966); Orchestersuite *Efter Ikaros* (»Nach Ikaros«) op. 39 (1967); *Tavola 1–6. Per Orfeo* für S. und Git. (1967–68); Kammeroper *Den unge park* (»Der junge Park«) op. 48 (Text Inger Christensen, Århus 1970).

+Norlind, Johan Henrik Tobias, 1879–1947.
+Bilder ur svenska musikens historia ... (1947) ist Bd I eines Werkes, von dem die Bde II–IV als *+Från Tyska kyrkans glansdagar* (1944–45) erschienen [erg. frühere Angaben dazu].

Norman (nˈɔ:mən), Jessye, * 15. 9. 1945 zu Augusta (Ga.); amerikanische farbige Sängerin (Sopran), studierte 1963–67 Opern- und Liedgesang an der Howard University in Washington/D. C. (B. M. 1967), am Peabody Conservatory in Baltimore (Md.) und 1967–68 an der University of Michigan in Ann Arbor. Sie war 1968 1. Preisträgerin beim Internationalen Musikwettbewerb der Rundfunkanstalten der BRD in München. 1969 unternahm J. N. zwei Konzerttourneen durch Europa und debütierte als Elisabeth (*Tannhäuser*) an der Deutschen Oper Berlin, deren Mitglied sie seitdem ist. Sie hat sich auch als Liedsängerin einen Namen gemacht.

Norman, Leo → Lyon, David.

+Norman, Fredrick Vilhelm Ludvig, 1831–85.
Lit.: H. HOLLANDER, Ein Brief R. Schumanns an d. schwedischen Musiker L. Norman, NZfM CXXI, 1960.

Normet, Leo (Leopold Tarmović), * 17. 9. 1922 zu Pärnu; sowjetisch-estnischer Komponist, absolvierte 1950 das Konservatorium in Tallinn (H.Eller), an dem er seit 1953 Lehrer ist. Er komponierte u. a. die Oper *Valgus Koordis / Swet w Koordi* (»Licht in Koordi«, Tartu 1955), die komische Kurzoper *Pirnipuu/Gruscha* (»Der Birnbaum«, 1973), die Operetten *Rummu Jüri / Juri Rumm* (mit Edgar Arro, Tartu 1954, erste estnische

Operette), *Tuled kodusadamas / Ogni rodnoj gawani* (»Die Lichter des Heimathafens«, mit Arro, 1958) und *Stella polaris* (1961), eine Konzertfantasie (1941), Kammer- und Klaviermusik, Vokalzyklen sowie Bühnenmusik. Neben einer Reihe von Aufsätzen, vor allem zur estnischen Musik, schrieb er *Operett* (»Die Operette«, mit H. Tônson, Tallinn 1963).

Norrby, Johannes, * 1. 10. 1904 zu Stockholm; schwedischer Sänger (Baß) und Chordirigent, ist in Stockholm seit 1939 Direktor der Konsertföreningen und seit 1950 außerdem Chef des Konzerthauses. Er leitete 1943–64 den Akademiska Kören in Stockholm und ist seit 1945 Bundesdirigent in Sveriges Körförbund (1955 Ehrendirigent) sowie Leiter des Chores der Konsertföreningen Musikaliska Sällskapet. 1949 wurde er Mitglied der Kungl. Musikaliska akademien.

North (nɔ:θ), Alex, * 4. 12. 1910 zu Chester (Pa.); amerikanischer Komponist, studierte 1928–29 am Curtis Institute of Music in Philadelphia sowie 1932–34 an der Juilliard School of Music in New York und war Schüler von Toch und Copland. Er schrieb eine Reihe von Filmmusiken (*A Streetcar Named Desire*, 1951; *Viva Zapata!*, 1952; *Désirée*, 1954; *Daddy Long Legs*, 1955; *The Rose Tattoo*, 1955; *The Rainmaker*, 1956; *The Sound and the Fury*, 1959; *Spartacus*, 1961; *Cleopatra*, 1963), Fernseh- und Bühnenmusiken, Orchesterwerke, Vokalwerke (Kantate *Morning Star*) sowie das Jazzballett *Mal de siècle*.

North (nɔ:θ), Roger Dudley, * 1. 8. 1926 zu Warblington (Hampshire); englischer Komponist, studierte in Oxford und an der Royal Academy of Music in London (M. Phillips). Er dirigierte das Dartford String Orchestra (1951–56) und war (ab 1965) Lecturer am Morley College (Yorkshire) sowie an der University of Sussex (1972). Er schrieb u. a. den Operneinakter *The Jubilee* (nach Tschechow, London 1968), das Musical *Loude Sing Cuckoo* (1962), Orchesterwerke (*3 Pieces for Orch.*, 1959; *Symphony Movement*, 1965), Kammermusik (Doppelbläserquintett, 1951), *Dover Beach* für Bar. und Orch. (1950) sowie Klavierstücke, Lieder, Filmmusik und Elektronische Musik.

+Norvo, Red (eigentlich Kenneth Norville), * 31. 3. 1908 zu Beardstown (Ill.).
N. kam mit 17 Jahren nach Chicago, wo er in Paul Nashs Orchester, später auch bei Victor Young und Paul Whiteman, spielte. 1934 ließ er sich in New York nieder und leitete 1935 eine Swingcombo (z. T. ohne Klavierbesetzung). N., der 1943 vom Xylophon zum Vibraphon überwechselte, gilt als einer der bedeutendsten Vibraphonisten des Jazz. – Ab 1933 machte N. unter eigenem Namen in Chicago Aufnahmen u. a. mit Artie Shaw, Teddy Wilson und Charlie Shavers, in den 40er Jahren u. a. mit Charlie Parker, Dizzy Gillespie und Shorty Rogers. Bekannt wurde besonders der mehrfach eingespielte *Congo Blues*. In den 50er und 60er Jahren musizierte N. vorwiegend im Swingstil (gelegentlich mit Benny Goodman und Frank Sinatra). – Aufnahmen: *R. N. and His All Stars* (Epic EE 22010); *Music to Listen R. N. by* (Contemporary 7009). – Seine Frau Mildred Bailey, 27. 2. 1907 zu Seattle (Wash.) [nicht: Tekoa] – 1951 zu Poughkeepsie (N. Y.) [erg. frühere Angaben].
Lit.: G. T. SIMON, The Big Bands, NY 1967, revidiert 1971 (mit Vorw. v. Fr. Sinatra).

+Noske, –1) Willem Henri, * 28. 5. 1918 zu Den Haag. Seit 1962 ist er Konzertmeister des Residentie-Orkest.

–2) Frits Rudolf, * 13. 12. 1920 zu Den Haag. Fr. N., der seit 1962 in Amstelveen (bei Amsterdam) lebt, war 1965–68 außerordentlicher Professor an der Rijksuniversiteit Leiden; 1968 wurde er, als Nachfolger von K. Ph. Bernet Kempers, Ordinarius für Musikwissenschaft an der Universität Amsterdam. – Neuere Veröffentlichungen: +*La mélodie française* ... (1954), 2., mit R. Benton revidierte Aufl. als *French Song from Berlioz to Duparc*, NY 1970; +*Das außerdeutsche Sololied* (1958), engl. = Anth. of Music XVI, Köln 1958; *Beschouwingen over de periodisering der muziekgeschiedenis* (Leiden 1965); *Forma formans. Een structuuranalytische methode, toegepast op de instrumentale muziek van J. P. Sweelinck* (Amsterdam 1969); *Chr. J. Hollander en zijn Tricinia* (TVer XVIII, 1959); *Het Nederlandse kinderlied in de achttiende eeuw* (TVer XIX, 3/4, 1962–63); *J. Bull's Dutch Carol* (ML XLIV, 1963); *Padbrué en Vondel* (in: Organicae voces, Fs. J. Smits van Waesberghe, Amsterdam 1963); *Bemerkungen zur Fermate* (Mf XVII, 1964); *The Linköping Faignient-Manuscript* (AMl XXXVI, 1964); *Early Sources of the Dutch National Anthem (1574–1626)* (FAM XIII, 1966); *Musical Quotation as a Dramatic Device. The Fourth Act of »Le nozze di Figaro«* (MQ LIV, 1968); *The Cantiones Natalitiae* (in: Essays in Musicology, Fs. W. Apel, Bloomington/Ind. 1968); *D. J. Padbrué* (in: Renaissance-muziek 1400–1600, Fs. R. B. Lenaerts, = Musicologica Lovaniensia I, Löwen 1969); *Social Tensions in »Le nozze di Figaro«* (ML L, 1969); *»Don Giovanni«. Musical Affinities and Dramatic Structure* (StMl XII, 1970); *»Don Giovanni«. An Interpretation* (in: Theatre Research XII, 1973); *Zum Strukturverfahren in den Sinfonien von J. Stamitz* (in: Musicae scientiae collectanea, Fs. K. G. Fellerer, Köln 1973). – Neuere Ausgaben: C. Th. Padbrué, *Nederlandse madrigalen* (= Monumenta musica Neerlandica V, Amsterdam 1962); H. Speuy, *Psalm Preludes* für Org. oder Cemb. (ebd. und Philadelphia 1963); *Six 17th-Cent. Carols from the Netherlands* für 3–4 Singst. (London 1965); in der Sweelinck-GA der Bd I, *The Instrumental Works* (mit A. Annegarn und G. Leonhardt, Amsterdam 1968). N. ist Generaleditor der Faks.-Reihe *Early Music Theory in the Low Countries* (ebd. 1969ff., bislang 4 Bde). Lit.: zu –1): W. PAAP in: Mens en melodie IX, 1954, S. 168ff.

+**Noskowski,** Zygmunt, 1846 – 1909 [nicht: 1908] zu Warschau [nicht: Wiesbaden]. Bis 1902 dirigierte N. die Warschauer Musikgesellschaft und lehrte bis zu seinem Tode am dortigen Konservatorium. Er komponierte insgesamt 18 Opern (darunter +*Wyrok*, »Das Urteil«, Warschau 1906 [nicht: 1907], und +*Zemsta*, »Die Rache«, ebd. 1926 [nicht: 1909]), verfertigte viele Bearbeitungen und veröffentlichte zahlreiche Aufsätze. Bekannt wurden, neben der Symphonie Nr 3 F dur, vor allem die symphonische Dichtung *Step* op. 66 (»Die Steppe«, 1897) und die Konzertouvertüre *Morskie oko* op. 19 (»Meeresauge«, 1875), die noch heute in Polen sehr oft gespielt werden. N. gilt in Polen besonders als verdienstvoller Pädagoge. Lit.: A. SUTKOWSKI, Z. N., = Bibl. słuchacza koncertowego, Seria biogr. II, Krakau 1957; P. RYTEL in: Ruch muzyczny III, 1959, Nr 13, S. 1ff.; W. WROŃSKI, Z. N., = Studia i materiały do dziejów muzyki polskiej VI, Krakau 1960; A. KACZMAREK, Nieznany utwór Z. N.ego (»Ein unbekanntes Werk v. Z. N.«), in: Muzyka XIII, 1967.

Noté (nɔt'e), Jean, * 6. 5. 1859 zu Tournai, † 1. 4. 1922 zu Brüssel; belgischer Sänger (Bariton), studierte am Conservatoire Royal de Musique in Gent, wo er 1883 als Konzertsänger debütierte. Nach Engagements an

den Opern in Gent und Antwerpen kam er 1887 an das Théâtre Royale de la Monnaie in Brüssel. 1893 trat er in der Partie des Rigoletto erstmals an der Pariser Opéra auf, deren Ensemble er bis 1921 angehörte. Gastspiele führten ihn an die Berliner Hofoper, die Covent Garden Opera in London sowie an die Metropolitan Opera in New York (1908–99).

+**Notker Balbulus,** um 840 – 912. Lit.: +P. A. SCHUBIGER, Die Sängerschule St. Gallens (1858), Nachdr. Hildesheim 1966. – G. REICHERT, Strukturprobleme d. älteren Sequenz, DVjs. XXIII, 1949; L. KUNZ, Die Textgestalt d. Sequenz »Congaudent angelorum chori«, DVjs. XXVIII, 1954; J. LEMARIÉ, Les antiennes »Veterem hominem«, in: Ephemerides liturgicae LXXII, 1958; F. HABERL in: Musica sacra LXXXI, 1961, S. 226ff.; H. HÜSCHEN in: MGG IX, 1961, Sp. 1695ff.; BR. STÄBLEIN, Zur Frühgesch. d. Sequenz, AfMw XVIII, 1961; DERS., Probleme d. Sequenz N.s, ebd.; DERS., N.iana, AfMw XIX/XX, 1962/63; J. DUFT, Wie N. zu d. Sequenz kam, Zs. f. Schweizer Kirchengesch. LVI, 1962; J. FROGER, L'épître de N. sur les »Lettres significatives«, in: Etudes grégoriennes V, 1962 (kritische Ed.); H. HAEFELE, N. d. Stammler, = Monumenta Germaniae hist. XII, Bln 1962; H. HUSMANN, Die Hs. Rheinau 71 d. Zentralbibl. Zürich u. d. Frage nach Echtheit u. Entstehung d. St. Galler Sequenzen u. N.schen Prosen, AMl XXXVIII, 1966, vgl. dazu auch AMl XXXIX, 1967, S. 100ff.; R. L. CROCKER, Some 9th-Cent. Sequences, JAMS XX, 1967; J. PIKULIK, Sekwencje N.a B.a w polskich rękopisach muzycznych (»Sequenzen d. N. B. in polnischen Musik-Hss.«), Arch. Bibl. i Muzea Kościelne XVIII, 1968.

+**Notker Labeo,** 950 [del.: 949] – 1022. Ausg.: +GA, 7 Bde, hrsg. v. E. H. SEHRT u. L. STARCK, = Altdeutsche Textbibl. XXXII–XXXIV, XXXVII, XL, XLII u. XLIII(a), Halle (Saale) 1933–54 [erg. früheren Titel], Neue Ausg., fortgeführt v. J. C. KING u. P. W. TAX, Tübingen 1972ff., bisher erschienen Bd V (1972), Boethius' Bearb. d. »Categoriae« (ebd. LXXIII), u. VIIIa (1972), Die Quellen zu d. Psalmen. Psalm 1–50 (ebd. LXXIV). Lit.: E. H. SEHRT, N.-Glossar. Ein ahd.-lat.-nhd. Wörterbuch zu N.s d. Deutschen Schriften, Tübingen 1962; E. S. COLEMAN, Bibliogr. zu N. III. v. St. Gallen, in: Germanic Studies, Fs. E. H. Sehrt, Coral Gables (Fla.) 1968. – N. NEF, Vom Musiktraktate d. N. L., SMZ LXXXVII, 1947; K. OSTBERG, The »Prologi« of N.'s »Boethius«, in: German Life and Letters XVI, 1962/63.

Notowicz, Nathan, * 31. 7. 1911 zu Düsseldorf, † 15. 4. 1968 zu Berlin; deutscher Musikforscher, studierte in Düsseldorf, Köln, Amsterdam und Brüssel, u. a. bei Bücken (Musikwissenschaft), H. Unger (Komposition), W. Andriessen und Askenase (Klavier) und wurde 1932 Lehrer für Musiktheorie am R.-Schumann-Konservatorium in Düsseldorf. 1933 emigrierte er in die Niederlande; 1946 kehrte er nach Deutschland zurück, wurde 1950 Professor für Musikgeschichte am deutschen Hochschule für Musik H. Eisler in Berlin, bei der Gründung des Verbandes Deutscher Komponisten und Musikwissenschaftler (1951) dessen Generalsekretär und 1962 mit Stephanie Eisler Leiter des H.-Eisler-Archivs der Deutschen Akademie der Künste, dem auch die Veröffentlichung einer Eisler-GA obliegt. Von 1962 bis zu seinem Tode war er stellvertretender Vorsitzender der Neuen Bach-Gesellschaft. Er schrieb u. a.: *J. S. Bach an einen Zeitgenossen* (MuG I, 1951); *Ein Zeugnis von J. S. Bach* (MuG II, 1952); *Zur Frage des Realismus und Formalismus* (ebd.); *Sprache und Dialekt in der Musik* (MuG III, 1953); *Unser neues Schaffen und seine Verbreitung* (MuG VI, 1956); *Zum Verzeichnis der Werke H. Eislers* (MuG VIII, 1958); *Eisler und Schönberg* (DJbMw VIII, 1963); *H. Eisler. Quellennachweise* (mit J. Elsner, Lpz. 1966). Lit.: Nachrufe u. Würdigungen v. E. H. Meyer, T. Chrennikow u. a. in: MuG XVIII, 1968, S. 361ff.; »Wir reden nicht v. Napoleon, wir reden v. Ihnen!«, N. N., H. Eisler,

G. Eisler: Gespräche, hrsg. v. J. ELSNER, Bln 1971; E. H.
MEYER, N. N., Sammelbände zur Mg. d. DDR II, hrsg. v.
H. A. Brockhaus u. K. Niemann, ebd.

+**Nottebohm,** Martin Gustav, 1817–82.
+*Zwei Skizzenbücher von Beethoven aus den Jahren 1801
bis 1803,* Nachdr. der NA von P.Mies (1924), Wiesbaden 1970, sowie +*Beethoveniana* (1872), Nachdr. als
Anh. zu *L. van Beethoven. Studien im Generalbass, Con-
trapunkt und in der Compositionslehre,* hrsg. von I.v.
Seyfried, Nachdr. der 2., von H.H. Pierson revidierten
Ausg. (Hbg 1853), Hildesheim 1967, beides dann als
Beethoveniana. Skizzenbücher (hrsg. von P.H.Lang, NY
1970); +*Zweite Beethoveniana* (1887), Nachdr. NY 1970;
+*Mozartiana* (1880), Nachdr. Walluf bei Wiesbaden
1972; +*L. van Beethoven. Thematisches Verzeichnis* (nebst
der *Bibliotheca Beethoveniana* von E.Kastner, hrsg. von
Th.Frimmel), Nachdr. der Ausg. von 1925, Lpz. 1968,
Wiesbaden 1969.
Lit.: G. N.s Briefe an R. Volkmann, hrsg. v. H. CLAUS,
= Beitr. zur westfälischen Mg. I, Lüdenscheid 1967. – H.
J. MOSER, G. N., in: Westfälische Lebensbilder VI, hrsg.
v. W. Steffens u. K. Zuhorn, Münster (Westf.) 1957; FR.
GRASBERGER, G. N., Verdienst u. Schicksal eines Musik-
gelehrten, ÖMZ XII, 1967.

+**Nourrit** [–1) Louis], –2) [erg.: Louis] Adolphe,
1802 zu Montpellier [nicht: Paris] – 1839. –3) Auguste [erg.:] Gabriel Achille, [erg.:] 25. 1. 1805 [nicht:
1808] – 12. 8. [nicht: 11. 1.] 1853.
Lit.: zu –2): J. GHEUSI, La fin désespérée d'A. N., in: Musica (Disques) 1961, Nr 83; R. SIETZ, A. N. u. F. Hiller,
Mf XXI, 1968 (darin Briefe N.s).

Nova, Jacqueline, * 6. 1. 1938 zu Gent; kolumbia-
nische Komponistin belgischer Herkunft, studierte in
Bogotá an der Musikabteilung der Universidad Nacional de Colombia (González-Zuleta, L. A. Escobar) sowie in Buenos Aires bei Ginastera, Kröpfl, Nono, Ussa-
chewsky, Haubenstock-Ramati und Cr.Halffter. Sie
ist künstlerische Leiterin der Agrupación Nueva Música in Bogotá. J. N. komponierte Orchesterwerke (*Ensayo,* 1965; *12 móviles* für Streichorch., 1965; *Metamór-
fosis III,* 1966; *Proyecciones* für Orch. und Projektions-
apparat, 1968), Kammermusik (*Asimetrías* für Fl., 5 Pk.
und 3 Eisenplatten, 1967), Klavierwerke (*Transiciones,*
1965; *Secuencias,* 1968), Vokalwerke (*Uerjayas,* Canto
de los nacimientos, nach einem Text des Stammes Tu-
nebe, für S., verschiedene Männer-St. und Orch., 1966,
bzw. für Stimmen und elektronische Klänge, 1970; *HK
70* für Schlagzeug, Kl., Kb. und Stimmen auf Tonband,
1970), Elektronische Musik (*Oposición–Fusión,* 1968;
Luz–Sonido–Movimiento, 1969; *Resonancias I* für Kl.
und elektronische Klänge, 1970; *Sincronización* für St.,
Kl., Harmonium, Schlagzeug und elektronische Klänge, 1970; *Homaggio a Catullo* für St., Schlagzeug und
elektronische Klänge, 1972) sowie das Rundfunkexpe-
riment *WZK* (1969) und das Experiment *Signo de inter-
rogación* für verschiedene Klangquellen.

Nováček (nˈɔvaːtʃɛk), Ottokar Eugen, * 13. 5. 1866
zu Weißkirchen/Fehértemplom (Südostungarn), heute
Bela Crkva (Jugoslawien), † 3. 2. 1900 zu New York;
ungarischer Violinist und Komponist böhmischer Herkunft, studierte zunächst bei seinem Vater Martin N.
(1834–90), dann 1880–83 bei Dont in Wien und darauf
bei Henry Schradieck und Brodsky am Konservatorium in Leipzig. 1885 erhielt er den Mendelssohn-Preis.
Er war Mitglied des Leipziger Gewandhausorchesters
und 2. Violinist (später Bratschist) des Brodsky-Quar-
tetts. N. wanderte in die USA aus, spielte 1891 im
Boston Symphony Orchestra, im Orchester der Metropolitan Opera in New York und 1892–93 im New
Yorker Damrosch Orchestra. Von seinen Werken seien

genannt: Klavierkonzert (1894); ein noch heute popu-
läres *Perpetuum mobile* für V. und Orch.; 3 Streichquartette (1890, 1891 und 1904, postum); »Bulgarische Tänze« für V. und Kl.; *8 concerto caprices* für V. und Kl.;
ferner Lieder.

+**Nováček,** Zdeněk (Zdenko), * 16. 8. 1923 zu Pilsen.
N. leitete das Musikwissenschaftliche Institut der Slowakischen Akademie der Wissenschaften in Bratislava
bis 1956 und anschließend bis 1962 die dortige Orchesterabteilung des tschechoslowakischen Rundfunks;
seitdem ist er Direktor des Konservatoriums Bratislava.
Die Sammelschrift +*Hudobnovedné štúdie* gab er 1955
heraus. – Weitere Schriften: *Úvod do estetiky hudby*
(Bratislava 1952, deutsch als *Einführung in die Musikästhetik,* Bln 1956); *Robotnícke spevokoly na Slovensku
(1872–1942)* (»Die Arbeitergesangvereine in der Slowakei...«, Bratislava 1960); *Významné hudobné zjavy
a Bratislava v 19. storočia* (»Bedeutende Musikerpersönlichkeiten und Bratislava im 19. Jh.«, ebd. 1962); *45
rokov Konservatória v Bratislave* (»45 Jahre Konservatorium Bratislava«, ebd. 1965); *Hudobné pamiatky Bratis-
lavy* (»Bratislavas Musikdenkmäler«, ebd. 1966); *Sprie-
vodca hudbou 20. storočia* (»Führer durch die Musik des
20. Jh.«, = *Malá moderná encyklopédia* o. Nr, ebd.
1969); *Hudobné rezidenzie na západnom Slovensku* (»Mu-
sikresidenzen in der Westslowakei«, ebd. 1971). – Aufsätze: *Slovensko-sovietské hudobné vztahy v roce 1917–41*
(»Slowakisch-russische Musikbeziehungen...«, in: Hu-
debná veda 1961); *Der entscheidende Einfluß von Liszt
auf die fortschrittliche Musikorientation in Preßburg* (StMl
V, 1963); *Die Musik im Krönungsdom zu St. Martin in
Bratislava im 16. und 17. Jh.* (in: Renaissance-muziek
1400–1600, Fs. R. B. Lenaerts, = Musicologia Lovaniensia I, Löwen 1969).

+**Novaes,** Guiomar, * 28. 2. 1896 [nicht: 1895] zu
São João da Boâ Vista.
G. N. wurden eine Anzahl Ehrungen zuteil (u. a. Pro-
fessor h. c. des Conservatório brasileira de musica in
Rio de Janeiro).
Lit.: A. DE ANDRADE, Apontamentos para uma biogr. de
G. N., Rev. brasileira de musica I, 1962.

Novák (nˈɔvaːk), Jan, * 8. 4. 1921 zu Nová Říše
(Mähren); tschechischer Komponist, studierte bei Petrželka in Brünn und bei Bořkovec an der Musikakademie in Prag, 1947 am Berkshire Music Center in
Tanglewood (Mass.) bei Copland und in New York
bei Martinů, lebte 1948–68 in Brünn, 1968–70 in Dänemark und hält sich seit 1970 in Italien auf. Nach einer
von Martinů und vom Jazz beeinflußten Periode hat N.
einen eigenen, allen Mitteln der Neuen Musik offenen
Stil entwickelt. Als Pianist tritt er zusammen mit seiner
Frau Eliška N.ová (* 30. 7. 1928 zu Brünn) mit Werken für 2 Klaviere auf. – Werke (Auswahl): Variationen über ein Thema von Martinů für 2 Kl. (1949, Orchesterfassung 1959); Konzert für Kl. und Orch.
(1952); Ballett *Svatební košile* (»Die Geisterbraut«, Pilsen 1955); Konzert für 2 Kl. und Orch. (1955); Capriccio für Vc. und Orch. (1958); *Balletti à 9* für Nonett
(1959); *Sonata brevis* für Kl. (1960); *Dulces cantilenae* für
S. und Vc. (1961); *Passer Catulli* für B. und Nonett
(1961); *Ioci vernales* für B., 8 Instr. und Tonband (1964);
Sulpicia, 6 Carmina chorica (1966); *Testamentum Iosephi
Eberle* für gem. Chor und 4 Hörner (1966); Oratorium
Dido nach Vergil für Mezzo-S., Chor, Sprecher und
Orch. (1967); *Catulli Lesbia* für Frauenstimmen (1968);
Ignis pro Ioanne Palach für gem. Chor und Orch. (1969);
Planctus troadum für A., Frauenchor, 8 Vc., 2 Kb. und
2 Schlagzeuger (1969); *Mimus magicus* für S., Klar. und

Kl. (1969); *Exercitia mythologica* für Chor a cappella (1970); *Duo fragmenta* für Kontra-A. und Streichquartett (1970); *Puerilia*, Primi versi (1970) und Rondini für Kl. (1970); *Concentus Eurydicae* für Git. und Orch. (1971); *Orpheus et Eurydice* nach Vergil für S., Va d'amore und Kl. (1971); *Apicius modulatus* für S., T. und Git. (1971); *Rana rupta* nach Phaedrus für gem. Chor (1971); *Invitatio pastorum* für Soli und Chor (1972); *Servato pede et pollicis ictu* nach Horaz für gem. Chor (1972); *Florilegium cantionum Latinorum* für Gesang und Kl. (3 Bde, 1972); *Cantiones Latinae medii et recentioris aevi* für Gesang und Git. (1972); *Columbae pacis et aliae bestiae* für S. oder T. und Kl. (1972); *Panisci fistula*, 3 Praeludien für 3 Fl. (1972); *Rosarium* für 2 Git. (1972); ferner Film- und Schulmusik. CSCH

Novák (n'ɔvɑːk), Jiří František, * 15. 8. 1913 zu Leitmeritz/Litoměřice (Nordböhmen); tschechischer Komponist und Pianist, absolvierte 1943 am Prager Konservatorium die Meisterklasse für Klavier bei Heřman und studierte 1947–51 an der Prager Musikakademie Komposition bei Řídký. 1950 wurde er Lehrer für Musiktheorie am Konservatorium in Prag. Er schrieb die Opern *Já to nejsem* (»Nicht ich bin es«, Prag 1950), *Vojnarka* (»Der Krieger«, 1957), *První velký případ* (»Der erste große Vorfall«, 1963) und *Modrá lilie* (»Die blaue Lilie«, 1963), das Melodram *Noli extorquere a fato . . . quod tibi non pertinet* (nach der Erzählung *The Monkey's Paw* von W. W. Jacobs), Orchesterwerke (Concertino für Xylophon und Orch., 1957), Kammermusik (Serenade für 11 Blasinstr., 1954; Fantasie für 3 Trp., 3 Hörner, 3 Pos. und Tuba, 1957; Quintett für Waldhorn, 2 V., Va und Vc.; Suite für Bläserquintett; Quartett für Klar., Fag., Va und Kl.; Trio für Fl., Va und Git.; Sonate für 2 Trp., Pos. und Schlagzeug; *Skicy*, »Skizzen«, für Kontrabaßtuba, Schlagzeug und Kl.; Passacaglia und Fuge über 3 Themen für 2 Klar. und Baßklar.; Sonate für Ob. und Kl.; *Scintilla parva saepe incendium magnum excitat* für V. solo), die elektronische Komposition *Sen* (»Der Traum«) sowie zahlreiche Kantaten.

Novak (nɔvˈak), Johannes Baptista (Janez Baptist), * um 1756 und † 29. 1. 1833 zu Laibach/Ljubljana; slowenischer Komponist, war einer der Gründer (1794) der Philharmonischen Gesellschaft in Laibach, 1799–1800 deren Orchesterdirigent und 1808–25 deren Musikdirektor. Von seinen Kompositionen sind bekannt die Kantate *Krains Empfindungen über den Besitz ihrer kgl. Hocheit der verwittweten Frau Churfürstin von Pfalzbayern* (1801) und Musik unter dem Titel *Figaro* für die Komödie *Veseli dan ali Matiček se ženi* (»Der lustige Tag oder Matičeks Hochzeit«, 1790) von Anton Tomaž Linhart, die auf Beaumarchais zurückgeht.

Lit.: DR. CVETKO, J. B. N., ein slowenischer Anhänger Mozarts, Kgr.-Ber. Wien Mozartjahr 1956.

+Novák, Vítězslav, 1870–1949.
N., der ab 1920 [nicht: 1919] bis 1922 sowie erneut 1927–28 als Rektor das Prager Konservatorium leitete, war Ehrenmitglied mehrerer Akademien (u. a. der Académie des beaux-arts in Paris, der Accademia nazionale di S.Cecilia in Rom, der Musikakademien in Stockholm und Kopenhagen). – +Sonate für Vc. [nicht: Va und Vc.] und Kl. op. 68 (1941); +Suite *Exotikon* op. 45 (von J.Kouba für V. und Kl. eingerichtet [nicht: später instrumentiert]). – Von Bedeutung sind N.s Chorwerke; genannt seien: 6 Männerchöre op. 37, *Čtyři básně* O.Březiny op. 47 (»4 Gedichte von O.Březina«), 20 Chöre *Ze života* op. 60 (»Aus dem Leben«), *Dvanáct ukolébavek* op. 61 (»12 Wiegenlieder«) und *Maj* op. 72 (»Mai«). – Er veröffentlichte seine Memoiren unter

dem Titel *O sobě a o jiných* (»Über mich und andere«, = Knihy osudů XVII, Prag 1946, ²1970 = Hudba v zrcadle doby VII).

Lit.: R. BUDIŠ, V. N., Výběrová bibliogr. (»Ausw.-Bibliogr.«), Prag 1967; J. KŘÍSTKOVÁ, V. N., Bibliogr., = Bibliogr. Knihovny města Ostravy IV, Ostrau 1970. – Sborník na počest 60. narozenin (»Fs. zum 60. Geburtstag«), hrsg. v. B. VOMÁČKA u. ST. HANUŠ, Prag 1930; V. N., Studie a vzpomínky (»Studien u. Erinnerungen«), hrsg. v. A. SRBA, ebd. 1932, mit Nachträgen 1935 u. 1941; V. N. a Kamenice nad Lipou (Symposium 1970), Kamenice nad Lipou 1971; Aufsatzfolge in: Hudební věda VIII, 1971, S. 55ff.; Národní umělec V. N. (»Der Nationalkünstler V. N.«), hrsg. v. K. PADRÍA u. B. ŠTĚDROŇ, České Budějovice 1972. – A. HÁBA, V. N., = Pro život XVII, Prag 1940; V. ŠTĚPÁN, N. a Suk, ebd. 1945; I. BELSA, V. N., Moskau 1957; J. HOLEČKOVÁ, Z písňové tvorby V. N.a. Tři velké cykly z let 1901–06 (»Aus V. N.s Liedschaffen. 3 große Zyklen aus d. Jahren 1901–06«), in: Živá hudba I, 1959 (mit deutscher u. russ. Zusammenfassung); B. MIKODA, Sborová tvorba V. N.a (»V. N.s Chorschaffen«), in: Sborník vyšší pedagogické školy v Plzni, Pedagogie-umění II, 1959; VL. LEBL, V. N., Život a dílo (»Leben u. Werk«), Prag 1964 u. 1967, deutsch, frz., engl. u. russ. 1968; M. SCHNIERER, Vztahy V. N.a k Universální Edici (»V. N.s Beziehungen zur Universal-Ed.«), Diplomarbeit Brünn 1967, Auszug in: Opus musicum I, 1969, S. 289ff.; DERS., Tvůrčí cesta umění V. N.a (»Die Entwicklung v. V. N.s Kunst«), Diss. ebd. 1968; B, ŠTĚDROŇ, V. N. v obrazech (»N. in Bildern«), Prag 1967; J. MATĚJČEK, V. N., ein Spätromantiker aus d. Tschechoslowakei, NZfM CXXX, 1969; K. JANEČEK in: Hudební rozhledy XXIII, 1970, S. 555ff.; L. POLJAKOWA, W. N. i jewo opera »Karlschtejn« (»V. N. u. seine Oper ,Karlstein'«), SM XXXIV, 1970; J. VOLEK, V. N. a secese (»V. N. u. d. Sezession«), in: Opus musicum II, 1970; J. KRESÁNEK in: Slovenská hudba XV, 1971, S. 217ff.; FR. PALA in: Hudební rozhledy XXIV, 1971, S. 78ff. (zu »Pan« op. 43). CSCH

+Novákovo kvarteto (Novák-Quartett).
An die Stelle des ab 1958 mitwirkenden Primarius Bohuslav Purger (* 12. 2. 1928 zu Písek) trat 1961 Antonín Novák (* 21. 4. 1936 zu Stehelčeves bei Kladno). In dieser Zusammensetzung war das Ensemble weiterhin international erfolgreich, bis 1968 die Ereignisse in der ČSSR zur Trennung der Mitglieder führten. Während D. →Pandula, der Gründer des ursprünglichen Ensembles, das in der Bundesrepublik Deutschland von ihm neu gebildete Novák-Quartett in Pandula-Quartett umbenannte, setzten Josef Podjukl (* 28. 2. 1914 zu Kroměříž/Kremsier) und Jaroslav Chovanec (* 30. 3. 1925 zu Frýdek/Friedek) unter Beibehaltung des alten Namensbezeichnung die Arbeit in der ČSSR fort, nunmehr mit den neuen Mitgliedern Jan Pellant (* 11. 11. 1948 zu Prag) als 1. Violinisten und Pavel Arazim (* 17. 10. 1948 zu Litoměřice/Leitmeritz) als 2. Violinisten. In dieser Besetzung konzertierte das Ensemble auch wieder im Ausland.

Novalis (Pseudonym für Georg Philipp Friedrich von Hardenberg), * 2. 5. 1772 zu Oberwiederstedt (Grafschaft Mansfeld), † 25. 3. 1801 zu Weißenfels; deutscher Dichter, studierte 1790–93 Jura in Jena, Leipzig und Wittenberg sowie ab 1797 Bergbauwesen in Freiberg (Sachsen) und wurde 1800 Assessor bei der sächsischen Salinenverwaltung. Er schrieb u. a. *Hymnen an die Nacht* (1797), *Fragmente* (1797–1801), den Roman *Heinrich von Ofterdingen* (1798–1801) und *Geistliche Lieder* (1799). Seine Gedanken über Musik sind nicht aus spezifischer Musiktheorie oder -praxis hervorgegangen; sie sind wesentlicher Bestandteil eines in »Aphorismen« und »Fragmenten« angelegten Plans, alle Wissenschaften durch den Nachweis ihrer analogen Grundstruktur in einem enzyklopädischen System zu verbinden und auf eine universale mathematische

Gleichung zurückzuführen. So wird u. a. auch »chemische Musik« denkbar, und Mathematik offenbart sich in Musik als »schaffender Idealismus«. Das empirische Subjekt und die Objektwelt wie auch ihre Wechselbeziehungen und ihre Geschichte gründen in »logarithmischen« und analog musikalisch-rhythmischen Verhältnissen. In der Gleichsetzung von Musik und »Algeber« und der Idee eines nach Zahlenrelationen organisierten Universums knüpft N. an pythagoreisches und neuplatonisches Denken an. Die in den *Fragmenten* geforderte Rückführung der »prosaisierten« Sprache in »Gesang« verwirklicht er im Klangreichtum, »melodischen« Fließen und in der kontinuierlichen Musikthematik der eigenen Dichtungen (besonders im *Heinrich von Ofterdingen*). – Einer Tendenz seiner Zeit folgend, trug sich N. mit dem Plan zu einem neuen geistlichen Gesangbuch. Einige seiner *Geistlichen Lieder* fanden in der herrnhutischen Gemeinde rasch Verbreitung bzw. wurden in lutherische Gesangbücher aufgenommen. – Unter den zahlreichen Vertonungen seiner Texte sind 6 Lieder Schuberts hervorzuheben (*Marie*, Geistliche Lieder Nr 15, D 658; *Hymnen* I–IV, Geistliche Lieder Nr 9, 7, 6 und 5, D 659–62; *Nachthymne* aus *Hymnen an die Nacht*, 1797, Nr 4, D 687). An weiteren Komponisten sind u. a. zu nennen: J.Fr.Reichardt, C.Loewe, H.Goetz, Diepenbrock, Reger, K. v. Wolfurt und Schoeck. Schließlich ist auf die ideellen Übereinstimmungen zwischen den *Hymnen an die Nacht* und Wagners *Tristan* hinzuweisen.
Ausg.: Schriften, hrsg. v. Fr. Schlegel u. L. Tieck, 2 Bde, Bln 1802, ⁵1837; Schriften, 3. Teil, hrsg. v. L. Tieck u. E. v. Bülow, Bln 1846; Schriften. Die Werke Fr. v. Hardenbergs, 2. Aufl. d. 4bändigen Ausg. v. (Lpz.) 1929, hrsg. v. P. Kluckhohn, R. Samuel u. a., 4 Bde u. 1 Begleit-Bd, Stuttgart 1960ff. (bisher 3 Bde erschienen).
Lit.: W. Hilbert, Die Musikästhetik d. Frühromantik, Remscheid 1911; W. Flörcke, N. u. d. Musik, mit besonderer Berücksichtigung d. Mus. in N.' »Hymnen an d. Nacht«, Diss. Marburg 1928; E. Tiegel, Das Mus. in d. romantische Prosa, Diss. Erlangen 1934; A. Henkel, Die spekulative Musikanschauung d. N., Diss. Graz 1941; ders. in: MGG IX, 1961, Sp. 1727ff.; A. J. Bus, Der Mythus d. Musik in N.' »Heinrich v. Ofterdingen«, Alkmaar 1947; M. Dyck, N. and Mathematics. A Study of Fr. v. Hardenbergs Fragments on Mathematics and Its Relation to Magic, Music, Religion, Philosophy, Language, and Lit., = Univ. Studies in the Germanic Languages and Lit. XXVII, Chapel Hill (N. C.) 1960; J. Mittenzwei, Die Identität v. Poesie u. Musik in d. Vorstellung d. N., in: Das Mus. in d. Lit., Halle (Saale) 1962. KDG

Novaro, Augusto Carlos, * 3. 1. 1892 und † 11. 10. 1960 zu Tacubaya (D. F.); mexikanischer Mathematiker, Physiker und Musikinstrumentenbauer, entwickelte eine mathematisch und gehörphysiologisch fundierte Theorie der Tonverbindungen und der Intervallteilung nach dem Prinzip der Obertonreihe. Mit seiner »natürlichen Musiktheorie« versuchte er einerseits, die Musik aller Zeiten und Länder zu erklären, zum anderen gelangte er zu einem neuen System der temperierten Stimmung und zum Bau von Stimmapparaten, Tonmessern sowie von besonders konstruierten Musikinstrumenten (Klaviere, Streichinstrumente, Gitarren, ein Cembalo). Er schrieb: *Teoría de la música. Base del sistema natural* (México/D. F. 1925); *Nueva teoría para la perfecta afinación temporada del piano y de cualquier instrumento de teclado* (ebd. 1933); *Sistema natural de la música* (ebd. 1951).
Lit.: D. Castañeda, E. de Zubeldía y las teorías mus. de A. N., Vorw. zu: E. de Zubeldía, »11 tientos« f. Kl., México (D. F.) 1946; E. Pulido, Algo sobre las teorías de A. N., in: Heterofonía III, 1970/71.

+Novello.
–1) Vincent, 1781–1861. Er erwarb »Mainzer's Musical Times« bereits 1844 [nicht: 1846]. –2) Joseph Alfred, 1810 – 16. [nicht: 17.] 7. 1896.
[erg.: Alfred] Henry Littleton, [erg.:] 7. 1. 1823 zu London – 1888. – Walter Littleton (* 11. 12. 1878 zu Sydenham/London, † 11. 4. 1963 zu Brighton) war Chairman des Verlages bis 1962, anschließend bis 1970 war es sein Sohn Henry. 1970 wurde der Verlag, der weiterhin in London als Novello & Company Limited firmiert, von dem Konzern »Granada Group« erworben.
–3) Mary Victoria, 1809–98. –4) Clara Anastasia, 1818–1908.
Lit.: A Cent. and a Half in Soho. A Short Hist. of the Firm of N., Publishers and Printers of Music, 1811–1961, London 1961. – +A Mozart Pilgrimage. Being the Travel Diaries of V. & M. N. in the Year 1829 (übertragen u. zusammengestellt v. N. Medici di Marignano, hrsg. v. R. Hughes, 1955), deutsch als: Eine Wallfahrt zu Mozart ..., Bonn 1959, vgl. dazu auch E. Lauer in: Acta Mozartiana X, 1963, S. 26ff. – D. J. Masson, A Reminiscence of Cl. N., ML L, 1969.

Novello (nəv'elou), Ivor (eigentlich Ivor Novello Davies), * 15. 1. 1893 zu Cardiff, † 6. 3. 1951 zu London; englischer Schauspieler, Film- und Bühnenautor und Komponist, Sohn einer Gesangslehrerin, erfand zu dem Text *Keep the House Fires Burning* von Lena Guilbert Ford die Melodie (1914) und damit einen der populärsten Soldatensongs, den England und die USA im 1. Weltkrieg kannten. Auf der Bühne wurde *Theodor & Co.* (London 1916, Mitautor und Komponist) sein erstes Erfolgsstück. 1919 gab er in den USA sein Debüt als Filmschauspieler in *L'appel du sang*. Danach gelang ihm in London eine anhaltende Serie von Publikumserfolgen, u. a. mit den (später auch verfilmten) Bühnenstücken *The Rat, Downhill* (mit Constance Collier, 1923 bzw. 1925) und *The Truth Game* (1928) sowie ab 1935 mit den Musiklustspielen *Glamourous Night, Full House, Careless Rapture, Crest of the Wave, The Dancing Years* (1939, verfilmt 1950) und *King's Rhapsody* (1949).
Lit.: P. Noble, I. N., Man of the Theatre, London 1951, als Taschenbuch 1952.

+Noverre, Jean Georges, 1727–1810.
Ausg.: +Lettres sur la danse ..., hrsg. v. A. Lévinson, Paris 1927, auch = Les classiques de la danse I, ebd. 1952, russ. v. A. A. Gwosden u. I. I. Sollertinskij, Leningrad 1927, engl. nach d. Ausg. St.Petersburg 1803 v. C. W. Beaumont, London 1930, NA Brooklyn (N. Y.) 1966, rumänisch Bukarest 1967 [del. bzw. erg. frühere Angaben dazu].
Lit.: +H. Abert, J. G. N. ..., in: Gesammelte Schriften (1929), Nachdr. Tutzing 1968; +ders., N. Jommelli als Opernkomponist (1908), Nachdr. ebd. 1969. – L.-N. Michon, Un portrait de J. G. N. par J. B. Perronneau, Rev. de musicol. XLI/XLII, 1958; P. Tugal, J. G. N., d. große Reformator d. Balletts, Bln 1959; L. Moore, Unlisted Ballets by J. G. N., Theatre Notebook XV, 1960/61; W. Pfannkuch in: MGG IX, 1961, Sp. 1734ff.; M. Krüger, J.-G. N. u. sein Einfluß auf d. Ballettgestaltung, = Die Schaubühne LXI, Emsdetten i. W. 1963; H. Kindermann, N. in Stuttgart u. Wien, in: Maske u. Kothurn XIII, 1967; G. Winkler, Das Wiener Ballett v. N. bis F. Elßler, Diss. Wien 1967.

+Novotná, Jarmila, 23. 9. 1907 [nicht: 1903] zu Prag.
Sie war Mitglied der Metropolitan Opera in New York bis 1956. In den USA wirkte sie in mehreren Filmen mit. J. N., österreichische Kammersängerin seit 1934, lebt heute in Wien.

Novotný (n'ɔvɔtni:), Břetislav, * 10. 1. 1924 zu Vsetín (Mähren); tschechischer Violinist, Schüler von

Voldan (Violine) und L. Černý (Kammermusik), absolvierte 1950 das Prager Konservatorium und war 1954–61 Konzertmeister des FOK-Symphonieorchesters. Er ist außerordentlicher Professor seit 1970 an der Prager Musikakademie und seit 1972 am Prager Konservatorium. 1951–55 war er Primarius des →Pražské kvarteto und gründete 1955 mit dem Violoncellisten Zdeněk Koníček das →Prager Streichquartett, dessen Leitung er seitdem innehat.

+**Novotný,** Václav Juda, 1849 – 1. 8. [nicht: Ende Juli] 1922.

+**Nowak,** Leopold, * 17. 8. 1904 zu Wien.
N.s Promotionsarbeit (1927) *Das deutsche Gesellschaftslied bei H. Finck, P. Hofhaymer und H. Isaac* erschien erweitert als (separate) Einleitung zu +DTÖ XXXVII, 2, Bd 72 (StMw XVII, 1930) [der frühere Titel, +*Grundzüge einer Geschichte des Basso ostinato*, Wien 1932, ist seine Habil.-Schrift]. An der Universität Wien lehrte er ab 1932 [nicht: 1939] (außerordentlicher Professor 1939, erneuert 1946). Er leitete die Musiksammlung der Österreichischen Nationalbibliothek in Wien bis 1969. Zu seinem 60. Geburtstag wurde er mit einer Festschrift geehrt (*Bruckner-Studien*, hrsg. von Fr. Grasberger, Wien 1964, mit Schriftenverz.). N. ist wissenschaftlicher Leiter der →+Bruckner-GA. – Neuere Veröffentlichungen: +*J. Haydn* (= Amalthea-Biographien IV, 1951), 2. revidierte Aufl. Zürich 1959, ³1966, auch Wien 1959; Ausstellungskat. *J. Haydn* (Wien, Neue Hofburg) und *J. Haydn und seine Zeit* (Schloß Petronell) (beide Wien 1959); *A. Bruckner* (ebd. 1964); Ausstellungskat. *A. Bruckner und Linz* (Linz 1964); *Gegen den Strom. Leben und Werk von E. N. v. Reznicek* (mit F. v. Reznicek, Zürich 1960, Auszug in: ÖMZ XV, 1960, S. 190ff.); *Latein und Kirchenmusik* (ÖMZ XXI, 1966); *Volkslied und Wissenschaft* (Jb. des österreichischen Volksliedwerkes XVI, 1967); *Improvisationen des elfjährigen H. Pfitzner* (ÖMZ XXIV, 1969); *Die Erwerbung des Mozart-Requiems durch die k. k. Hofbibliothek im Jahre 1838* (Fs. J. Stummvoll, = Museion, N. F. II, 4, Wien 1970, Bd I); *Die Skizzen zum Finale der Es-Dur-Symphonie GA 99 von J. Haydn* (in: Haydn-Studien II, 3, 1970); *J. Haydn und die Weltgeltung seiner Musik* (ÖMZ XXV, 1970); weitere Beiträge zur Bruckner-Forschung (u. a. in: Fs. K. G. Fellerer, Regensburg 1962; Fs. A. van Hoboken, Mainz 1962; Fs. H. Engel, Kassel 1964; Wissenschaft im Dienst des Glaubens, Fs. H. Peich OSB, Wien 1965; Beethoven-Studien, = Österreichische Akademie der Wissenschaften, Sb. CCLXX, Veröff. der Kommission für Musikforschung XI, ebd. 1970). – Ausgaben: J. Haydn, *Konzert für Vc. und Orch. D-dur* (Erstdruck nach der autographen Partitur, mit Kadenzen von E. Mainardi, = Museion, N. F. III, 1, ebd. 1962); Faks.-Ausg. der Schlußszene von R. Strauss' *Der Rosenkavalier* (ebd. 1964); in der Neuen Mozart-Ausg. das *Requiem* K.-V. 626 (2 Bde, = I, 1, Abt. 2, Kassel 1965). Er ist ferner seit 1952 Mitherausgeber des *Jahrbuchs des österreichischen Volksliedwerkes*.
Lit.: FR. GRASBERGER in: ÖMZ XIII, 1958, S. 267ff.

Nowak (n'ouvæk), Lionel, * 25. 9. 1911 zu Cleveland (O.); amerikanischer Komponist, studierte Klavier bei Edwin Fischer in Berlin (1929) und absolvierte das Cleveland Institute of Music (Artist Diploma 1930, B. Mus. 1933, M. Mus. 1936). Er war 1938–42 Musical Director der Humphrey-Weidman Modern Dance Company sowie 1946–48 Professor of Music und Assistant Dean der School of Music der Syracuse University (N. Y.); 1948 wurde er Professor of Music (Klavier und Komposition) am Bennington College (Vt.). Er komponierte u. a. ein Concertino für Kl. und Kam-

merorch. (1944), *Fantasia* für Kammerorch. (1952), ein Konzertstück für Pk. und Streichorch. (1961), Kammermusik (Sonatine für V. und Kl., 1944; 3 Sonaten für Vc. und Kl., 1949, 1951 und 1960; Trio für Klar., V. und Vc., 1951; Quartett für Ob. und Streicher, 1952; Divertimento für 2 V., 1953; Klaviertrio, 1954), Klavierstücke (Praeludium, 1963; *Soundscape*, 1964), Vokalwerke (*5 Nemerov Songs* für Mezzo-S., Vc. und Kl., 1950; *Poems for Music* für T., V., Vc., Klar. und Kl., 1951; *4 Songs from Vermont* für T. und Kl., 1953) sowie Ballette für die Choreographen Limon (*Mexican Dances*, 1939), Weidman (*On My Mother's Side*, 1940; *Fickers*, 1942; *House Divised*, 1945) und Doris Humphrey (*Square Dances*, 1939; *The Green Land*, 1941; *The Story of Mankind*, 1948).

+**Nowakowski,** Anton [erg.:] Alfons, * 10. 2. 1897 zu Langenau (bei Danzig), [erg.:] † 3. 1. 1969 zu Stuttgart.
1963–66 leitete er auch Meisterkurse an der Internationalen Sommerakademie des Mozarteums in Salzburg.

Nowikow, Anatolij Grigorjewitsch, * 18.(30.) 10. 1896 zu Skopin (Gouvernement Rjasan); russisch-sowjetischer Komponist, studierte 1921–27 bei Glière am Moskauer Staatlichen Konservatorium. 1920–30 leitete er Militärchöre in der Roten Armee, 1938–49 wirkte er als künstlerischer Leiter des Gesang- und Tanzensembles der Wsessojusnyj Zentralnyj Sowjet Professionalnych Sojasow/WZSPS (»Zentralrat der Gewerkschaften der UdSSR«). Er schrieb u. a. die Operetten *Lewscha* (»Der Linkshänder«, Irkutsk 1957), *Kogda ty so mnoju* (»Als du mit mir«, 1961), *Kamilla* (1964), *Ossoboje sadanije* (»Der besondere Auftrag«, 1965) und *Tschornaja berjosa* (»Die schwarze Birke«, 1969), die Kantaten *Nam nuschen mir* (»Wir brauchen Frieden«, 1954) und *Swesda solotaja* (»Der goldene Stern«, 1955, komponiert anläßlich des 200jährigen Bestehens der Moskauer Universität), mehrere Lieder (*Gimn demokratitscheskoj molodjoschi mira*, »Die Hymne der demokratischen Weltjugend«, 1947) sowie Musik für Bühne, Film und Rundfunk.
Lit.: R. VL. GLESER, A. Gr. N., Moskau 1957; W. A. WASSINA-GROSSMAN, Massowaja pesnja (»Massenlieder«), in: Istorija russkoj sowjetskoj musyki, hrsg. v. A. D. Alexejew u. W. A. Wassina-Grossman, ebd. 1959; I. WERSCHININA, Chorowaja musyka (»Chormusik«), ebd. Bd IV, 1, 1963; G. A. POLJANOWSKIJ, A. N., ebd. 1971 (mit Werkverz.).

Nowikow, Andrej Porfirjewitsch, * 17.(30.) 10. 1909 zu Barnaul (am Ob); russisch-sowjetischer Komponist und Chordirigent, studierte 1931–35 Komposition bei Pjotr Rjasanow am Leningrader Konservatorium und war 1935–39 musikalischer Leiter des Rundfunks in Nowosibirsk. Seit 1939 leitet er das Militär-Gesang- und Tanzensemble in Westsibirien. 1944–65 war N. Vorsitzender des Sibirischen Komponistenverbandes. Er schrieb u. a. die Oper *Bespridanniza* (»Frau ohne Heiratsgut«, nach Alexandr Ostrowskij, 1945), die symphonischen Suiten *Chakasskaja* (»Aus Chakassien«, 1935) und *Sowjetskaja Chakassija* (»Sowjetisches Chakassien«, 1950), ein Balalaikakonzert (1955), ein Klaviertrio (1948), eine Sonate für V. und Kl. (1937) sowie Lieder und Filmmusik.

Nowka, Dieter (Dietrich) Werner Fritz, * 7. 7. 1924 zu Madlow (Kreis Cottbus); deutscher Komponist, studierte 1943–44 als Externer an der Hochschule für Musik in Berlin (-Charlottenburg) bei Grabner (Musiktheorie und Komposition) sowie 1952–54 an der Deutschen Akademie der Künste in Berlin bei Eisler und Butting (Komposition). Seit 1954 lebt er als freischaffender Komponist in Schwerin. 1961 wurde er

Vorsitzender des Komponistenverbands der DDR. N. komponierte die sorbische Volksoper *Jan Suschka* (Cottbus 1958), die Oper *Die Erbschaft* (nach Maupassant auf ein eigenes Libretto, Schwerin 1960), das Ballett *Eine Bauernlegende* (ebd. 1958), Orchesterwerke (3 Symphonien, 1958, 1963 und 1969; *Wendische Suite*, 1953; *Wendische Tänze 1–5*, 1954, und *6–8*, 1959; 2 sorbische Ouvertüren, 1956; *Lausitzer Triptychon*, 1963; Metamorphosen, 1966; *Konzertante Variationen* über ein Thema von Eisler, 1968; 2 Sinfonietten, 1972; Sonate Nr 3 für Kammerorch., Cemb., Hf. und Schlagzeug, 1967; 2 Klavierkonzerte, Nr 1 für die linke Hand, 1967, und Nr 2, 1972; 2 Violinkonzerte, 1957 und 1967; Konzert für Ob. und Kammerorch., 1955; Konzert für Englisch Horn, Streicher, Hf. und Pk., 1961, Neufassung als *Romanze und Rondo* für Klar., Englisch Horn und Streichorch., 1970; *Drei Batten* für 5 Sax. und Orch., 1962, Kammermusik (Divertimento für Nonett, 1972; Divertimento für Kl. und Bläserquintett, 1964; Sextett für 2 Ob., 2 Hörner und 2 Fag., 1965; 2 Bläserquintette, 1956 und 1968; Serenade für Horn, Streichtrio und Hf., 1967; 3 Streichquartette, Nr 1, 1957, Nr 2, 1956, und Nr 3, *Zur Jugendweihe*, 1960; *Oberek* für Trp. und Kl., 1964), Klavierwerke (*Sonata burleska*, 1954; Sonate Nr 2, 1955; Fünf Klavierstücke, 1971) und Vokalwerke (*Wider den Krieg*, 4 Gesänge für Bar. und Orch., 1960; *Lied von der neuen Zeit* für Bar., Chor und Orch., 1964; Solokantate *Fernstraße 5* für Bar. und Orch., 1970; *Zukunftsmusik*, 1973, für Chor a cappella).

+**Nowowiejski,** –1) Feliks, 1877 – 18. [nicht: 23.] 1. 1946.
Zu N.s Kompositionen zählen ferner die Oper *Legenda Bałtyku* (»Baltische Legende«, Posen 1924), 2 Ballette, 5 Symphonien, 3 symphonische Dichtungen, ein Klavierkonzert (1941), ein Cellokonzert (1938), Kammermusik, Klavier- und Orgelwerke, Oratorien, Messen, Kantaten, geistliche und weltliche Chorwerke und zahlreiche Lieder.
Lit.: F. M. u. K. Nowowiejski, Charakterystyka spuścizny rękopiśmiennej F. N.ego (»Beschreibung d. hs. Nachlasses v. F. N.«), in: Rocznik Olsztyński II, 1959; dies., Dookoła kompozytora. Wspomnienia o ojcu (»Um d. Komponisten. Erinnerung an d. Vater«), Posen 1968; J. Boehm, F. N., Olsztyn 1968; ders., Powiązania z krajem i rozwój artystyczny F. N.ego w latach 1905–09 (»F. N.s Verbindung mit d. Heimat u. seine künstlerische Entwicklung in d. Jahren 1905–09«), in: Rocznik Olsztyński XIII, 1970.

+**Nucius,** Johannes, vermutlich zwischen 1560 und 1563 [del.: um 1556] – 1620.
Ausg.: Ausgew. Motetten, hrsg. v. J. Kindermann, = EDM, Sonderreihe V, Wiesbaden 1968; 4 Motetten zu 5 u. 6 St., hrsg. v. dems., = Chw. CX, Wolfenbüttel 1969.
Lit.: J. Güldenmeister, Ein oberschlesischer Meister altklass. Polyphonie, in: Musica sacra LXXIX, 1959; H. Unverricht in: Schlesische Lebensbilder V, 1968, S. 24ff.

+**Nuitter,** Charles Louis Étienne, 1828 – 23. [nicht: 24.] 2. 1899.
Er schrieb neben den Textvorlagen für die Ballette *La source* (Delibes und Minkus, Paris 1866), *Coppélia* (Delibes, ebd. 1870) und *Namouna* (Lalo, 1882) für Offenbach *Les bavards* (Bad Ems 1862), *Die Rheinnixen* (Wien 1864), *Vert-Vert* (mit Meilhac, Paris 1869) und *Maître Péronilla* (mit Offenbach und P. Ferrier, ebd. 1878) sowie (mit E. Tréfeu) *Il Signor Fagotto* (Bad Ems 1863), *Jeanne qui pleure et Jean qui rit* (ebd. 1864), *Le fifre enchanté* (ebd.), *Coscoletto ou Le lazzarone* (ebd. 1865), *La princesse de Trébizonde* (Baden-Baden 1869) und *Boule de neige* (Paris 1871). – +*Les origines de l'opéra français* (1886), Nachdr. Genf 1972.
Lit.: A. Feldmann, Truinet. Ch. N., Paris 1900.

Nummi, Seppo Antero Yrjönpoika, * 30. 5. 1932 zu Oulu; finnischer Komponist und Musikschriftsteller, studierte an der Universität und an der Sibelius-Akatemia in Helsinki. Er gilt als wichtigster Fortführer der finnischen Liedtradition seit Kilpinen (bisheriges Œuvre über 200 Lieder nebst Kammer- und Klaviermusik) und ist einer der führenden finnischen Musikkritiker und Organisatoren. N. gründete u. a. das Kulturfestival Jyväskylän Kesä (»Sommer von Jyväskylä«). – Veröffentlichungen (schwedisch): *Musica Fennica* (mit T. Mäkinen, Helsinki 1965, auch engl., deutsch, frz., span. und russ.); *Modern musik. Finlands musikhistoria från första världskriget fram till vår tid* (Stockholm 1966, finnisch Helsinki 1969).

Nunes Garcia (nˊuniʃ gˊarsjɐ), Padre José Maurício, * 22. 9. 1761 und † 18. 4. 1830 zu Rio de Janeiro; brasilianischer Kirchenkapellmeister und Komponist (Mulatte), ließ sich 1792 zum Priester weihen, war Mitgründer (1784) der Bruderschaft der hl. Cäcilie und wurde 1792 auch zum Kapellmeister der Kathedrale von Rio de Janeiro berufen. In seinem Privathaus gründete er eine Musikschule, die er bis zu seinem Tode leitete. Als sich der portugiesische Hof unter João VI. auf der Flucht vor den napoleonischen Truppen 1808 in Rio de Janeiro niederließ, wurde N. G. zum Inspektor und Dirigenten der Königlichen Kapelle ernannt. Die Intrigen des 1811 dorthin gekommenen Komponisten M. Portugal trugen dazu bei, daß er an Einfluß verlor und 1816 die Leitung der Kapelle abgeben mußte. Er war ein ausgezeichneter Kenner der europäischen Musik, besonders J. Haydns. N. G. komponierte vorwiegend geistliche Musik, darunter 11 Antiphonen, 2 Magnificat, 28 Litaneien, 7 Motetten, 7 Te Deum, 5 Psalmen, 11 Tantum ergo, 27 Graduale, 4 Offertorien, 4 Stabat mater, 21 Messen (davon 3 *Missas de Requiem*: 1799, 1809 und 1816) und eine *Symphonia fúnebre*; von den weltlichen Werken seien die Oper *Le due gemelle* (Rio de Janeiro 1813, nicht erhalten), ein *Côro para o entremês* (1809), Musik zu den Dramen *O triumpho da América* (1809) und *Ulissea* (1809), eine Ouvertüre D dur und eine *Sinfonia tempestade* genannt. N. G. verfaßte auch ein *Compendio de música e methodo de pianoforte* (1821). – José Maurício N. G. (Filho) (* 10. 12. 1808 und † 19. 10. 1884 zu Rio de Janeiro), ein Sohn, den N. G. kurz vor seinem Tode legitimierte, war Arzt und Komponist; er schrieb geistliche Musik (darunter zumindest 2 Messen) und weltliche Gebrauchsmusik (Walzer, Romanzen u. a.).
Lit.: Cl. Peron de Mattos, Cat. temático das obras do Padre J. M. N. G., Rio de Janeiro 1970. – M. Araujo Pôrto-Alegre, Apontamentos sobre a vida e obras do Padre J. M. N. G., Rev. do Inst. hist. e geográfico brasileiro XIX, 1856; V. de Taunay, Uma grande gloria brasileira. J. M. N. G., São Paulo 1930 (Gedenkschrift, mit Werkverz.); L. H. Corrêa de Azevedo, Obras do Padre J. M. ..., in: Illustração mus. I, 1930: ders., Um velho compositor brasileiro, J. M. N. G. ..., Bol. lat.-americano de música I, 1935; ders., 150 anos de música no Brasil, Rio de Janeiro 1956; ders., A música na corte portuguêsa do Rio de Janeiro (1808–21), Paris 1969; Fr. P. Sinzig, Em foco ... o Padre J. M., in: Música sacra III, (Rio de Janeiro) 1943; ders., O magnum mysterium do Padre J. M., ebd. V, 1945; ders., O Padre J. M. N. G., ebd. VI, 1946; J. Subirá, Hist. de la música española y hispano-americana, Barcelona 1953, deutsch Zürich 1957; Fr. C. Lange, Sobre las difíciles huellas de la música antigua del Brasil. La »Missa abreviada« del Padre J. M. N. G., Inter-American Inst. f. Mus. Research, Yearbook I, 1965; ders., A organização mus. durante o período colonial brasileiro, Actas do V Colóquio internacional de estudos luso-brasileiros, Coimbra 1966; ders., A música

»barroca«, in: Hist. geral da civilização brasileira, Bd I, 2: A época colonial, São Paulo 1966; DERS., A música erudita na regência e no império, ebd. V, 3: O Brasil monárquico, 1967; DERS., La música en Villa Rica (Minas Gerais, s. XVIII), Rev. mus. chilena XXI, 1967 – XXII, 1968. – zu J. M. G. N. (Filho): FR. C. LANGE, Estudios brasileños (mauricinas), I: Mss. en la Bibl. Nacional, Rev. de estudios mus. I, 1950, S. 176ff.

Núñez Allauca (n′uɲeθ aʎ′aŭka), Alejandro, * 1. 4. 1943 zu Moquegua; peruanischer Komponist, begann seine Studien bei Manuel Cabrera (1956–58), setzte sie am Conservatorio Nacional de Música in Lima fort (1960–66) und studierte dann Harmonielehre und Kontrapunkt bei Sas Orchassal (1965–66) und elektronische Komposition bei Kröpfl und Brnčić sowie Analyse der Musik des 20. Jh. bei Gandini in Buenos Aires. Er entwickelte eine Ornamenttheorie, die eine harmonische und kontrapunktische Verbindung gleicher oder ungleicher Ornamente systematisiert und unendliche Kombinationsmöglichkeiten für die Komposition bietet. N. A. schrieb: *Salmo 100* für 4st. Chor (1967) und für 8st. Chor (1969); *Diferenciales I* (1967) und *II* (1968) für Kl.; *Variables* für 6 Instr. und Tonband (1968); Streichquartett Nr 1 (1969); Konzert für Orch. (1970); *Moto ornamentale e perpetuo* für Kl. (1970); *Gravitación humana* für Tonband (1970); *Sinfonía ornamental* für Orch. (1971); *Concierto ornamental* für Kl. und Orch. (1972).

Núñez Navarrete (n′uɲeθ naβarr′ete), Pedro, * 3. 8. 1906 zu Constitución (Provinz Maule); chilenischer Komponist, studierte Komposition bei P. H. Allende sowie Klavier bei Norman Frazer, Juan Reyes und Rosita Renard. Er war dann als Schulmusiker tätig und gründete 1924 die Sociedad Chilena de Música, die bis 1943 bestand. 1969 wurde er Professor für Theorie und Solfège der Universidad Austral de Chile in Valdivia. N. N. komponierte Orchesterwerke (*El caballero de la piel de tigre*, 1968), Kammermusik (2 Streichquartette, 1939 und 1968; Quintett für Blechbläser, 1968), Klavierwerke (Fuge, 1937; Sonatine, 1938; Sonate, 1967), Kantaten, Chöre und Lieder (*3 canciones de nostalgia* für Solo-St., 1967).

+Nunn, Edward Cuthbert, 23. 2. [nicht: 11.] 1868 – 1914.

Nurẹyev, Rudolf (Nurejew), * 17. 3. 1938 auf einer Eisenbahnfahrt am Baikalsee in der Nähe von Irkutsk (Sibirien); früher sowjetischer, heute staatenloser Tänzer und Choreograph, begann seine Ausbildung in Sibirien und trat 1955 in die Leningrader Ballettschule ein, wo er hauptsächlich bei A. Puschkin studierte. 1958 wurde er Mitglied des Leningrader Kirow-Balletts und machte schnell eine außergewöhnliche Karriere. 1961 trennte er sich in Paris von seiner Kompanie und lebt seither als Emigrant in London. Er ist inzwischen mit zahlreichen Kompanien in der westlichen Welt aufgetreten, am häufigsten und kontinuierlichsten mit dem englischen Royal Ballet, mit dem er auch zahlreiche Europa- und Amerikatourneen absolviert hat. N. ist ein Tänzer von außergewöhnlicher Faszination, der allen Rollen, den klassischen sowohl wie den modernen, den unverwechselbaren Stempel seiner Individualität aufprägt. Seit seiner 1963 erfolgten Einstudierung der Petipa-Choreographie des 4. Aktes von *La bayadère* (Minkus) für das Royal Ballet hat er sich auch als Übermittler der klassischen St. Petersburg-Leningrader Originalchoreographien von Petipa und L. Iwanow Verdienste erworben. Zu seinen interessantesten Einstudierungen von Ballettklassikern gehören: »Raymonda« (Glasunow, Spoleto 1964); »Schwanensee« (Tschai-

kowsky, Wien 1964); »La bella addormentata« (»Dornröschen«, Tschaikowsky, Mailand 1966), *Don Quixote* (Minkus, Wien 1966) und »Nötknäpparen« (»Nußknacker«, Tschaikowsky, Stockholm 1967). 1966 choreographierte er die Uraufführung von Henzes *Tancredi* an der Wiener Staatsoper. Er schrieb *An Autobiography in Pictures* (hrsg. von A. Bland, London 1962). Lit.: K. MONEY, The Art of the Royal Ballet, Cleveland (O.) 1965; H. SAAL in: Det besta 1965, H. 10, S. 23ff.; KL. GEITEL, Der Tänzer R. N., = Rembrandt-Reihe LV, Bln 1967.

Nußgruber, Walther, * 8. 8. 1919 zu Wien; österreichischer Komponist, studierte 1937–49 an der Wiener Musikakademie (A. Uhl), an der er 1962 Lehrer für Improvisation, Harmonielehre und Korrepetition an der Abteilung für Musikpädagogik sowie nach einer Ausbildung zum Musiktherapeuten (1959–62) Dozent für musikalische Improvisation in der Musiktherapie wurde. 1963 wurde ihm der Professorentitel verliehen. Er komponierte u. a. Tanzbühnenwerke (*Dämonenkampf*), Orchesterwerke (Symphonische Dichtung *Winterwald*, 1937; Sinfonietta, 1947, Neufassung 1969; *Rondo extatico* für Kl., Pk. und Streichorch., 1971; Konzert für Kl. und Orch., 1973), Kammermusik (6 Dialoge für je Fl., Klar., Fag., V., Va und Vc. und Kl.), Klavierwerke (10 Sonaten), Orgelmusik (*Das große Choralwerk*), das geistliche Oratorium *Via passionis* für Soli, Chor und Orch. (1961), Messen (*Mariazeller Festmesse*, 1957; *Missa S. Francisci*) sowie Kantaten, Motetten und Lieder. Außerdem veröffentlichte er einen Beitrag *Über das sinfonische Werk von A. Skrjabin* (in: Musikerziehung XXVI, 1972/73).

+Nussio, Otmar, * 23. 10. 1902 zu Grosseto (Toskana).
1953 gründete N. die »Concerti di Lugano«, deren künstlerische Leitung er bis 1966 innehatte. Von seinen zahlreichen weiteren Werken seien genannt: das Ballett *Le bal des voleurs* (nach Anouilh, Brüssel 1955); *Monologhi di vita e di morte* (1958) und *Alborada* (1971) für Orch.; Klavierkonzert (1960), Variationen über ein Thema von Pergolesi für Fag. und Streichorch. (1953), *Passatempo donchisciottesco* für Klar. und Orch. (1971); Streichquartett (1959), Sonate für 2 Fl. (1971); *Cantata ticinese* für Soli, Chor und Orch. (1962), *Divertimento all'inchiostro di cina* für S., T. und Orch. (1971); über 100 Lieder mit Klavier- oder Orchesterbegleitung.

Nyffenegger, Esther, * 20. 7. 1941 zu Zürich; Schweizer Violoncellistin und Pianistin, studierte Klavier am Konservatorium Winterthur und Violoncello an der Musikhochschule Zürich (Sturzenegger). Seit 1960 ist sie Mitglied des Kammermusikensembles Zürich. 1962–68 war sie Solovioloncellistin der Festival Strings Lucerne. Sie unternimmt ausgedehnte Konzertreisen als Kammermusikerin und als Solistin durch Europa sowie nach Amerika und Südafrika.

+Nyíregyházi, Ervin, * 19. 1. 1903 zu Budapest. Seine Lebensspur verlor sich in Los Angeles.

+Nystedt, Knut, * 3. 9. 1915 zu Oslo. Weitere Werke: »Visions« *The Seven Seals* op. 46 (nach der Offenbarung Johannis, 1958–60) und *Collocations* op. 53 (1963) für Orch., *Intrada festiva* für Symphonic Band op. 60 (1969); Requiem *Pia memoria* für 9 Blasinstr. (1972); mittlerweile 4 Streichquartette (op. 1, 1938; op. 23, 1948; op. 40, 1956; op. 56, 1966); *Fantasia trionfale* op. 37 (1955–69), Partita op. 44 (1958) und *Pietà* op. 50 für Org.; Kantate *Lucis creator optime* für S., Bar., Chor, Org. und Orch. op. 58 (1968); *The Moment* für S., Celesta und Schlagzeug op. 52 (1962);

De profundis op. 54 (1964), *Praise to God* op. 55 (1966) und *Three Proverbs* op. 61 (Sprüche Salomos, 1968–69) für a cappella-Chor.
Lit.: F. Benestad in: Norsk musikktidsskrift 1970, Nr 1, S. 1ff. (zu »Lucis creator optime«).

+Nystroem, Gösta, * 13. 10. 1890 zu Silvberg (Dalarna), [erg.:] † 9. 8. 1966 zu Varberg (Halland).
Neuere Werke: *Concerto ricercante* für Kl., Streicher, Hf., Celesta und Schlagzeug (1959); Oper *Herr Arnes penningar* (»Die Gelder des Herrn Arne«, Göteborg 1961); 2. Streichquartett (1961); *Sinfonia seria* und *Sinfonia di lontana* für Orch. (1963); *Summer Music* für S. und Kammerorch. (1964); *Sinfonia tramontana* für Orch.

(1965). N.s Erinnerungen erschienen posthum als *Allt jag minns är lust och ljus* (»Immer erinnere ich mich vergnüglich und genau«, hrsg. von K. Jacobsson, Stockholm 1968).
Lit.: A. Thoor in: Musikrevy international 1959, S. 42ff.; Ders. G. N. and H. Rosenberg, ebd. 1960; A. Reimers in: Musikrevy XV, 1960, S. 141ff.; Ders. in: Nutida musik VII, 1963/64, H. 1, S. 25ff. (zur »Sinfonia seria«); Ders. in: Musik-kultur XXIX, 1965, H. 5, S. 4ff.; P. L. K. Christensen, The Orch. Works of G. N., Diss. Univ. of Washington 1961; Bj. Johansson in: Konsertnytt II, 1966/67, H. 6, S. 26ff., u. V, 1969/70, H. 7, S. 20ff.; C.-G. St. Mörner in: Biblioteksbladet LXII, 1967, S. 290ff. (Diskographie).

O

+Oberborbeck, Felix, * 1. 3. 1900 zu Essen.
O. wurde 1962 als Professor an der Pädagogischen Hochschule in Vechta (Niedersachsen) emeritiert. Die Kommission für Musikerziehung der Gesellschaft für Musikforschung leitete er 1952–59. – *+Deutsch und Musikunterricht* (= Musikpädagogische Bibl. VI, Lpz. 1929) [del. bzw. erg. früheren Titel]; *+Kleiner Chorleiterkurs. Ein Wegweiser für Laiendirigenten* (²1957, zuerst veröff. in: Deutsche Sängerbundeszeitung XLV, 1956), Mönchengladbach ³1964; *+Musik in der Schule* (7 Bde, 1951–56), Bd VIII Wolfenbüttel 1964. – Neuere Aufsätze: *Zur Situation der Musikerziehung in der Schule* (in: Musik als Lebenshilfe, hrsg. von E. Kraus, Hbg 1958); *Das Problem der pädagogischen Verspätung in der Musik* (in: Musik und Musikerziehung in der Reifezeit, hrsg. von dems., Mainz 1960); *Remscheids Musikleben von 1918 bis 1960* (in: Musik im Raume Remscheid, hrsg. von K. G. Fellerer); *Ein Dokument musischer Erziehung im Bergischen Lande aus dem Beginn des 19. Jh.* (in: Studien zur Musikgeschichte des Rheinlandes II, Fs. K. G. Fellerer, ebd. LII, 1962); zahlreiche Beiträge zum (deutschen) Chormusikwesen.
Lit.: H. Lemacher in: Musica sacra LXXX, 1960, S. 81ff.; Rheinische Musiker IV, hrsg. v. K. G. Fellerer, = Beitr. zur rheinischen Mg. LXIV, Köln 1966, S. 84ff.; F. O. zum 70. Geburtstag, hrsg. v. Fr. Piersig, Wolfenbüttel 1970.

+Oberdörffer [–1) Martin], –2) Fritz (Oberdoerffer), * 4. 11. 1895 zu Hamburg, Neffe [nicht: Sohn] von –1). Er lehrte bis vor wenigen Jahren als Professor an der University of Texas in Austin und schrieb den Beitrag *Neuere Generalbaßstudien* (AMl XXXIX, 1967, vgl. dazu auch die Diskussion mit R. Donington und G. J. Buelow in: AMl XL, 1968, S. 178ff., bzw. XLI, 1969, S. 236ff.).

+Oberhoffer, Heinrich, 1824 – 30. 5. [nicht: 29./30. 10.] 1885.
O. wurde 1868 luxemburgischer Staatsbürger; er zählt zu den bedeutendsten Musikpersönlichkeiten dieses Landes im 19. Jh.
Lit.: H. Lonnendonker in: Rheinische Musiker IV, hrsg. v. K. G. Fellerer, = Beitr. zur rheinischen Mg. LXIV, Köln 1966, S. 88ff.

Gebr. Oberlinger OHG, deutsche Orgelbaufirma in Windesheim (bei Bad Kreuznach), gegründet 1860 von Jakob O. Das Unternehmen, dem das Musik-Haus O. angeschlossen ist, baut Pfeifenorgeln; es wird gegenwärtig geleitet von Hermann und Ernst O.

Obermair, Gilbert, * 26. 2. 1934 zu Wels (Oberösterreich); österreichischer Komponist und Textdichter von Schlagern, lebt in München. Er studierte an der Wiener Hochschule für Welthandel (Diplomkaufmann und Dr. der Handelswissenschaft) sowie an Konservatorien in Wien und Frankfurt a. M. Ab 1961 war er Produktionsleiter bei CBS (Columbia Broadcasting System) und ist seit 1964 als freier Produzent, Komponist und Texter tätig. Er komponierte u. a. die Schlager *Johnny, nimm das Heimweh mit* (1961) und *Das war die Lady Chatterley* (1962). Als Texter ist er mit *Ca-*

rina (1960), *Mr. Paganini* (1961) und *Romantica* (1961) hervorgetreten.

Obermayer's Nachfolger Max Horngacher, deutsche Harfenbauanstalt in Starnberg (Oberbayern), gegründet 1928 von Harfenbaumeister Josef Obermayer sen. († 1966), später übernommen von dessen Sohn Josef Obermayer jun. († 1960). Die Firma, die etwa 12 Konzertharfen pro Jahr baut, leitet gegenwärtig Harfenbaumeister Max Horngacher. Für die *Meistersinger*-Aufführungen der Bayreuther Festspiele 1970 konstruierte dieser eine spezielle »Beckmesserharfe«, ein kleines, mit 18 Stahlsaiten bespanntes Instrument, das auf einem dreibeinigen Fuß fest montiert ist.

+Oborin, Lew Nikolajewitsch, * 29. 8. (11. 9.) 1907 und [erg.:] † 5. 1. 1974 zu Moskau.
1954–59 und ab 1965 leitete O. eine Klavierklasse am Moskauer Konservatorium. 1940–63 bildete er ein Klaviertrio mit D. Oistrach und Swjatoslaw Knuschewizkij; er war auch Duopartner von D. Oistrach. A. Chatschaturjan widmete ihm ein Klavierkonzert. Zu seinen bekanntesten Schülern zählt Vl. Ashkenazy.
Lit.: D. A. Rabinowitsch, Portrety pianistow, Moskau 1962, ²1970; S. Chentowa, L. O., Leningrad 1964.

Obouhov, Nicolas → **+Obuchow,** N.

+Oboussier, Robert, 1900–57.
+Die Sinfonien Beethovens (1937) erschien in 2. und 3. Aufl. Bln 1957 bzw. 1961; gesammelte Essays und Rezensionen wurden von M. Hürlimann als *Berliner Musikchronik 1930–38* herausgegeben (Zürich 1969).
Lit.: K. H. Wörner in: Musica VIII, 1954, S. 427ff. (mit Werkverz.); Fr. Wohlfahrt, ebd. XI. 1957, S. 380ff.; ders. in: SMZ XCIX, 1959, S. 308ff.

Obradović (ɔbr'adɔvitç), Aleksandar, * 22. 8. 1927 zu Bled (Slowenien); jugoslawischer Komponist, absolvierte als Schüler von Logar 1952 die Belgrader Musikakademie und studierte 1959–60 bei Berkeley in London sowie 1966–67 am Electronic Music Center der Columbia University in New York. Seit 1954 wirkt er an der Belgrader Musikakademie, wo er jetzt Professor für Komposition ist. Er schrieb u. a. das Ballett *Prolećni uranak* (»Frühlings Erwachen«, 1949), Orchesterwerke (*Simfonijsko kolo*, 1949; *Komitska igra*, »Komisches Spiel«, 1950; 3 Symphonien, Nr 1, 1952, Nr 2, 1961, und Nr 3, *Mikro simfonija*, für Tonband und Orch., 1967; Konzert für Klar. und Streichorch., 1958; *Scherzo in modo dodecafonico*, 1962; *Epitaf H* für Tonband und Orch., 1965; Concertino für Kl. und Streichorch., 1967), Kammermusik (Quintett für Fl., Klar. und Streichtrio, 1951; *Platani* für Kammerensemble, 1964), Klavierwerke (*Male varijacije*, »Kleine Variationen«, 1949; *Simfonijski epitaf* für Rezitator, Chor und Orch. (1959), *Plameni vjetar* (»Flammender Wind«), Liederzyklus für Bar. und Orch. (1955), Chöre (*Mala horska svita*, »Kleine Chorsuite«, 1948); Massenlieder (*Pesma mladih*, »Lieder der Jungen«; *Na kamen kamen*, »Auf einen Stein einen Stein«), Kinderlieder, Elektronische Musik (Toccata und Fuge, 1967) sowie Bühnen- und Filmmusik.

Lit.: Vl. Peričić, Muzički stvaraoci u Srbiji (»Musik-schaffen in Serbien«), Belgrad 1969, S. 351ff.

+Obrecht, Jacob, 22. 11. 1450 oder 1451 wahrschein-lich zu Bergen op Zoom (Nordbrabant) oder auf Si-zilien oder zu Bavai (Hennegau) [erg. frühere Angaben hierzu] – 1505.
Ausg.: +Werken v. J. O. (J. Wolf, 30 Lieferungen = 7 Bde, 1912–21), Nachdr. Farnborough 1968. – +Opera omnia, Ed. altera, hrsg. v. A. Smijers, ab Bd VI v. M. van Crevel, Amsterdam 1953ff. [nicht: 1958ff.], bisher erschienen: Bd I, Faszikel 1–5 (1953–57), Messen »Je ne demande«, »Graecorum«, »Fortuna desperata«, »Malheur me bat« u. »Salve diva parens«; II, 1–2 (1956–58), Motetti; VI (1959), Missa »Sub tuum presidium«; VII (1964), Missa »Maria zart« (vgl. dazu u. a. J. A. Bank in: TVer XX, 3, 1966, S. 170ff., H. Kirchmeyer in: NZfM CXXIV, 1963, S. 130ff., u. C. Dahlhaus in: Mf XX, 1967, S. 425ff.). – Missa »Salve diva parens« u. Kyrie aus d. Messe »Si dedero«, in: Der Mensuralkod. d. N. Apel, Teil I–II, hrsg. v. R. Gerber, = EdM XXXII–XXXIII, Abt. MA IV–V, Kassel 1956–60; G. Dufay, J. Ockeghem, J. O., »Missae Caput«, hrsg. v. A. E. Planchart, = Coll. mus. V, New Haven (Conn.) 1964; ein Satz in: Das Liederbuch d. J. Heer v. Glarus, hrsg. v. A. Geering u. H. Trümpy, = Schweizerische Musikdenkmäler V, Basel 1967.
Lit.: J. C. E. Huizinga, J. O., Bibliogr., lijst v. composi-ties, discografie, Amsterdam 1969. – +O. Gombosi, J. O., Eine stilkritische Studie (1925), Nachdr. Walluf bei Wies-baden 1972. – G. Reese, Music in the Renaissance, NY 1954, revidiert 1959; M. Antonowytsch, Renaissance-Tendenzen in d. »Fortuna desperata«-Messen v. Josquin u. O., Mf IX, 1956; B. Murray, J. O.'s Connection with the Church of Our Lady in Antwerp, RBM XI, 1957; ders., New Light on J. O.'s Development. A Biogr. Study, MQ XLIII, 1957; J. Quitin, A propos des H. Naich de Liège et d'un tableau de la Galleria Pitti à Florence, RBM XI, 1957; E. Sindona, È H. Naich e non J. Hobrecht il compagno cantore del Verdelot nel quadro della Galleria Pitti, AMl XXIX, 1957; A. Salop, The Masses of J. O., 2 Bde (I Kommentar, II Musikbeispiele), Diss. Indiana Univ. 1959; ders., J. O. and the Early De-velopment of Harmonic Polyphony, JAMS XVII, 1964; L. Lockwood, A Note on O.'s Mass »Sub tuum praesi-dium«, RBM XIV, 1960; M. van Crevel, Structuurge-heimen bij O., TVer XIX, 1/2, 1960–61, deutsch in: Mu-sica XV, 1961, S. 252ff.; R. B. Lenaerts in: Musica XV, 1961, S. 155ff.; E. H. Sparks, C. f. in Mass and Motet, 1420–1520, Berkeley (Calif.) 1963; H. Moog, J. O.s Mo-tettenschaffen, in: Musica sacra LXXXV, 1965; K. Vel-lekoop, Zusammenhänge zwischen Text u. Zahl in d. Kompositionsart J. O.s. Analyse d. Motette »Parce Do-mine«, TVer XX, 3, 1966; H. Hofmann-Brandt, Eine neue Quelle ma. Mehrstimmigkeit, Fs. Br. Stäblein, Kas-sel 1967; W. Elders, Studien zur Symbolik in d. Musik d. alten Niederländer = Utrechtse bijdragen tot de mw. IV, Bilthoven 1968; L. G. van Hoorn, J. O., Den Haag 1968; A. Dunning, Die Staatsmotette 1480–1555, Utrecht 1970; J. E. Buning-Jurgens, More About J. O.'s »Parce Do-mine«, TVer XXI, 3, 1970; R. Nowotny, Mensur, C. f., Satz in d. Caput-Messen v. Dufay, Ockeghem u. O., Diss. München 1970; Sister M. E. Nagle, The Structural Role of the C. f. in the Motets of J. O., Diss. Univ. of Michigan 1972.

+O'Brien, Charles H. F., * 6. 9. 1882 und [erg.:] † 27. 6. 1968 zu Edinburgh.
O'Br.s Œuvre umfaßt je 3 Ouvertüren und Suiten für Orch., 2 Klaviertrios, eine Sonate für Klar. und Kl., eine Suite für V. und Kl., je 2 Rhapsodien und Suiten für Kl. sowie etwa 70 Lieder.

+Obuchow, Nikolas (Nicolas Obouhov), 1892–1954.
O. arbeitete an seinem Hauptwerk +Le livre de vie bis an sein Lebensende; die +Hymne mondial wurde bereits 1937 aufgeführt. Das elektronische Instrument »Croix sonore« stellte O. 1926 [nicht: 1934] öffentlich vor.
Lit.: E. L.(ebeau), Les mss. de N. Obouhov au Départe-ment de la musique de la Bibl. nationale, FAM XV, 1968; E. Vermeulen in: Sonorum speculum 1970, Nr 42, S. 17ff.

+Očadlík, Mirko, * 1. 3. 1904 zu Holešov (Mähren), [erg.:] † 26. 6. 1964 zu Prag.
An der Prager Karlsuniversität lehrte O. bis 1959 (1954–58 Dekan der philosophischen Fakultät). 1959 gründete er das Forschungsinstitut für tschechische Musikgeschichte an der Karlsuniversität, das er auch leitete. 1930–34 gab er die Zeitschrift Klíč (»Der Schlüssel«) und 1956–62 die Sammelschrift Miscellanea musicologica (darin viele eigene Beiträge, besonders zu B. Smetana) heraus. – Weitere Schriften (alle in Prag erschienen): +Svět orchestru (»Die Welt des Orchesters«, 1942–46), 3. bzw. 6. neubearb. Aufl. = Čtení o hudbě XVI bzw. XX, 1962 bzw. 1965; Smetanovi libretisté (»Smetanas Librettisten«, 1948); Vyprávění o B. Smeta-novi (»Über B. Smetana«, = Čtení o hudbě VIII, 1960); Klavírní skladby B. Smetany (»B. Smetanas Klavierwer-ke«, 1962); über 3000 Artikel, Rundfunk- und Fern-sehvorträge. – Er gab heraus Zpěv českého obrození (»Gesänge der tschechischen Wiedergeburt«, 1940), ferner zahlreiche Materialien zu Smetanas Leben und Werk, dessen Klavierwerke (3 Bde, 1944–57), sowie Praschkije pisma P. I. Tschajkowskowo (»P. I. Tschaikow-skys Prager Briefe«, 1949, russ.).
Lit.: J. Berkovec in: Hudební rozhledy VII, 1954, S. 112f.; J. Racek in: Musikologie IV, 1955, S. 526ff.; Vl. Lébl, M. O. a jého muzikologické dílo (»M. O. u. sein mw. Werk«), in: Hudební věda I, 1964; Fr. Hrabal, R. Wagner a my. Mezi dvěma světovými válkami. In margine Helfert-O. (»R. Wagner u. wir. Zwischen d. 2 Weltkrie-gen. Im besonderen d. Stellungnahme v. Helfert-O.«), in: Miscellanea musicologica XVIII, 1965 (mit deutscher Zu-sammenfassung).

+Očenáš, Andrej, * 8. 1. 1911 zu Selce (bei Banská Bystrica, Slowakei).
1949–54 lehrte O. Komposition am Konservatorium Bratislava (bis 1952 auch Direktor); er wirkte 1957–62 als Leiter der Musikabteilung am tschechoslowakischen Rundfunk in Bratislava und war bis 1970 1. Sekretär des slowakischen Komponistenverbandes. – Neuere Werke: Ballett Vrchárska pieseň (»Lied der Berge«, 1954, uraufgeführt Banská Bystrica 1964); Klaviersui-ten Nová jar op. 11 (»Neuer Frühling«, 1954) und Mladosť op. 14 (»Jugend«, 1954); Suite Ruralia slovaca für Orch. op. 19 (1957); +Klavierkonzert op. 20 (1959); Pastely für Org. op. 21 (1960); symphonische Tetra-logie Pamätníky slávy (»Denkmäler des Ruhmes«) für Orch. (1957–61); Concertino für Fl. und Kl. op. 27 (auch mit Streichorch., 1962); Zyklus O živote (»Über das Leben«) für Männerchor op. 28 (1963); Concerto rustico für Cimbalom, Streichorch. und Kl. (1963); Lieder Ako hviezdy padajú (»Wie die Sterne fallen«) für S. und Kl. op. 31 (1964); Sinfonietta für Orch. op. 35 (1966); Klaviertrio op. 36 (1967); Fresky für V. und Kl. op. 37 (1967); Poema o srdci (»Das Poem vom Herzen«) für V. solo op. 38 (1967); Portréty für Org. op. 39 (1968); Suite Don Quixote für V. und Vc. op. 40 (1970); »Bühnensymphonie« Román o ruži (»Ro-man von der Rose«) für Solo, Chor und kleines Orch. op. 41 (1970); 2. Streichquartett Etudové kvarteto op. 42 (1971); Symphonie O zemi a človeku (»Von Erde und Mensch«) für Chor und Orch. op. 43 (1970); Klavier-sonate Zvony op. 44 (»Glocken«, 1972); Májová pre-dohra (»Maivorspiel«) für Orch. op. 45 (1972).
Lit.: I. Vajda, »Ruralia slovaca« A. O.a, in: Hudební rozhledy XIII, 1960; ders., Komorné diela A. O.a (»Die Kammermusik v. A. O.«), in: Slovenská hudba XII, 1968; J. Kresánek, ebd. V, 1961, S. 21ff.; E. Pensdorfová in: Hudební rozhledy XVII, 1964, S. 270f. (Gespräch).

+Ochlewski, Tadeusz, * 10.(22.) 3. 1894 zu Olszana (Ukraine).
1927–39 lehrte O. als Professor für Violine am Warschauer Konservatorium. Direktor des 1945 von ihm gegründeten Polnischen Musikverlags →Polskie Wydawnictwo Muzyczne war er bis 1965. O., der heute in Warschau lebt, leitet dort seit 1963 das Ensemble für alte Musik »Con moto ma cantabile«.

Ochman, Wiesław, * 6. 2. 1937 zu Warschau; polnischer Sänger (Tenor), Schüler von Gustaw Serafin, Maria Szłapka und Sergiusz Nadgryzowski, debütierte als Edgar in *Lucia di Lammermoor* von Donizetti an der Opera Śląska in Beuthen/Bytom, an der er bis 1963 engagiert war. Über die Oper in Krakau kam er 1964 an die Warschauer Staatsoper. 1966–68 war er Mitglied der Deutschen Staatsoper in Berlin. O. ist neben seinem Warschauer Engagement Mitglied der Hamburgischen Staatsoper (seit 1967), ist als Gast u. a. in München (seit 1967), Chicago, San Francisco, Paris und Genf aufgetreten und sang ab 1969 beim Glyndebourne Festival sowie ab 1973 bei den Salzburger Festspielen. In seinem Repertoire nimmt neben dem italienischen Fach die Neue Musik eine beachtliche Stellung ein; er wirkte bei der Uraufführung des *Dies irae* von Penderecki mit.

+Ochs, Siegfried, 1858 – 5. [nicht: 6.] 2. 1929.
Lit.: M. G. SARNECK in: Musica XII, 1958, S. 230f.

Ochsenbein, Diego Frédéric (Pseudonym Derrik Olsen), * 30. 3. 1923 zu Bern; Schweizer Sänger (Baßbariton), studierte in Genf bei Rose Féart und Ilona Durigo, war 1950–56 Charakterbariton am Stadttheater Basel, übte dann in verschiedenen europäischen Ländern eine Gastspieltätigkeit aus und wurde 1958 Leiter der Orchesterabteilung von Radio Zürich. Seit seinem Debüt 1961 am Teatro Colón in Buenos Aires ist O. an bedeutenden europäischen Bühnen aufgetreten (1962 Mailänder Scala). O. hat sich auch als Konzertsänger einen Namen gemacht. Er ist Professor für Gesang an der Musikhochschule in Genf.

+Ochsenkhun, Sebastian (Ochsenkuhn, Ochsenkun), 1521–74.
Lit.: K. DORFMÜLLER, Studien zur Lautenmusik in d. ersten Hälfte d. 16. Jh., = Münchner Veröff. zur Mg. XI, Tutzing 1967.

+Ockeghem, Johannes, um 1425 – 6. 2. 1496 (alter Stil) bzw. 1497 (neuer Stil) [del. bzw. erg. frühere Lebensdaten].
Ausg.: +GA, hrsg. v. DR. PLAMENAC, Bd I, Messen I–VIII (1927), Nachdr. Hildesheim u. Wiesbaden 1968, 2. verbesserte Aufl. = Studies and Documents III, NY 1959, Bd II, Masses and Mass Sections IX–XVI (= Studies and Documents I, 1947), NY ²1966 [erg. frühere Angaben]. – G. Dufay, J. O., J. Obrecht, »Missae Caput«, hrsg. v. A. E. PLANCHART, = Coll. mus. V, New Haven (Conn.) 1964; Josquin des Prez' Qui habitat 24 v. u. J. O.s Deo gratias 36 v., hrsg. v. E. STAM, = Exempla musica Neerlandica VI, Amsterdam 1971.
Lit.: +H. L. GLAREANUS, Dodecachordon (1547), Faks.-Ausg. = MMMLF II, 65, NY 1967, in engl. Übers. hrsg. v. CL. A. MILLER, 2 Bde. = MSD VI, (Rom) 1965; +E. THOINAN, Déploration de G. Cretin sur le trépas de J. O. ... (1864), Nachdr. London 1965; +O. GOMBOSI, J. Obrecht (1925), Nachdr. Walluf bei Wiesbaden 1972; +W. STEPHAN, Die burgundisch-nld. Motette zur Zeit O.s (1937), Nachdr. Kassel 1973; +M. BUKOFZER, Studies in Medieval & Renaissance Music (1950), Nachdr. NY 1964; +G. REESE, Music in the Renaissance (1954), revidiert NY 1959; +FR. BRENN [nicht: BRAUN], O.s spiritueller Rhythmus (1958). – J. O. en zijn tijd, Ausstellungskat. Dendermonde (Termonde) 1970. – D. R. BEIKMAN, The Uses of Terms f. Music. J. O., Diss. Univ. of Chicago 1957; E. KŘENEK, Ein »moderner« Meister d. XV. Jh., Schöpferische Begeg-

nung mit J. O., NZfM CXIX, 1958; M. PICKER, The Chanson Albums of Marguerite of Austria, Mss 228 and 11239 of the Bibl. Royale de Belgique, Brussels, Ann. mus. VI, 1958–63; C. DAHLHAUS, O.s »Fuga trium v.«, Mf XIII, 1960; E. H. SPARKS, C. f. in Mass and Motet, 1420–1520, Berkeley (Calif.) 1963; H. M. BROWN, The Genesis of a Style. The Parisian Chanson, 1500–30, in: Chanson and Madrigal 1480–1530, hrsg. v. J. Haar, = Isham Library Papers II, Cambridge (Mass.) 1964; R. ZIMMERMANN, Stilkritische Anm. zum Werk O.s, AfMw XXII, 1965; K. BOEHMER, Zur Theorie d. offenen Form in d. Neuen Musik, Darmstadt 1967; E. L. KOTTICK, The Chansonnier cordiforme, JAMS XX, 1967; W. ELDERS, Studien zur Symbolik in d. Musik d. alten Niederländer, = Utrechtse bijdragen tot de mw. IV, Bilthoven 1968; M. HENZE, Studien zu d. Messenkompositionen J. O.s, = Berliner Studien zur Mw. XII, Bln 1968; J. CURRY, A Computer-Aided Analytical Study of Kyries in Selected Masses by J. O., Diss. Univ. of Iowa 1969; FR. LESURE, O. à Notre-Dame de Paris (1463–70), in: Essays in Musicology, Fs. Dr. Plamenac, Pittsburgh (Pa.) 1969; E. LOWINSKY, O.'s Canon f. Thirty-six V., An Essay in Mus. Iconography, ebd.; R. NOWOTNY, Mensur, C. f., Satz in d. Caput-Messen v. Dufay, O. u. Obrecht, Diss. München 1970; M. WITTE, Ein mißdeuteter Rhythmus in O.s »Requiem«, Mf XXIII, 1970; E. F. HOUGHTON, Rhythmic Structure in the Masses and Motets of J. O., Diss. Univ. of California at Berkeley 1971.

+Odak, Krsto, * 20. 3. 1888 zu Siverić (Kroatien), [erg.:] † 4. 11. 1965 zu Zagreb.
Professor für Komposition an der Musikakademie in Zagreb war O. bis 1961. – Weitere Werke: 3. und 4. Symphonie (1961 bzw. 1965); Klavierkonzert (1963); Divertimento für Sax. (1957), Concertino für Fag. (1958) und *Air i rondeau* für V. (1962) mit Streichorch.; Kantate *Radost* (»Freude«) für B., gem. Chor und Orch. (1959). – O.s +Modulationslehre *Modulacija* erschien 1954 [nicht: 1956].

Odd, Conny → Ortwein, Carlernst.

+Oddone Sulli-Rao, Elisabetta (Pseudonym Elisodd), * 13. 8. 1878 und [erg.:] † 3. 3. 1972 zu Mailand.

Odegard (ˈoudəgɑːd), Peter Sigurd, * 26. 2. 1929 zu Pittsfield (Mass.); amerikanischer Komponist, studierte an der Harvard University in Cambridge/Mass. (B. A. 1951) und der University of California in Berkeley (M. A. 1955), an der er 1964 mit einer Dissertation über *The Variation Sets of A. Schoenberg* (»Addendum« dazu in: MR XXVII, 1966, S. 102ff.) zum Ph. D. promovierte. Er lehrte als Assistant Professor 1963–65 an der University of California in Berkeley, 1965–66 an der University of Western Ontario in London (Kanada) und 1966–68 an der University of California in Irvine, an der er 1968 Associate Professor wurde. Er schrieb Bühnenmusik (*Othello* für Streichquartett, Horn, Trp. und Schlagzeug, 1953; Ouvertüre zu Jean Genets »The Maids« mit dem Titel *Cantata, 1963 a piacere* für S. und Orch., 1963; »The Persecution and Assassination of Marat ... « von Peter Weiß, 1967), Instrumentalwerke (Konzert für Streichquartett und Orch., 1955; *Variations and Cadenza* für Streichquartett, 1956; *Five Pieces for Two Quartets*, 1960; *Five Pieces* für kleines Orch., 1966) und Lieder.

+Odington, Walter, [erg.:] * um 1278.
Ausg.: De speculatione musicae, hrsg. v. FR. F. HAMMOND, = CSM XIV, (Rom) 1970.
Lit.: +G. REESE, Music in the Middle Ages (1940), ital. Mailand 1964. – FR. F. HAMMOND, The »Summa de speculatione musicae« of W. O., Diss. Yale Univ. (Conn.) 1965 (kritische Ausg. u. Kommentar); FR. RECKOW, Der Musiktraktat d. Anon. 4, Teil II, = BzAfMw V, Wiesbaden 1967; DERS., Proprietas u. perfectio, AMl XXXIX, 1967.

Odnoposoff (ɔdnopos'ɔf), Adolfo, * 22. 2. 1917 zu Buenos Aires; argentinischer Violoncellist, Bruder von Ricardo O., war 1922–28 Schüler von Alberto Schiuma und Sánchez Carrera, ging dann nach Berlin, wo er bis 1932 seine Studien bei Feuermann, bis 1934 bei P. Grümmer an der Musikhochschule fortsetzte; anschließend vervollkommnete er sich an der Ecole Normale de Musique in Paris bei Diran Alexanian. 1936–38 gehörte er dem Symphonieorchester von Palästina an, kehrte 1938 nach Buenos Aires zurück, trat als Konzertsolist auf und war Solovioloncellist des Staatlichen Symphonieorchesters von Peru und Professor am Conservatorio Nacional de Música (1938–40). Er war dann 1940–44 Mitglied des Staatlichen Chilenischen Streichquartetts in Santiago de Chile und darauf bis 1958 Solovioloncellist des Philharmonischen Orchesters von La Habana in Kuba. In gleicher Stellung und als Professor am Conservatorio Nacional de Música war O. 1958–64 in México (D. F.) tätig. Seitdem ist er Solovioloncellist des Symphonieorchesters und Professor am Konservatorium in San Juan de Puerto Rico.

+Odnoposoff, Ricardo, * 24. 2. 1914 zu Buenos Aires.
O. konzertierte vielfach in Amerika und Europa, wirkte bei verschiedenen Festspielen (München, Salzburg, Wiener Festwochen u. a.) mit und unternahm Konzertreisen nach Australien, Neuseeland, Japan sowie in die UdSSR. Neben seiner Tätigkeit an der Wiener Musikakademie unterrichtet er seit 1964 (als Professor) an der Musikhochschule in Stuttgart; er gab ferner Kurse u. a. in Salzburg (Internationale Sommerakademie des Mozarteums) und Nizza (Académie internationale d'été). Er schrieb den Beitrag *Geigentechnik und Stilbildung* (ÖMZ X, 1955, tschechisch in: Hudební rozhledy IX, 1956, S. 317f.).

+Odo von Cluny, 879 [del.: oder 878; erg.:] bei Le Mans – 942 zu Tours [nicht: Cluny].
Der *+Dialogus de musica* wurde nach 1026 von einem norditalienischen Magister verfaßt; der Prolog dazu stammt ebenfalls von einem langobardischen Magister (geschrieben vor 1023).
Lit.: engl. Übers. d. »Enchiridion musices« in: O. STRUNK, Source Readings in Music Hist., NY 1950, Paperback-ausg. 1965 (5 Bde); H. HÜSCHEN in: MGG IX, 1961, Sp. 1850ff.; M. HUGLO, L'auteur du »Dialogue sur la musique« attribué à O.n, Rev. de musicol. LV, 1969; DERS., Der Prolog d. O. zugeschriebenen »Dialogus de Musica«, AfMw XXVIII, 1971; DERS., Les tonaires. Inventaire, analyse, comparaison; = Publ. de la Soc. frç. de musicologie III, 2, Paris 1971.

+Odojewskij, Wladimir Fjodorowitsch, [erg.: 30. 7. (11. 8.)] 1804 – 1869.
Sein Lehrbuch *Musykalnaja gramota* (»Musikgrammatik«, Moskau 1868) erschien im Nachdr. (= Gossudarstwennyj zentr musej musykalnoj kultury imeni M. I. Glinki, Fond 73, ebd. 1960); Aufsätze über Glinka wurden gesammelt als *Statji o M. I. Glinke* (hrsg. von Gr. B. Bernandt, ebd. 1953).
Lit.: Sobranija Dm. W. Rasumowskowo i Wl. F. O.owo (»Die Slgen v. Dm. W. Rasumowskij u. Wl. F. O.«), Kat. hrsg. v. I. M. KUDRJAWZEW, Moskau 1960. – B. GRANOWSKIJ, Wl. F. O., musykalnoj kritik, Diss. ebd. 1952; DERS., Sabytyje raboty Wl. O.owo (»Vergessene Werke v. Wl. O.«), SM XXII, 1958; G. OLIAS, Die Bedeutung d. Schaffens Wl. F. O.s f. d. russ. Nationalerziehung u. insbesondere f. d. Entwicklung einer wiss. begründeten Musikerziehung in Rußland in d. ersten Hälfte d. 19. Jh., Diss. Bln 1965 (HU); DERS., Das Beethoven-Bild in d. Novelle Wl. F. O.s, Wiss. Zs. d. Humboldt-Univ. zu Bln, Ges.- u. sprachwiss. Reihe XV, 1966; G. S. GLUSCHTSCHENKO, Wl. F. O. i russkaja narodnaja pesna (»Wl. F. O. u. d. russ.

Volkslied«), Minsk 1966; B. JAGOLIM, Bibl. O.owo, SM XXXIII, 1969; GR. B. BERNANDT, Wl. F. O. i Betchowen, Moskau 1971.

Oehl, Kurt Helmut, * 24. 2. 1923 zu Mainz; deutscher Musikforscher, studierte ab 1947 Musikwissenschaft (A. Schmitz), Theaterwissenschaft und Romanistik an der Universität Mainz, an der er 1952 mit einer Dissertation über das Thema *Beiträge zur Geschichte der deutschen Mozart-Übersetzungen* promovierte. Er war dann als Theaterdramaturg tätig und wurde 1960 im Verlag B. Schott's Söhne in Mainz Mitarbeiter des »Riemann Musiklexikons« (ab 1962 Leitung der Redaktion [Sachteil], dabei spezielle Betreuung der Fachgebiete Oper und Ballett, u. a. Artikel *Ballett, Bühnenmusik, Filmmusik, Musical*; seit 1967 für die Ergänzungsbände zum Personenteil Betreuung von Stichwortneuaufnahmen). Seit 1973 ist er Akademischer Rat am Musikwissenschaftlichen Institut der Mainzer Universität.

Oehlmann, Werner, * 15. 2. 1901 zu Schöppenstedt (bei Braunschweig); deutscher Musikschriftsteller, studierte in Berlin Klavier bei Breithaupt und Dirigieren bei R. Krasselt, in Weimar Komposition bei Wetz sowie an der Berliner Universität Musikwissenschaft bei H. Abert. Er wirkte 1930–33 als Dramaturg und Regisseur, war 1938–40 Musikkritiker der »Deutschen Allgemeinen Zeitung« in Berlin und 1940–44 von »Das Reich«, wurde 1945 Leiter der Städtischen Musikschule Braunschweig und 1947 Redakteur beim NWDR Hamburg und war 1950–66 Musikredakteur beim »Tagesspiegel« in Berlin. – Veröffentlichungen (Auswahl): *Die Musik des 19. Jh.* (= Slg Göschen Bd 170, Bln 1953); *Die Musik des 20. Jh.* (ebd. Bd 171/171a, 1961); *Don Juan in »Dichtung und Wirklichkeit«* (Bln 1965); *Reclams Chormusikführer* (= Reclams-Universal-Bibl. Nr 10017/23, Stuttgart 1965); *Reclams Klaviermusikführer* (2 Bde, ebd. Nr 10112/10124 und 10125/10137, Bd I mit Chr. Bernsdorff-Engelbrecht, 1967, Bd II mit W. Kaempfer und Kl. Billing, 1968); ferner Opernübersetzungen und -bearbeitungen.

Öhman, Carl Martin, * 4. 9. 1887 zu Floda (Södermanlands län), † 9. 12. 1967 zu Stockholm; schwedischer Sänger (Heldentenor), war zunächst Offizier, studierte dann Gesang in Stockholm und Mailand, debütierte 1914 als Konzertsänger in Stockholm und war 1917–19 und 1922–23 an Stora Teatern in Göteborg sowie 1919–20 an der Stockholmer Oper tätig. 1924–25 trat er an der Metropolitan Opera in New York und 1925–37 an der Städtischen Oper und der Staatsoper in Berlin auf. Er zog sich dann von der Bühne zurück, sang aber noch in Konzerten und war ein geschätzter Pädagoge. Ö., zu dessen Schülern J. Björling, N. Gedda und Talvela zählen, war einer der bedeutenden Wagner- und Verdi-Tenöre der 20er und 30er Jahre.

+Oelschlägel, [erg.:] Franz Joseph (Oehlschlägel, Ordensname Johann Lohelius OPraem), 1724–88.
Lit.: R. QUOIKA, Lohel O. (1724–88) u. d. Prager Orgelbau seiner Zeit, in: Musik d. Ostens II, Kassel 1963.

Louis Oertel OHG, Musikverlag in Großburgwedel (bei Hannover), gegründet 1866 von Louis O., königlich-hannoverscher Musikdirektor, in Hannover. Dem Verlag wurde 1890 durch Louis O.s Sohn Leo († 1924) ein Sortiments- und Instrumentengeschäft angeschlossen. 1924–27 leitete dessen Sohn Dr. Oskar O. († 1927) die Firma, dann bis 1935 der langjährige Geschäftsführer Max Katabek. Anschließend übernahm Oswald Behrens, Schwiegersohn von Oskar O., die Leitung der Firma. Hauptsächliche Verlagsgebiete sind Blasorchestermusik, Instrumentalmusik und Unterrichtswerke.

Oertzen, Rudolf von, * 16. 2. 1910 zu Neuhaus (Mecklenburg); deutscher Komponist, Pianist und Musikpädagoge, studierte 1929–32 in Berlin und Leipzig bei Kroyer (Musikwissenschaft), Fr. Reuter (Musiktheorie), Kurt Herrmann, Teichmüller und Conrad Hansen (Klavier), war ab 1938 im Doppelberuf als Landwirt (Saunstorf bei Bad Kleinen) und als Konzertpianist tätig. 1947 führte der Hamburger Lehrergesangverein sein erstes Oratorium *Musica pia* für 4st. gem. Chor, T., Bar. und Org. op. 7 auf. Von da an wurde die geistliche Chormusik zum Mittelpunkt seines Schaffens. 1960 wurde er zum Professor und 1962 zum Leiter der Abteilung Kirchenmusik an der Musikhochschule in Hamburg berufen. Er schrieb die Oper *Odyssee* op. 31 (1958), das choreographische Oratorium *Die Paulus-Legende* für Tänzer, Sprecher, Chor und Orch. op. 41, geistliche Chormusik (chorische Symphonie *Hiob* für 2–8st. Chor, Sprechchor, großes Orch., 2 Kl. und Org. op. 17, 1950; *The Creation* für 2st. gem. Chor, T. und kleines Jazzorch. op. 30, 1955; chorische Symphonie *Eva und Maria* für 4st. gem. Chor, Rezitativchor, A., Bar. und Orch. op. 33, 1957; *The Resurrection* für gem. Chor, T. und kleines Jazzorch. op. 46; *Missa refugii* für 4st. gem. Chor, Chorsoli und Instrumente colla parte ad libitum op. 50; Requiem *De morte ad vitam* für 4st. gem. Chor, 4 Soli und Streichorch. op. 55), weltliche Chormusik und Lieder, ferner Orchesterwerke (*Sinfonia transfigurata* op. 18, 1953; *Musica gravis* für Streichorch. op. 45), Instrumentalkonzerte (*Sinfonischer Dialog* für V. und Orch. op. 35, 1960), Kammermusik sowie Orgel- und Klavierstücke.

+Oesch, Hans, * 10. 9. 1926 zu Wolfhalden (Appenzell Außerrhoden).
1967 wurde O. zum Ordinarius für Musikwissenschaft an der Universität Basel und zum Vorsteher des dortigen Musikwissenschaftlichen Instituts ernannt. Er unternahm Forschungsreisen 1963 nach Malakka und 1969 nach Bali. Seit 1972 ist er Herausgeber der »Zeitschrift für Neue Musik« Melos (Jg. XXXIXff.). – Neuere Veröffentlichungen: *Die Musik-Akademie der Stadt Basel* (Basel 1967, Fs. zum 100jährigen Bestehen 1867–1967); *Wl. Vogel. Sein Weg zu einer neuen musikalischen Wirklichkeit* (Bern 1967); *Die Launeddas, ein seltenes sardisches Musikinstrument* (Jb. für musikalische Volks- und Völkerkunde IV, 1968). Von seinen Beiträgen zur Neuen Musik seien genannt: *Kl. Huber* (SMZ CI, 1961); *Wandelt sich das europäische Musikbewußtsein?* (in: Melos XXXI, 1964); *Die Ars nova des 20. Jh.* (ebd. XXXIV, 1967, auch in: Universitas XXIII, 1968, S. 19ff.); *Isorhythmische Strukturen in Orient und Abendland* (in: Melos XXXVII, 1970, auch in: Musik und Bildung V, 1973); *Das Musikleben zwischen gestern und morgen* (SMZ CXI, 1971); *I. Strawinsky und sein Werk* (in: Universitas XXVI, 1971); *A. Moeschingers Briefwechsel mit Th. Mann* (SMZ CXII, 1972); *Musik in nicht-integrierten Gesellschaften* (in: Schweizer Beitr. zur Musikwissenschaft I, 1972); *Zwischen Komposition und Improvisation* (in: Die Musik der sechziger Jahre, hrsg. von R. Stephan, = Veröff. des Instituts für Neue Musik und Musikerziehung Darmstadt XII, Mainz 1972); *A. Berg, A. Schönberg und A. Webern* (in: Universitas XXVIII, 1973); *Das »Melos« und die Neue Musik* (Fs. für einen Verleger [L. Strecker], Mainz 1973); *Musikalische Kontinuität bei Naturvölkern, dargestellt an der Musik der Senoi auf Malakka* (in: Studien zur Tradition in der Musik, Fs. K. v. Fischer, München 1973).

+Oesterreich, Georg, 1664 – 1735 zu Wolfenbüttel [nicht: Braunschweig].
Während seines Besuches der Thomasschule in Leipzig 1678–80 war dort J. Schelle [nicht: Selle] Kantor. 1686–89 wirkte O. in Wolfenbüttel [nicht: Braunschweig]; nach der Auflösung des Hofes in Schleswig (1702) ging er zunächst nach Braunschweig und dann nach Wolfenbüttel, wo er ab 1724 als Kantor der Schloßkirche nachgewiesen ist.
Ausg.: Konzert »Ach Herr, wie sind meiner Feinde so viel« f. T., 2 V., Va, Fag. (Vc.) u. Gb. (Clarin ad libitum), hrsg. v. H. KÜMMERLING, = Geistliche Konzerte u. Chorwerke XII, Göttingen 1958.
Lit.: H. KÜMMERLING, J. Ph. Förtsch als Kantatenkomponist, Diss. Halle (Saale) 1956; DERS., Gottorfer Bestände in d. Slg Bokemeyer, = Kieler Schriften zur Mw. XVI, Kassel 1965.

+Österreicher, Georg, 1563–1621.
Außer dem (verschollenen) +*Cantor-Büchlein* (Rothenburg o. d. T. 1615 [del. frühere Erscheinungsangaben]) gab Ö. ein Gesangbuch für die Reichsstadt Windsheim heraus (Gießen 1614, Rothenburg o. d. T. ²1623).

+Österreichischer Bundesverlag für Unterricht, Wissenschaft und Kunst.
Zum Katalog des Verlages, der heute von Peter Lalics geleitet wird, gehören des weiteren Werke der Musikkritik und Musikwissenschaft sowie die Monographienreihe *Österreichische Komponisten des XX. Jh.* (20 Bde bis 1972).

+Östvig, Karl Aagard (Østvig), * 17. 5. 1889 und [erg.:] † 21. 7. 1968 zu Oslo.

+Oettingen, Arthur Joachim von, 1836–1920.
Lit.: M. VOGEL, A. v. O. u. d. harmonische Dualismus, in: Beitr. zur Musiktheorie d. 19. Jh., = Studien zur Mg. d. 19. Jh. IV, Regensburg 1966; P. RUMMENHÖLLER, Musiktheoretisches Denken im 19. Jh., ebd. XII, 1967; S. TOKAWA, »O.s Harmoniesystem«, in: »Mus. Sound and Philosophic Thoughts«, Fs. Y. Nomura, Tokio 1969, japanisch (mit deutscher Zusammenfassung).

Ötvös ('œtvœʃ), Gabor, * 21. 9. 1935 zu Budapest; deutscher Dirigent ungarischer Herkunft, studierte Klavier, Violine, Komposition und Dirigieren an der Fr.-Liszt-Musikhochschule in Budapest sowie nach seiner Flucht aus Ungarn (1956) in Venedig. Nach Verpflichtungen in Triest (1959) und Hamburg (1961) wurde er 1967 1. Kapellmeister und Stellvertreter GMD an den Städtischen Bühnen in Frankfurt a. M. Seit 1972 ist er GMD an den Städtischen Bühnen in Augsburg. Er gastierte als Opern- und Konzertdirigent u. a. in der Schweiz, in den Niederlanden, Italien und an der Metropolitan Opera in New York.

Ofarim, Esther (eigentlich Esther Zaied), * 13. 6. 1941 zu Nazareth; israelische Pop- und Chansonsängerin, war zunächst Schauspielerin, begann ihre Karriere als Sängerin im Duo mit ihrem Ehemann Abi O. (eigentlich Abraham Reichstadt) in Israel, unternahm dann Tourneen nach Deutschland, in die Schweiz und in die USA. Das Duo Esther und Abi O. trat in zahlreichen Fernsehsendungen auf (wöchentliche Showserien bei BBC). Auf dem Höhepunkt seiner Karriere trennte sich das Ehepaar. E. O. tritt seitdem allein auf; Abi O. betätigt sich als Manager, Arrangeur und Produzent.

+Offenbach, Jacques, 1819–80.
Cellounterricht erhielt O. in Köln zunächst von J. Alexander, dann von B. Breuer, der ihn zugleich in die Kompositionslehre einführte; O.s privater Cellolehrer in Paris hieß Norblin [nicht: Norbin]. In die Pariser

Salons wurde O. durch Fr. v. Flotow eingeführt, mit dem er 1838–40 zusammenarbeitete. Kapellmeister am Théâtre-Français war er 1850–55. Er wurde 1860 naturalisiert und erhielt 1861 das Kreuz der Ehrenlegion. Die Bouffes-Parisiens leitete O. bis 1862 [nicht: 1861], das Théâtre de la Gaîté 1873–75 [nicht: 1872–76]. In den USA konzertierte er 1876 [nicht: 1875] und schrieb dort ein Reisetagebuch mit dem Titel O. en Amérique. Notes d'un musicien en voyage (1877) [del. frühere Angaben hierzu]. – Libretti für O. verfaßten u. a. H. Crémieux, L. Halévy, H. → Meilhac, Ch. → +Nuitter, E. Scribe und E. Tréfeu. – Nach O.s Musik wurden zusammengestellt die Operetten Die Heimkehr des Odysseus (L. Schmidt, 1913), Die glückliche Insel (ders., 1917), Der Goldschmied von Toledo (Stern und Zamara, 1919) und Das blaue Hemd von Ithaka (C. Rösseler und E. Römer nach L. Feuchtwanger, 1930) sowie das Ballett Gaîté parisienne (M. Rosenthal, 1938).
Ausg.: 6 Duos f. Vc. op. 49, hrsg. v. P. Such, 2 H., London 1956; dass. op. 50, hrsg. v. W. Lebermann, 2 H., Mainz 1969; 3 Duos f. Vc. op. 51, hrsg. v. dems., = Cello-Bibl. CXVI, ebd. 1970. – +Orpheus in America (1957), London 1958, +deutsch übers. u. hrsg. v. R. Scharnke als: O. in Amerika, = Hesses kleine Bücherei II, Bln 1957 [nicht: 1937].
Lit.: R. L. Folstein u. St. Willis, A Bibliogr. on J. O., in: Current Musicology 1971, Nr 12. – J. O., Ausstellungskat. d. Hist. Arch. d. Stadt Köln, bearb. v. A.-D. v. d. Brincken, Köln 1969. – = Cahiers de la Compagnie M. Renaud–J.-L. Barrault XXIV, Paris 1958, Ausw. deutsch in: Jb. d. Komischen Oper Bln IV, 1963/64. – +S. Kracauer, J. O. u. d. Paris seiner Zeit (1937), frz. als: O. ou le secret du Second Empire, Paris 1937, deutsche NA als: Pariser Leben. J. O. u. seine Zeit. Eine Gesellschaftsbiogr., München 1962, Bln 1964; +J. Brindejont-Offenbach, O., mon grand-père (1940), deutsch als: Mein Großvater O., Bln 1967; +A. Decaux, O., roi du Second Empire (1958), NA Paris 1970, auch als 2. Aufl. = Hist. contemporaine o. Nr, ebd. 1966, deutsch als: O., König d. Zweiten Kaiserreichs, München 1960, Wien 1962. – M. Curtis, Bizet, O. and Rossini, MQ XL, 1954; Fr. Cuno, Oper im Zeitalter d. Vermassung. M. Reinhardts Inszenierung v. »Hoffmanns Erzählungen«, in: Musica XI, 1957; R. L. Williams, J. O. and Parisian Gaiety, The Antioch Rev. XVII, 1957; O. E. Deutsch, »Hoffmann« in Wien, ÖMZ XIII, 1958; ders., O., Kraus u. d. anderen, ÖMZ XVIII, 1963 (erstmals 1931 veröff.); H. Schmidt-Garre, O.s zeitloses Zeittheater, NZfM CXX, 1959; ders., O. u. d. Zweite Kaiserreich gehören zusammen, NZfM CXXX, 1969; A. Silbermann, Das imaginäre Tagebuch d. Herrn J. O., Bln 1960; ders., Die Stützpunkte d. O.schen Dramaturgie, in: Theater u. Zeit X, 1962/63; M. Johannsen, J. O., Inszenierungsgesch. im deutschen Sprachraum, Diss. Wien 1961; G. Knepler in: Mg. d. 19. Jh., Bd I, Bln 1961, S. 319ff.; R. Tatry, J. O. au pays des cow-boys, in: Musica (Disques) 1961, Nr 91; ders., Autour de »La vie parisienne«, ebd. 1963, Nr 108; E. Bloch in: Verfremdungen I, = Bibl. Suhrkamp LXXXV, Ffm. 1962, S. 91ff., auch in: Literarische Aufsätze, Ffm. 1965 (zu »Hoffmanns Erzählungen«); G. Hughes, Composers of Operetta, London u. NY 1962; I. I. Sollertinskij, O., = Bibl. ljubitelja musyki o. Nr, Moskau 1962; Kl. Schlegel in: Jb. d. Komischen Oper Bln IV, 1963/64, S. 58ff. (zu »Ritter Blaubart«); Th. W. Adorno, Hoffmanns Erzählungen in O.s Motiven, in: Moments mus., = Ed. Suhrkamp LIV, Ffm. 1964 (erstmals 1932 veröff.); H.-J. Irmer, J. O., K. Kraus u. d. Operette, in: Theater d. Zeit XX, 1965; ders., J. O.s Werke in Wien u. Bln, ebd. XXIV, 1969, auch in: Wiss. Zs. d. Humboldt-Univ. zu Bln, Ges.- u. sprachwiss. Reihe XVIII, 1969; H. Seeger, J. O. als Mensch u. Dichter. O.s Oper »Hoffmanns Erzählungen« in d. Neubearb. W. Felsensteins, in: Wege zum Musiktheater, hrsg. v. Kl. Schlegel, Bln 1965; E. Wilkens in: Rheinische Musiker IV, hrsg. v. K. G. Fellerer, = Beitr. zur rheinischen Mg. LXIV, Köln 1966, S. 93ff.; J. P. A. Koelink, Hoffmann, O. en »Les contes«, in: Mens en melodie XXIII, 1968;

P. W. Jacob, J. O. in Selbstzeugnissen u. Bilddokumenten, = Rowohlts Monographien CLV, Reinbek bei Hbg 1969; A. Lamb, How O. Conquered London, in: Opera XX, 1969; R. Budiš, Nápad monsieura O.a (»Der Einfall d. Herrn O.«), = Hudba na každdém kroku XXV, Prag 1970 (zu O.s Operetten in Prag); Fr. Mailer, J. O., Ein Pariser in Wien, ÖMZ XXVII, 1972. – zu O.s Vater: A. W. Binder, I. O., Yearbook of the Leo Baeck Inst. XIV, 1969.

Ogando (og'ando), Eduardo, * 19. 12. 1934 zu La Plata; argentinischer Komponist, studierte an der Escuela de Bellas Artes der Universidad Nacional in La Plata Klavier bei Nino Fassa und Raúl Spivak und Komposition bei Gilardi sowie privat Instrumentation bei Mariano Drago. 1954 setzte er seine Kompositionsstudien in Rom bei Turchi und J. J. Castro fort und errichtete dort ein Studio für Elektronische Musik und Musique concrète. – Werke: Variationen für Orch. (1953); Konzert für V. und Orch. (1958); 4 líricas de Safo für St., Chor und Orch. (in der Übersetzung von Salvatore Quasimodo, 1955); Dressings of a Former Sight für Soli, Chor, 4 Dirigenten und Orch. (1964); C'lom Fliday für verschiedene St., Instr. und Tonband (1970).

Oganessjan, Edgar Sergejewitsch, * 14. 1. 1930 zu Eriwan; armenisch-sowjetischer Komponist, absolvierte 1954 als Schüler von Grigorij Jegisarjan das Staatliche Armenische Konservatorium in Eriwan und vervollkommnete sich danach bei A. Chatschaturjan als Aspirant am Moskauer Konservatorium. 1956 wurde er Vorstandsmitglied des armenischen Komponistenverbands, 1963 Direktor des Opernhauses in Eriwan. Er schrieb die Ballette Marmar (Eriwan 1957) und Goluboj noktjurn (»Blaue Nocturne«, ebd. 1964), Orchesterwerke (2 Symphonien, 1957 und 1961; Suite, 1949; Ballettsuite, 1953), Kammermusik (Klavierquintett, 1955; 2 Streichquartette, 1947 und 1960; Nocturne, 1946, und Concertino, 1947, für Vc. und Kl.), Chorwerke (Kantate Miru – mir!, »Für den Weltfrieden!«, für Chor und Orch., 1950; Dwa berega, »Zwei Ufer«, für Chor a cappella, 1952), Klavierstücke, Lieder sowie Bühnen- und Filmmusik.
Lit.: L. Genina, E. S. O., Moskau 1959.

Ogdon ('ɔgdən), John Andrew Howard, * 27. 1. 1937 zu Mansfield (Nottinghamshire); englischer Pianist und Komponist, studierte 1945–47 und 1953–58 am Royal Manchester College of Music. Er gewann 1962 beim Tschaikowsky-Wettbewerb in Moskau den 1. Preis. Seit 1961 ist er bei verschiedenen Festspielen aufgetreten, so in Spoleto (1961), Edinburgh (1962, 1963 und 1965), Prag (1965) und Luzern (1968). O. ist seit Co-Director des Cardiff Festival. Er schrieb ein Klavierkonzert (1968), eine Soloviolinsonate (1968) und verschiedene Klavierwerke.

Ogerman ('ougəmæn), Claus, * 29. 4. 1930 zu Ratibor; amerikanischer Jazzkomponist, Arrangeur und Bandleader deutscher Herkunft, als Konzertpianist ausgebildet, war Arrangeur für die Orchester Kurt Edelhagen (1952 auch Mitglied) und Max Greger (1953–56 Mitglied). Er ist seitdem als freier Komponist und Arrangeur tätig. 1959 übersiedelte er in die USA und arbeitet in New York und Hollywood. Er leitet eine eigene Studioband und arrangiert und dirigiert seit 1960 Jazz- und Popmusik für fast 250 Schallplattenstars, darunter Sammy Davis jr., Sinatra und Caterina Valente. Er erhielt mehrfach Auszeichnungen für das beste Arrangement des Jahres (1967 für Wave von Antonio Carlos Jobin) und 1966 für die beste Jazzkomposition (Jazz Samba). 1962 wurde er Chef der Verlagsgruppe Helios Music Corporation in New York. O. hat auch eine Reihe von Filmmusiken komponiert.

+Ogiński, Michał Kleofas, (polnisch-litauischer) Fürst, 25. 9. [nicht: 7. 10.] 1765 – 15. [nicht: 18.] 10. 1833.
1802–07 und 1810–15 lebte O. wieder in Polen und danach bis zu seinem Tode in Italien (Florenz). Er ist der wichtigste Polonaisenkomponist vor Chopin; einige seiner Polonaisen (besonders *Les adieux à la patrie* A moll) sind bis heute in Polen, Litauen und Weißruthenien populär. Die Manuskript gebliebenen *Lettres sur la musique adressées à un de ses amis de Florence en 1825,* die als Quellenmaterial zur Geschichte der polnischen Musik in der 1. Hälfte des 19. Jh. bedeutsam sind, wurden von T. Strumiłło als *Listy o muzyce* (»Briefe über Musik«) herausgegeben (= Źródła pamiętnikarsko-literackie do historii muzyki polskiej II, Krakau 1956). – Sein Onkel Michał Kazimierz O., 1728 [nicht: 1731] – [erg.:] 31. 5. 1800 [nicht: 1803].
Ausg.: Isbrannyje proiswedenija (»Ausgew. Werke«), hrsg. v. I. F. Belsa, Moskau 1954; Romanzen f. Singst. u. Kl., hrsg. v. Wł. Poźniak, Krakau 1962.
Lit.: I. Karassinskaja, Ob isutschenii schisni i twortschestwa M. Kl. O.owo (»Über d. Forschung zum Leben u. Werk M. Kl. O.s«), in: Soobschtschenija instituta istorii iskusstw Akademii nauk SSSR XV, 1959; T. Strumiłło, A. Nowak-Romanowicz u. T. Kuryłowicz, Poglądy na muzykę kompozitorów polskich doby przedchopinowskiej (»Ansichten polnischer Komponisten d. Vor-Chopin-Zeit über Musik«), Krakau 1960; I. F. Belsa, Sabytyje polskije musykanta. M.-Kl. O., K. Kurpiński, Z. Zarębski (»Vergessene polnische Musiker . . .«), Moskau 1963; Ders., M. Kl. O., ebd. 1965, polnisch Krakau 1967; G. Orda, W. Sawizkij u. R. Firnowitsch, M. Kl. O., Materialy k twortscheskoj biografii (»Materialien zu einer schöpferischen Biogr.«), SM XXXII, 1968. – zu M. K. O.: R. Haas, Ein polnischer Werther, Mozart-Jb. 1959; A. Ciechanowiecki, M. K. O. u. d. Musenhof zu Słonim, = Beitr. zur Gesch. Osteuropas II, Köln 1961.

+Ohana, Maurice, * 12. 6. 1914 [nicht: 1915] zu Casablanca [nicht: Gibraltar]; französischer [nicht: englischer] Komponist und Pianist andalusischer [nicht: marokkanischer] Herkunft.
Weitere Werke: *+Etudes chorégraphiques* (1955 [nicht: 1959], als Ballett Straßburg 1963). – die Opern *Syllabaire pour Phèdre* (Avignon 1969) und *Autodafé* (mit Marionetten, Lyon 1972); *Synaxis* für 4 Schlagzeuger, 2 Kl. und Orch. (1966), *Chiffres de clavecin* für Cemb. und 21 Instr. (1968), *Silenciaire* für 6 Schlagzeuger und 12 Streicher (1969); *Signes* für Fl., Kl., Git. und 4 Schlagzeuger (1965), *Cinq séquences* für Streichquartett (1962–64), *Syrtes* für Vc. und Kl. (1972), 4 *Improvisations* für Fl. solo (1960), 7 Stücke *Si le jour paraît . . .* für 10saitige Git. (1963); *Farruca* (1958) und *Carillons* (»Pour les heures du jour et de la nuit«, 1960) für Cemb., *Sorôn-Ngô* für 2 Kl. (1970), 24 Praeludien für Kl. (1973); die Oratorien *Llanto por Ignacio Sanchez Mejias* für Bar., Rezitation, Chor und Orch. (1950) und *Récit de l'an Zéro* für Kinderchor, T., B., Rezitation, Chor und Orch. (1959); *Cantigas* für Chor und Orch. (1954); *Tombeau de Cl. Debussy* für S., dritteltönige Zither, Kl. und Kammerorch. (1961), *Sibylle* für S., Schlagzeug und Tonband (1968), *Stream* für B. und Streichtrio (1970); *Cris* für 12 gemischte St. (1969); Film- und Bühnenmusiken.
Lit.: J. Roy, Présences contemporaines, Musique frç., Paris 1962 (mit Werkverz.); P. Vidal in: Musica (Disques) 1966, Nr 147, S. 8ff.

Ohanesian, David, * 6. 1. 1927 zu Bukarest; rumänischer Opernsänger (Bariton), studierte an der Bukarester Musikakademie, wurde 1947 Solist beim Bukarester Rundfunk und debütierte 1950 auf der Bühne. Er sang u. a. an der Bukarester Staatsoper, der Deutschen Oper Berlin, der Wiener Staatsoper und der Pa-

riser Opéra. Seit 1968 ist er Mitglied der Hamburgischen Staatsoper. Sein Repertoire umfaßt neben Rollen aus rumänischen Opern vor allem die einschlägigen Partien des italienischen Fachs (Scarpia in *Tosca,* Alfio in *Cavalleria rusticana*).

Ohlsson ('oulsən), Garrick, * 3. 4. 1948 zu Bronxville (N. Y.); amerikanischer Pianist, studierte an der Juilliard School of Music in New York bei Sascha Gorodnitzki, ab 1968 in der Meisterklasse von Rosina Lhévinne. Er war Preisträger 1969 beim Concorso internazionale di piano F. Busoni in Bozen sowie 1970 beim Internationalen Fr.-Chopin-Klavierwettbewerb in Warschau und ist seitdem als Interpret vor allem virtuoser Klaviermusik bekannt geworden.

+L'Oiseau-Lyre.
Nach dem Tode der Verlagsgründerin der Éditions de L'O.-L. (gegründet 1932), Louise B. M. Dyer (* 19. 7. 1890 zu Melbourne, † 9. 11. 1962 zu Monaco), übernahm ihr Mann Jeff B. Hanson (* 29. 5. 1908 zu Leeds, † 2. 8. 1971 zu Bad Ragaz, St. Gallen) die Firmenleitung, die nunmehr dessen zweite Frau, Margarita M. Hanson geborene Menendez (* 6. 4. 1919 zu La Habana), innehat. Neben den *+Treize livres de motets . . .* (→ +Attaingnant) wurde auch die Denkmälerreihe *+Polyphonic Music of the Fourteenth Cent.* fortgeführt (bislang 7 Bde, auf 22 Bde geplant); aus dem Verlagsprogramm ist weiter hervorzuheben die GA der *Chansons polyphoniques* von Cl. → +Janequin (1972 Bd VI).

+Oistrach, –1) David Fjodorowitsch, * 17.(30.) 9. 1908 zu Odessa, [erg.:] † 24. 10. 1974 zu Amsterdam. 1940–63 bildete er ein Klaviertrio mit L. Oborin und Swjatoslaw Knuschewizkij. An weiteren (meist ihm auch gewidmeten) Kompositionen, deren Uraufführungen D. O. spielte, sei das 2. Violinkonzert (1967) und die Violinsonate (1968) von Schostakowitsch genannt. Neben seinen ständigen solistischen Konzertverpflichtungen trat er in den letzten Jahren zunehmend als Dirigent von Kammerorchestern, aber auch großer Orchester der UdSSR, der USA und Europas (Berliner Philharmoniker, Wiener Philharmoniker, London Symphony Orchestra) hervor. D. O. wurden viele Ehrungen zuteil (u. a. Ehrenmitgliedschaft der Accademia nazionale di S. Cecilia in Rom, der Royal Academy of Music in London und der Kungl. Musikaliska akademien in Stockholm, Dr. h. c. der Budapester Akademie der schönen Künste sowie der Cambridge University). Neben zahlreichen kleineren Beiträgen (zumeist in SM) schrieb er *Statji, awtobiografitscheskij otscherk* (»Aufsätze, autobiografische Skizze«, hrsg. von M. A. Grünberg, = W pomoschtsch sluschateljam narodnych universitetow kultury o. Nr, Moskau 1962).
–2) Igor Davidowitsch, * 27. 4. 1931 zu Odessa. Konzerttourneen führten ihn auch ins europäische Ausland sowie in die USA (erstmals 1955). Er ist ebenfalls als Dirigent (oft zugleich Solist) von Kammerorchestern hervorgetreten. Seit 1958 unterrichtet er am Moskauer Konservatorium.
Lit.: D. Nabering, D. u. I. O., = Rembrandt-Reihe LVIII, Bln 1968. – zu –1): G. León in: Musica (Disques) 1963, Nr 107, S. 45ff.; I. M. Jampolskij, D. O., Moskau 1964 u. 1968 (mit Ausg.-Verz., Bibliogr. u. Diskographie), Auszüge engl. in: Lenin Prize Winners. Soviet Stars in the World of Music, hrsg. v. A. Lipovsky, ebd. 1967, S. 144ff.; M. Goldstein, D. O. als Pädagoge, in: Musik in d. Schule XVIII, 1967; L. Raaben, Schisn sametschatelnych skripatschej (»Das Leben berühmter Geiger«), Moskau 1967; T. Gajdamowitsch in: SM XXXII, 1968, H. 9, S. 66ff.; Dm. Schostakowitsch, ebd. S. 63f.; L. S. Ginsburg, D. F. O., in: Issledowanija, statji, otscherki, Mos-

kau 1971; B. Kaczyński in: Ruch muzyczny XVII, 1973, H. 2, S. 3ff. (Gespräch). – zu –2): E. Elian in: Muzica XII, (Bukarest) 1962, Nr 12, S. 44ff.

Olah ('ɔlax), Tiberiu, * 26. 12. 1928 zu Arpăşel (Siebenbürgen); rumänischer Komponist, studierte am Konservatorium in Cluj (Iuliu Mureşianu, Max Eisikovits) und am Moskauer Konservatorium. Er wurde 1958 Lektor für Komposition am Conservatorul de Muzică C. Porumbescu in Budapest. 1964 erhielt er den Enescu-Preis der Rumänischen Akademie. Zunächst an Bartók, Enescu und Strawinsky, später auch an die Wiener Schule, Messiaen und Varèse anknüpfend, versucht O. in seinem Schaffen das Folkloremeterial durch neue, innere musikalische Gesetzmäßigkeiten zu verallgemeinern: Ur-Mikrostrukturen erfahren verschiedene Wandlungen durch Zahlen- und Reihen-(Proportions-)Verhältnisse. Einen großen außermusikalischen Einfluß übten die Plastiken von Constantin Brâncuşi aus. Von seinen Kompositionen seien genannt: Sonatine für Kl. (1950); Streichquartett (1951); Sonatine für V. und Kl. (1952); Trio für Klar., V. und Kl. (1953); Kantate für Chor und Schlagzeug (1954); Symphonie (1956); Kantate für Frauen- oder Kinderchor, 2 Fl., Saiteninstr. und Schlagzeug (1956); Echinocţii (»Äquinoktien«) für St., Klar. und Kl. (1957); Madrigali concertanti (1959); Constelaţia omului (»Das Sternbild des Menschen«), Oratorium für Sprecher, Soli, Chor und Orch. (1960); ein Brâncuşi gewidmeter Zyklus, Nr 1, Columna infinita für Orch. (1962), Nr 2, Sonate für Klar. solo (1963), Nr 3, Espace et rythme für Schlagzeug (3 Spieler, 1964), Nr 4, Porte du baiser für Orch. (1965) und Nr 5, Table du silence für Orch. (1968); Translations für 16 Streichinstr. (1969); Resumption für 3 Kammerensembles (15 Instr., 1969); Invocaţie (»Anrufung«) für 5 Instrumentalisten (1972); Evenimente 1907 (»Ereignisse 1907«) für Orch. (1972); ferner Chor- und Filmmusik. Von seinen theoretischen Arbeiten sei Muzică grafică sau o nouă concepţie despre timp şi spaţiu. Însemnări despre perioada preserială a lui Webern (»Graphische Musik oder eine neue Konzeption von Zeit und Raum. Notizen über eine präserielle Periode von Webern«, in: Muzica XIX, 1969) genannt.
Lit.: D. Popovici, Simfonia I de T. O., in: Muzica XII, 1962; G. Draga, »Coloana infinită« de T. O. (»,Columna infinita' v. T. O.«), ebd. XVI, 1966; C. D. Georgescu, »Masa făcerii« de T. O. (»,La table du silence' v. T. O.«), ebd. XXI, 1971; Gh. P. Angelescu, »Evenimente 1907« de T. O., ebd. XXIII, 1973.

Olazábal (olaθ'aβal), Tirso María Ignacio de, * 24. 5. 1924 zu Paris, † 5. 5. 1960 zu Buenos Aires; argentinischer Komponist und Pianist, studierte am Staatlichen Konservatorium in Buenos Aires Klavier bei Lalewicz und Komposition bei Palma. Er vervollkommnete seine Studien 1952–53 in Paris an der Ecole Normale de Musique (Komposition bei A. Honegger) und am Conservatoire (Ästhetik bei Roland-Manuel). Nach seiner Rückkehr lehrte er am Städtischen Konservatorium in Buenos Aires, trat als Pianist auf und war als Musikkritiker tätig. Er komponierte: Trio für Klar., Vc. und Kl. (1946); Scherzo für 9 Instr. (1947); Sonate für 5 Blasinstr. (1948); Pastoral für Va und Kl. (1953); Divertimento Nr 1 für Fl., Ob. und Klar. (1953), und Nr 2 für Ob., Klar. und Fag. (1955); Introducción y tema variado für Klar. und Kl. (1954); Streichquartett (1954). Außerdem veröffentlichte er Acústica musical y organología (Buenos Aires 1954, ⁵1970).

+Oldberg, Arne, * 12. 7. 1874 zu Youngstown (O.), [erg.:] † 17. 2. 1962 zu Evanston (Ill.).

+Oldham, Arthur William, * 6. 9. 1926 zu London. O. gründete 1965 den Edinburgh Festival Chorus, wurde 1966 Chordirektor der Scottish Opera und leitet seit 1969 den London Symphony Orchestra Chorus. – Weitere Werke: Oper Love in a Village (1952), Musical für Kinder The Land of Green Ginger (1964); Divertimento für Streichorch. (1951); Kantate Laudes creaturarum für S., Kinderchor, gem. Chor, Org. und Streichorch. (1961), Hymns for the Amusement of Children für S., gem. Chor und Org. (oder Kammerorch., 1962); 7 Shakespeare-Sonette Summer's Lease für T. und Streichorch. (1950); Chorwerke (u. a. 2 Messen, 1958 und 1960).
Lit.: C. Wilson in: MT CVI, 1965, S. 946ff.

+Oldman, Cecil Bernard, * 2. 4. 1894 und [erg.] † 7. 10. 1969 zu London.
Principal Keeper of Printed Books in the British Museum war O. bis 1959. 1948 wurde er Vizepräsident der Royal Musical Association und 1951 Präsident des Council of the British Union Catalogue of Music. Für seine Arbeiten, besonders auf dem Gebiet der Mozart-Forschung, erhielt er 1956 von der Edinburgh University den Titel eines Doctor of Music ehrenhalber. – Neuere Aufsätze: Panizzi and the Music Collection of the British Museum (in: Music, Libraries and Instruments, = Hinrichsen's 11th Music Book 1961); Dr. Burney and Mozart (Mozart-Jb. 1962/63, »Addenda and Corrigenda«, ebd. 1964, S. 109f.); C. Potter's Edition of Mozart's Pianoforte Works (Fs. O. E. Deutsch, Kassel 1963); Attwood's Dramatic Works (MT CVII, 1966); Beckford and Mozart (ML XLVII, 1966); Ch. Burney and L. De Visme (MR XXVII, 1966); Haydn's Quarrel with the »Professionals« in 1788 (in: Musik und Verlag, Fs. K. Vötterle, Kassel 1968). Er war Mitarbeiter an den in der Neuen Mozart-Ausg. erschienenen Attwood-Studien (= X, 30, Bd I, ebd. 1965).
Lit.: U. Sherrington in: MR XXV, 1964, S. 154ff. (Schriftenverz.); A. H. King in: Brio VII, 1970, Nr 1, S. 1ff.

+Oldroyd, George, 1886–1951.
+The Technique and Spirit of Fugue (1948), Nachdr. London 1967.

Olds (ouldz), Gerry, * 26. 2. 1933 zu Cleveland (O.); amerikanischer Komponist, studierte am Cleveland Institute of Music und am Chicago Conservatory of Music (M. A. 1957). Er schrieb u. a. 2 Symphonien (1956 und 1958), eine Toccata für Streichorch. (1958), ein Violinkonzert (1957), ein Klavierkonzert (1960) und Kammermusik (Bläserquintett, 1958; Streichtrio, 1959).

+Olenin, Alexandr Alexejewitsch, 1865 – [erg.: 15.] 2. 1944.

Olias, Lotar, * 23. 12. 1913 zu Königsberg; deutscher Komponist von Schlagern, Musicals und Filmmusik, lebt in Ascona (Tessin). Er studierte am Klindworth-Scharwenka-Konservatorium in Berlin. Nach dem Krieg war er bis 1949 im Hamburger Kabarett »Die Bonbonnière« tätig. 1953 errang er einen Welterfolg mit dem Schlager You You You / Du Du Du. O. schrieb die Musicals Wenn die Großstadt schläft (Hbg 1949), Gib acht auf Amelie (Schleswig 1957), Prairie-Saloon (Hbg 1958), Heimweh nach St. Pauli (Hbg 1962; darin die Schlager Junge, komm bald wieder und Ich hab' Heimweh nach St. Pauli), Charley's neue Tante (Hbg 1966), Millionen für Penny (München 1967) und Der Geldschrank steht im Fenster (Bremen 1971) sowie Musik zu über 35 Spielfilmen. Zu seinen bekanntesten Schlagertiteln zählen: Mr. Moneymaker; Wunderschöne

Carmen; *So ein Tag, so wunderschön wie heute*; *Irgendwann gibt's ein Wiedersehn*; *Die Welt ist doch für alle da*; *Die Gitarre und das Meer*.

Olivares, Juan Manuel, * um 1760 zu Caracas; venezolanischer Komponist, war der älteste Musiker der durch Padre Palacios y Sojo eingeleiteten Musikblüte während der Kolonialperiode. Von seinen Werken seien *Motetes a dúo* für 2 St. und B. c., *Psalmo 1° para las vísperas de N. Sra de le Merced* für S., A., 2 V., B., 2 Ob. und 2 Trp., ein *Salve regina* für 3 St. und Orch., ein *Stabat mater* für 4 St. und Orch. sowie eine *Lamentación primera a solo del Viernes Sto concertada con violines, fflas, trompas, viola y baxo* genannt.

Ausg.: Salve regina, hrsg. v. J. B. Plaza u. Fr. C. Lange, = Arch. de música colonial venezolana IV, Montevideo 1943.

Lit.: J. B. Plaza, Music in Caracas During the Colonial Period (1770–1811), MQ XXIX, 1943; ders., J. M. O., el mas antiguo compositor venezolano, Caracas 1960 (= Wiederabdruck aus: Rev. nacional de cultura 1947, Nr 63).

Oliveira (uliv'eirɐ), Jamary, * 21. 3. 1944 zu São Salvador da Bahia; brasilianischer Komponist, studierte an den Musikseminarien (1962–64 und 1966–68) und der heutigen Musikschule der Universidade Federal da Bahia in Salvador u. a. bei Widmer und É. Krieger. Er schrieb u. a. Orchesterwerke (*Ponteio* für Streichorch., 1963; *O sertão*, 1964; *Grocerto*, 1967; *Preâmbulo*, 1968; *Tonal-a-tonal*, 1969; *Pseudopodes*, 1971), Kompositionen für verschiedene Instrumente (*Ritual e transe* für Schlagzeug, 1964; *4 movimientos de jazz* für Blechblasinstr., 1966; *Conjunto I* für St., Ob., Klar. und Horn, 1966, *II* für Schlagzeug, 1968, und *III* für Smetak-Instrumentarium [→Smetak], 1969; Klaviertrio, 1967; Nonett für Bläserquintett und Streichquartett, 1969; Violinsonate, 1969; *3 canções tristes* für Gesang und Streichquartett, 1970; *Iterações* für Fl., Klar., Trp., Horn, Vc., Kb. und Kl., 1971; *Sugestões* für Ob., Saxhorn, Bandoneon, Tuba, Kb. und Schlagzeug, 1971), Klavierstücke und Vokalwerke (*Nú* für Chor, Sprecher und große Trommel, 1966; *Conjunto IV* für Chor und Flaschen, 1969; *Homologos* für Chor und Schlagzeug, 1970; *4 poemas opus nada* für Gesang und Kl., 1969).

Oliveira (uliv'eirɐ), Jocy de, * 11. 4. 1936 zu Curitiba (Staat Paraná); brasilianische Pianistin und Komponistin, Frau des Dirigenten E. de Carvalho, studierte in São Paulo bei Klíass und in Paris bei Marguerite Long sowie an der Washington University in St. Louis/Mo. (1968). Als Pianistin ist sie auf Werke des 20. Jh. spezialisiert und hat in Europa und in Nord- und Südamerika konzertiert. Von ihren elektronischen »multimedia«-Kompositionen, die eine »totale Musik« vermitteln, sind zu nennen: *Probalistic Theater I* (Partitur in: Source 1968, Nr 4), *II* und *III* für mehrere Musiker, Schauspieler, Tänzer, Fernsehen und Traffic Conductor; *Polinterações I, II* und *III* (St. Louis/Mo. 1970; Partitur in: Source 1970, Nr 7/8). Daneben veröffentlichte sie *O 3° mundo / The Third World* (São Paulo 1961) und *Apague meu / Spotlight* (ebd.).

Oliveira (uliv'eirɐ), Valdemar de, * 2. 5. 1900 zu Recife (Staat Pernambuco); brasilianischer Musikkritiker und Komponist, Dr. med., 1970 Emeritus als Vizedekan der Medizinischen Fakultät der Universidade Federal de Pernambuco, ist seit 1940 Präsident des Sociedade de Cultura Musical und Generaldirektor des von ihm 1941 gegründeten Teatro de Amadores, mit dessen Ensemble er auch im Ausland gastiert hat. Daneben war er Musikkritiker der Zeitung »Journal do

comercio« in Recife (1924–70) sowie Gründer und Leiter der Zeitschriften »Cultura musical« (1930–31) und »Contraponto« (1946–51). Er schrieb die Operetten *Verenice* (1925), *Aves de arribação* (1927) und *A rosa vermelha* (1928), Stücke für Kindertheater sowie Werke für Gesang und Klavier. Unter dem Titel *Valdemar, setentão* (Recife 1971) veröffentlichte er seine Memoiren.

Oliveira (uliv'eirɐ), Willy Corrêa de, * 11. 2. 1938 zu Recife (Staat Pernambuco); brasilianischer Komponist, studierte bis 1961 bei G. Olivier Toni in São Paulo, nahm an den Ferienkursen für Neue Musik in Darmstadt teil (Pousseur, Berio, K. Stockhausen, Boulez) und arbeitete an den elektronischen Studios der Badischen Hochschule für Musik in Karlsruhe, des Westdeutschen Rundfunks in Köln, der RAI in Mailand (Maderna) sowie der ORTF in Paris (Schaeffer). Er war Professor für Musiktheorie und Komposition am Conservatório Musical Lavignac in Santos. Gegenwärtig lehrt er Komposition an der Escola de Comunicação e Artes der Universidade de São Paulo und gehört der Redaktion der Zeitschrift »Comunicações e artes« an. Er komponierte Orchesterwerke (*Praeludium und Fuge*, 1960; *Ouviver* für Streichorch. und Kl., 1965; Divertimento für Orch., Sprecher, Propagandamädchen und Streichquartett, 1966; *Políptico*, 1972), Kammermusik (*Música para Marta* für 10 Instr., 1961; *5 kitsch* für Kl., 1968; *Impromptu para Marta* für Kl., 1972), Vokalwerke (Kantate *Paixão de Cristo* für Soli, Chor und Streichorch., 1958; a cappella-Chöre; *2 canções* nach Texten portugiesischer Trobadors, 1960; *Homenagem a Joyce* für St., Kl. und Streicher, 1965; *3 canções*, 1970) sowie Bühnen- und Filmmusik.

Oliven, Fritz (Pseudonym Rideamus), * 10. 5. 1874 zu Breslau, † 30. 6. 1956 zu Pôrto Alegre (Staat Rio Grande del Sul); deutscher Operettenlibrettist und Schlagertextdichter, war nach dem Jurastudium (Dr. jur.) zunächst Rechtsanwalt in Berlin, bevor er sich ganz schriftstellerischer Tätigkeit widmete. – Operettenlibretti (Mitautoren und Komponisten in Klammern): *Drei alte Schachteln* (mit Fr. Haller, Walter Kollo); *Wenn Liebe erwacht* (mit Haller, Künneke); *Der Vetter aus Dingsda* (mit Haller, Künneke); *Majestät läßt bitten* (Kollo); *Frauen haben das gern* (Kollo). – Revuen (mit Haller und Willy Wolff, Kollo): *Drunter und Drüber* (1923; daraus: *Solang noch unter'n Linden*); *Noch und Noch* (1924); *An und Aus* (1926; daraus: *Mit Dir, mit Dir, möcht' ich am Sonntag angeln geh'n!*); *Wann und Wo?* (1927). Er veröffentlichte *Rideamus. Die Geschichte eines heiteren Lebens* (Bln 1951).

Oliver Pina, Ángel, * 1937 zu Moyuela (Zaragoza); spanischer Komponist, studierte am Konservatorium in Madrid bei Victorino Echevarría, Calés Otero, Cr. Halffter und Guridi sowie ab 1965 bei Jarnach und Clemente Terni. Im selben Jahr erhielt er den Grand Prix de Rome und setzte seine Studien in Italien bei Petrassi, Porena und Ferrara fort. Von seinen Kompositionen seien genannt: *Antífonas* für gem. Chor (1963); *Tres movimientos para orquesta* (1965); *Miniaturas* für Streichquartett (1966); *Salmo CXXX* für gem. Chor (1967); *Riflessi* für Orch. (1968, Petrassi gewidmet); Streichtrio (1968, Petrassi gewidmet); *El siervo de Yahvé*, Kantate für Bar., Chor und Orch. (Text aus der Bibel, 1969); *Interpolaciones* für Bläserquintett (1970); *Psicograma* Nr 1 für Kl. (1971); *Epitafio* für V. und Kl. (1972, in memoriam Gombau); *Homenaje a Miguel Hernández* für Git. (1972); *Ofrenda* für S. und Kl. (Text Gerardo Diego, 1973).

+Oliver, King Joe (eigentlich Joseph O.), 1885 im Staat Louisiana (vielleicht auf der Saulsburg-Plantage bei Abend) [nicht: New Orleans] – 8. [nicht: 10.] 4. 1938.

O. leitete 1924–27 auch das Orchester »Dixie Syncopators« und gründete 1931 erneut ein Orchester, das er bis 1937 leitete. Seine letzte Einspielung machte er 1931.

Lit.: W. F. van Eyle, Discography of K. O., Zaandam (Nordholland) 1966. – The Book of Negro Folklore, hrsg. v. L. Hughes u. A. Bontemps, NY 1958, S. 455ff. (Briefe O.s u. Äußerungen seiner Mitmusiker). – Jazzmen, hrsg. v. Fr. Ramsey jr. u. Ch. E. Smith, NY 1939 u. 1942, auch = Harvest Books XXX, 1959, auch = Jazz Book Club XIII, London 1958, frz. Paris 1949; E. Williams, K. O., NY 1946; W. C. Allen u. Br. A. L. Rust, K. J. O., = Jazz Monographs I, Belleville (N. J.) 1955, auch = Jazz Book Club VI, London 1958 u. 1960; S. B. Charters, Jazz, New Orleans. An Index to the Negro Musicians of New Orleans, = Jazz Monographs II, Belleville (N. J.) 1958 (reicht bis 1957), ²1963 (bis 1963), auch London 1959; L. Gushee, K. O.'s Creole Jazz Band, in: The Art of Jazz, hrsg. v. M. T. Williams, NY 1959, Paperbackausg. = Evergreen Books o. Nr, NY 1960, London 1960, auch = Jazz Book Club XXXV, ebd. 1962; ders. in: Jazz Panorama, hrsg. v. M. T. Williams, NY 1962 u. 1964, auch = Jazz Book Club LII, London 1965; M. T. Williams, K. O., = Kings of Jazz VIII, London 1960, NY 1961, deutsch = ebd. II, Stuttgart 1961, ital. = ebd. o. Nr, Mailand 1961, schwedisch = Jazz VIII, Stockholm 1960; ders., Jazz Masters of New Orleans, NY 1967; B. James, K. O. as Father-Figure, in: Essays on Jazz, London 1961; E. Souchon, K. O., A Very Personal Memoir, in: Jazz Panorama, hrsg. v. M. T. Williams, NY 1962 u. 1964, auch = Jazz Book Club LII, London 1965; G. Schuller, The Hist. of Jazz, Bd I: Early Jazz, NY 1968.

Olivero, Magda, * 25. 3. 1916 zu Saluzzo (bei Turin); italienische Opernsängerin (lyrischer Sopran), studierte in Turin am Conservatorio Statale di Musica G. Verdi (Komposition bei Ghedini) und danach an der Gesangsschule der RAI bei Luigi Gerussi sowie später in Rom bei Luigi Ricci an der Gesangsschule von Antonio Cotogni. Sie debütierte 1933 in Turin als Lauretta in Gianni Schicchi, sang ab 1938 an der Mailänder Scala und erzielte den entscheidenden Durchbruch 1939 in der Titelpartie von Cileas Adriana Lecouvreur. Seitdem tritt sie an den großen Opernbühnen Italiens auf. Gastspiele führten M. O. u. a. zu den Festspielen nach Edinburgh (1963) und an die Wiener Staatsoper (1965). Zu ihren Hauptrollen zählen Violetta und Manon (Massenet) sowie die lyrischen Partien der Opern Puccinis.

Lit.: R. Celletti, A colloquio con M. O., nRMI III, 1969.

Oliveros (oliv'ɛ:rəs), Pauline, * 30. 5. 1932 zu Houston (Tex.); amerikanische Komponistin, studierte 1949–52 an der University of Houston und 1954–56 am San Francisco State College (B. A. 1957) sowie 1954–60 privat bei Erickson. 1966–67 war sie Director des Mills College Tape Music Center in Oakland (Calif.) und wurde 1967 Lecturer in Electronic Music an der University of California in San Diego. – Kompositionen (Auswahl): Variations for Sextet (1961); Sound Patterns für gem. Chor (1961); Trio für Fl., Kl. und Page turner (1961); Outline für Fl., Schlagzeug und Kb. (1963); Duo for Accordion and Bandoneon with Possible Mynah Bird Obligato, See Saw Version (1964); Pieces of Eight für Bläseroktett und Tonband (1965); A Theater Piece für 15 Schauspieler, Film und Projektionen, Tonband und elektronisch verarbeitetes Live-Tonmaterial (1966); Light Piece for Piano für elektronisch modifiziertes Kl., Tonband und Lichteffekte (1965); Mnemonics V für Stereotonband (1966); Festival House für Orch., Chor und Schauspieler (1968); Night Jar für Va d'amore, Tonband und Projektionen (1968); The Wheel of Fortune, Improvisation Suggested by the Tramp Cards of Tarot Deck (1969); One Sound für Streichquartett

(1970); Apple Box Orchestra with Bottle Chorus (1970); $\int \Psi * \Psi \, d \, T = 1$, The Indefinite Integral of Psi Star Psi d Tau Equals One (in: Source 1970, Nr 7/8); Sonic Meditations (ebd. 1971, Nr 10). – Aufsätze: K. Kohn. »Concerto Mutabile« (in: Perspectives of New Music II, 1963/64); Some Sonic Observations (in: Source II, 1964).

Lit.: M. Subotnik, P. O., Trio, in: Perspectives of New Music II, 1963/64.

Olkuśnik (əlkʹuçnik), Joachim, * 27. 3. 1927 zu Kostrzyna (bei Częstochowa); polnischer Komponist, studierte 1954–60 an der Warschauer Musikhochschule bei Szeligowski. 1964–70 war er Redakteur beim polnischen Rundfunk in Warschau und ist seit 1970 an der Warschauer Autorenagentur tätig. Er schrieb u. a. Retrospekcje (»Retrospektiven«) für 2 Streichorch., Bläser und Schlagzeug (1961), 2 Streichquartette (1962 und 1968), Spektrografie (»Spektrographien«) für Frauenchor, 52 Streichinstr., 2 Hf., 2 Kl. und Schlagzeug (1964), Sekwencje (»Sequenzen«) für V. und Kl. (1969) und Rekonstrukcje (»Rekonstruktionen«) für einen Rezitator, gem. Chor, Kl., Org. und Schlagzeug (1970).

+Ollendorff, Fritz, * 29. 3. 1912 [nicht: 1915] zu Darmstadt.

Neben seinem Engagement an der Deutschen Oper am Rhein in Düsseldorf(–Duisburg) gastierte O. u. a. an der Mailänder Scala, der Wiener Staatsoper, der Covent Garden Opera in London und wirkte bei verschiedenen Festspielen mit.

+d'Ollone, Max (Maximilien) Paul Marie Félix, * 13. 6. 1875 zu Besançon, [erg.:] † 15. 5. 1959 zu Paris. Er veröffentlichte ferner Le langage musical (2 Bde, Paris 1952–56).

+Olmeda de San José, Federico, 1865 – 11. 2. [nicht: 12.] 1909.

+Olof, Theo, * 5. 5. 1924 zu Bonn.

Seine Konzertmeistertätigkeit beim Residentie-Orkest im Haag beendete er 1970, um vermehrt seinen zahlreichen solistischen (besonders Uraufführungen zeitgenössischer Violinmusik) und pädagogischen Verpflichtungen nachgehen zu können. Mit der Pianistin Janine Dacosta bildet er seit 1968 ein Duo. O. unterrichtet am Haager Konservatorium (1968 Professor) und hält zusätzlich Meisterkurse ab. Mit Wirkung zum 1. 9. 1974 wurde er zum 1. Konzertmeister des Concertgebouworkest in Amsterdam ernannt. Neben den autobiographischen Schriften Daar sta je dan ... (»Da steh ich nun ...«, = Ooievaars XCI, Den Haag 1958) und Divertimento van en over Th. O. (ebd. 1968) veröffentlichte er De muziekwedstrijd (ebd. 1959).

Oloff, Ephraim, * 1685 in der Nähe von Warschau, † 15. 4. 1735 zu Thorn/Toruń; polnischer Theologe, Sohn des lutherischen Pastors Marcin O. (1658–1715), des Verfassers einer Kirchenliedersammlung (Zbiór kantyczek, Toruń 1672), studierte in Toruń und Leipzig und wirkte in Toruń und Elbing. Er veröffentlichte: Pieśni niektóre z niemieckiego na polski język przetłomaczone (»Einige Lieder aus dem Deutschen ins Polnische übersetzt«, Toruń 1727); Polnische Liedergeschichte von polnischen Kirchen Gesängen und derselben Dichtern und Übersetzern nebst einigen Anmerkungen aus der polnischen Kirchen und Gelehrten-Geschichte (Danzig 1744, postum).

+Leo S. Olschki, S.a.S.

Leo [erg.: Samuel] O., [erg.: 2. 1.] 1861 – [erg.: 19. 6.] 1940. – Nach dem Tode von Aldo O. (* 28. 6. 1893 zu Venedig, † 9. 10. 1963 zu Florenz) ist gegenwärtig

Alessandro O. (* 12. 2. 1925 zu Florenz) Leiter der Casa editrice. Aus dem neueren musikwissenschaftlichen Verlagsprogramm seien, neben der Fortführung der +»*Historiae musicae cultores*« *Biblioteca* (27 Bde bis 1969) und den *Quaderni rossiniani* (vormals +*Inediti rossiniani*, hrsg. von der Fondazione Rossini in Pesaro, 16 Bde bis 1968), die »Rassegna annuale di studi musicologi« *Chiagiana* (XXIff., N. S. Iff., ab 1964, vormals als »Numeri unici« für die Settimane musicali senesi der Accademia musicale Chigiana) und die *Rivista italiana di musicologia* (RIdM, Iff., 1966ff.) als Organ der Società italiana di musicologia genannt.

Olsen, Derrik → Ochsenbein, Diego Frédéric.

Olsen, Poul Rovsing, * 4. 11. 1922 zu Kopenhagen; dänischer Komponist und Musikethnologe, studierte 1940–48 Rechtswissenschaft an den Universitäten Århus und Kopenhagen (cand. jur. 1948) sowie 1943–46 Klavier und Theorie an Det Kongelige Danske Musikkonservatorium in Kopenhagen und 1948–49 Komposition bei Nadia Boulanger in Paris. Seit 1960 ist er Archivar der Dansk Folkemindesamling, der dänischen Sammlung volkskundlicher Denkmäler. Er war Kritiker für die Zeitungen »Morgenbladet« (1945–46) und »Information« (1949–53) und schreibt seit 1953 für »Berlingske tidende«. Als Musikethnologen führten ihn Expeditionen an den Persischen Golf (1958 und 1962–63) und nach Grönland (1961). 1962–67 war er Präsident des dänischen Komponistenverbandes. – Kompositionen (Auswahl): Oper *Belisa* op. 50 (nach García Lorca, Kopenhagen 1966); Ballett *Ragnarök* op. 11 (ebd. 1960); Fernsehballett *Brylluppet* (»Die Hochzeit«) op. 54 (1966); *Variations symphoniques* für Orch. op. 27 (1954); *Sinfonia I* op. 40 (1959) und *II (Susudil)* op. 53 (1966); *Au fond de la nuit* für Kammerorch. op. 61 (1968); Klavierkonzert op. 31 (1956); Passacaglia für Fl., V., Vc. und Kl. op. 45 (1961); *Patet* für 9 Musiker op. 55 (1966); Sonatine op. 1, 1941, und *Medardus* op. 35, 1957, für Kl.; *Sonate II* für Kl. 4händig op. 57, 1967; *Schicksalslieder* für S., T. und 7 Instr. op. 28 (1954); Vokalise *Alapa-Tarana* op. 41 (1960); *A l'inconnu* für T. und 13 Saiteninstr. op. 48 (1963); Bühnen- und Filmmusik. – Aufsätze: *Enregistrements faits à Kuwait et à Bahrain* (in: Ethnomusicologie III, = Les colloques de Wégimont V, 1958–60); *Nahami* (DMT XXXVI, 1961); *Dessins mélodiques dans les chants esquimaux de Groenland de l'est* (Dansk aarbok for musikforskning 1963); *La musique africaine dans le Golfe Persique* (JIFMC XIX, 1967); *Acculturation in the Eskimo Songs of the Greenlands* (Yearbook of the International Folk Music Council IV, 1972).

+Olsen, Carl Gustav Sparre, * 25. 4. 1903 zu Stavanger.
1953 wurde O. mit einer Festschrift geehrt (Oslo 1953, mit Werkverz. und Bibliogr.); zu seinem 70. Geburtstag erschien die Festschrift *150 Sparretonar* (»150 Sparre-Lieder«, ebd. 1973). – Weitere Werke: Suite *Anne på Torp* op. 12 (1933), 2 Modelle für Musik als Hörkulisse op. 13 (1931), *Preludio e fughetta* op. 23 (1936), Fuge und Choral *Nidarosdomen* op. 29 (1947) und *Intrata* op. 46 (1956) für Orch.; Adagio für Streichorch. op. 41 (1952); Serenade für Fl. und Streichorch. op. 45 (1954); Bläserquintett op. 35 (1946), Suite für Fl., Ob. und Klar. op. 10 (1933); *Leitom-Suite* für Kl. op. 33 (1951); *Röystene* (»Stimmen«) für Soli, Chor und Orch. op. 21 (1935), *Draumkvedet* (»Traumlied«) für Solo, Rezitation, gem. Chor und Orch. op. 22 (1937); Lieder (u. a. op. 1, 1926; op. 3, 1929; op. 4, 1930; op. 11, 1932; op. 26, 1939; op. 28, 1940; op. 32, 1943; op. 36, 1946; op. 39, 1950; op. 42, 1952; op. 52, 1971). –

O. veröffentlichte *P. Grainger* (Oslo 1963, hrsg. als Fs. zu O.s 60. Geburtstag) und *Tor Jonsson-minne* (»Zum Gedenken an T. Jonsson«, ebd. 1968).
Lit.: KJ. BAEKKELUND in: Musikrevy XVII, 1962, S. 88ff.

+Olsson, Otto Emanuel, * 19. 12. 1879 und [erg.:] † 1. 9. 1964 zu Stockholm.
Lit.: L. HEDWALL in: Kyrkomusikernas tidning XXIV, 1958, S. 156ff., 170ff. u. 180ff.

+Olszewska, Maria (geborene Berchtenbreiter, verheiratete Schipper), * 12. 8. 1892 zu Ludwigsschwaige (bei Donauwörth), [erg.:] † 17. 5. 1969 zu Klagenfurt.

Om Kalsoum → Umm Kulṯūm.

Omerza (ɔm'ɛrza), Mihael, * 28. 9. 1679 zu Kamnik (Slowenien), † 23. 4. 1742 zu Ig (bei Laibach/Ljubljana); slowenischer Komponist, war 1706–15 Domvikar in Laibach, 1716 bis zu seinem Tode Pfarrer in Ig. Von seinen Werken sind Kompositionen bekannt, die zur Gattung des Oratoriums zählen: *Diva Magdalena poenitens* (1709); *Pastor bonus* (1710); *Mater dolorosa* (1711); *Christus bajulans crucem* (1712); *David deprecans pro populo* (1713).

Oncina (ɔnθ'ina), Juan, * 15. 4. 1925 zu Barcelona; spanischer Opernsänger (Tenor), studierte in seiner Heimatstadt bei Mercedes Capsir-Tanzi, debütierte dort als Des Grieux in Massenets *Manon* und ging anschließend nach Italien, wo er sich in den lyrischen Tenorpartien Rossinis und Donizettis einen Namen machte. 1952–61 sang er bei den Festspielen in Glyndebourne.

+Ondříček, František, 1857–1922.
Die mit S. Mittelmann verfaßten violinpädagogischen Schriften erschienen im Neudruck als *Violin-Methode auf anatomisch-physiologischer Grundlage* (bislang Teil I: *Elementarschule des Violinspiels*, 6 H., hrsg. von Fr. Schmidtner, Lpz. 1959, dazu separat 15 *Künstler-Etüden*, hrsg. von dems., Lpz. 1958).
Lit.: +A. MOSER, Gesch. d. Violinspiels (1923), 2. Aufl. hrsg. v. H.-J. Nösselt, 2 Bde, Tutzing 1966–67. – B. ŠICH, Památce krále českých houslistů, mistra Fr. Ondříčka (»Zum Andenken an d. König d. tschechischen Geiger, d. Meister Fr. O.«), 3 Bde, Prag 1936–48; DERS., Fr. O., ebd. 1947, russ. hrsg. v. L. S. Ginsburg, Moskau 1958; DERS., Fr. O., Prag 1970; O. a Paganini, hrsg. v. FR. CHMEL, Hranice 1937, daraus: Fr. O., Am Sarge Paganinis, mitgeteilt v. Zd. Výborný, in: Musica XI, 1957, ital. in: La Scala VIII, 1956, H. 80, S. 21ff.; The Memoirs of C. Flesch, hrsg. v. H. KELLER u. C. F. FLESCH, London 1957, NY 1958, deutsch als: Erinnerungen eines Geigers, hrsg. v. C. F. Flesch, Freiburg i. Br. 1960, ²1961.

+Onegin, Elfriede Elisabeth Sigrid [erg.:] Emilie, 1889 [nicht: 1891] – 1943.

+O'Neill, Norman [erg.:] Houstoun, 1875–1934.
Lit.: TH. ARMSTRONG, The Frankfort Group, Proc. R. Mus. Ass. LXXXV, 1958/59; E. IRVING, Cue f. Music, London 1959.

Ongaku-no-Tomo-Sha → Meguro, Sansaku.

Onnen, Frank, * 25. 3. 1915 zu Baarn (Utrecht); niederländischer Musikschriftsteller, studierte am Konservatorium in Amsterdam und ab 1939 am Pariser Conservatoire bei Desormière und Ch. Münch (Dirigieren). Gleichzeitig war er in Paris für mehrere niederländische Zeitungen als Musikkritiker tätig. Neben enzyklopädischen Beiträgen (MGG, Encyclopédie de musique [Fasquelle]) veröffentlichte er u. a.: *Debussy als criticus en essayist*. »*Monsieur Croche antidilletante*« *en andere opstellen* (». . . und andere Aufsätze«, = Berœmde musici XXIII, Den Haag 1948, Übers. von Schriften Debussys); *M. Ravel* (Amsterdam 1948, engl. London 1949); *I. Stravinsky* (Nimwegen 1948, engl. London

1949 und NY 1950); *Excursies door de Franse muziek* (Utrecht 1951, Aufsatz-Slg); *Mozart en Hollande* (RM 1956, Nr 231); *Encyclopédie de la musique* (= Le livre Sequoia VI, Paris 1964, span. Madrid 1967); *L'influence de Debussy: Pays-Bas (Belgique–Hollande)* (in: Debussy et l'évolution de la musique au XXe s., hrsg. von E. Weber, = Colloques internationaux du Centre national de la recherche scientifique, Sciences humaines o. Nr, Paris 1965); *Twee onafhankelijke franse componisten. H. Dutilleux en M. Constant* (»2 unabhängige französische Komponisten ...«, in: Mens en melodie XXI, 1966).

+Onslow, André Georges Louis, 1784 – 1853 [nicht: 1852].
Ausg.: Sonate A dur f. Va u. Kl. op. 16 Nr 3, hrsg. v. W. Höckner, Hbg 1963; Grand sextuor f. Kl., Fl., Klar., Fag., Horn u. Kb., hrsg. v. J. S. Schmidt, = Le pupitre XLIII, Paris 1972; Sonate D moll f. Va (oder Vc.) u. Kl. op. 16 Nr 2, hrsg. v. U. Wegner, = Das 19. Jh. o. Nr, Kassel 1972.
Lit.: C. E. Vulliamy, The O. Family, London 1953; U. Sirker, Die Entwicklung d. Bläserquintetts in d. ersten Hälfte d. 19. Jh., = Kölner Beitr. zur Musikforschung L, Regensburg 1968.

Opela (ˈɔpɛla), Jaroslav, * 22. 5. 1935 zu Mährisch-Ostrau / Moravská Ostrava (heute Ostrava); deutscher Dirigent, studierte am Konservatorium in Ostrava sowie an der Akademie der musischen Künste in Brünn (Dirigieren bei Bakala) und absolvierte die Meisterkurse bei Ferrara in Siena und R. Kubelik in Brighton. 1968 war er Preisträger des Internationalen Dirigentenwettbewerbs der Accademia Nazionale di S. Cecilia in Rom. 1958–66 wirkte er als Chefdirigent der Staatlichen Philharmonie in Gottwaldov und ist seit 1968 Assistent von Kubelik beim Bayerischen Rundfunk, daneben auch Leiter des Münchner Orchestervereins »Wilde Gung'l«. Als Gastdirigent trat er (bis 1966) in Polen, Ungarn, Jugoslawien und Bulgarien auf; nach 1966 dirigierte er u. a. in Italien, Österreich, Großbritannien und der Schweiz. 1971–72 leitete er als Gast das National Symphony Orchestra Seoul.

+Opieński, Henryk, 1870–1942.
O. begründete 1911 die erste polnische musikwissenschaftliche Zeitschrift (*Kwartalnik muzyczny*, 1911–14). – *+Chopin* (1909), Lemberg ²1925; *+I. J. Paderewski* (1911), Warschau ²1928, NA Krakau 1960, portugiesisch São Paulo 1958; *+Chopin's Letters* (1931), Nachdr. NY 1972.

Opitz von Boberfeld, Martin, * 23. 12. 1597 zu Bunzlau (Schlesien), † 20. 8. 1639 zu Danzig; deutscher Dichter und Kunsttheoretiker, besuchte das Magdalineum in Breslau und dann das Akademische Gymnasium in Beuthen (Oder), studierte 1619–20 an der Heidelberger Universität und folgte 1622 einem Ruf des Fürsten Bethlen Gabor von Siebenbürgen an die hohe Schule in Weißenburg; 1625 wurde er während eines Wienaufenthalts von Kaiser Ferdinand II. zum Dichter gekrönt (1627 als O. v. B. in den Adelsstand erhoben). 1626–33 war O. enger Mitarbeiter des Burggrafen Karl Hannibal von Dohna (Schlesien). Er lebte zuletzt als Sekretär und Historiograph Wladislaw IV. von Polen in Danzig, wo er an der Pest verstarb. – O. war bestrebt, die deutsche Sprache zu einem Träger einer Kunstpoesie zu entwickeln und führte Kunstdrama, Schäferdichtung, Ode, Sonett und Epigramm in die deutsche Literatur ein. Sowohl seine Dichtungen als auch seine Übersetzungen (Psalmen, Tragödien Ἀντιγόνη von Sophokles und *Troades* von Seneca, Roman *Arcadia* von Philipp von Sidney) sollten dabei ein Modell bilden. In seinem *Buch von der Deutschen*

Poeterey (Breslau 1624) forderte er für die deutsche Poesie anstelle einer quantitierenden bzw. syllabischen Verslehre eine auf Akzent und Ton beruhende Metrik. – Mit der Bearbeitung von Rinuccinis *Dafne* anläßlich der Hochzeit von Luisa von Sachsen und Georg II. von Hessen-Darmstadt auf Schloß Hartenfels bei Torgau (1627) schrieb O. das Libretto *Daphne* zur ersten deutschen Oper (Musik H. Schütz), deren Partitur verloren ist. Weitere Dichtungen vertonten u. a. Hammerschmidt (*Geistliche Dialogen ander Teil, Darinnen Herrn O.ens Hohes Lied Salomonis* für 1–2 Singst., 2 V. und Gb., Breslau 1627), Loewenstern (*M. O. Judith aufs neu ausgefertiget, worzu der vördere Theil der Historie sampt Melodeyen auff iedwedes Chor beygefüget von A. Tscherningen*, Rostock 1646) und C. M. v. Weber (Lied *Gelehrtheit* op. 64 Nr 4, 1818).
Ausg.: Gesammelte Werke. Kritische Ausg., hrsg. v. G. Schulz-Behrend, bisher erschienen: Bd I, Die Werke v. 1614–21, = Bibl. d. Literarischen Ver. in Stuttgart, Publ. 295, Stuttgart 1968, Bd III, 2 Teile, Übers. v. J. Barclays Argenis, ebd. 296–297, 1970. – Buch v. d. Deutschen Poeterey (1624), nach d. Ed. v. W. Braune neu hrsg. v. R. Alewyn, = Neudr. deutscher Literaturwerke, N. F. VIII, Tübingen 1963, ²1967; Geistliche Poemata (1638), Faks. hrsg. v. E. Trunz, = Deutsche Neudr., Reihe Barock I, ebd. 1966; Weltliche Poemata (1644), Faks. hrsg. v. dems. u. Chr. Eisner, 1. Teil, ebd. II, 1967; Schäfferey v. d. Nimfen Hercinie, hrsg. v. P. Rusterholz, = Reclams Universal-Bibl. Nr 8594, Stuttgart 1969; Jugendschriften vor 1619, Faks. hrsg. v. J.-U. Fechner, = Slg Metzler LXXXVIII, Abt. g, Reihe b, ebd. 1970; Gedichte, hrsg. v. J.-D. Müller, = Reclams Universal-Bibl. Nr 361/63, ebd. 1970; Buch v. d. Deutschen Poeterey (1624), hrsg. v. C. Sommer, ebd. Nr 8397/98, 1970; Ph. v. Sidney, Arcadia d. Gräfin v. Pembrock ... (1643), Nachdr. Darmstadt 1971; Schäfferey v. d. Nimfen Hercinie, Bern 1972.
Lit.: C. Lemcke, Umständliche Nachricht v. O. v. B., Hirschberg 1740/41; O. Taubert, Daphne, die erste deutsche Operntextbuch, Torgau 1879; M. Rubensohn, Der junge O., in: Euphorion II, 1895 u. VI, 1899; A. Mayer, Judith, ebd. XX, 1913; ders., Zu O.' Daphne, ebd. XXIV, 1918; Fr. Gundolf, M. O., München 1923, Wiederabdruck in: ders., Dem lebendigen Geist, = Veröff. d. Deutschen Akad. f. Sprache u. Dichtung Darmstadt XXVII, Heidelberg 1962, S. 87ff., u. in: Deutsche Barockforschung. Dokumentation einer Epoche, hrsg. v. R. Alewyn, = Neue wiss. Bibl. VII, Köln 1965, S. 107ff.; R. Alewyn, Vorbarocker Klassizismus u. griech. Tragödie, Analyse d. »Antigone«-Übers. d. M. O., Neue Heidelberger Jb., N. F. 1926, Nachdr. Darmstadt 1962; C. Gr. Loomis, The Genesis and the Influence of the Metrical Psalms of M. O., Univ. of California Publ. in Semitic Philology XI, 1951; M. Szyrocki, Der junge O., in: Sinn u. Form VII, 1955; ders., M. O., = Neue Beitr. zur Literaturwiss. IV, Bln 1956; H. Stelzig, Sprachwiss. Analyse zu Klanggestalten u. Klangrhythmus deutscher Lyrik im Zeitraum 1620–1720 bei M. O., A. Gryphius, J. C. Günther, Diss. Greifswald 1957; U. Bach, M. O. v. B. 1597–1639, = Kleine Beitr. o. Nr, Andernach 1959; R. H. Thomas, The Creation of the Continuo Lied. M. O. and J. Nauwach, in: Poetry and Song in the German Baroque. A Study of the Continuo Lied, Oxford 1963; E. Mazingue, De la renaissance opitienne au Frührokoko, in: Etudes germaniques XIX, 1964; J. L. Gellinek, M. O. Seine dichterische Entwicklung, Diss. Yale Univ. (Conn.) 1965; B. Ulmer, M. O., = Twayne's World Authors Series Nr 140, NY 1971; Chr. Wagenknecht, Weckherlin u. O., Zur Metrik d. deutschen Renaissancepoesie, München 1971.

Oppenheim, Hans, * 25. 4. 1892 zu Berlin, † 19. 8. 1965 zu Edinburgh; englischer Dirigent deutscher Herkunft, studierte in Berlin und München. Er wirkte 1913–31 an verschiedenen europäischen Opernhäusern und war Gründer und Leiter (1931–33) der Deutschen Musikbühne. 1933 ließ er sich in England nieder, wo er 1934–37 beim Glyndebourne Festival Mozart-

Opern dirigierte und 1937–45 die Dartington Hall Music Group in Totnes (Devonshire) sowie 1946 die English Opera Group leitete. 1951 gründete er mit Isobel Dunlop die Saltire Music Group in Edinburgh, deren Leitung er dann übernahm.

Oppo, Franco, * 2. 10. 1935 zu Nuoro (Sardinien); italienischer Komponist und Musikpädagoge, studierte am Conservatorio Statale di Musica G. Pierluigi da Palestrina in Cagliari bei Roberto Gorini, in Venedig bei Ghedini und in Warschau bei Perkowski. Gegenwärtig ist er Professor für Komposition am Konservatorium in Cagliari. Beim Concorso internazionale di musica e di ballo G. B. Viotti 1961 in Vercelli erhielt er für seine Komposition *Tre canzoni spagnuole* den 2. Preis. O. schrieb ferner u. a. *Alliterazioni–Organum–Ragtime* für 11 Instr. (1961), *Epitaffio »Don Chisciotte«* für Sprecher und 8 Instr. (1962), *Ciò, che ha scritto* für Solo-St. und 4 Instr. (1964), *Lamento dal salmo XIII* (1964), das Oratorium *Taccuino americano* für S., Sprecher, Chor und Orch. (1969), ein Klaviertrio (1970) sowie *Digressione* für Orch. (1971).

+Orban, [erg.: Laurent François] Marcel, * 13. 11. 1884 zu Lüttich, [erg.:] † 7. 11. 1958 zu Wimereux (Pas-de-Calais).
Seinem Werkverzeichnis ist eine 3. Symphonie (1954) hinzuzufügen.

Orbón (ɔrb'ɔn), Julián, * 7. 8. 1925 zu Avilés (Oviedo); kubanischer Komponist spanischer Herkunft, studierte am Konservatorium in Oviedo u. a. bei seinem Vater, dem Pianisten Benjamín O., in La Habana bei Oscar Lorié und Ardévol sowie 1946 am Berkshire Music Center in Tanglewood (Mass.) bei Copland. 1942–49 gehörte er dem von Ardévol gegründeten »Grupo de Renovación Musical« an. Nach Ausbruch der Revolution in Kuba wurde er 1960 Assistent von Chávez am Conservatorio Nacional de Música in México (D. F.) und ließ sich 1963 in New York nieder. Sein Schaffen umfaßt Orchesterwerke (Kammerkonzert, 1944; Symphonie in C, 1945; *Homenaje a la tonadilla*, 1947; *3 versiones sinfónicas*, 1953; *Danzas sinfónicas*, 1955; Concerto grosso, 1958; Partita Nr 3, 1966), Kammermusik (Klavierquintett, 1944; Streichquartett, 1951; Partita Nr 2 für Cemb., Streichquartett, Vibraphon, Celesta und Harmonium, 1964), Klavierwerke (Toccata, 1944; Sonate, 1946), Cembalostücke (Partita Nr 1) und Vokalwerke (*Himnus ad Galli cantum* für S., Fl., Ob., Klar., Hf. und Streichquartett, 1956; *3 cantigas del rey* für S., Streichquartett, Cemb. und Schlagzeug, auf Texte des Königs Alfonso el Sabio, 1960; *Monte Gelboe* für T. und Orch., 1962; *Oficios de 3 días* für Chor und Orch., 1970; a cappella-Chöre).

+Orchard, William Arundel, * 13. 4. 1867 zu London, [erg.:] † 7. 4. 1961 während einer Schiffsreise im Südatlantik (23°49′ südlicher Breite, 09°33′ östlicher Länge).

+Ord, Boris (Bernhard), * 9. 7. 1897 zu Clifton (Bristol), [erg.:] † 30. 12. 1961 zu Cambridge.

Orda, Alfred (eigentlich Wdowczak), * 9. 7. 1915 zu Łódź; polnischer Sänger (Bariton), war 1949–53 Mitglied der Pariser Opéra und wurde 1953 Solist am Sadler's Wells Theatre in London. Er hat sich, besonders in angelsächsischen Ländern, als Oratorien- und Liedsänger einen Namen gemacht.

d'Ordoñez (dɔrdoɲ'eθ), Carlos (Ordonitz), * 19. 4. 1734 und † 6. 9. 1786 zu Wien; österreichischer Komponist und Violinist, war Beamter im Staatsdienst. Neben G. Chr. Wagenseil und Leopold Hofmann zählt

er zu den Vertretern des vorklassischen Wiener Stils. Die Nähe seines Schaffens zu dem J. Haydns kommt auch darin zum Ausdruck, daß viele seiner Werke unter dem Namen Haydn verbreitet wurden. Veröffentlichungen erschienen nur in Paris. Nachgewiesen sind über 60 Symphonien, Violinkonzerte, Notturni, 32 Streichquartette, etwa 25 Streichtrios, ein Streichquintett, das Singspiel *Diesmal hat der Mann den Willen* (1778, für das Wiener Burgtheater komponiert) und die Marionettenoper *Alceste* (Esterház 1775, komponiert im Auftrag des Fürsten Esterházy; die 1. Aufführung dirigierte J. Haydn).
Lit.: H. C. R. LANDON, Problems of Authenticity in Eighteenth-Cent. Music, in: Instr. Music, hrsg. v. D. G. Hughes, = Isham Library Papers I, Cambridge (Mass.) 1959; DERS. in: MGG X, 1962, Sp. 194ff.

Orebský, Jan → Held, J.

Orefice (or'e:fitʃe), Antonio (Orefici), * um 1685 und † um 1727 zu Neapel; italienischer Komponist, studierte Rechtswissenschaft (Dr. jur.), wandte sich aber einer kompositorischen Laufbahn zu. Nach den Opern *Maurizio* (Text Minato, Neapel 1708) und *Engelberta o sia La forza dell'innocenza* (mit Fr. Mancini, Text Zeno und Pariati, ebd. 1709) schuf er mit der im neapolitanischen Dialekt geschriebenen Opera buffa *Patrò Calienno de la Costa* (ebd. 1709) die erste Commedia musicale napoletana, die u. a. De Falco, L. Leo und L. Vinci zu weiteren Opern dieser Gattung anregte. Er komponierte dann u. a. die Opern (Aufführungsort Neapel) *La Camilla* (1710), *La pastorella al soglio* (1710), *Circe delusa* (1713), *Caligula delirante* (1714), *Il gemino amore* (1718), *Chi la dura la vince* (1721), *La Locinna* (1723, wiederaufgeführt als *La Rosilla* und um 11 Arien von Leo erweitert 1732), *Lo Simmele* (mit Leo, 1724) und *La finta pellegrina* (mit Sarri, 1734). Außerdem schrieb er die Kantate *Sopra un verde colle* für A. und B. c. – Ein Anastasio O., vielleicht ein Sohn oder Bruder von Antonio O., ist ebenfalls in Neapel als Opernkomponist hervorgetreten.
Lit.: B. CROCE, I teatri di Napoli, s. XV–XVIII, Neapel 1891, Bari ²1916, ⁴1947; M. SCHERILLO, L'opera buffa napoletana durante il Settecento. Storia letteraria, Palermo 1916, Mailand ²1917; E. DAGNINO, L'arch. mus. di Montecassino, in: Casinensia I, (Montecassino) 1929.

Orejón y Aparicio (orex'ɔn i apar'iθio), José de, * um 1705 zu Huacho (Lima), † Mai 1765 zu Lima; peruanischer Organist und Komponist, Schüler von Torrejón y Velasco, war an der Kathedrale in Lima 1742–60 Organist und von 1760 bis zu seinem Tode Maestro di cappella. Er schrieb kirchenmusikalische Werke (Messen, Passionen, Chorwerke), von denen u. a. *Pasion del Viernes Santo* für Tripelchor und Orch. (1750), *Aria al SS. Sacramento* für Singst., 2 V. und B. c. und *Contrapunto ala Concepcion de Nuestra Señora* handschriftlich überliefert sind.

+Orel, Alfred, * 3. 7. 1889 und [erg.:] † 11. 4. 1967 zu Wien.
Er war ab 1962 zugleich mit O. E. Deutsch und B. Paumgartner Vorsitzender des Zentralinstituts für Mozartforschung in Salzburg. Die zum 70. Geburtstag erschienene +Festschrift (hrsg. von H. Federhofer, Wien 1960) enthält auch ein Schriftenverzeichnis. – Neuere Veröffentlichungen: *J. Brahms und J. Allgeyer. Eine Künstlerfreundschaft in Briefen* (Tutzing 1964); *Bruckner und Wien* (in: H. Albrecht in memoriam, Kassel 1962); *Die Musik von 1830 bis 1914 in Österreich* (Kgr.-Ber. ebd.); *Ein »Dona nobis pacem« von der Hand L. van Beethovens* (Fs. K. G. Fellerer, Regensburg 1962); *Der mesmerische Garten (Ein Parergon zur Mo-*

zart-Forschung) (Mozart-Jb. 1962/63); *Einige Bemerkungen zu Tanzdramen Chr. W. Glucks* (Fs. O.E. Deutsch, Kassel 1963); *Das Autograph des Scherzos aus Beethovens Streichquartett op. 127* (Fs. H.Engel, ebd. 1964); *Österreichs Sendung in der abendländischen Musik* (Kgr.-Ber. Salzburg 1964, Bd II); *Mozarts Schicksalsweg zwischen den großen Musiknationen* (Mozart-Jb. 1965/66); *Schubertiana in Schweden* (in: Musa–Mens-Musici, Gedenkschrift W.Vetter, Lpz. 1970). – Ausgaben: W. A. Mozart, *Apollo und Hyazinth* (= Neue Mozart-Ausg. II, 5, Bd I, Kassel 1959) und *Die Zauberflöte* (abgeschlossen von G.Gruber, ebd. II, 5, Bd 19, 1970); er wirkte auch verantwortlich an der (I.) →⁺Bruckner-GA mit.

Lit.: FR. RACEK in: ÖMZ XIII, 1958, S. 473ff.; DERS., ebd. XXII, 1967, S. 347f.; H. FEDERHOFER in: Mf XX, 1967, S. 363f.; W. SENN in: AMl XL, 1968, S. 5f.

⁺Orel, Dobroslav, 1870–1942.
An der Komenský-Universität in Bratislava lehrte O. bis 1938 und übersiedelte anschließend nach Prag. Seine Dissertation ⁺*Der Mensuralkodex Speciálník* erschien gedruckt Preßburg 1917 [del.: maschr.]; ⁺*Počátky umělého vícehlasu v Čechách* (»Die Anfänge der mehrstimmigen Kunstmusik in Böhmen«, = Sborník filozofické fakulty university Komenského v Bratislave I, 8, 1922) [del. frühere Angaben dazu]. – Als Anthologie verstreuter Studien erschienen *Príspevky k dejinám slovenskej hudby* (»Beiträge zur Geschichte der slowakischen Musik«, hrsg. von J.Potúček, = Dokumenty k dejinám slovenskej hudby XVIII, Bratislava 1968).

⁺Orff, Carl, * 10. 7. 1895 zu München.
Die Meisterklasse für Komposition an der Staatlichen Hochschule für Musik in München leitete O. bis 1960. Anschließend übernahm er die Gesamtleitung des 1961 gegründeten »Orff-Instituts an der Akademie ,Mozarteum' Salzburg«, der Zentralstelle der O.-Schulwerk-Pädagogik, die in freier Folge *Informationen* und *Jahrbücher* (hrsg. von W.Thomas und W.Götze: I, 1962, auch engl.; II, 1963, Auszüge auch russ. und japanisch; III, 1964–68) veröffentlicht (siehe auch *10 Jahre Orff-Institut. Eine Dokumentation*, hrsg. von der Hochschule für Musik und darstellende Kunst »Mozarteum« in Salzburg, Salzburg 1972). Die wachsende Verbreitung des O.-Schulwerks (1962–67 zahlreiche Auslandsreisen O.s) führte zu folgenden fremdsprachigen Ausgaben: amerikanisch, brasilianisch, dänisch, englisch, französisch, griechisch, japanisch, lateinamerikanisch, niederländisch, portugiesisch, schwedisch, spanisch, tschechisch und walisisch. Auf Anregung O.s wurden in deutschen Grundschulen Versuchsklassen mit täglichem Musikunterricht eingerichtet (»Carl-Orff-Grundschule« Berlin, München, Regensburg und Würzburg). – O. wurde zum 75. Geburtstag geehrt mit den Festschriften *C. O., Sein Leben und sein Werk in Wort, Bild und Noten* (hrsg. von H. W.Schmidt, Köln 1971) und *Das O.-Schulwerk im Dienste der Erziehung und Therapie behinderter Kinder* (hrsg. von H.Wolfgart, Bln 1971). 1972 verlieh ihm die Universität München den Dr. h. c. – Neuere Werke: ⁺*Ein Sommernachtstraum* (1952, Neufassung 1962, Stuttgart 1964); Tragödie *Αἰσχύλου Προμηθεὺς Δησμώτης* (Stuttgart 1968); Lieder für die Schule VI (1963); Stücke für Sprechchor (1969); *Rota* für Stimmen und Instr. (nach dem Kanon *Sumer is icumen in* als »Gruß der Jugend« zur Eröffnungsfeier der Olympischen Spiele München 1972); Bühnenspiel *De temporum fine comoedia – Vigilia* (Salzburg 1973). – Er veröffentlichte ferner *Bairisches Welttheater* (München 1972, mit den Texten zu *Die Bernauerin*, *Astutuli*, *Ludus de nato Infante mirificus* und *Co-*

moedia de Christe resurrectione) sowie 2 Beiträge über Musik zum *Sommernachtstraum* (Shakespeare-Jb. C, 1964, S. 117ff., und ÖMZ XX, 1965, S. 341ff.).

Lit.: ⁺W. KELLER, Einführung in »Musik f. Kinder«. Methodik, Spieltechnik d. Instr., Lehrpraxis (1954), Neufassung Mainz 1963; ⁺C. O., Ein Ber. ... (1955), erweitert ebd. ²1960, auch engl.; ⁺A. LIESS, C. O. (1955), engl. London u. NY 1966, Paperbackausg. London 1971. C. O., Das Bühnenwerk, hrsg. v. R. MÜNSTER, = Ausstellungskat. d. Bayerischen Staatsbibl. X, München 1970 (mit Werkverz.). – R. FREYSE in: NZfM CXXVI, 1965, S. 315ff. (Diskographie). – Sonder-H.: ÖMZ XVII, 1962, H. 9; Melos XXXIII, 1965, H. 6; Musik u. Bildung I, 1969, H. 11. – Würdigungen zum 70. Geburtstag u. a. in: Musikerziehung XVIII, 1964/65, S. 199ff.; Das Orch. XIII, 1965, S. 258ff.; Musica XIX, 1965, S. 192ff.; MuG XV, 1965, S. 470ff.; Musik im Unterricht (Allgemeine Ausg.) LVI, 1965, S. 220ff.; Musik in d. Schule XVI, 1965, S. 328ff.; Musik u. Altar XVII, 1965, S. 172ff.; NZfM CXXVI, 1965, S. 277ff.; SM CV, 1965, S. 143ff.; Universitas XX, 1965, S. 737ff.

K. H. WÖRNER, Egk and O., MR XIV, 1953; DERS. in: Musik im Unterricht (Allgemeine Ausg.) L, 1959, S. 269ff. (Interview); B. KROHN in: Musikrevy XII, 1957, S. 210ff.; D. MITCHELL, C. O., a Modern Primitive, MMR VIII, 1957; A. LIESS, C. O. u. d. moderne Musik, in: Universitas XIII, 1958; DERS., C. O. u. d. Dämonische, Viernheim 1965; W. KELLER in: Stilporträts d. Neuen Musik, = Veröff. d. Inst. f. Neue Musik u. Musikerziehung Darmstadt II, Bln 1961, ²1965, S. 42ff.; O. T. LEONTJEWA, K. Orf i P. Chindemit, in: Musyka i sowremennost I, hrsg. v. T. A. Lebedewa, Moskau 1962; DIES., K. Orf, ebd. 1964; DIES. in: SM XXXIV, 1970, H. 8, S. 122ff.; M. PINCHARD, C. O., musicien populaire, in: Musica (Disques) 1963, Nr 113; K. BOEHMER, Offener Brief an C. O., in: Musikdenken u. Automatik ..., = Serielle Manifeste 66, H. 12, St. Gallen 1966; E. HERMACH in: Ruch muzyczny XIV, 1970, H. 6, S. 14ff.; U. KLEMENT, C. O. u. seine Grenzen, MuG XX, 1970; W. SEIFERT in: NZfM CXXXI, 1970, S. 370ff. (mit Interview); K. DRUMEVA in: Bâlgarska muzika XXII, 1971, Nr 1, S. 87ff.; K. H. RUPPEL, »Eine kuriose Idee«. Erinnerung an eine frühe Begegnung mit C. O., Fs. f. einen Verleger (L. Strecker), Mainz 1973.

K. H. RUPPEL in: ÖMZ XII, 1957, S. 54ff. (zu »Trionfi«); E. DOFLEIN in: SMZ XCVIII, 1958, S. 104ff. (zur »Bernauerin«); R. U. KLAUS, Hymen, Kypris u. d. Hymenaïen. Zu mythologischen Quellen v. O.s »Trionfo di Afrodite«, in: Maske u. Kothurn VI, 1960; K. SCHUMANN, Magie u. Kalkül. Über d. Form in d. Musik C. O.s, Frankfurter H. XV, 1960, auch in: NZfM CXXII, 1961; N. FARRAY in: Rev. de música II, 1961, S. 24ff. (zu »Catulli Carmina«); A. LIESS, Das Weihnachtsspiel im O.schen Welttheater, SMZ CI, 1961; DERS. in: Rass. mus. XXXII, 1962, S. 256ff. (zu »Trionfi«); DERS., Das dramatische Bühnenwerk C. O.s, in: Universitas XXI, 1966, auch in: Wiss. u. Weltbild XIX, 1966; H. KEMNITZ, »Die Kluge« v. C. O., 2 H., = Die Oper o. Nr, Bln 1961–62; R. DÜCHTING, Carmina burana. J. A. Schmeller u. C. O., in: Ruperto-Carola XIV, 1962; H. J. MOSER, C. O. u. d. Musiktheater d. Gegenwart, in: Universitas XVII, 1962; U. GÜNTHER, O.s »Kluge« als erste Oper im Schulmusikunterricht, in: Musik im Unterricht (Ausg. B) LIV, 1963; I. DE SUTTER, Carmina Burana. = Leren luisteren VII, Antwerpen 1963; O. T. LEONTJEWA, Musykalnaja forma w proiswedenijach K. Orfa (»Die mus. Form in d. Werken C. O.s«), in: Musyka i sowremennost III, hrsg. v. T. A. Lebedewa, Moskau 1965; S. MELCHINGER, Prometheus, NZfM CXXIX, 1968; Prometheus. Mythos, Drama, Musik. Beitr. zu C. O.s Musikdrama nach Aischylos, hrsg. v. FR. WILLNAUER, Tübingen 1968; M. BRAILOWSKIJ in: Woprossy teorii i estetiki musyki IX, hrsg. v. L. N. Raaben, Leningrad 1969, S. 71ff. (zu »Trionfi«); U. KLEMENT, Das Musiktheater C. O.s. Untersuchungen zu einem bürgerlichen Kunstwerk, Diss. Lpz. 1969; R. RAFFALT in: NZfM CXXXIV, 1973, S. 640ff., bzw. W. THOMAS u. R. KLEIN in: ÖMZ XXVIII, 1973, S. 290ff. (zu »De temporum fine comoedia ...«); W. THOMAS, C. O., De temporum fine comoedia ..., Eine Interpretation, Tutzing 1973.

E. Laaff, Der Pädagoge O. u. sein »Schulwerk«, in: Musik im Unterricht (Ausg. B) LI, 1960; L. Wismeyer, Das O.-Schulwerk, in: Hdb. d. Schulmusik, hrsg. v. E. Valentin, Regensburg 1962; P. v. Hauwe, In de werkplaats v. C. O., in: Mens en melodie XVIII, 1963; W. Keller, C. O.s C.-f.-Sätze, in: Musik im Unterricht (Ausg. B) LIV, 1963; O. T. Leontjewa, K. Orf. Dlja detej (»Musik f. Kinder«), SM XXVII, 1963; W. Thomas, Das O.-Schulwerk als pädagogisches Modell, in: Erziehung u. Wirklichkeit, = Gestalt u. Gedanke IX, 1964; B. Zgodzińska, Wychowanie muzyczne według systemu C. O.a (»Musikerziehung nach d. System C. O.s«), in: Ruch muzyczny VIII, 1964; L. Brašovanova-Stančeva, Pedagogičeskoto učenie na K. O. (»Das pädagogische Werk v. C. O.«), in: Bâlgarska muzika XVI, 1965; B. Kreye, Musik u. Bewegung. Bildber. über d. Arbeit mit d. O.-Schulwerk, München 1965; Gespräche mit Komponisten, hrsg. v. W. Reich, = Manesse Bibl. d. Weltlit. o. Nr, Zürich 1965, S. 291ff.; L. Zenkl, Výchova po O.ovsků (»Erziehung durch O.«), in: Hudební rozhledy XIX, 1966; M. Devreese-Papgnies, Sur les traces du Schulwerk de C. O., Méthodologie pour l'usage des instr. d'orch. scolaire, Brüssel 1968; R. B. Glasgow u. G. H. Dale, Study to Determine the Feasibility of Adapting the C. O. Approach to Elementary Schools in America, Washington (D. C.) 1968; G. Lisken, Hinführung zu ma. u. neuer Musik mit Hilfe d. O.-Instrumentariums, in: Musik u. Bildung I, 1969; Perspektivy O.ovy školy v hudební výchově (»Perspektiven d. O.schen Schule in d. Musikerziehung«), hrsg. v. Vl. Poš, = Comenium musicum VII, Prag 1969; M. T. Siemens, A Comparison of O. and Traditional Instructional Methods in Music, Journal of Research in Music Education XVII, 1969; G. Keetman, Elementaria. Erster Umgang mit d. O.-Schulwerk, Stuttgart 1970; A. Walter, The O. Schulwerk in American Education, Inter-American Music Bull. 1970, Nr 77; Sistema detskowo musykalnowo wospitanija K. Orfa (»C. O.s System f. d. mus. Kindererziehung«), hrsg. v. L. Barenboim, Leningrad 1971; B. Haselbach, O.-Schulwerk, in: Grundlagen u. Methoden rhythmischer Erziehung, hrsg. v. G. Bümer u. P. Röthig, Stuttgart 1971 (mit Bibliogr.); L. Wheeler u. L. Raebeck, O. and Kodaly Adapted f. the Elementary School, Dubuque (Ia.) 1972.

Orgad, Ben-Zion (früher Büschel), * 21. 8. 1926 zu Essen; israelischer Komponist, lebt seit 1933 in Tel Aviv. Er erhielt seine frühe musikalische Ausbildung in Jerusalem und Tel Aviv (Violine bei Rudolf Bergmann, Komposition bei Ben-Haim und Tal). Später studierte er in den USA Komposition bei Copland und Fine sowie Musikwissenschaft an der Brandeis University in Waltham/Mass. (M. F. A. 1961). O. ist an leitender Stelle in der Schulmusikabteilung des Ministeriums für Unterricht und Kultur in Israel tätig. – Werke (Auswahl): Tagore-Lieder für S. und Fl. (1946); Ballade für V. solo (1947); *Hazvi Israel* (»Davids Klage um Jonathan«) für Bar. und Orch. (1949); *Out of the Dust* für Mezzo-S. und 4 Instr. (1956); Musik für Orch. mit Hornsolo (1960); *Monolog* für Va solo (1961); *Taksim* für Hf. (1962); *Kaleidoskop* für Orch. (1965); *Movements on A* für Orch. (1966); *Mismorim*, Kantate für 5 Sänger und Kammerorch. (1968); Ballade für Orch. (1971); ferner Kammermusik, Klavierstücke (7 Variationen, 1961) und Chormusik (Psalm VIII für 3st. Männerchor, 1947; *A Tale of a Pipe* für Soli, Frauenchor und 19 Instr., 1971).

Orgas, Hannibal (Annibale), * Ende 16. Jh. zu Ancona (Rom?), † 5. 7. 1629 zu Raciborowice (bei Krakau); italienischer Komponist, Priester, studierte in Rom Musik als Sängerknabe am Collegio Germanico bei Pacelli und Theologie am Seminario Romano (Dr. theol.). Er war 1614–19 Maestro di cappella am Collegio Germanico di S. Apollinare, kam 1622 nach Polen und wurde 1628 Domkapellmeister und Leiter der Rorantistenkapelle in Krakau sowie Propst in Racibo-

rowice. Gedruckt erschienen *Sacrarum cantionum 4, 5, 6, 8 v. cum b. ad org. et musica instrumentalis liber I* (Rom 1619, enthält 22 Kompositionen); handschriftlich sind die beiden 4st. Motetten *Vir inclite Stanislae* (1626) und *De S. Martino. Deus noster* (1628) im Archiv der Kathedrale in Krakau überliefert.
Lit.: A. Chybiński, Muzycy włoscy w kapelach katedralnych krakowskich 1619–57 (»Ital. Musiker an d. Krakauer Domkapellen ...«), in: Przegląd muzyczny 1926, Nr 11–12, u. 1927, Nr 1–8; ders., Słownik muzyków dawnej Polski (»Lexikon d. Musiker d. alten Polens«), Krakau 1949; A. Szweykowska, Początki krakowskiej kapeli katedralnej (»Die Anfänge d. Krakauer Kathedralkapelle«), in: Muzyka IV, 1959.

Orgosjnus, Heinrich (Henricus O. Marchiacus), deutscher Musiktheoretiker des 16./17. Jh., vielleicht aus der Mark Brandenburg stammend, führte in seiner musikpraktischen Schrift *Musica nova, qua tam facilis ostenditur canendi scientia ut brevissimo spacio pueri artem eam absque labore addiscere queant ... Newe vnd zuvor nie erfundene Singekunst, dadurch Manns- vnd Frawenpersonen alle Gesänge leichtlich singen lernen können ...* (Lpz. 1603) als einer der ersten als 7. Silbe in der Solmisation das Si ein.
Lit.: E. Preussner, Die Methodik im Schulgesang d. ev. Lateinschulen d. 17. Jh., AfMw VI, 1924.

+Oridryus, Johannes, um 1515–90.
Lit.: R. Federhofer-Königs in: Rheinische Musiker I, hrsg. v. K. G. Fellerer, = Beitr. zur rheinischen Mg. XLIII, Köln 1960, S. 190ff.; Kl. W. Niemöller, Untersuchungen zu Musikpflege u. Musikunterricht an d. deutschen Lateinschulen v. ausgehenden MA bis um 1600, = Kölner Beitr. zur Musikforschung LIV, Regensburg 1969.

+Orlandini, Giuseppe Maria, 2. Hälfte 17. Jh. [del. frühere Angaben] – 24. 10. 1760 [del.: um 1750].
In Florenz wurde O. 1723 Kapellmeister des Großherzogs von Toskana und 1732 Domkapellmeister. Sein erstes Oratorium *Il martirio di S. Sebastiano* wurde 1694 uraufgeführt.

Orlikowsky, Wazlaw, * 8. 11. 1921 zu Charkow; Schweizer Tänzer und Choreograph, studierte am Schauspiel- und Ballettinstitut in Leningrad, gründete (1949) und leitete das Ensemble »Russisches-Klassisches Ballett« in München und wurde Ballettmeister 1950 an den Städtischen Bühnen in Oberhausen sowie 1953 am Stadttheater in Basel. 1966–71 war er Chef des Wiener Staatsopernballetts, mit dem er Gastspiele in Paris, London, Barcelona, Verona, Brüssel und Berlin gab. – Choreographien: *Der schwarze Korsar* (Libretto von O. nach Byron, Musik von Ernst Hildebrandt, Oberhausen 1954); *Peer Gynt* (O. nach Ibsen, Suite *Peer Gynt* und andere Werke von Grieg, Basel 1956); *5 Etagen* (Rudolf Lichtenhan und O., Sauguet, ebd. 1960); *Wiener Geschichten* (O., Johann Strauß, ebd. 1960); *Dorian Gray* (O. nach Oscar Wilde, Max Lang, ebd. 1960).

Orling, Hans G. (Pseudonym Wilm Peters), * 22. 5. 1911 zu Neuhammer (Unterfranken); deutscher Schlagertextdichter und Komponist, lebt in Berlin. Er schrieb u. a. die Texte (Komponisten in Klammern) zu *Liebesruf der Amsel* (G. Winkler, 1947), *Ein Sonntag ohne dich* (Igelhoff, 1947), *Drei kleine Geschichten* (Jary, 1948), *Mein Lied klingt übers Meer* (Berking, 1950), *Nimm mich so wie ich bin* (Carste, 1957), *Ich möchte dich so gern verwöhnen* (Thon, 1959). Ab 1963 war er als Produzent der »Edition 63 Hans Gerig« Mitarbeiter von verschiedenen Komponisten bei über 200 instrumentalen Titeln.

+Orlow, Nikolaj Andrejewitsch (Nicolas Orloff), * 14.(26.) 2. 1892 zu Jelez (Gouvernement Orel), [erg.:] † 31. 5. 1964 zu Grantown-on-Spey (Schottland), wo er nach seiner Übersiedlung (1948) von Paris nach Großbritannien zuletzt lebte.

+Ormandy, Eugene (eigentlich Jenő Blau-Ormándy), * 18. 11. 1899 zu Budapest.
O. erhielt zahlreiche Auszeichnungen, u. a. auch Ehrendoktortitel mehrerer amerikanischer Universitäten. 1973 gastierte unter seiner Leitung das Philadelphia Orchestra als erstes amerikanisches Orchester in der Volksrepublik China.
Lit.: A. AFONINA in: SM XXII, 1958, H. 7, S. 105ff.; M. FLEURET in: Musica (Disques) 1966, Nr 150, S. 31f.; Interview in: Music and Musicians XVI, 1967/68, Nr 9, leicht gekürzt in: SM XXXIII, 1969, H. 12, S. 110ff.; H. KUPFERBERG, Those Fabulous Philadelphians, NY 1969; E. ARIAN, Bach, Beethoven and Bureaucracy. The Case of the Philadelphia Orch., Alabama 1971.

+Ornitoparchus, Andreas, [erg.:] * um 1490.
Ausg.: A. ORNITHOPARCVS, His Micrologvs, or Introduction, Containing the Art of Singing ... Also the Dimension and Perfect Use of the Monochord, According to Guido Aretinus, Faks. d. Ausg. J. Dowlands London 1609, = The Engl. Experience CLX, Amsterdam u. NY 1969.
Lit.: L. C. MICHELS, Een music-dialectologische tekst, in: Neophilologus XL, 1956; KL. W. NIEMÖLLER in: MGG X, 1962, Sp. 405ff.

+Ornstein, Leo, * 29. 11. (11. 12.) 1892 [nicht: 1895] zu Krementschug (Ukraine).
O. lebt heute in North Conway (N. H.).

Orologio (orol'ɔ:dʒo), Alessandro (Horologius), * um 1555, † 1633 zu Wien(?); italienischer Komponist und Instrumentalist, war vor 1580 Trompeter und Musicus bei Kaiser Rudolf II. in Prag, dann an den Höfen in Kassel, Dresden und Wolfenbüttel, 1603–13 Vizekapellmeister in der kaiserlichen Kapelle, 1618 in Steyr als Gast des Burggrafen und wurde dann Chorregent im Kloster Garsten (Oberösterreich). O. veröffentlichte 4 Sammlungen Madrigale (Venedig 1586, 1595 und 1616, Dresden 1589), 2 Sammlungen Canzonette (Venedig 1593 und 1594) sowie Intradae (Helmstedt 1597), die zu den ältesten gedruckten Instrumentalstücken dieser Art zählen.
Ausg.: Miserere 5 v., in: Musica sacra XXIV, hrsg. v. FR. COMMER, Regensburg 1883; »Occhi miei, che vedeste« 5 v., in: Ital. Musiker u. d. Kaiserhaus 1567–1625, hrsg. v. A. EINSTEIN, = DTÖ XLI, Bd 77, Wien 1934.
Lit.: K. NEF, Die Intraden v. A. O., Fs. D. Fr. Scheurleer, Den Haag 1925; H. FEDERHOFER in: MGG X, 1962, Sp. 408ff.

+Orpheus.
Lit.: +R. EISLER, Orphisch-dionysische Mysteriengedanken in d. christlichen Antike (= Vorträge d. Bibl. Warburg 1922–23, II, 2, 1925), Nachdr. Nendeln (Liechtenstein) 1967. – A. N. MARLOW, O. in Ancient Lit., ML XXXV, 1954; M. O. LEE, O. and Euridice. Some Modern Versions, Class. Journal LVI, 1961; H. CHR. WOLFF, O. als Opernthema, in: Musica XV, 1961; M. WEGNER, E. WINTERNITZ u. H. CHR. WOLFF in: MGG X, 1962, Sp. 410ff.; H. KOLLER, Musik u. Dichtung im alten Griechenland, Bern 1963; J. BUDDEN, O., or the Sound of Music, in: Opera XVIII, 1967; G. WILLE, Musica Romana. Die Bedeutung d. Musik im Leben d. Römer, Amsterdam 1967; E. WINTERNITZ, O. Before Opera, Opera News XXXII, 1968; M. CAANITZ, Petrarca in d. Gesch. d. Musik, Freiburg i. Br. 1969; J. BELLAS, »Orphée« au XIXᵉ et au XXᵉ s., Interférences littéraires et mus., Cahiers de l'Ass. internationale des études frç. XXII, 1970; R. BÖHME, O., Der Sänger u. seine Zeit, München 1970; A. EDLER, Studien zur Auffassung antiker Musikmythen im 19. Jh., = Kieler Schriften zur Mw. XX, Kassel 1970; J. BL. FRIEDMAN, O. in the Middle Ages, Cambridge (Mass.) 1970; K. MEYER-BAER, Music of the Spheres and the Dance of Death. Studies in Mus. Iconology, Princeton (N. J.) 1970; W. WETHERBEE, Platonism and Poetry in the 12ᵗʰ Cent., The

Literary Influence of the School of Chartres, ebd. 1972; I. LAABAN in: Nutida musik XVI, 1972/73, H. 3, S. 47ff.

Orr (ɔ:), Charles Wilfred, * 31. 7. 1893 zu Cheltenham; englischer Komponist, studierte ab 1917 bei Orlando Morgan an der Guildhall School of Music in London und ließ sich dann als freischaffender Komponist in Painswick (Cotswold Hills, Gloucester) nieder. Neben A Cotswold Hill-Tune für Streicher (1939) schrieb er vor allem Lieder, u. a. auf Texte von Robert Seymour Bridges (Since thou, O fondest and truest, 1957), Alfred Edward Housman (The Carpenter's Son, 1922; With rue my heart is laden, 1925; Is my team ploughing, 1925; Liederzyklus A Shropshire Lad, 1927–32; In valleys green and still, 1952), Joyce (Bahnhofstraße, 1931) und Dante Gabriel Rossetti (Silent Noon, 1921). Er veröffentlichte ferner mehrere Zeitschriftenbeiträge, darunter The Problem of Translation (ML XXII, 1941).
Lit.: S. NORTHCOTE, The Songs of C. W. O., ML XVIII, 1937; CHR. PALMER in: MT CXIV, 1973, S. 690ff.

+Orr, Robin (Robert) Kemsley, * 2. 6. 1909 zu Brechin (Schottland).
O., der u. a. am Royal College of Music in London, bei A. Casella in Siena (1934) und N. Boulanger in Paris (1938) studiert hatte, war Professor an der Universität in Glasgow bis 1965; seitdem ist er Professor of Music an der Universität Cambridge. 1962 wurde er Präsident der Scottish Opera. – Weitere Werke: Rhapsodie für Streichorch. (1956); einsätzige Symphonie (1963); From the Book of Ph. Sparrow für Mezzo-S. und Streichorch. (1968); Oper Full Circle (einaktig, Perth 1968); Journeys and Places für Mezzo-S. und Streichquintett (1971); ferner Kirchenmusik.

Orrego-Salas (orr'ego s'alas), Juan Antonio, * 11. 1. 1919 zu Santiago de Chile; chilenischer Komponist und Musikforscher, studierte in Santiago an der Escuela de Arquitectura de la Universidad Católica Architektur (Diplom 1943) und daneben am Conservatorio Nacional de Música Klavier (Alberto Spikin Howard) und Komposition (P. H. Allende, Santa Cruz) sowie 1944–45 an der Columbia University in New York Musikwissenschaft (P. H. Lang, G. Herzog) und an der Princeton University/N. J. (R. Thompson) und am Berkshire Music Center in Tanglewood/Mass. (Copland) Komposition. 1949–61 war er in Santiago Professor für Analyse und Komposition an der Facultad de Ciencias y Artes Musicales der Universidad de Chile und daneben 1956–59 Lektor an der Universidad Católica. 1949–56 gab er die Revista musical chilena heraus. 1961 wurde er Lecturer an der School of Music der Indiana University in Bloomington und 1962 Professor of Composition und Director des Latin American Music Center der Indiana University. – Szenische Werke: Ballette Juventud op. 24 (Musik nach Händels Oratorium Solomon, Santiago 1948, Choreographie Jooss), Umbral del sueño op. 30 (ebd. 1951) und El saltimbanqui op. 48 (ebd. 1960); Opernoratorium El retablo del rey pobre für 3 S., Mezzo-S., A., 2 T., Bar., gem. Chor und kleines Orch. op. 27 (1952). – Orchesterwerke: Symphonie Nr 1 op. 26 (1949), Nr 2 op. 39 (1954), Nr 3 op. 50 (1961) und Nr 4 op. 59 (1966); Klavierkonzert op. 28 (1950); Concerto da camera für Holzbläserquartett, 2 Hörner, Hf. und Streicher op. 34 (1952); Jubilaeus musicus op. 45 (1957); Concerto a tre für V., Vc., Kl. und Orch. op. 52 (1962); Variaciones serenas für Streichorch. op. 69 (1971). – Kammermusik: Dos piezas für V. und Kl. op. 1 (1936); Sonate für V. und Kl. op. 9 (1944); Sextett für Klar., Streichquartett und Kl. op. 38 (1954); Duos concertantes für Vc. und Kl. op. 41 (1955); 2 Divertimenti für Fl., Ob. und Fag. op. 43

bzw. op. 44 (1956); Streichquartett Nr 1 op. 46 (1957); *Sonata a quattro* für Fl., Ob., Cemb. und Kb. op. 55 (1964); Klaviertrio op. 58 (1966); *Quattro liriche brevi* für Sax. und Kl. op. 61 (1967); *Mobili* für Va und Kl. op. 63 (1967); *A Greeting Cadenza for William Primrose* für Va und Kl. op. 65 (1970); *Volte* für Kl., Hf., 15 Blasinstr. und Schlagzeug op. 67 (1971); *Serenata* für Fl. und Vc. op. 70 (1972); *Sonata de estío* für Fl. und Kl. op. 71 (1972). – Klavierwerke: Suite Nr 1 op. 14 (1945) und Nr 2 op. 32 (1951); *Rústica* op. 35 (1952); Sonate op. 60 (1967). – *Esquinas* für Git. op. 68 (1971). – Vokalwerke: *Cantata de navidad* für S. und Orch. op. 13 (1945); *Canciones castellanas* für S. und 8 Instr. op. 20 (1947); *Alboradas* für Frauenchor, Hf., Kl. und Schlagzeug op. 56 (Text Lope de Vega, 1965); *América, no en vano invocamos tu nombre*, Kantate für S., Bar., Männerchor und Orch. op. 57 (Text Pablo Neruda, 1966); *Missa in tempore discordiae* für T., Chor und Orch. op. 64 (1969); *Palabras de Don Quijote* für Bar. und Kammerensemble op. 66 (1971); a cappella-Chöre (*Cuatro canciones corales* op. 6, 1942; *Romances pastorales* op. 10, 1945); *El alba del alhelí*, Liederzyklus für S. und Kl. op. 29 (Text Rafael Alberti, 1950); *Garden Songs* für hohe St., Fl., Va und Hf. op. 47 (1959); ferner Bühnen- und Filmmusik. – Von seinen zahlreichen Aufsätzen seien genannt: *Strawinsky's Ballet »Orpheus«* (Rev. musical chilena II, 1949); *A.Berg und A. Webern. Musical Trends Still Misunderstood* (in: Zig-zag 1959, Nr 2833 [Santiago]); *A. Schoenberg and the Twelve Tone System* (ebd. Nr 2838); *K.Weill. The Joint of the Popular and the Learned in Music* (ebd. 1960, Nr 2862); *H.Villa-Lobos* (Rev. musical chilena XIX, 1965, engl. in: Inter-American Music Bull. 1966, Nr 52); *Araucanian Indian Instruments* (in: Ethnomusicology X, 1966). Er gab *Music in the Americas* (mit G.List, = Inter-American Music Monograph Series I, Bloomington/Ind. 1967) heraus.

Orsi, Romeo, * 18. 10. 1843 zu Como, † 11. 6. 1918 zu Mailand; italienischer Instrumentenbauer und Klarinettist, studierte 1856–64 Klarinette bei B. Carulli am Mailänder Konservatorium, war in verschiedenen Orchestern als Klarinettist tätig (1871–1911 1. Klarinettist der Mailänder Scala) und lehrte ab 1873 am Mailänder Konservatorium. Er befaßte sich später mit der Konstruktion und dem Bau von Spezialklarinetten und gründete 1886 eine eigene Instrumentenbaufirma, die gegenwärtig unter dem Namen »Prof. Romeo Orsi« (mit Sitz in Mailand und Filiale in Cavallasca bei Como) von Roberto und Romeo O. geleitet wird und Klarinetten, Oboen, Flöten, Piccoloflöten, Englisch Hörner, Saxophone, Trompeten, Posaunen, Tubas und Sousaphone herstellt.

Ortells (ər't'eʎs), Antonio Teodoro, † 4. 11. 1706 zu Valencia; spanischer Komponist, wurde Maestro de capilla 1676 am Colegio del Patriarca in Valencia und 1677 nach einer Auswahlprüfung an der dortigen Kathedrale. Von seinen zahlreichen Kompositionen sind etwa 270 Villancicos und etwa 150 liturgische Werke in den Archiven der Kathedrale und des Colegio del Patriarca in Valencia sowie der Kathedrale von Segorbe aufbewahrt. Weitere Kompositionen befinden sich in den Archiven der Kathedrale von Burgos (Messe für 11 St. und B. c.) und Gerona (Villancicos *Antes de tu feliz noche* für 11 St., Org. und Hf., *Ellos, ellos son* für 8 St. und B. c., und *Luces, si queréis lucir* für 4 St.), in der Biblioteca Central in Barcelona (12st. *Dixit Dominus*; 4st. *Tota pulchra*; 12 Villancicos) sowie in den Archiven der Kathedrale von Palma de Mallorca (Mes-

se, 1668), von Montserrat (10st. *Lauda Jerusalem*) sowie der Kathedralen von Jaca, Huesca und El Escorial.
Ausg.: »Lamentación primera del Miércoles Santo« f. 12 St. u. Begleitung, in: Lira sacro-hispana, 17. Jh. II, 1, hrsg. v. H. ESLAVA, Madrid 1869.
Lit.: J. R. DE LIHORY, Diccionario biogr. de músicos valencianos, Valencia 1903; V. RIPOLLÉS, Cat. de las obras polifónicas conservadas en el Arch. del Patriarca de Valencia, Castellón 1926; DERS., El villancico y la cantata del s. XVIII a València, Barcelona 1935.

+Orthel, Léon, * 4. 10. 1905 zu Roosendaal (Nordbrabant).
O., 1947–70 Vorsitzender der Komponistengruppe des kgl. niederländischen Tonkünstlervereins, lehrte am Haager Konservatorium Klavier und zugleich am Amsterdamer Konservatorium Komposition bis 1971. – Die +4. Symphonie (1949) ist eine *Sinfonia concertante* für Kl. und Orch. – Neuere Werke: 5. und 6. Symphonie (*Musica iniziale* op. 43, 1960; op. 45, 1961), 2 Scherzi (op. 37, 1955; op. 38, 1957) und 3 *Movimenti ostinati* op. 59 (1972) für Orch.; Streichquartett op. 50 (1964), *Otto abbozzi* für Fl., Vc. und Kl. op. 57 (1971); 2. Cellosonate op. 41 (1958), Bratschensonate op. 52 (1965), 5 *Pezzettini* für Klar. und Kl. op. 46 (1963); 5. Sonatine op. 44 (für Kl. linke Hand, 1959), 3 *Pezzettini* op. 42 (1958), 3 *Exempelkens* op. 48 und 3 kleine Praeludien op. 60 (1972) für Kl.; zahlreiche Lieder besonders nach Rilke (op. 51, 1965; op. 53, 1965; op. 54, 1967; op. 55, 1970; op. 56, 1971; op. 61–63, 1972, französische Rilke-Texte); Musik für Kinder.
Lit.: J. GERAEDTS in: Sonorum speculum 1965, Nr 25, S. 20ff. (zu op. 38).

+d'Ortigue, Joseph Louis, 1802–66.
+*Dictionnaire liturgique, historique et théorique de plaintchant et de musique d'église* (= Nouvelle encyclopédie théologique XXIX, 1853), Nachdr. NY 1971.

Ortiz (urt'iʃ), Cristina, * 17. 4. 1950 zu Salvador (Staat Bahia); brasilianische Pianistin, studierte am Conservatorio Brasileiro de Música in Rio de Janeiro bei Dirce Bauer und Helena Galo und vervollkommnete ihre Studien ab 1969 bei Magda Tagliaferro in Paris, R.Serkin in Philadelphia, Lili Kraus in Fort Worth (Tex.) und Ilona Kabos in New York. Sie debütierte bereits mit 10 Jahren und gewann eine Reihe Preise, darunter den 1. Grand Prix des 8. Internationalen Wettbewerbs M.Tagliaferro in Paris (1966), den 4. Internationalen Wettbewerb G.Enescu in Bukarest (1967) und die 3. Van Cliburn Piano Competition in Forth Worth/Tex. (1969).

+Ortiz, Diego, * um 1525 [nicht: um 1510] – [erg.:] nach 1570.
Ausg.: +*Tratado de glosas* ... (M. SCHNEIDER, 1913, ²1936), Kassel ³1967; +4 *Recercate* ..., in: E. T. FERAND, Die Improvisation (1956), revidiert Köln ²1961, auch engl. – Introitus f. d. Epiphaniaszeit (Psalm 117), = Geistliche Chormusik I, 111, Stuttgart 1960.
Lit.: +O. KINKELDEY, Org. u. Kl. [erg.: in d. Musik d.] 16. Jh. (1910), Nachdr. Hildesheim u. Wiesbaden 1968; +G. REESE, Music in the Renaissance (1954), revidiert NY 1959. – R. J. BORROWDALE, The »Musices liber primus« of D. O., Span. Musician, 3 Bde (I–II Notenteil, III Noten- u. Textteil), Diss. Univ. of Southern Calif. at Los Angeles 1952; U. PROTA-GIURLEO, G. M. Trabaci e gli organisti della Real Capella di Palazzo di Napoli, in: L'org. I, 1960; R. STEVENSON, Span. Cathedral Music of the Golden Age, Berkeley (Calif.) 1961; G. REESE, The Repertoire of Book II of O.'s Tratado, in: The Commonwealth of Music, Gedenkschrift C. Sachs, NY 1965; P. G. STRASSLER, Hymns f. the Church Year, Magnificats, and Other Sacred Choral Works of D. O., Diss. Univ. of North Carolina 1966.

Ortiz (ərt'iθ) Fernández, Fernando, * 16. 7. 1881 und † 10. 4. 1969 zu La Habana; kubanischer Kriminalist, Jurist, Anthropologe und Ethnologe, studierte Rechtswissenschaft in La Habana und Madrid (Dr. jur.). Er war 1909–16 Professor für Rechtswissenschaft an der Universidad de La Habana, dann bis 1926 Deputierter des kubanischen Kongresses. Ab 1911 gab er die Zeitschrift *Revista bimestre cubana* und 1933 *Archivos de folklore cubano* heraus. O. war u. a. Präsident der Academia de la Historia de Cuba, der Institución Hispano-Americana de Cultura und der Sociedad de Estudios Afrocubanos sowie korrespondierendes Mitglied zahlreicher ausländischer Akademien. Er war der erste, der die Bedeutung der Negermusik und -tänze für die kubanische Volks- und Unterhaltungsmusik hervorhob. Zu seinem 60. Geburtstag wurde er mit einer Festschrift geehrt (*Miscelánea de estudios*, 3 Bde, La Habana 1955–57). – Veröffentlichungen: *De la música afrocubana. Un estímulo para su estudio* (ebd. 1934); *Las comparsas populares del carnaval habanero, cuestión resuelta* (ebd. 1937); *La africanía de la música folklórica de Cuba* (ebd. 1950, ²1965); *Los bailes y el teatro de los negros en el folklore de Cuba* (ebd. 1951); *La transculturación blanca de los tambores de los negros* (Arch. venezolanos de folklore I, 1952); *Los instrumentos de la música afrocubana* (5 Bde, La Habana 1952–55).
Lit.: J. Comas u. B. Becerra, La obra escrita de Don F. O., Inter-American Rev. of Bibliogr. VII, 1957.

Ortiz Oderigo (ərt'iθ oðer'igo), Néstor R., * 11. 2. 1914 zu Buenos Aires; argentinischer Musikforscher und Ethnologe, gründete die Musikzeitschrift *Pauta*, war Redakteur der Zeitschrift »Ricordiana« und Musikkritiker für verschiedene Zeitschriften und Zeitungen. Er unternahm Reisen zur Erforschung der afrobrasilianischen Musik in Rio Grande do Sul, Paraná, São Paulo, Rio de Janeiro und Bahia. – Veröffentlichungen (Erscheinungsort, wenn nicht anders angegeben, Buenos Aires): *El negro norteamericano y sus cantos de labor* (Tucumán 1942); *Panorama de la música afroamericana* (= Bibl. musical IV, 1944); *Historia del jazz* (1952, ²1958); *Notas sobre etnografía afrobrasileña* (Washington/D. C. 1955); *Diccionario del jazz* (1959, ital. = Piccola bibl. Ricordi XIV, Mailand 1961); *Orígenes y esencia del jazz* (= Esquemas XLIII, 1959); *La música afro-norteamericana* (= Bibl. de América, Libros del tiempo nuevo VI, 1963); *Rostros de bronce. Músicos negros de ayer y de hoy* (1964); *Calunga, croquis del candombe* (= Cuadernos de Eudeba Bd 178, 1969).

+Ortlieb, Eduard, 1807 – 5. 2. 1861 zu Stuttgart [del. bzw. erg. frühere Angaben].

+Orto, Marbriano (Marbrianus) de, † 1529.
Ausg.: 4st. Chanson »Les trois filles de Paris«, hrsg. v. G. Dottin, = Chansons frç. o. Nr, Paris 1967; 2 Sätze in: O. Petrucci, Canti B Numero cinquanta (Venedig 1502), hrsg. v. H. Hewitt, = Monuments of Renaissance Music II, Chicago 1967.
Lit.: +G. Reese, Music in the Renaissance (1954), revidiert NY 1959; +R. Gerber, Römische Hymnenzyklen d. späten 15. Jh. (1955), wiedergedruckt in: Zur Gesch. d. mehrstimmigen Hymnus, hrsg. v. G. Croll, = Mw. Arbeiten XXI, Kassel 1965. – H. Osthoff in: MGG X, 1962, Sp. 424ff.

Ortwein, Carlernst (Pseudonym Conny Odd), * 21. 12. 1916 zu Leipzig; deutscher Komponist und Pianist, wurde 1926 Mitglied des Thomanerchors und studierte 1934–37 am Institut für Kirchenmusik des Leipziger Konservatoriums bei Straube (Orgel), Raphael und J. N. David (Komposition) sowie bei Teichmüller (Klavier). 1947–49 war er Leiter der Abteilung Ernste Musik am Sender Leipzig und gleichzeitig Komponist von Unterhaltungsmusik, Songs und Chansons. 1962 wurde er Dozent für Komposition und Instrumentation und 1968 Leiter der Abteilung Unterhaltende Musik an der Staatlichen Hochschule für Musik in Leipzig. Er schrieb darüber hinaus Bühnenwerke (Singspiele, Operetten) sowie Hörspiel- und Filmmusik. Erfolgreich waren seine Bearbeitungen von Offenbachs *Madame Favart* und *La Perichole*.

+Ory, Kid (Edward), * 25. 12. 1889 zu La Place (La.), [erg.:] † 23. 1. 1973 zu Honolulu.
Lit.: W. F. v. Eyle, Discography of K. O., Zaandam (Nordholland) 1966. – J. Gr. Jepsen, K. O., Kopenhagen 1957; R. M. W. Dixon, K. O., London 1958.

Osghian, Petar, * 27. 4. 1932 zu Dubrovnik; jugoslawischer Komponist, studierte Komposition bei Rajičić (Diplom 1959) und dann bis 1964 Dirigieren bei Milošević an der Belgrader Musikakademie, an der er seit 1964 als Dozent tätig ist. Er schrieb u. a. ein Konzert für Orch. (1953), eine Sinfonietta für Streicher (1958), *Poema eroico* (1959) und *Silhouette* (1963) für Orch., *Meditazio* für 2 Kl., Streicher und Schlagzeug (1962), *Sigogis* für Kammerorch. (1967), Klavierwerke (Sonate, 1955; Variationen, 1956), Chöre, Lieder sowie Bearbeitungen von Volksliedern und -tänzen.

+Osiander, Lucas, 1534 – 17. [nicht: 7.] 9. 1604.
Lit.: +C. v. Winterfeld, Der ev. Kirchengesang ... (I, 1843), Nachdr. Hildesheim 1966; +Fr. Blume, Die ev. Kirchenmusik (1931), 2. Aufl. als: Gesch. d. ev. Kirchenmusik, Kassel 1965; +H. Osthoff, Die Niederländer u. d. deutsche Lied (1938), Nachdr. Tutzing 1967 (mit neuem Anh.). – Kl. W. Niemöller, Untersuchungen zu Musikpflege u. Musikunterricht an d. deutschen Lateinschulen v. ausgehenden MA bis um 1600, = Kölner Beitr. zur Musikforschung LIV, Regensburg 1969.

Osman Dede ('Uṯmān Dede), bekannt als Kutbı Nayî (Qutb-i nāyî, »Polarstern unter den Flötisten«) oder Nayî O. D., * um 1652, † 1729 zu Istanbul; türkischer Mystiker, Gelehrter, Kalligraph, Dichter und Musiker, war Angehöriger des Ordens der »tanzenden Derwische« (mevlevi), den er einen Galata-Kloster zu Istanbul im 1672 eintrat, ab 1680 Leiter der dortigen Klosterkapelle als Neyzenbaşı (»Anführer der Flötisten«) und ab 1697 Leiter des Klosters. Er entwickelte eine alphabetische Notenschrift, deren Zeugnisse verloren scheinen. Erhalten ist ein persisch geschriebenes Lehrgedicht von 276 Versen, *Rabt-i ta'bīrāt-i mūsiqī* (»Aufzählung musikalischer Fachwörter«). In der mündlichen und teilweise schriftlichen Tradition des Ordens sind einige seiner zahlreichen geistlichen und weltlichen Instrumental- und Vokalkompositionen überliefert, darunter eine sehr bekannte 10sätzige Miraciye (»Himmelfahrtsverherrlichung«), wie sie in den Mevlevi-Klöstern am Tage der Himmelfahrt des Propheten Muḥammad zur Aufführung gelangen.
Ausg.: Suphi (Ezgi) in: Nazarî ve amelî Türk musikisi (»Die türkische Musik in Theorie u. Praxis«, Bd I, Istanbul 1933, u. III, o. J., sowie in: Mevlevî âyinleri (»Geistliche Kompositionen d. Mevlevî«), hrsg. v. A. Rifat, R. Yekta, Zekâizade Ahmet u. Suphi (Ezgi) Bey, H. II–III, = Türk musikisi klasiklerinden VII–VIII, ebd. 1934.
Lit.: Suphi (Ezgi), Nazarî ve amelî Türk musikisi, Bd I, Istanbul 1933, S. 159, u. IV, 1940, S. 56 (mit Nachweis v. Mss.); S. N. Ergun, Türk musikisi antolojisi (»Anth. d. türkischen Musik«), Bd I: Dinî eserler (»Geistliche Kompositionen«), ebd. 1942, S. 151ff. (mit weiteren Quellen); Y. Öztuna, Türk musikisi lûgati, in: Musiki mecmuasi LIV, 1952, S. 174f., u. LXXXVII, 1955, S. 452 (mit Werkverz.); ders., Türk bestecileri ansiklopedisi (»Enzyklopädie türkischer Komponisten«), Istanbul o. J. (1969), S. 128.

Ossipow, Nikolaj Petrowitsch, * 16.(28.) 1. 1896 zu St. Petersburg, † 9. 5. 1945 zu Moskau; russisch-sowjetischer Balalaikavirtuose und Dirigent, studierte Violine bei Emmanuil Krüger am Konservatorium seiner Heimatstadt und Balalaika bei A. M. Dychow und begann nach kurzer Zeit seine Konzerttätigkeit als Balalaikavirtuose. 1940 gründete er in Moskau das Gossudarstwennyj Russkij Orkestr Narodnych Instrumentow (»Staatliches Russisches Volksinstrumentenorchester«), das nach seinem Tode seinen Namen erhielt und von seinem Bruder, dem Pianisten und Dirigenten Dmitrij (Petrowitsch) O., Schüler von Goldenweiser und Lew Steinberg am Moskauer Konservatorium, übernommen wurde. Kompositionen für N. O. schrieben u. a. Ippolitow-Iwanow, Wassilenko und Nikolaj Wygodski.

Lit.: P. KOGAN, Wmeste s musykantami (»Zusammen mit Musikern«), Moskau 1964, S. 119ff.

+Ossowskij, Alexandr Wjatscheslawowitsch, * 19. (31.) 3. 1871 zu Kischinjow, [erg.:] † 31. 7. 1957 zu Leningrad.

Er schrieb ferner *Mirowoje snatschenije russkoj klassitscheskoj musyki* (»Die Weltgeltung der russischen klassischen Musik«, Leningrad 1948).

Lit.: Is wospominanij A. W. O.owo (»Aus d. Erinnerungen A. W. O.s«), hrsg. v. JE. F. BRONFIN, in: N. A. Rimskij-Korsakow i musykalnoje obrasowanije, hrsg. v. S. L. Ginsburg, Leningrad 1959; Isbrannyje statji, wospominanija (»Ausgew. Aufsätze, Erinnerungen«), hrsg. v. JE. F. BRONFIN, ebd. 1961; Wospominanija, issledowanija (»Erinnerungen, Forschungen«), hrsg. v. JU. A. KREMLJOW u. W. W. SMIRNOW, ebd. 1968; Musykalno-krititscheskije statji ... (»Aufsätze zur Musikkritik, 1894–1912«), hrsg. v. DENS., ebd. 1971. – JE. F. BRONFIN, A. W. O., Otscherk schisni i twortscheskoj dejatelnosti (»Abriß d. Lebens u. d. schöpferischen Wirkens«), ebd. 1960.

Osten, Eva von der, * 19. 8. 1881 auf Helgoland, † 10. 5. 1936 zu Dresden; deutsche Sängerin (Sopran), studierte bei Iffert in Dresden und debütierte 1902 an der Hofoper, deren Mitglied sie bis 1930 blieb. In der Uraufführung des *Rosenkavalier* (1911) sang sie den Octavian; in der von J. Gielen inszenierten Uraufführung der *Arabella* (1933) übernahm sie den künstlerischen Beirat für Regie und Vortrag. Regelmäßige Gastspiele führten sie nach London und Mailand. Sie war mit dem Opernsänger Bedřich Plaške verheiratet, mit dem sie 1923/24 eine Nordamerikatournee unternahm.

+Osterc, Slavko, 1895–1941.

O. lehrte am Konservatorium in Ljubljana bis 1939 und danach bis 1941 an der dortigen Musikakademie. – Werke: die Opern *Krst pri Savici* (»Die Taufe bei Savica«, 1921), *Iz komične opere* (»Aus der komischen Oper«, Ljubljana 1928), *Krog s kredo* (»Der Kreidekreis«, 1929), *Salome* (1929), *Medea* (Ljubljana 1931) und *Dandin v vicah* (»Dandin im Fegefeuer«, ebd. 1932); die Ballette *Iz Satanovega dnevnika* (»Aus dem Tagebuch des Teufels«, 1924), *Maska rdeče smrti* (»Die Maske des roten Todes«, Ljubljana 1932), *Illusions* (1938–41), *Plus fort que la mort* (1939) und *La fille-mère* (1940); Symphonie C dur (1922), Bagatelle (1922), symphonische Dichtung *Povodni mož* (»Der Wassermann«, 1924), Suite (1929), *Ouverture classique* und Konzert (beide 1932), *Passacaglia i koral* (1934), *Danses* (1935), *Mouvement symphonique* (1936), 4 *Pièces symphoniques* (1939) und symphonische Dichtung *Mati* (»Mutter«, 1940) für Orch.; Konzert für Kl. und Bläser (1933); Nonett für 5 Bläser und 4 Streicher (1937), Konzert für V. solo und 7 Instr. (1928), Suite für 8 Instr. (1928), Bläserquintett (1932), Divertimento für Streichquartett (1925), 2 Streichquartette (1927, 1934), Konzerte für Klavierquartett sowie für Ob., Klar., Horn und Va (beide 1929), 4 Karikaturen für Fl., Klar. und Fag.

(1927), Streichtrio (1934), Sonaten mit Kl. für Va (1930), Sax. (1935) und Vc. (1941), Suite für V. und Kl. (1933); Klavierstücke (u. a. Praeludium und Fuge für Vierteltonton-Kl., 1929) und Orgelkompositionen; Ave Maria für S., A., Ob., Klar. und Sax. (1930), Magnificat für gem. Chor und Kl. 4händig (1934); Chöre und Lieder (darunter im Vierteltonsystem: 4 Heine-Lieder für höhere Singst. und Streichquartett, 1929, und *Cvetoči bezeg*, »Der blühende Holunder«, für Frauenchor und 9 Instr., 1936). O. verfaßte auch musiktheoretische Aufsätze und eine Harmonielehre.

Lit.: D. POKORN, Bibliografski pregled kompozicij Sl. O.a (»Bibliogr. Kompositionsverz. v. Sl. O.«), in: Muzikološki zbornik VI, 1970. – Sl. O., Spominski zbornik (»Erinnerungs-Bd«), hrsg. v. V. ŠIFTAR, Murska Sobota 1963. – D. POKORN, Sl. O., = Umetnost in kultura, Glasbeni večer LII, Ljubljana 1965; DERS. in: Muzikološki zbornik V, 1969, S. 83ff. (zur Biogr.; mit engl. Zusammenfassung, desgleichen auch d. im folgenden zitierten Aufsätze); K. BEDINA, Nazori Sl. O.a o tradiciji v glasbi in o glasbenem nacionalizmu (»Sl. O.' Anschauungen über Tradition in d. Musik u. mus. Nationalismus«), ebd. III, 1967; DIES., O vprašanju slovenskih nazorih Sl. O.a (»Zur Frage v. Sl. O.' Anschauungen über Komposition«), ebd. IV, 1968; A. RIJAVEC, Klavirski opus Sl. O.a (»Das Kl.-Werk v. Sl. O.«), ebd.; DERS., Komorno kompozicijsko snovanje Sl. O.a pred njegovim odhodom v Prago (»Kompositionsstil u. -technik d. Kammermusik v. Sl. O., komponiert vor seinem Aufenthalt in Prag«), ebd. V, 1969; DERS., Prvi i drugi gudački kvartet Sl. O.a (»Das 1. u. 2. Streichquartett v. Sl. O.«), in: Arti musices I, 1969; DERS., K vprašanju tonalnosti in vertikale v skladbah Sl. O.a (»Zur Frage d. Tonalität u. Harmonie in d. Werken v. Sl. O.«), in: Muzikološki zbornik VI, 1970; DERS., Sl. O. u. d. stilistische Situation seiner Zeit, Kgr.-Ber. Bonn 1970; DERS., Kompozicijski stavek komornih instrumentalnih del Sl. O.a (»Der kompositorische Satz in d. instr. Kammermusikwerken v. Sl. O.«), = Razprave VII, 4, Ljubljana 1972; T. ŠEGULA, Zborovske kompozicije Sl. O.a (»Chorkompositionen v. Sl. O.«), in: Muzikološki zbornik VI, 1970; DERS., Samospevi Sl. O.a do njegovega koncerta v letu 1925 (»Die Sologesänge v. Sl. O. bis zu seinem Konzert im Jahre 1925«), ebd. VII, 1971; DR. CVETKO, Veze J. Slavenskog sa Sl. O.om (»Die Beziehungen zwischen J. Slavenski u. Sl. O.«), in: Arti musices III, 1972; DERS., Aus H. Scherchens u. K. A. Hartmanns Korrespondenz an S. O., in: Musicae scientiae collectanea, Fs. K. G. Fellerer, Köln 1973.

Ostermann, Willi, * 1. 10. 1876 und † 6. 8. 1936 zu Köln; deutscher Komponist und Textdichter von volkstümlichen Rheinliedern und Karnevalsschlagern, war zunächst im graphischen Gewerbe tätig und trat dann mit parodistischen Vorträgen, Couplets und Karnevalsliedern im Kölner Dialekt hervor. Von seinen Liedern wurden besonders bekannt: *Rheinlandmädel* (*Drum sollt' ich im Leben*, 1928); *Einmal am Rhein* (1930); *Rheinische Lieder, schöne Frau'n beim Wein*; *Heimweh nach Köln* (1936).

Ausg.: W. O., Ein Leben f. d. Frohgesang am Rhein, hrsg. v. TH. LIESSEM, Köln 1958.

Osterwald, Hazy (eigentlich Rolf Osterwälder), * 18. 2. 1922 zu Bern; Schweizer Bandleader (auch Trompete, Vibraphon), studierte am Konservatorium seiner Heimatstadt, spielte ab 1941 in verschiedenen Orchestern, u. a. bei Teddy Stauffer. 1944 bildete er eine eigene Combo, die er 1948 zu einer Big band erweiterte. 1949 gründete er ein Sextett, mit dem er vornehmlich auf das Gebiet der Showmusik überwechselte. Zahlreiche Tourneen führten ihn durch Europa, Südamerika, in die USA und nach Israel.

+Osthoff, –1) Helmuth, * 13. 8. 1896 zu Bielefeld. Er war Ordinarius für Musikwissenschaft an der Universität Frankfurt a. M. bis 1964. Zu seinem 65. und 70.

Geburtstag wurde er mit Festschriften geehrt (hrsg. von H.Hucke und L.Hoffmann-Erbrecht, Tutzing 1961, bzw. hrsg. von U.Aarburg und P.Cahn mit W. Stauder, = Frankfurter musikhistorische Studien o. Nr, ebd. 1969, jeweils mit Bibliogr. seiner Arbeiten). – +*A. Krieger (1634–66). Neue Beiträge zur Geschichte des deutschen Liedes im 17. Jh.* (1929), Nachdr. Wiesbaden 1970 (mit neuem Anh.); +*Die Niederländer und das deutsche Lied* (1938), Nachdr. Tutzing 1967 (mit neuem Anh.). – Neuere Schriften: *Josquin Desprez* (2 Bde, Tutzing 1962–65); *Mozarts Einfluß auf R. Strauss* (SMZ XCVIII, 1958); *Gedichte von T. Stigliani auf G.Caccini, Cl.Monteverdi, S.Garsi da Parma und Cl.Merulo* (in: Miscelánea . . . , Fs. H. Anglés, Bd II, Barcelona 1958–61); *Der Durchbruch zum musikalischen Humanismus* (Kgr.-Ber. NY 1961, Bd II); *D. Mazzocchis Vergil-Kompositionen* (Fs. K.G.Fellerer, Regensburg 1962); *Das Te Deum des Arnold von Bruck* (Fs. Fr.Blume, Kassel 1963); *Ein Josquin-Zitat bei H.Isaac* (in: Liber amicorum, Fs. Ch. Van den Borren, Antwerpen 1964); *Zu G.Mahlers Erster Symphonie* (AfMw XXVIII, 1971). Er veröffentlichte ferner den wissenschaftlichen Nachlaß A.Scherings (als *Humor, Heldentum, Tragik bei Beethoven*, = Slg musikwissenschaftlicher Abh. XXXII, Straßburg 1955).
–2) W o l f g a n g , * 17. 3. 1927 zu Halle (Saale). – Er war Schüler von Hessenberg im musikalischen Satz und von K.Thomas im Dirigieren [del. bzw. erg. frühere Angaben dazu]. – Assistent am Musikwissenschaftlichen Institut der Universität München war er bis 1964. Er habilitierte sich dort 1965 mit einer Untersuchung über *Theatergesang und darstellende Musik in der italienischen Renaissance (15. und 16. Jh.)* (2 Bde, I Textteil, II Notenteil, = Münchner Veröff. zur Musikgeschichte XIV, Tutzing 1969); 1966–68 lehrte er als Universitätsdozent in München, 1968 wurde er auf den Lehrstuhl für Musikwissenschaft der Universität Würzburg berufen. Von seinen weiteren Veröffentlichungen seien genannt: *Beethoven, Klavierkonzert Nr. 3 c-moll, op. 37* (= Meisterwerke der Musik II, München 1965); *Petrarca in der Musik des Abendlandes* (in: Castrum peregrini 1954, H. 20); *Trombe sordine* (AfMw XIII, 1956); *A.Cestis »Alessandro vincitor di se stesso«* (StMw XXIV, 1960); *Die beiden »Boccanegra«-Fassungen und der Beginn von Verdis Spätwerk* (in: Analecta musicologica I, 1963); *Maske und Musik. Die Gestaltwerdung der Oper in Venedig* (in: Castrum peregrini 1964, H. 65, ital. in: nRMI I, 1967, S. 16ff.); *G.Frommels George-Baudelaire-Gesänge und das neuere Lied* (ebd. 1966, H. 75); *Die Conductus des Codex Calixtinus* (Fs. Br.Stäblein, Kassel 1967); *Mozarts Cavatinen und ihre Tradition* (Fs. H.Osthoff, = Frankfurter musikhistorische Studien o. Nr, Tutzing 1969); *Zum dramatischen Charakter der zweiten und dritten Leonoren-Ouvertüre und Beethovenscher Theatermusik im allgemeinen* (in: Beitr. zur Geschichte der Oper, hrsg. von H.Becker, = Studien zur Musikgeschichte des 19. Jh. XV, Regensburg 1969); *Beethoven als geschichtliche Wirklichkeit* (Jb. des Staatlichen Instituts für Musikforschung . . . 1970); *Beethovens »Leonoren«-Arie* (Kgr.-Ber. Bonn 1970); *»Haus in Bonn«. George und Beethoven, 1770–1970* (in: Castrum peregrini 1970, H. 95); *Händels »Largo« als Musik des Goldenen Zeitalters* (AfMw XXX, 1973); *Zur musikalischen Tradition der tragischen Gattung im italienischen Theater (16.–18. Jh.)* (in: Studien zur Tradition in der Musik, Fs. K. v.Fischer, München 1973); *Musik und Hochschule* (NZfM CXXXV, 1974); Beiträge zur Monteverdi-Forschung (u. a. in: AfMw XIV, 1957; Mf XI,

1958; Fs. H.Osthoff, Tutzing 1961; AMl XXXIV, 1962; Musica XXI, 1967; RIdM II, 1967).

+**Ostrčil,** O t a k a r , 1879 zu Prag(-Smíchov) – 1935. Kompositionen: die Opern *Jan Zhořelecký* (1896–98), *Vlasty skon* op. 5 (»Vlastas Tod«, Prag 1904), *Kunálovy oči* op. 11 (»Kunáls Augen«, ebd. 1908), *Poupě* op. 12 (»Die Knospe«, einaktig, ebd. 1912), *Legenda z Erinu* op. 19 (»Die Legende von Erin«, Brünn 1921) und *Honzovo království* op. 25 (»Hansens Königreich«, nach L.N.Tolstoj, ebd. 1934); *Selská slavnost* op. 1 (»Bauernfest«, 1897), *Pohádková suita* op. 2 (»Märchensuite«, 1898), *Pohádka o Šemíku* op. 3 (»Märchen vom Šemík«, 1899), Symphonie A dur op. 7 (1905), Impromptu op. 13 (1911), Sinfonietta op. 20 (1921), *Léto* op. 23 (»Sommer«, 1926) und Variationen op. 24 (»Kreuzweg«, 1928) für Orch.; Kammermusik (Streichquartett H dur op. 4, 1899; Sonatine für V., Va und Kl. op. 22, 1925); die Melodramen (zumeist mit Orch.) *Kamenný mnich* (»Der steinerne Mönch«, 1893, mit Kl.), *Lilie* (»Lilien«, 1895), *Balada o mrtvém ševci a mladé tanečnici* op. 6 (»Ballade vom toten Schuster und der jungen Tänzerin«, 1904), *Balada česká* op. 8 (»Tschechische Ballade«, 1905) und *Skřivan* op. 26 (»Die Lerche«, 1934, mit Kl.); Kantaten, Orchester- und Klavierlieder.
Lit.: J. MACEK, O. O., Zrození umělce (»Das Werden eines Künstlers«), Diplomarbeit Prag 1956, Abriß in: Miscellanea musicologica II, 1957, S. 105f.; VL. LÉBL, Dramatická tvorba O. O.a a její jevištní osudy (»O. O.s dramatisches Werk u. sein Bühnenschicksal«), in: Divadlo X, 1959; FR. PALA, Opera národního divadla v období O. O.a (»Die Oper d. Nationaltheaters zur Zeit O. O.s«), 4 Bde, Prag 1962–70; J. VÁLEK, Technické prostředky hudební mluvy O. O.a (»Die technischen Ausdrucksmittel d. mus. Sprache v. O. O.«), in: Hudební věda II, 1965 – III, 1966 (mit engl., deutscher u. russ. Zusammenfassung); J. VANICKÝ, O. a Fibich, in: Sborník pedagogické fakulty Univ. Karlovy . . . , Fs. J. Plavec, Prag 1966 (Briefwechsel); J. JIRÁNEK, O.ův stylový přínos a jeho vnitřní polarita (»O.s Stilbeitr. u. seine innere Polarität«), in: Hudební věda V, 1968; J. PÁVEK, Zrod šéfa opery . . . (»Die Geburt eines Opernchefs. O. O. u. d. Oper d. Theaters in Vinohrad«), in: Hudební rozhledy XXVII, 1974.

+**Otaka,** Hisatada, 1911 – 1951 [erg.:] zu Tokio.

+**Otaño** y Eguino, José María Nemesio, 1880–1956.
Lit.: Nekrolog in: AM XI, 1956, S. 234; T. DE MANZÁRRAGA u. a. in: Tesoro sacro mus. XL, 1957, März/April-H.

+**Otescu,** [erg.: I on] N o n n a , 3.(15.) 12. 1888 – 1940.
Lit.: A. ALESSANDRESCU in: Muzica V, 1955, Nr 4, S. 26ff.

Otfrid v o n W e i s s e n b u r g , elsässischer Gelehrter des 9. Jh., Schüler von Hrabanus Maurus, war Mönch und Magister scolae im unterelsässischen Kloster Weissenburg. Um 870 vollendete er seinen althochdeutschen *Liber evangeliorum*, eine Dichtung von über 7000 endgereimten Langzeilen. In der teilweise autographen handschriftlichen Überlieferung (*V*, *P*, *D*, *F*) begegnen durchgängig Akzentzeichen, im Vindobonensis (*V*), im Palatinus (*P*) und im Otfrid-Autograph Cod. Quelf. 26 Weiss. auch Romanusbuchstaben (c und t). Am Kopf von fol. 17ᵛ in *P* findet sich eine neumierte Langzeilenstrophe (mit Pes, Flexa, Torculus u. a.), eine der frühesten abendländischen Neumennotationen überhaupt. Nach Übertragungsversuchen durch Jammers wurde die Evangelienharmonie in einem Lektionston (in der Art des *Accentus moguntinus*) vorgetragen, wobei die Akzente die hohen und tiefen Töne der Lectio anzeigen. Wenn auch aus der Kürze der Notierung in *P* zur Zeit noch keine sicheren Schlüsse über den Vortrag des gesamten Werkes (so besonders der »Strophengruppen«) zu gewinnen sind, liegt hier doch ein früher Beleg für das Zusammenwirken von Dichtung und Musik in der Karolingerepoche vor.

Ausg.: O. v. W.s Evangelienbuch, hrsg. v. J. KELLE, 3 Bde, Regensburg 1856–81, Neudr. Aalen 1963; O.s Evangelienbuch, hrsg. v. P. PIPER, 2 Teile, Freiburg i. Br. u. Tübingen ²1882–87; Evangelienharmonie. Vollständige Faks.-Ausg. d. Cod. Vindobonensis 2687 d. Österreichischen Nationalbibl., hrsg. v. H. BUTZMANN, = Cod. selecti phototypice impressi XXX, Graz 1972.
Lit.: R. STEPHAN, Über sangbare Dichtung in ahd. Zeit, Kgr.-Ber. Hbg 1956; K. H. BERTAU u. DERS., Zum sanglichen Vortrag mhd. strophischer Epen, Zs. f. deutsches Altertum u. deutsche Lit. LXXXVII, 1956/57; E. JAMMERS, Das ma. deutsche Epos u. d. Musik, Heidelberger Jb. I, 1957; DERS., Studien zu Neumenschriften, Neumenhandschriften u. neumierter Musik, in: Bibl. u. Wiss. II, 1965, auch in: Schrift, Ordnung, Gestalt, = Neue Heidelberger Studien zur Mw. I, Bern 1969; W. KLEIBER, O. v. W., Untersuchungen zur hs. Überlieferung u. Studien zum Aufbau d. Evangelienbuches, = Bibl. Germanica XIV, Bern 1971.

+Othegraven, August von, 1864–1946.
Lit.: +B. VOSS, A. v. O., Leben u. Werke (Diss. 1954), gedruckt = Beitr. zur rheinischen Mg. XLIX, Köln 1961 (mit Werkverz.). – H. LEMACHER in: Musica sacra LXXVI, 1956, S. 85f.; H. GAPPENBACH, M. Neumann u. A. v. O., in: Der Chor XII, 1960.

+Othmayr, Caspar, 1515–53.
Ausg.: +Ausgew. Werke, Bd I: Symbola (H. ALBRECHT, = RD XVI, Lpz. 1941), 2. Aufl. = EDM XVI, Abt. Ausgew. Werke einzelner Meister I, Ffm. 1962. – ein Satz in: Carmina Germanica et Gallica. Ausgew. Instrumentalstücke d. 16. Jh. f. Streicher u. Bläser, Bd I, hrsg. v. W. BRENNECKE, = HM CXXXVII, Kassel 1965; Es liegt ein Schloß in Österreich, in: G. Forster, Frische teutsche Liedlein, II. Teil (1540), hrsg. v. K. GUDEWILL u. H. SIUTS, = EDM LX, Abt. Mehrstimmiges Lied V, Wolfenbüttel 1969.
Lit.: H.-J. ROTHE, Alte deutsche Volkslieder u. ihre Bearb. durch Isaac, Senfl u. O., Diss. Lpz. 1957; W. BRENNECKE, Zu C. O.s Epitaph, Mf XIV, 1961; G. PIETZSCH, Quellen u. Forschungen zur Gesch. d. Musik am kurpfälzischen Hof zu Heidelberg bis 1622, = Akad. d. Wiss. u. d. Lit. Mainz, Abh. d. geistes- u. sozialwiss. Klasse, Jg. 1963, Nr 6; FR. KRAUTWURST, Die Heilsbronner Chorbücher d. Universitätsbibl. Erlangen, Jb. f. fränkische Landesforschung XXV, 1965 u. XXVII, 1967.

Ots, Georg Karlovič, * 21. 3. 1920 zu Petrograd; sowjetisch-estnischer Sänger (Bariton), studierte ab 1951 am Konservatorium in Tallinn (Tijt Kuusik), ist seit 1945 Solist des Opern- und Ballett-Theaters »Estonia« in Tallinn. Er gastierte als Konzert- und Opernsänger u. a. in Moskau (Bolschoj Teatr), Leningrad (Kirow-Theater) sowie in Ungarn, Rumänien, der ČSSR, Schweden, der DDR, Finnland, Dänemark, Ägypten und der Mongolei. Zu seinen Hauptpartien zählen Don Giovanni, Papageno, Rigoletto, Jago, der Dämon (Demon von Anton Rubinstein), Eugen Onegin und Porgy (Porgy and Bess von Gershwin).
Lit.: B. STRELNIKOW, G. O., Moskau 1962.

+Ott, Alfons, * 21. 2. 1914 zu Aschaffenburg.
O. war Leiter der Städtischen Musikbibliothek München bis 1971 und wurde dann Direktor der dortigen Städtischen Bibliotheken. Er wirkt auch als Fachberater für Musik im Kulturreferat der Stadt München. Neuere Veröffentlichungen: Tausend Jahre Musikleben, 800 bis 1800 (= Bibl. des Germanischen National-Museums zur deutschen Kunst- und Kulturgeschichte, Bilder aus deutscher Vergangenheit XVIII/XIX, München 1961); R. Trunk. Leben und Werk (= Drucke zur Münchner Musikgeschichte III, ebd. 1964); Probleme der musikbibliothekarischen und musikbibliographischen Arbeit (= Bibliotheksdienst, Beiheft XXIII, Bln 1967); Die »Ungarischen Rhapsodien« von Fr. Liszt (Kgr.-Ber. Kassel 1962); Frauengestalten im Werk von R. Strauss (Mitt. der Internationalen R.-Strauss-Gesellschaft 1964,

Nr 43); Documenta musicae domesticae Straussiana (Fs. Fr. Strauss, Tutzing 1967); Die deutschen Messen von J. Haas (Mitt. d. J. Haas-Gesellschaft 1969, Nr 45); Von der frühdeutschen Oper zum deutschen Singspiel und Die Münchner Oper von den Anfängen der Festspiele bis zur Zerstörung des Nationaltheaters (in: Musik in Bayern, Bd I, hrsg. von R. Münster und H. Schmid, Tutzing 1972); zahlreiche musikbibliothekarische Aufsätze. Er edierte: Die Münchner Philharmoniker 1893–1968. Ein Kapitel Musikgeschichte (mit E. W. Faehndrich, München 1968); M. Lothar, ein Musikerporträt (ebd.); R. Strauss und L. Thuille. Briefe der Freundschaft, 1877–1907 (= Drucke zur Münchner Musikgeschichte IV, ebd. 1969). Gemeinsam mit Fr. Trenner führte er das von E. Müller von Asow begonnene Thematische Verzeichnis der Werke von R. Strauss fort (Bd III, Wien 1974). Neben Neuausgaben einiger Werke von Fr. A. Dimler und C. Stamitz gab er als Faksimile R. Strauss' Concert für das Waldhorn op. 11 (Autograph des Kl.-A., Tutzing 1971) sowie Zwei späte Violinstudien heraus (Giebing/Obb. 1969, zugleich im Erstdruck vorgelegt).

Ott, Elfriede, * 11. 6. 1928 zu Wien; österreichische Schauspielerin und Chansonsängerin, Tochter eines Uhrmachers, kam nach Erlernung des väterlichen Berufs und Schauspielstudien bei Lotte Medelsky 1944 an das Wiener Burgtheater, 1950 an das Schauspielhaus in Graz (bis 1953) und nach einem Engagement in Hamburg sowie Gastspielen an Wiener Theatern (Kammerspiele) 1959 zum Ensemble des Theaters in der Josefstadt. Sie erwarb sich einerseits den Ruf einer »großen Volksschauspielerin« und andererseits den der »österreichischen Yvette Guilbert«. Ihre Soloabende und Rezitationstourneen mit Komödienliedern und Chansons (Die lustigen Klassiker; Melancholie mit Flinserln) und ihre Schallplatten mit Patzak (Theater, oh Theater du; Die Welt ist ein Komödienhaus; Wienerlieder ohne Schmalz) und Kmentt (Das kleine Zweimaleins) oder allein eingespielte Platten (Das ist ein Theater; Phantasie in Ö-dur; A Geign und a Lied; Christkindl-Lieder; Der anmuthsvolle Prater) haben sie zum »Springlebendigen Wahrzeichen Wiens« erhoben. E. O. wurde mit dem »Hut des Lieben Augustin« und 1970 mit der »Josef Kainz-Medaille« ausgezeichnet.

+Ott, Hans, [erg.:] um 1500 zu Rain (am Lech) – 1546 [del.: wahrscheinlich] zu Nürnberg.
O. studierte ab 1516 an der Universität Wien.

Ott, Paul, * 28. 8. 1903 zu Oberteuringen (Württemberg); deutscher Orgelbauer, ist heute als Orgelbaumeister Leiter der eigenen Werkstätten »Paul Ott«. Mit dem Bau des ersten Positivs mit Tonkanzellenlade (1932; steht heute in Leipzig-Gohlis) leitete er im Orgelbau eine Renaissance ein. Von da an konstruierte er zahlreiche kleinere und größere Orgeln, die in technischer und klanglicher Hinsicht richtungweisend geworden sind. 1934–39 restaurierte O. in Niedersachsen die historischen Orgeln u. a. in Cappel, Mittelnkirchen, Stade und Norden.
Lit.: L. DOORMANN in: MuK XLIII, 1973, S. 187f.

+Otte, Hans [erg.:] Günther Franz, * 3. 12. 1926 zu Plauen (Vogtland) [nicht: Breslau].
O., weiterhin Leiter der Hauptabteilung Musik bei Radio Bremen, war 1969–72 Präsidiumsmitglied des Deutschen Musikrates. 1961 gründete er die Bremer Tage für Neue Musik »pro musica nova«. – Werke: montaru für 2 Kl., Blechbläser und Schlagzeug (1955); 5 strukturelle Spiele folie et sens für Klaviertrio (1956); realisationen für Kl. und Orch. (1956); dromenon für 3 Kl.

im Raum (1957); *momente* für Orch. (1958); *tropismen I* für Kl. (1959); *tropismen II* für Kl., Blechbläser, Schlagzeug und Streicher; *tasso concetti* für S., Fl., Kl. und Schlagzeug (1960); *daidalos* für 2 Kl., Git., Hf. und 2 Schlagzeuger (1960); *ensemble* für Streichorch. (1961); *alpha omega* für 12 Tänzer, 12 Männer-St., 2 Schlagzeuger und einen Organisten (1962, Umarbeitung für 2 Tänzer, 12 Männer-St., Schlagzeug und Orgeln, 1965, szenisch Utrecht 1968); *interplay* für 2 Pianisten (1962); *modell – eine probe aufs exempel* für 2 Sänger und 2 Pianisten (1963–65); *face à face* für Kl. und Tonband (1965); *touches* für Org. (1965); *passages* für Kl. und Orch. (1966); *nolimetangere* für eine Schauspielerin, einen Pianisten, Film und Ton (1967); *Buch für Orch.* (1968); *Buch für Kl.* (1968); *comme il faut* für 4 Schauspielerinnen, Lichtbilder und Lautsprecher (1969); *live* für Kl., TV-Tagesschau und Bühne (1969); *valeurs* für Bläser (1969); *rendezvous* für Kammerensemble (1969); »ein Lernprozeß« *nature morte* für 4 Schauspielerinnen, 2 elektrische Org. und Objekte (1970); *zero* für Orch. (und Chor, 1971, Neukomposition für Chor und Orch., 1972); »ein Theater in 5 Szenen« *déjà vu* für einen Sänger, Lichtbilder und Lautsprecher (1971); »ein Streichquartett in Aktion« *drama* (1971); »ein text-theater« *dialog* für eine Schauspielerin (1971); *refrain* für eine Schauspielerin und einen Schauspieler (1971); »ein Theater« *ja: nein* für 2 Schauspielerinnen in 2 Räumen (1971); *text* für einen Schlagzeuger (1972); *text* für einen Bläser (1973); Klang/Text/Bild-Environment *ich* (1973); *minimum: maximum* für 2 Organisten in 2 Räumen (1973); Zyklus *intervall* für Kl. (1973). – Er schrieb: *Musikalische Tropismen* (in: blätter + bilder 1961, Nr 12, mit Partitur); *Alte Klänge in neuen Kompositionen* (u. a. zu *passages*, in: Melos XXXIII, 1966); *Der Komponist und sein Modell* (ebd. XXXVII, 1970).

Otter, Franz Josef, * um 1760 zu Nandlstadt (Bayern), † 1. 9. 1836 zu Wien; österreichischer Komponist und Violinist, soll Schüler Nardinis in Florenz gewesen sein, war ab 1790 Konzertmeister und 1803–09 Orchesterdirektor der Salzburger Hofkapelle. Er gehörte zum Schüler- und Freundeskreis M.Haydns und wurde dann als Violinist in die kaiserliche Kapelle in Wien berufen. O. verfaßte eine *Biographische Skizze von J. M. Haydn* (mit G.Schinn, Salzburg 1808).

+Otterloo, Jan Willem van, * 27. 12. 1907 zu Winterswijk (Geldern).
Die Leitung des Residentie-Orkest im Haag, mit dem er auch zahlreiche Konzerttourneen unternommen hatte, gab er 1972 ab. 1973 wurde er (mit Wirkung ab 1974) zum GMD der Düsseldorfer Symphoniker ernannt. Als Gast dirigiert er ständig bedeutende europäische wie außereuropäische Orchester (u. a. regelmäßige Verpflichtungen beim Melbourne Symphony Orchestra).

+Otterström, Thorvald, 1868 – [erg.: 16. 8.] 1942.
Neben seinem kompositorischen Wirken betätigte sich O. auch als Musikschriftsteller (u. a. *Manual of Harmony*, Chicago 1941).

+Otto.
Johann Stüber, * 8. 3. 1888 [erg.:] zu Tiefenbach (Württemberg). – 1969 gründete Ernst O. (* 27. 4. 1908 zu Düsseldorf) wieder seine eigene Geigenbauwerkstatt in Den Haag.
Lit.: +W. L. v. Lütgendorff, Die Geigen- u. Lautenmacher (1904 in 1 Bd, 5–61922, 2 Bde), Nachdr. d. 6. Aufl. Tutzing 1968.

+Otto, Georg, 1550 wohl zu Weimar [nicht: Torgau] – 1618.

Lit.: +H. J. Moser, Die mehrstimmige Vertonung d. Evangeliums (I, 1931), Hildesheim u. Wiesbaden 21968. – H. Grössel, G. O. – Torgensis?, Mf XXIII, 1970.

Otto, Hans, * 19. 1. 1905 zu Großenenglis (bei Fritzlar, Hessen); deutscher Musikpädagoge, wurde 1927 Volksschullehrer und bildete sich, geprägt von der musikalischen Jugendbewegung, als Autodidakt weiter, zuletzt bei Wiora im Deutschen Volksliedarchiv in Freiburg i. Br. Seither ist er bemüht, *Die Volksliedkunde in ihrer Bedeutung als Grundlagenforschung für die Musikerziehung* (Mf XI, 1958) zu vertreten und *Volksliedpflege in der Volksschule* (in: Das Volkslied heute, = Musikalische Zeitfragen VII, Kassel 1959) zum festen Bestandteil des Musikunterrichts werden zu lassen; er veröffentlichte ferner *Volksgesang und Volksschule. Eine Didaktik* (2 Bde, Celle 1957–59). 1956 wurde O. Professor an der Pädagogischen Hochschule in Hannover.

+Otto, –1) Ernst Julius, 1804–77. –2) Franz, 1809–42.
Lit.: H. Schurz, J. u. Fr. O., zwei namhafte Meister d. deutschen Chorliedes im 19. Jh., Sächsische Heimatblätter VI, 1960; H. Gappenach, E. J. O., ein fast vergessener Pionier d. Chorgesanges, Schweizerische Sängerzeitung LI, 1961.

+Otto, Lisa (Elisabeth, verheiratete Bind), * 14. 11. 1919 zu Dresden.
Neben ihrer Verpflichtung an der Deutschen Oper Berlin sang sie als Gast an zahlreichen europäischen Opernhäusern (u. a. an der Staatsoper Wien, der Covent Garden Opera in London und an der Mailänder Scala) und wirkte auch beim Glyndebourne Festival sowie beim Maggio musicale fiorentino mit. Gastspiele führten sie ferner in die USA, nach Südamerika und Japan. 1963 wurde L. O. zur Kammersängerin ernannt.

+Otto, Stephan, [erg.: getauft 28. 3.] 1603 – 1656.

Otto, Teo, * 4. 2. 1904 zu Remscheid, † 9. 6. 1968 zu Zürich; deutscher Bühnenbildner, studierte zuerst Maschinenbau, dann an der Kasseler Kunstakademie Malerei und wurde an der Bauhochschule in Weimar Assistent von Ewald Dülberg, der ihn 1927 an die Berliner Krolloper verpflichtete. Neben eigenen Arbeiten (»Triptychon« von Puccini, 1927/28; *Erwartung* von Schönberg, 1929/30; »Figaros Hochzeit«, 1930/31; *Falstaff*, 1931/32) hatte er als Ausstattungschef die Aufgabe, Entwürfe praxisungeübter Gastbühnenbildner (→Moholy-Nagy, de →Chirico) in szenische Realität umzusetzen. 1931 wurde er Ausstattungsleiter der Berliner Staatstheater, emigrierte 1933 in die Schweiz und wurde Ausstattungsleiter am Zürcher Schauspielhaus. Als Gastbühnenbildner entfaltete O. eine rege Aktivität; genannt seien die Ausstattungen von *Don Giovanni* (Buenos Aires 1935), *Cardillac* von P.Hindemith (Ffm. 1953/54), *Histoire du soldat*, *Oedipus Rex* und *Renard* von Strawinsky (Hbg 1954–56), *Die Dreigroschenoper* (Mailand, Piccolo Teatro, 1956), *Lulu* von Alban Berg (Hbg 1956/57, später auch Ffm. und München), *Die schweigsame Frau* von R.Strauss (Salzburger Festspiele 1958), *Tristan und Isolde* (NY 1959/60), *Aniara* von Blomdahl (Hbg 1959/60), *Wozzeck* von Alban Berg (Bln 1962/63) und *Macbeth* (Ffm. 1962/63). Ab 1959 lehrte er als Professor für Bühnenkunst an der Kunstakademie in Düsseldorf. Über seine Arbeiten veröffentlichte er *Skizzen eines Bühnenbildners* (= Die Quadrat-Bücher XXXV, St. Gallen 1964) und *Meine Szene* (mit R.Höhmann, Köln 1965). – Handwerkliche Materialästhetik und kohärente Bildhaftigkeit miteinander verbindend, schuf O. Bühnenräume von großer Suggestionskraft. Nicht auf bestimmte Gestaltungsweisen festgelegt, den Dekorationsstil am jeweils konkreten Fall entwickelnd, sind seine Ausstattungen formal von ungewohnter Vielfalt. Ihm standen vom Naturalismus bis zur Abstraktion alle Varianten bühnenbildnerischer Möglichkeit undogmatisch zur Verfügung.

Lit.: E. Hölscher, Der Bühnenbildner T. O., in: Gebrauchsgraphik VII, 1954; T. O., Ausstellungskat. Zürich 1958. HS

+Otto [–1) Valentin], –2) Valerius, * [erg.: 25. 7.] 1579.

+Oubradous, Fernand, * 19. 2. 1903 zu Paris.

O., der 1954–58 an der Sommerakademie des Mozarteums in Salzburg gelehrt hatte, gründete 1959 die internationale Sommerakademie in Nizza und leitet sie seitdem. 1961 wurde er zum Präsidenten der Association française de musique de chambre ernannt. Er gab zahlreiche Werke des 18. Jh. vor allem in der eigens eröffneten Reihe *Collection F. O.* (Paris) neu heraus.

+Oudrid y Segura, Cristóbal, 1825 – 12. [nicht: 15.] 3. 1877.

Oum Kalsoum → Umm Kultūm.

+Ouseley, Sir Frederick Arthur Gore, 1825–89.

Lit.: E. R. Jacobi, Die Entwicklung d. Musiktheorie in England nach d. Zeit v. J.-Ph. Rameau, Bd II, = Slg mw. Abh. XXXIX/XXXIXa, Straßburg 1960.

Overath, Johannes, * 15. 4. 1913 zu Sieglar (bei Siegburg, Rheinland); deutscher Theologe und Musikforscher, studierte 1932–36 an den Universitäten Bonn und Tübingen (Philosophie, Theologie und Musikwissenschaft) und 1936–38 im Priesterseminar in Bensberg (1938 Priesterweihe in Köln). Er war dann in der Seelsorge tätig und setzte 1948–52 seine musikwissenschaftlichen Studien an der Kölner Universität fort, an der er 1958 mit der Arbeit *Untersuchungen über die Melodien des Liedpsalters von K. Ulenberg (Köln 1582)* (= Beitr. zur rheinischen Musikgeschichte XXXIII, Köln 1960) promovierte. 1948 wurde er Professor für Kirchenmusik am Priesterseminar in Bensberg (damals in Ensen) und war 1954–64 Generalpräses des Allgemeinen Cäcilien-Verbands (ACV) für die deutschsprachigen Länder. 1960 ernannte ihn Papst Johannes XXIII. zum Päpstlichen Hausprälaten und 1962 zum Peritus (Sachverständigen) des II. Vatikanischen Konzils (Mitglied der Konzilskommission für Liturgie). 1964 erhielt er die Ernennungen zum Konsultor des Consilium ad Exsequendam Constitutionem für Liturgie und (durch Papst Paul VI.) zum ersten Präsidenten der Consociatio Internationalis Musicae Sacrae (CIMS) in Rom, zu deren 1. Vizepräsidenten er 1969 gewählt wurde. O. war 1954 Mitgründer der Internationalen Gesellschaft für Urheberrecht. Von seinen zahlreichen Veröffentlichungen seien genannt: *Kirchenmusik und Seelsorge* und *Das deutsche Kirchenlied* (Hdb. der Kirchenmusik, hrsg. von K. G. Fellerer und H. Lemacher, Essen 1949); *Orgelbuch zum Gebet- und Gesangbuch für das Erzbistum Köln und das Bistum Aachen* (mit Th. B. Rehmann, 3 Bde, Köln 1949–51); *Graduale Romanum* (mit U. Bomm und K. G. Fellerer, Düsseldorf 1953); *Komponist und Interpret* (Arch. für Urheber-, Film-, Funk- und Theaterrecht 1959, Bd XXIX); *Der Allgemeine Cäcilien-Verband für die Länder der deutschen Sprache. Gestalt und Aufgabe* (= Schriftenreihe des Allgemeinen Cäcilien-Verbandes III, Köln 1961); ferner zahlreiche Beiträge für »Musica sacra«. Er gab C. Hagius Rintelens *Die Psalmen Davids nach K. Ulenberg (Köln 1582)* (= Denkmäler rheinischer Musik III, Düsseldorf 1955) heraus.

+Overhoff, Kurt, * 20. 2. 1902 zu Wien.

O., lange Jahre Lehrer von Wieland Wagner, leitete während seiner Wirkungszeit in Bayreuth (1947–51) das dortige Symphonieorchester sowie den Philharmonischen Chor. 1962 wurde er Professor am Mozarteum und Dozent an der Universität in Salzburg. An weiteren Kompositionen seien ein Violinkonzert in As (1952) sowie die Orchestersuite *Bayreuther Bilderbogen* (1962) genannt. Schriften: *R. Wagners Tristan-Partitur* (Bayreuth 1948); *R. Wagners Parsifal* (Lindau 1951); *Die Grenze der künstlerischen Freiheit ..., dargestellt am Beispiel Bayreuth* (Dinkelsbühl 1954); *Die Musikdramen R. Wagners* (Salzburg 1967); *Die Musica nova und ihre Problematik* (ebd. 1969); *Wagners Nibelungen-Tetralogie* (ebd. 1971).

Overton ('ouvətn), Hall, * 23. 2. 1920 zu Bangor (Mich.), † 24. 11. 1972 zu New York; amerikanischer Komponist und Jazzpianist, studierte 1938 in Grand Rapids/Mich. (Komposition) und 1940–42 am Musical College in Chicago (Kontrapunkt und Klavier) sowie ab 1947 bei Persichetti an der Juilliard School of Music in New York und ab 1951 bei Milhaud und Riegger. Gleichzeitig trat er als Jazzpianist hervor und war Mitarbeiter der Zeitschrift »Jazz Today«. O. komponierte u. a. die Opern *The Enchanted Pear Tree* nach Boccaccio (NY 1950), *Pietro's Petard* (NY 1963) und *Huckleberry Finn* nach Mark Twain (NY 1971), das Ballett *Nonage* (1951), Orchesterwerke (*Symphonic Movement*, 1950; Symphonie für Streichorch., 1955; Symphonie Nr 2, 1962; Concertino für V. und Streichorch., 1958), Kammermusik (Fantasie für 5 Blechbläser, Kl. und Schlagzeug, 1957; 2 Streichquartette, 1950 und 1954; Streichtrio, 1957; Sonatine für V. und Cemb., 1956; Sonaten für Va und Kl., 1960, und für Vc. und Kl., 1960), Klavierwerke (Sonate, 1953; *Polarities No. 1*, 1958), Chöre, Lieder sowie Filmmusik und Jazzarrangements.

Owtschinnikow, Wjatscheslaw Alexandrowitsch, * 29. 5. 1936 zu Woronesch; russisch-sowjetischer Komponist, absolvierte 1962 als Schüler von Chrennikow das Moskauer Konservatorium, wo er anschließend sein Studium vervollkommnete. Er schrieb u. a. 4 Symphonien, ein Violinkonzert, ein Klavierkonzert, Symphonische Dichtungen und Suiten, Streichquartette, eine Violinsonate, Klavierwerke, Lieder und Filmmusik (*Wojna i mir*, »Krieg und Frieden«, nach Leo Tolstoj; *Andrej Rubljow*; *Iwanowo detstwo*, »Iwans Kindheit«; *Telegramma*, »Telegramm«).

+Oxford University Press (OUP).

Leiter des Music Department 1924–41 war Hubert → +Foss; seit 1954 bis heute steht Alan Frank der Abteilung vor. Als bedeutende englische Komponisten des Verlages sind R. Vaughan Williams und W. Walton zu nennen. Schwerpunkte der Tätigkeit von OUP liegen auch auf den Gebieten der Schul- und Unterrichtsmusik (u. a. *Oxford School Music Books*, 1954ff.) sowie der Kirchen- und Chormusik. Die verlegerische Betreuung musikwissenschaftlicher Werke wurde verstärkt fortgesetzt; erwähnt sei die Fortführung der auf 11 Bde geplanten *New Oxford History of Music* (1954ff., 1973 in 5 Bden vorliegend) sowie die neue Monographienreihe *Oxford Studies of Composers* (1965ff., bislang 10 Bde), ferner die Editionsreihe älterer Orchester- und Kammermusik *Musica da camera* (1973ff.).

Lit.: Anon., Oxford Music. The First Fifty Years '23–'73, London 1973.

Ozawa, Seiji, * 1. 9. 1935 zu Hoten (Mandschurei); japanischer Dirigent, studierte an der privaten Tōhō-Musikhochschule in Tokio bei Saitō, gewann 1959 den 1. Preis beim Wettbewerb für junge Dirigenten in Besançon und 1960 den 1. Preis im Berkshire Music Center in Tanglewood (Mass.). Danach wurde er von L. Bernstein als Assistant Conductor an die New York Philharmonic berufen. 1962 war O. ständiger Dirigent des NHK-Rundfunkorchesters und wirkte 1965–68 als ständiger Dirigent beim Toronto Symphonic Orchestra. 1970 übernahm er als ständiger Dirigent die Leitung des San Francisco Symphony Orchestra. 1972 wurde er daneben zum Chefdirigenten des Boston Symphony Orchestra ernannt. Als Gastdirigent ist er bei internationalen Festspielen (Edinburgh, Salzburg, Wien, Prag) hervorgetreten. 1973 hat er einen Gastspielvertrag mit dem New Philharmonia Orchestra in London abgeschlossen.

Ozim (əz'im), I g o r , * 9. 5. 1931 zu Laibach/Ljubljana; jugoslawischer Violinist, studierte bei Leon Pfeifer an der Musikakademie in Ljubljana und 1949–51 am Royal College of Music in London (Rostal). Er war 1962–64 Professor für Violine an der Musikakademie in Ljubljana und wurde danach Professor an der Staatlichen Hochschule für Musik in Köln. Konzertreisen führten ihn in eine Reihe europäischer und außereuropäischer Länder.

Lit.: R. Lück, Ist d. V. ein Instr. f. d. Neue Musik? Ein Werkstattgespräch mit I. O., in: Das Orch. XX, 1972, serbokroatisch in: Zvuk 1972, Nr 124/125, S. 126ff.

Oziminski (əzim'iɲski), J ó z e f , * 6. 12. 1875 und † 8. 7. 1945 zu Warschau; polnischer Violinist, studierte 1894–96 am Warschauer Konservatorium (Barcewicz) und war ab 1901 Konzertmeister und ab 1909 2. Dirigent bei der Warschauer Philharmonie, deren künstlerische Leitung er 1938 übernahm.

Ozoliņš ('əzəliɲ), J a n i s , * 17.(30.) 5. 1908 zu Mitau/Jelgava; lettisch-sowjetischer Chordirigent und Komponist, Dirigent der Sängerfeste in Riga, studierte 1931–35 am Rigaer Konservatorium, dessen Leitung er 1950 übernahm. Er bearbeitete zahlreiche Volkslieder für Chor und schrieb eine Reihe von Chorkompositionen, daneben auch Sololieder sowie Bühnen- und Filmmusik.

P

+Paap, Wouter, * 7. 5. 1908 zu Utrecht.
P., der heute in Lage Vuursche (Holland) lebt, ist weiterhin als Hauptredakteur von *Mens en melodie* (1974 im 29. Jg.) tätig. Neuere Veröffentlichungen: *Composers* (in: Music in Holland, hrsg. von E. Reeser, Amsterdam 1958); *W. Mengelberg* (ebd. 1960); *Muziek, modern en klassiek* (= Prisma-boeken Bd 671, Utrecht 1961); *Mozart* (ebd. Bd 784, 1962); zahlreiche kleinere Beiträge vor allem in »Mens en melodie«, auch in »Sonorum speculum«. Mit A. Corbet hatte P. die Leitung der *Algemene muziekencyclopedie* inne (6 Bde, Amsterdam 1957–63; dazu ein *Aanvullend deel*, »Ergänzungsteil«, hrsg. von J. Robijns, Gent 1972).

Pablo (p′ablo) Costales, Luis Alfonso de, * 28. 1. 1930 zu Bilbao; spanischer Komponist, absolvierte 1952 ein Studium der Rechtswissenschaft in Madrid und wandte sich dann autodidaktisch der Komposition zu. Er war 1958 Mitgründer der Grupo Nueva Música, leitete 1959–64 Tiempo y Música, ein Ensemble zur Aufführung zeitgenössischer Kammermusik, wurde 1964 künstlerischer Leiter der Bienal de Música Contemporánea de Madrid und gründete 1965 das Studio Alea, mit dem die erste Elektronische Musik in Spanien realisiert wurde. 1966 erhielt er vom Deutschen Akademischen Austauschdienst ein Stipendium zum Studium in Berlin. – Kompositionen: *Gárgolas* für Kl. (1953); Klarinettenquintett (1954); *Tres piezas* für Git. (1955); 2 Streichquartette (1955 und 1957); Messe *Pax homilium* für Vokalquartett und Org. (1956); Elegie für Streichorch. (1956); *Sonatina giocosa* für Kl. (1956); Konzert für Cemb. (1956); *Piezas infantiles* für Kl. (1956); *Cinco canciones* für Singst. und Kl. (Text Antonio Machado, 1957); 5 Inventionen für Fl. oder V. und Kl. (1957); *Coral eucarístico* für 7 Bläser (1958); *Dos villancicos* für Singst. und Kl. (Text Rafael Alberti, 1958); Sonate für Kl. (1958); *Comentarios sobre un texto de Gerardo Diego* für Singst. und 3 Instr. (1958); *Móvil I* (1958) und *Progressus* (1959) für 2 Kl.; *Radial* für 24 Instr. (1960); *Glosa* für S., 2 Hörner, Vibraphon und Kl. (Text Luis de Góngora y Argote, 1961); *Libro para el pianista* für Kl. (1961); 4 Inventionen für Orch. (1955–62); *Polar* für V., Sopransax., Baßklar. und Schlagzeug (1962); *Prosodia* für Piccolo-Fl., Klar., Xylophon, Vibraphon und Schlagzeug (1962); *Condicionado* für Alt-Fl. solo (1962); *Recíproco* für 4 Fl., Kl. und Schlagzeug (1963); *Tombeau–Testimonio* für Orch. (1963); *Cesuras* für Fl., Ob., Klar., V., Va und Vc. (1963); *Escena* für Vokalquartett, gem. Chor, Streicher und Schlagzeug (Text Rafael de la Vega, 1964); *Módulos I* für 3 Klar., 2 Xylophone, 2 Kl. und Streichquartett (1965); *Ein Wort* für Singst., Klar., V. und Kl. (Text Gottfried Benn, 1965); *Mitología I*, Elektronische Musik (1965); *Sinfonías* für 17 Blechbläser (1954–67); *Módulus II* für 2 Orch. (1966); *Iniciativas* für Orch. (1966); *Módulos III* für 17 Instr. (1967), *IV* (*Ejercicio*) für Streichquartett (1967) und *V* für Org. (1967); *Imaginario I* für Cemb. und 3 Schlagzeuger (1967) und *II* für Orch. (1967); *Módulos VI* (*Paráfrasis*) für 24 Instr. (1968); *Móvil II* für 2 Kl. (1968); *Heterogéneo* für 2 Rezitatoren, Hammondorg. und Orch. auf verschiedene

Texte (1968); *Quasi una fantasia* für Streichsextett und Orch. (1969); *Por diversos motivos* für 22 Instr., Tonband und Bilder (1969, Neufassung für Mezzo-S., Vokalensemble und 2 Kl. [3 Pianisten], 1970); *We* (1970) und *Tamaño natural* (1970), Elektronische Musiken mit verschiedenen Texten; *Cinco piezas para Miró* für 10 Instr. (1970); *Yo lo vi* für 12 Vokalsolisten (1970); *Protocolo*, Spiel (verschiedene Texte, Paris 1972); ferner Bühnen- und Filmmusik. – Veröffentlichungen: *Aproximación a una estética de la música contemporánea* (= Los complementarios XI, Madrid 1968); *Lo que sabemos de música* (ebd. 1968); Zeitschriftenartikel.
Lit.: F. SOPEÑA IBÁÑEZ, Hist. de la música española contemporánea, Madrid 1957, erweitert = Bibl. del pensamiento actual LXXXIX, 1958; M. VALLS GORINA, La música española después de M. de Falla, ebd. 1958; A. CUSTER, Contemporary Music in Spain, MQ XLVIII, 1962; T. MARCO, L. de P., = Artistas españoles contemporáneos, Serie músicos VI, Madrid 1971.

Pabst, Pawel Awgustowitsch (Christian Georg Paul), * 27. 5. 1854 zu Königsberg, † 28. 5. (9. 6.) 1897 zu Moskau; deutsch-russischer Pianist und Pädagoge, studierte bei seinem Vater, dem Kapellmeister, Komponisten und Pianisten August P. (1811–85) sowie bei Door in Wien und zeitweilig bei Liszt. Auf Einladung von N. Rubinstein übersiedelte er 1879 nach Moskau, wo er am Konservatorium die Meisterklasse für Klavier innehatte (1881 Professor). Von seinen Schülern seien Goldenweiser, Igumnow und Goedicke genannt. P. schrieb u. a. Klavierfantasien und -paraphrasen über russische Opernmotive (Tschaikowsky, *Jewgenij Onegin*), ein Klavierkonzert Es dur und Vokalmusik.

+Paccagnella, Ermenegildo, * [erg.:] 18. 2. 1880 [nicht: 1882] zu Padua (Stadtteil Salboro).
1920–52 war P. Organist in Mailand. Seitdem wirkt er in Rom als künstlerischer Leiter des Centro internazionale di studi palestriniani. Die von ihm besorgte Zeitschrift +*Nuova didattica e pedagogia musicale* erschien bis 1930. – Von seinen neueren Lehrschriften sei genannt *La formazione del linguaggio musicale* (3 Bde, I: *Il canto gregoriano*, II: *J. S. Bach*, III: *La parola in Palestrina*, = Collana di studi palestriniani II–IV, Florenz 1961–69).

Paccagnini (pak-kaɲ′i:ni), Angelo, * 17. 10. 1930 zu Castano Primo (bei Mailand); italienischer Komponist, studierte am Conservatorio di Musica G. Verdi in Mailand Klarinette (Diplom 1952) und Komposition (Diplom 1955) und ist seit 1955 freier Mitarbeiter des italienischen Rundfunks und Fernsehens. Seit 1968 leitet er das Studio di Fonologia Musicale der RAI in Mailand; 1969 wurde er (als erster auf diesem Lehrstuhl) Professor für Komposition Elektronischer Musik am dortigen Konservatorium. – Von seinen Kompositionen seien genannt: *Le sue ragioni* (einaktige Oper von Elio Pagliarani und dem Komponisten, Bergamo 1959); Oper *Tutti la vogliono, tutti la spogliano* (Text vom Komponisten, Venedig 1966); *Un uomo da salvare*, Theatralischer Vorschlag über den Zustand des Menschen der heutigen Zeit (Text Giuseppe Ungaretti u. a., Mailand 1969/70); Ballett *I dispersi* (Darmstadt 1962 als »Die Verlorenen«, auch als Suite). – Rund funkopern *Mosé* für Soli, Chor, Tonband und Orch. (1963) und *Il dio di oro* für Soli, Chor und Orch. (RAI Rom 1964). – *Quattro studi* für Orch. (1954); Konzert für V. und Orch. in 6 Gruppen (1960); *Gruppi concertanti* für Orch. (1961); *Dialoghi* für Orch. (1962); *La città del miracolo* für Fl. und Orch. (1965); *Quarto concerto* für doppeltes Streichorch. (1969). – *Cinque cori di Euripide* (1952); *Cori* (1961); Anthem für gem. Chor, Fl., Vibraphon und Schlagzeug (1961); *Actuelles* für S., gem. Chor, Sprechchor und Orch. (1963); *Actuelles 1968* für S., Tonband und Orch. (1968); *Vento nel vento* für Mezzo-S. und Orch. (1964); *Terzo concerto* für S. und Orch. (1966); *Il sale della terra*, stereophonisches Werk für gem. Chor, Sprechchor und elektronische Klänge (1969). – *Musica da camera* für Streichtrio (1953); Streichquartett (1956); *Musica a due* für V. und Kl. (1957); *Musica da camera* für Piccolo-Fl., Fl., Baßklar., Horn, Vibraphon, Hf., V., Vc. und Kb. (1960). – Variationen (2 Serien, 1956–58) und *Récréation*, Suite enfantine (1964) für Kl.; *Sei tempi* (1953) und *Seconda musica* (1954) für 2 Kl. – Gesangsstücke, Bühnen-, Fernseh- und Filmmusik sowie Elektronische Musik (*Sequenze e strutture*, 1962; *Bivio*, 1968; *Partner*, 1969; *La fame*, 1969; *La nascita*, 1969).

+Pacchiarotti, Gasparo, 1740–1821.
Lit.: +A. HERIOT, The Castrati in Opera (1956), ital. als: I castrati nel teatro d'opera, = Diapason o. Nr, Mailand 1962.

Pacchioni (pak-ki′o:ni), Antonio Maria, getauft 5. 7. 1654 und † 15.(16.?) 7. 1738 zu Modena; italienischer Komponist, studierte Gesang bei Marzio Erculeo, Violine bei G. M. Bononcini und Komposition bei Agostino Bendinelli, empfing 1677 die Priesterweihe und war ab 1694 bis zu seinem Tode als Nachfolger Colombis Kapellmeister am Dom in Modena. 1699 wurde er daneben Vizekapellmeister am herzoglichen Hof. Zu seinen Schülern zählte T. Vitali. P. schrieb die in Modena aufgeführten Oratorien *S. Antonio Abbate l'eroe trionfator dell'inferno* (1677), *Le porpore trionfali di S. Ignatio il patriarca antiocheno* (1678) und *La gran Matilde d'Este* (1682) sowie weitere kirchenmusikalische Werke (Kyrie und Gloria zu 5 St., Stabat mater zu 4 St. und Ave maris stella zu 3 St. mit Streichern und B. c.; *Laetatus sum* zu 5 St. und B. c., 1677; Messe zu 4 St. und Miserere zu 4 und 5 St. ad libitum mit Streichern und B. c.; *Laudate Dominum* zu 8 St. und B. c.; *Dominus Deus* zu 4 St. und B. c.; *Christus factus est*, De profundis, *Misericordias Domini*, Stabat mater, *Laudate pueri*, *Vexilla regis*, *Jesu corona* und Ave maris stella zu 3 St., Requiem zu 8 St. und Org.). Von P.s weltlichen Werken sind zu nennen: *Se sia peggio il dir mal d'altri o lodar se stesso*, Accademia für B., Streicher und B. c.; *Ristoro de' mortali*, Serenata für B., Concerto grosso und Concertino.
Lit.: G. RONCAGLIA, La cappella mus. del duomo di Modena, = »Hist. musicae cultores« Bibl. V, Florenz 1957; DERS., A. M. P., in: Musicisti lombardi ed emiliani, hrsg. v. A. Damerini u. dems., = Accad. mus. Chigiana (XV), Siena 1958; O. MISCHIATI, in: MGG X, 1962, Sp. 537f.

+Pace, Pietro (Paci), 1559–1622.
P. war von 1611 bis an sein Lebensende [nicht: 1613–21] Organist an der Santa Casa in Loreto. – Von ihm erschienen zwischen 1613 [nicht: 1600] und 1625 11 [nicht: 9] Bücher 1–6st. Motetten (Buch II, 1612, X, 1621 und XI, 1625 verschollen).
Lit.: +A. SOLERTI, Musica, ballo e drammatica alla Corte Medicea dal 1600–37 (1905), Neuaufl. NY 1968, Nachdr. = Bibl. musica Bononiensis III, 4, Bologna 1969; +M. BUKOFZER, Music in the Baroque Era (1947), polnisch Krakau 1970; +A. EINSTEIN, The Ital. Madrigal (II, 1949), Nachdr. Princeton (N. J.) 1970.

+Pacelli, Asprilio, um 1570 zu Vasciano di Stroncone (Umbrien) – 1623.
Ausg.: +Opera omnia (M. GLIŃSKI), Rom 1946 (nur 1 Bd erschienen). – 8 Stücke in: The Pelplin Tablature, hrsg. v. A. SUTKOWSKI u. A. OSOSTOWICZ-SUTKOWSKA, 6 Bde, = Antiquitates musicae in Polonia I–VI, Warschau 1963–65; 4 Madrigale f. gem. Chor a capella, = Florilegium musicae antiquae XXII, Krakau 1967.
Lit.: Z. M. SZWEYKOWSKI, Unikalne druki utworów A. P.ego (»Einmalige Drucke v. Werken A. P.s«), in: Muzyka XVII, 1972 (mit thematischem Verz.).

Pach, Walter, * 22. 8. 1904 zu Wien; österreichischer Organist und Komponist, studierte in Wien Orgel bei Fr. Schütz und Komposition bei Fr. Schmidt. 1925–38 lehrte er am Wiener Volkskonservatorium, war 1939–45 Lehrer für Orgel und Musiktheorie am Konservatorium der Stadt Wien und wurde dann als Lehrer für Orgel an die dortige Akademie für Musik und darstellende Kunst berufen. 1951 erhielt P. den Titel Professor, 1967 wurde er zum außerordentlichen Hochschulprofessor ernannt. Seit 1923 ist er Organist an der Votivkirche in Wien. P. tritt als Konzertorganist im In- und Ausland auf. Er komponierte zahlreiche Werke für Orgel; genannt seien: Toccata G dur (1931); Introitus und Ricercare (1947); *Partita canonica*. *Vater unser im Himmelreich* (1960); Fantasie und Fuge (1962); *Praeambel und Chaconne* (1963); *Fantasia brevis* (1964); Sonate (1966); Toccata und Fuge (1968); ferner O *oriens* (1958), *Erhalt uns Herr bei deinem Wort* (1959) und Motetten für gem. Chor a capella.

Pacheco (patʃ′eko), José, * 15. 12. 1784 und † 23. 3. 1865 zu Mondoñedo (Lugo); spanischer Komponist, wurde 1806 Maestro de capilla an der Kathedrale seiner Heimatstadt. Er schrieb zahlreiche kirchenmusikalische Werke (Motetten, Hymnen, Psalmen, Lamentationen, Te Deum, Miserere, Litaneien, Villancicos).
Lit.: G. BOURLIGUEUX, Unas oposiciones al magisterio de capilla de la catedral de Oviedo a principios del s. pasado, Bol. del Inst. de estudios asturianos XXIV, 1970.

Pacheco de Céspedes (patʃ′eko đe θ′espeđes), Luis, * 25. 11. 1895 zu Lima; peruanischer Violinist, Dirigent und Komponist, studierte in Lima bei Villalba Muñoz Harmonielehre und bei Claudio Rebagliati Violine und vervollständigte seine Studien in Paris bei V. A. Duvernoy und Thibaud (Violine) sowie R. Hahn und Fauré (Kontrapunkt und Fuge). Er war 5 Jahre Dirigent der Opern- und Konzertsaison in Cannes, dann ein Jahr musikalischer Leiter des Rundfunks PTT in Paris und anschließend 3 Jahre Orchesterdirigent bei der Paramount Filmgesellschaft, für die er auch Filmmusik schrieb. Nach Ausbruch des 2. Weltkrieges kehrte er nach Lima zurück und dirigierte das Nationale Symphonieorchester. P. de C. komponierte die Oper *Le masque et la rose* (Rouen 1929), Operetten, Ballette (*Costa, sierra y montaña*, Lima 1942), Orchesterwerke (Symphonische Dichtungen *Danza sobre un tema indio*, 1941, und *La selva*, 1942), Kammermusik (Streichquartett, 1946), Klavierstücke und Lieder.

+Pachelbel, –1) Johann, 1653 – 3. ([erg.:] begraben 9.) 3. 1706. –2) Wilhelm Hieronymus, 1686 [nicht: 1685] – 1764. –3) Carl Theodorus (Charles Theodore), getauft [nicht: *] 24. 11. 1690 – begraben [nicht: †] 15. 9. 1750.
Ausg.: zu –1): +Ausgew. Orgelwerke, Bd IV: Choralpartiten (K. MATTHAEI, 1936), Neudr. Kassel 1961, fortgeführt mit Bd V, hrsg. v. W. STOCKMEIER, ebd. 1972; Praeludium, Fuge u. Chaconne D moll, Chaconne F moll sowie Choral »Vom Himmel hoch«, hrsg. v. R. DE FALCINELLI, = Anth. des maîtres class. de l'orgue LXIII–LXV, Paris 1956; Toccata C moll u. Praeludium D moll f. Org., hrsg. v. G. RAMIN, Wiesbaden 1956; 10 Magnificat-Fu-

gen, hrsg. v. W. EMERY, = Early Org. Music V, London 1958; Magnificat-Fugen f. Org., hrsg. v. H. HÜBSCH, Heidelberg 1963; Suiten f. Cemb., hrsg. v. H. J. MOSER u. TR. FEDTKE, Hbg 1968; Orgelwerke, hrsg. v. TR. FEDTKE, Ffm., bislang Bd I, 1972 (Choralfugen u. Choräle aus d. Weimarer Tabulaturbuch 1704), II, 1973 (Ausgew. Choralbearb.), IV, 1973 (Ausgew. freie Orgelstücke). – +6 Triosuiten (aus »Mus. Ergötzung«) f. 2 V. u. B. c. (FR. ZOBELEY, 1937), Neudr. Kassel 1960–66; +Kanon u. Gigue (M. SEIFFERT, 1929), Lpz. 61962; Kanon f. 3 V. u. B. c. (Streichorch.), hrsg. v. H. MAY, = Concertino CXI, Mainz 1969. – Choralkantate »Was Gott tut, das ist wolgetan«, hrsg. v. H.-A. METZGER, Bln 1957; 6 Motetten, hrsg. v. D. KRÜGER, = Geistliche Chormusik I, 131–135 u. 137, Stuttgart 1960; Kantate »Jauchzet d. Herrn« f. 5st. gem. Chor, Orch. u. Org., hrsg. v. DEMS., ebd. X, 157, 1963. – zu – 3): +Magnificat f. 8st. gem. Chor (Doppelchor) u. B. c. (H. T. DAVID, 1937), Neudr. = The NY Public Library Music Publ. o. Nr, NY 1959.
Lit.: E. JÄGER, Die Wunsiedler Familie P. u. d. Musik, in: Der Erzähler v. Gabelmannsplatz. Heimatzeitung f. d. Fichtelgebirge (Wochenbeilage zum »Boten aus d. 6 Aemtern«, Wunsiedel) 1964, Nr 4. – zu –1): +J. MATTHESON, Grundlage einer Ehrenpforte (M. Schneider, 1910), Nachdr. Kassel 1969; +PH. SPITTA, J. S. Bach (I, 1873), 5. Aufl. (= Nachdr. d. 4. unveränderten Aufl. Lpz. 1930) Wiesbaden u. Darmstadt 1962, 61964, engl. London 1885, NA NY 1951; +M. SEIFFERT, Gesch. d. Klaviermusik (I, 1899), Nachdr. Hildesheim u. Wiesbaden 1966; +G. FROTSCHER, Gesch. d. Orgelspiels ... (II, 1936), Bln 21959, 31966. – H. WOODWARD, Mus. Symbolism in the Vocal Works of J. P., in: Essays on Music, Fs. A. Th. Thompson, Cambridge (Mass.) 1957; W. E. BUSZIN, J. P.'s Contribution to Pre-Bach Org. Lit., in: The Mus. Heritage of the Lutheran Church, hrsg. v. Th. Hoelty-Nickel, Bd V, St. Louis (Mo.) 1959; H. E. SAMUEL, The Cantate in Nuremberg During the 17th Cent., Diss. Cornell Univ. (N. Y.) 1963; H.H. EGGEBRECHT, Das Weimarer Tabulaturbuch v. 1704, AfMw XXII, 1965; FR. KRUMMACHER, Die Überlieferung d. Choralbearb. in d. frühen ev. Kantate, = Berliner Studien zur Mw. X, Bln 1965; DERS., Kantate u. Konzert im Werk J. P.s, Mf XX, 1967.

+**Pachernegg,** Alois, * 21. 4. 1892 zu Irdning (Steiermark), [erg.:] † 13. 8. 1964 zu Wien.
Lit.: D. GLAWISCHNIG in: Mitt. d. Steirischen Tonkünstlerbundes 1962, Nr 10, S. 1ff.

+**Pachmann,** Wladimir von (Vladimir de), 1848 – 6. [nicht: 7.] 1. 1933.
Lit.: H. C. SCHONBERG, The Great Pianists, NY 1963, deutsch als: Die großen Pianisten, Bern 1965; E. BLICKSTEIN, No era solo un payaso, in: Heterofonía II, 1969/70.

Pachmutowa, Alexandra Nikolajewna, * 9. 11. 1929 zu Zarizin (heute Wolgograd); russisch-sowjetische Komponistin, studierte 1943–48 an der Moskauer Zentralkindermusikschule (Schebalin) und 1948–53 am Moskauer Konservatorium, wo sie sich noch als Aspirantin vervollkommnete. Sie schrieb u. a. eine symphonische Suite (1953), ein Trompetenkonzert (1955), ein Notturno für Waldhorn und Kl. (1955), eine Sonatine für Kl. (1946), die Kantate *Wassilij Tjorkin* (nach Alexandr Twardowskij, 1953), populär gewordene Lieder (*Pesnja o treboschnoj molodosti,* »Lied von der unruhigen Jugend«; *Geologi,* »Geologen«; *Staryj kljon,* »Der alte Ahorn«; *Choroschije dewtschata,* »Gute Mädels«; *Glawnoje, rebjata, serdzem ne staret!,* »Vor allen Dingen, Leute, im Herzen nicht alt werden!«) sowie Bühnen- und Filmmusik.
Lit.: JE. DOBRYNINA, A. P., Moskau 1959; W. SAK, Pesni A. Pachmutowoj (»Die Lieder v. A. P.«), SM XXIX, 1965.

+**Pachymeres,** Georgios, 1242 – um 1310.
Ausg.: P. TANNERY, Quadrivium de G. Pachymère ou Σύνταγμα τῶν τεσσάρων μαθημάτων, revidiert u. hrsg. v. E. Stephanou, = Studi e testi XCIV, Città del Vaticano 1940.

Lit.: L. RICHTER, Antike Überlieferungen in d. byzantinischen Musiktheorie, DJbMw VI, 1961.

Paci (p'a:tʃi), Mario, * 4. 6. 1878 zu Florenz, † 3. 8. 1946 zu Schanghai; italienischer Pianist und Dirigent, studierte ab 1892 Klavier bei Sgambati in Rom und gewann dort 17jährig den Liszt-Preis. Anschließend setzte er seine Ausbildung in Komposition und Dirigieren am Mailänder Konservatorium fort. Ab 1902 konzertierte er in verschiedenen europäischen Ländern. 1919 nahm er während einer Fernosttournee das Angebot an, in Schanghai ein ständiges Orchester zu gründen. Während der 23 Jahre, die P. das Shanghai Municipal Orchestra leitete, trug er als Dirigent und Pianist wesentlich zur Entwicklung westlicher Musikpflege in China bei.

Pacini (patʃ'i:ni), Giovanni, * 17. 2. 1796 zu Catania, † 6. 12. 1867 zu Pescia (Pistoia); italienischer Komponist, Sohn des Opernsängers Luigi P. (* 25. 3. 1767 zu Popiglio di Piteglio, Pistoia, † 2. 5. 1837 zu Viareggio), studierte ab 1806 in Bologna Gesang bei L. Marchesi, dann Komposition bei Abbate Mattei, und setzte bei B. Furlanetto in Venedig seine Kompositionsstudien fort. 1813 debütierte er in Mailand mit der Farce *Annetta e Lucindo* und machte sich bald (ab 1825 auch im Ausland) einen Namen als Komponist ernster und heiterer Opern. Er erhielt in den folgenden Jahrzehnten zahlreiche Opernaufträge. Ab 1822 lebte er in Lucca, 1834 gründete er in Viareggio ein Liceo musicale, 1837 wurde er herzoglicher Kapellmeister in Lucca und leitete ab 1842 das dortige Istituto musicale. In den letzten Lebensjahren zog er sich nach Pescia zurück. Von seinen etwa 90 Bühnenwerken seien genannt: *L'ultimo giorno di Pompei* (Neapel 1825); *Gli Arabi nelle Gallie* (Mailand 1827); *Il corsaro* (Rom 1831); *Ivanhoe* (Venedig 1832); *Carlo di Borgogna* (ebd. 1835); *Saffo* (Neapel 1840); *La fidanzata corsa* (ebd. 1842); *Medea di Corinto* (Palermo 1843); *La regina di Cipro* (Turin 1846); *Niccolò de' Lapi* (postum Florenz 1873). P. komponierte ferner 5 Oratorien, etwa 15 weltliche Kantaten (*Rossini e la patria,* 1864), Orchesterwerke (4teilige Programmsymphonie *Dante,* 1865), Kammermusik (Oktett für 3 V., Ob., Fag., Horn, Vc. und Kb.; 6 Streichquartette, 1858–64; 3 Klaviertrios, 1864–65) und zahlreiche kirchenmusikalische Werke (Messen mit Orch., mit Soloinstrumenten oder mit Orgel und B. c.; 4–8st. Vespern mit Orch.). Er schrieb: *Sulla originalità della musica melodrammatica italiana del s. XVIII. Ragionamento* (Lucca 1841); *Principi elementari con metodo del meloplasto* (ebd. 1849); *Cenni storici sulla musica e trattato di contrappunto* (ebd. 1864); ferner die Autobiographie *Le mie memorie artistiche* (Florenz 1865, fortgeführt von F. Cicconetti, Rom 1872; nachgelassener 2. Teil mit Teilabdruck der Ergänzungen von Cicconetti, hrsg. von F. Magnani, Florenz 1875).
Lit.: Werkverz. in: O. CHILESOTTI, I nostri maestri del passato, Mailand 1882, u. in: U. MANFERRARI, Dizionario universale delle opere melodrammatiche III, = Contributi alla bibl. bibliogr. ital. X, Florenz 1955. – L. NERICI, Storia della musica in Lucca, = Memorie e documenti per servire alla storia di Lucca XII, Lucca 1879, Nachdr. = Bibl. musica Bononiensis III, 11, Bologna 1969; M. DAVINI, Il maestro G. P., Palermo 1927; A. CAMETTI, La musica teatrale a Roma cento anni fa, Mailand 1931; FR. LIPPMANN, G. P., Bemerkungen zum Stil seiner Opern, in: Chigiana XXIV, N. S. IV, 1967; DERS., V. Bellini u. d. ital. Opera seria seiner Zeit, = Analecta musicologica VI, Köln 1969; R. PROFETA, G. P. u. s »Saffo«, in: L'opera III, (Mailand) 1967; G. UGOLINO, G. P. alle origini del melodramma ottocentesco, ebd.

Paciorkiewicz (patsjɔrkj'ɛvitʃ), Tadeusz, * 17. 10. 1916 zu Sierpc (bei Warschau); polnischer Komponist, Organist und Musikpädagoge, studierte am Warschauer Konservatorium Orgel bei Rutkowski (Diplom 1943) und ab 1941 Komposition bei K. Sikorski. 1945–49 leitete er die von ihm gegründete Musikschule in Płock. 1949–54 war er Professor für Musiktheorie an der Hochschule für Musik in Łódź. Seit 1954 ist er an der Hochschule für Musik in Warschau tätig, deren Leitung er 1968–71 innehatte. Er schrieb u. a. die Funkoper *Usziko*, das Ballett *Legenda Warszawy* (»Warschauer Legende«, 1959), Orchesterwerke (2 Symphonien, 1953 und 1957; 2 Konzerte für Kl. und Orch., 1952 und 1954; Violinkonzert, 1955; Konzert für Pos. und Orch.; Konzert für Org. und Orch.), Kammermusik (Bläserquintett, 1951; Streichquartett, 1960; Sonate für V. und Kl., 1954; Sonatine für 2 V., 1955; 4 Capriccios für Klar. und Kl., 1960), eine Sonate für Org. (1947) sowie Klavierstücke, Kantaten, Chöre, Lieder, Bühnen- und Filmmusik.

+Pacius, Friedrich, 1809 – 8. [nicht: 9.] 1. 1891.
Lit.: T. ELMGREN-HEINONEN, Fr. P., in: Suomalaisia musiikin taitajia, hrsg. v. M. Pulkkinen, Helsinki 1958; DIES., Laulu Suomen soi . . ., Fr. P. ja hänen aikansa (»Es klingt d. finnische Gesang . . ., Fr. P. u. seine Zeit«), ebd. 1959.

+Paderewski, Ignacy Jan, 1860 zu Kuryłowka (Gouvernement Podolien [nicht: Podolsk]) – 1941.
P. hatte das ihm angetragene Amt eines Direktors des Warschauer Konservatoriums nie übernommen [del. frühere Angaben dazu]; 1940 wurde er Präsident der polnischen Exilregierung [nicht: Exilparlament]. – Zu den bekannteren Kompositionen von P., der Ehrendoktor einer Reihe polnischer, englischer und amerikanischer Universitäten war, gehören ferner ein Klavierkonzert A moll op. 17 (1882), eine Fantasie über polnische Volksweisen für Kl. und Orch. op. 19 (1893), eine Violinsonate A moll op. 13 (1885) sowie eine Anzahl Klavierstücke (*Chants du voyageur* op. 8, 1884; Miniaturen *Album de mai* op. 10, 1884; *Miscellanea* op. 16), auch Chöre und Lieder. Die von ihm mitvorbereitete →+Chopin-GA liegt inzwischen vor. Seine Erinnerungen (+*The P. Memoirs*, 1939) erschienen polnisch als *Pamiętniki* (= Źródła pamiętnikarsko-literackie do dziejów muzyki polskiej IX, Krakau 1961, ²1967, ³1972 = Muzyka moja miłość o. Nr).
Lit.: J. KAŃSKI in: Ruch muzyczny XV, 1971, Nr 14, S. 5f. (Diskographie). – +H. OPIEŃSKI, I. J. P. (1910, ²1928), Lemberg ³ ¹1933, NA Krakau 1960, port. São Paulo 1958. – A. M. HENDERSON, P. as Artist and Teacher, MT XCVII, 1956; P. BADURA-SKODA, Um d. Chopinschen Urtext, NZfM CXXI, 1960 (zur Chopin-GA); WŁ. DULĘBA u. Z. SOKOŁOWSKA, I. J. P., Krakau 1962; J. SIERPIŃSKI in: Ruch muzyczny IV, 1960, Nr 22, S. 1ff.; È. SZCZAWIŃSKA, P. w oczach XIX-wiecznej krytyki warszawskiej (»P. im Spiegel d. Warschauer Kritik im 19. Jh.«), ebd. V, 1961; R. F. u. P. HUME, The Lion of Poland. The Story of P., NY 1962 (f. Jugendliche); Cz. R. HALSKI, I. J. P., London 1964, polnisch; M. IDZIKOWSKI, Dzieje spuścizny po I. P.m (»Die Gesch. d. Nachlasses v. I. P.«), in: Ruch muzyczny VIII, 1964; DERS., Dzieła Chopina pod redakcja P.ego (»Chopins Werke in d. Redaktion v. P.«), ebd. XII, 1968.

Padilla (paḏ'iʎa), José, * 23. 5. 1889 zu Almería, † 24. 10. 1960 zu Madrid; spanischer Komponist von Chansons und Unterhaltungsmusik, begann seine Karriere in Paris, wo er zunächst für den Chansonsänger Raquel Meller u. a. die Chansons (Textautoren in Klammern) *El relicario* (Lucien Boyer und P. Chapelle) und *La violetera* (Albert Willemetz und Saint-Granier) komponierte. Eine Reihe seiner Chansons, darunter das bekannte *Valencia* (Enrique de Prada, kreiert in Spanien durch Mercédès Sèros, französischer Text von Boyer und Jacques-Charles, deutsche Textfassung von Fr.

Löhner), *Fleurs d'amour* (Willemetz und Jacques-Charles, 1924) und *Ça c'est Paris* (Jacques-Charles, 1925), wurden von der Mistinguett in Revuen im Moulin Rouge und im Casino de Paris interpretiert, wo P. als Orchesterleiter wirkte.

Padlewski, Roman, * 24. 9. (7. 10.) 1915 zu Moskau, † 16. 8. 1944 zu Warschau (gefallen während des Warschauer Aufstandes); polnischer Komponist, Violinist und Dirigent, Sohn der Pianistin russischer Herkunft Nadzieja Padlewska-Beresteniew (* 17. 5. 1882 zu Słuck, Weißruthenien, † 12. 9. 1967 zu Kattowitz), studierte 1927–39 in Posen am Konservatorium bei Z. Jahnke (Violine), Szeligowski und Wiechowicz (Komposition) sowie 1931–35 an der Universität bei Ł. Kamieński (Musikwissenschaft). 1935 wurde er Mitglied des Posener Symphonieorchesters und leitete den gemischten Chor »K. Szymanowski«. 1939 debütierte er als Violinsolist. Er schrieb eine Suite für V. und Orch., Kammermusik (3 Streichquartette, Nr 1, 1934, Nr 2, 1940, und Nr 3, verloren; Solosonate für V., 1941; 2 Praeludien op. 1 und 3 Mazurken op. 3 für Kl., 1933) und Vokalwerke (Motetten für Knabenchor a cappella, 1946 postum erschienen; Motetten für gem. Chor, Sololieder) sowie Bühnenmusik.

Padua (p'aḏwɛ), Newton, * 3. 11. 1894 zu Rio de Janeiro; brasilianischer Komponist und Violoncellist, studierte an der Escola Nacional de Música der Universidade do Brasil (Violoncello, Dirigieren und Komposition), an der er nach dem Abschlußexamen (Goldmedaille für Violoncello) Harmonielehre unterrichtete. Außerdem lehrte er Komposition und Instrumentation am Conservatório Brasileiro de Música. Er schrieb u. a. die Oper *A lenda do Irupê* (1951), Orchesterwerke (Symphonie F moll; folkloristische Suite *Auri-verde*; *Anchieta*; *São Paulo*; Praeludien; Suite für Streichorch.; Variationen und Fuge für Kl. und Orch.; *Canção e dansa* für Vc. und Orch.), Kammermusik (Bläserquintett; 2 Streichquartette; Klaviertrio über folkloristische Themen; Sonate für Kl., Praeludium und Fuge und Choralvariationen über Themen von J. S. Bach für Org. sowie Vokalwerke (*Ciclo de Mãe Prêta* für St. und Orch.; 2 Messen für 2- bzw. 3st. Chor und Org.; Motetten für ein-, 2- und 3st. Chor und Org.).

Paeminger, Leonhard → +Paminger, L.

Paëmuru, Else → Aarne, Els.

Paepe, Andreas de → Papius, A. de.

+Paer, Ferdinando (Paër), 1771–1839.
Ausg.: Sinfonia zu »Il maestro di cappella«, hrsg. v. A. TONI, Mailand 1958; 2 Napoleonische Märsche f. Blasorch., hrsg. v. D. TOWNSEND, NY 1965.
Lit.: R. CELETTI, La »Leonora« e lo stile vocale di P., nRMI VII, 1972.

Pärt, Arvo (Arwo Augustowitsch Pjart), * 11. 9. 1935 zu Paide (Estland); estnisch-sowjetischer Komponist, lebt in Tallinn. Er absolvierte 1963 als Schüler von Heino Eller das dortige Konservatorium und war 1958–67 als Tonmeister am Estnischen Rundfunk tätig. Von seinen Kompositionen, die verschiedene Imitationstechniken, Funktionsharmonik und tonalitätsfreie Klangverbindungen aufweisen, seien genannt: *Nekroloog* (Nekrolog auf die Opfer des Faschismus, 1960) und *Perpetuum mobile* (1963) für Orch.; 2 Symphonien (1963–70); *Musica sillabica* für Orch. (1964) und *Collage teemale B. A. C. H.* (»Collage über BACH«) für Kammerorch. (1964); *Meie* (»Unser Garten«) für Kinderchor und Orch. (1959); Oratorium *Maailma samm* (»Der Schritt der Welt«, 1961); ferner Klavierwerke (2 Sonatinen, 1958; Partita, 1958; *Diagrammid*, »Dia-

gramme«, 1964) sowie Bühnen-, Film- und Fernsehmusik.
Lit.: L. Normet, Prisluschivajas k »Postupi mira« (»Wenn man auf [d. Oratorium] ‚Der Schritt d. Welt' horcht«), SM XXVII, 1963; H. Tauk, Kuus eesti tanase muusika loojat (»6 estnische zeitgenössische Komponisten«), Tallinn 1970 (mit Werkverz. sowie engl. u. russ. Zusammenfassung).

Päts, Riho (Richo Eduardowitsch Pjats), * 14.(26.) 6. 1899 zu Tartu; estnisch-sowjetischer Komponist, studierte 1923–26 am Konservatorium in Tallinn (Komposition bei A. Kapp, Klavier bei Lemba) und wirkte dort als Pianist, Chordirigent, Musikpädagoge und Musikkritiker. Er schrieb u. a. die Oper *Chitryj Ants* (»Der schlaue Ants«, Tallinn 1964), Chorlieder, Chorkantaten, Kinderlieder sowie 3 Orchestersuiten (1936–38), Klavierstücke und Bühnenmusik und verfaßte einige musikpädagogische Arbeiten sowie die Biographie *R. Tobias* (= Eesti heliloojaid o. Nr, Tallinn 1968).

Páez Centella (p'aeθ θent'eʎa), Juan, * 26. 12. 1751 zu Zarza la Mayor (Cáceres), † 13. 6. 1814 zu Oviedo; spanischer Komponist, erhielt seine Ausbildung an der Maîtrise der Metropolitankirche in Sevilla bei Antonio Ripa. 1786 bis zu seinem Tode war er Maestro de capilla an der Kathedrale in Oviedo. Er schrieb zahlreiche kirchenmusikalische Werke (Messen, Motetten, Psalmen, Hymnen, Komplete, Vespern, Responsorien, Letrillas sacras).
Ausg.: »Jesu redemptor omnium« f. 4 St., hrsg. v. H. Eslava, in: Lira sacro-hispana, 18. Jh., I, 1, Madrid 1869.
Lit.: G. Bourligueux, Apuntes sobre los maestros de capilla de la catedral de Oviedo, Bol. del Inst. de estudios asturianos XXV, 1971.

+Paganelli, Giuseppe Antonio, 1710 – nach 1762(?) [nicht: 1760].
Lit.: W. S. Newman, The Sonata in the Class. Era, Chapel Hill (N. C.) 1963, revidiert NY u. London 1972 (Paperbackausg.).

+Paganini, Niccolò, 1782–1840.
P.s Schülerschaft bei A. Rolla ist nicht gesichert. In Lucca stand er in Diensten der Fürstin Elisa Baciocchi wahrscheinlich bis 1810. – P.s Nachlaß ist in 2 große Sammlungen aufgeteilt: Die Sammlung M. Bang Hohn in der Library of Congress in Washington (D. C.) enthält überwiegend biographische Dokumente; die meisten Musikhandschriften gelangten in die Bibliothek von W. Heyer in Köln, deren Auflösung in die Sammlung Reuther in Mannheim und wurden ab 1968 durch das Musikantiquariat H. Schneider (Tutzing) zum Verkauf angeboten. – Themen von P. bearbeiteten ferner: D. Milhaud (3 *Caprices de P. traités en duos concertants* für V. und Kl., 1927), S. Rachmaninow (Rhapsodie über ein Thema von P. für Kl. und Orch. op. 43, 1934), W. Lutosławski (Variationen über ein Thema von P. für 2 Kl., 1941), Fr. Mannino (u. a. *Capriccio di capricci* für Orch. op. 50, 1967) und H. Brauel (*Sinfonische Paraphrasen über ein Thema von P.*, 1968). – Seit 1954 findet in Genua alljährlich ein P.-Wettbewerb statt (Concorso internazionale di violino N. P.).
Ausg.: +Centone di sonate f. V. u. Git. (K. Janetzki, 1955), NA Lpz. 1968. – 24 Capricci, hrsg. v. R. Principe, Mailand 1958; Variations in All Keys on the Genoese Air »Barucaba« op. 14, hrsg. v. M. Jacobsen, NY 1960; Capriccio »Nel cor più non mi sento«, hrsg. v. E. Schwarz-Reiflingen, Ffm. 1960. – V.-Konzert D dur op. 6, Kl.-A. hrsg. v. V. Příhoda, Mailand 1964; Sonate f. V. u. Git. op. 3 Nr 1, hrsg. v. S. Behrend, Bln 1970; V.-Konzert Nr 3 E dur, London 1971 (Kl.-A.). – eine Anzahl Kompositionen f. Git. u. Streichinstr., hrsg. v. E. Schwarz-Reiflingen, Ffm. (Verlag W. Zimmermann).

Lit.: Bibliogr. p.ana (1935–70), hrsg. v. P. Berri, in: Musicalia I, (Genua) 1970 (aufgrund dieser Bibliogr. werden d. bereits dort genannten Titel, mit Ausnahme v. Büchern u. größeren Aufsätzen, im folgenden nicht zitiert); Discografia p.ana, hrsg. v. P. M. Casaretto, ebd. – Genealogia p.ana, hrsg. v. G. B. Boero, Genua 1940, 2. Aufl. als: N. P., Genealogia, 1969. – +St. S. Stratton, N. P. (1907), Nachdr. Westport (Conn.) 1971; +J. Kapp, N. P. (1913, 141928), Tutzing 151969 [del. »181954« als nicht erschienen]; +J. Pulver, P., The Romantic Virtuoso (1936), Nachdr. NY 1970 (mit neuer Bibliogr. v. Fr. Freedman); +Fr. Farga, P., Der Roman seines Lebens (1950), tschechisch Prag 1969; +R. de Saussine, P. (1938), Nachdr. d. engl. Ausg. (1954) Westport (Conn.) 1970. – A. Codignola, P. intimo, Genua 1935; K. Huschke, P. u. Spohr. Ein Kap. Geistesgesch., ZfM CXV, 1954; M. Amsler, La lettre de P. à Berlioz ou les perplexités d'un collectionneur, in: Scripta manent I, 1956/57; J. Powroźniak, = Małe monografie muzyczne IX, Krakau 1958, 21968; Zd. Výborný, P. sconosciuto, in: La Scala X, 1958 – XI, 1959, auch in: Rass. degli arch. di stato XXI, 1961; ders., P. as Music Critic, MQ XLVI, 1960; ders., P. u. Beethoven, Mf XIII, 1960, ital. in: La Scala XII, 1960, Nr 123; ders., The Real P., ML XLII, 1961 (mit 9 Briefen); ders., P. v Karlových Varech (»P. in Karlsbad«), Pilsen 1961; ders., Der Fall »P.«, Mf XVII, 1964; ders., Das sechste Notizbuch P.s, Mf XVIII, 1965; F. Mompellio in: Musicisti piemontesi e liguri, hrsg. v. A. Damerini u. G. Roncaglia, = Accad. mus. Chigiana (XVI), Siena 1959, S. 99ff. (zum 5. V.-Konzert); W. G. Armando, P., Hbg 1960 (populär); M. Codignola, Arte e magia di N. P., = Piccola bibl. Ricordi XI, Mailand 1960; W. Morelli-Gallet, Das Originaltestament N. P.s, ÖMZ XV, 1960, gekürzt in: MuG XI, 1961, S. 734ff.; F. Botti, P. e Parma, = Quaderni di »Vita nuova« I, Parma 1961; G. I. C. de Courcy, Chronology of N. P.'s Life / Chronologie v. N. P.s Leben, Wiesbaden 1961 (lückenhaft u. ungenau); dies., Beitr. zur Biogr. P.s, Mf XIX, 1966; I. M. Jampolskij, N. P., Moskau 1961 u. 1968; ders., Kapritschtschi N. P., ebd. 1962; G. A. Palmin, N. P., Kratkij biografitscheskij otscherk (»Kurzer biogr. Abriß«), Leningrad 1961 u. 1968; P. Berri, P., Documenti e testimonianze, Genua 1962; ders., Condanna e rivincita di P., in: Musicalia I, 1970; ders., Figure ed eventi, = Collana di medici narratori e saggisti X, Padua 1970; I. Ianegic, P., Omul şi opera (»P., Persönlichkeit u. Werk«), Bukarest 1962 u. 1964; W. Kirkendale, »Segreto Comunicato da P.«, JAMS XVIII, 1965; J. E. W. Spronk, Bijdrage tot de biogr. v. N. P., Gorinchem (Südholland) 1965; I. Ormay, N. P. életének krónikája, = Napról napra ... III, Budapest 1966, deutsch als: Wenn P. ein Tagebuch geführt hätte ..., ebd. 1967; G. Silvani, Una gloriosa tradizione mus., L'orch. stabile del Teatro ducale di Parma diretta da N. P., Parma 1967; M. Kemp, Ingres, Delacroix and P., Exposition and Improvisation in the Creative Process, in: Arte III, 1970; E. D. R. Neill in: Musicalia I, 1970, Nr 4, S. 4ff.; A. Walker, Liszt's Mus. Background, in: Fr. Liszt, hrsg. v. dems., London 1970.

+Page, Ruth, * [erg.: 22. 3. 1905] zu Indianapolis. Als Solotänzerin gehörte sie 1926–28 auch dem Ballettensemble des Metropolitan Opera House in New York an. – Nach verschiedenen Tourneen, die sie durch Europa, auch in die UdSSR, nach China und Japan führten, begann 1938 ihre mehrjährige Zusammenarbeit mit Bentley Stone in der Page-Stone Ballet Company [del.: gründete 1938 eine eigene Truppe], zu deren bekanntesten Produktionen *Frankie and Johnny* (Choreographie und Kreation der Titelrollen durch sie selbst und B. Stone, Chicago 1938) gehörte. Als Choreographin wirkte sie dann u. a. bei den Ballets Russes de Monte Carlo, den Ballets des Champs-Élysées und London Festival Ballet. 1954–70 war sie Ballettdirektorin der Chicago Lyric Opera und leitete 1956–70 das von ihr gegründete P.'s Chicago Opera Ballet (ab 1966 R. P.'s International Ballet), mit dem sie jährlich aus-

gedehnte Tourneen unternahm. Von den zahlreichen meist in Chicago entstandenen Choreographien, für deren Realisation ihr zeitweise auch bedeutende Gasttänzer (u. a. Nureyev) zur Verfügung standen, seien genannt: die Ballette *Ballo delle Ingrate* (nach Monteverdi, 1954), *Mefistofela* (nach H. Heine, Musik Berlioz, Boito und Gounod, 1962), *The Nutcracker* (Tschaikowsky, 1965), *Carmina Burana* (nach Orff, 1966), *Bolero '68* (nach Ravel), *Catulli Carmina* (nach Orff, 1973) und einige der von ihr als »opera in ballet« bezeichneten Ballettübertragungen bekannter Opern (später auch Operetten), so *Guns and Castanets. Carmen* (nach Bizet, 1937, Neufassung als *Carmen*, 1959), *Salome* (nach R. Strauss, 1957), *Susanna and the Barber* (nach Rossinis *Barbiere di Siviglia*, 1957), *Camille* (nach Verdis *La Traviata*, 1958) sowie *The Merry Widow* (nach Lehár, 1956) und *Die Fledermaus* (nach J. Strauß, 1960). R. P. leitet heute eine eigene Ballettschule in Chicago.
Lit.: G. AMBERG, Ballet in America, NY 1949.

Page (peidʒ), Willis, * 18. 9. 1918 zu Rochester (N. Y.); amerikanischer Dirigent, studierte 1935–39 an der Eastman School of Music der University of Rochester (B. M.) und 1948–52 an der Ecole Monteux in Hancock (Me.). Er begann seine Dirigentenlaufbahn als Leiter der New Orchestra Society of Boston/Mass. (1950–55) und ist seither als Gastdirigent verschiedener amerikanischer Orchester aufgetreten. Gegenwärtig ist P. Professor für Dirigieren und Director des Drake University Orchestra in Des Moines (Ia.) sowie Dirigent des Des Moines Symphony Orchestra.

+Pagin, André Noël, 1721 – [erg.:] nach 1785 vermutlich zu Paris.
Lit.: +L. DE LA LAURENCIE, L'école frç. de v. ... (II, 1923), Nachdr. Genf 1971.

Pagliardi (paʎardi), Giovanni Maria, * 1637 zu Genua, † 9. 12. 1702 zu Florenz; italienischer Komponist, Priester, war Maestro di cappella an der Chiesa del Gesù in Genua, trat um 1669/70 als Maestro di cappella in den Dienst der Medici und war Organist und Gesangslehrer an S. Lorenzo sowie Maestro di cappella an S. Maria del Fiore in Florenz. Er schrieb u. a. die Opern *Caligola delirante* (Venedig 1672), *Lisimaco* (ebd. 1673), *Numa Pompilio* (ebd. 1674), *Il pazzo per forza* (Florenz 1687), *Il tiranno di Colco* (ebd. 1688), *Il Greco di Troia* (ebd. 1689) und *Attilio Regolo* (ebd. 1693) sowie Arien, Kantaten und Motetten.
Lit.: M. FABBRI, Due musicisti genovesi alla corte granducale medicea, G. M. P. e M. Bitti, in: Musicisti piemontesi e liguri, hrsg. v. A. Damerini u. G. Roncaglia, = Accad. mus. Chigiana (XVI), Siena 1959.

Pagliughi (paʎu:gi), Lina, * 27. 5. 1908 zu New York; amerikanische Sängerin (Koloratursopran) italienischer Herkunft, studierte in Mailand bei Manlio Bavagnoli und debütierte 1927 am Teatro Nazionale in Mailand als Gilda in *Rigoletto*. In den folgenden Jahren trat sie an italienischen Bühnen, vor allem an der Mailänder Scala auf, und wurde besonders als Bellini-, Donizetti- und Rossini-Sängerin gefeiert. Ihre Laufbahn führte sie als eine der bedeutendsten Koloratursopranistinnen ihrer Zeit an die großen Opernhäuser der ganzen Welt. Nach 1956 ließ sie sich als Gesangspädagogin in Mailand nieder und sang weiter für Schallplatte und Rundfunk.

+Pahissa, Jaime, * 7. 10. 1880 zu Barcelona, [erg.:] † 27. 10. 1969 zu Buenos Aires.
P., der auch als Dirigent hervorgetreten ist, wurde 1951 in die Real Academia de bellas artes de San Fernando in Madrid aufgenommen. – Werke: die Opern *Gala Placidia* (Barcelona 1913), *La Morisca* (ebd. 1919),

Marianela (ebd. 1923) und *La Princesa Marguerida* (ebd. 1928, nach Umarbeitung der Bühnenmusik *La presó de Lleida*, 1905); Ballett *Bodas en la montaña* (Buenos Aires 1947); symphonische Dichtungen *El combat* (1899), *El Camí* (1907) und *Nit de somnis* (1920), die Ouvertüren *En las costas mediterráneas* (1904) und *El rábada* (1915) sowie *Monodia* (1924), *Suite intertonal* (1925) und Canto rondino *Invocación* (1950) für Orch., 2 Symphonien (1902, 1920) und 6 *Canciones populares catalanas* (1960) für Streichorch.; *Somni d'infant* für Kl. und Streichorch. (1947); 2 *Canciones de campo* für Bläserquintett (1960), Streichquartett (1933), Nocturno für Klaviertrio (1937), Violinsonate (1906); Klavierwerke (6 *Piezas poéticas*, 1951; *Escenas románticas infantiles*, 1952), Lieder (*El peregrino*, 1956), Chöre, Schauspielmusiken (*Don Gil de las calzas verdes*, Tirso de Molina, 1955; *La Celestina*, Fernando de Rojas, 1956; *Peribanez y el comendador de Ocaña*, Lope de Vega, 1962). – Neuere Schriften: +*Vida y obra de M. de Falla* (1947), NA Buenos Aires 1956, ital. = Le vite o. Nr, Mailand 1961; Aufsätze (u. a. in: M. de Falla, hrsg. von M. Mila, = Symposium III, Mailand 1962, und in: Musica d'oggi V, 1962, S. 152ff., zu de Fallas »Atlántida«).

+Pahlen, Kurt, * 26. 5. 1907 zu Wien.
P. ist mit Gastdirigaten und -vorträgen weiterhin international rege tätig. – +*Síntesis del saber musical* (1948), deutsch als *Musik. Eine Einführung* [nicht: *Ins Wunderland der Musik*], Olten 1956; +*Ins Wunderland der Musik* (1948), span. als *El niño y la música*, Buenos Aires 1947; +*Tschaikowsky* (1957), deutsch Stuttgart 1959; zahlreiche weitere Auflagen und Übersetzungen der früher genannten Titel. – Von seinen populär gehaltenen Büchern seien an neueren deutschsprachigen Publikationen genannt: *Mein Engel, mein Alles, mein Ich. 295 Liebesbriefe berühmter Musiker* ... (Zürich 1959); *Der Walzerkönig J. Strauss* (ebd. 1961); *Oper der Welt* (ebd. 1963); *Sinfonie der Welt* (ebd. 1967); *Große Meister der Musik* (ebd. 1968); *Das Mozart-Buch. Chronik von Leben und Werk* (Stuttgart 1969); *Denn es ist kein Land wie dieses. Die Schweiz als Reise- und Asylland großer Komponisten* (Bern 1971); *Große Sänger unserer Zeit* (Gütersloh 1971). – P. veröffentlichte ferner verschiedene Kinderliedersammlungen und hat sich auch als Komponist betätigt (Kinderopern *Die Prinzessin und der Schweinehirt* und *Pinocchio*, Zürich 1966 bzw. 1968).

Pahor (p'axər), Karol, * 6. 7. 1896 zu S. Giovanni di Duino (Triest); jugoslawischer Komponist, studierte an den Konservatorien in Triest und Bologna sowie privat bei Osterc in Laibach/Ljubljana. Er war in verschiedenen jugoslawischen Städten als Musiklehrer tätig und wurde 1945 Professor für Komposition an der Musikakademie in Ljubljana. – Werke (Auswahl): *Istrijanka* (»Die Istrierin«) für Orch. (1950); Suite für Kl. und Streichorch. (1948); Concertino (1958) und Konzertetüden (1959) für Kl. und Orch.; *Mala suita* (»Kleine Suite«) für Fl. und Orch. (1956); Adagio für V. und Kl. (1948); Romanze für Klar. und Kl. (1955); 3 Kompositionen für Fl. und Streichquartett (1956); Klaviertrio (1958); Sonate für Ob. und Kl. (1958); Andantino für Vc. und Kl. (1959); *Slovenska suita* (»Slowenische Suite«) für Kl. (1945); *Očenaš hlapca Jerneja* (»Vaterunser des Knechtes Bartholomäus«) für gem. Chor (1948); Kantate *Slovenska pesem* (»Slowenisches Lied«) für Chor und Orch. (1958); ferner Sololieder und Filmmusik.

Paik, Nam June, * 20. 7. 1932 zu Seoul (Korea); koreanischer Komponist, studierte privat in Korea (Lee Kon-Wu, Shin Jae Duk), dann an der Universität in Tokio (Yoshiro Nomura), der Freiburger Musikhoch-

schule (Fortner), bei den Darmstädter Ferienkursen für Neue Musik (Cage, K. Stockhausen) und der Münchner Universität (Georgiades). Sein erstes öffentliches Auftreten fand 1959 in der Galerie 22 in Düsseldorf mit dem Stück *Hommage a John Cage* für Tonbänder und Kl. (1959, erste Aktionsmusik in Deutschland) statt; seitdem zählt er zu einem der Gründer und Hauptvertreter der Fluxus-Bewegung. Er machte als erster elektronisches Fernsehen (Wuppertal 1963, Galerie Parnass) und schrieb die erste elektronische Oper, die erste *Readmusic* (1962) sowie die erste busenfreie Oper *Opera sextronique* für die Violoncellistin Charlotte Moorman (NY 1967), wofür beide wegen »indecent exposure« verhaftet wurden. P. lebt gegenwärtig in New York. Von seinen Stücken und Aktionen seien ferner genannt: *Etude for Piano* (1960); *Simple* (Actions with tapes, 1961); *One for V. solo* (Cheap violin to be destroyed, 1962); *Fluxus Contest* (Düsseldorf 1963, Kunstakademie); *Exposition of Music* (Wuppertal 1963, Galerie Parnass); *Robot Opera* (NY 1964); *Creep Into the Vagina of a Living Whale* (1965); *Count the Waves of the Rhine* (1965); *Playable Music No. 4* (Cut your left arm very slowly with a razor [more than 10 centimeters], 1965); zahlreiche Stücke für Charlotte Moorman (als erstes *Cello Sonata for Adult Only*, 1965; *Variation on a Theme by Saint-Saëns*, 1965; *Concerto for Cello and Videotape*, 1971); *Sonata for Piano, Candle and TV* (1972); ferner 5 Symphonien, 4 Opern und Filme (u. a. *Zen for Film*). Er schrieb einen *Essay* (in: An Anth. ..., hrsg. von L. Young, NY 1963, ²1970).
Lit.: Happening & Fluxus, Materialien zusammengestellt v. H. SOHM, Ausstellungskat. Kölnischer Kunstver. 1970.

Paillard (paj'a:r), Jean-François, * 18. 4. 1928 zu Vitry-le-François (Marne); französischer Dirigent, studierte in Paris an der Faculté des Sciences der Sorbonne (licencié ès sciences mathématiques) und am Conservatoire (1er prix du Conservatoire) sowie am Mozarteum in Salzburg und bei Markevitch. Er gründete 1953 ein eigenes Kammerorchester, mit dem er viele Tourneen unternommen hat. Als Gastdirigent ist er auch bei einer Reihe von Symphonieorchestern aufgetreten (1970 Philharmonisches Orchester Osaka). P. ist Leiter der Kirchenmusikarchive bei den Editions Costallat (seit 1962) und Mitglied der Commission Musique et Enseignement beim Ministère de l'Education Nationale (seit 1969). Er veröffentlichte u. a.: *Les premiers concertos français pour instruments à vent* (in: Aspects inédits de l'art instrumentale en France, = RM 1955, Nr 226); *Les six concertos brandenbourgeois de J. S. Bach* (Paris 1956); *La musique française classique* (= Que sais-je? Nr 878, ebd. 1960); *Les concertos de J.-M. Leclair* (in: Chigiana XXI, N. S. I, 1964); ferner Ausgaben instrumentaler Musik von A. Corelli, Delalande, J.-M. Leclair und Giuseppe Torelli.

Paine, John Knowles, 1839–1906.
The History of Music to the Death of Schubert (1907), Nachdr. NY 1971.
Ausg.: Symphonie Nr 1 C moll op. 23, hrsg. v. H. W. HITCHCOCK, = Earlier American Music I, NY 1972.
Lit.: J. C. HUXFORD, J. Kn. P., His Life and Works, Diss. Florida State Univ. 1968.

Paisible, Louis Henri, um 1745 – 1782 [nicht: 1783].
Lit.: +L. DE LA LAURENCIE, L'école frç. de v. de Lully à Viotti (II–III, 1923–24), Nachdr. Genf 1971.

Paisiello, Giovanni, 1740–1816.
Ausg.: Cemb.-Konzert D dur, Kl.-A. hrsg. v. A. LUALDI, Mailand 1958; Messa da requiem f. Soli, Doppelchor u. Orch., hrsg. v. G. PICCIOLI, ebd. 1960; Ouvertüren zu »Le barbier de Séville« u. »Il duello comico«, hrsg. v. A. DE ALMEIDA, = L'offrande mus. VII u. XV, Paris 1962–64; Cemb.-Konzert F dur, hrsg. v. G. TINTORI, = Antica musica strumentale ital. o. Nr, Mailand 1964; Cantata comica »Der Schulmeister«, hrsg. v. Z. FALVY, = Musica rinata IX, Budapest 1967 (fälschlich als ein Werk P.s ausgegeben: d. Komponist ist Fr. X. Brixi); K. B. MOHR, G. P.'s »Gli astrologi immaginari«. An Urtext Ed., Diss. Florida State Univ. 1969 (mit Kommentar u. einem Verz. v. 27 erhaltenen Partituren); W. P. PRIESTLY, A Performance Ed. and Critical Commentary of the Festival »Te Deum« (1791) by G. P., 2 Bde, Diss. Univ. of Southern California 1969; 6 Divertimenti f. Fl., V., Va u. Vc., hrsg. v. B. PÄULER, London 1972.
Lit.: +H. ABERT, P.s Buffokunst u. ihre Beziehungen zu Mozart (1918/19), Wiederabdruck in: Gesammelte Schriften ..., hrsg. v. Fr. Blume, Halle (Saale) 1929, Tutzing ²1968. – W. VETTER, Deutschland u. d. Formgefühl Italiens. Betrachtungen über d. Metastasianische Oper, DJbMw IV, 1959; DERS., Theatermusik u. Musiktheater. Stilgesch. Betrachtungen zur Opernpraxis, Jb. d. Komischen Oper Bln III, 1962/63; A. EINSTEIN, A »King Theodore« Opera, JAMS XIV, 1961 (= Wiederabdruck aus: Essays on Music, NY 1956, revidiert London 1958, Nachdr. NY 1962); A. MONDOLFI in: MGG X, 1962, Sp. 639ff.; A. DELLA CORTE, Un'opera di P. per Caterina II di Pietroburgo, »Gli astrologi immaginari« (1779), in: Chigiana XXIII, N. S. III, 1966; A. ZECCA-LATERZA, Una scheda per il »Baldassare«, dramma sacro per musica di G. P., Annuario del Conservatorio di musica Ga. Verdi 1966/67; M. FARKAS, P., »I filosofi immaginari«, StMl IX, 1967; J. MONGRÉDIEN, La musique du sacre de Napoléon Ier, Rev. de musicol. LIII, 1967; A. GHISLANZONI, G. P., Valutazione, critiche, rettificate, = Contributi di musicologia III, Rom 1969; M. TARTAK, The Two »Barbieri«, ML L, 1969; M. F. ROBINSON, Naples and Neapolitan Opera, London 1972.

M. M. Paiste & Sohn KG, Schlaginstrumentenbaufirma in Nottwil (Luzern), gegründet 1909 von Michael M. P. in St. Petersburg, Neugründungen 1930 in Tallinn (Estland), 1940 in Gdingen/Gdinya (Polen) und dann in Schleswig-Holstein (1948 in Burg bzw. 1951 in Rendsburg). Robert und Toomas P. gründeten 1957 die Firma neu in Nottwil. Ein Zweigbetrieb besteht in Schacht-Audorf (bei Rendsburg). Die Firma stellt Becken (Cymbals) und Gongs für alle Musikrichtungen her (Konzertmusik, Studioaufnahmen, Free Jazz, Rhythm and blues, Popmusik).

Paix, Jakob, 1556 – [erg.:] nach 1623.
Ausg.: ein Pass'e mezzo antico u. ein Saltarello (koloriert v. P.), in: G. Mainerio, Il primo libro di balli (Venedig 1578), hrsg. v. M. SCHULER, = MMD V, Mainz 1961.
Lit.: +A. G. RITTER, Zur Gesch. d. Orgelspiels (II, 1884), Nachdr. Hildesheim 1969 (2 Bde in 1); +W. MERIAN, Der Tanz in d. deutschen Tabulaturbüchern ... (1927), Nachdr. ebd. u. Wiesbaden 1968; +H. OSTHOFF, Die Niederländer u. d. deutsche Lied (1938), Nachdr. Tutzing 1967 (mit neuem Anh.).

Pajaro (pax'aro), Eliseo M., * 21. 3. 1904 zu Badoc Ilocos Norte; philippinischer Komponist, studierte am Westminster Choir College in Princeton (N. J.) und als Postgraduate an der Eastman School of Music der University of Rochester/N. Y. (Ph. D. 1953). Er wurde Dirigent des National Symphony Orchestra, des Orchesters des University of the Philippines Conservatory of Music und der Bach Society of the Philippines (1954). Kurz nach seiner Wahl zum Präsidenten der Southeast Asia Regional Music Commission (1955) organisierte er die League of Filipino Composers und wurde deren erster Chairman. Seine Kompositionen umfassen u. a. das Ballett *May Day Eve* (1971), Orchesterwerke (Ouvertüre *The Cry of Balintawak*, 1947; Symphonische Dichtungen *The Oblation*, 1949, und *The Life of Lamang*, 1961; 2 Philippinische Symphonien, I, 1952, und

III, 1962), Kammermusik (2 Streichquartette, 1957 und 1958; Fantasie über eine Bontoc-Melodie für V. und Kl., 1958) und Chorwerke (Philippinische Symphonie II für gem. Chor, Holzbläser, Blechbläser und Schlagzeug, 1953; *Ode to the Golden Jubilee* für Erzähler, Solisten, Sprechchor, gem. Chor und Orch., 1958; *Dawn of a New Day* für Chor und Orch., 1971).

Pakạlnis, Juozas, * 4.(17.) 8. 1912 zu Veselkiškiai (Gouvernement Kaunas), † 28. 1. 1948 zu Wilna; litauisch-sowjetischer Komponist, Dirigent und Flötist, studierte 1926–30 am Konservatorium in Klaipėda Flöte bei A. Bursik und P. Benning und Komposition bei Šimkus und Žilevičius sowie in Kaunas privat Komposition bei Gruodis. Er spielte in Kaunas 1930–38 im Orchester des Staatsoperntheaters, unterrichtete ab 1933 Flöte am Konservatorium und wirkte 1937–38 als Dirigent am Staatlichen Theater. 1938–39 vervollkommnete er seine Studien am Leipziger Konservatorium (Dirigieren bei H. Abendroth, Komposition bei J. N. David). 1941 wurde er Dirigent des Musikalischen Komödientheaters in Kaunas. Er schrieb u. a. das Ballett *Sužadėtinė* (»Die Braut«, Kaunas 1943), Orchesterwerke (Legende, 1933; Symphonische Dichtung *Lituanica I*, 1935, gewidmet dem 1933 gescheiterten Ozeanüberflug der Flieger S. Darius und S. Girėnas; Romantische Ouvertüre, 1936, und Heldenouvertüre, 1947; 2 Symphonien, 1939 und 1948), Capriccio Nr 1 für Fl. und Orch. (1931) und Nr 2 für Vc. und Orch. (1932), Kammermusik (Klaviertrio, 1945) und Vokalmusik.
Lit.: V. Juodpusis, J. P., Wilna 1972.

Palacios y Sojo (pal'aθiəs i s'ɔxo), Padre Pedro Ramón, * 17. 1. 1739 zu Valle de Santa Cruz de Pacayrigua (in der Nähe von Caracas), † Juli 1799 zu Caracas; venezolanischer Musikorganisator, Priester des Ordens des hl. Philipp von Neri, errichtete in Caracas das Oratorium des hl. Philipp von Neri, an dem unter dem Kirchenkapellmeister Ambrosio Carreño eine vielfältige Musikpraxis gepflegt wurde und das der Ausgangspunkt für die Musikentwicklung im kolonialen Caracas des 18. Jh. war, die unter Caro de Boesi, C. Carreño, Lamas, Landaeta, Olivares u. a. eine hohe Blüte erreichte.
Lit.: J. B. Plaza, Music in Caracas During the Colonial Period (1770–1811), MQ XXIX, 1943; ders., El Padre S., Caracas 1957.

+Paladilhe, Émile, 1844 zu [nicht: bei] Montpellier – 6. [nicht: 8.] 1. 1926.

+Paladino, Giovanni Paolo (Jean Paul Paladin), † vor September [del.: November(?)] 1566.

+Palau Boix, Manuel, * 4. 1. 1893 zu Alfara del Patriarca (Valencia), [erg.:] † 18. 2. 1967 zu Valencia.
Weitere Werke: *Tríptico catedralicio* für Orch. (1956); *Danza sobre el recuerdo* (1960) und *Danza y copla del ausente* (1962) für Kl.; Liederzyklen (*Por el montecico sola,* 1950; *De los álamos vengo, madre,* 1950; *Líricas lucentinas,* 1952; *Velas blancas en el mar,* 1966); ferner Kammermusik und Chöre.

+Páleníček, Josef, * 19. 7. 1914 zu Travnik (Bosnien).
P. tritt seit 1935 [nicht: 1945] als Pianist auf; seit 1963 wirkt er als Professor an der Musikakademie in Prag.
Neuere Werke: »Symphonische Variationen auf das imaginäre Porträt Ilja Ehrenburgs« für Orch. (1971); Konzert für Fl. (1955), *Concertino da camera* D dur für Klar. (1957) und ein Konzert für Vc. (1973) mit Orch., 3. Konzert für Kl. und kleines Orch. (1961, jungen Pianisten gewidmet); Triosonate für Ob., Mezzo-S.

und Kl. (1965), 2 Stücke *Masky* (»Masken«) für Sax. und Kl. (1957), *Suita piccola* für V. und Kl. (1958), Variationen und *Rondo concertante* für Vc. und Kl. (beide 1972), Suite *In modo antico* für Vc. und Git. (1973); *Pohádky* (»Märchen«) für Kl. (1972); Oratorium *Píseň o člověku* (»Der Gesang vom Menschen«) für Soli, gem. Chor, Orch., Kinderchor, Laienchor und -solisten (1952–58), »Festliche Ouvertüre« für Männerchöre und Orch. (1973); *My Lai* für Mezzo-S. und Kl. (1971); ferner instruktive Werke (7 kleine Stücke »Aus dem Tagebuch eines Knaben« für Vc. oder Fag. oder Baßklar. und Kl., 1972; *Abacus* für Kinderchor, Kl., Trp., Klar. und Schlagzeug, 1973).
Lit.: J. Kříž in: Hudební rozhledy XXII, 1969, S. 577ff. (Gespräch); I. Jirko, Imaginární portrét J. Páleníčka, ebd. XXV, 1972.

Palẹro, Francisco Fernández (fälschlich Francisco Pérez P.), † 26. 9. 1597 zu Granada; spanischer Organist und Komponist, wirkte 40 Jahre lang als Organist an der Capilla Real de Granada. 1568–69 hielt er sich in Málaga auf, wo er den Vorsitz bei den Auswahlprüfungen um die Organistenstelle der dortigen Kathedrale führte. 14 Orgelstücke (Tientos und Glosas über Romanzen, liturgische Hymnen und Motetten u. a. von J. Mouton, Verdelot und Josquin Desprez) sind in L. Venegas de Henestrosas *Libro de cifra nueva* . . . (Alcalá de Henares, 1557) überliefert.
Ausg.: Intavolierungen v. 2 Kyrie d. Missa de beata Virgine (Josquin Desprez) in: Die Org. im Choralamt, hrsg. v. E. Kraus, = Cantantibus org. IV, Regensburg 1960, sowie v. Cum Sancto Spiritu (Josquin Desprez) u. v. Un verso del quinto tono (Cr. de Morales) in: Orgelmusik an europäischen Kathedralen II, hrsg. v. dems., ebd. VI, 1961.
Lit.: H. Anglés, La música en la corte de Carlos V, = MMEsp II, Barcelona 1944, ²1965; N. A. Solar-Quintes, Panorama mus. desde Felipe III a Carlos II, AM XII, 1957; A. Llordén, Notas hist. del personal de la catedral de Málaga, AM XVI, 1961; J. López-Calo, La música en la catedral de Granada, 2 Bde, Granada 1964; M. Querol, La canción popular en los organistas españoles del s. XVI, AM XXI, 1966.

+Palester, Roman, * 28. 12. 1907 zu Śniatyń (heute Snjatin, Ukraine).
Neuere Werke: +4. Symphonie (1950, Neufassung 1972); *Préludes* für Kl. (1955); Adagio für Streichorch. (1955); *Missa brevis* für gem. Chor (1956); Musik für 2 Kl. und Orch. (1957); Concertino für Cemb. und Kammerensemble (1958); 2. Streichtrio (1958); *Piccolo concerto* für Kammerorch. (1959); 3 *Sonette an Orpheus* für S. und Kammerorch. (Rilke, 1959); Variationen für Kl. (1960); 3 »Bruchstücke« *Threnos* für mittlere St. und Kammerensemble (Kochanowski, 1961); musikalische Handlung *La mort de Don Juan / Don Juans Tod* (einaktig, L. Milosz, deutscher Text A. Gronen-Kubitzki, 1963, Radio Brüssel 1965); Variationen für Orch. (1963); *Varianti* für 2 Kl. (1964); Konzert für V. und Orch. (Neufassung 1965); Te Dum für 2 gem. Chöre und Kammerorch. (1966); Metamorphosen für Orch. (1968); Trio für Fl., Va und Hf. (1969); Klaviersonate (1970); Duette für 2 V. (1972); Musik für Orch. (1972); *Suite à quatre* für Ob. und Streichtrio (1973); Musik für Film, Funk und Bühne.

+Palestrina, Giovanni Pierluigi da (sein Vater hieß Sante [nicht: Dante] Pierluigi), um 1525 – 1594.
Im Druck sind ferner folgende Werke überliefert: *Missarum cum quatuor v., Liber primus,* 1590 (1590, 1605, 1608 und 1616, enthält eine anonyme 4st. Bearb. der Marcellus-Messe und 2 Messen aus dem 2. bzw. 3. Messenbuch) sowie die *Missa sex v. Assumpta est Maria* (Ms. Ottob. Lat. 3391 der Bibl. Vaticana und in der Bibl. Casanatense in Rom). – Stärker als bisher wurden

in der P.-Forschung der letzten Jahre Fragen der Rezeption seines Schaffens berücksichtigt. Ein in Rom und Palestrina bestehendes »Centro di studi palestriniani« (Herausgabe der Schriftenreihe *Accademia internazionale G. P. da P., Collana di studi palestriniana*, 1960ff.; s. u. Lit.: Ferracci, 1960, und Paccagnella, 1969) bemüht sich auch um ein größeres Verständnis der liturgischen Kirchenmusik, besonders des Gregorianischen Gesangs.

Ausg.: +GA (P. da P.s Werke, TH. DE WITT u. a., 1862–1907), Nachdr. Ridgewood (N. J.) 1968. – +Le opere complete (ital. GA), hrsg. v. R. CASIMIRI (Bd I–XVI), L. VIRGILI (XVII), KN. JEPPESEN (XVIII–XIX) u. L. BIANCHI (XXff.), Rom 1939ff., bisher erschienen: I (1939), Messe a 4, 5 e 6 v., Libro 1; II (1939), Madrigali a 4 v., Libro 1 (con altri madrigali a 4 e 5 v. pubbl. in raccolte dal 1554 al 1561); III (1939), Mottetti a 4 v., Libro 1; IV (1939), Messe a 4, 5 e 6 v., Libro 2; V (1939), Mottetti a 5, 6 e 7 v., Libro 1; VI (1939), Messe a 4, 5 e 6 v., Libro 3; VII–VIII (1940), Mottetti a 5, 6 ed 8 v., Libri 2–3; IX (1940), Madrigali (spirituali) a 5 v., Libro 1 (con appendice di madrigali pubbl. in raccolte dal 1566 al 1576); X (1940), Messe a 4 e 5 v., Libro 4; XI (1941), Mottetti a 4 v., Libro 2, u. Mottetti a 5 v. (Cantico dei cantici), Libro 4; XII (1941), Mottetti a 5 v., Libro 5; XIII (1941), Le lamentazioni a 4, 5, 6 ed 8 v.; XIV (1942), Inni di tutto l'anno a 4, 5 e 6 v.; XV (1941), Messe a 4, 5 e 6 v., Libro 5; XVI (1943), I magnificat a 4, 5, 6 e 8 v.; XVII (1952), Offertori di tutto l'anno a 5 v.; XVIII–XIX (1954), Le messe di Mantova; XX (1955), Le litanie a (3), 4, 5, 6 e 8 v.; XXI (1956), Messe a 4, 5 e 6 v., Libro 6; XXII (1957), Madrigali spirituali a 5 v., Libro 2; XXIII (1957), Messe a 4 e 5 v., Libro 7; XXIV–XXV (1958), Messe a 4, 5 e 6 v., Libri 8–9; XXVI (1959), Messa »Tu es Petrus« a 18 v. in 3 cori; XXVII–XXIX (1959–61), Messe a 4, 5 e 6 v., Libri 10–12; XXX (1961), Le messe a 8 v.; XXXI (1965), Madrigali a 4 v., Libro 2; XXXII (1972), Le composizioni lat. a 12 v. (ungedruckte Kompositionen). (Bd I–XIX als Nachdr. hrsg. v. L. BIANCHI, Rom 1964–71; Studienpartitur-Ausg. in veränderter Zusammenstellg. d. Werke als: The Complete Works, 74 Bde, London o. J.)

Lit.: +G. BAINI, Memorie stor.-critiche ... (1828), Nachdr. Hildesheim 1966; +A. BERTOLOTTI, Musici alla corte dei Gonzaga in Mantova (1890), Nachdr. = Bibl. musica Bononiensis III, 17, Bologna 1969; +P. WAGNER, Gesch. d. Messe (I, 1913), Nachdr. Hildesheim u. Wiesbaden 1963; +R. MOLITOR, Die nachtridentinische Choralreform (1901–02), Nachdr. Hildesheim 1967; +H. LEICHTENTRITT, Gesch. d. Motette (1908), Nachdr. ebd.; +Z. K. PYNE, G. P. da P., His Life and Times (1922), Nachdr. Freeport (N. Y.) 1970 u. Westport (Conn.) 1971; +KN. JEPPESEN, The Style of P. and the Dissonance (1927, ²1946), Nachdr. NY 1971; +DERS., Kontrapunkt (1935), Lpz. ³1962, auch Wiesbaden 1965, rumänisch Bukarest 1967; +K. G. FELLERER, Der Palestrinastil u. seine Bedeutung in d. vokalen Kirchenmusik d. 18. Jh. (1929), Nachdr. Walluf bei Wiesbaden 1972; +H. COATES, P. (1938), ital. Mailand 1946; +A. EINSTEIN, The Ital. Madrigal (I, 1949), Nachdr. Princeton (N. J.) 1970.
M. ANTONOWYTSCH, Die Motette »Benedicta es« v. Josquin des Prez u. d. Messen super »Benedicta es« v. Willaert, P., de la Hêle u. de Monte, Utrecht 1951; H. ANGLÈS, P. y los »Magnificat« de Morales, AM VIII, 1953; G. REESE, Music in the Renaissance, NY 1954, revidiert 1959; R. BOBBITT, Harmonic Tendencies in the »Missa Papae Marcelli«, MR XVI, 1955; J. KLASSEN, Zur Modellbehandlung in P.s Parodiemessen, KmJb XXXIX, 1955; H. L. SCHILLING, Die Propriumsmotetten P.s, in: Musik u. Altar IX, 1956; K. SCHNÜRL, Die Variationstechnik in d. Choral-C.-f.-Werken P.s, StMw XXIII, 1956; J. J. A. VAN DER WALT, Die Kanongestaltung im Werk P.s, Diss. Köln 1956; A. C. HAIGH, Modal Harmony in the Music of P., in: Essays on Music, Fs. A. Th. Davison, Cambridge (Mass.) 1957; KN. JEPPESEN, P.iana. Ein unbekanntes Autogramm u. einige unveröff. Falsibordoni d. G. P. da P., in: Miscelánea ..., Fs. H. Anglés I, Barcelona 1958–61; E. FERRACCI, Il P., Documenti di vita, problemi e prospettive d'arte, = Collana di studi p.iani I, Rom

1960; S. HERMELINCK, Dispositiones modorum. Die Tonarten in d. Musik P.s u. seiner Zeitgenossen, = Münchner Veröff. zur Mg. IV, Tutzing 1960; J. ROTH, Zum Litaneischaffen G. P. da P.s u. O. di Lassos, KmJb XLIV, 1960; R. SCHLÖTTERER, Struktur u. Kompositionsverfahren in d. Musik P.s, AfMw XVII, 1960; P. H. LANG, P. Across the Cent., Fs. K. G. Fellerer, Regensburg 1962; R. B. LENAERTS, Eine span. P.-Quelle d. frühen 17. Jh., ebd.; V. TERENZIO, P. e la tradizione gregoriana, StMw XXV, 1962; KL.-U. DÜWELL, Studien zur Kompositionstechnik d. Mehrchörigkeit im 16. Jh., Diss. Köln 1963; R. L. MARSHALL, The Paraphrase Technique of P. in His Masses Based on Hymns, JAMS XVI, 1963; CL. TERNI, G. P. da P. e l'esacordo, in: Chigiana XXII, N. S. II, 1965; J. HAAR, »Pace non trovo«. A Study in Literary and Mus. Parody, MD XX, 1966; G. STEFANI, Gli offertori di P., Aspetti mus. e liturgici, in: Musica sacra XC, (Mailand) 1966, deutsch in: Musik u. Altar XIX, 1967, S. 17ff.; K. G. FELLERER, Gregoriano, fiamminghi e riforma nella musica di P., nRMI I, 1967; J. M.ª LLORENS, Tres ignoradas antífonas de G. P. da P., identificadas en el fondo mus. de la Cappella Giulia, AM XXII, 1967 (mit Übertragung d. Antiphonen »Petrus apostolus« u. »Da pacem Domine«); C. A. DOWER, Eighteenth-Cent. Sistine Chapel Cod. in the Clementine Library of the Catholic Univ. of America, Diss. Catholic Univ. of America (Washington/D. C.) 1968; H. HUCKE, P. als Autorität u. Vorbild im 17. Jh., in: Cl. Monteverdi e il suo tempo, Kgr.-Ber. Venedig u. a. 1968; E. PACCAGNELLA, La formazione del linguaggio mus., 3. Teil: La parola in P., Problemi tecnici, estetici e stor., = Collana di studi p.iani IV, Florenz 1969; U. ROSENSCHILD, P. i sowremennost (»P. u. d. Gegenwart«), SM XXXIII, 1969; TH. C. DAY, P. in Hist., A Preliminary Study of P.'s Reputation and Influence Since His Death, Diss. Columbia Univ. (N. Y.) 1970; DERS., Echoes of P.'s »Missa ad Fugam« in the 18th Cent., JAMS XXIV, 1971; L. BIANCHI u. K. G. FELLERER, G. P. da P., Turin 1971; P. GAILLARD, Hist. de la légende p.ienne, Rev. de musicol. LVII, 1971; J. ROCHE, P., = Oxford Studies of Composers VII, London 1971; F. HABERL, Die Hohe-Lied-Kompositionen P.s, in: Musica sacra XCII, 1972; FR. A. STEIN, Die P.-Motette »Ego sum panis vivus«, ebd.
P. HAMBURGER, Subdominante u. Wechseldominante. Eine entwicklungsgesch. Untersuchung, Kopenhagen u. Wiesbaden 1955; DERS., Studien zur Vokalpolyphonie, ebd. 1956, 2. Teil in: Dansk aarbog f. musikforskning 1964/65, S. 63ff.; L. BÁRDOS, Modális harmóniák ... (»Modale Harmonien. Beitr. zur Harmonielehre d. Renaissance-Musik, besonders aufgrund d. Chorwerke P.s«), Budapest 1961; C. DAHLHAUS, Zur Theorie d. klass. Kontrapunkts, KmJb XLV, 1961; DERS., Die »Nota Cambiata«, KmJb XLVII, 1963; E. APFEL, Beitr. zu einer Gesch. d. Satztechnik v. d. frühen Motette bis Bach, Bd I, München 1964; DERS., Wandlungen d. Gerüstsatzes v. 16. zum 17. Jh., AfMw XXVI, 1969; M. EISIKOVITS, Polifonia vocală a Renaşterii. Stilul p.ian, Bukarest 1966; F. HØFFDING, Indførelse i Palestrinastil (»Einführung in d. P.-Stil«), Kopenhagen 1969 (nach Kn. Jeppesen u. P. Hamburger); D. COHEN, P. Counterpoint. A Mus. Expression of Unexcited Speech, Journal of Music Theory XV, 1971; L. COMES, Melodica p.iana, Bukarest 1971 (mit frz., engl. u. deutscher Zusammenfassung). M. BOYD, P.'s Style. A Practical Introduction, London 1973.

Paliaschwili, Sacharij Petrowitsch, * 4.(16.) 8. 1871 zu Kutais (Grusinien), † 6. 10. 1933 zu Tiflis; grusinisch-sowjetischer Komponist und Ethnologe, studierte in seiner Heimatstadt Klavier und Orgel bei Felix Misandari, in Tiflis an der Musikschule 1891–95 Waldhorn bei F.Parisek und anschließend bis 1899 Komposition und Dirigieren bei Klenowskij und Ippolitow-Iwanow sowie 1900–03 am Moskauer Konservatorium Komposition bei S. Tanejew. 1903–17 lehrte er in Tiflis an der Musikschule und ab 1917 am Konservatorium (1919 Professor), dessen Leitung er 1919, 1923 und 1929–30 innehatte. Er unternahm eine Reihe von Folkloreexpeditionen in verschiedene grusinische Landesteile, als deren Ergebnis er 1910 in Moskau 40 gru-

sinische Volkslieder und 8 Volkslieder für Chor und Orchester in eigener Bearbeitung veröffentlichte. P. hat mit seiner Oper *Abessalom i Eteri* (»Absalom und Eteri«, Tiflis 1919) die grusinische Nationaloper begründet. Das staatliche Operntheater in Tiflis trägt seit 1937 seinen Namen. An weiteren Kompositionen schrieb er u. a. die Opern *Daissi* (»Dämmerung«, Tiflis 1923) und *Latawra* (ebd. 1928), *Grusinskaja sjuita* für Orch. (1928), *Torschestwennaja kantata k 10-letiju Oktjabrskoj Revoljuzii* (»Festkantate zum 10. Jahrestag der Oktoberrevolution«) für Soli, Chor, Symphonie- und Blasorch. (1927) sowie Chorlieder und Romanzen.
Lit.: W. DONADSE, S. P., Moskau 1958, ²1971; S. P., Bibliogr. sprawotschnik (»Bibliogr. Hdb.«), Tiflis 1964, russ. u. grusinisch; P. CHUTSCHUA, S. P., ebd. 1972, russ., grusinisch, engl. u. frz.

+Palisca, Claude Victor, * 24. 11. 1921 zu Fiume (heute Rijeka).
Assistant Professor an der University of Illinois war P. bis 1959. Er wurde dann Associate Professor und 1964 Professor of the History of Music an der Yale University (Conn.), wo er ab 1967 Direktor der Graduate Studies in Music war und seit 1969 als Präsident das Department of Music leitet. 1965–67 war er 1. Vizepräsident sowie 1970–72 Präsident der American Musicological Society und 1967–69 Präsident des National Council of the Arts in Education. – Neuere Veröffentlichungen: *Baroque Music* (= Prentice-Hall History of Music Series o. Nr, Englewood Cliffs/N. J. 1968); +*A Clarification of »Musica Reservata«* [erg.:] in *J. Taisnier's »Astrologiae«, 1559* (AMl XXXI, 1959); *Scientific Empiricism in Musical Thought* (in: Seventeenth Cent. Science and the Arts, hrsg. von H. H. Rhys, = The W. J. Cooper Foundations Lectures, Swarthmore College 1960, Princeton/N. J. 1961); *American Scholarship in Western Music* (in: Musicology, = Humanistic Studies in America. The Princeton Studies o. Nr, Englewood Cliffs/N. J. 1963); *Musical Asides in the Diplomatic Correspondence of E. de' Cavalieri* (MQ XLIX, 1963); *The First Performance of »Euridice«* (in: Queens College 25th Anniversary Fs., NY 1964); *The »Musica« of Erasmus of Höritz* (in: Aspects of Medieval and Renaissance Music, Fs. G. Reese, NY 1966); *The Alterati of Florence, Pioneers in the Theory of Dramatic Music* (in: New Looks at Italian Opera, Fs. D. J. Grout, Ithaca/N. Y. 1968); *The Artusi–Monteverdi Controversy* (in: The Monteverdi Companion, hrsg. von D. Arnold und N. Fortune, London 1968); *V. Galilei's Arrangements for Voice and Lute* (in: Essays in Musicology, Fs. Dr. Plamenac, Pittsburgh/Pa. 1969); *M. Scacchi's Defense of Modern Music* (in: Words and Music, Fs. A. T. Merritt, Cambridge/Mass. 1972); *»Ut oratoria musica«. The Rhetorical Basis of Musical Mannerism* (in: The Meaning of Mannerism, hrsg. von F. W. Robinson und S. G. Nichols jr., Hanover/N. H. 1972). – Er edierte K. Meis *Letters on Ancient and Modern Music to V. Galilei and G. Bardi* (= MSD III, Rom 1960) und übersetzte den 3. Teil von G. Zarlinos *Le istitutioni harmoniche* (1558) als *The Art of Counterpoint* (mit G. A. Marco, = Music Theory Translation Series II, New Haven/Conn. 1968).

Palkovský (p'ɑlkəfski:), Oldřich, * 24. 2. 1907 zu Brušperk (Mähren); tschechischer Komponist, Vater von Pavel P., studierte am Brünner Konservatorium bei Petrželka (1926–31) und an der Prager Meisterschule bei J. Suk (1931–33). 1939–54 war er Mitglied der staatlichen Prüfungskommission für Musik. Er schrieb Orchesterwerke (5 Symphonien, op. 8, 1934, op. 10, 1939, op. 14, 1944, op. 19, 1947, und op. 28, 1957; Konzert für Cimbalom und Orch. op. 24, 1953), Kammermusik (Bläserquintett op. 21, 1949; Quartett für V., Fl.,

Va und Vc. op. 22, 1950; 4 Streichquartette, op. 4, 1931, op. 6, 1933, op. 9, 1937 und op. 29, 1957; Klaviertrio op. 11, 1940; Sonaten für V. und Kl. op. 12, 1942, für Va und Kl. op. 15, 1944, für Vc. und Kl. op. 17, 1946, und für Klar. und Kl. op. 20, 1947), Klavier- und Orgelwerke sowie Lieder.

Palkovský (p'ɑlkəfski:), Pavel, * 18. 12. 1939 zu Zlín (heute Gottwaldov, Mähren); tschechischer Komponist, Sohn von Oldřich P., Schüler von Kapr an der Prager Musikakademie, schrieb u. a. eine Violoncellosonate (1963), eine Symphonie op. 5 (1964), *Kammermusik I* für Streicher, Kl. und Schlagzeug (1964) und *II* für Kl., Org., Celesta und Schlagzeug (1968), eine Sonate für Horn und Kl. (1967), 3 Studien für Akkordeon und 9 Blasinstr. (1969) und ein Trio für 3 Akkordeons (1969).

Palladio, Andrea, * 30. 11. 1508 zu Padua, † 19. 8. 1580 zu Vicenza; italienischer Architekt und Architekturtheoretiker (*I quattro libri dell' architettura*, Venedig 1570), berühmt vor allem durch seine Villen (La Rotonda in Vicenza), hat die europäische Architektur bis ins 19. Jh. nachhaltig beeinflußt. Vorbild war die antike Baukunst, die er anhand von Vitruvs Architekturtraktat und Bauuntersuchungen an erhaltenen römischen Monumenten studierte. Eine Rekonstruktion des von Vitruv beschriebenen Theaters (publiziert in: I dieci libri dell' architettura di M. Vitruvio, übers. und hrsg. von D. Barbaro, Venedig 1556, mit Illustrationen von P.) diente als Modell für ein provisorisches hölzernes Theater im Salone der »Basilica« in Vicenza (1561–62), dem er im Palazzo Manin in Venedig ein weiteres Theater, ebenfalls aus Holz, folgen ließ (1564). Seine Überlegungen zur Form eines modernen Theaters nach antikem Maß kulminierten im Bau des Teatro Olimpico in Vicenza, seinem letzten Werk, das, 1580 begonnen, bei seinem Tode unvollendet war und erst 1585 mit Sophokles' »Edipo Tiranno« (Chöre von A. Gabrieli) eröffnet wurde; die stehende Szenendekoration entwarf →Scamozzi. Dieser Bau, als erstes überdachtes »teatro stabile« von überragender Bedeutung für die Entwicklung des neuzeitlichen Theaterbaus, beruhte auf dem Gedanken, die Architektur des antiken Freilichttheaters auf die Maße eines Innenraumtheaters zu übertragen.
Lit.: L. MAGAGNATO, Teatri ital. del Cinquecento, = Problemi di critica antichi e moderni III, Vicenza 1954; G. G. ZORZI, Le ville e i teatri di A. P., Venedig 1969; L. PUPPI, A. P., L'opera completa, Mailand 1973 (mit Bibliogr); DERS., Breve storia del Teatro Olimpico, Vicenza 1973; P., Ausstellungskat. ebd. 1973.

+Pallandios, Menelaos (Pallantios), * 29. [nicht: 2.] 1. 1914 zu Piräus.
Seit 1962 ist P. Direktor des Konservatoriums in Athen; 1964–67 war er Intendant der Staatsoper. 1969 wurde er Mitglied der Athener Akademie. Weitere Werke: Divertimento für Orch. (1952); »Poème tragique« für Streichorch. (1953); Klavierkonzert (1961); 5 Charakterstücke für Ob., Klar. und Fag. (1962); weitere Bühnenmusiken.

+Pallavicini (Pallavicino), –1) Carlo, [erg.: um] 1630 – 1688.
P. war 1665/66 Organist an S. Antonio in Padua und 1673/74 außerdem Maestro dei concerti; anschließend ging er nach Venedig und war dort Maestro di coro am Ospedale degli incurabili.
Ausg.: 2 Arien aus »Messalina«, in: H. CHR. WOLFF, Die Oper I, = Das Musikwerk XXXVIII, Köln 1971, auch engl.
Lit.: +M. FÜRSTENAU, Zur Gesch. d. Musik u. d. Theaters am Hofe zu Dresden (I, 1861), Nachdr. Hildesheim 1971;

+H. GOLDSCHMIDT, Studien zur Gesch. d. ital. Oper im 17. Jh. (I, 1901), Nachdr. ebd. u. Wiesbaden 1967; +M. F. BUKOFZER, Music in the Baroque Era (1947), polnisch Krakau 1970. – J. SMITH in: Proc. R. Mus. Ass. XCVI, 1969/70, S. 57ff.

+Pallavicino, Benedetto, [erg.:] vermutlich 1551 – 1601.
Ausg.: ein Satz in: Vier Madrigale v. Mantuaner Komponisten, hrsg. v. D. ARNOLD, = Chw. LXXX, Wolfenbüttel 1961.
Lit.; +A. EINSTEIN, The Ital. Madrigal (I–II, 1949), Nachdr. Princeton (N. J.) 1970. – D. ARNOLD, »Seconda pratica«, a Background to Monteverdi's Madrigals, ML XXXVIII, 1957; P. FLANDERS, The Madrigals of B. P., 2 Bde, Diss. NY Univ. 1971 (mit Übertragung d. 6. u. 7. Madrigalbuches).

+Pallemaerts, [erg.: Jean David] Edmondo, [erg.: 21. 12.] 1867 – 1945.

Palm, Siegfried, * 25. 4. 1927 zu Barmen (heute Wuppertal); deutscher Violoncellist, erhielt mit 6 Jahren Violoncellounterricht bei seinem Vater Siegfried P. (Solovioloncellist im Städtischen Orchester Wuppertal). Er wurde mit 18 Jahren Solovioloncellist im Städtischen Orchester Lübeck, 1947 beim Symphonieorchester des NWDR in Hamburg, war daneben 1950–53 Meisterschüler von Mainardi und gehörte 1951–62 dem Hamann-Quartett an. 1962–68 war er im Kölner Rundfunk-Sinfonie-Orchester tätig. 1962 übernahm P. die Professur und Leitung einer Violoncellomeisterklasse an der Kölner Musikhochschule, deren Direktion er 1972 übernahm; er ist auch Dozent bei den Internationalen Darmstädter Ferienkursen für Neue Musik. P. spielte u. a. Duo mit Aloys Kontarsky, Trio mit Rostal und H. Schröter. Seit 1955 unternimmt er zahlreiche Gastspielreisen durch Europa, in afrikanische und asiatische Länder. P. hat das Violoncellospiel wesentlich weiterentwickelt. Er ist vor allem als Interpret der Neuen Musik bekannt geworden und hat eine Reihe von Komponisten zu Kompositionen für sein Instrument angeregt, u. a. Blacher (Violoncellokonzert, 1965), H. U. Engelmann (Mini-music to S. P. für Vc., 1970), Kagel (Match für 2 Vc. und Schlagzeug, 1964), Kelemen (Changeant für Vc. und Orch., 1968), Ligeti (Violoncellokonzert, 1966), Penderecki (Capriccio per S. P. für Vc. solo, 1968), Xenakis (Nomos Alpha, 1966) und B. A. Zimmermann (Concerto pour vc. et orch. en forme de »pas de trois«, 1966). – Von seinen theoretischen Arbeiten seien genannt: Zur Notation für Streichinstrumente (in: Notation Neuer Musik, hrsg. von E. Thomas, = Darmstädter Beitr. zur Neuen Musik IX, Mainz 1965); Wo steht das Violoncello heute? (in: R. Lück, Werkstattgespräche mit Interpreten Neuer Musik, Köln 1971); Instrumentalunterricht in neuer Form? (mit Chr. Caskel, in: Ferienkurse '72, hrsg. von E. Thomas, = Darmstädter Beitr. zur Neuen Musik XIII, Mainz 1973, auch in: Musik und Bildung V, 1973).

+Palmer, Robert [erg.:] Moffett, * 2. 6. 1915 zu Syracuse (N. Y.).
P. lehrt weiterhin an der Cornell University (N. Y.). Neuere Werke: Violinsonate (1956); Epigrams für Kl. (1957–68); Memorial Music für Kammerorch. (1959); 4. Streichquartett (1959); Slow, Slow, Fresh Fount für Chor a cappella (1960); Anthem And In That Day (1962).

+Palmgren, Selim, 1878 zu Pori/Björneborg – 1951. Er war 1945–51 Vorsitzender des finnischen Komponistenverbandes; 1950 wurde er in Helsinki mit dem Titel eines Dr. phil. h. c. ausgezeichnet.
Lit.: T. MÄKINEN u. S. NUMMI, Musica Fennica, Helsinki 1965, deutsch ebd. 1972.

Pálóczi Horváth, Ádám → +Horváth.

Palomino, José, * 1. Hälfte 18. Jh. zu Madrid, † 9. 4. 1810 zu Las Palmas (Kanarische Inseln); spanischer Komponist, studierte bei Rodríguez de Hita, war Violinist in der Königlichen Kapelle und brachte in verschiedenen städtischen Theatern Madrids Tonadillas zur Aufführung, von denen La consulta sich lange großer Beliebtheit erfreute. Später gehörte er am Lissaboner Hof der Königlichen Kapelle an und führte 1785 die Oper Il ritorno di Astrea in terra auf. Nach dem Einmarsch napoleonischer Truppen in Portugal (1808) flüchtete P. nach Las Palmas, wo er dann zum Maestro de capilla an der Kathedrale ernannt wurde. Er schrieb dort mehrere Kirchenwerke, u. a. Responsorios de Navidad, die mehr als hundert Jahre dort gesungen wurden.
Ausg. u. Lit.: »El canapé«, Tonadilla a solo, in: J. SUBIRÁ, La tonadilla escénica III, Madrid 1930; DERS., Cat. mus. de la Bibl. Municipal de Madrid, Bd I: Teatro menor. Tonadillas y sainetes, ebd. 1965; L. DE LA TORRE DE TRUJILLO, El arch. de la catedral de Las Palmas, Bd II, Las Palmas 1965.

+Palotta, Matteo (Pallota), [erg.:] um 1688 [nicht: 1680] – 1758.

+Pals, –1) Leopold van der (van Gilse v. d. P.), * 23. 6. (5. 7.) 1884 zu St. Petersburg, [erg.:] † 7. 2. 1966 zu Dornach (Solothurn). –2) Nikolaj Ferdinand van der (van Gilse v. d. P.), * 7.(19.) 5. 1891 zu St. Petersburg, [erg.:] † 22. 4. 1969 zu Borgå/Porvoo.

Pålson-Wettergren, Gertrud, * 17. 2. 1897 zu Eslöv (Malmöhus län); schwedische Sängerin (Mezzosopran), studierte u. a. in Stockholm am Konservatorium sowie bei Gillis W. Bratt und Haldis Ingebjart und war 1922–49 an der Königlichen Oper in Stockholm engagiert (1936 Hofsängerin). Gastspielreisen führten sie u. a. an die Covent Garden Opera in London und in die USA. Zu ihren Partien gehörten u. a. Ortrud, Brangäne, Amneris und Carmen; G. P.-W. ist auch als Operettensängerin aufgetreten. Ab 1949 widmete sie sich pädagogischer Tätigkeit. Sie hat unter dem Titel Mitt ödes stjärna (»Meines Schicksals Stern«, Stockholm 1964) ihre Memoiren herausgegeben.

Pálsson, Helgi, * 2. 5. 1899 zu Norðfjörður, † 7. 5. 1964 zu Reykjavík; isländischer Komponist, war Schüler von Einarsson, Mixa und Urbancic in Reykjavík. In seinem kammermusikalischen Schaffen war er bestrebt, die musikalische Folklore mit gemäßigt neuzeitlicher Harmonik zu verschmelzen. Außer 3 Kammermusikwerken (beim Staatsverlag Musica Islandica in Reykjavík erschienen) ist sein ganzes Œuvre handschriftlich verwahrt, darunter eine Orchestersuite, Chorwerke und zahlreiche Lieder.

Palucca, Gret, * 8. 1. 1902 zu München; deutsche Tänzerin, Pädagogin und künstlerische Leiterin der Abteilung Neuer Künstlerischer Tanz an der P.-Schule Dresden, war eine der ersten Schülerinnen von Mary Wigman, in deren Gruppe sie bis 1923 mittanzte. Danach begann sie ihre Tätigkeit als Konzerttänzerin, unternahm zahlreiche Tourneen und gründete 1925 die P.-Schule Dresden. 1939 wurde die Schule geschlossen, 1945 wieder eröffnet. Gr. P. war noch bis 1950 als Solotänzerin tätig und hat sich seither ganz auf die Leitung und ihre Kurse an der Dresdner Schule konzentriert. Sie ist seit der Gründung (1950) Mitglied der Deutschen Akademie der Künste Berlin und seit 1965 deren Vizepräsidentin. 1962 wurde sie zum Professor ernannt.
Lit.: O. RYDBERG, Die Tänzerin P., Dresden 1935; E. KRULL u. W. GOMMLICH, P., = Veröff. d. Deutschen Akad. d. Künste zu Bln o. Nr, Bln 1965; G. SCHUMANN, P., Bln 1972.

Paluselli, Stefan (Taufnamen Johann Anton), OCist, * 9. 1. 1748 zu Kurtatsch (Südtirol), † 27. 2. 1805 zu Stams (Tirol); österreichischer Komponist, war in Innsbruck Alumnus im St. Nikolaihaus und studierte Philosophie an der Universität (1768–70?) und trat 1770 in das Stift Stams ein (1774 Priesterweihe), an dem er ab 1785 Violinlehrer, 1791–95 Musikinstruktor und ab 1791 Chorregent war. Er komponierte u. a. Kirchenmusik (Messen, Offertorien, Proprien, Lieder), Singspiele (*Das alte teutsche Wörtlein Thut*, Innsbruck 1770), Musikeinlagen zu Theaterstücken (*Balletto pastorale*), eine Symphonie, 4 Partiten, Divertimenti, Kammermusik (Streichquartett, Streichtrio) sowie Kantaten, Lieder und Arien.
Ausg.: Divertimento F dur, in: Tiroler Instrumentalmusik im 18. Jh., hrsg. v. W. Senn, = DTÖ LXXXVI, Wien 1949.

Pambo (Παμβώς), ägyptischer Mönch des 4. oder 5. Jh., Abt einer Mönchskolonie in der nitrischen Wüste, war ein hervorragender Repräsentant der Athanasianischen Richtung. Unter seinem Namen überliefern die *Apophthegmata Patrum* einen Dialog, in dem P. sich gegen das Eindringen ungewohnter Musizierformen in den Gottesdienst wendet. In der vorliegenden Form entstammt jedoch der Text frühestens dem 7. Jh.
Ausg. u. Lit.: O. Wessely, Die Musikanschauung d. Abtes P., = Anzeiger d. phil.-hist. Klasse d. Österreichischen Akad. d. Wiss. 1952, Nr 4 (mit Ausg. d. vollständigen Textes); ältere Teilausg. in GS I. – J.-B. Pitra, L'hymnographie de l'Eglise grecque, Rom 1867; E. Bouvy, Poètes et mélodes, Nîmes 1886; H. J. W. Tillyard, Byzantine Music and Hymnography, = Church Music Monographs VI, London 1923; O. Tiby, La musica bizantina, = Letteratura mus. XIII, Mailand 1938; E. Wellesz, A Hist. of Byzantine Music and Hymnography, Oxford 1949, ²1961.

+Paminger, Leonhard, 1495 zu Aschach [nicht: Aschau] (Oberösterreich) – 1567.
P. kam 1505 nach Wien, wo er seine erste Ausbildung erhielt, die er, nach kurzem Aufenthalt u. a. in Passau, ab 1513 dort fortsetzte [del. bzw. erg. frühere Angaben dazu]. Spätestens 1557/58 mußte er aufgrund seines (evangelischen) Bekenntnisses das Rektorenamt an St. Nikola in Passau aufgegeben; Sekretär war er hier jedoch vermutlich bis zu seinem Tode. – Seine Söhne Balthasar, [erg.:] um 1523 – 23. 1. 1546 zu Passau(?), Sophonias, 1526 [nicht: 1562] – 1603 [erg.:] zu Nürnberg, und Sigismund, [erg.:] 1539 zu Passau – 1571 zu Seitenstetten (Niederösterreich).
Ausg.: ein Quodlibet in: Geistliche Chorwerke deutscher Meister, hrsg. v. H. Mönkemeyer, = Antiqua Chorbuch I, 1, Mainz 1951.
Lit.: K. Weinmann, L. P., KmJb XX, 1907; H. Federhofer in: MGG X, 1962, Sp. 619ff.

Pampanini, Rosetta (Rosa), * 2. 9. 1896 zu Mailand, † 2. 8. 1973 zu Corbola (Rovigo); italienische Sängerin (Sopran), studierte bis 1924 in Mailand bei Emma Molajoli und debütierte 1920 als Micaela an der Oper in Rom. Über Turin, Neapel, Modena und Bergamo kam sie nach Bologna, wo sie 1924 als Mimi debütierte. 1925 wurde sie von Toscanini an die Mailänder Scala engagiert, an der sie bis 1930 und wieder 1936–37 wirkte. Als Gast trat sie u. a. am Teatro Colón in Buenos Aires, an der Covent Garden Opera in London (1928–29 und 1933), an den Staatsopern in Berlin (1929) und Wien (1930) und in Chicago (1930) sowie an der Pariser Opéra (1935) auf. 1944, nach Beendigung ihrer Bühnenlaufbahn, gründete sie in Mailand eine Gesangschule, die sie auch leitete. Zu ihren Glanzrollen zählten vor allem die einschlägigen Partien in den Opern von Puccini (Mimi, Butterfly, Manon Lescaut), Giordano (Madeleine in *Andrea Chénier*) und Verdi (Desdemona, Aida, Leonora).

+Panassié, Hugues [erg.:] Louis Marie Henri, * 27. 2. 1912 zu Paris, [erg.:] † 8. 12. 1974 zu Montauban (Tarn-et-Garonne).
+*Hot Jazz* (1936), Nachdr. Westport (Conn.) 1970; +*The Real Jazz* (Erstaufl. 1942 [nicht: 1950]), revidiert NY 1960; +*L. Armstrong* (1947), revidiert = Jazz-panorama I, Paris 1969, engl. NY 1971; *Discographie critique des meilleurs disques de jazz* (1951, Erstaufl. Genf 1948), Neuaufl. Paris 1958; +*Dictionnaire du jazz* (1954), Neuaufl. ebd. 1971, Nachdr. d. +amerikanischen Ausg. (*Guide to Jazz*, 1956) Westport (Conn.) 1973. – Neuere Schriften: *Histoire du vrai jazz* (Paris 1959, span. Barcelona 1961, deutsch als *Die Geschichte des echten Jazz*, = Signum Taschenbücher Bd 121, Gütersloh 1962); *La bataille du jazz* (= Aujourd'hui o. Nr, Paris 1965).

Panatero, Mario, * 5. 10. 1919 und † 14. 2. 1962 zu Alessandria (Piemont); italienischer Komponist, studierte in Alessandria, Genua (Diplom in Violine 1941) sowie bei Ghedini und Desderi am Conservatorio di Musica G. Verdi in Mailand (Diplom in Komposition 1946). Er war dann bis zu seinem Tode Lehrer für Harmonielehre und Bibliothekar am Liceo Musicale Pareggiato A. Vivaldi in Alessandria. Seine Kompositionen umfassen Orchesterwerke (*Sonetto, canzone e finale*; *Elegia e contrappunti* für Streicher; *Ricreazioni* für Instrumentalensemble; Konzert für Fl. und Streicher mit konzertierender V., 1950), Kammermusik (*Cantico*, Streichquartett, 1943, Neufassung für Streichorch.; *Poemetto* für V., 1943), Klavier- und Orgelwerke, Vokalmusik (*Canzoni alla morte*, Kantate für S., gem. Chor und Orch., 1945; *La resa di Calais*, Ballade für Soli, Kammerchor, 7 Streichinstr., und Kl., 1953; *Coro di morti* für Sprechchor und Instrumente nach Leopardi, 1954; a cappella-Chöre und Lieder) sowie Bühnenmusik. P. trat auch als Musikkritiker und Mitarbeiter bei Zeitschriften hervor.

+Pander, [erg.: August Heinrich Gerhard Peter] Oscar von, * 31. 3. 1883 zu Ogershof (Livland), [erg.:] † 2. 2. 1968 zu München.
Weitere Kompositionen: Konzert für Balalaika und Orch. (1956); insgesamt 4 Streichquartette (1938, 1946, 1949, 1954); *Galantes (Faschings-)Trio* für Klaviertrio (1956); Cellosonate (1957); *Lieder alter Gauner* für B. (Bar.) und Orch. (1957). Er veröffentlichte eine autobiographische *Trilogie des Lebens* (Marburg 1959).

Pandula, Dušan, * 19. 7. 1923 zu Košice/Kaschau; tschechischer Violinist und Dirigent, studierte 1940–46 an den Konservatorien in Brünn und Prag sowie anschließend privat bei Kocián, dessen letzter Meisterschüler er war. Er wirkte als Violinist 1943–45 an der Brünner Oper, 1945–48 an der Großen Oper in Prag und 1948–68 an der Oper des Nationaltheaters in Prag (1953 Konzertmeister). 1945 gründete er ein Streichquartett, ab 1955 bekannt unter der Bezeichnung → +Novakovo kvarteto, dem er bis 1968 angehörte, sowie 1950 das Prager Kammerorchester und 1965 die Virtuosi di Praga, deren Chefdirigent er bis 1968 war. 1968 übersiedelte er in die Bundesrepublik und gründete 1969 in Stuttgart das P.-Quartett, dem als Mitglieder neben P. (1. oder 2. Violine) Christo Draganov (2. oder 1. Violine), Johannes Trieb (Bratsche) und Petr Šimek (Violoncello) angehören. Das P.-Quartett konzertiert in zahlreichen europäischen Ländern und brachte Werke u. a. von A. Hába, Haentjes, J. Novák und Sehlbach zur Uraufführung. 1970 bildete P. mit dem Pianisten Luciano Ortis ein Duo. P. ist auch

u. a. mit *Rubikon,* aleatorische Würfelkomposition für 16 Spieler (1967), dem Streichquartett *Hommage à Rudolf Steiner,* Würfelkomposition (1963), *Erbsen an die Wand werfen* für Streichquartett und Tonband (1969) sowie 3 weiteren Streichquartetten (*Spaziergang im Gehirn des Daidalos; Rallye Monte Carlo; Essay sur le nom Abegg*) als Komponist hervorgetreten. Daneben veröffentlichte er Artikel und Kritiken in verschiedenen Zeitschriften und Fachrevuen und gab eine Reihe von Werken tschechischer Komponisten heraus. P. ist verheiratet mit der Lyrikerin Renáta Pandulová (geborene Hlaváčková, * 26. 10. 1930 zu Borek bei Rokytzan/Rokycany, Böhmen), deren Dichtungen von J. Zd. Bartoš, N. V. Bentzon, J. Blatný, A. Hába, Holmboe, M. Krejčí, Křička, J. Novák, Vostřák u. a. vertont wurden.

Pane, Domenico → Dal Pane.

Panel, Ludovic, * 15. 12. 1887 zu Rouen, † 27. 11. 1952 zu Paris; französischer Organist und Komponist, studierte am Pariser Conservatoire bei Gigout und Guilmant. Er war 1913–21 Organist an der Kirche St-Jacques in Dieppe und 1921–45 an der Basilika Sacré-Cœur de Montmartre sowie 1945–52 Maître de chapelle an der Kirche St-Martin-des-Champs in Paris. Seine Kompositionen umfassen kirchenmusikalische Werke (Messen, Motetten, ein Te Deum) und Orgelstücke (6 Kanons, 1942; *Prière; Canzone,* 1947; *In memoriam; Sortie; Cantilène*). Er gab auch *Suites d'orgue* von d'Agincour (Paris 1934) heraus.

Panenka, Jan, * 8. 7. 1922 zu Prag; tschechischer Pianist, studierte 1940–46 am Prager Konservatorium bei Maxian und 1946–47 bei Pawel Serebrjakow in Leningrad. Seit 1944 tritt er als Konzertpianist auf. Er unternahm zahlreiche Auslandsreisen, u. a. als Solist der Tschechischen Philharmonie. 1958–68 war er Mitglied des Suk-Trios; häufig spielt er auch mit dem Ondříček- und dem Smetana-Quartett zusammen.

+Panerai, Rolando, * 17. 10. 1924 zu Campi Bisenzio (bei Florenz).
Stationen seiner internationalen Karriere waren des weiteren auch die Covent Garden Opera in London, die Metropolitan Opera in New York sowie verschiedene Festspielveranstaltungen (u. a. Aix-en-Provence und Salzburg).

Paniagua (paniˈagŭa), Cenobio, * 30. 9. 1821 zu Tlalpujahua (Staat Michoacán), † 2. 11. 1882 zu Córdoba (Staat Veracruz); mexikanischer Komponist, studierte Violine bei Eusebio Vázquez, dem Leiter des Orchesters der Kathedrale von Morelia, wurde 1842 zum 2. Dirigenten des Orchesters der Kathedrale von México (D. F.) ernannt. Er gründete dort eine Musikakademie, an die er zahlreiche Musiker berief. Aus politischen Gründen lebte er zeitweise in La Habana; 1868 ließ er sich in Córdoba nieder. Er schrieb u. a. die Opern *Catalina de Guisa* (México/D. F. 1859), *Pedro d'Abano* (ebd. 1863) und *El paria* (1876), etwa 70 Messen, das Oratorium *Tobías* (1870) sowie Salonmusik, ferner die theoretischen Werke *Cartilla elemental de música* und *Vocalizaciones matinales* (alle México o. J.).

+Panizza, Héctor (Ettore), * 12. 8. 1875 zu Buenos Aires, [erg.:] † 28. 11. 1967 zu Mailand.

Pankiewicz (paŋkjˈɛvitʃ), Eugeniusz, * 15. 12. 1857 zu Siedlce, † 24. 12. 1898 zu Tworki (bei Warschau); polnischer Komponist und Pianist, studierte Klavier bei J. Wieniawski am Warschauer Musikinstitut sowie 1877–80 in St. Petersburg bei Leschetizky und ab 1880 Komposition am Moskauer Konservatorium, dann in

Warschau bei Żeleński und Noskowski. 1883–85 und 1888–94 lehrte er Klavier am Warschauer Musikinstitut und trat als Konzertpianist auf. 1895 zog er sich aufgrund eines Nervenleidens vom Musikleben zurück. Er schrieb Thema und Variationen F moll für Streichquartett (1882), zahlreiche Klavierstücke, Chormusik und etwa 50 Klavierlieder. P. gilt als der wichtigste polnische Liederkomponist in der Zeit vor Szymanowski.
Lit.: WŁ. POŹNIAK, E. P., = Studia i materiały do dziejów muzyki polskiej V, Krakau 1958; K. SWARYCZEWSKA in: Słownik muzyków polskich, hrsg. v. J. Chomiński, Bd II, ebd. 1967, S. 106ff.

Pankok, Bernhard, * 16. 5. 1872 zu Münster (Westfalen), † 5. 4. 1943 zu Baierbrunn (Isartal); deutscher Maler, Kunstgewerbler, Architekt und Bühnenbildner, studierte 1889–92 an den Kunstakademien in Düsseldorf und Berlin, war anschließend in München als Innenarchitekt tätig und wurde 1902 nach Stuttgart an die Königlichen Lehr- und Versuchswerkstätten berufen, die er ab 1903 leitete. 1913–37 war er Direktor der Staatlichen Kunstgewerbeschule in Stuttgart und ab 1921 gleichzeitig Professor an der Berliner Hochschule für bildende Künste. 1925 wurde er Mitglied der Preußischen Akademie der Künste. Für die Stuttgarter Oper entwarf er die Ausstattung für einen Zyklus von Mozart-Opern (»Don Juan«, 1909; *Die Entführung aus dem Serail,* 1911; »Figaros Hochzeit«, 1912; *Così fan tutte,* 1917; *Die Zauberflöte,* 1919) und für die Uraufführung von M. v. Schillings *Mona Lisa* (1915). Weiterhin als Gastbühnenbildner in Stuttgart wirkend (*Palestrina,* 1920; *Doktor Faust* von Busoni, 1926), arbeitete er später auch für die Berliner Staatsoper (*Die Gezeichneten* von Schreker, 1921; *Die Meistersinger von Nürnberg,* 1928), das Friedrichstheater in Dessau (*Salome,* 1923) und die Dresdener Staatsoper (*Così fan tutte,* 1927). – P.s Dekorationen, für die künstlerische Aktivierung der Bühne von Bedeutung, erregten seinerzeit Aufsehen, blieben jedoch isoliert. Gegenüber Künstlern, die das Theater revolutionierten (A. Appia, Diaghilew), war er Traditionalist. »Modern« in dem Sinne, daß sie die Autonomie der Bühne betonen, sind sie teilweise noch dem historischen Erbe verpflichtet; auf eine von impressionistischem Kolorit bestimmte Bildwirkung zielend, gehören sie zu den gelungenen Beispielen einer synästhetischen Theatermalerei, die um Visualisierung musikalischer Grundstimmungen bemüht ist.
Lit.: O. SCHRÖTER, Stuttgarter Bühnenkunst, Westermanns Monatshefte XXXI, 1916/17; E. GERHÄUSER, Stuttgarter Bühnenkunst, Stuttgart 1917 (darin: H. Hildebrandt, Das Bühnenbild, Vorw.); B. P., Lithographien zu »Così fan tutte«, Bln 1922; J.-D. WAIDELICH, Vom Stuttgarter Hoftheater zum Württembergischen Staatstheater, Diss. München 1957; Mozart auf d. Theater, Ausstellungskat. Köln 1957; Mozart u. d. Theater, Ausstellungskat. Düsseldorf u. Duisburg 1970; B. P., Ausstellungskat. Stuttgart 1973. HS

+Pannain, Guido, * 17. 11. 1891 zu Neapel.
P., Mitglied u. a. der Accademia nazionale di S. Cecilia in Rom, war als Musikkritiker bei »Il tempo« ab 1947 [nicht: 1953] tätig, daneben auch 1950–57 bei der Wochenschrift »Epoca«. – *+Lineamenti di storia della musica* (1922, ⁷1943), Mailand ⁸1962, ⁹1970; *+Modern Composers* (1932), Nachdr. Freeport (N. Y.) 1970; *+Storia della musica* (1936, ³¹1952 [nicht: 1953], +span. 1950, 2 Bde, in 3 Bden ²¹956 [del.: 1950–56]), revidiert Turin ⁴1964. – Weitere Schriften: *Ottocento musicale italiano* (Mailand 1952); *L'opera e le opere ed altri scritti di letteratura musicale* (ebd. 1958); *G. Verdi* (= Classe unica CLVIII, Turin 1964); *R. Wagner. La vita di un artista*

(Mailand 1964); *Studi monteverdiani* (Rass. mus. XXVIII, 1958 – XXXI, 1961, abgeschlossen in: La nuova musicologia italiana, = Quaderni della Rass. mus. III, 1965); *S. Prokofiev* (in: L'approdo musicale IV, 1961); *L'arte di Falla e i suoi limiti* (in: M. de Falla, hrsg. von M. Mila, = Symposium III, Mailand 1962); *Volo su tre secoli di opera italiana* (in: L'opera italiana in musica, Fs. E. Gara, ebd. 1965); *Polifonia profana e sacra* (in: Cl. Monteverdi nel quarto centenario della nascita, Turin 1967); *Note sui Responsori di C. Gesualdo da Venosa* (in: Chigiana XXV, N. S. V, 1968). – Weitere Kompositionen: die Oper +*Madame Bovary* (Neapel 1955); Symphonie für Streicher (1965); Bratschenkonzert (1955), Harfenkonzert (1959), 2. Violinkonzert (1960), Klavierkonzert (1968); Requiem für Soli, Chor und Orch. (1955), Stabat mater für T., Chor und Orch. (1969).

Panni, Marcello, * 24. 1. 1940 zu Rom; italienischer Komponist und Dirigent, lebt in Rom. Er studierte in Rom am Conservatorio di Musica S. Cecilia und an der Accademia Nazionale di S. Cecilia Klavier bei Vera Gobbi (Diplom 1961), Komposition bei Porena (Diplom 1962) und Petrassi (1962–64) sowie Dirigieren bei Ferrara (Diplom 1963). In Paris setzte er sein Dirigierstudium bei Manuel Rosenthal am Conservatoire fort und studierte privat Komposition bei Max Deutsch. Als Dirigent ist er seit 1965 in Frankreich, Italien (Venedig, Spoleto, Palermo) und in den USA (New York) tätig. – Kompositionen (Auswahl): Konzert für Streicher und Kl. (1961); *La città morta* für Streichquartett (1962); *Arpège* für Hf. und 3 Schlagzeuger (1963); *Quattro melodie* für S., Ob., Mandoline und Vc. (auf Texte von Goethe und William Carlos Williams, 1964); *Pretexte* für Orch. (1964); *Empedokles Lied* für Bar. und Orch. (Text Hölderlin, 1965); *D'ailleurs* für Streichquartett (1966); *Patience* für verschiedene St. und Instr. (1966); *Après tout*, Sinfonia concertante in cinque figure für Streichtrio und 32 Instr. (1967); *Déchiffrage* für ein oder mehrere Instr. (1968); *Veni creator* für 7 Ausführende (1968); *Che cosa apparirà?* für Kammerorch. (1969); *Domino* für ein Tasteninstr. (1969). – Elektronische Kompositionen: *Pas de bande* (1965) und *Soluzione finale* (1969).

Panofka, Heinrich, * 2. 10. 1807 zu Breslau, † 18. 11. 1887 zu Florenz; deutscher Violinist, Komponist, Gesangspädagoge und Musikschriftsteller, studierte zunächst in Breslau Jura, dann in Wien Violine (Mayseder) und Komposition (Joachim Hoffmann). Nach Aufenthalten in München (ab 1827) und Berlin (ab 1829) und Konzertreisen im Jahre 1832 ließ er sich in Paris nieder, wo er unter Berlioz u. a. konzertierte und am Conservatoire Gesang bei Bordogni studierte, mit dem zusammen er 1842 eine Académie de chant des amateurs gründete. Ab 1847 lebte er in London, war zeitweilig Assistent an Her Majesty's Theatre und erlangte als Gesangslehrer großen Ruf. 1852 kehrte er nach Paris zurück, konzertierte, schrieb Violinkompositionen (Variationenwerke, Rondos, Charakterstücke, Etüden; *Duos concertants* für V. und Kl.) und wurde Musikkritiker für französische Zeitungen sowie Korrespondent für NZfM. 1866 übersiedelte er nach Florenz, um sich mit der Geschichte der italienischen Gesangskunst zu beschäftigen. P.s *L'art de chanter* (Paris 1853, ital. Mailand 1934, auch deutsch) erlangte internationale Geltung; an weiteren Veröffentlichungen seien seine deutsche Übersetzung von Baillots *L'art du violon* (Bln 1835), *The Practical Singing Tutor* (London o. J.), *Abécédaire vocal* (Paris 1859, ital. Mailand 1861) und eine Reihe Vokalisenhefte genannt.

Panofsky, Walter, * 12. 9. 1913 zu Chemnitz, † 1. 3. 1967 zu München; deutscher Musikschriftsteller, studierte privat Musik und ging als Kritiker nach Berlin. Ab 1946 war er Musikkritiker bei der »Süddeutschen Zeitung« in München und Mitarbeiter bei Rundfunk und Fernsehen. Von seinen Veröffentlichungen seien genannt: *Auch du verstehst Musik* (München 1956, Gütersloh 1963 = Signum-Taschenbücher Bd 208, span. Barcelona 1960); *Die hundert schönsten Konzerte. Berühmte Sinfonien und Konzerte* (= Steckenpferdbücherei o. Nr, Gütersloh 1958, Bln 1965 = Humboldt-Taschenbücher Bd 128); *R. Tebaldi* (= Rembrandt-Reihe XXXII, Bln 1961); *Musiker, Mimen und Merkwürdigkeiten im Hof- und Nationaltheater. Eine Chronik der berühmten Münchner Oper* (München 1963); *Wagner. Eine Bildbiographie* (= Kindlers klassische Bildbiographien XXX, ebd. 1963, engl. London und NY 1964); *Wieland Wagner* (= Dokumente des modernen Theaters o. Nr, Bremen 1964); *R. Strauss. Partitur eines Lebens* (München 1965, auch Bln 1967); *Protest in der Oper. Das provokative Musiktheater der zwanziger Jahre* (München 1966). P. hat sich auch durch Opernbearbeitungen (Rossinis *La Cenerentola*, 1961, und »Die seidene Leiter«, 1965; Webers *Oberon*, 1966) verdient gemacht.

Panton, tschechoslowakischer Musikverlag, gegründet 1958 als Verlag des Verbandes Tschechoslowakischer Komponisten (SČS). Die Hauptaufgabe des P.-Verlags ist es, z. T. in Zusammenarbeit mit dem Tschechischen Musikfond (ČHF), Werke zeitgenössischer tschechischer (seit 1964 auch slowakischer) Komponisten zu publizieren und zu propagieren, vor allem in den Publikationsreihen der Taschenpartituren und Kammermusikwerke in Stimmen. Im P.-Verlag erscheinen ferner Klavierauszüge neuer Bühnenwerke, verschiedene Reihen von Unterhaltungs- und Tanzmusik sowie pädagogische und populäre Buchpublikationen.

+Pantscheff, Ljubomir, * 17. 8. 1913 zu Sofia. Neben seinem Engagement an der Wiener Volksoper studierte P. an der Hochschule für Welthandel in Wien (Dr. rer. pol. 1945). – Mit dem Ensemble der Wiener Staatsoper, deren Mitglied er weiterhin ist, gastierte er u. a. an den Opernhäusern von Mailand (1965), Montreal (1967) und Moskau (1971). Er wurde 1969 zum österreichischen Kammersänger ernannt.

+Panufnik, Andrzej, * 24. 9. 1914 zu Warschau. P. ging 1954 [nicht: 1953] nach England und wurde dort 1961 naturalisiert. Das City of Birmingham Symphony Orchestra leitete er bis 1959; seitdem lebt er seinem kompositorischen Schaffen. – P., dessen frühe Kompositionen 1944 in Warschau verbrannten, war nie von Bartók beeinflußt [del. frühere Bemerkung dazu]. – Werke: die Ballette *Elegy* (NY 1967), *Cain and Abel* (Bln 1968) und *Miss Julie* (Stuttgart 1970); *Tragic Overture* (1942, rekonstruiert 1945, revidiert 1955), *Nocturne* (1947, revidiert 1955), *Sinfonia rustica* (1948, revidiert 1955), *Heroic Overture* (1952, revidiert 1965), *Rhapsody* (1956), *Sinfonia elegiaca* (1957, revidiert 1966), *Polonia-Suite* (1959), *Autumn Music* (1962), *Sinfonia sacra* (1963) und *Epitaph for the Victims of Katyn* (1967) für Orch., 2 *Lyric Pieces* für Jugendorch. (1963), *Old Polish Suite* (1950, revidiert 1955), *Landscape* (1962) und *Jagiellonian Triptych* (1966) für Streichorch., *Lullaby* für 29 Streichinstr. und 2 Hf. (das erste vierteltönige Werk in Polen, 1947, revidiert 1955), *Concerto in modo antico* für Trp., Pk., Hf. und Streicher (1951, revidiert 1955); Klavierkonzert (1962), Konzert für V. und Streichorch. (1972); Klaviertrio (1934, rekonstruiert 1945, revidiert 1967); 12 kleine Etüden (1947, revidiert 1955–64) und *Reflections* (1968) für Kl.; Kantaten *Universal Prayer* für S., A., T., B., 3 Hf., Org. und Chor (1969), *Thames Pageant* für junge Sänger und Spieler, Schulorch. und 2 Diskantchöre (1969) und *Winter Solstice* für S., B., 3 Trp., 3 Pos., Pk., Glockenspiel und Chor (1972); 5 *Polish Peasant Songs* für 1st. Frauen-(oder Diskant-)Chor, 2 Fl., 2 Klar. und Baßklar. (1940, rekonstruiert 1945, revidiert 1959); *Song to the Virgin Mary* für Chor a cappella (1964); 5 Vokalisen *Hommage à Chopin* für S. und Kl. (1949, revidiert 1955, auch für Fl. und kleines Streichorch., 1966).

Lit.: H. Truscott in: Tempo 1960, Nr 55/56, S. 13ff.; B. Hall, ebd. 1964/65, Nr 71, S. 14ff. (zur »Sinfonia sacra«); B. Schäffer, W kręgu nowej muzyki (»Alles über neue Musik«), Krakau 1967; P. French in: Tempo 1968, Nr 84, S. 6ff.; Fr. Routh, Contemporary British Music, London 1972.

Panufnik, Tomasz, *29. 6. 1876 und † 18. 9. 1951 zu Brzeźce (bei Białobrzegi, Kielce); polnischer Geigenbauer, Vater von Andrzej P., studierte an der Akademie für Hydrotechnik in Wien (Dipl.-Ing.) und wurde 1920 Direktor einer Geigenbaufirma in Warschau. Er konstruierte die Geigenmodelle »Antiqua« und »Polonia« und verfaßte *Sztuka lutnicza. Studia nad budową instrumentów smyczkowych* (»Geigenbaukunst. Studien zum Bau der Streichinstrumente«, Warschau 1926) sowie *Technologia lutnicza* (»Technologie des Geigenbaus«, 2 Bde, ebd. 1934).

Panula, Jorma, *10. 8. 1930 zu Kauhajoki (Vaasa); finnischer Dirigent, studierte an der Sibelius-Akatemia in Helsinki bei Funtek, später bei Dixon, A. Wolff und Ferrara. 1950–62 war er Theaterkapellmeister in Lahti, Tampere und Helsinki, 1963–64 Dirigent des Turun Kaupunginorkesteri (»Städtisches Orchester Turku«) und 1964–65 der Suomen Kansallisooppera (»Finnische Nationaloper«) in Helsinki. 1965 wurde er Leiter des führenden finnischen Orchesters, des Helsingin Kaupunginorkesteri (»Städtisches Orchester Helsinki«). Mit diesem Orchester bereiste P. 1965 Mittel- und Osteuropa und 1968 die USA. Er komponierte zahlreiche Schauspiel- und Filmmusiken.

+Panum, Hortense, 1856–1933.
+The Stringed Instruments of the Middle Ages (übers. von J. Pulver, 1939), Nachdr. Westport (Conn.) 1970 und NY 1971.

Panzacchi (pants'ak-ki), Enrico, *16. 12. 1840 zu Ozzano (Bologna), † 5. 10. 1904 zu Bologna; italienischer Dichter, Literat und Kritiker, studierte Jura in Bologna sowie Philosophie und Philologie in Pisa, wo er 1865 promovierte. 1872 wurde er Dozent (1877 Professor) für Geschichte und Ästhetik sowie Sekretär an der Accademia di Belle Arti und 1895 Professor für Ästhetik und neuere Kunstgeschichte an der Universität in Bologna, wo er auch verschiedene öffentliche Ämter innehatte. Daneben war er Mitarbeiter bei der »Nuova antologia« und der »Gazzetta musicale di Milano« sowie Musikkritiker für die Bologneser Tageszeitung »Monitore«. P. setzte sich für R. Wagner (italienische Erstaufführung von *Lohengrin* Bologna 1871) und Boito (erfolgreiche Aufführung des bei der Uraufführung in Mailand durchgefallenen *Mefistofele*, 1875) ein. Er veröffentlichte mehrere Gedichtsammlungen und betätigte sich auch als Musikschriftsteller (*R. Wagner. Ricordi e studi*, Bologna 1883; *Critica spicciola*, Rom 1886; *Nel mondo della musica. Impressioni e ricordi*, Florenz 1895).

Lit.: G. Roncaglia, E. P. e la musica, Modena 1907; A. Pompeati, E. P. e la musica, Rass. mus. II, 1929.

+Panzéra, Charles [erg.:] Auguste Louis, *16. 2. 1896 zu Genf [nicht: Hyères]. *d. 1976*
P. ist besonders durch seine Darstellungen von Partien in französischen Opern (Debussy, Honegger, Milhaud) sowie durch seine Interpretationen des französischen Liedes (Saint-Saëns, Ravel, Roussel, Poulenc, Messiaen) bekannt geworden. 1923 sang er die Uraufführung des ihm gewidmeten Liederzyklus *L'horizon chimérique* von G. Fauré. Neben seiner Lehrtätigkeit am Pariser Conservatoire gab P. vielfach Interpretationskurse (auch in Belgien, den Niederlanden, der Schweiz sowie in Kanada und den USA). Von seinen Schriften und Unterrichtswerken seien weiter genannt *L'amour de chanter* (Paris 1957), *L'art vocal. 30 leçons de chant* (ebd. 1959) und *Votre voix. Directives générales* (ebd. 1967).

Paolantonio, Franco, *2. 9. 1884 zu Buenos Aires, † 15. 12. 1934 zu Rio de Janeiro (erschossen während einer Probe im Teatro S. Caetano); argentinischer Dirigent, studierte in seiner Heimatstadt bei J. Bustamante und Alberto Williams sowie am Conservatorio di Musica S. Pietro a Majella in Neapel bei Paolo Serrao und G. Martucci und debütierte in Alba (Piemont). Er dirigierte an den bedeutenden italienischen Opernbühnen und am Teatro Colón in Buenos Aires. P. schrieb Orchester- und Gesangswerke.

+Paolucci, Giuseppe, 1726 – 24. [nicht: 26.] 4. 1776.
Lit.: [del.:] G. Reese ... (1954).

Papaioannou (papaiɔ'anu), Yannis A., *24. 12. 1910 (6. 1. 1911) zu Kawalla; griechischer Komponist, studierte am Hellenikon Odeion in Athen bei Marika Laspopoulou (Klavier) und Alekos Kondis (Komposition) sowie 1949 bei A. Honegger in Paris. Er ist seit 1954 Professor für Musiktheorie und Komposition am Hellenikon Odeion. 1964 wurde er Vorsitzender der griechischen Abteilung der ISCM. Zu seinen Schülern zählen Antoniou und Kounadis. In seinem kompositorischen Schaffen gelangte er von freier Atonalität und Zwölftontechnik (Symphonie Nr 3, Konzert für Orch., Concertino für Kl. und Streicher) zur Seriellen Musik (Symphonien Nr 4 und Nr 5). Von seinen Werken seien genannt: Ballett Χειμωνιάτικη φαντασία (»Winterphantasie«) für Fl., Klar., V., Vc. und Kl. (1950). – Orchesterwerke: Χορογραφικὸ πρελούδιο (»Choreographisches Praeludium«, 1939); Ὁ κουρσάρος (»Der Korsar«, 1940); Δάσος (»Wald«, 1942); Βασίλης ὁ Ἀρβανίτης, symphonische Legende (1945); 5 Symphonien (1946, 1951, 1953, 1963 und 1964); Τρίπτυχο (»Triptychon«) für Streicher (1947); Symphonische Dichtungen Ὁ ὄρθρος τῶν ψυχῶν (»Die Frühmette der Seelen«, 1947) und Ἑλλάς (nach einem Gedicht von Percy Bysshe Shelley, 1956); Πυγμαλίων, symphonisches Bild (1951); Κουρσάρικοι χοροί (»Korsarentänze«, 1952, auch für Kl.); Konzert für Orch. (1954); 3 Suiten (Nr 1 und Nr 2: Εἰκόνες ἀπὸ τὴν Ἀσία, »Bilder aus Asien«, und Nr 3: Αἴγυπτος, »Ägypten«, 1961); Συμφωνικὴ εἰκόνα (»Symphonisches Bild«, 1968). – Konzert für Kl. und Orch. (1950); Suite für V. und Orch. (1954); Concertino für Kl. und Streichorch. (1962); Konzert für V. und Streichorch. (1971); Konzert für V., Kl. und Orch. (1973). – Kammermusik: Blechbläserquintett (1970); Streichquartett (1959); Quartette für Fl., Klar., Git. und Vc. (1962) und für Ob., Klar., Va und Kl. (1968); Trios für Ob., Klar. und Fag. (1962), für V., Va und Vc. (1963) und für V., Va und Git. (1967); Sonate für V. und Kl. (1947); Sonatine für Fl. und Git. (1962); Suite für Git. (1960); Ἀρχαϊκό / Archaic für 2 Git. (1962). – Klavierwerke: 24 Praeludien (1938); 2 Suiten (1959 und 1960); 12 Inventionen (1958); Sonate (1958); *Oraculum* (1965); 7 Klavierstücke (1969); *Riddle* (1969). – Vokalmusik: ῾Η κηδεία τοῦ Σαϱπηδόνος (»Sarpedons Begräbnis«), Kantate über ein Gedicht von Konstantinos Kawafis für S., gem. Chor, Sprecher und Kammerorch. (1965); Τϱεῖς βυξαντινὲς ὠδές (»3 byzantinische Oden«) für S. und 10 Instr. (1966); Τϱία τϱαγούδια (»3 Lieder«) über Gedichte von Kawafis für Mezzo-S., Fl., Ob., Va, Vc., Kl. und Schlagzeug (1966); Τϱεῖς μονόλογοι τῆς ᾽Ηλέκτϱας (»3 Monologe der Elektra«) für S. und instrumentales Ensemble (1968); Τὰ βήματα (»Die Schritte«) über ein Gedicht von Kawafis für gem. Chor und instrumentales Ensemble (1969); *4 ὀϱφικοί ὕμνοι* (»4 Orphische Hymnen«) für Sprecher und instrumentales Ensemble (1971); Bühnenmusik zu Sophokles' ᾽Αντιγόνη (1956), Φιλοκτήτης (1957) und Οἰδίπους τύϱϱαννος, zu Aischylos' Οἱ Πέϱσαι (1961) sowie García Lorcas *Yerma* (1961).

+Papandopulo, B o r i s , * 25. 2. 1906 zu Bad Honnef am Rhein.
1959 wurde P. 1. Kapellmeister und 1963 Chefdirigent am Nationaltheater in Zagreb; 1964–68 war er in gleicher Stellung in Split und Rijeka tätig. Seitdem widmet er sich neben Gastdirigaten vor allem seinem kompositorischen Schaffen. – Werke: die Opern *Amphitrion* (Zagreb 1940), *Sunčanica* (»Sonnenblume«, ebd. 1942), *Rona* (Rijeka 1956), musikalische Komödie *Đentlmen i lopov* (»Gentleman und Dieb«, einaktig, 1964), *Marulova pisan* (»Marulos Lied«, Split 1970) und die phantastische Oper *Madame Buffault* (1972); die Ballette *Zlato* (»Das Gold«, Zagreb 1931), *Žetva* (»Das Erntefest«, Sarajewo 1950), *Intermezzo* (ebd. 1953), *Beatrice Cenci* (Gelsenkirchen 1959), 5 Ballettszenen *Veze* (»Beziehungen«, 1964), *Gitanella* (1965), *Dr. Atom* ($Qu + H^3 + H^2 = He^4 + n + q$, Rijeka 1966), *Ljndi u hotelu* (Wien 1967 als »Menschen im Hotel«) und *Teuta* (1973); *Boje i kontrasti* (»Farben und Kontraste«, 1963), *... u početku bijaše ritam ...* (»... am Anfang war der Rhythmus ...«, 1968), *Divertimento alla pasticcio* Nr 1 und 2 (1971–72, Nr 2 nur für Blechbläser) und *Hommage à Bach* (1972) für Orch.; 4 Klavierkonzerte (1938, 1942, 1947, 1958), konzertante Musik für Fl., Hf., Vibraphon, Schlagwerk und Streicher (1966), Konzert für 4 Pk. und Orch. (1969), Concerto grosso für Bläserquintett, Schlagzeug und Streichorch. (1971), Konzerte mit Streichorch. für Cemb. (1962) und Kb. (1968); *Mozaik* für Streich- und Jazzquartett (1963), kleines Konzert für Fl., Ob., Klar., Fag. und Horn (1971), 5 Streichquartette (1927, 1933, 1945, 1950, 1970), *Razgovor ugodni* (»Zwiegespräch«) für Fl. und Cemb. (1969); *Dodekafonski koncert* für 2 Kl. (1960); Kantaten *Legende o drugu Titu* (»Titos Legende«, 1960), *Srce od ognja* (»Das glühende Herz«, 1965) und die Erdbebenkantate (Skopje) *Ruke prema noći* (»Hände gegen die Nacht«, 1968) für Soli, Chor und Orch.
Lit.: I. SUPIČIĆ, »Aesthetic Views in Contemporary Croatian Music«, in: Arti musices I, 1969 (kroatisch); engl. ebd. 1970, Sonderausg.; Z. HUDOVSKY, B. P. kao muzički pisac i kritičar (»B. P. als Musikschriftsteller u. -kritiker«), ebd. IV, 1973.

Papastavrọ, A n d r e a s de → Papius, A. de.

Papastavrọ, E l e f t e r i o , * 14. 1. 1923 zu Saloniki; französischer Violoncellist griechischer Herkunft, studierte am Staatskonservatorium in Saloniki sowie am Royal College of Music in London und war später Schüler von Casals. 1938–45 war er Solovioloncellist im Orchester des Staatskonservatoriums von Saloniki und im Rundfunkorchester. Er hat seit 1949 Konzertreisen in west- und osteuropäische Länder unternommen. P. ist Professor an der École Normale de Musique in Paris und leitet in Ohrid (Jugoslawien) und Donau-

eschingen Sommerkurse. Er komponierte eine Suite für Vc. und Orch.

+Papavoine, [erg.:] um 1720 in der Normandie(?) – nach 1790.
P., 1760–62 Violinist im Orchester der Comédie Italienne in Paris und um 1767 Mitbegründer des dortigen Théâtre de l'Ambigu-Comique, dem er bis 1789 angehörte, ist nicht mit einem um 1780 im Haag weilenden Musiker identisch. – Sein +op. 5 (*Recueils d'airs choisis de l'Ambigu-Comique mis en duo* ... für 2 V. oder Mandolinen) wurde 1770 [nicht: 1764] veröffentlicht. Die +Symphonie mit Fl. (Ob.) und Hörnern, die +Violinsonaten und die +*Duos à la grecque* für 2 V. (alle 1764) tragen keine op.-Zahlen; die +6 *Cantatilles* (um 1754) sind tatsächlich ein Werk seiner Frau [del. bzw. erg. frühere Angaben].
Lit.: +L. DE LA LAURENCIE, L'école frç. de v. ... (1922–24), Nachdr. Genf 1971. – B. S. BROOK, La symphonie frç. dans la seconde moitié du XVIIIᵉ s., = Publ. de l'Inst. de musicologie III, Paris 1962, Bd II; DERS. in: MGG X, 1962, Sp. 730ff.

Pape, A n d r e a s de → Papius, A. de.

+Pape, H e i n r i c h , 1609 – 25. [nicht: 26.] 4. 1663 zu Stockholm [nicht: Altona].
Sein Vater H e i n r i c h P., [erg.:] * 1563 zu Steinkirchen (bei Hamburg), † [nicht: *] 10. 3. 1637. – P., der 1662 Organist an St. Jacobi in Stockholm wurde, vertonte 36 [nicht: 40] der Ristschen +Daphnislieder (*Des edlen Daphnis aus Cimbrien Galathee*, 1642). – Ein gleichnamiger Sohn ist bisher nicht nachgewiesen [del. frühere Angaben hierzu].
Lit.: +H. KRETZSCHMAR, Gesch. d. neuen deutschen Liedes (I, 1911), Nachdr. Hildesheim u. Wiesbaden 1966. – K. GUDEWILL in: MGG X, 1962, Sp. 733f.

+Pape, J e a n - H e n r i , 1789–1875.
Lit.: +FR. J. HIRT, Meisterwerke d. Klavierbaus (1955), revidiert engl. als: Stringed Keyboard Instr., 1440–1880, Boston 1968.

+Papillon de la Ferté, D e n i s P i e r r e J e a n , 17. [nicht: 18.] 2. 1727 – 1794.

Papineau-Couture (papin'okut'y:r), J e a n , * 12. 11. 1916 zu Montreal; kanadischer Komponist, studierte 1939–40 privat Klavier bei Léo-Pol Morin, 1937–40 bei Gabriel Cusson sowie 1940–43 am New England Conservatory of Music in Boston Klavier bei Beveridge Webster, Komposition bei Qu. Porter und Orchesterleitung bei Francis Findlay (B. Mus. 1941). Er vervollkommnete seine Studien 1941–43 an der Longy School of Music in Cambridge (Mass.) und 1944–45 privat in Santa Barbara (Calif.) bei Nadia Boulanger. 1943–53 lehrte er Klavier am Collège Jean de Brébeuf in Montreal (1943 Professor), 1946–63 Theorie am dortigen Conservatoire de Musique et d'Art Dramatique de la Province de Québec und ab 1951 Theorie und Komposition an der Musikfakultät der University of Montreal (1968 Dekan). Er komponierte u. a. Orchesterwerke (Concerto grosso für Kammerorch., 1943; Symphonie C dur, 1948, Neufassung 1956; *Papotages*, 1949; Konzert für V. und Kammerorch., 1951; *Pièces concertantes* Nr 1, *Repliement* für Kl. und Streichorch., 1956, Nr 2, *Eventails* für Vc. und Kammerorch., 1959, Nr 3, Variationen für Fl., Klar., V., Hf. und Streichorch., 1958, Nr 4, *Additions* für Ob. und Streicher, 1959, und Nr 5, *Miroirs* für Orch., 1963; *Suite Lapitsky*, 1965; Klavierkonzert, 1965), Kammermusik (Sextett für Ob., Klar., Fag., V., Va und Vc., 1967; Suite für Fl., Klar., Horn, Fag. und Kl., 1947; Fantasie für Bläserquintett, 1963; 2 Streichquartette, 1953 und 1963; Sonate für V. und Kl., 1944; Suite für Fl. und

Kl., 1945; *Trois caprices* für V. und Kl., 1962; *Dialogues* für V. und Kl., 1967; Suite für V. solo, 1956), Klavierwerke (Suite, 1942; Rondo für 2 Kl., 1945; *Complémentarité*, 1972) und Vokalwerke (Psalm CL für S., T., Fl., Fag., Blechbläserensemble, Org. und Chor, 1954; *Viole d'amour* für gem. Chor a cappella, 1966; *Contraste* für St. und Orch., 1970).

Papius, Andreas de (de Pape, de Paepe), * 1551 zu Gent, † 15. 7. 1581 zu Lüttich; belgischer Musikgelehrter, studierte bei den Jesuiten in Köln klassische Philologie, ab 1568 in Löwen Rechtswissenschaft und erhielt 1570 durch Fürsprache seines Onkels, des späteren Antwerpener Bischofs Lieven Van der Beke (Torrentius), ein Kanonikat an St. Martin in Lüttich, wo er nach seinem Tode durch Ertrinken in der Maas beigesetzt wurde. Dem Bischof von Lüttich widmete er seine Abhandlung *De consonantiis seu pro diatesseron libri duo* (Antwerpen 1581), in der er, gestützt auf die antike Intervallehre, die Quarte entgegen der zeitgenössischen Kontrapunktlehre als konsonant auffaßte.
Lit.: R. BRAGARD, Contribution à l'hist. de la musique au pays de Liège. A. de Pape, Lüttich 1934; H. HÜSCHEN, A. P., ein Musiktheoretiker aus d. 2. Hälfte d. 16. Jh., KmJb XXXVII, 1953; DERS. in: Rheinische Musiker I, hrsg. v. K. G. Fellerer, = Beitr. zur rheinischen Mg. XLIII, Köln 1960, S. 196ff.; DERS., Artikel P., MGG X, 1962; B. MEIER, Artikel Pape, ebd.

Paporisz, Yoram, * 13. 2. 1944 zu Koslów (bei Tarnopol, Provinz Lemberg); israelischer Komponist, erhielt Klavierunterricht bei Clara Langer-Danecka, später Kompositionsunterricht bei Ludomir Rozycki in Kattowitz, ging 1957 nach Israel und studierte 1962–65 an der Musikakademie in Tel Aviv Klavier bei Ilona Vince-Kraus und Komposition bei Boscovich. Er vervollkommnete seine Kompositionsstudien bei Donatoni in Mailand und bei Fortner in Freiburg i. Br., wo er sich an der Staatlichen Hochschule für Musik im Fach Klavier diplomierte. Seit 1965 lebt er in der Bundesrepublik. Er schrieb *Discoveries at the Piano* (5 Bde, unter dem Titel *Entdeckungen am Klavier* bisher erschienen Bd I–IV, Wilhelmshaven 1964–73; ein Kompendium verschiedener Kompositionsstile und Techniken für den Klavierschüler und Pianisten, abgestuft nach Schwierigkeitsgraden). – Weitere Werke: *Arrogances* für Fl., V., Vc. und Schlagzeug; Streichquartett (1971); *Piccoli duetti* für V. und Klar. und für Fl. und Va (1969); *Gnomoludus* und *Florianata* für Fl. solo; *Zwerg UFF erzählt*, Kindersuite, und *Horla* für Kl.; *Begegnungen* für Kl. 4händig; *Hexameron* für Cemb.

Parabosco, Girolamo, * 1520 oder 1524 zu Piacenza, † 21. 4. 1557 zu Venedig; italienischer Komponist, Organist und Dichter, Sohn von Vincenzo P. († 25. 8. 1556, Organist am Dom zu Brescia 1536–56), wurde 1541 in Venedig Schüler von Willaert (G.Zarlino, *Sopplementi*, 1588, S. 326). Zwischen 1546 und 1551 hielt er sich in Florenz, Urbino, Ferrara, Piacenza, Brescia, Padua und Verona auf und genoß als Dichter und »Cortegiano« Beliebtheit. 1551–57 war er als Nachfolger von Buus Organist an S.Marco in Venedig. Da an Kompositionen außer zwei 4st. Ricercari (in: *Musica nova*, Venedig 1540) und einem 2st. Benedictus für Org. nur Madrigale überliefert sind, ist zu vermuten, daß P. auf der Orgel hauptsächlich als Improvisator und als Interpret fremder Kompositionen hervorgetreten ist. In seinen Madrigalen gibt er sich als Schüler Willaerts zu erkennen; allerdings erkannte A.Einstein (Bd II, S. 448) in P.s Vertonung des eigenen Sonetts *Anima bella* »the first decisive victory of the Italian spirit over the northern invaders«.

Ausg.: Madrigal »Anima bella« in: A. EINSTEIN, The Ital. Madrigal, Princeton (N. J.) 1949, Nachdr. 1970, Bd III, S. 151ff.; dass. in: 5 Madrigale venezianischer Komponisten um A. Willaert, hrsg. v. B. MEIER, = Chw. CV, Wolfenbüttel 1969; Composizioni vocali e strumentali a 2, 3, 4, 5, 6 v., hrsg. v. FR. BUSSI, Piacenza 1962; 2 Ricercari, in: Musica nova (Venedig 1540), hrsg. v. H. C. SLIM, = Monuments of Renaissance Music I, Chicago 1964.
Lit.: G. BIANCHINI, G. P., scrittore e organista del s. XVI, Venedig 1899; A. EINSTEIN, The Ital. Madrigal, Princeton (N. J.) 1949, Nachdr. 1970, Bd II, S. 444ff.; FR. BUSSI, Umanità e arte di G. P., madrigalista, organista e poligrafo, Piacenza 1962.

+**Paradies,** Pietro (Pier) Domenico, 1707–91.
P. kehrte gegen Ende seines Lebens [nicht: 1760] nach Italien zurück. Seine +12 *Sonate di gravicembalo* erschienen erstmals 1754 [nicht: 1746].
Ausg.: Cemb.-Konzert B dur, hrsg. v. V. VITALE, Mailand 1960; dass., hrsg. v. H. RUF, = Antiqua LXXXVI, Mainz 1965; Sonate di gravicemb., hrsg. v. DEMS. u. H. BEMMANN, 2 Bde, = Klaviermusik d. Vorklassik o. Nr, ebd. 1971.
Lit.: +F. TORREFRANCA, Le origini ital. del romanticismo mus. (1930), Nachdr. = Bibl. musica Bononiensis III, 18, Bologna 1969. – W. S. NEWMAN, The Sonata in the Classic Era, Chapel Hill (N. C.) 1963, revidierte Paperbackausg. NY 1972.

+**Paradis,** Maria Theresia von, 1759–1824.
Ihre Konzertreise (»Kunstreise«) unternahm sie 1783–86 [nicht: 1784/85].
Lit.: H. ULLRICH, M. Th. P., Werkverz., BzMw V, 1963. – DERS., M. Th. P.' große Kunstreise, ÖMZ XV, 1960 u. XVII, 1962 – XX, 1965, Beitr. dazu auch in: ML XLIII, 1962, BzMw VI, 1964 u. VIII, 1966, Sächsische Heimatblätter X, 1964 u. XII. 1966. – weitere Miszellen DESS. u. a. in: Musikerziehung XIV, 1960/61, S. 9ff., XV, 1961/62, S. 69ff., XVI, 1962/63, S. 187ff., XVII, 1963/64, S. 56ff.; Bonner Geschichtsblätter XV, 1961, S. 340ff.; Jb. d. Ver. f. Gesch. d. Stadt Wien XVII/XVIII, 1961/62, S. 149ff.; ÖMZ XVII, 1962, S. 458ff.; Mf XIX, 1966, S. 152ff.

+**Paray,** Paul [erg.:] Charles, * 24. 5. 1886 zu Le Tréport (Seine-Maritime).
P. war Chefdirigent des Detroit Symphony Orchestra bis 1963. Seit 1950 ist er Mitglied der Académie des beaux-arts in Paris.
Lit.: R. DELANGE in: Antares III, 1955, Nr 2, S. 78ff. –

Pardo Tovar (p'ardo tob'ar), Andrés, * 5. 3. 1911 und † 31. 8. 1972 zu Bogotá; kolumbianischer Musikforscher, studierte 1927–34 am Conservatorio de Música de Colombia, an dem er 1936–38, 1942–44 und 1956–63 Musik- und Kunstgeschichte lehrte. Er unterrichtete auch an der Escuela Nacional de Bellas Artes (1942–44) und an der Universidad Javeriana in Bogotá (1941–44); er gründete und leitete das Centro de Estudios Folclóricos y Musicales am dortigen Conservatorio Nacional de Música (1959–63). P. T. war dann musikalischer Direktor des Instituto Nacional de Radio y Televisión-Intravision. Von seinen Veröffentlichungen seien genannt (Erscheinungsort Bogotá): *Voces y cantos de América* (1945); *Los cantares tradicionales del Baudó* (= Monografías del Centro de estudios folclóricos y musicales I, 1960); *Rítmica y melódica del folclore chocoano* (mit J.Pinzon Urrea, ebd. II, 1961); *La guitarrería popular de Chiquinquirá* (mit J.Bermúdez Silva, 2 Bde, ebd. III, 1963); *La cultura musical en Colombia* (= Las artes en Colombia VI, 1966); *La poesía popular colombiana y sus orígenes* (= Academia colombiana de historia XX, 1966).

Parente, Alfredo, * 4. 7. 1905 zu Guardia Sanframondi (bei Benevent); italienischer Philosoph, Historiker und Kritiker, promovierte 1927 an der Universität Neapel und übt seitdem eine vielseitige Tätigkeit als

Lehrer, Bibliothekar und Herausgeber, als Mitarbeiter mehrerer Zeitschriften (ab 1929 der Rass. Mus.) sowie als Musikkritiker aus. 1938 wurde er zudem an die Biblioteca della Società Napoletana di Storia Patria berufen, deren Direktor er heute ist. Von seinen Abhandlungen zur Musik seien genannt: *Musica e opera lirica* (Neapel 1929); *La musica e le arti* (= Bibl. di cultura moderna, Bd 281, Bari 1936, ²1946); *Castità della musica* (= Saggi Bd 296, Turin 1961); *Un nuovo, grande acquisto donizettiano. La riscoperta del »Roberto Devereux«* (in: L'opera italiana in musica, Fs. E. Gara, Mailand 1965); *Beethoven, o il regno del sentimento* (Rivista di studi crociani VII, 1970).

Pariati, Pietro, * 26. 3. 1665 zu Reggio Emilia, † 1733 zu Wien; italienischer Dichter und Librettist, studierte Literatur und Rechtswissenschaft (Dr. jur. 1687), wurde 1695 Sekretär beim Gouverneur von Modena und kam im offiziellen Auftrag nach Madrid, fiel aber in Ungnade und mußte nach seiner Rückkehr drei Jahre in Haft verbringen. Nach seiner Freilassung (1699) begab er sich nach Bologna und Venedig, wo er mit Zeno zusammentraf, mit dem er mehrere Libretti verfaßte, wobei er die Versifikation übernahm. 1714 wurde er von Karl VI. als Kaiserlicher Hofdichter nach Wien berufen, wohin ihm 1718 Zeno nachfolgte. Als 1729 Metastasio nach Wien kam, zog er sich zurück, behielt aber Titel und Einkünfte bei. P.s Libretti (z. T. in Zusammenarbeit mit Zeno) wurden u. a. von Girolamo Abos, Albinoni, Andrea Bernasconi, Bertoni, A. M. und G. B. Bononcini, Caldara, Cocchi, Fr. Conti, Duni, Feo, Fiorè, Fux, Galuppi, Gasparini, Gianettini, P. A. Guglielmi, J. A. Hasse, Jommelli, Lotti, Fr. Mancini, Nasolini, A. Orefice, Orlandini, Pescetti, C. Fr. Pollarolo, Porpora, Porsile, G. Posta, Johann Georg Reinhardt, G. Reutter dem Jüngeren, D. Scarlatti, Sellitto, G. Ph. Telemann (*Pimpinone*, in deutscher Übers., Hbg 1725), Terradellas, Giuseppe Vignola und P. Winter vertont.

Ausg.: Libretti »Ambleto« u. »Don Chisciotte in corte della duchessa« (mit Zeno), in: Drammi per musica dal Rinuccini allo Zeno, hrsg. v. A. DELLA CORTE, = Classici ital. LVII, Turin 1958, Bd II.

Lit.: M. FEHR, A. Zeno u. seine Reform d. Operntextes, Zürich 1912.

+Paribeni, Giulio Cesare, * 27. 5. 1881 zu Rom, [erg.:] † 13. 6. 1960 zu Mailand.

Paridis (par'idis), Andreas, * 28. 2. (12. 3.) 1916 zu Patras; griechischer Dirigent, studierte Klavier und Komposition am Konservatorium in Athen, war 1946–50 Schüler von Molinari in Rom. Nach seiner Rückkehr wurde er in Athen Dirigent des Staatsorchesters, des Orchesters der Staatsoper und des Rundfunkorchesters (1957–59 und 1967–68 Chefdirigent und Intendant der griechischen Staatsoper). P. dirigierte auch zahlreiche Orchester in west- und osteuropäischen Ländern. Er komponierte u. a. Klavierstücke, ein Klavierkonzert und Orchestervariationen über griechische Themen.

Parigi (par'i:dʒi), Giulio, * um 1580 und † 1635/36(?) zu Florenz; italienischer Architekt, Ingenieur und Bühnenbildner, Sohn des Architekten Alfonso P., war 1600 in Florenz Assistent →Buontalentis und wurde 1608 dessen Nachfolger als Hofarchitekt und -ingenieur sowie Superintendent der Hoffestlichkeiten: *Il giudizio di Paride* (Libretto Michelangelo Buonarotti), Festspiel anläßlich der Hochzeit von Cosimo II. de' Medici mit Maria Magdalena von Österreich im Uffizientheater mit der Naumachie *Kampf der Argonauten um das Goldene Vlies* (1608); Mascherate im Palazzo Pitti

(1611 und 1613); *Guerra d'amore* und *Guerra di bellezza* (Choreographie von A. Ricci, Musik Peri u. a.), zwei Divertissements, aus einer Mischung von Turnierspiel und Pferdeballett bestehend auf der Piazza S. Croce (1616); *La liberazione di Tirreno e d'Arnea* (Musik da Gagliano), musikalisches Festspiel anläßlich der Hochzeit von Ferdinando Gonzaga mit Caterina de' Medici im Uffizientheater (1617); *Battaglia del re Tessi e del re Tinta*, Naumachie auf dem Arno (1619); *La liberazione di Ruggero dall'isola di Alcina* (Musik Francesca Caccini), Hoffest in der Villa di Poggio Imperiale (1625). – Sein Sohn Alfonso P. (* um 1600 zu Florenz[?], † 1656 zu Florenz), in seinen Anfängen nur schwer gegen das Werk seines Vaters abgrenzbar, bezeichnet sich als »inventor« der Dekorationen zu der 1624 im Uffizientheater aufgeführten Sacra rappresentazione *La regina Sant'Orsola* (Musik da Gagliano), die jedoch nach ihren stilistischen Merkmalen mit großer Wahrscheinlichkeit G. P. zuzuschreiben sind; noch die Ausstattung des 1628 im Uffizientheater aufgeführten Festspiels *La Flora* (Musik da Gagliano) läßt die Verwandtschaft mit den Arbeiten des Vaters erkennen. A. P.s Hauptwerk ist die Dekoration für die Favola in musica *Le nozze degli dei* von G. C. Coppola u. a., die 1637 anläßlich der Hochzeit von Ferdinando II. de' Medici mit Vittoria von Urbino im Hof des Palazzo Pitti aufgeführt wurde. – G. P.s Gestaltungsprinzipien verweisen durch stärkere Betonung der Perspektive und Ausweitung des maschinellen Apparats auf eine fortschreitende Tendenz zur Überwindung von Buontalentis manieristischer Flachbühne in Richtung auf die frühbarocke Raumbühne, die dann im Spätwerk A. P.s ausgebildet ist.

Lit.: P. ZUCKER, Die Theaterdekoration d. Barock, Bln 1925; H. TINTELNOT, Barocktheater u. barocke Kunst, Bln 1939; H. KINDERMANN, Theatergesch. Europas, Bd III: Theater d. Barockzeit, Salzburg 1959; A. M. NAGLER, Theatre Festivals of the Medici 1539–1637, New Haven (Conn.) 1964; Das barocke Fest, Ausstellungskat. Bamberg 1968. HS

+Parigi, Luigi, 1883 zu Settimello di Calenzano (Florenz) – 27. 8. [nicht: 4. 9.] 1955.

Lit.: A. BONACCORSI in: Rass. mus. XXIX, 1959, S. 257f.

Parík, Ivan, * 17. 8. 1938 zu Bratislava; slowakischer Komponist der Avantgarde, Schüler von A. Moyzes und Cikker, schrieb u. a.: Musik für 4 Streicher (1958); 2 japanische Lieder (1960); *Fragment* für Streicher (1961); Vorspiel für Orch. (1962); Sonate für Fl. (1962); *Epitaf* für Fl., Va und Vc. (1962); *Mikroštúdie »7«* (1963); *Hudba pre troch* (»Musik für drei«) für Fl., Ob. und Klar. (1964); *Citácie* (»Zitate«, nach Texten von Braque, de Chirico, Paul Klee u. a., 1964); Sonate für Trp. solo (1966); *Rotácie* (»Rotationen«) für 7 Instr. (1966); Sonate für Vc. solo (1967); Requiem für Kammerchor (1967); *Hudba k vernisáži* (»Musik für einen Vernissage«, 1967); *Koláže* (»Collagen«) für Kammerensemble (1968); *Exercises* für Trp. solo (1968); *Hudba k baletu* (»Ballettmusik«) für Orch. (1968); *Vežová hudba* (»Turmmusik«) für 12 Bläser, 2 Reproduktionssysteme und Glocken (1969); Ballett *Fragmenty* (1969); *Hommage à William Craft*, elektronische Collage (1969); Introduktion zur Symphonie Nr 102 von J. Haydn (1970); Flötenklangstudie (1970); Variationen auf Bilder von Miloš Urbánek, elektronische Komposition (1971); *Sonate-Canon* für Fl. und Tonband (1971).

Paris, Daniele, * 18. 11. 1926 zu Frosinone (Latium); italienischer Dirigent, studierte am Conservatorio di Musica S. Cecilia in Rom (Klavier und Orgel bei Germani, Komposition bei Petrassi, Dirigieren bei van Kempen). 1959 wurde er künstlerischer Leiter des

Gruppo Universitario Nuova Musica, mit dem er 1960 die Settimane Internazionali Nuova Musica organisierte. Er ist Mitarbeiter bei RAI. P. hat sich besonders für die Neue Musik eingesetzt und Werke u. a. von A.Clementi, Guaccero und Macchi uraufgeführt sowie die italienische Erstaufführung von Weills »I sette peccati capitali« (Rom 1961) dirigiert.

+Parish-Alvars, Elias, 1808–49.
Lit.: H. J. ZINGEL in: Das Orch. VI, 1958, S. 108f.

+Parisini, Federico, 1825–91.
+*Catalogo della Biblioteca del Liceo musicale di Bologna* (5 Bde, Bologna 1890–1943, Bd II–III [nicht: III–V] hrsg. von L.Torchi, Bd IV hrsg. von R.Caldolini, Bd V hrsg. von U.Sesini), Nachdr. der Bde I–IV (mit Berichtigungen von N.Fanti, O.Mischiati und L.F.Tagliavini) ebd. 1961.

Parisot (p'æɹisou), Aldo, * 30. 9. 1920 zu Natal (Brasilien); amerikanischer Violoncellist, studierte am Conservatorio de Música Rio Grande do Norte in Natal (Brasilien) und an der Yale University in New Haven (Conn.). Er debütierte mit 12 Jahren und ist als Solist mit führenden amerikanischen und europäischen Orchestern aufgetreten. Gegenwärtig ist er Professor an der School of Music der Yale University.

+Parker, Charlie [erg.:] (Charles) Christopher, 1920–55.
P. spielte u. a. in Jay McShanns Band 1937–42 [nicht: ab 1940]. – An weiteren Aufnahmen seien genannt: *Anthropology, Bird's Nest, Bird of Paradise, Bloomdido, Congo, Cool Blues, Crazeology, Donna Lee, Klactoveedstene, Moose the Mooche, Night in Tunesia, Ornithology, Prezology, Relaxing at the Camarillo, Scrapple from the Apple, Swedish Schnapps* und *Yardbird Suite.* – Gesamteinspielungen: *Ch. P. on Dial* (Spotlite 101–107); *The Definitive Ch. P.* (GA der Einspielungen für N. Granz, English Metro 2356059, 2356082–83, 2356087–88, 2356091, 2356095–96); ferner *The Definite Ch. P.,* (Verve 711033, 711049, 711067, 711075, 711079), *Ch. P. Memorial* (Musidisc SA 6007–09) und *The Genius of Ch. P.* (ebd. SA 6031).
Lit.: A. BETTONVILLE u. A. V. GILLET, Dial Records Long Playing Discography of Ch. P., Brüssel 1957; A. V. GILLET, Essay in Discography of Ch. P., ebd.; J. GR. JEPSEN, Discography of Ch. P., Brande (Dänemark) 1959 u. 1960, revidiert 1968; Ch. P., hrsg. v. E. EDWARDS, G. HALL u. B. KORST, = Jazz Discographies Unltd. o. Nr, Whittier (Calif.) 1965; T. WILLIAMS, Ch. P. Discography, in: Discographical Forum 1968, Nr 8–12. – +S. SCHMIDT [erg.:]-Joos, Ch. P. (1959 [nicht: 1960]). – L. FEATHER, Inside Be-Bop, NY 1949; A. HODEIR, Hommes et problèmes du jazz, Paris 1954, engl. als: Jazz, Its Evolution and Essence, NY 1956, ital. = I marmi XV, Mailand 1958; DERS., The Bird is Gone, in: Toward Jazz, NY 1962, auch = Jazz Book Club LIV, London 1965 (= Wiederabdruck aus: Jazz Hot 1955, Nr 98); T. SCOTT in: Metronome Yearbook 1956, S. 44f.; A. MORGAN u. R. HORRICKS, Modern Jazz. A Survey of Development Since 1939, London 1957; H. PANASSIÉ, The Unreal Jazz, in: Just Jazz III, 1959; M. HARRISON, Ch. P., = Kings of Jazz VI, London 1960, NY 1961, ital. = ebd. o. Nr, Mailand 1961, nld. = Jazz-fenomenen o. Nr, Amsterdam 1964, schwedisch = Jazz VI, Stockholm 1960; N. HENTOFF, Ch. P., NY 1960; R. G. REISNER, Bird. The Legend of Ch. P., NY 1961 u. 1962, London 1963, auch = Jazz Book Club LIII, 1965; R. RUSSELL, Ch. P. and D. Gillespie, in: Jazz Panorama, hrsg. v. M. T. Williams, NY 1962 u. 1964, auch = Jazz Book Club LII, London 1965 (= Wiederabdruck aus: The Jazz Rev. III, 1960); DERS. in: Jazz Style in Kansas City and the Southwest, Berkeley (Calif.) 1971, S. 196ff.; DERS., Bird Lives!, NY 1973; I. GITLER, Jazz Masters of the Forties, = Jazz Masters III, NY 1966 u. 1967, London 1966; L. JONES, Three Ways to Play the

Sax., in: Black Music, NY 1967, ²1969 (= Wiederabdruck aus: Negro Digest 1964); A. MATZNER u. I. WASSERBERGER in: Jazzové profily, Prag 1969, S. 159ff.; M. T. WILLIAMS, Ch. P., The Burden of Innovation, in: The Jazz Tradition, NY 1970; R. WANG, Jazz circa 1945. A Confluence of Styles, MQ LIX, 1973.

+Parker, Horatio William, 1863–1919.
Ausg.: Hora Novissima f. Soli, Chor u. Orch. op. 30, hrsg. v. H. W. HITCHCOCK, = Earlier American Music II, NY 1972.
Lit.: +G. WH. CHADWICK, H. P. (New Haven/Conn. [nicht: NY] 1921), Nachdr. NY 1972; +I. SEMLER (PARKER), H. P. ... (1942), Nachdr. NY 1973. – W. K. KEARNS, H. P., A Study of His Life and Music, Diss. Univ. of Illinois 1965.

+Parker, James Cutler Dunn, 1828–1916.
Lit.: J. L. CALDWELL, The Life and Works of J. C. D. P., Diss. Florida State Univ. 1968.

Parlow (p'ɑ:lou), Kathleen, * 20. 9. 1890 zu Calgary (Alberta), † 19. 8. 1963 zu Oakville (Ontario); kanadische Violinistin, studierte bis 1904 bei H. Holmes in San Francisco und 1906–07 bei L. Auer in St.Petersburg. Sie debütierte 1905 in London und 1907 in Berlin. Von da an bis zu ihrer letzten Konzertreise als Solistin (Mexiko 1929) trat sie u. a. in Großbritannien, Skandinavien, den Niederlanden, Nordamerika und Ostasien (1922) auf. Ab 1929 widmete sie sich hauptsächlich der Lehrtätigkeit (1929–36 am Mills College in Oakland/Calif., ab 1941 am Royal Conservatory of Music in Toronto) und dem Kammermusikspiel; sie leitete ab 1942 das Parlow String Quartet. Sie schrieb *Student Days in Russia* (Canadian Music Journal VI, 1961).
Lit.: H. SEWELL-KIRTON, A Visit with the Late K. P., in: The Strad LXXIV, 1963/64; M. P. FRENCH, K. P., A Portrait, Toronto 1967.

Parly, Ticho, * 16. 7. 1928 zu Kopenhagen; amerikanischer Sänger dänischer Herkunft (Heldentenor), studierte in Paris an der Sorbonne und nahm privat Gesangsunterricht (1947–50), den er in Kopenhagen weiterführte (1951–52). Er studierte ferner an der Indiana University in Bloomington sowie 1956–57 am Manhattan College of Music in New York. P. debütierte 1957 bei der New Orleans Opera Association, war Ensemblemitglied des Stadttheaters in Aachen (1959–61), der Wuppertaler Bühnen (1961–62) und des Staatstheaters in Kassel (1962–64). Seitdem gastiert er ständig an der Metropolitan Opera in New York, dem Teatro Colón in Buenos Aires sowie den großen Opernbühnen Europas. P. ist bei den Festspielen in Bayreuth und den Salzburger Osterfestspielen aufgetreten.

Parmegiani (parmedʒa:n'i), Bernard, * 27. 10. 1927 zu Paris; französischer Komponist, studierte Klavier sowie Fernseh-Tontechnik und arbeitete 1954–59 als Toningenieur beim französischen Fernsehen. 1960 trat er der Groupe de Recherches Musicales (GRM), der von Schaeffer geleiteten Forschungsgruppe der ORTF, bei und führte ab 1965 elektroakustische, neuerdings auch audiovisuelle Experimente durch. Er komponierte *Danse* (1962), *Alternances* (1963, Gemeinschaftskomposition der GRM), das Ballett *Violostries* (mit Erlih, Royan 1965), *Jazzex* (1966), *L'instant mobile* (1966), *Capture éphémère* (1968), *Bidule en ré* (1969), *Ponomatopezz I* und *II* (1969), *Outremer* für Tonband und Ondes Martenot (1969), *Pop Secret* (1970), die Ballettoper *L'œil écoute* (Zürich 1970), *Le diable à quatre* für Tonband und Jazzquartett (1971), *La roue Ferris* (1971), *Pour en finir avec le pouvoir d'Orphée I* (1971) und *II* (1972), das Ballett *Plein souffle* (Avignon 1972) und *Enfer* (nach Dantes *Divina commedia*, 1972).

+Parmet, Simon, * 26. 10. 1897 und [erg.:] † 20. 7. 1969 zu Helsinki, Bruder von M. →+Pergament. Vor seiner Rückkehr nach Finnland (1948) wirkte er während einer Reihe von Jahren in den USA. – *+Sibelius sinfonier* (1955), Nachdr. der +engl. Ausg. (1959) London 1965. – Weitere Schriften: *Con amore. Essäer om musik och mästare* (Helsingfors 1960); *Genom fönsterrutan . . .* (»Durch die Fensterscheibe. Essays über Kunst und Musik sowie andere Aufsätze«, ebd. 1964); *Ein unentdeckter Fehler in der Eroica-Partitur* (SMZ CIII, 1963); *Sibelius und seine Generation* (ÖMZ XX, 1965).

Parnas (p'a:nəs), Leslie, * 11. 11. 1931 zu St. Louis (Mo.); amerikanischer Violoncellist, studierte am Curtis Institute of Music in Philadelphia bei Piatigorsky, gewann 1958 den Prix P. Casals in Prades, gab 1959 sein Debüt in New York und hat seitdem Konzerttourneen u. a. durch Nord- und Südamerika, Westeuropa, nach Israel und in die UdSSR unternommen. Er ist Preisträger des Tschaikowsky-Wettbewerbs. P. gehört als Solovioloncellist der Chamber Music Society Lincoln Center in New York an.

Parodi (par'ɔ:di), Renato, * 14. 12. 1900 zu Neapel; italienischer Komponist, studierte in seiner Heimatstadt Mathematik an der Universität sowie Komposition bei De Nardis und ab 1924 bei Antonio Savasta und G. Napoli am Conservatorio di Musica S. Pietro a Majella (Diplom 1928), an dem er 1941 Lehrer für Harmonielehre und Kontrapunkt und 1959 Professor für Komposition wurde. 1961–70 wirkte er in gleicher Stellung am Conservatorio di Musica S. Cecilia in Rom, wo er seitdem freischaffend tätig ist. Er schrieb die Festa teatrale *Folies Bergères, 1668* (Text Molière, RAI 1952), die Sacra rappresentazione *La cantata dei pastori* (Perugia 1956), Orchesterwerke (*Preludio ad una commedia*, 1931; *Concertino napoletano*, 1935; *Villanella*, 1937; *Fanfara a tre danze*, 1957; *Capitoli*, 1968), Konzerte für Fl., 2 Streichorch., Hf. und Celesta (1953) und für Fag. und Orch. (1962), Kammermusik (Trio für Fl., V. und Vc., 1947; *Tre canzoncine* für Kinderstimmen und Kl., 1953), Klavierstücke, Vokalwerke (*Due madrigali napoletani*, 1938, und *Ornitofonie*, 1972, für Chor und Orch., *Trois chansons* für Gesang und Orch., Text Molière, 1946), Bühnenmusik, u. a. zu Shakespeares »La dodicesima notte« (1950, Neubearb. als Konzertversion 1967), und bearbeitete neapolitanische Opern des 18. Jh. (Piccinni, *Giornata*, Perugia 1948; Paisiello, *L'idolo cinese*, Neapel 1955; Cimarosa, *La baronessa stramba*, ebd. 1955, und *Chi dell'altrui si veste*, ebd. 1967; Pergolesi, *Lo frate 'namorato*, Mailand 1960; L. Ricci, *Piedigrotta*, Neapel 1967).

Parran (par'ã), Antoine, SJ, * 1587 zu Nemours (Seine-et-Marne), † 24. 10. 1650 zu Bourges (Cher); französischer Musiktheoretiker, lehrte alte Sprachen und Literatur in Nancy und stand mit Mersenne in Verbindung. Mehrfach hielt er sich am französischen Hofe auf. Er veröffentlichte bei Ballard einen König Ludwig XIII. gewidmeten, zu jener Zeit weit verbreiteten *Traité de la musique théorique et pratique, contenant les préceptes de la composition* (Paris 1639 und 1646), in dem er eine Kompositionsmethode für Dilettanten erörtert. Von Bedeutung ist der Traktat als Quelle für die Stileinteilung der Musik in »Musique en air«, »Musique legere ou gaye«, »Musique grave et devote« und »Musique grandement observée«.
Ausg.: Traité de la musique théorique ... (1639), Faks.-Ausg. Genf 1972.
Lit.: H. Schneider, Die frz. Kompositionslehre in d. ersten Hälfte d. 17. Jh., = Mainzer Studien zur Mw. III, Tutzing 1972.

Parreiras Neves (pɐrr'eirɐʒ n'ɛviʃ), Ignacio, * vermutlich zu Villa Rica (Staat Minas Gerais), † 1793/94 zu Villa Rica; brasilianischer Komponist, Dirigent und Sänger (Tenor) der Kolonialperiode, war Mitglied der Irmandade de São José dos Homens Pardos, die ausschließlich von Mulatten gebildet wurde. Von P. N. wurden ein Credo, ein Teil einer Messe (Credo bis Agnus Dei), eine *Oratoria do Menino Jesús* und eine *Ladainha* (»Litanei«) gefunden. Zum Tode Pedros III. von Portugal schrieb er eine Trauermusik für 4 Chöre (16 Vokalsolisten), 4 Kb., 2 Fag. und 2 Cemb. (1787).
Lit.: Fr. C. Lange, La música in Minas Gerais, Bol. lat.-americano de música VI, 1946; ders., Die Musik v. Minas Gerais, in: Musica XI, 1957; ders., La música en Villa Rica, Rev. mus. chilena XX, 1967 – XXI, 1968; ders., Os Irmãos-músicos da Irmandade de São José dos Homens Pardos de Villa Rica, in: Estudos hist. 1970, Nr 7 (Marília/São Paulo).

+Parrenin, Jacques, * 24. 12. 1919 zu Ferryville (heute Menzel Boûrguiba, Tunesien).
Dem 1942 [nicht: 1943] gegründeten, ab 1949 als Quatuor P. international bekannt gewordenen Streichquartett gehörten als Bratschisten Serge Collot bis 1958, Michel [erg.: Gaston Louis] Wales (* 8. 4. 1931 zu Calais, [erg.:] † 15. 12. 1967 zu Nova Ignacú, Brasilien) bis 1964 und Dénes Marton bis 1970 an. Nachdem nach 1970 auch Marcel Charpentier (* 31. 12. 1924 zu Montreuil, Pas-de-Calais, Violinlehrer an dem von ihm 1966 gegründeten Konservatorium seiner Heimatstadt) aus dem Ensemble ausgeschieden ist, spielt heute im Quatuor P. die 1. Violine weiterhin P. (Professor an der Karlsruher Musikhochschule, Leiter einer Meisterklasse), die 2. Violine Jacques Ghestem (* 26. 6. 1948 zu Paris), die Bratsche Gérard Caussé (* 15. 2. 1933 zu Toulouse) und das Violoncello weiterhin Pierre Penassou (* 24. 6. 1924 zu Paris, seit 1963 Cellolehrer am Konservatorium in Reims). Über das klassische Repertoire hinausgehend, widmet sich das Quartett besonders den Werken der Wiener Schule und zeitgenössischer Musik (bis Mitte 1970 Uraufführung von 86 Werken u. a. von Apostel, Gr. Bácewicz, Berio, Henze, Maderna, Schostakowitsch, Xenakis).

Parris (p'æɹis), Robert, * 21. 5. 1924 zu Philadelphia (Pa.); amerikanischer Komponist, Pianist und Cembalist, studierte 1946–48 an der Juilliard School of Music in New York bei Mennin, 1950–51 am Berkshire Music Center in Tanglewood (Mass.) bei Ibert und Copland sowie 1952–53 an der Ecole Normale de Musique in Paris bei A. Honegger. Seit 1953 lebt er in Washington (D. C.), wo er an der G. Washington University Komposition lehrt. Er schrieb Orchesterwerke (1. Symphonie, 1952; *Harlequin's Carnival*, 1948; *Symphonic Movement No. 2*, 1951; Konzerte für Kl. und Kammerorch., 1954, für 5 Pk. und Orch., 1955, für Va und Kammerorch., 1956, für V. und Orch., 1959, für Fl. und Orch., 1964, und für Pos. und Kammerorch., 1964), Kammermusik (*Lamentations and Praises* für 9 Blasinstr. und Schlagzeug nach Wahl, 1962; Sextett für 2 Trp., 3 Pos. und Tuba, 1948; Sonatine für Bläserquintett, 1954; Quintett für V., Vc., Fl., Ob. und Fag., 1957; *Sinfonia for Brass* für 2 Trp., Horn, Tenorpos. und Baßpos., 1963; 2 Streichquartette, 1948 und 1952; 2 Streichtrios, 1948 und 1950; Trio für Klar., Vc. und Kl., 1959; 4 Stücke für Trp., Horn und Pos. oder Klar., Horn und Fag., 1965; Sonaten für V. und Cemb./Kl., 1956, und für Va und Kl., 1957; *Cadenza, Caprice and Ricercar* für Vc. und Kl., 1961; Duett für Fl. und V., 1965; Fantasie und Fuge für Vc. solo, 1954; Sonatine für 4 Tonbänder, 1960), Klavierwerke (Toccata für

2 Kl., 1950; Variationen für Kl., 1960; *Six Little Studies in Contemporary Rhythmical Problems*, 1960) und Vokalwerke (*Mad Scene* für S., 2 Bar. und Kl. oder Kammerorch., 1959; *The Leaden Echo and the Golden Echo* für Bar. und Orch., 1960; *Hymn for the Nationality* für S., gem. Chor, 7 Blechblasinstr. und Schlagzeug, 1962), ferner Chöre und Lieder.
Lit.: Werkverz. in: Composers of the Americas X, Washington (D. C.) 1964.

+**Parrish,** Carl, * 9. 10. 1904 zu Plymouth (Pa.), [erg.:] † 26. 11. 1965 zu Briarcliff (Mount Pleasant/ N. Y.).
+*The Notation of Medieval* [nicht: *Polyphonic*] *Music* (NY 1957 [nicht: 1958], London 1958). – Weitere Veröffentlichungen: *A Treasury of Early Music* (NY 1958); *A Renaissance Music Manual for Choirboys* (in: Aspects of Medieval and Renaissance Music, Fs. G.Reese, NY 1966). Er besorgte ferner eine lateinisch-englische Ausgabe von J.Tinctoris' *Terminorum musicae diffinitorium* (*Dictionary of Musical Terms*, NY 1963).

+**Parrott,** Horace Ian, * 5. 3. 1916 zu London.
Neuere Werke: +*The Black Ram* (Aberystwyth 1966); 2. und 3. Symphonie (1960; mit obligatem Streichquartett, 1966), Fantasie *Land of Song* für Blechbläser (1968); Suite für V. und Orch. (1965), Konzert für Pos. und Bläser (1967); 4. Streichquartett (1963); Kantate *Jubilate Deo* (1963). – +*A Guide to Musical Thought* (1955), Nachdr. London 1965; +*Method in Orchestration* (1957), Nachdr. ebd. 1963. – Weitere Publikationen: *The Music of »An Adventure«* (ebd. 1960 und 1966); *The Spiritual Pilgrims* (Llandybie 1969); *Elgar* (= Master Musicians o. Nr, London und NY 1971); *Holst's »Savitri« and Bitonality* (MR XXVIII, 1967); *Elgar's Two-Fold Enigma* (ML LIV, 1973).
Lit.: H. F. REDLICH in: ML XXXVII, 1956, S. 101ff. (zu »The Black Ram«); A. F. L. THOMAS in: MT CVII, 1966, S. 210f.; DERS. in: Welsh Music III, 1968, S. 20ff. (zu »Jubilate Deo«).

+**Parry,** Sir Charles Hubert Hastings, 1848–1918.
+*Studies of Great Composers* (1886, ²⁰¹934), London ²⁶¹966; +*The Evolution of the Art of Music* (1896), Nachdr. der +Ausg. von H. C. Colles (1930), NY 1958 und 1968; +*J. S. Bach* (1909), Nachdr. der Ausg. London 1934, Westport (Conn.) 1970; +*Style in Musical Art* (1900, ²¹911), Nachdr. St.Clairs Shores (Mich.) 1972.
Lit.: E. BARSHAM, P.'s Mss., A Rediscovery, MT CI, 1960; GW. BEECHEY, P.'s his Org. Music, MT CIX, 1968; H. HOWELLS in: ML L, 1969, S. 223ff.

+**Parry,** John, [erg.:] * 1710 wahrscheinlich zu Nevin (South Caernarvonshire, Nordwales), † [nicht: *] 1782.

+**Parry,** –1) John, 1776–1851.
Lit.: W. G. JOHN, J. P., M. A.-Thesis Liverpool 1950/51.

+**Parry,** Joseph, 1841–1903.
Lit.: O. T. EDWARDS, J. P., Caerdydd/Cardiff 1970, walisisch u. engl.

Parsch, Arnošt, * 12. 2. 1936 zu Bučovice (Mähren); tschechischer Komponist, Mitglied einer in Brünn wirkenden Gruppe junger, experimentierender Komponisten, wurde 1969 Sekretär des mährischen Komponistenverbandes. Er schrieb u. a.: Suite für Streicher (1962); Konzert für Bläser, Schlagzeug und Kl. (1963); Musik für Streichquartett und Schlagzeug (1964); Trio für Klar., V. und Va (1965); Sonate für Kammerorch. und Tonband (1966); *Didaktika I–II* für Kb. und Kl. (1966–68); *Poetika I–IV* für Kammerensemble und synthetische Klänge (1966–69); *Samsárah*, Symphonie in 2 Sätzen für Orch. und Tonband (1967); *Strukturen* für Baßklar. und Kl. (1967); *Transpozice* (»Transpositio-

nen«) für Bläserquintett (1967); Concertino für V., Kl., Git. und Schlagzeug (1968); *Transposizioni II–III* für Tonband (1969–70); *Peripetie, Divertissement, Ecce homo* für Stimmen, Orch. und Tonband (abendfüllendes Teamwork mit Piňoš, Růžička, M. Štědroň und Graf Haugwitz, 1969); *Hlasová vernisáž* (»Stimmenvernissage«) für S., Baßbar., Kammerensemble und Kommentator (Teamwork mit denselben Komponisten ohne Haugwitz, mit Josef Berg und Ištván, 1969); Streichquartett (1969); Symphonie Nr 2 (1970); Trio für Fl., Baßklar. und Kb. (1970); *Polyfonie* (»Polyphonie«) *I* (1970) für Baßklar., Kl. und Tonband und *IV* (1972) für V., Baßklar., Kl. und Schlagzeug; *Esercizii per uno, due, tre e quattro* (1970); *Labyrinthos* (aus dem konkreten Ballett *Bludiště*, »Labyrinth«); »Der Krieg mit den Molchen«, musikalische Szene für Kinderchor und Kl. (1971); *Rota* für V. und Kb. (1971); *Musica per Namiest* für 2 Fl., Vc. und Git. (mit M. Štědroň, 1972); *Znamení touhy* (»Zeichen der Sehnsucht«) für S., Bar., Sprecher, gem. Chor und Instrumentalensemble (1972).
Lit.: J. BÁRTOVÁ, Autoři team-worku (»Autoren-Teamwork«), in: Hudební rozhledy XXII, 1969.

+**Parsley,** Osbert, 1511 – 1585 [nicht: 1595; erg.:] zu Norwich.

+**Parsons,** Robert, † 1570.
Ausg.: +J. A. FULLER-MAITLAND u. W. B. SQUIRE, The Fitzwilliam Virginal Book (II, 1899), Nachdr. NY 1963. – 2 Stücke in: Consort Songs, hrsg. v. PH. BRETT, = Mus. Brit. XXII, London 1967.

Partch (pɑːtʃ), Harry, * 24. 6. 1901 zu Oakland (Calif.), † 3. 9. 1974 zu San Diego (Calif.); amerikanischer Komponist, Autodidakt, verbrannte mit 28 Jahren alle Jugendwerke und zog 8 Jahre lang als Tramper (»Hobo«) durch die Staaten. Seine Experimente mit Instrumenten, die Mikrointervalle hervorbringen konnten, führten zur Festlegung einer Skala von 43 Tönen in der Oktave und zur Konstruktion verschiedener Spezialinstrumente mit dieser Skala, die er in seinen Kompositionen verwendete (1930: Adapted Va; 1938: Kithara I und II; 1945: Chromelodeon I und II; 1946: Diamond Marimba; seit 1945: 6 Harmonic Canons u. a.; vgl. dazu seine Schrift *Genesis of Music*, Madison/ Wisc. 1949, erweitert NY ²1971; weitere Instrumente entstanden in den 60er Jahren). P. ist als einer der großen Außenseiter der modernen Musik weithin unbekannt, aber von immer stärker werdendem Einfluß auf einen Teil der jungen amerikanischen Komponisten. – Werke: *Seventeen Lyrics by Li Po, By the Rivers of Babylon* und *Potion Scene from Romeo and Juliet* (Shakespeare, alle 1930–33); Zyklus *The Wayward* (1941–43) mit den Teilen *Barstow. 8 Hitchhiker Inscriptions from a Highway Railing at Barstow, California* (abgedruckt in: Soundings, Sylmar/Calif. 1972, Nr 2), *The Letter. A Depression Message from a Hobo Friend, San Francisco. A Setting of the Cries of Two Newsboys on a Foggy Night in the Twenties* und *U. S. Highball. A Musical Account of a Transcontinental Hobo Trip; Dark Brother* (aus Thomas Wolfes *God's Lonely Man*, 1943); *Two Settings from »Finnegan's Wake« by James Joyce* (1944); *Yankee Doodle Fantasy* (1944); *Fourteen Intrusions* (settings of miscellaneous poetry, no poetry, and meaningless vocal sounds, 1950); *Oedipus* (nach Sophokles, Oakland/ Calif., Mills College, 1952, revidiert Sausalito/Calif. 1954); Zyklus *Plectra and Percussion Dances* (1949–52) mit den Teilen *Castor and Pollux. A Dance for the Twin Rhythms of Gemini, Even Wild Horses. Dance Music for an Absent Drama*, mit Fragmenten aus Arthur Rimbauds »A Season in Hell«, und *Ring Around the Moon. A Satire on Concerts; The Mock Turtle Song* und *Jabber-*

wock (nach Lewis Carroll, 1954); *The Bewitched. A Dance Satire* (1955, Urbana, University of Illinois, 1957); *Ulysses at the Edge of the World* (1955); Musik für den Film *Windsong* (1958, konzertant als *Daphne of the Dunes*); *Revelation in the Courthouse Park* (1960, nach Euripides' »Die Bakchen«, University of Illinois 1962); *Rotate the Body in All Its Planes* (1961); *Water! Water!* (An American Ritual, University of Illinois 1962); *And on the Seventh Day Petals Fell in Petaluma* (1964, revidiert 1966, abgedruckt in: Source 1967, Nr 2); *Delusion of the Fury. A Ritual of Dream and Delusion* (1963–69, University of California in Los Angeles 1969). – Aufsätze: *A Lecture* ... (in: Source 1967, Nr 1); *Show Horses in the Concert Ring* (in: Soundings 1972, Nr 1, Wiederabdruck aus: Circle 1948, Nr 10); *A Somewhat Spoof* (ebd. Nr 2).
Lit.: Werkverz. in: Bol. interamericano de música 1960, Nr 17. – P. Yates, »Genesis of a Music«, in: High Fidelity XIII, 1963; D. Freund in: Source 1967, Nr 1, S. 95ff. (Fotober.); D. Ewen, Composers of Tomorrow's Music, NY 1971.

+Partos, Ödön (Oedoen), * 1. 10. 1907 zu Budapest. P., weiterhin Direktor der Israel Academy of Music in Tel-Aviv, war 1938–56 Solobratschist des Israel Philharmonic Orchestra. 1961 wurde er Professor an der Universität in Tel-Aviv. – Neuere Werke: *Dmuyot* (1960), *Symphonic Movements* (1965) und symphonische Elegie *Paths/Netivim* (1969) für Orch.; *Rondo on a Sepharadic Theme* für Kammerorch. (1965); *Symphonia concertante* für Va und Orch. (1962), *Fusions/Shiluvim* für Va und Kammerorch. (1970); *Iltur* für 12 Hf. (1961), *Maqammat* für Fl. und Streichquartett (1959), *Nebulae* für Bläserquintett (1966), 2. Streichquartett *Psalms/Tehillim* (1960, auch für Streichorch.), *Agada* für Va, Kl. und Schlagzeug (1960), Concertino für Fl. und Kl. (1969); *Metamorphoses* für Kl. (1971); Kantate *The Daughter of Israel / Bialik* für S., Chor und Orch. (1960), Psalm *Rabat Tzraruni* für Chor und Kammerorch. (1965), 5 Lieder für Bar., Vc., Ob. und Kl. (1962).

Pasatieri (pæsət'iəɹi), Thomas, * 20. 10. 1945 zu New York; amerikanischer Komponist, studierte an der Juilliard School of Music in New York (B. M. 1965, M. S. 1967, D. M. A. 1969, erstes von der Juilliard School verliehenes Doktorat). Er lehrte Komposition an der Juilliard School of Music, der Manhattan School in New York sowie privat. P. komponierte die Opern *The Women* (Aspen-Festival/Colo. 1965), *La Divina* (NY, Juilliard School of Music, 1966), *Padrevia* (NY, Brooklyn College, 1967), *The Penitentes*, *Calvary* (Text William Butler Yeats, Seattle/Wash. 1971), *The Trial of Mary Lincoln* (National Television, 1972), *Black Widow* (Seattle/Wash. 1972) und *The Sea-Gull* (Auftragswerk der Houston Grand Opera für 1974), ferner *Heloise and Abelard* für S., Bar. und Kl. (1971) sowie über 400 Lieder.

+Pascal, Claude [erg.:] René Georges, * 19. 2. 1921 zu Paris.
Neuere Werke: *Le cahier du lecteur* für Kl. (3 Bde, 1956–61); Konzert für Kl. und Kammerorch. (1958); Saxophonquartett (1961); 5 Stücke für Kinderchor *Ut ou Do* (1962); 2. Sonate für V. und Kl. (1963); Prüfungsstücke für das Pariser Conservatoire, darunter eine Sonate für Horn (1963), 3 *Légendes* für Klar. (1964), *Sonate brève* für Ob. (1966) und *Grave et presto* für Vc. (1966), alle mit Kl.; je 6 *Pièces variées* mit Kl. für Fl., Klar. und Trp. (alle 1965); Harfenkonzert (1967); *Triptyque* für Vc. und Kl. (1971); Klaviersuite (1972); ferner eine Orchesterbearbeitung von Bachs *Die Kunst der Fuge* (mit M.Bitsch, 1967).

Pascal, Jean-Claude (Chevalier de Villemont), * 24. 10. 1926 zu Paris; französischer Filmschauspieler und Chansonsänger, einer Adelsfamilie entstammend, war zunächst Modezeichner (u. a. bei Christian Dior und Piguet in Paris), wirkte dann als Filmschauspieler und wurde anläßlich eines Wohltätigkeitsfestes auch als Sänger entdeckt und von Aznavour und Bécaud gefördert. Er unternahm ausgedehnte Tourneen als Chansonsänger und hatte eigene Fernsehshows (im deutschen Fernsehen die Show »Ich bin vielleicht unmöglich«. Zu den von ihm interpretierten Liedern zählen *Amsterdam*, *Pas le temps*, *Credo la nature*, *Nous les amoureux* und *La nuit*.

+Pascal, Léon [erg.:] Guillaume, [erg.: * 18. 1.] 1899 zu Montpellier, [erg.:] † 15. 9. 1969 zu Clichy la Garenne (Hauts-de-Seine).
Das Quatuor P., dem neben P. als Bratschisten Jacques →+Dumont 1. Violine, Maurice Crut ([erg.: * 1. 3.] 1915 [erg.:] zu Paris, Professor für Violine am Pariser Conservatoire seit 1962) 2. Violine und Robert Salles ([erg.: * 3. 6.] 1901 [erg.:] zu Caudéran, Gironde, Mitglied des Ensembles bis 1966) als Violoncellist angehörten, wurde nach dem Ausscheiden P.s 1956 als Quatuor de l'ORTF weitergeführt. – Seine Lehrtätigkeit (1956 Professor) am Conservatoire in Paris beendete P. Anfang 1969.

+Paschalow, –1) Wiktor Nikandrowitsch, 18.(30.) [nicht: 8.(20.)] 4. 1841 – 1.(13.) 3. [nicht: 28. 2. (12. 3.)] 1885.
–2) Wjatscheslaw Wiktorowitsch, 2.(14.) [nicht: 1.(13.)] 5. 1873 – 1951. Seine Schrift +*Chopin i polskaja narodnaja musyka* erschien tschechisch Prag 1955.
Lit.: P. P. Nasarewskij u. I. W. Belezkij, P.y. Stranizy musykalnowo proschlowo (»Die P.s. Seiten aus d. mus. Vergangenheit«, Leningrad 1970 (mit Kompositions- u. Schriftenverz.). – zu –2): N. Scholowa in: SM XXXVII, 1973, H. 12, S. 65ff. (aus d. Briefwechsel mit A. M. Listopadow).

Hinrich O. Paschen, Orgelbau, gegründet 1966 und geleitet von Hinrich Otto P. in Leck (Schleswig). Der Betrieb, der Pfeifenorgeln baut, wurde 1970 nach Kiel verlegt.

+Paschkewitsch, Wassilij Alexejewitsch, um 1742 – 9.(20.) 3. 1797 zu St.Petersburg [del. bzw. erg. frühere Angaben].
P. komponierte auch die bislang M. A. →+Matinskij zugeschriebene Oper *Sankt-Petersburgskij gostinnyj dwor* (»Der St.Petersburger Gasthof«, 1782, 2. Fassung 1792).
Lit.: Russkaja komedija i komitscheskaja opera XVIII weka (»Die russ. Komödie u. komische Oper im 18. Jh.«), hrsg. v. P. N. Berkow, Moskau 1950; T. N. Liwanowa, Russkaja musykalnaja kultura XVIII weka, Bd II, ebd. 1953; A. A. Gosenpud, Musykalnyj teatr w Rossii ot istokow do Glinki (»Das Musiktheater in Rußland v. d. Anfängen bis Glinka«), Leningrad 1959; G. Seaman, The National Element in Early Russ. Opera, ML XLII, 1961; Je. Lewaschew, Suschtschestwowal li kompositor Matinskij? (»Gab es einen Komponisten Matinskij?«), SM XXXVII, 1973.

+Paschtschenko, Andrej Filippowitsch, * 3.(15.) 8. 1883 zu Rostow am Don, [erg.:] † 16. 11. 1972 zu Moskau.
P. lebte ab 1961 in Moskau. Neuere Werke: 10 weitere Opern (*Radda i Lojko*, 1957, Neubearb. 1966; *Nila Snischko*, 1961; *Welikij soblasnitel*, »Der große Verführer«, 1963–66; *Schenschtschina, eto djawol*, »Die Frau, das ist der Teufel«, 1966; *Afrikanskaja ljubow*, »Afrikanische Liebe«, 1966; *Alpijskaja ballada*, »Alpenballade«, 1966; *Kon w senate*, »Das Roß im Senat«, 1967; *Kaprisnaja newesta*, »Die eigensinnige Braut«, 1967; *Portret*,

1968; *Master i Margarita*, »Der Meister und Margarita«, 1971); 9.–15. Symphonie (1956; 1963; 1964; *Geroiko-triumfalnaja*, »Heroisch-triumphierende«, mit Chor, 1966; 1969; 1969; 1970); insgesamt 4 Sinfoniettas (1943, 1945, 1953, 1964); symphonische Dichtungen (*Wolschskaja fantasia*, »Wolga-Fantasie«, 1961; *Ukrainiada*, 1963; *Wessennij chorowod*, »Frühlingstanz«, 1963; *Ikar*, 1964; *Tanzewalnyj triptich*, »Tanztriptychon«, 1965; *Skas ob Oktjabre*, »Erzählung über den Oktober«, 1967; *Golos mira*, »Stimme des Friedens«, 1971; *Poema swesd*, »Sternlied«, 1971); viele kleinere Orchesterstücke; Cellokonzert (1964); 3.–9. Streichquartett (1967, 4.–8. 1968, 1971); Kantaten (*Woswyste golos tschestnyje ljudi!*, »Erhebt eure Stimme, ehrliche Leute!«, 1962; *Oda Sowjetskomu Sojusu*, »Ode auf die Sowjetunion«, 1969) und Chöre; Volksliedbearbeitungen; Filmmusiken. – Er veröffentlichte *Otscherki po istorii i teorii musyky* (»Skizzen zur Geschichte und Theorie der Musik«, Leningrad 1939).
Lit.: *Istorija russkoj sowjetskoj musyki*, Bd I–II u. IV/1, hrsg. v. A. D. ALEXEJEW u. W. A. WASSINA-GROSSMAN, Moskau 1956–63 (darin besonders d. Kap. über »Oper«, Bd I, S. 155ff., Bd II, S. 196ff., u. Bd IV/1, S. 274ff.); JE. MEJLICH, A. F. P., Leningrad 1960.

+**Pasdeloup,** Jules-Étienne, 1819–87.
P.s Dirigententätigkeit galt neben den Klassikern vor allem Vertretern der französischen Musik des 19. Jh. (Berlioz, Bizet, Gounod, Lalo, Massenet, Saint-Saëns) und im Frankreich seiner Zeit verhältnismäßig unbekannten Komponisten wie Brahms, Gade, Glinka, Mendelssohn Bartholdy, Schumann, Tschaikowsky und Wagner (*Rienzi*, 1869 im Théâtre Lyrique). Er ist auch als Komponist von Tänzen hervorgetreten. – Von den Dirigenten, welche die Concerts Pasdeloup leiteten, seien A. Wolff und P. Dervaux genannt. Seit 1963 ist G. →Devos Chefdirigent.
Lit.: É. BERNARD, J. P. et les Concerts populaires, Rev. de musicol. LVII, 1971.

Pasetti, Leo, * 5.(17.) 3. 1882 zu St. Petersburg, † 24. 1. 1937 zu München; deutscher Bühnenbildner russischer Herkunft und italienischer Abstammung (ein Vorfahr, Carlo P., war im 17. Jh. Theaterarchitekt in Ferrara), beteiligte sich nach seiner Ausbildung an den Kunstakademien in St. Petersburg und München 1908 an dem Experiment »Münchener Künstlertheater«, stattete 1912 am Drury Lane Theatre in London den *Ring des Nibelungen* aus und wurde 1915 an die Münchner Kammerspiele verpflichtet. Ab 1919 arbeitete er für die Bayerische Staatsoper in München, deren Ausstattungschef er 1925 wurde (*Die Vögel* von W. Braunfels, 1920; *Josephslegende*, 1921; *Der Ring des Nibelungen*, bühnentechnisch unterstützt durch Adolf Linnebach, 1922; *Salome*, 1927 und 1934; »Die Hugenotten«, 1932). – P. war ein später, durch die leuchtende Skala seiner Farben glanzvoller Vertreter der illusionistischen, auf malerische Wirkung berechneten Dekoration. Typisch für die repräsentative, »kulinarische« Oper, sind seine Ausstattungen Zeichen des Beharrungsvermögens konservativer Tendenzen inmitten einer durch Neuerungen gekennzeichneten Theatersituation.
Lit.: G. AMUNDSEN, L. P., in: Gebrauchsgraphik X, 1933; K. PFISTER, Neuzeitliche Bühnenkunst. L. P., in: Alte u. Neue Welt LXVII, 1933.

Paskalis, Kostas, * 1. 9. 1929 zu Lewadia (Böotien); griechischer Opernsänger (Bariton), studierte in seiner Heimat byzantinische Kirchenmusik sowie am Odeon in Athen Gesang. 1947–52 gehörte er der Athener Staatsoper an, an der er 1952 mit der Partie des Rigoletto als Solist debütierte. Er ist Mitglied der Wiener Staatsoper (seit 1960) sowie der Deutschen Oper Ber-

lin (seit 1966). Gastspiele führten ihn an die bedeutenden europäischen und amerikanischen Opernbühnen.

+**Pasquali,** Nicolò, [erg.:] um 1718 – 1757.
Lit.: CH. CUDWORTH u. H. F. REDLICH in: MGG X, 1962, Sp. 859f.

+**Pasquier,** Pierre, * 14. 9. 1902 zu Tours.
P., der heute in Neuilly-sur-Seine lebt, unterrichtete auch an der Sommerakademie in Nizza. Mit seinen Brüdern Jean (* 5. 8. 1903 zu Tours, Violinlehrer an den Écoles d'art américaines in Fontainebleau) und Étienne (* 10. 5. 1905 zu Tours, ab 1930 Konzertmeister an der Pariser Opéra) bildet er weiterhin das Trio P., das sich besonders der französischen Kammermusik widmet.

+**Pasquini,** Bernardo, 1637–1710.
P. war in Rom Organist an der Chiesa nuova (1661–63), an S. Maria in Aracoeli (1664), S. Maria Maggiore (1665–67 [nicht: ab 1667]), S. Luigi dei Francesi (1673–75) sowie 1. Organist am Oratorio de SS. Crocifisso [nicht: Oratorio di S. Marcello] (1664–85). – Er komponierte etwa 15 [nicht: 5] Oratorien.
Ausg.: Collected Works f. Keyboard, hrsg. v. M. BR. HAYNES, 5 Bde, = Corpus of Early Keyboard Music V, (Rom) 1964–67; Opere per cemb. e org., Bd I, hrsg. v. H. ILLY, = Musiche vocali e strumentali sacre e profane ... XXXVIII, ebd. 1971. – 7 Toccaten f. Org. (Cemb.), hrsg. v. A. ESPOSITO (mit Anm. v. R. Lunelli), Padua 1956; Sonate D moll f. 2 Kl. (Cemb.), hrsg. v. W. DANCKERT, = NMA Nr 231, Kassel 1971. Lit.: +W. S. NEWMAN, The Sonata in the Baroque Era (1959), revidiert Chapel Hill (N. C.) 1966, London 1968, erneut revidiert NY u. London 1972 (Paperbackausg.). – A. DAMERINI, »L'aplauso mus.« di B. P., in: Musicisti toscani, hrsg. v. dems. u. Fr. Schlitzer, = Accad. mus. Chigiana (XII), Siena 1955; M. BR. HAYNES, The Keyboard Works of B. P., 5 Bde, Diss. Indiana Univ. 1960; P. KAST u. G. F. CRAIN in: MGG X, 1962, Sp. 861ff.; FR. HELLER, Die Variationswerke B. P.s, Diss. Wien 1964; H. B. LINCOLN, I mss. chigiani di musica org.-cembalistica della Bibl. Apostolica Vaticana, in: L'org. V, 1964–67; G. F. CRAIN JR., The Operas of B. P., 2 Bde (I Text, II Kat.), Diss. Yale Univ. (Conn.) 1965.

+**Passani,** Emile Barthélemi, * 7. 2. 1905 zu Marseille.
P. wurde 1968 Direktor des Konservatoriums in Toulon. Neuere Werke: *Gourmandises provençales* für kleines Orch. (1969); Concertino für Ob. und Orch. (1967), Konzert für Horn und Streichorch. (1966); *Variations sur un thème astrologique* für Kl. (1966); Sonate für V. solo (1968); Psalm CXVIII (1966), Kantate *Lazare ressuscité* (1967) und *Requiem-Symphonia* (1968) für Soli, Chöre, Org. und Orch.

Passarini (auch Passerini), Francesco (Taufname Camillo), OFM, * 10. 11. 1636 und † 23. 11. 1694 zu Bologna; italienischer Komponist, trat 1652 in Bologna in den Franziskanerorden ein, war 1662–63 Organist in Ferrara, dann in Correggio (Emilia-Romagna) und in Bologna (1664). Er wirkte 1665 als Maestro di cappella in Ravenna, dann an S. Francesco in Bologna (1667–72), an S. Giovanni in Persiceto (1672–73) und an S. Maria Gloriosa dei Frari in Venedig (1673–80). Ab 1681 übernahm er wieder das Kapellmeisteramt an S. Francesco in Bologna; 1691–92 wirkte er in Florenz, 1692–93 in Pistoia. Hier schrieb die Oratorien *Il sacrifizio d'Abramo* (1685), *Dio placato* (1687), *Abramo sacrificante* (1689) und *Il martirio di S. Sebastiano* (1690). Gedruckt erschienen in Bologna: *Salmi concertati, a 3–6 v. con violini e senza, con Letanie della Beata Vergine a 5 v. con 2 violini e org.* op. 1 (1671); *Antifone della Beata Vergine a v. sola* op. 2 (1671); *Compieta concertata, a 5 v. con violini e org.* op. 3 (1672); *Messe brevi, a 8 v. col b. c. per l'org.*

op. 4 (1690). Zahlreiche weitere Werke sind u. a. in der Bibliothek des Conservatorio Statale di Musica G. B. Martini in Bologna erhalten.
Lit.: G. GASPARI, Cat. della Bibl. del Liceo Mus. di Bologna II, Bologna 1892, Nachdr. 1961; D. SPARACIO, Fr. P., in: Miscellanea Francescana XVII, (Assisi) 1916, S. 155; R. LUSTIG, Saggio bibliogr. degli oratori stampati a Firenze dal 1690 al 1725, Note d'arch. XIV, 1937; U. ROLANDI, Oratori stampati a Firenze dal 1690 al 1725, ebd. XVI, 1939; O. MISCHIATI in: MGG X, 1962, Sp. 880f.

+Passereau, [erg.:] Pierre, 1. Hälfte 16. Jh.
P. ist 1535 als Sänger an der Kathedrale in Bourges, nicht aber an St-Jacques de la Boucherie in Paris und am Hofe des Herzogs von Angoulême nachweisbar.
Ausg.: Opera omnia, hrsg. v. G. DOTTIN, = CMM XLV, (Rom) 1967.

+Pasta, Giuditta [erg.:] Maria Costanza, 28. 10. 1797 [nicht: 9. 4. 1798] – 1865.
Ihr Nachlaß mit über 500 Briefen (u. a. von Rossini, Bellini, Mazzini und Stendhal) befindet sich im Besitz der New York Public Library.
Lit.: +M. [erg.: FERRANTI-]GIULINI, G. P. ... (1935). – M. BUDYLINA, Dsch. P. w Rossii (»G. P. in Rußland«), SM XXIII, 1959; E. GARA in: Rass. mus. XXX, 1960, S. 205ff.; J. GHEUSI, La P., une illustre amie de Stendhal, in: Musica (Disques) 1965, Nr 134.

+Pasterwitz, Georg von (Pasterwiz, Taufname Robert), 1730–1803.
P. wirkte zuletzt (ab 1795) bis zu seinem Tode als Dekan der höheren Schule in Kremsmünster [del. frühere Angaben dazu].
Ausg.: 5 Sätze in: Orgelmusik in Benediktinerklöstern, hrsg. v. E. KRAUS, = Cantantibus org. V, Regensburg 1959.

Pastrana, Pedro de, * letztes Drittel 15. Jh.; spanischer Komponist, war Kaplan und Kantor ab 1500 in der aragonesischen Kapelle Ferdinands des Katholischen und 1527–34 in der Kapelle Kaiser Karls V.; 1535–44 war er Maestro de capilla am Hofe des Herzogs von Kalabrien in Valencia und 1547–55 bei König Philipp II. Von seinen Werken sind überliefert: 3 4st. Magnificat und 4 4st. Motetten im Cod. 5 sowie eine 6st. Messe, eine 6st. Motette und ein 5st. Villancico im Cod. 17 der Kathedrale von Tarazona de Aragón; 4st. *Domine memento* im Cod. 21 der Kathedrale von Toledo; 4st. *Dixit Dominus* im Pilar de Zaragoza; 4st. Magnificat in der Kathedrale von Valladolid; ein 3st. und ein 4st. Villancico in der Biblioteca Central de Barcelona.
Lit.: H. ANGLÉS, La música en la corte de los Reyes Católicos, = MMEsp I, Madrid 1941, Barcelona ²1960; DERS., La música en la corte de Carlos V, = MMEsp II, Barcelona 1944, ²1965; J. ROMEU FIGUERAS, M. Flecha el Viejo ... y el cancionero llamado de Upsala, AM XIII, 1958; J. SEVILLANO, Cat. mus. del Arch. Capitular de Tarazona, AM XVI, 1961.

Pastura, Francesco, * 15. 8. 1905 und † 26. 7. 1968 zu Catania; italienischer Komponist und Musikforscher, Schüler von Antonio Savasta, studierte an den Konservatorien in Neapel und Palermo und war ab 1950 Direktor des Museo Belliniano in Catania, wo er auch am Liceo Musicale Bellini eine Lehrtätigkeit ausübte. Er schrieb Orchesterwerke (*Sinfonietta per un'opera buffa*; *Poema eroicomico*; *Acquerelli*; *L'alba di Trezza*), Kammermusik (Sonate für V. und Kl.), kirchenmusikalische Werke (Messen, Motetten) sowie zahlreiche Lieder und veröffentlichte u. a.: *Le lettere di Bellini* (Catania 1935); *Tesi di storia della musica* (Turin 1938, Florenz ²1951); *30 canti popolari siciliani* (Florenz 1940); *Bellini secondo la storia* (= Bibl. di cultura musicale VII, Parma 1959); *V. Bellini* (Turin 1959, rumänisch Bukarest 1968); *»Beatrice di Tenda« fra cronaca e storia* (in:

L'opera italiana in musica, Fs. E. Gara, Mailand 1965); *Secoli di musica catanese. Dall' »Odèon al Bellini«. (Ottocento musicale)* (= Bibl. siciliana di cultura XIV, Catania 1968).

+Pászthory, Casimir [erg.: Josef Johann] von, * 1. 4. 1886 zu Budapest, [erg.:] † 18. 2. 1966 zu Wermelskirchen (Rheinland).
Lit.: S. DAHMS, Rilke zu C. v. P.s »Cornet«-Vertonung, ÖMZ XXVI, 1971.

Pásztory(-Bartók) (p'a : stɔrib'ɔrto:k), Ditta (Edith), *cl*
* 31. 10. 1903 zu Rimaszombat (heute Rimavska Sobota, ČSSR); ungarische Pianistin, war zunächst Klavierschülerin ihres Vaters und studierte ab 1922 Klavier an der Musikhochschule in Budapest bei Bartók, mit dem sie sich 1923 verheiratete. Sie gab mit Bartók zusammen in verschiedenen europäischen Städten Konzerte mit Werken für 2 Klaviere. Als Solistin widmete sich D. P.(-B.) vor allem den Klavierwerken ihres Mannes, der sie als eine der besten Interpreten seiner Klavierkompositionen betrachtete. Bartók hat als künstlerisches Vermächtnis das 3. Klavierkonzert für sie geschrieben. Seit 1946 lebt D. P.(-B.) wieder in Budapest. Sie hat eine Reihe von Werken ihres Mannes (darunter *Mikrokosmos I–IV* und das 3. Klavierkonzert) auf Platten eingespielt.

Patachou (pataʃ'u, Pseudonym für Henriette Billon-Ragon), * 10. 6. 1919 zu Paris; französische Chansonsängerin, wurde 1948 Directrice des Cabaretrestaurants »Chez Patachou«, wo sie auch als Sängerin auftrat. Tourneen führten sie in verschiedene europäische Länder und in die USA. 1953 erhielt sie den Grand Prix du disque mit dem Chanson *La chasse aux papillons* von Brasseur. Zu den von ihr bevorzugten Autoren gehören auch Aznavour, Béart (*Bal chez Temporel*), Lemarque und Boris Vian.

+Pataky, Koloman (Kálmán) von, * 14. 11. 1896 zu Alsólendva (Ungarn), [erg.:] † 28. 2. 1964 zu Hollywood (Los Angeles).
Lit.: Diskographie in: Le grandi v., hrsg. v. R. CELLETTI, = Scenario I, Rom 1964, Sp. 608ff. – V. SOMOGYI u. I. MOLNÁR, P. K., = Nagy magyar előadóművészek III, Budapest 1968.

Patanè (patan'ɛ), Giuseppe, * 1. 1. 1932 zu Neapel; italienischer Dirigent, Sohn des Dirigenten Franco P. (1908–68), absolvierte in seiner Heimatstadt das Conservatorio di Musica S. Pietro a Majella und debütierte 1951 am Teatro Mercadante mit Verdis *La Traviata*. Er war 1951–56 als Korrepetitor und 2. Dirigent am Teatro S. Carlo in Neapel tätig, wurde 1961 Chefdirigent am Landestheater Linz und 1962 ständiger Dirigent an der Deutschen Oper Berlin. Als Gast hat er u. a. an den Opernhäusern in München, Wien, Kopenhagen, San Francisco und an der Mailänder Scala dirigiert. P. ist auch als Konzertdirigent tätig (Wiener Philharmoniker, Radio-Symphonie-Orchester Berlin, Orchestre de la Suisse Romande, Orchestra Stabile dell'Accademia Nazionale di S. Cecilia).

Patavino, Francesco → Santa Croce, Fr.

+Pathé Frères.
Émile ([erg.: 12. 2.] 1860 – [erg.: 3. 4.] 1937 zu Pau, Basses-Pyrénées [nicht: Paris]) und Charles P. ([erg.: 26. 12.] 1863 – [erg.: 25. 12.] 1957) begannen um 1892 in Vincennes (Seine) Wachszylinder für Phonographen herzustellen und sie auf Märkten und Straßen vorzuführen. 1894 übernahmen sie für Thomas A. Edison von Paris aus den europäischen Vertrieb von Phonographen und Walzen, gründeten 1896 die Société P. Fr., eröffneten 1899 am Boulevard des Italiens in

Paris einen Salon du phonographe, in dem sie die selbst hergestellten Walzen auf Phonographen eigener Konstruktion vorführten, und firmierten um die Jahrhundertwende als Compagnie générale des phonographes et cinématographes P. Fr. 1902 wurde die Fabrik nach Chatou (Seine-et-Oise) verlegt und stand in ihrer Produktion 1904 hinter der Gramophone Company an zweiter Stelle. In London, Mailand und Moskau wurden Filialen eröffnet. Ab 1906 trat die Walzen- und Phonographengeschäft zugunsten der Schallplatte zurück, 1908 wurde die doppelseitig bespielte Schallplatte (→ International Talking Machine Co.) eingeführt. Um 1913 verband sich P. Fr. mit Marconi (heutige Firmierung: Les industries musicales et électriques »Pathé Marconi« mit Sitz des Werkes in Chatou). Die Aktienmehrheit von P. Fr. wurde 1927 von der englischen → Columbia (–2) und der Carl → Lindström Gesellschaft erworben. Durch diese finanziellen Verflechtungen war P. Fr. ab 1931 dem EMI-Konzern angeschlossen (bei langjähriger Weiterführung der Labels Pathé bzw. Pathé-Marconi). – Neben der in den 30er Jahren begonnenen +Sammlung älterer Musik *Anthologie sonore* [del.: Leiter seit 1949 F. Raugel] ist die Serie *Les gravures illustres* zu nennen, die historische Aufnahmen u. a. von Prokofjew (als Pianist), A. Schnabel, F. v. Weingartner und Nadia Boulanger enthält.

+Patiño, Carlos, [erg.:] * zu S. Maria del Campo (Cuenca [nicht: Galizien]), † [erg.:] 5. 9. 1675 [nicht: 1683].
Lit.: J. Subirá, El »cuatro« escénico español, in: Miscelánea . . . , Fs. H. Anglés II, Barcelona 1958–61.

Patiño Andrade (pat′iɲo andr′aðe), Graziela, * 3. 2. 1920 zu Buenos Aires; argentinische Komponistin und Musikpädagogin, studierte am Conservatorio de Música de Buenos Aires und am Staatlichen Konservatorium Klavier (Jorge Fanelli), Harmonielehre und Komposition (Palma) sowie Kontrapunkt (José Torre Bertucci) und Orchestrierung (Bautista). Sie promovierte 1945, unterrichtete bis 1962 an Schulen und war anschließend in verschiedenen musikpädagogischen Stellungen tätig. Gr. P. A. ist Mitgründerin der Sociedad Argentina de Educación Musical. Von ihren Kompositionen seien die Orchesterwerke *Nieve y fuego*, 2 symphonische Skizzen (1951), eine Sinfonietta (1954), eine *Sinfonía de cámara* (1955), *Estados interiores*, symphonische Suite (1968), eine Klaviersonate und 2 Gesangszyklen genannt. Sie schrieb: *El coro escolar* (mit Albano und Valero, Buenos Aires 1968); *Introducción al canto coral* (ebd. 1969); *La orquesta escolar* (4 H., ebd. 1970–71).

Patkowski, Józef, * 15. 11. 1929 zu Wilna; polnischer Musikforscher, studierte 1948–53 an der Warschauer Universität, an der er 1954–62 Assistent war. Er ist Gründer (1957) und Leiter des Studio Eksperymentalne Polskiego Radia, eines Studios für Elektronische Musik am polnischen Rundfunk, in dem sowohl polnische Komponisten wie Penderecki, Kotoński, Dobrowolski und Wiszniewski als auch ausländische wie Nordheim, Mâche, Brün und Vittorio Gelmetti ihre Kompositionen realisieren. Seit 1959 leitet er beim polnischen Rundfunk die Sendereihe *Horyzonty muzyki* (»Musikhorizonte«), die sich mit Problemen der neuesten Musik befaßt. P. ist Mitarbeiter an der Edition der Texte über Neue Musik »Res facta« und veröffentlichte mehrere Beiträge, besonders über Elektronische Musik, in polnischen und ausländischen Zeitschriften.

+Patti, –1) Carlotta [erg.:] Maria, 1835–89.
–2) Adelina (Adela) Juana Maria, 10. [nicht: 19.] 2.

1843 – 1919. Ihre Schwester Amalia, [erg.:] 1. 1. 1831 [nicht: 1838; erg.:] zu Pesaro – 8. 12. 1915 [del. früheres Sterbedatum]; ihr zweiter Mann Nicolini (Ernest [erg.: Jean] Nicolas), 23. 2. 1834 [nicht: 1833] zu Saint-Malo (Ille-et-Vilaine) – 18. 1. 1898 zu Pau (Basses-Pyrénées) [erg. frühere Angaben].
Lit.: +E. Hanslick, Mus. Stationen (1880 u. ö.), Nachdr. d. Aufl. v. 1885 Farnborough 1971 (zu +Viennas Golden Years → +Hanslick). – M. Strakosch, Mémoires d'un impresario, Paris 1886, ital. Mailand 1940; J. A. Cabezas, A. P., Madrid 1956; R. Celletti in: Le grandi v., = Scenario I, Rom 1964, Sp. 610ff. (mit Diskographie v. R. Vegeto); The Mapleson Memoirs . . . , 1858–88, hrsg. v. H. Rosenthal, NY 1966.

+Pattiera, Tino, * [erg.:] 27. 6. 1890 [nicht: 1892] zu Ragusavecchia (heute Cavtat, bei Dubrovnik) [nicht: zu Ragusa] und [erg.:] † 24. 4. 1966 zu Cavtat.
In den Jahren 1924–29 war er zusätzlich zu seinem Engagement in Dresden Mitglied der Berliner Staatsoper.

+Patzak, Julius, * 9. 4. 1898 zu Wien, [erg.:] † 26. 1. 1974 zu Rottach-Egern (Oberbayern).
P., bayerischer (1934), deutscher (1939) und österreichischer Kammersänger (1949), war Mitglied der Staatsoper Wien (1947); danach sang er noch bis 1965 als Gast an verschiedenen Opernhäusern (u. a. an der Deutschen Oper Berlin). In den 40er Jahren hatte er mehrfach bei den Salzburger Festspielen mitgewirkt. Zu seinen hervorragenden Bühnendarstellungen zählte auch die Titelpartie in Pfitzners *Palestrina*. Zugleich war er ein bedeutender Oratorien- (z. B. Evangelist in den Bach-Passionen) und Konzertsänger (G. Mahler u. a.). Bis 1960 unterrichtete er Lied- und Oratoriengesang an der Musikakademie in Wien, anschließend am Mozarteum in Salzburg. Ab 1966 lebte P. im Ruhestand in Rottach-Egern.
Lit.: E. Werba in: ÖMZ XIII, 1958, S. 123f.

Paucke, Pater Florian, SJ, * 24. 9. 1719 zu Winzig (Schlesien), † um 1780 zu Neuhaus (Böhmen); böhmischer Musikorganisator, studierte Theologie am Jesuitenkolleg in Olmütz (1736–39) und übersiedelte nach seiner Priesterweihe (1748) nach Paraguay, wo er in Córdoba als Komponist und Maestro di capilla an der Jesuitenkirche wirkte und bei den Mocobí-Indianern missionarisch tätig war. Nach der Verbannung der Jesuiten durch König Karl III. von Spanien (1767) kehrte er nach Böhmen zurück und lebte nach der Aufhebung des Jesuitenordens (1773) in Neuhaus und teilweise im Zisterzienserstift Zwettl. Der von ihm eigenhändig niedergeschriebene *Zwettler-Codex 420* (hrsg. von E. Becker-Donner und G. Otruba, 2 Bde, Wien 1959–66) stellt ein wichtiges ethnologisches Dokument dar.
Lit.: G. Furlong Cardiff, Músicos argentinos durante la dominación hispánica, Buenos Aires 1945; Fr. C. Lange, La música eclesiástica en Córdoba durante la dominación hispánica, Córdoba 1956; ders., La música culta en el período de la dominación hispánica, in: Hist. de las artes en la Argentina I, Buenos Aires 1972.

+Pauer, Jiří, * 22. 2. 1919 zu Libušín (bei Kladno, Mittelböhmen).
P. ist seit 1958 künstlerischer Leiter der tschechischen Philharmonie und seit 1963 Generalsekretär des tschechischen Komponistenverbandes. Neuere Werke: die Opern *Žvanivý slimejš* (»Der Schneckendiplomat«, einaktig, 1950, Prag 1958), +*Zuzana Vojířová* (ebd. 1958 [nicht: 1959]), *Červená karkulka* (»Rotkäppchen«, einaktig, für Kinder, Olmütz 1960), *Manželské kontrapunkty* (»Ehekontrapunkte«, einaktige Fassung, 3 Grotesken, Ostrau 1962, 2. Fassung, 5 Grotesken, Liberec 1967) und *Zdravý nemocný* (»Der eingebildete Kranke«,

341

nach Molière, 1966–69, Prag 1970); Symphonie (1963), *Panychida* (»Trauerfeier«, 1969) und *Canto festivo* (1972) für Orch.; Konzerte für Ob. (1954) bzw. Fag. (1958) und Orch.; Divertimento für Nonett (1961), Bläserquintett (1960), 3 Streichquartette (1960; *Miniatury*, 1969; 1970), Klaviertrio (1963), Sonatine für Baßklar. und Kl. (1971, nach der +Sonatine für V. und Kl., 1953), 12 Duette für 2 Vc. (1969), *Monology všedního dne* (»Monologe des Alltags«) für Klar. solo (1963), *Interpolace* für Fl. solo (1968), Bagatellen für Kl. (1968); *Canto triste* für S. und Orch. (1971), *Bajky* (»Fabeln«) für Bar. und Kl. (1959), Kinderlieder *Kaleidoskop* für Singst. und Kl. (1964); Massenlieder.
Lit.: J. PACLT, Masové písně J. P.a (»Massenlieder v. J. P.«), in: Hudební rozhledy VIII, 1955; B. KARÁSEK, ebd. XII, 1959, S. 72ff. (zu »Zuzana Vojířová«); V. POSPÍŠIL, ebd. XVI, 1963, S. 704ff. u. 751ff.; DERS., ebd. XXIII, 1970, S. 272ff. (zu »Zdravý nemocný«); M. KUNA, ebd. XXVII, 1974, S. 36ff. (Gespräch mit P.).

Paul, Ernst Julius, * 18. 11. 1907 zu Wien; österreichischer Hornist, Musikforscher und Komponist, studierte in Wien Horn an der Akademie für Musik und darstellende Kunst und Musikwissenschaft an der Universität, an der er 1934 mit der Dissertation *Das Horn in seiner Entwicklung vom Natur- zum Ventilinstrument* promovierte. Er war ab 1929 1. Hornist in verschiedenen Wiener und ausländischen Orchestern. Neben seiner Orchestertätigkeit trat er auch als Konzertsolist auf. 1960 übernahm er das musikwissenschaftliche Referat von Radio Wien. Seit 1962 lehrt P. auch an der Akademie (heute Hochschule) für Musik und darstellende Kunst in Wien (1965 Professor für Horn und Blechbläserensemble). Er komponierte Orchesterwerke (Konzertstück für Blechbläser und Streicher op. 45, 1942; Konzertstück D dur op. 114, 1955; Kammersymphonie op. 115, 1957), Werke für Soloinstrumente und Orchester (Englisch-Horn-Konzert op. 3, 1935; Cembalokonzert op. 4; Hornkonzert op. 55, 1943), Kammermusik, Blechbläsermusik, Jagdhornmusik, Klavierstücke, Kantaten, Chöre und Lieder. P. veröffentlichte Studienwerke (*Waldhornschule*, 7 Bde, Wien 1950; *Lainzer Jagdhornschule für den Unterricht in Jägerkreisen*; Ensemblestudien; Etüden) sowie zahlreiche Aufsätze über die Geschichte des Hornes, der Jagdmusik, des Orchesters und über türkische Komponisten; es seien erwähnt: *Österreichische Jagdmusik* (ÖMZ XII, 1957); *Jagd und Musik* (in: Musikerziehung XV, 1961/62); *Das Horn bei Beethoven* (in: Beethoven-Almanach 1970, hrsg. von E. Tittel, = Publ. der Wiener Musikhochschule IV, Wien 1970).

Jean Paul → Richter, Johann Paul Friedrich.

Paul, Tibor, * 29. 3. 1909 zu Budapest, † 11. 11. 1973 zu Sydney; australischer Dirigent ungarischer Herkunft, studierte an der Musikakademie in Budapest, später bei Scherchen und F. v. Weingartner. Er war Dirigent des Budapester Konzertorchesters (1930–40), des Ungarischen Nationaltheaters (1940–44) und des ABC-Orchestra in Australien (1951–60). 1954 wurde er zum Dirigenten der Australian Opera in Sydney berufen. Er wirkte 1954–60 als Professor für Dirigieren am N. S. W. State Conservatory of Music in Sydney und 1960–68 als Chefdirigent bei Radio Telefis Eireann in Irland. 1971 war er zum Leiter des West Australia Symphony Orchestra in Perth ernannt worden.

Pauli, Hansjörg, * 14. 3. 1931 zu Winterthur; Schweizer Musikschriftsteller, Rundfunkautor und Filmemacher, studierte 1949–52 Naturwissenschaften in Zürich und war dann als Jazzpianist tätig. 1953–56 studierte er Musiktheorie bei E. Hess am Konservatorium in Winterthur und 1956–58 – brieflich – Analyse bei Hans Keller (London). Er war 1956–60 freiberuflicher Musikkritiker Schweizer Zeitungen, 1960–65 Redakteur für Neue Musik bei Radio Zürich, 1965–68 Leiter der Musikabteilung beim NDR-Fernsehen, 1967–69 Schallplattenkolumnist der »Weltwoche« und ist seit 1969 als Autor und Regisseur Mitarbeiter deutscher Fernsehstationen sowie Dozent für Bild-Ton-Dramaturgie an der Hochschule für Fernsehen und Film in München. Von seinen Filmen seien genannt: *Canzona – ein Werkstattbericht* (SFB 1969); *Portrait L. Ferrari* (HR 1970); *Lautdichtung* (aus der Reihe »Konkrete Poesie«, HR 1971/72); *Pro musica nova 1972* (RB 1972); *Strawinsky-Weekend* (HR 1972/73); *Webern, 1973* (WDR 1971–73, 3 Filme). P. veröffentlichte u. a.: *Musik im Fernsehen* (in: Melos XXXV, 1968); *Das Hörbare und das Schaubare. Fernsehen und jüngste Musik* (in: Musik auf der Flucht vor sich selbst, hrsg. von U. Dibelius, = Reihe Hanser XXVIII, München 1969); *Un certain sourire* (in: Beethoven '70, Ffm. 1970); *Für wen komponieren Sie eigentlich?* (= Reihe Fischer XVI, Ffm. 1971); ferner zahlreiche Artikel in Schweizer und deutschen Tages- und Wochenzeitungen sowie in Schweizer, deutschen, österreichischen, englischen und schwedischen Musikzeitschriften. Er übersetzte (mit Federica P.) *Free Jazz / Black Power* von Ph. Charles und J.-L. Comolli (Ffm. 1973).

Paulirinus, Paulus (Paulus de Praga), * 1413 zu Prag, † nach 1471 zu Pilsen; böhmischer Musiktheoretiker, studierte in Wien, Padua und Bologna, wurde 1440 zum Priester geweiht und lehrte als Magister ab 1442 an der Universität Wien sowie ab 1447 in Prag. 1451 ließ er sich in Krakau immatrikulieren, wo er wegen Verbindungen zu den Hussiten verhaftet wurde, aber nach Pilsen freikommen konnte; dort schrieb er zwischen 1453 und 1463 das enzyklopädische Werk *Liber viginti artium*, das in Krakau fragmentarisch erhalten ist. Die 3 (von 5) erhaltenen Partitionen über Musik sind wertvoll durch die Darlegungen über musikalische Gattungen (Mutetus, Rundellus, Balida, Stampania, Cantilena) und über Musikinstrumente (Clavichord, Cembalo, Portativ, Hackbrett, Trumscheit, Dudelsack).
Lit.: J. REISS, P. Paulirini de Praga Tractatus de musica, ZfMw VII, 1924/25 (mit Auszügen: Gattungen, Musikinstr.); DERS., Das Twardowski-Buch, in: Germano-Slavica II, Prag 1933; G. PIETZSCH, Zur Pflege d. Musik a. d. deutschen Univ. bis zur Mitte d. 16. Jh., AfMf I, 1936; H. SEIDL, Der »Tractatus de musica« d. Pergament-Kod. Nr 257 Krakau, Diplomarbeit Lpz. 1957; H. HÜSCHEN in: MGG X, 1962, Sp. 963f.

Paulmüller, Alexander, * 4. 3. 1912 zu Innsbruck; österreichischer Dirigent, studierte in Wien Kunstgeschichte und Musikwissenschaft (Lach, A. Orel) sowie an der Staatsakademie Klavier, Komposition und Dirigieren, war zunächst Korrepetitor unter Br. Walter an der Staatsoper Wien und kam über Graz, Nürnberg, Wien und Breslau als Chefdirigent an das Pfalztheater in Kaiserslautern. P. war dann nacheinander Opernchef und Leiter der Symphoniekonzerte in Regensburg, Opernchef in Linz und 1. Kapellmeister am Opernhaus in Frankfurt a. M.; 1964–72 wirkte er als Chefdirigent der Stuttgarter Philharmoniker und als Gastdirigent an der Staatsoper in Stuttgart. 1967 wurde er ständiger Leiter der Opernausbildung am Mozarteum in Salzburg; seit 1973 ist er auch als Gastdirigent am dortigen Landestheater tätig.

+Paulus de Florentia (Paolo da Firenze), [erg.:] † September 1419 zu Arezzo.
Ausg.: Paolo Tenorista in a New Fragment of the Ital. Ars Nova. Facsimile-Ed. of an Early 15th-Cent. Ms., Now

in the Library of E. E. Lowinsky, hrsg. v. N. Pirrotta, Palm Springs (Fla.) 1961 [del. früherer Titel]. Lit.: +J. Wolf, Gesch. d. Mensural-Notation (1904), Nachdr. Hildesheim u. Wiesbaden 1965 (3 Bde in 1); +H. Besseler, Die Musik d. MA ... (1931), Nachdr. Darmstadt 1964; +W. Apel, The Notation of Polyphonic Music (1942, 4 1953), 5. revidierte Aufl. Cambridge (Mass.) 1961, deutsch = ApelN. – A. Seay, Paolo da Firenze, a Trecento Theorist, in: L'Ars nova ital. del Trecento, Kgr.-Ber. Certaldo 1959 (mit Ausg. d. »Ars ad adiscendum contrapunctum« d. Camaldolenserabts Paolo); U. Günther, Die »anon.« Kompositionen d. Ms. Paris, B. N., fonds it. 568 (»Pit«), AfMw XXIII, 1966; dies., Zur Datierung d. Madrigals »Godi, Firenze« u. d. Hs. Paris, B. N., fonds it. 568 (»Pit«), AfMw XXIV, 1967; R. Monterosso, Un'»auctoritas« dantesca in un madrigale dell'Ars nova, CHM IV, 1966; K. v. Fischer, Paolo da Firenze u. d. Squarcialupi-Kod. (I–Fl 87), in: Quadrivium IX, 1969, S. 5ff., separat = Bibl. di quadrivium, Serie musicologica IX, Bologna 1969.

Pauly, Reinhard Georg, * 9. 8. 1920 zu Breslau; amerikanischer Musikforscher deutscher Herkunft, studierte in Berlin am Konservatorium Klindworth-Scharwenka sowie in den USA an der Columbia University in New York und an der Yale University in New Haven (Conn.), wo er 1956 mit einer Dissertation über *M. Haydn's Latin »Proprium Missae« Compositions* zum Ph. D. promovierte. Seit 1948 ist er Professor of Music am Lewis and Clark College und am Reed College in Portland (Oreg.). Er schrieb: *Music in the Classic Period* (= Prentice Hall History of Music Series o. Nr, Englewood Cliffs/N. J. 1965, 2 1973, japanisch Tokio 1969); *Music and the Theatre. An Introduction to Opera* (Englewood Cliffs 1970). Von seinen Aufsätzen seien genannt: *B. Marcello's Satire on Early 18th-Cent. Opera* (MQ XXXIV, 1948); *A. Scarlatti's »Il Tigrane«* (ML XXXV, 1954); *The Motets of M. Haydn and Mozart* (JAMS IX, 1956); *Some Recently Discovered M. Haydn Manuscripts* (JAMS X, 1957); *The Reforms of Church Music Under Joseph II* (MQ XLIII, 1957); *J. E. Eberlin's Concerted Liturgical Music* (in: Musik und Geschichte, Fs. L. Schrade, Köln 1963).

+Pauly, Rose ([erg.:] eigentlich Rose Pollak, verheiratete Fleischner), * 15. 3. 1895 zu Eperjes (heute Prešov, Ostslowakei).
An den bedeutenden Opernhäusern in Europa und Amerika war sie vor allem in Partien aus Opern von Verdi, Wagner und R. Strauss (besonders Elektra) aufgetreten. R. P. lebt heute in Israel.

+Paumann, Konrad (Conrad), zwischen 1410 und 1415 [nicht: 23. 10. 1409] – 1473.
Von den verschiedenen Fassungen des *+Fundamentum organisandi* ist die in der Universitätsbibliothek Erlangen befindliche (Ms. 554 [olim 729]) die älteste (aus dem Kloster Heilsbronn stammend). – Virdungs Zuschreibung der Erfindung der deutschen Lautentabulatur durch P. ist als glaubwürdig anzusehen; vermutlich war P. der Begründer einer lautenistischen Schultradition, die in Nürnberg über A. Blindhamer zu H. Gerle führt. → Quellen: *Loch.*
Ausg.: +Lochamer Liederbuch u. d. Fundamentum organisandi v. C. P. (K. Ameln, 1925), Nachdr. = DMl II, 3, Kassel 1972 (mit neuem Nachwort). – Fundamentum organisandi (1452), in: Keyboard Music of the 14th and 15th Cent., hrsg. v. W. Apel, = Corpus of Early Keyboard Music I, (Rom) 1963.
Lit.: Das »Locheimer Liederbuch« nebst d. »Ars organisandi«. Als Dokumente d. deutschen Liedes sowie d. frühesten geregelten Instrumentalmusik ... bearb. v. +Fr. W. Arnold (1867), Nachdr. d. Ausg. Lpz. 1926, Wiesbaden 1969; +L. Schrade, Die hs. Überlieferung d. ältesten Instrumentalmusik (1931), 2. Aufl. hrsg. v. H. J. Marx, Tutzing 1968. – B. A. Wallner in: Zs. f. Kirchenmusik

LXXIV, 1954, S. 188ff.; M. Veldhuyzen, C. P., München en het Buxheimer Orgelbuch, in: Mens en melodie XV, 1960; Fr. Krautwurst, K. P. in Nördlingen, Fs. H. Besseler, Lpz. 1961; ders., Neues zur Biogr. K. P.s, Jb. f. fränkische Landesforschung XXII, 1962; ders., Bemerkungen zu S. Virdungs »Musica getutscht« (1511), Fs. Br. Stäblein, Kassel 1967; H. Avenary, Ein hebräisches Zeugnis f. d. Aufenthalt K. P.s in Mantua (1470), Mf XVI, 1963; E. Southern, The Buxheim Org. Book, = Musicological Studies VI, Brooklyn (N. Y.) 1963; dies., Foreign Music in German Mss. of the 15th Cent., JAMS XXI, 1968; H. R. Zöbeley, Die Musik d. Buxheimer Orgelbuches. Spielvorgang, Niederschrift, Herkunft, Faktur, = Münchner Veröff. zur Mg. X, Tutzing 1964; Chr. Petzsch, Das »Lochamer Liederbuch« = Münchener Texte u. Untersuchungen zur deutschen Lit. d. MA XIX, München 1967, vgl. dazu auch Fr. Krautwurst in: Mitt. d. Ver. f. Gesch. d. Stadt Nürnberg LVI, 1969, S. 525ff.; Chr. Wolff, C. P.s Fundamentum organisandi u. seine verschiedenen Fassungen, AfMw XXV, 1968; Das Lochamer-Liederbuch, hrsg. v. W. Salmen u. Chr. Petzsch, = DTB, N. F., Sonder-Bd II, Wiesbaden 1972 (Einleitung); M. Staehelin, K. P. u. d. Orgelgesch. d. Klosters Salem im 15. u. 16. Jh., Mf XXV, 1972. FKR

+Paumgartner, Bernhard, * 14. 11. 1887 zu Wien, [erg.:] † 27. 7. 1971 zu Salzburg.
P. wurde kurz vor seinem Tode zum Ehrenpräsidenten der Salzburger Festspiele ernannt; 1967 verlieh ihm die Universität Salzburg den Titel eines Dr. phil. h. c. – Sein Vater Hans, 1843 zu Kirchdorf [nicht: Kirchberg] (Oberösterreich) – 1896. – +Mozart (1927, 5 1957), revidiert Zürich 6 1967, 7 1973 (unverändert), nld. Utrecht 1957 (2 Bde) katalanisch Barcelona 1957; +Fr. Schubert (1943, 2 1947), ebd. 3 1960 (unverändert). Die ihm gewidmete +Festschrift *Wissenschaft und Praxis* erschien Zürich 1958 [nicht: 1957] (hrsg. von E. Preussner, mit Werkverz.). – Neben seinen *Erinnerungen* (Salzburg 1969) veröffentlichte er weiter: *Das instrumentale Ensemble von der Antike bis zur Gegenwart* (Zürich 1966); *Die Aufgabe Salzburgs* (= Salzburger Festreden IV, Salzburg 1967, auch engl. und frz.); *Das kleine Beethovenbuch* (ebd. 1968); *J. S. Bach, Mozart und die Wiener Klassik* (Bach-Jb. XLIII, 1956); *Die Tonkunst in der europäischen Geistesgeschichte des 18. Jh.* (in: Bernische Musikgesellschaft, Jahresber. 1959/60); *Musische Bildung und Musikunterricht* (in: Musikerziehung XIII, 1959/60); *Festspielregie in der Mozartstadt Salzburg* (in: Maske und Kothurn VIII, 1962); *Eine Text-Bearbeitung der »Zauberflöte« von 1795* (Fs. O. E. Deutsch, Kassel 1963); *R. Strauss in der Schweiz* (ÖMZ XIX, 1964); *G. Mahlers Bearbeitung von Mozarts »Così fan tutte« für seine Aufführungen an der Wiener Hofoper* (in: Musik und Verlag, Fs. K. Vötterle, Kassel 1968). Posthum erschienen gesammelte *Vorträge und Essays* (hrsg. von G. Croll, = Schriftenreihe der Internationalen Stiftung Mozarteum V und = Publ. des Instituts für Musikwissenschaft der Universität Salzburg VI, Kassel 1973).
Lit.: Sonder-H. P., = ÖMZ XXII, 1967, H. 8; B. P., Künstler u. Forscher, hrsg. v. G. Croll, = Salzburger Universitätsreden XXXIX, Salzburg 1971 (mit Schriftenverz.). – E. Kornauth in: ÖMZ XII, 1957, S. 438ff., SMZ XCVII, 1957, S. 504f., u. Musikerziehung XI, 1957/58, S. 70f.; W. Hummel in: ÖMZ XV, 1960, S. 345ff.; E. Valentin in: Acta Mozartiana IX, 1962, S. 71f.; E. Leisler u. G. Prossnitz, M. Reinhardts »Faust«-Inszenierung in Salzburg 1933–37, in: Maske u. Kothurn XVI, 1970; R. Klein in: ÖMZ XXVI, 1971, S. 516; Fr. Weigend in: Musica XXV, 1971, S. 498ff.

+Paur, Emil, 1855 – 7. [nicht: 1.] 6. 1932.
P. war 1899–1902 Direktor des National Conservatory of Music in New York.

Pauspertl von Drachenthal, Karl, * 18. 10. 1897 als Tornisterkind zu Plevlje (Sandschak Novibazar,

Bosnien), † 6. 4. 1963 zu Wien; österreichischer Komponist und Dirigent, einer Offiziersfamilie entstammend (ein Großonkel war Direktor und Lehrer Bruckners in Linz gewesen), absolvierte die Wiener Musikakademie (Komposition bei Fr. Schmidt, Dirigieren bei Cl. Krauss), war dann Theaterkapellmeister u. a. in Wien, Troppau und Berlin, Chordirektorassistent an der Wiener Staatsoper, 1. Kapellmeister am Burgtheater, 1934–38 Kapellmeister des Nachfolgeregiments der »Hoch- und Deutschmeister Nr. 4« sowie Dirigent verschiedener Orchester bei Radio Wien. Für die Bühne bearbeitete P., der mehrfach, darunter mit dem Professorentitel, ausgezeichnet wurde, u. a. die Operetten *Die große Unbekannte* nach Fr. v. Suppé (Wien 1925), *Das Spitzentuch der Königin* und *Prinz Methusalem* nach Johann Strauß (Lpz. 1927 bzw. Dresden 1931) sowie *Der König ihres Herzens* nach Offenbach (Wien 1930). P. ist auch mit Orchesterkompositionen sowie mit Filmmusik (54 Kulturfilme) hervorgetreten.

Pavarotti, Luciano, * 12. 10. 1935 zu Modena; italienischer Sänger (Tenor), studierte ab 1956 bei Arrigo Pola und ab 1958 bei Ettore Campogalliani und debütierte 1961 in Reggio Emilia als Rodolfo in *La Bohème*. 1962 trat er in Amsterdam und kurz danach an der Covent Garden Opera in London auf. Seitdem haben ihn internationale Gastverpflichtungen u. a. an die Metropolitan Opera in New York, die Mailänder Scala, die Pariser Opéra, die Staatsopern von Berlin, Hamburg und Wien sowie nach San Francisco und zu den Festspielen von Glyndebourne und Verona geführt. Sein Repertoire umfaßt vor allem die einschlägigen Partien in den Opern von Donizetti und Verdi.

+Pawlowa, Anna Pawlowna ([erg.:] eigentlich Matwejewa), 1882–1931.
Lit.: E. KRAUSS, A. P., haar leven en haar kunst, Amsterdam 1931; C. W. BEAUMONT, A. P., London 1932; P. MAGRIEL, P., NY 1947; S. LIFAR, Les trois Grâces du XXᵉ s., Paris 1957, engl. London 1957; M. CLARKE, Six Great Dancers, London 1958; W. KRASSOWSKAJA, A. P., Leningrad 1964.

+Paz, Juan Carlos, * 5. 8. 1901 [nicht: 1897] und [erg.:] † 25.(26.?) 8. 1972 zu Buenos Aires.
P., unermüdlich in seinem Eintreten für avantgardistische Bestrebungen, war eine der wichtigsten Persönlichkeiten der zeitgenössischen argentinischen Musik, außerdem Mentor jüngerer Komponisten (u. a. Kagels). Ausgehend von spätromantischer tonal-chromatischer (1923–28) und polytonaler (1928–34) Schreibweise, wandte er sich dann der Zwölftontechnik zu, die er 1956 zugunsten einer freieren intuitiveren Kompositionstechnik wieder aufgab. – Werke: *Canto de Navidad* op. 11 (1927, instrumentiert 1930), *Movimiento sinfónico* op. 13 (1930), Suite für Ibsens *Juliano Emperador* op. 12 (1931), 3 Stücke op. 18 (1931), Passacaglia op. 28 (1936, 2. Fassung 1953), Musik (Praeludium und Fuge) op. 39 (1940), *Rítmica constante* op. 41 (1952), 6 *Superposiciones* op. 48 (1954), *Transformaciones canónicas* op. 49 (1955) und *Continuidad 1960* für Orch.; Passacaglia für Streichorch. op. 44 (1944, revidiert 1949), *Estructuras, 62* für Kammerorch. (1962), Musik für Fag., Streicher und Schlagzeug op. 51 (1956); Musik für Kl. und Orch. (1962); *Continuidad 1953* für Schlagzeugensemble op. 47 (1954), Ouvertüre für 12 Instr. op. 19 (1936), *Tema y transformaciones* für 11 Bläser op. 15 (1929), Bläseroktett op. 16 (1930), *Concreción, 64* für 7 Bläser (1964), 2 Konzerte mit Kl. für Fl., Ob., Klar., Fag. und Trp. op. 20 (1932) bzw. Ob., Trp., 2 Hörner und Fag. op. 24 (1935), 3 *Contrapuntos* für Klar., elektrische Git., Celesta, Trp., Pos.

und Vc. op. 50 (1955), *Dédalus 1950* für Fl., Klar., V., Vc. und Kl. op. 46 (1951), 3 Streichquartette (op. 34, 1938; op. 40, 1940–43; *Invención*, 1961), Musik für Fl., Sax. und Kl. op. 43 (1943), 2 Sonatinen (Klar. und Kl. op. 17, 1930; Fl. und Klar. op. 21, 1932) sowie *Composición dodecafónica* Nr 1–4 (Fl., Englisch Horn und Vc. op. 26, 1934; Fl. und Kl. op. 29, 1935; Klar. und Kl. op. 32, 1937; V. solo op. 37, 1938) und *Composición en trío* Nr 1–3 (Fl., Klar. und Fag. op. 33, 1937; Klar., Trp. und Altsax. op. 36, 1938; Fl., Ob. und Baßklar. oder Fag. op. 38, 1940, revidiert 1945); für Kl. u. a. 3 Sonaten (op. 2, 1923; op. 6, 1925; op. 27, 1935), 3. Sonatine op. 25 (1933), 3 *Movimientos de jazz* op. 22 (1932), 10 *Piezas sobre una serie dodecafónica* op. 30 (1936), *Música 1946* op. 45 (1945–47) und *Núcleos* (1. Serie, 1962–64); *Galaxia, 64* für Org. (1964); Musik zu 24 Filmen (1958–70). – +*A. Schönberg, o El fin de la era tonal* (= Musica V, 1958 [nicht: 1957]). Er verfaßte ferner *Consideraciones sobre la música dodecafónica* (in: Cultura universitaria 1960, Nr 72/73) sowie autobiographische *Alturas, tensiones, ataques, intensidades* (Bd I, Buenos Aires 1972).
Lit.: Werkverz. in: Compositores de América II, Washington (D. C.) 1956, Nachdr. 1962. – J. C. BESCHINSKY, J. C. P., Buenos Aires 1964; J. ROMANO, J. C. P., Un revitalizador del lenguaje mus., Rev. mus. chilena XX, 1966, auch in: Bol. interamericano de música 1966, Nr 54; DERS., P., Kagel, Kröpfl, in: Sonda I, 1967/68; J. ALLENDE-BLIN in: Melos XXXIX, 1972, S. 381.

Peacan del Sar, Rafael, * 6. 6. 1884 und † 4. 4. 1960 zu Buenos Aires; argentinischer Komponist, studierte Komposition (Eduardo Torrens Boqué) und Instrumentation (Carlos Pedrell), war Vizepräsident der Sociedad Argentina de Compositores und der Asociación Argentina de Música da Cámara und lehrte am Staatlichen Konservatorium sowie an der Escuela Superior de Bellas Artes der Universidad de La Plata. Er schrieb die Oper *Chrysanthème* (Buenos Aires 1927), das Ballett *Las rosas* (Santiago de Chile 1915), das Oratorium *La conversión de Longino*, ein Requiem sowie zahlreiche Instrumental- und Gesangsstücke.

+Pears, Peter [erg.:] Neville Luard, * 22. 6. 1910 zu Farnham (Surrey).
In B. Brittens Œuvre finden sich zahlreiche Partien, die für P. geschrieben wurden und deren Uraufführungen ihm anvertraut waren, so über 10 Opernrollen (beginnend 1945 mit der Titelpartie in *Peter Grimes*, zuletzt 1973 Aschenbach in *Death in Venice*) und 8 Liederzyklen, ferner die Tenorsoli im *War Requiem*. P., als Opern- wie als Konzertsänger gleicherweise bedeutend, trat auch bei verschiedenen Festspielen auf (Edinburgh, Salzburg, Luzern, Holland Festival). Neben den Liederabenden mit B. Britten fanden besonders die Interpretationen altenglischer Lautenlieder mit J. Bream Beachtung.

+Pearsall, Robert Lucas de, 1795–1856.
Lit.: E. HUNT in: Proc. R. Mus. Ass. LXXXII, 1955/56, S. 75ff.

Peart (piət), Donald Richard, * 9. 1. 1909 zu Fovant (Wiltshire); englischer Musikforscher, studierte 1927–31 in Oxford und 1932–39 am Royal College of Music in London (Vaughan Williams, Morris, Arthur Bent, Tomlinson). 1948 wurde er als Professor of Music nach Australien an die University of Sydney berufen. Er ist Schriftleiter der von ihm 1969 gegründeten Zeitschrift *Music Now*, die Fragen zeitgenössischer Musik behandelt. Von seinen Veröffentlichungen seien genannt: *A. Ferrabosco and the Lyra Viola* (in: Musicology II, Sydney 1966); *P. M. Davies. The Shepherd's Calendar* (in: Miscellanea musicologica I, Adelaide 1966); *The Australian Avant-Garde* (Proc. R. Mus. Ass. XCIII, 1966/67).

+Pease, James, * 9. 1. 1916 zu Indianapolis, [erg.:] † 26. 4. 1967 zu New York.
Mitglied der Hamburgischen Staatsoper war er bis 1958. Er gehörte 1955–60 der Covent Garden Opera in London und 1960–62 dem Opernhaus in Zürich an.

Pecháček (p'ɛxɑ:tʃɛk), František Martin (Pechatschek, Pechaczek, Behatschek), * 10. 11. 1763 zu Wildenschwert, † 26. 9. 1816 zu Wien; böhmischer Violinist und Komponist, lernte von früher Jugend an Violine in seiner Heimatstadt und studierte dann in Leitomischl bei dem Chordirektor P. Lambert sowie in Weißwasser (Schlesien) bei Dittersdorf. 1783 ließ er sich in Wien nieder, wo er später Kapellmeister am Landstrasser Theater war. Er schrieb eine Reihe von Singspielen, darunter *Jackerl und Nannerl* (Text Schikaneder, Wien 1793), und Balletten, darunter *Das Waldweibchen* (ebd. 1801), 12 Symphonien, zahlreiche Tänze für Orch. (Walzer, Menuette, Ländler, Ecossaisen), Harmoniemusik, Klavierwerke (Variationen, Tänze) sowie Kirchenmusik.
Lit.: G. GUGITZ, Das Theater auf d. Landstraße, in: Alt-Wiener Thespiskarren, Wien 1925; R. HAAS, Fr. M. Pechatschek, endlich richtig bestimmt, Mozart-Jb. 1954.

Pecháček (p'ɛxɑ:tʃɛk), Franz Xaver (Pechatschek, Pechaczek, Behatschek), * 4. 7. 1793 zu Wien, † 15. 9. 1840 zu Karlsruhe; österreichischer Violinist und Komponist böhmischer Abstammung, Sohn von František P., studierte Violine bei seinem Vater und bei Schuppanzigh und ab 1803 Komposition bei E. A. Förster. Er trat schon im Alter von 8 Jahren am kaiserlichen Hofe auf, spielte 1809–22 im Orchester des Theaters auf der Wieden und wirkte als Konzertmeister 1822–26 an der Stuttgarter sowie 1826 bis zu seinem Tode an der Karlsruher Hofkapelle. Konzertreisen führten ihn u. a. durch Süddeutschland und nach Paris. Er schrieb eine Reihe von Werken für Violine und Orchester (Polonaisen, Variationen, Rondos, Potpourris), daneben *Adagio et polonaise* für Klar. und Orch. sowie Kammermusik (2 Streichquartette).
Lit.: R. HAAS, Fr. M. Pechatschek, endlich richtig bestimmt, Mozart-Jb. 1954.

Pečman (p'ɛtʃman), Rudolf, * 12. 4. 1931 zu Staré Město (Kreis Místek); tschechischer Musikforscher, promovierte als Schüler von J. Racek und B. Štědroň 1954 an der Brünner Universität mit einer Dissertation über *Slovanské prvky v díle L. van Beethovena* (»Slawische Elemente im Werk L. van Beethovens«) und wurde dann Assistent an dortigen musikwissenschaftlichen Institut. 1967 habilitierte er sich mit der Schrift *Skladatel J. Mysliveček a jeho jevištní epilog* (2 Bde, gedruckt als *J. Mysliveček und sein Opernepilog*, = Spisy University J. E. Purkyně, Filosofická fakulta Bd 164, Brünn 1970). P. ist die tragende Kraft der alljährlich in Brünn veranstalteten internationalen Musikfestivale und Symposien und gibt die *Musikwissenschaftlichen Kolloquien der Internationalen Musikfestspiele in Brno* (I, Prag 1967, IIff., Brünn 1968ff.) heraus. Er veröffentlichte u. a.: *Ästhetisch-theoretische Ausgangspunkte und stilistische Verwandtschaft im Schaffen von J. Benda und L. van Beethoven* (in: Sborník prací filosofické fakulty brněnské university XVI, H 2, 1967); *On the Artistic Types to Which B. Martinů and L. Janáček Belong* (in: B. Martinůs Bühnenschaffen, = Musikwissenschaftliche Kolloquien der Internationalen Musikfestivale in Brno I, Prag 1967); *Die Oper der Neapolitanischen Schule als Inszenierungsproblem* (in: Musica antiqua, ebd. II, Brünn 1968); *Janáček und Martinů, zur dramatischen Typologie* (Acta

Janáčkiana I, 1968); *Beethovenovy smyčcové kvartety* (»Beethovens Streichquartette«, Brünn 1970); *Kapitoly o hudbě 18. věku* (»Abhandlungen über die Musik des 18. Jh.«, ebd. 1970); *Výrazové prostředky neapolské vážné opery* (»Die Ausdrucksmittel der neapolitanischen Opera seria«, ebd. 1970); *Kriticky o mannheimské škole* (»Kritisches über die Mannheimer Schule«, in: Opus musicum III, 1971); *Niveau général de la controverse du baroque musical et du classicisme* (in: Sborník prací filosofické fakulty brněnské university XXI, H 7, 1972).

+Pederson, Mogens (Pedersen, Magno Petreo), um 1585 – [erg.:] wahrscheinlich 1623 [nicht: 1630] zu Kopenhagen.
Eine zweite Madrigalsammlung erschien (vermutlich 1611) in England.
Ausg.: +*Pratum spirituale* (1620) [erg.:] u. Madrigali a 5 v. (1608) (KN. JEPPESEN, 1933), revidierte Ausg. d. »Madrigali« v. 1608 mit d. »Madrigali« v. 1611, in: Madrigaler fra Christian IV's tid, hrsg. v. J. P. JACOBSEN, Bd II, = Dania sonans III, Egtved 1967; +3 [nicht: 4] 5st. Madrigale in: Nordische Schüler G. Gabrielis (R. GERBER, 1935), Wolfenbüttel 21954. – 2 Madrigaletten in: Madrigaler fra Christian IV's tid, hrsg. v. J. P. JACOBSEN, Bd I, = Dania sonans II, Egtved 1966.
Lit.: TH. DART, Tregian's Anth., ML XXXI, 1951; J. P. JACOBSEN in: Dansk kirkesangs årsskrift 1961, S. 106ff.; S. SCHMALZRIEDT, H. Schütz u. andere zeitgenössische Musiker in d. Lehre G. Gabrielis. Studien zu ihren Madrigalen, Diss. Tübingen 1969; D. ARNOLD, Gli allievi di G. Gabrieli, nRMI V, 1971.

Pederzini, Gianna, * 10. 2. 1906 zu Vò di Avio (bei Trient); italienische Sängerin (Mezzosopran), studierte bei Fernando De Lucia in Neapel und debütierte 1925 als Preziosilla (*La forza del destino*) in Messina. Sie gehörte dem Ensemble der Mailänder Scala (1930–42) sowie der Oper in Rom (1930–52) an. Gastspiele führten sie u. a. an die Covent Garden Opera in London (1931), die Pariser Opéra (1935), das Teatro Colón in Buenos Aires (1937–39 und 1946–47) und die Berliner Staatsoper (1938–39). Ihr Repertoire umfaßt sowohl Partien des Mezzosopranfachs (Amneris, Carmen) als auch des Koloraturaltfachs (Rosina in *Barbiere di Siviglia*, Cenerentola).

Pedrell (peðr'eʎ), Carlos, * 16. 10. 1878 zu Minas (Uruguay), † 3. 3. 1941 zu Montrouge (Seine); uruguayischer Komponist spanischer Herkunft, Neffe von Felipe P., studierte bei seinem Onkel in Madrid sowie an der Schola Cantorum in Paris bei d'Indy und de Bréville. 1906 ließ er sich in Buenos Aires nieder, wo er Inspector de música des Consejo Nacional de Educación wurde. Daneben lehrte er an der Universidad Nacional de Tucumán. Ab 1921 lebte er in Paris. Er schrieb die Opern *Ardid de Amor* (Buenos Aires 1917), *Cuento de abril* und *La guitarra* (Madrid 1924), die Ballette *La rose et le gitan* (Antwerpen 1930) und *Alleluia* (Buenos Aires 1936), Orchesterwerke (*Une nuit de Schéhérazade*, 1908; *Danza y canción de Aixa*, 1910; *En el estrado de Beatriz*, 1910; *Fantasía argentina*, 1910; *Obertura catalana*, 1912; Gitarrestücke, *Pastorales* für Gesang und Orch. (1928) sowie Chöre und Lieder.
Lit.: R. PETIT, C. P., RM XII, 1931.

+Pedrell, Felipe, 1841–1922.
+*Hispaniae schola musica sacra* (1894–98), Nachdr. NY 1970, daraus Bd III–IV und VII–VIII: A. de Cabezón, *Obras de música para tecla, arpa y vihuela*, neu hrsg. von H. Anglés, = MMEsp XXVII–XXIX, Barcelona 1966; +T. L. de Victoria, *Opera omnia* (1902–13), neu hrsg. von dems., bisher 4 Bde, ebd. XXV–XXVI und XXX–XXXI, 1965–67, Nachdr. der ganzen Ausg. Farnborough 1965–66 (8 Bde in 4); +*Antología de organistas clásicos españoles* (1905–08), Nachdr. Madrid 1968.

Lit.: H. Anglés, Relations épistolaires entre C. Cui et Ph. P., FAM XIII, 1966; M. Jover i Flix, F. P. ..., Vida y obra, Tortosa 1972.

+Pedrollo, Arrigo, * 5. 12. 1878 zu Montebello Vicentino, [erg.:] † 23. 12. 1964 zu Vicenza.
Leiter der Licei musicali in Padua und Vicenza war er bis 1959.
Lit.: P. Petrobelli, A. P., una figura d'artista, in: Musica d'oggi VIII, 1965.

d.
May 16
1975

+Pedrotti, Antonio, * 14. 8. 1901 zu Trient.
P., der vor allem als Dirigent des Orchestro stabile dell'Accademia nazionale di S. Cecilia in Rom sowie der Prager Česká Filharmonie (Schweiz-Tournee 1969) bekannt wurde, ist ständiger Dirigent des 1960 gegründeten Orchestra »Haydn« von Bozen und Trient.

+Pedrotti, Carlo, 1817 – 1893 [nicht: 1892].
Er war Direktor des Liceo musicale ab 1882 [erg.:] in Pesaro.

+Peerce, Jan (eigentlich Jacob Pincus Perelmuth), * 3. 6. 1904 [nicht: 1908] zu New York.
P. war, neben seinen Verpflichtungen an der Metropolitan Opera in New York und dem Opernhaus in San Francisco, ständiger Gast der bedeutenden Opern- und Konzertzentren in aller Welt (oft auch bei Festspielen). Ferner wirkt er mit Vorliebe in Fernsehshows und Filmen mit. 1949 wurde ihm vom New York College of Music der Titel eines Dr. h. c. verliehen.
Lit.: G. Gualerzi in: Le grandi v., hrsg. v. R. Celletti, = Scenario I, Rom 1964, Sp. 619ff. (mit Diskographie v. S. Smolian).

+Peerson, Martin, um 1572 – [erg.: Ende] Dezember 1650 [erg.:] zu London.
Ausg.: +The Fitzwilliam Virginal Book (J. A. Fuller-Maitland u. W. B. Squire, 1894–99), Nachdr. NY 1963. – Fantazia (»Beauty«) sowie Almaine Nr 2 u. Nr 5, f. Streicher (Streichsextett oder Violen) hrsg. v. M. Wailes, London 1954; Blow out the Trp. u. Selfe Pitties Teares, f. 5st. Chor u. Kl. ad libitum hrsg. v. ders., ebd. 1957; See, O See Who is Here Come, f. Frauenchor (B. ad libitum) u. Kl. (Streicher) hrsg. v. ders., ebd. 1959; 6st. Fantazia Nr 6, hrsg. v. G. Dodd, = Va da gamba Soc., Supplementary Publ. XXXIX, ebd. 1966; 3 Sätze in: W. Leighton, The Tears or Lamentations of a Sorrowful Soul, hrsg. v. C. Hill, = Early Engl. Church Music XI, ebd. 1970; 2 Stücke in: Early Engl. Keyboard Music, hrsg. v. H. Ferguson, Bd I, ebd. 1971.
Lit.: E. H. Fellowes, Engl. Madrigal Verse, 1588–1632, London 1920, ²1929, 3., v. Fr. W. Sternfeld u. D. Greer revidierte Aufl., Oxford 1967; R. M. Baxter, M. P.'s »Mottects or grave chamber musique (1630)«, Diss. Catholic Univ. of America (Washington/D. C.) 1970.

+Peeters, Emil [erg.:] Aloys Angelica, * 25. 4. 1893 zu Antwerpen, [erg.:] † 21. 5. 1974 zu Bochum.
P. war als Schauspielkapellmeister in Bochum bis 1960 tätig. – Seine Oper +Die Troerinnen op. 15 (Fr. Werfel nach Euripides) wurde 1929 in Duisburg uraufgeführt. – Neuere Werke: Konzert für 2 V. und Orch. (1955); Symphonie (1963); Sinfonia irrealis (auf Texte von P. Valéry, 1964); Gesang der Memnonssäule für Soli, Chor und Orch. (Werfel, 1965); Triptychon (1966); Lieder mit Instrumentalbegleitung (P. Celan, 1966–69); Intrada 69; Bratschenkonzert (1969); Streichquartett (1970).

+Peeters, Flor, * 4. 7. 1903 zu Tielen (Antwerpen).
P., 1951–72 Herausgeber der Zeitschrift De praestant, war weder Schüler Duprés noch Tournemires, sondern ließ sich nur von ihnen beraten [del. frühere Angaben dazu]. Direktor des Antwerpener Konservatoriums war er bis 1968. 1962 wurde ihm von der Catholic University of America (Washington/D. C.) und 1971 von der Katolieke Universiteit in Löwen der Ehrendoktor-

titel verliehen. Er veranstaltet seit 1968 im Mechelner Dom internationale Meisterkurse für Orgel. – Weitere Kompositionen: inzwischen etwa 450 Orgelwerke, darunter etwa 340 Choralvorspiele (60 Short Pieces, 1955; 30 Short Choralpreludes, 1959; 213 Hymn Preludes for the Liturgical Year op. 100, 24 Bde, 1959–67; 6 Lyrical Pieces, 1966); Missa choralis (1959) und Missa brevis (1960) für Chor a cappella; Choralfantasie Christ the Lord Has Risen für Org., 2 Trp. und 2 Pos. (1960); Magnificat für gem. Chor, Bläser, Pk. und Org. (1962). – Die Ausgabe +Antologia pro organo (2 Bde, 1949) wurde mit Bd III und IV fortgeführt (Brüssel 1959). – P. veröffentlichte zusammen mit M. A. Vente De orgelkunst in de Nederlanden van de 16de tot de 18de eeuw (unter Mitarbeit von G. Peeters, Gh. Potvlieghe und P. Visser, Antwerpen 1971, auch in deutscher, engl. und frz. Ausg.) sowie u. a. die Beiträge Evolution d'un orgue de studio (in: L'orgue 1961), L'œuvre d'orgue de Ch. Tournemire (in: Musica sacra »sancta sancte« LXV, 1964) sowie Die Orgelwerke C. Francks (in: Musica sacra XCI, 1971, engl. gekürzt in: MT CXIII, 1972).
Lit.: Fr. Soddemann, Die Orgelwerke v. Fl. P., in: Musica sacra LXXIX, 1959; G. Bönigk in: Ars org. VIII, 1960, S. 306ff. u. S. 308ff. (zum Orgelschaffen bzw. Choralwerk); E. Paccagnella, Fl. P. et la musique sacrée moderne, in: Musica sacra »sancta sancte« LXI, 1960, engl. in: Caecilia LXXXVII, (Omaha/Nebr.) 1960, S. 122ff.; K. D'Hooghe in: Musica sacra »sancta sancte« LXIV, 1963, S. 131ff.; W. Giles, The Org. Music of Fl. P., Journal of Church Music IX, 1967; J. Lade, The Org. Music of Fl. P., MT CIX, 1968; H. Heughebaert in: Harop XXI, 1969, S. 99ff.; J. Bate in: MT CXIV, 1973, S. 185f.; G. Peeters in: Gamma XXV, 1973, S. 206ff.; P. Visser in: Gregoriusblad XCVII, 1973, S. 147ff.

+Peinemann, Edith, * 3. 3. 1937 zu Mainz.
Konzerttourneen haben sie seit 1962 auch in die USA (u. a. Konzerte mit dem Boston Symphony Orchestra, dem Cleveland Orchestra und der New York Philharmonic), nach Südamerika und -afrika sowie nach Japan geführt. Zu ihrem Repertoire gehören des weiteren auch die Violinkonzerte von J. Sibelius, H. Pfitzner und A. Berg. – Ihr Vater Robert P. (* 20. 4. 1907 zu Bad Gandersheim, Niedersachsen) war 1. Konzertmeister des Städtischen Orchesters Mainz 1932–70.

Peinkofer, Karl, * 10. 4. 1916 zu München; deutscher Schlagzeuger, studierte 1932–37 an der Akademie der Tonkunst in München (Klavier, Violine, Schlagzeug) und trat 1945 als 1. Schlagzeuger in das Bayerische Staatsorchester ein. 1968 erhielt er einen Lehrauftrag für Schlaginstrumente an der Staatlichen Hochschule für Musik in München. P. hat sich in Konzerten sowie bei Produktionen für Rundfunk, Fernsehen und Schallplatte vor allem als Solist Neuer Musik hervorgetan. Er veröffentlichte ein Handbuch des Schlagzeugs (mit Fr. Tannigel, Mainz 1969).

+Peire d'Alvergne, 12. Jh.
Ausg. u. Lit.: +Fr. Gennrich, Der mus. Nachlaß d. Troubadours, 3 Bde, = Summa musicae medii aevi III–IV u. XV, Darmstadt 1958–65 [erg. frühere Angaben]. – O. Schultz-Gora, Zur urkundlichen Identifikation v. P. d'Alvernhe, Arch. f. d. Studium d. neueren Sprachen u. Lit. CXLI, 1921; C. de Lollis, Intorno a Pietro d'Alvernia, Giornale stor. della letteratura ital. XLIII, 1925; A. Monteverdi, Pier d'Alvernia nel foglio superstite di un canzoniere provenzale del Duecento, in: Studi medievali XII, 1939; J. Boutière u. A.-H. Schutz, Biogr. des troubadours, = Bibl. Méridionale I, 27, Toulouse u. Paris 1950, revidiert (mit I.-M. Cluzel) = Les classiques d'oc (I), Paris 1964; Lo gai saber, hrsg. v. Fr. Gennrich, = Mw. Studienbibl. XVIII/XIX, Darmstadt 1959 (darin d. Melodie zu P–C 323,15 u. d. erschlossene zu P–C 323,11 »Chantarai d'aquestz trobadors«); R. Lejeune, La »galérie lit-

téraire« du troubadour P. d'Alvernhe, Rev. de langue et littérature d'oc XII/XIII, 1962/63.

+Peire Cardenal, Ende 12. Jh. [erg.:] zu Veillac (Le Puy, Haute-Loire) – um 1275 [del.: um 1180–1278]. Ausg. u. Lit.: ⁺FR. GENNRICH, Der mus. Nachlaß d. Troubadours, 3 Bde, = Summa musicae medii aevi III–IV u. XV, Darmstadt 1958–65 [erg. frühere Angaben]. – K. LEWENT, Remarks on the Text of P. C.'s Poems, Neuphilologische Mitt. LXII, 1941; J. BOUTIÈRE u. A.-H. SCHUTZ, Biogr. des troubadours, = Bibl. Méridionale I, 27, Toulouse u. Paris 1950, revidiert (mit I.-M. Cluzel) = Les classiques d'oc (I), Paris 1964; E. HOEPFFNER, Les troubadours dans leurs vies et dans leurs œuvres, = Collection A. Colin Bd 295, ebd. 1955; F. FABRE, Une tension retrouvée dans l'œuvre de P. C., in: Les lettres romanes X, 1956; DERS., Deux pièces du troubadour P. C., ebd. XIII, 1959; L. COCITO, Aspetti e motivi della poesia di P. C., Genua 1958; Lo gai saber, hrsg. v. FR. GENNRICH, = Mw. Studienbibl. XVIII/XIX, Darmstadt 1959 (darin d. Melodien zu P–C 335,7 u. 335,67); C. CAMPROUX, Vocabulaire courtois chez P. C., Annales de l'Inst. d'études occitanes 1962/63; J. MAILLARD, Anth. de chants de troubadours, Nizza u. NY 1967 (darin d. Melodie zu P–C 335,7).

+Peire Raimon de Toloza, Anfang 13. Jh.
Ausg. u. Lit.: ⁺FR. GENNRICH, Der mus. Nachlaß d. Troubadours, 3 Bde = Summa musicae medii aevi III–IV u. XV, Darmstadt 1958–65 [erg. frühere Angaben].

+Peire Vidal, [erg.:] um 1160 – vielleicht um 1205 zu Saloniki(?).
Ausg. u. Lit.: ⁺FR. GENNRICH, Der mus. Nachlaß d. Troubadours, 3 Bde, = Summa musicae medii aevi III–IV u. XV, Darmstadt, 1958–65 [erg. frühere Angaben]. – Poesie, hrsg. v. S. AVALLE D'ARCO, 2 Bde, Mailand 1960. – J. BOUTIÈRE u. A.-H. SCHUTZ, Biogr. des troubadours, = Bibl. Méridionale I, 27, Toulouse u. Paris 1950, revidiert (mit I.-M. Cluzel) = Les classiques d'oc (I), Paris 1964; Lo gai saber, hrsg. v. FR. GENNRICH, = Mw. Studienbibl. XVIII/XIX, Darmstadt 1959 (darin d. Melodien zu P–C 364,7 »Baro, de mon dan covit«, zu P–C 364,37 u. zu P–C 364,40 »Quant hom onratz torna en gran paubreira«); E. HOEPFFNER, Le troubadour P. V., = Publ. de la Faculté des lettres de l'Univ. de Strasbourg CXLI, Paris 1961; J. MAILLARD, Anth. de chants de troubadours, Nizza u. NY 1967 (darin d. Melodie zu P–C 364,37); R. J. TAYLOR, The Art of the Minnesinger, 2 Bde, Cardiff 1968 (darin d. Kontrafaktur v. Rudolf v. Fenis).

Peiró, José (Peyró) spanischer Komponist, lebte um das Ende des 17. u. Anfang des 18. Jh., schrieb Bühnenmusik zu Calderóns El jardín de la Falerina (1629). Von ihm sind zahlreiche Bühnenstücke, besonders Autos sacramentales, überliefert, die in einer Handschrift des 18. Jh. im Besitze der Congregación de Actores de la Novena in Madrid überliefert sind.
Lit.: E. COTARELO Y MORI, Hist. de la zarzuela, Madrid 1934; J. SUBIRÁ, Un ms. mus. de principios del s. XVIII, AM IV, 1949.

Peirol (peir'ɔl), * um 1160 zu Peirol (Auvergne), † nach 1221; provenzalischer Trobador, war ein Protégé von Dalfin d'Alvernhe. Von ihm sind etwa 34 Gedichte, darunter 25 Cansos, 3 Tensos (eines mit Dalfin d'Alvernhe, eines mit Gaucelm Faidit) und 2 Kreuzzugslieder (1188 bzw. 1221), erhalten. Zu folgenden 17 Gedichten ist auch die Musik überliefert: Atressi co·l cignes fai (P–C 366,2); Be dei chantar, pos amors m'o enseigna (P–C 366,6); Cora que·m fezes doler (P–C 366,9); D'eissa la razo qu'eu soill (P–C 366,11); Del seu tort farai esmenda (P–C 366,12); D'un bo vers vau pensan com lo fezes (P–C 366,13); D'un sonet vau pensan (P–C 366,14); En joi que·m demora (P–C 366,15); Mainta gens me malrazona (P–C 366,19); M'entension ai tot' en un vers meza (P–C 366,20); Mout m'entremis de chantar volontiers (P–C

366,21); Nuls hom no s'auci tan gen (P–C 366,22); Per dan que d'amor m'aveigna (P–C 366,26); Quant amors trobet partit (P–C 366,29); Si be·m sui loing et entre gent estraigna (P–C 366,31); Tot mon engeing e mon saber (P–C 366,33).
Ausg.: S. C. ASTON, P., Troubadour of Auvergne, Cambridge 1953 (mit Reproduktion d. hs. mit Musik überlieferten Gedichte u. engl. Übers. d. Texte). – d. Melodien zu P–C 366,2–3, 6, 9, 11–15, 19–22, 26, 29, 31 u. 33 in: A. RESTORI, Per la storia mus. dei trovatori prov., 2. Teil, RMI III, 1896, S. 413ff., u. in: Der mus. Nachlaß d. Troubadours, hrsg. v. FR. GENNRICH, Bd I: Kritische Ausg. d. Melodien, = Summa musicae medii aevi III, Darmstadt 1958, als außer P–C 366,2, 19 u. 20 auch in: U. SESINI, Le melodie trobadoriche nel canzoniere prov. della Bibl. Ambrosiana (R. 71 sup.), 2. Teil, in: Studi medievali XIX, N. S. XIII, 1940, S. 104ff., u. XX, N. S. XIV, 1941, S. 32ff. (Faks. u. Übertragung). – weitere Ausg. v. Melodien: P–C 366,21 u. 26 in: FR. GENNRICH, Grundriß einer Formenlehre d. ma. Liedes, Halle (Saale) 1932, Nachdr. Tübingen 1970; P–C 366,29 in: Lo gai saber, hrsg. v. DEMS., = Mw. Studienbibl. XVIII/XIX, Darmstadt 1959, in: DERS., Troubadours, Trouvères, Minne- u. Meistergesang, = Das Musikwerk (I), Köln 1951, auch engl., u. in: E. LOMMATZSCH, Leben u. Lieder d. prov. Troubadours I, Bln 1957; P–C 366,20 in: J. MAILLARD, Anth. de chants de troubadours, Nizza u. NY 1967.
Lit.: A. RESTORI, Per la storia mus. dei trovatori prov., RMI III, 1896; P–C, S. 325ff.; J. BOUTIÈRE u. A.-H. SCHUTZ, Biogr. des troubadours, = Bibl. Méridionale I, 27, Toulouse u. Paris 1950, revidiert (mit I.-M. Cluzel) = Les classiques d'oc (I), Paris 1964; S. C. ASTON, On the Attribution of the Poem »Be·m cujava quo no chantes oguan« and the Identity of the »Marqueza«, Modern Language Rev. XLVIII, 1953; J.-L. GANDOIS u. P. PORTEAU, P., troubadour d'Auvergne, Clermont 1955 (mit Ausg. v. 6 Liedern); P. PORTEAU, Sur l'auteur de la tenson »P., com avetz tant estat«, Rev. des langues romanes LXXII, 1957/58; M. L. SWITTEN, Metrical and Mus. Structure in the Songs of P., Romanic Rev. LI, 1960; DIES., Text and Melody in P.'s »cansos«, Publ. of the Modern Language Ass. of America LXXVI, 1961; FR. GENNRICH in: MGG X, 1962, Sp. 1000f.   TN

Peixinho (peiʃ'iɲu), Jorge Rosado, * 20. 1. 1940 zu Montijo (bei Lissabon); portugiesischer Komponist, studierte am Conservatório Nacional in Lissabon, an der Accademia Nazionale di S. Cecilia in Rom bei Porena und Petrassi sowie in Venedig bei Nono; er besuchte auch Kurse von Boulez und Stockhausen und arbeitete am Elektronischen Studio in Bilthoven unter der Leitung von Koenig. Gegenwärtig ist er Professor für Komposition am Konservatorium in Porto. Er schrieb u. a.: 5 pequenas peças para piano (1959); Alba für S., A., Frauenchor und 11 Instr. (1959); Fascinação für S., Fl. und Klar. (1959); E já que de minhas queixas ... für S., Streichtrio und kleines Orch. (1960); Sobreposições für Orch. (1960); Episódios für Streichquartett (1960); A cabeça do grifo für S., Mandoline und Kl. (1960); Políptico für Kammerorch. (1960); Konzert für Sax. und Orch. (1961); Sucessões simétricas für Kl. (1961); Imagens sonoras für 2 Hf. (1961); Collage I für 2 Kl. (1962); Estrela für Gesang und Kl. (1962); Diafonia – a für Hf., Celesta, Cemb., Metallschlagzeug und 12 Streichinstr. (1963); Cromorfose für 12 Instr. (1963–68); Dominó für Fl. und 3 Schlagzeuger (1964); Sequência für Fl. in G, Celesta, Vibraphon und Schlagzeug (1964); Kinetofonias für 25 Streichinstr. (1965); Recitativo III für Hf., Fl. und Schlagzeug (1966–69); Situação 66 für Kl., Klar., Trp., Hf. und Va (1966); Canto habitado für Mezzo-S., Fl., Vc. und Kl. (1966); Sincronia-Objecto für 3 Tonbänder (1967); Harmónicos für Kl. und 2 Tonbänder (1967); Nomos für Orch. (1968); Euridice reamada für gem. Chor und Orch. (1968).

Pejko, Nikolaj Iwanowitsch, * 12.(25.) 3. 1916 zu Moskau; russisch-sowjetischer Komponist, war Schüler von Litinskij an der Musikmittelschule in Moskau und studierte 1937–40 bei Mjaskowskij am Moskauer Konservatorium, wo er 1944, zunächst als Assistent von Dm. Schostakowitsch, seine pädagogische Tätigkeit begann (1952 Dozent, 1958 Professor). 1939 hielt er sich zu Studien in der Jakutischen ASSR auf. Er schrieb die Oper *Ajchylu* (»Die Mondscheinschönheit«, mit Maslim Walejew, Ufa 1943, Neufassung ebd. 1953), die Ballette *Wessenije wetry* (»Frühlingswinde«, mit S. Chabibullin, ebd. 1950), *Schanna d'Ark* (»Jeanne d'Arc«, Moskau 1957) und *Beresowaja roschtscha* (»Birkenhain«, 1963), Orchesterwerke (*Is jakutskich legend*, »Aus jakutischen Legenden«, symphonische Suite, 1940, Neufassung 1958; 6 Symphonien, 1946, 1946, 1957, 1965, 1970 und 1973; *Moldawskaja sjuita*, »Moldauische Suite«, 1950; *Konzertnaja fantasija na finskije temy*, »Konzertfantasie auf finnische Themen«, für V. und Orch., 1953; Klavierkonzert, 1954), Kammermusik (Klavierquintett, 1963; 2 Streichquartette), Klavierwerke (Sonate, 1954), Vokalmusik (Kantate *Stroiteli grjaduschtschewo*, »Erbauer der Zukunft«, 1958; Lieder, u. a. 20 Romanzen auf Texte von Alexandr Blok) sowie Bühnen- und Filmmusik.
Lit.: W. Zuckermann, Moldawskaja sjuita N. P., SM XV, 1951; A. Kandinskij, »Schanna d'Ark« (»..., ein Ballett v. N. P.«), Moskau 1959; T. Boganowa, O musyke N. P. (»Über d. Musik v. N. P.«), SM XXVI, 1962; G. Grigorjewa, N. I. P., Moskau 1965.

+Pękiel, Bartłomiej (Pechel, Peckel, Pekel), † [erg.: um] 1670.
Die +40 Lautentänze sind ohne Autorangabe überliefert; bisher konnte noch nicht hinreichend nachgewiesen werden, ob P. tatsächlich als ihr Komponist anzusehen ist.
Ausg.: +Audite mortales (H. Feicht u. K. Sikorski, 1929), 2. Aufl. hrsg. v. H. Feicht u. Z. M. Szweykowski, Krakau 1968; +Missa pulcherrima (1669) (H. Feicht u. W. Gieburowski, 1938), NA hrsg. v. H. Feicht, ebd. 1961, ³1972; +2 lat. Lieder »Magnum nomen domini« u. »Resonet in laudibus« (1680) (H. Feicht, 1948), 2. Aufl. ebd. 1964, ³1971. – 40 Lautenstücke, hrsg. v. M. Szczepańska, = Wydawnictwo dawnej muzyki polskiej XXX, ebd. 1955, 2. Aufl. revidiert v. Z. Stęszewska, 1965 (hier ohne Autorangabe); zwei 4st. Patrem, hrsg. v. H. Feicht u. Z. M. Szweykowski, ebd. LII, 1963, ²1969; Missa paschalis, hrsg. v. H. Feicht, ebd. LVIII, 1965; 4st. Missa brevis, hrsg. v. dems., ebd. LXII, 1966; Missa a 14 f. 2 Chöre, 2 V., 3 Violette u. B. c., hrsg. v. Z. M. Szweykowski, ebd. LXIX, 1971. – 3 Sätze in: Muzyka w dawnym Krakowie, hrsg. v. dems., ebd. 1964; 4 Sätze in: Muzyka staropolska, hrsg. v. H. Feicht, ebd. 1966.
Lit.: W. Kmicic-Mieleszyński, Kanony B. P.a, in: Muzyka III, 1958; K. Swaryczewska, Kanoniczny ricercar wariacyjny P.a (»P.s kanonisches Variationsricercar«), ebd.; H. Feicht in: MGG X, 1962, Sp. 1001ff.; M. Perz, Strzępki nieznanej mszy B. P.a (»Fragmente der unbekannten Messe v. B. P.«), in: Muzyka XV, 1970.

Pelaia, Emilio, * 21. 1. 1894 zu Limbadi (Kalabrien); argentinischer Komponist und Violinpädagoge, studierte bei Hércules Galvani (Violine) sowie am Conservatorio de S. Cecilia in Buenos Aires bei Josué Macri. Er war als Professor für Violine am Conservatorio D'Andrea (1926–37) und als Musikerzieher im Staatsdienst tätig. 1927 gründete er mit Víctor de Hubertis die Zeitschrift *Disonancias*. 1955 wurde er Professor für Violine und 1960 außerdem für Kammermusik am Städtischen Konservatorium in Buenos Aires. Er schrieb die Kinderoper *De los Apeninos a los Andes* (Buenos Aires 1936), *2 series argentinas, Quena en el valle, Plegaria profana, Suite clásica* und ein Concerto

grosso für Orch. sowie Vokalwerke (*Canción de la noche y del alba* für A. und Kammerorch.; *Coplas para el corazón que te guarda* und *Coplas para la herida reciente* für A. und Kl.).

+Pelemans, Willem, * 8. [nicht: 6.] 4. 1901 zu Antwerpen.
P. lehrte Musikgeschichte am Konservatorium in Mecheln [erg.:] 1948–59. Er wurde 1972 zum Präsidenten des belgischen Komponistenverbandes gewählt. – Die Oper +*De mannen van Smeerop* (1952) wurde 1963 in Antwerpen uraufgeführt. – Neuere Werke: Kammeroper *De nozem en de nimf* (1960); die Ballette *Herfstgoud (Automnal,* 1959) und *Pas de quatre* (1969); mittlerweile 5 Konzerte (1948, 1955, 1957, 1961, 1966), *Ouverture buffa* (1959) und eine kleine Suite (1962) für Orch., 4. und 5. Concertino (für Streicher 1958; für Kammerorch., 1966); Bratschenkonzert (1963), Orgelkonzert (1965), 3. Klavierkonzert (1967), Concertino für Vc. (1961) und Konzert für 2 Trp. (1963) mit Streichorch., kleine Suite für 3 V., 2 Va und Vc. (1967), Sextett für je 2 Trp., Hörner und Pos. (1968), Quintett für Hf., Fl., V., Va und Vc. (1962), 2. Bläserquintett (1968), 6. und 7. Streichquartett (1955, 1961), Quartett für 4 Klar. (1961), Saxophonquartett (1965), Bläserquartett (1965), *Onder de appelbomen* für Bläserquartett (1968), Klavierquartett (1967), Sonate für Trp., Horn und Pos. (1955), 2 Sonaten für Fl., Ob. und Kl. (1955, 1956), Trio für 2 V. und Kl. (1957), 3. Trio für Ob., Klar. und Fag. (1960), Sonaten für Vc. und Kl. (1959), Fl. und Cemb. (1959) sowie Fl. und Hf. (1967), Sonate (1961), Sonatine (1967) und Konzertstück (1967) für Klar. und Kl.; Sonate für V. solo (1955), Studie für Cemb. (1966), 6 kleine Studien für Git. (1963), Sonate (1967) und Suite (1968) für 2 Git., *Preludium, aria en wals* (1963), *Berceuse* (1964) und *Mijn beurt (Mon tour,* 1966) für Hf.; Klaviersonaten Nr 17–19 (1969, 1962, 1969), Sonate für Kl. 4händig (1967); Kantaten *Diederik en Katrina* (1957), *De vogel van sneeuw* (1964) und *Piet en de pijp (Pierre et la pipe,* für Kinder, 1963), *Japanse verzen* für S., A., Bar. und Kl. (1958), *Ad musicam* für Mezzo-S. und Klarinettenquartett (1964), *Haïkaï* für mittlere St., Fl. (ad libitum) und Hf. (1967), *Fin d'été* für S. und Hf. (1965), 3 Lieslieder für Frauen-St. (1962) und 14 *Zeemansliederen* (1962). – Neuere Schriften: *Muziekkultuur in het Vlaamse land* (in: Facetten van het cultureel leven in Vlaanderen, hrsg. von K. J. Geirlandt u. a., = Uitgave van het Willemsfonds CCV, Brügge 1967); *De Vlaamse muziek en P. Benoit* (Brüssel 1971).
Lit.: W. P., = Cat. v. werken v. Belgische componisten X, Brüssel 1954; Cat. v. de werken v. W. P. / Cat. des œuvres de W. P., ebd. 1969. – W. Paap in: Mens en melodie XXVII, 1972, S. 166ff.

Pelischek, Panka (Pelišek, verheiratete Robert), * 29. 5. 1899 zu Sofia; bulgarische Pianistin und Klavierpädagogin, absolvierte als Schülerin von Joseph Hoffmann 1923 die Wiener Musikakademie und ist seit 1925 ordentlicher Professor am Staatlichen Konservatorium in Sofia. Konzertreisen führten sie u. a. nach Wien, Budapest und Prag. Sie ist sowohl als Solistin als auch häufig als Kammermusikspielerin aufgetreten.

Pella, Paul (ursprünglich Morgenstern), * 20. 3. 1892 zu Wien, † 21. 2. 1965 zu Enschede (Overijssel); niederländischer Dirigent österreichischer Herkunft, studierte in Wien bei Schönberg und G. Adler, war Operndirigent in Prag und 1927–32 in Aachen. 1933 wurde er Leiter der Nederlandse Operastichting, wirkte 1935–37 in Moskau, Baku und Tiflis sowie an der Oper in Amsterdam (1950 Leitung der Uraufführung der *Philomela* von H. Andriessen). 1955 ließ er sich in Enschede nieder, wo er die Aufführungen der Operngesellschaft »Forum« als Musikdirektor und Regisseur betreute.

+**Pelleg,** Frank ([erg.:] ursprünglich Pollak), * 24. 9. 1910 zu Prag, [erg.:] † 20. 12. 1968 zu Haifa. Besonders als Cembalist konzertierte P. in Israel (u. a. bei den von ihm gegründeten Kammermusikabenden des Tel Aviver Museums) und Europa, auch in Südamerika und Japan, und trat bei verschiedenen internationalen Festspielen auf, wobei er neben Werken J. S. Bachs vor allem auch zeitgenössische Cembalomusik spielte. Ab 1962 war er musikalischer Berater des Symphonieorchesters und des Stadttheaters von Haifa (für das er mehrere Bühnenmusiken schrieb). Neben seiner Unterrichtstätigkeit an der Musikakademie in Tel Aviv war er 1960/61 Gastprofessor an der Brandeis University (Mass.), unterrichtete ab 1963 an der Technischen Hochschule in Haifa sowie ab 1965 am dortigen University College. Bei den Sommerkursen in Sankt Moritz (Graubünden) leitete er jährlich eine Interpretationsklasse.

Pellegrin (pɛləgr'ɛ̃), Simon-Joseph, * 1663 zu Marseille, † 5. 9. 1745 zu Paris; französischer Dichter und Librettist, studierte in Marseille und trat in den Servitenorden (aumônier de la marine) ein. Nach zwei Reisen in den Orient ließ er sich in Paris nieder, unter der Gunst von Madame de Maintenon genoß. Er verfaßte Beiträge für den »Mercure galant«, schrieb Tragödien und Komödien sowie eine Reihe von Libretti, von denen *Télemaque et Calypso* (Musik A. C. Destouches, Paris 1714) besonderen Erfolg hatte. Weitere Libretti vertonten u. a. Bertin de la Doué, Colin de Blamont, Des marets, Lacoste, Montéclair (*Jephté,* ebd. 1732), J.-B. M. Quinault und J.-Ph. Rameau (*Hippolyte et Aricie,* ebd. 1733; *Les fêtes d'Hébé ou Les talents lyriques,* mit Antoine Gautier de Montdorge, ebd. 1739).

Pellegrini, Ferdinando (Pellegrino); italienischer Komponist des 18. Jh., vielleicht aus Neapel stammend, war ab 1743 an römischen Kirchen tätig, wirkte dann in Paris und vermutlich auch in London. Kompositionen (Auswahl): *Six sonates pour le clavecin* (Paris 1755?); *Sei trietti* für 2 V. und B. op. 1 (ebd. 1755?); *Sei sonate per cemb.* op. 2 (London 1763?); *Six Lessons for the Harpsichord* op. 5 (ebd. 1763?); *Four Grand Concertos or Symphonies for the Harpsichord or Org. with Accompaniment* op. 8 (ebd. 1765?); *16 nouveaux préludes pour le clavecin* (Paris o. J.).

Pellegrini, Vincenzo, * 2. Hälfte 16. Jh. zu Pesaro, † 23. 8. 1630 zu Mailand; italienischer Komponist, Priester, war ab 1594 Kanonikus am Dom in Pesaro und von 1611 bis zu seinem Tode als Nachfolger Gabussis Kapellmeister am Dom in Mailand. Unter seinem und Gabussis Namen veröffentlichte er kirchenmusikalische Kompositionen (2 Bde), denen er noch Werke weiterer Mailänder Komponisten hinzufügte: *Pontificalia Ambrosianae Ecclesiae ad vesperas musicali concentui accomodata. Libri quattuor Primi et secundi chori* zu 4–5 St. (Mailand 1619); *Litaniae Ambrosianae et Romanae cum octo ac etiam quattuor v.* (ebd. 1623). In Venedig erschienen von ihm: *Canzoni de intavolatura d'org. fatte alla francese. Libro primo* (1599); *Missae octo partium quattuor partim quinque v. concinendae* (1603); *Missarum liber primus* zu 4–5 St. (1603); *Magnificat decem* (1613); *Sacri concentus* zu 1–6 St. und Org. (1619). Weitere Werke sind in Sammelwerken und handschriftlich erhalten.

Ausg.: 2 Stücke in: L. Torchi, L'arte mus. in Italia III, Mailand 1897; Canzoni de intavolatura d'org. Libro pri-

mo, hrsg. v. P. Beraldo, = Antiquae musicae Ital. bibl., Monumenta organica B (Typis expressa) III, ebd. 1968. Lit.: G. Tebaldini, L'arch. mus. della Cappella Lauretana, Loreto 1921, S. 12f.; Cl. Sartori, Monteverdiana, MQ XXXVIII, 1952.

+**Pelletier,** Wilfrid, * 20. 6. 1896 zu Montreal. Er war bis 1950 Chefdirigent an der Metropolitan Opera in New York (insbesondere französische Oper), leitete bis 1940 das Symphonieorchester von Montreal, dann bis 1962 das von Quebec. P., dem verschiedene Ehrungen zuteil wurden (u. a. Ehrendoktorwürde der Universitäten von Montreal, Quebec und Vancouver), ist seit 1968 als künstlerischer Berater am kanadischen Kultusministerium tätig und lebt heute in Montreal. Er veröffentlichte die (autobiographische) Schrift *Une symphonie inachevée* (= Vies et mémoires o. Nr, Quebec 1972).

Lit.: L. G. McCready, Famous Musicians. MacMillan, Johnson, P., Willan, = Canadian Portraits o. Nr, Toronto 1957.

Pels & van Leeuwen, niederländische Orgelbaufirma, gegründet 1903 von Bernard P. mit Sitz in Alkmaar (Nordholland), führt seit 1964 den heutigen Namen. Das Unternehmen wird seit 1962 von P. A. J. Andriessen und R. van Rumpt geleitet. Es stellt Pfeifenorgeln (seit 1962 nur mechanische Orgeln) für Kirchen, Musikschulen, Konzertsäle und Privathäuser her. Aufgekauft wurden die Orgelbaufirmen Valckx & Van Konteren (1959), Faes & Bron (1963) und Willem van Leeuwen (1964).

Peña y Goñi (p'eɲa i g'oɲi), Antonio, * 2. 11. 1846 zu San Sebastián, † 13. 11. 1896 zu Madrid; spanischer Musikschriftsteller, studierte am Madrider Konservatorium und war Musikkritiker bei der Tageszeitung »Imparcial«. 1879 wurde er Professor für Musikgeschichte an der Escuela Nacional de Música und 1890 Mitglied der Real Academia de Bellas Artes de S. Fernando in Madrid. Er schrieb *La ópera española y la música dramática en España en el s. XIX* (Madrid 1885, Ausw.-Ausg. als *España, desde la ópera a la zarzuela,* hrsg. von E. Rincón, ebd. 1967) sowie zahlreiche Arbeiten über musikalische Themen verschiedenster Art; besonders setzte er sich für R. Wagner ein. P. y G. ist auch als Komponist von Orchester- und Konzertstücken, Klaviermusik und Gesangswerken hervorgetreten.

+**Peñalosa,** Francisco de (Penyalosa), um 1470 – [erg.:] 1. 4. 1528 [nicht: 1535; erg.:] zu Sevilla. P., bereits 1498 Sänger in der Kapelle Ferdinands des Katholischen, wurde 1506 Kanonikus an der Kathedrale von Sevilla, 1511 Kapellmeister des Infanten Don Fernando de Aragón und stand ab 1517 in Diensten Papst Leos X.

Ausg.: 2 Messen u. 10 Villancicos in: La música en la corte de los Reyes Católicos, hrsg. v. H. Anglès, = MMEsp I bzw. V u. X, Barcelona 1941 (²1960) bzw. 1947–51. Lit.: +R. Gerber, Span. Hymnensätze um 1500 (1953), wiederabgedruckt in: Zur Gesch. d. mehrstimmigen Hymnus, hrsg. v. G. Croll, = Mw. Arbeiten XXI, Kassel 1965. – R. Stevenson, Span. Music in the Age of Columbus, Den Haag 1960.

Penderecki (pɛndɛr'ɛtski), Krzysztof, * 23. 11. 1933 zu Dębica (Rzeszów); polnischer Komponist, studierte bei Skołyszewski privat und bei Malawski und Wiechowicz an der Krakauer Musikhochschule (Diplom 1958), an der er 1958 Professor für Komposition und 1972 Direktor wurde. 1966–68 war er Dozent an der Folkwang-Hochschule in Essen. 1968 war er Stipendiat des Deutschen Akademischen Austauschdienstes in Berlin. – P., einer der führenden Komponisten der polnischen Avantgarde, wurde 1959 bekannt, als sämtliche 3 Preise eines vom polnischen Komponistenverband ausgeschriebenen Kompositionswettbewerbs an seine Werke *Strofy*, *Psalmy Dawida* und *Emanationen* gingen. Mit den *Strofy* trat P. auf dem Warschauer Herbst 1959 erstmals vor eine breitere Öffentlichkeit. Die *Emanationen* bilden den Auftakt für die dominierende Reihe der experimentellen Instrumentalkompositionen der Jahre 1960–62, die mit *Anaklasis* (1960) beginnt und eine Endbilanz des erarbeiteten Materials in *Fluorescences* (1962) erreicht. Zentrales Problem dieser Werke sind die Gestaltungsmöglichkeiten von Klangfarbe und Geräusch, die, emanzipiert von rein koloristischer Funktion, konstitutive Bedeutung gewinnen. Als materiale Grundeinheit dient nicht mehr der Einzelton mit bestimmter Tonhöhe; bevorzugte Gestaltungsmittel sind meist vierteltönige Cluster, Klangfarben- und Farbgeräuschbänder von unterschiedlicher Dichte und Artikulation, Glissando- und Vibratotechniken. Die Geräuschproduktion resultiert wesentlich aus der Verfremdung des traditionellen Instrumentalklanges durch neuartige Spielpraktiken, die in diesem Stadium vorwiegend an Streichinstrumenten entwickelt werden und einen sichtbaren Ausdruck in neuen graphischen Notationsformen finden. Auf die vokalen Experimentalwerke von 1958–61 überträgt P. die Ergebnisse der Instrumentalwerke, erfindet gleichzeitig autonom-vokale Möglichkeiten, indem er das Sprachmaterial in seine Bestandteile zerfasert und damit Schlagzeug- und Geräuscheffekte erzielt. Charakteristisch dafür sind die *Wymiary czasu i ciszy* (»Dimensionen der Zeit und der Stille«) und der *Psalmus*, der vokales Grundmaterial elektronisch verarbeitet. Die Lukaspassion, entstanden 1962–65, leitet eine Reihe von Werken ein, in denen P. sich den großen traditionellen vokal-instrumentalen Gattungen (Oratorium, Oper, geistliche Kompositionen) zuwendet, die Ergebnisse der experimentellen Phase synthetisiert und sie in den Dienst autonom-musikalischer Thematik stellt. Vorgeprägt finden sich diese Züge in den *Psalmy Dawida* und dem Stabat Mater von 1962, das wesentlicher Bestandteil der Lukaspassion wurde. Für die Passion, eines der meistaufgeführten Werke Neuer Musik, erhielt P. den Großen Kunstpreis des Landes Nordrhein-Westfalen 1966 und den Prix Italia 1967. EFL

Werke: *Psalmy Dawida* (»Aus den Psalmen Davids«) für gem. Chor, Schlagzeug, Celesta, 2 Kl., Hf. und 4 Kb. (1958); *Emanationen* für 2 Streichorch. (1959); *Strofy* (»Strophen«) für S., Sprecher und 10 Instr. (nach Texten von Menander, Sophokles, Jesaias, Jeremias und Omar-el-Khayam, 1959); *3 Miniatury* (»3 Miniaturen«) für V. und Kl. (1959); *Tren. Ofiarom Hiroszimy* (»Threnos. Den Opfern von Hiroshima«) für 52 Streichinstr. (1959); *Anaklasis* für 42 Streichinstr. und Schlagzeuggruppen (1960); *Quartetto per archi* (1960); *Wymiary czasu i ciszy* für 40st. gem. Chor, Streichorch. und Schlagzeuggruppen (1960, ohne Text); *Fonogrammi* für Solo-Fl. und Kammerensemble (1961); *Psalmus*, elektronische Komposition (1961); *Polymorphia* für 48 Streichinstr. (1961, als Ballett unter dem Titel *Noctiphobie*, Amsterdam 1970); *Kanon* für 52 Streichinstr. und Tonband (1962); *Fluorescences* für Orch. (1962); *Sonata per vc. ed orch.* (1964); *Cantata in honorem Almae Matris Universitatis Jagellonicae* für gem. Chor und Orch. (1964, ohne Text); *Mensura sortis* für Kl. (1964); *Capriccio per ob. ed archi* (1965); *Passio et mors Domini nostri Iesu Christi secundum Lucam* für S., Bar., B., Sprecher, Knabenchor, 3 gem. Chöre, Org. und Orch.

(1962–65, szenisch Düsseldorf 1969; daraus Stabat mater für 3 gem. Chöre a cappella, 1962); *De natura sonoris* für Orch. (1966); *Dies irae*, Oratorium ob memoriam in perniciei castris in Oświęcim necatorum inexstinguibilem reddendam für S., T., B., gem. Chor und Orch. (nach Texten aus der Bibel, von Aischylos, Aragon, Valéry, Broniewski und Tadeusz Rózewicz, alle bis auf Aischylos von T. Gorski ins Lateinische übertragen, 1967); *Concerto per violino grande ed orch.* (1967); *Capriccio per violino ed orch.* (1967); *Pittsburgh Overture* für Blasorch. (1967); *Capriccio per Siegfried Palm* für Vc. solo (1968); *Quartetto per archi No. 2* (1968); *De natura sonoris – 2* für Bläser, Schlagzeug und Streicher (1969); *Die Teufel von Loudun* (Oper in 3 Akten, Libretto vom Komponisten nach Aldous Huxleys *The Devils of Loudun* in der Dramatisierung von John F. Whiting, Hbg 1969); *Utrenija* (mit den Teilen *Grablegung Christi* für S., A., T., B., Basso profondo, 2 gem. Chöre und Orch., 1969, und *Auferstehung* für S., A., T., B., Basso profondo, Knabenchor, 2 gem. Chöre und Orch., 1971); *Kosmogonia* (zum 25jährigen Bestehen der UNO) für S., T., B., gem. Chor und Orch. (1970); *Prélude* für Bläser, Schlagzeug und Kontrabässe (1971); *Actions* für Jazzensemble (1971); *Partita* für Cemb., Git., B. (alle 3 Instr. elektrisch verstärkt), Hf. und Kammerorch. (1971); Konzert für Vc. und Orch. (1972); *Canticum canticorum Salomonis* für 16st. Chor, Kammerorch. und ein Tänzerpaar (ad libitum, 1972); *Ecloga VIII* für 6 Männer-St. a cappella (nach Vergils »Bucolica«, 1972); *Ekecheireia* für Tonband (1972); 1. Symphonie (1973); *Intermezzo* für 24 Streicher (1973); *Le songe de Jakob* für Orch. (1974).

Lit.: T. A. ZIELINSKI, Der einsame Weg d. Krz. P., in: Melos XXIX, 1962; U. DIBELIUS, Der Beitr. Polens, in: Musica XVII, 1963; DERS., Polnische Avantgarde, in: Melos XXXIV, 1967; P. FUHRMANN, Untersuchungen zur Klangdifferenzierung im modernen Orch., = Kölner Beitr. zur Musikforschung XL, Regensburg 1966; L. PINZAUTI, A colloquio con Krz. P., nRMI I, 1967; W. AMMEL, Ich bin Komponist, das allein interessiert mich. Ein Gespräch mit Krz. P., in: HiFi Stereophonie VII, 1968; T. KACZYNSKI, Polnische Avantgarde am Scheideweg, in: Melos XXXV, 1968; W. SCHWINGER, Magische Klanglandschaften. Krz. P. u. d. polnische Avantgarde, in: Musica XXII, 1968; A. ORGA, P., Composer of Martyrdom, in: Music and Musicians XVIII, 1969/70; D. H. LINTHICUM, P.'s Notation, Diss. Univ. of Illinois 1972; K.-J. MÜLLER, Traditionelles bei P., in: Musik u. Bildung IV, 1972; DERS., Informationen zu P.s Lukas-Passion, = Schriftenreihe zur Musikpädagogik u. Nr, Ffm. 1973; DERS. in: Perspektiven neuer Musik, hrsg. v. D. Zimmerschied, Mainz 1974, S. 201ff. (zu ›Aus d. Psalmen Davids‹ u. »Anaklasis«); H. VOGT, Neue Musik seit 1945, Stuttgart 1972 (darin S. 347ff. zu »Passio et mors . . . «).

+Penet, Hilaire, [erg.:] * 1461 in der Diözese Poitiers.

Ausg.: Magnificat tertii toni, in: P. Attaingnant, Treize livres de motets, Bd V, hrsg. v. A. SMIJERS, Monaco 1960.

Penhęrski, Zbigniew, * 26. 1. 1935 zu Warschau; polnischer Komponist, studierte an den Musikhochschulen in Posen bei Poradowski (1954–55) und Warschau bei Szeligowski (1955–59). Er schrieb neben der Funkoper *Sąd nad Samsonem* (»Gericht über Samson«, 1968) u. a. 4 Praeludien für Kl. (1956), *Kontrasty* (»Kontraste«) für Streichorch., 2 Sax. und 3 Trp., *Musica humana* für Bar., gem. Chor und Orch. (1963), ein Streichquartett (1966), *Missa abstracta* für T., gem. Chor und Orch., *Muzyka uliczna* (»Straßenmusik«) für Kammerensemble (1966), *13 improwizacji dziecięcych* (»13 Kinderimprovisationen«) für Kinderkammerensemble (1968), *Cantatina* für Kinderchor und Kindersymphonieorch. mit beliebigem Text (1969) und

Kwartet instrumentalny (»Instrumentalquartett«) für 4 Instrumentalisten und Tonband (1970).

+Penna, Lorenzo, 1613–31. [nicht: 20.] 10. 1693 zu Bologna [nicht: Imola].
P., der 1660–65 an der Universität in Ferrara studierte (Promotion in Theologie), war 1667–69 Kapellmeister an S. Cassiano in Imola und trat dann in Mantua in den Karmeliterorden ein; 1672–73 wirkte er als Kapellmeister an der Karmeliterkirche in Parma. Ab 1676 war er Mitglied der Accademia dei Filarmonici in Bologna, wo er vermutlich seine letzten Lebensjahre verbracht hat. – Seine erhaltenen Kompositionen sind: 5st. *Messe e salmi concertati* mit 2 V. ad libitum (1656); 4–5st. *Psalmorum totius anni modulatio* (1669); die Kammersonaten *Correnti francesi a quattro* mit 2 V., Violone, Violetta und B. c. (1673, in der Dedikation mit »Sonate« bezeichnet); 4–8st. *Il sacro Parnaso delli salmi festivi* (1677); 4–8st. *Reggia del sacro Parnaso* (1677); 4–8st. *Galeria del sacro Parnaso* mit Instr. ad libitum (1678).
Ausg.: Li primi albori mus. ..., Faks.-Ausg. d. 4. Aufl. v. 1684, = Bibl. musica Bononiensis II, 38, Bologna 1969.
Lit.: Fr. Th. Arnold, The Art of Accompaniment from a Thorough-B., London 1931, Nachdr. 1961, in 2 Bden = American Musicological Soc., Music Library Ass. Reprint Series o. Nr, NY 1965, auch 1966; J.-H. Lederer, L. P. u. seine Kontrapunkttheorie, Diss. Graz 1970; ders., Zur Lebensgesch. L. P.s, KmJb LV, 1971.

Pennario (pin'æɹiou), Leonard, * 9. 7. 1924 zu Buffalo (N. Y.); amerikanischer Pianist, studierte an der Juilliard School of Music in New York bei Guy Maier. Er trat im Alter von 12 Jahren mit dem Dallas Symphony Orchestra und mit 15 Jahren mit dem Los Angeles Philharmonic Orchestra auf. P. konzertierte mit den großen amerikanischen Orchestern und gab Soloabende in der Alten und Neuen Welt.
Lit.: R. J. Silverman in: The Piano Quarterly XXI, 1972/73, Nr 82, S. 3ff. (Interview).

Pennauer, Anton, * um 1784 und † 20. 10. 1837 zu Wien; österreichischer Musikverleger, gründete 1822 einen Musikverlag. In vorbildlicher Drucktechnik veröffentlichte er u. a. Kompositionen von Fr. Schubert (ab 1825 17 Werke), C. Kreutzer, G. Hellmesberger, H. Herz und Fr. Lachner. 1834 geriet er in Konkurs; sein Unternehmen ging an Anton Diabelli & Comp. über.
Lit.: A. Weinmann, Wiener Musikverleger u. Musikalienhändler v. Mozarts Zeit bis gegen 1860, = Sb. Wien CCXXX, 4, H. 2, 1956.

Pennisi, Francesco, * 11. 2. 1934 zu Acireale (Sizilien); italienischer Komponist, studierte Politik an der Universität in Rom; als Komponist hat er sich, neben Studien bei Robert W. Mann, autodidaktisch gebildet. 1964 war er Mitgründer der Konzertreihe Nuova Consonanza in Rom. – Kompositionen (Auswahl): *L'anima e i prestigi* für A. und 5 Instr. (1962); *Hymn* für Orch. (1964); Invention für 3 Klar., Celesta und Bekken (1964); *Palermo, aprile* für Kammerorch. (1966); *Quintetto in quattro parti* (1966); Trio für Fl., Horn und Kb. (1967); *Mould* für verschiedene Tasteninstr. und Schlagzeug (1968); *Coralis cum figuris* für verschiedene Instr. (1969); *A Cantata on Melancholy* für S. und Orch. auf Texte von Robert Burton (1969); *Il volo di Icaro* für Orch. (1969); *Sylvia Simplex* für S., Kl., einen Schauspieler und Kammerorch. (1972).

Pentland (p'entlənd), Barbara (verheiratete Huberman), * 2. 1. 1912 zu Winnipeg (Manitoba); kanadische Komponistin und Pianistin, studierte 1929–30 an der Schola Cantorum in Paris (Cécile Gauthiez), absolvierte 1939 die Juilliard School of Music in New York (Fr. Jacobi, B. Wagenaar) und vervollkommnete ihre Studien 1941–42 am Berkshire Music Center in Tanglewood/Mass. (Copland). Sie lehrte Theorie und Komposition ab 1942 am Royal Conservatory of Music in Toronto sowie 1949–63 am Music Department der University of British Columbia in Vancouver. 1955 konzertierte sie mit eigenen Werken in Europa. Sie komponierte u. a. die Kammeroper *The Lake* für 4 Gesangssolisten und 15 Instr. (CBS Vancouver 1954), die Ballettpantomime *Beauty and the Beast* für 2 Kl. (Winnipeg 1941), Orchesterwerke (*Lament*, 1939; 4 Symphonien, 1948, 1950, 1957 und 1959; *Cinéscène I* für Kammerorch., 1968; Konzert für V. und Kammerorch., 1942; *Colony Music*, 1947, und Konzert, 1956, für Kl. und Streichorch.; Konzert für Barockorg. und Streichorch., 1949; *Variations concertantes* für Kl. und Orch., 1970), Kammermusik (Bläseroktett, 1948; Septett für Horn, Trp., Pos., Org., V., Va und Vc., 1967; Klavierquartett, 1939; 3 Streichquartette, 1944, 1953 und 1970), *Sonata Fantasy* (1947), *Dirge* (1948) und *Mirror Study* (1952) für Kl., eine Sonate für 2 Kl. (1953) und Vokalwerke (Liederzyklus für S. und Kl., 1945; *At Early Dawn* nach Hsiang Hao für T., Fl. und Vc., 1945) sowie Radio- und Filmmusik. B. P. trat auch mit Studienwerken für Klavier hervor.
Lit.: R. Turner, B. P., in: The Canadian Music Journal III, 1958; Werkverz. in: Composers of the Americas VI, Washington (D. C.) 1960.

Pépin (pep'ɛ̃), Clermont, * 15. 5. 1926 zu St-Georges-de-Beauce (Québec); kanadischer Komponist, studierte Klavier und Harmonielehre am Konservatorium in Quebec und am Conservatoire de Musique und d'Art Dramatique de la Province de Québec in Montreal (Champagne), Klavier und Komposition am Curtis Institute of Music in Philadelphia (Scalero) und am Royal Conservatory of Music in Toronto (A. M. Walter, L. Kolessa) sowie 1949–51 in Paris (A. Honegger, Jolivet, Messiaen). Er ist Professor für Komposition am Conservatoire in Québec (1967 Direktor). P. komponierte u. a. die Ballette *Les portes de l'enfer* für 2 Kl. (Paris 1953), *L'oiseau phénix* (Montreal 1956) und *Le porte-rêve* (1957), Orchesterwerke (Variationen für Streichorch., 1944; 2 Klavierkonzerte, 1946 und 1949; *Variations symphoniques*, 1947; 3 Symphonien, Nr 1 H moll, 1948, Nr 2 für Kammerorch., 1957, und Nr 3, *Quasars*, für Chor und Orch., 1967; Nocturne für Streichorch., 1950–57; Symphonische Dichtungen *Guernica* nach dem Gemälde von Picasso, 1952, und *Le rite du soleil noir*, 1955; *Monologue* für Kammerorch., 1961; *Nombres* für 2 Kl. und Orch., 1962), Kammermusik (*Musique pour Athalie* für Bläser, 1956; 4 Streichquartette, Nr 1, 1948, Nr 2, Variationen, 1955, Nr 3, Adagio und Fuge, 1959, und Nr 4, *Hyperboles*, 1960; Klaviertrio, 1959; *4 monodies* für Fl. solo, 1955) und Klavierwerke (Sonate, 1947; Suite, 1951, Neufassung 1955) und Vokalwerke (Kantaten *Cantique des cantiques* für Streichorch., 1950, und *Hymne au vent du nord* für T. und Orch., 1960).

Pepöck, August, * 10. 5. 1887 und † 5. 9. 1967 zu Gmunden (Oberösterreich); österreichischer Komponist, Sängerknabe im Stift St. Florian, Schüler von R. Fuchs und Heuberger in Wien, war nach 1918 Theaterkapellmeister in Iglau, Bozen, Reichenberg, Elberfeld und Dortmund und lebte ab 1926 als freischaffender Komponist teils in Gmunden, teils in Wien. Großen Erfolg hatte seine Operette *Hofball in Schönbrunn* (Bln 1937). Von seinen weiteren Bühnenwerken seien die Operetten *Mädel ade!* (Wien 1930), *Trompeterliebe* (Lpz. 1934), *Der Reiter der Kaiserin* (Wien 1941), *Eine kleine Liebelei* (ebd. 1943) und das musikalische Lustspiel *Der ewige Spitzbub* (Innsbruck 1947) genannt. P. schrieb ferner Orchesterstücke, Kammermusik

(Streichquartett), Kirchenmusik (St. *Floriani-Festmesse* für Soli, 6st. Chor und Orch., 1956), Chöre, Lieder und Filmmusik.

+Pepping, Ernst, * 12. 9. 1901 zu Duisburg.
P., seit 1955 ordentliches Mitglied der Akademie der Künste in (West-)Berlin und seit 1962 Ehrendoktor der Freien Universität Berlin, wurde zu seinem 70. Geburtstag mit einer Festschrift geehrt (hrsg. von H. Poos, Bln 1971, mit Werkverz. und Bibliogr.). – Weitere Werke: *Großes* (3 Teile, 1939) und *Kleines Orgelbuch* (1940); Toccata und Fuge *Mitten wir im Leben sind* für Org. (1941); Streichquartett (1943); *Haus- und Trostbuch* für Singst. und Kl. (Brentano, Goethe, Bergengruen u. a., 1946); Orchestervariationen (1949); Sonate für Fl. und Kl. (1958); Evangelienmotette *Das Weltgericht* (4st., 1958); 12 Choralvorspiele (manualiter, 1958) und eine Sonate (1958) für Org.; *Die Weihnachtsgeschichte des Lukas* (4–7st., 1959); *Neues Choralbuch* (3–4st., 1959); 25 Orgelchoräle (nach Sätzen des +*Spandauer Chorbuchs,* 1960); Vesper *Johannes der Täufer* (4–6st., 1961); 2 Psalmmotetten (*Herr, unser Herrscher* und *Der Herr ist mein Hirte,* 4st., 1962); *Gesänge der Böhmischen Brüder in Variationen* für a cappella-Chor (1963); Adventsmotette *Aus hartem Weh die Menschheit klagt* (3–4st., 1964); 139. Psalm *Herr, du erforschest mich* für A., Chor und Orch. (1964); Motette *Deines Lichtes Glanz* (4–6st., 1967); *Praeludia – Postludia* (zu 18 Chorälen) für Org. (1969); Volksliedbearbeitungen. Lit.: H. SCHMIDT, Untersuchungen zum Orgelchoral E. P.s, MuK XXIV, 1954; G. WITTE, Zu E. P.s Psalmbicinien, MuK XXV, 1955; DERS., E. P.s Liedkunst, in: Hausmusik XXV, 1961; DERS., Randbemerkungen zum Werk E. P.s, Württembergische Blätter f. Kirchenmusik XXVIII, 1961; DERS., Das Verhältnis v. Sprache u. Musik in d. modernen Motettenkomposition, ebd. XXXI, 1964; A. ADRIO in: 110. Niederrheinisches Musikfest in Düsseldorf, Jb. 1956, S. 80ff., Der Kirchenmusiker XII, 1961, S. 137ff., Musica XV, 1961, S. 473ff., u. in: MuK XLI, 1971, S. 217f.; DERS., Die Weisen d. Böhmischen Brüder im Werk E. P.s, in: Musicae scientiae collectanea, Fs. K. G. Fellerer, Köln 1973; D. MANICKE in: Kirchenmusik heute, hrsg. v. H. Böhm, Bln 1959, S. 53ff., u. in: Musica XXII, 1968, S. 86ff.; A. DÜRR, Gedanken zum Kirchenmusikschaffen E. P.s, MuK XXXI, 1961; H. POOS, Das Klavierwerk v. E. P., in: Musik im Unterricht (Allgemeine Ausg.) 1961; DERS., E. P.s Liederkreis f. Chor nach Gedichten v. Goethe »Heut u. Ewig«, = Berliner Studien zur Mw. IX, Bln 1965; DERS., E. P.s Prediger-Motette, MuK XXXVIII, 1968; O. RIEMER in: Gottesdienst u. Kirchenmusik 1965, S. 171ff.; O. SÖHNGEN, Gespräch mit E. P., in: Wandel u. Beharrung, Bln 1965; L. BAUMGÄRTEL in: Credo mus., Fs. R. Mauersberger, Kassel 1969, S. 127ff.; CHR. ENGELBRECHT in: Der Kirchenmusiker XXII, 1971, S. 198ff. (Gespräch); G. GROTE, E. P.s Chormusik im Gottesdienst, ebd.; H.-W. ZIMMERMANN, Über homogene, heterogene u. polystilistische Polyphonie, MuK XLI, 1971.

+Pepusch, John Christopher, 1667–1752.
+*The Beggar's Opera* (1728) wurde auch von B. Britten bearbeitet (op. 43, Cambridge 1948).
Ausg.: The Beggar's Opera, Faks. d. Ausg. v. 1729, hrsg. v. L. KRONENBERGER u. M. GOBERMAN, Larchmont (N. Y.) 1961 (Textbuch u. Musik); A Treatise on Harmony, Faks. d. Ausg. London ²1731, = MMMLF II, 28, NY 1966, auch Hildesheim 1971. – The Beggar's Opera, Kl.-A. hrsg. v. E. J. DENT, London 1954; dass., übers. u. hrsg. v. V. DUPONT = Publ. de la Faculté des lettres et sciences humaines de Toulouse A I, 1, Toulouse 1967 (mit Faks.-Ausg. d. engl. Textes d. 4. Aufl. v. 1735, nebst Chansons, Arien u. d. Ouvertüre); dass., hrsg. v. E. V. ROBERTS (Text) u. E. SMITH (Musik), = Regent's Restoration Drama Series o. Nr, Lincoln (Nebr.) 1969. – Ein unbekanntes Theaterdokument, Jb. d. Komischen Oper Bln IV, 1963/64 (Slg v. 52 Spielkarten aus d. Jahre 1730 mit d. Melodien u. Gesangstexten d. »Bettleroper«). – neuere

(Einzel-)Ausg. (ab 1955) u. a. in d. Verlagen Bärenreiter (Kassel), Breitkopf & Härtel (Lpz.), Doblinger (Wien), Heinrichshofen (Wilhelmshaven), Kistner & Siegel (Lippstadt bzw. Köln) u. Schott (London u. Mainz).
Lit.: +CH. BURNEY, A General Hist. of Music (Fr. Mercer, London 1935 [nicht: 1925], auch NY 1935), Nachdr. NY 1957; +FR. CHRYSANDER, G. Fr. Händel (II, 1860), Nachdr. Hildesheim u. Wiesbaden 1966. – W. E. SCHULTZ, Gay's »Beggar's Opera«. Its Content, Hist. & Influence, New Haven (Conn.) 1923, Nachdr. NY 1967; A. V. BERGER, The Beggar's Opera, ML XVII, 1936; H. W. FRED, The Instr. Music of J. Chr. P., 2 Bde (I Text, II Suppl.: thematisches Verz.), Diss. Univ. of North Carolina 1961; J. CUDWORTH in: MGG X, 1962, Sp. 1026ff. →+Gay, J.

+Pepys (pi:ps, auch p'epis), Samuel, 1633 – 25. [nicht: 26.] 5. 1703.
Ausg.: The Diary of S. P., 9 Bde nebst Suppl., hrsg. v. H. B. WHEATLEY, London 1893–1904 (Standardausg.); dass., neu hrsg. v. R. LATHAM u. W. MATTHEWS, auf 11 Bde geplant, bisher erschienen d. Bde I–VII, ebd. 1970–72. – The Music of P. MS 1236, hrsg. v. S. R. CHARLES, = CMM XL, (Rom) 1967.
Lit.: E. HART, The Restoration Catch, ML XXXIV, 1953; M. EMSLIE, P.' Shakespeare Song, Shakespeare Quarterly VI, 1955; DERS., P.' Songs and Songbooks in the Diary Period, in: The Library V, 12, 1957; D. G. WEISS, S. P., Curioso, Pittsburgh (Pa.) 1957; S. R. CHARLES, The Music of »P. MS 1236«, 2 Bde (I Text, II Übertragung), Diss. Univ. of California at Berkeley 1959; DERS., The Provenance and Date of the P. MS 1236, MD XVI, 1962; V. DUCKLES in: MGG X, 1962, Sp. 1031f.; J. E. TAYLOR, S. P., = Twayne's Engl. Authors LIV, NY 1967; A. A. HUFSTADER, S. P., Inquisitive Amateur, MQ LIV, 1968.

+Peragallo, Mario, * 25. 3. 1910 zu Rom.
Künstlerischer Leiter der Accademia filarmonica romana war P. bis 1954. Als Präsident der italienischen Sektion der IGNM wirkte er 1956–60 und wieder seit 1963. An weiteren Kompositionen seien *Forme sovrapposte* für Orch. (1959) und *Vibrazioni* für Fl., »tiptofono« und Kl. (1960) genannt.
Lit.: L. PESTALOZZA, P., scrivere per l'opera, in: Il verri, N. S. II, 1958.

Perak, Rudolf, * 29. 3. 1891 zu Wien; deutscher Komponist, erhielt seine musikalische Ausbildung am Mozarteum in Salzburg, wurde Kapellmeister am Operettenhaus in Hamburg und am Metropoltheater in Berlin und war dann (bis 1945) Filmkapellmeister bei der Ufa. Außer Operetten (*Frau im Frack, Der Page des Herzogs, Ein Mädel wie du*) schrieb er zahlreiche Spielfilmmusiken (*Der Prinz von Arkadien,* mit R. Stolz, 1932; *Stärker als Paragraphen,* 1936; *Signal in der Nacht,* 1937; *Ein Lied geht um die Welt,* 1958; *Zwischen Glück und Krone,* 1959), über 300 Kulturfilmmusiken sowie Musik für Fernsehspiele.

Peralta, Angela, * 6. 7. 1845 zu Puebla, † 30. 8. 1883 zu Mazatlán; mexikanische Opernsängerin (Sopran), studierte ab 1861 bei Francisco Lampertini in Mailand, wo sie an der Scala 1862 in der Titelpartie von *Lucia di Lammermoor* debütierte und von da an erfolgreich in verschiedenen Städten Italiens sowie in Alexandria und Lissabon auftrat. 1865 gab sie als Amina (*La sonnambula*) ihr Debüt am Teatro Nacional in México (D. F.) und gründete 1872 eine eigene Operntruppe für Mexiko. Auf einer ihrer Tourneen wurde sie mit fast ihrer ganzen Truppe vom Gelbfieber dahingerafft. A. P. schrieb auch Salonmusik für Klavier (teilweise erschienen als *Album musical de A. P.,* 1875).
Lit.: A. F. CUENCA, A. P. de Castera. Rasgos biogr., México (D. F.) 1873; E. DE OLIVARÍA Y FERRARI, Reseña hist. del teatro en México, ebd. ²1895; O. MAYER-SERRA, Panorama de la música mexicana, ebd. 1941; A. DE MARÍA Y CAMPOS, A. P., El ruiseñor mexicano, = Vidas mexicanas XV, ebd. 1944.

Peralta Escudero, Bernardo de, * 2. Hälfte 16. Jh. wahrscheinlich zu Saragossa, † 1632 zu Saragossa; spanischer Komponist, war als Maestro de capilla ab 1604 (endgültige Ernennung 1609) an der Kathedrale in Burgos und von 1611 bis zu seinem Tode am Dom in Saragossa tätig. Von seinen Werken sind überliefert: ein 8st. Requiem und 5 Villancicos (2 6st., 1 8st., 2 12st.) im Archiv des Domes von Saragossa; ein 4st. Villancico in der Kathedrale von Valladolid; ein 3st. Villancico in der Biblioteca Nacional in Madrid; ein 12st. Magnificat im Archiv der Kathedrale von Puebla (Mexiko). 12 3st. bzw. 5st. Villancicos, ein 12st. Magnificat und ein 7st. Salve regina sind im Katalog der Bibliothek von João IV. von Portugal verzeichnet.

Ausg.: Romances y letras a tres v. (s. XVI), Bd I, hrsg. v. M. QUEROL, = MMEsp XVIII, Barcelona 1956.
Lit.: B. SALDONI, Diccionario biogr.-bibliogr. de Efemérides de músicos españoles IV, Barcelona 1881; R. STEVENSON, Music in Mexico, NY 1952; Livraria de música de El-Rei D. João IV, 2 Bde, hrsg. v. M. L. DE SAMPAIO RIBEIRO, = Estudo mus., hist. e bibliogr. I, Lissabon 1967.

+Peranda, Marco Giuseppe, um 1625–1675. In Dresden ist P. 1661 als Vizekapellmeister und 1663 als 3. Kapellmeister nachweisbar [del. frühere Angaben hierzu].

Lit.: I. BECKER-GLAUCH in: MGG X, 1962, Sp. 1033ff.; W. STEUDE, Die Markuspassion in d. Lpz.er Passions-Hs. d. J. Z. Grundig, DJbMw XIV, 1969.

Peraza (per′aθa), Francisco (de Pereza), * 1564 zu Salamanca, † 24. 6. 1598 zu Sevilla; spanischer Organist und Komponist, Organist an der Kathedrale von Sevilla, war ein Meister seines Instruments und sowohl bei Musikern wie Fr. Guerrero und Rogier als auch bei Laien hochangesehen. Daneben schrieb er zahlreiche Tientos und andere Orgelwerke. Sein Bruder Jerónimo P. († 1617 zu Toledo) wirkte als Organist an den Kathedralen in Sevilla, Palencia und Toledo.

Ausg.: »Medio registro alto«, in: Ant. de organistas clásicos I, hrsg. v. L. Villalba, Madrid 1914; ein Tiento in: Libro de tientos ... compuesto por Fr. Correa de Arauxo II, hrsg. v. S. KASTNER, = MMEsp XII, Barcelona 1952.
Lit.: FR. PACHECO, Libro de verdaderos retratos de ilustres y memorables varones, Sevilla 1599; S. KASTNER, Contribución al estudio de la música española y portuguesa, Lissabon 1941; D. PRECIADO, Fr. de P. II, vencedor de Fr. Correa de Araujo. Nueva luz sobre la dinastía P., in: Tesoro sacro mus. LIII, 1970; DERS., El pulgar izquierdo del organista Fr. de P. I, ebd. LVI, 1973; DERS., J. de P. II, organista de la catedral de Palencia, ebd.

Perceval (perθev′al), Julio (Jules), * 17. 7. 1903 zu Brüssel, † 7. 9. 1963 zu Santiago de Chile; argentinischer Organist und Komponist belgischer Herkunft, studierte am Conservatoire Royal de Musique in Brüssel bei Gilson und de Maleingreau sowie in Paris bei Dupré und ließ sich 1926 in Buenos Aires nieder, wo er Organist u. a. am Teatro Colón (1935–36, 1938) und am Colegio Nacional Central der Universidad de Buenos Aires war. Er leitete die Escuela Superior de Música der Universidad Nacional de Cuyo in Mendoza und erhielt 1959 den Lehrstuhl für Orgel an der Universidad de Chile in Santiago. Als Organist konzertierte er in Argentinien, Chile und Uruguay. Er schrieb u. a. Orchesterwerke (Poema heroico; Poema cuyano für Kl. und Orch.), Kammermusik (Cuarteto de primavera für Streichquartett; Serenata für Fl., Klar. und Fag.; 6 piezas breves, Suite für V. und Kl.; Tríptico für V. und Kl.; Sonatine für 2 V.), Klavierwerke (Fantasia quasi sonata; Sonatine), Orgelwerke (Suite Nr 1 und Nr 2, Cuadros místicos; 3 piezas; Gólgota) und Vokalwerke (2 Te Deum für Chor, Orch. und Org., 1945 und 1946; Cantata del cuarto centenario de la fun-

dación de Buenos Aires für Soli, Chor und Orch.; Missa brevis für Männerstimmen, Org. und Streichorch.).

Percussions de Strasbourg, französisches Schlaginstrumentenensemble, das 1962 von 6 Absolventen des Pariser Conservatoire (Jean Batigne, * 31. 12. 1933; Gabriel Bouchet, * 7. 7. 1937; Jean-Paul Finkbeiner, * 3. 11. 1928; Detlef Kieffer, * 30. 9. 1944; Claude Ricou, * 6. 3. 1933; Georges Van Gucht, * 23. 4. 1934) gegründet wurde. Jedes der Mitglieder spielt alle Schlaginstrumente, über die das Ensemble verfügt. Die P. de Str. geben Solokonzerte, treten aber auch zusammen mit Solisten, Ballettensembles und Orchestern auf. Ihr Repertoire umfaßt Werke u. a. von Amy, Barraqué, Cage, Betsy Jolas, Jolivet, Kabeláč, Nigg, Ohana, Serocki, Shinohara, Silvestrow, Stibilj, Varèse und Xenakis. Zahlreiche Konzerte haben das Ensemble in ost- und westeuropäische Länder sowie in den Iran und nach Lateinamerika geführt. Für ihre Platten- und Rundfunkaufnahmen erhielten die P. de Str. den Prix du disque du Président de la République (1965), den Grand Prix du disque de l'Académie Charles Cros (1968), den Prix Edison (1968) und den Prix du disque Arts et Lettres (1971).

Lit.: CL. CHAMFRAY in: Le courrier mus. de France 1972, Nr 38.

Perdigon, provenzalischer Trobador, dessen Wirkungszeit zu Beginn des 13. Jh. anzusetzen ist, stand mit Raimbaud de Vaqueiras und Gaucelm Faidit in Verbindung. Ihm werden 15 Lieder, darunter 7 Cansos und 3 Tensos, zugeschrieben, von denen zu folgenden auch die Musik überliefert ist: Los mals d'amor ai eu be totz apres (P–C 370,9), Tot l'an mi ten amors d'aital faisso (P–C 370,13) und Trop ai estat mon Bon Esper no vi (P–C 370,14).

Ausg.: Le chansonnier frç. de St-Germain-des-Prés, hrsg. v. P. MEYER u. G. RAYNAUD, = Soc. des anciens textes frç. I, Paris 1892 (Faks. d. Hs. X); H. J. CHAYTOR, Poésies du troubadour P., Annales du Midi XXI, 1909; DERS., Les chansons de P., Paris 1926. – d. Melodien zu P–C 370,9, 13 u. 14 in: U. SESINI, Le melodie trobadoriche nel canzoniere prov. della Bibl. Ambrosiana (R. 71 sup.), 2. Teil, in: Studi medievali XX, N. S. XIV, 1941, S. 68ff., u. in: Der mus. Nachlaß d. Troubadours, hrsg. v. FR. GENNRICH, Bd I: Kritische Ausg. d. Melodien, = Summa musicae medii aevi III, Darmstadt 1958.
Lit.: E. HOEPFFNER, La biogr. de P., in: Romania LIII, 1927; P–C, S. 331ff.; G. DE BEAUFORT, Le troubadour P. fut-il moine cistercien à Aiguebelle?, Bull. de la Soc. d'archéologie et de statistique de la Drôme LXXI, (Valence) 1949/51; J. BOUTIÈRE u. A.-H. SCHUTZ, Biogr. des troubadours, = Bibl. Méridionale I, 27, Toulouse u. Paris 1950, revidiert (mit I.-M. Cluzel) = Les classiques d'oc (I), Paris 1964; B. PANVINI, Le biogr. prov., Florenz 1952 u. Bologna 1961.

Pereira (pər′eirɐ), Arturo, * 12. 9. 1894 und † 3. 8. 1946 zu São Paulo; brasilianischer Komponist, begann seine Studien in São Paulo und vervollständigte sie 1915–23 am Conservatorio di Musica S. Pietro a Majella in Neapel bei Longo (Klavier) und Napolitano (Komposition). Er kehrte 1923 nach São Paulo zurück, wo er bis zu seinem Tode den Lehrstuhl für Komposition am Conservatório Dramático e Musical innehatte. Er machte sich durch die Bearbeitung brasilianischer Volksgesänge (Capim na lagoa; Canção de roda; Lundu do escravo; Cabocla bonita; Tenho um vestido novo) einen Namen. P. schrieb ferner die Oper Beatrice (unvollendet), Orchesterwerke (Interlúdio para um bailado infantil), Kammermusik (Klavierquintett), Klavierstücke (6 peças monotonais; 3 estudos brasileiros), Poema da negra für Gesang und Orch. sowie eine Messa da gloria für Soli, Chor und Orch. und gab eine Sammlung Canções populares brasileiras heraus.

+**Pereira,** Tomás, [erg.: 1. 11.] 1645 zu S. Martinho do Vale (Vila Nova de Familição, bei Barcelos) – [erg.:] 24. 12. 1708 [nicht: 1692].

Pereira Salas, Eugenio, * 19. 5. 1904 zu Santiago de Chile; chilenischer Historiker, studierte am Instituto Nacional und an der Universidad de Chile und setzte seine Studien an der Sorbonne in Paris (1926–28), der Berliner Universität und der University of California in Berkeley (1933–34) fort. Nach seiner Rückkehr nach Chile wurde er Professor für Geschichte und Geographie an der Universidad de Chile. Er leitet das Centro de Investigaciones de Historia Americana und ist Präsident der Academia Chilena de Historia. P. S. organisierte 1938 eine systematische Sammlung der Folklore seines Landes in der Facultad de Ciencias y Artes Musicales. Von seinen Veröffentlichungen seien genannt (Erscheinungsort, wenn nicht anders angegeben, Santiago de Chile): *Cantos y danzas de la patria vieja* (1940); *Los orígenes del arte musical en Chile* (1941); *Notas para la historia del intercambio musical entre las Américas* (= Pan American Union, Music Division, Music Series VII, Washington/D. C. 1943, engl. ebd. VI, 1943); *La canción nacional de Chile* (1947); *Guía bibliográfica para el estudio del folklore chileno* (1952); *Historia de la música en Chile, 1850–1900* (1958); *Nota sobre los orígenes del canto a lo divino en Chile* (Rev. musical chilena XVI, 1962); *Art and Music in Contemporary Latin America* (= Diamante XVIII, London 1968).

Peress (p'iɔɹəs), Maurice, * 18. 3. 1930 zu New York; amerikanischer Dirigent, studierte am Washington Square College der New York University (B. A. Music 1951), an der Mannes Music School in New York bei Bamberger (1950–53 und 1955–57) und der New York University Graduate School of Musicology bei Reese, C. Sachs, LaRue und M. Bernstein (1955–57). Er wurde 1961 Music Director am Hyannis Music Tent (Nebr.), 1962 bei der Corpus Christi Symphony (Tex.) und 1970 bei der Austin Symphony (Tex.).

+**Perez,** Davide (David), 1711–78.
P. ist nicht spanischer Herkunft (seine Eltern waren Neapolitaner). Er studierte 1723–33 am Conservatorio di S. Maria di Loreto in Neapel; seine erste Oper war *La nemica amante* [nicht: *Siroe*], die 1735 in Neapel uraufgeführt wurde.
Lit.: +H. KRETZSCHMAR, Gesch. d. Oper (1919), Nachdr. Wiesbaden 1970. – U. PROTA-GIURLEO, J. SUBIRÁ u. D. DiCHIERA in: MGG X, 1962, Sp. 1038ff.; P. J. JACKSON, The Operas of D. P. (1711–78), Diss. Stanford Univ. (Calif.) 1967.

+**Perez,** Juan Ginés, 1548 – [erg.: um] 1612.
Ausg.: +Hispaniae schola musica sacra V (F. PEDRELL, 1896), Nachdr. NY 1970.

Pérez Materano (p'ereθ mater'ano), Juan, † 27. 11. 1561 zu Cartagena (Kolumbien); kolumbianischer Musiker, war Maestro de capilla an der Kathedrale in Cartagena, kam anscheinend 1537 nach Mexiko und erhielt 1559 von der Prinzessin Juana de Austria für ein Werk polyphoner Kompositionen und gregorianischer Gesänge die Druckerlaubnis, die erste überhaupt, die in der Neuen Welt vergeben wurde; der Druck konnte allerdings aus Papiermangel nicht ausgeführt werden. P. M. war außerordentlich geschätzt und galt als »venerable persona, docto, santo, y Jusquin en teoría de canto« (vgl. J. de Castellanos, S. 366).
Lit.: J. DE CASTELLANOS, Elegías de varones ilustres de Indias, = Bibl. de autores españoles IV, Madrid 1857; R. STEVENSON, The First New World Composers. Fresh Data from Peninsular Arch., JAMS XXIII, 1970.

Pérez Sentenat (p'ereθ senten'at), César, * 18. 11. 1896 zu La Habana; kubanischer Pianist und Komponist, studierte 1911–13 am Conservatorio Nacional de Música in La Habana bei H. De Blanck, 1913–22 an der Schola Cantorum in Paris bei Nin y Castellanos (Klavier), Jeanne Gautier (Kammermusik) und Saint-Requier (Harmonielehre und Kontrapunkt). 1926–45 war er Professor für Klavier am Conservatorio Municipal de Música in La Habana und wurde 1932 Professor für Klavier und stellvertretender Direktor am dortigen Conservatorio de la Orquesta Filarmónica; ab 1945 wirkte er auch als Musikbeauftragter des kubanischen Erziehungsministeriums. Er trat 1966 in den Ruhestand. Seine Kompositionen umfassen Klavierwerke (*Suite cubana*, 1956; *Preludios en todos los tonos*, 1957; *Cuatro estampas para un pionero*, 1962), Transkriptionen für Klavier und Gesänge mit Klavierbegleitung (*Tríptico de villancicos cubanos*, 1949).

+**Pergament,** Moses, * 21. 9. 1893 zu Helsinki; schwedischer [erg.: Komponist], Dirigent und Musikkritiker, Bruder von S. →+Parmet.
P. war Musikkritiker für »Aftontidningen« [nicht: »Aftonbladet«] bis 1956 und 1957–64 für »Stockholmstidningen«. – Weitere Kompositionen: die Opern *Eli* (Nelly Sachs, schwedischer Rundfunk 1959) und »Abrams Erwachen« (dies., 1963); Oratorium *De sju dödssynderna* (»Die 7 Todsünden«) für S., T., Bar., B., Chor, Sprechchor und Orch. (1963); 3. Streichquartett (1967); *Fantasia differente* für Vc. und Streicher (1970); Konzert für V. grande (5 Saiten) und Orch.; über 80 Lieder mit Klavier- oder Orchesterbegleitung, zahlreiche a cappella-Chöre. – P. veröffentlichte u. a.: *Svenska tonsättare* (Stockholm 1943); *J. Lind* (ebd. 1945); *H. Rosenberg, a Giant of Modern Swedish Music* (ML XXVIII, 1947, separat ebd. 1956); *M. P. berättar* (»M. P. erzählt«, in: Judisk krönika XXXVII, 1968).
Lit.: L. ROSENBLÜTH in: Nutida musik VII, 1963/64, H. 3, S. 7ff. (mit Werkverz.); U.-BR. EDBERG in: Konsertnytt IV, 1968/69, H. 1, S. 17ff.

+**Pergolesi,** Giovanni Battista (Giambattista), 1710 – begraben 17. [del.: † 16.] 3. 1736.
P. kam wahrscheinlich im Spätsommer 1723 [nicht: 1726] in das Conservatorio dei poveri di Gesù Cristo in Neapel (1725 Knabensopran, 1729/30 Primgeiger und Hilfslehrkraft), das er dann 1731 verließ. Aus der Konservatoriumszeit sind von ihm Solfeggi überliefert, die einen Einblick in die Unterrichtspraxis der Zeit gewähren. Die letzte für Neapel geschriebene Opera seria war *Adriano in Siria* (1734). P., der offenbar von Kindheit an kränkelte und einen Gehfehler hatte, starb im Kloster der Franziskaner [nicht: Kapuziner] in Pozzuoli, wo er als letztes Werk sein Stabat mater geschrieben haben soll (eine Serenata zur Hochzeit des Prinzen von San Severo 1735 blieb unvollendet).
Bei seinem Tode galt P. als einer 'der angesehensten Komponisten in Neapel. Vor allem die *Serva padrona* (1733), die schnell zum Repertoirestück reisender Operntruppen wurde, verbreitete seinen Ruhm über Neapel und Italien hinaus; J.-J. Rousseaus Begeisterung für die *Serva padrona* machte den Namen P.s zum Inbegriff der neuen Musikästhetik. Das Stabat mater wurde zum Idealtyp »schlichter, rührender« Kirchenmusik. A. Eximeno (*Dell'origine e delle regole della musica*, Rom 1774) sah in der Opera seria *L'Olimpiade* (1735), die in zahllosen Liebhaberkopien verbreitet war, das Ideal einer Oper im »goldenen Zeitalter« der italienischen Musik. – P.s besondere Stärke ist die melodische Situationsschilderung im Buffogenre: *Lo frate 'nnamorato*

(1732) bezeichnet den Höhepunkt der neapolitanischen Dialektkomödie, die Opera seria *Adriano in Siria* einen der neapolitanischen Sängeroper. In *L'Olimpiade* rührt P. an die Grenzen der Konvention, indem er der virtuosen Arie die »schlichte, rührende« an die Seite stellt und sogar in einer Arie die da capo-Form sprengt (in den Abschriften oft »berichtigt«). Das Stabat mater, eine Auftragskomposition für eine neapolitanische Bruderschaft und als Ersatz für die Vertonung A. Scarlattis entstanden, stellt eine stilistische Auseinandersetzung mit dem Vorbild des neapolitanischen Altmeisters dar, die für den Stilwandel vom Hochbarock zum Galanten und Empfindsamen Stil bezeichnend ist.
Die allgemeine Begeisterung für P. führte zur legendären Ausschmückung seiner Biographie und zu vielen ihm unterschobenen Kompositionen. Ein großer Teil der in den +»Opera omnia« (F. Caffarelli, 1939–42. Zunächst erschienen 28 nicht numerierte H.; ein den letzten 3 H. beigefügtes Gesamtverzeichnis gliedert die 28 H. in 25 Bde. 1943 kamen ohne Numerierung 2 weitere, um 1960 ein 3. H. mit *La vedova ingegnosa* hinzu, jedoch weichen die für den Vertrieb außerhalb Italiens vorgelegten Bände von der ursprünglichen Numerierung ab. [del. bzw. erg. frühere Angaben hierzu]) und Einzelausgaben unter P.s Namen vorgelegten Kompositionen ist unecht. Mit Ausnahme der »Sei concertini« (H. VII) sind die Werke in der GA, die neben zahlreichen Druckfehlern und Irrtümern (die Vorworte zu den einzelnen Heften geben Vermutungen des Herausgebers als Tatsachen aus) auch willkürliche Auslassungen und Einfügungen (wohl Herausgeberkompositionen) enthält, im Klavierauszug mit ausgesetztem Generalbaß wiedergegeben. – Unechte und zweifelhafte Werke in den »Opera omnia« und im früheren Werkverzeichnis: Die in »Sonate e concerti« (H. XXI) veröffentlichten Cembalosonaten Nr 4 und 5 sowie die 3 Suiten sind unecht, wahrscheinlich auch die beiden Flötenkonzerte und das *Concerto à cinque*. Alle 6 »Concertini« (VII) sind nicht von P., sondern vielleicht von F. Chelleri (vgl. Dunning, 1963). – In »Cantate« (X) sind vermutlich unecht die Kantaten *In queste spiagge amene*, *Clori se mai rivolgi* und *Contrasti crudeli* (Proposto *Ecco, Tirsi, quel mirto*, Risposta *Or risponderti debbo*). Sämtliche in »Arie da camera« (XXII) veröffentlichten Kompositionen sind ungesichert bzw. unecht. – Das Pasticcio *Il maestro di musica* (nach P. Aulettas *L'Orazio*) ist unecht, auch die nachträglich veröffentlichten Intermezzi *La vedova ingegnosa*. In »Frammenti di opere teatrali« (XIX) ist lediglich das Duett *Tu resterai mia cara* echt. – Von den in den 3 Einzelheften veröffentlichten Messen ist die in D dur wahrscheinlich 1732 für Neapel geschrieben, die zweichörige in F dur wurde 1734 in Rom aufgeführt (von beiden Messen hat P. verschiedene Fassungen geschrieben), eine weitere in F dur (nur in einem Wiener Druck von 1805 überliefert) ist ungesichert. Sämtliche in »Due messe, Frammenti« (XXIII) veröffentlichten Kompositionen sind unecht. In »Salmi« (VIII) sind mit Sicherheit echt das zweite *Dixit Dominus*, das *Confitebor* und das *Laudate pueri*; wahrscheinlich unecht sind das erste *Dixit Dominus* und *Laetatus sum*; alle übrigen Stücke sind mit Sicherheit unecht (das dritte *Dixit Dominus* ist von L. Leo). Von den 4 »Salve Regina« (XV) ist nur das erste und vierte echt. In »Motetti« (XVII) sind lediglich echt die Vespereinleitung *Domine ad adjuvandum*, die Antiphon *In coelestibus regnis* und die Motette *In hac die* (Fragment); von Fr. Durante ist das *Dorme benigne Jesu* und das Magnificat. Unecht sind ferner die in »Miserere« veröffentlichten Kompositionen, der Psalm *Super flumina*, das Requiem sowie die Oratorien *La morte*

d'Abele und *Septem verba a Christo in cruce moriente prolatae* (hrsg. von H. Scherchen, Wien 1952). – In den »Opera omnia« nicht enthaltene echte Werke P.s: eine Sonata G dur für V. und B. c. (2. Satz ist identisch mit der 1. Cembalosonate), die Kantate *Dalla città vicino*, der musikalische Scherz *Venerabilis barba cappucinorum*, 3 Arien, ein *Sicut erat in principio* (Bearb. eines Satzes aus der Messe D dur) sowie 106 Solfeggi (42 zu 2, 64 zu 3 St.).

Ausg.: +Stabat mater f. S., A. u. Streichorch. (A. EINSTEIN, 1927), Neudr. Lpz. 1964. – Sonate G dur f. V. u. B. c., hrsg. v. PH. OBOUSSIER, London 1956; Lo frate 'nnamorato, hrsg. v. E. GERELLI, Mailand 1961; Kantate »Chi non ode« f. Singst. u. Streichorch., hrsg. v. V. MORTARI, ebd. 1966; Concerto B dur f. V. u. Streichorch., hrsg. v. W. LEBERMANN, = Concertino CXIII, Mainz 1968; Cantata IV »Orfeo« (aus »Quattro cantate da camera«), in: R. JAKOBY, Die Kantate, = Das Musikwerk XXXII, Köln 1968, auch engl.; dass. in 2 weiteren Ausg., hrsg. v. H. RUF bzw. R. RÜEGGE, ebd. 1968 bzw. Ffm. 1970.
unechte bzw. ungesicherte Werke: Triosonate Nr 11 f. 2 V. u. B. c., hrsg. v. E. SCHENK, = Hausmusik Nr 168, Wien 1954, Neudr. = Diletto mus. Nr 417, ebd. 1970; 6 Concertini (G dur, G dur, A dur, F moll, B dur, Es dur) f. 4 V., Va, Vc. u. B. c., hrsg. v. J. PH. HINNENTHAL, = HM LXXXII, CXLIV, CLIV–CLV u. CLVIII–CLIX, Kassel 1959; Triosonaten Nr 3–4 G dur u. B dur, hrsg. v. F. SCHROEDER, Ffm. 1961; Magnificat, hrsg. v. V. STROH u. B. RED, North Hollywood (Calif.) 1963; Triosonate f. 2 V. u. B. c., hrsg. v. CL. CRUSSARD, = Flores musicae XVI, Lausanne 1968; Concerto à cinque, Erstdruck hrsg. v. R. SABATINI, = Diletto mus. CXLVI, Wien 1968.
Lit.: +B. CROCE, I teatri di Napoli (1891), Bari ⁴1947; +E. J. DENT, A. Scarlatti (1905), neu hrsg. v. Fr. Walker, London u. NY 1960; +W. S. NEWMAN, The Sonata in the Baroque Era (1959), revidiert Chapel Hill (N. C.) 1966, London 1968, neuerlich revidiert NY u. London 1972 (Paperbackausg.). – U. PROTA-GIURLEO, Il teatro di corte del Palazzo Reale di Napoli, Neapel 1952; FR. WALKER, P. Legends, MMR LXXXII, 1952; L. RONGA, Ombre sul P., in: Arte e gusto nella musica, Mailand 1956; A. DAMERINI in: I grandi anniversari del 1900 ..., hrsg. v. dems. u. G. Roncaglia, = Accad. mus. Chigiana (XVII), Siena 1960, S. 9ff. (zu »La morte di S. Giuseppe«); E. PLATEN, Eine P.-Bearb. Bachs, Bach-Jb. XLVIII, 1961; FR. SCHAFFRANKE in: ÖMZ XVI, 1961, S. 63ff.; W. EBENMANN u. M. KOERTH, Die Verwandlung Pulcinellas. Ein Beitr. zur Entdeckung P.s f. d. Musiktheater, Jb. d. Komischen Oper Bln III, 1962/63; A. DUNNING, Zur Frage d. Autorschaft d. Ricciotti u. P. zugeschriebenen »Concerti armonici«, in: Anzeiger d. Österreichischen Akad. d. Wiss. Philosophisch-hist. Klasse C, 1963 (= Mitt. d. Kommission f. Musikforschung XV); FR. DEGRADA, Falsi p.ani. Dagli apocrifi ai ritratti, in: Il convegno mus. I, 1964; DERS., Linee di una storia della critica p.ana, ebd. II, 1965; DERS., G. B. P., Contributo a un'interpretazione critica, Diss. Mailand 1965; DERS., Alcuni falsi autografi p.ani, RIdM I, 1966; DERS., Le messe di G. B. P., Problemi di cronologia e d'attribuzione, in: Analecta musicologica III, 1966; DERS., Uno sconosciuto intermezzo di G. B. P., CHM IV, 1966; E. L. STOVER, The Instr. Chamber Music of G. B. P., Diss. Florida State Univ. 1964; H. HUCKE, G. B. P., Umwelt, Leben, dramatisches Werk, Habil.-Schrift Bln 1965; DERS., Die mus. Vorlagen zu I. Strawinskys »Pulcinella«, Fs. H. Osthoff, = Frankfurter musikhist. Studien o. Nr, Tutzing 1969; A. DÜRR, Neues über Bachs P.-Bearb., Bach-Jb. LIV, 1968; J. PH. HINNENTHAL, Zum Problem d. Autorschaft d. P. zugeschriebenen Concertini, Mf XXI, 1968, vgl. dazu A. Dunning in: Mf XXII, 1969, S. 343f.; C. HENNING, Where Comic Opera Was Born, MT XX, 1969; H. HELL, Die neapolitanische Opernsinfonie in d. ersten Hälfte d. 18. Jh., = Münchner Veröff. zur Mg. XIX, Tutzing 1971; I. MAMCZARZ, Les intermèdes comiques ital. au XVIIIᵉ s. en France et en Italie, Paris 1972; M. F. ROBINSON, Naples and Neapolitan Opera, London 1972.   HHu

+Peri, Jacopo [erg.:] d'Antonio, 1561–1633.
P. war 1579–88 Organist der Kirche Badia di Firenze.
Ausg.: +R. G. Kiesewetter, Schicksale u. Beschaffenheit
d. weltlichen Gesanges v. frühen MA bis zu d. Erfindung
d. dramatischen Styles u. d. Anfängen d. Oper (1841),
Nachdr. Osnabrück 1970. – Les fêtes du mariage de F. de
Medicis et de Chr. de Lorraine, Florence 1589, Bd I: Mu-
sique des intermèdes de la »Pellegrina«, hrsg. v. D. P.
Walker (mit F. Ghisi u. J. Jacquot), = Le chœur des
muses o. Nr, Paris 1963. – Le musiche sopra l'Euridice,
Faks. d. Ausg. Florenz 1601, = Bibl. musica Bononiensis
IV, 2, Bologna 1969.
Lit.: +H. Goldschmidt, Studien zur Gesch. d. ital. Oper
im 17. Jh. (I, 1901), Nachdr. Hildesheim u. Wiesbaden
1967; +A. Solerti, Le origini del melodramma (1903),
Nachdr. = Bibl. musica Bononiensis III, 3, Bologna 1969,
auch Hildesheim 1969; +Ders., Musica, ballo e drammati-
ca alla corte medicea dal 1600–37 (1905), Neuaufl. NY
1968, Nachdr. = Bibl. musica Bononiensis III, 4, Bo-
logna 1969; +R. Haas, Die Musik d. Barocks (1929),
Nachdr. NY 1973; +A. Einstein, The Ital. Madrigal (II,
1949), Nachdr. Princeton (N. J.) 1970. – Cl. V. Palisca,
The First Performance of »Euridice«, in: Twenty-Fifth
Anniversary Fs. (1937–62), hrsg. v. A. Mell, NY 1964; W.
V. Porter, P. and Corsi's »Dafne«. Some New Discoveries
and Observations, JAMS XVIII, 1965; Fr. A. D'Accone,
The »Intavolatura di M. A. Aiolli«. A Newly Discovered
Source of Florentine Renaissance Keyboard Music, MD
XX, 1966; N. Pirrotta, Early Opera and Aria, in: New
Looks at Ital. Opera, Fs. D. J. Grout, Ithaca (N. Y.)
1968; A. M. M. Vacchelli, Elementi stilistici nell'»Euri-
dice« di J. P. in rapporto all'»Orfeo« di Monteverdi, in:
Cl. Monteverdi e il suo tempo, Kgr.-Ber. Venedig u. a.
1968; W. Osthoff, Theatergesang u. darstellende Musik
in d. ital. Renaissance, 2 Bde (Text- u. Notenteil),
= Münchner Veröff. zur Mg. XIV, Tutzing 1969.

Peričić (p'eritʃitç), Vlastimir, * 7. 12. 1927 zu Vršac
(Serbien); jugoslawischer Komponist und Musikschriftsteller, absolvierte 1951 die Kompositionsklasse von
Rajičić an der Belgrader Musikakademie und setzte
1955–56 seine Studien bei A. Uhl in Wien fort. 1956
wurde er Assistent, 1961 Dozent und 1965 außerordentlicher Professor an der Musikakademie in Belgrad,
an der er gegenwärtig als Professor für Musiktheorie
tätig ist. Sein Streichquartett (1950) wurde beim Concorso internazionale di musica e di ballo G. B. Viotti
preisgekrönt. An weiteren Kompositionen seien genannt: symphonischer Satz (1951); Sinfonietta für
Streicher (1957); Suite für 3 V. (1955); Sonatine (1951)
und *Fantasia quasi una sonata* (1954) für V. und Kl.;
Thema und Variationen (1948), Sonate (1949) und Sonatine (1951) für Kl.; ferner Lieder und Bühnenmusik.
Neben musiktheoretischen Arbeiten veröffentlichte er
u. a.: *J. Marinković. Život i dela* (»Leben und Werke«,
= Srpska Akademija nauka i umetnosti ... Bd 414,
Belgrad 1967); *Muzički stvaraoci u Srbiji* (»Die Komponisten Serbiens«, mit D. Kostić und D. Skovran, ebd.
1970).

Périer (perj'e), Jean-Alexis, * 2. 2. 1869 zu Paris, † 3.
11. 1954 zu Neuilly-sur-Seine; französischer Opernsänger (hoher Bariton) und Schauspieler, studierte
1889–92 am Pariser Conservatoire (Bussine, A. Taskin)
und debütierte 1892 als Monostatos an der Opéra-
Comique. Er sang an verschiedenen Pariser Bühnen
(Menus-Plaisirs, Folies-Dramatiques, Bouffes-Parisiennes), war 1900–20 Mitglied der Opéra-Comique, wo
er u. a. Debussys Pelléas (1902) und den Ramiro in
Ravels *L'heure espagnole* (1911) kreierte, trat nach dem
ersten Weltkrieg in der Truppe Sacha Guitrys auf und
wirkte dann vornehmlich als Operettensänger (Théâtre
des Variétés, Théâtre des Capucines) und Schauspieler
(Porte Saint Martin, Théâtre Pigalle, Théâtre des Am-
bassadeurs; Mitwirkung bei zahlreichen Filmen).

Périlhou (perij'u), Albert, * 2. 4. 1846 zu Daumazau
(Ariège), † 28. 8. 1936 zu Tain-l'Ermitage (Drôme);
französischer Organist und Komponist, studierte bei
Saint-Saëns an der Ecole Niedermeyer. Er war in Lyon
Organist an der protestantischen Kirche (1883) und
Professor für Klavier am Konservatorium. 1889 wurde
er Organist an St-Séverin in Paris und 1910 als Nach-
folger von Gustave Lefèvre Direktor der Ecole Nieder-
meyer. Er schrieb u. a. Orchesterwerke (*Scènes gothiques*;
*Scènes d'après le folklore des provinces de France; Une veillée
en Bresse; Une fête patronale en Velay*), 2 Fantasien für Kl.
und Orch., ein Konzert für Fl. und Orch., Kammer-
musik (Streichquintett; Streichquartett), Klavierwerke
(*Danse rustique; Le moulin*), Orgelstücke, Lieder und
Kirchenmusik.
Lit.: A. Moulis, Un grand musicien méconnu, A. P., in:
Soc. ariégeoise des sciences, lettres et arts XIX, 1960/61.

Périsson (peris'ɔ̃), Jean Marie, * 6. 7. 1924 zu Arcachon (Gironde); französischer Dirigent, absolvierte
1951 das Pariser Conservatoire (Harmonielehre bei
Hugon, Kontrapunkt bei N. Gallon) und 1953 die
Ecole Normale de Musique in Paris (Dirigieren bei
Fournet) und studierte am Salzburger Mozarteum (Dirigieren bei Markevitch). Er war 1955–56 Chefdirigent
des Orchestre Symphonique de Radio-Strasbourg,
1956–65 Directeur de la musique an der Opéra und
Chefdirigent des Orchestre Philharmonique in Nizza,
1965–69 1. Chefdirigent an der Pariser Opéra sowie
1969–71 Chefdirigent des Orchestre National in Monte
Carlo. Seit 1966 ist er regelmäßiger Gast an der San
Francisco Opera, 1972 wurde er Musikdirektor des
Staatlichen Orchesters in Ankara. P. hat als Gast u. a.
an der Oper in Kopenhagen, der Volksoper in Wien,
dem Teatro di S. Carlo in Neapel und der Pariser
Opéra-Comique dirigiert. Konzertreisen führten ihn
in west- und osteuropäische Länder.

Perkins (p'ɔ:kinz), John MacIvor, * 2. 8. 1935 zu
St. Louis (Mo.); amerikanischer Komponist, studierte
an der Harvard University in Cambridge/Mass. (B. A.
1958), am New England Conservatory of Music in
Boston (B. Mus. 1958) und an der Brandeis University
in Waltham/Mass. (M. F. A. 1962). Er lehrte 1962–65
als Instructor in Music und Assistant Professor an der
University of Chicago und 1965–66 als Lecturer on
Music an der Harvard University, an der er 1966
Assistant Professor wurde. 1970 wurde er Leiter der
Musikabteilung der Washington University in St.
Louis. Von seinen Kompositionen seien genannt: Fan-
tasie und Variationen für Orch. (1961); Musik für
Orch. (1965); Musik für Blechbläser (1965); Musik für
13 Spieler (1966); *Three Miniatures* für Streichquartett
(1960); Variationen für Fl., Klar., Trp., Kl. und Schlag-
zeug (1962); Capriccio für Kl. (1963); Alleluia für gem.
Chor a cappella (1966). Ferner schrieb er Aufsätze:
Dallapiccola's Art of Canon (in: Perspectives of New
Music I, 1962/63); *Note Values* (ebd. III, 1964/65); *A.
Berger. The Composer as Mannerist* (ebd. V, 1966/67,
wiederabgedruckt in: Perspectives on American Com-
posers, hrsg. von B. Boretz und E. T. Cone, = The
»Perspectives of New Music« Series o. Nr, NY 1971).

+Perkowski, Piotr, * 4.(17.) 3. 1901 zu Oweczacze
(Ukraine) [del. frühere Angaben].
P., einer der Hauptorganisatoren des polnischen Musiklebens nach 1945, war Professor für Komposition an
den Hochschulen für Musik in Warschau 1947–51 und
1955–72 sowie in Breslau 1951–54. Als Direktor und
künstlerischer Leiter der Krakauer Philharmonie [nicht:
Operngesellschaft] wirkte er 1949–51. – +*Epitafium dla
[del.: śmierć] Nikosa Belojanisa* (1952). – Neuere Wer-

ke: *Nocturne* für Orch. (1955); Sonaten für Klar. bzw. Ob. mit Kl. (1955); Sonatine für Trp. und Kl. (1955); 2. Violinkonzert (1959); Funkoper *Girlandy* (Warschau 1962); *Sinfonia drammatica* für Orch. (1963); Ballette *Klementyna* (1960–63, Bytom 1969) und *Balladyna* (1960–64, Warschau 1965); *Impresje szkockie* (»Schottische Impressionen«) für Orch. (1968); 5 *Pieśni Safony* (»5 Sappho-Lieder«) für S., 2 Fl. und 2 Klar. (1968); Kantate *Alexiares* für Rezitation, Chor, Orch. und Tonband (1966–69); Zyklus *Niebo w płomieniach* (»Himmel in Flammen«) für Singst., Kl. und Orch. (1969).

Perle (pə:l), George, * 6. 5. 1915 zu Bayonne (N. J.); amerikanischer Komponist und Musikforscher, studierte Komposition an der DePaul University in Chicago bei La Violette (1935–38) und privat bei Křenek (1939–41), absolvierte die DePaul University (B. Mus. 1938) und das American Conservatory of Music in Chicago (M. Mus. 1942) und promovierte 1956 an der New York University mit der Dissertation *Serial Composition and Atonality* (Berkeley/Calif. und London 1962, erweitert ²1968, ³1972) zum Ph. D. Seit 1961 lehrt er am Queens College der City University of New York (Professor of Music). P. ist Mitglied des Editorial Board der *Perspectives of New Music* und war Mitgründer der International A. Berg Society Ltd. Er komponierte u. a. Orchesterwerke (2. Symphonie op. 31, 1950; Rhapsodie op. 33, 1953; *Three Movements*, 1960; 6 Bagatellen, 1965; Serenade Nr 1 für Va und Kammerorch., 1962, und Nr 2 für Kammerorch., 1968; Konzert für Vc. und Orch., 1966), Kammermusik (Streichquintett op. 35, 1958; Bläserquintett Nr 1 op. 37, 1959, Nr 2 op. 41, 1960, und Nr 3, 1967; Streichquartette *Triolet*, 1938, Nr 3 op. 21, 1947, Nr 5, 1967, Nr 6, 1969, und Nr 7, 1973; *Lyric Piece* für Vc. und Kl. op. 21A, 1946; Solopartita für V. und Va, 1965; *Sonata quasi una fantasia* für Klar. und Kl., 1973; Sonaten für Va solo op. 12, 1942, [3] für Klar. solo op. 16, 1943, für Vc. solo op. 22, 1947, und für V. solo Nr 1 op. 40, 1959, und Nr 2, 1963; *Hebrew Melodies* für Vc. solo op. 19, 1945; *Monody I* für Fl. solo op. 43, 1960, und *II* für Kb. solo, 1962; 3 Inventionen für Fag., 1962), Klavierwerke (Suite op. 6, 1940; Sonate op. 27, 1950; 3 Inventionen op. 32, 1957; *Short Sonata*, 1964; *Dodecatonal Suite*, 1970; *Fantasy-Variations*, 1971; 3 Etüden, 1973), Chöre und Lieder sowie Bühnenmusik. Er veröffentlichte u. a.: *The Chansons of A. Busnois* (MR XI, 1950); *Symmetrical Formations in the String Quartets of B. Bartók* (MR XVI, 1955); *The Music of »Lulu«. A New Analysis* (JAMS XII, 1959); *A Note on Act III of »Lulu«* und *Babbitt, Lewin, and Schoenberg. A Critique* (in: Perspectives of New Music II, 1963/64); *»Lulu«. The Formal Design* (JAMS XVII, 1964); *The Character of Lulu. A Sequel* (MR XXV, 1964); *An Approach to Simultaneity in Twelve-Tone Music* und *The Score of »Lulu«* (in: Perspectives of New Music III, 1964/65); *»Lulu«. Thematic Material and Pitch Organization* (MR XXVI, 1965); *Pierrot lunaire* (in: The Commonwealth of Music, Gedenkschrift C. Sachs, NY 1965); *Die Personen in Bergs »Lulu«* (AfMw XXIV, 1967); *Die Reihe als Symbol in Bergs »Lulu«* (ÖMZ XXII, 1967); *The Musical Language of Wozzeck* (in: The Music Forum I, 1967); *Woyzeck and Wozzeck* (MQ LIII, 1967); *Representation and Symbol in the Music of »Wozzeck«* (MR XXXII, 1971); *Webern's Twelve-Tone Sketches* (MQ LVII, 1971).
Lit.: H. WEINBERG, The Music of G. P., American Composers Alliance Bull. X, 1962; Werkverz. in: Composers of the Americas XV, Washington (D. C.) 1969; L. KRAFT, The Music of G. P., MQ LVII, 1971 (mit Werkverz.).

+Perlea, Ionel, * 30. 11. (13. 12.) 1900 zu Ograda (Rumänien), [erg.:] † 30. 7. 1970 zu New York.
P. war lange Jahre Dirigent an der Scala in Mailand und des Connecticut Symphony Orchestra. Ständige Verpflichtungen führten ihn darüber hinaus an die bedeutenden Opernhäuser und zu den großen Orchestern der USA und Europas sowie zu verschiedenen Festspielen. Obwohl er ab 1958 an einer Lähmung des rechten Armes litt, war er weiterhin als Dirigent (besonders auch mit Schallplatteneinspielungen) hervorgetreten. An weiteren Kompositionen seien eine konzertante Symphonie für V. und Orch. (1968) und 3 Etüden für Orch. (1969) genannt.
Lit.: E. PRICOPE in: Muzica XVIII, (Bukarest) 1968, Nr 10, S. 20ff.; J. V. PANDELESCU, ebd. XIX, 1969, Nr 6, S. 16ff.; DERS., ebd. XX, 1970, Nr 9, S. 28f.; V. TOMESCU, ebd. XIX, 1969, Nr 6, S. 41f. (frz.); C. STIHI-BOOS in: Studii şi cercetări de istoria artei, Seria Teatru, muzică, cinematografie XVIII, 1971, S. 111ff.; E. ELIAN, in: Muzica XXIII, 1973, Nr 1, S. 13f.

Perlemuter (pɛrləmyt'e), Vlado, * 13.(26.) 5. 1904 zu Kowno/Kaunas; französischer Pianist und Klavierpädagoge, studierte am Pariser Conservatoire und erhielt den Premier Prix und den Prix d'honneur dieses Instituts. Neben seiner Tätigkeit als Konzertsolist lehrt er am Pariser Conservatoire. Er gab *Ravel d'après Ravel. Les œuvres pour piano, les deux concertos* (mit H. Jourdan-Morhange, = Les documents célèbres III, Lausanne 1953, revidiert ⁵1970) heraus. P. wurde zum Officier de la Légion d'Honneur ernannt.

Perlman, Itzhak, * 31. 8. 1945 zu Tel Aviv; israelisch-amerikanischer Violinist, erhielt mit 5 Jahren an der Schulamith Academy of Music in Tel Aviv seinen ersten Violinunterricht und gab schon mit 9 Jahren sein erstes öffentliches Konzert. 1958 setzte er sein Studium bei I. Galamian und Dorothy Delay an der Juilliard School of Music in New York fort und debütierte 1963 an der Carnegie Hall in New York mit dem 1. Violinkonzert von H. Wieniawski. 1964 erhielt er den 1. Preis beim Leventritt-Wettbewerb. Seit seinem Europadebüt bei den Wiener Festwochen in Wien (1968) haben P. Konzertreisen durch verschiedene europäische Länder geführt; 1972 trat er erstmals bei den Salzburger Festspielen auf.

+Perne, François Louis, 1772 – 1832 zu Laon (Aisne) [nicht: Paris].

Pernet (pɛrn'ɛ), André, * 6. 1. 1894 zu Rambervillers (Vosges), † 23. 6. 1966 zu Paris; französischer Sänger (Baßbariton), studierte bei André Gresse, Émile Dumontier und Alexandre Bernardi und debütierte 1921 als Vitellius in Massenets *Hérodiade* an der Oper in Nizza. Er sang dann in verschiedenen französischen Städten sowie in Genf und wurde 1928 an die Pariser Opéra engagiert, wo er u. a. das Ungeheuer in Iberts *Perseé et Andromède* (1929) sowie die Titelpartien in Milhauds *Maximilien* (1932) und Enescus *Oedip* (1936) kreierte. Ab 1931 trat er auch an der Opéra-Comique auf und gastierte in ganz Europa. Zu seinen wichtigsten Partien gehörten Don Giovanni, Massenets Don Quijote, Mephisto (*Faust*) und Boris Godunow.
Lit.: M. MAILHÉ in: Musica (Disques) 1963, Nr 107, S. 13ff.

+Perosi, –1) [erg.: Pier Luigi] Lorenzo, 21. [nicht: 20.] 12. 1872 – 1956. Er zog sich von der Leitung des Chores der Sixtinischen Kapelle 1915 [nicht: 1922/23] zurück, konnte sie aber 1923 wieder aufnehmen.
–2) Marziano, * 20. 10. 1875 zu Tortona (Piemont), [erg.:] † 21. 2. 1959 zu Rom. Er war Kapellmeister der Päpstlichen Kapelle Basilica di Valle in Pompeji bis

1921 und 1930–49 in gleicher Stellung am Mailänder Dom. Zuletzt lebte er in Rom. – [erg.: *Gli ultimi giorni di*] +*Pompei* (nach Bulwer Lytton, 1912); +geistliche Elegie in Form eines Oratoriums *La desolata* [nicht: *L'addolorata*] für Soli, Chor und Orch. (1901).
Lit.: zu –1): P.-Sonder-H., = Musica sacra LXXXI, (Mailand) 1957, H. 3; Aufsatzfolge in: Gregoriusblad XCVI, 1972, S. 116ff. (mit Werkverz.); Cat. dei mss. mus. di L. P. esistenti nella Bibl. Vaticana, hrsg. v. V. ZACCARIA, nRMI VI, 1972. – +R. ROLLAND, Musiciens d'aujourd'hui (1908), Nachdr. d. +engl. Ausg. (1915) Freeport (N. Y.) 1969. – A. DAMERINI in: Ricordiana, N. S. III, 1957, S. 130ff.; L. FONTANA, L. P. e le sue relazioni con la diocesi di Treviso, Treviso 1957; G. RONCAGLIA, L'oratorio di L. P., in: Immagini esotiche nella musica ital., hrsg. v. A. Damerini u. dems., = Accad. mus. Chigiana (XIV), Siena 1957; DERS., ebd. S. 109ff. (zu »Transitus animae« u. »Il giudizio universale«); DERS., L'orch. di P., in: Musicisti piemontesi e liguri, ebd. (XVI), 1959; DERS. in: Musiche ital. rare e vive . . ., ebd. (XIX), 1962, S. 309ff. (zu »Il natale del Redentore«); DERS., L'arte di L. P. e »La strage degli innocenti«, in: Chigiana XXII, N. S. II, 1965; G. TORTI, L. P., Mailand 1959; E. MONETA-CAGLIO in: Musica sacra LXXXIX, (Mailand) 1965, S. 62ff. (5 Briefe v. P.s Vater an Don Amelli); DERS., L. P. e la riforma della musica sacra, ebd. XC, 1966 – XCI, 1967; F. M. BAUDUCCO, ebd. XC, 1966, S. 52ff. u. 72ff.; M. RINALDI, L. P., Rom 1967; M. BRUNI, L. P., il cantore evangelico, Turin 1972 (mit einem Beitr. v. G. Gavazzeni); F. HABERL in: Musica sacra XCII, (Bonn) 1972, S. 247ff.; J. M.ª MUNETA in: Tesoro sacro mus. LV, 1972, S. 17ff.; J. M. LLORENS, Valor y significado de la obra mus. de P., ebd. LVI, 1973.

+**Perotinus** (P. magnus), [erg.:] um 1165–1220 (Sanders) oder um 1155/60–1200/05 (Tischler).
P., dessen Hauptwirkenszeit in die Jahre 1180–1200/05 fällt, ist nicht zu identifizieren mit dem +Diaconus Petrus cantor bzw. praecentor († 1197) oder mit dem +Petrus succentor ([erg.:] um 1155/60 – [erg.:] 21. 3. 1245 [nicht: 1238]). Die bekannte Klausel +*Mors* stammt vermutlich nicht von P.
→ Notre-Dame.
Ausg.: +Die 3- u. 4st. Notre-Dame-Organa (H. HUSMANN, 1940), Nachdr. Hildesheim u. Wiesbaden 1967. – The Works of Perotin, praktische Ausg. hrsg. v. E. THURSTON, NY 1970 (vgl. dazu G. Anderson in: ML LIII, 1972, S. 224ff.). – Klausel »Mors« in: H. HUSMANN, Die ma. Mehrstimmigkeit, = Das Musikwerk X, Köln 1955, engl. 1962; 35 Conductus f. 2 u. 3 St., hrsg. v. J. KNAPP, = Coll. mus. VI, New Haven (Conn.) 1965.
Lit.: +E. DE COUSSEMAKER, L'art harmonique aux XIIᵉ et XIIIᵉ s. (1865), Nachdr. Hildesheim 1964, NY 1966; +FR. LUDWIG, Repertorium organorum . . . I, 1 (1910), 2. erweiterte Aufl. hrsg. v. L. A. Dittmer, = Musicological Studies VII, NY u. Hildesheim 1964 (→ +Ludwig, Fr.); +J. MÜLLER-BLATTAU, Grundzüge einer Gesch. d. Fuge (1923, ²1931), 3. Aufl. als: Gesch. d. Fuge, Kassel 1963; +H. BESSELER, Die Musik d. MA ... (1931), Nachdr. Darmstadt 1964; +J. CHAILLEY, Hist. mus. du moyen âge (1950), revidiert = Collection »Hier« o. Nr, Paris 1969; +A. HUGHES in: New Oxford Hist. of Music II (1954), revidiert London 1955, ital. Mailand 1963; +W. G. WAITE, The Rhythm of 12th-Cent. Polyphony (1954), Nachdr. New Haven (Conn.) 1964. – L. SCHRADE, Political Compositions in French Music of the 12th and 13th Cent., Ann. mus. I, 1953; A. MACHABEY, A propos des quadruples pérotiniens, MD XII, 1958; H. TISCHLER, The Dates of Perotin, JAMS XVI, 1963; DERS., P. Revisited, in: Aspects of Medieval and Renaissance Music, Fs. G. Reese, NY 1966; DERS., The Arrangements of the Gloria Patri in the Office Organa of the Magnus Liber Organi, Fs. Br. Stäblein, Kassel 1967; DERS., Intellectual Trends in 13th-Cent. Paris as Reflected in the Texts of Motets, MR XXIX, 1968; TH. KARP, Towards a Critical Ed. of Notre Dame Organa Dupla, MQ LII, 1966 (vgl. dazu H. Tischler in: AMl XL, 1968, S. 28ff.); N. E. SMITH, Tenor Repetition in the Notre Dame Organa, JAMS XIX, 1966; DERS., Interrelationships Among the Alleluias of the »Magnus liber organi«, JAMS XXV, 1972; DERS., Interrelationships Among the Graduals of the Magnus Liber Organi, AMl XLV, 1973; FR. RECKOW, Der Musiktraktat d. Anon. 4, 2 Bde, = BzAfMw IV–V, Wiesbaden 1967; F. SALZER, Tonality in Early Medieval Polyphony, in: The Music Forum I, 1967; E. H. SANDERS, The Question of Perotin's Œuvre and Dates, Fs. W. Wiora, Kassel 1967; R. FLOTZINGER, Der Discantussatz im Magnus liber u. seiner Nachfolger, = Wiener mw. Beitr. VIII, Wien 1969 (vgl. dazu E. H. Sanders, Notre-Dame-Probleme, Mf XXV, 1972); G. A. ANDERSON, Clausulae or Transcribed-Motets in the Florence Ms.?, AMl XLII, 1970; DERS., Notre Dame Lat. Double Motets ca. 1215–50, MD XXV, 1971; R. F. ERICKSON, Rhythmic Problems and Melodic Structure in Organum purum. A Computer-Assisted Study, Diss. Yale Univ. (Conn.) 1970.

Perotti, Giovanni Agostino, * 12. 4. 1769 zu Vercelli (Piemont), † 28. 6. 1855 zu Venedig; italienischer Komponist und Literat, Bruder von Giovanni Domenico P., studierte bei seinem Bruder und dann bei Abbate Mattei in Bologna (Diplom 1791). 1795 wurde er Cembalist am österreichischen, 1798 am Londoner Hof und ließ sich 1801 in Venedig nieder, wo er mehreren Akademien angehörte und 1811–17 Maestro di cappella an S. Marco war. Er komponierte u. a. die Opern *La contadina nobile* (Pisa 1795) und *Alessandro e Timoteo* (London 1800), Klavierwerke (5 Sonaten für Kl. 6händig), das Oratorium *Abele* (Text Metastasio, 1794), Kantaten sowie Kirchenmusik (Messen, Motetten, Miserere). Von seinen schriftstellerischen Arbeiten seien genannt: *Il buon gusto della musica* (Venedig 1808); *Dissertazione sullo stato attuale della musica italiana* (ebd. 1811); *Sugli studi e sulle opere di B. Marcello* (Mailand 1843); *Guida per lo studio del canto figurato* (ebd. 1846).

Perotti, Giovanni Domenico, * um 1750 und † 1824 zu Vercelli (Piemont); italienischer Komponist, Bruder von Giovanni Agostino P., studierte bei Padre Martini und dann bei Abbate Mattei in Bologna und wurde 1779 Maestro di cappella an der Kathedrale von Vercelli. Ab 1781 war er Mitglied der Accademia Filarmonica in Bologna. Er schrieb Opern (*Zemira e Gondarte*, Alessandria 1787; *Agesilao re di Sparta*, Rom 1789; *La vittima della propria vendetta*, Venedig 1808), eine Sinfonie D dur, Kantaten und Kirchenmusik.

+**Perrachio,** Luigi, * 28. 5. 1883 und [erg.:] † 6. 9. 1966 zu Turin.

Perras, Margherita (verheiratete Rothpletz), * 15. 1. 1908 zu Saloniki; Schweizer Sängerin (Koloratursopran) griechischer Herkunft, studierte 1923–26 bei Oscar Daniel an der Hochschule für Musik in Berlin und wurde dort 1926 von Br. Walter an die Städtische Oper engagiert, der sie bis 1929 angehörte. Sie war Mitglied der Staatsopern in Berlin (1929–35) und Wien (1935–39). Gastspiele führten sie an die Covent Garden Opera in London (1933), zu den Festspielen in Salzburg (1935) und Glyndebourne (1936) sowie an das Teatro Colón in Buenos Aires (1938). Zu ihren Hauptpartien zählten Konstanze, Königin der Nacht, Violetta (*La Traviata*), Mimi, Sophie (*Der Rosenkavalier*) und Zerbinetta (*Ariadne auf Naxos*). Daneben trat M. P. als Konzertsängerin in den Musikzentren Europas auf. Nach ihrer Verheiratung (1937) ließ sie sich in Zürich nieder, wo sie als Gesangspädagogin tätig wurde.

+**Perrin d'Angicourt,** [erg.:] um 1220–1300.
Ausg. u. Lit.: FR. GENNRICH, Troubadours, Trouvères, Minne- u. Meistergesang, = Das Musikwerk II, Köln 1951, ²1960, auch engl. (darin R 460 »Quant voi le felon tens fine«); DERS., Übertragungsmaterial zur Rhythmik

d. Ars antiqua, = Mw. Studienbibl. VIII, Darmstadt 1954 (diplomatische Wiedergabe v. R 438 »Quant voi en la fin d'esté«, R 460, R 470 »Quant li buisson et li pré«, R 625 »Quant partis sui de Provence« u. v. R 2017 »Je ne chant pas pour verdour«); DERS. in: MGG X, 1962, Sp. 1087ff.

+Perrin, Pierre, um 1620–1675.

Er schrieb die Texte zu R. → +Camberts *La pastorale d'Issy* (Issy 1659), *Ariane ou Le mariage de Bacchus* (1659, nicht aufgeführt) und *Pomone* (Paris 1671). Das Libretto zu Camberts *Les peines et les plaisirs de l'amour* verfaßte nicht er, wie oft angenommen worden war, sondern Gabriel Gilbert (* um 1620, † 1680 zu Paris), der Camberts Mitarbeiter wurde, als P. wegen Schulden am 15. 6. 1671 ins Gefängnis mußte. P. verfaßte auch den Text zu J.-B. Boëssets *La mort d'Adonis* (1659, nicht aufgeführt). Neben Cambert war weiterer Associé des königlichen Patents für eine »Académie des Opéras« (1669) der Marquis de Sourdéac.
Lit.: +R. ROLLAND, Hist. de l'opéra en Europe ... (= Bibl. des Ecoles frç. d'Athènes et de Rome LXXI, 1895), Nachdr. Genf 1971. – PH. H. KENNEDY, The First French Opera. The Literary Standpoint, RMFC VIII, 1968; C. GIRDLESTONE, La tragédie en musique (1673–1750) considérée comme genre littéraire, =Hist. des idées et critique littéraire CXXVI, Genf 1972.

Perroni, Giovanni, * 1688 zu Oleggio (Novara), † 10. 3. 1748 zu Wien; italienischer Violoncellist und Komponist, stand mit seinem Bruder, dem Violinisten Giuseppe Maria P. (* zu Oleggio), 1704–14 im Dienste des Herzogs von Parma, war 1718–20 Maestro di cappella an S. Maria delle Grazie und mit seinem Bruder Mitglied des herzoglichen Hoforchesters in Mailand und begab sich mit ihm nach Wien, wo er von 1721 bis zu seinem Tode der Hofmusikkapelle angehörte. Neben instrumentaler Musik (*Concerto per il vc. con 2 v. e trombe, con va e vc.*) komponierte er vor allem Oratorien (*La costanza della pietà trionfante nel glorioso S. Gaudenzio*, mit G. M. P., 1711, geschrieben anläßlich der Überführung der Gebeine des hl. Gaudentius nach Novara; *Le delizie notturne della santità*, mit G. M. P., 1712; *La santità coronata o Il trionfo de' tre fiori, il giglio, la violetta e l'eliotropio*, mit G. M. P., 1714; *L'impegno delle virtù*, 1718; *Dialogo pastorale*, 1720; *La gara delle virtù per esaltare l'anima grande di S. Carlo*, 1721; *Il sacrificio di Noè*, Libretto Stampiglia, 1722; *Giobbe*, 1725) und Kantaten (*Nicodemo*, 1716; *Gesù nell' orto, Gesù flagellato, Gesù coronato di spine* und *Gesù crocifisso*, 1718; *Elisabetta*, 1730).
Lit.: Le cappelle mus. di Novara, dal s. XVI a primordi dell'Ottocento, hrsg. v. V. FEDELI, = Istituzioni e monumenti dell'arte mus. ital. III, Mailand 1933; CL. SARTORI, G. B. Sammartini e la sua corte, in: Musica d'oggi III, 1960; G. BARBLAN, La musica strumentale e cameristica a Milano dalla seconda metà del '500 alla fine del '700, in: Storia di Milano, hrsg. v. G. Trecani degli Alfieri, Bd XVI, Mailand 1962.

Perrot (per'o), Jules Joseph, * 18. 8. 1810 zu Lyon, † 24. 8. 1892 zu Paramé (Ille-et-Vilaine); französischer Tänzer und Choreograph, begann als Zirkusartist und Clown in der französischen Provinz, ging dann nach Paris, studierte bei A. Vestris, debütierte 1830 an der Opéra, avancierte rasch zum Partner Maria Taglionis, hatte aber zuviel Erfolg (Th. Gautier: »le plus grand danseur du monde«), so daß sie für seine Verabschiedung sorgte. Er gastierte in London (1833–36), Neapel (1834), München, Wien (1836) und Mailand und choreographierte seine ersten, sehr erfolgreichen Ballette. In Neapel lernte er Carlotta Grisi kennen, deren Ballettmeister, Partner und Liebhaber er wurde. Mit ihr zusammen ging er 1840 nach Paris zurück, choreographierte die Grisi-Soli für die von Coralli inszenierte Pariser *Giselle*-Uraufführung (1841), war dann mehrere Jahre in London tätig, arbeitete auch an der Mailänder Scala und 1848–59 als Tänzer, Choreograph und künstlerischer Direktor des Balletts der Kaiserlichen Theater in St. Petersburg, für das er etwa 20 Ballette schuf, und kehrte 1859 nach Frankreich zurück. Zu seinen bekanntesten Balletten zählen: *Alma ou La fille de feu* (Musik G. Costa, London 1842); *Ondine ou La naiade* (Pugni, ebd. 1843); *La Esmeralda* (Pugni, ebd. 1844); *Pas de quatre* (Pugni, ebd. 1845); *Catarina ou La fille du bandit* (Pugni, ebd. 1846); *Le jugement de Paris* (Pugni, ebd. 1846); *Les éléments* (Giovanni Bajetti, ebd. 1847); *Les quatre saisons* (Pugni, ebd. 1848); *Faust* (Giovanni Panizza, Corta und Bajetti, Mailand 1848); *La filleule des fées* (A. Adam und Clémenceau de Saint-Julien, Paris 1849); *Gazelda ou Les tziganes* (Pugni, St. Petersburg 1853); *La débutante* (Pugni, ebd. 1857); *L'île des muets* (Pugni und Labarre, ebd. 1857); *La rose, la violette et le papillon* (Pugni, ebd. 1857).
Lit.: I. GUEST, The Romantic Ballet in England, London 1953; DERS., The Ballet of the Second Empire 1848–70, ebd. 1955.

+Persiani, Fanny [erg.:] Félicité, 1812 – 1867 zu Neuilly-sur-Seine [nicht: Passy].
Ihr Mann Giuseppe [erg.:] Antonio Niccolò Aloisio P., 11. 9. [nicht: 11.] 1799 – 1869.

+Persichetti, Vincent, * 6. 6. 1915 zu Philadelphia (Pa.).

P., der weiterhin an der Juilliard School of Music in New York lehrt, ist seit 1952 Publikationsleiter des Musikverlages Elkan-Vogel Co. in Philadelphia. – Weitere Werke: insgesamt 9 Symphonien (op. 18, 1942; op. 19, 1942; op. 30, 1946; op. 51, 1951; für Streichorch. op. 61, 1953; für Bläser op. 69, 1956; op. 80, 1958; op. 106, 1967; *Janiculum*, op. 113, 1970); mittlerweile 13 Serenaden (für 10 Bläser op. 1, 1929; für Kl. op. 2, 1929; für Klaviertrio op. 17, 1941; für V. und Kl. op. 27, 1945; für Orch. op. 43, 1950; für Pos., Va und Vc. op. 44, 1950; für Kl. op. 55, 1952; für Kl. 4händig op. 62, 1954; für S. und Altblockflöten op. 71, 1956; für Fl. und Hf. op. 79, 1957; für Blasorch. op. 85, 1960; für Tuba op. 88, 1960; für 2 Klar. op. 95, 1963); Klavierkonzert op. 90 (1962); *Parable I–V* (für Fl. op. 100, 1965; für Blechbläserquintett op. 108, 1968; für Ob. op. 109, 1968; für Fag. op. 110, 1969; für Glockenspiel op. 112, 1969); 3. Streichquartett op. 81 (1959); 11. Klaviersonate op. 101 (1965); Sonate für Org. op. 86 (1960); Messe für gem. Chor op. 84 (1960), Stabat mater op. 92 (1963) und Te Deum op. 93 (1963) für Chor und Orch., *Spring Cantata* für Frauenchor und Kl. op. 94 (1963), *Winter Cantata* für Frauenchor, Fl. und Marimba op. 97 (1964), *The Pleiades* für Chor, Trp. und Streichorch. op. 107 (1967), *The Creation* für S., A., T., Bar., Chor und Orch. op. 111 (1969). – P. verfaßte ferner *Twentieth Cent. Harmony. Creative Aspects and Practice* (NY 1961, London 1962, auch japanisch), *Essays on Twentieth-Cent. Choral Music* (Norman/Okla. 1963) sowie Beiträge für MQ.
Lit.: Werkverz. in: Composers of the Americas XIV, Washington (D. C.) 1968. – W. SCHUMAN in: MQ XLVII, 1961, S. 379ff.; W. C. WORKINGER, Some Aspects of Scoring in the Band Works of V. P., Diss. NY Univ. 1970.

+Persico, Mario, * 1. 12. 1892 zu Neapel.
An weiteren Werken seien eine Sonatine für Fl., Va und Hf. (1941), ein Stabat mater (1944) und 2 Lieder (nach Gedichten aus A. de Mussets *Les caprices de Marianne*, 1949) genannt.

+Persinger, Louis, * 11. 2. 1887 zu Rochester (Ill.), [erg.:] † 31. 12. 1966 zu New York.

Als weitere Schüler sind I. Stern und R. Ricci zu nennen.
Lit.: M. C. Hart in: The Juilliard Rev. IX, 1962, S. 4ff.

+Perti, Giacomo Antonio, 1661–1756.
Ausg.: Solokantate »Laudate pueri« f. mittlere St., V., Va, obligates Vc. u. B. c., hrsg. v. J. Berger, = The Penn State Music Series X, Univ. Park (Pa.) 1966; Tre cantate morali e spirituali per voci e archi, Faks. d. Ausg. v. 1688, = Bibl. musica Bononiensis IV, 85, Bologna 1969; La Passione di Cristo, hrsg. v. V. Gibelli, = Antiquae musicae Ital. bibl., Monumenta Bononiensia XIV, ebd. 1970.
Lit.: +L. Busi, Il Padre G. B. Martini (I, 1891), Nachdr. = Bibl. musica Bononiensis III, 2, Bologna 1969. – G. Vecchi in: Atti e memorie della Deputazione di storia patria per le provincie di Romagna, N. S. VII, 1955/56, S. 257ff.; La musica barocca a Bologna. Manifestazioni ... G. A. P., hrsg. v. dems., Bologna 1961; M. Fabbri in: Musicisti lombardi ed emiliani, hrsg. v. A. Damerini u. G. Roncaglia, = Accad. mus. Chigiana (XV), Siena 1958, S. 133ff.; ders., Nuova luce sull'attività fiorentina di G. A. P., B. Cristofori e G. Haendel, in: Chigiana XXI, N. S. I, 1964; S. Martinotti, Ricognizione di G. A. P. compositore emiliano del barocco, Rass. mus. XXXII, 1962; J. Berger, The Sacred Works of G. A. P., JAMS XVII, 1964.

+Perticaroli, Sergio, * 16. 2. 1930 zu Rom.
P. ist seit 1963 Lehrer für Klavier am Conservatorio di musica S. Cecilia in Rom.

Pertile, Aureliano, * 9. 11. 1885 zu Montagnana (Venetien), † 11. 1. 1952 zu Mailand; italienischer Sänger (Tenor), studierte ab 1906 bei Vittorio Orefice in Vicenza, debütierte 1911 am dortigen Stadttheater als Lyonel (Martha) und vervollkommnete seine Studien bei Manlio Bavagnoli in Mailand. 1920–21 gehörte er der Metropolitan Opera in New York und 1922–40 dem Ensemble der Mailänder Scala an. P. war ein gefeierter Sänger in den heldischen Partien des italienischen Opernrepertoires und auch als Wagner-Interpret (Lohengrin, Walther von Stolzing) geschätzt. Ab 1940 unterrichtete er am Conservatorio di Musica G. Verdi in Mailand.
Lit.: D. Silvestrini, Tenori celebri. A. P. e il suo metodo di canto, Bologna 1932.

Perusso, Mario, * 16. 9. 1936 zu Buenos Aires; argentinischer Komponist und Dirigent, studierte Komposition bei Cayetano Marcolli sowie 1967–68 am Centro Latinoamericano de Altos Estudios Musicales in Buenos Aires bei Ginastera, Nono, Cr. Halffter und Haubenstock-Ramati sowie Dirigieren an der Escuela Superior de Bellas Artes der Universidad de La Plata bei Drago. Er wirkte als Opernkapellmeister am Teatro Nacional de La Plata und am Teatro San Martín in Tucumán. P. schrieb die Oper La voz del silencio (Buenos Aires 1969), Orchesterwerke (3 movimientos sinfónicos, 1956; Elegie, 1964; La eternidad y el viento, 1968), Kammermusik (Inventionen für Streichquartett) und Vokalwerke (Requiem de los angeles für Chor und Orch., 1970).

Peruzzi, Baldassare, getauft 7. 3. 1481 zu Siena, † 6. 1. 1536 zu Rom; italienischer Architekt, Maler und Bühnenbildner der Hochrenaissance (Villa Farnesina in Rom, 1508–11), dessen Spätwerk vom Manierismus geprägt ist (Palazzo Massimo alle Colonne in Rom, 1532–36), war entscheidend an der Entstehung des Bühnenbilds der Neuzeit beteiligt, das aus der perspektivischen Raumvorstellung der Renaissance entwickelt wurde. Er gehörte zum Umkreis von Donato Bramante und hatte sich durch seine Fresken in der Villa Farnesina als Meister perspektivischer Malerei ausgewiesen, die er mit einem gemalten Prospekt für den »Apparato per le Palilie«, den das Patriziat zu Ehren von Giuliano und Lorenzo dei Medici 1513 auf dem Römischen Kapitol veranstaltete, auf eine bühnenbildhafte Festdekoration übertrug. 1514 entwarf er anläßlich einer Aufführung der Calandria von Kardinal Bernardo Dovizi da Bibbiena im Vatikan erstmals wirkliche Bühnenbilder, 1523 die Ausstattung für das Fest anläßlich der Krönung von Papst Clemens VII. und 1531 die Bühnenbilder für »Le Bacchide« von Plautus im Vatikan. – P.s perspektivische Raumbühne mit Proszenium als Spielfläche, ansteigend gebauter Reliefbühne und gemaltem Abschlußprospekt, auf dem in die Tiefe führende Architektur dargestellt war, besaß Modellcharakter und wurde zum Ausgangspunkt u. a. für →Serlio, der seine drei Szenentypen daraus ableitete, und →Scamozzi, dessen stehende Dekoration im Teatro Olimpico in Vicenza (→Palladio) noch heute eine Vorstellung von P.s Bühne vermittelt.
Lit.: E. Flechsig, Die Dekoration d. modernen Bühne in Italien v. d. Anfängen bis zum Schluß d. 16. Jh., Dresden 1894; V. Mariani, Dal taccuino di B. P., in: L'arte XXXII, 1929; ders., Storia della scenografia ital., Florenz 1930; C. Ricci, La scenografia ital., Mailand 1930; H. H. Borcherdt, Das europäische Theater im MA u. in d. Renaissance, Lpz. 1935, Hbg 21969; R. Krautheimer, The Tragic and Comic Scene of the Renaissance. The Baltimore and Urbino Panels, Gazette des beaux-arts XC, 1948; L. Magagnato, The Genesis of the Teatro Olimpico, Journal of the Warburg and Courtauld Inst. XIV, 1957; H. Kindermann, Theatergesch. Europas, Bd I: Das Theater d. Renaissance, Salzburg 1959.　　　HS

Perz (pɛrs), Mirosław, * 25. 1. 1933 zu Zielonagóra (bei Posen/Poznań); polnischer Musikforscher, studierte Musikwissenschaft bei Chybiński und Maria Klementyna Szczepańska an der Universität in Posen (1951–54) und bei Feicht an der Universität in Warschau (1954–56) sowie Orgel bei Józef Pawlak an der Musikhochschule in Poznań (1952–54) und bei Feliks Rączkowski an der Musikhochschule in Warschau (1954–59). Er promovierte 1966 an der Warschauer Universität, an der er im selben Jahr Adjunkt und 1971 Dozent wurde. Seit 1973 ist er Hauptredakteur der in Warschau und Graz erscheinenden Antiquitates musicae in Polonia. – Veröffentlichungen (Auswahl): Die Vor- und Frühgeschichte der Partitur in Polen (Fs. der Akademie ... in Graz, Graz 1963); Motety M. Leopolity (in: Studia ..., Fs. H. Feicht, Krakau 1967); Die Einflüsse der ausgehenden italienischen Musik in Polen (in: L'Ars nova italiana del Trecento [III], Kgr.-Ber. Certaldo 1969); M. Gomółka (Warschau 1969); Rękopiśmienne partesy olkuskie (»Handschriftliche Stimmbücher aus Olkusz«, in: Muzyka XIV, 1969); Z studiów w bibliotekach i archiwach włoskich (»Aus Studien in italienischen Bibliotheken und Archiven«, ebd. XV, 1970); Starosądecki urywek motetów średniowiecznych w bibliotece uniwersyteckiej w Poznaniu (»Ein Fragment von mittelalterlichen Motetten aus Stary Sącz in der Posener Universitätsbibliothek«, ebd. XVI, 1971). – Ausgaben: M. Gomółka, Melodie na psałterz polski. Psalmi 4 v. concinendi (= Wydawnictwo dawnej muzyki polskiej XLVII–XLIX, 3 Bde, Krakau 1963–66); Sources of Polyphony up to 1500. Facsimiles with Commentary (= Antiquitates musicae in Polonia XIII, Warschau und Graz 1972).

+Pescetti, Giovanni Battista, um 1704 – [erg.: 20. 3.] 1766.
Lit.: Fr. Degrada, Le sonate per cemb. e per org. di G. B. P., in: Chigiana XXIII, N. S. III, 1966; M. Fabbri, G. B. P. e un concorso per »Maestro di cappella« a Firenze, RIdM I, 1966.

Peschek, Alfred, * 14. 5. 1929 zu Linz; österreichischer Komponist, studierte 1951–57 in Wien an der Akademie für Musik und darstellende Kunst bei Swa-

rowski (Dirigieren) und J. N. David (Komposition) sowie an der Universität, an der er 1957 mit einer Dissertation über *Die Messen von Fr. Tuma (1704–74)* promovierte. Er war Lehrer für Musiktheorie am Bruckner-Konservatorium in Linz (1959–62), gründete die DAP-Edition (1962) und das »neue ensemble« (1967). 1971 übernahm er das Management der österreichischen Popgruppe »Ecla Craig Succession«. – Kompositionen (Auswahl): *improvisation* für Klar., V. und Kl. (1965); *colori I*, Mobile für verschiedene Schlag- und Tasteninstr. oder verschiedene Instr. zur Ausarbeitung, und *II*, Kammermusik für 2 Gruppen (beide 1966); *zy* ..., Spiel für 4 Sprechsänger, Kl., 4 Metronome, Rundfunk- und Lautsprecherklänge (Paris 1968); *akire*, 12 Blätter zum Tanzen und Spielen (Linz 1968); *drei erscheinungen und gesangsszene der lichtnymphe* für S. und großes Orch. (1968); *müviadlablu*, Mundartgedichte mit manipuliertem Popmusikbackground (1968–69); *poésies lyriques 1*, 7 musikgraphische Blätter (mit den Teilen *a. pour danse seule, b. pour rythme, c. pour clavier, d. pour instr. à vent, e. pour voix, f. pour appareilles* [plattenspieler, tonband, rundfunkgerät, fernsehapparat und metronome] und *g. pour instr. à cordes*, 1968–69, Neufassung 1973) und *2a* (*pas de deux pour danse et voix*, 1970, Neufassung 1973); *impression*, Musik für 2kanaliges Tonband (*I. poème electronique* und *II. celoomusic*, 1971); *waid oder schlecke meine füße, mosailama, ich spiele klavier und radio*, Tonbandmusik (1972).
Lit.: W. SZMOLYAN, Zeitgenössische Komponisten aus Oberösterreich, ÖMZ XXV, 1970.

+Peschin, G r e g o r , um 1500 – nach 1547 zu Heidelberg(?) [del. bzw. erg. frühere Angabe].
Lit.: [+]H. J. MOSER, P. Hofhaimer (1929), Hildesheim [²]1966. – A. LAYER in: MGG X, 1962, Sp. 1110ff.

+Pesenti, M a r t i n o , um 1600 – zwischen Mai 1647 und März 1648 [del.: vor 1648].
Ausg.: Tänze f. Oberstimme u. B. (V., Cemb., B.), hrsg. v. FR. CERHA, = Diletto mus. XXXVI, Wien 1964; 3 Correnti in: G. REICHERT, Der Tanz, = Das Musikwerk XXVII, Köln 1965, auch engl.
Lit.: C. MOREY, The Diatonic, Chromatic and Enharmonic Dances by M. P., AMI XXXVIII, 1966.

+Pesenti, M i c h e l e , [erg.:] um 1475 zu Verona [del.: oder Vicenza] – [erg.:] nach 1521.
Ausg. u. Lit.: [+]23 Frottole aus d. I. Buch (R. SCHWARTZ, Lpz. 1935), Nachdr. Hildesheim 1967; [+]KN. JEPPESEN, Die ital. Orgelmusik am Anfang d. Cinquecento (1943), Kopenhagen [²]1960 (2 Bde). – W. H. RUBSAMEN in: MGG X, 1962, Sp. 1113ff.

Peskó (p'æʃko:), Z o l t á n , * 15. 2. 1937 zu Budapest; staatenloser Dirigent und Komponist, studierte Komposition an der Fr.-Liszt-Musikhochschule in Budapest (1957–62) sowie bei Petrassi an der Accademia Nazionale di S. Cecilia in Rom (1964–65) und Dirigieren bei Celibidache in Siena (1963), bei Ferrara in Rom und Venedig (1964–65) und bei Boulez in Basel (1965). 1966 wurde er Assistent von Maazel in Berlin, 1969 dirigierte er erstmals an der Mailänder Scala und erhielt ein Engagement an die Deutsche Oper Berlin. 1969–72 war er Professor an der Hochschule für Musik in Berlin. 1974 wurde er Chefdirigent am Opernhaus in Bologna. Er ist als Gastdirigent in Ungarn, Schweden, Italien, der Schweiz und der Bundesrepublik aufgetreten. P. komponierte *Tensions* für Streichquartett (1967), *Bildnis einer Heiligen* für S., Kinderchor und Kammerorch. (1969) und *Trasformazione* für Streichorch. (1970) und stellte eine Bearbeitung von Scheidts *Miserere* (1971) her.

+Pesonen, O l a v i Samuel, * 8. 4. 1909 zu Helsinki. Seine Studien an der Universität in Helsinki schloß er

1932 mit dem Mag. phil. [nicht: Dr. phil.] ab. – Lektor an der Pädagogischen Hochschule in Helsinki war er bis 1959; seitdem ist er in leitender Stellung an der obersten Schulbehörde in Finnland für Fragen des Musikunterrichts tätig. Das Handbuch [+]*Musiikin alkeet* (1954) erschien in 7. Aufl. Helsinki 1967.

+Pessl, Y e l l a (eigentlich Gabriella [erg.:] Elsa, verheiratete Sobotka), * 4. 1. 1906 zu Wien. Seit 1968 ist sie als Lehrerin in Deerfield (Mass.) tätig.

Pestalozza, C a r l o , * 8. 5. 1920 zu Mailand; italienischer Pianist und Klavierpädagoge, Bruder von Luigi P., studierte am Conservatorio di Musica G. Verdi in Mailand (Anfossi, Paolo Delachi) und wurde 1953 Dozent für Klavier am Civico Istituto Musicale in Bergamo, dessen Direktion er 1953 übernahm. 1962–63 lehrte er auch am Conservatorio di Musica B. Marcello in Venedig und in der Folgezeit am Conservatorio di Musica G. Verdi in Mailand. Als Konzertsolist widmete er sich besonders dem zeitgenössischen Schaffen.

Pestalozza, L u i g i , * 20. 2. 1928 zu Mailand; italienischer Musikkritiker, Bruder von Carlo P., Dr. jur., war Mitarbeiter bei »Avanti!« (1951–61), »Stasera« (1961–62), »Rinascita« und »Paese sera«, gründete 1950 die Zeitschrift *Il diapason*, deren Schriftleiter er bis 1952 war, und wurde 1959 Dozent für Musikgeschichte an der Schule des Piccolo Teatro in Mailand. Er veröffentlichte u. a.: *La scuola nazionale russa* (= Piccola bibl. Ricordi VI, Mailand 1958); *La passione secondo Giovanni di J. S. Bach. Problemi di analisi musicale* (= Corsi universitari o. Nr, Turin 1972); *I compositori milanesi del dopoguerra* (Rass. mus. XXVII, 1957); *Il mondo musicale di Gershwin* (in: L'approdo musicale I, 1958); *Folklore esotico. Ricostruzioni fedeli e arbitrarie* (in: Musica e film 1959); *La contraddizione pratica di Adorno* (Rass. mus. XXX, 1960); *L. Janáček* (in: L'approdo musicale III, 1960); *Un metodo critico per la musica contemporanea* (Rass. mus. XXXI, 1961); *L. Nono* (Rev. musical chilena XVII, 1963); *Appunti sul linguaggio musicale* (in: Discoteca IX, 1968). Er edierte: *La rassegna musicale. Antologia* (= I fatti e le idee CXLIV, Mailand 1966; Ausw. von Texten aus Rass. mus. 1928–43 und »Pianoforte« 1921–26); *Aspetti della musica d'oggi* (= Quaderni della Rass. mus. V, Turin 1972).

+Pestalozzi, [erg.: Jakob] Heinrich, 1878 – 9. [nicht: 10.] 8. 1940 [nicht: 1945].

Peter, Paul & Mary, amerikanisches vokal-instrumentales Folktrio, benannt nach den Mitgliedern Peter Yarrow (* 31. 5. 1938 zu New York), Noel Paul Stookey (* 30. 11. 1937 zu Baltimore/Md., begann 1960 als Gitarrist in Rock 'n' Roll-Gruppen und wechselte nach Engagements in Clubs von Greenwich Village zum Folksong über) und Mary Ellin Travers (* 7. 11. 1937 zu Louisville/Ky., war schon vor 1960 Folksängerin bei den Songswappers, die auch im Carnegie Hall in New York auftraten) und hervorgegangen aus einem 1961 von Stookey und Mary Travers gebildeten Folkduo, das 1962 mit Yarrow zum Trio erweitert wurde. Die Gruppe wurde besonders in den Jahren 1963–65 mit Liedern wie *Big Boat, Stranger in Town* und *Blowin' in the Wind* (Bob Dylan) zur einflußreichsten anglo-amerikanischen Folksonggruppe. – Aufnahmen: *Album 1700* (WB 46017); *The Best of P., P. & M.* (WB 46012); *In the Wind* (WB 46007); *The Most Beautiful Songs of P., P. & M.* (WB 46015); *P., P. & M. in Concert* (WB 66006); *P., P. & M. Album* (WB 46101); *Star Collection* (MIDI 26001); *Ten Years Together* (WB 46051).

Peter, Erich, * 26. 1. 1901 zu Berlin; deutscher Dirigent, studierte in Berlin bei Theodor Müngersdorf und R. Krasselt sowie an der Universität. Er war 1. Kapellmeister 1923–29 in Greifswald und 1929–45 am Landestheater in Beuthen/Oberschlesien (1940 GMD) und wurde 1949 Dirigent des Orchesters der Berliner Musikhochschule (1951 Professor, 1959 Ordinarius und Mitglied des Akademischen Senats).

+Peter, Johann Friedrich (John Frederik), 1746–1813.
Ausg.: 3 Sacred Songs f. S. (mit D. M. Michael), hrsg. v. TH. JOHNSON u. D. M. MCCORKLE, = The Moramus Ed. of the Moravian Music Foundation o. Nr, NY 1958; Anthem »He Who Soweth Weeping«, hrsg. v. H. TH. DAVID, NY 1964.
Lit.: D. M. MCCORKLE, The Moravian Contribution to American Music, = Moravian Music Foundation Publ. I, Winston-Salem (N. C.) 1956; H. TH. DAVID, Mus. Life in the Pennsylvanian Settlements of the »Unitas fratrum«, ebd. VI, 1959; E. V. NOLTE, The Paradox of the P. Quintetts, The Moravian Music Foundation Bull. XII, 1967/68; R. E. STILLWELL, Six Anthems by J. Fr. P., Diss. Univ. of Rochester (N. Y.) 1968 (darin praktische Ausg.).

Petermandl, Hans, * 26. 1. 1933 zu Linz; österreichischer Pianist, studierte bei Seidlhofer an der Akademie für Musik und darstellende Kunst in Wien (Diplom 1956) und ist seitdem als Pianist in Ost- und Westeuropa sowie im Mittleren und Nahen Osten aufgetreten. Sein Repertoire enthält neben Werken von J. S. Bach, Beethoven, Schubert und Brahms vorwiegend zeitgenössische Kompositionen. P. war 1961–67 Dozent an der Akademie für Musik und darstellende Kunst in Wien, 1967–71 Leiter einer Ausbildungsklasse für Klavier an der Akademie (seit 1970 Hochschule) für Musik und darstellende Kunst in Graz (1969 außerordentlicher Hochschulprofessor) und ist seit 1971 in gleicher Position an der Wiener Hochschule (früher Akademie) für Musik und darstellende Kunst tätig.

+C. F. Peters.
Max Hinrichsen (* 6. 7. 1901 zu Leipzig, [erg.:] † 17. 12. 1965 zu London), dessen +Jahrbuch (*Hinrichsen's Musical Year Book*, 1944ff.) in unregelmäßiger Abfolge bis 1961 erschien (*Hinrichsen's Eleventh Music Book*) und in dem er selbst zahlreiche Beiträge veröffentlichte, wurde 1965 als erster Musikverleger zum Ehrenmitglied des Trinity College of Music in London ernannt; die Leitung des Londoner Hauses von C. F. P. übernahm seine Frau Carla E. (geborene Eddy, * 15. 5. 1922 zu Lawrence/Ka.). Das New Yorker Haus leitet seit dem Tode von Walter Hinrichsen (* 23. 9. 1907 zu Leipzig, [erg.:] † 21. 7. 1969 zu New York) seine Frau Evelyn (geborene Merrell, * 30. 11. 1910 zu Chicago). – Die Edition P. des Frankfurter Stammhauses C. F. P., das weiterhin unter der Leitung von Dr. Johannes Petschull (* 8. 5. 1901 zu Diez an der Lahn) steht, wurde durch die Aufnahme der bislang in H. Litolff's Verlag erschienenen Werke zeitgenössischer Autoren beträchtlich bis in die Gegenwart hinein erweitert. Neben Verlagsreihen wie *Das Singwerk, Canticum* und *Sinfonietta* ist die Produktion neuer Instrumental- und Vokal-Studienwerke zu erwähnen. Seit 1971 hat C. F. P. auch die Führung des Verlages M. P. Belaieff (→ +Beljajew, M.) inne. – Der in Leipzig arbeitende Musikverlag VEB [Volkseigene Betrieb] Edition Peters, bis 1969 von Georg Hillner (* 19. 6. 1896 zu Leipzig) und seitdem von Bernd Pachnicke (* 8. 5. 1938 zu Dresden) geleitet, hat, neben der Beibehaltung des älteren (Leipziger) Kataloges von C. F. P., eine umfangreiche neue Produktion aller Gattungen (auch zeitgenössischer Werke) aufgenommen, die auch von den westlichen Peters-Häusern vertrieben wird.
Lit.: zum »Jb. d. Musikbibl. P.« (JbP) u. zum »Deutschen Jb. d. Mw.« (DJbMw) → Jahrbücher. – H. M. PLESSKE, Bibliogr. d. Schrifttums zur Gesch. deutscher u. österreichischer Musikverlage, in: Beitr. zur Gesch. d. Buchwesens III, hrsg. v. K.-H. Kalhöfer u. H. Rötzsch, Lpz. 1968. – +O. E. DEUTSCH, Music Publisher's Numbers (1946), 2. verbesserte (u. 1. deutsche) Ausg. als: Musikverlags-Nummern, Bln 1961 (Nachtrag in: Mf XV, 1962); P. HAUSCHILD, 165 Jahre Ed. P., in: Der Musikalienhandel XI, 1965; H. KELLER, Zur Gesch. d. Urtextausg. d. Klavierwerke Bachs in d. Ed. P., DJbMw X, 1965; H. LINDLAR, C. F. P. Musikverlag. Zeittafeln zur Verlagsgesch., Ffm. 1967; DERS., Zur Gesch. d. Musikbibl. P., in: Quellenstudien zur Musik, Fs. W. Schmieder, Ffm. 1972; E. KLEMM, Der Briefwechsel zwischen A. Schönberg u. d. Verlag C. F. P., DJbMw XV, 1970; H.-M. PLESSKE, Der Bestand Musikverlag C. F. P. im Staatsarch. Lpz., Geschäftsbriefe aus d. Jahren 1800–1926 als Quellenmaterial f. d. Musikforschung u. d. Gesch. d. Buchhandels, Jb. d. Deutschen Bücherei VI, 1970, auch separat Lpz. 1970; DERS., Beethoven u. seine Lpz.er Verleger, Sächsische Heimatblätter XVII, 1971; J. SACHS, Hummel and the Pirates, MQ LIX, 1973. – W. LICHTENWANGER in: Notes XXVI, 1969/70, S. 491ff. (Nachruf auf W. Hinrichsen).

+Peters, Franz [erg.: Wilhelm] (P.-Marquardt), * 26. 4. 1888 zu Magdeburg, [erg.:] † 12. 6. 1965 zu Coburg.
Neuerer Aufsatz: *War H. Lychtenfels der spätere Musiktheoretiker H. Faber?* (in: H. Albrecht in memoriam, Kassel 1962).

Peters, Reinhard, * 2. 4. 1926 zu Magdeburg; deutscher Dirigent, war als Violinist (1945) und Korrepetitor (1946) an der Staatsoper Berlin tätig, studierte 1949 in Paris Violine bei Enescu und Thibaud sowie Klavier bei Cortot. Er wurde als Kapellmeister 1952 an die Städtische Oper Berlin und 1957 an die Deutsche Oper am Rhein in Düsseldorf–Duisburg engagiert (1960 1. Kapellmeister). 1961–70 war er GMD der Stadt Münster (Westf.). Seit 1970 ist P. ständiger Dirigent an der Deutschen Oper Berlin. Mit Wirkung von 1975 wurde er zum Chefdirigenten der Philharmonia Hungarica in Marl berufen. Als Gast dirigierte er in europäischen Ländern, in Südamerika und Japan.

Peters (pˈiːtəz), Roberta, * 4. 5. 1930 zu New York; amerikanische Sängerin (Koloratursopran), studierte bei William Pierce Herman und ist seit ihrem Debüt als Zerlina in *Don Giovanni* (1950) 1. Koloratursopran der Metropolitan Opera in New York. Gastspiele führten sie u. a. an die Wiener Staatsoper, die Covent Garden Opera in London, die Bayerische Staatsoper in München und zu den Salzburger Festspielen (1963 und 1964). Sie schrieb *A Debut at the Met* (NY 1967). Zu ihren Partien zählen die Königin der Nacht, Rosina (*Il barbiere di Siviglia*), Lucia di Lammermoor und Gilda. R. P. hat sich auch als Konzertsängerin einen Namen gemacht. 1960 unternahm sie eine Tournee durch die UdSSR.

+Peters, Rudolf, * 21. 2. 1902 zu Gelsenkirchen, [erg.:] † 18. 3. 1962 zu München.

Peters, Wilm → Orling, Hans G.

+Petersen, Wilhelm, 1890–1957.
P. komponierte 5 [nicht: 4] Symphonien (op. 3, 1921; op. 4, 1923; op. 30, 1934; op. 33, 1941; posthum 1959) und 3 [nicht: 2] Violinsonaten (op. 6, 1946; op. 22, 1927; op. 43, 1950). – 1972 wurde in Darmstadt eine W.-P.-Gesellschaft gegründet.
Lit.: H. KAISER, W. P., Darmstadt 1958 (Gedenkrede); A. PETERSEN, W. P., Skizze seines Wesens u. Lebens, ebd. 1962.

+Peterson, Oscar [erg.:] Emmanuel, * [erg.: 15. 8.] 1925 zu Montreal.
P. spielte u. a. zusammen mit den Gitarristen Irving Ashby und Herb Ellis, mit den Bassisten Ray Brown (1951–66), Sana Jones (ab 1966) und später mit J. Mraz, mit den Schlagzeugern Ed Thigpen (1959–65), Louis Honges (ab 1966) und später mit Bob Durham. P. hat in jüngster Zeit auch Aufnahmen als Solopianist eingespielt. Von seinen Aufnahmen seien genannt: *West Side Story* (Verve V 6–8454); *The O. P. Trio Plays* (ebd. V 6–8591); *Night Train* (I–IV, ebd. V 6–8538, 711 037, 711 071, 711 078); *Altinity* (ebd. V 6–8516); *Exclusively for My Friends* (I–VI, MPS 15 178–81, 15 221–22); *Hello Herbie* (MPS 15 262); *Tristeza on Piano* (MPS 15 275); *Starportrait* (Verve 2 622 004).
Lit.: B. James in: Essays on Jazz, London 1961, S. 34ff.

+Peterson-Berger, Olof Wilhelm, 1867 – 1942 zu Frösön (Jämtland) [nicht: Östersund].
Lit.: St. Beite, W. P.-B., Östersund 1965 (mit Werkverz., Bibliogr. u. Diskographie); F. Bohlin, En aspekt på P.-B., Musikrevy XXII, 1967; ders., P.-B. och skolans musikundervisning, in: Musikkultur XXXI, 1967; L. Hedwall, Anteckningar kring W. P.-B.s pianosviter, STMf XLIX, 1967; ders. in: Schwedische Musik einst u. heute, = Musikrevy international 1970, S. 88ff.; G. Percy, P.-B. och hans tid, Musikrevy XXII, 1967.

+Petipa, Marius ([erg.:] Iwanowitsch), [erg.:] 11. 3. 1818 [nicht: 1822] – [erg.: 1.(14.) 7.] 1910 zu Gurzuf (bei St. Petersburg) [nicht: zu St. Petersburg].
P. wirkte u. a. in Brüssel (1831), Bordeaux, Nantes (1838) und Madrid (1845). Mit seinem Vater Jean Antoine P. (1787–1855) unternahm er außerdem 1839 eine Amerika-Tournee. 1862 wurde P. in St. Petersburg 1. Ballettmeister, wo er 1906 seine *Memuary* veröffentlichte (engl. als *Russian Ballett Master. The Memoirs of M. P.*, hrsg. von L. Moore, London und NY 1958).– Weitere Choreographien: +»Schwanensee« (nur 1. und 3. Akt, 2. und 4. Akt von L. Iwanow, 1895 [nicht: 1894]); *Rajmonda* (Glasunow, St. Petersburg 1898); *Baryschnja-sluschanka ili Ispytanije Damissa* (»Die Kammerzofe oder Die Prüfung des Damis«) / *Les ruses d'amour* (ders., ebd. 1900); *Wremena goda* (»Die Jahreszeiten«, ders., ebd.); *Les millions d'Arlequin* (Drigo, ebd.).
Lit.: Werkverz. in: Les saisons de la danse I, 1968, H. 6; Materialy, wospominanija, statji (»Materialien, Erinnerungen, Aufsätze«), hrsg. v. A. Nechendsi, Leningrad 1971. – L. Moore, The P. Family in Europe and America, in: Dance Index I, 1942; Y. Slonimsky, ebd. VI, 1947, Nr 5/6, S. 100ff.; Cl. Barnes, P.s Erben, in: Ballett 1966; V. Krasovskaja, Aus d. unveröff. Tagebüchern. P. gestern u. heute, ebd.; dies., P. und »The Sleeping Beauty«, = Dance Perspectives 1972, Nr 49; J. Percival, Was bedeutet P. heute f. d. Westen?, in: Ballett 1966; H. Koegler, P. u. d. zaristische Petersburger Ballettkultur d. 19. Jh., in: Maske u. Kothurn XIII, 1967.

Petit (pət'i), Pierre Yves Marie Camille, * 21. 4. 1922 zu Poitiers; französischer Komponist und Musikschriftsteller, studierte in Paris Musik an der Ecole Normale de Musique (Dandelot, Nadia Boulanger) und am Conservatoire (Busser, N. Gallon) sowie Griechisch an der Sorbonne. 1946 erhielt er für die *Scène lyrique Le jeu de l'amour et du hasard* (Poitiers 1946) den 1ᵉʳ Grand prix de Rome, 1947–51 hielt er sich in der Villa Medici in Rom auf. 1951 wurde er Professor für Geschichte am Pariser Conservatoire, 1960 Leiter des Service de Musique Légère bei der ORTF, 1963 Direktor der Ecole Normale de Musique in Paris und 1965 Leiter der Musikproduktion bei der ORTF. Von seinen Kompositionen seien genannt: Operette *La Maréchale Sans-Gêne* (Paris 1948); Opéras-bouffes *Furia italiana* (ORTF 1958, szenisch Paris 1964) und *Concerto pour tête-a-tête* (mit François Billetdoux, ORTF

1960); Opéra-comique *Migraine* (Paris 1969). – Ballette: *Zadig* (Paris 1948); *Romana romana* (ebd. 1951); *Ciné-Bijou* (ebd. 1953); *Feu rouge, feu vert* (ebd. 1953). – Orchesterwerke: *Aricana* (1943); *Garden-Party* (1958); *Tarantelle* (1965); *Storia* (1971); Concertinos für Kl. und Orch. (1943) und für Org., Streicher und Schlagzeug (1958); Konzerte für Kl. und Orch. (1954) und für 2 Git. und Orch. (1964); Suite für 2 Vc. und Orch. (1967). – Kammermusik: Suite für 4 Vc. (1943); *Les quatre vents*, 4 Stücke für Trp., 2 Hörner und Tuba (1950); *Salmigondis* für Pk., Schlagzeug und Kl. (1960); Sonate für V. und Kl. (1943); *Guilledoux* für Fag. und Kl. (1951); *Trois pièces* für V. und Kl. (1961); *Petite suite* für Fl. und Kl. (1963); Thema und Variationen für Kb. und Kl. (1964); *Thème varié* für Saxhorn und Kl. (1965); *Hors-d'œuvre* für Schlagzeug (1951); ferner verschiedene Stücke für Sax. bzw. Tuba und Kl. – Klavierwerke: *6 petites pièces à 4 mains* (1942); *2 études* (1943); Suite *Rome, l'unique objet* (1945); *Bois de Boulogne*, 5 Stücke (1946); *Capriccio* (1962); *Nicolatterie* (1969). – Vokalmusik: *Messe pour Ste-Jeanne de France* (1950); *5 mélodies* (1941–46), *2 mélodies sur des poèmes de Charles Oulmont* (1949) und *4 poèmes de Paul Gilson* (1965) für Gesang und Kl. – Bühnen- und Funkmusik. – Veröffentlichungen (Auswahl): *Autour de la chanson française* (Paris 1952); *Verdi* (= Solfèges X, ebd. 1958, nld. = Pictura-boeken X, Utrecht 1959, engl. London und NY 1962 und 1966, eine deutsche Ausg. mit G. Tintori als *G. Verdi*, = Porträt des Genius IV, Hbg 1966); *Ravel* (Paris 1970).

+Petit, Raymond, * 6. 7. 1893 zu Neuilly-sur-Seine.
An weiteren Kompositionen sind zu nennen eine Oper *Der Zauberflöte zweiter Teil* (Goethe), eine Symphonie (»Tétraphonie«, *1934), *Nativité selon l'Evangile* für Sprech-St. und Orch. (1941) und 3 *Récits des Evangiles* für T. und Streichquartett (1932). Neben Beiträgen für die »Encyclopédie des musiques sacrées« verfaßte er *Introduction à l'étude de l'œuvre de Ch. Tournemire* (in: L'orgue 1965) und *Introduction à une musicologie anthroposophique* (in: Triades XV, 1968/69).

+Petit, Roland, * [erg.: 13. 1.] 1924 zu Villemomble (Seine).
P., der mit verschiedenen eigenen Truppen bei zahlreichen ausländischen Ensembles und als Gastchoreograph an der Pariser Opéra gearbeitet hat, wurde 1970 (mit Wirkung ab 1971/72) zu deren Ballettdirektor berufen, trat jedoch nach wenigen Monaten wieder zurück und ging 1972 als Ballettchef an das Opernhaus von Marseille. Zu seinen neueren Ballettschöpfungen gehören: *Cyrano de Bergerac* (Musik M. Constant, Paris 1959); *Maldoror* (nach Lautréamont, M. Jarre, ebd. 1962); *Notre Dame de Paris* (nach V. Hugo, Constant, ebd. 1965); *L'éloge de la folie* (Constant, ebd. 1966); *Paradis perdu* (ders., London 1967); *24 Préludes* (ders., Hbg 1967); *Turangalîla* (nach O. Messiaen, Paris 1968); *L'estasi* (nach A. Skrjabin, Mailand 1968); *Pelléas et Mélisande* (A. Schönberg, London 1969); *Kraanerg* (Y. Xenakis, Ottawa 1969). – Mit seiner Frau Zizi → Jeanmaire, die eine Reihe von Jahren als Haupttänzerin in seinen Produktionen mitwirkte (u. a. *Carmen, Cyrano de Bergerac*) und mit der er einige seiner erfolgreichsten Filme drehte (u. a. *Hans Christian Andersen*, Hollywood 1951, *Un-deux-trois-quatre*, 1960, deutsch in *Carmen '62*), übernahm er 1970 die Leitung des Casino de Paris und brachte dort *La Revue* (1970) sowie *Zizi je t'aime* (1972) heraus.
Lit.: I. Lidova, R. P., in: Les saisons de la danse 1968, Sommer-H. (mit Werkverz.).

Pętkov, Dimitâr Christov, * 4. 5. 1919 zu Rajkovo (heute Stadtteil von Smoljan); bulgarischer Komponist, studierte Chemie an der Sofioter Universität, absolvierte 1952 als Schüler von V. Stojanov und Asen Dimitrov die Staatliche Musikakademie in Sofia und vervollkommnete sich 1952–54 als Aspirant am Moskauer Konservatorium bei Skrebkow. 1954–62 war er Direktor der Nationaloper in Sofia und 1958–60 Lehrer für Polyphonie am Bulgarischen Staatskonservatorium. Er schrieb neben der Operette *Nespokojni sârca* (»Unruhige Herzen«, 1960) die Kinderoperette *Krivata pâteka* (»Der kurvenreiche Weg«, 1956), Kammermusik (3 polyphone Lieder für Fl., Klar. und Fag., 1953) sowie Bühnen- und Filmmusik und vor allem Vokalwerke (*Septemvrijska legenda*, »Septemberlegende«, Kantate für Soli, Chor und Orch., 1953; zahlreiche a cappella-Chöre, Massen-, Kinder- und Sololieder).

Pętkov, Dobrin Christov, * 24. 8. 1923 zu Dresden; bulgarischer Dirigent, studierte am Royal College of Music in London (C. Lambert) und absolvierte die theoretische Abteilung der Staatlichen Musikakademie in Sofia 1946 in der Violinklasse von Petâr Christoskov sowie 1950 die Dirigierklasse von Asen Dimitrov und die Kompositionsklasse von Khadžiev. Er war 1950–55 Dirigent des Staatlichen Symphonieorchesters und der Nationaloper in Rus sowie 1956–62 Chefdirigent des Staatlichen Symphonieorchesters in Plovdiv. 1962 wurde er Dirigent an der Staatlichen Philharmonie in Sofia; 1962–63 war er auch an der Nationaloper in Sofia engagiert.

Petőfi (p'ɛtø:fi), Sándor (Alexander; ursprünglich Petrovics, 1843 in P. geändert), * 1. 1. 1823 zu Kiskőrös (Komitat Pest), † (gefallen) 31. 7. 1849 bei Schäßburg/ Sighişoara (Siebenbürgen); ungarischer Dichter, besuchte 1834–39 die Gymnasien in Pest, Aszód und Selmecz, war 1839–41 Soldat, 1841–42 wieder Gymnasiast in Pápa und 1842–44 Schauspieler. 1844 erhielt er durch die Vermittlung von Mihály Vörösmarty eine Stellung als Hilfsredakteur bei »Pesti divatlap« (»Pester Modenblatt«). Im selben Jahr erschien seine erste Sammlung Gedichte (*P. versek*, Budán 1844), der u. a. 1845 das epische Märchengedicht *János vitéz* (»Held János«), *Cipruslombok Etelka sírjáról* (»Zypressenlaub vom Grabe Etelkas«) und *A szerelem gyöngyei* (»Liebesperlen«), 1846 *Felhők* (»Wolken«) und rhapsodische Gedichte sowie 1848–49 patriotische Kampflieder folgten. – P.s Gedichte wurden sehr oft vertont, u. a. von Erkel, Liszt, Mosonyi, J. Hubay, Kodály, Ádám, Bárdos, Szabó, Kadosa, F. Farkas, Seiber, Szervánszky, Mihály und Sárai. In deutscher Übersetzung vertonten R. Franz 2 Lieder (op. 30 Nr 2 und op. 42 Nr 3) und Nietzsche 5 Lieder (1864) sowie Brahms in der Umdichtung durch Georg Friedrich Daumer *Magyarisch* op. 46 Nr 2, aus den *Liebeslieder-Walzern* op. 52 Nr 16–18, das Gesangsquartett *O schöne Nacht!* op. 92 Nr 1 und *Wir wandelten* op. 96 Nr 2, in französischer Übersetzung Trémisot *Poèmes magyars* und Delibes in der Umdichtung durch François Coppée *Chanson hongroise* sowie in finnischer Übersetzung O. Merikanto und Klemetti Lieder und Chöre. Liszt komponierte das Melodram von Moritz Jókai *Des toten Dichters Liebe* (1874) sowie die Klavierstücke *Dem Andenken P.s* (1877) und *A. P.* (aus *Historische Ungarische Bildnisse / Magyar történelmi arcképek*, 1885), Hubay eine P.-Symphonie für Solostimmen, Chor und Orch. (1925); Pongrác Kacsóh (1873–1924) schrieb die in Ungarn häufig gespielte Operette *János vitéz* (Budapest 1904).
Lit.: A. FISCHER, P.s Leben u. Werke, Lpz. 1889; P. dalok (»P.-Lieder«), hrsg. v. K. ISOZ, = Magyar zeneművek kö-

nyvészete o. Nr, Budapest 1931 (bibliogr. Verz. d. im Originaltext in Musik gesetzten Gedichte P.s mit einem Verz. d. durch P.-Lieder angeregten Kl.-Werke, Melodramen u. Theaterstücke sowie einer Liste v. Kompositionen, deren Sujet d. Gestalt P.s bildet). – E. HARASZTI, P. a zenében (»P. in d. Musik«), P.-Almanach 1923; J. WAGNER, P. és a zene (»P. u. d. Musik«), in: Zenei szemle 1923; S. DOBÓ, P. költészetének zenei vonatkozásai (»P.s Dichtung u. ihre Beziehung zur Musik«), Budapest 1938; G. KORNIS, Nietzsche és P. (»Nietzsche u. P.«), ebd. 1942; R. BOROS, P.-Lieder in d. romantischen Musik Deutschlands, Acta litteraria Acad. scientiarum Hungaricae II, 1959; Gloria victis 1848–49. Szabadságharcunk a világirodalomban (»Der ungarische Freiheitskampf in d. Weltlit.«), hrsg. v. T. TOLLAS, München 1973 (mit einem Musikteil »Zenei visszhang«, ,Mus. Echos', gesammelt v. A. K. Gottwald). **AKG**

Pétouille (pet'u:j), François, * 1681 in der Diözese Soissons(?), † 27. 10. 1730 zu Paris; französischer Komponist, war Maître de chapelle an der Kathedrale in Langres (1723–27) und an Notre-Dame in Paris (ab 1727). 1730 wurde er zum Kanoniker an St-Denys-du-Pas ernannt. Die Bibliothèque Nationale in Paris besitzt von seinen Kompositionen (von denen die Mehrzahl verloren ist) eine Kantate für 3 Männer-St. und B. c., eine *Musette*, ein Air für Solo-St. ohne Begleitung, und den Psalm *Confitebor tibi* für großen 5st. Chor und Orch. (1726).
Lit.: F. RAUGEL, Fr. P., maître de chapelle de Notre-Dame de Paris, RMFC II, 1961/62.

+Petrarca, Francesco, 1304 – 19. ([erg.:] oder 18.?, um Mitternacht) 7. 1374.
Weitere Vertonungen von Dichtungen P.s: O. de Lassus, 11 Kompositionen (auf Texte der »Trionfi«-Dichtung); A. Ferrabosco(I), 23 Kompositionen; H. L. Haßler, 2 Sonete; J. Haydn, Arie *Solo e pensoso* für S. und Orch. Hob. XXIVb:20 (1798); E. Lutyens, *The Tyme doth Flete* für gem. Chor a cappella op. 70 (nach P. und Ovid, 1968). – In der Neufassung von G. Verdis *Simon Boccanegra* (1881) ist P. als historische Gestalt einbezogen (Briefwechsel P.s mit den Dogen von Genua und Venedig).
Ausg.: Opera, Basel 1554, Nachdr. Ridgewood (N. J.) 1965; Ed. nazionale delle opere, bisher erschienen d. Bde I u. II/1 sowie X–XIV, Florenz 1926–45, Nachdr. 1964–68. – Le rime, hrsg. v. N. ZINGARELLI, Bologna 1963 (mit Kommentar); Il canzoniere, hrsg. v. E. RONCONI, = Collana di classici ital. III, Bergamo 1970. – 5 Madrigale auf Texte v. Fr. P., hrsg. v. B. MEIER, = Chw. LXXXVIII, Wolfenbüttel 1962.
Lit.: Studi petrarcheschi Iff., Bologna 1948ff. (erscheint unregelmäßig). – +A. EINSTEIN, The Ital. Madrigal (I–II, 1949), Nachdr. Princeton (N. J.) 1970. – F. RIZZI, Per una celebrazione letterario-mus. del P., in: Avrea Parma XXX, 1946; E. LIGOTTI, Il petrarchismo della poesia mus. e il gusto del popolaresco in Italia agli inizi del s. XV, in: Siculorum gymnasium, N. S. VIII, (Catania) 1955; G. PANNAIN, In margine alla critica II: Petrarchismo mus., Gazzetta mus. di Napoli III, 1957; A. PETRUCCI, La scrittura di Fr. P., = Studi e testi CCXLVIII, Vatikanstadt 1967; M. CAANITZ, P. in d. Gesch. d. Musik, Freiburg i. Br. 1969; D. T. MACE, P. Bembo and the Literary Origins of the Ital. Madrigal, MQ LV, 1969; C. H. RAWSKI, Petrarch's Dialogue on Music, in: Speculum XLVI, 1971 (mit lat.-engl. Ausg. d. 23. Dialogs aus »De remediis utriusque fortune«, Buch I, 1366).

+Petrassi, Goffredo, * 16. 7. 1904 zu Zagarolo (bei Palestrina).
P. leitet seit 1960 (Nachfolger I. Pizzettis) eine Meisterklasse für Komposition an der Accademia nazionale di S. Cecilia in Rom. – Neuere Werke: Streichtrio (1959); *Suoni notturni* für Git. (1959); Flötenkonzert (1960); *Propos d'Alain »L'homme de dieu«* für Bar. und 12 Instrumentalisten (1960); Prolog und 5 Inventionen

für Orch. (1962); 2. *Serenata-Trio* für Hf., Git. und Mandoline (1962); *Musica di ottoni* für Blechbläser und Pk. (1963); 7. Orchesterkonzert (1964); *Tre per sette* für 7 Blasinstr. (3 Spieler, 1964); *Sesto non-senso* (1964) und *Motetti per la passione* (1965) für gem. Chor; *Estri* für 15 Instrumentalisten (1967); *Beatitudines* für B. (Bar.), Va, Kb., Klar., Trp. und Pk. (für Martin Luther King, 1968); *Ottetto di ottoni* für 4 Trp. und 4 Pos. (1968); *Souffle* für 3 Fl. (ein Spieler, 1969); *Elogio per un'ombra* für V. solo (1971); *Nunc* für Git. (1971); 8. Orchesterkonzert (1972); *ALA* für Fl. (auch Ottavino) und Cemb. 1972; weitere Filmmusiken.
Lit.: Sonder-Bd G. P., = Quaderni della Rass. mus. I, 1964. – R. VLAD, G. P.s Orch.-Konzerte, in: Melos XXVI, 1959; J. S. WEISSMANN in: MR XXII, 1961, S. 198ff.; DERS. in: Melos XXXI, 1964, S. 227ff.; I. GODOY TAPIA, Los tres estilos de G. P., Rev. mus. chilena XVI, 1962; E. ROPIONI, ebd. XVII, 1963, Nr 85, S. 73ff.; M. BORTOLOTTO, P.s Stil 1960, in: Melos XXXIII, 1966; L. PINZAUTI, P. »sacro«, in: Chigiana XXIII, N. S. III, 1966; DERS. in: nRMI II, 1968, S. 482ff. (Interview); C. MARINELLI in: Chigiana XXIV, N. S. IV, 1967, S. 245ff. (zur Kammermusik); B. PORENA, I concerti di P. e la crisi della musica come linguaggio, nRMI I, 1967; O. STONE, The Style of G. P. as Seen in His Writing f. Keyboard, Diss. Boston Univ. 1967; DIES., G. P.'s Eight Inventions f. Pfte, MR XXXIII, 1972; A. E. BONELLI, Serial Techniques of G. P., A Study of His Compositions from 1950 to 1959, Diss. Univ. of Rochester (N. Y.) 1970; R. CHIESA in: Il »Fronimo« I, 1972, Nr 1, S. 7ff. (Interview). – A. Casella a G. P., hrsg. v. CL. ANNIBALDI, nRMI VI, 1972 (unveröff. Briefe 1932–42).

Petrauskas, Kipras, * 10.(22.) 11. 1886 zu Kleizė-Ceikiniai (Litauen) und † 17. 1. 1968 zu Wilna; litauisch-sowjetischer Opernsänger (Tenor), Bruder von Mikas P., studierte 1906–11 am St.Petersburger Konservatorium (Stanislaw Gabel) und debütierte 1911 als Romeo in Gounods »Romeo und Julia« am Moskauer Bolschoj Teatr. Er war 1911–20 am Marinskij Teatr in St.Petersburg und 1920–58 an den Opern in Kaunas und Wilna engagiert. 1949–67 war er Gesangspädagoge (1951 Professor) am dortigen Konservatorium. Gastspiele führten ihn u. a. an die Mailänder Scala und an das Teatro Colón in Buenos Aires. Zu seinen besten Partien gehörten Alfred (*La Traviata*), Radames, Otello, Don José und Lohengrin.
Lit.: V. KAVOLIŪNAS, Gyvenimas pašvęstas dainai (»Ein Leben d. Lied gewidmet«), Wilna 1963.

Petrauskas, Mikas, * 7.(19.) 10. 1873 zu Palūšė (Litauen), † 23. 3. 1937 zu Kaunas; litauischer Komponist, Musikpädagoge und Sänger (Tenor), Bruder von Kipras P., studierte 1901–06 am St.Petersburger Konservatorium bei Stanislaw Gabel (Gesang), Ljadow (Musiktheorie) und N.Rimskij-Korsakow (Instrumentation) sowie in Paris bei Widor. 1907–20 lebte er, von einigen kurzen Aufenthalten in Litauen abgesehen, in den USA und gründete in Chicago ein »Litauisches Konservatorium«, das später auch in Brooklyn (N. Y.), Newark (N. J.) und Elizabeth (N. J.) Zweigschulen hatte. 1914 wurde das Konservatorium nach Boston (Mass.) verlegt. P. trat als Sänger in eigenen Opern und Operetten auf und betätigte sich als Chordirigent. Er schrieb u. a. die Opern *Birutė* (Wilna 1906) und *Eglė* (Boston 1924), eine Reihe von Operetten, die Orchestersuite *Lasa*, Solo- und Chorlieder sowie zahlreiche Volksliedbearbeitungen.

+Petrejus, Johannes (Petreus, Petri), [erg.:] 1497–1550.
Er druckte außerdem 2 Sammelwerke mit Motetten (1538, 1540), eine Triciniensammlung (1541) sowie musiktheoretische Werke u. a. von S.Heyden (1537,

1540) und N.Listenius (1548, 1549, 1550). – Für P. war G.Forster (um 1510 – 1568) als Selector tätig (vor ihm bis 1539 der Nürnberger St.Lorenz-Kantor Wolfgang Jacobaeus).
Lit.: R. L. WYNN, The French and German Songs from »Trium v. cantiones centum«, 2 Bde, Diss. Univ. of Colorado 1969 (praktische Ausg. u. Kommentar zur Tricinien-Slg v. 1541).

Petrella, Clara, * 28. 3. 1914 zu Mailand; italienische Sängerin (lyrischer Sopran), Urenkelin von Errico P., studierte in ihrer Heimatstadt bei Giannina Russ und debütierte 1941 als Liù (*Turandot*) in Alessandria. Ab 1947 gehörte sie dem Ensemble der Mailänder Scala an. Cl. P. wurde besonders als Interpretin in zeitgenössischen Opern geschätzt. Gastspiele führten sie an die großen Opernhäuser Europas und der USA. Sie ist auch als Konzertsängerin hervorgetreten.

+Petrella, Errico, 10. [nicht: 1.] 12. 1813 – 1877.
Lit.: FR. SCHLITZER, Mondo teatrale dell'Ottocento, Neapel 1954; O. TIBY, Il Real Teatro Carolino e l'Ottocento mus. palermitano, =»Hist. musicae cultores« Bibl. IX, Florenz 1957.

Petrescu, Ioan D., * 28. 11. 1884 zu Podu Bărbierului (Distrikt Dâmbovița), † 9. 5. 1970 zu Bukarest; rumänischer Musikforscher, studierte in Bukarest am Konservatorium (Kiriac, Otescu) sowie in Paris an der Schola Cantorum (Gastoué) und der Sorbonne (Pirro). Er war 1934–41 Professor für Gregorianischen Gesang und byzantinische Musikpaläographie an der Akademie für Kirchenmusik in Bukarest sowie 1941–48 Professor für Gregorianischen Gesang am Konservatorium in Bukarest. Von seinen Veröffentlichungen seien genannt: *Les idiomèles et le canon de l'office de Noël* (Paris 1932); *Manuscripte psaltice grecești din veacul al XVIII-lea* (»Griechische Psalmenmanuskripte aus dem 18. Jh.«, in: Biserica ortodoxă romănă 1934, Nr 3–4); *La lecture des manuscrits musicaux byzantines du Xe–XIIe s.* (in: Studi byzantini neoellenici VI, Rom 1936); *Transcrierea muzicii psaltice* (»Die Transkription der Psalmenmusik«, in: Biserica ortodoxă romănă 1937, Nr 1–2); *The Hymn of the Sticherarion for November Transcribed by H. I. W. Tillyard* (Byzantinische Zs. II, 1939); *Condacul nașterii Domnului* (»Lobgesang der Geburt Christi«, Bukarest 1940); *Laudele ingropării Domnului* (»Lobgesang der Beerdigung Christi«, ebd. 1940); *Aspecte și probleme ale muzicii bizantine medievale* (»Aspekte und Probleme der byzantinischen mittelalterlichen Musik«, in: Studii de muzicologie I, 1965); *Etudes de paléographie musicale byzantine* (Bukarest 1967). Er bearbeitete *Aclamații imperiale din Bizanț* (»Kaiserliche Akklamationen aus Byzanz«) für gem. Chor im alten Stil und Rhythmus (1938).

+Petri [–1) Balthasar Abraham], –2) Georg Gottfried, 1715–95. –3) Johann Samuel, 1738–1808.
Ausg.: zu –3): Anleitung zur praktischen Musik, Faks. d. Ausg. Lpz. ²1782, Giebing (Obb.) 1969.
Lit.: zu –2): +M. FRIEDLAENDER, Das deutsche Lied im 18. Jh. (I, 1902), Nachdr. Hildesheim 1962.

+Petri [–1) Henri], –2) Egon, * 23. 3. 1881 zu Hannover, [erg.:] † 27. 5. 1962 zu Berkeley (Calif.).
Lit.: K. TRETEROWA, E. P. w Zakopanem (»E. P. in Zakopane«), in: Wierchy XXVI, 1957; DIES., Z korespondencji E. P.ego (»Aus E. P.s Korrespondenz«), in: Ruch muzyczny XIII, 1969; W. WALISZEWSKA, Wspomnienie o E. P.m (»Erinnerungen an E. P.«), ebd.

Petri (pˈɛ:tri), Mario, * 21. 1. 1922 zu Perugia; italienischer Sänger (Baß), widmete sich zunächst der Konzertlaufbahn und gab sein Operndebüt an der Mailänder Scala 1948 als Kreon in Strawinskys *Oedipus Rex*. Er trat u. a. bei den Festspielen in Salzburg, Edinburgh und Glyndebourne auf. 1960 zog er sich von der Bühne zurück. Zu seinen Hauptpartien zählten neben Rossinischen Buffopartien Don Giovanni, Bartóks Blaubart und der Doktor in *Wozzeck*.

Petrić (p'ɛtritç), Ivo, * 16. 6. 1931 zu Laibach/Ljubljana; jugoslawischer Komponist und Dirigent, studierte an der Musikakademie seiner Heimatstadt (Skerjanc, Švara), war 1956–58 Oboist beim Rundfunkorchester von Ljubljana und wurde dann Dirigent des Kammerensembles für Neue Musik »Sl. Osterc«. Seit 1969 ist er auch Sekretär des slowenischen Komponistenverbandes. P. schrieb Orchester- und Kammermusik (3 Symphonien, 1954, 1957 und 1960; 2 Bläserquintette, 1953 und 1959; Streichquartett, 1956), Klavier- und Vokalwerke sowie Bühnenmusik; von seinen neueren Kompositionen seien genannt: *Trois esquisses* für Fl. und Streichquartett (1961); *Croquis sonores* (1963) und *Nuances en couleur* (1966) für Hf. und Kammerensemble; *Inlaid Work* für Bläsertrio und Kammerensemble (1968); *Quatuor 1969* für Streichquartett (1969); *Musique concertante* für Kl. und Orch. (1970); *Gemini Music* für Vc. und Kl. (1971); *Dialogues concertants* für Vc. und Orch. (1972); *Les paysages*, Esquisses poétiques für Kl. (1972); *Mosaïques* für ein Schlaginstr. (1973); *Fresque symphonique* für Orch. (1973).

+Petridis, Petro Jean, * 23. 7. 1892 zu Nigdé (Kleinasien).

P. wurde 1959 Mitglied der Athener Akademie der Wissenschaften und Künste sowie korrespondierendes Mitglied der Pariser Académie des beaux-arts (Nachfolger von J. Sibelius). Von seinen neueren Werken seien ein Konzert für 2 Kl. und Orch. (1972) und ein Violinkonzert (1972) genannt.

Petrobęlli, Francesco (Pietrobelli), * um 1620 zu Vicenza, † 31. 3. 1695 zu Padua; italienischer Komponist, Priester, nahm 1647 am Wettbewerb um den Organistenposten am Dom von Vicenza teil, verzichtete jedoch auf die Stelle und übernahm noch im selben Jahr das Amt des Maestro di cappella am Dom in Padua. Von seinen Kompositionen erschienen im Druck: *Motetti a v. sola* (Venedig 1643); *Motetti a 2–5 v.* op. 2 (ebd. 1651); *Scherzi amorosi a 2–3 v.* op. 4 (ebd. 1652); *Motetti a 2–3 v. e letanie della B. V. libro II* op. 5 (Antwerpen 1660); *Psalmi a 4 v., 2 violini e org.* (Venedig 1662); *Scherzi amorosi a 2–3 v. con violino a beneplacito* op. 7 (ebd. 1668); *Musiche sacre concertate con istromenti* op. 8 (Bologna 1670); *Cantate a 1 e 2 v.* op. 10 (ebd. 1676); *Motetti, antifone e letanie della B. Vergine a 2 v.* op. 11 (ebd. 1677); *Musiche da camera* op. 15 (Venedig 1682); *Psalmi breves 8 v.* op. 17 (ebd. 1684); *Salmi dominicali a 8 v.* op. 19 (ebd. 1686); *Scherzi musicali per fuggir l'ozio a 2 e 3 v. con istromenti* op. 24 (ebd. 1693); *Ave Beata Virgo* (in: M. Siloani, Nuova raccolta di Motetti sacri a v. sola, Bologna 1670).

Lit.: E. SCHMITZ, Gesch. d. Kantate u. d. geistlichen Konzertes I, = Kleine Hdb. d. Mg. nach Gattungen V, Lpz. 1914, ²1955, Nachdr. Hildesheim u. Wiesbaden 1966; G. MANTESE, Storia mus. vicentina, Vicenza 1956.

Petrobęlli, Pierluigi, * 18. 10. 1932 zu Padua; italienischer Musikforscher, studierte 1952–56 am Liceo Musicale C. Pollini in Padua Komposition bei Pedrollo, promovierte 1957 an der Universität in Rom mit der Arbeit *Contributi alla conoscenza della personalità e dell'opera di G. Tartini* und setzte seine Studien bei Strunk und Babbit an der Princeton University/N. J. (M. F. A. 1961) fort. 1964–69 war er Bibliothekar des Istituto di Studi Verdiani in Parma und wurde 1969 Bibliothekar am Conservatorio di Musica G. Rossini in

Pesaro und Assistent des Lehrstuhls für Musikgeschichte an der Universität Parma, an der er sich 1970 habilitierte. 1969 wurde er Sekretär des Direktionskomitees der »Rivista italiana di musicologia« (RIdM). P. war Mitarbeiter des *Thematic Catalogue of a Manuscript Collection of 18th-Cent. Italian Instrumental Music in the University of California, Berkeley, Music Library* (hrsg. von V. Duckles und M. Elmer, Berkeley 1963). Er schrieb u. a.: *L'»Ermiona« di P. E. degli Obizzi ed i primi spettacoli d'opera veneziani* (in: La nuova musicologia italiana, = Quaderni della Rass. mus. III, Turin 1965); *Due motetti francesi in una sconosciuta fonte udinese* (CHM IV, 1966); *Dal »Mosè« di Rossini al »Nabucco« di Verdi* (in: Associazione Amici della Scala, Conferenze 1966–67, Mailand 1967); *G. Tartini. Le fonti biografiche* (= Studi di musica veneta I, Wien 1967); *Tartini, le sue idee e il suo tempo* (nRMI I, 1967); *La scuola di Tartini in Germania e la sua influenza* (in: Analecta musicologica V, 1968); *Some Dates for Bartolino da Padova* (in: Studies in Music History, Fs. O. Strunk, Princeton/N. J. 1968); *Verdi e il »Don Giovanni«. Osservazioni sulla scena iniziale del »Rigoletto«* (Verdi-Kgr.-Ber. Parma 1969); *Balzac, Stendhal e il »Mosè« di Rossini* (in: Conservatorio di Musica G. B. Martini Bologna, Annuario 1965–70); *Osservazioni sul processo compositivo in Verdi* (AMl XLIII, 1971); *Note sulla poetica di Bellini. A proposito de »I Puritani«* (in: Muzikološki zbornik VIII, 1972).

Petrović (p'ɛtrɔvitç), Radmila, * 21. 1. 1923 zu Belgrad; jugoslawische Musikethnologin, studierte 1955–61 in Belgrad an der Musikakademie und an der Universität, wo sie am Institut für Musikwissenschaft als wissenschaftliche Mitarbeiterin tätig ist. Zu weiteren Studien weilte sie in den USA. Von ihren Veröffentlichungen seien genannt: *Two Styles of Vocal Music in the Zlatibor Region of West Serbia* (JIFMC XV, 1963); *The Oldest Notation of Folk Songs in Yugoslavia* (StMl VII, 1965); *Ethnomusicology in Yugoslavia* (in: Zvuk 1967, Nr 77/78); *Some Aspects of Formal Expression in Serbian Folk Songs* (Yearbook of the International Folk Music Council II, 1970); *Wsaimoswjas texta i melodii w serbskich liritscheskich narodnych pesnjach* (»Die wechselseitige Beziehung zwischen Text und Melodie in den serbischen lyrischen Volksliedern«, in: Is proschlowo jugoslawskoj musyki, hrsg. von I. M. Jampolskij, Moskau 1970).

Petrović (p'ɛtrɔvitç), Radomir, * 13. 5. 1923 zu Belgrad; jugoslawischer Komponist und Chordirigent, studierte bei Milošević an der Belgrader Musikakademie (Diplom in Komposition 1957), an der er seit 1966 als Dozent für Komposition wirkt. Er schrieb u. a. *Moto sinfonico* für Orch. (1958), Kammermusik (Streichquartett, 1956; Sonatine für Ob. und Kl., 1965), Klavierwerke (Variationen, 1953; Sonate in F, 1955), *Simfoniski epitaf*, Kantate für S., gem. Chor und Orch. (1966) sowie Chöre, Lieder und Bühnenmusik.

Petrovics (p'ɛtrɔvitʃ), Emil, * 9. 2. 1930 zu Nagybecskerek (heute Zrenjanin, Jugoslawien); ungarischer Komponist, kam 1941 nach Budapest, wo er 1949–51 am Konservatorium bei Rezső Sugár Komposition studierte. Er setzte seine Studien an der Fr.-Liszt-Musikhochschule bei Szabó, Viski (1951–52) und F. Farkas (1952–57) fort, war dann als Dirigent tätig und leitete 1960–64 als Musikdirektor das Petőfi-Theater in Budapest. P. ist Professor an der Akademie für dramatische Künste in Budapest. Er wurde 1960 und 1963 mit dem Erkel-Preis und 1966 mit dem Kossuth-Preis ausgezeichnet. – Werke: Opern *C'est la guerre* (Text Miklós Hubay, Budapest 1964),

Lysistrata (Konzertante Oper nach Aristophanes, 1962) und *Bün és bünhödés* (»Schuld und Sühne«, nach Dostojewsky, 1969); Oratorium *Jónás könyve* (»Das Buch von Jonas«, nach Mihály Babits, 1966); Symphonie für Streicher (1964); Konzert für Fl. und Orch. (1957); Bläserquintett (1964); *Passacaglia in Blues* für Fag. und Kl. (1964, als Ballett Budapest 1965); *Négy önarckép álarcbam* (»4 Selbstportraits in Masken«) für Cemb. (1958); ferner Filmmusik. Er veröffentlichte *M. Ravel* (= Kis zenei könyvtár VIII, Budapest 1958).
Lit.: I. FÁBIÁN, Ungarische Musik nach Bartók, ÖMZ XI, 1966; DERS., Two Opera Composers, in: Tempo 1969, Nr 88.

Petrow, Andrej Pawlowitsch, * 2. 9. 1930 zu Leningrad; russisch-sowjetischer Komponist, studierte ab 1945 an der Leningrader Musikoberschule und 1949 –54 an der Kompositionsfakultät des Leningrader Konservatoriums (O. Jewlachow), wo er sich ab 1954 als Aspirant vervollkommnete. 1954 wurde er Musikredakteur in der Leningrader Filiale des Verlages Musgis, 1964 Vorsitzender des Leningrader Komponistenverbands. Er schrieb u. a. die musikalische Komödie *My chotim tanzewat* (»Wir wollen tanzen«, Leningrad 1967), die Ballette *Stanzionnyj smotritel* (»Der Postmeister«, nach Puschkin, ebd. 1955), *Bereg nadeschdy* (»Ufer der Hoffnung«, ebd. 1959) und *Sotworenije mira* (»Erschaffung der Welt«, nach einer Cartoonfolge von Jean Effel, 1968; daraus 2 symphonische Suiten), die Symphonische Dichtung *Radda i Lojko* (»Radda und Lojko«, nach Gorkij, 1954), eine Festouvertüre (1955), den symphonischen Zyklus *Pesni naschich dnej* (»Lieder unserer Tage«, 1964), *Poem* für Streicher, Trompeten, Org., 2 Kl. und Schlagzeug (1965), *Patetitscheskaja poema* (»Pathetisches Poem«) für 2 Kl., Schlagzeug und Solostimmen (1969), den Liederzyklus *Sa mir* (»Auf den Frieden«) für Singst. und Orch. (1951) sowie Bühnen- und Filmmusik.
Lit.: A. KENIGSBERG, A. P., Moskau 1959.

Petrow, Iwan Iwanowitsch (eigentlich Hans Krause), * 29. 2. 1920 zu Irkutsk; russisch-sowjetischer Opernsänger (Baß) deutscher Abstammung, studierte bei A. Minejew an der A. Glasunow-Musik-Theater-Schule in Moskau, gab Konzerte mit der Moskauer Philharmonie, war Mitglied des Opernensembles I. Koslowskij in Moskau und debütierte 1943 am Bolschoj Teatr, dessen Mitglied er seitdem ist. Er war Preisträger des Internationalen Musikwettbewerbs des Prager Frühlings (1947) und des Internationalen Musikwettbewerbs Budapest (1949). Gastspiele führten ihn an die großen europäischen Bühnen, in die USA und nach Japan. Seine Glanzrolle ist der Boris Godunow; zu seinen weiteren Partien zählen Dossifey (*Chowanschtschina* von Mussorgskij), Ruslan (*Ruslan i Ludmila* von Glinka), Fürst Gremin (*Jewgenij Onegin* von Tschaikowsky), Don Basilio (*Il barbiere di Siviglia* von Rossini), Mephistopheles (*Faust* von Gounod) und König Philipp (*Don Carlo* von Verdi).
Lit.: I. NASARENKO, I. P., Moskau 1957.

+Petrow, Ossip Afanasjewitsch, 1806 [nicht: 1807] – 27. 2. (11. 3.) [nicht: 2.(14.) 3.] 1878.
Lit.: A. A. GOSENPUD, Musykalnyi teatr w Rossii ot istokow do Glinki (»Das Musiktheater in Rußland v. d. Anfängen bis Glinka«), Leningrad 1959.

Petrucci (petr'ut-tʃi), Brizio, * 12. 1. 1737 zu Massalombarda (Ravenna), † 15. 6. 1828 zu Ferrara; italienischer Komponist, studierte Jurisprudenz (Dr. jur. 1758) und gleichzeitig bei dem Maestro di cappella am Dom in Ferrara Pietro Berretta Musik. Er gründete 1762 mit einigen Musikliebhabern die Accademia dei Dilettanti

di Musica. 1784 wurde er Leiter der Musikkapelle am Dom in Ferrara. P. komponierte u. a. die Opern *Ciro riconosciuto* (Ferrara 1765), *Demofoonte* (ebd. 1765), *I pazzi improvvisati* (ebd. 1770) und *Teseo in Creta* (Cesena 1771), das Oratorium *La madre de' Maccabei* (1763) und kirchenmusikalische Werke (*Messa da requiem*, 1822; *Messa solenne*; Motetten, Hymnen, Psalmen, Offertorien).

+Petrucci, Ottaviano, 1466–1539.
Ausg.: Canti B numero cinquanta (Venedig 1502), hrsg. v. H. HEWITT, = Monuments of Renaissance Music II, Chicago 1967.
Lit.: +A. SCHMID, O. dei P. da Fossombrone ... (1845), Nachdr. Amsterdam 1968. – A.-M. BAUTIER-RÉGNIER, L'éd. mus. ital. et les musiciens d'Outremonts au XVIe s. (1501–63), in: La Renaissance dans les provinces du Nord, hrsg. v. Fr. Lesure, Paris 1956; FR. FELDMANN, Divergierende Überlieferungen in Isaacs »P.-Messen«, CHM II, 1957; W. H. RUBSAMEN, The Justiniane or Viniziane of the 15th Cent., AMl XXIX, 1957; H. FEDERHOFER, Musikdrucke v. O. P. in d. Bibl. d. Franziskanerklosters Güssing (Burgenland), Mf XVI, 1963; N. BRIDGMAN, Mss. clandestins. A propos du Ms. Rés. 862 de la Bibl. Nationale de Paris, fonds du Conservatoire, Rev. de musicol. LIII, 1967; KN. JEPPESEN, La frottola. Bemerkungen zur Bibliogr. d. ältesten weltlichen Notendrucke in Italien, = Acta Jutlandica XL, 2, Humanistisk series XLVIII, Aarhus u. Kopenhagen 1968; CL. SARTORI, Commemorazione di O. de' P., Fossombrone 1968; E. R. THOMAS, Two P. Prints of Polyphonic Lamentations 1506, Diss. Univ. of Illinois 1970.

+Petrus de Cruce, 2. Hälfte 13. Jh.
Ausg.: Tractatus de tonis, CS I, 282ff.
Lit.: +E. DE COUSSEMAKER, L'art harmonique aux XIIe et XIIIe s. (1865), Nachdr. Hildesheim 1964, auch NY 1966; +J. WOLF, Gesch. d. Mensural-Notation (I, 1904), Nachdr. Hildesheim u. Wiesbaden 1965 (3 Bde in 1); +W. APEL, The Notation of Polyphonic Music (1942, 41953), 5. revidierte Aufl. Cambridge (Mass.) 1961, deutsch = ApelN. – S. B. PATRICK, The Definition, Dissemination and Description of Petronian Notation, M. A.-Thesis Univ. of North Carolina 1971.

+Petrus Picardus (P. de Picardia), 2. Hälfte 13. Jh.
Ausg.: Ars motettorum compilata breviter, hrsg. v. F. A. GALLO, in: CSM XV, (Rom) 1971 (erste vollständige Ausg. nach d. Hs. Neapel, Bibl. Nazionale XVI A 15, d. bisher als »Musica mensurabilis« unvollständig überlieferten Traktats).

+Petrželka, Vilém, * 10. 9. 1889 zu Königsfeld (Královo Pole, heute Brünn), [erg.:] † 10. 1. 1967 zu Brünn.
Weitere Werke: das symphonische Drama *Námořník Mikuláš* (»Nikolaus der Seemann«) für Soli, Rezitation, Chor, Jazzorch., Orch. und Org. op. 21 (1929); Partita für Streichorch. op. 31 (1934); die Oper *Horník Pavel* op. 33 (1935–38, Brünn 1947); Sinfonietta für Orch. op. 38 (1941); Divertimento für Bläserquintett op. 39 (1941); Violinkonzert op. 40 (1943); Serenade für Nonett (oder Kammerorch.) op. 42 (1945); *Pastorální symfonietta* für Orch. op. 51 (1951); Sonatine für V. und Kl. op. 53 (1953); *Miniatury* für Bläserquintett op. 54 (1953); *5 nálad* (»5 stimmungen«) für Kl. op. 55 (1954); 4. Symphonie op. 56 (1956); *Velikonoční píseň* (»Osterlied«) für Männerchor op. 57 (1957); 2 Stücke für Va und Kl. op. 58 (1959); Fantasie für Streichquartett op. 59 (1959); Suite für Streichtrio op. 60 (1961); Lieder, Chöre und Kantaten.
Lit.: O. TRHLÍK in: Hudební rozhledy VIII, 1955, S. 945ff. (zur »Pastorální symfonietta«).

+Petschnikow, Alexander (Alexandr Abramowitsch), 8.(20.) 1. [nicht: 2.] 1873 – 1949.

Pettersson, Gustaf Allan, * 19. 9. 1911 zu Västra Ryd (Uppland); schwedischer Komponist, studierte

1930–39 Viola und Kontrapunkt an der Musikhochschule und dann Komposition bei Blomdahl in Stockholm, später auch bei Leibowitz und A. Honegger in Paris. 1939–51 war er Bratschist in Stockholms Konsertförening; seitdem lebt er freischaffend in Stockholm. Von seinen Werken seien die Symphonien Nr 2 (1953), Nr 3 (1955), Nr 4 (1959), Nr 5 (1962), Nr 6 (1966), Nr 7 (1967), Nr 9 (1970) und Nr 10 (1973) sowie 3 Konzerte für Streichorch. (1950, 1956 und 1957), ein Konzert für V. und Streichquartett (1949), 7 Sonaten für 2 V. (1951) und Liederzyklen genannt.
Lit.: U. Stenström, Möta med A. P. (»Begegnung mit A. P.«), in: Upptakt II, 1970; R. Davidson in: Nutida musik XVII, 1973/74, H. 2, S. 30ff. (zur 5.–9. Symphonie).

+**Pettiford,** Oscar [erg.:] Collins, 30. 9. 1922 zu Okmulgee (Okla.) [erg. bzw. del. frühere Angaben] – 1960. P. lebte ab 1958 in Europa (Wien und Kopenhagen) und gründete mit H. Koller ein Quartett. Im melodischen, solistischen Spiel auf dem Kontrabaß wurde P. der Nachfolger Jimmy Blantons. Er ist außerdem der erste Jazzmusiker, der das solistische Pizzicatospiel auf dem Violoncello einführte. Aufnahme: My Little Cello (America AM 6060).
Lit.: P. Harris, O. P. Now on Cello Kick, in: down beat XVII, 1950; R. G. Reisner, The Jazz Titans, Garden City (N. Y.) 1960.

+**Petyrek,** Felix, 1892–1951.
Die Oper +Der Garten des Paradieses wurde 1942 in Leipzig uraufgeführt.
Lit.: K. M. Komma, Schicksal u. Schaffen sudetendeutscher Komponisten, Stifter-Jb. III, 1953 (mit Werkverz.); K. R. Brachtel in: Sudetenland IX, 1967, S. 151ff.

+**Petz,** Johann Christoph, 1664 – [erg.: 25.] 9. 1716.
P. wurde 1687 in München Hof- und Kammermusiker des Kurfürsten Max Emanuel von Bayern und Chorregent an St. Peter. 1689–92 hielt er sich zu Studienzwecken in Rom auf. Nach seiner Entlassung als Kapellmeister in Bonn kehrte P. 1701 nach München [nicht: Stuttgart] zurück und sorgte dort für die musikalische Ausbildung der Söhne des Kurfürsten Max Emanuel, blieb aber ohne feste Anstellung. 1706, nach Auflösung der bayerischen Hofkapelle, ging er als Oberkapellmeister nach Stuttgart.
Ausg.: Missa Sancti Josephi f. 4 gem. St. (Soli, Chor), Streichorch. u. B. c., hrsg. v. F. Schroeder, Düsseldorf 1957, Neudr. 1966; Concerto (Sonata da camera) E moll (aus »Duplex genius«), f. V. (Fl.), Streichorch. u. B. c., hrsg. v. dems., Ffm. 1963; Ouvertürensuite A moll f. Streichorch., Bläser ad libitum u. B. c., hrsg. v. dems., = Concertino CXIV, Mainz 1963; Kantate »Mentre fra mille fiori« f. S., Fl. u. B. c., Erstausg. hrsg. v. H. Winter, Hbg 1965; Symphonia à 3 fl. traversières, hrsg. v. K. Schultz-Hauser, = Il fl. traverso Nr 60, Mainz 1968; Suite C dur f. 2 Alt-Block-Fl. u. B. c., hrsg. v. H. Ruf, = Originalmusik f. Blockflöte Nr 75, ebd. 1969.
Lit.: W. Gewaltig in: Rheinische Musiker IV, hrsg. v. K. G. Fellerer, = Beitr. zur rheinischen Mg. LXIV, Köln 1966, S. 101ff.

+**Petzold,** Christian (Pezold), 1677–1733.
Ausg.: Partita A dur f. Va d'amore (V.) solo, hrsg. v. M. Rosenblum, NY 1966.

+**Petzold,** Rudolf, * 17. 7. 1908 zu Liverpool.
P., der heute in Weilerswist (bei Köln) lebt, war 1958–70 Leiter der Abteilung Komposition und Theorie an der Kölner Hochschule für Musik (1960–69 stellvertretender Direktor). – Weitere Werke: Kantate Komm, Heiliger Geist, Du schöpferisch für Soli, Chor und Orch. op. 36 (Werfel, 1957); geistliches Terzett für A., Fl. und Klar. op. 37 (1958); Konzert für V. und Streichorch. op. 38 (1960); Klaviertrio op. 39 (1961);

lyrische Kantate Die Lerche für S., Chor und Orch. op. 40 (Weinheber und Carmen de Gaßtold, 1962); Sonate für Vc. und Kl. op. 41 (1964); Sonate für V. solo op. 42 (1965); sakrales Ballett Incarnatus est homo für Chor und Orch. op. 43 (1966); Kantate Consolatio für S., Chor und Org. op. 44 (1967); Klaviersonate op. 45 (1967); Sonate für V. und Kl. op. 46 (1969); 5 Studien Voces humanae für gem. Chor a cappella op. 47 (1971); 4. Streichquartett op. 48 (1972).

+**Petzold,** Wilhelm Leberecht, * 1784.
Lit.: +Fr. J. Hirt, Meisterwerke d. Klavierbaus (1955), revidiert engl. als: Stringed Keyboard Instr., 1440–1880, Boston 1968.

+**Petzoldt,** Richard [erg.:] Johannes, * 12. 11. 1907 zu Plauen (Vogtland), [erg.:] † 14. 1. 1974 zu Leipzig; deutscher Musikpädagoge [erg.:] und Musikforscher.
P., Professor für Musikgeschichte ab 1952, leitete das Institut für Musikerziehung der Leipziger Universität bis 1967; deren Musikinstrumenten-Museum stand er ab 1969 als Direktor vor. 1949–59 wirkte er auch als Chefredakteur der Zeitschrift Musik in der Schule. – Neuere Veröffentlichungen: Wegweiser zur Musik (Bln 1961, für Kinder); Der Leipziger Thomanerchor (Lpz. 1962, auch in engl. und frz. Ausg.); Telemann und seine Zeitgenossen (= Magdeburger Telemann-Studien I, Magdeburg 1966); G. Ph. Telemann, Leben und Werk (Lpz. 1967, auch engl.); Die Stellung des Musikers in der Bach-Händel-Telemann-Epoche (MuG XVII, 1967); Das Beethoven-Bild unserer Zeit (in: Musik in der Schule XXI, 1970); Zur sozialen Lage des Musikers im 18. Jh. (in: Der Sozialstatus des Berufsmusikers vom 17. bis 19. Jh., hrsg. von W. Salmen, = Musikwissenschaftliche Arbeiten XXIV, Kassel 1971); seit 1950 insgesamt 13 bildbiographische Bändchen, die in zahlreichen Neuauflagen vorliegen und z. T. auch übersetzt wurden (rumänisch, ungarisch), sowie die größeren Bildbände L. van Beethoven (Lpz. 1970, ²1973) und H. Schütz und seine Zeit in Bildern (Kassel und Lpz. 1972).
Lit.: P. Willert in: Musik in d. Schule XIX, 1968, S. 32ff.; H.-J. Köhler, ebd. XXIII, 1972, S. 405ff.

Petzsch, Christoph, * 24. 1. 1921 zu Schivelbein (Pommern); deutscher Musikforscher und Germanist, studierte an der Universität Freiburg i. Br., wo er 1957 mit der Dissertation Hofweisen der Zeit um 1500 promovierte. 1957–59 war er Schriftleiter der NDB in München; seitdem ist er im Deutschen Seminar der Universität München tätig (1959–62 Tutor, seit 1964 Konservator). P. widmet sich vorwiegend der Erforschung des Grenzgebiets von Musikwissenschaft und Germanistik. Von seinen zahlreichen Veröffentlichungen seien genannt: Die rhythmische Struktur der Liedtenores des Adam von Fulda (AfMw XV, 1958); Eine als unvollständig geltende Melodie O.s v. Wolkenstein (AfMw XIX/XX, 1962/63); Text- und Melodietypenveränderung bei O. v. Wolkenstein (DVjs. XXXVIII, 1964); Zur sogenannten H. Folz zugeschriebenen Meistergesangsreform (Beitr. zur Geschichte der deutschen Sprache und Literatur LXXXVIII, Tübingen 1966); Das Lochamer-Liederbuch. Studien (= Münchener Texte und Untersuchungen zur deutschen Literatur des Mittelalters XIX, München 1967); Text-Form-Korrespondenzen im mittelalterlichen Strophenlied. Zur Hofweise M. Beheims (DVjs. XLI, 1967); Geistliche Kontrafakta des späten Mittelalters (AfMw XXV, 1968); Kontrafaktur und Melodietypus (Mf XXI, 1968); Assoziation als Faktor und Fehlerquelle in mittelalterlicher Überlieferung (DVjs. XLIII, 1969); Zum Freidank-Cento O.s v. Wolkenstein (AfMw XXVI, 1969); Ein spätes Zeugnis der Lai-Technik (Zs. für deutsches Altertum und deutsche Literatur XCIX, 1970);

Mehrstimmiger Liedsatz als Interpretationshilfe. Späte Belege von Freidank 84, 6f. (in: Euphorion LXIV, 1970); *Eine Möglichkeit des Wiedergewinnens mittelalterlicher Reigenmelodien* (StMl XIII, 1971); *Frühlingsreien als Vortragsform und seine Bedeutung im Bíspel* (DVjs. XLV, 1971); *Parat-(Barant-)Weise, Bar und Barform* (AfMw XXVIII, 1971); *Spätmittelalterliche Liedkunst* und *Meistergesang zwischen Main und Alpen* (in: Musik in Bayern I, hrsg. von R. Münster und H. Schmid, Tutzing 1972); *Weiteres zum Lochamer-Liederbuch und zu den Hofweisen* (Jb. für Volksliedforschung XVII, 1972); *Der magister scilicet scriptor der Kolmarer Liederhandschrift* (Mf XXVI, 1973). Er edierte (mit W. Salmen) *Das Lochamer-Liederbuch* (= DTB, N. F., Sonder-Bd II, Wiesbaden 1972).

+Peuerl, Paul (Beuerl, Payerl, Peyerl), um 1570/80 – nach [del.: wahrscheinlich Anfang] 1625.
P. war auch als Orgelbauer tätig.
Lit.: I. NEUMANN, P. P., Organist u. Orgelbauer in Steyr, in: 75. Jahresber. d. Bundesrealgymnasiums Steyr ... 1955/56 (darin auch Ausg. d. 10. Variationssuite aus d. »Newen Padouan« v. 1611); O. WESSELY in: MGG X, 1962, Sp. 1151ff.

+Pevernage, Andries, 1543 zu Harelbeke (bei Kortrijk/Courtrai) [nicht: zu Courtrai] – 1591.
Ausg.: Harmonia celeste (Antwerpen 1583), hrsg. v. B. HUYS, = Corpus of Early Music in Facsimiles I, 20, Brüssel 1970.

+Pezel, Johann Christoph, 1639–94.
+Opus musicum sonatarum ... (Ffm. [erg.:] 1686).
Ausg.: 5st. blasende Musik (1685), hrsg. v. KL. SCHLEGEL, Bln 1960; Fünff-stimmigte blasende Music, f. 2 Trp. u. 3 Pos. (2 Trp., Horn u. 2 Pos.), hrsg. v. A. LUMSDEN, 3 Bde, London 1960–66; Hora decima, f. 2 Trp. u. 3 Pos. (2 Trp., Horn u. 2 Pos.) hrsg. v. DEMS., ebd. 1967; dass., f 2 Trp. u. 3 Pos. in B (oder andere Instr.) hrsg. v. H. J. LANGE U. FR. LANGHANS, Bln 1968; eine Anzahl Sonatinen aus »Bicinia variorum instr.«, f. 2 Trp. in B (C) u. B. c. hrsg. v. R. P. BLOCK, London 1970–71.
Lit.: +K. NEF, Gesch. d. Sinfonie u. Suite (1921), Nachdr. Wiesbaden 1970; +W. S. NEWMAN, The Sonata in the Baroque Era (1959), revidiert Chapel Hill (N. C.) 1966, London 1969, neuerlich revidiert NY u. London 1972 (Paperbackausg.). – J. A. WATTENBARGER, The »Turmmusik« of J. P., Diss. Northwestern Univ. (Ill.) 1957; A. L. MURPHY, The »Bicinia variorum instr.« of J. Chr. P., 2 Bde (I Text, II Übertragung), Diss. Florida State Univ. 1959; A. DOWNS, The Tower Music of a 17ᵗʰ-Cent. Stadtpfeifer. J. P.'s »Hora decima« and »Fünff-stimmigte blasende Music«, Brass Quarterly VII, 1963/64.

Pfaar, Heinrich, * 28. 4. 1927 zu Düsseldorf; deutscher Sänger (lyrischer Bariton) und Gesangspädagoge, studierte 1947–53 bei Hüsch in München und Hans Emge in Karlsruhe und war dann als Opern- und Konzertsänger im In- und Ausland tätig. Er übernahm 1970 die Meisterklasse für Sologesang an der Escola de Música e Artes Cênicas der Universidade Federal da Bahia und wurde im selben Jahr zum Professor ernannt.

+Pfaff, Heinrich Maurus, OSB, * 3. 10. 1910 zu Freiburg im Breisgau.
Weitere Aufsätze: *Die liturgische Einstimmigkeit in ihren Editionen nach 1600* (in: Musikalische Edition im Wandel des historischen Bewußtseins, hrsg. von Thr. G. Georgiades, = Musikwissenschaftliche Arbeiten XXIII, Kassel 1971); *Der Gregorianische Gesang* und *Das geistliche Spiel des Mittelalters* (in: Musik in Bayern I, hrsg. von R. Münster und H. Schmid, Tutzing 1972); 3 Beiträge über den Gregorianischen Gesang (in: Geschichte der katholischen Kirchenmusik, hrsg. von K. G. Fellerer, Bd I, Kassel 1972).

Pfannhauser, Karl Robert, * 2. 2. 1911 zu Wien; österreichischer Musikforscher, studierte 1931–34 an der Universität Wien klassische Philologie, Philosophie und Musikwissenschaft und promovierte 1935 mit der Dissertation *De initio carminum Christianorum alternatim canendorum quaestinum capita duo.* 1938–70 war er im Schuldienst tätig, widmete sich aber bereits ab 1930 musikhistorischen Forschungen und dem Ausbau einer Musiksammlung, die etwa 20000 Titel (Drucke, Handschriften, Briefe) umfaßt. Ab 1945 gab er die von ihm gegründete Ausgabenreihe *Österreichische Kirchenmusik* (Wien, 9 Bde in 13 Faszikeln) heraus. – Weitere Veröffentlichungen: *Mozart hat kopiert!* (Acta Mozartiana I, 1954); *Zu Mozarts Kirchenwerken von 1768* (Mozart-Jb. 1954); *Die Mozart-GA in Österreich* (Kgr.-Ber. Wien Mozartjahr 1956); *Zur Es-Dur-Messe von Fr. Schubert* (NZfM CXIX, 1958); *Zur Schubert-Forschung* (Mf XI, 1958); *Mozarts kirchenmusikalische Studien im Spiegel seiner Zeit* (KmJb XLIII, 1959); *Eine menschlich-künstlerische Strauß-Memoire* (Fs. A. Orel, Wien 1960); *J. M. Haydn und seine »Missa Sanctae Crucis«* (in: Chigiana XXIV, N. S. IV, 1967); *Aus Herbecks Leben, Wirken, Umwelt und Schriftmappe* (in: 125 Jahre Wiener Männergesangsverein, Fs., Wien 1968); *Wiener Kirchenmusik im Spiegel der Gesellschaftskultur* (ÖMZ XXV, 1970); *Epilegomena Mozartiana* (Mozart-Jb. 1971/72).

+Pfannkuch, Wilhelm, * 12. 11. 1926 zu Kiel.
Pf. lehrt seit 1960 am Musikwissenschaftlichen Institut und leitet das Collegium musicum der Universität Kiel; 1972 wurde er zum Wissenschaftlichen Direktor ernannt. Neuere Aufsätze: *Sonatenform und Sonatenzyklus in den Streichquartetten von J. M. Kraus* (Kgr.-Ber. Kassel 1962); *Zu Thematik und Form in Schönbergs Streichsextett* (Fs. Fr. Blume, Kassel 1963); weitere lexikalische Beiträge [del.: Artikel in der »Enciclopedia dello spettacolo«]. Mit A. A. Abert besorgte er die Edition der Fs. Fr. Blume und gab in der Haydn-GA das Dramma eroico *Armida* heraus (= XXV, 12, München 1965).

+Pfannschmidt, Heinrich, 1863 – [erg.:] 5. 3. 1944 [nicht: 1942] zu Hirschberg (Riesengebirge).

+Pfannstiehl, Bernhard, 1861–1940.
Lit.: D. ÅHLÉN in: Kyrkomusikernas tidning XXV, 1959, S. 80ff.

Pfeiffer, Johann, * 1. 1. 1697 zu Nürnberg, † 7. 10. 1761 zu Bayreuth; deutscher Komponist, studierte Jura ab 1717 in Leipzig und ab 1719 in Halle, ging 1720 als Violinist nach Weimar (1726 Konzertmeister), weilte 1732 in Berlin und wurde 1734 durch Vermittlung Friedrichs des Großen Hofkapellmeister in Bayreuth (1752 Hofrat). Er komponierte die Oper *Das unterthänigste Freudenopfer* (1739), geistliche und weltliche Kantaten sowie Sinfonien, Konzerte, Ouvertüren (Suiten) und Sonaten in anfänglich vorwiegend kontrapunktischer, in späteren Jahren zunehmend homophoner Schreibweise.
Ausg.: Sonata D dur f. Va da gamba u. Cemb. concertato, hrsg. v. L. SCHÄFFLER, = NMA CXLII, Hannover 1938, Kassel ²1960; Sonata G dur f. Fl., Ob., Horn, Fag. u. Cemb., hrsg. v. R. LAUSCHMANN, Lpz. 1939, ²1951.
Lit.: I. SANDER, J. Pf., Arch. f. Gesch. v. Oberfranken XLVI, 1966 (mit Werkverz.).

+Pfeiffer, Joseph Anton (Pfeifer), 8. 3. 1828 – 6. 4. 1881 [erg. frühere Angaben].
Carl Conrad Anton [nicht: August] Pf., 21. 3. 1861 – 31. 1. 1927 [erg. frühere Angaben]. – Nach dem Tode von Walter Pf. (* 22. 11. 1886 und [erg.:] † 24. 8. 1960 zu Stuttgart) liegt die Geschäftsleitung des Betriebes, der weiterhin in Stuttgart als Flügel- und Klavierfabrik Carl A. Pfeiffer firmiert, in Händen seines Sohnes Helmut Carl Pf. (* 26. 4. 1921 zu Stutt-

gart). Die Musikinstrumenten- und Klaviermechanikensammlung befindet sich nunmehr im Württembergischen Landesmuseum Stuttgart. – Weitere Veröffentlichungen von W. Pf.: *+Taste und Hebeglied des Klaviers* (1921), freie engl. Übers. von J. Engelhardt als *The Piano Key and Whippen* (= Fachbuchreihe Das Musikinstrument XVIII, Ffm. 1967); *+Über Dämpfer, Federn und Spielart* (1950), Neudr. = Schriftenreihe Das Musikinstrument I, ebd. 1962.
Lit.: Hundert Jahre Pf.-Flügel u. -Kl., Stuttgart 1962.

+Pfeiffer, Michael Traugott, 1771–1849.
Lit.: H. J. SCHATTNER, Volksbildung durch Musikerziehung. Leben u. Wirken H. G. Nägelis, Otterbach 1961; DERS., Ein Schulwerk aus d. Anfangszeit d. Chorwesens, in: Lied u. Chor LIII, 1961.

Pfendner, Heinrich (Pfendtner, Pfentner, Pfentter), * um 1588 zu Hollfeld (Oberfranken), † vermutlich 1631 zu Würzburg (bei der Erstürmung der Festung Marienberg); deutscher Komponist, studierte wahrscheinlich bei Aichinger und Chr. Erbach in Augsburg sowie bei Cifra in Rom und Loreto, wirkte als Organist 1613 in Gurk, ab 1614 am Hof Erzherzog Ferdinands II. in Graz und wurde 1618 Kapellmeister und Hoforganist in Würzburg. Von seinen Motettensammlungen, in denen das großbesetzte geistliche Konzert vorherrscht, sind erhalten: *Delle motetti a due, tre . . . ed otto v. . . . Libro primo* (Graz 1614); *Motectorum binis, ternis . . . octonisque v. concinendorum Liber primus cum b. ad org.* (Würzburg 1625); *Motectorum . . . Liber secundus* (ebd. 1623); *Motectorum . . . Liber tertius* (ebd. 1625, ²1631); *Motectorum . . . Liber quartus* (ebd. 1630); *Regis Hebronensis Psalmus quinquagesimus octies octonisque v. concertatus* (ebd. 1645). 5 Bände Messen und je ein Band Motetten und Marianische Gesänge müssen als verloren gelten. Handschriftlich sind 2 Kanzonen für Org. überliefert.
Ausg.: Canzona G dur f. Org., in: Fränkische Orgelmeister d. 17. Jh., hrsg. v. A. REICHLING, = Veröff. d. Ges. d. Orgelfreunde XXXI, Bln 1967.
Lit.: A. ADRIO, Die Anfänge d. geistlichen Konzerts, = Neue deutsche Forschungen XXXI, Abt. Mw. I, Bln 1935; M. SACK, Leben u. Werk H. Pf.s, Diss. Bln 1954.

Pfiffner, Ernst, * 6. 12. 1922 zu Mosnang (St. Gallen); Schweizer Komponist und Musikpädagoge, studierte zunächst bei Jaeggi, dann am Pontificio Istituto di Musica Sacra in Rom, an der Kirchenmusikschule in Regensburg und 1948–52 am Konservatorium in Basel (Orgeldiplom bei Eduard Müller). Zusätzliche Kompositionsstudien trieb er bei W. Burkhard in Zürich und Nadia Boulanger in Paris. Er ist heute Direktor der Schweizerischen Katholischen Kirchenmusikschule in Luzern und seit 1960 Hauptschriftleiter der in St. Gallen erscheinenden Zeitschrift *Katholische Kirchenmusik.* Pf. schrieb Orchesterwerke (Kammerkonzerte für Fl., Ob. und Streichorch., 1953, bzw. Ob., Trp., Fag. und Streichorch., 1955; Concertino für Klar., Trp. und Orch., 1956), Kammermusik (*Estampies renaissantes* für Fl., V., Vc. und Kl., 1956; Capriccio für Klar. und Kl., 1961), Orgelwerke (Orgelheft für den Advent, 1952; Toccata, 1957; Fantasie, 1959; 2 Choralsonaten, 1965 und 1966; Orgelvariationen nach *Creator alma siderum*, 1971), *Heilige Opferfeier* für Gemeinde, Vorsänger und Org. (1960), *Kantate auf den Erlöser* für S., Bar., gem. Chor und Orch. (1962), *Messe auf die Dreifaltigkeit* für gem. Chor und Org. (1962), eine Passion für Soli, Chor und Orch. (1969), *Tierkreistriptychon* für 5 Singst. (1971), *Vom Rande des Seins* für Bar. und Klaviertrio (1956), *Kantate über die Weltzeit* für Bar., Schlagzeug und Kl. (1960), *7 geistliche Gesänge* für S., Fl., Va und Vc. (1962) sowie Chöre

a cappella und Sologesänge mit Klavier. Pf. veröffentlichte auch eine Reihe Aufsätze zur katholischen Kirchenmusik.
Lit.: M. FAVRE in: SMZ CII, 1962, S. 368f.; H. GALLI in: Musica sacra LXXXV, 1965, S. 232ff.

Pfister, Hugo, * 7. 9. 1914 zu Zürich, † 31. 10. 1969 zu Küsnacht (Zürich); Schweizer Komponist und Musikpädagoge, studierte Klavier und Theorie bei Gustav Bergmann und bei Marek. Ergänzende Studien absolvierte er in Paris bei Nadia Boulanger (Komposition) sowie am Pariser Conservatoire und an der Ecole Normale de Musique in Paris. Ab 1946 war er am Lehrerseminar in Küsnacht tätig. Pf. schrieb u. a.: Ballade für Orch. (1959); *Fantaisie concertante* für Fl., Horn, Hf. und Streichorch. (1960); *Augsburger Serenade* für Fl., V., Va, Vc. und Git. (1961); *Sonata* für 2 Trp., Streicher und Pk. (1962); *Ägäisches Tagebuch* für Ob., Streicher und Schlagzeug (1964); Partita für Orch. (1965); *Five Sketches* für Schlagzeug (2 Spieler) und Orch. (1967). Außerdem komponierte er Kammermusik und Werke für Soloinstrumente sowie eine Reihe Bühnen- und Hörspielmusiken. Er veröffentlichte: *La nouvelle musique* (Bull. de la Fondation suisse 1956, Nr 5); *Musik im Hörspiel* (in: Der Bund 1966, Nr 57).
Lit.: A. BRINER, Zur Musik v. H. Pf., SMZ CV, 1965; DERS. in: SMZ CIX, 1969, S. 384ff.; R. TSCHUPP, H. Pf., ein Schweizer Komponist d. mittleren Generation, Zürich 1973.

+Pfitzner, Hans [erg.:] Erich, 23. 4. (5. 5.) 1869 – 1949.
Operndirektor in Straßburg war Pf. ab 1910 [nicht: 1909]; an der Münchner Akademie der Künste lehrte er ab 1929 [nicht: 1930]. Die Oper *+Das Herz* wurde 1931 zugleich in München und Berlin uraufgeführt. – Weitere Kammermusikwerke: Cellosonate op. 1 (1890), Violinsonate op. 27 (1918), 5 Klavierstücke op. 47 (1941), 6 Studien für Kl. op. 51 (1943) sowie ein Streichquartett D moll (1886). – »Gesammelte Schriften III« *+Werk und Wiedergabe* (1929), Tutzing ²1969 (mit Nachwort von W. Abendroth).
Ausg.: Streichquartett D moll (1886), Erstausg. hrsg. v. H. RECTANUS, = Das 19. Jh. o. Nr, Kassel 1972.
Lit.: H. GROHE, H. Pf., Verz. sämtlicher im Druck erschienener Werke, München 1960. – CH. RÜDIGER, H. Pf., Köln 1958 (Bibliogr.). – Mitt. d. H.-Pf.-Ges., München 1954ff. (25 Folgen bis 1969, ab 1970 N. F., H. 26ff.). – Fs. aus Anlaß d. 100. Geburtstags . . . u. d. 20. Todestags . . ., hrsg. v. W. ABENDROTH u. K.-R. DANLER, ebd. 1969; H. Pf., Ausstellungskat. d. Bayerischen Staatsbibl. hrsg. v. K. DORFMÜLLER, ebd.; Sonder-H. H. Pf., = ÖMZ XXIV, 1969, H. 4. – G. ZORN, H. Pf. als Opern-Regisseur, Diss. München 1954; D. STOVEROCK, Pf.s »Palestrina« im Musikunterricht d. höheren Schule, in: Musik als Lebenshilfe, hrsg. v. E. Kraus, Hbg 1958; R. HANZL in: ÖMZ XIV, 1959, S. 376ff.; E. KROLL, H. Pf. u. J. v. Eichendorff, in: Aurora XX, 1960; W. SCHWARZ, Die Bedeutung d. Religiösen im musikdramatischen Schaffen H. Pf.s, Fs. J. Müller-Blattau, = Annales Univ. Saraviensis, Philosophische Fakultät IX, Saarbrücken 1960; R. KRISS, Die Darstellung d. Konzils v. Trient in H. Pf.s mus. Legende »Palestrina«, Berchtesgaden 1962; D. G. HENDERSON, H. Pf., The Composer and His Instr. Works, Diss. Univ. of Michigan 1963; DERS., H. Pf.'s »Palestrina«. A 20th-Cent. Allegory, MR XXXI, 1970; J. WULF, Musik im Dritten Reich, Gütersloh 1963, auch = rororo Taschenbuch Nr 818–820, Reinbek bei Hbg 1966; J. W. KLEIN, H. Pf. and the Two Heydrichs, MR XXVI, 1965; J. E. KINDERMANN, Zur Kontroverse Busoni–Pf., Fs. W. Wiora, Kassel 1967; H. RECTANUS, Leitmotivik u. Form in d. musikdramatischen Werken H. Pf.s, = Literarhist.-mw. Abh. XVIII, Würzburg 1967; DERS., Ein wiederaufgefundenes Streichquartett H. Pf.s, Mf XXII, 1969; DERS., Pf. als Dramatiker, in: Beitr. zur Gesch. d. Oper, hrsg. v. H. Becker, = Studien zur Mg. d. 19. Jh. XV, Regensburg 1969; W.

Diez, H. Pf.s Lieder. Versuch einer Stilbetrachtung, = Forschungsbeitr. zur Mw. XXI, ebd. 1968; A. Fleury, Hist. u. stilgesch. Probleme in Pf.s »Palestrina«, Fs. H. Osthoff, = Frankfurter musikhist. Studien o. Nr, Tutzing 1969; W. Heller in: MuG XIX, 1969, S. 328ff.; J. Müller-Blattau, H. Pf., Ffm. 1969; J. P. Vogel in: Musica XXIII, 1969, S. 232ff.; ders., Der »progressive« Theoretiker u. d. »konservative« Komponist, Mf XXV, 1972; M. Willfort in: NZfM CXXX, 1969, S. 235ff.; Cl. Höslinger, H. Pf. u. d. Wiener Hofoper, in: Musikerziehung XXIV, 1970/71; W. Mohr in: Musica XXVII, 1973, S. 483ff. (Analyse d. Streichquartetts D moll v. 1886).

+Pflanzl, Heinrich, * 9. 10. 1903 zu Salzburg.
Bis 1961 war er Mitglied der Berliner Staatsoper, sang daneben auch an der Komischen Oper in Berlin und an weiteren bedeutenden Opernhäusern Europas sowie bei verschiedenen Festspielen. Am Mozarteum in Salzburg leitete er 1962–73 (als Professor) eine Gesangs- und Opernklasse. Pfl. lebt heute in Großgmain (Salzburg).

+Pfleger, Augustin, um 1635 zu Schlackenwerth (Westböhmen) – nach 1686 [del. bzw. erg. frühere Angaben].
Bei der Drucklegung der *Psalmi, dialogi et motettae* (1661) bezeichnete sich Pfl. als Kapellmeister des Herzogs Julius Heinrich von Sachsen-Lauenburg.
Ausg.: +Passionsmusik (Fr. Stein, 1939), Wolfenbüttel ²1955. – Geistliche Konzerte Nr 1–23, hrsg. v. dems., 2 Bde, = EDM L u. LXIV, Abt. Oratorium u. Kantate IV–V, Kassel 1961–64.
Lit.: +Fr. Blume, A. Pfl.s Kieler Univ.-Oden (1943), Wiederabdruck in: Syntagma musicologicum (I), Kassel 1963. – Fr. Stein, Ein unbekannter Evangelien-Jg. v. A. Pfl., Fs. M. Schneider, Halle (Saale) 1935.

+Pflüger, Gerhard Friedrich Wilhelm, * 9. 4. 1907 zu Dresden.
Pfl. wurde als Leiter der Dirigentenabteilung der Fr.-Liszt-Hochschule in Weimar 1962 zum Professor ernannt. Seine Position als Musikalischer Oberleiter am Deutschen Nationaltheater Weimar und Leiter der Weimarischen Staatskapelle hatte er bis 1973 inne.

Pflüger, Hans Georg, * 26. 8. 1944 zu Schwäbisch Gmünd; deutscher Komponist, studierte ab 1965 an der Staatlichen Hochschule für Musik in Stuttgart Klavier und Komposition (Badings), daneben ab 1969 bei K. Richter in München Orgel. 1970 wurde er Organist und Dekanatskirchenmusiker in Stuttgart(-Bad Cannstatt). Er komponierte Orchesterwerke (*Ruhm und Ewigkeit* für Gesang und Orch. op. 10, nach Nietzsche, 1968; *Legende* für Gesang und 9 Streicher op. 11, nach Brecht, 1969), Kammermusik (Streichquartett I op. 7, 1968, und II op. 22, 1971; *Metabole* für Klaviertrio op. 21, 1971; *Figurationen* für 8 Instr. op. 28, 1973), eine Sonate für 2 Kb. op. 6 (1967), Solosonaten für Kb. op. 8 (1968), für Vc. op. 13 (1969) und für Git. op. 18 (1970), Praeludium und Fuge für Orgelpedal op. 2 (1967), zahlreiche Sololieder und Elektronische Musik (*Urworte* für St. und Tonband op. 15, nach Goethe, 1971).

+Pfrogner, Hermann, * 17. 1. 1911 zu Graz.
Er ist weiterhin als Dozent für verschiedene theoretische Fächer an der Münchner Musikhochschule tätig. Neuere Aufsätze: *Zur Definition des Begriffes Atonalität* (Kgr.-Ber. Köln 1958); *Was ist Zwölftonmusik?* (in: Musik und Musikerziehung in der Reifezeit, hrsg. von E. Kraus, Mainz 1959); *Ton und Klang* (in: Die vielspältige Musik und die allgemeine Musiklehre, = Musikalische Zeitfragen IX, Kassel 1960); *Musik und Elektronik* (in: Die Natur der Musik als Problem der Wissenschaft, ebd. X, 1962); *Über Hören und Hörerziehung*

(in: E. Valentin, Hdb. der Schulmusik, Regensburg 1962); *Hat Diatonik Zukunft?* (in: Musica XVII, 1963).

+Phalèse, Pierre, um 1510–73.
Ein Druckprivileg für Ph. ist erstmals 1547 belegt. 1570 [nicht: 1572] assoziierte er sich mit Bellère. Nach dem Tode von Magdalena Ph. ([erg.:] 1586 – 30. 5. 1652 [nicht: 1650]) führte Maria Ph. (* 1589), eine weitere Tochter von Pierre Ph. dem Jüngeren, das Geschäft fort. Der letzte Druck stammt aus dem Jahre 1674.
Ausg.: Musica divina di XIX autori illustri, a IIII., V., VI. et VII. v. ... (Antwerpen 1583), hrsg. v. B. Huys, = Corpus of Early Music in Facsimile I, 19, Brüssel 1970.
Lit.: +A. Goovaerts, Notice biogr. [erg.: et bibliogr.] sur P. Ph., Brüssel 1869 [nicht: Antwerpen 1829]; +ders., Hist. et bibliogr. de la typographie mus. dans les Pays-Bas (1880), Nachdr. Hilversum 1963. – G. Robijns, Les livres de luth de P. Ph., Etude et transcription de l'»Hortus musarum« (1552–53), Thesis Löwen 1956.

+Philidor, 17.–18. Jh.
Michel Danican, † Ende August 1659 [del.: um 1659]. –1) Jean, um 1620 – 1679 zu Versailles [nicht: Paris]. –2) André (l'aîné), [erg.:] um 1647 zu Versailles – 1730, wurde 1659 [nicht: 1679] Nachfolger M. Danicans in der Grande écurie und trat 1729 [nicht: 1722] von allen seinen Ämtern zurück; an das St. Michael College in Tenbury (Worcestershire) gelangten über 300 [nicht: 400] Bände der Bibliothèque municipale de Versailles. –5) Anne, 1681–1728. –6) Pierre, 1681 – 1731 [erg.:] zu Paris(?), wurde 1697 Mitglied der Grande écurie, 1704 Flötist und 1716 Violist in der Chambre du roy; als Komponist ist er mit Suiten für Flöte [nicht: Laute] hervorgetreten. –7) Michel, 1683 – [erg.:] nach 1722. –8) Jacques, 1686 – 1709 [nicht: 1726], war bereits 1696 [nicht: 1708] Mitglied der Grande écurie und wurde 1708 Nachfolger seines Vaters Jacques Ph. (–3) in der Chambre du roy. –10) François, 12. [nicht: 21.] 1. 1695 – 25. 6. 1726 [del. frühere Sterbedaten]. –12) François-André, 1726 – 31. [nicht: 24.] 8. 1795. Er besuchte erstmals 1747 London, wo er sich 1749–54 und 1775–92 regelmäßig zwischen Februar und Juni aufhielt. Die Oper +Ernelinde (1767) wurde in der revidierten Fassung unter dem Titel +Sandomir, prince de Dannemarck 1769 in Paris [nicht: Brüssel 1774] uraufgeführt.
Ausg.: zu –2): 4 Stücke f. 2 Fag., 2 Baßviolen u. Cemb. (Kl.), hrsg. v. R. Cotte, Paris 1956. – zu –5): Sonate D moll f. Alt-Block-Fl. (Quer-Fl., Ob.) u. B. c., hrsg. v. H. Ruf, = HM CXXXIX, Kassel 1956; Suite Nr 1 G moll f. Ob. (Fl., V.) u. B. c., hrsg. v. dems. = Ob. Bibl. VIII, Mainz 1971. – zu –6): Suite f. Ob. (Fl., Va) u. B. c., hrsg. v. L. Boulay, Paris 1968.
Lit.: zu –5): D. Tunley, Ph.'s »Concerts frç.«, ML XLVII, 1966. – zu –12): +G. Allen, The Life of Ph., Musician and Chess-Player (1858), Nachdr. d. erweiterten Ausg. Philadelphia (Pa.) 1863, NY 1971; Br. Harley, Music and Chess, ML XII, 1931; Ch. M. Carroll, Fr.-A. Danican-Ph., His Life and Dramatic Art, 2 Bde (I Text, II NA d. Comédie lyrique »Tom Jones«, mit engl. Übers. d. Textes), Diss. Florida State Univ. 1960; ders. in: RMFC II, 1961/62, S. 159ff.; ders. in: MGG X, 1962, Sp. 1190ff.; ders., The Hist. of »Berthe«, a Comedy of Errors, ML XLIV, 1963; A. R. Oliver, Diderot über Musik, BzMw VII, 1965; E. Ch. Koch Jr., The Dramatic Ensemble Finale in the Opéra comique of the 18th Cent., AMl XXXIX, 1967.

+Philip, Achille, * 12. 10. 1878 zu Arles, [erg.:] † 12. 10. 1959 zu Béziers (Hérault).

+Philipp, Franz, * 24. 8. 1890 und [erg.:] † 2. 6. 1972 zu Freiburg im Breisgau.
Zu seinen letzten Werken zählen: die Kantaten *Languentibus in purgatorio* für gem. Chor und Org. op. 92

und *Laetare puerpera* für S., A., Bar. und Org. op. 95; Dialog *Trauerode* für V. und Org. op. 96; Symphonie D moll op. 97; 3 Motetten *Cantica nova* für gem. Chor a cappella op. 98.
Lit.: Vox. Mitt. d. Fr.-Ph.-Ges., Iff., Freiburg i. Br. 1960ff. – Fr. Hirtler in: Badische Heimat XL, 1960, S. 385ff.; E. Ketterer in: Süddeutsche Sänger-Zeitung XLVI, 1960, S. 57f.; Ders., Fr. Ph.s Männerchorwerke, ebd. (Werkverz.); H. Lemacher in: Musica sacra LXXX, 1960, S. 262ff., u. LXXXV, 1965, S. 259ff.; H. E. Rahner, ebd. XC, 1970, S. 212ff. (zu d. Messen); Fr. J. Wehinger, ebd. XCII, 1972, S. 250ff.; Ders., »Gotteslob aus Alemannenmund«, Karlsruhe 1973.

+Philipp, Isidore, 1863–1958.
1955 kehrte er aus den USA zurück und lebte bis zu seinem Tode in Paris. Zu seinen bekanntesten Schülern zählen u. a. A. Schweitzer, G. Novaës und Monique de la Bruchollerie.

+Philippe le Chancelier, [erg.:] um 1190 – 1236.
Lit.: +Fr. Ludwig, Repertorium organorum ... I, 1 (1910), 2. erweiterte Aufl. hrsg. v. L. A. Dittmer, = Musicological Studies VII, NY u. Hildesheim 1964 (→+Ludwig). – E. Paganuzzi, L'autore della melodia della »Alteratio cordis et oculi« di Ph. le Ch., CHM II, 1957; R. Falck, Zwei Lieder Philipps d. Kanzlers u. ihre Vorbilder. Neue Aspekte mus. Entlehnung in d. ma. Monodie, AfMw XXIV, 1967; H. Husmann, Ein Faszikel Notre-Dame-Kompositionen auf Texte d. Pariser Kanzlers Philipp in einer Dominikanerhandschrift (Rom, S. Sabina XIV L 3), ebd.; G. A. Anderson, Thirteenth-Cent. Conductus: Obiter Dicta, MQ LVIII, 1972.

+Philippi, Maria Cäcilia, 1875–1944.
M. Ph. leitete eine Meisterklasse für Gesang an der Kölner Musikhochschule bis 1939; anschließend war sie als Gesangspädagogin an der Musikakademie in Zürich tätig.

Philippot (filip'o), Michel-Paul, * 2. 2. 1925 zu Verzy (Marne); französischer Komponist, begann mit naturwissenschaftlichen Fächern und studierte 1944–45 am Konservatorium in Reims und 1945–46 am Pariser Conservatoire bei Dandelot sowie 1946–49 privat bei Leibowitz. 1949 wurde er Tontechniker, 1964 verantwortlicher Leiter der Musikproduktion und 1973 musikalischer Berater beim Präsidenten der ORTF in Paris. 1951–61 arbeitete er bei der Groupe de Recherches der ORTF. Seine musikalischen Werke umfassen: Sonate für Kl. (1946); Ouvertüre für Kammerorch. (1948); *Quatre mélodies sur des poèmes de Guillaume Apollinaire* für Singst. und Kl. (1949); *Etude n° 1* (1952), *n° 2* (1958), und *n° 3* (1962), Musique concrète; Klaviertrio (1953); Variationen für 10 Instr. (1957); *Trois compositions pour piano* (1958); *Composition* für Streichorch. (1959); *Composition* für Doppelorch. (1959); *Trois mélodies sur des poèmes d'Emmanuel Looten* für Singst. und Kl. (1959); *Ambiance n° 1*, Musique concrète pour les Floralies de Paris 1959, und *n° 2*, pour accompagner la récitation d'un poème de St. Mallarmé, pour récitant et musique concrète (1959); *Maldoror*, musique pour accompagner un choix de textes de Lautréamont, Musique concrète (1961); *Pièce pour dix* (1962); *Transformations triangulaires* für Instrumentalensemble (1962); *Pièces* für V. solo (1967); Sonate für Org. (1972); Scherzo für Akkordeon (1972); ferner Bühnen-, Film- und Rundfunkmusik. Ph. veröffentlichte u. a.: *Musique et acoustique ou A propos de l'art de combiner les sons* ... (Cahiers de la Compagnie M. Renaud – J.-L. Barrault 1954, Nr 3, Wiederabdruck in: La musique et ses problèmes contemporains, 1953–63, ebd. 1963, Nr 41); *Stéréophonie et »haute-fidélité«* (Cahiers d'études de radio-télévision 1959, Nr 22); *La musique et les machines* (ebd. 1960, Nr 27/28); *I. Stravinsky*

(= Musiciens de tous les temps XVIII, Paris 1965); *Indestructible nouveauté* (RBM XX, 1966); *Vingt ans de musique* (Rev. d'esthétique XX, 1967); *Musik und Technik* (in: 50 Jahre Musik im Hörfunk, hrsg. von K. Blaukopf, S. Goslich und W. Scheib, München 1973). Über sein Schaffen äußert sich Ph. in einem Aufsatz *Propos impromptu* (in: Le courrier musical de France 1972, Nr 37).
Lit.: Werkverz. in: Le courrier mus. de France 1969, Nr 25.

+Philips.
N. V. Ph.' Gloeilampenfabrieken wurde bereits 1891 in Eindhoven von dem niederländischen Bankier Frederik Ph. gegründet. Sein Sohn Anton schuf innerhalb des Elektrokonzerns die Hauptindustriegruppe »Musik«. Als neuer Konzern entstand 1950 durch Zusammenschluß der niederländischen und französischen Decca sowie der französischen Polydor die N. V. Ph. Phonographische Industrie mit Sitz in Baarn (bei Hilversum); ferner wurden in Frankreich die Firmen Durium und Versailles, in den USA 1950 die Aktienmehrheit der Mercury Record Corporation aufgekauft. 1962 beschlossen Ph. und die Siemens AG (zu der die Deutsche Grammophon Gesellschaft gehört), ihre Schallplatteninteressen wirtschaftlich zusammenzufassen, wobei Ph. 50% der Anteile an der Deutschen Grammophon Gesellschaft übernahm. Jede der Firmen ist jedoch rechtlich selbständig, bestimmt ihr Repertoire und führt den Vertrieb unter den eigenen Marken durch. Enge geschäftliche Beziehungen verbanden die Ph. zeitweilig auch mit den amerikanischen Gesellschaften →Columbia und Riverside. In den USA vertreibt Ph. derzeit seine Produktion unter der Schutzmarke Epic. In Deutschland erscheint das Ph.-Repertoire bei der Phonogram Tongesellschaft mbH (früher Ph. Tongesellschaft) mit Sitz in Hamburg unter den Marken Amadeo, Fass, Fontana, Island Records, Mercury, Philips, Star-Club oder Vergissmeinnicht; Importplatten tragen die Etiketten Blue Rock, Cadet, Checker, Chess, Contemporary, Good Time Jazz, Limelight, MGG, Smash und Verve.

+Philips, Peter, 1560 oder 1561 zu London(?) [erg. frühere Angabe] – 1628.
Ph. ist 1574 als Chorknabe an der St. Paul's Cathedral in London nachweisbar. 1610 wurde er Kanonikus an St.-Vincent in Soignies (Hennegau), 1621 Kaplan an St.-Germain in Tirlemont (Brabant) und 1622 oder 1623 Kanonikus in Béthune (Artois).
Ausg.: +The Fitzwilliam Virginal Book (W. B. Squire u. J. A. Fuller-Maitland, 1894–99), Nachdr. NY 1963. – Melodia Olympica de diversi eccellentissimi musici (Antwerpen 1591), hrsg. v. B. Huys, = Corpus of Early Music in Facsimile I, 22, Brüssel 1970; Select Ital. Madrigals, hrsg. v. J. Steele, = Mus. Brit. XXIX, London 1970. – 3 Motetten zu 5 St. »O beatum sacrosanctum diem«, »Tibi laus« u. »Media vita«, hrsg. v. A. G. Petti, ebd. 1963–67; ein 5st. Satz in: W. Kirkendale, L'aria di Fiorenza, id est Il ballo del Gran Duca, Florenz 1972.
Lit.: A. G. Petti, New Light on P. Ph., MMR LXXXVII, 1957; Ders., P. Ph., in: Recusant Hist. IV, 1957/58; Fr. C. Pearson jr., The Madrigals of P. Ph., 2 Bde, Diss. Univ. of Michigan 1961; J. Steele in: MGG X, 1962, Sp. 1203ff.; L. Pike, »Gaude Maria Virgo«. Morley or Ph.?, ML L, 1969; Ders. in: The Consort XXVII, 1971, S. 50ff. (zu »Les rossignols spirituels«); Ders., The Performance of Triple Rhythms in P. Ph.'s Vocal Music, ebd. XXVIII, 1972; Ders., The First Engl. »B. c.« Publ., ML LIV, 1973.

+Phillips, Burrill, * 9. 11. 1907 zu Omaha (Nebr.).
Ph., bis 1964 Professor of Music an der University of Illinois (1956–60 auch Leiter der Abteilung Theorie und Komposition), war 1965–66 Gastdozent für Komposition an der Eastman School of Music in Rochester

(N. Y.) und 1968–69 an der Juilliard School of Music in New York. – Von seinen neueren Werken seien genannt: »Music for Dance Theater« *La Piñata* für kleines Orch. (Juilliard School of Music 1969); *Soleriana concertante* (1965) und *Theater Dances* (1967) für Orch., *Perspectives in a Labyrinth* für 3 Streichorch. (1963); 5 Stücke für Holzbläserquintett (1965), 2. Streichquartett (1959), Quartett für Ob. und Streicher (1966), 2 *Nostalgic Songs* für Fl. und Kl. (1962), *Dialogues* für V. und Va (1962), Sonate für V. und Cemb. (1966); 4. Sonate (1960) und *Five Various and Sundry* (1961) für Kl.; *Sinfonia brevis* (1958) und *Sonata da camera* (1965) für Org.; *The Return of Odysseus* für Bar., Sprecher, Chor und Orch. (1957), *Canzona IV* für S., Fl., Kl. und Schlagzeug (1967), 9 lateinische Motetten a cappella (1959).

+Phillips, Montague Fawcett, * 13. 11. 1885 zu London, [erg.:] † 4. 1. 1969 zu Esher (Surrey).

+Philodemos, [erg.:] Ende 2. Jh. – um 30 v. [nicht: n.] Chr.
Lit.: +H. ABERT, Die Lehre v. Ethos in d. griech. Musik (1899), Nachdr. Tutzing u. Wiesbaden 1968. – A. PLEBE, Filodemo e la musica, = Studi di estetica VI, Turin 1957; W. D. ANDERSON, Ethos and Education in Greek Music, Cambridge (Mass.) 1966.

+Philolaos von Kroton, 6./5. Jh. v. Chr.
Lit.: +Musici scriptores Graeci (K. v. JAN, 1895), Nachdr. Hildesheim 1962. – J. LOHMANN, Musiké u. Logos, Stuttgart 1970.

+Philomates, Venceslaus (Václav, Wenzel), * um 1480.
Ph. studierte um 1510 an der Universität Wien und hielt dort später Vorlesungen über Musik, aus denen sein Lehrbuch +*Musicorum libri quatuor* hervorging (Erstdruck Wien 1512 erhalten, 2. Aufl. ebd. 1523); M. Agricola veröffentlichte dazu *Scholia in musicam planam V. Philomatis de Nova Domo, ex variis musicorum scriptis* (Wittenberg 1538).
Lit.: O. WESSELY, Alte Musiklehrbücher aus Österreich, in: Musikerziehung VII, 1953/54.

+Phinot, Dominicus (Dominico), [erg.:] † zwischen 1557 und 1560.
Ph. hielt sich in Italien und 1547/48 in Lyon auf; später lebte er in Pesaro.
Ausg.: Opera omnia, hrsg. v. J. HÖFLER, bisher erschienen: Bd I, Motetta (Liber primus motettarum quinque v.), = CMM LIX, 1, (Rom) 1972. – Recordare Domine f. Doppelchor (aus Lamentationes Jeremiae), hrsg. v. M. MARTENS, = Brooklyn College Choral Series V, NY 1959.
Lit.: P. S. HANSEN, The Life and Works of D. Ph., Diss. Univ. of North Carolina 1939; DERS., The Double-Chorus Motets of D. Ph., Renaissance News III, 1950; V. L. SAULNIER, D. Ph. et D. Lupi, musiciens de Cl. Marot et des marotiques, Rev. de musicol. XLIII/XLIV, 1959; FR. LESURE in: MGG X, 1962, Sp. 1210ff.; J. HÖFLER, D. Ph. i počeci renesansnog višehorskog pevanja (1548–68) (»D. Ph. u. d. Beginn d. polyphonen Gesangs d. Renaissance«), in: Zvuk 1969, Nr 100 (mit engl. Zusammenfassung«); A. MILLER, J. Cardan on Gombert, Ph., and Carpentras, MQ LVIII, 1972.

Phonogram Tongesellschaft → +Philips.

Piaf, Edith (eigentlich Edith Giovanna Gassion), * 19. 12. 1915 und † 11. 10. 1963 zu Paris; französische Chansonsängerin, begann mit 15 Jahren als Straßensängerin, wurde von dem Cabaret-Direktor Louis Leplée entdeckt und La môme Piaf (»Göre Spatz«) getauft. Ab 1937 begann, gefördert von →Chevalier, ihr Aufstieg zu einer der bedeutendsten französischen Chansonsängerinnen. Ihre ersten Erfolge errang sie 1937 im »Théâtre de l'ABC« mit den Chansons *Mon légionnaire* und *L'accordéoniste*. Nach dem Krieg hatte

sie großen Erfolg in einigen Filmen und bei ihren Tourneen u. a. in die USA. Bekannte Chansons, die E. P. sang, waren auch *La vie en rose* (1947), *Je ne regrette rien*, *C'est l'amour*, *Milord*, *Les trois cloches*, *Cri du cœur*, *Le vagabond*, *Hymne à l'amour*, *Padam . . . Padam*, *Jérusalem*, *Les yeux de ma mère* und *Exodus*. Sie veröffentlichte *Au bal de la chance* (Paris 1958, engl. London und Philadelphia 1965, Paperbackausg. London 1968, rumänisch Bukarest 1966) und *Ma vie* (hrsg. von J. Noli, = Voici XXXVIII, Paris 1964, deutsch = rororo-Taschenbuch Nr 859, Reinbek bei Hbg 1966).
Lit.: P. HIEGEL, E. P., Monte Carlo 1962; F. SCHMIDT, Das Chanson, = Slg Damokles VIII, Ahrensburg u. Paris 1968; S. BERTEAUT, P., Paris 1969, deutsch als: Ich hab gelebt, Mylord, München 1970, engl. London 1971; D. SCHULZ-KOEHN, Vive la chanson, Gütersloh 1969; CH. BRUNSCHWIG, L.-J. CALVET u. J.-CL. KLEIN, 100 ans de chanson frç., Paris 1972.

Piaggio (pi'agxĭo), Celestino, * 20. 12. 1886 zu Concordia (Provinz Concordia), † 28. 10. 1931 zu Buenos Aires; argentinischer Pianist und Dirigent, studierte am Conservatorio de Música de Buenos Aires bei Alberto Williams, Aguirre, Andrés Gaos und Carlos Marchal (1904–06) sowie an der Schola Cantorum in Paris bei Gastoué und d'Indy. Auf Grund des Ausbruchs des ersten Weltkriegs lebte er 5 Jahre in Rumänien, studierte dann bei A. Nikisch in Leipzig (1919) und kehrte nach Buenos Aires zurück. 1922 begann er eine kurze, aber brillante Laufbahn als Dirigent. P. trat auch als Komponist mit einer Ouvertüre C dur sowie mit Klavier- und Vokalwerken hervor.

+Piastro, –1) Josef (P.-Borissoff), * 17. 2. (1. 3.) 1889 zu Kertsch (Krim), [erg.:] † 14. 5. 1964 zu Monrovia (Calif.).
–2) Mishel, 19. 6. (1. 7.) 1892 zu Kertsch (Krim), [erg.:] † 10. 4. 1970 zu New York. Tourneen mit der Longines Symphonette, deren Recording Society er bis zu seinem Tode als musikalischer Direktor vorstand, führten ihn bis 1966 durch die USA und Kanada. 1961–65 leitete er Sommerkurse an der Michigan State University in East Lansing, 1969 eine Meisterklasse an der Carnegie-Mellon University in Pittsburgh (Pa.).

+Piatigorsky, Gregor (Grigorij Pawlowitsch Pjatigorskij), 4.(17.) [nicht: 7.(20.)] 4. 1903 zu Jekaterinoslaw (Südrußland).
P. hat eine Reihe von (z. T. ihm auch gewidmeten) Kompositionen für Violoncello u. a. von Castelnuovo-Tedesco, Hindemith, Martinů, Milhaud, Prokofieff, Walton und Webern uraufgeführt. Im Duo spielte er früher mit S. Rachmaninow, ferner mit A. Schnabel, im Trio (außer mit Horowitz und Milstein) auch mit A. Schnabel und C. Flesch, später mit Arthur Rubinstein und J. Heifetz. Mit letzterem bildete er darüber hinaus ein Streichduo (neben Kammermusik vor allem in Doppelkonzerten). P., der in Los Angeles lebt, unterrichtet seit Beginn der 60er Jahre an der dortigen University of Southern California [del.: übernahm 1957 eine Meisterklasse an der Boston University]. Ihm wurden zahlreiche Ehrungen zuteil, so die Ernennung zum Ehrendoktor durch mehrere amerikanische Universitäten. Neben Bearbeitungen für Violoncello veröffentlichte er die Autobiographie *Cellist* (Garden City/N. Y. 1965, deutsch als *Mein Cello und ich*, Tübingen 1968, ²1972, ungarisch Budapest 1970, Auszüge russ. in: Ispolnitelskoje iskusstwo sarubeschnych stran V, hrsg. von G. Edelman, Moskau 1970).

+Piatti, Alfredo Carlo, 1822 zu Borgo Canale [nicht: Crocetta di Mozzo] (bei Bergamo) – 1901.

d.
Aug. 6
1976

Ausg.: Studienkonzert D moll f. Vc. u. Kl. op. 26, überarbeitet v. W. Schulz, = Hofmeister Studienwerke o. Nr, Lpz. 1956.
Lit.: A. Geddo, Bergamo e la musica, = Bergamo sintesi o. Nr, Bergamo 1958.

Piave (pjʹa:ve), Francesco Maria, * 18. 5. 1810 zu Murano (Venezia), † 5. 3. 1876 zu Mailand; italienischer Librettist, wirkte literarisch zunächst in Rom (Mitarbeiter bei der »Revue des deux mondes«) und ab 1838 in Venedig (Mitglied der Accademia dei Concordi). 1848–59 war er Schauspieldirektor und Textdichter am Teatro La Fenice in Venedig und war dann bis 1867 in gleicher Stellung an der Mailänder Scala tätig, von der er sich später aus gesundheitlichen Gründen zurückziehen mußte. Er verfaßte für Verdi die Textbücher zu *Ernani* (Venedig 1844), *I due Foscari* (Rom 1844), *Macbeth* (mit Andrea Maffei, Florenz 1847), *Il corsaro* (Triest 1848), *Stiffelio* (ebd. 1850), *Rigoletto* (Venedig 1851), *La Traviata* (ebd. 1853), *Simon Boccanegra* (1. Fassung, ebd. 1857), *Aroldo* (Neufassung des *Stiffelio*, Rimini 1857) und *La forza del destino* (St. Petersburg 1862). Weitere Libretti schrieb P. u. a. für Balfe, T. Benvenuti, Boniforti, G. Braga, Buzzolla, Cagnoni, Mercadante, Pacini, L. und F. Ricci sowie C. Romani.
Lit.: T. Mantovani, Librettisti verdiani III, Fr. M. P., in: Musica d'oggi VI, 1924; G. A. Quarti, Fr. M. P., poeta filodrammatico, Rom 1939; G. Adami, Librettisti verdiani, in: Verdi. Studie e memorie, hrsg. v. Sindicato Nazionale Fascista Musicisti, ebd. 1941; U. Rolandi, Libretti e librettisti verdiani dal punto di vista storio-bibliogr., ebd. 1944; G. Vecchi, Il libretto, in: Il corsaro, hrsg. v. M. Medici, = Quaderni dell'Istituto di studi verdiani I, Parma 1963; G. Marchesi, Il libretto, in: Stiffelio, hrsg. v. dems., ebd. III, 1968; R. E. Aycock, Shakespeare, Boito, and Verdi, MQ LVIII, 1972.

Piazzolla (piaθʹoʎa), Astor, * 11. 3. 1921 zu Mar del Plata (Provinz Buenos Aires); argentinischer Komponist, war 1937–39 Bandonionspieler und musikalischer Bearbeiter des Tangoorchesters Aníbal Troilo. Ab 1940 studierte er Komposition bei Ginastera und ab 1954 Dirigieren bei Scherchen sowie Komposition in Paris bei Nadia Boulanger. Er gründete in Buenos Aires die Ensembles »Octeto Buenos Aires« und »Orquesta de Cuerdas« sowie 1960 ein Quintett, mit dem er den Tango im Konzertsaal populär machte und zahlreiche Tourneen in Süd- und Nordamerika unternahm. Seit 1960 hat P. über 300 Tangos geschrieben; 1969 begann er mit der Komposition des Tango canción, der unter Titeln wie *Baladas* und *Preludios* erschien. Gegenwärtig leitet er das von ihm gegründete »Conjunto 9«. Seine Kompositionen umfassen die Oper *María de Buenos Aires* (Libretto Horacio Ferrer, 1967), das musikalische Drama mit Ballett *Los amantes de Buenos Aires* (Ferrer, 1969), Orchesterwerke (*Rapsodia porteña*, 1952; Symphonie *Buenos Aires*, 1953; Sinfonietta, 1954; *3 movimientos sinfónicos*, 1963; *Tangazo*, 1968; *Danza salvaje*, *Tango 1* und *2* für Streichorch.; *Milonga D dur* für V. und Orch.; *Tango 6*) und das Oratorium *El pueblo joven* für Soli, Sprecher, Bandonion, Schlagzeug und Streichorch. (Ferrer, 1972).
Lit.: A. Speratti, Con P., Buenos Aires 1969.

Picasarri, José Antonio, * 13. 2. 1769 zu Villa de Segura (Guipúzcoa), † 21. 9. 1843 zu Buenos Aires; argentinischer Organist und Dirigent spanischer Herkunft, übersiedelte 1783 nach Buenos Aires, wo er in den dortigen Kathedralchor eintrat und 1795–1804 die Stellung des Psalmisten innehatte. 1796 wurde er in den Priesterstand erhoben. Ab 1807 war er Kapellmeister der Kathedrale sowie Lehrer für Gregorianischen Gesang und Orgel. 1818 mußte er das Land aus politischen Gründen verlassen, kehrte aber, nach einem

Aufenthalt in Spanien, 1822 nach Buenos Aires zurück und gründete dort mit seinem Neffen und Schüler Juan Pedro Esnaola eine Musikschule. Daneben wirkte er wieder als Kapellmeister an der Kathedrale und übernahm die Leitung der Sociedad Filarmónica. P. setzte sich für die Einführung der italienischen Oper in Argentinien ein.
Lit.: G. Gallardo, J. P. Esnaola, Buenos Aires 1960.

Picasso, Pablo, * 25. 10. 1881 zu Málaga, † 8. 4. 1973 zu Mougins (Alpes-Maritimes); spanischer Maler, kam durch Cocteau mit Diaghilew in Kontakt und stattete für die Ballets Russes *Parade* (Libretto Cocteau, Musik Satie, Choreographie Massine, Paris 1917), *Le tricorne* (Musik de Falla, Choreographie Massine, London 1919), *Pulcinella* (Strawinsky, Massine, Paris 1920), *Cuadro flamenco* (arrangiert von de Falla, ebd. 1921) und *Mercure* (Satie, Massine, ebd. 1924, aufgeführt bei den »Soirées de Paris«) aus. Ab 1924 stellte er nur noch für Vorhänge und Bühnenbilder geeignete Blätter aus seinem künstlerischen Œuvre als Vorlage zur Verfügung: *Le train bleu* (Libretto Cocteau, Musik Milhaud, Choreographie Bronislawa Nischinska, Paris 1924); *Le rendez-vous* (Prévert, Kosma, Petit, ebd. 1945); *Icare* (musikalisches Arrangement J. E. Szyfar, Choreographie Lifar, ebd. 1962); *L'après-midi d'un faune* (Musik Debussy, Choreographie Lifar, Toulouse 1965). – P.s Begegnung mit dem Theater, wichtig für die Entwicklung des Malers, ist Episode geblieben. *Parade*, Resümee und Synthese von P.s damaligem Schaffen – die Darstellung auf dem Bühnenvorhang läßt die Gestalten der »Blauen« und »Rosa« Perioden wieder lebendig werden, die riesigen »Manager«-Figuren sind räumliche Projektionen des kubistischen Konstruktionsprinzips –, bildet den kaum wiederholbaren Versuch einer theatralischen Integration mit künstlerischen Mitteln. Die folgenden Ausstattungen sind mit folkloristischen und Commedia dell'arte-Motiven durchsetzt; interessant ist die von ihm vorgeschlagene Form der Pulcinella-Bühne, ein von Logen gerahmtes »théâtre italien«. In *Mercure* nähern sich durch die Reduktion der räumlich aktivierten Szene auf reliefartige »Bilder« Bühnenbild und Malerei.
Lit.: Anon., P. P., Trente-deux réproductions des maquettes en couleur d'après les originaux des costumes et décors pour le ballet »Le tricorne«, Paris 1920; W. A. Propert, The Russ. Ballet in Western Europe 1909–20, London 1921; Chr. Zervos, P. P., Bd IIb ff., Paris 1942ff.; W. S. Liebermann, P. and the Ballet, NY 1946; The Diaghilev Exhibition, Kat. Edinburgh 1954; P. et le théâtre, Ausstellungskat. Toulouse 1965; D. Cooper, P. et le théâtre, Paris 1967; H. Rischbieter u. W. Storch, Bühne u. bildende Kunst im XX. Jh., Velber bei Hannover 1968; L. Vachtová, P. a divadlo (»P. u. d. Theater«), in: Divadlo XX, 1969; Les Ballets Russes de S. de Diaghilev, Ausstellungskat. Straßburg 1969; Dessins de P. P., S. Lifar et la danse, = RM 1971, Nr 280/281; A. Boll, P. et Léger, peintres de décors, in: Le courrier mus. de France 1972, Nr 37.   HS

Picchi (pʹik-ki), Mirto, * 15. 3. 1915 zu Florenz; italienischer Sänger (Tenor), studierte in seiner Heimatstadt am Centro di Avviamento al Teatro Comunale und debütierte 1946 in Mailand anläßlich der Sommerstagione der Scala als Radames. Bald darauf trat er an den großen italienischen Opernbühnen auf; zahlreiche Gastspiele führten ihn auch ins Ausland. Sein Repertoire umfaßt neben den traditionellen Rollen aus Opern des 19. Jh. eine Reihe Partien aus zeitgenössischen Werken, u. a. Peter Grimes von Britten, Strawinskys Oedipus Rex und Tom Rakewell (*The Rake's Progress*) sowie den Hauptmann (*Wozzeck* von A. Berg).

Picchi (p'ik-ki), Silvano, * 15. 1. 1922 zu Pisa; argentinischer Komponist und Musikkritiker italienischer Herkunft, kam in jungen Jahren nach Buenos Aires, studierte am dortigen Staatlichen Konservatorium Violine bei E. Napolitano und Ramos Mejía sowie Harmonielehre und Kontrapunkt bei Gaito, Alberto Ginastera, Luzzati, Gilardi und Ugarte. Er bildete sich als Komponist autodidaktisch weiter, war Lehrer am Städtischen Konservatorium in Buenos Aires und ist gegenwärtig als Musikkritiker bei der Zeitung »La prensa« tätig. P. komponierte Orchesterwerke (*Música para caballos*, 1952; Violinkonzert, 1965; Klavierkonzert, 1965; *Contrapunto all'antica*, 1968, *Euê*, Trauergesang über ein afrikanisches Thema, 1968, *Sinfonía breve*, 1970, und *Mozartiana 1971* für Streichorch., 1971), Kammermusik (Divertimento für 2 Git. und Kammerorch., 1951; *Corda XXII* für Git. und Streichquartett, 1968; Trio Nr 2 für Ob., V. und Kl., 1970), Klavierstücke (*3 microdanzas*, 1948; *10 estudios*, 1968), Orgelstücke (*5 trozos*, 1963), Gitarrenstücke, Werke für Chor und Orch. (Kantate *Ruth*, 1963), für Gesang und Instrumentalensemble (*Baladas* für A. und 6, 12 oder 24 Streicher, 1964), Chöre a cappella und Klavierlieder.
Lit.: Werkverz. in: Compositores de América XV, Washington (D. C.) 1969.

+Piccinini, Alessandro, 1566 – um 1638/39.
P. stand ab 1597 in Bologna [nicht: Rom] in Diensten des Kardinals P. Aldobrandini.
Ausg.: Opera, hrsg. v. M. Caffagni, = Antiquae musicae Ital. bibl., Monumenta Bononiensia XI, Bologna 1963ff., bisher erschienen: Bd I, 1, Intavolatura di liuto e di chitarrone Libro primo (1963; Faks.-Ausg.), I, 2, Testi per liuto (1965).
Lit.: +G. Kinsky, A. P. [erg.:] u. sein Arciliuto (1938). – O. Mischiati u. L. F. Tagliavini in: MGG X, 1962, Sp. 1235ff.

+Piccinni, Niccolò [erg.:] Vito (Nicola Vincenzo P.), 1728–1800.
P.s Studium am Conservatorio di S. Onofrio in Neapel ist nicht nachweisbar. 1758 ging er nach Rom und kehrte 1773 wieder nach Neapel zurück, wo er 2. Domkapellmeister und Leiter der königlichen Kapelle wurde. – *I viaggiatori* wurde in Paris 1775 [nicht: Neapel 1774] und +*Pénélope* 1785 in Fontainebleau uraufgeführt, in Neapel der Oratorien *Gioas* [erg.:] re di Giuda (1752) und +*La morte di Abele* (1758 [nicht: 1773 in Dresden]). P. komponierte ferner 2 Sinfonien, 4 Sonaten und eine Toccata für Cemb. sowie geistliche Vokalwerke. – Sein Sohn Luigi (Lodovico, Louis; 1766–1827) ging 1795, nach anfänglichen Opernerfolgen in Paris, als Hofkapellmeister nach Stockholm, kehrte aber 1801 nach Paris zurück. – P.s Enkel Louis Alexandre (Lodovico Alessandro; 1779–1850) leitete 1803–07 und 1810–16 in Paris das Orchester am Théâtre de la Porte-St-Martin, lehrte anschließend an der Pariser Opéra Gesang (noch bis 1836), leitete dann das Konservatorium in Toulouse und wirkte als Gesangslehrer in Straßburg.
Ausg.: Iphigénie en Tauride, Faks. d. Ausg. Paris 1781, Farnborough 1973 (mit neuer Einleitung v. A. Ford). – Sinfonia zu »La molinarella«, hrsg. v. J. Napoli, Mailand 1968.
Lit.: +G. Desnoiresterres, La musique frç. au XVIIIe s., Gluck et P. (1774–1800) (1872), Nachdr. Genf 1971; +H. Abert, Gesammelte Schriften u. Vorträge (1929), Tutzing ²1968. – W. Fischer, P., Gluck u. Mozart, Mozart-Jb. 1953; U. Prota-Giurleo, Una sconosciuta cantata di N. P. e il suo ritorno a Parigi nel 1798, Gazzetta mus. di Napoli IV, 1958; A. Mondolfi in: MGG X, 1962, Sp. 1238ff.; Bari a N. P. e il discorso di P. Mascagni del 1900, hrsg. v. A. Giovine, = Bibl. dell'Arch. delle tradizioni popolari baresi o. Nr, Bari 1964; P. Isotta, P. da »Didone«

a »Didon«, in: Lo spettatore mus. IV, 1969; J. G. Rushton, Music and Drama at the Acad. Royale de musique (Paris) 1774–89, Diss. Oxford Univ. 1969; ders., The Theory and Practice of P.sme, Proc. R. Mus. Ass. XCVIII, 1971/72; ders., »Iphigénie en Tauride«. The Operas of Gluck and P., ML LIII, 1972; E. Winternitz, A Homage of P. to Gluck, in: Studies in 18th-Cent. Music, Fs. K. Geiringer, London 1970; B. L. Karson in: MQ LVIII, 1972, S. 471ff. (zu »La cecchina ossia La buona figliuola«); M. F. Robinson, Naples and Neapolitan Opera, London 1972.

Piccioli (pit-tʃ'ɔ:li), Giuseppe, * 5. 8. 1905 zu Bologna, † 5. 10. 1961 zu Mailand; italienischer Pianist, Komponist und Klavierpädagoge, studierte am Conservatorio Statale di Musica G. B. Martini in Bologna Klavier (Giovanni Minguzzi) und Komposition (Guglielmo Mattioli, Alfano) und gab 1923 in Forlì sein Konzertdebüt. Zahlreiche Konzertreisen führten ihn durch Europa. Ab 1932 lehrte er am Conservatorio Statale di Musica G. B. Martini in Bologna, ab 1952 am Conservatorio di Musica G. Verdi in Mailand. P. komponierte u. a. die Ballette *La tarantola* (Rom 1942) und *Festa romantica* (Wien 1943), Orchesterwerke (*Siciliana su un tema del s. XVI*; *Intermezzi secenteschi* für Kammerorch.; Burleske, 1937, *Sinfonietta concertante*, 1946, und Konzert, 1950, für Kl. und Orch.), Klavierwerke (*Cantilena*), Chöre und Lieder. Ferner veröffentlichte er: *Didattica pianistica* (Mailand 1932); *Gemme pianistiche* (Como 1932); *L'arte pianistica in Italia da Clementi ai giorni nostri* (Bologna 1932); *Il concerto per pianoforte e orchestra da Mozart a Grieg* bzw. (ab der 3. Aufl.) *ai contemporanei* (Como 1936, ²1940, revidiert Mailand ³1954, ⁴1958); *Forme pianistiche* (Bologna 1939). Er gab außerdem zahlreiche Transkriptionen und Bearbeitungen von Klaviermusik heraus.

Piccioni (pit-tʃ'o:ni), Giovanni (Pizzoni, Pisoni), * um 1550 zu Rimini, † nach 1619 zu Orvieto(?); italienischer Komponist und Organist, war Maestro di musica an der Accademia dei Magnifici Signori Desiosi in Conegliano (Veneto) und wurde um 1590 Domorganist in Orvieto. Von seinen Kompositionen sind im Druck erhalten (Erscheinungsort, wenn nicht anders angegeben, Venedig): *Il 1° libro de Madrigali a 5 v.* (1577); *Il 2° libro delle Canzoni a 5 v.* (1580); *Il 3° libro delle Canzoni a 5 v.* (1582); *Il 4° libro delle Canzoni a 5 v.* (1582); *Il 1° libro delle Messe a 5 v.* (1589); *Il 4° libro de Madrigali a 5 v.* (1596); *Il 1° libro di Madrigali a 6 v.* (1598); *Il pastor fido musicale. Il 6° libro di Madrigali a 5 v.* (1602); *Concerti ecclesiastici a 1–8 v. con il suo b. seguito per org.* op. 17 (1610); *Psalmi sex 3 v. et aliae cantiones 2 et 3 v.* op. 18 (Rom 1612); *Salmi intieri a 4 v. concertati, con l'org.* op. 19 (1616); *Concerti ecclesiastici 2–4 v. Sex cum psalmis in fine. Cum b. ad org.* op. 21 (Rom 1619); ferner einzelne Werke in Sammeldrucken.
Ausg.: 4 Madrigale aus »Il pastor fido mus.«, hrsg. v. P. Ledda, = Antiquae musicae Ital. bibl., Monumenta Romandiola excerpta I, Bologna 1970.

+Pícha, František, * 3. 10. 1893 zu Řípec (Böhmen), [erg.:] † 10. 10. 1964 zu Prag.
P. wirkte als Professor am Prager Konservatorium bis 1956. – Werke: symphonische Dichtung *Noční píseň poutníkova* op. 7 (»Wanderers Nachtlied«, nach Goethe, 1924), symphonisches Allegro *Vyzvání* op. 19 (»Der Appell«, 1933), dramatische Ouvertüre *Štěpančíkovo* op. 20 (nach Dostojewskij, 1931), 2 *Slavostní pochody* op. 26 (»Festmärsche«, 1938) und symphonisches Scherzo *Píseň odvahy* op. 32 (»Lied des Mutes«, 1946) für Orch., Suite für Streicher und Gong op. 18 (1931, revidiert 1933); Violinkonzert D dur op. 36 (1960); Bläserquintett op. 31 (1944, als Suite für kleines Orch. 1953); 2 Streichquartette (op. 6, 1923, revidiert 1929;

op. 30, *Vánoční*, »Für Weihnachten«, 1943, Fassung für Streichorch. als *Vánoce*, »Weihnachten«, 1951), *Trio quasi una fantasia* für V., Va und Kl. op. 21 (1934, revidiert 1939), 2 Sonaten (op. 9, 1925; op. 25, 1937, revidiert 1943) und eine Suite op. 23 (1935, revidiert 1938) für V. und Kl.; Symphonie *Ejhle člověk!* (»Ecce homo!«) für Chor, Orch. und Org. op. 16 (1927–29, revidiert 1950), Kantaten *Živote!* op. 15 (»O Leben«, 1928) und *Panychida* op. 34 (»Totenfeier«, 1952–56), Zyklen *Z hlubokosti* (»Aus der Tiefe«) für mittlere St. und Orch. op. 17 (1928), *Ticho* (»Die Stille«) für mittlere St., V., Va und Kl. op. 22 (1930–34), 2 Sammlungen *Rodné hroudy hlas* (»Die Stimme der Heimat«) für Bar. op. 33 (1950–55) bzw. Mezzo-S. op. 35 (1932–59) mit Kl., *Drsná láska* (»Derbe Liebe«) für mittlere St. und Kl. op. 38 (1950–59), *Píseň věrnosti* (»Das Lied der Treue«) für Frauenchor und Kl. 4händig op. 37 (1958), weitere Chöre und Lieder. – Er veröffentlichte *Stručná a přehledná nauka o harmonii* (»Kurzgefaßte Harmonielehre«, Prag 1949) und *Všeobecná nauka o hudbě* (»Allgemeine Musiklehre«, ebd., 2. Aufl. als *Všeobecná hudební nauka*, ebd. 1955, 4 1964).
Lit.: Z. KUNOVÁ, Fr. P., Diplomarbeit Prag 1957, Abriß in: Miscellanea musicologica XIV, 1960, S. 75f.

+Pichl, Václav (Wenzel, Wenceslav Pichel), 23. 9. [nicht: 25. 8.] 1741 – 1805.
P. soll insgesamt etwa 900 Werke komponiert haben. Ausg.: Studienkonzert D dur f. Kb. u. Orch., hrsg. v. H. HERRMANN, = Hofmeister Studienwerke o. Nr, Lpz. 1957; eine Fuge D moll aus op. 41 in: J. POHANKA, Dějiny české hudby v příkladech, Prag 1958; Quartett E moll op. 2 Nr 4, hrsg. v. W. HÖCKNER, Locarno 1963; 2 Divertimenti f. Fl., V. u. Vc., hrsg. v. M. KLEMENT, = Musica viva hist. XXIV, Prag 1969.
Lit.: TH. STRAKOVÁ, V. P. a jeho vztah k G. B. Martinimu (»V. P. u. seine Beziehungen zu G. B. Martini«), in: Časopis moravského muzea XLVII, 1962; DIES. in: MGG X, 1962, Sp. 1249ff.; J. PEŠKOVA, V. P., žák březnické jesuitské koleje (»V. P. als Schüler d. Jesuitenkollegs in Březnice«), in: Hudební věda IX, 1972.

Pichler, Günter, * 9. 9. 1940 zu Kufstein (Tirol); österreichischer Violinist, studierte an der Akademie für Musik und darstellende Kunst in Wien bei Franz Samohyl. Er war Konzertmeister der Wiener Symphoniker (1958–60), der Wiener Solisten (1959–71) und der Wiener Philharmoniker (1961–63). 1963 wurde er Professor an der Wiener Musikhochschule (1972 außerordentlicher Professor). Seit 1970 ist P. Primarius des Alban Berg Quartetts Wien, dem Klaus Maetzl (* 1940), 2. Violine, Hatto Beyerle (* 1941), Bratsche, und Valentin Erben (* 1945), Violoncello, angehören.

+Picht-Axenfeld, Edith, * 1. 1. 1914 zu Freiburg im Breisgau.
Neben ihrer Lehrtätigkeit an der Freiburger Musikhochschule unternahm sie zahlreiche Konzerttourneen auch ins außereuropäische Ausland (Indien 1956, Brasilien 1959, Südafrika 1969) und wirkte bei verschiedenen Festspielen mit (u. a. Internationale Musikfestwochen in Luzern, Bachwoche in Ansbach, English Bach Festival in Oxford, Göttinger Händel-Festspiele).

Pick, Gustav, * 10. 12. 1832 zu Rechnitz (Burgenland), † 29. 4. 1921 zu Wien; österreichischer Jurist im Staatsdienst, trat mit einer Reihe von Wienerliedern hervor, von denen *Der Wasserer* und *Das waß nur a Weaner, was a weanerischer Walzer an Weaner all's tuat* schon vor der Uraufführung des zum »100jährigen Bestand der Wiener Fiakerzunft« (1885) komponierten *Fiakerlieds* zum Repertoire Girardis gehörten. Das Titelblatt des *Fiakerlieds* vermerkt, daß P., dessen Haus im Mittelpunkt der jüdisch-liberalen Wiener Gesellschaft stand, den Erlös aus dem Verkauf der Noten des *Fiakerlieds* der nach dem Ringtheaterbrand (1881) gegründeten »Wiener Freiwilligen Rettungsgesellschaft« gestiftet hatte.

+Pick-Mangiagalli, Riccardo, 1882–1949.
Berichtigungen und Ergänzungen zum früheren Werkverzeichnis: choreographische Handlung *Casanova a Venezia* op. 48 (1929); lyrisches Spiel *L'ospite inatteso* op. 55 (einaktig, 1932); mimische Handlung *Il salice d'oro* op. 25 (1914); monomimische indianische Legende *Sumitra* op. 38 (1923); *Notturno e rondo fantastico* für Orch. op. 28 (1914).

Picken, Laurence Ernest Rowland, * 16. 7. 1909 zu Nottingham; englischer Zoologe, Biologe und Musikforscher, studierte an der University of Cambridge (B. A. 1931, M. A. 1935, Ph. D. 1935, Sc. D. 1952), an der er als Assistant Director of Research (1946–66 für Zoologie, seit 1966 für Orientalische Musik) tätig ist. 1944–45 gehörte er der British Council Scientific Mission to China an und betrieb intensive Forschungen über chinesische Musik. Er schrieb zahlreiche Beiträge über orientalische, chinesische und japanische Musik u. a. für die »Encyclopedia Britannica« sowie für Grove und veröffentlichte ferner u. a.: *Instrumental Polyphonic Folk Music in Asia Minor* (Proc. R. Mus. Ass. LXXX, 1953/54); *The Origin of the Short Lute* (GSJ VIII, 1955); *Chiang K'uei's »Nine Songs for Yüeh«* (MQ XLIII, 1957); *The Music of Far Eastern Asia* in: Ancient and Oriental Music, hrsg. von E.Wellesz, = New Oxford History of Music I, London 1957, ital. Mailand 1962, Wiederabdruck des 1. Teiles als *Chinese Music* in: Readings in Ethnomusicology, hrsg. von D.P.McAllester, = Landmarks in Anthropology o. Nr, NY 1971); *Twelve Ritual Melodies of the T'ang Dynasty* (in: Studia memoriae B.Bartók sacra, Budapest 1957); *Three-Note Instruments in the Chinese People's Republic* (JIFMC XI, 1960); *Musical Terms in a Chinese Dictionary of the First Cent.* (JIFMC XIV, 1962); *Early Chinese Friction-Chordophones* (GSJ XVIII, 1965); *Secular Chinese Songs of the Twelfth Cent.* (StMl VIII, 1966); *Central Asian Tunes in the Gagaku Tradition* (Fs. W. Wiora, Kassel 1967); *Music and Musical Sources of the Sonq Dynasty* (Journal of the American Oriental Society LXXXIX, 1969); *A Twelfth-Cent. Secular Chinese Song in Zither Tablature* (in: Asia Major XVI, 1971, mit Bibliogr.). Außerdem gab er *A Select Bibliography of European Folk Music* (mit E.Dal, E.Stockmann und K.Vetterl, Prag 1966) heraus.

Picker, Martin, * 3. 4. 1929 zu Chicago; amerikanischer Musikforscher, studierte an der University of Chicago (Ph. B. 1947, M. A. 1951) und an der University of California in Berkeley, an der er 1960 mit einer Dissertation über *The Chanson Albums of Marguerite of Austria. Mss 228 and 11239 of the Bibliothèque Royale de Belgique, Bruxelles* (Berkeley 1965) zum Ph. D. promovierte. 1961 wurde er an der Rutgers University in New Brunswick (N. J.) Assistant Professor, 1965 Associate Professor und 1968 Professor of Music. Von seinen zahlreichen Veröffentlichungen seien genannt: *Newly Discovered Sources for »In Minen Sin«* (JAMS XVII, 1964); *L. Senfl, German Renaissance Master* (The American Choral Rev. VII, 1965); *A Letter of Charles VIII of France Concerning A.Agricola* (in: Aspects of Medieval and Renaissance Music, Fs. G. Reese, NY 1966). Er ist seit der 3. Aufl. Mitarbeiter von M.Bernsteins *An Introduction to Music* (Englewood Cliffs/N. J. 1966, 4 1972).

Picoto (pik'otu), José Carlos, * 3. 3. 1921 zu Lissabon; portugiesischer Pianist und Musikforscher, studierte am Conservatório Nacional in Lissabon und schloß ein Studium in Geschichte und Philosophie an der Faculdade de Letras der Universidad de Lisboa mit Staatsexamen ab. Er ist gegenwärtig Leiter der Seccão de Música Sinfônica e de Câmara an der Emissora Nacional. P. ist Verfasser von Zeitschriftenaufsätzen und Mitarbeiter am vorliegenden Supplement des »Riemann Musiklexikons«.

Pidoux (pid'u), Pierre, * 4. 3. 1905 zu Neuchâtel; Schweizer Organist und Musikforscher, studierte in Lausanne an der Faculté de Théologie de l'Eglise Libre (lic. theol. 1933) und gründete den Chœur J. S. Bach in Lausanne, den er 1929–48 leitete. 1933–36 studierte er am Conservatoire de Musique in Genf (Orgel bei William Montillet) und war 1933–48 Organist an der Chapelle des Terreaux in Lausanne, ab 1948 am Temple in Montreux. 1946 wurde er Dozent für Hymnologie an der Faculté de Théologie de l'Eglise Libre in Lausanne. P. schrieb zahlreiche Orgelwerke und Chorsätze für Kirchenchöre in der von ihm geleiteten *Collection de musique protestante* (Lausanne). Er veröffentlichte: *Cent cinquante pseaumes de David ... mis en musique ... par P. de l'Estocart* (Faks. der Ausg. Genf 1583, mit H. Holliger, = DMl I, 7, Kassel 1954, 5 Stimmbücher); *Le psautier huguenot du XVIᵉ s.* (I: *Les melodies*, II: *Documents et bibliographie*, ebd. 1962). Von seinen Aufsätzen seien genannt: *Les psaumes d'A. de Mornable, G. Morlaye et P. Certon (1546, 1554, 1555)* (Ann. mus. V, 1957); *Notes sur quelques éditions des psaumes de Cl. Goudimel* (Rev. de musicol. XLI/XLII, 1958); *Die Autoren der Genfer Melodien* (Jb. für Liturgie und Hymnologie V, 1960, auch in: Musik und Gottesdienst XVI, 1962); *Die geistliche Hausmusik der Reformierten* (in: Musik und Gottesdienst XIX, 1965); *Polyphonic Settings of the Genevan Psalter: Are They Church Music?* (in: Cantors at the Crossroads, Fs. W. E. Buszin, St. Louis/Mo. 1967); *L. Bourgeois' Anteil am Hugenotten-Psalter* (Jb. für Liturgie und Hymnologie XV, 1970). Ferner ist P. Mitherausgeber der →+Goudimel-GA und Herausgeber von Urtextausgaben (Orgelmusik) von Cl. Merulo, A. Gabrieli, Frescobaldi, G. Fr. Kauffmann und A. van Noordt.

+Piechler, Arthur, * 31. 3. 1896 zu Magdeburg, [erg.:] † 10. 3. 1974 zu Landau an der Isar (Niederbayern).
Von seinen Werken seien ferner genannt: Oratorien *Sursum corda* op. 18 (G. v. Le Fort, 1929) und *Das Tagewerk* op. 43 (1934); Partita für Orch. op. 48 (1935); Oper *Pedro Crespo* op. 55 (nach Calderóns »Richter von Zalamea«, Augsburg 1947); Konzert für Org. und Orch. op. 65 (1952); Konzert für 2 Org. op. 69 (1952); ferner *Mass in Honor of Saint Peter* für Soli, Chor, Org., Gemeindegesang und Bläser (1965), ein kleines Weihnachtsoratorium *Die Weihnacht* für Sprecher, Soli, Chor, Knabenchor und Orch. (1966, erweitert 1967), *Die Enтаler Liebfrauen-Messe* für Soli, Chor, Kinderchor, Gemeindegesang, Org., Orch. und alpenländische Instr. (1970), *St. Ulrich-Jubiläumsmesse* für Soli, Chor, Gemeindegesang, Org. und Orch. (1973) sowie *Kleines Tierkonzert* für 1st. Kinderchor und Kl. (oder Instrumente, 1966).
Lit.: M. Tremmel in: Musica sacra LXXXVI, 1966, S. 227ff.

Piel, Emma (geborene Detry), * 2. 1. 1897 zu Dison (Lüttich), † 2. 6. 1973 zu Brüssel; belgische Sängerin (Sopran) und Gesangspädagogin, begann nach Klavier- und Gesangsstudien 1919 eine Karriere als Lied- und Konzertsängerin, die sie 1955 beendete. 1939–57 lehrte sie an der Académie de Musique in Woluwe-Saint-

Lambert (Brabant). 1953 gründete sie das Trio Vocal de Bruxelles, das sich besonders der Aufführung unbekannter Werke des 17. und 18. Jh. sowie zeitgenössischer Kompositionen widmete. E. P. trat auch als Musikschriftstellerin und -kritikerin hervor. Sie war Mitarbeiterin am vorliegenden Supplement des »Riemann Musiklexikons«.

+Pierekin de la Coupele, 2. Hälfte 13. Jh.
Lit.: +Fr. Gennrich, Grundriß einer Formenlehre d. ma. Liedes (1932), Nachdr. Tübingen 1970; +A. Långfors, Mélanges de poésie lyrique frç. VII, in: Romania LXIII [nicht: LXII], 1937.

+Pierné, – 1) Henri-Constant-Gabriel, 1863–1937.
Lit.: R. Dumesnil in: Antares V, 1957, Nr 7, S. 52f.; J. Bruyz in: SMZ CIII, 1963, S. 141ff.; H. Tribout de Morembert in: Les amis de Metz 1963, Nr 7, S. 1ff.

+Piero (P. di Firenze, Magister P.), 14. Jh.
Zwischen 1330 und 1350 wirkte P. zusammen mit Jacopo da Bologna und Giovanni da Cascia für die Visconti in Mailand und die Scaligeri in Verona. Er komponierte als erster 2st. kanonische Madrigale und 3st. Cacce.
Ausg.: GA in: The Music of 14th-Cent. Italy II, hrsg. v. N. Pirrotta, = CMM VIII, 2, (Rom) 1960. – +Fourteenth Cent. Ital. Cacce (W. Th. Marrocco, = The Mediaeval Acad. of America Publ. XXXIX, 1942), revidiert Cambridge (Mass.) 1961; Ital. Secular Music by Magister P., Giovanni da Firenze, Jacopo da Bologna, hrsg. v. Dems., = Polyphonic Music of the 14th Cent. VI, Monaco 1967.
Lit.: +J. Wolf, Gesch. d. Mensuralnotation (1904), Nachdr. Hildesheim u. Wiesbaden 1965 (3 Bde in 1). – K. v. Fischer, Zur Entwicklung d. ital. Trecento-Notation, AfMw XVI, 1959; Ders., On the Technique, Origin, and Evolution of Ital. Trecento Music, MQ XLVII, 1961; Ders. in: MGG X, 1962, Sp. 1261ff.; N. Pirrotta, P. e l'impressionismo mus. del s. XIV, in: L'Ars nova ital. del Trecento, Kgr.-Ber. Certaldo 1962; M. L. Martinez, Die Musik d. frühen Trecento = Münchner Veröff. zur Mg. IX, Tutzing 1963; K. Toguchi, Studio sul Cod. Rossiano 215 della Bibl. Vaticana, Annuario dell'Istituto giapponese di cultura I, (Rom) 1963.

Pierquin de Thérache → Thérache, Pierquin de.

Pierre (pjɛːr), Francis, * 9. 3. 1931 zu Amiens; französischer Harfenist, ausgebildet am Pariser Conservatoire, Soloharfenist des Orchestre de Paris und der Vereinigungen Domaine Musical, Ars Nova (Constant) und Musique Vivante, konzertierte u. a. in Darmstadt und Donaueschingen sowie bei den Festspielen in Berlin, Venedig, Warschau, Zagreb, Aix-en-Provence und Montreux. Als Solist setzt er sich vor allem für zeitgenössische Musik ein.

Pierre (pjɛːr), Odile (verheiratete Villisech), * 12. 3. 1932 zu Pont-Audemer (Eure); französische Organistin, studierte am Pariser Conservatoire in den Klassen von Dupré (Iᵉʳ prix d'orgue et improvisation 1955), Duruflé (Iᵉʳ prix d'harmonie 1956), N. Gallon (Iᵉʳ prix de fugue 1959) und Dufourcq (Iᵉʳᵉ médaille d'histoire de la musique) sowie 1955 und 1957 an der Accademia Musicale Chigiana in Siena bei Germani. 1959–70 war sie Professor für Orgel und Musikgeschichte am Conservatoire in Rouen und wurde 1969 Titulaire du grand'orgue an der Kirche Madeleine in Paris. Sie hat zahlreiche Gastkonzerte in verschiedenen europäischen Ländern gegeben. O. P. hat sich besonders um die Orgelmusik von Saint-Saëns und Messiaen verdient gemacht.

+Piersig, Fritz, * 22. 12. 1900 zu Aschersleben (Harz) [nicht: Bremen].
P. wurde 1938 Musikreferent des Landeskulturwalters [nicht: Reichspropaganda-Amtes] Oldenburg. – Er

edierte eine Festschrift für F. Oberborbeck (= Beitr. zur westfälischen Musikgeschichte VI, Wolfenbüttel 1970).

+Pierson, Heinrich Hugo, 1815–73.
Lit.: N. Temperley, H. H. P., MT CXIV, 1973 – CXV, 1974.

Piesker, Rüdiger (Pseudonym Rolf Cardello), * 10. 6. 1923 zu Berlin; deutscher Dirigent und Komponist von Unterhaltungsmusik, studierte 1946–53 Dirigieren, Klavier, Trompete und Komposition an der Hochschule für Musik in Berlin. Seit 1955 ist er beim RIAS Berlin angestellt, wo er Produzent der Abteilung Tanzmusik und Orchesterleiter ist. Daneben ist P. als Dirigent für Schallplattenaufnahmen verschiedener Firmen sowie für Fernsehunterhaltungssendungen tätig. Er schrieb Kompositionen und Bearbeitungen auf dem Gebiet der Unterhaltungsmusik.

Pietkin (pjɛtkˈɛ̃), Lambert-Jean (Pietquain), * 22. 6. 1613 und † 26. 9. 1696 zu Lüttich; wallonischer Komponist, war Schüler von L. de Hodemont in der Maîtrise der Kathedrale St-Lambert in Lüttich und Stipendiat in Toledo (1629). Er wurde 1630 2., 1632 1. Organist, 1640 Sous-maître de chant und 1644 Maître de chant an der Kathedrale St-Lambert in Lüttich. 1674 trat er in den Ruhestand und überließ seinen Posten seinem Schüler Lamalle. Von ihm erhalten sind 2 Sonaten für 4 Instr. und B. c. (D moll und D dur) sowie eine Reihe von Motetten.
Lit.: J. Quitin, L. P., Maître de chant de l'église cathédrale de St-Lambert, à Liège, 1613–96, RBM VI, 1952; ders., Orgues, organiers et organistes de l'église cathédrale Notre-Dame et St-Lambert, à Liège, aux XVIIe et XVIIIe s., Bull. de l'Inst. archéologique liégeois LXXX, 1967.

+Piéton, Loyset (Louys; andere Namensformen nicht nachweisbar), 16. Jh. [del. frühere Geburtsangaben].
P.s Werke, hauptsächlich verlegt bei J.Moderne in Lyon und bei A. Gardano in Venedig (vermutlich hielt sich P. auch in Italien auf), erschienen etwa zwischen 1530 und 1570.
Ausg.: 6st. Motette »O beata infantia«, in: P. Attaingnant, Treize livres de motets III, hrsg. v. A. Smijers, Monaco 1936; dass. in: A. Willaert, Opera omnia III, hrsg. v. H. Zenck, = CMM III, 3, (Rom) 1950.
Lit.: L. Finscher in: MGG X, 1962, Sp. 1268f.

Pietrequin (pjɛtrɔˈkɛ̃), Guillaume, französischer Musiker, wurde 1502 Clerc de matines an Notre-Dame in Paris, 1504 Kapellsänger an der Maîtrise in Langres und 1517–28 Maître de la psallette an St-Seurin in Bordeaux. Von ihm sind 7 3st. Chansons erhalten, die manchmal fälschlich P. de la Rue zugeschrieben wurden.
Lit.: Fr. Lesure, La maîtrise de Langres au XVIe s., Rev. de musicol. LII, 1966.

+Pietri, Giuseppe, 1886–1946.
Lit.: R. Carli, G. P., cantore dei goliardi, Livorno 1956.

+Pietzsch, Gerhard, * 2. 1. 1904 zu Dresden.
P., der freischaffend weiterhin in Kaiserslautern lebt, beendete seine im Auftrag der Mainzer Akademie der Wissenschaften und der Literatur unternommenen Forschungsarbeiten 1961. – +Die Klassifikation der Musik ... (1929) und +Die Musik im Erziehungs- und Bildungsideal ... (1932), Nachdr. = Libelli Bd 236 und 248, Darmstadt 1968–69; +Zur Pflege der Musik an den deutschen Universitäten ... (1936–42), Nachdr. ebd. und Hildesheim 1971; +Orgelbauer, Organisten und Orgelspiel in Deutschland ... (Mf XI, 1958 – [erg.:] XIII, 1960). – An neueren Veröffentlichungen seien erwähnt: Quellen und Forschungen zur Geschichte der Musik am kurpfälzischen Hof zu Heidelberg bis 1622 (= Akademie der Wissenschaften und der Literatur zu Mainz, Abh. der geistes- und sozialwissenschaftlichen Klasse, Jg. 1963, Nr 6); Fürsten und fürstliche Musiker im mittelalterlichen Köln (= Beitr. zur rheinischen Mg. LXVI, Köln 1966); Archivalische Forschungen zur Geschichte der Musik an den Höfen der Grafen und Herzöge von Kleve-Jülich-Berg (Ravensberg) bis ... 1609 (ebd. LXXXVIII, 1971); Die Beschreibungen deutscher Fürstenhochzeiten von der Mitte des 15. bis zum Beginn des 17. Jh. als musikgeschichtliche Quellen (AM XV, 1960); Musik in Reichsstadt und Residenz am Ausgang des Mittelalters (Jb. für Geschichte der oberdeutschen Reichsstädte XII/XIII, 1966/67); Von der Zuverlässigkeit literarischer und archivalischer Quellen des späten Mittelalters (in: Musicae scientiae collectanea, Fs. K. G. Fellerer, Köln 1973).

+Pijper (pˈeipɔr), Willem [erg.:] Frederik Johannes, 1894 – 18. [nicht: 19.] 3. 1947.
+3. Symphonie (1926 [nicht: 1927]); +Violinkonzert (1939 [nicht: 1938]); von der Musik zu +Antigone liegen 3 Fassungen vor (1920, 1922, 1926). – +De quintencirkel (1929), 4. erweiterte Aufl. = Renzensalamanders XIX, Amsterdam 1964.
Lit.: W. C. M. Kloppenburg, Thematisch-bibliogr. cat. v. de werken v. W. P., Assen 1960. – Sonder-H. W. P., = Sonorum speculum 1967, Nr 30. – verschiedene Beitr. in: Mens en melodie XII, 1957, S. 66ff., XVII, 1962, S. 173ff., XXIV, 1969, S. 194ff., sowie XXVII, 1972, S. 65ff. u. 145ff. – W. H. Thijsse, W. P. en Beethoven, Fs. K. H. Kossman, Den Haag 1958; J. Wouters in: The Chesterian XXXIII, 1959, S. 124ff.; P. Dickinson, The Instr. Music of W. P., MR XXIV, 1963; A. van Gilse Hooijer, P. contra van Gilse. Een rumoerige periode mit het Utrechtse muziekleven, = Grote beren V, Utrecht 1963; H. Cl. Ryker, The Symphonic Music of W. P., Diss. Univ. of Washington 1971.

Pikajsen, Wiktor Alexandrowitsch, * 15. 2. 1933 zu Kiew; russisch-sowjetischer Violinist, absolvierte als Schüler von D. Oistrach 1957 das Moskauer Konservatorium und vervollkommnete sich dort bis 1960 als Aspirant. Er erhielt u. a. 1955 den 5. Preis beim Concours musical international Reine Elisabeth in Brüssel, 1957 den 2. Preis beim Concours international de piano et violon M.Long–J.Thibaud in Paris, 1958 den 2. Preis beim Tschaikowsky-Wettbewerb in Moskau und 1965 den 1. Preis beim Concorso internazionale di violino N.Paganini in Genua. Seit 1960 ist er Solist bei der Staatlichen Moskauer Philharmonie. Zahlreiche Gastspielreisen führten ihn in verschiedene europäische Länder.

+Pilarczyk, Helga Käthe, * 12. 3. 1925 zu Schöningen (Niedersachsen).
Bis 1967 war sie Mitglied der Hamburgischen Staatsoper (Kammersängerin 1961), daneben zeitweise auch der Deutschen Oper am Rhein Düsseldorf–Duisburg. Seitdem geht sie Gastverpflichtungen nach und ist weiterhin als Konzertsängerin tätig. Internationale Anerkennung fand sie vor allem als Interpretin von Partien in Werken Schönbergs (Erwartung, Pierrot lunaire, Von heute auf morgen) und Bergs (Wozzeck, Lulu), mit denen sie an bedeutenden Bühnen Europas (u. a. Bayerische Staatsoper München, Staatsoper Wien, La Scala in Mailand, Opéra in Paris, Covent Garden Opera in London), der USA (u. a. Metropolitan Opera in New York) sowie bei verschiedenen Festspielen (u. a. Berliner Festwochen, Holland Festival, Glyndebourne und Edinburgh Festival) auftrat. Darüber hinaus sang sie in Werken von K.-B.Blomdahl, Dallapiccola, Henze, Honegger, Křenek, Prokofjew, Schreker, Strawinsky, und war die Protagonistin der 1967 entstandenen deutschen Fernsehaufzeichnung von Janáčeks »Die Sache

Makropulos«. Sie schrieb den Beitrag *Kann man die moderne Oper singen?* (in: Opernwelt V, 1964, auch in: Kgr.-Ber. »Zeitgenössisches Musiktheater« Hbg 1964).

Piḷati, Mario, * 16. 10. 1903 und † 10. 12. 1938 zu Neapel; italienischer Komponist, studierte bei Antonio Savasta in Neapel und lehrte 1924–26 am Istituto Musicale M. De Candia in Cagliari, dann am Conservatorio di Musica G. Verdi in Mailand und 1930–33 am Conservatorio di Musica S. Pietro a Majella in Neapel. Sein kompositorisches Schaffen war von Pizzetti beeinflußt. Er schrieb Orchesterwerke (Notturno, 1923; *Tre pezzi,* 1925; Suite für Kl. und Streicher, 1925; *Quattro canzoni popolari italiane* für kleines Orch., 1933), Kammermusik (Klavierquintett, 1928; Streichquartett, 1930; *Aria* für Vc. und Kl., 1932; Divertimento für 3 Trp., 4 Hörner und 2 Pos., 1932), Klavierstücke (*Minuetto-novelletta,* 1921; *Entrata alla ciaccona,* 4händig, 1926; *Tre studi,* 1932; *Due pezzi facili,* 1932) und Vokalwerke (*Dialogo di marionette* für Gesang und Kl., 1922; 6 Madrigale zu 5 und 6 St., 1923; *La sera* für Frauen-St. und Orch., 1927; *Il battesimo di Cristo* für Soli, Chor und Orch., 1927; *La tartaruga* für Gesang und Kl., 1934).
Lit.: G. M. GATTI, Aspetti della situazione mus. in Italia, Rass. mus. V, 1932; G. GAVAZZENI, Disegno di M. P., ebd. XII, 1939.

+Pilkington, Francis, um 1562 – 1638.
Ausg.: +The First Booke of Songs (G. E. P. ARKWRIGHT, London 1898), Nachdr. NY 1969; +dass. (Teil I) (E. H. FELLOWES, 1907), revidiert v. TH. DART, = The Engl. Lute Songs I, 7 u. 15, London 1971; +GA d. Madrigale (E. H. FELLOWES, ebd. 1923), revidiert v. DEMS., = The Engl. Madrigalists XXV–XXVI, ebd. 1958–59; d. +6st. Satz aus »The Triumphes of Oriana«, nach E. H. FELLOWES revidiert v. DEMS., ebd. XXXIII, 1963. – Complete Works f. Solo Lute, hrsg. v. BR. JEFFERY, = Music f. the Lute III, ebd. 1970. – Lyrics from Engl. Airs, 1596–1622, hrsg. v. E. DOUGHTIE, Cambridge (Mass.) 1970 (kritische Ausg. d. Texte zu »The First Booke of Songs or Ayres«, 1605).
Lit.: +E. H. FELLOWES, The Engl. Madrigal Composers (1921, ²1948), Nachdr. London 1958. – R. NEWTON, The Lute Music of Fr. P., The Lute Soc. Journal I, 1958.

+Pillney, Karl Hermann, * 8. 4. 1896 zu Graz.
An der Kölner Musikhochschule wirkte P. bis 1961 (ab 1940 als Professor). An weiteren Kompositionen seien genannt: parodistische Variationen *Eskapaden eines Gassenhauers* für Orch. (1945, Fassung für Kl. 4händig 1960); Divertimento für 4 Holzbläser und Kl. (1962); Divertimento für Kl., Bläserquintett und Streichorch. (1966); lyrische Suite *Impressionen* für Orch. (1967); Sinfonia und Quadrupelfuge über *Aus tiefer Not* für Orch. (1967, auch für Org.); weitere Bearbeitungen (u. a. Quadrupelfuge aus Bachs *Kunst der Fuge* für Orch., 1968).

+Piltti, Lea Maire (P.-Killinen), * 2. 1. 1904 zu Rautjärvi (Karelien).
L. P., die 1954 in Helsinki letztmals öffentlich auftrat, ist seit 1961 als Gesangslehrerin am Konservatorium in Turku, seit 1966 auch am Konservatorium in Lahti tätig.

Pimsleur (pˈimzlə:), Solomon, * 19. 9. 1900 zu Paris, † 22. 4. 1962 zu New York; amerikanischer Komponist und Pianist, studierte in New York bei Maurice Arnold privat, bei D. Gr. Mason an der Columbia University (M. A. in englischer Literatur 1923) und 1926 bei R. Goldmark an der Juilliard School of Music sowie 1929 in Salzburg am Mozarteum. Er lehrte in New York Klavier und Komposition (Music Doctor h. c. 1940) und gab zahlreiche Konzerte in den USA. P. komponierte u. a. die Oper *Reign of Terror* op. 45

(1943), Orchesterwerke (*Symphony to Disillusionment* op. 25, 1928; *Symphony to Terror and Despair* op. 55, 1947; *Poetical Symphony* op. 70, 1951; *Symphony to the Struggle for Existence* op. 80, 1954; *Overture to the Martyrdom of Ann Frank* op. 90, 1956), Kammermusik (Streichsextett *Heart Rending Sonata* op. 77, 1952; Streichquintett *Philosophical Sonata* op. 95, 1957; 6 Streichquartette, *Lofty Sonata* op. 12, 1922–31, *Poignant Sonata* op. 13, 1923–39, *Beethovenesque Sonata* op. 28, 1931, *Eloquent Sonata* op. 54, 1945, *Melancholy Sonata* op. 56, 1946, und *Imaginative Sonata* op. 88, 1955; Klaviertrio *Fiery Sonata* op. 19, 1926; *Rhapsodic Suite* für V. und Kl. op. 41, 1938), Klavierwerke (*Virile Sonata* op. 2, 1917–29; *Soaring Sonata* op. 86, 1955; *Sonnet-Tableau* op. 101, 1960, und *Philosophical Poems* op. 103, 1960, für 2 Kl.), *Splendid Sonata* für Org. op. 59 (1947), *Piquant Sonata* für Git. op. 99 (1958) und Vokalwerke (Oratorien *Hast Thou Conquered' Galilean?* (*Vicisti, Galilee?*) für S., T., Chor und Orch. op. 31, 1926–33, und *Pageant of War Sonnets* für Chor und Orch. op. 51, 1945; Kantaten *The Silver Salver* für Vokalquartett, Klar. und Streichquartett op. 68, 1949, *Preamble: To the Charter of the United Nations* für S., Chor und Orch. op. 75, 1952, und *Summa* für A., Bar. und kleines Orch. op. 78, 1952; *3 War Songs* für hohe St. und Orch. op. 97, 1957; *Twelve Songs to the Poetry of P. B. Shelley* op. 17, 1924).
Lit.: Werkverz. in: Composers of the Americas XIII, Washington (D. C.) 1967.

Pinchard (pɛ̃ˈʃaːr), Max, * 21. 7. 1928 zu Le Havre; französischer Komponist und Musikschriftsteller, Schüler von Migot und Albert Beaucamp, ist Professor für Musikgeschichte am Konservatorium von Rouen. Er schrieb u. a. 2 Symphonien (1961 und 1965), *Quadruple,* symphonischer Satz für Orch. (1969), ein Cembalokonzert (1969), ein Doppelkonzert für Va, Vc. und Streichorch. (1969), *Karma* für Klar. und Streichorch. (1971), Kammermusik (*Divertissement d'été* für Fl., V., Vc. und Kl., 1961; *Tombeau de Marin Marais* für Fl., V., Va da gamba und Spinett, 1967; 4 Inventionen für 2 Vc., 1960; *Prélude, cadence et final* für Vc. und Kl., 1965; *Prélude et danse* für Va und Vc., 1966; *Sonate concertante* für Fl. und Kl., 1967), das Funkoratorium *Tombeau de Federico García Lorca* für Sprecher, Vokalensemble, Fl., Klar., Trp., Vc., Schlagzeug und Kl. (1960), *Office pour une communauté paroissiale* für 2 St. und Org. (1960), *Le fruit partagé,* Kantate für Chor, einen Solisten und Streichorch. (Text vom Komponisten, 1969) sowie weltliche und geistliche Chöre und Lieder. Neben einer Reihe von Zeitschriftenaufsätzen (vor allem in »Musica« [Disques]) schrieb er u. a.: *Introduction à l'art musical* (= Vous connaîtrez o. Nr, Paris 1957, revidiert 1965); *Connaissance de G. Migot, musicien français* (1959); *À la recherche de la musique vivante. Chefs-d'œuvre de la musique commentée* (2 Bde, ebd. 1967–69). P. ist auch als Herausgeber älterer Musik hervorgetreten.

+Pincherle, Marc, * 13. 6. 1888 zu Constantine (Algerien), [erg.:] † 20. 6. 1974 zu Paris.
+*A. Vivaldi et la musique instrumentale* (1948), Nachdr. NY 1968 (2 Bde in 1); +*Les instruments du quatuor* (= Que sais-je? Bd 272, 1948), Paris ²¹958, ³¹970); +*L'orchestre de chambre* (= Formes, écoles et Œuvres musicales o. Nr, 1948), ital. = Piccola bibl. Ricordi XXI, Mailand 1963, ungarisch = Bibl. musica XI, Budapest 1963; +*Corelli et son temps* (= Amour de la musique o. Nr, 1954), Paperbackausg. der +engl. Ausg. (1956) NY 1968; +*Vivaldi* (ebd., 1955), Paperbackausg. der +engl. Ausg. (1957) NY 1962; +*A. Roussel* (1957), deutsch = Die großen Komponisten des 20. Jh. II,

Ffm. 1957; +*Histoire illustrée de la musique* (1959), engl. NY 1959, London 1960. – Weitere Veröffentlichungen: *Le monde des virtuoses* (Paris 1961, engl. NY 1963, London 1964, deutsch als *Virtuosen, ihre Welt und ihr Schicksal*, München 1964, rumänisch Bukarest 1968, japanisch Tokio 1968); *Music Creation* (= L. Ch. Elson Memorial Lecture o. Nr, Washington/D. C. 1961, Wiederabdruck in: Lectures on the History and Art of Music, hrsg. von I. Lowens, NY 1968); *Le violon* (= Que sais-je? Bd 1196, Paris 1966, ungarisch Budapest 1969, japanisch Tokio 1969); *On the Rights of the Interpreter in the Performance of 17th- and 18th-Cent. Music* (MQ XLIV, 1958); *Des manières d'exécuter la musique aux XVIIᵉ et XVIIIᵉ s.* (Kgr.-Ber. NY 1961, Bd I); *Le malentendu des concerts* (in: Liber amicorum, Fs. Ch. Van den Borren, Antwerpen 1964); *Fr. Couperin et la conciliation des »goûts« français et italiens* (in: Chigiana XXV, N. S. V, 1968); *Corelli et la France* (in: Studi corelliani, Kgr.-Ber. Fusignano 1968). – Er edierte J. B. de Boismortiers *Sonates pour fl. et clavecin* op. 91 (= Le pupitre XX, Paris 1970).

+Pinck, Louis, 1873–1940.
+*Verklingende Weisen* (1926–39), Bd IV Neudr. Kassel 1962, Bd V hrsg. von A. Merkelbach-Pinck und J. Müller-Blattau, ebd.
Lit.: J. MÜLLER-BLATTAU, Der Volksliedforscher L. P., Deutsche Sängerbundeszeitung XLIV, 1955; DERS., Die »Verklingenden Weisen« d. Dr. L. P., in: Die neue Schau 1963, wiederabgedruckt in: Von d. Vielfalt d. Musik, Freiburg i. Br. 1966; DERS., Lothringische u. pfälzische Volkslieder, Jb. f. Volksliedforschung IX, 1964; W. SUPPAN, Liedersammler im Priesterrock, in: Musica XXVII, 1973.

Pineda-Duque (pin'eḍaḍ'uke), Roberto, * 29. 8. 1910 zu Santuario (Antioquia); kolumbianischer Komponist, studierte am Instituto de Bellas Artes in Medellín sowie am Conservatorio de Música in Cali und absolvierte seine Studien bei Jachino am Conservatorio Nacional de Música der Universidad Nacional de Colombia in Bogotá, an dem er gegenwärtig Orgel und Komposition lehrt. Er schrieb Orchesterwerke (*Preludio sinfónico*, 1960; 1. Symphonie, 1961; Klavierkonzert, 1960; Violinkonzert, 1960), Kammermusik (2 Streichquartette, 1953 und 1958; Streichtrio, 1961), die Kantate *Edipo Rey* für 2 Sprecher, Sprechchor, gem. Chor und Orch. (1959) sowie Klavier- und Orgelstücke. Aus seinem kirchenmusikalischen Schaffen seien genannt: *Misa de requiem* (1941); *Misa en honor de San José* (1948); *Misa en honor de San Juan de Dios* (1955); *Missa solemnis* für 4 Solisten, Chor und Orch. (1956); *Tu gloria Jerusalem* (1959, im Auftrag der Accademia Nazionale di S. Cecilia in Rom); Oratorium *Cristo en el seno de Abraham* für Sprecher, 5 Solisten, Chor und Orch. (1961).
Lit.: Werkverz. in: Bol. interamericano de música 1961, Nr 26, S. 21ff.

Pineł, Germain, * Anfang 17. Jh.(?), † Anfang Oktober 1661 zu Paris; französischer Lautenist, gab vermutlich ab 1649 Ludwig XIV. Unterricht im Lautenspiel und war 1656–59 königlicher Lautenist und Theorbist. Als Compositeur ordinaire de la musique de la Chambre war er Mitarbeiter bei der Inszenierung der Ballets de cour. Sein Sohn Séraphin wurde 1659 sein Nachfolger. Ein anderer Sohn, François († 18. 5. 1709), war ebenfalls Theorbist (1667) und ein bekannter Lautenist. Mehr als seinen Söhnen wurden G. P. zahlreiche, mit P. signierte Kompositionen zugeschrieben, die in handschriftlichen Tabulaturen des 17. Jh. überliefert sind.
Ausg.: Gigue angloise in: Vingt suites d'orch. du XVIIᵉ s. frç., hrsg. v. J. ÉCORCHEVILLE, Paris 1906; Sarabande,

hrsg. v. CH. VAN DEN BORREN, ZfMw XIII, 1930/31, S. 556ff.
Lit.: FR. LESURE, Trois instrumentistes frç. du XVIIᵉ s., Rev. de musicol. XXXVII, 1955.

Pinelli, Aldo von, * 11. 9. 1913 zu Cervaro (Roma), † 18. 12. 1967 zu München; deutscher Schriftsteller, Film- und Hörspielautor, studierte Literaturgeschichte, war Drehbuchautor der UFA (1936–38), Tobis und Terra, Hausautor des Berliner »Kabaretts der Komiker« und ab 1945 auch Mitinhaber der »Melodiefilm«. Er veröffentlichte die Gedichtbände *Statt Blumen* (Bln 1941) und *Man trägt wieder Herz* (Linz 1947), schrieb u. a. die Drehbücher der Filme *Wir machen Musik* (1942), *Südliche Nächte* (1953) und *Schlagerparade* (1953), bearbeitete Operettenlibretti (*Die schöne Galathee* von Suppé) und verfaßte eine Reihe von Schlagertexten (*Ich hab' noch einen Koffer in Berlin*; *Die Gitarre und das Meer*, Musik Olias, 1960).

+Pingoud, Ernest, 1888–1942.
Lit.: K. MAASALO in: Suomen musiikin vuosikirja 1965–66, S. 73ff. (mit Werkverz. u. engl. Zusammenfassung.)

Pinilla (pin'iʎa), Enrique, * 3. 8. 1927 zu Lima; peruanischer Komponist, studierte am Instituto Bach, an der Academia Sas-Rosay und am Conservatorio Nacional de Música in Lima, bei Nadia Boulanger in Paris, am Conservatorio Real in Madrid (Campo y Zabaleta, Angel Arias, Calés Otero) sowie in Berlin an der Hochschule für Musik (Blacher) und bei Rufer und betrieb Studien in Elektronischer Musik bei Ussachevsky an der Columbia University in New York. 1963 erhielt er den Lehrstuhl für Musikethnologie am Conservatorio in Lima und ist seit 1964 Leiter des Departamento de Música y Cine de la Cultura del Perú und des Departamento de Actividades Culturales an der Universidad de Lima (hier seit 1968 auch Direktor der Escuela de TV y Cine). Seine Kompositionen umfassen Orchesterwerke (*Canto* Nr 1, 1963, und Nr 2, 1968; *Evoluciones* Nr 1, 1967), Kammermusik (Streichquartett, 1960; 3 Sätze für Schlagzeug und Kl., 1961), Klavierwerke (Thema und Variationen, 1954; *Estudio sobre el ritmo de la Marinera*, 1959; *Collages*, 1966), Elektronische Musik (*Prisma*, 1967), Ballett- und Filmmusik sowie zahlreiche Sololieder und Volksliedbearbeitungen.
Lit.: Werkverz. in: Compositores de América XI, Washington (D. C.) 1965.

Pink Floyd. – Roger Waters, * 6. 9. 1947 zu Great Bookham (Baßgitarre); Syd Barrett, * 6. 1. 1946 zu Cambridge (Gitarre); Nick Mason, * 27. 1. 1945 zu Birmingham (Schlagzeug); Rick Wright, * 28. 7. 1945 zu London (Orgel, Synthesizer); englische Rockmusiker, stellten 1967 zum ersten Male in Europa »Psychedelic music« mit Lightshows vor. Sie setzten im Rock die Versuche der Beatles fort und verwirklichten als erste live-elektronische Musik im Rock 'n' Roll. Auf ihrem *Ummagumma-Album* (1969) arbeitet die Band mit raummusikalischen Strukturen und Einblendungen Elektronischer Musik mit Hilfe von Reglerpulten und Rotationsmühlen. In *Atom Heart Mother* wird der Versuch unternommen, Rockgruppe, Chor und Symphonieorchester miteinander zu verbinden. – Aufnahmen (alle Electrola): *Atom Heart Mother* (SHZE 297); *The Dark Side of the Moon* (1C 062–05 249); *Meddle* (1C 062–04917); *Obscured by Clouds* (1C 062–05 054); *Relics* (1C 048–50 740); *Ummagumma* (1C 188–04 222/23).

Pinkham (p'iŋkhəm), Daniel, * 5. 6. 1923 zu Lynn (Mass.); amerikanischer Komponist und Cembalist,

studierte 1937–40 Orgel und Harmonielehre bei Pfatteicher an der Phillips Academy in Andover (Mass.), dann an der Harvard University in Cambridge (Mass.) bei Merritt, Piston und A. Davison (A. B. 1943, M. A. 1944) sowie Cembalo bei P. Aldrich und Wanda Landowska und vervollkommnete seine Orgelstudien bei Power-Biggs sowie seine Kompositionsstudien bei Barber, A. Honegger und Nadia Boulanger am Berkshire Music Center in Tanglewood (Mass.). Er konzertierte in Europa und in den USA und lehrte Musikgeschichte am Simmons College in Boston (Mass.) und Cembalo an der Boston University. 1957–58 war P. daneben Visiting Lecturer an der Harvard University. Gegenwärtig lehrt er am New England Conservatory of Music in Boston und ist Music Director der King's Chapel in Boston. Er schrieb die einaktige Kammeroper *The Garden of Artemus* (1948), Orchesterwerke (2 Symphonien, 1960 und 1963; *Catacoustical Measures*, 1962; *Signs of the Zodiac* für Sprecher und Orch., 1964; *Music for a Merry Christmas* für Kammerorch., 1971), *Concertante* Nr 1 für V., Cemb., Streicher und Celesta (1954) und Nr 2 für V. und Streicher (1958), ein Konzert für Celesta, Cemb. und Orch. (1955), 2 Violinkonzerte (1956 und 1968), Kammermusik (*Fanfare, Aria and Echo* für 2 Hörner und Pk., 1962; *Eclogue* für Fl., Cemb. und Glocken, 1965; Sonate für Klar. und Kl., 1946), Orgelmusik (2 Sonaten für Org. und Streicher, 1943 und 1954; Sonate für Org. und Blechbläser, 1946; Variationen für Ob. und Org., 1970; *5 Voluntaries* für Org. solo, 1965), zahlreiche Chorwerke (*Mass of the Word of God; Wedding Cantata*, 1956; *Christmas Cantata*, 1958; *Easter Cantata*, 1958; Requiem für S., T., Chor und Orch., 1962; Stabat mater für S., Chor und Orch., 1963; *Saint Marc Passion* für S., T., 2 B., Blechbläser, Pk., Schlagzeug, Org., Hf. und Kb., 1964; *The Seven Last Words of Christ* für T., Baßbar., Baßsoli, gem. Chor, Org. und Tonband, 1971), Gesangsstücke (*Songs of Peaceful Departure; Man That Is Born of Woman* für Mezzo-S. und Git., 1971; 2 Motetten für S. oder T., Fl. und Git., 1971) und Filmmusik.
Lit.: Werkverz. in: Composers of the Americas XII, Washington (D. C.) 1966; M. W. JOHNSON, The Choral Writing of D. P., Diss. Univ. of Iowa 1968.

Piňos (p'iɲəs), Alois, * 2. 10. 1925 zu Vyškov (Mähren); tschechischer Komponist, studierte 1949–53 an der Janáček-Musikakademie in Brünn (Kvapil), an der er 1953 Dozent wurde. Er ist Mitglied der Brünner »Gruppe A«. – Werke (nach 1960, Auswahl): Concertino für Orch. (1963); *Zkratky* (»Abkürzungen«) für Orch. (1963); Konzert für Orch. und Tonband (1964); Konzert auf den Namen BACH für Vc., Baßklar., Kl., Streichorch. und Schlagzeug (1968); *Apollo XI*, Symphonie für großes Orch. (1969); *Peripetien* für Orch. und Tonband (1969); Suite (1961) und Kammerkonzert (1967) für Streicher. – *16. leden 1969* (»16. Januar 1969«) für Klavierquintett und Pk. (1969); Streichquartett (1962); *Karikatury* (»Karikaturen«) für Fl., Baßklar. und Kl. (1962); *Paradoxa* für Kl. (1968); »*2 3 1*« für Kl. (1969); *Hyperboly* (»Hyperbeln«), 7 Stücke für Hf. (1966). – *Ludus floralis* für Baßbar., Frauenchor, Sprecherin, Schlagzeug und Tonband (Text J. Novák, 1966); Kantate *Ars amatoria* (nach Texten von Ovid) für S., Baßbar., Männerchor und Orch. (1967); *Ecce homo* für S., Baßbar., Orch. und Tonband (1969); *Hlasová vernisáž* (»Stimmenvernissage«) für S., Baßbar. und 6 Instr. (1969). – Veröffentlichungen (Auswahl): *Tónové skupiny* (»Tongruppen«, Prag 1971); *Vyvážené intervalové řady* (»Ausgeglichene Intervallreihen«, mit E. Herzog und J. Jan, in: Nové cesty hudby, hrsg. von E. Herzog, Prag 1970; mit deutscher Zusammenfassung); *Zpráva o týmových skladbách* (»Bericht über Teamworkkompositionen«, in: Hudební věda VII, 1970).
Lit.: M. ŠTĚDROŇ, Paradoxy řízené kompozice. Nad profilem A. P.e (»Paradoxien einer gesteuerten Komposition. Zu einem Profil v. A. P.«), in: Hudební rozhledy XXI, 1968.

Pintacuda, Salvatore, * 1. 1. 1916 zu Bagheria (Palermo); italienischer Musikforscher und -kritiker, studierte bei Pilati und R. Bossi am Conservatorio di Musica G. Verdi in Mailand (Diplom in Komposition). Er war 1946–50 Musikkritiker beim »Giornale di Sicilia« sowie 1948–50 Lehrer für Musikgeschichte und Bibliothekar am Conservatorio di Musica V. Bellini in Palermo. 1950 ging er in gleicher Funktion an das Istituto Musicale N. Paganini in Genua, dessen Direktion er 1964–66 innehatte. Neben Zeitschriftenbeiträgen und enzyklopädischen Artikeln veröffentlichte er: *Origini del melodramma* (Palermo 1948); *Acustica musicale* (Genua 1954, ⁵1964, NA Mailand 1972); *R. Bossi* (Mailand 1955); *Genova, Istituto Musicale N. Paganini, Biblioteca. Catalogo del fondo antico* (= Bibl. musicae, Collana di cataloghi e bibliografie IV, ebd. 1966). P. schrieb auch Kammer- und Vokalmusik.

+Pinter, Margot (Piroska Margot Hatherly Pintér), * 11. 7. 1915(?) [del.: um 1918] zu Sacramento (Calif.). M. P. lebt heute in Innsbruck, wo sie seit 1961 am Konservatorium eine Ausbildungsklasse für Klavier leitet.

Pinto, Alfredo A., * 22. 10. 1891 zu Mantua, † 26. 5. 1968 zu Buenos Aires; argentinischer Komponist, Pianist und Dirigent italienischer Herkunft, studierte in Neapel Klavier bei Longo und Florestano Rossomandi sowie Komposition bei De Nardis, unternahm ab 1913 Konzertreisen durch Italien und ließ sich dann in Argentinien nieder. Er wirkte neben einer ausgedehnten Tätigkeit als Pianist und Dirigent musikerzieherisch am Conservatorio de Música »Beethoven« in Buenos Aires, dessen Leitung er bis zu seinem Tode innehatte. P. schrieb die Opern *La última esposa o Sheherazade*, *Gualicho* (Buenos Aires 1949), *Beffe e botte* und *Bolera*, Ballette (*El Pillán*, Buenos Aires 1949), Orchesterwerke (*Pezzo da concerto* für Kl. und Orch., 1922; Symphonische Dichtungen *Nostalgias*, 1929, *Eros*, 1930, und *Rebelión*, 1939), Kammermusik (Klaviertrio *Campera*), Klavierstücke, *La venganza de la luna* für S. und Orch. (1934), Chöre und Lieder.
Lit.: Werkverz. in: Compositores de América XIV, Washington (D. C.) 1968.

+Pinza, Ezio [erg.:] Fortunato, 1892–1957. Posthum erschien *E. P., an Autobiography* (mit R. Magidoff, NY 1958).
Lit.: P. VERDUCCI, The First P. Discography, NY 1957; R. B. RICHARDS in: Le grandi v., hrsg. v. R. Celletti, = Scenario I, Rom 1964, Sp. 641ff. (mit Diskographie).

Pinzón Urrea (pinθ'on urr'ea), Jesús, * 10. 8. 1928 zu Bucaramanga; kolumbianischer Komponist, Dirigent und Musikethnologe, promovierte am Conservatorio Nacional de Música der Universidad de Colombia in Bogotá, an dem er gegenwärtig Musikgeschichte und Folklore lehrt. Er ist Präsident der kolumbianischen Gesellschaft für Autorenrechte, Direktor der Musikabteilung der Fundación Universidad de América und Mitglied des Centro de Estudios Folklóricos y Musicales der Universidad Nacional de Colombia. Daneben leitet er das Philharmonische Orchester von Bogotá. Seine Kompositionen umfassen Orchesterwerke (Symphonie Nr 1, 1966, und Nr 2, *Eucarística*, für gem. Chor und Orch., 1971), Kammermusik (*Motivos y*

transformaciones für Bläserquintett, 1967; *Rítmica* für Fl., Kl. und Kb., 1971), eine Toccata für Kl. 4händig (1967) sowie *Envío* (1969), Toccata (1970) und *Liberación* (1971) für Chor a cappella. Er veröffentlichte: *Rítmica y melódica del folklore chocoano* (mit A. Pardo Tovar, = Monografías del Centro de estudios folklóricos y musicales II, Bogotá 1961); *La heterofonía en la música de los Indios Cunas de Darien* (mit L. Espinosa, ebd. 1962); *La música vernácula del altiplano de Bogotá* (Bol. interamericano de música, 1970, Nr 77).
Lit.: Werkverz. in: Compositores de América XVII, Washington (D. C.) 1971.

+Pipelare, Matthaeus (Mathieu, Matheeus Pipelaere, Pippelare), 15./16. Jh.
Ausg.: Opera omnia, 3 Bde, hrsg. v. R. Cross, = CMM XXXIV, (Rom) 1966–67 (Bd I: Chansons u. Motetten, II: Credo u. 4 Messen, III: 5 Messen).
Lit.: +G. Reese, Music in the Renaissance (1954), revidiert NY 1959. – R. Cross, M. P., A Hist. and Stylistic Study of His Work, 2 Bde (I Text, II Übertragung), Diss. NY Univ. 1961; Ders. in: MD XVII, 1963, S. 97ff.; Ders., The Chansons of M. P., MQ LV, 1969; H. Hewitt, »Fors seulement« and the C. f.-Technique of the 15th Cent., in: Essays in Musicology, Fs. Dr. Plamenac, Pittsburgh (Pa.) 1969.

Pipkov, Lubomir (Ljubomir) Panajotov, * 6.(19.) 9. 1904 zu Loveč, † 9. 5. 1974 zu Sofia; bulgarischer Komponist und Dirigent, Sohn von Panajot P., studierte an der Musikakademie in Sofia und 1926–32 bei Dukas an der Ecole Normale de Musique in Paris. Ab 1932 war er nacheinander Korrepetitor, Chordirigent und Direktor (1944–47) an der Nationaloper in Sofia. 1948 wurde er Professor für Interpretation der Gesangsklassen des Sofioter Konservatoriums. P. war 1946–56 Präsident des bulgarischen Komponistenverbands. 1947 gründete er die Musikzeitschrift *Bâlgarska muzika*. Seine Kompositionen umfassen u. a. die Opern *Janinite devet bratja* (»Janas 9 Brüder«, Sofia 1937), *Momčil* (ebd. 1948) und *Antigona 43* (ebd. 1963), 4 Symphonien (Nr 1, 1942; Nr 2, 1954; Nr 3 für 2 Kl., Streicher und Schlagzeug, 1965; Nr 4 für Streichorch., 1969), Konzerte für V. und Orch. (1951), Kl. und Orch. (1954) und Klar. und Orch. (1969), eine Symphonie concertante für Vc. und Orch. (1963), Kammermusik (3 Streichquartette, 1928, 1948 und 1966; Klaviertrio, 1930; Sonaten für V. und Kl., 1929, bzw. V. solo, 1969), Klavierwerke (*Tableaux et études métrorythmiques*, 1972; *Suggestions printanières*, 16 pièces métrorythmiques, 1972), Vokalwerke (*Svatba*, »Hochzeit«, für gem. Chor und Orch., 1936; *Oratorija za našeto vreme*, »Oratorium unserer Zeit«, für Chor, Kinderchor, Baßbar., Sprecher und Orch., 1959; Chor- und Sololieder) und Filmmusik.
Lit.: K. Iliev, L. P., Sofia 1958; Kr. Angelow in: SM XXIX, 1965, H. 8, S. 131ff.; L. Braschowanowa in: MuG XV, 1965, S. 268ff.; L. Dinolov, Metrični kompleksi v sonatata za cigulka i piano ot L. P. (»Metrische Komplexe in d. Sonate f. V. u. Kl. v. L. P.«), in: Bâlgarska muzika XVIII, 1967; Ders., Autorskite interpretacii na L. P. (»L. P.s eigene Interpretationen«), ebd. XIX, 1968; Ders., Problemi na interpretacijata v klavirnoto tvorčestvo na L. P. (»Interpretationsprobleme im Kl.-Werk v. L. P.«), ebd. XX, 1969; St. Lazarov in: Bâlgarska muzika XIX, 1968, H. 9, S. 3ff. (zum Klar.-Konzert); K. Karapetrov, ebd. XX, 1969, H. 6, S. 15ff. (zu »Momčil«); L. Koen, L. P., Sofia 1969; M. Kostakeva, Pretvorjavaneto na folklora v tvorčestvoto na L. P. (»Die Wiedergabe d. Folklore im Werk v. L. P.«), in: Bâlgarska muzika XX, 1969; Dies. in: SM XXXVI, 1972, H. 6, S. 107ff. (zu »Janinite devet bratja«); I. Veznev, Simfonite na L. P. i tvorčeskata mu evoljucija (»Die Symphonien v. L. P. u. seine schöpferische Entwicklung«), in: Bâlgarska muzika XX, 1969; Ders., Pogled vârchu simfonite na L. P. (»Ein Blick auf d. Symphonien v. L. P.«), ebd. XXII, 1971; K. Ganev, Nov klavi-

renalbum ot L. P. (»Ein neues Kl.-Album v. L. P.«), ebd.; R.-M. Kozucharova, ebd. H. 2, S. 27ff. (zur Sonate f. V. solo).

Pipkov, Panajot Christov, * 21. 11. (3. 12.) 1871 zu Plovdiv, † 25. 8. 1942 zu Sofia; bulgarischer Komponist und Dirigent, studierte ab 1893 am Mailänder Konservatorium und wirkte ab 1899 als Dirigent verschiedener Musikgesellschaften zunächst in Varna und Ruse, später in Sofia. 1920–21 war er Chordirigent an der Nationaloper in Sofia und leitete 1924–30 die Blaskapelle der Städtischen Polizei in Sofia. P. gilt als einer der Wegbereiter der bulgarischen Musik im ersten Viertel des 20. Jh. Er schrieb die Oper *Ruska* (1927, verloren), die Kinderoperetten *Deca i ptički* (»Kinder und Vögel«, 1909) und *Šturec i mravka* (»Die Grille und die Ameise«, 1910), Klavier- und Violinstücke, Chorlieder, Bühnenmusik sowie Bearbeitungen von Volksliedern und Märsche für Blasorchester.
Lit.: L. Pipkov in: Bâlgarska muzika XXII, 1971, H. 9, S. 22ff.

Gustav Pirazzi & Comp., Musiksaiten- und Catgutfabrik in Offenbach am Main, gegründet 1798 von Giorgio P., einem Flüchtling aus Italien. Moderne Fabrikationsmethoden mit eigens konstruierten Maschinen wurden von Gustav P. eingeführt. Die Firma wird heute geleitet von Hermann P. (Inhaber) und Oskar Schuster (Direktor). Zu den Kunden des Hauses zählte Paganini.
Lit.: Offenbach heute u. morgen, hrsg. v. Magistrat d. Stadt Offenbach, Offenbach 1962, H. 12.

Pirchan, Emil, * 27. 5. 1884 zu Brünn, † 20. 12. 1957 zu Wien; österreichischer Bühnenbildner, studierte bei dem Architekten Otto Wagner an der Akademie der bildenden Künste in Wien und übersiedelte 1908 nach München, wo er ein Atelier für Gebrauchsgraphik und 1913 eine Plakatschule gründete. Er wurde 1918 Ausstattungsleiter der Bayerischen Staatstheater in München (*Christelflein* von Pfitzner, 1919) und arbeitete gleichzeitig am Berliner Staatlichen Schauspielhaus, wo er für Leopold Jessners Inszenierungen von Schillers *Wilhelm Tell* (1919) sowie Shakespeares *Richard III.* (1920) und *Othello* (1921) stilbildende expressionistische Bühnenbilder schuf. 1921–32 war er Ausstattungsleiter der Berliner Staatstheater (*Josephslegende* von R. Strauss, 1921; *Jenufa* von Janáček, 1924; *Der ferne Klang* von Schreker, 1925; *Boris Godunow*, 1926; »Der Troubadour«, 1927; *Der Ring des Nibelungen*, 1927–29) und 1932–36 am Prager Deutschen Theater (»Die Hochzeit des Figaro«, 1932; *Don Giovanni*, 1933; »Katerina Ismajlowa« von Dm. Schostakowitsch, 1936), wirkte 1936–48 als Bühnenbildner am Wiener Burgtheater, gelegentlich auch an der Wiener Staatsoper (*Dalibor* von Smetana, 1938) und leitete 1937–57 die Bühnenbildnerklasse an der Wiener Akademie der bildenden Künste. P. war Gastbühnenbildner an zahlreichen in- und ausländischen Theatern. Er veröffentlichte: Bühnenbrevier (Wien 1938); *Bühnenmalerei* (ebd. 1946, Ravensburg ²1950); *2000 Jahre Bühnenbild* (Wien 1949); *Maskemachen und Schminke* (Ravensburg 1951); *Kostümkunde* (ebd. 1952); *300 Jahre Wiener Operntheater. Werk und Werden* (mit A. Witeschnik und O. Fritz, Wien 1953). – Über die Lösungen A. →Appias und Edward Gordon Craigs hinausgehend, konzipierte P. die Bühne anfangs als antiillusionären Raum, der ausschließlich dazu diente, das Interesse auf die theatralische Aktion zu konzentrieren, und reduzierte die Bühnengestaltung auf beherrschende Symbole (berühmtes Beispiel: die »Tell«-Treppe). Später sicherte er seine Szenenform durch stärkere Betonung des illustrativen

Moments der herkömmlichen Operndekoration, ohne dabei auf Stilisierung zu verzichten.

Lit.: Europäische Theaterausstellung, Kat. Wien 1955; E. Schepelmann-Rieder, E. P. u. d. expressionistische Bühnenbild, = Österreich-Reihe Nr 252/253, ebd. 1964; K. Pierwoss, Der Szenen- u. Kostümbildner E. P., Diss. ebd. 1970. **HS**

Pirckmayer, Georg (Pseudonym Pier), * 7. 12. 1918 zu Salzburg; österreichischer Komponist und Musikpädagoge, absolvierte 1936 das Mozarteum in Salzburg sowie 1939 die Akademie für Musik und darstellende Kunst in Wien und promovierte 1940 an der Wiener Universität mit der Dissertation *Beiträge zu R. Wagners politischer Gedankenentwicklung mit besonderer Berücksichtigung seiner Züricher Reformschriften.* Er ist seit 1962 Vorstand der Abteilung Musikerziehung an der Akademie (heute Hochschule) für Musik und darstellende Kunst in Wien und leitet dort den Kurs »Synthese-Komposition« im Bereich der Tonsatzklassen. 1965 wurde ihm der Titel außerordentlicher Hochschulprofessor verliehen. P. schrieb *Musik für Streicher* (1943), *Les portraits* für Orch. (1967, als Pantomime für Samy Molcho, Wien 1967) sowie Etüden für Kl., Klar., Trp. und kleine Trommel und veröffentlichte u. a.: *Das Recht der gleichen Chance* (Wien 1963); *Struktur und Proportion. Versuch einer Synthese* (ebd. 1970); *Avantgarde 1970* (in: Musikerziehung XXIV, 1970/71).

Pires (pʹiriʃ), Luís Filipe, * 26. 6. 1934 zu Lissabon; portugiesischer Komponist und Pianist, studierte am Conservatório Nacional in Lissabon und 1957–60 als Stipendiat des Instituto de Alta Cultura in Österreich und Deutschland. Er wurde 1960 Professor für Komposition am Conservatório de Música in Porto und kam dann in gleicher Stellung an das Conservatório Nacional in Lissabon (1973 Direktor der Musikabteilung). Als Pianist ist er in verschiedenen Ländern Europas aufgetreten. Von seinen Kompositionen seien genannt: Sonate für Kl. (1954); Streichquartett (1958); Streichtrio (1960); *Regresso eterno* für Bar. oder Rezitator und Orch. (1961); *Akronos* für Streichorch. (1964); *Perspectivas* für 3 Instrumentalgruppen (1965); *Metronomie* für Fl., Va und Hf. (1966); *Portugaliae genesis* für Chor und Orch. (1968). P. veröffentlichte *Elementos teóricos de contraponto e cânon* (Lissabon 1968).

Piriou (pirjʹu), Adolphe, * 7. 9. 1878 zu Morlaix (Finistère), † 3. 2. 1964 zu Paris; französischer Komponist, Schüler von d'Indy, schrieb u. a. *Trois contes* für Kl. und Orch. (1926), das Oratorium *La nativité de la très Sainte Vierge* für gem. Chor und Bläser oder Org. (1926), *Komor*, Conte musical nach Leconte de Lisle für Soli, Chor und Orch. (1929), eine Sonate für V. und Kl. (1932), das Opéra-ballet *Le rouet d'Armor* (Paris 1936), ein Streichquartett (1937) und *Le marchand de plaisirs* (1937), ferner 3 Symphonien, Chöre und Lieder.

Lit.: P. Landormy, La musique frç. après Debussy, Paris 1943.

+Pirker, Marianne (geborene von Gejereck), 1717–82.

Lit.: R. Haidlen in: Lebensbilder aus Schwaben u. Franken X, Stuttgart 1966, S. 78ff.

Pirònkoff, Simeon (Simeon Angelov Pironkov), * 18. 6. 1927 zu Lom; bulgarischer Komponist und Dirigent, absolvierte 1953 als Schüler von Hadžiev, V. Stojanov und Asen Dimitrov die Staatliche Musikakademie in Sofia und war 1947–51 als Violinist und bis 1961 als Dirigent am Theater für die Jugend in Sofia tätig. Seitdem lebt er als freischaffender Komponist in Sofia. Er schrieb u. a. die Oper *Dobrijat čovek ot*

Sečuan (»Der gute Mensch von Sezuan«, nach Brecht), *Orchesterwerke* (*Noštna muzika*, »Nachtmusik«, für Orch.; Symphonie für Streicher; *Dviženija/Mouvements* für 13 Streicher, 1961; *Rekviem za edin neizvesten mlad čovek*, »Requiem für einen unbekannten jungen Menschen«, für 13 Streicher, 1968; *Bebenica, edna goljama igra*, »Bebenitza, ein großes Spiel«, für kleines Orch.; *Baletna muzika v pamet na Igor Stravinski*, »Ballettmusik in memoriam I. Strawinsky«, für Kammerorch.), Kammermusik (2 Streichquartette; Streichtrio; Trio für Fl., Klar. und Fag.; Sonate für V. solo), Klavierwerke (16 Praeludien; 5 Klavierstücke), Vokalwerke (*Istinskata apologija na Sokrat*, »Die wahre Apologie des Sokrates«, nach Kostas Warnalis für B., Streicher und Schlagzeug; *Tri pesni po starogrăcki tekstove*, »3 Lieder nach altgriechischen Texten«, für B. und Kammerensemble; 2 Lieder für Frauen-St. und kleines Ensemble, 1962) sowie Bühnen-, Film- und Rundfunkmusik.

+Pirro, André [erg.:] Gabriel Edme, 1869–1943.

+*J. S. Bach* (= Les maîtres de la musique o. Nr, 1906, engl. 1957), auch London 1958; +*La musique à Paris sous le règne de Charles VI (1380–1422)* (1930), Nachdr. Baden-Baden 1971. – Eine Sammlung verstreuter Aufsätze erschien als *Mélanges A. P.* (Genf 1972, mit Vorw. von Fr. Lesure).

Lit.: N. Bridgman, A. P., Rev. de l'enseignement supérieur I, 1956.

+Pirrotta, Nino (Antonino), * 13. 6. 1908 zu Palermo. An der Harvard University (Mass.) lehrte er bis 1972 und wurde dann an die Universität in Rom berufen. 1964–65 war er Vizepräsident der American Musicological Society. Er ist Mitglied der Accademia nazionale di S. Cecilia in Rom und der American Academy of Arts and Sciences. – Neuere Schriften: *Li due Orfei. Da Poliziano a Monteverdi* (= Collana di monografie per servire alla storia della musica italiana o. Nr, Turin 1969); *Falsirena e la più antica delle cavatine* (CHM II, 1957); *Due sonetti musicali del s. XIV* (in: Miscelánea..., Fs. H. Anglés II, Barcelona 1958–61); *Piero e l'impressionismo musicale del s. XIV* (in: L'Ars nova italiana del Trecento, Kgr.-Ber. Certaldo 1959); *Gesualdo da Venosa* (in: Terzo programma II, 1961); *Una arcaica descrizione trecentesca del madrigale* (Fs. H. Besseler, Lpz. 1961); *Ballate e »soni« secondo un grammatico del Trecento* (in: Saggi e ricerche, Gedenkschrift E. LiGotti III, Palermo 1962); *Ars nova e stil novo* (RIdM I, 1966); *Il caval zoppo e il vetturino. Cronache di Parnaso 1642* (CHM IV, 1966); *Music and Cultural Tendencies in 15th-Cent. Italy* (JAMS XIX, 1966); *On Text Forms from Ciconia to Dufay* (in: Aspects of Medieval and Renaissance Music, Fs. G. Reese, NY 1966); *Church Polyphony apropos of a New Fragment at Foligno* (in: Studies in Music History, Fs. O. Strunk, Princeton/N. J. 1968); *Dante »Musicus«. Gothicism, Scholasticism, and Music* (in: Speculum XLIII, 1968); *Early Opera and Aria* (in: New Looks at Italian Opera, Fs. D. J. Grout, Ithaca/N. Y. 1968); *Musica polifonica per un testo attribuito a Federico II* (in: L'Ars nova italiana del Trecento [II], hrsg. von F. A. Gallo, Certaldo 1968); *Scelte poetiche di Monteverdi* (nRMI II, 1968); *Early Venetian Libretti at Los Angeles* (in: Essays in Musicology, Fs. Dr. Plamenac, Pittsburgh/Pa. 1969); *Tradizione orale e tradizione scritta della musica* (in: L'Ars nova italiana del Trecento [III], Kgr.-Ber. Certaldo 1969); *Two Anglo-Italian Pieces in the Ms. Porto 714* (in: Speculum musicae artis, Fs. H. Husmann, München 1970); *Gesualdo, Ferrara e Venezia* und *Monteverdi e i problemi dell'opera* (in: Studi sul teatro veneto fra Rinascimento ed età barocca, hrsg. von M. T. Muraro,

Florenz 1971); *New Glimpses of an Unwritten Tradition* (in: Words and Music, Fs. A. T. Merritt, Cambridge/Mass. 1972); *Novelty and Renewal in Italy, 1300–1600* (in: Studien zur Tradition in der Musik, Fs. K. v. Fischer, München 1973). – Ausgaben [del. bzw. erg. frühere Angaben]: +*The Music of Fourteenth-Cent. Italy* (5 Bde, = CMM VIII, 1–5, [Rom] 1954–64); Faks.-Ausg. +*Paolo Tenorista in a New Fragment of the Italian Ars Nova* (Palm Springs/Fla. 1961).

+Pisa, Agostino, 16./17. Jh.
Ausg.: Breve dichiarazione della battuta mus., Faks. d. Ausg. Rom 1611, = Bibl. musica Bononiensis II, 32, Bologna 1969.
Lit.: +G. Schünemann, Gesch. d. Dirigierens (= Kleine Hdb. d. Mg. nach Gattungen X, 1913), Nachdr. Hildesheim u. Wiesbaden 1965.

+Pisador, Diego, um 1509 [del.: um 1500] – nach 1557.
Ausg.: eine Villanesca f. Git. bearb. v. E. Pujol, = Les vihuelistes espagnols du XVIe s. Nr 1013, Paris 1954; ein Villancico in: Fr. Noske, Das außerdeutsche Sololied, = Das Musikwerk XVI, Köln 1958, auch engl.
Lit.: J. M. Ward, The »vihuela de mano« and Its Lit. (1536–76), Diss. NY Univ. 1953; M. Honegger, La tablature de D. P. et le problème des altérations au XVIe s., Rev. de musicol. LIX, 1973.

+Pisari, Pasquale (Piseri), [erg.: um] 1725 – 1778.
Ausg.: 16st. Psalm »Dixit Dominus«, hrsg. v. L. Feininger, = Monumenta liturgiae polychoralis S. Ecclesiae Romanae, Psalmodia cum IV choris VIII, Trient 1961.

+Pisaroni, Benedetta (Benedita) [erg.: Maria] Rosamanda (Rosimunda), 16. 5. [nicht: 6. 2.] 1793 – 1872.

Pischner, Hans, * 20. 2. 1914 zu Breslau; deutscher Musikforscher und Cembalist, studierte 1936–38 in Breslau Klavier und Cembalo bei Bronislaw Ritter von Pozniak und Gertrud Wertheim sowie Musikwissenschaft an der dortigen Universität. Er war bis 1939 als Musiklehrer und Konzertsolist tätig, wurde 1946 Dozent und stellvertretender Direktor an der Musikhochschule in Weimar (1949 Professor), war 1950–54 Leiter der Hauptabteilung Musik beim Rundfunk in Berlin, 1954–56 Leiter der Hauptabteilung Musik im Ministerium für Kultur der DDR und 1956–62 Stellvertreter des Ministers für Kultur. 1961 promovierte er im Fach Musikwissenschaft an der Humboldt-Universität Berlin über das Thema *Die Harmonielehre J.-Ph. Rameaus* (Lpz. 1963, 2[1967]). Seit 1963 ist P. Intendant der Deutschen Staatsoper Berlin. Er schrieb zahlreiche Aufsätze sowie die Bücher *Musik und Musikerziehung in der Geschichte Weimars* (= Beitr. zur Kulturgeschichte Weimars I, Weimar 1954) und *Musik in China* (Bln 1955). Als Cembalist spielte er Schallplattenaufnahmen, besonders von Werken J. S. Bachs und Händels (u. a. mit D. und I. Oistrach) ein.
Lit.: H. Spieler, H. P., MuG XIII, 1963; E. Krause, ebd. XXIV, 1974, S. 104ff.

+Pisendel, Johann Georg, 1687–1755.
P. vertrat M. Hoffmann in der Leitung des Leipziger Collegium musicum [nicht: Opernorchesters] 1710 [nicht: 1711].
Ausg.: V.-Konzert G moll f. 2 Ob., Streichorch. u. Gb., hrsg. v. H. R. Jung, Lpz. 1961.
Lit.: +H. Engel, Das Instrumentalkonzert (1932), revidiert in 2 Bden, Bd I: Von d. Anfängen bis gegen 1800, Wiesbaden 1971. – G. Hausswald, Zur Stilistik v. J. S. Bachs Sonaten u. Partiten f. V. allein, AfMw XIV, 1957; R. Eller, Vivaldi, Dresden, Bach, BzMw III, 1961; K. Heller, Die Bedeutung J. G. P.s f. d. deutsche Vivaldi-Rezeption, Kgr.-Ber. Lpz. 1966.

+Pisk, Paul Amadeus, * 16. 5. 1893 zu Wien.
An der University of Texas lehrte P. bis 1963; seitdem wirkt er an der Washington University in St. Louis (Mo.). Er wurde mit einer Festschrift geehrt (*P. A. P., Essays in His Honor,* hrsg. von J. Glowacki, Austin/Tex. 1966, mit Schriften- und Werkverz. von Ll. Ph. Farrar). – Neuere Kompositionen: 3 *Ceremonial Rites* für Orch. op. 90 (1958); *Elegie* für Streichorch. op. 93 (1959); *Sonnet* für Kammerorch. op. 98 (1960); 2 *Sonnets of Shakespeare* (VIII und LV) für Chor a cappella op. 103 (1964); *Envoi* für Ob., Klar., Fag., V., Va und Vc. op. 104 (1964); *Duo* für Klar. und Fag. op. 106 (1966); 13 Variationen über ein achttaktiges Thema für Kl. op. 107 (1967); *In memoriam Carl Sandburg* für Chor a cappella op. 108 (1967). – Neuere Veröffentlichungen: *A History of Music and Musical Style* (mit H. Ulrich, NY und London 1963); *A. Webern, Profile of a Composer* (The Texas Quarterly V, 1962); *Die melodische Struktur der unstilisierten Tanzsätze in der Klaviermusik des deutschen Spätbarocks* (StMw XXV, 1962); *Webern's Early Orchestral Works* (in: A. v. Webern, Perspectives, hrsg. von H. Moldenhauer und D. Irvine, Seattle/Wash. 1966); *Elements of Impressionism and Atonality in Liszt's Last Piano Pieces* (Radford Rev. XXIII, 1969); *New Music in Austria During the 1920's* (in: Orbis musicae I, 1971). – Er edierte ferner Messen von J. Gallus (3 Bde, = DTÖ XCIV/XCV, CXVII und CXIX, Wien 1959–70).
Lit.: K. Kennan in: American Composers Alliance Bull. IX, 1959, Nr 1, S. 7ff. (mit Werkverz.).

+Pišna, Josef [nicht: Johann] (Pischna), 1826–96.
P. lebte insgesamt 35 [nicht: einige] Jahre in Moskau (u. a. als Lehrer am Adeligen Mädcheninstitut), wo auch 1860–80 viele seiner Werke erschienen sind.
Ausg.: Malý P. (»Der kleine P.«), hrsg. v. E. Mareček, Prag 1951 (kleine Kl.-Übungen).

+Pistocchi, Francesco Antonio [erg.:] Mamiliano (genannt »Pistocchino«), 1659–1726.
P. war 1670–75 als Sopranist (ab 1674 fest angestellt) an S. Petronio in Bologna tätig. Von seinem Debüt in Ferrara (1675) an blieb er als Opernsänger (Altist) in Italien und Deutschland erfolgreich; erst 1705 verließ er die Opernbühne und gründete in Bologna eine Gesangschule [del. frühere Angabe dazu]. 1686–95 wirkte er am Hof in Parma und 1696–99, unterbrochen durch einen längeren Berlin-Aufenthalt (1697/98), als Kapellmeister am Hof in Ansbach. Zusammen mit G. Torelli ging P. 1699 nach Wien, kehrte im folgenden Jahr nach Bologna zurück und wurde dort 1701 Sänger an S. Petronio. P., der bereits 1687 als Sänger (1692 als Komponist) Mitglied und 1710 Principe der Bologneser Accademia filarmonica wurde, trat erst 1715 in den Oratorianerorden ein. – Die Oper +*Il Girello* (Bologna 1669 [nicht: 1691]) stammt nicht von P.; das Oratorium +*Il martirio di Sant'Adriano* wurde in Modena 1692 [nicht: Venedig 1699] uraufgeführt.
Lit.: +L. Busi, Il padre G. B. Martini musicista-letterato del s. XVIII (1891), Nachdr. = Bibl. musica Bononiensis III, 2, Bologna 1969. – M. Fabbri, A. Scarlatti e il principe F. de' Medici, = »Hist. musicae cultores« Bibl. XVI, Florenz 1961 (mit Abdruck eines Briefes); L. F. Tagliavini in: MGG V, 1962, Sp. 1303ff.

+Piston, Walter [erg.:] Hamor, * 20. 1. 1894 zu Rockland (Me.).
P. ließ sich 1959 an der Harvard University (Mass.), von der er den Titel eines Doctor of Music h. c. erhalten hatte, emeritieren. Er ist Mitglied des National Institute of Arts and Letters, der American Academy of Arts and Letters und der American Academy of Arts and Sciences. – Weitere Werke: +*Prelude and Fugue*

(1934 [nicht: 1941]), Sinfonietta (1941), 3 *New England Sketches* (1959), 7. und 8. Symphonie (1960; 1965), *Symphonic Prelude* (1961), *Lincoln Center Festival Overture* (1962), *Variations on a Theme of E.B.Hill* (1963), *Pine Tree Fantasy* (1965) und Ricercare (1967) für Orch.; 2. Violinkonzert (1960), Fantasie für V. und Orch. (1970), Bratschenkonzert (1957), Variationen für Vc. und Orch. (1967), Konzerte für 2 Kl. (1959), Fl. (1971) und Klar. (1967) mit Orch., *Capriccio für Hf.* und Streichorch. (1963); Streichsextett (1964), Klavierquintett (1949), Klavierquartett (1964), 5. Streichquartett (1962), 2. Klaviertrio (1966); *Psalm and Prayer of David* für gem. Chor und 7 Instr. (1958). – +*Harmony* (1941), NY ³1962; +*Counterpoint* (1947), auch London 1949; +*Orchestration* (1955), auch ebd. 1958. – Weitere Schriften: *Thoughts of the Chordal Concept* (in: Essays on Music, Fs. A.Th.Davison, Cambridge/Mass. 1957); *More Views on Serialism* (in: The Score 1958, Nr 23); *Problems of Intonation in the Performance of Contemporary Music* (in: Instrumental Music, hrsg. von D.G.Hughes, = Isham Library Papers I, Cambridge/Mass. 1959).
Lit.: Werkverz. in: Composers of the Americas IV, Washington (D. C.) 1958, Nachdr. in: Bol. interamericano de música 1959, Nr 9/10. – W. AUSTIN in: MR XVI, 1955, S. 120ff. (zur 4. Symphonie); M. J. COLUCCI, A Comparative Study of Contemporary Mus. Theories in Selected Writings of P., Krenek, and Hindemith, Diss. Univ. of Pennsylvania 1957; CL. TAYLOR in: Perspectives of New Music III, 1964/65, Nr 1, S. 102ff., u. P. WESTERGAARD, Conversation with W. P., ebd. VII, 1968/69, beides wiederabgedruckt in: Perspectives on American Composers, hrsg. v. B. Boretz u. E. T. Cone, = The »Perspectives of New Music« Series o. Nr, NY 1971; W. J. HALEN, An Analysis and Comparison of Compositional Practices Used by Five Contemporary Composers in Works Titled »Symphony«, 2 Bde, Diss. Ohio State Univ. 1969 (zur 7. Symphonie); G. KL. ROY in: Stereo Rev. XXIV, 1970, Nr 4, S. 57ff.

Pistor, Carlfriedrich, * 9. 1. 1884 zu Menz (Brandenburg), † 26. 8. 1969 zu Berlin; deutscher Komponist und Bratschist, studierte in Berlin Violine bei Anton Witek, später Musiktheorie und Komposition bei Kaun. Ab 1906 war er Violinist im Hoftheaterorchester in Neustrelitz und 1910–50 Solobratschist des Städtischen Orchesters in Rostock, wo er 1948–54 auch Tonsatz am Staatlichen Konservatorium lehrte. Als Komponist widmete sich P. vornehmlich dem kammermusikalischen Schaffen, bei besonderer Bevorzugung der Bratsche als Soloinstrument. Er schrieb die Opern *Der Alchimist* (Rostock 1931), *Kismet* (1940) und *Kniesenack* (Schwerin 1940), Orchesterwerke (2 Symphonien; Instrumentalkonzerte) und die Kantate *Ewige Mutter* (auf Gedichte von Hans Franck).

+**Pitfield,** Thomas Baron, * 5. 4. 1903 zu Bolton (Lancashire).
Neuere Werke: »A Zoological Sequence in Space« *Planibestiary* für Stimmen, Kl. und Schlagzeug (1966); Sonatine für Klar. und Kl. (1966); Divertimento für Ob. und Streichtrio (1967); *Concert Interlude* für Streichorch. (1968); »Morality with Music« *Adam and the Creatures* für Sprecher, gem. Chor, Org. und Schlagzeug (1968).

+**Pitoni,** Giuseppe Ottavio, 1657–1743.
Ausg.: vier 4st. Messen »Cum clamarem«, »Sancta Maria«, »Sanctae Dei genitrix« u. »Virgo virginum« sowie d. 8st. Messe »Pro defunctis«, hrsg. v. L. FEININGER; Documenta maiora liturgiae polychoralis S. Ecclesiae Romanae I–V, Rom 1958–59; 4st. »Misericordia Domini«, 8st. »Beata es virgo« u. »Justorum animae« sowie Introito, Kyrie u. Offertorio, hrsg. v. DEMS., = Documenta liturgiae polychoralis S. Ecclesiae Romanae VI–IX, ebd. 1959;

drei 16st. Psalmen »Dixit Dominus«, hrsg. v. DEMS., = Monumenta liturgiae polychoralis S. Ecclesiae Romanae, Psalmodia cum 4 choris V–VII, ebd. 1959–60; 16st. Messe »S. Pietro« (1720), hrsg. v. DEMS., = ebd., Ordinarium missae cum 4 choris VII, 1960; 4st. Motette »Christus factus est«, hrsg. v. D. HELLMANN, = Geistliche Chormusik I, 138, Stuttgart 1959; Motette »Laudate Dominum«, hrsg. v. G. MALCOLM, = Westminster Series IV, London 1962.
Lit.: +H. HUCKE, G. O. P. [erg.:] u. seine Messen im Arch. d. Cappella Giulia (1955). – L. FEININGER in: Boll. degli amici del Pontificio Istituto di musica sacra VIII, 1956, Nr 3/4, S. 4ff.; A. W. ATLAS, Some 18th-Cent. Transcriptions of 15th-Cent. Chansons, JAMS XXIV, 1971.

Pittaluga (pital'uga), Gustavo, * 8. 2. 1906 zu Madrid; spanischer Komponist, studierte Jura an der Madrider Universität und Komposition bei Esplá. Er war in Madrid Mitglied des »Grupo de los Ocho« und 1935 in Paris der Gruppe zeitgenössischer Musiker »Triton«. 1936–39 gehörte er der spanischen Botschaft in Washington (D. C.) an und blieb anschließend in den USA. 1941–43 war er bei der Filmbibliothek des Museum of Modern Art in New York tätig. Er komponierte u. a. das Ballett *La romería de los cornudos* (nach García Lorca, Madrid 1933), die Zarzuela *El loro* (ebd. 1933), *Concierto militar* für V. und Orch. (1933), *Capriccio alla romantica* für Kl. und Orch. (1936), *Petite suite* für 10 Instr. (1935, Klavierfassung als *3 pièces pour une espagnolade*), Kammermusik (Ricercare für V., Klar., Trp. und Pos., 1934; Berceuse, 1935, und Habanera, 1942, für V. und Kl.), Klavierwerke (*6 danses espagnoles en suite*, 1935) und Vokalmusik (*Vocalise-étude* für Singst. und Kl., 1932; *5 canciones populares* für Chor und 10 Instr., 1939, *Llanto por Federico García Lorca* für rezitierende St. und Orch., 1944).

Pittoni, Giovanni, * um 1630 und † 18. 10. 1677 zu Ferrara; italienischer Theorbist und Komponist, studierte an der Accademia della Morte in Ferrara und war Schüler von Alfonso Paini sowie später von A. Draghi und Cazzati. Er war zu seiner Zeit ein überragender Meister seines Instruments; einen Ruf Kaiser Leopolds I. nach Wien mußte er aus gesundheitlichen Rücksichten abschlagen. Von seinen Kompositionen sind überliefert: *Intavolatura di tiorba nella quale si contengono 12 sonate da chiesa per tiorba sola col b. per l'org.* op. 1 (Bologna 1669); *Intavolatura di tiorba nella quale si contengono 12 sonate da camera per tiorba sola col b. per il clavicemb.* op. 2 (ebd. 1669).

+**Pitz,** Wilhelm, * 25. 8. 1897 zu Breinig (heute Stolberg, Rheinland), [erg.:] † 21. 11. 1973 zu Aachen. Die Leitung des Kölner Männer-Gesang-Vereins hatte P. 1957 nach Übernahme des dem Londoner New Philharmonia Orchestra angeschlossenen Philharmonia Choir abgegeben. 1970 wurde er zum Officer of the British Empire (O. B. E.) ernannt. Er leitete die Bayreuther Festspielchöre bis 1971.
Lit.: J. SCHOUTEN in: Musica sacra »sancta sancte« LXI, 1960, S. 178ff.; A. BEAUJAN in: Das Orch. X, 1962, S. 397f.

+**Pitzinger,** Gertrude (verheiratete P.-Dupont), * 15. 8. 1904 zu Mährisch-Schönberg.
Ihre Stimmlage ist Alt [nicht: Mezzosopran]. – Konzertreisen führten sie in die USA (erstmals 1938, Carnegie Hall in New York), nach Kanada sowie durch zahlreiche europäische Länder. Professor für Gesang an der Musikhochschule in Frankfurt a. M. war sie bis 1973.

Piwkowski, Kazimierz, * 15. 6. 1925 zu Żnin; polnischer Fagottist, studierte 1945–53 an der Musikhochschule in Warschau bei Benedykt Górecki. 1953 gründete er zusammen mit J. Banaszek (Oboe) und

J. Foremski (Klarinette) das Trio Stroikowe (»Rohrblattbläser-Trio«). Er ist heute 1. Fagottist der Nationalphilharmonie in Warschau. P. gründete das Ensemble Fistulatores et Tubicinatores Varsovienses, das ältere Musik auf Instrumenten spielt, die er nach Vorbildern der Renaissance konstruierte.

+Pixis, –1) Friedrich Wilhelm, [erg.:] 12. 3. 1785 [nicht: 1786] – 1842.
Lit.: J. Čermák, Fr. W. P. a jeho koncertní cesty po Evropě (»Fr. W. P. u. seine Konzertreisen durch Europa«), Diss. Prag 1950.

+Pizzetti, Ildebrando, * 20. 9. 1880 zu Parma, [erg.:] † 13. 2. 1968 zu Rom.
Professor für Komposition an der Accademia Nazionale di S. Cecilia in Rom war er bis 1958. – +Klavierkonzert *Canti della stagione alta* (1930 [nicht: 1933]); +*Messa di Requiem* (1922 [nicht: 1923]). – Neuere Werke: Kantate *Vanitas vanitatum* für Soli, Männerchor und Orch. (1958); Harfenkonzert (1960); *Vocalizzo* für Mezzo-S. und Orch. (1960); die Opern *Il calzare d'argento* (Mailand 1961) und *Clitennestra* (ebd. 1965); »Cantata d'amore« *Filiae Jerusalem, adjuvo vos* für S., Frauenchor und Orch. (1966); *Cantico di gloria* für gem. Chor, 2 Männerchöre und 22 Instr. (1968). – Weitere Schriften: *La musica italiana dell'Ottocento* (in: Italia e gli italiani del s. XIX, hrsg. von J. de Blasi, Florenz 1930; eine [früher zitierte] Schrift mit dem gleichen Titel liegt vor in der Reihe »I signori dell'armonia« II, Turin 1947 [nicht: 1946]); *Commemorazione di G. Puccini nel prima centenario della nascita* (Mailand 1959); *G. Verdi maestro di teatro* (in: Verdi I, 1960); *Lettera a una giovane amica musicista* (hrsg. von P. Petrobelli, RIdM III, 1968, mit Briefen).
Lit.: Sonder-Bd P., = L'approdo mus. 1966, Nr 21 (mit Werkverz. u. Bibliogr.). – E. Calabria, I. P., Bergamo 1956; G. M. Gatti, The Music-Drama of I. P., Opera Annual VII, 1960; M. La Morgia, Linearità e lirismo in alcune opere di P., Rass. mus. Curci XVI, 1963; E. Rognoni in: Rev. mus. chilena XVII, 1963, Nr 85, S. 30ff.; B. Berthelson, I. P. och musikteatern, Musikrevy XXIII, 1968; G. Gavazzeni in: nRMI II, 1968, S. 701ff.; W. Paap in: Mens en melodie XXXIII, 1968, S. 73ff.; G. Pannain in: Rass. mus. Curci XXI, 1968, S. 70ff.

+Pizzini, Carlo Alberto, * 22. 3. 1905 zu Rom.
P., seit 1966 Mitglied der Accademia filarmonica in Bologna, war 1968–70 Inspektor der Orchester und Chöre sowie Vorsitzender der Commissione delle audizioni normali des italienischen Rundfunks (RAI). – Neuere Werke: Ouvertüre (1959) und symphonisches Fresko *In te, Domine, speravi* (1961) für Orch.; *Pezzi sacri* für Kinderchor und Org. (1961–66); 5 *Canti per la S. Messa* (1966); *Concierto para tres hermanas* für Git. und Orch. (1969).

Pjart, Arwo Augustowitsch → Pärt, Arvo.

Pjatigorskij, Grigorij Pawlowitsch → +Piatigorsky, Gregor.

Pjątnizkij, Mitrofan Jefimowitsch (Piatnitzkij), * 21. 6. (3. 7.) 1864 zu Alexandrowka (Gouvernement Woronesch), † 21. 1. 1927 zu Moskau; russisch-sowjetischer Ethnologe und Volksmusiksammler, studierte in Moskau Musik. Eine Publikation von Volksliedern, die er in kleinen Dörfern gesammelt hatte (*12 russkich narodnych pessen (Woroneschskoj gubernii Bobrowskowo uesda)*, »12 russische Volkslieder [Gouvernement Woronesch, Kreis Bobrowsk]«, Moskau 1904, ²1912), wurde sehr beliebt. 1910 organisierte er einen Bauernvolkschor, mit dem er 1911 erstmals konzertierte. Seit 1940 führt dieser Chor die Bezeichnung Gossudarstwennyj Russkij Narodnyj Chor imeni Pjatnizkowo

(»Staatlicher Russischer P.-Volkschor«), der internationale Bedeutung erlangte und Tourneen u. a. durch Westeuropa und in die USA unternommen hat.
Lit.: G. Dorochow, M. Je. P., sosdatel russkowo narodnowo chora (»M. Je. P., d. Gründer d. russ. Volkschors«), Woronesch 1950; P. Kasmin, Stranizy is schisni M. Je. Pjatnizkowo (»Blätter aus d. Leben v. M. Je. P.«), Moskau 1961.

Pjats, Richo Eduardowitsch → Päts, Riho.

Pla (Plats), Familienname von katalanischen Musikern, die um die Mitte des 18. Jh. lebten. –1) Juan Bautista, Oboist, war am portugiesischen Königshofe sowie 1755–66 in der von Jomelli geleiteten Kapelle Herzog Karl Alexanders von Württemberg und später vermutlich in London tätig. Von ihm sind Instrumentalwerke in Karlsruhe und Regensburg erhalten. Gedruckt wurden nach 1770 Triosonaten und Duette. –2) José, † 14. 12. 1762 zu Stuttgart, Bruder von Juan Pla, war ab 1759 als Kammermusiker im gleichen Orchester tätig. –3) Manuel, † 13. 9. 1766 zu Madrid, ein weiterer Bruder von Juan Pla, lebte in Madrid, wo er 1757 die Zarzuela *Quien complace la deidad acierta a glorificar* und dann Autos sacramentales und Tonadillas schrieb (von denen ein Teil in der Biblioteca Municipal in Madrid aufbewahrt wird).
Ausg.: zu –1): Ob.-Konzert G dur, hrsg. v. W. Lebermann, = Concertino CXV (Kl.-A. = Ob.-Bibl. XVIII), Mainz 1966 (zuerst als ein Werk G. Plattis ausgegeben); 6 Sonaten f. 2 Ob., hrsg. v. dems., = Ob.-Bibl. XVII, ebd. 1970.
Lit.: J. R. Carreras, Els germans Pla, oboistes de la XVIII cent., Rev. mus. catalana VII, 1910; J. Subirá, Les producciones teatrales del compositor M. Pla, ebd. XXX, 1933; ders., Los maestros de la tonadilla escenica, Barcelona 1950 (mit Ausg. einiger »Seguidillas religiosas« v. M. Pla).

Plagge, Günter, * 25. 4. 1913 zu Braunschweig; deutscher Pianist, studierte 1932–36 an der Hochschule für Musik in Berlin (Künstlerische Reifeprüfung) und begann eine Laufbahn als Konzertpianist, die durch den Krieg unterbrochen wurde. 1948 nahm Pl. seine Konzerttätigkeit wieder auf und unterrichtete Klavier an der Hochschule für Musik in Berlin, an der er gegenwärtig Professor für Klavier sowie stellvertretender Direktor ist.

+Plamenac (pl'amɘnats), Dragan, * 8. 2. 1895 zu Zagreb.
Pl., 1956–58 Vizepräsident der American Musicological Society, lehrte an der University of Illinois bis 1963. Eine Festschrift zu seinem 70. Geburtstag erschien als *Essays in Musicology* (hrsg. von G. Reese und R. J. Snow, Pittsburgh/Pa. 1969, mit Publ.-Verz. von Th. E. Wood). – Neuere Schriften: »*Excerpta Colombiniana«. Items of Musical Interest in F. Colon's »Regestrum«* (in: Miscelánea ..., Fs. H. Anglés II, Barcelona 1958–61); *Browsing through a Little-Known Manuscript (Prague, Strahov Monastery, D. G. IV. 47.)* (JAMS XIII, 1960); *Music Libraries in Eastern Europe* (in: Notes XIX, 1961/ 62); *Faventina* (in: Liber amicorum, Fs. Ch. Van den Borren, Antwerpen 1964); *The Two-Part Quodlibets in the Seville Chansonnier* (in: The Commonwealth of Music, Gedenkschrift C. Sachs, NY und London 1965, mit Ausg. der Quodlibets); *The Recently Discovered Complete Copy of A. Antico's »Frottole intabulate« (1517)* (in: Aspects of Medieval and Renaissance Music, Fs. G. Reese, NY 1966); *Alcune osservazioni sulla struttura del codice 117 della Biblioteca Comunale di Faenza* (in: L'Ars nova italiana del Trecento III, Kgr.-Ber. Certaldo 1969); *Tragom I. Lukačića i nekih njegovih suvremenika* (in: Rad Jugoslavenske akademije znanosti i umjetnosti

1969, Bd 351, mit engl. Zusammenfassung: *On the Trail of I. Lukačić and Some of His Contemporaries*); *Ispravci i dopune bibliografiji djela T. Cecchinija* (»Korrekturen und Ergänzungen zur Bibliographie der Werke von T. Cecchini«) und *Rimska opera 17. stoljeća, rođenje Luja XIV i R. Levaković* (»Die römische Oper des 17. Jh., die Geburt Ludwigs XIV. und R. Levaković«, in: Arti musices II, 1971 bzw. III, 1972, mit engl. Zusammenfassungen). – Er führte die →+Ockeghem-GA fort und edierte ferner Faks.-Ausg. der Chansonniers *Sevilla 5-I-43 & Paris N. A. Fr. 4379*, Teil 1 (= Publ. of Medieval Musical Manuscripts VIII, Brooklyn/N. Y. 1962) und *Dijon, Bibliothèque publique, Ms. 517* (ebd. XII, 1970).

+Planck, Stephan, 15. Jh.
Pl. brachte seine Druckwerke in Rom ab 1479 heraus.
Lit.: +H. RIEMANN, Notenschrift u. Notendruck (1896), Nachdr. = Bibl. musica Bononiensis I, 8, Bologna 1969.

+Planický, Josef Antonín, 1691(?)–1732.
Ausg.: Opella ecclesiastica, hrsg. v. J. RACEK u. J. SEHNAL, = MAB II, 3, Prag 1968.
Lit.: J. SEHNAL, Hudební život v Manětíně v první polovině 18. století (»Das Musikleben in Manětín in d. 1. Hälfte d. 18. Jh.«), in: Opus musicum I, 1969.

Planquette (plãk'ɛt), Robert-Jules, * 31. 3. 1848 und † 28. 1. 1903 zu Paris; französischer Komponist, schrieb Lieder, Märsche und Kaffeehausmusik und tat sich besonders auf dem Gebiet der Operette hervor; genannt seien: *Le serment de Madame Grégoire* (Paris 1874); *Les cloches de Corneville* (ebd. 1877); *Les voltigeurs de la 32e demitrigade* (ebd. 1880); *Rip van Winkle* (London 1882); *Surcouf* (Paris 1887); *Panurge* (ebd. 1895); *Mam'zelle Quat'sous* (ebd. 1897).

Planson (plãs'õ), Jean (Jehan Plançon), * um 1558 und † nach 1612 zu Paris; französischer Organist, war in St-Germain-l'Auxerrois (1575) und St-Sauveur (1586) in Paris tätig. 1578 erhielt er zwei Preise am Puy de musique von Evreux für eine Motette und eine Chanson, aber seine ersten Werke erschienen erst 1583, dann seine beiden Sammlungen *Quatrains du sieur de Pybrac, ensemble quelques sonetz et motetz ... à 3, 4, 5 et 7 parties* (1583) und *Airs mis en musique à 4 parties ... tant de son invention que d'autres musitiens* (1587, 4 weitere Aufl. bis 1595). Die letztere, die großen Erfolg hatte ist in der Rhythmik von der Musique mesurée à l'antique beeinflußt und eröffnet die Epoche des französischen Air de cour.
Ausg.: Airs (1587), hrsg. v. H. EXPERT u. A. VERCHALY, = Maîtres anciens de la musique frç. I, Paris 1966.

+Plantin, Christophe (Christoffel), [erg.:] 1514 (laut Grabinschrift; den Dokumenten nach zwischen 1518 und 1525) zu St-Avertin (bei Tours) – [erg.: 1. 7.] 1589.
Lit.: H. CARTER, The Types of Chr. Pl., in: The Library V, 11, 1956; A. CORBET in: MGG X, 1962, Sp. 1329f.; H. SLENK, Chr. Pl. and the Genevan Psalter, TVer XX, 4, 1967; H. VAN DEN BERGH, Pl. als muziekdrukker en de »Missae« v. G. de la Hèle, Vlaams muziektijdschrift XXIV, 1972.

Plantinga (pl'æntindʒǝ), Leon Brooks, * 25. 3. 1935 zu Ann Arbor (Mich.); amerikanischer Musikforscher, studierte an Calvin College in Grand Rapids/Mich. (B. A. 1957), an der Michigan State University in East Lansing (M. Mus. 1959) und an der Yale University in New Haven (Conn.), wo er 1964 mit einer Dissertation über *The Musical Criticism of R. Schumann in the »Neue Zeitschrift für Musik«, 1834–44* (gedruckt als *Schumann as Critic*, = Yale Studies in the History of Music IV, New Haven/Conn. 1967) promovierte. Er war 1955–59 Schüler von Ernst Victor Wolff (Klavier)

und 1959–61 von Kirkpatrick (Cembalo). Seit 1963 lehrt er an der Yale University (1965 Assistant Professor). Von seinen Aufsätzen seien genannt: *Ph. de Vitry's »Ars Nova«. A Translation* (Journal of Music Theory V, 1961); *Berlioz' Use of Shakespearian Themes* (in: Yale French Studies 1964, Nr 33); *Schumann's View of »Romantic«* (MQ LII, 1966); *Clementi, Virtuosity, and the »German Manner«* (JAMS XXV, 1972).

Planyavsky, Peter Felix, * 9. 5. 1947 zu Wien; österreichischer Organist und Komponist, studierte an der Akademie für Musik und darstellende Kunst in Wien 1959–66 Orgel (Heiller), Klavier (Hilde Seidlhofer), Komposition (A. Uhl) und 1966–67 Kirchenmusik (Chorleitung bei Gillesberger). 1969 wurde er Domorganist am Stephansdom in Wien. 1968 erhielt er den 1. Preis beim Internationalen Orgelwettbewerb für Orgelimprovisation in Graz. Vom gleichen Jahr an unternahm er ausgedehnte Konzertreisen in die USA, nach Japan, Australien, in die Bundesrepublik, die DDR und nach Skandinavien. Daneben ist er auch als Orgel- und Improvisationslehrer an der Diözesanmusikschule in Wien tätig. Von Pl.s Kompositionen seien genannt: *Herzliebster Jesu*, Choral und 4 Meditationen für Org. (1962); 2 Psalmen (Psalm 23 und 39) für Mezzo-S. und Org. (1966); *Deutsche Messe* für Vorsänger, gem. Chor, Gemeinde und Org. (1967); *Proprium* für den 3. Sonntag nach Ostern für gem. Chor und Org. (1968); *Sonata I* für Org. (1968); *Psalmenlieder* für Gemeinde oder gem. Chor oder 3 gleiche St. oder Org. (1968); *Toccata alla rumba* für Org. (1971); *Proprium* für den 7. Sonntag nach Ostern für gem. Chor und Org. (1972); Musik für den TV-Film *Gurk, 900 Jahre Diözese in Kärnten* für Org., Cemb. und Celesta (1972); *Missa Viennensis* für Knabenchor (1972); *Zwei Stücke zur Passion* für gem. Chor und 7 Instr. (1972).

Plaške (pl'aʃkɛ), Bedřich (auch Friedrich Plaschke), * 7. 1. 1875 zu Jaroměř (Ostböhmen), † 4. 2. 1952 zu Prag; tschechischer Opernsänger (Heldenbariton), fand nach einem Gesangsstudium am Prager Konservatorium sein erstes Engagement an der Dresdner Oper (Debüt als Heerrufer in *Lohengrin* 1900), der er bis zum Ende seiner aktiven Laufbahn (1937) angehörte. Er gastierte an vielen europäischen Bühnen und war ab 1904 Mitglied des Bayreuther Festspielensembles. Am Prager Nationaltheater wirkte er als regelmäßiger Gast und 1936–38 als stellvertretender Operndirektor. Zu seinen Partien zählten der Fliegende Holländer, Telramund, Escamillo, Orest (*Elektra*) und Graf Waldner (*Arabella*). Er war mit der Sängerin Eva von den Osten verheiratet.
Lit.: A. REKTORYS, B. Pl., Prag 1959.

Platen, Emil, * 16. 9. 1925 zu Düsseldorf; deutscher Musikforscher, studierte ab 1947 Komposition, Bratsche und Chordirigieren (Abschlußexamen 1950) an der Nordwestdeutschen Musikakademie Detmold und Musikwissenschaft an den Universitäten Köln, Münster (Westf.) und Bonn, wo er 1957 mit *Untersuchungen zur Struktur der chorischen Choralbearbeitungen J. S. Bachs* promovierte. Seit 1957 Leiter des Collegium musicum der Universität Bonn, wurde er dort 1963 Lektor für Musizierpraxis und 1964 Akademischer Musikdirektor. – Aufsätze: *Zur Frage der Kürzungen in den Dacapoformen J. S. Bachs* (Fs. J. Schmidt-Görg, Bonn 1957); *Eine Pergolesi-Bearbeitung J. S. Bachs* (Bach-Jb. XLVIII, 1961); *Beethovens Streichtrio D-dur, Opus 9 NR. 2* (in: Colloquium amicorum, J. Schmidt-Görg, Bonn 1967); *Die Streichtrios* (in: L. van Beethoven, hrsg. von J. Schmidt-Görg und H. Schmidt, ebd., Hbg und Braunschweig 1969, engl. London 1970, ital. Rom

1970); *Zum Problem des Mittelsatzes im Dritten Brandenburgischen Konzert* (in: Chorerziehung und Musik, Fs. K. Thomas, Wiesbaden 1969). Er edierte Beethovens *Streichtrios und Streichduo* (= Neue Beethoven-Ausg. VI, 6, München 1965).

+Platen, Horst [erg.:] Karl Ferdinand, * 14. 4. 1884 zu Magdeburg, [erg.:] † 14. 10. 1964 zu Feldafing (Starnberger See).

Plath, Wolfgang, * 27. 12. 1930 zu Riga; deutscher Musikforscher, studierte 1949–51 an der Freien Universität Berlin (W. Gerstenberg) und ab 1952 in Tübingen, wo er 1958 mit einer Dissertation über *Das Klavierbüchlein für W. Fr. Bach* promovierte. 1959 arbeitete er als wissenschaftlicher Assistent an der Neuen → +Mozart-Ausgabe, deren Editionsleitung er nach dem Tode E. Fr. Schmids 1960 zusammen mit W. Rehm übernahm und in der er eine Anzahl Bände herausgab. Er veröffentlichte u. a.: *Das Skizzenblatt KV 467a* (Mozart-Jb. 1959); *Beiträge zur Mozart-Autographie. 1. Die Handschrift L. Mozarts* (ebd. 1960/61); *Über Skizzen zu Mozarts Requiem* (Kgr.-Ber. Kassel 1962); *Miscellanea Mozartiana I* (Fs. O. E. Deutsch, Kassel 1963); *Bemerkungen zu einem mißdeuteten Skizzenblatt Mozarts* (Fs. W. Gerstenberg, Wolfenbüttel 1964); *Der Ballo des »Ascanio« und die Klavierstücke KV Anh. 207* (Mozart-Jb. 1964); *Der gegenwärtige Stand der Mozart-Forschung* (Kgr.-Ber. Salzburg 1964, Bd I); *Überliefert die dubiose Klavierromanze in As, KV Anh. 205, das verschollene Quintett-Fragment KV Anh. 54 (452ᵃ)?* (Mozart-Jb. 1965/66); *Mozartiana in Fulda und Frankfurt* (ebd. 1968/70); *Zur Echtheitsfrage bei Mozart* (ebd. 1971/72). Er gab ferner J. S. Bachs *Klavierbüchlein für W. Fr. Bach* heraus (= Neue Bach-Ausg. V, 5, Kassel 1962).

+Platon von Athen, 427–347 v. Chr.
Ausg.: Œuvres complètes (+GA griech./frz.), 13 Bde in 25 Teilen, nebst Lexikon (Bd XIV, 2 Teile), = Collection des Univ. de France o. Nr, Paris 1920–64 [del. früherer Titel]. – Werke, griech./deutsch, hrsg. v. G. EIGLER, auf 8 Bde geplant, Darmstadt 1970ff., bisher erschienen: Bd IV, 1971, VI, 1970 u. VII, 1972. – Antike Geisteswelt I, hrsg. v. W. RÜEGG, = Geist d. Abendlandes o. Nr, ebd. 1955 (darin »Musik als Grundlage d. Erziehung«). Lit.: +H. ABERT, Die Lehre v. Ethos ... (1899), Nachdr. Tutzing u. Wiesbaden 1968; +L. RICHTER, Zur Wissenschaftslehre v. d. Musik bei Pl. u. Aristoteles (Diss. 1956), gedruckt = Deutsche Akad. d. Wiss. zu Bln, Schriften d. Sektion f. Altertumskunde XXIII, Bln 1961; +J. LOHMANN, Der Ursprung d. Musik (1959), Wiederabdruck in: Musiké u. Logos, Fs. J. Lohmann, Stuttgart 1970. – P. M. SCHUHL, Pl. et la musique de son temps, Rev. internationale de philosophie IX, 1955; E. KOLLER, Muße u. musische Paideia. Über d. Musikaporetik in d. aristotelischen Politik, in: Museum Helveticum XIII, 1956, auch separat Zürich 1956; THR. G. GEORGIADES, Musik u. Rhythmus bei d. Griechen, = rde LXI, Hbg 1958; E. PREUSSNER, Die Idee d. Musikerziehung in Pl.s »Staat« u. in Goethes »Wilhelm Meister«, ÖMZ XIV, 1959; G. ARNOUX, Musique pl.icienne, âme du monde, Paris 1960; H. POTIRON, Les notations d'Aristide Quintilien et les harmonies dites pl.iciennes, Rev. de musicol. XLVII, 1961; W. VETTER, Mythos – Melos – Musica, Bd II, Lpz. 1961; E. A. LIPPMAN, Mus. Thought in Ancient Greece, NY 1964; H. GÖRGEMANNS u. A. J. NEUBECKER, »Heterophonie« bei Pl., AfMw XXIII, 1966; D. ZOLTAI, A zeneesztétika története, Bd I: Ethosz és affektus, Budapest 1966, deutsch als: Ethos u. Affekt. Gesch. d. philosophischen Musikästhetik v. d. Anfängen bis zu Hegel, ebd. 1970; W. D. ANDERSON, Ethos and Education in Greek Music. The Evidence of Poetry and Philosophy, Cambridge (Mass.) 1968; K. MEYER-BAER, Music of the Spheres and the Dance of Death. Studies in Mus. Iconology, Princeton (N. J.) 1970; W. WETHERBEE, Pl.ism and Poetry in the 12th Cent., The Literary Influence of the School of Chartres, ebd. 1972.

+Platti, Giovanni [erg.:] Benedetto, 9. 7. 1697 zu Padua [del. frühere Angaben] – 1763.
Pl. komponierte 6 [nicht: 2] Messen; sein Miserere entstand 1734 [nicht: 1724].
Ausg.: Sonate G dur f. Fl. u. B. c. op. 3 Nr 6, hrsg. v. H. RUF, = Il fl. traverso Nr 97, Mainz 1963; 4 Cemb.-Sonaten, hrsg. v. F. TORREFRANCA, Mailand 1964; Konzert G moll f. Ob., Streichorch. u. B. c., hrsg. v. H. WINSCHERMANN, Hbg 1964; Konzert G dur f. Ob. (Fl.) u. Streichorch., hrsg. v. W. LEBERMANN, = Concertino CXV, Mainz 1966 (→ Pla); Miserere f. Soli, Chor, Ob., Streichorch. u. Org., hrsg. v. R. LUPI, Mailand 1967.
Lit.: +F. TORREFRANCA, Le origini ital. del romanticismo mus., I primitivi della sonata moderna (1930), Nachdr. = Bibl. musica Bononiensis III, 18, Bologna 1969. – A. BONACCORSI, G. Pl., in: Le celebrazioni del 1963 ..., hrsg. v. M. Fabbri, = Accad. mus. Chigiana (XX), Florenz 1963; W. S. NEWMAN, The Sonata in the Class. Era, Chapel Hill (N. C.) 1963, revidiert NY u. London 1972 (Paperbackausg.); F. TORREFRANCA, G. B. Pl. e la sonata moderna, = Istituzioni e monumenti dell'arte mus. ital., N. S. II, Mailand 1963; M. FABBRI, Una nuova fonte per la conoscenza di G. Pl. e del suo »Miserere«. Note integrative in margine alla monografia di F. Torrefranca, in: Chigiana XXIV, N. S. IV, 1967.

Platzer, Josef Ignaz, * 1750(?) zu Prag, † 4. 4. 1806 zu Wien; österreichischer Bühnenbildner, ausgebildet als Dekorationsmaler an der Wiener Kunstakademie, stattete 1781/82 Glucks »Iphigenie in Tauris« in Wien aus und wurde 1783 von Franz Anton Reichsgraf von Nostitz-Rhinek an das Deutsche Nationaltheater in Prag berufen (*Le nozze di Figaro*, 1786). 1784 arbeitete er für das Wiener Hoftheater, 1785 für das Kärntnertortheater (Eröffnungsvorstellung *Giulio Sabino* von Sarti). Als »Wirkliches Mitglied« der k. k. Akademie der bildenden Künste (1789) und als »Hoftheatermaler« (1790) arbeitete er z. T. gemeinsam mit Antonio Sacchetti für das Burgtheater und die Hofoper (*Nina von Paisiello*, 1795; *Gli Orazi ed i Curiazi* von Cimarosa, 1797; *Soliman II.* von Süßmayr, 1799; *Die Geschöpfe des Prometheus* von Beethoven, 1801; *Adelaide di Gueselino* von S. Mayr, 1802; *Milton* von Spontini, 1805; *Faniska* von Cherubini, 1806). Er war auch für die Privattheater der Fürsten Liechtenstein und der Grafen Kinsky tätig und fertigte 1797 für das Schloßtheater in Leitomischl (Böhmen) eine Reihe von (noch original erhaltenen) Dekorationen an, die ein wichtiges Zeugnis für die damals verwendeten Bühnenbildtypen sind. – Pl. markiert die Schlußphase der von → Burnacini eingeleiteten Entwicklung des barocken Bühnenbilds in Wien im Übergang zur klassizistischen Szenengestaltung. In seinem Werk finden sich Rokokoanklänge, neogotische Elemente, Piranesi-Motive (*Carceri*) und klassizistische Formen.
Lit.: N. BITTNER, Theater-Dekorationen nach d. Original-Skizzen d. k. k. Hoftheatermalers J. Pl., Wien 1816; H. TINTELNOT, Barocktheater u. barocke Kunst, Bln 1939; J. SCHOLZ u. H. H. MAYOR, Baroque and Romantic Stage Design, NY 1949; J. HILMERA, Zwei böhmische Schloßtheater, in: Maske u. Kothurn IV, 1958; M. DIETRICH, Einige Daten zu J. Pl., ebd.; H. KINDERMANN, Theatergesch. Europas III, Salzburg 1959; Y. A. HAASE, Der Theatermaler J. Pl., Diss. Wien 1960; J. SCHOLZ, 18th- and 19th-Cent. Stage Design from the Mayr–Fájt Collection, NY 1962. **HS**

Plautzius, Gabriel (Plautz, Plavec), † 11. 1. 1641 zu Mainz; krainischer Komponist (er führte den Beinamen Carniolus), war in Mainz kurfürstlicher Hofkapellmeister und wirkte dort von 1612 bis zu seinem Tode. Die einzig bisher bekannte Sammlung seiner Kompositionen erschien 1622 in Aschaffenburg unter dem Titel *Flosculus vernalis, sacras cantiones, missas, aliasque laudes B. Mariae continens, a 3–6, et 8 v. cum b. generali.*

Ausg.: Ave, mundi spes, Maria (1627) u. Dic, Maria, quid vidisti (1627) f. Soli, Chor u. Org., hrsg. v. A. GOTTRON, = Musica sacra II bzw. XVII, Heidelberg 1955–57; Missa super »Se dessio di fuggio« (1622) f. S., A., 2 T. u. B., hrsg. v. DEMS., Düsseldorf 1957; Skladatelji Gallus, Pl., Dolar in njihovo delo (»Die Komponisten Gallus, Pl., Dolar u. ihr Werk«), hrsg. v. DR. CVETKO, Ljubljana 1963.
Lit.: A. GOTTRON, Mainzer Mg. v. 1500 bis 1800, = Beitr. zur Gesch. d. Stadt Mainz XVIII, Mainz 1959; DERS., G. Plautz, dvorni kapelnik v Mainzu (»G. Pl., Hofkapellmeister in Mainz«), in: Muzikološki zbornik IV, 1968.

+Plavec, Josef, * 8. 3. 1905 zu Heřmanův Městec (Böhmen).
Pl., 1954 an der Prager Universität zum ordentlichen Professor ernannt, erhielt 1956 den Doktorgrad der historischen Wissenschaften [del.: habilitierte sich 1956]. Zu seinem 60. Geburtstag widmete ihm die Prager Universität eine Festschrift (Sborník Pedagogické fakulty university Karlovy k 60. narozeninám prof. Dr. J. Plavec, Prag 1966, mit Werkverz. und Bibliogr.). – Von seinen Schriften seien weiter genannt: +O. [nicht: J.] Jeremiáš (1943), neubearb. als Národní umělec O. Jeremiáš (»Der Nationalkünstler O. Jeremiáš«, Prag 1964); J.B. Foerster v obrazech (»J.B. Foerster in Bildern«, = Obrazové soubory o. Nr, ebd. 1959); Dějiny české a slovenské hudby (»Geschichte der tschechischen und slowakischen Musik«, = Učební texty vysokých škol o. Nr, ebd. 1961 und 1964); Dějiny pražského Hlaholu (»Geschichte des Prager Gesangvereins Hlahol«, ebd. 1961); Janáčkova tvorba sborová (»Janáčeks Chorschaffen«, in: Sborník Pedagogického institutu v Praze 1961, auch in: L. Janáček a soudobá hudba, hrsg. von J. Vysloužil, = Knižnice hudebních rozhledů VII, ebd. 1963); Hudební výchova v ČSSR (»Musikerziehung in der ČSSR«, in: Člověk potřebuje hudbu, hrsg. von V. Holzknecht und Vl. Poš, ebd. 1969); kleinere Beiträge besonders in der Zeitschrift »Hudební rozhledy«.

+Playford, –1) John (der Ältere), 1623–86. –2) Henry, 1657 – um 1709. –3) John (der Jüngere), um 1655–85.
Ausg.: zu –1): Musick's Recreation on the Viol, Lyra-way (1682), Faks. mit hist. Einleitung (deutsch u. engl.) hrsg. v. N. DOLMETSCH, = Hinrichsen Facsimile Reprints IV, London 1960; The Second Part of Musick's Handmaid, revised and corrected by H. Purcell, hrsg. v. TH. DART, ebd. 1963, ²1969; The First Part of Musick's Handmaid, hrsg. v. DEMS., ebd. 1969; An Introduction to the Skill of Musick (zusammen mit Th. Campions »The Art of Descant or Composing of Musick in Parts«), Faks. d. 7. Aufl. ebd. 1674, Ridgewood (N.J.) 1966; dass., Faks. d. 12. Aufl. (1694) hrsg. v. FR. B. ZIMMERMAN, NY 1972. – zu –2): Harmonia sacra, Faks. d. Ausg. London 1726, Farnborough 1966.
Lit.: M. DEAN-SMITH, Engl. Tunes Common to Pl.'s »Dancing Master«, Proc. R. Mus. Ass. LXXIX, 1952/53; DIES. in: MGG X, 1962, Sp. 1344ff.; L. CARAPETYAN, A Few Remarks on J. Pl. and His »Introduction to the Skill of Musick«, JAMS IX, 1956; I. SPINK, Pl.'s »Directions f. Singing After the Ital. Manner«, MMR LXXIX, 1959; R. E. MEYER, J. Pl.'s »An Introduction to the Skill of Musick«, Diss. Florida State Univ. 1961 (darin Faks. v. »A Briefe Introduction . . .«, London 1667); I. LOWENS, The Bay Psalm Book in 17th-Cent. New England, in: Music and Musicians in Early America, NY 1964; D. D. BOYDEN, The Hist. of V. Playing from Its Origins to 1761, London 1965, deutsch als: Die Gesch. d. Violinspiels . . ., Mainz 1971; L. FR. CORAL, A J. Pl. Advertisement, R. M. A. Research Chronicle V, 1965 (vgl. auch M. Dean-Smith, ebd. VI, 1966, S. 1f.); DIES., A Transcription and Critical Study of Some J. Pl. Cat., Diss. London 1966; L. M. RUFF, A Survey of J. Pl.'s »Introduction to the Skill of Musick«, in: The Consort XXII, 1965; R. CL. NELSON, J. Pl. and the Engl. Amateur Musician, 2 Bde (Text u. Übertragung), Diss. Univ. of Iowa 1966; D. FALLOWS, The Mus. Companion, 1673. A Study with Transcription of the Complete Secular Songs of J. Pl., Diss. London 1968; FR. TRAFICANTE, Lyra Viol Tunings, AMl XLII, 1970; N. TEMPERLEY, J. Pl. and the Metrical Psalms, JAMS XXV, 1972; DERS., J. Pl. and the Stationer's Company, ML LIV, 1973.

+Plaza[erg.:]-Alfonzo, Juan Bautista, * 19. 7. 1898 und [erg.:] † 1. 1. 1965 zu Caracas; venezolanischer Komponist [erg.:] und Musikforscher.
Leiter der Escuela preparatoria de música (später Escuela de música J.M. Olivares) war Pl. 1948–62. Von seinen Kompositionen seien genannt: die symphonischen Dichtungen El picacho abrupto (1926), Vigilia (1928) und Campanas de Pascua (1930) für Orch., Fuga criolla (1931) und Fuga romántica venezolana (1950) für Streichorch., Elegie für Streichorch. und 3 Pk. (1953) und Marcha nupcial für 2 Hörner, 2 Pos. und Streicher (1959); Divertimento für Fl., V., Vc. und Kl. (1959, nach eigenen Klavierstücken), Diferencias sobre un aire venezolano für Vc. und Kl. (1953), Pequeña ofrenda lírica für Bandoneon (1963); Klavierwerke (u. a. Sonatina venezolana, 1934, Sonate für 2 Kl., 1955, und eine 2st. Invention Contrapunteo tuyero, 1956), 9 Messen (u. a. Misa litúrgica de la esperanza für 2st. Männerchor und Org., 1962) und zahlreiche weitere Kirchenmusik (u. a. Ave Maria für 3st. Männerchor und Streichorch. sowie Regina coeli und Salve regina für 3st. Männerchor, 2 Hörner und Streichorch., alle 1959; Tantum ergo Nr 16 für 3st. Männerchor a cappella, 1961, Las horas für Chor und Orch. (1930, zum 100. Todestag von S. Bolívar), 7 Canciones venezolanas für S. und Kl. (1932), Los lagartos (F. García Lorca, 1957), Dafne (1958) und Vitrales (1963) für 4st. gem. Chor a cappella; ferner Bearbeitungen der venezolanischen Nationalhymne für verschiedene Besetzungen. – Weitere Schriften (alle Caracas): J.A. Lamas (1953); El Padre Sojo (1957); Música colonial venezolana (= Espacio y forma IV, 1957, auch = Letras venezolanas XI, 1958); El lenguaje de la música. Lecciones populares sobre música (= Humanismo y ciencia o. Nr, 1966).
Lit.: Werkverz. in: Compositores de América IX, Washington (D. C.) 1963. – A. PARDO-TOVAR in: Inter-American Inst. f. Mus. Research, Yearbook I, 1965, S. 13f.; I. ARETZ in: JIFMC XVIII, 1966, S. 80f.; J. A. CALCAÑO, 400 años de música caraqueña 1567–1967, Caracas 1967; E. PLAZA-ALFONZO, Apuntes sobre la persona, la vida y la obra de J. B. Pl., ebd. 1968; I. PEÑA in: Rev. nacional de cultura XXX, (ebd.) 1971, Nr 196, S. 96ff.

Plaza-Alfonzo (plʼaθaalfʼɔnθo), Eduardo, * 9. 11. 1911 zu Caracas; venezolanischer Komponist, Chordirigent und Musikpädagoge, Bruder von Juan Bautista Pl., war Schüler seines Bruders und von Sojo und bildete sich dann autodidaktisch weiter. Außerdem studierte er politische Wissenschaften (Promotion 1944) und wurde Assessor im Außenministerium. Er war Mitgründer des »Orfeón Lamas« und 7 Jahre Chordirektor des Chores der Escuela Naval de Venezuela und unterrichtete Musiktheorie an der Escuela Superior de Música »José Angel Lamas« und an der Escuela de Música J.M. Olivares, an der er als Vizedirektor (seit 1963) auch Musikgeschichte und -ästhetik lehrte. Pl.-A. komponierte u. a. eine Elegía arcaica für Orch. (1965), Amanecer für Streichorch., Kammermusik (Violinsonate), 1962; Allegro vivo über venezolanische Themen, 1964, und Canción de cuna, 1964, für Streichquartett), Klavierwerke (Microsonata, 1953, Fuge und Passacaglia, 1967), Orgelstücke, Chöre a cappella, Lieder und Kirchenmusik (Misa de réquiem, 1965; Misa venezolana, 1966; Misa de gloria, 1967). Er veröffentlichte Apuntes sobre la persona, la vida y la obra de J.B. Plaza (Caracas 1968).

Lit.: Werkverz. in: Compositores de América XIV, Washington (D. C.) 1968.

Plé-Caussade (plekos'ad), Simone, * 14. 8. 1897 zu Paris; französische Komponistin und Pianistin, Frau des Pädagogen und Komponisten Georges Caussade (* 20. 11. 1873 zu Port Louis, Insel Mauritius, † 5. 8. 1936 zu Chanteloup-les-Vignes, Yvelines), studierte am Pariser Conservatoire bei Cortot, Henri Dallier und ihrem Mann, dem sie 1928 als Professor für Fuge und Kontrapunkt nachfolgte. Zu ihren Schülern zählen Amy, Betsy Jolas, Magne, J.-E. Marie und Nikiprowetzky. Sie schrieb u. a. Klavier- und Orgelstücke, Chöre, Lieder und Kirchenmusik.

Pleskow (pl'eskou), Raoul, * 12. 10. 1931 zu Wien; amerikanischer Komponist österreichischer Herkunft, absolvierte das Queens College in New York (B. A. 1954) und studierte Komposition bei Luening an der Columbia University in New York (M. A. 1958). Er gehört seit 1959 dem Lehrkörper des C. W. Post College der Long Island University in Brookville (N. Y.) an (Associate Professor und Chairman des Music Department). Er schrieb: Sextett (1963); *Movement* für Fl., Vc. und Kl. (1965); *Two Pieces* für Fl. und Kl. (1965); *Three Bagatelles with Contrabass* (1965); *Music* für 2 Kl. (1966); *Music* für 7 Spieler (1966); *Movement* für Ob., V. und Kl. (1966); *Bagatelles No. 2* für Va, Fl. und Kl. (1967); *Music* für 9 Spieler (1967); *Bagatelles* für V. solo (1967); *Piece* für Kl. (1968); *Composition* für Orch. (1968).

Pless, Hans (eigentlich Pischinger), * 18. 1. 1884 und † 30. 4. 1966 zu Wien; österreichischer Komponist und Dirigent, studierte in Wien an der Universität (Dr. jur.) und am Konservatorium der Gesellschaft der Musikfreunde Komposition bei R. Fuchs, war ab 1908 als Opernkapellmeister in Breslau, Černowitz und Detmold, 1919 in Mährisch-Ostrau, dann als Konzertdirigent in Wien tätig, wo er den Uraniachor gründete. 1931 wurden auf seine Initiative hin die Europäischen Austauschkonzerte gegründet. 1933 erhielt er den Titel Professor. 1945–52 war Pl. Lehrer am Konservatorium der Stadt Wien. Er schrieb die Opern *Der Sieger* op. 2 (Wien 1911), *Turf* op. 5 (1912), *Der Page* op. 6 (1914) und *Macbeth* op. 16 (1924), Orchesterwerke (Scherzo op. 1, 1908; Sinfonietta für Streicher und 2 Hörner op. 18, 1927; Sinfonietta op. 52), Kammermusik (Trio für V., Va und Kl. op. 31, 1933; Klavierquartett op. 35, 1934; Quintett für Streicher und Hf. op. 40, 1937; Streichquartett op. 43, 1949; Fantasie für V. und Kl. op. 53), Klavierstücke (Fantasie op. 30, 1934), Kantaten, Chöre, Duette, Lieder und Bühnenmusik.

Plessis, Hubert du, * 7. 6. 1922 im Distrikt Malmesbury (Kapprovinz); südafrikanischer Komponist und Pianist, studierte 1940–44 am Konservatorium in Stellenbosch (Kapprovinz), 1942–44 daneben Komposition bei Bell in Gordonsbai, 1944–46 bei Fr. Hartmann in Grahamstadt und 1951–54 an der Royal Academy of Music in London bei A. Bush und Ferguson. Nach seiner Rückkehr war er 1955–58 Dozent am College of Music in Kapstadt und wurde 1958 Lektor für Musik (1963 Senior-Lektor) an der Universität in Stellenbosch. Daneben tritt er als Pianist und Cembalist auf. Als Komponist hat er sich vorwiegend der Vokalmusik gewidmet; hervorzuheben sind die Liederzyklen *In den ronde* op. 5 (nld., 1948), *Vreemde liefde* op. 7 (afrikaans, 1951) und *Die vrou* op. 30 (afrikaans, nld., deutsch, 1960) und die Chorwerke mit Orch. *Slamse beelde* op. 21 (1959), *Die dans van die reën* op. 22 (1960) und *Suid-Afrik, nag en daeraad* op. 30 (1966).

Lit.: J. Bouws, Suid-afrikaanse komponiste v. vandag en gister, Kapstadt 1957; DERS., Woord en wys v. d. Afrikaanse lied, ebd. 1962; J. H. POTGIETER, 'n analitiese oorsig v. d. Afrikaanse kunslied, Diss. Pretoria 1967.

⁺Pleyel, –1) Ignaz (Ignace) Joseph, 18. [nicht: 1.] 6. 1757 – 1831. Der 1795 von ihm gegründete Verlag wurde 1834 aufgelöst. – Unter seinen Werken befinden sich über 60 Symphonien (33 gedruckt) und über 60 Streichquartette [del. frühere Angaben dazu]. Seine Oper ⁺*Ifigenia in Aulide* wurde 1785 [nicht: 1780] in Neapel uraufgeführt. Die 6 ⁺*Feldparthien* (Hob. II: 41–46) sind wahrscheinlich eher J. Haydn als Pl. zuzuschreiben. – 1799 gab Pl. in Paris J. L. Dusseks Klavierschule *Instructions on the Art of Playing the Pianoforte or Harpsichord* (London 1796; mit 6 progressiven Sonatinen mit V. ad libitum von Pl.) in französischer Sprache als *Méthode pour piano-forte par Pl. et Dussek* heraus (mit weiteren 18 eigenen Übungsstücken), die 1804 in Leipzig in einer deutschen Version unter Pl.s Namen als *Pl., I., Klavierschule* revidiert in 3. Aufl. erschien (vgl. J. Zsako, 1971) [del. frühere Angaben dazu]. –2) [erg.: Joseph Stephan] Camille, 1788–1855; sein Geschäftserbe Auguste [erg.: -Désiré-Bernard] Wolff, * 3. 5. 1821 und † 9. 2. 1887 zu Paris [erg. frühere Angaben]; dessen Nachfolger Gustave Franz Lyon, * 19. 11. 1857 und [erg.:] † 12. 1. 1936 zu Paris. – Die Klaviere der Firma Pleyel S. A., die inzwischen ihre Pläne zu Harfenbau und Verwendung von Kunststoffen für Klaviermechaniken zurückgezogen hat, werden heute unter dem Markennamen »Pleyel« von der Firma →⁺W. Schimmel hergestellt und vertrieben. Ausg.: zu –1): 3 Sonaten f. Kl., Fl. (V.) u. Vc. ⁺op. 16 Nr 1–2 u. 5, hrsg. v. H. ALBRECHT, = Organum III, 35–37, Lippstadt 1949 [del. früherer Titel]. – Symphonie périodique Nr 6 F dur, hrsg. v. F. OUBRADOUS, = Les musiciens de la liberté o. Nr, Paris 1957; Symphonie concertante Nr 5 F dur f. Fl., Ob. (Klar.), Horn, Fag. u. Orch., hrsg. v. DEMS., ebd. 1959; Kl.-Sonate G moll (um 1815), hrsg. v. P. ZEITLIN u. D. GOLDBERGER, Ffm. 1961; 12 Duette f. 2 Fl., hrsg. v. H. STEINBECK, = Diletto mus. Nr 137–140, Wien 1964; Quintett op. 10 Nr 3 f. Fl., Ob., V., Va u. Vc., hrsg. v. DEMS., ebd. Nr 198, 1968; Klar.-Konzert C dur, hrsg. v. E. DOBRÉE, London 1968; Quintett C dur f. Ob., Klar., Horn, Fag. u. Kl., hrsg. v. W. GENUIT u. D. KLÖCKER, ebd. 1969; Quartett Es dur f. Fl., 2 Klar. u. Fag., hrsg. v. G. MEERWEIN, ebd. 1970; Grand trio f. Kl., Fl. u. Vc. op. 29, hrsg. v. DEMS., ebd. 1971; Fl.-Sonaten Nr 3 B dur, Nr 4 A dur u. Nr 6 D dur, hrsg. v. I. ALBERTI, = General Music Series XLIV–XLVI, Adliswil 1971; 3 konzertante Trios op. 10, hrsg. v. B. PÄULER, London 1971; 6 Duette f. 2 Klar., hrsg. v. W. SUPPAN, = Aulós Nr 141, Wolfenbüttel 1973. Lit.: Rev. Pl., (Paris) 1923, Nr 1 – 1927, Nr 48, Nachdr. Scarsdale (N. Y.) 1969 (4 Bde). – zu –1): ⁺C. PIERRE, Les facteurs d'instr. de musique … (1893), Nachdr. Genf 1971. – A. A. ABERT, Zur Frage der individuellen Thematik bei Mozart, Mf V, 1952 (zu Pl.s Fl.-Quartett op. 20 Nr 1); J. KLINGENBECK, I. Pl. u. d. Marseillaise. Widerlegung einer neuen Legendenbildung, StMw XXIV, 1960; DERS., I. Pl., Sein Streichquartett im Rahmen d. Wiener Klassik, StMw XXV, 1962; B. S. BROOK, La symphonie frç. dans la seconde moitié du XVIIIᵉ s., 3 Bde, = Publ. de l'Inst. de musicologie de l'Univ. de Paris III, Paris 1962; R. BENTON, I. Pl., Disputant, FAM XIII, 1966; DIES., A la recherche de Pl. perdu, or Perils, Problems, and Procedures of Pl. Research, FAM XVII, 1970; L. FINSCHER, Popularität u. Volkstümlichkeit in d. Kammermusik d. Wiener Klassik, in: Volks- u. Hochkunst in Dichtung u. Musik, Tagungsber. Saarbrücken 1966; DERS., Studien zur Gesch. d. Streichquartetts, Bd I: Die Entstehung d. klass. Streichquartetts, = Saarbrücker Studien zur Mw. III, Kassel 1974; R. R. SMITH, The Periodical Symphonies of I. Pl., 2 Bde (in Bd II Partitur v. 5 Symphonien), Diss. Univ. of Rochester (N. Y.) 1968; E. SCHMITT, Münsterkapelle u. Dommusik in Straßburg zur Zeit Fr. X. Richters u. I. Pl.s, Arch. de l'Eglise d'Alsace XVIII, 1970; J. ZSAKO, Bibliogr. Sandtraps. The »Klavierschule«, Pl. or Dussek?, in: Current Musicology 1971, Nr 12; C. HOPKINSON, The Earliest Miniature Score, MR XXXIII, 1972; M. S. COLE, A Pl. Collection at UCLA, in: Notes XXIX, 1972/73; W. LEBERMANN, I. J. Pl., Die Frühdrucke seiner Solokonzerte u. deren Doppelfassungen, Mf XXVI, 1973; S. RYZAREW, Fr. Schubert i I. Pl., SM XXXVIII, 1974. – zu –2): R. BENTON, London Music in 1815, as Seen by C. Pl., ML XLVII, 1966.

Plicka (pl'itskɑ), Karel, * 14. 10. 1894 zu Wien; tschechischer Musikethnologe, studierte Musik ab 1919 in Prag und war 1924–39 Referent an der Volkskundeabteilung der Matica Slovenská in Turčiansky Svätý Martin (Mittelslowakei). Er sammelte etwa 40000 slowakische Volkslieder, von denen er viele auf Schallplatten aufnahm. 1947–49 leitete er die Musikakademie in Prag. Er schrieb zahlreiche Zeitschriftenaufsätze und gab heraus (Erscheinungsort, wenn nicht anders angegeben, Prag): *Tance z Piešťan* (»Tänze aus Piešťany«, Budweis 1928); *Slovenské pesničky* (»Slowakische Gesänge«, Turčiansky Svätý Martin 1937); *Český zpěvník* (»Tschechisches Liederbuch«, 1940, ³1957); *Český rok v pohádkách, písních, hrách a tancích, říkadlech a hádankách* (»Das tschechische Jahr in Märchen, Liedern, Spielen und Tänzen, Sprüchen und Rätseln«, mit Fr.Volf und K. Svolinský, 4 Teile: I–II 1944, ²1947, III–IV 1953–60); *Z mého domova* (»Aus meiner Heimat«, mit Fr.Volf, 1951); *Slovenský spevník* (»Slowakisches Liederbuch«, Bd I, Bratislava 1961).

Plindthamer, Adolf → Blindhamer, A.

Plissezkaja, Maja Michajlowna (verh. Schtschedrin), * 20. 11. 1925 zu Moskau; russisch-sowjetische Tänzerin und Primaballerina assoluta des Moskauer Bolschoj-Balletts, in das sie nach ihrem Studium an der Moskauer Bolschoj-Schule aufgenommen wurde. Sie ist eine brillante Technikerin und eine kluge Schauspielerin (1968 wirkte sie als Schauspielerin an der Neuverfilmung von *Anna Karenina* mit), eine Ballerina von eminenter Musikalität. Seit dem Abtreten von Galina Ulanowa gilt sie als die Primaballerina assoluta der UdSSR. Abgesehen von allen Hauptrollen des klassischen Repertoires tanzt sie auch die Sarema in *Bachtschissarajskij fontan* (»Die Fontäne von Bachtschissarai« nach Puschkin, Assafjew), die Herrin des Kupferbergs in der Lawrowskij-Choreographie von Prokofjews *Kamennij zwetok* (»Die steinerne Blume«, 1954), die Laurencia in *Laurencia* (A. Krejn, 1956), verschiedene Rollen in den verschiedenen Fassungen von A. Chatschaturjans *Spartak* (»Spartacus«), die Julia in *Romeo i Dschuljetta* (Prokofjew, Choreographie Lawrowskij) und die Titelrolle in A.Alonsos Carmen-Suite (Bizet, arrangiert von ihrem Mann Rodion Schtschedrin, Moskau 1967). 1972 choreographierte sie als ihr erstes Ballett *Anna Karenina* (Musik Schtschedrin). M. Pl. unternahm ausgedehnte Auslandstourneen und trat 1967 in Köln erstmalig in der Bundesrepublik auf.
Lit.: N. ROSLAWLEWA, M. Pl., Moskau 1956, auch engl.; L. T. SCHDANOW, M. Pl., ebd. 1965 (russ., engl. u. frz.); J. BARIL, M. Pl., in: Les saisons de la danse 1968 (mit ausführlichem Rollenverz.); G. FEIFER, Pl. Portrait, in: Dance News 1971, Nr 58/59 – 1972, Nr 60/61.

+Plocek, Alexander, * 26. 2. 1914 zu Prag.
Pl. wurde 1949 Konzertmeister [nicht: Leiter] der Tschechischen Philharmonie. Professor für Violine war er bis 1952 an der Musikakademie in Brünn; seitdem ist er in gleicher Stellung an der Prager Musikakademie tätig.

Plocek (pl'otsɛk), Václav, * 28. 8. 1923 zu Prag; tschechischer Musikforscher, promovierte 1948 an der Prager Karlsuniversität mit der Dissertation *Versus super offertoria*. 1950 wurde er Bibliothekar der Musikabteilung der Staats- und Universitätsbibliothek in Prag. Er schrieb u. a.: *Nově nalezená sekvence o svaté Dorotě* (»Eine neu aufgefundene Dorothea-Sequenz«, in: Ročenka UK v Praze 1956, deutsch in: De musica disputationes Pragensis I, 1972, S. 120ff.); *Původ svatováclavského responsoria Laudemus Dominum* (»Der Ursprung des Wenzel-Responsoriums Laudemus Dominum, ebd. 1957); *Nejstarší dvojhlasy v rukopisech Universitní knihovny* (ebd. 1960/61, deutsch als *Die ältesten zweistimmigen Gesänge in den Handschriften der Staatsbibliothek der ČSSR, Universitätsbibliothek in Prag*, in: Česká hudební věda, Dějiny, 1966); *Catalogus codicum notis musicis instructorum qui in Bibliotheca publica Pragensi SK ČSSR – UK servantur* (3 Bde, Prag 1966, maschr.); *Zur Problematik der ältesten tschechischen Tanzkompositionen* (StMl XIII, 1971).

Ploeger, Roland, * 8. 1. 1928 zu Oerlinghausen (bei Bielefeld); deutscher Komponist und Musikpädagoge, studierte 1949–54 an der Nordwestdeutschen Musikakademie in Detmold Komposition bei Driessler, Dirigieren bei K. Thomas und Orgel bei Michael Schneider, außerdem Musikwissenschaft an den Universitäten in Frankfurt a. M. und Utrecht. Ab 1959 war er als freischaffender Komponist und Musikschriftsteller tätig; seit 1963 ist er Dozent für Komposition und Akustik an der Schleswig-Holsteinischen Musikakademie in Lübeck, wo er seit 1964 Musica viva-Konzerte leitet. – Kompositionen (Auswahl): *Der 121. Psalm*, Motette für 4st. gem. Chor a cappella (1952); *Miniaturen*, 6 kleine Klavierstücke (1953); Introduktion und Rondo für Orch. (1954); *Nocturne et mouvement* für Fl. und Kl. (1955); 2. Streichtrio (1957); *Drei Stücke* für Fl. und Kl. (1960); Studie für elektronische Klänge (1964); *Sechs serielle Inventionen* für Kl. (1965); *Lieder der Nacht* für tiefe St. und Kl. (1966).

Ploner, Josef Eduard, * 4. 2. 1894 zu Sterzing (Südtirol), † 23. 6. 1955 zu Innsbruck; österreichischer Komponist, studierte in Innsbruck, Augsburg und Wien (Staatsprüfung für Klavier 1919), war in Innsbruck Volksschullehrer (1921–30), Organist und Chorregent an der evangelischen Kirche, gründete 1922 einen Kammerchor und unterrichtete Chorgesang in der Schule des Musikvereins. Pl. komponierte Orchesterwerke (Symphonische Dichtung *Musik der Landschaft*), Kammermusik, Klavier- und Orgelwerke, Kantaten, Chöre und Lieder sowie Bühnenmusik.
Lit.: H. J. SPIEHS, J. E. Pl., = Schöpferisches Tirol V, Innsbruck 1965.

Plotin, * um 205 n. Chr. zu Lykopolis (Ägypten), † 270 zu Minturnae (Latium); griechischer Philosoph, war nach ausgedehnten Reisen ab 245 als Philosophielehrer in Rom tätig; er ist das Haupt der neuplatonischen Denkrichtung. In seinem Denken erfüllt die Musik eine ethische Aufgabe und führt zur Erkenntnis des Guten (Enneaden I, 3 und 6, und V, 9). Die spekulative Musikästhetik der Romantik (Schelling, Schopenhauer) wurde durch die Kunstphilosophie Pl.s befruchtet.
Lit.: H. ABERT, Die Musikanschauung d. MA u. ihre Grundlagen, Halle (Saale) 1905, Nachdr. Tutzing 1964; R. SCHÄFKE, Gesch. d. Musikästhetik in Umrissen, Bln 1934, Nachdr. Tutzing 1964; J. HANDSCHIN, Der Toncharakter, Zürich 1948.

+Plüddemann, Martin, 29. 9. [nicht: 8.] 1854 – 1897.

In seinen Schriften trat Pl. für R. Wagner sowie für die Neubelebung der Ballade ein (u. a. *Die Bühnenfestspiele in Bayreuth*, Lpz. 1876; Aphorismen *Aus der Zeit, für die Zeit*, Lpz. 1880).
Lit.: W. SUPPAN, M. Pl. u. seine Grazer Balladenschule, in: Neue Chronik zur Gesch. u. Volkskunde d. innerösterreichischen Alpenländer, Beilage Nr 56 zur Südost-Tagespost 1960 (Graz); DERS., Die romantische Ballade als Abbild d. Wagnerschen Musikdramas, Kgr.-Ber. Kassel 1962; Steirisches Musiklexikon, hrsg. v. DEMS., Graz 1962–66, S. 434ff.

+Plümacher, Hetty, [erg.: * 3. 12. 1922] zu Solingen.
H. Pl., weiterhin Mitglied der Stuttgarter Staatsoper, wirkte auch mehrfach (erstmals 1959) bei den Salzburger Festspielen mit. Seit 1964 leitet sie eine Gesangsklasse an der Musikhochschule in Stuttgart.

Plummer (plʌmə), John (Plomar, Polumier), * um 1410, † nach 1484 zu Windsor; englischer Komponist, war zwischen 1441 und 1462 Master of Song des Knabenchors der königlichen Kapelle und 1458(?)–84 in Windsor Mitglied der St. George-Kapelle. Er komponierte u. a. 5 Motetten (*Anna mater matris Christi* für 4 St.) und Teile einer Messe, deren Autorschaft nicht durchweg eindeutig bestimmbar ist.
Ausg.: 4 Motetten, hrsg. v. BR. TROWELL, London 1968.
Lit.: M. u. I. BENT, Dufay, Dunstable, Pl., A New Source, JAMS XXII, 1969; A. B. SCOTT, »Ibo michi ad montem mirre«. A New Motet by Pl. ?, MQ LVIII, 1972.

+Plutarchos, um 48–123 [del.: 50–120] n. Chr.
Ausg.: +De musica (K. ZIEGLER, = Bibl. scriptorum Graecorum et Romanorum Teubneriana o. Nr, 1954 [nicht: 1953]), Lpz. ²1959.
Lit.: THR. G. GEORGIADES, Musik u. Rhythmus bei d. Griechen, = rde LXI, Hbg 1958; M. VOGEL, Die Enharmonik d. Griechen, Bd II, = Orpheus-Schriftenreihe zu Grundfragen d. Musik IV, Düsseldorf 1963; J. P. H. M. SMITS, Plutarchus en de griekse muziek, = Utrechtse bijdragen tot de mw. VI, Bilthoven 1970.

Pobbe, Marcella, * 13. 7. 1927 zu Montegalda (Vicenza); italienische Sängerin (lyrischer Sopran), studierte am Conservatorio di Musica G. Rossini in Pesaro bei Rinalda Pavoni Giuli und an der Accademia Musicale Chigiana in Siena bei Favoretto (Liedgesang), debütierte 1949 in Spoleto als Margarete (*Faust*) und wurde im gleichen Jahr an das Teatro S. Carlo in Neapel engagiert. 1955 trat sie erstmals an der Mailänder Scala auf. Gastspiele führten sie u. a. an die Metropolitan Opera in New York (1958), die Covent Garden Opera in London (1964) und an die Wiener Staatsoper. Zu ihren Partien zählen u. a. die Gräfin in *Le nozze di Figaro* sowie Desdemona und Tosca. M. P. ist auch als Konzertsängerin hervorgetreten.

+Pochon, Alfred, * 30. 7. 1878 zu Yverdon (Vaud), [erg.:] † 26. 2. 1959 zu Lutry (Vaud).
Er schrieb ferner *Musique d'autrefois, interprétation d'aujourd'hui* (Genf 1943) und *Le rôle du point en musique placé au-dessus ou au-dessous d'une note* (Lausanne 1947).

Pociej (pɔtsjɛj), Bohdan, * 17. 1. 1933 zu Warschau; polnischer Musikkritiker, Essayist und Theoretiker, studierte 1953–59 Musikwissenschaft an der Warschauer Universität und wurde 1959 Redakteur bei der Zeitschrift »Ruch muzyczny«. Er schrieb u. a.: »*Das Marienleben« Hindemitha* (in: Muzyka II, 1957); *Ornamentyka w utworach klawesynowych Couperina* (»Die Ornamentik in den Cembalowerken von Couperin«, ebd. IV, 1959); *Rola harmoniki w technice przetworzeniowej Chopina* (»Die Rolle der Harmonik in der Durchführungstechnik Chopins«, Chopin-Kgr.-Ber. Warschau 1960); *Faktura chóralna utworów Szymanowskiego* (»Die Chor-faktur der Werke von Szymanowski«, in: K. Szymanowski, hrsg. von Z. Lissa, = Prace Instytutu muzykologii Uniwersytetu Warszawskiego III, Warschau 1964); *Czas odnaleziony i przestrzeń rzeczywista. Na marginesie »Terretektorh« Xenakisa* (»Wiedergefundene Zeit und realer Raum. Zu ,Terretektorh' von Xenakis«, in: Ruch muzyczny XI, 1967); *Barwa i postawa kolorystyczna w twórczości Malawskiego ...* (»Klangfarben und Klangfarbendenken in Malawskis Schaffen ..«, in: A. Malawski, hrsg. von B. Schäffer, Krakau 1969); *Dekompozycja, próba ujęcia teoretycznego* (»Dekomposition, Versuch einer theoretischen Fassung«, in: O dekompozycji, = Forum musicum 1969, H. 4); *Klawesyniści francuscy* (»Französische Cembalokomponisten«, Krakau 1969); *Bach. Muzyka i wielkość* (»Bach. Musik und Größe«, ebd. 1972); *Problemy formy w muzyce* (»Das Problem der Form in der Musik«, in: Forma w muzyce, = Forum musicum 1973, H. 14).

+Podbielski.
–1) Jacob, [erg.:] † um 1720 zu Königsberg. Sein Sohn –2) Gottfried, 17./18. Jh., folgte ihm 1720 [nicht: 1709] im Amt. Nicht –3) Christian, 18. Jh., sondern –4) Christian Wilhelm, 1740–92, war Lehrer von E. T. A. Hoffmann. – Wahrscheinlich gehört auch ein Jan (Johannes?) P., 17. Jh., zu dieser Familie.
Ausg.: J. MÜLLER-BLATTAU, Gesch. d. Musik in Ost- u. Westpreußen, Königsberg 1931, 2. erg. Aufl. Wolfenbüttel 1968 (darin v. –1: 5st. Brauttanz »Theures Teil d. Deutschen Erden«; v. –2: Menuett aus einer Suite f. Va da gamba u. B. c.; v. –4: eine Kl.-Sonate). – zu Jan P.: Org.-Praeludium (um 1660), hrsg. v. A. CHYBIŃSKI u. J. HOFFMAN, = Wydawnictwo dawnej muzyki polskiej XVIII, Krakau 1947, ⁴1971; dass. in: Keyboard Music from Polish Mss. IV, hrsg. v. J. GOŁOS u. A. SUTKOWSKI, = Corpus of Early Keyboard Music X, 4, (Rom) 1967.
Lit.: zu –4) KR. WILKOWSKA-CHOMIŃSKA, Polska sonata fortepianowa w XVIII weka, Annales Chopin VIII, 1969 (mit Analyse d. 12 Kl.-Sonaten).

Poděšť (pɔdɛːʃt), Ludvík, * 19. 12. 1921 zu Dubňany (Mähren), † 27. 2. 1968 zu Prag; tschechischer Komponist, absolvierte als Schüler von Kvapil 1948 das Konservatorium in Brünn und promovierte 1949 an der dortigen Universität mit einer Dissertation über das Thema *Hudba v pojetí socialistického realismu* (»Musik in der Auffassung des sozialistischen Realismus«). Er war Mitarbeiter von Radio Brünn (1947–51) und Direktor der Musikabteilung des tschechischen Fernsehens (1958–60). – Werke (Auswahl): Opern *Tři apokryfy* (»3 Apokryphen«, nach Karel Čapek: I *Staré zlaté časy*, »Die alten goldenen Zeiten«, 1957, II *Svatá noc*, »Die heilige Nacht«, Brünn 1959, und III *Romeo a Julie*, ebd. 1959) und *Hrátky s čertem* (»Spiele mit dem Teufel«, Liberec 1963); Symphonie (1948, Neufassung 1964); 4 Suiten für Orch. (1951, 1954, 1956 und 1960); Symphonische Dichtung *Raymonda Dienová* (1951); *Dva moravské tance* (»2 mährische Tänze«, 1953); Symphonische Variationen (1956); 2 Klavierkonzerte (1952 und 1959); *Jarní serenáda* (»Frühlingsserenade«), Violinkonzert (1953); Concertino für 2 Vc. und Kammerorch. (1965); Bläserquintett (1946); 3 Streichquartette (1942, 1944 und 1948); Partita für Streicher, Git. und Schlagzeug (1967); Sonaten für V. (1947) bzw. Vc. (1947) und Kl.; Sonatine (1945) und Sonate (1946) für Kl.; *Variace jednoho dne* (»Variationen eines Tages«) für Org. und Orch. (1967); ferner zahlreiche Lieder, Chöre, Kantaten, Operetten sowie Bühnen- und Filmmusik.

Podešva (pɔdɛʃva), Jaromír, * 8. 3. 1927 zu Brünn; tschechischer Komponist, Schüler von Kvapil in Brünn, von Dutilleux in Paris und von Copland in New York. Er schrieb u. a.: Oper *Opustíš-li mne* (»Wenn du mich

verläßt«, 1963); *Kounicovy koleje* (»Das Kaunitz-Kollegium«, 1957, 1. Teil einer symphonischen Trilogie); Sinfonietta für Streicher (1959); 2. Symphonie für Fl. und Streicher (1961); 4. Symphonie (1967); 5. Symphonie (Vokalsymphonie, 1967); *Myšlenkové paralely* (»Gedankenparallelen«, 1968) und *Kulminace. Perla na dně* (»Kulmination. Die Perle in der Tiefe«, 1970) für Orch.; Konzert für Streichquartett und Orch. (1971); 5 Streichquartette (1950–65); Violinsonate (1958); 3 Sonatenstudien für Fl. und Kl. (1964); 5 Stücke für V. und Kl. (1969); Sonate für S. und Kl. (1968); 4 Frauenchöre »Herbstliche Sonatine« (1970); ferner Kantaten und Lieder.
Lit.: J. TROJAN, Tvůrčí profil K. Podešvy (»Ein Schaffensprofil v. J. P.«), in: Hudební rozhledy XVIII, 1965; DERS., Symfonické paralely J. Podešvy (»Die symphonischen Parallelen v. J. P.«), ebd. XXI, 1968.

+Pölchau, Georg [erg.:] Johann Daniel, 23. 6. [nicht: 5. 7.] 1773 – 1836.
Die Sammlung Pölchau befindet sich heute verteilt in den Musikabteilungen der Staatsbibliothek Stiftung Preußischer Kulturbesitz und der Deutschen Staatsbibliothek in Berlin.
Lit.: W. VIRNEISEL, O. Nicolai als Musiksammler, Fs. M. Schneider, Lpz. 1955; DERS. in: MGG X, 1962, Sp. 1365f.; K.-H. KÖHLER, Die Musikabt., in: Deutsche Staatsbibl. 1661–1961, Bd I, Lpz. 1961; M. GECK, Die Wiederentdeckung d. Matthäuspassion im 19. Jh., = Studien zur Mg. d. 19. Jh. IX, Regensburg 1967; H. KIER, R. G. Kiesewetter (1773–1850), Wegbereiter d. mus. Historismus, ebd. XIII, 1968; KL. ENGLER, G. P. u. seine Musikaliensammlung. Ein Beitr. zur Überlieferung Bachscher Musik im 19. Jh., Diss. Tübingen 1970.

+Poell, Alfred, * [erg.: 18. 3. 1900] zu Linz, [erg.:] † 30. 1. 1968 zu Wien.

Pörschmann, Walter (Pseudonym Albero Domingues), * 16. 3. 1903 zu Leipzig, † 31. 7. 1959 zu Beerfelden (Odenwald); deutscher Bandonionspieler und Komponist von Unterhaltungsmusik, studierte Klavier bei Teichmüller in Leipzig und spezialisierte sich später auf Bandonionspiel. Er unternahm Konzertreisen durch Nord- und Südamerika. P. komponierte zahlreiche Stücke für Bandonion und Bandonionorchester und veröffentlichte eine Schule des modernen Bandonionspiels.

Poettgen, Ernst Ludwig, * 5. 2. 1922 zu Chemnitz; deutscher Opernregisseur, studierte an den Musikhochschulen Berlin und München und an den Universitäten München und Mainz. Sein erstes Engagement hatte er 1948–51 am Landestheater Darmstadt. Über München (Staatsoper), Frankfurt a. M., Hamburg (Staatsoper) und Mannheim kam er 1961 als Oberspielleiter der Oper an die Staatstheater Stuttgart. Er gastierte auch bei den Festspielen von Salzburg, Schwetzingen und Florenz, an den Staatsopern Wien und München, der Deutschen Oper Berlin, in Düsseldorf sowie am Teatro Colón in Buenos Aires und am Théâtre de la Monnaie in Brüssel. Die Skala seiner Inszenierungen reicht von Monteverdis »Die Heimkehr des Odysseus« (Stuttgart 1965) bis zu Bergs *Wozzeck* und *Lulu* (Buenos Aires 1968 bzw. 1965), Hindemiths *Neues vom Tage* (Mannheim 1961) und Orffs *Antigonae* (ebd. 1959).

Poggi, (p'ɔd-dʒi), Gianni, * 4. 10. 1921 zu Piacenza; italienischer Opernsänger (Tenor), studierte bei Emilio Ghirardini in Mailand, debütierte 1947 als Rudolf (*Bohème*) am Teatro Massimo in Palermo, wurde 1948 an die Mailänder Scala engagiert und gehörte seit 1956 dem Ensemble der Metropolitan Opera in New York an. Er gastierte an allen großen Bühnen Europas und Amerikas. Zu seinen Hauptpartien zählen Riccardo

(*Un ballo in maschera*), Manrico (*Il trovatore*), Alfredo (*La Traviata*) und Cavaradossi (*Tosca*).

+Poglietti, Alessandro de (Boglietti), † 1683.
P. stammt vermutlich aus der Toskana; 1661(?) wurde er geadelt. Das +*Compendium ...* entstand 1676 [nicht: 1666]. Sein Schaffen umfaßt auch Kirchenmusik (3 Messen, Requiem, Magnificat, Motetten und Litaneien), ferner die Oper *Endimione* (nur Textbuch erhalten).
Ausg.: 12 Ricercare, hrsg. v. FR. W. RIEDEL, = Die Org. II, 5–6, Lippstadt 1957; Capriccio über d. Hennengeschrei, hrsg. v. C. PARRISH, = A Treasury of Early Music XL, NY 1958; Ausw. aus »Il rossignolo«, hrsg. v. FR. GOEBELS, Heidelberg 1963; Suite f. Kl. in: Die Suite, hrsg. v. H. BECK, = Das Musikwerk XXVI, Köln 1964, engl. 1966; Orgelstücke in: Orgelmusik an d. Höfen d. Habsburger, hrsg. v. E. KRAUS, = Cantantibus org. XIII, Regensburg 1965; Harpsichord Music, hrsg. v. W. E. NETTLES, = The Penn State Music Series IX, Univ. Park (Pa.) 1966; Praeludia, Cadenzen u. Fugen in d. 8 Kirchentonarten, hrsg. v. R. WALTER, Heidelberg 1970.
Lit.: A. KELLNER, Mg. d. Stiftes Kremsmünster, Kassel 1956; R. PEČMAN, Lidové taneční motivy P.ho suitě »Rossignolo« (»Volkstümliche Tanzmotive in P.s Suite ‚Rossignolo‘«), in: Sborník prací filosofické fakulty brněnské univ. IX, F 4, 1960 (mit russ. u. deutscher Zusammenfassung); H. FEDERHOFER, Einleitung zu: G. Muffat, An Essay on Thoroughbass, = MSD IV, (Rom) 1961; FR. W. RIEDEL, Neue Mitt. zur Lebensgesch. v. A. P. u. J. K. Kerll, AfMw XIX/XX, 1962/63; DERS., A. P.s Oper »Endimione«, Fs. H. Engel, Kassel 1964; DERS., Ein Skizzenbuch v. A. P., in: Essays in Musicology, Fs. W. Apel, Bloomington (Ind.) 1968; R. A. HUDSON, The Development of Ital. Keyboard Variations on the »Passacaglio« and »Ciaccona« from Guitar Music in the 17th Cent., Diss. Univ. of California at Los Angeles 1967.

Pogoreloff, Wladimir (Pseudonym Porell), * 11.(23.) 8. 1884 zu Nikolajew, † 12. 9. 1951 zu Łódź; russischer Bratschist und Balalaikaspieler, studierte in seiner Heimatstadt und am Konservatorium von Charkow. Er war Balalaikaspieler im Andrejew-Volksinstrumentenorchester und konzertierte 1911 auch in den USA. Ab 1922 lebte er in Deutschland. P. schrieb Werke für Balalaika (Konzert, 1918) sowie Orchesterwerke und Lieder.

Pohanka, (p'ɔhaŋka), Jaroslav, * 29. 6. 1924 zu Olešnice (Ostböhmen), † 28. 4. 1964 zu Brünn; tschechischer Musikforscher und Dirigent, studierte bei Kaprál Komposition und Klavier am Brünner Konservatorium, leitete 1951–60 eine Musikschule in Šlapanice (bei Brünn) und war Mitarbeiter an der musikhistorischen Abteilung des Mährischen Museums in Brünn. Er schrieb u. a.: *Dějiny české hudby v příkladech* (»Geschichte der tschechischen Musik in Beispielen«, Prag 1958); *Neznámá kantáta L. v. Beethovena?* (»Eine unbekannte Kantate von L. van Beethoven?«, in: Časopis Moravského muzea, Vědy společenské XLVI, 1961); *Bohemika v zámecké hudební sbírce z Náměště nad Oslavou* (»Bohemica in der Musiksammlung von Schloß Náměšt«, ebd. XLVIII, 1963); ferner Beiträge u. a. für »Hudební rozhledy«. – Ausgaben: P. J, Vejvanovský, *Serenade e sonate per orch.* (= MAB XXXVI, Prag 1958) und *Composizioni per orch.* (3 Bde, ebd. XLVII–XLIX, 1960–61); J. A. Benda, 12 Sinfonien (mit J. Racek und J. Sehnal, 4 Bde, ebd. LVIII, LXII, LXVI und LXVIII, 1962–66, LVIII ²1966); W. A. Mozart, *Quartette mit einem Blasinstr.* (= Neue Mozart-Ausg. VIII, 20, Abt. 2, Kassel 1962).

+Pohl, Carl Ferdinand, 1819–87.
+*Mozart und Haydn in London* (1867), Nachdr. NY 1970 (2 Bde in 1); +*J. Haydn* (1878–82 bzw. 1927), Nachdr. Wiesbaden 1970–71. – P.s handschriftliche Notizen, die bei der Gesellschaft für Musikfreunde in

Wien aufbewahrt werden, fanden in dem von A. van Hoboken herausgegebenen thematisch-bibliographischen Werkverzeichnis J.Haydns (2 Bde, Mainz 1957–71) Berücksichtigung.
Lit.: H. UNVERRICHT in: MGG X, 1962, Sp. 1372ff.

+Pohl, Richard, 1826–96.
Lit.: E. N. WATERS, Fr. Liszt to R. P., in: Studies in Romanticism VI, 1966/67.

+Poitevin, Guillaume, [erg.:] 2. 10. 1646 zu Boulbon (bei Tarascon-sur-Rhône) [nicht: Arles] – 26. [nicht: 7.] 1. 1706.
Ausg.: Introitus, Offertorium u. »Lux aeterna« aus d. »Messe des morts«, hrsg. v. H. A. DURAND, Paris 1962.
Lit.: P. PIDOUX, Le psautier huguenot du XVIe s., 2 Bde, Basel 1962, vgl. dazu M. Honegger u. Fr. Lesure in: Rev. de musicol. XLIX, 1963, S. 237ff.

Pokorná (p′ɔkɔrnɑ:), Mirka, * 28. 10. 1930 zu Vsetín (Mähren); tschechische Pianistin, studierte bei V.Kurz und nach dessen Tod bei seiner Tochter Ilona Štěpánová an der Prager Musikakademie (1948–52). Sie war 1951 Preisträgerin des Prager Smetana-Wettbewerbs. Seit 1956 unternimmt sie Konzertreisen in der ganzen Welt; sie bevorzugt virtuose Musik der Romantik.
Lit.: J. FUKAČOVÁ in: Opus musicum III, 1971, S. 3ff.

Pokorny, Franz Xaver (Pokorný, Pockorny; getauft als František Jiři, auch Frantz, ab 1755 Franz Thomas), * 20. 12. 1728 zu Königstadl (Mittelböhmen), † 2. 7. 1794 zu Regensburg; böhmischer Komponist und Violinist, studierte in Regensburg bei Riepel sowie in Mannheim bei Holzbauer, J.Stamitz und Fr.X.Richter, war 1753–66 Mitglied der Hofkapelle von Oettingen-Wallerstein und ab 1766 bis zu seinem Tode der Hofkapelle von Thurn und Taxis in Regensburg. Er komponierte Orchesterwerke (über 100 Symphonien und über 50 Konzerte, deren Autorschaft jedoch nicht immer bestimmbar ist, Serenaden, Märsche und Tänze) und Kammermusik (Streichquartett Quadro C; Streichtrio; Sonate für Cemb.), die in der Thurn und Taxis'schen Hofbibliothek in Regensburg, in der Oettingen-Wallersteinschen Bibliothek Schloß Harburg und in der Fürstlich Fürstenbergischen Hofbibliothek in Donaueschingen aufbewahrt werden.
Ausg.: Symphonie Es dur, in: Wiener Instrumentalmusik vor u. um 1750, hrsg. v. K. HORWITZ u. K. RIEDEL, = DTÖ XV, 2 (Bd 31), Wien 1908 (fälschlich Monn zugeschrieben); Fl.-Konzert D dur, hrsg. v. W. UPMEYER, = NMA CLXXII, Hannover 1954 (fälschlich Boccherini zugeschrieben); Klar.-Konzerte B dur u. Es dur, in: Klarinettenkonzerte d. 18. Jh., hrsg. v. H. BECKER, = EDM XLI, Wiesbaden 1957.
Lit.: H. BECKER, Zur Gesch. d. Klar. im 18. Jh., Mf VIII, 1955; J. LARUE, Major and Minor Mysteries of Identification in the 18th-Cent. Symphony, JAMS XIII, 1960; J. M. BARBOUR, P. Vindicated, MQ XLIX, 1963.

+Polacco, Giorgio, * 12. 4. 1873 [nicht: 1875] zu Venedig, [erg.:] † 30. 4. 1960 zu New York.

Polaczek, Dietmar, * 26. 10. 1942 zu Bendsburg/ Będzin (Oberschlesien); österreichischer Komponist und Musikschriftsteller, studierte in Graz 1961–70 an der Musikakademie Violine, Bratsche, Orgel und Komposition (W.Bloch, Diplom 1969) und 1965–71 an der Universität Musikwissenschaft. 1967–69 war er Mitredakteur von Harald Kaufmann bei der »Neuen Zeit« in Graz. 1971 übersiedelte P. nach München und ist seither ständiger Mitarbeiter der »Süddeutschen Zeitung«. Er komponierte: Vernissage septenaire für Orch. (1963); Variazioni della moderna, Klavierparodien (1963); Laternengesänge (nach Wolfgang Borchert) mit Kl. (1964); Ballade vom Schmiedemeister Licht (nach Grasshoff) für gem. Chor (1964); Metamorphosen und

Fuge für Git. (1965); Lobgesang (nach Brecht) für Chor und Instrumente (1966); lesabéndio, Bläserquintett (1966); die reihenreihe etc. für Fl. solo (1968); Klavierkonzert (1968); applaus I + II für Dirigent, Sprecher, Chor und 2 Schlagzeugspieler (1970); entropie für Org. (1972).

Polak, Jakub → Polonais, Jacques le.

Polášek (p′ɔlɑ:ʃɛk), Jan, * 3. 7. 1937 zu Ostrau/ Ostrava; tschechischer Violoncellist, studierte in Prag 1952–58 am Staatskonservatorium bei Bedřich Jaroš und vervollkommnete sich 1958–59 an der Musikakademie bei K.Pr.Sádlo. 1959 ließ er sich in der Bundesrepublik nieder. Er entfaltet seitdem als Solist und Kammermusikspieler eine ausgedehnte Konzerttätigkeit. 1962 wurde er zum Dozenten am R.-Strauss-Konservatorium in München ernannt.

+Poldini, Ede, 1869 – 28. [nicht: 29.] 6. 1957 zu Corseaux (Vaud) [nicht: Vevey].

Poli (p′ɔ:li), Liliana, * 1. 1. 1934 zu Florenz; italienische Sängerin (Sopran), studierte in ihrer Heimatstadt am Conservatorio di Musica L.Cherubini und am Centro di Avviamento al Teatro Comunale. Nach ihrer Heirat mit dem Komponisten A.Benvenuti spezialisierte sie sich auf die Interpretation zeitgenössischer Werke. L. P. ist beim Maggio Musicale Fiorentino, beim Holland Festival, beim Warschauer Herbst, bei den Donaueschinger Musiktagen sowie bei den Darmstädter Ferienkursen für Neue Musik aufgetreten und hat Konzerte mit zahlreichen europäischen Orchestern (u. a. Berliner Philharmoniker) gegeben. Zu ihrem Repertoire zählen u. a. Kompositionen von Amy, Arrigo, Baervoets, Benvenuti, A.Berg, Boulez, Bussotti, Canino, Dallapiccola, Fellegara, Hindemith, Kounadis, Ligeti, Maderna, Nono, Petrassi, Pousseur, Schönberg, Varèse und Webern.

+Polignac, Armande de, * 8. 1. 1876 zu Paris, [erg.:] † 29. 4. 1962 zu Neauphle-le-Vieux (Seine-et-Oise).

Polignac (pɔliɲ′ak), Princesse Edmond de (geborene Winaretta Singer), * 1865 in Amerika, † 26. 11. 1943 in England; Tochter und Erbin des amerikanischen Nähmaschinenherstellers Singer, verheiratet mit Edmond-Jean-Marie-Melchior, Prince de P. (* 19. 4. 1834 und † 1901 zu Paris), der sich auch kompositorisch betätigte, war eine ausgezeichnete Pianistin und Organistin mit regem Interesse für das zeitgenössische Kunst- (Sammlung von Impressionisten, Picasso, Matisse u. a.) und Musikschaffen und führte dank ihres Geschmacks und ihrer finanziellen Verhältnisse einen der glänzendsten Salons von Paris. In enger Zusammenarbeit mit den Komponisten veranstaltete sie regelmäßig Privatkonzerte, für die sie auch Werke in Auftrag gab. Dort uraufgeführt oder ihr gewidmet wurden u. a.: de Falla das Marionettenspiel El retablo de maese Pedro (1919–22, Hôtel P. 1923); Fauré, 5 Lieder für Singst. und Kl. op. 58 (Paul Verlaine, 1891) und Suite aus der Bühnenmusik Pelléas et Mélisande op. 80 (Maeterlinck, 1898); Françaix, Serenade für kleines Orch. (1934) und komische Kammeroper Le diable boiteux (nach Alain René LeSage, 1937, Hôtel P. 1938); Milhaud, Oper Les malheurs d'Orphée (Brüssel 1925); Nabokov, Oratorium Job für Männerchor und Orch. (1933); Poulenc, Konzerte D moll für 2 Kl. und Orch. (1932) bzw. G moll für Org., Streichorch. und Pk. (1938); Ravel, Pavane pour une infante défunte für Kl. (1899); Satie, symphonisches Drama Socrate (1919, Hôtel P., 1919); Strawinsky, Burleske Renard (1916, Paris 1922) und Sonate für Kl. (1924); Weill, 1. Symphonie

(1921). Ihre Memoiren erschienen (hrsg. von C. Connolly) in der Zeitschrift »Horizon« (August 1945), ein Auszug daraus als *Mes amis musiciens* (La rev. de Paris LXXI, 1964).
Lit.: K. H. RUPPEL, Die Prinzessin E. de P., in: Melos XXXIV, 1967.

Polívka (p'əli:fkɑ), Vladimír, * 6. 7. 1896 und † 11. 5. 1948 zu Prag; tschechischer Komponist, Pianist und Musikschriftsteller, war Schüler von Cortot. Als Begleiter von Kocián und als Pianist des České trio (»Tschechisches Trio«) bereiste er Europa, Amerika und Japan. 1923–30 war er Professor des United Artists Conservatory of Music in Chicago. Als Komponist gehört er der antiromantischen Avantgarde der Jahre zwischen den Kriegen an. Von seinen Werken seien genannt: Oper *Polobůh* (»Der Halbgott«, 1930); Melodram *Balada o očích topičových* (»Ballade von den Augen des Heizers«) mit Begleitung von Va und Kl. (Chicago 1924); Symphonische Dichtung *Jaro* (»Der Frühling«, 1918); *Malá symfonie* (»Kleine Symphonie«, 1921); Suite für Orch. (1928); Klavierkonzert (1934); Suite für Va und Bläserquintett (1933); Streichquartett (1937); *Dni v Chicagu* (»Tage in Chicago«, 1928), Sonate (1934), *Veselá hudba* (»Lustige Musik«, 1934) und Kleine Suite (1937) für Kl.; Scherzo für 2 Kl. (1937); ferner Chöre, Lieder und Bühnenmusik. P. schrieb zahlreiche Studien und Aufsätze, vor allem über Klaviermusik (*České klavírní etudy*, »Tschechische Klavieretüden«, Prag 1940).

Poliziano, Angiolo (Angelo Ambrogini), * 14. 7. 1454 zu Montepulciano (Toskana), † 29. 9. 1494 zu Florenz; italienischer Dichter, studierte in Florenz, lebte zeitweise im Hause der Medici, fiel aber in Ungnade und begab sich nach Mantua zum Kardinal Francesco Gonzaga. Nachdem er sich wieder mit den Medici versöhnt hatte, erhielt er an der Universität in Florenz einen Lehrstuhl für griechische und lateinische Rhetorik. Er war ein Freund von Squarcialupi und anderen Florentiner Musikern. Seine Dichtungen wurden von einer Reihe zeitgenössischer Komponisten, u. a. von Isaac, vertont. In seinen Briefen finden sich wichtige Hinweise zur Musizierpraxis am Hofe der Medici. Die der Rappresentazione sacra nahestehende *Favola di Orfeo* (um 1480), die gesungene Partien enthält, gilt als erster Vorläufer eines Opernlibrettos.
Ausg.: Tutte le poesie ital., hrsg. v. G. R. CERIELLO, = Bibl. universale Rizzoli Nr 423–425, Mailand 1952.
Lit.: W. OSTHOFF, Theatergesang u. darstellende Musik in d. ital. Renaissance (15. u. 16. Jh.), 2 Bde, = Münchner Veröff. zur Mg. XIV, Tutzing 1969; N. PIRROTTA, Li due Orfei, Da P. a Monteverdi, = Collana di monografie per servire alla storia della musica ital. o. Nr, Turin 1969.

Poljakin, Miron Borissowitsch, * 31. 1. (12. 2.) 1895 zu Tscherkassy, † 21. 5. 1941 auf einer Eisenbahnreise zwischen der Krim und Moskau; russisch-sowjetischer Violinist und Musikpädagoge, studierte ab 1902 bei Jelena Wonsowska an der Lyssenko-Musikschule in Kiew und 1908–18 bei L. v. Auer am St. Petersburger Konservatorium und unternahm dann Konzertreisen ins Ausland (1922 Debüt in der Carnegie Hall in New York). 1926–36 lehrte er am Leningrader Konservatorium (1928 Professor) und war 1936–41 Professor am Moskauer Konservatorium, wo er auch die Leitung der Meisterschule übernahm. Zu seinen Schülern zählen Fichtenholz und I. Solomon. P. war der Repräsentant der Auer-Schule, die große Virtuosität mit romantischem Ausdruck verband. Einige Zeit trat er im Duo mit den Pianisten Wladimir Jampolskij und Neuhaus auf.

Lit.: L. RAABEN, M. P., Moskau 1963; DERS., Schisn sametschatelnych skripatschej (»Das Leben berühmter Geiger«), ebd. 1967.

Poljanowskij, Georgij Alexandrowitsch, * 2.(14.) 7. 1894 zu Lubomirka (Gouvernement Cherson); russisch-sowjetischer Musikschriftsteller, studierte nach Abschluß eines Jurastudiums Klavier bei Igumnow und Komposition bei Wassilenko. Er hielt ab 1913 (insgesamt mehr als 8700) Vorträge über Musik in den verschiedenen Städten seines Heimatlandes und wirkte ab 1914 als Musikkritiker für russische Tageszeitungen. 1924–31 organisierte er die ersten Musiksendungen des sowjetischen Rundfunks in Moskau. Von seinen Monographien über russische und sowjetische Musik seien genannt: *W. Wl. Barsowa* (Moskau und Leningrad 1941); *N. K. Tschemberdschi* (ebd. 1947); *E. A. Kapp* (ebd. 1951); *A. W. Alexandrow* (Moskau 1959); *S. N. Wassilenko* (ebd. 1964); *M. Kowal* (ebd. 1968); *A. W. Neschdanowa* (ebd. 1970); *A. Nowikow* (ebd. 1971). Er schrieb auch Memoiren (*Sapiski lektora*, »Aufzeichnungen eines Vorlesers«, Moskau 1962).
Lit.: R. GLESER, G. A. P., SM XXVIII, 1964.

+Pollak, Egon, 1879–1933.
P., österreichischer [nicht: tschechischer] Dirigent, wirkte in Hamburg 1922–31 als GMD [nicht: 1917–32 als 1. Kapellmeister].

+Pollak [nicht: Pollack], Robert, * 18. 1. 1880 zu Wien, [erg.:] † 7. 9. 1962 zu Brunnen (Schwyz).
Die Autobiographie *+In allen Lagen* (1956) ist Manuskript geblieben.

+Pollarolo, –1) Carlo Francesco, [erg.: um] 1653 – 1722. Er war 1685–90 Kapellmeister an der Kathedrale in Brescia. 1697–1718 wirkte er als Chordirektor am Conservatorio degli Incurabili in Venedig [del. frühere Angabe dazu]. Über 85 [nicht: 73] Opern sind von ihm bekannt.
–2) Antonio, [erg.: um] 1680 – 1746.
Ausg.: zu –1): 6 Arien aus d. Oper »Onorio in Roma«, in: H. CHR. WOLFF, Die Oper I, = Das Musikwerk XXXVIII, Köln 1971, auch engl.
Lit.: zu –1): S. DALLA LIBERA, Cronologia mus. della Basilica di S. Marco, in: Musica sacra LXXXV, (Mailand) 1961; A. MONDOLFI in: MGG X, 1962, Sp. 1419ff.; O. A. TERMINI, C. Fr. P., His Life, Time, and Music with Emphasis on the Operas, Diss. Univ. of Southern California 1970.

+Pollini, Cesare, Cavaliere de', 13. 7. [nicht: 6.] 1858 – 1912.
Lit.: F. PERRINO in: Rass mus. Curci XVI, 1962, Nr 5/6, S. 12ff.

Pollini, Franz (Francesco Giuseppe P.), * 25. 3. 1762 zu Laibach/Ljubljana, † 17. 9. 1846 zu Mailand; österreichischer Komponist, Schüler von W. A. Mozart und Zingarelli, wirkte zunächst in seiner Heimatstadt als Schauspieler und Sänger, begab sich dann nach Italien, wo er als Pianist und Violinist auftrat und sich auch einen Namen als Opernsänger machte. 1790 ließ er sich in Mailand nieder, wo er als Klavierlehrer tätig war. Mit seiner Klaviertechnik schlug er eine Brücke zwischen alten Meistern und Liszt, indem er »das Ineinandergreifen der Hände« einführte. Er hat eine Reihe von Kammerwerken sowie Kompositionen für Klavier und Cembalo geschrieben. Außerdem schuf er die Opern *Il genio insubre* und *La casetta nei boschi* (Mailand 1798), das Melodram *L'orfanella svizzera*, die Kantate *Il trionfo della pace* (1801) und das Oratorium *Stabat mater* für S., A., 2 V., 2 Vc. und Org. Er gab eine didaktische Arbeit *Metodo per clavicembalo* (Mailand 1820) heraus.

Lit.: H. Costa, Ein Porträten-Album aus d. vorigen Jh., Mitt. d. Hist. Ver. f. Krain XVIII, 1863; Dr. Cvetko in: MGG X, 1962, Sp. 1435ff.; ders., Hist. de la musique slovène, Maribor 1967, S. 185ff.

Pollini, Maurizio, * 5. 1. 1942 zu Mailand; italienischer Pianist, studierte in seiner Heimatstadt am Conservatorio di Musica G. Verdi bei Lonati und bei Carlo Vidusso. 1960 gewann er den 1. Preis beim Internationalen Fr.-Chopin-Klavierwettbewerb in Warschau. Er vervollkommnete dann seine Studien bei Benedetti Michelangeli. P. konzertiert in den Musikzentren Westeuropas, in der UdSSR, den USA und in Israel. Neben dem klassischen Repertoire (besonders Werke von Chopin, Schubert und Schumann) spielt er häufig Klaviermusik des 20. Jh. (Schönberg, Nono).

Polnischer Musikverlag → Polskie Wydawnictwo Muzyczne.

Pololáník (p'ɔlɔlɑːɲiːk), Zdeněk, * 25. 10. 1935 zu Tischnowitz/Tišnov; tschechischer Komponist, Schüler von Petrželka und Theodor Schaefer, erregte bereits mit Werken aus den Studienjahren Aufsehen. P. ist Mitglied der Brünner »Gruppe A«, komponiert überwiegend seriell und geht von dem Spätwerk Weberns aus. Von seinen Werken seien genannt: Symphonie Nr 1 (1961), Nr 2, *Komorní symfonie* (»Kammersymphonie«) für 11 Bläser (1962), Nr 3 für Org. und Schlagzeug (1962), Nr 4 für Streicher (1963) und Nr 5 für Kammerorch. (1969); *Divertimento* für Streicher und 4 Hörner (1960); *Concentus resonabilis* für 19 Solisten und Tonband (1963); Concerto grosso für Block-Fl., Git., Cemb. und Streicher (1966); Klavierkonzert (1966); Musique concrète *4 konversace a finále* (»4 Konversationen und Finale«, 1965); Variationen für Org. und Kl. (1956); *Scherzo contrario* für Xylophon, Baßklar. und V. (1961); *Musica spingenta I* für Kb. und Bläserquintett (1961), *II* für Streichquartett und Cemb. (1962) und *III* für Baßklar. und 13 Schlaginstr. (1962); *Musica concisa* für Fl., Baßklar., Cemb., Kl. und Schlagzeug (1963); *Preludii dodici* für 2 Kl. und Org. (1963); Sonate für Horn und Kl. (1965); *Musica transcurata* für Baßklar. und Cemb. (1969); *Sonata di bravura* (1963) und *Sonata laetitiae* (1971) für Org.; Oratorium *Šír Haš-Šírím* für Soli, Chor und Orch. (auf hebräischen Text des Alten Testaments, 1969); *Nabuchodonosor* für gem. Chor, 3 Trp. und 4 Pk. (1963); Messe für gem. Chor, Blechbläser, Hf. und Org. (1965); *Cantus psalmorum* für B., Hf., Org. und Schlagzeug (1966); *Rumor letalis* für gem. Chor (1966); *Successus* (1967) und *Ostrava* (1967) für Männerchor; *Malá mythologická cvičení* (»Kleine mythologische Übungen«) für Streichquartett und Rezitator (1961); Puppenballett *Popelka* (»Aschenbrödel«, 1966).

Polonais (pɔlɔn'ɛ), Jacques le (Jakub Polak; le Pollonois, Poulonois, Polonois, auch Reyss, Rais, Reys, Augustanus genannt), * um 1545 wahrscheinlich zu Augustów (bei Białystok), † um 1605; polnischer Lautenist und Komponist, kam nach Paris, wurde 1588 zum Joueur de luth du Roi ernannt und wirkte um 1593 auch in Tours. Er schrieb Praeludien, Fantasien, Couranten, Voltas und Gagliarden, ein Ballett, eine Sarabande, einen Branle und 2 Liedbearbeitungen für Laute. Seine Werke sind in Lautentabulaturen (*Lord Herbert of Cherbury's Lute Book*, Anfang 17. Jh.; J.-B. Besard, *Thesaurus harmonicus*, 1603, und *Novus partus*, 1617; J. van den Hove, *Delitiae musicae*, 1612; G. Fuhrmann, *Testudo gallo-germanica*, 1615) enthalten.
Ausg.: Praeludien, Fantasien u. Tänze f. Laute, hrsg. v. M. Szczepańska, = Wydawnictwo dawnej muzyki polskiej XXII, Krakau 1951.

Lit.: H. Opieński, Jacob polonais et Jacques Reys, Fs. H. Riemann, Lpz. 1909, Nachdr. Tutzing 1965; Kr. Wilkowska-Chomińska, A la recherche de la musique pour luth. Expériences polonaises, in: Le luth et sa musique, hrsg. v. J. Jacquot, Paris 1958.

†Polowinkin, Leonid Alexejewitsch, 1894 [erg.:] zu Kurgan (Gouvernement Tobolsk) – 8. [nicht: 2.] 2. 1949.
Lit.: I. Ryschkin u. S. Lewit, Opera (»Oper«), in: Istorija russkoj sowjetskoj musyki, hrsg. v. A. D. Alexejew u. W. A. Wassina-Grossman, Bd II, Moskau 1959; N. I, Saz, Deti prichodjat w teatr (»Kinder kommen ins Theater«), ebd. 1961; D. Gojowy, Moderne Musik in d. Sowjetunion bis 1930, Diss. Göttingen 1966.

Polskie Wydawnictwo Muzyczne (PWM), staatlicher polnischer Musikverlag mit Sitz in Krakau, gegründet 1945 von Ochlewski, 1946 als staatliches Unternehmen deklariert. Als Vorgänger dieses Verlages kann Towarzystwo Wydawnicze Muzyki Polskiej (»Verlagsgesellschaft der polnischen Musik«) gelten, das 1929 in Warschau gestiftet wurde und deren Personal mit Ochlewski die erste Fachgruppe der PWM-Angestellten bildete. Der erste Direktor war Ochlewski, der den Verlag bis 1965 leitete; seit dieser Zeit bekleidet dieses Amt Tomaszewski. Die Jahresproduktion der letzten Jahre betrug durchschnittlich etwa 400 Verlagspositionen, die in 1 100 000 Exemplaren herausgegeben sind. Zwischen 1945 und 1972 wurden 5382 Verlagstitel, darunter 4889 Noten und 493 Bücher gedruckt. PWM verfügt seit 1948 über eine Noten- und Transparentherstellerei, die auf dem Gebiet der Herstellung der graphisch notierten Musik internationalen Ruf gewonnen hat. 1954 übernahm PWM die Musikabteilung des Verlags Czytelnik (»Der Leser«) in Warschau, die als Filiale fungiert. 1959 wurde in Warschau eine zentrale Verleihbibliothek der PWM-Ausgaben gegründet. 1972 wurde die Außenhandelszentrale Ars Polona als Exportabteilung und der U-Musik-Verlag Synkopa in PWM eingegliedert. PWM ediert u. a. Denkmälerreihen (Urtextausgaben von Chopin, Moniuszko, Szymanowski [Koedition mit der Universal-Edition] und H. Wieniawsky; eine Gesamtausgabe von Chopin; *Monumenta musicae in Polonia*; *Musica antiqua Polonica*; *Florilegium musicae antiquae*; *Wydawnictwo dawnej muzyki polskiej*, »Ausgabe alter polnischer Musik«; *Opery polskie, Sonaty polskie* und *Symfonie polskie*) sowie Verlagsserien (*Documenta Chopiniana*; *Źródła do historii muzyki polskiej*, »Quellen zur Geschichte der polnischen Musik«; *Musicalia vetera*; *Materiały do bibliografii muzyki polskiej*; *Bibliografia polskich czasopism muzycznych*, »Bibliographie der polnischen Musikzeitschriften«; *Bibliografia muzyczna polskich czasopism niemuzycznych*, »Musikbibliographie der polnischen nichtmusikalischen Zeitschriften«; *Musica medii aevi*; *Forum musicum*; *Res facta*). Seit 1966 besteht eine Zusammenarbeit mit ausländischen Verlagen (B. Schott's Söhne, Universal-Edition, H. Moeck Verlag, J. & W. Chester, C. F. Peters).

Polster, Hermann Christian, * 8. 4. 1937 zu Leipzig; deutscher Sänger (Baß), erhielt seine Gesangsausbildung bei seinem Vater Fritz P., war 1948–55 Mitglied des Dresdner Kreuzchors und studierte in Leipzig 1956–62 Musikwissenschaft bei Besseler an der Universität sowie Theaterwissenschaft an der Theaterhochschule. Seit 1962 ist er als Konzertsänger tätig. Gastspiele führten ihn u. a. in die UdSSR, die ČSSR, die Bundesrepublik, nach Finnland, Jugoslawien, Polen, Rumänien und in den Nahen Osten. P. wirkt als Gesangspädagoge des Thomanerchors in Leipzig und ist seit 1968 Mitglied der Leipziger Bachsolisten.

Pommer, Josef, * 5. 2. 1845 zu Mürzzuschlag (Steiermark), † 25. 11. 1918 zu Gröbming (Steiermark); österreichischer Volksliedforscher und -sammler, studierte 1864–70 an der Wiener Universität (Dr. phil.), lebte als Gymnasiallehrer in Wien (1874–1912), dann in Krems. Er begründete den Deutschen Volksgesangsverein (mit Göllerich, 1890) und die Zeitschrift *Das deutsche Volkslied* (1899), deren Leitung er bis 1914 innehatte. Auf seine Anregung hin und nach seinem Arbeitsplan wurde das vom Staat geförderte Unternehmen *Das Volkslied in Österreich* aufgebaut (1904), dessen Edition aber der erste Weltkrieg verhinderte. P. schrieb zahlreiche Beiträge für »Das deutsche Volkslied« und veröffentlichte u. a. (Erscheinungsort Wien): *Wegweiser durch die Literatur des deutschen Volksliedes* (= Zur Kenntnis und Pflege des deutschen Volksliedes V, 1896); *Über das älplerische Volkslied und wie man es findet* (ebd. XII, 1907); *Die Wahrheit in Sachen des österreichischen Volksliedunternehmens* (1912). – Ausgaben: 3 Sammlungen *Jodler und Juchezer* (1889, 1893 und 1902 = Volksmusik der deutschen Steiermark I); *Liederbuch für die Deutschen in Österreich* (^{5}1905); *Deutsches Schulliederbuch* (mit H. Fraungruber, H. 1, ^{6}1927, H. 2, 1925, H. 3, 1925 und H. 4, ^{7}1928); *Deutsches Liederbuch* (mit dems., 4 H., 1929). Lit.: M. POMMER, Dr. J. P. u. d. deutsche Volkslied, Diss. Prag 1964; M. SCHNEIDER, Dr. J. P., Leben u. Werk, Jb. d. österreichischen Volksliedwerkes XIII, 1964.

Ponc (pɔnts), Miroslav, * 2. 12. 1902 zu Hohenmauth/Vysoké Mýto (Böhmen); tschechischer Komponist und Dirigent, studierte ab 1920 am Prager Konservatorium, 1922–24 in Berlin an der Staatlichen Musikakademie und dem Stern'schen Konservatorium (Klavier bei Breithaupt, Dirigieren bei Fielitz) sowie privat bei A. Hába. Er vervollkommnete seine Kompositionsstudien an der Berliner Musikakademie bei Schönberg. In Berlin leitete er den ersten Vierteltonlehrkursus der Künstlergruppe »Sturm« (1927). 1929 absolvierte er in Prag die Meisterklasse für Komposition bei J. Suk und studierte ab 1933 Dirigieren bei Scherchen. Von 1942 an wirkte er als Dirigent des Nationaltheaters in Prag. P. zählt zu den Repräsentanten des Vierteltonsystems. Seine *Předehra k staročecké tragédii* (»Vorspiel zu einer altgriechischen Tragödie«, Prag 1931) war das erste aufgeführte Orchesterwerk in diesem System. Er schrieb u. a.: Liederzyklus *Uličnické popěvky* (»Lausbubenlieder«, 1923); *5 polydynamických skladeb* (»5 polydynamische Kompositionen«) für Klar., Xylophon und Streichquartett (1923); Musik zu Cocteaus »Svatebčané na Eiffelce« (*Les mariés de la Tour Eiffel*, Prag 1923); Praeludium für Orch. (1929); *Tři skizzy* (»Drei Skizzen«) für Bläserquintett (1929); Concertino für Kl. und Orch. (1930); Nonett (1932); Streichtrio (1937); Musik zu Molières »Zdravý nemocný« (*Le malade imaginaire*, Prag 1938); ferner Rundfunk- und Filmmusik. Seit 1940 komponiert P. nicht mehr.

+Ponce, Manuel María, 1882–1948. Lit.: $^+$D. [erg.: LÓPEZ] ALONSO, M. M. P. (1950), erweitert México (D. F.) 1971. – Werkverz. in: Compositores de América I, Washington (D. C.) 1955, Nachdr. 1962; C. RAYGADA in: Heterofonía V, 1972/73, Nr 30, S. 19ff.

+Ponchielli, Amilcare, 1834–86. Ab 1883 wirkte P. als Professor am Mailänder Konservatorium, wo er auch P. Mascagni und G. Puccini unterrichtete. – Seine Frau Teresa [nicht: Teresina] (geborene Brambilla, [erg.:] 15. 4. 1845 zu Cassano d'Adda, Lombardei – 1921 [erg.:] zu Vercelli, Piemont; verheiratet mit P. ab 1874) sang die Partie der Lucia in seiner Oper *I promessi sposi* in der Neufassung von 1872 [nicht: 1856].

Lit.: N. TABANELLI, La »Gioconda« di P. è caduta nel »pubblico dominio«?, RMI XLIII, 1939; M. MORINI, Destino postumo dei »Mori di Valenza«, in: La Scala IX, 1957; A. GAVAZZENI, Considerazioni di un centenario, A. P., in: 30 anni di musica, = Le voci o. Nr, Mailand 1958; J. W. KLEIN in: MGG X, 1962, Sp. 1438ff.

Pongrácz (p'ɔŋrɑːtʃ), Zoltán, * 5. 2. 1912 zu Diószeg (heute Tschechoslowakei); ungarischer Komponist, studierte 1930–35 an der Fr.-Liszt-Musikhochschule in Budapest Komposition bei Kodály, 1937–38 am neuen Wiener Konservatorium Dirigieren bei Nilius und 1940–41 an der Universität Berlin Vergleichende Musikwissenschaft. Er war 1943–44 Regisseur und Dirigent beim Ungarischen Rundfunk, 1946–49 Dirigent beim MÁV Philharmonischen Orchester in Debrecen, 1954–64 Dozent für Komposition am dortigen Konservatorium und 1964–68 freischaffender Komponist. 1968 wurde er Inspektor des OSzK-Studios für Volksmusik in Budapest. – Werke (Auswahl): lyrische Oper *Odysseus und Nausikaa* (Debrecen 1960); Oratorium *Heiliger Stephan* für Soli, gem. Chor, Org. und Orch. (1938); Pastorale für Kl., Org., 6 Blasinstr. und Pk. (1941); *Gamelanmusik* auf ostasiatische Motive für Fl., Altsax., V., Kb., Kl., Vibraphon, Marimba, 4 Pk. und verschiedene Schlaginstr. (1942); Symphonie (1943); Bläserquintett (1956); Drei Etüden für Orch. (1963); *Klänge und Geräusche*, aleatorische Musik für Orch. (1966). – Elektronische Musik: *Ispirazioni* für gem. Chor (ohne Text), Orch. und Tonband (1965); *Phonothек* (1966); *Luna IX.* (1967); *Halmazók és párok / Sets and Pairs*, elektronische Variationen auf Klavier- und Celestaklänge (1968); *Mariphonia* (1972); *Drei Improvisationen* für Kl., Schlaginstrumente und Tonbandgeräte (1972). – Veröffentlichungen: *Népzenészek könyve* (»Über die Zigeunermusik«, Budapest 1965); *Mai zene, mai hangjegyirás* (»Neue Musik, neue Notation«, ebd. 1971).

+Poniridis, Georgios (auch bekannt als Georges Poniridy), * 26. 9. (8. 10.) 1892 zu Chalkedon (heute Kadıköy, bei Istanbul) [nicht: zu Istanbul]. Im griechischen Erziehungsministerium wirkte P. bis 1958. – Neuere Werke: die musikalische Tragödie *Λάζαρος* (1960); Konzerte für Kl. (1968) bzw. V. (1969) mit Streichorch. und Schlagzeug, Concertino für Horn und Streicher (1962); Bläserquintett (1966), 2.–4. Streichquartett (für Epiphanias, 1959; 1965; 1966), Quartette für Fl., Ob., Klar. und Fag. (1962) bzw. Fl., Ob., V. und Kl. (1963), 2.–3. Klaviertrio (1966, 1967), Trios für Xylophon, Klar. und Fag. (1962), Fl., Ob. und Klar. (1962) bzw. V., Va und Vc. (1963), 2. Violinsonate (1963) und Sonaten mit Kl. für Fl. (1956), Klar. (1962), Ob. (1964), Va (1967) bzw. Vc. (1967), 3 lyrische Stücke für Klar. und Kl. (1969); 3 Sonaten (1961, 1962, 1968), *Εὐρυθμιές* Nr 1–2 (beide 1966) und *Εὐμολπιές* Nr 1–2 (beide 1969) für Kl.; Liederzyklen.

Ponnelle (pɔn'ɛl), Jean-Pierre, * 19. 2. 1932 zu Paris; französischer Bühnenbildner und Regisseur, erhielt als Student an der Sorbonne nach einer Begegnung mit Henze überraschend Gelegenheit, Bühnenbilder zu dessen *Boulevard Solitude* (Hannover 1952) zu entwerfen, und wurde dann an das Düsseldorfer Schauspielhaus verpflichtet. In kurzer Zeit wurde er ein international beschäftigter Bühnenbildner und stattete u. a. aus: »Figaros Hochzeit« und *Così fan tutte* von Mozart (Bln, Städtische Oper, 1955); *König Hirsch* von Henze (ebd. 1956, Uraufführung); »Graf Ory« von Rossini (ebd. 1957); *Carmina Burana* und *Die Kluge* von Orff (San Francisco 1958); *The Fairy Queen* von H. Purcell (Schwetzingen und Essen 1959, München, Theater am

Gärtnerplatz, 1965); *Trionfi* von Orff (Stuttgart 1959); *Oberon* von C.M.v.Weber (ebd. 1961;) *Undine* von Henze (Düsseldorf 1961); »Castor und Pollux« von J.-Ph.Rameau (Schwetzingen und Essen 1962); *L'heure espagnole* von Ravel (London, Covent Garden Opera, 1962). 1961 debütierte P. am Düsseldorfer Schauspielhaus mit Albert Camus' *Caligula* als Regisseur und Bühnenbildner in Personalunion, inszenierte dort auch Stücke von Giraudoux, Ionesco und Molière und führte 1963 mit *Tristan und Isolde* von R.Wagner an der Deutschen Oper am Rhein in Düsseldorf–Duisburg seine erste Opernregie. Er arbeitete von da an immer seltener nur als Bühnenbildner und erarbeitete sich ein Repertoire mit Schwerpunkten auf Mozart (*Le nozze di Figaro*, Straßburg 1968, Salzburg 1972; *Die Zauberflöte*, Straßburg 1969, Köln 1972; *Così fan tutte*, Salzburg 1969; *La clemenza di Tito*, Köln 1969, München 1971; *Don Giovanni*, Köln 1971) und Rossini (*Il barbiere di Siviglia*, Salzburg 1968; *La Cenerentola*, Maggio Musicale Fiorentino 1971, Duisburg 1974; *Italiana in Algeri*, Düsseldorf 1972, Mailänder Scala 1973), dazu Henze (*König Hirsch*, Zürich 1969; *Boulevard Solitude*, München 1974), gelegentlich Musicals (*Kiss Me, Kate* von C.Porter, Düsseldorf 1962; *Hello Dolly!* von J.Herman, ebd. 1966, München, Deutsches Theater, 1968), selten Operette (»Die schöne Helena« von Offenbach, München, Theater am Gärtnerplatz, 1970), neuerdings R.Strauss (*Ariadne auf Naxos*, Köln 1973) und Debussy (*Pelléas et Mélisande*, München 1973). – Der Bühnenbildner P., anfangs von →Dali beeinflußt, verdankte seine Erfolge in den 50er Jahren seinen artistischen, verspielt-ironischen, durch bildhafte Wirkungen und delikate Farbigkeit faszinierenden Ausstattungen, die nicht frei von Manierismen waren, schuf später mehr realistische, gelegentlich auch historische Dekorationen und arbeitet jetzt stärker mit Lichteffekten. Als Regisseur inszeniert P. mit einem besonderen Gespür für pantomimisch ausgespielte Details und choreographische Arrangements exakt, differenziert und außerordentlich pointiert. HS

Pons de Capdoill (pɔns de kapd'oʎ), † vermutlich 1227 beim Kreuzzug Friedrichs II.; provenzalischer Trobador, dessen Wirkungszeit um die Wende des 12. zum 13. Jh. anzusetzen ist, war ein Edelmann aus St-Julien-Chapteuil (Diözese Le Pay-en-Velay) und vermutlich ein Verwandter von Azalais de Mercour. Von ihm erhalten sind 22 Cansos, 3 Kreuzzugslieder und ein Planh. Zu folgenden 4 Cansos ist auch die Musik überliefert: *Lejals amics cui amors te jojos* (P–C 375,14); *Meills qu'om no pot dir ni pensar* (P–C 375,16); *S'eu fis ni dis nuilla sazo* (P–C 375,19); *Us gais conortz me fai gajamen far* (P–C 375,27).
Ausg.: Melodien zu P–C 375,16 in: A. RESTORI, Per la storia mus. dei trovatori prov. I, RMI III, 1896, S. 252f.; zu P–C 375,27 in: H. RIEMANN, Hdb. d. Mg. I, 2, Lpz. 1905, S. 251ff.; zu P–C 375,16 u. 19 in: U. SESINI, Le melodie trobadoriche nel canzoniere prov. Ambrosiana (R. 71 sup.) II, u. in: Studi medievali XX, N. S. XIV, 1941, S. 88ff. (Übertragung); zu P–C 375,14, 16, 19 u. 27 in: Der mus. Nachlaß d. Troubadours, hrsg. v. FR. GENNRICH, Bd I, = Summa musicae medii aevi III, Darmstadt 1958.
Lit.: A. THOMAS, L'identité du troubadour P. de Chapteuil, Annales du Midi V, 1893; R. LAVAUD, P. de C., u. C. FABRE, Le troubadour P. de Capduelh, in: Mémoires et procès-verbaux de la Soc. agricole et scientifique de la Haute-Loire XIII, 1906 bzw. XIV, 1907; S. STROŃSKI, En P. de Capduelh, Annales du Midi XVIII, 1906; P–C, S. 337ff.; J. BOUTIÈRE u. A.-H. SCHUTZ, Biogr. des troubadours, = Bibl. Méridionale I, 27, Toulouse u. Paris 1950, revidiert (mit I.-M. Cluzel) = Les classiques d'oc (I), Paris 1964; H. H. LUCAS, P. de C. and Azalais de Mercour. A

Study of the Planh, in: Nottingham Mediaeval Studies II, 1958.

+Pons, Charles, * 7. [nicht: 8.] 12. 1870 – [erg.:] 16. 3. [nicht: 4.] 1957.

Pons, José, * 1768 zu Gerona, † 2. 8. 1818 zu Valencia; spanischer Komponist, erhielt seine Ausbildung an der Maîtrise der Kathedrale seiner Heimatstadt und war stellvertretender Maestro de capilla an der Kathedrale von Córdoba und Maestro de capilla ab 1791 an der Kathedrale in Gerona und von 1793 bis zu seinem Tode an der Metropolitankirche in Valencia. Er war mit Eximeno y Pujades befreundet. Seine Kompositionen umfassen kirchenmusikalische Werke (Messen, Responsorien, Lamentationen, Villancicos, Miserere, Letrillas), die in den Archiven der Kathedralen von Valencia und Córdoba sowie in der Biblioteca Central in Barcelona überliefert sind.
Ausg.: Oh madre, Letrilla a la Santísima Virgen f. 8st. Doppelchor u. Org., in: Lira sacro-hispana, hrsg. v. H. ESLAVA, 19. Jh. I, 1, Madrid 1869.
Lit.: FR. CIVIL CASTELLVÍ, La capilla de música de la catedral de Gerona (s. XVIII), Anales del Inst. de estudios gerundenses XIX, 1968/69.

+Pons, Lily (eigentlich Alice Joséphine), * 12. [nicht: 13.] 4. 1898 [nicht: 1904] zu Draguignan (Var) [nicht: Cannes].
L. P., die u. a. an den Opernhäusern von Chicago und San Francisco, an der Covent Garden Opera in London sowie der Pariser Opéra gastierte und Konzerte in Europa, in Nord- und Südamerika gab, war über 25 Jahre Mitglied der Metropolitan Opera in New York. Ende der 50er Jahre zog sie sich von der Bühne zurück. Mit A.Kostelanetz war sie bis 1959 verheiratet. Sie lebt heute in Dallas (Tex.) und Palm Springs (Calif.).
Lit.: G. LAURI-VOLPI, Voci parallele, Mailand 1955; H. ROSENTHAL, Sopranos of Today, London 1956; G. GUALERZI in: Le grandi v.. hrsg. v. R. Celletti, = Scenario I, Rom 1964, Sp. 656ff. (mit Diskographie v. J. P. Kenyon).

Ponselle (pɔns'el), Rosa (eigentlich Ponzillo), * 22. 1. 1897 zu Meriden (Conn.); amerikanische Sängerin (Sopran) italienischer Herkunft, sang als Kind in Kinos, Kabaretts und in Vaudevilleaufführungen zusammen mit ihrer Schwester Carmela P. (* 7. 6. 1892 zu Schenectady/N. Y., später ebenfalls Opernsängerin, Mezzosopran). Sie wurde von William Thorner entdeckt, studierte dann bei R.Romani und wurde als unbekannte Sängerin auf Veranlassung E.Carusos an die Metropolitan Opera in New York verpflichtet, wo sie als dessen Partnerin 1918 mit der Partie der Leonora in Verdis *La forza del destino* debütierte und in den folgenden Jahren zur Primadonna avancierte. Große Erfolge hatte sie auch als Rachel in Fr.Halévys *La Juive* (1919), als Giulia in Spontinis *La vestale* (1925), als Norma (Bellini, 1927) und in der Titelpartie von Verdis *Luisa Miller* (1929). 1936 zog sie sich von der Bühne zurück und ließ sich in Baltimore (Md.) als Gesangslehrerin nieder.
Lit.: O. THOMPSON, The American Singer, NY 1937.

Pontac (pɔnt'ak), Diego de, * 1603 zu Saragossa(?), † 1. 10. 1654 zu Madrid; spanischer Komponist, studierte in Saragossa und war Maestro de capilla an mehreren Kathedralen und Klöstern (Saragossa, Salamanca, Madrid, Granada, Santiago de Compostela, Valencia). 1654 wurde er zum »teniente de Maestro de la Real Capilla de Madrid« ernannt. Ein Manuskript mit Kompositionen von P. (im Besitz von Subirá) enthält u. a. 6 4st. Messen, eine Reihe von Motetten und 2 4st. Salve regina. Weitere Kompositionen befinden sich in den Archiven der Seo von Saragossa, des Klosters Mont-

serrat sowie der Kathedrale und des Colegio del Patriarca in Valencia. Im Katalog der Bibliothek König Joãos IV. von Portugal sind 8 Villancicos und 3 lateinische Werke angeführt. P. schrieb auch einen *Discurso del Maestro P. remitido al racionero M.Correa* (Ms. in der Bibl. Nacional in Lissabon).
Ausg.: Messe »In exitu Israel de Egipto«, hrsg. v. H. Eslava, in: Lira sacro-hispana, 17. Jh. II, 2, Madrid 1869. Lit.: J. Subirá, Musics espanyols del s. XVII. D. de P., Rev. mus. catalana XXXI, 1934; Livraria de música de El-Rei D. João IV, 2 Bde, hrsg. v. M. L. de Sampaio Ribeiro, = Estudo mus., hist. e bibliogr. I, Lissabon 1967.

Ponti, Michael, * 29. 10. 1937 zu Freiburg im Breisgau; amerikanischer Pianist, war 1939–55 in den USA ansässig und erhielt ab 1943 in Washington (D. C.) Klavierunterricht bei Gilmour MacDonald, trat 1947 zum ersten Male öffentlich auf und unternahm 1954 eine Tournee mit der North Carolina Symphony Orchestra. 1955 übersiedelte er nach Frankfurt a. M., wo er seine Studien an der Musikhochschule bei Erich Flinsch beendete. Er war Preisträger beim Internationalen Musikwettbewerb der Rundfunkanstalten der BRD und des Concours musical international Reine Élisabeth de Belgique (1964) und erhielt den 1. Preis beim Concorso internazionale di piano »F.Busoni« in Bozen (1964). Tourneen führten P. u. a. durch Europa, in den Nahen Osten und nach Südamerika. In seinem umfangreichen Repertoire nehmen unbekanntere Werke des 19. Jh. eine bevorzugte Stellung ein.

+Pontio, Don Pietro, 1532 – 1595 [nicht: 1596]. Kapellmeister an der Kirche S.Maria della Steccata in Parma war er 1567–69 und 1582–92.
Ausg.: 15 Kadenzen in d. 8 Kirchentönen (aus »Ragionamento di musica«, 1588), in: Orgelmusik an europäischen Kathedralen III, hrsg. v. E. Kraus, = Cantantibus org. XI, Regensburg 1963.

Ponty (põt'i), Jean-Luc, * 29. 9. 1942 zu Avranches (Normandie); französischer Free Jazz-Geiger, studierte u. a. auch Blasinstrumente am Pariser Conservatoire und war anschließend 2 Jahre im Orchester der Association des Concerts Lamoureux in Paris tätig. Seit 1964 widmet er sich nur noch der Jazz- und der Jazz-Rock-Musik und spielt seit 1972 auch in Frank Zappas Mothers of Invention. P. gilt als einer der bedeutenden, stilistisch vielseitigen modernen Jazzgeiger. Mit modaler Spielweise und Einbeziehung von Folklore-Elementen sowie durch sein Engagement in Rockgruppen hat er mit dazu beigetragen, die starren Kategorien Jazz, Rock und Folk-song aufzulösen. – Aufnahmen: *The J.-L. P. Experience* (WPS 20168 K, World Pacific); *King Kong* (LBS 833751, Liberty); *Open Strings* (MPS 2121288–2); *Portrait* (UAS 292 81 X D, United Artists); *Sunday Walk* (MPS 2120645–9); *More Than Meets the Ear* (LBS 83189, Liberty); *Electric Connection* (PJ 20156, World Pacific); *New Violin Summit* (MPS 3321285–8).
Lit.: J. Peellaert, N. Cohn u. I. Schober, Rock Dreams. Die Gesch. d. Popmusik, München 1973.

Poos, Heinrich, * 25. 12. 1928 zu Seibersbach (Kreis Bad Kreuznach); deutscher Komponist und Organist, studierte in Berlin 1955–57 Komposition bei Pepping an der Hochschule für Musik und ab 1959 Musikwissenschaft an der Freien Universität Berlin, wo er 1964 mit der Dissertation *E.Peppings Liederkreis für Chor nach Gedichten von Goethe »Heut und ewig«. Studien zum Personalstil des Komponisten* (= Berliner Studien zur Musikwissenschaft IX, Bln 1965) promovierte. 1955–70 wirkte er in Berlin als Kantor und Organist. Seit 1965 lehrt er Musiktheorie an der Technischen Universität Berlin und seit 1968 an der Staatlichen Hochschule für Musik und darstellende Kunst (1971 Professor). P. ist Mitglied des Musikausschusses des Deutschen Sängerbundes (DSB). Er komponierte u. a. zahlreiche Chorwerke (nach geistlichen Texten: *Du bist aller Quellen Quelle*, 1958, und *Herr Gott, dich loben wir*, 1959, für 5st. gem. Chor; *Wo willst du hin, weil's Abend ist* für 4st. Chor oder 3st. Auswahlchor, Streichquintett und Org., 1961; *Von der Hl. Dreifaltigkeit*, 1963, und *Deutsche Messe*, 1966, für 4–6st. gem. Chor; *Deutsche Liedmesse*, 1968, und *Singet dem Herrn ein neues Lied*, Psalm 98, 1971, für Männerchor. – nach weltlichen Texten: *Chormusik*, nach Brecht, 1958, und *Liederkreis*, nach Werner Bergengruen, 1958, für Chor a cappella; 3 Madrigale nach slowakischen Liebesliedern für 4–6st. gem. Chor, 1966; *Ein jegliches hat seine Zeit* für Männerchor, S., Sprecher und Orch., 1972; *Totenklage um Samogonski*, Fantasie für Männerchor und Sprecher, 1973; *Alalá*, Liederkreis für Frauenchor, 1973; *Des Antonius von Padua Fischpredigt* für gem. Chor, Fl., Klar., Fag. oder Vc. und Cemb. oder Kl., 1973), Suite nach Texten von Brecht für S., Bar., Klar., Altsax., Pos., Kl. und Schlagzeug (1957), Kammermusik (*Greensleeves*, Variationen für Block-Fl. und Cemb., 1970), Lieder und Bühnenmusik. P. veröffentlichte u. a.: *Bibliographie H. H. Stuckenschmidt* (in: Aspekte der Neuen Musik, Fs. H.H.Stuckenschmidt, Kassel 1968); *E.Peppings Prediger-Motette* (MuK XXXVIII, 1968); *Folklore im zeitgenössischen Chorsatz* (Jb. des DSB XXIV, 1968); *Der Dritte Tristan-Akkord. Zur Harmoniestruktur der Takte 1–16 der Einleitung von »Tristan und Isolde«* (Kgr.-Ber. Bonn 1970, erweitert in: Fs. E. Pepping, Bln 1971).
Lit.: W. Breig, Der Komponist H. P., in: Der Kirchenmusiker X, 1959; H. Rübben, H. P., in: Lied u. Chor LVI, 1964.

+Poot, Marcel, * 7. 5. 1901 zu Vilvoorde (Brüssel). P., seit 1952 Mitglied der Koninklijke Vlaamse Academie voor wetenschappen, letteren en schone kunsten, Präsident der Societé d'auteurs et compositeurs (SABAM) und Ehrenpräsident der Union des compositeurs belges seit 1972, war bis 1966 Direktor des Brüsseler Konservatoriums. Er ist ferner Recteur de la Chapelle musicale Reine Élisabeth de Belgique. – Weitere Werke: Kammeroper *Moretus* (Brüssel 1944), die Ballette *Paris in verlegenheid* (1933, Antwerpen 1945) und *Pygmalion* (1952); Ouvertüre *Fête à Thélème* (1956), *Ronde diabolique* (1957), kleine Suite (1961), 2 *Mouvements symphoniques* (1961), *Suite en forme de variations* (1964), *Suite anglaise* (1965) und eine 4. Symphonie (1971) für Orch., Musik (1963) und Concerto grosso (1965) für Streicher; Klavierkonzert (1959), Konzertstück für V. (1962), Concerto grosso für Klavierquartett (1969) und Concertino für Ob. (1973) mit Orch.; Oktett (1948), *Mozaïek* für 8 alte Blasinstr. (1969), Fantasie für Klarinettensextett (1955), Concertino für Bläserquintett (1959), Streichquartett (1952), Scherzo (1960) und Concertino (1963) für Saxophonquartett, Musik für Bläserquartett (1964), *Legende* für Klarinettenquartett (1967), Quartett für Hörner (1969), Ballade für Ob., Klar. und Fag. (1954), Terzetto für 3 Klar. (1960), Concertino für Fl., V. und Vc. (1963), Duo für V. und Va (1962), 3 kleine Duos für Trp. (1965), ferner Instrumentalstücke mit Kl. (u. a.: Konzertstudie für Fag., 1957; Legende für Horn, 1957; Ballade für Fl., 1958; Humoreske für Trp., 1958; Sonatine und Arabeske für Klar., beide 1965); Ballade für Fag. solo (1957).
Lit.: M. P., = Cat. v. werken v. Belgische componisten IV, Brüssel 1953 (mit Vorw. v. Ch. Van den Borren). – W. Paap in: Mens en melodie XXIII, 1968, S. 367f.; H. Heughebaert in: Vlaams muziektijdschrift XXII, 1970, S. 3ff. (mit Werkverz.).

Poot

Poot (pu:t), Sonja, * 3. 12. 1936 zu 's-Gravenzande (Südholland); britische Opernsängerin (Koloratursopran), wuchs in Rhodesien auf, absolvierte das Koninklijk Conservatorium voor Muziek in Den Haag sowie die Wiener Musikakademie (1964 Reifeprüfung) und debütierte 1964 als Donna Anna am Stadttheater in Bern. Im gleichen Jahr wurde sie an das Stadttheater Bonn engagiert. Seit 1971 gehört S. P. dem Ensemble der Städtischen Bühnen Nürnberg an. Gastspiele führten sie u. a. nach Wien, Basel, Amsterdam und Barcelona. Zu ihren Partien gehören Konstanze, Fiordiligi, Lucia di Lammermoor, Norina (*Don Pasquale*) und Violetta.

+**Pope,** Isabel (verheiratete Conant), * 19. 10. 1901 zu Evanston (Ill.).
I. P., die 1930 am Radcliffe College in Cambridge (Mass.) in Romanistik promovierte, lebt heute in Wellesley (Mass.). Neuere Aufsätze: *The Secular Compositions of J.Cornago*, Teil 1 (in: Miscelánea ..., Fs. H.Anglés II, Barcelona 1958–61); *La vihuela y su música en el ambiente humanístico* (Nueva rev. de filología hispánica XV, 1961); *The Musical Manuscript Montecassino N 871* (mit M.Kanazawa, AM XIX, 1964); *King David and His Musicians in Spanish Romanesque Sculpture* (in: Aspects of Medieval and Renaissance Music, Fs. G.Reese, NY 1966).

Popelka, Joachim, * 15. 2. 1910 zu Leipzig, † 5. 4. 1965 zu Mannheim; deutscher Orchester- und Chordirigent und Komponist, studierte 1929–33 an der Leipziger Universität (Kroyer) und betrieb ein Musikstudium am dortigen Landeskonservatorium (Teichmüller, Karg-Elert). 1933–37 war er Korrepetitor und stellvertretender Chordirigent in Leipzig, 1937–39 Kapellmeister in Gießen und 1942–43 in Halle (Saale) und wurde 1945 Kapellmeister und Chordirigent am Nationaltheater Mannheim sowie 1954 Dirigent des Beethovenchors in Ludwigshafen. Er schrieb die Opern *Alles um Herazade* und *Die 12 Monate* (Lpz. 1933), die Schuloper *Die Reise um die Erde* (Lpz. 1932) sowie Kammer- und Vokalmusik (Sonaten für Vc. und Kl., und für Englisch Horn und Kl.; Sonate, 1949, Capriccio sowie *Bulgarisches Lied und Tanz* für Balalaika und Kl.). P. übersetzte auch eine Reihe italienischer Opern u. a. von Cimarosa (*Il matrimonio segreto*), Rossini (*Il Signor Bruschino*), Bellini (*Norma*), Donizetti (*L'elisir d'amore*), Puccini (*Manon Lescaut*) und Pizzetti (*Orsèolo*) ins Deutsche.

+**Popov,** Michail [erg.:] Christov, * 21. 9. 1899 zu Pleven (Bulgarien).
1964 wurde P. Professor für Gesang am Konservatorium in Sofia.
Lit.: R. Biks(-Djakowa), M. P., Sofia 1959; dies. in: Bâlgarska muzika XX, 1969, Nr 9, S. 81f.

+**Popov,** Sasha [erg.:] (Saša, Aleksandâr) Dimitrov, * 24. 7. 1899 zu Russe (Bulgarien).
P. übernahm 1963 auch die Leitung des Symphonieorchesters von Kairo; in Los Angeles gründete er 1966 ein Collegium musicum. Verpflichtungen als Gastdirigent führten ihn darüber hinaus ständig ins europäische wie außereuropäische Ausland.
Lit.: L. Balkanski in: Bâlgarska muzika XX, 1969, H. 10, S. 68f.

Popova, Katja Asenova, * 21. 1. 1924 zu Pleven, † 24. 11. 1966 in der Umgebung von Bratislava bei einem Flugzeugabsturz; bulgarische Opernsängerin (lyrischer Sopran), Schülerin von Mara Marinova-Cibulka, Katja Spiridonova und Asen Dimitrov, absolvierte 1947 die Staatliche Musikakademie in Sofia und debütierte im selben Jahr als Esmeralda in Smetanas »Verkaufter Braut« an der Nationaloper in Sofia. 1955–56 vervollkommnete sie ihre Ausbildung am Bolschoj Teatr in Moskau. Gastspielreisen führten sie u. a. an die Pariser Opéra sowie in verschiedene osteuropäische Länder. Zu ihren Partien zählten Cherubino (*Le nozze di Figaro*), Margarethe (*Faust*), Micaela (*Carmen*), Mimi (*La Bohème*) und Natascha (»Krieg und Frieden« von Prokofjew).

Popovici (p'ɔpɔvitʃ), Doru, * 17. 2. 1932 zu Reşiţa (Banat); rumänischer Komponist und Musikkritiker, studierte 1950–55 am Bukarester Konservatorium (Jora, Andricu) und wurde 1968 Musikredakteur beim rumänischen Rundfunk und Fernsehen. Er schrieb die Opern *Prometeu* op. 13 (Bukarest 1964) und *Mariana Pineda* op. 28 (nach García Lorca, Iaşi 1969), Orchesterwerke (*Două schiţe simfonice*, »2 symphonische Skizzen«, op. 8 Nr 1, 1955; 3 Symphonien, Nr 1 op. 21, 1962, Nr 2, *Spielberg*, op. 30, 1966, und Nr 3, *Bizantina*, »Byzantinische«, op. 33 Nr 3, 1968), Kammermusik (*Omagiu lui Ţuculescu*, Quintett für Klar., V., Va, Vc. und Kl. op. 31, 1967; Streichquartett op. 24, 1954, Neufassung 1964), Klavierwerke (Sonate op. 3 Nr 3, 1953) und Vokalmusik (Kantaten *Porumbeii morţii*, »Die Tauben des Todes«, für Soli, Chor und Orch. op. 11 Nr 2, 1957, *Noapte de august*, »Augustnacht«, für Bar. und Orch. op. 15, 1959, *Omagiu lui Palestrina* für Frauenchor und Orch. op. 29, 1966, und *In memoriam poetae Mariana Dumitrescu* für tiefe St. und Orch. op. 32, 1967; a cappella-Chöre und Lieder). Neben zahlreichen Kritiken für rumänische Tageszeitungen und einer Reihe von Zeitschriftenbeiträgen veröffentlichte er (alle Bukarest): *Muzica corală românească* (»Die rumänische Chormusik«, 1966); *Inceputurile muzicii culte româneşti* (mit C.Miereanu, 1967); *Gesualdo di Venosa* (1969); *Muzica românească contemporană* (1970); *Cîntec flamand. Şcoala muzicală neerlandeză* (1971); *Muzica elisabethană* (1972).
Lit.: A. Porfetye, Simfonia I-a de D. P. (»Die 1. Symphonie v. D. P.«), in: Muzica XIV, 1964.

+**Popow,** Gawriil Nikolajewitsch, * 30. 8. (12. 9.) 1904 zu Nowotscherkassk, [erg.:] † 17. 2. 1972 zu Repino (bei Leningrad).
Neuere Werke: eine unvollendete Oper *Alexandr Newskij* (1941); 5. Symphonie *Pastoralnaja simfonija* op. 77 (1956), 6. Symphonie *Prasdnitschnaja* (»Die Festliche«) für Kammerorch. op. 99 (zum 100. Geburtstag von Lenin, 1970); symphonische Arie für Vc. und Orch. (A.Tolstoj gewidmet, 1946), symphonische Dichtung *Bylina pro Lenina* (»Lenin-Ode«) für Soli, Chor und Orch. (1970), Orgelkonzert (1970); Kantaten *Slawsja, partija rodnaja* (»Ruhm der teuren Partei«, 1952), *Prostoj tschelowek, kommunist* (»Der aufrechte Mensch, der Kommunist«, 1959) und andere Chöre a cappella; ferner Bühnen- und Filmmusiken.
Lit.: A. Medwedew, Master chorowo pisma (»Der Meister d. Chorliedes«), SM XXV, 1961; W. Bogdanow-Beresowskij in: SM XXVIII, 1964, H. 9, S. 32ff.; D. Gojowy, Moderne Musik in d. Sowjetunion bis 1930, Diss. Göttingen 1966; P. Wulfius in: Sowjetskaja simfonija sa 50 let, hrsg. v. Gr. G. Tigranow, Leningrad 1967, S. 261ff. (zur 5. Symphonie).

Popowa, Tatjana Wassiljewna, * 22. 9. (5. 10.) 1907 zu St.Petersburg; russisch-sowjetische Musikforscherin, absolvierte 1932 die Fakultät für Musikgeschichte am Moskauer Konservatorium, an dem sie 1938–43 und 1946–51 Musikgeschichte der Völker der UdSSR lehrte. 1956 erhielt sie den Titel »Magister der Kunstwissenschaft«. Neben Komponistenmonographien für den Schulgebrauch (*A.Borodin*, Moskau 1955, ²1969,

400

deutsch Lpz. 1955; *Mussorgskij*, Moskau 1955, [3]1966, rumänisch Bukarest 1970; *Mozart*, Moskau 1957, [2]1967) schrieb sie u. a.: *Musykalnyje schanry i formy* (»Musikalische Gattungen und Formen«, ebd. 1951, [2]1954); *Russkoje narodnoje musykalnoje twortschestwo* (»Das russische Volksmusikschaffen«, 3 Bde, ebd. 1955–57, 2. Aufl. in 2 Bden, 1962–64); *Russkaja narodnaja pesnja* (»Das russische Volkslied«, = Massowaja folklornaja bibl. ljubitelej musyki I, ebd. 1962); *Russkaja sowjetskaja narodnaja pesnja* (»Das russisch-sowjetische Volkslied«, ebd. 1967); *O pesnjach naschich dnej* (»Über die Lieder unserer Tage«, ebd. 1969). Sie edierte die Sammelschrift *Musykalnyje schanry*, »Musikalische Gattungen«, ebd. 1968).

Popp, Lucia, * 12. 11. 1939 zu Ungeraiden/Uhorská Ves (Slowakei); österreichische Sängerin (Koloratursopran), studierte 1959–63 an der Musikakademie in Bratislava, wurde 1963 an die Wiener Staatsoper engagiert und debütierte im selben Jahr bei den Salzburger Festspielen. 1966 trat sie erstmals an der Covent Garden Opera in London und 1967 an der Metropolitan Opera in New York auf. Ihre Karriere führte sie u. a. an die Opernhäuser in Köln, Hamburg, München und Frankfurt a. M. Zu ihren Partien zählen Konstanze, Königin der Nacht, Rosina, Gilda, Olympia, Zerbinetta, Sophie und Ann Trulove (*The Rake's Progress*). 1969 unternahm sie eine Konzerttournee durch Australien. L. P. ist mit dem Dirigenten Georg Fischer verheiratet.

†**Poppen,** Hermann Meinhard, 1885–1956.
Lit.: O. RIEMER in: Musica X, 1956, S. 410f.; DERS. u. W. HENNIG in: Ev. Kirchenmusik XXXIII, 1956, S. 34ff.

†**Popper,** David, 9. 12. [nicht: 16. 6.] 1843 – 1913.

Poradowski, Stefan Bolesław, * 16. 8. 1902 zu Włocławek, † 9. 7. 1967 zu Poznań (Posen); polnischer Komponist und Musikpädagoge, studierte bei Opieński am Posener Konservatorium (1922–26) und bei E. N. v. Rezniček in Berlin (1929). Er war in Posen 1930–39 Professor für Musiktheorie und Komposition am Konservatorium und ab 1945 Professor an der Musikhochschule in Breslau/Wrocław. Seine Kompositionen umfassen u. a. die Oper *Krnąbrne miasto* (»Die Stadt Krnąbrne«, 1945), Orchesterwerke (7 Symphonien, 1928, 1930, 1932, 1934, 1938, 1952 und 1957; Symphonische Dichtung *Ratusz poznański*, »Das Rathaus von Posen«, 1950), *Suita antyczna* (»Antike Suite«) für Streichorch. (1925), *Concerto antico* für Va d'amore und Orch. (1925), Konzerte für Kb. und Orch. (1929) und für Fl., Hf. und Streichorch. (1954), Kammermusik (4 Streichquartette, 1923, 1923, 1936 und 1947; *Trio I*, 1929, und *II*, 1930, für V., Va und Kb., *III* für Streichtrio, 1935, *IV* für 3 Kb., 1952, und *V* für Streichtrio, 1955; Sonate für V. und Kl., 1925), Klavier- und Orgelwerke sowie Vokalmusik (Oratorium *Odkupienie*, »Erlösung«, für S., gem. Chor und Orch., 1940; *Missa prima*, 1940, Neufassung 1947, und *Missa secunda*, 1949, für gem. Chor; Orchester- und Klavierlieder). P. verfaßte: *Nauka harmonii* (»Harmonielehre«, Posen 1931, Warschau [4]1960, [5]1964); *Akustyka dla muzyków* (»Akustik für Musiker«, ebd. 1964); *Sztuka pisania kanonów* (»Die Kunst des Kanonschreibens«, ebd. 1965).

Porcelijn (pɔrsəl'ɛjn), David, * 7. 1. 1947 zu Achtkarspelen (Friesland); niederländischer Komponist und Flötist, studierte am Koninklijk Conservatorium voor Muziek in Den Haag Flöte bei Frans Vester und Komposition bei K. van Baaren sowie in Genf Dirigieren bei Michel Tabachnik. Von seinen Kompositionen seien genannt: *Continuations* für 11 Blasinstr. (1968); *Interpretations* Nr 1 (1968) für Kl. und Nr 4 (1969) für Streichquartett; *Requiem* für Schlagzeugensemble (1970); *1000 Frames* für ein (oder mehrere) Blasinstr. und ein (oder mehrere) Kl. (1970); *Zen* für Fl. solo (1970); *Combinations* für 26 Soloinstr. (1970); *Amoeba for X Flutes* (1971); *Confrontations and Indoctrinations* für Jazzquintett, Jazz-Big band und 19 Instr. (1971); *Cybernetic Object* für Orch. (1971); *10-5-6-5 (a)* für 2 Streichquartette, ein Bläserquintett und 2 Vibraphone (1972); Ballettmusik *Pole* für 26 Instr. (1972); *Pulverizations* für Bläserquintett (1972); *Pulverization* für 52 Streicher (1972). Ferner veröffentlichte er eine *Methode voor de fluit* (Wormerveer 1971, auch engl.).

Porena, Boris, * 27. 9. 1927 zu Rom; italienischer Komponist, studierte am Conservatorio di Musica S. Cecilia in Rom (Diplome in Klavier, 1948, und Komposition, 1953) und promovierte 1957 an der Universität in Rom mit der Arbeit *Th. Mann e la musica*. Er ist als Essayist, besonders über Fragen der zeitgenössischen Musik, tätig (*L'avanguardia musicale di Darmstadt*, Rass. mus. XXVIII, 1958; *I concerti di Petrassi*, nRMI I, 1967; *Per un nuovo balletto di R. Vlad*, in: Chigiana XXV, N. S. V, 1968) und wurde 1965 Dozent für Komposition am Conservatorio di Musica G. Rossini in Pesaro. Von seinen Werken seien genannt: *Tre pezzi sacri* für S., Chor und Blechbläser (1953); *Tre pezzi concertanti* für 2 Kl., Blechbläser und Streicher (1955); *Der Gott und die Bajadere* für Soli, Chor und Orch. auf einen Text von Goethe (1957); *Musica N° 1* für Streicher (1960); *Gryphius-Kantate* für 3 Frauen-St., Chor und Orch. (1961); *Musica N° 1* für Orch. (1962); *Nelly-Sachs-Kammerkantate* (1964); *Trakl-Kammerkantate* (1964); *Über aller dieser deiner Trauer*, Kantate über Texte von Paul Celan und Nelly Sachs (1965); *Musica N° 2* für Orch. (1966); *Musica N° 2* für Streicher (1967); *Musica* für Streichquartett (1967); *La mort de Pierrot* für A. und verschiedene Instr. (1968); *D'après* für Fl. solo (1968); ferner Lieder in verschiedener Besetzung.
Lit.: M. BORTOLOTTO in: Lo spettatore mus. III, 1968, S. 20ff.; S. BUSSOTTI in: Discoteca IX, 1968, S. 24f.

Porfetye (pərf'etje), Andreas (Andrei), * 6. 7. 1927 zu Zădăreni (Banat); rumänischer Komponist, studierte 1948–52 am Bukarester Konservatorium (Klepper), war 1954–69 Redakteur bei der in Bukarest erscheinenden Zeitschrift »Muzica« und wurde 1969 Lektor am Bukarester Konservatorium. Er schrieb Orchesterwerke (Konzert für Org. und Orch., 1962, Neufassung 1967; *Sinfonia–Serenata*, 1964; 2. Symphonie, 1965; Konzert für V. und Orch., 1967; 3. Symphonie, 1971), Kammermusik (Bläserquintett, 1957; Streichquartett Nr 2, 1969; Sonate für Horn und Kl., 1956; *Piccola sonata* für V. und Org., 1962; Sonate für Vc. und Org., 1963), Orgelwerke (Passacaglia und Fuge, 1955; 3 Sonaten, 1960–68; Fantasie, 1968), Klavierwerke (Sonate, 1963) und Vokalmusik (Kantate *Comunistul*, »Der Kommunist«, für Mezzo-S., gem. Chor und Orch. 1962; *In memoriam Mihail Sadoveanu*, Requiem für Mezzo-S., T. und Orch., 1962; Kammerkantate für Mezzo-S., Vc., Org. und Orch., 1965; Lieder).
Lit.: GR. CONSTANTINESCU, Simfonia a III-a de A. P. (»Die 3. Symphonie v. A. P.«), in: Muzica XXII, 1972.

†**Porges,** Heinrich, 1837–1900.
Seine Tochter Elsa [erg.:] Agnes (verheiratete Bernstein), [erg.:] * 28. 10. 1866 zu Wien, † 12. 7. 1949 zu Hamburg.
Lit.: Dokumente zur Entstehung u. ersten Aufführung d. Bühnenweihfestspiels »Parsifal«, hrsg. v. M. GECK u. E. VOSS, = Wagner-GA XXX, Mainz 1970.

+Porpora, Nicola Antonio [erg.:] Giacinto, 1686–1768.

P.s erste Wienreise (1725) ist nicht nachweisbar. Er war erst 1760/61 [nicht: 1758] Kapellmeister am Conservatorio di S. Maria di Loreto [nicht: am Conservatorio di S. Onofrio] in Neapel. – Seine Oper +*Siroe* wurde in Mailand 1726 [nicht: Rom 1727] uraufgeführt. Ausg.: V.-Sonate G dur, hrsg. v. M. Corti, = La class. scuola ital. del v. VI, Mailand 1956; 25 vocalizzi ad una voce e due v., fugate con accompagnato di cemb. o pfte, hrsg. v. P. M. Bononi, ebd. 1957; Kantate »Vigilate, oculi mei!« f. S. (T.) u. B. c., hrsg. v. R. Ewerhart, = Cantio sacra XX, Köln 1958; Concerto Nr 2 C dur f. 2 V. u. B. c. (aus 6 Sinfonie da camera op. 2), hrsg. v. A. Kranz, Hbg 1961; Magnificat f. 4st. Frauenchor, Streichorch. u. Org., hrsg. v. R. Hunter, = Manhattanville College Choral Series o. Nr, NY 1967; Psalm »Laetatus sum« f. 4st. Frauenchor, Streichorch. u. Org., hrsg. v. H. T. David, = ebd. 1970; Vc.-Konzert G dur f. Streichorch. u. B. c., hrsg. v. Fr. Degrada, = Antica musica strumentale ital. o. Nr, Mailand 1970; Sinfonia da camera a tre B dur op. 2 Nr 6, hrsg. v. E. Schenk, = Diletto mus. Nr 434, Wien 1971; Motette »Credidi« f. 4st. Frauenchor, Streichorch. u. Org., hrsg. v. D. E. Hyde, London 1972. Lit.: +Fr. Chrysander, G. Fr. Händel (II, 1860), Nachdr. Hildesheim u. Wiesbaden 1966; +M. Fürstenau, Zur Gesch. d. Musik u. d. Theaters am Hofe zu Dresden (1861–62), Nachdr. Hildesheim 1971 (2 Bde in 1), auch Lpz. 1971 (2 Bde). – Th. Straková, Hudebníci na collaltovském panství v 18. století (»Musiker am Hofe v. Collalto im 18. Jh.«), in: Časopis Moravského musea, Vědy společenské LI, 1966 (mit deutscher Zusammenfassung); K. Wichmann, Der Ziergesang u. d. Ausführung d. Appogiatura. Ein Beitr. zur Gesangspädagogik, Lpz. 1966; N. Gardini, N. A. P., Anth., Coral Classics (Fla.) 1967; A. Mayeda, N. A. P. als Instrumentalkomponist, Diss. Wien 1967 (mit thematischem Kat.); ders., N. A. P. u. d. junge Haydn, in: Der junge Haydn, hrsg. v. V. Schwarz, = Beitr. zur Aufführungspraxis I, Graz 1972; Fr. Degrada, Le musiche strumentali di N. P., in: Chigiana XXV, N. S. V, 1968; M. Amstad, Das berühmte Notenblatt d. P., Die Fundamentalübungen d. Belcanto-Schule, in: Musica XXIII, 1969; H. Hell, Die neapolitanische Opernsinfonie in d. ersten Hälfte d. 18. Jh., = Münchner Veröff. zur Mg. XIX, Tutzing 1971; M. F. Robinson, P.'s Operas f. London, 1733–36, in: Soundings II, 1971–72; H. B. Dietz, Zur Frage d. mus. Leitung d. Conservatorio di S. Maria di Loreto in Neapel im 18. Jh., Mf XXV, 1972.

+Porrino, Ennio, 1910–59.

Von seinen Werken seien genannt: die Opern *Gli Orazi* (Mailand 1941), *L'organo di bambù* (einaktig, Venedig 1955) und *I shardana* (Neapel 1959); die Ballette *Proserpina* (Florenz 1938), *Altair* (Neapel 1942), *Mondo tondo* (Rom 1949) und *La bambola malata* (Venedig 1959); symphonische Dichtung *Sardegna* (1933) und 3 altsardische Tänze *Nuraghi* (1952) für Orch.; *Sonata drammatica* für Kl. und Orch. (1947), *Concerto dell'Argentarola* für Git. und Orch. (1953), *Sonar per musici* für Cemb. und Streicher (1959); Oratorium *Il processo di Cristo* für Soli, Chor, Orch. und Org. (1949); Motette *Intacta mater numinis* (1958, zur 100-Jahr-Feier von Lourdes). Lit.: F. Karlinger in: Musica sacra LXXIX, 1959, S. 290ff. (zu »Il processo …«); ders., ebd. LXXX, 1960, S. 14ff. (mit Werkverz.); ders., E. P. e la Sardegna, Cagliari 1960, auch = Il convegno 1961, Nr 10; ders., E. P., München 1961; ders., Das ital. Volkslied u. E. P., Jb. d. österreichischen Volksliedwerkes XIX, 1970; F. L. Lunghi in: L'approdo mus. II, 1959, Nr 7/8, S. 204ff.; M. Rinaldi, E. P., Opera vincitrice del concorso bandito dall'Ass. culturale »Amici del libro« di Cagliari, Cagliari 1965.

Porro, Giovanni Giacomo (Johann Jacob Borro), * um 1590 zu Lugano, † September 1656 zu München; italienischer Komponist und Organist, wurde 1622 Organist des Herzogs von Savoyen sowie um 1628 Kapellmeister an S. Lorenzo in Damaso in Rom, wo er 1630–34 als Nachfolger von Frescobaldi die Organistenstelle an der Cappella Giulia an S. Pietro innehatte. Ab 1636 war er Kapellmeister am kurfürstlichen Hof in München. P. hat entscheidend zur Einführung der Oper in München beigetragen. Seine Werke sind (außer 3 Kompositionen in römischen Sammelwerken von 1622 und 1628) verschollen; in einer erhalten gebliebenen »Specificatio« jedoch werden über 1100 Nummern (32 Messen, 60 Proprien, ein Requiem, 64 Magnificat, 2 Te Deum, 60 Cantiones, 187 Psalmen, 208 Antiphone, 20 Litaneien, 7 Stabat mater und 274 Motetten, ferner 200 Madrigale und 10 *Paletti*) aufgeführt. Lit.: Fr. X. Haberl, J. J. P., KmJb XVI, 1891; J. K. Kerll, Ausgew. Werke, 1. Teil, hrsg. v. A. Sandberger, = DTB II, 2, Lpz. 1901 (darin Veröff. d. »Specificatio«); A. Cametti, G. Frescobaldi in Roma (1604–43), RMI XV, 1908.

+Porro, Pierre-Jean, 1750 [nicht: 1759] – [erg.: 31. 5.] 1831.

+Porsile, Giuseppe (Porcile, Porsille), [erg.: 5. 5.] 1680 – 1750.

P. wirkte ab 1713 als Gesangslehrer am Kaiserhof in Wien und war dort Hofkomponist 1720–49. Lit.: U. Prota-Giurleo, G. P. e la Real capella di Barcellona, Gazzetta mus. di Napoli II, 1956; G. A. Henrotte, The Ensemble Divertimento in Pre-Class. Vienna, 2 Bde, Diss. Univ. of North Carolina 1967.

+Porta, Costanzo, um 1529 [nicht: 1504/05] – 19. [nicht: 26.] 5. 1601.

P. wurde 1565 [nicht: 1564] an S. Antonio in Padua und 1574 [nicht: 1575] an der Basilika in Loreto Kapellmeister. – Die Introitus für die Festtage erschienen bereits 1566 (²1588). Von den 4 Madrigalbüchern wurden die 4st. Madrigale 1555, die 5st. 1569, 1573 und 1586 veröffentlicht [del. bzw. erg. frühere Angaben dazu]. 1559 erschien ferner ein Motettenbuch zu 4 St. und 1605 ein weiteres zu 5 St. Ausg.: Opera omnia, hrsg. v. S. Cisilino u. J. M. Luisetto, Padua 1964ff., bisher erschienen: Bd I (1964), Motecta 4 v. (1559); II–III (1964, ²1971), Motecta 5 v., Liber I (1555) u. II (1605); IV (1967), Musica 6 canenda v., Liber I (1571); V (1967), Liber quinquaginta duorum motectorum, Liber II (1580); VI (1967), Musica 6 canenda v., Liber III (1585); VII (1968), Litaniae Deiparae Virginis Mariae 8 v. (1575), Lamentationes Hieremiae 5 v. u. Responsoria Hebdomadae Sanctae et Noctis Nativitatis Domini 4 v. parium (bislang unveröff.); VIII–IX (1969), Missarum liber I (1578); X (1971, ²1971), Missa ducalis, Missa »Da pacem«, Missa mortuorum u. Missa 4 v.; XI (1969), Magnificat 8, 12, 16 v.; XII (1966), Antiphonae 4 v. super cantu plano (bislang unveröff.); XIII (1966), Hymnodia sacra 4 v., totius per anni circulum (1602); XIV–XV (1968), Musica in introitus missarum quae in diebus dominicis celebrantur, bzw. ... quae in solemnitatibus sanctorum omnium celebrantur, 5 v. (1566); XVI–XVII (1969), Psalmi 8 v. (1605); XVIII (1970), Musica sacra, sparsa in raccolte stampate dell'epoca; XIX–XXIII, (1967–69), Il primo libro di madrigali a 4 v. (1555), Il primo, secondo, terzo u. quarto libro di madrigali a 5 v. (1569–86); XXIV (1970), Madrigali, sparsi in raccolte e mss. dell'epoca; XXV (1970), 100 Antiphonae super cantu plano de comuni sanctorum, Hymni de festis et de comuni, Magnificat octo tonorum u. Missa 4 v. (bislang unveröff.). – Musica in introitus missarum Nr 5–8, hrsg. v. R. J. Snow, = Musica liturgica II, 3, Cincinnati (O.) 1961. Lit.: +G. Reese, Music in the Renaissance (1954), revidiert NY 1959. – R. Lunelli, Nota complementare sul musicista C. P., in: Miscellanea francescana LVI, 1956; L. P. Pruett, The Motets of C. P., JAMS X, 1957; dies., The Masses and Hymns of C. P., Diss. Univ. of North Carolina 1960; dies., Parody Technique in the Masses of

C. P., in: Studies in Musicology, Fs. Gl. Haydon, Chapel Hill (N. C.) 1969; N. Bridgman u. Fr. Lesure, Une anth. »hist.« de la fin du XVIe s., Le ms. Bourdeney, in: Miscelánea ..., Fs. H. Anglés I, Barcelona 1958–61; O. Mischiati in: MGG X, 1962, Sp. 1464ff.; E. Alfieri, La cappella mus. di Loreto dalle origini a C. P., = Pubbl. dell'Arch. stor. e della Bibl. della S. Casa di Loreto V, Loreto 1971.

+**Porta,** E r c o l e, [erg.:] 10. 9. 1585 – 1630.
Lit.: Cl. Sartori, Bibliogr. della musica strumentale ital. stampata in Italia fino al 1700, = Bibl. di bibliogr. ital. XXIII, Florenz 1952; O. Mischiati in: MGG X, 1962, Sp. 1471ff.

+**Porta,** F r a n c e s c o d e l l a, um 1610 [nicht: um 1590] – 1666.
Lit.: P. Kast, Biogr. Notizen über J. H. Kapsberger aus d. Vorreden zu seinen Werken, in: Quellen u. Forschungen aus ital. Arch. u. Bibl. XL, 1960.

+**Porter,** C o l e [erg.:] Albert, * 9. 6. 1891 [nicht: 1893] zu Peru (Ind.), [erg.:] † 15. 10. 1964 zu Santa Monica (Calif.).
P. studierte an der Yale University (Conn.) zunächst Jura und nach 1913 an der Harvard University (Mass.) zusätzlich Musik (dort 1916 Aufführung seines ersten Musicals *See America First*). – P. gilt mit seinen ab 1928 komponierten Werken, für die er auch die »Lyrics« (Songtexte) verfaßte, neben R. Rodgers als der bedeutendste amerikanische Musicalkomponist. Seine raffiniert einfachen, oft elegischen Melodien mit ihren aparten harmonischen Wendungen setzten Qualitätsmaßstäbe, die kaum je übertroffen wurden. – Weitere wichtige Musicals (Uraufführung alle NY), von denen auch zahlreiche verfilmt wurden: *Paris* (1928, darin: *Let's Do It*); *Wake Up and Dream* (1929: *What Is This Thing Called Love?*); +*Fifty Million Frenchmen* (1929: *You Do Something to Me*); *The New Yorkers* (1930: *Love For Sale*); *The Gay Divorce* (1932: +*Night and Day*); *Nymph Errant* (1933: *The Physician*); *Anything Goes* (1934: *I Get a Kick Out of You*; *All Through the Night*; *You're the Top*; *Blow, Gabriel, Blow*); *Jubilee* (1935: +*Begin the Beguine*; *Just One of Those Things*); *Leave It to Me* (1938: *My Heart Belongs to Daddy*); *Mexican Hayride* (1944: *There Must Be Someone for Me*); *Seven Lively Arts* (1944: *Ev'ry Time We Say Goodbye*); *Around the World in 80 Days* (1946, nach Jules Verne); +*Kiss Me, Kate* (1948, 1077 Vorstellungen am Broadway: *Wunderbar*; *Too Darn Hot*; *Always True to You in My Fashion*; *Brush up Your Shakespeare*); +*Can-Can* (1953: *C'est magnifique*; *I Love Paris*); +*Silk Stockings* (1955: *Paris Loves Lovers*; *Without Love*). Zahlreiche weitere Evergreens finden sich auch in den Filmmusiken *Born to Dance* (1936: *Easy to Love*; *I've Got You Under My Skin*), *Rosalie* (1937: *In the Still of the Night*), *Hollywood Canteen* (1944: +*Don't Fence Me In*), *High Society* (1956: *Who Wants to Be a Millionaire?*; *True Love*) und *Les Girls* (1957: *Ça, c'est l'amour*).
Ausg.: Songs, hrsg. v. Fr. Lounsberry, NY 1954; The C. P. Song Book, NY 1959.
Lit.: St. Green, The World of Mus. Comedy, NY 1960; D. Ewen, The C. P. Story, NY 1965 (mit Werkverz. u. Diskographie); ders., Great Men of American Popular Song, Englewood Cliffs (N. J.) 1970; R. G. Hubler, The C. P. Story, Cleveland (O.) 1965 (mit Verz. d. Songs); S. Schmidt-Joos, Das Musical, = dtv Bd 319, München 1965; G. Fells, The Life That Late He Led. A Biogr. of C. P., NY u. London 1967; Cole, hrsg. v. R. Kimball, NY 1971, London 1972 (Songtexte u. Fotos; mit biogr. Abriß v. Br. Gill); P. Salsini, C. P., = Outstanding Personalities XLI, Charlotteville (N. Y.) 1972.

+**Porter,** [erg.: William] Q u i n c y, * 7. 2. 1897 zu New Haven (Conn.), [erg.:] † 12. 11. 1966 zu Bethany (Conn.).

Als Professor an der Yale University (Conn.) wirkte P. bis 1965. 1939 war er Mitbegründer des American Music Center, 1944 wurde er Mitglied des National Institute of Arts and Letters. – Von seinen Kompositionen seien ferner genannt: 2 Symphonien (1934, 1964) und *New England Episodes* (1958) für Orch., Concerto concertante für 2 Kl. und Orch. (1953, Pulitzer-Preis 1954), Konzerte für Va (1948) bzw. Cemb. (1959) und Orch., Concertino für Bläser und Orch. (1959), Divertimento für Bläserquintett (1962), 9.–10. Streichquartett (1958, 1965), Duo für Va und Hf. (1957); *Promenade* (1953), *Nocturne* (1956) und *Day Dreams* (1957) für Kl.; Szene *The Desolate City* für Bar. und Orch. (1950); *Songs for Elizabethan Club of Yale* für Singst. und Kl. (1959).
Lit.: Werkverz. in: Composers of the Americas IV, Washington (D. C.) 1958, Nachdr. 1962. – H. Boatwright in: Perspectives of New Music V, 1966/67, Nr 2, S. 162ff.; W. K. Hall, Qu. P., His Life and Contributions as a Composer and Educator, Diss. Univ. of Missouri 1970.

+**Porter,** W a l t e r, [erg.: um 1588 oder] um 1595 – 1659.
Er wurde 1603 Chorknabe an Westminster Abbey und trat 1618 [nicht: 1616] als Tenor in die Chapel Royal ein. P., der vermutlich 1613–16 Schüler von Cl. Monteverdi war, wurde 1644 aus seinen Ämtern entlassen.
Ausg.: Madrigale u. Ayres »Sleep all my joys« f. 2 Soli, Chor u. Kl., »Tell me Where the Beauty Lies« f. 4 Soli, Chor u. Kl. sowie »Thus Sung Orpheus to His Strings« f. S., Chor, 2 V., Vc. ad libitum u. Kl., hrsg. v. I. Spink, London 1963; Madrigales and Ayres (1632), hrsg. v. D. Greer, = Engl. Lute Songs XXXV, ebd. 1969.
Lit.: E. H. Fellowes, engl. Madrigal Verse, 1588–1632, London 1920, ²1929, 3. revidierte Aufl. hrsg. v. Fr. W. Sternfeld u. D. Greer, Oxford 1967; E. Pine, The Westminster Abbey Singers, London 1953 (darin 3 Bittschriften P.s); I. Spink in: MGG X, 1962, Sp. 1478ff.; P. J. Willetts, A Neglected Source of Monody and Madrigal, ML XLIII, 1962.

Portinaro, F r a n c e s c o (auch Portenari, Portenarius, Portinarius), * um 1520 zu Padua, † um 1578 zu Padua(?); italienischer Komponist, war 1557–60 Musiklehrer an der Accademia degli Elevati in Padua, kam um 1565 in den Dienst des Kardinals Ippolito d'Este in Ferrara, später zu dessen Neffen Luigi d'Este in Tivoli. Ab 1573 war er bei der in Padua gegründeten Accademia dei Rinascenti tätig und 1576–78 Kapellmeister am Dom in Padua. Von seinen in Venedig gedruckten Werken seien genannt: *Primi frutti de Motetti a 5 v.* Libro I (1548); *Il 1º libro de Madrigali a 5 v.* (1550); *Il 2º libro de Madrigali a 5 v.* (1554); *Il 3º libro di Madrigali a 5 & 6 v.* (1557); *Il 4º libro de Madrigali a 5 v. con dui madrigali a 6, dui dialoghi a 7 & dui a 8 v.* (1560); *Il 1º libro de Madrigali* für 4–6 St. (1563); *Le vergini ... a 6 v. con alcuni madrigali a 5 et a 6 v. et duoi dialoghi a 7* (1568); *Il 2º libro de Motetti* für 6–8 St. (1568); *Il 3º libro de Motetti* für 5–8 St. (1572). Weitere Werke sind in Sammeldrucken 1551–97 erhalten, eine 6st. *Missa »Surge Petro«* handschriftlich in der Bayerischen Staatsbibliothek München (Ms. 16).
Lit.: B. Brunelli, Fr. P. e le cantate degli accademici padovani, Atti del R. Istituto Veneto L, Venedig 1919/20, S. 596f.; R. Casimiri, Musica e musicisti nella catedrale di Padova nei s. XIV, XV, XVI, in: Note d'arch. XVIII, 1941; P. Kast in: MGG X, 1962, Sp. 1480ff.

Portisch, R e i n h o l d, * 25. 5. 1930 zu Lessach (Salzburg); österreichischer Komponist, studierte 1954–58 an der Akademie Mozarteum in Salzburg (Oboe, Dirigieren) und 1958–62 an der Akademie für Musik und darstellende Kunst in Wien (Komposition, Zwölftonseminar, Elektroakustisches Studio). Er war 1961

Gründer der Konzerte der Musikalischen Jugend Österreichs in Graz und wurde 1962 Mitglied des Musikvereins für Steiermark in Graz (1964–70 Generalsekretär). 1971 übersiedelte er nach Wien, wo er als freischaffender Komponist sowie als Mitarbeiter der Universal-Edition und der Gesellschaft der Musikfreunde tätig ist. Von seinen Werken seien *Elektronische Etüde* (erste in Österreich entstandene elektronische Komposition, 1961) und *Evokation* für großes Orch., geteilt in 2 Gruppen (1970) genannt.

+Portugal, Marcos António da Fonseca, 1762–1830.
Ausg.: Ouvertüre zu »Il duca di Foix«, hrsg. v. M. DE SAMPAYO RIBEIRO, = Portugaliae musica B IX, Lissabon 1964.
Lit.: +J.-P. SARRAUTE, Dois mss. de M. P. da Bibl. do Inst. de França, Gazeta mus. de todas artes X, 1959/60 [del. bzw. erg. frühere Angaben].

Porumbescu, Ciprian (Golembiowski), * 2.(14.) 10. 1853 zu Şipotele-Sucevei (Bukowina), † 25. 5. (6. 6.) 1883 zu Stupca (heute Ciprian-Porumbescu, Suceava); rumänischer Komponist, lernte nach Gehör Violinspiel und erhielt erst später Unterricht im Notenschreiben und -lesen. Als Student der Theologie in Czernowitz organisierte und leitete er verschiedene Chor- und Kammermusikgruppen. Wegen seines politischen Eintretens für die Rechte der Rumänen mußte er zeitweise ins Gefängnis. 1879–81 betrieb er musikalische Studien in Wien am Conservatorium der Gesellschaft der Musikfreunde. Ab 1882 wirkte er als Musiklehrer an den rumänischen Schulen in Braşov und war Chorleiter an der Kirche St. Nicolae in Schei sowie beim rumänischen Turn- und Gesangverein. P. gilt mit seinen von der rumänischen Folklore beeinflußten Kompositionen als früher Repräsentant des rumänischen nationalen Musikschaffens. Er veröffentlichte eine *Sammlung von sozialen Liedern für rumänische Studenten* (Wien 1880) und schrieb zahlreiche Chöre (*Cîntec de primăvară*, »Frühlingslied«, 1880, *Frunză verde foi de nalbă*, »Grünes Laub der Malvenstaude«, und *Cît-îi ţara romînească*, »Soweit das rumänische Land reicht«, für gem. Chor; *Hai, romîne*, »Auf, Rumäne«, und *Marşul Landwehrreiter«, und *Patria romînă*, »Rumänisches Vaterland«, für Männerchor), Lieder sowie Instrumentalstücke, ferner die musikalische Komödie *Candidatul Linte sau Rigorosul teologic* (»Kandidat Linte oder Das Rigorosum in Theologie«, 1877) und die Operette *Crai nou* (»Neumond«, 1882). Das Bukarester Konservatorium trägt heute seinen Namen (Conservatorul de Muzică C. P.).
Lit.: V. BRANISCE, C. P., Lugoj 1908; M. GR. POLUŞNICU, C. P., Bukarest 1926; CL. ISOPESCU, Il musicista rumeno C. P. a Roma, Livorno 1931 (mit unveröff. Briefen); L. MORARIU, La semicentenarul C. P., Suceava 1933; ST. PAVELESCU, Viaţa lui C. P. (»C. P.s Leben«), ebd. 1940; V. COSMA, C. P., Bukarest 1957; C. GHIBAN, Cînta la Stupca o vioară. Monografie a vieţii şi operei C. P. (»Es spielt in Stupca eine Geige . . .«), ebd. 1958, ³1964; E. SPERANŢIA, Medalioane muzicale (»Mus. Medaillons«), ebd. 1966; I. WEINBERG, Momente şi figuri din trecutul muzicii romăneşti (»Momente u. Figuren aus d. Vergangenheit d. rumänischen Musik«), ebd. 1967; Z. VANCEA, Creaţia muzicală romănească. Sec. XIX–XX (»Das rumänische Musikschaffen im 19. u. 20. Jh.«), Bd I, ebd. 1968.

Posada-Amador (pos'adaamađ'ɔr), Carlos, * 25. 4. 1908 zu Medellín; kolumbianischer Komponist, begann seine musikalischen Studien an der Escuela de S. Cecilia in Medellín und ging 1931 nach Paris, wo er bei Nadia Boulanger, d'Indy und Dukas studierte. 1934–36 war er in seiner Heimatstadt Direktor der Musikschule des Palacio de Bellas Artes. Er ließ sich 1942

in México (D. F.) nieder und übernahm den Lehrstuhl für Musikästhetik an der Musikhochschule der Universidad Nacional Autónoma de México. P.-A. schrieb Orchesterwerke (Symphonische Dichtung *La coronación del Zipa*, 1939), Kammermusik (*Coral fúnebre* für 2 Trp., 2 Hörner, 2 Pos., Tuba und Pk., 1937; Kanon, Choral und Fuge für Klavierquintett, 1954; Bläserquintett, 1958), Stücke für Soloinstrumente (Menuett für chromatische Hf., 1933; *Campanas* für Kl., 1934; 5st. Fuge für Org., 1957) und Vokalwerke (*Cantiga sagrada* für S., A., T. und Hf., 1935; *7 Rubayata de Omar Khayyam* für Bar. und Orch., 1937; Chöre). Er veröffentlichte auch eine Reihe von musiktheoretischen Schriften.

+Posch, Isaac, † Anfang 1623 in Kärnten oder Krain [del. frühere Angaben].
Als Stadtorganist an St. Egyd in Klagenfurt ist P. nicht nachweisbar. 1617–18 wirkte er als Orgelbauer in Oberburg (Krain) und 1621 kurz in Laibach.
Ausg.: 14 Cantiones sacrae f. St. u. Instr. (aus Harmonia concertans II–III, 1623), 2 Bde, hrsg. v. K. GEIRINGER, = Univ. of California, Santa Barbara, Series of Early Church Music IV u. VI, Bryn Mawr (Pa.) 1972.
Lit.: +H. FEDERHOFER, Beitr. zur älteren Mg. Kärntens, in: Carinthia CXLV [nicht: XLVI], 1955; DERS., Unbekannte Dokumente zur Lebensgesch. v. I. P., AMl XXXIV, 1962.

Posegga, Hans Leopold, * 31. 1. 1917 zu Berlin; deutscher Komponist von Unterhaltungs-, Film- und Fernsehmusik, Pianist und Pädagoge, lebt in München. Er besuchte 1939–40 die Staatliche Hochschule für Musik in München. 1946–56 war er als Lehrer für Klavier am Trapp'schen Konservatorium in München tätig. Er schrieb Orchesterstücke, Kammermusik (Streichquartett, 1954), Klavierstücke, Lieder, Musik zu Fernsehserien, Fernsehshows, Dokumentar- und Expeditionsfilmen (*Lockende Wildnis*), Kurzfilmen, Spielfilmen (*Es*; *Schonzeit für Füchse*; *Zeit der Schuldlosen*) und Hörspielmusik.

Poser, Hans Wolfgang, * 8. 10. 1917 zu Tannenbergsthal (Vogtland), † 1. 10. 1970 zu Hamburg; deutscher Komponist, studierte privat bei P. Hindemith und Grabner und in Hamburg bei Klussmann. Er war Professor für Musiktheorie, Komposition und Instrumentation an der Staatlichen Hochschule für Musik (ab 1966 Leiter der Hauptabteilung Musiktheorie) und Mitglied der Freien Akademie der Künste in Hamburg. P.s vielseitiges Schaffen umfaßt Orchestermusik (Konzert für Orch. op. 16, 1950; *Concertino* für Kl., Trp., Streichorch. und Schlagzeug op. 19, 1960; *Concerto grazioso* für Streichorch. op. 34, 1957; *Sinfonia*, feierliche Musik für Streichorch. op. 37, 1955; Orchestervariationen über ein klassisches Thema, 1962), Kammermusik (2 Streichquartette, op. 20, 1951, und op. 38, 1957; Sonaten mit Kl. für Va op. 6, Horn op. 8, Ob. op. 9 und Klar. op. 30), Klaviermusik (*Erste Sonate* op. 7, 1953; *Musik für Ursula* op. 10; 2 Sonatinen op. 12, 1947–55; 10 Inventionen op. 23). Aus dem im Mittelpunkt seiner Arbeiten stehenden Chorschaffen sind *Die Fabeln des Äsop* für Männerchor op. 28 (1955), *Deutsche Sinngedichte* für Frauenchor op. 32 (1955), *Till Eulenspiegel*, Capriccio für Soli, Chor und Orch. op. 35 (1955), *Vom Fischer und seiner Frau*, Ballade für Soli, Sprecher, Chor und Orch. (1961), *An Schwager Chronos*, Kantate für Soli, Chor und Orch. (1964) und das Requiem für 4–12st. Chor a cappella (1968) zu nennen. Ferner schrieb er Lieder sowie Schul- und Jugendmusik und 2 Fernsehopern: *Die Auszeichnung* (nach Maupassant, NDR 1959) und *Die Baßgeige* (nach Tschechow, ZDF 1964).

Pospíšil (p'əspi:ʃil), **Juraj**, * 14. 1. 1931 zu Olmütz/ Olomouc; tschechischer Komponist, absolvierte das Konservatorium in Brünn und die Musikakademie in Bratislava, wo er als Lehrer an das Konservatorium berufen wurde. Nach einer Reihe tonaler Jugendwerke experimentierte er 1958–62 mit verschiedenen Techniken, u. a. in *Monológy* (»Monologe«) für Kl. op. 10, einem Nonett op. 11, einer Sonate für Streicher op. 14 und dem Posaunenkonzert op. 15. Seit 1962 komponiert er mit Reihen und neuen Ausdrucksmitteln. P. ist auch als Musikschriftsteller und -theoretiker hervorgetreten. – Werke (Auswahl): Passacaglia und Fuge für Org. op. 18 (1962); 2. Symphonie op. 19 (1963); *Mikropoviedky* (»Mikrogeschichten«) für S., Fl., V. und Vc. (1963); *Protirečenia* (»Widersprüche«) für Klar. und Streichquartett op. 20 Nr 2 (1964); Sonate für Kb. und Kl. op. 20 Nr 3 (1966); Musik für 12 Streicher op. 21 (1965); Orgelsonate op. 22 Nr 1; Sonate für V. solo op. 22 Nr 2; *Trojveršia* (»Dreizeiler«) für 9 Instr. op. 22 Nr 3; *Villonská balada* (»Villonsche Ballade«) für Klar. und Kl. op. 24 (1966); Opernzyklus *Inter arma* (3 Teile, 1969–70); *Méditation électronique* (1970); Streichquartett (1970); Flötenquartett (1971); *Hudba pre 12 sláčikových nástrojov* (»Musik für 12 Streichinstr.«, 1971).

Poss, **Georg**, * zwischen 1550 und 1575 in Franken, † nach 1637; deutscher Komponist, studierte in Venedig und war 1597–1618 Instrumentalist, Komponist und Musiklehrer am Hofe des Erzherzogs Ferdinand von Österreich. 1618 verpflichtete ihn Erzherzog Karl, Bischof von Breslau und Brixen, als Hofkapellmeister nach Neisse. Bis 1637 ist sein Name noch in den Hofkammerakten zu finden, obwohl bereits 1622 S. Bernardi als P.' Nachfolger genannt wird. Sein Stiefsohn Paul Rausch († Juli 1641) wirkte als Instrumentalist an den Hofkapellen in Graz und Wien. – Kompositionen: *Liber I missarum 6 et 8 v.* (Graz 1607); *Orpheus mixtus, liber I* (ebd. 1607); 2 Motetten *Parnassus musicus Ferdinandeus* (hrsg. von G.B. Bonometti, Venedig 1615); *Missa zu 16 St.*; *Missa super »Hos tegitur« zu 17 St.*; *Missa »In ecco« zu 26 St.*; *Missa zu 13 St.*; *Magnificat zu 12 St. und 18 St.*; ferner Motetten. Ausg.: 3 Motetten zu 8 St., hrsg. v. A. SCHARNAGL, = Musik alter Meister XV, Graz 1962. Lit.: H. FEDERHOFER, Musikpflege u. Musiker am Grazer Habsburgerhof d. Erzherzöge Karl u. Ferdinand v. Innerösterreich (1564–1619), Mainz 1967; H. J. BUSCH, G. P., Leben u. Werk. Ein Beitr. zur Gesch. d. deutsch-venezianischen Schule in Österreich am Beginn d. 17. Jh., = Schriften zur Musik XVII, München 1972.

Post, Joseph Mozart, * 10. 4. 1906 zu Sydney, † 27. 12. 1972 zu Brisbane; australischer Dirigent, Pianist und Oboist, studierte 1916–23 am Konservatorium seiner Heimatstadt, an dem er 1925–34 als Lehrer für Klavier und Oboe wirkte. Er war Associate Conductor des Sydney Symphony Orchestra und leitete den Australian Broadcasting Commission Wireless Chorus und das Studio Orchestra in Sydney (1934–35) sowie das Symphonieorchester in Melbourne (1936–46). Daneben dirigierte er bei der J. C. Williamson Grand Opera Company (1932), der Fuller Opera Season (1935) und der National Opera Company (1949) und gastierte u. a. in London und Melbourne. Ab 1966 war er Direktor des N. S. W. State Conservatorium of Music in Sydney.

Postel, Christian Heinrich, * 11. 10. 1658 zu Freiburg (Elbe), † 22. 3. 1705 zu Hamburg; deutscher Dichter und Librettist, studierte in Leipzig Jura und ließ sich als Lizentiat beider Rechte in Rostock nieder. Später wirkte er als Advokat in Hamburg, wo er für seinen Freund Gerhard Schott, den Gründer und Leiter der ersten Hamburger Oper, zahlreiche Operntexte (z. T.

Umarbeitungen italienischer oder französischer Vorlagen) schrieb, die u. a. von J.Ph.Förtsch, Johann Georg Conradi (*Die schöne und getreue Ariadne*, 1691, Neubearbeitung von Keiser unter dem Titel *Die betrogene und nachmals vergoetterte Ariadne*, 1722; *Der große könig der afrikanischen Wenden Gensericus als Roms und Karthagos ueberwinder*, 1693, Neubearbeitung von G. Ph. Telemann unter dem Titel *Sieg der schoenheit*, 1722; *Der koenigliche printz aus Pohlen, Sigismundus, oder Das menschliche leben wie ein traum*, nach Calderón de la Barca, 1693) und Keiser (*Der bey dem allgemeinen weltfriede von dem Grossen Augustus geschlossene tempel des Janus*, 1698; *Die Verbindung des grossen Hercules mit der schoenen Hebe*, 1699; *Die wunderbahr errettete Iphigenia*, nach Euripides, 1699; *Die wunderschoene Psyche*, 1701) in Musik gesetzt wurden. Lit.: Die Oper, hrsg. v. W. FLEMMING, = Deutsche Lit. XIII, 5, Lpz. 1933, Darmstadt ²1965; H. CHR. WOLFF, Die Barockoper in Hbg (1678–1738), 2 Bde, Wolfenbüttel 1957; DERS. in: MGG X, 1962, Sp. 1514ff.; D. I. LINDBERG, Aspects of German Baroque Opera. Hist., Theory and Practice (Chr. H. P. and B. Feind), Diss. Univ. of California at Los Angeles 1964.

Poštolka (p'əʃtɔlka), **Milan**, * 29. 9. 1932 zu Prag; tschechischer Musikforscher, absolvierte 1956 die Karlsuniversität in Prag mit einer Diplomarbeit über L. Koželuh (erweitert als *L.Koželuh. Život a dílo*, »... Leben und Werk«, Prag 1964). 1959 wurde er Mitarbeiter bei der Musiksammlung des Prager Nationalmuseums. Neben Beiträgen für MGG veröffentlichte er u. a.: *J.Haydn a naše hudba 18. století* (»J.Haydn und unsere Musik des 18. Jh.«, = Hudební rozpravy IX, Prag 1961); *J.Haydn und L.Koželuh* (Kgr.-Ber. Budapest 1961); *Fr.Liszt in Böhmen* (mit A.Bucher, Prag 1962); *Hudební památky Morawtzovy sbírky* (»Die musikalischen Denkmäler der Morawetz-Sammlung«, in: Časopis Národního muzea, Historické muzeum CXXXI, 1962); *Liszt a Čechy ve světle korespondence* (»Liszt und Böhmen im Spiegel der Korrespondenz«, ebd. CXXXII, 1963, deutsch in: StMl V, 1963, S. 255ff.); *Bohemika 18. století v Maďarsku* (»Bohemika des 18. Jh. in Ungarn«, in: Hudební věda II, 1965 – III, 1966); *Thematisches Verzeichnis der Sinfonien P.Vranickýs* (in: Miscellanea musicologica XX, 1967); *Die »Odae Sacrae« des Campanus (1618) und des Tranoscius (1629)* (ebd. XXI–XXIII, 1970). Ferner gab er von L. Koželuh *Tre sinfonie* heraus (mit J.Racek, = MAB LXXII, Prag 1969).

+Pothier, Dom **Joseph**, 1835–1923. Lit.: M. KALTNECKER, Deux Lorrains au service de la musique sacrée, in: Memoires de l'Acad. Stanislas XLI, 1957–60; U. BOMM, Vom Sinn u. Wert d. Ed. Vaticana, in: Musicus-Magister, Fs. Th. Schrems, Regensburg 1963; P. COMBE, Hist. de la restauration du chant grégorien d'après des documents inéd., Solesmes 1969.

Potiron (pɔtir'ɔ̃), **Henri**, * 13. 9. 1882 zu Rezé-les-Nantes (Loire-Atlantique), † 12. 4. 1972 zu Roye (Somme); französischer Komponist, Organist und Musikforscher, war 1907–10 Maître de chapelle und Organist an der Kirche Ste-Geneviève-des-Grandes-Carrières und ab 1910 Maître de chapelle an der Basilika Sacré-Cœur de Montmartre sowie an der Kirche St-Pierre de Montmartre in Paris. Er lehrte am Institut Grégorien des Institut Catholique de Paris von dessen Gründung (1923) an. 1954 promovierte er an der Sorbonne mit der Dissertation *Boèce, théoricien de la musique grecque* (= Travaux de l'Institut catholique de Paris IX, Paris 1961). P. schrieb 9 polyphone Messen, zahlreiche Motetten und Orgelstücke. Von seinen Publikationen seien genannt (Erscheinungsort Paris):

Méthode d'harmonie appliquée à l'accompagnement du chant grégorien (1910); *Cours d'accompagnement du chant grégorien* (1928); *Leçons pratiques d'accompagnement du chant grégorien* (1937); *Analyse modale du chant grégorien* (1948); *La composition des modes grégoriens* (1952); *L'accompagnement du chant grégorien suivant les types modaux* (1960). – Aufsätze: *Les notations d'Aristide Quintilien et les harmonies dites platoniciennes* (Rev. de musicol. XLVII, 1961); *Les modes grégoriens selon les premiers théoriciens du moyen âge* (in: Etudes grégoriennes V, 1962); *La notation grecque au temps d'Aristoxène* (Rev. de musicol. L, 1964); *Musique grecque et modes liturgiques* (in: Etudes grégoriennes VIII, 1967); *Théoriciens de la modalité* (ebd.); *La définition des modes liturgiques* (ebd. IX, 1968); *Les équivoques terminologiques* (ebd.); *Les modes liturgiques d'après Gevaert. La mélopée antique dans le chant de l'Eglise latine (Gand, 1895)* (ebd. XI, 1970).
Lit.: J. CLAIRE, H. P., in: Etudes grégoriennes XIII, 1972; H. DOYEN, H. P. (1882–1972), in: L'orgue 1972, Nr 144.

Potter, Archie James, * 22. 9. 1918 zu Belfast; irischer Komponist und Gesangspädagoge, studierte 1936–38 am Royal College of Music in London. Er wirkte 1951–55 als Gesangspädagoge an der Royal Irish Academy of Music in Dublin, promovierte an der University of Dublin und seit 1955 Professor für Komposition an der Royal Irish Academy of Music. Er schrieb u. a. die Oper *Patrick* (Irischer Rundfunk 1965), die Ballette *Careless Love* (Dublin 1960), *Gamble, No Gamble* (ebd. 1962) und *Caitlin Bocht* (ebd. 1964), Orchesterwerke (*Ouverture to a Kitchen Comedy*, 1952; *Variations on a Popular Tune*, 1955; *Corrymeela*, 1956; Konzert für Orch., 1967; *Sinfonia »De Profundis«*, 1969), ein Streichquartett (1957), *The Classiad* für Frauenchor und Streichorch. (1966), *Luireach Phadraig* für Männerchor und Orch. (1966) sowie etwa 1200 Volksliedbearbeitungen und zahlreiche Kirchenkompositionen.

+Potter, Philip Cipriani Hambly, 1792 – 26. [nicht: 28.] 9. 1871.
P., von dem 4 [nicht: 2] Klaviersonaten gedruckt worden waren, komponierte ferner u. a. 10 Symphonien und 4 Ouvertüren für Orch. sowie 2 Klavierkonzerte.
Lit.: C. B. OLDMAN, C. P.'s Ed. of Mozart's Pfte Works, Fs. O. E. Deutsch, Kassel 1963.

+Poueigh, Marie Octave Géraud Jean, * 24. 2. 1876 zu Toulouse, [erg.:] † 14. 10. 1958 zu Olivet (Loiret).

+Pougin, Arthur, 1834–1921.
Lit.: U. ECKHART-BÄCKER, Frankreichs Musik zwischen Romantik u. Moderne, = Studien zur Mg. d. 19. Jh. II, Regensburg 1965.

+Poulenc (pul'ã:k), Francis, * 7. 1. 1899 und [erg.:] † 30. 1. 1963 zu Paris.
Werke: die komische Oper *Les mamelles de Tirésias* (G. Apollinaire, 1944, Paris 1947), die Oper *Dialogues des Carmélites* (G. Bernanos, 1953–56, ital. Mailand 1957, frz. Paris 1957) und die einaktige Tragédie lyrique *La voix humaine* (Cocteau, 1958, Paris 1959); die Ballette *Les biches* (mit Chor, 1923, Monte Carlo 1924, daraus eine Suite, 1940), Concerto choréographique *Aubade* für Kl. und 18 Instr. (1929, Balanchine, Paris 1930) und *Les animaux modèles* (nach La Fontaine, 1941, Lifar, ebd. 1942, daraus eine Suite). – Sinfonietta für Orch. (1947), *Deux marches et un intermède* für Kammerorch. (1937); *Concert champêtre* für Cemb. und Orch. (1928, auch für Kl. und Orch.), Konzert D moll für 2 Kl. und Orch. (1932), Konzert G moll für Org., Streichorch. und Pk. (1938), Klavierkonzert (1949). – Sextett für Fl., Ob., Klar., Fag., Horn und Kl. (1932–39), Sonate für Horn, Trp. und Pos. (1922, revidiert

1945), Trio für Ob., Fag. und Kl. (1926), Sonaten mit Kl. für V. (1943, revidiert 1949), Vc. (1948), Fl. (1956), Ob. (1962) und Klar. (1962) sowie Sonaten für 2 Klar. (1918, revidiert 1945) bzw. Klar. und Fag. (1922), Elegie für Horn und Kl. (1957). – *Préludes* (1916), 3 *Pastorales* (1918, Nr 1 revidiert als Nr 1 der 3 Stücke von 1928), 3 *Mouvements perpétuels* (1918, auch für Orch.), *Walzer* (1919), Suite (1920), 6 *Impromptus* (1920), 12 *Promenades* (1921), Suite *Napoli* (1922–25), 8 *Nocturnes* (1925–38), 2 *Novelettes* (1927–28), 3 Stücke (1928), *Hommage à A. Roussel* (1929), *Valse-improvisation sur le nom de Bach* (1932), 15 Improvisationen (1932–59), 6 Kinderstücke *Villageoises* (1933), 3 *Feuillets d'album* (1933), Nocturne *Bal de jeunes filles* (1933), *Presto* (1934), 2 Intermezzi (1934), *Badinage* (1934), *Humoresque* (1934), Suite *Les soirées de Nazelles* (1930–36), *Bourrée au pavillon d'Auvergne* (1937), *Mélancolie* (1940), Intermezzo (1943) und *Thème varié* (1951) für Kl., Sonate für Kl. 4händig (1918), Valse-musette *L'embarquement pour Cythère* (1951), Sonate (1953) und Elegie (1959) für 2 Kl. – *Rapsodie nègre* für Singst., 2 V., Va, Vc., Fl., Klar. und Kl. (1917, revidiert 1933), Kantate *Le bal masqué* für Bar. (oder Mezzo-S.), V., Vc., Ob., Klar., Fag., Schlagzeug und Kl. (M. Jacob, 1932), *Litanies à la Vierge noire* (Notre-Dame de Rocamadour) für Frauen-(oder Kinder-)St. und Org. (1936), Kantate *Sécheresses* für gem. Chor und Orch. (E. James, 1937), Stabat mater (1950) und Gloria (1959) für S., gem. Chor und Orch., Monolog *La dame de Monte Carlo* für S. und Orch. (Cocteau, 1961), 7 *Répons de ténèbres* für S. (Kinder-St.), gem. Chor (Knaben- und Männer-St.) und Orch. (1961). – Lieder für Singst. und Kl. zu Texten von G. Apollinaire (Zyklus *Le bestiaire, ou Cortège d'Orphée*, 1919, auch mit Fl., Klar., Fag. und Streichquartett, auch mit Orch.; 3 *Poèmes de Louise Lalanne*, 1931; 4 Lieder für Bar. oder Mezzo-S., 1931; 2 Lieder, 1938; *La grenouillère*, 1938; *Bleuet*, 1939; Zyklus *Banalités*, 1940; *Montparnasse*, 1941; *Hyde Park*, 1945; 2 Lieder, 1946; Zyklus *Calligrammes*, 1948; *Rosemonde*, 1954), Cocteau (*Toréador*, 1918, revidiert 1932; Zyklus *Cocardes*, 1919, auch mit Kammerensemble), R. Desnos (*Le disparu*, 1947; *Dernier poème*, 1956), P. Eluard (Zyklen *Tel jour, telle nuit*, 1937, und *Miroirs brûlants*, 1939; *Ce doux petit visage*, 1939; *Main dominée par le cœur*, 1947; ... *mais mourir*, 1947; Zyklen *La fraîcheur et le feu*, 1950, und *Le travail du peintre*, 1956; *Une chanson de porcelaine*, 1958), M. Jacob (5 Lieder, 1931; Zyklus *Parisiana*, 1954) und Louise de Vilmorin (3 Lieder, 1937; Zyklen *Fiançailles pour rire*, 1939, und *Métamorphoses*, 1943, Mazurka, 1949) sowie *Poèmes de Ronsard* (1925, auch mit Orch.), *Chansons gaillardes* (1926), *Vocalise* (1927), *Airs chantés* (J. Moréas, 1928), *Epitaphe* (Fr. de Malherbe, 1930), 8 *Chansons polonaises* (1934), 4 *Chansons pour enfants* (1934), *Le portrait* (Colette, 1938), *Priez pour paix* (Charles d'Orléans, 1938), *Chansons villageoises* (M. Fombeure, 1942, auch mit Kammerorch.), 2 Lieder (L. Aragon, 1943), *Paul et Virginie* (R. Radiguet, 1946), 3 *Chansons de F. García Lorca* (1947), 2 Lieder (Apollinaire, L. de Beylié, 1956), *La courte paille* (M. Carème, 1960) und *Fancy* (Shakespeare, 1962), ferner *A sa guitare* für Singst. und Hf. (oder Kl., Ronsard, 1935) und *L'histoire de Babar* für Sprecher und Kl. (1940–45, für Kinder; orchestriert von J. Françaix, als Ballett *Adage et variations*, Paris 1965). – a cappella-Chöre, darunter 7 Chansons (Legrand, Eluard und Apollinaire, 1936), Messe G dur (1937), 4 *Motets pour un temps de pénitence* (1939), *Exultate Deo* (1941), *Salve Regina* (1941), *Chansons françaises* (1946) und 4 *Motets pour le temps de Noël* (1952) für gem. Chor, 4 *Petites prières de Saint François d'Assise*

(1948) und 4 *Laudes de Saint Antoine de Padoue* (1957–59) für Männerchor sowie *Ave verum corpus* für 3 Frauen-St. (1952), Kantate *Figure humaine* für 6st. Doppelchor (Eluard, 1943), Kammerkantate *Un soir de neige* für 6 gemischte St. oder Chor (Eluard, 1944). – Bühnen- und Filmmusiken. – P. lieferte auch Beiträge zu folgenden Gemeinschaftskompositionen: Ballette *Les mariés de la Tour Eiffel* (einakige Farce, Cocteau, Paris 1921) und *L'éventail de Jeanne* (1927, ebd. 1929) sowie *Matelote provençale* (für *La Guirlande de Campra*, 1952) und *Bucolique* (für *Variations sur le nom de Marguerite Long*, 1954) für Orch.; eine Bearbeitung nach Stücken von Cl.Gervaise erschien als *Suite française* für 9 Bläser, Schlagzeug und Cemb. (1935, auch für Kl.); er orchestrierte auch 2 *Préludes* und die 3. *Gnossienne* von Satie (1939). – Veröffentlichungen: *E.Chabrier* (Paris 1961); *Moi et mes amis* (gesammelt von St.Audel, ebd. 1963); *Journal de mes mélodies* (ebd. 1964, mit Vorw. v. H.Sauguet).
Lit.: *Correspondance, 1915–63*, hrsg. v. H. DE WENDEL, = Pierres vives o. Nr, Paris 1967 (mit Vorw. v. D. Milhaud); *Pisma* (»Briefe«), hrsg. v. G. FILENKO, Leningrad 1970; weitere Briefe in: Melos XXXVI, 1969, S. 417ff. – [+]H. HELL, P. (1958); engl. London 1959 u. NY 1960. – P. COLLAER, La musique moderne 1905–50, Paris 1953, [2]1958, deutsch als: Gesch. d. modernen Musik, in: Krőners Taschenausg. Bd 345, Stuttgart 1963; J. MUL in: Mens en melodie X, 1955, S. 205ff. (Interview); DERS., ebd. S. 291ff.; R. ALLORTO in: Ricordiana, N. S. III, 1957, S. 5ff. (Interview); J. BRUYR, Le poète et son musicien. P. Eluard et Fr. P., in: Europe XL, 1962; J. ROY, Présences contemporaines. Musique frç., Paris 1962; DERS., Fr. P., L'homme et son œuvre, = Musiciens de tous les temps VII, ebd. 1964 (mit Werkverz. u. Diskographie); J. A. ABBING in: Mens en melodie XVIII, 1963, S. 72ff. (Erinnerungen an P.); L. BERKELEY in: MT CIV, 1963, S. 205; H. DE CARSALADE DU PONT in: Etudes XCVI, 1963, Nr 11, S. 230ff.; O. CORBIOT in: L'éducation mus. XVIII, 1963, S. 264ff. (zum Orgelkonzert G moll); R. DUMESNIL in: La rev. des deux mondes 1963, S. 587ff.; J.-M. HAYOZ in: SMZ CIII, 1963, S. 352ff.; H. HELL in: Musica (Disques) 1963, Nr 109, S. 36ff.; R. HOFMAN in: SM XXVII, 1963, H. 4, S. 132ff.; F. DE NOBEL in: Mens en melodie XVIII, 1963, S. 70ff. (Erinnerungen an P., deutsch u. engl. in: Sonorum speculum 1963, Nr 15, S. 39ff.); FR. ONNEN, ebd. S. 67ff.; N. ROREM in: Tempo 1963, Nr 64, S. 28f.; CL. ROSTAND, Der heitere u. d. ernste P., in: Melos XXX, 1963; DERS., Visages de P., Rev. mus. de Suisse romande XVII, 1963; H. STRATEGIER in: Mens en melodie XVIII, 1963, S. 74ff. (zum »Stabat mater« u. »Gloria«); M. HOUDIN, La jeunesse nogentaise de Fr. P., Bull. de la Soc. hist. et archéologique de Nogent-sur-Marne XV, 1964; F. ROBERT, Schiwoj Pulank (»Lebendiger P.«), SM XXVII, 1964; A. ROUART-VALÉRY in: Rev. de Paris LXXI, 1964, H. 6, S. 135ff. (zu »Dialogues ...«); A. SCHELP, Fr. P. en zijn vrienden, in: Mens en melodie XIX, 1964; P.-A. GAILLARD, Moments profanes et religieux dans l'œuvre de Fr. P., SMZ CV, 1965; W. K. WERNER, The Harmonic Style of Fr. P., Diss. Univ. of Iowa 1966; L. DAVIES, The Gallic Muse, London 1967; DERS. in: MR XXXIII, 1972, S. 194ff. (zur Kl.-Musik); I. MEDWEDEWA, Fr. Pulank, Moskau 1969; G. L. EBENSBERGER, The Motets of Fr. P., Diss. Univ. of Texas 1970; G. A. HARGROVE JR., Fr. P.'s Settings of Poems of G. Apollinaire and P. Eluard, Diss. Univ. of Iowa 1971; J. HARDING, The Ox on the Roof. Scenes from the Mus. Life in Paris in the Twenties, London u. NY 1972; FR. VAN ROSSUM in: Mens en melodie XXVIII, 1973, S. 56ff. → [+]Six.

[+]**Poulet,** [erg.: Paul] Gaston, * 10. 4. 1892 zu Paris, [erg.:] † 14. 4. 1974 zu Draveil (Essonne).
P. spielte zusammen mit Debussy die Uraufführung von dessen Violinsonate. – Neben seiner Tätigkeit als Gastdirigent auch im Ausland leitete er 1948–62 (als Professor) eine Kammermusikklasse am Pariser Conservatoire.

Poulet (pul'ɛ), Gérard Georges, * 12. 8. 1938 zu Bayonne (Basses-Pyrénées); französischer Violinist, Sohn von Gaston P., studierte am Pariser Conservatoire (1er prix de violon) und trat schon 1952 als Solist mit dem Orchestre National am Théâtre des Champs-Elysées in Paris auf. 1956 gewann er den 1. Preis beim Concorso internazionale di violino »N.Paganini« in Genua. Konzerttourneen führten ihn u. a. durch verschiedene west- und osteuropäische Länder.

[+]**Pousseur,** Henri, * 23. 6. 1929 zu Malmédy (Ardennen).
P., der seit 1962 in Malmédy lebt, lehrte 1963–64 an der Baseler Musikakademie und 1966–68 an der Universität in Buffalo (N. Y.). Seit 1970 wirkt er als Dozent an der Universität in Lüttich, wo er ein Centre de recherches musicales (eine Weiterentwicklung des Brüsseler Studios für elektronische Musik) gründete. Er lehrte auch bei den Kölner Kursen für Neue Musik und hielt Seminare am Institut für Musiksoziologie der Brüsseler Universität ab. P. war Mitbegründer der Gesellschaft »Musiques nouvelles« (mit einem Instrumentalensemble) in Brüssel. – Werke: Sonatine für Kl. (1949); 7 *Versets des psaumes de la pénitence* für 4 gemischte St. (1950); 3 *Chants sacrés* für S. und Streichtrio (1951); *Prospection* für »piano-triple à sixièmes de ton« (1953); elektronische Musiken *Seismogramme I* und *II* (1954); *Symphonies à quinze solistes* (1955); *Quintette à la mémoire de Webern* für Klar., Baßklar., V., Vc. und Kl. (1955); *Exercices* für Kl. (1956); elektronische Musiken *Scambi* (16 austauschbare Sequenzen, je 2 Versionen von P., L. Berio und M. Wilkinson, 1957), *Liège, cité ardente* (für einen Film von E. Degelin, 1958), *Sémaphore* (1958) und *Etude pour Rimes II* (1958); *Mobile* für 2 Kl. (1958); *Madrigal I* für Klar. (1958); *Rimes pour différentes sources sonores* für 3 Orchestergruppen und Tonband (1959); elektronische Musiken *Préhistoire du cinéma* (für einen Film von E. Degelin, 1959), *Deux poèmes de Henri Michaux* (1959) und Action musicale *Électre* (»mythophonie«, P. Rhallys nach Sophokles, Brüssel 1960, Prix Italia 1960); *Répons* für 7 Musiker (1960, Fassung für 7 Instrumentalisten und einen Schauspieler, mit einem Text von M. Butor, 1965); *Ode* für Streichquartett (1961); *Caractères* für Kl. (1961); elektronische Musiken *Trois visages de Liège* (für »Formes et lumières«-Veranstaltungen der Stadt Lüttich, 1961) und *Prospective* (1961); *Madrigal II* für 4 alte Instr. (Fl., V., Va da gamba und Cemb., 1961) und *III* für Klar., V., Vc., 2 Schlagzeuger und Kl. (nach *Madrigal I*, 1962); *Trait* für 15 Streicher (1962); *Caractères madrigalesques* für Ob. (= *Madrigal IV*, = *Caractères III*, 1965); *Apostrophe et six réflexions* für Kl. (1964–66); *Phonèmes pour Cathy* für Solo-St. (= *Madrigal V*, 1966); »Fantaisie variable genre opéra« *Votre Faust* (mit M. Butor, 1961–67, Mailand 1969, Konzertfassung für 4 Sänger und 12 Instrumentalisten als *Portail de Votre Faust*), danach *Miroir de Votre Faust* für Kl. (S. ad libitum, = *Caractères II*, 1965), *Echos I* für Vc. (1967) und *Echos II de Votre Faust* für Mezzo-S., Fl., Vc. und Kl. (1969) sowie ein Film für das belgische Fernsehen *Les voyages de Votre Faust* (1969); *Couleurs croisées* für Orch. (1967); Monodie *Der »Mnemosyne« Anfang und erste Entwicklung* für Solo-St., Chor oder ein Instr. (1968); *Les éphémerides d'Icare* für Kl. und Instrumente (1970); *Croisées des couleurs croisées* für S., Tonband, 2 Kl. und 2 Radios (1970). – Weitere Schriften und Aufsätze: *Reconnaissance des musiques modernes* (Brüssel 1964); *Fragments théoriques I. Sur la musique expérimentale* (ebd. 1970); *Musique, sémantique, société* (= Mutations, orientations XIX, Paris 1972); *Strukturen des*

neuen Baustoffs (in: Elektronische Musik, hrsg. von H. Eimert, = die Reihe I, Wien 1955, engl. London und Bryn Mawr/Pa. 1958, auch in: Kommentare zur Neuen Musik I, = DuMont Dokumente o. Nr, Köln 1961 und 1963); *A. Weberns organische Chromatik* (in: A. Webern, hrsg. von dems., ebd. II, engl. ebd.); *Da Schoenberg a Webern. Una mutazione* (in: Incontri musicali 1956, Nr 1); *Zur Methodik* (in: Musikalisches Handwerk, hrsg. von H. Eimert, = die Reihe III, Wien 1957, engl. London und Bryn Mawr/Pa. 1959); *La nuova sensibilità musicale* (in: Incontri musicali 1958, Nr 2); *Forme et pratique musicales* (in: Musique expérimentale, = RBM XIII, 1959, ital. ebd. 1959, Nr 3); *Scambi* (Gravesaner Blätter IV, 1959, deutsch und engl.); *Caso e musica* (in: Incontri musicali 1960, Nr 4); *Musik, Form und Praxis* (in: Sprache und Musik, hrsg. von H. Eimert, = die Reihe VI, Wien 1960, engl. London und Bryn Mawr/Pa. 1964); *Vers un nouvel univers sonore* (in: Esprit XXVIII, 1960); *Création et apothése de »Pelléas et Mélisande«* (La rev. des deux mondes 1963, Nr 1); *Textes sur l'expression* (in: La musique et ses problèmes contemporains, 1953–63, = Cahiers de la Compagnie M. Renaud – J.-L. Barrault Nr 41, Paris 1963, Bd II); *La question de l'»ordre« dans la musique nouvelle* (RBM XX, 1966, engl. in: Perspectives of New Music V, 1966/67, H. 1, S. 93ff., auch in: Perspectives on Contemporary Music Theory, hrsg. von B. Boretz und E. T. Cone = The »Perspectives of New Music« Series o. Nr, NY 1972); *Calculation and Imagination in Electronic Music* (Electronic Music Rev. V, 1968, frz. in: »La musique aujourd'hui?«, = Musique en jeu 1970, Nr 1); *L'apothéose de Rameau. Essai sur la question harmonique* (Rev. d'esthétique XXI, 1968); *Der Jahrmarkt von »Votre Faust«* (in: Beiträge 1968/69, Kassel 1969); *La polyphonie en question (à propos de Schoenberg, op. 31)* (Jb. I. P. E. M. 1969, = Publ. van het seminarie voor musicologie van de Rijksuniversiteit te Gent VI); *Si, il nostro Faust, indivisibile* (nRMI III, 1969; zum Aufsatz von L. Berio [s. u. Lit.]); *Esquisse pour une rapsodie pathétique* (in: L'arc XL, 1970); *Écoute d'un dialogue* (in: Musique en jeu 1971, Nr 4; zu M. Butors »Dialogue avec 33 variations de L. van Beethoven«, Paris 1971); *Stravinsky selon Webern selon Stravinsky* (ebd. Nr 4–5); ferner ein Gespräch mit P. Boulez in: Musique contemporaine (= VH 101 1970/71, Nr 4, S. 6ff.).
Lit.: +G. M. König in: Junge Komponisten, hrsg. v. H. Eimert, = die Reihe IV [nicht: V], Wien 1958, engl. London u. Bryn Mawr (Pa.) 1960, S. 18ff.; M. Andersen in: DMT XXXV, 1960, S. 215ff.; M. Faure, Entretien avec H. P., in: Les lettres nouvelles X, 1962; H. Scheffel in: Melos XXXI, 1964, S. 77ff. (zu »Votre Faust«); U. Dibelius, Moderne Musik 1945–65, München 1966 u. Stuttgart 1968; J.-Y. Bosseur, »Votre Faust«, fantaisie variable, genre opéra, Les cahiers du Centre d'études et de recherches marxistes LXII, 1968 (Interviews mit H. P. u. M. Butor zu »Votre Faust«); L. Berio in: nRMI III, 1969, S. 275ff., u. G. L. Tomasi in: Melos XXXVI, 1969, S. 134ff. (zu »Votre Faust«); D. u. J.-Y. Bosseur, Collaboration Butor/P., in: Musique en jeu 1971, Nr 4.

Powell (p'auəl), Bud (Earl), * 27. 9. 1924 und † 31. 7. 1966 zu New York; amerikanischer Jazzpianist, gilt als der Begründer des modernen Jazzpianospiels, gehörte zum Kreis der Jazzmusiker, die in »Minton's Play House« in New York den Be-bop entwickelten. Er spielte ab 1941 mit Charlie Parker, Dizzy Gillespie, Don Byas, John Kirby und der Big band von Cootie Williams (1943–44). Nach 1950 war er in New Yorker Jazzbands tätig, ging 1959 nach Frankreich und kehrte 1962 in die USA zurück. Nach kurzem Gastspiel im »Birdland« in New York mußte er bis zu seinem Tod aus Gesundheitsgründen die Musikausübung völlig aufgeben. – Aufnahmen: *The Vintage Years* (1949–51; Verve 511024); *Blues in the Closet* (1956; Verve 511042); *Bouncing with Bud* (1962; International Polydor 623230); *The Amazing B. P. I–IV* (Blue Note 81503–04, 81571 und 81598); *Earl B. P. 1924–66* (ESP 1066).
Lit.: W. Fr. van Eyle, Discography of B. P., Zaandam 1966; J. Gr. Jepsen, A Discography of Th. Monk and B. P., Kopenhagen 1969.

Powell (p'auəl), John, * 6. 9. 1882 zu Richmond (Va.), † 15. 8. 1963 zu Charlottesville (Va.); amerikanischer Komponist und Pianist, studierte Klavier und Harmonielehre bei F. C. Hahr in Richmond und absolvierte dann die University of Virginia in Charlottesville (B. A. 1901). Ab 1904 war er in Wien Schüler von Leschetizky (Klavier) und Navrátil (Komposition). Nach seinem Debüt als Pianist mit dem Wiener Konzertverein (1906) unternahm er ausgedehnte Tourneen durch verschiedene europäische Länder. 1912 gab er sein Amerikadebüt in seiner Heimatstadt, trat 1913 zum ersten Male in der Carnegie Hall in New York auf und konzertierte dann in zahlreichen Städten der USA. – Kompositionen (Auswahl): *Sonate virginianesque* für V. und Kl. (1907); Klaviersuite *In the South* (1908); *Sonate noble* für Kl. (1908); Variationen und Doppelfuge für Kl. (1909); Klaviersuite *At the Fair* (1909, auch für Orch.); Streichquartett E moll (1910); Violinkonzert E dur (1911); *Rapsodie nègre* für Kl. und Orch. (1914); Sonate für V. und Kl. (1918); Ouvertüre *In Old Virginia* (1921), *Natchez on the Hill* (1931) und *A Set of Three* (1939) für Orch.; Symphonie A dur (1937); *Five Virginian Folksongs* für Bar. und Kl. (1939); *Virginia Symphony* (1951); ferner zahlreiche Vokalwerke und Volksliedbearbeitungen.

Powell (p'auəl), Mel, * 12. 2. 1923 zu New York; amerikanischer Komponist, studierte Klavier bei Nadia Reisenberg und Komposition bei P. Hindemith (B. Mus. 1952 und M. A. der Yale University in New Haven/Conn.). 1957–69 war er Professor of Music und Director of Electronic Music Studio an der Yale University. Er ist Dean der School of Music in Valencia (Calif.). Von seinen Werken seien genannt: *Stanzas* für Orch. (1957); *Setting* für Vc. und Orch. (1961). – Streichquartett (1949); Klaviertrio (1954); Divertimento für V. und Hf. (1955); Klavierquintett (1956); *Miniatures for Baroque Ensemble* für Fl., Ob., V., Va, Vc. und Cemb. (1958); *Filigree Setting* für Streichquartett (1959); Improvisation für Klar., V. und Kl. (1962); 2 Sonatinen für Kl. (1951). – *Sweet Lovers Love the Spring* für Frauenstimmen und Kl. (1953); *Haiku Settings* für hohe St. und Kl. (1961); *Two Prayer Settings* für T., Ob., V., Va und Vc. (1963). – *First Electronic Setting* (1960), *Second Electronic Setting* (1962), *Events* (1963) und *Analogs I–IV* (1966) für Tonband; *Immobiles I–IV* für Tonband und (oder) Orch. (1967); *Immobile V* für Tonband und Orch. (1969).
Lit.: Werkverz. in: Composers of the Americas IX, Washington (D. C.) 1963.

+Power, Lionel, † 1445.
Ausg.: Complete Works, hrsg. v. Ch. Hamm, = CMM L, (Rom) 1969ff., bisher erschienen: Bd I, Motetten. – +Dunstable-GA (M. Bukofzer, 1953), revidiert hrsg. v. I. u. M. Bent sowie Br. Trowell, London 1970.
Lit.: +M. Bukofzer, Gesch. d. engl. Diskants [erg.:] u. d. Fauxbourdons nach d. theoretischen Quellen (1936), Nachdr. Baden-Baden 1973; +ders., Studies in Medieval & Renaissance Music (1950), Nachdr. NY 1964; +ders. in: New Oxford Hist. of Music III (1960), ital. Mailand 1964. – E. H. Sparks, C.-f. in Mass and Motet, 1420–1520, Berkeley (Calif.) 1963; A. Hughes, Mass Pairs in the Old Hall and Other Engl. Mss., RBM XIX, 1965; ders.,

Mensuration and Proportion in Early 15ᵗʰ Cent. Engl. Music, AMl XXXVII, 1965; Cн. Hamm, The Motets of L. P., in: Studies in Music Hist., Fs. O. Strunk, Princeton (N. J.) 1968.

Power-Biggs, Edward George → Biggs, E. P.

Powers (p'auəz), Harold Stone, * 5. 8. 1928 zu New York; amerikanischer Musikforscher, studierte an der Syracuse University/N. Y. (B. M. 1950) und an der Princeton University/N. J. (M. F. A. 1952), wo er 1959 über das Thema *The Background of the South Indian Raga-System* (3 Bde) zum Ph. D. promovierte. Er war ab 1961 Assistant Professor of Music and South Asia Regional Studies an der University of Pennsylvania in Philadelphia und wurde 1964 Associate Professor. – Veröffentlichungen (Auswahl): *Mode and Raga* (MQ XLIV, 1958); *Il Serse trasformato* (MQ XLVII, 1961 – XLVIII, 1962); *Indian Music and the English Language* (in: Ethnomusicology IX, 1965); *A Historical and a Comparative Approach to the Classification of Ragas with an Appendix on Ancient Indian Tunings* (in: Selected Reports of the Institute of Ethnomusicology I, 3, Los Angeles 1970). Er edierte die Festschrift *Studies in Music History. Essays for O. Strunk* (Princeton/N. J. 1968; darin von ihm selbst *L'Erismena travestita*).

Pozajić (p'ɔzajitç), Mladen, * 6. 3. 1905 zu Županja (Kroatien); jugoslawischer Dirigent und Komponist, studierte 1923–27 bei Bersa (Komposition), Fr. Lhotka (Dirigieren) und Sv. Stančić (Klavier) an der Musikakademie in Zagreb (Diplom in Dirigieren 1927) sowie 1927–28 bei d'Indy an der Schola Cantorum in Paris und 1928–29 bei J. Marx an der Akademie für Musik und darstellende Kunst in Wien. Er war Dirigent 1931–41 des von ihm gegründeten Ensembles Zagrebački Madrigalisti (»Madrigalisten von Zagreb«) und 1941–45 des von ihm gleichfalls gegründeten Kammerchors von Radio Zagreb sowie 1937–45 Professor an der Musikakademie in Zagreb. 1947 wurde er in Sarajevo Dirigent an der Oper und 1963 bei der Philharmonie sowie 1956 Professor an der Musikakademie. Seine Kompositionen umfassen Orchesterwerke (*Djeveruša*, symphonischer Tanz, 1936; *Mali koncert na tuđe teme*, »Kleines Konzert auf fremde Themen«, für Fl. und Streichorch., 1939), Kammermusik (*Tri stavka*, »3 Sätze«, für 2 Ob., Englisch Horn und Fag., 1929; *Skice*, »Skizze«, für Horn, 2 Trp. und Pos., 1955; *Studija*, »Studie«, für Fl. und Kl., 1957), Klavierstücke, Chöre, Lieder und Bühnenmusik. P. ist auch musikschriftstellerisch hervorgetreten.

Pozdro (p'ɔzdɹou), John Walter, * 14. 8. 1923 zu Chicago; amerikanischer Komponist, studierte am Konservatorium seiner Heimatstadt, an der North Western University in Evanston (Ill.) und bei Hanson und Bernard Rogers an der Eastman School of Music der University of Rochester/N. Y. (Ph. D. 1958). Er schrieb u. a. Orchesterwerke (3 Symphonien, 1949, 1958 und 1959; *A Cynical Overture*, 1953; *Rondo giojoso* für Streichorch., 1964), Kammermusik (Sextett für Fl. und Streicher, 1948; Bläserquintett, 1951; 2 Streichquartette, 1947 und 1948; *Trilogy* für Klar., Fag., Trp. und Kl., 1960) und 3 Klaviersonaten (1947, 1963 und 1964).

+Poźniak, Włodzimierz, * 28. 6. 1904 und [erg.:] † 29. 1. 1967 zu Krakau.
P. habilitierte sich 1947 und lehrte ab 1956 als Dozent an der Universität Krakau; 1963 wurde er dort auf den Lehrstuhl für Musikwissenschaft berufen. Weitere Veröffentlichungen (Erscheinungsort der polnischen Titel Krakau): »*Cyrulik sewilski*« J. Rossiniego (»G. Rossinis ,Der Barbier von Sevilla'«, 1955, ²1957); »*Wesele*

Figara« *W. A. Mozarta* (»W. A. Mozarts ,Die Hochzeit des Figaro'«, 1956); *A. Radziwiłł i jego muzyka do* »*Fausta*« (mit Zdz. Jachimecki, »A. Radziwiłł und seine Musik zum ,Faust'«, 1957); *E. Pankiewicz* (= Studia i materiały do dziejów muzyki polskiej V, 1958); *Neueste Forschungen über Leben und Werke Chopins* (SMZ CIV, 1964); »*Echo muzyczne*«, *1877–82.* »*Echo muzyczne, teatralne i artystyczne*« *1883–1907*, Bd I (= Bibliogr. polskich czasopism muzycznych V, 1965); *Historia instrumentacji* (1965); *Ogólna charakterystyka skal na terenie Wielkopolski i Małopolski* (»Allgemeine Merkmale der Tonleitern [in den Volksliedern] in Groß- und Kleinpolen«, in: Studia, Fs. H. Feicht, 1967); Aufsätze über die Volksmusik Polens und Ausgaben polnischer Volkslieder.
Lit.: A. Frączkiewicz, Wł. P., in: Muzyka XII, 1967; J. Parzyński in: Ruch muzyczny XI, 1967, Nr 7, S. 5f.; M. Gładysz, Wł. P. jako folklorysta (»Wł. P. als Folklorist«), in: Etnografia polska XII, 1968; W. Ciążyński, Charakterystyka działalności Wł. P.a jako etnomuzykologa (»Das Charakteristische v. Wł. P.s Tätigkeit als Ethnomusikologe«), in: Lud LIII, 1969.

Pozzoli, Ettore Antonio Modesto, * 22. 7. 1873 und † 9. 11. 1957 zu Seregno (bei Mailand); italienischer Komponist, Pianist und Musikpädagoge, studierte am Mailänder Konservatorium (Vincenzo Appiani, Ferroni, Fumagalli), an dem er nach vorübergehender Konzerttätigkeit ab 1899 Theorie und Solfège lehrte. Er komponierte u. a. Orchesterwerke (Thema mit Variationen; Konzert und *Allegro di concerto* für Kl. und Orch.), Kammermusik (Streichquartett; Klaviertrio; Stücke für V. und Kl.), Klavierwerke (*Suite in stile antico*; *Pinocchio*; *Idillio*; *Sorrisi infantili* für Kl. 4händig; Tarantella für 2 Kl.), Orgelwerke (Finale; *6 versetti*), Stücke für Ziehharmonika und Vokalmusik (Oratorium *La figlia di Jefte*; Messe; Motetten und Lieder). P. trat auch als Autor klavierpädagogischer und musiktheoretischer Werke (*Metodo facile per armonio*, Mailand 1951) und als Mitarbeiter von Zeitschriften (»Musica sacra«, Mailand) hervor.
Lit.: G. Confalonieri in: Ricordiana, N. S. III, 1957, S. 547ff.; ders. in: I grandi anniversari del 1960 ..., hrsg. v. A. Damerini u. G. Roncaglia, = Accad. mus. Chigiana (XVII), Siena 1960, S. 145ff.; R. Castagnone in: The Piano Quarterly XXI, 1972/73, Nr 82, S. 34ff.

+Pradella, Massimo, * 5. 12. 1925 zu Ancona.
1959–63 dirigierte er das Orchester der RAI in Turin, seit 1964 leitet er das Orchester »Scarlatti« in Neapel, mit dem er auch Tourneen durch Europa und Amerika unternahm. Daneben ist P. als Gastdirigent (Oper und Konzert) in Europa hervorgetreten. Von seinen neueren Kompositionen seien ein 3. Streichquartett (1960) sowie 20 Duette für 2 V. (1968) genannt.

+Pradher, Louis Barthélemy, 1781 – [erg.: 18.] 10. 1843.

Prado (p'aðo), Pérez, * 1922 zu Mantanzas; kubanischer Orchesterleiter, Pianist und Komponist, machte sich ab 1943 vor allem im Zusammenhang mit der Verbreitung des Modetanzes Mambo einen Namen. Von Pr.s Titeln seien genannt: *Querico Mambo*; *Mambo Jambo* (1950); *Cherry Pink and Apple Blossom White* (Bearbeitung im Mamborhythmus von Louihnys *Cérisiers roses et pommiers blancs*); *Patricia* (1958); *The Millionaire* (1959); *Topaz*; *Mambo nr 8*; *Mambo à la Pérez* (nach Ravels *Bolero*).

+Prämonstratenser (Ordo Praemonstratensis: OPraem).
Lit.: Pl. F. Lefèvre, La liturgie de Prémontré, Löwen 1957; D. H. Turner, An Early 13ᵗʰ Cent. Premonstratensian Gradual, in: Analecta Praemonstratensia XXXV,

1959; H. Hüschen in: MGG X, 1962, Sp. 1543ff.; R. Schaal, Quellen zur Musikpflege in d. Pr.-Stiften Geras u. Pernegg (Niederösterreich), Mf XXIV, 1971.

+Praetorius, Christoph, [erg.: begraben 2. 6.] 1609.
Pr. war nicht Herausgeber von Lossius' Traktat +*Erotemata musicae practicae* (die Ausgaben von 1570 und 1574 enthalten nur eine von Pr. zusammengefaßte Musiklehre als Anhang); seine +*Erotemata renovatae musicae* von 1581 sind eine verkürzte 2. Auflage des Traktates *Erotemata musicae* (1574), die neben der Behandlung der 12 Glareanschen Kirchentöne auch Regeln für Textierung, Aussprache und Ziergesang bringen.
Lit.: E. Onkelbach, L. Lossius u. seine Musiklehre, = Kölner Beitr. zur Musikforschung XVII, Regensburg 1960; Kl. W. Niemöller, Untersuchungen zur Musikpflege u. Musikunterricht an d. deutschen Lateinschulen vom ausgehenden MA bis um 1600, ebd. XLIV, 1969.

Praetorius, Conrad (Pretorius), * um 1515 zu Windsheim (bei Fürth), † 30. 12. 1555 zu Alerheim (bei Nördlingen); deutscher Schulmann, war Kantor der Reichsstadt Windsheim, wurde 1549 Rektor der Lateinschule in Ansbach und 1555 Pfarrer in Alerheim. Er gehörte zu den eifrigsten Förderern von Schulgesang und Schuldrama in der Reformationszeit und verfaßte 1552 die wichtige Ansbacher Kurrendeordnung *Contubernium pauperum.* Auch komponierte er einen Gesang für das Epitaph seines Freundes Othmayr (1554).
Lit.: W. Brennecke, Zu C. Othmayrs Epitaph, Mf XIV, 1961; Fr. Krautwurst in: MGG X, 1962, Sp. 1559f.

+Praetorius, Ernst, 1880–1946.
+*Die Mensuraltheorie des Fr. Gafurius* [erg.:] *und der folgenden Zeit bis zur Mitte des 16. Jh.* (1905), Nachdr. Wiesbaden 1970.

+Praetorius (Schultz, Schultze), –1) Jacob (der Ältere), † 1586. Die in der Visbyer Tabulatur befindlichen Orgelkompositionen stammen nicht von ihm, sondern von Jacob (dem Jüngeren).
–2) Hieronymus (der Ältere), 1560 – 27. [nicht: 29.] 1. 1629. –4) Jacob (der Jüngere), 1586–1651.
Ausg.: zu –2): 6st. Motette »Also hat Gott d. Welt geliebt«, hrsg. v. K. Müller, Wolfenbüttel 1956; Org. Magnificats (überliefert in d. Petri-Tabulatur v. 1609–11), hrsg. v. Cl. G. Rayner, = Corpus of Early Keyboard Music IV, Dallas (Tex.) 1963; 2 doppelchörige Weihnachtsgesänge, f. Block-Fl. oder andere Instr. (Singst. ad libitum) hrsg. v. H. Mönkemeyer, Wolfenbüttel 1969; 6st. Motette »Gaudete omnes«, hrsg. v. G. Dodd, London 1970; 5 Polychoral Motets, hrsg. v. Fr. K. Gable, = Recent Researches in the Music of the Renaissance XVI, Madison (Wis.) 1970.
Lit.: L. Krüger, Die hamburgische Musikorganisation im XVII. Jh., = Slg mw. Abh. XII, Straßburg 1933. – zu –1): L. Hoffmann-Erbrecht, Die Rostocker Pr.-Hs. (1566), Kgr.-Ber. Hbg 1956. – zu –2): Fr. K. Gable, The Polychoral Motets of H. Pr. (1560–1629), 2 Bde (I Text, II Musikanh.), Diss. Univ. of Iowa 1966. – zu –4): E. Stam, »In te Domine speravi«, een merkwaardige catch v. J.(II) Pr., Gregoriusblad XC, 1966. – zu –2) u. –4): L. Schierning, Die Überlieferung d. deutschen Org.- u. Klaviermusik aus d. ersten Hälfte d. 17. Jh., = Schriften d. Landesinst. f. Musikforschung Kiel XII, Kassel 1961.

+Praetorius, Michael, 1571 oder 1572 – 1621.
Pr.s Tätigkeit für den Herzog Heinrich Julius († 1613 [nicht: 1616]) in Gröningen ist erst ab 1595 belegt. Des weiteren war er 1617 in Sondershausen und Kassel sowie 1619 in Leipzig und vermutlich auch in Nürnberg tätig.
Ausg.: +*GA* (Fr. Blume, 1928–60): Bd I–IX, Musae Sioniae (Bd I–II, hrsg. v. R. Gerber, 1928–39; III, H. Hoffmann, 1930; IV, H. Birtner, 1933; V, Fr. Blume u. H. Költzsch, 1937; VI, Fr. Reusch, 1928; VII–IX, Fr. Blu-

me, 1939, 1932, 1929); X (R. Gerber, 1931), Musarum Sioniarum motectae et Psalmi Lat.; XI (Fr. Blume, 1934), Missodia Sionia; XII (R. Gerber, 1935), Hymnodia Sionia; XIII (H. Birtner, 1929), Eulogodia Sionia; XIV (H. Zenck, 1934), Megalynodia Sionia; XV (G. Oberst, 1929), Terpsichore; XVI (Fr. Blume, 1935), Urania; XVII (W. Gurlitt, 1930–33, 2 Bde), Polyhymnia caduceatrix et panegyrica; XVIII (Fr. Blume, 1940), Polyhymnia exercitatrix; XIX (M. Schneider, 1938), Puericinium; XX (Fr. Blume, 1936), Gesammelte kleinere Werke; XXI (W. Engelhardt, 1960) Register-Bd. – +Sämtliche Orgelwerke (K. Matthaei, 1930), Nachdr. Wolfenbüttel 1966.
Lit.: +W. Gurlitt, M. Pr. ... (1915), Nachdr. Hildesheim 1968; +Fr. Blume, Das Werk d. M. Pr. (1935), Wiederabdruck in: Syntagma musicologicum (I), Kassel 1963. – G. v. Dadelsen, Zu d. Vorreden d. M. Pr., Kgr.-Ber. Wien Mozartjahr 1956; H. Lampl, M. Pr. on the Use of Trp., Brass Quarterly II, 1958/59; W. Krützfeld, Satztechnische Untersuchungen am Vokalwerk d. M. Pr. auf d. Basis d. Musiktheorie seiner Zeit u. unter besonderer Berücksichtigung d. Wort-Ton-Verhältnisses in d. motettischen Sätzen, Diss. Hbg 1959; L. U. Abraham, Der Gb. im Schaffen d. M. Pr. u. seine harmonischen Voraussetzungen, = Berliner Studien zur Mw. III, Bln 1961; Fr. Blume, Eine Tabulaturquelle f. M. Pr., Mf XV, 1962; ders., Die Hs. T 131 d. NY Public Library, in: Syntagma musicologicum II, Kassel 1973; H. O. Hiekel, Der Madrigal- u. Motettentypus in d. Mensurallehre d. M. Pr., AfMw XIX/XX, 1962/63; P. Brainard, Zur Deutung d. Diminution in d. Tactuslehre d. M. Pr., Mf XVII, 1964; C. Dahlhaus, Zur Taktlehre d. M. Pr., ebd.; P. G. Bunjes, The Pr. Org., 4 Teile, Diss. Univ. of Rochester (N. Y.) 1966; H. Grüss, Über Notation u. Tempo einiger Werke S. Scheidts u. M. Pr.', DJbMw XI, 1966; Fr.Fr. Jackisch, Org. Building in Germany During the Baroque Era According the Treatises Dating from Pr.' »Syntagma musicum« (1619) to Adlung's »Musica mechanica organoedi« (1768), Diss. Ohio State Univ. 1966; R. L. Miller, The Use of Instr. in »Polyhymnia caduceatrix et panegyrica« by M. Pr., Diss. Indiana Univ. 1967; H. E. Samuel, M. Pr. on Concertato Style, in: Cantors at the Crossroads, Fs. W. E. Buszin, London u. St. Louis (Mo.) 1967; G. Schuhmacher, Die mehrfache Bearb. d. Vater-unser-Liedes durch M. Pr., MuK XXXVIII, 1968; K. Gudewill u. H. Haase, M. Pr. Creutzbergensis, Wolfenbüttel 1971; M. Ruhnke in: MuK XLI, 1971, S. 229ff.; K. Scheuber, Psalm 116 v. M. Pr., in: Musik u. Gottesdienst XXV, 1971; G. B. Sharp in: MT CVII, 1971, S. 1159ff.; W. R. Thomas u. J. J. K. Rhodes, Schlick, Pr. and the Hist. of Org.-Pitch, The Org. Yearbook II, 1971; A. Forchert in: Sagittarius IV, 1973, S. 98ff. zur sogenannten Pr.-Org. in Freiburg i. Br.: K. Ameln in: Musica X, 1956, S. 154ff.; R. Dammann in: MuK XXVI, 1956, S. 29ff.; H. L. Schilling in: SMZ XCVI, 1956, S. 110ff., u. in: Walcker-Hausmitt. 1956, Nr 16, S. 40ff.; Fr. A. Stein in: Musica sacra LXXVI, 1956, S. 187ff.; W. Gurlitt in: L'orgue 1957, Nr 83/84, S. 124ff.

Prager Streichquartett (Prague String Quartet), gegründet 1955 in Prag als Kvarteto FOK (seit 1958 Kvarteto města Prahy, »Quartett der Stadt Prag«) von dem Violoncellisten Zdeněk Koníček (* 7. 10. 1918 zu Bugojno, Jugoslawien) und dem Violinisten Bř. →Novotný, debütierte 1956 mit Novotný als Primarius, Miroslav Richter (* 16. 4. 1922 zu Slaný, Böhmen, † 1965 zu Prag), 2. Violine, Hubert Šimáček (* 17. 9. 1912 zu Brašov, Rumänien, seit 1961 1. Konzertmeister des FOK-Symphonieorchesters sowie Mitglied der Prager Kammersolisten und des Prager Streichtrios), Bratsche, und Koníček, Violoncello. 1957 übernahm Karel Přibyl (* 26. 3. 1931 zu Rtyně v Podkrkonoší, Böhmen, Schüler von Voldan und Jaroslav Pekelský, Absolvent 1951 des Prager Konservatoriums und 1958 der Prager Musikakademie, 1954–57 Konzertmeister des Opernorchesters am Prager Nationaltheater, seit 1971 außerordentlicher Professor am Prager Konservatorium) die 2. Violine, 1961

Jaroslav K a r l o v s k ý (* 10. 4. 1925 zu Klatovy, Böhmen) und 1968 Lubomír M a l ý (* 6. 3. 1938 zu Prag, Schüler von Vincenc Zahradník, 1958 Absolvent des Prager Konservatoriums, 1957–59 Mitglied der Tschechischen Philharmonie, 1959–63 Konzertmeister des Prager Kammerorchesters ohne Dirigenten und 1963–68 des Prager Rundfunkorchesters, 1964–67 Mitglied des Prager Nonetts, seit 1965 ordentlicher Professor am Prager Konservatorium) die Bratsche, sowie 1968 Jan Š i r c (* 3. 5. 1934 zu Kosmonosy, Böhmen, Schüler von Bedřich Jaroš und Ladislav Zelenka, Absolvent 1953 des Prager Konservatoriums und 1957 der Prager Musikakademie, ab 1960 Mitglied, 1964–68 1. Konzertmeister des Prager Rundfunkorchesters) das Violoncello. Das Pr. Str. widmet sich besonders dem tschechischen zeitgenössischen Schaffen, das es auch auf Auslandstourneen bekannt gemacht hat. – Karlovský und Koníček bildeten mit Stefan Czapary (1. Violine) und Adolphe Mandeau (2. Violine) in der Bundesrepublik das Neue Prager Streichquartett.

Prampoljni, E n r i c o , * 20. 4. 1894 zu Modena; † 17. 6. 1956 zu Rom; italienischer Bühnenbildner, Regisseur und Maler, gehörte zur Gruppe der Futuristen, publizierte 1915 ein eigenes Manifest *Scenografia e coreografia futurista* und experimentierte 1919 im Römischen Teatro dei Piccoli (Marionettentheater) mit abstrakten Bühnenbildern und Kostümen. 1920 realisierte er in Rom gemeinsam mit Achille Ricciardi ein »Teatro del Colore«, 1921 inszenierte er in Prag einige »Sintesi teatrali futuriste« mit Szenarien von Filippo Tommaso Marinetti, Umberto Boccioni u. a. 1924 veröffentlichte er sein zweites Theatermanifest *L'atmosfera scenica futurista*, dessen Gedanken für seine Arbeiten am Théâtre de la Pantomime Futuriste (Paris und Mailand 1927/28) bestimmend waren (*La nascità d'Ermafrodita* von O. Respighi, 1927). Mit futuristischen Mitteln stattete er aus: *Apollon Musagète* (Rom 1941); *La sonnambula* (Florenz 1942); »Der wunderbare Mandarin« (Rom 1942); *Hin und zurück* von P. Hindemith (ebd. 1943); *Salome* (Neapel 1946); *Norma* (ebd. 1949); »Herzog Blaubarts Burg« (ebd. 1951); *Don Giovanni* (Cagliari 1952). Er organisierte Theaterausstellungen (VI. Triennale Mailand 1936) und schrieb *Scenotecnica* (Mailand 1940) und *Lineamenti di scenografia italiana dal Rinascimento ad oggi* (Rom 1950). – Pr. konzipierte die Bühne als eine entmaterialisierte, dynamische Lichtarchitektur und lieferte damit einen bedeutenden Beitrag des Futurismus zur Neugestaltung des Theaters. In seinem ersten Manifest hatte er die Abschaffung der realistisch und psychologisch interpretierenden Szenengestaltung gefordert, zu deren Erneuerung er im zweiten Manifest drei Möglichkeiten entwickelt: die zweidimensionale Bühnensynthese – ein aus Farbe und geometrischer Form gebildetes System von Oberflächen; die dreidimensionale Bühnenplastik – eine stereometrische Konstruktion aus farbigen Volumina; die vierdimensionale Bühnendynamik – ein aus Licht, Farbe und Bewegung entstehendes Raumkontinuum. Pr.s Bühnenkonzeption war im Opernbetrieb nicht zu verwirklichen, seine späten Ausstattungen enthalten daher weitgehende Zugeständnisse an die übliche Form des Bühnenbilds. Lit.: G. FRETTE, Scenografia teatrale 1909–54, Mailand 1955; F. MENNA, E. Pr., Rom 1967; Bühne u. bildende Kunst im 20. Jh., hrsg. v. H. RISCHBIETER u. W. STORCH, Velber bei Hannover 1968; U. APOLLONIO, Der Futurismus. Manifeste u. Dokumente ..., = DuMont Dokumente o. Nr, Köln 1972 (darin Aufsätze v. Pr. aus d. Jahren 1913–22 in deutscher Übers.).				HS

Prandęlli, G i a c i n t o , * 8. 2. 1914 zu Lumezzane (Brescia); italienischer Sänger (lyrischer Tenor), stu-

dierte bei Edmondo Grandini und am Centro Lirico der RAI in Rom. Er debütierte 1939 am Teatro Verdi in Busseto, war 1940 am Teatro Donizetti in Bergamo, 1941 am Teatro Comunale in Bologna sowie 1943 an der Oper in Rom engagiert und wurde 1944 an die Mailänder Scala verpflichtet. Anläßlich der Wiedereröffnung der Mailänder Scala (1946) sang er unter Toscaninis Leitung das Tenorsolo in der 9. Symphonie von Beethoven. 1951 trat er erstmals an der Metropolitan Opera in New York auf. Gastspiele führten ihn an die großen Opernbühnen Europas und der USA. Gegenwärtig ist er als Gesangspädagoge tätig.

Prasberg, B a l t h a s a r (Prasbergius, Prasperg, Praspergius, Merspurgensius), † nach 1511; deutscher Musiktheoretiker, vermutlich aus Meersburg am Bodensee kommend, lehrte als Priester und Magister um 1500 Musik an der Universität Basel. Nach seinen Vorlesungen ließ er 1501 in Basel seine Elementarlehre *Clarissima plane atque choralis musice interpretatio* (weitere Aufl. 1504 und 1507) drucken. Später war er Lehrer für Grammatik und Dialektik am Gymnasium in Basel. Ausg.: *Clarissima planae atque choralis musicae interpretatio*, hrsg. u. übers. v. P. BOHN, in: Cäcilia XV, 1876 – XVI, 1877. Lit.: H. HÜSCHEN, Der Musiktheoretiker B. Pr., KmJb XXXV, 1951.

Prat, D o m i n g o , * 17. 3. 1886 zu Barcelona, † 22. 11. 1944 zu Buenos Aires; argentinischer Gitarrist und Komponist spanischer Herkunft, studierte in Barcelona bei Llobet (bis 1904) und Tárrega. 1923 eröffnete er in Buenos Aires ein eigenes Gitarreinstitut. Er veröffentlichte ein *Diccionario de guitarristas* (Buenos Aires 1934) und schrieb zahlreiche Gitarrenwerke.

+Pratella, F r a n c e s c o B a l i l l a , 1880–1955. Von posthumen Veröffentlichungen sei eine *Autobiografia* (= Documenti per la storia VI, Mailand 1971) und *Die futuristische Musik. Technisches Manifest* (29. 3. 1911; in: U. Apollonio, Der Futurismus. Manifeste und Dokumente ..., = DuMont Dokumente o. Nr, Köln 1972) genannt. Lit.: Archivi del futurismo, hrsg. v. M. DRUDI GAMBILLO u. T. FIORI, 2 Bde, Rom 1958–62. – Aufsatzfolge in: Discoteca XII, 1971, Nr 107. – P. TOSCHI, Fr. B. Pr., studioso del canto popolare, in: Lares XXI, 1955; FR. K. PRIEBERG, Musica ex machina, Bln 1960; CL. MARABINI in: Nuova ant. di scienze, lettere ed arti XLVIII, 1963, Bd 489, S. 67ff.; A. GENTILUCCI, Il futurismo e lo sperimentalismo mus. d'oggi, in: Il convegno mus. I, 1964; J. C. G. WATERHOUSE, Futurist Music in Hist. Perspective, in: Futurismo 1909–19, Ausstellungskatalog. d. Hatton Gallery, Univ. of Newcastle, Newcastle upon Tyne 1972.

Prati, A l e s s i o , * 19. 7. 1750 und † 17. 1. 1788 zu Ferrara; italienischer Komponist, studierte zunächst in seiner Heimatstadt und dann 1768–74 am Conservatorio di S. Maria di Loreto in Neapel (Fenaroli, Piccinni). 1774 kam er nach Rom, 1775 nach Neapel, dann über Marseille nach Paris, wo er im Dienst des Herzogs von Penthièvre stand, und folgte von dort aus dem Großherzog Paul von Rußland nach St. Petersburg. 1782 begab er sich nach Warschau und kehrte über Preußen, Sachsen, Wien und München 1784 in seine Heimat zurück. Er schrieb eine Reihe von Opern, u. a. *Semiramide* (Paris 1780), *Didone abbandonata* (München 1783), *Armida abbandonata* (ebd. 1785), *Olimpiade* (Neapel 1785) und *Demofoonte* (Venedig 1786) auf Metastasio-Texte sowie *Olimpia* (Neapel 1786), Oratorien (*Gioas re di Giuda*, 1781; *Giuseppe riconosciuto*, Text Metastasio, 1783), Kirchenmusik und Instrumentalwerke. Veröffentlicht wurden: *Sei romanze in lingua italiana e francese con accompagnamento di cemb. o arpa*

(Venedig o. J.); *Recueil de Romances italiennes et françaises avec accompagnement de harpe* op. 1 (Bln o. J.); 3 *sonates pour le clavecin ou la harpe avec v.* op. 2 (ebd.); dass. op. 3 (ebd.); *3 sonates pour harpe avec v.* op. 6 (Paris o. J.); *6 sonates pour clavecin avec v.* (ebd.).
Lit.: R. A. Mooser, Annales de la musique et des musiciens en Russie au XVIIIᵉ s., Bd III, Genf 1951.

+Pratsch, Iwan, † 1818.
Ausg.: Variationen auf russ. Lieder f. Kl. op. 16, in: Russkaja fortepiannaja musyka. Chrestomatija I, Moskau 1954; Sobranije russkich narodnych pessen s jich golossami (»Slg russ. Volkslieder mit ihren Melodien«), hrsg. v. W. M. Beljajew, ebd. 1955.
Lit.: Y. Arbatsky, Etjudy po istorii russkoj musyki, NY 1956; R. Pečman, Práčův písnový sborník z roku 1790 a »Razumovské kvartety« L. v. Beethovena (»Die Lieder-Slg. v. Pr. v. 1790 u. d. ‚Rasumowskij-Quartette‘ L. v. Beethovens«), in: Sborník prací filosofické fakulty brněnské univ. VI, F 1, 1957; W. Salmen, Zur Gestaltung d. »thèmes russes« in Beethovens op. 59, Fs. W. Wiora, Kassel 1967; D. Lehmann, Der Initiator d. Volksliedsammlung Pr., N. A. Lwow, in: Musa – Mens – Musici, Gedenkschrift W. Vetter, Lpz. 1970.

+Pratt, Waldo Selden, 1857–1939.
+*The Music of the Pilgrims* ... (1921), Nachdr. NY 1971; +*The Music of the French Psalter of 1562* (1939), Nachdr. NY 1966.

+Praupner, Václav [nicht: Venceslaus; erg.:] Josef Bartoloměj, 1745 [nicht: 1744] – 1807.

Pražské kvarteto (»Prager Streichquartett«), tschechisches Streichquartett, wurde 1920 in Laibach/Ljubljana unter dem Namen Zikovo kvarteto (»Zika-Quartett«) von Ladislav Černý gegründet und debütierte im selben Jahr in Ptuj (Slowenien) mit den Mitgliedern Richard Zika, Karel Sanein, Černý und Ladislav Zika. Es ließ sich 1921 in Prag nieder, trat dort auch unter dem Namen Československé kvarteto Zikovo (»Tschechoslowakisches Zika-Quartett«) und Československé kvarteto auf und nahm 1929 den Namen Pr. kv. an, den es während der deutschen Besetzung Prags (1943–45) zeitweilig gegen die Bezeichnung Černého kvarteto (»Černý-Quartett«) eintauschen mußte. Die 1. Violine übernahm 1933 Wilibald Schweyda, 1941 A. Plocek, 1946 Karel Šroubek, 1951 J. Suk, dann Bř. → Novotný und 1954 wieder Šroubek, die 2. Violine 1923 Herbert Berger und 1954 Novotný sowie das Violoncello 1929 Václav Černý, 1931 M. Sádlo, 1933 Ivan Večtomov, 1941 Josef Šimandl und 1951 wieder Večtomov; Černý gehörte dem Ensemble ununterbrochen bis 1960 an. Das Ensemble setzte sich schon in den frühen 20er Jahren (Debüt in Donaueschingen 1922) vor allem für die Neue Musik ein.

Pré, Jacqueline du, * 26. 1. 1945 zu Purley (Surrey); englische Violoncellistin, studierte 1951–55 an der Herbert Wallen's London Cello School und 1955–56 an der Guildhall School of Music in London (William Pleeth). 1956 erhielt sie den 1. Preis beim Internationalen Suggia-Wettbewerb in London sowie ein Stipendium für einen 6monatigen Meisterkursus bei Tortelier in Paris. 1961 debütierte sie in der Londoner Wigmore Hall. Ein Jahr später führten sie Gastspiele nach Paris, Berlin und Norwegen. 1965 trat J. du Pr. erstmals in der Carnegie Hall in New York auf. Bei ihrer Tournee durch die UdSSR (1966) vervollkommnete sie sich bei Rostropowitsch. Seitdem konzertiert sie in den Musikzentren Europas und der USA. Sie ist mit dem Pianisten und Dirigenten Daniel Barenboim verheiratet.

+Predieri, Angelo (Taufname Tommaso), [erg.: 14.] 1. 1655 – 1731.

Pr., der 1671 Mitglied der Bologneser Accademia filarmonica wurde, trat 1672 [nicht: 1762] in den Franziskanerorden ein und war ab 1673 als Kapellmeister an S. Maria della Carità in Bologna tätig.
Lit.: R. Ortner, L. A. Pr. u. sein Wiener Opernschaffen, = Diss. d. Univ. Wien XLIV, Wien 1971, Bd I.

+Predieri, –1) Giacomo Maria [nicht: Antonio] (genannt »il vecchio«), [erg.:] 9. 4. 1611 zu Bologna – 1695 [nicht: 1693], gehörte zu den Mitbegründern der Bologneser Accademia filarmonica und war in Bologna u. a. Vizekapellmeister an S. Petronio (1650–57) und Organist an S. Pietro (1679–93).
–2) Giacomo Cesare, [erg.:] 26. 3. 1671 [nicht: 1665] – 1753; Onkel von Luca Antonio Pr., war u. a. 1696–1742 Kapellmeister an S. Pietro in Bologna.
Lit.: D. Mischiati u. L. F. Tagliavini in: MGG X, 1962, Sp. 1603ff.; R. Ortner, L. A. Pr. u. sein Wiener Opernschaffen, = Diss. d. Univ. Wien XLIV, Wien 1971, Bd I.

+Predieri, Luca Antonio, 1688 – [erg.: 3. 1.] 1767.
Pr., ein Neffe von Giacomo Cesare Pr., war in Bologna u. a. Kapellmeister an S. Paolo (1725–29) und an S. Pietro (1728–31). 1737–65 hielt er sich in Wien auf und kehrte anschließend wieder nach Bologna zurück.
Ausg.: Concerto H moll f. konzertierende V. u. Streichorch., hrsg. v. A. Briner, Zürich 1964.
Lit.: A. Damerini, L. A. Pr. e il suo »Stabat«, in: Musicisti della Scuola emiliana, hrsg. v. dems. u. G. Roncaglia, = Accad. mus. Chigiana (XIII), Siena 1956; R. Ortner, L. A. Pr. u. sein Wiener Opernschaffen, 2 Bde, = Diss. d. Univ. Wien XLIV, Wien 1971 (in Bd II Ausg. u. Übers. v. Briefen).

Preetorius, Emil, * 21. 6. 1883 zu Mainz, † 27. 1. 1973 zu München; deutscher Bühnenbildner und Illustrator, arbeitete nach dem Universitätsstudium in München und Gießen (Dr. jur.) 1907–08 als Illustrator für »Simplizissimus« und »Jugend«, wurde 1910 Leiter der Münchner Lehrwerkstätten, erhielt 1927 eine Professur an der Hochschule für angewandte Kunst in München (Illustration und Bühnenkunst), lehrte später an der dortigen Akademie der Bildenden Künste (bis 1951) und amtierte 1953–68 als Präsident der Bayerischen Akademie der Schönen Künste. Für das Münchner Nationaltheater stattete er 1921 »Iphigenie in Aulis« von Gluck aus, dazu eingeladen von Br. Walter, der ihn auch an die Städtische Oper Berlin verpflichtete (*Euryanthe*, 1926; *Lohengrin*, 1928; »Simone Boccanegra«, 1931). 1931–41 arbeitete er mit Tietjen in Bayreuth, wo er an der szenischen Modernisierung der Wagner-Bühne (*Der Ring des Nibelungen*, 1933, auch Bln 1936, Mailand 1938 und 1955 und Wien 1957–59; *Die Meistersinger von Nürnberg*, 1938; *Parsifal*, 1938, auch Hbg 1936; *Tristan und Isolde*, 1938, auch Paris 1937; *Der fliegende Holländer*, 1938) maßgeblich beteiligt war. Neben seiner Berliner Tätigkeit (*Friedenstag*, 1939; *Elektra*, 1940; *Rienzi*, 1941; »Ein Maskenball«, 1942) gastierte er in München (*Don Giovanni*, 1936), London (»Orpheus und Eurydike«, 1938), Dresden (*Carmina Burana* von Orff und *Orpheus* von Monteverdi–Orff, 1940) und bei den Salzburger Festspielen (*Die Liebe der Danae*, 1944, aufgeführt 1952). Mit München, Wien und Mailand als Zentren seiner Tätigkeit entwarf er nach 1945 hauptsächlich Ausstattungen für Wagner- und Strauss-Opern. Er veröffentlichte *Vom Bühnenbild bei R. Wagner* (Haarlem 1938), *Wagner. Bild und Vision* (Bln 1942), *Gedanken zur Bühnenkunst* (in: Das Kunstwerk VII, 1953) und *Reden und Aufsätze. Über die Kunst und ihr Schicksal in dieser Zeit* (Düsseldorf 1953), außerdem Betrachtungen zur Kunst Asiens. – Das dekorative Element betonend, war Pr. der stilsichere Repräsentant einer im Historismus wurzelnden Gestaltungsweise. Im Rückgriff auf → Schinkel und Angelo → Quaglio(II), dessen von R. Wagner autorisierte Lösungen er mitunter bewußt wieder aufgegriffen hat, war er um eine Kontinuität der Tradition des 19. Jh. bemüht. Ein bedeutender Sammler asiatischer Kunst, verwendete er auch Motive persischer Miniaturen; überhaupt dienten ihm Werke der bildenden Kunst häufig als Anregung. Lit.: E. Pr., Das szenische Werk, mit einer Einführung v. W. Rüdiger, Bln 1941, ³1944; E. Hölscher, E. Pr., d. Gesamtwerk, Bln 1943; O. Schuberth, Das Bühnenbild, München 1955; R. Adolph, E. Pr., Aschaffenburg 1960; H. Vriesen in: Enciclopedia dello spettacolo VIII, Rom 1961, Sp. 428ff.; E. Pr., Das szenische Werk, München 1963 (Ausstellungskat., Faltblatt). HS

+Prelleur, Peter, † vor 1758. Ausg.: Instructions and Tunes f. Treble Recorder (aus »The Modern Musick Master«, 1731), hrsg. v. E. Hunt, London 1960; The Modern Musick-Master (1731), Faks. hrsg. v. A. H. King, = DMI I, 27, Kassel 1965.

The Premier Drum Co. Ltd., englische Instrumentenbaufirma in Wigston (Leicester), gegründet 1922 von Albert Della-Porta. Das Unternehmen, das gegenwärtig von A. L. Della-Porta (Chairman und Managing Director), G. B. Della-Porta (Joint Managing Director) und D. Stephenson (Sales Director) geleitet wird, stellt Schlaginstrumente und Zubehörteile her. 1958 wurde die Firma Beverly Musical Instruments Ltd. angekauft.

Premrl, Stanko, * 28. 9. 1880 zu Št. Vid (bei Vipava, Slowenien), † 14. 3. 1965 zu Ljubljana; jugoslawischer Komponist, Priester, studierte nach Abschluß seiner Theologiestudien und nach der Priesterweihe 1904–08 Komposition und Orgelspiel am Konservatorium der Musikfreunde in Wien und war in Ljubljana 1909–39 Domvikar und Regens chori am Dom sowie Professor für Orgelspiel 1919–45 am Konservatorium (seit 1939 Musikakademie). Er trat auch als Orgelvirtuose und als Musikschriftsteller hervor. Pr. löste die slowenische Kirchenmusik von ihren Bindungen an den Caecilianismus und erneuerte sie grundlegend. Seine Kompositionen umfassen Orchesterwerke (*Božična suita*, »Weihnachtssuite«, 1922; Sinfonietta, 1946; Scherzo, 1959), Kammermusik (Bläseroktett, 1907; Streichquartett), Klavierwerke (Thema mit Variationen, 1940), Vokalmusik (*Memento mori* für Singst. und Kl., 1952; *Sveti Jožef*, »St. Josef«, Kantate für Soli, Chor, Org. und Orch., 1955) und zahlreiche kirchenmusikalische Werke (Messen, Requiem, Offertorien, Passionen, Te Deum, Magnificat).

Preobraschenskij, Antonij Wiktorowitsch, * 16. (28.) 2. 1870 zu Sysran (Gouvernement Simbirsk), † 17. 2. 1929 zu Leningrad; russischer Musikforscher, erhielt seine Ausbildung an der Geistlichen Akademie in Kasan, lehrte 1898–1902 an der Synodalschule in Moskau, wurde dann Bibliothekar an der Hofkapelle in St. Petersburg und war von 1920 bis zu seinem Tode Professor für russische historische Kirchenmusik am Leningrader Konservatorium. Er schrieb u. a.: *Slowar russkowo zerkownowo penija* (»Lexikon des russischen Kirchengesangs«, Moskau 1896); *Wopros o jedinoglasnom penii w russkoj zerkwi XVII weka* (»Die Frage des einstimmigen Gesanges in der russischen Kirche des 17. Jh.«, St. Petersburg 1904); *A. F. Lwow* (ebd. 1908); *O schodstwe russkowo musykalnowo pisma s gretscheskim w newmennych rukopissjach XI–XII wekow* (»Über die Ähnlichkeit des russischen musikalischen Schriftsystems mit dem griechischen in den Neumenhandschriften des 11.–12. Jh., ebd. 1909); *Kultowaja musyka w Rossii* (»Liturgische Musik in Rußland«, Leningrad 1924).

Presley (pɹˈezli), Elvis Aaron, * 8. 1. 1935 zu East Tupelo (Miss.); amerikanischer Rock 'n' Roll-Sänger und Gitarrist, begann noch in der Vorschulzeit mit seinen Eltern auf Country western-Revivals und in Kirchenchören zu singen und betätigte sich nach der Schulzeit als Arbeiter und Lastwagenfahrer, bevor er 1953 seine erste eigene Schallplatte aufnahm. Weltweiten Erfolg als Rock-Sänger (und Filmstar) hatte er ab 1955 (*Hartbreak Hotel*; *I Was the One*; *Love Me Tender*; *Hound Dog*; *Don't Be Cruel*; *It's Now or Never* [*O sole mio*]); mit Sinatra gehört er zu den kommerziell erfolgreichsten amerikanischen Showstars (über 250 Millionen verkaufte Schallplatten, für die er 50 goldene Singles und 20 goldene LPs erhielt). Mit Pr. beginnt der eigentliche Rock, der zwischen dem trivialen Schlagerbereich und dem anspruchsvollen Jazz vermittelte, später als Transportmittel für politische Information und als Refugium einer ganzen Teenagergeneration fungierte und sich schließlich seit den Beatles, besonders seit 1970, den Formen zeitgenössischer Kunstmusik annäherte. Von seinen Aufnahmen (alle RCA) und Filmen seien genannt: 1956: *E. Pr.* (LSP 1254); 1957: *Loving You* (LSP 1515), *Elvis' Christmas Album* (INTS 1126); 1958: *King Creole* (Soundtrack, LSP 1884); 1959: *For LP Fans Only* (LSP 1990), *A Date with Elvis* (LSP 2011); 1960: *Elvis Is Back* (LSP 2231), *G. I. Blues* (Soundtrack, LSP 2256), *His Hand in Mine* (LSP 2328); 1961: *Something for Everybody* (LSP 2317), *Blue Hawaii* (Soundtrack, LSP 2436); 1962: *Pot Luck with Elvis* (LSP 2523), *Girls! Girls! Girls!* (Soundtrack, LSP 2621); 1963: *It Happened at the World's Fair* (Soundtrack); *Fun in Acapulco* (Soundtrack, LSP 2756); 1964: *Kissin' Cousins* (Soundtrack), *Elvis Roustabout Elvis* (Soundtrack, LSP 2999); 1965: *Girl Happy* (Soundtrack), *Elvis for Everyone* (LSP 3450), *Harum Sacrum*; 1966: *Frankie and Johnny* (Soundtrack), *Paradise Hawaiian Style* (Soundtrack, LSP 3643), *Spinout*; 1967: *How Great Thou Art* (LSP 3758), *Double Trouble* (Soundtrack), *Clambake*; 1968: *Speedway* (Soundtrack, LSP 3989), *Elvis Sings »Flaming Star« and Others* (INTS 1012), *E. Pr.* (LSP 4088); 1969: *From Elvis in Memphis* (LSP 4155); 1970: *From Memphis to Vegas. From Vegas to Memphis* (SR 6020/1–2), *Elvis on Stage, February 1970* (LSP 4362), *Let's Be Friends* (INTS 1103), *Back in Memphis, Almost in Love* (INTS 1206), *That's the Way It Is* (LSP 4445); 1971: *I'm 10000 Years Old* (LSP 4460), *Love Letters from Elvis* (LSP 4530), *The Wonderful World of Christmas* (LSP 4579); 1972: *Elvis Now* (LSP 4671), *He Touched Me* (LSP 4690), *At the Madison Square Garden* (LSP 4776); 1973: *Aloha from Hawaii Via Satellite* (SR 6089/1–2); *Elvis* (APL 1-0283); Zusammenstellungen erschienen als *Elvis' Golden Records I–IV* (LSP 1707, 2075, 2765 und 3921), *Elvis Sings Hits from His Movies I* (INTS 1402), *Burning Love and Hits from His Movies II* (INTS 1414), *A Portrait in Music. E. Pr.* (SRS 558), *Worldwide 50 Gold Award Hits I* (LSP 6401/1–4) und *II: The Other Sides* (LPM 6402/1–4), *C'mon Everybody* (INTS 1286), *The Rockin' Days* (LSP 10204), *Rock 'n' Roll* (LSP 10380), *Separate Ways* (INTS 1422), *Tomorrow, Today and Forever* (LSP 10220), *You'll Never Walk Alone* (INTS 1241) und *I Got Lucky* (INTS 1322). Lit.: The International E. Pr. Appreciation Soc., Hdb. 1970, hrsg. v. T. Saville, Heanor (Derbyshire) 1970; J. Hopkins, Elvis. A Biogr., NY 1971; Elvis Special, hrsg. v. A. Hand, Manchester 1973; Artikel E. Pr. in: G. Peellaert, N. Cohn u. I. Schober, Rock Dreams. Die Gesch. d. Popmusik, München 1973.

+Pressenda, Johannes Franciscus, 1777 – 11. 12. [nicht: 9.] 1854.

Lit.: [+]W. L. v. Lütgendorff, Die Geigen- u. Lautenmacher v. MA bis zur Gegenwart ([6]1922), Nachdr. Tutzing 1968. – The Strad LXXVII, 1966/67, S. 50f.

+Presser, Theodore, 1848–1925.
Neuere Erwerbungen der Th. Presser Company sind: Merion Music, Inc. (1955), Mercury Music Corp., Beekman und Merrymount (1968) sowie Elkan-Vogel, Inc. (1970). Zu den Autoren des Verlages zählen W. Schuman, H. Weisgall, I. Hamilton, V. Persichetti, D. Erb, G. Perle und G. Rochberg. Das Unternehmen wird gegenwärtig geleitet von A. P. Broido (Präsident), N. J. Elsier jr. (Vizepräsident) und J. Macomber (Controller).
Lit.: N. Auerbach, A Brief Survey of Some Piano Music in the Th. Pr. Company Cat., The Piano Quarterly XXI, 1972/73; H. Heimsheimer in: Fs. f. einen Verleger (L. Strecker), Mainz 1973, S. 389f.

+Preston, Thomas, [erg.:] † um 1563.
Ausg.: eine Orgelmesse in: Die Org. im Kirchenjahr II, hrsg. v. E. Kraus, = Cantantibus org. VIII, Regensburg 1962; 13 Stücke in: Early Tudor Org. Music II, Music f. the Mass, hrsg. v. D. Stevens, = Early Engl. Church Music X, London 1969.

Prêtre (prɛːtr), Georges, * 24. 8. 1924 zu Waziers (Nord); französischer Dirigent, studierte Trompete und Klavier an den Konservatorien in Douai und Paris sowie Dirigieren bei Cluytens und debütierte 1947 am Opernhaus in Marseille. Ab 1955 war er ständiger Dirigent an der Pariser Opéra-Comique; er dirigierte später u. a. in Chicago, San Francisco, Philadelphia, an der Metropolitan Opera in New York (Debüt 1964), an der Covent Garden Opera in London, der Mailänder Scala und der Staatsoper in Wien. Er leitete auch in Paris Konzerte des Orchestre de la Société des Concerts du Conservatoire und der Association des Concerts Pasdeloup. 1970 wurde er zum Directeur général de la musique an der Pariser Opéra (mit Wirkung ab 1971/72) berufen, trat aber von diesem Amt wieder zurück.

+Preussner, Eberhard, * 22. 5. 1899 zu Stolp (Pommern), [erg.:] † 15. 8. 1964 zu München.
Pr., 1959 zum ordentlichen Professor ernannt, war von 1959 bis zu seinem Tod Präsident der Akademie für Musik und darstellende Kunst »Mozarteum« in Salzburg. Von seinen Schriften seien weiter genannt: Allgemeine Musikerziehung (= Musikpädagogische Bibl. I, Heidelberg 1959); Wie studiere ich Musik? (ebd. VI, 1962); Goethes Gedanken zur Musikerziehung (in: Musa – Mens – Musici, Gedenkschrift W. Vetter, Lpz. 1970). Eine Auswahl von Schriften, Reden, Gedanken gab C. Bresgen heraus (Salzburg 1969).
Lit.: E. Werba in: ÖMZ XIII, 1958, S. 330ff.; Jahresber. d. Akad. f. Musik u. darstellende Kunst »Mozarteum« in Salzburg 1963/64 (darin 3 Ansprachen zu Pr.s 65. Geburtstag, diese auch separat Salzburg 1964); C. Bresgen in: Musikerziehung XVIII, 1964/65, S. 51ff.; W. Keller in: Orff-Inst., Jb. III, 1964–68, S. 215ff.; G. Rech in: Mf XVIII, 1965, S. 1ff.

Previn (pɪˈevin), André, * 6. 4. 1930 zu Berlin; amerikanischer Dirigent, Komponist und Pianist, Sohn eines Musiklehrers französischer Herkunft, nahm Unterricht am Städtischen Konservatorium in Berlin und am Pariser Conservatoire und ging 1938 mit seiner Familie in die USA. Er war Dirigierschüler von Monteux und Kompositionsschüler von J. Achron und Castelnuovo-Tedesco. Pr. schrieb bereits mit 17 Jahren Arrangements für Filme, später Jazzversionen von bekannten Musicals (My Fair Lady) und trat als Jazzpianist auf. Jazzschallplatten unter seinem Namen erscheinen u. a. mit Benny Carter, Benny Goodman, J. J. Johnson,

Shelly Manne, Shorty Rogers, Peter Rugolo und Willie Smith. Seit 1962 widmet er sich als Pianist und Dirigent vor allem Ernster Musik, nahm aber noch weiterhin Unterhaltungsmusik auf und spielte Jazz im Fernsehen. Er war Conductor-in-Chief und Music Director der Houston Symphony (Tex.). Seit 1968 ist er Dirigent des London Symphony Orchestra (1972 Chefdirigent auf Lebenszeit). – Kompositionen: Musical Coco (NY 1969); Symphonie für Streicher (1962); Overture to a Comedy (1963); Konzert für Vc. und Orch. (1967); Elegie für Ob. und Streicher (1967); Konzert für Horn und Orch. (1968); Flötenquartett (1964); Violinsonate (1964); 3 Lieder für S. und Orch. (1968); ferner Klavierstücke sowie zahlreiche Songs und Filmmusiken. Mit A. Hopkins veröffentlichte er das in ein Interview gekleidete Buch Music Face to Face (London 1971).
Lit.: E. Greenfield, A. Pr., London 1973.

+Previtali, Fernando, * 16. 2. 1907 zu Adria (Venetien).
Pr. unternahm mit dem Orchestra stabile der Accademia nazionale di S. Cecilia, dessen künstlerischer Direktor er bis 1973 war, Konzerttourneen in Europa, 1967 auch in die UdSSR sowie in die USA und nach Kanada. Als Gast dirigierte er ferner in zahlreichen europäischen und außereuropäischen Ländern (u. a. am Teatro Colón in Buenos Aires seit 1959 für das italienische Repertoire). 1971 wurde er zum musikalischen Direktor des Teatro Regio in Parma ernannt.

Prévost (prevˈo), André, * 30. 7. 1934 zu Saint-Jérôme (Comté de Terrebonne, Provinz Quebec); kanadischer Komponist, absolvierte als Schüler von Isabelle Delorme, Papineau-Couture und Pépin 1960 das Conservatoire de Musique de la Province de Québec in Montreal mit einem Premier prix de composition und studierte anschließend bis 1962 bei Messiaen in Paris am Conservatoire und bei Dutilleux an der Ecole Normale de Musique sowie 1964 bei Philippot an der ORTF und 1965 bei Schuller, Martino, Copland und Kodály am Berkshire Music Center in Tanglewood (Mass.). 1964 wurde er Professor für Komposition und Analyse an der Musikfakultät der University of Montreal. – Kompositionen (Auswahl): Motette für gem. Chor a cappella (1953); Pastorale für 2 Hf. (1955); Variationen für Org. (1956); Fantasie für Vc. und Kl. (1956); 2 Streichquartette (1958 und 1972); Mobiles für Fl. und Streichtrio (1960); Symphonische Dichtung Poème de l'infini (1960); Scherzo für Streichorch. (1960); Violinsonate (1961); Praeludien für 2 Kl. (1961); Violoncellosonate (1962); Triptyque, Trio für Fl., Ob. und Kl. (1962); Fantasmes, symphonischer Satz für Orch. (1963); Ode au St-Laurent für Streichquartett (1965); Pyknon, Konzertstück für V. und Orch. (1966); Célébration, Ouvertüre für Orch. (1966); Terre des hommes für 2 Sprecher, Chöre und Orch. (1967); Suite für Streichquartett (1968); Diallèle (1968) und Evanescence (1970) für Orch.; Hommage (à Beethoven) für 14 Instr. (1971); 148. Psalm für 200 St., 4 Trp., 4 Pos. und Org. (1971).

Prey (prɛ), Claude, * 30. 5. 1925 zu Fleury-sur-Andelle (Eure); französischer Komponist, studierte bei Messiaen und Milhaud am Pariser Conservatoire, bei Mignone in Rio de Janeiro und Frazzi in Siena sowie 1953–54 Folklore im Conservatório Brasileiro de Música in Rio de Janeiro. 1958 vervollkommnete er seine Studien in Kanada an der Laval University in Quebec. Er schrieb eine Reihe von musikalischen Bühnenwerken (wenn nicht anders angegeben auf eigenes Libretto): Le Phénix, Oper (1957); Lettres perdues,

Opéra épistolaire (ORTF 1960); *La dictée*, lyrisches Monodram (1961); *L'homme occis*, Oper in 12 Variationen (1963); *Le cœur révélateur*, Kammeroper (nach Edgar Allan Poe, RAI 1964); *Métamorphose d'Echo*, Mono-mimo-micro-opéra de concert sur 240 automatismes verbaux, Variationen für Frauen-St. und 24 Streichinstr. (1965); *Mots croisés*, Jeu concertant für A., T. und 2 Orch. (1965); *Donna Mobile*, Opéra d'appartement, Fernsehoper (1965); *La noirceur du lait*, Opératest, Hommage à Rorschach, Fantaisie dramatique sur le test de la tache d'encre (Straßburg 1967); *On veut la lumière? allons-y!*, Opéra-comique mêlés de complaintes en 2 parties, Jeu dramatique sur le canevas de l'Affaire Dreyfus für 5 Mitwirkende und 8 Instr. (Angers 1968): *Jonas*, Opern-Oratorium (1966, szenisch Lyon 1969); *Fêtes de la faim*, Oper für 5 Komödianten, Vc. und 2 Schlagzeuger (Avignon 1969); *Le jeu de l'oie*, Kurzoper (Paris 1970).

+**Prey**, Hermann, * 11. 7. 1929 zu Berlin.
1960 ging er an die Bayerische Staatsoper in München (1962 Bayerischer Kammersänger) und sang erstmals an der Metropolitan Opera in New York (Debüt als Wolfram von Eschenbach im *Tannhäuser*). Er ist ständiger Gast bedeutender Opernhäuser und singt seit 1959 regelmäßig bei den Bayreuther und Salzburger Festspielen. Von seinen zahlreichen Bühnenrollen seien Guglielmo (*Così fan tutte*), Papageno, Figaro (*Il barbiere di Siviglia*), Doktor Malatesta (Donizetti, *Don Pasquale*) und der Dichter Olivier (R. Strauss, *Capriccio*) genannt. Pr. hat sich auch als Liedsänger international einen Namen gemacht. Er lebt heute in Krailling (bei München).

Price (praɪs), Leontyne, * 10. 2. 1927 zu Laurel (Miss.); amerikanische farbige Sängerin (Sopran), studierte 1949–52 an der Juilliard School of Music in New York (Florence Page Kimball), trat ab 1950 als Konzertsängerin auf und hatte 1951 ihr Operndebüt in der Uraufführung von V. Thomsons *Four Saints in Three Acts* in New York. Ihr erster großer Erfolg war die weibliche Titelpartie in Gershwins *Porgy and Bess*, die sie auf Tourneen in den USA (1952–54) und in Europa (1955) sang. 1957–59 gehörte sie gleichzeitig den Opern in San Francisco und Chicago an. L. Pr. trat an der Wiener Staatsoper (ab 1958), der Covent Garden Opera in London (1958–59), der Mailänder Scala (1960) sowie bei den Salzburger Festspielen auf und ist seit 1961 Mitglied der Metropolitan Opera in New York. Zu ihren Partien gehören Donna Anna (*Don Giovanni*), Leonora (*Il trovatore*), Aida, Butterfly, Tosca und Turandot.

Price (praɪs), Margaret Berenice, * 13. 4. 1941 zu Tredegar (Monmouthshire, Wales); britische Sängerin (Sopran), studierte 1959–61 am Trinity College of Music in London und debütierte 1962 bei der Welsh National Opera Company als Cherubino in *Le nozze di Figaro*. In derselben Partie gab sie 1963 ihr Debüt an der Covent Garden Opera in London. Sie hat seitdem u. a. in San Francisco, Köln, München und Hamburg sowie beim Glyndebourne Festival gastiert. M. Pr. hat sich vor allem als Mozart-Sängerin (Donna Anna, Fiordiligi, Pamina) einen Namen gemacht. Sie ist auch als Konzertsängerin (Händel, Mahler, Alban Berg) hervorgetreten.

Price (praɪs), F. Percival, * 7. 10. 1901 zu Toronto; kanadischer Glockenspieler, Glockenforscher und Komponist, studierte an den Universitäten in London (1920–21) und Toronto (1921–24, Mus. Bac. 1927), an der Beiaardschool in Mechelen (1926–27, Abschluß-

diplom) sowie bei Weingartner an der Basler Hochschule für Musik (1934–35); außerdem betrieb er Kompositionsstudien bei A. Willner in Wien, Paris und London (1932–33) und bei Szymanowski (1935). Er amtierte als Glockenspieler am Massey Memorial Carillon in Toronto (1922–25, erste berufliche Anstellung eines Glockenspielers außerhalb Europas), am Rockefeller Memorial Carillon in New York (1925–27) und als Dominion Carillonneur an den Houses of Parliament in Ottawa (1927–39). 1939 wurde er University Carillonneur an der University of Michigan in Ann Arbor, an der er bis 1948 auch Professor of Composition war und dann Professor of Campanology wurde. Pr. komponierte eine Reihe von Werken für Glockenspiel (*Air*, 1939; *Fantasie 6*, 1948; *Passacaglia*, 1964; *Canadian Suite*, 1964) und schrieb u. a.: *The Carillon* (London 1933); *Campanology Europe 1945–47* (Ann Arbor/Mich. 1948); *The Carillons of the Cathedral of Peter and Paul in the Fortress of Leningrad* (GSJ XVII, 1964); *Japanese Bells* (in: Studies in Japanese Culture II, 1969).

Prieberg, Fred K., * 3. 6. 1928 zu Berlin; deutscher Musikschriftsteller, studierte 1950–53 Musikwissenschaft in Freiburg i. Br., lebte 1953–69 in Baden-Baden und wohnt seitdem in Holzhausen (bei Kehl). Er setzt sich als Schriftsteller und Rundfunkautor besonders für die zeitgenössische experimentelle Musik sowie für Reformen in der Musikerziehung und Kulturpolitik ein. Neben zahlreichen Zeitschriftenaufsätzen veröffentlichte er: *Musik unterm Strich* (Freiburg i. Br. 1956, nld. Amsterdam 1966); *Musik des technischen Zeitalters* (= Atlantis-Musikbücherei o. Nr, Zürich 1956); *Lexikon der Neuen Musik* (Freiburg i. Br. 1958); *Musica ex machina* (Bln 1960, ital. = Saggi Bd 322, Turin 1963); *Musik in der Sowjetunion* (Köln 1965); *Musik im anderen Deutschland* (ebd. 1968).

+**Priegnitz**, Hans, * 20. 10. 1913 zu Berlin.
Konzertverpflichtungen führten ihn in verschiedene Städte Europas (u. a. Berlin, Frankfurt, Mailand, Paris), ferner auch in die USA, nach Kanada, Afrika und Asien. Seit 1968 (Professor 1970) unterrichtet er an der Musikhochschule in Hannover. Er komponierte *Duettini* für Fl. und Klar. (1946), *Musik für Kl. und Orch.* (1950) und ein *Epitaphe de Raron* für mittlere St. und Klaviertrio (1960).

Prieto Arrizubieta, José Ignacio, SJ, * 12. 8. 1900 zu Gijón (Oviedo); spanischer Komponist und Chordirigent, leitet die Schola cantorum der Universidad Pontificia de Comillas in Santander und den Chor »S. Tomás de Aquino« der Universidad Complutense in Madrid. Er schrieb neben Orchesterwerken (*Sinfonía cántabra*; *Pequeña suite, a la memoria de Ravel*, für Streichorch.) vorwiegend Vokalmusik: *Xavier*, choreographisches Mysterienspiel für Chor, Orch. und Ballett; *Hogueras de San Juan*, Suite sinfónico-coral für 6 gemischte St., Chor und Orch.; *Himno a la Hispanidad* für großen Chor und Orch.; *Morito Pititón* für Chor und Orch.; *Dos canciones* für S. und Orch.; *El ciego de Jericó*, Legende für 4st. gem. Chor und Kl.; *Elegía a Falla* für gem. Chor, T. und 2 Kl.; *Mariposas*, Suite für zwei 4st. Chöre und Kl.; *Tres coros en estilo madrigalesco* und *Tres villancicos en estilo popular* für Chor a cappella; *Canción del crisantemo*, *Romance del Alcázar*, *Canción de rueda*, *Canción de cuna*, *Canción de boda* und *Romance de las tres cautivas* für Gesang und Kl.; ferner zahlreiche kirchenmusikalische Werke, u. a. eine Reihe von Messen (*Missa dominicalis* für 4 gemischte St.; *Missa jubilaris* für 6 gemischte St. und Org.; *Missa nova* und *Missa* *novissima* für Chor a cappella), drei 4st. Responsorien für die Karwoche und *Eucarísticas* für Gesang und Org.

+Příhoda, Váša [erg.:] (Wenzel) Franz, 22. [nicht: 24.] 8. 1900 – 26. [nicht: 27.] 7. 1960.
Př. lehrte ab 1951 bis zu seinem Tode als Professor an der Akademie für Musik und darstellende Kunst in Wien.
Lit.: O. A. GRAEF in: NZfM CXXI, 1960, S. 297f.; FR. NOVELLO in: Rass. mus. Curci XXIII, 1970, Nr 2, S. 28ff.; J. VRATISLAVSKÝ, V. Př., Prag 1970.

Prim (prɛ̃), Jean, * 8. 10. 1906 zu Luçon (Vendée); französischer Musikforscher, Abbé, studierte in Paris an der Sorbonne und in Rom am Französischen Seminar, an der Gregorianischen Universität und am Päpstlichen Bibelinstitut (1923-32) und promovierte zum Licencié ès Lettres und Docteur en théologie. 1932-39 war er Maître de chapelle an der Kathedrale in Luçon und Professor am dortigen Grand Séminaire, 1945-46 Maître de chapelle am Collège Stanislas in Paris und 1946-51 an der Kathedrale in Bourges. Er war Gründer und Secrétaire général der Union Fédérale Français de Musique Sacrée (1958) und Gründer des Syndicat National des Musiciens des Cultes (1962). Neben zahlreichen Aufsätzen veröffentlichte er u. a. *Chants des fidèles* (Paris 1938), die *Actes du 3e Congrès International de Musique Sacrée* (1957) sowie Neuausgaben von Kompositionen von J. Mouton, J. Gilles, Giroust, Roze und Méhul.

+Primrose, William, * 23. 8. 1903 zu Glasgow. 1953 wurde Pr. zum Commander of the British Empire (C. B. E.) ernannt [del. frühere Angabe über die Verleihung des Adelstitels]. Das Festival [del.: String] Quartet, dem er sich 1956 anschloß, ist eine Klavierquartett-Vereinigung. – Pr. konzertierte darüber hinaus mit verschiedenen bedeutenden Kammermusikensembles. 1949 spielte er erstmals Bartóks Bratschenkonzert (1945, nicht vollendet), das auf seine Anregung hin entstanden war. Ab 1961 unterrichtete er an der University of Southern California in Los Angeles. 1965 begann er seine Lehrtätigkeit an der School of Music der Indiana University in Bloomington. Seit 1972 leitet er eine Meisterklasse an der Tokyo University of Fine Arts and Music (Tokyo Geijutsu Daigaku). Pr. veröffentlichte ein Lehrwerk *Technique Is Memory. A Method for Violin and Viola Players ...* (London 1960).

Prin (prɛ̃), Yves, * 3. 6. 1933 zu Ste-Savine (Aube); französischer Dirigent und Komponist, studierte 1956-59 am Pariser Conservatoire Klavier bei Nat sowie Dirigieren bei Fourestier und ist seit 1961 sowohl als Opern- als auch als Konzertdirigent hervorgetreten. Er komponierte u. a. 4 Klavieretüden (1967), das Oratorium *Hymnus 68* für S., B., gem. Chor, Kinderchor, Schlagzeug, Streicher und Orch. (1969), *Au souffle d'une voix* für S., B., Orch. und Tonband (1969), *Actions simultanées* für Instrumentalensemble (1972), Konzert für Schlagzeuger und Blechbläserensemble (1972) und *Action-Réflexe* für V. und Orch. (28 Streicher und 4 Kl., 1972).

Principe (pr'intʃipe), Remy (Remigio), * 25. 8. 1889 zu Venedig; italienischer Violinist, studierte Violine bei Fr. de Guarnieri in Venedig, bei T. Kilian in München und bei Capet in Paris sowie Komposition und Dirigieren an der Accademia Nazionale di S. Cecilia in Rom. Er lehrte am Conservatorio di Musica G. Rossini in Pesaro, am Conservatorio di Musica S. Cecilia in Rom sowie an der Accademia Musicale Chigiana in Siena (1945-46) und am Konservatorium in Ankara. 1956 übernahm er die Violinkurse bei den Vacanze

Musicali des Conservatorio Nazionale di Musica B. Marcello in Venedig. Pr. ist sowohl als Solist als auch als Kammermusiker aufgetreten. Daneben veröffentlichte er *Il violino* (mit G. Pasquali, Mailand 1926, ³1951), gab eine eigene Bearbeitung der *40 études ou caprices* für V. von R. Kreutzer heraus und schrieb 2 Violinkonzerte, eine Suite für V. und Orch. sowie Stücke für V. und Kl.

+Pringsheim, –1) Heinz [erg.:] Gerhard, * 7. 4. 1882 und [erg.:] † 31. 3. 1974 zu München. Er war als Musikkritiker auch für die »Neue Zürcher Zeitung« und den »Münchner Merkur« tätig. An neueren Aufsätzen seien genannt: *Th. Mann und die Musik* (SMZ XCV, 1955); *Debussy als Bühnenkomponist* (in: Opernwelt III, 1962); *Strauss, Perfall und Possart* (Mitt. der Internationalen R.-Strauss-Gesellschaft 1969, Nr 60/61).
–2) Klaus, * 24. 7. 1883 zu Feldafing (Starnberger See), [erg.:] 7. 12. 1972 zu Tokio. Als Professor an der Musashino-Musikakademie wirkte er bis 1971, 1951-61 leitete er auch deren öffentliche Konzerte. Pr., Träger vieler Auszeichnungen und Ehrenmitglied zahlreicher Gesellschaften, trat auch als Gastdirigent und -dozent hervor. – Zu seinen neueren Kompositionen zählen die japanische Funkoper *Yamada Nagasama* (1953), 36 2st. Kanons für Kl. (1959), ein Concertino für Xylophon und Orch. (1962) sowie Thema, Variationen und Fuge für Blasorch., woran er bis zu seinem Tode arbeitete. Weitere Veröffentlichungen: *Der Tonsetzer A. Leverkühn. Ein Musiker über Th. Manns Roman* (in: Der Monat I, 1949); *Zwischen Helmholtz und Schönberg* (SMZ XCVI, 1956); *Helmholtz und das arabische Tonsystem* (SMZ XCVIII, 1958); *Ein Nachtrag zu »Wälsungenblut«* (in: Betrachtungen und Überblicke. Zum Werk Th. Manns, hrsg. von G. Wenzel, Bln 1966); *Music in Japan* (in: Contemporary Japan XXIX, 1968, auch separat); Erinnerungen *Mahler, My Friend* (in: Composer 1973/74, Nr 50 – 1974, Nr 51).

Prinner, Johann Jakob (Prumer, Preiner), * 1624 zu Brünn(?), † 18. 3. 1694 zu Wien; österreichischer Komponist und Musiktheoretiker, besuchte Italien, war vielleicht 1652-59 Organist im Stift Kremsmünster, bis 1670 Leiter der Musikkapelle des Fürsten von Eggenberg in Graz, Klavierlehrer der Erzherzogin Maria Antonia in Prag und Wien, wurde 1680 zu deren Kammerdiener ernannt und erhielt nach 1685 eine Hofbesoldung. In den wenigen von ihm erhalten gebliebenen Werken (4 Suiten; 47 Lieder für S. und B. c., deren Texte z. T. von ihm stammen dürften) zeigt er sich als ein geschickter Komponist. Beachtung verdient sein musiktheoretischer Traktat *Musicalischer Schlissl* (1677, Ms.), der sich teilweise an Bernhards *Ausführlichen Bericht* anlehnt.
Ausg.: 13 Lieder in: W. VETTER, Das frühdeutsche Lied, = Universitas-Arch. VIII, Münster (Westf.) 1928, Bd II; 3 Lieder in: P. NETTL, Das Wiener Lied im Zeitalter d. Barock, Wien u. Lpz. 1934, Noten-Anh.; ein Lied in: H. J. MOSER, Das deutsche Sololied u. d. Ballade, = Das Musikwerk XIV, Köln 1957, engl. 1958.
Lit.: H. FEDERHOFER, Eine Musiklehre v. J. J. Pr., Fs. A. Orel, Wien 1960.

+Printz, Wolfgang Caspar, 1641-1717.
Ausg.: Ausgew. Werke, hrsg. v. H. K. KRAUSSE, auf 3 Bde geplant, bislang Bd I: Musikerromane, Bln 1974. – Hist. Beschreibung d. edelen Sing- u. Kling-Kunst ... (1690), Faks. hrsg. v. O. WESSELY, = Die großen Darstellungen d. Mg. in Barock u. Aufklärung I, Graz 1964; Compendium musicae, Faks. d. Ausg. Dresden 1689, Hildesheim 1970.
Lit.: +J. MATTHESON, Grundlage einer Ehren-Pforte (M. Schneider, 1910), Nachdr. Kassel 1969. – G. KÄHLER, Studien zur Entstehung d. Formenlehre v. W. C. Pr. bis

A. B. Marx, Diss. Heidelberg 1958; S. STÖPFGESHOFF, Die Musikerromane v. W. C. Pr. u. J. Kuhnau zwischen Barock u. Aufklärung, Diss. Freiburg i. Br. 1960; R. DAMMANN, Der Musikbegriff im deutschen Barock, Köln 1967; O. EBERHARD in: Die Oberpfalz X, 1967, S. 218ff.

Prinz, Heinrich Ludwig (Pseudonyme Heinz Heinzelmann, Hein Ludwig), * 17. 2. 1910 zu Frankfurt am Main; deutscher Schlagertextdichter und Komponist, studierte am Dr. Hoch'schen Konservatorium in Frankfurt a. M., war dann Privatmusiklehrer und später Mitarbeiter beim Reichssender Frankfurt und (nach 1945) bei Radio Frankfurt. 1954–66 war er bei der Deutschen Grammophon Gesellschaft tätig. Er lebt als freischaffender Autor in Weilrod (Rod a. d. Weil, Taunus).

+Prioris, Johannes, 15./16. Jh.
Ausg.: ein Song in: Music at the Court of Henry VIII, hrsg. v. J. STEVENS, = Mus. Brit. XVIII, London 1962; 2 Lieder in: Das Liederbuch d. J. Heer v. Glarus (Cod. 462 d. Stiftsbibl. St. Gallen), hrsg. v. A. GEERING u. H. TRÜMPY, = Schweizerische Musikdenkmäler V, Basel 1967; TH. H. KEAHY, The Masses of J. Pr., A Critical Ed., Diss. Univ. of Texas 1968. Lit.: +A. W. AMBROS, Gesch. d. Musik (III, 21893), Nachdr. Hildesheim 1968; +G. REESE, Music in the Renaissance (1954), revidiert NY 1959. – L. FINSCHER in: MGG X, 1962, Sp. 1634f.; H. HOFMANN-BRANDT, Eine neue Quelle zur ma. Mehrstimmigkeit, Fs. Br. Stäblein, Regensburg 1967.

+Pritchard, John Michael, * 5. 2. 1921 zu London.
Er war 1956–62 Music Director des Royal Philharmonic Orchestra und 1962–66 des London Philharmonic Orchestra, das er weiterhin, besonders auch auf Tourneen (u. a. 1966–67 Österreich, Deutschland, Frankreich, 1969–70 Japan), dirigiert. Die Glyndebourne Festival Opera, deren Hauptdirigent und künstlerischer Berater er bereits 1963–68 war, leitet er seit 1969 als musikalischer Direktor. Pr. unternahm darüber hinaus Europatourneen mit verschiedenen englischen Orchestern und der Glyndebourne Festival Opera, ist als Gastdirigent an bedeutenden Opernhäusern in Europa und den USA (1971 erstmals Metropolitan Opera in New York) sowie bei verschiedenen ausländischen Orchestern (u. a. Orchestra stabile dell'Accademia nazionale di S. Cecilia in Rom, Berliner Philharmonisches Orchester, Pittsburgh Symphony Orchestra) aufgetreten und wirkte bei zahlreichen Festspielveranstaltungen (u. a. Edinburgh Festival und Berliner Festwochen) mit. Er schrieb die Beiträge Conducting Mozart (Opera Annual II, 1955/56) und Covent Garden and Glyndebourne. A Conductor's Comparison (in: Opera XV, 1964).
Lit.: B. HALL in: MT C, 1959, S. 660f.; H. ROSENTHAL in: Opera XXII, 1971, S. 870ff.

Pritchard (pɹ'itʃɑːd), Robert S., * 13. 6. 1929 zu Winston-Salem (N. C.); amerikanischer Pianist, Musikorganisator und Komponist, studierte an der Syracuse University (N. Y.) sowie bei Friedberg, Goldsand, Hans Neumann, Edwin Fischer und Benedetti Michelangeli. Er rief die Avant-Garde Chamber Music Series ins Leben (1958), bildete 1958–59 die ersten Symphonieorchester am Konservatorium in Port-au-Prince (Haiti) und wurde vom Ministerrat der Mali-Föderation zum Organisator der Ersten Weltfestspiele der Negerkünste in Dakar (Senegal) bestimmt. Daneben gründete er in Zusammenarbeit mit der Fairleigh Dickinson University in Rutherford (N. J.) die nordamerikanischen Festspiele der Negerkünste (1965) und leitete die Moratorium Concerts for Peace and Reconciliation in Washington/D. C. (1968 und 1970). 1968 wurde ihm von der Université d'Haiti der Titel Ph. D. ehrenhalber verliehen. Er schrieb Chorwerke

mit Orch. (Isle of Springs Cantata, 1962; Elegy and Eulogy for Clyde Kennard, 1965; Mass on Reconciliation, 1966) und Klavierstücke.

Priuli, Giovanni (Prioli), * um 1575/80 zu Venedig, † 1629 zu Wien(?); italienischer Komponist, begann seine musikalische Laufbahn als Instrumentalist, stand zunächst wahrscheinlich im Dienst der Herzogin von Urbino, wirkte ab 1607 in Venedig an S. Marco und wurde um 1614/15 Hofkapellmeister Erzherzog Ferdinands in Graz und 1619, nach dessen Wahl zum römisch-deutschen Kaiser (Ferdinand II.), in Wien. Von seinen Kompositionen wurden in Venedig gedruckt: Il 1° libro de Madrigali a 5 v. (1604); Il 2° libro de Madrigali a 5 v. (1607); Il 3° libro de Madrigali a 5 v., di 2 maniere, l'una per v. sole, l'altra per v. & istromenti (1612); Musiche concertate libro 4° für 3–9 St. und Instr. (1622); Delicie musicali für 2–10 St. und Instr. (1625). – Sacrorum concentuum in 2 partes distributorum pars I (Motetten für 5–8 St., Kanzonen und Sonaten, 1618) und II (Motetten für 10 und 12 St., Kanzonen und eine Sonate für 10 St., 1619); Psalmi Davidis regis numeris musicis concinnati für 8 St. (1621); Missae für 4, 6 und 8 St. und Org. (1624); Missae 8, 9 v. atque etiam instrumentis (1624); ferner 4 Generalbaßmotetten (in: Parnassus musicus Ferdinandaeus, hrsg. von G. B. Bonometti, 1615). Weitere Kompositionen sind in Sammelwerken und handschriftlich überliefert.
Ausg.: »Presso un fiume tranquillo« f. 9 St. u. »Chiudete l'orecchi« f. 10 St., in: Ital. Musiker u. d. Kaiserhaus 1567–1625, hrsg. v. A. EINSTEIN, = DTÖ XLI, Bd 77, Wien 1934; »Salvum me fac Deus«, hrsg. v. J. ROCHE, = Faber Baroque Choral Series o. Nr, London 1968; 4 Generalbaßmotetten aus d. »Parnassus musicus Ferdinandaeus«, hrsg. v. H. J. BUSCH, = Musik alter Meister XXIII, Graz 1970; Instrumentalkanzonen, 2 H., hrsg. v. E. HILMER, ebd. XIX–XX; Sacrorum concentuum pars I, hrsg. v. A. BIALES, = Concentus musicus II, Köln 1974. Lit.: H. FEDERHOFER, Musikpflege u. Musiker am Grazer Habsburgerhof d. Erzherzöge Karl u. Ferdinand v. Innerösterreich (1564–1619), Mainz 1967; A. BIALES, G. Pr.'s »Sacrorum concentuum pars prima« (1618), in: Analecta musicologica XII, 1973.

Pro Guardiola, Serafín, * 30. 7. 1906 zu La Habana; kubanischer Komponist, Chordirigent und Musikschriftsteller, studierte am Conservatorio Municipal de Música in La Habana (Ardévol) und lehrte am Conservatorio A. Roldán (1936–62) sowie am Conservatorio A. García Caturla (1962–67) Komposition und Theorie. Er gründete und leitete zahlreiche Chöre und gab Konzerte u. a. beim Warschauer Herbst (1969) und bei den Internationalen Chorfestspielen in Debrecen (Ungarn, 1970). Schriftstellerisch trat er als Herausgeber des Boletín del Grupo Renovación Musical (1943) und als Redakteur u. a. der Zeitschriften Conservatorio, Orígenes, Pro-Arte, La música und Nuestro tiempo hervor. Nach der Revolution war er Mitglied des Rats der Nationalen Leitung der Musik (1962–64). Er komponierte u. a. Orchesterwerke (Sonate, Choral und Fuge für Streichorch. und Pk., 1951), Kammermusik (Ricercare für 2 Trp. und 2 Pos., 1949; Capricci für Fl., Ob., Klar. und Fag., 1955; Violinsonate, 1944), Klavierwerke, a cappella-Chöre (Monumental, Lago del alma und La canción del viento für 32 St. nach Texten von Rafael Rodríguez Vidal, 1967) und Lieder.

Proch, Heinrich, * 22. 7. 1809 und † 18. 12. 1878 zu Wien; österreichischer Komponist und Kapellmeister, studierte in Wien 1828–32 Jura und daneben Violine, war 1834–67 Mitglied der Wiener Hofkapelle und außerdem 1837–40 Kapellmeister des Theaters in der Josefstadt, für das er eine Reihe Bühnenmusiken

schrieb. 1840–70 war er auch 1. Kapellmeister des Kärntnertortheaters (später Hofoper). Pr. komponierte ferner die Oper *Ring und Maske* (Wien 1844), die Operetten *Die Blutrache* (ebd. 1846), *Zweiter und dritter Stock* (ebd. 1847) und *Der gefährliche Sprung* (ebd. 1848), Orchesterwerke, Kammermusik und über 200 Lieder, von denen u. a. *Von der Alpe tönt das Horn* und *Ein Wanderbursch mit dem Stab in der Hand* weithin bekannt wurden. Er war ein angesehener Gesangslehrer (zu seinen Schülerinnen gehörte Amalie Materna) und trat auch als Übersetzer von Operntexten (Verdis *Les vêpres siciliennes* und *Il trovatore*) hervor.
Lit.: I.-Chr. Völker, H. Pr., Sein Leben u. Wirken, Diss. Wien 1949.

+Procházka, [erg.: Jan] Ludwig (Ludevít), 1837 – 19. [nicht: 18.] 7. 1888.
Eine Auswahl von Kritiken und Aufsätzen erschien als *Slavná doba české hudby* (= Klasikové hudební vědy a kritiky I, 3, Prag 1958).

+Procházka, Rudolf [erg.:] František, Freiherr von, 1864 – 24. [nicht: 23.] 3. 1936.
Lit.: R. Quoika in: Sudetenland III, 1961, S. 113ff.

Procter (prɔktǝ), Norma, * 1928(?) zu Cleethorpes (Lincoln); englische Sängerin (Alt), studierte bei R. Henderson, Alec Redshaw und Oppenheim. N. Pr., deren Stimme über eine besondere Tiefenlage verfügt, trat an der Covent Garden Opera in London, ferner in den Niederlanden, Belgien, Deutschland, Österreich, der Schweiz und in Spanien auf.

+Prod'homme, Jacques-Gabriel, 1871 – 17. [nicht: 18.] 6. 1956.
+*L'Opéra* … (1925), Nachdr. Genf 1972; **+***Beethoven* [erg.:] *raconté par ceux qui l'ont vu* (1927), rumänisch Bukarest 1970. – Pr. edierte auch die Schriften von Berlioz über Beethoven (*Beethoven*, Paris 1941, ²1970).
Lit.: M. Garros in: Rev. de musicol. XXXIX/XL, 1957, S. 3ff.

Proebstl, Max, * 24. 9. 1913 zu München; deutscher Opernsänger (Baß), studierte bei P. Bender an der Akademie der Tonkunst in München und debütierte an der Pfalzoper Kaiserslautern. Über Dortmund und Augsburg kam er 1948 an die Bayerische Staatsoper in München, deren Ensemble er seitdem angehört (1956 Bayerischer Kammersänger).

+Profe, Ambrosius, 1589–1661.
Lit.: A. Adrio, A. Pr. als Hrsg. ital. Musik seiner Zeit, Fs. K. G. Fellerer, Regensburg 1962.

Profeş, Anton Franz Josef, * 26. 3. 1896 zu Leitmeritz (Böhmen); österreichischer Operetten-, Film- und Schlagerkomponist, studierte Musik in Prag, war ab 1915 Theaterkapellmeister in Karlsbad, Dortmund und Stuttgart. Seit 1921 ist er freischaffend tätig, seit 1930 vornehmlich für den Film. Von seinen Filmmusiken seien genannt: *Der Favorit der Kaiserin* (1936); *In geheimer Mission* (mit Kreuder, 1938); *Das Bad auf der Tenne* (1943); *Der veruntreute Himmel* (1958). Pr. komponierte zahlreiche Schlager, darunter *Am Sonntag will mein Süßer mit mir segeln gehn* und *Was macht der Maier am Himalaja*.

Profeţa, Laurenţiu, * 12. 1. 1925 zu Bukarest; rumänischer Komponist, studierte am Bukarester Konservatorium bei P. Constantinescu (Harmonielehre) und Mendelsohn (Kontrapunkt und Komposition) sowie am Moskauer Konservatorium bei E. O. Messner und Golubew. Seine Kompositionen umfassen das Ballett *Prinţ şi cerşetor* (»Prinz und Bettler«, Bukarest 1968), das Oratorium *Intîmplarea din grădină* (»Das Ereignis im Garten«) für Kinderchor und Orch. (1956), *Cantata patriei* (»Heimatkantate«) für Deklamator, Mezzo-S., gem. Chor und Streichorch. (1962), Chöre und Lieder sowie Film- und Unterhaltungsmusik (*Cîntece ţigăneşt*, »Zigeunerlieder«, 1967–68).

Prohaska, Carl, * 25. 4. 1869 zu Mödling (bei Wien), † 28. 3. 1927 zu Wien; österreichischer Pianist, Dirigent und Komponist, Vater von Felix Pr., studierte Klavier bei Anna Aßmayr und d'Albert sowie Musiktheorie bei Krenn, Mandyczewski und H. v. Herzogenberg. Er war 1894–95 Lehrer am Konservatorium in Straßburg und 1901–05 Dirigent der Warschauer Philharmonie. Ab 1908 lehrte er am Konservatorium in Wien Klavier, später auch Musiktheorie. 1924 wurde er Professor an der Wiener Musikhochschule. Von seinen Kompositionen wurden gedruckt: Chorwerke mit Klavier, Orgel oder Orchester (*Aus dem Buche Hiob*, Motette für 8st. gem. Chor und Org., op. 11, 1913; *Frühlingsfeier*, Oratorium für Soli, gem. Chor, Orch. und Org. op. 13, 1913), Lieder (*Pierrot lunaire*, 6 Klavierlieder nach Texten von Albert Giraud, op. 14, 1920), Orchesterstücke (Serenade op. 20, 1924; Passacaglia op. 22, 1925), Kammermusik (Streichquartett op. 4, 1902; Klaviertrio op. 15, 1920; Quintett für 2 V., Va, Vc. und Kb. op. 16, 1920), Klavierwerke (17 Variationen und Fuge über ein eigenes Thema op. 19, 1920) und Orgelstücke (Praeludium und Fuge op. 23, 1925). Manuskript blieb die 1930 in Breslau uraufgeführte Oper *Madeleine Guinard*.

+Prohaska, Felix, * 16. 5. 1912 zu Wien.
Pr., Sohn von Carl [nicht: Paul] Pr., war 1. Kapellmeister der Frankfurter Oper bis 1961; seitdem leitet er (als Professor) die Dirigentenklasse und das Hochschulorchester der Musikhochschule in Hannover, deren Direktor er 1961–69 war. Daneben ist er als Gastdirigent auch im europäischen Ausland und in Südamerika hervorgetreten.

+Prohaska, Jaro (Jaroslav), * 24. 1. 1891 zu Wien, [erg.:] † 28. 9. 1965 zu München.
Pr. lehrte bis 1959 an der Berliner Musikhochschule.

+Prokofjew, Sergej Sergejewitsch, 1891–1953.
Pr.s Oper **+***Ognennyj angel* op. 37 wurde konzertant 1953 [nicht: 1954] aufgeführt; die **+**2. Symphonie op. 40 (1925) steht in D moll [nicht: D dur], die **+**3. op. 44 (Brüssel [nicht: Paris] 1929) in C moll [nicht: C dur] und die **+**4. op. 47 (1930) in C dur [nicht: C moll]. – Weitere Berichtigungen und Ergänzungen zum früheren Werkverzeichnis: 4 Klavierstücke op. 3 (1911); Sinfonietta op. 5 (1914); 2 Gesänge op. 7 (»Weißer Schwan«, »Die Woge«, 1910); *Ossenije eskisy* op. 8 (1910); *Sarkasmy* op. 17 (1912–14); *Ala i Lollij* op. 20 (1914); Orchestersuite nach *Skaska pro schuta* op. 21bis (»Der Schut«, 1922); 5 Klavierlieder op. 23 (1915); Andante für Orch. op. 29bis (aus der Klaviersonate op. 29); *Semero jich* op. 30 (»Es sind ihrer Sieben«, K. Balmont, 1918); *Uwertjura na jewrejskije temy* op. 34 (1919, Orchesterfassung op. 34bis, 1943); 5. Klaviersonate 38 (1923, 2. Fassung op. 135, 1953); Quintett op. 39 (1924); Orchestersuite nach *Le pas d'acier* op. 41bis (1926); Ouvertüre op. 42 (1926, Orchesterfassung 1928); 4 »Portraits« und Finale aus der Oper *Igrok* op. 49 (1931); 1. Streichquartett op. 50 (1930); 4. Klavierkonzert op. 53 (1931); *Simfonitscheskaja pesn* op. 57 (1933); symphonische Suite *Porutschik Kische* op. 60 (1934); *Romeo i Dschuljetta* op. 61 (1946, Brünn 1938; die 3. Orchestersuite op. 101, 1946); 6 Chorlieder op. 66 (1935); 3 Kinderlieder op. 68 (1936–39); Filmmusik *Pikowaja dama* op. 70 (»Pique-Dame« [nicht: »Die Königin von Spada«], 1936); 3 Lieder nach Texten

von Puschkin op. 73 (1936); Suite *Pesni naschisch dnej* op. 76 (»Lieder unserer Tage«, 1937); Schauspielmusik *Hamlet* op. 77 (1938); 1. Violinsonate op. 80 (1938–46); 8. Klaviersonate op. 84 (1939–44); Orchestersuite *1914 god* op. 90 (»Das Jahr 1914«, 1941); *Wojna i mir* op. 91 (1941–53; 1. Fassung konzertant Moskau 1944, szenisch Leningrad 1946; 2. Fassung, gekürzt, Leningrad 1955, vollständig Moskau 1957); 2. Streichquartett über kabardinische und balkarische Themen op. 92 (1941); *Ballada o maltschike, ostawschemsja neiswestnym* op. 93 (1943); Adagio aus dem Ballett *Soluschka* op. 97bis (1944); 12 Volksliedbearbeitungen op. 104 (1944); 6. Symphonie Es moll op. 111 (1947); *Prasdnitschnaja poema* op. 113 (»Festliches Poem«, 1947); Kantate »Blüh auf, mächtiges Land« zum 30. Jahrestag der Oktoberrevolution op. 114 (1947); Filmmusik *Iwan Grosnyj* op. 116 (1942–45, für Eisenstein); *Powest o nastojaschtschem tscheloweke* op. 117 (öffentlich Moskau 1960); Cellosonate op. 119 (1949); *Simnij kastjor* op. 122 (»Winterliches Lagerfeuer«, 1949); symphonische Suite *Letnaja notsch* (»Sommernacht«) über Themen aus der Oper *Dobrutschenije w monastyre* op. 123 (1950); *Simfonijakonzert* E moll für Vc. und Orch. op. 125 (1950–52 [del.: 2. Fassung als Concertino . . .]); *Wstretscha Wolgi s Donom* op. 130 (1951); Concertino G moll für Vc. und Orch. op. 132 (1952, unvollendet; beendet von Mst. Rostropowitsch und Dm. Kabalewskij); Sonate Cis moll für Vc. solo op. 134 (nur Skizzen); 11. Klaviersonate op. 138 (geplant).

Ausg.: Sobranije sotschinenij (GA), Moskau 1955ff., bisher erschienen: Bd I (hrsg. v. L. T. Atowmjan, 1955), Pessy dlja fortepiano (»Kl.-Stücke«: op. 2–4, 11–12, 17, 22, 31–32, 59 u. 65); II (ders., 1955), Sonaty dlja fortepiano; III (ders., 1956), Obrabotki dlja fortepiano (»Kl.-Bearb.«: op. 25, 33bis, 52, 75, 77, 95–97, 102, u. a. ohne op.-Zahl); IV (ders., 1956), Konzerty dlja fortepiano s orkestrom (in Reduktion f. 2 Kl. v. Pr. selbst: op. 10, 16 u. 26); V (ders., 1957), dass. (Partitur); VI (Dm. Dm. Schostakowitsch, 1958, 3 Bde), Wojna i mir (»Krieg u. Frieden«); VII (ders., 1958, 2 Bde), dass. (Kl.-A. v. L. T. Atowmjan); VIII (ders., 1961, 2 Bde), Romeo i Dschuljetta; IX (ders., 1960), dass. (Kl.-A. v. L. T. Atowmjan); X (ders., 1959, 2 Bde), Soluschka (»Aschenbrödel«); XI (ders., 1959), dass. (Kl.-A. v. L. T. Atowmjan); XII (G. N. Roschdestwenskij, 1962, 2 Bde), Skas o kamennom zwetke (»Die Erzählung v. d. steinernen Blume«); XIII (S. E. Pawtschinskij, 1962), dass. (Kl.-A. v. A. Wedernikow); XIV (ders., 1963, 2 Bde), Simfonii (op. 25, 44, 100 u. 131); XV (ders., 1965, 3 Bde), Sotschinenija dlja orkestra (»Werke f. Orch.«: op. 20, 21bis, 48, 60, 67, 81bis, 110 u. 130); XVI (ders., 1965–66, 2 Bde), Wokalno-simfonitscheskije proiswedenija (»Vokal-symphonische Werke«: op. 78, 85, 122 u. 124); XVII (ders., 1966), Wokalnyje sotschinenija dlja odnowo i dlja dwuch golossow s fortepiano (»Vokalwerke f. 1 oder 2 Singst. mit Kl.«: op. 9, 18, 23, 27, 35–36, 66, 68, 73, 79, 89 Nr 2, 104, 106 u. 121); XVIII (ders., 1966), Instrumentalnyje sotschinenija (»Instrumentalwerke«: op. 15, 34, 35bis, 50, 80, 92, 94, 115 u. 119); XIX (ders., 1967, 2 Bde), Konzerty dlja skripki s orkestrom (»Konzerte f. V. u. Orch.«: op. 19 u. 63; Kl.-A.) u. Simfonija-konzert i konzertino dlja wiolontscheli s orkestrom (»Symphonisches Konzert u. Concertino f. Vc. u. Orch.«: op. 125 u. 132; Kl.-A.); XX (ders., 1967, 2 Bde), dass. (Partitur).

Lit. (d. Abk. »Pr.« gilt im folgenden auch f. andere Transkriptionsformen): Materialy, dokumenty, wospominanija (»Materialien, Dokumente, Erinnerungen«), hrsg. v. S. I. Schlifstein, Moskau 1956, erweitert ²1961, engl. ebd. u. London 1960, ²1968, deutsch als: Dokumente, Briefe, Erinnerungen, Lpz. 1965. – weitere Schriftenpubl.: Cesta k hudbě socialistického života (»Der Weg zur Musik d. sozialistischen Realismus«), hrsg. v. I. Vojtěch, = Paměti, korespondence, dokumenty XXVI, Prag 1961; Aus meinem Leben, hrsg. v. W. Reich, =Slg Horizont o. Nr, Zürich 1963; Autobiogr., Krakau 1970: Refleksje,

notatki, wypowiedzi (»Reflexionen, Bemerkungen, Äußerungen«), hrsg. v. J. Ilnicka, ebd. 1971; Statji i issledowanija (»Aufsätze u. Untersuchungen«), hrsg. v. Wl. M. Blok, Moskau 1972.

S. I. Schlifstein, S. S. Pr., Notografitscheskij sprawotschnik (»Werkverz.«), Moskau 1962. – Pr.-Sonder-H.: SM XXV, 1961, H. 4, u. XXX, 1966, H. 4; L'approdo mus. IV, 1961, Nr 13. – S. Pr., Album (»Album«), hrsg. v. S. I. Schlifstein, Moskau 1965, russ. u. engl. – Tscherty stilja S. Pr.a . . . (»Stilistische Züge S. Pr.s. Slg theoretischer Aufsätze«), hrsg. v. L. Berger, ebd. 1962; O twórczości S. Pr.a (»Über d. Schaffen v. S. Pr.«), hrsg. v. Z. Lissa, Krakau 1962; S. Pr. (1953–63). Statji i materialy (»Aufsätze u. Materialien«), hrsg. v. I. Wl. Nestjew u. G. Ja. Edelman, Moskau 1962, erweitert ²1965 (darin auch »Erinnerungen« v. Lina Pr.a).

zu Biogr. u. Schaffen allgemein: +I. Wl. Nestjew, S. Pr. (²1957), engl. auch Stanford (Calif.) 1960, deutsch als: Pr., Der Künstler u. sein Werk, Bln 1962; M. Dm. Sabinina, S. Pr., Moskau 1957, ²1960; C. Marinelli, Romanticismo di Pr., Rass. mus. XXIX, 1959; Cl. Samuel, Pr., = Solfèges XVI, Paris 1960, engl. = Calderbook CB 74, London 1971, u. = Library of Composers IV, NY 1971; N. W. Saporoschez, Nekotoryje kompozicionnyje ossobennosti twortschestwa S. Pr.a (»Einige kompositorische Besonderheiten im Schaffen S. Pr.s«), in: Woprossy musykosnanija III, hrsg. v. Ju. W. Keldysch u. A. S. Ogolewez, Moskau 1960; Fr. Streller, S. Pr., = Musikbücherei f. jedermann XVIII, Lpz. 1960; T. Boganowa, Nazionalno-russkije tradizii v musyke S. S. Pr.a, Moskau 1961; Ju. A. Kremljow, Estetitscheskije wsgljady S. Pr.a (»Die ästhetischen Anschauungen v. S. S. Pr.«), Leningrad 1962 u. 1966; M. Tarakanow, Meloditscheskije jawlenija w garmonii S. Pr.a (»Melodische Erscheinungen in d. Harmonik S. Pr.s«), in: Musykalno-teoretitscheskije problemy sowjetskoj musyki, hrsg. v. S. S. Skrebkow, = Trudy kafedry teorii musyki o. Nr, Moskau 1963; H.-A. Brockhaus, S. Pr., = Reclams Universal-Bibl. CXVI, Lpz. 1964; L. u. E. Hanson, Pr., the Prodigal Son, London u. NY 1964; R.-M. Hofmann, S. Pr., = Musiciens de tous les temps II, Paris 1964; I. Vajda, S. Pr., = Hudobné profily III, Bratislava 1964; I. Chlebarov, S. Pr., = Bibl. sâvremenni kompozitori o. Nr, Sofia 1965; Pers. i našite zadači (»Pr. u. unsere Aufgaben«), in: Bâlgarska muzika XVII, 1966; M. Rayment, Pr., = Biogr. of Great Musicians o. Nr, London 1965; R. Zanetti, Pr. u. Diaghilew, in: Melos XXXII, 1965; D. Gojowy, Moderne Musik in d. Sowjetunion bis 1930, Diss. Göttingen 1966; B. Wl. Assafjew, Krititscheskije statji, otscherki i rezensii . . . (»Kritische Aufsätze, Skizzen u. Rezensionen, aus d. Nachlaß d. Jahre um 1920–30«), hrsg. v. I. W. Belezkij, Moskau 1967, bulgarisch Sofia 1967; Ju. N. Cholopow, Sowremennyje tscherty garmonii Pr.a (»Zeitgenössische Züge in Pr.s Harmonik«, Moskau 1967; W. Cholopowa, O ritmike Pr.a (deutsch als: Zur Rhythmik Pr.s, MuG XX, 1970), u. M. Jakubow, Polifonitscheskije tscherty melodiki Pr.a (»Der polyphone Charakter d. Melodien Pr.s«), in: Ot Ljulli do naschich dnej, Fs. L. A. Masel, Moskau 1967; Je. Kisselewa, Pobotschnyje tony w garmonii Pr.a (»Die Nebentöne in Pr.s Harmonik«), in: Teoretitscheskije problemy musyki XX weka, hrsg. v. Ju. N. Tjulin, ebd.; S. A. Morosow, Pr., = Schisn sametschatelnych ljudej X, ebd.; V. Seroff, S. Pr., a Soviet Tragedy, NY 1968, London 1969; M. G. Aranowskij, Melodika S. Pr.a, Leningrad 1969; M. G. Skorik, Ladowaja sistema S. Pr.a (»S. Pr.s Tonsystem«), = Musyka XX weka o. Nr, Kiew 1969; St. D. Krebs, Soviet Composers and the Development of Soviet Music, London 1970; T. Jewsejewa, Der Pianist S. Pr., MuG XXII, 1972.

zum Bühnenwerk: L. Poljakowa, »Wojna i mir« S. Pr.a (»Krieg u. Frieden' v. S. Pr.«), = Putewoditeli po operam o. Nr, Moskau 1960, ²1971; A. P. Uteschew, Opera S. Pr.a »Wojna i mir«, = W pomoschtsch sluschateljam narodnych uniwersitetow kultury o. Nr, ebd. 1960; A. Klimowizkij, Opera S. S. Pr.a »Semjon Kotko«, ebd. 1961; P. Dallamano in: Rass. mus. XXXII, 1962, S. 169ff. (zu ,Der feurige Engel'); M. Mendelson-Prokofjewa u. M. Dm. Sabinina, Eine Oper v. Pr., d. nicht geschrieben wurde (»Khan Busaj«), in: Sowjetwiss., Kunst u. Lit. X, 1962; G. Ordschonikidse u. G. Dobro-

WOLSKAJA in: Musyka sowjetskowo baleta, hrsg. v. L. N. Raaben, Moskau 1962, S. 200ff. bzw. 237ff. (zu ‚Romeo u. Julia‘); JU. LEWASCHEW in: Woprossy sowremennoj musyki, hrsg. v. M. S. Druskin, Leningrad 1963, S. 55ff. (zu ‚Aschenbrödel‘); DERS., Rannije balety Pr.a (»Frühe Ballette Pr.s«), in: Is istorii musyki XX weka, hrsg. v. M. S. Druskin u. a., Moskau 1971; T. MARFORDT in: MuG XIII, 1963, S. 614ff. (zu ‚Die Erzählung v. wahren Menschen‘); JE. RAZER, »Duenja« Pr.a i teatr (»‚Die Dueña‘ [=‚Die Verlobung im Kloster‘] v. Pr. u. d. Theater«), in: Musyka i sowremennost II, hrsg. v. T. A. Lebedewa, Moskau 1963; M. DM. SABININA, »Semjon Kotko« i problemy opernoj dramaturgii Pr.a, Moskau 1963; JE. A. MNAZAKANOWA in: Musyka i sowremennost III, hrsg. v. T. A. Lebedewa, ebd. 1965, S. 122ff. (zu ‚Der Spieler‘); DIES., Pr. i Tolstoj. Narodnaja ideja opery »Wojna i mir« (»Die Volksidee d. Oper ‚Krieg u. Frieden‘«), ebd. IV, 1966; A. STRATIJEWSKIJ, Nekotoryje ossobennosti retschitatiwa opery Pr.a »Igrok« (»Einige Besonderheiten d. Rezitativs in Pr.s Oper ‚Der Spieler‘«), in: Russkaja musyka na rubesche XX weka, hrsg. v. M. U. Michajlow u. E. M. Orlowa, Moskau 1966; E. DEREWECKA-FALKOWNA, Metody przekzetałcania tematów w balecie S. Pr.a »Romeo i Julia« (»Die Methoden d. Themen-Umgestaltung in Pr.s Ballett ‚Romeo u. Julia‘«), in: Polsko-rosyjskie miscellanea muzyczne, hrsg. v. Z. Lissa, Krakau 1967; J. KOTARSKA in: Muzyka XII, 1967, Nr 3, S. 25ff. (zu ‚Krieg u. Frieden‘); A. WOLKOW, Ob opernoj forme w Pr.a (»Über d. Opernform bei Pr.«), in: Musyka i sowremennost V, hrsg. v. T. A. Lebedewa, Moskau 1967; Jb. d. Komischen Oper Bln IX, 1968/69 (darin Aufsatzfolge über »Die Liebe zu drei Orangen«); R. MCALLISTER in: Proc. R. Mus. Ass. XCVI, 1969/70, S. 137ff. (zu ‚Maddalena‘); DIES. in: MT CXI, 1970, S. 785ff. (zu ‚Der feurige Engel‘); DIES., ebd. CXIII, 1972, S. 851ff. (zu ‚Krieg u. Frieden‘); O. B. STEPANOW, Teatr massok w opere S. Pr.a »Ljubow k trjom apelsinam« (»Das Maskentheater in S. Pr.s Oper ‚Die Liebe zu d. 3 Orangen‘«), Moskau 1972.

zum übrigen Werk: W. W. AUSTIN in: MR XVII, 1956, S. 205ff. (zur 5. Symphonie); A. PROSNAK in: Muzyka I, 1956, Nr 3, S. 92ff. (zur 1. Symphonie); W. SIEGMUND-SCHULTZE, Pr. u. d. Sonate, in: Sowjetwiss., Kunst u. Lit. V, 1957; WL. M. BLOK, Konzerty dlja wiolontscheli s orkestrom S. Pr.a, Moskau 1959; DERS. in: Musyka i sowremennost I, hrsg. v. T. A. Lebedewa, ebd. 1962, S. 104ff. (zu op. 125); DERS., Ossobennosti warirowanija w instrumentalnych proiswedenijach Pr.a (»Die Besonderheiten d. Variierung in d. Instrumentalwerken Pr.s«), ebd. III, 1965; DERS., Musyka Pr.a dlja detej (»Pr.s Musik f. Kinder«), Moskau 1969; T. A. ZIELIŃSKI, Koncerty Pr.a, Krakau 1959; Istorija russkoj sowjetskoj musyki, hrsg. v. A. D. ALEXEJEW u. W. A. WASSINA-GROSSMAN, Bd III u. IV/2, Moskau 1959–63 (in Bd III besonders d. Kap. über »Filmmusik«, S. 318ff., u. in IV/2 d. Kap. »Das symphonische Werk Pr.s«, S. 198ff.); T. BOGANOWA, O ladowych osnowach i wariantnosti strojenija melodii w posdnich simfonijach Pr.a (»Über d. Grundlagen d. Harmonie u. d. Variabilität d. Melodienbaus in d. späten Symphonien Pr.s«), in: Trudy kafedry teorii musyki I, hrsg. v. S. S. Skrebkow, ebd. 1960; L. GAKKEL, Fortepiannoje tworotschestwo S. Pr.a (»S. S. Pr.s Kl.-Werk«), Moskau 1960; DERS., O fortepiannom stile Pr.a perioda 1914–18 godow (»Über Pr.s Kl.-Stil in d. Zeit 1914–18«), in: Musyka i sowremennost II, hrsg. v. T. A. Lebedewa, ebd. 1963; W. J. DELSON, Fortepiannyje konzerty S. Pr.a, Moskau 1961; DERS., Problemy ispolnenija fortepiannych proiswedenij Skrjabina i Pr.a (»Interpretationsprobleme in d. Kl.-Werken Skrjabins u. Pr.a«), in: Woprossy musykalno-ispolnitelskowo iskusstwa, hrsg. v. L. A. Barenbojm, ebd. 1962; G. ORDSCHONIKIDSE, Fortepiannyje sonaty Pr.a, Moskau 1962; P. R. ASHLEY, Pr.'s Piano Music. Line, Chord, Key, Diss. Univ. of Rochester (N. Y.) 1963; M. H. BROWN in: Tempo 1964, Nr 70, S. 9ff. (zur 8. Kl.-Sonate); DERS., The Symphonies of S. Pr., Diss. Florida State Univ. 1967; N. I. ROGOSCHINA, Wokalno-simfonitscheskije proiswedenija S. Pr.a (»Die vokal-symphonischen Werke v. S. Pr.«), Leningrad 1964; DIES., Romansy i pesni S. S. Pr.a (»Die Romanzen u. Lieder S. S. Pr.s«), Moskau 1971; U. SEELMANN-EGGEBERT, Pr. u. d. Filmmusik, NZfM CXXV, 1964; S. SLONIMSKIJ, Simfonii Pr.a. Opyt issle-

dowanija (»Forschungsergebnisse«), Moskau 1964; DERS. u. A. SCHNITKE in: Sowjetskaja simfonija za 50 let, hrsg. v. G. Gr. Tigranow, Leningrad 1967, S. 270ff. (zur 4.–7. Symphonie); M. ARANOWSKIJ, Stilewyje tscherty instrumentalnoj melodiki rannewo Pr.a (»Stilistische Züge d. instr. Melodik beim frühen Pr.«), in: Woprossy teorii i estetiki musyki IV, hrsg. v. Ju. A. Kremljow, ebd. 1965; JA. SOROKER, Skripitschnoje twortschestwo S. Pr.a (»Pr.s V.-Schaffen«), Moskau 1965; DERS. in: Woprossy musykalno-ispolnitelstwowo iskusstwa V, hrsg. v. A. A. Nikolajew, ebd. 1969, S. 229ff. (zur 1. V.-Sonate); J. FORNER, Tradition u. veränderte Struktur. Gestaltungsprinzipien im Klavierschaffen d. jungen Pr., MuG XVI, 1966; B. M. JARUSTOWSKIJ, Simfonii o wojne i mire (»Die Symphonien über Krieg u. Frieden«), Moskau 1966; W. N. SWETINSKAJA, Tanzewalnyje postanowki na musyku Tschajkowskowo, Pr.a, Schostakowitscha dlja detej (»Tanzstücke in d. Musik v. Tschaikowsky, Pr. u. Schostakowitsch f. Kinder«), ebd.; I. GRZENKOWICZ, Faktura fortepianowa pięciu koncertów S. Pr.a (»Die Faktur d. 5 Kl.-Konzerte S. Pr.s«), Diss. Warschau 1967; M. JE. TARAKANOW, Stil simfonij Pr.a, Moskau 1968; E. ROSEBERRY, P.'s Piano Sonatas, in: Music and Musicians XIX, 1970/71; S. EISENSTEIN, Pr. als Filmkomponist, MuG XXI, 1971 (geschrieben 1947); R. K. EVANS, The Early Songs of S. Pr. and Their Relation to the Synthesis of the Arts in Russia, 1890–1922, Diss. Ohio State Univ. 1971. – zahlreiche weitere Beitr. besonders in SM.

+Proksch, Josef, 1794–1864.

Lit.: M. REJCHLOVÁ, J. Pr. a jeho Hudebně vzdělávací ústav v Praze (»J. Pr. u. seine Musikbildungsanstalt in Prag«), Diss. Prag 1952; ST. KARABEC, Vliv kantorské hudby na J. Pr.e v době jeho působení v Liberci (»Der Einfluß d. Kantorenmusik auf J. Pr. zur Zeit seines Wirkens in Liberec«), in: Hudebni věda II, 1965 (mit russ. u. deutscher Zusammenfassung); R. BUDIŠ, Smetanův učitel J. Pr. (»Smetanas Lehrer J. Pr.«), Prag 1970.

+Proske, Carl (Karl), 1794–1861.

Lit.: A. SCHARNAGL, Dr. K. Pr. als Lasso-Forscher, KmJb XLI, 1957; DERS., Die Regensburger Tradition, in: Musicae sacrae ministerium, Fs. K. G. Fellerer, = Schriftenreihe d. Allgemeinen Cäcilien-Verbandes … V, Köln 1962; DERS. in: Musica sacra LXXXII, 1962, S. 90ff.

Prosnak, Jan, * 12. 7. 1904 zu Pabianice (Łódź); polnischer Musikforscher, studierte an der Warschauer Universität polnische Philologie und Musikwissenschaft (1936–38) und vollendete dieses Studium 1948 bei Feicht an der Universität in Wrocław. 1935 wurde er Mitarbeiter beim polnischen Rundfunk; er war 1953–59 Adjunkt am Institut für Kunst in Warschau. Von seinen zahlreichen Veröffentlichungen seien genannt: *Ze studiów nad okresem berlińskim w twórczości Moniuszki* (»Aus Studien über die Berliner Periode im Schaffen von Moniuszko«, in: Studia muzykologiczne II, 1953); *Kultura muzyczna Warszawy XVIII wieku* (»Musikkultur in Warschau im 18. Jh.«, = Studia i materiały do dziejów muzyki polskiej II, Krakau 1955); *Z dziejów staropolskiego szkolnictwa muzycznego (do XVIII wieku)* (»Zur Geschichte des altpolnischen Musikschulwesens …«, in: Muzyka VI, 1955); *K. Kurpiński jako teoretyk* (»… als Theoretiker«, ebd. IV, 1959); *Utwory klawesynowe polskiego Oświecenia* (»Cembalowerke der polnischen Aufklärung«, ebd. VII, 1962); *Nieznane muzykalia ze zbiorów sandomierskich i warszawskich* (»Unbekannte Musikalien aus den Sammlungen von Sandomierz und Warschau«, ebd. IX, 1964); *St. Moniuszko* (2 Bde, Krakau 1964–68); *Opera polska w teatrach magnackich XVIII wieku* (»Die polnische Oper in den Magnatentheatern des 18. Jh.«, in: Muzyka X, 1965); *Pamiątki z powstania listopadowego* (»Erinnerungen am Novemberaufstand«, ebd. XIV, 1969); *Międzynarodowy konkursy pianistyczne imienia Fr. Chopina w Warszawie 1927–70* (»Die internationalen Chopin-Klavierwettbewerbe in Warschau 1927–70«, Warschau 1970). Pr. ist mit Kammermusik (Streichquartett; Klaviertrio), dem Oratorium *Pieśń o Waligórze* (»Lied über Waligora«) für Soli, Chor und Orch. sowie Liedern auch als Komponist hervorgetreten.

Prosperi, Carlo, * 13. 3. 1921 zu Florenz; italienischer Komponist, studierte am Conservatorio di Musica L. Cherubini in Florenz Horn (Diplom 1940) sowie Komposition bei Frazzi und Dallapiccola (Diplom 1949). 1950–58 war er bei der RAI in Rom in der musikalischen Programmgestaltung tätig. Seit 1958 ist er Lehrer für Harmonielehre und Kontrapunkt am Conservatorio di Musica L. Cherubini in Florenz. – Werke (Auswahl): Variationen für Orch. (1958); *Rondò-Ragtime* für Orch. (1961). – *Toccata e fanfara* für Streicher, Trompeten und Schlagzeug (1958); *Quattro invenzioni* für Klar., V., Va und Hf. (1956); *In nocte secunda* für Git., Cemb. und 6 V. (1968); *In nocte* für V. und Git. (1964); *Filigrane* für Fl. solo (1959). – *Intervalli* für Kl. (1953). – *Concerto d'infanzia* für eine Frauen-St. und Orch. (1959); *Marezzo* für Sprecher, gem. Chor und verschiedene Instr. (1961); *Incanti* für mehrere Soli und Orch. auf einen Text von Paul Valéry (1963); *Noi solda'* für S., Sprecher, Männerchor und Orch. (1966); *Tre canti di Betocchi* für gem. Chor und 3 Fl. (1969). – Er veröffentlichte *L'atonalità nella musica contemporanea* (Caltanissetta 1957).
Lit.: G. COGNI, A proposito di »In nocte secunda« di C. Pr., in: Chigiana XXV, N. S. V, 1968.

Prota-Giurleo (prɔ':ta dʒurl'ɛ:o), Ulisse, * 13. 3. 1886 zu Neapel, † 9. 2. 1966 zu Perugia; italienischer Musikforscher, widmete sich auf Anregung di Giacomos, dessen Mitarbeiter er auch wurde, Forschungen über die Musikgeschichte seiner Heimatstadt. Von seinen zahlreichen Veröffentlichungen (Erscheinungsort, wenn nicht anders angegeben, Neapel) seien genannt: *La prima calcografia musicale a Napoli* (1923); *Musicisti napoletani in Russia* (1923); *Musicisti napoletani alla corte di Portogallo* (1924); *A. Scarlatti »il Palermitano«* (1926); *La grande orchestra del R. Teatro S. Carlo nel '700* (1927); *N. Logroscino »il dio dell'opera buffa«* (1927); *Breve storia del teatro di corte e della musica a Napoli nei s. XVII–XVIII* (in: Il teatro di corte del palazzo reale di Napoli, 1952); *Fr. Durante nel 2° centenario della sua morte* (1955); *G. M. Trabaci e gli organisti della Real Cappella di Palazzo di Napoli* (in: L'organo I, 1960); *I congiunti di A. Scarlatti ed elenco cronologico delle sue opere* (in: Per la celebrazione del 3° anniversario della nascita di A. Scarlatti, hrsg. von der RAI, 1960); *Organari napoletani XVII e XVIII s.* (in: L'organo II, 1961); *I teatri a Napoli nel '600. La commedia e le maschere* (= Collana di cultura napoletana XI, 1962); *M. Sassano, detto »Matteuccio«* (Documenti napoletani) (RIdM I, 1966); *G. Insanguine detto Monopoli* (mit A. Giovine, = Bibl. dell'Archivio delle tradizioni popolari baresi o. Nr, Bari 1969).
Lit.: A. GIOVINE, U. Pr.-G. (Ricordo di un mio maestro), Bari 1968 (mit Bibliogr.).

Protopopow, Wladimir Wassiljewitsch, * 30. 6. (13. 7.) 1908 zu Moskau; russisch-sowjetischer Musikforscher, absolvierte das Moskauer Konservatorium und begann dort 1938 eine pädagogische Tätigkeit (1943 Dozent, 1961 Professor; 1942 erhielt er den Titel Magister der Kunstwissenschaft, 1960 Doktor der Kunstwissenschaft). Von seinen Veröffentlichungen seien genannt (Erscheinungsort Moskau): *Sloschnyje (sostawnyje) formy musykalnych proiswedenij* (»Verwickelte [zusammengesetzte] Formen in Musikwerken«, 1941); *M. Glinka. Twortscheskij put* (»... Schaffens-

weg«, mit T. N. Liwanowa, 2 Bde, 1955); *Opernoje twortschestwo Tschajkowskowo* (»Das Opernschaffen Tschaikowskys«, mit N. W. Tumanina, 1957); *Wariazii w russkoj klassitscheskoj opere* (»Die Variationen in der russischen klassischen Oper«, 1957); *Wariazionnyj metod raswitija tematisma w musyke Schopena* (»Die Variationsmethode der Themenentwicklung in der Musik von Chopin«, in: Fr. Schopen, hrsg. von G. Edelmann, 1960); *»Iwan Sussanin« Glinki. Musykalno-teoretitscheskoje issledowanije* (»... von Glinka. Eine musiktheoretische Untersuchung«, 1961); *Istorija polifonii w jewo waschnejschich jawlenijach* (»Die Geschichte der Polyphonie in ihren wichtigsten Erscheinungen«, Teil I: *Russkaja klassitscheskaja i sowjetskaja musyka,* »Die russische klassische und sowjetische Musik«, 1962, Teil II: *Sapadnojewropejskaja klassika XVIII–XIX wekow,* »Die westeuropäische Klassik des 18.–19. Jh.«, 1965); *Wariazionnyje prozessy w musykalnoj forme* (»Variationsprozesse in der musikalischen Form«, 1967); *O wariazionnosti w musyke Schebalina* (»Über die Variationstechnik in der Musik von Schebalin«, in: W. Ja. Schebalin, hrsg. von A. M. Schebalina, 1970). – Ausgaben: Wl. F. Odojewskij, *Isbrannyje musykalno-krititscheskije statji* (»Ausgewählte musikkritische Aufsätze«, 1951); M. Glinka, *»Iwan Sussanin« opera* (4 Bde Partitur, = Glinka-GA XII–XII B, 1965, Kl.-A. ebd. XIII, 1964).

Protti, Aldo, * 19. 7. 1920 zu Cremona; italienischer Opernsänger (Bariton), gab sein Bühnendebüt 1948 in Pesaro als Figaro in Rossinis *Barbiere di Siviglia* und trat 1949 erstmals an der Mailänder Scala auf. Gastspiele führten ihn an die Covent Garden Opera in London, an die Pariser Opéra, in die USA und (ab 1957) an die Wiener Staatsoper. Er sang auch bei den Salzburger Festspielen. Zu seinen Hauptpartien gehören Rigoletto, Amonasro, Jago, Alfio (*Cavalleria rusticana*), Tonio (*Pagliacci*) und Gérard (*Andrea Chenier*).

+Prout, –1) Ebenezer, 1835–1909. +*Instrumentation* (1877), Nachdr. NY 1969, deutsch als *Elementar-Lehrbuch der Instrumentation,* = Breitkopf & Härtels musikalische Handbibl. V, Lpz. 1880, ³1904 [erg. bzw. del. frühere Angaben]; +*Double Counterpoint and Canon* (1891, ²1893), Nachdr. NY 1969; +*Fugue* (1891), Nachdr. NY 1969 und Westport (Conn.) 1970; +*The Orchestra* (1898–99), Nachdr. St. Clair Shores (Mich.) 1972.
–2) Louis [erg.:] Beethoven, * 14. 9. 1864 zu Hackney (London), [erg.:] † 31. 12. 1943 zu Hatch End (Middlesex).
Lit.: zu –1): E. R. JACOBI, Die Entwicklung d. Musiktheorie in England nach d. Zeit v. J.-Ph. Rameau, Bd II, = Slg mw. Abh. XXXIX/XXXIXa, Straßburg 1960, Neudr. Baden-Baden 1971 (mit Addenda u. Corrigenda).

Provazník (pr'ɔvaʒɲi:k), Anatol, * 10. 3. 1887 zu Rychnov nad Kněžnou (Ostböhmen), † 24. 9. 1950 zu Prag; tschechischer Komponist, Sohn des Komponisten und Chorregenten Alois Pr. (1856–1938), absolvierte 1907 das Prager Konservatorium und war als Organist an der St. Veits-Kathedrale (1907–11) sowie als Musiklehrer in Prag tätig. Nach einem Studium der Rundfunktechnik in Berlin (1929) wurde er Mitarbeiter an der Musikabteilung des Prager Rundfunks (1930–46), wo u. a. seine zahlreichen Bearbeitungen und Instrumentationen fremder Werke aufgeführt wurden. Von seinen Kompositionen seien genannt: Oper *Ghitta* (1922, Brünner Rundfunk 1939); Operetten *Prodaná láska* (»Verkaufte Liebe«, Prag 1910), *Dolly* (ebd. 1919), *Akrobat* (ebd. 1920) und *Venuše na cestách* (»Venus auf Reisen«, Brünn 1922); *Suita z venkova* (»Dorfsuite«, 1935) und symphonische Ouvertüre op.

58 (1939) für Orch.; Konzertfantasie für Va und Orch. op. 51 (1929); *Le faune amoureux* op. 85 (1925) für V. und Kl.; *Polichinelle* für V. und Org. (1930, Fassung auch für Kl. und Orch.); Humoresken für Kl. op. 10, op. 11 und op. 13 (1910); *České tance* (»Tschechische Tänze«) für gem. Chor und Orch. op. 58 (1939); *Legenda o sv. Prokopu* (»Legende vom hl. Prokop«) für Bar., gem. Chor, Org. und Orch. op. 59 (1941); ferner zahlreiche Lieder und Bearbeitungen von Volksliedern. Lit.: L. PACÁK, Opereta (»Die Operette«), Prag 1946.

+Provenzale, Francesco, [erg.: um] 1627 – [erg.: 6.] 9. 1704.
Pr.s Oper +*Difendere l'offensore ovvero La Stellidaura vendicata* wurde 1674 [nicht: 1678] in Neapel uraufgeführt, desgleichen 1678 eine weitere Oper (*Alessandro Bala o vero Chi tal nosce tal vive*).
Lit.: +R. ROLLAND, Hist. de l'opéra en Europe avant Lully et Scarlatti (= Bibl. des Ecoles frç. d'Athènes et de Rome LXXI, 1895), Nachdr. Genf 1971. – U. PROTA-GIURLEO in: Arch. (Arch. d'Italia e rassegna internazionale degli arch.) II, 25, 1958, S. 53ff.; A. MONDOLFI (BOSSARELLI) in: MGG X, 1962, Sp. 1662ff.; DIES., Vita e stile di Fr. Pr., La questione dell'»Alessandro Bala«, Annuario del Conservatorio di musica S. Pietro a Majella X, 1962/63.

+Pruckner, Dionys, 17. [nicht: 12.] 5. 1834 – 1896.

+Prudentius, Aurelius Clemens (Prudenzio), 348 zu Calahorra (Logroño) [nicht: Tarragona (Zaragoza?)] – nach 405.
Lit.: H. ALLINGER, The Mozarabic Hymnal and Chant, with Special Emphasis Upon the Hymns of Pr., Diss. Union Theological Seminary (N. Y.) 1953; A. SALVATORE, Studi prudenziani, = Collana di studi lat. I, Neapel 1958; I. LANA, Due cap. prudenziani. La biogr., la cronologia delle opere, la poetica, = Verba Seniorum, N. S. II, Rom 1962; H. ANGLÉS, Early Span. Mus. Culture and Cardinal Cisneros's Hymnal of 1515, in: Aspects of Medieval and Renaissance Music, Fs. G. Reese, NY 1966; R. HERZOG, Die allegorische Dichtkunst d. Pr., = Zezemata XLII, München 1966; G. WILLE, Musica Romana. Die Musik im Leben d. Römer, Amsterdam 1967.

+Prunières, Henry, 1886–1942.
+*Le ballet de cour en France* ... (1914), Nachdr. NY 1970; +*Monteverdi, His Life and Work* (NY 1926), Nachdr. NY und London 1972; +*A New History of Music* (E. Lockspeiser, 1943 [nicht: 1945]), Nachdr. NY 1972.

Pruszak (pr'uʃak), Feliks Konstanty, * 3. 11. 1883 zu Butejki (Wolhynien), † 26. 1. 1961 zu Warschau; polnischer Geigenbauer, lernte 1898–1902 bei L. Dörffel in Markneukirchen und eröffnete 1908 in Warschau eine Geigenbauwerkstatt. Er wurde auch als Konservator und Kenner alter Streichinstrumente geschätzt. Pr. war der erste Präsident des Verbandes der polnischen Kunstgeigenbauer (1954–61) sowie 1957 Ehrenmitglied der Jury des Internationalen Wieniawski-Geigenbauerwettbewerbs in Posen.

+Psellos, Michael (Mönchsname, ursprünglich Konstantinos), 1018 – [erg.:] wahrscheinlich April oder Mai 1078 [del.: um 1080].
Ps., griechischer Gelehrter und Diplomat (aus einer aus Nikomedia stammenden Familie), arbeitete zunächst als Verwaltungsangestellter, Advokat und Richter und war 1045–54 Leiter der neuerrichteten Hochschule (Gymnasion) in Konstantinopel, wo er über Philosophie, Philologie, Physik und die sieben Artes las. Daneben spielte er bis 1054 sowie nach kurzem Klosteraufenthalt wieder bis 1071 eine große Rolle am Kaiserhof, wurde dann aber von seinem ehemaligen Schüler, dem Kaiser Michael VII. Doukas, endgültig in ein Kloster verbannt. Ps. schrieb u. a. einen Brief Περὶ

μουσικῆς, eine Rhythmik (Προλαμβανόμενα εἰς τὴν ῥυθμικὴν ἐπιστήμην) und einen Kommentar zu Platons Psychogonie (im Anschluß an den Timaios-Kommentar des Proklos). In diesen Schriften bringt Ps. zahlreiche Zitate aus der antiken Musiktheorie (in der Rhythmik hauptsächlich Aristoxenos, im Platon-Kommentar u. a. Ptolemaios). Dagegen enthalten seine übrigen Schriften, vor allem die Briefe, nicht wenige bemerkenswerte Beobachtungen zur Musikpraxis seiner eigenen Zeit. – Nicht von ihm stammt ein Kompendium über das Quadrivium, das ab 1532 in vielen Drucken als sein Werk verbreitet war.
Ausg.: Περὶ μουσικῆς, hrsg. v. CH. E. RUELLE, Etudes sur l'ancienne musique grecque. Rapports ... sur une mission littéraire en Espagne, Arch. des missions scientifiques et littéraires III, 2, 1875; dass., frz. v. DEMS., Traduction de quelques textes grecs inéd. recueillis à Madrid et à l'Escurial, Lettres de Ps. ..., Annuaire de l'Ass. pour l'encouragement des études grecques en France VIII, 1874; dass., griech. u. deutsch hrsg. v. +H. ABERT, Ein ungedruckter Brief d. M. Ps. über d. Musik (1900/01). – Rhythmik: Teilausg. in: Aristidis oratio adversus Leptinem ..., Aristoxeni rhythmicorum elementorum fragmenta ..., hrsg. v. J. MORELLI, Venedig 1785; vollständig v. J. CÄSAR, M. Ps. d. Jüngeren Einleitung in d. griech. Rhythmik, in: Rheinisches Museum f. Philologie I, 1843; R. WESTPHAL, Die Fragmente u. Lehrsätze d. griech. Rhythmiker, Lpz. 1861. – Platon-Kommentar, hrsg. v. A. J. H. VINCENT, Notice sur divers mss. grecs relatifs à la musique, = Notices et extraits du ms. de la Bibl. du roi et autres bibl. XVI, 2, Paris 1847; dass., griech. u. lat. hrsg. v. C. F. LINDERER, M. Pselli in Platonis de animae procreatione praecepta, Commentarius, Uppsala 1854. – GA in: Migne Patr. gr. CXXII, Paris 1864; Scripta minora, hrsg. v. E. KURTZ u. F. DREXL, 2 Bde, Mailand 1936–41. – Pseudo-Ps.: Anon. Logica et Quadrivium, hrsg. v. J. L. HEIBERG, = Det Kgl. Danske Videnskabernes Selskab, Hist.-filologiske meddedelser XV, 1, Kopenhagen 1929.
Lit.: L. RICHTER, Antike Überlieferungen in d. byzantinischen Musiktheorie, DJbMw VI, 1961; DERS., »Des Ps. vollständiger kurzer Inbegriff d. Musik« in Mizlers »Bibl.«. Ein Beitr. zur Rezeption d. byzantinischen Musiktheorie im 18. Jh., BzMw IX, 1967, engl. in: Studies in Eastern Chant II, hrsg. v. M. Velimirović, London 1971; D. I. POLEMIS, When Did Ps. Die?, Byzantinische Zs. LVIII, 1965; P. GAUTIER, Monodie inéd. de M. Ps., Rev. des études byzantines XXIV, 1966; E. KRIARAS, Artikel Ps., in: Pauly-Wissowa RE, Suppl. XI, 1968.   CSt

+Ptolemaios, Klaudios, um 83 – 161 n. Chr. [del. frühere Lebensdaten].
→Intervall.
Lit.: +J. KEPLER, Harmonices mundi ... (1619), deutsche Ausg. als: Weltharmonik (M. CASPAR, 1939), Nachdr. München 1967; +J. LOHMANN, Der Ursprung d. Musik (1959), Wiederabdruck in: Musiké u. Logos, Fs. J. Lohmann, Stuttgart 1970. – M. VOGEL, Die Enharmonik d. Griechen, 2 Bde, = Orpheus-Schriftenreihe zu Grundfragen d. Musik III–IV, Düsseldorf 1963; A. MACHABEY, De Ptolémée aux Carolingiens, in: Quadrivium VI, 1964.

+Puccini, Giacomo Antonio Domenico Michele Secondo Maria, 1858 – 29. 11. [nicht: 9.] 1924.
Lit.: +Epistolario di G. P. (G. ADAMI, 1928), Nachdr. d. +engl. Ausg. v. 1931 (Letters of G. P.), NY 1971; +P. Among Friends (V. J. SELIGMAN, 1938), Nachdr. ebd.; +Carteggi p.ani (E. GARA u. M. MORINI, 1958), ungarisch als: Levelek és dokumentumok, Budapest 1964. – Pisma (»Briefe«), hrsg. v. T. G. KELDYSCH, Leningrad 1971. C. HOPKINSON, A Bibliogr. of the Works of G. P., NY 1968. – G. P. nel centenario della nascita, hrsg. v. G. ARRIGHI u. M. FULVIO, Lucca 1958; Sonder-H. P., = L'approdo mus. II, 1959, Nr 6. – +P. nelle immagini (L. MARCHETTI, 1949], NA = Museo di Torre del Lago P. o. Nr, Mailand 1968; +R. SPECHT, G. P. (engl. 1933), Nachdr. Westport (Conn.) 1970; +P. PANICHELLI, Il »pretino« di G. P. racconta (1939), Pisa ⁴1962; +M. CARNER, P.

(1958), auch NY 1959, ital. Mailand 1961, ²1964, japanisch Tokio 1967. – D. DEL FIORENTINO, Immortal Bohemian. An Intimate Memoir of G. P., NY 1954, ²1962; V. TERENZIO, Ritratto di P., Bergamo 1954; M. VAN DOORNINCK, P., = Componisten-serie XXXIII, Haarlem 1956, auch = Gottmer-muziek-pockets XXV, ebd. 1959; A. FRACCAROLI, G. P. se confida e racconta, Mailand 1957; G. GAVAZZENI, Lineamenti di una biogr. spirituale p.ana, in: Nuova ant. di lettere, scienze ed arti 1958, Bd 474; DERS., Problemi di tradizione dinamico-fraseologica e critica testuale in Verdi e in P., Rass. mus. XXIX, 1959; G. GIOVANNETTI, G. P. nei ricordi di un musicista lucchese, Lucca 1958; M. GREENFIELD, P., = Grey Arrow Books VIII, London 1958; P. SANTI, Senso comune e vocalità nel melodramma p.ano, Rass. mus. XXVIII, 1958; DERS., »Nei cieli bigi . . .«, nRMI I, 1967; SP. HUGHES, Famous P. Operas, London 1959, NY 1962, Paperbackausg. London u. NY 1973 (revidiert); A. PERNYE, G. P., = Kis zenei könyvtár IX, Budapest 1959; I. PIZZETTI, Commemorazione di G. P. . . ., Mailand 1959; R. RUGANI in: Belfagor XIV, 1959, S. 300ff.; G. SBÎRCEA, G. P., = Clasicii muzicii universale o. Nr, Bukarest 1959, ²1966; K. SCHULLER, Verismo Opera and the Verists, Diss. Washington Univ. (Mo.) 1960 (mit Anh.: An Annotated Vocal Score of P.'s »Tosca«); D. VAUGHAN, P.'s Orchestration, Proc. R. Mus. Ass. LXXXVII, 1960/61; G. A. D'ECCLESIIS, The Aria Techniques of G. P., Diss. NY Univ. 1961; A. GAUTHIER, P., = Solfèges XX, Paris 1961; C. PALADINI, G. P., hrsg. v. M. Paladini, Florenz 1961; T. G. KELDYSCH, Dsch. P., Leningrad 1962, ²1968; A. KENIGSBERG, Nekotoryje prijotny musykalnoj dramaturgii Dsch. P. i sowremennaja sarubeschnaja opera (»Einige mus.-dramaturgische Verfahren G. P.s u. d. moderne ausländische Oper«), in: Woprossy sowremennoj musyki, hrsg. v. M. S. Druskin, ebd. 1963; I. WL. NESTJEW, Dsch. P. (». . . Abriß d. Lebens u. Schaffens«), Moskau 1963, ²1966; W. SANDELEWSKI, P., Krakau 1963; L. SINJAWER, Dsch. P., Moskau 1964; J. W. KLEIN, P.'s Enigmatic Inactivity, ML XLVI, 1965; A. BONACCORSI, Maestri di Lucca. I Guami e altri musicisti, = »Hist. musicae cultores« Bibl. XXI, Florenz 1967; CL. S. HISS, Abbé Prévost's »Manon Lescaut« as Novel, Libretto, and Opera, Diss. Univ. of Illinois 1967; W. ASHBROOK, The Operas of P., London 1968, NY 1969; K. VL. BURIAN, P. a jeho doba (»P. u. seine Zeit«), Prag 1968; A. NICASTRO, Reminiscenza e populismo nella poetica di P., nRMI II, 1968 (zu »Il Tabarro«); DERS., P. e la musica per adulti, in: Lo spettatore mus. 1971, Nr 2; L. W. DANILEWITSCH, Dsch. P. = Klassiki mirowoj musykalnoj kultury o. Nr, Moskau 1969; D. AMY, G. P., = Musiciens de tous les temps XLIV, Paris 1970; P. SCHUSTER, Die Inszenierungen d. Opern G. P.s an d. Wiener Oper, Diss. Wien 1970; R. VALENTE, From »Scapigliatura« to Expressionism. The Limited Verismo of G. P., Diss. Fribourg 1970; R. LEIBOWITZ, Comment faut-il jouer la »Bohème«?, in: Le compositeur et son double, = Bibl. des idées o. Nr, Paris 1971; J. SUBIRÁ, P. y el puccinismo en Madrid, in: Temas mus. madrileños, = Bibl. de estudios madrileños XII, Madrid 1971; G. TAROZZI, P., La fine del belcanto, = Informazione stor. o. Nr, Mailand 1972; A. TITONE, Vissi d'arte. P. e il disfacimento del melodramma, = Materiali XXXVI, ebd.; H.-J. WINTERHOFF, Analytische Untersuchungen zu P.s »Tosca«, Diss. Köln 1972; G. SMITH, Alfano and »Turandot«, in: Opera XXIV, 1973.

+Puchelt, Gerhard, * 18. 2. 1913 zu Stettin.
Er gab heraus *Concertante Variationen, 1810–30, für Klavier* (Bln 1969) sowie *Consentimento. Klaviermusik der deutschen Romantik* (2 Bde, I Tänze, II Sonatinen, ebd. 1970) und veröffentlichte *Verlorene Klänge. Studien zur deutschen Klaviermusik 1830–80* (ebd. 1969).

Pütz, Johannes (Pseudonym Hans Stockhold), * 27. 2. 1926 zu Köln, † 5. 2. 1971 zu Würzburg (durch Autounfall); deutscher Dirigent, studierte an der Kölner Musikhochschule Klavier, Komposition (Jarnach) und Dirigieren (Papst). 1959–62 war er Kapellmeister an den Städtischen Bühnen Frankfurt a. M. (Assistent von Solti). Von 1962 bis zu seinem Tode war er Chef-

dirigent des Unterhaltungsorchesters des Hessischen Rundfunks. Er ist auch als Komponist gehobener Unterhaltungsmusik hervorgetreten.

Pütz, Ruth-Margret, * 26. 2. 1934 zu Krefeld; deutsche Sängerin (lyrischer Sopran und Koloratursopran), studierte in Köln und Hannover und wurde nach ersten Engagements an den Opernbühnen in Köln und Hannover 1959 an die Württembergische Staatsoper Stuttgart engagiert (1962 Kammersängerin). Daneben war sie 1960–64 Mitglied der Wiener Staatsoper, sang 1960 und 1961 bei den Bayreuther und 1962 bei den Salzburger Festspielen; 1963–68 gehörte sie auch der Hamburgischen Staatsoper an. Operngastspiele und Konzertreisen führten sie in zahlreiche europäische Länder, 1961 auch in die UdSSR. 1968 hatte sie einen Gastvertrag mit dem Teatro Colón in Buenos Aires.

Pueyo (pu'eĭo), Eduardo del, * 13. 12. 1902 zu Saragossa; spanischer Pianist, studierte am Real Conservatorio de Música y Declamación de Madrid und erhielt schon mit 14 Jahren einen 1. Klavierpreis. Ab 1920 ließ er sich in Paris nieder, wo seine erfolgreiche Pianistenlaufbahn begann, die ihn durch Europa und die USA führte. 1948 wurde er Lehrer am Conservatoire Royal de Musique de Bruxelles; er erhielt auch einen Lehrauftrag bei der Institution »Reine Isabelle«.

+Pugnani, Giulio Gaetano Gerolamo [erg. Vornamen], 1731–98.
Bereits 1750 war P. Violinist in der Cappella Reale in Turin und wurde 1764 Leiter der 2. Violinen; 1767–70 war er Dirigent an King's Theatre in London und unternahm 1780–82 zusammen mit seinem Schüler G. B. Viotti ausgedehnte Konzertreisen bis nach Rußland [del. frühere Angaben dazu]. – P. vertonte nicht Goethes *Werther*, sondern komponierte dazu lediglich eine Orchestersuite gleichen Namens (um 1759). Er schrieb ferner 18 [nicht: 14] Violinsonaten.
Ausg.: Sonate E dur f. V. u. Kl., hrsg. v. ZD. JAHNKE, Krakau 1970.
Lit.: +A. MOSER, Gesch. d. Violinspiels (1923), 2. Aufl. hrsg. v. H.-J. Nösselt, 2 Bde, Tutzing 1966–67. – G. BARBLAN, Ansia preromantica in G. P., in: Musicisti piemontesi e liguri, hrsg. v. A. Damerini u. G. Roncaglia, = Accad. mus. Chigiana (XVI), Siena 1959; W. S. NEWMAN, The Sonata in the Class. Era, Chapel Hill (N. C.) 1963, revidierte Paperbackausg. NY u. London 1972.

+Pugni, Cesare, 31. 5. 1802 zu Genua [del. frühere Angabe] – 14.(26.) 1. 1870.

+Puig-Roget, Henriette, * 9. 1. 1910 zu Bastia (Korsika).
H. P.-R., Chef de chant am Pariser Théatre National de l'Opéra bis 1959, ist weiterhin Organistin am Oratoire du Louvre und Professor für Klavierbegleitung und Partiturspiel am Pariser Conservatoire, ferner regelmäßige Mitarbeiterin am ORTF. Sie schrieb eine Anzahl von Klavierunterrichtswerken für Kinder: *Adroits petits doigts* (1957), *Abécédaire* (1958) und *Méthode* (1970).

Pujol (pux'ɔl), David, OSB, * 11. 4. 1894 zu Pont d'Armentera (Tarragona); spanischer Musikforscher und Dirigent, studierte Harmonielehre und Komposition bei Juan Bautista Guzmán, Anselmo Ferrer und Barberá Humbert sowie Gregorianischen Gesang bei Sunyol y Baulenas an der Escolanía des Klosters Montserrat, an der er 1933 Direktor und Kapellmeister wurde. Daneben leitete er den Klosterchor (1928–32 und 1939–50). 1953 gründete er in Medellín (Kolumbien) das Monasterio de Santa María, wo er Seminare und Musikkurse abhielt. Ferner gab P. die Zeitschrift *Música sacra española* heraus. – Veröffentlichungen: *Mestres* *de l'Escolanía de Montserrat. Obres musicals dels monjos del Monestir de Montserrat* (Montserrat 1930ff., bis 1970 6 Bde); *Estudios de canto gregoriano* (ebd. 1955).

+Pujol Vilarrubi, Emilio, * 7. 4. 1886 zu Granadella (Lérida).
P., der ab 1964 auch internationale Sommerkurse für Gitarre und Vihuela in Lérida abhielt, lebt heute in Barcelona. Weitere Schriften: *El dilema del sonido en la guitara* (Buenos Aires 1926–33, korrigierte und erweiterte Aufl. 1960, auch mit engl. und frz. Text); *Les ressources instrumentales et leur rôle dans la musique pour vihuela et pour guitare au XVIᵉ et au XVIIᵉ s.* (in: La musique instrumentale de la Renaissance, hrsg. von J. Jacquot, Paris 1955); *Tárrega. Ensayo biográfico* (Lissabon 1960). Mit zahlreichen Gitarrenbearbeitungen und einigen eigenen Kompositionen für Gitarre führte P. die Reihe *+Bibliothèque de musique ancienne et moderne pour guitare* fort und gab ferner E. de Valderrábanos *Libro de música de vihuela, intitulado Silva de Sirenas* von 1547 heraus (2 Bde, = MMEsp XXII–XXIII, Barcelona 1965 [nicht: XX, 1957].

+Pujol, Francisco (Francesc), 1878 – 24. [nicht: 14.] 12. 1945.

+Pujol, Juan, um 1573 – 1626.
Ausg.: Stücke in: Romances y letras a tres v. s. XVII, Bd I, hrsg. v. M. QUEROL, = MMEsp XVIII, Barcelona 1956.
Lit.: M. QUEROL in: MGG X, 1962, Sp. 1752f.; R. A. PELINSKI, Die weltliche Vokalmusik Spaniens am Anfang d. 17. Jh., Der Cancionero Cl. de la Sablonara, = Münchner Veröff. zur Mg. XX, Tutzing 1971.

Pulgar Vidal (pulg'ar bid'al), Francisco, * 12. 3. 1929 zu Huánuco; peruanischer Komponist, Dr. jur., studierte bei Mariano Béjar Pacheco (Violine), Gustavo Leguía (Klavier) und Sás Orchassal (Harmonielehre und Kontrapunkt) in Lima sowie bei Pineda Duque (Fuge und Zwölftontechnik) in Bogotá. Er lehrt am Conservatorio Nacional de Música in Lima. P. V. komponierte u. a. Orchesterwerke (*Suite mística*, Danzas mestizas für Streichorch., 1956; *Taki Nr 1*, 1960; *Chulpas*, 7 estructuras sinfónicas, 1968; Kammermusik (*Poesía para arcos* für Streichquartett, 1951; 2 Streichquartette, 1953 und 1955; *Detenimientos*, 6 Stücke für V. und Kl., 1967), Klavierwerke (Sonate, 1958) und Vokalwerke (*Apu Inqa*, Kantate in 18 Teilen für S., Sprecher, gem. Chor und Orch., 1970; a cappella-Chöre; Lieder).
Lit.: Werkverz. in: Compositores de América XVI, Washington (D. C.) 1970.

Pulikọwski, Julian (von), * 24. 5. 1908 zu Görlitz, † August/September 1944 während des Warschauer Aufstandes; polnischer Musikforscher, studierte 1925–30 Musikwissenschaft an der Wiener Universität (A. Orel, W. Fischer, Lach), an der er 1931 mit einer Dissertation zur *Geschichte des Begriffes Volkslied im musikalischen Schrifttum* (Heidelberg 1933, Nachdr. Wiesbaden 1970) promovierte, daneben Komposition bei J. Marx. 1934–39 leitete er die Musikabteilung der Warschauer Nationalbibliothek und wirkte ab 1936 als Dozent an der Warschauer Universität. Er veröffentlichte u. a.: *Pontificale lwowske z XIV wieku pod względem muzycznym* (»Ein Lemberger Pontifikale aus dem 14. Jh. im Hinblick auf Musik«, Fs. A. Chybiński, Lemberg 1930); *Sześć pieśni śląskich z roku 1810* (»6 schlesische Lieder aus dem Jahre 1810«, Kwartalnik muzyczny 1933, H. 17/18); *2 Siebenbürgische Tänze aus dem Jahre 1613* (o. O. 1934); *Pieśń ludowa a muzykologia* (»Volkslied und Musikwissenschaft«, in: Polski rocznik muzykologiczny II, 1936).

Pulịti, Gabriello, OFM, * zu Montepulciano (Toskana), † zu Siena; italienischer Komponist und Organist, wirkte 1600 als Regens chori an S. Francesco in Pontremoli (Toskana), war Organist des Franziskanerklosters in Piacenza (1602), Kapellmeister und Organist in Muggia bei Triest (1605), Domorganist in Capodistria (1609) und an S. Giusto in Triest (1609–12), dann wieder in Capodistria (1614–21 und 1624), dazwischen Kapellmeister und Organist in Albona (Istrien) sowie ab 1630 wieder Organist an S. Giusto (1633 Magister musices). Von seinen Werken seien genannt: *Sacrae modulationes quae vulgo motecta nuncupantur* zu 4–5 St. (Parma 1602); *Integra omnium solemnitatum vespertina psalmodia* zu 5 St. (Mailand 1602); *Scherzi, capricci et fantasie per cantar à 2 v.* (Venedig 1605); *Baci ardenti, 2ᵒ libro de' madrigali a 5 v.* (ebd. 1609); *Ghirlanda odorifera di varij fior tessuta cioè Mascherate a 3 v. Libro I* (ebd. 1612); *Sacri concentus* zu 1–3 St. und B. c. (ebd. 1614); *Psalmodia vespertina für 4 gleiche St. und B. c. op. 13* (ebd. 1614); *Lunario armonico perpetuo* zu 3 St. op. 16 (ebd. 1615); *Pungenti dardi spirituali a 1 v. sola con il b. da sonare* op. 20 (ebd. 1618); *Lilia convallium Beatae Maria Virginis libro 3ᵒ delli concerti a 1 v.* op. 22 (ebd. 1620); *Sacri accenti libro 4ᵒ delli concerti a 1 v.* op. 23 (ebd. 1620); *Armonici accenti v. sola per cantar nel chitarrone e in altri strumenti musicali* op. 24 (ebd. 1621); *Fantasie, scherzi et capricci da sonarsi in forma di canzone con un v. solo o vero cornetto con il b. principale* op. 19 (ebd. 1624); *Il Iᵒ libro delle Messe* zu 4 St. und B. c. op. 30 (ebd. 1624); *Salmi dominicali concertati con il magnifica a 4 v. col B. per org.* op. 36 (ebd. 1635).
Lit.: DR. CVETKO, Zgodovina glasbene umetnosti na Slovenskem, 3 Bde, Ljubljana 1958–60, frz. als: Hist. de la musique en Slovénie, ebd. 1967; G. RADOLE, Musicisti a Trieste sul finire del Cinquecento e nei primi del Seicento, in: Archeografo triestino LXXI, Serie IV, 22, 1959.

+Pulver, Jeffrey, * 22. 6. 1884 zu London.
+A Biographical Dictionary of Old English Music (1927), Nachdr. = B. Franklin Bibliogr. and Reference Series CCXCV, NY 1969 und 1973. – Als weitere Veröffentlichung ist *Paganini, the Romantic Virtuoso* nachzutragen (London 1936, Nachdr. NY 1970, mit neuer Bibliogr. von Fr. Freedman); ferner übersetzte und edierte er H. Panums *The Stringed Instruments of the Middle Ages* (London 1939, Nachdr. Westport/Conn. 1970 und NY 1971).

Purandaradāsa (bei seiner Geburt »Śrīnivāsa« genannt), * 1480 oder 1484 zu Purandaragada (bei Pūna), † 1564 wohl zu Pandharpur (bei Skolāpur); ein Brahmane, der zur karnaresischen Mādhva-Sekte gehörte, Sohn eines Juweliers und selbst Juwelier, verließ oder verschenkte, durch ein Wunder erleuchtet, mit 40 Jahren seinen Reichtum und wanderte mit seiner Familie nach Vijayanagar. Hier, im Āśrama (»Einsiedelei«) seines späteren Lehrers Śrī Vyāsarāja, erhielt er bei der Initiation den Namen »Purandaradāsa« und begann, nach einer Gottesvision in diesem Augenblick, padaMusikstücke vorzutragen. – P. gilt als der Urheber der karnatischen Musik, die heute, auch als Kunstmusik Südindiens bezeichnet, im gesamten Bereich der dravidischen Sprachen verbreitet ist. Es wird berichtet, daß zahlreiche musikalische Formen von ihm eingeführt oder ausgebaut wurden und daß viele Rāgas durch ihn ihre bis jetzt gültige melodische Struktur erhielten. Vor allem aber ist P. deswegen bedeutend, weil er zahlreiche Stücke komponierte, die noch heute für den Anfang des Studiums karnatischer Musik benutzt werden. Diese Stücke stehen in Rāga Māyāmālavagaula (mit der Tonleiter c des e f g as h c) oder in anderen Rāgas, die der Skala von Māyāmālavagaula angeschlossen werden können.

Lit.: P. Sambamoorthy, Great Composers I, Madras ²1962, S. 28ff.; T. V. Subba Rao, Studies of Indian Music, Bombay u. a., London u. NY 1962, S. 103ff.; N. Chennakesaviah, Śrī P. and the General Characteristics of His Sūlādis and Ugābhogas, Journal of the Music-Acad. Madras XXXV, 1964; N. Śāstrī, A Hist. of South India, ebd. ³1966, S. 365 u. 404.

+**Purcell,** –1) Henry, 1659–95. Er war höchstwahrscheinlich ein Sohn von Henry [nicht: Thomas] P. († 11. 8. 1664 zu Westminster, ab 1660 Cantator in Choro und Master of Choristers an Westminster Abbey, ab 1662 Musician Inordinary für Laute und Gesang der Chapel Royal).

–2) Daniel, um 1663 – [erg.:] begraben 26. 11. 1717 zu London. +*The Psalms Set Full for the Organ or Harpsichord* erschienen in London posthum 1718.

Ausg.: zu –1): +GA (The Works of H. P.), hrsg. v. d. P. Soc., 32 Bde, London 1878–1965 (davon eine Anzahl Bde in revidierter NA; vgl. auch S. Thiemann u. J. Bush, The Works of H. P., An Index of the P. Soc. Ed., NY 1963). – Orpheus Britannicus. The First Book u. The Second Book, Faks. d. Ausg. London 1698 bzw. 1702, = MMMLF I, 1, NY 1965, auch Ridgewood (N. J.) 1965 (2 Bde); The Fairy Queen (1692), Faks.-Ausg. London 1969. – A. Lewis, A Newly Discovered Song by P., »The Meditation«, in: The Score 1951, Nr 4; The Fairy Queen, hrsg. v. dems., London 1966; March and Canzona f. the Funeral of Queen Mary (1695) f. 2 Trp., 2 Pos. u. Pk., hrsg. v. Th. Dart, ebd. 1959; Fantazias and In nomines, hrsg. v. dems., ebd. 1961, Neudr. 1969; 12 Stücke in: H. Playford, The Second Part of Musick's Handmaid, Revised and Corrected by H. P., hrsg. v. dems., ebd. 1963, ²1969; Magnificat u. Nunc dimittis f. gem. Chor u. Org., hrsg. v. W. E. Buszin, NY 1968; Come Let Us Drink. Catches Compleat, Pleasant and Divertive, hrsg. v. M. Nyman, Great Yarmouth 1972.

zu –2): 3 Sonaten f. Alt-Block-Fl. u. Cemb. (Kl.), Va da Gamba (Vc.) ad libitum, hrsg. v. Fr. J. Giesbert, = Originalmusik f. d. Blockflöte Nr 78, Mainz 1959; Triosonaten D moll u. G moll f. 2 Alt-Block-Fl. (V.) u. B. c., hrsg. v. H. Ruf, ebd. Nr 79–80, 1963; Sonate D dur f. 2 Trp. (Ob.), Streicher u. B. c. sowie Sonaten C dur u. D dur f. Trp. (Ob.), Streicher u. B. c., hrsg. v. Fr. Nagel, = Concertino CXVI–CXVII, ebd. 1970; Magnificat u. Nunc dimittis E moll f. gem. Chor u. Org., hrsg. v. Chr. Dearnley, London 1971; Suite D moll, in: Early Engl. Keyboard Music, hrsg. v. H. Ferguson, Bd II, ebd.

Lit.: H. P., G. Fr. Handel, London 1959 (Ausstellungskat. d. British Museum); Fr. B. Zimmerman, H. P., 1659–95. An Analytical Cat. of His Music, ebd. 1963; The Bible in Engl. Music, hrsg. v. K. Gorali, = AMLI Studies in Music Bibliogr. I, Haifa 1970 (engl. u. hebräisch). – +W. H. Cummings, H. P. (1881), Nachdr. NY 1969; +D. Dr. Arundell, H. P. (1927), Nachdr. Freeport (N. Y.) 1970 u. Westport (Conn.) 1971; +E. J. Dent, Foundations of Engl. Opera (1928), Nachdr. NY 1965 (mit neuer Einleitung v. M. M. Winesanker); +A. K. Holland, H. P., The Engl. Mus. Tradition (1932), auch London 1949, Nachdr. Freeport (N. Y.) 1970; +J. A. Westrup, P. (1937, ⁴1960), auch = Master Musician Series o. Nr, NY 1969, Nachdr. 1965, auch = Great Composer Series BS 114 X, 1962; +R. Sietz, H. P. (1955), tschechisch = Hudební profily VII, Prag 1960.

G. van Ravenzwaaij, P., = Componisten-serie XXVIII, Haarlem 1954, auch = Gottmer-muziek-pockets XVI, 1958; J. Boston, P.'s Father, ML XXXVI, 1955; H. Hollander in: NZfM CXX, 1959, S. 316ff.; V. Dsch. Konen in: SM XXIII, 1959, H. 11, S. 77ff.; D. Legány, H. P., = Kis zenei könyvtár XI, Budapest 1959; M. Tilmouth, H. P., Assistant Lexicographer, MT C, 1959; E. Vipont, H. P. and His Times, London 1959; J. A. Westrup, P.'s Reputation, MR XXV, 1964; P. M. Young in: MuG IX, 1959, S. 450ff.; I. Holst, H. P., the Story of His Life and Work, = Great Masters Series o. Nr, London 1961; Fr. B. Zimmerman, P. and the Dean of Westminster. Some New Evidence, ML XLIII,

1962; ders., P.'s Family Circle Revisited and Revised, JAMS XVI, 1963; ders., H. P., 1659–95. His Life and Times, London 1967; J. Harley, Music in P.'s London. The Social Background, ebd. 1968; J. Buttrey, Did P. go to Holland in 1691?, MT CX, 1969; I. v. Heijne, H. P. och det barocka London, Stockholm 1972.

A. Mangeot, The P. Fantasies and Their Influence on Modern Music, ML VII, 1926; E. H. Meyer, Engl. Chamber Music, London 1946, Nachdr. NY 1971, London ²1951, deutsch als: Die Kammermusik Alt-Englands, Lpz. 1958; ders., Händel u. P., Händel-Jb. V, 1959; St. Favre-Lingorow, Der Instrumentalstil v. P., = Berner Veröff. zur Musikforschung XVI, Bern 1950; W. Meinardus, Die Technik d. Basso ostinato bei H. P., Diss. Köln 1950; D. Stevens, P.'s Art of Fantasia, ML XXXIII, 1952; Ch. L. Cudworth, Some New Facts About the Trp. Voluntary, MT XCIV, 1953; Pl. A. Parsons, Dissonance in the Fantasias and Sonatas of H. P., Diss. Northwestern Univ. (Ill.) 1953; J. Str. Manifold, The Music in Engl. Drama from Shakespeare to P., London 1956; J. P. Cutts, An Unpubl. P. Setting, ML XXXVIII, 1957; ders., Music and the Supernatural in »The Tempest«. A Study in Interpretation, ML XXXIX, 1958; G. Marco, The Variety in P.'s Word Painting, MR XVIII, 1957; E. Meltzer, The Secular Songs of H. P., Diss. Univ. of California Los Angeles 1957; M. Wailes, Four Short Fantasies by H. P., in: The Score 1957, Nr 20; E. Nelson, Studies in the Development of the Engl. Fancy from J. Taverner to H. P., Diss. Cornell Univ. (N. Y.) 1958; Fr. B. Zimmerman, P. and Monteverdi, MT XCIX, 1958; ders., P.'s Mus. Heritage. A Study of Mus. Styles in 17th-Cent. England, Diss. Univ. of Southern California 1959; ders., Handel's P.ian Borrowings in His Later Operas and Oratorios, Fs. O. E. Deutsch, Kassel 1963; ders., Mus. Borrowings in the Engl. Baroque, MQ LII, 1966; ders., Sound and Sense in P.'s »Single Songs«, in: V. Duckles u. ders., Words to Music. Papers on Engl. 17th-Cent. Song, Los Angeles 1967; ders., Anthems of P. and Contemporaries in a Newly-Rediscovered »Gostling Ms.«, AMl XLI, 1969; ders., The Anthems of H. P., NY 1971; Th. Dart, P.'s Chamber Music, Proc. R. Mus. Ass. LXXXV, 1958/59; E. W. White, Early Theatrical Performances of P.'s Operas, Theatre Notebook XIII, 1958/59 (mit Verz. d. Aufführungen 1690–1710); J. A. Westrup, Das Engl. in P.s Musik, in: Musica XIII, 1959; ders., P. and Handel, ML XL, 1959; ders. in: Fs. K. G. Fellerer, Regensburg 1962, S. 573ff. (zu »Timon of Athens«); Ph. R. Conley, The Use of the Trp. in the Music of P., Brass Quarterly III, 1959/60; M. Tilmouth, Chamber Music in England, 1675–1720, Diss. Univ. of Cambridge 1959/60; J. C. Bicknell, Interdependence of Word and Tone in the Dramatic Music of H. P., Diss. Stanford Univ. (Calif.) 1960; dies., On Performing P.'s Vocal Music. Some Neglected Evidence, MR XXV, 1964; W. Bergmann, H. P.'s Use of the Recorder, in: Music, Libraries and Instr., = Hinrichsen's 11th Music Book 1961; R. E. Moore, H. P. and the Restoration Theatre, ebd.; ders. MQ XLVII, 1961, S. 22ff. (zu »Macbeth«); D. Schjelderup-Ebbe, P.'s Cadences, = Inst. f. mw., Univ. i Oslo, Skrifter III, Oslo 1962; M. Laurie, P.'s Stage Works, Diss. Univ. of Cambridge 1962/63; dies., Did P. Set »The Tempest«?, Proc. R. Mus. Ass. XC, 1963/64; A. Lewis, P. and Blow's »Venus and Adonis«, ML XLIV, 1963; ders., Notes and Reflections on a New Ed. of P.'s »The Fairy Queen«, MR XXV, 1964; ders., The Language of P., National Idiom or Local Dialect?, = Ferens Fine Art Lectures 1967, Hull 1968; G. Oldham, »La Furstenberge« and P., RMFC III, 1963; J. C. Ayres, The Influence of French Composers on the Work of P., Diss. London 1963/64; D. Chazanoff, Early Engl. Chamber Music from W. Byrd to H. P., Diss. Columbia Univ. (N. Y.) 1964; N. Fortune, A New P. Source, MR XXV, 1964; J. Kinsley, The Music of the Heart, in: Renaissance and Modern Studies VIII, 1964; W. A. Sleeper, Harmonic Style of Four-Part Viol Music of Jenkins, Locke, and P., Diss. Univ. of Rochester (N. Y.) 1964; H. Ferguson, P.'s Harpsichord Music, Proc. R. Mus. Ass. XCI, 1964/65; W. Mellers in: Harmonious Meeting, London 1965, S. 194ff. (»P.'s Ceremonial Elegy«), S. 203ff. (zu »Dido and Aeneas«), u. S. 215ff. (zu

»The Fairy Queen« u. »The Tempest«); J. Buttrey, The Evolution of Engl. Opera Between 1656 and 1695, Diss. Univ. of Cambridge 1967; Ders., Dating P.'s Dido and Aeneas, Proc. R. Mus. Ass. XCIV, 1967/68; A. H. King, B. Goodison and the First »Complete Ed.« of P., in: Musik u. Verlag, Fs. K. Vötterle, Kassel 1968; Gl. Rose, P., M. Rossi, and J. S. Bach. Problems of Authorship, AMl XL, 1968; Dies., A New P. Source, JAMS XXV, 1972; D. Z. Kushner in: Redford Rev. XXXIII, 1969, S. 43ff. (zu »Dido and Aeneas«); R. Cogan, Toward a Theory of Timbre. Verbal Timbre and Mus. Line in P., Sessions, and Stravinsky, in: Perspectives of New Music VIII, 1969/70; R. McGuiness, Engl. Court Odes 1660–1820, Oxford 1971.
zu –2): R. Squ. Barstow, The Theatre Music of D. P., 2 Bde, Diss. Ohio State Univ. 1968.

Purser (p'ɔ:sə), John W., * 10. 2. 1942 zu Glasgow; irischer Komponist, studierte an der Royal Scottish Academy of Music in Glasgow (1960–63) sowie bei Tippett in London (1963–64) und bei Gal in Edinburgh (1964–67). P. erhielt den Irischen Staatspreis (1966) für sein 3sätziges Orchesterwerk *Epitaph* op. 12. Von seinen weiteren Kompositionen seien genannt: *5 Landscapes* für mittlere St. und Kl. op. 5 (1965); *Opus 7* für Orch. (1965); *Variations on an Irish Theme* für Orch. op. 8 (1963); *Nunc dimittis* und Magnificat für Chor a cappella op. 9 (1965); *5 Serial Studies* für Kl. op. 10 (1964); Sonate für Fl. und Kl. op. 11 (1965); Sinfonietta op. 13 (1966); Konzert für Va und Streichorch. op. 14 (1966); *6 Sea Songs* für hohe St. und Kl. op. 16 (1966); *Intrada* für Streichorch. op. 17 (1966); *Prometheus* für T., gem. Chor, Bläser, Kl. und Kb. op. 18 (1967); Streichquartett op. 21 (1968); ferner Bühnenmusik.

Puschkin, Alexandr Sergejewitsch, * 26. 5. (6. 6.) 1799 zu Moskau, † 29. 1. (10. 2.) 1837 zu St. Petersburg (nach einem Duell); russischer Dichter, war zunächst im Staatsdienst tätig, wurde 1820 wegen seiner freiheitlichen Gedichte von Zar Nikolaus I. verbannt, 1824 seiner Ämter enthoben und 1826 rehabilitiert. Er gilt als Begründer der klassischen russischen Literatur. Sein Werk übte nachhaltigen Einfluß auf die Entwicklung der russischen Musik aus und wirkte auch im Westen befruchtend. Vor allem die Sprache seiner Gedichte kam der Vertonung in hohem Maße entgegen. Er war musikliebend, stand musikalischen Kreisen nahe (Glinka, Odojewskij, Ulybyschew, Werstowskij) und erhielt seinerseits entscheidende Anregungen von der russischen Folklore, dem Ballett und von den Opern Glucks, Mozarts und Rossinis. An Kompositionen nach P. entstanden eine Reihe von Opern, u. a.: *Ruslan i Ljudmila* von Glinka (St. Petersburg 1842); *La Dame de pique* von Fr. Halévy (Paris 1850); *Russalka* (St. Petersburg 1856) und *Kamennyj gost* (»Der steinerne Gast«, ebd. 1872) von Dargomyschskij; Operette *Die Kartenschlägerin* von Suppè (Wien 1862, Neufassung als *Pique Dame*, Graz 1864); *Boris Godunow* von Mussorgskij (St. Petersburg 1874); *Jewgenij Onegin* (Moskau 1879), *Masepa/Mazeppa* (ebd. 1884) und *Pikowaja dama* (»Pique Dame«, St. Petersburg 1890) von Tschaikowsky; *Kawkasskij plennik* (»Der Gefangene im Kaukasus«, ebd. 1883), *Pir wo wremja tschumy* (»Das Festmahl während der Pest«, Moskau 1901) und *Kapitanskaja dotschka* (»Die Hauptmannstochter«, St. Petersburg 1911) von Cui; *Aleko* (nach *Zygany*, »Die Zigeuner«, Moskau 1893) und *Skupoj ryzar* (»Der geizige Ritter«, ebd. 1906) von Rachmaninow; *Mozart i Salieri* (ebd. 1898), *Skaska o zare Saltane* (»Das Märchen vom Zaren Saltan«, ebd. 1900) und *Solotoj petuschok* (»Der goldene Hahn«, ebd. 1909) von N. Rimskij-Korsakow; *Gli zingari* von Ferretto (Modena 1900, erweitert als *La violata*, Vicenza 1908); *Gli zingari* von Leoncavallo

(London 1912); *Mavra* (nach *Domik w Kolomne*, »Das Häuschen in Kolomna«) von Strawinsky (Paris 1922); Opéra-ballet *Le festin pendant la peste* (1933, auch als symphonische Suite mit gem. Chor und S. solo, 1945) und *The Moor of Peter the Great* (1958) von Lourié; *Stanzionnyj smotritel* (»Der Postmeister«) von Wl. Krjukow (Moskau 1940); *Postmeister Wyrin* von Fl. v. Reuter (Bln 1940); *W simjuju notsch* (»In der Winternacht«, nach *Metel*, »Der Schneesturm«) von Dserschinskij (Leningrad 1946); komische Oper *Graf Nulin* von Kowal (1949). – Ballette, u. a.: *Jegipetskije notschi* (»Ägyptische Nächte«) von Arenskij (St. Petersburg 1908); Ballett-Pantomime *Kleopatra* (nach *Jegipetskije notschi*, Moskau 1926) und *Mednyj wsadnik* (»Der eherne Reiter«, Leningrad 1949) von Glière; *Bachtschissarajskij fontan* (»Die Fontäne von Bachtschissaraj«, ebd. 1934), *Kamennyj gost* (ebd. 1946) und *Baryschnja-krestjanka* (Moskau 1947) von Assafjew. – Ferner symphonische Dichtungen, Suiten, Bühnenmusiken, Kantaten und vor allem zahlreiche Lieder (A. N. Alexandrow, Balakirew, Borodin, Chrennikow, Glinka, M. Gnessin, Hipman, Medtner, Mossolow, Mussorgskij, Prokofjew, Rachmaninow, N. Rimskij-Korsakow, Schaporin, Schebalin, Dm. Schostakowitsch, Tschaikowsky, Werstowskij).
Ausg.: Polnoje sobranije sotschinenij (»GA d. Werke«), 10 Bde, hrsg. v. d. Akad. d. Wiss. d. UdSSR, Moskau u. Leningrad 1950–51, ²1956–58; Gesammelte Werke, 6 Bde, hrsg. v. H. Raab, übers. v. Th. Commichau, Bln 1964; Gesammelte Werke, hrsg. u. übers. v. J. v. Guenther, München 1966.
Lit.: L. M. Dobrowolskij u. W. M. Lawrow, Bibliografija p.skoj bibliografii. 1846–1950 (»Bibliogr. d. P.-Bibliogr. ...«), Moskau u. Leningrad 1951; Bibliografija proiswedenij A. S. P.a i literatury o njom 1918 (»Bibliogr. d. Werke v. A. S. P. u. Lit. über ihn ...«), hrsg. v. d. Akad. d. Wiss. d. UdSSR, ebd. 1951ff.; B. S. Mejlach u. N. S. Gornizkaja, A. S. P. Seminarij, Leningrad 1959 (Bibliogr.). – M. M. Iwanow, P. w musyke (»P. in d. Musik«), St. Petersburg 1889; W. Korganow, A. S. P. w musyke, Tiflis 1899; S. Bulitsch, P. i russkaja musyka, St. Petersburg 1900; B. Tomaschewskij, P. i italjanskaja opera, in: P. i jewo sowremenniki, Bd XXXI–XXXII, Leningrad 1927; P. w romansach i pesnjach jewo sowremennikow (1816–37) (»P. in d. Romanzen u. Liedern seiner Zeitgenossen ...«), hrsg. v. W. Kisseljow u. S. Popow, Moskau 1936; I. Ejges, Musyka w schisni i twortschestwe P.a (»Musik in P.s Leben u. Schaffen«), ebd. 1937; B. Jagolim, Ukasatel proiswedenij sowjetskich awtorow na teksty i sjuschety P.a (»Ein Führer d. Werke sowjetischer Autoren auf Texte u. Sujets v. P.«), SM V, 1937; W. W. Jakowlew, P. i russkij opernyj teatr, ebd.; Ders., P. i musyka, Moskau 1949, ²1957; B. Wl. Assafjew, P. w russkoj musyke (»P. in d. russ. Musik«), SM XIII, 1949; Je. Berljand-Tschernaja, P. i Tschaikowskij, Moskau 1950; A. Glumow, Musykalnyj mir P.a (»P.s mus. Welt«), ebd. u. Leningrad 1950; K. Petrowa, Nowyje wokalnyje sborniki na stichi A. S. P.a (»Neue Slgen v. Vokalmusik auf P.sche Verse«), SM XIV, 1950; S. Schlifstein, Glinka i P., Moskau 1950; W. Wassina-Grossman, Glinka i liritscheskaja poesia P.a (»Glinka u. d. lyrische Poesie P.s«), in: M. I. Glinka. Sbornik materialow i statej, ebd. u. Leningrad 1950; C. Cui, Wlijanije P.a na naschich kompositorow i na jich wokalnyj stil [1899] (»Der Einfluß P.s auf unsere Komponisten u. auf ihren Vokalstil«), in: Isbrannyje statji, hrsg. v. I. L. Gussin, Leningrad 1952; B. Steinpress, Kompositor p.skoj pory (»Ein Komponist d. P.-Zeit«), SM XVI, 1952 (zu P.s Einfluß auf Aljabjew); Ders., Is musykalnoj p.iany (»Aus mus. P.iana«), in: Musykalnaja schisn VI, 1963; I. F. Belsa, Mozart i Salieri. Tragedija P.a. Dramatitscheskije szeny Rimskowo-Korsakowo (»... Tragödie v. P., Dramatische Szenen v. Rimskij-Korsakow«), Moskau 1953; Ders., Mozart i Salieri. Ob istoritscheskoj dostowernosti tragedii P.a (»... Über d. hist. Wahrheit d. Tragödie P.s«), in: P., Issledowanija materialy IV, ebd. 1962; Fr. Siegmann, Die Mu-

sik im Leben u. Schaffen d. russ. Romantiker, = Veröff. d. Abt. f. slavische Sprachen u. Lit. d. Osteuropa-Inst. an d. Freien Univ. Bln V, Wiesbaden 1954; H. EMMER, Mozart u. P., ÖMZ XI, 1956; G. A. POLJANOWSKIJ, Glinka i P., Moskau 1957; E. STÖCKL, Die Lösung d. Rätsels um Walther v. Goethes Puškinvertonungen, Wiss. Zs. d. Fr.-Schiller-Univ. Jena, Ges.- u. sprachwiss. Reihe VIII, 1958/ 59; DERS., P. u. d. Musik. Die Bedeutung d. Werke A. S. Puškins f. d. Tonkunst. Mit einer annotierenden Bibliogr. d. Puškinvertonungen (1815–1960), 3 Bde, Diss. Jena 1960; JE. DOBRYNINA, P., geroj opery (»P. als Opernheld«), SM XXIII, 1959; W. E. FERMAN, P. w russkoj musykalnoj literature (»P. in d. russ. Musiklit.«), in: Opernyj teatr, Moskau 1961; W. BOGDANOW-BERESOWSKIJ, Balety na p.skije temy (»Ballette auf P.-Themen«), in: Statji o balete, Leningrad 1962; G. MEYER, P.s u. Mussorgskys »Boris Godunow«, ÖMZ XX, 1965; P. SOUVTCHINSKY, Stravinsky as a Russian, in: Tempo 1967, Nr 81; D. KERNER, Mozarts Tod bei P., Deutsches medizinisches Jb. XX, 1969; R. SCHIRINJAN, P. i Mussorgskij, SM XXXIII, 1969; N. ELJASCH, P. i baletnyj teatr (»P. u. d. Balletttheater«), Moskau 1970; G. ABRAHAM, Satire and Symbolism in »The Golden Cockerel«, ML LII, 1971; M. COOPER, Pushkin and the Opera in Russia, in: Opera XXII, 1971; A. GOSENPUD, P. i russkaja opernaja klassika (»P. u. d. klass. russ. Oper«), in: Isbrannyje statji, Leningrad 1971.

Puschkow, Wenedikt Wenediktowitsch, * 19.(31.) 10. 1896 zu Saratow, † 25. 1. 1971 zu Leningrad; russisch-sowjetischer Komponist und Pädagoge, studierte 1922–25 bei Leopold Rudolf am Konservatorium seiner Heimatstadt und absolvierte als Schüler von Schtscherbatschow 1929 das Leningrader Konservatorium, an dem er 1932–38 und 1946–54 Komposition und Musiktheorie lehrte (1935 Dozent, 1953 Professor). Er schrieb u. a. die Oper *Grosa* (»Das Gewitter«, nach Alexandr Ostrowskij, 1942), die symphonische Suite *Lermontow* (1946) und *Maskarad* (»Die Maskerade«, 1949) für Orch., ein Violinkonzert (1965), ein Klaviertrio (1927) sowie die Musik zu einigen Bühnenstücken und einer Reihe von Filmen.

+Puschman(n), Adam, 1532–1600.
Ausg.: +Das Singebuch ... (G. MÜNZER, 1906), Nachdr. Hildesheim 1970.
Lit.: G. SIEG, Der Meistersinger A. P. u. d. Kantor Z. P., Neues Lausitzisches Magazin XCVIII, 1922; H.-J. SCHLÜTTER, A. P.s Skansionsbegriff, Zs. f. deutsches Altertum u. deutsche Lit. XCVII, 1968.

+Pustet, Friedrich, 25. 2. 1798 – 6. 3. 1882 zu München [chen erg. frühere Angabe].
Die Tradition der Verlagsarbeit wurde nach 1945 fortgeführt durch die neuen Editionsreihen *Musica divina* (Hrsg. Br. Stäblein), *Regensburger Tradition* (Th. Schrems) und *Chorsammlung* (E. Quack und F. Haberl), die ältere und neuere Chorkompositionen bringen, sowie durch die »Sammlung von Orgelstücken alter Meister« *Cantantibus organis* (Eberhard Kraus). Der Verlag Fr. Pustet wird derzeit in 5. Generation im Familienbesitz weiterhin mit Sitz in Regensburg von Friedrich P. (* 26. 11. 1927 zu München) geleitet.
Lit.: H. BOHATTA, Liturgische Drucke u. liturgische Drucker. Fs. zum 100jährigen Bestehen d. Verlages Fr. P., Regensburg 1926; A. SCHARNAGL in: MGG X, 1962, Sp. 1783f.

Puyana (puj'ana), Rafael, * 14. 10. 1931 zu Bogotá; kolumbianischer Cembalist, lebt i n Paris. Er studierte am New England Conservatory of Music in Boston und war dann 1951–59 Schüler von Wanda Landowska in Lakeville (Conn.). P. begann 1956 seine internationale Karriere, die ihn auf ausgedehnten Konzertreisen durch Europa, die USA und Lateinamerika führten. Er unterrichtet bei den alljährlichen, von Segovia ins

Leben gerufenen Kursen »Música en Santiago de Compostela« in Spanien.

+Pylkkänen, Tauno Kullervo, * 22. 3. 1918 zu Helsinki.
P., bis 1967 künstlerischer Leiter der finnischen Nationaloper Helsinki, wirkt nunmehr als freischaffender Komponist. Werke: die Opern *Batsheba Saarenmaalla* op. 10 (»Bathsheba auf Ösel«, einaktig, 1940, revidiert 1958, finnischer Rundfunk 1948), *Mare ja hänen poikansa* op. 22 (»Mare und ihr Sohn«, Helsinki 1945), *Simo Hurtta* (ebd. 1948), einaktige Funkoper *Sudenmorsian* op. 47 (»Die Wolfsbraut«, finnischer Rundfunk 1950, ebd. 1956), *Varjo* (»Der Schatten«, einaktig, Tampere 1954), *Opri ja Oleksi* op. 61 (»Opri und Oleksi«, Helsinki 1958), *Ikaros* (ebd. 1960), einaktige Fernsehoper *Vangit* op. 69 (»Die Eingesperrten«, ebd. 1965), *Tuntematon sotilas* (»Der unbekannte Soldat«, ebd. 1967); Ballett *Kaarina Maununtytär* op. 66 (»Königin Kaarina«, Bln 1961); Symphonie op. 30 (1945), symphonische Fantasie op. 40 (1948) und die Tondichtungen *Kullervon sotaanlähtö* (»Kullervo zieht in den Krieg«, 1942) und *Ultima Thule* op. 46 (1949) für Orch.; Cellokonzert op. 48 (1950); Streichquartett op. 27 (1945), *Fantasia appassionata* für Vc. und Kl. op. 57 (1954); Kantate *Metropolis* für 3 Sprecher, gem. Chor und Orch. op. 58 (1955), die Liederzyklen *Kuoleman joutsen* op. 21 (»Der Schwan des Todes«, 1943), *Kuunsilta* op. 55 (»Die Mondbrücke«, 1953) und *Visioner* op. 63 (1958) sowie Lieder op. 68 (1963); Zyklus *Maternità* für Frauen-St. a cappella (1958).

+Pythagoras von Samos, 582 – um 496 v. Chr.
[del.: → Tonsystem.]
Lit.: +H. ABERT, Die Lehre v. Ethos in d. griech. Musik (1899), Nachdr. Tutzing u. Wiesbaden 1968; +J. LOHMANN, Der Ursprung d. Musik (1959), Wiederabdruck in: Musiké u. Logos, Fs. J. Lohmann, Stuttgart 1970. – Antike Geisteswelt I, hrsg. v. W. RÜEGG, = Geist d. Abendlandes o. Nr, Darmstadt 1955 (darin P.' »Harmonie d. Alls u. Harmonie d. Töne«); M. SCHNEIDER, Pitágoras en la herrería, in: Miscelánea de estudios ..., Fs. F. Ortiz, La Habana 1957; N. CAZDEN, P. and Aristoxenos Reconciled, JAMS XI, 1958; J. SCHUHMACHER, Musik als Heilfaktor bei d. Pythagoreern im Licht ihrer naturphilosophischen Anschauungen, in: Musik in d. Medizin, hrsg. v. H. R. Teirich, Stuttgart 1958; G. ARNOUX, Musique platonicienne, âme du monde, Paris 1960; J. E. HAAR, »Musica mundana«. Variations on a Pythagorean Theme, Diss. Harvard Univ. (Mass.) 1961; H. JOHN, Das musikerzieherische Wirken P.' u. Damons, in: Das Altertum VIII, 1962; R. HAASE, Kepler u. Leibniz als Mittler zwischen P. u. Hindemith, Zs. f. Ganzheitsforschung VII, 1963; DERS., Neue Forschungen über P., in: Antaios VIII, 1967; DERS., Gesch. d. Harmonikalen Pythagoreismus, = Publ. d. Wiener Musikakad. III, Wien 1969; M. VOGEL, Die Enharmonik d. Griechen, 2 Bde, = Orpheus-Schriftenreihe zu Grundfragen d. Musik III–IV, Düsseldorf 1963; R. L. CROCKER, Pythagorean Mathematics and Music, The Journal of Aesthetics and Art Criticism XXII, 1963/64; E. A. LIPPMAN, Mus. Thought in Ancient Greece, NY 1964; R. SCHOTTLAENDER, Musik als Brücke zwischen Mathematik u. Medizin in d. Anfängen d. Pythagoreismus, Wiss. Zs. d. Humboldt-Univ., Ges.- u. sprachwiss. Reihe XV, 1966; J. C. DE VOGEL, P. and His Early Pythagorianism, Assen 1966; D. ZOLTAI, A zeneesztétika története, Bd I: Ethosz és affektus, Budapest 1966, deutsch als: Ethos u. Affekt. Gesch. d. philosophischen Musikästhetik v. d. Anfängen bis zu Hegel, ebd. 1970; TH. REISER, Das Geheimnis d. pythagoreischen Tetraktys, = Harmonikale Studien III, Heidelberg 1967; J. SCHWABE, Arithmetische Tetraktys, Lambdoma u. P., in: Antaios VIII, 1967; I. FOCHT, La notion pythagoricienne de la musique, International Rev. of the Aesthetics and Sociology of Music III, 1972.

Q

+Quack, Erhard, * 5. 1. 1904 zu Trippstadt (Pfalz). Als Direktor des Bischöflichen kirchenmusikalischen Instituts und als Domkapellmeister in Speyer wirkte Qu. bis 1969. Neben seiner Tätigkeit in einer Reihe kirchenmusikalischer Institutionen (u. a. 1968–70 Präsident des Internationalen Studienkreises »Universa laus«) war er Mitherausgeber der Zeitschrift *Musik und Altar* (darin zahlreiche Beiträge von ihm selbst). Sein neueres kompositorisches Schaffen umfaßt vor allem geistlich-liturgische Werke. Er veröffentlichte ein *Regelbuch für die Orations- und Lektionstöne in deutscher Sprache* (mit Fr. Schieri, Freiburg i. Br. 1969).

Quadri, Argeo, * 24. 3. 1911 zu Como; italienischer Dirigent, studierte am Conservatorio di Musica G. Verdi in Mailand Komposition (Ferroni, Pedrollo), Klavier und Dirigieren. Er dirigierte an den bedeutenden Opernhäusern Italiens, an der Covent Garden Opera in London (ab 1956) und an der Volksoper und der Staatsoper in Wien (ab 1957). Von der Bundesrepublik Österreich wurde ihm der Professorentitel verliehen.

+Quagliati, Paolo, um 1555 – 1628. Ausg.: La sfera armoniosa (1623) u. Il carro di fedeltà d'amore (1611), hrsg. v. V. D. GOTWALS u. PH. KEPPLER, = Smith College Music Arch. XIII, Northampton (Mass.) 1957; Madrigal »Felice chi vi mira« aus d. 4st. Slg v. 1608, in: P. M. Marsolo, Secondo libro de' madrigali a 4 v. op. X (Vorrede), hrsg. v. L. BIANCONI, = Musiche rinascimentali siciliane IV, Rom 1972. Lit.: +A. EINSTEIN, The Ital. Madrigal (1949), Nachdr. Princeton (N. J.) 1970. – P. KAST in: MGG X, 1962, Sp. 1794ff.

Quaglio (ku'a:ʎo), italienisch-deutsche Familie von Bühnenbildnern, Malern und Architekten, die aus Oberitalien (Vall'Intelvi) stammt. – 1) Giovanni Maria, * Anfang 18. Jh. zu Laino, † 1765 zu Wien, war 1751–65(?) Theateringenieur am Wiener Hoftheater (*Le cinesi* von Gluck, 1754; wahrscheinlich auch dessen *Orfeo ed Euridice*, 1762, und *Telemacco*, 1765). Sein Schaffen ist stilistisch in die Nachfolge F. → Bibienas einzuordnen. – 2) Lorenzo, * 25. 5. 1730 zu Laino, † 7. 5. 1805 zu München, Sohn von Giovanni Maria Qu., wurde nach der Ausbildung bei seinem Vater in Wien in Mannheim 1750 Theatermaler und -architekt und 1758 Hoftheaterarchitekt (Vergrößerung des von Alessandro → Bibiena errichteten Theaters 1767, Umbau eines Fruchtspeichers in das Mannheimer Nationaltheater 1775–78; Innenausstattung des neuen Hoftheaters in Zweibrücken 1775–76). Als Bühnenbildner stattete er in Schwetzingen anläßlich der Eröffnung des Schloßtheaters *Il figlio delle selve* von Holzbauer (1752) und Opern J. Chr. Bachs und Holzbauers sowie Ballette von Étienne Lauchery aus. 1778–99 war er Hoftheaterarchitekt (Entwürfe zu einem geplanten Theaterneubau 1785 und 1792) und Ausstattungsleiter des Hoftheaters in München (*Idomeneo*, 1781). Ausgehend von barocker Tradition, entwickelte er sich zu einem Vertreter des Klassizismus. – 3) Joseph, * 1747 zu Laino, † 23. 1. 1828 zu München, Enkel von Giovanni Maria Qu., war ab 1776 Theaterdekorationsmaler in Mannheim, wohin er 1770 durch Vermittlung Lorenzo Qu.s

gekommen war (Fresko im neuen Theater 1776), und in Schwetzingen sowie ab 1778 in München, arbeitete aber weiter für die Bühnen in Mannheim (*Richard Löwenherz* von Grétry, 1787) und Schwetzingen. In München selbständiger Bühnenbildner (*Don Giovanni*, 1791; *Die Zauberflöte*, 1793), war er 1801–23 als Nachfolger von Julius Qu. Leiter des Ausstattungswesens (*Der Freischütz*, 1822). Spätbarocke Tendenzen seiner frühen szenischen Architekturen weichen malerischen Konzeptionen, die in die romantische Strömung seines Spätwerks einmünden. – 4) Julius, * 1764 zu Laino, † 27. 1. 1801 zu München, Vetter von Lorenzo Qu., erhielt bei ihm in Mannheim seine Ausbildung und wurde dessen Nachfolger als Hoftheaterarchitekt (*Don Giovanni*, 1789; »Figaros Hochzeit«, 1790; *Die Zauberflöte*, 1794). 1799 wurde er Nachfolger von Lorenzo Qu. in München. Als Bühnenbildner war er Eklektizist. – 5) Angelo (I), * 13. 8. 1778 und † 2. 4. 1815 zu München, Sohn von Joseph Qu., war Schüler und Mitarbeiter seines Vaters und fertigte 1803–05 eine Bestandsaufnahme des von Mitgliedern seiner Familie Geschaffenen als Dekorationsinventar des Münchener Hoftheaters an. Für das Isartor-Theater stattete er *Palmira regina di Persia* von Salieri aus (1814). Er überwand die klassizistische Reliefbühne mit romantisch-malerischen Mitteln. – 6) Simon, * 23. 10. 1795 und † 8. 3. 1878 zu München, Bruder von Angelo (I) Qu., war ebenfalls Schüler und Mitarbeiter und später Nachfolger seines Vaters (*Die Zauberflöte*, 1818; *Der Freischütz*, Wolfsschluchtszene, 1822; »Die Hugenotten«, 1838; *Katharina Cornaro* von Fr. Lachner, 1841; *Fernando Cortez* von Spontini, 1849; *Tannhäuser*, 1855; *Lohengrin*, 1858). In den *Zauberflöte*-Dekorationen, einem jugendlichen Geniestreich, ist das klassizistisch-historische Element zugunsten einer romantischen Auffassung zurückgedrängt. Später wandte er sich dem Bühnenbild der Großen Oper zu. – 7) Angelo (II), * 13. 12. 1829 und † 5. 1. 1890 zu München, Sohn von Simon Qu., wurde nach Studien bei Karl Wilhelm Gropius in Berlin und Ch.-A. Cambon in Paris Mitarbeiter seines Vaters in München. Als Ausstattungsleiter (ab 1860) war er maßgeblich an der Gestaltung der »Musteraufführungen« von R. Wagners Opern, die unter der künstlerischen Oberleitung des Komponisten standen, beteiligt. Er schuf die architektonisch gebauten Szenen, während Heinrich Döll die Landschaften entwarf (*Der Fliegende Holländer*, 1864; *Tristan und Isolde*, 1865; *Lohengrin*, 1867; *Tannhäuser*, 1867; *Die Meistersinger von Nürnberg*, 1868; *Das Rheingold*, 1869; *Die Walküre*, 1870; *Rienzi*, 1871). Für die Separatvorstellungen Ludwigs II. stattete er *Aida* (1876), *Oberon* (1881), *Armida* von Gluck (1882) und *Theodora* von Massenet (1885) aus und war als Gastbühnenbildner vor allem für Wagner-Opern tätig. Basierend auf dem pomphaften, historisierenden Realismus der Großen Oper entwickelte er den für seine Zeit verbindlichen Stil der Wagner-Dekoration. Ihre Hauptmerkmale sind strikte Beachtung der Szenenanweisungen, eine durch historische Studien abgesicherte Detailgenauigkeit und einheitliche Bildwirkung: Historienmalerei auf die Bühne übertragen. –8) Eugen, * 3. 4. 1857 zu München, † 24. 9. 1942 zu Berlin, Sohn von Angelo (II) Qu., war nach seiner Ausbildung bei Antonio Brioschi und Joseph Kautzky Mitarbeiter seines Vaters in München und 1891–1923 Ausstattungsleiter der Preußischen Staatstheater in Berlin. Als Gastbühnenbildner arbeitete er u. a. in Dresden, Stuttgart und Prag. Als retrospektiv ausgerichteter Bühnenbildner hat er die vom Naturalismus bezeichnete Grenze nicht überschritten.

Lit.: W. NIEHAUS, Die Theatermaler Qu., Diss. München 1956; G. SCHÖNE, Das Bühnenbild im 19. Jh., Ausstellungskat. München 1959; H. KINDERMANN, Theatergesch. Europas, Bd III–VIII, Salzburg 1961–68; König Ludwig II. u. d. Kunst, Ausstellungskat. München 1968; D. u. M. PETZET, Die R. Wagner-Bühne König Ludwigs II., ebd. 1970 (mit ausführlicher Bibliogr.). HS

+Quantz, Johann Joachim, 1697–1773.
Qu. kam 1714 [nicht: 1713] als Stadtpfeifergeselle nach Radeberg (bei Dresden). – Von seinem +Versuch einer Anweisung die Flöte traversiere zu spielen (1752) erschien in London (vermutlich um 1780) lediglich eine englische Teilübersetzung (Kap. XIII und XV) als +Easy [nicht: Essay] and Fundamental Instructions ...; bei der +italienischen Ausgabe (1779) handelt es sich um eine Schrift von A. Lorenzoni (Saggio per ben sonare il flauto traverso), die zwar stark von Qu. beeinflußt ist, aber keine eigentliche Übersetzung darstellt (F. A. Gallo, 1961). – Weitere Schriften: Antwort auf des Herrn v. Moldenit so genanntes Schreiben an Hrn. Quanz, nebst einigen Anmerkungen über dessen Versuch einer Anweisung die Flöte Traversiere zu spielen (in: Historisch-kritische Beyträge ..., hrsg. von Fr.W.Marpurg, Bd IV, Bln 1758); Anweisung, wie ein Musikus und eine Musik zu beurteilen sei (in: Unterhaltungen, hrsg. von J. J.Eschenburg und D.Schiebler, Bd IX, Hbg 1770).

Ausg.: Sei duetti a due fl. traversi, Faks. d. Ausg. v. 1759, Ridgewood (N. J.) 1967. – Triosonate C dur f. Block-Fl. (Quer-Fl., V.), Quer-Fl. (V.) u. B. c. (+W. BIRKE, = HM LX, 1939), Neudr. Kassel 1964. – Triosonate D dur f. 2 Fl. u. Cemb., hrsg. v. CL. CRUSSARD, = Flores musicae XII, Lausanne 1961; Triosonate A moll, hrsg. v. L. HOFFMANN-ERBRECHT, = Organum III, 65, Lippstadt 1962; Sonaten B dur u. C moll f. Fl. u. B. c. op. 1 Nr 2–3, hrsg. v. FR. NAGEL, 2 H., Wilhelmshaven 1967–72; 6 Fl.-Duette op. 5, hrsg. v. DEMS., 2 H., ebd. 1972; Sonate E moll f. Fl. u. obligates Cemb. (Pfte), hrsg. v. H. RUF, = Il fl. traverso Nr 61, Mainz 1968; Sonate H moll f. Fl. (Ob., V.) u. B. c., hrsg. v. DEMS., ebd. Nr 62; Triosonate D dur f. Fl., V. u. B. c., hrsg. v. DEMS., Wilhelmshaven 1968; Konzert G dur f. Fl. u. Streichorch., hrsg. v. O. NAGY, Budapest 1969. – +Versuch ... (H.-P. SCHMITZ, 1953), Kassel ³1964, ⁴1968; +Selbstbiogr. deutscher Musiker d. XVIII. Jh. (W. KAHL, 1948), Nachdr. =Facsimiles of Early Biogr. V, Amsterdam 1970. – A. H. CHRISTMANN, J. J. Qu. on the Mus. Practices of His Time, Diss, Union Theological Seminary (N. Y.) 1950 (Übers. einiger Kap. aus d. »Versuch ...«); On Playing the Fl., hrsg. v. E. R. REILLY, London u. NY 1966 (vollständige Übers. d. »Versuch ...«, mit Anm.).

Lit.: +H.-P. SCHMITZ, Querflöte u. Querflötenspiel in Deutschland ... (1952), Kassel ²1958. – E. E. HELM, Music at the Court of Frederick the Great, Norman (Okla.) 1960; P. BENARY, Die deutsche Kompositionslehre d. 18. Jh., = Jenaer Beitr. zur Musikforschung III, Lpz. 1961; F. A. GALLO, Il »Saggio per ben sonare il fl. traverso« di A. Lorenzoni nella cultura mus. ital. del Settecento, Rass. mus. XXXI, 1961; E. R. REILLY, Further Mus. Examples f. Qu.'s »Versuch«, JAMS XVII, 1964 (mit engl. Übers. d. Vorrede zu op. 2); DERS., Qu. and His »Versuch«. Three Studies, =American Musicological Soc., Studies and Documents V, NY 1971 (mit Bibliogr. d. Ausg. u. Lit.); FR. NEUMANN, The French »Inégales«, Qu., and Bach, JAMS XVIII, 1965, vgl. dazu auch XIX, 1966, S. 112ff. u. 434ff., ferner XX, 1967, S.

473ff.; M. RASMUSSEN, Some Notes on the Articulations in the Melodic Variation Tables of J. J. Qu.'s »Versuch ...«, Brass and Woodwind Quarterly I, 1966–68; S. BABITZ, Concerning the Length of Time That Every Note Must Be Held, MR XXVIII, 1967; D. KRICKEBERG, Studien zu Stimmung u. Klang d. Querflöte zwischen 1500 u. 1850, Jb. d. Staatl. Inst. f. Musikforschung ... 1968; I. ALLIHN, G. Ph. Telemann u. J. J. Qu., Der Einfluß einiger Kammermusikwerke G. Ph. Telemanns auf d. Lehrwerk d. J. J. Qu. »Versuch ...«, = Magdeburger Telemann-Studien III, Magdeburg 1971.

Quanz, Willibald (Pseudonyme Marcel Costino und Rolf Hansen), * 19. 2. 1905 zu Frankfurt am Main; deutscher Komponist von Unterhaltungsmusik und Schlagern, Autodidakt, war als Pianist im Stummfilmkino, in Varietés und Kabaretts (auch mit eigenem Ensemble) tätig und wurde 1955 Lektor der Otto Kuhl-Verlag (West Ton Verlag) in Köln. Von seinen Schlagertiteln seien genannt: Wir machen durch bis morgen früh (1949); O wie bist du schön (1951); Unter Palmen am Meer (1954); Rot ist mein Mund (1956). Zu den Interpreten seiner Schlager zählen Lale Andersen, Bibi Johns, Ralph Bendix, Roy Black, Kuhn und Spencer. Außer mit Unterhaltungsmusik ist Qu. auch mit Filmmusiken (Tausend Sterne leuchten, 1959; Bei der blonden Kathrein, 1959) hervorgetreten.

Quaranta, Felice, * 14. 5. 1910 zu Turin; italienischer Komponist und Dirigent, studierte am Conservatorio Statale di Musica G.Verdi in Turin (Klavier bei Luigi Gallino, Komposition bei Ghedini), an dem er ab 1940 Solfège und Theorie, 1954–60 Komposition lehrte. 1969 übernahm er die Leitung des Liceo Musicale Pareggiato A. Vivaldi in Alessandria. 1970 wurde er künstlerischer Leiter am Teatro Felice in Genua. Er komponierte u. a. die Favola lirica Lolette (1929), Orchesterwerke (Konzert für Orch., 1945; Capriccio concertante, 1946, und Konzert, 1955, für Kl. und Streichorch.; Concerto breve für V. und Kammerorch., 1955), Kammermusik (Invenzioni da concerto für Ob. und 7 Instr., 1962; Momenti für Fl., Klar., Fag., V., Va, Vc. und Schlagzeug, 1965; Trattenimento musicale für V., Vc., Klar., Hf. und Vibraphon, 1960; Combinazioni für V., Sax. und Kl., 1950; Streichtrio Musica, 1955; Miniature für V. und Kl., 1933; Nomos für Vc. und Kl., 1957), Klavierwerke (Bagatellen, 1942; Appunti alla tastiera, 1961; Invention für Kl. 4händig, 1967), Vokalmusik (Kantate Saul, 1930, Caccia, 1940, Psalm 23, 1948, und 5 canzoni Tsu Yeh, 1964, für Chor, Solostimmen und Orch.; Antiphon für Bar. und Streichorch., 1947; Kantate S. Gabriel für Singst. und Orch., 1966; El lagarto viejo für S., Bläserquintett und Cemb., 1968; Lieder). Qu. schrieb u. a. Mozart fra gli operai (Kgr.-Ber. Wien Mozartjahr 1956), L'educazione musicale nella nuova scuola media (in: L'approdo musicale X, 1964) und Musikunterricht in Italien (in: Musik in der Schule XVI, 1965).

Quaratino (karat'ino), Pascual, * 5. 6. 1904 zu Buenos Aires; argentinischer Komponist und Dirigent, studierte in seiner Heimatstadt bei Luzzati und vervollkommnete seine Studien 1925–26 am Conservatorio di Musica S.Pietro a Majella in Neapel. Er war stellvertretender Dirigent am Teatro S.Carlo in Neapel und an der Oper in Rom, kehrte dann nach Argentinien zurück und wirkte als Kapellmeister am Teatro Colón in Buenos Aires sowie an den Stadttheatern von Buenos Aires, Rio de Janeiro und São Paulo. Qu. war Mitgründer (1932) und Professor des Städtischen Konservatoriums M. de Falla in Buenos Aires, dessen Leitung er 1963 übernahm. Seine Kompositionen umfassen Orchesterwerke (Tríptico; Voces de la tierra), Kammermusik (Streichquartett, 1938), Klavierstücke (*Rapsodia argentina*, 1937; *Organito*, 1942; *Bailarinas coyitas*, 1957; *Milonga*, 1962), Chorwerke sowie Stücke für Gesang und Klavier (*Lamento indio*, 1938; *Ronda del sol*, 1947; *Machao*, 1964). Er übersetzte Lussys *Le rythme musical* ins Spanische (Buenos Aires 1942, ³1953).

Quartetto Italiano, italienisches Streichquartett mit Sitz in Mailand, gegründet 1945 in Reggio Emilia, debütierte im selben Jahr in Carpi (Modena) mit den Mitgliedern Paolo Borciani (* 21. 12. 1922 zu Reggio Emilia, Lehrer am Conservatorio di Musica G. Verdi in Mailand, Verfasser eines Buches über *Il quartetto*, Mailand 1973) als Primarius, Elisa Pegreffi (* 10. 6. 1922 zu Genua) 2. Violine, Lionello Forzanti, Bratsche, und Franco Rossi (* 30. 3. 1921 zu Venedig, Lehrer am Conservatorio di Musica L. Cherubini in Florenz) Violoncello. Die Bratsche übernahm 1947 Piero Farulli (* 13. 1. 1920 zu Florenz, Lehrer am Conservatorio di Musica L. Cherubini in Florenz). Mit seiner ersten Tournee in die USA und nach Kanada (1951) begann eine internationale Konzerttätigkeit, die das Qu. I. u. a. nach Südamerika, Südafrika, Japan und in die UdSSR führte. Das Qu. I. ist mit Gesamtaufnahmen der Streichquartette von Mozart, Schumann und Brahms (Deutscher Schallplattenpreis 1973) hervorgetreten.

Queiroz (keir'ɔʃ), Iza (eigentlich Maria Luiza de Queiroz Amancio dos Santos, * 19. 4. 1890 und † 12. 10. 1965 zu Rio de Janeiro; brasilianische Musikforscherin und Klavierpädagogin, studierte an der Musikhochschule in Rio de Janeiro, lehrte an diesem Institut Klavier und Musikgeschichte und war Organistin an der Kathedrale Santísimo Salvador in Campos (Staat Rio de Janeiro). Sie veröffentlichte außer didaktischen Arbeiten *Os grandes vultos da polifonia vocal em Portugal nos s. XVI e XVII* (Rio de Janeiro 1941) und *Origem e evolução da música em Portugal e sua influência no Brasil* (ebd. 1942).

Quelle, Ernst-August (Pseudonym Ernst Arno), * 7. 12. 1931 zu Herford; deutscher Komponist von Unterhaltungs- und Jazzmusik, Arrangeur und Pianist, lebt in Straßlach (bei München). Er studierte 1950–56 an der Musikakademie in Detmold Klavier bei Richter-Haaser (Konzertdiplom), wandte sich dann der Unterhaltungs- und Jazzmusik zu und war 1959–62 Pianist und Arrangeur im Orchester Barnabas von Géczy. Er schrieb u. a. Fernsehmusiken zu *Kommissar Maigret* (Schallplatte *Kommissar-Maigret-Theme*) und die Musicals *Weltstadt mit Herz* und *Black and White*.

+Quellmalz, Alfred, * 25. 10. 1899 zu Oberdigisheim (bei Balingen, Württemberg).
Qu., der heute in Stuttgart lebt, wirkte als Landesreferent für das Deutsche Jugendrotkreuz in Stuttgart bis 1961. An neueren Aufsätzen schrieb er: *Musikalisches Altgut in der Volksüberlieferung Südtirols* (Kgr.-Ber. Wien Mozartjahr 1956); *Der Spielmann, Komponist und Schulmeister P. Wüst (um 1470 – um 1540)* (Fs. J. Müller-Blattau = Saarbrücker Studien zur Musikwissenschaft I, Kassel 1966). Von einer auf 4 Bde geplanten Sammlung *Südtiroler Volkslieder* erschienen bislang Bd I–II (ebd. 1968–72; vgl. dazu auch Mf XXVII, 1974, S. 98ff.).

Quennet, Arnold, * 7. 3. 1905 zu Remscheid; deutscher Dirigent, studierte an der Kölner Musikhochschule bei H. Abendroth. Er begann 1934 als Repetitor am Opernhaus in Köln, war 1935–39 Solorepetitor am Stadttheater in Duisburg, ging danach an das Landestheater Hannover (1939–41 2. Kapellmeister, 1941–51 1. Kapellmeister) und ist seit 1951 1. Kapellmeister der Städtischen Bühnen in Düsseldorf (seit 1956 Deutsche Oper am Rhein in Düsseldorf–Duisburg).

Quentel, Heinrich, * zu Straßburg, † 1501 zu Köln (sein Name wurde auf den Druckwerken bis 1520 beibehalten); deutscher Drucker, besaß ab 1478 eine eigene Druckerei in Köln und trat 1479 in Verlagsgesellschaft mit seinem Schwiegervater Johann Hellmann. 1501 erschien erstmals das bedeutendste musiktheoretische Werk der Qu.schen Druckerei, das *Opus aureum* von Wollick und Melchior Schanppecher, dem 1505 ein Lehrbuch von Tzwyvel (*Opuscula duo de numerorum praxi*) und 1513 dessen *Introductorium musice practice* folgten. Nach ihm führten die Druckerei 1520–46 Peter Qu. († 1546), 1546–51 Johann Qu. († 1551) und 1595–1621 Arnold Qu. († 1621 oder 1623).
Lit.: W. Haentjes, Der Kölner Buchdruck im 16. Jh., Diss. Köln 1953; Kl. W. Niemöller, N. Wollick u. sein Musiktraktat, = Beitr. zur rheinischen Mg. XIII, Köln 1956; H. Hüschen, Rheinische Gesangbuchdrucker u. -verleger d. 16. u. 17. Jh., in: 50 Jahre G. Bosse-Verlag, Regensburg 1963, S. 55; H. Ossing, Artikel Qu., in: Rheinische Musiker IV, hrsg. v. K. G. Fellerer, = Beitr. zur rheinischen Mg. LXIV, Köln 1966.

+Quercu, Simon de, 15./16. Jh.
Lit.: O. Wessely, Alte Musiklehrbücher aus Österreich, in: Musikerziehung VII, 1953/54; H. Hüschen, S. de Qu., ein Musiktheoretiker zu Beginn d. 16. Jh., in: Organicae voces, Fs. J. Smits v. Waesberghe, Amsterdam 1963.

+Querol, Leopoldo, * 15. 11. 1899 zu Vinaroz (Castellón).
Qu. veröffentlichte eine *Breve historia de la música* (Madrid 1955).

+Querol Gavaldá, Miguel, * 22. 4. 1912 zu Ulldecona (Tarragona).
Qu. lehrt seit 1957 als Professor für Musikgeschichte an der Universität Barcelona. 1959 wurde er Mitglied der Real Academia de bellas artes de S. Fernando in Madrid. Er ist Herausgeber des *Anuario musical* (AM); genannt seien an neueren Aufsätze veröffentlichte; genannt seien an neueren: *La estética musical de J. Maragall (1860–1911)* (XV, 1960); *La música vocal de J. Cabanilles* (XVII, 1962); *Notas sobre la música en la Iglesia Latina de los s. III–IV* (XIX, 1964); *La canción popular en los organistas españoles del s. XVI. Tradición coral hispánica de la »Folie d'Espagne«* (XXI, 1966); *La producción musical de J. del Encina (1469–1529)* (XXIV, 1969); *La chacona en la época de Cervantes* (XXV, 1970); *Dos nuevos cancioneros polifónicos españoles de la primera mitad del s. XVII* (XXVI, 1971). Weitere Aufsätze: *La polyphonie religieuse espagnole au XVIe s.* (in: Le »baroque« musical, = Les colloques de Wégimont IV, 1957); *Nuevos datos para la biografía de M. Gómez Camargo* (in: Miscelánea ..., Fs. H. Anglés II, Barcelona 1958–61); *La producción musical del compositor M. Romero (1575–1647)* (in: Renaissance-muziek 1400–1600, Fs. R. B. Lenaerts, = Musicologica Lovaniensia I, Löwen 1969); *La polifonía española profana del Renacimiento* (Rev. musical chilena XXV, 1971); lexikalische Beiträge. In den »Monumentos de la música española« gab Qu. des weiteren heraus: +Fr. Guerrero, *Opera omnia* (2 Bde, = MMEsp XVI u. XIX, Barcelona 1955–57); *Música barroca española*, Bd I: *Polifonía profana. Cancioneros españoles del s. XVII* (ebd. XXXII, 1970); *Cancionero musical de la Biblioteca Colombina* (ebd. XXXIII, 1971); er edierte ferner *La música en las obras de Cervantes. Romances, canciones y danzas tradicionales a 3 y 4 v. y para canto y piano* (Madrid 1971). – Qu. war Hauptmitarbeiter am *Diccionario de la música Labor* von J. Pena und H. Anglés (2 Bde, Barcelona 1954).

Quesnel (kɛn'ɛl), Joseph, * 15. 11. 1749 zu St-Malo (Bretagne), † 3. 7. 1809 zu Montreal; kanadischer Komponist und Dichter, darf als der erste Opernkomponist in Kanada gelten. Als solcher blieb er jahrzehntelang eine Einzelerscheinung. Er schrieb auf eigene Texte: *Colas et Colinette*, Comédie en prose mêlée d'ariettes in 3 Akten (Montreal 1790; verlorengegangene Instrumentalstimmen wurden 1963 von Ridout neu komponiert); *Lucas et Cécile*, Comédie en prose mêlée d'ariettes (ebd. um 1792). Seine Kirchen- und Instrumentalmusik ist verschollen.
Lit.: J. HUSTON, Le répertoire national, Montreal 1848, ²1893; H. KALLMANN, A Hist. of Music in Canada 1534–1914, Toronto 1960.

Quilico (kw'ilikou), Louis, * 14. 1. 1929 zu Montreal; kanadischer Opernsänger (Bariton), studierte am Conservatoire de la Province de Québec, an der Mannes School of Music in New York (Singher), in San Francisco (Robert Weede) und an der Accademia Nazionale di S. Cecilia in Rom (Lina Pizza Longa). Er debütierte 1955 als Germont (*La Traviata*) an der New York City Opera und war 1956–59 an der Oper in San Francisco engagiert. Gastspiele führten ihn u. a. nach Spoleto (1959), die Covent Garden Opera in London (1960), die Pariser Opéra (1961), die Wiener Staatsoper (1963 und 1967), das Teatro dell'Opera di Roma (1964) sowie in die UdSSR (1961 und 1969). Qu. wurde der Titel Esquire, Professor der University of Toronto, verliehen.

+Quinault, Jean-Baptiste-Maurice, [erg.:] um 1685 zu Paris – 1744.

+Quinault, Philippe, getauft 5. 6. [nicht: 5.] 1635 – 1688.
Lit.: A. A. ABERT, Der Geschmackswandel auf d. Opernbühne, am Alkestis-Stoff dargestellt, Mf VI, 1953; J. VAN EERDE, Qu., The Court and Kingship, Romanic Rev. LIII, 1962; C. M. GIRDLESTONE, Tragédie et Tragédie en musique (1673–1727), in: Opéra et littérature frç., = Cahiers de l'Ass. internationale des études frç. XVII, 1965, Teil 1; DERS., La tragédie en musique (1673–1750) considérée comme genre littéraire, = Hist. des idées et critique littéraire CXXVI, Genf 1972; L. MAURICE-AMOUR, Comment Lully et ses poètes humanisent dieux et héros, in: Opéra et littérature frç., = Cahiers de l'Ass. internationale des études frç. XVII, 1965, Teil 1; P. J. SMITH, The Tenth Muse, NY 1970.

+Quinet, Fernand, * 29. 1. 1898 zu Charleroi, [erg.:] † 24. 10. 1971 zu Lüttich.
Qu., Mitglied der belgischen Académie royale des sciences, des lettres et des beaux-arts, war Direktor des Konservatoriums von Lüttich bis 1963. Er leitete 1950–65 das von ihm gegründete Städtische Symphonieorchester von Lüttich, mit dem er auch Konzertreisen vor allem ins europäische Ausland unternahm, und ist auch als Gastdirigent hervorgetreten.
Lit.: R. BERNIER in: Bull. de la Classe des beaux-arts de l'Acad. royale de Belgique LIII, 1971, S. 243ff.; G. HUYBENS in: Vlaams muziektijdschrift XXIII, 1971, S. 308ff.

+Quinet, Marcel, * 6. 7. 1915 zu Binche (Hennegau).
Qu., seit 1943 Professeur de fugue am Brüsseler Conservatoire, ist außerdem Leiter der Ecole de musique in Saint-Josse-ten-Noode (Schaerbeek, Brüssel). – Weitere Werke: Kammeroper *Les deux bavards* (1966), Ballett *La nef des fous* (1969); Sinfonietta (1953), Variationen (1956), Symphonie (1960) und *Ouverture pour un festival* (1967), *Esquisses symphoniques* (1973) für Orch., Divertimento für Kammerorch. (1957), Serenade für Streichorch. (1956), *Mouvements* für Kammerorch. (1973), Concerto grosso für 4 Klar. und Streicher (1964), Concerto für Ob., Klar., Fag. und Streicher

(1960), 3 Klavierkonzerte (1955, 1963, 1966), Concertino für V. und Streichorch. (1970), Bratschenkonzert (1963), Concertino für Fl., Streichorch., Hf. und Celesta (1959), Ballade für Klar., Streichorch., Vibraphon, Hf. und Celesta (1961); Ballade für V., Fl., Ob., Klar., Horn und Fag. (1962), Klavierquartett (1957), Streichquartett (1958), *Petite suite* für 4 Klar. (1959), Bläserquartett (1963), *Pochades* für 4 Sax. (1967), 4 *Bluettes* für Klaviertrio (1954), *Sonate à trois* für Trp., Horn und Pos. (1961), Sonate für 2 V. und Kl. (1965), Trio für Ob., Klar. und Fag. (1967), 2. Streichtrio (1969), Sonatine (1952) und Ballade (1962) für V. und Kl., Sonate für Fl. und Kl. (1968), Ballade für Klar. und Kl. (1961), Sonatine für V. und Va (1965); Passacaglia (1954), *Enfantines* (1959), Toccata (1961), *Hommage à Scarlatti* (1964), Partita (1965) und 3 Praeludien (1970) für Kl., 5 Miniaturen für Kl. 4händig (1964); *Lectio pro Feria sexta* für Soli, Chor und Orch. (1972); Liederzyklen (4 *Haï-Kaï*, 1953; *Arche de Noé*, 1955; *Chanson de quatre saisons*, 1961); Chöre.

Quinn, Freddy (eigentlich Franz Eugen Helmuth Manfred Nidl), * 27. 9. 1931 zu Niederfladnitz (Niederösterreich); österreichischer Sänger und Schauspieler, war Schiffsjunge und Zirkusmusiker und trat als Sänger in einer Hamburger Hafenbar auf, bis er sich 1956 mit dem Song *Heimweh*, ab 1957 auch als Hauptdarsteller in zahlreichen Musikfilmen durchsetzte. In dem Musical *Heimweh nach St. Pauli* mit dem Erfolgsschlager *Junge, komm bald wieder* (Hbg 1962; Musik von →Olias) betrat er zum ersten Male die Bühne; er sang auch den Prinzen Orlowski in der *Fledermaus* und den Zirkusdirektor in P. Burkhards *Feuerwerk*. Seine vorwiegend von Fernweh und Seemannsromantik handelnden Lieder wurden zum größten Teil von Olias komponiert. Qu. wurde bis Ende 1969 u. a. zwölfmal mit der »Goldenen Schallplatte«, achtmal mit dem »Goldenen Löwen« von Radio Luxemburg und zweimal mit dem »Bambi« ausgezeichnet. Eine seiner besten Langspielplatten sind die Einspielungen mit Countrysongs unter dem Titel *Tennessee-Saturday-Night*. Qu. verfaßte Autobiographisches unter dem Titel *Lieder, die das Leben schrieb* (Ffm. 1960).

Quintanar (kintan'ar), Héctor, * 15. 4. 1936 zu México (D. F.); mexikanischer Komponist, studierte am Conservatorio Nacional de Música seiner Heimatstadt bei R. Halffter (Harmonielehre), Galindo Dimas (Kontrapunkt) und Jiménez-Mabarak (Komposition). 1960 trat er dem »Composition Workshop« von Chávez bei, wurde dessen Assistent und später Leiter der Abteilung für Elektronische Musik des Conservatorio Nacional de Música. Qu. komponierte Orchesterwerke (*Sinfonía modal*, 1962; *Galaxias*, 1968; *Sideral II*, 1969), Kammermusik (Streichtrio, 1966; Sonate für 3 Trp., 1967; Quintett für Kl., V., Kb., Fl. und Trp., 1973), Chorwerke (Kantate *Aclamaciones* für Orch., Chor und Tonband, 1967), Lieder und Elektronische Musik (*Sideral I*, 1968, und *III*, 1971; *Símbolos*, 1969).
Lit.: Werkverz. in: Compositores de América XV, Washington (D. C.) 1969.

+Quinziani, Lucrezio, * um 1560.
Lit.: FR. BUSSI, Alcuni maestri di cappella e organisti della cattedrale di Piacenza, Piacenza 1956.

+Quiroga, Manuel, * 15. 4. 1892 und [erg.:] 19. 4. 1961 zu Pontevedra (Galicien).

+Quoika, Rudolf, * 6. 5. 1897 zu Saaz (Žatec, Böhmen), [erg.:] † 7. 4. 1972 zu Freising (Oberbayern).
Er wurde 1966 zum (österreichischen) Professor ernannt. – +*A. Schweitzers Begegnung mit der Orgel* (= Veröff. der Gesellschaft der Orgelfreunde VII, 1954), Bln

²1961. – Von seinen neueren Schriften seien genannt: *Musik und Musikpflege in der Benediktinerabtei Scheyern* (= Studien und Mitt. zur Geschichte des Benediktinerordens, Ergänzungs-H. XVI, München 1958); *Vom Sinn dieser Arbeit* (Freising 1962, mit Werkverz.); *Der Orgelbau in Böhmen und Mähren* (= Der Orgelbau in Europa II, Mainz 1966); *Die Orgelwelt um A.Bruckner. Blicke in die Orgelgeschichte Alt-Österreichs* (Ludwigsburg 1966); *Vom Blockwerk zur Registerorgel. Zur Geschichte der Orgelgotik 1200–1520* (Kassel 1966); *Über die Orgel in Altbayern. 1000 Jahre altbayerische Orgelgeschichte* (Bln 1968); *Ein Orgelkolleg mit A.Schweitzer* (Freising 1970).

Lit.: H. Lemacher in: Musica sacra LXXXIII, 1963, S. 23ff.; J. Schneider in: Sudetenland IX, 1967, S. 115ff.

Quṭbaddīn aš-Šīrāzī, Maḥmūd ibn Mas'ūd ibn Musliḥ, * Oktober 1236 zu Šīrāz, † 7. 2. 1311 zu Tabrīz; persischer Mediziner, Philosoph, Naturforscher und Theologe, wandte sich nach seiner Ausbildung in Šīrāz nach Transoxanien, wurde Schüler von →Naṣiraddīn aṭ-Ṭūsī, bereiste Mittelpersien, den Irak, Anatolien (1281–84) und Ägypten und ließ sich dann in Tabrīz nieder. In seiner persisch geschriebenen Enzyklopädie der Wissenschaften *Durrat at-tāǧ* (»Perle der Krone«) stellt er, selbst ausübender Musiker, die Musiktheorie als Teil des Quadriviums dar. Er behandelt anhand der 5saitigen Laute ausführlich Tonsystem, Intervalle und Tetrachordteilungen, Oktavgattungen, Maqāmāt (als adwār bzw. ǧumū') und deren Ableitungen, sowie Metren. Neben al-Fārābī und Avicenna zitiert er →⁺Ṣafīaddīn al-Urmawī, mit dessen *ar-Risāla aš-Šarafīya* er sich auseinandersetzt. Die Tabulatur eines Liedes (qaul) am Ende des fünfteiligen Musikkapitels ist die sorgfältigste bisher bekannte Wiedergabe eines Stückes aus dem islamischen Mittelalter.

Lit.: E. Wiedemann in: EI Bd II, 1927; H. G. Farmer, A Hist. of Arabian Music to the XIIIᵗʰ Cent., London 1929, Nachdr. 1967; ders., The Sources of Arabian Music (1940), revidiert Leiden 1965, Nr 261; M. 'A. Tabrīzī, Raiḥānat al-adab III, Tabrīz 1950 (persisches biogr. Lexikon islamischer Gelehrter); M. T. Dānišpažūh, Ṣad wasī wa-and aṭar-i fārsī dar mūsīqī (»130 u. mehr persische Werke über Musik«), in: Hunar wa-mardum XCIV, (Teheran) 1970.

Quṭb-i nāyī → Osman Dede.

R

†Raabe, –1) P e t e r, 1872–1945. Seine †Liszt-Monographie (*Fr.Liszt*, 1931) erschien in 2. ergänzter Aufl. Tutzing 1968.
–2) F e l i x, * 26. 7. 1900 zu Amsterdam, lebt heute im Ruhestand in Breitbrunn (Chiemsee).
Lit.: zu –1): J. WULF, Musik im Dritten Reich, Gütersloh 1963, auch = rororo Taschenbuch Nr 818–820, Reinbek bei Hbg 1966; F. RAABE in: Rheinische Musiker III, hrsg. v. K. G. Fellerer, = Beitr. zur rheinischen Mg. LVIII, Köln 1964, S. 63ff.

†Raaff, A n t o n, 1714–97.
Lit.: KL.-D. HARBUSCH in: Rheinische Musiker IV, hrsg. v. K. G. Fellerer, = Beitr. zur rheinischen Mg. LXIV, Köln 1966, S. 108ff.

†Raalte, A l b e r t v a n, 1890 – 1952 zu Amsterdam [nicht: Hilversum].

†Raasted, N i e l s O t t o, * 26. 11. 1888 und [erg.:] † 31. 12. 1966 zu Kopenhagen.

Rabcewiczowa-Poznańska (raptsɛvitʃ'ɔva-pɔzn'a:jnska), Z o f i a, * 7. 10. 1870 zu Wilna, † 3. 9. 1947 zu Milanówek (bei Warschau); polnische Pianistin und Klavierpädagogin, studierte 1877–90 am St. Petersburger Konservatorium, ab 1884 bei Anton Rubinstein, dessen Klasse sie nach seinem Tode (1894) übernahm. Ab 1918 lebte sie in Polen und war 1923–28 Professor am Warschauer Konservatorium. Konzertreisen führten sie in verschiedene europäische Länder. Mehrere Kompositionen wurden ihr gewidmet, so die Etüden op. 31 von Glasunow und das *Akrostichon* op. 114 von Anton Rubinstein.

Rabe, F o l k e, * 28. 10. 1935 zu Stockholm; schwedischer Komponist und Posaunist, studierte 1957–64 Posaune und Komposition (Blomdahl) an der Musikhochschule in Stockholm. Er war 1952–64 Posaunist in führenden schwedischen Jazzensembles und ab 1963 im »Kulturquartett« sowie 1965 Musical Director in The Dancers Workshop Company in San Francisco. Er wurde dann Assistent an der Musikhochschule in Stockholm. R.s Produktion, die gelegentlich Film und Theater einbezieht, umfaßt u. a. *Bolos* (1962) und *Polonaise* (1966) für 4 Pos. (beide zusammen mit Bark), *Pièce* für Sprechchor (mit Lasse O'Månsson, 1962), *Impromptu* für 5 Spieler (1962), *Bajazzo* für 8 Jazzmusiker, Dirigent und Publikum (1964), *Rondes* für Chor (1964), *Hep-hep* für Orch. (1967), *Intvejtja* für Schallakkumulator, Stimmen und Schallquellen (mit Bo Hulphers, 1969), *Joe's Harp* für gem. Chor a cappella (1970) sowie Elektronische Musik.

Rabe, J o h a n J u l i u s, * 13. 7. 1890 zu Stockholm, † 7. 11. 1969 zu Djursholm (Stockholm); schwedischer Musikschriftsteller, studierte Klavier bei R. Andersson, Kontrapunkt bei Beckman sowie Musikwissenschaft bei Kretzschmar, Kroyer und Sandberger. Er war ab 1918 als Musikkritiker in Göteborg und 1927–57 am Schwedischen Rundfunk (1927–35 Landesprogrammchef, 1935–54 Programmchef in Göteborg, 1954–57 Chef der Musikabteilung) tätig und wirkte daneben als Musikkritiker in Stockholm und Göteborg. 1961–67 lehrte er Musikgeschichte am Konservatorium in Gö-

teborg. R. ist seit 1967 Mitglied der Kungl. Musikaliska akademien. Er veröffentlichte u. a. Biographien über Bizet und Bach (Stockholm 1925 bzw. 1947) und eine Musikgeschichte *Musiken genom tiderna* (»Musik durch die Zeiten«, mit G.Jeansson, ebd. 1927–31, mehrere Aufl.), ferner: *Radiotjänsts operabok* (»Rundfunkopernbuch«, 3 Bde, ebd. 1939–43, ²1966); *Beethovens symfonier* (= W & W-serien LVIII, ebd. 1948, ²1964); *Dikt och ton* . . . (»Dichtung und Ton. Ein Buch über die romantische Liederdichtung«, ebd. 1959); *Opera* (mit P.-A.Hellquist und P.Estreen, ebd. 1966).

†Rabelais, F r a n ç o i s, um 1494 [erg.:] zu La Devinière (bei Chinon, Indre-et-Loire) – 1553.
Ausg.: Œuvres complètes, hrsg. v. P. JOURDA, 2 Bde, = Classiques Garnier o. Nr, Paris 1962.
Lit.: †CH. VAN DEN BORREN, R. et la musique (1942), Wiederabdruck in: RBM XXI, 1967. – D. S. PACKER, Fr. R., Vaudevilliste, MQ LVII, 1971.

Rabenalt, A r t h u r M a r i a, * 25. 6. 1905 zu Wien; deutscher Theater-, Film- und Fernsehregisseur, erhielt sein erstes Engagement 1923 als Regieassistent am Landestheater Darmstadt. Als Opernregisseur wirkte er anschließend in Gera, Würzburg, Darmstadt und in Berlin (Kroll-Oper und Städtische Oper). Bekannt wurde er vor allem als Regisseur von Musikfilmen. 1945–46 leitete er die Städtischen Schauspiele Baden-Baden und 1946–50 das Metropoltheater Berlin. R. beteiligte sich, meist in Zusammenarbeit mit dem Bühnenbildner Reinking, an den auch andernorts (Bauhaus, Kroll-Oper) einsetzenden Szenenreformen, die auf Abbau von Opernklischees, Ordnung des Bewegungschaos, Entromantisierung und Abstraktion bzw. Aktualisierung des Szenenraums zielten. Er erprobte das Repertoire von Händel und Gluck bis zu P.Hindemith und Křenek und führte Regie bei Aufführungen von Schönbergs *Erwartung* und *Die glückliche Hand* (Bln, Kroll-Oper, 1930). R. schrieb u. a.: *Opernregie* (München 1937); *Oper in der Zeit* (Bln 1947); *Die Schnulze* (München 1959).
Lit.: H. KAISER, Modernes Theater in Darmstadt 1910–33, Darmstadt 1955.

Rabenschlag, F r i e d r i c h, * 2. 7. 1902 zu Herford, † 7. 8. 1973 zu Leipzig; deutscher Chordirigent, studierte in Tübingen, Köln und Leipzig an den Universitäten Germanistik, Philosophie und Musikgeschichte und daneben Klavier, Orgel und Dirigieren. 1926 rief er den »Madrigalkreis Leipziger Studenten« ins Leben, der sich nach Vereinigung mit der 1933 gegründeten Leipziger Universitätskantorei 1938 Leipziger Universitätschor nannte. Er wurde 1939 Universitätsdirektor und 1947 Direktor und ständiger Dirigent der Leipziger Singakademie (1954 Professor). R. war außerdem Leiter einer Kammermusikvereinigung der Universität Leipzig.

Rabin (ɹ'eibin), M i c h a e l, * 2. 5. 1936 und † 19. 1. 1972 zu New York; amerikanischer Violinist, studierte zuerst privat, dann bei Galamian an der Juilliard School of Music in New York. Er begann seine glanzvolle Karriere 1949 in der Carnegie Hall in New York und ist auf zahlreichen Tourneen auch in Europa und Australien hervorgetreten.

Rabinof (ɹ'eibinəf), Benno, * 11. 10. 1910 zu New York; amerikanischer Violinist, Sohn russisch-jüdischer Eltern, studierte privat bei Victor Küzdö, Kneisel und L. Auer und debütierte 1927 mit der New York Philharmonic. Er unternahm mit seiner Frau, der Pianistin Sylvia Smith-R., Tourneen durch Europa und Amerika, nach Israel und in die Türkei.

d. July 2 1975

+Rabsch, Edgar [erg.:] Richard Fritz, * 1. 11. 1892 zu Berlin(-Charlottenburg), [erg.:] † 4. 9. 1964 zu Kiel.

R. komponierte ferner *Das Spiel vom deutschen Bettelmann* für Soli, Chor und Orch. (E. Wiechert, 1935). – Weitere Veröffentlichungen: *Ein Weg zum Notensingen* (Meldorf 1954); *Musik. Ein Beitrag zur Problematik eines zeitgemäßen Musikunterrichts* (= Wegweiser für die Lehrerfortbildung XXXIX, Kiel 1963); *Das Ende war der »Plöner Musiktag«. Bericht über einen Modellfall musikalischer Bildung* (in: Musikerziehung in Schleswig-Holstein, hrsg. von C. Dahlhaus und W. Wiora, = Kieler Schriften zur Musikwissenschaft XVII, Kassel 1965).

Raccagni (rrak'agni), Herminia, * 25. 4. 1915 zu Santiago de Chile; chilenische Pianistin, studierte in ihrer Heimatstadt Klavier bei Rosita Renard und Komposition bei Allende. Sie ist seit 1945 Professor für Klavier an der Facultad de Ciencias y Artes Musicales. 1954–61 leitete sie das Conservatorio Nacional de Música. Konzertreisen führten sie durch Süd- und Nordamerika sowie nach Europa und Vorderasien.

d. Aug 14 1975

+Racek, Fritz, * 15. 2. 1911 zu Znaim (Mähren). R., weiterhin Musikreferent der Wiener Stadtbibliothek (1956 Professor), war Geschäftsführer des Musikausschusses der Wiener Festwochen 1949 [nicht: 1951] bis 1953. Seit 1965 ist er Editionsleiter der Johann-Strauß-GA (vgl. dazu ÖMZ XXII, 1967, S. 292ff.). Neuere Aufsätze: *H. Wolfs erste Chorversuche* (ÖMZ XV, 1960); *Fr. Schuberts Singspiel »Der häusliche Krieg« und seine jetzt aufgefundene Ouverture* (in: Biblos XII, 1963); *Ein neuer Text zu Bruckners »Vaterländischem Weinlied«?* (in: Bruckner-Studien, Fs. L. Nowak, Wien 1964); *Einiges über Lortzings Tätigkeit am Theater an der Wien* (in: Symbolae historiae musicae, Fs. H. Federhofer, Mainz 1971). Er bearbeitete ferner J. M. Hauers Oper *Die schwarze Spinne* (Wien 1966).

+Racek, Jan, * 1. 6. 1905 zu Bučovice (Mähren). R. habilitierte sich 1939 [nicht: 1929]. – Er leitete das Institut für Ethnographie und Folkloristik in Brünn bis 1962 und lehrte an der dortigen Universität bis 1970. 1957 wurde er zum Doktor der historischen Wissenschaften ernannt. Er ist Mitglied mehrerer Akademien. Zu seinem 60. Geburtstag wurde ihm eine Festschrift gewidmet (= *Sborník prací filosofické fakulty brněnské university* XIV, F 9, 1965, mit Schriftenverz., bis 1967 fortgeführt ebd. XVII, H 3, 1968, S. 127ff.). In der von ihm betreuten Reihe *+Musica antiqua Bohemica* sind bisher über 70 Bände erschienen. – Neuere Schriften und Aufsätze: *+Slohové problémy italské monodie* (1938), deutsch erweitert als *Stilprobleme der italienischen Monodie* (= Opera Universitatis Purkynianae Brunensis, Facultas philosophica CIII, Prag 1965); *L. Janáček, člověk a umělec* (»L. Janáček, Mensch und Künstler«, Brünn 1963, deutsch = Reclams Universal-Bibl. Nr 9043/45, Lpz. 1962, NA ebd. Nr 321, 1971); *Beethoven a české zeme* (»Beethoven und Böhmen«, = Opera Universitatis Purkynianae Brunensis, Facultas philosophica XCI, Prag 1964); *Kr. Harant z Polžic a jeho doba* (»Kr. Harant von Polžice und seine Zeit«,

Teil I, ebd. CXLIX, 1970); *Beethoven und Goethe in Bad Teplitz 1812* (StMw XXV, 1962); *L. Janáčeks und B. Bartóks Bedeutung in der Weltmusik* (in: Sborník prací filosofické fakulty brněnské university XI, F 6, 1962, auch in: StMl V, 1963); *Das älteste kirchliche Bittlied »Hospodine, pomiluj ny«* (Kgr.-Ber. Salzburg 1964, frz. in: Magna Moravia, = Opera Universitatis Purkynianae Brunensis, Facultas philosophica CII, Prag 1965); *Die tschechische Musik des 18. Jh. und ihre Stellung in der europäischen Musikkultur* (Fs. J. Schmidt-Görg, Bonn 1967); *Vl. Helfert and the Brno School of Musicology* (in: Sborník prací filosofické faculty brněnské university XVIII, H 4, 1969); *Das tschechische Volkslied und die italienische Barockmusik des 17. und 18. Jh.* (in: Symbolae historiae musicae, Fs. H. Federhofer, Mainz 1971); *Zum Wort-Ton-Problem in der geschichtlichen Entwicklung der abendländischen Monodie* (Mf XXIV, 1971). Lit.: Vl. KARBUSICKÝ in: Hudební rozhledy XX, 1967, S. 547ff.

+Rachlew, Anders, * 26. 8. 1882 zu Drammen (Südnorwegen), [erg.:] † 11. 1. 1970 zu Kopenhagen.

+Rachmaninow, Sergej Wassiljewitsch, 1873–1943. Werke: die einaktigen Opern *Aleko* (nach Puschkins Zygany, »Die Zigeuner«, 1892, Moskau 1893), *Skupoj ryzar* op. 24 (»Der geizige Ritter«, nach Puschkin, 1903–05, ebd. 1906) und *Francesca da Rimini* op. 25 (nach Dante, 1905, ebd. am selben Abend), ferner *Monna Vanna* (nach Maeterlinck, 1907, unvollendet). – 3 Symphonien (D moll op. 13, 1895; E moll op. 27, 1907; A moll op. 44, 1936), Scherzo F dur (1887), symphonische Dichtung *Manfred* (1890[?], unvollendet), Symphonie D moll (nur 1. Satz, 1891), symphonische Dichtung *Knjas Rostislaw* (»Fürst Rostislaw«, nach A. Tolstoj, 1891), Intermezzo (1892), Fantasie *Utjos* op. 7 (»Der Felsen«, nach Lermontow, 1893), *Capriccio bohémien* op. 12 (1894), symphonische Dichtung *Ostrow mjortwych* op. 29 (nach Böcklins Bild »Die Toteninsel«, 1909) und 3 symphonische Tänze op. 45 (1940, auch für 2 Kl.) für Orch. – 4 Konzerte (Fis moll op. 1, 1891, revidiert 1917; C moll op. 18, 1901; D moll op. 30, 1909; G moll op. 40, 1926, revidiert 1941) und Rhapsodie über ein Thema von Paganini op. 43 (1934) für Kl. und Orch. – Romanze und Scherzo (1889[?], auch für Orch., 1892) und 2 Sätze (1896) für Streichquartett, *Trio élégiaque* Nr 1–2 für Klaviertrio (G moll, 1892; D moll op. 9, 1893, »dem Andenken eines großen Künstlers« [Tschaikowsky]), Romanze (1891[?]) und 2 Stücke op. 6 (Romanze D moll und Ungarischer Tanz, 1893) für V. und Kl., Sonate G moll op. 19 (1901), Romanze (1890), Stück (1891[?]) und 2 Stücke op. 2 (Prélude F dur und Orientalischer Tanz, 1892) für Vc. und Kl. – 2 Sonaten (D moll op. 28, 1907; B moll op. 36, 1913, revidiert 1931), Préludes (10 op. 23, 1903; 13 op. 32, 1910), *Etudes-Tableaux* (6 op. 33, 1911; 9, 1911, ursprünglich als Nr 3–5 von op. 33, Nr 2 revidiert als Nr 6 in op. 39; 9 op. 39, 1917), Stück D moll (1884), 4 Stücke (1887; Romanze, Prélude, Melodie, Gavotte), 3 Nocturnes (1887, 1887, 1888), Prélude F dur (1891), 5 *Morceaux de fantaisie* op. 3 (1892; Elegie, Prélude Cis moll, Melodie, revidiert 1940, Polichinelle, Serenade, revidiert 1940[?]), 7 *Morceaux de salon* op. 10 (1894; Nocturne, Walzer, Barkarole, Melodie, Humoreske, revidiert 1940, Romanze, Mazurka), 6 Moments musicaux op. 16 (1896), 4 Improvisationen (mit Arensky, Glasunow und Tanejew, 1896), *Morceau de fantaisie* G moll (1899), Fughetta F dur (1899), Variationen über ein Thema von Chopin op. 22 (1903), *Polka de W. R.* (auf ein Thema von R.s Vater, 1911), Orientalische Skizze (1917), Stück (1917), Variationen über ein Thema von Corelli op. 42 (1931) und zahlreiche Bearbeitungen (u. a. 3 Sätze aus Bachs Partita E dur für V. solo, 1933) für Kl., Romanze G dur (1893[?]), 6 Duette op. 11 (1894) und *Polka italienne* (2 Fassungen, 1906[?]) für Kl. 4händig, Walzer (1890) und Romanze (1891) für Kl. 6händig, 2 Suiten (Fantasie op. 5, 1893; op. 17, 1901) und Russische Rhapsodie (1891) für 2 Kl. – Kantate *Wesna* (»Frühling«) für Bar., gem. Chor und Orch. op. 20 (1902), *Kolokola* für Orch. mit Chor und Soli op. 35 (K. Balmont nach E. A. Poes *The Bells*, 1913, revidiert 1936), 3 russische Volkslieder für Chor und Orch. op. 41 (1926); zahlreiche Lieder, darunter (mit op.-Nr) 6 Lieder op. 4 (1890–93), 6 op. 8 (1893), 12 op. 14 (1896), 12 op. 21 (1902), 15 op. 26 (1906), 14 op. 34 (1912) und 6 op. 38 (1916); 6 Chöre für Frauen- (oder Kinder-)St. und Kl. op. 15 (1895); 6st. Motette *Deus meus* (1890), *Pantelej zelitel* (»Pantelej, der Tröster«, A. Tolstoj, 1900), Liturgie des hl. Johannes Chrysostomus op. 31 (1910) und Vesperliturgie op. 37 (1915) für gem. Chor a cappella; Bearbeitungen (u. a. nach eigenen Liedern). – Seine Erinnerungen +*R.'s Recollections* (O. v. Riesemann, 1934) wurden nachgedruckt (Freeport/N. Y. 1970), Anmerkungen zu musikalischen Fragen erschienen als *Tri interwju* (SM XXXVII, 1973).

Ausg.: Polnoje sobranije sotschinenij dlja fortepiano (»GA d. Kl.-Werke«), hrsg. v. K. N. IGUMNOW, 4 Bde in 7, Moskau 1948–51; Polnoje sobranije romansow (»GA d. Romanzen«), hrsg. v. S. A. APETJAN, ebd. 1957, ³1968; dass. hrsg. v. P. A. LAMM, 2 Bde, ebd. 1967.
Lit. (im folgenden gilt d. Abk. »R.« auch f. andere Transkriptionsformen): Molodyje gody S. R.a (»Die Jugendjahre S. W. R.s«), mit Nachwort v. W. M. BOGDANOW-BERESOWSKIJ, Leningrad 1949 (Briefe u. Erinnerungen); Pisma (»Briefe«), hrsg. v. S. A. APETJAN, Moskau 1955; weitere Briefe in: SM XXV, 1961, H. 9, S. 72ff., u. in: Is archiwow russkich musykantow (»Aus d. Archiven russ. Musiker«), = Trudy Gossudarstwennowo zentralnowo museja musykalnoj kultury imeni M. I. Glinki o. Nr, Moskau 1962; S. W. R. w Iwanowke (»S. W. R. in Iwanowka«), hrsg. v. N. N. JEMELJANOW, Woronesch 1971 (Materialien u. Dokumente). – JE. JE. BORTNIKOWA, Awtografy S. W. R.a w fondach Gossudarstwennowo zentralnowo museja musykalnoj kultury imeni M. I. Glinki (»S. W. R.s Autographen in d. Beständen d. Staatl. Zentralen M. I. Glinka-Museums d. Musikkultur«), Moskau 1955. – Wospominanija o R.e (»+Erinnerungen an R.«, S. A. APETJAN, 2 Bde, 1957), ebd. ²1962, ³1967. – S. W. R., Sbornik statej i materialow (»Slg v. Aufsätzen u. Materialien«), hrsg. v. T. E. ZITOWITSCH, ebd. 1947; Aufsatzfolgen in: Tempo 1951/52, Nr 22, u. SM XXXII, 1968, H. 3.
+V. I. SEROFF, R. (1950), auch London 1951, frz. 1954 [nicht: 1953]; +S. BERTENSSON u. J. LEYDA, S. R. (1956), NA London 1965. – A. A. SOLOWZOW, S. W. R., Moskau 1947, revidiert ²1969; J. CULSHAW, S. R., London 1949 u. 1951, NY 1950; J. ANDRIESSEN, R., Amsterdam 1950; A. DM. ALEXEJEW, S. W. R., Moskau 1954; GR. M. KOGAN in: SM XXII, 1958, H. 4, S. 56ff., deutsch in: Sowjetwiss., Kunst u. Lit. VI, 1958, S. 1018ff.; N. D. BASCHANOW, = Schisn sametschatelnych ljudej, Seria biogr. XXIII, Moskau 1962, revidiert ²1966 = ebd. XIX, rumänisch Bukarest 1966, bulgarisch Sofia 1969; W. N. BRJANZEWA, S. R., = Bibl. chudoschestwennaja samodejatelnost XXVII, Moskau 1962; DIES., Detstwo i junost S. R.a (»S. R.s Kindheit u. Jugend«), ebd. 1970; J.-M. CHARTON, Les années frç. de S. R., Paris 1970; J. KELDYSCH in: SM XXXVII, 1973, Nr 4, S. 74ff.; CHR. RÜGER in: MuG XXIII, 1973, S. 198ff.; ST. WALSH in: Tempo 1973, Nr 105, S. 12ff.; R. THRELFALL, S. R., His Life and Music, London 1973.
+A. A. SOLOWZOW, Fortepiannyje konzerty R.a (1951), Moskau ²1961 = Bibl. sluschatelja konzertow o. Nr. – A. KANDINSKIJ, Opery R.a, = W pomoschtsch sluschatelju musyki o. Nr, ebd. 1956; DERS., O simfonisme R.a, SM XXXVII, 1973; W. A. WASSINA-GROSSMAN, Russkij klassi-

tscheskij romans XIX weka, Moskau 1956; K. G. BOLDT, The Solo Piano Variations of R., Diss. Indiana Univ. 1957; O. SOKOLOWA, Simfonitscheskije proiswedenija S. W. R.a (»S. W. R.s symphonische Werke«), = Putewoditeli po russkoj musyke o. Nr, Moskau 1957 u. 1964; DIES., Chorowyje i wokalno-simfonitscheskije proiswedenija R.a (»R.s Chor- u. vokal-symphonische Werke«), = Bibl. sluschatelja konzertow o. Nr, ebd. 1963; W. O. BERKOW in: SM XXIV, 1960, H. 8, S. 104ff. (zur Harmonik); D. RUBIN, Transformations of the »Dies Irae« in R.'s Second Symphony, MR XXIII, 1962; M. G. ARANOWSKIJ, Etjudy-kartiny R.a (»R.s ‚Etudes-Tableaux'«), Moskau 1963; I. A. GIWENTAL, Opera »Aleko« S. R.a, = W pomoschtsch pedagogu-musykantu o. Nr, ebd.; T. BERSCHADSKAJA in: Russkaja musyka na rubesche XX weka, hrsg. v. M. K. Michajlow u. Je. M. Orlowa, ebd. 1966, S. 149ff. (zur Harmonik); W. N. BRJANZEWA, Fortepiannyje pjessy R.a (»R.s Kl.-Stücke«), ebd. 1966; DIES. in: Polsko-rosyjskie miscellanea muzyczne, hrsg. v. Z. Lissa, Krakau 1967, S. 156ff. (zu Chopins Einfluß auf R.s Kl.-Werk); A. J. LA MAGRA, A Source Book f. the Study of R.'s »Preludes«, Diss. Columbia Univ. (N. Y.) 1966; L. MIROSCHNIKOWA in: Teoretitscheskije problemy musyki 20 weka I, hrsg. v. Ju. N. Tjulin, Moskau 1967, S. 210ff. (zu Besonderheiten d. Harmonik); T. A. GAJDAMOWITSCH in: Woprossy musykalno-ispolnitelskowo iskusstwa IV, hrsg. v. A. A. Nikolajew, ebd. 1969, S. 99ff. (zur Cellosonate u. ihren Interpreten); J. YASSER, The Opening Theme of R.'s Third Piano Concerto and Its Liturgical Prototype, MQ LV, 1969; JU. WS. KELDYSCH in: SM XXXIV, 1970, H. 8, S. 66ff. (zu »Aleko«); FR. CROCIATA, The Piano Music of S. W. R., The Piano Quarterly XXI, 1972/73; G. NORRIS in: MQ LIX, 1973, S. 441ff. (zu »Aleko«); DERS., R.'s Second Thoughts, MT CXIV, 1973; P. RUMMENHÖLLER, Zum Warencharakter in d. Musik, Zs. f. Musiktheorie IV, 1973 (zu op. 32 Nr 1).
GR. PROKOFJEW in: SM XXIII, 1959, H. 3, S. 121ff. (zu R.s Skrjabin-Spiel); H. C. SCHONBERG, The Great Pianists, NY 1963, deutsch als: Die großen Pianisten, = Das moderne Sachbuch LXIII, Bern 1965 u. 1967; JU. WL. PONISOWKIN, R., pianist, interpretator sobstwennych proiswedenij (»R. als Pianist u. Interpret d. eigenen Werke«), = W pomoschtsch pedagogu-musykantu o. Nr, Moskau 1965; CHR. LANG, Der Pianist S. W. R., ÖMZ XXVIII, 1973 (mit Diskographie).

Rachoń (rʹaxɔɲ), **Stefan**, * 4. 1. 1906 zu Ostrów Lubelski; polnischer Violinist und Dirigent, studierte am Warschauer Konservatorium Violine bei Józef Jarzębski (1929–32) und Irena Dubiska (1932–34) sowie Dirigieren bei Grz. Fitelberg (1934–36). Ab 1939 konzertierte er als Violinist und Dirigent in Paris, Berlin, Prag, Brünn und Bratislava. Seit 1945 ist er Dirigent des symphonischen Unterhaltungsorchesters des polnischen Rundfunks in Warschau.

Racine (rasʹiːn), **Jean**, getauft 22. 12. 1639 zu LaFerté-Milon, † 21. 4. 1699 zu Paris; französischer Dichter, dessen Werk den Höhepunkt der klassischen französischen Tragédie darstellt, setzte sich auch mit dem in Frankreich im Entstehen begriffenen musikalischen Theater auseinander. Er plante ein *Orphée*, das von Ludwig XIV. zugunsten des Tragédie-ballet *Psyché* von Molière, Pierre Corneille und Ph. Quinault (vertont von Lully) zurückgewiesen wurde. Später arbeitete er mit Boileau an einer Oper *Phaéton*, die Entwurf blieb. 1685 kam es mit dem Divertissement *Idylle sur la paix* zur einzigen Zusammenarbeit zwischen Lully und R. Doch zeigen die Libretti, die Quinault für Lully schrieb, Einflüsse der R.schen Tragödie. In R.s letzten Tragödien *Esther* (1689) und *Athalie* (1691) sind die Akte durch Ouvertüren, Symphonien und Zwischenaktmusik verbunden, die J.-B. Moreau komponierte. Moreau und Delalande setzten auch R.s *Cantiques spirituels* (1689) in Musik. Die Tragödien R.s stellten die Sujets für zahlreiche Tragédies lyriques und Opere

serie. Der deklamatorische Stil und das Menschenbild R.s beeinflußten nachhaltig Metastasio. Vorlagen zu Vertonungen bildeten u. a.: *Andromaque* (1667) für Grétry (Paris 1780, Neufassung 1781) und Rossini (als *Ermione*, Neapel 1819); *Britannicus* (1669) für C. H. Graun (Bln 1751); *Bérénice* (1670) für Porpora und D. Scarlatti (Rom 1718); *Bajazet* (1672) für Jomelli (Turin 1753); *Mithridate* (1673) für Caldara (Libretto Zeno, Wien 1728), Porpora (Rom 1730), Graun (Bln 1750), W. A. Mozart (Mailand 1770) und Zingarelli (Sografi, Venedig 1797); *Iphigénie* (1674) für Caldara (Zeno, Wien 1718), Graun (Bln 1748), Gluck (Paris 1774) und Cherubini (Turin 1788); *Phèdre* (1677) für Lacoste (als *Aricie*, Paris 1697) und J.-Ph. Rameau (als *Hippolyte et Aricie*, ebd. 1733); *Esther* (1689; als Masque *Haman and Mordechai*, Cannons um 1720, Neufassung als Oratorium 1732) sowie *Athalie* (1691) für Händel (Oratorium *Athalia*, 1733) und Poißl (München 1814). Bühnenmusik zu R.schen Stücken komponierten u. a. Gossec, Clérambault, Abbé Vogler, Mendelssohn Bartholdy, J. Cohen, Saint-Saëns, Massenet, Aubin, Jolivet und Frank Martin. Hervé schrieb eine Parodie auf *Bajazet* (*Les Turcs*, Paris 1869), Lunssens eine Symphonische Dichtung *Phèdre*.
Ausg.: Œuvres complètes, 5 Bde, = Les textes frç. III–VI u. XXXIV, Paris 1929–35; Dramatische Dichtungen. Geistliche Gesänge, frz.-deutsche GA, Nachdichtung v. W. Willige, 2 Bde, Darmstadt 1956; Œuvres complètes, hrsg. v. R. Picard, 2 Bde, = Bibl. de la Pléiade V u. XC, Paris 1960–64. – Musique des chœurs d'Esther et Athalie (J.-B. Moreau) et des Cantiques spirituels (J.-B. Moreau u. M. R. Delalande), hrsg. v. P. Mesnard, ebd. 1873.
Lit.: Cahiers raciniens, hrsg. v. d. Soc. Racinienne, Paris 1957ff.; J. R., = Bibl. Nationale ... LXXXVIII, Ausstellungskat. ebd. 1967. – Fr. Mauriac, La vie de J. R., = Toute l'hist., N. S. IX, ebd. 1939; P. de Lacretelle, La vie privée de R., = Les vies privées II, ebd. 1949. – A. Jullien, J. R. et la musique, Rev. et gazette mus. de Paris XLV, 1878; J. Orcibal, R. et Boileau, librettistes, Rev. d'hist. littéraire de la France XLIX, 1949; A. Trigiani, Il teatro r.iano e i melodrammi di P. Metastasio, = Pubbl. della Facoltà di lettere e filosofia, Univ. di Torino III, 2, Turin 1951; J. Pommer, Aspects de R., Paris 1954; E. Vinaver, R. et la poésie tragique, ebd. 1963; M. Naudin, Tragédie et opéra, Cahiers de l'Ass. internationale des études frç. XXIV, 1972.

Račiūnas (ratʃi'uːnas), Antanas, * 4.(17.) 9. 1905 zu Užliaušiai (Nordlitauen); litauisch-sowjetischer Komponist und Pädagoge, absolvierte 1933 die Kompositionsklasse bei Gruodis am Konservatorium in Kaunas und studierte 1936–39 an der Ecole Normale de Musique in Paris bei Nadia Boulanger. Er leitete ab 1940 eine Kompositionsklasse am Konservatorium in Kaunas und wurde 1949 Dozent für Komposition am Konservatorium in Wilna (1958 Professor). Seine Kompositionen umfassen u. a. die Opern *Trys talismanai* (»Drei Talismane«, 1936), *Marytė* (Wilna 1953) und *Saulės miestas* (»Die Sonnenstadt«, 1965), 6 Symphonien (1933, 1945, 1950, 1960, 1961 und 1966), die Symphonischen Dichtungen *Vakaras prie Vilijos* (»Der Abend an der Vilia«, 1933) und *Platelių ežero paslaptis* (»Geheimnis des Plateliai-Sees«, 1957), die Suite *Lietuvos vaizdai* (»Litauische Bilder«, 1955), 2 Klaviersonaten, Stücke für verschiedene Instrumente und Klavier, das Oratorium *Tarybų Lietuva* (»Sowjetlitauen«) für Soli, Chor und Orch. (1948), die Kantate *Išlaisvintai Lietuvai* (»Dem befreiten Litauen«, 1945), eine Kantate über Stalin (1947) sowie Solo- und Chorlieder und Volksliedbearbeitungen.
Lit.: D. Palionytė, Valanda su kompozitorium A. Račiūnu (»Eine Stunde mit d. Komponisten A. R.«), Wilna 1970.

Racquet (rak'ε), Charles (Racquette), * um 1598 zu Paris(?), † 1. 1. 1664 zu Paris; französischer Organist und Komponist, erlangte schon vor 1618 einen Magistergrad und studierte bei seinem Vater Balthasar R. (* vor 1575, † 22. 12. 1630 zu Paris), einem Organisten an der königlichen Kirche St-Germain-l'Auxerrois in Paris und vielleicht auch bei Pierre Chabanceau de La Barre, einem Organisten König Ludwigs XIII. Er war »organiste de la musique ordinaire« der Reine-Mère Marie de Médici und wurde dann 1618 als Nachfolger von Charles Thibault Organist an Notre-Dame de Paris. Mersenne schätzte R. sehr, der für dessen *Harmonie universelle* seine *Douze versets de psaume en forme de duos* komponierte; für Mersenne bestimmt war auch eine *Fantaisie*, anhand deren gezeigt werden sollte »ce qui se peut faire sur l'orgue«. R. war der Lehrer von Gigault und Gaultier, der auch ein *Tombeau de M. Racquette* schrieb.
Ausg.: eine Fantaisie in: Les maîtres frç. de l'orgue aux XVIIe et XVIIIe s., hrsg. v. F. Raugel, Bd II, Paris 1939, Nachdr. 1951; 12 Versets, hrsg. v. J. Bonfils, = L'organiste liturgique XXIX/XXX, ebd. 1960.
Lit.: P. Hardouin, Notes biogr. sur des organistes parisiens du XVIIe s., Les R., RMFC IV, 1964.

+Rácz, Aladár, * 28. 2. 1886 zu Jászapáti (Szolnok), [erg.]: † 28. 3. 1958 zu Budapest.
R. hinterließ neben Tänzen, Rhapsodien und Fantasien auch eine Reihe von Bearbeitungen für Cimbalom und Klavier nach Cembalokompositionen u. a. von Bach, Couperin, Lully, Rameau und Scarlatti (alle Ms.).
Lit.: I. Strawinsky, Chronique de ma vie, 2 Bde, Paris 1935, einbändig 1962, auch = Bibl. médiations LXXXIII, 1971 (mit Diskographie), f. weitere bibliogr. Angaben hierzu →+Strawinsky; Y. Rácz-Barblan, I. Stravinsky vu par le cymbaliste A. R., Feuilles mus. XV, 1962; Une transcription inéd. d'I. Stravinsky, ebd., S. 37ff. (mit Wiedergabe d. Polka u. 2 Briefen an A. R.); Z. Horusitzky in: Magyar zene IV, 1963, S. 146ff.; B. Szabolcsi, R. A. és rögtönzés művészete (»A. R. u. d. Kunst d. Improvisation«), ebd.

Radauer, Irmfried, * 7. 1. 1928 zu Salzburg; österreichischer Komponist, lebt in Grödig (bei Salzburg). Er absolvierte die Staatliche Hochschule für Musik in Leipzig und das Mozarteum Salzburg (Tonsatz und Musikpädagogik). Als Komponist ist R. Autodidakt. 1955–58 war er als Musikrezensent tätig, anschließend leitete er bis 1963 das Studio für Elektronische Musik am Mozarteum in Salzburg. An der Stanford University (Calif.) widmete er sich 1967–68 der Computermusik. Er schrieb: *Musica instrumentalis* für Orch. (1954); *Sian Tschu* für S., Sprecher und Instrumentalensemble (Text Hans Bethge, 1957); elektronische Schauspielmusik zu *Spiel um Job* (Archibald McLeish, Salzburger Festspiele 1958) und *Donnerstag* (Fritz Hochwälder, ebd. 1959); *Curriculum* für großes Orch. (1960); elektronisches Ballett *Clair obscure* (1961); *Collage* für elektronische und natürliche Klänge (1962); *Perspektiven auf b–a–c–h* für Orch. (1963); *Solipsis* für 4 Instr. (1964); *Euphorie* für 130 Soloinstr.; *Konstellationen* für Instrumente ad libitum; *My End Is My Beginning*, musikalisches Drama mit elektronischer Computermusik (Text Moran, Berkeley/Calif. 1968) und *Tetraeder* für S., 12 Instr. und Computerklänge.

+Radecke [–1) Rudolf], –3) Ernst, 1866–1920.
–4) Ewald Ernst, * 5. 7. 1907 zu Winterthur, lebt als Musikdirektor und Leiter verschiedener Chöre in Winterthur; seit 1960 ist er erster Musikberichterstatter des dortigen »Landboten«.
Lit.: zu –3): Ewald Radecke, Das Musikkollegium unter E. R. 1893–1920, in: Musikkollegium Winterthur, Fs. ..., Bd II, Winterthur 1959.

Radenković (rad'ɛŋkəvitç), Milutin, * 6. 4. 1921 zu Mostar (Herzegowina); jugoslawischer Komponist, studierte an der Musikakademie in Belgrad (Hristić) und bildete sich ab 1945 in Paris weiter. 1958 wurde er an die Belgrader Musikakademie berufen, an der er 1961 Dozent wurde und gegenwärtig als Professor wirkt. Er schrieb vornehmlich Orchester- und Kammermusik (Symphonische Suite *Utisci iz predgrađa*, »Eindrücke aus einer Vorstadt«; Concertino für Kl. und Orch., 1958; Streichquartett, 1944; Klaviertrio, 1947; Sonate Nr 2, 1952, und 5 Improvisationen, 1962, für Kl.), daneben eine Reihe von Liedern (Liederzyklus *Mrtwo lišće*, »Totes Laub«, für Bar. und Kl., 1943).

Radermacher, Friedrich, * 14. 4. 1924 zu Düren (Rheinland); deutscher Komponist und Dirigent, Schüler von Philipp Jarnach und Frank Martin (Komposition) sowie Wand (Dirigieren), studierte am Konservatorium in Aachen (1937–39), an der Rheinischen Musikschule in Köln (1940–42) und an der Staatlichen Hochschule für Musik in Köln, wo er ab 1952 Dozent wurde; 1960 erhielt er einen Lehrauftrag für Theorie und Tonsatz an der Kölner Universität. Von seinen Kompositionen seien genannt: *Weihnachtskantate 1946* (1946); 2 Streichquartette (1950 und 1963); Oper *Schluck und Jau* (nach Gerhart Hauptmann, Köln [Opernschule] 1955); 103. Psalm für S., Fl. und Hf. (1956); *Bauernkalender*, Oratorium für A., Männerchor und Orch. (1957); Chorzyklus *Es war schon immer so* (1962); Messe in E (1963); *Die Seligpreisungen* für Männerchor und Org. (1965); Oper *Tartarin von Tarascon* (Köln 1965); Suite für 3 Fag. (1967); Konzert für Kl., Schlagzeug und Orch. (1969); Musik für 4 Klar. (1970); Sonatine für Vc. und Kl. (1970); Variationen über ein eigenes Thema für Hf. und 4 Klar. (1972); Musik in 5 Sätzen für 2 Klar., 2 Fag. und 2 Hörner (1973); ferner Bühnen- und Filmmusik.
Lit.: Artikel Fr. R. in: Rheinische Musiker VII, hrsg. v. D. KÄMPER, = Beitr. zur rheinischen Mg. XCVII, Köln 1972.

+Radev, Marianne (Marianna, Marijana), * 21. 11. 1913 zu Konstanza (Rumänien), [erg.:] † 17. 9. 1973 zu Zagreb.
Mit Partien in Opern von Monteverdi, Lully, Bizet, Verdi, Tschaikowsky, Britten u. a., aber auch als Konzertsängerin in Werken von Beethoven (*Missa solemnis*), Brahms (Altrhapsodie, Requiem), Rossini (Stabat mater), Verdi (Requiem), Strawinsky (*Oedipus Rex*) u. a., ist sie an bedeutenden Musikzentren aufgetreten, so in Mailand, Florenz, Wien, München, Paris, London, Buenos Aires und Moskau.

Radić (r'aditç), Dušan, * 10. 4. 1929 zu Sombor (Serbien); jugoslawischer Komponist, studierte an der Musikakademie in Belgrad, ist freischaffend tätig. Unter seinen bisherigen Werken sind charakteristisch Variationen über ein Volksliedthema (1952), ein Concertino für Klar. und Orch. (1956), *Spisak* (»Das Verzeichnis«) für 2 Frauen-St. und 11 Instr. (1956), ein Ballett *Balada o mesecu lutalici* (»Ballade vom wandernden Mond«, 1957), die Kantaten *U očekivajnu Marije* (»In der Erwartung Marias«, Wladimir Majakowskij, 1955) und *Ćele-Kula* (1957), die Oper *Ljubav, to je glavna stras* (»Die Liebe ist die Hauptsache«, 1958–62), ein Divertimento für Streichorch., Vibraphon und Schlagzeug (1961), *Čudo* (»Das Wunder«) für St. und Kammerensemble (1963) sowie eine Symphonie (1967). R. schrieb ferner Filmmusik.

Radica, Ruben, * 19. 5. 1931 zu Split (Kroatien); jugoslawischer Komponist, studierte an der Musikakademie in Zagreb Komposition bei Kelemen (Diplom 1958) und setzte dann seine Studien in

Siena bei Frazzi (1959) und in Paris bei Leibowitz (1960–61) fort. Seit 1963 ist er Professor für Komposition an der Zagreber Musikakademie. – Werke (Auswahl): Konzert für Kammerorch. (1956); Concerto grosso (1957); *Concerto abbreviato* für Vc. und Orch. (1960); *Lirske varijacije* (»Lyrische Variationen«) für Streicher (1961); *Formacije* (»Formationen«) für Orch. (1963); *Kompozicija* (»Komposition«) für Ondes Martenot und Kammerorch. (1968); *Paean* für Schlagzeug, Bläser- und Streichquartett (1963); Klavierquintett *Četiri dramatska epigrama* (»4 dramatische Epigramme«, 1959); ferner Klavierstücke und Lieder.
Lit.: I. SUPIČIĆ, Aesthetic Views in Contemporary Croatian Music, in: Arti musices I, 1969.

+Radicati, Felice Alessandro, 1775 [nicht: 1778] – 19. 3. 1820 zu Bologna [del. frühere Angaben].
Lit.: A. BONACCORSI, Musiche dimenticate del Sette-Ottocento, Rass. mus. XXVI, 1956.

Radino, Giovanni Maria, italienischer Komponist und Lautenist des 16. Jh. aus Padua, war 1592–98 Organist an S. Giovanni in Verdara zu Padua. Aus den Widmungen seiner gedruckten Kompositionen geht hervor, daß er sich in seiner Jugend wahrscheinlich in Deutschland aufgehalten hat. In Venedig erschienen *Intavolatura di balli per sonare di liuto* (1592) und *Il primo libro d'Intavolatura di balli d'arpicordo* (1592), zwei, abgesehen von der Reihenfolge der Stücke, identische Sammlungen. R.s Intavolatura ist eine der frühesten Drucke von Musik für das Cembalo. Er gab *Madrigali de diversi a 4 v.* (Venedig 1598) sowie die *Concerti per sonare e cantare ...* (ebd. 1607) seines früh verstorbenen Sohnes Giulio R. heraus, von dem keine biographischen Angaben überliefert sind.
Ausg.: Il primo libro d'Intavolatura di balli d'arpicordo, hrsg. v. R. E. M. HARDING, Cambridge 1949 (Faks. u. Übertragung); Intavolatura di balli per sonare di liuto, hrsg. v. G. GULLINO, Florenz 1949.
Lit.: G. TEBALDINI, L'arch. mus. della Cappella Antoniana in Padova, Padua 1895, S. 14; A. DAMERINI in: MGG X, 1962, Sp. 1854f.

+Radnai, Miklós, 1892–1935.
Lit.: V. SOMOGYI in: Muzsika V, 1962, H. 9, S. 39f.

Radó (r'ɔdo:), Aladár, * 26. 12. 1882 zu Budapest, † (gefallen) 9. 9. 1914 zu Boljevci (bei Belgrad); ungarischer Komponist, studierte an der Budapester Musikakademie (Koessler, Weiner) und vervollkommnete seine Studien in Berlin. 1912–13 dirigierte er bei den Reinhardt-Bühnen in Berlin. Er schrieb die Opern *A fekete lovag* (»Der schwarze Kavalier«, 1911, Bln 1922) und *Golem* (1912), das Märchenspiel *Klingende Tiefen*, die Pantomimen *Árnyak* (»Schatten«) und *A bosszú* (»Die Rache«, 1910), Orchesterwerke (Suite, 1908; *Petőfi-szimfónia*, »Petőfi-Symphonie«, 1909; Symphonische Dichtung *Falu végén kurta kocsma*, »Am Ende des Dorfes«, 1909; Violoncellokonzert, 1909), Kammermusik (Streichquintett; 3 Streichquartette, 1906–09; *Andante funebre e doloroso* für V., Klar. und Vc., 1906; *Menuetto all' antico*, 1903), Klavierstücke, eine Orgelfuge (1906), Vokalwerke (*A tavaszhoz*, »An den Frühling«, für Chor und Orch., 1909; Psalm 137 für Baßbar., Chor, 6 Vc. und 3 Hf., 1910; Lieder) und Bühnenmusik.

+Radomski, Nicolaus (Mikołaj z Radomia, Nikolaus von Radom), 1. Hälfte 15. Jh.
Ausg.: Les œuvres complètes, hrsg. v. A. SUTKOWSKI, Brooklyn (N. Y.) 1969. – 4 Sätze in: Muzyka w dawnym Krakowie, hrsg. v. Z. M. SZWEYKOWSKI, Krakau 1964; 2 Sätze in: Muzyka staropolska, hrsg. v. H. FEICHT, ebd. 1966; Magnificat, hrsg. v. J. CHOMIŃSKI, = Florilegium musicae antiquae XVIII, ebd. 1967.

Lit.: +M. Szczepańska, Studia o utworach M. R.ego (»Studien über d. Werke v. N. R.«), Kwartalnik muzyczny VII, 1949 – VIII, 1950 [erg. frühere Angabe]. – Zdz. Jachimecki, Zagadnienie beztekstowej kompozycji M. z R. z rękopisu nr 52 Biblioteki Krasińskich w Warszawie (»Das Problem d. textlosen Komposition d. N. R. in d. Hs. Nr 52 d. Krasiński-Bibl. in Warschau«), in: Sprawozdania z czynności i posiedzeń PAU L, 7, Krakau 1949; H. Musielak, W poszukiwaniu materiałów do biografii M. z R. (»Nachforschung über Materialien zur Biogr. v. N. v. R.«), in: Muzyka XVIII, 1973.

Radulescu, Horatio, * 7. 1. 1942 zu Bukarest; rumänischer Komponist (betätigt sich auch als Pianist, Maler und Dichter), studierte 1960–61 und 1964–69 in Bukarest Komposition bei Olah und Niculescu (auch Analyse) sowie Formenlehre und Instrumentation bei Stroe. Seit 1970 nimmt R. an internationalen Kursen und Festwochen für Neue Musik teil, u. a. an den Kölner Kursen, den Darmstädter Ferienkursen, der Gaudeamus-Musikwoche und am Festival de Royan, wo viele seiner Kompositionen bekannt wurden. R. lehrt am Institut Notre-Dame-des-Champs in Paris. Seit 1973 hat er an der Ottawa University (Ontario) eine Professur für Analyse und Komposition inne. – Kompositionen (sämtliche Texte seiner Vokalkompositionen, außer op. 0, stammen von ihm selbst): Sonetto di Dante für B. und Vc. op. 0; Introito, ricercare, sonare für Streichquartett op. 4 (1969); Cradle to Abysses, 2sätzige Klaviersonate op. 5 (1972); Vies pour les cieux interrompus für Streichquartett und 2 elektronisch präparierte Kl. op. 6 (1972); Music for Taaroa, Prayer, Revelation, Rituals für 59 Solisten op. 7 (1972); Flood for the Eternal's Origins, Conclusive Text, Evo-Involution, Everlasting Music, Plasmatic Music für Ensemble op. 11 (1972); Everlasting Longings für 24 Solostreicher op. 13a (1972); Cinevatreceumbra op. 14 (mit den Versionen α, β, ... φ, ... Ω, 1973) und Small Infinities' Togetherness op. 15 (1973), Elektronische Musik (beides auch simultan und in Tanzversion); Fountains of My Sky für 7 Holzbläser, eine alte Org. (Transkription von op. 15) und 42 Kinder op. 16z (1973); IHI¹⁹ für je 19 Spieler, St. (Rezitation) und Tänzer sowie elektronische Klänge op. 19; Paraconscious Einstimmende Algebra (73 Stunden Dauer), auch simultan spielbar mit Universe Hour on Our Long Longing Bridges für Ensemble, Shepherd Dogs and People Making Love op. 20 (beliebige Dauer); Twilight Intricacy für 13 Kb. und 97 Gold- und Silbermünzenspieler sowie Laute menschlicher St. op. 21 (1973); Thirteen Dreams Ago für S., einen Komponisten, 5 Blechbläser und 6 Schlagzeuger op. 23 (1974).

+Radziwill, Anton Heinrich (Antoni Henryk Radziwiłł), 1775 zu Wilna [erg.:] oder im Gouvernement Wolhynien – 1833.
R., ein Mitglied des litauischen Fürstengeschlechts R., war Statthalter von Posen ab 1815 [nicht: 1795].
Lit.: T. Strumiłło, Źródła i początki romantyzmu w muzyce polskiej (»Quellen u. Anfänge d. Romantik in d. polnischen Musik«), Krakau 1956; Zb. Jachimecki. Wł. Poźniak, A. R. i jego muzyka do »Fausta« (»A. R. u. seine Musik zum ‚Faust'«), ebd. 1957 (mit Werkverz. u. Bibliogr.); A. Tauragis, Litowskaja musyka, Wilna 1972, auch deutsch u. engl.

Rääts, Jan, * 15. 10. 1932 zu Tartu; estnisch-sowjetischer Komponist, studierte 1952–57 bei Heino Eller Komposition am Konservatorium von Tallinn. 1955–66 war er beim estnischen Rundfunk Leiter der Musikabteilung; seit 1966 ist er Musikdirektor des estnischen Fernsehens. Er ist in seinen Kompositionen von Dm. Schostakowitsch beeinflußt. Von seinen Werken seien 6 Symphonien (op. 3, 1957; op. 8, 1958; op. 10, 1959; op. 13, 1959; op. 28, 1966; op. 31, 1967), ein Konzert für Kammerorch. op. 16 (1961) und ein Violinkonzert op. 21 (1963) genannt.
Lit.: H. Tauk, Kuus eesti tanase muusika loojat (»6 estnische zeitgenössische Komponisten«), Tallinn 1970 (mit Werkverz. sowie engl. u. russ. Zusammenfassung).

Raecke, Hans-Karsten, * 12. 9. 1941 zu Rostock; deutscher Komponist, studierte in Berlin 1962–68 an der Deutschen Hochschule für Musik H.Eisler bei Fritz Höft (Chor- und Ensembleleitung), Walter Olbertz (Klavier) und Wagner-Régeny (Komposition), wurde 1971 an der Deutschen Akademie der Künste Meisterschüler von P.Dessau. 1968–73 lehrte er an der Humboldt-Universität Berlin Tonsatz und musiktheoretische Grundausbildung. Seit 1973 ist er freischaffender Komponist. Er komponierte u. a.: Sonate auf D für Kl. (1966); Stufenspiele und Variationssuite für Orch. (1968, daraus Variationen für Kl.); Jazz 1, Klangstücke 1–11 und Jazz 2 für Kl. (1969); Klangstücke 12–24 für 2 Kl. (1969, daraus 17–19 als Das Meer der Ruhe und 12/14/17–19/21/24 als Sonate); Montage für elektronische Org. (1972); Klagegesang über den Krieg – Vietnam – für Chor, 12 Chorsolisten, Bar. solo, Sprecher, Kl. und Bildprojektor (1972); Impuls 1 und 2 für 2 Prepared pianos (1973); Raster für 2 Prepared pianos mit 3–6 Spielern (1973); Verbindungen 1 und 2 für Ob. und Tonband und 3 für Ob. oder Fl., auch für Ob. und Fl. (1973).

+Raeli, Vito, * 8. 7. 1880 und [erg.:] † 7. 5. 1970 zu Tricase (Lecce).
Die +Rivista nazionale di musica leitete R. bis zu ihrem Erlöschen 1943 (darin zahlreiche Beiträge von ihm selbst).

+Raff, Joseph Joachim, 1822 – 24. [nicht: 25.] 6. 1882.
Ausg.: d. 1. Satz aus d. Kl.-Trio op. 102 in: H. Unverricht, Die Kammermusik, = Das Musikwerk XLVI, Köln 1972, auch engl.
Lit.: R. Sietz, Aus F. Hillers Briefwechsel V (1882–85). Briefwechsel mit J. Rodenberg u. J. R., = Beitr. zur rheinischen Mg. LXV, Köln 1966; J. Bittner, Die Klaviersonaten E. Francks (1817–93) u. anderer Kleinmeister seiner Zeit, 2 Bde, Diss. Hbg 1968; J. Kälin u. A. Marty, Leben u. Werk d. ... Komponisten J. R., Jubiläumsschrift, Zürich 1972.

Raffaëllj, Michel, * 26. 6. 1929 zu Marseille; französischer Maler, Bühnenbildner und Komponist, ist seit 1956 in Frankreich und Deutschland als Bühnenbildner und als Komponist von Bühnenmusik tätig. 1959 wurde er durch die Ausstattung von Schönbergs Moses und Aron an der Städtischen Oper Berlin international bekannt. Diese Aufführung bildete den Auftakt zu einer langjährigen Zusammenarbeit mit dem Regisseur G.R.Sellner, zunächst in Darmstadt (»Bernarda Albas Haus« von García Lorca, 1961), dann an der Deutschen Oper Berlin (Improvisations sur Mallarmé von Boulez und Les noces von Strawinsky, 1961; Carmen von Bizet und Atlántida von de Falla, 1962; »Orestie des Aischylos« von Milhaud, »Hochzeit des Figaro« und Macbeth, 1963; Montezuma von Sessions, 1964; Boris Godunow, 1965; Amerika von Haubenstock-Ramati, 1966). An weiteren Ausstattungen seien Le nozze di Figaro (Salzburger Festspiele 1962) und Die Zauberflöte (München 1964) genannt. – R.s Bühnenbilder, Arbeiten eines Malers, die mit den Mitteln moderner Kunst Bühnenräume gestaltet, besitzen auf die Grundstimmung des Geschehens hinweisenden Charakter.

Ragni (r'a:ɲi), Guido, * 15. 8. 1899 zu Cremona, † 3. 4. 1968 zu Mailand; italienischer Komponist, studierte am Conservatorio di Musica A. Boito in Parma und am Conservatorio di Musica G. Rossini in Pesaro. Er war Konzertmeister an der Mailänder Scala und lehrte an der Scuola Civica di Musica in Mailand und 1959–60 am Conservatorio di Musica A. Boito in Parma. R. komponierte u. a. die Opern *Notte d'amore* (Mailand 1918), *Karma* (ebd. 1936), *Tre novelle di Boccaccio* (Triptychon mit den Teilen *Ghismonda*, ebd. 1953, *La caccia infernale*, ebd. 1954 und *La pietra nel pozzo*, Reggio Emilia 1955) und *Cordelia*, die mimochoreographische Komödie *Pinocchio* (Mailand 1943), die Operette *La macchinetta da caffè* (Salsomaggiore/Emilia-Romagna 1921), Orchesterwerke (Introduktion und Fuge, 1943; Symphonie Es moll op. 21, 1946; Violinkonzert D dur, 1939), Kammermusik (Streichquartett B moll op. 26, 1929) und Chorwerke (Oratorium *La passione di N. S. Gesù* für Solostimmen, Chor, Org. und Orch.).

Rago, Alexis, * 25. 5. 1930 zu Caracas; venezolanischer Komponist und Pianist, begann seine musikalischen Studien in seiner Heimatstadt und setzte sie am Peabody Conservatory in Baltimore (Ma.) und dann in Rom fort (Klavier bei Aldo Mantia, Komposition bei Margola und Armando Renzi). 1967 gründete er im Auftrag der Regierung das Conservatorio de Música del Estado Aragua in Maracay, das er 2 Jahre lang leitete. Als Pianist konzertierte er in Amerika und Europa. Er lebt seit 1969 in London und widmet sich ganz der Komposition. R. schrieb Orchesterwerke (Symphonische Dichtungen *Auyantepuy*, 1962, *Milles Gärten*, 1963, und *Guri*, 1968; *Sincronismos audio-sonorrítmicos*, 1969; Tripelkonzert für V., Vc., Kl. und Orch., 1970; *Postludio*, 1970; *Isocromático* für Streichorch., 1970; *Pirueta sinfónica*, 1971), Kammermusik (*Mítica de sueños y cosmogonías* für Bläserquintett, 1968; *Metagoge 1*, 1968, *2*, 1968, und *3*, 1968, für Klaviertrio), Klavierstücke, das weltliche Oratorium *La gaitana* für Soli, Chor und Orch. (1970), Chorwerke mit Orchester (Kantate *Hambre* für A., gem. Chor und Kinderchor, 1966; *Coro de espectros* für Streicher, Kl., Pk. und Schlagzeug, 1969), a cappella-Chöre und Lieder.
Lit.: Werkverz. in: Compositores de América XIV, Washington (D. C.) 1968.

Ragossnig, Konrad, * 6. 5. 1932 zu Klagenfurt; österreichischer Gitarrist und Lautenist, studierte am Konservatorium in Klagenfurt sowie an der Wiener Musikakademie (Scheit), wo er 1960–64 als Professor tätig war. Seit 1964 leitet er an der Musikakademie der Stadt Basel eine Konzertklasse für Gitarre. Daneben hat er Konzertreisen in den Vorderen Orient, in die USA, nach Kanada, Japan und durch Europa unternommen. Eine Reihe von Komponisten schrieben Werke für ihn, darunter Apostel, Bondon, Castelnuovo-Tedesco, G. v. Einem, Schibler und Wissmer. R. hat außerdem alte und neue Literatur für Gitarre solo, Kammermusik mit Gitarre und Konzerte für Gitarre und Orchester herausgegeben.

+Raguenet, François, Abbé, um 1660–1722.
Ausg.: A Comparison Between the French and Ital. Musick and Opera's (= anon. Übers. v. »Parallèle des Italiens et des François ...« v. 1702), Faks. d. Ausg. London 1709, ebd. 1968 (mit Einleitung v. Ch. Cudworth).

+Rahlwes, Alfred, 1878–1946.
Lit.: M. Soupe, A. R. zum Gedächtnis, in: 5. Händelfestspiele Halle (Saale) 1956.

+D. Rahter.
[erg.: Friedrich Heinrich] Daniel R., 1828–91.
Lit.: H.-M. Plesske, Bibliogr. d. Schrifttums zur Gesch. deutscher u. österreichischer Musikverlage, in: Beitr. zur

Gesch. d. Buchwesens III, hrsg. v. K.-H. Kalhöfer u. H. Rötzsch, Lpz. 1968.

Raichl, Miroslav, * 2. 2. 1930 zu Náchod (Mähren); tschechischer Komponist, absolvierte als Schüler von Bořkovec 1953 die Prager Musikakademie und vervollkommnete sich dort 1953–56 bei Dobiáš als Aspirant. Ab 1957 war er in Prag im Archiv des tschechischen Musikfonds, 1958–62 beim tschechoslowakischen Komponistenverband tätig. Er komponierte u. a. die Oper *Fuente ovejuna* (nach Lope de Vega, Prag 1959), Orchesterwerke (2 Symphonien, 1955 und 1960; 2 Ouvertüren, 1953, und *Revoluční předehra*, »Revolutionsvorspiel«, 1959; Konzert für Vc. und Orch., 1956), Klavierwerke (2 Sonaten, 1961 und 1962) und Lieder.

+Raick, Dieudonné, [erg.:] getauft 1. 3. 1703 [del.: * 1702] – 1764.

Raimbaut d'Orange (raimb'aut dor'andʒe), * Mitte 12. Jh., † 1173; provenzalischer Trobador, war ein bedeutender Edelmann aus Orange, der mit Giraut de Bornelh und Peire d'Alvergne in Beziehung stand. Er schrieb etwa 40 Gedichte, hauptsächlich Cansos, von denen nur zu *Pos tals sabers mi sors e · m creis* (P–C 389,36) die Musik überliefert ist. R. d'O. war ein Exponent des »trobar ric« und ein wichtiger Vorläufer von Arnaut Daniel.
Ausg.: W. T. Pattison, The Life and Works of the R. d'O., Minneapolis (Minn.) 1952 (GA d. Texte). – Le chansonnier frç. de St-Germain-des-Prés, hrsg. v. P. Meyer u. G. Raynaud, = Soc. des anciens textes frç. I, Paris 1892; Melodie zu P–C 389,36 in: A. Restori, Per la storia mus. dei trovatori prov., Teil II, RMI III, 1896, S. 245, in: Der mus. Nachlaß d. Troubadours, hrsg. v. Fr. Gennrich, Bd I: Kritische Ausg. d. Melodien, = Summa musicae medii aevi III, Darmstadt 1958, u. in: Lo gai saber, hrsg. v. dems., = Mw. Studienbibl. XVIII/XIX, ebd. 1959.
Lit.: J. Anglade, Der Liebesbrief R.s v O., in: Mélanges de linguistique et de littérature, Fs. A. Jeanroy, Paris 1928; C. Appel, R. d'Aurenga u. Bertran de Born, in: Studi medievali VIII, N. S. II, 1929; ders., R. d'Aurengas Joglar, in: Miscelânea de estudos ..., Fs. D. C. M. de Vasconcellos, Coimbra 1933; K. Lewent, On the Text of Two Troubadour Pieces, Publ. of the Modern Language Ass. of America LIX, 1944; A. Sakari, Azalais de Porcairagues, le Joglar de R., Neuphilologische Mitt. L, 1949; J. Boutière u. A.-H. Schutz, Biogr. des troubadours, = Bibl. Méridionale I, 27, Toulouse u. Paris 1950, revidiert (mit I.-M. Cluzel) = Les classiques d'oc (I), Paris 1964; M. Delbouille, Les »senhals« littéraires désignant R. d'O. et la chronologie de ces témoignages, in: Cultura Neolat. XVII, 1957.

+Raimbaut de Vaqueiras, um 1155 – 1207(?).
Über 32 Lieder werden ihm zugeschrieben, von denen 8 in der Hs. +R (Paris, Bibl. Nat. fr. 22543) mit Melodien überliefert sind; die Estampie +*Kalenda maya* ist P–C 392,9 [del. bzw. erg. frühere Angaben dazu].
Ausg. u. Lit.: +Fr. Gennrich, Der mus. Nachlaß d. Troubadours, 3 Bde, = Summa musicae medii aevi III–IV u. XV, Darmstadt 1958–65 [erg. frühere Angaben]. – J. Linskill, The Poems of the Troubadour R. de V., Den Haag 1964 (kritische Ausg. d. Texte mit engl. Übers., Glossar, Anm. u. Bibliogr.). – J. Boutière u. A.-H. Schutz, Biogr. des troubadours, = Bibl. Méridionale I, 27, Toulouse u. Paris 1950, revidiert (mit I.-M. Cluzel) = Les classiques d'oc (I), Paris 1964; Fr. Gennrich, Lo gai saber, = Mw. Studienbibl. XVIII/XIX, Darmstadt 1959 (darin d. Melodien zu P–C 392,9 u. P–C 392,3 »Ara pot hom conoisser e proar«); R. Bertolucci, Posizione e significato del canzoniere R. de V. nella storia della poesia prov., in: Studi mediolat. e volgari XI, 1963; E. Paganuzzi, »A l'entrada del tens clar«, e »Kalenda maya«. Arie di danza in notazione non proporzionale, in: Convivium, N. S. XXXI, 1963; L. Lawner, The Riddle of the Dead Man (R. de V.' »Las frevols venson lo plus

fort«), in: Cultura Neolat. XXVII, 1967; J. LINSKILL, R. de V. et Girart de Roussillon, in: Romania LXXXIX, 1968.

Raimon de Miraval, * um 1160/65, † nach 1229; provenzalischer Trobador, ein Ritter aus Miraval (Miraval-Cabardès) bei Carcassonne, wirkte als Dichter zwischen 1185 und 1213 und erfreute sich der Protektion einer Reihe von Adeligen im Languedoc (Raimon VI. von Toulouse) und Spanien (Peire II. von Aragon, Uc de Mataplana). Er hinterließ 37 Cansos und 5 Sirventes, von denen zu folgenden 22 Stücken auch die Musik überliefert ist: *Aissi cum es genser pascors* (P–C 406,2); *A penas sai don m'apreing* (P–C 406,7); *Ar ab la forsa dels freis* (P–C 406,8); *Ara m'agr' ops que m'aizis* (P–C 406,9); *Bel m'es qu'eu chant e coindei* (P–C 406,12); *Be m'agrada · l bels temps d'estiu* (P–C 406,13); *Ben aja · l cortes esciens* (P–C 406,14); *Ben aja · l messatgiers* (P–C 406,15); *Cel cui jois taing ni chantar sap* (P–C 406,18); *Cel que no vol auzir chansos* (P–C 406,20); *Chansoneta farai vencutz* (P–C 406,21); *Chans, quan non es qui l'entenda* (P–C 406,22); *Contr'amor vauc durs et enbroncs* (P–C 406,23); *D'amor es totz mos consiriers* (P–C 406,24); *Entre dos volers sui pensius* (P–C 406,28); *Lonc temps ai avutz consiriers* (P–C 406,31); *Res contr'amor non es guirens* (P–C 406,36); *Si · m fos de mon chantar parven* (P–C 406,39); *Si tot s'es ma domn' esquiva* (P–C 406,40); *Tals vai mon chan enqueren* (P–C 406,42); *Tot quan fatz de be ni dic* (P–C 406,44); *Un sonet m'es bel qu'espanda* (P–C 406,47).

Ausg.: Les poésies du troubadour R. de M., hrsg. v. L. T. TOPSFIELD, = Les classiques d'oc IV, Paris 1971 (GA d. Texte). – Melodien zu P–C 406,2, 7, 12, 20, 24 u. 40 in: H. ANGLÈS, La música a Catalunya fins al s. XIII, = Publ. del Departament de música de la Bibl. de Catalunya X, Barcelona 1935; zu P–C 406,2, 7, 13 u. 20 in: U. SESINI, Le melodie trobadoriche nel canzoniere prov. della Bibl. Ambrosiana (R. 71 sup.), Teil II, in: Studi medievali XX, N. S. XIV, 1941, S. 74ff. (Übertragung); alle Melodien in: Der mus. Nachlaß d. Troubadours, hrsg. v. FR. GENNRICH, Bd I: Kritische Ausg. d. Melodien, = Summa musicae medii aevi III, Darmstadt 1958; zu P–C 406,13 u. 40 in: Lo gai saber, hrsg. v. DEMS., = Mw. Studienbibl. XVIII/XIX, Darmstadt 1959. – Melodie zu P–C 406,40 in: Troubadours, Trouvères, Minne- u. Meistergesang, hrsg. v. DEMS., = Das Musikwerk (I), Köln 1951, auch engl.; zu P–C 406,20 in: Anth. de chants de troubadours, hrsg. v. J. MAILLARD, Nizza 1967.
Lit.: P. ANDRAUD, La vie et l'œuvre du troubadour R. de M., Paris 1902; O. SCHULTZ-GORA, »Orestains« bei R. de M., Zs. f. romanische Philologie XXVII, 1903; A. KOLSEN, Vier Lieder d. Trobadors R. de M., Arch. Romanicum XXI, 1937; DERS., Zur Charakteristik d. Trobadors R. de M., Arch. f. d. Studium d. neueren Sprachen u. Lit. CLXXII, 1937; DERS., Drei Lieder d. Trobadors R. de M., in: Studi medievali XVII, N. S. XI, 1938; DERS., Die Trobadorlieder Gaucelm Estaca 1 u. R. de M. 21, ebd. XIX, N. S. XIII, 1940; DERS., Zwei Lieder d. Trobadors R. de M. (Gr. 406,33 u. 34), Neuphilologische Mitt. XLII, 1941; CL. BRUNEL, »La Loba« célébrée par les troubadours Peire Vidal et R. de M., in: Mélanges de philologie romane et de littérature médiévale, Fs. E. Hœpffner, = Publ. de la Faculté des lettres de l'Univ. de Strasbourg CXIII, Paris 1949; J. BOUTIÈRE u. A.-H. SCHUTZ, Biogr. des troubadours, = Bibl. Méridionale I, 27, Toulouse u. Paris 1950, revidiert (mit I.-M. Cluzel) = Les classiques d'oc (I), Paris 1964; L.-T. TOPSFIELD, R. de M. and the Art of Courtly Love, Modern Language Rev. LI, 1956; DERS., Les chansons de R. de M. adressées à Azalais de Boissezon de Lombers (P.–C. 406,31, 28, 8 et 18), Rev. de langue et littérature prov. 1961, Nr 7/8; R. LEJEUNE, Ce qu'il faut croire des »Biogr.« prov., La Louve de Pennautier, in: Moyen âge LXVIII, 1962.   TN

Raimondi, Gianni, * 17. 4. 1923 zu Bologna; italienischer Opernsänger (Tenor), studierte in seiner Heimatstadt bei Antonio Melandri, debütierte 1947 in Budrio bei Bologna, wurde 1948 an das Teatro Comunale in Bologna engagiert und trat 1956 erstmals an der Mailänder Scala auf. Gastspiele führten ihn zu den Festspielen in Verona (1957), an die Staatsopern in Wien (ab 1956) und München (1960), an das Teatro Colón in Buenos Aires (1961), an die Metropolitan Opera in New York (1965), an die Deutsche Oper Berlin (1969) und an die Hamburgische Staatsoper (1969). Zu seinen wichtigsten Partien gehören Pollione (*Norma*), Ernesto (*Don Pasquale*), der Duca di Mantua (*Rigoletto*), Alfredo (*La Traviata*), Rodolfo (*La Bohème*) und Cavaradossi (*Tosca*).

+Raimondi, Pietro, 1786–1853.
Lit.: J. WOUTERS, P. R., een vergeten »Contrapunt virtuoos«, in: Mens en melodie IX, 1954.

Raimondi, Ruggero, * 3. 10. 1941 zu Bologna; italienischer Sänger (Baß), studierte, gefördert von Molinari Pradelli, in Mailand und Rom, debütierte 1964 als Preisträger des Concorso Voci Nuove in Spoleto als Colline (*La Bohème*) beim dortigen Festival dei due Mondi und war dann am Teatro La Fenice in Venedig engagiert. 1968 trat er zum ersten Male an der Mailänder Scala, 1970 an der Metropolitan Opera in New York auf. R. ist als Gast u. a. an der Pariser Opéra, der Deutschen Oper Berlin und der Bayerischen Staatsoper in München aufgetreten. Zu seinen Partien zählen Don Giovanni, Mephisto (*Faust*), Boris Godunow sowie die einschlägigen Partien im italienischen Opernrepertoire.

Raimund, Ferdinand Jakob (auch Raymond, eigentlich Raimann oder Reimann), * 1. 6. 1790 zu Wien, † (durch Selbstmord) 5. 9. 1836 zu Pottenstein (Niederösterreich); österreichischer Schauspieler und Dramatiker, versuchte um 1808/09 in Meidling und Preßburg, sich wandernden Schauspieltruppen anzuschließen, spielte dann in Steinamanger, ab 1809 in Ödenburg und Raab, 1814–17 am Josefstädter Theater (1816 Regisseur) und 1817–30 am Leopoldstädter Theater (1821 Regisseur, 1828 Direktor). In den Sommern der Jahre 1817–24 gastierte er in Baden (bei Wien). Nach seinem Ausscheiden vom Leopoldstädter Theater gab R. nur noch Gastspiele, außer an Wiener Theatern auch in München (1831–35), Hamburg (1831–36), Berlin (1832) und Prag (1836). – R. gilt als der Vollender der Alt-Wiener Volkskomödie, in deren Tradition seine phantastisch-allegorischen Zauberspiele mit ihren gemüt- und humorvollen romantisch-realistischen Szenen wurzeln. Er schrieb für die Wiener Vorstadttheater die Zauberposse mit Gesang und Tanz *Der Barometermacher auf der Zauberinsel* (1823), das Zauberspiel *Der Diamant des Geisterkönigs* (1825), das romantische Original-Zaubermärchen mit Gesang *Das Mädchen aus der Feenwelt oder Der Bauer als Millionär* (1826), die Original-Zauberspiele *Moisasurs Zauberfluch* (1827), *Die gefesselte Phantasie* (1828), *Der Alpenkönig und der Menschenfeind* (1828) und *Die unheilbringende Zauberkrone* (1829) sowie das Original-Zaubermärchen *Der Verschwender* (1834). – Die Musik spielt bei R. eine so wesentliche Rolle, daß er Vertonungen seiner Stücke selbst mitbeeinflußte. Zu den populärsten Theaterliedern, dem Duett *Brüderlein fein*, dem »Aschenlied« (*Der Bauer als Millionär*) und dem »Hobellied« (*Der Verschwender*) ist R.s musikalischer Einfluß belegt, z. T. sind eigenhändige musikalische Entwürfe erhalten. (Zwölf Lieder R.s wurden von Hoffmann von Fallersleben in seine Sammlung *Unsere volkstümlichen Lieder*, 1859, aufgenommen.) Von den überlieferten Formen finden sich bei R. Ouvertüre, Chor, Ballett, Marsch, Tanz, Quodlibet, Duett, Arie, Lied und Melodram.

Zwischenspiele vermitteln den Wechsel zwischen realer und irrealer Spielebene. Lied und Monolog wurden in der Alt-Wiener Volkskomödie erstmals durch R. gekoppelt. – Bühnenmusik schrieben u. a. Wenzel Müller (*Der Barometermacher auf der Zauberinsel*; *Die gefesselte Phantasie*; *Der Alpenkönig und der Menschenfeind*), J. Drechsler (*Der Diamant des Geisterkönigs*; *Der Bauer als Millionär*; *Die unheilbringende Zauberkrone*), Riotte (*Moisasurs Zauberfluch*) und C. Kreutzer (*Der Verschwender*), ferner P. Burkhard zu Bearbeitungen von H. Weigel. Mottl versah *Die gefesselte Phantasie* mit der Musik von Fr. Schubert (Karlsruhe 1898). Opern nach R.-Stücken schrieben u. a. L. Blech (*Alpenkönig und Menschenfeind*, Dresden 1903, revidiert als *Rappelkopf*, Bln 1917) und M. Lothar (*Rappelkopf* nach *Alpenkönig und Menschenfeind*, München 1958). L. Falls Singspiel *Brüderlein fein* (Wien 1909) geht auf R.s *Der Bauer als Millionär* zurück. R. erscheint in einer Reihe von Dramen als Bühnenfigur, so in R. Stolz' Operette *Zum goldenen Halbmond* (München 1935).

Ausg.: Sämtliche Werke. Hist.-kritische Säkularausg., hrsg. v. Fr. Bruckner u. E. Castle, 6 Bde, Wien 1924–34 (darin v. A. Orel in Bd I: Ein Entwurf R.s zur Musik d. Quodlibets in d.»Gefesselten Phantasie«, u. in Bd II: Die erste Fassung d. Tischlerliedes, sowie in Bd VI: Die Gesänge d. Märchendramen in d. ursprünglichen Vertonungen, hrsg. u. eingeleitet v. dems.); Sämtliche Werke, hrsg. v. Fr. Schreyvogel, München 1960. – R.-Liederbuch. Lieder u. Gesänge aus F. R.s Werken, hrsg. v. W. A. Bauer u. H. Kraus, Wien 1924; Die Lieder F. R.s, mus. Einrichtung v. A. Steinbrecher, ebd. 1940 (mit einer Chronik in Daten u. Zitaten v. H. Waniek).
Lit.: R.-Bibliogr., hrsg. v. Fr. Hadamowsky in: K. Goedeke, Grundriß zur Gesch. d. deutschen Dichtung XI, 2, Düsseldorf ²1953. – R. Pirsching, F. R.s Verhältnis zur Musik, in: Alt-Wien IV, 1895; E. Kilian, R.s »Gefesselte Phantasie« in neuem mus. Gewande, Jb. d. Grillparzer-Ges. XII, 1902; W. Krone, W. Müller. Ein Beitr. zur Gesch. d. komischen Oper, Bln 1906; E. Fr. Saverio, The Mus. Element in the Viennese Volksstueck and in the Dramas of Grillparzer, Diss. Univ. of Texas 1925; L. Schmidt, Zum Quodlibet d. Florian Waschblau, Volksliedspuren bei F. R., in: Das deutsche Volkslied XXXVI, 1934; G. Schott, Wagner u. R.s »Gefesselte Phantasie«, in: Signale f. d. mus. Welt XCII, 1934; A. Orel, R. u. d. Musik, R.-Almanach I, 1936; A. Lamel, Das Tanzspiel in F. R.s Dramen, Diss. Wien 1940; O. Rommel, F. R. u. d. Vollendung d. Alt-Wiener Zauberstücks, ebd. 1947; ders., Die Alt-Wiener Volkskomödie, ebd. 1952; G. Pichler, Ein vergessener R.-Komponist. Zum 100. Todestag v. Ph. J. Riotte, R.-Almanach II, 1956; F. R., »Das Mädchen aus d. Feenwelt oder Der Bauer als Millionär«. Text u. Materialien zur Interpretation, hrsg. v. U. Helmensdorfer, Bln 1966; J. Krammer, F. R. u. Ungarn, R.-Almanach V, 1967 (mit Bibliogr. d. ungarischen R.-Lit.); J. Michalski, F. R., = Twayne's World Authors Series XXXIX, NY 1968 (mit Bibliogr. vor allem d. amerikanischen Beitr. über R.); G. Staud, F. R. in Ungarn, in: Maske u. Kothurn XIV, 1968; J. Hein, F. R., = Slg Metzler, Realienbücher f. Germanisten XCII, Stuttgart 1970 (mit ausführlicher Bibliogr.); Fr. Schaumann, Gestalt u. Funktion d. Mythos in F. R.s Bühnenwerken, Wien 1970; G. Wiltschko, R.s Dramaturgie, München 1973.   AKG

Rain, Conrad → Rein, C.

Rainaldi, Carlo, * 1610 und † 1690 zu Rom; italienischer Architekt des Hochbarocks und Komponist, entstammte einer römischen Architektenfamilie, wurde Schüler, später Mitarbeiter seines Vaters Girolamo R. und erbaute mehrere Kirchen in Rom und Umgebung. Musik studierte er am Collegio Romano, spielte Cembalo, Orgel, Doppelharfe, Lira da braccio und Laute und leitete 1638–60 das Geläut am Palazzo Capitolino. Von seinen durch Carissimi und Luigi Rossi

beeinflußten Kompositionen sind 2 *Lectiones* für S. und B. c. sowie 11 Kantaten für 1–2 St. und B. c. erhalten.
Lit.: H. J. Marx. C. R., »Architetto del popolo romano« come compositore, RIdM IV, 1969, deutsch in: G. Eimer, La fabbrica di S. Agnese in Navona. Römische Architekten, Bauherren u. Handwerker im Zeitalter d. Nepotismus I, = Acta Univ. Stockholmiensis, Stockholm Studies in Hist. of Art XVII, Stockholm 1970, S. 244ff.

+Rainey, Ma (Gertrude [erg.:] Malissa Nix Pridgett), 1886–1939.
Lit.: D. Stewart-Baxter, Ma R. and the Class. Blues Singers, = Blues Paperbacks o. Nr, NY u. London 1970.

+Rainier, Priaulx, * 3. 2. 1903 zu Howick (Natal, Südafrika).
Pr. R., 1953 zum Fellow of the Royal Academy of Music in London ernannt, lehrte dort bis 1963. Neuere Werke: 6 Stücke für +Bläserquintett (1954 [nicht: 1956]); +Requiem für T. und Chor a cappella (1956); Suite für Klaviertrio (1959); *Pastoral Triptych* für Ob. solo (1960); Dance-Concerto *Phala-Phala* für Orch. (1961); *Quanta* für Ob. und Streichtrio (1962); Cellokonzert (1964); Suite für Vc. (oder Va, 1963–65); Streichtrio (1966); symphonische Suite *Aequora lunae* (1967); *The Bee Oracles* für T., V., Vc., Fl., Ob. und Cemb. (1969); *Trios and Triads* für Kammerorch. (1970); *Harpsichord Quinque* (1971); *Organ Gloriana* (1972); *Ploërmel* für Bläser und Schlagzeug (1973); Zyklus *Vision and Prayer* für T. und Kl. (1973).

Raisa (ɪʹeizə), Rosa (eigentlich Rosa Burchstein, verheiratete Rimini), * 30. 5. 1893 zu Białystok, † 28. 9. 1963 zu Santa Monica (Calif.); amerikanische Sängerin polnischer Herkunft, studierte am Conservatorio di Musica S. Pietro a Majella in Neapel bei Barbara Marchisio, debütierte 1913 in Parma als Leonora in Verdis *Oberto, Conte di S. Bonifacio* und sang im gleichen Jahr an der Mailänder Scala. Ihre internationale Karriere begann 1914 in Chicago, von wo aus sie Gastspiele u. a. an die Covent Garden Opera in London, die Mailänder Scala, die Pariser Opéra und die Opernhäuser in Brüssel, Rio de Janeiro, Montevideo, Buenos Aires und São Paulo, zu den Festspielen in Verona und zum Maggio Musicale in Florenz unternahm. Nach Beendigung ihrer Bühnenlaufbahn (1937) eröffnete sie zusammen mit ihrem Mann, dem Bariton Giacomo Rimini (1887–1952), in Chicago ein Opernstudio, das sie nach seinem Tode weiterführte. Ab 1955 lebte sie in Santa Monica. Zu ihren Partien gehörten Aida, Asteria (*Nerone* von Boito), Turandot und Tosca.
Lit.: D. Warren in: Opera XIV, (London) 1963, S. 798ff.

+Raison, André, vor 1650 – 1719.
Ausg.: Fugue grave du 3e ton pour orgue, hrsg. v. E. Tyr, Paris 1958; Premier livre d'orgue, hrsg. v. N. Dufourcq, Teil I–III, = Orgue et liturgie LV–LVI, LVIII–LIX u. LXI, ebd. 1962–68; Second livre d'orgue, hrsg. v. J. Bonfils, Teil I–II, = L'organiste liturgique XXXIX–XL u. XLIII–XLIV, ebd. 1963.
Lit.: N. Dufourcq, La musique d'orgue frç. de J. Titelouze à J. Alain, Paris 1941, ²1949; W. Apel, Gesch. d. Org.- u. Klaviermusik bis 1700, Kassel 1967, engl. revidiert v. H. Tischler, Bloomington (Ind.) 1972.

Rajčev, Aleksandâr Ivanov, * 11. 4. 1922 zu Lom (Kreis Mihajlovgrad); bulgarischer Komponist, Dirigent und Musikpädagoge, studierte 1943–47 an der Staatlichen Musikakademie in Sofia (Klavier und Komposition bei Wladigeroff, Harmonielehre, Kontrapunkt und Solfège bei Karastojanov) und vervollkommnete sich 1949–50 am Budapester Konservatorium (Komposition bei Viski, Dirigieren bei Ferenczik). 1952 wurde er Dozent, 1962 Professor für Harmonielehre am bulgarischen Staatskonservatorium. Er schrieb

u. a. die Operette »Die Glorie der Orchidee« (Sofia 1963), das Ballett *Hajduška pesen* (»Heiduckenlied«, ebd. 1953), Orchesterwerke (2 Symphonien, Nr 1 *Toj ne umira*, »Er stirbt nicht«, 1949, und Nr 2 *Novijat Prometej*, »Der neue Prometheus«, 1958; Konzert für Kl. und Orch., 1947; *Sonata-Poem* für V. und Orch., 1956), Kammermusik (Violinsonate, 1940), Klavierstücke, Vokalmusik (Kantate *Pionerska sjuita*, »Pioniersuite«, für Frauenchor und Orch., 1950; Chöre und Lieder sowie Bühnen- und Filmmusik.
Lit.: I. TEMKOV in: Bâlgarska muzika III, 1952, H. 5/6, S. 32ff. (zur Symphonie Nr 1); M. HADŽIMIŠEV u. I. MARINOV, ebd. IV, 1953, H. 2, S. 17ff. (zu »Hajduška pesen«); E. AVRAMOV, ebd. X, 1959, H. 9, S. 3ff. (zur Symphonie Nr 2); Ž. NAJDENOVA, S pulsa na sâvremennostta (»Im Puls d. Gegenwart«), ebd. XII, 1961; I. PETKOV, Ustremi kam novi tvorčeski horizonti (»Streben zu neuen Horizonten«), ebd. XVIII, 1967; A. BALAREVA, Na velikaja oktomvri nova tvorba (»Dem großen Oktober ein neues Werk«), ebd. XIX, 1968; ST. ANGELOV, Pârvata bâlgarskata radioopera (»Die erste bulgarische Radiooper«), ebd. XXI, 1970.

Rajčev, Ruslan Petrov → Raytscheff, Ruslan.

Rajeczky (rʼɔjetʃki), Benjamin, OCist, * 11. 11. 1901 zu Eger/Erlau (Ungarn); ungarischer Musikforscher, studierte in Innsbruck Theologie (Dr. theol. 1926) und Musikgeschichte bei R. v. Ficker (1923–26) sowie in Budapest Komposition bei Kodály (1932–35). Er war 1945–50 Prior in Pásztó und Lektor für Volksmusik an der Universität in Budapest sowie 1950–60 Konservator an der Musikabteilung des ethnographischen Museums in Budapest und wurde 1960 stellvertretender Direktor des Instituts für Volksmusikforschung der ungarischen Akademie der Wissenschaften, dessen Leiter er nach dem Tode Kodálys (1967) wurde. Seine Publikationen über die mittelalterliche ungarische Musik sind von grundlegender Bedeutung. – Aufsätze und Studien (Auswahl): *Typen ungarischer Klagelieder* (Deutsches Jb. für Volkskunde III, 1957); *Musikforschung in Ungarn 1936–1960 (Bibliographischer Bericht)* (StMl I, 1961); *Spätmittelalterliche Organalkunst in Ungarn* (ebd.); *Mittelalterliche Mehrstimmigkeit in Ungarn* (in: Musica antiqua Europae Orientalis, Kgr.-Ber. Bydgoszcz 1966); *Über die Melodie Nr. 773 der »Monumenta Monodica«* I (Fs. Br. Stäblein, Kassel 1967); *Többszólamúság a középkori Magyarországon* (»Mehrstimmigkeit im mittelalterlichen Ungarn«, in: Írások Erkel F. és a magyar zene korábbi századairól, hrsg. von F. Bónis, = Magyar zenetörténeti tanulmányok I, Budapest 1968); *Gregorián népének népdal* (»Gregorianik, Kirchenlied, Volkslied«, ebd. II, 1969); *Magyar népzene / Hungarian Folk Music* (I. Serie, Schallplattenausg. mit Begleittext, Qualiton LPX 10095–98, 1969); *Ein neuer Fund zur mehrstimmigen Praxis Ungarns im 15. Jh.* (StMl XIV, 1972); zahlreiche Artikel über Schulmusik und Volksmusik. – Ausgaben: *Melodiarium Hungariae medii aevi*, Bd I: *Hymni et sequentiae* (Budapest 1956); *Studia memoriae B.Bartók sacra* (mit L. Vargyas, ebd. 1956, ebd. und London ²1957, ³1959); *Csángó népzene* (»Volksmusik der Csángó-Ungarn«, mit P.P.Domokos, 2 Bde, Budapest 1956–61); *Bartók B. kézirása* (»B.Bartóks Handschrift«, mit B. Szabolcsi, ebd. 1961); *Siratók / Laments* (»Klagelieder«, mit L. Kiss, = Corpus musicae popularis Hungaricae V, ebd. 1966).
Lit.: B. R. Septuagenario sacrum, StMl XIII, 1971, S. 176ff. (mit Bibliogr.).

+Rajičić, Stanojlo, * 16. 12. 1910 zu Belgrad.
R. lehrt weiterhin Komposition an der Belgrader Musikakademie (seit 1954 als ordentlicher Professor). Er ist seit 1958 ordentliches Mitglied der serbischen Akademie der Wissenschaften. – Weitere Werke: die Opern *Simonida* (Sarajevo 1957) und *Karadjordje* (1973); die Ballette *Pod zemljom* (»Unter der Erde«, 1940, aufgeführt als symphonische Dichtung), *Premija* (»Haupttreffer«, 1940), *Poema* (1944) und *Slika* (»Bild«, 1945); insgesamt 6 Symphonien (1935, 1941, 1944, 1946, 1959, 1967); Konzerte mit Orch. für Kl. (1940, 1942, 1950), V. (1941, 1946, 1953), Klar. (1943, 1962), Vc. (1949) und Fag. (1969); Violinsonate (1938); 5 Klaviersonaten (1941–44); Kantate *Slepac na saboru* (»Der blinde Fiedler auf der Kirchweihe«, 1961); Liederzyklen mit Orch. (4 Lieder nach Br. Radičević, 1950; *Na Liparu*, »Am Lipar«, 1951; *Lisje žuti*, »Das Laub vergilbt«, 1953; *Magnovenja*, »Augenblicke«, 1965).
Lit.: VL. PERIČIĆ (mit D. Kostić u. D. Skovran), Muzički stvaraoci u Srbiji (»Musikschöpfer in Serbien«), Belgrad 1969, S. 430ff. (mit engl. Zusammenfassung); DERS., Stvaralački put St. R.a (»Der schöpferische Weg v. St. R.«), ebd. 1971 (mit engl. Zusammenfassung); DR. CVETKO in: Zvuk 1970, Nr 109/110, S. 424ff.

Rajter, Dunja, * 3. 3. 1940 zu Našice (Kroatien); jugoslawische Chanson- und Schlagersängerin, Tochter eines Musiklehrers, studierte an der Theaterakademie in Zagreb (Diplom 1963). Sie trat erstmalig als Chansoninterpretin bei einer jugoslawischen Fernsehserie mit Liedern, die auf dalmatinischen Volksweisen basierten, hervor. 1966 kam sie in die Bundesrepublik Deutschland, wo sie Starauftritte im Fernsehen hatte. D. R. spielte auch klassische Schauspielrollen und wirkte in Musicalaufführungen mit.

+Rajter, L'udovít, * 30. 7. 1906 zu Pezinok (bei Bratislava).
Er war bis 1961 Leiter der Slowakischen Philharmonie (Slovenská Filharmonia) in Bratislava, die er auch weiterhin oft dirigiert. Seit 1968 ist er Chefdirigent des dortigen Rundfunksymphonieorchesters.

Rąkow, Nikolaj Petrowitsch, * 1.(14.) 3. 1908 zu Kaluga; russisch-sowjetischer Komponist, Violinist und Dirigent, absolvierte in Moskau 1930 die Violinklasse von A. A. Berlin an der Rubinstein-Musikschule und 1931 die Kompositionsklasse von Glière am Konservatorium, wo er 1932 Lehrer für Instrumentationskunde wurde (1935 Dozent, 1943 Professor). Seine Konzerttätigkeit als Violinist begann 1920, die als Dirigent 1949. In seinen Kompositionen vertritt er eine romantische Richtung der russischen Musik. Er schrieb u. a. die symphonischen Suiten *Marijskaja* (»Marij-Suite«, 1931), *Tanzewalnaja* (»Tanzsuite«, 1934), *Konzertnaja* (»Konzertsuite«, 1949) und *Baletnaja* (»Ballettsuite«, 1952), 2 Symphonien (1940 und 1957), eine Sinfonietta (1958) und *Malenkaja simfonija* (»Kleine Symphonie«) für Streicher (1962), 2 Violinkonzerte (1944 und 1954), 5 Stücke für 2 V. und Streicher (1958), ein Concertino für V. und Streicher (1959), Kammermusik (Sonaten für V. und Kl., 1951, für Ob. und Kl., 1951, und für Fl. und Kl., 1970), Klavierwerke (2 Sonatinen, 1950 und 1954), Stücke für Volksinstrumente und Blasorchester, Lieder sowie Bearbeitungen von Volksliedern.
Lit.: A. SOLOWZOW, N. P. R., Moskau 1958; Istorija russkoj sowjetskoj musyki, hrsg. v. A. D. ALEXEJEW u. W. A. WASSINA-GROSSMAN, Bd III, ebd. 1959 (besonders d. Kap. über »Symphonische, Konzert- u. Kammermusik«, S. 336ff.).

+Ralf, Torsten [erg.:] Ivar, 1901–54.
R. sang u. a. auch in Wien, Berlin, Buenos Aires und ab 1945 an der Metropolitan Opera in New York. 1936 wurde er zum sächsischen Kammersänger, 1952 zum

königlich schwedischen Hofsänger ernannt. – Sein Bruder Oscar Georg R. (* 3. 10. 1881 zu Malmö, † 4. 4. 1964 zu Kalmar [erg. frühere Angabe]) war als Wagner-Sänger auch in Paris (Tristan, 1924) und in Bayreuth (Siegmund, 1927) aufgetreten. Er übersetzte über 40 Opern- und über 100 Operettenlibretti ins Schwedische. – Der andere Bruder Einar Christian R. (* 24. 7. 1888 zu Malmö, † 27. 9. 1971 zu Stockholm [erg. frühere Angabe]), ab 1937 Mitglied der Kungl. Musikaliska akademien in Stockholm, war 1940–54 Direktor der dortigen Musikhochschule. Ferner leitete er verschiedene schwedische Chorvereinigungen, so 1917–70 den Stockholms Studentsångarförbund. Er komponierte Orchester-, Kammer- und Chormusik sowie Lieder. E. R. lebte zuletzt im Ruhestand in Stockholm.

Ralph, Fred → Krome, Hermann.

Rambert (ɾˈæmbət), Dame Marie (eigentlich Miriam Ramberg), * 20. 2. 1888 zu Warschau; englische Tänzerin und Ballettpädagogin polnischer Herkunft, studierte zunächst in Warschau, dann 1910–12 bei Jaques-Dalcroze in Genf und Dresden-Hellerau, von wo sie von Diaghilew als Rhythmikspezialistin für W. Nischinskij bei seiner *Sacre du printemps*-Einstudierung (1913) nach Paris engagiert wurde. Sie gründete 1920 die Rambert School in London, die zur Keimzelle des jungen englischen Balletts wurde, nicht zuletzt durch die Gründung des Ballet Club (1930, ab 1935 Ballet Rambert) in dem ihr und ihrem Mann, dem Dramatiker und Produzenten Ashley Dukes, gehörenden Mercury Theatre. Mit Ninette de Valois zusammen betreute sie auch die Camargo Society. Obgleich sie selbst nie choreographiert hat, sondern nur als Produzentin der vom Ballet R. herausgebrachten Ballette in Erscheinung getreten ist, hat sie doch eine Vielzahl junger englischer Choreographen entdeckt und gefördert, darunter Fr. Ashton, Andrée Howard, Walter Gore und Norman Morrice; aber auch Cranko und K. MacMillan haben zeitweise für sie gearbeitet. War das Ballet R. lange Zeit hindurch vor allem seiner stilminuziösen Klassikerproduktionen wegen berühmt, so hat sich M. R. nicht gescheut, 1966 die Kompanie von Grund auf zu reorganisieren und zu einer Plattform der Avantgarde- und Modern dance-Choreographie umzugestalten (zusammen mit Morrice als Kodirektor). Zahlreiche qualifizierte englische Tänzer sind aus ihrer Schule hervorgegangen. M. R. erhielt 1954 den C. B. E. (Commander of the Order of the British Empire), wurde 1957 Mitglied der Légion d'Honneur und 1962 zur Dame of the Order of the British Empire geadelt. Sie veröffentlichte unter dem Titel *Quicksilver* (London 1972) ihre Memoiren.

Lit.: M. CLARKE, Dancers of the Mercury. The Story of Ballet R., London 1962; Verz. d. Ballettproduktionen v. M. R. in: Les saisons de la danse XLI, 1971.

+Rameau, –1) Jean-Philippe, getauft [del.: *] 25. 9. 1683 – 1764. In Paris war R. 1706 [nicht: 1705] vorübergehend ansässig und wurde 1709 [nicht: 1708] in Dijon als Organist Nachfolger seines Vaters. Bereits 1722 [nicht: 1723] übersiedelte er endgültig nach Paris. – R.s 1731 erschienenen +*Pièces de clavecin avec une table pour les agrémens* sind eine Neuauflage mit gewissen Änderungen bei den Verzierungen, aber ohne die *Méthode* der 1724 erschienenen +*Pièces de clavecin, avec une méthode* ... Seine +*Nouvelles suites* ... erschienen um 1728 [del.: 1727–31]. Nur eine Schrift (Fragment) [nicht: 3] liegt im Manuskript vor.

–2) Claude, [erg.: getauft 24. 4.] 1690 – [erg.: 20. 5.] 1761. –3) Jean-François, [erg.: 30. 1.] 1716 – 1767.

–4) Lazare, [erg.: 28. 1.] 1757 – [erg.: 11. 10.] 1794.

Ausg.: zu –1): Nouvelles suites de pièces de clavecin, Faks. d. Ausg. v. 1728(?), = MMMLF I, 13, NY 1966; Pièces de clavecin, Faks. d. Ausg. v. 1731, ebd. I, 7, 1966. – +Pièces de clavecin (E. R. JACOBI, 1958), Kassel ²1960, ³1967; +Pièces de clavecin en concerts (DERS., 1961 [nicht: 1959]), ebd. ²1970. – Pièces de clavecin en concerts f. V. (Fl.), Viole (Vc.) oder 2 V. u. Cemb., 5 Bde, hrsg. v. Z. HORUSITZKY, = Thesaurus musicus XXII–XXV u. XXVII, Budapest 1966–68; Polnoje sobranije sotschinenij dlja klawessina (»Sämtliche Werke f. Cemb.«), hrsg. v. L. ROSCHTSCHINA, Moskau 1972. – Symphonie »Les indes galantes«, hrsg. v. F. OUBRADOUS, = Les musiciens de Versailles o. Nr, Paris 1957; Divertissements »Les fêtes d'Hébé«, hrsg. v. DEMS., = ebd., 1964; Tanzsuite »Platée«, hrsg. v. DEMS., = ebd.; Tragédie lyrique »Zoroastre«, hrsg. v. FR. GERVAIS, ebd.; Kantate »Le berger fidèle« f. eine Singst., 2 V. u. B. c., hrsg. v. W. H. BERNSTEIN, Lpz. 1969; M. TÉREY-SMITH, J.-Ph. R., »Abaris ou Les Boréades«. A Critical Ed., Diss. Univ. of Rochester (N. Y.) 1972.

Complete Theoretical Writings, 6 Bde, hrsg. v. E. R. JACOBI, = Publ. of the American Inst. of Musicology, Miscellanea III, (Dallas/Tex.) 1967–72: Bd I (1967), Traité de l'harmonie (1722); II (1967), Nouveau système de musique théorique (1726); III (1968), Génération harmonique (1737), Démonstration du principe de l'harmonie (1750), Observations sur notre instinct pour la musique (1754); IV (1969), Code de musique pratique ... u. a. (1760); V (1969), Minor Works (1732–61); VI (1972), Last Writings (1762–64), Miscellaneous Items (1723–62). – Faks.-Ausg. u. Übers. (Abfolge gemäß d. Erscheinungsjahr d. Originals): Traité de l'harmonie, Paris 1722, = MMMLF II, 3, NY 1965, engl. Übers. v. PH. GOSSETT, NY 1971; Nouveau système de musique théorique (1726), = MMMLF II, 7, NY 1965; Génération harmonique ... (1737), ebd. II, 6, 1966, engl. Übers. v. D. HAYES als: R.'s Theory of Harmonic Generation, Diss. Stanford Univ. (Calif.) 1968 (mit Anm. u. Kommentar); Démonstration du principe de l'harmonie (1750), = MMMLF II, 4, NY 1965; Nouvelles réflexions sur sa démonstration du principe de l'harmonie (1752), ebd. II, 138, 1969; Observations sur notre instinct pour la musique (1754), ebd. II, 54, 1967, auch Genf 1971; Erreurs sur la musique dans l'encyclopédie (1755), = MMMLF II, 137, NY 1969, auch (zusammen mit »Suite des erreurs ...« v. 1756 u. R.s Antwort an d. Hrsg. d. Enzyklopädie v. 1757) Genf 1971; Code de musique pratique (1760), = MMMLF II, 5, NY 1965.

J. PELSENER, Une lettre inéd. d'Euler à R., in: Acad. royale de Belgique, Classe des sciences V, 37, Brüssel 1951; E. R. JACOBI in: RMFC III, 1963, S. 145ff. (2 unveröff. Briefe); DERS., R. and Padre Martini, New Letters and Documents, MQ L, 1964.

Lit.: zu –1): J.-Ph. R., 1683–1764, hrsg. v. VL. u. Y. FÉDOROV, Paris 1964 (Ausstellungskat. d. Bibl. Nationale); J.-Ph. R., 1683–1764, Dijon 1964 (Ausstellungskat. d. Musée de Dijon); Exposição comemorativa do centenário de J.-Ph. R., = Festival Gulbenkian de música IX, Lissabon 1965 (Kat.). – J. Ph. R., 1764–1964, hrsg. v. Comité national pour la célébration du bi-centenaire de J.-Ph. R., = RM 1965, Nr 260, dazu Carnet critique, = RM 1965, Nr 261. – +C. M. GIRDLESTONE, J.-Ph. R. (1957), NA NY 1964, London 1965, revidiert NY 1969, auch NY v. London 1970, frz. erweitert Paris 1962. – E. KISCH, R. and Rousseau, ML XXII, 1941; E. APPIA, Une inimitié célèbre. R. et Rousseau, SMZ XCII, 1952; H. CHARLIER, J.-Ph. R., = Nos amis les musiciens o. Nr, Lyon 1955 u. 1960; J. MALIGNON, R., = Solfèges XVIII, Paris 1960; H. G. FARMER, Diderot und R., MR XXII, 1961; M. FIELDS, Voltaire and R., The Journal of Aesthetics and Art Criticism XXI, 1963; H. GIROUX, Autour de J.-Ph. R., in: Mémoires de l'Acad. des sciences, arts et belles-lettres de Dijon CXVII, 1963–65 (auch zu Claude R.); O. RIEMER in: Musica XVIII, 1964, S. 238ff.; J. VAN DER VEEN in: Mens en melodie XIX, 1964, S. 280ff.; C. M. GIRDLESTONE, Voltaire, R. et Samson, RMFC VI, 1966; CH. B. PAUL, R., D'Indy, and French Nationalism, MQ LVIII, 1972.

+G. Cucuel, La Pouplinière et la musique de chambre au XVIIIᵉ s. (1913), Nachdr. Genf 1971, auch NY 1971; +P. M. Masson, L'opéra de R. (1930), Nachdr. NY 1972; +E. Lebeau, J. J. M. Decroix [nicht: Delacroix] et sa collection R. (1955); +E. R. Jacobi, Die Entwicklung d. Musiktheorie in England nach d. Zeit v. J.-Ph. R., 2 Bde, = Slg mw. Abh. XXXV u. XXXIX/XXXIXa, Straßburg 1957–60, Neudr. Baden-Baden 1971 (mit Addenda u. Corrigenda) [erg. frühere Angaben dazu]. – K. Dale, The Keyboard Music of R., MMR LXXVII, 1947 – LXXVIII, 1948; W. Mellers, R. and the Opera, in: The Score 1951, Nr 4; H. Leclerc, »Les indes galantes« (1735–1952). Les sources de l'opéra-ballet, l'éxotisme orientalisant, les conditions matérielles du spectacle, Rev. d'hist. du théâtre 1953, Nr 4; G. Mollat du Jourdin in: Les annales LXI, 1954, S. 41ff., u. G. Paoli in: RMI LVI, 1954, S. 68ff. (zu »Les indes galantes«); E. G. Ahnell, The Concept of Tonality in the Operas of J.-Ph. R., Diss. Univ. of Illinois 1957; C. M. Girdlestone, R.'s Self-Borrowings, ML XXXIX, 1958; ders., Plan f. a Stage Production of R.'s »Dardanus«, ML XL, 1959; Gr. A. Brundrett, R.'s Orchestration, 3 Bde, Diss. Northwestern Univ. (Ill.) 1962; N. Demuth, French Opera. Its Development to the Revolution, Horsham (Sussex) 1963; A. Hutchings, R.'s Originality, Proc. R. Mus. Ass. XCI, 1964/65; R. Viollier, R. vivant. Des difficultés rencontrées pour la restitution d'un opéra de R. destiné à une reprise de nos jours au théâtre, RMFC V, 1965; J. Malignan, Zoroastre et Sarastro, RMFC VI, 1966; H. Chr. Wolff, R.s »Les indes galantes« als musikethnologische Quelle, Jb. f. mus. Volks- u. Völkerkunde III, 1967; M. Zijlstra in: Mens en melodie XXIII, 1968, S. 133ff. (zu »Platée«); G. Seefried, Die »Airs de danse« in d. Bühnenwerken v. J.-Ph. R., = Neue mg. Forschungen II, Wiesbaden 1969. Riemann MTh; M. Shirlaw, The Theory of Harmony. An Inquiry Into the Natural Principles of Harmony with an Examination of the Chief Systems of Harmony from R. to the Present Day, London 1917, Nachdr. NY 1969, De Kalb (Ill.) ²1955 (mit Teilübers. d. »Traité . . .«); A. R. Oliver, The R. Controversy, in: The Encyclopedists as Critics of Music, NY 1947; A. Schaeffner, L'orgue de barbarie de R., in: Mélanges d'hist. et d'esthétique mus., Fs. P.-M. Masson II, Paris 1955; J. Chailley, Sur deux postulats de R., Feuilles mus. X, 1957; H. Pischner, Zur Vorgesch. einiger im theoretischen Werk J. Ph. R.s behandelter Probleme d. Harmonik, Fs. R. Münnich, Lpz. 1957; ders., J.-Ph. R. u. d. frz. Aufklärung, Händel-Jb. V, 1959; ders., Die Harmonielehre J.-Ph. R.s, Ein Beitr. zur Gesch. d. mus. Denkens, Lpz. 1963, ²1967; J. Doolittle, A Would-Be »Philosophe«. J.-Ph. R., Publ. of the Modern Language Ass. of America LXXVII, 1959; J. Ferris, The Evolution of R.'s Harmonic Theories, Journal of Music Theory III, 1959; R. Suaudeau, Introduction à l'harmonie de R., Clermont-Ferrand 1960 u. 1962; M. M. Keane, The Theoretical Writings of J.-Ph. R., = Catholic Univ. of America, Studies in Music IX, Washington (D. C.) 1961; A. Adamjan, Estetika Ramo, in: Woprossy teorii i estetiki muzyki, hrsg. v. L. N. Raaben, Bd II, Leningrad 1963; Vl. Fédorov, Les années d'apprentissage de R., in: Chigiana XXI, N. S. I, 1964; E. R. Jacobi, »Vérités intéressantes«. Le dernier ms. de J.-Ph. R., Rev. de musicol. I, 1964; J. W. Krehbiel, Harmonic Principles of J.-Ph. R. and His Contemporaries, Diss. Indiana Univ. 1964; Ch. B. Paul, R.'s Mus. Theories and the Age of Reason, Diss. Univ. of California 1966; ders., J.-Ph. R. (1683–1764), the Musician as »Philosophe«, in: Proceedings of the American Philosophical Soc. CXIV, 1970; ders., Music and Ideology. R., Rousseau, and 1789, The Journal of the Hist. of Ideas XXXII, 1971; C. Dahlhaus, Untersuchungen über d. Entstehung d. harmonischen Tonalität, = Saarbrücker Studien zur Mw. II, Kassel 1968; M. Karbaum, Das theoretische Werk J. Fr. Daubes. Ein Beitr. zur Kompositionslehre d. 18. Jh., Diss. Wien 1968; E. C. Verba, The Development of R.'s Thought on Modulation and Chromatics, JAMS XXVI, 1973.

+**Ramin,** Günther [erg.:] Werner Hans, 1898–1956. R. leitete den Leipziger Lehrergesangverein bis 1935, den Philharmonischen Chor Berlin 1935–43 [nicht:

1933–42], den Gewandhauschor in Leipzig auch 1933–38. Die Nachfolge K. Straubes als Thomaskantor trat er 1940 [nicht: 1939] an. Er wurde 1950 von der Universität Leipzig zum Dr. h. c. ernannt. – Die +*Aufsätze und Vorträge* erschienen als +*Gedanken zur Klärung des Orgelproblems. Aufsätze und Vorträge* (Kassel 1929, 2. erweiterte Aufl. 1955) [del. frühere Angaben dazu].

Lit.: H. H. Jahnn, Frühe Begegnung mit G. R., in: Sinn u. Form VIII, 1956; W. Neumann in: Musica X, 1956, S. 245ff.; M. Mezger in: Diener d. Musik, hrsg. v. M. Müller u. W. Mertz, Tübingen 1965, S. 13ff.; W. Hanke, G. R., = Christ in d. Welt XX, Bln 1969. – J. S. Bach, Ende u. Anfang, hrsg. v. D. Hellmann, Wiesbaden 1973 (Gedenkschrift).

Ramírez (rram′ireθ), Luis Antonio, * 10. 2. 1923 zu San Juan (Puerto Rico); puertoricanischer Komponist, begann 1954 seine Studien bei Alfredo Romero und studierte dann 1957–64 am Real Conservatorio de Música y Declamación in Madrid bei Daniel Bravo, Calés Otero und Cr. Halffter. Er war musikalischer Leiter des staatlichen Rundfunks WIPR (1950–57) und der Schulprogramme für Fernsehen am Erziehungsamt in Puerto Rico (1964–68). 1968 erhielt er den Lehrstuhl für Harmonielehre am Conservatorio de Puerto Rico. Seine Kompositionen umfassen Orchesterwerke (Sinfonietta und *4 homenajes* [Bartók, P. Hindemith, Mendelssohn Bartholdy, Ravel] für Streichorch.; *Fantasía sobre un mito antillano* für Kb., Git., Horn, Streichorch. und Pk.), Kammermusik (Violoncellosonate), Klavierwerke (5 Improvisationen), Lieder und Filmmusik.

Ramírez Sierra (rram′ireθ si′ɛrra), Alvaro, * 6. 6. 1932 zu Cali; kolumbianischer Komponist und Musikpädagoge, studierte 1952–54 am Conservatorio A. M. Valencia in Cali und 1955–59 bei Pinkham am New England Conservatory in Boston. Am Conservatorio A. M. Valencia in Cali, an dem er 1961–69 Lehrer für Musikgeschichte war, hat er gegenwärtig den Lehrstuhl für Kontrapunkt inne. Seine Kompositionen umfassen Orchesterwerke (Concertino für Klar. und Kammerorch., 1970; Konzerte für V. und Orch., 1970, für Git. und Kammerorch., 1970, für Kl. und Orch., 1972, und für 2 Vc. und Orch., 1972), Kammermusik (*Psíquis* für Streichquartett, 1956; Bläsertrio, 1956; *Cantos a la tierra* für V. und Cemb., 1957; *Música* für Marimba und Schlagzeug, 1958; Sonate für Vc. und Kl., 1960; *Triptych* für Va und Kl., 1970; *Música* für V. und Klar. oder für V., Klar. und Kl., 1972), Klavierwerke (*Estudios*, 1970) und Chorwerke (*Cantata de resurrección* für Soli, Chor und Orch., 1959; Gloria für Chöre und Bläserchor, 1960; *Cantos líricos* für Kinderchor und Kammerorch., 1972).

Ramler, Karl Wilhelm, * 25. 2. 1725 zu Kolberg, † 11. 4. 1798 zu Berlin; deutscher Dichter, studierte Theologie und Jura an der Universität Halle (Saale) und ließ sich 1745 in Berlin nieder, wo er 1787–96 Direktor des Königlichen Nationaltheaters war. Er veröffentlichte mehrere Gedichtsammlungen (*Lieder der Deutschen mit Melodien*, Bln 1766, erweitert als *Lyrische Blumenlese*, 2 Bde, Lpz. 1774–78) und schrieb eine Reihe von Oratorien- und Kantatentexten, von denen die zu C. H. Grauns *Der Tod Jesu* (1755) und G. Ph. Telemanns *Die Auferstehung und Himmelfahrt Jesu* (1760) genannt seien. R. verfaßte auch einen Beitrag *Vertheidigung der Opern* (in: Fr. W. Marpurg, Historisch-kritische Beyträge zur Aufnahme der Musik II, Bln 1756, Nachdr. Hildesheim 1970).

Lit.: C. Schüddekopf, R. bis zu seiner Verbindung mit Lessing, Diss. Lpz. 1886; I. König, Studien zum Libretto

d. »Tod Jesu« v. K. W. R. u. K. H. Graun, = Schriften zur Musik XXI, München 1972.

Ramón y Riv̯era, Luis Felipe, * 23. 8. 1913 zu San Cristóbal (Staat Táchira); venezolanischer Musikethnologe und Dirigent, studierte an der Escuela Superior de Música in Caracas bei Sojo und Miguel A.Esponel. Er gründete 1939 in San Cristóbal die Escuela de Música del Táchira. 1947 wurde er zum Leiter der musikwissenschaftlichen Abteilung des Servicio de Investigaciones Folklóricas Nacionales in Caracas ernannt. Er übersiedelte 1948 nach Buenos Aires, wo er das Orquesta Americana gründete, um südamerikanische Folklore aufzuführen. 1952 ließ er sich in Caracas nieder und widmete sich dem Folklorestudium und der Orchesterleitung. R. y R. gründete das Orquesta Típica Nacional und ist Direktor des Instituto de Folklore. Er ist mit der Musikethnologin Isabel Aretz verheiratet. – Veröffentlichungen (Auswahl): El folklore, aspectos teóricos y prácticos (Caracas 1948); La polifonía popular de Venezuela (Buenos Aires 1949); La música popular de Venezuela (ebd. 1951); Cantos de trabajo del pueblo venezolano (Caracas 1955); La música folklórica del Estado Nueva Esparta (= Memoria de la Sociedad de la ciencias naturales »La Salle« XXI, ebd. 1961); Folklore tachirense (mit I.Aretz, 3 Bde, = Bibl. de autores y temas tachirenses XXIV, XXV und XXXVII, ebd. 1961–63); Música folklórica y popular de Venezuela (ebd. 1963); Los estribillos en la poesía cantada del negro venezolano (= Folklore americano XIII, Lima 1965); La música colonial profana (= Colección música I, Caracas 1966); Music of the Motilone Indians (in: Ethnomusicology X, 1966); Música indígena, folklórica y popular de Venezuela (Buenos Aires 1967); La música folklórica de Venezuela (Caracas 1969); La música afrovenezolana (ebd. 1971); La canción venezolana (Maracaibo 1972); Notas de amar y recordar (Caracas 1972).

Ramos Mejía (rrʹaməz mɛxʹija), Carlos María, *9. 5. 1893 zu Luján (Provinz Buenos Aires); argentinischer Violinist, studierte bei Guiard Grenier in La Plata sowie bei Cayetano Gaito in Buenos Aires. 1911 vervollkommnete er seine Studien bei Enescu in Paris und bei Ševčík in Prag. Er trat in beiden Städten als Solist auf und kehrte 1914 nach Buenos Aires zurück, wo er die Violinklassen am Konservatorium C.Gaito (1915–23) und am Konservatorium Fontova (1924–32) leitete. 1935 gründete er mit Eduardo Melgar und Emilio Zoli das Konservatorium Bach. Außerdem rief er das Quarteto Buenos Aires ins Leben, dessen Primarius er war. R. M. veröffentlichte (Erscheinungsort Buenos Aires): Psicofisiología del cansancio. Fatiga muscular y calambre del instrumentista (1932); Conciencia y automatismo (1933); El sonido. Técnica y estética del sonido en el violinista (1935); La dinámica del violinista (1952); Curso de perfeccionamiento del violín (1958); Técnica trascendental sobre el arte de N.Paganini (1971).

+Ramos de Pareja, Bartolomé, um 1440 – nach 1491.
R. de P. lehrte bereits ab 1472 [nicht: 1482] an der Universität in Bologna.
Ausg.: Musica practica, Faks. d. Ausg. Bologna 1482, = Bibl. musica Bononiensis II, 3, ebd. 1969, engl. Teilübers. in: O. STRUNK, Source Readings in Music Hist., NY 1950, London 1952, Paperbackausg. NY 1965 u. 1966 (5 Bde); J. Octobi. Tres tractatuli contra B. Ramum, hrsg. v. A. SEAY, = CSM X, (Rom) 1964.
Lit.: +H. RIEMANN, Hdb. d. Mg. (II, 1, ²1920), Nachdr. NY 1972; +H. ANGLÈS, Vorw. zu MMEsp I (1941), Barcelona ²1960; +G. REESE, Music in the Renaissance (1954), revidiert NY 1959. – A. SORBELLI, Le due ed. della »Musica practica« di B. R. de P., Gutenberg-Jb. V, 1930; F. GHISI, Un terzo esemplare della »Musica practica« di B. R. de

P., in: Note d'arch. per la storia mus. XII, 1935; J. M. BARBOUR, Tuning and Temperament, East Lansing (Mich.) 1951, ²1953, Nachdr. d. Ausg. v. 1951 NY 1972; R. STEVENSON, Span. Music in the Age of Columbus, Den Haag 1960; FR. J. LEÓN TELLO, Estudios de hist. de la teoría mus., Madrid 1962; O. MISCHIATI, Un'ined. testimonianza su B. R. de P., FAM XIII, 1966; U. SESINI, Momenti di teoria mus. tra Medioevo e Rinascimento, hrsg. v. G. Vecchi, = La musica a Bologna II, Bologna 1966; J. HAAR, R. Caperon and R. de P., AML XLI, 1969.

Ramous, Gianni, * 12. 4. 1930 zu Mailand; italienischer Komponist und Klavierpädagoge, studierte bis 1952 Klavier am Conservatorio di Musica G.B.Martini in Bologna (Mario Antolini) und vervollkommnete seine Studien bei C.Zecchi. Als Komponist ist R. Autodidakt. 1953 begann er seine Konzertlaufbahn, leitete 1955–58 das Istituto Musicale G.Verdi in Alghero (Sassari), wirkte 1958–64 als Musikkritiker und war 1961–64 bei den Edizioni Curci als Redakteur der »Rass. mus. Curci« und als Herausgeber tätig. Seit 1964 lehrt er am Conservatorio di Musica N.Paganini in Genua. Von seinen Kompositionen seien genannt: Opernoratorium Orfeo Anno Domini MCMXLVII (Text Salvatore Quasimodo, Como 1960); musikalische Posse Le fatiche del guerriero (Triest 1963); Polimorfia für Orch. (1966); Konzert für Kl. und Orch. (1964); Musica Nr 1 (1960) und Nr 2 (1962) für Streichorch.; Prismi, Konzert für V., Holz- und Blechbläser und Schlagzeug (1969); 3 Streichquartette (1948, 1949 und 1959); Sonate für Kl. (1967); Fantasie für 2 Kl. (1970); Oratorium La crucifissione für Soli, gem. Chor und Orch. (nach einer Lauda von Jacopone da Todi, 1961, 2. Fassung für Kammerorch. 1961); Kantate Lettera alla madre für Bar., Streicher und Cemb. (Text Quasimodo, 1963); ferner Lieder, Choralbearbeitungen und Bühnenmusik.

Ramovš (rʹaməʊʃ), Primož, * 20. 3. 1921 zu Laibach/Ljubljana; jugoslawischer Komponist, studierte bei Osterc an der Musikakademie seiner Heimatstadt sowie bei A.Casella und Petrassi in Rom. Gegenwärtig ist er Bibliothekar der slowenischen Akademie der Wissenschaften und Künste in Ljubljana. Von seinen zahlreichen Kompositionen seien genannt: Musiques funèbres für Orch. (1955); Koncertantna glasba (»Konzertante Musik«) für Pk. und Orch. (1961); Eneafonia für Kammerensemble (1963); Pentektasis für Kl. (1963); Transformationen für 2 Va und 10 Streichinstr. (1963); Antiparallelen für Kl. und Orch. (1966); Inventiones pastorales für Org. (1966); Prolog–Dialog–Epilog für Fl., Klar. und Fag. (1966); Breve für Klar. und Kl. (1967); Mouvements für Kl. (1967); Nihanja (»Schwebungen«) für Fl., Idiophone und Chordophone (1967); Polygram für Va und Kl. (1968); Sinfonia 68 für Orch. (1968); Triptychon für Streichquartett (1968); Nasprotja (»Kontraste«) für Fl. und Orch. (1969).

+Rampal, Jean-Pierre[erg.:]-Louis, * 7. 1. 1922 zu Marseille.
R., 1947–51 Flötist im Orchester der Oper in Vichy und ab 1955 Soloflötist an der Opéra in Paris, ist Professor für Flöte an der Académie internationale d'été in Nizza (seit 1958) und am Pariser Conservatoire (seit 1968/69). Ausgedehnte Konzertreisen führen R. seit 1946 um die ganze Welt. Werke für ihn schrieben u. a. J.Françaix, A.Jolivet, S.Nigg, Fr.Poulenc und H. Tomasi.

Rampone, Agostino, * 1. 11. 1843 und † 16. 8. 1897 zu Quarna Sotto (Novara); italienischer Instrumentenbauer, erfand die Metallflöte, die schnell weite Verbreitung fand, und 1901 die Clarinetto traspositore, eine Kombination der A- und B-Klarinette. Die in

Gerenzano (Varese) bestehende Firma F. I. S. M. Rampone & Cazzani (früher Mailand), die gegenwärtig von Fernando Saltamerenda geleitet wird, stellt Blasinstrumente, vornehmlich Flöten und Saxophone, her.

+Ramrath, Konrad, * 17. 3. 1880 zu Düsseldorf, [erg.:] † 1. 3. 1972 zu Bad Honnef am Rhein.
Lit.: Rheinische Musiker I, hrsg. v. K. G. FELLERER, = Beitr. zur rheinischen Mg. XLIII, Köln 1960, S. 204ff.

Randall (ɪ'ændl), James K., * 16. 6. 1929 zu Cleveland (O.); amerikanischer Komponist, studierte an der Columbia University in New York (B. A. 1955), der Harvard University in Cambridge/Mass. (M. A. 1956) und der Princeton University/N. J. (M. F. A. 1958), wo er 1957 Lehrer für Komposition und Theorie wurde. Seine wichtigsten Kompositionen sind: *Slow Movement* für Kl. (1959); *Improvisation on a Poem by E.E. Cummings* für Orch. (1960); *Pitch-Derived Rhythm. Five Demonstrations* für Kammerorch. (1961); *VI* für Kl. (1963); *VII* für Computer (1964); *Mudgett. Monologues by a Mass Murderer* für Tonband (1965); *Lyric Variations* für V. und Computer (1968). Er schrieb u. a.: *Haydn's String Quartet in D Major, Op. 76, No. 5* (MR XXI, 1961); *Three Lectures to Scientists* (in: Perspectives of New Music V, 1966/67, Lecture III, *Operations on Waveforms*, auch in: Music by Computers, hrsg. von H. v. Foerster und J. W. Beauchamp, NY 1969); *Electronic Music and Musical Tradition. A Dialectical Fantasia* (Music Educators Journal LV, 1968).

Randel (ɪ'ændl), Don Michael, * 9. 12. 1940 zu Edinburg (Tex.); amerikanischer Musikforscher, studierte bei Strunk, A. Mendel, K. Levy und Babbitt an der Princeton University/N. J. (B. A. 1962, M. F. A. 1964), an der er 1967 mit einer Dissertation über *The Responsorial Psalm Tones for the Mozarabic Office* (= Princeton Studies in Music III, Princeton 1969) zum Ph. D. promovierte. Er war Assistant Professor 1966–68 an der Syracuse University (N. Y.) sowie 1968–71 an der Cornell University in Ithaca (N. Y.), an der er seit 1971 Associate Professor und Chairman des Department of Music ist. Seit 1972 ist er Editor-in-Chief des *Journal of the American Musicological Society* (JAMS). – Veröffentlichungen: *Responsorial Psalmody in the Mozarabic Rite* (in: Etudes grégoriennes X, 1969); *Emerging Triadic Tonality in the Fifteenth Cent.* (MQ LVII, 1971); *An Index to the Chant of the Mozarabic Rite* (= Princeton Studies in Music VI, Princeton 1973); *Sixteenth-Cent. Spanish Polyphony and the Poetry of Garcilaso* (MQ LX, 1974).

Rands (ɪændz), Bernard, * 2. 3. 1935 zu Sheffield; englischer Komponist und Dirigent, studierte an der Faculty of Music der University of Wales (B. Mus., M. Mus.) sowie bei Vlad in Rom (1959), bei Dallapiccola in Florenz (1960) und bei Berio (1962). Er war 1961–66 Lecturer in Music an der University of Wales, 1966–67 Visiting Composer an der Princeton University (N. J.) und 1967–68 Composer-in-Residence an der University of Illinois in Urbana. – Kompositionen (Auswahl): *3 Aspects* für Kl. (1959); *Quartet Music* für V., Va, Vc. und Kl. (1959); *4 Compositions* für V. und Kl. (1959); *Refractions* für 24 Spieler mit verschiedenen Instr. (1961); *Espressione IV* für 2 Kl. (1964); *Actions for Six* für Fl., Va, Vc., Hf. und Schlagzeug (2 Spieler, 1964); *Formants I – Les gestes* für Hf. (1966); *Tre espressioni* für Kl. (1967); *»per esempio«* für Schulorch. (1968); *Espressione V A* und *V B* für Kl. (1968); *Formants II – Transformations* für Hf., Va, Vc., Kb., Git. und Schlagzeug (1970); *Wildtrack I* (1970) und *II* (1973) für Orch.; *Ballad I* für Mezzo-S., Fl. (und Alt-Fl.), Tenorpos.,

Kb., Kl. und Schlagzeug (1971); *Misalliance* für Kl. und Instrumente (1972).

Rangoni, Giovanni Battista, Marchese, italienischer Musikliebhaber des 18. Jh., veröffentlichte 1790 in Livorno die ästhetische Schrift *Saggio sul gusto della musica col carattere de' tre celebri sonatori di violino i Sign. Nardini, Lolli, e Pugnani* (zugleich frz. als *Essai sur le goût de la musique …*), die eine wichtige Quelle zum Violinstil dieser 3 Musiker darstellt.
Ausg.: Saggio sul gusto della musica …, Faks.-Ausg. Mailand 1932.

+Rangström, [erg.: Anders Johan] Ture, 1884 – 11. [nicht: 15.] 5. 1947.
Lit.: K. ATTERBERG, Några tidiga instrumentalverk av T. R. (»Einige frühe Instrumentalwerke v. T. R.«), Musikrevy V, 1950; P. LINDFORS, T. R. og A. Strindberg, ebd. X, 1955, engl. in: Musikrevy International 1954; A. HELMER, T. R. otryckta ungdomssånger (»T. R.s ungedruckte Jugendlieder«), STMf XLII, 1960; G. PERCY, »Gesang f. d. neuen Tag«, in: Schwedische Musik einst u. jetzt, = Musikrevy XXV, 1970, Sonder-H.

Ranieri, Salvador, * 19. 10. 1930 zu Catanzaro (Kalabrien); argentinischer Komponist italienischer Herkunft, studierte in Italien bei S. Carbone, R. Lavecchia und Cosme Pomarico sowie in Argentinien bei Giacobbe (Komposition, Instrumentation, Gregorianischer Gesang) und Dora Castro (Klavier). Er komponierte u. a. Orchesterwerke (Adagio für Streichorch., 1950; *Sinfonietta syntónica* für Streichorch., 1964; *Arena 1930* für Orch., 1966; Concertino für V. und Orch., 1969; Konzert für Klar. und Orch., 1971), Kammermusik (*Neurotón – E.N. y M.* für 3 Trp. und 3 Pos., 1967; *Incidencias diagramales* für V., Fl., Klar., Horn, Fag. und Kl., 1970; *Ricercare* Nr 1 für Bläserquintett und Nr 2 für Klar. und Streichquartett, 1962; Streichquartett Nr 1, 1965; *Diálogos* für Ob., Klar. und Fag., 1960; *Reflexión* für V., Va und Vc., 1961; Capriccio für Fl., Ob. und Fag., 1971; *3 cantos de desolación* für Vc. und Kl., 1963; *Tensión* für V. und Kl., 1969; *2 monólogos* für Fag. solo, 1963; *3 monogramas* für Klar. solo, 1965), Klavierwerke (*Tre elementi*, 1969; Toccata, 1970), Orgelwerke (*Organum*, 1963) und Vokalmusik (*Tre problemi* für T. und Orch., 1969; *Misterio* für S., Mezzo-S., Sprecher, Sprechchor und Orch., 1971; *Secuencias de fervor* für eine Singst., Chor, Klar. und Kl., 1973; a cappella-Chöre und Lieder).

+Ránki, György, * 30. 10. 1907 zu Budapest.
R., 1954 mit dem Kossuth-Preis ausgezeichnet, lebt freischaffend in Budapest. Weitere Werke: die musikalischen Komödien *A csendháborító* (»Der Störenfried«, Radio Budapest 1950, szenisch Budapest 1959) und *Pomádé király új ruhája* (»König Pomades neue Kleider«, nach Andersen, Radio Budapest 1950, szenisch ebd. 1953, daraus auch 2 Suiten für Orch.), musikalische Komödie für Kinder *A győztes ismeretlen* (»Sieger unbekannt«, 1961), Operette *Hölgyválasz* (»Löffeltanz«, 1961), Kinderoper *Muzsikus Péter új kalandjai* (»Peter Musicus' neue Abenteuer«, 1962), Mysterienoper *Az ember tragédiája* (»Die Tragödie des Menschen«, nach I. Madách, Budapest 1970); Tanzdrama *Cirkusz* (1965); Praeludium *Aurora tempestuosa* für Orch. (1967); Fantasie *1514* für Kl. und Orch. (nach Holzschnitten Derkovits', 1960, auch für 2 Kl. und Schlagzeug); Bläserquintett *Pentaerophonia* (1958), *Don Quijote and Dulcinea* für Ob. und Kl. (1951, auch für Ob. und Kammerorch., 1960); Oratorien *1944* (1966) und *Ének a városról* (»Cantus urbis«) für 4 Soli, gem. Chor und Instr. (1972); Kantaten *1848 évben* (»Im Jahr 1848«, 1948) und *A szabadság éneke* (»Lied der Freiheit«, 1951);

Märchen mit Musik *Két bors ökröcske* (»Zwei Wunder-öchslein«) für Sprecher und 13 Instr. (1956), Klagelied *Kodály emlékerete* (»Zur Erinnerung an Kodály«) für Singst., Cimbalom und gem. Chor (1971); etwa 30 Bühnen- und über 60 Filmmusiken.
Lit.: I. BARNA, R. Gy., = Mai magyar zeneszerśok o. Nr, Budapest 1966.

Rankin (ɹˈæŋkin), Nell, * 3. 1. 1926 zu Montgomery (Ala.); amerikanische Opernsängerin (Mezzosopran), studierte bei Karin Branzell an der Juilliard School of Music in New York und debütierte 1949 als Ortrud am Opernhaus in Zürich. 1951 wurde sie an die Metropolitan Opera in New York und 1953 an die Covent Garden Opera in London engagiert.

+Rankl, Karl [erg.:] Franz, * 1. 10. 1898 zu Gaaden (bei Wien), [erg.:] † 6. 9. 1968 zu Salzburg.
R. war 1958–60 musikalischer Direktor der Elizabethan Opera Company in Sydney; anschließend lebte er zurückgezogen vornehmlich in Österreich. Er komponierte insgesamt 8 Symphonien, ferner ein Oratorium *Der Mensch*.
Lit.: D. WEBSTER in: Opera XIX, (London) 1968, S. 879ff.; H. SCHÖNY, Die Vorfahren d. Dirigenten K. R., in: Genealogie XVIII, 1969; A. Schönberg. Gedenkausstellung, Kat. hrsg. v. E. HILMAR, Wien 1974.

Ranse (rãːs), Marc de, * 20. 4. 1881 und † 13. 2. 1951 zu Aiguillon (Lot-et-Garonne); französischer Komponist, Schüler von Guilmant und d'Indy, war Professor für Liedbegleitung an der Schola Cantorum und Kapellmeister an der Kirche St-Louis d'Antin in Paris. Später wirkte er als Organist an der Kathedrale in Agen. Er gründete den Chœur Mixte de Paris, den er 15 Jahre leitete. Von seinen Werken wurden u. a. gedruckt: *Faux-bourdons fleuris* für 4 St. (1914); *Versets im Kirchenton* (1914); *Messe en l'honneur de Saint-Grégoire* für 4 St. und Org. (1930); *Petite messe funèbre* für 3 St. und Org. (1939); *Ave verum* für 4 St. (1947); 24 Offertorien für 2st. gem. Chor und Org. (6 Lieferungen, 1949); *Messe chorale en l'honneur de Sainte Foy* für 4 St. und Org. (1954); ferner 1ᵉʳᵉ *symphonie sur des chansons de France* für Chor a cappella, *Tryptique* für Gesang und Kl., *Cantate à Jeanne d'Arc* und *Lux aeterna* für 4 St.

Ranta (ɹˈæntə), Michael, * 17. 4. 1942 zu Duluth (Minn.); amerikanischer Schlagzeuger und Komponist, lebt in Taiwan und Tokio. Er studierte an der University of Illinois in Urbana, an der Musikhochschule und der Universität in München, der Waseda University in Tokio und der Taiwan Normal University in Taipeh. Nach einer Tätigkeit als Instructor of Percussion an der Interlochen Arts Academy/Mich. (1965–67) wurde er freischaffend tätig und ist seitdem in zahlreichen europäischen Ländern sowie in den USA und Japan aufgetreten. 1972 entwarf er anläßlich der Olympischen Spiele in München ein räumliches Klang-Licht-Environment. – Kompositionen (vor allem für Schlagzeug): *1st Improvisation* (1966), *Algo Rhythms* (1967), *Kagaku henka* (1971), *Balance* (1972), *Chanta khat* (1972), *Heliopolan Egg* (1972), *Last Days* (1972), *Aspects I* (1974) und *Schlagzeugduo II* (1974).

+Ranta, Sulho Veikko Juhani, * 15. 8. 1901 zu Peräseinäjoki (Ostrobotnia), [erg.:] † 5. 5. 1960 zu Helsinki.
Der 2. Band seiner +Musikgeschichte (*Musiikin historia*) erschien Jyväskylä 1956.

Raoul de Beauvais (raˈul de bovˈɛ), französischer Trouvère, vielleicht aus Beauvais (Oise) stammend, wirkte um 1250. Von ihm sind eine Pastourelle, ein Damendialog und 3 Liebeslieder (alle mit Refrain und mit Melodien) überliefert.
Ausg. u. Lit.: K. BARTSCH, Altfranzösische Romanzen u. Pastourellen, Lpz. 1870, Nachdr. Darmstadt 1967; T. NEWCOMBE, Les poésies du trouvère R. de B., in: Romania XCIII, 1972.

Rapée (ɹɑpˈei), Ernő, * 4. 6. 1891 zu Budapest, † 26. 6. 1945 zu New York; amerikanischer Dirigent ungarischer Herkunft, studierte an der Budapester Musikakademie (Klavier bei E. Sauer), war Korrepetitor und Kapellmeister an der Dresdner Staatsoper, dann 1. Kapellmeister in Magdeburg und Kattowitz. Er unternahm 1912 eine Konzerttournee durch Mittel- und Südamerika, wurde 1913 musikalischer Leiter der Hungarian Opera Co. in New York und danach 1. Dirigent am Rivoli Theater, dem ersten New Yorker Filmtheater mit Symphonieorchester. Nach dem 1. Weltkrieg wirkte er mehrere Jahre lang als Chefdirigent des Ufa-Palastes am Zoo in Berlin. Ab 1926 war er General Music Director der NBC und ab 1932 Chefdirigent an der Radio City Music Hall, Rockefeller Center in New York. R. schrieb zahlreiche Arrangements (vor allem Begleitmusik für Stummfilme) für großes Orchester, Tonfilmmusik (*Seventh Heaven*; *What Price Glory*) und Songs, darunter: *Diane*; *Angela mia*; *Among the Stars*; *Ever Since the Day I Found You*; *Rockettes on Parade*; *Charmaine*. Er veröffentlichte eine *Encyclopedia of Music for Pictures* (NY 1925).

Rapf, Kurt, * 15. 2. 1922 zu Wien; österreichischer Dirigent, Pianist, Organist und Komponist, studierte 1936–42 an der Wiener Musikakademie und gründete 1945 das Kammerensemble »Collegium Musicum Wien«, das er bis 1956 auch leitete. Er war Assistent von Knappertsbusch am Zürcher Opernhaus (1948), Dozent an der Wiener Musikakademie (1949–53) und Musikdirektor der Stadt Innsbruck (1953–60). Seit 1960 lebt er als freischaffender Komponist und Interpret in Wien. 1970 wurde R. Musikreferent der Stadt Wien und Präsident des Österreichischen Komponistenbunds (Professor). Er schrieb Orchesterwerke (*8 Miniaturen*, 1965; *Aphorismen*, 1968; Konzert für V. und Orch., 1971), Kammermusik (*4 Impressionen* für 9 Spieler, 1966; *Musik für 7 Instr.*, 1965; 6 Stücke für Bläserquintett, 1963; Quintett für Hf. und 4 Blasinstr., 1968), Orgelstücke (Partita *Die 7 Freuden Mariae*, 1958; *Praeludium und Doppelfuge*, 1965; *Toccata, Adagio und Finale*, 1972), Chorwerke (*129. Psalm* für Chor und Orch., 1966; *71. Psalm* für Chor, Org., Schlagzeug und Tonband) und Klavierstücke.

+Raphael, Günter Albert Rudolf, 1903–60.
An der Musikhochschule in Köln wirkte R. ab 1957 [nicht: 1956], zuletzt als Leiter des Privatmusiklehrer-Seminars als Theorielehrer am Institut für evangelische Kirchenmusik. – R. komponierte insgesamt 2 Violinkonzerte (+op. 21, 1928 [nicht: 1936]; op. 87, 1960).
Lit.: In memoriam G. R., Wiesbaden 1961. – FR. HÖGNER in: Gottesdienst u. Kirchenmusik 1960, S. 195ff., u. in: Mitt. d. M.-Reger-Inst. 1961, H. 12, S. 27ff.; O. RIEMER in: Der Kirchenmusiker XIV, 1963, S. 49ff.; W. LIDKE in: Musica sacra LXXXVII, 1967, S. 342ff. (zur Choralphantasie »Christus, d. ist mein Leben«); H.-H. ALBRECHT in: Credo mus., Fs. R. Mauersberger, Kassel 1969, S. 135ff.; W. STOCKMEIER in: Rheinische Musiker VI, hrsg. v. D. Kämper, – Beitr. zur rheinischen Mg. LXXXIII, Köln 1969, S. 152ff.; M. MEZGER in: MuK XLIII, 1973, S. 140.

Rapp, Georg Siegfried, * 4. 10. 1917 zu Chemnitz; deutscher Pianist, studierte in seiner Heimatstadt privat bei Otto Böhme und am Leipziger Landeskonservatorium (Carl Reinecke, Teichmüller, Anton Rohden), lehrt seit 1946 an der Fr. Liszt-Hochschule in Weimar (1953 Professor). Nach der Amputation des rechten Armes infolge einer Kriegsverwundung (1943) konzertiert er mit einem Repertoire von Klavierkonzerten und -stücken für die linke Hand seit 1947 in zahlreichen Ländern Europas. 1956 brachte er das von Prokofjew für Wittgenstein 1931 komponierte 4. Klavierkonzert in Berlin zur Aufführung. Klavierkonzerte wurden ihm gewidmet u. a. von Škerjanc (1964) und Nowka (1965) sowie ein Concertino von Thilman. Er veröffentlichte: *Geräusche als Klangfarbenfaktoren beim Klavierspiel* (MuG VIII, 1958); *Eine Begegnung mit dem ersten Interpreten von Janáčeks »Capriccio«* (MuG XIV, 1964). Lit.: H. Böhm in: MuG XVIII, 1968, S. 541ff.

+Rapparini, Giorgio Maria, [erg.:] 1660 zu Bologna – 1726 zu Mannheim.
Nach dem Tode des Kurfürsten Johann Wilhelm (1716) trat er in die Dienste des neuen Kurfürsten Karl Philipp, mit dem er nach Mannheim übersiedelte. R. hat keine Opernlibretti für A. Steffani geschrieben (der Text zu dessen +*Tassilone* stammt von St. Pallavicini).
Lit.: G. Croll in: Rheinische Musiker III, hrsg. v. K. G. Fellerer, = Beitr. zur rheinischen Mg. LVIII, Köln 1964, S. 65f.

+Rappoldi [–1) Eduard], –2) Laura, 1853 – 2. [nicht: 1.] 8. 1925. –3) Adrian, 1876 – [erg.:] 12. 10. 1948 [del.: um 1949].

Rasch, Dieter → Arnie, Ralf.

+Rasch, Kurt, * 3. 11. 1902 zu Weimar.
R. war 1958–68 Leiter des Musikwesens am H. Hesse-Gymnasium in Berlin.

+Raselius, Andreas, um 1563 – 1602.
Ausg.: Deutsche sonntägliche Evangelien-Sprüche, hrsg. v. H. Nitsche u. H. Stern, 2 Bde, = Das Chorwerk alter Meister VIII, Stuttgart 1964, als Einzelausg. = Die Motette Nr 367–419, ebd. 1964–65.
Lit.: +H. J. Moser, Die mehrstimmige Vertonung d. Evangeliums (I, 1931), Nachdr. Hildesheim 1968. – G. Pietzsch, Quellen u. Forschungen zur Gesch. d. Musik am kurpfälzischen Hof zu Heidelberg bis 1622, = Akad. d. Wiss. u. d. Lit. zu Mainz, Abh. d. geistes- u. sozialwiss. Klasse, Jg. 1963, Nr 6.

+Rasi, Francesco, * um 1575.
R., vermutlich ein Schüler G. Caccinis, wirkte 1593–95 am Hof des Herzogs von Florenz. 1598–1620 stand er in Diensten der Gonzaga in Mantua, wo er wahrscheinlich 1607 die Titelrolle in Monteverdis *L'Orfeo* sang.
Ausg.: Faks.-Ausg. v. »Schieri d'aspri martiri« aus »Vaghezze di musica« (1608), in: P. M. Rasolo, Secondo libro de madrigali a 4 v. op. X (Vorrede), hrsg. v. L. Bianconi, = Musiche rinascimentali siciliane IV, Rom 1972.
Lit.: C. MacClintock, The Monodies of Fr. R., JAMS XIV, 1961; N. Fortune in: MGG XI, 1963, Sp. 4ff.

Raskin (rask'ɛ̃), Maurice, * 18. 8. 1906 zu Lüttich; belgischer Violinist, studierte am Conservatoire Royal de Musique in Lüttich, danach am Pariser Conservatoire (Capet, d'Indy, Edouard Nadaud, d'Ollone). Er konzertierte 1929 und 1930 in Südamerika, 1933–35 in Deutschland, Frankreich, den Niederlanden, Österreich und Polen, leitete dann das Orchestre National de Belgique und lehrte ab 1936 am Conservatoire Royal de Musique in Brüssel. 1940 gründete er ein Klavierquartett. Während des 2. Weltkriegs wirkte er in England, Irland und Portugal. R. lehrt wieder in Brüssel (seit 1946) sowie am Konservatorium von Maastricht und konzertiert in ganz Europa.

Raskolikow, N. → Thomas, Peter.

+Rasse, François, 1873–1955.
Lit.: Fr. R., = Cat. des œuvres de compositeurs belges XIII, Brüssel 1954 (Werkverz.).

+Rasumowskij, Andreas Kyrillowitsch (Andrej Kirillowitsch), 22. 10. (2. 11.) 1752 zu St. Petersburg [nicht: in der Ukraine] – 1836.
Er spielte in dem von ihm unterhaltenen Streichquartett nur gelegentlich (als Stellvertreter von L. Sina) die 2. Violine.
Lit.: +Th. v. Frimmel, Beethoven-Hdb. (II, 1926), Nachdr. Hildesheim 1968. – E. Hanslick, Gesch. d. Konzertwesens in Wien, Wien 1869–71, Nachdr. Farnborough 1971; D. Lehmann, Zwischen Sarti u. R., Mozart im russ. Musikleben d. 18. Jh., Acta Mozartiana II, 1955; P. Nettl, Beethoven-Encyclopedia, NY 1956.

Rasumowskij, Demetrius (Dmitrij) Wassiljewitsch, * 26. 10. (7. 11.) 1818 zu Kiew (nach anderen Angaben im Gouvernement Tula), † 2. (14.) 1. 1889 zu Moskau; russisch-ukrainischer Kirchenmusikhistoriker, absolvierte 1843 die Theologische Akademie in Kiew. Er war 1866–89 als Pädagoge für Geschichte des Kirchengesangs am Moskauer Konservatorium tätig (1871 Professor). Wissenschaftlich erregte er Aufsehen durch seine Arbeit *O notnych beslinejnych rukopissjach snamennowo penija* (»Über die linienlosen Notenhandschriften des Snamennyj-Kirchengesangs«, Moskau 1863). – Weitere Veröffentlichungen (Auswahl): *Zerkownoje penije w Rossii. Opyt istoriko-technitscheskowo isloschenija* (»Der Kirchengesang in Rußland. Versuch einer historisch-technischen Darstellung«, 3 Bde, Moskau 1867–69); *Patriarschije pewtschije diaki i poddiaki i gossudarewy pewtschije diaki* (»Die Sängerdiakone und Subdiakone des Patriarchen und des Zaren«, ebd. 1868, revidiert St. Petersburg 1895); *Gossudarewy pewtschije diaki XVII weka* (»Die Hofsängerdiakone des 17. Jh.«, Moskau 1881, NA von N. Findeisen, ebd. 1895); *Bogosluschebnoje penije prawoslawnoj Greko-Rossijskoj zerkwi* (»Der Gottesdienstgesang der orthodoxen griechisch-russischen Kirche«, Teil I: *Teorija i praktika zerkownowo penija,* »Theorie und Praxis des Kirchengesangs«, ebd. 1886).

Ratdolt, Erhard, * 1447 und † 1528 zu Augsburg; deutscher Buch- und Musikdrucker, verbrachte seine Lehrzeit in Italien, betrieb nach 1474 mit Bernhard Pictor und Peter Löslein eine Druckerei in Venedig, kehrte aber 1486 nach Augsburg zurück. Aus seinen beiden Offizinen gingen zahlreiche liturgische Wiegendrucke und Postinkunabeln hervor, deren Noten zuerst im Holzschnittverfahren, ab 1491 vorwiegend im Typendruck hergestellt wurden. 1515 übernahm R.s Sohn Georg die Augsburger Druckerei.
Lit.: R. Molitor, Deutsche Choral-Wiegendrucke, Regensburg 1904; K. Schottenloher, Die liturgischen Druckwerke E. R.s aus Augsburg 1485–1522, = Sonderveröff. d. Gutenberg-Ges. I, Mainz 1922; W. G. Oschilewski, E. R., ein deutscher Frühdrucker, in: Imprimatur, N. F. I, 1956/57; P. Geissler, E. R., in: Lebensbilder aus d. Bayerischen Schwaben IX, München 1966 (mit Verz. sämtlicher Druckwerke von R.).

+Rathaus, Karol, 1895–1954.
R., der 1922 den Dr. phil. der Universität Wien erworben hatte, wurde später in den USA naturalisiert. – Weitere Werke: Ballett *Le +lion amoureux* op. 42 (London 1937); 4 Tanzstücke op. 15 (1927), Ouvertüre op. 22 (1929), symphonischer Satz op. 36 (1933), *Prelude and Gigue* op. 44a (1939) und Ouvertüre *Salisbury Cove* op. 65 (1949) für Orch.; kleines Vorspiel für Streicher und Trp. op. 30 (1932), Musik für Streicher op. 49 (1942); Divertimento für 10 Holzbläser op. 73 (1954), Serenade für Klarinettenquintett op. 4, kleine Serenade für 4 Bläser und Kl. op. 23 (1927), 5 Streichquartette

(op. 10, 1921; op. 18, 1925; op. 41, 1936; op. 59, 1946; op. 72, 1954), Trio für V., Klar. und Kl. op. 53 (1944), Trioserenade für V., Vc. und Kl. op. 69 (1953), 2 Sonaten (op. 14, 1924; op. 43, 1938), *Pastorale and Dance* op. 39 (1936) und *Dedication and Allegro* op. 64 (1949) für V. und Kl., *Rapsodia notturna* für Vc. und Kl. op. 66 (1950), Sonate für Klar. und Kl. op. 21 (1927); 4 Sonaten (op. 2, 1920; op. 8, 1920–24; op. 20, 1927; op. 58, 1946), Variationen und Fuge über ein Thema von Reger op. 1 (1919), 5 Stücke op. 9 (1920), 6 kleine Stücke op. 11 (1926), 3 Mazurkas op. 24 (1928), Sonatine op. 28, Ballade op. 40 (Variationen über ein Leierkastenthema, 1936), 3 polnische Tänze op. 47 (1942), *Landscape in Six Colours* op. 51 (1942), 4 Studien nach D. Scarlatti op. 56 (1946) und Variationen über ein Thema von G. Böhm op. 62 (1948) für Kl.; Praeludium und Toccata für Org. op. 32 (1933); Oratorium *Diapason* für Bar., gem. Chor und Orch. op. 67 (nach Dryden und Milton, 1950), akademische Kantate *O iuvenes* für T., gem. Chor und Orch. op. 60 (1947); Chorwerke (3 Chöre op. 70 nach T. S. Eliot, E. E. Cummings und C. Sandburg); Lieder (3 englische Lieder für hohe oder mittlere St. op. 48, 1943; *Five Moods after American Poets* op. 57, 1946).

Rathburn (ɪ'æθbən), Eldon, * 21. 4. 1916 zu Queenstown (bei New Brunswick); kanadischer Komponist und Organist, studierte am Royal Conservatory of Music in Toronto (Willan, Charles Peaker, Reginald Godden) und war Organist an St. John in New Brunswick. 1947 wurde er ständiger Komponist des National Film Board of Canada. Er schrieb Orchesterwerke (Sinfonietta, 1943, revidiert 1946; *Cartoon No 1*, 1944, und *No 2*, 1946; *Images of Childhood*, 1950; Nocturne, 1953; *Oberture Burlesca*, 1953; *Milk Maid Polka*, 1956; *Gray City*, 1960), Kammermusik (Andante für Streichquartett, 1933; *Five Short Pieces*, I: *Waltz for Winds* für Fl., Ob., Klar. und Fag., II: *Parade* für Fl., Ob., Klar., Fag., Horn, Trp., Pos. und Schlagzeug, III: *Conversation* für 2 Klar., IV: Menuett für 2 Fl., und V: *Pastorella* für Ob., V., Va, Vc. und Kb., 1958), Vokalwerke sowie Funk- und Filmmusik.
Lit.: Werkverz. in: Composers of the Americas XI, Washington (D. C.) 1965.

+Rathgeber, Johann Valentin, 1682–1750.
+*LX Schlag Arien* und +*Musikalischer Zeitvertreib* ... sind keine selbständigen Werke, sondern gehören zum Titel von R.s Sammlung *Musikalischer Zeit-Vertreib auf dem Clavier, bestehend in LX Schlag-Arien, worunter die letzte X Pastorellen vor die Weynacht-Zeit* op. 22 (1743, ²1750) [del. frühere Angaben hierzu].
Ausg.: +*Mus. Zeitvertreib* ..., 19 ausgew. Stücke (R. Steglich, 1933), Neuaufl. Kassel 1965; eine [nicht: 10] +*Pastorelle aus »Mus. Zeit-Vertreib* ...« (Ders., = NMA XCV [nicht: VC], 1932), Neuaufl. ebd. 1964. – Concerto XV Es dur (aus »Chelys sonora«) f. 2 Clarini (Trp.), Streichorch. u. Org. (Cemb.), Erstdruck hrsg. v. E. Hess, = Für Kenner u. Liebhaber XXXVI, Basel 1968; Pastorellen f. d. Weihnachtszeit f. Org. (Cemb.), hrsg. v. Tr. Fedtke, Ffm. 1970.
Lit.: +M. Friedlaender, Das deutsche Lied im 18. Jh. (1902), Nachdr. Hildesheim 1962 (3 Bde in 2); +H. Kretzschmar, Gesch. d. neuen deutschen Liedes (I, 1911), Nachdr. ebd. u. Wiesbaden 1966; +H. J. Moser, Corydon (1933), Nachdr. Hildesheim 1966 (2 Bde in 1), 2. ergänzte Aufl. Braunschweig 1956. – Fr. Krautwurst in: MGG XI, 1963, Sp. 19ff.; J. Schmidt-Görg, Neues zum Augsburger Tafelkonfekt, in: Organicae voces, Fs. J. Smits v. Waesberghe, Amsterdam 1963; G. Rehm, V. R.s »Pastorellen f. d. Weihnachtszeit«, in: Musica sacra LXXXV, 1965.

Rațiu (r'atsĭu), Adrian, * 28. 7. 1928 zu Bukarest; rumänischer Komponist, studierte 1950–56 am Buka-

rester Konservatorium bei Klepper (Komposition), P. Constantinescu (Harmonielehre), Negrea (Kontrapunkt) und Rogalski (Orchestration). 1959–63 war er Redakteur bei der Zeitschrift »Muzica« und wurde 1962 an das Bukarester Konservatorium berufen, an dem er heute Professor für Harmonielehre, Kontrapunkt und Komposition ist. Er schrieb Orchesterwerke (Symphonie Nr 1, 1956, revidiert 1961; Konzert für Ob., Fag. und Streichorch., 1963; *Diptic*, »Diptychon«, 1965; *Studi per archi*, 1968; *Six images*, 1971; *Poem* für Vc. und Orch., 1972; Klavierkonzert, 1973), Kammermusik (Partita für Bläserquintett, 1966; *Concertino per la Musica Nova* für Klar., V., Va, Vc. und Kl., 1967; *Sonata a cinque* für 2 Trp., Horn, Pos. und Tuba, 1973; Streichquartett, 1956), Klavierwerke (4 Klavierstücke, 1961; *Monosonata I*, 1968, und *II*, 1969; *Constellations*, 1972) und Vokalmusik (*Oda păcii*, »Friedensode«, Kantate für gem. Chor und Orch., 1959; Chöre und Lieder). Neben einer Reihe von Beiträgen für »Muzica« veröffentlichte R. u. a.: *Aspekte der Ausdrucksmittel im Lichte der Entwicklung der zeitgenössischen Musik* (BzMw VII, 1965); *Principiul ciclic la G. Enescu / Le principe cyclique chez G. Enescu* (in: G. Enescu-Symposium, = Studii de muzicologie IV, 1968); *Considerații asupra planului tonal în creația Beethoveniană* (in: L. van Beethoven ..., = Cercetări de muzicologie IV, Bukarest 1971, frz. Vorabdruck als *Considérations concernant le plan tonal dans l'œuvre de Beethoven*, in: Muzica XX, 1970).

+Ratjen, Hans-Georg, * 26. 5. 1909 zu Berlin.
Seit 1964 wirkt er als ständiger Dirigent an der Deutschen Oper am Rhein in Düsseldorf–Duisburg.

Ratner (ɪ'ætnə), Leonard Gilbert, * 30. 7. 1916 zu Minneapolis (Minn.); amerikanischer Komponist und Musiktheoretiker, studierte an der University of California in Los Angeles (M. A. 1939), an der er 1947 mit der Arbeit *Harmonic Aspects of Classic Form* zum Ph. D. promovierte. Seit 1947 lehrt er an der Stanford University/Calif. (Professor of Music). Er komponierte Orchesterwerke, Kammermusik und die Oper *The Necklace*. – Veröffentlichungen (Auswahl): *Eighteenth-Cent. Theories of Musical Period Structure* (MQ XLII, 1956); *Music. The Listener's Art* (NY 1957, ²1966); *Harmony, Structure, and Style* (NY und London 1962); *Approaches to Musical Historiography of the 18th Cent.* (in: Current Musicology 1969, H. 9); »*Ars Combinatoria*«. *Chance and Choice in Eighteenth-Cent. Music* (in: Studies in 18th-Cent. Music, Fs. K. Geiringer, London 1970); *Key Definition. A Structural Issue in Beethoven's Music* (JAMS XXIII, 1970).

Ratschinskij, Gawrila Andrejewitsch (Raczinski), * 1777 und † 30. 3. (11. 4.) 1843 zu Nowgorod-Sewerskij (Ukraine); russischer Violinist, Gitarrist und Komponist, Sohn des ukrainischen Kirchenmusikkomponisten, Kapellmeisters und Choreliters der Kapelle des Grafen Kirill Rasumowskij, Andrej Andrejewitsch R. (1729 – um 1790/1800), lernte Violinspiel bei seinem Vater und studierte 1789–95 an der Kiewer Theologieakademie und anschließend bis 1797 an der Moskauer Universität, an der er dann bis 1805 als Musiklehrer tätig war. 1817–23 lebte er in seiner Heimatstadt, dann wieder bis 1840 in Moskau. Seine glänzende Konzerttätigkeit mußte er 1840 wegen Schwindsucht aufgeben. Neben Vokalwerken und Musik für die 7saitige russische Gitarre schrieb er hauptsächlich Violinmusik (Violinkonzert; »*Air russe*« – *varié* für V. und Kl.; *Air petit – russien pastorale*).
Lit.: I. Jampolskij, G. A. R., in: Russkoje skriptschnoje iskusstwo, Moskau 1951, S. 184ff.

Rattalino, Piero, * 18. 3. 1931 zu Fossano (bei Cuneo); italienischer Pianist und Komponist, studierte am Conservatorio di Musica A. Boito in Parma Klavier bei Vidusso (Diplom 1949) und Komposition bei Perrachio (Diplom 1953) und lehrte anschließend Klavier an den Konservatorien in Cagliari, Triest, Venedig und Parma. Seit 1965 leitet er die Klavierklasse des Conservatorio di Musica G. Verdi in Mailand. Daneben ist er als Musikschriftsteller und -kritiker tätig. Er schrieb ein Streichquartett (1950), *Piccola suite* für Kb. und Kl. (1960), ein Divertimento für Fl. und Kl. (1961) sowie Klavierstücke (Sonate, 1955; Variationen, 1960; 6 Sonatinen, 1969) und Unterrichtswerke (*8 pezzi per fanciulli*, 1964 und *Esercizi di agilità*, 1966). Daneben veröffentlichte er u. a.: *Studi di interpretazione pianistica* (Cuneo 1956); *Scritti giovanili di F. Busoni* (in: Musica d'oggi, N. S. II, 1959); *Problemi di interpretazione musicale* (in: Terzo programma 1963, H. 2); *La musica pianistica italiana tra il 1900 e il 1950* (Rass. mus. Curci XX, 1967); *Le riviste musicali italiane del Novecento* (ebd.); *Gli strumenti musicali* (in: Educazione musicale IV, 1967 – V, 1968, separat Mailand 1968); *Fr. Chopin* (ebd. 1969); *Il processo compositivo del »Don Pasquale« di Donizetti* (nRMI IV, 1970); *Le sonate per pianoforte di Beethoven* (Turin 1970); *Beethoven nel Veneto nell'Ottocento* (mit Fr. Agostino, nRMI VI, 1972).

Rattenbach, Augusto Benjamín, * 5. 2. 1927 zu Buenos Aires; argentinischer Komponist, studierte Kontrapunkt und Komposition bei T. Fuchs in Buenos Aires und bei Klussmann an der Staatlichen Hochschule für Musik in Hamburg. Er ist Vizepräsident des argentinischen Musikrates in der UNESCO. – Von seinen Kompositionen seien genannt: Ballett *Un episodio vulgar* (1961, daraus Ballettsuite 1965). – Orchesterwerke: *Suite sinfónica* (1955); *Microvariaciones I* für Streichorch. und Pk. (1961); Sinfonietta (1962); *Obstinaciones* (1965); Divertimento für Blechbläser und Schlagzeug (1968). – Werke für Soloinstr. und Orch.: *Concertino pastoral* für Ob. und Streichorch. (1958); *Ficción* für Fl. und Orch. (1963); *Microvariaciones III* für Klar., Horn und Orch. (1964); Klavierkonzert (1966); Doppelkonzert für Englisch Horn, Klar. und Orch. (1968). – Kammermusik: Bläserquintett (1957); *Microvariaciones II* für Schlagzeugnonett (1961); Serenata für Fl., Klar., Trp. und Vc. (1962); Streichtrio (1963); *Esquemas* für Klar., Horn und Kl. (1964); Variationen für Streichquartett (1969); *Quarteto lírico* (1970); *Dispersiones I* für Ob., Klar., Horn und Fag. (1973). – *Variaciones progresivas* für Kl. (1959). – Vokalwerke: *Salmos 129 y 116* für 6st. gem. Chor a cappella (1960); Kantate für S., Bar., gem. Chor und Orch. (1963); *4 tristes* für Baßbar. und Orch. (1964); ferner Lieder (*Singendes Blau* für A. und Kl. nach Gedichten von Hans Arp, 1960).
Lit.: Werkverz. in: Compositores de América XII, Washington (D. C.) 1966.

Ratti, Eugenia, * 5. 4. 1935 zu Genua; italienische Sängerin (Koloratursopran), absolvierte 1954 das Conservatorio di Musica N. Paganini ihrer Heimatstadt und debütierte 1955 als Adina in Donizettis *Elisir d'amore* an der Mailänder Scala. Sie trat im selben Jahr bei der Eröffnungsvorstellung der Piccola Scala mit Cimarosas *Il matrimonio segreto* auf. Zu ihren weiteren Partien, die sie an der Scala sang, gehören Susanna (*Le nozze di Figaro*), Ännchen (*Der Freischütz*), Rosina (*Il barbiere di Siviglia* von Rossini), Oscar (*Il ballo in maschera*), Mignon, Musetta (*La Bohème*) und Mavra (Strawinsky). E. R. gastierte u. a. beim Maggio Musicale Fiorentino, den Festspielen in Glyndebourne, Aix-en-Provence und Edinburgh, an den Staatsopern in Wien und München, an der Pariser Opéra sowie in Dallas (Tex.), San Francisco und Los Angeles.

Ratti, Lorenzo (Rattus Laurentius), * 1590 zu Perugia, † 10. 8. 1630 zu Loreto; italienischer Komponist und Organist, wurde von seinem Onkel V. Ugolini ausgebildet und sang 1599–1601 im Chor der Cappella Giulia in Rom. Er war Organist an der Kathedrale in Perugia (1614–16) und Maestro di cappella am Seminario Romano (1617–19), am Collegio Germanico (1619–20), an St-Louis-des-Français (1620–23), wieder am Collegio Germanico (1623–29) sowie ab 1629, als Nachfolger von Cifra, an der S. Casa in Loreto. – Werke: Oper *Il ciclope overo La vendetta di Apolline* (Rom 1628); *Il I°* und *Il II° libro de Madrigali* für 5 St. (Venedig 1615–16); *Litanie e motetti* für 5–8 St. (ebd. 1616); *Motecta 2–5 v. ad org. accommodata lib. I°* und *lib. II°* (Rom 1617); *Motetti della cantica* für 2–5 St. (ebd. 1619); *Motetti* für 1–6 St. (Venedig 1620); *Litanie della beata Virgine* für 5–8 St. (ebd. 1626); *Sacrae modulationes nunc primum in lucem editae. Pars I–III* (ebd. 1628); *Litanie beatae Mariae virginis 5–8 et 12 v. una cum b. ad org.* (ebd. 1630); *Cantica Salomonis 2–5 v. concinenda. Una cum b. ad org. Pars I* (ebd. 1632, postum).
Lit.: G. TEBALDINI, L'arch. mus. della Cappella lauretana, Loreto 1921; U. ROLANDI, Il Ciclope. Dramma harmonico con musica di D. L. R. (Rom 1628), in: Note d'arch. X, 1933; R. CASIMIRI, Disciplina musicae, ebd. XIX, 1942; R. CHAUVIN, Six Gospel Dialogues f. the Offertory by L. R., in: Analecta musicologica IX, 1970.

+Ratz, Erwin, * 22. 12. 1898 zu Graz, [erg.:] † 12. 12. 1973 zu Wien.
R., Generalsekretär der österreichischen Sektion der IGNM bis 1967, lehrte an der Hochschule für Musik und darstellende Kunst in Wien bis zu seinem Tode. Er war Gründungs- und Ehrenmitglied der Internationalen Schönberg-Gesellschaft. – *+Einführung in die musikalische Formenlehre . . .* (1951), 2. erweiterte Aufl. als *Einführung . . ., Über Formprinzipien in den Inventionen* [jetzt erg.: *und Fugen*] *J. S. Bachs . . .*, Wien 1968, ³1973; *+Zum Formproblem bei G. Mahler.* [erg.:] *Eine Analyse des ersten Satzes der IX. Symphonie* bzw. *Eine Analyse des Finales der VI. Symphonie* (1955–56), Wiederabdruck in: G. Mahler, Tübingen 1966, der 2. Teil engl. in: MR XXIX, 1968, S. 34ff. – Neuere Aufsätze: *Über die Bedeutung der funktionellen Harmonielehre für die Erkenntnis des »Wohltemperierten Klaviers«* (Mf XXI, 1968, und in: Musikerziehung XXII, 1968/69); *Analyse und Hermeneutik in ihrer Bedeutung für die Interpretation Beethovens* (ÖMZ XXV, 1970); *Beethovens Größe, dargestellt an Beispielen aus seinen Klaviersonaten* (Fs. »Beethoven im Mittelpunkt«, Bonn 1970). – R. war Herausgeber der →+Mahler-GA; er edierte ferner Bd I der *Variationen für Klavier* von Beethoven (Wien 1958) und eine Faks.-Ausg. nach Mahlers Handschrift der X. Symphonie (München und Meran 1967).
Lit.: K. H. FÜSSL in: ÖMZ XIV, 1959, S. 18ff.; R. KLEIN, ebd. XXIX, 1974, S. 44; R. STEPHAN in: Mf XXVII, 1974, S. 151ff. – A. Schönberg. Gedenkausstellung, Kat. hrsg. v. E. HILMAR, Wien 1974.

+Rau, Carl August, 1890–1921.
+Geschichte der Musik . . . in Tabellenform (1918), neu bearb. von K. Schaezler als *Musikgeschichte in Umrissen* (München 1967).

Rauch, Andreas, * 1592 zu Pottendorf (Niederösterreich), † 1656 zu Ödenburg/Sopron (Ungarn); österreichischer Komponist und Organist, war 1621–25 Organist an der evangelischen Kirche in Hernals (Wien), 1627 in Inzersdorf (Wien) und ab 1629 in Ödenburg. Er veröffentlichte 9 Sammlungen mit geistlichen und

weltlichen Gesängen (z. T. mit Instrumenten), die 1621–51 in Nürnberg, Wien und Ulm erschienen.
Ausg.: 3 Gesänge in: W. VETTER, Das frühdeutsche Lied II, = Universitas-Arch. VIII, Münster i. W. 1928; 2 Gesänge in: Antiqua-Chorbuch I, 4 u. II, 4, hrsg. v. H. MÖNKEMEYER, Mainz (1951).
Lit.: H. FEDERHOFER in: MGG XI, 1963, Sp. 25f.

Rauch, František, * 4. 2. 1910 zu Pilsen; tschechischer Pianist und Komponist, studierte an der Meisterschule des Prager Konservatoriums 1929–31 Klavier bei K. Hoffmeister und 1936–37 Komposition bei V. Novák. 1939 wurde er Lehrer am Prager Konservatorium, 1946 an der Prager Musikakademie (1953 Dozent für Klavier). Konzertreisen führten ihn durch verschiedene europäische Länder sowie nach Lateinamerika und Japan. 1957 gründete er mit Bruno Bělčík und Fr. Smetana das Pražské trio (»Prager Trio«). Von seinen Kompositionen seien ein Concertino für Kl. und kleines Orch., eine Sonatine für V. und Kl. sowie die Klaviersuite *Jaro* (»Frühling«, 1938) genannt.

Rauch, Fred (Pseudonyme Theo Rautenberg, Sepp Haselbach), * 28. 9. 1909 zu Wien; österreichischer Textdichter von Liedern und Schlagern, gründete nach dem Krieg das Kabarett »Der bunte Würfel« in München. Seit 1948 ist er als freier Mitarbeiter (Autor und Sprecher) beim Bayerischen Rundfunk tätig, seit 1968 auch beim Studio Salzburg des österreichischen Rundfunks. Er hat seit 1948 Liedertexte zu über 50 Filmen und für über 500 Schallplatten geschrieben. Zu seinen bekannten Texten gehören u. a. (Komponisten in Klammern): *Glaube mir / Answer Me* (G. Winkler); *Schützenliesel* (Winkler); *Zwei Spuren im Schnee* (Winkler); *Ein Boot, eine Mondnacht und Du* (Igelhoff); *Die erste Liebe* (Igelhoff). Er veröffentlichte: *Vom guten und vom schlechten Schlager. Erfahrungen aus der Hörerpost* (in: Musik und Altar XII, 1959/60); *Tausend Sachen zum Schmunzeln und Lachen. Rund um die Musik* (München 1969).

+Rauch, Joseph [del.: P. Josue, OFM], * 16. 10. 1904 zu München.
R. lebt heute als freischaffender Komponist in Garmisch-Partenkirchen. An weiteren Werken seien ein Cellokonzert op. 17 und ein symphonisches Te Deum für Chor und Orch. op. 21 genannt.

+Raucheisen, Michael, * 10. 2. 1889 zu Rain (am Lech, Bayern).
Als Begleiter u. a. von Sigrid Onegin, Maria Ivogün und Fr. Kreisler unternahm R. 1922–30 zahlreiche Konzertreisen (Nordamerika, Europa, Orient). 1940–45 Abteilungsleiter für Kammermusik und Gesang am Reichssender Berlin, wirkte er 1950–58 wieder in Berlin als Konzertpianist und Klavierpädagoge. Er lebt heute in Immensee (Zug) im Ruhestand.

+Rauchenecker, Georg Wilhelm, 1844–1906.
Lit.: M. HÜBSCHER in: Rheinische Musiker IV, hrsg. v. K. G. Fellerer, = Beitr. zur rheinischen Mg. LXIV, Köln 1966, S. 111f.

Rauchwerger, Michail Rafailowitsch, * 22. 11. (5. 12.) 1901 zu Odessa; russisch-sowjetischer Komponist und Pianist, absolvierte 1927 das Moskauer Konservatorium als Schüler von Blumenfeld, dessen Assistent er 1928 wurde. 1930–41 wirkte er am Moskauer Konservatorium als Lehrer für Klavier (1932 Dozent, 1939 Professor). Seit 1941 widmet er sich seinem kompositorischen Schaffen, das auf der Folklore des kirgisischen Volkes basiert. Er schrieb u. a. die Opern *Kokul* (»Der goldene Schopf«, Frunse 1942) und *Dschamilja* (ebd. 1960), das Opernballett *Sneschnaja korolewa* (»Die

Schneekönigin«, 1965), die Ballette *Tscholpon* (»Der Morgenstern«, Frunse 1944), *Blisnezy* (»Die Zwillinge«, 1948) und *My – timurowzy* (»Wir Timurowzen«, 1949), Orchesterwerke (Symphonische Suite *Ala-Too*, 1953; Symphonie, 1956; Violoncellokonzert, 1962), Kammermusik (3 Streichquartette), Klavierstücke, mehr als 400 Chöre und Lieder sowie Bühnen- und Filmmusik.
Lit.: JU. KOREW, M. R. i jewo balet »Tscholpon« (»M. R. u. sein Ballett ‚Tscholpon'«), Moskau 1958.

+Raugel, Félix [erg.:] Alphonse, * 27. 11. 1881 zu Saint-Quentin (Aisne).
Das Orchester der Société philharmonique in Reims dirigierte er bis 1962; er war Vizepräsident der Société française de musicologie bis 1958 und musikalischer Leiter der *Anthologie sonore* bis 1959. – *+Les organistes* (1923), 2. Aufl. = Les musiciens célèbres o. Nr, Paris 1962; *+Le chant choral* (1948), ebd. ²1958, ³1966. – Neuere Aufsätze: *Händels französische Lieder* (Kgr.-Ber. Händel-Ehrung Halle 1959); *Notes pour servir à l'histoire musicale de la Collégiale de Saint-Quentin depuis les origines jusqu'en 1679* (Fs. H. Besseler, Lpz. 1961); *La maîtrise et les orgues de la primatiale Saint-Trophimes d'Arles* (RMFC II, 1961–62); *Les anciens buffets d'orgues du pays de Hurepoix* (Bull. de la Société historique et archéologique de Corbeil, d'Etampes et du Hurepoix LXVIII, 1962); *M.-A. Charpentier* (Fs. K. G. Fellerer, Regensburg 1962); *Les Silbermann, facteurs d'orgues alsaciens, et les organistes et organiers de leur temps* (in: Liber amicorum, Fs. Ch. Van den Borren, Antwerpen 1964); bis in die jüngste Zeit zahlreiche Orgelmiszellen (vor allem in der Zs. »L'orgue«) sowie lexikalische Beiträge.
Lit.: Bibliogr. des principaux travaux et articles consacrés à l'orgue de la part de F. R., in: L'orgue 1962, S. 61ff. – A. MOREAU, ebd. S. 59ff.; R. ROLLAND in: Händel-Jb. IX, 1963, S. 7ff. (darin Briefe an R.).

Rauhe, Hermann, * 6. 3. 1930 zu Wanna (Land Hadeln, Niedersachsen); deutscher Musikpädagoge, studierte 1951–59 Schulmusik und Musikwissenschaft in Hamburg und promovierte 1959 mit einer Dissertation über *Dichtung und Musik im weltlichen Vokalwerk J. H. Scheins*. Er war als Musikerzieher tätig, wurde 1963 Dozent und 1965 Professor für Musikwissenschaft und -pädagogik an der Staatlichen Hochschule für Musik und darstellende Kunst in Hamburg (1968 Leiter des Seminars für Schulmusik und der Abteilung für Musikpädagogik). 1970 wurde er Ordinarius für Erziehungswissenschaft mit besonderer Berücksichtigung der Musikpädagogik an der Universität Hamburg unter gleichzeitiger Wahrnehmung der Schulmusikabteilungsleitung und der Fachvertretung für Musikwissenschaft an der Musikhochschule. Neben zahlreichen pädagogischen Einzelbeiträgen im »Mitteilungsorgan des Landesverbandes Hamburg der Tonkünstler und Musiklehrer« veröffentlichte R. u. a.: *Musikerziehung durch Jazz* (= Beitr. zur Schulmusik XII, Wolfenbüttel 1962); *Zur Frage der Einbeziehung des Jazz in den Musikunterricht* (in: Musik im Unterricht LIV, Ausg. B, 1963); *Hören und Musizieren als didaktisches Problem im Zeitalter der Massenmedien* (in: Fortschritt und Rückbildung in der deutschen Musikerziehung, hrsg. von E. Kraus, Mainz 1965); *Zum volkstümlichen Lied des 19. Jh.* (in: Studien zur Trivialmusik des 19. Jh., hrsg. von C. Dahlhaus, = Studien zur Musikgeschichte des 19. Jh. VIII, Regensburg 1967); *Kritischer Schallplattenvergleich aus den Bereichen Folklore und Beat* (in: Der Einfluß der technischen Mittler auf die Musikerziehung unserer Zeit, hrsg. von E. Kraus, Mainz 1968); *Grundlagen der Musiktheorie. Eine methodisch-praktische Elementarlehre* (mit Chr. Hohlfeld, Wolfenbüttel 1970); *Schlager und Beat im Unterricht* (in: Musikhören und Werkbetrachtung in der Schule, hrsg. von K. Sydow, ebd. 1970); *Lehrbuch der Musik* (mit H. Hopf und H. Krützfeldt-Junker, 3 Bde, ebd. 1970–72); *Aspekte einer didaktischen Theorie der Popularmusik* (in: Aktualität und Geschichtsbewußtsein in der Musikpädagogik, hrsg. von S. Abel-Struth, = Musikpädagogik IX, Mainz 1973); *Musikpädagogik als Didaktik musikalischer Kommunikation und Interaktion* (Fs. K. Blaukopf, Wien 1974). R. ist Mitherausgeber der Reihen *Beiträge zur Schulmusik* (Wolfenbüttel Iff., 1957ff.) und *Musikalische Formen in historischen Reihen* (ebd. 1957ff.).

Raumer, Karl Georg v o n , * 9. 4. 1783 zu Wörlitz (bei Dessau), † 2. 6. 1865 zu Erlangen; deutscher Mineraloge, Pädagoge und Hymnologe, studierte ab 1801 Jura in Göttingen, hörte dort auch Vorlesungen Forkels, der sein Klavierlehrer war, schloß Freundschaft mit Achim von Arnim und Clemens von Brentano, ging 1803 nach Halle (Saale), wo er zu C. v. Winterfeld, den Jenaer Romantikern und Reichardt in Giebichenstein in Beziehung trat, dessen Tochter Friederike er 1811 heiratete. Nach einem Studium an der Bergakademie in Freiberg/Sachsen (ab 1805) und einem Aufenthalt in Paris (1808–09) sowie bei Johann Heinrich Pestalozzi in Yverdon/Waadt (1809–10) wurde er 1811 Professor der Mineralogie in Breslau, nahm 1813–14 als Adjutant Gneisenaus am Befreiungskrieg teil, war 1819–23 Professor in Halle, ging 1823 als Lehrer an das Dittmarsche Kunstinstitut in Nürnberg und erhielt 1827 die Professur für Mineralogie und Naturgeschichte an der Universität in Erlangen. In seinem Haus, einem Zentrum der Erweckungsbewegung und des konfessionellen Luthertums, versammelte er einen Sing- und Musizierkreis, der zu einer Keimzelle der kirchenmusikalischen Restauration und der Gesangbuchreform in Süddeutschland wurde. Bereits 1829 forderte er als erster ein evangelisches Einheitsgesangbuch mit einem Stamm von 300 Liedern. Einer seiner Schüler war Wackernagel. Von den musikgeschichtlich einschlägigen Veröffentlichungen R.s seien genannt: *Gesangbücher, Choralbücher* (Evangelische Kirchenzeitung IV, 1829, erweitert in: K. v. R., Kreuzzüge I, Lpz. 1840); *Unpartheiisches Gutachten über das neue Berliner Gesangbuch* (Lpz. 1830); *Sammlung geistlicher Lieder* (Basel 1831, Stuttgart 21846); *Choralbuch* (Basel 1832); *Geistliche Lieder* (Nürnberg 1836, Stuttgart 21845); *Geschichte der Pädagogik* (4 Bde, Stuttgart 1843–54, 31857, Gütersloh 41872–74, 71897); *Die Erziehung der Mädchen* (Stuttgart 1853, 21857, mit Kap. über Singen und Klavierunterricht). Mit Fr. v. Pocci gab er *Alte und neue Kinderlieder mit Bildern und Singweisen* (Lpz. 1852) heraus. Postum erschien eine Autobiographie unter dem Titel *K. v. R.s Leben, von ihm selbst erzählt* (Stuttgart 1866).
Lit.: A. v. SCHEURL, Zum Gedächtnis K. v. R.s, Erlangen 1865; FR. KRAUTWURST, Briefe ... aus d. Nachlaß J. G. Herzogs in d. Erlanger Univ.-Bibl., Jb. f. fränkische Landesforschung XXI, 1961; H. WEIGELT, K. v. R., seine Bedeutung f. d. Kultur- u. Geistesleben d. 19. Jh., in: Erlanger Bausteine zur fränkischen Heimatforschung XII, 1965; DERS., Erweckungsbewegung u. konfessionelles Luthertum im 19. Jh., untersucht an K. v. R., = Arbeiten zur Theologie II, 10, Stuttgart 1968. FKR

+Raupach [–1) Christoph], –2) H e r m a n n Friedrich, [erg.: 21. 12.] 1728 – [erg.: Dezember] 1778.
R., der 1755 nach St. Petersburg kam, war ab 1758 [nicht: 1756] als Nachfolger Fr. Arajas Kapellmeister an der dortigen italienischen Oper, wo er ab 1768, nach längeren Reisen, neben T. Traetta als 2. Kapell-

meister wirkte. R. komponierte etwa 15 [nicht: 4] Ballettmusiken (z. T. als Einlagen zu Opern Traettas).
Lit.: R.-A. MOOSER, Annales de la musique en Russie au XVIIIe s., 3 Bde, Genf 1948–51; T. N. LIWANOWA, Russkaja musykalnaja kultura XVIII weka ..., 2 Bde, Moskau 1952–53.

Rautavaara, Einojuhani, * 9. 10. 1928 zu Helsinki; finnischer Komponist, Vetter von Aulikki und Pentti Rautawara, studierte 1948–54 an der Universität (Mag. phil. 1954) und der Sibelius-Akatemia seiner Heimatstadt, 1954 in Wien, 1955–56 in den USA bei Persichetti, Copland und Sessions, 1957 in der Schweiz bei Wl. Vogel sowie 1958 in Köln bei R. Petzold. Seine Werke weisen expressionistische Züge auf, verbunden mit neoimpressionistischem Kolorit. Er schrieb u. a. die Opern *Kaivos* (»Die Grube«, Finnisches Fernsehen 1963) und *Apollo and Marsyas* (Libretto nach Hengt von Wall, Helsinki 1973), die Ballette *Pentecost* für 4 Schlagzeuger und 12 Tänzer (1968) und *Temptations* (Helsinki 1973), Orchesterwerke (4 Symphonien, 1956, 1957, 1961 und 1964; symphonische Suite, 1953; *Arabescata*, 1963; *Anadyomene*, 1967; *An Artist's Portrait at a Certain Moment*, 1972; *Cantus arcticus*, Concerto for Birds and Orch., 1972; *Canto I* und *II* für Streichorch., 1960; *Sofilasmessu*, »Soldatenmesse«, für Janitscharenorch., 1968; Violoncellokonzert, 1968), Kammermusik (Bläseroktett, 1964; 3 Streichquartette, 1952, 1958 und 1965; Quartett für Ob. und Streichtrio, 1965; *A Requiem in Our Time* für Blechbläser und Schlagzeug, 1953), Klavierstücke sowie Vokalwerke (*Preludes of T. S. Eliot* für gem. Chor und Schlagzeug, 1956; *Ludus verbalis* für Sprechchor, 1957; Gesangszyklen *5 Sonette an Orpheus* und *Die Liebenden* auf Texte von Rilke, 1959; *Water Circle* für Chor, Kl. und Orch., 1972; *True and False Unicorn* für gem. Chor, Ensemble, Solisten und Tonband, 1973).

+Rautawaara, –1) [erg.: Terttu] Aulikki, * 2. 5. 1906 zu Helsinki. A. R., lange Jahre eine gesuchte Sängerin an europäischen Opern- und Konzertzentren, war Mitte der 30er Jahre auch als Filmschauspielerin hervorgetreten. Sie lebt heute als Gesangslehrerin in Helsinki.
–2) Eero P e n t t i Kustaa [erg. Vornamen], * 28. 6. 1911 zu Vaasa, [erg.:] † 31. 3. 1965 zu Helsinki.

Rautenbach, Theo → R a u c h , Fred.

+Rautenstrauch, J o h a n n e s , 1876–1953.
+Luther und die Pflege der kirchlichen Musik in Sachsen (14.–19. Jh.) (1907), Nachdr. Hildesheim 1970.

Rautio, Erkki, * 5. 10. 1931 zu Helsinki; finnischer Violoncellist, studierte 1948–51 in seiner Heimatstadt an der Sibelius-Akatemia bei Yrjö Selin sowie bei Mainardi und P. Fournier. Seit 1965 ist er Professor an der Sibelius-Akatemia. R. hat u. a. in Mitteleuropa und in der UdSSR konzertiert.

+Rauzzini, V e n a n z i o , 18. (getauft [nicht: *] 19.) 12. 1746 – 1810.
Lit.: J. REINDL, V. R. als Instrumentalkomponist, 3 Bde, Diss. Wien 1961.

+Ravanello, O r e s t e , 1871 – 2. [nicht: 1.] 7. 1938.
Lit.: A. GARBELOTTO u. M. CICOGNA, O. R., Padua 1939.

+Ravasenga, C a r l o , * 17. 12. 1891 zu Turin, [erg.:] † 6. 5. 1964 zu Rom.

+Ravel, [erg.: Joseph] M a u r i c e , 1875–1937.
Berichtigungen und Ergänzungen zum früheren Werkverzeichnis: *Les +sites auriculaires* für 2 Kl. (Habanera, 1895, Fassung für Orch. als 3. Satz der *Rapsodie espagnole*, 1907; *Entre cloches*, 1896); *Sérénade grotesque*

(1893), +*Menuet antique* (1895, für Orch. 1929), +*Pavane* ... (1899, für Orch. 1910), +*Miroirs* (1905, daraus für Orch. *Une barque sur l'océan* 1906, revidiert 1926, und *Alborada del gracioso*, 1919), +*Valses nobles et sentimentales* (1911, für Orch. 1912) und +*Le tombeau de Couperin* (1917, daraus 4 Sätze für Orch., 1919) für Kl.; Konzertrhapsodie +*Tzigane* für V. und Kl. (1924, auch mit Orch.); 3 Kantaten für den Prix de Rome *Myrrha* (1901), *Alcyone* (1902) und *Alyssa* (1903); *Ballade de la reine morte d'aimer* (1894), *Le rouet* (1894), *Un grand sommeil noir* (Verlaine, 1895), *Sainte* (Mallarmé, 1896), *Si morne* (Verhaeren, 1899), *Manteau de fleurs* (1903), *Le noël des jouets* (Ravel, 1905, auch mit Orch.), *Les grands vents venus d'outre-mer* (1906), +*Vocalise en forme d'habanera* (1907, auch für V. und Kl.), +*Cinq mélodies populaires grecques* (1904–06, Nr 1 und 5 auch mit Orch., Nr 2–4 orchestriert von M.Rosenthal), griechischer Tanz *Tripatos* (1909), +*Deux mélodies hébraïques* (1914, mit Orch. 1920), *Ronsard à son âme* (Ronsard, 1924, auch mit Orch.) und +*Don Quichotte à Dulcinée* (1932, auch mit Orch.) für Singst. und Kl., +*Trois chansons* für 4st. gem. Chor a cappella (Ravel, 1915, für Singst. und Kl. 1916); *Le tombeau de Cl. Debussy* für V. und Vc. (1920), *Berceuse sur le nom de G. Fauré* für V. und Kl. (1922); Comédie musicale +*L'heure espagnole* (1907, Paris 1911), Symphonie chorégraphique +*Daphnis et Chloé* (1909–11, als Ballett von M. Fokine ebd. 1912, daraus 2 Suiten), +*Ma mère l'oye* (1911, ebd.), +*Adélaïde* ... (nach der Orchesterfassung der *Valses nobles* ..., ebd.), Fantaisie lyrique +*L'enfant et les sortilèges* (Colette, 1920–25, Monte Carlo 1925), Poème chorégraphique +*La valse* (1920, als Ballett von Br. Nijinska, Paris 1928), +*Boléro* (1928, als Ballett von ders., ebd.); eine Fanfare für das Gemeinschaftsballett *L'éventail de Jeanne* (1927, u. a. mit Ibert, Milhaud, Poulenc, Roussel und Fl. Schmitt, ebd. 1929); ferner Bearbeitungen für 2 Kl. nach Debussy (*Nocturnes*, 1909; *Prélude à l'après-midi d'un faune*, 1910) sowie für Orch. nach +Mussorgskij (*Chowanschtschina*, mit Strawinsky, 1913), Satie (*Le prélude du fils des étoiles*, 1913), Schumann (*Carnaval*, 1914), Chabrier (*Menuet pompeux* aus *Dix pièces pittoresques*, 1918), Debussy (+*Sarabande* aus *Pour le piano*, 1920), +Mussorgskij (*Tableaux d'une exposition*, 1922), Debussy (+*Danse*, 1923) und Chopin (*Nocturne, étude et valse*, 1923). – Er schrieb: *Contemporary Music* (in: The Rice Institute Pamphlets XV, [Houston/Tex.] 1928, Wiederabdruck mit Einleitung von B. Pilarski in: Rev. de musicol. L, 1964, S. 208ff.).
Lit.: *R. au miroir de ses lettres*, hrsg. v. M. GÉRAR u. R. CHALUPT, = Collection mus. o. Nr, Paris 1956, russ. hrsg. v. G. Filenko, Leningrad 1962; weitere Briefe in: Rev. de musicol. XXXVIII, 1956, S. 49ff., Avec Stravinsky, = Domaine mus. o. Nr, Monaco 1958, Fs. Fr. Blume, Kassel 1963, S. 231ff. (mit Debussy), Rev. de musicol. LII, 1966, S. 215ff. (mit Colette zu »L'enfant ...«), SM XXX, 1966, H. 8, S. 64ff. (mit Strawinsky). – Cat. de l'œuvre, hrsg. v. d. Fondation M. R., Paris 1954. – M. R. *par quelques-uns de ses familiers* (mit Beitr. v. E. VUILLERMOZ, +M. DELAGE, +COLETTE u. a., 1939); *Les publ. techniques et artistiques. M. R.*, Paris 1945 (mit Beitr. v. M. LONG, H. JOURDAN-MORHANGE u. a.). – Aufsatzfolgen in: L'approdo mus. I, 1958, Nr 2, S. 3ff. (mit chronologischem Abriß v. Leben u. Werk, S. 55ff., u. Diskographie, S. 74ff.) u. SM XXVI, 1962, H. 12, S. 51ff. (mit 2 unveröff. Briefen). – Erinnerungen an R.: V. HUGO in: RM 1952, Nr 210, S. 137ff.; D. MILHAUD in: The Listener v. 29. 5. 1958, Wiederabdruck in: Essays on Music, hrsg. v. F. Aprahamian, London 1967, S. 78ff.; J. BRUYR in: Musica (Disques) 1962, Nr 99, S. 4ff.; DERS. in: SMZ CIII, 1963, S. 143f.; FR. POULENC in: SM XXIX, 1965, H. 3, S. 78ff.; A. VAN PRAAG in: Synthèses XXIV, 1969, S. 91ff.
+ROLAND-MANUEL, M. R. (1938), Nachdr. d. +engl. Ausg. v. 1947 = Contemporary Composers o. Nr, NY 1972 u.

Magnolia (Mass.) 1973; +N. DEMUTH, R. (= Master Musicians o. Nr, 1947), Nachdr. = Great Composers Series o. Nr, NY 1962. – VL. JANKÉLÉVITCH, M. R., = Collection de la musique ancienne et moderne XVIII, Paris 1939, ²1956 = Solfèges III, deutsch als: M. R. in Selbstzeugnissen u. Bilddokumenten, = Rowohlts Monographien XIII, Reinbek bei Hbg 1958, engl. London 1959 u. = Evergreen Profile Book III, NY 1959, nld. = Picturaboeken XII, Utrecht 1959, polnisch Krakau 1961; L.-P. FARGUE, M. R., = Au voilier IV, Paris 1949; L. LA PEGNA, M. R., Brescia 1950 u. 1966; V. I. SÉROFF, M. R., NY 1953; J. KATALA in: SM XIX, 1955, H. 7, S. 51ff.; J. GERAEDTS, R., = Componisten-serie XXXIV, Haarlem 1957, auch = Gottmer-muziek-pockets XIII, ebd. 1958; JU. G. KREJN in: SM XXI, 1957, H. 12, S. 54ff.; K. FR. MÜLLER in: ÖMZ XII, 1957, S. 481ff. (mit Werkverz.); J. VAN ACKERE, M. R., Brüssel 1957 u. Paris 1958 (mit Vorw. v. Roland-Manuel); D.-E. INGHELBRECHT in: Schweizer musikpädagogische Blätter XLVI, 1958, S. 25ff.; I. DE FAGOAGA, Retablo vasco, = Auñamendi VI, Zaranz 1959; E. PETROVICS, M. R., = Kis zenei könyvtár VIII, Budapest 1959; G. ZYPIN, M. R., Moskau 1959; DERS. in: SM XXIX, 1965, H. 3, S. 74ff.; R. DE FRAGNY, M. R., = Nos amis les musiciens o. Nr, Lyon 1960; R. H. MYERS, R., London 1960 u. 1971, Nachdr. Westport (Conn.) 1973; M. LA MORGIA in: Musica d'oggi V, 1962, S. 215ff.; R. WITTELSBACH in: SMZ CIII, 1963, S. 33ff.; E. ZAVARSKÝ, M. R., = Hudobné profily II, Bratislava 1963; R. ALEXANDRESCU, M. R., = Clasicii muzicii universale o. Nr, Bukarest 1964; G. LÉON, M. R., = Musiciens de tous les temps XI, Paris 1964; H. H. STUCKENSCHMIDT, M. R., Ffm. 1966, engl. Philadelphia 1968 u. London 1969; V. HOLZKNECHT, M. R., = Hudební profily XV, Prag 1967; B. PILARSKI in: Szkice o muzyce, Warschau 1969, S. 163ff.; P. PETIT, R., Paris 1970. – B. PILARSKI, R. w Polsce, in: Ruch muzyczny VII, 1963; R. KOSSATSCHEWA in: Is istorii sarubeschnoj muzyki, hrsg. v. S. Pitina, Moskau 1971 (über M. R.s Beziehungen zu Rußland).
TH. W. ADORNO, R., in: Anbruch XII, 1930, revidiert in: Moments mus., = Ed. Suhrkamp LIV, Ffm. 1964; J. VAN ACKERE, R., de orkestrator, RBM V, 1951; VL. PERLEMUTER u. H. JOURDAN-MORHANGE, R. d'après R., Les œuvres pour piano, Les deux concertos; = Les documents célèbres III, Lausanne 1953, revidiert ⁵1970; DIES. in: Feuilles mus. VII, 1954, S. 30ff. u. 55ff. bzw. 117ff. (zu »Le tombeau de Couperin« bzw. »Gaspard ...«); R. E. MUELLER, The Concept of Tonality in Impressionist Music, Based on the Works of Debussy and R., Diss. Indiana Univ. 1954; P. SEGALLA, R.'s Songs, MMR LXXXV, 1955; H. JOURDAN-MORHANGE in: Feuilles mus. X, 1957, S. 193ff. (zum Konzert f. d. linke Hand); J. VAN DER VEEN, Problèmes structuraux chez M. R., Kgr.-Ber. Köln 1958; A. D. ALEXEJEW, Franzuskaja fortepiannaja musyka XIX – natschala XX weka (»Frz. Kl.-Musik im 19. bis zum Anfang d. 20. Jh.«), Moskau 1961; G. SANNEMÜLLER, Das Klavierwerk v. M. R., Diss. Kiel 1961; DERS., R.s Stellung in d. frz. Musik, in: H. Albrecht in memoriam, Kassel 1962; DERS. in: Musik u. Bildung VI, 1974, S. 174ff. (zu »Ma mère l'oye«); JU. G. KREJN, Simfonitscheskije proiswedenija M. Rawelja (»Die symphonischen Werke v. M. R.«), = Bibl. sluschatelja konzertow o. Nr, Moskau 1962; DERS., Kamerno-instrumentalnije ansambli Debjussi i Rawelja, = ebd. 1966; P. MIES, Widmungsstücke mit Buchstaben-Motto bei Debussy u. R., StMw XXV, 1962; A. CHÂTELAIN, J. Renard et les »Hist. naturelles«, SMZ CIII, 1963; J. L. PATTY, M. R.'s Orchestral Transcriptions of Piano Works, Diss. Northwestern Univ. (Ill.) 1963; H. SCHMOLZI, Hartmann – Mussorgsky – Kandinsky – R., NZfM CXXIV, 1963; B. DEANE, Renard, R. and the »Hist. naturelles«, Australian Journal of French Studies I, 1964; M. ZIJLSTRA in: Mens en melodie XX, 1965, S. 392ff. (zu d. »Hist. naturelles«); E. STILZ, Debussy u. R. als Wegbereiter d. Neuen Musik, in: Musikerziehung XIX, 1965/66; J. BRAUN, Die Thematik in d. Kammermusikwerken v. M. R., = Kölner Beitr. zur Musikforschung XXXIII, Regensburg 1966; L. DAVIES, The Gallic Muse, London 1967 u. South Brunswick 1969; DERS., R. Orchestral Music, = BBC Music Guides XVIII, London 1970 u. Seattle

(Wash.) 1971; St. Dubbiosi, The Piano Music of M. R., 2 Bde (I Text, II Beispiele), Diss. NY Univ. 1967; A. Espiau de la Maëstre, Der rätselhafte R., in: Beitr. 1967, Kassel 1967; Fr. Lichtenthaler, Bertrand u. R., Eine Studie zum »Gaspard de la nuit«, ÖMZ XXII, 1967; J. Chr. Martin, Die Instrumentation v. M. R., Diss. Mainz 1967; A. Orenstein, M. R.'s Creative Process, MQ LIII, 1967; ders., The Vocal Works of M. R., Diss. Columbia Univ. (N. Y.) 1968; H. Böhmer, Alchimie d. Töne. Die Mallarmé-Vertonungen v. Debussy u. R., in: Musica XXII, 1968; E. N. Wilson, Form and Texture in the Chamber Music of Debussy and R., Diss. Univ. of Washington 1968; J. Chailley, Une première version inconnue de »Daphnis et Chloé« de M. R., in: Mélanges d'hist. littéraire ..., Fs. R. Lebègue, Paris 1969; J. F. Hopkins, R.'s Orchestral Transcription Technique, Diss. Princeton Univ. (N. J.) 1969; Chr. Palmer, Debussy, R. and Alain-Fournier, ML L, 1969; M. Long, Au piano avec M. R., hrsg. v. P. Laumonier, Paris 1971; G. Weiss-Aigner, Eine Sonderform d. Skalenbildung in d. Musik R.s, Mf XXV, 1972.

+Ravenscroft, John, † vor 1708 [erg.:] zu London(?).
Ausg.: Triosonate op. 1 Nr 4 (1695), in: E. Schenk, Die außeritalische Triosonate, = Das Musikwerk XXXV, Köln 1970, auch engl.
Lit.: →+Hawkins. – +W. S. Newman, The Sonata in the Baroque Era (1959), revidiert Chapel Hill (N. C.) 1966, London 1968, erneut revidiert NY u. London 1972 (Paperbackausg.).

+Ravenscroft, Thomas, nach 1590 – um 1633.
Eine weitere Sammlung *Musalia, or Pleasant Diversions in Rime* ... (London 1613) ist nicht erhalten.
Ausg.: *Pammelia. Deuteromelia. Melismata.* Faks. d. Erstausg. v. 1609 bzw. 1611, hrsg. v. M. Leach, = Publ. of the American Folklore Soc., Bibliogr. and Special Series XII, Philadelphia 1961; *A Brief Discourse* ..., Faks. d. Ausg. v. 1614, = The Engl. Experience Bd 409, Amsterdam u. NY 1971. – Fantasie Nr 1 f. 5 Violen, hrsg. v. N. Dolmetsch, London 1961; Fantasie Nr 4 f. Violen, hrsg. v. R. Steinitz, ebd. 1963.
Lit.: E. H. Fellowes, Engl. Madrigal Verse, 1588–1632, London 1920, ²1931, 3. Aufl. hrsg. v. Fr. W. Sternfeld u. D. Greer, Oxford 1967; ders., The Engl. Madrigal Composers, London 1921, ²1948, Nachdr. 1958; E. H. Meyer, Engl. Chamber Music, ebd. 1951, deutsch als: Die Kammermusik Alt-Englands, Lpz. 1958; A. J. Sabol, R.'s »Melismata« and the Children of Paul's, in: Renaissance News XII, 1959; W. P. Stroud, The R. Psalter (1621). The Tunes, with a Background on Th. R. and Psalm Singing in His Time, Diss. Univ. of Southern California 1959; Th. Dart, Music and Musicians at Chichester Cathedral, ML XLII, 1961; M. Tilmouth in: MGG XI, 1963, Sp. 65ff.; R. Illing, Est, Barley, R., and the Engl. Metrical Psalter, Adelaide 1969, Zusammenfassung in: MT CX, 1969, S. 977f.

+Raverii, Alessandro, 16./17. Jh.
Lit.: L. E. Bartholomew, A. R.s Collection of »Canzoni per sonare« (Venedig 1608), 2 Bde (I Text, II Ausg.), = Fort Hayes Studies, Music Series II, Hayes (Kan.) 1965.

+Ravn, Hans Mikkelsen, um 1610 [erg.:] bei Grenå (Ostjütland) – 1663.
R. war 1640–52 Rektor der Lateinschule in Slagelse (Seeland); zuletzt wirkte er als Pfarrer in Ørslev und Bjerre (Seeland). – Sein +*Heptachordum Danicum* (1646) fußt im musikhistorischen ersten Teil auf M. Praetorius, im zweiten, dem Hauptteil (*Musica*), auf J. Lippius und J. Crüger. R. veröffentlichte einen weiteren Traktat mit dem Titel *Brevia et facilia praecepta componendi* (Kopenhagen 1644).
Lit.: B. Johnsson, H. M. R.'s »Heptachordum Danicum« 1646, Dansk aarbog f. musikforskning 1962 (mit deutscher Zusammenfassung).

Ravnik, Janko, * 7. 5. 1891 zu Bohinjska Bistrica (Slowenien); jugoslawischer Komponist, studierte an den Konservatorien in Laibach/Ljubljana und Prag, war 1919–39 Professor für Klavier am Konservatorium in Ljubljana und ist seit 1939 in der gleichen Stellung an der dortigen Musikakademie tätig. Seine Kompositionen (vorwiegend im expressionistischen Stil) umfassen u. a. Klavierwerke (*Nokturno*, 1910; *Grande valse caractéristique*, 1916; *Konzertetüde*, 1920; *Valse mélancholique*, 1935; *Marche grotesque*, 1946), Sologesänge mit Klavierbegleitung (*Seguidille*, 1920; *V razkošni sreči*, »Das Schwelgen im Glück«, 1921; *Melanholija*, »Melancholie«, *I*, 1940, und *II*, 1947; *Slovenske narodne*, »Slowenische Volkslieder«, 1953; *Lirični spevi*, »Lyrische Gesänge«, 1958), Chöre a cappella (*Poljaska pesem*, »Feldlied«, 1912; *Jezero*, »Der See«, 1951; *Naš spev*, »Unser Gesang«, 1957), Chöre mit Klavierbegleitung und Kirchenmusik (*Missa Beatae Mariae Virginis* für Chor und Orch., 1911; Requiem H moll für Bar., Männerchor und Org., 1916).

+Rawsthorne, Alan, * 2. 5. 1905 zu Haslingden (Lancashire), [erg.:] † 24. 7. 1971 zu Cambridge.
R., 1961 zum Commander of the British Empire (CBE) ernannt, lebte ab 1953 in Great Sampford (Essex); 1956 heiratete er in 2. Ehe die Malerin I. Lambert. – Weitere Werke: Ballett *Madame Chrysanthème* (London 1955); 2.–3. Symphonie (*A Pastoral Symphony*, 1959; 1964), 4 Ouvertüren (*Street Corner*, 1944; *Cortèges*, 1945; *Hallé*, 1958; *Overture for Farnham*, 1967), *Improvisations on a Theme by C. Lambert* (1961), Thema, Variationen und Finale (1968) und *Triptych* (1970) für Orch.; Divertimento für Kammerorch. (1963); Konzert (1949) und *Elegiac Rhapsody* (1964) für Streichorch.; insgesamt 2 Violinkonzerte (1943–48 [nicht: 1947], 1956), Cellokonzert (1966), Konzert für 2 Kl. und Orch. (1968); Konzert für 10 Instr. (1962), Quintette mit Kl. für Holzbläser (1963) bzw. Streicher (1969), 2.–3. Streichquartett (1954, 1965), Klaviertrio (1962), Suite für Fl., Va und Hf. (1970), Bratschensonate (1937), Cellosonate (1949), *Concertante* (1935–62) und Sonate (1959) für V. und Kl.; Ballade (1967) und *Theme and Four Studies* (1971) für Kl.; Suite *Carmen vitale* für S., Chor und Orch. (1964), Kantate *The God in the Cave* für Chor und Orch. (1967), *Medieval Diptych* für Bar. und Orch. (1962), *Tankas of the Four Seasons* für T. und Kammerorch. (1965). – R. veröffentlichte *Fr. Chopin. Profiles of the Man and the Musician* (London 1966).
Lit.: A. Hoddinott in: MT CVI, 1965, S. 346f.; R. St. Allison, The Piano Works of A. R., Diss. Washington Univ. (Mo.) 1970 (mit Bibliogr.); J. McCabe in: MT CXII, 1971, S. 952ff.; L. Berkeley in: Composer 1971/72, Nr 42, S. 5ff.; G. Green, ebd. 1972, Nr 43, S. 1ff.

Raxach (rax'at∫), Enrique, * 15. 1. 1932 zu Barcelona; niederländischer Komponist spanischer Herkunft, studierte 1949–52 bei Nurio Aymerich, ging 1958 nach Paris, Zürich und München sowie 1959 nach Köln und lebt seit 1962 in Bilthoven. 1962–66 besuchte er Dirigierkurse bei Hupperts. Von seinen Werken seien genannt: *Six Mouvements* (1955), *Metamorphose II* (1958), *Syntagma* (1965), *Textures* (1966), *Equinoxial* (1968) und *Inside Outside* (1969) für Orch.; *Estudios* (1952) und *Polifonias* (1956) für Streichorch.; *Metamorphose III* (1959) und *Fluxión* (1963) für Kammerorch.; *Estrofas* für Kammerensemble (1962); *Fases* für Streichquartett (1961); 3. Streichquartett (1972); *Summer Music* für Vc. und Kl. (1967); *Imaginary Landscape* für Fl. und Schlagzeug (1968); *Tientos* (1964) und *The Looking-Glass* (1967) für Org.; *The Esoteric Garden* für gem. Chor und Orch. (1972); *Cantata* für T. und Kammerensemble (1953); *Fragmento* für S. und Instrumente

(Text Vicente Huidobro, 1965); *Paraphrase* für Mezzo-S. und Instrumente (1969); *Vocalise-étude* für B. und Kl. (1967).

Rayki (rɔjki), G y ö r g y Robert, * 3. 2. 1921 zu Budapest; Schweizer Komponist und Dirigent ungarischer Herkunft, studierte an der Budapester Musikhochschule (Kodály, Weiner, Ferencsik), war 1949 in Belgien und Italien tätig und wurde 1950 Direktor des Nationalkonservatoriums und Leiter des Symphonieorchesters in Guayaquil (Ecuador). Seit 1958 lebt er als freischaffender Komponist in der Schweiz. Er schrieb: Sarabande für Orch. (1953); Burleske für 11 Bläser (1953); *3 Episoden für Alkestis* (1954), *Elegische Variationen* (1958), *Lamentation* (1963) und *Il buffone cornuto*, Ouvertüre für einen Clown (1964) für Orch.; *Concert Requiem* für V. und 36 Spieler (1965).

Raytscheff, R u s s l a n (Ruslan) Petrov (Rajčev), * 5. 5. 1919 zu Mailand; bulgarischer Dirigent, studierte in Mailand am Conservatorio di Musica G. Verdi Klavier bei Carlo Lonati und absolvierte an der Wiener Musikakademie die Kapellmeisterklasse von Reichwein (1942) sowie die Meisterklassen für Dirigieren bei K. Böhm und für Klavier bei E. v. Sauer (1944). Er war Solorepetitor an der Wiener Staatsoper (1942–43), 1. Kapellmeister der Oper in Königsberg (1943–44) sowie Chefdirigent der Philharmonie und der Oper in Varna (1946–48), des Musiktheaters in Sofia (1948–51) und der Philharmonie und Staatsoper in Sofia (1951–58). Ab 1956 war R. Dirigent an der Nationaloper in Sofia und leitet seit 1968 daneben auch die Staatsphilharmonie in Plovdiv. Ihm wurde der Titel Professor verliehen. 1974 erhielt die Ernennung zum GMD des Schleswig-Holsteinischen Landestheaters und Sinfonieorchesters. Gasttourneen führten ihn durch Ost- und Westeuropa sowie nach Kuba.

Razaf (ɪ'eizəf), A n d y (eigentlich Andreamenentania Paul Razafakeriefo), * 16. 12. 1895 zu Washington (D. C.), † 3. 2. 1973 zu Hollywood (Calif.); amerikanischer Komponist und Textdichter, Neffe der Königin Ranavalona III. von Madagaskar, schrieb u. a. eine Reihe von Broadway-Shows (*Keep Shufflin'*; *Connie', Hot Chocolates of 1928*; *Lew Leslie's Black Birds of 1930*) und zahlreiche Songs (*Ain't Misbehavin'*; *Honey-Suckle Rose*; *In the Mood*; *Stomping at the Savoy*; *12th Street Rag*; *Massachusetts*). Ab 1950 trat R. auch als Zeitungskolumnist hervor.

†ar-Rāzī, F a h r a d d ī n M u h a m m a d i b n 'U m a r, Abū 'Abdallāh, 1149 [erg.:] oder 1150 – 1209. Er war ein Gelehrter vielseitiger Ausbildung und literarischer Tätigkeit. Nach Aufenthalten in Hwārizm und Transoxanien gelangte er um 1175 nach Hurāsān zum Prinzen und späteren Hwārizmšāh 'Alā'addīn Muhammad ibn Tökiš (1200–20), einem Mäzen auch der schönen Künste, und widmete ihm sein arabisch geschriebenes *Ğāmi' al-'ulūm* (»Enzyklopädie der Wissenschaften«), das bisher noch nicht untersuchtes 9teiliges Musikkapitel enthält. Nicht geklärt ist das Verhältnis dieses Werkes zu einer weiteren, unter dem Namen ar-R.s bekannten, persisch geschriebenen Enzyklopädie.
Lit.: †H. G. FARMER, The Sources of Arabian Music (1940), revidiert Leiden 1965, Nr 234. – DERS., A Hist. of Arabian Music to the XIIIth Cent., London 1929, Nachdr. 1967; DERS., An Outline Hist. of Music and Mus. Theory, in: A. U. Pope, A Survey of Persian Art, Bd III, London u. NY 1939, S. 2795; C. BROCKELMANN, Gesch. d. arabischen Lit., Bd I, Leiden ²1943, Suppl. I, 1937; G. C. ANAWATI (Qanawātī) in: Mélanges Taha Hussein, Kairo 1962, S. 193ff., arabisch (mit Werkverz.); DERS. in: Mélanges

d'orientalisme, Fs. H. Massé, = Publ. de l'Univ. de Téhéran Nr 843, Teheran 1963, S. 1ff.; DERS. in: EI², Bd II, 1965.

Razzi, F a u s t o, * 4. 5. 1932 zu Rom; italienischer Komponist, studierte in seiner Heimatstadt am Conservatorio di Musica S. Cecilia Komposition bei Petrassi und Klavier bei Rina Rossi und schloß seine Studien mit Diplom bei Petrassi an der Accademia Nazionale di S. Cecilia ab. Gegenwärtig lehrt er Harmonielehre und Kontrapunkt am Conservatorio di Musica A. Casella in L'Aquila. Er schrieb u. a. ein Streichquartett (1958), *Die helle Stimme* für gem. Chor und Instrumentalensemble (nach einem Text aus dem St. Trudperter Hohenlied, 1966), *Movimento* für Kl. und Orch. (1966), *Improvvisazione* für Va, 18 Blasinstr. und Pk. (1966), *Improvvisazione II* für Gesang und Streicher (1967) und *III* für 8 Ausführende (2 S., B., 2 Schlagzeuger, Fl., Kb. und Cemb., 1968), *Quattro invenzioni* für 1 Instr. (1968), *Tre pezzi sacri* für 8st. gem. Chor a cappella (1968), *Musica* für Kl. (1968), *Musica* für 10 Blasinstr. (1969), *Musica* für 26 Instr. (1969), *Musica* für 18 Instr. (1969), *Musica No 5* für V., Va und Vc. (1970) und *No 6* für Orch. (1970).

Razzi, G i u l i o, * 17. 8. 1904 zu Florenz; italienischer Komponist, Neffe von Puccini, studierte bei Pizzetti am Conservatorio di Musica G. Verdi in Mailand (Diplom 1926), war als Opern- und Orchesterdirigent tätig (1926–28) und wurde 1928 Programmdirektor der EIAR. 1944–65 hatte er die gleiche Stellung bei RAI inne. Seit 1966 ist er Direttore centrale superiore der RAI und Vizepräsident des Centro Nazionale Studi di Musica Popolare di Roma. Von seinen Kompositionen seien genannt: Opern *Raissa* (1926) und *Sogno di una notte d'inverno* (1933); Symphonische Dichtungen *La leggenda dei boschi* (1924), *Il cavaliere azzurro* (1925) und *Fantasia drammatica* (1932); Sonate für Vc. und Kl.; ferner Chorwerke. Außerdem schrieb er zahlreiche Artikel für Musikzeitschriften.

RCA Victor, amerikanische Schallplattenfirma, entstanden aus der von Emile Berliner in Washington gegründeten United States Gramophone Company, der 1895 die Berliner Gramophone Co. in Philadelphia unterstellt wurde. Berliner besaß das alleinige Lizenzrecht an der von ihm erfundenen Schallplatte und einem Abspielgerät, dem 1887 zum Patent angemeldeten Gramophone. Während sich die vorgenannten Firmen nur auf die Herstellung von Platten und Grammophonen beschränkten, erhielt Frank Seaman 1896 in New York für 15 Jahre den Alleinvertrieb in den USA. Seaman gründete die National Gramophone Co., nach Trennung von Berliner in National Gramophone Corporation of Yonkers umgewandelt, danach die →International Zonophone Co. Nach jahrelangem Prozeß gegen Berliner erwirkte Seaman sogar zeitweilig die Verfügung, in der Berliner die Ausführung seiner eigenen Patente untersagt wurde. 1901 wurde »Gramophone« als Markenbezeichnung verboten. Deshalb gründete der ab 1896 mit Berliner zusammenarbeitende ehemalige Mechaniker Eldridge R. Johnson (ab 1900 Teilhaber der Consolidated Talking Machine Co.) 1901 in Camden (N. J.) die Victor Talking Machine Co. Um weiteren Prozessen aus dem Wege zu gehen, benannte Johnson »Gramophone« in »Victor« um. Es gelang ihm, die Aktienmehrheit von Seamans National Gramophone Corporation of Yonkers zu erwerben. 1901 gehörten 40% der Anteile der Victor Talking Machine Co. Berliner, wobei die Hälfte davon an die →Gramophone Company ging. Die Victor Talking Machine Co. richtete in ganz Europa Fabrikations- und Vertriebsstätten ein, erstmalig in Deutschland bei der Thüringer Puppenfabrik Kämmerer & Reinhard, später bei der →Deutschen Grammophon Gesellschaft. Über die Gramophone Company kaufte die Victor Talking Machine Co. Seamans europäische Niederlassungen (International Zonophone Company, International Talking Machine Co.), 1903 erwarb sie von der englischen Tochtergesellschaft die Red-Label-Platte, die in den USA als Red-Seal-Serie in den Handel kam. Für Aufnahmen standen außer den Studios in Camden auch neu erbaute in New York zur Verfügung. 1904 schloß die Victor Talking Machine Co. den ersten Vertrag mit E. Caruso. Der 1913 in Amerika einsetzende »Tanzboom« führte zu großen geschäftlichen Erfolgen. 1917 wurde in New York die Original Dixieland Jazz Band aufgenommen. 1925 stellte die Victor Talking Machine Co. auch Platten nach dem von der Bell-Telephone Co. entwickelten elektroakustischen Verfahren (→Electrola Gesellschaft) her. Gleichzeitig bot sie die elektrische Orthophonic Victrola als Abspielgerät an. Trotz großer geschäftlicher Erfolge verkaufte Johnson 1926 seine Victor-Anteile an die New Yorker Bankhäuser Speyer & Co. und J. & W. Seligmann & Co. 1928 begannen Übernahmeverhandlungen zwischen der Victor Talking Machine Co. und der Radio Corporation of America (RCA). RCA kaufte 1929 die Schallplattengesellschaft von den vorgenannten Bankhäusern. Es entstand der RCA V.-Konzern, der wie die englische Gramophone Company als Schutzmarke den Hund vor dem Grammophontrichter (His Master's Voice) führt. Durch finanzielle Verflechtungen (Gramophone Company) wurde RCA V. Mitglied des EMI-Konzerns, schied jedoch 1956 aus diesem Verband aus. RCA V. schloß mit →+Decca Records und der →Teldec in Deutschland ein Abkommen, wonach die amerikanische Gesellschaft (einseitig) die europäische mit Matrizen beliefert. 1973 gründeten RCA V. und Teldec die RCA Schallplatten GmbH mit Sitz in Hamburg, die sowohl die amerikanische Produktion als auch das für den deutschen Markt bestimmte Repertoire der RCA-Tochtergesellschaften veröffentlichen. Das Repertoire von RCA V. wurde stets durch klassische Werke mit namhaften Interpreten und Orchestern (Heifetz, Horowitz, Artur Rubinstein, Helen Traubel, NBC Symphony Orchestra unter Toscanini, Philadelphia Orchestra unter Ormandy) bestimmt. Jazz zählte eher zur U-Musik; an Schlagersängern seien Presley (1956 unter Exklusivvertrag genommen) und Harry Belafonte (*Banana-Boat*) genannt. – Schon 1930 hatte die RCA V. eine Langspielplatte (LP) von 14 Minuten Spieldauer entwickelt, die 1931 öffentlich vorgeführt wurde, aber noch keine Beachtung fand. Erst nach dem 2. Weltkrieg wurde erneut an dem LP-Verfahren gearbeitet. Das Ergebnis war eine Platte mit 45 UpM, die neben der von der amerikanischen →Columbia (–1) hergestellten LP mit 33 UpM (die Lizenz dafür wurde der RCA V. bereits 1948 angeboten, von dieser aber abgelehnt) in den Handel kam. 1950 haben sich beide Verfahren durchgesetzt; U-Musik erscheint durchweg auf der 45er LP, E-Musik zumeist auf der 33er LP. 1956 entwickelte die Western Electric für RCA V. ein Stereoverfahren, das sich 1958 gegenüber denen der amerikanischen Columbia und der englischen Decca Records durchsetzte. DD

+Read, Gardner, * 2. 1. 1913 zu Evanston (Ill.).
R. lehrt weiterhin Komposition und Musiktheorie an der School of Fine and Applied Arts der Boston University. Weitere Werke: die Oper *Villon* op. 122

(1967); *Night Flight* op. 44 (1942), *Pan e Dafni* op. 53 (1940), »Dance Symphony« *The Temptation of St. Anthony* op. 56 (1947), 1. Ouvertüre op. 58 (1943), *A Bell Overture* op. 72 (1946), *Toccata giocosa* op. 94 (1953), *Vernal Equinox* op. 96 (1955) und *Jeux des timbres* op. 111 (1963) für Orch.; *Arioso elegiaco* für Streichorch. op. 94 (1953); Konzert für Vc. und Orch. op. 55 (1945); *Sonoric Fantasia Nr 2* für V. und kleines Orch. op. 123 (1965); Fantasie für Va und Orch. op. 38 (1935); *Los dioses aztecas* für Schlagzeugensemble op. 107 (1959); Klavierquintett op. 47 (1945), 1. Streichquartett op. 100 (1957), *Sonata brevis* für V. und Kl. op. 80 (1948); *The Prophet* für A., Bar., Sprecher, Chor und Orch. op. 110 (1960); Chöre, Lieder, Bühnenmusiken. – Veröffentlichungen: +*Thesaurus of Orchestral Devices* (1953), Nachdr. Westport (Conn.) 1969; *Music Notation* (Boston 1964, ²1969); *Some Problems of Rhythmic Notation* (Journal of Music Theory IX, 1965); *Auswüchse der musikalischen Notation* (in: The World of Music XV, 1973, auch engl. und frz.).
Lit.: Werkverz. in: Composers of the Americas VIII, Washington (D. C.) 1962.

+Reading (Redding), –3) John, 1677–1764.
Organist am Dulwich College war er 1700–02 [nicht: 1696–98]. +*A Book of New Anthems* ... wurde in London etwa um 1715 [nicht: 1742] veröffentlicht.
Ausg.: ein Voluntary in: Three Voluntaries f. Org. or Harpsichord by J. Blow and His Pupils J. Barret and J. R., hrsg. v. G. PHILIPS, = From Tallis to Wesley XXI, London 1962.

+Reaney, Gilbert, * 11. 1. 1924 zu Sheffield.
An der University of Birmingham lehrte er bis 1960. Nach einer Gastprofessur 1960 an der Universität Hamburg wurde er im selben Jahr Associate Professor und 1963 Full Professor an der University of California at Los Angeles. Er ist Gründer (1958) und künstlerischer Leiter der London Medieval Group, die sich um eine stilechte Aufführungspraxis der mittelalterlichen Musik bemüht. – Die Ausgabe +*Early Fifteenth-Cent. Music* umfaßt mittlerweile 4 Bde (= CMM XI, American Institute of Musicology 1955–69), die von +Ph. de Vitrys *Ars nova* (1956–57) ist auch separat erschienen (= CSM VIII, Rom 1964). – R. ist weiterhin Assistant Editor des Jahrbuchs *Musica disciplina* (MD, 1971 im 25. Jg.); von seinen Darin enthaltenen neueren Beiträgen seien genannt *The Manuscript Paris, Bibliothèque Nationale, Fonds italien 568 (Pit)* (XIV, 1960), *Some Little-Known Sources of Medieval Polyphony in England* (XV, 1961), *The Question of Authorship in the Medieval Treatises on Music* (XVIII, 1964) und *New Sources of »Ars Nova« Music* (XIX, 1965). Er legte das Quellenwerk *Manuscripts of Polyphonic Music* vor (11. Jh. – 1400, 2 Bde, = RISM B IV¹⁻², München 1966–69) und faßte seine Forschungen über Machaut in der Studie *G. de Machaut* zusammen (= Oxford Studies of Composers IX, London 1971). An neueren (verstreuten) Aufsätzen veröffentlichte er u. a.: *The Performance of Medieval Music* (in: Aspects of Medieval and Renaissance Music, Fs. G. Reese, NY 1966); *Accidentals in Early Fifteenth Cent. Music* (in: Renaissance-muziek 1400–1600, Fs. R. B. Lenaerts, = Musicologica Lovaniensia I, Löwen 1969); *Text Underlay in Early Fifteenth-Cent. Musical Manuscripts* (in: Essays in Musicology, Fs. Dr. Plamenac, Pittsburgh/Pa. 1969); *J. Wylde and the Notre Dame Conductus* (in: Speculum musicae artis, Fs. H. Husmann, München 1970); *The Italian Contribution to the Manuscript Oxford, Bodleian Library, Canonici Misc. 213* (in: L'ars nova italiana del Trecento [III], hrsg. von F. A. Gallo, Certaldo 1970);

Vocal Extemporisation in the Middle Ages (in: Soundings III, 1973). – Er edierte u. a. eine Faks.-Ausg. von *The Manuscript London, British Museum, Additional 29987* (= MSD XIII, Nimwegen 1965) sowie eine Anzahl mittelalterlicher Musiktraktate in dem von ihm seit 1966 als Generalherausgeber geleiteten *Corpus scriptorum de musica* (CSM) des American Institute of Musicology.

+Rebay, Ferdinand, * 11. 6. 1880 und [erg.:] † 6. 11. 1953 zu Wien.

+Rebel, –1) Jean-Baptiste-Ferry (Féry) [erg. Vornamen], [erg.: 18.] 4. 1666 [nicht: 1661] – 1747. Sein Eintritt als Violinist in die Pariser Opéra ist erst für 1705 [nicht: 1700] belegt; 1707 [nicht: 1712] wurde er dort Akkompagnist.
–2) François, 1701–75, wirkte schon ab 1749 [nicht: 1757] als Direktor an der Pariser Opéra. Die früher seinem Vater Jean-Ferry R. zugewiesene Ballettmusik *La +pastorale héroïque* (Versailles 1730) stammt von ihm.
Ausg.: zu –1): V.-Sonate, hrsg. v. E. BORROFF, Pittsburgh (Pa.) 1961 (mit einer V.-Sonate v. É.-Cl. de Laguerre); Sonaten Nr 3 (»L'Iris«), Nr 4 (»La brillante«) u. Nr 5 (»La toute belle«) f. V. u. B. c., hrsg. v. GEOFFROY-DECHAUME, Paris 1963–65.
Lit.: †L. DE LA LAURENCIE, L'école frç. de v. de Lully à Viotti (1922–24), Nachdr. Genf 1971. – M. BRIQUET in: MGG XI, 1963, Sp. 83ff. – zu –2): FR. ROBERT, Scanderberg, le héros national albanais, dans un opéra de R. et Francœur, RMFC III, 1963.

+Rebello, João Lourenço (Rebelo), 1610 [nicht: 1609] – 16. 9. [nicht: 11.] 1661.
Lit.: → +João IV.

+Reber, Napoléon Henri, 1807–80.
Lit.: FR. NOSKE, La mélodie frç. de Berlioz à Duparc, Paris u. Amsterdam 1954, 2., v. R. Benton u. dems. revidierte Ausg. als: French Song from Berlioz to Duparc, NY 1970.

+Rębikow, Wladimir Iwanowitsch, 19.(31.) 5. 1866 – 4. 8. [nicht: 1. 12.] 1920.
Lit.: Kat. sotschinenij Wl. R.a (»Kat. d. Werke v. Wl. R.«), Moskau 1913. – JU. WS. KELDYSCH, Istorija russkoj musyki, Bd III, ebd. 1954; K. LAUX, Die Musik in Rußland u. in d. Sowjetunion, Bln 1958.

Rebling, Eberhard (Pseudonyme Dr. P. van Noorden und Dr. E. Gerhard, 1936–45), * 4. 12. 1911 zu Berlin; deutscher Pianist und Musikschriftsteller, studierte Klavier bei Lydia Lenz (1923–34) und ab 1930 Musikwissenschaft an der Universität Berlin, wo er 1934 mit einer Dissertation über *Die soziologischen Grundlagen der Stilwandlung der Musik in Deutschland um die Mitte des 18. Jh.* promovierte. 1934–36 lebte er als Pianist in Berlin, emigrierte dann in die Niederlande, wo er in Den Haag (1936–41) und in Amsterdam (1945–51) wirkte. Nach Deutschland zurückgekehrt, war er neben seiner pianistischen Tätigkeit Chefredakteur der Zeitschrift *Musik und Gesellschaft* (MuG) in Berlin (1952–59). 1959 wurde er Professor und Rektor der Hochschule für Musik H. Eisler in Berlin. Neben zahlreichen Zeitschriftenbeiträgen veröffentlichte er: *Die Verbürgerlichung der deutschen Literatur, Kunst und Musik im 18. Jh.* (mit L. Balet unter dem Pseudonym E. Gerhard, = Slg musikwissenschaftlicher Abh. XVIII, Straßburg und Leiden 1936); *Revolutionaire liederen uit Nederlands verleden* (»Revolutionslieder aus der Vergangenheit der Niederlande«, unter dem Pseudonym P. van Noorden, Amsterdam 1937); *Een eeuw danskunst in Nederland* (»Ein Jahrhundert Tanzkunst in den Niederlanden«, ebd. 1950); *Ballett gestern und heute* (Bln 1957, revidiert ²1960); *Ballett. Sein Wesen und Werden* (= Musikbücherei für jedermann XXII, Lpz. 1963, ²1965); *Ballett von*

A bis Z (Bln 1966, ²1970); *Ballett heute* (Bln 1970); *Tanz der Völker. Folklore-Ballett heute* (Wilhelmshaven 1972). Er gab die Sammelschrift *R. Schumann* (mit H. J. Moser, Lpz. 1956) heraus.

+Rebling, Oskar, * 10. 11. 1890 zu Langensalza (Thüringen).
R., Organist an der Haupt-(Markt-)Kirche in Halle (Saale) ab 1915 [nicht: 1921], hatte dieses Amt bis 1971 inne. Nach seiner 800. (und letzten) »Orgelfeierstunde« (1921–59 in jährlichem Zyklus veranstaltet) erhielt er von der M.-Luther-Universität Halle–Wittenberg die Ehrenpromotion zum D. theol. Als Kirchenmusikdirektor und als Professor für Orgelspiel und Orgelkunde an der Hallenser Universität war er bis 1971 tätig. Er veröffentlichte u. a. die Aufsätze *Kleine Beiträge zur Musikgeschichte der Stadt Halle* (Fs. M. Schneider, Lpz. 1955) und *Regers Orgelwerk für eine Gesamtaufführung gegliedert* (in: Der Kirchenmusiker X, 1959).

Rebmann, Liselotte, * 8. 3. 1935 zu Stuttgart; deutsche Sängerin (lyrischer Sopran), studierte an der Staatlichen Hochschule für Musik ihrer Heimatstadt bei Friedl Mielsch-Nied (Gesang) und H. Reutter (Liedinterpretation), debütierte 1959 am Hessischen Staatstheater in Wiesbaden und gehört seit 1963 der Württembergischen Staatsoper in Stuttgart an (Kammersängerin). Sie gastierte an den großen in- und ausländischen Bühnen und trat bei den Osterfestspielen in Salzburg und bei den Festspielen in Bayreuth und Edinburgh auf.

+Rebner, –1) Adolf [erg.:] Franklin, * 21. 11. 1876 zu Wien, [erg.:] † 19. 6. 1967 zu Baden-Baden, wo er, nach einigen Jahren Aufenthalt in den USA, zuletzt lebte.
–2) Wolfgang Edward, * 20. 12. 1910 zu Frankfurt am Main. R. lebt seit 1955 in München und wirkt am dortigen R.-Strauss-Konservatorium seit 1962 als Dozent. Neben Kammermusik und Hörspielmusiken komponierte er u. a.: *Proverbia* für Chor und Orch. (1952); *Soirée passionelle* für Kl. und Orch. (1954); *Flötentöne* für Fl. und Orch. (1955); *Virtuose Legende* für Va und Orch. (nach Glinka, 1955); Ouvertüre *Allerlei Brimborium* (1960) sowie die Suiten *Persönliche Noten* (1961) und *Aus Südamerika* (1964) für Orch.

Rebner, Arthur, * 30. 7. 1890 zu Lemberg, † 8. 12. 1949 zu Los Angeles; österreichischer Chanson- und Liederkomponist, Textdichter und Librettist, kam in jungen Jahren nach Wien. Er machte sich einen Namen als Autor von Chansons und als Conférencier in deutschen Kabaretts und schrieb außer zahlreichen Schlagern eine Reihe Libretti zu Operetten und Revuen, die zumeist in Berlin uraufgeführt wurden. 1933 mußte er Deutschland verlassen, ging nach Wien, 1938 nach Frankreich und nach Internierung über Mexiko in die USA, wo er nach langer Krankheit verstarb. Von seinen Chansons und Liedern seien genannt (Komponisten in Klammern): *Salome* (R. Stolz, 1920); *Das ist der Frühling in Wien* (Stolz, 1921). – Operetten und Revuen: *Leute von heute* (Eysler/Stolz, 1918); *Die Scheidungsreise* (H. Hirsch, 1918, mit dem Schlager *Wer wird denn weinen, wenn man auseinandergeht*); *Der heilige Ambrosius* (L. Fall, 1921); *Die tanzende Stadt* (Hans May, 1935). Außerdem schrieb R. eine große Anzahl deutscher Übertragungen ausländischer, vor allem amerikanischer und englischer Hits und die deutsche Fassung von Youmans *No, no, Nanette* (mit dem Schlager *Tea for Two*).

Rębroff, Iwan (eigentlich Hans Rippert), * 31. 7. 1931 zu Berlin; deutscher Sänger (Baß), gehörte dem

Don-Kosaken-Chor Jaroffs an, studierte an der Hamburger Musikhochschule, kam 1960 an die Oper in Gelsenkirchen und war 1963–69 an den Städtischen Bühnen Frankfurt a. M. engagiert. Er wurde bekannt durch seine Interpretation der Rolle des Milchmanns Tevje in Bocks Musical *Fiddler on the Roof* (»Anatevka«) in einer Pariser Aufführungsserie. Er wandte sich dann dem Showgeschäft zu. Seit 1970 unternimmt er Tourneen durch Westeuropa und die USA und tritt auch im deutschen Fernsehen auf. Zu seinen bekannten Schlagern gehört *Schenk mir einen Wodka ein* (Musik Frank Duval, Text Herbert Witt).

Rech, Géza, * 25. 6. 1910 zu Wien; österreichischer Musikschriftsteller und -organisator, Theaterregisseur und Rundfunkredakteur, promovierte 1935 an der Wiener Universität und war dann (bis 1944) als Dramaturg und Regisseur an deutschen und österreichischen Bühnen tätig. 1945–50 war er Programmdirektor des Senders Rot-Weiß-Rot in Salzburg. Seit 1950 ist er Leiter der wissenschaftlichen Abteilung der Internationalen Stiftung Mozarteum (1968 Generalsekretär) und dramatischer Leiter der Opernschule der Hochschule (früher Akademie) für Musik und darstellende Kunst »Mozarteum«. 1957 wurde er Professor, 1973 ordentlicher Hochschulprofessor. R. ist Schriftleiter der *Mitteilungen der Internationalen Stiftung Mozarteum* und des *Mozart-Jahrbuchs* des Zentralinstituts für Mozartforschung sowie Mitarbeiter bei verschiedenen Musikzeitschriften. Er veröffentlichte u. a.: *W. A. Mozart* (= Lebenswege in Bildern o. Nr, München 1955); *Das Salzburger Mozartbuch* (Salzburg 1964, schwedisch Stockholm 1968); *Die Bühnen von Mozarts Wiener Opern-Uraufführungen* (in: Musik und Verlag, Fs. K. Vötterle, Kassel 1968); *Besuch bei Mozart. Ein Führer durch die Mozart-Gedenkstätten Salzburgs* (= MM-Bildführer IV, Salzburg 1969, auch engl.); *L. Mozart in Salzburg* (in: L. Mozart, hrsg. von L. Wegele, Augsburg 1969, gekürzt in: Wiener Figaro XXXVIII, 1970).

Reckow, Fritz Albert, * 29. 3. 1940 zu Bamberg; deutscher Musikforscher, studierte ab 1959 in Erlangen, Freiburg i. Br. und Basel und promovierte 1965 in Freiburg mit der Dissertation *Der Musiktraktat des Anonymus 4* (2 Bde, = BzAfMw IV–V, Wiesbaden 1967). Seit 1965 ist er wissenschaftlicher Mitarbeiter an dem von Eggebrecht herausgegebenen »Handwörterbuch der musikalischen Terminologie« (Wiesbaden 1972ff.). Er veröffentlichte u. a.: *Proprietas und Perfectio. Zur Geschichte des Rhythmus, seiner Aufzeichnung und Terminologie im 13. Jh.* (AMl XXXIX, 1967); *Das Handwörterbuch der musikalischen Terminologie* (mit H. H. Eggebrecht, AfMw XXV, 1968; vgl. dazu auch AfMw XXVII, 1970, S. 214ff.); *Zu Wagners Begriff der unendlichen Melodie* (in: Das Drama R. Wagners als musikalisches Kunstwerk, hrsg. von C. Dahlhaus, = Studien zur Musikgeschichte des 19. Jh. XXIII, Regensburg 1970); *Stand und Plan der Arbeiten am Handwörterbuch der musikalischen Terminologie* (in: Sborník prací filosofické fakulty brněnské university XX, H 6, 1971); *Die Copula. Über einige Zusammenhänge zwischen Setzweise, Rhythmus und Vortragsstil in der Mehrstimmigkeit von Notre-Dame* (= Akademie der Wissenschaften und der Literatur zu Mainz, Abh. der geistes- und sozialwissenschaftlichen Klasse, Jg. 1972, Nr 13); Artikel für MGG und den Sachteil dieses Lexikons.

+Reda, Siegfried, * 27. 7. 1916 zu Bochum, [erg.:] † 13. 12. 1968 zu Mülheim a. d. Ruhr.
R., Leiter des Instituts für evangelische Kirchenmusik an der Folkwang Hochschule Essen ab 1946, hatte dort auch eine Professur für Orgel und Komposition inne. – Weitere Werke: *Marienbilder* (1951), Triptychon über das Kirchenlied *O Welt ich muß dich lassen* (1951), *Monologe* (1953), Praeludium, Fuge und Quadruplum (1957), Sonate (1960), Choralfantasie *Herzlich lieb hab ich dich, o Herr* (1965), *Toccata novenaria modos vertens* (1966) und zahlreiche Choralvorspiele für Org.; Meditation und Fuge über das Passionslied *Wir danken dir, Herr Jesus Christ* für Chor und Org. (1959), Requiem für S., Bar., Chor und Orch. (1963), *Der 8. Psalm* für S., Bar., Chor und Org. (1964) sowie *Psalmus morte servati* (30. Psalm) für Bar., Chor, Org. und Orch. (1966). – R. veröffentlichte u. a. den Beitrag *Kirchenlied und Mehrstimmigkeit* (MuK XXXV, 1965).
Lit.: Rheinische Musiker V, hrsg. v. K. G. Fellerer, = Beitr. zur rheinischen Mg. LXIX, Köln 1967, S. 117f.; H. Bornefeld in: Württembergische Blätter f. Kirchenmusik XXXVI, 1969, S. 5ff.; V. Bräutigam in: Credo mus., Fs. R. Mauersberger, Kassel 1969, S. 177ff.; Kl. Kirchberg in: Der Kirchenmusiker XX, 1969, S. 31ff., u. in: Musik u. Gottesdienst XXIII, 1969, S. 89ff.; Vom Auftrag neuer Kirchenmusik. Briefe S. R.s an R. Baum u. K. Vötterle, hrsg. v. G. Schuhmacher, in: Sagittarius III, 1970; R. Knübel in: Musica sacra XCI, 1971, S. 16ff.; O. Söhngen, S. R.s kompositorische Entwicklung, MuK XLI, 1971.

+Redel, Kurt, * 8. 10. 1918 zu Breslau.
R. wirkt weiterhin als Leiter des Orchesters »Pro Arte« (München), mit dem er auch im Ausland konzertiert, sowie als Gastdirigent, Gastdozent und Flötist (zahlreiche Schallplatteneinspielungen).

Redel, Martin Christoph, * 30. 1. 1947 zu Detmold; deutscher Komponist, studierte 1964–70 an der Nordwestdeutschen Musikakademie in Detmold Schlagzeug (Friedrich Scherz) und Komposition (Kelterborn, Klebe, Driessler) und vervollkommnete seine Studien 1970–71 an der Musikhochschule in Hannover bei I. Yun. Er wurde dann Dozent für Theorie und Gehörbildung an der Detmolder Musikakademie. – Kompositionen (Auswahl): Musik für Kl. und verschiedene Schlaginstr. (1966); Quartett in einem Satz für Fl., Ob., Klar. und Fag. (1967); Streichquartett (1968); *Movimento variato* für Orch. (1970); *Symbolismen* für S. und Kammerensemble auf Texte von Ricarda Huch (1970); Metamorphosen für 2 Kl. (1970); *Dialoge* für Ob. d'amore und Cemb. (1970); *Strophen* für Orch. (1970); 2 Kammersymphonien (1971 und 1973); *Reliefs* für Kammerensemble (1971); *Epilog* für Baßbar., Fl. und Git. auf Worte von Andreas Gryphius (1971); *Dispersion* für Kammerensemble (1972); *Komposition* (1972) und *Reflexionen* (1973) für Org.

+Redford, John, † 1547.
Ausg.: +The Mulliner Book (D. Stevens, 1951), 2. revidierte Aufl. London 1954, Nachdr. 1966. – 19 Stücke in: Early Tudor Org. Music I, Music f. the Office, hrsg. v. J. Caldwell = Early Engl. Church Music VI, ebd. 1966; 6 Stücke in: Early Tudor Org. Music II, Music f. the Mass, hrsg. v. D. Stevens, ebd. X, 1969.
Lit.: +Fr. Ll. Harrison, Music in Medieval Britain (1958), NY 1959 u. 1967, London ²1963. – A. Brown, Notes on J. R., Modern Language Rev. XLIII, 1948; J. Steele in: MGG XI, 1963, Sp. 93ff.; W. Apel, Gesch. d. Org.- u. Klaviermusik bis 1700, Kassel 1967, engl. revidiert v. H. Tischler, Bloomington (Ind.) 1972.

+Redlich, Hans Ferdinand, * 11. 2. 1903 zu Wien, [erg.:] † 27. 11. 1968 zu Manchester.
R. beendete 1962 seine Lehrtätigkeit an der University of Edinburgh, die ihm 1963 den Grad eines Doctor of Music h. c. verlieh, und ging als Ordinarius (Professor of Music) an die Universität in Manchester. Er war Mitbegründer (1966) der Internationalen A. Berg-Gesell-

schaft (New York), deren Vizepräsident er dann wurde (Präsident I. Strawinsky). – *Cl. Monteverdi* (1949, engl. 1952), Nachdr. der engl. Ausg. Westport (Conn.) 1971; *+Bruckner and Mahler* (= The Master Musicians Series o. Nr, 1955), revidiert London und NY 1963; *+A.Berg* (1957), hebräisch Tel Aviv 1959. – Neuere Aufsätze: *Musik als akademische Disziplin diesseits und jenseits des Ärmelkanals* (in: Studium generale XI, 1958); *The Creative Achievement of G. Mahler* (MT CI, 1960); *G. Mahler's Last Symphonic Trilogy* (in: H.Albrecht in memoriam, Kassel 1962); *Significato del dramma musicale di A.Berg* (Rass. mus. XXXII, 1962); *G. Mahler e la sua opera* (in: G.Mahler, = L'approdo musicale 1963, Nr 16/17); *Mahler's Enigmatic »Sixth«* (Fs. O.E.Deutsch, Kassel 1963); *Unveröffentlichte Briefe A.Bergs an A. Schönberg* (Fs. Fr.Blume, ebd.); *Das programmatische Element bei Bruckner* (in: Bruckner-Studien, Fs. L. Nowak, Wien 1964); *P.Hindemith* (MR XXV, 1964); *Schoenberg's Religious Testament* (in: Opera XVI, 1965); *G. Mahler. Probleme einer kritischen Gesamtausgabe* (Mf XIX, 1966); *»Messiah«. The Struggle for a Definitive Text* (MR XXVII, 1966); *Wagnerian Elements in Pre-Wagnerian Opera* (in: Essays ..., Fs. E.Wellesz, Oxford 1966); *A.Berg und die österreichische Landschaft* (Fs. »40 Jahre Steirischer Tonkünstlerbund«, Graz 1967); *Cl.Monteverdi ..., Some Editorial Problems of 1967* (in: The Consort XXIV, 1967); die Abschnitte *Central Europe* und *The Venetian School* im Kapitel »Latin Church Music on the Continent« sowie das Kapitel *Early Baroque Church Music* (in: The Age of Humanism, hrsg. von G.Abraham, = New Oxford History of Music IV, London 1968, ital. Mailand 1970); *G.Fr.Händel und seine Verleger* (in: Musik und Verlag, Fs. K.Vötterle, Kassel 1968); *A.Berg's »Altenberg« Songs op. 4. Editorial Problems and no End* (MR XXXI, 1970); lexikalische Beiträge. – An Editionen seien weiter genannt G.Fr.Händels *Water Music* (= Hallische Händel-Ausg. IV, 13, Kassel 1962) und die 12 Concerti grossi op. 6 (mit A.Hoffmann, ebd. IV, 14, 1961; vgl. dazu MT CIX, 1968, S. 530f.) sowie Kompositionen von →*+Mahler*.
Lit.: H. GAL in: Mf XXII, 1969, S. 3f.; G. REANEY in: AMl XLII, 1970, S. 217ff.

+Redman, Don (Donald) [erg.:] Matthew, * 29. 7. 1900 zu Piedmont (Va.), [erg.:] † 30. 11. 1964 zu New York.
R. trat auch als Sopransaxophonist, Klarinettist, Trompeter und Sänger hervor. Aufnahme: *D. R., Master of the Big Band* (RCA LPV–520).
Lit.: G. SCHULLER, The Hist. of Jazz, Bd I: Early Jazz, NY 1968.

Redman (r'edmən), Reginald, * 17. 9. 1892 zu London; englischer Organist, Dirigent und Komponist; studierte an der Guildhall School of Music in London und war nach mehreren Anstellungen als Organist 1926–36 Musikdirektor der BBC für Wales und 1936–52 für Westengland. Er komponierte u. a. die Oper *The Ring of Jade*, das Ballett *The Witches' Revenge*, die Orchestersuite *Marston Court*, die Symphonische Dichtung *Moods*, eine Serenade für 2 V. und Streichorch. (1949), die Kantate *The Hills of Dream* für T. und Chor sowie Vertonungen chinesischer Gedichte, Kammermusik, Bühnen- und Hörspielmusik.

Redríguez Albert (rreðr'igeθ alb'ɛrt), Rafael, * 6. 2. 1902 zu Alicante; spanischer Komponist, studierte am Conservatorio Superior de Música in Valencia, ist als Lehrer am Colegio Nacional de Ciegos auf den Unterricht Blinder spezialisiert. Sein kompositorisches Schaffen zeigt Einflüsse de Fallas und des französischen

Impressionismus. Er schrieb Orchesterwerke (Symphonische Dichtung *La ruta de Don Quijote*, 1948; *Homenaje a Chapí*, 1951), Kammermusik (Klarinettenquintett, 1956; Streichquartett, 1951; Klavierquartett, 1956), Klavierwerke und Lieder.

+Reed, Herbert Owen, * 17. 6. 1910 zu Odessa (Mo.).
An der Michigan State University ist R. gegenwärtig Professor of Music und Chairman of Music Composition. Weitere Werke: *+Michigan Dream* (East Lansing/Mich. 1955, revidiert 1959); die einaktige Kammer-Tanzoper *Earth Trapped* (nach einer Indianerlegende, ebd. 1962); *The Turning Mind* für Orch. (1968); Ouvertüre für Streichorch. (1961); *Che-ba-kun-ah / Road of Souls* für Blasorch. und Streichquartett (1959); *+La Fiesta Mexicana* (1949 [nicht: 1956], Orchesterfassung 1964) und *Renascence* (1959) für Blasorch.; Oratorium *A Tabernacle for the Sun* für Mezzo-S., gem. Chor, Männer-Sprechchor und Orch. (1963); *Ripley Ferry* für Frauenstimmen und 7 Bläser (1958). R. veröffentlichte ferner *Composition Analysis Chart* (NY 1958), *Basic Contrapuntal Technique* (mit P.Harder, NY 1964, mit separatem »Workbook«) und *Scoring for Percussion and the Instruments of the Percussion Section* (mit J.T.Leach, Englewood Cliffs/N. J. 1969).

+Reed, William Leonard, * 16. 10. 1910 zu London. R. wurde 1967 musikalischer Leiter am Westminster Theatre Arts Centre in London, für das er die Operetten *Annie* (London 1967) und *High Diplomacy* (ebd. 1969) komponierte. Er edierte ferner *The Treasury of Easter Music* (London 1963), *The Treasury of English Church Music* (mit G.Knight, 5 Bde, ebd. 1965) und *The Second Treasury of Christmas Music* (ebd. 1967).

+Reese, Gustave, * 29. 11. 1899 zu New York. ⌐d. Sept. 7 1977⌐
R., seit 1962 Mitglied der American Academy of Arts and Sciences, war weiterhin mehrfach an verschiedenen amerikanischen Universitäten als Gastprofessor tätig (zuletzt 1971 an der Harvard University/Mass.); daneben hatte er sein Lehramt an der New York University inne. Zu seinem 65. Geburtstag wurde er mit einer Festschrift geehrt (*Aspects of Medieval and Renaissance Music*, hrsg. von J.LaRue, NY 1966). – *+Music in the Middle Ages* (1940), ital. Florenz 1960; *+Music in the Renaissance* (1954), revidiert NY 1959; *+Fourscore Classics of Music Literature* (1957), Nachdr. NY 1970. – Neuere Aufsätze: *The Polyphonic Magnificat of the Renaissance as a Design in Tonal Centers* (JAMS XIII, 1960); *On the Art of Book Reviewing* (in: Notes XXIII, 1966/67); *Musical Compositions in Renaissance Intarsia* (in: Medieval and Renaissance Studies, hrsg. von J.L.Lievsay, Bd II, Durham/N. C. 1968); *Perspectives and Lacunae in Musicological Research* (in: Perspectives in Musicology, hrsg. von B.S.Brook u. a., NY und Toronto 1972). Er edierte die Gedenkschrift C.Sachs *The Commonwealth of Music* (mit R.Brandel, NY und London 1965, darin von ihm selbst *The Repertoire of Book II of Ortiz's »Tratado«*) und die Festschrift Dr. Plamenac *Essays in Musicology* (mit R.Snow, Pittsburgh/Pa. 1969, darin *An Early Seventeenth-Cent. Lute Manuscript at San Francisco*).

+Reeser, Eduard [erg.:] Hendrik, * 23. 3. 1908 zu Rotterdam.
R., 1947–74 Professor (Ordinarius ab 1956 [nicht: 1947]) an der Utrehter Rijcksuniversiteit, war Präsident der Stiftung →*+Donemus* bis 1957. Im gleichen Jahr wurde er Präsident der Vereniging voor nederlandse muziekgeschiedenis, ein Amt, das er bis 1971 innehatte. Seit 1967 ist er Vize- und seit 1972 Präsident der In-

ternationalen Gesellschaft für Musikwissenschaft. 1961 nahm ihn die Koninklijke Nederlandse Akademie voor wetenschappen als ordentliches Mitglied auf. Von seinen neueren Aufsätzen seien genannt: *Musikwissenschaft in Holland* (AMl XXXII, 1960); *A. Diepenbrock, ein holländischer Lyriker* (Musica XV, 1961); *De nalatenschap van J. G. Eckard* (»J. G. Eckards Nachlaß«, Fs. A. van Hoboken, Mainz 1962); *Diepenbrocks zelfkritiek* (in: Mens en melodie XXVI, 1971). Die +A. Diepenbrock-Ausgaben umfassen: *Verzamelde geschriften* (Utrecht 1950); *Verzamelde liederen* (4 Bde, Amsterdam 1951–59); *Brieven en documenten* (4 Bde, Den Haag 1962–73). Er edierte ferner *Music in Holland. A Review of Contemporary Music in the Netherlands* (Amsterdam 1959) sowie *Stijlproeven van Nederlandse muziek, 1890–1960* (3 Bde, ebd. 1963–73) und gab heraus: J. G. Eckard, *Œuvres complètes* (ebd. 1956); in der Neuen Mozart-Ausg. die *Bearbeitungen von Werken verschiedener Komponisten. Klavierkonzerte und Kadenzen* (mit W. Gerstenberg, = X, 28, Abt. 2, Kassel 1964) und die *Sonaten und Variationen für Kl. und V.* (2 Bde, = VIII, 23, ebd. 1964–65).

+Refardt, Edgar, * 8. 8. 1877 und [erg.:] † 3. 3. 1968 zu Basel.
Lit.: H. P. Schanzlin, E. R., Bibliogr., = Schweizerische musikforschende Ges., Mitteilungsblatt 1962, Nr 33.

+Refice, Licinio, 1883 [nicht: 1885] – 1954.
Lit.: E. Mucci, L. R., Rom 1955, Perugia ²1968; T. Onofri u. ders., Le composizioni di L. R., Assisi 1966.

+Regamey, Constantin, * 28. 1. 1907 zu Kiew.
R. edierte (mit P. Meylan) 1954–62 die *Feuilles musicales* (darin zahlreiche eigene Beiträge), war 1963–68 Präsident des Schweizerischen Tonkünstlervereins und 1969–73 Präsidiumsmitglied der IGNM. Er lehrt weiterhin an den Universitäten in Lausanne und Freiburg im Üechtland slawische und orientalische Philologie. – Weitere Kompositionen: +*Etüden* (1955, Fassung für Frauen-St. und Orch. 1956); *Poèmes de J. Tardieu* für Solistenchor a cappella (1961); *Autographe* für Kammerorch. (1962–66); *Konzert 4×5* für 4 Quintette (1963); *Symphonie des incantations* für S., Bar. und Orch. (1967); »3 Lieder des Clowns« für Bar. und Orch. (aus der noch unvollendeten Oper *Don Robott*, 1968); *Alpha . . .* für T. und Orch. (nach einem indischen Text aus dem 10. Jh. v. Chr., 1970); Märchenoper *Mio, mein Mio* (1973). – Neuere Veröffentlichungen: *W. Małcużyński* (Krakau 1960); *Musique du XXᵉ s., Présentation de 80 œuvres pour orchestre de chambre* (Lausanne und Paris 1966); *Le développement de la résonance dans les musiques évoluées. Les théories de l'harmonie moderne* (La résonance dans les échelles musicales, hrsg. von E. Weber, Paris 1963); *Uwagi o uwagach w sprawie aleatoryzmu* (»Anmerkungen zu Bemerkungen über Aleatorik«, in: Ruch muzyczny XI, 1967).
Lit.: H. Jaccard, Initiation à la musique contemporaine, Lausanne 1955; P. Hugli in: SMZ CVII, 1967, S. 8ff.; B. Pilarski in: Szkice o muzyce, Warschau 1969, S. 118ff. (zu d. »Poèmes de J. Tardieu«).

+Reger, Johann Baptist Joseph Max (Maximilian), 1873–1916. (R. vermählte sich am 25. [nicht: 15.] 10. 1902 mit Elsa von Bercken geborene Bagenski, * 25. 10. 1870 zu Kolberg, † 3. 5. 1951 zu Bonn.)
Berichtigungen und Ergänzungen zum früheren Werkverzeichnis: I. Orchesterwerke: *Eine Ballettsuite* op. 130 (1913; der ursprünglich 4. Satz, *Pantalon*, wurde 1960 uraufgeführt); *Variationen und Fuge über ein Thema von Mozart* op. 132 (1914; die 8. Variation wurde in der Fassung für 2 Kl. op. 132a durch eine Neukomposition ersetzt; auch für Kl. 4händig); ferner ein Symphoniesatz D moll (1890, Uraufführung 1960). – IV. Kam-

mermusik: Nachgelassenes Klavierquintett C moll (1897/98); Streichquartett D moll (genannt »Jugendquartett«, 1888/89; 3sätzig, 3. Satz mit Kb. oder 2 Vc.); *Suite im alten Stil* F dur für V. und Kl. op. 93 (1906; Orchesterfassung 1916); 4 Sonaten für V. allein op. 42 (1899 [nicht: 1900]). – V. Klaviermusik: 14 *Lose Blätter* für Kl. op. 13 (1893 [nicht: 1894]). – VI. Orgelmusik: 5 *Leicht ausführbare Präludien und Fugen* op. 56 (1901 [nicht: 1904]); 12 Stücke op. 59 (1901; Nr 7 [nicht: Nr 1]: Kyrie eleison). – VIII. Klavierlieder: *Ich stehe hoch über'm See* mit B. op. 14b (gedruckt 1909).
Ausg.: Sämtliche Werke (+GA), hrsg. unter Mitarbeit d. M.-R.-Inst. (Elsa-R.-Stiftung) Bonn, 35 Bde, nebst 3 Suppl.-Bden (in Vorbereitung), Wiesbaden 1954–70: Bd I–VI, Orchesterwerke, hrsg. v. H. Unger bzw. ab Bd IV v. O. Schreiber, 1958, 1956 u. 1959 bzw. 1962, 1958 u. 1965; VII–VIII, Werke f. Soloinstr. u. Orch. (H.-L. Denecke bzw. U. Haverkamp, 1964 bzw. 1968); IX–XII, Werke f. Kl. 2händig (H. Wirth bzw. ab Bd X G. Sievers, 1957 bzw. 1959, 1965 u. 1963); XIII–XIV, Werke f. Kl. 4händig (G. Sievers bzw. W. Rehm, 1956 bzw. 1954); XV–XVIII, Werke f. Org. (H. Klotz, 1956, 1959, 1966 u. 1966); XIX–XX, Werke f. Kl. u. Streicher (G. Sievers, 1958–63); XXI, Werke f. Kl. u. Streicher sowie f. Kl. u. Bläser (O. Schreiber, 1968); XXII, Kl.-Trios u. -Quartette (G. Raphael, 1958); XXIII, Kl.-Quintette (ders., 1960); XXIV–XXVI, Werke f. Streicher: Soli, Trios u. Quartette sowie Werke mit Bläsern (H. Grabner, 1957, 1960 u. 1963); XXVII, Chorwerke a cappella (ders., 1961); XXVIII–XXIX, Werke f. Soli, Chor u. Orch. sowie f. Chor u. Orch. (U. Haverkamp, 1966–67); XXX, Chöre u. Duette mit Kl. oder anderen Instr. (H. Grabner, 1965); XXXI–XXXIII, Sologesänge mit Kl. (Fr. Stein, 1955, 1958 u. 1959); XXXIV, Sologesänge mit Kl. sowie Sologesänge mit Org. bzw. Harmonium oder Kl. (ders., 1967); XXXV, Sologesänge mit Orch. (O. Schreiber, 1970). – Nachgelassenes Streichquartett D moll (»Jugendquartett«), hrsg. v. Fr. Stein, Wiesbaden 1954; 20 Responsorien f. gem. Chor a cappella, aus d. Engl. übers. u. hrsg. v. O. Schreiber, 5 H., = Mus. Veröff. d. M.-R.-Inst. . . . Bonn II, ebd. 1966; Trio op. 77b, Faks. d. Autographs, ebd. III, 1973.
+M. R., Briefe zwischen d. Arbeit (O. Schreiber, 1956), N. F. = Veröff. d. M.-R.-Inst. . . . Bonn VII, Bonn 1973. – Ein unveröff. Brief v. M. R., in: Musica XIX, 1965 (an H. Bischoff); H.-J. Rothe, Fünf unveröff. Briefe M. R.s u. seine Lpz.er Zeit, BzMw VIII, 1966, separat = Die Musikstadt Lpz. V, Lpz. 1966; J. Forner, Ein unveröff. Regerbrief über d. Begegnung O. Schoecks mit M. R., in: Hochschule f. Musik Lpz. 1843–1968, hrsg. v. W. Mehnert, J. Forner u. H. Schuller, Lpz. 1968; O. Stollberg, Ein unbekannter Brief M. R.s, in: Gottesdienst u. Kirchenmusik 1970; H. Ramge, Aus d. Briefen v. M. R. an F. Mendelssohns Schwiegersohn A. Wach, in: Mendelssohn-Studien, Bd I, hrsg. v. C. Lowenthal-Hensel, Bln 1972.
Lit.: H. Rösner, M.-R.-Bibliogr., Das internationale Schrifttum über M. R., 1893–1966, = Veröff. d. M.-R.-Inst. . . . Bonn V, Bonn 1968. – +W. Altmann, R.-Kat. (1917, ²1926), Nachdr. Niederwalluf bei Wiesbaden 1971. – M. R., Ausstellungskat. d. Stadt- u. Landesbibl. Dortmund, Dortmund 1960 (dazu Programm-H. d. M.-R.-Festes); Süddeutsche M.-R.-Tage 1966, Ausstellungskat. hrsg. v. K. Dorfmüller, A. Ott u. H. Rösner, München 1966 (dazu Programm-H., hrsg. v. Kl. Bieringer). – M. R., F. Busoni. Diskographien, hrsg. v. H. Schermall, = Deutsche Musik-Phonothek Bln, Mitt. II, Bln 1966 (mit einem Beitr. v. H. Mersmann). – Mitt. d. M.-R.-Inst. . . . Bonn, H. 1ff., 1954ff. (zuletzt 1971 H. 18). – M. R., zum 50. Todestag, Gedenkschrift hrsg. v. O. Schreiber u. G. Sievers, = Veröff. d. M.-R.-Inst. . . . Bonn IV, Bonn 1966; M. R., Beitr. zur Regerforschung, hrsg. v. R. M.-R.-Festkomitee d. Rates d. Bezirkes Suhl, = Sonderveröff. d. »Südthüringer Forschungen« o. Nr, Meiningen 1966 (mit R.-Bibliogr. 1945–65 v. P. Krause); Neue Beitr. zur Regerforschung u. Mg. Meiningens, hrsg. v. H. Oesterheld, = Südthüringer Forschungen VI, ebd. 1970; Aufsatzfolgen in: Musica sacra XCIII, 1973, S.

84ff.; Musik u. Bildung V, 1973, S. 655ff. (mit Bibliogr. u. Diskographie; ein Teil d. Beitr. verstreut auch in: NZfM CXXXIV, 1973). (Aufgrund d. vorliegenden neueren Bibliogr., s. o., werden d. dort genannten Titel, mit Ausnahme größerer Studien, im folgenden nicht zitiert.) E. OTTO, M. R. als Mensch, = Weidner heimatkundliche Arbeiten XI, Weiden 1966; DERS., M. R. u. sein oberpfälzisches Fundament, = Blätter zur Gesch. u. Landeskunde d. Oberpfalz X, Regensburg 1969; H. GROSCH, M. R.s Ehrenpromotion zum Dr. phil. an d. Univ. Jena am 31. 7. 1908, Wiss. Zs. d. Fr.-Schiller-Univ., Ges.- u. sprachwiss. Reihe XVI, 1967; H.-J. ROTHE, ebd., S. 127ff.; E. BRAND-SELTEI, M. R., Jahre d. Kindheit, Wilhelmshaven 1968; Der heitere R., Heiteres v. u. um M. R., hrsg. v. M. M. STEIN, Wiesbaden 1969, ²1971; K. LAUX, M. R., Erinnerungen, Bekenntnis, Aufgaben, MuG XXIII, 1973; JU. SCHALTUPER in: SM XXXVII, 1973, H. 12, S. 94ff.; H. WIRTH, M. R. in Selbstzeugnissen u. Bilddokumenten, = rowohlts monographien Bd 206, Reinbek bei Hbg 1973. ⁺H. GRABNER, R.s Harmonik, München 1920 (= Bd I d. v. ⁺R. Würz hrsg. Slg »M. R., Eine Slg v. Studien ...«), Wiesbaden ²1961. – G. WÜNSCH, Die Entwicklung d. Klaviersatzes bei M. R., Diss. Wien 1950; TH.-M. LANG-NER, Studien zur Dynamik M. R.s, Diss. Bln 1953 (FU); KL. TRAPP, Die Fuge in d. deutschen Romantik v. Schubert bis R., Diss. Ffm 1958; E. KLEMM, Zagadnienie techniki wariacyjnej u R.a i Szymanowskiego (»Probleme d. Variationstechnik bei R. u. Szymanowski«), in: K. Szymanowski, hrsg. v. Z. Lissa, Warschau 1964 (mit engl. Zusammenfassung); R. A. JORDAHL, A Study of the Use of the Chorale in the Works of Mendelssohn, Brahms, and R., Diss. Univ. of Rochester (N. Y.) 1965; H. H. MÜLLER, Studien zu R.s Personalstil an Hand seiner V.-Kl.-Sonaten, Diss. Wien 1965; Z. LISSA, Inspiracje chopinowskie w twórczości R.a (»Die Inspiration durch Chopin in R.s Werk«), Annales Chopin VII, 1965–68, u. in: Studia ..., Fs. H. Feicht, Krakau 1967; DIES., M. R.s Metamorphosen d. »Berceuse« op. 83[sic!] v. Fr. Chopin, FAM XIII, 1966; DIES., M. R.s Metamorphosen d. »Berceuse« op. 57 v. Fr. Chopin, Mf XXIII, 1970; J. W. BAR-KER, The Org. Works of M. R., in: Miscellanea musicologica I, (Adelaide) 1966, umgearbeitet als: R.'s Org. Works, MT CVIII, 1967 – CIX, 1968; H. KLOTZ bzw. H. M. HOFFMANN, Zur Wiedergabe v. R.s Orgelmusik, in: Musik im Gottesdienst XX, 1966; H. RAMGE, M. R.s Orchesterbehandlung, insbesondere seine Retuschen an Meininger Repertoirewerken, Diss. Marburg 1966; G. STAN-GE, Die geistesgesch. u. religiösen Grundlagen im kirchenmus. Schaffen M. R.s, Diss. theol. Lpz. 1966; H. ZINGER-LE, Chromatische Harmonik bei Brahms u. R., StMw XXVII, 1966; H. KAUFMANN, Aushöhlung d. Tonalität bei R., NZfM CXXVIII, 1967, Wiederabdruck in: Spurlinien, Wien 1969; G. SIEVERS, Die Grundlagen H. Riemanns bei M. R., Wiesbaden 1967 (= überarbeitete Diss. Hbg 1949); FR. HÖGNER, M. R. u. d. deutsche Orgelbewegung, in: Ars org. XVI, 1968; DERS., Zur Darstellung d. Orgelwerke M. R.s, MuK XLI, 1971; W. S. NEWMAN, The Sonata Since Beethoven, Chapel Hill (N. C.) 1969, revidiert NY u. London 1972 (Paperbackausg.); M. WEYER, Die deutsche Orgelsonate v. Mendelssohn bis R., = Kölner Beitr. zur Musikforschung LV, Regensburg 1969; O. SCHREIBER, M. R.s Responsorien, MuK XL, 1970; W. TH. HOPKINS, The Short Piano Compositions of M. R., Diss. Indiana Univ. 1971; L. LEYTENS, Aantekeningen bij het orgelwerk v. M. R., Vlaams muziektijdschrift XXIV, 1972; J. ALF, R.s Mozart-Sehnsucht, in: Musica XXVII, 1973; H. J. BUSCH, M. R. u. d. Org. seiner Zeit, MuK XLIII, 1973; H. HASELBÖCK, M. R. als Orgelkomponist, noch oder wieder modern?, ÖMZ XXVIII, 1973; H. LOHMANN, Bemerkungen zur Interpretation d. Orgelwerke v. M. R., MuK XLIII, 1973; R. WALTER, M. R. u. d. Org. um 1900, ebd.; H. WUNDER-LICH, Zur Bedeutung u. Interpretation v. R.s Orgelwerken, ebd.; H. KLOTZ, The Org. Works of M. R., The Org. Yearbook V, 1974; L. E. WEINITSCHKE, M. R.s geistliche Chorwerke, MuK XLIV, 1974.

Reggio (r′ed-dʒo), Pietro Francesco (genannt il Genovese), * 6. 12. 1632 zu Genua, † 23. 7. 1685 zu London; italienischer Komponist, Sänger und Lautenist,

stand 1652–53 im Dienst der Königin Christine von Schweden und wirkte danach am französischen Königshof. Mit einer Gruppe wandernder Musiker kam er 1657 nach Metz und bereiste wahrscheinlich auch Spanien und Deutschland. 1664 ließ er sich in London nieder, wo er Gesangs- und Kompositionsunterricht gab. Er schrieb zahlreiche Lieder auf englische und italienische Texte sowie Madrigale, Terzette und Duette auf italienische und lateinische Texte, daneben *The Art of Singing, or A treatise wherein is Shewn how to Sing Well any Song Whatsoever ...* (angekündigt 1678, unbekannt, ob jemals gedruckt) und veröffentlichte *Songs Set by Signior P. R.* (Anth. von 42 Liedern auf englische Texte sowie 2 englische und 2 italienische Duette, London 1680).

Lit.: J. WESTRUP, Foreign Musicians in Stuart England, MQ XXVII, 1941; P. WILLETS, A Neglected Source of Monody and Madrigal, ML XLIII, 1962; G. ROSE, P. R., A Wandering Musician, ML XLVI, 1965.

⁺**Regino von Prüm** (Regino Prumiensis), [erg.:] Mitte 9. Jh. (840?) – 915.

R. v. Pr., Verfasser der ersten auf deutschem Boden geschriebenen Weltchronik (*Chronica*, 907/908), war ab 899 in Trier Abt des Klosters St. Martin und lebte vermutlich zuletzt im dortigen Kloster St. Maximin [del. frühere Angaben dazu]. – Die älteste Fassung der *Epistola de harmonica institutione ...*, samt dem Tonar, scheint in der Brüsseler Handschrift überliefert zu sein. In der Leipziger Handschrift ist diese Fassung erweitert und statt eines Tonars mit einem Breviarium versehen worden. Weitere handschriftliche Überlieferungen (Kopien) sind in Montpellier, Metz, Monte Cassino, Venedig, Oxford und Bologna erhalten. Die Abschrift in der Stadtbibliothek Ulm ist seit 1738 dort nicht mehr vorhanden. Die Epistel R.s diente u. a. Adam von Fulda, R. Bacon und J. de Muris als Quelle.

Lit.: ⁺G. PIETZSCH, Die Klassifikation d. Musik ... (1929), Nachdr. = Libelli Bd 236, Darmstadt 1968. – E. OBERTI, L'estetica mus. di Reginone di Pruem e l'attualità dell'estetica medievale, Rivista di filosofia neo-scolastica LII, 1960; H. HÜSCHEN, R. v. Pr., Historiker, Kirchenrechtler u. Musiktheoretiker, Fs. K. G. Fellerer, Regensburg 1962; M. PR. LEROUX, The »De harmonica institutione« and »Tonarius« of R. of Pr., = Studies in Music XXII, Diss. Catholic Univ. of America (Washington/D. C.) 1965 (lat. Text mit engl. Übers.); C. M. BOWER in: Rheinische Musiker IV, hrsg. v. K. G. Fellerer, = Beitr. zur rheinischen Mg. LXIV, Köln 1966, S. 112ff.; DERS., Natural and Artificial Music. The Origins and Development of an Aesthetic Concept, MD XXV, 1971; M. HUGLO, Les tonaires. Inventaire, analyse, comparaison, = Publ. de la Soc. frç. de musicologie III, 2, Paris 1971.

⁺**Regis,** Johannes, [erg.:] um 1430 zu Antwerpen oder Cambrai – um 1485 zu Soignies(?; Hennegau) [del. früheres Sterbedatum].

Erhaltene Werke [del. frühere Angaben]: 2 Messen (*Dum sacrum mysterium* mit dem Tenor »L'homme armé« und *Ecce ancilla Domini*), ein Meßfragment *Patrem omnipotentem* (verkürztes Credo), 8 Motetten sowie die beiden Chansons *S'il vous plaist* und *Puisque ma dame*. (Das ⁺Offertorium ist verschollen.)

Lit.: C. W. H. LINDENBURG, O admirabile commercium, TVer XVII, 4, 1955; DERS. in: MGG XI, 1963, Sp. 134ff.

⁺**Regnart,** –1) Jakob (Jacob), um 1540 – 1599. Er trat um 1557 als Alumnus und Sängerknabe in die kaiserliche Hofkapelle in Prag ein. 1582–84 war er Vizekapellmeister, 1585–96 Kapellmeister am Hofe Ferdinands II. in Innsbruck. Danach kehrte R., der 1596 in den Adelsstand erhoben wurde, an den kaiserlichen Hof nach Prag zurück, wo er ab 1598 als Vizekapellmeister wirkte. – R.s überliefertes Werk (376 Kompositionen) umfaßt 37 [nicht: 30] Messen zu 4–10 St. und 195 [nicht: 150] Motetten zu 3–12 St. (181 mit lateinischem und 9 mit deutschem Text, 4 Staatsmotetten und eine 7st. Trauermotette auf den Tod von J. Vaet) sowie 2 Bücher *Canzone italiane a 5 v.* (1574–81), eine 6st. Litanei, 2 Oden zu 5–6 St. und ein 5st. Madrigal.

–2) F r a n z , um 1530 [nicht: um 1540] – um 1600.
Ausg.: zu –1): 2 Stücke in: The Bottegari Lutebook, hrsg. v. C. MacClintock, = The Wellesley Ed. VIII, Wellesley (Mass.) 1965; 6st. Motette »Puer natus est«, hrsg. v. W. H. Rubsamen, NY 1968; 7st. Trauermotette »Defunctum charites Vaetem maerore requirunt«, in: J. Vaet, Sämtliche Werke, hrsg. v. M. Steinhardt, Bd VII, = DTÖ CXVIII, Graz 1968; 4st. Motette »Canite tuba in Syon«, in: Cantiones sacrae de adventu Domini, hrsg. v. W. Pass, = Thesauri musici I, Wien 1971; 6st. Litania deiparae Virginis Mariae, hrsg. v. dems., ebd. IV; 5st. Motette »Hodie de virgine salvator mundi natus est«, in: Cantiones sacrae de Nativitate Domini, hrsg. v. dems., ebd. X.
Lit.: zu –1): [+]O. Kade, Die ältere Passionskomposition bis zum Jahre 1631 (1893), Nachdr. Hildesheim 1971; [+]H. Osthoff, Die Niederländer u. d. deutsche Lied (1938), Nachdr. Tutzing 1967 (mit neuem Anh.). – W. Senn, Musik u. Theater am Hof zu Innsbruck, Innsbruck 1954; J. Roth, Die mehrstimmigen lat. Litaneikompositionen d. 16. Jh., = Kölner Beitr. zur Musikforschung XIV, Regensburg 1959; H. Federhofer in: MGG XI, 1963, Sp. 136ff.; R. H. Thomas, Poetry and Song in the German Baroque, London 1963; Fr. Mossler, J. R.s Messen, Diss. Bonn 1964; W. Pass, J. R. u. seine lat. Motetten. Nebst thematischem Kat. sämtlicher Werke, Diss. Wien 1967, d. thematische Kat. separat (revidiert u. ergänzt) als: Thematischer Kat. sämtlicher Werke J. R.s, = Tabulae musicae Austriacae V, ebd. 1969; J. Tichota, Deutsche Lieder in Prager Lautentabulaturen d. beginnenden 17. Jh., in: Miscellanea musicologica XX, 1967 (mit 9 Sätzen R.s) und R. Caspari, Liedtradition im Stilwandel um 1600, = Schriften zur Musik XIII, München 1971.

Regnault, Pierre → Sandrin.

[+]Rehan, Robert, * 13. 3. 1901 zu Kiel.
R. lebt seit 1952 als freischaffender Komponist in München. – Die symphonische Dichtung [+]*In memoriam* (1923) hat R. 1937 in *Straßburger Symphonie* umbenannt. – Weitere Werke: Ballett *Segmente* (Krefeld 1961); *Goldoniana-Ouvertüre* (1958) und *Aphoristische Suite* (1967) für Orch.; Film- und Hörspielmusik.

Rehbein, Herbert, * 15. 4. 1922 zu Hamburg; deutscher Komponist und Arrangeur von Tanz- und Schlagermusik, ist seit 1960 als Arrangeur für B. Kaempfert tätig. Von seinen Kompositionen (Interpreten in Klammern) seien genannt: *Blue Midnight* (Orchester B. Kaempfert, 1965); *Over and Over* (Sinatra, 1967); *My Way of Life* (Sinatra, 1968); *Lady* (Jack Jones, 1968); *Lonely Is the Name* (Sammy Davis jr., 1969); *Malayan Melody* (Herb Alpert, 1970). Er komponierte auch die Fanfare für die XX. Olympischen Sommerspiele 1972 in München. R. hat die Musik für eine Reihe von Langspielplattenaufnahmen u. a. für Lisa Della Casa und Ivan Rebroff arrangiert.

[+]Rehberg [–1) Willy], –2) W a l t e r [erg.:] Willibald (R.-Picker), 1900–57.
[+]*J. Brahms* (1947), 2., von Paula R. überarbeitete Aufl. Ffm. 1963, auch Stuttgart 1966.
Lit.: E. Graenicher in: SMZ C, 1960, S. 363f.; H. Oesch, Die Musik-Akad. d. Stadt Basel, Basel 1967.

[+]Rehfuss, Heinz Julius, * 25. 5. 1917 zu Frankfurt am Main.
R., der zwischen 1947 und 1964 auch bei den Darmstädter Ferienkursen für Neue Musik unterrichtete, wurde 1961 Professor für Gesang am Conservatoire de musique de la Province de Québec in Montréal und 1965 Professor und Leiter der Gesangs- und Opernklasse an der State University of New York in Buffalo; seit 1970 ist er auch Visiting Professor an der Eastman School of Music in Rochester (N. Y.). Neben seiner Konzerttätigkeit, die ihn in die Musikzentren Europas, Nordamerikas, Nordafrikas, Israels, Indiens und Indonesiens führte, war R. regelmäßiger Gast der Festspiele u. a. in Edinburgh, Venedig, Florenz, Aix-en-Provence, Wien, Luzern und Berlin.

[+]Rehm, Wolfgang, * 3. 9. 1929 zu München.
Die Editionsleitung der Neuen →[+]Mozart-Ausgabe (darin eine Reihe Bände von ihm selbst herausgegeben) hat R. seit 1960 [erg.:] zusammen mit W. Plath inne. 1971 wurde er Cheflektor im Bärenreiter-Verlag Kassel. Neuere Aufsätze: *Über ein Repertorium der Musik. Anregungen und Vorschläge zu einem neuen Nachschlagewerk* (Kgr.-Ber. Köln 1958); *Der Musikwissenschaftler im Musikverlag* (Kgr.-Ber. Kassel 1962); *Miscellanea Mozartiana II* (Fs. O. E. Deutsch, Kassel 1963); *Ergebnisse der »Neuen Mozart-Ausgabe«* (Mozart-Jb. 1964); *Die Neue Mozart-Ausgabe. Ziele und Aufgaben* (FAM XV, 1968).

[+]Rehmann, Theodor Bernhard, * 9. 2. 1895 zu Essen, [erg.:] † 4. 10. 1963 zu Schleiden (Eifel).
Bis 1956 war R. Professor an der Kölner Musikhochschule. 1948 wurde er zum päpstlichen Hausprälaten ernannt und 1958 zum residierenden Domkapitular an der Kathedralkirche in Aachen gewählt. Zu seinem 60. Geburtstag wurde ihm eine Festschrift gewidmet (*Cappella Carolina,* Aachen 1955). R. verfaßte auch zahlreiche Aufsätze, vor allem über katholische Kirchenmusik.
Lit.: Rheinische Musiker III, hrsg. v. K. G. Fellerer, = Beitr. zur rheinischen Mg. LVIII, Köln 1964, S. 66ff. – W. M. Berten in: Musica IX, 1955, S. 84f., u. in: Zs. f. Kirchenmusik LXXV, 1955, S. 35ff.; H. Lemacher in: Musica sacra LXXX, 1960, S. 53ff. (mit Werkverz.), u. LXXXIII, 1963, S. 325ff.; J. Kreps in: Musica sacra »sancta sancte« LXIV, 1963, S. 176ff.; J. Dunkel in: Musik u. Altar XVI, 1964, S. 31f.; H. Wagener, Th. B. R., in: Musica sacra LXXXVI, 1966 (Schriftenverz.).

Řehoř (rʒ'ɛhərʃ), Bohuslav, * 17. 1. 1938 zu Brünn; tschechischer Komponist, Absolvent (1960) und heute Lehrer der Musikakademie in Brünn, zählt zu den Repräsentanten der Neuen Musik in der Tschechoslowakei, u. a. mit folgenden Werken: Oper *Medeia* (1963); *Výkřiky* (»Schreie«) für Fl. solo (1962); Kammerkonzert für Fl. und Streicher (1963); Concerto für Schlagzeug und Orch. (1967); Kammerkantate *Canto donnesco* für S., A. und 11 Instr. (1968); *Veliké Lalulá* (»Das große Lalula«) I–II, 2 Morgenstern-Suiten für Bläserquintett (1968 und 1969); Symphonie (1968); *Invokace* (»Invokation«) für Baßklar. (1969); »Strukturen 2« für Fl., Baßklar., Vibraphon und Kl. (1969); *Magické tvary* (»Magische Formen«) für Baßklar. und Fl. (1969); *Spiral of Sensations* für Fl., Baßklar. und Schlagzeug (1969); »Fünf Expositionen« für Kl. (1972).

Reich, Günter, * 22. 11. 1921 zu Liegnitz (Niederschlesien); deutscher Sänger (Bariton), absolvierte 1958 die Hochschule für Musik in Berlin. Er war 1960–71 an den Städtischen Bühnen (ab 1967 Musiktheater im Revier) in Gelsenkirchen, 1967–73 an der Württembergischen Staatsoper in Stuttgart (1973 Kammersänger) sowie 1969–73 an der Deutschen Oper in Berlin engagiert. 1961 begann er seine Konzerttätigkeit in Wien mit der Hauptpartie in Schönbergs *Die Jakobsleiter*. Gastspiele und Konzerttourneen führten ihn in alle Teile der Welt.

d
July 28
1979

Reich (ıaik), S t e v e, * 3. 10. 1936 zu New York; amerikanischer Komponist, studierte 1953–57 Philosophie an der Cornell University in Ithaca/N. Y. (B. A.) sowie Komposition 1958–61 an der Juilliard School of Music in New York und 1962–63 bei Berio und Milhaud am Mills College in Oakland/Calif. (M. A.). 1964–65 arbeitete er beim San Francisco Tape Music Center. 1965 ging er zurück nach New York und baute dort sein eigenes Studio auf. 1970 bereiste er Ghana (Studium afrikanischer Trommeltechniken), 1971 und 1973 unternahm er mit von ihm gegründeten Ensembles Tourneen durch Amerika und Europa. Von außereuropäischer Musik (Afrika, Bali) beeinflußt, schuf R., T. Riley und La M. Young vergleichbar, vor allem zeitlich lang ausgedehnte Stücke, die, unter Verwendung einfacher Elemente (Ostinati), ein ununterbrochenes Kontinuum sich allmählich verändernder bzw. überlagernder Rhythmen (oder Klänge) bilden (»Music which works exclusively with gradual changes in time«). – Kompositionen: *Pitch Charts* für eine beliebige Anzahl beliebiger Instr. (1963); Musik für 3 oder mehr Kl. (oder Kl. und Tonband, 1964); *Livelihood* (1965), *It's Gonna Rain* (1965), *Come Out* (1966) und *Melodica* (1966) für Tonband; *Saxophone Phase* für Sopransax. und Tonband (1966); *Reed Phase* für ein Rohrblatt- oder Zungeninstr. (Tonband ad libitum, 1966); *Piano Phase* für 2 Kl. (1966); *Violin Phase* für V. und Tonband (oder 4 V., 1967); *My Name Is* für 3 oder mehr Tonbänder, Ausführende und Publikum (1967); *Pendulum Music* für Mikrophone, Lautsprecher, Verstärker und Ausführende (1968); *Pulse Music* für Phase shifting pulse gate (ein von R. erfundenes Instr., 1969); *Four Log Drums* für 4 Log drums und Phase shifting pulse gate (1969); *Four Organs* für 4 elektrische Org. und Maracas (1969); *Piano Store* für ein Lager voller Kl. (1969); *Phase Patterns* für 4 elektrische Org. (1970); *Drumming* für 4 Paar Bongotrommeln, 3 Marimbas, 3 Glockenspiele sowie männliche und weibliche Stimmen (1971); *Clapping Music* (1972); *Music for Pieces of Wood* (1973); *Six Pianos* (1973); *Music for Mallet Instruments, Voices and Organs* (1973). – Veröffentlichungen: *Music as a Gradual Process* (in: Anti-Illusion. Procedures/Materials, Ausstellungskat. Whitney Museum of American Art, NY 1969, darin auch Abdruck von *Piano Phase* und *Pendulum Music*; auch in: Source 1971, Nr 10, darin auch Abdruck von *Pendulum Music, Pulse Music, Four Log Drums* und *Four Organs*; auch in: interfunktionen, [Köln 1973], Nr 9, darin u. a. auch Abdruck von *Pendulum Music*; frz. in: Musique contemporaine, = VH 101, 1970/71, Nr 4, S. 96f.); *Postscript to an Analysis of a Piece of African Music* (in: arTitudes international 1973, Nr 5, engl. und frz., darin auch Abdruck von *Clapping Music*); *Slow Motion Sound* (in: Soundings 1973, Nr 7/8).
Lit.: FR. ESSELIER in: Musique contemporaine, = VH 101, 1970/71, Nr 4, S. 84ff., M. NYMAN in: MT CXII, 1971, S. 229ff., u. E. WASSERMAN in: Artforum X, 1971/72, H. 9, S. 44ff. (Interviews).

+Reich, W i l l i (Wilhelm), * 27. 5. 1898 zu Wien. R., seit 1961 Schweizer Bürger, wurde 1959 Lehrbeauftragter für Musikgeschichte und Musiktheorie an der Eidgenössischen Technischen Hochschule in Zürich (1967 Professor; im gleichen Jahr auch österreichischer Professor h. c.). Aus seinem Wiener Wirken ist die Herausgabe 1932–37 der für die Neue Musik bedeutsamen Zeitschrift *23* besonders zu erwähnen (Nachdr. Wien 1971, 33 Nrn in 20 H. nebst 1 H. Vorw. und Register). – Neuere Bücher und Aufsätze: *A. Tscherepnin* (Bonn 1961, 2. erweiterte Aufl. 1970, frz. = RM 1962, Nr 252); *A. Berg, Leben und Werk* (Zürich 1963, engl. London und NY 1965; als Anh. 3 Aufsätze Bergs); *A. Schönberg oder der konservative Revolutionär* (Wien 1968, engl. als *Schoenberg. A Critical Biography*, NY 1971); *Zur Geschichte der Zwölftonmusik* (Fs. A. Orel, Wien 1960); *P. Hindemith und sein Werk für die moderne Musik* (mit K. H. Ruppel, in: Universitas XIX, 1964); *On Swiss Musical Composition of the Present* (MQ LI, 1965); *Der Komponist* (Fs. R. Liebermann, Hbg 1970); *Musik und Gesellschaft heute* (in: Melos XXXVIII, 1971); *Von Büchner und Wedekind zu A. Berg* (in: Beitr. 1970/71, Kassel 1971); zahlreiche kleinere Beiträge zum zeitgenössischen Musikleben vor allem in SMZ und ÖMZ. – In der Reihe seiner Dokumentardarstellungen gab er weiter heraus: A. Honegger (*Nachklang*, = Slg Horizont o. Nr, Zürich 1957); B. Bartók (*Eigene Schriften und Erinnerungen der Freunde*, = Slg Klosterberg, N. F. o. Nr, Basel 1958); G. Mahler (*Im eigenen Wort, im Wort der Freunde*, = Slg Horizont o. Nr, Zürich 1958); A. Berg (*Bildnis im Wort*, = ebd. 1959); Fr. Chopin (*Briefe und Dokumente*, = Manesse Bibl. der Weltliteratur o. Nr, ebd. 1959); A. Webern (*Weg und Gestalt*, = Slg Horizont o. Nr, ebd. 1961); J. Haydn (*Chronik seines Lebens in Selbstzeugnissen*, = Manesse Bibl. der Weltliteratur o. Nr, ebd. 1962); L. van Beethoven (*Seine geistige Persönlichkeit im eigenen Wort*, = ebd. 1963); S. Prokofjew (*Aus meinem Leben*, = Slg Horizont o. Nr, ebd.); A. Schönberg (*Schöpferische Konfessionen*, = ebd. 1964); *Gespräche mit Komponisten* (= Manesse Bibl. der Weltliteratur o. Nr, ebd. 1965); R. Schumann (*Im eigenen Wort*, = ebd. 1967); F. Mendelssohn Bartholdy (*Im Spiegel eigener Aussagen und zeitgenössischer Dokumente*, = ebd. 1970); Fr. Schubert (*Im eigenen Wirken und in den Betrachtungen seiner Freunde*, = ebd. 1971). – +A. Weberns *Wege zur neuen Musik* (1960) erschien in Neuaufl. Wien 1963 (als *Der Weg . . .*) und wurde ins Englische übersetzt (*The Path to the New Music*, Bryn Mawr/Pa. 1963).
Lit.: W. SCHUH in: SMZ CVIII, 1968, S. 201; A. BRINER in: Musica XXVII, 1973, S. 291.

+Reicha, A n t o n [erg.:] Josef (Rejcha), 26. 2. [nicht: 6.] 1770 – 1836.
Sein Onkel [erg.: Matěj] Josef (Joseph) R., [erg.:] 13. 3. 1752 [nicht: 1746] zu Chudenice (bei Pilsen) [nicht: zu Klattau] – [erg.: 5. 3.] 1795. – A. R. ist 1790 in Bonn als Violinist der kurfürstlichen Kapelle und als Flötist des Nationaltheaters nachgewiesen [del. frühere Angaben hierzu]. In Paris ließ er sich 1808 [nicht: 1800] nieder. – Von seinen Kompositionen wurden gedruckt: 3 [nicht: 6] Streichquintette, 6 Klaviertrios [nicht: Streichtrios] (ein weiteres ist als Sonate C dur für Kl., V. und Vc. op. 47, 1804, bezeichnet) und 4 [nicht: 6] Violinduos; ferner erschienen: ein Flötenquintett A dur op. 105 (1829), 2 Klarinettenquintette sowie ein Hornquintett E dur op. 106 (mit Kb. ad libitum, 1829). Bisher nicht nachgewiesen sind das +Konzert für Va und Orch. und das +Dezett für 5 Streich- und 5 Blasinstr. Zahlreiche weitere Werke blieben Manuskript: Symphonien, Ouvertüren, Konzerte (darunter *Grand solo* für Glasharmonika und Orch., 1806), Kammermusik-, Klavier- und sämtliche Orgelwerke sowie die meisten Vokalwerke (darunter: ein Requiem für Soli, Chor und Orch.; ein Te Deum für Chor und Orch., 1825; die Kantate *Leonore*, G. A. Bürger, 1805; eine Fuge für 2 Chöre a cappella; das Melodram *Abschied der Johanna d'Arc*, nach Fr. Schiller, mit Glasharmonika und Orch., 1806).
Ausg.: +*Tre quintetti per stromenti da fiato* (op. 88 Nr 3 G dur, op. 91 Nr 9 D dur u. Nr 11 A dur), hrsg. v. J. RACEK, R. HERTL u. V. SMETÁČEK, = MAB XXXIII, Prag 1957, 2. Aufl. revidiert v. V. Straka, 1965 [del. bzw.

erg. früheren Titel]. – Rondo f. Kl., in: Čestí klasikové ..., hrsg. v. J. RACEK u. V. J. SÝKORA, = MAB XX, ebd. 1954; L'art de varier f. Kl. op. 57, hrsg. v. DEMS. u. D. ŠETKOVÁ, ebd. L, 1961; 3 Fl.-Quartette op. 98 Nr 1–3, hrsg. v. DEMS. u. K. JANETZKY, ebd. LXV, 1964; Bläserquintette op. 91 Nr 3 D dur, Nr 1 C dur, Nr 5 A dur u. Nr 2 A moll, hrsg. v. FR. KNEUSSLIN, = Für Kenner u. Liebhaber VIII, XX, XXIII u. XXXVIII, Basel 1956–71; Bläserquintett E moll op. 100 Nr 4, hrsg. v. DEMS., ebd. XV, 1958; Bläserquintett B dur op. 88 Nr 5, hrsg. v. H. J. SEYDEL, = Alte Musik, Leuckartiana CXII, München 1958; Klar.-Quintett B dur, hrsg. v. K. JANETZKY, London 1962; Oktett Es dur f. Bläser u. Streicher op. 96, hrsg. v. DEMS., ebd. 1969; 8 Trios f. 3 E-Hörner (aus op. 82), hrsg. v. E. LELOIR, Hbg 1964; Sonate D dur f. Fl. u. Kl. op. 103, hrsg. v. W. LEBERMANN, = Il fl. traverso Nr 64, Mainz 1968; Sonate B dur f. Fag. u. Kl. op. posthumum, hrsg. v. DEMS., = Fag.-Bibl. Nr 5, ebd.; Bläserquintett F moll op. 99 Nr 2, hrsg. v. FR. VESTER, London 1968; 2 Andante u. ein Adagio (»pour le cor anglais«) f. Fl., Engl. Horn, Klar., Horn u. Fag., hrsg. v. DEMS., ebd. 1971; Ob.-Quintett F dur, hrsg. v. J. DEGEN, ebd. 1969; 3 Romanzen f. 2 Fl. op. 21, hrsg. v. FR. F. POLNAUER, = Il fl. traverso Nr 63, Mainz 1969; Variationen f. 2 Fl. op. 20, hrsg. v. DEMS., Ffm. 1972; Klar.-Quintett F moll op. 107, hrsg. v. I. MERKA, Padua 1970; Sonate G dur f. Fl. u. Kl. op. 54, hrsg. v. B. PÄULER, = General Music Series XXV, Aldiswil-Zürich 1970; Hornquintett E dur op. 106, hrsg. v. D. LASOCKI u. W. BLACKWELL, London 1971; Ausgew. Klavierwerke, hrsg. v. D. ZAHN, München 1971. – zu Josef R.: Concerto concertant D dur f. 2 V. u. Orch. op. 3, hrsg. v. B. PÄULER, Aldiswil-Zürich 1970.

Lit.: Zápisky o A. Rejchovi / Notes sur A. R., hrsg. v. J. VYSLOUŽIL, Brünn 1970, tschechisch u. frz. (mit kritischer Ed. v. R.s Autobiogr. u. Werkverz.); KL. BLUM, Bemerkungen A. R.s zur Aufführungspraxis d. Oper, Mf VII, 1954; Č. GARDAVSKÝ, Liszt u. seine tschechischen Lehrer, StMl V, 1963; W. KIRKENDALE, Fuge u. Fugato in d. Kammermusik d. Rokoko u. d. Klassik, Tutzing 1966; V. J. SÝKORA in: Kgr.-Ber. Ljubljana 1967, S. 209ff.; DERS., K uměleckě ceně Rejchových fug pro kl. (»Über d. künstlerischen Wert v. R.s Fugen f. Kl.«), in: Hudební věda VII, 1970 (mit deutscher, engl. u. russ. Zusammenfassung); ST. KUNZE, A. R.s »Entwurf einer phrasirten Fuge«. Zum Kompositionsbegriff im frühen 19. Jh., AfMw XV, 1968; FR. RITZEL, Die Entwicklung d. »Sonatenform« im musiktheoretischen Schrifttum d. 18. u. 19. Jh., = Neue mu. Forschungen I, Wiesbaden 1968; U. SIRKER, Die Entwicklung d. Bläserquintetts in d. ersten Hälfte d. 19. Jh., = Kölner Beitr. zur Musikforschung L, Regensburg 1969; R. FRISIUS, Untersuchungen über d. Akkordbegriff, Diss. Göttingen 1970; J. KRATOCHVÍL, Několik poznámek k hist. dechového kvinteta (»Einige Bemerkungen zur Gesch. d. Bläserquintetts«), in: Hudební věda VII, 1970; J. PROCHÁZKA, Ohlas Rejchova díla v Polsku a otázka jeho vlivu na Fr. Chopina (»Der Nachhall v. R.s Werk in Polen u. d. Frage seines Einflusses auf Fr. Chopin«), ebd.; O. ŠOTOLOVÁ, A. R. pedagog a skladatel (»A. R. als Pädagoge u. Komponist«), ebd.; L. ZENKL, ebd. S. 467ff. (zu »L'art de varier« op. 57); J. VYSLOUŽIL, A. R. u. d. tschechische Musik, in: Sborník prací filosofické fakulty brněnské univ. XXI, H 7, 1972. – M. TARANTOVÁ, J. R. a W. A. Mozart, in: Zprávy Bertramky 1965, Nr 43; DIES., Pravda o J. a A. Rejchovi (»Die Wahrheit über J. u. A. R.«), in: Hudební věda VII, 1970.

+**Reichardt,** Johann Friedrich, 1752 – 27. [nicht: 17.] 6. 1814.

In Königsberg studierte R. vor allem Jurisprudenz, daneben auch Philosophie. 1776 [nicht: 1777] heiratete er in erster Ehe Juliane [erg.: Bernhardine] (geborene Benda, [erg.: 14. 5.] 1752 zu Potsdam [nicht: Berlin] – 11. [nicht: 9.] 5. 1783). Eine weitere Kunstreise führte R. auch nach Rom und Neapel (1790). 1806 floh er nach Danzig und lebte in seine Vaterstadt Königsberg. – Kantate +*Ariadne auf Naxos* (1780 [nicht: 1789]); Liederspiel +*Lieb und Treue* (1800 [nicht: 1808]); +*Lieder von Gleim und Jacobi* (1782 [nicht: 1784]); +*Goethes Lie-*

der ... (1809[erg.:]–11, 114 [nicht: 116] Dichtungen von Goethe). – +*Musikalisches Kunstmagazin* ([erg.: 1782]–91). – Weitere Schriften: *Über die deutsche comische Oper nebst einem Anhange eines freundschaftlichen Briefes über die musikalische Poesie* (Hbg 1774); *Leben des berühmten Tonkünstlers Heinrich Wilhelm Gulden nachher genannt Guglielmo Enrico fiorino* (Bln 1779); *G. Fr. Händel's Jugend* (Bln 1785).

Ausg.: Goethes Lieder, Oden, Balladen u. Romanzen mit Musik, hrsg. v. W. SALMEN, 2 Bde, = EDM LVIII–LIX, Abt. Frühromantik I–II, München 1964–70; dass., 3. Abt.: Balladen u. Romanzen, Faks. d. Ausg. v. 1809 hrsg. v. FR. ZSCHOCH, Lpz. 1969; Ballade »Leonora«, in: Balladen v. G. A. Bürger in Musik gesetzt ..., hrsg. v. D. MANICKE, = EDM XLV, Abt. Oper u. Sologesang VI, Mainz 1970. – Rondo nach einem Gedicht d. Petrarca, in: W. KAHL, Das Charakterstück, = Das Musikwerk VIII, Köln 1955, engl. 1961; Fl.-Sonate C dur, hrsg. v. H. WILTBERGER, = Coll. mus. CVIII, Wiesbaden 1957; Sinfonia G dur, hrsg. v. P. ANGERER, = Diletto mus. XCVII, Wien 1964; Konzert G dur f. V., Cemb. (Kl.), Streichorch. u. Gb., hrsg. v. A. HOFFMANN, = Corona LXXXVIII, Wolfenbüttel 1966. – Über d. deutsche comische Oper ..., Faks. d. Ausg. Hbg 1774, hrsg. v. W. SALMEN, = Schriften zur Musik, Facsimilia II, München 1973; Mus. Kunstmagazin (1782–91), Nachdr. Hildesheim 1969 (2 Bde in 1); Berlinische mus. Zeitung (1805–06), Nachdr. ebd. (2 Bde in 1). – G. Fr. Händel's Jugend, hrsg. v. W. SIEGMUND-SCHULTZE, Händel-Jb. V, 1959; Über Händels »Judas Makkabäus«, hrsg. v. DEMS., Fs. zur Händel-Ehrung, Lpz. 1959; »Ungeschriebene Gesänge«. Chr. W. Gluck, in: Gespräche mit Komponisten, hrsg. v. W. REICH, = Manesse Bibl. d. Weltlit. o. Nr, Zürich 1965 (aus AmZ XV, 1813); Leben d. berühmten Tonkünstlers H. W. Gulden, hrsg. v. G. HARTUNG, = Insel-Bücherei Nr 863, Lpz. 1967.

Lit.: J. Fr. R.-Fs., Halle 1952. – +H. M. SCHLETTERER, J. Fr. R. (1865), Nachdr. Niederwalluf bei Wiesbaden 1972; +P. SIEBER, J. Fr. R. als Musikästhetiker (= Slg mw. Abh. II, 1930), Nachdr. Baden-Baden 1971; +E. NEUSS, Das Giebichensteiner Dichterparadies. J. Fr. R. u. d. Herberge d. Romantik (1932), Halle ²1949; +W. SERAUKY, Mg. d. Stadt Halle (II, 2, 1942), Nachdr. Hildesheim 1971. – W. WESTPHAL, Der Kantische Einschlag in d. philosophischen Bildung d. Musikers J. Fr. R., Diss. Königsberg 1941; G. BIANQUIS, En marge de la querelle des Xénies: Schiller et R., in: Etudes germaniques XIV, 1959; W. RACKWITZ, J. Fr. R. u. d. Händelfest 1785 in London, Wiss. Zs. d. M.-Luther-Univ. Halle-Wittenberg, Ges.- u. sprachwiss. Reihe IX, 1959/60; G. HARTUNG, R.s Entlassung, ebd. X, 1960/61; DERS., J. Fr. R. (1752–1814) als Schriftsteller u. Publizist, 2 Bde, Diss. Halle 1964; DERS., Händel u. sein Werk im mus. Denken J. F. R.s, Händel Jb. X/XI, 1964/65; W. SALMEN, J. Fr. R., Komponist, Schriftsteller, Kapellmeister u. Verwaltungsbeamter d. Goethezeit, Freiburg i. Br. 1963; DERS., Drei Körner-Lieder v. J. Fr. R., Mf XVII, 1964; DERS., Einer d. »besten Freunde« Goethes, NZfM CXXV, 1964; R. G. RUETZ, A Comparative Analysis of Goethe's »Der Erlkönig, Der Fischer, Nachtgesang«, and »Trost in Tränen« in the Mus. Settings by R., Zelter, Schubert, and Loewe, Diss. Indiana Univ. 1964; R. PRÖPPER, Die Bühnenwerke J. Fr. R.s Ein Beitr. zur Gesch. d. Oper in d. Zeit d. Stilwandels zwischen Klassik u. Romantik, 2 Bde (I Text, II Werkverz.), = Abh. zur Kunst-, Musik- u. Literaturwiss. XXV, Bonn 1965; H. W. SCHWAB, Sangbarkeit, Popularität u. Kunstlied. Studien zu Lied u. Liedästhetik d. mittleren Goethezeit, = Studien zur Mg. d. 19. Jh. III, Regensburg 1965; THR. G. GEORGIADES, Schubert. Musik u. Lyrik, Göttingen 1967; FR. LORENZ, Die Musikerfamilie Benda = Staatl. Inst. f. Musikforschung ... o. Nr, Bln 1967; A. LIEBE, Zur Rhapsodie aus Goethes Harzreise im Winter, in: Musa – Mens – Musici, Gedenkschrift W. Vetter, Lpz. 1970; N. B. REICH, A Commentary on and a Translation of Selected Portions of »Vertraute Briefe, geschrieben auf einer Reise nach Wien ...« by J. Fr. R., 2 Bde, Diss. NY Univ. 1972.

+**Reiche,** Johann Gottfried, 1667–1734.

Ausg.: +Vierundzwanzig neue Quatricinien (G. [nicht: A.] MÜLLER, 1927), Bln ³1958, ⁴1966.

Lit.: M. RASMUSSEN, G. R. and His »Vier u. zwantzig Neue Quatricinia« (Lpz. 1696), Brass Quarterly IV, 1960/61; W. EHMANN, Der Bachtrompeter G. R., seine Quatricinien u. seine Trp., in: Der Kirchenmusiker XII, 1961; G. KARSTÄDT, Das Instr. G. R.s, Horn oder Trp.?, Kgr.-Ber. Kassel 1962.

Reichel (rɛʃˈɛl), Bernard, * 3. 8. 1901 zu Neuchâtel; Schweizer Komponist, studierte 1919–20 in Basel Komposition bei H. Suter und Orgel bei A. Hamm sowie nach einem Aufenthalt bei Jaques-Dalcroze in Genf (1919–20) in Paris Komposition bei E. Levy. 1925 wurde er Organist in Genf (1944 am Temple des Eaux-Vives) und übernahm 1953 einen Lehrauftrag am Genfer Conservatoire de Musique. Er schrieb u. a. *Le mystère de Jeanne d'Arc*, Evocation mimée für Sprecher, Streichquartett, Kl. und Frauenchor (1938), Orchesterwerke (*Pièce symphonique*, 1947; *Suite symphonique*, 1954; Klavierkonzert, 1949; Bratschenkonzert, 1956; *Pièce concertante* für Fl. und kleines Orch., 1955; Konzert für Cemb. und kleines Orch., 1961; Konzert für Org. und Streicher, 1946), Kammermusik (Oktett für Kl., 2 V., Va, Tenorsax., Trp., Pos. und Kb.; Suite für 4 Hörner), Klavier- und Orgelwerke, Vokalwerke (Oratorien *Une terre nouvelle* für S., Kinderchor, Streicher, Blechbläser und Org., *Emmaüs* für S., T., Kinderchor und kleines Orch. und *Cantate psalmique* für S. und Org., 1954; Kantaten, Chöre und Lieder) sowie Bühnenmusik.
Lit.: 40 Schweizer Komponisten d. Gegenwart, hrsg. v. F. LARESE, Amriswil 1956; E. MÜLLER-MOOR u. P. DECSEY in: SMZ CXI, 1971, S. 222f.

Reichel, Karl-Heinz (Pseudonym Karl Martin), * 21. 8. 1917 zu Hamburg; deutscher Schlagerkomponist und Textdichter, lebt in Arenal (Mallorca), war ab 1937 als Schauspieler und Sänger, dann auch als Buffo und Regisseur an Theatern in Hamburg, Greifswald, Potsdam und Berlin sowie 1943–48 als Autor, Regisseur und Komponist (Chefproduzent der Unterhaltung) bei Radio Hamburg (später NWDR) tätig. 1951–65 war er Leiter des Ressorts Film/Funk/Fernsehen im Springerhaus und Produzent (auch Komponist und Texter) der Sendungen für Funkwerbung und Werbefernsehen. Seit 1966 ist er freischaffend tätig. 1952–64 komponierte und textete er für die Zeichentrickfilme *Mecki's Melodie*. Von seinen weiteren Schlagern (Musik und Text) seien *Ob Sie's glauben oder nicht* (1952), *Komm' mit mir nach Spanien* (1971) und *Am Strand von Cala d'Or / Auf Mallorca* (1971) genannt. Er war auch 1966–69 Textdichter von B. Kaempfert-Titeln, darunter *Die Welt war schön* (Goldene Schallplatte; auf der Platte »Die goldene Stimme aus Prag« von K. Gott).

Reichelt, Margarete Elisabeth, * 7. 2. 1910 zu Coswig (Dresden); deutsche Sängerin (Koloratursopran), studierte in Dresden ab 1929 bei W. Reichelt und 1933–36 an der Opernabteilung der Orchesterschule der Sächsischen Staatskapelle. Nach einem Engagement in Düsseldorf (1936–39) wurde sie 1939 Mitglied der Dresdner Staatsoper. Zu ihren wichtigsten Partien zählten Zerlina, Rosina, Violetta, Gilda und Mimi. E. R. ist auch als Lied- und Oratoriensängerin hervorgetreten.

Reichelt, Ingeborg, * 11. 5. 1928 zu Frankfurt (Oder); deutsche Sängerin (Sopran), studierte an der Hamburger Musikhochschule bei Henny Wolff. 1954 trat sie zum ersten Male solistisch in den *Jahreszeiten* von J. Haydn hervor. I. R. machte sich vorwiegend als Oratoriensängerin sowie als Interpretin romantischer und zeitgenössischer Lieder einen Namen. Seit 1966

wirkt sie als Dozentin und Leiterin einer Meisterklasse am R. Schumann-Konservatorium in Düsseldorf.

+Reichenberger, Hugo, 1873–1938.
Lit.: (R. KLEIN), R. Strauss an H. R., Ein unbekannter Brief d. Meisters, ÖMZ XXIV, 1969.

Reichert, Ernst, * 13. 7. 1901 zu Mährisch-Trübau, † 24. 9. 1958 zu Rimini; österreichischer Musikpädagoge und Komponist, besuchte in Wien 1917–24 die Musikakademie (Stöhr, Mandyczewsky, Schreker, Fr. Schmidt, D. Fock), war Privatschüler von Schenker und Hans Weiße, studierte Musikwissenschaft an der Universität (G. Adler, W. Fischer, Lach) und promovierte 1926 mit der Dissertation *Die Variationsarbeit bei J. Haydn*. 1930–44 leitete er in Essen die von ihm begründete Städtische Musikbücherei und 1939–44 die Musikalische Gesamtbücherei. Ab 1945 unterrichtete er am Mozarteum in Salzburg Liedstudien, Cembalo und Instrumentenkunde, ab 1949 zugleich an der Musikakademie in Wien. 1945–49 war er ständiger Klavierbegleiter von Maria Cebotari. Seine Kompositionen umfassen Lieder, ein Praeludium für V. und Org. sowie Werke für Violoncello und Klavier. Er gab von W. A. Mozart *Lieder und Gesänge für eine Singst. und Kl.* (2 Bde, Wien 1955) sowie von J. Chr. Bach *Sechs italienische Duettinen für 2 S. und Kl.* (Wiesbaden 1958) heraus.

+Reichert, Georg [erg.:] Nikolaus, * 1. 12. 1910 zu Stefansfeld (heute Krajišnik, jugoslawisches Banat), [erg.:] † 15. 3. 1966 zu Würzburg.
Als Ordinarius für Musikwissenschaft wirkte R. an der Universität Würzburg bis zu seinem Tode. Ab 1962 war er Mitherausgeber der Zeitschrift *Die Musikforschung*. Weitere Schriften: *Der nordostschwäbische Raum in der Musikgeschichte* (Ellwanger Jb. 1958/59); *Vom Anteil der Geschichte am Wesen der Musik* (DVjs. XXXV, 1961); *G. Gorzanis' »Intabolatura di liuto« (1567) als Dur- und Molltonarten-Zyklus* (Fs. K. G. Fellerer, Regensburg 1962); *Tonart und Tonalität in der älteren Musik* (in: Die Natur der Musik als Problem der Wissenschaft, = Musikalische Zeitfragen X, Kassel 1962); *Wechselbeziehungen zwischen musikalischer und textlicher Struktur in der Motette des 13. Jh.* (in: In memoriam J. Handschin, Straßburg 1962); *Harmoniemodelle in J. S. Bachs Musik* (Fs. Fr. Blume, Kassel 1963); *Der Tanz* (= Das Musikwerk XXVII, Köln 1965, auch engl.); *Literatur und Musik* (in: Reallexikon der deutschen Literaturgeschichte, hrsg. von P. Merker und W. Stammler, neubearb. 2. Aufl. von W. Kohlschmidt und W. Mohr, Bd II, Bln 1965). Von E. Widmann gab er *Ausgewählte Werke* heraus (= EDM, Sonderreihe III, Mainz 1959), ferner den Kgr.-Ber. Kassel 1962 (mit M. Just, Kassel 1963).
Lit.: H. BECK in: Mf XIX, 1966, S. 243ff.

Reichert, Heinz, * 27. 12. 1877 zu Wien, † 16. 11. 1940 zu Hollywood (Calif.); österreichischer Operettenlibrettist (später amerikanischer Staatsbürger), war zuerst Schauspieler, dann Journalist in Berlin, ging 1906 nach Wien zurück. Von seinen Libretti (Mitautoren und Komponisten in Klammern) seien genannt: *Das Dreimäderlhaus* (1916, mit A. M. Willner, Berté); *Wo die Lerche singt* (1918, mit Willner, Lehár); *Frasquita* (1922, mit dens.); *Der Zarewitsch* (1927, mit Jenbach, Lehár); ferner *Die Schwalbe* (mit Willner, bearb. von Adami als *La rondine*, 1917, Puccini).

+Reid, John, 1721 zu Inverchrosky (heute Balvarran, Perthshire) [nicht: Straloch] – 1807.
Ausg.: Sonate f. Alt-Block-Fl. (oder Fl.) u. Gb., hrsg. v. A. SILBIGER, NY 1968.

Lit.: The Univ. Portraits, hrsg. v. D. T. Rice, Edinburgh 1957, S. 181ff.

+Reidarson, Per, 1879 zu Grimstad – 21. 1. 1954 zu Oslo [erg. frühere Angabe].

Reidinger, Friedrich, * 17. 7. 1890 und † 20. 4. 1972 zu Wien; österreichischer Komponist und Musikpädagoge, war 1909–13 Privatschüler von Schreker, studierte Rechtswissenschaft an der Wiener Universität (Dr. jur. 1919) und absolvierte 1922 die Akademie für Musik und darstellende Kunst in Wien (Komposition bei Schreker und Fr. Schmidt, Dirigieren bei F. Loewe). Er war dann freischaffend tätig, kam 1938 als Nachfolger von Schmidt als Theorie- und Kompositionslehrer an die Wiener Musikakademie, wirkte 1950–52 als Musikdirektor der Stadt Linz und anschließend (bis 1955) wieder als Professor für Komposition an der Wiener Musikakademie. 1940–45 war er Generalsekretär der Wiener Konzerthausgesellschaft. Seine Kompositionen umfassen Orchesterwerke (2 Symphonien, op. 17, 1936, und op. 25, 1963; *Alte Tänze* für kleines Orch. op. 22, 1938; Klavierkonzert op. 26, 1955), Kammermusik (Klaviertrio op. 1, 1930; Klavierquartett op. 8, 1926; 3 Streichquartette, op. 10, 1928, op. 12, 1929, und op. 33; Klarinettenquintett op. 19, 1936; Divertimento für Bläsersextett op. 23, 1943; Klaviervariationen op. 7, 1925), Oratorien (*13. Psalm* op. 14, 1937; *Der siebenfache Strom* op. 28, 1954), Kirchenmusik (*Gotische Messe* op. 15, 1934; *Paulus-Messe* op. 32, 1964), Chöre, Lieder und die Oper *Römerzug*.

Reif, Paul, * 23. 3. 1910 zu Prag; amerikanischer Komponist tschechischer Herkunft, studierte 1928–32 an der Wiener Musikakademie Komposition bei Stöhr und Fr. Schmidt und Dirigieren bei Fr. Schalk und Br. Walter, außerdem privat Komposition bei R. Strauss. 1933–37 vervollkommnete er seine Studien an der Sorbonne in Paris. Er trat als Operetten- und Revuekomponist hervor; eines seiner Lieder aus der Revue *Straßenmusik* (Wien 1934) wurde unter dem Titel *Isle of Capri* populär. 1941 emigrierte er über Norwegen und Haiti in die USA, ließ sich in New York nieder und arbeitete nach dem Krieg als Arrangeur und Filmkomponist in Hollywood. Er komponierte u. a. die Opern *Mad Hamlet* (1965) und *Portrait in Brownstone* (NY 1966), Orchesterwerke (*Valley of Dreams*, 1947; *Loves in My Life*; *Dream Concerto* für Kl. und Orch., 1950; *Philidor's Defense* für Kammerorch., 1965), Kammermusik (Streichquintett *Wind Spectrum*; *Reference for Life* und *Monsieur le Pélican* für Albert Schweitzer), Klavierstücke (*Pentagram*, 1969) und Vokalmusik (Kantaten *Triple City* für Chor und Blechbläser, 1963, *Requiem to War* für gem. Chor und Schlagzeug, 1963, und *Letter from a Birmingham Jail* nach Martin Luther King für gem. Chor und Kl., 1965; Spirituals für 6 Männer-St.; Liederzyklen *Puppentragödie* für S. und *5 Finger Exercises* nach T. S. Eliot).

Reifner, Vinzenz, * 25. 10. 1878 zu Theresienstadt, † 26. 11. 1922 zu Dresden; deutscher Komponist, studierte in den 90er Jahren Jura in Prag und ab 1897 Komposition bei Kistler in Bad Kissingen. Nach seiner Promotion zum Dr. jur. war er als k. k. Staatsbeamter in Gablonz, Teplitz und Prag tätig. Nach dem Zusammenbruch der Monarchie leitete er das deutschböhmische Hilfsbüro in Dresden. R. komponierte u. a. die Oper *Maria*, die Symphonischen Dichtungen *Frühling* op. 12, *Dornröschen* op. 17, *Die Bremer Stadtmusikanten* op. 20 und *Vom Schreckenstein*, die Humoreske *Grünewald-Idyll*, Klaviermusik und Lieder.
Lit.: R. Quoika, Die Musik d. Deutschen in Böhmen u. Mähren, Bln 1956.

Reimann, Aribert, * 4. 3. 1936 zu Berlin; deutscher Komponist und Pianist, Sohn von Wolfgang R., studierte 1955–59 an der Hochschule für Musik in Berlin Komposition (Blacher), Kontrapunkt (Pepping) und Klavier (Otto Rausch) sowie um 1958 in Wien Musikwissenschaft. Ab 1957 trat er als Pianist auf, u. a. als Begleiter von Fischer-Dieskau, Elisabeth Grümmer, Ernst Haefliger und Joan Carroll. R.s stilistische Entwicklung ging von der Musik des späten Webern aus, von der er weniger die Verpflichtung zur Konstruktion als die Komprimierung des Ausdrucks übernahm. Lyrische Verhaltenheit bestimmt das frühe Œuvre R.s, dessen Schwerpunkt auf der Komposition von Vokal- und Kammermusik liegt. In den 60er Jahren wandte er sich auch dramatischen Sujets zu (um 1967 gab er die serielle Technik auf). – R. komponierte die Opern *Ein Traumspiel* (nach Strindberg von Peter Weiß, Kiel 1965) und *Melusine* (nach Yvan Goll von Claus H. Henneberg, Schwetzingen 1971), die Ballette *Stoffreste* (Libretto Günter Grass, Essen 1959) und *Die Vogelscheuchen* (Grass, Bln 1970), Orchesterwerke (*Elegie*, 1957; Konzert für Vc. und Orch., 1959; Konzert für Kl. und Orch., 1961; *Rondes* für Streichorch., 1967; *Loqui*, 1969; Konzert für Kl. und 19 Spieler, 1972), Kammermusik (*Reflexionen* für 7 Instr., 1966; *Canzoni e ricercari* für Fl., Va und Vc., 1961; Sonate für V. und Kl., 1957; Sonate für Vc. und Kl., 1963; *Nocturnos* für Vc. und Hf., 1965), Klavierwerke (Sonate, 1958; *Spektren*, 1967) und Orgelwerke (*Dialog I*, 1963), Vokalwerke (*Lieder auf der Flucht* für A., T., gem. Chor und Orch., Text Ingeborg Bachmann, 1957; *Anabasis VII* für T. und Orch., 1959; *Ein Totentanz*, Suite für Bar. und Kammerorch., 1960; *Hölderlin-Fragmente* für S. und Orch., 1963; *Verrà la morte*, Kantate für S., T., Bar., 2 gem. Chöre und Orch., Cesare Pavese, 1966; *Inane*, Monolog für S. und Orch., Manuel Thomas, 1968; *Nenia* für Sprech-St. und Orch., Roman Alexander, 1968; *Zyklus* für Bar. und Orch., Paul Celan, 1971; *Lines* für S. und Streicher, Percy Bysshe Shelley, 1973; *Wolkenloses Christfest*, Requiem für Bar., Vc. und Orch., Otfried Büthe, 1974; *Epitaph* für T. und 7 Instr., Shelley, 1965, engl.; *Trovers* für Sprecher und Instrumente, nach altfranzösischen Trobador-Texten, 1967; 3 spanische Lieder für hohe St., Fl., Hf. und Vc., Octavio Paz, 1958; 3 Lieder für eine Singst. und Kl., Gabriela Mistral, 1959; *Si china il giorno*, Kantate für S. und Instrumentalisten, Salvatore Quasimodo, 1960; *Fünf Gedichte von Paul Celan* für Bar. und Kl., 1960; *Drei Sonette von W. Shakespeare* für Bar. und Kl., 1964, engl.; *Nachtstück* für Bar. und Kl., Eichendorff, 1966; *Engführung* für T. und Kl., Celan, 1967).
Lit.: W.-E. v. Lewinski, A. R., Ein Weg in d. Freiheit, in: Melos XXXVIII, 1971 (zu »Melusine«).

+Reimann [–1) Ignaz], –2) Heinrich, 1850 [nicht: 1859] – 1906.
Lit.: W. M. Freitag, An Annotated Biogr. of H. v. Bülow in the Harvard College Library, Harvard Library Bull. XV, 1967.

+Reimann, Margarete, * 17. 10. 1907 zu Schiltigheim (bei Straßburg).
M. R. wurde 1973 an der Berliner Musikhochschule emeritiert. – +*Untersuchungen zur Formgeschichte der französischen Klavier-Suite* (1940), Nachdr. Regensburg 1968. – Neuere Aufsätze: *W. Karges in der Tabulatur des Grafen Lynar*, Lübbenau (Mf XI, 1958); *Das Problem der Gesamtausgaben von Klavier- und Orgelmeistern des 17. und 18. Jh.* (Mf XV, 1962); *Zur Editionstechnik von Musik des 17. Jh.* (in: Norddeutsche und nordeuropäische Musik, hrsg. von C. Dahlhaus und W. Wiora, = Kieler Schriften zur Musikwissenschaft XVI, Kassel

1965); *Die Überlieferung von A. de Cabezóns Klavierwerken und ihre Spiegelung in seinen Diferencias* (AM XXI, 1966); *Ein italienisches Pasticcio von 1609* (Mf XIX, 1966); *Musik und Spiel* (AfMw XXIV, 1967); Beiträge für MGG. Die Ausgabe der +*Lüneburger Orgeltabulatur KN 208¹* setzte sie mit *KN 208²* fort (= EDM XXXVI und XL, Abt. Orgel, Klavier, Laute III–IV, Ffm. 1957–68).

+**Reimann** (Reymann), Matthieu (Matthäus), um 1565(?) zu Thorn (Weichsel) – nach 1625 [del. frühere Lebensdaten].
R., nicht zu verwechseln mit dem Juristen und Kaiserlichen Rat Rudolfs II. Matthäus Reimann von Reimannswaldau (1544–97), studierte 1582 an der Universität in Leipzig und ist 1623 als Lautenist und 1625 als Notar nachgewiesen. Seine +*Noctes musicae* erschienen 1598 in Leipzig [nicht: Heidelberg].
Lit.: K. Dorfmüller in: MGG XI, 1963, Sp. 353f.; H. Br. Lobaugh, Three German Lute Books, 2 Bde (I Text, II Übertragung), Diss. Univ. of Rochester (N. Y.) 1968 (zu »Noctes musicae«).

+**Reimann**, Wolfgang [erg.:] Dietrich Ferdinand, * 3. 9. 1887 zu Neusalz (Oder), [erg.:] † 16. 11. 1971 zu Tegernsee (Oberbayern).
R., 1955 als Professor an der Berliner Hochschule für Musik emeritiert, lebte ab 1960 in Rottach-Egern (am Tegernsee). 1969 wurde er zum Ehrenmitglied der Neuen Bach-Gesellschaft gewählt. Er veröffentlichte *Aus meinem Leben* (in: Der Kirchenmusiker XVIII, 1967). Er ist der Vater von Aribert R.
Lit.: J. E. Köhler in: Der Kirchenmusiker VIII, 1957, S. 145ff.; O. Söhngen in: MuK XXVII, 1957, S. 209f.; ders. in: MuK XLII, 1972, S. 1f.; E. Simmich in: MuK XXXVII, 1967, S. 195f.; Fr. Högner in: Gottesdienst u. Kirchenmusik 1972, S. 21f.

Rein, Conrad (Rain), * wahrscheinlich zwischen 1470 und 1475 zu Arnstadt (Thüringen), † vermutlich nach 1522 zu Erfurt; deutscher Komponist, wirkte 1502–15 als Rektor der Lateinschule bei Hl. Geist in Nürnberg, wo H. Sachs sein Schüler war, und wurde 1507 Priester, scheint sich aber später der Reformation angeschlossen zu haben. Ornitoparchus erwähnt ihn bereits 1517 (*Musice actiue Micrologus*, Lib. II), doch setzt die Überlieferung seines Schaffens (in Sammeldrucken und Handschriften ausschließlich frühevangelischer Herkunft) erst 1538 ein. Man kennt von ihm eine 4–5st. *Missa super »Accessit«,* 4 4st. und 2 2st. Messenteile, 2 4st. Magnificat und 10 4st. lateinische Motetten.
Ausg.: ein 2st. Crucifixus in: E. Rotenbucher, Schöne u. liebliche Zwiegesänge, hrsg. v. D. Degen, = HM LXXIV, Kassel 1951.
Lit.: W. Schulze, Die mehrst. Messe im frühprotestantischen Gottesdienst, = Kieler Beitr. zur Mw. VIII, Wolfenbüttel 1940; R. Wagner, W. Breitengraser u. d. Nürnberger Kirchen- u. Schulmusik seiner Zeit, Mf II, 1949; Fr. Krautwurst, Die Heilsbronner Chorbücher d. Universitätsbibl. Erlangen, Jb. f. fränkische Landesforschung XXV, 1965 u. XXVII, 1967.

+**Rein,** Walter, 1893–1955.
Lit.: E. Stilz in: Musica VI, 1952, S. 44ff. (mit Werkverz.); Fr. Jöde in: Junge Musik III, 1955, S. 158ff.; G. Kraft in: Musik in d. Schule VI, 1955, S. 209f.; H. Gappenbach, Die Kl.-Sonatinen v. W. R., in: Musik im Unterricht (Allgemeine Ausg.) LI, 1960; ders., R.–Jöde-Lendvai, in: Kontakte 1960.

+**Reinach,** Théodore, 3. 7. [nicht: 6.] 1860 – 1928.

+**Reinartz,** Hanns, * 7. 6. 1911 zu Düsseldorf.
R. erhielt 1963 eine Professur für Dirigieren an der Münchener Musikhochschule und ist seit 1973 ordent-

licher Professor und Präsident der Musikhochschule in Würzburg.

Reinberger, Jiří, * 14. 4. 1914 zu Brünn; tschechischer Organist und Komponist, absolvierte die Konservatorien in Brünn und Prag (Orgel bei B. Wiedermann, Komposition bei V. Novák) und studierte später bei Straube und Ramin in Leipzig. Daneben studierte er Rechtswissenschaften (Dr. jur. 1945). Seit 1932 gibt er Konzerte in vielen Ländern. R. wirkt seit 1951 auch als Lehrer an der Prager Musikakademie sowie international als Experte für den Bau neuer Orgeln. Er schrieb u. a. 2 Symphonien (1938 und 1958), 3 Orgelkonzerte (1940, 1956 und 1960) und ein Konzert für Vc. und Orch. (1962). Ferner gab er u. a. die Anthologie *Česká varhanní tvorba* (»Tschechisches Orgelschaffen«, 3 Bde, Prag 1954–57) und ein Orgelkonzert F dur von Brixi (= MAB XXVI, ebd. 1956) heraus.

Reindl, Constantin, SJ, * 29. 6. 1738 zu Jettenhofen (Oberpfalz), † 25. 3. 1799 zu Luzern(?); Schweizer Komponist, studierte Philosophie und Theologie an den Universitäten in Ingolstadt und Freiburg i. Br. und wurde 1769 zum Priester geweiht. Er war Professor im Freiburger Kolleg (1770) sowie Professor und Musikpräfekt am Luzerner Gymnasium (ab 1771). Als Musikdirektor sorgte er, nicht zuletzt mit seinen Opern und Singspielen, für ein reges Musikleben in Luzern. Er komponierte u. a. die (in Luzern uraufgeführten) Opern *Die Sempacherschlacht* (1779), *Der Dorfschulmeister* (1784), *Das Donnerwetter oder der Bettelstudent* (1787), *Der Dorfhirt* (1789), *Arlequino in verschiedenen Ständen* (1790), *Der betrogene Dieb* (1791), *Der eingebildete Kranke* (1792), *Lebet wohl* (1795) und *Das neugierige Frauenzimmer* (1796), Orchesterwerke (Symphonie; Symphonie concertante, 1794; Divertimento) und Kirchenmusik (*Missa solemnis* für Chor, Streicher, Bläser und Org., um 1785; *Missa S. Antonio; Deum de Deo* für Chor und Orch.; 6 Arien für T. und Instrumente). Eine Reihe von Opern und Instrumentalwerken ist verschollen.
Lit.: W. Jerger, C. R., ein unbekannter Zeitgenosse W. A. Mozarts, Mozart-Jb. 1954; ders., C. R. ..., Ein Beitr. zur Schweizer Mg. im 18. Jh. u. zur Gesch. d. deutschen Singspiels, = Veröff. d. mw. Inst. d. Univ. Freiburg (Schweiz) II, 6, Freiburg 1955; ders., Zur Mg. d. deutschsprachigen Schweiz im 18. Jh., Mf XIV, 1961.

Reindl, Max (Pseudonym Hannes Gaston), * 20. 6. 1922 zu München; deutscher Schlagertextdichter und Komponist, schrieb u. a. die Texte zu *Weißt du noch* (1957) und *Was fang ich mit der Liebe an* (1962) und komponierte und textete den Schlager *Der stille Waldweg* (1957).

+**Reinecke,** Carl Heinrich Carsten, 1824–1910.
Sein Vater Johann Peter Rudolf R., 1795 – 1885 [nicht: 1883]. – R., zu dessen Schülern u. a. Grieg, Klauwell, Kretzschmar, Muck, Riemann, Sinding, Svendsen, Sullivan und Weingartner zählten und der auch Liszts Töchter Blandine und Cosima unterrichtete, wurde 1875 [nicht: 1874] Mitglied der Berliner Königlichen Akademie der Künste. Er dichtete auch unter dem Pseudonym Carsten. – +*Der Gouverneur von Tours* wurde 1891 [nicht: 1874] in Schwerin uraufgeführt.
Lit.: F. Reinecke, Verz. d. Kompositionen v. C. R., Lpz. 1889. – R. Sietz in: Rheinische Musiker III, hrsg. v. K. G. Fellerer, = Beitr. zur rheinischen Mg. LVIII, Köln 1964, S. 68ff.; K. G. Fellerer, C. R. u. d. Hausmusik, in: Studien zur Mg. d. Rheinlandes III, Fs. H. Hüschen, ebd. LXII, 1965; J. Bittner, Die Klaviersonaten E. Francks (1817–93) u. anderer Kleinmeister seiner Zeit, 2 Bde, Diss.

Hbg 1968; G. PUCHELT, Verlorene Klänge. Studien zur deutschen Klaviermusik 1830–80, Bln-Lichterfelde 1969.

Reinecke, Hans-Peter, * 27. 6. 1926 zu Ortelsburg (Ostpreußen); deutscher Musikforscher, studierte 1946–48 bei Rudolf Gerber an der Universität Göttingen und 1948–51 bei Husmann an der Universität Hamburg, wo er 1953 mit der Arbeit *Über den doppelten Sinn des Lautheitsbegriffes beim musikalischen Hören* promovierte. 1954–55 war er Assistent am Musikwissenschaftlichen Institut der Universität Hamburg und 1955–61 Lehrbeauftragter für systematische Musikwissenschaft; daneben übte er eine Tätigkeit als Tonmeister und Sachverständiger für Akustik aus. 1961 habilitierte er sich in Hamburg mit *Experimentelle Beiträge zum Problem des musikalischen Hörens* (gedruckt als *Experimentelle Beiträge zur Psychologie des musikalischen Hörens*, = Schriftenreihe des Musikwissenschaftlichen Instituts der Universität Hamburg III, Hbg 1964). 1965 wurde R. nebenamtlicher Leiter der Abteilung für Musikalische Akustik am Staatlichen Institut für Musikforschung Preußischer Kulturbesitz in Berlin und ist seit 1967 Direktor dieses Instituts, daneben außerplanmäßiger Professor an der Universität Hamburg. – Veröffentlichungen (Auswahl): *Untersuchungen über die Klangabläufe angeschlagener Glocken* (AfMw XII, 1955); *Akustik und Musik* (Kgr.-Ber. Hbg 1956); *Stellung und Grenzen akustischer Forschung innerhalb der systematischen Musikwissenschaft* (AMl XXXI, 1959); *H. Riemanns Beobachtungen von »Divisionstönen« und die neueren Anschauungen zur Tonhöhenwahrnehmung* (Gedenkschrift H. Albrecht, Kassel 1962); *Stereo-Akustik* (= Musik-Taschen-Bücher, Theoretica VI, Köln 1966); *Methoden zur Untersuchung nichtstationärer Schallvorgänge, dargestellt an der Analyse eines Hammerflügels* (mit D. Droysen, in: Elektronische Datenverarbeitung in der Musikwissenschaft, hrsg. von H.Heckmann, Kassel 1967); *Über Allgemein-Vorstellungen von der Musik* (Fs. W.Wiora, ebd.); *Cents, Frequenz, Periode. Umrechnungstabellen für musikalische Akustik und Musikethnologie* (= Veröff. des Staatlichen Instituts für Musikforschung ... o. Nr, Bln 1970); *Über Zusammenhänge zwischen naturwissenschaftlicher und musikalischer Theoriebildung* (in: Über Musiktheorie, hrsg. von Fr. Zaminer, ebd. V, Köln 1970); *Zum Problem der musikalischen Temperatur in außereuropäischen Tonsystemen* (in: Speculum musicae artis, Fs. H.Husmann, München 1970); *Zum Problem der Strukturanalyse akustisch fixierter Musikbeispiele* (in: Musik als Gestalt und Erlebnis, Fs. W.Graf, = Wiener musikwissenschaftliche Beitr. IX, Wien 1970); *Die emotionellen Kategorien des Musikhörens und ihre Bedeutung für die therapeutische Anwendung von Musik* (in: Musiktherapie, hrsg. von Chr.Kohler, = Wissenschaftliche Beitr. der K.-Marx-Universität, Biowissenschaft–Medizin o. Nr, Jena 1971); *Naturwissenschaftliche Grundlagen der Musikwissenschaft* (in: Einführung in die systematische Musikwissenschaft, hrsg. von C.Dahlhaus, = Musik-Taschen-Bücher, Theoretica X, Köln 1971); *Der Begriff ‚Musikleben' im umgangssprachlichen Gebrauch und die Problematik der Analyse musikalischer Aktivitäten* (Fs. für einen Verleger [L.Strecker], Mainz 1973); *Einige Überlegungen zum Begriff des musikalischen »Verstehens«* (in: Musicae scientiae collectanea, Fs. K.G.Fellerer, Köln 1973); *Das Musikpublikum und seine Motivationen* (in: Musik und Bildung VI, 1974, auch in: Das Orchester XXII, 1974); *Über adäquate Wiedergabe von Musik* (Fs. A.Volk, Köln 1974). Er gab heraus *Das musikalisch Neue und die Neue Musik* (Mainz 1969) und *Musik und Verstehen* (mit P.Faltin, Köln 1973).

+**Reinecke,** Wilhelm, * 28. 10. 1870 zu Halberstadt, [erg.:] † 18. 7. 1959 zu Leipzig.

+**Reiner,** Fritz (Frigyes), * 19. 12. 1888 zu Budapest, [erg.:] † 15. 11. 1963 zu New York.

+**Reiner,** –1) Jacob, vor 1560 – 1606. –2) Ambrosius, getauft [del.: *] 7. 12. 1604 zu Altdorf (Württemberg) [del.: oder Weingarten] – 1672.
Lit.: [del. als nicht existierend:] G. KRAUSE, J. R., Diss. Tübingen 1931. – H. FEDERHOFER in: MGG XI, 1963, Sp. 192f.

Reiner, Karel, * 27. 6. 1910 zu Saaz/Žatec (Nordböhmen); tschechischer Komponist und Pianist, Absolvent des Konservatoriums in Wien (Joseph Gänsbacher), studierte 1928–33 in Prag Jura (Dr. jur.), Musikwissenschaft bei Zd. Nejedlý sowie Komposition bei A.Hába (1929–30 und 1934–35) und J.Suk (1930–31). Als Pianist führte er 1931–38 viele Werke der Neuen Musik auf, u. a. Vierteltonwerke seines Lehrers Hába. 1943–45 war er in den Konzentrationslagern Auschwitz und Dachau interniert. Ab 1945 war R. in verschiedenen musikalischen und kulturellen Institutionen tätig. In seinen Werken folgte er anfangs dem atonalen, athematischen Stil Hábas, versuchte sich nach 1947 in traditionell-tonalen Kompositionen und neigt in den letzten Jahren wieder zu einer experimentierenden Schreibart. – Von seinen Werken seien genannt: Oper *Zakletá píseň* (»Verzaubertes Lied«, 1949); Ballett *Jednota* (»Einheit«, 1933). – Orchesterwerke: Suite (1931); Praeludium und Tanz (1935, aus der Bühnenmusik *Mistr Pleticha*); konzertante Suite für Bläser und Schlagzeug (1947); Symphonie (1960); *Motýli tady nežijí* (»Schmetterlinge leben hier nicht«, 1960); Symphonische Ouvertüre (1963); Konzertsuite (1967); Divertimento für Klar., Hf. und Kammerorch. (1947); Klavierkonzert (1932); Violinkonzert (1937); Konzert für Baßklar., Streichorch. und Schlagzeug (1966). – Kammermusik: Konzert für Nonett (1933); kleine Suite für 9 Instr. (1960); *Dvanáct* (»Zwölf«) für Kl. und Bläserquintett (1931); *7 miniatur* für Bläserquintett (1931); *Čtyři zkratky* (»Vier Abkürzungen«) für 2 Trp., Horn und 2 Pos. (1968); 3 Streichquartette (1931, 1947 und 1951); *Prolegomena* für Streichquartett (1968); *Črty* (»Skizzen«) für Klavierquartett (1967); Elegie und Capriccio für Va. und Kl. (1957); Trio für Fl., Baßklar. und Schlagzeug (1964); *Volné listy* (»Lose Blätter«) für Klar., Vc. und Kl. (1972); Sonata brevis für Vc. und Kl. (1946); 2 Stücke für Horn und Kl. (1948); 4 Stücke für Klar. und Kl. (1954); Elegie und Capriccio für Va. und Kl. (1957); Sonate für Kb. und Kl. (1957); 2 Stücke für Hf. und Ob. (1962); 6 Studien für Fl. und Kl. (1964); 2 Stücke für Altsax. und Kl. (1967); Duette für 2 Klar., 2 Ob. 2 Fl. und 2 Trp. in verschiedenen Kombinationen (1969); *Akrostichon* und Allegro für Baßklar. und Kl. (1972); Suite (1932) und Sonate (1959) für V. solo; Suite für Hf. (1964); *Sonata concertata* für Schlagzeug (1967); 3 Konzertetüden für Cimbalom (1967); *Záznamy* (»Aufzeichnungen«) für Fag. solo (1972); ferner 3 Praeludien für Org. (1963), 3 Klaviersonaten (1931, 1942 und 1961) sowie Kantaten, Chöre, Lieder, Film- und Bühnenmusik (*Mistr Pleticha*, 1935, bearb. 1955).

+**Reinhard,** Andreas, [erg.:] † vor 1614.
In einer weiteren Schrift (*Monochordum*, Lpz. 1604) versuchte er eine neue Temperierung, nach der er auch Clavichorde baute.
Lit.: W. TAPPERT, Das wohltemperierte Kl., MfM XXXI, 1899; W. DUPONT, Gesch. d. mus. Temperatur, Kassel 1935; J. M. BARBOUR, Tuning and Temperament, East Lansing (Mich.) 1951, ²1953.

+Reinhard, Kurt August Georg, * 27. 8. 1914 zu Gießen.
R. wurde 1957 an der Freien Universität Berlin zum Professor ernannt. Das Phonogramm-Archiv des Museums für Völkerkunde Berlin leitete er als »Musikethnologische Abteilung« bis 1968. Neuere Veröffentlichungen: *Türkische Musik* (= Veröff. des Museums für Völkerkunde IV, 1, Bln 1962); *Auf der Fiedel mein ... Volkslieder von der osttürkischen Schwarzmeerküste* (mit Ursula R., ebd. XIV, 3, 1968); *Einführung in die Musikethnologie* (= Beitr. zur Schulmusik XXI, Wolfenbüttel 1968); *Turquie* (mit Ursula R., = Les traditions musicales IV, Paris 1969); *Zwanzig Jahre Wiederaufbau des Berliner Phonogramm-Archivs* (Jb. für musikalische Volks- und Völkerkunde VI, 1972); zahlreiche Aufsätze vor allem zur Volks- und Kunstmusik der Türkei (u. a.: *Grundlagen und Ergebnisse der Erforschung türkischer Musik*, AMl XLIV, 1972) sowie lexikalische Beiträge.

Reinhardt, Auguste Delia (Adele), *27. 4. 1892 zu Elberfeld, † 3. 10. 1974 zu Arlesheim (bei Basel); deutsche Sängerin (Sopran), studierte bei Hedwig Schako am Dr. Hoch'schen Konservatorium in Frankfurt a. M., debütierte 1913 am Opernhaus in Breslau, gehörte 1916–22 der Münchner Hof- bzw. Staatsoper (königlich-bayerische Hofopernsängerin) und 1922–25 der Metropolitan Opera in New York an und war 1925–37 Mitglied der Berliner Staatsoper. 1937 emigrierte sie in die USA, kehrte aber 1962 nach Europa zurück und ließ sich in Dornach (Solothurn) nieder. Zu ihren Partien zählten Pamina, Gräfin (*Le nozze di Figaro*), Desdemona, Elisabeth (*Tannhäuser*), Elsa, Eva, Sieglinde, Octavian und Kaiserin (*Frau ohne Schatten*). D. R. trat auch als Konzertsängerin hervor.

+Reinhardt, Django ([erg.:] Jean Baptiste), 1910 [erg.:] zu Liverchies (Belgien) – 1953.
Aufnahmen (Auswahl): *Dj. R. avec le Quintette du Hot Club de France* (1937, Electrola 73216); *L'incompatible Dj. R.* (1947, Barclay 84090); *Dj. R. and His Quintet* (1951, Vogue COF 03, 5 Langspielplatten); *Requiem for a Jazzman* (1953, Ember CJS 810).
Lit.: B. Neill u. E. Gates, Discography of the Recorded Works of Dj. R. and the Quintette du Hot Club de France, London 1944; Ch. Delaunay, Dj. R., Souvenirs, Paris 1954, engl. London 1961, dch. = Jazz Book Club XLV, 1963 (alle mit Vorw. v. J. Cocteau); D. Schulz-Köhn, Dj. R., = Jazz-Bücherei VI, Wetzlar 1960.

Reinhardt, Georg, * 27. 3. 1919 zu Augsburg; deutscher Opernregisseur, studierte an den Universitäten Berlin und München Literatur-, Kunst- und Musikgeschichte und war Assistent bei Felsenstein, Wälterlin und Pfitzner. Nach dem 2. Weltkrieg war er Regisseur in Frankfurt a. M., Lübeck, Wiesbaden, Berlin (Städtische Oper), Zürich und Wuppertal (ab 1955 Operndirektor). 1957–60 wirkte er als Dozent an der Kölner Musikhochschule und am Mozarteum in Salzburg. Seit 1964 ist er Operndirektor der Deutschen Oper am Rhein in Düsseldorf–Duisburg und Leiter des dortigen Opernstudios. Er ist Mitgründer des ersten Monteverdi-Festivals 1962 in Wuppertal und Inszenator sowohl von Mozart-Zyklen (Düsseldorf 1970) als auch von Opern der Moderne (Zyklus »Schöpfer der Neuen Musik«, Düsseldorf 1966). R. war der Regisseur der westdeutschen Erstaufführung von Schönbergs *Moses und Aron* (Düsseldorf 1968). Er wirkte außerdem als Gastregisseur u. a. an den Staatsopern in Stuttgart und Wien, der Mailänder Scala, am Teatro Colón in Buenos Aires und bei den Salzburger Festspielen.

Reinhardt, Johann Georg (Rheinhard), * um 1676, † 6. 11. 1742 zu Wien; österreichischer Organist und Komponist, trat 1701 in die kaiserliche Hofkapelle in Wien ein (1710 2. Organist, 1728 1. Organist) und war 1727–42 Kapellmeister am Stephansdom. 1734 erhielt er den Titel »Hofcompositor«. Er schrieb u. a. die Opern *La più bella* (Libretto Pariati, Wien 1715), *L'eroe immortale* (Pariati, ebd. 1717) und *Il giudicio di Enone* (Pariati, ebd. 1721), Orchesterwerke (Symphonie G dur; *Sonata pastorella* A dur), das Oratorium *Il divino imeneo di S. Caterina* (1716), 22 Messen, 3 Requiem, 12 Vespern, 6 Magnificat, 2 Te Deum, 7 Salve regina, 21 Litaneien, 15 Psalmen, 35 Graduale sowie Offertorien und Antiphonen, zahlreiche Motetten und deutsche Arien.
Lit.: L. v. Köchel, Die kaiserliche Hofmusikkapelle in Wien v. 1543 bis 1867, Wien 1869; G. Reichert, Zur Gesch. d. Wiener Messenkomposition in d. 1. Hälfte d. 18. Jh., Diss. ebd. 1935; H. Brunner, Die Kantorei bei St. Stephan in Wien, ebd. 1948.

Reinhardt, Max (eigentlich Goldmann), * 9. 9. 1873 zu Baden (Niederösterreich), † 30. 10. 1943 zu New York; österreichischer Regisseur und Theaterleiter, begann als Schauspieler 1893 in Salzburg und wurde 1894 von Otto Brahm, dem Wegbereiter des Bühnennaturalismus in Deutschland, nach Berlin geholt. 1901 löste sich R. von Brahm und ging, ab 1903 nur noch Regie führend, eigene Wege: Vom intimen, atmosphärisch und psychologisch differenzierenden Kammerspiel bis zur Masseninszenierung im Zirkus und in Ausstellungshallen, vom barocken Maschinentheater bis zur kargen Reliefbühne erprobte er jede verfügbare Spieltechnik. Allen Inszenierungen gemeinsam war eine musikhaft-rhythmische Komponente, die R., zwar »ein Ignorant in der Musik«, jedoch für musikalische Wirkungen empfänglich (Brief an Berthold Held, in: Ausgewählte Briefe, S. 17), zur Geltung zu bringen wußte: in der Diktion und der Bewegung der Darsteller wie auch durch Schauspielmusik (Humperdinck zu Shakespeare, Maeterlinck und Karl Gustav Vollmoeller; R. Schumann zu *Faust II*; Busoni zu Carlo Gozzi; Mozart zu Goldoni). R. hatte »einen genialen Instinkt«, den Zuschauer »durch einen rhythmischen Zauber in eine Art Trance zu bringen; hierin ist seine Tätigkeit der eines Kapellmeisters verwandt« (H. v. Hofmannsthal 1959, S. 340). Die eigentliche Musikbühne hat jedoch verhältnismäßig geringen Anteil an seinem Programm: »Orpheus in der Unterwelt« (Bln 1904); Ballett *Die Schäferinnen* nach J.-Ph. Rameau (Bln 1916); *Die Fledermaus* in einer Bearbeitung von Korngold (Bln 1929; nach 1942 in New York als »Rosalinda« herausgebracht); »Die schöne Helena« und »Hoffmanns Erzählungen« (beide Bln 1931). Zudem war R. an den weltweit beachteten Uraufführungen zweier Opern beteiligt: 1911 in Dresden griff er helfend in Georg Tollers Inszenierung des *Rosenkavalier* ein, und die ihm von den Autoren Hofmannsthal und R. Strauss aus Dankbarkeit gewidmete *Ariadne auf Naxos* brachte er 1912 in Stuttgart zur Eröffnung des Königlichen Hoftheaters heraus. Die Komödie mit Tänzen *Der Bürger als Edelmann* von Hofmannsthal–Strauss ließ R. 1918 in Berlin spielen. R. gehört zu den Gründern der Salzburger Festspiele, für die er 1920 die erste Aufführung überhaupt, den *Jedermann* von H. v. Hofmannsthal, inszenierte. – 1933 emigrierte er in die USA, wo er mit dem Film *A Midsummer Night's Dream* (1941, nach Shakespeare mit der Musik von Mendelssohn Bartholdy) reüssierte, während er sich mit den Neuinszenierungen seiner großen Berliner Erfolge auf dem amerikanischen Theater nicht durchsetzen konnte.
Ausg.: Ausgew. Briefe, Reden, Schriften u. Szenen aus Regiebüchern, hrsg. v. Fr. Hadamowsky, = Museion, N. F. I, 4, Wien 1963.

Lit.: H. HERALD, M. R., Bln 1915; DERS. (mit E. Stern), R. u. seine Bühne, Bln 1920; DERS., M. R., Bildnis eines Theatermannes, Hbg 1953; M. EPSTEIN, M. R., Bln 1918; O. M. SAYLER, M. R. and His Theatre, NY 1924; H. REICH, Antike u. moderne Mimusoper ..., Mk XVIII, 1925/26; Die Spielpläne M. R.s 1905–30, hrsg. v. FR. HORCH, München 1930; »Hoffmanns Erzählungen«, = Sonderdruck d. Genossenschaft Deutscher Bühnen-Angehöriger anläßlich d. Inszenierung v. M. R. im Großen Schauspielhaus, Bln 1931 (mit Beitr. v. L. Blech u. a.); B. FLEISCHMANN, M. R., Wien 1948; R. Strauss, H. v. Hofmannsthal, Briefwechsel, hrsg. v. W. SCHUH, Zürich 1952, ⁴1970; E. STERN, Bühnenbildner bei M. R., Bln 1955; FR. CUNO, Oper im Zeitalter d. Vermassung. M. R.s Inszenierung v. »Hoffmanns Erzählungen«, in: Musica XI, 1957; C. NIESSEN, M. R. u. seine Bühnenbildner, Ausstellungskat. Köln 1958; H. v. HOFMANNSTHAL, M. R., R. bei d. Arbeit, in: Aufzeichnungen, = Gesammelte Werke in Einzelausg. o. Nr, hrsg. v. H. Steiner, Ffm. 1959; H. IHERING, Von R. bis Brecht, 3 Bde, Bln 1959; M. DIETRICH, Music and Dances in the Productions of M. R., Rev. d'hist. du théâtre XV, 1963; G. ADLER, M. R., sein Leben, Salzburg 1964; H. BRAULICH, M. R., Bln 1966 (mit ausführlicher Bibliogr.); E. HAEUSSERMANN, M. R.s Theaterarbeit in Amerika, Diss. Wien 1966; M. R., Ausstellungskat. Salzburg 1967; H. KINDERMANN, Theatergesch. Europas, Bd VIII–IX: Naturalismus u. Impressionismus, Salzburg 1968–70; G. PROSSNITZ, M. R.s »Faust«-Inszenierung in Salzburg 1933–37, in: Maske u. Kothurn XVI, 1970; H. HEINSHEIMER in: NZfM CXXXIV, 1973, S. 570ff., auch in: Das Orch. XXI, 1973, S. 599f. KDG

Reinhardt, Rolf, * 3. 2. 1927 zu Heidelberg; deutscher Dirigent, studierte in seiner Heimatstadt bei Fortner, begann dort 1945 seine Laufbahn an den Städtischen Bühnen, war Kapellmeister an den Opernhäusern in Stuttgart und Darmstadt, dirigierte 1954–57 bei den Bayreuther Festspielen und kam 1958 als GMD des Pfalztheaters nach Kaiserslautern. 1959–68 war er Chefdirigent des Theaters der Stadt Trier. Er wurde dann Leiter der Opernabteilung der Hochschule für Musik in Frankfurt a. M. R. ist daneben ständiger Dirigent des Kammerorchesters »Collegium aureum« der Schallplattengesellschaft »harmonia mundi« und des Kölner Bachvereins.

⁺Reinhart, Walther [erg.:] Heinrich (eigentlich R.-Steiger), * 24. 5. 1886 zu Winterthur.
R., der in Eglisau (Zürich) lebt, komponierte ferner 10 Violinsonaten und eine weitere Sonate für Klar. solo.

⁺Reinhold, Otto, * 3. 7. 1899 zu Thum (Erzgebirge), [erg.:] † 27. 8. 1965 zu Dresden.
An der Volksmusikschule in Dresden unterrichtete R. bis 1960. – Werke: das Ballett *Die Nachtigall* (nach H. Chr. Andersen, Dresden 1958); Symphonie (1951), *Triptychon* (1954), *Ouvertüre 1959*, Sinfonietta (1960) und *Sinfonische Ballade* (1962) für Orch.; Konzert (1942) und *Musik nach Bildern der Dresdner Gemäldegalerie* (1961) für Kammerorch.; Violinkonzert (1937), Konzert für Fl., Kl. und Streichorch. (1947), *Tänzerische Suite* für Kl. und Orch. (1954), *Konzertante Musik* für Fl., Va und Orch. (1963); Thema mit Variationen für 2 Trp., 2 Hörner und 2 Pos. (1954), Bläserquintett (1962), Musik für Org., 2 Trp. und Pos. (1953), Streichquartett (1960), Trio für Klar., Va und Kl. (1939), Klaviertrio (1948), Musik für Va und Kl. (1939), Sonaten mit Kl. für V. (1940) und Vc. (1959); *Klaviermusik* (1938), *Dresden* (1955) und *Tanzzyklus* (nach Bildern des Buches Esther, 1962) für Kl.; *Der 90. Psalm* für Soli, Chor und Orch. (1949), Kantaten *Der Weg* für Männer-St., gem. Chor, 4 Holzbläser, Cemb. und Org. (1934) und *Kalendarium* für Soli, Chor und Orch. (1956); 4 Gesänge für hohe Singst. und Streichquartett (J. R. Becher, 1964); Chöre, Lieder, Jugendmusik.

Lit.: H. BÖHM in: ZfM CXV, 1954, S. 342ff.; K. LAUX in: MuG VIII, 1958, S. 195ff.

Reinholm, Gert (eigentlich Gerhard Schmidt), * 20. 12. 1923 zu Chemnitz; deutscher Tänzer und Choreograph, besuchte in Berlin die Ballettschule der Staatsoper und studierte bei Lula von Sachnowski, Leontschewa und Barowsky. 1942 trat er als Eleve dem Berliner Staatsopernballett bei und avancierte 1946 zum Solotänzer. 1951–53 war er Danseur étoile am Teatro Colón in Buenos Aires und ging 1953 als Solotänzer an die Städtische Oper Berlin. Als das Ensemble 1961 in die Deutsche Oper Berlin übersiedelte, wurde er Ballettdirektor der Kompanie, der er auch weiterhin in verantwortlicher Position verbunden blieb, nachdem K. MacMillan Ballettdirektor geworden war. 1955 gründete er zusammen mit Tatjana Gsovsky das Berliner Ballett, mit dem er zahlreiche Tourneen im In- und Ausland unternommen hat. Zu seinen besten Rollen gehören (Choreographien Tatjana Gsovsky) Hamlet (in Blachers gleichnamigem Ballett, Bln 1953), Orphée (Liszt, Bln 1955), Othello in *Der Mohr von Venedig* (Blacher, Bln 1956), Joan von Zarissa (Egk, Bln 1958) und Romeo (Prokofjew, Bln 1960). 1967 wurde er Leiter seiner eigenen Berliner Tanzakademie und Dozent an der Musikhochschule (M.-Reinhardt-Schule). 1973 übernahm er wieder die Ballettleitung der Deutschen Oper Berlin. Er erhielt den Preis für den besten Tänzer beim Théâtre des Nations in Paris 1962 und den Diaghilew-Preis 1963.
Lit.: H. KELLERMANN, G. R., = Rembrandt-Reihe Bühne u. Film VI, Bln 1957.

⁺Reining, Maria, * 7. 8. 1903 [nicht: 1905] zu Wien. M. R., Ehrenmitglied der Wiener Staatsoper, sang 1948–56 an den großen Bühnen in Europa und den USA vor allem die Partie der Marschallin (ihre erfolgreichste Rolle). Seit 1962 ist sie Professor für Gesang am Mozarteum in Salzburg.

⁺Reinken, Johann Adam (Jan Adams), 26. [nicht: 27.] 4. 1623 – 1722.
Ausg.: Collected Keyboard Works, hrsg. v. W. APEL, = Corpus of Early Keyboard Music XVI, (Rom) 1969. – Choralfantasien »An Wasserflüssen Babylons« u. »Was kann uns kommen für Not« f. Org., hrsg. v. H. WINTER, 2 H., Hbg 1964.
Lit.: ⁺PH. SPITTA, J. S. Bach (I, 1873), 5. Aufl. (= Nachdr. d. 4. unveränderten Aufl. Lpz. 1930) Wiesbaden u. Darmstadt 1962, ⁶1964; ⁺M. SEIFFERT, Gesch. d. Klaviermusik (1899), Nachdr. Hildesheim u. Wiesbaden 1966; ⁺A. PIRRO, Le compositeur J. A. R. ... (Annuaire de la Soc. hist., littéraire et scientifique du Club vosgien III, 1935) [erg. frühere Angaben], wiederabgedruckt in: Mélanges A. Pirro, Genf 1972. – W. APEL, Neu aufgefundene Clavierwerke v. Scheidemann, Tunder, Froberger, R. u. Buxtehude, AMl XXXIV, 1962; A. CURTIS, J. R. and a Dutch Source f. Sweelinck's Keyboard Works, TVer XX, 1/2, 1964–65; M. FALK in: Musik u. Gottesdienst XXI, 1967, S. 137ff.; G. B. SHARP in: MT CXIV, 1973, S. 1272ff.

Reinking, Wilhelm, * 18. 10. 1896 zu Aachen; deutscher Bühnenbildner und Librettist, studierte 1918–24 an den Technischen Hochschulen in Karlsruhe und Danzig Architektur sowie an den Universitäten in München und Würzburg Kunstgeschichte und Theaterwissenschaft. 1924–25 arbeitete er als Bühnenbildner für die Bayerische Landesbühne, 1925–27 am Stadttheater Würzburg, 1927–33 am Landestheater in Darmstadt (*Salome*, 1927; *Judith* von A. Honegger, 1928; *Parade* von Satie und *Neues vom Tage* von Hindemith, 1929; *Lucia di Lammermoor*, 1930) und gleichzeitig 1931–33 an der Städtischen Oper Berlin (*Soldaten* von M. Gurlitt, 1931). 1934–37 war er Synchronregisseur beim Film. 1937 wurde er 2. und 1940 1. Bühnenbildner der

Hamburgischen Staatsoper (*Falstaff*, 1938; *Tristan und Isolde*, 1939; *Die Zauberflöte*, 1940) sowie 1941 Ausstattungsleiter an der Wiener Staatsoper (»Othello«, 1942; *Columbus* von Egk, 1942; *Ariadne auf Naxos*, 1943). Nach Kriegsende war er Mitgründer der Heidelberger Kammerspiele, arbeitete gastweise an den Münchner Staatstheatern und an der Stuttgarter Staatsoper (*Mathis der Maler*, 1946; *Die Bernauerin* von Orff, 1947), 1949–51 am Düsseldorfer Stadttheater und 1951–53 am Staatstheater in Wiesbaden. 1954 ging er an die Städtische Oper Berlin (*Idomeneo*, 1956; *Le sacre du printemps*, 1957; »Lukrezia« von Britten, 1958; *Medea* von Cherubini, 1958), deren Ausstattungsleiter er nach der Umwandlung in die Deutsche Oper wurde (*Alkmene* von Klebe, 1961; *Elektra*, 1961). Er entwarf Ausstattungen für die Salzburger Festspiele (*Palestrina*, 1955), das Teatro dell'Opera in Rom (*Don Giovanni*, 1953) und die Mailänder Scala (*Le nozze di Figaro*, 1954; *Fidelio*, 1960). R. hat eine Reihe von Ballettlibretti verfaßt und (meist mit Karlheinz Gutheim) Opperntexte übersetzt, z. T. auch die Werke eingerichtet (u. a. C.M. v. Webers *Oberon* und A. Adams »Wenn ich König wär'«). – Veröffentlichungen: *Musikalisches Theater in Hamburg* (mit H. Freund, Hbg 1938); *Oper im Bild. Ein Querschnitt durch das deutsche Opernschaffen seit 1945* (Bln 1961); *Verzeichnis meiner Arbeiten 1924–64* (München 1964). – R.s Bedeutung für die Entwicklung des modernen Bühnenbilds beruht auf den experimentellen Lösungen während der Darmstädter Zeit: In engem Kontakt mit den gleichzeitigen Strömungen der bildenden Kunst entwickelte er ein kohärentes Vokabular der Opernausstattung, das in großen Teilen bis heute verbindlich ist. Er benutzte die geometrisch stilisierte Reliefbühne, wie sie → Schlemmer konzipiert hatte, verwandte bei Aufführungen von Opern des 19. Jh. vom Konstruktivismus abgeleitete Elemente, vor allem aber setzte er Projektionen, Film und szenische Collagen konsequent als Stilmittel ein und aktivierte so das Bühnenbild als zeitbezogenes Medium visueller Kommunikation.

Lit.: K. HIRSCHFELD, W. R., in: Gebrauchsgraphik XII, 1932; H. GEORG, W. R., ebd. XVIII, 1938; O. SCHUBERTH, Das Bühnenbild, München 1955. HS

Reinmar von Hagenau (auch »der Alte« genannt), * um 1160, † zwischen 1203 und 1210 (auf Hagenau, Elsaß, als Geburtsstadt weist lediglich eine Anspielung Gottfrieds von Straßburg hin, *Tristan*, 4779; die Zeit seines Todes kann nur annähernd erschlossen werden, vgl. Nachruf Walthers von der Vogelweide, Ausg. Lachmann, 82, 11); elsässischer Minnesänger, war einer der ersten gleichsam hauptberuflichen Minnesänger und begründete seinen Ruhm in Wien am Hof der Babenberger. Als führender Hofdichter erregte er mit seiner maßvoll stilisierten, zuchtvollen Lyrik zunächst auch die Bewunderung Walthers, der sein Schüler wurde. Ein starkes Element der Fiktion und die zunehmend moralistischen und resignierenden Züge in R.s Minnedichtung forderten jedoch dessen Widerspruch heraus und führten zum »Liederstreit« der beiden Dichter. Von den vielen überwiegend in der Manessischen und der Würzburger Handschrift unter R.s Namen überlieferten Liedern können nur etwa 30 als echt angesehen werden. Authentische Melodien sind nicht vorhanden, wohl aber mit Noten versehene Vorbilder französischer Herkunft.

Ausg.: Des Minnesangs Frühling, nach K. Lachmann u. a. neubearb. v. C. V. KRAUS, Stuttgart ³⁵1970 (Texte). – U. AARBURG, Melodien zum frühen deutschen Minnesang, in: Der deutsche Minnesang, hrsg. v. H. Fromm, = Wege d. Forschung XV, Darmstadt 1961 (Melodien).

Lit.: C. V. KRAUS, Die Lieder R.s d. Alten, 3 Teile, = Abh. d. Bayerischen Akad. d. Wiss., Philosophische, philologische u. hist. Klasse XXX, 4 u. 6–7, München 1919; DERS., Walther v. d. Vogelweide, Bln 1935; K. BURDACH, R. d. Alte u. Walther v. d. Vogelweide, Halle (Saale) ²1928; R. NEWALD u. H. DE BOOR, Gesch. d. deutschen Lit., München ⁷1966, Bd II (mit Bibliogr.).

+Reinmar, Hans [erg.:] (Johann) Eduard (eigentlich Wochinz), [erg.:] 11. 4. 1898 [nicht: 1895] – 1961.
Lit.: W. FELSENSTEIN in: Jb. d. Komischen Oper Bln I, 1960/61, S. 97ff.

+Reinold, Helmut, * 11. 5. 1925 zu Leipzig.
An weiteren Aufsätzen seien genannt: *Aufbau und Verwendungsmöglichkeiten einer Discothek wertvoller Gesangsaufnahmen im Sendebetrieb* (FAM III, 1956); *Fr. Busch, ein Kapellmeister unter den Dirigenten* (NZfM CXXX, 1969, auch in: Das Orch. XVII, 1969); *Music for Sixpence. Sir H. Wood und die Londoner Promenadenkonzerte* (NZfM CXXXI, 1970). R. ist auch als Librettist und Übersetzer von Operntexten hervorgetreten.

+Reinshagen, Victor, * 22. 5. 1908 zu Riga.
R., Gastdirigent u. a. an den Staatsopern in München, Wien und Wiesbaden (Maifestspiele), war 1963–68 Dirigent an der Opéra in Marseille; bis 1973 wirkte er als Direktor des künstlerischen Betriebes der Hamburgischen Staatsoper.

+Reinthaler, Karl Martin, 1822–96.
Lit.: R. SIETZ in: Rheinische Musiker II, hrsg. v. K. G. Fellerer, = Beitr. zur rheinischen Mg. LIII, Köln 1962, S. 76ff.; KL. BLUM, Hundert Jahre »Ein Deutsches Requiem« v. J. Brahms, Tutzing 1971.

Reis (rreiſ), Gaspar dos, † 28. 10. 1674 zu Braga; portugiesischer Komponist und Organist, wurde einige Jahre vor 1631 Kapellmeister an der Kirche von St. Julian in Lissabon und wirkte 1631–39 (oder später) als Instrumentalist oder Sänger an der Domkapelle in Braga, wo er von 1645 bis zu seinem Tode Domkapellmeister war. Neben Messen, Motetten, Villancicos und anderen Vokalwerken schrieb er Orgelwerke.
Ausg.: 31 Orgelsätze (meistens Tenção, Concerto oder Concertado genannt) in: João da Costa de Lisboa, Tenção, hrsg. v. CR. ROSADO FERNANDES, = Portugaliae musica, Serie A, VII, Lissabon 1963.

+Reisch, Gregor, um 1470 – 1525.
Lit.: Die Musica figurativa v. M. Schanppecher, hrsg. v. KL. W. NIEMÖLLER, = Beitr. zur rheinischen Mg. L, Köln 1961.

+Reiser, Alois, * 4. [nicht: 6.] 4. 1884 [nicht: 1887] zu Prag.
Weitere Werke: die Oper *Gobi* (1959); *Balanese-Suite* (1958), *Igorottan-Suite* (1958) und 1. Symphonie (1967) für Orch.; 2. Cellokonzert (1960); 3. Streichquartett (1969).

Reisinger, Oskar (Pseudonyme, bis 1940, Hesky Wenzel, Manfred Oskar), * 24. 4. 1908 zu Zell bei Zellhof (Oberösterreich); österreichischer Komponist, studierte 1924–30 am Bruckner-Konservatorium in Linz und anschließend in Wien (Gal, Hauer). 1931–39 wirkte er als Komponist und Arrangeur in Berlin, ab 1937 als ständiger freier Mitarbeiter am Deutschlandsender. Seit 1948 ist R. beim Kölner Rundfunk (heute WDR) tätig (Leiter der Abteilung Musikalische Unterhaltung). Er komponierte das musikalische Lustspiel *Komm nach Hause Sabine* (Frankfurt/Oder 1937), die Operette *Das Schloß ohne Männer*, zahlreiche Stücke der gehobenen und leichten Unterhaltungsmusik, Chansons, Melodienfolgen und Potpourris.

Reiss, Georg Michael Döderlein, * 12. 8. 1861 und † 25. 1. 1914 zu Kristiania; norwegischer Musikforscher, studierte in seiner Heimatstadt Jura an der Universität (Dr. jur. 1886) sowie Musiktheorie bei Otto Winter-Hjelm und Orgel bei Christian Cappelen und vervollkommnete seine musikalischen Studien an der Berliner Musikhochschule (1892). 1893–1914 wirkte er als Organist an der Petruskirche in Oslo und war 1894–1914 Sekretär am Kirke- og undervisningsdepartement für Norwegen. Daneben schrieb er Musikkritiken für die Tageszeitungen »Dagbladet« und »Verdens gang« sowie für »Nordisk musikrevy«. 1913 promovierte er an der Universität in Kristiania mit der Dissertation *Musiken ved den middelalderlige Olavsdyrkelse i Norden* (»Musik bei der mittelalterlichen Olafsverehrung im Norden«, = Videnskabsselskabets skrifter II, Historiske-filosofiske klasse 1911, Nr 5, Kristiania 1912) zum dr. philos. Er veröffentlichte u. a. *Det norske Rigsarkivs middelalderlige musikhaandskrifter* (ebd. 1908, Nr 3, 1908) und *Tvo norrøne latinske kvæde med melodiar utgjevne fraa Codex Upsalensis C 233 (s. XIII exeuntis)* (»2 altwestnordische lateinische Lieder mit Melodien hrsg. aus dem Codex ...«, mit O. Kolsrud, ebd. 1913).

+Reiss, Józef Władysław, * 4. 8. 1879 zu Dębica (Rzeszów), [erg.:] † 22. 2. 1956 zu Krakau.
Die Schrift *Skrzypce i skrzypkowie* (+»Die Violine und die Violinspieler«) erschien in Krakau lediglich 1955, hingegen erschien 1924 in Warschau *Skrzypce, ich budowa, technika i literatura* (»Die Violine, ihr Bau, ihre Technik und Literatur«) [del. frühere Angaben dazu]. – *Encyklopedia muzyki* (+»Enzyklopädie der Musik«, 1924), Neubearb. als *Podręczna encyklopedia muzyki* (»Handenzyklopädie ...«, 2 Bde, Krakau 1949–50), revidiert und erweitert von St. Śledziński als *Mała encyklopedia muzyki* (»Kleine Enzyklopädie ...«, Warschau 1960); +*H. Wieniawski* (1931), NA Krakau 1963, 21970; *Najpiękniejsza ze wszystkich jest muzyka polska* (+»Die schönste von allen ist die polnische Musik«, 1946), ebd. 21958. – Als weitere Schrift sei genannt *Mała historia muzyki* (»Kleine Musikgeschichte«, ebd. 1946, 21951, erweiterte NA = Bibl. problemów o. Nr, 1958 und 1960). R. verfaßte ferner zahlreiche Aufsätze vor allem zur polnischen Musikgeschichte und gab heraus *Dialog o tańcu Lukiana z Samosate* (»Lukian von Samosates Dialog über den Tanz«, Warschau 1951).

Reiss, Karl Heinrich Adolf, * 24. 4. 1829 und † 4. 4. 1908 zu Frankfurt am Main; deutscher Komponist und Dirigent, war am Leipziger Konservatorium Schüler von Mendelssohn Bartholdy und Hauptmann und begann seine Dirigentenlaufbahn 1849 als Chordirektor in Mainz. 1851–53 war er nacheinander in Basel, Bern und Würzburg als Musikdirektor, 1854 wieder in Mainz als 1. Kapellmeister tätig. 1856 ging er nach Kassel als 2. Kapellmeister und designierter Nachfolger Spohrs, dessen Amt als Hofkapellmeister er 1857 übernahm. 1880 verließ er Kassel und ging in gleicher Stellung an das königliche Theater in Wiesbaden. Von seinen Kompositionen wurden nur einige Klavierstücke und Lieder gedruckt, auch seiner Oper *Otto der Schütz* (Mainz 1856) war kein dauerhafter Erfolg beschieden.
Lit.: W. BENNECKE, Das Hoftheater in Kassel v. 1814 bis zur Gegenwart, Kassel 1906; E. W. v. GUDENBERG, Beitr. zur Mg. d. Stadt Kassel unter d. letzten beiden Kurfürsten (1822–66), Diss. Göttingen 1958.

Reißmann, August Friedrich Wilhelm, * 14. 11. 1825 zu Frankenstein in Schlesien, † 13. 7. 1903 zu (Berlin-)Dalldorf; deutscher Musikschriftsteller, studierte u. a. in Breslau bei Mosewius und Ernst Leopold Richter sowie 1850–52 bei Liszt in Weimar. Er schrieb in Halle (Saale) und ab 1863 in Berlin zahlreiche mu-

sikgeschichtliche Arbeiten, darunter: *Das deutsche Lied in seiner historischen Entwicklung* (Kassel 1861, 21874); *Die Oper in ihrer kunst- und kulturgeschichtlichen Bedeutung* (Stuttgart 1865); *Lehrbuch der musikalischen Komposition* (3 Bde, Bln 1866–71); *Form und Inhalt des musikalischen Kunstwerks* (Lpz. 1879); *Illustrierte Geschichte der deutschen Musik* (Lpz. 1881, 21892); ferner Musikerbiographien. R. setzte nach H. Mendels Tod dessen *Musikalisches Conversationslexikon* (Bd VII–XI, Bln 1877–79, Suppl. 1883, Neudr. Bln und Lpz. 1885–91) fort. 1875 erhielt R. in Leipzig den Titel Dr. phil. h. c. – Gegner der »Neudeutschen« und R. Wagners, war R. auch als Komponist »Erzreaktionär«; er schrieb u. a. die Opern *Gudrun* (Lpz. 1871), die *Bürgermeisterin von Schorndorf* (Lpz. 1880) und das *Gralspiel* (Düsseldorf 1895), das Ballett *Der Blumen Rache* nach einer Ballade von Ferdinand Freiligrath (1887), Chorwerke (dramatische Szene *Drusus' Tod* und *Loreley* für Soli, Chor und Orch., vor 1877; Kantate *König Drosselbart* für Sprecher, Singst., Chor und Kl., 1886; Oratorium *Wittekind*, 1888), eine Symphonie, ein Violinkonzert, 2 Violinsonaten und zahlreiche Lieder.
Lit.: J. GÖLLRICH, A. R. als Schriftsteller u. Komponist, Lpz. 1884.

Reiter, Albert, * 21. 12. 1905 und † 24. 2. 1970 zu Alt-Nagelberg (Niederösterreich); österreichischer Komponist, studierte 1924–30 an der Wiener Musikakademie Klavier, Kirchenmusik und Komposition (Lechthaler), war ab 1933 als Volksschullehrer (ab 1938 Hauptschullehrer) in Waidhofen an der Thaya tätig, wo er auch (bis 1968) die von ihm 1938 gegründete Städtische Musikschule leitete. 1963 wurde ihm der Titel Professor verliehen. R. schrieb Orchesterwerke (*Kleine Symphonie*, 1955; *Symphonische Musik*, 1955; *Suite kleiner Orchesterstücke*, 1960; *Musik für Streicher*, 1963), Werke für Soloinstrumente und Orchester (*Concertino für Klar. und Orch.*, 1953; *Konzertante Musik für Kl. und Orch.*, 1954; *Kleines Konzert* für Vc. und Orch., 1962), Kammermusik (*Musik für Fl.*, Ob., Klar., Fag. und Horn, 1965; *Suite* für 4 V., 1968), Klavierstücke, eine Violinschule für Anfänger, Kantaten (*Lieder des Tages* für Soli, Chor und Orch., 1964), zahlreiche Chöre und Kirchenmusik.

+Reiter, –1) Ernst, 1814–75. Er komponierte u. a. die Oper *Die Fee von Elvershöh* (Wiesbaden 1865), 2 Streichquartette op. 7 und op. 8, eine Violinsonate op. 11, das Oratorium *Das neue Paradies* op. 12 (1845) und die Kantate *Die Schlacht bei St. Jacob* (1875) für Soli, Chor und Orch. sowie Chöre und Lieder.
–2) Ernst, * 29. 8. 1897 zu Basel. R. unterrichtete an der Schweizerischen Orchesterschule in Basel 1935–45 und 1957–62 in Berlin; seitdem lebt er wieder in Basel. Er komponierte u. a. die Ballettszene *Scène mauresque* für Orch. (1920), eine Suite für 2 Klar. und 2 Hörner (1944) sowie a-cappella-Chöre.
Lit.: zu –1): H. P. SCHANZLIN in: 139. Neujahrsblatt d. Ges. zur Beförderung d. Guten u. Gemeinnützigen, Basel 1961, S. 21ff.

+Reiter, Josef, 1862–1939 zu Bad Reichenhall [nicht: Salzburg].
Lit.: M. LANGER in: Unsere Heimat XXXIII, (Wien) 1962, S. 72ff.

Reiters, Teodors, * 23. 3. 1884 zu Ljaudona (Lettland), † 12. 12. 1956 zu Stockholm; lettischer Dirigent, absolvierte in den Klassen für Komposition (Kalafatij, Ljadow, Wihtol) und Dirigieren (N. Tscherepnin) 1917 das Konservatorium in Petrograd. 1919–44 war er Dirigent an der Nationaloper Lettlands in Riga. Er war Gründer und Leiter des Reitera Koris (»R.-Chor«), mit dem er in zahlreichen europäischen Städten gastierte. Ab 1944 lebte er in Stockholm.

+Reitler, Joseph, 1883–1948.
R., einer der Mitbegründer der Salzburger Festspiele, war Kritiker der Wiener »Neuen Freien Presse« bis 1936. Auch die Leitung des von ihm gegründeten Neuen Wiener Konservatoriums mußte R. Ende der 30er Jahre aufgeben. Er emigrierte in die USA, leitete dort 1940–45 das Opera Department des New York College of Music und gründete mit Fr. Stiedry und L. Wallerstein den Opera Workshop des Hunter College of the City of New York. Zu seinem Freundeskreis zählten G. Mahler, Br. Walter, Elisabeth Schumann und Lotte Lehmann.

+Reitz, Robert, 1884 – 17. 7. 1950 [del. früheres Datum].
R. war 1926–45 [nicht: bis 1926] Lehrer an der Weimarer Musikhochschule; anschließend wirkte er als Konzertmeister des Tonhalle-Orchesters in Zürich.

+Reizenstein, Franz [erg.:] Theodor, * 7. 6. 1911 zu Nürnberg, [erg.:] † 15. 10. 1968 zu London.
R. war Professor für Klavierspiel an der Royal Academy of Music in London (ab 1958) und am Royal Manchester College of Music (ab 1964). – Weitere Werke: +Cyrano de Bergerac op. 28 [nicht: 38] (1951), Concerto für Streichorch. op. 45 (1967); 2. Klavierkonzert op. 37 (1956–61); Trios für Fl., Ob. und Kl. op. 25 (1945), V., Vc. und Kl. op. 34 (1957) sowie für Fl., Klar. und Fag. op. 39 (1963), Sonaten mit Kl. für V. op. 20 (1945) und Vc. op. 22 (1947), Fantasia concertante für V. und Kl. op. 33 (1956), Duo für Ob. und Klar. op. 38, Concert Fantasy für Va und Kl. op. 42 (1966) sowie eine Sonatine für Klar. und Kl. (1968); 2 +Sonaten (in H [nicht: B] op. 19 [nicht: 29], 1944; op. 40, 1964), Scherzo op. 21 (1947), Legend op. 24 (1949), Scherzo fantastique op. 26 (1950) und der Zyklus Zodiac op. 41 (1964) für Kl.; Oratorium Genesis für S., Bar., gem. Chor und Orch. op. 35 (1958), 5 Sonette für T. und Kl. op. 36 (E. Barrett-Browning, 1959); Musiken für Film, Funk und Fernsehen.
Lit.: Fr. Routh, The Creative Output of Fr. R., in: Composer 1969, Nr 31.

+Rellstab, -1) Johann Karl Friedrich, 1759–1813. Die +Messe und das +Te Deum sind nicht nachweisbar. Der +Versuch ... erschien in Berlin um 1786 [nicht: Wien 1785]. – Seine Tochter Karoline, 1793 [nicht: 1794; erg.:] zu Berlin – 1813 [erg.:] zu Breslau.
-2) Heinrich Friedrich Ludwig, 1799 – 28. [nicht: 27.] 11. 1860. Der Text von Meyerbeers Oper +Ein Feldlager in Schlesien (1844) wurde von L. R. lediglich in deutsche Versform gebracht, das Libretto stammt von E. Scribe.
Ausg.: zu –1): »Ausgeführte« Fassung d. »Fantasia allegretto« v. C. Ph. E. Bach, in: P. Schleuning, Die Fantasie I, = Das Musikwerk XLII, Köln 1971, auch engl.
Lit.: H. Heussner in: MGG XI, 1963, Sp. 215ff. – zu –2): E. König, L. R., Ein Beitr. zur Gesch. d. Unterhaltungslit. in Deutschland, Würzburg 1938; W. Franke, Der Theaterkritiker L. R., = Theater u. Drama XXVI, Bln 1964; H. Kirchmeyer, Situationsgesch. d. Musikkritik u. d. mus. Pressewesens in Deutschland ..., Teil IV: Das zeitgenössische Wagner-Bild, Bd I, = Studien zur Mg. d. 19. Jh. VII, Regensburg 1972.

+Rembt, Johann Ernst (Rempt), [erg.: getauft 27. 8.] 1749 – 1810.

+Reményi, Eduard (Ede), 17. 1. 1828 zu Miskolc [del. frühere Angaben] – 1898.
Lit.: K. Stephenson, Der junge Brahms u. R.s »Ungarische Lieder«, StMw XXV, 1962; O. Goldhammer, Liszt, Brahms u. R., StMl V, 1963; J. Bouws, E. R. in Suid-

Afrika (1887–1890), in: Lantern XVII, 1967/68, afrikaans; ders., Ein ungarischer Violinmeister in Süd-Afrika, StMl X, 1968.

+Remi d'Auxerres (Remigius Autissiodorensis), [erg.:] um 841 – [erg.: um] 908.
R. d'A. trat um 861 in das Kloster St-Germain in Auxerre ein, wo er 876 Lehrer wurde. Ab 900 lehrte er in Paris, wo u. a. Odo von Cluny sein Schüler war. Er veröffentlichte ferner De celebratione missae.
Ausg. u. Lit.: De musica in: GS I, S. 63ff., u. Migne Patr. lat. 131, S. 931ff.; De celebratione missae, Migne Patr. lat. 101, S. 1246ff. (dort Flaccus Alcuinus zugeschrieben). – J. Willis, Martianus Capella and His Early Commentators, Diss. London 1952; C. E. Lutz, Remigii Autissiodorensis commentum in Martianum Capellam, Libri I–IX, 2 Bde, Leiden 1962–65.

Remoortel, Edouard van → +Van Remoortel, E.

Remouchamps (rəmuʃ'ã), Henri de (Lambaux de R.), * um 1585 zu Remouchamps, † Ende 1637 oder Anfang 1638; wallonischer Organist und Komponist von Kirchenmusik (Motette Salve Matrona nobilissima Anna für 8 St. und B. c.), erhielt seine musikalische Ausbildung in Lüttich ab 1595 an der Maîtrise der Kirche St-Jean-L'Evangéliste und dann an der Kathedrale St-Lambert, wo er bis 1630 Organist war. Später war er Maître des chantres an St-Paul in Lüttich.
Lit.: J. Quitin, Orgues, organiers et organistes de l'église cathédrale Notre-Dame et St-Lambert, à Liège, aux XVIIe et XVIIIe s., Bull. de l'Inst. archéologique liégeois LXXX, 1967.

Renard (rrɛn'ar̃), Rosita, * 8. 2. 1894 und † 24. 5. 1949 zu Santiago de Chile; chilenische Pianistin, studierte bei M. Krause in Berlin und erhielt den Liszt-Preis, ein Mendelssohn-Stipendium sowie ein Ehrendiplom des Stern'schen Konservatoriums. Sie unternahm eine Reihe von Konzertreisen (u. a. mit E. Kleiber), die sie durch Europa und Amerika führten. R. R. wirkte in Santiago an der Neuorganisierung des Conservatorio Nacional de Música mit.
Lit.: St. Contreras in: Heterofonía II, 1969/70, Nr 9, S. 17ff.

+Rendano, Alfonso, 1853–1931.
Lit.: Fr. S. Salfi in: Almanacco calabrese XIII, (Rom) 1963, S. 121ff.

René (ʒin'ei), Henri (Pseudonym und eigentlicher Geburtsname Harold M. Kirchstein), * 29. 12. 1906 zu New York; amerikanischer Komponist, war nach Studien am Stern'schen Konservatorium in Berlin 1936–42 und 1945–50 als Musical Director von RCA Victor in New York, 1950–59 bei der gleichen Schallplattenfirma in Kalifornien und 1959–62 bei Imperial Records tätig. Ferner arbeitete er für Fernsehen und Rundfunk in New York und in Kalifornien als Komponist, Arrangeur, Dirigent und Showproduzent. Er schrieb Stücke für Unterhaltungsorchester, u. a. Made in Germany, die Suiten Farben-Glissando und Las Vegas Rhapsodie, Day Dreams, Suite in Swing für Kl. und Orch., Blues Chartreuse für Hf. und Orch. sowie Hawaiian Holiday für Big band und Streicher.

+Rener, Adam, um 1485–1520.
Ausg.: Collected Works of A. R., Teil I (The Motets), hrsg. v. R. L. Parker, = Collected Works II, Brooklyn (N. Y.) 1964. – 6 Vespern in: G. Rhau, Musikdrucke IV, hrsg. v. H. J. Moser, u. 8 Magnificat, ebd. V, hrsg. v. P. Bunjes, Kassel 1960 bzw. 1970; 4st. Missa carminum, hrsg. v. J. Kindermann, = Chw. CI, Wolfenbüttel 1966.
Lit.: J. Kindermann, Die Messen A. R.s, Diss. Kiel 1962; R. L. Parker, The Motets of A. R., 2 Bde, Diss. Univ. of Texas 1963; ders., The Polyphonic Lieder of A. R., in: Essays ..., Fs. P. A. Pisk, Austin (Tex.) 1966.

Rengifo, Javier, * 17. 3. 1884 und † 26. 10. 1958 zu Santiago de Chile; chilenischer Komponist, studierte ab 1896 am Conservatorio Nacional de Música in Santiago de Chile bei Federico Stöber (Harmonielehre) und Domingo Brescia (Kontrapunkt). Er gründete in Santiago ein Konservatorium (1925) und wurde Leiter der Musikakademie und des Kammerorchesters des Club Unión (1928). Seine Kompositionen umfassen u. a. die Opern *Judith y Holofernes* und *Juan José,* die Zarzuela *Amor plebeyo* (Santiago 1902), die Ballettpantomime *El sol y la violeta* (ebd. 1904), Orchesterwerke (*Poema pastoral,* 1913; *Suite española,* 1919; symphonisches Bild *Caminante en noche de lluvia*), Kammermusik (Sonate und Ballade für Vc. und Kl.) und Vokalwerke (*Hymno a León XIII* für Soli, Chor und Orch.; *Hymno a la ciencia* für Chor und Streichorch.; *Vos yeux* für Solo-St. und Orch.).
Lit.: V. SALAS VIÚ, La creación mus. en Chile (1900–51), Santiago de Chile 1952.

Renié (rənj'e), Henriette, * 18. 9. 1875 und † 1. 3. 1956 zu Paris; französische Harfenistin und Komponistin, Schülerin von Alphonse Jean Hasselmans, errang bereits mit 12 Jahren einen 1. Preis im Harfenspiel am Pariser Conservatoire, an dem sie später auch Komposition bei Dubois und Lenepveu studierte. Sie unternahm ausgedehnte Konzertreisen, bildete am Pariser Conservatoire zahlreiche Harfenisten aus und regte u. a. Debussy, Fauré und Ravel an, Kompositionen für Harfe zu schreiben. H. R. selbst schrieb ein Harfenkonzert (1901), eine Elegie für Hf. und Orch. (1907), Kammermusik (Trios für Hf., V. und Vc. bzw. für Hf., Fl. und Fag.), zahlreiche Solostücke für Harfe (*Légende; Contemplation; Danse des lutins*) und eine *Méthode complète* des Harfenspiels (Paris 1946). Sie gab auch Übertragungen älterer und neuerer Klaviermusik für Harfe (*Les classiques de la harpe,* Paris o. J.) heraus.

Renkin (rãk'ɛ̃), Herman-Joseph, getauft 17. 8. 1696 und † September/Oktober 1768 zu Lüttich; belgischer Organist, Priester, war in seiner Heimatstadt ab 1740 Organist an der Kollegialkirche St-Pierre und ab 1762 an der Kirche St-Étienne. Zwischen 1756 und 1758 (vielleicht auch bis 1761) war er Lehrer von Grétry, der ihn sehr schätzte.
Lit.: J. QUITIN, Les maîtres de chant et la maîtrise de la collégiale St-Denis, à Liège, au temps de Grétry, = Acad. Royale de Belgique, Classe des beaux-arts, Mémoires, 2. Serie, Bd XIII, 3, Brüssel 1964.

Renner, Hans, * 4. 6. 1901 zu Arolsen (Hessen), † 9. 2. 1971 zu Marburg an der Lahn; deutscher Musikschriftsteller und Komponist, studierte in Kassel (Zulauf) und Hannover (O. Leonhardt) sowie in München an der Akademie der Tonkunst (W. Courvoisier, S. v. Hausegger, H. v. Waltershausen). Er lebte freischaffend 1924–31 in Davos, ab 1931 in Berlin, wurde 1946 Leiter des Volksbildungsamts bei der Provinzialregierung Potsdam und 1948 Leiter der Abteilung Kunst und 1. Vorsitzender der Volksbühne Brandenburg. 1949 ließ er sich in der Bundesrepublik nieder und lebte 1954–71 in Marburg als freier Musikschriftsteller und -kritiker. Er veröffentlichte u. a.: *Die Wunderwelt der Oper* (Bln 1938; Neuaufl. als: *Das Wunderreich der Oper,* Bln 1940, Berchtesgaden 1956, *Opern- und Operettenführer der Büchergilde,* Ffm. 1962, *Neuer Opern- und Operettenführer,* München 1963, und *Oper, Operette, Musical,* ebd. 1969); *Reclams Konzertführer* (= Reclams Universal-Bibl. Nr 7720–31, Stuttgart 1952, ⁹1972); *Grundlagen der Musik. Musiklehre* (ebd. Nr 7774–76, 1953, ⁸1969, nld. = Prisma-boeken Nr 538, Utrecht 1960, ²1962, schwedisch Stockholm 1961); *Reclams Kammermusikführer* (mit W. Zentner,

A. Würz und S. Greis, ebd. Nr 8001–12, 1955, ⁷1972); *Geschichte der Musik* (Stuttgart 1965, auch als *Musikgeschichte der Büchergilde,* Ffm. 1965). Sein kompositorisches Schaffen umfaßt u. a. die Oper *Nächtlicher Besuch* (nach Knut Hamsuns *Munken vendt,* Gera 1931), die Operette *Die Liebeslotterie* (Bln 1936), eine *Sinfonische Variationensuite* (1927) und zahlreiche Lieder.

⁺Renner, –2) Joseph (junior), 1868–1934.
Lit.: A. SCHARNAGL in: MGG XI, 1963, Sp. 294ff.; E. KRAUS, Meister d. »unverfälschten« Orgelkunst, in: Altbayerische Heimat (= Beilage zur Mittelbayerischen Zeitung) 1964, Nr 8; DERS., M. Regers Briefe an J. R., Mitt. d. M.-Reger-Inst. Bonn 1968, H. 17.

Rennert, Günther, * 1. 4. 1911 zu Essen; deutscher Opern- und Schauspielregisseur und Theaterleiter, studierte Jura, daneben Theater- und Kunstgeschichte in München, Berlin und Halle (Saale), promovierte zum Dr. jur. und ging 1935 für 2 Jahre als Assistent Felsensteins nach Frankfurt a. M. Nach Engagements in Wuppertal und Mainz (Uraufführung von *La dama Boba* von Wolf-Ferrari, 1939) wurde er 1940 als Oberspielleiter nach Königsberg und 1942 in gleicher Stellung an die Städtische Oper Berlin verpflichtet. In München eröffnete R. 1945 die erste Nachkriegsspielzeit mit *Fidelio.* 1946–56 war er Intendant der Hamburgischen Staatsoper; danach war er als Gastregisseur tätig und trat u. a. bei den Festspielen in Salzburg, Edinburgh und Glyndebourne hervor. Mit den Ensembles der Staatsopern Hamburg und Stuttgart führte er Gastspiele im In- und Ausland durch. Seit 1967 ist er Intendant der Bayerischen Staatsoper in München. 1973 wurde er Professor für Operndramaturgie und -regie an der Staatlichen Hochschule für Musik in München. – Obwohl R. auch die Hauptwerke von Wagner und Verdi inszeniert hat, konzentriert sich seine Regiearbeit weniger auf die musikalischen Bühnenwerke des 19. Jh. (ausgenommen die Buffooper Rossinis) als einerseits auf die vorklassische (Monteverdi) und klassische Oper (Mozart, Beethoven), zum anderen auf das Musiktheater des 20. Jh. (R. Strauss, Janáček, Alban Berg, Orff, Egk, G. v. Einem, Henze, Penderecki). In Uraufführungen (Orff, *Die Kluge,* Ffm. 1943, und *Oedipus der Tyrann,* Stuttgart 1959; Egk, *Der Revisor,* ebd. 1957, *Die Verlobung in San Domingo,* München 1963, und *17 Tage und 4 Minuten,* Stuttgart 1966; Strawinsky, »Die Sintflut«, Hbg 1963; Klebe, *Jakobowsky und der Oberst,* Hbg 1965) brachte er die Moderne ebenso zur Geltung wie in zahlreichen deutschen Erstaufführungen (Blomdahl, Britten, Einem). Er veröffentlichte *Opernarbeit. Inszenierungen 1963–1973* (= dtv Bd 976, München 1974).
Lit.: W. E. SCHÄFER, G. R., Regisseur in dieser Zeit, Bremen 1962; DERS., Der Opernregisseur G. R., in: Melos XXX, 1963 (Interview). KDG

Rennert, Wolfgang, * 1. 4. 1922 zu Köln; deutscher Dirigent, Bruder von Günther R., studierte bei Cl. Krauss am Mozarteum in Salzburg, war 1950–53 Kapellmeister am Stadttheater in Kiel und 1953–67 1. Dirigent und stellvertretender GMD am Opernhaus in Frankfurt a. M. 1967–71 war er Chefdirigent des Theaters am Gärtnerplatz in München. R. wurde 1971 an die Deutsche Staatsoper Berlin verpflichtet. Als Gastdirigent ist er u. a. an der Wiener Staatsoper, der Pariser Opéra sowie bei den Salzburger Festspielen und bei RAI in Rom aufgetreten.

⁺Rennès, Catharina van, 1858 – 1940 zu Amsterdam [nicht: im Haag].
Lit.: N. VAN DER ELST in: Mens en Melodie XIII, 1958, S. 200ff.

Renosto, Paolo, * 10. 10. 1935 zu Florenz; italienischer Komponist, studierte am Conservatorio di Musica L.Cherubini in Florenz Klavier bei Paolo Rio Nardi (Diplom 1956), Komposition bei Fragapane, Dallapiccola und R.Lupi (Diplom 1962) sowie Dirigieren bei Maderna in Salzburg. Als Pianist und Dirigent setzt er sich für die Aufführung zeitgenössischer Musik ein. Gegenwärtig ist er als musikalischer Berater bei RAI tätig. Er schrieb u. a.: *Dinamica I* für Fl. (1961); *Differenze* für 15 Instr. (1963); *Mixage* für Fl. und Kl. (1965); *»Avant d'écrire«* für Va und Kl. (1965); *Scops*, Strukturen und Improvisationen für Va und Orch. (1966); *»Du côté sensible«* für 11 Solostreicher (1967); *The Al(do)us Quartet* für Streichquartett oder -trio (1967); *Ar-loth* für Ob., Englisch Horn, Musette und Ob. d'amore (ein Spieler, 1967); *Players* für irgendein Instrument oder Kammerensemble (1968); *Forma* op. 7 für großes Orch. (1969); *Nacht* für 2 Orch. oder Streichorch. oder für Frauen-St. und Streichorch. (1969); *Per Marisa T, Pianista* für Kl. (1970); *Andante amoroso*, theatralische Nummer für 3 Ausführende (Frauen-St., Kl. und verschiedene Schlaginstr., 1970); *La camera degli sposi*, Oper in einem Akt (Mailand 1972); ferner Film- und Fernsehmusik.

Renotte (rən'ɔt), Hubert, getauft 24. 2. 1704 zu Outre-Meuse, † vor dem 23. 6. 1745 zu Lüttich; französischer Komponist, war Gesangslehrer in Tongres, 1730–35 Phonascus an St-Martin in Lüttich und dann bis zu seinem Tode Organist an der Kathedrale St-Lambert. Von ihm sind handschriftlich Vespern (1733), ein Magnificat für 4 St., Violinen und Org., *Six sonates pour clavecin également propres pour un v. ou pour une fl. traversière avec la b.* op. 1, *Sei sonate a tre* op. 2 und *Pièces de clavecin* erhalten.
Lit.: J. QUITIN, Orgues, organiers et organistes de l'église cathédrale Notre-Dame et St-Lambert, à Liège, Bull. de l'Inst. archéologique liégeois LXXX, 1967.

Rensch, Richard, * 9. 2. 1923 zu Eisleben; deutscher Orgelbauer, Schüler der Thomasschule in Leipzig, gründete 1956 nach Ablegung seiner Orgelbaumeisterprüfung die Orgelbauwerkstatt »Orgelbau R. Rensch« in Lauffen am Neckar, deren Inhaber er seitdem ist. Er entwickelte eine mechanische Setzerkombination für mechanische Registertraktur (1965) und einen speziellen Rechenschieber für die Mensuration von Orgelpfeifen (1970). Seine Firma fertigte u. a. die Orgeln der Friedenskirche in Stuttgart (1966; 40 St.), der Kilianskirche in Heilbronn (1968; 14 St.), der Marktkirche in Hannover (1972; 60 St.) und der Stadtkirche in Unna (1973; 50 St.). R. ist seit 1966 Lehrer für Mensuration an der Meisterschule für Orgelbau in Ludwigsburg, daneben seit 1948 Kantor an der Regiswindiskirche in Lauffen sowie seit 1970 Chefredakteur der von ihm 1968 mitgegründeten Orgelbaufachzeitschrift *ISO Information*.

+Rentsch, Arno, 1870 – 1942 [erg.:] zu Wien.

Renzi, Anna (Renzini), * um 1620 zu Rom; italienische Sängerin (Sopran), studierte bei Filiberto Laurenzi, debütierte in sehr jungen Jahren in ihrer Heimatstadt, wo sie 1639 in der Oper *Chi soffre speri* von V. Mazzochi und Marazzoli auftrat. 1640 ging sie zusammen mit Laurenzi nach Venedig und gehörte dort zu den Solisten der Uraufführung von Sacratis Oper *La finta pazza*, mit der 1641 das Teatro Novissimo eingeweiht wurde. Sie sang die Hauptrollen in Sacratis *Bellerofonte* (1642 und 1645), in Monteverdis *L'incoronazione di Poppea* (Ottavia, 1642), *La finta savia* von Laurenzi, Crivelli, Merula und B.Ferrari (1643), *Torilda* von Cavalli (1648) sowie die *Argiope* von Alessandro

Leardini (1649). Dann lebte sie unter dem Namen Renzini in Innsbruck, wo sie zwischen 1653 und 1655 in zahlreichen Bühnenwerken am Hoftheater auftrat. 1657 war A. R. wieder in Venedig in der Oper *Fortune di Rodope e Damira* von P. A. Ziani zu hören.
Lit.: CL. SARTORI, La prima diva della lirica ital., A. R., nRMI II, 1968.

Renzi, Armando, * 22. 7. 1915 zu Rom; italienischer Komponist, Dirigent und Pianist, studierte an der Accademia Nazionale di S. Cecilia in Rom u. a. bei Pizzetti (Komposition), A. Casella (Klavier), Molinari (Dirigieren), Germani (Orgel) und Bustini (Gregorianischer Gesang). Er wirkt seit 1939 als Komponist, Pianist und Dirigent, ist seit 1955 Lehrer für Harmonielehre und Kontrapunkt an verschiedenen Konservatorien (gegenwärtig am Conservatorio Nazionale di Musica B. Marcello in Venedig), seit 1960 Musikdirektor der Cappella Giulia in St.Peter und seit 1963 Professor am Pontificio Istituto di Musica Sacra in Rom. Seine Kompositionen umfassen u. a. die Bühnenwerke *La regina in berlina* (RAI Rom 1939) und *La bugiarda meravigliosa* (ebd. 1945), Orchesterwerke (*Adagio e rondo variato* für Kl. und Orch., 1945; *Tre melodie religiose* für Fl. und Orch., 1963), Kammermusik (Streichquartett, 1941; Fantasie für Streichtrio, 1948; 5 Bagatellen für Bläserquartett, 1952; Sonate für Horn und Kl., 1958; *Sonata breve* für V. und Va, 1969), Klavier- und Orgelwerke, geistliche Musik (Kantaten *Vexilla regis*, 1941, und *Laudes canemus patris*, 1967; *Cantico di Mosè* für großen Chor, 1951; Oratorium *Sanctam per saecula*, 1962; *Messa degli educatori* für Chor und Org., 1965) und Lieder (*Nuvole e colori* für Gesang und Orch., 1965; *Quattro canzoni romanesche* für Chor a cappella, 1968).

Resnik (ɪ'eznik), Regina, * 30. 8. 1922 zu New York; amerikanische Opernsängerin ukrainischer Abstammung (Mezzosopran), studierte Gesang bei Rosalie Miller und absolvierte das Hunter College of the City of New York (B. A. 1942). Sie debütierte 1942 als Lady Macbeth bei der New Opera Company, 1944 als Leonora (*Il trovatore*) an der Metropolitan Opera in New York und 1953 als Sieglinde bei den Bayreuther Festspielen. Ab 1955 wandte sie sich dem Mezzosopranfach zu und sang 1956 die Marina (*Boris Godunow*) an der Metropolitan Opera. R. R. wirkte bei den Salzburger Festspielen (1960) mit und gastierte u. a. an der Wiener Staatsoper, der Covent Garden Opera in London und am Teatro Colón in Buenos Aires. Zu ihren Glanzpartien gehörten Eboli, Amneris, Santuzza und Carmen. Sie profilierte sich auch durch Regieaufgaben (*Carmen*, Hbg 1971; *Elektra*, Straßburg 1973).
Lit.: I. COOK, R. R., in: Opera XIV, (London) 1963.

+Respighi, –1) Ottorino, 1879–1936.
–2) Elsa (geborene Olivieri-Sangiacomo), * 24. 3. 1894 zu Rom. E. R. gründete 1969 eine R.-Stiftung (Fondo R.; künstlerischer Leiter L. Alberti), die, verbunden mit regelmäßigen Wettbewerben, die Musikausbildung in Italien fördern soll. – Die Biographie *+O. Respighi* (1954) erschien in englischer (London 1962) und deutscher Übersetzung (Ffm. 1962, mit Einleitung von A. Scherle, *O. R. und die europäische Musik*).
Lit.: zu –1): +R. DE RENSIS, O. R. (1935), frz. Sion 1957. – O. R., Cat. delle opere, Mailand 1965 (mit Einleitung v. M. LABROCA). – E. RESPIGHI ... (s. o.) A. CAPRI, Lineamenti della personalità di R., in: Immagini esotiche nella musica ital., hrsg. v. A. Damerini u. G. Roncaglia, = Accad. mus. Chigiana (XIV), Siena 1957; J. KREJN, O. R., SM XXIV, 1960; D. N. MORRISON, Influences of Impressionist Tonality on Selected Works of Delius,

Griffes, Falla, and R., Diss. Indiana Univ. 1960; Beitr. v. M. RINALDI, R. ROSSELLINI u. CL. ROSTAND in: Musica d'oggi IV, 1961, S. 146ff.; PH. L. SKOLDBERG, The String Quartets of O. R., Diss. (mus.) Indiana Univ. 1967.

+**Reszke,** –1) J e a n d e (Jan Mieczysław R.), 1850–1925. –2) E d u a r d e (Edward R.), 1853 [nicht: 1855] – 1917 auf seinem Landgut Garnek (bei Tschenstochau) [nicht: Gureck bei Warschau].
–3) J o s e p h i n e d e (Józefina R., verheiratete Kronenberg [nicht: von Kronenburg]), 1855–91. Sie gab ihr Debüt 1871 in Posen [nicht: 1874 in Venedig].
Lit.: zu –1): +CL. LEISER, J. de R. and the Great Days of the Opera (1933), Nachdr. Westport (Conn.) 1970; P. G. HURST, The Age of J. de R., London 1958, als: The Operatic Age of J. de R., NY 1959. – zu –2): Sz. NIEMAND, Wybitni polscy śpiewacy w repertuarze wagnerowskim (»Bedeutende polnische Wagner-Sänger«), in: R. Wagner a polska kultura muzyczna, hrsg. v. K.·Musioł, = Państwowa Wyższa szkoła muzyczna w Katowicach, Zeszyt naukowy V, Kattowitz 1964 (mit deutscher Zusammenfassung).

+**Rethberg** [erg.:] C e h a n o v s k y , E l i s a b e t h (eigentlich Sättler), * 22. 9. 1894 zu Schwarzenberg (Erzgebirge).
E. R., die heute in Yorktown Heights (N. Y.) lebt, gab ihre künstlerische Laufbahn 1944 auf.

+**Réti,** R u d o l f [erg.:] Richard, 1885–1957.
Weitere Kompositionen: Passacaglia für V. und Orch. (1947); *Symphonia mystica* (1951); *The Magic Gate* für Kl. (1952); Triptychon für Orch. (1953); Concertino für Vc. und Orch. (1953); 2. Klavierkonzert (1954); 3 +*Allegories* für Orch. (1956). – Neuauflagen: +*The Thematic Process in Music* (1951), NY 1952, London 1961, London und Mystic (Conn.) 1966; +*Tonality, Atonality, Pantonality* (1958), auch NY 1958, 2. Aufl. als *Tonality in Modern Music* NY 1962, span. = Libros de música III, Madrid 1965, russ. Leningrad 1968 (daraus ein Kap. deutsch als *Zwölfton-Dämmerung*, ÖMZ XIV, 1959). – Aus dem Nachlaß erschien eine weitere grundlegende Abhandlung *Thematic Patterns in Sonatas of Beethoven* (hrsg. von D. Cooke, London 1965, NY 1967; daraus ein Kap. deutsch als *Motive und Phrasierung*, ÖMZ XXII, 1967). Ferner sei genannt *The Role of Duothematicism in the Evolution of Sonata Form* (MR XVII, 1956, deutsch in: ÖMZ XI, 1956, S. 306ff.) und *Zur thematischen Struktur in Beethovens drittem Klavierkonzert* (ÖMZ XXI, 1966).
Lit.: D. M. SCHWEJDA, An Investigation of the Analytical Techniques used by R. R. in »The Thematic Process in Music«, Diss. Indiana Univ. 1967.

+**Rettich,** W i l h e l m (Willem), * 3. 7. 1892 zu Leipzig.
R., der die niederländische Staatsbürgerschaft besitzt, lebt seit 1964 wieder in Deutschland (Baden-Baden). Weitere Werke: Trompetenkonzert (1971); *Fluch des Krieges* op. 10 (1932) und *Der Cellospieler aus Thüringen* op. 39 (nach C. Zuckmayer, 1968) für Chor und Orch.; *Sprüche vom Pferde* für Männerchor und 4 Hörner; Zyklen (u. a. nach G. Gezelle, R. A. Schröder und R. G. Binding) und Volksliedbearbeitungen für Chor; zahlreiche Lieder mit Orch. oder Kl. (u. a. Liederzyklen nach Ricarda Huch, Else Lasker-Schüler und Chr. Morgenstern).
Lit.: FR. VAN DEN VEN, De vocale composities v. W. R., in: Mens en melodie XVII, 1962; W. PAAP, ebd. XXII, 1967, S. 203ff.

+**Reubke,** –1) A d o l f, 1805 – 1875 zu Hausneindorf (Harz) [nicht: Halberstadt]. –2) J u l i u s, 1834–58. –3) O t t o, 1842–1913.
Lit.: W. STRUBE in: Walcker-Hausmitt. 1963, Nr 30, S. 20ff. – zu –2): M. WEYER, Die deutsche Orgelsonate v.

Mendelssohn bis Reger, = Kölner Beitr. zur Musikforschung LV, Regensburg 1969; D. W. CHORZEMPA, J. R., Life and Works, 2 Bde, Diss. Univ. of Minnesota 1971. – zu –3): W. RACKWITZ, Die Singakad. in d. Jahren 1860–1911, in: 150 Jahre R.-Franz-Singakad. Halle (Saale), Fs., Halle 1964.

+**Reuchsel** (Reuschel), –1) J o h a n n (Johannes), [erg.: 28. 3.] 1791 [erg.:] zu Bettenhausen (bei Meiningen) – [erg.:] 15. 3. 1871 [nicht: 1870]. –2) [erg.: Pierre-] L é o n, [erg.: 11. 2.] 1840 – 1915. –3) A m é d é e, 1875 – 1931 zu Montereau ([erg.] Loiret). –4) [erg.: Louis Joseph] M a u r i c e, * 22. 11. 1880 und [erg.:] † 12. 7. 1968 zu Lyon.

+**Reusch,** F r i t z, * 20. 11. 1896 zu Bingen (Rhein), [erg.:] † 8. 2. 1970 zu Heidelberg.
Er schrieb ferner eine *Sprechfibel für Kinder und Jugendliche* (= Bausteine für Musikerziehung und Musikpflege XIV, Mainz 1963).

+**Reusch,** Johannes (Johann), zwischen 1520 und 1525 [del.: um 1520] – 1582.
Am 27. 4. [nicht: 2.] 1543 wurde R. an der Universität Wittenberg immatrikuliert.
Ausg.: 4 Oden in: R. FEDERHOFER-KÖNIGS, J. Oridryus u. sein Musiktraktat (Düsseldorf 1557), = Beitr. zur rheinischen Mg. XXIV, Köln 1957.
Lit.: W. DEHNHARD, Die deutsche Psalmmotette in d. Reformationszeit, = Neue mg. Forschungen VI, Wiesbaden 1971.

+**Reuß,** Heinrich XXIV., Fürst von R.-Köstritz, 1855–1910.
Sein Vater Heinrich IV. R., 1821 – 1894 [nicht: 1893].

+**Reuter & Reuter,** Förlags A. B.
Der Verlag, weiterhin geleitet von Lennart Reuterskiöld (* 23. 2. 1898 zu Stockholm), hat auch die Bestände der Edition Harlequin übernommen. Als Tochtergesellschaften erloschen sind Lani Musikförlag und Mørks Musikförlag. R. & R. betreibt die Generalvertretung einiger amerikanischer Musikfirmen für Skandinavien und Finnland.

+**Reuter,** F l o r i z e l von, * 21. 1. 1890 zu Davenport (Ia.).
R., 1952–56 Konzertmeister des Waukesha Symphonieorchesters (Wisconsin), war in den letzten Jahren vor allem schriftstellerisch tätig. Von seinen neueren Kompositionen seien ein Streichquartett (1957), ein Concerto grosso für 2 V. und Orch. (1965) und eine *Rumänische Rhapsodie* (1966) genannt. Er bearbeitete 1931 Regers unvollendet gebliebenes Andante und Rondo capriccioso für V. und Orch. op. 147 als *Sinfonische Rhapsodie*.

+**Reuter,** F r i t z, * 9. 9. 1896 und [erg.:] † 4. 7. 1963 zu Dresden.
Bis 1962 wirkte R. als Direktor des Instituts für Musikerziehung an der Humboldt-Universität in Berlin. – +*Grundlagen der Musikerziehung* (1957), erweitert Lpz. 1962, bulgarisch Sofia 1968. – Neben weiteren kleineren Aufsätzen veröffentlichte er A. Szendreis *Dirigierkunde* (Lpz. 21952, 31956). – Neuere Kompositionen: 3. Symphonie A dur (1959); Kantate *Arbeit ist Leben* (1960); Melodram *Der Hase und der Igel* (1961); 6 Lieder (L. Fürnberg, 1962).
Lit.: Wiss. Beitr. zur Musikerziehung, Gedenkschrift Fr. R., = Wiss. Zs. d. Humboldt-Univ. zu Bln, Ges.- u. sprachwiss. Reihe XV, 1966, H. 3. – P. MIES in: Musica sacra LXXX, 1960, S. 75ff.; W. CLEMENS in: Musik in d. Schule XII, 1961, S. 397ff.; G. NOLL in: Musica XV, 1961, S. 510f., u. in: MuG XI, 1961, S. 548ff.; W. BUSCH in: Musik in d. Schule XIV, 1963, S. 424ff.; K. WICHMANN, Fr. R.s »Sechs Lieder auf Gedichte v. L. Fürnberg«, MuG

XIII, 1963; H. GRABNER, Briefwechsel mit Fr. R., Wiss. Zs. d. Humboldt-Univ., Ges.- u. sprachwiss. Reihe XV, 1966.

Reuter, Rudolf, * 15. 4. 1920 zu Münster (Westf.); deutscher Musikforscher, studierte an der Universität Münster, wo er 1948 mit der Dissertation *Die Orgel- und Klavierfuge J. S. Bachs* promovierte. Im selben Jahr erhielt er einen Lehrauftrag an der dortigen Universität, 1966 wurde er Wissenschaftlicher Rat und Professor. R. ist außerdem solistisch als Cembalist und Organist tätig. Er veröffentlichte zahlreiche Schriften und Aufsätze, vor allem zur Orgelkunde, darunter: *Die Grundlagen des Orgelbaus auf der Iberischen Halbinsel* (Esslingen am Neckar 1965); *Orgeln in Westfalen. Inventar historischer Orgeln in Westfalen und Lippe* (= Veröff. der orgelwissenschaftlichen Forschungsstelle im musikwissenschaftlichen Seminar der Westfälischen Wilhelms-Universität I, Kassel 1965); *Die Orgel in der Denkmalpflege Westfalens 1949–71* (ebd. IV, 1971); *Die Instrumentenbauer Kaiser am Düsseldorfer Hof Johann Wilhelms II.* (in: Musicae scientiae collectanea, Fs. K. G. Fellerer, Köln 1973).

+**Reutter,** –1) Georg (der Ältere), [erg.: getauft 4. 11.] 1656 – 1738.
–2) Johann Adam Joseph Karl Georg (der Jüngere), getauft [del.: *] 6. 4. 1708 – 1772. Den Titel eines 1. Kapellmeisters erhielt er 1769 [nicht: 1759].
Ausg.: zu –2): Domine miserere f. S., A., T., B. u. B. c., hrsg. v. O. BIBA, Hilversum 1970.
Lit.: zu –2): E. BADURA-SKODA in: MGG XI, 1963, Sp. 336ff. – zu –2): H. C. R. LANDON, Problems of Authenticity in 18th-Cent. Music, in: Instr. Music, hrsg. v. D. G. Hughes, = Isham Library Papers I, Cambridge (Mass.) 1959; E. SCHENK, Ist d. Göttweiger Rorate-Messe ein Werk J. Haydns?, StMw XXIV, 1960; O. BIBA, Eine Quelle zu B. Marcellos Cemb.-Sonaten aus d. Besitz v. G. R. d. J., Mf XXVI, 1973.

+**Reutter,** Hermann, * 17. 6. 1900 zu Stuttgart.
R. wurde 1966 als Direktor der Hochschule für Musik in Stuttgart emeritiert; danach leitete er bis 1974 eine Meisterklasse für Liedinterpretation an der Münchner Musikhochschule. Konzerte (zumeist als Liedbegleiter oder Interpret eigener Klavierkonzerte) sowie Vorträge, Seminare und Meisterkurse über Liedkomposition und -interpretation, die R. seit 1960 alljährlich abhält, führten ihn nach Nord- und Mittelamerika, Asien und Skandinavien. Er wurde geehrt mit der »Festschrift der Freunde« *H. R., Werk und Wirken* (hrsg. von H. Lindlar, Mainz 1965, mit Werkverz. sowie einer Reihe eigener Beiträge). R. ist auch Mitglied der Bayerischen Akademie der Schönen Künste in München. – Neuere Werke: +*Die Witwe von Ephesus* (1954, Neufassung Schwetzingen 1966), »Concerto scenico« *Der Tod des Empedokles* (Fr. Hölderlin, ebd.); *Figurinen zu Hofmannsthals »Jedermann«* für Orch. (1972); Capriccio, Aria und Finale für Kl. und Orch. (1964); 12 Stücke für Holz- und Blechbläser mit Kl. (1957–69); *Pièce concertante* für Altsax. (1968) und *Sonata monotematica* für Vc. (1973) mit Kl., *Cinco caprichos sobre Cervantes* für Va solo (1968); +*Der große Kalender* (1933, Neufassung 1970), +*Hochzeitslieder* (1941, szenisch als *Bauernhochzeit*, Mainz 1967), »Concerto im baroquischen Geschmack« *Phyllis und Philander* (6 Gedichte nach P. Squentz) für gem. Chor, 6 Bläser und Kl. (1970); *Tres laudes* für gem. Chor (1964), *Jesu Nachtgespräch mit Nicodemus* für gleiche St. a cappella (1969); Concerto grosso *Aus dem Hohelied Salomonis* für A., Va, Kl. und Orch. (1956), Szene und Monolog der Marfa aus Schillers *Demetrius* für S. und Orch. (1966); Gesänge aus Prediger Salomo XII, 1–9 für tiefe Singst., Fl. und Kl. (1973); Lieder und Gesänge nach F. García

Lorca (*Spanischer Totentanz* für 2 mittlere St. und Orch., 1953; *Kleine Ballade von den drei Flüssen*, 1960, und *Andalusiana*, 1962, für S. und Orch.; *Ein kleines Requiem* für B., Vc. und Kl., 1961; 3 *Zigeunerromanzen* für Singst. und Kl., 1956); *Die Jahreszeiten* (Fr. Hölderlin), 5 Negergedichte *Meine dunklen Hände*, 6 späte Gedichte (R. Huch, alle 1957), 3 *altägyptische Gedichte*, »Chanson variée« *Ein Füllen ward geboren* (S.-J. Perse), *Epitaph für einen Dichter* (nach W. Faulkners »Ein grüner Zweig«, alle 1962), 5 *Fragmente* (Fr. Hölderlin, 1965), Triptychon *Sankt Sebastian* (1968) sowie 4 Liederzyklen nach Gedichten von N. Sachs, J. Joyce, R. Huch und M.-L. Kaschnitz (1973) für Singst. und Kl. – Er edierte die Anthologie *Das zeitgenössische Lied* (4 Bde, Mainz 1969).
Lit.: H. STOFFELS in: Musik u. Musikerziehung in d. Reifezeit, hrsg. v. E. Kraus, Mainz 1959, S. 241ff. (zu »+Die Passion in 9 Inventionen«); G. GILLHOFF, H. R.'s Faust Opera, Monatshefte LII, (Madison/Wis.) 1960; J. MÜLLER-BLATTAU in: NZfM CXXI, 1960, S. 208ff.; U. STÜRZBECHER in: NZfM CXXXI, 1970, S. 305ff.

+**Révész,** Géza, 1878–1955.
Er war Mitglied der Ungarischen und der Bayerischen Akademie der Wissenschaften, ferner Dr. phil. h. c. der Universität Würzburg. – +*The Psychology of a Musical Prodigy* (1925), Nachdr. Freeport (N. Y.) und Westport (Conn.) 1970.

+**Revueltas,** Silvestre, 1899–1940.
R. ging 1937 nach Spanien und wirkte während des Bürgerkrieges in der Propagandaabteilung der republikanischen Regierung; danach lebte er wieder in México (D. F.).
Lit.: Werkverz. in: Compositores de América I, Washington (D. C.) 1955. – O. L. IGOU, Contemporary Symphonic Activity in Mexico with Special Regard to C. Chávez and S. R., Diss. Northwestern Univ. (Ill.) 1946; M. REYES MEAVE, Psicobiogr. de S. R., in: Nuestra música 1958, Nr 27/28 (México); P. PITSCHUGIN in: SM XXV, 1961, Nr 5, S. 170ff.

+**Rewuzkij,** Lewko Mykolajewytsch (Lew Nikolajewitsch), * 8.(20.) [erg.: 2.] 1889 zu Irschawez (Gouvernement Poltawa). *d. Mar. 30 1977*
1941–44 lehrte R. in Taschkent und ab 1944 wieder am Konservatorium in Kiew. 1944–48 und 1952–56 war er Präsident des ukrainischen Komponistenverbandes. 1957 wurde er zum Mitglied der ukrainischen Akademie der Wissenschaften ernannt. – R. gab eine Sammlung verstreuter folkloristischer Arbeiten F. Kolessas als *Folkloristitschni prazi* (Kiew 1970) heraus.
Lit.: Aufsatzfolge zum 75. Geburtstag in: SM XXVIII, 1964, H. 2, S. 22ff. – A. OLKHOVSKY, Music Under the Soviets, NY 1955; M. M. HORDIJTSCHUK, Ukrajnska radjanska simfonitschna musyka (»Ukrainische sowjetische symphonische Musik«), Kiew 1956; W. D. DOWSCHENKO, Naryssy s istorii ukrajnskoj radjanskoj musyky (»Abrisse zur Gesch. d. ukrainisch-sowjetischen Musik«), ebd. 1957; M. W. DREMLJUHA, Ukrajnska fortepianna musyka, ebd. 1958; T. W. SCHEFFER, L. N. R., ... (»Abriß d. Lebens u. Werks«), ebd.; DIES., L. R., Wtoraja simfonija (»2. Symphonie«), in: Sowjetskaja musyka sa 50 let, hrsg. v. G. Gr. Tigranow, Leningrad 1967; M. GR. BJALIK, L. N. R. i ukrajnskaja pesnja (»L. N. R. u. d. ukrainische Lied«), SM XXIII, 1959; DERS., L. N. R., ... (»Abriß d. Lebens u. Werks«), Moskau 1963; N. O. HERASSYMOWA-PERSYDSKA, Druga simfonija L. R.owo (»L. R.s 2. Symphonie«), = Ljubiteljam musyky o. Nr, Kiew 1963; WL. KEIN, L. R., kompozitor, pianist, ebd. 1972.

+**Rey,** Cemal Reşid, * 25. 10. 1904 zu Istanbul.
R. war 1949–69 Chefdirigent des Symphonieorchesters von Radio Istanbul. – Weitere Werke: die Oper *Tchelebi* (1942–45), »Scène bouffe« *Benli Hürmüz* (1965, für Funk), Operette *Yaygara* (Istanbul 1969); 2 Sym-

phonien (1950, 1968), symphonische Dichtungen *Çağırtlış* (»Der Anruf«, 1950) und *Fatih* (»Der Eroberer«, 1956) sowie 3 symphonische Scherzi (1958) für Orch., *Colloque instrumental* für Fl., 2 Hörner, Hf. und Streichorch. (1957); Variationen über ein Istanbuler Volkslied für Kl. und Orch. (1966), Andante und Allegro für V. und Streichorch. (1968); 7 Stücke *Pèlerinages dans la ville qui n'est plus que souvenir* für Kl. (1942), 12 Praeludien und Fugen für 2 Kl. (1968); 10 türkische Volkslieder für gem. Chor und Kl. (1963, auch für Kl. solo 1967).

+Rey, Frédéric le, 1858 – [erg.: 6. 3.] 1942 [erg.:] zu Asnières (bei Paris).

Rey-Colaço (rrei kul'asu), Alexandre, * 30. 4. 1854 zu Tanger, † 11. 9. 1928 zu Lissabon; portugiesischer Pianist und Komponist marokkanischer Herkunft, studierte am Real Conservatorio de Música y Declamación in Madrid sowie in Paris (George Mathias, Théodore Ritter) und an der Hochschule für Musik in Berlin, wo er eine Zeitlang die Klavierklasse leitete. 1887 ließ er sich in Lissabon nieder, wurde Professor für Klavier am Conservatório Nacional und trat als Konzertpianist auf. Er schrieb zahlreiche Klavierstücke (*Canção do mondego*, 1894; *Bailarico*, 1922; *Vira*, 1922) und Werke für Singstimme und Klavier (*Canção do berço*, 1906).

+Reyer, Louis Étienne Ernest, 1823–1909. Die Oper *+Salammbô* wurde 1890 [nicht: 1900] in Brüssel uraufgeführt.
Lit.: Fr. Noske, La mélodie frç. de Berlioz à Duparc, Paris u. Amsterdam 1954, 2. v. R. Benton u. dems. revidierte Ausg. als: French Song from Berlioz to Duparc, NY 1970.

Reynolds (ɹ'enəldz), Anna, * zu Canterbury; englische Sängerin (Mezzosopran), studierte Klavier an der Royal Academy of Music in London und Gesang bei Debora Fambri, Re Koster und Rodolfo Ricci in Rom. Sie gab ihr Debüt in Parma, sang dann an verschiedenen italienischen Opernbühnen und trat bei Festivals in Großbritannien auf, ab 1968 auch bei den Osterfestspielen in Salzburg (Fricka in *Rheingold*). Im selben Jahr trat sie zum ersten Male an der Metropolitan Opera in New York auf. Gastspiele führten sie im Rahmen ihrer internationalen Karriere an die bedeutenden Opernhäuser der Welt und zu den Festspielen in Bayreuth. Auch als Konzert-, Lied- und Oratoriensängerin hat sie sich einen Namen gemacht.

Reynolds (ɹ'enəldz), Roger, * 18. 7. 1934 zu Detroit /Mich.); amerikanischer Komponist, studierte an der University of Michigan in Ann Arbor Physik (B. S. E. 1957) und Komposition (M. M. 1961) und setzte seine Studien 1962–63 am Elektronischen Studio der Staatlichen Hochschule für Musik in Köln sowie 1963–64 in Paris und 1964–65 in Italien fort. 1969 wurde er Dozent an der University of California in San Diego. Er gehört zu den Gründern des ONCE-Festivals in Ann Arbor (1960) und rief die Cross-Talk-Konzerte in Tokio ins Leben (1969). R. komponierte Orchesterwerke (*Graffiti*, 1964; *Threshold*, 1967; *Wedge*, 1961, und *Quick are the Mouths of Earth*, 1965, für Kammerorch.; *... between ...* für Kammerorch. und Elektronik, 1968), Kammermusik (*Gathering* für Bläserquintett, 1964; 4 Etüden für Flötenquartett, 1961; *Acquaintances* für Fl., Kb. und Kl., 1961; *Mosaic* für Fl. und Kl., 1962; *Ambages* für Solo-Fl., 1965), Klavierstücke (*Epigram and Evolution*, 1959; *Fantasy for Pianists*, 1964), Vokalwerke (*The Emperor of Ice Cream*, nach einem Gedicht von Wallace Stevens für 8 St., Kl., Schlagzeug und Kb., 1962; *A Portrait of Vanzetti* für Erzähler, Blas-

instrumente, Schlagzeug und Tonband, 1963; *Masks*, Text Herman Melville, für gem. Chor und Orch., 1965; *Blind Men* für gem. Chor, Blechbläser, Schlagzeug und Projektion, 1966) sowie *Traces* für Kl., Fl., Vc., Elektronik und Tonband (1969), *Ping*, nach einer Erzählung von Beckett, für Fl. (mehrstimmig), Kl., Harmonium, Cimbalom, Tamtam, elektronische Klänge, Film, Ringmodulator und 35 Tonbänder (1969), *I/O* (für »In« und »Out«) für 9 Frauen-St., 9 Schauspieler, 2 Fl., Klar., Elektronik und Projektion (1969) und *Again* (1970).

Reynolds (ɹ'enəldz), Verne, * 18. 7. 1926 zu Lyons (Kan.); amerikanischer Hornist und Komponist, studierte am Cincinnati Conservatory of Music/O. (B. M. 1950), an der University of Wisconsin in Madison bei Cecile Burleigh (M. M. 1951) sowie am Royal College of Music in London bei Herbert Howells. Er war Hornist im Cincinnati Symphony Orchestra und wurde 1959 1. Hornist des Rochester Philharmonic Orchestra sowie Professor für Horn an der Eastman School of Music der University of Rochester (N. Y.). Er schrieb Orchesterwerke (Ouvertüre *Saturday with Venus*, 1953; Toccata, Arioso und Passacaglia für Orch., 1958; *Celebration Overture* für Orch., 1960; Violinkonzert, 1951; Serenade für Horn und Orch., 1966), Kammermusik (Serenade für 13 Blasinstr., 1958; Suite für Blechbläserquintett, 1963; Bläserquintett, 1964; *Concertare I* für Blechbläserquintett und Schlagzeug, 1968, *II* für Trp. und Streicher, 1968, *III* für Bläserquintett und Kl., 1969, und *IV* für Blechbläserquintett und Kl., 1971; *Scenes* für Bläser und Schlagzeug, 1971; Musik für 5 Trp., 1957; Suite für 4 Hörner, 1962; Streichquartett, 1967; Partita für Horn und Kl., 1961; Sonate für Fl. und Kl., 1962; Sonate für Tuba und Kl., 1968; Sonate für Horn und Kl., 1970; Violinsonate, 1970) sowie 48 Etüden für Horn und zahlreiche Transkriptionen.

+Reyser, Jörg (Georg), 15. Jh.
Lit.: K. Ohly, G. R.s Wirken in Straßburg u. Würzburg, Gutenberg-Jb. XXXI, 1956; ders., G. R. als Buchhändler, ebd. XXXII, 1957.

Řezáč (rʒ'ɛzaːtʃ), Ivan, * 5. 11. 1924 zu Řevnice (bei Prag); tschechischer Komponist, Absolvent der Musikakademie in Prag (1953), an der er als Kompositionslehrer wirkt. 1967 wurde er künstlerischer Leiter des FOK-Orchesters in Prag. Anfänglich von Prokofjews Motorik beeinflußt, neigen Ř.s Werke der letzten Jahre einer stärkeren Expressivität zu, besonders *4 nokturna* (»4 Nocturnes«) für Vc. und Kl. (1960), die Sinfonietta *Návrat* (»Rückkehr«) für Vc. und Orch. (1962), *Torso pomníku pro R. Schumanna* (»Torso eines Denkmals für R. Schumann«) für Va und Kl. (1963) und die 2. Symphonie (1961). Von weiteren Werken seien genannt: Vorspiel zu Wladimir Majakowskijs *Správná věc* (»Eine gerechte Sache«, 1959; 2 Klavierkonzerte (1956 und 1964); Duo für Vc. und Kl. (1964); Sonaten (1955 und 1958), 6 Praeludien (1965), 2. Sonatine (1966) und *Sisyfona neděle* (»Der Sonntag des Sisyphus«) für Kl. (1972); ferner Kantaten, Lieder sowie Bühnen- und Filmmusik.

+Reznicek, Emil [erg.: Joseph] Nikolaus (Nicola), Freiherr von, 1860–1945.
Lit.: L. Nowak in: ÖMZ XV, 1960, S. 190ff.

+Rhaw (Hirsutus), Georg (Jörg), 1488–1548.
Rh. veröffentlichte 1517 [nicht: 1518] *+Musica plana* [nicht: *choralis*] als 1. Teil seines *Enchiridion ...*
Ausg.: Newe deudsche geistliche Gesenge, 4 Stimmbücher, Faks. d. Ausg. v. 1544, Kassel 1969 (mit Vorw. v. L. Finscher). – *+Musikdrucke aus d. Jahren 1538–45 in praktischer NA, = Veröff. d. Landesinst. f. Musikforschung

Kiel Iff., ebd. 1955ff., bisher erschienen: Bd I–II (hrsg. v. I.-M. SCHRÖDER, 1955–57), B. Resinarius, Responsorium numero octoginta; III (H. ALBRECHT, 1959), Symphoniae jucundae atque a Deo breves 4 v. (1538); IV (H. J. MOSER, 1960), Vesperarum precum officia (1540); V (P. BUNJES, 1970), Magnificat, octo modorum seu tonorum numero XXV (1544); VII (W. E. BUSZIN, 1964), S. Dietrich, Novum ac insigne op. musicum 36 antiphonarum (1541). – Bicinia Gallica et Lat., hrsg. v. H. MÖNKEMEYER, 3 H., = Consortium o. Nr, Wilhelmshaven 1963. Lit.: B. KAHMANN, G. Rh. en de muziek op school, in: Musica sacra »sancta sancte« LXII, 1961; FR. BLUME, Das Zeitalter d. Reformation, in: Gesch. d. ev. Kirchenmusik, Kassel ²1965; V. H. MATTFELD, G. Rh.'s Publ. f. Vesper, = Musicological Studies XI, Brooklyn (N. Y.) 1966; C. PARRISH, A Renaissance Music Manual f. Choirboys, in: Aspects of Medieval and Renaissance Music, Fs. G. Reese, NY 1966 (zum »Enchiridion«); L. E. CUYLER, G. Rh.'s Opus decem missarum, 1541. Some Aspects of the Franco-Flemish Mass in Germany, in: Renaissance muziek 1400–1600, Fs. R. B. Lenaerts, = Musicologica Lovaniensia I, Löwen 1969; CH. TH. GAINES, G. Rhau, Tricinia, 1542, 2 Bde (I Text, II Übertragung), Diss. Union Theological Seminary (N. Y.) 1970; R. L. GOULD, The Lat. Lutheran Mass at Wittenberg 1523–45, Diss. ebd.

+Rheinberger, Joseph Gabriel von, 1839–1901. Als Organist in München wirkte Rh. 1853–57 an St. Ludwig, 1857–63 an St. Kajetan und 1863–67 [nicht: 1860–66] an St. Michael. 1864–77 war er auch 1. Dirigent des Münchner Oratorienvereins. Sein kirchenmusikalisches Schaffen umfaßt 18 Messen, 4 Requiem, 4 Stabat mater, 2 Vespern, 5 geistliche Oratorien und Kantaten, 36 Motetten, 45 Hymnen und 25 geistliche Lieder [del. frühere Angaben dazu]. Ausg.: Orgelwerke, hrsg. v. M. WEYER, 2 Bde, Bad Godesberg 1965–66; Orgelsonate A moll »Tonus peregrinus« op. 98, hrsg. v. G. PHILLIPS, London 1966; Hornsonate Es dur op. 178, hrsg. v. M. S. KASTNER, Mainz 1967; Klar.-Sonate op. 105a, hrsg. v. W. STEPHAN, = Klar.-Bibl. VIII, ebd. 1971. – L. Cherubini. Leben u. Werk in Zeugnissen seiner Zeitgenossen, abgeschlossen u. hrsg. v. H.-J. IRMEN, = Studien zur Mg. d. 19. Jh. XXX, Regensburg 1972 (vollständige Ausg. d. Fragment gebliebenen Übers. Rh.s v. 1879, nach E. Bellasis' »L. Cherubini. Memorials Illustrative of His Life«, London 1874). Lit.: J. Rh.s Briefe an seine Eltern, hrsg. v. H. WANGER, Jb. d. Hist. Ver. f. d. Fürstentum Liechtenstein LXI, 1961; Erinnerungen aus J. Rh.s erster Lernzeit, hrsg. v. DEMS., in: Liechtensteinische Musikschule im Geburtshaus J. Rh.s, Fs. zur Eröffnung 1969, Vaduz 1969; Briefe an H. Hecker, hrsg. v. H.-J. IRMEN, = Wiss. Schriftenreihe d. Kultur- u. Jugendbeirates d. Fürstlichen Regierung Vaduz II, ebd. 1970. – H. SCHMITT, Studien zur Gesch. u. Stilistik d. Satzes f. zwei Kl. zu vier Händen, Diss. Saarbrücken 1965; M. WEYER, Die Orgelwerke v. J. Rh., = Wiss. Schriftenreihe d. Kultur- u. Jugendbeirates d. Fürstlichen Regierung Vaduz I, Vaduz 1966; DERS., Die deutsche Orgelsonate v. Mendelssohn bis Reger, = Kölner Beitr. zur Musikforschung LV, Regensburg 1969; J. BITTNER, Die Klaviersonaten E. Francks (1817–93) u. anderer Kleinmeister seiner Zeit, 2 Bde, Diss. Hbg 1968; H.-J. IRMEN, G. J. Rh. als Antipode d. Cäcilianismus, = Studien zur Mg. d. 19. Jh. XXII, Regensburg 1970; DERS., M. Bruch u. J. Rh., in: M. Bruch-Studien, hrsg. v. D. Kämper, = Beitr. zur rheinischen Mg. LXXXVII, Köln 1970; DERS., M. Regers Beziehungen zur Bachschen Kontrapunktschule in München, Mitt. d. M.-Reger-Inst. 1971, H. 18.

+Rheineck, Christoph, 1748–97. Lit.: E. FR. SCHMID in: Lebensbilder aus d. Bayerischen Schwaben VII, 1959, München S. 324ff.

+Rhode, Erich, 1870–1950. Rh. besaß eine umfangreiche Autographensammlung, die 1952/53 z. T. von der Stadtbibliothek Nürnberg übernommen wurde. Lit.: K. FOESEL, Der Nestor d. Nürnberger Musikerschaft, Neue Musikzeitschrift IV, 1950. – Liste d. 1952 u.

1953 erworbenen Autographen aus d. Nachlasse d. Komponisten u. Musikschriftstellers E. Rh., Mitt. aus d. Stadtbibl. Nürnberg III, 1954/55.

+Riadis, Emilios, 1.(13.) 5. 1885 [nicht: 1890] – 1935.

Ribári, Antal, * 1. 8. 1924 zu Budapest; ungarischer Komponist und Pianist, studierte 1943–47 an der Fr.-Liszt-Musikhochschule in Budapest. Er schrieb u. a.: Klaviersonate (1947); 3 Violoncellosonaten (1948–69); 2 Violinsonaten (1953 und 1954); Streichquartett (1954); Sinfonietta (1956); Bratschensonate (1957); Bläsertrio (1957); Oper *Lajos király válik* (»König Lajos scheidet«, Budapest 1959); Symphonie Nr 2 (1959); *Két Shakespeare-szonett* (»2 Shakespeare-Sonette«, 1959); *Ligeti tragédia* (»Waldtragödie«, nach *Liliom* von Ferenc Molnár); *Suite Polichinelle* für V., Va und Hf. (1961); *Musica per archi*; *A megsebzett galamb és a szökőkút* (»Die verletzte Taube und der Springbrunnen«, Kantate nach G. Apollinaire für T. und Orch.); *All'antica*, Suite für Kl. (1967); Dialoge für A. und Orch. (1968); Symphonie Nr 3 (1969); 5 Miniaturen für Bläsertrio (1970); *Mikrosinfonia* (1972); *Három Shakespeare-szonett* (»3 Shakespeare-Sonette«, 1972).

+Ribbing, Bo Carl Stig, * 5. 1. 1904 zu Jönköping. Seit 1969 ist er Mitglied der Kungl. Musikaliska akademien in Stockholm.

Ribeiro (rib'eiru), Alice, * zu Rio de Janeiro; brasilianische Sängerin, studierte bei Murilo de Carvalho, erhielt den 1. Preis beim Wettbewerb Prêmio Carlos Gomes und unternahm Konzerttourneen durch Brasilien und Zentralamerika (1945). 1946–47 trat sie an der New York City Center Opera auf. 1953 studierte sie in Paris bei Bernac und Bacarisse. Sie gastierte in London und Lissabon (1953–55) und unternahm Konzertreisen u. a. in die UdSSR, die Schweiz, die DDR und nach Ungarn. A. R. ist verheiratet mit dem Komponisten José Siqueira.

Ribeiro (rrib'eiro), León, * 11. 4. 1854 und † 12. 3. 1931 zu Montevideo; uruguayischer Komponist portugiesischer Herkunft, studierte bei Carmelo Calvo, Kathedralkapellmeister in Montevideo, übernahm 1885 den Lehrstuhl für Harmonielehre und 1887 den für Klavier am Conservatorio Musical »La Lira«, das er 1899–1931 leitete. Von seinen 6 Opern wurde *Liropeya* 1912 in Montevideo uraufgeführt. Weitere Werke: 4 Symphonien; 2 Ouvertüren; Ballettmusik *Pantomima*; ferner Kammermusik (2 Streichquartette; Klavierquintett; Klaviertrio), Klavierstücke, Chorwerke und Kirchenmusik (*Missa solemnis*; Salve regina). Lit.: FR. C. LANGE, L. R., Bol. lat.-americano de música III, (Montevideo) 1937.

Ribeiro, Mário Luis de Sampaio → Sampaio Ribeiro, M. de.

Ribera (rrib'era), Bernardino, * um 1520 zu Játiva (Valencia); spanischer Komponist, war Maestro de capilla 1559–63 an der Kathedrale von Avila (unter den Chorknaben war Victoria) und 1563–71 an der Kathedrale von Toledo. Er schrieb zahlreiche kirchenmusikalische Werke, die u. a. in der Kathedrale von Toledo (Messen *De beata virgine* für 4 St. und *Beata virgo* für 5 St.; Magnificat für 5, 6 und 8 St.; mehrere Motetten) und im Archiv des dortigen Colegio del Patriarca (5st. und 6st. Motetten) aufbewahrt werden. Lit.: F. RUBIO PIQUERAS, Música y músicos toledanos, Toledo 1923; DERS., Cód. polifónicos toledanos, ebd. 1925; J. POMARES PERLASIA, La festa o misterio de Elche, Barcelona 1957; R. M. STEVENSON, Span. Cathedral Music in the Golden Age, Berkeley (Calif.) 1961.

+Ribera y Tarragó, Julián, 1858 – [erg.: 2. 5.] 1934 zu Carcagente (Valencia) [nicht: Madrid].
+*Music in Ancient Arabia and Spain* (1929), Nachdr. NY 1970.

+Riboli, Alessandro, * 13. 4. 1887 zu [erg.: San Bernardino di] Crema, [erg.:] † 26. 9. 1949 zu San Vittore Olona (Mailand).

+Ricci, –1) Luigi, 1805 – 31. [nicht: 21.] 12. 1859. –2) Federico, 1809–77.
Lit.: L. GASPARINI, L. e F. R. musicisti napoletani, in: Napoli LXXVII, 1951; E. GARA, L. R. uno dei due Goncourt dell'opera buffa, in: La Scala XI, 1959; C. DE INCONTRERA, L. R., Triest 1959.

+Ricci, [erg.: Francesco] Pasquale, 17. 5. 1732 – 7. 11. 1817 zu Lovenio di Menaggio (Como) [erg.: frühere Angaben].
Ausg.: 14 Easy Masterpieces f. the Piano from the Collection of J. C. Bach and Fr. P. R., hrsg. v. A. MIROVITCH, NY 1954.
Lit.: CH. CUDWORTH u. F. GÖTHEL in: MGG XI, 1963, Sp. 428ff.

+Ricci, Ruggiero, * 24. 7. 1918 [nicht: 1920] zu San Francisco.
R., der heute in Hollywood (Calif.) lebt, konzertiert ständig in den USA und in Europa. Tourneen führten ihn mehrfach auch nach Südamerika, Australien, Japan und in den Fernen Osten sowie in die UdSSR. Von den über 40 Violinkonzerten, die er in seinem Repertoire führt, seien des weiteren noch die von Bartók, G. v. Einem (uraufgeführt 1970), A. Ginastera (uraufgeführt 1963), A. Goehr, Schostakowitsch (Nr 1) und Strawinsky genannt. R. gibt oft auch Soloviolinabende. An der Indiana University hält er seit 1971 Meisterkurse für Violine.

+Ricci-Signorini, Antonio, * 22. 2. 1867 zu Massalombarda (Romagna), [erg.:] † 10. 3. 1965 zu Bologna.

Ricciotti, Carlo → **+Pergolesi,** G. B.

+Richafort, Jean (Ricartsvorde, Ricciaforte, Rycefort), um 1480–1547/48.
Ausg.: 6 Motetten in: P. Attaingnant, Treize livres de motets, Bd IV, VI, VIII u. XII, hrsg. v. A. SMIJERS bzw. (ab Bd VIII) v. T. A. MERRITT, Monaco 1960–63; 2 Chansons in: Theatrical Chansons of the 15th and Early 16th Cent., hrsg. v. H. M. BROWN, Cambridge (Mass.) 1963; ein Satz in: 3 Motetten über d. Text Quem dicunt homines, hrsg. v. L. LOCKWOOD, = Chw. XCIV, Wolfenbüttel 1964; 2 Sätze in: The Medici Cod. of 1518, hrsg. v. E. LOWINSKY, 3 Bde, = Monuments of Renaissance Music III–V, Chicago 1968; 3st. Chanson »Trut avant, il faut poire«, hrsg. v. G. DOTTIN, = Plein jeu LVI, Paris 1969; eine Motette in: De Leidse koorboeken / The Leyden Choir Books, Cod. A, Bd I, hrsg. v. K. PH. BERNET KEMPERS u. CHR. MAAS, = Monumenta musica Neerlandica IX, 1, Amsterdam 1970.
Lit.: M. E. KABIS, The Works of J. R., Renaissance Composer, 2 Bde (I Text, II Übertragung), Diss. NY Univ. 1957; P. KAST in: MGG XI, 1963, Sp. 439ff.

+Richard de Fournival, [erg.:] um 1190–1260.
Ausg. u. Lit.: +FR. GENNRICH, Troubadours, Trouvères, Minne- u. Meistergesang (1951), Neuaufl. Köln 1960, auch engl. – Traktat »Li consaus d'amours«, hrsg. v. W. M. MCLEOD, in: Studies in Philology XXXII, 1935; Traktat »Li bestiaire d'amours di Maistre Richart de Fornival . . .«, hrsg. v. C. SEGRE, = Documenti di filologia II, Mailand 1957; H. VAN DER WERF, The Chansons of the Troubadours and Trouvères, Utrecht 1972 (darin d. Melodie zu R 759 »Chascum qui de bien amer«).

+Richartz, Willy (Wilhelm), * 25. 9. 1900 zu Köln, [erg.:] † 8. 8. 1972 zu Bad Tölz (Oberbayern).
R. war (mit W. Egk) 1954 Mitgründer des Deutschen Komponisten-Verbandes und bis 1964 dessen stell-

vertretender Präsident. Für seine Verdienste um die Reform des Urheberrechts wurde er zum Ehrenmitglied u. a. der GEMA und der Internationalen Gesellschaft für Urheberrecht ernannt. Er komponierte die Operetten *Heut tanzt Gloria* (Chemnitz 1939), *Die tanzende Helena* (Bonn und Düsseldorf 1948) und *Kölnisch Wasser* (Köln 1950). Neuere Werke: *Ein Trauern liegt über der Heide* op. 115 (1967); *Bad Haller Marsch* op. 116 (1967); *Suite aus galanter Zeit* op. 117 (1962–67); *Bilder aus dem alten Köln* op. 118 (1970). Er veröffentlichte *Betrachtungen zur Urheberrechtsreform* (Bln 1963).
Lit.: Rheinische Musiker VII, hrsg. v. D. KÄMPER, = Beitr. zur rheinischen Mg. XCVII, Köln 1972, S. 97ff.

+Richault, [erg.: Jean] Charles Simon, 1780–1866. Sein Sohn Guillaume Simon R., 1806 zu Chartres [nicht: Paris] – 1877. – Der Verlag wurde 1898 [nicht: 1877] von Costallat übernommen.

+Richter, Carl Gottlieb, 1728 – [erg.: Ende Sommer] 1809.

+Richter, –1) Ernst Friedrich Eduard, 1808–79.
+*Lehrbuch der Harmonie* (1853, 341948), Lpz. 361953.
–2) Alfred, 1846–1919. +*Aufgabenbuch* (1879, 471919), Lpz. 641952.

+Richter, Ferdinand Tobias, [erg.:] getauft 22. 7. 1651 [nicht: * 1649] – [erg.: 3. 11.] 1711.
R. war 1676–79 Organist am Stift Heiligenkreuz bei Wien. Er schrieb insgesamt 3 [nicht: 2] Oratorien, von denen nur eines erhalten ist.
Ausg.: Toccata primi toni, in: E. VALENTIN, Die Tokkata, = Das Musikwerk XVII, Köln 1958, auch engl.
Lit.: A. GOTTRON in: Mf XX, 1967, S. 286f., u. in: Mitt. d. Arbeitsgemeinschaft f. mittelrheinische Mg. 1967, H. 13, S. 121.

+Richter, Franz Xaver (František), 1709 zu Holleschau/Holešov? (in den Taufmatrikeln nicht nachweisbar) [erg.:] oder vielleicht zu Chrast (an der Hernád, früher Ungarn, jetzt Slowakei; laut Straßburger Totenbuch) – 1789.
R. komponierte 6 [nicht: 5] Streichquartette op. 5 (1768). In Straßburg (Bibliothek des Priesterseminars) sind an Kirchenmusik aufbewahrt: 30 Messen, 3 Requiem, 18 Psalmen und Cantica, 43 Motetten und Kantaten, 2 Te Deum sowie ein Lamentationszyklus [del. frühere Angaben dazu].
Ausg.: +3 Sonaten (aus 6 Kammersonaten op. 2) f. obligates Cemb. (Kl.), Fl. (V.) u. Vc. (W. UPMEYER, = HM LXXXVI, 1951), Neudr. Kassel 1965. – Motette »Rex tremendae, te laudamus« f. gem. Chor, Org. u. Orch., hrsg. v. A. HOCH, Straßburg 1956; 3 Sinfonien (in G, C u. B dur), hrsg. v. A. HOFFMANN = Corona XLI, Wolfenbüttel 1956; 3 Sinfonien (in F, A u. G moll), Prag 1958; Sinfonie D moll, hrsg. v. E. HRADECKÝ, ebd.; Fl.-Konzert E moll, in: Flötenkonzerte des 18. Jh., hrsg. v. W. LEBERMANN, = EDM LI, Abt. Orchestermusik V, Wiesbaden 1964; Sinfonia a quattro C moll, hrsg. v. DEMS., Ffm. 1972; Adagio u. Fuge G moll f. Streicher, hrsg. v. DEMS., Ffm. 1973; Ob.-Konzert F dur, hrsg. v. R.-J. KOCH, Hbg 1965; Sonate G dur (aus d. 6 Kammersonaten) f. Fl. (V.), Vc. u. Cemb. (Kl.), hrsg. v. B. WEINGART, = Il fl. traverso Nr 65, Mainz 1968; Divertimenti f. Streichquartett, hrsg. v. J. RACEK u. VR. BĚLSKÝ, = MAB LXXI, Prag 1969; Sinfonia con fuga G moll, hrsg. v. G. KEHR, = Concertino CXXIII, Mainz 1971.
Lit.: Památce Fr. R.a (»Fr. R. zum Gedächtnis«), Holešov 1959. – E. SCHMITT, Die Kurpfälzische Kirchenmusik im 18. Jh., Diss. Heidelberg 1958; DERS., Fr. X. R. . . . u. d. geistliche Musik am Hofe Carl Theodors, Mannheimer H. 1963; DERS. in: Caecilia LXXII, (Straßburg) 1964, S. 14ff. u. 139ff.; DERS., Münsterkapelle u. Dommusik in Straßburg zur Zeit Fr. X. R.s u. I. Pleyels, Arch. de l'Eglise d'Alsace XVIII, 1970; H. BÜCHNER, Unbekannte Messen F. X. R.s, in: Musik u. Altar XIII, 1960/61; R. FUHR-

MANN, Mannheimer Kl.-Kammermusik, 2 Bde (I Text, II Werkverz.), Diss. Marburg 1963; R. MÜNSTER in: MGG XI, 1963, Sp. 455ff.; R. SCHWARZ, F. X. R., jeho život a působení (»Fr. X. R., sein Leben u. sein Einfluß«), Holešov 1969; W. LEBERMANN, Zu Fr. X. R.s Sinfonien, Mf XXV, 1972.

+Richter, -1) H a n s, 1843-1916. Lit.: W. GOLTHER in: Lebensläufe aus Franken III, München 1927; A. NÉMETH, R. János levelei a Budapesti Filharmóniai Társasághoz és budapesti hangversenyei a Filharmónikusok Zenekarával (»H. R.s Briefe an d. Budapester Philharmonische Ges. u. seine Budapester Konzerte mit d. Orch. d. Philharmoniker«), in: Magyar zene VII, 1966.

+Richter, J o h a n n C h r i s t i a n Christoph, 1727 zu Neustadt am [nicht: an der] Kulm - [erg.: 25. 4.] 1779. Lit.: A. ZEHETER, Vier Texte zu Kantaten J. Chr. Chr. R.s, in: Der Siebenstern V, 1931.

Richter, Johann Paul Friedrich (bekannt als J e a n P a u l), * 21. 3. 1763 zu Wunsiedel (Fichtelgebirge), † 14. 11. 1825 zu Bayreuth; deutscher Dichter, Sohn von Johann Christian Christoph R., begann in Leipzig ein Studium der Philosophie und Theologie, war vorübergehend Privatlehrer und widmete sich schließlich ganz seinem dichterischen Schaffen. Ein zunächst unstetes Leben führte ihn nach Hof, Weimar, Berlin, Meiningen, Coburg und 1804 nach Bayreuth, wo er fast ohne Unterbrechung bis zu seinem Tode zurückgezogen lebte. In ironischer Wendung gegen die Weimarer Klassik und anknüpfend an die englischen Humoristen und Satiriker Jonathan Swift und Lawrence Sterne, schrieb R. Romane und Erzählungen, die in ihrer grotesken Vielschichtigkeit, manieristischen Bildhaftigkeit und hypertrophen Form einen Gegenpol zu der Dichtung eines Lessing, Schiller oder Goethe bilden. Musikalische Metaphern, Spekulationen über Musik, eindringliche Schilderungen von Konzerten oder von Vorgängen, in denen Musik dominiert, und die Einführung zahlreicher Musikinstrumente spielen in R.s Werk eine hervorragende Rolle, so z. B. in den erzählenden Dichtungen *Die unsichtbare Loge* (1793), *Leben des vergnügten Schulmeisterleins Maria Wuz* (1793), *Hesperus* (1795), *Leben des Quintus Fixlein* (1796), *Siebenkäs* (1796-97), *Titan* (1800-03), *Flegeljahre* (1804-05) und *Dr. Katzenbergers Badereise* (1809), in der *Vorschule der Ästhetik* (1805) und in dem erziehungstheoretischen Werk *Levana* (1807). In der durchgehenden Thematik vom Widerspruch zwischen unendlichem Gefühl und begrenzter Realität tritt Musik als Verkünderin von Höherem, von Idealität und transrealer Erfüllung hervor. In den Jahren vor der Übersiedlung nach Bayreuth lernte R. Symphonien von J. Haydn und dessen *Schöpfung*, Opern von Mozart, Gluck und Méhul sowie Musik von J.A.Hasse, Graun und C.Stamitz kennen, Eindrücke, die sich zum Teil in seinen Dichtungen niederschlugen. 1796 begegnete er Reichardt, 1810 E.T.A.Hoffmann. In Mannheim hörte er »Die Vestalin« von Spontini. Einen außerordentlichen Einfluß hatte die Dichtung R.s auf R. Schumann, insbesondere die *Flegeljahre*, deren vorletztes Kapitel mit einer Maskenballschilderung den *Papillons* op. 2 und der *Humoreske* op. 20 zugrunde liegt. Schumann übernahm die von R. durchgängig abgehandelte Polarität von Charakteren; gegensätzliche Freundesbzw. Zwillingspaare, wie der temperamentvolle Vult und der empfindsame Walt (*Flegeljahre*), kehren bei ihm sowohl in selbstanalytischer Deutung (»Florestan der Wilde, Eusebius der Milde«) als auch in der musikalischen Thematik wieder (*Carnaval* op. 9). Angeregt durch die Lektüre von R.s Roman, gab Mahler seiner

1. Symphonie den Beinamen »Titan«. Weitere Kompositionen nach R. schrieben Heller (*Blumen-, Frucht- und Dornenstücke* op. 82) und Künneke (*Flegeljahre*, 3 Stücke für Orch. op. 7). KDG

Ausg.: Sämtliche Werke, hrsg. v. E. FÖRSTER u. R. O. SPAZIER, 60 Bde, Bln 1826-28, u. 5 Nachlaß-Bde, 1836-38, 2. Aufl. in 33 Bden (hrsg. u. neu angeordnet v. E. Förster) 1840-42, ³1860-62; Werke, 60 Bde, = Nationalbibl. sämmtlicher deutscher Classiker, Bln 1868-79 (Hempel'sche Ausg.); Sämtliche Werke. Hist.-kritische Ausg., hrsg. v. E. BEREND, Weimar bzw. Bln 1927ff. (bisher 33 Bde u. 1 Ergänzungs-Bd); Werke, 6 Bde, hrsg. v. N. MILLER (bzw. Bd II v. G. LOHMANN), = Hanser Klassiker-Ausg. o. Nr, München 1966. Lit. (Im folgenden steht die Abk. »J. P.« f. Jean Paul.): J.-P.-Bibliogr., hrsg. v. E. BEREND, Bln 1925 (mit Verz. d. Kompositionen nach J. P.), bearb. u. ergänzt v. J. Krogoll, Stuttgart 1963; E. FUHRMANN, J.-P.-Bibliogr. 1963-65, Jb. d. J.-P.-Ges. I, 1966; R. MERWALD, J.-P.-Bibliogr. 1966-69, ebd. V, 1970. - J. P.-Jb. I, 1925; J. P.-Blätter I-XIX, 1926-44; Hesperus. Blätter d. J. P.-Ges. 1951-65, Nr 1-30; Jb. d. J.-P.-Ges. Iff., 1966ff. - R. P. 1763-1963, hrsg. v. B. ZELLER, = Sonderausstellungen d. Schiller-Nationalmuseums, Kat. XI, (Marbach a. N.) 1963; U. SCHWEIKERT, J. P., = Slg Metzler XCI, Stuttgart 1970. - S. KALLENBERG, J. P. u. seine Bedeutung f. d. Musik, AmZ 1926, Nr 8; W. SCHREIBER, J. P. u. d. Musik, Diss. Lpz. 1929; A. ZEHETER, J. P. u. d. Musik, J. P.-Blätter V, 1930, Wiederabdruck in: Hesperus 1965, Nr 29; H. KÖTZ, Der Einfluß J. P.s auf R. Schumann, Weimar 1933; M. KOMMERELL, J. P., Ffm. 1933, ⁴1966; G. SCHÜNEMANN, J. P.s Gedanken zur Musik, ZfMw XVI, 1934; R. L. JACOBS, Schumann and J. P., ML XXX, 1949; G. JÄGER, J. P. u. d. Musik, Diss. Tübingen 1952, Auszug als: Die Musik in d. Gefühls- u. Gedankenwelt J. P.s, in: Hesperus 1957, Nr 14; DERS., J. P.s poetische Gb., Bemerkungen zur mus. Struktur seiner Romane, Fs. E. Berend, Weimar 1959; E. RAPPL, Die Musik im Prisma J. P.scher Erkenntnis, in: Hesperus 1955, Nr 9; A. SCHLEICHER, Mus. Bildung im Zeichen J. P.s, ebd. 1956, Nr 12; J. MITTENZWEI, Die Beziehungen zwischen Musik u. Empfindsamkeit in d. Romanen J. P.s, in: Das Mus. in d. Lit., Halle (Saale) 1962; J. STOUT, J. P.s Flegeljahre u. R. Schumanns Papillons, in: Levende talen CCXXV, 1964; J. HERMAND, Der vertonte »Titan«, in: Hesperus 1965, Nr 29 (zu G. Mahlers 1. Symphonie); G. WÖLLNER, Musik d. Musik, SMZ CV, 1965; K. PH. BERNET KEMPERS, Die Komponisten u. d. Dichtkunst, Fs. W. Wiora, Kassel 1967.

Richter, Johann S i g m u n d, getauft 30. 10. 1657 und begraben 9. 5. 1719 zu Nürnberg; deutscher Komponist, studierte ab 1676 Jura an der Universität Altdorf, wo er bis 1678 auch Organistendienste übernahm, und war von 1687 bis zu seinem Tode Beamter am Stadtgericht in Nürnberg. Er wirkte als Organist in Nürnberg ab 1687 an der Frauenkirche, ab 1693 an St.Egidien und ab 1706, als Nachfolger J.Pachelbels, an St. Sebald. R. komponierte 4 variierte Choräle für Org., Kirchenkantaten, 2 4st. Benedicamus Domino, 7 Lieder für S. und Gb. (in: *Der Geistlichen Erquick-Stunden ... Poetischer Andacht-Klang*, Nürnberg 1691) und Gelegenheitswerke für Nürnberger Patrizier.

+Richter, K a r l, * 15. 10. 1926 zu Plauen (Vogtland). Als Solist (Orgel und Cembalo) und als Dirigent des Münchener Bach-Chores und -Orchesters wirkt R. ständig im In- und Ausland (u. a. mehrere Tourneen in die UdSSR). Er ist auch als Dirigent von Symphonieorchestern hervorgetreten.

Richter, Hermann L u k a s, * 22. 2. 1923 zu Bärenstein (Kreis Dippoldiswalde, Erzgebirge); deutscher Musikforscher, studierte 1941-42 Kirchenmusik in Leipzig (Orgel bei Ramin) und ab 1949 Musikwissenschaft an der Humboldt-Universität in Berlin (1952 Staatsexamen). Er promovierte 1957 mit der Dissertation *Zur Wissenschaftslehre von der Musik bei Platon und Aristoteles* (= Deutsche Akademie der Wissenschaften zu Berlin, Schriften der Sektion für Altertumswissenschaft XXIII, Bln 1961). 1966 habilitierte sich R. an der Humboldt-Universität für das Fach Musikwissenschaft mit der Schrift *Der Berliner Gassenhauer* (Lpz. 1969). Seit 1963 ist er am Institut für griechisch-römische Altertumskunde der Deutschen Akademie der Wissenschaften zu Berlin tätig (1966 Wissenschaftlicher Arbeitsleiter). Unter R.s zahlreichen Arbeiten zur antiken Musiktheorie seien hervorgehoben: *Die Aufgaben der Musiklehre nach Aristoxenos und Klaudios Ptolemaios* (AfMw XV, 1958); *Antike Überlieferungen in der byzantinischen Musiktheorie* (DJbMw VI, 1961); *Griechische Traditionen im Musikschrifttum der Römer. Censorinus, »De die natali«, Kap. 10* (AfMw XXII, 1965); *Die Neue Musik der griechischen Antike* (AfMw XXV, 1968); *Musikalische Aspekte der attischen Tragödienchöre* (BzMw XIV, 1972). Von seinen weiteren Veröffentlichungen seien genannt: *Parodieverfahren im Berliner Gassenlied* (DJbMw IV, 1959); *Tanzstücke des Berliner Biedermeier. Folklore an der Wende zur Kommerzialisierung* (DJbMw X, 1965); *Zwischen Volkslied und Schlager* (BzMw VIII, 1966); *Die Berliner Couplets der Gründerzeit* (in: Studien zur Trivialmusik im 19. Jh., hrsg. von C.Dahlhaus, = Studien zur Musikgeschichte des 19. Jh. VIII, Regensburg 1967); *Schönbergs Harmonie und die freie Atonalität* (DJbMw XIII, 1968).

Richter, S w j a t o s l a w Teofilowitsch, * 7.(20.) 3. 1915 zu Schitomir (Ukraine); russisch-sowjetischer Pianist deutscher Abstammung, Sohn eines in Wien ausgebildeten Pädagogen und Pianisten und einer Pianistin, war 1934–37 Korrepetitor an der Oper in Odessa und begann 1937 sein Studium bei Neuhaus am Moskauer Konservatorium, das er 1944 absolvierte. 1945 wurde er auf dem Allunionswettbewerb für Pianisten mit dem 1. Preis ausgezeichnet; 1947 wurde ihm die Goldene Medaille des Moskauer Konservatoriums zuerkannt. Er unternahm Konzerttourneen u. a. durch China (1957), die USA (1960) und Europa (1971 Debüt in der Bundesrepublik). Seitdem hat er häufig bei den Salzburger Festspielen, den Luzerner und Wiener Festwochen sowie bei zahlreichen anderen Festivals gespielt. Sein außergewöhnlich großes Repertoire reicht von den Werken des Barocks über die Klassik (Mozart, Beethoven) und Romantik bis zu Werken der neueren sowjetischen Musik. Prokofjew, mit dem er befreundet war, widmete ihm 1947 seine 9. Sonate op. 103. R. rief eine »Innsbrucker Musikwoche« ins Leben, die ab 1974 jährlich stattfinden soll. Er ist mit der Sängerin und Gesangspädagogin Nina D o r l i a c (* 24. 7. / 6. 8. 1908 zu St. Petersburg) verheiratet.

Lit.: G. KOGAN, E. Gilels i Sw. R., ... (»Versuch einer vergleichenden Charakteristik«), SM XXI, 1957; D. RABINOWITSCH, Sw. R., SM XXIV, 1960; DERS., Portrety pianistow, Moskau 1962, ²1970; W. J. DELSON, Sw. R., ebd. 1961; A. BRUMARU in: Muzica XII, (Bukarest) 1962, Nr 8, S. 30ff.; JA. I. MILSTEIN, Sluschenije musyke (»Dienst an d. Musik«), SM XXVII, 1963; DERS., Na werschinach iskusstwa (»Auf d. Höhe d. Kunst«), SM XXXII, 1968; K. WIDMAIER, Begegnung mit Sv. R., in: Phonoprisma VI, 1963; H. NEUHAUS in: SM XXVIII, 1964, H. 3, S. 86ff.; J. KAISER, Große Pianisten in unserer Zeit, München 1965, NA 1972, engl. London u. NY 1971; O. EGERT, Sw. R., = Rembrandt-Reihe LIII, Bln 1966; K. GANEV, Sreščí i razgovori s R. (»Begegnungen u. Gespräche mit R.«), in: Bâlgarska muzika XIX, 1968.

Richter, W o l f g a n g, * um 1570 zu (Magdeburg-) Buckau, † 13. 10. 1626 zu Frankfurt am Main; deutscher Drucker, wirkte 1596–1626 in Frankfurt. Zwischen 1602 (Gründung der »Typographia musica«, ei-

ner Notendruck- und Verlagsgemeinschaft mit N. →Stein) und 1615 war er der bedeutendste Frankfurter Notendrucker, der im einfachen Volltypenverfahren insgesamt 47 qualitativ sehr ansprechende Notendrucke (meist mehrstimmige Musica practica-Ausgaben) für die Verleger N.Stein (40), Johann Spieß (2), N.Bassée'sche Erben (1), Jean Norton (1) und Johannes Magirus (1) herstellte. Zwei Werke gab er in eigenem Druck und Verlag heraus. Besonders zahlreich sind die Sammlungen mit geistlicher italienischer Vokalmusik (Agazzari, Pacelli, Viadana).

Lit.: C. VALENTIN, Gesch. d. Musik in Ffm. v. Anfange d. 14. bis zum Anfange d. 18. Jh., Ffm. 1906, S. 101ff.; J. BENZING, Die Buchdrucker d. 16. u. 17. Jh. im deutschen Sprachgebiet, = Beitr. zum Buch- u. Bibliothekswesen XII, Wiesbaden 1963, S. 121ff.; E.-L. BERZ, Die Notendrucker u. ihre Verleger in Ffm. v. d. Anfängen bis etwa 1630, Diss. Ffm. 1967.

+Richter-Haaser, H a n s, * 6. 1. 1912 zu Dresden. Die Meisterklasse für Klavier an der Nordwestdeutschen Musikakademie in Detmold leitete er bis 1963. Seitdem widmet er sich wieder ganz seiner Tätigkeit als Pianist. Bei seinen Konzerten (inzwischen Tourneen in alle Kontinente) stehen Klavierwerke der Klassik und Romantik im Vordergrund. R.-H. lebt heute in Bielefeld.

+Ricieri, G i o v a n n i A n t o n i o (Riccieri), 1679–1746. Lit.: +L. BUSI, Il Padre G. B. Martini (1891), Nachdr. = Bibl. musica Bononiensis III, 2, Bologna 1969.

+G. Ricordi & C. s. p. a.
Nachfolger von Alfredo C o l o m b o (* 26. 9. 1877 zu Cassano Magnago, Lombardei, [erg.:] † 11. 7. 1962 zu Rapallo) als Präsident der Gesellschaft wurde 1961 Guido V a l c a r e n g h i (* 6. 12. 1893 zu Palermo, [erg.:] † 8. 9. 1967 zu Mailand), ihm wiederum folgte 1967 Carlo O r i g o n i (* 16. 9. 1896 zu Barasso, Lombardei), ein Enkel von Giulio O., nach. Der Geschäftsführung gehört neben Eugenio C l a u s e t t i (* 7. 1. 1905 zu Neapel) an Stelle von G.Valcarenghi seit 1964 Guido R i g n a n o (* 16. 6. 1924 zu Mailand) an. – Die deutsche Filiale wurde von Lörrach 1961 nach Frankfurt a. M. verlegt und hat nun ihren Sitz in München. Die New Yorker Filiale ist inzwischen von dem amerikanischen Musikverlag Belwin-Mills Publ. Corp. übernommen worden. – Aus dem Verlagskatalog, der nunmehr über 130000 Nummern aufweist, seien an weiteren Komponisten des 20. Jh. genannt: Bussotti, Castiglioni, Donatoni, Lualdi, Maderna, G.Manzoni, Mortari, Nono, Peragallo, Renosto, Rossellini, Testi, Wolf-Ferrari und Zafred. Aus der neueren Buchproduktion des Verlages ist die *Enciclopedia della musica* (hrsg. von Cl. Sartori, 4 Bde, Mailand 1963–64) hervorzuheben.

Lit.: 150 Jahre Musikverlag R., in: Musikhandel IX, 1958, S. 285f.; W. MORELLI-GALLET in: ÖMZ XV, 1960, S. 493f.; ZD. VYBORNY, N. Paganini u. Giovanni R., in: Musica d'oggi, N. S. VI, 1963; TH. F. HECK, R. Plate Numbers in the Earlier 19th Cent., A Chronological Survey, in: Current Musicology 1970, Nr 10.

Ridder, A n t o n d e, * 13. 2. 1929 zu Amsterdam; niederländischer Sänger (lyrisch-dramatischer Tenor), studierte in Amsterdam an der Musikhochschule bei Hermann Mülder (1947–49) sowie am Konservatorium bei Jan Keyzer (1951–56) und gehörte 1956–62 dem Ensemble des Badischen Staatstheaters in Karlsruhe an (1970 Badischer Kammersänger). 1962–66 war er am Gärtnerplatztheater in München engagiert. Seitdem ist er ständiger Gast am Opernhaus Köln, an der Komischen Oper Berlin (seit 1965), der Deutschen Oper am Rhein in Düsseldorf-Duisburg, der Hamburgischen Staatsoper und der Bayerischen Staatsoper in

München sowie der Amsterdamer Oper. 1969 debütierte er in der Partie des Sängers im »Rosenkavalier« bei den Salzburger Festspielen. Sein Repertoire umfaßt die einschlägigen Fachpartien in den Opern Verdis und Puccinis sowie Florestan (*Fidelio*), Don José (*Carmen*), Hoffmann, Bacchus (*Ariadne auf Naxos*) und Busonis Doktor Faust. 1965 sang er in der Uraufführung von B. A. Zimmermanns *Soldaten* die Rolle des Desportes.

Ridderbusch, Karl, * 29. 5. 1932 zu Recklinghausen; deutscher Sänger (Baß), von R. Schock entdeckt und gefördert, studierte ab 1955 am Konservatorium in Duisburg und 1957–61 bei Clemens Kaiser-Breme an der Folkwangschule in Essen. Er ist Mitglied der Deutschen Oper am Rhein in Düsseldorf–Duisburg, der Bayerischen Staatsoper in München, der Wiener Staatsoper und der Metropolitan Opera in New York. Gastspiele führten ihn u. a. an die Mailänder Scala, die Deutsche Oper in Berlin und an die Pariser Opéra. Er ist bei den Bayreuther Festspielen und den Salzburger Osterfestspielen aufgetreten. Sein Repertoire umfaßt neben den einschlägigen Wagner-Partien u. a. Rocco (*Fidelio*), Kezal (»Die verkaufte Braut«), König Philipp (*Don Carlos*), Boris Godunow und Baron Ochs von Lerchenau (*Der Rosenkavalier*). Auch als Konzertsänger hat sich R. einen Namen gemacht.

Riddle (rɪˈidl), Nelson, * 1. 6. 1921 zu Oradell (N. J.); amerikanischer Komponist, war zunächst als Arrangeur u. a. für Tommy Dorsey und Bob Crosby tätig. Er machte sich einen Namen vor allem als Komponist und Arrangeur für Sinatra und Ella Fitzgerald. R. ist auch als Filmkomponist hervorgetreten.

Rideamus → Oliven, Fritz.

Řídký (rʒˈiːtki:), Jaroslav, * 25. 8. 1897 zu Reichenberg, † 14. 8. 1956 zu Lázně Poděbrady (Mittelböhmen); tschechischer Komponist, studierte bei Jirák, J. B. Foerster und Křička am Konservatorium in Prag, an dem er 1929–49 tätig war (1938 Professor). 1924–38 war er Harfenist an der Tschechischen Philharmonie und 1925–30 Chordirigent des Philharmonischen Chores. Sein Schaffen umfaßt u. a. Orchesterwerke (Sinfonietta op. 1, 1923; 7 Symphonien, op. 3, 1924, op. 4, 1925, op. 8, 1927, op. 10, mit Chor, 1928, op. 17, 1931, op. 35, 1938, und op. 47, 1956; Serenade für Streichorch. op. 37, 1943; Kammersinfonietta op. 40, 1945), Konzerte für V. (op. 7, 1926), 2 für Vc. (op. 14, 1930, und op. 36, 1940) und für Kl. (op. 46, 1952) und Orch., Kammermusik (2 Nonette, op. 32, 1934, und op. 39, 1943; Klarinettenquintett op. 5, 1926; Bläserquintett op. 41, 1945; 5 Streichquartette, op. 6, 1926, op. 9, 1927, op. 16, 1931, op. 20, 1933, und op. 34, 1937; Klaviertrio op. 44, 1949; 2 Sonaten für Vc. und Kl., op. 2, 1923, und op. 43, 1948; *Serenata appassionata* op. 12, 1929, und Sonatine op. 42, 1947, für V. und Kl.), Klavierstücke, Kantaten und Volksliedbearbeitungen. Lit.: J. VÁLEK, J. Ř., = Edice hudební vědy III, Prag 1966.

Ridout (rɪˈdu), Godfrey, * 6. 5. 1918 zu Toronto; kanadischer Komponist, studierte in Toronto am Royal Conservatory of Music, an dem er ab 1939 als Lehrer tätig war. Gegenwärtig ist er Assistant Professor an der Faculty of Music der University of Toronto sowie Leiter und Moderator der CBC-Programme. Er schrieb Orchesterwerke (*Festal Overture*, 1939; 2 Etüden für Streichorch., 1946, revidiert 1951; *Music for a Young Prince*, 1959; *Fall Fair*, 1961; Ballade für Va und Streichorch., 1938), Introduktion und Allegro für V., Vc., Fl., Ob., Klar., Horn und Fag. (1968), *Prelude in F* für Kl. (1958), *Three Preludes on Scottish Tunes* für Org. (1958) und Vokalwerke (*Esther* für Soli, Chor

und Orch., 1951; *Cantiones mysticae* für S. und Orch., 1953; *The Dance* für Chor und Orch., 1960; Pange lingua für gem. Chor und Orch., 1961; *The Ascension* für S., Trp. und Streichorch., 1962; 4 Sonette für gem. Chor und Orch., 1964; *In Memoriam Anne Frank* für S. und Orch., 1965; a cappella-Chöre) und ergänzte 1963 die fehlenden Instrumentalstimmen zu Quesnels *Colas et Colinette* (Ouvertüre 1964). Lit.: Werkverz. in: Composers of the Americas XI, Washington (D. C.) 1965.

Rieck, Karl Friedrich, † 14. 7. 1704 zu Berlin; deutscher Violinist und Komponist, trat 1683 in die Kapelle des Kurfürsten von Brandenburg ein, wurde 1698 Dirigent des Kammerorchesters des Kurfürsten von Brandenburg und späteren Königs Friedrich I. von Preußen, der ihn 1701 zum Oberkapellmeister ernannte. Er schrieb u. a. das Opéra-ballet *La festa del Hymeneo* (mit A. Ariosti, Libretto O. Mauro, Bln 1700) sowie die Kantaten *Peleus und Thetis* (1700) und *Der Streit des alten und neuen Saeculi* (1701). Lit.: A. EBERT, A. Ariosti in Bln (1697–1703). Ein Beitr. zur Gesch. d. Musik am Hofe König Friedrichs I. v. Preußen, Diss. Bonn 1905.

+Riede, Erich, * 3. 5. 1903 zu London.
R. war GMD an den Städtischen Bühnen in Nürnberg 1956–64 und 1964–69 am Stadttheater Würzburg; seitdem ist er als Gastdirigent tätig. Er lebt heute in Nürnberg. An neueren Kompositionen seien genannt *Variationen und Fuge über ein barockes Thema* für Orch. (1967, als Ballett *Fête baroque*, Toulouse 1970) und *Intrada* für Org. und Orch. (1970).

+Riedel, Friedrich Wilhelm, * 24. 10. 1929 zu Cuxhaven.
1968 wurde R. Assistent am musikwissenschaftlichen Institut der J. Gutenberg-Universität in Mainz, habilitierte sich dort 1971 mit der Schrift *Kirchenmusik am Hof Karls VI. (1711–40). Untersuchungen zum Verhältnis von Zeremoniell und musikalischem Stil im Barockzeitalter*; seine Ernennung zum Professor erfolgte 1972 (wissenschaftlicher Rat 1973). – Von seinen neueren Veröffentlichungen seien genannt: *Das Musikarchiv im Minoritenkonvent zu Wien* (= Cat. musicus I, Kassel 1963); *Musikpflege im Stift Göttweig unter Abt G. Bessel* (= Quellen und Abh. zur mittelrheinischen Kirchengeschichte XVI, Mainz 1972); *Musikgeschichtliche Beziehungen zwischen J. J. Fux und J. S. Bach* (Fs. Fr. Blume, Kassel 1963; weitere Aufsätze → +Fux); *Zur Geschichte der musikalischen Quellenüberlieferung und Quellenkunde* (AMl XXXVIII, 1966); *Der Einfluß der italienischen Klaviermusik des 17. Jh. auf die Entwicklung der Musik für Tasteninstrumente in Deutschland während der ersten Hälfte des 18. Jh.* (in: Analecta musicologica V, 1968); *Ein Skizzenbuch von A. Poglietti* (in: Essays in Musicology, Fs. W. Apel, Bloomington/Ind. 1968); *Die musikgeschichtliche Bedeutung der Franziskaner-Minoriten* (Fs. »750 Jahre Franziskaner-Minoriten in Würzburg«, Ellwangen 1972); *Das Musikalienrepertoire des Benediktinerstiftes Göttweig* (in: Translatio studii, Fs. O. Kapsner, Collegeville/Minn. 1973); Beiträge für MGG. Er edierte in der J. J. Fux-GA die *Werke für Tasteninstrumente* (= VI, 1, Graz 1964), ferner die Festschrift *950 Jahre Pfarre Krems* (Krems 1964), den Katalog *Musik, Theater, Tanz vom 16. Jh. bis zum 19. Jh. in ihren Beziehungen zur Gesellschaft* (= Ausstellung des graphischen Kabinetts des Stiftes Göttweig VII, Göttweig 1966) sowie (mit H. Unverricht) die Festschrift für H. Federhofer (*Symbolae historiae musicae*, Mainz 1972).

+Riedel, Georg, 1676–1738.
Ausg.: ein Kanon u. Teil einer Festkantate in: J. MÜL-

LER-BLATTAU, Gesch. d. Musik in Ost- u. Westpreußen, Königsberg 1931, Wolfenbüttel ²1968.

+Riedel, Karl (Carl), 1827–88.
Lit.: E. STÖCKL, Zwei deutsche Briefe A. Borodins an C. R., Mf XVIII, 1965.

Rieder, Ambros, * 10. 10. 1771 zu Döbling (Wien), † 19. 11. 1855 zu Perchtoldsdorf (Niederösterreich); österreichischer Kirchenmusiker und Komponist, Schüler von L. Hoffmann und Albrechtsberger, wirkte ab 1797 in Döbling und ab 1802 in Perchtoldsdorf als Schullehrer und Chorregent. Er war Bratschist des Schuppanzigh-Quartetts und stand mit Mozart, Beethoven, Ferdinand Schubert, Johann Gänsbacher und Sechter in Verbindung. Von seinen Kompositionen (512 sind mit Opuszahlen versehen) fanden vor allem Landmessen, Proprien, Praeludien und Fugen für Orgel große Verbreitung; er schrieb ferner Kammermusik und Klavierwerke, gab Kompositionen von G. Ph. Telemann, Georg Muffat, Fux, Albrechtsberger und M. Haydn heraus und verfaßte Anleitungen zum Praeludieren und Fugieren auf der Orgel und dem Klavier sowie eine *Anleitung zur richtigen Begleitung der Melodien* (Wien 1831).
Lit.: G. BENEŠ, A. R., Sein Leben u. sein Orgelwerk, Diss. Wien 1967 (mit thematischem Verz.).

Riederer, Johann Bartholomäus, getauft 3. 3. 1720 zu Nürnberg, † 5. 2. 1771 zu Altdorf; deutscher Theologe, studierte in Altdorf und Halle (Saale), wurde 1744 Prediger in Nürnberg (Dominikanerkirche), 1746 Pfarrer in Rasch (bei Nürnberg) und 1752 Professor in Altdorf (1753 D. theol.), dort 1769 auch Archidiakon. Er schrieb die für die Geschichte des Gesangbuchs und Kirchenlieds wichtige *Abhandlung von Einführung des teutschen Gesangs in die evangelisch-lutherische Kirche* (Nürnberg 1759) und verfaßte, z. T. in Ergänzung dazu, zahlreiche hymnologische und liturgiegeschichtliche Beiträge für die von ihm herausgegebenen *Nachrichten zur Kirchen-, Gelehrten- und Bücher-Geschichte* (4 Bde, Altdorf 1763–68).
Lit.: FR. KRAUTWURST in: MGG XI, 1963, Sp. 470f.

Riedl, Josef Anton (Pseudonym Józef Mann), * 11. 6. 1927 zu München; deutscher Komponist, Schüler von Orff, wurde beeinflußt durch Boulez und P. Schaeffer (Vorführung von Musique concrète beim Musikfestival in Aix-en-Provence 1951). Er gehörte ab 1953 der Groupe de Recherches de Musique Concrète der ORTF an, arbeitete ab 1955 am Studio für Elektronische Musik in Köln, 1959 beim elektroakustischen Experimentalstudio Scherchens in Gravesano und war 1960 Mitgründer des Studios für Elektronische Musik München bei Siemens (1960–66 leitender Mitarbeiter) und 1966 des Instituts für Klangforschung und Elektronische Musik München. Seit 1960 organisiert er in München die Veranstaltungsreihen »Neue Musik« und »Neuer Film« (Uraufführung von Kompositionen von Cage, Kagel, Ligeti und K. Stockhausen). 1974 übernahm er die Leitung des neuen Jugendzentrums im Bonn Center. – R. begann als Komponist mit Klavier- und Orgelfantasien (1940) und Vokalstücken (1942). In Anlehnung an die Musique concrète konzipierte er *Studie* (1951 und 1952), komponierte 1952–57 mehrere Stücke für 1–4 Singst. mit Kl. (auch Streicher) und Schlagzeug, dem eine dominierende Rolle zukommt, und Stücke für Singst. (Vokalisen) und Kl. (1952–53), ferner *Olympische Hymne* für Chor, Streicher, Prepared piano und Schlagzeug (1954) sowie je ein Stück für Git. und Vibraphon (1960) und für Fl. solo (1961). R. wandte sich dann der Elektronischen Musik zu (*Studie*, 1958–59; *Zyklus von 4 Studien*, 1962; *Polygonum*, mit

Singst., 1968; *Paper Music*, 1970) und realisierte ab 1960 Optische Musik (*Lautgedichte*, 1960; *Vielleicht-Duo*, 1963–70; *Stroboskopie* für Licht-Environment und Dias, 1971; *Rhilapsis* für Metallophone, 1972), auch unter Einbeziehung von Düften (*Silphium* für Tonband und Live electronics, 1972). Seit 1959 verwendet R. die Mittel der elektronischen, konkreten, instrumentalen (Schlagzeug, elektrische Gitarre, Free Jazz) und vokalen (Vokalisen) Musik für Film (*Impuls unserer Zeit* von Otto Martini, 1959; *Stunde X*, Bernhard Dörries, 1959; *Kommunikation*, Edgar Reitz, 1961; *Geschwindigkeit*, Reitz, 1963; *Unendliche Fahrt*, Reitz, 1965; *Thunder over Mexico*, Sergej Eisenstein, 1966, Neuvertonung; *Sekundenfilme*, Vlado Kristl, 1968; *Adam II*, Jan Lenica, 1968), Funk (*Kains Bruder ist umsonst gestorben*, M. Y. Ben-Gavriêl, München 1960), Bühne und Fernsehen (*Leonce und Lena* von Georg Büchner, Inszenierung Fritz Kortner, München 1963, Fernseheinrichtung 1964; »Der Sturm« von Shakespeare, Kortner, Bln 1968), später auch für Musik-Environment im Freien (Baden-Baden, Bln, Bonn, Stuttgart; »Spielstraße« bei den Olympischen Spielen in München, 1972).
Lit.: FR. K. PRIEBERG, Musica ex machina, Bln 1960, ital. Turin 1963; H. SCHWIMMER, Film u. Musik, in: Melos XXXIV, 1964; U. DIBELIUS, Moderne Musik 1945–65, München 1966; E. KARKOSCHKA, Das schriftbild d. neuen musik, Celle 1966.

+Riedt, Friedrich Wilhelm, 5. 1. 1710 [del. früheres Datum] – 1783 [nicht: 1784].
R. wurde 1749 [nicht: 1750] Direktor der Musikübenden [nicht: Musikalischen] Gesellschaft. Sein +*Versuch über die musikalischen Intervallen* erschien Bln 1753.
Ausg.: Duett f. 2 Fl., hrsg. v. D. SONNTAG, Wilhelmshaven 1962.
Lit.: +C. FREIHERR V. LEDEBUR, Tonkünstler-Lexicon Bln's (1861), Nachdr. Tutzing 1965. – S. LOEWENTHAL, Die Musikübende Ges. zu Bln u. d. Mitglieder J. Ph. Sack, Fr. W. R. u. J. G. Seyffarth, Diss. Basel 1928.

+Riefling, Robert [erg.:] Dankwart Leo, * 17. 9. 1911 zu Oslo.
Neben seiner Konzerttätigkeit, die ihn in die meisten europäischen Länder und in die USA führte, hielt er Interpretationskurse in Skandinavien ab. Seit 1967 ist er Professor an Det Kongelige danske musikkonservatorium in Kopenhagen.

+Riegel, –1) Henri Joseph (Heinrich Joseph), 1741 – [erg.: 2.] 5. 1799. Er ging bereits 1767 [nicht: 1768] nach Paris, wo er ab 1783 zu den Komponisten [nicht: Dirigenten] der Concerts spirituels gehörte. 1784 wurde er Maître de solfège an der Ecole royale de chant (ab 1795 Conservatoire national) in Paris. Von seinen Instrumentalwerken seien genannt [del. frühere Angaben dazu]: jeweils 6 Sinfonien op. 12 und op. 21 (1774–86); 5 Klavierkonzerte (op. 2 und op. 3, 1770; 2 aus op. 11, um 1773; op. 19?, 1784); *Concerto concertant* für Kl., V. und Orch. op. 20 (1786); jeweils 6 Streichquartette (*Quatuors dialogués*) op. 4 und op. 10 (um 1770–73); *Sonates de clavecin en quatuor* mit 2 V., 2 Hörnern und Vc. ad libitum op. 7–9 (um 1771–72); zahlreiche Klaviersonaten (oft mit Violinbegleitung) sowie jeweils 3 *Sonates en symphonies* für Cemb. (Pfte) op. 16 und op. 17 (1783); Revolutionsmusiken. Das +Streichquintett C moll op. 49 (um 1830) stammt von seinem Sohn Henri Jean (–4).
–2) Anton, [erg.:] * um 1745 zu Wertheim. Er ist bereits 1776 in Mannheim nachweisbar (Aufenthalt in Paris 1776–87?) und soll dort noch 1807 gewohnt haben; danach verliert sich seine Spur.
–4) Henri Jean, 1772–1852. Seine Oper +*Le duel noc-*

turne wurde in Paris 1805 [nicht: 1808] uraufgeführt. Er war einer der Lehrer C. Francks.

Ausg.: zu –1): eine Sonate in: Six Keyboard Sonatas from the Class. Era, hrsg. v. W. S. NEWMAN, Evanston (Ill.) 1965. – zu –2): Trio Nr 4 F dur f. Fl., V. u. Vc., hrsg. v. H. O. KOCH, Zürich 1965.

Lit.: B. S. BROOK in: MGG XI, 1963, Sp. 508ff. – zu –1) u. –4): DERS., La symphonie frç. dans la seconde moitié du XVIIIᵉ s., 3 Bde, = Publ. de l'Inst. de musicologie de l'Univ. de Paris III, Paris 1962 (in Bd III Ausg. d. Sinfonie D moll op. 21 Nr 2 v. –1). – zu –2): E. SCHMITT, Die kurpfälzische Kirchenmusik im 18. Jh., Diss. Heidelberg 1958.

+Rieger Orgelbau.
Die Firma, weiterhin unter der Leitung von Josef v. Glatter-Götz (* [erg.: 15. 12.] 1914 zu Wien) mit Sitz in Schwarzach (Vorarlberg) [nicht: Schwarzbach; del.: mit Nebenstelle in Lindau], baute 1968 die erste elektronische Setzerkombination. Neuere größere Werke entstanden u. a. für die Münster in Freiburg i. Br. und Ulm.

Lit.: R. QUOIKA in: MGG XI, 1963, Sp. 473ff.

+Rieger, Fritz, * 28. 6. 1910 zu Oberaltstadt (Tschechoslowakei).
Leiter der Münchner Philharmoniker und GMD der Stadt München war er bis 1967. R., ständiger Gastdirigent der Bayerischen Staatsoper in München, am Teatro S. Carlo in Neapel und am Teatro dell'Opera in Rom, wurde 1972 als Nachfolger W. van Otterloos Chefdirigent des Symphonieorchesters Melbourne. Seine Gastspieltätigkeit führte ihn auch nach Japan.

+Riegger, Wallingford [erg.:] Constantin, * 29. 4. 1885 zu Albany (Ga.), [erg.:] † 2. 4. 1961 zu New York.
R. studierte 1907–10 an der Berliner Musikhochschule Cello und Komposition (u. a. bei M. Bruch), war 1910–13 Cellist im Symphonieorchester von St. Paul (Minn.) und 1913–16 Dirigent an den Opernhäusern in Würzburg und Königsberg sowie 1916–17 des Blüthner-Orchesters in Berlin. 1917 kehrte er wieder nach den USA zurück und unterrichtete 1918–22 Theorie und Cello an der Drake University (Ia.). Danach lebte er in New York und lehrte dort u. a. am Teachers College der Columbia University und an der Metropolitan Music School. 1953 wurde R. Mitglied des National Institute of Arts and Letters. – Weitere Werke: die Ballette *Bacchanale* op. 11 (NY 1931), *Frenetic Rhythms* für Fl., Klar., Kl. und Trommeln op. 16 (NY 1933), *Evocation* op. 17 (Toronto 1933), *New Dance* op. 18 (NY 1935), *Theatre Piece* op. 19 (NY 1936), *With My Red Fires* op. 20 (Bennington/Vt. 1936; op. 19, 20 und 18 auch als »choreographische Trilogie«, *Chronicle* op. 21 (NY 1936), *The Cry* op. 22 (NY 1935), *Candide* op. 24 (NY 1937), *Trojan Incident* op. 26 (NY 1938), *Case History No. ...* op. 27 (NY 1937), *Machine Ballet* op. 28 (Toronto 1938) und *Pilgrim's Progress* op. 29 (NY 1941); Passacaglia (Praeludium) und Fuge op. 34 (1942, auch für Blasorch.), Ouvertüre op. 60 (1955), Praeambel und Fuge op. 61 (1955), *Festival Overture* op. 68 (1957), *Quintuple Jazz* op. 72 (1958) und Sinfonietta op. 73 (1959) für Orch.; Suite für Jugendorch. op. 56 (1954); Variationen für V. op. 71 (1958) und Duo für Kl. op. 75 (1960) mit Orch., Introduktion und Fuge für Vc., Bläser und Pk. op. 74 (1960); Suite für Fl. solo op. 8 (1929), 3 Kanons für Holzbläser op. 9 (1931), *Divertissement* (Trio) für Fl., Hf. und Vc. op. 15 (1933), Duos für Fl., Ob. und Klar. op. 35 (1943), Variationen für V. und Va op. 57 (auch chorisch, 1956), *Movement* für 2 Trp., Pos. und Kl. op. 66 (1957), Praeludium und Fuge für 4 Vc. op. 69 (1957), *Cooper Square* für Akkordeon op. 70 (1958); *La belle dame sans merci* für S.,

Mezzo-S., A., T., Fl., Ob., Fag., Horn, Streicher und Frauenchor ad libitum op. 4 (J. Keats, 1923), Kantate *In Certainty of Song* für Soli, Chor und Kl. (oder Kammerorch.) op. 46 (1950); Bearbeitungen von Volksliedern und Anthems (*The R. Anthem Book*). R. komponierte 1933–41 auch moderne Tanzmusik.

Lit.: Werkverz. in: Composers of the Americas VII, Washington (D. C.) 1961. – A. WEISS in: ⁺American Composers on American Music (H. Cowell, 1933), unveränderte NA NY 1962, S. 70ff. – A Tribute to W. R., Bull. of the American Composers Alliance IX, 1960 (mit Werkverz.); P. D. FREEMAN, The Compositional Technique of W. R. as Seen in Seven Major Twelve-Tone Works, Diss. Univ. of Rochester (N. Y.) 1963; DW. D. GATWOOD JR., W. R., A Biogr. and Analysis of Selected Works, Diss. G. Peabody College f. Teachers (Tenn.) 1970; L. W. OTT, An Analysis of the Later Orch. Style of W. R., Diss. Michigan State Univ. 1970.

+Riehl, Wilhelm Heinrich von, 1823–97.
Lit.: V. v. GERAMB, W. H. R., Leben u. Wirken, Salzburg 1954 (mit Schriftenverz. u. Bibliogr.); D. P. McCORT, W. H. R. and the Tradition of German Music-Fiction, Diss. Johns Hopkins Univ. (Baltimore/Md.) 1970.

Riehm, Rolf, * 15. 6. 1937 zu Saarbrücken; deutscher Komponist, studierte 1958–61 Schulmusik in Frankfurt a. M. und 1961–63 Komposition bei Fortner in Freiburg i. Br. Ab 1968 war er Dozent für Theorie und Gehörbildung an der Rheinischen Musikhochschule in Köln. 1974 wurde er Professor für Komposition an der Frankfurter Musikhochschule. Er gehört der »Gruppe 8 Köln« (H. U. →Humpert) an. Von seinen Kompositionen seien genannt: *Zentrifuge* für Kl. (1961); *FINISH*, 5 Stücke für Bar. und Kl. nach Gedichten von Gottfried Benn (1961); *Ungebräuchliches* für Ob. solo (1964); *In einer Landschaft*, Stück für Bühne/Schauspieler, Sänger und Instrumentalisten (1968); *Der Seefahrer*, stereophonisches Hörspiel für Männer- und Frauen-St. (1969); *Studien* für 3 Sänger, Schauspielerin, Englisch Horn-Spieler, Pianisten, Tonband und Bildprojektionen (1970); *Gebräuchliches* für Alt-Block-Fl. solo (1972); *Leonce, Alban u. a.* für S., T., Bar. und Orch. (1972); *Der Freie und der Unfreie*, 2 musikalische Porträts für Kl. (1973); *O quam dulce et suave est diligere* für gem. Chor (1974). Er schrieb den Beitrag *Was ist moderne Musik?* (in: L. Zenetti, Heiße (W)Eisen, = Pfeiffer-Werkbuch L, München 1966).

+Riemann, [erg.: Karl Wilhelm Julius] Hugo, 1849–1919.
R., der ein Gegner des Historismus war, ist zum Gegenstand einer Kritik geworden, die von historischen Voraussetzungen getragen wird. Einerseits zeigte sich, daß »die« Funktionstheorie nicht als festes System, sondern (als »theory in progress«) in mindestens vier Fassungen, die tiefgreifend differieren, existiert (die bekannteste ist nicht die letzte, sondern die vorletzte). Andererseits ist der Unterschied zwischen R.s frühem Versuch, die Theorie der Musik naturwissenschaftlich zu fundieren, und seinem späteren Rekurs auf eine neukantianische oder phänomenologische Begründung der kategorialen Struktur des musikalischen Hörens nicht so gering, wie ihn R. selbst erscheinen ließ. (Die irrige Annahme einer »Untertonreihe« ist im einen Fall eine zur Stützung der Theorie notwendige, im anderen eine entbehrliche Hypothese.) Charakteristisch für den Musikhistoriker R., dessen Bedeutung nicht unterschätzt werden sollte, war erstens die Voraussetzung, daß die Musikgeschichte, streng »immanent«, als Geschichte des Komponierens und nicht als ein Stück Geistes- oder Sozialgeschichte aufzufassen sei, und zweitens der Gedanke, daß es eine Natur der Musik gebe (eine φύσις, die zugleich λόγος, Vernunft ist), die

sich in der Geschichte realisiert: natürliche Begründung, ästhetischer Rang und geschichtliche Bedeutung konvergierten in R.s Denken.

+*Riemann Musiklexikon* (1882ff.), 12. Aufl., Mainz 1959–67, hrsg. von W. Gurlitt (Personenteil, 2 Bde, 1959–61) und H. H. Eggebrecht (Sachteil, 1967; vgl. dazu H. H. Eggebrecht, *Der Sachteil des Riemann Musiklexikons*, Fs. für einen Verleger [L. Strecker], ebd. 1973), zum Personenteil 2 Ergänzungs-Bde, hrsg. von C. Dahlhaus, 1972–75, Nachdr. der 4. Aufl. der engl. Ausg. (*Dictionary of Music*, 1908 [nicht: 1918]) NY 1970 (2 Bde). – +*Präludien und Studien* ... (1895–1901), Nachdr. Hildesheim 1967 (3 Bde in 1); +*Musikalische Syntaxis* ... (1877), Nachdr. Niederwalluf bei Wiesbaden 1971; +*Geschichte der Musiktheorie im IX.–XIX. Jh.* (1898, ²1921), Hildesheim ³1961 (= Nachdr. der 2. Aufl.), engl. Teilübers. (mit Kommentar und Anm.) von R. H. Haggh als *History of Music Theory, Books I and II: Polyphonic Theory to the Sixteenth Cent.* (Lincoln/Nebr. 1962, Nachdr. NY 1974); +*System der musikalischen Rhythmik und Metrik* (1903), Nachdr. Niederwalluf bei Wiesbaden 1971; +*Studien zur Geschichte der Notenschrift* (1878), Nachdr. Hildesheim 1970; +*Notenschrift und Notendruck. Bibliographisch-typographische Studie* (1896 [nicht: 1986]), Nachdr. = Bibl. musica Bononiensis I, 8, Bologna 1969; +*Handbuch der Musikgeschichte* (1904ff.), Nachdr. der Aufl. von 1920–23, NY 1972 (2 Bde in 4).
Lit.: +R.-Fs. ... (1909), Nachdr. Tutzing 1965; +G. Sievers, Die Grundlagen H. R.s bei M. Reger (1949), gedruckt Wiesbaden 1967; +W. Kahl, Der »obscure« R. ... (1956 [nicht: 1946]). – K. Dreimüller, Erinnerungen an H. R., Aus d. unveröff. Buch v. W. Niemann »Mein Leben f.s Kl.«, in: Musik im Unterricht (Allgemeine Ausg.) L, 1959; H.-P. Reinecke, H. R.s Beobachtungen v. »Divisionstönen« u. d. neueren Anschauungen zur Tonhöhenwahrnehmung, in H. Albrecht in memoriam, Kassel 1962; M. Vogel, Die Enharmonik d. Griechen, 2 Bde, = Orpheus-Schriftenreihe zu Grundfragen d. Musik III–IV, Düsseldorf 1963; ders., Funktionszeichen auf akustischer Grundlage, Zs. f. Musiktheorie I, 1970; C. Dahlhaus, Über d. Begriff d. tonalen Funktion, in: Beitr. zur Musiktheorie d. 19. Jh., hrsg. v. M. Vogel, = Studien zur Mg. d. 19. Jh. IV, Regensburg 1966; ders., Untersuchungen zur Entstehung d. harmonischen Tonalität, = Saarbrücker Studien zur Mw. II, Kassel 1968; E. Seidel, Die Harmonielehre H. R.s, in: Beitr. zur Musiktheorie d. 19. Jh., hrsg. v. M. Vogel, = Studien zur Mg. d. 19. Jh. IV, Regensburg 1966; P. Rummenhöller, Musiktheoretisches Denken im 19. Jh., Versuch einer Interpretation erkenntnistheoretischer Zeugnisse in d. Musiktheorie, ebd. XII, 1967; R. Heinz, Geschichtsbegriff u. Wissenschaftscharakter d. Mw. in d. zweiten Hälfte d. 19. Jh., ebd. XI, 1968; R. Imig, Systeme d. Funktionsbezeichnung in d. Harmonielehren seit H. R., = Orpheus-Schriftenreihe zu Grundfragen d. Musik IX, Düsseldorf 1969ff.; W. Siegmund-Schultze in: MuG XIX, 1969, S. 466ff.; H. Orff, Die Gesch. d. Mw. an d. Univ. Lpz. u. Bln, in: Sborník prací filosofické fakulty brněnské univ. XVIII, H 4, 1969; R. Frisius, Untersuchungen über d. Akkordbegriff, Diss. Göttingen 1969; Fr. Grasberger, H. R., Fs. J. Stummvoll, = Museion, N. F. II, 4, Wien 1970, Bd II; W. C. Mickelsen, H. R.'s Hist. of Harmonic Theory with a Translation of »Harmonielehre«, 2 Bde, Diss. Indiana Univ. 1971; W. Orf, Die unveröff. R.-Fs. 1919 (UB Lpz. Cod. Ms. 01080), BzMw XV, 1973.

+**Riemann,** Ludwig, 1863–1927.
Lit.: F. Oberborbeck in: Rheinische Musiker II, hrsg. v. K. G. Fellerer, = Beitr. zur rheinischen Mg. LIII, Köln 1962, S. 78ff.

+**Riemer,** Otto, * 2. 9. 1902 zu Badeleben (bei Magdeburg).
R. promovierte 1927 in Halle (Saale) [nicht: Berlin]. – Als Dozent für Musikgeschichte an der Heidelberger

Musikhochschule war er bis 1969 tätig. Er veröffentlichte ferner *Chorklang im Zeitgeist. Eine Studie zum 75jährigen Bestehen des Heidelberger Bach-Vereins* (Heidelberg 1960) und *Einführung in die Geschichte der Musikerziehung* (= Taschenbücher zur Musikwissenschaft IV, Wilhelmshaven 1970) sowie kleinere Beiträge vor allem zur evangelischen Kirchenmusik.

+**Riepel,** Joseph (Pseudonyme Ipleer, Leiper, Perile), getauft 22. [nicht: 23.] 1. 1709 – 1782.
Lit.: +W. Twittenhoff, Die musiktheoretischen Schriften J. R.s ... als Beispiel einer anschaulichen Musiklehre (= Beitr. zur Musikforschung II, 1935), Nachdr. Hildesheim 1971; +A. Feil, Satztechnische Fragen in d. Kompositionslehren v. Fr. Niedt, J. R. u. H. Chr. Koch (Diss. 1954), gedruckt Heidelberg 1955. – P. Benary, Die deutsche Kompositionslehre d. 18. Jh. = Jenaer Beitr. zur Musikforschung III, Lpz. 1961; Fr. Ritzel, Die Entwicklung d. »Sonatenform« im musiktheoretischen Schrifttum d. 18. u. 19. Jh., = Neue mg. Forschungen I, Wiesbaden 1968.

+**Riepp,** Karl (Charles) Joseph, 1710 zu Eldern (bei Ottobeuren) [nicht: zu Ottobeuren] – 1775.
R. war 1732–33 in Straßburg Schüler von G. Fr. Merckel [nicht: A. Silbermann, von dem er abgewiesen worden war]; mit Silbermanns Sohn Johann Andreas trat er erst 1755 in Verbindung. Bereits 1735 [nicht: 1742/43] ließ sich R. in Dijon nieder, lebte aber auch zeitweilig in Dôle [nicht: Dúle] (Jura). – Sein Bruder Rupert R., 1711 [nicht: 1710] zu Eldern [nicht: Ottobeuren] – um 1750/51 [del.: 1746/50].
Lit.: J. Gardien, L'orgue et les organistes en Bourgogne et en Franche-Comté au XVIIIe s., Paris 1943; A. Layer in: Lebensbilder aus d. Bayerischen Schwaben VII, München 1959, S. 260ff.

+**Ries,** –1) Franz Anton, 1755–1846.
–2) Ferdinand, [erg.: 28.] (getauft 29.) 11. [nicht: 1.] 1784 – 1838. Den Frankfurter Cäcilienverein leitete er [erg.:] ab 1837. – +*Biographische Notizen über L. van Beethoven* (mit Fr. G. Wegeler, 1838 [nicht: 1828]), Nachdr. Hildesheim 1972.
–3) Hubert, 1802–86. –4) Louis, 1830 – 1913 [erg.:] zu London.
Ausg.: zu –2): Klar.-Sonate G moll op. 29, hrsg. v. W. Lebermann, = Klar.-Bibl. IX, Mainz 1967; Hornsonate F dur op. 34, hrsg. v. dems., = Il corno III, ebd. 1969; Trio B dur f. Klar., Vc. u. Kl. op. 28, hrsg. v. D. Klöcker u. W. Genuit, London 1969; Sonate Es dur f. Fl. (Klar.) u. Kl. op. 169, hrsg. v. H.-P. Schmitz, = Das 19. Jh. VIII, Kassel 1970.
Lit.: zu –1) bis –3): R. Sietz in: Rheinische Musiker II, hrsg. v. K. G. Fellerer, = Beitr. zur rheinischen Mg. LIII, Köln 1962, S. 85ff., 82ff. u. 87f. – zu –1): +A. Wh. Thayer, L. v. Beethovens Leben (I, ³1917), engl. v. H. E. Krehbiel, NY 1921–25 (3 Bde), Nachdr. = Class. Series o. Nr, London u. Carbondale (Ill.) 1960 (mit neuer Einleitung v. A. Pryce-Jones); dass., revidiert hrsg. v. E. Forbes als: Thayer's Life of Beethoven, 2 Bde, London u. Princeton (N. J.) 1964, Paperbackausg. Princeton 1970. – zu –2): Th. A. Henseler in: Das mus. Bonn im 19. Jh., = Bonner Geschichtsblätter XIII, Bonn 1959, S. 25ff.; D. W. MacArdle, Beethoven and F. R., ML XLV, 1965; E. Pavlone, L'ed. originale dell'op. 106 di L. v. Beethoven, RIdM V, 1970; A. Tyson, Notes on Five of Beethoven's Copyists, JAMS XXIII, 1970; W. E. Sand, The Life and Works of F. R., Diss. Univ. of Wisconsin 1973.

+**Ries & Erler.**
Der Verlag, weiterhin mit Sitz in Berlin, wurde ab 1948 als Ungeteilte Erbengemeinschaft geführt (Inhaber Waltraud Ries, * 25. 12. 1924 und † 15. 10. 1968 zu Berlin, und Ingrid Meurer geborene Ries, * 27. 2. 1922 zu Berlin); derzeitige Alleininhaberin ist I. Meurer.

+**Riesemann,** Bernhard Oskar von, 1880–1934.
+*Monographien zur russischen Musik* (1923–26), Nachdr.

Hildesheim 1971, Nachdr. der +engl. Ausg. von Bd II (*Moussorgsky*, 1929) NY 1971 und London 1972; A. Skrjabins +»Prometheische Phantasien«(1924), Nachdr. München-Gräfelfing 1968 (von W. Wollenweber erweitert um ein Werk-, Literatur- und Schallplattenverz.); +*Rachmaninoff's Recollections* (1934), Nachdr. Freeport (N. Y.) 1970.

+Rieter-Biedermann, Jakob Melchior, 1811–76.
Lit.: H.-M. PLESSKE, Bibliogr. d. Schrifttums zur Gesch. deutscher u. österreichischer Musikverlage, in: Beitr. zur Gesch. d. Buchwesens, hrsg. v. K.-H. Kalhöfer u. H. Rötzsch, Bd III, Lpz. 1968.

Riethmüller, Heinrich, * 23. 12. 1921 zu Berlin; deutscher Komponist und Dirigent von Unterhaltungs- und Filmmusik, lebt in Berlin. Er studierte ab 1940 Kirchenmusik an der Akademie für Kirchen- und Schulmusik in Berlin, war ab 1942 als Organist und Chorleiter tätig und ab 1947 als musikalischer Leiter beim Kabarett »Ulenspiegel« in Berlin. Seit 1950 ist er musikalischer Leiter bei Musiksynchronisationen fremdsprachiger Filme (auch Texter und Regisseur) und komponiert seit 1954 Filmmusiken (*Heideschulmeister Uwe Karsten*, 1954; *Kirmes*, 1960). R. schrieb zahlreiche Stücke der gehobenen Unterhaltungsmusik sowie Lieder.

+Riethmüller, Helmut, * 16. 5. 1912 zu Köln, [erg.:] † 28. 2. 1966 zu Berg (am Starnberger See).
R. war Leiter der Hauptabteilung Musik bis 1962 und anschließend bis 1964 Musikbeauftragter der Fernsehdirektion des Bayerischen Rundfunks in München.

+Rieti, Vittorio, * 28. 1. 1898 zu Alexandria (Ägypten).
R., der 1944 in den USA naturalisiert wurde, lehrte 1960–64 Komposition am College of Music in New York. – Er schrieb eine +Partita für Cemb. [nicht: Hf.] und 6 Instr. (1945). – Weitere Werke: die Opern +*Don Perlimplín* (nach García Lorca, Paris 1952 [nicht: 1949]), *Orfeo Tragedia* (1928), *Electre* (Paris 1937), *The Pet Shop* (einaktig, NY 1958), *The Clock* (1960), *Maryam the Harlot* (einaktig, 1966); *Five Fables of La Fontaine* für Orch. (1968); Tripelkonzert für V., Va, Kl. und Orch. (1971); Oktett für Fl., Ob., Klar., Fag., V., Va, Vc. und Kl. (1971), *Sonata a cinque* für Fl., Ob., Klar., Fag. und Kl. (1966), *Incisioni* für Blechbläserquintett (1967), *Silografie* für 5 Holzbläser (1967), 4. Streichquartett (1960), Variationen über »When From My Love« für Fl., Klar. und V. (1964), *Pastorale e fughetta* für Fl., Va und Kl. (1966), Klaviertrio (1972), *Sonata concertante* für V. und Kl. (1970); *Contrasts* für Kl. (1967), *Chorale, Variations and Finale* für 2 Kl. (1969); 4 Lieder (D. H. Lawrence, 1960) und 5 *Elizabethan Songs* (1967) für Singst. und Kl.

+Rietz, –1) Eduard [erg.:] Theodor Ludwig, 1802 – 22. [nicht: 23.] 1. 1832. –2) [erg.: August Wilhelm] Julius, 1812–77.
Der Vater Johann Christian [nicht: Friedrich] R., [erg.:] 12. 6. 1767 zu Lübben (an der Spree) – 25. 12. [nicht: 3.] 1828.
Lit.: F. GÖTHEL in: MGG XI, 1963, Sp. 500ff. – zu –2): R. SIETZ, Das Stammbuch v. J. R., in: Studien zur Mg. d. Rheinlandes II, Fs. K. G. Fellerer, = Beitr. zur rheinischen Mg. LII, Köln 1962; DERS. in: Rheinische Musiker III, hrsg. v. K. G. Fellerer, ebd. LVIII, 1964, S. 73ff.

+Riezler, Walter, * 2. 10. 1878 und [erg.:] † 22. 1. 1965 zu München.
+*Beethoven* (1936), 8. teilweise umgearbeitete und erweiterte Aufl. Zürich 1962, ⁹1966. – *Schuberts Instrumentalmusik. Werkanalysen* (aus dem Nachlaß hrsg. von der Bayerischen Akademie der Schönen Künste, ebd. 1967).

Lit.: H. GROHE in: Mitt. d. H. Pfitzner-Ges. 1965, Nr 13, S. 1ff.

+Rigacci, Bruno, * 6. 3. 1921 zu Florenz.
R. dirigiert seit 1958 das Orchester der Accademia musicale Chigiana in Siena, an der er seit 1965 auch Interpretation und Operndirigieren lehrt. R. ist ständiger Dirigent der Settimane musicali senesi. Neuere Werke: Magnificat für Chor und Bläser (1957); *Musica per un balletto* für Orch. (1958); *Dittico* für Kl. (1969); *Musica per un'idea* für Rezitation, S., Klar., Fag. und Kl. (1970). R. bearbeitete auch Werke von Donizetti, Mozart, Paisiello und A. Scarlatti.

Rigatti, Giovanni Antonio (Rigati), * 1615 und † 25. 10. 1649 zu Venedig; italienischer Komponist, Priester, war 1635–37 Kapellmeister am Dom in Udine, kehrte später nach Venedig zurück, war ab 1646 Kapellmeister des Patriarchen Francesco Morosini und Gesangslehrer am Conservatorio degli Incurabili war. – Werke (in Venedig gedruckt): *Primo parto de Motetti a 2–4 v.* (1634, ²1640); *Musiche concertate cioè Madrigali a 2–4 v. con b. c. Libro primo, op. 2* (1636); *Messa e salmi concertati a 3–8 v. con 2 violini e altri istromenti* (1640); *Musiche diverse a v. sola, con b. c.* (1641, ²1643); *Messa e salmi ariosi a 3 v. concertati* (²1643); *Motetti a v. sola con b. c.* (1643); *Salmi diversi di compieta in diversi generi di canto a 1–4 v.* (1646); *Motetti a v. sola per cantare nell'org., gravicimbalo, tiorba et altro istromento. Libro secondo* (1647); *Motetti a 2–3 v. con una messa breve nel fine* (1647); *Musiche diverse a 2 v.* (1647); *Messa e salmi a 3 v. con 2 violini et 4 parti di ripieno à beneplacito. Libro secondo* (1648).
Ausg.: Kanzonette »O biondetta lascivetta« aus d. »Musiche diverse a v. sola« (1641), in: Eleganti canzoni ed arie ital. del s. XVII, hrsg. v. L. TORCHI, Mailand 1894.
Lit.: G. VALE, La cappella mus. del duomo di Udine, in: Note d'arch. VII, 1930; H. A. SANDER, Beitr. zur Gesch. d. Barockmesse, KmJb XXVIII, 1933.

Rigaut de Barbezieux (rig'aut de barbezi'eüs), provenzalischer Trobador, dessen Wirkungszeit um 1170–1210 (A. Varvaro, 1960) oder um 1140–60 (R. Lejeune, 1957) angesetzt wird, versuchte sich in den eingebürgerten Traditionen des höfischen Canso zu lösen. Folgende 5 Gedichte sind mit Musik überliefert: *Atressi cum lo leos* (P–C 421,1); *Atressi cum l'orifans* (P–C 421,2); *Atressi cum Persavaus* (P–C 421,3); *Lo nous mes d'abril comensa* (P–C 421,6); *Tuit demandon qu'es devengud' amors* (P–C 421,10).
Ausg.: Le chansonnier frç. de St-Germain-des-Prés, hrsg. v. P. MEYER u. G. RAYNAUD, = Soc. des anciens textes frç. I, Paris 1892 (Faks.-Ausg.). – Les chansons du troubadour R. de B., hrsg. v. J. ANGLADE, Rev. des langues romanes LX, 1918/20 (mit Übertragung d. Melodien); Les chansons du troubadour R. de B., hrsg. v. C. CHABANEAU u. J. ANGLADE, = Publ. spéciales de la Soc. des langues romanes XXVII, Montpellier 1919; Le canzoni, hrsg. v. M. BRACCINI, Florenz 1960; Liriche, hrsg. v. A. VARVARO, Bari 1960. – Melodie zu P–C 421,2 in: Die Melodien d. Troubadours, hrsg. v. J. BECK, Straßburg 1908; zu P–C 421,1 u. 2 in: U. SESINI, Le melodie trobadoriche nel canzoniere prov. della Bibl. Ambrosiana (R. 71 sup.), 2. Teil, in: Studi medievali XX, N. S. XIV, 1941; zu P–C 421,1, 2, 3 u. 10 in: Der mus. Nachlaß d. Troubadours, Bd I: Kritische Ausg. d. Melodien, hrsg. v. FR. GENNRICH, = Summa musicae medii aevi III, Darmstadt 1958; zu P–C 421,6 in: Lo gai saber, hrsg. v. DEMS., = Mw. Studienbibl. XVIII/XIX, ebd. 1959.
Lit.: J. BOUTIÈRE u. A.-H. SCHUTZ, Biogr. des troubadours, = Bibl. Méridionale I, 27, Toulouse u. Paris 1950, revidiert (mit I.-M. Cluzel) = Les classiques d'oc (I), Paris 1964; R. LEJEUNE, Le troubadour R. de B., in: Mélanges de linguistique et de littérature romanes . . . , Gedenkschrift I. Frank, = Annales Univ. Saraviensis, Philosophische Fakultät VI, Saarbrücken 1957; DIES., Analyse

textuelle et hist. littéraire. R. de B., in: Le moyen âge LXVIII, 1962; H. Lacombe, Du troubadour R. de B. au troubadour Jaufré Rudel, Bull. de la Soc. archéologique et hist. de Charente VII, 1962; J. Duguet, L'identification du troubadour R. de B., Bull. de la Soc. des antiquaires de l'Ouest et des musées de Poitiers IX, 1968; K. Ruh, R. de B. u. d. Gral, Zs. f. deutsches Altertum u. deutsche Lit. XCVII, 1968. TN

Righetti Giorgi (rig'etti dʒ'ərdʒi), Geltrude, * 1793(?) und † 1862 zu Bologna(?); italienische Sängerin (Alt), studierte in Bologna und debütierte dort 1814. Sie zog sich nach ihrer Heirat mit dem Advokaten Luigi Giorgi von der Bühne zurück, bis sie auf Empfehlung Rossinis in Rom am Teatro Argentina die Hauptpartie in der Oper *L'Italiana in Algeri* (1815) übernahm. Bei den Uraufführungen von Rossinis *Il barbiere di Siviglia* (1816) und *La Cenerentola* (1817) sang sie dann die für sie geschriebenen weiblichen Hauptrollen.
Lit.: C. Lozzi, M. Brizzi Giorgi, Gazetta mus. di Milano 1897; A. Cametti, La musica teatrale a Roma cento anni fa, Rom 1916; A. Della Corte, L'interpretazione mus. e gli interpreti, Turin 1951.

Righini (rig'i:ni), Pietro, * 2. 8. 1683 und † 20. 12. 1742 zu Parma; italienischer Architekt und Bühnenbildner, war 1719–20 am Teatro Ducale Vecchio in Reggio als Bühnenbildner (*Bajazet*, Musik Fr. Gasparini, 1719) und 1724–29 am Hoftheater in Parma als Architetto teatrale (*Il Venceslao*, Musik Giovanni Maria Capelli, 1724; Pferdeballett *Le nozze di Nettuno l'equestre con Anfitrite*, Musik L. Vinci, 1728) tätig. 1729–37 arbeitete er für das Teatro Regio in Turin, 1737 stattete er die Eröffnungsvorstellung des Teatro S. Carlo in Neapel aus (*Achille in Sciro*, Musik Sarri) und entwarf bis 1740 als leitender Szenograph dieses Opernhauses Bühnenbilder, die von Mitarbeitern, u. a. von seinem Nachfolger Vincenzo dal Rè, ausgeführt wurden (*La clemenza di Tito*, Musik J. A. Hasse, 1738; *Il trionfo di Camilla*, Musik Porpora, 1740). – R. nähert sich mit seinen Architekturdarstellungen der kurvilinearen Raumdurchdringung →Juvarras und löst die kontinuierliche Tiefenentwicklung winkelperspektivischer Raumverschachtelungen zugunsten getrennter Schichten auf. Mittels breitgelagerter Arkaden und Loggien akzentuiert er die Vorderbühne und gestaltet die Tiefe als »Hintergrund«, womit er die spätere »scena quadro«, die Bühne als »Bild«, vorwegnimmt.
Lit.: H. Tintelnot, Barocktheater u. barocke Kunst, Bln 1939; H. Kindermann, Theatergesch. Europas, Bd III: Theater d. Barockzeit, Salzburg 1959.

+Righini, Vincenzo, 1756–1812.
Er wirkte 1793–1806 als Hofkapellmeister in Berlin und kehrte 1810 nach Bologna zurück. – Beethovens 24 Variationen über R.s Ariette *+Vienni amore*, WoO 65 [del.: op. 177].
Lit.: W. Kolneder, Evolutionismus u. Schaffenschronologie. Zu Beethovens R.-Variationen, in: Studien zur Mg. d. Rheinlandes II, Fs. K. G. Fellerer, = Beitr. zur rheinischen Mg. LII, Köln 1962; H. Federhofer, V. R.s Oper »Alcide al bivio«, in: Essays . . ., Fs. E. Wellesz, Oxford 1966.

Rihar, Gregor, * 1. 3. 1796 zu Billichgrätz/Polhov Gradec (Krain), † 24. 9. 1863 zu Laibach/Ljubljana; slowenischer Komponist und Organist, Priester, wirkte von 1826 bis zu seinem Tode als Organist und Regens chori an der Kathedrale in Ljubljana. Er schrieb kirchenmusikalische Werke (*Himnas corporis Christi*, Lamentationen, Messen, Tantum ergo) sowie zahlreiche geistliche und weltliche Gesänge (*Venec četveroglasnih pesem*, »Kranz 4st. Lieder«, 1853; *Narodni napevi*, »Volksmelodien«, 1866, postum).

Lit.: Dr. Cvetko in: Zgodovina glasbene umetnosti na Slovenskem II, Ljubljana 1959, S. 244ff., u. III, 1960, S. 73ff. u. 253.

Rihm, Wolfgang Michael, * 13. 3. 1952 zu Karlsruhe; deutscher Komponist, studierte 1968–72 Musiktheorie, Klavier und Komposition an der Staatlichen Hochschule für Musik in Karlsruhe. Er komponierte u. a. *Gesänge* op. 1 (1969); 5 Stücke für Kl. (1970); *Parusie* für Org. op. 5 (1970); Sätze für 2 Kl. op. 6 (1971); *Concetti* für Ensemble (1972); *Sinfoniae I* für Org. (1972); *Grat* für Vc. solo (1972). Ferner schrieb er Orchesterwerke (Symphonie op. 3; *Trakt* für Orch. op. 11; *Segmente* für 18 Solostreicher op. 12, 1974) und Kammermusik (2 Streichquartette, op. 2 und op. 10; Streichtrio op. 9; *Hekton* für V. und Kl., 1971).

+Říhovský, Vojtěch (Adalbert), 21. [nicht: 22.] 4. 1871 – [erg.: 15. 9.] 1950 [erg.:] zu Prag.

Rihtman (r'içtman), Cvjetko, * 4. 5. 1902 zu Rijeka (Kroatien); jugoslawischer Musikforscher, studierte in Prag, Leipzig und Paris und war als Professor für Musikethnologie an der Musikakademie in Sarajevo tätig. – Veröffentlichungen (Auswahl): *Mehrstimmigkeit in der Volksmusik Jugoslawiens* (JIFMC XVIII, 1966); *Reforma obrednoga petja srbske pravoslavne cerkve na začetku XIII. stoletja* (»Die Reform des liturgischen Gesanges der serbischen orthodoxen Kirche am Anfang des 13. Jh.«, in: Muzikološki zbornik II, 1966); *Orientalische Elemente in der traditionellen Musik Bosniens und der Herzegowina* (in: Grazer und Münchner balkanologische Studien, hrsg. von W. Wünsch und H. J. Kissling, = Beitr. zur Kenntnis Südosteuropas und des Nahen Ostens II, München 1967); *O poreklu staroslovanskega obrednega petja na otoku Krku* (»Über den Ursprung des altslowenischen Gesanges auf der Insel Krk«, in: Muzikološki zbornik IX, 1968); *The Philosophy of Folk and Traditional Music Study in Yugoslavia* (in: Papers of the Yugoslav-American Seminar on Music, hrsg. von M. H. Brown, Bloomington/Ind. 1970).

+Riisager, Knudåge, * 6. 3. 1897 zu Port Kunda (Estland), [erg.:] † 26. 12. 1974 zu Kopenhagen. R., 1937–62 Präsident der Dansk Komponist-Forening, war bis 1947 [nicht: 1950] Beamter im dänischen Finanzministerium. 1967 wurde er als Direktor des Kongelige Danske Musikkonservatorium emeritiert. Weitere Werke: die Ballette *Månerenen* (»Das Mondrentier«, Kopenhagen 1958), *Fruen fra havet* (»Die Frau vom Meere«, NY 1960), *Victoires de l'amour* (nach Lully, Kopenhagen 1962), *Ballet royal* (ebd. 1967), *Gala variationer* (ebd.) und *Svinedrengen* (»Der Schweinehirte«, nach H. Chr. Andersen, Schloß Amalienborg 1969); 6 Symphonien (1925; 1927; 1935; *Sinfonia gaia*, 1940; *Sinfonia concertante*, 1949; *Sinfonia serena*, 1950), *Burlesque Ouverture* für Orch. (1964); 2 Bläserquintette (1921, 1927), Bläserquartett (1941), Serenade für Fl., V. und Vc. (1927); *Canto dell'infinito* (1964) und Stabat mater (1966) für Soli, Chor und Orch. – R. veröffentlichte gesammelte Aufsätze als *Det usynlige mønster* (»Das unsichtbare Vorbild«, Kopenhagen 1957) und Erinnerungen als *Det er sjovt at vaere lille* (»Es macht Spaß, klein zu sein«, ebd. 1967).
Lit.: S. Berg u. Sv. Bruhns, Kn. R. kompositioner, Kopenhagen 1967 (Werkverz.).

Rijavec (r'ijavɛts), Andrej, * 4. 3. 1937 zu Belgrad; jugoslawischer Musikforscher, studierte an der Musikakademie und an der Universität in Ljubljana, wo er 1967 mit einer Dissertation über *Glasbeno delo na Slovenskem v obdobju protestantizma* (»Die Musik in Slowenien im Zeitalter des Protestantismus«, = Razprave in eseji XII, Ljubljana 1967) promovierte. – Veröffentlichungen (Auswahl): *Glasba v šolskih redih ljubljanske protestanske stanovske šole* (»Musik in den Schulordnungen der evangelischen ständischen Schule in Ljubljana«, in: Muzikološki zbornik I, 1965); *Ljubljanski mestni muziki* (»Die Ljubljaner Stadtmusiker«, ebd. II, 1966); *Deželni trobentači na Kranjskem* (»Die Landestrompeter in Krain«, ebd. III, 1967); *Applications of Modern Technology in Musicology and Music Theory in Yugoslavia* (in: Papers of the Yugoslav-American Seminar on Music, hrsg. von M. H. Brown, Bloomington/Ind. 1970); *Kompozicijski stavek komornih instrumentalnih del Sl. Osterca* (»Der kompositorische Satz der Kammerinstrumentalwerke von Sl. Osterc«, = Razprave VII, 4, Ljubljana 1972); ferner Aufsätze über das Schaffen von Sl. →⁺Osterc.

⁺**Rijavec,** Josip, * 10. 2. 1890 zu Gradisca (Friaul), [erg.:] † 30. 12. 1959 zu Belgrad.

Riley (ɹ'aili), John, * 17. 9. 1920 zu Altoona (Pa.); amerikanischer Komponist und Violoncellist, studierte an der Eastman School of Music der University of Rochester/N. Y. (B. M. 1951), bei A. Honegger in Paris (1952–53) und an der Yale University in New Haven (Conn.) bei Qu. Porter (M. M. 1955). Er schrieb u. a. eine Rhapsodie für Vc. und Orch. (1951), *Apostasy* für Orch. (1954), eine Fantasie für Ob. und Streichorch. (1955) sowie 2 Streichquartette (1954 und 1959).

Riley (ɹ'aili), Terry Mitchell, * 24. 6. 1935 zu Colfax (Calif.); amerikanischer Komponist, studierte 1955–57 am San Francisco State College (B. A. 1957) und 1960–61 an der University of California in Berkeley (M. A. in Komposition 1961), trat dann als Pianist und Saxophonist in Kabaretts in Paris und Skandinavien auf. 1970 wurde er in San Francisco Schüler von Pandit Pran Nath, dem er nach Indien folgte und mit dem er klassische hindustanische Musik studierte. Er lehrt am Mills College in Oakland/Calif. (Professor of Music). Seine Kompositionen umfassen u. a. *Spectra* für 6 Instr. (1959), *Ear Piece* und Konzert für 2 Kl. und 5 Tonbandgeräte (1960), ein Streichtrio (1961), *In C* für beliebig viele Melodieinstr. (1964), *Keyboard Studies* für elektronische Tasteninstr. (1965), *Dorian Reeds* für Sopransax. und 2 Tonbänder (1966), *Untitled Organ* für amplified Reed Org. (1966), *Poppy Nogood and the Phantom Band* für Sopransax. und Tonband (1968), *A Rainbow in Curved Air* für elektronische Tasteninstr. (1969), das Ballett *Genesis '70* (1970), *Persian Surgery Dervishes* (1971) und Filmmusik (Stroboskopfilm *Straight and Narrow* von Tony Conrad, 1970; *Happy Ending* und *Journey from a Death of a Friend* für *Les yeux fermés*, 1972; *The Life Span Code*, 1973).

Lit.: Sv. E. WERNER, Musikalisk hasch ..., DMT XLII, 1967; M. NYMAN in: Tempo 1970, Nr 94, S. 20ff.

Rilling, Helmuth, * 29. 5. 1933 zu Stuttgart; deutscher Dirigent, Organist und Musikpädagoge, erhielt seine musikalische Ausbildung an den evangelisch-theologischen Seminaren Schöntal an der Jagst und Urach (Württemberg), an der Staatlichen Hochschule für Musik in Stuttgart (J. N. David, Grischkat) und an der Accademia Nazionale di S. Cecilia in Rom. 1954 gründete er die Gächinger Kantorei; 1957 wurde er Organist und Kantor an der Stuttgarter Gedächtnis-kirche, deren Figuralchor er aufbaute (Kirchenmusik-direktor 1963). 1963–66 hatte er einen Lehrauftrag für Chorleitung und Orgel an der Kirchenmusikschule Berlin-Spandau, ab 1966 für Chorleitung an der Musikhochschule in Frankfurt a. M. (1969 Professor). Er ist auch Dirigent des Bach-Collegiums Stuttgart und

seit 1969 als Nachfolger von K. Thomas Leiter der Frankfurter Kantorei. Mit der Gächinger Kantorei und dem Stuttgarter Figuralchor unternahm er Konzertreisen (1966 ČSSR, 1971 USA, 1974 Japan).

⁺**Rimskij-Korsakow,** –1) Nikolaj Andrejewitsch, 1844–1908. ⁺*Letopis mojej musykalnoj schisni* (1909), engl. ³1942, NA NY 1972 (mit Einleitung von C. Van Vechten), deutsch hrsg. von L. Fahlbusch, = Reclams Universal-Bibl. Bd 428, Lpz. 1968, tschechisch Prag 1958, rumänisch Bukarest 1961; ⁺*Osnowy orkestrowki* (1913), Nachdr. der engl. Ausg. von 1922, NY 1964 und Gloucester (Mass.) 1966, rumänisch Bukarest 1960. –2) Andrej Nikolajewitsch, 1878–1940. Seine Frau Julija Lasarewna Weisberg, 25. 12. 1879 (6. 1. 1880) [nicht: 13.(25.) 12. 1878] – 1. 3. [nicht: 5.] 1942. –3) Georgij Michajlowitsch, * 13.(26.) 12. 1901 zu St. Petersburg, [erg.:] † 10. 10. 1965 zu Leningrad. Er lehrte 1927–62 am Leningrader Konservatorium (1953 Professor).

Ausg.: Polnoje sobranije sotschinenij (»Vollständige Slg d. Werke«, hrsg. v. I. F. BELSA, A. N. DMITRIJEW, B. WL. ASSAFJEW u. a., Moskau 1946ff., bisher erschienen: Bd I (4 Bde, 1966–68), Pskowitjanka, 1. u. 3. Fassung; II (2 Bde, 1948), Majskaja notsch; III (2 Bde, 1953), Snegurotschka; IV (2 Bde u. Suppl., 1959–60), Mlada; V (2 Bde, 1951), Notsch pered Roschdestwom; VI (3 Bde, 1952), Sadko; VII (1950), Mozart i Saljeri; VIII (1946), Bojarynja Wera Scheloga; IX (2 Bde, 1956), Zarskaja newesta; X (2 Bde, 1957), Skaska o zare Saltane; XI (2 Bde, 1963), Serwilija; XII (1955), Kaschtschej Bessmertnyj; XIII (2 Bde, 1955), Pan wojewoda; XIV (2 Bde u. Suppl., 1962), Skasanije o newidimom grade Kitesche ...; XV (3 Bde, 1950), Solotoj petuschok; XVI (1953), 1. Symphonie; XVII (2 Bde, 1949), Antar, 3 Fassungen in Varianten; XVIII (1959), 3. Symphonie; XIX (2 Bde, 1951), Werke f. Orch.; XX (1954), Ouvertüre auf russ. Themen, Skaska, Sinfonietta; XXI (1958), Capriccio espagnol, Swetlyj prasdnik; XXII (1956), Scheherazade; XXIII (1966), Werke f. Orch.; XXIV (1952), Kantaten; XXV (1950), Werke f. Solobläser u. f. Blasorch.; XXVI (1964), Werke f. Soloinstr. mit Orch.; XXVII (1955) u. XXVIII (2 Bde, 1951–70), Kammerensembles; XXIX (2 Bde, 1965–67), Pskowitjanka, 1. u. 3. Fassung (Kl.-A.); XXX (1951), Majskaja notsch (Kl.-A.); XXXI (2 Bde, 1953), Snegurotschka (Kl.-A.); XXXII (1959), Mlada (Kl.-A.); XXXIII (1951), Notsch pered Roschdestwom (Kl.-A.); XXXIV (1952), Sadko (Kl.-A.); XXXV (1950), Mozart i Saljeri (Kl.-A.); XXXVI (1948), Bojarynja Wera Scheloga (Kl.-A.); XXXVII (1956), Zarskaja newesta (Kl.-A.); XXXVIII (1957), Skaska o zare Saltane (Kl.-A.); XXXIX (1963), Serwilija (Kl.-A.); XL (1955), Kaschtschej Bessmertnyj (Kl.-A.); XLI (1955), Pan wojewoda (Kl.-A.); XLII (1962), Skasanije o newidimom grade Kitesche ... (Kl.-A.); XLIII (1951), Solotoj petuschok (Kl.-A.); XLIV (1953), Kantaten (Kl.-A.); XLV (1946), Romanzen; XLVI (2 Bde, 1949–54), Duette u. Trio, Chöre ohne Begleitung; XLVII (1952), Slgen russ. Volkslieder; XLVIII (1963), Werke f. Soloinstr. mit Orch. (Kl.-A.); XLIX (2 Bde, 1959–66), Werke f. Kl., Bearb. f. Kl. 4händig; L (1970), unvollendete Werke; Literaturnyje proiswedenija i perepiska (»Literarische Werke u. Briefwechsel«), Bd I–VII (1955–70; Bd IV, ²1970). – weitere Briefe in: SM XXXV, 1971, H. 6, S. 79ff. u. XXXVII, 1973, H. 8, S. 89ff.

Lit. (Im folgenden gilt d. Abk. »R.-K.« auch f. andere Transkriptionsformen.): W. A. KISSELJOW, Awtografy N. A. R.owo-K.a w fondach gossudarstwennowo zentralnowo Museja musykalnoj kultury imeni M. I. Glinki (»N. A. R.-K.s Autographen in d. Beständen d. Staatl. Zentralen M. I. Glinka-Museums d. Musikkultur«), Moskau 1958 (Kat.); N. A. PETROW, Gossudarstwennyj dommusej N. A. R.owo-K.a w Tichwine Leningradskoj oblasti (»Das staatl. N. A. R.-K.-Museum in Tichwin, Bezirk Leningrad«), Leningrad 1964 u. 1969. – Aufsatzfolgen in: SM XXII, 1958, H. 6, S. 7ff., u. XXXIII, 1969, H. 3, S. 34ff.; N. A. R.-K. i musykalnoje obrasowanie ... (»N. A. R.-K. u. d. Musikerziehung. Aufsätze u. Materialien«),

hrsg. v. S. L. GINSBURG, Leningrad 1959 (mit Bibliogr. 1917–57 v. S. M. Wilsker); Stranizy schisni N. A. R.owo-K.a. Letopis schisni i twortschestwa (»Blätter aus d. Leben v. N. A. R.-K.«, Chronik v. Leben u. Werk«), hrsg. v. A. A. ORLOWA u. WL. N. RIMSKIJ-KORSAKOW, bisher 3 Bde, ebd. 1969–72. – +W. W. JASTREBZOW, R.-K. (1900, 2bändig 31917), NA ebd. 1959–60; +A. A. SOLOWZOW, N. A. R.-K. (1948, 21957), Moskau 31958, NA 1960; N. A. R.-K., Sbornik dokumentow (»Dokumenten-Slg«), hrsg. v. +W. A. KISSELJOW, ebd. 1951 [del. früherer Titel].
V. I. SEROFF, The Mighty Five, NY 1948, deutsch als: Das mächtige Häuflein, Zürich 1963, 21967; T. I. KARYSCHEWA, Mogutschaja kutschka (»Das mächtige Häuflein«), Moskau 1954; E. SCHMITZ, Das mächtige Häuflein, = Musikbücherei f. jedermann IV, Lpz. 1955; R.-M. HOFMANN, R.-K., Paris 1958; K. M. GALKAUSKAS u. M. F. GNESSIN in: Leningradskaja konserwatorija w wospominanijach 1862–1962, hrsg. v. G. Gr. Tigranow, Leningrad 1962, S. 37ff. bzw. 17ff. (Erinnerungen bzw. über d. Verhältnis zu R.-K.s Schülern); G. ABRAHAM, R.-K. as Self-Critic, Fs. Fr. Blume, Kassel 1963, Wiederabdruck in: Slavonic and Romantic Music, London u. NY 1968; I. F. KUNIN, R.-K., = Schisn sametschatelnych ljudej Bd 385, Moskau 1964; A. A. SOLOWZOW, N. A. R.-K., ... (»Leben u. Werk«), = Klassiki mirowoj musykalnoj kultury o. Nr, ebd., 21969; M. FEUER, R.-K., = Kis zenei könyvtár XXXIII, Budapest 1966.
W. O. BERKOW (mit Wl. W. Protopopow), »Solotoj petuschok«. Opera N. A. R.owo-K.a, Moskau 1937, 21962; DERS., Utschebnik garmonii R.owo-K.a (»R.-K.s Harmonielehre«), ebd. 1953; I. F. BELSA, Mozart i Saljeri, ebd.; M. MONTAGU-NATHAN, The Origin of »The Golden Cockerel«, MR XV, 1954; VL. JANKÉLÉVITCH, La rhapsodie. Verve et improvisation mus., = Bibl. d'esthétique o. Nr, Paris 1955; W. A. ZUKKERMAN, O wyrasitelnosti garmonii R.owo-K.a, SM XX, 1956, deutsch als: Die Ausdruckskraft d. Harmonie bei R.-K., in: Sowjetwiss., Kunst u. Lit. V, 1957; A. A. GOSENPUD, N. A. R.-K., Temy i idei jewo opernowo twortschestwa (»Themen u. Ideen seines Opernschaffens«), Moskau 1957; G. A. ORLOW, Istoki »Skasanija o grade Kitesche« N. A. R.owo-K.a (»Die Quellen d. ‚Erzählungen v. d. Stadt Kitesch'« N. A. R.-K.«), Diss. ebd.; DERS. in: Woprossy musykosnanija III, hrsg. v. Ju. W. Keldysch u. A. S. Ogolewez, ebd. 1960, S. 499ff. (zum Schaffen um 1900 u. zu »Skasanije ...«); S. FEDOROWZEW in: Pamjati Glinki 1857–1957, hrsg. v. W. A. Kisseljow, T. N. Liwanowa u. Wl. W. Protopopow, ebd. 1958, S. 349ff. (zu Beziehungen im Werk v. R.-K. u. Glinka); DERS. in: Estetitscheskije otscherki I, hrsg. v. W. K. Skaterschtschikow u. S. Ch. Rappoport, ebd. 1963, S. 205ff. (zu Problemen v. Inhalt u. Form in R.-K.s Ästhetik); B. BUDRIN u. O. SOKOLOW in: Trudy kafedry teorii musyki I, hrsg. v. S. S. Skrebkow, ebd. 1960, S. 143ff. bzw. 219ff. (zur Harmonik in d. Opern d. ersten Hälfte d. 90er Jahre bzw. zu Leitmotiven in d. Oper »Pskowitjanka«); O. L. SKREBKOWA in: Woprossy musykosnanija III, hrsg. v. Ju. W. Keldysch u. A. S. Ogolewez, ebd. S. 539ff. (zur harmonischen Variierung); L. W. DANILEWITSCH, Poslednije opery N. A. R.owo-K.a (»N. A. R.-K.s letzte Opern«), ebd. 1961; ST. ST. GRIGORJEW, O melodike R.owo-K.a (»Über R.-K.s Melodik«), ebd.; R.-A. MOOSER, R.-K. contra Moussorgsky, SMZ CI, 1961; JU. A. KREMLJOW, Estetika prirody w twortschestwe N. A. R.owo-K.a (»Die Naturästhetik in N. A. R.-K.s Werk«), Moskau 1962; L. M. KERSCHNER, »Skasanije o newidimom grade Kitesche i dewe Fewronii« N. A. R.owo-K.a, ebd. 1963; J. ZABŁOCKA, Struktury brzemieniowe »Szecherezady« R.ego-K.a (»Die Klangstrukturen in R.-K.s ‚Scheherazade'«), in: Muzyka XI, 1966; A. I. KANDINSKIJ in: Ot Ljulli do naschich dnej, Fs. L. A. Masel, Moskau 1967, S. 105ff. (zu d. symphonischen Märchen d. 60er Jahre); G. ABRAHAM, »Pskovityanka«. The Original Version of R.-K.'s First Opera, MQ LIV, 1968; DERS., Satire and Symbolism in »The Golden Cockerel«, ML LII, 1961; S. FEINBERG, R.-K.'s Suite from »Le coq d'or«, MR XXX, 1969; S. SLONIMSKIJ in: Sowjetwiss., Kunst u. Lit. XVII, 1969, S. 1307ff.; R. COVELL, Berlioz, Russia and the 20th Cent., in: Studies in Music IV, (Adelaide) 1970; S. W. JEWSEJEW, R.-K. i russkaja narodnaja pesnja (»R.-K. u. d. russ. Volkslied«),

hrsg. v. W. M. Zendrowskij, Moskau 1970; JE. I. GULJANZ, N. A. R.-K. i jewo »Skaska o zare Saltane«, ebd. 1971; M. SMIRNOW, Fortepiannyje proiswedenija kompositorow »Mogutschej kutschki« (»Kl.-Werke d. Komponisten d. ‚Mächtigen Häufleins'«), ebd.

Rinaldi, Mario, * 1. 11. 1903 zu Rom; italienischer Musikforscher, studierte bei Liuzzi und Torrefranca an der Universität in Rom. Er wurde 1941 Professor für Musikgeschichte am Conservatorio di Musica S. Cecilia in Rom und 1946 Musikkritiker bei der Tageszeitung »Il messagero«. 1951–62 leitete er das Pressebüro des Teatro dell'Opera di Roma. Er veröffentlichte u. a. (Erscheinungsort, wenn nicht anders angegeben, Rom): *Musica e verismo* (1932); *Verdi e Shakespeare* (1933); *L'opera in musica* (1934); *Il valore della »Fedra« d'annunziana nel dramma musicale* (1937); *A. Vivaldi* (Mailand 1943); *All'ombra dell'»Augusteo«* (1944); *Catalogo numerico-tematico delle composizioni di A. Vivaldi* (1945); *Verdi critico* (1951); *A. Corelli* (Mailand 1953); *La musica nelle trasmissioni radio-televisive* (= Lo smeraldo XII, 1960); *Verdiana* (1961); *F. Romani* (1965); *E. Porrino* (Cagliari 1965); *L. Perosi* (1967); *Gli »Anni di galera« di G. Verdi* (1969); *Confessioni di Beethoven (dall'epistolario)* (Mailand 1970); *Musica e musicisti in controluce* (1972). Gesammelte Aufsätze und Einzelkritiken erschienen als *Ritratti e fantasie musicali* (1970).

+Rinaldo da (di) Capua, um 1710 – nach 1770.
Lit.: +CH. BURNEY, The Present State of Music in France and Italy (1771), nach d. Original-Ms. im British Museum (Add. Ms. 35122) hrsg. v. E. H. Poole, London 1969, Nachdr. d. Ausg. London 1773 = MMMLF II, 70, NY 1969. – R. L. BOSTIAN, The Works of R. di C., 2 Bde (I Text, II Notenanh.), Diss. Univ. of North Carolina 1961.

+Rinck, Johann Christian Heinrich, 1770–1846.
Lit.: R. CAILLET, Jean-Chr. R., organiste à Darmstadt, vu par un musicien frç., in: L'orgue 1957, Nr 83–84, gekürzte deutsche Übers. in: Arch. f. hessische Gesch. u. Altertumskunde, N. F. XXV, 1955–57.

+Rinderer, Leo, * 23. 12. 1895 zu Bludenz (Vorarlberg).
Als Fachinspektor für Musik der Pflicht- und weiterführenden Schulen in den Ländern Salzburg, Tirol und Vorarlberg wirkte R., dem der Professoren- sowie Hofrat-Titel verliehen worden war, bis 1960. Neben seiner allgemeinen musikerzieherischen Tätigkeit leitete er die 1955 von ihm gegründeten alljährlichen Internationalen Schul- und Jugendmusikwochen in Salzburg. R. ist mit einer Reihe weiterer musikpädagogischer Veröffentlichungen und Liederbüchern hervorgetreten.
Lit.: A. DAWIDOWICZ in: Musikerziehung XIX, 1965/66, S. 76f.

+Ringbom, Nils-Eric, * 27. 12. 1907 zu Turku.
R., Dr. phil. 1955, war Intendant des städtischen Symphonieorchesters Helsinki bis 1970 und nach Erweiterung der Sibelius-Festspiele 1966–70 Vorsitzender der Direktion des Helsinki-Festwochen. Werke: 5 Symphonien (1939, 1944, 1948, 1962, 1970) und eine kleine Suite für Orch. (1933, revidiert 1946); Bläsersextett (1951), Streichquartett (1951), Duo für V. und Va (1945); *Till livet* (»Dem Leben«) für gem. Chor und Streichorch. (1936), 3 Lieder *Vandrerska* (»Wanderer«) für S. und Orch. (1942), 4 Gesänge für Mezzo-S. und Orch. (1947), Kantate *Hymn till Helsingfors* für gem. Chor und Orch. (1949); Kammermusik, Lieder, Chöre. – +*Über die Deutbarkeit der Tonkunst* (= Acta Academiae Aboensis, Humanoria XXII, 1, Åbo 1955, auch Helsinki und Wiesbaden); +*De två versionerna ...* (ebd. XXII, 2, 1956). – Weitere Veröffentlichungen: *Sibelius. Sinfoniat, Sinfoniset runot ...* (»Symphonien, sympho-

nische Dichtungen ...«, Helsinki 1955, auch engl., frz. und schwedisch, deutsch ebd. und Wiesbaden 1957); *Die Musikforschung in Finnland seit 1940* (AMl XXXI, 1959); gesammelte Aufsätze *Musik utan normer* (»Musik ohne Normen«, Helsinki 1972); *Schrieb Bartók zwei Violinkonzerte?* (in: Musica XXVII, 1973); lexikalische Beiträge.

+**Ringer,** Alexander [erg.:] Lothar, * 3. 2. 1921 zu Berlin.
R., holländischer [nicht: deutscher] Herkunft, ging nach Beendigung seiner Tätigkeit an der University of Oklahoma 1958 als Professor für Musikwissenschaft an die University of Illinois (1963–69 Chairman der musikwissenschaftlichen Abteilung); daneben liest er regelmäßig als Gastprofessor an der Hebrew University in Jerusalem. – Neuere Schriften: *Clementi and the »Eroica«* (MQ XLVII, 1961); *Handel and the Jews* (ML XLII, 1961); *J.-J.Barthélemy and Musical Utopia in Revolutionary France* (Journal of the History of Ideas XXII, 1961); *Musical Composition in Modern Israel* (MQ LI, 1965); *On the Question of »Exoticism« in the 19th Cent. Music* (StMl VII, 1965); *The Art of the Third Guess. Beethoven to Becker to Bartók* (MQ LII, 1966); *The Music of G. Rochberg* (ebd.); *Cherubini's »Médée« and the Spirit of French Revolutionary Opera* (in: Essays in Musicology, Fs. Dr.Plamenac, Pittsburgh/Pa. 1969); *Mozart and the Josephian Era* (in: Current Musicology 1969, Nr 9); *S. Sulzer, J. Mainzer and the Romantic a cappella Movement* (StMl XI, 1969); *An Experimental Program in the Development of Musical Literacy Among Musically Gifted Children in the Upper Elementary Grades* (Washington/D. C. 1970); *Beethoven and the London Pfte School* (MQ LVI, 1970); *The Political Uses of Opera in Revolutionary France* (Kgr.-Ber. Bonn 1970); *»Die Parthei des vernünftigen Fortschritts«. M.Bruch und Fr. Gernsheim* (Mf XXV, 1972); *Schoenbergiana in Jerusalem* (MQ LIX, 1973); musikpädagogische Beiträge. R. ist Herausgeber des *Yearbook of the International Folk Music Council* (Fortführung von JIFMC, Jg. Iff., 1969ff.).

Ringger, Rolf Urs, * 6. 4. 1935 zu Zürich; Schweizer Musikschriftsteller und -kritiker, studierte in Zürich an der Musikhochschule und 1960–64 an der Universität, an der er 1964 mit einer Dissertation über *A. Weberns Klavierlieder* (Zürich 1968) promovierte. Seit 1958 ist er als musikliterarischer Publizist an schweizerischen und deutschen Tageszeitungen und Fachzeitschriften sowie als Mitarbeiter bei Radio Zürich, bei Radio Basel und beim Schweizer Fernsehen tätig. – Veröffentlichungen (Auswahl): *Zu G. Mahlers »Lieder eines fahrenden Gesellen«* (SMZ XCIX, 1959, und in: Musica XIV, 1960); *A.Berg* (ebd. XVII, 1963); *P. Tschaikowskijs »Pathétique« und das Spätbürgerliche* (Schweizer Monatshefte XLV, 1965/66); *Filmmusik sucht sich selbst* (in: Melos XXXIII, 1966); *Mahlers neunte Symphonie und das Dramatische* (in: Musica XX, 1966); *Mahlers zweite Symphonie und das Zitat* (NZfM CXXVIII, 1967); *Das Element der Musik in Musils »Mann ohne Eigenschaften«* (in: Musica XXII, 1968, auch in: Schweizer Monatshefte XLVII, 1967/68); *W. Fortner, Musiker der Vielfalt* (ebd. XLIX, 1969/70, auch in: NZfM CXXXII, 1972, und in: Das Orchester XX, 1972); *Musikkritik – heute* (NZfM CXXXII, 1971, auch in: Das Orchester XIX, 1971); *Konzertpublikum und Konzertprogramme*, NZfM CXXXIII, 1972, auch in: Das Orchester XX, 1972); *Ch.Ives – zwischen Folksong und Utopie* (SMZ CXIII, 1973).

+**Rinuccini,** Ottavio, 1563 [nicht: 1552] – 1621.
Ausg.: Libretti »La favola di Dafne«, »L'Euridice« u. »L'Arianna«, in: +*Drammi per musica dal R. allo Zeno* (A. DELLA CORTE), Bd II, = Classici ital. LVII, 2, Turin 1958 [del. bzw. erg. frühere Angaben].
Lit.: +A. SOLERTI, Le origini del melodramma (= Piccola bibl. di scienze moderne LXX, 1903), Nachdr. = Bibl. musica Bononiensis III, 3, Bologna 1969, auch Hildesheim 1969; +DERS., Gli albori del melodramma (I–II, 1904), Nachdr. Hildesheim 1969; +DERS., Musica, ballo e drammatica alla corte medicea dal 1600–37 (1905), Nachdr. = Bibl. musica Bononiensis III, 4, Bologna 1969, auch Neuaufl. NY 1968. – M. FABBRI, La vera data di nascita di O. R., in: Le celebrazioni del 1963 ..., = Accad. mus. Chigiana (XX), Siena 1963; W. V. PORTER, Peri and Corsi's »Dafne«, JAMS XVIII, 1965; D. GIACOTTO, Il recupero della tragedia antica a Firenze e la camerata de' Bardi.: Contributi dell'Istituto di filologia moderna III, 1, Mailand 1968; G. PESTELLI, Le poesie per la musica monteverdiana, in: Cl. Monteverdi e il suo tempo, Kgr.-Ber. Venedig u. a. 1968; B. R. HANNING, The Influence of Humanist Thought and Ital. Renaissance Poetry on the Formation of Opera, Diss. Yale Univ. (Conn.) 1969; DIES., Apologia pro O. R., JAMS XXVI, 1973.

+**Rios,** Alvaro de los → Cancionero(6) [nicht: Sablonara].

Ríos Reyna, Pedro Antonio, * 16. 11. 1905 zu Colón (Staat Táchira), † 13. 2. 1971 zu New York; venezolanischer Violinist und Dirigent, studierte an der Escuela Superior de Música J. M. Olivares in Caracas (Plaza, Sojo) und wurde Konzertmeister des Orquesta Filarmónica de Caracas. Er war Generalinspekteur der Militärkapellen Venezuelas, leitete das Kammerorchester der Universidad Central de Venezuela und wurde Konzertmeister des Orquesta Sinfónica Venezuela, dessen ständiger Dirigent er 1963–70 war.

+**Riotte,** Philipp Jakob, 1776–1856.
R. war 1805 Theaterkapellmeister in Gotha und 1806 in Danzig [del. frühere Angabe hierzu].
Ausg.: Klar.-Konzert B dur op. 24, hrsg. v. J. MICHAELS, Hbg 1960.
Lit.: G. SPENGLER, Der Komponist Ph. J. R. aus St. Wendel. Sein Leben u. seine Instrumentalmusik, Diss. Saarbrücken 1973.

+**Ripa,** Alberto da, um 1480 – 1551.
R. stand etwa ab 1525 [nicht: 1518] in Diensten von François I.
Ausg.: Œuvres d'A. de Rippe, hrsg. v. J.-M. VACCARO, = Le chœur des muses o. Nr, bislang Bd I: Fantaisies, Paris 1972.
Lit.: R. W. BUGGERT, A. da R., Lutenist and Composer, 2 Bde, Diss. Univ. of Michigan 1956; DERS., Transcription Problems in the Lute Tablature Books of A. da R., = Univ. of Wichita Bull. XXXI, Nr 3 (Univ. Studies XXXIV), 1956.

+**Ripollés** [erg.:] Pérez, Vicente, 1867 – [erg.: 19. 3.] 1943.
Als Schrift ist zu nennen *El villancico i la cantata del s. XVIII a Valencia* (= Publ. del Departament de música de la Biblioteca de Catalunya XII, Barcelona 1935).

Rippen Pianofabriek N. V., gegründet 1937 von Johan J. Rippen in Den Haag (Sitz seit 1950 in Ede bei Arnheim), und Tochtergesellschaft Rippen Ltd. Pianofactory, gegründet 1960 in Shannon (Irland). Eine Zweigniederlassung besteht in Hoogeveen (Holland). Die Firmen stellen Klaviere und Flügel her. Gegenwärtig leitend sind Johan J. R. und sein Sohn Nico R. In der Produktionsstätte in Shannon werden nach fabrikmäßigen Methoden die »Lindner Klaviere«, bei denen nur noch Gehäuse und Resonanzboden aus Holz sind, hergestellt.

+**Ripper,** Alice, * 23. 3. 1887 [nicht: 1889] zu Budapest.
A. R. soll sich Ende 1932 nach Wien abgemeldet haben. [Weiteres nicht zu ermitteln.]

Risch, Harry, * 17. 12. 1907 zu Düren (Rheinland); deutscher Komponist, Dirigent und Violinist, studierte in Köln Violine bei Eldering und absolvierte dann die Staatliche Hochschule für Musik (Klavier bei Mengelbier, Dirigieren bei H. Abendroth, Komposition bei Hermann Unger und Maler). 1931–34 war er Leiter des Kleinen Südfunkorchesters und 1934–36 Kapellmeister in Dessau, war danach als freischaffender Komponist und Arrangeur für Rundfunk, Film und Schallplattenaufnahmen in Berlin tätig, wo er 1939 Konzertmeister im großen Unterhaltungsorchester des Senders Berlin wurde. Nach dem Krieg war R. zunächst Kapellmeister eines Revuetheaters; seit 1949 ist er wieder freischaffender Komponist und Dirigent. Seine Werke gehören der gehobenen Unterhaltungsmusik an; sie umfassen u. a. Ouvertüren (*Fair Play*, 1962), Konzertwalzer, einen *Bolero azul* (1962), eine Rhapsodie *Caribia* (1963) und ein *Ligurisches Capriccio* (1966).

Rísinger, Karel, * 18. 6. 1920 zu Prag; tschechischer Komponist und Theoretiker, absolvierte in Prag 1945 die Meisterklasse des Konservatoriums bei Křička sowie 1947 einen Vierteltonkursus bei A. Hába und promovierte 1947 an der Karlsuniversität mit einer Dissertation über *Hudebně teoretické základy intonace* (»Die musikalisch-theoretischen Voraussetzungen der Intonation«). 1952 wurde er externer Lehrer, 1955 Fachassistent an der philosophisch-historischen Fakultät der Karlsuniversität und 1962 Mitarbeiter beim musikwissenschaftlichen Institut der Akademie der Wissenschaften. Seine Kompositionen umfassen u. a. die Symphonische Dichtung *Píseň míru* (»Friedenslied«, 1950), ein Violinkonzert (1953), Kammermusik (Serenade für Nonett, 1954, Bearb. für Kammerorch. 1955; Divertimento für Bläseroktett, 1954; 2 Streichquartette, 1942 und 1946), Klavier- und Orgelmusik, eine Messe für Chor, Orch. und Org. (1944), Lieder sowie Bühnenmusik. – Von seinen Veröffentlichungen seien genannt: *Nástin obecného hudebního funkčního systému rozšířené tonality* (»Ein Entwurf des allgemeinen musikalischen Funktionssystems der erweiterten Tonalität«, = Knižnice hudebních rozhledů III, 2, Prag 1957); *Základní harmonické funkce v soudobé hudbě* (»Die harmonischen Grundfunktionen in der zeitgenössischen Musik«, = Hudební rozpravy III, ebd. 1958); *Vůdčí osobnosti české moderní hudební teorie* (»Führende Persönlichkeiten der modernen tschechischen Musiktheorie«, ebd. XI, 1963); *Vývoj technických prostředků hudební řeči v české hudbě v období 1890–1918* (»Die Entwicklung der technischen Mittel der Musiksprache in der tschechischen Musik während der Periode 1890–1918«, in: Hudební věda IV, 1967); *Atonalita a dodekafonie* (»Atonalität und Zwölftontechnik«, ebd. V, 1968); *Hierarchie hudebních celků v novodobé evropské hudbě* (»Die Hierarchie der musikalischen Ganzheiten in der neuen europäischen Musik«, Prag 1969); *Intervalový mikrokosmos* (»Mikrokosmos der Intervalle«, ebd. 1971); *Die Hierarchie in Melodie, Harmonie und Akkordik. Ein Beitrag zur Analyse der modernen Musik* (in: De musica disputationes Pragenses I, 1972); *Tektonické aspekty houslového koncertu A. Berga* (»Tektonische Aspekte des Violinkonzerts von A. Berg«, in: Hudební věda X, 1973).

Rispoli, Salvatore, * um 1736 oder 1745 und † 1812 zu Neapel; italienischer Komponist, studierte am Conservatorio di S. Onofrio in Neapel, an dem er ab 1793 lehrte (1795–97 Lehrstuhlinhaber für Komposition). Er schrieb u. a. die Opern *Il trionfo dei pupilli oppressi* (Neapel 1782), *Nitteti* (Text Metastasio, Turin 1783), *Ipermestra* (Metastasio, Mailand 1783) und *Idalide* (Tu-

rin 1786), Toccaten für Cembalo, das Oratorium *Il trionfo di Davide* (1787) und Kirchenmusik.

⁺Rist, Johann, 1607–67.
Lit.: ⁺C. v. WINTERFELD, Der ev. Kirchengesang (II, 1845), Nachdr. Hildesheim 1966; ⁺TH. HANSEN, J. R. u. seine Zeit (1872), Nachdr. Lpz. 1973; ⁺H. KRETZSCHMAR, Gesch. d. neuen deutschen Liedes (= Kleine Hdb. d. Mg. nach Gattungen IV, Bd I, 1911), Nachdr. ebd. u. Wiesbaden 1966. – E. SOMMER, Wer schuf d. Lied »Sichers Deutschland, schläfst du noch?«, Jb. f. Liturgik u. Hymnologie II, 1956; R. H. THOMAS, Poetry and Song in the German Baroque, London 1963; J. R., hrsg. v. R. DANIELSEN, Wedel (Holstein) 1967; R. MEWS, J. R.s Gesellschaftslyrik u. ihre Beziehungen zur zeitgenössischen Poetik, Diss. Hbg 1969.

⁺Ristenpart, Karl, * 26. 1. 1900 zu Kiel, [erg.:] † 24. 12. 1967 zu Lissabon.
Lit.: J. BRUYR in: Journal mus. frç. 1968, Nr 169, S. 38.

Ristić (r′istitç), Milan, * 18. 8. 1908 zu Belgrad; jugoslawischer Komponist, studierte in Belgrad, Paris und Prag. Er ist heute beim Rundfunk in Belgrad tätig. Das Schwergewicht seines Schaffens liegt auf dem symphonischen Gebiet. Seine Kompositionen umfassen u. a. 6 Symphonien (1941, 1952, 1961, 1966, 1967 und 1968), ein Konzert für Kammerorch. (1962), ein Konzert für Orch. (1963), ein Konzert für Klar. und Orch. (1964) sowie Kammermusik (Suite für 4 Pos., 1938), Klavierstücke, Lieder und Filmmusik.

Ritchie (r′it∫i), Margaret Willard, * 7. 6. 1903 zu Grimsby](Lincoln); englische Sängerin (Sopran), studierte in London am Royal College of Music (u. a. bei Agnes Nichols), debütierte als Pamina in einer Aufführung des Royal College of Music, war die führende Sopranistin der Frederick Woodhouse's Intimate Opera Company und wurde 1944 Mitglied der Sadler's Wells Opera Company. 1946 kreierte sie die Partie der Lucia in der Uraufführung von Brittens *Rape of Lucretia*. In den folgenden Jahren gehörte sie zum Ensemble der von Britten organisierten English Opera Group. M. R. ist auch als Lied- und Oratoriensängerin hervorgetreten.

⁺Ritter, August Gottfried, 1811–85.
Organist an der Kaufmannskirche in Erfurt war R. 1839–43, danach wurde er Domorganist in Merseburg [del. frühere Angaben dazu]. – ⁺Zur Geschichte des Orgelspiels ... (1884), Nachdr. Hildesheim 1969 (2 Bde in 1), die Umarbeitung durch G. Frotscher als ⁺Geschichte des Orgelspiels (1935–36, ²1959), Bln ³1966 (mit zusätzlichem Beispiel-Bd).
Lit.: P. SCHMIDT, Ein Brief A. G. R.s, in: Musica XIII, 1959; DERS., A. G. R.s Erfurter Jahre, Mf XIII, 1960.

⁺Ritter [–1) Georg Wenzel], –2) Peter, 1763–1846.
Lit.: zu –2): L. JESSEL, The Vocal Works of P. R., Diss. Catholic Univ. of America (Washington/D. C.) 1962; DIES., Ein neuer Fund zur Vertonung v. Brentanos »Lustigen Musikanten«, Jb. d. Freien deutschen Hochstifts 1971; R. FUHRMANN, Die Kl.-Kammermusik P. R.s, Fs. H. Engel, Kassel 1964; J. C. ELSEN, The Instr. Works of P. R., 2 Bde, Diss. Northwestern Univ. (Ill.) 1967.

⁺Ritter, Hermann, 1849–22. [nicht: 25.] 1. 1926.
⁺*Die Geschichte der Viola alta und die Grundsätze ihres Baues* (1876, ²1877, ³1885 [nicht: 1877, ²1885]), Nachdr. der 2. Aufl. Wiesbaden 1969.

Ritter, Johann Christoph, * 1715, † 1767 zu Clausthal (Harz); deutscher Organist und Komponist, Schüler von J. S. Bach, war 1744–67 Organist an der Marktkirche in Clausthal. Er spielte eine zentrale Rolle im kulturellen Leben der »Königlich Grossbritannischen und Churfürstlich Braunschweigisch-Lüneburgischen freien Bergstadt«. Seine Cembalosonaten, von denen 1751 *3 Sonaten denen Liebhabern des Claviers* bei Haffner in Nürnberg veröffentlicht wurden, sind 3sätzig und zeigen Merkmale des Galanten Stils. Zu besonderer Bedeutung für die Bach-Forschung gelangte R. durch die Auffindung seiner um 1740 angefertigten, vollständigen Abschrift der *Clavier-Uebung* I–II (BWV 825–30, 971 und 831), die bemerkenswerte Abweichungen von den Erstausgaben dieser Werke (1731 bzw. 1735) enthält und zudem die einzige bekannte und noch zu Lebzeiten Bachs angefertigte vollständige Abschrift dieser Kompositionen darstellt. R. konnte auch als Schreiber der bisher als anonym geltenden, unter dem Sigel *P 215* bekannten, ebenfalls vollständigen Abschrift dieser Werke nachgewiesen werden, deren Entstehungszeit aber nach 1755, also nach Bachs Tode, anzusetzen ist.

Ausg.: 3 Sonaten f. Cemb., nach d. Erstausg. v. 1751 hrsg. v. E. R. JACOBI, Lpz. 1968.
Lit.: E. R. JACOBI, J. Chr. R. ..., ein unbekannter Schüler J. S. Bachs, Bach-Jb. LI, 1965.

Ritter, Johann Nikolaus, * 26. 3. 1702, † 28. 2. 1782 zu Erlangen; deutscher Orgelbauer, war Schüler G. Silbermanns in Freiberg (Sachsen), schloß sich dort J. J. → Graichen an und arbeitete mit diesem gemeinsam im Fürstentum Brandenburg-Bayreuth. Nach Graichens Tod (1760) baute er allein die weitgehend im Originalzustand erhaltene einmanualige Orgel der französisch-reformierten Kirche in Erlangen (1764; 15 St.).
Lit.: A. PONGRATZ, Mg. d. Stadt Erlangen im 18. u. 19. Jh., Diss. Erlangen 1958.

Ritter, Theodor, * 13. 1. 1883 zu Dortmund, † 31. 1. 1950 zu Bochum(-Langendreer); deutscher Mandolinenorchesterdirigent und Komponist, hauptberuflich Stadtinspektor in Dortmund, wurde in den 1920er Jahren durch Lehrwerke für Mandoline und Gitarre, leicht spielbare volkstümliche Kompositionen für Mandolinenorchester sowie als Dirigent (Ritter's Mandolinen-Konzert-Gesellschaft) bekannt.

+Ritter-Ciampi, Gabrielle, * 2. 11. 1886 zu Paris, [erg.:] † 18. 7. 1974 zu Paimpol (Côtes-du-Nord). Sie zog sich Ende der 40er Jahre von der Bühne zurück und war dann als Gesangspädagogin tätig.

Ritzmann, Martin, * 21. 2. 1919 zu Oberschönau (Thüringen); deutscher Opernsänger (lyrischer Tenor), erlernte den Beruf des Werkzeugschlossers und studierte Gesang am Landeskonservatorium Erfurt bei C. Gebel. 1951 erhielt er sein erstes Engagement am Landestheater Altenburg, ging 1954 an das Metropol-Theater in Berlin und ist seit 1958 Mitglied der Staatsoper Berlin (1959 Kammersänger).
Lit.: L. BERG in: Opernsänger, hrsg. v. E. Krause, Bln 1963, S. 119ff.

Rivander, Paul (Bachmann), * um 1575 zu Lößnitz (Erzgebirge); deutscher Komponist, kam aus Österreich 1612 nach Ansbach, wo er bis 1615 als Hofmusikus wirkte. Seine 3–8st. deutschen Lieder bevorzugen die schlichte, nichtfugierte Setzweise. Von ihm sind bekannt: *Prati musici Ander Theil, darinnen Newe weltliche Gesäng ... beneben etlichen Paduanen, Intraden ...* (Ansbach 1613; 1. und 3. Teil verschollen); *Newe lustige Couranten, auff Instrumenten und Geigen* (ebd. 1614); *Ein neues Quodlibet ...* (Nürnberg 1615); *Studenten Frewd, darinnen weltliche Gesänge ... beneben Paduanen ...* (ebd. 1621).
Lit.: D. HÄRTWIG in: MGG XI, 1963, Sp. 517f.

+Rivier, Jean, * 21. 7. 1896 zu Villemomble (Seine). R. wurde 1962 als Nachfolger D. Milhauds Leiter der Kompositionsklasse des Pariser Conservatoire. Neuere

Werke: 6. und 7. Symphonie (*Les présages*, 1958; *Les contrastes*, 1960), *Le déjeuner sur l'herbe* (nach dem Bild von É. Manet, 1958), *Rhapsodie provençale* (1958), *Drames* (1961) und *Résonances* (1965) für Orch., *Triade* für Streichorch. (1967), *Climats* für Celesta, Vibraphon, Xylophon, Kl. und Streicher (1968); Konzerte mit Streichorch. für Klar. (1960), 2 Hörner, 2 Trp., 2 Pos. und 3 Pk. (1964), Fag. (1965) und Ob. (1966), Konzert für Trp. und Kammerorch. (1972); *Brillances* für 7 Blechbläser (1971), Ballade für Fl. und Kl. (1965), Duo für Fl. und Klar. (1968), *Aria* für Trp. und Org. oder Ob. und Kl. (1971), *Nocturne et impromptu* für Hf. (1962), *Caprices* für Git. (1971), 4 *Fantasmes* (1967) und Sonate (1970) für Kl.; *Christus Rex* für A., Chor und Orch. (1966); Klavierstücke, Lieder, Musik für Film und Funk. Er verfaßte einen (autobiographischen) Beitrag für »Le courrier musical de France« (1967, Nr 20, S. 192ff.).

Rivière (rivj'ɛ:r), Jean-Pierre, * 28. 7. 1929 zu Mérignac (Bordeaux); französischer Komponist, studierte bei N. Gallon, Aubin, Nadia Boulanger und Messiaen am Pariser Conservatoire. 1957 erlangte er den Prix de Rome. Von seinen Kompositionen seien die Opern *Pour un Don Quichotte* (Mailand 1961), *Le chevalier Kurt* (1954) und *Les sorcières du pré au bouc* (1957) für Orch., ein Divertimento für 6 Bläser und Schlagzeug (1953) sowie eine Variation für Saxophonquartett (1956) genannt.

+Rixner, Josef [erg.:] Georg, * 1. 5. 1902 zu München, [erg.:] † 25. 6. 1973 zu Garmisch-Partenkirchen.

Rizzi, Bernardino, OFM, * 27. 5. 1891 zu Cherso (Istrien), † 23. 1. 1968 zu Rivoltella del Garda (Brescia); italienischer Komponist, studierte Gregorianischen Choral bei Dobici und Licinio Recife am Pontificio Istituto di Musica Sacra in Rom sowie Komposition bei Ravanello am Liceo Musicale C. Pollini in Padua. 1922–32 hielt er sich in Polen auf, gründete 1923 in Krakau den »Chór Cecyljanski« und den »Chorus Caecilianus« und war Professor für Komposition an der Musikhochschule in Krakau sowie Mitglied der Königlichen Akademie. 1934 gründete er in Padua die Schola Cantorum »Padre Martini«. Er war Leiter der Cappella ai Frari in Venedig (1940–64). R. erfand den sogenannten »Pancordismo«, eine neue Entwicklung des tonalen Systems (*Pancordismo. Nuovi sviluppi del sistema tonale,* Padua ²1954). Seine Kompositionen umfassen u. a. das Dramma cristiano *Il mistero di S. Cecilia* (Venedig 1957), das Panorama scenico *Il mistero della Passione* (auf mittelalterliche Texte), Orchesterwerke (Symphonische Dichtung *Carnaro,* 1921; *La strega,* Quadro sinfonico in pancordismo, 1953; *Sagra in Polonia,* Quadro grottesco, 1958; *Ali di guerra,* Quadro sinfonico, 1958; *Venezia nelle sue guerre e nella sua potenza,* 1965), Kammermusik (Septett *Bolle di sapone,* 1960; Suite für Streichquartett, 1961; Klaviersonate, 1951), Orgelwerke (Sonate, 1949; 25 Fugen) und Vokalwerke (Oratorien *S. Francesco,* 1956, *Trittico dantesco,* 1956, *Il Santo G. Luisetto,* 1958, *Via crucis,* 1962, und *Paolo di Tarso,* 1966; ferner 19 Messen, Vespern, Responsorien sowie Madrigale, italienische und slawische Volkslieder und Sololieder).
Lit.: K. TRETEROWA, Padre Dottore B. R. (»..., sein Aufenthalt in Krakau in d. Jahren 1922–32«), in: Ruch muzyczny XII, 1968.

Rizzieri (rit-tsi'ɛ:ri), Elena, * 6. 10. 1922 zu Grignano (Rovigo); italienische Sängerin (Sopran), studierte am Conservatorio di Musica B. Marcello in Venedig, debütierte dort 1946 am Teatro la Fenice in der Partie der Margherita (*Faust*) und trat 1948 erstmals an der

Mailänder Scala auf. Zu ihren Partien zählen u. a. Euridice (*Orfeo* von Monteverdi und *Orfeo ed Euridice* von Gluck), Serpina (*La serva padrona*), Susanna (*Le nozze di Figaro*), Despina, Norina (*Don Pasquale*), Elsa (*Lohengrin*), Traviata, Desdemona, Nedda (*Pagliacci*), Mimi und Butterfly.

+Rizzio, David, [erg.:] um 1533 – 1566.

Rizzoli (rit-ts'ɔ:li), Bruna, * 30. 3. 1925 zu Bologna; italienische Sängerin (Sopran), studierte bei Maria Teresa Pediconi und begann 1949 ihre künstlerische Tätigkeit. Sie spezialisierte sich vor allem auf das Konzertfach (*Die Schöpfung* von J. Haydn, 9. Symphonie von Beethoven, *Ein deutsches Requiem* von Brahms) und auf die Oper des 18. Jh.

Rjasanow, Pjotr Borissowitsch, * 9.(21.) 10. 1899 zu Narwa, † 11. 10. 1942 zu Tiflis; russisch-sowjetischer Komponist, Folklorist und Pädagoge, studierte 1920–25 Komposition am Konservatorium in Petrograd/Leningrad, an dem er 1925 Lehrer wurde (1927 Dozent, 1935 Professor und Dekan an der Kompositionsfakultät). 1942 war er Professor am Konservatorium in Tiflis. Zu seinen Schülern zählen Dserschinskij, O. Jewlachow, Matschawariani, Andrej Nowikow, Swiridow, Solowjow-Sedoj und Tschischko. Seine Kompositionen umfassen u. a. eine Orchesterouvertüre (1926), ein Streichquartett (1935), eine Sonate (1925) und eine Suite (1927) für Kl., Praeludium und Fuge für Org. und Vokalmusik. Einen besonderen Platz in seinem Wirken nehmen folkloristische Forschungen und Volksliedbearbeitungen ein.

+Roach, Max (Maxwell), * 10. 1. 1925 zu New York.
Aufnahmen: *Drums Unlimited* (Atlantic SD 1467); *Deeds not Words* (Riverside 673004); *Jazz in 3/4 Time* (Mercury 134604); *Speak, Brother Speak* (America AM 6057); *It's Time* (Impulse AS 16).
Lit.: R. G. REISNER, The Jazz Titans, Garden City (N. Y.) 1960.

Robb, John Donald, * 12. 6. 1892 zu Minneapolis (Minn.); amerikanischer Komponist, Dirigent und Musikforscher, Dr. jur., ließ sich 1922 in New York als Advokat nieder. Er studierte Musik bei H. Parker an der Yale University in New Haven (Conn.), bei Milhaud am Mills College in Oakland (Calif.), bei Nadia Boulanger am Conservatoire Américain in Fontainebleau, privat bei P. Hindemith in New Haven (Conn.) sowie bei R. Harris an der Juilliard School of Music in New York. Er war Professor of Music und Chef des Department of Music der University of New Mexico in Albuquerque (1941–46), gründete das Universitätssymphonieorchester und war dessen erster Dirigent, erhielt 1951 am Mills College ein Master Degree und zog sich 1957 von der University of New Mexico zurück. In seiner ersten Kompositionsperiode verwertete er amerikanische Folklore; 1957 wandte er sich der Elektronischen Musik zu. Er schrieb Orchesterwerke (Symphonie Nr 1 op. 16, 1947, Nr 2 op. 23, 1952, und Nr 3 op. 34, 1962; *Workout* für Streichorch. op. 8, 1946; *Scenes from a New Mexican Mountain Village* op. 9, 1946, neu orchestriert 1964; *Dance of the Matachines* op. 28a, 1956; *Touchstones of Liberty* op. 41, 1965; Konzert für Kl. und Orch. op. 18, 1950; Konzert für Va und Orch. op. 24, 1953), Kammermusik (2 Streichquartette, op. 1, 1935, und op. 38, 1932, neubearb. 1964), Klavierwerke (Sonate op. 3, 1937; 2 Suiten, op. 11, 1946, und op. 39, 1963), Chöre, Lieder, Elektronische Musik (*Five Electronic Compositions* op. 42, 1964–65; *Transmutations* für Orch. und elektronische Instr. op. 56, 1968; *Homage to*

Paul Klee, 1969; *The Weirdos*, 1970) und Musique concrète (*Retrograde Sequence from a Tragedy*, 1965; *Cosmic Dance of Shiva*, 1966). Von seinen Veröffentlichungen seien genannt: *Hispanic Folk Songs of New Mexico* (= University of New Mexico Publ. in the Fine Arts I, Albuquerque 1954); *The Matachines Dance, a Ritual Folk Dance* (in: Western Folklore XX, 1961); *Rhythmic Patterns of the Santo Domingo Corn Dance* (in: Ethnomusicology VIII, 1964); *Whereof I Speak or Songs of the Western Sheep Camps* (in: New Mexico Folklore Record XII, 1969/70).
Lit.: P. W. LOVINGER, Composer Experiments at 80, Music Journal XXX, 1972, Sonder-H.

+Robbiani, Igino, * 18. 4. 1884 zu Soresina (Cremona), [erg.:] † 24. 6. 1966 zu Mailand.

Robbins (rɔbinz), Jerome, * 11. 10. 1918 zu New York; amerikanischer Tänzer, Choreograph und Regisseur, studierte in New York alle tänzerischen Disziplinen, aber auch Klavier, Gesang und Schauspiel. Als Tänzer begann er in Musicals, war dann 1940–48 Mitglied des Ballet Theater, für das er auch seine eigenen Choreographien schuf. Später ging er zum New York City Ballet, dessen Associate Artistic Director er 1949–63 war. 1958 gründete er seine eigene Kompanie, »Ballets: U.S.A.«, mit der er namentlich in Europa erfolgreich war, die er aber in Amerika nicht am Leben erhalten konnte. Seither arbeitet er als freischaffender Choreograph und Regisseur, auch am Broadway, wo er schon 1945 mit *On the Town* (L. Bernstein) einen durchschlagenden Erfolg hatte, der sich auch bei seinen Musicalproduktionen von *The King and I* (Rodgers und Hammerstein, 1951) und vor allem bei der von ihm konzipierten *West Side Story* (L. Bernstein, 1957) sowie bei *Fiddler on the Roof* (J. Bock, 1964) wiederholte. – R. ist als Choreograph ein Allround-Man des Theaters, dessen Ballette sich durch einen ganz ungewöhnlichen Integrationsgrad aller beteiligten Elemente auszeichnen. Er ist eine der dynamischsten Persönlichkeiten der internationalen Theaterszene. Zu seinen bekanntesten Balletten zählen: *Fancy Free* (Bernstein, NY 1944); *Interplay* (M. Gould, NY 1945); *Age of Anxiety* (Bernstein, 2. Symphonie, NY 1950); *The Cage* (Strawinsky, Konzert für Streicher in D, NY 1951); *Pied Piper* (Copland, Klarinettenkonzert, ebd.); *Fanfare* (Britten, *Young Person's Guide to the Orchestra*, NY 1953); *Afternoon of a Faun* (Debussy, ebd.); *New York Export: Opus Jazz* (R. Prince, Spoleto 1958); *Moves* (ohne Musik, ebd. 1959); *Events* (R. Prince, ebd. 1961); *Les noces* (Strawinsky, NY 1965); *Dances at a Gathering* (Chopin, NY 1969); *In the Night* (Chopin, NY 1970); *The Goldberg Variations* (J. S. Bach, NY 1971); *Watermill* (Teiji Ho, NY 1972); *Scherzo fantastique, Circus Polka, Dumbarton Oaks, Requiem Canticles* und (mit Balanchine) *Pulcinella* (Strawinsky, NY 1972); *Dybbuk* (Bernstein, NY 1974).
Lit.: I. LIDOVA, J. R., in: Les saisons de la danse 1969, Nr. 39; P. BRINSON u. C. L. CRISP, J. R., Ballet f. All, London 1970.

Robbone, Joseph, * 16. 6. 1916 zu Vercelli; italienischer Komponist, studierte bei Alfano, A. Casella und Ghedini sowie an der Universität in Turin (Dr. phil.). Er lehrte Mathematik an Mittelschulen (1938–49) und gründete in Vercelli den Concorso internazionale di musica e di danza G. B. Viotti (1948) in Verbindung mit dem Preis »Viotti d'oro«, der bekannten Persönlichkeiten des Musiklebens verliehen wird, sowie den Concorso l'»Opera stabile« für junge italienische und ausländische Künstler. 1955 wurde er Direktor des Liceo Musicale G. B. Viotti in Vercelli. Er komponierte die Opern *Suor Beatrice* und *La zia di Carlo e Terry Dugan*, das Ballett *Don Giovanni 61* (1960), Orchesterwerke (*Sinfonia da camera*, 1951; *Sinfonia concertante*, 1951; Concerto grosso, 1954), Kammermusik (Quartett für Schlagzeug, 1960; Streichtrio, 1962), Klavier- und Orgelwerke (*Concerto breve* für 2 Kl., 1959), Vokalwerke (*Requiem per il partigiano ignoto*, 1953, *I canti della Sermenza*, 1954, *3 canti della resistenza*, 1954, und *Corali della Valsesia Alta*, 1955, für Chor und Orch.; 3 Lieder für Singst., Git., Celesta, Klar. und Horn, 1965) sowie Filmmusik.

+Roberday, François, [erg.: getauft 21. 3.] 1624 – 13. 10. 1680 zu Auffargis (Seine-et-Oise) [del. frühere Sterbeangaben].
R. war nicht Organist an der Minoritenkirche in Paris.
Ausg.: Fugues et caprices pour orgue, hrsg. v. J. FERRARD, = Le pupitre XLIV, Paris 1972.
Lit.: P. HARDOUIN in: Rev. de musicol. XLV/XLVI, 1960, S. 44ff.

Robert (rɔb'ɛ:r), Pierre, * um 1618 zu Louvres-en-Parisis (Val-d'Oise) und † 30. 12. 1698 zu Paris; französischer Komponist, erhielt seine musikalische Ausbildung an der Maîtrise von Notre-Dame in Paris und wurde Maître de chapelle 1648 an der Kathedrale von Senlis, 1650 an der Kathedrale von Chartres, 1653 an Notre-Dame in Paris und 1663 (mit H. Du Mont) an der Chapelle Royale König Ludwigs XIV. 24 *Motets pour la Chapelle du Roi* für Doppelchor und Instrumente wurden 1684 auf Anordnung Ludwigs XIV. bei Chr. Ballard in Paris gedruckt. Seine kleinen Motetten sind im italienischen Stil verfaßt.
Ausg.: Motetten »Deus noster refugium« u. »Quare fremuerunt gentes« f. 2 Chöre u. Instr., hrsg. v. H. CHARNASSÉ, = Le pupitre XIV, Paris 1969.

Roberti, Girolamo Frigimelica, * 10. 1. 1653 zu Padua, † 1.(30.?) 11. 1732 zu Modena; italienischer Librettist und Architekt, wurde in jungen Jahren Mitglied der Accademia dei Ricoverati, war 1691–1720 Bibliothekar an der Pubblica Biblioteca in Padua und übersiedelte dann nach Modena, wo er als Architekt tätig war. Neben einigen Oratorientexten schrieb er für Venedig eine Reihe von Opernlibretti, die u. a. von C. Fr. Pollarolo (*Il pastore d'Anfriso*, 1695), A. Scarlatti (*Il Mitridate Eupatore*, 1707; *Il trionfo della libertà*, 1707) und Caldara (*Un selvaggio eroe*, 1707) in Musik gesetzt wurden.
Ausg.: Libretto »Il pastore d'Anfriso« in: Drammi per musica dal Rinuccini allo Zeno, hrsg. v. A. DELLA CORTE, = Classici ital. LVII, Turin 1958, Bd II.
Lit.: K. LEICH, G. Fr. R.s Libretti, = Schriften zur Musik XXVI, München 1972.

+Roberts, William Herbert Mervyn, * 23. 11. 1906 zu Abergele (Denbigh, Wales).
R. unterrichtete 1963–67 an der Christ's Hospital School in Horsham (Sussex).

+Robertson, Alec, * 3. 6. 1892 zu Southsea (Hampshire).
R., seit 1946 Fellow der Royal Academy of Music, ist durch zahlreiche Vorträge bei der BBC hervorgetreten; 1967 wurde ihm von der britischen Schallplattenindustrie eine goldene Schallplatte überreicht. Zu seinem 80. Geburtstag wurde er mit einer Festschrift geehrt (*Dear Alec*, Worcester 1972). – +*The Interpretation of Plainchant* (1937), Nachdr. Westport (Conn.) 1970; +*Dvořák* (= Master Musicians Series o. Nr, 1944), revidiert London 1964; +*Chamber Music* (= Pelican Books A 372, Harmondsworth [nicht: London] 1957), Nachdr. ebd. 1970. – Neuere Bücher: die Autobiographie *More than Music* (London 1961); *Music of the Catholic Church* (= Faith and Fact Books CXVII, ebd., amerikanische

Ausg. als *Christian Music*, = Twentieth Cent. Encyclopedia of Catholicism CXXV, NY 1961); *Requiem. Music of Mourning and Consolation* (London 1967, NY 1968); *The Church Cantatas of J. S. Bach* (ebd. 1972). Mit D. Stevens edierte er *The Pelican History of Music* (bisher 3 Bde, = Pelican Books A 492–494, Harmondsworth 1960–68, Bd I–II auch als *A History of Music*, = Belle Sauvage Library o. Nr, London und NY 1962–65, deutsch als *Geschichte der Musik*, 3 Bde, München 1964–68, Bd I–II portugiesisch Lissabon 1965, span. Madrid 1972, 3 Bde).

+Robertson, Leroy Jasper, * 21. 12. 1896 zu Fountain Green (Ut.), [erg.:] † 25. 7. 1971 zu Salt Lake City (Ut.).
An der University of Utah war R. 1948–62 Professor und Chairman der Musikabteilung, 1962–65 Composer in Residence und dann Distinguished Research Professor. Neuere Werke: *Saquaro Overture* (1963) und *University of Utah Festival Overture* (1965) für Orch.; Klavierkonzert (1966); zahlreiche (mormonische) Chorwerke mit Org. oder Orch.

Robeson (ɹ'oubsn), Paul, * 9. 4. 1898 zu Princeton (N. J.); amerikanischer Sänger (Baß), war kurze Zeit als Rechtsanwalt tätig, debütierte 1921 als Schauspieler und trat 1925 erstmals mit Negro spirituals an die Öffentlichkeit. Konzerttourneen führten ihn durch Nordamerika und Europa. 1929 übersiedelte er nach London, wo er mit dem Lied *Ol' man river* in dem Musical *Show Boat* von J. Kern weltbekannt wurde. 1960 wurde er Ehrendoktor der Humboldt-Universität in Berlin. R. ist Mitglied der Akademie der Künste in (Ost-)Berlin. Er veröffentlichte *Here I Stand* (NY 1958, deutsch als *Mein Lied, meine Waffe*, Bln 1958, rumänisch Bukarest 1958, tschechisch Prag 1958).
Lit.: V. GOROCHOW, Robson, Moskau 1952, deutsch (gekürzt) Bln 1955; Tage mit P. R., hrsg. v. Deutschen Friedensrat d. DDR, Bln 1961, auch engl.; E. P. HOYT, P. R., the American Othello, Cleveland (O.) 1967; A. DOBRIN, Voices of Joy, Voices of Freedom, NY 1972.

Robin (rɔb'ɛ̃), Mado (Madeleine Marie), * 29. 12. 1918 zu Yzeures-sur-Creuse (Indre-et-Loire), † 10. 12. 1960 zu Paris; französische Sängerin (Koloratursopran), studierte, von T. Ruffo entdeckt, bei Giuseppe Podestà. 1937 gewann sie in Paris den Sopranwettbewerb der Opéra, an der sie 1945 als Gilda debütierte. Eine internationale Karriere führte sie u. a. nach Italien, an das Théâtre de la Monnaie in Brüssel und die Opern von Lüttich, Monte Carlo und (ab 1954) San Francisco. Zu ihren Glanzrollen zählten Lucia di Lammermoor, Lakmé und Königin der Nacht.

Robinson (ɹ'ɔbinsn), Earl, * 2. 7. 1910 zu Seattle (Wash.); amerikanischer Komponist, Dirigent und Gitarrist, studierte an der University of Washington in Seattle (B. M. 1933) sowie bei Copland und wirkte ab 1934 am Federal Theater, wo er 1939 die *Ballad for Americans* für die Revue *Sing for Your Supper* schrieb. Er gab zahlreiche Konzerte in den USA, in Kanada und Europa. 1943 ließ er sich als Komponist von Filmmusik in Hollywood nieder. Ferner schrieb er das Ballett *Bouquet for Molly*, Bühnenmusik (*Processional*, 1936; *Life and Death of an American*, 1937; *Sandhog*), Klavierwerke (*Lírica de Jazz*, 1941), Kantaten (*Battle Hymn*; *The Lonesome Train*; *Tower of Babel*; *In the Folded and Quiet Yesterdays*; *The Town Crier*; *Preamble to Peace*) und Lieder.

Robinson (ɹ'ɔbinsn), Stanford, * 5. 7. 1904 zu Leeds; englischer Dirigent, studierte am Royal College of Music in London (Boult) und war Chordirektor der BBC und des London Wireless Chorus (1924–32), Dirigent des Theatre Orchestra der BBC (1932–46), Produktionsleiter der Musikprogramme der BBC (1936–49) und Leiter des Opernorchesters sowie Opernorganisator der BBC (1949–52). Daneben wirkte er als Chefdirigent des Queensland Symphony Orchestra in Brisbane. R. leitete auch die Promenade Concerts in London und unternahm Tourneen als Operndirigent nach Rom, Paris, Stockholm, Budapest, Barcelona und Hilversum. Er ist auch als Komponist von Orchestermusik und Part-songs für den Rundfunk hervorgetreten.

Adolf Robitschek, OHG, Musikalienhandlung und Verlag in Wien, gegründet 1870 als Rebay & Robitschek; seit 1887 firmiert der Verlag als Adolf Robitschek. Der Firmengründer A.R. sen. († 1934) wurde 1908 zum k. u. k. Hofmusikalienhändler ernannt. Sein Sohn A.R. jun. leitete die Firma nach dem Tod des Vaters bis 1944. Heutiger Leiter ist dessen Vetter Karl R., der 1952 den Musikverlag Robitschek, OHG, in Wiesbaden als Tochtergesellschaft gründete. Der Verlag pflegt vornehmlich Chormusik, Wienerlied und Schlager.

Robitschek, Kurt, * 23. 8. 1890 zu Prag, † 16. 12. 1950 zu New York; österreichisch-amerikanischer Schriftsteller, Textdichter und Theaterdirektor (»Palmenhaus am Kurfürstendamm«, dann Gründer, Direktor und Eigentümer des »Kabaretts der Komiker« in Berlin, emigrierte 1933 nach Paris, später nach London und schließlich nach New York, wo er am Broadway als Producer erfolgreich war. Außer musikalischen Stücken für das »Kabarett der Komiker« und einer Reihe Operettenlibretti (u. a. für R.Stolz' *Du liebes Wien,* 1913, und *Die Varietédiva,* 1915) schrieb er über 200 Liedtexte, darunter (Komponisten in Klammern): *Im Prater blüh'n wieder die Bäume* (Stolz); *Wenn eine schöne Frau befiehlt* (Lehár); *Zwei rote Rosen, ein zarter Kuß* (Walter Kollo).

+Robitschek, Robert, * 13. 12. 1874 zu Prag. [Weiteres nicht zu ermitteln.]

Robledo (rrobl'eðo), Melchor, † April 1587 zu Saragossa; spanischer Komponist, war 1549 Maestro de capilla an der Kathedrale in Tarragona, später Sänger in der päpstlichen Kapelle und von 1569 bis zu seinem Tode Maestro de capilla an der Seo in Saragossa. Von seinen Kompositionen sind überliefert (Aufbewahrungsort in Klammern): Messe *Rex regum* für 4 St. und Messe für 5 St. (Kathedrale von Tarazona, Ms. 4); Motette *Et incarnatus est* (ebd., Ms. 5); Te Deum für 4 St. (ebd., Ms. 7); Messe für 5 St., Agnus Dei für 7 St. und Motette *Tulerunt Dominum* für 5 St. (Arch. des Patriarca en Valencia); *Ave maris stella, Dixit Dominus, Confitebor tibi, Beatus vir, Laudate pueri* und *Laudate Dominum* für 4 St. (Bibl. Central in Barcelona); Te Deum für 4 St. (Bibl. del Orfeó Català in Barcelona); ein Buch Magnificat (Kathedrale in Pamplona); Magnificat und *Absolve Domine* (Arch. des Pilar de Zaragoza); 21 Psalmen (ebd., Ms. 9); Messe für 5 St. (Kathedrale in Avila); Messe für 5 St. (Capella Sixtina in Rom, Ms. 22); *Simile est regnum* für 5 St. (ebd., Ms. 38); Salve regina für 6 St. (Kathedrale in Puebla de México).
Ausg.: **Domine Jesu Christe, Regem cui omnia vivunt, Magna opera Domini u. Ave maris stella f. 4 St.,** in: Lira sacro-hispana, hrsg. v. E. ESLAVA, 16. Jh., I, 1, Madrid 1869; 4st. Motette »Hoc corpus« u. Magnificat in: Ant. polifónica sacra I bzw. II, hrsg. v. S. RUBIO, ebd. 1954–56.
Lit.: A. LOZANO, La música popular religiosa y dramática en Zaragoza, Los Angeles 1895; J. M. LLORENS CISTERÓ, Capellae Sixtinae cod. musicis notis instructi, = Studi e

testi CCII, Vatikanstadt 1960; R. STEVENSON, Span. Cathedral Music in the Golden Age, Los Angeles 1961.

Robles (rr'obles), Daniel Alomías, * 3. 1. 1871 zu Huánuco, † 17. 7. 1942 zu Lima; peruanischer Komponist und Musikforscher, begann nach musikalischen Studien bei Claudio Rebagliati ausgedehnte Reisen in die Hochanden Perus zur Sammlung von Melodien aus der Inkaepoche, der Kolonialperiode und der Musik der Mestizen. Er ist einer der ersten, dessen Musik eine auf Inkamelodien basierende Färbung aufweist. Außer Orchesterwerken schrieb R. die Oper *Illa-cori* (»Goldstrahl«), die zur Eröffnung des Panama-Kanals vorgesehen war, aber wegen Ausbruch des ersten Weltkriegs nicht aufgeführt werden konnte.

+Rocca, Lodovico, * 29. 11. 1895 zu Turin. R. war Direktor des Konservatoriums in Turin bis 1966. Er schrieb ein Diptychon [nicht: Dutichon] +*L'alba del malato.*

Rocha Cardoso (rr'atʃe kɐrd'ozu), Lindemberghe, * 30. 6. 1939 zu Livramento (Staat Bahia); brasilianischer Komponist, erhielt in den Musikseminaren der Universidad Bahia in Salvador eine Fagott- und Schlagzeugausbildung und war Kompositionsschüler von Widmer. Er war Mitgründer des Grupo de Compositores da Bahia. Seine Kompositionen umfassen Orchesterwerke (*A festa da canabrava,* 1966; *Via sacra,* 1968; *Serestachôrofrêvo,* 1970; *Pleorama,* 1971; *Orbitas* für kleines Orch., 1971), Kammermusik (Minisuite für Bläser und Schlagzeug, 1967; *Extreme* für 9 Solisten, 1971; Bläserquintett, 1970; *Caricaturas* für Schlagzeug, 1968; Klaviertrio Nr 1, 1967, und Nr 2, 1970) und Vokalwerke (*Procissão das carpideiras* für A., Chor, 8 Blasinstr. und Orch., 1969; *Espectros* für Chor und Orch., 1970), ferner *Captações* für Stimmen, Radioapparate, Schlagzeug und Kammerorch. (1969) und *Paixão, môrte e vida no ano de Aquários,* Klänge zu einer tänzerischen Aufführung von Lia Robatto (1972).

Rochat (rəʃ'a), Andrée, * 12. 1. 1900 zu Genf; Schweizer Komponistin, studierte am Konservatorium ihrer Heimatstadt bei Jaques-Dalcroze (Klavier) sowie in Paris bei Gédalge (Kontrapunkt) und in Mailand bei Orefice und R.Bossi (Komposition). Ihr Schaffen umfaßt u. a.: *Preludio, aria e finale* für 3 Klar., Trp., Kl. und Streicher op. 21 (1948); *Musica per archi* op. 26 (1957); 2 Sonaten für V. und Kl. (1932, und op. 12, 1938); 3 Intermezzi für Klar. und Kl. op. 14 (1940); Sonate für Fl. und Hf. op. 20 (1947); Suite für V. und Va op. 25 (1954); *5 pezzi brevi* für Fl. und Kl. op. 27 (1960); *Kaléidoscope* für Kl. op. 30 (1962); Lieder. Sie veröffentlichte unter dem Pseudonym Jean Durand *Journal d'un amateur de musique* (Lausanne 1941).

Rochberg (ɹ'ɔkbə:g), George, * 5. 7. 1918 zu Paterson (N. J.); amerikanischer Komponist und Musikforscher, studierte am Montclair State College in Upper Montclair/N. J. (B. A. 1939) und 1939–42 bei Hans Weisse, Szell und L. D. Mannes an der Mannes Music School in New York sowie 1945–48 am Curtis Institute of Music in Philadelphia und an der University of Pennsylvania in Philadelphia (M. A. 1949). 1948–54 lehrte er am Curtis Institute of Music und war 1951–60 Music Editor und Director of Publications bei Theodore Presser Co. in Bryn Mawr (Pa.). 1960–68 war R. Präsident des Music Department an der University of Pennsylvania und ist dort seit 1968 Professor of Music. R. erhielt Ehrendoktorate des Montclair State College (1962) und der Philadelphia Musical Academy (1964). Er schrieb u. a.: *Night Music* für Orch. (1949); Symphonie Nr 1 (1958), Nr 2 (1959) und Nr 3 für Soli,

Kammerchor, Doppelchor und Orch. (1968); *Time-Span II* für Orch. (1962); *Zodiac*, Zyklus von 12 Stücken für Orch. (1965); Kammersymphonie für 9 Instr. (1953); *Serenata d'estate* für 6 Instr. (1955); *Cheltenham Concerto* für kleines Orch. (1958); *Music for the Magic Theater* für 15 Instr. (1965); *Black Sounds* für Bläser (1965); 2 Streichquartette (1952 und 1961); Klaviertrio (1963); *Duo concertante* für V. und Vc. (1955); *La bocca della verità* für Ob. und Kl. (1959) und für V. und Kl. (1965); 12 Bagatellen (1952), *Sonata-Fantasia* (1956) und *Bartókiana* (1959) für Kl.; *Nach Bach*, Fantasia für Cemb. (1966); *Songs of Solomon* für Singst. und Kl. (1946); *Three Psalms* für gem. Chor a cappella (1954); *David, the Psalmist* für T. und Orch. (1954); *Blake Songs* für S. und Kammerensemble (1961); *Passions* für Chor, Solisten (Sänger und Sprecher) und verschiedene Instr. und Tonband (1967). Von seinen Veröffentlichungen seien genannt: *The Hexachord and Its Relation to the 12-Tone Row* (Bryn Mawr/Pa. 1955); *The Harmonic Tendency of the Hexachord* (Journal of Music Theory III, 1959); *Indeterminacy in the New Music* (in: The Score 1960, Nr 26); *Duration in Music* (in: The Modern Composer and His World, hrsg. von J. Beckwith und U. Kasemets, Toronto 1961, schwedisch in: Nutida musik IV, 1960/61, Nr 4, S. 4ff., deutsch in: Melos XXIX, 1962, S. 7ff.); *Webern's Search for Harmonic Identity* (Journal of Music Theory VI, 1962); *The New Image of Music* (in: Perspectives of New Music II, 1963/64); *Contemporary Music in an Affluent Society* (in: Today, ASCAP Magazine I, 1967).
Lit.: Werkverz. in: Composers of the Americas X, Washington (D. C.) 1964. – A. L. RINGER, The Music of G. R., MQ LII, 1966.

+Rochlitz, Johann Friedrich, 1769–1842.
+Sammlung vorzüglicher Gesangsstücke ... (1838–40 [nicht: 1837–42].).
Lit.: H. DASCHNER, Ein bisher unbekannter Brief Beethovens an J. Fr. R., Beethoven-Jb. III, 1957/58; J. MÜLLER-BLATTAU, Fr. R. u. d. Mg., in: H. Albrecht in memoriam, Kassel 1962; DERS., Zelter u. R., in: Von d. Vielfalt d. Musik, Freiburg i. Br. 1966; R. SCHMITT-THOMAS, Die Entwicklung d. deutschen Konzertkritik im Spiegel d. Lpz.er AmZ (1798–1848), = Kultur im Zeitbild I, Ffm. 1969; R. SCHAAL, Die Mozart-Anekdoten v. J. F. R., in: 19. Deutsches Mozartfest Augsburg 1970; H.-J. ILSMANN, Leben u. Werk d. Lpz.er Schriftstellers u. Musikkritikers J. Fr. R., Sächsische Heimatblätter XVII, 1971.

Rockstroh, Heinz, * 1. 9. 1919 zu Aue (Erzgebirge); deutscher Dirigent, studierte 1936–40 an der Musikhochschule in Leipzig Klavier bei Teichmüller, Flöte bei Carl Bartuzat und Dirigieren bei H. Abendroth und Max Hochkofler sowie Chordirigieren bei J. N. David. 1951 wurde er 1. Kapellmeister am Staatstheater Oldenburg und 1961 an den Städtischen Bühnen in Hagen.

+Roda, Paulus de, 2. Hälfte 15. Jh.
Ausg.: *+Der Mensuralkodex d. N. Apel* (R. GERBER), bisher 2 Bde, = EDM XXXII–XXXIII, Abt. MA IV–V, Kassel 1956–60 (d. 3. Bd, = EDM XXXIV, liegt noch nicht vor). – 2 Sätze »Der pfauen schwanz« u. »Carmen«, in: Das Glogauer Liederbuch, hrsg. v. H. RINGMANN u. J. KLAPPER, Teil I, = RD IV, Abt. MA I, ebd. 1936.

+Rode, Jacques-Pierre-Joseph, 1774 – 25. [nicht: 26.] 11. 1830 auf dem Château de Bourbon (Gemeinde Nicole bei Port-Ste-Marie, Lot-et-Garonne) [del. bzw. erg. frühere Angaben zum Sterbeort].
Lit.: +A. MOSER, Gesch. d. Violinspiels (1923), 2. Aufl. hrsg. v. H.-J. Nösselt, Tutzing 1966–67 (2 Bde). – B. SCHWARZ, Beethoven and the French V. Concerto, MQ XLIV, 1958; DERS. in: MGG XI, 1963, Sp. 594ff.; F. GÖTHEL, E. T. A. Hoffmann übers. R.–Kreutzer–Baillot, NZfM CXX, 1959; FR. A. CLARKSON, The »Baillot, R. and Kreutzer« Method (1804), in: The Strad LXXX, 1969/70.

+Rode, Wilhelm, * 17. 2. 1887 zu Hannover, [erg.:] † 1. 9. 1959 zu München.

+Rodenstein, –1) Herman Raphael, [erg.:] zwischen 1510 und 1520 zu Vollenhove? (Overijssel) – 1583 zu Weimar [nicht: Gotha]. –2) Gabriel Raphael, um 1535 [del.: vor 1540] – nach 1607 [del.: nach 1601].
Lit.: +M. A. VENTE, Die Brabanter Org. (1958), Amsterdam ²1963.

Rodewald, Karl Joseph, * 11. 3. 1735 zu Seitsch (Schlesien), † 11. 7. 1809 zu Hanau am Main; deutscher Komponist, erhielt seine musikalische Ausbildung in Berlin bei Franz Benda (Violine) und Kirnberger (Komposition) und war ab 1762 als Violinist Mitglied der Landgräflich-Hessischen Hofkapelle in Kassel bis zu deren Auflösung im Jahre 1785, danach Musiklehrer des Erbprinzen. 1788 wurde ihm der Titel Konzertmeister verliehen. Von seinen Kompositionen ist lediglich ein Stabat mater für 2 S. und Orch. erschienen (Mainz 1799). R. schrieb außerdem eine Oper für das Kasseler Theater und mehrere Instrumentalwerke.

+Rodgers, Richard [erg.:] Charles, * 28. 6. 1902 zu Hammels Station (Long Island, N. Y.) [nicht: New York].
R., Mitglied des National Institute of Arts and Letters in New York (seit 1955) und Ehrendoktor zahlreicher amerikanischer Universitäten (u. a. 1954 der Columbia University/N. Y. und 1965 der Brandeis University in Waltham/Mass.), gehört seit 1959 zum Direktorium der Juilliard School of Music in New York; seit 1962 ist er President und Producing Director des Music Theater of Lincoln Center in New York. – In 22jähriger Zusammenarbeit mit dem Textdichter Lorenz Hart (* 2. 5. 1895 und † 22. 11. 1943 zu New York), der, wie bei Musicals üblich, nicht das Book (Libretto), sondern die Lyrics (Songtexte) verfaßte, entstanden 29 erfolgreiche Musicals, darunter (alle NY, abgesehen von den üblichen Tryouts in der amerikanischen Provinz) *Pal Joey* (1940, Neuproduktion 1952, daraus *Bewitched, Bothered and Bewildered* und *Zip*) und *By Jupiter* (1942, Neuproduktion 1967, *Wait Till You See Her*). In Zusammenarbeit mit O. →+Hammerstein(II) entstanden weitere 9 Musicals, die zu den erfolgreichsten überhaupt gehören, darunter *Oklahoma!* (1943, mit 2212 Aufführungen nach Loewes *My Fair Lady* mit 2717 das erfolgreichste Musical am Broadway, darüber hinaus das erste, das, 1944, einen Pulitzer-Preis gewann), *South Pacific* (1949, Pulitzer-Preis 1950, 1925 Aufführungen, Neuproduktion 1967, *Some Enchanted Evening* und *Bali Ha'i*), *The King and I* (1951, 1246 Aufführungen, *I Whistle a Happy Tune, Hello Young Lovers* und *March of the Royal Siamese Children*), *Me and Juliet* (1953), *Pipe Dream* (nach John Steinbecks *Sweet Thursday*, 1955), *Flower Drum Song* (1958) und *The Sound of Music* (1959, 1443 Aufführungen, dazu 2385 in London, *My Favorite Things, Do-Re-Mi, Climb Ev'ry Mountain*). Ferner schrieb er *No Strings* (eigene Lyrics, 1962), *Do I Hear a Waltz?* (1965) und *Two by Two* (1970), die Fernsehmusicals *Cinderella* (CBS 1957, Neuproduktion 1965) und *Androcles and the Lion* (nach Shaw, eigene Lyrics, NBC 1967) sowie Musiken für Film (*Love Me Tonight*, 1932, daraus *Isn't It Romantic?* und *Mimi*) und Fernsehen (*Victory at Sea*, 1952; *Winston Churchill. The Valiant Years*, 1960).
Ausg.: The R. and Hart Song Book, NY 1951; The R. and Hammerstein Song Book, hrsg. v. H. SIMON, NY 1958.
Lit.: R. R. Fact Book, NY 1965 u. 1968 (mit Suppl.). – +D. TAYLOR, Some Enchanted Evenings (1953), London 1955, Nachdr. Westport (Conn.) 1972; +D. EWEN, R. R. (1957), 2. Aufl. als: With a Song in His Heart, NY 1963

(f. Jugendliche). – St. Green, The World of Mus. Comedy, NY 1960 u. 1962, revidiert South Brunswick (N. J.) u. London 1968; Ders., The R. and Hammerstein Story, London u. NY 1963; S. Chotzinoff, A Little Nightmusic. Intimate Conversations with ... R. R., NY 1964; S. Schmidt-Joos, Das Musical, = dtv Bd 319, München 1965; M. Kaye, R. R., A Comparative Analysis of His Songs with (L.) Hart and (O.) Hammerstein (II.) Lyrics, Diss. NY Univ. 1969; D. Ewen, Great Men of American Popular Song, Englewood Cliffs (N. J.) 1970.

+**Rodio,** Rocco, 1530/40 – um 1615.
Ausg.: Regole di musica, Faks. d. Ausg. v. 1609 hrsg. v. G. B. Olifante, = Bibl. musica Bononiensis II, 56, Bologna 1969.

+**Rodrigo,** Joaquín, * 22. 11. 1902 zu Sagunt (Valencia).
R., seit 1950 Mitglied der Academia de bellas artes de S. Fernando in Madrid, erhielt 1963 den Ehrendoktortitel der Universität Salamanca. Neuere Werke: Comedia lírica +*El hijo fingido* (nach Lope de Vega, 1954, Madrid 1964), Ballette *Pavana real* (1955) und *Juana y los caldereros* (1956); *Música para una jardín* für Orch. (1957); *Sones en la Giralda* für Hf. und kleines Orch. (1963), *Concierto andaluz* für 4 Git. (1967) und *Concierto-Madrigal* für 2 Git. (1965–68) mit Orch.; *Sonata pimpante* für V. und Kl. (1966), Tonadilla für 2 Git. (1960), *Invocation et danse* (Homenaje a M. de Falla, 1961), *Sonata a la española* (1969) und *Pájaros de primavera* (1972) für Git., die religiösen Werke *Himnos nupciales* für 3 Frauen-St. und Org. (1963) und *Himnos de los neófitos de Qumran* für 3 Frauen-St., Männerchor und kleines Orch. (1965); *Rosaliana* (1965) und *Cantos de amor y de guerra* (1968) für Singst. und Orch.; *2 poemas de J. R. Jiménez* (für Singst. und Fl. oder Kl., 1961), *Homenaje a Debussy* (La grotte, 1962), 4 *Canciones sefardíes* (1963) und *Sobre el cupey* (1963) für Singst. und Kl.
Lit.: A. Iglesias, J. R., Su obra para piano, Orense 1965; F. Sopeña Ibáñez, J. R., = Artistas españoles contemporáneos, Serie músicos I, Madrid 1970.

+**Rodrigo,** María, * 20. 3. 1888 zu Madrid.
Ihre Lebensspur verlor sich im spanischen Bürgerkrieg.

Rodrigues Coelho, Manuel → +Coelho, M.

Rodríguez (rrədr'igeθ) Aragón, Lola (Dolores), * 1915 zu Cádiz; spanische Sängerin und Gesangspädagogin, Schülerin von Elisabeth Schumann, hatte große Erfolge als Lied- und Opernsängerin, besonders in den Opern Mozarts, und galt als hervorragende Interpretin der Werke de Fallas und Turinas sowie der Lieder der nächsten Generation (Guridi, Toldrá, J. Rodrigo, E. Halffter). Sie zog sich ganz vom Konzertleben zurück und lehrte ab 1939 am Madrider Konservatorium Gesang. Zu ihren bekanntesten Schülern zählt Teresa Berganza. L. R. wirkte auch als Gesangslehrerin am Teatro Colón in Buenos Aires.

Rodríguez (rrədr'igeθ), Ricardo, * 15. 4. 1879 zu Concordia (Provinz Entre Ríos), † 2. 10. 1951 zu Buenos Aires; argentinischer Komponist und Musikpädagoge, studierte an der Schola Cantorum in Paris bei Vreuls und Saint-Requier (Harmonielehre), Roussel (Kontrapunkt), Bret (Begleitung und Improvisation), Gastoué (Gregorianischer Gesang), Guilmant (Orgel), de Serres (Kammermusik) sowie bei Sérieyx und d'Indy (Komposition). Nach seiner Rückkehr nach Buenos Aires war er Professor für Komposition am Staatlichen Konservatorium, Leiter der Escuela Argentina de Música, einer der Gründer der Sociedad Argentina de Compositores sowie Mitglied des Direktoriums des Teatro Colón und der Academia Nacional de Bellas Artes. Er schrieb Orchesterwerke (Symphonische

Dichtungen *Palmar, Atardecer en La Tablada* und *Inqueri*), Kammermusik (Quartett für Klar., Fag., Va und Kl.; Violinsonate), Klavierstücke (Sonate; *Evocaciones de mi infancia; 4 piezas; 5 miniaturas; 6 preludios;* Konzertwalzer), die Kantate *San Ignacio* für Soli, Chor und Orch. sowie zahlreiche Chöre und Lieder.

+**Rodríguez de Hita,** [erg.:] Antonio, 1724 [erg.:] wahrscheinlich in Kastilien – 1787.
Seine Schrift +*Consejos que daba a sus discípulos sobre el verdadero conocimiento de la música antigua y moderna* erschien in Madrid 1787 [nicht: 1757].
Lit.: J. Subirá, Repertorio teatral madrileño y resplandor transitorio de la zarzuela (Años 1763 a 1771), Bol. de la Real Acad. española XXXIX, 1959.

+**Rodríguez de Ledesma,** Mariano, 1779–1848.
R. de L. ließ sich in London 1813 [nicht: 1811] nieder.
Lit.: J. Subirá in: Acad. (Bol. de la Real Acad. de bellas artes de S. Fernando) 1965, Nr 20, S. 40ff.

Rodríguez Socas (rrədr'igeθ s'okas), Ramón, * 31. 8. 1886 und † 28. 11. 1957 zu Montevideo; uruguayischer Komponist, studierte am Konservatorium »La Lira« bei León Ribeiro (Komposition) sowie 1906–11 in Mailand am Conservatorio di Musica G. Verdi bei Pozzoli (Orgel und Harmonielehre), Saladino (Kontrapunkt und Fuge) und Orefice (Komposition). 1920 kehrte er nach Montevideo zurück, unterrichtete an Musikschulen und wurde 1932 Direktor des Konservatoriums »La Lira«. Nach der Gründung des Conservatorio Nacional de Música (1940) lehrte er dort Komposition. Er schrieb Opern (*Alda*, Montevideo 1906; *Ieba*, Mailand 1910; *Amore marinaro*, La Spezia 1910; *Morte di amore*, Venedig 1912; *Anthony*, Triest 1914; *Griette* und *Murinedda*, in Auszügen SODRE/Montevideo 1922 und 1926; *Urunday*, ebd. 1940; Opera buffa *Ser Tófano*, 1946), Operetten, Ballette, Orchesterwerke (symphonisches Triptychon *Afrodita*, 1911; symphonisches Scherzo *Pequeña suite*, 1934; *Obertura andina*, 1938; *Concierto colonial* für Kl. und Orch., 1947; Symphonie *Artigas*, 1948) und Chorwerke (*Visione settecentista / Preludio y madrigal* für 8st. Chor und Orch., 1911; Trilogie *David* für Bar. und Orch., 1935).

+**Rodzinski,** Artur, 1. [nicht: 2.] 1. 1892 [nicht: 1894] – 1958 zu Boston [nicht: Philadelphia].
Lit.: A. M. Bonisconti in: L'approdo mus. I, 1958, Nr 4, S. 58ff.; W. Zechenter, Wspomnienie o A. R.m (»Erinnerungen an A. R.«), in: Ruch muzyczny XII, 1968.

+**Röder,** Carl Gottlieb, 1812–83.
Lit.: A. H. King, C. G. R.'s Music-Printing Business in 1885. An Anon. Account, in: Brio II, 1965, wiederabgedruckt in: FAM XIII, 1966.

Roeder, Toni, * 13. 3. 1929 zu Bonn; deutscher Schlagzeuger und Komponist, studierte ab 1943 an der Staatlichen Hochschule für Musik in Köln und wurde 1950 Solopauker im Orchester der Beethovenhalle Bonn. Er ist Leiter des Bonner Ensembles für Neue Musik und eines Perkussionsensembles der Bonner Musikschule sowie seit 1948 freier Mitarbeiter beim WDR Köln. Von seinen Kompositionen seien genannt: Schlagzeugquintett (1965); Serenade für Fl., Vc. und Schlagzeug (1970); *Schwarz auf weiß* für 2 Schlagzeuger (1971); *Miniaturen* für Tänzer, Fl. und Schlagzeug (1972); *Kurzoper* für einen Schlagzeugsolisten (1972); *Schlagzeugmusik für Kinder* (1972); *Azteken, Schach* und *Kafka*, 3 Ballettmusiken (Bonn 1973); Monodram *Niobe*, Kammermusik für A., Va, Vc., Kb., Fl., Klar., Pos. und Perkussionsensemble (1974).

+**Roediger** [–1) Karl Erich], –2) Carl Alexander, * 17. 5. 1897 zu Berlin, [erg.:] † 15. 12. 1966 zu Hamburg.

Rögner, Heinz, * 16. 1. 1929 zu Leipzig; deutscher Dirigent, studierte 1947–51 bei Hugo Steurer (Klavier), Egon Bölsche (Dirigieren) und O. Gutschlicht (Bratsche) und wurde 1951 Solorepetitor und Kapellmeister am Nationaltheater in Weimar. 1954–58 wirkte er als Dozent für Dirigieren und Leiter der Opernschule an der Staatlichen Hochschule für Musik in Leipzig. 1958–62 war er Chefdirigent des Großen Rundfunkorchesters von Radio DDR in Berlin. Seit 1962 ist R. GMD der Berliner Staatsoper. Daneben hat er Gastkonzerte mit den Rundfunkorchestern in Leipzig und Berlin, dem Gewandhausorchester Leipzig und der Dresdner Philharmonie gegeben und als Klavierbegleiter und Kammermusikinterpret Tourneen nach Ungarn, Rumänien, in die Schweiz und die Bundesrepublik unternommen.

Röhl, Uwe, * 16. 2. 1925 zu Husum; deutscher Organist und Musikpädagoge, studierte in Berlin bei Heitmann sowie in Herford bei A. Schönstedt und wurde 1956 Domorganist in Schleswig (1962 Landeskirchenmusikdirektor). 1967 wurde er zum Professor und stellvertretenden Direktor der Schleswig-Holsteinischen Musikakademie und Norddeutschen Orgelschule in Lübeck ernannt. Er komponierte die Choralmotette *Aus tiefer Not schrei ich zu Dir* (1956).

⁺Röhn, Erich, * 16. 4. 1910 zu Groß-Leuthen (Kreis Lübben, Niederlausitz).
R. ist seit 1968 auch Primarius des »Hamburger Streichquartetts«.

Rökk, Marika, * 3. 11. 1913 zu Kairo; deutsche Film-, Operetten- und Musicaldarstellerin ungarischer Herkunft, besuchte mit 8 Jahren eine Ballettschule in Budapest und wurde später Tänzerin eines Wiener Zirkusunternehmens, mit dem sie Reisen durch Europa und die USA unternahm. 1932 debütierte sie beim ungarischen Film, trat 1934 zum ersten Male in Wien am Theater auf und kam dann bei der UFA zum Film (*Leichte Kavallerie*, 1935). In den folgenden Jahren avancierte sie zu Deutschlands beliebtestem Filmtanzstar. Sie spielte u. a. in den von ihrem Mann Georg Jacoby (1890–1964) inszenierten Filmen *Heißes Blut* (1936), *Gasparone* (1937), *Eine Nacht im Mai* (1938), *Kora Terry* (1940), *Frauen sind doch bessere Diplomaten* (erster deutscher Farbfilm, 1941) und *Frau meiner Träume* (1944), später *Kind der Donau* (1951), *Sensation in San Remo* (1951) und *Csardasfürstin* (1951). M. R. ging dann auf ausgedehnte Auslandstourneen. 1957 gelang ihr ein Comeback mit dem Film *Nachts im grünen Kakadu*, dem noch *Bühne frei für Marika* (1958), *Die Nacht vor der Premiere* und *Mein Mann, das Wirtschaftswunder* (1959, Regie Ulrich Erfurth) folgten. Seitdem hat sie sich (vor allem in Wien, Hamburg, Berlin) als Operetten- und Musicalstar profiliert (*Maske in Blau*, 1966; *Blume von Hawaii*, 1968; *Hello Dolly*, 1968; *Csardasfürstin*, 1973).

Römer, österreichische Orgelbauerfamilie. –1) Ferdinand Josef, * um 1657, † 1723 oder 1724 zu Wien(?), ab 1684 kaiserlicher Orgelmacher und Kalkant, erbaute an St. Stephan in Wien eine Chororgel (1701) und eine große Orgel (um 1720). –2) Johann Ulrich, * vermutlich seit 1650 zu Wien, Bruder von Ferdinand Josef R., erlangte 1685 das Bürgerrecht in Wien, erbaute 1688 gemeinsam mit seinem Bruder ein Werk im Stift Heiligenkreuz (Niederösterreich); von ihm ist nur ein einziger selbständiger Orgelbau bekannt (1695 in Hainburg, Niederösterreich). –3) Andreas, * 1704 zu Brünn, † vor 1750 zu Brünn(?), gehört vermutlich zur gleichen Familie, führte eine Werkstatt in Brünn; von ihm erbaute Orgeln sind

bisher nicht nachgewiesen. –4) Anton, * 1724 zu Brünn, † 14. 7. 1779 zu Graz, Sohn von Andreas R., übernahm vermutlich 1750 die Werkstatt des Grazer Orgelbauers Cyriacus Werner. Er baute Orgeln im Dom zu Graz (1770–72), an Stift Rein in der Steiermark (1772) und an Maria Rehkogel in Frauenberg bei Bruck an der Mur (1774–75).
Lit.: R. FEDERHOFER-KÖNIGS in: MGG XI, 1963, Sp. 610f.

⁺Römhild, Johann Theodor, 1684–1756.
Vor Ende des 2. Weltkrieges waren noch nachweisbar: 238 [nicht: 250] Kirchenkantaten (davon 111 in Danzig), 19 weltliche Kantaten, 2 Oratorien, 2 Messen, 2 Kyrie, eine Matthäuspassion, ein Passionskonzert, ein Magnicat, eine Motette sowie eine Partita für Cemb., V. und Vc. Ein Klavierwerk *Sieben böse Sieben* ist verschollen.
Ausg.: Solokantate »Ich hab genug u. bin vergnügt« f. S., Solo-V., 2 V. u. B. c., hrsg. v. O. DÖRFER, Bln 1957.

Rönnagel, Johann Wilhelm, getauft 30. 10. 1690 zu Nürnberg, begraben 1. 4. 1759 zu Ansbach; deutscher Musikverleger, war 1716–50 Hofbuchhändler und Verleger in Ansbach und wirkte 1716–38 auch verlagsbuchhändlerisch in Nürnberg, wo er Musikalien von W. Förtsch, Leffloth und W. H. Pachelbel herausbrachte.

Rönnau, Klaus, * 18. 5. 1935 zu Marne (Holstein); deutscher Musikforscher, studierte in Hamburg, Marburg und Kiel (Husmann, Fr. Blume, Anna Amalie Abert, v. Dadelsen) und promovierte 1964 in Hamburg mit einer Dissertation über *Die Tropen zum Gloria in excelsis Deo* (Wiesbaden 1967). 1966 wurde er Assistent am Musikwissenschaftlichen Institut der Universität Bochum. Er schrieb: *Regnum tuum solidum* (Fs. Br. Stäblein, Kassel 1967); *Grundlagen des Werturteils in der Opernkritik um 1825* (in: Beitr. zur Geschichte der Oper, hrsg. von H. Becker, = Studien zur Musikgeschichte des 19. Jh. XV, Regensburg 1969); *Der repetierende Baß im Orchestersatz des 18. Jh.* (Kgr.-Ber. Bonn 1970); *Zu den Neuausgaben von Händels Messias* (Mf XXIV, 1971).

⁺Röntgen [–1) Engelbert], –2) Julius [erg.:] Engelbert, 1855–1932. –4) Johannes, * 30. 9. 1898 zu Amsterdam, [erg.:] † 28. 4. 1969 zu Namur.
–5) Joachim, * 27. 10. 1906 zu Amsterdam. Er war Konzertmeister beim Den Haager Museum-Kamerorkest bis 1963. Ab dann wirkte er in gleicher Stellung im West-Nederlands Symfonie Orkest.
Lit.: zu –2): J. H. VAN DER MEER in: Mededelingen Gemeentemuseum v. Den Haag X, 1955, S. 21ff.

Roeper, Ernst → Küster, Herbert.

⁺Roeseling, Kaspar, 1894–1960.
Die Oper ⁺*Niobe* blieb unvollendet.
Lit.: Sonder-H. R., = Musica sacra LXXIX, 1959, H. 5. – W. LUEGER, Serielle Kirchenmusik. K. R.s Proprium missae zum Feste d. hl. Pius X., ebd. LXXVIII, 1958; P. MIES, ebd. LXXXII, 1962, S. 254ff.; G. ROESELING in: Rheinische Musiker IV, hrsg. v. K. G. Fellerer, = Beitr. zur rheinischen Mg. LXIV, Köln 1966, S. 115ff.

⁺Roeser, Valentin, [erg.:] um 1735(?) – nach 1782 zu Paris(?).
R. kam spätestens 1762 [nicht: 1770] nach Paris. Weder eine Tätigkeit als Klarinettist noch ein Wien-Aufenthalt sind nachgewiesen.
Ausg.: Essai d'instruction à l'usage de ceux qui composent pour la clarinette et le cor (1764), Faks.-Ausg. Genf 1972 (zusammen mit A. Van der Hagen, Nouvelle méthode de clarinette, Paris 1798).
Lit.: B. S. BROOK in: MGG XI, 1963, Sp. 616ff.

+**Roesgen-Champion,** Marguerite [erg.:] Sara (Pseudonym Jean Delysse), * 25. 1. 1894 zu Genf.
Neuere Werke: Ouvertüre für Orch. (1970); *Hymne und Fuge* für Streichorch. und Cemb. ad libitum (beide 1961); 5. Konzert für Cemb. und Orch. (1959), *Concerto romantique* für Kl. und Orch. (1961); *L'envoye du ciel* und *Le cortège de l'arche* für Blechbläserquintett (beide 1968), Suite für 2 Fl. (1958), Werke mit Cemb. u. a. für Fl. (*Liturgie*, 1966; 2. Sonate, 1969) und V. (*Louanges*, 1967), *Offrande mystique* für Fl. und Hf. (1967), 4 Suiten für Fl. solo (1964); 3 Klaviersonaten (1969–72), *Spoutnik* für Kl. 4händig (1971); *Alleluia* für St., Fl., V., Hf. und Continuo (1967), Kantate für T., Fl. und Continuo (1968); 4 *Chants arabes* (auch mit Fl. und Streichorch., 1960), *Cris* (1961), *Psaume 121* (auch für 3 St., 1961) und *Herbies sentimental* (1961) für Singst. und Kl.; Instrumentierungen und Bearbeitungen.
Lit.: N. VAN DER ELST in: Mens en melodie XV, 1960, S. 210ff.

Rösinger, Kurt, * 9. 11. 1921 zu Weimar; deutscher Sänger (Baß), studierte in seiner Heimatstadt bei F. Stauffert und H. Jung und debütierte 1947 am dortigen Nationaltheater. Seit 1959 ist er am Opernhaus in Leipzig engagiert und gastiert an der Staatsoper in Dresden. Zu seinen wichtigsten Partien gehören Leporello, Figaro, Papageno, Beckmesser, Fafner, Klingsor und Alberich. R. ist auch als Konzertsänger hervorgetreten.

Rösler, Franz Anton → +Rößler, Fr. A.

+**Rösler** (Rössler), Johann Josef (Ján Jozef), 1771 – 29. [nicht: 25.] 1. 1813.
R. wurde 1795 Kapellmeister am Ständetheater in Prag und 1805 am Hoftheater in Wien. Bekannt geworden ist seine *Cantate auf Mozart's Tod* (1798).
Ausg.: 5 Lieder, hrsg. v. M. POŠTOLKA u. O. PULKERT, = Documenta hist. musicae o. Nr, Prag 1961 (zusammen mit Liedern v. J. L. Dussek u. J. V. Voříšek).
Lit.: T. VOLEK, Repertoir Nosticovského divadla v Praze (»Das Repertoire d. Nostitztheaters in Prag«), in: Miscellanea musicologica XVI, 1961.

+**Rössel-Majdan,** Hildegard, * 21. 1. 1921 zu Moosbierbaum (Niederösterreich).
H. R.-M., 1962 zur österreichischen Kammersängerin ernannt, lehrte bis 1972 an der Akademie (heute Hochschule) für Musik und darstellende Kunst in Graz das Oratorienfach (ab 1971 als außerordentlicher Professor). Seitdem ist sie Professor für Sologesang an der Wiener Musikhochschule.

+**Rößler,** Ernst Karl, * 18. 10. 1909 zu Pyritz (Pommern).
R. lebt seit 1973 im Ruhestand. Schriften: *Klangfunktion und Registrierung* (Kassel 1952); *Zeitgenössische Kirchenmusik und christliche Gemeinde* (MuK XXVII, 1957); *Klangfunktion, Orgelsatz und Orgelbau heute* (in: Orgelbewegung und Historismus, hrsg. von W. Supper, Bln 1958); *Orgeltypen heute* (in: Orgel und Orgelmusik heute, hrsg. von H. H. Eggebrecht, = Veröff. der Walker-Stiftung für orgelwissenschaftliche Forschung II, Stuttgart 1968). Von seinen Kompositionen seien genannt: Passionsmusik *Christe, du Lamm Gottes* (1954) und *Introductio* (1959) für Org. sowie *Jamunder Cantionale* für Singst. und Org. bzw. Kammerorch. (Nr 1 und 8, 1958).
Lit.: B. HAMBRÆUS in: MuK XXIX, 1959, S. 282f.; R. VOGE, Zur Interpretation d. Orgelwerke v. E. K. R., ebd.

[+**Rößler,** recte:] **Rösler,** Franz Anton (František Antonín; nannte sich selbst Francesco Antonio Rosetti), um 1750 in der Gegend von Leitmeritz (Nordböhmen) [del. frühere Angaben] – 1792 zu Schwerin [nicht: Ludwigslust].

R., nicht zu verwechseln mit dem am 26. 10. 1746 zu Niemes geborenen Schuster Fr. A. Rössler, wurde 1789 [nicht: 1798] Hofkapellmeister in Ludwigslust. Er komponierte 3 Requiem (Es dur, 1776; das 1791 in Prag zum Gedächtnis Mozarts aufgeführte ist verschollen; ein weiteres in D moll) [del. frühere Angaben dazu]. Die 1789 in Ludwigslust aufgeführte Oper heißt *Das Winterfest* [nicht: *Winzerfest*] *der Hirten*. Insgesamt sind 90 [nicht: 34] Symphonien nachweisbar.
Ausg.: Thematisches Verz. d. Instrumentalwerke v. A. R. (+O. KAUL, Beilage zu DTB XII, 1, Lpz. 1912), als Sonderdruck neu bearb. Wiesbaden 1968 (mit Verz. d. NA). – +Parthia Nr 3 D dur f. 2 Ob., 2 Klar., 2 Hörner u. Fag. (FR. KNEUSSLIN, 1954), Basel ²1964; +Notturno D dur f. Fl., 2 Hörner, V., Va u. Vc. (V. BĚLSKY, 1957), revidiert Prag 1966. – Horn-Konzert Es dur, Kl.-A. hrsg. v. P. DAMM, Lpz. 1968; Klar.-Konzert Es dur, hrsg. v. FR. KNEUSSLIN, = Für Kenner u. Liebhaber XCII, Basel 1971; Ob.-Konzert C dur, hrsg. v. R. J. KOCH, Ffm. 1972; 6 Streichquartette op. 6, hrsg. v. B. PÄULER, = General Music Series XX–XXI, Zürich 1972.
Lit.: H. FITZPATRICK in: ML XLIII, 1962, S. 243ff.; DERS. in: MGG XI, 1963, Sp. 619ff.

+**Rössler,** Richard, * 14. 11. 1880 zu Riga, [erg.:] † 23. 6. 1962 zu Berlin.

+**Röttger,** Heinz, * 6. 11. 1909 zu Herford (Westfalen).
R. wirkt weiterhin als GMD in Dessau. Neuere Werke: die Opern *Ein Heiratsantrag* (nach Tschechow, Magdeburg und Erfurt 1961), *Die Frauen von Troja* (Dessau 1964) und *Der Weg nach Palermo* (ebd. 1967); *Symphonische Meditationen* (1964), *Concertino* (»Der Jugend gewidmet«), *Dessauer Symphonie* und *Sinfonia brevis da camera* (alle 1965) für Orch.; *Sinfonietta per archi* (1968); Konzerte mit Orch. u. a. für Kb. (1970) und 2 V. (1971); weitere Kammermusik (u. a. ein Harfentrio) und Lieder.

Rogal-Lewizkij, Dmitrij Romanowitsch, * 2.(14.) 7. 1898 zu Uspenskij Priisk (Gouvernement Jakutsk), † 17. 12. 1962 zu Moskau; russisch-sowjetischer Komponist, Musik- und Instrumentenforscher, studierte ab 1910 an der Gnessin-Musikschule in Moskau Klavier bei Jelena Gnessina und schloß 1925 am Moskauer Konservatorium seine Studien in Komposition (Wassilenko, Konius) und Harfe ab. Von 1943 bis zu seinem Tode lehrte und dort Instrumentation (1946 Professor, ab 1956 Inhaber des Lehrstuhls für Instrumentation). Zu seinen Schülern gehören A. Chatschaturjan, Chrennikow, A. Eschpaj, Golubew und Schtschedrin. R.-L. instrumentierte verschiedene Opern und Ballette sowjetischer Komponisten und arbeitete ab 1944 an der Wiederherstellung der verlorenen Partitur von Prokofjews Ballett *Skaska o schute* (»Das Märchen von dem Narren«). Ferner veröffentlichte er u. a. *Sowremennyj orkestr* (»Das zeitgenössische Orchester«, 4 Bde, Moskau 1953–56) und *Bessedy ob orkestre* (»Besprechungen über das Orchester«, ebd. 1961).
Lit.: J. P. MAKAROW, Dm. Rom. R.-L., in: Wydajuschtschijesja dejateli teoretiko-kompositorskowo fakulteta moskowskoj konservatorii, Moskau 1966.

Rogalski, Theodor, * 11.(24.) 4. 1901 zu Bukarest, † 2. 2. 1954 zu Zürich; rumänischer Komponist und Dirigent, studierte 1919–20 am Bukarester Konservatorium (Cuclin), 1920–23 am Leipziger Konservatorium (Karg-Elert) sowie 1924–26 an der Schola Cantorum in Paris (d'Indy, Ravel). Er war Dirigent des Rumänischen Rundfunkorchesters (1930–51), 1. Dirigent der Bukarester Philharmonie (1950–54) und Professor für Orchestration am Bukarester Konservatorium (1950–54). Seine Kompositionen umfassen u. a.

die Ballettszene *Frescă antică* (1923), Orchesterwerke (2 rumänische Tänze für Bläser, Schlagzeug und Kl. 4händig, 1926; 2 symphonische Skizzen *Înmormîntare la Pătrunjel*, »Beerdigung im Pătrunjel-Friedhof«, und *Paparudele*, »Die Regenbeschwörerinnen«, 1929; 3 rumänische Tänze, 1950), Kammer- und Klaviermusik (Streichquartett F dur, 1925; Sonate für Kl., 1919), Vokalwerke (3 Balladen für T. und Orch., 1940; Klavierlieder) sowie Bühnen- und Filmmusik.
Lit.: R. GHECIU, Aspecte ale creației lui Th. R. (»Aspekte d. Schaffens v. Th. R.«), in: Muzica VII, 1957; Z. VANCEA, ebd. XVI, 1966, Nr 5, S. 19ff.; C. PETRA-BASACOPOL, Autenticitatea spiritului folcloric în creația lui Th. R. (»Authentizität d. Volksgeistes im Werk v. Th. R.«), Rev. de etnografie şi folclor XVI, 1971; L. GLODEANU in: Muzica XXIV, 1974, Nr 3, S. 14ff.

Rogatchewsky, Joseph, * 7.(20.) 11. 1891 zu Mirgorod (Rußland); belgischer Opernsänger (lyrischer Tenor) russischer Geburt, studierte am Pariser Conservatoire (Premier prix de chant et art lyrique) und debütierte 1922 am Theater in Toulouse. Er wurde noch im selben Jahre an die Opéra-Comique in Paris engagiert und kam 1924 als 1. lyrischer Tenor an das Théâtre Royal de la Monnaie in Brüssel, dessen Direktion er 1953–59 innehatte. Gastspiele führten ihn u. a. an die Pariser Opéra und die Wiener Staatsoper. R. wirkte auch als Gesangspädagoge am Brüsseler Conservatoire.

+Roger, Estienne, 1665 [erg.:] oder 1666 – 1722.
R. ist bereits 1686 in Amsterdam nachweisbar. 1691 heiratete er Marie-Suzanne de Magneville (1670/71 zu Bayeux bei Caen – 13. 4. 1712 zu Amsterdam), die wahrscheinlich bis zu ihrem Tode in seinem Verlag tätig war. R. war niemals mit P. Mortier assoziiert, sondern lag 1708–11 mit ihm in Streit, weil jener seine Publikationen nachdruckte. 1716 trat R.s Tochter Jeanne (* 13. 5. 1701 und † 10. 12. 1722 zu Amsterdam) in das Geschäft ein. Bis zu ihrem Tode wurden sämtliche Editionen mit ihrem Namen gezeichnet. Michel-Charles Le Cène ([erg.:] 1683 oder 1684 – 1743), verheiratet mit einer weiteren Tochter R.s, Françoise (1694–1723), übernahm 1723 den Verlag, der noch bis 1743 bestand.
Ausg.: Oude en nieuwe hollantse boerenlieties en contredansen, hrsg. v. M. VELDHUYZEN, = Facsimiles of Rare Dutch Songbooks III, Amsterdam 1972.
Lit.: J. H. VAN EEGHEN, De Amsterdamse boekhandel, 1680–1725, Bd IV, Amsterdam 1967, S. 68ff.; FR. LESURE, Bibliogr. des éd. mus. publ. par E. R. et M.-Ch. Le Cène (Amsterdam 1696–1743), = Publ. de la Soc. frç. de musicologie II, 12, Paris 1969 (mit Faks. d. Kat. v. 1737).

Roger (ɪˈɔdʒɔ), Kurt George, * 3. 5. 1895 zu Auschwitz (Galizien), † 4. 8. 1966 zu Wien; amerikanischer Komponist österreichischer Herkunft, studierte in Wien an der Akademie für Musik und darstellende Kunst sowie an der Universität, an der er 1921 mit der Arbeit *P. Cornelius als Liederkomponist* promovierte. 1923–38 leitete er die Kompositionsabteilung der Wiener Musikakademie. 1940 ließ er sich in den USA nieder, wo er 1945 die Staatsbürgerschaft erhielt. Er lehrte u. a. an der George Washington University in Washington (D. C.). 1958 erhielt er den österreichischen Professorentitel. R. komponierte die Oper *Jephta's Weib* op. 15 (1934), Orchesterwerke (3 Symphonien, Nr 1 op. 52, 1946, Nr 2 für Kammerorch. op. 102 und Nr 3 op. 104; Konzert für 2 Hörner, Pk. und Streichorch. op. 115, 1965), zahlreiche Kammermusikwerke (2 Streichquintette, op. 7, 1930, und op. 100, 1960; 4 Streichquartette, op. 9, 1931, op. 11, 1932, op. 16, 1934, und op. 33, 1937; Streichsextett op. 10, 1932), Orgelstücke, Solosonaten für Va op. 79 (1954), für V.

op. 89 (1955) und für Vc. op. 90 (1950), Gesangswerke mit Instrumentalbegleitung (Kantate *Herbst* für Bar. und Streichquintett op. 55, 1946; 2 *Mystical Songs* für S., A. und Streichquartett op. 109) und mit Kl. (Lieder auf Texte von Chr. Morgenstern: op. 21, 1936, op. 36, 1938, und op. 53, 1946) sowie Chöre a cappella.
Lit.: Werkverz. in: Composers of the Americas XV, Washington (D. C.) 1969.

+Roger-Ducasse, (Jean-Jules Aimable), 1873 – 19. [nicht: 20.] 7. 1954 zu Le Taillan-Médoc (Gironde) [nicht: Bordeaux].
R.-D. wirkte am Pariser Conservatoire 1929–35 als Professeur d'ensemble instrumental und dann bis 1945 [nicht: 1940] als Professeur de composition.
Lit.: H. KAUFMANN, Zur Wertung d. Epigonentums in d. Musik, NZfM CXXIX, 1968, Wiederabdruck in: Spurlinien, Wien 1969.

+Rogers, Benjamin, [erg.: Mai] 1614 – 1698.
Er wurde um 1660 [nicht: 1610] Organist am Eton College.
Ausg.: ein Ayre in: Early Engl. Keyboard Music, hrsg. v. H. FERGUSON, Bd I, London 1971; Complete Keyboard Works, hrsg. v. R. RASTALL, ebd. 1973(?).
Lit.: P. A. EVANS in: MGG XI, 1963, Sp. 634f.; R. RASTALL, B. R., Some Notes on His Instr. Music, ML XLVI, 1965.

+Rogers, Bernard, * 4. 2. 1893 zu New York, [erg.:] † 24. 5. 1968 zu Rochester (N. Y.).
An der Eastman School of Music in Rochester wirkte R. bis 1967 (zuletzt als Leiter des Department of Composition and Orchestration). – Werke: die einaktigen Opern *The Marriage of Auda* (Rochester 1932), *The Warrior* (NY 1947), *The Veil* (Bloomington/Ind. 1950) und die Kinderoper *The Nightingale* (nach H. Chr. Andersen, NY 1956); 5 Symphonien (*Adonais*, 1925; 1928; *On a Thanksgiving Song*, 1936; 1945; *Africa*, 1959), *The Sailors of Toulon* (1942), *Invasion* (1943), *In Memory of Fr. D. Roosevelt* (1945), Variationen über ein Lied von Mussorgskij (1959), *New Japanese Dances* (1961) und *Apparitions* (1967) für Orch.; *Portrait* für V. und Orch. (1955); *The Plains* (1944), *Characters from H. Chr. Andersen* (1944), *The Silver World* (1950) und *Allegory* (1961) für Kammerorch.; Streichtrio (1953), *Ballade* für Fag., Va und Kl. (1960), Violinsonate (1961); *The Passion* für Soli, Chor und Orch. (1941), Kantaten *The Raising of Lazarus* (1927) und *The Exodus* (1932) für Chor und Orch.; *The Musicians of Bremen* für Sprecher und 13 Instr. (1958); Chöre (u. a. Psalm 18, 1962; *Feary Song*, 1965; *Dirge for Two Veterans*, 1967; Psalm 114, 1968). – +*The Art of Orchestration* (1951), Nachdr. Westport (Conn.) 1970.
Lit.: Werkverz. in: Composers of the Americas X, Washington (D. C.) 1964.

George Rogers & Sons, englische Klavierbaufirma in London, gegründet 1843 von George R., gegenwärtig geleitet von H. B. Lowry und I. D. Zender. Die Firma hat als Tochtergesellschaften J. J. Hopkinson & Sons (gegründet 1835 in London, angekauft 1908) und Steinberg Pianos Ltd. (gegründet 1908 in Berlin, angekauft 1966).

Roget, Henriette → +Puig-Roget, H.

Roggenkamp, Peter, * 18. 2. 1935 zu Hamburg; deutscher Pianist, studierte in Hamburg an der Musikhochschule bzw. Universität Schulmusik, Klavier und englische Literatur sowie privat bei Askenase Klavier. 1971–72 hatte er einen Lehrauftrag an der Hamburger Musikhochschule. 1972 wurde er Dozent an der Musikhochschule in Lübeck. R. tritt besonders für die Musik von Komponisten des 20. Jh. ein (zahlreiche Uraufführungen). Konzertreisen führten ihn durch verschiedene europäische Länder sowie nach Nord- und Südamerika.

Roggius, Nicolaus, * zu Göttingen, † 29. 11. 1567 zu Braunschweig; deutscher Musiktheoretiker, war ab 1551 Kantor am Martineum in Braunschweig und verfaßte die Schrift *Musicae practicae sive artis canendi elementa* (Nürnberg 1566, weitere Aufl. 1586, 1589 und 1596), in der er das um 3 Töne erweiterte Tonsystem nur in einem Oktavausschnitt erläutert, da allen Tönen dieselben Solmisationssilben zugeordnet werden und nur nach Cantus duralis und mollaris unterschieden wird.
Lit.: F. SANNEMANN, Die Musik als Unterrichtsgegenstand in d. ev. Lateinschulen d. 16. Jh., = Mw. Studien IV, Bln 1904; H. LORENZEN, Der Kantor H. Grimm, Diss. Hbg 1940; KL. W. NIEMÖLLER, Untersuchungen zu Musikpflege u. Musikunterricht an d. deutschen Lateinschulen v. ausgehenden MA bis um 1600, = Kölner Beitr. zur Musikforschung LIV, Regensburg 1969.

Rogier (rɔʒj'e), Philippe de, * um 1560/61 zu Namur, † 29. 2. 1596 zu Madrid; französischer Komponist, wurde 1572 Chorknabe an der königlichen Kapelle Philipps II. von Spanien in Madrid und 1582 Sousmaître neben De la Hèle sowie 1588 nach dessen Tode Maître de chapelle. Seine Kompositionen umfassen Messen, Motetten, Magnificat, Antiphonen, Responsorien, Villancicos und Chansons; gedruckt erhalten sind: 6 Messen für 3–6 St. (*Missae sex Ph. Rogerii*, Madrid 1598); 22 Motetten für 4–8 St. (*Sacrarum modulationum quas vulgo motecta appellant*, Neapel 1595); 4 Chansons für 5 und 6 St. (*Le rossignol musical des chansons de divers et excellens autheurs*, Antwerpen 1598).
Ausg.: Eleven Motets, hrsg. v. L. J. WAGNER, = Recent Researches in the Music of the Renaissance II, New Haven (Conn.) 1966.
Lit.: SH. N. KOWADLO, Ph. de R. and His Polyphonic Antiphon »Salva nos domine«, in: Essays ..., Fs. M. J. Bernadete, NY 1965; P. BECQUART, Musiciens néerlandais à la cour de Madrid. Ph. R. et son école (1560–1647), = Acad. royale de belgique, Classe des beaux-arts, Mémoires, 2. Serie, Bd XIII, 4, Brüssel 1967.

⁺Rogner, Eva Maria, * 31. [nicht: 28.] 5. 1928 zu Zürich.
E. M. R., die heute in Zürich und Wien lebt, war Mitglied der Bayerischen Staatsoper in München bis 1968; seitdem beschränkt sie ihr Wirken auf Gastspiele und Konzerte. Sie wirkte mit in Ur- und Erstaufführungen von Werken u. a. von P. Boulez, L. Dallapiccola, H. W. Henze, Krz. Penderecki und B. A. Zimmermann.

Rognoni (roɲ'o:ni), Luigi, * 27. 8. 1913 zu Mailand; italienischer Musikforscher, studierte bei A. Casella (Musik) und Antonio Banfi (Philosophie) an der Universität Mailand. 1935 gründete er die avantgardistische Zeitschrift *Vita e cultura musicale* und war einige Jahre Redakteur der RMI. Er setzte sich als Dirigent und Organisator besonders für die Werke der Wiener Schule und der Gruppe der Six ein. 1955 gründete er zusammen mit Alberto Mantelli in Mailand das Studio di Fonologia Musicale bei RAI, das er seither leitet. 1957 wurde er Ordinarius für Musikgeschichte an der Universität Palermo. – Schriften: *Un'opera incompiuta di Mozart: »L'oca del Cairo«* (Mailand 1937); *Ritratto di L. Cortese* (ebd. 1941); *Il »Mandarino meraviglioso« di Bartók e »Anfione« di Honegger* (ebd. 1944); *Cinema muto. Dalle origini al 1930* (historisch-kritische Monographie, Rom 1952); *Espressionismo e dodecafonia* (Turin 1954, erweitert als *La scuola musicale di Vienna*, ²1966); *Rossini* (Parma 1956, Turin ²1968); *Fenomenologia della musica radicale* (= Bibl. di cultura moderna Bd 624,

Bari 1966); ferner zahlreiche Aufsätze zu Fragen der Kritik, Geschichte, Philosophie und Ästhetik der Musik.

⁺Rognoni Taeggio (Rognioni, Rognone Taegio), –1) Riccardo (Richardo; er nannte sich lediglich Rognoni, seine Söhne hingegen nannten sich Rognoni Taeggio), [erg.:] * bei Bergamo, [erg.:] † vor 1620. Die ⁺Veröffentlichung von 1592, betitelt *Passaggi per potersi essercitare nel diminuire terminatamente con ogni sorte d'instrumenti* ... [del. früherer Titel], ist ein Lehrbuch der Verzierungskunst.
–2) Giovanni Domenico, [erg.:] † vor 1626(?). Neben einer Anzahl weiterer Kompositionen in Sammelwerken seiner Zeit ist die ⁺*Messa de morti ambrosiana et romana* ... [del. früherer Titel] zusammen mit 13 Motetten enthalten in *Il 2° libro de concerti a 1–4 v. di M. Grancini et G. D. R. T.* (1624 [nicht: 1604]).
–3) Francesco, [erg.:] † vor 1626(?). Er diente als junger Musiker König Sigismund III. von Polen, war Kapellmeister des Fürsten von Masserano (1610) und Leiter der Instrumentalmusik des Gouverneurs von Mailand (1613–24). – Er veröffentlichte ferner *Canzoni francese per sonar su ogni sorte instr. a 4, 5 et 8* (Mailand 1608) und *Il 1° libro de madrigali a 5 v. con il b. per sonar con il clavicemb. o ghitarione* (Venedig 1613).
Ausg.: zu –3): Selva de varii passaggi ... (1620), Faks.-Ausg. = Bibl. musica Bononiensis II, 153, Bologna 1970.
Lit.: CL. SARTORI: MGG XI, 1963, Sp. 640f.; D. D. BOYDEN, The Hist. of V. Playing ..., London 1965, revidiert 1967, deutsch als: Die Gesch. d. Violinspiels, Mainz 1971. – zu –1) u. –3): I. HORSLEY, The Solo Ricercar in Diminution Manuals. New Light on Early Wind and String Techniques, AMl XXXIII, 1961; G. BARBLAN, I »Rognoni« musicisti milanesi tra il 1500 e il 1600, Fs. A. v. Hoboken, Mainz 1962. – zu –2): A. G. PONZONI, Canzon a 4 v. di G. D. R., Annuario del Conservatorio di musica G. Verdi 1966/67.

Rogoff, Ilan, * 26. 7. 1943 zu Tel Aviv; israelischer Pianist, studierte an der Rubin Academy of Music in Tel Aviv (Karol Klein), am Conservatoire Royal de Musique in Brüssel (Askenase) und 1965 an der Mannes Music School in New York (Leonard Shure). 1969 erhielt er den 1. Preis beim Concurso Internacional Guanabara in Rio de Janeiro. R., der seine pianistische Laufbahn im Alter von 12 Jahren begann, hat seitdem in ganz Europa, den USA und in Brasilien konzertiert.

⁺Rogowski, Ludomir Michał, 1881 – 13. 3. [nicht: 14. 2.] 1954.
Lit.: M. MALINOWSKI in: Słownik muzyków polskich, hrsg. v. J. Chomiński, Bd II, Krakau 1967, S. 147ff. – ST. KASZYŃSKI in: Ruch muzyczny III, 1959, Nr 15, S. 14ff.; M. BRISTIGER, L. M. R.ego skale i idee muzyczne (»L. M. R.s Tonleitern u. mus. Vorstellungen«), in: Studia, Fs. H. Feicht, Krakau 1967.

Rohaczewski (rɔhatʃ'ɛfski), Andrzej; polnischer Komponist und Organist der 1. Hälfte des 17. Jh., war Organist am Hofe des Fürsten Albert Radziwiłł in Ołyce und Nieśwież. Von seinen Werken sind eine 4st. Canzona für Org. oder 4 Instr. und eine 9st. Motette *Crucifixus surrexit* mit einer Orgeltabulatur von Pelplin erhalten geblieben.
Lit.: A. SUTKOWSKI, Nieznane polonica muzyczne z 16. i 17. wieku (»Unbekannte polnische Werke aus d. 16. u. 17. Jh.«), in: Muzyka V, 1960; DERS. u. O. MISCHIATI, Una preziosa fonte ms. di musica strumentale. L'intavolatura di Pelplin, in: L'org. II, 1961.

Rohleder, Friedrich Traugott, * 1780 zu Schweidnitz, † um 1850 zu Hamburg; deutscher Pfarrer, wirkte 1817–39 in Lähn (Schlesien). Er schrieb: *Die musikalische Liturgie der evangelisch-protestantischen Kirche. Für Liturgen und Kirchenmusiker ... als eine theoretisch-praktische Kirchen-Musik-Schule* (Glogau und Lissa

1828, ²1831); *Analytische Erklärung des ... Chorals »Herr Gott dich loben wir!«* und *Einige Gedanken über Kirchen-Figural-Vocalmusik* (Zs. »Eutonia«, [Breslau] 1829); *Vermischte Aufsätze zur Beförderung der Kirchenmusik* (Löwenberg 1833).
Lit.: C. J. A. HOFFMANN, Die Tonkünstler Schlesiens, Breslau 1830; S. KÜMMERLE, Encyklopädie d. ev. Kirchenmusik III, Gütersloh 1894; FR. BLUME, Gesch. d. ev. Kirchenmusik, Kassel ²1965.

+Rohloff, Ernst, * 17. 4. 1899 zu Graudenz (Grudziąz, Weichsel).
Weitere Veröffentlichungen: *Neidharts Sangweisen* (2 Bde, = Abh. der Sächsischen Akademie der Wissenschaften, Philologisch-historische Klasse LII, 3–4, Bln 1962); *Die Quellenhandschriften zum Musiktraktat des J. de Grocheio* (Faks. nebst Übertragung des Textes und deutscher Übers., Lpz. 1972).

+Rohr, Otto von, * 24. 2. 1916 zu Berlin.
Ständige Gastspiele führten O. v. R., der heute in Bürg (bei Stuttgart) lebt, vor allem an die Staatsoper in Wien.

+Rohwer, Jens, * 6. 7. 1914 zu Neumünster (Holstein).
R.s Dissertation *+Der Sonanzfaktor im Tonsystem* (1958) erschien gedruckt in einer überarbeiteten Neufassung als *Die harmonischen Grundlagen der Musik* (= Kieler Schriften zur Musikwissenschaft XIX, Kassel 1970). Von seinen Veröffentlichungen seien weiter genannt: *Neueste Musik. Ein kritischer Bericht* (Stuttgart 1964; vgl. dazu K. Boehmer in: Mf XX, 1967, S. 181ff., und R. selbst in: Mf XXI, 1968, S. 69ff.); *Sinn und Unsinn in der Musik. Versuch einer musikalischen Sinnbegriffs-Analyse* (Wolfenbüttel 1969); *Neue Musik, kirchenfeindlich?* (MuK XLII, 1972); *Von Tonmusik zu Klangmusik* (Zs. für Musiktheorie III, 1972). – Neuere Kompositionen: die Ballettpantomime *Chelion* (nach A. Stifters »Die Narrenburg«, 1967); Klavierkonzert (1964); Streichquartett (1970); *12 neue Klavierstücke. Versuche mit Praeludien und Fugen* (1966) und *Webmuster* (1969) für Kl.; Choralfantasien für Org. (1970); Oratorium *Christus triumphator* für Chor a cappella (1964); Kantate *Die Verlesung des Paulusbriefes* für 4 Soli, gem. Chor und Orch. (1973).

+Rokseth, Yvonne, 1890–1948.
+The Instrumental Music of the Middle Ages and Early 16ᵗʰ Cent. (in: Ars Nova and Renaissance ..., 1960), ital. Ausg. Mailand 1964; *+Deux livres d'orgue parus en 1531 chez P. Attaingnant ...* (1925), Nachdr. Paris 1968. – Der letzte (4.) Band (*Etudes et commentaires*) der Edition *+Polyphonies du XIIIᵉ s. ...* erschien erst 1948 [nicht: 1939].

Roland, Marc, * 4. 1. 1894 zu Bremen; deutscher Komponist, studierte 1911–14 an der Musikhochschule in Würzburg, war zunächst Theaterkapellmeister, ab 1914 in Bremen, ab 1919 in Berlin. Seit 1920 lebt er freischaffend. Er kam bereits 1920 zum Film als musikalischer Bearbeiter des Paul Wegener-Films *Golem* und zählte bald zu den namhaften deutschen Stummfilmkomponisten (*Fridericus Rex*, 2 Teile, 1920 und 1922; *Alt Heidelberg*, 1922/23; *Der Weltkrieg*, 1927). Von seinen zahlreichen Tonfilmmusiken seien genannt: *Die Tänzerin von Sanssouci* (1932); *Eine Nacht im Paradies* (1932); *Ein Mädchen mit Prokura* (1934); *Ferien vom ich* (1934 und 1952); *Fridericus* (1936); *Maya* (1958); *Die Geburt des Lichts* (1958). Insgesamt komponierte R. über 100 Film- und Fernsehmusiken, außerdem die Spieloper *Der Lange Pfeffer*, Operetten (*Liebe und Trompetenblasen*, 1954, auch verfilmt), Singspiele, Orchesterwerke und Lieder.

Lit.: H. A. THOMAS, Die deutsche Tonfilmmusik, = Neue Beitr. zur Film- u. Fernsehforschung III, Gütersloh 1962.

+Roland-Manuel (eigentlich Roland Alexis Manuel Lévy), * 22. 3. 1891 und [erg.:] † 1. 11. 1966 zu Paris.
Am Pariser Conservatoire war R.-M. ab 1959 auch Professor für Pädagogik. – *+M. Ravel* (1938), Nachdr. der +engl. Ausg. (1947) NY 1972 und Magnolia (Mass.) 1973; *+Sonate, que me veux-tu?* (Lausanne [nicht: Paris] 1957), Neuaufl. als *+Réflexions sur l'art musicale*, ebd. 1965. – Er gab heraus *Histoire de la musique* (2 Bde, = Encyclopédie de la Pléiade IX und XVI, Paris 1960–63).
Lit.: L. CORTESE in: RIdM II, 1967, S. 187ff.; J. ROY in: Journal mus. frç. 1967, Nr 153, S. 18f.

Rolandi, Ulderico, * 23. 7. 1874 und † 3. 12. 1951 zu Rom; italienischer Musikkritiker, Dr. med., von Beruf Gynäkologe, wirkte als Musikkritiker bei RMI und anderen Zeitschriften und widmete sich dem Studium der Librettistik. Seine Sammlung von etwa 30 000 Libretti wurde nach seinem Tode von der Fondazione Cini di Venezia erworben. Von seinen Veröffentlichungen seien genannt: *Il librettista del »Matrimonio segreto«* (Tricase 1926); *»I promessi sposi«, posti in musica per la prima volta* (Velletri 1927); *Virgilio, fonte di libretti per musica* (Monza 1930); *Musica e musicisti in Malta* (Livorno 1932); *A. Ponchielli librettista* (Como 1935); *Per una bio-bibliografia di D. Scarlatti* (Boll. dei musicisti III, 1935); *Riflessi orazani nei libretti per musica* (Il giornale di politica e di letteratura XIV, [Rom] 1938); *Librettistica rossiniana* (in: Musica I, [Florenz] 1942); *Libretti e librettisti verdiani* (Rom 1944); *Il libretto per musica attraverso i tempi* (ebd. 1951).

+Roldán, Amadeo, 1900–39.
R., 1936–38 auch Direktor des Conservatorio municipal in La Habana, gehört mit A. García Caturla zu den bedeutendsten Vertretern der kubanischen Musik. Als einer der ersten verwendete er verstärkt afro-kubanische Elemente in seinen Kompositionen. Zukunftweisend sind seine *Rítmicas* (Nr 1–4 für Fl., Ob., Klar., Horn, Fag. und Kl., Nr 5–6 für kubanische Schlaginstr., 1930). – Weitere Werke: die Ballette *La Rebambaramba* (1928, La Habana 1961) und »Misterio africano« *El milagro de Anaquillé* (1929, revidiert 1931, ebd. 1960); Ouvertüre über kubanische Themen (1925), 3 *Pequeños poemas* (1926) und 3 *Toques* (1931) für Orch.; *A changó* für 4 Lauten (1928), *Poema negro* für Streichquartett (1930); *Danza negra* (1928) und 8 Stücke *Motivos de son* (1934) für Singst. und 7 Instr., *Curujey* für Chöre, 2 Kl. und 2 Schlaginstr. (1931), *Fiestas galantes* (P. Verlaine, 1923).
Lit.: Werkverz. in: Compositores de América I, Washington (D. C.) 1955, Nachdr. 1962. – A. LEÓN, Las obras para piano de A. R., Rev. de música I, (La Habana) 1960; C. VALDES DE GUERRA, A. R., ebd.; P. PITSCHUGIN, Klassiki kubinskoj musyki, SM XXIX, 1965.

Roldán, Juan Pérez, † 1722 zu Madrid; spanischer Komponist, war Kanoniker an der Kollegiatskirche in Berlanga und wechselte 1636 zur Kathedrale in Toledo über, an der er 1638 Kapellsänger wurde. 1642–46 war er Maestro de capilla an der Kathedrale in Málaga, weilte vermutlich 1655 in Madrid sowie 1656–70 in Saragossa und wurde 1675 als Nachfolger von Carlos Patiño Organist und Maestro de capilla beim Konvent der Reales Descalzas. Er schrieb zahlreiche kirchenmusikalische Werke (Messen, Requiem, Motetten, Psalmen, Magnificat, Lamentationen, Hymnen und Villancicos).
Ausg.: Motette »Sepulto Domino« f. 4 St. in: Lira sacrohispana, hrsg. v. H. ESLAVA, 18. Jh., I, 1, Madrid 1869.

Lit.: A. LLORDÉN, Notas hist. de los maestros de capilla en la catedral de Málaga, AM XX, 1965.

+**Rolla,** Alessandro, 6. [erg.: oder 22.] 4. 1757 – 1841.

R. schrieb mehr als 5 Ballette; die Schülerschaft Paganinis ist nicht gesichert (→+Paganini).
Ausg.: 2 Duos f. V. u. Va op. 6, hrsg. v. Fr. KNEUSSLIN, = Für Kenner u. Liebhaber XXXVII, Basel 1969; Va-Konzert F dur, hrsg. v. P. CENTURIONI u. O. MERCATALI, = Musiche vocali e strumentali sacre e profane XL, Rom 1970.
Lit.: A. BONACCORSI, Musiche dimenticate del Sette-Ottocento, Rass. mus. XXVI, 1956.

+**Rolland,** Romain [erg.:] Edme Paul Émile, 1866–1944.

Nach *Colas Breugnon* (Paris 1920) entstand u. a. eine gleichnamige Oper von Dm. Kabalewskij (Leningrad 1938), nach *Pierre et Luce* (Paris 1921) u. a. die Oper *Ein Spiel von Liebe und Tod* (»Hra o láske a smrti« von J. Cikker (München 1969). – +*Les origines du théâtre lyrique moderne* ... (= Bibl. des Ecoles françaises d'Athènes et de Rome LXXI, 1895), Nachdr. Genf 1971, auch tschechisch; +*Beethoven. Vies des hommes illustres* (1903), als +*La vie de Beethoven* (1927) [del. bzw. erg. frühere Angaben], NA Paris 1959 = Biogr. VI, und 1964, NA der Ausg. +Zürich 1936 = Meisterbiogr. o. Nr, ebd. 1958 und 1969, engl. NY 1917, ³1919, Nachdr. Freeport (N. Y.) 1969 = Select Biogr. Reprint Series o. Nr, und NY 1973, auch polnisch, rumänisch, russ., span., tschechisch und ungarisch; +*Jean-Christophe* (1904–12), »Éd. définitive« auch Paris 1956 und 1961, deutsch = Gesammelte Werke in Einzelbänden o. Nr, Bln 1959, ²1966, und Genf 1970, +engl. ([erg.: London] 1910–13) auch NY 1928, Nachdr. NY 1958, NA in 3 Bden NY 1969; +*Musiciens d'autrefois* (1908), Nachdr. der +engl. Ausg. ([erg.: NY] 1915) = Essay Index Reprint Series o. Nr, Freeport (N. Y.) 1968, auch polnisch, serbokroatisch, tschechisch und ungarisch; +*Musiciens d'aujourd'hui* (1908), deutsch als *Musiker von heute*, Bln 1972, Nachdr. der +engl. Ausg. ([erg.: NY] 1915) = Essay Index Reprint Series o. Nr, Freeport (N. Y.) 1969, auch bulgarisch, tschechisch und ungarisch; +*La vie de Haendel* (1910), Nachdr. der Ausg. +Zürich 1922, ebd. 1960, +Bln 1954 = Gesammelte Werke in Einzelbänden o. Nr, ²1955, Nachdr. der +engl. Ausg. ([erg.: London und NY] 1916) NY 1969 und 1971, auch polnisch, tschechisch und ungarisch; +*Voyage musical au pays du passé* (1919), Nachdr. der +engl. Ausg. ([erg.: London] 1922) = Essay Index Reprint Series o. Nr, Freeport (N. Y.) 1967, auch ungarisch; +*Beethoven. Les grandes époques créatrices* (7 Bde, 1928–49 [del. frühere Angaben], auch 1959), »Éd. définitive« = Musiciens de tous les temps XXX, Paris 1966, deutsch Bd I als *Beethovens Meisterjahre. Von der Eroica bis zur Appassionata,* = Gesammelte Werke in Einzelbänden o. Nr, Bln 1952, engl. Bd I, NY 1964, und Gloucester (Mass.) 1965, Bd II, *Goethe and Beethoven,* NY 1931, Nachdr. 1968 und NA 1973, auch bulgarisch, rumänisch, russ. und tschechisch.
Ausg.: +Essays on Music ([erg.:] hrsg. v. D. EWEN, 1948), NA NY 1960.
Lit.: +R. R. u. R. Strauss. Correspondence (G. SAMAZEUILH, 1951), Neuaufl. Paris 1959, engl. hrsg. v. R. Myers, Berkeley (Calif.) u. London 1968, Paperbackausg. London 1970, russ. = Is arch. Rollana III, Moskau 1960. – Briefe in: StMl I, 1961, S. 491f. (an A. Győző), SM XXVI, 1962, H. 11, S. 49ff. (Briefwechsel mit D. Gatschew), Händel-Jb. IX, 1963, S. 7ff. (an F. Raugel, nebst Aufsätzen über Händel), ferner: Lettre à une jeune fille qui n'aime pas Beethoven, in: Europe XLVIII, 1970 (an Cl. Bréal). – Wospominanija (»Erinnerungen«), hrsg. v. I. ANISSIMOW u. JE. WANSLOWA, Moskau 1966. – R. PICHLER, R. R.,

Sein Leben in Bildern, Lpz. 1962. – H. FÄHNRICH in: SMZ XCVI, 1956, S. 149ff., bzw. XCVII, 1957, S. 384ff. (zum Briefwechsel mit M. v. Meysenbug bzw. A. Kippenberg); DERS., »Die Vollendung d. Klass. Kunst«. Ein ungeschriebener Bd d. Beethovenforschung R. R.s, NZfM CXXI, 1960; DERS. in: Mf XIV, 1961, S. 22ff., bzw. in: Mitt. d. Internationalen R. Strauss-Ges. 1969, Nr 62/63, S. 3ff. (zum Briefwechsel u. zu d. Beziehungen mit R. Strauss); O. NOVÁK in: Sborník prací filosofické fakulty brněnské univ. V, D 3, 1956, S. 55ff. (zu R.s Entwicklung bis zum »Jean-Christophe«; J. ROBICHEZ, R. R., = Connaissances des lettres LVII, Paris 1961; A. ESPIAU DE LA MAËSTRE, Debussys Deklamationstechnik in »Pelléas et Mélisande« im Lichte d. Briefwechsels v. R. Strauss u. R. R., ÖMZ XVII, 1962; J. W. KLEIN in: MR XXVII, 1966, S. 211ff.; M. REINHARDT, Jean-Christophe et H. Wolf, SMZ CVI, 1966; DERS., Compositions mus. inspirées par des œuvres de R. R., SMZ CXII, 1972; J. SMOLKA, R. R. musikolog, in: Sborník prací akádemie múzických umění v Praze I, 1966; J. KOLBERT, R. R., Biographer of German Heroes, Rev. de littérature comparée XLII, 1968; D. SICES, Music and the Musician in Jean-Christophe. The Harmony of Contrasts, = Yale Romanic Studies II, 17, New Haven (Conn.) u. London 1968; J. ANDREIS in: Zvuk 1969, Nr 99, S. 393ff.; B. URIZKAJA, R. Rollan, Musykant, Leningrad 1971; M. SEE, R. Strauss u. R. R., Bilanz einer Lebensfreundschaft, NZfM CXXXIV, 1973.

+**Rolle,** –1) Christian Friedrich, [erg.:] 14. 4. 1681 [nicht: 1648] – [erg.: 25. 8.] 1751.
–2) Johann Heinrich, 1716–85. Er wurde 1740 [nicht: 1841] Violinist in der Berliner Hofkapelle Friedrichs II. und 1746 [nicht: 1745] Johannisorganist in Magdeburg. – Das »musikalische Drama« +*Der Tod Abels* entstand 1769 [nicht: 1776]. Der Klavierauszug und die Partitur von +*Abraham auf Moria* erschienen 1777 [del. frühere Angabe dazu].
Lit.: zu –2): D. JENSEN, The Music Dramas of J. H. R., Diss. Union Theological Seminary (N. Y.) 1961.

Roller, Alfred, * 2. 10. 1864 zu Brünn, † 21. 6. 1935 zu Wien; österreichischer Bühnenbildner und Maler, studierte an der Wiener Akademie der bildenden Künste, war 1898 Gründungsmitglied der Wiener »Secession« und erhielt 1900 eine Professur an der dortigen Kunstgewerbeschule. 1903 wurde er Direktor des Ausstattungswesens an der Wiener Hofoper, an der er mit Mahler erstmals eine auf der Einheit von Inszenierung, Dekoration und musikalischer Interpretation beruhende Form des »Musiktheaters« entwickelte (*Tristan und Isolde,* 1903; *Fidelio,* 1904; *Das Rheingold* und *Don Giovanni,* 1905; *Lohengrin* und »Die Hochzeit des Figaro«, 1906; *Die Walküre* und »Iphigenie in Aulis«, 1907). Nach Mahlers Demission kehrte R. an die Kunstgewerbeschule zurück (1909 Direktor), arbeitete aber weiter als freier Bühnenbildner (*Fidelio,* NY 1907; *Der Rosenkavalier,* Dresden 1911; *Parsifal,* Wien 1914). 1918 wurde er Ausstattungsleiter der Wiener Staatstheater (*Die Frau ohne Schatten,* 1919); ab 1922 war er auch Bühnenbildner für die Salzburger Festspiele (vor allem Mozart- und Strauss-Opern), ab 1923 Leiter der Bühnenbildklasse an der Wiener Akademie für Musik und darstellende Kunst und 1929–33 gleichzeitig am Reinhardt-Seminar. 1934 entwarf er die Bühnenbilder für den Bayreuther *Parsifal.* Er schrieb: *Bühnenreform* (in: Der Merker I, 1910); *Anmerkungen zu den Dekorationsskizzen für »Elektra«* (ebd.); *G. Mahler und die Inszenierung* (in: Musikblätter des Anbruch II, 1920). – R., als Maler der dekorativen Flächenkunst des Wiener Jugendstils verpflichtet, ersetzte das Bühnenbild des Historismus durch eine mit dem musikalischen Ausdruck korrespondierende Szenengestaltung: Farbe wurde zum dominierenden Element (berühmt ist der Gelb-Orange-Rot-Akkord im ersten *Tristan-*Akt). Die szenische Realisierung gründete stets auf

werkimmanenter Interpretation, dies erklärt die stilistischen Unterschiede in seinen Ausstattungen. Theatergeschichtlich bedeutsam wurde die Wiederentdeckung der Form des Théâtre italien mit Proszenium (*Don Giovanni*) und die Verwendung von praktikablen Eckpylonen (»Roller-Türme«).
Lit.: M. MELL, A. R., = Die Wiedergabe I, 2, Wien 1922; O. FISCHEL, Das moderne Bühnenbild, Bln 1923; A. ROSENZWEIG, Der Ring d. Nibelungen in d. Wiener Staatsoper, Wien 1933; L. KITZWEGERER, A. R. als Bühnenbildner, Diss. ebd. 1959; G. Mahler u. seine Zeit, Ausstellungskat. hrsg. v. FR. HADAMOWSKY, ebd. 1960; I.-M. KÜGLER, Auf d. Wege zur Reform. G. Mahler u. A. R.s Zusammenarbeit an d. Wiener Hofoper 1903–07, in: »Der Ring d. Nibelungen«. Studie zur Entwicklungsgesch. seiner Wiedergabe auf d. deutschsprachigen Bühne, Diss. Köln 1967; ST. STOMPOR, G. Mahler als Dirigent u. Regisseur, Jb. d. Komischen Oper Bln VIII, 1967/68; 50 Jahre Salzburger Festspiele, Ausstellungskat. Salzburg 1970; Der Rosenkavalier. Fassungen, Filmszenarium, Briefe, hrsg. v. W. SCHUH, Ffm. 1971. HS

Rolli, Paolo Antonio, * 13. 6. 1687 zu Rom, † 20. 3. 1765 zu Todi (Umbrien); italienischer Dichter und Librettist, war mit Metastasio Schüler des Abate G. V. Gravina, wurde 1714 Accademico quirino und begab sich 1715 nach London, wo er ab 1719 offizieller Dichter der Royal Academy of Music war. 1720 wurde sein *Numitore* (Musik G. Porta) am Haymarket Theatre als erstes seiner in Musik gesetzten Libretti aufgeführt. Nach Zwistigkeiten mit der Direktion wurde er 1733 Dichter für die mit Händel rivalisierende Opera of the Nobility. 1744 kehrte er nach Italien zurück und ließ sich in Todi nieder. Seine Libretti vertonten u. a. G.B. Bononcini, Galuppi, Händel (*Floridante*, London 1721; *Scipione* nach Zeno, ebd. 1726; *Deidamia*, ebd. 1741), J. A. Hasse, Lampugnani, Orlandini, Porpora (*Arianna in Nasso*, ebd. 1733; *Ifigenia in Aulide*, ebd. 1735) und D. Scarlatti.
Lit.: G. E. DORRIS, P. R. and the Ital. Circle in London, 1715–44, Den Haag 1967.

Rolling Stones. – Michael P. Jagger, * 26. 7. 1944 zu Dartford (Gesang, Mundharmonika); Keith Richard, * 18. 12. 1944 zu Dartford (Gitarre); Brian Jones, * 28. 2. 1944 zu Cheltenham, † 2. 7. 1969 zu Hartford/Sussex (Gitarre, Mundharmonika, Klavier, Orgel, Sitar); Bill Wyman, * 24. 10. 1941 zu Lewisham/London (Baßgitarre, Klavier); Charles Watts, * 2. 6. 1942 zu Islington/London (Schlagzeug); englische Popgruppe, 1962 in London entstanden und neben den Beatles bekannteste Vertreter des Beat, trat in unmittelbare Konkurrenz zu den Beatles, als diese ihre aggressive, stark rhythmisch bestimmte Musik aus der Zeit zwischen 1960 und 1963 zugunsten differenzierterer musikalischer Gestaltung und ironisierender Themen aufgaben und die R. St. die rebellische Jugend repräsentierten. Wie die Beatles begannen aber auch die R. St. später mit elektronischen Experimenten und musikalischer Collagentechnik, verbunden mit surrealistischen Texten (*Their Satanic Majesties Request*, TSX 103), kehrten danach jedoch wieder zu Bluesschema und Vorstadtslums-Thematik zurück (*Beggar's Banquet*, SLK 16570). – Weitere Aufnahmen: *Between the Buttons* (SLK 19450-P); *Got Live If You Want It* (SHZT 547); *Aftermath* (SLK 16415-P); *The R. St.* (BLK 16325-P); *Flowers* (SLK 16487-P).
Lit.: R.-U. KAISER, Das Buch d. neuen Pop-Musik, Düsseldorf 1969; Let It Bleed. Die R. St. in Altamont, hrsg. v. S. SCHOBER, München 1970; J. WENNER, Lennon Remembers. The R. St. Interviews with J. Lennon and Yoko Ono, NY 1971, London 1972; PH. BAS-RABÉRIN, Les R. St., = Rock and Folk o. Nr, Paris 1972.

+Rollins, Sonny (Theodore Walter), * 7. 9. 1929 zu New York.
1963 fand R. in Zusammenarbeit mit dem Free Jazz-Musiker Don Cherry Anschluß an die Jazz-Avantgarde, kehrte später aber zum Be-bop-Stil zurück. Seit 1966 verwendet er auch Klavier in seiner Combo. Aufnahmen: *3 Giants* (MPS 7291); *Saxophone Colossus* (MPS 7326); *Jazz Classics* (MPS 7433); *Trio* (Verve V 6-8430); *Blao!* (Fontana 883274); *The Freedom Suite* (Riverside RS-3010); *Way Out West* (Contemporary 7530).
Lit.: J. GR. JEPSEN, Discography of Th. Monk and S. R., Brande (Dänemark) 1960; B. MCRAE, The Jazz Cataclysm, South Brunswick (N. Y.) u. London 1967.

+Roloff, Helmut, * 9. 10. 1912 zu Gießen.
R. ist seit 1970 als Nachfolger B. Blachers Direktor der Berliner Musikhochschule. Konzertreisen führten ihn u. a. bis nach Japan und Südamerika.

+Roman, Johan Helmich, 1694 – 20. 11. [nicht: 19. 10.] 1758.
R. reiste 1715/16 [nicht: 1714] nach England, ist aber nicht beim Herzog von Newcastle nachweisbar. 1721 [nicht: 1921] kehrte er nach Stockholm zurück. – Von den *+Assaggi à v. solo* erschien lediglich ein Probedruck von 2 Sätzen. Die beiden *+Sinfonie da chiesa* und die beiden *+Concerti grossi* sind unecht. R. komponierte 4 [nicht: 6] *+Orchesterouvertüren* und 4 [nicht: 5] *+Violinkonzerte*, ferner ein Oboenkonzert B dur.
Ausg.: 12 Sätze aus »Drottningholms-Musiquen«, hrsg. v. CL. GENETAY, Stockholm 1958; Ob.-Konzert B dur, hrsg. v. H. BLOMSTEDT, Bln 1959; Sinfonie Nr 1–3 G dur, F dur u. B dur, hrsg. v. I. BENGTSSON, = Monumenta musicae Svecicae IV, Stockholm 1965. – *+6 Assaggi* ... (DERS. u. L. FRYDÉN, 1958), Neudr. ebd. 1970.
Lit.: Aufsatzfolge in: Musikrevy XIII, 1958, S. 181ff. (I. BENGTSSON zu J. H. R., 200 Jahre, dass. auch in: STMf XL, 1958, S. 5ff., Å. VRETBLAD zu R. u. d. zeitgenössischen Lied, u. R. ENGLÄNDER zum Stil). – D. W. SØRENSEN in: Norsk musikkranskning, Årbok 1956–58, S. 266ff.; I. BENGTSSON, »Signor Leos dixit imiterat af R.«, En inledande studie över J. H. R.s mus. bearbetningsteknik, STMf XL, 1958; DERS.; R. som orgelsakkunnig, ... (»R. als Orgelsachverständiger. Einige Bemerkungen zu 2 neu aufgefundenen Briefen«), STMf XLII, 1960; DERS. in: MGG XI, 1963, Sp. 770ff.; DERS., J. H. R., Instrumentalsats i E-dur, BeRI verknr 276, STMf XLVII, 1965; DERS., En nyfunnen källa til R.s Svenska mässa (»Eine neu entdeckte Quelle zu R.s schwedischer Messe«), Svenskt musikhist. arkiv bull. IV, 1969; D. DARLOW in: The Consort XIX, 1962, S. 112ff.; G. CARLEBERG, Buxtehude, Telemann och R., Mus. och biogr. skisser, Stockholm 1965; B. BERTHELSON, Zwei prominente Musikerpersönlichkeiten d. 18. Jh., J. H. R. u. J. M. Kraus, Musikrevy XXV, 1970.

+Romani, Felice, 1788–1865.
Lit.: FR. LIPPMANN in: MGG XI, 1963, Sp. 779ff.; DERS., V. Bellini u. d. ital. Opera seria seiner Zeit, = Analecta musicologica VII, Köln 1969; M. RINALDI, F. R., Dal melodramma class. al melodramma romantico, Rom 1965; G. TINTORI, La Grisi, Bellini e R., in: L'opera II, (Mailand) 1966; P. J. SMITH, The Tenth Muse, NY 1970.

+Romani, –1) Pietro, 1791 – 11. [nicht: 6.] 1. 1877.

Romanovsky, Erich, * 11. 7. 1929 zu Wien; österreichischer Komponist, Organist und Musikforscher, studierte in Wien 1947–49 Kirchenmusik (Heiller, Tittel, Gillesberger, Kosch) und 1952–54 Dirigieren (Swarowsky, Gmeindl) an der Akademie für Musik und darstellende Kunst sowie 1947–52 Musikwissenschaft und Germanistik an der Universität, an der er 1953 mit der Dissertation *J. Venantius von Wöß als Messenkomponist* promovierte. 1955 wurde er Dozent für Harmonielehre, Kontrapunkt, Formenlehre und Partiturspiel

an der Akademie (heute Hochschule) für Musik und darstellende Kunst in Wien (1967 Professor). Er schrieb Orchesterwerke (*Symphonische Phantasie*, 1965; Introduktion und Rondo für Streichorch., 1968; Konzert für Vc. und Orch., 1966), Kammermusik (Nonett für Fl., Ob., Klar., Horn, Fag., V., Va, Vc. und Kb., 1965; Bläserquintett, 1968; Streichquartett, 1960), Toccata (1965) und Praeludium und Fuge (1967) für Kl., Sonate (1958) und *Triptychon super »Veni creator spiritus«* (1960) für Org., Chorwerke (*Missa Rex pacificus*, 1949, *Missa Lumen cordium*, 1952; Zwei Deutsche Psalmen 126 und 129, 1957, und Deutscher Psalm 116, 1957, für gem. Chor a cappella; *Missa Laudate Dominum* für gem. Chor, 2 Trp., 2 Hörner und 2 Pos., 1959; *Deutsches Ordinarium* für Volksgesang, gem. Chor und Org., 1967; *Deutsches Adventsproprium* und *Döblinger Messe* für Chor, 1970) und veröffentlichte das Lehrwerk *Die liturgische Orgelimprovisation. Das deutsche Kirchenlied* (Augsburg 1961).
Lit.: F. Kosch in: ÖMZ XII, 1957, S. 487f.; H. Lemacher in: Musica sacra LXXX, 1960, S. 359ff.

+Romansky, Ljubomir [erg.:] Stojanov (Romanski), * 8.(21.) 1. 1912 zu Sofia.
R. wurde 1968 zum GMD der Stadt Gelsenkirchen ernannt.

Romanus, Antonius, italienischer Komponist des 14./15. Jh., lebte vermutlich in Venedig. Von ihm sind u. a. drei 4st. Motetten (je eine anläßlich der Wahl der venezianischen Dogen Tommaso Mocenigo, 1414, und Francesco Foscari, 1423, und eine zu Ehren von Giovanni Francesco Gonzaga, Herzog von Mantua), 2 Gloria und ein Credo erhalten.
Ausg.: Opera, hrsg. v. F. A. Gallo, = Antiquae musicae Ital., Monumenta Veneta sacra I, Bologna 1965.

+Romberg, –1) Andreas Jacob, 1767–1821. *+Die Großmut des Scipio* (Gotha 1816 [nicht: Bln 1818]).
–2) Bernhard [erg.:] Heinrich, 1767–1841. Seine *+Violoncelloschule Méthode de violoncelle* erschien 1840 in Berlin [nicht: Paris].
Ausg.: zu –2): *+Konzert D dur op. 3 f. Vc. u. Orch.* (H. Münch-Holland, 1930), Neudr. Ffm. 1964.
Lit.: zu –1) u. –2): E. Wulf in: Rheinische Musiker I, hrsg. v. K. G. Fellerer, = Beitr. zur rheinischen Mg. XLIII, Köln 1960, S. 210ff. bzw. 219ff. – zu –2): W. Pape, Die Entwicklung d. Violoncellspiels im 19. Jh., Diss. Saarbrücken 1962; J. Eckhardt, Die Violoncellschulen v. J. J. F. Dotzauer, F. A. Kummer u. B. R., = Kölner Beitr. zur Musikforschung LI, Regensburg 1968.

+Romberg, Sigmund (Zsigmond), 1887 zu Nagykanizsa [nicht: Szeged] – 1951.
Lit.: L. A. Paris, Men and Melodies, NY 1954, S. 69ff.; St. Green, The World of Mus. Comedy, NY 1960 u. 1962, revidiert South Brunswick (N. J.) u. London 1968.

Rome (ɪoum), Harold, * 27. 5. 1908 zu Hartford (Conn.); amerikanischer Komponist und Textdichter von Shows und Musicals, studierte an der Yale University in New Haven (Conn.) zunächst Jura, später Architektur und kam 1934 nach New York, wo er in der Unterhaltungsmusikbranche tätig war. Aufsehenerregenden Erfolg hatte er mit der Show *Pins and Needles* (NY 1937), einer Satire auf die amerikanische Gesellschaft; *Call Me Mister* (NY 1946) mit den Songs *Along with Me* und *South America Take It Away* kommentiert das Rassenproblem der USA. Sein größter Erfolg wurde das Musical *Fanny* (nach Marcel Pagnols »Marius«-Trilogie, NY 1954). Die Western-Musical-Satire *Destry Rides Again* (NY 1959) kam 1969 in Mainz unter dem Titel »Sein größter Bluff« zur deutschen Erstaufführung. R.s Musical *I Can Get It for You Wholesale* (NY 1962, mit dem Song *Miss Marmelstein*) war der Aus-

gangspunkt der Karriere von Barbra Streisand. 1972 wurde in London sein Musical *Gone with the Wind* (Buch Horton Foote, nach Margaret Mitchells Roman) uraufgeführt.
Lit.: St. Green, The World of Mus. Comedy, NY 1960 u. 1962, revidiert South Brunswick (N. J.) u. London 1968; S. Schmidt-Joos, Das Musical, = dtv Bd 319, München 1965; D. Ewen, Great Men of American Popular Song, Englewood Cliffs (N. J.) 1970.

+Romero, Matheo (Mateo; eigentlich Matthieu Rosmarin, auch Romarin), [erg.:] 1575 zu Lüttich – 1647. R., der 1593 [nicht: 1594] Sänger und 1598 [nicht: 1596] Kapellmeister der königlichen Kapelle in Madrid wurde, empfing bereits 1605 [nicht: 1609] die Priesterweihe. – Seine Kompositionen (Messen, Motetten, Magnificat- und Psalmvertonungen sowie Villancicos, Romanzen und Canciones) sind in mehreren Archiven und Bibliotheken Spaniens verstreut, u. a. in den Archiven der Kirchen bzw. Klöster El Escorial, Montserrat, Saragossa und Valladolid sowie in der Biblioteca Nacional in Madrid (Ms. 1262). Der Cancionero des Cl. de la Sablonara enthält 22 Stücke R.s.
Lit.: +R. Mitjana, Comentarios ... (Rev. de filología española VI [nicht: IV], 1919). – P. Becquart, M. R. ou Matthieu Rosmarin (1575–1647), maître de chapelle et compositeur de Philippe III et Philippe IV, in: Arch., bibl. et musées de Belgique XXXIV, 1963; Ders., Au sujet de M. R. (Rosmarin). Les notes biogr. de Barbieri de la Bibl. Nationale à Madrid, AM XXV, 1970; M. Querol, La producción mus. del compositor M. R., in: Renaissancemuziek 1400–1600, Fs. R. B. Lenaerts, = Musicologica Lovaniensia I, Löwen 1969; R. A. Pelinski, Die weltliche Vokalmusik Spaniens am Anfang d. 17. Jh., Der Cancionero Cl. de la Sablonara, = Münchner Veröff. zur Mg. XX, Tutzing 1971.

Romm, Rosa Dawydowna, * 24. 2. (8. 3.) 1916 zu Orenburg (Tschkalow, Südural); jakutisch-sowjetische Komponistin, absolvierte in Moskau 1938 das Musikalische Technikum bei Schebalin und 1945 das Konservatorium. Sie schrieb u. a. eine Ouvertüre über jakutische Volksthemen für Orch. (1957), *Tschurumtschuku*, jakutisches Märchen für Orch. (1962), 4 symphonische Miniaturen (nach dem Epos *Oloncho*, 1970), ein Concertino für Kl. und Orch. (1971), 2 Streichquartette (1946 und 1966), *Jakutskije kartinki* (»Jakutische Bilder«) für V. und Kl. (1972), *Sjuita igr* (»Spielsuite«) für Kinder- und Frauenchor und Orch. (1971), ferner Chöre und Lieder. R. R. ist mit dem Komponisten Genrich Litinskij verheiratet.

+Roncaglia, Gino, * 7. 5. 1883 und [erg.:] † 27. 11. 1968 zu Modena.
Zusammen mit A. Damerini war R. ab 1956 Herausgeber der Sammelschriften der Accademia musicale Chigiana, die alljährlich aus Anlaß der Settimane musicali senesi erschienen (bis 1963; darin viele eigene Beiträge). Von seinen neueren Aufsätzen seien genannt: *Documenti inediti su O. Vecchi, la sua famiglia e l'allievo G. Capilupi* (CHM II, 1957); *La poetica di G. Puccini* (in: G. Puccini ..., hrsg. von G. Arrighi und M. Fulvio, Lucca 1958); *Cherubini operista* (in: L. Cherubini ..., hrsg. von A. Damerini, = »Historiae musicae cultores« Bibl. XIX, Florenz 1962); *Liszt e il suo pensiero sul melodramma italiano* (in: L'opera italiana in musica, Fs. E. Gara, Mailand 1965); *Un capitolo di antica storia musicale modenese ed estense* (CHM IV, 1966).

Ronconi, italienische Sängerfamilie. –1) Domenico, * 11. 7. 1772 zu Lendinara (Rovigo), † 13. 4. 1839 zu Mailand; Tenor, begann seine Laufbahn 1797 in Venedig und machte sich schnell einen Namen. 1801–05 sang er an der italienischen Oper in St. Petersburg, trat dann wieder in Italien auf (1808 an der Mailänder Scala), war 1809 Direktor der italienischen Oper in Wien, ging 1810 nach Paris und kehrte im gleichen Jahr nach Italien zurück, wo er in Monza, Mailand, Bologna und Venedig sang. 1819–29 wirkte er an der Hofoper in München und war gleichzeitig als geschätzter Gesangslehrer tätig. 1829 gründete er eine Gesangsschule in Mailand. Er veröffentlichte Arietten, Romanzen und Solfeggien. –2) Giorgio, * 6. 8. 1810 zu Mailand, † 8. 1. 1890 zu Madrid; Sohn und Schüler von Domenico R., der berühmteste Bariton seiner Zeit, debütierte 1831 in Pavia, trat dann an verschiedenen italienischen Bühnen auf, ab 1833 am Teatro di Valle in Rom, wo er die Titelpartien von Donizettis *Il furioso* und *Torquato Tasso* kreierte. Später sang er in den Uraufführungen von Donizettis *Il campanello, Pia de' Tolomei, Maria di Rudenz* und *Maria Padilla* sowie von Verdis *Nabucco, Ernani, I due Foscari* und *Rigoletto*. Gastspiele und längere Engagements führten ihn nach London (1847–66), Paris, Wien, Budapest, Barcelona, St. Petersburg (1850–60) und Madrid. 1866–74 trat er auch in New York auf und war dann bis zu seinem Tod Gesangslehrer in Madrid. –3) Felice, * 1811 zu Venedig, † 10. 9. 1875 zu St. Petersburg; weiterer Sohn von Domenico R., war als Gesangslehrer in Würzburg (1837), Frankfurt a. M., Mailand (1844–48), London und St. Petersburg tätig. Er komponierte Lieder und schrieb eine Gesangsmethode. –4) Sebastiano, * 1814 zu Venedig, † 6. 2. 1900 zu Mailand; jüngster Sohn von Domenico R., Bariton, Schüler seines Vaters, begann seine Laufbahn 1836 in Lucca in der Titelpartie von Donizettis *Torquato Tasso*. Sein Repertoire umfaßte die gleichen Partien wie das seines Bruders Giorgio R. Er gastierte in London (1836), Wien, in Spanien, Portugal und in den USA. 1871 ließ er sich in Mailand als Gesangslehrer nieder.

+Rong, Wilhelm Ferdinand, [erg.: 5. 8.] 1759 – [erg.: 13. 11.] 1842.

+Ronga, Luigi, * 19. 6. 1901 zu Turin.
R. ist nunmehr auch Mitglied der Accademia delle scienze di Torino. Seine Vorlesungen an der Universität Rom sind in einer Anzahl Bände als *Storia della musica* gesammelt erschienen, von denen genannt seien: *La musica nell'età barocca* (Rom 1959); *Il linguaggio musicale romantico* (ebd. 1960); *La musica europea nella seconda metà dell'Ottocento* (ebd. 1961).

Ronga, Raffaele, * 7. 9. 1916 zu Neapel; italienischer Pianist, Komponist und Musikkritiker, absolvierte das Conservatorio di Musica S. Pietro a Majella in Neapel (Klavier bei Longo, Komposition bei Jachino und G. Napoli) und schlug die Konzertlaufbahn ein. Er war Musikkritiker bei »Mezzogiorno« und »Corriere della nazione« und ist Mitarbeiter verschiedener Zeitschriften. R. leitet das Konservatorium von Salerno (Titularprofessor). Er komponierte u. a. Orchesterwerke (*Neapolis; Motivi*), Kammermusik (*Melopea* für Fl. und Kl.), Klavier- und Orgelwerke sowie Lieder.

Ronnefeld, Peter, * 26. 1. 1935 zu Dresden, † 6. 8. 1965 zu Kiel; österreichischer Dirigent und Komponist, studierte 1950–54 in Berlin bei Riebensahm (Klavier) und bei Blacher (Komposition) sowie 1954–55 am Pariser Conservatoire bei Messiaen (Komposition). 1955 gewann er den 1. Preis beim Dirigentenwettbewerb in Hilversum und führte in Salzburg seine erste Oper *Die Nachtausgabe* auf. 1958–61 war er Assistent H. v. Karajans an der Wiener Staatsoper. 1960 dirigierte er das Ballett *Peter Schlemihl* für das österreichische Fernsehen und brachte 1961 seine Oper *Die Ameise* in Düsseldorf heraus. 1961–63 war er Chefdirigent am

Theater der Stadt Bonn, anschließend GMD in Kiel. – Weitere Kompositionen (Auswahl): *Kleine Suite* für Orch. (1949); Concertino für Fl., Klar., Horn, Fag. und Streichorch. (1950); *Sinfonie 52* (1952); Ouvertüre *Non scholae, sed vitae* (1952); Streichtrio (1952); Rondo für Orch. (1954); *2 Episoden* für Kammerorch. (1956); Kantate *Quartär* (1958); Ballett *Die Spirale* (1961).

+Ronsard, Pierre de, 11. [nicht: 10.] 9. 1524 – 27. [nicht: 17.] 12. 1585 zu [erg.: Saint-Cosme-lès-]Tours. Ausg.: La fleur des musiciens de P. de R., hrsg. v. H. Expert, Paris 1923, Nachdr. NY 1965. – Œuvres complètes, hrsg. v. P. Laumonier, 18 Bde, Paris 1931–65, davon Bd I–VII revidiert u. erweitert hrsg. v. I. Silver u. R. Lebègue, ebd. 1959–60; Œuvres, hrsg. v. I. Silver, 2 Bde, ebd. 1966–67.
Lit.: B. L. Richter, R. Studies (1956–70), in: Neophilologus LVI, 1972. – Sonder-H. P. de R., = Cahiers de l'Ass. internationale des études frç. XXII, 1970, Teil 1. – G. Cohen, R., sa vie et son œuvre, Paris 1956; V. L. Soulnier, Sebillet, Du Bellay, R., l'entrée de Henri II à Paris et la révolution poétique de 1550, in: Les fêtes de la Renaissance I, hrsg. v. J. Jacquot, ebd.; R. Lebègue, R. corrigé par un de ses musiciens, Rev. de musicol. XXXIX/XL, 1957; N. C. Carpenter, R.'s »Préface sur la musique«, Modern Language Notes LXXV, 1960; Fr. Lesure in: MGG XI, 1963, Sp. 889f.; V. E. Graham, Music f. Poetry in France (1550–80), Renaissance News XVII, 1964.

Rontani, Raffaello, * Ende 16. Jh. zu Florenz, † 1622 zu Rom; italienischer Komponist, war 1610–15 in Florenz im Dienste von Antonio de' Medici und ab 1622 in Rom »capo del concerto« bei den Herzögen von Sforza sowie Maestro di cappella an S. Giovanni dei Fiorentini. Von seinen Kompositionen erschienen im Druck: *Gl' affettuosi: il 1° lib. de Madrigali a 3 v. di . . . Per concertare nel chitarrone, ò semplicemente cantati* (Florenz 1610); *Le varie musiche* für 1–3 St. und Cemb. bzw. Chitarrone (6 Bde: I, ebd. 1614, Rom ²1621; ³1623; II, ebd. 1618, ²1623; III, ebd. 1619; IV, ebd. 1620, ²1625; V, ebd. 1620; VI, ebd. 1622; Bd IV und V unter dem Titel *Varie musiche*); ferner einzelne Stücke in Sammelwerken.
Lit.: F. Ghisi, An Early Seventeenth-Cent. Ms. with Unpubl. Ital. Monodic Music by Peri, G. Romano and M. de Gagliano, AMl XX, 1948; N. Fortune, A Florentine Ms. and Its Place in Ital. Song, AMl XXIII, 1951.

Roos, Mary (eigentlich Marianne Rosemarie Schwab), * 9. 1. 1949 zu Bingen (Rhein); deutsche Schlagersängerin, errang 1963 beim internationalen Nachwuchswettbewerb in Knokke (Belgien) den 2. Platz und war 1970 Gewinnerin der »Goldenen Rose von Antibes« und nahm 1972 für die BRD am Grand Prix d'Eurovision in Edinburgh teil (3. Platz mit *Nur die Liebe läßt uns leben*). Zu weiteren von ihr interpretierten Schlagern gehören *Arizona Man, Am Anfang war die Liebe, Lieber John, Wir glauben an morgen* und *Adieu à la coupe*.

+Roos, Robert de, * 10. 3. 1907 zu Den Haag.
R. de R., 1963–67 Botschaftsrat in London, wirkt seitdem in gleicher Stellung an der niederländischen Botschaft in Buenos Aires. Neuere Werke: *Suggestioni* (1961) und *Composizione* (1963) für Orch., *Sinfonia in due moti* für Streichorch. (1968), *Musica per violini, violoncelli e contrabassi* (1971); Konzert für 2 V. und Orch. (1958); 6. und 7. Streichquartett (1969, 1971), Trio für 2 V. und Vc. (1965), *Incidenze* für Fl., Va da gamba (Vc.) und Cemb. (1967), Klaviertrio (1968), *Quattro pezzi* für Bläsertrio (1971), *Quattro per due* für Ob. und Va (1971), Kantate *Postrema verba* für Bar., gem. Chor und 25 Instr. (1969); Bühnenmusiken.

+Root, –1) George Frederick, 1820–95.
+*The Story of a Musical Life* (1891), Nachdr. NY 1970, auch 1973.

Lit.: Fr. J. Metcalf, American Writers and Compilers of Sacred Music, NY 1925, NA 1967.

+Rootham, Cyril Bradley, 1875–1938.
Sein Vater Daniel [erg.: Wilberforce] R., 1837 – [erg.: 31.] 3. 1922.
Lit.: Ch. L. Cudworth in: MGG XI, 1963, Sp. 892ff.

+Ropartz, Joseph-Guy Marie, 1864–1955.
R. lebte nach 1929 zumeist in Lanloup-par-Plouha (Côtes-du-Nord) [nicht: Paris]. – Berichtigungen und Ergänzungen zum früheren Werkverzeichnis: *Le diable couturier* (Paris 1893); *Le mystère de Saint Nicolas* (Nancy 1905); Szenenmusik *Œdipe à Colone* (Paris 1924); das Ballett *Un prélude domical et six pièces à danser pour chaque jour de la semaine* (ebd. 1931); 4. Symphonie (1911); 4. und 6. Streichquartett (1933, 1951); Requiem (1938).
Lit.: Livre du centenaire de J. G. R., Paris 1966. – Bibl. Nationale. Exposition G. R., Kat. bearb. v. S. Wallon, ebd. 1964. – J. Ibert, Notice sur la vie et les travaux de G. R., ebd. 1956; Cl. Chamfray in: Le courrier mus. de France 1964, Nr 7 (Biogr. u. Werkverz.); J. Feschotte, G. R. et l'Alsace, in: SMZ CV, 1965, S. 153ff.; M.-C. Le Moigne in: Annales de Bretagne LXXI, 1964, S. 456ff.; J. Maillard, J. G. R. et la Bretagne, ebd.; Ders. in: La rev. maritime 1965, Nr 219, S. 276ff.; Ders. in: Musicalia II, (Genua) 1971, Nr 2, S. 4ff.; E. Djemil, J. G. R. ou la recherche d'une vocation. L'œuvre littéraire du maître et ses résonances mus., Le Mans 1967; L. Davies, C. Franck and His Circle, London 1970; M. Sigwalt, J.-G. R. à Strasbourg, in: La musique en Alsace, = Publ. de la Soc. savante d'Alsace et des régions de l'Est X, Straßburg 1970.

Roqué Alsina (rɔk'e als'ina), Carlos, * 19. 2. 1941 zu Buenos Aires; argentinischer Komponist und Pianist, studierte 1952–60 in Buenos Aires Musiktheorie, Klavier und Dirigieren (T. Fuchs); als Komponist ist er Autodidakt. 1959–64 gehörte er der Agrupación Nueva Musica Buenos Aires an, 1964–66 hatte er ein Stipendium der Ford Foundation als Artist-in-Residence in Berlin (1965 Zusammenarbeit mit Berio). An der University of Buffalo (N. Y.) war er 1966–68 Mitglied des Center of the Creative and Performing Arts und leitete dort 1967–68 eine Meisterklasse für zeitgenössische Klaviermusik. 1968–72 lebte er in Berlin und übersiedelte dann nach Paris. R. A., der in Europa, Nord- und Südamerika auch als Pianist und Dirigent tätig ist, schrieb u. a.: 4 Klavierstücke (1958, 1960, 1962–65, 1969); *Requiem y aleluya* für S., 5 Instr. und 10 Schlaginstr. op. 5 (1960); *Quinteto de Maderas* op. 9 (1961); *Oratorio* für 3 Solisten, 4 Schauspieler und 3 kleine Instrumentalensembles op. 11 (1964); *Funktionen* für 9 Spieler op. 14 (1965); *Text,* musikalische Szene für Pos., 3 Schlaginstr. und gem. Chor op. 15 (1966); *Text II* für 5 Solisten und Singst. mit Verstärker op. 16 (1966); *Consecuenza* für Pos. op. 17 (1966); *Auftrag* für 9 Ausführende op. 18 (1967); *Trio 1967* für Vc., Pos. und Schlagzeug op. 19; *Textes 1967* für Ensemble op. 20; *Symptom* für Orch. op. 21 (1969); *Dispersion 1969* für Ensemble; *Überwindung* für 4 Solisten und Orch. (1970); *Rendezvous* für 4 Instrumentalisten op. 24 (1970); *Schichten* für Kammerorch. op. 27 (1971).

+Rore, Cyprian de, 1516 zu Mecheln(?) [erg.:] oder zu Machelen/Brabant(?) - 1565.
Ausg.: +GA (Opera omnia, B. Meier, Rom 1959ff.), bisher erschienen: Bd I (1959), Motetten; II–III (1963 bzw. 1961), 5st. Madrigale; IV–V (1969–71), 3–8st. Madrigale; VII (1966), Messen. – +3 Madrigale in: Ital. Madrigale (W. Wiora, 1930), Neuaufl. Wolfenbüttel 1955.
Lit.: +E. Van der Straeten, La musique aux Pays-Bas avant le XIXe s. (VI, 1882), Nachdr. Hilversum 1965; +A. Einstein, The Ital. Madrigal (1949), Nachdr. Prince-

ton (N. J.) 1970. – A. H. Johnson, The Liturgical Music of C. da R., Diss. Yale Univ. (Conn.) 1954 (mit Verz. d. Motetten); Cl. V. Palisca, Scientific Empiricism in Mus. Thought, in: 17th Cent. Science and the Arts, hrsg. v. H. H. Rhys, = The W. J. Cooper Foundation Lectures, Swarthmore College 1960, Princeton (N. J.) 1961; E. T. Ferand, Anchor che col partire. Die Schicksale eines berühmten Madrigals, Fs. K. G. Fellerer, Regensburg 1962; L. D. Nuernberger, The Five-Voice Madrigals of C. de R., 2 Bde (I Kommentar, II ausgew. Werke), Diss. Univ. of Michigan 1963; O. Mischiati, Nota bibliogr. su C. de R., in: Chigiana XXII, N. S. II, 1965; H. Beck, Grundlagen d. venezianischen Stils bei A. Willaert u. C. de R., in: Renaissance-muziek 1400–1600, Fs. R. B. Lenaerts, = Musicologica Lovaniensia I, Löwen 1969; B. Meier, Staatskompositionen v. C. de R., TVer XXI, 2, 1969; Ders., Rex Asiae et Ponti poklonitveno delo C. de R.ja (»Rex Asiae et Ponti, ein Widmungswerk C. de R.s«), in: Muzikološki zbornik VI, 1970 (mit engl. Zusammenfassung); W. Osthoff, Theatergesang u. darstellende Musik in d. ital. Renaissance, 2 Bde, = Münchner Veröff. zur Mg. XIV, Tutzing 1969; D. Harrán, R. and the »Madrigale cromatico«, MR XXXIV, 1973.

Rorem (rʃɔ:rim), Ned, * 23. 10. 1923 zu Richmond (Ind.); amerikanischer Komponist, studierte 1940–42 an der Northwestern University in Evanston (Ill.), dann am Curtis Institute of Music in Philadelphia (B. A. 1943) und ab 1947 bei B. Wagenaar an der Juilliard School of Music in New York (M. A. 1949) sowie privat bei Copland und V. Thomson. 1951–25 hielt er sich in Europa auf. Er war Professor of Composition an der State University of Buffalo/N. Y. (1959–61) und an der University of Utah in Salt Lake City (1965–67). – Von seinen Werken seien genannt: Opern: *A Childhood Miracle* für 6 St. und 13 Instr. (NY 1955); *The Robbers* für 3 Männer-St. (NY 1958); *The Anniversary* (1962); *Miss Julie* (nach Strindberg, NY 1965); *The Last Day* (NY 1967); *Bertha* (1969, NY 1973); *Three Sisters Who Are Not Sisters* (nach Gertrude Stein, 1969); 6 kurze Kammeropern *Fables* (nach La Fontaine, 1970). – Orchesterwerke: 3 Symphonien (1950, 1956 und 1957); *Lento* für Streichorch. (1950); 3 Klavierkonzerte (1950, 1952 und 1970); *Design* (1953); *Sinfonia* für 15 Holzblasinstr. und Schlagzeug (1957); *Pilgrims* für Streichorch. (1958); *Ideas for Easy Orch.* (1961); *Lions* (1962); *Sun* (1966). – Kammermusik: Concertino für Cemb. und 7 Instr. (1946); Violinsonate (1949); Streichquartett Nr 2 (1950); Trio für Fl., Vc. und Kl. (1960); *Lovers,* Narrative in 10 Scenes, für Cemb., Ob., Vc. und Schlagzeug (1964). – Klavierwerke: 3 Sonaten (1948, 1950 und 1954); *Sicilienne* für 2 Kl. (1950). – Vokalmusik: *Mourning Scene from Samuel* für Gesang und Streichquartett (1947); *Letters from Paris* für Chor und Orch. (1969); *King Midas,* Kantate für mehrere St. und Kl. auf 10 Gedichte von Howard Moss (1970); *Poèmes pour la paix* für mittlere St. und Kl. oder Streichorch. (1970); *War Scenes* für mittlere oder tiefe St. und Kl. (Texte Walt Whitman, 1970); *Last Poems of Wallace Stevens* für Gesang, Vc. und Kl. (1972); ferner Ballette, Musical Comedies und Bühnenmusik. – Schriften: *Music from Inside Out* (NY 1967); *The New York Diary of N. R.* (ebd.); *The Paris Diary of N. R.* (ebd.); *Music and People* (NY 1968); *Critical Affairs. A Composer's Journal* (NY 1970).
Lit.: Werkverz. in: Composers of the Americas XII, Washington (D. C.) 1966. – W.-S. Wr. North, N. R. as a Twentieth Cent. Song Composer, Diss. Univ. of Illinois 1965; M. R. Bloomquist, Songs of N. R., Aspects of the Mus. Settings of Songs in Engl. f. Solo V. and Piano, Diss. Univ. of Missouri 1970.

Rosales, Antonio, * 1740(?) und † 1801 zu Madrid; spanischer Komponist, war als Nachfolger von Rodríguez de Hita Maestro de capilla am Kloster der Encar-

nación in Madrid und wurde 1789 Musico de compañia an den Madrider Theatern. Von seinen zahlreichen Kompositionen (unveröffentlicht in der Biblioteca Municipal in Madrid) seien die burlesken Zarzuelas *El tío y la tía* (Libretto Ramón de la Cruz, Madrid 1770) und *El licenciado Farfulla* (ebd. 1776, enthält eine Reihe damals beliebter Lieder) sowie die Tonadillas *Los cómicos de la legua, Los toros, El chasco de la grada, El cochero Simón* und *La noche de San Juan* genannt.
Ausg.: Tonadilla »El recitado« in: La tonadilla escénica, hrsg. v. J. Subirá, Bd III, Madrid 1930 (Kl.-A.).
Lit.: E. Cotarelo y Mori, Hist. de la zarzuela, Madrid 1934; J. Subirá, Cat. de la Sección de música de la Bibl. municipal de Madrid, Bd I: Tonadillas y sainetes, Madrid 1965.

+**Rosbaud,** Hans (Johann), * 22. 7. 1895 zu Graz, [erg.:] † 29. 12. 1962 zu Lugano.
Von den zahlreichen Uraufführungen, die er leitete, sei die von Schönbergs *Moses und Aron* (konzertant NWDR Hbg 1954, szenisch Zürich 1957) genannt. Das Musikstudio (Konzert- und Aufnahmesaal) des Südwestfunks Baden-Baden wurde 1963 in Hans-Rosbaud-Studio umbenannt.
Lit.: J. Häusler, H. R., Wegbereiter d. neuen Musik, in: Neue Musik in d. Bundesrepublik Deutschland, hrsg. v. E. Thomas, 1961/62–1962/63; J. Evarts in: Musica (Disques) 1963, Nr 110, S. 22ff.; Cl. Rostand in: Melos XXX, 1963, S. 49f.; H. Strobel in: Das Orch. XI, 1963, S. 18f.; M. Meng in: Diener d. Musik, hrsg. v. M. Müller u. W. Mertz, Tübingen 1965, S. 98ff.

Roschdestwenskaja, Natalja Petrowna → Roschdestwenskij, Gennadij.

Roschdestwenskij, Gennadij Nikolajewitsch, * 4. 5. 1931 zu Moskau; russisch-sowjetischer Dirigent, Sohn des Dirigenten Nikolaj Pawlowitsch Anossow (* 5./18. 2. 1900 zu Borissoglebsk, Gouvernement Tambow, † 2. 12. 1962 zu Moskau; 1940–62 Pädagoge am Moskauer Konservatorium, ab 1951 Professor) und der Sängerin Natalja Petrowna Roschdestwenskaja (* 24. 4. / 7. 5. 1900 zu Nischnij-Nowgorod, Schülerin von Sofja Drusjakina; 1929–60 Solistin beim Allunionsrundfunk in Moskau), studierte 1949–54 am Moskauer Konservatorium (Klavier bei Oborin, Dirigieren bei seinem Vater) und debütierte 1951 am Bolschoj Teatr. 1961 wurde er Chefdirigent und künstlerischer Leiter des Moskauer Großen Allunions-Rundfunk- und Fernsehsymphonieorchesters und war 1965–70 auch Chefdirigent am Bolschoj Teatr. R. kreierte zahlreiche Werke sowjetischer Komponisten und trat als Gastdirigent in Europa und den USA auf. Seit 1963 ist er auch am Moskauer Konservatorium pädagogisch tätig. Mit Wirkung von 1975 wurde er als Nachfolger von Doráti zum musikalischen Leiter des Stockholmer Philharmonischen Orchesters berufen.

+**Rose,** Carl Nicolaus August, 22. [nicht: 21.] 3. 1842–1889.
Lit.: A. Phillips, The C. Rosa Opera Company, Opera Annual (I), 1954/55; C. Smith, The C. Rosa Opera, in: Tempo 1955, Nr 35; H. Rosenthal, The C. Rosa Story, in: Opera XVIII, 1967.

+**Rosé,** –1) Eduard, * 29. 3. 1859 zu Jassy (Iaşy, Rumänien), [erg.:] † 24. 1. 1943 im Getto Theresienstadt.
–2) Arnold Josef, 1863–1946, Bruder von Eduard R.
Lit.: zu –2): A. Schönberg, Ausstellungskat. hrsg. v. E. Hilmar, Wien 1974.

Rose (ıouz), Leonard, * 27. 7. 1918 zu Washington (D. C.); amerikanischer Violoncellist, absolvierte 1938 das Curtis Institute of Music in Philadelphia, war dann beim NBC Symphony Orchestra (1938–39), beim Cleveland Orchestra (1939–43) und bei der New York

Philharmonic (1943–51) engagiert. Seit 1951 tritt er ausschließlich solistisch sowohl in den USA als auch in Europa auf. 1951–62 lehrte er am Curtis Institute of Music; 1965 wurde ihm von der University of Hartford (Conn.) ein Honorary Doctorate of Music verliehen.

Rose, Morris & Co. Ltd., englische Musikinstrumentenfirma in London, gegründet 1920 von Stanley und Leslie Rose sowie von Alfred Victor Morris, wurde 1960 von der Grampian Holdings Ltd. übernommen. Die 1948 von L. Rose in Melbourne gegründete Tochtergesellschaft Rose, Morris & Co. (Australia) Pty. Ltd., später in Rose Music Ltd. umbenannt, hat sich als unabhängige Firma verselbständigt. R., M. & Co. stellt u. a. Orchester- und Militärtrommeln und Banjos her. Als bedeutende Handelsfirma betreibt sie weltweit Export mit Musikinstrumenten und technischem Zubehör vorwiegend für Beatbands, Militärkapellen u. ä. Gegenwärtig leitende Personen sind William A. Woolf (Chairman) sowie Maurice A. Woolf und Roy B. Morris (Management).

+**Roseingrave** [–1) Daniel], –2) Thomas, 1690–1766.
Ausg.: 10 Orgelstücke, hrsg. v. P. Williams, London 1961; Compositions f. Org. and Harpsichord, hrsg. v. D. Stevens, = The Penn State Music Series II, Univ. Park (Pa.) 1964; Anthem »Arise, Shine« f. Soli, Chor u. Orch., Kl.-A. hrsg. v. P. M. Young, London 1968; Sonate Nr 1 A moll f. Fl. u. B. c., hrsg. v. R. Platt, ebd. 1970.
Lit.: P. M. Young, Th. R. ..., Background to a Choral Work, American Choral Rev. IX, 1966/67.

+**Roselius,** Ludwig, * 2. 8. 1902 zu Kassel. *d. feb. 6 1977*
Neuere Werke: Suite *Zwischen Meer und Moor* op. 27 (1955), *Friesische Musik* op. 30 (1957) und *Es waren zwei Königskinder* op. 31 (1962) für Orch.; 8 Lieder *Glück und Klage* für Chor a cappella op. 29 (1956); Lieder und Duette mit Kl. oder Orch. (u. a. 5 Chansons op. 26, 1954). – +A. Raselius, *Cantiones sacrae* (= DTB XXIX/XXX [nicht: XXVII], Augsburg 1931), revidierte Neuaufl. Wiesbaden 1972.

Rosell, Lars-Erik, * 9. 8. 1944 zu Nybro (Kalmar); schwedischer Komponist und Organist, studierte 1968–72 an der Musikhochschule in Stockholm (Komposition bei Lidholm), an der er Musiktheorie lehrt. Er komponierte u. a.: *Moments of a Changing Sonority* für Cemb., Hammondorg. und Streicher (1969); *Sine nomine* für Org. und Tonband (1969); *Terry Riley* für 3 Kl. (1970); *Dorian Mode* für Kammerensemble (1971); *Efter syndafallet* für A., T. und Kammerensemble (nach *After the Fall* von Arthur Miller, 1973).

Roselli, Francesco (Rosselli, Roscelli, Rossello, Rusello; François Roussel); italienischer Komponist des 16. Jh., lebte vor 1568 als Günstling des Seneschalls Guillaume de Gadagne in Lyon und widmete Jacques de Savoie, Herzog von Nemours, einige Chansons. 1548–50 war er in Rom Kapellmeister an S. Pietro und Magister puerorum an der Cappella Giulia. 1562–73 wirkte R. als Kapellmeister an S. Giovanni in Laterano in Rom. Er war wahrscheinlich einer der Lehrer von Palestrina (Widmung des Madrigals *Quai rime fur sì chiare a 4 v.*, 1555). – Kompositionen: *Il Iº libro de Madrigali a 5 v.* (mit anderen Autoren, Venedig 1562); *Il Iº libro delli Madrigali a 5 v.* (Rom 1563); *Il Iº libro delli Madrigali a 4 v.* (ebd. 1565); *Chansons nouvelles mises en musique a 4–6 parties* (Paris 1577); ferner 25 Madrigale, 29 Chansons und eine Motette in Sammelwerken seiner Zeit.

Rosen (ɪˈouzn), Charles, * 5. 5. 1927 zu New York; amerikanischer Pianist, studierte Klavier bei Moriz

Rosenthal und Hedwig Kanner-Rosenthal sowie Musiktheorie und Komposition bei K. Weigl und an der Princeton University/N. J. (A. B. 1947, M. A. 1949, Ph. D. 1951). Er debütierte 1951 in New York und konzertiert seither in den USA und in Europa. R. veröffentlichte *The Classical Style. Haydn, Mozart, Beethoven* (London und NY 1971, Paperbackausg. 1972).

+Rosen, Hans-Waldemar, * 15. 7. 1904 zu Dresden.
R. wurde 1954 auch Leiter des Kammerchores und 1963 der Abteilung für Vokalmusik beim irischen Rundfunk. Als Gast dirigierte er u. a. bei der BBC London und bei Radio Hilversum.

Rosen, Heinz, * 3. 7. 1908 zu Hannover, † 25. 12. 1972 zu Kreuzlingen (Thurgau); deutscher Tänzer, Choreograph und Ballettdirektor, erhielt seine Ausbildung bei R. v. Laban, Jooss und Victor Gsovsky, war Mitglied der Ballets Jooss und später Ballettmeister am Stadttheater Basel. Als Gastchoreograph (auch als Opern- und Schauspielregisseur) wirkte er an zahlreichen Bühnen im In- und Ausland. 1959–69 war er Ballettdirektor der Bayerischen Staatsoper in München. Ein internationaler Durchbruch gelang ihm mit der Uraufführung von Cocteaus »Die Dame und das Einhorn« (Musik Chailley) 1953 am Münchner Theater am Gärtnerplatz. Zu seinen wichtigsten Ballettinszenierungen gehören *Josefslegende* (R. Strauss, München 1958), *Trionfi* (Orff, ebd. 1959), *Der Mohr von Venedig* (Blacher, ebd. 1962), *Renard* (Strawinsky, ebd. 1962) und *Symphonie fantastique* (Berlioz, ebd. 1967).

Rosen (r′ouzn), Jerome, * 23. 7. 1921 zu Boston (Mass.); amerikanischer Komponist, studierte bei Sessions und William Denny an der University of California in Berkeley (M. A. in Komposition 1949) und am Pariser Conservatoire (Diplom für Klarinette 1950). Er war 1951–52 Instructor in Music an der University of California in Berkeley und wurde danach an die University of California in Davis berufen (Professor of Music). Von seinen Kompositionen seien genannt: Sonate für Klar. und Vc. (1954); Streichquartett Nr 1 (1955); Konzert für Sax. und Orch. (1958); Klarinettenquintett (1959); *Petite suite* für 4 Klar. (1962); Elegie für Schlagzeug (1967); *4 Songs* für Chor und Kl. (1968).

Rosen (r′ouzn), Joel, * 15. 2. 1928 zu Cleveland (O.); amerikanischer Pianist, studierte am Cleveland Institute of Music (1935–44), an der Juilliard School of Music in New York (1944–51) sowie der New York University (1945–48) und debütierte 1955 in der Town Hall in New York. Seitdem konzertiert er in den Musikzentren der USA und Europas.

+Rosenberg, Herbert, * 13. 10. 1904 zu Frankfurt am Main.
Als Konsulent für die Skandinavisk Grammophon Aktieselskab (Electric & Musical Industries) in Kopenhagen war R. bis 1964 tätig. 1964–73 wirkte er als Museumsinspektor an der Nationaldiskoteket des dänischen Nationalmuseums, deren Diskographien er in dieser Zeit herausgab und z. T. auch selbst kompilierte. Seit 1966 ist er Lehrer für Musikgeschichte an der Musikhochschule in Malmö und seit 1967 zugleich Lektor an der Universität in Lund. Seine Schrift +*Musikforståelse* (»Musikverständnis«, 1941–42) erschien in revidierter und erweiterter Neuaufl. Kopenhagen 1969–71.

+Rosenberg, Hilding Constantin, * 21. 6. 1892 zu Bosjökloster (Malmöhus län).
Weitere Werke: +*Kaspers fettisdag* (»Kaspers Fastnacht«, nach Strindberg, 1953, schwedischer Rundfunk 1954), lyrische Komödie *Hus med dubbel ingång* (»Das Haus

mit doppeltem Eingang«, nach Calderón de la Barca, Stockholm 1970); die Ballette *Salome* (1964), *Kain och Abel* (schwedisches Fernsehen 1964), *Sönerna* (ebd. 1966), *Babels torn* (»Der Turmbau zu Babel«, ebd. 1968); *Metamorfosi sinfoniche* Nr 1–3 (1964–66, Nr 1 und 2 nach *Salome*, Nr 3 nach *Sönerna*), 4. Konzert (1967), 7. Symphonie (1968), Symphonie für Bläser und Schlagzeug (1968, nach *Babels torn*), *Riflessioni* Nr 1–3 für Streicher (1959–60); 2. Cellokonzert (1953); Solosonaten für V. (1921, 1953, 1963), Fl. (1959) und Klar. (1960), *Hymn till ett universitet* für Bar., gem. Chor und Orch. (1967, zur 300-Jahr-Feier der Universität Lund 1968); 6 Gedichte *Dagdrivaren* (»Müßiggänger«) für Bar. und Orch. (1963).
Lit.: M. PERGAMENT, H. R., Stockholm 1956; BO WALLNER in: Nutida musik II, 1958/59, H. 1, S. 3ff., u. H. 2, S. 5ff. (zu d. Streichquartetten, deutsch in: Musikrevy XIV, 1959, Nr 3 extra, S. 33ff.); DERS., ebd. V, 1961/62, H. 4, S. 5ff. (zu d. »Riflessioni«) u. S. 35ff. (zum 6. Streichquartett); DERS., R.iana, Musikrevy XVII, 1962; DERS. in: Nutida musik VIII, 1964/65, H. 1, S. 19ff.; DERS., ebd. IX, 1965/66, H. 8, S. 2ff. (zur 4. Symphonie); DERS., H. R.s symfoni nr 7 och blåsarsymfoni, ebd. XII, 1968/69; DERS., R. och 20-talet (»R. u. d. 20. Jh.«), ebd. XV, 1971/72 – XVI, 1972/73; J. RABE in: ÖMZ XIV, 1959, S. 62ff.; A. THOOR, G. Nystroem and H. R., Musikrevy international 1960; B. JOHNSSON in: Musikrevy XVII, 1962, S. 122ff. (zur Kl.-Musik); G. BERGENDAL, ebd. XXII, 1967, S. 211ff. (Interview); DERS., 33 svenska komponister, Stockholm 1972.

Rosenberg, Wolf, * 17. 1. 1915 zu Dresden; deutscher Musikschriftsteller und Komponist, studierte Klavier und Musiktheorie bei J. Simon, Komposition bei Wolpe sowie Dirigieren bei M. Taube und Scherchen. An den Universitäten Florenz, Bologna und Jerusalem studierte er außerdem Geschichte und Philosophie. Er war 1942–44 in Jerusalem am Sidney-Seal-Konservatorium als Lehrer für Theorie, Analyse und Komposition und danach als Privatlehrer tätig. 1950 ließ er sich in München als freier Mitarbeiter für Rundfunk und Zeitschriften nieder. 1968–70 war er Gastdozent für Elektronische Musik an der University of Illinois in Urbana, 1970–71 an der Ohio State University in Columbus. Seine Kompositionen (frühe Werke vernichtet bzw. verlorengegangen) umfassen Kammermusik (Streichquartett Nr 2, 1957, und Nr 3, 1963), Elektronische Musik (*Tapestries* Nr 1–3, 1968–69; *Flashes*, elektronische Studie IV, 1969; *Sweepsteaks* I/II, 1972) und *Crockett* für einen Schauspieler, einen Sänger, verschiedene Instr. und Tonband (1970). Von seinen Veröffentlichungen seien genannt: *Die Krise der Gesangskunst* (= Orphica critica I, Karlsruhe 1968); *Die unkritische Musikkritik* (in: Kritik ..., hrsg. von P. Hamm, =Reihe Hanser XII, München 1968); *Werktreue oder Notentreue? Oder: Über die Willkür der Interpreten* (NZfM CXXIX, 1968); *Dirigenten: Macht zwischen Kult und Attitüde* (in: Verwaltete Musik, hrsg. von U. Dibelius, =Reihe Hanser LXIII, München 1971); *G. Mahlers Klagendes Lied* (in: Musica XXVI, 1972).

Rosenberger, Raimund, * 17. 7. 1917 zu München; deutscher Komponist, studierte in München an der Staatlichen Hochschule für Musik Komposition und Dirigieren. Er ist seit 1946 freiberuflich als Komponist und Dirigent für Rundfunk, Fernsehen, Theater, Film und Schallplatte tätig. 1968 wurde er stellvertretender Präsident des Deutschen Komponistenverbandes. Er schrieb die Musik für über 30 Spielfilme (*Der Pauker*, 1958; *Rosen für den Staatsanwalt*, 1959; *Mein Schulfreund*, 1960; *Sein bester Freund*, 1963; *Heintje*, 1969) und zu einer großen Anzahl von Hör- und Fernsehspielen.

+Rosenbloom, Sydney [erg.:] John, * 25. 6. 1889 zu Edinburgh, [erg.:] † 22. 7. 1967 zu East London (Südafrika).

Rosenfeld, Gerhard, * 10. 2. 1931 zu Königsberg; deutscher Komponist, studierte 1952–57 Musiktheorie an der Hochschule für Musik in (Ost-)Berlin und Komposition bei Wagner-Régeny (1955–57), Eisler (1958–60) und Leo Spies (1960–61). Er ist freischaffend tätig. Von seinen Kompositionen seien genannt: Divertimento für Kammerorch. (1962); *Fabeln* für gem. Chor a cappella (1963); Sinfonietta in G (1964); 2 Konzerte für V. und Orch. (1964 und 1973); Nonett (1967); Konzert für Vc. und Orch. (1969); *Quartettino I* (1969) und *II* (1973) für Streichquartett; *Fresken* für Orch. (1969); Sonate für Kl. (1969); Konzert für Kl. und Orch. (1970); Sonatine für Orch. (1971); Konzert für Hf., Kb. und Orch. (1971); Konzert für Orch. und eine Alt-St. (1971); *Reger-Variationen* für Streichquartett, Fl., Ob., Klar., Horn, Fag., 3 Trp., 3 Pos., Tuba, Pk. und Streichorch. (1973); Streichquartett Nr 2; ferner Filmmusik.

Rosenman (ɪˈouznmən), Leonard, * 7. 9. 1924 zu New York; amerikanischer Komponist, studierte bei Sessions und Dallapiccola, kurze Zeit auch bei Schönberg, und wandte sich dann vor allem der Filmmusik zu (*East of Eden*; *Cobweb*; *Rebel Without a Cause*; *The Chapman Report*). Er trat auch mit Orchesterwerken (*Threnody on a Song of K. R.*, zum Gedächtnis seiner Frau Kay R., 1971), einem Violinkonzert, einem Klavierkonzert, Klavierstücken und Liedern (*6 Lorca Songs*) hervor.

+Rosenmüller, Johann, [erg.: um] 1619 – [erg.: vermutlich] 10. (begraben 12.) 9. 1684.
R., der 1678–82 als Hauskomponist am Ospedale della Pietà in Venedig wirkte, kam frühestens Juli/August 1682 nach Wolfenbüttel [del. frühere Angabe dazu]. – Der 2. Teil seiner *+Kern-Sprüche ...* (genannt *Andere Kern-Sprüche*) erschien 1652/53 [nicht: 1651]. Von seinen *+Sonate da camera ...* ist lediglich eine Ausgabe von 1670 (o. O.) bekannt [del. frühere Angaben hierzu]. Als »Baccalaureus funerum« (ab 1649 in Leipzig) komponierte R. eine Anzahl Begräbnislieder, von denen vor allem *Welt ade, ich bin dein müde* (von J. S. Bach unverändert in seine Kantate *Wer weiß, wie nahe mir mein Ende*, BWV 27, übernommen) und *Alle Menschen müssen sterben* (im Finalsatz von P. Hindemiths Trompetensonate) bekannt wurden.
Ausg.: 12 Sonaten (1682), hrsg. v. E. PÄTZOLD, 12 H., Bln 1954–56; Geistliches Konzert »Das ist meine Freude« (= Kern-Sprüche II, Nr 1) f. S., 2 V., Vc. u. Gb., hrsg. v. A. ADRIO, Bln 1957; Kantate »Die Augen d. Herren« (aus Kern-Sprüche I) f. 4st. gem. Chor mit Begleitung v. 2 V. u. Org. (B. c.), hrsg. v. E. FR. SCHMID, = Musikschätze vergangener Zeiten o. Nr, Bln 1959; einzelne Motetten u. Kantaten aus d. beiden Teilen d. »Kern-Sprüche«, hrsg. v. D. KRÜGER, Stuttgart 1959ff.; Kantate »Lieber Herre Gott« f. S., 2 Va da gamba (V., Bratschen, Alt-Block-Fl.) u. B. c., hrsg. v. F. LÄNGIN, Kassel 1964.
Lit.: +FR. HAMEL, Die Psalmkompositionen J. [nicht: H.] R.s (1933), Nachdr. Baden-Baden 1973. – A. LEHMANN, Die Instrumentalwerke v. J. R., Diss. Lpz. 1965; TH. ANTONICEK, J. R. u. d. Ospedale della Pietà in Venedig, Mf XXII, 1969; K. J. SNYDER, J. R.'s Music f. Solo Voice, 2 Bde, Diss. Yale Univ. (Conn.) 1970.

Rosenow, Emilij Karlowitsch, * 15.(27.) 10. 1861 zu Paris; † 17. 6. 1935 zu Moskau, russisch-sowjetischer Pianist, Musikkritiker und Komponist, absolvierte 1889 als Schüler von Safonow das Moskauer Konservatorium und lehrte dort 1906–16 Klavier. Zusammen mit S. Tanejew gründete er 1902 in Moskau den Verein Musikalno-Nautschnoje Obschtschestwo (»Mu-

sikwissenschaftlicher Verein«). Er schrieb u. a. *Graun* (Moskau 1910), *Otscherk istorii oratorii* (»Abriß der Geschichte des Oratoriums«, ebd. 1910), *J. S. Bach i jewo rod* (»J. S. Bach und sein Geschlecht«, ebd. 1911) sowie zahlreiche Artikel in russischen und ausländischen Zeitschriften.

+Rosenstock, Joseph, * 27. 1. 1895 zu Krakau.
Ab 1961 wirkte R. als Dirigent auch an der Metropolitan Opera in New York. Er ist Ehrendirigent des NHK-Symphonieorchesters in Tokio; 1967 wurde ihm vom Land Baden-Württemberg der Professorentitel verliehen.

+Rosenthal, Albi (Albrecht), * 5. 10. 1914 zu München.
Leo Liepmannssohn, 1840 – [erg.: 10.] 5. 1915. – R., der weiterhin als Musikantiquar in London wirkt, schrieb ferner: The »*Music Antiquarian*« (FAM V, 1958); *A Hitherto Unpublished Letter of Cl. Monteverdi* (in: Essays ..., Fs. E. Wellesz, Oxford 1966); *O. Haas, Antiquarian Bookseller* (in: Brio III, 1966).

+Rosenthal, Carl August, * 16. 4. 1904 zu Wien.
Er veröffentlichte einen *Practical Guide to Music Notation for Composers, Arrangers and Editors* (NY 1967), ferner *Der Einfluß der Salzburger Kirchenmusik auf Mozarts kirchenmusikalische Kompositionen* (Mozart-Jb. 1971/72).

Rosenthal (ɪˈouzntɑːl), Harold, * 30. 9. 1917 zu London; englischer Musikschriftsteller, studierte am University College und am Institute of Education in London. Er war 1950–56 Archivar an der Covent Garden Opera in London. Seit 1953 ist er Editor der in London erscheinenden Zeitschrift *Opera*; er gab auch ein *Opera Annual* (Iff., 1954ff.) heraus. R. veröffentlichte: *Sopranos of Today. Studies of Twenty-Five Opera Singers* (London 1956); *Two Centuries of Opera at Covent Garden* (ebd. 1958 und 1964); *Concise Oxford Dictionary of Opera* (mit J. Warrack, ebd. 1964, revidiert 1972, deutsch als *Friedrichs Opernlexikon*, Velber bei Hannover 1969); *Great Singers of Today* (London 1966); *Opera at Covent Garden* (ebd. 1967); ferner zahlreiche Zeitschriftenbeiträge. Er edierte *The Royal Opera House, Covent Garden, 1858–1958* (London 1958), *The Opera Bedside Book* (ebd. 1965) und *The Mapleson Memoires. The Career of an Operatic Impresario, 1858–88* (ebd. 1966).

+Rosenthal, Manuel (Emmanuel), * 18. 6. 1904 zu Paris.
R., ab 1962 Professor für Orchesterleitung am Pariser Conservatoire, war 1964–67 Leiter des Symphonieorchesters in Lüttich. – Die +Messe *Deo gratias* entstand 1953 [nicht: 1941]. – Weitere Werke: das Drame lyrique +*Hop, Signor* (Toulouse 1962); *Aeolus* für Bläserquintett und Streicher (1970), 2 *Etude en camaïeu* für Streichorch. und Pk. (1971); +*Suite romantique* über *La belle Zelie* für 2 Kl. (1948); Lieder mit Kl. oder Orch.
Lit.: CL. CHAMFRAY in: Le courrier mus. de France 1968, Nr 21.

+Rosenthal, Moriz (Maurycy), 17. [nicht: 18.] 12. 1862 – 1946.
Lit.: W. H. HEILES, Rhythmic Nuance in Chopin Performances Recorded by M. R., I. Friedman and I. J. Paderewski, Diss. Univ. of Illinois 1964; E. B. BARNETT, An Annotated Translation of M. R.'s Fr. Liszt, »Memories and Reflections«, in: Current Musicology 1972, Nr 13.

+Rosenwald, Hans Hermann, * 17. 1. 1907 zu Bünde (Westfalen).
R., der heute in der Schweiz lebt, war Präsident des International Music Institute 1951–60. Er hat sich in

den letzten Jahrzehnten vor allem auf philanthropischen Gebieten betätigt.

+Roser, Franz de Paula (auch R. von Reiter), [erg.: 17. 8.] 1779 – 1830.
Lit.: O. WESSELY in: MGG XI, 1963, Sp. 922ff.

Rosey (ɹˈouzi), George (Rosenberg), * 18. 4. 1864 zu Düsseldorf, † 19. 2. 1936 zu New York; amerikanischer Komponist deutscher Herkunft, übersiedelte 1883 in die USA, wo er als Arrangeur und ausübender Musiker tätig war. Er komponierte zahlreiche Instrumentalwerke vor allem für Blasorchester sowie Lieder und Märsche (*Maybe*; *Believe*; *Lovely Caprice*; *I Love My Girl*; *The Honeymoon March*; *The Handicap March*; *The Anniversary March*; *King Carnival*). R. gilt wie sein Zeitgenosse Sousa als Pionier moderner Orchestrierung von Unterhaltungsmusik.

+Rosier, Carl [erg.:] (Carolus) Natalis (Charles Noël), [erg.: getauft 26.] 12. 1640 – [erg.: vor dem 12.] 12. 1725.
Die 8 Magnificat und die 7 [nicht: 2] Ave maris stella sind nicht erhalten, hingegen u. a. 8 Motetten.
Ausg.: +Ausgew. Instrumentalwerke (U. NIEMÖLLER, = Denkmäler rheinischer Musik VII [nicht: VI], 1957).
Lit.: U. NIEMÖLLER in: Rheinische Musiker I, hrsg. v. K. G. Fellerer, Köln XLIII, S. 224ff.

Rosin, Armin O. (Pseudonym Nimra Korinthos), * 21. 2. 1939 zu Karlsbad; deutscher Posaunist, erhielt seinen ersten Unterricht bei seinem Vater, dem Posaunisten Otto Sylvester R., absolvierte die Münchner Musikhochschule und studierte Gesang bei Domgraf-Faßbaender, Dirigieren bei Keilberth und Celibidache sowie Musikwissenschaft an der Universität Erlangen-Nürnberg. 1961–66 war er Soloposaunist der Bamberger Symphoniker, seit 1968 gehört er in gleicher Stellung dem Südfunk-Sinfonie-Orchester Stuttgart an. Er war 1965 Gründungsmitglied des »ars-nova-ensembles« des Bayerischen Rundfunks und wurde 1968 Mitglied des »musica-nova-ensembles«. Seit 1970 ist er Mitglied des mit Kagel zusammenarbeitenden Kölner »Ensembles für Neue Musik«. R. ist als Solist u. a. bei der Biennale Venedig, dem Warschauer Herbst, den Berliner Festwochen und den Internationalen Musikfestwochen Luzern aufgetreten.

Rosing, Vladimir (Sergejewitsch), * 11.(23.) 1. 1890 zu St. Petersburg, † 24. 11. 1963 zu Los Angeles; russisch-amerikanischer Sänger (Tenor), studierte Rechtswissenschaft an der Universität seiner Heimatstadt (1907–12) und Gesang privat bei Joachim Tartakow sowie in England bei Sir George Power und in Paris bei J. de Reszke. Er debütierte 1912 als Lenskij (*Jewgenij Onegin*) am Musikdramatischen Theater in St. Petersburg. Ab 1913 lebte er in England, wo er bis 1921 vor allem als Konzertsänger wirkte. 1922 übersiedelte er in die USA und war dort 1923–27 Direktor des Opera Department der Eastman School of Music der University of Rochester (N. Y.) sowie 1927–30 Direktor der von ihm gegründeten American Opera Company. 1930–39 wirkte er in England als Musikproduzent (1936–39 Producing Director der Covent Garden Opera). 1939 wurde er Organisator und künstlerischer Leiter der Southern California Opera Association in Los Angeles. In seinem Gesangsrepertoire nahmen die russischen Komponisten eine bevorzugte Stellung ein; er trat häufig auch als Opernregisseur hervor.

Rosowsky, Solomon, * 15.(28.) 3. 1878 zu Riga, † 30. 7. 1962 zu New York; amerikanischer Komponist lettischer Herkunft, studierte Jura an der Universität in Kiew sowie Komposition am St. Petersburger Konservatorium (Ljadow, N. Rimskij-Korsakow, Glasunow). Er war 1911–17 in St. Petersburg Musikkritiker der Zeitung »Den« (‚Der Tag') und gründete 1920 in Riga das erste jüdische Konservatorium. 1925 emigrierte er nach Palästina, wo er an den Bühnen in Habimah und Ohel arbeitete und Musikunterricht gab. 1947 ließ er sich in New York nieder. R. schrieb ein Klaviertrio (1909), zahlreiche Bühnenmusiken zu Stücken in jiddischer Sprache (»Die Krone Davids«; »Der Golem«; »Jakob und Rachel«; *Shabtai Zwi*) sowie jiddische Lieder und veröffentlichte *The Cantillation of the Bible* (NY 1957).

+Rospigliosi, Giulio, 1600–69.
R. war ab 1644 [nicht: 1646] Nuntius in Spanien. – Die Oper +*Il Sant'Alessio* wurde in Rom bereits 1632 [nicht: 1634] uraufgeführt.
Ausg.: d. Libretto v. »Il Sant'Alessio« in: Drammi per musica dal Rinuccini allo Zeno, hrsg. v. A. DELLA CORTE, = Classici ital. LVII, Turin 1958, Bd I.
Lit.: +H. GOLDSCHMIDT, Studien zur Gesch. d. ital. Oper im 17. Jh. (I, 1901), Nachdr. Hildesheim u. Wiesbaden 1967; +A. LOEWENBERG, Annals of Opera ... (1943, ²1955), Nachdr. NY 1970. – I. KÜFFEL, Die Libretti G. R.s (Papst Clemens IX.). Ein Kap. frühbarocker Operngesch. in Rom, Diss. Wien 1968.

Rosquellas (rɔskˈeʎas), Mariano Pablo, * 1790 zu Madrid, † 12. 7. 1859 zu Sucre (Bolivien); bolivianischer Violinist, Sänger und Komponist spanischer Herkunft, studierte Violine in Spanien und Gesang in Italien, wurde 1815 Konzertmeister des Kammerorchesters von König Fernando VII. in Madrid. Er konzertierte in Barcelona, Paris und London, ging 1822 nach Rio de Janeiro, 1823 nach Buenos Aires und dann wieder nach Rio de Janeiro, wo er ein Opernensemble zusammenstellte und das Publikum mit der italienischen Oper vertraut machte. 1833 ließ sich R. in Chuquisaca, dem heutigen Sucre, nieder. Er komponierte die Oper *El califa de Bagdad* (Buenos Aires 1826), Orchesterwerke und zahlreiche Lieder.
Lit.: V. GESUALDO, Hist. de la música en la Argentina, Buenos Aires 1961, Bd I.

Rossato, Arturo, * 17. 6. 1882 zu Vicenza, † 11. 3. 1942 zu Mailand; italienischer Journalist, Dramatiker und Librettist, Autodidakt, war Mitarbeiter bei »Avanti« und »Popolo d'Italia« und wandte sich in polemischen Schriften gegen den Krieg. Er hatte mit zahlreichen Komödien, häufig in venezianischem Dialekt, und mit dem Vaudeville *Nina, no far la stupida* (mit Gian Capo, Mailand 1922) beachtlichen Erfolg. R. schrieb auch eine Reihe von Libretti, die u. a. von Alfano (*Madonna Imperia* nach Balzac, Turin 1927), Buccéri, P. Donati, G. Farina, C. Guasino, Lattuada (*La tempesta* nach Shakespeare, Mailand 1922; *Le preziose ridicole* nach Molière, ebd. 1929; *Don Giovanni* nach José Zorrilla y Moral, Neapel 1929), Mulé (*Liolà* nach Pirandello, ebd. 1925), Pedrollo, Persico, Pick-Mangiagalli (*Il notturno romantico*, Rom 1936), Pietro, Robbiani, Rosselini, Veretti, Vittadini und Zandonai (*Giulietta e Romeo*, ebd. 1922; *I cavalieri di Ekebù* nach Selma Lagerlöf, Mailand 1925; *La farsa amorosa*, Rom 1933) in Musik gesetzt wurden.

Rosseau (rɔsˈo), Norbert Oscar Claude, * 11. 12. 1907 zu Gent; belgischer Komponist und Violinist, nahm 1915 Violinstunden in Genua bei einem Zigeunergeiger namens Piramo und gab noch im selben Jahr in Turin sein Debüt, dem eine Reihe von Konzerten in italienischen Städten folgte. Ab 1920 studierte er Komposition privat bei Mulé in Palermo und Rom sowie ab 1925 Klavier bei Renzo Sylvestri, Orgel bei Germani sowie Fuge bei Dobici und erwarb 1928 ein

Diplom in Komposition am Conservatorio di Musica S. Cecilia in Rom. Seine Solistenlaufbahn mußte er 1940 einer Kriegsverletzung wegen aufgeben. Er komponierte u. a. die Oper *Sicilienne* (1947), die Konzertoper *Les violons du prince* für 5 Solisten, Org., V., Cemb. und Orch. (1954), die Ballette *Le dernier rendez-vous* (1946) und *Juventa* (1957), Orchesterwerke (Symphonische Dichtungen *Rousslane* nach Puschkin, 1936, und *H2O* op. 22, 1939; 2 Konzerte für Orch., Nr 1 op. 37, 1948, und Nr 2, 1963; Symphonie op. 48, 1954; Konzerte für Bläserquintett, 1961, für Va, 1965, und für Horn, 1965, mit Orch.; *Sonate à 4* für 4 V. und Streicher, 1965), Kammermusik (Bläserquintett op. 54, 1955; *Jules Boulez*, Suite für Bläserquintett, 1963; Streichquartett op. 57, 1956; *Trois jouets* für 3 Rohrblattinstr. op. 53, 1955), Oratorien (*L'an mille* op. 32, 1946; *Maria van den Kerselare* op. 44, 1952; *Il paradiso terrestre dal Purgatorio di Dante*, Radiooratorium für Soli, Chor und Orch., 1967), Messen (*Missa solemnis* für 8 St. und Kontrabässe op. 46, 1953; *Missa in honorem Spiritus Sancti*, 1963; elektronische Messe mit choreographischen Bewegungen, 1966), Kantaten (*Incantations* für Chor und Orch. op. 42, 1951), *Sinfonia liturgica* für Soli, Chor und Orch. (1963), eine Johannespassion für Soli und Chor a cappella (1965), *Stenen en brood* (»Steine und Brot«) für S., T., Bar., Git., Schlagzeug, Chor und Org. (1972) sowie Lieder (*L'eau passe*, Zyklus von 50 Liedern nach Maurice Carême für verschiedene St. und Instr. op. 47, 1952).
Lit.: Pr. Goethals in: Harop XX, 1968, S. 195ff. (zu »Il paradiso terrestre ...«); ders. in: Vlaams muziektijdschrift XXII, 1970, S. 48ff. (zur Johannespassion); ders., ebd. XXIV, 1972, S. 217ff. (zu »Stenen en brood«).

Rosselli, Francesco → Roselli, Fr.

+Rossellini, Renzo, * 2. 2. 1908 zu Rom.
R. wurde 1973 zum künstlerischen Direktor der Oper von Monte Carlo ernannt. – Weitere Werke: die Opern *Il vortice* (Neapel 1958), *Le campane* (einaktig, RAI-Fernsehen 1959, szenisch Kairo 1960), *Uno sguardo dal ponte* (nach A. Miller, Rom 1961), *Il linguaggio dei fiori* (Mailand 1963), *La leggenda del ritorno* (einaktig, ebd. 1966), *L'avventuriero* (Monte Carlo 1968), *L'annonce faite à Marie* (nach P. Claudel, Paris 1970) und *La reine morte* (nach H. de Montherlant, Monte Carlo 1973); die Ballette *Poemetti pagani* (ebd. 1963) und *Il ragazzo e la sua ombra* (Venedig 1966); *Cori vespertini* für Chor und Orch. (1969); 4 Lieder für B. (Bar.) und Kl. linke Hand (1969). – R.s Musikkritiken erschienen gesammelt als *Polemica musicale* (= Le voce o. Nr, Mailand 1962), *Pagine di un musicista* (Bologna 1964) und *Addio del passato* (Mailand 1968).
Lit.: N. Piccinelli, Il teatro di R., in: Musica d'oggi, N. S. IV, 1961.

+Rosseter, Philip, 1568(?) [del.: um 1575] – 1623.
Ausg.: +The Fitzwilliam Virginal Book II (J. A. Fuller-Maitland u. W. B. Squire, 1899), Nachdr. NY 1963; +Songs from R.'s Book of Airs (E. H. Fellowes, = The Engl. School of Lutenist Song Writers I, 8–9), als »A Booke of Ayres« (1601) revidiert v. Th. Dart, = The Engl. Lute-Songs I, 8–9, London 1966. – A Booke of Ayres (1601), hrsg. v. D. Greer, = Engl. Lute Songs XXXVI, Menston 1970.
Lit.: +M. Schneider, Die Anfänge d. B. c. u. seiner Bezifferung (1918), Nachdr. Farnborough 1971. – E. H. Fellowes, Engl. Madrigal Verse, 1588–1632, London 1920, ²1929, 3. Aufl. revidiert u. erweitert v. Fr. W. Sternfeld u. D. Greer, Oxford 1967; Chr. Vlam u. Th. Dart, R.s in Holland, GSJ XI, 1958; D. Greer, »What Is a Day«. An Examination of the Words and Music, ML XLIII, 1962; I. Harwood, Ph. R., Lessons f. Consort (1609), The Lute Soc. Journal VII, 1965.

+Rossetti, Stefano, 16. Jh.
Ausg.: ein Madrigal in: 5 Madrigale auf Texte v. Fr. Petrarca, hrsg. v. B. Meier, = Chw. LXXXVIII, Wolfenbüttel 1962.

+Rossi, Francesco, [erg.: 17. 6.] 1627 – nach 1700.

Rossi, Gaetano, * 18. 5. 1774 und † 25. 1. 1855 zu Verona; italienischer Librettist, war Hausdichter am Teatro La Fenice in Venedig und Direttore di scena am Teatro Filarmonico in Verona. Mehr als ein Dutzend seiner Texte wurden von S. Mayr in Musik gesetzt; weitere Libretti vertonten u. a. Andreozzi, Fr. Basili, Blangini, Boniforti, A. Calegari, Carafa, Coccia, Donizetti (*Maria Padilla*, Mailand 1841; *Linda di Chamounix*, Wien 1842), G. Farinelli, Generali, Gnecco, Lillo, Manfroce, Marinelli, Mercadante (*Il giuramento*, Mailand 1837; *Le due illustri rivali*, Venedig 1838; *Il bravo*, Mailand 1839), Meyerbeer (*Romilda e Costanza*, Padua 1817; *Emma di Resburgo*, Venedig 1819; *Il crociato in Egitto*, ebd. 1824), Morlacchi, G. Mosca, Nasolini, O. Nicolai (*Il proscritto*, Mailand 1841), G. Nicolini, Pacini (*Ivanhoe*, Venedig 1832; *Carlo di Borgogna*, ebd. 1835), Pavesi, C. Pedrotti, Portugal, F. und L. Ricci, Rossini (*La cambiale di matrimonio*, ebd. 1810; *La scala di seta*, ebd. 1812; *Tancredi* nach Voltaire, ebd. 1813; *Semiramide* nach Voltaire, ebd. 1823), Schoberlechner (*Rossane*, Mailand 1839), F. Strepponi, Vaccai, P. v. Winter und N. A. Zingarelli.

+Rossi, Giovanni Battista, um 1550 – [erg.:] nach 1630(?) zu Genua.
Ausg.: eine 3st. Laude hrsg. v. G. Radole, in: Musica sacra LXXXVI, (Mailand) 1962.

+Rossi, Luigi, 1598–1653.
Lit.: +H. Goldschmidt, Studien zur Gesch. d. ital. Oper im 17. Jh. (I, 1901), Nachdr. Hildesheim u. Wiesbaden 1967. – W. C. Holmes in: MGG XI, 1963, Sp. 938ff.; E. Caluori, L. R., = The Wellesley Cantata Index Series III, Wellesley (Mass.) 1965; R. A. Hudson, The Development of Ital. Keyboard Variations on the »Passacaglio« and the »Ciaccona« from Guitar Music in the 17th Cent., Diss. Univ. of California at Los Angeles 1967; G. Minghetti, Ricerche sul »Palagio (o Palazzo incantato) d'Atlante« di L. R., in: Quadrivium X, 1969.

+Rossi, Mario, * 29. 3. 1902 zu Rom.
1969 legte er die Leitung des Symphonieorchesters der RAI in Turin nieder, ist aber weiterhin als Gastdirigent (Oper und Konzert) an führenden Musikzentren (vielfach auch bei Festspielen) in Italien und im Ausland tätig. R., Mitglied u. a. der Accademia nazionale di S. Cecilia in Rom, unterrichtete auch am Konservatorium in Turin.

+Rossi, Michel Angelo, um 1602 zu Genua – 7. 7. 1656 zu Rom [del. frühere Lebensdaten].
R., der 1638 am Hofe der Este in Modena [nicht: des Herzogs von Mantua] wirkte, lebte wahrscheinlich schon ab 1640 in Rom [del.: ließ sich dann in Faenza nieder; wo er 1670 noch lebte].
Ausg.: Erminia sul Giordano, Faks. d. Ausg. v. 1637, = Bibl. musica Bononiensis IV, 12, Bologna 1969(?). – Works f. Keyboard, hrsg. v. J. R. White, = Corpus of Early Keyboard Music XV, Dallas (Tex.) 1966; Prolog »Hor dunque voi« (aus »Erminia sul Giordano«), in: K. G. Fellerer, Die Monodie, = Das Musikwerk XXXI, Köln 1968, auch engl.
Lit.: +H. Goldschmidt, Studien zur Gesch. d. ital. Oper im 17. Jh. (I, 1901), Nachdr. Hildesheim u. Wiesbaden 1967. – Gl. Rose, Purcell, M. R., and J. S. Bach. Problems of Authorship, AMl XL, 1968; O. Wessely, Aus römischen Bibl. u. Arch., in: Symbolae hist. musicae, Fs. H. Federhofer, Mainz 1971.

+Rossi, Salomone de' (Salamon), [erg.: um] 1570 – um 1630.

R.s †hebräische Psalmen und Cantici (*Salmi e cantici ebraici*) erschienen unter dem Originaltitel *Hashirim asher lish'lomo* in Venedig 1623 [nicht: 1620]. Ausg.: Sinfonie, gagliarde, canzone, 1607–08, f. Streicher (Block-Fl.) u. B. c. hrsg. v. Fr. Rikko u. J. Newman, 3 Bde, NY 1965–71; Hashirim asher lish'lomo (The Songs of Solomon), 2 Bde, hrsg. v. Fr. Rikko, NY 1967. – 15 Canzonetten (aus »Il primo libro delle canzonette« v. 1589), f. 3 Block-Fl. hrsg. v. J. Newman, Wilhelmshaven 1968. Lit.: J. Newman u. Fr. Rikko, A Thematic Index to the Works of S. R., = Music Indexes and Bibliogr. VI, Hackensack (N. J.) 1972. – †E. Birnbaum, Jüdische Musiker am Hofe zu Mantua ... (1893), ital. in: Civiltà mantovana II, 1967, S. 185ff. – J. Newman, The Madrigals of S. de' R., Diss. Columbia Univ. (N. Y.) 1962; P. Nettl in: MGG XI, 1963, Sp. 944ff.; I. Adler, La pratique mus. savante dans quelques communautés juives en Europe aux XVIIe et XVIIIe s., 2 Bde (I Text, II Übertragung), = Ecole pratique des hautes études VI, 8, Paris 1966; Ders., The Rise of Art Music in the Ital. Ghetto. The Influence of Segregation on Jewish Mus. Praxis, in: Jewish Medieval and Renaissance Studies, hrsg. v. A. Altmann, Cambridge (Mass.) 1967; A. Sendrey in: Wiss. Zs. d. Humboldt-Univ., Ges.- u. sprachwiss. Reihe XV, 1966, S. 403ff.

Rossi, Tino (Constantin), * 29. 4. 1907 zu Ajaccio (Korsika); französischer Sänger, typischer Interpret des »Chanson de charme«, wurde 1927 ins »Alcazar« in Marseille engagiert, nahm dort seine ersten Schallplatten auf und kam 1932 nach Paris, wo er 1934 im »A. B. C.« debütierte. Im gleichen Jahr wurden bereits 450 000 von ihm besungene Schallplatten verkauft; er war der erste Plattenkünstler Frankreichs, dessen Umsätze die Millionengrenze überschritten. R. interpretierte zahlreiche von Vincent Scotto komponierte Chansons (*Vieni, vieni*; *Laissez-moi vous aimer*; *O Corse, île d'amour*; *Marinella*) und machte sich auch als Operettensänger und Filmschauspieler einen Namen. Lit.: Ph. Laframboise, T. R., Montréal 1972.

†Rossi Lemeni Makedon, Nicola, * 6. 11. 1920 zu Istanbul.
Neben Rollen des traditionellen Repertoires hat R. L. u. a. auch den Wozzeck, den Blaubart (Bartók), den Macbeth (E. Bloch) sowie zahlreiche Partien (meist auch bei der Uraufführung) in zeitgenössischen italienischen Opern gesungen, so den Tomaso Becket in *L'assassinio nella cattedrale* von Pizzetti (1958) und Wallenstein in der gleichnamigen Oper von M. Zafred (1965). Er ist mit der Sängerin V. →Zeani verheiratet.

†Rossini, Gioachino (Gioacchino, Giovacchino) Antonio, 1792–1868.
R. ließ sich mit seinen Eltern erst 1804 [nicht: 1800] in Bologna nieder. – Die 1863 geschriebene †*Petite messe solennelle* ist für 4 Soli, Chor, 2 Kl. und Harmonium (1867 Fassung für 4 Soli, Chor und Orch.) [del. bzw. erg. frühere Angaben dazu]. †*Ivanhoe*, eine nach Musik von R. zusammengestellte Oper, wurde in Paris 1826 [nicht: 1862] uraufgeführt. Die 1804 [nicht: 1808–09] entstandenen 6 †*Sonate a quattro* für 2 V., Va und Kb. [nicht: Fl., Klar., Horn und Fag.] erfuhren mehrere Bearbeitungen, die häufig als selbständige Werke R.s ausgegeben wurden, u. a. als 5 †Streichquartette (1806–08) und als 6 Quartette für Fl., Klar., Horn und Fag. (1808–09). – Die Gründung des Liceo musicale Rossini in Pesaro erfolgte 1882 [nicht: 1888], das 1940 in Conservatorio di musica G. Rossini umbenennt wurde. Im selben Jahr wurde dort eine Fondazione Rossini gegründet, die u. a. eine Anzahl Werke R.s in der Reihe »Quaderni Rossiniani« (siehe unter Ausg.) und ein Jahrbuch *Bollettino del Centro Rossiniano di studi* herausgibt (siehe unter Lit.).

Ausg.: La Cenerentola, Faks. d. Autographs v. 1817 hrsg. v. Ph. Gossett, 2 Bde, = Bibl. musica Bononiensis IV, 92, Bologna 1969. – Zelmira, hrsg. v. M. Parenti, 3 Bde, Mailand 1965; Il barbiere di Siviglia, hrsg. v. A. Zedda, 2 Bde, ebd. 1969 (Bd II = kritischer Ber.). – G. Foppas Libretto zu »L'inganno felice«, hrsg. v. V. Frazzi, Siena 1956; I libretti di R., hrsg. v. V. Viviani, 2 Bde (I: »Il barbiere di Siviglia« u. »La Cenerentola«, II: »Mosè« u. »Guglielmo Tell«), Mailand 1965. – †Quaderni r.ani, Werk-Ausw. hrsg. v. d. Fondazione R. unter d. Leitung v. A. Bonaccorsi, Florenz 1954ff., bisher erschienen: Bd I, 6 Sonate a quattro, hrsg. v. L. Liviabella, 1954, Nachdr. 1966; II (G. Macarini-Carmignani, 1954, Nachdr. 1968), Prima scelta di pezzi per pfte; III (D. Ceccarossi, 1954, Nachdr. 1968), Prélude, thème et variations pour or avec accompagnement de piano; IV (P. Giorgi, 1955, Nachdr. 1970), Melodie ital. per canto e pfte; V (A. Gallina, 1956), Melodie francesi per canto e pfte; VI (A. Cerasa, 1957), Musica da camera; VII (A. Melica, 1958), Cori a v. pari o dispari; VIII (L. Liviabella, 1959), 2 Sinfonie u. »Le chant des titans«; IX (A. Cerasa, 1959), Variazioni a più strumenti obbligati, Grande fanfare par R. u. Scena da »Il viaggio a Reims«; X (L. de Sabbata, 1960), Scelta di pezzi per pfte; XI (P. Giorgi, 1965), Giovanna d'Arco cantata a v. sola e altre musiche religiose; XII (Ders., 1968), Inno a la pace per bar., coro e pfte u. Inno a Napoleone III per bar., coro e grande orch.; XIII (G. Turchi, 1968), »Argene e Melania«, cantata profana per soli, coro e orch.; XIV (S. Cafaro, 1968), 11 pezzi per pfte da L'album de Chaumière; XV (Ders., 1968), 10 pezzi per pfte da L'album pour les enfants adolescents; XVI (Ders., 1968), 10 pezzi per pfte da L'album des enfants dégourdis e da una miscellanea di pezzi per piano, v., vc., harmonium e coro. – 5 Hornduos, hrsg. v. E. Leloir, Hbg 1961; Andante, tema e variazioni B dur f. Klar. u. kleines Orch., hrsg. v. M. Fabbri, Siena 1968; Une larme. Tema e variazioni f. Vc. u. Kl., hrsg. v. A. Pocaterra, Padua 1971; Praeludium, Thema u. Variationen f. Horn u. Kl., hrsg. v. R. de Smet, London 1972.
Lit.: N. Á. Solar-Quintes, R y Gounod en dos cartas autógrafas, Rev. de arch., bibl. y museos LXIII, 1957; Fr. Schlitzer, Mobili e immobili di R. a Firenze. Lettere ined. a un avvocato, Florenz 1957. – Boll. del Centro R.ano di studi I, 1955/56 – V, 1959/60, N. S. Iff., 1967ff. – Sonder-H.: L'opera IV, (Mailand) 1968, Nr 12/13, u. nRMI II, 1968, Nr 5. – G. R., hrsg. v. A. Bonaccorsi, = »Hist. musicae cultores« Bibl. XXIV, Florenz 1968. – †Stendhal (M.-H. Beyle), Vie de R., engl. übers. u. hrsg. v. R. N. Coe als: Life of R. (1956), London u. NY ²1970, Paperback-ausg. = Washington Paperbacks WP LXI, Seattle (Wash.) 1972, ungarisch Budapest 1964; †G. Carpani, Le R.ane ossia lettere musico-teatrali (1824), Nachdr. = Bibl. musica Bononiensis III, 10b, Bologna 1969; †E. Istel, R.ana, MK X, 1910/11 – [erg.:] XI, 1911/12; †Fr. Toye, R., A Study in Tragicomedy (1934, ²1954), Nachdr. NY 1963; †R. Bacchelli, R. e esperienze r.ane (1941, ³1954), Neuaufl. = Bibl. moderna Mondadori Nr 590/591, Mailand 1959; †C. van Berkel, G. R. (1950), Neuaufl. = Gottmer-muziek-pockets XIV, Haarlem 1958; †L. Rognoni, R. (1956), Neuaufl. Turin 1968. O. E. Deutsch, R.s Lebewohl an d. Wiener, ÖMZ XII, 1957; R. N. Coe, Stendhal, R. and the »Conspiracy of Musicians« (1817–23), The Modern Language Rev. LIV, 1959; P. Ingerslev-Jensen, G. R., Kopenhagen 1959; G. Sbîrcea, R. sau triumful operei buffe »R. oder d. Triumph d. Opera buffa«, = Clasicii muzicii universale o. Nr, Bukarest 1960, ²1964; T. Fajth, G. R., = Kis zenei könyvtár XXII, Budapest 1962; K. Kl. Burian, G. R., = Hudební profily XIII, Prag 1963; L. Sinjawer, Dsch. R., Moskau 1964; D. W. Schwartz, R., A Psychoanalytic Approach to the Great Renunciation, Journal of the American Psychoanalytical Soc. XIII, 1965; R. Bacchelli, Epigrafe e discorso celebrativo per G. R., in: Conservatorio di musica »G. B. Martini« Bologna, Annuario 1965–70; J. L. Caussou, G. R., = Musiciens de tous les temps XXXV, Paris 1967; G. Barblan, R. e il suo tempo, in: Chigiana XXV, N. S. V, 1968; W. Sandelewski, R., Krakau 1968; H. Schmidt-Garre in: NZfM CXXIX, 1968, S. 480ff.; O. Schneider, R. in Wien, ÖMZ XXIII, 1968; E. Michottes »La visite de R. Wagner à R. (Paris 1860)« (1906) u. »Une

soirée chez R. à Beau-Séjour (Passy 1858)« (o. J.), übers. u. hrsg. v. H. WEINSTOCK als: R. Wagner's Visit to R. ... and An Evening at R.'s in Beau Sejour ..., Chicago 1968; DERS., R., NY u. London 1968; J. HARDING, R., London 1971, NY 1972; R. ZANETTI, G. R., = I grandi musicisti del passato o. Nr, Mailand 1971. M. CURTISS, Bizet, Offenbach, and R., MQ XL, 1954; JE. RUDAKOWA, Russkaja kantata Dsch. R. »Awrora« (»G. R.s russ. Kantate ,Aurora'«), SM XIX, 1955; A. MELICA, Due operine di R., in: Musicisti della Scuola emiliana, hrsg. v. A. Damerini u. G. Roncaglia, = Accad. mus. Chigiana (XIII), Siena 1956; G. CONFALONIERI, Storia della musica, Bd II: Sviluppi e reazioni del r.smo, Mailand 1958, revidiert hrsg. v. A. Mandelli, Florenz u. Mailand 1968; DERS., Avventure di una partitura r.ana. L'»Adina ovvero Il Califfo di Bagdad«, in: Le celebrazioni del 1963 ..., hrsg. v. M. Fabbri, = Accad. mus. Chigiana (XX), Siena 1963; H. NAHLER, Die Commedia dell'arte u. ihre Nachwirkungen in d. komischen Opern R.s u. Donizettis, in: Theater d. Zeit XIII, 1958; T. SERAFIN u. A. TONI, Stile, tradizioni e convenzioni del melodramma del Settecento e dell'Ottocento, Mailand 1958; A. C. KEYS, Schiller and Ital. Opera, ML XLI, 1960; E. N. MCKAY, R.s Einfluß auf Schubert, ÖMZ XVIII, 1963; J. W. KLEIN, Verdi's »Otello« and R.'s, ML XLV, 1964; A. PORTER, R.s Lost Opera by R., ebd. (zu »Ugo Rè d'Italia«); DERS., R.'s Lost London Opera, in: Opera 66, hrsg. v. Ch. Osborne, London 1966 (zu »La figlia dell'aria«); A. DAMERINI, La prima ripresa moderna di un'opera giovanile di R., »L'equivoco stravagante« (1811), in: Chigiana XXII, N. S. II, 1965; A. BONSANTI, Appunti sullo Scott e la sua »Donna del lago«, in: Conservatorio di musica »G. B. Martini« Bologna, Annuario 1965–70; P. PETROBELLI, Balzac, Stendhal e il »Mosè« di R., ebd.; A. ZEDDA, Appunti per una lettura filologica del »Barbiere«, in: L'opera II, 1966; DERS., Ancora sul belcanto, lo stile (e il »Barbiere«), Rass. mus. Curci XXIII, 1970; PH. GOSSETT, R.'s Operas and Their Printed Librettos, Kgr.-Ber. Ljubljana 1967; DERS., R. and Authenticity, MT CIX, 1968; DERS., R. in Naples. Some Major Works Recovered, MQ LIV, 1968; DERS., G. R. and the Conventions of Composition, AMl XLII, 1970; DERS., The Operas of R., Problems of Textual Criticism in 19th-Cent. Opera, 2 Bde, Diss. Princeton Univ. (N. J.) 1970; DERS., The »candeur virginale« of »Tancredi«, MT CXII, 1971; W. SANDELEWSKI, Sulle prime esecuzioni r.ane in Polonia, RIdM II, 1967; R. CELLETTI, Il vocalismo ital. da R. a Donizetti, Teil I: R., in: Analecta musicologica V, 1968; F. D'AMICO, L'opera teatrale di G. R., = Univ. degli studi di Roma, Facoltà di magistero o. Nr, Rom 1968; M. FABBRI, Ignoti momenti r.ani, in: Chigiana XXV, N. S. V, 1968; M. MILA, Le idee di R., Rass. mus. Curci XXI, 1968; L. PARIGI, R. e le arti figurative, in: Musica e arti figurative, = Quaderni della Rass. mus. IV, 1968 (= Wiederabdruck aus: Rass. mus. XXIV, 1954); M. H. TARTAK, The Ital. Comic Operas of R., Diss. Univ. of California at Berkeley 1968; DERS., The Two »Barbieri«, ML L, 1969; R. CALAMOSCA, La Romagna di R.«, Rass. mus. Curci XXII, 1969; FR. LIPPMANN, R.s Gedanken über d. Musik, Mf XXII, 1969; DERS., V. Bellini u. d. ital. Opera seria seiner Zeit, = Analecta musicologica VII, Köln 1969; N. PAYNE, R. as Dramatist, in: Opera XX, 1969; D. ROSEN, La »Messa« a R. e il »Requiem« per Manzoni, RIdM IV, 1969 – V, 1970; W. SZMOLYAN, R.s Opern in Wien, ÖMZ XXVIII, 1973.

+**Rosslawets,** Nikolaj Andrejewitsch, * 24. 12. 1880 (5. 1. 1881) zu Suraj (Gouvernement Tschernigow), [erg.:] † 23. 8. 1944 zu Moskau. R., bis zum Ende der 20er Jahre eine der führenden Persönlichkeiten des sowjetischen Musiklebens (1922 vorübergehend Leiter des Konservatoriums in Charkow, dann Redaktionsmitglied und Leiter der »Politabteilung« des Moskauer staatlichen Musikverlages, in dem er 1924 auch die in nur 3 Heften erschienene Zeitschrift Musykalnaja kultura herausgab, 1929 im Vorstand der »Allrussischen Gesellschaft für zeitgenössische Musik«), ging in den 30er Jahren nach Taschkent und schrieb dort einige Oratorien und Ballette unter

Einbeziehung usbekischer Folklore. R.' Bedeutung liegt in seinen frühen, auf Tonkomplexen (»Synthetakkorden«) beruhenden Kompositionen: in ihnen sind »Elemente und Gedanken der Zwölftontechnik ... bereits um 1915 ausgeprägt und versammelt ...« (Gojowy, 1969). – Von seinen Kompositionen seien ferner genannt: 3 Kompositionen (W. Brjussow und A. Blok, 1913) und Grustnyje pejsaschi (»Traurige Landschaften«, Verlaine, 1913) für Singst. und Kl.; Nocturne für Hf., Ob., 2 Va und Vc. (1913); 1. Streichquartett (1913); 4 Kompositionen für Singst. und Kl. (1914); 3 Kompositionen (1914), 3 Etüden (1914), 2 Kompositionen (Quasi Prélude, Quasi Poëme, 1915) und Prélude (1915) für Kl.; Pesenka Arlekina (»Harlekinsliedchen«) für Singst. und Kl. (1915); 2 Poemy für Kl. (1920); 3. Streichquartett (1920); Cellosonate (1921); 3 Tänze für V. und Kl. (1921); Rasdumje (»Meditation«) für Vc. und Kl. (1921); 3. Klaviertrio (1921); 5 Praeludien für Kl. (1919–22); 4. Violinsonate (1924); 5. Klaviersonate (1923); »Agitations«- und »Aufklärungs«-Musiken. Lit.: L. L. SABANEJEW, Modern Russ. Composers, London u. NY 1927, Nachdr. = Essay Index Reprint Series o. Nr, Freeport (N. Y.) 1967; FR. K. PRIEBERG, Musik in d. Sowjetunion, Köln 1965; D. GOJOWY, Moderne Musik in d. Sowjetunion bis 1930, Diss. Göttingen 1966; DERS., N. A. Roslavec, ein früher Zwölftonkomponist, Mf XXII, 1969 (mit Werkverz.); DERS., Sowjetische Avantgardisten, in: Musik u. Bildung I, 1969, auch in: Das Orch. XVIII, 1970.

+**Rost,** Friedrich Wilhelm Ehrenfried, 1768–1835. Lit.: O. BERTHOLD, Rektor Fr. W. E. R. u. seine Gedankenwelt, Fs. »Aus d. Gesch. d. Thomas-Schule in alter u. neuer Zeit«, Lpz. 1937; B. KNICK, St. Thomas zu Lpz., Wiesbaden 1963.

+**Rost,** Nikolaus (Rhost), [erg.:] um 1542 – [erg.:] 22. 11. 1622 zu Kosma (bei Altenburg). Ab 1602 [nicht: 1606] war R. als Pfarrer in Kosma [nicht: Kosmenz] tätig. Ausg.: +Auferstehungshistorie (1598) »Die trostreiche Historia v. d. fröhlichen Auferstehung ...«, Hdb. d. deutschen ev. Kirchenmusik I, 3 u. [erg.:] I, 4 (K. AMELN u. a.), Göttingen (1938).

+**Rostal,** Max, * 7. 8. 1905 zu Teschen. An der Guildhall School of Music in London unterrichtete R. bis 1958. Seit 1957 betreut er die Meisterklasse für Violine an der Musikhochschule in Köln, seit 1958 auch die Meisterklasse für Violine am Konservatorium in Bern und heute seinen Wohnsitz hat. Seit 1954 hält R. im Sommer den Internationalen Meisterkurs für Geigen/Bratschen-Spiel ab, der nunmehr zusammen mit den Mitte der 60er Jahre gegründeten M.-Rostal-Musik-Wochen in Bern stattfindet. Mit H. Schröter und G. Cassado (nach dessen Tod 1967 S. Palm) bildete R. ein Klaviertrio, das unter dem Namen Kölner Trio auch im europäischen und außereuropäischen Ausland konzertierte.

+**Rostand,** Claude [erg.:] Charles Louis, * 3. 12. 1912 zu Paris, [erg.:] † 9. 10. 1970 zu Villejuif (Val de Marne). R. wurde 1961 Musikkritiker beim »Figaro littéraire«; ab 1957 war er auch Vorstandsmitglied der IGNM. Weitere Bücher (die französischen alle Paris): La musique française contemporaine (= Que sais-je? Bd 517, 1952, ²1957, engl. = Merlin Music Books VIII, NY 1957); Chefs-d'œuvre des grands compositeurs (1960); La musique allemande (= Que sais-je? Bd 894, 1960); Liszt (= Solfèges XV, 1960, ital. = Enciclopedia popolare Mondadori o. Nr, Mailand 1961, engl. London 1972); Histoire sonore de la musique (2 Bde, 1963–65); R. Strauss

(= Musiciens de tous les temps XII, 1964); *H. Wolf* (ebd. XXXVI, 1967); *A. Webern* (ebd. XL, 1969); *Dictionnaire de la musique contemporaine* (= Les dictionnaires de l'homme du XXe s. XL, 1970).

Rostropowitsch, Leopold Witoldowitsch, * 26. 2. (9. 3.) 1892 zu Woronesch, † 31. 7. 1942 zu Orenburg; russisch-sowjetischer Violoncellist und Pädagoge, Sohn des Violoncellisten Witold R. († 26. 9. / 9. 10. 1913 zu Woronesch) und Vater von Mstislaw R., war 1925–31 Professor am Konservatorium in Baku. Ab 1931 lebte er in Moskau. Er kreierte eine Reihe sowjetischer Violoncellokompositionen.

+Rostropowitsch, Mstislaw Leopoldowitsch, * 27. 3. 1927 zu Baku.

R. ist heute einer der international führenden Violoncellisten (auch im Duo bzw. Trio mit E. Gilels, L. Kogan, D. Oistrach†, Sw. Richter u. a.). In seinem umfangreichen Repertoire finden sich zahlreiche Werke aus dem 20. Jh., deren Uraufführung er z. T. spielte. Eine Reihe Komponisten (u. a. Britten, Chatschaturjan, Prokofjew, H. Sauguet und Schostakowitsch) widmeten ihm Werke für Violoncello. Darüber hinaus trat er auch als Pianist hervor, besonders als Klavierbegleiter seiner Frau, der Sängerin Galina → Wischnewskaja, ferner als Dirigent (Oper und Konzert) und Komponist (2 Konzerte für Kl., 1944, 1946; Streichquartett, 1949; Instrumentalwerke. Mit Dm. Kabalewskij vollendete er das Concertino für Vc. und Orch. op. 132 von Prokofjew.) 1961 wurde R. Leiter der Violoncello- und Kontrabaßabteilung am Moskauer Konservatorium. 1963–66 lehrte er gleichzeitig am Leningrader Konservatorium (Ehrenprofessor). Ab 1964 leitete er als Vorsitzender der Jury den Internationalen Tschaikowsky-Wettbewerb in Moskau. R. wurden zahlreiche Ehrungen zuteil, so u. a. die Ernennung zum Ehrenmitglied der Royal Academy of Music in London (1962) und zum Ehrendoktor (1969) der University of St. Andrews (Schottland). Er lebt seit 1974 außerhalb der Sowjetunion.

Lit.: L. S. GINSBURG, Mst. R., = W pomoschtsch sluschateljam narodnych univ. kultury, Bessedy o musyke o. Nr, Moskau 1963, Wiederabdruck in: Issledowanija, statji, otscherki, ebd. 1971, engl. Auszug als: The World's Leading Cellist, in: Lenin Prize Winners, hrsg. v. A. Lipovsky, ebd. 1967; DERS., Mst. R., ... (»Mst. R., ein Interpret moderner Musik«, in: Woprossy musykalno-ispolnitelskowo iskusstwa V, hrsg. v. A. A. Nikolajew, ebd. 1969; JE. ORLOWA, Mst. R., ebd. 1964; W. WLASSOW in: SM XXVIII, 1964, H. 8, S. 66ff.; T. GAJDAMOWITSCH, Mst. R., Moskau 1969 (mit Werkverz. u. Bibliogr.).

+Rosvaenge, Helge [erg.: Anton] (Roswaenge), * 29. 8. 1897 [nicht: 1895] zu Kopenhagen, [erg.:] † zwischen dem 16. und 19. 6. 1972 zu München.

R. wirkte auch bei verschiedenen Festspielen mit (Salzburg erstmals 1932, Bayreuth erstmals 1934 als Parsifal). Bis Ende der 50er Jahre sang er an der Wiener Staatsoper, ist aber auch danach noch besonders als Konzertsänger und in Fernsehproduktionen aufgetreten. 1967 wurde er zum (österreichischen) Professor ernannt. Er veröffentlichte als weitere autobiographische Schrift *Mach es besser, mein Sohn* (Lpz. 1962, ³1964) sowie einen *Leitfaden für Gesangsbeflissene* (München 1964).

Lit.: H. BARKHOFF in: Opernsänger, hrsg. v. E. Krause, Bln 1963, S. 126ff.; I grandi v., hrsg. v. R. CELLETTI, = Scenario I, Rom 1964, Sp. 690 (mit Diskographie v. R. Vegeto).

Rota (r'ɔ:ta), Andrea (Ruotta, Rotta), * 1553 und † 1597 zu Bologna; italienischer Komponist, studierte wahrscheinlich mehrere Jahre in Rom und kehrte 1583

nach Bologna zurück, wo er als Nachfolger des Kapellmeisters B. Spontoni an S. Petronio tätig war. Er veröffentlichte: *Il I° libro de Madrigali a 5 v.* (Venedig 1579); *Motectorum liber primus quae 5–8 v. concinuntur* (ebd. 1584); *Il 2° libro de Madrigali a 5 v.* (ebd. 1589); *Il I° libro de Madrigali a 4 v.* (ebd. 1592); *Motectorum quae 5–10 v. concinuntur liber secundus* (ebd. 1595); *Missarum cum 4–6 v. liber primus* (ebd. 1595); ferner einige Madrigale und Motetten in Sammelwerken der Zeit. Daneben schrieb er eine 4–6st. Messe, ein 5st. und ein 12st. Magnificat.

Ausg.: Madrigal f. 5 St., Dixit Dominus f. 8 St. u. Agnus Dei f. 7 St., in: Torchi I, Mailand 1897; Missa »Qual è più grand' amore«. 4 St., hrsg. v. G. VECCHI, Bologna 1962; Il primo libro de Madrigali a 4 v. (1592), hrsg. v. E. DESDERI, = Le opere dei musicisti bolognesi II, Brescia u. Kassel 1964.

Lit.: O. MISCHIATI in: MGG XI, 1963, Sp. 985ff.

+Rota, Nino, * 3. 12. 1911 zu Mailand.

R. wirkt weiterhin als Direktor des Conservatorio di musica N. Piccinni in Bari. Neuere Werke: die Opern *La notte di un nevrastenico* (einaktige Opera buffa für Funk, Premio Italia 1959, Mailand 1960), *Lo scoiattolo in gamba* (einaktig, Venedig 1959), *Aladino e la lampada magica* (Neapel 1968) und *La visita meravigliosa* (nach H. G. Wells, Palermo 1970); die Ballette *La rappresentazione di Adamo ed Eva* (Perugia 1957) und *La strada* (nach dem Fellini-Film von 1954, Mailand 1965); Konzert für Streicher (1964), Klavierkonzert (1960), Posaunenkonzert (1967), *Concerto soirée* (1961) und *Fantasia su 12 note del Don Giovanni di Mozart* (1962) für Kl. und Orch.; Elegie für Ob. und Kl. (1959), 15 Praeludien für Kl. (1964), Sonate für Org. (1965); die Oratorien *Mysterium* (1962) und *La vita di Maria* (1970), Missa *Mariae dicata* (1960) und Missa breve (1961) für Chor und Org., *Messa per l'avvento* a cappella (1962); ferner zahlreiche Musiken zu Filmen u. a. von Visconti (*Rocco e i suoi fratelli*, 1960; *Il gattopardo*, 1963) und Zeffirelli (*Romeo e Giulietta*, 1968) sowie zu allen Filmen von Fellini (u. a. *La dolce vita*, 1960, und *Otto e mezzo*, 1963).

Lit.: A. ÄSCHLIMANN-ROCHAT in: SMZ XCVI, 1956, S. 103f.; L. PINZAUTI in: nRMI V, 1971, S. 74ff. (Interview).

Rotenbucher, Erasmus (eigentlich Haureuter), * um 1525 zu Braunau am Inn, begraben 15. 7. 1586 zu Nürnberg; deutscher Schulmann, war vermutlich in Passau Schüler L. Pamingers, dessen Sohn Sophonias zu seinen Freunden gehörte, besuchte die Universitäten Ingolstadt (1542) und Wittenberg (ab 1543) und wirkte 1548–74 als Präzeptor an der Lateinschule St. Egidien in Nürnberg, danach dort als Kirchner und Almosendiener bei St. Sebald. Sein Hauptverdienst besteht in der Herausgabe zweier wichtiger Biciniensammlungen: *Diphona amoena et florida* (Nürnberg 1549) und *Bergkreyen* (ebd. 1551). Auch schrieb er eine Elegie auf den Tod Pamingers (1567).

Ausg.: Elegia de morte L. Pamingeri, in: C. Ch. Hirsch, De vita Pamingerorum commentarius, hrsg. v. PH. A. CHRISTFELS, Öttingen 1764–67; 3 Lieder aus »Bergkreyen« in: Weltliche Zwiegesänge, hrsg. v. FR. PIERSIG, Kassel 1930; Schöne u. liebliche Zwiegesänge, hrsg. v. D. DEGEN = HM LXXIV, Kassel 1951 (Ausw. aus »Diphona amoena«).

Lit.: FR. KRAUTWURST in: MGG XI, 1963, Sp. 988f.

+Roters, Ernst [erg.:] Hermann Friedrich, * 6. 7. 1892 zu Oldenburg, [erg.:] † 25. 8. 1961 zu Berlin.

Roth, Günter, * 30. 3. 1925 zu Hannover; deutscher Opernregisseur, erhielt seine Ausbildung und sein erstes Engagement am Landestheater Hannover, an dem er 1950 mit *Tiefland* debütierte. 1953 wurde er an die Städtischen Bühnen Düsseldorf (seit 1957 Deutsche

Oper am Rhein in Düsseldorf–Duisburg) engagiert (Klebe, *Die Räuber*, Düsseldorf 1957, und *Die tödlichen Wünsche*, ebd. 1959; Křenek, »Der Glockenturm«, Duisburg 1958; Dm. Schostakowitsch, »Die Nase«, Düsseldorf 1963) und 1958 als Dozent an die Folkwangschule in Essen berufen. Er wirkte ab 1957 als ständiger Gast am Theater am Gärtnerplatz in München (Donizetti, »Der Liebestrank«, 1957; Rossini, »Graf Ory«, 1958, und »Die Italienerin in Algier«, 1960; Offenbach, »Orpheus in der Unterwelt«, 1959; M. Lothar, *Schneider Wibbel*, 1962). Als Gast inszenierte er zahlreiche weitere Opern im In- und Ausland (*Così fan tutte*, Holland Festival 1959 und Mailänder Scala 1961; Wimberger, *La battaglia*, Schwetzinger Festspiele 1960). 1967 wurde er Generalintendant des neugegründeten Musiktheaters im Revier in Gelsenkirchen und übernahm 1973 die Intendanz der Oper des Niedersächsischen Staatstheaters in Hannover.

+Rothenberger, Anneliese, * 19. 6. 1924 [nicht: 1926] zu Mannheim.
Ständige Verpflichtungen haben A. R., inzwischen Bayerische und Österreichische Kammersängerin, weiterhin an die bedeutenden Opernhäuser in Europa, Nord- und Südamerika sowie zu zahlreichen Festspielen geführt. Ferner unternimmt sie als Liedersängerin vielfach Tourneen in Europa (einschließlich der UdSSR) und tritt (besonders auch mit unterhaltender Musik) des öfteren im Fernsehen auf (eigene Show in der ARD). Als autobiographische Schrift erschien *Melodie meines Lebens* (hrsg. von S. Fischer-Fabian, München 1972, mit Diskographie).
Lit.: W.-E. v. LEWINSKI, A. R., Velber bei Hannover 1968 (mit Diskographie).

+Rother, Artur Martin, * 12. 10. 1885 zu Stettin, [erg.:]†† 22. 9. 1972 zu Aschau im Chiemgau.
Nach Ablauf seiner Gastverpflichtungen an der Städtischen Oper in Berlin (1960/61) lebte R. in Aschau. 1965 wurde er zum Ehrenmitglied der Deutschen Oper Berlin ernannt.

Rothmüller, Aron Marko, * 31. 12. 1908 zu Trnjani (bei Brod, Kroatien); jugoslawischer Sänger (Bariton), studierte in Zagreb an der Muzička Akademia sowie in Wien bei Franz Steiner (Gesang) und Alban Berg (Komposition) und debütierte als Rigoletto an der Hamburgischen Staatsoper (1932). Er war an den Opern in Zagreb (1932–34) und Zürich (1935–47) sowie an der Covent Garden Opera in London (1948–55) engagiert und trat 1960 erstmals an der Metropolitan Opera in New York auf. Zu seinen Partien zählten neben einschlägigen Wagner-Rollen Figaro (*Il barbiere di Siviglia*), Scarpia (*Tosca*), Jochanaan (*Salome*) und Wozzeck. R. schrieb auch Kammermusik und Lieder und veröffentlichte *Die Musik der Juden. Versuch einer geschichtlichen Darstellung ihrer Entwicklung und ihres Wesens* (Zürich 1951, engl. London 1953, NY 1954 und Gloucester/Mass. 1962, revidierte NA South Brunswick/N. J. 1967).

+Rothwell, Evelyn [nicht: Edith] → +Barbirolli, J.

Rotondi, Umberto, * 21. 5. 1937 zu Bareggio (bei Mailand); italienischer Komponist, studierte am Conservatorio di Musica G. Verdi in Mailand Klavier (Diplom 1959) und (bis 1964) Komposition bei Bettinelli und Franco Donatoni. Er vervollkommnete seine Studien in Filmmusik an der Accademia Musicale Chigiana in Siena (1963) und in Mailand (1964). R. lehrt heute Harmonielehre am Conservatorio di Musica A. Venturi in Brescia. Von seinen Kompositionen seien genannt: *Cinque varianti* für V., Va, Ob. und Fag. (1963); *Cinque*

episodi für Hf. (1964); *Tre liriche* für S. und Kl. (1965); *Composizione* für Orch. (1966); *Musica a tre* für S., Klar. und Kl. (1967); *Periodi* für Klar. und Kl. (1968); *Interferenze* für Orch. (1969); *Pagine* für Hf. und Cemb. (1969); 1. Streichquartett (1970); *Musica per ventiquattro* (1971); Etüde für Orch. (1972); ferner Filmmusik.

Rotter, Fritz, * 3. 3. 1900 zu Wien; österreichisch-amerikanischer Film- und Bühnenautor und Schlagertextdichter, lebte nach ersten Erfolgen zunächst in Wien, bis 1935 in Berlin, dann in Budapest, Wien, Abbazia (Opatija) und London, ab 1937 in Hollywood, und wurde 1944 amerikanischer Staatsbürger. Neben seiner Tätigkeit als Film-(bzw. Mit-)Autor (*Nachts auf den Straßen*; *Illusion in Moll*; *Wenn der weiße Flieder blüht*; *The Emperor Waltz*; *Fever*) verfaßte R. die Theaterstücke *Letters to Lucerne* (NY 1941), *Christine* (1952), *Die persische Katze* (1957) und *Die kleinen Freuden des Lebens* (1959) sowie einige tausend Filmlieder- und Schlagertexte, von denen eine Reihe der bekanntesten (Komponisten in Klammern) nachfolgend seien genannt: *Heimat, du bleibst meine Sehnsucht* (P. Abraham); *Ich könnte jetzt zu Ihnen sagen: I Love You* (Abraham); *Frühling muß es sein* (Doelle); *Wenn der weiße Flieder wieder blüht* (Doelle); *Ich küsse Ihre Hand, Madame* (Ralph Erwin / R. → Vogl); *Mir ist heut' so nach Liebe* (Erwin); *Sie küssen mir die Hand, mein Herr, warum nicht meinen Mund?* (Erwin); *Ich hab' mich so an dich gewöhnt* (Gaze); *Man sagt, ich liebe dich* (Grothe); *Du warst mir ein Roman* (Kaper); *Nimm diesen Strauß Vergißmeinnicht* (Kaper); *Spiel' mit mir auf der Balalaika* (Kaper); *Es gibt noch ein Märchen auf dieser Welt* (Lehár); *Es war einmal ein Walzer* (Lehár); *Was wär' euch, ihr wunderschönen Frau'n?* (Lehár); *Grüß' mir die stolzen Burgen am Rhein* (Raymond); *Goldblondes Mädel vom Rhein* (R. Stolz); *In Wien hab' ich einmal ein Mädel geliebt* (Stolz); *Heut' hab' ich Premiere bei einer schönen Frau* (R. Tauber); *Ich glaub' mir nehm' an eine Frau* (Tauber). Bei zahlreichen der von ihm textierten Schlager war R. auch Mitkomponist; Alleinkomponist ist er u. a. bei *Ein Rätsel sind die Frau'n* und *Wien, du bleibst das verwöhnteste Kind der Welt*.

Rotter, Ludwig, * 6. 9. 1810 und † 5. 4. 1895 zu Wien; österreichischer Organist und Komponist, wurde 1862 zum Hoforganisten ernannt und war ab 1867 Nachfolger Sechters als 1. Hoforganist, später auch Vizehofkapellmeister, bis 1882 zugleich Kapellmeister in der Kirche Am Hof. Er komponierte zahlreiche (z. T. gedruckte) Kirchenmusik (Messen, Requiem, Proprien, Te Deum) sowie Klavier- und Orgelwerke und verfaßte eine Generalbaßschule (*Harmonologie*, Wien 1849).

Rotzsch, Hans-Joachim, * 25. 4. 1929 zu Leipzig; deutscher Konzertsänger (Tenor), studierte in Leipzig 1949–53 an der Staatlichen Hochschule für Musik (Kirchenmusik) und vervollkommnete sich im Gesang bei Fritz Polster. 1953–66 war er Stimmbildner des Thomanerchores. Neben seiner Tätigkeit als Konzert- und Oratoriensänger (seit 1953) sowie als Mitglied der »Leipziger Bachsolisten« wirkte R. ab 1961 als Lehrbeauftragter für Gesang an der Leipziger Musikhochschule und ab 1965 als Leiter des Leipziger Universitätschores. 1972 wurde er als Nachfolger von E. Mauersberger Thomaskantor.

+Rouart, Lerolle & Cie.
François Hepp, * [erg.: 24. 8.] 1887 zu Versailles, [erg.:] † 22. 8. 1965 zu Faverolles (Eure-et-Loir). – Die Firma ging 1942 [nicht: 1941] an Salabert über.

+Rouget de Lisle, Claude-Joseph (eigentlich nur Rouget), 1760–1836.

R. de L.s Hymne *+Chant de guerre pour l'armée du Rhin,* beim Einmarsch eines Marseiller Freiwilligenbataillons in Paris (1792) als *Marseillaise* populär geworden, wurde 1795 und erneut 1879 zur französischen Nationalhymne erklärt. 1887 erhielt sie in der Bearbeitung und Orchestrierung durch A. Thomas die offizielle Version. Lit.: →Nationalhymne. – E. BRONFIN in: SM XXIV, 1960, H. 5, S. 53ff.; FR. CHAILLEY, La Marseillaise. Etude critique sur ses origines, Annales hist. de la Révolution frç. XXXII, 1960; J. KLINGENBECK, I. Pleyel u. d. Marseillaise, StMw XXIV, 1960.

Rouleau (rul'o), Joseph-Alfred, * 28. 2. 1929 zu Matane (Provinz Québec); kanadischer Sänger (Baß), studierte in Montreal an der Universität und am Konservatorium sowie 1952–55 in Mailand und Rom. Er debütierte 1956 in New Orleans, wirkte als Opern- und Konzertsänger für Rundfunk und Fernsehen in Kanada und wurde 1957 an die Covent Garden Opera in London engagiert. R. ist an den großen Opernbühnen Ost- und Westeuropas, am Teatro Colón in Buenos Aires sowie bei den Festspielen in Edinburgh und beim Holland Festival aufgetreten. Sein Repertoire umfaßt die einschlägigen Partien u. a. in den Opern von Rossini, Donizetti und Gounod.

Roulette, René → Halletz, Erwin.

+Rousseau, Jean, 17. Jh.
Ausg.: Traité de la viole (1687), Faks. Amsterdam 1965.
Lit.: FR. LESURE, Une querelle sur le jeu de la viole en 1688. J. R. contre Demachy, Rev. de musicol. XLV/XLVI, 1960; L. GUICHARD, Le cistre de R., ebd. L, 1964.

+Rousseau, Jean-Jacques, 1712–78.
R.s *+Examen de deux principes avancés par M. Rameau dans sa brochure intitulée: Erreurs sur la musique dans l'Encyclopédie* wurde erst 1781 [nicht: 1764] in Paris veröffentlicht. Die Erstausgabe seines *+Dictionnaire de musique* erschien lediglich in Paris 1768, eine Genfer Ausgabe von 1767 ist niemals erschienen. – Weitere Schriften zur Musik (unveröffentlicht): *Lettre d'un symphoniste de l'Académie royale de musique* (1753); *Essai sur l'origine des langues où il est parlé de la mélodie et de l'imitation musicale* (um 1760?); *Lettre à Lalande* (1768); *Lettre à Burney* (um 1775/77?). – R. komponierte ferner u. a. die Oper *La découverte du nouveau monde* (1741, nur das Textbuch erhalten), 2 Symphonien (verschollen), Motetten (*Salve regina* für eine Singst. und Orch., 1752; *Quam dilecta tabernacula* für 2 St. und B. c., 1767/68) und *Canzoni da battello, chansons italiennes ou leçons de musique pour les commençants* (1753).
Ausg.: Collection complète des œuvres de J. J. R., hrsg. v. P. A. +DU PEYROU, 12 Bde, nebst 3 Suppl.-Bden, Genf 1782 [del. frühere Angaben]. – Œuvres complètes, hrsg. v. B. GAGNEBIN u. M. RAYMOND, bisher Bd I–IV, = Bibl. de la Pléiade XI, CLIII, CLXIX u. CCVIII, Paris 1959–69. – Dictionnaire de musique (1768), Faks.-Ausg. Hildesheim u. NY 1969. – Essai sur l'origine des langues . . ., hrsg. v. CH. PORSET, Bordeaux 1968. – Romanze »Echo«, in: FR. NOSKE, Das außerdeutsche Sololied, = Das Musikwerk XVI, Köln 1958, auch engl.; Les muses galantes, 1. Akt, Kl.-A. hrsg. v. S. BAUD-BOVY, Genf 1963.
Lit.: Correspondance complète de J. J. R., hrsg. v. R. A. LEIGH, = Inst. et Musée Voltaire o. Nr, bisher 18 Bde, Genf 1965–73. – +A. JANSEN, J.-J. R. als Musiker (1884), Nachdr. ebd. 1971. – A. ARNHEIM, Le devin du village v. J.-J. R. u. d. Parodie »Les amours de Bastien et Bastienne«, SIMG IV, 1902/03; G. NOLL, Untersuchungen über d. musikerzieherische Bedeutung J.-J. R.s u. seiner Ideen. Allgemeiner Überblick u. spezielle Darstellung seiner Ziffernschrift als Anfang einer modernen Musikmethodik, Diss. Bln 1960 (HU); DERS., J.-J. R. als Musikerzieher, Kgr.-Ber. Kassel 1962; S. BAUD-BOVY, R. musicien,

Neuchâtel 1962; A. LIVERMORE, R. and Cherubino, ML XLIII, 1962; DIES., R., Beaumarchais, and Figaro, MQ LVII, 1971; J. MITTENZWEI, R.s Auffassung v. d. Musik als einer Sprache d. Natur u. d. Leidenschaften, in: Das Mus. in d. Lit., Halle (Saale) 1962; FR.-H. NEUMANN, Die Ästhetik d. Rezitativs. Zur Theorie d. Rezitativs im 17. u. 18. Jh., = Slg mw. Abh. XLI, Straßburg 1962; R. COTTE, Bemerkungen über d. Verhältnis J.-J. R.s zur Musik, BzMw V, 1963; H. HEINTZE, Bemerkungen zu R.s Brief an d'Alembert, Wiss. Zs. d. M.-Luther-Univ. Halle–Wittenberg, Ges.- u. sprachwiss. Reihe XII, 1963; G. SNYDERS, Une révolution dans le goût mus. au XVIIIᵉ s., L'apport de Diderot et de J.-J. R., Annales (Économies, sociétés, civilisations) XVIII, 1963; R. OSMONT, Les théories de R. sur l'harmonie mus. et leurs relations avec son art d'écrivain, in: J.-J. R. et son œuvre, = Actes et colloques II, Paris 1964; A. WHITTAL, R. and the Scope of Opera, ML XLV, 1964; E. APPIA, J.-J. R. et la musique, in: De Palestrina à Bartók, Paris 1965; E. FUBINI, Il concetto di natura e il mito della musica ital. nel pensiero di J. J. R., Rivista di estetica X, 1965; DERS., Gli illuministi e la musica, = Collana filosofica Principato o. Nr, Mailand 1969 (mit ital. Auszügen aus d. »Encyclopédie«); DERS., Gli enciclopedisti e la musica, Turin 1971; H. CONRADIN, J.-J. R.s »Devin du village«, Schweizer Musikzeitung CV, 1965/66; D. ZOLTAI, A zeneesztétika története, Bd I: Ethosz és affektus, Budapest 1966, deutsch als: Ethos u. Affekt. Gesch. d. philosophischen Musikästhetik v. d. Anfängen bis zu Hegel, ebd. 1970; TH. W. HUNT, The »Dictionnaire de musique« J.-J. R., Diss. North Texas State Univ. 1967; B. RAINBOW, The Land Without Music. Mus. Education in England 1800–60 and Its Continental Antecedents, London 1967; M. BARTHÉLEMY, M.-A. Laugier contre J.-J. R., Un épisode de la querelle des bouffons, in: La Provence hist. LXXIII, 1968; E. MASS, Montesquieu u. J.-J. R., Die politische Funktion d. Musik, Zs. f. frz. Sprache u. Lit. LXXIX, 1969; J. BOUWS, J.-J. R. en d. musiek, Tydskrif vir geesteswetenskappe X, 1970; W. LEINER, J.-B. et J.-J. R. et les »distillateurs d'accords baroques«, in: Studi francesi XLIII, 1971; CH. B. PAUL, Music and Ideology. Rameau, R. and 1789, Journal of the Hist. of Ideas XXXII, 1971; W. EISENMANN, Wer komponierte d. »Devin du Village«?, SMZ CXII, 1972 (vgl. dazu auch ebd., S. 322f. u. 384f., sowie CXIII, 1973, S. 114ff.). – La querelle des bouffons, Faks.-Ausg. d. 59 Broschüren (Paris 1752–54), hrsg. v. D. LAUNAY, 4 Bde, Genf 1973.

+Roussel, Albert Charles Paul Marie, 1869–1937.
Die symphonische Dichtung *+Evocations* für A., T., Bar., gem. Chor und Orch. op. 15 entstand 1911 [nicht: 1922].
Lit.: N. CONTI u. C. MARCHESANI in: Musicalia I, (Genua) 1970, S. 70ff. (Verz. d. gedruckten erhältlichen Werke u. Diskographie). – FR. LESURE, A. R., Paris 1969 (Ausstellungskat. d. Bibl. Nationale). – Lettres de V. d'Indy, H. Duparc et A. R. à A. Sérieyx, hrsg. v. M. L. SÉRIEYX, = Les documents célèbres V, Lausanne u. Paris 1961. – K. ROOTZÉN in: Fransk musik, hrsg. v. J. Rabe, Stockholm 1957, S. 69ff.; P. MEYLAN, A. R. et la Suisse, d'après une correspondance inéd., Schweizer musikpädagogische Blätter XLVII, 1959; B. DEANE, A. R., London 1961 u. 1964; J. ROY, Présences contemporaines, Musique frç., Paris 1961 u. 1962; P. L. FRANK in: ÖMZ XVII, 1962, S. 478ff.; J. BRUYR in: SMZ CIII, 1963, S. 141ff.; J. M. EDDINS, The Symphonic Music of A. R., Diss. Florida State Univ. 1966; L. HEDWALL, A. R., Prélude et fughetta op. 41, in: Kirkomusikernas tidning XXXII, 1966; A. SURCHAMP, A. R., = Musiciens de tous les temps XXXII, Paris 1967; G. WERKER, A. R. als symfonicus, in: Mens en melodie XXII, 1967; F. APRAHAMIAN, R.'s »Padmâvatî«, in: Opera XX, (London) 1969; R. CRICHTON, R.'s Stage Works, MT CX, 1969; Y. GOUBERNÉ, Les échos du temps passé, in: Zodiaque 1969, Nr 80 (mit Briefen); A. HOÉRÉE, ebd. S. 29ff.; DERS. in: Le courrier mus. de France 1969, S. 152ff.; E. D. R. NEILL in: Musicalia I, (Genua) 1970, S. 5ff.; R. MYERS, Modern French Music, = Blackwell's Music Series o. Nr, London u. NY 1971.

+Roussier, Pierre-Joseph, 1716 – um 1790.
Von R.s *+Observations sur différents points de l'harmonie*
existiert lediglich eine 1765 in Genf erschienene Ausgabe [del. frühere Angaben hierzu]. Die Schrift *+Senti-
ment d'un harmoniphile sur différents ouvrages de musique*
(1756) ist die erste Musikzeitschrift in französischer
Sprache (nur 2 Nrn), wurde aber nicht von R., sondern
von einem Abbé Marc-Antoine Laugier (1713–69)
herausgegeben. Die *+Lettre sur l'acception des mots* ... erschien in Bd VI [nicht: I] des »Journal encyclopédique«
(1783).
Ausg.: Mémoire sur la musique des anciens ..., Faks. d.
Ausg. Paris 1770, = MMMLF II, 41, NY 1966; Textes
sur les instr. de musique au XVIIIe s., Genf 1972 (darin
Nachdr. v. R.s »Mémoire sur le nouveau clavecin chromatique de M. De Laborde« u. »Mémoire sur la nouvelle
harpe de M. Cousineau ...«, beides 1782); Traité des
accords et de leur succession ..., Nachdr. d. Ausg. Paris
1764, ebd.
Lit.: G. Birkner in: MGG XI, 1963, Sp. 1018f.; R. D.
Osborne, The Theoretical Writings of Abbé P.-J. R.,
Diss. Ohio State Univ. 1966.

+Rovetta, Giovanni, [erg.:] um 1596 – 23. 10. [del.:
oder August] 1668.
Lit.: A.-M. Bergin, The »Salmi concertati« (1626) of
G. R., 2 Bde (Übertragung u. Kommentar), M. A.-Thesis
Univ. of Otago (Neuseeland) 1967.

Rovigo, Francesco, * 1530 oder 1531 und † 7. 10.
1597 zu Mantua; italienischer Komponist, war Organist am Hofe des Herzogs Guglielmo Gonzaga in Mantua, wurde 1582 Hoforganist des Erzherzogs Karl II. in
Graz und kehrte 1591 als Komponist des Herzogs Vincenzo I. und als Organist der herzoglichen Kapelle
S. Barbara nach Mantua zurück. Verschollen sind sein
1. Buch 5st. Madrigale (Venedig 1581) und 4st. Kanzonetten (mit Ruggier Trofeo, o. O. 1583). Gedruckt
erschienen von R. ferner: Canzoni a suonare a quattro et
a otto (mit Trofeo, Mailand 1660) sowie mehrere Madrigale und eine Messe in Sammlungen der Zeit. Handschriftlich sind u. a. 4 Messen zu 5 St., eine Messe zu 12
St., eine Passio secundum Lucam zu 5 St., ein Laudate
Dominum zu 8 St., 2 Magnificat und 2 Litaneien zu
4 St. in verschiedenen Bibliotheken erhalten.
Ausg.: Madrigal »Ardosi, ma non t'amo«, in: A. Einstein, Ital. Musik u. ital. Musiker am Kaiserhof u. a. d.
erzherzoglichen Höfen in Innsbruck u. Graz, StMw XXI,
1934; Missa Dominicis diebus, in: Nld. u. ital. Musiker d.
Grazer Hofkapelle Karls II. 1564–90, hrsg. v. H. Federhofer u. R. John, = DTÖ XC, Wien 1954.
Lit.: H. Federhofer, Musikpflege u. Musiker am Grazer
Habsburgerhof d. Erzherzöge Karl u. Ferdinand v. Innerösterreich (1564–1619), Mainz 1967.

+Rowicki, Witold, [erg.: * 26. 2.] 1914 zu Taganrog
(am Asowschen Meer).
R. studierte 1942–44 privat Dirigieren bei [erg.: Ru-
dolf] Hindemith. 1952–54 lehrte er Dirigieren an der
Hochschule für Musik in Warschau. Die Warschauer
Philharmonie (seit 1955 Nationalphilharmonie), die
bereits 1950–55 unter seiner Leitung stand, übernahm
R. erneut 1958, nunmehr als künstlerischer Direktor
und Chefdirigent. Gastverpflichtungen führen ihn darüber hinaus ständig zu bedeutenden Orchestern im europäischen wie außereuropäischen Ausland. R., führend beim »Warschauer Herbst«, ist besonders durch
seine Aufführungen von Kompositionen der polnischen Avantgarde bekannt geworden.
Lit.: L. Terpiłowski, W. R., Krakau 1961.

+Rowley, Alec, 1892 – 12. [nicht: 10.] 1. 1958 zu
Weybridge (Surrey) [nicht: London].

+Rozo Contreras, José, * 7. 1. 1894 zu Bochalema
(Norte de Santander).

Als Professor am Conservatorio de música der Universidad nacional in Bogotá wirkte er 1946–71. An
neueren Werken sind zu nennen Hymnen (u. a. Himno
de la caballería mecanizada, 1962; Himno a la comunión,
1968) und Bearbeitungen (u. a. der Nationalhymnen
von Kolumbien und Ecuador, 1954). Seine Erinnerungen erschienen als Memorias de un músico de Bochalema
(= Bibl. de autores nortesantandereanos VI, Cúcuta
1960).
Lit.: Werkverz. in: Compositores de América XVIII,
Washington (D. C.) 1972.

Rózsa (r′o:ʒɒ), Lajos, * 4. 7. 1877 zu Körmend (Komitat Vas/Eisenburg), † 26. 12. 1922 zu Detroit (Mich.);
ungarischer Sänger (Bariton), begann als Chorsänger
am Volkstheater in Budapest, war Mitglied des Thea-
terensembles von Ignác Krecsányi und debütierte 1909
an der Oper in Budapest, deren Ensemble er bis 1920
angehörte. Ab 1920 trat er an der Metropolitan Opera
in New York auf.
Lit.: V. Somogyi, R. L., in: Muzsika II, 1962.

+Rózsa (r′o:ʒɒ), Miklós, * 18. 4. 1907 zu Budapest.
Weitere Werke: 6 kurze Stücke Kaleidoscope op. 19
(1945, Orchesterfassung op. 19a, 1957) und Sonate op.
20 (1948) für Kl.; Motette Hienieden alles hat seine
Stunde / To Everything There Is a Season für 8st. gem.
Chor op. 21 (Org. ad libitum, 1948); 12 Variationen
über ein französisches Volkslied The Vintner's Daughter
für Kl. op. 23 (1953); +Violinkonzert op. 24 (1953
[nicht: 1956]); Ungarische Serenade für kleines Orch.
op. 25 (1953); +Konzertouvertüre op. 26 (1957); Sonatine für Klar. solo op. 27 (1957); Notturno ungharese
für Orch. op. 28 (1965); Sinfonia concertante für V.,
Vc. und Orch. op. 29 (1966); Motette Die Eitelkeiten
des Lebens / The Vanities of Life für 4st. gem. Chor op.
30 (Org. ad libitum, 1965); Klavierkonzert op. 31
(1967); Cellokonzert op. 32 (1969); Tripartita für
Orch. op. 33 (1973).
Lit.: R. M. Larson, Stylistic Characteristics in »a
cappella« Composition in the United States, 1940–53,
Diss. Northwestern Univ. (Ill.) 1953.

+Rózsavölgyi (r′o:ʒɒvœld‚i), –1) Márk, 1789(87?) –
[erg.: 23. 1.] 1848.
–2) R. & Comp. (R. és Társa), Musikverlag. Die
Firma wurde 1949 verstaatlicht.
Ausg.: zu –1): Erster ungarischer Gesellschaftstanz, hrsg.
v. F. Bónis, = Diletto mus. Nr 175, Wien 1965.

+Różycki, Jacek [erg.:] Sebastian(?) (Rositzky, Ru-
ziski), [erg.:] um 1625/35 wahrscheinlich zu Łęczyca
(bei Łódź) – vor 1707 [del.: um 1700].
Ausg.: +Hymni ecclesiastici, hrsg. v. A. Chybiński u.
Br. Rutkowski, = Wydawnictwo dawnej muzyki pol-
skiej III, Warschau 1929 u. Krakau 1947; +Magnifi-
cemus in cantico (1674), hrsg. v. A. Chybiński, ebd. XVI, 1938,
NA Krakau 1964; Concerto a 3 »Exultemus omnes«,
hrsg. v. Z. M. Szweykowski, ebd. XLIV, 1961, ²1966;
Magnificat f. 4 St., 2 V. u. B. c. (1688), hrsg. v. Dems.,
ebd. LIV, 1964; Confitebor f. dass., hrsg. v. Dems., ebd.
LX, 1966; ein Satz in: Muzyka staropolska, hrsg. v. H.
Feicht, ebd. 1966.
Lit.: Z. M. Szweykowski, Kapelmistrz herbu Doliwa
(»Kapellmeister unter d. Wappen Doliwa«), in: Ruch
muzyczny X, 1966.

+Różycki, Ludomir, 1884 [nicht: 1883] – 1953.
R. wurde 1930 als Professor für Komposition an die
Warschauer Musikhochschule berufen; ab 1945 lehrte
er an der Musikhochschule in Kattowitz. R. verfaßte
auch einige Lehrwerke.
Lit.: J. Kański, L. R., Krakau 1955; Ders., Poematy symfoniczne L. R.ego ... (»L. R.s symphonische Dichtungen. Melodik u. Inhaltsprobleme«), in: Muzyka XVI,
1971; I. Turska, »Pań Twardowski« L. R.ego, = Mała

bibl. baletowa II, Krakau 1959; Z. Lissa in: MGG XI, 1963, Sp. 1032ff.; Z. Folga, »Bolesław Śmiały« L. R.ego jako dramat muzyczny (»‚Bolesław d. Kühne' v. L. R. als Musikdrama«), in: R. Wagner a polska kultura muzyczna, hrsg. v. K. Musioł = Państwowa wyższa szkoła muzyczna w Katowicach, Zeszyt naukowy V, Kattowitz 1964.

+Rubardt, Paul Friedrich Hermann, * 3. 6. 1892 zu Bremerhaven(-Geestemünde), [erg.:] † 17. 12. 1971 zu Leipzig.

Als Kustos am Musikinstrumenten-Museum der K.-Marx-Universität Leipzig war R. bis 1967 tätig. – Das *+Kamenzer Orgel-Buch* (1953) enthält lediglich einen Beitrag von ihm (*Die älteren Orgelwerke der Hauptkirche von St. Marien*; ein weiterer Beitrag darin von E. Jentsch) [del. frühere Angabe]; *+Führer durch das Musikinstrumenten-Museum* ... (1955 [nicht: 1954]), Lpz. ²1964. – Er verfaßte ferner den Aufsatz *Zwei originale Orgeldispositionen J. S. Bachs* (Fs. H. Besseler, Lpz. 1961) und gab die 6 *Suiten für Vc. solo* von Bach heraus (Lpz. 1965, Ffm. 1966).

+Rubbra, [erg.: Charles] Edmund [del.: Duncan], * 23. 5. 1901 zu Northampton.

An der Universität in Oxford wirkte R. bis 1968. Weitere Werke: 2. Streichquartett op. 73 (1952); *Ode to the Queen* für A. und Orch. op. 83 (1951); Klavierkonzert G dur op. 85 (1959); 2 Sonette für Singst., Va und Kl. op. 87 (1956); Improvisation für V. und Orch. op. 89 (1956); *Cantata pastorale* für hohe St., Block-Fl., Cemb. und Vc. op. 92 (1962); Kantate *In honorem Mariae matris Dei* für S., A., Kinderchor, gem. Chor und Orch. (oder Org.) op. 97 (1957); Oboensonate op. 100 (1959); *Pezzo ostinato* für Hf. op. 102 (1959); Violinkonzert op. 103 (1962); *Lauda Sion* für S., Bar. und Doppelchor a cappella op. 110 (1961); Cantata di camera *Crucifixus pro nobis* für T., Chor, Fl., V., Vc., Hf. und Org. op. 111 (1961); 3. Streichquartett op. 112 (1968); 5 Lieder *The Jade Mountain* für hohe St. und Hf. op. 116 (nach chinesischen Gedichten, 1963); *A Spring Carol Sequence* für 3st. Chor, Fl., Ob. und 2 Klar. op. 120 (1963); Suite *Inscape* für gemischte St., Streicher und Hf. op. 122 (1965); *Discourse* für Hf. und Vc. op. 127 (1969); Suite *In die et nocte canticum* für Chor und Orch. op. 129 (auf einen mittelalterlichen lateinischen Text, 1965); *Veni, creator spiritus* für Chor und Blechbläser op. 130 (1966); 8 Praeludien für Kl. op. 131 (1967); 3. Symphonie op. 132 (1968); 3. Violinsonate op. 133 (1968); *Creature Songs to Heaven* für 3st. Kinderchor, Streichquartett und Kl. op. 134 (1969); Adventskantate *Natum Maria virgine* für Bar., gem. Chor und Orch. op. 136 (1968); *Missa brevis* für 3st. Chor und Org. op. 137 (1969); 2. Klaviertrio op. 138 (1970); 4 Studien für Kl. op. 139 (1971); Sinfonia sacra *The Resurrection* für Soli, Chor und Orch. op. 140 (1973); Kammersymphonie op. 145; a cappella-Chöre. – Er verfaßte *Counterpoint. A Survey* (= Hutchinson's University Library Music Series o. Nr, London 1960) und lieferte zur 2. Auflage von A. Casellas *The Evolution of Music Throughout the History of the Perfect Cadence* ergänzende Bemerkungen und Beispiele (London 1964, engl., frz., ital. und deutsch).

Lit.: E. Payne, R.'s Contrapuntal Textures, MMR LXXXIV, 1954; dies., ebd. LXXXV, 1955, S. 201ff. (zur 6. Symphonie); dies. in: ML XXXVI, 1955, S. 341ff.; dies., Some Aspects of R.'s Style, MR XVI, 1955; H. Ottaway in: MT XCVI, 1955, S. 527ff. (zur 6. Symphonie); ders., E. R. and His Recent Works, MT CVII, 1966; ders., R.'s Symphonies, MT CXII, 1971; M. Schafer in: British Composers in Interview, London 1963, S. 64ff.; M. Dawney, E. R. and the Piano, MR XXXI, 1970; ders. in: Composer 1971, Nr 39, S. 7ff. (mit Werkverz. ab op. 95).

+Rubert, Johann Martin (Rubbert), 1615 [del.: um 1614] – 1680 [erg.:] oder 1677(?).

R. wurde um 1645 Hofmusiker und -organist in Plassenburg (bei Kulmbach) und 1646 [nicht: 1640] Organist an der Nicolaikirche in Stralsund.

Ausg.: +H. J. Moser, Corydon (II, 1933), Nachdr. Hildesheim 1966 (2 Bde in 1), 2. ergänzte Aufl. Braunschweig 1956.

Lit.: W. Braun, Musik am Hof d. Grafen Anton Günther v. Oldenburg (1603–67), in: Oldenburger Balkenschild 1963, Nr 18/20.

+Rubin, Marcel, * 7. 7. 1905 zu Wien.

R. wurde 1964 der (österreichische) Professorentitel verliehen. Neuere Werke: die Oper *Kleider machen Leute* (nach G. Keller, 1967–69, Wien 1973); 5. Symphonie (1965), Suite *Drei Komödianten* (1963) und Sonatine (1965) für Orch., Sinfonietta (1966) und Pastorale (1970) für Streicher; Konzerte für Kb. (1970) und Trp. (1972) mit Orch.; Serenade für 5 Bläser (1972), Divertimento für Klaviertrio (1967); Oratorium *Die Albigenser* (nach N. Lenau, 1957–61); 5 Goethe-Lieder für Bar. und Kl. (1958), 7 Lieder *Nocturnes* für Bar. und Kl. (1962), 3 *Marienlieder* (1971). Er verfaßte: *A. Berg und die Zukunft der Schönberg-Schule* (MuG V, 1955); *G. Mahler kompozitor-gumanist* (SM XXII, 1958); *Webern und die Folgen* (MuG X, 1960).

+Rubini, Giovanni Battista, 1794–1854.

Lit.: E. Gara, G. B. R. nel centenario della morte ..., Bergamo 1968.

Rubini, Nicolò, * 21. 10. 1584 zu Crevalcore (bei Bologna), † 17. 1. 1625 zu Modena; italienischer Komponist und Musiktheoretiker, Schüler von Orfeo Vecchi, spielte 1607 als Zinkenist in Modena, ist ab 1610 als Zinkenist sowie ab 1616 als Kaplan in der estensischen Hofkapelle nachweisbar. Er veröffentlichte ein *1° libro de Motetti a 4–10 v. de quali altri servono al choro* (Venedig 1606), *Madrigali e pazzarelle a 2 v. ... libro 1°* (ebd. 1610), *Coppia de baci allettatrice al bacio. canzone a 3 v.* (ebd. 1613) und *Madrigali a 5 v. con il b.* (ebd. 1615). Seine *Regole per imparar di far contrapunto sopra il canto fermo* sind nur handschriftlich überliefert.

Lit.: A. G. Spinelli, N. R. contrapunttista modenese, Florenz 1899; G. Roncaglia, La cappella mus. del duomo di Modena, = »Hist. musicae cultores« Bibl. V, ebd. 1957; ders., Un cap. di antica storia mus. modenese ed estense, CHM IV, 1966.

+Rubinstein, –1) Anton Grigorjewitsch, 1829–94.
+Autobiography of A. R. (1890), Nachdr. = Studies in Music XLII, NY 1969.
–2) Nikolaj Grigorjewitsch, 1835–81.

Lit.: zu –1): +L. A. Barenbojm, A. Gr. R. (I, 1957), Bd II (1867–94), Moskau 1962. – G. Kogan in: SM XVIII, 1954, H. 11, S. 43ff.; Z. Hrabußšay, A. R. a Bratislava, in: Hudobnovedné štúdie III, 1959; L. A. Barenbojm, R.owskije tradizii i nascha sowremennost (»Die R.-Tradition u. unsere Zeit«), SM XXV, 1961; Na urokach A. R.a (»In A. R.s Unterricht«), hrsg. v. dems., Moskau 1964; A. Dm. Alexejew, Russkaja fortepiannaja musyka ot istokow do werschin twortschestwa ... (»Die russ. Kl.-Musik v. d. Anfängen bis zum Höhepunkt d. Schaffens. Die Periode vor Glinka, Glinka u. seine Zeitgenossen, A. R., d. Mächtige Häuflein«), ebd. 1963; T. A. Choprowa, A. Gr. R., = Knischka dlja junoschestwa o. Nr, Leningrad 1963; M. Goldstein, Ein unbekanntes Werk A. R.s, MuG XIII, 1963; ders., Zwei Zeugnisse d. jungen A. R., BzMw VI, 1964; G. Abraham in: Slavonic and Romantic Music, London 1968, S. 99ff. (= Wiederabdruck eines Aufsatzes aus MT v. 1945); J. Bittner, Die Klaviersonaten E. Francks (1817–93) u. anderer Kleinmeister seiner Zeit, 2 Bde, Diss. Hbg 1968. – zu –2): M. A. Balakirew. Perepiska s N. Gr. R.om i M. P. Beljajewym (»Briefwechsel mit N. Gr. R. u. M. P. Beljajew«), hrsg. v. W. A. Kisseljow, Moskau 1956; L. Korabelnikowa,

Stroitel musykalnoj Moskwy (»Der Erbauer d. mus. Moskau«), SM XXIV, 1960.

+Rubinstein, A r t h u r (Artur), * 28. 1. 1887 [nicht: 1886] zu Łódź [nicht: Lemberg].
R. war nicht Schüler von R. M. Breithaupt. Bei Paderewski in Morges (Vaud) weilte er als Gast und nicht studienhalber. Er wirkte lange Jahre auch als Kammermusiker, vor allem im Trio mit Heifetz und Feuermann (bzw. später Piatigorsky). Als Solist konzertiert R. bis heute in aller Welt (abgesehen von Deutschland und Österreich). Besondere Beachtung fanden in den letzten Jahren u. a. auch seine Interpretationen einzelner Klavierwerke der Wiener Klassik, Schuberts und Brahms'. Ihm wurden zahlreiche Ehrungen zuteil, so u. a. die Ernennung zum Ehrendoktor durch mehrere amerikanische Universitäten und zum Ehrenmitglied der Accademia nazionale di S. Cecilia in Rom sowie der Kungl. Musikaliska akademien in Stockholm. Unter Mitwirkung von B. Gavoty drehte François Reichenbach über R. einen Porträtfilm *L'Amour de la vie* (Premiere Paris 1969, als *Die Musik – mein Leben*, ZDF 1971, Versionen auch in anderen Sprachen). R. veröffentlichte die autobiographische Schrift *My Young Years* (NY und London 1973, deutsch als *Erinnerungen. Die frühen Jahre*, frz. Paris 1973).
Lit.: Å. BRANDEL in: Musikrevy XIII, 1958, S. 195ff.; N. HIRSCH in: Musica (Disques) 1961, H. 82, S. 5ff.; H. C. SCHONBERG, The Great Pianists, NY 1963, deutsch als: Die großen Pianisten, = Das moderne Sachbuch LXIII, Bern 1965 u. 1967; S. CHOTZINOFF, A Little Nightmusic. Intimate Conversations ..., NY 1964 (u. a. mit A. R.); J. KAISER, Große Pianisten in unserer Zeit, München 1965, NA 1972, engl. London u. NY 1971; N. MAR in: SM XXIX, 1965, H. 2, S. 57ff. (Gespräch); H. SZTOMPKA, A. R., Krakau 1966; W.-E. v. LEWINSKI, A. R. = Rembrandt-Reihe LVII, Bln 1967; A. FORSEE, A. R., King of the Keyboard, NY 1969; R. LEIBOWITZ, L'art de bien jouer du piano, in: Temps modernes XXV, 1969, auch in: Le compositeur et son double, = Bibl. des idées o. Nr, Paris 1971 (»à propos du film ...«); S. M. CHENTOWA, A. R., = Musykanty-ispolniteli o. Nr, Moskau 1971; H. OEPEN in: NZfM CXXXIII, 1972, S. 18ff.

Rubinstein, B e r y l, * 26. 10. 1898 zu Athens (Ga.), † 29. 12. 1952 zu Cleveland (O.); amerikanischer Pianist und Komponist, studierte ab 1911 in Berlin bei Busoni und da Motta. 1921–29 leitete er die Klavierabteilung am Cleveland Institute of Music, dessen Direktion er 1932 übernahm. Seine Kompositionen umfassen u. a. die Oper *The Sleeping Beauty* (Libretto Erskine, NY 1938), ein Scherzo für Orch. (1927), ein Klavierkonzert (1935), ein Streichquartett (1924) und Klavierstücke (Sonatine; 3 Tänze; Paraphrase über Gershwins *Porgy and Bess*).

+Rubinstein, I d a [erg.:] Lwowna, 5. 10. 1888 zu Charkow [del. frühere Angaben] – 20. 9. [nicht: 15. 10.] 1960.

Rubio (rr'ubĭo) Calzón, S a m u e l, OESA, * 20. 8. 1912 zu Posada de Omaña (León); spanischer Komponist und Musikforscher, promovierte am Pontificio Istituto di Musica Sacra in Rom und trat in das Augustinerkloster von El Escorial ein, wo er 25 Jahre lang Organist und Kapellmeister war. Er schrieb zahlreiche Kirchenkompositionen und besorgte eine Reihe von Veröffentlichungen, von denen genannt seien: A. Soler, *Sonatas para instrumentos de tecla* (bisher 7 Bde, Madrid 1952–72); *Antología polifónica sacra* (2 Bde, ebd. 1954–57); *La polifonía clásica* (2 Bde, El Escorial 1956, engl. Oxford 1972); *Polifonía española*. *Canciones espirituales polifónicas* (2 Bde, Madrid 1956); *Motetes de L. de Victoria* (4 Bde, ebd. 1964); *Seis conciertos para dos órg. del P. A. Soler* (ebd. 1968); *Cr. de*

Morales. Estudio crítico de su polifonía (El Escorial 1969); *Las melodías de los »Libros corales« del monasterio del Escorial* (in: Tesoro sacro musical LIII, 1970); *Los organos del monasterio del Escorial* (ebd. LIV, 1971); *Doce pange lingua para org. sobre la melodía española* (ebd. LV, 1972); *Música del P. A. Soler, que se conserva en el monasterio de El Escorial* (ebd.); *Organistas de la Real Capilla* (Bd Iff., Madrid 1973ff.).
Lit.: A. TEMPRANO in: Tesoro sacro mus. LVII, 1974, S. 83ff.

+Rubsamen, W a l t e r Howard, * 21. 7. 1911 zu New York, [erg.:] † 19. 6. 1973 zu Los Angeles.
R. war ab 1965 Chairman des Music Department der University of California at Los Angeles. – +*Literary Sources of Secular Music in Italy (ca. 1500)* (1943), Nachdr. NY 1972; +*The Justiniane or Viniziane of the 15th Cent.* (AMl XXIX, 1957 [nicht: Ann. mus. ...]). – Neuere Schriften: *The International ,Catholic' Repertoire of a Lutheran Church in Nürnberg (1574–97)* (Ann. mus. V, 1957); *Mr. Seedo, Ballad Opera, and the Singspiel* (in: Miscelánea ..., Fs. H. Anglés, Bd II, Barcelona 1958–61); *Scottish and English Music of the Renaissance in a Newly-Discovered Manuscript* (Fs. H. Besseler, Lpz. 1961); *Music and Politics in the Risorgimento* (Ital. Quarterly V, 1961/62); *From Frottola to Madrigal. The Changing Pattern of Secular Italian Vocal Music* (in: Chanson and Madrigal 1480–1530, hrsg. von J. Haar, = Isham Library Papers II, Cambridge/Mass. 1964); *The Earliest French Lute Tablature* (JAMS XXI, 1968); *The Music for »Quant'è bella giovinezza« and Other Carnival Songs by L. de' Medici* (in: Art, Science, and History in the Renaissance, hrsg. von Ch. S. Singleton, Baltimore 1968). Er gab heraus von J. Regnart ein 6st. *Puer natus est* (NY 1968) und ein um 1540 datiertes anonymes (deutsches) *Magnificat on Christmas Carols* (NY 1971).

Ruch, Hannes → Weinhöppel, Richard.

Rucker, Arnold → +Rücker, A.

+Ruckers, –1) Hans (Joannes), der Ältere, um 1550 – zwischen Juli 1597 und Dezember 1599 [del.: um 1625; del. ferner die Angaben zu den letzten Lebensjahren].
–2) H a n s (Joannes), der Jüngere, 1578 – Anfang [nicht: 24. 4.] 1643. Die Orgel der St. Jakobskirche in Antwerpen betreute er 1615–23 [nicht: 1631–42].
–3) A n d r e a s, der Ältere, getauft 30. [nicht: 20.] 8. 1579 – um 1654(?). –4) A n d r e a s, der Jüngere, 1607 – nach 1667.
–5) C h r i s t o f f e l [nicht: Christoph], 16./17. Jh. Von ihm sind 2 Virginale erhalten (um 1620). Er ist nicht identisch mit dem gleichnamigen Geistlichen.
Lit.: +FR. J. HIRT, Meisterwerke d. Klavierbaus (1955), revidierte engl. Ausg. als: Stringed Keyboard Instr., 1440–1880, Boston 1968; +R. RUSSEL, The Harpsichord and Clavichord (1959), NA NY 1965 u. London 1973. – Colloquium »Restauratieproblemen v. Antwerpse klavecimbels« ... 1970, Antwerpen 1971. – J. A. STELLFELD, J. R. de jongere en de Koninklijke kapel te Brussel, Fs. Ch. Van den Borren, ebd. 1945; FR. ERNST, Four R. Harpsichords in Bln, GSJ XX, 1967; W. LIEVENSE, Klavecimbels v. de familie R., in: Mens en melodie XXII, 1967; R. REUTER, Das R.-Cemb. d. Grafen v. Landsberg-Velen, in: Westfalen L, 1968; J. LAMBRECHTS-DOUILLEZ, Documents Dealing with the R. Family and Antwerp Harpsichord-Building, in: Keyboard Instr., hrsg. v. E. M. Ripin, Edinburgh 1971; J. H. VAN DER MEER, Beitr. zum Cemb.-Bau d. Familie R., Jb. d. Staatl. Inst. f. Musikforschung ... 1971.

+Rudbeck, O l o f (der Ältere), 1630 [erg.:] zu Västerås (Västmanland) – 1702.
Ausg.: ein Satz in: 3 Vokalwerke d. schwedischen Großmachtepoche, hrsg. v. C.-A. MOBERG u. J. O. RUDEN, = Monumenta musicae Svecicae V, Stockholm 1958.

Rudel, Julius, * 6. 3. 1921 zu Wien; amerikanischer Dirigent österreichischer Herkunft, studierte an der Wiener Musikakademie und an der Mannes Music School in New York, debütierte 1943 an der New York City Opera, deren Musikdirektor er 1957 wurde. Er setzt sich auch für die zeitgenössische Oper ein. R. gastierte an den Opern in Köln (1967) und Stuttgart (1968).
Lit.: M. BERNHEIMER, J. R. and the NY City Opera, in: Opera XVI, 1965.

Rudenko, Bella Andrejewna, * 18. 8. 1933 zu Bokowo-Antrazit (Ukraine); ukrainisch-sowjetische Opernsängerin (lyrischer und Koloratursopran), absolvierte als Schülerin von Olga Blagowidowa das Konservatorium in Odessa. 1955 wurde sie an die Oper in Odessa und 1956 an das Schewtschenko-Operntheater in Kiew engagiert. 1972 debütierte sie als Ljudmila (*Ruslan i Ljudmila* von Glinka) am Bolschoj Teatr in Moskau. Gastspiele führten sie auch ins Ausland.
Lit.: W. D. TIMOFEJEW, B. A. R., Kiew 1964; W. TOLBA in: SM XXXVII, H. 4, S. 48ff.

+Rudhyar, Dane, * 23. [nicht: 29.] 3. 1895 zu Paris (als Daniel Chennevière; er änderte seinen Namen nach seiner Übersiedlung in die USA).
Zu seinen Hauptwerken zählt R. die symphonische Dichtung *Soul Fire* (1919), *To the Real* (1920–28), Sinfonietta (1927) und *Thresholds* (1954, bisher nicht instrumentiert) für Orch., *The Surge of Fire* (1921) und *Ouranos* (1927) für Kammerorch., 5 *Stanzas* für Streicher (1927), Klavierquintett (1950), 3 *Melodies* für Fl., Vc. und Kl. (1919), 3 *Poems* für V. und Kl. (1920), 9 *Tetragrams* (3 Serien: *The Quest*, 1920; *Crucifixion*, 1926; *Rebirth*, 1927. – *Adolescence*, 1925; *Solitude*, 1927, Fassung für Streichquartett 1950, abgedruckt in: Soundings 1973, Nr 6; *Emergence*, 1929, Fassung für Streichorch. 1953. – *Tendrils*, 1924; *Primavera*, 1928; *Summer Nights*, 1967, abgedruckt in: Soundings 1972, Nr 2), 4 *Pentagrams* (*The Coming Forth*, 1924; *The Enfolding*, 1924; *The Release*, 1926; *The Human Way*, 1926; Nr 1–3 ursprünglich als *Moments*), Zyklus *Mosaics* (Bilder aus dem Leben Christi, 1918), 3 *Paeans* (1925), *Granites* (1929) und *Syntony* (*Dithyramb, Eclogue, Oracle* und *Apotheosis*, 1929, revidiert 1968) für Kl. – R. trat auch als Maler, Dichter und Verfasser zahlreicher theosophischer und astrologischer Schriften hervor (*The Astrology of Personality*, NY 1936 und 1970; *New Mansions for New Men*, NY 1938, Wassenaar/Niederlande 1971; *Directives for New Life*, San Francisco 1971). Ältere Essays über Musik erschienen als Wiederabdruck (in: Soundings 1972, Nr 2, 1973, Nr 6, und 1973, Nr 7/8).

+Rudnicki, Marian Teofil, 1888 – 1944 zu Warschau [nicht: Krakau].

+Rudnyckyi, Antin (heutige Schreibung Rudnytsky), * 7. 2. 1902 zu Luka (bei Sambor, Ostgalizien). Er unterrichtete am College-Conservatory of Music der University of Cincinnati (O.) und ist heute Professor an der Youngstown State University (O.). R. lebt seit 1942 in Toms River (N. J.). – Weitere Werke: insgesamt 3 Opern (darunter *Anna Yaroslavna*, Carnegie Hall NY 1969), Oratorium *Haydamaky* (1973), ferner 6 symphonische Kantaten, Klavierwerke und 12 Liederzyklen.

+Rudolf, Max, * 15. 6. 1902 zu Frankfurt am Main. Er war ständiger Gastdirigent [nicht: Leiter] des Göteborger Symphonieorchesters, leitete jedoch den mit dem Orchester verbundenen Gesangverein (Konserthuskören). Music Director des Cincinnati Symphony Orchestra (unter seiner Leitung Welttournee 1966, Europatournee 1969) war er bis 1969. Seit 1970 lebt R.

in Philadelphia und ist dort am Curtis Institute of Music als Leiter der Dirigier- und Opernklasse tätig. Vom College-Conservatory of Music der University of Cincinnati wurde er zum Professor ernannt. Sein Lehrbuch +*The Grammar of Conducting* (NY 1950 [nicht: 1949]) wurde auch ins Japanische übersetzt. Ferner veröffentlichte er *Storm and Stress in Music* (in: Bach III, 1972).

Rudolph, Johann Joseph Rainer, Erzherzog von Österreich, * 8. 1. 1788 zu Florenz, † 23. 7. 1831 zu Baden (Niederösterreich); österreichischer Musikmäzen und Komponist, war ab 1814 Koadjutor und ab 1819 Erzbischof von Olmütz. Er nahm Klavierunterricht bei A. Teyber und ab 1803 oder Anfang 1804 bei Beethoven, der ihn 1805–12 auch in Musiktheorie und Komposition unterwies. Gemeinsam mit den Fürsten Lobkowitz und Kinsky verschrieb er Beethoven 1809 eine Ehrenpension. Dem Erzherzog sind bedeutende Werke Beethovens gewidmet, wie op. 58, 73, 81a, 96, 97, 106, 111, 133 und 134; für die Inthronisation R.s als Erzbischof von Olmütz war die verspätet vollendete *Missa solemnis* op. 123 bestimmt. 1814 übernahm R. die Schirmherrschaft über die neugegründete K.K. Musikgesellschaft in Wien, die spätere Gesellschaft der Musikfreunde, der er seine umfangreiche Musikbibliothek vermachte. Ein Teil seines Nachlasses, vor allem eigene Kompositionen, verblieb in Kremsier, der Residenz der Fürstbischöfe von Olmütz.
Lit.: R. FEDERHOFER-KÖNIGS in: MGG XI, 1963, Sp. 1058ff.; M. WALTHER, Mus. Seltenheiten d. Universitätsbibl. Basel, in: Miszellen zur Mg., hrsg. v. H. EHINGER u. H. P. SCHANZLIN, Bern 1967; G. CROLL, Die Musiksammlung d. Erzherzogs R., in: Beethoven-Studien, = Österreichische Akad. d. Wiss., Sb. CCLXX, = Veröff. d. Kommission f. Musikforschung XI, Wien 1970.

+Rudorff, Ernst Friedrich Karl, 1840–1916.
Lit.: I. FELLINGER in: Rheinische Musiker III, hrsg. v. K. G. Fellerer, = Beitr. zur rheinischen Mg. LVIII, Köln 1964, S. 77ff.

+Rudziński, Witold, * 14. 3. 1913 zu Siebież (Litauen).
1945–47 war R. Professor am Konservatorium in Łódź, gleichzeitig bis 1952 Redakteur der Musikabteilung des Verlages Czytelnik und 1948 künstlerischer Direktor der Warschauer Philharmonie und Oper. 1950–56 redigierte er die Zeitschrift *Muzyka*. 1957 wurde er als Dozent an die Musikhochschule in Warschau berufen (1965 Professor). – Neuere Kompositionen: die Opern +*Janko muzykant* (Bytom 1953), *Komendant Paryża* (»Der Kommandant von Paris«, Posen 1960), *Odprawa posłów greckich* (»Die Verabschiedung der griechischen Gesandten«, Krakau 1962), *Sulamita* (1964) und *Chłopi* (»Die Bauern«, 1972); *Musica concertante* für Kl. und Kammerorch. (1959), *Musica profana* für Fl., Klar., Trp. und Streicher (1960), *Obrazy Świętokrzyskie* für Orch. (»Bilder aus dem Heiligen-Kreuz-Gebirge«, 1965), Concerto grosso für Schlagzeug und 2 Streichorch. (1970), *Uwertura Góralska* für Orch. (1970); 2 *Portraits de femmes* für Solo-St. und Streichquartett (auf Texte von Ronsard und Rimbaud, 1960), Variationen und Fuge für Schlagzeug (1966), Praeludien für Va, Klar., Hf. und Schlagzeug (1967), Largo, Arie und Toccata für Hf. (1968), *Polonaise rhapsodie* für Vc. und Kl. (1969), *Fantazja Góralska* für Git. (1970); die Oratorien *Chłopska droga* (»Der Bauernweg«, 1952), *Dach świata* (»Das Dach der Welt«, 1960), *Gaude mater Polonia* (1966) und *Lipce* (1968); Lieder und Tanzmusik. – Neuere Schriften: +*Muzyka dla wszystkich* (»Musik für alle«, 1948), Krakau ²1966; *St. Moniuszko* (ebd. 1954, ²1957 = Małe monografie

muzyczne IV, ³1969, ⁴1972, russ. Moskau 1960); *St. Moniuszko* (2 Bde, = Studia i materiały do dziejów muzyki polskiej I, Krakau 1955–61); *Co to jest opera* (»Was ist die Oper«, ebd. 1955, ²1960 = Mała bibl. operowa I); *Warszat kompozytorski B.Bartóka* (»B. Bartóks Kompositionstechnik«, ebd. 1964); Aufsätze vornehmlich zu Moniuszko. Er edierte W.Każyńskis *Notatki z podróży muzykalnej po Niemczech odbytej w roku 1844* (»Aufzeichnungen während einer musikalischen Reise nach Deutschland im Jahre 1844«, = Źródła pamiętnikarsko-literackie do dziejów muzyki polskiej III, Krakau 1957) und St.Moniuszkos *Listy zebrane* (»Sämtliche Briefe«, ebd. 1969).
Lit.: B. KACZYŃSKI in: Ruch muzyczny XVI, 1972, Nr 1, S. 3ff. (Interview).

Rudziński (rudz'i:ɲski), Z b i g n i e w , * 23. 10. 1935 zu Czechowice (bei Warschau); polnischer Komponist, studierte in Warschau 1949–56 Klavier an der Musikmittelschule und 1956–62 Komposition bei Perkowski an der Musikhochschule. Er war 1960–67 Leiter des Musikarchivs des Ateliers für Dokumentarfilme in Warschau und ist seitdem freischaffend tätig. Von seinen Kompositionen seien genannt: Sonate für 2 Streichquartette, Kl. und Pk. (1960); 4 Lieder für Bar. und Kammerensemble (1961); *Epigramy* (»Epigramme«) für Fl., 2 Frauenchöre und Schlagzeug (1962); *Contra fidem* für Orch. (1964); Streichtrio (1964); *Studium na C* (»Studie in C«) für Kammerensemble (1964); 3 *Moments musicaux* für Orch. (1965, 1967, 1968); Impromptu für 2 Kl., 3 Vc. und 3 Schlagzeuger (1966); 3 Lieder nach Texten von Ezra Pound, Joyce und W. R.Bennett für T. und 2 Kl. (1968); Symphonie für Männerchor (nur Baß-St.) und Orch. ohne Streicher (1969); Quartett für 2 Kl. und 2 Schlagzeuger (1969); *Muzyka nocą* (»Musik bei Nacht«) für Kammerorch. (1970); Requiem für Chor und Orch. (1971); ferner Filmmusik.
Lit.: I. GRZENKOWICZ in: Ruch muzyczny XV, 1971, Nr 18, S. 5ff. (Interview).

+Wilhelm Rück.
W. R., 9. 5. 1849 zu Schillingsfürst (Franken) – 27. 11. 1912 zu Nürnberg; seine Söhne H a n s (* 31. 8. 1876 zu Nürnberg, † 25. 12. 1946 zu Wien) und U l r i c h (* 18. 10. 1882 und † 6. 11. 1962 zu Nürnberg). – Das Pianohaus wird seit 1962 unter Erlöschen als OHG von Anton D ü t z (* 2. 2. 1889 zu Warschau, † 16. 12. 1969 zu Nürnberg) und dessen Sohn E k k e h a r t (* 13. 11. 1940 zu Liegnitz) geleitet. Die dem Haus angegliederte Restaurierungswerkstatt bestand bis 1962. – Die Sammlung historischer Musikinstrumente galt als größte Privatsammlung ihrer Art und ging 1962 in den Besitz des Germanischen Nationalmuseums Nürnberg über.
Lit.: A. BERNER, Gutachten über d. Musikinstr.-Slg v. Dr. Dr. h. c. U. R. ..., Instrumentenbau-Zs. XVII, 1962/63; FR. JAHNEL in: Das Musikinstr. XII, 1963, S. 389ff.; FR. HELLWIG, Die Slgen hist. Musikinstr. im Germanischen Nationalmuseum Nürnberg, in: Musica XXVI, 1972.

+Rücker, A r n o l d (Rucker), [erg.:] um 1480 – 1538 oder 1539 [del. bzw. erg. frühere Angabe].
Lit.: +H. J. MOSER, P. Hofhaimer (1929), Hildesheim ²1966. – G. PIETSCH, Orgelbauer, Organisten u. Orgelspiel, Mf XIII, 1960; A. GOTTRON, A. R., Orgelmacher v. Seligenstadt, = Beitr. zur mittelrheinischen Mg. III, Mainz 1962; E. FRIEDRICH in: GSJ XXII, 1969, S. 35ff.

Rückert, Johann Michael Friedrich (Pseudonym Freimund Raimar), * 18. 5. 1788 zu Schweinfurt, † 31. 1. 1866 zu Neuses (bei Coburg); deutscher Gelehrter und Dichter, studierte Jura und Philologie in Würzburg, Heidelberg und Göttingen, habilitierte sich 1811 in Jena, und reiste 1817 nach Rom, 1818 nach Wien, wo ihn der Orientalist Joseph von Hammer-Purgstall auf das Studium der morgenländischen Sprachen und Literaturen hinwies. 1826 wurde er außerordentlicher Professor der orientalischen Sprachen in Erlangen, 1841 ordentlicher Professor und Geheimrat in Berlin, und zog sich 1848 nach seiner vorzeitigen Pensionierung auf das Gut Neuses zurück; dort entstanden unter dem Eindruck des Todes seiner beiden Kinder vor allem die *Kindertotenlieder* (1872, aus dem Nachlaß), die neben den Gedichtsammlungen *Östliche Rosen* (1822) und *Liebesfrühling* (1844) weite Verbreitung fanden. R. ist ein Lyriker von großer Form- und Sprachgewandtheit und virtuoser Übersetzer orientalischer Dichtung (*Abu Temmâm oder Die ältesten arabischen Volkslieder*, 2 Bde, Stuttgart 1846, Nachdr. Wiesbaden 1969), der die orientalischen Strophenformen (Makame, Ghasel) meisterhaft beherrschte und in die deutsche Dichtung einführte. Seine Gedichte vertonte als erster Fr. Schubert: *Sei mir gegrüßt* (1822) sowie *Daß sie hier gewesen, Du bist die Ruh, Lachen und Weinen* und *Greisengesang* (alle 1823). C.Loewe schrieb 11 Lieder, Mendelssohn Bartholdy *Ersatz für Unbestand* für Männerstimmen, R.Schumann 18 Lieder, 13 mehrstimmige Gesänge, *Minnespiel* für 1–4 Singst. und Kl. sowie *Adventlied*, Motette *Verzweifle nicht im Schmerzenstal* und *Neujahrslied* für Chor und Orch., Clara Schumann 3 Lieder, Liszt *Ich liebe dich* (1862), R.Franz 7 Lieder, Cornelius *An den Sturmwind* und *Die drei Frühlingstage* für 8st. gem. Chor (1871), Robert Radecke *Aus der Jugendzeit*, Brahms 2 Lieder, 3 mehrstimmige Lieder und 5 Kanons, Draeseke *Adventlied*, Mussorgskij *Der Wanderer*, Rudorff *Gesang der Sterne*, H.Wolf 3 Lieder, Mahler *Kindertotenlieder* und 5 der 7 *Lieder aus letzter Zeit* für Singst. mit Orch., R.Strauss *Hymne* für 16st. gem. Chor a cappella, *Eine deutsche Motette* für Chor a cappella, *Die Göttin im Putzzimmer* für 8st. gem. Chor a cappella, 3 Männerchöre und 15 Lieder (darunter 5 nachgelassene Gesänge), Pfitzner 2 Lieder, Sekles 18 Lieder, Reger 3 Lieder, Sekles 6 Lieder, J. Weismann 2 Lieder, Radó *Liebesfrühling*, Alban Berg *Ich will die Fluren meiden*, Knappertsbusch *Ich lag von sanftem Traum umschlossen* für Singst. mit Orch., Gál *Vom Bäumlein* für Frauen-St. und Orch. sowie H. Reutter 4 Lieder op. 54.
Ausg.: Fr. R.s Werke in 6 Bden, hrsg. v. C. BEYER, Lpz. 1896; *Orientalische Dichtung* in d. Übers. Fr. R.s, hrsg. v. A. SCHIMMEL, Bremen 1963 (mit Bibliogr. orientalischer Werke v. R.).
Lit.: FR. MUNCKER, Fr. R., = Bayerische Bibl. XIV, Bamberg 1890; L. HIRSCHBERG, Die tönenden östlichen Rosen. Eine Hundertjahrfeier, Mk LXXXIX, 1922; H. PRANG, Fr. R., Geist u. Form d. Sprache, Schweinfurt 1963; U. ELSNER, Die geistlichen Lieder J. Chr. Hohnbaums u. dessen Einfluß auf Fr. R., Fs. E. Saffert, ebd. 1970. **AKG**

Rückert, Heinz, * 17. 12. 1904 zu Darmstadt; deutscher Opernregisseur; studierte in München Germanistik, Kunst- und Theatergeschichte und unterzog sich 1927–30 am Friedrichtheater Dessau bei G.Hartmann einer praktischen Ausbildung. 1932–37 war er als Regisseur am Opernhaus Zürich tätig, anschließend als Oberspielleiter an den Opern von Bielefeld, Breslau, Halle (Saale), Leipzig und (ab 1951) wieder Halle (zugleich Professor an der dortigen Hochschule für Musik). 1955 wurde er als Leiter des Studios und Regisseur an die Komische Oper Berlin verpflichtet. Seit 1958 ist er Regisseur an der Staatsoper Unter den Linden; 1965–67 war er zugleich Operndirektor in Halle. R. ist besonders in langjähriger Zusammenarbeit mit der Hallenser Oper, als Regisseur (auch Übersetzer) von Händel-Opern hervorgetreten. 1952 wurde ihm der Titel Professor verliehen.

+Ruelle, Charles Émile, 1833 – [erg.: 15.] 10. 1912.

Ruetz, Caspar, * 21. 3. 1708 zu Wismar, † 21. 12. 1755 zu Lübeck; deutscher Kantor und Musikschriftsteller, studierte ab 1728 an den Universitäten Jena und Rostock und war ab 1737 Kantor des Lübecker Katharineums. Bekannt wurde er als erklärter Befürworter der modernen »madrigalisch-theatralischen« Kirchenmusik im Kantatenstil in den 3 *Widerlegten Vorurtheilen* (*vom Ursprung der Kirchenmusic*, Lübeck 1750; *von der Beschaffenheit der heutigen Kirchenmusic*, ebd. 1752; *von der Wirkung der Kirchenmusic*, Rostock 1753). Lit.: H. GOLDSCHMIDT, Die Musikästhetik d. 18. Jh., Lpz. 1915, Nachdr. Hildesheim 1968; W. STAHL, K. R., in: Gedenkboek f. D. F. Scheurleer, Den Haag 1925; DERS., Mg. Lübecks, Teil II, Kassel 1952; W. SERAUKY, Die mus. Nachahmungsästhetik im Zeitraum v. 1750 bis 1850, = Univ.-Arch. XVII, Münster (Westf.) 1929; M. GECK, Die Vokalmusik D. Buxtehudes u. d. frühe Pietismus, = Kieler Schriften zur Mw. XV, Kassel 1965.

+Rufer, Josef [erg.:] Leopold, * 18. 12. 1893 zu Wien.
Lehrbeauftragter für Musiktheorie an der Freien Universität und Lehrer für Zwölftonkomposition an der Musikhochschule in Berlin war R. bis 1969. Als Lektor im Verlag Bote & Bock wirkte er 1957–59. – *+Die Komposition mit zwölf Tönen* (1952), Kassel ²1966, engl. NY und London 1954, ⁴1969, ital. = Bibl. moderna Mondadori Bd 705, Mailand 1962; *+Das Werk A. Schönbergs* (1959), engl. London 1962. – An neueren Aufsätzen seien genannt: *A. Schönbergs Nachlaß* (ÖMZ XIII, 1958); *A. Schönberg* (ÖMZ XVI, 1961); *Schönberg, gestern, heute und morgen* (SMZ CV, 1965, auch in: Beitr. 1967, Kassel 1967, ital. in: nRMI III, 1969); *Schönberg als Maler. Grenzen und Konvergenzen der Künste* (in: Aspekte der Neuen Musik, Fs. H. H. Stuckenschmidt, Kassel 1968); *Noch einmal Schönbergs Opus 16* (in: Melos XXXVI, 1969); *Technische Aspekte der Polyphonie in der 1. Hälfte des 20. Jh.* (Jb. I. P. É. M. 1969 [Gent]); *Begriff und Funktion von Schönbergs Grundgestalt* (in: Melos XXXVIII, 1971). R. ist Herausgeber der →+Schönberg-GA.
Lit.: A. Schönberg, Ausstellungskat. hrsg. v. E. HILMAR, Wien 1974.

+Ruffo, Titta, * 9. [nicht: 8.] 6. 1877 – 5. [nicht: 6.] 7. 1953.
Die Erinnerungen *+La mia parabola* (1937) erschienen russisch als *Parabola moej schisni* (mit Einleitung von A. Buschen, Leningrad 1966).
Lit.: Le grandi v., hrsg. v. R. CELLETTI, = Scenario I, Rom 1964, Sp. 697ff. (mit Diskographie v. C. Williams).

+Ruffo, Vincenzo, um 1510 [nicht: um 1505] – 1587.
R.s Aufenthalte in Savona (1528) und Mailand (1580) sind nicht nachweisbar. In Diensten des Marchese Alfonso d'Avalos in Mailand stand R. wahrscheinlich 1542–46, danach hielt er sich wieder in Verona auf (1547–63) und war 1573–77 Domkapellmeister in Pistoia [del. bzw. erg. frühere Angaben dazu].
Ausg.: ein Madrigal in: A. Willaert e i suoi discendenti, hrsg. v. G. FR. MALIPIERO, = Collana di musiche Veneziane ined. o rare IV, Venedig 1963; 4 Sätze aus »Capricci in musica« (1564), f. 3 Instr. hrsg. v. B. THOMAS, = Ital. Instr. Music of the Renaissance I, London 1972.
Lit.: +A. EINSTEIN, The Ital. Madrigal (1949), Nachdr. Princeton (N. J.) 1970. – A. SCHMITZ, Bemerkungen zu V. R.'s Passionskompositionen in: Miscelánea ..., Fs. H. Anglés II, Barcelona 1958–61; D. KÄMPER, Studien zur instr. Ensemblemusik d. 16. Jh. in Italien, = Analecta

musicologica X, Köln 1970; L. LOCKWOOD, The Counter-Reformation and the Masses of V. R., = Studi di musica Veneta II, Wien 1970.

Rugeles (rrug'eles), Ana Mercedes de (Asuaje Alamo), * 8. 8. 1915 zu Barquisimeto (Staat Lara); venezolanische Musikpädagogin und Komponistin, war 1953–64 Programmgestalterin bei Radio Nacional de Venezuela und leitet seit 1970 die Escuela Preparatoria de Música »J. M. Olivares«. Sie schrieb Klavierwerke (*Pequeña suite infantil*, 1966), ein Doppelquintett mit Kl. *Serenata barquisimetana* (1967), Hymnen und Kinderlieder.

+Ruggeri, Giovanni Maria [nicht: Martino] (Ruggieri), 17./18. Jh.
R. war 1715 Kapellmeister in Pesaro.
Ausg.: Sonata prima E moll u. Sonata seconda H moll f. 2 V. u. B. c. (aus Sonate da chiesa op. 3, 1693), hrsg. v. L. NOWAK, = Diletto musicale. Nr 421–422, Wien 1970.

+Ruggieri. (Bis auf Antonio nannten sich alle Mitglieder der Familie »il per«.)
–1) Francesco, † nach 1720 zu Cremona(?). Mit seinem Namen sind Instrumente zwischen 1645 und 1718 signiert. Er imitierte zwar N. Amatis Stil, ist aber bisher nicht als dessen Schüler nachgewiesen.
–2) Giacinto, Sohn von Francesco R., wirkte 1692–1700 in Cremona. Häufig mit ihm identifiziert wird ein Giovanni Battista R. (ebenfalls Sohn von Francesco R.?), von dem zwischen 1665 und 1693 Instrumente nachweisbar sind.
–3) Antonio, Sohn von Giacinto R., war 1718–26 in Cremona tätig.
–4) Vincenzo (mit den vorigen verwandt?, Sohn von Francesco R.?), † nach 1735 zu Cremona(?), war vielleicht Schüler N. Amatis und soll 1685–1735 in Cremona gearbeitet haben. Ein Guido R., dessen Zugehörigkeit zu dieser Familie noch nicht feststeht, soll 1680 in Mailand und 1720 in Cremona gewirkt haben.
Häufig mit den Ruggieris verwechselt wurde die Geigenmacherfamilie Rogeri (Rogerius), die in Brescia wirkte. Zu dieser Familie gehören: Giovanni Battista R. (* vor 1650 zu Bologna, † nach 1730 zu Brescia?), war in Cremona Schüler N. Amatis und ließ sich dann vermutlich 1670 in Brescia nieder. Er zählt zu den bedeutendsten Meistern der klassischen Geigenbaukunst. Sein Sohn Pietro Giacomo R. (* um 1675?, † nach 1735 zu Brescia?), soll gleichfalls ein Schüler N. Amatis gewesen sein und arbeitete zunächst selbständig in Cremona, bis er sich um 1700 in Brescia niederließ.
[del. früherer Artikel.]
Lit.: +W. L. v. LÜTGENDORFF, Die Geigen- u. Lautenmacher ... (⁶1922), Nachdr. Tutzing 1968. – W. SENN in: MGG XI, 1963, Sp. 1083ff. bzw. 633f.

+Ruggles, Carl [erg.:] (Charles) Sprague, * 11. 3. 1876 zu Marion (Mass.), [erg.:] † 24. 10. 1971 zu Bennington (Vt.).
Das Orchester in Winona leitete er 1908–12 [nicht: ab 1912]. – Werke: die Lieder *Toys* (1919) und *A Clear Midnight* (Whitman, 1919, revidiert 1923 in *Vox clamans ...*, s. u.), kurze Symphonie *Men and Angels* (1921, mit den Sätzen *Men*, *Angels* für 6 Trp., und *Sun-treader*; revidiert 1924, dabei *Men* verworfen, *Angels* ausgeschieden – 1939 revidiert für 4 Trp. und 2 Pos. – und *Sun-treader* umgearbeitet zum 1. Satz *Men* von *Men and Mountains*, s. u.), Liederzyklus *Vox clamans in deserto* für Singst. und Kammerorch. (1923), kurze Symphonien *Men and Mountains* (1924, mit den Sätzen *Men*, *Lilacs* für Streicher, und *Marching Mountains*; Fassung für Orch. 1935; *Marching Mountains* revidiert 1942) und *Portals* (nur 1. Satz vollendet, 1926,

revidierte Fassung für Streicher 1926) für Kammerorch., *Sun-treader* für Orch. (1926–31), 4 *Evocations* für Kl. (1937, 1940, 1941, 1943; revidiert 1954), *Organum* für Orch. (1944–47, auch für Kl. und 2 Kl.), *Exaltation* für »congregation in unison« und Org. (1958); weitere unvollendete Kompositionen (u. a. die Oper *The Sunken Bell* nach G. Hauptmann, 1910–23, um 1940 vernichtet; *Symphonia dialectica* für Orch., 1923–53) und Skizzen.
Lit.: ⁺CH. SEEGER, C. R. (1932), auch in: American Composers on American Music, hrsg. v. H. Cowell, Stanford (Calif.) 1933, NA (unverändert) NY 1962. – TH. E. PETERSON, The Music of C. R., Diss. Univ. of Washington 1967; J. KIRKPATRICK, The Evolution of C. R., A Chronicle Largely in His Own Word, in: Perspectives of New Music VI, 1967/68; M. J. ZIFFRIN, Angels. Two Views, MR XXIX, 1968; ST. E. GILBERT, The »Twelve-Tone System« of C. R., Journal of Music Theory XIV, 1970 (zu d. »Evocations«); DERS., C. R. and Total Chromaticism, Yearbook f. Inter-American Mus. Research VII, 1971; CH. SEEGER in: Perspectives of New Music X, 1971/72, Nr 2, S. 171ff.

⁺Rugolo, Pete (Peter, Pietro), * 25. 12. 1915 [erg.:] zu S. Pietro Patti (Messina).

⁺Ruhnke, Martin, * 14. 6. 1921 zu Köslin (Pommern).
R. wurde 1964 als Ordinarius für Musikwissenschaft an die Universität Erlangen berufen. Er war 1968–74 Präsident der Gesellschaft für Musikforschung. Neuere Veröffentlichungen: ⁺*Beiträge zu einer Geschichte der deutschen Hofmusikkollegien im 16. Jh.* (1961), gedruckt Bln 1963; *Telemann im Schatten von Bach* (in: H. Albrecht in memoriam, Kassel 1962); *M. Hauptmann und die Wiederbelebung der Musik J. S. Bachs* (Fs. Fr. Blume, ebd. 1963); *Relationships Between the Life and Work of G. Ph. Telemann* (in: The Consort XXIV, 1967); *Telemann als Musikverleger* (in: Musik und Verlag, Fs. K. Vötterle, Kassel 1968); *M. Praetorius* (MuK XLI, 1971; *Die Pariser Telemann-Drucke und die Brüder Le Clerc* (in: Quellenstudien zur Musikgeschichte, Fs. W. Schmieder, Ffm. 1972); *Fr. Gasparinis Kanonmesse und der Palestrinastil* (in: Musicae scientiae collectanea, Fs. K. G. Fellerer, Köln 1973); lexikalische Beiträge. Er edierte u. a. von Fr. Blume »Gesammelte Reden und Aufsätze« (*Syntagma musicologicum*, 2 Bde, Kassel 1963–73, Bd II mit A. A. Abert) und in der Telemann-Ausgabe, die er weiterhin redaktionell betreut, die *Lukaspassion 1728* (mit H. Hörner, = Musikalische Werke XV, ebd. 1964).

Ruiz Espadero (ɪɪu'iθ espad'ero), Nicolás, * 15. 2. 1832 und † 30. 8. 1890 zu La Habana; kubanischer Komponist, Pianist und Pädagoge, studierte bei José Miró und F. Arizti und wirkte als Konzertsolist bzw. Begleiter einer Reihe von Instrumentalisten. Er stand Gottschalk nahe, dessen künstlerische Laufbahn er stark beeinflußte. Zu seinen Schülern zählen Cecilia Arizti und Cervantes Kavanagh. Von seinen zahlreichen Kompositionen seien eine Symphonie, *Rondó brillante* für Streichquartett, *El canto del esclavo* für V. und Kl. (Gounod gewidmet), 2 Sonaten und das *Capricho poético Inocencia* für Kl. sowie *Serenata cubana* für Gesang und Kl. genannt.
Lit.: L. VIDAURRETA, El compositor y pianista N. R. E., La Habana 1937.

Ruiz Soler (rru'iθ sol'ɛr), Antonio (Künstlername Antonio), * 4. 11. 1922 zu Sevilla; spanischer Tänzer und Choreograph, Schüler von D. Manuel Real (Realito), debütierte bereits 1928 zusammen mit seiner dann langjährigen Partnerin Rosario in Lüttich. Von da an datieren seine internationalen Tournee-Erfolge, die ihn

1953, nach der Trennung von der Rosario, zur Gründung einer eigenen Kompanie, dem Ballet d'Antonio, veranlaßten. Abgesehen von seinen eigenen, durchweg sehr stilstreng choreographierten Solotänzen hat sich R. S. immer wieder darum bemüht, in seinen Balletten zu einer Synthese aus spanischem und klassisch-akademischem Tanz zu gelangen.
Lit.: C. W. BEAUMONT, A., Impressions of the Span. Dancer, London 1952; G. POMERAND, A., hors de Galaxie, Paris 1953; E. BRUNELLESCHI, A. and Span. Dancing, London 1958; G. GYENES, A., danseur d'Espagne, Madrid 1965.

Rummenhöller, Peter, * 22. 4. 1936 zu Wuppertal; deutscher Musikforscher, studierte in Saarbrücken 1956–58 Klavier und Musiktheorie an der Musikhochschule und 1956–63 Musikwissenschaft an der Universität, an der er 1963 mit einer Dissertation über *M. Hauptmann als Theoretiker. Eine Studie zum erkenntniskritischen Theoriebegriff in der Musik* (Wiesbaden 1963) promovierte. Er wurde 1964 Dozent an der Staatlichen Hochschule für Musik in Stuttgart sowie 1972 ordentlicher Professor für Musikwissenschaft, Musiksoziologie und Musikpädagogik an der Pädagogischen Hochschule in Berlin. – Veröffentlichungen (Auswahl): *Romantik und Gesamtkunstwerk* (in: Beitr. zur Geschichte der Musikanschauung im 19. Jh., hrsg. von W. Salmen, = Studien zur Musikgeschichte des 19. Jh. I, Regensburg 1965); *Musiktheoretisches Denken im 19. Jh. Versuch einer Interpretation erkenntnistheoretischer Zeugnisse in der Musiktheorie* (ebd. XII, 1967); *Möglichkeiten neuester Chormusik (Ligeti: Lux aeterna – Schnebel: Deuteronomium 31,6)* (in: Der Einfluß der technischen Mittler auf die Musikerziehung unserer Zeit, hrsg. von E. Kraus, Mainz 1968); *Die philosophischen Grundlagen der Musiktheorie des 19. Jh.* (in: Beitr. zur Theorie der Künste im 19. Jh. I, hrsg. von H. Koopmann und J. A. Schmoll gen. Eisenwerth, = Studien zur Philosophie und Literatur des 19. Jh. XII, 1, Ffm. 1971); *Musik als Verheißung. Zu einem kleinen Präludium von J. S. Bach* (Zs. für Musiktheorie IV, 1973). R. ist Mitherausgeber (seit 1973 Herausgeber) der *Zeitschrift für Musiktheorie* (Iff., 1970ff.).

Rumpf, Alexander, * 8. 4. 1928 zu Karlsruhe; deutscher Dirigent, studierte Kirchenmusik und Dirigieren an der Badischen Hochschule für Musik in Karlsruhe und privat bei Matzerath. Er wurde 1954 Solorepetitor am Stadttheater Pforzheim, war 1959 Schüler H. v. Karajans, 1963–64 dessen Assistent, wurde 1961 1. Kapellmeister am Theater des Westens in Berlin, 1964 Chefdirigent des NHK Symphony Orchestra in Tokio und 1966 Städtischer Musikdirektor (GMD 1971) in Remscheid.

Rundgren, Bengt Erik, * 21. 4. 1931 zu Karlskrona (Blekinge); schwedischer Sänger (Baß), studierte in Stockholm bei Arne Sunnegårdh sowie 1959–63 in der Opernklasse der Kungl. Musikhögskolan. 1962 wurde er Stipendiat der Königlichen Oper in Stockholm, deren Ensemble er 1963–69 angehörte. Seit 1969 ist er an der Deutschen Oper Berlin engagiert. R. gastierte in Hamburg, Wien, Neapel und Chicago. Seine wichtigsten Partien sind Basilio (*Il barbiere di Siviglia*), Osmin, Hohepriester (*Nabucco*), Großinquisitor (*Don Carlos*), Hunding (*Walküre*) und Pimen (*Boris Godunow*).

⁺Rung-Keller, Poul Sophus, * 11. 3. 1879 und [erg.:] † 22. 3. 1966 zu Kopenhagen.

Runge, Paul, * 2. 1. 1848 zu Heinrichsfeld (Posen), † 4. 7. 1911 zu Colmar (Elsaß); deutscher Musikforscher, studierte am kirchenmusikalischen Institut in Berlin und wurde 1873 Gymnasialmusiklehrer in Colmar. Er veröffentlichte u. a.: *Die Sangesweisen der Colmarer Handschrift und die Liederhandschrift Donaueschingen* (Lpz. 1896, Nachdr. Hildesheim 1965); *Die Musik als Hilfswissenschaft der Philologie in Bezug auf das mittelalterliche Lied* (MfM XXXVI, 1904); *Über die Notation des Meistergesangs* (Kgr.-Ber. Basel 1907); *Maria mŭter reinŭ maît* (Fs. H.Riemann, Lpz. 1909, Nachdr. Tutzing 1965); *Der Marienleich H.Laufenbergs »Wilkom lobes werde«* (Fs. R. v.Liliencron, Lpz. 1910). – Ausgaben: *Die Lieder und Melodien der Geissler des Jahres 1349 nach den Aufzeichnungen Hugo's von Reutlingen* (Lpz. 1900, Nachdr. Hildesheim und Wiesbaden 1969); *Die Lieder des Hugo von Montfort mit den Melodien des Burk Mangolt* (Lpz. 1906).

+Rungenhagen, Carl Friedrich, 1778–1851.
Lit.: W. BOLLERT, Die Händelpflege d. Berliner Sing-Akad. unter Zelter u. R., in: Sing-Akad. zu Bln, hrsg. v. dems., Bln 1966.

Runólfsson, Karl Ottó, * 24. 10. 1900 und † 29. 11. 1970 zu Reykjavík; isländischer Komponist, studierte in Kopenhagen Trompete und Violine und am Konservatorium in Reykjavík Komposition bei Mixa. Er war dann 1. Trompeter im Rundfunkorchester in Reykjavík und ab 1939 auch Lehrer am dortigen Konservatorium. R. schrieb u. a. Orchesterwerke (*Á krossgötum*, »Am Kreuzwege«, 1939; 1. Symphonie *Esja*, 1968), eine Violin- und eine Trompetensonate sowie Schauspielmusik und Vokalwerke.

Rupp, Émile, * 24. 7. 1872 zu Ottoschwanden (Schwarzwald), † 30. 7. 1948 zu Straßburg; französischer Organist deutscher Herkunft, studierte am Straßburger Konservatorium sowie in München bei Rheinberger und in Paris bei Widor. Er war Organist 1897–1939 an St.Paul in Straßburg, wo er mit dem Pfarrer A.Boegner Sonntagskonzerte mit Kirchenmusik veranstaltete, und 1914–39 an der Konsistorial-Synagoge derselben Stadt. Während des 2. Weltkrieges wirkte er als Organist in Nîmes. 1910 wurde er Mitglied der königlichen Akademie in Budapest. In zahlreichen Konzerten setzte er sich für die Orgelmusik von C.Franck, Guilmant, Saint-Saëns und Widor ein. R. gilt mit Albert Schweitzer als hervorragender Repräsentant der sogenannten »elsässischen Schule«. Er schrieb u. a. über *Die Orgel der Zukunft* (ZflB XXVII, 1906 – XXX, 1909) und *Die Entwicklungsgeschichte der Orgelbaukunst* (Einsiedeln 1929).
Lit.: P. VALLOTON, Le testament d'É. R., in: L'orgue 1969, Nr 130.

+Ruppel, Karl Heinrich, * 5. 9. 1900 zu Darmstadt.
R., weiterhin ständiger Musikkritiker an der »Süddeutschen Zeitung« in München und seit 1967 auch Münchner Musikreferent der »Neuen Zürcher Zeitung«, wirkt daneben als freier Mitarbeiter des Bayerischen Rundfunks München, des Westdeutschen Rundfunks Köln, des Südwestfunks Baden-Baden und des Senders Freies Berlin. Von seinen neueren Veröffentlichungen seien genannt: *Musiker der Gegenwart. Komponisten, Dirigenten, Solisten* (Gütersloh 1962); *Von der Provokation zum Bekenntnis. Über P.Hindemiths Opern* (in: Openwelt V, 1964); *Orffs großes Welttheater* (in: Melos XXXII, 1965); *P.Hindemith* (ebd.); *»Tristan und Isolde«*, *»Pelléas et Mélisande«* (in: Hundert Jahre Tristan, hrsg. von W. Wagner, Emsdetten 1965); *Skrjabin heute* (in: Musica XXVI, 1972); *»Eine kuriose Idee«. Erinnerung an eine frühe Begegnung mit C.Orff* (Fs. für einen Verleger [L. Strecker], Mainz 1973); *J.Cranko, der Gestalter einer neuen Ballettkunst der Gegenwart* (in: Universitas XXVIII, 1973).

Rushing (r′ʌʃiŋ), Jimmy (eigentlich James Andrew), * 26. 8. 1903 zu Oklahoma City, † 8. 6. 1972 zu New York; amerikanischer Blues- und Jazzsänger, studierte an der Douglas High School in Oklahoma City. 1925 wurde er professioneller Sänger, machte 1929 seine erste Plattenaufnahme mit Walter Pages' *Blue Devils* und kam 1935 zur Count Basie Big Band, deren Stil er bis zur Trennung (1950) wesentlich mit beeinflußte. Danach war er mit eigenen Formationen und in den Bands von Eddie Condon und Benny Goodman zu hören. – Aufnahmen: *Jazz History* Bd IV (Verve 2632004); *Jazz Spectrum* Bd XIII: *Famous Jazz Vocalists* II (Metro 2356015); *Stars of the Apollo Theatre* (CBS 67203).

+Russolo, Luigi, 1855 – 4. [nicht: 6.] 2. 1947.
+*L'arte dei rumori* (1916), auch in: L.Scrivo, Sintesi del futurismo, Rom 1968, und in: Discoteca XII, 1971, deutsch in: Melos VII, 1928, S. 12ff., Wiederabdruck ebd. XXXVII, 1970, S. 278f. (stark gekürzt), in: Chr. Baumgarth, Geschichte des Futurismus, = rde Bd 248/249, Reinbek bei Hbg 1966 (gekürzt), in: U.Apollonio, Der Futurismus. Manifeste und Dokumente ..., = DuMont Dokumente o. Nr, Köln 1972, engl. = The Documents of 20th-Cent. Art XII, NY 1973, engl. auch in: N.Slonimsky, Music Since 1900, NY 1937 und London 1938, erweitert NY ³¹1949 und ⁴1971, auch als: The Art of Noise, = Great Bear Pamphlets o. Nr, NY 1968, in: M.Kirby, Futurist Performance, = A Dutton Paperback DP 280, NY 1971, sowie frz. in: G.Lista, Futurisme. Manifestes, proclamations, documents, Lausanne 1973.
Lit.: Aufsatzfolge (zum Futurismus) in: Discoteca XII, 1971, Nr 107. – Arch. del futurismo, hrsg. v. M. DRUDI GAMBILLO u. T. FIORI, 2 Bde, = Arch. dell'arte contemporanea, Rom 1958–62. – M. Z. RUSSOLO, R., L'uomo, l'artista, Mailand 1958; I. LILIEN in: Mens en melodie XVIII, 1963, S. 203ff.; A. GENTILUCCI, Il futurismo e lo sperimentalismo mus. d'oggi, in: Il convegno mus. I, 1964; M. W. MARTIN, Futurist Art and Theory, 1909–15, Oxford 1968; J. C. G. WATERHOUSE, Futurist Music in Hist. Perspective, in: Futurismo 1909–19, Ausstellungskat. Hatton Gallery, Univ. of Newcastle, Newcastle upon Tyne 1972 u. a.

+Rust, –1) Friedrich Wilhelm, 1739–96.
–3) Wilhelm, 1822–92. Er studierte 1840–43 [nicht: 1843–46] bei Fr.Schneider. 1858 wurde er Hauptredakteur der alten Bach-GA, von der er 26 [nicht: 18] Bände (1855–81 [nicht: 1853–78]) selbst edierte.
Ausg.: zu –1) Sonate D dur f. 2 V., hrsg. v. W. HÖCKNER, Locarno 1965; Sonate F dur f. Vc. u. Gb., hrsg. v. F. GÖTHEL, = Cello-Bibl. Nr 112, Mainz 1969.
Lit.: zu –1) W. S. NEWMAN, The Sonata in the Class. Era, Chapel Hill (N. C.) 1963, revidiert NY u. London 1972 (Paperbackausg.).

Rust, Giacomo, * 1741 zu Rom, † 1786 zu Barcelona; italienischer Komponist, studierte am Conservatorio della Pietà in Neapel und dann bei Rinaldo da Capua. 1763–76 lebte er in Venedig, war 1776–78 als Nachfolger von Fischietti Maestro di cappella beim Erzbischof in Salzburg, kehrte dann nach Venedig zurück und wurde 1783 Maestro de capilla an der Kathedrale in Barcelona. Neben Instrumentalmusik schrieb er eine Reihe von Opern, von denen *La contadina in corte* (Venedig 1763), *L'idolo cinese* (ebd. 1774), *Alessandro nelle Indie* (Libretto Metastasio, ebd. 1775), *Vologeso re de' parti* (Zeno, ebd. 1778), *Il talismano* (mit Salieri, Libretto Goldoni, Mailand 1779), *Demofoonte* (Metastasio, Florenz 1780), *Artaserse* (Metastasio, Perugia 1781), *Adriano in Siria* (Metastasio, Turin 1781), *L'incognita fortunata* (Neapel 1782), *Il marito indolente* (Wien 1784) und *Berenice* (Parma 1785) genannt seien.

Ruszkowska-Zboińska (ruʃk'ɔfskɑzbo'i:ɲskɑ), Helena, * 1878 zu Lemberg, † 3. 11. 1948 zu Krakau; polnische Opernsängerin (Sopran), studierte am Konservatorium ihrer Heimatstadt (Walery Wysocki) sowie in Dresden und Mailand. Sie debütierte 1900 in Lemberg und gehörte nach einer Europa- und Südamerikatournee 1904–08 dem Ensemble der Warschauer Oper an. Bis 1919 gastierte sie an den großen Opernbühnen der Welt und trat dann wieder in Warschau auf. 1928 zog sie sich von der Bühne zurück und war als Gesangspädagogin tätig. In ihrem umfangreichen Repertoire nahmen Wagner-Partien einen vorrangigen Platz ein.

+Ruthardt, −1) Friedrich, [erg.: 9. 12.] 1800 zu Herrenberg (bei Tübingen) [nicht: Stuttgart] − [erg.: 23. 5.] 1862.

+Rutini, −1) Giovanni Marco (auch Giovanni Maria oder Giovanni Marco Placido), 1723 − 22. [nicht: 7.] 12. 1797. In Prag ist er bereits 1748 [nicht: 1756] nachweisbar. 1766–74 war er Kapellmeister am Hof des Herzogs von Modena und lebte zuletzt in Florenz. − Seine Oper *+Il matrimonio in maschera* wurde 1763 in Cremona [nicht: Bologna] uraufgeführt.
−2) Ferdinando, 1767 − [erg.: 13. 11.] 1827.
Ausg.: zu −1): Sei sonate per cimbalo op. 8, Faks. d. Ausg. Florenz 1774, = Bibl. musica Bononiensis IV, 162, Bologna 1969. − eine Kl.-Sonate in: Six Keyboard Sonatas from the Class. Era, hrsg. v. W. S. Newman, Evanston (Ill.) 1965; 6 Cemb.-Sonaten op. 3, Cemb.-Konzert D dur sowie je 6 Cemb.-Sonaten op. 6 u. op. 5, hrsg. v. H. Illy, 4 Bde, = Musiche vocali e strumentali sacre e profane dei s. XVII, XVIII, XIX, Bd XXX–XXXIII, Rom 1965–67.
Lit.: zu −1): +F. Torrefranca, Le origini ital. del romanticismo mus. (1930), Nachdr. = Bibl. musica Bononiensis III, 18, Bologna 1969. − W. S. Newman, The Sonata in the Class. Era, Chapel Hill (N. C.) 1963, revidiert NY u. London 1972 (Paperbackausg.); H. Illy, Una rara Opera XIX di G. M. R., nRMI III, 1969 (mit Faks.-Ausg. eines Rondos f. Kl.); C. Lombardi, A Revision of the Instr. Cat. and an Examination of the Form-Types of the Six Sonatas f. Cemb., op. X, of G. M. Pl. R., Diss. NY Univ. 1972. − zu −2): M. Fabbri, Incontro con F. R., il dimenticato figlio musicista del »primo maestro di Mozart«, in: Le celebrazioni del 1963 . . . , = Accad. mus. Chigiana (XX), Siena 1963.

Rutkowski, Bronisław, * 27. 2. 1898 zu Komaje (bei Wilna), † 1. 6. 1964 zu Leipzig; polnischer Organist, studierte 1915–18 am Konservatorium in Petersburg bei Handschin (Orgel) und Kalafatij (Musiktheorie), 1921–24 in Warschau bei Surzyński sowie 1924–26 in Paris bei Vierne. Er war 1926–39 Professor für Orgel am Warschauer Konservatorium.

Rutland (r'ʌtlənd), Harold Fred, * 21. 8. 1900 zu London; englischer Musikschriftsteller, -kritiker und Pianist, studierte 1914–18 an der Guildhall School of Music and Drama in London, am Queen's College in Cambridge (Diplom in Orgelspiel) und dann am Royal College of Music in London (Klavier bei Fryer, Harmonielehre bei Ch. Wood, Komposition bei Bliss und Dirigieren bei Boult). Er erwarb den Grad eines B. A. und Mus. B. 1922–40 war er als Pianist und Privatmusiklehrer tätig, gehörte 1940–56 dem Stab der Musikabteilung von BBC für das Programm »The Radio Times« an, war 1957–60 Editor von *The Musical Times* (MT) und wurde 1958 Examiner am Trinity College of Music in London. R. schrieb neben einer Reihe von Aufsätzen *J. Ireland. A Biographical Sketch* (London und NY 1965) und *Trinity College of Music. The First Hundred Years* (London 1972). Als Komponist trat er mit Klavierstücken (*Two Sea Shanties*, 1928; Toccata,

1928; *Siciliana*, 1929; *Brant Eleigh*, 1957) und Liedern (*To the Moon*, 1923) hervor.

+Rutz, Hans, * 14. 6. 1909 zu Weißenbrunn (Oberfranken).
Bei der Deutschen Grammophon Gesellschaft war er bis 1970 tätig.

+Rutz, Ottmar, 1881–1952.
Lit.: M.-A. Kaminsky, Strukturvergleichende Untersuchungen d. Integrationstypologie u. d. R.'schen Typen, Diss. München 1951; R. Schollum, Die Typenlehre v. O. R. als Interpretationshilfe, in: Musikerziehung XVIII, 1964/65.

+Ruutha, Theodoricus Petri, [erg.:] um 1560–1617.
Ausg.: Piae cantiones ecclesiasticae et scholasticae . . . (1582), Faks. hrsg. v. E. Marvia, = Documenta musicae Fennicae X, Helsingfors 1967.

+Ruyneman, Daniel, * 8. 8. 1886 und [erg.:] † 25. 7. 1963 zu Amsterdam.
Neuere Werke: *Die Weise von Liebe und Tod des Kornetts Christoph Rilke* für Sprecher und Orch. (Rilke, 1951); *Ancient Greek Songs* für B. (oder Bar.), Fl., Ob., Vc. und Hf. (1954); 3. Sonate für V. und Kl. (1956); 3 *Chansons des maquisards condamnés* für A. (oder Bar.) und Orch. (1957); 5 *Mélodies* für mittlere St. und Kl. (1957); *Réflexions I* für vokalisierenden S., Fl., Git., Va, Vibraphon, Xylophon und Schlagzeug (1959), *III* für Fl., V., Va, Vc. und Kl. oder Cemb. (1961, Partitur fertiggestellt von R. du Bois) und *IV* für Bläserquintett (1961); Fantasie für Vc. und Cemb. (1960); *Gilgamesj* für Orch. (1963).
Lit.: W. Paap in: Mens en melodie XVII, 1962, S. 14ff. u. XVIII, 1963, S. 237ff.; J. Wouters in: Sonorum speculum 1962, Nr 11, S. 1ff.; E. A. G. Brautigam, ebd. 1963, Nr 16, S. 24ff.; P. Op de Coul, Unveröff. Briefe v. A. Berg u. A. Webern an D. R., TVer XXII, 3, 1972.

+Ruzdjak, Vladimir (Ružđak), * 21. 9. 1922 zu Zagreb.
Neben seinem Engagement an der Hamburgischen Staatsoper (1962 Kammersänger) sang R. als Gast u. a. 1961 an der San Francisco Opera, 1962–64 an der Metropolitan Opera in New York, 1966 an der Covent Garden Opera in London, 1967 am Bolschoj teatr in Moskau sowie bei verschiedenen Festspielen. In seinem Repertoire finden sich Partien aus Werken von Britten, Dallapiccola, Debussy, Henze, Rossini, Tschaikowsky und Verdi. Seit 1970 ist er Professor an der Musikakademie in Zagreb.

Ruzicka, Peter, * 3. 7. 1948 zu Düsseldorf; deutscher Komponist, erhielt eine instrumentale und theoretische Ausbildung am Hamburger Konservatorium und betrieb rechts- und musikwissenschaftliche Studien in München und Hamburg, lebt als freischaffender Komponist in Hamburg. Er schrieb u. a.: *Esta noche*, Trauermusik für die Opfer des Krieges in Vietnam (Text Jesús López Pacheco, 1967); *Todesfuge*, Szene nach Texten von Paul Celan (1967); Concerto für Beatband und Orch. (1968); *Ausgeweidet die Zeit* . . . , 3 Nachtstücke für Kl. (1969); *Introspezione*, Dokumentation für Streichquartett (1970); *Metastrofe*, Versuch eines Ausbruchs für 87 Instrumentalisten (1971); *Sinfonia* für 25 Solostreicher, 16 Vokalisten und Schlagzeug (1971); *In processo di tempo* . . . , Materialien für 26 Instrumentalisten und Vc. (1971); *Stress* für 8 Schlagzeuggruppen (1972); *Outside ↔ Inside*, Zwei Modelle für musikalisches Theater (Augsburg 1972); *Feed Back* für 4 Orchestergruppen (1972); *Emanazione* für Kl. und Orch. (1972); *Torso*, Materialien für Orch. (1973). R. schrieb den Beitrag *Befragung des Materials. G. Mah-*

ler aus der Sicht aktueller Kompositionsästhetik (in: Musik und Bildung V, 1973).
Lit.: CL. KÜHN, Das Zitat in d. Musik d. Gegenwart, Hbg 1972.

Růžička (rʹu:ʒitʃka), Rudolf, * 25. 4. 1941 zu Brünn; tschechischer Komponist, studierte an der Janáček-Akademie in Brünn, an der er als Lehrer für Elektronische Musik und Musique concrète tätig ist. Er schrieb u. a.: Trio für Fl., Va und Hf. (1964); *Sonata aleatorica* für Org. und Schlagzeug (1964); *Melodrama I* und *II* für 3 Sprecher, Kammerchor und 7 Instr. (1965); *Elektronia A* für A., Kammerorch. und elektronische Klänge (1965), *B* für Kammerorch, Orch. und elektronische Klänge (1966) und *C* für elektronische Klänge und Tonband (1967); *Musica à 5* für Va, Baßklar., Cemb., Fl. und Schlagzeug (1966); *Timbres* für Bläserquintett und elektronische Klänge (1968); *Gurges* (Musique concrète, 1969); *Deliciae* für Kb. und Musique concrète (1969); *Contaminationi* für Baßklar. und Kl. (1969); *Peripetie, Divertissement, Ecce homo* für Stimmen, Orch. und Tonband (abendfüllendes Teamwork mit Parsch, Piňos, M. Štědroň und Graf Haugwitz, 1969); *Hlasová vernisáž* (»Stimmenvernissage«) für S., Baßbar., Kammerensemble und Kommentator (Teamwork mit dens., ohne Haugwitz, und mit Josef Berg und Ištván, 1969); *Discordia* (1970) und *Mavors* (1970) für elektronische Klänge; *Sinfonia cosmica* für Orch. mit Org. (1971); 2. Streichquartett (1972).
Lit.: J. BÁRTOVA, Autoři team-worku (»Autoren-Teamwork«), in: Hudební rozhledy XXII, 1969.

Růžičková (rʹu:ʒitʃkəva:), Zuzana (verheiratete Kalabisová), * 14. 1. 1928 zu Pilsen; tschechische Cembalistin, studierte an der Akademie der musischen Künste in Prag Cembalo bei Oldřich Kredba (1947–49) und Klavier bei František Rauch (1948–51). 1956 erhielt sie beim Internationalen Musikwettbewerb der Rundfunkanstalten der BRD in München den 2. Preis für Cembalospiel. Seitdem hat sie in zahlreichen europäischen Ländern, den USA, Kanada und Japan konzertiert. 1962–67 war sie unter der Leitung von Václav Neumann Mitglied des Ensembles Pražští komorní sólisté (»Prager Kammersolisten«). Sie bildet seit 1963 ein Duo mit dem Violinisten J. Suk und seit 1970 mit dem Violoncellisten Starker. 1970 wurde Z. R. Professor für Cembalo an der Akademie der musischen Künste in Prag. Daneben unterrichtet sie an der Musikhochschule in Bratislava.
Lit.: J. BERKOVEC, Z. R., Prag 1969; J. LUDVOVÁ in: Hudební rozhledy XXV, 1972, S. 282ff. (Gespräch).

+Ryba, Jakub [erg.: Šimon] Jan, 1765–1815.
Nach eigenen Angaben schrieb R. bis 1798 fast 1400 Werke, von denen jedoch bisher weniger als die Hälfte nachweisbar ist. Seine Schultagebücher wurden aus dem deutschen Manuskript ins Tschechische übersetzt (*Školní deníky*, hrsg. von J. Němeček, = Edice pedagogických pramenů II, Prag 1957).
Lit.: +J. NĚMEČEK, J. J. R., = Kdo je? Bd 134, Prag 1949 [nicht: 1947], Neufassung ebd. 1963 (mit thematischem Kat. d. nachweisbaren Werke, Bibliogr. u. Diskographie), teilweise Neubearb. in: Vlastivědný sborník Podbrdska III, 1969, S. 104ff. – I. JANÁČKOVÁ, J. J. R. o svém hudebním životě (»J. J. R. über sein mus. Leben«), Prag 1946; TH. STRAKOVÁ, Pastorely J. J. Ryby, in: Časopis moravského muzea XXXIX, 1954.

Rybarič (rʹibaritʃ), Richard, * 19. 2. 1930 zu Bratislava; slowakischer Musikforscher, studierte 1948–53 bei Hudec, Kresánek und Nováček an der Universität in Bratislava, an der er 1953 mit einer Dissertation über *Slovenská neuma a nota choralis* (»Die slowakische Neume und ...«) promovierte. Im selben Jahr wurde er

Mitarbeiter an der Slowakischen Akademie der Wissenschaften. Er veröffentlichte u. a.: *Slovenská neuma* (in: Hudobnovedné štúdie I, 1955); *Slovenská hudba v dobe predfeudálnej* (»Die slowakische Musik in der Vorfeudalzeit«, in: Dejiny hudby na Slovensku, Bratislava 1957); *Hudba na Slovensku v rannom a vrcholnom feudalizme* (»Die Musik in der Slowakei im frühen und hohen Feudalismus«, ebd.); *Sekvencie spišského graduálu Juraja z Kežmarku* (»Die Sequenzen des Zipser Graduale von Juraj von Käsmark«, in: Hudobnovedné štúdie IV, 1960); *Sekvencia, legenda, epos* (ebd. VI, 1963); *Slovenská hudba 17. až 18. storočia* (in: Musica antiqua Europae Orientalis, Kgr.-Ber. Bydgoszcz 1966); *Z problematiky »oponickej« zbierky piesní a tancov (1730)* (»Zur Problematik der ‚Oponicer‘ Lieder- und Tänzesammlung«, in: Hudobnovedné štúdie VII, 1966); *J. Šimbracký v rokoch 1635–45* (»J. Šimbracký in den Jahren ...«, in: Musicologica Slovaca I, 1969); *O problematike polyfónnej tradície na Slovensku v 15.–17. storočí* (»Über die Problematik der polyphonen Tradition in der Slowakei im 15.–17. Jh.«, in: Slovenská hudba XIV, 1970); *S. Capricornus v Bratislave* (»... in Bratislava«, ebd.).

Rychlík (rʹixli:k), Jan, * 27. 4. 1916 und † 20. 1. 1964 zu Prag; tschechischer Komponist, Absolvent der Meisterklasse des Konservatoriums in Prag, widmete sich während der Studienzeit der Unterhaltungsmusik und dem Jazz und ab 1943 zunehmend der Kammer- und Orchestermusik. Er zählte nach 1950 mit seriellen und experimentierenden Kompositionen zu den Vorkämpfern der Neuen Musik. Von seinen Werken seien genannt: *Partita giocosa* für Blasorch. (1947); Divertimento für 3 Kb. (1952); Streichtrio (1953); Partita für Fl. (1954); *Partita da camera* für Streichquartett (1957); 4 Studien für Fl. (1959); *Hommaggi gravicembalistici* (1960); Bläserquintett (1960); *Relazioni* für Alt-Fl., Englisch Horn und Fag. (1963); *Africký cyklus* (»Afrikanischer Zyklus«) für 9 Instr. (1964); ferner zahlreiche Lieder und Filmmusik. R. schrieb auch neben mehreren Aufsätzen *Pověry a problémy jazzu* (»Jazzaberglauben und -probleme«, Prag 1959, auch ungarisch), *Žestové nástroje bez strojiva* (»Blechblasinstrumente ohne Ventile«, = Hudební rozpravy VII, ebd. 1960) und eine Instrumentationslehre *Moderní instrumentace* (1964ff. postum in Lieferungen).
Lit.: Nachrufe v. O. Mácha, K. Šrom, J. Feld u. Fr. Kovaříček in: Hudební rozhledy XIX, 1966, S. 230ff.

Rychnovský (rʹixnəfski:), Jiří (Georgius Richnovius), * um 1540 zu Rychnov nad Kněžnou / Reichenau an der Kněžna (Ostböhmen), † 1616 zu Chrudim (Ostböhmen); tschechischer Komponist, war Chorverwalter der Utraquisten in Chrudim. Von ihm sind zahlreiche Werke, u. a. 9 Messen sowie tschechische und lateinische Motetten, erhalten.
Ausg.: J. SNÍŽKOVÁ, Česká polyfonní tvorba (»Die tschechische Polyphonie«), Prag 1958.
Lit.: D. OREL, Stilarten d. Mehrstimmigkeit d. 15. u. 16. Jh. in Böhmen: in: Studien zur Mg., Fs. G. Adler, Wien u. Lpz. 1930; J. B. ČAPEK u. J. SNÍŽKOVÁ, J. R., Rychnov nad Kněžnou 1966 (mit Abdruck eines 5st. Sanctus).

Rydman, Kari, * 15. 10. 1936 zu Helsinki; finnischer Komponist, studierte Musikwissenschaft und Kunstgeschichte an der Universität seiner Heimatstadt. Als Komponist ist er Autodidakt. Er gehört zu den Avantgardisten der finnischen Musik. R. schrieb Orchesterwerke (*Sérénade à Djamila Boupacha*, 1963; *Syrinx*, 1964; *Choros I* für Kammerorch., 1964, und *II* für Orch., 1966; *Onnamai*, 1966; *Rondeaux des nuits blanches d'été*, 1966; ferner *Symphony of the Modern Worlds*, Auftragswerk des schwedischen Rundfunks anläßlich des ISCM-Festes in Stockholm 1968), Kammermusik (Klavierquintett, 1960; 5 Streichquartette, 1959–66; Trio für V., Vc. und Schlagzeug, 1961; 8 Sonaten für verschiedene Besetzungen, 1962–69), Klavierwerke, Vokalwerke (*Declamatory Songs* für Rezitator und Tonband, 1961; Suite für Rezitator und 11 Musiker; Chöre und Lieder sowie Bühnen- und Filmmusik.

+Ryelandt, Joseph [erg.:] Victor Marie, Baron, * 7. 4. 1870 und [erg.:] † 29. 6. 1965 zu Brügge.
Lit.: P. TINEL in: Musica sacra »sancta sancte« LXI, 1960, S. 80ff.; M. BOEREBOOM in: Vlaams muziektijdschrift XXII, 1970, S. 129ff.

+Rysanek, Leonie, * 14. 11. 1926 [nicht: 1928] zu Wien.
Sie ist weiterhin an den bedeutenden Opernmetropolen in Europa und den USA sowie bei verschiedenen Festspielen (neben Bayreuth auch Salzburg, Edinburgh, Aix-en-Provence, München, Berlin) besonders als Wagner-, Verdi- und R. Strauss-Sängerin hervorgetreten. L. R. ist seit 1968 mit dem Musikwissenschaftler Ernst-Ludwig Gausmann verheiratet.
Lit.: W. BOLLERT in: NZfM XI, 1956, S. 208f.; Le grandi v., hrsg. v. R. CELLETTI, = Scenario I, Rom 1964, Sp. 709ff.

+Rysanek, Lotte, * 18. 3. 1928 zu Wien; Schwester von Leonie R.
L. R., lyrischer bis jugendlich-dramatischer Sopran, wurde am Wiener Konservatorium u. a. auch von A. Jerger ausgebildet; sie bevorzugt Puccini- und Verdi-Partien. Gastspiele führten sie 1967 nach Japan und Kanada. Sie gehört weiterhin dem Ensemble der Wiener Staatsoper an (1968 österreichische Kammersängerin).

Ryschkin, Iossif Jakowlewitsch, * 24. 6. (7. 7.) 1907 zu Moskau; russisch-sowjetischer Musikforscher, absolvierte 1930 die musiktheoretische Fakultät am Moskauer Konservatorium, wurde 1935 Kandidat der Kunstwissenschaft und lehrte 1930–43 am Moskauer Konservatorium (1935 Dozent, 1939 Professor, 1940 Inhaber des Lehrstuhls für Musiktheorie und Musikgeschichte an der Militärmusikfakultät). Er veröffentlichte u. a.: *Otscherki po istorii teoretitscheskowo musykosnanija* (»Skizzen über die Geschichte der theoretischen Musikwissenschaft«, Bd I, Moskau 1934, Bd II, mit L. A. Masel, ebd. und Leningrad 1939); *Betchowen i klassitscheskij simfonism* (Moskau 1938); *Russkoje klassitscheskoje musykosnanije w borbe protiw formalisma* (»Die russische klassische Musikwissenschaft im Kampf gegen den Formalismus«, ebd. 1951); *Nasnatschenije musyki i jejo wosmoschnosti* (»Die Bestimmung der Musik und ihre Möglichkeiten«, ebd. 1963); *Obrasnost i realism w musyke* (»Bilderreichtum und Realismus in der Musik«, ebd. 1965); ferner zahlreiche Beiträge für Zeitschriften und Sammelbände.

+Rytel, Piotr, * 20. 9. 1884 zu Wilna, [erg.:] † 2. 1. 1970 zu Warschau.

1945–52 lehrte R. als Professor an der Warschauer Musikhochschule, 1956–61 war er Rektor der Musikhochschule in Sopot. Er betätigte sich auch als Musikkritiker bei verschiedenen Zeitschriften und Zeitungen. – Kompositionen: die Opern *Ijola* (Warschau 1929), *Krzyżowcy* (1941) und *Andrzej z Chełmna* (1939, 2. Fassung 1947, Warschau 1962); die Ballette *Faun i Psyche* (ebd. 1931) und *Śląski pierścień* (»Der schlesische Ring«, 1956); 3 Symphonien (1909, 1949, 1950); die symphonische Dichtung *Legenda o świętym Jerzym* (»Legende vom hl. Georg«, 1918); Klavierkonzert (1907), Violinkonzert (1950); ferner Kammermusik, Kantaten (*Stalin*, 1949; *Grób Agamemnona*, »Agamemnons Grab«, 1959) und Lieder.

Rzewski (ʒɛ'evski), Frederic Anthony, * 13. 4. 1938 zu Westfield (Mass.); amerikanischer Komponist und Pianist, studierte nach anfänglichem privaten Musikunterricht 1954–58 an der Harvard University in Cambridge (Mass.) und 1958–60 an der Princeton University (N. J.). 1963, 1964 und 1970 lehrte er bei den Kölner Kursen für Neue Musik. R., der seit 1960 als Pianist auftritt, gründete 1966 in Rom gemeinsam mit Allan Bryant, Alvin Curran und Jon Phetteplace die Musica Elettronica Viva (MEV), eine Gruppe von Komponisteninterpreten, die eine Realisation von Aufführungen musikalischer Mixturen aus Kollektivkomposition und Gruppenimprovisation mit elektronischen Klängen, traditionellen Instrumenten und Geräuscherzeugern unter Einbeziehung des mitimprovisierenden Publikums betreiben. Nach einjähriger Konzertaktivität in Rom begab sich Rz. mit der MEV 1967–68 mit zeitgenössischen Werken und eigenen Kompositionen, u. a. dem Gemeinschaftswerk *Spacecraft* (für verschiedene elektronische Geräuscherzeuger; vgl. dazu *Plan for Spacecraft*, in: Source 1968, Nr 3) auf Konzerttournee durch Europa. Seit 1971 lebt er in New York. – Werke: Praeludien für Kl. (1957); Introduktion und Sonate für 2 Kl. (1959); *Poem* (1959), *Study* (1960) und *Dreams* (1961) für Kl.; 3 Rhapsodien für 2 Lotus-Fl. (1961); Oktett (1962); *For Violin* für V. solo (1962); *Phi* (1963); *Composition for 2* (1964); *Speculum Dianae* (1964); *Selfportrait* (1964); *Zoologischer Garten* für Tonband (1965); *Nature morte* für Bläser, Trp., Horn, V., Vc., Org., Kl., Hf. und 5 Schlagzeuger (1965); *Projector-Piece* (1966); *Darstellung* (1966, danach *Impersonation*, Audiodrama in 6 Teilen, 1967); *Portrait* (1967); Requiem für Chor und Kammerensemble (1963–68); *Street Music* (1968) und *Symphony for Several Performers* (1968; beides abgedruckt in: Source 1969, Nr 6); *Les moutons de Panurge* für beliebige Instr. (1969); *Last Judgement* für Pos. (1969); *Monuments* für St. und Kl. (1970); *Old Maid* für S. und Chor (1970); *Falling Music* für Kl. und Tonband (1971); *Coming Together* für Sprecher und Instrument(e) (1972; Abdruck von Teil I in: Soundings 1972, Nr 3/4); *Attica* für Ensemble und Sprecher (1972; *Two Poems by Otto Rene Castillo* für Kl. und Sprecher (1972). Er schrieb u. a. »*Zuppa*« e altri processi (mit S. Esposito, in: Nuova musica, = Il verri 1969, Nr 30; zur MEV).

S

Sa'adyā Gā'ōn, hebräisch Sa'adyā ben Yōsef ha-Pitōmī, arabisch Sa'īd ibn Yūsuf al-Faiyūmī, * 892 zu Faiyūm (Ägypten), † 942 zu Sūrā (Mesopotamien), jüdischer Exeget, Religionsphilosoph und vielseitiger Gelehrter, begann nach Talmud- und wissenschaftlichen Studien als Zwanzigjähriger das Alte Testament ins Arabische zu übersetzen und verfaßte dazu ein berühmt gewordenes hebräisches Lexikon. Über Palästina gelangte er nach Bagdad und Aleppo und kam in Kontakt mit dortigen jüdischen und islamischen Gelehrten. 928–32 und 936–42 leitete er die Akademie in Sūrā, in der Zwischenzeit lebte er in Bagdad und verfaßte dort 933 sein Kitāb al-Amānāt wa-l-i'tiqādāt (»Buch über Dogmen und Glauben«) in arabischer Sprache, eine systematische Religionsphilosophie unter aristotelischem Einfluß. Im Anhang behandelt er u. a. die Wirkung der 8 musikalischen Metren auf die Seele, bedeutungsgleich mit Passagen bei al-Kindī.
Ausg.: Kitāb al-Amānāt ..., hrsg. v. S. LANDAUER, Leiden 1880 (arabischer Text); H. G. FARMER, Sa'adyah Gaon on the Influence of Music, London 1943 (arabische u. hebräische Texte späterer Übers. u. Paraphrasen, dazu Texte v. al-Kindī, mit engl. Übers. u. Kommentar; nicht fehlerfrei).
Lit.: G. ENGELKEMPER, De Saadiae Gaonis vita, bibliorum versione, hermeneutica ..., Diss. Lpz. 1897; H. G. FARMER, A Hist. of Arabian Music to the XIIIth Cent., London 1929, Nachdr. 1967; DERS., The Sources of Arabian Music, Bearsden 1940, revidiert Leiden 1965, Nr 157; DERS., The Jewish Debt to Arabic Writers on Music, in: Islamic Culture XV, 1941.

Saar, Mart, * 16.(28.) 9. 1882 zu Vastemõisa (Livland), † 28. 10. 1963 zu Reval/Tallinn; estnisch-sowjetischer Komponist, studierte am St. Petersburger Konservatorium (Louis Homilius, N. Rimskij-Korsakow, Ljadow), war 1908–20 Musikpädagoge in Tartu und 1943–56 Professor für Komposition am Konservatorium in Tallinn. Von seinen Kompositionen, mit denen er einen estnischen Nationalstil prägte, seien genannt: Orchesterstücke, z. T. mit Chor (Õhtumõtted, »Abendgedanken«, 1929; Ilu tütterile, »Schönheit den Töchtern«, 1939; Julgelt edasi, »Tapfer voraus«, 1940), Klavierwerke (Eesti siiti, »Estnische Suiten«, 1939, 1941 und 1948; Eesti fantaasia, 1946; etwa 40 Praeludien), Kantaten a cappella, Klavierlieder und auf estnisch volkstümlicher Runenmelodik aufgebaute Chorlieder.
Lit.: K. JU. LEJCHTER, M. S., Moskau 1960 u. Tallinn 1964.

Sabadini, Bernardo (Sabatini), * zu Venedig, † 26. 11. 1718 zu Parma; italienischer Komponist, Priester, war wahrscheinlich 1673 Kapellsänger am Dom von Urbino, kam später nach Parma, wo er 1681 Hoforganist wurde und von 1689 bis zu seinem Tode das Hofkapellmeisteramt bekleidete. Daneben war er auch Organist und Vizekapellmeister (1692 Kapellmeister) an der Kirche Madonna della Steccata. Zu den Festlichkeiten des Hofes der Farnese steuerte er in Zusammenarbeit mit dem Librettisten Aureli und den Bühnenbildnern D. Mauro und F. Bibiena glänzend ausgestattete Opern bei (Il favore degli dei, 1690). An weiteren Bühnenwerken seien genannt: Furio Camillo (Parma 1686); Zenone il tiranno (Rom 1687); Pompeo continente (Piacenza 1690); Il Massimino (Parma 1692); Talestri innamorata di Alessandro Magno (Piacenza 1693); Il riso nato fra il pianto (Turin 1694); Il domizio (Venedig 1698); Gli amori di Apollo e Dafne (Parma 1699). Er bearbeitete eine Reihe Opern anderer Komponisten für Parma bzw. Piacenza und schrieb ferner Serenate, Kantaten, Arien und Orgelstücke.
Lit.: N. PELICELLI, Musicisti in Parma nel s. XVII, in: Note d'arch. IX, 1932 – XI, 1934; A. YORKE-LONG, Music at Court, London 1954.

+Sabanejew, Leonid Leonidowitsch, * 19. 9. (1. 10.) [nicht: 7.(19.) 11.] 1881 zu Moskau, [erg.:] † 3. 5. 1968 zu Antibes (Alpes-Maritimes).
S. emigrierte 1926 [nicht: 1924] aus der Sowjetunion. Zu seinen Schriften ist nachzutragen: Kl. Debjussi (Moskau 1922), Prometheus von Skrjabin (in: Der Blaue Reiter, hrsg. von W. Kandinsky und Fr. Marc, München 1912, NA von K. Lankheit, ebd. 1965) und +Modern Russian Composers (1927, auch London), Nachdr. = Essay Index Reprint Series o. Nr, Freeport (N. Y.) 1967.

+Sabbatini, Galeazzo [del.:] de, [erg.:] um 1595 – [erg.: 6. 12.] 1662.
S. wurde 1641 Kanonikus am Dom in Pesaro.
Lit.: FR. T. ARNOLD, The Art of Accompaniment from a Thorough-B., London 1931, Nachdr. 1961, sowie (mit neuer Einleitung v. D. Stevens) = American Musicological Soc., Music Library Ass. Reprint Series o. Nr, NY 1965 u. 1966 (2 Bde).

+Sabbatini, Luigi Antonio, [erg.:] 24. 10. 1732 [nicht: 1739] – 1809.
Ausg.: La vera idea delle mus. numeriche segnature (1799) u. Trattato sopra le fughe mus. (1802), Nachdr. = Bibl. musica Bononiensis II, 65a–b, Bologna 1969 (2 Bde).

Sabbatini, Niccolò, * 1574 und † 25. 12. 1654 zu Pesaro; italienischer Architekt, Ingenieur, Festdekorateur und Bühnentheoretiker, war ab 1601(?) in Pesaro Hofarchitekt des Herzogs von Urbino, Francesco Maria II. della Rovere (1613 Entwurf der neuen Hafenanlagen, 1621 Gestaltung der Triumphbögen für den Einzug der Claudia dei Medici, 1637 Bau und Einrichtung des »Teatro del Sole«), und verfaßte eine Pratica di fabricar scene e macchine ne' teatri (Pesaro 1637, erweitert in 2 Bden Ravenna ²1638, deutsch Weimar 1926), in der die bühnentechnischen und bühnenbildnerischen Verfahren des 16. Jh. zusammengefaßt und ergänzt wurden.
Lit.: H. LECLERC, Les origines ital. de l'architecture théâtrale moderne, Paris 1946; A. G. BRAGAGLIA, N. S. e G. Torelli scenotecnico marchiagiani, Pesaro 1952; E. POVOLEDO, N. S. e la corte di Pesaro, in: »Pratica di fabricar ...«, Rom 1955; The Renaissance Stage. Documents of Serlio, S. and Furttenbach, hrsg. v. B. HEWITT, Coral Gables (Fla.) 1968.

+Sabbatini, Pietro Paolo, [erg.: um] 1600 – nach 1657 [del.: um 1660].
Lit.: P. KAST in: MGG XI, 1963, Sp. 1216ff.

Sabel, Hans, * 27. 10. 1912 zu Bedburg (Erft); deutscher Musikpädagoge, studierte ab 1932 in Köln und

Wien und promovierte 1941 in Köln mit einer Dissertation über *M. Stadlers weltliche Werke und seine Beziehungen zur Wiener Klassik*. Er war nach dem Kriege im Schuldienst tätig und ist seit 1953 Dozent für Musik und Didaktik an der Pädagogischen Hochschule in Trier (1962 Professor). S. veröffentlichte u. a. *Der Gregorianische Choral* (= Beitr. zur Schulmusik XV, Wolfenbüttel 1964) und *Die liturgischen Gesänge der katholischen Kirche* (= Musikalische Formen in historischen Reihen o. Nr, ebd. 1965) und schrieb Kirchen- und Schulmusik sowie zahlreiche Volksliedsätze.

Sabinina, Marina Dmitrijewna, * 28. 8. (10. 11.) 1917 zu Petrograd; russisch-sowjetische Musikforscherin, studierte am Moskauer Konservatorium (R. Gruber) und promovierte 1962 mit der Arbeit »*Semjon Kotko« i problemy opernoj dramaturgii Prokofjewa* (»... und die Probleme der Operndramaturgie Prokofjews«, Moskau 1963) zum Kandidaten der Kunstwissenschaft. Sie veröffentlichte u. a. (Erscheinungsort Moskau): *S. Prokofjew* (1957, ²1960); *Dm. Schostakowitsch* (1959, usbekisch Taschkent 1965); *Ob opernom stile Prokofjewa* (»Über den Opernstil Prokofjews«, in: S. Prokowjew, 1953–63, hrsg. von J. Wl. Nestjew und G. Ja. Edelmann, 1962); *Simfonism Schostakowitscha* (1965).

+Sabino, Ippolito, * um 1550.
Lit.: C. Marciani, Organai lancianesi nel 1500 e il madrigalista I. S., Rivista abruzzese XXI, 1968.

Sabirowa, Malika Ibragimowna, * 1942 zu Duschanbe (Tadschikische SSR); tadschikisch-sowjetische Tänzerin, erhielt ihre Ausbildung 1952–61 am Leningrader choreographischen Institut und war auch einige Zeit Schülerin von Galina Ulanowa. 1969 erhielt sie den 1. Preis beim internationalen Ballettwettbewerb in Moskau. Sie tanzte die Hauptpartien des klassischen und modernen Repertoires am Bolschoj Teatr in Moskau, am Onegin-Theater für Oper und Ballett in Duschanbe sowie bei verschiedenen Gastspielreisen im Ausland (England, Kanada, Italien, Japan).

+Sablonara, Claudio de la, 16./17. Jh.
Lit.: C. S. Smith, Documentos referentes al »Cancionero« de Cl. de la S., Rev. de filología española XVI, 1929; R. A. Pelinski, Die weltliche Vokalmusik Spaniens am Anfang d. 17. Jh., Der Cancionero Cl. de la S., = Münchner Veröff. zur Mg. XX, Tutzing 1971.

+Saboly, Nicolas, [erg.:] 30. 1. 1614 – 25. 7. 1675.
Lit.: J.-P. Faury, S., Etude littéraire et hist., Avignon 1876, Nachdr. Genf 1971; H.-A. Durand, Le folklore prov. et les prohibitions du Concile d'Avignon de 1725, in: Provence hist. 1958.

Sacchetti, Liberius (Liwerij) Antonowitsch, * 18. (30.) 8. 1852 zu Kensar (bei Tambow), † 26. 2. (10. 3.) 1916 zu Petrograd; russischer Musikhistoriker und -theoretiker italienischer Herkunft, studierte bis 1878 am St. Petersburger Konservatorium (K. Dawydow, N. Rimskij-Korsakow), an dem er anschließend Musikästhetik lehrte (1886 Professor). Ab 1895 war er an der Kaiserlichen Öffentlichen Bibliothek in St. Petersburg tätig. Er veröffentlichte *Otscherk wseobschtschej istorii musyki* (»Abhandlung über eine allgemeine Musikgeschichte«, St. Petersburg 1883, ebd. und Moskau ⁴1912); *Is oblasti estetiki i musyki* (»Aus dem Gebiet der Ästhetik und der Musik«, St. Petersburg 1896); *Kratkaja istoritscheskaja musykalnaja chrestomatija s drewnejschich wremjon do XVII weka wkljutschitelno* (»Kurzes historisches Musiklehrbuch von der Frühzeit bis einschließlich 17. Jh.«, ebd. ³1900); *Istorija musyki wsech wremjon i narodow* (»Musikgeschichte aller Zeiten und Völker«, 3 Bde, ebd. 1913).
Lit.: N. D. Bernstein, L. A. S., St. Petersburg 1903.

+Sacchi, Giovenale, 1726 zu Barzio [nicht: Barfio] (Como) – 1789.
+Della divisione del tempo nella musica ... (1770), Faks.-Ausg. = Bibl. musica Bononiensis II, 45, Bologna 1969. – Eine weitere Schrift (*Specimen theoriae musicae,* Bologna 1788) liegt ebenfalls als Faks.-Ausg. vor (ebd. II, 62).

+Sacchini, Antonio Maria Gaspare [nicht: Casparo] Gioachino, 1730 – 6. [nicht: 7.] 10. 1786.
S., der 1761–63 Secondo maestro am Conservatorio S. Maria di Loreto in Neapel war, wirkte 1768–72 (1772 als Direktor) am Conservatorio dell'Ospedaletto in Venedig [del. bzw. erg. frühere Angaben dazu]. – Die Oper *+Il cidde* wurde 1764 [nicht: 1769] in Rom uraufgeführt. *+Renaud* (Paris 1783) ist eine französische Bearbeitung der 1772 in Mailand uraufgeführten Oper *Armida,* die 1780 in London als *Rinaldo* gegeben wurde [del. frühere Angaben dazu].
Ausg.: Ouvertüre zu »Œdipe à Colone«, hrsg. v. A. de Almeida, = L'offrande mus. I, Paris 1961.
Lit.: A. Damerini, L'atto di nascita di A. S., in: Musicisti toscani, hrsg. v. dems. u. Fr. Schlitzer, = Accad. mus. Chigiana (XII), Siena 1955; U. Prota-Giurleo, S. fra Piccinnisti e Gluckisti, Gazzetta mus. di Napoli III, 1957; H.-B. Dietz, Zur Frage d. mus. Leitung d. Conservatorio di S. Maria di Loreto in Neapel im 18. Jh., Mf XXV, 1972.

Sacharow, Rostislaw Wladimirowitsch, * 25. 8. (7. 9.) 1907 zu Saratow; russisch-sowjetischer Tänzer, Choreograph und Pädagoge, absolvierte die Leningrader Ballettschule und studierte anschließend noch an der Regiefakultät des Leningrader Theatertechnikums. Vom Stanislawskij-System sehr beeindruckt, versuchte er dessen Prinzipien auf die Inszenierung der Uraufführung des Balletts *Bachtschissaraiskij fontan* (»Die Fontäne von Bachtschissarai«, Musik Assafjew, Leningrad 1934) zu übertragen, das zu einem Markstein in der Geschichte des sowjetischen Balletts wurde. Erfolgreich waren auch die Puschkin-Ballette *Kawkasskij plennik* (»Der Gefangene im Kaukasus«, Assafjew, Moskau 1938), *Baryschnja-krestjanka* (»Das Edelfräulein als Bäuerin«, Assafjew, ebd. 1946) und *Mednyj wsadnik* (»Der eherne Reiter«, Glière, Leningrad 1949). 1945 choreographierte er die Uraufführung von Prokofjews *Soluschka* (»Aschenbrödel«) am Moskauer Bolschoj Teatr, dem er 1936–56 angehörte und dessen Ballettschule er zeitweise leitete. 1946 veranlaßte er die Einrichtung eines Lehrstuhls für Choreographie an der Ballettmeisterfakultät der staatlichen Theaterhochschule in Moskau, auf den er als Professor berufen wurde. Er schrieb das Buch *Sowjetskij balet* (Moskau 1954, deutsch als *Sowjetisches Ballett,* Bln 1954).

Sacharow, Wladimir Grigorjewitsch, * 5. (18.) 10. 1901 zu Bogoduchowskaja Balka (Donbass), † 13. 7. 1956 zu Moskau; russisch-sowjetischer Chordirigent, Komponist und Ethnograph, studierte bis 1927 am Konservatorium in Rostow (am Don) und war dort 1920–27 auch als Musikpädagoge tätig. Ab 1932 leitete er den Staatlichen Russischen Pjatnizkij-Volkschor. Er schrieb u. a. ein Violinkonzert, eine Klaviersuite und zahlreiche Lieder für den Pjatnizkij-Chor sowie Volksliedbearbeitungen.
Lit.: N. Brjussowa, Wl. S., Moskau 1949; T. N. Liwanowa, Wl. Gr. S., ebd. 1954, ²1962; M. Kowal, Wl. Gr. S. i russkaja narodnaja pesnja (»Wl. Gr. S. u. d. russ. Volkslied«), SM XXV, 1961; Wospominanija (»Erinnerungen«), hrsg. v. P. M. Kasmin, W. W. Chwatow u. T. N. Liwanowa, Moskau 1967.

+Sacher, Paul, * 28. 4. 1906 zu Basel.
S., der ab 1964 die Leitung der Musik-Akademie der Stadt Basel allein innehatte, trat 1969 von diesem Amt

zurück (seine Rede dazu in: SMZ CIX, 1969, S. 340ff.). Zugleich gründete er die Maja-Sacher-Stiftung zur zusätzlichen Förderung begabten Musikernachwuchses an der Musik-Akademie. Die Musikinstrumentensammlung schenkte S. dem Historischen Museum in Basel. Er war ferner 1946–55 Präsident des Schweizerischen Tonkünstlervereins und ist seit 1955 dessen Ehrenpräsident sowie seit 1971 Ehrenmitglied der IGNM.

Lit.: Alte u. neue Musik. Das Basler Kammerorch. unter Leitung v. P. S., 1926–51, Zürich 1952; Zwanzig Jahre Coll. mus. Zürich. Leitung P. S., ebd. 1962; Dreißig Jahre Coll. mus. Zürich . . ., ebd. 1972. – H. EHINGER in: SMZ CVI, 1966, S. 170ff.; H. OESCH, Die Musik-Akademie d. Stadt Basel, Basel 1967.

+Sachs, Curt, 1881–1959.

+*Real-Lexikon der Musikinstrumente, zugleich ein Polyglossar für das gesamte Instrumentengebiet* (1913), Nachdr. Hildesheim 1962, auch = Olms Paperback III, 1964, revidierte und erweiterte Ausg. = American Musicological Society, Music Library Association Reprint Series o. Nr, NY 1964, London 1966 (mit neuer Einleitung von E. Winternitz); +*Handbuch der Musikinstrumentenkunde* (1920, ²1930), Nachdr. Lpz. 1966 sowie Hildesheim und Wiesbaden 1967; +*Geist und Werden der Musikinstrumente* (1929), Nachdr. Hilversum 1965; +*Eine Weltgeschichte des Tanzes* (1933), 2. Aufl. der +engl. Ausg. (*World History of the Dance*, 1937) NY 1952 und London 1957, auch = Norton Library Bd 209, NY 1963, ital. Mailand 1966, nld. = Aula-boeken Bd 419, Utrecht 1969; +*The History of Musical Instruments* (1940), japanisch Tokio 1965, nld. = ebd. Bd 432, 1969; +*The Rise of Music in the Ancient World, East and West* (1943), ital. Florenz 1963, deutsch hrsg. von J. Elsner als *Die Musik der Alten Welt in Ost und West*, Bln 1968; +*Our Musical Heritage. A Short History of Music* (1948, ²1955), auch London ²1957, nld. = Aula-boeken XXII, Utrecht 1959, ⁴1962, arabisch Kairo 1964, türkisch Istanbul 1965; +*The Wellsprings of Music* ([erg.:] hrsg. von J. Kunst, Den Haag 1962, Nachdr. 1968, auch = McGraw-Hill Paperbacks o. Nr, NY 1965). – Die noch heute für die instrumentenkundliche Forschung wichtige +*Systematik der Musikinstrumente* (1914) wurde ins Englische übersetzt (*Classification of Musical Instruments*, übers. von A. Baines und Kl. P. Wachsmann, GSJ XIV, 1961); an weiteren Aufsätzen sind zu nennen *Griechische Musik und der Orient* (in: Musica XII, 1958) und *Primitive and Medieval Music. A Parallel* (JAMS XIII, 1960). S. wurde mit der Gedenkschrift *The Commonwealth of Music* geehrt (hrsg. von G. Reese und R. Brandel, NY und London 1965).

Lit.: H. ALBRECHT in: Mf IX, 1956, S. 385ff.; E. HERTZMANN in: JAMS XI, 1958, S. 1ff.; FR. BOSE in: Musica XIII, 1959, S. 328f.; H. HICKMANN in: Mf XII, 1959, S. 257f.; J. KUNST in: Mens en melodie XIV, 1959, S. 78ff., u. in: Ethnomusicology III, 1959, S. 71ff.; C. SPR. SMITH in: AMl XXXI, 1959, S. 45f.; H.-H. DRAEGER, C. S. as an Ethnomusicologist, in: The Commonwealth of Music . . . (s. o.).

+Sachs, Hans, 1494–1576.

S. wurde 1509–11 von Lienhard Nunnenbeck in den Meistersang eingeführt. Meister des Schuhmacherhandwerks wurde er 1520 [nicht: 1517]. In Nürnberg wirkte er später auch als Spielleiter der Meistersingerbühne (1551–60) und als Merker der Singschule (1555–61). Von S. sind 1983 geistliche Lieder in Meistertönen, 2314 weltliche Meisterlieder und 1903 Spruchgedichte bekannt. Seinen Meisterliedern (alle wir 1567 entstanden) liegen insgesamt 301 Töne zugrunde, von denen er 13 selbst erfunden hat; 10 dieser neuen Töne sind auch in den von S. handschriftlich zusammengestellten

Büchern seiner Meisterlieder überliefert. – Bereits vor R. Wagner bediente sich u. a. A. Lortzing des Meistersingerstoffes in seiner Oper *Hans Sachs* (1840).

Ausg.: +GA (Werke, A. v. KELLER u. E. GOETZE, 1870–1908), Nachdr. Hildesheim 1964 (26 Bde); +*Das Singebuch* . . . (G. MÜNZER, 1906), Nachdr. ebd. 1970; +Troubadours, Trouvères, Minne- u. Meistergesang (FR. GENNRICH, 1951), Neuaufl. Köln 1960, auch engl.; 15 Meisterlieder in: Meistersang, hrsg. v. B. NAGEL, = Reclams Universal-Bibl. Nr 8977/78, Stuttgart 1965; ein Meisterlied in: Meistergesänge, Fastnachtsspiele, Schwänke, hrsg. v. E. GEIGER, ebd. Nr 7627, 1967. Lit.: →Meistersang. – +K. DRESCHER (Hrsg.), Die Nürnberger Meistersingerprotokolle (= Bibl. d. Stuttgarter literarischen Ver. CCXIII–CCXIV, 1897), Nachdr. Hildesheim 1963 (2 Bde in 1). – H. S. u. d. Meistergesang, = Ausstellungskat. d. Stadtbibl. Nürnberg I, Nürnberg 1955; H. BRUNNER, H. S., in: Fränkische Klassiker, hrsg. v. W. Buhl, ebd. 1971; DERS. u. E. STRASSNER, H. S., in: Nürnberg. Gesch. einer europäischen Stadt, hrsg. v. G. Pfeiffer, ebd. – +R. GENÉE, H. S. u. seine Zeit (1894), Nachdr. Niederwalluf bei Wiesbaden 1971; M. BEARE, H. S. Mss., An Account of Their Discovery and Present Locations, Modern Language Rev. LII, 1957; DIES., Some H. S. Ed., ebd. LV, 1960; B. NAGEL, Meistersang, = Slg Metzler XII, Stuttgart 1962, ²1971 (mit Nachträgen als Nachwort); Der deutsche Meistersang, hrsg. v. DEMS., = Wege d. Forschung CXLVIII, Darmstadt 1967; E. SOBEL, Two Meisterlieder on the Seven Liberal Arts . . ., in: Fachlit. d. MA, Fs. G. Eis, Stuttgart 1968; DERS., A H. S. Schulkunst of 1516, in: Wahrheit u. Sprache, Fs. B. Nagel, = Göppinger Arbeiten zur Germanistik LX, Göppingen 1972; L. L. GEORGE, The Cessation of Meisterlieder Production in H. S., Diss. Mich. State Univ. 1971; B. KÖNNEKER, H. S., = Slg Metzler XCIV, Stuttgart 1971 (mit Bibliogr.).

Sachs, Klaus-Jürgen, * 29. 1. 1929 zu Kiel; deutscher Musikforscher, studierte 1947–50 Kirchenmusik in Leipzig, wirkte 1951–60 als Kantor in Bautzen und als Dozent der Kirchenmusikschule in Görlitz und studierte ab 1960 Musikwissenschaft in Erlangen (dort 1960–62 Universitätsmusiklehrer) und Freiburg i. Br., wo er 1967 mit der Dissertation *Der Contrapunctus im 14. und 15. Jh.* promovierte. Er war 1967–69 wissenschaftlicher Mitarbeiter der Walcker-Stiftung und wurde 1969 Lektor am Musikwissenschaftlichen Seminar in Erlangen. – Veröffentlichungen: *Bericht über die Arbeiten an den Pfeifenmensurtraktaten des Mittelalters* (in: Orgel und Orgelmusik heute, hrsg. von H.H. Eggebrecht, = Veröff. der Walcker-Stiftung für orgelwissenschaftliche Forschung II, Stuttgart 1968); *Mensura fistularum. Die Mensurierung der Orgelpfeifen im Mittelalter*, Teil I: Edition der Texte (= Schriftenreihe der Walcker-Stiftung für orgelwissenschaftliche Forschung I, ebd. 1970); *Gerbertus cognomento musicus. Zur musikgeschichtlichen Stellung des Gerbert von Reims (nachmaligen Papstes Silvester II.)* (AfMw XXIX, 1972). S. war Mitarbeiter am Sachteil dieses Lexikons.

+Sachße, Hans, * 3. 8. 1891 zu Bautzen, [erg.:] † 1. 7. 1960 zu München.

+Sack, Erna Dorothea [erg.:] Luise, * 6. 2. 1898 zu Berlin(-Spandau), [erg.:] † 2. 3. 1972 zu Mainz. E. S., die 1936 zur (sächsischen) Kammersängerin ernannt worden war, lebte ab 1966 in Wiesbaden.

Sacramento, Lucino, * 30. 6. 1908 zu Manila; philippinischer Komponist, absolvierte 1934 das University of the Philippines Conservatory of Music in Manila. Er leitete 1945 ein Kompositionsseminar an der Cosmopolitan Academy, deren Direktion er danach übernahm. S. ist außerdem Fakultätsmitglied am Saint Isabel College und an der Centro Escolar University in Manila. Von seinen Kompositionen seien genannt:

Opern *Pagmanahalan* (1968) und *Florante et Laura* (1971); *Cradle Concerto* für Kl. (1960) und Konzert für V. (1969) mit Orch.; Oktett für Fl., Klar., Fag., Horn, V., Va, Vc. und Kl. (1970).

+Sacrati, Francesco Paolo, um 1600–1650. S., der 1641–44 Impresario am Teatro nuovissimo in Venedig war, schrieb seine Oper *+Delia o La sera sposa del sole* (1639) wahrscheinlich in Zusammenarbeit mit seinem Lehrer(?) Fr. Manelli. Vermutlich stammt auch die Musik zu *+La finta pazza* (1641) nicht ausschließlich von S. – *+La Venere gelosa* (Venedig [nicht: Padua] 1643); *+L'isola di Alcina* (Panzano bei Bologna [nicht: Bologna] 1648). Lit.: +H. GOLDSCHMIDT, Studien zur Gesch. d. ital. Oper im 17. Jh. (I, 1901), Nachdr. Hildesheim u. Wiesbaden 1967. – CL. SARTORI, Un fantomatico compositore per un'opera che forse non era un'opera, nRMI V, 1971 (zu »La finta pazza«).

Sadaï, Jizhak (Sidi), * 13. 5. 1935 zu Sofia; israelischer Komponist, Schüler von Boscovich und Haubenstock-Ramati, studierte 1951–56 an der Musikakademie in Tel Aviv. Er lehrt Theorie und Komposition an den Musikakademien in Jerusalem (seit 1960) und Tel Aviv (seit 1966). Von seinen Kompositionen seien genannt: *Piccola fantasia* für Kl. (1956); *Impressions d'un choral* für Cemb. oder Kl. (1964); *Ricercar symphonique* für Orch. (1964); *Interpolations variées* für Streichquartett und Cemb. (1965); *Nuances* für Kammerorch. (1965); *Aria da capo* für 6 Instrumentalisten und Tonband (1966); *Registres* für V. und Kl. (1967); *Préludes à Jérusalem* für Stimmen und Instr. (1968).

Sadie (s'eidi), Stanley John, * 30. 10. 1930 zu Wembley (London); englischer Musikforscher, studierte 1947–50 privat und 1950–56 bei Dart, P. Hadley und Cudworth am Gonville & Caius College in Cambridge (M. A., Mus. B.), wo er 1958 mit einer Dissertation über *British Chamber Music, 1720–90* zum Ph. D. promovierte. Er war 1957–65 Professor am Trinity College of Music in London. Seit 1964 wirkt er als Musikkritiker für die Londoner Tageszeitung »The Times« und ist seit 1967 (Mit-)Editor von *The Musical Times* (MT). S. bereitet seit 1970 die 6. Aufl. von *Grove's Dictionary of Music and Musicians* vor. – Veröffentlichungen (Auswahl): *Handel* (= Calderbooks LX, London und NY 1962, ³1966); *The Pan Book of Opera* (mit A. Jacobs, = Pan Piper TP LV, London 1964, auch als *The Opera Guide*, ebd., Neuaufl. als *Opera. A Modern Guide*, NY 1972); *Mozart* (= Illustrated Calderbook CB LXXI, London 1966, NY 1970 = Library of Composers I, japanisch Tokio 1970); *Beethoven* (= The Great Composers o. Nr, London und NY 1967); *Handel* (= ebd., London 1968); *Handel Concertos* (ebd. 1972); *The Wind Music of J. C. Bach* (ML XXXVII, 1956); *Concert Life in 18th-Cent. England* (Proc. R. Mus. Ass. LXXXV, 1958/59); *The Chamber Music of Boyce and Arne* (MQ XLVI, 1960); *»Idomeneo« and Its Textual History* (in: Opera XXV, 1974); ferner zahlreiche Artikel in MT. – Er gab Werke von J. Chr. Bach, Boccherini, Boyce, Händel, Lalande, W. A. Mozart u. a. heraus.

Sadler, Helmut, * 23. 6. 1921 zu Streitford (Siebenbürgen); deutscher Komponist und Musikpädagoge, studierte 1946–47 am Kirchenmusikalischen Institut in Erlangen und 1947–52 an der Hochschule für Musik in Heidelberg (Frommel). 1963 wurde er in Heidelberg Lehrbeauftragter an der Pädagogischen Hochschule und stellvertretender Direktor der Städtischen Sing- und Jugendmusikschule. Er schrieb das Ballett *Der Wettmacher*, eine Sinfonietta für Streichorch., Kam-mermusik (*Concerto da camera* für Vc. und Bläserquintett; Streichquartett), eine Klaviersonate, *6 Galgenlieder* für T., Fl., Ob., Englisch Horn, Klar. und Fag. sowie Chor- und Schulmusik.

+Sádlo, Karel Pravoslav, * 5. [nicht: 7.] 9. 1898 und [erg.:] † 24. 8. 1971 zu Prag. S. veröffentlichte einige Cellostudienwerke (u. a. *Technické studie*, Prag 1925; *Škola etud*, »Etüdenschule«, 2 Bde, ebd. 1951–52) und schrieb an neueren Beiträgen *Organizácia koncertného života včera a dnes* (»Die Organisation des Konzertlebens gestern und heute«, in: *Slovenská hudba* IX, 1965) und *Předpoklady tvůrčí interpretace* (»Die Voraussetzungen schöpferischer Interpretation«, in: Sborník prací akademie múzických uměni v Praze I, 1966; mit russ., engl., frz. und deutscher Zusammenfassung).

+Sádlo, Miloš (eigentlich Zátvrzský), * 13. 4. 1912 zu Prag. S. wirkt seit 1950 (1953 Professor) als Cellolehrer an der Prager Musikakademie. 1957–60 war er Mitglied des Suk-Trios.

Sædén, Carl Erik, * 3. 9. 1924 zu Vänersborg; schwedischer Sänger (Baßbariton), studierte 1943–51 an der Kungl. Musikhögskolan in Stockholm bei Arne Sunnegardh und privat bei Wilhelm Freund. Seit 1952 gehört er dem Ensemble der Oper in Stockholm an. Er trat u. a. bei den Festspielen in Bayreuth und an der Covent Garden Opera in London auf. S. ist schwedischer Hofopernsänger und Mitglied der Kungl. Musikaliska akademien.

Saemann, Carl Heinrich, * 1790 und † 29. 1. 1860 zu Königsberg; deutscher Komponist und Organist, Schüler von Zelter in Berlin, war in Königsberg Organist an der Altstädtischen Kirche, Lehrer am Institut für Kirchenmusik und Gesang der Universität und gründete 1818 mit J. Fr. Dorn und Ernst Pastenaci den Königsberger Singverein zur Aufführung älterer und neuerer Kirchenmusik. Seine Königsberger Aufführung von J. S. Bachs Matthäuspassion 1832 war die dritte in Deutschland. Der Erfolg ermutigte ihn zu zwei Ostpreußischen Musikfesten; das erste fand 1835, u. a. mit Händels *Samson*, das zweite 1837, u. a. mit *Judas Maccabaeus*, statt. Seine Chorwerke (Oratorium *Die Auferstehung*), Kirchen- und Orgelkompositionen zeugen von gutem Können. Er schrieb die Bücher *Gedanken über den Choral* (Königsberg 1819) und *Der Kirchengesang unserer Zeit* (ebd. 1843). Lit.: E. KROLL, Musikstadt Königsberg, Freiburg i. Br. 1966.

Sáenz (s'aenθ), Pedro, * 4. 5. 1915 zu Buenos Aires; argentinischer Komponist, studierte in seiner Heimatstadt Klavier, Kontrapunkt sowie Komposition und setzte seine Kompositionsstudien in Paris bei A. Honegger, Milhaud und Rivier fort. Er war in Buenos Aires 1955–63 Direktor des Conservatorio Municipal M. de Falla, daneben 1950–63 Lehrer für Kontrapunkt am staatlichen Konservatorium, und ist Professor für Kontrapunkt und Formenlehre an der Pontificia Universidad Católica Argentina S. María de los Buenos Aires (1963–65 Dekan der Fakultät). Er schrieb Orchesterwerke (*Movimientos sinfónicos*, 1963; *3 pinturas de Fragonard* für Kammerorch., 1969), Kammermusik (Klavierquintett, 1942; Streichtrio, 1955; Divertimento für Ob. und Klar., 1959; Capriccio für Cemb. und Streichquartett, 1966), Klavierstücke (*3 piezas epigramáticas*, 1938; *Variaciones sobre un tema original*, 1947; Capriccio für 2 Kl., 1965) und Lieder (*5 Poemas de Alberti*, 1967). Lit.: Werkverz. in: Compositores de América XII, Washington (D. C.) 1960.

+Sæverud, Harald [erg.:] Sigurd Johan, * 17. 4. 1897 zu Bergen.

S., seit 1952 Mitglied der Kungl. Musikaliska akademien in Stockholm, erhält seit 1955 vom norwegischen Staat für seine kompositorische Tätigkeit einen staatlichen Künstlerlohn. Zu seinem 70. Geburtstag wurde er mit einer Festschrift geehrt (*H. S.*, hrsg. von G. Nystroem u. a., Oslo 1967, mit Werkverz. bis op. 45). – Weitere Werke: das Ballett *Ridder Blåskjeggs mareritt* op. 42 (»Ritter Blaubarts Alptraum«, Oslo 1960); insgesamt 9 Symphonien (op. 2, 1920; op. 4, 1922; op. 5, 1926; op. 11, 1937; *Quasi una fantasia* op. 16, 1941; *Sinfonia dolorosa* op. 19, 1942; *Salme* op. 27, 1945; *Minnesota* op. 40, 1958; 1966), *Marcia solenne* op. 46 (1967), *Sonata iubilata* op. 47 (1968), *Fanfare og hymne* op. 48 (1968) und *Mozart-Motto-Sinfonietta* op. 50 (1972) für Orch.; Fagott- (1963) und Kontrabaßkonzert (1973); Streichquartett (1969).

Lit.: TR. FISCHER in: Nordisk musikkultur V, 1956, S. 71ff. u. 117ff. (zur Kl.-Musik); Modern nordisk musik, hrsg. v. I. BENGTSSON, Stockholm 1957, S. 46ff. (mit Werkverz. bis op. 39); Mus. selvportrætter, hrsg. v. T. MEYER u. a., Kopenhagen 1966; J. DORFMÜLLER, Studien zur norwegischen Klaviermusik d. ersten Hälfte d. 20. Jh., = Marburger Beitr. zur Musikforschung IV, Kassel 1969.

aş-Şafadī, mutmaßlicher Verfasser eines arabischen Musiktraktats aus dem 14. Jh., in dem der Terminus Maqām zum ersten Male verwendet sein soll, ist irrtümlich mit dem bekannten Gelehrten Şalāḥaddīn Ḫalīl ibn Aibak aş-Şafadī (1297–1363) identifiziert worden; tatsächlich handelt es sich um einen Theoretiker, der dem Schülerkreis von → +Şafīaddīn al-Urmawī nahegestanden hat. Der Terminus Maqām wird in unvollständigen Abschriften dieses Traktates und innerhalb einer jüngeren Textinterpolation verwendet, einer Maqāmāt-Liste nach (Pseudo-)al-Fārābī. Der in einem Manuskript vollständig erhaltene Text der ursprünglichen Abhandlung enthält 6 Kapitel u. a. über den »Ursprung« der Musik, ihre »Einflüsse« auf die Seele des Menschen, Musikunterricht und -praxis, Tonsystem, Intervalle, Maqāmāt (als šudūd) und deren Ableitungen, Namen und Positionen der Lautenbünde und musikalische Metrik.

Ausg.: A. TAIMŪR, al-Mūsīqī wa-l-ġinā' 'inda l-'arab (»Griech. Musiktheorie u. traditionelle Musik bei d. Arabern«), Kairo 1963, S. 140ff. (Text d. Kurzfassung).
Lit.: H. G. FARMER, The Sources of Arabian Music, Bearsden 1940, revidiert Leiden 1965, S. 56 (dazu 8 weitere Mss., vollständiger Text in Istanbul, Topkapı Sarayı, Ahmet III, Nr 2130); 'A. AL-'AZZĀWĪ, al-Mūsīqā al-'irāqīya fī 'ahd al-muġūl wa-t-turkumān (»Die Musik im Irak zur Zeit d. Mongolen u. Turkmenen«), Bagdad 1951, S. 63.

Şafīaddīn 'Abdal'azīz ibn Sarāyā **al-Ḥillī,** * 27. 8. 1278 zu Ḥilla (am Euphrat), † um 1350 zu Bagdad; arabischer Dichter und Literat, bereiste in seiner Jugend als Kaufmann Damaskus und Kairo, ließ sich dann in Mardin, einem der Kunstzentren seiner Zeit, nieder und wurde dort Lobdichter des turkmenischen Artuqiden al-Malik al-Manşūr (1294–1312). Mit den ebenfalls in Mardin wirkenden Musikern Badraddīn al-Irbilī und Kutaila, die in der Schultradition von → +Şafīaddīn al-Urmawī standen, muß er bekannt gewesen sein. Um 1326 verbrachte er einige Zeit am Hof des Mamluken al-Malik an-Nāşir in Kairo, kehrte aber wieder nach Mardin zurück. – Er hinterließ neben einem Diwan seiner Gedichte und mehreren Prosawerken eine Abhandlung über neuere Formen arabischer (gesungener) Volkspoesie (zaġal, mawālīyā, kānkān, qūmā), von denen sich Beispiele in seiner Poesie finden. Auch scheint er eine oder mehrere musiktheore-

tische Abhandlungen verfaßt zu haben, von denen ein Fragment über den Zusammenhang der 12 Maqāmāt mit den Tierkreiszeichen und ein anderes über die empfohlenen Aufführungszeiten der Maqāmāt innerhalb des Tages erhalten sind.

Lit.: M. HARTMANN, Das arabische Strophengedicht, Bd I: Das Muwaššaḥ, Weimar 1897, S. 79f. u. 218; CL. HUART, al-Ḥ., EI II, 1927; H. G. FARMER, The Sources of Arabian Music, Bearsden 1940, revidiert Leiden 1965, Nr 279 (d. angegebene Titel ist unrichtig, d. dortige Ms. über Tierkreiszeichen u. Maqāmāt ist ein Foto v. Ms. Istanbul, Topkapı Sarayı, Ahmet III, Nr 2130, S. 126; d. Fragment über Aufführungszeiten findet sich im Ms. Bln, zur Zeit Marburg, or. oct. 1088, fol. 166, es entspricht weitgehend d. Tabelle in Furşataddaula Šīrāzī, Buḥūr al-alḥān dar 'ilm-i mūsīqī wa-nisbat-i ān bā-'arūż, »Meere d. Melodien, über d. Musik u. ihr Verhältnis zu d. prosodischen Metren«, Bombay 1913, Nachdr. Teheran 1966, S. 24, übers. v. Kh. Khatschi in: Der Dastgāh, = Kölner Beitr. zur Musikforschung XIX, Regensburg 1962, S. 42f.); C. BROCKELMANN, Gesch. d. arabischen Lit., Bd II, Leiden ²1949, S. 159f., Suppl. II, 1938, S. 199f.; Ḥ. AZ-ZIRIKLĪ in: al-A'lām, Bd IV, Damaskus ²1954 (arabisches biogr.-bibliogr. Lexikon); 'U. R. KAḤḤĀLA, Mu'ğam al-mu'allifīn, Bd V, ebd. 1958 (Lexikon arabischer Literaten). ENE

+Şafīaddīn al-Urmawī (vollständiger Name: Ş. 'Abdalmu'min ibn Yūsuf ibn Fāḥir al-Ū. al-Baġdādī), um 1225 [del.: um 1230; erg.:] wahrscheinlich zu Urmia (Westpersien) – [erg.: 28. 1.] 1294.

Ş. al-U., zugleich Gelehrter, Kalligraph, Dichter, Musiker und Musiktheoretiker, studierte zwischen 1234 und 1242 an der Mustanşirīya-Hochschule in Bagdad, wurde anschließend Kopist an der Privatbibliothek des letzten 'Abbāsiden-Kalifen al-Musta'şim (1242–58), Erzieher der Prinzen und Hofgesellschafter, erlangte nach der Eroberung Bagdads durch die Mongolen 1258 die Gunst Hülägüs († 1265) und schloß sich dessen Minister Šamsaddīn al-Ġuwainī († 1284) an. 1265 ging er für einige Zeit nach Isfahan. Nach dem Sturz al-Ġuwainīs und seiner Familie 1284 verarmt, starb Ş. al-U., wegen einer Geldschuld inhaftiert, im Gefängnis. – 1252 schrieb er auf dem Hintergrund arabischer Abhandlungen, griechischer Übersetzungen und der Praxis seiner Zeit das *Kitāb al-Adwār* (»Buch der Zyklen«) über Tonsystem, Intervalle, Tetrachordteilungen, Maqāmāt (als adwār bzw. ğumū'), deren Ableitungen, Metren, einige Saiteninstrumente und »Einflüsse« der Musik im Sinne der Ethoslehre. Für Šarafaddīn al-Ġuwainī († 1286), Sohn seines Gönners Šamsaddīn und wie dieser Mittelpunkt eines literarisch-musikalischen Salons, verfaßte er um 1267 die *ar-Risāla aš-Šarafīya fī n-nisab at-ta'līfīya* (»Abhandlung für Šarafaddīn über die Proportionen der [Töne und ihrer] Zusammensetzung«), ein inhaltlich ähnliches, aber ausgereifteres Werk als das erste. Durch zahlreiche Kopien, Übersetzungen ins Persische und Kommentare haben beide Traktate das musiktheoretische Schrifttum Persiens bis ins 16. und das der Türkei bis ins 19. Jh. beeinflußt. Die darin enthaltene Berechnung und Darstellung des persisch-arabischen Tonsystems mit 17stufiger Oktave ist aus europäischer Sicht als mustergültig empfunden worden. Ş. al-U. gehört mit Isḥāq →+al-Mauşilī, Abu n-Naşr →+al-Fārābī und →'Abdalqādir al-Marāġī zu den meistzitierten Autoritäten der islamisch-orientalischen Musikgeschichte.

Ausg.: Kitāb al-Adwār, hrsg. v. ḤUSAIN 'ALĪ MAḤFŪZ, Bagdad 1961.
Lit.: IBN FAḌLALLĀH AL-'UMARĪ († 1349), Masālik al-abşār ..., Bd X, Ms. Aya Sofya (Istanbul) Nr 3423 (arabische Enzyklopädie d. Wiss. u. Künste). – +R. G. KIESEWETTER, Die Musik d. Araber (1842), Nachdr. Den Haag 1967, Wiesbaden 1968; H. G. FARMER, A Hist. of Arabian Music to the XIIIth Cent., London 1929,

Nachdr. 1967; DERS. in: EI Suppl., 1938; DERS., The Sources of Arabian Music, Bearsden 1940, revidiert Leiden 1965, Nr 252f.; M. ṬABĀṬABĀ'Ī, Ṣ. al-U., in: Maǧalla-i mūsīqī (»Zs. f. Musik«) III, (Teheran) 1941/42, Nr 8f. (grundlegend); A. KUTZ, Mg. u. Tonsystematik, = Neue deutsche Forschungen, Abt. Mw. XI, Bln 1943; M. YEŞIL, Türk musikisi için bir bibliografya denemesi (»Versuch einer Bibliogr. zur türkischen Musik«), Teil II, in: Musiki mecmuası 1966, Nr 222; L. MANIK, Das arabische Tonsystem im MA, Leiden 1969; E. NEUBAUER, Musik zur Mongolenzeit in Iran u. d. angrenzenden Ländern, in: Der Islam XLV, 1969; M. Ṭ. DĀNIŠPAŽŪH, Ṣad wa-sī wa-and aṭar-i fārsī dar mūsīqī (»130 u. mehr persische Werke über Musik«), in: Hunar-wa-mardum 1970, Nr 94 u. 98, persisch (mit bisher unbekannten Mss.); H. HICKMANN, Die Musik d. arabisch-islamischen Bereichs, = Hdb. d. Orientalistik I, 4 (Ergänzungsband), Leiden 1970.   ENE

+Safonow, Wassilij Iljitsch, 25. 1. (6. 2.) 1852 zu Staniza Ischtscherskaja [del.: Izjursk] (Tersker Gebiet, Kaukasus) – 27. 2. [nicht: 13. 3.] 1918.
Seine Schrift +*A New Formula* ... (1916) erschien zuerst russ. als *Nowaja formula* (Moskau 1916).
Lit.: A. ALEXEJEW, Russkije pianisty, Moskau 1948; JA. I. RAWITSCHER, W. I. S., ebd. 1959 (darin Abdruck d. »Nowaja formula« sowie d. Programme v. S.s Moskauer Orch.-Konzerten 1890–1905).

Sagorskij, Wassilij Georgijewitsch, * 27. 2. 1926 zu Karamachmed (Bessarabien); moldauisch-sowjetischer Komponist, absolvierte 1952 sein Kompositionsstudium bei Leonid Gurow am Konservatorium in Kischinjow (Moldauische SSR). Er war in Kischinjow Lehrer für Musiktheorie an der Mittelschule (1947–51) und an der Musikschule (1951–53). 1956 wurde er zum Vorsitzenden des moldauischen Komponistenverbandes ernannt. S. schrieb u. a. das Ballett *Rasswet* (»Morgendämmerung«, 1960), Orchesterwerke (Scherzo, 1948; Symphonie C dur, 1956; 3 Orchesterstücke, 1966), *Schok*, moldauischer Tanz in Rondoform für Streichquartett (1949), 10 Miniaturen (1946), Mazurka und Walzer (1947) sowie Sonate nach moldauischen Themen (1950) für Kl., Vokalwerke (Kantate *Pod snamenem pobed*, »Unter dem Banner des Sieges«, für Soli, Chor und Orch., 1952; Ballade *Bessmertnik*, »Der Unsterbliche«, nach Anatolij Sofronow, für St. und Kl., 1949) und Filmmusik.
Lit.: N. SCHECHTMAN, W. G. S., in: Kompository Moldawskoj SSR, Moskau 1960.

Saʿīd ibn Yūsuf al-Faiyūmī → Saʿadyā Gāʾōn.

aṣ-Ṣaidāwī → Šamsaddīn aṣ-Ṣaidāwī.

Saikkola, Lauri, * 31. 3. 1906 zu Viipuri; finnischer Violinist und Komponist, studierte 1919–28 Violine am Konservatorium in Viipuri und 1930–34 Komposition privat bei Peter Akimov und Funtek. Er wirkte als Violinist bei den philharmonischen Orchestern von Viipuri (1923–34) und Helsinki (1934–65). Seitdem ist er als freischaffender Komponist tätig. S. schrieb u. a. die Opern *Ristin* (Helsinki 1959) und »Des Meisters Schnupftabakdose« (ebd. 1973), Orchesterwerke (Partita, 1935; Pastorale, 1936; 5 Symphonien, Nr 1 *Sinfonia campale*, 1938, Nr 2 *Sinfonia tragica*, 1946, Nr 3, 1949, Nr 4, 1951, und Nr 5, 1958; *Kuvia Karjalasta*, »Karelische Szenen«, 1940; *Karjala palaa*, »Karelien in Flammen«, 1940; Konzerte für V., 1954, für Vc., 1954, und für Klar., 1970, mit Orch.), Kammermusik (Divertimento für Bläserquintett, 1949; Bläserquintett, 1968; 3 Streichquartette, 1931–68; 2 Suiten für Klar. und Kl., 1955 und 1968; Suite für Ob. und Kl., 1968) und Vokalmusik (*Joukahainen kosto*, »Die Rache von Joukahainen«, 1957; Chöre und Lieder).

+Sailer, Friederike, * [erg.: 20. 2. 1926] zu Regensburg.
Mitglied der Württembergischen Staatsoper in Stuttgart (Kammersängerin 1960) war sie bis 1971. Gastverpflichtungen (Oper und Konzert) führten Fr. S. auch ins Ausland. Seit 1967 unterrichtet sie Gesang an der Musikhochschule in Stuttgart.

Saint Denis (snt d'enis), Ruth (eigentlich Dennis), * 20. 1. 1877 zu Newark (N. J.), † 21. 7. 1968 zu Hollywood; amerikanische Tänzerin und Tanzpädagogin, befaßte sich mit Tänzen der östlichen Kulturkreise, mit denen sie auch auf ihren ab 1906 unternommenen Europatourneen überaus erfolgreich war. 1914 wurde Ted Shawn ihr Partner; sie eröffneten zusammen 1915 die Denishawn School in Los Angeles, die zu einer Plattform des Modern dance in den USA wurde. Nachdem sie sich von Shawn wieder getrennt hatte, wandte sie sich mehr und mehr dem Sakraltanz zu, den sie bis in ihr hohes Alter praktizierte. In Deutschland hatte sie zwischen 1906 und 1909 eine große Anhängerschaft, die ihr ein eigenes Theater bauen wollte. Sie schrieb eine Autobiographie *An Unfinished Life* (NY 1939).
Lit.: T. SHAWN, R. S. D., Pioneer and Prophet, San Francisco 1920; W. TERRY, Miss Ruth. The More Living Life of R. S. D., NY 1969.

+Saint-Évremond, Charles [erg.: de Marguetel] de Saint-Denis, getauft 5. 1. 1614 [nicht: * 1. 4. 1610] – 1703.
S.-É., der ab 1670 [nicht: 1661] in London lebte, wandte sich in seinem »lettre« *Sur les opera* (1677) nicht generell »gegen die mächtig aufblühende Oper«, sondern lediglich gegen eine Alleinherrschaft des Gesanges [del. frühere Angaben dazu].
Ausg.: Œuvres en prose, Ausw.-Ausg. hrsg. v. R. TERNOIS, = Publ. de la Soc. des textes frç. modernes I, Paris 1962.
Lit.: R. TERNOIS, S.-É. gentilhomme normand, Annales de Normandie X, 1960.

+Saint-Foix, Marie Olivier Georges du Parc Poulain, comte de, 1874–1954.
G. de S.-F., Ehrendoktor der Universität Edinburgh, wirkte als Mitglied der Académie des sciences et arts in Aix-en-Provence besonders auch für die künstlerische Gestaltung der dortigen Festspiele. – +*Les symphonies de Mozart* (1932), Paris ²1948, Nachdr. der +engl. Ausg. (1947) NY 1968. – Als weiterer Aufsatz sei nachgetragen *Considérations nouvelles sur quelques caractères ou éléments de l'art italien* (Rev. de musicol. XXXVI, 1954).
Lit.: E. H. MÜLLER V. ASOW in: ZfM CXV, 1954, S. 405f.; M. PINCHERLE in: Rev. de musicol. XXXVI, 1954, S. 95ff.; W. RICHTER in: Acta Mozartiana I, 1954, S. 50ff.; CH. VAN DEN BORREN in: RBM VIII, 1954, S. 3f.; M. GAY, Discours de réception à l'Acad. des sciences et arts d'Aix-en-Provence (Sitzung v. 15. 5. 1956), Aix-en-Provence 1956.

+Saint-Georges, Joseph Boulogne, 1739 [nicht: 25. 12. 1745] – 9. oder 10. [nicht: 12.] 6. 1799.
S.-G., als Schüler J.-M. Leclairs (–1) nicht nachweisbar, wirkte 20 Jahre als Geiger (ab 1769, ab 1773 zusätzlich als Dirigent) bei den Konzerten der Societé des amateurs (später übergegangen in die Societé de la Loge olympique) mit. 1786/87 und 1789 weilte er in England. Während der Revolutionszeit schlug er die militärische Laufbahn ein (1792 Brigadechef) und leitete ab 1797 bis zu seinem Tode als Privatmann Konzerte. – S.-G. komponierte etwa 10 [nicht: 2] +konzertante Symphonien, 3 [nicht: 2] Opera von je 6 +Streichquartetten (op. 1, 1773; *Quartetto concertans,*

1777; op. 14, 1785) und 6 [nicht: 3] +Violinsonaten mit Begleitung einer 2. Violine (davon die 3 ersten in Paris um 1800 erschienen).
Lit.: +L. DE LA LAURENCIE, L'école frç. de v. (II, 1923), Nachdr. Genf 1971. – B. S. BROOK, La symphonie frç. dans la seconde moitié du XVIIIe s., 3 Bde, = Publ. de l'Inst. de musicologie de l'Univ. de Paris III, Paris 1962 (in Bd III Ausg. d. Symphonie concertante G dur op. 13); DERS. in: MGG XI, 1963, Sp. 1251ff.

+Saint-Germain, Comte de, † 1784.
Lit.: J. H. CALMEYER, The Count of S. G. or Giovannini. A Case of Mistaken Identity, ML XLVIII, 1967.

+Saint-Huberty, Antoinette Cécile ([erg.:] eigentlich Anna Antonia, geborene Clavel), [erg.: 15. 12.] 1756 zu Straßburg [nicht: Toul] – 1812.
Lit.: +E. (L. A. H.) DE GONCOURT, Madame S.-H. d'après sa correspondance et ses papiers de famille (1882), auch Paris 1900, Nachdr. NY 1969.

+Saint-Lambert, Michel de, 17./18. Jh.
Ausg.: Les principes du clavecin contenant une explication exacte de tout ce qui concerne la tablature et le clavier (Paris 1702) u. Nouveau traité de l'accompagnement du clavecin, de l'orgue et des autres instr. (ebd. 1707), Faks.-Ausg. Genf 1972 (2 Bde in 1).

+Saint-Léon, Charles-Victor-Arthur, 17. 9. [nicht: 4.] 1821 – 2. 9. [nicht: 12.] 1870.
S.-L., u. a. Schüler N. Paganinis, begann 1834 als Violinist in Stuttgart und 1835 als Tänzer in München (seitdem nannte er sich S.-L.). 1837–38 ließ er sich an der Pariser Oper bei Fr. D. Albert (1789–1865) als Tänzer ausbilden und ging anschließend als Violinist, Tänzer und Choreograph auf Europatournee. Er war Ballettmeister am kaiserlichen Theater in St. Petersburg (1859–69) und an der Pariser Oper (1863–70). – Kompositionen: 2 Ballette, Violinkonzert E moll (1845), Fantasien und Variationen (über Themen aus zeitgenössischen Opern) sowie zahlreiche Salonstücke für V. und Kl. – Nicht S.-L. ist der Erfinder der +Sténochorégraphie, sondern vermutlich sein Lehrer Fr. D. Albert; er selbst verfaßte lediglich ein Buch mit dem Titel La sténochorégraphie ou L'art d'écrire promptement la danse (Paris 1852). – Mit der Tänzerin Fanny (Francesca) Cerrito (* 11. 5. 1817 zu Neapel, † 6. 5. 1909 zu Paris) war S.-L. 1845–51 verheiratet.
Lit.: I. GUEST, The Ballet of the Second Empire 1847–58, London 1953 u. 1955; DERS., F. Cerrito. The Life of a Romantic Ballerina, ebd. 1956.

+Saint-Requier, Léon [erg.:] Edgard, * 8. 8. 1872 zu Rouen, [erg.:] † 1. 10. 1964 zu Paris.

+Saint-Saëns, Charles-Camille, 1835–1921.
S.-S. komponierte seine +2. Symphonie bereits 1859 (gedruckt 1878); das +2. Violinkonzert entstand 1858 (gedruckt 1879) und die +Introduction et Rondo capriccioso 1863 (gedruckt 1870) [del. frühere Entstehungsjahre]. Bekannt geworden ist auch eine Havanaise für V. und Orch. op. 83 (1887). – Die +Notice sur H. Reber erschien Paris 1881 [nicht: 1886]. – +École buissonnière ... (1913), übers. und hrsg. von E. G. Rich als Musical Memories (NY 1919, Nachdr. 1969 und 1971). Eine Auswahl aus seinen Schriften erschien englisch als Outspoken Essays on Music (übers. und hrsg. von Fr. Rothwell, London und NY 1922, Nachdr. Westport/Conn. 1969).
Lit.: J. BONNEROT, S.-S. et R. Rolland. Lettres inéd., Rev. de musicol. XXXIX/XL, 1957; E. S. MCALLISTER u. J. O. BAYLEN, S.-S. and J. Adam. An Unpubl. Letter, ML L, 1969; Correspondance S.-S., Fauré, hrsg. v. J.-M. NECTOUX, Rev. de musicol. LVIII, 1972 – LIX, 1973. – +C. BELLAIGUE, C. S.-S. (1889 [nicht: 1899]); +R. ROLLAND, Musiciens d'aujourd'hui (1908), Paris 71917, engl. NY 1915, Nachdr. = Essay Index Reprint Series o. Nr, Free-

port (N. Y.) 1969, deutsch als: Musiker v. heute, München 1925, NA Bln 1972, auch bulgarisch, tschechisch u. ungarisch; +A. HERVEY, S.-S. (1921), NY 1922, Nachdr. Freeport (N. Y.) 1969 u. Westport (Conn.) 1970; +W. LYLE, C. S.-S., His Life and Art (1923), Nachdr. Westport (Conn.) 1971. – FR. NOSKE, La mélodie frç. de Berlioz à Duparc, Paris u. Amsterdam 1954, 2., v. R. Benton u. dems. revidierte Aufl. als: French Song from Berlioz to Duparc, NY 1970; A. DM. ALEXEJEW, Franzusskaja fortepjannaja musyka XIX – natschala XX weka (»Die frz. Kl.-Musik v. 19. bis zum Beginn d. 20. Jh.«), Moskau 1961; U. ECKART-BÄCKER, Frankreichs Musik zwischen Romantik u. Moderne, = Studien zur Mg. d. 19. Jh. II, Regensburg 1965; J. HARDING, S.-S. and His Circle, London 1965; D. I. PAYNE, The Major Chamber Works of S.-S., Diss. Univ. of Rochester (N. Y.) 1965; L.-L. BARBÈS, Les séjours de S.-S. en Algérie, in: Soc. agricole, scientifique et littéraire des Pyrénées-Orientales LXXXII, 1970; JU. KREMLJOW, K. Sen-Sans, Moskau 1970; FR. MOREL, C. S.-S. als Organist, in: Musik u. Gottesdienst XXVI, 1972; D. PAQUETTE, S.-S. et notre époque, SMZ CXII, 1972; S. T. RATNER, The Piano Works of C. S.-S., Diss. Univ. of Michigan 1972.

Saint-Sevin → L'Abbé.

+Sainte-Colombe, Sieur de, [erg.:] † zwischen 1690 und 1701 zu Paris(?).
Von ihm handschriftlich 67 Concerts à deux violes esgales erhalten (Paris, Bibliothèque Nationale) [del. frühere Angaben zu den Pièces de viole].
Lit.: P. HOOREMAN in: MGG XI, 1963, Sp. 1245f.

Saitō, Hideo, * 23. 5. 1902 zu Tokio; japanischer Violoncellist und Dirigent, studierte bei P. Klengel in Leipzig (1923–27) und bei Feuermann in Berlin (1930). Nach seiner Rückkehr nach Japan war er bis 1941 1. Violoncellist beim Nihon-Symphonieorchester und bildete sich nebenher bei Rosenstock zum Dirigenten aus. Er gehört zu den Mitgründern der privaten Tōhō-Musikhochschule in Tokio, an der er die Leitung der Meisterklassen für Violoncello und Dirigieren übernahm. Zu seinen zahlreichen Schülern zählen Takeshi Tsutsumi (Violoncello) und Ozawa (Dirigieren).

Saiyid Darwīs, * 17. 3. 1892, † 15. 9. 1923 zu Alexandria; ägyptischer Komponist, Sohn eines Tischlers, lernte Koranrezitation, wurde nach dem Tod des Vaters 1899 Gehilfe in einem Möbelgeschäft und trat gleichzeitig als Sänger in Kaffeehäusern auf. Als Mitglied der Theatergruppe der Brüder 'Aṭā'allāh kam er 1909 nach Syrien, kehrte 1912 dorthin zurück und wurde für zwei Jahre Schüler u. a. von →'Uṭmān al-Mauṣilī. Als selbständiger Sänger, Instrumentalist und Komponist lebte er ab 1914 in Alexandria und ab 1917 in Kairo, wo er an Kokain starb. Er schrieb Lieder traditionellen Stils (adwār), patriotische Gesänge zur Revolution von 1919, Unterhaltungsmusik und über 20 »Operetten« (masraḥiyāt ġinā'īya), darunter al-'Ašara aṭ-ṭaiyiba (»Karo Zehn«), Šahrzād (»Scheherazade«, nationalarabisch) und al-Barūka (»Die Perücke«, nach einem französischen Boulevardstück), in denen er die Maqāmāt in neuer Weise programmatisch auf die Texte bezog. Sein Nachruhm, stärker als bei irgend einem anderen ägyptischen Musiker der Neuzeit, manifestiert sich in Gedenkfeiern, Benennung von Straßen, Theatern und Konzertsälen nach ihm und in der Errichtung einer »Gesellschaft der Freunde der Musik von S. D.« in Alexandria.
Lit.: M. K. AL-ḤULA'Ī, al-Mūsīqī aš-šarqī (»Die orientalische Musik«), Kairo 1904; Q. RIZQ, al-Mūsīqā aš-šarqīya wa-l-ġinā' al-'arabī (»Orientalische Musik u. arabischer Gesang«), H. III, ebd. o. J. (nach 1943), u. H. IV, ebd. 1947; Ḥ. AZ-ZIRIKLĪ in: al-A'lām, Bd III, Damaskus 21954 (arabisches biogr.-bibliogr. Lexikon); M. A. AL-

ḤIFNĪ, S. D., ... (»S. D., Sein Leben u. d. Werke seines Genies«), = A'lām al-'arab VII, Kairo 1955 (mit Schallplattenverz.); Fannān aš-ša'b S. D. (»S. D., Künstler d. Volkes«), hrsg. v. M. Ḥ. 'Āšūr, Alexandria 1962; M. 'A. ḤAMMĀD, S. D., ḥayāt wa-naġam (»S. D., Leben u. Melodien«), Kairo 1970; M. M. SĀMĪ ḤĀFIẒ, Ta'rīḫ al-mūsīqā wa-l-ġinā' al-'arabī (»Gesch. d. arabischen Musik«), ebd. 1971, S. 250ff.

Sakač (s'akatʃ), Branimir, * 5. 6. 1918 zu Zagreb; jugoslawischer Komponist, studierte an der Zagreber Musikakademie und arbeitete dann am Zagreber Rundfunk, ist zur Zeit freischaffend tätig. Von seinen Kompositionen, in denen neue Techniken angewendet sind, seien genannt *Episode* (1963) und *Prostori* (»Räume«, 1965) für Orch., *Studija I* für Kl. und Schlagzeug (1963), *Strukture I* für Kammerensemble (1965), *Omaggio. Canto della commedia* für Chor und Orch. (1969) sowie experimentelle Werke, u. a. *Aleatorički preludij* für Kl. und Tonband ad libitum (1961) und *Jahači Apokalipse* (»Die apokalyptischen Reiter«) für Tonband (1960). Lit.: Z. KUČUKALIĆ in: Zvuk 1971, Nr 115/116, S. 294ff. (zu »Omaggio«).

+Sakka, Keisei, * 17. 10. 1902 [erg.:] zu Pektchon (Korea). Zu seinen Buchveröffentlichungen zählen weiter (alle japanisch in Tokio erschienen): eine Darstellung über Beethovens Leben und Werke (2 Bde, 1963), ein Konzertlexikon (1969) und eine Musikgeschichte in Bildern (1970), ferner eine Anzahl Bildbiographien u. a. zu Mozart (1959), Chopin, Haydn und Schubert (1961), Liszt (1962), Dvořák (1963), Bach und Händel (1966), Schumann (1967) sowie ein Bildband über die Geschichte des Klaviers (1965). S. hat auch Musikschriften aus dem Deutschen ins Japanische übersetzt. An neueren deutschsprachigen Beiträgen seien genannt: *Beethoven-Literatur in japanischer Sprache* ... (Beethoven-Jb. II, 1955/56); *Gagaku, die kaiserliche Hofmusik* (in: Musica XIV, 1960); Artikel *Pädagogik der Musik B VI. Japan* (MGG X, 1962); C. *Orff in Japan* (Orff-Institut, Jb. 1963); *Beethovens Klaviere. Der Klavierbau und Beethovens künstlerische Reaktion* (in: Colloquium amicorum, Fs. J. Schmidt-Görg, Bonn 1967). Er edierte von Beethoven *The »Appassionata« Sonata op. 57* (2 H.: Faks. der Hs. bzw. des Originaldrucks von 1807, Tokio 1972, mit Vorw. und Einleitung japanisch und engl.).

+Sala, Giuseppe, 17./18. Jh. Lit.: CL. SARTORI, Le origini di una casa editrice veneziana, FAM VII, 1960; DERS., Un cat. di G. S. del 1715, FAM XIII, 1966.

Sala, Nicola, * 7. 4. 1715 zu Tocco-Caudio (Benevent), † 31. 8. 1801 zu Neapel; italienischer Musikpädagoge und Komponist, ab 1732 Schüler von Fago und L. Leo am Conservatorio della Pietà dei Turchini in Neapel, an dem er später lange Jahre als geschätzter Lehrer (ab 1787 »primo maestro«) tätig war; zu seinen Schülern zählten u. a. Tritto, G. Farinelli, Valentino Fioravanti, Spontini und Pavesi. Er verfaßte den musiktheoretischen Traktat *Regole del contrappunto* ..., für deren Druck (3 Teile, Neapel 1794) sich Paisiello einsetzte (Choron gab 1808 den Traktat ins Französische übersetzt in seinen *Principes de composition des écoles d'Italie* heraus). S.s kompositorisches Schaffen umfaßt die Opern *Vologeso* (Rom 1737) und (für Neapel) *Zenobia* (1761), *Demetrio* (1762), *Il giudizio d'Apollo* (1768) und *Merope* (1769), Gelegenheitskantaten für Hoffeste, Gesangskanons, Kirchenmusik sowie das Oratorium *Giuditta ossia La Betulia liberata* (1780). Lit.: FR. FLORIMO, La scuola mus. di Napoli e i suoi conservatorii, 4 Bde, Neapel 1880–82; S. DI GIACOMO, I quattro antichi conservatorii mus. di Napoli, 2 Bde, Palermo 1924–28.

+Sala, Oskar, * 18. 7. 1910 zu Greiz (Thüringen). S., 1957–59 Lehrer am Mikrophonstudio des Berliner Städtischen Konservatoriums, unterhält seit 1958 ein eigenes elektronisches Studio in Berlin. Er komponiert seit 1956 vor allem elektronische Musiken für Bühne, Film und Fernsehen und veröffentlichte u. a. die Beiträge *Subharmonische elektrische Klangsynthesen* (in: Klangstruktur der Musik, hrsg. von Fr. Winckel, Bln 1955) und *Mixtur-Trautonium und Studio-Technik. Anwendungen elektrischer Musik für den Film* (Gravesaner Blätter VI, 1962, auch engl.; mit Schallplatte). → Trautonium.

+Salabert. Édouard S., [erg.:] † 8. 9. 1903 [nicht: 1901]. – Weiterhin unter der Leitung von Madame Francis S. als Präsidentin stehend, hat die Société anonyme Éditions S. ihren Katalog mit Werken zeitgenössischer Komponisten wie I. Xenakis, M. Constant, L. de Pablo, M. Ohana, I. Malec, T. Takemitsu, G. Masson u. a. sowie einer Reihe rumänischer Komponisten erweitert. Lit.: H.-L. DE LA GRANGE in: Music and Musicians XX, 1971/72, Nr 11, S. 20f.

Salāma(t) Ḥiǧāzī (im ägyptischen Dialekt Ḥiǧāzī, * um 1855 zu Alexandria, † 4. 10. 1917 zu Kairo; arabischer Sänger, Komponist und Schauspieler, lernte Koranrezitation und den Vortrag religiöser Gesänge, trat in Alexandria und später in Kairo als Sänger in taḫt-Ensembles auf, ging auf Anraten von 'Abduh al-Ḥāmūlī (→ 'Abda'l-Ḥāmūlī) ans Theater und wurde so zum Begründer der ägyptischen Schauspielmusik. Als Mitglied mehrerer Theatertruppen bereiste er auch Syrien und den Libanon und 1914 mit großem Erfolg Tunesien. In seinen Kompositionen folgte er dem syrischen muwaššaḥ-Stil von Abū Ḫalīl al-Qabbānī (1841–1902); er nahm Einfluß auf die Entwicklung des jungen → Saiyid Darwīš. Lit.: Ḥadīqat al-walḥān fī l-aġānī wa-l-anāšīd wa-l-alḥān, hrsg. v. A. 'UBAID (mit einem biogr. Beitr. v. Ǧ. Ṭanūs), Damaskus ⁴1921 (Slg v. Liedertexten d. S. Ḥ.); Q. RIZQ, al-Mūsīqā aš-šarqīya wa-l-ġinā' al-'arabī (»Orientalische Musik u. arabischer Gesang«), H. I, Kairo o. J. (nach 1932), S. 129ff., H. II, ebd. 1939, S. 169f., u. H. III, ebd. o. J. (nach 1943), S. 128ff.; Ḥ. AZ-ZIRIKLĪ in: al-A'lām, Bd III, Damaskus ²1954 (arabisches bio-bibliogr. Lexikon); M. A. al-ḤIFNĪ, Saiyid Darwīš, ... (»..., sein Leben u. d. Werke seines Genies«), = A'lām al-'arab VII, Kairo 1955, S. 25f.; DERS., aš-Šaiḫ S. Ḥ., ... (»..., Wegbereiter d. arabischen Theaters«), = al-Maktaba al-'arabīya LXXXIV, ebd. 1968; F. 'A. AL-'ANTARĪ, Hādihi hiya l-mūsīqā (»Dies ist d. Musik«), Bd I: Fi n-naqd wa-t-ta'rīḫ (»In Kritik u. Gesch.«), ebd. 1958, S. 86ff.; A. ABU L-ḤIDR MANṢĪ, al-Aġānī wa-l-mūsīqā aš-šarqīya baina l-qadīm wa-l-ġadīd (»Orientalische Lieder u. Musik in alter u. neuer Zeit«), ebd. ²1966, S. 197ff.; E. NEUBAUER, Neuere Bücher zur arabischen Musik, in: Der Islam XLVIII, 1971, S. 18; M. M. SĀMĪ ḤĀFIẒ, Ta'rīḫ al-mūsīqā wa-l-ġinā' al-'arabī (»Gesch. d. arabischen Musik«), Kairo 1971, S. 234ff.; SALAH EL MAHDI (Ṣalāḥ al-Mahdī), La musique arabe, Paris 1972, S. 68f.

Salas y Castro, Esteban, * 25. 12. 1725 zu La Habana, † 14. 7. 1803 zu Santiago de Cuba; kubanischer Komponist, studierte Orgel, Komposition, Gregorianischen Gesang, Philosophie, Theologie und kanonisches Recht in La Habana, wurde 1763 von Don Agustín Morell de Santa Cruz, dem Bischof von Santiago, zum Maestro de capilla berufen und wirkte an der Kathedrale von 1764 bis zu seinem Tod. Er schrieb eine große Anzahl religiöser Werke, von denen über hundert, darunter 52 Villancicos, erhalten sind. Lit.: P. HERNÁNDEZ BALAGUER, La capilla de música de la catedral de Santiago de Cuba, Rev. mus. chilena XVIII, 1964.

Salas Viú (s'alas b'i'u), Vincente, * 29. 1. 1911 zu Madrid, † 2. 9. 1967 zu Santiago de Chile; chilenischer Musikforscher und -kritiker spanischer Herkunft, studierte in Madrid am Konservatorium und an der Universität, flüchtete während des spanischen Bürgerkrieges nach Frankreich und ließ sich 1939 in Chile nieder. Er lehrte ab 1940 an der Universidad de Chile in Santiago, deren musikwissenschaftliches Institut er als Direktor 1952–58 leitete. 1945 gründete S. V. die *Revista musical chilena* (darin zahlreiche Beiträge von ihm selbst). Von seinen Schriften seien genannt: *Músicos chilenos contemporáneos* (Washington/D. C. 1940); *La creación musical en Chile 1900–51* (Santiago 1952); *Momentos decisivos de la música* (Buenos Aires 1957). Gesammelte Aufsätze (z. T. bislang unveröff.) erschienen als *Música y creación musical* (= Ser y tiempo XXXVIII, Madrid 1966).

+Salazar, Adolfo, * 6. 3. 1890 zu Madrid, [erg.:] † 27. 9. 1958 zu México (D. F.).
S. war Gründer (1915) und Sekretär (bis 1922) der Sociedad nacional de música in Madrid; 1918 wurde er Vizepräsident der Musikabteilung des dortigen Ateneo. – *+Los grandes compositores de la época romántica* (1955), 3. Aufl. = Literaria o. Nr, Madrid 1958; *+Conceptos fundamentales en la historia de la música* (ebd. [nicht: México] 1954), 2. Aufl. = Rev. de Occidente, Selecta VIII, ebd. 1965, 3. Aufl. als *La música*, México 1967; *+La música moderna* (1944), Nachdr. der *+engl.* Ausg. (*Music in Our Time*, 1946) Westport (Conn.) 1970; *+Música, instrumentos y danzas en las obras de Cervantes* ([erg.:] Nuova rev. de filología hispánica II, [México] 1948). – Weitere Schriften: *La danza y el ballet* (= Breviarios del Fondo de cultura económica VI, México 1949, ⁴1964, portugiesisch Lissabon 1959); *La música como proceso histórico de su invención* (ebd. XXVI, 1950, ²1953); *Teoría y práctica de la música a través de la historia* (davon erschienen Bd I, *La música en la cultura griega*, und Bd II, *La era monódica en Oriente y Occidente*, 2. Teil, *La transformación de la prosodia clásica a espensas del acento*, ebd. 1954–58); *La música orquestral en el s. XX* (= Breviarios del Fondo de cultura económica CXVII, ebd. 1956); *La música en Cervantes y otros ensayos* (hrsg. von I.Pope, = Insula o. Nr, ebd. 1961; mit Schriftenverz.); zahlreiche Aufsätze und Lexikonbeiträge.
Lit.: Inter-American Mus. Bull. 1959, Nr 12, S. 3ff. (Schriften- u. Kompositionsverz.).

+Saldoni, Baltasar, 4. [nicht: 1.] 1. 1807 – 1889.

+Sales, François (Franz), † 1599.
Lit.: A. KELLER, Mg. d. Stiftes Kremsmünster, Kassel 1956; E. FR. SCHMID, Musik an d. schwäbischen Zollernhöfen d. Renaissance, ebd. 1962; H. FEDERHOFER in: MGG XI, 1963, Sp. 1291ff.

+Sales, Pietro Pompeo, erg.: um] 1729 – 1797.
Lit.: A. LAYER in: MGG XI, 1963, Sp. 1293ff.; G. BERETHS, Die Musikpflege am kurtrierischen Hofe zu Koblenz-Ehrenbreitstein, = Beitr. zur mittelrheinischen Mg. V, Mainz 1964.

Salgado (salg'aðo), Luis Humberto, * 10. 12. 1903 zu Cayambe (Provinz Pichincha); ecuadorianischer Komponist und Pianist, studierte bis 1928 am Conservatorio Nacional de Música in Quito. Er wurde dort 1934 Professor für Harmonie- und Formenlehre und leitete dieses Institut 1934–52. S. komponierte die Opern *El centurión* (1961) und *El tribuno* (1970), die Operette *Ensueño de amor* (Quito 1932), die Ballettoper *Escenas de corpus* (1949), das Melodram *Alejandría la pagana* (Quito 1947), Ballette (*El amaño*, ebd. 1947), Orchesterwerke (6 Symphonien, Nr 1 *Ecuatoriana*, 1945, Nr 2

Sintética, 1949, Nr 3 *A. D. H. G. E.*, 1955, Nr 4, 1957, Nr 5 *Neorromántica*, 1958, und Nr 6, für Streicher und Pk., 1968; Symphonische Dichtung *Sismo*, 1949), Werke für Soloinstrumente und Orchester (Violinkonzert, 1953; Bratschenkonzert, 1956; 3. Klavierkonzert, 1959), Kammermusik (Bläserquintett, 1958; Klavierquintett, 1963; 2 Streichquartette, 1943 und 1958), zahlreiche Klavierwerke (3 Sonaten, 1950, 1951 und 1969; *Quadrivium*, 1968) sowie Chorwerke (*Alborada* für Chor und Orch., 1936). Er schrieb *Música vernacular ecuatoriana. Micro-estudio* (Quito 1952).
Lit.: Werkverz. in: Compositores de América IV, Washington (D. C.) 1958, Nachdr. 1964.

+Salieri, Antonio, 1750 zu Legnago (an der unteren Etsch [del.: bei Venedig]) – 1825.
S., 1788–1824 kaiserlicher Hofkapellmeister, hatte auch einen wichtigen Einfluß auf das Wiener Musikleben: 1795–1818 leitete er die Konzerte der Tonkünstler-Sozietät (Präsident ab 1788 und Vizepräsident ab 1795) und 1813–25 die Chorübungsanstalt der Gesellschaft der Musikfreunde; 1813 war er Mitglied des Gründungskomitees des Konservatoriums und ab 1817 dessen Oberleiter.
Ausg.: Les Danaïdes (1784), Faks.-Ausg. = Bibl. musica Bononiensis IV, 18, Bologna 1969; dass., Faks. hrsg. v. D. ARNOLD, London 1971. – Sinfonia »La grotta di Trofonio«, hrsg. v. G. PICCIOLI; = Collezione di musiche sinfoniche del s. XVIII e XIX o. Nr, Mailand 1961; Sinfonia D dur »Veneziana« u. Sinfonia D dur »Giorno onomastico«, hrsg. v. R. SABATINI, = Antica musica strumentale ital. XXIII–XXIV, ebd.; Konzert C dur f. Fl., Ob. u. Orch. (1774), hrsg. v. DEMS., = Diletto mus. LIV, Wien 1963; Scherzi istrumentali a 4 di stile fugato, hrsg. v. DEMS., ebd. LXVII; Tripelkonzert D dur f. Ob., V., Vc. u. Orch., hrsg. v. J. WOJCIECHOWSKI, Hbg 1963; Sinfonie Nr 19 D dur, hrsg. v. W. LEBERMANN, = Concertino CXXVIII, Mainz 1970; Divertimento teatrale in 1 Akt »Prima la musica, poi le parole!«, hrsg. v. J. HEINZELMANN u. FR. WANEK, ebd. 1972 (Partitur u. Kl.-A.).
Lit.: *+G. NOTTEBOHM*, [erg.: Beethovens Studien, Bd I:] Beethovens Unterricht bei J. Haydn, Albrechtsberger u. S. (1873), Nachdr. Wiesbaden 1971. – I. F. BELSA, Mozart i S., Tragedija Puschkina. Dramatitscheskije szeny Rimskowo-Korsakowo, Moskau 1953; DERS., Mozart i S., ... (»Über d. hist. Wahrheit d. Tragödie Puschkins«): Puschkin. Issledowanija materialy IV, ebd. 1962; E. BLOM, Mozart's Death, MMLXXXVIII, 1957; J. E. M. BROWN, Schubert and S., MMR LXXXVIII, 1958; K. M. PISAROWITZ, S.ana, Mitt. d. Internationalen Stiftung Mozarteum XI, 1960; A. BONACCORSI, A. S. e il suo »Falstaff ossia Le tre burle«, in: Volti mus. di Falstaff, hrsg. v. A. Damerini u. G. Roncaglia, = Accad. mus. Chigiana (XVIII), Siena 1961; DERS. in: Rass. mus. XXXII, 1962, S. 39ff.; TH. ANTONICEK, I. v. Mosel, 2 Bde, Diss. Wien 1962; A. BRAGA, A. S. tra mito e storia, Bologna 1963; D. KERNER, Carpanis Verteidigung S.s, NZfM CXXVII, 1966, auch in: Das Orch. XV, 1967, S. 3ff., vgl. dazu ders. in: NZfM CXXVIII, 1967, S. 497f., u. in: Acta Mozartiana XIV, 1967, S. 31ff.; DERS., Mozarts Tod bei A. Puschkin, Deutsches medizinisches Jb. XX, 1969; E. SCHENK, S.s »Landsturm«-Kantate v. 1799 in ihren Beziehungen zu Beethovens »Fidelio«, in: Colloquium amicorum, Fs. J. Schmidt-Görg, Bonn 1967; R. ANGERMÜLLER, A. S., Sein Leben u. seine weltlichen Werke unter besonderer Berücksichtigung seiner »großen« Opern, 3 Bde, Diss. Salzburg 1970, davon bisher gedruckt Teil I: Werk u. Quellenverz., u. Teil III: Dokumente, = Schriften zur Musik XVI bzw. XIX, zugleich = Publ. d. Inst. f. Mw. d. Univ. Salzburg II bzw. IV, München 1971; DERS., A. S. u. seine »Scuola di canto«, in: Beethoven-Studien, = Österreichische Akad. d. Wiss., Sb. CCLXX, = Veröff. d. Kommission f. Musikforschung XI, Wien 1970; DERS., Beaumarchais u. S., Kgr.-Ber. Bonn 1970; DERS., S. als Hofkapellmeister, ÖMZ XXV, 1970; DERS., Aus d. Frühgesch. d. Metronoms. Die Beziehungen zwischen Mälzel u. S., ÖMZ XXVI, 1971; E. E. SWENSON, »Prima la mu-

sica e poi le parole«. An 18th-Cent. Satire, in: Analecta musicologica IX, 1970; D. Charlton, S.'s Timpani, MT CXII, 1971; K. Pfannhauser, Epilegomena Mozartiana, Mozart-Jb. 1971/72; I. Mamczarz, Les intermèdes comiques ital. au XVIIIᵉ s. en France et en Italie, Paris 1972; A. I. Borowitz, S. and the »Murder« of Mozart, MQ LIX, 1973; J. Heinzelmann, »Prima la musica, poi le parole«. Zu S.s Wiener Opernparodie, ÖMZ XXVIII, 1973.

Saliman-Wladimirow, Dawid Fjodorowitsch, * 14. (27.) 5. 1903 zu Odessa; russisch-sowjetischer Komponist, Dirigent und Pianist, studierte Klavier am Leningrader Konservatorium bei Olga Kalantarowa (1913–19) und am Moskauer Konservatorium bei Glière (1926–31). Er war als Konzertpianist und Dirigent tätig (ab 1920), leitete die Opernklasse des Musiktechnikums in Krasnodarsk (1922–25) und setzte sich für die Entwicklung der Musikkultur der Jakutischen ASSR ein. S.-Wl. schrieb das Ballett *Mucha-Zokotucha* (»Fliege Zokotucha«, nach einem Stoff von Kornej Tschukowskij), 17 Orchestersuiten, die Ouvertüre *Zweti, Jakutija rodnaja!* (»Es blühe das liebe Jakutien!«), die Kantate *Sarja swobody* (»Morgendämmerung der Freiheit«), einen Zyklus nach chinesischen Volksliedern (1955), mehr als 400 Lieder sowie Bühnenmusik und bearbeitete jakutische Volkslieder.

+**Salinas,** Francisco de, 1513–90.
S. war 1553–58 Organist des Herzogs von Alba, Vizekönig von Neapel; danach war er Organist an den Kathedralen von Sigüenza am Henares (1559–63) und von León (1563–67) [del. bzw. erg. frühere Angaben dazu].
Lit.: +O. Kinkeldey, Org. u. Kl. in d. Musik d. 16. Jh. (1910), Nachdr. Hildesheim u. Wiesbaden 1968. – H. Anglés u. J. Subirá, Cat. mus. de la Bibl. Nacional de Madrid, Bd I, Barcelona 1946; J. M. Barbour, Tuning and Temperament, East Lansing (Mich.) 1951, ²1953; E. E. Lowinsky, A Treatise on Text-Underlay by a German Disciple of Fr. de S., Fs. H. Besseler, Lpz. 1961; DERS., G. Stoquerus and Fr. de S., JAMS XVI, 1963; A. M. Daniels, The »De musica Libri VII« of Fr. de S., Diss. Univ. of Southern California 1962; DERS., Microtonality and Meantone Temperament in the Harmonic System of Fr. S., Journal of Music Theory IX, 1965; Fr. J. León Tello, Estudios de hist. de la teoría mus., Madrid 1962; J. M.ª Álvarez Pérez, El organista Fr. S., Nuevos datos a su biogr., AM XVIII, 1963; M. García Matos, Pervivencia en la tradición actual de canciones populares recogidas en el s. XVI por S. en su tratado »De musica libri septem«, ebd.

Sallāmat al-Qass (so genannt nach einem Verehrer mit dem Beinamen al-Q.), * zu Medina, † nach 724 zu Damaskus; arabische Sängerin (qaina), Mulattin mütterlicherseits, war Schülerin der berühmten Ǧamīla und weiterer Musiker aus Medina wie Ma'bad und Mālik aṭ-Ṭā'ī. Durch gute Allgemeinbildung, Gesangskunst, Lautenspiel und dichterische Begabung erregte sie Aufsehen, wo immer ihr Besitzer, ein Quraišit aus Medina, sie und ihre Schwester, die Sängerin Raiyā (»Sonne und Mond« im Vergleich eines zeitgenössischen Dichters) auftreten ließ. Um 716 wurde sie vom Prinzen und späteren Kalifen Yazīd II. (720–724) erworben, dessen Gunst sie von 720 an mit ihrer Kollegin Ḥabbāba († 724) zu teilen hatte. Ihre Elegie auf den Tod Yazīds wurde in die »Auswahl der 100 Lieder« aufgenommen, die Hārūn ar-Rašīd (786–809) zusammenstellen ließ.
Lit.: Ibn Ḫurdāḏbih († 911), Muḫtār min Kitāb al-Lahw wa-l-malāhī, Beirut 1961, S. 38 (Fragment seines »Buches d. Vergnügungen u. d. Musikinstr.«); Abū l-Faraǧ al-Iṣfahānī († 976), Kitāb al-Aġānī al-kabīr (»Großes Buch d. Lieder«), Bd VIII, Kairo ³1935; A. Caussin de Perceval, Notices sur les principaux musiciens arabes, Journal asiatique, Serie VII, 3, 1873; H. G. Farmer, A Hist. of Arabian Music to the XIIIth Cent., London 1929, Nachdr. 1967; DERS., The Sources of Arabian Music, Bearsden 1940, revidiert Leiden 1965, Nr 20; M. A. al-Ḥifnī, al-Mūsīqā al-'arabīya wa-a'lāmuhā (»Die arabische Musik u. ihre bedeutendsten Vertreter«), Kairo 1951, ²1955; N. al-Iḫtiyār, Ma'ālim al-mūsīqā al-'arabīya (»Wegbereiter d. arabischen Musik«), Ṣaidā u. Beirut 1953; S. Šaiḫānī, Ašhar al-muġannīn 'inda l-'arab (»Die berühmtesten Sänger bei d. alten Arabern«), Beirut 1962; A. Taimūr, al-Mūsīqī wa-l-ġinā' 'inda l-'arab, Kairo 1963, S. 93f. (Text-Slg zur arabischen Mg.); K. al-Bustānī, an-Nisā' al-'arabīyāt (»Arabische Frauengestalten«), Beirut 1964; H. Mardam, Ǧamharat al-muġannīn (»Slg arabischer Sängerbiogr.«), Damaskus 1964; Š. Ḍaif, aš-Ši'r wa-l-ġinā' fī l-Madīna wa-Makka (»Poesie u. ġinā'-Musik in Medina u. Mekka«), Beirut 1967. **ENe**

Sallé, Marie, * 1707(?), † 27. 7. 1756 zu Paris; französische Tänzerin, studierte an der Schule der Pariser Opéra und debütierte dort 1721, war aber schon vorher in London aufgetreten. Sie tanzte regelmäßig in beiden Städten und wurde nicht nur in ihrer tänzerischen Natürlichkeit, sondern auch ihrer außerordentlichen Intelligenz wegen von ihren Zeitgenossen, u. a. von Voltaire, Noverre, David Garrick und Händel, bewundert. In der von ihr selbst betreuten Londoner Inszenierung des Balletts *Pygmalion* (1734) wagte sie als erste, auf das steife Barockkostüm zugunsten eines fließenden Musselingewandes zu verzichten, und tanzte erstmalig mit losen, auf die Schulter herabfallenden Haaren, Kostümreformen, die erst in der nächsten Tänzergeneration weiterverfolgt wurden. M. S. war in London auch in der Neufassung mit dem Terpsichore-Prolog von Händels *Il pastor fido* (1734) sowie mit dessen *Oreste* (1734), *Ariodante* (1735) und *Alcina* (1735) erfolgreich.
Lit.: E. Dacier, Une danseuse de l'Opéra sous Louis XV, Mlle S., Paris 1909, Nachdr. 1972; Prinz zu Wied, Königinnen d. Balletts, München 1961; P. Migel, The Ballerinas, NY 1972.

Sallinen, Aulis, * 9. 4. 1935 zu Salmi; finnischer Komponist, studierte 1955–60 in Helsinki an der Sibelius-Akatemia bei A. Merikanto und Kokkonen und ist seit 1960 künstlerischer Leiter des finnischen Radio-Symphonie-Orchesters, seit 1963 Lehrer für Komposition an der Sibelius-Akatemia. Er schrieb u. a.: Ballett *Variations sur Mallarmé* (Helsinki 1969); *Mauermusik* (1962) und *14 Juventas Variations* für Orch. (1963); Konzert für V. und Orch. (1968); 2 Streichquartette (1958 und 1960), *Quattro per quattro* für Ob., V., Vc. und Cemb. (1965); Notturno für Kl. (1966).

Salmanow, Wadim Nikolajewitsch, * 22. 10. (4. 11.) 1912 zu St. Petersburg; russisch-sowjetischer Komponist und Musikpädagoge, beendete 1941 sein Kompositionsstudium bei M. Gnessin am Leningrader Konservatorium und war nach 1945 Assistent von Gnessin am Moskauer Gnessin-Institut. 1947–51 leitete er die Kompositionsabteilung der Musikschule des Leningrader Konservatoriums. 1951 wurde er Dozent für Komposition und Orchestration am Leningrader Konservatorium (1961 Professor), 1955 stellvertretender Leiter des Leningrader Komponistenverbandes. Seine Kompositionen umfassen u. a. das Ballett *Tschelowek* (»Der Mensch«, 1964), Orchesterwerke (3 Symphonien, 1952, 1959 und 1963; *Detskaja simfonija*, »Kindersymphonie«, 1962; symphonisches Bild *Les*, »Der Wald«, 1948; Suite *Poetitscheskije kartinki*, »Poetische Bilder«, nach H. Chr. Andersen, 1955; Sonate für Kl. und Streichorch., 1961; Violinkonzert, 1964), Kammermusik (4 Streichquartette, 1945, revidiert 1956, 1947, 1961 und 1963; 2 Klaviertrios, 1946 und 1948; 2 Violinsonaten, 1946 und 1962), Klavierstücke, Vokalwerke (Orato-

rium *Dwenadzatj*, »Die Zwölf«, Text Alexandr Blok, 1957; symphonisches Gedicht *Soja* für S. und Orch., 1951) sowie Chöre, Bühnen- und Filmmusik.
Lit.: M. ARANOWSKIJ, W. N. S., Leningrad 1961; O. KOLOWSKIJ, Chorowyje zikly W. S.a (»Die Chorzyklen v. W. S.«), in: Woprossy teorii i estetiki musyki IX, hrsg. v. L. N. Raaben, ebd. 1969.

+Salmen, Walter, * 20. 9. 1926 zu Paderborn.
An der Universität Saarbrücken wurde S. 1963 zum Professor und 1964 zum Wissenschaftlichen Rat ernannt. 1966–73 wirkte er als Direktor des musikwissenschaftlichen Instituts an der Kieler Universität; seit 1974 ist er ordentlicher Hochschulprofessor für Musikwissenschaft an der Universität in Innsbruck. – Neuere Veröffentlichungen: +*Der fahrende Musiker im europäischen Mittelalter* (gedruckt = Die Musik im alten und neuen Europa IV, Kassel 1960); *J.Fr.Reichardt* (Freiburg i. Br. 1963); *Geschichte der Musik in Westfalen* (2 Bde, Kassel 1963–67); *Geschichte der Rhapsodie* (= Atlantis-Musikbücherei o. Nr, Zürich 1966); *Haus- und Kammermusik. Privates Musizieren im gesellschaftlichen Wandel zwischen 1600 und 1900* (= Musikgeschichte in Bildern IV, 3, Lpz. 1969); *Musikgeschichte Schleswig-Holsteins in Bildern* (mit H. W. Schwab, = Quellen und Studien zur Musikgeschichte Schleswig-Holsteins I, Neumünster 1971); *Musikgeschichte Schleswig-Holsteins von der Frühzeit bis zur Reformation* (ebd. II, 1972); *European Song (1300–1530)* (in: Ars nova and Renaissance, hrsg. von A. Hughes und G. Abraham, = New Oxford History of Music III, London 1960, ital. Mailand 1964); *Fragmente zur romantischen Musikanschauung von J. W. Ritter* (Fs. J. Müller-Blattau, = Saarbrücker Studien zur Musikwissenschaft I, Kassel 1966); *Zur Gestaltung der »Thèmes russes« in Beethovens op. 59* (Fs. W.Wiora, ebd. 1967); *J.Grabbe, ein lippischer Jugendgefährte von H.Schütz* (in: Musik und Verlag, Fs. K.Vötterle, ebd. 1968); *»Alte Töne« und Volksmusik in Kompositionen P.Hindemiths* (Yearbook of the International Folk Music Council I, 1969, auch in: Musik und Bildung VI, 1974); *Beiträge Spaniens und Portugals zur Musikentwicklung in Mitteleuropa* (StMl XI, 1969); *Russische Musiker in Deutschland vor 1700* (Mf XXVI, 1973). S. besorgte die Edition der Sammelschriften *Beiträge zur Geschichte der Musikanschauung im 19. Jh.* (= Studien zur Musikgeschichte des 19. Jh. I, Regensburg 1965) und *Der Sozialstatus des Berufsmusikers vom 17. bis 19. Jh.* (= Musikwissenschaftliche Arbeiten XXIV, Kassel 1971). Er gab ferner heraus den Musikanhang zu *Die Lieder Oswalds von Wolkenstein* (hrsg. von K.K. Klein, = Altdeutsche Textbibl. LV, Tübingen 1962), *Die Werke des Werler Komponisten B.Carp* (= Schriften der Stadt Werl A XI, Münster 1964), von J. Fr.Reichardt *Goethes Lieder, Oden, Balladen und Romanzen mit Musik* (2 Bde, = EDM LVIII–LIX, Abt. Frühromantik I–II, München 1964–70) und *Das Lochamer-Liederbuch* (mit Chr.Petzsch, = DTB, N. F., Sonder-Bd II, Wiesbaden 1972).

Salmenhaara, Erkki, * 12. 3. 1941 zu Helsinki; finnischer Komponist und Musikforscher, studierte 1958–63 Komposition bei Kokkonen an der Sibelius-Akatemia und 1960–65 Musikwissenschaft an der Universität in Helsinki; weitere Kompositionsstudien nahm er 1963 in Wien bei Ligeti. Seit 1963 ist er Lektor an der Universität Helsinki. S. komponierte 4 Symphonien (Nr 1, *Crescendi*, 1961, Nr 2, 1963, Nr 3, 1964, und Nr 4, 1972), die Symphonische Dichtung *La fille en minijupe* (1967), *Le bateau ivre* für Kammerorch. und Fernsehen (Text Rimbaud, 1966), Kammermusik (4 Elegien in verschiedener Besetzung: Nr 1 und 2, 1963, Nr 3, 1965, und Nr 4, 1968; *Composition* für Streich-

quartett, 1963; Bläserquintett, 1964; *Legenda* für Hf., 1972; *And the Fire and the Rose Are One* für 2 V., 1972), Klaviermusik (2 Sonaten, 1966 und 1973), Kantaten, Chöre, Lieder und Elektronische Musik. Er schrieb u. a.: *Vuosisatamme musiiki* (»Die Musik unseres Jahrhunderts«, Helsinki 1968); *Sointuanalyysi* (»Harmonielehre«, ebd. 1968); *Das musikalische Material und seine Behandlung in den Werken »Apparitions«, »Atmosphères«, »Aventures« und »Requiem« von Gy.Ligeti* (= Acta musicologica Fennica II, ebd. 1969, auch = Forschungsbeitr. zur Musikwissenschaft XIX, Regensburg 1969).

+Salmhofer, Franz, * 22. 1. 1900 zu Wien.
Er war Direktor der Wiener Staatsoper (im Theater an der Wien) 1945–55 und der Wiener Volksoper 1955–63 [del. bzw. erg. frühere Angaben dazu]. S., nach dem Tod von Margit Gál seit 1955 in zweiter Ehe mit Margarethe Arndt verheiratet, ist Ehrenmitglied der drei österreichischen Bundestheater und (seit 1954) Ehrenpräsident der J.Strauß-Gesellschaft. – Weitere Werke: die Opern *Dame im Traum* (Wien 1935), *Iwan Tarassenko* (ebd. 1938), *Das Werbekleid* (Salzburg 1943) und *Dreikönig* (Wien 1970); die Ballette *Das lockende Phantom* (ebd. 1927), *Der Taugenichts in Wien* (ebd. 1930), *Österreichische Bauernhochzeit* (ebd. 1933) und *Weihnachtsmärchen* (nach Johann und Josef Strauß, ebd.); 2 Symphonien (1948, 1955), *Symphonischer Prolog* für Orch. (1966); 6 Streichquartette; Film- und etwa 300 Bühnenmusiken.

+Salminger, Sigmund, [erg.:] um 1500 zu München – zwischen 16. 10. 1553 und 15. 10. 1554 zu Augsburg.
Lit.: FR. KRAUTWURST in: MGG XI, 1963, Sp. 1308f.

+Salmon, Thomas, 1648 – (begraben) 1. [nicht: 16.] 8. 1706.
S. ordnete in +*An Essay to the Advancement of Musick by Casting Away the Perplexity of Different Cliffs and Uniting all Sorts of Musick …* (London 1672 [del.: lateinisch … 1667]) die Töne in Oktaven statt in Hexachorden und ersetzte alle Schlüssel durch einen einzigen [del. frühere Angaben dazu]. +*A Vindication of an Essay … erschien* London 1672 [nicht: 1673]. In +*A Proposal to Perform Musick …* (ebd. 1688) beschäftigte sich S. mit dem Problem der Temperatur (Unterteilung der Oktave in fast gleich große Halbtöne). Gegen Ende seines Lebens befaßte er sich ferner mit der Enharmonik der Griechen und mit Versuchen über Vierteltonmusik.
Ausg.: An Essay to the Advancement of Musick …, Faks. d. Ausg. v. 1672, = MMMLF II, 11, NY 1966.
Lit.: J. HARLEY, Th. S.'s »Perfect and Rational Proportions«, MT XCVII, 1956; L. M. RUFF, Th. S.'s »Essay to the Advancement of Musick«, in: The Consort XXI, 1964; O. BALDWIN u. TH. WILSON, Musick Advanced and Vindicated, MT CXI, 1970; FR. TRAFICANTE, Lyra Viol Tunings. »All Ways have been Tryed to do It«, AMl XLII, 1970.

+Salomon, Johann Peter, getauft 20. [nicht: 2.] 2. 1745 – 25. [nicht: 28.] 11. 1815.
S. verließ um 1761/62 zu Studienzwecken die kurfürstliche Kapelle in Bonn und wurde 1764 Konzertmeister des Prinzen Heinrich in Rheinsberg [del. frühere Angaben dazu].
Ausg.: Romanze f. V. u. Streichorch., hrsg. v. H. C. R. LANDON, = Diletto mus. Nr 471, Wien 1971.
Lit.: +C. F. POHL, Mozart u. Haydn in London (1867), Nachdr. Farnborough 1971 (2 Bde); +H. C. R. LANDON, The Symphonies of J. Haydn (1955), auch NY 1956, NA NY 1964 u. London 1966. – A. TYSON, S.'s Will, in: Studien zur Mg. d. Rheinlandes III, Fs. H. Hüschen, = Beitr. zur rheinischen Mg. LXII, Köln 1965; H. UNVERRICHT, Die Kompositionen J. P. S.s, ebd.; DERS. in: Rheinische

Musiker IV, hrsg. v. K. G. Fellerer, ebd. LXIV, 1966, S. 130ff.

+Salomon, Karel (Karl), * 13. 11. 1897 zu Heidelberg, [erg.:] † 15. 1. 1974 zu Beit-Zayit (Jerusalem). S. trat 1962 in den Ruhestand. An neueren Kompositionen seien genannt die Oper *Viermal Methusalem* (Heidelberg 1968), ein Konzert für 2 Kl. und Orch. (1959), die Kantaten *Zwölf Monde* (über den hebräischen Kalender, 1950), *Die Sammlung der Zerstreuten* (1955), *Um Jerusalems Willen* (1958) und *Das menschliche Leben* (1967) für Soli, Chor und Orch., ferner Bearbeitungen von Liedern der spanischen (sephardischen) Juden (danach 2 Suiten für Kammerorch., 1961, bzw. Orch., 1963).

+Salomon, [erg.: Naphtali] Siegfried, * 3. 8. 1885 und [erg.:] † 29. 10. 1962 zu Kopenhagen. S. wirkte bis 1956 als Violinist in der Kopenhagener Hofkapelle.

Salonen, Sulo Nikolai, * 27. 1. 1899 zu Pyttis (am Finnischen Meerbusen); finnischer Komponist und Organist, studierte in Helsinki Orgel und Violine am Musikinstitut (Diplom 1929) und Komposition am Konservatorium (1917–22 und 1926–29) sowie bei Palmgren (1933) und Raphael (1938–44). Er war Kantor und Organist in Jakobstad (1929–48) und Sibbo (1952–64). 1971 wurde er zum Professor ernannt. – Er schrieb u. a. eine Passionskantate für Soli, gem. Chor, Org. und Streicher op. 8 (1943), ein Requiem für Soli, Chor und Orch. op. 32 (1963), Adventsmusik für Chor und Org. op. 20 (1952), *Missa a cappella* (1957), *Gunnar Björling-cyklus* op. 39 Nr 1 (1969) und eine Reihe Evangelienmotetten und Alternatimsätze für a cappella-Chor, ferner Orgelwerke (2 Partiten, 1942; Passacaglia op. 11, 1945; *Missa de tempore* op. 42, 1971) und Kammermusik (Divertimento für Ob. und Streichorch. op. 50, 1970; Streichquartett op. 48, 1972; Streichtrio op. 47, 1971).

Salva, Tadeáš, * 22. 10. 1937 zu Lúčky (bei Ružomberok, Slowakei); slowakischer Komponist, studierte an der Musikakademie in Bratislava bei Cikker sowie 1960–65 in Warschau bei Szabelski und Lutosławski. 1965–68 leitete er die Musikabteilung der Rundfunkstation Košice. 1968 wurde S. Dramaturg des Fernsehstudios in Bratislava. – Werke: *Cantiliniae* für Kammerchor (1961); *Canticum Zachariae* (1963); Konzert für Klar., 4 St., Rezitator und Schlagzeug (1965); *Symfónia lásky* (»Symphonie der Liebe« für Chor, Rezitator, 3 Ob., Horn, Kb., Kl. und Schlagzeug (1965); Requiem für 3 Chöre, 3 Rezitatoren, Blechbläser, 6 Pk., Schlagzeug und Org. (1966); *Litaniae Lauretanae* für Chor (1967); Konzert für Vc. und Kammerorch. (1967); Te Deum für Org. (1968); *Mša glagolskaja* (»Glagolitische Messe«) für Soli, Chor, 2 Hf., 3 Ob., Blechbläser, Schlagzeug und Org. (1969); musikalisches Märchen *Hrajte mi, hrajte, húsličky z javora* (»Spiel mir, spiel, kleine Geige«, 1970); Variationen auf ein Thema von Beethoven *Ode 1970* (1970); elektronische Komposition *Aliquoten* (1971).

Salvador, Henri (eigentlich Henri Gabrielle), * 18. 7. 1917 zu Cayenne (Guadeloupe); französischer Chansonsänger, Komponist, Textdichter und Interpret eigener Chansons, kam in jungen Jahren nach Paris, studierte Musik, war zunächst Schlagzeuger und Gitarrist und wurde 1935 als Sänger und Gitarrespieler in das Orchester von Ray Ventura engagiert, mit dem er 1942 auf Amerikatournee ging. Nach dem Krieg machte er sich als Chansonsänger und Filmschauspieler (Komiker von Weltruf) einen Namen. Zu seinen bekannten Chansontiteln gehören *Ma doudou, Maladie d'amour, Le petit Indien, Dans mon île, Le loup, La biche et le chevalier* und *L'abeille et le papillon.* Mit Boris Vian zusammen war S. (unter dem Pseudonym Henri Cording) einer der ersten, der in Frankreich den Rock 'n' Roll bekannt machte.
Lit.: F. SCHMIDT, Das Chanson, = Slg Damokles VIII, Ahrensburg u. Paris 1968; D. SCHULZ-KOEHN, Vive la chanson, Gütersloh 1969.

Salvador (salbaďɔr), Matilde, * 23. 3. 1918 zu Castellón de la Plana; spanische Komponistin aus der levantinischen Schule, lehrt am Conservatorio Superior de Música in Valencia. Ihre Kompositionen zeigen Einflüsse sowohl de Fallas und des französischen Impressionismus als auch später Strawinskys. Sie schrieb u. a. die Kantate *Llanto por la muerte de Falla* (1946), das Bühnenwerk *Retablo de Navidad* (Valencia 1953), das Ballett *El segoviano esquivo* (Granada 1953), die choreographische Dichtung *Judas* (ebd. 1955), *Missa de Lledó* (1964), die Oper *Vinatea* (1966, Barcelona 1974), *Mujeres de Jerusalem* (1972), Chöre und zahlreiche Lieder.
Lit.: A. TEMPRANO in: Tesoro sacro mus. LVI, 1973, S. 10ff.

Salvador-Daniel → +Daniel, [S.].

Salvayre (salv'ɛ:r), Gervais-Bernard-Gaston, * 24. 6. 1847 zu Toulouse, † 17. 5. 1916 zu St-Ague (Haute-Garonne); französischer Komponist, studierte in Toulouse sowie am Pariser Conservatoire und erhielt 1872 den Grand Prix de Rome. Er wurde 1877 Chordirigent am Théâtre du Châtelet und war Musikkritiker bei der Zeitung »Gil Blas«. S. schrieb u. a. die Opern *Le bravo* (Paris 1877), *Richard III* (nach Shakespeare, St. Petersburg 1883) und *La dame de Monsoreau* (nach Alexandre Dumas père, Paris 1887), das Drame lyrique *Egmont* (ebd. 1886), die Opéra-comique *Solange* (ebd. 1909), das Ballett *Le fandango* (ebd. 1877), Instrumentalmusik (*Suite espagnole, Scène orientale, La vallée de Josaphat*, 1882, und *La résurrection* für Orch.; *Mattinata* für Mandoline und Kl., 1902; Klavierstücke), ein Stabat mater für Soli, Chor und Orch. (1877), das Oratorium *Sainte Geneviève* (1919) und Lieder.

Salvetti, Renzo, * 13. 8. 1906 zu Trient; venezolanischer Komponist italienischer Herkunft, studierte bei Zanella am Konservatorium in Pesaro, bei Jachino am Konservatorium in Parma und bei Pedrollo am Konservatorium in Mailand, wo er 1933 seine Studien abschloß. 1959 wurde er beauftragt, in Acarigua (Staat Portuguesa) eine Musikakademie zu gründen, die er bis 1969 leitete. Von seinen Kompositionen seien genannt: *Leyenda dolomítica* (1936), *Fiesta campestre* (1938) und *Momento sinfónico* (1956) für Orch.; Bläserquintett (1968); 2 Streichquartette (1938 und 1946); Suite für Fl., Ob., Klar. und Kl. (1966); Klaviertrio (1938); Elegie für Vc. und Kl. (1967); Suite für Hf. (1966); Sonate (1933) und 3 Praeludien (1940) für Kl.; *Missa brevis* (1942), *Missa Requiem* (1943) und *Missa brevis* (1955) für Chor und Org.; ferner Lieder.

+Salzedo, Carlos, * 6. 4. 1885 zu Arcachon (Gironde), [erg.:] † 17. 8. 1961 zu Waterville (Me.).

+Salzer, Felix, * 13. 6. 1904 zu Wien. S. lehrt als Professor of Music am Queens College der City University of New York. – +*Structural Hearing. Tonal Coherence in Music* (1952), Neuaufl. NY 1962 (die +deutsche Ausg., *Strukturelles Hören*, erschien 1960 [nicht: 1957]). – Er veröffentlichte ferner *Counterpoint in Composition. The Study of Voice Leading* (mit C. Schachter, NY 1969) und gab mit W. Mitchell die Sammelschrift *The Music Forum* heraus (bislang 3 Bde,

NY 1967–73; in Bd I von ihm selbst: *Tonality in Early Medieval Polyphony*, in II: *Chopin's Nocturne in C♯ Minor, Op. 27, No. 1*, in III: *Chopin's Etude in F Major, Op. 25, No. 3*).
Lit.: E. APFEL, Beitr. zu einer Gesch. d. Satztechnik v. d. frühen Motette bis Bach, Bd II, München 1965.

Salzman (s'æltsmæn), Eric, * 8. 9. 1933 zu New York; amerikanischer Komponist und Musikkritiker, studierte Komposition bei Luening, Ussachevsky, Mitchell und Beeson an der Columbia University in New York (B. A. 1954) und bei Sessions und Babbitt an der Princeton University/N. J. (M. F. A. 1956). Kurse in Musikwissenschaft absolvierte er bei Strunk, Mendel und Pirrotta. 1957 vervollkommnete er seine Kompositionsstudien bei Petrassi in Rom und bei K. Stockhausen in Darmstadt. Nach seiner Rückkehr in die USA war er als Musikkritiker bei der »New York Times« (1958–62) und der »New York Herald Tribune« (1963–66) tätig. 1966–68 lehrte er am Queens College of the City of New York in Flushing und wurde dann Direktor der Hunter-College-Konzerte »New Images of Sound«. Von seinen Kompositionen seien genannt: Streichquartett (1955); Partita für V. solo (1958); *Inventions* für Orch. (1959); *In Praise of the Owl and the Cuckoo* für S., Git. und Kammerensemble (1963); *Verses and Cantos* für 4 St. und verschiedene Instr. mit elektronischer Verstärkung (1967); *Verses I, II, III und IV* für St., Git. und Tonband (1967); *Feedback*, Multimedia work für Tonband, mit Filmen von Stan Vanderbeek (1967); *Larynx Music* für Tonband (1968); *The Peloponnesian War*, Dance-theatre work mit Daniel Negrin (1968); *The Electric Ear*, aleatorische Stücke, zur Aufführung am Electronic Circus in Greenwich Village (N. Y.) bestimmt (1968); *Can Man Survive?*, Multimedia walk-through für die Ausstellung des Museum of Natural History (NY 1969). Er veröffentlichte *Twentieth Cent. Music. An Introduction* (= Prentice-Hall History of Music Series o. Nr, NY 1967), *The New American Music* (in: The New American Arts, hrsg. von R. Kostelanetz, NY 1967) sowie zahlreiche Zeitschriftenartikel, u. a. für »Perspectives of New Music« und »HiFi/Stereo Rev.«.

Samar, Pari (verheiratete Aryanpour), * 28. 12. 1939 zu Isfahan; iranische Sängerin (Mezzosopran), erhielt eine Ballett- und Gesangsausbildung in Teheran, vervollkommnete sich an der Wiener Musikakademie und debütierte 1963 an der Wiener Volksoper. 1963–66 gehörte sie dem Ensemble der Städtischen Bühnen in Frankfurt a. M. an. Seitdem ist sie als Gast am Theater am Gärtnerplatz (seit 1968) und an der Bayerischen Staatsoper in München, den Bühnen der Stadt Köln sowie der Staatsoper in Teheran aufgetreten. Zu ihren Partien gehören Cherubino (*Le nozze di Figaro*), Dorabella (*Così fan tutte*), Rosine (*Il barbiere di Siviglia*), Maddalena (*Rigoletto*) und Carmen.

+Samazeuilh, Gustave [erg.:] Marie Victor Fernand, * 2. 6. 1877 zu Bordeaux, [erg.:] † 4. 8. 1967 zu Paris.
Zum 100. Geburtstag von E. Ysaÿe komponierte er *Lamento et moto perpetuo* für V. solo (1960).
Lit.: Biogr. in: Le courrier mus. de France 1966, Nr 14.

Sambamürthy, P. (Sambamoorthy), * 14. 2. 1901 zu Bitragunta (Āndhra Pradesh), † 23. 10. 1973 zu Madras; indischer Musikforscher, studierte bei namhaften Musikern Südindiens und wandte sich besonders dem Spiel der Violine, der Flöte und des Gōṭuvādyam zu. Sein Studium an der Universität Madras beschloß er mit der Erwerbung der Grade B. A. und B. L. 1922 wurde er Professor für indische Musik

am Queen Mary College in Madras, später Leiter des Department of Music an der Universität und Direktor des Saṃgītavādyalaya (»Musikinstrumentenmuseums«) in Madras. S. gilt als einer der bedeutendsten Theoretiker der zeitgenössischen karnatischen Musik Südindiens. Er veröffentlichte u. a. (Erscheinungsort der Bücher, wenn nicht anders angegeben, Madras): *The Flute* (1921, ³1967); *Elements of Karnatic Music* (2 Bde, 1927–29); *South Indian Music* (5 Bde, 1951–56, revidiert und erweitert ⁷1966–69, 6 Bde); *A Dictionary of South Indian Music and Musicians* (3 Bde, 1952–71, Buchstabe A–N); *Great Musicians* (1959); *Laya vādyas. Time-Keeping Instruments* (= Saṅgīta vādyalaya Series II, Neu-Delhi 1959); *History of Indian Music* (1960); *Die Kudimiyamalai-Inschrift* (BzMw VIII, 1966); *Teaching of Music* (1966).

Samber, Johann Baptist, * 10. 5. 1654 und † 19. 9. 1717 zu Salzburg; österreichischer Organist und Musiktheoretiker, war um 1665 Singknabe am Salzburger Dom, Schüler des Kapellmeisters Andreas Hofer und Georg Muffats, studierte daneben an der Universität, wurde vor 1684 Hofmusiker und ab 1689 Stadtpfarr- und Domorganist. Er stand als Musiklehrer in hohem Ansehen und unterrichtete auch im Kapellhaus. S. veröffentlichte die in Salzburg erschienenen Traktate *Manuductio ad organum, das ist gründliche und sichere Handleitung durch die höchst nothwendige Solmisation zu der edlen Schlag-Kunst* (1704), *Continuatio ad manuductionem organicam, das ist Fortsetzung zu der Manuduction oder Handleitung zum Orgl-Schlagen* (1707) und *Elucidatio musicae choralis, das ist gründliche ... Unterweisung, wie die ... uralte Choral-Music ... möge erlernet werden* (1707).
Lit.: H. FEDERHOFER, Ein Salzburger Theoretikerkreis, AMl XXXVI, 1964.

Sambucetti (sambuθ'eti), Luis, * 29. 7. 1860 und † 7. 9. 1926 zu Montevideo; uruguayischer Komponist, Dirigent, Violinist und Pädagoge, dessen Leistungen großen Einfluß auf die musikalische Entwicklung in Uruguay ausübten, studierte in Montevideo Violine bei Luis Preti und Kontrapunkt bei José Strigelli, später am Pariser Conservatoire Violine bei Léonard und Komposition bei Massenet, E. Guiraud und Delibes. 1890 gründete er in Montevideo das Instituto Verdi, das Cuarteto Sambucetti, die Sociedad de Conciertos und 1908 das Orquesta Nacional. Er schrieb die Operette *Colombinsón* (Buenos Aires 1893), die Zarzuela *El diablo rojo* (Parodie über Aubers *Fra Diavolo*, ebd. 1893), Orchesterwerke (Symphonische Dichtung *San Francesco d'Assisi*, 1906), Kammermusik (*Meditación religiosa* für Fl., Streichquartett, Harmonium und Kl.), Klavier- und Violinstücke, Chorwerke und Lieder.
Lit.: L. AYESTARÁN, L. S., = Museo hist. nacional, Sección Musicología I, Montevideo 1956; Werkverz. in: Compositores de América XIV, Washington (D. C.) 1968.

+Saminsky, Lazare ([erg.:] Semjonowitsch), * 27. 10. (8. 11.) 1882 zu Wale-Gozulowo (bei Odessa), [erg.:] † 30. 6. 1959 zu Port Chester (N. Y.).
+Music of Our Day. Essentials and Prophecies (1932), erweitert NY 1939, Nachdr. Freeport (N. Y.) 1970; *+Essentials of Conducting* (1958), auch = Student's Music Library o. Nr, London 1958, Neuaufl. 1964.

+Sammartini, –1) Giovanni Battista, 1700/01 [nicht: 1698] – 1775. Er war in Mailand ab 1728 einige Jahre Kapellmeister der Kongregation des Santissimo Entierro und soll noch bis 1770 in gleicher Stellung bei weiteren Kongregationen gewirkt haben (an S. Maria Maddalena konnte er bisher nicht nachgewiesen werden); 1768 wurde er Kapellmeister an S. Gottardo in

Mailand. – Die 1734 entstandene +Kammer-Symphonie ist nicht nachweisbar. Sein Schaffen umfaßt 3 [nicht: 2] Opern, des weiteren auch Quartette, Cembalosonaten und einige Vokalwerke (Messen sowie weltliche und geistliche Kantaten).

–2) Giuseppe, um 1693 – vor dem 24. 6. 1751 [nicht: um 1770?]. Das Oratorium +La calunnia delusa (1724) ist eine Gemeinschaftsarbeit mehrerer Mailänder Komponisten (G. S. steuerte dazu lediglich eine Sinfonia und eine Aria bei).
Ausg.: zu –1): Sonate D dur f. Fl., 2 V. u. B. c., hrsg. v. H. Mönkemeyer, Wilhelmshaven 1962; 4 Sinfonie, hrsg. v. N. Jenkins, = Coll. mus. VI, New Haven (Conn.) 1963; Sinfonia Es dur in: L. Hoffmann-Erbrecht, Die Sinfonie, = Das Musikwerk XXIX, Köln 1967, auch engl.; Fl.-Sonate G dur, hrsg. v. J.-P. Rampal, NY 1967; The Symphonies of G. B. S., hrsg. v. B. D. Churgin, bisher Bd I, The Early Symphonies, = Harvard Publ. in Music II, Cambridge (Mass.) 1968; Sinfonia A dur, hrsg. v. W. Lebermann, = Concertino CXXIX, Mainz 1970; Sinfonie Nr 1–3 (alle G dur), hrsg. v. N. Zimpel, Adliswil 1973. – zu –2): Concerto grosso G moll op. 5 Nr 6 (»Weihnachtskonzert«), hrsg. v. K. Schultz-Hauser, = Musikschätze vergangener Zeiten o. Nr, Bln 1965; Sonate A moll f. Vc. u. B. c., hrsg. v. H. Ruf, = Cello-Bibl. Nr 105, Mainz 1966; Sonate G dur f. Ob. (Fl., V.) u. B. c. op. 13 Nr 4, hrsg. v. dems., = Ob.-Bibl. Nr 20, ebd. 1968; Ob.-Konzert Es dur, hrsg. v. H. Töttcher, Hbg 1968; Concerto I A dur f. Cemb. (Org.), 2 V. u. B. c., hrsg. v. H. Illy, = HM CXCVI, Kassel 1971.
Lit.: B. D. Churgin bzw. dies. u. N. Jenkins in: MGG XI, 1963, Sp. 1334ff. bzw. 1336ff. – zu –1): +F. Torrefranca, Le origini della sinfonia. Le sinfonie dell'imbrattacorte, RMI XX, 1913 – XXII, 1915 [del. frühere Torrefranca-Titel]. – G. Barblan, S. e la scuola sinfonica milanese, in: Musicisti lombardi ed emiliani, hrsg. v. A. Damerini u. G. Roncaglia, = Accad. mus. Chigiana (XV), Siena 1958; ders., Contributo alla biogr. di G. B. S. alla luce dei documenti, Fs. E. Schenk, = StMw XXV, 1962; H. G. Mishkin, The Publ. Instr. Works of G. B. S., A Bibliogr. Reappraisal, MQ XLV, 1959; Cl. Sartori, G. B. S. e la sua corte, in: Musica d'oggi, N. S. III, 1960; ders., S. post-mortem, in: H. Albrecht in memoriam, Kassel 1962; B. D. Churgin, The Symphonies of G. B. S., 2 Bde (Bd II thematischer Kat.), Diss. Harvard Univ. (Mass.) 1963; dies., New Facts in S. Biogr., The Authentic Print of the String Trios op. 7, JAMS XX, 1967; W. S. Newman, The Sonata in the Class. Era, Chapel Hill (N. C.) 1963, revidierte Paperbackausg. NY u. London 1972. – zu –2): R. Fiske, A Cliveden Setting, ML XLVII, 1966.

+**Sammarini,** Pietro, [erg.:] 18. 9. 1636 [del.: um 1635] – 31. 12. 1700 ([erg.:] oder 1. 1. 1701?).
Zum Kapellmeister am Dom von Florenz wurde er 1686 ernannt.
Lit.: M. Fabbri in: MGG XI, 1963, Sp. 1372f.

Sammartino, Luis R. D., * 8. 4. 1890 zu Buenos Aires; argentinischer Komponist und Musikpädagoge, studierte Klavier (Corradino d'Agnillo und Fracassi) und Komposition (Gaito), trat als Pianist auf und war Generalinspektor der Musik im argentinischen Erziehungsrat. Er schrieb Orchesterwerke (Ouvertüre D dur; Marcha triunfal; Canción y danza; Bosquejo sinfónico; Suite Carnaval), Kammermusik (Violinsonate; Violoncellosonate), Klavierwerke (3- und 4st. Praeludien und Fugen; 5 aquarelas, 1929; 6 miniaturas; Zamba, 1930; Pericón, 1946; Canción, 1948; Tierra querida, 1951), den Gesangszyklus De mi patria (1946) sowie zahlreiche Hymnen und Schullieder.

Sammons (sˈæmənz), Albert Edward, * 23. 2. 1886 zu London, † 24. 8. 1957 zu Southdean (Sussex); englischer Violinist, erhielt Unterricht von seinem Vater, einem Musikliebhaber, studierte kurze Zeit bei John Saunders und Frederick Weist-Hill, war aber im wesentlichen Autodidakt. 1908–13 wirkte er als Konzertmeister des Beecham Orchestra und daneben auch des London Philharmonic Orchestra. Er war 1907–16 Primarius des London String Quartet und längere Zeit Professor für Violine am Royal College of Music in London. Als Komponist ist er mit einem Phantasy Quartet für Streicher sowie mit Stücken und Studien für Violine hervorgetreten.

Samohyl, Franz, * 3. 4. 1912 zu Wien; österreichischer Violinist, studierte 1929–31 an der Wiener Musikakademie (Julius Stwertka, A. J. Rosé). Er gründete 1930 das Philharmonia-Quartett, dessen Primarius er über 25 Jahre war. S. wurde 1934 Konzertmeister der Wiener Volksoper und 1947 des Wiener Staatsopernorchesters. Er übernahm 1949 die Leitung einer Meisterklasse für Violine an der Wiener Akademie (heute Hochschule) für Musik und darstellende Kunst, daneben auch Lehraufträge an der Salzburger und Grazer Musikakademie. 1968 wurde er zum ordentlichen Hochschulprofessor ernannt. Aus der Schule S.s sind verschiedene österreichische Kammerensembles hervorgegangen (Wiener Solisten, Alban-Berg-Quartett, Joseph-Haydn-Trio).

Samossud, Samuil Abramowitsch, * 2.(14.) 5. 1884 zu Tiflis, † 6. 11. 1964 zu Moskau; russisch-sowjetischer Dirigent, absolvierte 1906 ein Violoncellostudium am Konservatorium in Tiflis und spielte dann in verschiedenen russischen Orchestern. Er war Dirigent am Petrograder Marienoperntheater (1917–19), Chefdirigent und künstlerischer Leiter am Leningrader Malyj-Operntheater (1918–36) sowie Chefdirigent am Moskauer Bolschoj Teatr (1936–43), am Moskauer Stanislawskij-Nemirowitsch-Dantschenko-Opern-theater (1943–50), des Staatlichen Philharmonischen Symphonieorchesters Moskau (1953–57) und ab 1957 des Moskauer Rundfunkorchesters. S. dirigierte zahlreiche Uraufführungen sowjetischer Opern, u. a. Nos (»Die Nase«, 1930) und Ledi Makbet Mzenskowo ujesda (»Lady Macbeth von Minsk«, 1934) von Dm. Schostakowitsch, Tichij Don (»Der stille Don«, 1935) von Dserschinskij und Wojna i mir (»Krieg und Frieden«, 1944) von Prokofjew. Er veröffentlichte u. a. Wstretschi s Prokofjewym (»Begegnungen mit Prokofjew«, in: S. Prokofjew, 1953–63, hrsg. von J. W. Nestjew und G. Ja. Edelman, Moskau 1962).
Lit.: W. Bogdanow-Beresowskij, Sowjetskaja opernaja kultura, Moskau 1946, Bd II.

Sampaio Ribeiro (sᵊmpˈaiu ribˈeiru), Mário Luís de, * 4. 12. 1898 und † 13. 5. 1966 zu Lissabon; portugiesischer Musikforscher und Chordirigent, studierte am Conservatório Nacional in Lissabon, gründete 1941 die Chorvereinigung Polyphonia, leitete den Côro Universitário de Lisboa und war Vizepräsident der Associação dos Arqueólogos Portugueses sowie Präsident des Sindicato Nacional dos Músicos. Er veröffentlichte neben Arbeiten und Ausgaben zu → +João IV. u. a. (Erscheinungsort, wenn nicht anders angegeben, Lissabon): Obra musical do Padre A. Pereira de Figueiredo (= Achegas para a história da música em Portugal I, 1932); D. de Goes na Livraria de Música (ebd. II, 1935); A música em Portugal nos s. XVIII e XIX (ebd. III, 1936); As »Guitarras de Alcácer« e a »Guitarra portuguêsa« (ebd. IV, 1936); Os manuscritos musicais nᵒˢ 6 e 12 da Biblioteca Geral da Universidade de Coimbra (ebd. V, Coimbra 1941); L. de Aguiar Todi. Estudos diversos (= Cultura artística o. Nr, ebd. 1943); Frei M. Cardoso (= Achegas para a história da música em Portugal VI, 1961); ferner zahlreiche Beiträge für »Biblios«, »Brotéria«, »Ocidente« und andere Zeitschriften. – Ausgaben: Cadernos de repertório coral Polyphonia

(Serie azul, klassische Vokalpolyphonie, 7 H., und Serie amarela, weltliche mehrstimmige Vokalmusik, 5 H., 1954–61); M. Portugal, Ouvertüre zu *Il duca di Foix* (= Portugaliae musica B IX, 1964). S. R. ist auch als Komponist von Orchester-, Violin-, Klavier- und Gesangsstücken hervorgetreten.

Samper, Baltasar, * 3. 5. 1888 zu Palma de Mallorca, † 18. 2. 1966 zu México (D. F.); spanisch-mexikanischer Musikforscher, Pianist und Komponist, studierte bei Enrique Granados und bei Pedrell. Er trat als Konzertpianist auf und schrieb 30 Jahre lang Musikkritiken für die Zeitung »La publicitat de Catalunya«. 1935 gründete er das Orquesta de Cámara de Barcelona, das er bis in die letzten Wochen des spanischen Bürgerkriegs leitete. S. lebte dann in Toulouse im Exil und ging 1942 nach México (D. F.), wo er die Sección de Investigaciones Folklóricas am Instituto Nacional de Bellas Artes gründete und leitete (1944–66). Mit Casals und seinem Orchester wirkte er als Solist und Dirigent. Er schrieb *2 suites de cançons y danses de la Illa de Mallorca* für Orch. (1929), *Ritual de Pagesia* für Streichorch. und Kl. (1933), *Cantic espiritual* für gem. Chor, Orch. und Org. (1940), Stücke für Gesang mit Orchester (*L'estel dins la Llar*, 1940) bzw. mit Klavier (*Cançons franciscanes*, 1915; *Capvespre de Juny*, 1936) sowie Chöre. Seine Tätigkeit als Musikforscher begann er 1922 als Mitarbeiter des »Cançoner popular de Catalunya« (3 Bde, Barcelona 1926–29). Er gab ferner *Investigación folklórica en México* (2 Bde, México/ D. F. 1962–64) heraus.

Sampson (s'æmpsən), Peggie, * 16. 2. 1912 zu Edinburgh; schottische Violoncellistin und Gambistin, studierte bei Tovey an der University of Edinburgh (Mus. Doc.) und an der Ecole Normale de Musique in Paris (Nadia Boulanger, Diran Alexanian, Feuermann und Casals). Sie war Dozentin für Kontrapunkt und Musikgeschichte an der University of Edinburgh (1937–44) und unternahm Konzertreisen durch Europa. Seit 1951 lehrt sie Kontrapunkt und Musikgeschichte an der University of Manitoba (Kanada) sowie Violoncello an der dortigen Banff School of Fine Arts.

Sams (sæmz), Eric, * 3. 5. 1926 zu London; englischer Musikschriftsteller und -kritiker, Dr. phil. der Musikfakultät der University of Cambridge, ist seit 1950 im britischen Staatsdienst tätig. Er schrieb zahlreiche Miszellen vor allem zu R. Schumann (besonders in: MT CVIff., 1965ff.) und veröffentlichte die Bücher *The Songs of H. Wolf* (London 1961), *The Songs of R. Schumann* (ebd. und NY 1969) und *Brahms Songs* (= BBC Music Guides XXIII, London und Seattle/ Wash. 1972).

Šamsaddīn Muḥammad aḏ-Ḏahabī **aṣ-Ṣaidāwī,** † 1505 zu Damaskus; arabischer Gelehrter, soll literarisch vielseitig tätig gewesen sein und mehrere Bücher über Musik verfaßt haben. Erhalten ist eine Urğūza (Lehrgedicht im Versmaß raǧaz) von 225 Versen mit dem Titel *al-Anʿām fī maʿrifat al-anǧām* (»Wohltaten über die Kenntnis der Maqāmāt«), bestehend aus 4 Kapiteln über die Maqāmāt und deren Ableitungen und einer Erläuterung zu den abschließenden Schaubildern, in denen er eine eigene Zeichensprache anwendet. Ein Vergleich mit dem etwa gleichzeitigen Lehrgedicht des Türken → Seydî zeigt nicht unbeträchtliche Unterschiede in Terminologie und Definitionen von Haupttönen und Bewegungsabläufen der Maqāmāt und ihrer Ableitungen: aṣ-Ṣaidāwī teilt im Gegensatz zu Seydî die 12 Maqāmāt in 4 »Grundarten« (uṣūl) und 8 »abgeleitete Arten« (furūʿ), wobei er das Wort maqām wört-

lich im Sinne von »Ort«, nicht aber wie Seydî terminologisch verwendet; und den 4 »Abzweigungen« (šuʿab) Seydîs stehen bei aṣ-Ṣaidāwī 7 nur z. T. gleichnamige und ähnlich definierte »Maße« (buḥūr) gegenüber: Hinweise für lokale Unterschiede in Theorie und Praxis zwischen Syrien und Anatolien im späten 15. Jh. Ausg.: die Urǧūza (ohne Titel u. mit unrichtigem Verfassernamen) hrsg. v. A. TAIMŪR in: al-Mūsīqī wa-l-ġinā' 'inda l-'arab (»Griech. Musiktheorie u. traditionelle Musik bei d. Arabern«), Kairo 1963, S. 152ff. (ohne d. Schaubilder).
Lit.: J. P. N. LAND, Tonschriftversuche u. Melodieproben aus d. muhammedanischen MA, VfMw II, 1886, Wiederabdruck in: Sammelbände f. vergleichende Mw. I, 1922; C. BROCKELMANN, Gesch. d. arabischen Lit., Suppl. II, Leiden 1938, S. 1036; 'U. R. KAḤḤĀLA, Mu'ǧam al-mu'allifīn, Bd X, Damaskus 1960 (Lexikon arabischer Literaten); 'A. AL-'ALŪČĪ, Rā'id al-mūsīqā al-'arabīya (»Wegweiser zur arabischen Musik«), Bagdad 1964, Nr 82 u. 136 (mit Mss.-Angaben).

Samson (sãs'õ), Joseph, * 21. 3. 1888 zu Bagneaux-sur-Loing (Seine-et-Marne), † 9. 7. 1957 zu Dijon; französischer Chordirigent, Musikforscher und Komponist, studierte Komposition bei Gédalge, Widor, Emmanuel, d'Indy und Koechlin und betrieb daneben literarische Studien. Er war Maître de chapelle 1910–14 an der Kathedrale in Versailles, 1918–30 an der Kirche Notre-Dame in Avranches (Manche) und ab 1930 an der Kathedrale von Dijon. S. veröffentlichte: *A l'ombre de la cathédrale enchantée* (Paris 1928); *Palestrina ou la poésie de l'exactitude* (Genf 1939, 2 1950); *Grammaire du chant choral* (ebd. 1947); *P. Claudel, poète-musicien* (ebd. 1947); *Musique et vie intérieure* (Paris 1951); *La polyphonie sacrée en France des origines à nos jours* (ebd. 1953); *Musique et chants sacrés* (ebd. 1957); *La messe et le motet en Italie* (in: Histoire de la musique I, hrsg. von Roland-Manuel, = Encyclopédie de la Pléiade IX, ebd. 1960). Ferner gab er Werke von Goudimel, João IV., le Jeune, Liszt und Palestrina heraus. Seine Kompositionen umfassen kirchenmusikalische Werke (14 Messen für 2–6 St. mit Org. oder a cappella; Motetten, Hymnen, Noëls) und Orgelstücke. Daneben harmonisierte er Gesänge aus dem Jura.
Lit.: M.-TH. MICHAUX, Introduction à l'esthétique de J. S., Paris 1959.

Samter, Alice, * 11. 6. 1908 zu Berlin; deutsche Komponistin, studierte in Berlin Klavier (Else Blatt), Komposition und Improvisation (Wehle) und Chor (Ristenpart) sowie an der Hochschule für Musik Schulmusik (Martens), war 1945–70 Schulmusikerin. Sie schrieb vorwiegend Vokalwerke, darunter *Die Kartenhexe*, Melodram für Sprech-St. und Kl. nach Walter Mehring (1967), *Erfindungen*, 5 Terzette für S., T., Bar., Block-Fl. und Kl. nach Morgenstern (1967), 3 Lieder für S. und Kl. nach George (1968), *Reklame* für S., Sprecher und Kl. nach Ingeborg Bachmann (1969) und *Mein Besitz* für beliebige St., Sprecher und Kl. nach Christa Reinig (1970). Ferner komponierte sie u. a. die Jugendoper *Der falsche Graf* nach Gottfried Keller (Bln 1957), die Maskenspiele *Das Zauberhorn* (Bln 1958) und *Die drei Spinnerinnen* (Bln 1967), Kammermusik (*3 Tanzminiaturen* für Klar. und Kl., 1955; *Aspekte* für Fl. und Cemb., 1972; *Monolog einer Geige*, 1974), Klavierwerke (*3 Phasen*, 1969; *Prisma* für Org. oder Kl., 1973; *3 Klavierstücke zu Plastiken von Josef Magnus*, mit Dias, 1974) und Bühnenmusik.

Samuel (samɥ'ɛl), Adolphe-Abraham, * 11. 7. 1824 zu Lüttich, † 11. 9. 1898 zu Gent; belgischer Komponist, studierte an den Konservatorien in Lüttich und Brüssel (Komposition bei Fétis) und in Leipzig bei Mendelssohn Bartholdy. 1845 erhielt er für seine Kan-

tate *La vendetta* den Premier Grand Prix de Rome. 1850–60 war er in Brüssel als Musikkritiker tätig und unterrichtete anschließend Harmonielehre am dortigen Konservatorium. S. rief die »Concerts populaires de musique classique« (1865) und die »Festivals de musique classique« (1869) ins Leben. 1871 wurde er Direktor des Konservatoriums in Gent und 1874 Mitglied der Académie Royale de Belgique. Seine Kompositionen umfassen u. a. die Opern *Giovanni da Procida* (1848), *Madeleine* (1849) und *L'heure de la retraite* (1854), 6 Symphonien (1846, 1849, 1858, 1863, 1869 und 1891), die mystische Symphonie *Christus* für Chor, Org. und Orch. (1894), 2 Streichquartette (1844 und 1868) und Vokalwerke (*Cantate nationale* für 2 Chöre und Blasorch., 1859; *De wederkomst*, »Die Wiederkunft«, für Soli, Chor und Orch., 1875; Orgelmesse D moll, 1897; 4 Motetten, 1852; 3 Motetten, 1896). Er veröffentlichte: *Cours d'accompagnement de la basse chiffrée* (Brüssel 1849); *Cours d'harmonie pratique* (ebd. 1861); *Livre de lecture musicale* (Paris 1886); *80 solfèges mélodiques* (ebd. 1893).
Lit.: E. MATHIEU, Notice sur A. S., Brüssel 1922 (mit Werkverz.).

Samuel (s'æmjuəl), Gerhard, * 20. 4. 1924 zu Bonn; amerikanischer Dirigent und Komponist deutscher Herkunft, studierte an der Eastman School of Music der University of Rochester (N. Y.) und an der Yale University in New Haven (Conn.) bei P. Hindemith und Hugo Kortschak, nahm 1945–46 Dirigierunterricht bei Kussewitzky und spezialisierte sich auf die Interpretation zeitgenössischer Musik. Er ist Director der Oakland Symphony (Calif.), des Oakland Chamber Orchestra sowie des San Francisco Ballet und Begründer des California's Cabrillo Music Festival sowie ständiger Dirigent der San Francisco Spring Opera und tritt häufig als Gastdirigent im USA und in Europa auf. S. schrieb u. a. die Vokalzyklen *Song Cycle & Poems of Emily Dickinson* (1965), *Songs* für St. und Kl. (1966), *Love Song for Some Instr. and Someone* (1968) und *12 on Death and No* für T., Kammerchor und Kammerorch. (1968).

Samuel (s'æmjuəl), Harold Eugene, * 12. 4. 1924 zu Hudson (Wis.); amerikanischer Musikforscher und -bibliothekar, studierte an der University of Minnesota in Minneapolis (B. A. 1949, M. A. 1955), der Universität Erlangen bei Eggebrecht (1955–57) und der Cornell University in Ithaca (N. Y.), an der er 1963 mit der Dissertation *The Cantata in Nuremberg During the Seventeenth Cent.* zum Ph. D. promovierte. 1957–71 war er Musikbibliothekar und Associate Professor an der Cornell University und erhielt 1971 dieselben Positionen an der Yale University in New Haven (Conn.). Seit 1965 gibt er die Vierteljahresschrift *Notes* heraus. S. veröffentlichte *M. Praetorius on Concertato Style* (in: Cantors at the Crossroads, Fs. W. E. Buszin, St. Louis/ Mo. 1967) sowie Artikel in amerikanischen Musikzeitschriften und für MGG.

+Samuel, Léopold, * 5. 5. 1883 zu Brüssel. S. wurde 1958 Mitglied der Académie royale de Belgique. An neueren Werken seien genannt 2 *Tableaux symphoniques* (1957) und *Adagio et Allegro giocoso* (1963) für Orch., *Pièce à cinque* für Fl., V., Va, Vc. und Hf. (1954), *Invocation* für Vc. (1959) und Divertimento für V. (1966) mit Kl.

Samuel-Holeman (samy'εlolm'an), Eugène, * 3. 11. 1863 zu Schaerbeek (Brüssel), † 25. 1. 1942 zu Etterbeek (Brüssel); belgischer Komponist und Musikpädagoge, Sohn von Adolphe Samuel, studierte Musik bei

seinem Vater und bei F. de Vos (Klavier) am Conservatoire Royal de Musique in Gent sowie Philosophie und Literatur an der dortigen Universität. Er war als Pianist bei den Concerts Lamoureux in Paris tätig (1894) und wurde 1897 Chordirektor am Theater in Monte Carlo. Sein Schaffen umfaßt neben einigen (nicht aufgeführten) Drames lyriques (*Le Vendredi-Saint en Zélande*; *La reyne Klothilde*; *Hu-Cardan*) und mehreren Instrumental- und Vokalkompositionen (Symphonie; Konzert für Hf. und Orch.; Streichquartett, 1914; Te Deum; *A la tombe anonyme*; Lieder) die Debussy und Satie nahestehende Kammeroper *La jeune fille à la fenêtre* (Text Camille Lemonnier, Paris 1914).

+Samuel-Rousseau, Marcel Auguste Louis (eigentlich Rousseau), 1882–1955.
Lit.: J. FORMIGÉ, Funérailles de M. M. S.-R., in: Inst. de France, Acad. des beaux-arts v. 14. 6. 1955; M. DUPRÉ, Inst. de France, Acad. des beaux-arts. Notice sur la vie et les travaux de M. S.-R., 1882–1955, Paris 1956.

+Sancan, Pierre, * 24. 10. 1916 zu Mazamet (Tarn). S. ist weiterhin Professor für Klavier am Pariser Conservatoire. Neuere Werke: die Oper *Ondine, fille de la forêt* (Bordeaux 1966), die Ballette *Reflet* (Paris 1963) und *Les fourmis* (ebd. 1966); Symphonie für Streicher (1961); Violinkonzert (1962), Concertino für Kl., Bläser und Schlagzeug (1963); Sonaten mit Kl. für Fl. (1956), Ob. (1957) und Vc. (1961), Rhapsodie für Trp. und Kl. (1969); Klavierstudienwerke (u. a. *La technique des octaves*, Paris 1962).

+Sances, Giovanni Felice (Sanci), um 1600 – 1679.
Lit.: P. WEBHOFER, G. F. S. ..., Biogr.-bibliogr. Untersuchung u. Studie über sein Motettenwerk, Innsbruck 1965 (= Diss. Pontificio Istituto di musica sacra Rom); E. RASCHL, Die weltlichen Vokalwerke d. G. F. S., Diss. Graz 1968.

Sánchez Málaga (s'antʃeθ m'alaga), Carlos, * 8. 9. 1904 zu Arequipa; peruanischer Komponist und Musikpädagoge, studierte am Colegio de San Francisco, lehrte 1923–29 am staatlichen Konservatorium in La Paz (Bolivien) Solfège und Chorgesang, hatte anschließend die gleiche Stellung an der Academia Nacional de Música »Alcedo« in Lima inne (später Direktor) und unterrichtete Klavier am Instituto Bach. Er schrieb Klavierwerke (*Crepúsculo*, 1924; *Vísperas*, 1924; *Bailecito y Kaluyo*, 1926; *Yanahuara*, 1928; *Acuarelas infantiles*, 1932), Chöre a cappella (*Le prime viole*, 1930; *A las montañas iré*, 1936; *Pajarillo errante*, 1938) und Lieder (*Distancia*, 1926; *La noche se ha hecho en mi corazón*, 1936; *Medrosamente ibas*, 1937).
Lit.: Werkverz. in: Compositores de América XIII, Washington (D. C.) 1967.

+Sandberg, Herbert Ludwig, * 26. 2. 1902 zu Breslau, [erg.:] † 7. 1. 1966 zu Danderyd (bei Stockholm).
S. wirkte bis 1964 an der Königlichen Oper in Stockholm, dann als Chefdirigent am Stadttheater in Malmö. Zu Fragen der Librettoübersetzung schrieb er *Att översätta opera* (Musikrevy XVIII, 1963).

+Sandberg, Mordechai (Mordecai), * [erg.:] 4. 2. [nicht: 3.] 1897 in Rumänien, [erg.:] † 28. 12. 1973 zu North York (Ontario).
S., langjähriger Präsident der American Society for the Musical Interpretation of the Bible, komponierte neben weiterer Orchester- und Kammermusik das Oratorium *Micha* für Chor und Orch. (1963) sowie die 4 Abende füllende Tetralogie *Shelomo* für Soli, Chor und Orch. Er arbeitete ab 1924 vor allem an der Vertonung des Alten Testamentes.

+Sandberger, Adolf, 1864–1943.
Die von ihm 1900–31 geleiteten *+Denkmäler der Tonkunst in Bayern* (DTB) werden seit 1962 von der Gesellschaft für bayerische Musikgeschichte für eine revidierte Neuauflage vorbereitet, eine »Neue Folge« erscheint seit 1967 (Wiesbaden). – *+Ausgewählte Aufsätze zur Musikgeschichte* (1921–24), Nachdr. Hildesheim 1970. – Zur +Lasso-GA →+Lassus (Ausg.).

+Sandby, Herman, * 21. [nicht: 23.] 3. 1881 zu Kundby (Seeland), [erg.:] † 14. 12. 1965 zu Kopenhagen.
Solocellist des Philadelphia Orchestra war S. 1912–16 [nicht: 1908–14].
Lit.: Sv. Erichsen, H. S., Tale ved bisaettelsen (»Eine Leichenrede«), Kopenhagen 1966.

Sander, Werner, * 5. 8. 1902 zu Breslau; deutscher Chordirigent und Musikpädagoge, studierte in seiner Heimatstadt am Schlesischen Konservatorium (Dirigieren bei E. Wetzlar), betätigte sich zunächst als Synagogenchorsänger, Musikpädagoge und Dirigent von Laienchören und war Gründer (1933) und Leiter des Chores des Jüdischen Kulturbundes. Er war Schulmusiklehrer und Dirigent in Meiningen (1945–50) sowie Kantor (1950–62) und Oberkantor (ab 1962) der Jüdischen Gemeinden in Leipzig und Dresden. Seit 1962 leitet er den Leipziger Synagogalchor, der aus dem von ihm gegründeten Leipziger Oratorienchor hervorgegangen ist und sich der Pflege der jüdischen Musik widmet. Er schrieb freie Bearbeitungen jüdischer und hebräischer Folklore (*Schiron*, Liebesliederzyklus aus dem »Hohenlied« für A. und Frauenchor a cappella, 1965).

Sanderling, Kurt, * 19. 9. 1912 zu Arys (Ostpreußen); deutscher Dirigent, wurde nach privater Ausbildung Korrepetitor an der Städtischen Oper Berlin (1931), ging als Dirigent an den Moskauer Rundfunk (1936–41), danach an die Leningrader Philharmonie (1941–60) und lehrte am dortigen Konservatorium (1945–47). Seit 1960 ist er Chefdirigent des Städtischen Berliner Sinfonie-Orchesters, daneben war er 1964–67 Chefdirigent der Staatskapelle Dresden. S., der den Professorentitel hat, tritt auch häufig als Gastdirigent im Ausland auf.

+Sanders, Robert L., * 2. 7. 1906 zu Chicago, [erg.:] † 26. 12. 1974 zu Debray Beach (Fla.).
Professor of Music am Brooklyn College of Music (N. Y.) war S. bis 1972/73. Weitere Werke: *Concerto for the Brass Section* (1962) und *Little Symphony* Nr 3 (1963); Quintett (1942) und Trio (1958) für Blechbläser, Sonaten mit Kl. für V. (1928, 1961), Vc. (1931), Pos. (1945), Horn (1958) und Klar. (1969); *The Mystic Trumpeter* für Bar., Sprecher, gem. Chor, Sprechchor und Orch. (W. Whitman, 1941), *Celebration of Life* für S., gem. Chor und Orch. (1956), *Song of Myself* für S., Sprecher, Chor, Blechbläserchor und Schlagzeug (W. Whitman, 1968).

Sandi, Luis, * 22. 2. 1905 zu México (D. F.); mexikanischer Komponist, Dirigent und Pädagoge, studierte am Conservatorio Nacional de Música in seiner Heimatstadt, wurde Leiter der Musikabteilung und der Abteilung Schulmusik im mexikanischen Erziehungsministerium sowie Leiter der Abteilung für Musik des Instituto Nacional de Bellas Artes, dessen Direktor er auch war. Er führte Reformen in der Musikerziehung seines Landes durch. S. war Generaldirektor der Juventudes Musicales (Jeunesses Musicales). Er schrieb, beeinflußt von mexikanischer Folklore, die Opern *Carlota* (México/D. F. 1948) und *La señora en su balcón*

(1964), 3 Ballette, Orchesterwerke (*Sonora*, 1933; Concertino für Fl. und Orch., 1944; *Esbozos sinfónicos*, 1951; Symphonische Dichtung *América*, 1968), Kammermusik (Streichsextett, 1926; Streichquartett, 1938; *4 momentos* für Streichquartett, 1961; Violinsonate, 1969), Chöre mit Orch. (*La suave patria*, 1951) und a cappella (*Canto de amor y de muerte*, 1960), Gesangsstücke (*Paloma, ramo de sal* mit Git., 1947; *Destino*, 1967) sowie Bühnen- und Filmmusik. Er veröffentlichte *De música … y otras cosas* (México/D. F. 1969).
Lit.: Werkverz. in: Compositores de América XIV, Washington (D. C.) 1968.

Sandloff, Peter, * 3. 7. 1924 zu New York; deutscher Komponist, studierte 1941–43 an der Musikhochschule in Köln Klavier, Dirigieren und Komposition (Jarnach) und war 1947–53 als Theaterkapellmeister in Bamberg, München und Freiburg i. Br. tätig. Seit 1953 lebt er freischaffend als Komponist in Berlin. 1956 erhielt er den Bundesfilmpreis für die Musik zu dem Spielfilm *Viele kamen vorbei*. Er komponierte die Oper *Traum unter dem Galgen* um François Villon (Freiburg i. Br. 1971), die Ballette *Der grüne Wagen* (München 1947), *Hänsel und Gretel* (ebd. 1948), *Reineke Fuchs* (Hbg 1950) und *Kain und Abel* (Libretto und Choreographie Tatjana Gsovsky, Bln 1957), Orchesterwerke (2 Concertinos für Kl. und Orch., 1960 und 1967), Kammermusik, experimentelle Jazzstücke (*Feuilleton in Jazz*, 1960; *Kontraste*, 1968), *Von der Beschaffenheit und dem Nutzen der Moral* für Soli, Chor und Orch. (3 Fabeln nach Gellert, 1969), die Kantate *Das spezifische Gewicht* für S. und 5 Soloinstr. (nach Hugo Claus und Helmut Heißenbüttel), Musik zu Spielfilmen (*Polikuschka*, 1958; *Wir Kellerkinder*), Fernsehspielen, Fernsehballetten (*Pinocchio*, Libretto und Choreographie Tatjana Gsovsky) sowie Bühnenmusik.

Sandoni, Pier (Pietro) Giuseppe, * um 1680 zu Bologna, † 1748; italienischer Komponist und Cembalist, Schüler von G. B. Bononcini, war bereits mit 13 Jahren Organist in Bologna an S. Giacomo in Monte und um 1701–06 an S. Giacomo Maggiore. 1702 wurde er Mitglied der Bologneser Accademia Filarmonica und war 1713–14, 1739 und 1745 deren Principe. Als Cembalist konzertierte er u. a. in Wien, München und London, wo er auch in Händels Opernorchester spielte. 1722 reiste er im Auftrag von Händel nach Venedig, um die Sängerin Francesca Cuzzoni unter Vertrag zu nehmen, die er 1723 auf dem Weg nach England heiratete. In London wurde er in die Rivalitäten zwischen seiner Frau und Faustina Hasse-Bordoni und in den Opernstreit zwischen Händel und dessen Konkurrenten verwickelt. 1728 reiste er mit seiner Frau nach Wien und Venedig, 1734 wieder nach London, wo 1735 seine Oper *Issipile* aufgeführt wurde. Um 1737 trennte sich die Cuzzoni von ihm. 1740 war S. in Amsterdam als Cembalist und Organist tätig. Von seinen Werken seien die Opern *Artaserse* (Verona 1709), *Olimpiade* (Genua 1733) und *Adriano in Siria* (ebd. 1734), die Oratorien *La pulcella d'Orleans* (1701), *Gli oracoli della grazia* (1704), *La giustizia placata* (1705), *Il trionfo di Jaele* (1705) und *Lo sposalizio di S. Gioseffo con Maria Virgine* (1706) sowie *Cantata da camera e sonate per il cemb.* (um 1726–28) und *Six Setts of Lessons for the Harpsichord* (um 1745) genannt.
Lit.: B. Pratella, Le sonate per clavicemb. di P. G. S., in: Il pfte I, 1920; O. E. Deutsch, Handel, London 1955.

+Sándor, Árpád, * 5. 6. 1896 und [erg.:] † 10. 2. 1972 zu Budapest.

Sándor (ʃ'aːndər), György, * 21. 9. 1912 zu Budapest; amerikanischer Pianist ungarischer Herkunft, studierte in seiner Heimatstadt Klavier bei Bartók und Komposition bei Kodály, debütierte dort 1931, ging 1938 auf Europatournee und spielte 1939 zum ersten Male in der Carnegie Hall in New York. Er war Solist der Uraufführung von Bartóks 3. Klavierkonzert (Philadelphia 1946). S. ist Director of Doctoral Programme in Piano Performance an der University of Michigan in Ann Arbor.

Sandoval, Andrés, * 3. 8. 1924 zu Caracas; venezolanischer Komponist, Violinist, Klarinettist und Dirigent, studierte an der Escuela Superior de Música J. A. Lamas Komposition bei Sojo sowie Violine bei R. Odnoposoff und promovierte 1955. Er war Mitglied des Orquesta Sinfónica Venezuela und leitet heute in San Cristóbal (Táchira) die Musikschule. Seine Kompositionen umfassen Orchesterwerke (*Sinfonía Venezuela,* 1955; symphonische Skizze *San Cristóbal* für Chor und Orch.), Kammermusik (3 Streichquartette, 1955–63), Klavierwerke und Vokalmusik (Messe, 1966; a cappella-Chöre).

Sandrin (sädrἐ), Pierre (eigentlich Pierre Regnault); französischer Musiker des 16. Jh., war in seiner Jugend wahrscheinlich Komödiant und nannte sich S. nach der Hauptperson einer Farce seiner Zeit. 1539 wurde er Doyen des Domkapitels von St-Florent-de-Roye (Picardie), trat kurz darauf in die königliche Kapelle ein und wurde ständiger Komponist Franz' I. sowie 1554 Kapellmeister des Kardinals von Ferrara, Ippolito d'Este. Sein Werk umfaßt außer einem Madrigal etwa 50 zwischen 1538 und 1540 veröffentlichte 4st. Chansons, von denen mehrere (vor allem *Doulce mémoire*) große Berühmtheit erlangten.
Ausg.: Chansons frç. pour orgue (vers 1550), hrsg. v. J. BONFILS, = Le pupitre V, Paris 1968; Opera omnia, hrsg. v. A. SEAY, = CMM XLVII, (Rom) 1968.
Lit.: FR. LESURE, Un musicien d'Hippolyte d'Este, P. S., CHM II, Florenz 1956; H. M. BROWN, Music in the French Secular Theatre, 1400–1555, Cambridge (Mass.) 1963; FR. DOBBINS, »Doulce Mémoire«. A Study of the Parody Chanson, Proc. R. Mus. Ass. XCVI, 1969/70.

Sandström, Sven-David, * 30. 10. 1942 zu Motala (Östergötland); schwedischer Komponist, studierte in Stockholm 1964–68 Musikwissenschaft und Kunstgeschichte an der Universität sowie 1968–72 Komposition (Lidholm) an der Musikhochschule, an der er gegenwärtig als Assistent für Komposition wirkt. Von seinen Kompositionen seien genannt: *Bilder* für Schlagzeug und Orch. (1969); Invention für 16 Solo-St. (1969); *Concertato* für Klar., Pos., Vc. und Schlagzeug (1969); *To You* für Orch. (1970); *Jumping Excursions* für Klar., Pos., Vc. und Schlagzeug (1971); *Lamento* für 3 Chorgruppen und 4 Pos. (1971); *Disjointing* für Pos. solo (1971); *Around a Line* für Orch. (1971); *Disturbances* für Blechbläser (1971); *In the Meantime* für Kammerensemble (1971); *Close to . . .* für Klar. und Kl. (1972); *Concentration* für Kammerensemble (1972); *High Above* für Kl. (1972); *Under the Surface* für 6 Pos. (1972); *Concentration 2* für 2 Kl. (1972); *Closeness* für Klar. solo (1972); *Through and Through* für Orch. (1972); *Just a Bit* für S., Fag., V. und Hf. (1973); *Out of* für Fag. und V. (1973); *Convergence* für Fag. solo (1973); *The Way* für Org. (1973).
Lit.: G. BERGENDAL in: Nutida musik XVII, 1973/74, H. 3, S. 14ff. (zu »Through and Through«).

+Sandvik, Ole Mørk, * 9. 5. 1875 zu Nes (Hedmark).
Weitere Veröffentlichungen: Setesdalsmelodier (Oslo 1952); Nytt fra L. M. Lindemans saga (in: Norsk musikkgranskning 1959–61); Norske religiøse folketoner (2 Bde, Oslo 1960–64); Springleiker i norske bygder (ebd. 1967,

auch engl. als »*Springleiker*«. *Norwegian Country Dances*). Herausgeber von *+Norsk musikkgranskning* war S. bis 1971 (für das zuletzt erschienene »Årbog« 1962–71 zusammen mit Ø. Gaukstad).

+Sandvold, Arild Edvin, * 2. 6. 1895 zu Oslo. S. war in Oslo 1933–66 Domorganist, 1928–57 Dirigent des Cäcilienvereins, 1917–70 Orgellehrer am Konservatorium und 1947–66 Lehrer für liturgisches Singen am theologischen Seminar der Universität. 1964 wurde er zum Mitglied der Kungl. Musikaliska akademien in Stockholm ernannt.
Lit.: H. HERRESTHAL, A. S. og orglet (»A. S. u. d. Org.«), M. A.-Thesis Oslo 1967 (mit Analyse d. Orgelwerke u. Werkverz.).

Sanjuán (sanxǔ'an), Pedro, * 15. 11. 1886 zu San Sebastián; amerikanischer Komponist und Dirigent spanischer Herkunft, studierte Komposition bei Turina, dirigierte zahlreiche Konzerte in europäischen Ländern und übersiedelte nach La Habana, wo er 1926 das Orquesta Filarmónica gründete und als Kompositionslehrer tätig war. 1932–36 lebte er in Madrid, 1939–42 leitete er wieder das Orquesta Filarmónica in La Habana und wurde 1942 Professor für Komposition am Converse College in Spartanburg (S. C.). Er schrieb u. a.: *Rondo fantástico* für Orch. (1926); Orchestersuite *Castilla* (1927); *Sones de Castilla* für kleines Orch. (1930); Klavierkonzert (1940); Ritualsymphonie *La Macumba* (1951); *Antillean Poem* für Blasorch. (1958); *Symphonic Suite* (1965); *3 Movements* für Streichquartett (1965); ferner Klavierwerke, Chöre und Lieder.

Sanjust, Filippo, * 9. 9. 1925 zu Rom; italienischer Bühnenbildner und Opernregisseur, als Maler Autodidakt, war Mitarbeiter von Visconti, entwarf Kostüme (*Don Carlos,* Covent Garden Opera London 1958; *Duca d'Alba* von Donizetti, Spoleto 1959; *La Gioconda,* mit historischen Bühnenbildern, Bln 1974) und Bühnenbilder (*Il trovatore,* Covent Garden Opera 1964; *Le nozze di Figaro,* Rom 1964; »*Romeo und Julia*« von Prokofjew, Ffm. 1971 und Hbg 1974; *Die lustige Witwe* von Lehár, Ffm. 1972). 1965 verpflichtete ihn G. R. Sellner an die Deutsche Oper Berlin (*Il matrimonio segreto* von Cimarosa, *Der junge Lord* von Henze und *La Traviata,* 1965; *Die Bassariden* von Henze, Salzburg und Bln 1966; *Love's Labour Lost* von Nabokov, Bln 1973). Als Bühnenbildner und Regisseur inszenierte er *Die Zauberflöte* (Ffm. 1968), *La Cenerentola* von Rossini (Bln 1969), *Lohengrin* und *Parsifal* (Ffm. 1970 bzw. 1973). Der Entwurf von Dekoration im Stil der Uraufführungszeit oder in Anlehnung an Kunststile, die eine Interpretation des Stücks in seinem geschichtlichen Kontext ermöglichen, kennzeichnen S. als Vertreter einer neuen Art von Bühnenhistorismus.

San Pedro, Lucio D., * 11. 2. 1913 zu Agono Rizal; philippinischer Komponist, studierte bei Buenaventura am University of the Philippines Conservatory of Music in Manila sowie bei B. Wagenaar und V. Giannini an der Juilliard Graduate School of Music in New York. Er ist gegenwärtig Professor am University of the Philippines Conservatory of Music. Seine Kompositionen umfassen u. a. die Symphonischen Dichtungen *Man over the Hills* (1952), *The Transfiguration of Christ* (1958) und *Lahing Kayumanggi* (1961), ein Violinkonzert D moll (1948), ein Divertimento für Fl., Ob., Klar. und Fag. (1959) sowie *Rizals »Valedictory Poems«* für Chor und Orch. (1952).

Sanquirico, Alessandro, * 27. 7. 1777 und † 12. 3. 1849 zu Mailand; italienischer Bühnenbildner, erhielt seine Ausbildung bei Paolo Landriani, einem in der

→Galliari-Tradition geschulten Bühnenbildner, und wurde 1806 an die Mailänder Scala verpflichtet (1817–32 Chefbühnenbildner). Unter seinen dort entworfenen 240 Ausstattungen ragen die Szenengestaltungen für die Uraufführungen u. a. von Rossinis *La pietra di paragone* (1812) und *La gazza ladra* (1817), Bellinis *Il pirata* (1827) und *Norma* (1831) sowie Donizettis *Lucrezia Borgia* (1834) hervor. Nach seinem Rücktritt als Ausstattungsleiter der Scala (deren Inneres 1829–30 nach seinen Entwürfen neu dekoriert worden war) verzichtete er auf feste Theaterbindungen; er war auch als Gestalter von Trauergerüsten und Festdekorationen geschätzt. – S.s Ausstattungen sind an Bedeutung für das Bühnenbild jener Zeit denjenigen →Cicéris vergleichbar: Ohne eigentliche Neuerer zu sein, wirkten beide dank ihrer formalen Meisterschaft stilbildend. Reflexe barocker Tradition, naturnahe Impressionen, historisierende und klassizistische Tendenzen mischen sich in S.s Œuvre.
Lit.: G. FERRARI, La scenografia, Mailand 1902; P. ZUCKER, Die Theaterdekoration d. Klassizismus, Bln 1925; H. TINTELNOT, Barocktheater u. barocke Kunst, Bln 1939; J. SCHOLZ u. A. HYATT MAYOR, Baroque and Romantic Stage Design, NY 1950; Il Museo teatrale alla Scala, Mailand 1964; H. KINDERMANN, Theatergesch. Europas, Bd VI: Theater d. Romantik, Salzburg 1964; A. S., Bregenz 1969 (Ausstellungskat.).

+Sanromá, Jesús María, * 7. 11. 1902 [nicht: 1903] zu Carolina (Puerto Rico).
S., der mehrfach zum Ehrendoktor ernannt wurde, unterrichtete Kammermusik an der Berkshire Center Music School in Tanglewood (Mass.). Am Conservatory of Music of the Commonwealth in Puerto Rico leitet er eine Meisterklasse für Klavier.
Lit.: E. S. BELAVAL, El Niño S., Puerto Rico 1952.

Sanromano, Carlo Giuseppe, * um 1630 und † nach 1680 zu Mailand; italienischer Komponist und Organist, wurde mit 12 Jahren Sopranist in der Domkapelle in Mailand, war Schüler von Antonio Maria Turati und M.'A. Grancino und wurde 18jährig Organist an der Kirche der Celestini. 1650–55 war er als Organist und Lehrer für Grammatik in Casorate (bei Mailand), danach als Kapellmeister und Organist an verschiedenen Mailänder Kirchen (ab 1667 an S. Maria presso S. Celso, 1668–80 auch an S. Maria della Passione) tätig. Von seinen Werken wurden in Mailand gedruckt: *Cigno sacro. Motetti a più v.* op. 1 (1668); *Il 1° libro de Motetti a v. sola* op. 2 (1670); *Sirena sacra. Motetti, messa et salmi . . . a 5 v.* mit Org. op. 3 (1674); *Armonia sacra cioè Motetti a più v. libro 2°* mit Org. op. 4 (1680).

Santa Croce (s'anta kr'o:tʃe), Francesco (auch Fr. Patavino genannt), * um 1478 zu Santa Croce (Padua), † 1556 zu Loreto; italienischer Komponist, Sohn von Leonardo del Cattaro, war 1511 Sänger an der Domkapelle in Padua, wurde 1512 zum Priester geweiht, war dann in Treviso bis 1515 als Maestro di cappella an S. Francesco und 1519–28 in gleicher Stellung am Dom tätig. 1529 wurde er Domkapellmeister in Chioggia, 1531 in Udine, 1533 in Gemona (bei Udine), kehrte 1537 an seine Stellung am Dom in Treviso zurück und war ab 1551 Kanonikus an der Basilika in Loreto. Eine *Compieta* für Coro spezzato befindet sich in der Bibliothek der Accademia Filarmonica in Verona (Ms. 218), weitere Stücke für Coro spezzato im Musikarchiv des Domes in Treviso.
Lit.: G. VALE, La schola cantorum del duomo di Gemona ed i suoi maestri, Gemona 1908; DERS., La cappella mus. del duomo di Udine, Note d'arch. VII, 1930; I. TIOZZO, Maestri e organisti della cattedrale di Chioggia,

ebd. XII, 1935; R. CASIMIRI, Musica e musicisti nella cattedrale di Padova nei s. XIV, XV, XVI, ebd. XVIII, 1941; G. D'ALESSI, La cappella mus. del duomo di Treviso (1300–1633), Treviso 1954.

+Santa Cruz [erg.:] Wilson, Domingo, * 5. 7. 1899 zu La Cruz (Provinz Valparaíso).
Am Conservatorio nacional de música in Santiago de Chile lehrte er bis 1953; die der Universität angeschlossene Facultad de bellas artes wurde 1948 auf seine Initiative hin aufgeteilt und die Facultad de ciencias y artes musicales gegründet, als deren Dekan er bis 1953 und noch einmal 1962–68 wirkte (heute Professor honorario y extraordinario); 1944–53 war er außerdem Vizerektor der Universidad de Chile [del. bzw. erg. frühere Angaben dazu]. – Zahlreiche für das chilenische Musikleben wichtige Institutionen wurden von S. Cr. gegründet oder gehen auf seinen Einfluß zurück, genannt seien das Instituto secundario de bellas artes (1933), die Asociación nacional de compositores (1935), das Departamento de extensión artística de la Universidad de Chile (1939; 1939–48 Direktor) und das Instituto de extensión musical (1940; 1948–53 Direktor), ferner auch einige chilenische Musikzeitschriften, darunter die *Revista de arte* (1934–42) und die *Revista musical chilena* (1945ff.). Er war außerdem 1953–55 Vizepräsident und 1955–58 Präsident der International Society of Music Education sowie 1956–58 Präsident und 1958–60 Vizepräsident des International Music Council (UNESCO); 1960–61 wirkte er als »Andrew Mellon Guest Professor« am Carnegie Institute of Technology der Carnegie-Mellon University (Pa.). Er ist Offizier der französischen Ehrenlegion. – 1. Symphonie +op. 22 (1946 [nicht: 1948]); +Streichquartette op. 12 und op. 24 ([erg.:] 1930, 1947); *Égloga* op. 26 ([erg.:] 1949). – Weitere Werke: 10 *Cantares de Pascua* für gleiche St. op. 27 (1949); 6 *Canciones de primavera* für gem. Chor op. 28 (1950); 11 *Canciones del mar* für Singst. und Kl. op. 29 (1952); *Alabanzas del Adviento* für Kinderchor und Org. op. 30 (1952); 3. Streichquartett op. 31 (1959); *Endechas* für T. und Kammerensemble (8 Instr.) op. 32 (1960); Bläserquintett op. 33 (1960); 3. Symphonie op. 34 (1965); 4. Symphonie op. 35 (1968); 2. *Cantata de los ríos* op. 36 (1961); *Oratorio Ieremieae prophetae* für 6st. Chor und Orch. op. 37 (1969). Er verfaßte zahlreiche Beiträge für die »Rev. musical chilena« (u. a.: *La fuga en la obra de Bach*, 1950, Nr 38; *Nuestra posición en el mundo contemporáneo de la música*, 1959, Nr 64; *Crisis en nuestro sistema de estímulo a la composición musical?*, 1960, Nr 69; *El instituto de extensión musical*, 1960, Nr 73; *El compositor A. Letelier*, 1967, Nr 100).
Lit.: Sonder-H. S. Cr., = Rev. mus. chilena 1952, Nr 42; Werkverz. in: Compositores de América I, Washington (D. C.) 1955, Nachdr. 1962.

+Santa María, Fray Tomás de, 1510/20–70.
Ausg.: Libro llamado arte de tañer fantasía (1565) Faks. hrsg. v. D. STEVENS, Farnborough 1971. – +Hispaniae schola musica sacra (F. PEDRELL, VI, 1896), Nachdr. NY 1970. – 5 Kl.-Stücke in: A. Schlick, Hommage à l'empereur Charles-Quint, hrsg. v. M. S. KASTNER, Barcelona 1954; Sätze aus d. »Libro llamado arte de tañer fantasía«, hrsg. v. P. FROIDEBISE, = Orgue et liturgie XLIX, Paris 1961.
Lit.: +O. KINKELDEY, Org. u. Kl. in d. Musik d. 16. Jh. (1910), Nachdr. Hildesheim u. Wiesbaden 1968; +M. SCHNEIDER, Die Anfänge d. B. c. u. seiner Bezifferung (1918), Nachdr. Farnborough 1971. – S. KASTNER in: MGG XI, 1963, Sp. 1378f.; W. E. HULTBERG, S. M.'s »Libro llamado arte de tañer fantasía«. A Critical Evaluation, 2 Bde, Diss. Univ. of Southern California 1965; A. C. HOWELL JR., Paired Imitation in 16th-Cent. Span. Keyboard Music, MQ LIII, 1967.

Santi, Nello, * 22. 9. 1931 zu Adria (Venetien); italienischer Dirigent, studierte in Padua Komposition (Diplom 1956), war zunächst als Orchestermusiker tätig und debütierte 1951 als Dirigent in Padua. Seit 1958 ist er Kapellmeister am Stadttheater in Zürich. 1960 dirigierte er erstmals an der Covent Garden Opera in London und bei den Salzburger Festspielen, 1962 an der Metropolitan Opera in New York. Als ständiger Gastdirigent ist er u. a. an der Wiener Staatsoper (seit 1960), der Hamburgischen Staatsoper (seit 1966), der Bayerischen Staatsoper in München (seit 1969) und am Opernhaus in Köln (seit 1969) tätig.

Santi, Piero, * 20. 1. 1923 zu Mailand; italienischer Dirigent und Musikkritiker, studierte in seiner Heimatstadt an der Universität (laureato in lettere) und am Conservatorio di Musica G. Verdi (Paribeni), an der Accademia Nazionale di S. Cecilia in Rom (Molinari, Previtali) sowie bei van Kempen. Er wurde Professor 1965 am Conservatorio di Musica L. Cherubini in Florenz und 1969 am Conservatorio di Musica G. Verdi in Turin. 1967–69 war er künstlerischer Koordinator der Piccola Scala in Mailand. Außerdem hat er Kritiken für die Zeitung »Avanti« geschrieben und Opern und Konzerte in zahlreichen italienischen Städten dirigiert. Er veröffentlichte *Due tempi di R. Malipiero* (mit Cl. Sartori, Mailand 1964) und zahlreiche Aufsätze, u. a.: *Possibilità d'una critica musicale realista* (in: Incontri musicali 1958, Nr 2); *Il teatro di G. Fr. Malipiero* (in: L'approdo musicale III, 1960); *Il »point de départ« di Satie* (in: Chigiana XXIII, N. S. III, 1966); *Nei cieli bigi ...* (nRMI I, 1967); *Passato prossimo e remoto nel rinnovamento musicale italiano del Novecento* (in: Studi musicali I, 1972).

Santiago (sɛnti'agu), Armando José, * 18. 6. 1932 zu Lissabon; portugiesischer Komponist, studierte 1954–62 am Conservatório Nacional in Lissabon (Vasconcelos) sowie 1962–64 an der Accademia Nazionale di S. Cecilia in Rom (Petrassi, Porena) und lehrte 1964–68 an der Academia de S. Cecília in Lissabon. Seit 1968 ist er Titular der Chor-, Orchester- und Kompositionsklassen am Konservatorium in Trois-Rivières (Provinz Québec, Kanada). – Kompositionen (Auswahl): Sonate für Hf. und Fl. (1958); Klaviertrio (1959); Suite für Hf. und Kl. (1960); *Soneto de Camões* für Bar. und Streichorch. (1960); Bläserquintett (1963); *Episodii* für Orch. (1963); *Musica per orch.* (1964); Symphonie für V., Va, Vc., Hf. und Schlagzeug (1966); *Sonata 1968* für 3 Fl., Schlagzeug und 2 Kl. (1968); *La reine des poissons des chenaux*, Scherzo symphonique für Rezitator und Orch. (1968); *Sonata da camera* für Fl., Klar., Horn, Schlagzeug, Kl., V. und Vc. (1969); *Prismes* für Chor, Horn, Kb. und Schlagzeug (1970); *Movimento* für 32 Solisten (1970).

+Santini, Fortunato, 1778 – [erg.:] 14. 9. 1861 [nicht: 1862].
Die Bischöfliche S.-Bibliothek befindet sich jetzt im Priesterseminar Münster (Westf.).
Lit.: +K. G. FELLERER, Verz. d. kirchenmus. Werke d. S.schen Slg, KmJb XXVI, 1931 – XXXIII, 1938 (unvollständig) [erg. frühere Angaben]. – J. HÜNTEMANN, Die Messen d. S.-Bibl. zu Münster i. W., Diss. Münster 1928; K. G. FELLERER, Die mus. Schätze d. S.schen Slg, ebd. 1929 (Ausstellungskat.); R. EWERHART, Die Bischöfliche S.-Bibl. = Das schöne Münster, N. F. XXXV, Münster 1962; DERS. in: MGG XI, 1963, Sp. 138ff.; VL. FÉDOROV, A propos de quelques lettres de S. à Bottée de Toulman, Fs. K. G. Fellerer, Regensburg 1962; DERS., V. V. Stasov chez l'abb. S. à Rome, Fs. A. v. Hoboken, Mainz 1962; Pisma Wl. W. Stassowa k Dm. W. Stassowu, hrsg. v. N. RJASANOWA, SM XXXI, 1967 (3 Briefe v. Wl. W. Stassow an seinen Bruder Dm. W.).

Santini, Gabriele, * 20. 1. 1886 zu Perugia, † 13. 11. 1964 zu Rom; italienischer Dirigent, studierte in Perugia und in Bologna, wo er ein Diplom in Komposition erwarb, und gab 1906 sein Debüt als Dirigent. Nach achtjährigem Wirken am Teatro Colón in Buenos Aires, daneben in Rio de Janeiro, Chicago und New York, wurde er von Toscanini an die Mailänder Scala berufen, an der er 1925–29 tätig war. Anschließend dirigierte er an der Oper in Rom, ab 1933 wieder an der Scala und anderen italienischen Opernhäusern. 1944–47 war er künstlerischer Leiter der Oper in Rom und dann Dirigent am Teatro S. Carlo in Neapel, der Pariser Opéra (1951), dem Maggio Musicale Fiorentino und abermals an der Scala (1960–64).

+Santoliquido, Francesco, * 6. 8. 1883 zu S. Giorgio a Cremano (Neapel), [erg.:] † 26. 8. 1971 zu Anacapri (Insel Capri).
S., ab 1928 Mitglied der Accademia nazionale di S. Cecilia in Rom, lebte in Anacapri ab 1933 [nicht: 1950]. Seine +4 Opern sind: *La favola di Helga* (Mailand 1910), *Ferhuda* (Tunis 1919), *L'ignota* (1921) und *La porta verde* (Bergamo 1953).

Santoliquido, Ornella (geborene Puliti), * 6. 11. 1907 zu Florenz; italienische Pianistin, studierte bei Brugnoli in Florenz und A. Casella in Rom und vervollkommnete ihre Studien bei Cortot in Paris. Sie machte eine internationale Karriere als Konzertsolistin und Kammermusikspielerin. Mit dem Violinisten Arrigo Pelliccia und dem Violoncellisten Amfiteatrov bildete sie ein Trio (mit letzterem auch im Duo). 1956 gründete sie mit Pelliccia, Br. Giuranna und Amfiteatrov (später Giovanni Leone, dann Francesco Antonioni) das Quartetto di Roma. Ab 1939 lehrte sie am Conservatorio di Musica S. Cecilia in Rom. Sie war mit Francesco S. verheiratet.

+Santoro, Cláudio, * 23. 11. 1919 zu Manáos (Staat Amazonas).
S., der auch in Paris Komposition bei Nadia Boulanger und Orchesterleitung bei E. Bigot studiert hatte, war u. a. 1939–46 Tonsatzlehrer an der Musikhochschule und 1951–53 Musikdirektor des Rádio-Club do Brasil in Rio de Janeiro. Er leitete 1962–65 als Titularprofessor die Musikabteilung der Universität Brasília und war 1968–69 wieder in Rio de Janeiro u. a. Musikdirektor des Teatro novo. Seit 1970 ist er Dozent für Komposition und Dirigieren an der Musikhochschule Heidelberg-Mannheim. – Werke: die Ballette *A fábrica* (1947), *Anticocos* (1951), *O café* (1953), *Icamiabas* (1959), *Zuimaaluti* (Rio de Janeiro 1960) und *Prelúdios* (Brasilia 1962); 8 Symphonien (für 2 Streichorch., 1940; 1945; 1948; *Da paz*, 1953; 1955; 1957; *Brasilia*, 1960; 1963), Variationen über eine Zwölftonreihe (1945), *Ode fúnebre* (1953), *Brasiliana* (1954), *Abertura trágica* (1958), 5 Stücke (1964) und *Interações assintoticas* (1973) für Orch., *Canto de amor e paz* (1950) und Introduktion und Allegro (1963) für Streichorch., *Recitativo e variações* für Kammerorch. (1959); *Música 1944* für Kl. und Orch., Konzerte mit Orch. für Kl. (1951; 1959; »für die Jugend«, 1960), V. (1951, 1958) und Vc. (1961), Divertimento für junges Publikum und Orch. (1972), Konzert für Kammerorch. und obligater V. (1943), *Intermitências II* für Kl. und Kammerorch. (1969); *In tele tonus visionem* für Fl., Ob., Klar., Trp., Pos., Kl. und Streicher (1967), Bläserquintett (1942), 7 Streichquartette (1943, 1947, 1953, 1955, 1957, 1963, 1965), Streichtrio (1941), *Sonatina à 3* für Fl., Va und Vc. (1942), Sonaten mit Kl. für V. (1940, 1940, 1947, 1950, 1957), Fl. (1941), Ob. (1943), Vc. (1943,

1947, 1951, 1963) und Trp. (1946), *Diagrammas ciclicos* für Schlagzeug und Kl. (1966), *3 Espaços* für Va und Kl. (aleatorisch, 1966), *Mutationen I* für Cemb. (1968), *II* für Vc. (1969), *III* für Kl. (1970), *IV* für Va (1972), *V* für 2. V. (1972) und *VI* für 1. V. (1972) mit Tonband (II und IV–VI zusammen auch als Duo, Trio oder Quartett mit oder ohne Tonband), *Antistruktur* für Hf. und Vc. (1970), Sonate für V. solo (1940); 4 Sonaten (1945; 1948; 1955; *Fantasia*, 1957), 2 Sonatinen (1948, 1964), 7 *Paulistanas* (1953), 5 Praeludien (1946–50) und 25 Praeludien (1957–63) für Kl.; Oratorium *Berlin, 13 de agôsto* für Sprecher, Chor und Orch. (1962), *Agrupamento à 10* für Gesang und Kammerorch. (1966); *Aleatorius I–III* (grafische Notation, 1967); Lieder; über 300 Musiken für Bühne, Film, Funk und Fernsehen. S. veröffentlichte auch kleinere Beiträge über Musik in Südamerika.
Lit.: Werkverz. in: Compositores de América IX, Washington (D. C.) 1963.

Santórsola, Guido, * 18. 11. 1904 zu Canosa di Puglia (Bari); uruguayischer Komponist, Violinist und Dirigent italienischer Herkunft, war Violinschüler von Zaccaria Autuori, studierte dann am Conservatório Dramático e Musical in São Paulo und setzte seine Violinstudien in Neapel (Gaetano Fusella) sowie am Trinity College of Music in London fort. Als Bratschist trat er 1925 dem Cuarteto Paulista, 1931 dem Symphonieorchester OSSODRE des staatlichen Rundfunks SODRE in Montevideo bei. Seit 1942 ist er als Orchesterdirigent tätig, seit 1948 auch als Professor für Harmonielehre und Ästhetik am Instituto de Estudios Superiores und als Kompositionslehrer an der von ihm gegründeten und geleiteten Escuela Normal de Música. Daneben ist er Primgeiger des Cuarteto Kleiber und Leiter des Kammerorchesters der Sociedad de Cultura Artística del Uruguay. Er schrieb Orchesterwerke (*Canção brasileira,* 1930; *Preludio y fuga a la manera clásica* für doppeltes Streichorch., 1937; *2 estudios sinfónicos,* 1953; 1. Symphonie für Streichorch., 1957; *Rapsodia criolla,* 1960), Werke für Soloinstrumente und Orchester (Bratschenkonzert mit Chor und Va d'amore, 1933; Klavierkonzert, 1939; Concertino für Git., 1942; Fagottkonzert, 1959; Violinkonzert, 1962; Konzert für 4 V. und Streichorch., 1969; Doppelkonzert *Sonoridades 1973* für Git. und Cemb.), Kammermusik (Quintett für 4 Fl. und Kl., 1945; Streichquartett, 1957; Quartett Nr 2 für Git., Fl., Va und Vc., 1961), Klavierwerke, Gitarrenstücke und Vokalmusik.

Santos (s'ɐ̃tuʃ), José Manuel Joly Braga, * 14. 5. 1924 zu Lissabon; portugiesischer Komponist und Dirigent, studierte in seiner Heimatstadt Komposition bei Freitas Branco und vervollkommnete sich später in Dirigieren bei Scherchen und Votto in Gravesano, Venedig, Siena und Mailand sowie in Komposition bei Mortari in Rom. Er dirigierte in Portugal und Italien, war 1955–59 stellvertretender Dirigent des Orquestra Sinfónica da Porto und gehörte dem Gabinete de Estudos Musicais da Emissora Nacional an. – Kompositionen (Auswahl): Opern *Viver ou morrer* (ursprünglich Funkoper, konzertant Lissabon 1956), *Mérope* (ebd. 1960) und *Trilogia das barcas* (1969); Ballette *Alfama* (1956) und *A nau Catrineta* (1959); *Elegia a Viana da Mota* für Orch. (1949); Variationen über ein alentejanisches Thema für Orch. (1950); Konzert für Va und Orch. (1960); Konzert für Streichorch. (1961); Divertimento für Orch. (1961); Nocturne für Streichorch. (1962); *3 esboços sinfónicos* für Orch. (1962); Sinfonietta für Streichorch. (1963); Konzert für V., Vc., Hf. und Streichorch. (1967); konzertante Variationen für

Streichorch. und Hf. (1967); *Siciliana* für Kl. (1946); *Requiem à memória de Pedro de Freitas Branco* (1964) und *Ode à música* (1965) für Chor und Orch.

Santurini, Francesco, * 1627 und † 1688(?) zu Venedig; italienischer Architekt, Ingenieur, Impresario und Bühnenbildner, war in Venedig 1657–58 als Theateringenieur Mitarbeiter von G. →Mauro und ab 1660 Impresario des Teatro SS. Giovanni e Paolo. 1662 berief ihn Kurfürstin Henriette Adelaide nach München, wo er anläßlich der Taufe des Kurfürsten Max Emanuel *das Churfürstlich Bayrische Frewden-Fest* (Musik Kerll) ausstattete, das aus der Oper *Fedra incoronata* (Theater am Salvatorplatz), dem »drama guerriero« *Antiopa giustificata* (Turnierhaus am Hofgarten) und dem »drama di fuoco« *Medea vendicativa* (Naumachie mit Feuerwerk auf der Isar) bestand (von Melchior und Matthäus Küssel in einer Folge von 36 Kupferstichen festgehalten). 1665 inszenierte er anläßlich der Feier zur Geburt des Prinzen Ludwig Amadeus das Ballett *Il trionfo di Baviera* und das »drama musicale« *L'amor della patria* (Kerll, Residenz bzw. Theater am Salvatorplatz). 1667 hielt sich S. wieder in Venedig auf, wohin er 1669 endgültig zurückkehrte. 1674 war er Impresario des Teatro S. Moisè, 1677 des Teatro S. Angelo; 1680 schuf er die Bühnendekoration zur *Berenice vindicativa* (Villa Piazzola). – S. importierte als erster die venezianische Barockoperndekoration in der Art Giacomo →Torellis nach Deutschland. Hauptmerkmale seiner Arbeiten sind, anders als bei seinen Zeitgenossen →Burnacini und →Vigarani, klare Linienführung und sparsame Verwendung dekorativer Mittel; teilweise ist die Tiefenachse aufgegeben: es entstehen geschlossene Räume.
Lit.: P. ZUCKER, Die Theaterdekoration d. Barock, Bln 1925; H. TINTELNOT, Barocktheater u. barocke Kunst, Bln 1939; G. LÖWENFELDER, Die Bühnendekoration am Münchener Hoftheater v. d. Anfängen d. Oper bis zur Gründung d. Nationaltheaters, Diss. München 1955; H. KINDERMANN, Theatergesch. Europas III: Theater d. Barockzeit, Salzburg 1959; Das barocke Fest, Ausstellungskat. bearb. v. E. NÖLLE, Bamberg 1968; Barockes Fest, barockes Spiel, Schwäbisch Hall 1973 (Ausstellungskat.).

+Sanz, Gaspar, 1640–1710.
Ausg.: Canarios sowie Suiten E moll u. G moll, f. Git. hrsg. v. L. u. J. AZPIAZU, Basel 1959; Matachin u. Jácara aus d. »Instrucción …«, in: G. REICHERT, Der Tanz, = Das Musikwerk XXVII, Köln 1965, auch engl. – Instrucción de música sobre la guitarra española, hrsg. v. L. GARCÍA-ABRINES, Saragossa 1966.

+Sanzogno, Nino, * 13. 4. 1911 zu Venedig. S., 1962–65 Orchesterchef an der Mailänder Scala, machte sich einen Namen besonders durch Aufführungen moderner Opern in Italien. In Darmstadt hielt er mehrfach Sommerkurse für Orchesterdirigieren ab.

Sapelnikow, Wassilij Lwowitsch, * 21. 10. (2. 11.) 1868 zu Odessa, † 17. 3. 1941 zu San Remo; russischer Pianist, studierte bei Sophie Menter, debütierte 1888 in Hamburg unter der Leitung Tschaikowskys mit dessen 1. Klavierkonzert und unternahm mit dem Komponisten Konzertreisen in verschiedene Länder. 1897–99 war er Professor am Moskauer Konservatorium. Zu seinen Schülern gehörte Medtner. 1916–22 lebte er in Odessa. 1923 emigrierte er nach Deutschland und Italien. S. schrieb die Oper »Der Khan und sein Sohn« sowie Klavier- und Vokalwerke.

Sá Pereira (sa pər'eirə), Antônio de, * 16. 8. 1888 zu Salvador (Staat Bahia), † 21. 2. 1966 zu Rio de Janeiro; brasilianischer Musikpädagoge, kam mit 12 Jahren zur Ausbildung nach Deutschland und weilte 17 Jahre in Europa, bevor er nach Brasilien zurückkehrte. Nach Studien an den Polytechnischen Hochschulen in München (1907) und Berlin-Charlottenburg widmete er sich ab 1909 ganz der Musik, war Schüler von d'Indy an der Schola Cantorum in Paris (1910–11), ging nach Berlin als Schüler von Langheinrich (Harmonielehre und Kontrapunkt), Eisner und Hutcheson (Klavier) und vervollständigte seine Studien 1915–17 bei Blanchet in Lausanne. Er leitete 1918–22 das Konservatorium in Pelotas (Staat Rio Grande do Sul), war dann Privatmusiklehrer in São Paulo und Santos und erhielt 1932 den Lehrstuhl für Musikpädagogik am Instituto Nacional de Música in Rio de Janeiro, der späteren Escola Nacional de Música der Universidade do Brazil (der heutigen Universidade Federal do Rio de Janeiro), die er 1939–46 auch leitete. Er veröffentlichte u. a.: *Ensino moderno do piano* (São Paulo 1933); *Psicotécnica do ensino elementar da música* (Rio de Janeiro 1937); *Teatro padrão de cultura* (ebd. 1937); *Plano-pilôto para uma nova escola de música* (ebd. 1961). S. P. komponierte auch Klavier- und Vokalmusik.

Sapp (sæp), Allen Dwight, * 10. 12. 1922 zu Philadelphia; amerikanischer Komponist, studierte ab 1931, zunächst privat, dann u. a. an der Harvard University in Cambridge (Mass.) und am Berkshire Music Center in Tanglewood (Mass.), privat bei Nadia Boulanger und Copland (1942–43) sowie bei R. Thompson und Piston (1949–50). Er leitete 1964–68 gemeinsam mit L. Foss das Center for the Creative and Performing Arts. Sein kompositorisches Schaffen umfaßt Orchesterwerke (2 Suiten, 1952 und 1954; *Colloquies* für Kl. und Orch., 1963), Kammermusik (Streichquartett, 1951; Klaviertrio, 1950; Streichtrio, 1956; 3 Sonaten für V. und Kl., 1943, 1948 und 1960; Sonate für Va, 1948; Fantasie für Vc., 1965), Klavierwerke (4 Sonaten, 1941–57; Fantasie *The Pursuers*, 1960; *Five Children's Pieces*, 1964) und Vokalmusik (*Five Landscapes* für gem. Chor, Text T. S. Eliot, 1951; *The Little Boy Lost* für Chor und Kammerorch., Text William Blake, 1953; *A Maiden's Complaint in Springtime* für Frauenchor und Kammerensemble, 1960; *Canticum novum pro pace* für Männerchor und Bläserquartett, 1962).

+Saracini, Claudio, 1586 [nicht: 1568] – nach 1649.
Lit.: ⁺B. SZABOLCSI, Benedetti u. S., ... (1923), Auszug ungarisch in: Magyar zene XIV, 1973, S. 233ff. – N. FORTUNE, Ital. Secular Monody from 1600 to 1635, MQ XXXIX, 1953; B. SZABOLCSI in: MGG XI, 1963, Sp. 1397ff.

+as-Sarahsī, Aḥmad ibn aṭ-Ṭaiyib (= Muḥammad) ibn Marwān, Abu l-ʿAbbās und Abu l-Faraǧ, [erg.:] um 835 wahrscheinlich zu Sarahs (Nordostpersien) – 899 [erg.:] zu Bagdad.
as-S. wurde um 850 Schüler von al-Kindī und um 870 Erzieher des Prinzen und späteren Kalifen al-Muʿtaḍid (892–902), unter dessen Hofgesellschafter er 892 aufgenommen wurde. Im Jahre 895 erhielt er verschiedene öffentliche Ämter, fiel 896 aus politischen Gründen in Ungnade und blieb bis zu seinem gewaltsamen Tod im Gefängnis. Er schrieb zahlreiche philosophische, naturwissenschaftliche, geographische und medizinische Werke, daneben angeblich über 30 Abhandlungen musiktheoretischen Inhaltes. Am häufigsten werden genannt ein *Kitāb al-Mudḫal ilā ʿilm al-mūsīqī* (»Einführung in die Theorie der Musik«), *Kitāb al-Mūsīqī al-kabīr* (»Großes Buch über die Musik«), nach Ibn an-Nadīm, dem bekannten Bibliographen des 10. Jh., »das beste seiner Art«, weiter ein *Kitāb al-Mūsīqī aṣ-ṣaġīr* (»Kleines Buch über die Musik«), *Kitāb al-Lahw wa-l-malāhī* (»Buch über Vergnügungen und Musikinstrumente«) und *Kitāb ad-Dalāla ʿalā asrār al-ġināʾ* (»Führer zu den Geheimnissen der traditionellen arabischen Mu-

sik«), von denen eines in Privatbesitz erhalten sein soll. Einige Fragmente finden sich in der späteren arabischen Musikliteratur.
Lit.: IBN AN-NADĪM, Kitāb al-Fihrist, hrsg. v. Riḍā Taġaddud, Teheran 1971, engl. Übers. v. B. Dodge als: The Fihrist of al-Nadīm, NY u. London 1970; AL-ḤASAN IBN AḤMAD IBN ʿALĪ AL-KĀTIB, Kamāl adab al-ǧināʾ, frz. Übers. v. A. Shiloah als: La perfection des connaissances mus., Thesis Paris 1963, revidiert ebd. 1972 (darin Zitate v. as-S.). – P. SBATH, al-Fihris, Bd I, Kairo 1938, S. 80 (Mss.-Kat. v. Privatbibl. in Aleppo); ⁺H. G. FARMER, The Sources of Arabian Music (1940), revidiert Leiden 1965, Nr 65–70 (d. beiden dortigen as-S. sind eine Person); F. ROSENTHAL, A. b. aṭ-Ṭ. as-S., Scholar and Littérateur of the Ninth Cent., = American Oriental Series XXVI, New Haven (Conn.) 1943; DERS., From Arabic Books and Mss., Teil IV u. VI, Journal of the American Oriental Soc. LXXI, 1951 u. LXXVI, 1956; ʿU. R. KAḤḤĀLA, Muʿǧam al-muʾallifīn, Bd II, Damaskus 1957 (arabisches biogr.-bibliogr. Lexikon); F. SEZGIN, Gesch. d. arabischen Schrifttums, Bd III, Leiden 1970; E. NEUBAUER, Neuere Bücher zur arabischen Musik, in: Der Islam XLVIII, 1971. ENE

Sárai (ʃʾɑːrəi), Tibor, * 10. 5. 1919 zu Budapest; ungarischer Komponist, studierte bei Frigyes Sándor Violine und bei Kadosa Komposition. 1948–50 war er Leiter der Musikabteilung im Ministerium für Volksbildung, 1950–53 Leiter der Musikabteilung im ungarischen Rundfunk und 1953–59 Professor an der B. Bartók-Musikfachschule in Budapest. 1959 wurde er Professor an der Musikhochschule in Budapest und Generalsekretär des Magyar Zeneművészek Szövetsége (»Verband ungarischer Musikkünstler«). S. komponierte u. a.: *Falusi képek* (»Dorfszenen«), 5 Lieder für B. und Kl. (1953); *Tavaszi concerto* (»Frühlingsconcerto«) für Fl., Va, Vc. und Streichorch. (1955); 6 Szenen aus dem Tanzspiel *János vitéz* (»János der Held«) für Orch. (1957); Streichquartett (1958); *Quartettino* für Fl., V., Va und Vc. (1962); Oratorium *Változatok a béke témájára* (»Variationen über das Thema des Friedens«, Text Zsigmond László, 1966); *Sinfonia lirica* für Orch. (1968). Neben Zeitschriftenbeiträgen schrieb er *A cseh zene története* (»Geschichte der tschechischen Musik«, = Bibl. musica IV, Budapest 1959).

+Saran, Franz Ludwig, 1866–1931.
⁺*Die Jenaer Liederhandschrift* (1901), Nachdr. Hildesheim 1966.

+Sarasate y Navascuez, Pablo Martín Melitón de, 1844–1908.
S., der im Alter von 12 [nicht: 10] Jahren am Madrider Hof erstmals konzertierte, hat seine Stradivari-Geige nicht von Königin Isabella als Geschenk erhalten, sondern 1866 selbst erworben. Die 1878 in Leipzig erschienenen ⁺*Zigeunerweisen* op. 20 sollen weitgehend auf die von Ede Bartay, dem damaligen Direktor des ungarischen Nationalkonservatoriums, herausgegebene Sammlung *30 eredeti magyar zenedarab* (»30 original ungarische Musikstücke«, Pest 1860) zurückgehen.
Lit.: ⁺A. MOSER, Gesch. d. Violinspiels (1923), 2. Aufl. hrsg. v. H.-J. Nösselt, Tutzing 1966–67 (2 Bde); ⁺A. SAGARDIA, P. S. (1956), Palencia ²1964. – The Memoirs of C. Flesch, hrsg. v. H. KELLER u. C. F. FLESCH, London 1957 u. NY 1958, deutsch als: Erinnerungen eines Geigers, Freiburg i. Br. 1960, ²1961; I. M. JAMPOLSKIJ in: SM XXII, 1958, H. 11, S. 97ff.; J. J. MENA MATEOS, P. S., His Life, NY 1963 (maschr.); C.-G. ÅHLEN, Grammofonens veteraner ..., P. de S., Musikrevy XXVI, 1971 (mit Diskographie).

+Sargent, Sir Harold Malcolm Watts, * 29. 4. 1895 zu Ashford (Kent) [nicht: London], [erg.:] † 3. 10. 1967 zu London.
S., Gastdirigent namhafter Orchester in Europa (ein-

schließlich der UdSSR) und den USA, leitete bis zu seinem Tode die Londoner Promenade Concerts. Er veröffentlichte The Outline of Music (mit M. Cooper, London 1962, NY 1963).
Lit.: Ph. Matthewman, Sir M. S., London 1959; D. Chesterman in: MT CVI, 1965, S. 270ff.; D. Middleton, The Courtauld-S. Concerts, MR XXVII, 1966; Ch. Reid, M. S., A Biogr., London 1968 u. 1973, NY 1970.

+**Sari,** Ada (eigentlich Jadwiga Szayerówna), * 29. 6. 1886 zu Wadowice (bei Krakau) [del. frühere Angaben], [erg.:] † 12. 7. 1968 zu Ciechocinek (bei Toruń/Thorn).
Lit.: B. Kaczyński in: Ruch muzyczny XII, 1968, Nr 16, S. 3f.; ders., Debiut A. S. w mediolánskiej Scali, ebd. S. 5f.; ders., ebd. XIII, 1969, Nr 14, S. 16f. (über A. S. als Pädagogin); ders., Kto zastąpi A. S.? (»Wer ersetzt A. S.?«), ebd. XVII, 1973; H. Szymulska, ebd. XIII, 1969, Nr 14, S. 18f. (Erinnerungen einer Schülerin).

Sarin, Marger → Žariņš, M.

Šārīya, * um 815 zu Basra, † nach 870 wahrscheinlich zu Samarra; arabische Sängerin, war Tochter eines Arabers und einer unfreien Ausländerin, geriet in den Sklavenhandel und wurde später Eigentum von → +al-Mahdī, der sie von seinen Sängerinnen unterrichten ließ und sie persönlich förderte. Ihr und der Sängerin Raiyiq schrieb er aus Gründen islamischer Schicklichkeit seine eigenen Kompositionen zu. 839–42 gehörte sie zu den Sängerinnen des Kalifen al-Muʿtaṣim; der Höhepunkt ihrer Laufbahn fiel in die folgenden Jahre bis um 847. Mit ihrer Rivalin ʿArīb führte sie erbitterte Konkurrenzkämpfe, die das kunstverständige Publikum von Samarra (zu jener Zeit Sitz des Hofes) in zwei feindliche Lager spaltete. Ihre von Ibn al-Muʿtazz († 908) verfaßte Biographie gelangte über Quraiš al-Muǧannī († 936) an → +al-Iṣfahānī, der sie in extenso im Kitāb al-Aġānī ausschreibe.
Lit.: aṭ-Ṭabarī († 923), Taʾrīḫ ar-rusul wa-l-mulūk (»Gesch. d. Propheten u. d. Herrscher«), Bd III, Leiden 1881, Nachdr. 1964, S. 1365 u. 1809; al-Faraǧ al-Iṣfahānī, Kitāb al-Aġānī al-kabīr (»Großes Buch d. Lieder«), Bd XVI, Kairo ³1961; aš-Šābuštī († um 1000), Kitāb ad-Diyārāt (»Buch d. Klöster«), Bagdad 1951, S. 65, 71f. u. 99; Ibn Faḍlallāh al-ʿUmarī († 1349), Masālik al-abṣār ..., Bd X, Ms. Aya Sofya (Istanbul) Nr 3423, f. 60ᵃ–62ᵃ (arabische Enzyklopädie d. Wissenschaften u. d. Künste); Ǧalāladdīn as-Suyūṭī († 1505), al-Mustaẓraf min aḫbār al-ǧawārī (»Geistvolles aus d. Biogr. d. Sklaven-Sängerinnen«), Beirut 1963; J. Ribera, La música de las cantigas, Madrid 1922, gekürzte engl. Übers. u. E. Hague u. M. Leffingwell als: Music in Ancient Arabia and Spain, Stanford (Calif.) 1929, Nachdr. NY 1970 (als Sheria); H. G. Farmer, A Hist. of Arabian Music to the XIIIᵗʰ Cent., London 1929, Nachdr. 1967; ders., The Sources of Arabian Music, Bearsden 1940, revidiert Leiden 1965, Nr 139; M. A. al-Ḥifnī, al-Mūsīqā al-ʿarabīya wa-aʿlāmuhā (»Die arabische Musik u. ihre bedeutendsten Vertreter«), Kairo 1951, ²1955; N. al-Iḥtiyār, al-Fann al-ġināʾī ʿinda l-ʿarab (»Die Gesangskunst bei d. Arabern«), Beirut 1955; K. al-Bustānī, an-Nisāʾ al-ʿarabīyāt (»Arabische Frauengestalten«), ebd. 1964. ENe

+**Sarly,** Henry, * 28. 12. 1883 [nicht: 1884] zu Tirlemont (Brabant), [erg.:] † 3. 12. 1954 zu Brüssel(-Uccle).

Sarnette (sarnˈɛt), Éric-Antoine-Joseph-André, * 28. 11. 1898 zu Tarbes (Hautes-Pyrénées); französischer Komponist, studierte 1917–21 am Pariser Conservatoire (d'Indy, P. Vidal, Widor) und setzte seine Ausbildung in Wien, u. a. bei Schönberg, fort. 1925–36 lehrte er Harmonielehre an der Ecole Normale de Musique in Paris, wirkte 1942–45 als Organist an Ste-Clotilde und wurde 1942 Herausgeber der Zeitschrift Musique et radio. Er widmete sich besonders akustischen Fragestellungen und Problemen der Rundfunkübertragung und Schallaufzeichnung. Auch entwickelte er eine Saxtromba und eine Posaune mit 6 unabhängigen Ventilen. Seine Kompositionen umfassen u. a. eine Symphonie (1931), ein Konzert für 2 Kl. und Orch., 2 symphonische Rhapsodien für Org. und Orch. (1929 und 1930), ein Quartett für Tuben (1936), ein Streichquartett, eine Sonate für Vc. und Kl., 2 Klaviersonaten sowie Bühnenmusik. S. veröffentlichte (alles Paris): L'esthétique musicale (1922); Esthétique et éthique (1925); La musique et le micro (1934); L'orchestre moderne à la radio (1940). 1963 wurde S. zum Ritter der Ehrenlegion ernannt.
Lit.: K. London, E. S., London 1937, russ. Moskau 1937.

Śārṅgadeva, ein hoher Brahmane, entstammte einer aus Kaschmir kommenden Familie. Sein Vater fand einen Patron in König Siṅghana aus der Yādava-Dynastie, der in Deogiri 1210–47 regierte. König Siṅghana dürfte auch der Patron von Ś. gewesen sein. Ś. ist der Autor des Saṃgītaratnākara, des bis heute bedeutendsten und umfassendsten Sanskritwerkes über die indische Musik und den Tanz. Anders als das Nāṭyaśāstra des → Bharata, das die Musik im Anschluß an die Darstellung der Bühnenkunst bespricht, behandelt der Saṃgītaratnākara in den ersten 6 der insgesamt 7 Bücher alle Zweige der indischen Musiklehre. Die einzelnen Bücher haben folgende Generaltitel: I Svara (»Lehre von den Tönen und ihren Anordnungen«), II Rāga, III Prakīrṇaka (»Vermischtes«), IV Prabandha (»Komposition«, im Sinne von »Zusammenfügen zum Musikstück«), V Tāla (»Musikalische Metrik«), VI Vādya (»Musikinstrumente und ihre Spieltechniken«) und VII Nṛtya (»Tanz, verbunden mit dem Gebärdenspiel«). Das Werk entstand kurz vor der Trennung der indischen Musik in einen nord- und einen südindischen Zweig (Hindusthānī-saṃgīta bzw. Karṇāṭaka-saṃgīta genannt).
Ausg.: Saṃgītaratnākara of Ś., mit d. Kommentaren d. Kallinātha u. d. Siṃhabhūpāla hrsg. v. S. Subrahmanya Śāstri, 4 Bde, = The Adyar Library Series XXX, XLIII, LXXVIII u. LXXXVI, Madras 1943–53; Saṃgītaratnākara of Ś. I, engl. Übers. u. mit Anm. versehen v. C. Kunhan Raja, ebd. 1945, u. IV, Chapter on Dancing (7. Buch), engl. Übers. v. dems. u. Radha Burnier, ebd. 1959.

+**Sarrette,** Bernard, 1765 – 11. [nicht: 13.] 4. 1858.
Lit.: W. Kolneder, Die Entstehung d. Pariser Konservatoriums, in: Musikerziehung XX, 1966/67.

+**Sarri,** Domenico [erg.:] Natale, 1679 – [erg.: 25. 1.] 1744.
S. schrieb Chöre für die »Tragedia cristiana« I Massimini von A. Marchesi (1729) [del. frühere Angaben dazu].
Ausg.: Sonate A moll f. Fl., Streicher u. Cemb., hrsg. v. R. Meylan, München 1969.
Lit.: H. Hucke, Die beiden Fassungen d. Oper »Didone abbandonata« v. D. S., Kgr.-Ber. Hbg 1956; ders., a »Didone abbandonata« di D. S. nella stesura del 1724 e nella revisione di 1730, Gazzetta mus. di Napoli II, 1956; ders. in: MGG XI, 1963, Sp. 1408ff.; U. Prota-Giurleo in: Gli archi ital. II, 26, 1959, S. 73ff.; M. F. Robinson, Naples and Neapolitan Opera, London 1972.

+**Sarti,** Giuseppe, 1729–1802.
Lit.: R. Mariani, Noterella su G. S., in: Musicisti della Scuola emiliana, hrsg. v. A. Damerini u. G. Roncaglia, = Accad. mus. Chigiana (XIII), Siena 1956; H. O'Douwes, Het »Miserere« v. G. S., in: Mens en melodie XII, 1957; ders., De russ. jaren v. G. S., ebd.; P. u. E. Badura-Skoda, Zur Echtheit v. Mozarts S.-Variationen KV. 460, Mozart-Jb. 1959; O. E. Deutsch, S.s Streitschrift gegen Mozart, ebd. 1962/63; W. J. Mitchell, G. S. and Mozart's Quartet, K. 421, in: Eighteenth-Cent. Studies, = Current Musicology 1969, Nr 9.

+Sarto, Johannes de, 15. Jh.
S. wird bereits 1439 in einer Trauermotette (von J. Brassart?) auf den Tod König Albrechts II. als »cantor« (vermutlich in der kaiserlichen Kapelle) erwähnt. – Im Codex *BL* [nicht: B] (→ Quellen) ist ein Teil seiner Motetten überliefert.
Lit.: K. E. MIXTER, J. Brassart and His Works, 2 Bde, Diss. Univ. of North Carolina 1961; DERS. in: MGG XI, 1963, Sp. 1416f.

+Sartori, Claudio, * 1. 4. 1913 zu Brescia.
S. leitet seit 1965 an der Biblioteca Nazionale Braidense in Mailand die Forschungsstelle zur Erfassung der italienischen Musikquellen. Von seinen neueren Veröffentlichungen seien genannt: *+Bibliografia della musica strumentale italiana stampata in Italia fino al 1700* ([erg.: Bd I], 1952), Bd II = Bibl. di bibliografia italiana LVI, Florenz 1968; *Assisi. La capella della Basilica di S. Francesco* (bisher Bd I: *Catalogo del fondo musicale nella Biblioteca comunale di Assisi*, = Bibl. musicae I, Mailand 1962); *Due tempi di R. Malipiero* (mit P. Santi, ebd. 1964); *Commemorazione di O. de' Petrucci* (Fossombrone 1968); *Henricus Isaac o Isacco Argiropulo?* (CHM III, 1963); *La famiglia degli editori Scotto* (AMl XXXVI, 1964); *Mozart in Brescia* (ML XLVII, 1966); *Un catalogo di G. Sala del 1715* (FAM XIII, 1966); *G.C. Monteverde a Salò. Nuovi documenti inediti* (nRMI I, 1967); *La prima diva lirica italiana: A. Renzi* (nRMI II, 1968); *O. Vecchi e T. Massaino a Salò. Nuovi documenti inediti* (in: Renaissance-muziek 1400–1600, Fs. R.B. Lenaerts, = Musicologica Lovaniensia I, Löwen 1969); *The Bibliographer's Occupation* (in: Notes XXVI, 1969/70); *Un fantomatico compositore per un'opera che forse non era un'opera* (nRMI V, 1971); zahlreiche lexikalische Beiträge. – Unter S.s Leitung entstand die *Enciclopedia della musica* (4 Bde, Mailand 1963–64).

+Sartorio, Antonio, um 1620 – [erg.:] 5. 1. 1681.
Ausg.: 2 Arien aus »L'Adelaide« u. eine aus »Antonino e Pompejano«, in: H. CHR. WOLFF, Die Oper I, = Das Musikwerk XXXVIII, Köln 1971, auch engl.
Lit.: O. MISCHIATI in: MGG XI, 1963, Sp. 1418f.; Å. DAVIDSSON, En »Christina-opera« på Carolina Rediviva, Nordisk tidskrift f. bok- och biblioteksväsen LIV, 1967 (mit engl. Zusammenfassung; zur Oper »Massenzio«).

Sartorius, Christian, * um 1600 zu Querfurt (Sachsen), begraben 14. 4. 1676 zu Kulmbach (Oberfranken); deutscher Komponist, wurde 1626 Hofmusiker und Kammerdiener in Bayreuth und war als »Musicus von Haus aus« 1646 Gegenschreiber und 1647–71 Verwalter des säkularisierten Klosters Himmelkron (Oberfranken). Er veröffentlichte eine 11st. Trauermusik auf den Tod des Markgrafen Christian von Brandenburg-Kulmbach (*Fürstlicher Ruhm- und Leich-Text*, Bayreuth 1655) und eine Sammlung von 24 nach dem Kirchenjahr geordneten kleinen geistlichen Konzerten zu 1–8 St. mit B. c. (*Unterschiedlicher Teutscher ... Hoher Fest- und Danck-Andachten Zusammenstimmung*, Nürnberg 1658).
Lit.: FR. KRUMMACHER, Die Überlieferung d. Choralbearb. in d. frühen ev. Kantate, = Berliner Studien zur Mw. X, Bln 1965.

Sartorius, Paul (Schneider), getauft 16. 11. 1569 zu Nürnberg, † 28. 2. 1609 zu Innsbruck; deutscher Komponist, war an der Lateinschule bei St. Lorenz in Nürnberg Schüler L. Lechners, studierte Komposition in Italien, vermutlich bei Giovannelli in Rom, und wirkte ab 1594 als Organist der Hofkapelle des Erzherzogs Maximilian II. von Österreich in Mergentheim und ab 1602 in Innsbruck. Er veröffentlichte: *Missae tres octonis v. decantandae* (München 1599, ²1600); *Madrigali a*

cinque v. (Venedig 1600); *Sonetti spirituali a sei v.* (Nürnberg 1601); *Neue Teutsche Liedlein mit vier St. nach art der Welschen Canzonette* (ebd. 1601); *Sacrae cantiones sive motecta* (Venedig 1602). Weitere Messen und Motetten im Palestrina-Stil, 8 Magnificat und 2 deutsche Lieder sind in Sammeldrucken und Handschriften überliefert.
Ausg.: ein 4st. deutsches Lied in: Chor- u. Hausmusik aus alter Zeit, hrsg. v. J. WOLF, H. II, Bln 1927; ein 4st. deutsches Lied in: Chorbuch, hrsg. v. FR. JÖDE, 6. Teil, Wolfenbüttel 1931; dass. in: Antiqua-Chorbuch, hrsg. v. H. MÖNKEMEYER, Bd II, Mainz 1951.
Lit.: K. A. ROSENTHAL, Zur Stilistik d. Salzburger Kirchenmusik, StMw XVII, 1930 u. XIX, 1932; DERS., S., Megerle, Biechteler, Komponist oder Bearbeiter?, ZfMw XV, 1932/33; L. HÜBSCH-PFLEGER, Das Nürnberger Lied im Stilwandel um 1600, Diss. Heidelberg 1944; W. SENN, Musik u. Theater am Hof zu Innsbruck, Innsbruck 1954.

+Sás Orchassal, Andrés, * 6. 4. 1900 zu Paris, [erg.:] † 26. 7. 1967 zu Lima.
Von seinen Werken seien im einzelnen genannt: die Ballette *Sueño de zamba* op. 32 (1943, Lima 1948), *La patrona del pueblo* op. 36 (Viña del Mar 1946), *Las seis edades de la tía Conchita* op. 42 (Lima 1947) und *La leyenda de la Isla de S. Lorenzo* op. 44 (ebd. 1949) sowie *Así vivía una limeña* (nach Themen peruanischer Komponisten, Viña del Mar 1946) und *El motín de las tapadas* (nach Händel, Veracini u. a., ebd. 1946); *Canción india* op. 8 (1927), *Poema indio* op. 30 (1941), *Danza gitana* op. 34 (1944) und *La Parihuana* op. 38 (1946, Fassung für V. und Orch. op. 46, 1952) für Orch., *Fantasía romántica* für Trp. und Orch. op. 45 (1950); Streichquartett op. 28 (1938), 4 *Cantos del Perú* für V. und Kl. op. 29 (1941); *Aires y danzas del Perú* (2 Slgen, op. 13, 1930, und op. 35, 1945), *Arullo y tondero* op. 31 (1943), Praeludium und Toccata op. 39 (1946) und *Sonatina peruana* op. 40 (1946) für Kl.; *Canciones simbólicas* op. 14 (1931), *Canciones románticas peruanas* op. 17 (1931–41) und 6 *Canciones indias del Perú* op. 37 (1946) für Singst. und Kl., Triptychon *Ollantai* für Chor a cappella op. 20 (1933). Er veröffentlichte ferner den Beitrag *La vida musical en la catedral de Lima durante la colonia* (Rev. musical chilena XVI, 1962).
Lit.: Werkverz. in: Bol. de música y artes visuales 1955, Nr 59, S. 22ff., auch in: Compositores de América II, Washington (D. C.) 1956, Nachdr. 1962.

Sasnąuskas, Česlovas, * 19. 6. (1. 7.) 1867 zu Kapčiamiestis (Litauen), † 5.(18.) 1. 1916 zu Petrograd; litauischer Komponist und Chorleiter, nahm Orgelunterricht bei L. Risauskas in Kudirkos Naumiestis sowie bei Kaluschinski in Warschau (Examen 1887). Er war 1884–87 Organist in Vilkaviškis; 1894 wurde er Organist und Chorleiter der St. Katherinen-Gemeinde in St. Petersburg. – Kompositionen (Auswahl): Kantate *Broliai* (»Brüder«) für T., Männerchor und gem. Chor (1910); Requiem für Soli, gem. Chor und Org. (1915); *Lėk sakalėli* (»Flieg, mein Fälkchen«) und *Kur bėga Šešupė* (»Wo die Šešupė fließt«) für gem. Chor; Praeludium und Fuge A moll (1909), Largo mit Fuge F dur und Fuge *Kyrie de angelis* (1909) sowie Postludium und Fuge C moll für Org. Er veröffentlichte eine Sammlung eigener Lieder im Volkston und Volksliedbearbeitungen *Lietuviška muzika* (»Litauische Musik«, St. Petersburg 1910, Elizabeth/N. J. 1950).
Lit.: J. ŽILEVIČIUS, Č. S., Chicago 1935, ²1951; J. GAUDRIMAS, Is istorii litowskoj musyki 1861–1917 (»Aus d. Gesch. d. litauischen Musik ...«), Bd I, Moskau 1964, Kap. 2; V. LANDSBERGIS, Č. Sasnausko gyvenimo ir veikos bruožai (»Abriß v. Leben u. Werk v. Č. S.«), in: Muzika ir teatras 1967.

Sassąno, Matteo → **+Matteuccio.**

Sasse, Konrad, * 3. 10. 1926 zu Wernigerode (Harz); deutscher Musikforscher, studierte 1948–54 an der Universität Halle/Saale (Staatsexamen 1954) und promovierte dort 1962 mit der Dissertation *Beiträge zur Forschung über R. Franz.* Seit 1956 ist er Direktor des Händel-Hauses in Halle und Präsident der Ländergruppe DDR in der Internationalen Vereinigung der Musikbibliotheken. – Veröffentlichungen (Auswahl): *Das Händel-Haus in Halle. Geschichte und Führer durch die Ausstellungen* (Halle 1958); *Opera Register from 1712 to 1734 (Coleman-Register)* (Händel-Jb. V, 1959); *Bemerkungen zur musikalischen Bearbeitungs- und Aufführungspraxis für Händels Opernwerke unter Berücksichtigung der Informationstheorie* (ebd. IX, 1963); *Chronologisches Verzeichnis zum Briefwechsel von R. Franz* (DJbMw VIII, 1963); *Händel-Bibliographie. Unter Verwendung des im Händel-Jahrbuch 1933 von K. Taut veröffentlichten Verzeichnisses des Schrifttums über G. Fr. Händel, abgeschlossen im Jahre 1961* (Lpz. 1963, 2. Aufl. mit Nachtrag für die Jahre 1962–65, 1967, 2. Nachtrag 1969); *Katalog zu den Sammlungen des Händel-Hauses in Halle* (5 Teile, Halle 1961–66).

Sasse (sas), Marie (auch Sax, nach einem Prozeß mit dem Saxophonkonstrukteur Sax nannte sie sich Sass, später S.), * 26. 1. 1838 zu Gent, † 8. 2. 1907 zu Auteuil (Paris); belgische Opernsängerin (Sopran), studierte am Konservatorium ihrer Heimatstadt sowie bei Delphine Ugalde in Paris, debütierte dort 1859 am Théâtre-Lyrique in der Rolle der Gräfin (*Le nozze di Figaro*), wirkte bei der Pariser Erstaufführung des *Tannhäuser* (1861) mit und kreierte die Titelpartie in Meyerbeers *L'Africaine.* M. S. gastierte an den großen europäischen Opernbühnen und war ab 1890 als Gesangspädagogin in Brüssel tätig. Sie schrieb *L'émission de la voix, l'art de phraser et de rythmer, leçons de chant et exercices journaliers* (Paris 1900) und *Souvenirs d'une artiste* (ebd. 1902).

Satajewitsch, Alexandr Wiktorowitsch (Pseudonym Favello), * 8.(20.) 3. 1869 zu Bolchow (Gouvernement Orel), † 6. 12. 1936 zu Moskau; russisch- und kirgisisch-sowjetischer Musikethnologe und -schriftsteller sowie Komponist, schrieb Klavierwerke, die 1896 Rachmaninows Aufmerksamkeit erregten und mit dessen Unterstützung veröffentlicht wurden. 1904–15 war er Chefredakteur der Musik- und Theaterabteilung der Zeitung »Warschawskij dnewnik« (‚Warschauer Tagebuch‘). 1915–20 lebte er in Moskau; 1920 ging er nach Orenburg (Südural), wo er sich ganz den ethnologischen Studien widmete. Er veröffentlichte: *1000 pesen kirgisskowo (kasachskowo) naroda* (»1000 kirgisische und kasachische Volkslieder«, Orenburg 1925); *500 kasachskich pesen* (»500 kasachische Lieder«, Alma-Ata 1931); *Melodii kasachstanskich tatar* (»Die Melodien der kasachischen Tataren«, Moskau 1933); *250 kirgisskich instrumentalnych pjes i napewow* (»250 kirgisische Instrumentalstücke und Weisen«, ebd. 1934).
Lit.: A. W. S., Issledowanija, wospominanija, pisma i dokumenty (»Forschungen, Erinnerungen, Briefe u. Dokumente«), Alma-Ata 1958. – W. P. Dernowa, A. W. S. i kasachskaja narodnaja musyka (»A. W. S. u. d. kasachische Volksmusik«), Diss. Leningrad 1961.

Satanowski, Robert, * 20. 6. 1928 zu Łódź; polnischer Dirigent, studierte an der Musikakademie in Łódź Komposition und Dirigieren (Diplom 1951), begann seine künstlerische Laufbahn 1951 als Dirigent der staatlichen Philharmonie in Lublin, war 1954–58 Chefdirigent und künstlerischer Leiter der staatlichen Philharmonie in Bydgoszcz und wurde nach Regie-

studien an der Komischen Oper in Berlin bei Felsenstein (1958–60) GMD der Städtischen Theater Karl-Marx-Stadt. Als Chefdirigent, künstlerischer Leiter und Direktor der staatlichen Philharmonie in Poznań (1961–63) gründete er 1962 das Poznań-Kammerorchester und wurde 1963 Chefdirigent der dortigen Staatsoper. Seit 1969 ist er GMD der Vereinigten Städtischen Bühnen Krefeld und Mönchengladbach. Er komponierte Orchesterwerke (*Symphonisches Allegro*), ein Streichquartett, Klavierstücke, Chorwerke, Lieder und Bühnenmusik.

+Satie, Alfred Erik (bis 1888 Eric) Leslie, 1866–1925.
Am Pariser Conservatoire studierte S. 1879–86 [nicht: 1883/84]; sein erstes Klavierstück entstand 1884 [nicht: 1887]; Debussy lernte er erst 1891 [nicht: 1890] kennen. – Werke: »petit opéra pour marionettes« *Geneviève de Brabant* (1899), die Comédies lyriques *Pousse-l'amour* (1905, Monte Carlo 1913 als *Coco-Chérie*) und *Le piège de Méduse* (einaktig, eigener Text, 1913, Paris 1921, daraus 7 Stücke für Kl.); »Ballet chrétien« *Uspud* (1892), Pantomime *Jack-in-the-Box* für Kl. (1900, von Milhaud 1926 orchestriert, Paris 1926 mit Choreographie von Balanchine und Ausstattung von Dérain), »Ballet réaliste« *Parade* (einaktig, Cocteau, ebd. 1917, Choreographie Massine, Ausstattung Picasso, auch für Kl. 4händig), »Poses plastiques« *Mercure* (einaktig, Massine, ebd. 1924, Choreographie und Ausstattung dies.), »Ballet instantanéiste« *Relâche* (2 Akte mit einem Entr'acte cinématographique von R. Clair, Fr. Picabia, ebd., Choreographie Borlin, Ausstattung Fr. Picabia). – Suite *En habit de cheval* (1911, auch für Kl. 4händig) und *Trois petites pièces montées* (1919, für Kl. 4händig 1920, 1. Satz als *Rêverie de l'enfance de Pantagruel* auch für Kl.) für Orch., Suite *La belle excentrique* für Musichall-Orch. (1920); *Choses vues à droite et à gauche (sans lunettes)* für V. und Kl. (1912), *Sonnerie pour réveiller le bon gros roi des singes* für 2 Trp. (1921) sowie eine *Musique d'ameublement* für 3 Klar., Pos. und Kl. (mit Milhaud, 1920, Uraufführung 1920 in Paris während einer Ausstellung in der Galerie Barbazange, wobei das Publikum gebeten wurde, der Musik nicht mehr oder weniger Achtung als einem Möbel zu schenken: ‚Reden Sie, reden Sie weiter. Und gehen Sie herum. Was immer Sie tun, hören Sie nicht auf die Musik‘). – Klavierwerke: Allegro (1884, die erste Komposition ohne Taktstriche), *Valse-ballet* (1885), *Fantaisie-valse* (1885), *Ogives* (1886), 3 Sarabanden (1887), 3 *Gymnopédies* (1888, Nr 1 und 3 von Debussy 1897 orchestriert), 3 *Gnossiennes* (1890, Nr 3 von Poulenc 1939 orchestriert; erstmals ungewöhnliche Spielanweisungen; später, 1912–15, vor allem ironisch-poetische Anmerkungen im Notentext, die jedoch keinesfalls laut zu lesen sind [vgl. S.s Anm. in *Heures séculaires . . .,* 1914]), 3 weitere *Gnossiennes* (1891, 1889, 1897), *Première pensée rose + croix* (1890), *Sonneries de la rose + croix* (1892), *Danses gothiques* (1893), 4 Préludes (1893, Nr 1 und 3 von Poulenc 1939 orchestriert), *Pages mystiques* (zwischen 1893 und 1895, darin *Vexations* »pour se jouer 840 fois de suite . . .«, Uraufführung unter der Leitung von Cage am 9.–10. 9. 1963 in New York in 18 Stunden und 40 Minuten mit 10 sich abwechselnden Pianisten), *Pièces froides* (1897, mit jeweils 3 *Airs à faire fuir* bzw. *Danses de travers*), *Rêverie du pauvre* (1900), *The Dreaming Fish* (1901), *Douze petits chorals* (um 1906), *Passacaille* (1906), *Prélude en tapisserie* (1906), *Nouvelles pièces froides* (zwischen 1897 und 1910), *Deux rêveries nocturnes* (1910–11), *Préludes flasques (pour un chien)* (1912), *Véritables préludes flasques . . .* (1912), *Carnet*

de croquis et d'esquisses (zwischen 1895 und 1913), *Musiques intimes et secrètes* und 6 weitere Stücke (zwischen 1906 und 1913), *Descriptions automatiques* (1913), *Embryons desséchés* (1913), *Croquis & agaceries d'un gros bonhomme en bois* (1913), *Chapitres tournés en tous sens* (1913), *Vieux séquins et vieilles cuirasses* (1913), *Enfantines* (1913, mit jeweils 3 *Menus propos enfantins, Enfantillages pittoresques* bzw. *Peccadilles importunes*), *Les pantins dansent* (1913, auch für Orch.), *Sports et divertissements* (1914), *Heures séculaires et instantanées* (1914), *Les trois valses distinguées du precieux dégoûté* (1914), *Avant-dernières pensées* (1915), *Sonatine bureaucratique* (1917), 5 Nocturnes (1919) und *Premier menuet* (1920); *Trois morceaux en forme de poire* (1890–1903) und *Aperçus désagréables* (1908–12) für Kl. 4händig. – »Drame symphonique« *Socrate* für 4 St. und Kammerorch. (nach Plato, 1919); *Messe des pauvres* für gem. Chor und Org. (oder Kl., 1895); *Les anges, Elégie, Sylvie, Les fleurs* (alle 1886), *Chanson* (1887), *Chanson médiévale* (1906), *Trois poèmes d'amour* (eigener Text, 1914), *Trois mélodies* (1916), *Quatre petites mélodies* (1920) und 5 Lieder *Ludions* (1923) für Singst. und Kl.; Bühnenmusiken zu *Le fils des étoiles* (»Wagnérie kaldéenne«, 1891, daraus 3 Préludes für Kl., Nr 1 von Ravel 1913 orchestriert) und *Le prince de Byzance* (Hymne au drapeau für Singst. und Kl., 1891) von J. Péladan, *Le nazaréen* (H. Mazel, 1892), *La porte héroïque du ciel* (J. Bois, 1893, *Prélude de la porte* . . . für Kl., 1894) sowie *Cinq grimaces* für Orch. (für Cocteaus geplante Produktion von Shakespeares *A Midsummer Night's Dream*, 1914); über 50 Stücke für Kabarett und Café concert (*Petite ouverture à danser* und ein Walzer *Poudre d'or* für Kl., »Valses chantées« *Tendrement* und *Je te veux* sowie ein »Marche chantée« *La diva de l'Empire*, alle um 1900). – Schriften: +*Mémoires d'un amnésique* (1912), Wiederabdruck u. a. in: R. H. Myers (s. u.), und in: Il gruppo dei Sei, = L'approdo musicale 1965, Nr 19/20; *Propos à propos* (Lüttich 1954).

Lit.: E. S., Ausstellungskat. d. Bibl. nationale hrsg. v. Fr. Lesure, Paris 1966. – Oui. Lettres d'E. S. à P. de Massot, Alès 1960; weitere Briefe in: Rev. de musicol. XLVIII, 1962, S. 71ff. (3 an Debussy), bzw. Journal mus. frç. 1968, Nr 174, S. 45 (an Ravel). – +P. D. Templier [nicht: Tamplier], E. S. (1932), engl. Cambridge (Mass.) u. London 1969, Paperbackausg. 1971; +R. H. Myers, E. S. (1948), leicht geändert NY 1968 (Paperbackausg.), frz. = Leurs figures o. Nr, Paris 1959; +H. H. Stuckenschmidt, Schöpfer d. Neuen Musik (1958), Taschenbuchausg. = dtv Nr 67, München 1962, u. = Suhrkamp Taschenbuch Bd 183, Ffm. 1974. – Vl. Jankélévitch, Le nocturne, Paris 1957; J. Cage, E. S., An Imaginary Conversation, Art News Annual XXVII, 1958, Wiederabdruck in: Silence, Middletown/Conn. 1961 u. London 1968, Paperbackausg. Cambridge/Mass. u. London 1966, 41970; Ders., Defense of S. u. S. Controversy, in: J. Cage, hrsg. v. R. Kostelanetz = Documentary Monographs in Modern Art o. Nr, NY 1968, Paperbackausg. 1970, deutsch = DuMont Dokumente o. Nr, Köln 1973; R. Shattuck, The Banquet Years, London 1959 u. NY 1961, deutsch als: Die Belle Epoque. Kultur u. Ges. in Frankreich 1885–1918, München 1963; W. W. Austin, S. Before and After Cocteau, MQ XLVIII, 1962; P. Collaer, E. S. e il gruppo dei Sei, in: Terzo programma I, 1963; Ders., E. S. et »Les Six« en fonction des événements de 1914–18, in: Colloquium L. Janáček et musica Europaea Brno 1968, = Mw. Kolloquien d. Internationalen Musikfestspiele in Brno III, Brünn 1970; V. Terenzio in: Musica d'oggi VI, 1963, S. 156ff.; W. P. Gowers, S.'s Rose Croix Music (1891–95), Proc. R. Mus. Ass. XCII, 1965/66; Ders., E. S., His Studies, Notebooks and Critics, Thesis Cambridge Univ. 1966; Ph. Beaussant in: La table ronde 1966, Nr 227, S. 93ff.; A. Goléa in: NZfM CXXVII, 1966, S. 418ff.; K. H. Ruppel in: Melos XXXIII, 1966, S. 205ff.; P. Santi, Il »point de départ« di S., in:

Chigiana XXIII, N. S. III, 1966; D. Bancroft, Two Pleas f. a French. French Music, ML XLVIII, 1967; P. Dickenson in: MR XXVIII, 1967, S. 139ff.; G. Filenko in: Woprossy teorii i estetiki musyki V, hrsg. v. Ju. A. Kremljow, Leningrad 1967, S. 100ff.; L. Guichard in: Médecine de France CLXXIX, 1967, S. 33ff.; B. F. Hill, Characteristics of the Music of E. S. That Suggest the Id, Diss. Univ. of Colorado 1967; A. Messiaen, Les musiciens devant Dieu. E. S., in: Les amis de St-François IX, 1968; M. Sanouillet, E. S. et son »violon d'encre«, in: Travaux de linguistique et de littérature publ. par le Centre de philologie VII, 1969; A. Bruyère, A Honfleur, au s. dernier, ce maître-de-chapelle et ce petit S., Bull. des amis du musée de Honfleur 1970; M. Nyman, Cage and S., MT CXIV, 1973; Gr. Wehmeyer, E. S., = Studien zur Mg. d. 19. Jh. XXXVI, Regensburg 1974. →+Six.

Sauce (s'aũθe), Angel, * 2. 8. 1911 zu Caracas; venezolanischer Komponist, studierte in Caracas Violine und Komposition. Sein Kompositions- und Dirigierstudium vervollkommnete er an der Columbia University in New York. Als Violinist war er einer der Gründer des Orquesta Sinfónica Venezuela, dessen Leitung er später übernahm; er leitete auch das Konzertorchester von Radio Caracas. S. schrieb Orchesterwerke (*Movimiento sinfónico*; Violinkonzert), Kammermusik (Divertimento für Bläser; Streichquartett), *Antojos* für St. und Orch., die Kantate *Jehová reina* für Soli, Chor und großes Orch. (1948); *Psalm XCIII* für Chor und Orch., Chöre, Klavierlieder und Ballettmusik (*Romance del negro Miguel; Cecilia mujica* mit Chor).
Lit.: Werkverz. in: Compositores de América XIV, Washington (D. C.) 1968.

+Sauer, Emil [erg.:] George Konrad, 1862 – 27. [nicht: 29.] 1. 1942.

+Sauer, Franz, * 11. 3. 1894 zu Bielitz (Oberschlesien), [erg.:] † 28. 10. 1962 zu Salzburg.

+Sauer, Wilhelm, * 23. 3. 1831 [nicht: 1821] – 1916.
Nach dem zweiten Weltkrieg wurde die Orgelbauanstalt W. Sauer (Inhaber Helene Walcker-Erbengemeinschaft) in Frankfurt (Oder) von Anton Spallek (* 1895; Orgelbauer Sp. ab 1921), dem auch die Geschäftsführung übergeben wurde, wiedereröffnet. 1966 ging die Betriebsleitung an Gerhard Spallek (* 1931) über. Die Firma baut seither hauptsächlich Orgeln in der DDR (Naumburger Dom, 1953, 26 St.; Staatsoper Berlin, 1954, 62 St.; Staatliches Rundfunkkomitee Berlin, mit H. H. Jahnn, 1957, 80 St.) und in der Sowjetunion (Konservatorium in Nowosibirsk, 1968, 43 St.).
Lit.: K. Dreimüller, K. Straubes S.-Org. in Wesel, in: Studien zur Mg. d. Rheinlandes II, Fs. K. G. Fellerer, = Beitr. zur rheinischen Mg. III, Köln 1962.

+Sauguet, Henri (Pseudonym für Henri-Pierre Poupard), * 18. 5. 1901 zu Bordeaux.
S., Offizier der Légion d'honneur und Ehrenmitglied der American Academy of Arts and Letters, wurde 1969 zum Präsidenten der Société des auteurs et compositeurs dramatiques gewählt. Neuere Werke: die Oper +*La chartreuse de Parme* (nach Stendhal, 1939, Neufassung Grenoble 1968); die Ballette *L'as de cœur* (Marseille 1960), *Pâris* (Paris 1964) und *L'imposteur ou Le prince et le mendiant* (französisches Fernsehen 1965, Prix Italia 1965), choreographische Kantate *Plus loin que la nuit et le jour* für T. und gem. Chor a cappella (Bordeaux 1961); *Symphonie de marches* (1966) und 4. Symphonie *Troisième âge* (1971), 2 *Mouvements* für Streicher (1964); insgesamt 3 Klavierkonzerte (+1933), *Rêverie concertante*, 1948; *Concert des mondes souterrains*, 1963); *Mélodie concertante* für Vc. und Orch. (1963), 6 Fanfaren für 2 Trp. und 4 Pos. (1969), *Golden Suite* für 2 Trp., Horn, Pos. und Tuba (1963), *Sonatine bu-*

colique für Altsax. und Kl. (1964), *Sonatine au bois* für Ob. und Kl. (1971), *Suite royale* für Cemb. (1962); Oratorium *Chant pour une ville meurtrie* für Bar., gem. Chor und Orch. (1967), die Kantaten *Le cornette* für Bar. und Orch. (nach Rilke, 1951, Neufassung 1967) und *L'oiseau a vu tout cela* für Bar. und Streichorch. (1960); 3 *Chants de contemplation* für A., B. und 4 Block-Fl. (Laotse, 1971), »Suite chantée« *Vie des campagnes* (1961), 2 Sonette (nach Shakespeare, 1964), 3 *Elégies* (1967) und 3 *Innocentines* (1971) für Singst. und Kl.; 4 Chöre a cappella (L.Emié, 1965); *L'espace du dedans* für B. solo (H. Michaux, 1965); Filmmusiken. – S. veröffentlichte auch kleinere Zeitschriftenbeiträge, u. a. *Cl. Debussy, musicien français* (in: Cl.Debussy 1862-1962, = RM 1964, Nr 258) und ein (autobiographisches) *Propos impromptu* (in: Le courrier musical de France 1966, Nr 16).
Lit.: M. SCHNEIDER, H. S., = Musiciens d'aujourd'hui III, Paris 1959; J. ROY, Présences contemporaines, Musique frç., ebd. 1962 (mit Werkverz. u. Bibliogr.); FR. Y. BRIL, H. S., L'homme et son œuvre, = Musiciens de tous les temps XXXIII, ebd. 1967 (mit Schriften.S.s); L. PINZAUTI in: nRMI IV, 1970, S. 482ff. (Interview).

+Saul, Felix, 1883 – [erg.: 16. 11.] 1942 [erg.:] zu Stockholm.

Saunders (s'ɔ:ndəz), Arlene, * 5. 10. 1935 zu Cleveland (O.); amerikanische Opernsängerin (lyrischer Sopran), studierte am Baldwin-Wallace College in Berea/O. (B. M.) und trat 1962 erstmalig an der Metropolitan Opera auf. Seit 1964 ist sie Mitglied der Hamburgischen Staatsoper (Kammersängerin). A. S. gastiert u. a. an den Staatsopern in Wien und München, der Deutschen Oper Berlin sowie an den Opernhäusern in Stockholm, Kopenhagen und Oslo.

+C. Sauter KG.
Nach dem Tode von Carl S. (* 28. 3. 1876 und † 16. 1. 1948 zu Spaichingen, Württemberg) übernahm 1948 sein Sohn Hans (* 8. 2. 1921 zu Spaichingen, † 22. 5. 1968 zu Tübingen) die Leitung der Pianofortefabrik; seit 1968 liegt sie in Händen von dessen Bruder Carl (* 16. 5. 1936 zu Spaichingen). Die jährliche Produktion des Unternehmens beträgt heute ca. 2500 Klaviere und Flügel.
Lit.: 140 Jahre Kl. aus Spaichingen in Württemberg, Instrumentenbau-Zs. XIV, 1959; Pfte-Fabrik C. S. zum 150jährigen Bestehen, Fs., Trossingen 1969; G. GLÜCK-SELIG in: Das Musikinstr. XXIII, 1974, S. 176f.

Sauvage (sov'a:ʒ), Cathérine (eigentlich Janine Saunier), * 25. 9. 1929 zu Nancy; französische Chansonsängerin, debütierte 1948 im Pariser »Bœuf sur le toit« und wurde bereits im gleichen Jahr für Schallplattenaufnahmen engagiert. Sie interpretiert, stets nur mit Klavierbegleitung, u. a. Chansons von Ferré (*Tu n'en reviendras pas*; *Il n'aurait fallu*; *Est-ce ainsi que les hommes vivent?*; *Comme dans la haute*; *La Maffia*; *L'homme*), nach Texten von Brecht (*Nana's Lied*; *Surabaya Johnny*; *Mère Courage*; *La chanson de Mandalay*; *La fiancée du pirate*) und Gilles Vigneault (*Mon pays*; *Jack Monoloy*; *Tam di delam*; *Fer et Titan*). Von ihren Chansons seien außerdem noch *Et je cousais*, *Han Coolie*, *Toi qui disais* und *Les canuts* sowie die Hommage à Charles Trenet *Le grand monsieur blond* genannt. 1962 erhielt sie den Grand Prix national (Prix Francis Carco) der Académie du Disque Français für die Interpretation der Chansons von Ferré. C. S. machte sich auch als Schauspielerin einen Namen, vor allem in Stücken Brechts und Claudels.
Lit.: F. SCHMIDT, Das Chanson, = Slg Damokles VIII, Ahrensburg u. Paris 1968; J. CHARPENTREAU, Nouvelles vieillées en chanson, Paris 1970.

+Sauveur, Joseph, 1653–1716.
Lit.: L. AUGER, Un fondateur de l'acoustique, J. S., membre de l'Acad. des sciences, Thesis (Lettres) Paris 1956.

+Savard, –1) Marie-Gabriel-Augustin, 1814 [nicht: 1841] – [erg.: 7.] 6. 1881.
Von seinen Lehrbüchern seien genannt: *Cours complet d'harmonie théorique et pratique* (2 Bde, Paris 1853, ¹³1886) und *Principes de la musique* (ebd. 1861, ¹⁴1913).

Savin, Risto (eigentlich Friderik Širca), * 11. 7. 1859 zu Žalec (Slowenien), † 15. 12. 1948 zu Zagreb; slowenischer Komponist, Offizier im Hauptberuf (zuletzt, 1918, Brigadegeneral der k. und k. österreichisch-ungarischen Armee), studierte Komposition bei R. Fuchs in Wien (1892–96) sowie bei František Hessler und Knittl in Prag (1897–99). Er ist einer der bedeutendsten Vertreter der slowenischen Neuromantik. Zu seinen charakteristischen Werken zählen die Opern *Lepa Vida* (»Die schöne Vida«, Laibach 1909), *Gosposvetski sen* (»Der Traum von Gospa Sveta«, ebd. 1923) und *Matija Gubec* (ebd. 1936), ferner ein Scherzo für Orch. (1894), ein Streichquartett D moll (1895), eine Ballade Des moll für V. und Kl. (1919) und Lieder (*Zimska idila*, »Winteridylle«, 1900; *Pet pesmi Otona Župančiča*, »5 Gedichte von O. Župančič«, 1906).
Lit.: DR. CVETKO, R. S., ... (»Persönlichkeit u. Werk«), Ljubljana 1949; DERS., Život i rad kompozitora R. S. (»Leben u. Werk d. Komponisten R. S.«), Belgrad 1958.

Savinio, Alberto (eigentlich Andrea de Chirico), * 25. 8. 1891 zu Athen, † 6. 5. 1952 zu Rom; italienischer Komponist, Musikschriftsteller, Maler und Bühnenbildner, Bruder von Giorgio de Chirico, studierte Orgel und Komposition in Athen sowie ab 1906 in München bei Reger und lebte dann vorübergehend in Paris. Als Maler stand er dem Surrealismus nahe, als Musiker war er von Strawinsky beeinflußt. Von seinen Kompositionen seien genannt die Opern *Carmela* (Rom 1950) und *Orfeo vedovo* (ebd. 1950), die Funkopern *Agenzia Fix* (auf eigenes Libretto, RAI 1950) und *Cristoforo Colombo* (ebd. 1952), die Ballette *Perseo* (Choreographie Fokin, NY 1924), *Ballata delle stagioni* (Venedig 1925), *Vita dell'uomo* (Mailand 1951) und die mimische Tragödie *La morte di Niobe* (ebd.). Er veröffentlichte *Narrate uomini la vostra storia* (Mailand 1942); postum erschienen *Scatola sonora* (mit Einleitung von F. Torrefranca, ebd. 1955) und *A.Casella* (mit B. Barilli, ebd. 1957). Als Bühnenbildner entwarf er für die Mailänder Scala die Szenerie zu *Oedipus Rex* (1948), *Les contes d'Hoffmann* (1949) und zu *L'oiseau de feu* (1949).

+Savioni, Mario, [erg.: um] 1608 – [erg.: 22. 4.] 1685.
Ausg.: 5 Madrigale zu 5 St. mit Gb., hrsg. v. I. R. EISLEY, = Chw. CXIII, Wolfenbüttel 1972.
Lit.: I. R. EISLEY, The Secular Cantatas of M. S., 2 Bde (I Text, II Ausg. v. 5 Kantaten), Diss. Univ. of California at Los Angeles 1964, Teildruck als: M. S., = The Wellesley Ed. Cantata Index Series II, Wellesley (Mass.) 1964.

+Sawallisch, Wolfgang, * 26. 8. 1923 zu München.
Am Opernhaus in Köln und an der dortigen Musikhochschule wirkte S. bis 1963. Chefdirigent der Wiener Symphoniker, mit denen er auch mehrere Konzerttourneen innerhalb Europas, nach Amerika und Japan unternahm, war er bis 1970, GMD der Hamburger Philharmonie bis 1973. 1970 wurde er als Nachfolger von E. Ansermet zum Leiter des Orchestre de la Suisse Romande ernannt; seit 1971 ist S. auch GMD der Bayerischen Staatsoper in München. Seit 1964 dirigiert er jährlich das NHK-Rundfunkorchester in Tokio

(1967 Ehrenmitglied) und leitet seit 1965 jährlich eine Einstudierung an der Mailänder Scala. Ständige Gastverpflichtungen verbinden ihn des weiteren mit dem Orchestro stabile der Accademia nazionale di S. Cecilia in Rom (Ernennung zum Ehrenmitglied der Akademie 1968). Darüber hinaus wirkt S. an zahlreichen bedeutenden Musikzentren und ist bei verschiedenen Festspielveranstaltungen hervorgetreten.
Lit.: W. SCHREIBER in: Musicalia I, 1970, Nr 2, S. 42ff., u. G. SCHUHMACHER in: Schallplatte u. Kirche 1970, S. 67ff. (Interviews).

Sawicki (sav'itski), Karol Mikołaj, * 1793 zu Stanisławów (bei Warschau), † 13. 10. 1850 zu Wien; polnischer Geigenbauer, arbeitete ab 1824 in Wien. Er nahm sich die Stradivari-Instrumente zum Vorbild und galt als einer der besten Geigenbaumeister seiner Zeit.
Lit.: W. L. v. LÜTGENDORFF, Die Geigen- u. Lautenmacher v. MA bis zur Gegenwart, Ffm. 5–61922, Nachdr. Tutzing 1968, Bd II, S. 436.

+Sax [–1) Charles Joseph], –2) Adolphe, 1814–94.
Lit.: +L. KOSCHNITZKY, A. S. and His Sax. (1949), NY 21964. – L. G. LANGWILL, An Index of Mus. Wind-Instr. Makers, Edinburgh 1960, 21962; J. BRUYR, S., le saxo et leur hist., in: Musica (Disques) 1963, Nr 111; G. BRENTA, A. S. et la facture instr., Bull. de la Classe des beaux-arts de l'Acad. royale de Belgique XLIX, 1967; R. E. CROUCH, The Contributions of A. S. to the Wind Band, Diss. Florida State Univ. 1968, Zusammenfassung in: Journal of Band Research V, 1968 – VI, 1969.

+Sayão, Bidú ([erg.:] eigentlich Balduina de Oliveira S.), * 11. 5. 1902 zu Niteroi (bei Rio de Janeiro) [nicht: zu Rio de Janeiro].
B. S. sang zuletzt 1951/52 an der Metropolitan Opera in New York, war danach vorwiegend als Konzertsängerin zu hören, bis sie sich Ende der 50er Jahre aus dem Musikleben zurückzog.
Lit.: Le grandi v., hrsg. v. R. CELLETTI, = Scenario I, Rom 1964, Sp. 720ff. (mit Diskographie).

+Saygun, Ahmed Adnan, * 7. 9. 1907 zu Izmir.
S. ist weiterhin Professor für Komposition am Staatskonservatorium in Ankara. – Weitere Werke: 2. Streichquartett op. 35; Partita für V. solo op. 36; Le livre du mort für Singst. und Orch. op. 37; 10 Etüden im Aksak-Rhythmus für Kl. op. 38; 3. Symphonie op. 39; Lehrwerk Modale solfège op. 40 (Übungen in modaler Musik und asymmetrischen türkischen Taktarten); 10 Volkslieder für Singst. und Kl. op. 41; »Ballet-féerie« Gilgameş für Soli, Chor, Ballett und Orch. op. 42; 3. Streichquartett op. 43; Violinkonzert op. 44; 12 Praeludien im Aksak-Rhythmus für Kl. op. 45; Bläserquintett op. 46; Poème für Streichorch. op. 47; die Oper Köroğlu (Ankara 1973). – Von seinen musikethnologischen Aufsätzen seien genannt: Bartók in Turkey (MQ XXXVII, 1951; Erinnerungsber. über Bartóks Forschungen 1936); Ethnomusicologie turque (AMl XXXII, 1960); La genèse de la mélodie (Fs. Z. Kodály, = StMl III, 1962); Quelques réflexions sur certaines affinités des musiques folkloriques turque et hongroise (StMl V, 1963); The Classification of Pre-Modal Melodies (in: Folklore and Folk Music Archivist VII, 1964/65). S. veröffentlichte ferner musikpädagogische Schriften.

Saz, Ilja Alexandrowitsch, * 18.(30.) 4. 1875 zu Tschernobyl (Gouvernement Kiew), † 11.(24.) 10. 1912 zu Moskau; russischer Dirigent und Komponist, studierte in Moskau bei S. Tanejew (Komposition) und beendete 1907 sein Dirigentstudium an der Philharmoniemusikschule. Ab 1906 war er als Dirigent und musikalischer Leiter am Moskauer Chudoschestwennyj Teatr (»Künstlertheater«) tätig. Er schrieb die Oper Skaska o solotom jaitschke (»Das Märchen vom goldenen

Ei«), Parodieopern (u. a. Kriwoje serkalo, »Der krumme Spiegel«, 1908), das Oratorium U prikasnych worot (»Torweg zur Kanzlei«) sowie Instrumentalwerke, Lieder und Bühnenmusik.
Lit.: I. S., Moskau 1923 (Sammel-Bd); I. S. SULLERSCHIZKIJ, I. S. i Chudoschestwennyj Teatr, in: Jeschegodnik Chudoschestwennowo Teatra 1943 (Moskau); I. S., Is sapisnych knischek, ... (»Aus Notizbüchern. Erinnerungen v. Zeitgenossen«), hrsg. v. N. SAZ, Moskau 1968.

Saz, Natalja Iljinitschna, * 14.(27.) 8. 1903 zu Moskau; russisch-sowjetische Opernspielleiterin und Dramaturgin, Tochter von Ilja S., absolvierte 1917 die Skrjabin-Musikschule in Moskau und war 1921–37 Direktorin und künstlerische Leiterin des Zentralkindertheaters in Moskau, für das Prokofjew sein symphonisches Märchen Petja i wolk (»Peter und der Wolf«) geschrieben hatte. 1931 inszenierte sie an der Berliner Staatsoper Verdis Falstaff und am Teatro Colón in Buenos Aires Werke von Mozart sowie Wagners Der Ring des Nibelungen. 1937 wurde sie in ein sowjetisches Konzentrationslager eingeliefert. Nach ihrer Rehabilitierung arbeitete sie eine Zeitlang in Alma-Ata. 1964 gründete sie das erste Kinderoperntheater der UdSSR in Moskau. Eine Reihe sowjetischer Komponisten (u. a. Chrennikow, Wladimir Rubin, Kabalewskij, Judif Roschawskaja) schrieben Kinderopern für dieses Theater. – N. S. veröffentlichte u. a.: Teatr dlja detej (»Theater für Kinder«, Leningrad 1925); The Moscow Theatre for Children (Moskau 1934); Deti prichodjat w teatr (»Kinder kommen ins Theater«, ebd. 1961, deutsch als Kinder im Theater, Bln 1966); Wolschebnyje otschki (»Zauberbrille«, Moskau 1965); Nowelly mojej schisni (»Novellen aus meinem Leben«, ebd. 1973); Kak sosdalsja »Petja i wolk« (»Wie ,Peter und der Wolf' entstand«, SM XXV, 1961); Das einzige Kinder-Musiktheater der Welt (in: Theater der Zeit XXV, 1970).
Lit.: W. SAK, Dobryj i umnyj drug (»Guter u. kluger Freund«), SM XXVII, 1963; S. BORISSOWA, Talant i wolja (»Talent u. Wille«), SM XXXVII, 1973.

Sbarra, Francesco, getauft 19. 2. 1611 zu Lucca, † 1668 zu Wien; italienischer Librettist, war ab 1662 kaiserlicher Hofdichter in Wien. Er schrieb für A. Cesti mehrere Textbücher, darunter zu Alessandro vincitor di se stesso (Venedig 1651, mit Ergänzungen von Marco Bigongiari, Lucca 1654), La magnanimità di Alessandro (Innsbruck 1662) und Il pomo d'oro (Wien 1668). Auf Libretti von Sb. fußen auch das Reiterballett La contesa dell'aria e dell'agua (Musik Bertali, ebd. 1667) und das Sepolcro Il lutto dell'universo (Musik Leopold I., ebd. 1668).

+Scacchi, Marco, 1602 – um 1685.
Sein Lehrer war [erg.: G. Fr.] Anerio.
Ausg.: ein Satz in: Muzyka w dawnym Krakowie, hrsg. v. Z. M. SZWEYKOWSKI, Krakau 1964.
Lit.: W. KMICIC-MIELESZYŃSKI, Geneza »Cribrum musicum«, in: Muzyka II, 1957; DERS., Poglądy M. Sc.ego na znajomość kontrapunktu P. Sieferta (»M. Sc.s Meinung über P. Sieferts Kenntnis d. Kontrapunkts«), in: Zeszyty naukowe państwowej Wyższej szkoły muzycznej w Gdańsku XX, Danzig 1972; CL. V. PALISCA in: MGG XI, 1963, Sp. 1466ff.; H. FEDERHOFER, M. Sc.s »Cribrum musicum« (1643) u. d. Kompositionslehre v. Chr. Bernhard, Fs. H. Engel, Kassel 1964; C. DAHLHAUS, Cribrum musicum. Der Streit zwischen Sc. u. Siefert, in: Norddeutsche u. nordeuropäische Musik, hrsg. v. dems. u. W. Wiora, = Kieler Schriften zur Mw. XVI, 1965.

Scaglia (sk'a:ʎa), Ferruccio, * 20. 2. 1921 zu Turin; italienischer Dirigent und Violinist, studierte 1936–42 Violine, Klavier und Komposition am Conservatorio di Musica G. Verdi in Turin sowie Violine an der Accademia Nazionale di S. Cecilia in Rom und bei

Serato an der Accademia Musicale Chigiana in Siena. Er konzertierte 1937–48 als Violinsolist und übernahm 1948 die Leitung des Orchesters der RAI in Rom. 1972 wurde er künstlerischer Leiter und ständiger Dirigent am Teatro Massimo Bellini in Catania. Sc. wirkt als Gastdirigent an den großen Opernbühnen Italiens.

+Scalero, [erg.: Bartolomeo Melchiorre] Rosario, 1870 – 25. [nicht: 24.] 12. 1954 zu Settimo Vittone (bei Turin) [nicht: Montestrutto].

Scamozzi, Vincenzo, * 1552 zu Vicenza, † 7. 8. 1616 zu Venedig; italienischer Architekt und Architekturtheoretiker in der direkten Nachfolge →Palladios, erhielt seine Ausbildung bei seinem Vater Bertotti Sc., einem dem Kreis der Accademia Olimpica in Vicenza angehörenden Baumeister. Er wirkte vor allem in Venedig (Vollendung der von Jacopo Sansovino begonnenen Biblioteca Marciana; Neue Prokurazien). Mit seinem theoretischen Werk *L'idea della architettura* (Venedig 1615), das die endgültige Kodifikation der Säulenordnungen enthält, hat er die Architektur in Mittel- und Westeuropa nachhaltig beeinflußt. Sc. vollendete neben anderen Bauten Palladios auch dessen Teatro Olimpico in Vicenza; er fügte der Vorderbühne mit ihren fünf Öffnungen eine stehende, plastische Bühnendekoration hinzu, die in die Tiefe gestaffelte Straßenansichten mit verschiedenen Fluchtpunkten zeigt; die Hinterbühne baute er aus Holz und Stuck. Sc. realisierte dieses Verfahren auch bei der Bühnendekoration des kleinen Teatro Olimpico in Sabbioneta, das er 1588–89 im Auftrag Herzog Vespasiano Gonzagas errichtete, dem einzigen erhaltenen Beispiel eines intimen Hoftheaters der Renaissance. Er stützte sich auf einen von Serlio in seinem Architekturtraktat veröffentlichten Plan eines Theaters, folgte aber nicht dessen Empfehlung, für die Dekoration leinwandbespannte Winkelrahmen zu verwenden. Dieses Theater steht am Ende einer Entwicklung; das Barocktheater spielt auf der Guckkastenbühne mit beweglichen Dekorationen (erstmals verwirklicht im Teatro Farnese in Parma, 1618, von Giovanni Battista Aleotti). Lit.: G. PECCATI, Il Teatro Olimpico di Sabbioneta, Mantua 1950; F. BARBIERI, V. Sc., Vicenza 1952; L. MAGAGNATO, Teatri ital. del Cinquecento, ebd. 1954; L. PADOAN URBAN, Teatri e »teatri del mondo« nella Venezia del Cinquecento, in: Arte veneta XX, 1966; L. PUPPI, Breve storia del Teatro Olimpico, Vicenza 1973.

+Scandello, Antonio (de Scandellis, Scandelli), 1517–80.
Ausg.: 2 homophone Sätze aus d. »Johannespassion«, hrsg. v. K. E. MILLER, = Recent Researches in the Music of the Renaissance XVII, Madison (Wis.) 1970.
Lit.: +O. KADE, Die ältere Passionskomposition bis zum Jahre 1631 (1893), Nachdr. Hildesheim 1971. – D. HÄRTWIG in: MGG XI, 1963, Sp. 1472ff.; R. CASPARI, Liedtradition im Stilwandel um 1600, = Schriften zur Musik XIII, München 1971.

Scaramuzza, Vicente, * 19. 6. 1885 zu Cotrona (Kalabrien), † 24. 3. 1968 zu Buenos Aires; argentinischer Pianist und Komponist italienischer Herkunft, begann seine musikalischen Studien bei seinem Vater Francesco Sc., studierte dann bis 1906 in Neapel bei Florestano Rossomando, d'Arienzo und G. Martucci am Conservatorio S. Pietro a Majella, an dem er kurze Zeit auch unterrichtete. 1907 übersiedelte er nach Buenos Aires, trat als Konzertpianist auf und widmete sich ab 1919 ausschließlich der klavierpädagogischen Tätigkeit an seinem 1912 gegründeten eigenen Konservatorium. Zu seinen Schülern zählen u. a. Martha Argerich, P. Calderón, De Raco, García Acevedo, Gelber, Maragno, Sciamarello und Spivak. Sc. komponierte

die Opern *La bella durmiente del bosque* (Teile 1912 aufgeführt in Buenos Aires) und *Hamlet*, zahlreiche Klavierstücke sowie Vokalwerke.

+Scarlatti, Familie.
–2) Anna Maria, 1661–1703. –4) Francesco Antonio Nicola, 1666 – um 1741(?) [nicht: 1725/26]. –6) Tommaso, zwischen 1670 und 1672 [del.: 1671] – 1760. –10) Giuseppe, um 1718 [nicht: 24. 6. 1723] – 1777, Neffe von Domenico Sc., nicht identisch mit dem am 24. 6. 1723 zu Neapel geborenen gleichnamigen Sohn von Tommaso.
Lit.: H. HUCKE in: MGG XI, 1963, Sp. 1518ff. – zu –2): U. PROTA-GIURLEO, Notizie intorno ad A. M. Sc., in: Archivi (Arch. d'Italia e rassegna internazionale degli arch.) II, 27, 1960. – zu –10): P. FIENGA, G. S. et son incertaine ascendance directe, RM XIII, 1933; J. ZÁLOHA, Premiéra G. Sc. v Českém Krumlově roku 1768 (»Die Premiere einer Oper v. G. Sc. in Böhmisch-Krumau 1768«), in: Hudební věda IX, 1972 (mit deutscher Zusammenfassung).

+Scarlatti, Pietro Alessandro Gaspare, 1660 – 22. [nicht: 24.] 10. 1725.
Sc. war die dominierende Persönlichkeit der italienischen Musik zur Zeit des Hochbarocks. Ausgehend von den verschiedenartigen stilistischen Strömungen des 17. Jh., verläuft seine Entwicklung auf eine zunehmende Standardisierung der Formen und Differenzierung der Ausdrucksweisen hin. Mit seinen über 800 [del.: ungefähr 660] Kantaten (von der Kenner- und Problemkantate, oft mit ungewöhnlichen chromatischen Wendungen, bis zur repräsentativen Festmusik reichend) erlangt die Gattung den Gipfel ihrer Entwicklung. Um 1704 hat Sc. den Kantatentypus mit 2 da capo-Arien (die einfache Basso continuo-Begleitung überwiegt) ausgeprägt, der dann modellhaft wurde. Auch in seinen Opern (114 nach eigener Angabe) ist die Basso continuo-Arie (meist Devisenarie) zunächst vorherrschend. Mit +*Pirro e Demetrio* (1694) wird die da capo-Arie zur Regel, wobei auch deren Begleitung mannigfaltiger wird. Die dreiteilige Form der Einleitungs-Sinfonia findet sich erstmals in der Oper *Dal male il bene* (Neapel 1687; vielleicht schon in der Erstfassung +*Tutto il mal non vien per nuocere*, Rom 1681 [del. frühere Angabe dazu]). In der musikalischen Komödie *Il trionfo dell'amore* (Neapel 1718), dem einzigen Werk dieser Gattung, das auf neapolitanischen Dialekt und Lokalkolorit verzichtet, scheitert der Versuch Sc.s, die neapolitanische Komödie zur Opera buffa zu reformieren. Schon zu Beginn des 18. Jh. wurden Sc.s Werke als zu ernsthaft und gelehrt kritisiert.
Ausg.: La Griselda, hrsg. v. O. DRECHSLER, Kassel 1960; Kantate »Lascia deh lascia« f. S. u. B. c., hrsg. v. R. JAKOBY, Köln u. NY 1968; Kantaten »Bella madre de' fiori« u. »Nacqui a' sospiri e al pianto« f. S., Streicher u. B. c., hrsg. v. L. BETTARINI, = Collezione settecentesca Bettarini II, Mailand 1969; Solokantaten »Io son pur solo« u. »Lontan dalla sua Clori« f. S. u. B. c., hrsg. v. M. BOYD, 2 H., = Concerto vocale o. Nr, Kassel 1972. – Motette »Est dies trophie« f. 4 Soli, gem. Chor, 2 V. u. B. c., hrsg. v. M. MARTENS, = Brooklyn College Choral Series o. Nr, NY 1959; Gli oratorii, hrsg. v. L. BIANCHI, bisher 5 Bde (I: La Giuditta di Napoli, II: Agar e Ismaele, III: La Giuditta di Cambridge, IV: Il primo omicidio, V: Il David / Davidis pugna et victoria), Rom 1964–69; Graduale »Audi filia« (1720) f. 2 S., A., 5st. Chor, 2 Ob., Fag. ad libitum, Streicher u. B. c., hrsg. v. J. STEELE, London 1968; Cäcilien-Messe (1720) f. 2 S., A., T., B., gem. Chor, Streicher u. Org., hrsg. v. DEMS., ebd.; Concerto »Laudate Dominum« f. S., A., 2 T., B., 2 V., 2 Va u. B. c., hrsg. v. J. E. SHAFFER, St. Louis (Mo.) 1973. – Sinfonia Nr 12 C moll f. Kammerorch., hrsg. v. R. MEYLAN, = HM CLXVIII, Kassel 1960; Sinfonia concertata f. Fl., Trp., Streicher u. Cemb., hrsg. v. H. DERÉGIS, Mailand 1964;

7 Sonaten f. Fl., Streicher u. B. c., hrsg. v. L. BETTARINI, = Collezione settecentesca Bettarini I, ebd. 1969; Sinfonie Nr 6–11 f. Fl. u. Streichorch., hrsg. v. R.-J. KOCH, = Sinfonietta o. Nr, Ffm. 1973. – 3 Sonaten f. Vc. u. Cemb. (Kl.), hrsg. v. G. ZANABONI u. R. BRANCALEON, Padua 1968; Toccata primi toni, f. Org. bearb. v. TH. KLEIN, Wiesbaden 1972. – +Discorso di musica, in: J. PH. KIRNBERGER, Die Kunst d. reinen Satzes (1779), Nachdr. Hildesheim 1968.
Lit.: R. PAGANO u. L. BIANCHI, A. Sc., = Collana di monografie per servire alla storia della musica ital. o. Nr, Turin 1972 (mit Werkverz., Bibliogr. u. Diskographie v. G. Rostirolla). – G. CONFALONIERI in: Immagini esotiche nella musica ital., hrsg. v. A. Damerini u. G. Roncaglia, = Accad. mus. Chigiana (XIV), Siena 1957, S. 39ff. (zur Oper »Varrone e Perricca«); E. T. FERAND, Embellished »Parody Cantatas« in the Early 18th Cent., MQ XLIV, 1958; M. FABBRI, Le musiche di A. Sc. »per il tempo di Penitenza e di Tenebre« (Il ms. N. 443 dell'Accad. filarmonica di Bologna), in: I grandi anniversari del 1960 ..., hrsg. v. A. Damerini u. G. Roncaglia, = Accad. mus. Chigiana (XVII), Siena 1960; DERS., A. Sc. e il principe F. de' Medici, = »Hist. musicae cultores« Bibl. XVI, Florenz 1961; DERS., Torna alla luce la partitura autografa dell'oratorio »Il primo omicidio« di A. Sc., in: Chigiana XXIII, N. S. III, 1966; A. GARBELOTTO, A. Sc., = I grandi siciliani o. Nr, Palermo 1962; E. H. HANLEY, A. Sc.'s »Cantate da camera«. A Bibliogr. Study, Diss. Yale Univ. (Conn.) 1963; O. M. HENRY, The Doctrine of Affections in Selected Solo Cantatas of A. Sc., Diss. Ohio State Univ. 1963; CL. TERNI, »Stile e armonie« di A. Sc. per un dramma liturgico, in: Le celebrazioni del 1963 ..., hrsg. v. M. Fabbri, = Accad. mus. Chigiana (XX), Siena 1963; M. BOYD, Form and Style in Sc.'s Chamber Cantatas, MR XXV, 1964; C. MOREY, The Late Operas of A. Sc., Diss. Indiana Univ. 1965; L. BETTARINI, Appunti critici sulle »Sette sonate« per fl. e archi di A. Sc., in: Chigiana XXV, N. S. V, 1968; D. J. GROUT, La »Griselda« di Zeno e il libretto dell'opera di Sc., nRMI II, 1968; J. LÓPEZ-CALO, L'intervento di A. Sc. nella controversia sulla messa »Scala Aretine« di Fr. Valls, in: Analecta musicologica V, 1968; D. G. POULTNEY, The Oratorios of A. Sc., Their Lineage, Milieu, and Style, Diss. Univ. of Michigan 1968; DERS., A. Sc. and the Transformation of Oratorio, MQ LIX, 1973; J. A. WESTRUP, A. Sc.'s »Il Mitridate Eupatore« (1707), in: New Looks at Italian Opera, Fs. D. J. Grout, Ithaca (N. Y.) 1968; L. BIANCHI, Carissimi, Stradella, Sc. e l'oratorio mus., = Contributi di musicologia II, Rom 1969; P. A. BRANDVIK, Selected Motets of A. Sc., Diss. Univ. of Illinois 1969 (mit Ed. v. 16 Motetten); J. E. SHAFFER, The C. f. in Sc.'s Motets, Diss. G. Peabody College f. Teachers (Nashville/Tenn.) 1970; P. R. PIERSALL, The B. Cantatas of A. Sc., Diss. Univ. of Oregon 1971; G. PESTELLI, Haendel e A. Sc., Problemi di attribuzione nel Ms. A. 7b. 63. Cass. della Bibl. del Conservatorio »N. Paganini« di Genova, RIdM VII, 1972; DERS., Le toccate per tastiera di A. Sc. nei mss. napoletani, in: Analecta musicologica XII, 1973; M. F. ROBINSON, Naples and Neapolitan Opera, London 1972; GL. ROSE, Two Operas by Sc. Recovered, MQ LVIII, 1972 (zu »Comodo Antonino« u. »Fidalba e Oreste«); E. KRIST, A. Sc.'s »Messa di S. Cecilia«, American Choral Rev. X, 1973; J. STEELE, Dixit Dominus. A. Sc. and Handel. in: Studies in Music VII, 1974; E. BADURA-SKODA, Ein Aufenthalt A. Sc.s in Wien im Oktober 1681, Mf XXVII, 1974.   HHu

+Scarlatti, Giuseppe Domenico, 1685–1757.
Sc.s Oper +Amor d'un'ombra e gelosia d'un'aura (1714) wurde 1720 in London [nicht: Rom] als Narciso aufgeführt.
Ausg.: Essercizi per gravicemb. (1738), Faks.-Ausg. Farnborough 1967; Complete Keyboard Works, in Faks. nach Mss. u. Frühdrucken hrsg. v. R. KIRKPATRICK, 18 Bde, NY 1972. – +Opere complete per clavicemb. (A. LONGO, 1906–37), Nachdr. Mailand 1970. – Sonaten u. Fugen f. Org., hrsg. v. L. HAUTUS, Kassel 1968; GA d. Sonaten, hrsg. v. K. GILBERT, bisher Bd V–XI (K. 206–555), = Le pupitre XXXV–XLI, Paris 1971–75. – Salve regina, f. Mezzo-S., Streichorch. u. B. c. hrsg. v. R.

EWERHART, = Polyphonia sacra o. Nr, Köln 1960; Kantate »Amenissimi prati« f. B. u. B. c., hrsg. v. L. HAUTUS, ebd. 1971; Salve regina A moll f. S., A. u. B. c., hrsg. v. DEMS., = Concerto vocale o. Nr, Kassel 1971. – Capriccio fugato, f. 12 Melodieinstr. (Streicher oder Bläser) u. Gb. hrsg. v. P. WINTER, Köln 1969 (vgl. dazu L. Hautus in: Mf XXIV, 1971, S. 294f.).
Lit.: +M. SEIFFERT, Gesch. d. Klaviermusik (1899), Nachdr. Hildesheim u. Wiesbaden 1966; +H. RIEMANN, Präludien u. Studien (III, 1901), Nachdr. Hildesheim 1967; +F. TORREFRANCA, Le origini ital. del romanticismo mus. (1930), Nachdr. = Bibl. musica Bononiensis III, 18, Bologna 1969; +W. GERSTENBERG, Die Klavierkompositionen D. Sc.s (1933), Nachdr. =Forschungsbeitr. zur Mw. XXII, Regensburg 1969; +S. SITWELL, A Background f. D. Sc. (1935), Nachdr. Freeport (N. Y.) 1970, auch Westport (Conn.) 1971; +W. GEORGII, Klaviermusik (1941, 31956), Zürich 41965; +R. KIRKPATRICK, D. Sc. (1953), Princeton (N. J.) 61970, Nachdr. d. Aufl. v. 1953 = Apollo-Ed. A-200, NY 1968 (Paperbackausg.), ins Deutsche übers. u. erweitert hrsg. v. H. Leuchtmann, 2 Bde (II Anh., Dokumente u. Werkverz.), München 1972; +M. BOGIANCKINO, L'arte clavicembalistica di D. Sc. (1956), engl. als: The Harpsichord Music of D. Sc., = Contributi di musicologia I, Rom 1967.
A. DELLA CORTE, »Tetide in Sciro«. L'opera di D. Sc. ritrovata, Rass. mus. XXVII, 1957; H. KELLER, D. Sc., Lpz. 1957; N. MAISSA, Alguns apontamentos sobre a vida e a obra de D. Sc., in: Estudos ital. em Portugal XVII/XVIII, 1958/59; J. KÁRPÁTI, D. Sc., = Kis zenei könyvtár X, Budapest 1959; A. D. McCREDIE, D. Sc. and His Opera »Narciso«, AMl XXXIII, 1961; W. S. NEWMAN, The Sonata in the Class. Era, Chapel Hill (N. C.) 1963, revidiert NY u. London 1972 (Paperbackausg.); G. PESTELLI, D. Sc. a Venezia (1705–09), in: Il convegno mus. I, 1964; DERS., »Lo Stabat mater« di D. Sc., ebd.; DERS., Il mito di D. Sc. nella cultura ital. del Novecento, in: La nuova musicologia ital., = Quaderni della Rass. mus. III, 1965; DERS., Le sonate di D. Sc., Proposta di un ordinamento cronologico, = Archeologia e storia dell'arte II, Turin 1967; A. LEAHU, D. Sc., Bukarest 1966; J. P. SACHER, Selected Solo Vocal Music of D. Sc., Diss. Columbia Univ. (N. Y.) 1966; J. L. SHEVELOFF, The Keyboard Music of D. Sc., A Revaluation of the Present State of Knowledge in the Light of the Sources, 3 Bde, Diss. Brandeis Univ. (Mass.) 1970; V. BAZAVAN u. D. BUCIU, Unele aspecte ale limbajului armonic în sonatele lui D. Sc. (»Einige Aspekte harmonischer Wendungen in D. Sc.s Sonaten«), in: L. v. Beethoven ..., = Cercetări de muzicologie IV, Bukarest 1971 (mit frz., engl., deutscher u. russ. Zusammenfassung); G. PANNAIN, L'arte pianistica di D. Sc., in: Studi mus. I, 1972; R. KIRKPATRICK, Who Wrote the Sc. Sonatas? A Study in Reverse Scholarship, in: Notes XXIX, 1972/73; L. HAUTUS, Beitr. zur Datierung d. Klavierwerke D. Sc.s, Mf XXVI, 1973.

+Scarpini, Pietro, * 6. 4. 1911 zu Rom.
Sc., der sich besonders der zeitgenössischen Klaviermusik widmet, unterrichtet seit 1967 am Mailänder Konservatorium. Er hielt ferner Sommerkurse in Darmstadt und an der Accademia musicale Chigiana in Siena ab.

+Scelsi, Giacinto, * 8. 1. 1905 zu La Spezia.
Sc., Schüler u. a. von Respighi und Casella, komponiert seit 1930 zwölftönig. 1943–45 war er Mitherausgeber der literarischen Zeitschrift La Suisse contemporaine. – Neuere Werke: 4 Pezzi per orchestra su una nota sola (1959), Hurqualya (1960) und Aiôn (1960) für Orch.; Chukrum für Streichorch. (1963); Anahit für V. und Orch. (1965); Ohoi (1966), Anagâmin (1964) und Natura renovatur (1967) für 16, 12 bzw. 11 Streicher; 2.–4. Streichquartett (1962, 1963, 1964), Okanagon für Hf., Kb. und Tamtam (1969), Duo für Fl. u. Klar. (1968), Xnoybis für V. solo (1964), Igghur für Vc. solo (1966); Uaxactum für Chor, Orch. und Ondes Martenot (1961), Konks om pax für Chor, Orch. und Org. (1969), Khoom für St. und Instr. (1962), TKRDG für

Männerchor und Schlagzeug (1967); *Yliam* für Frauenchor (1967); 4 Vokalisen *Wo-mo* für B. (1966).

+Schaal, Richard, * 3. 12. 1922 zu Dortmund.
Sch. wirkt seit 1962 als Referent für Musikwissenschaft beim Bayerischen Rundfunk in München, für den er seit 1970 auch die Programmhefte der öffentlichen Symphoniekonzerte redigiert. Er ist Editor der *Quellen-Kataloge zur Musikgeschichte* (Wilhelmshaven 1966ff.; darin von ihm selbst Bd I, 1966: *Die Musikhandschriften des Ansbacher Inventars von 1686*, Bd II, 1968: *Thematisches Verzeichniß der sämtlichen Compositionen von J. Haydn ...*, Faks.-Ausg. des A.Fuchsschen Ms., Bd III, 1970: *Die Tonkünstler-Porträts der Wiener Musiksammlung von A.Fuchs*, und Bd V, 1972: *Musiktitel aus fünf Jahrhunderten. Eine Dokumentation zur typographischen und künstlerischen Gestaltung und Entwicklung der Musikalien*) und der *Taschenbücher zur Musikwissenschaft* (ebd. 1969ff.; darin von ihm selbst Bd I, 1969: *Abkürzungen in der Musik-Terminologie*, Bd II–III, 1970: *Fremdwörterlexikon Musik. Englisch–Französisch–Italienisch*, und Bd VII, 1971: *Führer durch deutsche Musikbibliotheken*). – Weitere Veröffentlichungen: *Verzeichnis deutschsprachiger musikwissenschaftlicher Dissertationen 1861–1960* (= Musikwissenschaftliche Arbeiten XIX, Kassel 1963) bzw. *Verzeichnis ... 1961–70, mit Ergänzungen zum Verzeichnis 1861–1960* (ebd. XXV, 1974); *Das Inventar der Kantorei St.Anna in Augsburg. Ein Beitrag zur protestantischen Musikpflege im 16. und beginnenden 17.Jh.* (= Cat. musicus III, ebd. 1965, vgl. dazu auch AfMw XXII, 1965, S. 43ff.); *Quellen und Forschungen zur Wiener Musiksammlung von A.Fuchs* (= Sb. Wien CCLI, Abh. 1, = Veröff. der Kommission für Musikforschung V, Graz 1966; neuere Beiträge dazu u. a. in: Das Haydn-Jb. VI, 1969 – VII, 1970). Von seinen zahlreichen musikarchivalischen, -bibliographischen und -bibliothekarischen Aufsätzen seien ferner genannt: *+Die vor 1801 gedruckten Libretti des Theatermuseums München* (Mf X, 1957 – [erg.:] XIV, 1961, auch separat Kassel 1962); *G. Willers Augsburger Musikalien-Lagerkatalog von 1622* (Mf XVI, 1963); *Biographische Quellen zu Wiener Musikern und Instrumentenmachern* (StMw XXVI, 1964); *Unbekannte Briefe von A.Gyrowetz* (DJbMw XI, 1966); *Dokumente zur Münchner Hofmusik 1740–50* (Mf XXVI, 1973). – Ausgaben: +J.G.Walther, *Musikalisches Lexikon* (1953), Kassel ³1967; Ch.Burney, *Tagebuch einer musikalischen Reise ...*, 1772/73 (Faks.-Ausg., = DMl I, 19, ebd. 1959).

Schacht, Matthias Henriksen, * 29. 4. 1660 zu Visby (Gotland), † 8. 8. 1700 zu Kerteminde (Fünen); dänischer Kantor und Gelehrter, war 1682 Lateinschullehrer in Visby, 1683 Kantor in Odense und ab 1686 Rektor und Stadtmusiker in Kerteminde. Sein *Musicus Danicus eller Danske sangmester* (als Ms. beendet 1687) ist teils ein Komponistenlexikon, teils ein musikalisches Lehrbuch.
Ausg.: Musicus Danicus, hrsg. v. G. SKJERNE, Kopenhagen 1928.

+Schachtebeck, Heinrich, * 6. 8. 1886 zu Diemarden (bei Göttingen), [erg.:] † 12. 3. 1965 zu Leipzig.

Schachtschneider, Herbert, * 5. 2. 1919 zu Allenstein (Ostpreußen); deutscher Sänger (Heldentenor), studierte in Berlin (1937–40) und London (1949–51) und debütierte 1953 an den Städtischen Bühnen in Flensburg. Nach Engagements in Mainz und Essen kam er 1959 an das Opernhaus Köln. Gastspiele führten ihn nach Mailand, Wien, Buenos Aires, Berlin, Hamburg und München. Zu seinen Partien gehören u. a. Florestan, Manrico, Radames und der Mephisto in

Dr.Faust von Busoni. Seit 1972 lehrt er Gesang an der Musikhochschule in Saarbrücken.

[+Schack, recte:] **Schak,** Benedikt [erg.:] Emanuel (Žák, Ziak), [erg.: getauft 7. 2.] 1758 zu Mirotitz (Südböhmen) [nicht: Mirowitz] – 10. [nicht: 11.] 12. 1826.
Sch. ging 1796 [nicht: 1793] nach München, nachdem er zuvor (1793–96) dem Grazer Theater angehört hatte.
Lit.: G. KANNEWISCHER, E. B. Sch., Diss. München 1951; A. WÜRZ in: MGG XI, 1963, Sp. 1542ff.

+Schadaeus, Abraham, [erg.:] 1566 – [erg.: 10. 10.] 1626.
Sch. studierte ab 1584 (bis 1587/88?) [nicht: 1564–88; erg.:] an der Universität in Frankfurt (Oder).
Lit.: J. G. KRANER in: MGG XI, 1963, Sp. 1526ff.; F. E. MÜLLER, Neue Untersuchungen zur Biogr. v. A. Sch., BzMw VIII, 1966.

Schädle, Lotte, * 23. 10. 1926 zu Füssen (Oberbayern); deutsche Sängerin (lyrischer und Koloratursopran), studierte 1951–54 an der Staatlichen Hochschule für Musik in München bei Mara Pringsheim. 1955 kam sie als Elevin an die Bayerische Staatsoper in München und war 1957–62 an den Städtischen Bühnen in Nürnberg engagiert. Seit 1962 gehört sie wieder dem Ensemble der Staatsoper in München an (1967 Kammersängerin). L. Sch. hat sich auch als Konzertsängerin einen Namen gemacht.

Schädlich, David → Schedlich, D.

+Schäfer, Dirk, 1873–1931.
Seine Aufzeichnungen über Musik und Klavierspiel erschienen posthum als *Het klavier* (hrsg. von I. Schäfer-Dumstorff und J. F. van Dantzig, Amsterdam 1942, ³1945).
Lit.: W. C. M. KLOPPENBURG, D. Sch. en W. Pijper, in: Mens en melodie XII, 1957; W. PAAP, ebd. S. 10ff.; G. WERKER, ebd. XXIX, 1974, S. 11ff.

Schaefer, Hansjürgen, * 7. 10. 1930 zu Freiberg (Sachsen); deutscher Musikforscher, war 1949–52 Grundschullehrer in Chemnitz, studierte dann Musik 1952–54 an der Musikhochschule Leipzig und 1954–57 Musikwissenschaft an der Berliner Humboldt-Universität (1957 Staatsexamen). Nach einer Tätigkeit als Musikkritiker der »Berliner Zeitung« wurde er 1960 Sekretär des Komponistenverbandes der DDR, Chefredakteur der Zeitschrift *Musik und Gesellschaft* (MuG; darin viele eigene Beiträge) und 1. Musikkritiker der Zeitung »Neues Deutschland«. Er verfaßte u. a. *Musik in der sozialistischen Gesellschaft* (= Beitr. zur Kunsterziehung o. Nr, Bln 1965) sowie *Charakter oder Typ? Gedanken zu Problemen des zeitgenössischen Musiktheaters und der modernen Operninterpretation* (Kgr.-Ber. Lpz. 1966) und edierte *L. van Beethoven, Briefe. Eine Auswahl* (Bln und Wilhelmshaven 1969), von R.Rolland *Beethoven. Von der Eroica zur Appassionata* (Bln 1970), von L.Schiedermair *Der junge Beethoven* (Bln 1971) sowie eine NA des von K.Schönewolf begründeten (2 Bde, Bln 1958–60, Neudr. 1965) *Konzertbuch. Orchestermusik* (bislang *A–F* und *G–O*, Bln 1972–73).

Schäfer, Hermann, * 6. 3. 1927 zu Rottweil (Württemberg); deutscher Komponist, studierte 1945–47 am Hochschulinstitut für Musik in Trossingen, 1947–50 und 1952–54 an der Musikhochschule und an der Universität in Heidelberg. 1966 wurde er dort Dozent für Musikerziehung an der Pädagogischen Hochschule. Er komponierte Orchesterwerke (*Sinfonia breve*, 1959; Introduktion, Passacaglia und Fuge für Streichorch., 1964), Kammermusik (Bläserquintett, 1955; 2 Streichquartette, 1946 und 1959; Divertimento für Holzbläserquartett, 1966; Sonaten für V. bzw. Vc. und Kl. sowie für Kl.), Vokalmusik (Weihnachtskantate *Der Heiland ist geboren*, 1965; Liederzyklus *Heiteres Herbarium*, 1953) und Bühnenmusik.

+Schäfer, Karl [erg.:] Heinrich, * 29. 7. 1899 zu Roßbach (Westerwald), [erg.:] † 25. 6. 1970 zu Osnabrück.
Sch. lebte ab 1965 im Ruhestand. – Neuere Werke: Streichtrio (1958); Klaviertrio (1959); Concerto für Fl., V., Trp., Kl., Schlagzeug und Streicher (1960); Chorzyklus *Seht, wie ihr lebt ... a cappella* (1961); 2. Klavierkonzert (1962); *Trifolium* für Cemb. und Schlagzeug (1963); *Dialog, Burleske und Ritornell* für Bläserquintett (1966); *Konzertantes Vorspiel* für Orch. (1969); Laienmusiken.

Schaefer, Theodor, * 23. 1. 1904 zu Telč (Südmähren), † 19. 3. 1969 zu Brünn; tschechischer Komponist und Musikpädagoge, studierte 1922–26 am Musikinstitut in Brünn (Kvapil) und 1926–29 am Konservatorium in Prag (V. Novák). Er lehrte ab 1934 Klavier in Kutná Hora (Mittelböhmen), an der Palacký-Universität in Olmütz und an der Schule von V. Kaprál in Brünn, wo er ab 1940 am Konservatorium Musiktheorie und Komposition unterrichtete. 1949–51 und wieder ab 1958 war er Professor für Komposition an der Janáček-Akademie. Seine Kompositionen umfassen u. a. die Kinderoper *Maugli* (1932), das Ballett *Legenda o štěstí* op. 23 (»Legende vom Glück«, 1954), Orchesterwerke (Symphonie op. 25, 1962; *Diathema* mit Va op. 24, 1958; *Rapsodická reportáž* op. 28, »Rhapsodische Reportage«, 1960), ein Violinkonzert op. 4 (1933), ein Klavierkonzert op. 10 (1943), Kammermusik (*Divertimento mesto* für Fl., Ob., Klar., Fag., Horn und Streichtrio op. 22, 1946; Bläserquintett op. 5, 1935; 3 Streichquartette, op. 2, 1929, op. 16, 1941, und op. 21, 1945; *Cigánovy housle*, »Die Zigeunergeige«, für V. und Kl. op. 29, 1960), Klavierstücke und Vokalwerke (Kantate *Zimní*, »Winterlich«, für S., Chor und Orch. op. 19, 1943; Liederzyklus *Jaro přichází* op. 1, »Der Frühling ist gekommen«, 1925; *Bithematicon*, 4 Kompositionen für Bar. und Kl. op. 31, 1969).
Lit.: Z. ZOUHAR in: Opus musicum I, (Brünn) 1969, S. 114ff., u. in: Hudební rozhledy XXVII, 1974, S. 444f.

+Schäffer, Bogusław [erg.:] Julien, * 6. 6. 1929 zu Lwów (Lemberg).
Sch., der 1959 auch bei L. Nono studierte, unterrichtet seit 1963 Komposition an der Musikhochschule in Krakau. Er wurde 1965 Mitarbeiter des Experimentalstudios des polnischen Rundfunks und 1967 Chefredakteur der (aperiodischen) Zeitschrift für Neue Musik *Forum musicum* (Krakau, 15 H. bis 1973). 1970 wurde ihm der Dr. phil. der Warschauer Universität verliehen. – Sch., der als der radikalste Avantgardist der polnischen Musik gilt, komponierte 1953 das erste polnische zwölftönige Orchesterwerk (*Nokturn* für Streicher), schrieb 1957 seine ersten musikalischen Graphiken (u. a. *Ekstrema* für 10 Instr.), realisierte als Mitglied der Künstlergruppe »Grupa Krakowska« 1964 die ersten polnischen Happenings (*Non stop* für Kl., 1960) und arbeitet seit 1963 an neuen Formen des instrumentalen Theaters. – Weitere Werke: 1951: 3 kurze Stücke für Kammerorch. – 1952: Sonatine für Kl. – 1956: *Studium w diagramie* (»Studium im Diagramm«) für Kl. – 1957: 1. Streichquartett, Konzert *Quattro movimenti* für Kl. und Orch. – 1958: *Tertium datur* für Cemb. und Instrumente. – 1959: *Monosonata* für 6 Streichquartette, *Equivalenze sonore* für Schlagzeugkammerorch. (20 Spieler). – 1960: *Topofonica* für 40 Instr., *Concerto per

sei e tre für verschiedene Soloinstr. und Kammerorch., *Montaggio* für 6 Spieler, kleine Symphonie *Scultura*. – 1961: *Musica* für Cemb. und Instrumente, *Kody* für Kammerorch., *Azione a due* für Kl. und 11 Instr., *Imago musicae* für V. und 9 interpolierende Instr. – 1962: *Musica ipsa* für tiefe Orchesterinstr., 4 Stücke für Streichtrio, *Course »j«* für Jazzensemble und Instrumente, *Konstrukcje* für Vibraphon. – 1963: szenische Komposition *TIS MW2* (Krakau 1964), Konzert *S·alto* für Altsax. und solistisches Kammerorch., Violinkonzert, *Aspekty ekspresyjne* für Fl. und S., *Music for MI* für Singst., Chor, Vibraphon, Jazzensemble und Orch., *Scenariusz* für einen nicht existierenden, aber möglichen Instrumentalschauspieler, *Collage and Form* für 8 Jazzmusiker und Orch. – 1964: *Audiencja* (Nr 1–5) für verschiedene Ausführende, 2. Streichquartett, *Collage* für Kammerorch., elektronische Musik *Symfonia* (realisiert 1966). – 1965: Quartett für 2 Pianisten und 2 beliebige Ausführende, *Modell V* für Kl., *Przesłanie* (»Übermittlung«) für Vc. und 2 Kl. – 1966: *Muzyka wizualna* (»Visuelle Musik«) für 5 beliebige Spieler, Trio für Fl., Hf. und Va (mit Tonband), *Howl* für 3 Akteure und Kammerorch. (nach A. Ginsberg), *Decet* für Hf. und Instrumente, *Assemblage* für Tonband (3 Versionen), *4H/1P* für Kl. 4händig, *Quartett* für 4 Schauspieler. – 1967: *Hommage à Strzemiński* für Tonband, *Media* für Vokal- und Instrumentalstimmen, Klavierkonzert, *Symfonia: Muzyka orkiestrowa*. – 1968: *Quartett SG*, *Monodram* für Tonband (nach Y. Ritsos und G. Seferis), *Lektüre* für 6 Spieler, *Konzert* für Tonband, *Fragment* für 2 Schauspieler und Vc. (Krakau 1969, auch in engl. und ital. Version). – 1969: Jazzkonzert für Orch., Klaviertrio, *Scena otwarta* (»Offene Szene«) für 3 Spieler. – 1970: *Heraklitiana* für 12 alternative Soloausführende und Tonband, *Synectics* für 3 beliebige Spieler, *Algorithmen* für 7 Spieler, audiovisuelle Musik *Comunicazione audiovisiva* für 5 Spieler, elektronische Musik *Thema*. – 1971: *Texte* für Orch., *Estratto* für Streichtrio, *Modell VII* für Kl., 3. Streichquartett, 15 *Elemente* für 2 Kl., *Mare* für einen Pianisten (Kl., Celesta und Cemb.) und 9 Instr., *Experimenta* für Kl. und 80st. Orch., *Varianten* für Bläserquintett, *Sgraffito* für Fl., Vc., Cemb. und 2 Kl. – 1972: *Konfrontationen* für ein Soloinstr. und Orch., *Konzeptuelle Musik, Modell VIII* für Kl., *Interview* für V., Situationsstück *21 VI 1972, Zmierzch* (»..., Dämmerung«), *Hommage à Czyżewski* für Musiker und Akteure, 19 *Mikrostücke* für Vc. und 6 begleitende Spieler, Konzert für 3 Kl., *Bergsoniana* für S., 4 Instr. und Tonband, Spielkomposition für Ensemble *Sny o Schaefferze* (»Träume mit Sch.«, nach Ionesco), *blueS II* für Instrumentalensemble, *Polonaise* für 12st. Chor, *Free Form I* für 5 Instr. und *II/Evocazioni* für Kb. – 1973: Symphonie in 9 Teilen, *aSa* für Clavichord, elektronische Musik *Synthistory*, 4. Streichquartett, *tentative music* für 159 Instr., *aDieu* für Pos. solo, die bisher letzte Komposition. Sch. arbeitet zur Zeit an einem experimentellen Roman. – Neuere Schriften: +*Nowa muzyka ...* (1958), NA Krakau 1969; +*Mały informator ...* (1958), NA. ebd. 1967. – *Klasycy dodekafonii* (»Die Klassiker der Dodekaphonie«, 2 Bde, ebd. 1961–64); *Wychowawcze funkcje profesora kompozycji* (»Unterrichtsfunktionen eines Kompositionsprofessors«, = Studia z zakresu kompozycji współczesnej I, ebd. 1965); *W kręgu nowej muzyki* (»Im Banne der Neuen Musik«, ebd. 1967); *Dźwięki i znaki ...* (»Klänge und Zeichen. Einführung in die zeitgenössische Komposition«, Warschau 1969); zahlreiche Aufsätze zur Neuen Musik (u. a. *Präexistente und inexistente Strukturen*, Kgr.-Ber.

Kassel 1962). Sch. veröffentlichte ein bedeutendes *Leksykon kompozytorów XX wieku* (»Lexikon der Komponisten des 20. Jh.«, 2 Bde, Krakau 1963–65) und edierte den Sammelband *A. Malawski . . .* (»Leben und Werk«, ebd. 1969).
Lit.: B. POCIEJ in: Ruch muzyczny VII, 1963, Nr 7, S. 12ff. (zur »Musica ipsa«); DERS. in: Muzyka XI, 1964, H. 3/4, S. 44ff. (mit deutscher Zusammenfassung); DERS., Miejsce kompozytora . . . (»Der Ort d. Komponisten. Über ein B. Sch.-Konzert«), in: Ruch muzyczny XIII, 1969; DERS., The Art of B. Sch., in: Polish Perspectives XIV, 1971 (auch deutsch); D. DETONI in: Zvuk 1969, Nr 100, S. 558ff. (mit engl. Zusammenfassung); O. BEDNARCÍK, Grafický prvek v díle B. Sch.a (»Graphische Elemente in Werken B. Sch.s«), in: Opus musicum III, (Brünn) 1971; J. HODOR u. B. POCIEJ, B. Sch. and His Music, Glasgow 1974.

+**Schaeffer,** Pierre, * 14. 8. 1910 zu Nancy.
Sch., der 1949 den Begriff →Musique concrète prägte, wurde 1960 zum Chef du Service de la recherche de l'ORTF in Paris und 1968 zum Professor für Musique expérimentale et appliquée à l'audiovisuel am Pariser Conservatoire ernannt. – Werke (alle Musique concrète): *Etude aux chemins de fer, Etude aux tourniquets, Etude au piano I, dite Etude violette* und *II, dite Etude noire, Etude pathétique, dite Etude aux casseroles* und *Concertino diapason* (alle 1948), *Variations sur une flûte mexicaine* (1949), *Suite pour 14 instr.* (5 Sätze, 1949), *L'oiseau RAI* (1950), *Etude aux allures* (1958), *Etude aux sons animés* (1958), *Etude aux objets* (1959, Neufassung 1967), *Simultané camerounais* (1959), Ballett *Nocturne aux chemins de fer* (1959) sowie Musiken für Film (*Maskerage*, 1952), Funk (*Les paroles dégelées*, 1952) und Bühne (*Phèdre*, 1959, Konzertfassung 1961); in Zusammenarbeit mit P. Henry entstand *Symphonie pour un homme seul* (1950, endgültige Fassung 1966, als Ballett Paris 1954, M. Béjart), *Bidule en ut* (1950), die Oper *Orphée 51* für Singst. und Tonband (1951, Neufassung *Orphée 53* für V., Cemb., 2 Sänger und Tonband, 1951–53), »Pantomime lyrique« *Toute la lyre* für Singst. und Tonband (1951) sowie Musiken für Funk (u. a. *Le capitaine Némo*, 1952) und Film, ferner in Zusammenarbeit mit L. Ferrari *Continuo* (1958). – Neuere Schriften und Aufsätze: *Traité des objets musicaux* (= Pierres vives o. Nr, Paris 1966); *La musique concrète* (= Que sais-je? Bd 1287, ebd. 1967); *L'avenir à reculons* (= Mutations–Orientations VIII, ebd. 1970); *Machines à communiquer* (bislang Bd I: *Genèse des simulacres,* = Pierres vives o. Nr, ebd.); *De l'expérience musicale à l'expérience humaine* (= RM 1971, Nr 274/275); *Musique concrète et connaissance de l'objet musical* (in: Musique expérimentale, = RBM XIII, 1959); *Anmerkungen zu den »zeitbedingten Wechselwirkungen«* (Gravesaner Blätter 1960, Nr 17, auch engl.); *La sévère mission de la musique* (Rev. d'esthétique XXI, 1968); *La musique et les ordinateurs* (in: Musique et technologie, = RM 1971, Nr 268/269).
Lit.: Vers une musique expérimentale, = RM 1957, Nr 236; Expériences mus., = RM 1959, Nr 244; Situation de la recherche 1960, = Cahiers d'études de radio-télévision 1960, Nr 27/28. – D. CHARLES in: Rev. d'esthétique XX, 1967, S. 299ff., u. G. BUCHT in: Nutida musik XI, 1967/68, H. 7/8, S. 39ff. (zum »Traité des objets mus.«); M. CADIEU in: Lo spettatore mus. III, 1968, Nr 1, S. 14ff. (Interview); S. BRUNET, P. Sch. . . . suivi de réflexions de P. Sch. = Hommes choisis I, Paris 1969 (mit Werkverz.); I. MALEC, Musique concrète 1948–68, in: Melos XXXVI, 1969; M. PIERRET, Entretiens avec P. Sch., Paris 1969; A. SKRZYŃSKA, Świat przedmiotów dźwiękowych P. Sch.a (»P. Sch.s Klangwelt«), in: Ruch muzyczny XVIII, 1974.

Schaeffner (ʃɛfnˈɛːr), André, * 7. 2. 1895 zu Paris; französischer Musikforscher, studierte in Paris Komposition an der Schola Cantorum, Archäologie an der

Ecole du Louvre sowie Ethnographie und Religionswissenschaft am Institut d'Ethnologie und an der Ecole des Hautes Etudes. 1929–65 leitete er die von ihm gegründete ethnologische Abteilung am Musée de l'Homme in Paris. Zwischen 1931 und 1958 führte er sechs wissenschaftliche Exkursionen in Afrika (Sudan, Guinea, Elfenbeinküste, Kamerun) durch. 1958–67 war er Präsident der Société Française de Musicologie. Er veröffentlichte u. a.: *Le jazz* (mit A. Cœuroy, = La musique moderne II, Paris 1926); *Stravinsky* (= Maîtres de la musique ancienne et moderne X, ebd. 1931); *Origine des instruments de musique* (ebd. 1936, Nachdr. = Maison des sciences de l'homme, Rééditions III, Den Haag u. a. 1968, mit »Complément de bibliographie« bis 1965); *Les Kissi. Une société noire et ses instruments de musique* (= L'homme II, ebd. 1951); zahlreiche (auch lexikalische) Beiträge vor allem zu Fragen der Musikethnologie sowie zur Debussy-Forschung. Sch. gab die neubearbeitete 3. (französische) Auflage des *Riemann Musiklexikons* (*Dictionnaire de musique*, Paris 1931) heraus und edierte ferner von Fr. Nietzsche *Lettres à P. Gast* (2 Bde, = Domaine musical o. Nr, Monaco 1958) und gesammelte Texte *Segalen et Debussy* (mit A. Joly-Segalen, ebd. 1962).
Lit.: B. KRADER, Bibliogr. of the Works of A. Sch., in: Ethnomusicology II, 1958.

+**Schäfke,** Rudolf, 1895 – [erg.: 14.] 4. 1945 zu Bad Salzdetfurth (Niedersachsen) [nicht: Hildesheim].
+*Geschichte der Musikästhetik in Umrissen* (1934), 2. unveränderte Aufl. Tutzing 1964 (mit Vorw. von W. Korte).

+**Schaeuble,** Hans Joachim, * 29. 5. 1906 zu Arosa (Graubünden).
Neuere Werke: symphonische Dichtung *Paradise Lost* op. 51 (1968); *Monopartita* für Streichorch. op. 48 (auch für 2 Kl., 1963); Concertinos für Ob. op. 44 (1959), Klar. op. 46 (1961) und Fl. op. 47 (1962) mit Streichorch., Konzert für Kl. und Streichorch. op. 50 (1967); Klaviertrio op. 45 (1960).

Schafer (ʃˈeifə), Robert Murray, * 18. 7. 1933 zu Sarnia (Ontario); kanadischer Komponist und Musikforscher, studierte am Royal Conservatory of Music in Toronto Klavier (Alberto Guerrero) und Komposition (John Weinzweig) und später in England. 1962 kehrte er nach Toronto zurück, war 1963–65 Artist-in-Residence der Memorial University of Newfoundland und kam 1966 an die Simon Fraser University in Burnaby (British Columbia), an der er gegenwärtig Professor am Center for Communications and the Art ist. – Kompositionen (Auswahl): Opern *Loving* (CBC-TV Montreal 1966) und *Patria II* (Stratford/Ontario 1972). – Konzert für Cemb. und 8 Bläser (1958); *Canzoni for Prisoners* (1961), *Untitled Composition* (1963), *Son of Heldenleben* (1968) und *No Longer Than Ten Minutes* (1971) für Orch.; Streichquartett (1970). – *Gita* für Chor, 9 Blechbläser und Tonband (1967); *From the Tibetan Book of the Dead* für Chor, Fl., Klar. und Tonband (1968); *Threnody* für Jugendorch. und -chor, 5 Erzähler und Tonband (1967); *In Search of Zoroaster* für Chor und Schlagzeug (1971). – *Five Songs on Texts of Prudentius* für S. und 4 Fl. (1961); *Minnelieder* für Mezzo-S. und Bläserquintett (1965); *Requiems for the Party-Girl* für Mezzo-S. und 9 Instr. (1968); *Music for the Morning of the World* für Mezzo-S. und Tonband (1971); *The Enchantress* für S., exotische Fl. und 8 Vc. (1971); *Lustro* für 7 Sänger, Orch. und Tonband (1972). – Schriften: *British Composers in Interview* (London 1963); *The Composer in the Classroom* (Don Mills/Ontario 1965, NY 1971, London 1972, deutsch als *Schöpferisches*

Musizieren, Wien 1971); *Ear Cleaning. Notes for an Experimental Music Course* (Don Mills 1967, NY 1971, London 1972, deutsch als *Schule des Hörens*, Wien 1972); *The New Soundscape. A Handbook for the Modern Music Teacher* (Don Mills 1969, NY 1971, London 1972, deutsch als *Die Schallwelt, in der wir leben*, Wien 1971); *The Book of Noise* (mit L. Vardeman und J. Henderson, Vancouver 1970); *When Words Sing* (Scarborough/Ontario 1970, NY 1971, London 1972, deutsch als *Wenn Wörter klingen*, Wien 1972); ferner eine Reihe von Zeitschriftenaufsätzen.
Lit.: Werkverz. in: Composers of the Americas X, Washington (D. C.) 1964. – Br. MATHER in: Les cahiers canadiens de musique 1970, Nr 1, S. 91ff. (zu »Requiems f. the Party-Girl«); B. HAMBRÆUS, Tibetanska dödsboken och vår tids ljudlandskap (»Das tibetanische Totenbuch u. zeitgenössische Klanglandschaft«), in: Nutida musik XVI, 1972/73.

†Schaffrath, Christoph, 1709–63.
Ausg.: †Trio C dur f. 3 V., hrsg. v. H. NEEMANN [nicht: Riemann], = Coll. mus. LXXI, Lpz. 1939; Gambensonate A dur, hrsg. v. DEMS., = Kammersonaten XV, Lpz. 1942, ²1948; Sinfonie A dur (um 1760) f. Streichorch. u. Gb., hrsg. v. M. SCHNEIDER, = Mittel- u. norddeutsche Kammersinfonien VI, Lpz. 1954; Duetto D dur f. Quer-Fl. (V.), Duetto B dur f. Ob. (Fl., V.), Duetto F moll f. Fag. u. Duetto D dur f. Vc. mit obligatem Cemb. (Kl., Laute, Hf.), in Einzel-H. hrsg. v. H. RUF, Wilhelmshaven 1969–72.

Schafhäutl, Karl Franz Emil von, * 16. 2. 1803 zu Ingolstadt, † 25. 2. 1890 zu München (im Hause seines Freundes Th. →†Böhm); deutscher Akustiker und Musikschriftsteller, trat schon von seinem 16. Lebensjahr an mit belletristischen und physikalisch-experimentellen Arbeiten hervor. Letztere und eine ausgesprochene Neigung zur Musik brachten ihn in München, wohin er nach unabgeschlossenem Studium der Mathematik mit der Universität von Landshut umgesiedelt war (ab 1827 Scriptor an der Universitätsbibliothek), mit Böhm zusammen. Verbesserungsversuche an Flöte und Pianoforte führten beide 1834 nach England, wo Sch. den Stickstoff im Eisen entdeckte, eine die Verhüttung inländischer Erze ermöglichende Methode der Gußstahlherstellung (Klavierrahmen!) erfand und außerdem in Dublin promovierte (Dr. phil. 1835, Dr. med. 1838). Seine Erfindung brachte ihm nach der Rückkehr nach München (1842) eine staatliche Rente, die Mitgliedschaft bei der Akademie der Wissenschaften (1842) und eine Professur für Geognosie, Bergbaukunde und Hüttenkunst (1843) ein. Er hatte jedoch in der damals bevorzugten Paläontologie keinerlei wissenschaftlichen Erfolg, weshalb er unter formeller Beibehaltung seiner Professur sich wieder ganz musikalischen Forschungen zuwandte. Etwa von der Jahrhundertmitte an galt Sch. auf musikalisch-technologischem Gebiet als Autorität (Mitglied der Jury für Musikinstrumente auf der Weltausstellung London 1850 und der Industrieausstellung 1854), deren Rat bei allen einschlägigen Vorhaben eingeholt wurde (Beratung Böhms bei der völligen Neukonstruktion der Querflöte, zahllose Orgelgutachten). Seine Untersuchungen über die Ursache der Klangfarben (1879) führten zu einer beachtlichen Erschütterung der Helmholtzschen Theorien. Er schrieb: *Theorie gedackter, zylindrischer und konischer Pfeifen und der Querflöten* (Neue Annalen der Chemie VIII, 1833); *Über Schall, Ton, Knall und einige andere Gegenstände der Akustik* (ebd. IX, 1834); *Über die Kirchenmusik des katholischen Kultus* (AmZ XXXVI, 1834); *Bericht der Beurtheilungscommission bei der allgemeinen deutschen Industrieausstellung zu München 1854*, Teil IV: *Über musikalische Instrumente* (München 1854); *Über*

Phonometrie (Abh. der Königlich Bayrischen Akademie der Wissenschaften II, Mathematisch-physikalische Klasse, Bd VII, 2, 1854, auch separat); *Der ächte gregorianische Choral in seiner Entwicklung* (München 1869); *Ein Spaziergang durch die liturgische Musikgeschichte der katholischen Kirche* (ebd. 1887); *Abt G. J. Vogler* (Augsburg 1888).
Lit.: G. BÖHM, K. E. v. Sch., Bayrisches Industrie- u. Gewerbeblatt, N. F. XXII, 1890; A. ROTHPLETZ, Artikel K. E. Sch., ADB LIII, 1907; L. HARTMANN, K. E. v. Sch., Hist.-politische Blätter f. d. kath. Deutschland 1921 (München); H. FISCHER u. TH. WOHNHAAS, Daten über Orgelbauer u. Orgelwerke d. 19. Jh., Eine Übersicht aufgrund d. Slg v. K. Fr. E. v. Sch., KmJb LIII, 1969. HSCH

Schafran, Daniel (Daniil) Borissowitsch, * 13. 2. 1923 zu Petrograd; russisch-sowjetischer Violoncellist, Sohn des Violoncellisten Boris Semjonowitsch Sch. (* 1896), ist seit 1943 Konzertsolist an der Moskauer Philharmonie und absolvierte als Schüler von Alexander Strimmer 1950 das Leningrader Konservatorium. Er erhielt 1937 den 1. Preis beim Moskauer Allunionssowjet-Musikwettbewerb; 1950 wurde auf dem H.-Wihan-Violoncellowettbewerb der 1. Preis zwischen ihm und Rostropowitsch geteilt. Zahlreiche Konzertreisen führten ihn u. a. nach Italien, in die Bundesrepublik Deutschland, die USA und nach Japan. Sch. kreierte eine Reihe von Werken sowjetischer Komponisten; Kabalewskij hat ihm sein Violoncellokonzert G moll op. 49 (1949) gewidmet.
Lit.: M. TER-OGANJAN, D. B. Sch., in: Musykalnaja schisn IV, 1961; I. JAMPOLSKIJ, Poet wiolontscheli (»Ein Dichter d. Vc.«), SM XXXVII, 1973.

Schaichet, Alexander, * 23. 6. 1887 zu Nikolajew (Ukraine), † 19. 8. 1964 zu Zürich; Schweizer Violinist, Dirigent und Musikpädagoge ukrainischer Herkunft, studierte an den Konservatorien in Odessa (bis 1906) und Leipzig (1906–10). Mit Stutschewsky rief er das Jenaer Streichquartett ins Leben, dessen Primarius er war. 1912 trat er als 1. Konzertmeister in das unter Fr. Steins Leitung spielende Collegium musicum ein und wurde 1913 Lehrer für Violine am Jenaer Konservatorium. 1914 ließ er sich in Zürich nieder, wo er 1920 das erste Schweizer Kammerorchester gründete, mit dem er vorwiegend Musik des Barocks und zeitgenössische Werke aufführte. Ab 1940 leitete Sch. die Violinausbildungsklasse der Zürcher Musikakademie.

Schak, Benedikt → †Schack, B.

Schalin, Adalbert (Pseudonym Joe Edwards), * 5. 9. 1902 zu Berlin; deutscher Komponist, studierte 1917–21 am Klindworth-Scharwenka-Konservatorium in Berlin Klavier und Musiktheorie und erhielt 1920–23 im Musikverlag C. M. Roehr eine verlegerische Ausbildung. Seitdem ist er als Komponist tätig. 1950 übernahm er eine leitende Position beim Apollo-Verlag P. Lincke in Berlin. Sch. komponierte Orchesterstücke, Klavierstücke, Lieder und das Vaudeville *Der Vater der Debütantin* (Bln 1947). Sch. trat auch als Schlagerkomponist hervor.

†Schalit, Heinrich, * 2. 1. 1886 zu Wien, [nicht: † 1943; erg.:] lebt in Evergreen (Colo.).
Sch. lebte in München 1907–33, war 1934–39 Chordirektor der Großen Synagoge in Rom und wirkte anschließend in den USA als Musikdirektor und Organist an Reformsynagogen in Rochester/N. Y. (1940–43), Providence/R. I. (1943–48) und Denver/Colo. (1948–57). – Weitere Werke: hebräische Kantate *Builders of Zion* (1944) und Kantate *The Pilgrims* (1945) für Soli, Chor und Kl.; *Sabbath Eve Liturgy* (1951) und *Sabbath Morning Liturgy* (1954) für Kantor, gem. Chor und

Org.; 5 Anthems *Songs of Glory* für gem. Chor und Org. (1963); *Hadrat Kodesh* für Kantor, Soli, Chor und Org. (1966); Liederzyklus *Visions of Yehuda Halevi* für hohe St. und Kl. (1970).

+Schaljapin, Fjodor Iwanowitsch (Féodor Chaliapine), 1.(13. [nicht: 11.]) 2. 1873 – 1938.
Vor seiner Emigration (1920) wirkte Sch. in Petrograd auch als Opernregisseur. Als weitere wichtige Partien seien genannt: Iwan Sussanin (Glinka), Don Basilio (*Il barbiere di Siviglia*) und Don Quichotte (Massenet). – +*Pages from My Life* (1926), auch London 1927, russ. als *Stranizy is mojej schisni* (= Bibl. dlja wsech o. Nr, Leningrad 1926), deutsch als *Mein Werden* (Bln 1928), *Meine Jugend* (Zürich 1949) und als *Lied meiner Jugend* (Bln 1958), tschechisch Prag 1958, sowie +*Man and Mask* (1932) zuerst russ. als *Maska i duscha* (Paris 1932), frz. als *Ma vie* (ebd.), deutsch als *Ohne Maske* (Bln 1933), ital. als *Pei sentieri della vita* (Mailand 1933), beides russ. als *Powesti o schisni* (»Erzählungen aus meinem Leben«, hrsg. von Je. A. Groschewa, Perm 1965). Lit.: +F. I. Sch., hrsg. v. Je. A. Groschewa, 2 Bde (I: »Literarisches Erbe, Briefe, Sch.s Erinnerungen an d. Vater«, II: »Aufsätze, Äußerungen u. Erinnerungen an Fj. I. Sch.«, Moskau 1957–58 [erg. frühere Angaben], daraus engl.: Chaliapin. An Autobiogr. as Told to M. Gorki, hrsg. v. N. Froud u. J. Hanley, NY u. London 1968, u. deutsch als: M. Gorki, Mein Freund Fjodor, hrsg. v. E. Müller-Kamp, Tübingen 1970, polnisch Krakau 1967, tschechisch Bratislava 1971. – M. O. Jankowskij, Sch. i russkaja opernaja kultura, Leningrad 1947; ders., F. I. Sch., = Mastera Bolschowo teatra o. Nr, Moskau 1951; ders., Sch., = Schisn w iskusstwe o. Nr, Leningrad 1972; Wl. W. Stassow, Statji o Sch.e (»Aufsätze über Sch.«), ebd. 1952; S. Je. Rosenfeld, Powest o Sch.e (»Erzählung über Sch.«), = Massowaja serija o. Nr, Moskau 1957, auch Leningrad 1966; A. v. Andreevsky in: Theater d. Zeit XIII, 1958, H. 10, S. 23ff.; I. Newton in: MT CI, 1960, S. 82f.; G. Moore, Am I too Loud?, London u. NY 1962, Paperbackausg. Harmondsworth (Middlesex) 1966, deutsch als: Bin ich zu laut?, Tübingen 1963, ²1964, auch Stuttgart 1968; A. Raskin, Sch. i russkije chudoschniki (»Sch. u. d. russ. Künstler«), Leningrad 1963; C. Hopkinson, Diaghilev, Chaliapine and Their Contracts, MR XXV, 1964; W. A. Kollar, 187 dnej is schisni Sch.a (»187 Tage aus Sch.s Leben«), Gorki 1967; J. Feschotte, Ce géant, F. Chaliapine, Paris 1968; E. Kaplan, Schisn w musykalnom teatre (»Das Leben im Musiktheater«), Leningrad 1969; J. Goury, F. Chaliapine, = Monstres sacrés II, Paris 1970 (mit Diskographie); O. Kabalewskaja, Perwyje wstretschi Sch.a s twortschestwom Mussorgskowo (»Sch.s erste Begegnung mit Mussorgskijs Werk«), in: Woprossy teorii i estetiki musyki X, hrsg. v. L. N. Raaben, Leningrad 1971; V. Cosma, Şaliapin în România, in: Muzica XXIII, 1973; W. Drankow, Priroda talanta Sch.a (»Das Wesen v. Sch.s Talent«), Leningrad 1973. – zahlreiche (Einzel-)Beitr. in SM.

+Schalk, –1) Franz, 1863–1931.
Lit.: L. Nowak in: ÖMZ XVIII, 1963, S. 259f.; I. Korn, Die Wiener Oper unter R. Strauss u. Fr. Sch., Diss. Wien 1964.

+Schall, –1) Claus [erg.:] Nielsen, 1757 – 1835 zu Kopenhagen [nicht: Kongens Lyngby]. –2) Peder, [erg.: getauft 30.] 12. 1762 – 1820.
Lit.: zu –1) J. Friedrich, Cl. Sch. als dramatischer Komponist, Diss. Bln 1930; N. Schiørring in: MGG XI, 1963, Sp. 1571f.; N. M. Jensen, Den danske romance 1800–50 og dens mus. forudsaetninger, Kopenhagen 1964 (mit deutscher Zusammenfassung); K. A. Bruun, Dansk musiks hist. fra Holberg-tiden til C. Nielsen, ebd. 1969, Bd I.

Schallenberg (ʃ'alənbə:g), Robert, * 26. 5. 1930 zu Guthrie (Okla.); amerikanischer Komponist, studierte an der Phillips University in Enid/Okla. (B. Mus. und M. Mus. Ed.) und der University of Illinois in Urbana

(M. Mus. und D. M. A.) sowie privat bei Babbitt und Gaburo. 1962–63 war er Assistant Professor an der Illinois Wesleyan University in Bloomington; seit 1964 lehrt er in gleicher Stellung Komposition und Theorie an der University of Iowa in Iowa City (1967 Associate Professor) und ist Direktor des dortigen Electronic Music Studio. – Werke (Auswahl): *Divisions* für kleines Orch. (1963); Bläserquintett (1955); Scherzo für Bläserquartett (1953); Streichquartett (1957); Trio für Holzbläser (1952); Invention für V. und Kl. (1956); *Simple Variations* für 2 V. (1958); *Divisions* für Vc. und Kl. (1962); 2 Lieder für S. (1953); *3 Cinquains* für A. und Kl. (1963); *Lilacs* für Chor a cappella (nach Walt Whitman, 1966).

Schaller, Erwin, * 9. 2. 1904 zu Linz; österreichischer Musikpädagoge, studierte 1923–33 in Wien, Köln und Bern Komposition, Violine, Gitarre, Laute und Musikerziehung, war 1933–40 Musiklehrer an der Bundeslehrer- und -lehrerinnenbildungsanstalt in Linz, an der er wieder 1948 tätig wurde. Seine zahlreichen Kompositionen sowie Bearbeitungen von Stücken des Barocks, der Klassik und mehreren hundert Volksliedern sind hauptsächlich für die Besetzung Singstimme, Blockflöte und Gitarre bestimmt. Er verfaßte ein *Lehrwerk für Gitarre* (mit K. Scheit, 5 H., Karlsbad 1936, in 3 H. Wien 1939, engl. London 1951).

Schamo, Igor Naumowitsch, * 21. 2. 1925 zu Kiew; ukrainisch-sowjetischer Komponist und Pianist, absolvierte 1951 das Kiewer Konservatorium (Ljatoschinskij) und lebt seitdem freischaffend in Kiew. Er schrieb Orchesterwerke (Festouvertüre, 1961; Symphonie für Streicher, 1965; *Sinfonietta-Concerto*, 1967; Konzertballade für Kl. und Orch., 1951), Kammermusik (Suite für Streichquartett, 1954; Klaviertrio, 1947; Romanze für Vc. und Kl., 1947; Sonate für V. und Kl., 1952), Klavierwerke (Sonate, 1947; Ukrainische Suite, 1949; 5 Stücke für Kl., 1955), *Ballada o geroje* (»Ballade vom Helden«, 1954) und die Suite *Moja rodina* (»Meine Heimat«, 1954) für Chor und Orch., a cappella-Chöre, Lieder und Romanzen sowie Bühnen- und Filmmusik.

Schanppecher, Melchior, * um 1480 zu Worms, † nach Juni 1506; deutscher Musiktheoretiker, studierte ab 1496 in Köln sowie ab 1502 in Leipzig und promovierte 1505 in Köln zum Magister artium. Er war in Köln Musiklehrer von Wollick, der 1501 (weitere Aufl. 1504, 1505, 1508 und 1509) in seinem *Opus aureum musicae* als pars III Sch.s *Musica figurativa* veröffentlichte, die auch in Reischs *Margarita philosophica nova* (Straßburg 1508 und 1512) dem vorhandenen Musiktraktat angefügt wurde. Pars IV (*De modo componendi*) stellt mit der Unterscheidung von schriftlich fixierter compositio und improvisierter sortisatio über einen C. f. den Beginn der Kompositionslehre in Deutschland dar. Der letzte biographische Anhaltspunkt ist eine im Juni 1506 datierte astronomische Schrift.
Ausg.: Die Musica figurativa d. M. Sch., hrsg. v. Kl. W. Niemöller, = Beitr. zur rheinischen Mg. L, Köln 1961.
Lit.: W. Gurlitt, Der Begriff d. sortisatio in d. deutschen Kompositionslehre d. 16. Jh., TVer XVI, 1946; ders., Die deutsche Kompositionslehre d. 16. u. 17. Jh., Kgr.-Ber. Bamberg 1953; E. T. Ferand, »Sodaine and Unexpected« Music in the Renaissance, MQ XXXVII, 1951; Kl. W. Niemöller, N. Wollick u. sein Musiktraktat, = Beitr. zur rheinischen Mg. XIII, Köln 1956.

Schanzlin, Hans Peter, * 2. 8. 1916 zu Basel; Schweizer Musikforscher, studierte ab 1936 an der Universität in Basel Musikwissenschaft und gleichzeitig am dortigen Konservatorium Schulgesang. Nach Abschluß des Staatsexamens (1941) war er als Schulgesanglehrer, Organist und Chorleiter in Basel tätig. Er promovierte 1949 bei Handschin über das Thema *J. M. Gletles Motetten* (= Publ. der Schweizerischen musikforschenden Gesellschaft II, 2, Bern 1954). Sch. war 1959–70 wissenschaftlicher Mitarbeiter an der Abteilung Schola Cantorum Basiliensis der Musik-Akademie der Stadt Basel und wurde 1965 Leiter der Musikabteilung der dortigen Universitätsbibliothek. – Veröffentlichungen: *Basels private Musikpflege im 19. Jh.* (= 139. Neujahrsblatt ... der Gesellschaft zur Beförderung des Guten und Gemeinnützigen, Basel 1961); *Die Cantiones sacrae von L. Sailer* (in: Musik und Gottesdienst IX, 1955); *Musikwissenschaft in der Schweiz (1938–58)* (AMl XXX, 1958); *Kirchenmusik in der Stiftsbibliothek zu St. Martin in Rheinfelden (Schweiz)* (KmJb XLIII, 1959); *Briefe des Haydn-Schülers Neukomm an den Schweizer Komponisten Schnyder von Wartensee* (Fs. A. van Hoboken, Mainz 1962); ferner zahlreiche Beiträge zur Schweizer Musikgeschichte. Sch. gab von J. M. Gletle *Ausgewählte Kirchenmusik* heraus (= Schweizerische Musikdenkmäler II, Basel 1959).

+Schaporin, Jurij Alexandrowitsch, * 27. 10. (18. 11.) 1887 zu Gluchow (Gouvernement Tschernigow), [erg.:] † 9. 12. 1966 zu Moskau.
Sch. war 1932–36 [erg.: stellvertretender] Vorsitzender des Leningrader Komponistenverbandes. Am Moskauer Konservatorium lehrte er bis zu seinem Tode. – Weitere Werke: symphonischer Zyklus *Wojna i mir* (»Krieg und Frieden«) für Soli, Chor und Orch. (1956); 5 Stücke für Vc. und Kl. op. 25 (1959), Ballade für Kl. op. 28 (1959); Oratorium *Dokole korschunu kruschit* op. 20 (»So lange der Geier kreist«, 1962); Liederzyklus *Daljokaja junost* op. 12 (»Ferne Jugend«, 1939), 8 Romanzen *Pamjat serdza* op. 26 (»Erinnerung des Herzens«, 1958), Elegien und Romanzen für Singst. und Kl. op. 31 (1959). Posthum erschien eine Sammlung ausgewählter Aufsätze (*Isbrannyje statji*, hrsg. von R. Runskaja, Moskau 1969).
Lit.: Ju. A. Sch., *Notografitscheskij i bibliografitscheskij sprawotschnik* (»Werkverz. u. Bibliogr.«), hrsg. v. Je. L. Sadownikow, Moskau 1966. – Aufsatzfolge in: SM XXVI, 1962, H. 11. – *Istorija russkoj sowjetskoj musyki*, hrsg. v. A. D. Alexejew u. W. A. Wassina-Grossman, Bd I–IV/1, Moskau 1956–63 (in Bd I besonders d. Kap. über »Symphonische Musik«, S. 233ff., in Bd II über »Romanzen u. vokale Kammermusik«, S. 143ff., u. über »Kantaten, Oratorien u. Chorsuiten«, S. 159ff., in Bd III über »Kantaten, Oratorien u. Chorwerke«, S. 137ff., sowie in Bd IV/1 über »Volksliedbearb.«, S. 88ff., über »Vokale Kammermusik«, S. 153ff., u. über »Opern«, S. 274ff.); L. W. Poljakowa in: SM XXIII, 1959, H. 12, S. 35ff.; I. I. Remesow, *Kantaty i oratorii Sch.a*, = Bibl. sluschatelja konzertow o. Nr, Moskau 1960; Wl. W. Protopopow, *O romansach Ju. Sch.a*, SM XXV, 1961; St. St. Grigorjew, *Nekotoryje tscherty stilja i musykalnowo jasyka Ju. Sch.a* (»Einige Eigenarten d. Stils u. d. mus. Sprache bei Ju. Sch.«), in: *Musykalno-teoretitscheskije problemy sowjetskoj musyki*, hrsg. v. S. S. Skrebkow, = Trudy kafedry teorii musyki o. Nr, Moskau 1963; N. Sinkowskaja, *Rol lejtmotiwow w musykalno-dramaturgitscheskom raswitii opery Ju. Sch.a* »Dekabristy« (»Die Rolle d. Leitmotivs in d. mus.-dramaturgischen Entwicklung d. Oper ,Die Dekabristen' v. Ju. Sch.«), ebd.; D. Blagoi in: SM XXVIII, 1964, H. 2, S. 36ff.; S. I. Lewit, *Ju. A. Sch.*, Moskau 1964; D. Gojowy, *Moderne Musik in d. Sowjetunion*, Diss. Göttingen 1966; I. I. Martynow, *Ju. Sch.*, Moskau 1966; N. Rogoschina in: *Sowjetskaja simfonija sa 50 let*, hrsg. v. G. Gr. Tigranow, Leningrad 1967, S. 405ff.; I. A. Smirnowa, *Romansy Ju. A. Sch.a*, Moskau 1968; St. D. Krebs, *Soviet Composers and the Development of Soviet Music*, London 1970.

+Schaposchnikow, Adrian Grigorjewitsch, * 28. 5. (9. 6.) 1887 [nicht: 1888] zu St. Petersburg, [erg.:] † 22. 6. 1967 zu Moskau.
Sein Œuvre umfaßt insgesamt 6 Opern: *Otrawlennyj sad* (»Der vergiftete Garten«, 1913), *Sochre i Tachyr* (erste turkmenische Oper zur Eröffnung des turkmenischen Nationaltheaters in Aschchabad 1941, 2. Fassung, mit W. Muchatow, ebd. 1953), *Gjul i Bilbil* (1943), *Schassenem i Garib* (mit D. Owesow, 1944, 2. Fassung 1955), *Kemine i kosa* (»Kemine und die Ziege«, mit W. Muchatow, 1946) und *Ajna* (mit D. Owesow, 1957). Zu seinen Orchesterwerken gehören ferner 5 Rhapsodien, ein *Liritscheskaja poema* (1962), Stücke mit turkmenischen Volksmusikinstrumenten und ein Klavierkonzert (1947, 2. Fassung 1953).

Scharfenberger, Werner, * 25. 9. 1925 zu Regensburg; deutscher Komponist von Schlager- und Filmmusik, lebt in Castagnola (Tessin). Er war 1946–53 Pianist und Arrangeur in den Orchestern Freddy Brocksieper und Max Greger, ist seitdem freiberuflich als Komponist und Orchesterleiter tätig. Neben einer Reihe von Schlagern (*Seemann, deine Heimat ist das Meer*) komponierte er Musik zu Unterhaltungsfilmen. Er erhielt Diplome für mehrere »Goldene Löwen« von Radio Luxembourg und Auszeichnungen bei Schlagerfestspielen.

Scharnagl, August, * 1. 6. 1914 zu Straubing (Bayern); deutscher Musikforscher, studierte 1934 an der Kirchenmusikschule in Regensburg, dann an den Universitäten München (1935) und Würzburg, wo er 1940 mit der Dissertation *Fr. X. Sterkel. Ein Beitrag zur Musikgeschichte Mainfrankens* (Würzburg 1943) promovierte. Ab 1935 studierte er gleichzeitig am Bayerischen Staatskonservatorium der Musik in Würzburg (Staatsexamina 1938 und 1939); ab 1939 war er an bayerischen Gymnasien tätig. 1955 wurde er Custos der Proskeschen Musikbibliothek in Regensburg. Er ist gegenwärtig Oberstudienrat am Musikgymnasium der Regensburger Domspatzen und Lehrbeauftragter für Musikwissenschaft an der Universität Regensburg. – Veröffentlichungen (Auswahl): *L. Episcopius. Eine bio-bibliographische Studie zur Meßgeschichte des 16. Jh.* (KmJb XXXIV, 1950); *Geistliche Liederkomponisten des bayerischen Barock* (KmJb XLII, 1958); *Die Regensburger Tradition. Ein Beitrag zur Geschichte der katholischen Kirchenmusik im 19. Jh.* (in: Musicae sacrae ministerium, Fs. K. G. Fellerer, = Schriften des Allgemeinen Cäcilien-Verbandes ... V, Köln 1962); *Zur Geschichte des Regensburger Domchors* (in: Musicus-Magister, Fs. Th. Schrems, Regensburg 1963); *Die Orgeltabulatur C 119 der Proske-Musikbibliothek Regensburg* (Fs. Br. Stäblein, Kassel 1967); *Die katholische Kirchenmusik von der tridentinischen Reform bis zum Abschluß der Regensburger Restauration* und *Die Musikpflege an den kleinen Residenzen* (in: Musik in Bayern I, hrsg. von R. Münster und H. Schmid, Tutzing 1972); ferner zahlreiche Artikel für MGG, das »Lexikon für Theologie und Kirche« und das »Lexikon der Marienkunde« sowie Ausgaben von Vokalsätzen des 16.–18. Jh.

+Scharnke, Reinhold, * 26. 5. 1899 zu Berlin.
Sch., der heute in Rastatt (Baden) lebt, übte die früher genannte Tätigkeit im Verlag August Scherl Nachfolger in Berlin nicht aus. *+Offenbach in Amerika* (= Hesses kleine Bücherei II, 1957) ist eine bearbeitete Übersetzung von J. Offenbachs *Orpheus in America* (Bloomington/Ind. 1957). Er komponierte auch eine *Kanarische Suite* für Kl.

Scharrer, August, * 18. 8. 1866 zu Straßburg, † 24. 10. 1936 zu Weiherhof (bei Fürth); deutscher Dirigent

und Komponist, studierte an der Ramann-Volkmann'-schen Musikschule in Nürnberg und an den Konservatorien in Straßburg und Berlin, war 1897 Korrepetitor in Karlsruhe (unter Mottl), wirkte als Kapellmeister ab 1898 am Theater in Regensburg, ab 1900 beim Kaim-Orchester in München, ab 1904 beim Berliner Philharmonischen Orchester sowie ab 1909 in Baden-Baden und war 1914–31 Leiter des Philharmonischen Vereins in Nürnberg, ab 1922 auch städtischer Kapellmeister am Opernhaus. Er schrieb die Oper *Die Erlösung* (Straßburg 1895), Orchesterwerke (Symphonie D moll *Per aspera ad astra* op. 23), Kammermusik (Streichquartett), Chorwerke und Lieder.
Lit.: Erinnerungen aus d. Leben A. Sch.s, in: Musik u. Theater III, (Nürnberg) 1936.

+Scharwenka [–1) Philipp], –2) [erg.: Franz] X a v e r, 1850–1924.
–3) W a l t e r, * 21. 2. 1881 und [erg.:] † 8. 7. 1960 zu Berlin. Bis zu seinem Tode war er Direktor des Konservatoriums Klindworth-Scharwenka, das später aufgelöst wurde. Als letzte Werke entstanden 1958 die Choralkantaten op. 39 Nr 1 und 2 (*Wie groß ist des Allmächtigen Güte* und *O daß ich tausend Zungen hätte*) für S., 3st. Frauenchor und kleines Orch. (oder Org.).

Schat (sxat), P e t e r, * 5. 6. 1935 zu Utrecht; niederländischer Komponist, studierte bei K. van Baaren in Den Haag sowie bei Seiber in London und besuchte Kurse bei Boulez in Basel. Gegenwärtig ist er am Studio für Elektronische Musik in Amsterdam tätig. Er schrieb u. a.: Bläseroktett (1958); *Mozaïeken* für Orch. (1959); 2 Stücke für Fl., V., Trp. und Schlagzeug (1959); *Cryptogramen* für Bar. und Orch. (1959); *Concerto da camera* für 2 Klar., Kl., Schlagzeug und Streicher (1960); *Improvisations and Symphonies* für Bläserquintett (1960); *The Fall, from Finnegan's Wake by James Joyce* für 16 St. (1960); *Signalement* für Schlagzeug (1961); *Sextett, Fragment* für 3 Schauspieler und 3 Musiker (1961); *Entelechie I* für 5 Instrumentalgruppen (1961) und *II* für 11 Instr. (1962); *Improvisations from the »Labyrinth«* für 3 St. und 4 Instr. (1964); *Introduktion und Adagio im alten Stil* für Streichquartett (1965); *Het labyrinth*, theatralisches Mixed-media-Spektakel (Text Lodewijk de Boer, Amsterdam 1966); *First Essay on Electrocution* für V., Git. und Schlagzeug (1966); *Clockwise and Anticlockwise* für 16 Bläser (1967); Septett für Fl., Ob., Baßklar., Horn, Kl., Vc. und Schlagzeug (1967); *Anathema* für Kl. (1969); *Theme* für Ob., Git., Org. und Bläser (1970); *To You* für Solo-St., Tasteninstrumente und Elektronik (1972; vgl. dazu Sonorum speculum 1974, Nr 55, S. 1ff.); *The Fifth Season* für St., Instr. und Elektronik (1973).
Lit.: E. V e r m e u l e n, Zitatenkompositionen v. L. Andriessen u. P. Sch., in: Sonorum speculum 1968, Nr 35, auch engl.

+Schatz, A l b e r t, 19. 5. [nicht: 3.] 1839 – 1910.
Lit.: +O. G. S o n n e c k, Cat. of Opera Librettos Printed Before 1800 (1914), Nachdr. NY 1967.

+Schaub, H a n s ([erg.:] eigentlich Siegmund) Ferdinand, * 22. 9. 1880 zu Frankfurt am Main, [erg.:] † 12. 11. 1965 zu Hanstedt (bei Marburg).
Lit.: Sch.-Sonder-H., = ZfM CVI, 1938, H. 12.

Schawerdjạn, A l e x a n d e r Issaakowitsch, * 22. 6. (5. 7.) 1903 zu Signach (Georgien), † 2. 3. 1954 zu Moskau; armenisch-sowjetischer Musikforscher, studierte bei Christofor Kuschnarjow sowie an den Konservatorien in Leningrad und Moskau (Abschluß 1930), wo er dann als Kritiker wirkte. Er war Redakteur der Zeitschriften »Musyka«, SM und »Sowjetskoje iskusstwo« sowie Vorsitzender der Kommission für Musikfor-

schung und -kritik beim sowjetischen Komponistenverband. Von seinen Veröffentlichungen seien genannt: *A. A. Spendiarow* (Moskau 1939, ²1957, armenisch und russ. Jerewan 1971); *Tschajkowskij i teatr* (»Tschaikowsky und das Theater«, Moskau 1940); *Bolschoj teatr Sojusa SSR* (»Das Bolschoj Teatr der UdSSR«, ebd. 1953, Jerewan 1956); *Komitas i armjanskaja musykalnaja kultura* (». . . und die armenische Musikkultur«, ebd. 1956); *Isbrannyje statji* (»Ausgewählte Aufsätze«, Moskau 1958); *Otscherki po istorii armjanskoj musyki XIX–XX wekow* (»Abrisse zur Geschichte der armenischen Musik im 19.–20. Jh.«, ebd. und Jerewan 1959).

+Schebalin, W i s s a r i o n Jakowlewitsch, * 29. 5. (11. [nicht: 9.] 6.) 1902 zu Omsk, [erg.:] † 28. 5. 1963 zu Moskau.
1948–51 unterrichtete er am Institut zur Ausbildung von Militärkapellmeistern, danach wieder als Professor für Komposition am Moskauer Konservatorium. Der Titel seiner Oper lautet +*Schenich is possolstwa* [nicht: posol]. – Weitere Kompositionen: die Oper *Solnze nad stepju* (»Sonne über der Steppe«, Moskau 1958); die Ballette *Festiwal* (1958, unvollendet) und *Minuwschich dnej wospominanija* (»Erinnerungen an vergangene Tage«, 1961); 5. Symphonie (1962), 3 Orchestersuiten (1935; 1935, 2. Fassung 1961; 1963); Cellokonzert (1950), je ein Concertino für Horn (1930) und V. (1931) mit Orch.; 8. und 9. Streichquartett (1960, 1963); Sonaten mit Kl. für Va (1954), V. (1958) und Vc. (1960), Sonatine für Git. (1963); dramatische Symphonie +*Lenin* (1931 [nicht: 1933], 2. Fassung 1959); a cappella-Chöre nach Texten von Puschkin (1949) und Lermontow (1952). Sch. gab Bd I–III und VII der →+Glinka-GA (Moskau 1955–58) heraus und schrieb die Erinnerungen *O projdennom puti* (»Über den zurückgelegten Weg«, SM XXIII, 1959).
Lit.: J. L. S a d o w n i k o w, W. Ja. Sch., Notografitscheskij sprawotschnik (»Kompositionsverz.«), Moskau 1963; W. Ja. Sch., ... (»Aufsätze, Erinnerungen, Materialien«), hrsg. v. A. M. S c h e b a l i n a, ebd. 1970. – Aufsatzfolge in: SM XXVI, 1962, H. 6. – Wl. W. P r o t o p o p o w in: SM XXII, 1958, H. 11, S.13ff.; Istorija russkoj sowjetskoj musyki, hrsg. v. A. D. A l e x e j e w u. W. A. W a s s i n a-G r o s s-m a n, Bd II–IV/1, Moskau 1959–63 (in Bd II besonders d. Kap. über »Symphonische Musik, Konzerte, Kammermusik«, S. 378ff., u. über »Romanzen u. vokale Kammermusik«, S. 143ff., in Bd III über »Symphonische, Konzert- u. Kammermusik«, S. 195ff., u. über »Opern«, S. 274ff.); Wl. B l o k, Kamernyje sotschinenija W. Sch.a (»Kammermus. Werke v. Sch.«), SM XXIV, 1960; d e r s. bzw. J e. B o n t s c h-O s m o-l o w s k a j a in: Sowjetskaja simfonija sa 50 let, hrsg. v. G. Gr. T i g r a n o w, Leningrad 1967, S. 410ff. (über d. »Lenin«-bzw. d. 5. Symphonie); M. D m. S a b i n i n a, Simfonija »Lenin« W. Sch.a, SM XXIV, 1960; J e. B o n t s c h-O s m o l o w-s k a j a, Opera W. Sch.a »Ukroschtschenije stroptiwoj«, Moskau 1962; D. G o j o w y, Moderne Musik in d. Sowjetunion bis 1930, Diss. Göttingen 1966; W. S c h i w o w, Interpretazija »Utjossa« W. Sch.a (»Eine Interpretation [d. Liedes] ›Der Felsen‹ v. Sch.«), SM XXX, 1966; O. K o l o w-s k i j in: Woprossy teorii i estetiki musyki IX, hrsg. v. L. N. R a a b e n, Leningrad 1969, S. 189ff. (zu d. Chorminiaturen); S t. D. K r e b s, Soviet Composers and the Development of Soviet Music, London 1970; K. D m i t r e w s k a j a, Chory a kapella W. Sch.a w swete tradizij russkoj chorowoj klassiki (»W. Sch.s a cappella-Chöre im Lichte d. Traditionen d. russ. Chorklassiker«), in: Musyka i sowremennost VII, hrsg. v. T. A. Lebedewa, Moskau 1971.

Schech, M a r i a n n e, * 18. 1. 1914 zu Geitau (Oberbayern); deutsche Opernsängerin (dramatischer Sopran), studierte 1933–35 am Trapp'schen Konservatorium der Musik und anschließend an der Akademie der Tonkunst in München (1938 Verleihung des F.-Mottl-Preises). Über Theaterengagements in Koblenz,

Münster (Westf.), Düsseldorf und Dresden kam sie 1945 an die Staatsoper München (1956 Kammersängerin). Seit 1968 ist M. Sch. Professor für Sologesang an der Musikhochschule in München. Zahlreiche Gastspiele führten sie an die großen Opernbühnen im In- und Ausland, darunter die Metropolitan Opera in New York, die Covent Garden Opera in London und die Wiener Staatsoper. Sie machte sich vor allem als Wagner- und Strauss-Interpretin einen Namen. 1970 zog sie sich von der Bühne zurück.

Schechter, Boris Semjonowitsch, * 8.(20.) 1. 1900 zu Odessa, † 16. 12. 1961 zu Moskau; russisch-sowjetischer Komponist, absolvierte 1922 das Konservatorium in Odessa bei Maliszewski und vervollkommnete sich bis 1929 bei Wassilenko und Mjaskowskij am Moskauer Konservatorium, wo er 1929–41 Lehrer für Komposition (1934 Dozent, 1935 Kandidat der Kunstwissenschaft) war. 1940 übernahm er die Leitung des Seminars für Laienkomponisten des sowjetischen Komponistenverbands. 1941 wurde er Professor am Konservatorium in Aschchabad. Er schrieb u. a. die Opern *1905 god* (»Das Jahr 1905«, mit Dawidenko, Radio Moskau 1935, Neufassung 1955), *Jussup i Achmet* (mit Aschir Kulijow, Aschchabad 1942), *Sejidi* (mit S. Owesow, 1943) und *Puschkin w Michajlowskom* (»Puschkin in Michajlowskoje«, 1955), Orchesterwerke (5 Symphonien: 1929, 1943, 1945, 1947 und 1951, Neufassung 1953; Suite *Turkmenija*, 1935; Klavierkonzert, 1939), 2 Klaviersonaten (1926 und 1931), die Kantaten *Wolgo-Don* (1952), *Poema-kantata* (1952) und *Domik w Schuschenskom* (»Häuschen in Schuschenskoje«, 1955), Chöre, Lieder (zahlreiche Massenlieder) sowie Bühnen- und Filmmusik.

Lit.: W. ZUCKERMAN, B. Sch., SM II, 1936; J. DO-BRYNINA, B. Sch., SM XXII, 1956; W. BELYJ, B. Sch., in: Musykalnaja schisn V, 1962.

+Scheck, Gustav, * 22. 10. 1901 zu München. Die Freiburger Musikhochschule, deren Gründung hauptsächlich ein Verdienst Sch.s ist (W. Gurlitt war als Begutachter und Berater hinzugezogen worden [del. frühere Angaben dazu]), stand unter seiner Leitung bis 1964.

Schedel, Hartmann, * 13. 2. 1440 und † 28. 11. 1514 zu Nürnberg; deutscher Arzt und Humanist, studierte in Leipzig (Magister artium 1460) und Padua (Dr. med. 1466), war Stadtarzt in Nördlingen (1470–76) und Amberg (ab 1477) und wurde 1480 wieder in Nürnberg seßhaft, wo 1493 bei Anton Koberger sein Hauptwerk, die von der Generation Dürers bewunderte »Weltchronik« (*Liber chronicarum ... ab initio mundi,* deutsche Fassung als *Buch der Chroniken ... von anbeginn der welt bis auf unsere Zeit*) gedruckt wurde. Musikgeschichtlich bedeutsam ist Sch. als Besitzer und Hauptschreiber des nach ihm benannten Liederbuchs (→Quellen: *Sche*).

Ausg.: Das Sch.sche Liederbuch, in Ausw. hrsg. v. H. ROSENBERG, Kassel 1933.
Lit.: H. ROSENBERG, Untersuchungen über d. deutsche Liedweise im 15. Jh., Wolfenbüttel 1931; H. BESSELER in: MGG XI, 1963, Sp. 1609ff.

Schedlich, David (Schädlich), * 1607 zu St. Joachimsthal (Böhmen), begraben 11. 11. 1687 zu Nürnberg; deutscher Komponist, war Schüler seines Bruders, des Organisten und Orgelmachers Jacob Sch. (um 1590 – 1669) in St. Joachimsthal und seines Schwiegervaters J. Staden in Nürnberg, wo er als Organist ab 1632 an der Frauenkirche, ab 1634 an der Hl. Geistkirche und ab 1655 (als Nachfolger S. Th. Stadens) an St. Lorenz wirkte. Er schrieb ein 23st. deutsches Te Deum, 10 14st.

Domine ad adiuvandum und deutsche Magnificat mit B. c., 13 4- und 5st. lateinische Responsorien ohne B. c., zahlreiche 1–4st. Strophenlieder mit und ohne B. c. und Begräbnisgesänge für verschiedene Besetzungen, ferner Suitensätze für ein Tasteninstr., für 2 V. und B. c. sowie für 2 V. und Violetta.

Ausg.: ein Lied f. S. u. B. c. in: C. v. WINTERFELD, Der ev. Kirchengesang II, Lpz. 1845, Nachdr. Hildesheim 1966; ein Lied f. S. u. B. c. u. eine Melodie ohne B. c. in: J. ZAHN, Die Melodien d. deutschen ev. Kirchenlieder, Gütersloh 1888–93, Nachdr. Hildesheim 1963; 3 Lieder u. eine Choralkantate in: Begräbnisgesänge Nürnberger Meister, hrsg. v. H. FEDERHOFER, = Musik alter Meister III, Graz 1955.
Lit.: H. E. SAMUEL, The Cantata in Nuremberg During the 17th Cent., Diss. Cornell Univ. (N. Y.) 1963; DERS. in: MGG XI, 1963, Sp. 1612ff.

+Scheel, Fritz, 1852–1907.
Lit.: H. KUPFERBERG, Those Fabulous Philadelphians. The Life and Times of a Great Orch., NY 1969 u. London 1970.

+Scheffler [–1) John], –2) Siegfried, * 15. 5. 1892 zu Ilmenau (Thüringen), [erg.:] † 5. 6. 1969 zu Hamburg.

+Scheibe, Johann Adolf (Adolph), 1708–76.
Sch.s Vater Johann Sch., [erg.:] um 1680 – 1748 [erg.:] zu Leipzig. – Sch. wurde in Kopenhagen bereits 1748 [nicht: 1758] pensioniert, ging 1749 nach Sonderburg (Insel Alsen), eröffnete dort eine Musikschule und übersetzte Werke von L. Holberg ins Deutsche. Jedoch trat er in Kopenhagen bis 1769 weiterhin als Komponist vornehmlich mit Oratorien und Kantaten (z. T. für Hoffeierlichkeiten) hervor. – Die 2. Auflage von +*Der critische Musicus* (1732–40) erschien Lpz. 1745 und die +3 Flötensonaten – op. 1 in Nürnberg um 1758/60 [erg. frühere Angaben dazu]. Eine Selbstbiographie Sch.s, *Lebenslauf, von ihm selbst entworfen,* gab J. Mattheson in seiner *Grundlage einer Ehren-Pforte* (Hbg 1740) heraus.

Lit.: +PH. SPITTA, J. S. Bach (II, 1880), 5. Aufl. (= Nachdr. d. 4. unveränderten Aufl. Lpz. 1930) Wiesbaden u. Darmstadt 1962, ⁶1964; +P. BENARY, Die deutsche Kompositionslehre d. 18. Jh. (1956), verändert = Jenaer Beitr. zur Musikforschung III, Lpz. 1961 (im Anh. Ausg. d. »Compendium musices«). – B. SALTOFT, Musik og matematik, Dansk aarbog f. musikforskning 1961 (mit deutscher Zusammenfassung); FR.-H. NEUMANN, Zur Theorie d. Rezitativs. Zur Theorie d. Rezitativs im 17. u. 18. Jh., = Slg mw. Abh. XLI, Straßburg 1962; M. RUHNKE, Telemann im Schatten v. Bach?, in: H. Albrecht in memoriam, Kassel 1962; J. S. Bach, Zeugnis f. J. A. Sch., in: Schriftstücke v. d. Hand J. S. Bachs, hrsg. v. W. NEUMANN u. H.-J. SCHULZE, = Bach-Dokumente I, Lpz. 1963; G. J. SKAPSKI, The Recitative in J. A. Sch.'s Literary and Mus. Work, Diss. Univ. of Texas 1963; I. WILLHEIM, J. A. Sch., German Mus. Thought in Transition, Diss. Univ. of Illinois 1963; J. BIRKE, Chr. Wolffs Metaphysik u. d. zeitgenössische Lit.- u. Musiktheorie. Gottsched, Scheibe, Mizler, = Quellen u. Forschungen zur Sprach- u. Kulturgesch. d. germanischen Völker, N. F. XXI, Bln 1966; R. DAMMANN, Der Musikbegriff im deutschen Barock, Köln 1967; H. KELLER, J. A. Sch. u. J. S. Bach. Ein Beitr. zur Ornamentik im »Wohltemperierten Kl.«, in: Musik u. Verlag, Fs. K. Vötterle, Kassel 1968; FR. RITZEL, Die Entwicklung d. »Sonatenform« im musiktheoretischen Schrifttum d. 18. u. 19. Jh., = Neue mg. Forschungen I, Wiesbaden 1968.

+Scheibler, Johann Heinrich, 1777 zu Montjoie (heute Monschau, Eifel) – 1837.
Lit.: K. REMBERT in: Die Heimat X, (Krefeld) 1931, S. 170ff.; R. HAASE, J. H. Sch. u. seine Bedeutung f. d. Akustik, in: Beitr. zur Mg. im Rhein-Maas-Raum, hrsg. v. C. M. Brand u. K. G. Fellerer, = Beitr. zur rheinischen Mg. XIX, Köln 1957; G. SCHUBERT in: Rheinische Musiker III, hrsg. v. K. G. Fellerer, ebd. LVIII, 1964, S. 81f.

+Scheide (ʃ'aidi [nicht: ʃi:d]), William Hurd, * 6. 1. 1914 zu Philadelphia (Pa.).

Sch., der heute in Princeton (N. J.) lebt, schrieb neben Beiträgen zur Chorerziehung die Aufsätze *J. S. Bachs Sammlung von Kantaten seines Vetters J. L. Bach* (Bach-Jb. XLVI, 1959 und XLVIII, 1961 – XLIX, 1962), *Ist Mizlers Bericht über Bachs Kantaten korrekt?* (Mf XIV, 1961, vgl. auch ebd. S. 192ff. bzw. 423ff.) und *Zur Herkunft von Bachs Kantatentexten* (in: J. S. Bach, hrsg. von W. Blankenburg, = Wege der Forschung CLXX, Darmstadt 1970).

+Scheidemann, Heinrich, um 1596 – [erg.: Anfang] 1663.

Ausg.: Orgelwerke, Bd I–II (I: Choralbearb., II: Magnificatbearb.) hrsg. v. G. Fock, Kassel 1967–70, Bd III (Praeambeln, Fugen, Fantasien, Canzonen u. Toccaten) hrsg. v. W. Breig, ebd. 1971. – 3 Choralbearb. in: Keyboard Music from Polish Mss., hrsg. v. J. Gołos u. A. Sutkowski, = Corpus of Early Keyboard Music X, (Rom) 1967, Bd II; 3 Stücke in: Lied- u. Tanzvariationen d. Sweelinck-Schule, f. Cemb. (Kl., Org.) hrsg. v. W. Breig, Mainz 1970.

Lit.: +M. Seiffert, Gesch. d. Klaviermusik (I, 1899), Nachdr. Hildesheim u. Wiesbaden 1966; +Fr. Dietrich, Gesch. d. deutschen Orgelchorals im 17. Jh. (1932), Nachdr. Kassel 1971; +G. Frotscher, Gesch. d. Orgelspiels … (I, 1935, ²1959), Bln ³1966. – W. Apel, Gesch. d. Org.- u. Klaviermusik bis 1700, Kassel 1967, engl. neu bearb. u. revidiert v. H. Tischler, Bloomington (Ind.) 1972; W. Breig, Die Orgelwerke v. H. Sch., = BzAfMw III, Wiesbaden 1967.

Scheidl, Theodor Bernard, * 3. 8. 1880 zu Wien, † 22. 4. 1959 zu Tübingen; österreichischer Sänger (Heldenbariton), studierte 1906–10 in Wien und debütierte dort an der Volksoper als Heerrufer (*Lohengrin*). Über die Opernhäuser in Olmütz (1911), Augsburg (1912) und Stuttgart (1913–21) kam er an die Berliner Staatsoper (1921–32). 1932–37 war er am Prager Nationaltheater engagiert. Sch. trat bei den Bayreuther Festspielen auf (1914, 1924–25, 1927) und gastierte an der Mailänder Scala und der Pariser Opéra. 1937–44 war er Professor für Gesang in München, ab 1944 in Tübingen. Zu seinen wichtigsten Partien zählten Donner (*Rheingold*), Klingsor, Amfortas und Kurwenal.

+Scheidt, Samuel, getauft 3. [nicht: 4.] 11. 1587 – 1654.

Sch. verdankte u. a. H. Compenius d. J. [nicht: d. Ä.] die Förderung seiner Berufswahl. – Sein Bruder Christian Sch., 1600 – [erg.:] nach 1628.

Ausg.: +GA (1923ff.), bisher erschienen: Bd I, hrsg. v. G. Harms (1923), Das Tabulaturbuch v. Jahr 1650; II–III (Ders., 1928), Paduana, Galliarda, Couranta, Alemande, Intrada, Canzonetto; IV (Ders. u. Chr. Mahrenholz, 1933), Cantiones sacrae v. Jahr 1620; V (Dies., 1937), Uned. Kompositionen f. Tasteninstr.; VI–VII (Chr. Mahrenholz, 1953), Tabulatura nova; VIII–XI (A. Adrio, 1957–64), Geistliche Konzerte, Teil 1–3. – +Das Görlitzer Tabulaturbuch (Fr. Dietrich, 1940), Neudr. Kassel 1954. – Alamanda. 10 Variationen f. Org. (Cemb.), hrsg. v. O. Mischiati, Mainz 1967.

Lit.: +Chr. Mahrenholz, S. Sch. (1924), Nachdr. Farnborough 1968; +Fr. Dietrich, Gesch. d. deutschen Orgelchorals … (1932), Nachdr. Kassel 1971; +G. Frotscher, Gesch. d. Orgelspiels … (I, 1935, ²1959), Bln ³1966. – A. Adrio, Zu S. Sch.s Vokalmusik, MuK XXIV, 1954; Ders., S. Sch.s »Cantiones sacrae octo vocum« v. 1620, in: Kerygma u. Melos, Fs. Chr. Mahrenholz, Kassel 1970; Chr. Mahrenholz, S. Sch. u. d. Org., MuK XXV, 1955; W. E. Buszin in: The Mus. Heritage of the Lutheran Church, hrsg. v. Th. Hoelty-Nickel, Bd V, St. Louis (Mo.) 1959, S. 43ff.; E. Gessner, S. Sch.s geistliche Konzerte, = Berliner Studien zur Mw. II, Bln 1961; W. Braun, S. Sch.s Bearb. alter Motetten, AfMw XIX/XX, 1962/63; H. Grüss, Über Notation u. Tempo einiger Werke S. Sch.s

u. M. Praetorius', DJbMw XI, 1967; W. Breig, Zu d. hs. überlieferten Liedvariationen v. S. Sch., Mf XXII, 1969.

+Schein, Johann Hermann, 1586–1630.

Sch. kam 1599 als Chorknabe in die Dresdner Hofkapelle unter R. Michael, der auch sein Lehrer war; T. Michael wurde 1631 in Leipzig Sch.s Nachfolger im Amt des Thomaskantors [del. bzw. erg. frühere Angaben dazu].

Ausg.: +Neue Ausg. sämtlicher Werke, hrsg. v. A. Adrio, Kassel 1963ff., bisher erschienen: Bd I, hrsg. v. Dems. (1963), Israelsbrünnlein 1623; II (Ders., 2 Teile, 1965–67), Cantional oder Gesangbuch Augsburgischer Konfession 1627/1645; IV (Ders. u. S. Helms, 1973), Opella nova (1. Teil) 1618; VI (M. u. S. Helms, 1970), Venuskränzlein 1609 u. Studentenschmaus 1626; VIII (A. Adrio, 1969), Diletti pastorali. Hirtenlust 1624; IX (D. Krickeberg, 1967), Banchetto mus. 1617. – Geistliche Konzerte. Opella nova 1, 1618, hrsg. v. P. Horn, = Das Chorwerk alter Meister XII, Stuttgart 1964.

Lit.: +C. v. Winterfeld, Der ev. Kirchengesang (II, 1845), Nachdr. Hildesheim 1966; +A. Prüfer, J. H. Sch. u. d. weltliche deutsche Lied … (1908), Nachdr. Niederwallauf bei Wiesbaden 1973; +Fr. Blume, Die ev. Kirchenmusik (1931), 2. Aufl. als: Gesch. d. ev. Kirchenmusik, Kassel 1965. – W. Gurlitt, Ein Autorenprivileg f. J. H. Sch. v. 1628, Fs. K. G. Fellerer, Regensburg 1962; W. Reckziegel, Das Cantional v. J. H. Sch., Seine gesch. Grundlagen, = Berliner Studien zur Mw V, Bln 1963; R. H. Thomas, Poetry and Song in the German Baroque, London 1963; F. E. Peterson, J. H. Sch.s' »Cymbalum Sionium«. A Liturgico-Mus. Study, Diss. Harvard Univ. (Mass.) 1966; A. Adrio, Die Drucker u. Verleger d. mus. Werke J. H. Sch.s, in: Musik u. Verlag, Fs. K. Vötterle, Kassel 1968; E.-O. Göring, Sch., ein hoher Mann, Sch., ein hoher Nam'!, in: Credo mus., Fs. R. Mauersberger, ebd. 1969; S. Sørensen, J. H. Sch.s »Opella nova«, in: Renaissance-muziek 1400–1600, Fs. R. B. Lenaerts, = Musicologica Lovaniensia I, Löwen 1969; R. Caspari, Liedtradition im Stilwandel um 1600, = Schriften zur Musik XIII, München 1971; H. Glahn, J. H. Sch.s Kantional »in d. Tabulatur transponiert v. J. Vockerodt, Mühlhausen 1649«, Fs. J. P. Larsen, Kopenhagen 1972.

+Scheinpflug, Paul, 1875–1937.

Lit.: P. Naumann in: Rheinische Musiker VI, hrsg. v. D. Kämper, = Beitr. zur rheinischen Mg. LXXXIII, Köln 1969, S. 169ff.

+Scheit, Karl, * 21. 4. 1909 zu Schönbrunn (Schlesien).

Konzertreisen führten ihn inzwischen auch in den Nahen Osten und nach Japan. Er beendete seine Lehrtätigkeit am Konservatorium der Stadt Wien 1958; an der Wiener Musikakademie unterrichtet er weiterhin.

+Schelb, Josef, * 14. 3. 1894 zu Bad Krozingen (Baden).

Sch. lebt seit 1959 in Baden-Baden im Ruhestand. Neuere Werke: die Oper *Die Falken* (A. Bergengruen, 1967; daraus auch eine Suite für Orch., 1968); *Serenata bucolica* (1957), *Symphonisches Vorspiel* (1959), Musik (1963) sowie *Movimento I und II* (1969) für Orch.; Sinfonietta (1958) und *Concertino da camera* (1964) für Streichorch.; Konzert für V., Vc. und Orch. (1958), Kammerkonzert für Ob., Klar. und Streichorch. (1957); Bläserquintett (1960), Quartette für 4 Waldhörner (1960), Blechbläser (1962) sowie für Horn, V., Vc. (1961), Klar., V., Vc. (1965) und V., Va, Vc. (1965) mit Kl.; Trio für Fl., Vc. und Kl. (1961); zahlreiche Sonaten mit Kl.; Chorzyklen, Hörspielmusiken.

Lit.: W. Zentner in: Ekkhart (Jb. f. d. Badner Land) 1964, S. 144ff.; E. Wallner in: Musica XXVIII, 1974, S. 161f.

+Schelble, Johann Nepomuk, 1789 – 6. [nicht: 7.] 8. 1837 zu Hüfingen (bei Donaueschingen) [nicht: Frankfurt am Main].

Seine Methode des musikalischen Elementarunterrichts war nicht primär auf die Schulung des absoluten Gehörs ausgerichtet [del. frühere Angaben dazu].
Lit.: G. Feder, J. N. Sch.s Bearb. d. Matthäuspassion J. S. Bachs, Mf XII, 1959.

+**Schelle,** Johann, 1648–1701.
Neben den bisher 186 nachweisbaren Kompositionen lassen sich noch etwa 15 weitere Stücke sowie mehrfach komplette Kantatenjahrgänge belegen (alle verschollen).
Ausg.: [del. als nicht erschienen:] 6 Kantaten (Fr. Graupner). – Vom Himmel hoch. Actus musicus auf Weih-Nachten, f. S., T., Chor, Streicher, Bläser u. B. c. hrsg. v. Fr. Wanek, Mainz 1970; 6 Kantaten f. B., 2 V. u. B. c., hrsg. v. A. Dürr, = Concerto vocale o. Nr, Kassel 1971. – einige weitere Einzelausg. in d. Reihe »Geistliche Chormusik« X, Stuttgart 1960ff.
Lit.: M. Geck, Die Authentizität d. Vokalwerks D. Buxtehudes in quellenkritischer Sicht, Mf XIV. 1961 (zur Kantate »Man singet mit Freuden v. Sieg«; wahrscheinlich ein Werk Sch.s, früher Buxtehude zugeschrieben); B. Baselt, Der »Actus Musicus auf Weyh-Nachten« d. Lpz.er Thomaskantors J. Sch., Wiss. Zs. d. M.-Luther-Univ. Halle–Wittenberg, Ges.- u. sprachwiss. Reihe XIV, 1965; Fr. Krummacher, Die Überlieferung d. Choralbearb. in d. frühen ev. Kantate, = Berliner Studien zur Mw. X, Bln 1965.

+**Schellenberg,** Arno [erg.:] Eugen, * 16. 11. 1903 [nicht: 1908] zu Berlin.
Neben seinem Engagement an der Dresdener Staatsoper (1968 Ernennung zum Ehrenmitglied) gastierte Sch. früher mehrfach an Opernhäusern des In- und (europäischen) Auslands. Er ist auch als Liedsänger hervorgetreten. Sch. lebt heute in Dresden.
Lit.: K. Laux in: Opernsänger, hrsg. v. E. Krause, Bln 1963.

Schelling, Friedrich Wilhelm Joseph von, * 27. 1. 1775 zu Leonberg (Württemberg), † 20. 8. 1854 zu Bad Ragaz (St.Gallen); deutscher Philosoph, war als Zögling des Tübinger Stiftes mit Hegel und Hölderlin befreundet. Er wurde 1798 außerordentlicher Professor in Jena, 1803 Professor in Würzburg, später in München, 1820 in Erlangen und 1841 in Berlin. – Sch. vollzieht im System des transzendentalen Idealismus die Synthese des Realen und des Idealen mittels des Kunstbegriffs; die Kunst sei das eigentliche Organon der Philosophie. Im musikalischen Rhythmus werde das Weltall nach seiner reinen Form, der Bewegung, abgebildet (Zur Philosophie der Kunst, 1803–17, erstmalig erschienen als Bestandteil der Sch.-GA I, 5, Stuttgart 1859, Nachdr. 1966).
Ausg.: Sämmtliche Werke, 14 Bde, Stuttgart 1856–61, Nachdr. 1966–73.
Lit.: H. Lotze, Gesch. d. Ästhetik in Deutschland, = Gesch. d. Wiss. in Deutschland, Neuere Zeit VII, München 1868; W. Hilbert, Die Musikästhetik d. Frühromantik, Remscheid 1911; P. Riesenfeld, Sch. als Musikphilosoph, AMz XL, 1913; W. Buddecke, Sch.s Metaphysik d. Musik in ihrem systematischen Zusammenhang dargestellt, Diss. Jena 1914; H. Kauder, Sch.s Philosophie d. Musik, Musikblätter d. Anbruch III, 1921; P. Moos, Die Philosophie d. Musik v. Kant bis E. v. Hartmann, Stuttgart ²1922; A. Steinkrüger, Die Ästhetik d. Musik bei Sch. u. Hegel. Ein Beitr. zur Musikästhetik d. Romantik, Diss. Bonn 1927; M. Becker, Der Einfluß d. Philosophie Sch.s auf R. Wagner, ZfMw XIV, 1931/32; K. Knopf, Die romantische Struktur d. Denkens R. Wagners, Diss. Jena 1932; H. M. Schueller, Sch.'s Theory of the Metaphysics of Music, The Journal of Aesthetics and Art Criticism XV, 1956/57; T. Kneif, Naturanschauung u. Mg., in: Language and Style I, 1969.

Schemper (ʃɛmpˈɛr), Raúl, * 27. 5. 1921 zu Buenos Aires; argentinischer Komponist, studierte bei Orestes Castronuovo (Klavier), Salomón Flechter (Trompete) und Ficher (Harmonielehre und Komposition) und

war 1938 Mitgründer der Asociación Argentina de Jóvenes Compositores. Er schrieb Orchesterwerke (Suite für Kammerorch., 1962; Variaciones tímbricas, 1971), Kammermusik (Trio für Fl., Klar. und Fag., 1958; Axones für Fl., Klar., Trp. und Schlagzeug, 1970; 21 mikropiezas für Ob., Klar., Trp., Pos., V. und Kb., 1971) und Klavierwerke (Inventionen, 1959; 3 2st. Inventionen, 1960; 4 3st. Inventionen, 1961; Movimientos de sonata, 1963).

+**Schenck,** Johannes (eigentlich Jan), getauft 3. 6. 1660 zu Amsterdam – nach 1712(?) oder nach 1716 [del. bzw. erg. frühere Lebensdaten].
Sch., nicht verwandt mit dem gleichnamigen Kupferstecher Peter Sch. (1645–1715), ist bis Ende 1711 in Dokumenten nachweisbar und blieb vermutlich bis zum Tod des Kurfürsten Johann Wilhelm II. (1716) als Kammermusikus am Hof in Düsseldorf.
Ausg.: Gambenkompositionen v. J. Sch. u. C. Höffler, hrsg. v. K. H. Pauls, = EDM LXVII, Abt. Kammermusik VIII, Kassel 1973.
Lit.: H. Bol in: Mens en melodie IX, 1954, S. 392ff. (zu »Le Nymphe di Rheno«); K. H. Pauls, Der kurpfälzische Kammermusikus J. Sch., Mf XV, 1962; ders. in: Mf XIX, 1966, S. 288f. (Ergänzungen zur Biogr.).

Schenk, Aegidius, OFM, getauft 2. 11. 1719 zu Burgau (Oststeiermark) auf den Namen Franz Joseph, † 9. oder 10. 1. 1780 zu Graz; österreichischer Komponist und Organist, immatrikulierte sich 1736 an der Grazer Universität als Rhetor und trat 1738 in den Grazer Minoritenkonvent ein. 1742 wurde er in Seggau (Südsteiermark) zum Priester geweiht, 1747 erwarb er ein Baccalaureat. Mit Ausnahme der Jahre 1759–61 und 1764–67 war Sch. im Grazer Ordenshaus tätig, wo er als Organist an der Minoritenkirche »Mariahilf« wirkte. Sein kompositorisches Schaffen umfaßt Marienantiphonen, Litaneien, Messen, Vespern, Tantum ergo, Psalmen, Offertorien, Te Deum, Arien, Arietten, Duette, Motetten, Sequenzen und Triosonaten. Von den 160 ausschließlich handschriftlich überlieferten Kompositionen ist in 107 Fällen die Autorschaft gesichert.
Lit.: E. Benczik, A. Sch. als Messenkomponist, Diss. Graz 1972.

+**Schenk,** Erich, * 5. 5. 1902 zu Salzburg, [erg.:] † 11. 10. 1974 zu Wien.
An der Wiener Universität war er 1938 Nachfolger von R. Lach [nicht: G. Adler]. – Sch. wurde 1964 Präsident der Gesellschaft zur Herausgabe von Denkmälern der Tonkunst in Österreich und 1973 Präsident der Österreichischen Gesellschaft für Musikwissenschaft. An der Universität Wien, deren Rektor er 1957/58 war, trat er 1971 in den Ruhestand. Zu seinem 60. Geburtstag wurde er mit einer Festschrift geehrt (= StMw XXII, 1962, mit Veröff.-Verz.). Von seinen zahlreichen Ehrungen seien die Ehrendoktorwürden (1969) der Universitäten Rostock und Brünn genannt. Ausgewählte Aufsätze, Reden und Vorträge erschienen Wien 1967 (= Wiener musikwissenschaftliche Beitr. VII). – +Die italienische Triosonate (= Das Musikwerk [erg.:] VII, 1955), engl. = The Anth. of Music VII, Köln 1962. – Neuere Schriften: Die außeritalienische Triosonate (= Das Musikwerk XXXV, ebd. 1970, auch engl.); O. Nicolai e le sue »Vispe comari di Windsor« (in: Volti musicali di Falstaff, hrsg. von A. Damerini und G. Roncaglia, = Accademia musicale Chigiana XVIII, Siena 1961); Der Langaus (Fs. Z. Kodály, = StMl III, 1962); Beobachtungen über die modenesische Instrumentalmusikschule des 17. Jh. (StMw XXVI, 1964; = Übers. der italienischen Abh. in: Atti e memorie dell'Accademia di scienze, lettere e arti di Modena V, 10, 1952); J. W.

Hertel und das Haus Breitkopf (Fs. H.Engel, Kassel 1964); *Englische Schauspielmusik in österreichischer Tabulatur-Überlieferung* (Fs. J.Racek, = Sborník prací filosofické fakulty brněnské university XIV, F 9, 1965); *Corelli und Telemann* (in: Chigiana XXIV, N. S. IV, 1967); *Salieris »Landsturm«-Kantate von 1799 in ihren Beziehungen zu Beethovens »Fidelio«* (in: Colloquium amicorum, Fs. J. Schmidt-Görg, Bonn 1967); *Zu Enescus Wiener Lehrjahren* (G.Enescu-Symposium, = Studii de muzicologie IV, 1968); *Die emphatische None* (Fs. B.Szabolcsi, = StMl XI, 1969); *Ein »Singfundament« von H.I.Fr. Biber* (in: Speculum musicae artis, Fs. H.Husmann, München 1970); *Zur Beethovenforschung der letzten zehn Jahre* (AMl XLII, 1970). – Sch. war auch Herausgeber der *Mitteilungen* (1955ff.) und der *Veröffentlichungen der Kommission für Musikforschung* der Österreichischen Akademie der Wissenschaften (Wien 1956ff.; in letzterem besonders H. 11, *Beethoven-Studien*, und H. 12, *Beethoven-Symposion Wien 1970*, = Sb. CCLXX-CLXXI, 1970–71) sowie der *Tabulae musicae Austriacae. Kataloge österreichischer Musiküberlieferung* (ebd.1964ff.). Neben zahlreichen Einzelausgaben (besonders in der Reihe »Diletto musicale«) edierte er in den DTÖ weiter: H.I.Fr. Biber, *Fidicinium sacro-profanum ... (1683)* und *Sonatae tam aris quam aulis servientes (1676)* (= XCVII bzw. CVI/CVII, Graz 1960–63); J. H. Schmelzer, *Duodena selectarum sonatarum (1659)* und *Sacro-profanus concentus musicus ... (1662)* (= CV bzw. CXI/CXII, ebd. 1963–65).
Lit.: O. WESSELY in: Musikerziehung XI, 1957/58, S. 67ff., u. in: ÖMZ XIII, 1958, S. 64ff.; DERS. in: ÖMZ XXIX, 1974, S. 562f.

Schenk, Otto, * 12. 6. 1930 zu Wien; österreichischer Regisseur und Schauspieler, studierte am Wiener Reinhardtseminar, legte daneben an der Wiener Universität die erste juristische Staatsprüfung ab und ging dann als Schauspieler an das Volkstheater und das Theater in der Josefstadt in Wien. An der Volksoper und an der Staatsoper Wien gelang ihm der Durchbruch als Opernregisseur. Er inszenierte u. a. in Frankfurt a. M., Stuttgart, Berlin, München, Zürich, an der Metropolitan Opera in New York, bei den Salzburger Festspielen (*Die Zauberflöte*, 1963) und beim Fernsehen. Seit 1966 ist Sch. ständiger Regisseur an der Wiener Staatsoper. Zu den wichtigen Wiener Arbeiten gehören die beiden Inszenierungen von *Lulu* (1962 und 1968) sowie *Der Rosenkavalier* (1968) und *Fidelio* (1970).

Schenk, Edmund Paul, * 11. 2. 1899 zu Leipzig; deutscher Musikforscher, studierte Theorie, Komposition und Dirigieren am Konservatorium in Leipzig, an dem er 1925 einen Lehrauftrag erhielt; von 1949 (Ernennung zum Professor) bis zu seiner Emeritierung 1964 leitete er dort die Abteilung Musiktheorie (Tonsatz). Er veröffentlichte Lehrschriften zur Musiktheorie und Gehörbildung (u. a. *Allgemeine Musiklehre. Ergänzungs- und Fortbildungsband zu Hofmeisters Schulwerken für Musikinstrumente*, Lpz. 1956, Neudr. 1964), ferner *Begrenzung der allgemeinen Musiklehre auf Grund pädagogischer Erfordernisse ...* (in: Die vielspältige Musik und die allgemeine Musiklehre, = Musikalische Zeitfragen IX, Kassel 1960) und *Karg-Elerts polaristische Harmonielehre* (in: Beitr. zur Musiktheorie des 19. Jh., hrsg. von M.Vogel, = Studien zur Musikgeschichte des 19. Jh. IV, Regensburg 1966).

+Schenker, Heinrich, 1867–1935.
Sch.s Lehre (→Ursatz), die während und nach dem 2. Weltkrieg besonders in den USA Verbreitung fand, wird vor allem in den Sammelbänden *The Music Forum* (bisher 3 Bde, hrsg. von W.J.Mitchell und F.Salzer,

NY 1967–73) diskutiert; sie findet abgeändert nun auch auf ältere und neuere Musik Anwendung. – *+Ein Beitrag zur Ornamentik* [erg.:] *als Einführung zu Ph.E. Bachs Klavierwerken ...* (²1908), Neudr. Wien 1954; *+Die letzten fünf Sonaten Beethovens* (1913–21), NA als *Beethoven. Die letzten Sonaten*, hrsg. von O.Jonas, ebd. 1971–72; *+Das Meisterwerk in der Musik. Ein Jahrbuch* (1925–30), Nachdr. Hildesheim 1971 (3 Bde in 1); *+Fünf Urlinie-Tafeln* (1932), engl. als *Five Graphic Music Analyses*, hrsg. von F.Salzer, NY 1969; *+Beethoven. Neunte Symphonie* (1912), Nachdr. Wien 1969. – *Beethoven. Fünfte Symphonie* (ebd. ²1925), Nachdr. ebd. 1970; *Organic Structure in Sonata Form* (Journal of Music Theory XII, 1968, = Übers. aus *+Das Meisterwerk in der Musik* II, 1926).
Lit.: D. W. BEACH, A Sch. Bibliogr., Journal of Music Theory XIII, 1969. – O. JONAS, Das Wesen d. mus. Kunstwerks. Eine Einführung in d. Lehre H. Sch.s, Wien 1934, ²1972; DERS., On the Study of Chopin's Mss., Chopin-Jb. I, 1956; DERS., Die Kunst d. Vortrages nach H. Sch., in: Musikerziehung XV, 1961/62; DERS., H. Sch. u. große Interpreten, ÖMZ XIX, 1964; Der Dreiklang, hrsg. v. DEMS. u. F. SALZER, 9 H., Wien 1937–38; W. FURTWÄNGLER, H. Sch., ein zeitgemäßes Problem, in: Ton u. Wort, Wiesbaden 1954, ⁸1958; W. KOLNEDER, Sind Sch.s Analysen Beitr. zur Bacherkenntnis?, DJbMw III, 1958; FR. EIBNER, Der freie Satz v. H. Sch., Schweizer musikpädagogische Blätter XLVII, 1959; DERS., Die Stimmführung Chopins in d. Darstellung H. Sch.s, Chopin-Kgr.-Ber. Warschau 1960; A. FORTE, Sch.'s Conception of Mus. Structure, Journal of Music Theory III, 1959; TH. H. KRUEGER, »Der freie Satz« by H. Sch., A Complete Translation and Re-editing, 2 Bde (I Kommentar u. Übers., II Beispielsuppl.), Diss. State Univ. of Iowa 1960; E. OSTER, A New Concept of Tonality, Journal of Music Theory IV, 1960; H. FEDERHOFER in: Fs. A. v. Hoboken, Mainz 1962, S. 63ff.; DERS., Zur neuesten Lit. über H. Sch., Fs. J. Müller-Blattau, = Saarbrücker Studien zur Mw. I, Kassel 1966; E. APFEL, Beitr. zu einer Gesch. d. Satztechnik v. d. frühen Motette bis Bach, Bd II, München 1965; H. KAUFMANN, Fortschritt u. Reaktion in d. Lehre H. Sch.s, NZfM CXXVI, 1965, u. in: Das Orch. XIII, 1965, Wiederabdruck in: Spurlinien, Wien 1969; L. TREITLER, Mus. Syntax in the Middle Ages. Background to an Aesthetic Problem, in: Perspectives of New Music I, 1965/66; W. KELLER, H. Sch.s Harmonielehre, in: Beitr. zur Musiktheorie d. 19. Jh., hrsg. v. M. Vogel, = Studien zur Mg. d. 19. Jh. IV, Regensburg 1966; S. SLATIN, The Theories of H. Sch. in Perspective, Diss. Columbia Univ. (N. Y.) 1967; E. REGENER, Layered Music-theoretic Systems, in: Perspectives of New Music VI, 1967/68; S. HARRIS, The Sch.ian Principle, in: Composer 1968, Nr 29; A. WALKER, ebd. 1972, Nr 43, S. 9f.

Schenschin, Alexandr Alexejewitsch, * 6.(18.) 11. 1890 und † 18. 2. 1944 zu Moskau; russisch-sowjetischer Komponist, Dirigent und Musikpädagoge, studierte in Moskau u. a. bei Kruglikow, Gretschaninow und Glière sowie ab 1914 bei Boleslaw Jaworskij. Er lehrte in Moskau Musiktheorie an der Volksmusikschule (1919), am Konservatorium (1922–24) und an der Skrjabin-Musikschule (ab 1924). Daneben wirkte er als Dirigent von Symphoniekonzerten. Seine Kompositionen umfassen u. a. die Oper *O' Tao* op. 16 (1927), die Operette *Dwenadzataja notsch* (»Die 12. Nacht«, Moskau 1940), die Ballette *Antitschnyje pljaski* (»Antike Tänze«, ebd. 1933) und *Powest o Karmen* (»Erzählung von Carmen«, ebd. 1935), Symphonische Dichtung für Orch. op. 5, eine Klaviersonate D dur op. 13 und Sololieder (5 Lieder »Undurchdringlicher Kreis« op. 8; »5 Gedichte deutscher Dichter« op. 14 nach Hölderlin, Uhland, Rilke und Richard Dehmel; 5 »Schilflieder« op. 15 nach Nikolaus Lenau) sowie Bühnenmusik.
Lit.: W. BELJAJEW, A. Sch., Moskau 1929 ,russ. u. deutsch.

+**Scheppan,** [erg.: Paula] Hilde (Hildegard), * 17. 9. 1908 zu Forst (Lausitz), [erg.:] † 24. 9. 1970 zu Bayreuth.
Bei den Bayreuther Festspielen wirkte Kammersängerin H. Sch. letztmals 1957 mit. Danach war sie bis zu ihrem Tode als Gesangslehrerin am Konservatorium in Nürnberg tätig.

Scherbaum, Adolf, * 23. 8. 1909 zu Eger; deutscher Trompeter, studierte in Prag und Wien, war 1931–40 Solotrompeter in Brünn, dann bei der Prager Philharmonie, beim Berliner Philharmonischen Orchester (1941–45), der Slowakischen Philharmonie in Bratislava (1945–51) und beim NDR in Hamburg (1951–67). Seitdem wirkt er als Konzertsolist und ist als Lehrer (Professor) für Trompete an der Musikhochschule in Saarbrücken tätig.

+**Scherber,** Ferdinand [erg.:] Wilhelm, 1874 – [erg.: 18.] 11. 1944.

+**Scherchen,** Hermann [erg.:] Karl, * 21. 6. 1891 zu Berlin, [erg.:] † 12. 6. 1966 zu Florenz.
Sch.s letzte Komposition datiert aus dem Jahre 1922. Die +*Gravesaner Blätter* erschienen bis 1962. – +*Lehrbuch des Dirigierens* (1929 bzw. 1956), ital. hrsg. von G. Deserti, Mailand 1966; +*The Nature of Music* (1950), Nachdr. St. Claire Shores (Mich.) 1972.
Lit.: A. MOLES, Das elektroakustische Inst. H. Sch. in Gravesano, Gravesaner Blätter II, 1956, H. 5. – W. REICH in: Melos XXVIII, 1961, S. 230f.; G. MARBACH, Schlemmers Begegnungen mit Schönberg, Sch. u. Hindemith, NZfM CXXIII, 1962; L. DALLAPICCOLA in: RIdM I, 1966, S. 299ff.; H. GOLDSCHMIDT, H. Sch., Gedanken u. Aufzeichnungen, MuG XVI 1966; H. CURJEL, Gedenkrede auf H. Sch., Zürich 1967; H. KOCH, Erinnerungen an H. Sch., in: Sinn u. Form XX, 1968; DR. CVETKO, Aus H. Sch.s u. K. A. Hartmanns Korrespondenz an S. Osterc, in: Musicae scientiae collectanea, Fs. K. G. Fellerer, Köln 1973; H. OESCH, Das »Melos« u. d. Neue Musik, Fs. f. einen Verleger (L. Strecker), Mainz 1973.

Scherchen-Hsiao, Tona, * 12. 3. 1938 zu Neuchâtel (Schweiz); chinesisch-französische Komponistin, Tochter von Hermann Sch., erhielt ihren ersten Musikunterricht bei ihrer Mutter Hsiao Shu-sien und studierte 1958–60 an den Konservatorien in Schanghai und Peking, 1961–63 am Mozarteum in Salzburg (Henze), 1963–66 am Pariser Conservatoire (Messiaen) sowie 1966–67 privat bei Ligeti in Wien. Seitdem ist sie freischaffend tätig (1968 in Italien, 1969–71 in der Schweiz, seit 1972 in Frankreich). – Kompositionen (Auswahl): *In* (1965) und *Sin* (1965) für Fl. solo; *Tzang* für Kammerorch. (1966); *Wai* für 5 Ausführende (Mezzo-S./Schlagzeug und Streichquartett, 1966); *Shen* für 6 Schlagzeuger oder Schlagzeugorch. (1968; Ballettversion als *Tzan-shen*, Straßburg 1971); *Khouang* für Orch. (1968); *Hsun* für Ob., Trp., Pos., Schlagzeug und 2 Vc. (1968); *Tzoue* für Fl. oder Klar., Vc. und Cemb. (1970); *Tzi* für Chor a cappella (1970) Zyklus *Histoires de Ziguidor* mit den Teilen *Tao* für A. und Orch. (1971), *Yun-yu* für V. oder Va und Vibraphon (1972), *Bien* für 12 Instr. (1973), *Tjao-houen* für Kammerorch. (1973), *Lien* für Va solo (1973) und *Yi* für 2 Spieler an einem Marimbaphon oder 2 anderen Instr. (1973).

+**Scheremetew,** Alexandr Dmitrijewitsch, 28. 2. (12. 3.) 1859 – 1931.
Lit.: N. A. JELISAROWA, Teatry Sch.ych (»Die Theater d. Sch.s«), = Upraschnenija po delam iskusstwa Mosgorispolkoma o. Nr, Moskau 1944.

Scherer, deutsche Orgelbauerfamilie in Hamburg.
–1) Jakob, † um 1574 zu Hamburg, wirkte dort ab 1537, erbaute die Orgeln des Domes in Ratzeburg

(1551–63), von St. Marien (1557–60) und St. Jakobi (1564–66) in Stettin und St. Jakobi in Magdeburg (1568), führte Umbauten an den Orgeln in Mölln (1555–58), am Dom in Bardowick (1561) und an St. Nikolai in Kiel (1564) durch, fügte neue Brustwerke an den Orgeln von St. Marien in Uelzen (1553–54) und St. Marien in Lübeck (1560–61) sowie ein neues Rückpositiv an der Totentanzorgel von St. Marien in Lübeck (1557–58) an und reparierte verschiedene Orgeln in Hamburg, Lüneburg, Stargard und Stettin. –2) Hans (der Ältere), * um 1525 und † 1611 zu Hamburg, Sohn von Jakob Sch., wurde 1541 Mitarbeiter seines Vaters, erbaute die Orgeln von St. Marien in Bernau bei Berlin (1572–73), von St. Nikolai in Stade (1587–90), des Domes von Meldorf in Holstein (1596–97), der Schloßkirche in Brake bei Lemgo (1600–03), von St. Georgen in Hildesheim (1601–05), von St. Gertrud in Hamburg (1605–07) und der Schloßkapelle in Rotenburg bei Hannover (1608), führte Umbauten an den Orgeln von St. Jakobi in Hamburg (1588–89, 1590–92 und 1605–07), der Münsterkirche in Herford (1600–03) und an St. Petri in Hamburg (1603–04) durch, fügte ein neues Rückpositiv an der Orgel der Liebfrauenkirche von Stendal in der Altmark an (1580) und reparierte verschiedene Orgeln in Hamburg, Lüneburg und Stade. –3) Hans (der Jüngere), * um 1570/80 zu Hamburg, † nach 1631, Sohn von Hans Sch. d. Ä., wurde 1593 Mitarbeiter seines Vaters, erbaute die Orgeln der Schloßkapelle (1607–09), der Brüderkirche (1610?) und von St. Martini (1610–12) in Kassel, von St. Stephani in Tangermünde (1624), von St. Aegidien in Lübeck (1624–25) und des Domes in Minden (1625–26), führte einen Umbau an der Orgel in Immenhausen bei Kassel durch (1610–12) und reparierte verschiedene Orgeln in Hamburg, Lübeck und Stade; Reparaturarbeiten an der Orgel von St. Laurentius in Itzehoe (1631) bilden den letzten Lebensnachweis. Er gehört mit G. Fritzsche und E. Compenius zu den bedeutendsten Orgelbauern seiner Zeit. Auf ihn geht die Ausgestaltung des »Hamburger Prospekts« zurück (seitliche Begrenzung des Hauptwerks durch zwei Spitztürme, in der Mitte je zwei übereinanderliegende Flachfelder und der große mittlere Rundturm; Rückpositiv mit gleicher, um die Hälfte verkleinerter Aufteilung; Flankierung beider Werke durch Pedaltürme mit doppelt so großen Pfeifen wie im Hauptwerk), die in Norddeutschland und den nördlichen Niederlanden bis zum Tode A. Schnitgers vorbildlich geworden ist.
Lit.: M. PRAETORIUS, De organographia, = Syntagma musicum II, Wolfenbüttel 1619, Faks. hrsg. v. W. Gurlitt, Kassel 1929, Neuaufl. =DMl I, 14, 1958, S. 183f.; H. KELLINGHUSEN, Die Hamburgischen Orgelbauer H. Sch., Vater u. Sohn, Mitt. d. Ver. f. Hamburgische Gesch. XXXI, 1911; P. RUBARDT, Einige Nachrichten über d. Orgelbauerfamilie Sch. u. d. Org. zu St. Marien in Bernau (Mark) u. deren Erweiterung durch P. Lindemann u. A. Schnitger, MuK II, 1930; G. FOCK, Hamburgs Anteil am Orgelbau im niederdeutschen Kulturgebiet, Zs. d. Ver. f. Hamburgische Gesch. XXXVIII, 1939, S. 307ff.; DERS. in: MGG XI, 1963, Sp. 1674ff.; W. KAUFMANN, Beitr. zu einer Orgeltopographie Nordwestdeutschlands, Osnabrücker Mitt. LXVII, 1956; E. STRASSER, Die St. Marienkirche zu Uelzen, Uelzen 1958. S. 160ff.

+**Schering,** Arnold, 2. [nicht: 1.] 4. 1877 – 1941.
Nachdrucke usw.: +*Geschichte des Instrumentalkonzerts* [erg.:] *bis auf die Gegenwart* (1905, ²1927), Hildesheim und Wiesbaden 1965; +*Geschichte des Oratoriums* (1911), ebd. 1966; +*Die niederländische Orgelmesse im Zeitalter des Josquin* (1912), = Bibl. organologica XVI, Amsterdam und Wiesbaden 1971; *Tabellen zur Musikgeschichte* (1914, ⁴1934), 5. Aufl. (»bis zur Gegenwart ergänzt«

von H. J. Moser) Wiesbaden 1962; +*Aufführungspraxis alter Musik* (1931), ebd. 1969; +*Beethoven und die Dichtung* (1936), Hildesheim 1973; +*J. S. Bachs Leipziger Kirchenmusik* (1936, ²1954), Wiesbaden 1968; +A. v. Dommer, *Handbuch der Musikgeschichte* (³1914, ⁴⁻⁶1923), Hildesheim 1970. – Ausgewählte Aufsätze erschienen gesammelt unter dem Titel *Vom Wesen der Musik* (hrsg. von K. M. Komma, Stuttgart 1974).
Lit.: +W. GURLITT, Nachwort ... (1941), wiederabgedruckt in: Mg. u. Gegenwart II, = BzAfMw II, Wiesbaden 1966. – O. RIEMER, Sch.s Beethoven-Deutung. Ein Versuch, sie 1970 zu analysieren, in: Musica XXIV, 1970.

Schermerhorn, Kenneth, * 20. 11. 1929 zu Schenectady (N. Y.); amerikanischer Dirigent, studierte am New England Conservatory in Boston (Diplom 1950) sowie bei Ben Weber (Komposition) und L. Bernstein (Dirigieren). Er war Music Director des American Ballet Theatre (1958–68), Assistant Conductor der New York Philharmonic (1959–60) sowie Music Director der New Jersey Symphony (1962–68) und übernahm dann die Leitung des Milwaukee Symphony Orchestra.

Schertzinger, Victor, * 8. 4. 1890 zu Mahanoy City (Pa.), † 26. 10. 1941 zu Los Angeles; amerikanischer Filmkomponist, Violinist und Theaterdirigent, studierte am Konservatorium in Brüssel, konzertierte in Europa und den USA und war musikalischer Leiter von Broadway-Musicals. Er komponierte u. a. die Filmmusik zu *Civilization* (einer der ersten amerikanischen Stummfilme mit Background-Musik) und *Love Parade* (daraus *March of the Grenadiers* und *Paris, je t'aime*, die Weltschlager wurden) sowie zahlreiche Songs (*Manhattan Cocktail; Rhythm on the River; Road to Singapore; Dream Lover; Tangerine; I Remember You*).

Scherzer, Manfred, * 2. 6. 1933 zu Dresden; deutscher Violinist, studierte bei seinem Vater Max Sch. (Mitglied der Staatskapelle Dresden) und in Berlin bei Havemann. 1951–54 gehörte er der Staatskapelle Dresden an, 1954 wurde er 1. Konzertmeister der Komischen Oper Berlin. Seit 1958 ist er auch Lehrer an der Musikhochschule in (Ost-)Berlin. 1961 und 1966 war er 1. Konzertmeister des Bayreuther Festspielorchesters. Konzertreisen führen ihn seit 1953 u. a. in die UdSSR, nach Polen, Schweden, Frankreich, Kuba und Südamerika.

+Schetky, Johann Georg Christoph, 1740–1824.
Ausg.: 12 Vc.-Duette, hrsg. v. K. SCHNEIDER, 2 H., = Moecks Kammermusik Nr 70–71, Celle 1963.

Scheu, Just, * 22. 2. 1903 zu Mainz, † 8. 8. 1956 zu Bad Mergentheim (Baden-Württemberg); deutscher Librettist, Komponist und Schauspieler, war ab 1921 als Schauspieler an verschiedenen Theatern (1933–44 am Staatstheater Berlin), dann bei Radio Frankfurt (1945–47) und beim NDR (1947–56) tätig. Er schrieb u. a. (Komponisten in Klammern) die Operettenlibretti *Königin einer Nacht* (Will Meisel, Bln 1944) und *Geliebte Manuela* (Raymond, Mannheim 1951) sowie zusammen mit Ernst Nebhut die musikalischen Lustspiele *Der Mann mit dem Zylinder* (Ffm. 1950), *Ein Engel namens Schmitt* (Ffm. 1951), *Die schöne Lügnerin* (Braunschweig 1952) und *Pariser Geschichten* (ebd. 1955), zu denen er auch die Musik verfaßte. Zu seinen bekannten Schlagern gehören *Wir lagen vor Madagaskar – Wenn das Schifferklavier an Bord ertönt* (1941) sowie, mit der Musik von Berking, *Zauber von Paris* und *Vagabundenlied*.

Scheuenstuhl, Michael, * 3. 3. 1705 zu Gutenstetten (Mittelfranken), † 26. 7. 1770 zu Hof (Oberfranken); deutscher Komponist, wurde 1722 Organist in Wilhermsdorf (Mittelfranken) und war ab 1729 Stadtorganist an St. Michael in Hof, ab 1752 dort auch Rektor der Mädchenschule. Er veröffentlichte ausschließlich Klaviermusik in vorwiegend Galantem Stil, vor allem Murkys, Suiten und 3 unbegleitete Konzerte, deren Abhängigkeit von J. S. Bachs *Concerto nach italienischem Gusto* (BWV 971) nicht mit Sicherheit nachzuweisen ist.
Lit.: PH. SPITTA, J. S. Bach II, Lpz. 1880 (S. 631), 5. Aufl. (= Nachdr. d. 4. unveränderten Aufl. Lpz. 1930) Wiesbaden u. Darmstadt 1962, ⁶1964; H. DAFFNER, Die Entwicklung d. Klavierkonzerts bis Mozart, = BIMG II, 4, Lpz. 1906; E. STILZ, Die Berliner Klaviersonate zur Zeit Friedrichs d. Großen, Diss. Bln 1930, S. 14f.

+Scheunemann, Max, * 28. 10. 1881 zu Rumbske (Pommern), [erg.:] † 12. 1. 1965 zu Duisburg.

+Scheurleer, Daniel François, 1855–1927.
Lit.: M. H. CHARBON, D. Fr. Sch., stichter v. het muziekmuseum Sch., Mededelingen v. de Gemeentemuseum v. Den Haag X, 1956.

+Schey, Hermann (Herman), * 8. 11. 1895 zu Bunzlau (Niederschlesien).
Sch., dessen Stimmlage Baßbariton [nicht: Tenor] war, konzertierte vielfach im Ausland und unterrichtete neben seiner Lehrtätigkeit am Konservatorium von Amsterdam auch am Konservatorium von Tilburg.

+Schiassi, Gaetano Maria, [erg.:] 10. 3. 1698 – 1754.
Kapellmeister am Hofe von Lissabon wurde Sch. 1735.
Ausg.: +Weihnachts-Symphonie f. Streichorch. u. Org. (Cemb.) ad libitum (W. UPMEYER, = Musikschätze vergangener Zeiten o. Nr, 1928), Neuaufl. Bln 1964.
Lit.: G. VECCHI in: MGG XI, 1963, Sp. 1690f.

+Schibler, Armin, * 20. 11. 1920 zu Kreuzlingen (Thurgau).
Sch. wirkt seit 1944 als Hauptfachlehrer für Musik am Kantonalen Gymnasium in Zürich. – Neuere Werke: die einaktige Kammeroper *Die späte Sühne* op. 42 (Zürich 1955 als +*Die Füße im Feuer*, nach C. F. Meyers gleichnamiger Ballade, Funkfassung Radio Genf 1962); Burleske *Blackwood & Co.* (ursprünglich als +*Das Jubilaeumsbett*) für Sänger und Tänzer op. 46 (1955–58, Zürich 1962); *Epitaph, Furioso und Epilog* für Fl., V., Va und Vc. op. 65 (1960); *Fantasia Helvetica* für Blasorch. op. 67 (1960); *Trompetenkonzert* op. 68 (1960); *Toccata* für Kl. op. 69 (1960); symphonisches Ballett *Concert pour le temps présent* op. 70 (1960, Genf 1964, auch für 9 Instr.); *Klavierkonzert* op. 71 (1962); *Divertimento* für Bläserquintett und Streichorch. op. 73 (1962); *Pantomimes solitaires* für V. und Kl. op. 74 (1962); Ballett *Metamorphoses ebrietatis* für Orch. op. 75 (1962–64); 2. Konzert *Concert pour la jeunesse* für Schlagzeug (1–5 Spieler), Kl. und Streichorch. op. 76; Ballade für Kl. und Streichorch. op. 78 (1963); *Fantaisie concertante* für Hf. solo op. 79 (1964); *Recitativi e danze* für 2 V., Va und 2 Vc. op. 80 (1964); Stück für Musik *Antoine und Carmela* für Schauspieler, Sänger und Instr. op. 81 (1961–65, Funkfassung Radio Genf 1967); Doppelkonzert für Fl., Hf. und Kammerorch. op. 83 (1966); Zyklus *Huttens letzte Tage* für tiefe St. und Orch. op. 84 (C. F. Meyer, 1966–68; vgl. dazu Sch.s Bemerkungen in: SMZ CX, 1970, S. 221ff.); Fagottkonzert op. 85 (1967); *Aufzeichnungen* für Kl. op. 86 (1967); *Orpheus. Die Unwiederbringlichkeit des Verlorenen* für 2 Sprech-St., S., Frauenstimmen und Orch. op. 87 (1968); *Jochanaan* für Sprech-St. und 7 Instr. op. 88 (1967); musikalische Aktion *Möglichkeiten einer Fahrt* für Sprech-St. und Kl. op. 89 (15 Stücke, 1968); 6 Stücke *Iam manet ultima spes* für Streichorch.

op. 92 (1968); 6 Orchesterstücke op. 93; *Gilgamesch.*
Die Mauer von Uruk für Sprech- und Singstimmen,
Sprechchor, Chor, Orch. und Tonband op. 95 (1969ff.,
noch nicht abgeschlossen; daraus *Der Tod Enkidus*);
Spuren für Sprech-St. und Kammerorch. op. 96 (1969);
Antworten bitte für Stimmen und 2 Orchestergruppen
op. 97 (1971); *Dithyrambus* für Ob. solo op. 98 (1971);
Anspielungen für Klar. und Kl. (1972). Ab 1971 hat
Sch. frühere schriftstellerische Ansätze wieder aufgenommen und zahlreiche Prosatexte verfaßt, von denen
einige als Grundlage zu »Hörwerken« dienen, in denen
er das Ziel seiner musikdramatischen Bemühungen er-
blickt: *The Point of Return* für Sprech- und Singstimmen und Instrumentalensemble (1972); *In unserer Sa-*
che für Sprechstimmen und Kammerensemble (1972);
... später als du denkst für 2 Sprech-St., Singst. und
Elektrogruppe (1972); *Der Weg des Menschen* für 2
Sprech-St. und Instrumentalensemble (1973); *Epitaph*
auf einen Mächtigen für 16 St. und 2 Kl. (1974). – Von
seinen Schriften seien genannt: *Neue Musik in dritter*
Generation (Amriswil 1954); *Zum Werk G. Mahlers*
(Lindau 1955); *Zur Oper der Gegenwart* (Amriswil
1956); *Pädagogische Fragen im Bereich der Neuen Musik*
(SMZ C, 1960); *Neue Musik und das Tanztheater* (in:
Das Tanzarch. XI, 1963/64).
Lit.: H. GALLI in: Musica sacra LXXXIV, 1964, S. 303ff.
(zum Oratorium »Media in vita« op. 48).

+Schick, Margarethe Luise (Aloysia, geborene
Hammel), 1768–1809.
Ihr Mann Ernst [erg.: Johann Christian] Sch., 1756 –
10. 2. [nicht: 12.] 1815.

+Schick, Philippine, * 9. 2. 1893 zu Bonn, [erg.:]
† 13. 1. 1970 zu München.
Ph. Sch. war Mitbegründerin der Fachgruppe Musik
der GEDOK (Gesellschaft deutscher und österreichi-
scher Künstlerinnen). Sie veröffentlichte (mit H.
Leuchtmann) *Langenscheidts Fachwörterbuch Musik.*
Englisch–Deutsch, Deutsch–Englisch (Bln 1964).
Lit.: A. WÜRZ in: ZfM CVIII, 1941, S. 511ff.

Schickele, Peter, * 17. 7. 1935 zu Ames (Ia.); amerikanischer Komponist, studierte an der Juilliard School
of Music in New York (Persichetti, Bergsma) und bei
R. Harris. Nach mehreren musikalischen Experimenten wurde er als P. D. Q. Bach zur Rock 'n' Roll-Be-
rühmtheit, besonders durch seine stark travestierenden
Werke, die Ouvertüre für 2 Kl. *The Civilian Barber,*
Gross Concerto for Divers Fl., Iphigenia in Brooklyn, Per-
vertimento for Bagpipes, Bicycles & Balloons u. a., die alle
in einem pseudobarocken Stil gehalten sind.

Schidlowski Gaete, León, * 21. 7. 1931 zu Santiago
de Chile; chilenischer Komponist, studierte in Santiago
Musik am Conservatorio Nacional de Música sowie
Pädagogik, Philosophie und Psychologie an der Universidad de Chile. Ab 1952 setzte er seine musikalischen Studien in Deutschland fort. 1955 nach Santiago
zurückgekehrt, wurde er Professor für Musikerziehung
am dortigen Hebräischen Institut und trat der avantgardistischen Gruppe »Tonus« bei. 1962 wurde er Direktor des Instituto de Extensión Musical der Universidad de Chile, 1965 Professor für Komposition am
Conservatorio Nacional de Música; gegenwärtig wirkt
er in gleicher Stellung an der Israel-Akademie für Musik (»Rubin-Musikakademie«) in Tel Aviv. Sein kompositorisches Schaffen umfaßt Orchesterwerke (*Erö-*
strato für Schlagzeugorch., 1962; *Nueva York,* 1965;
Epitafio a Hermann Scherchen, 1967; *Kadisch* für Vc. und
Orch., 1967; *Tríptico,* 1969; *Babi Yar* für Schlagzeug,
Kl. und Streichorch., 1970; *Constellation II* für Streichorch., 1971; *Arcanos,* 1971), Kammermusik (*Seis hexá-*

foros para Juan Manuel für Schlagzeug, 1968; *Soliloquios*
für Vc., Klar., Git., Celesta, Kl., Hf., Vibraphon und
Schlagzeug, 1961; Konzert für Klar., Trp., Baßklar.,
Kl., Xylophon und Pk., 1957; Elegie für Klar. und
Streichquartett, 1952; Quintett für Fl., Ob., Klar.,
Fag. und Horn, 1968; Streichquartett, 1967; *Kolot* für
Hf. solo, 1971), Klavierstücke (*Ocho estructuras,* 1955),
Oda a la tierra für T., Bar. und Orch. (Text Genesis,
1. Kap., 1958), die Symphonie *La noche de cristal* für T.,
Männerchor und Orch. (1961), *Invocación* für S., Spre-
cher, Streichorch. und Schlagzeug (1964), *Amereida*
mit den Teilen *Llaqui, Memento* und *Ecce homo* für re-
zitierende St. und Orch. (1965–72), *Deutsches Tage-*
buch für Sprecher, gem. Chor und Orch. (Text anon.
und Brecht, 1966), *Tres coros hebreos* für 4st. Chor a
cappella nach Psalmentexten (1966), Requiem für 12
Solo-St. (1968), *Monodrama* für Schauspielerin und
Schlagzeug (1971), *Canticas* für 2 S., Countertenor, T.,
Bar. und Blechbläser (1971), *In memoriam* für Fl., Ob.,
Klar., Vc., Schlagzeug und Sprecher (Text Gebete,
1971), Lieder auf Texte von Rilke, Trakl, García Lorca
u. a. und *Nacimiento,* Musique concrète (1956). – Publikationen: *Introducción al estudio de la música judía* (Rev.
musical chilena XV, 1961) und *Sobre la crisis de la música*
(ebd. XVI, 1962, engl. in: Inter-American Music Bull.
1962, Nr 32).
Lit.: Werkverz. in: Compositores de América X, Washington (D. C.) 1964; M. E. GREBE, L. Sch. G., Síntesis de
su trayectoria creativa, Rev. mus. chilena XXII, 1968 (mit
Werkverz.).

+Schiedermair, Ludwig, 1876–1957.
Seine Umhabilitation nach Bonn erfolgte 1911 [nicht:
1909]; Direktor des musikwissenschaftlichen Seminars
wurde er 1919 [nicht: 1914] (1914 außerplanmäßiger
und 1915 außerordentlicher Professor sowie im gleichen Jahr persönlicher Ordinarius, 1920 ordentlicher
Professor [del. bzw. erg. frühere Angaben dazu]). –
Direktor des Beethovenarchivs war er bis 1945, an der
Universität wurde er 1946 emeritiert. – *+Der junge*
Beethoven (1925, 3 1951), neubearb. von L.-F. Schiedermair, Wilhelmshaven 1970 (Taschenbuchausg.); *+Die*
deutsche Oper (1930), ab der 2. Aufl. (1940) Erscheinungsort Bonn [nicht: Lpz.]; *+Veröffentlichungen des*
Beethovenhauses in Bonn (10 [nicht: 6] H. bis 1934 [nicht:
1930]); *Sinfonien um Beethoven* [nicht: *Rheinische Sin-*
fonien] (1951).
Lit.: J. SCHMIDT-GÖRG in: Mf IX, 1956, S. 387f., u. X,
1957, S. 381ff.; E. VALENTIN in: Acta Mozartiana IV,
1957, S. 57f.; K. STEPHENSON in: Rheinische Musiker IV,
hrsg. v. K. G. Fellerer, = Beitr. zur rheinischen Mg.
LXIV, Köln 1964, S. 137ff.; S. KROSS in: 150 Jahre Rheinische Friedrich-Wilhelm-Univ. in Bonn 1818–1968. Bonner Gelehrte ..., Geschichtswiss., Bonn 1968, S. 449ff.

+Schiedmayer & Soehne KG.
Johann Lorenz Sch., 2. 12. 1786 zu Erlangen – 3. 4.
1860 zu Stuttgart (sein Vater Johann David, 20. 4.
1753 – begraben 24. 3. 1805); die Söhne Wilhelm
Adolf, 27. 6. 1819 zu Stuttgart – 1890, und Hermann, * 10. 10. 1820 und † 6. 10. 1861 zu Stuttgart,
sowie Julius, 1822 – 27. 1. [nicht: 2.] 1878 zu Stuttgart, und Paul, 4. 3. 1829 zu Stuttgart – 1890 [erg.
frühere Angaben].
Die seit 1853 getrennt bestehende Firma »Schiedmayer
Pianofortefabrik, vorm. J. & P. Schiedmayer« wurde
1969 von Sch. & S. übernommen, so daß die beiden
Stuttgarter Firmen wieder in einem Stammhaus ver-
eint sind (Alleininhaber Georg Sch., * 16. 12. 1931 zu
Stuttgart).
Lit.: 150 Jahre Sch. u. S., Stuttgart 1959; M. RUPPRECHT,
Die Klavierbauerfamilie Sch., Instrumentenbau-Zs. XV,
1961; DIES. in: MGG XI, 1963, Sp. 1702ff.

+Schieferdecker, Johann Christian, 1679 – [erg.: 5.] 4. 1732.
Lit.: H. CHR. WOLFF, Die Barockoper in Hbg, 2 Bde, Wolfenbüttel 1957.

Schieri, Fritz (Friedrich) Franz, * 27. 3. 1922 zu München; deutscher Komponist und Chordirigent, studierte an den Musikhochschulen in München (Reifeprüfung in Komposition und Dirigieren 1946) und Stuttgart (Schulmusikexamen 1959), war 1948–59 Dozent für Komposition, Musiktheorie und Chordirigieren an der Musikhochschule in Köln und lehrt diese Fächer seit 1959 an der Münchner Musikhochschule. Er ist Mitarbeiter verschiedener liturgisch-musikalischer Fachgremien der Katholischen Kirche Deutschlands. Seine Kompositionen umfassen Motetten, Kantaten und Liedsätze mit geistlichen und weltlichen Texten, u. a. die Zyklen *Droste-Chorbuch nach Gedichten aus dem »Geistlichen Jahr« der A. von Droste-Hülshoff* (1959), *Deutsche Proprien des ganzen Kirchenjahres* (1965ff.) und *Nordische Balladen* (1966). Er veröffentlichte u. a.: *Christophorus-Chorwerk* (45 H., Freiburg i. Br. 1954–62); *Regelbuch für die Orations- und Lektionstöne in deutscher Sprache* (mit E. Quack, ebd. 1969); *Über das Dirigieren asymmetrischer Rhythmen* (in: Musikerkenntnis und Musikerziehung, Fs. H. Mersmann, Kassel 1957); *Grundlagen der Chorerziehung und Chorleitung* (Hdb. der Schulmusik, hrsg. von E. Valentin, Regensburg 1962); *Die gesungene liturgische Lesung in deutscher Sprache* (in: Musik und Altar XVI, 1964 – XVII, 1965); *Eine neue Psalmodie* (ebd. XXIV, 1972).
Lit.: W. KELLER, Deutsche liturgische Gesänge v. Fr. Sch., in: Musik u. Altar XIX, 1967.

Schiffer, Marcellus, * 20. 6. 1892 und † 24. 8. 1932 zu Berlin; deutscher Kabarettist und Librettist, schrieb die Texte zu einer Reihe von Revuen, die in den 20er Jahren Erfolgsstücke waren, u. a. für Spoliansky zu *Es liegt in der Luft* (Bln 1923), für Fr. Hollaender zu *Höchste Eisenbahn* und *Hetärengespräche* (Bln 1926) und für Walter Kollo zu *Schön und Schick* (mit Herman Haller, Hans Heinz Haller jr. und Charles Amberg, Bln 1928). P. Hindemith komponierte auf Libretti von Sch. den Sketch *Hin und zurück* (Baden-Baden 1927) und die Lustige Oper *Neues vom Tage* (Bln 1929, Neufassung Neapel 1954).

Schifrin, Lalo Boris, * 21. 6. 1932 zu Buenos Aires; argentinisch-amerikanischer Komponist, Jazzpianist und Arrangeur, studierte bei Paz in Argentinien und ab 1950 bei Messiaen in Paris. 1955 vertrat er Argentinien auf dem Internationalen Jazz Festival in Paris; danach gründete er eine eigene Band in Buenos Aires. 1960–64 war er Arrangeur und Pianist in New York (Dizzy Gillespie's Band). Seit 1964 lebt er als Filmkomponist in Hollywood. Von seinen Kompositionen seien genannt: Ballette *Gillespiana* (NY 1961) und *Jazz Faust* (1963); Suite für Trp. und Blasorch. (1961); *The Ritual of Sound* für 15 Instr. (1962); *The Rise and Fall of the Third Reich* (1967); *Pulsations* für elektronisches Kl., Jazzband und Orch. (1971).

Schiganow, Nasib Gajasowitsch, * 2.(15.) 1. 1911 zu Uralsk; tatarisch-sowjetischer Komponist und Musikpädagoge, beendete 1931 seine Pianistenausbildung am Musiktechnikum in Kasan und studierte dann in Moskau Komposition bei Litinskij (1931–35 am Musiktechnikum, 1935–38 am Konservatorium). Er war einer der Organisatoren des Konservatoriums in Kasan, dessen Direktor er 1945 wurde (1954 Professor). 1939 übernahm er den Vorsitz des tatarischen Komponistenverbands; 1957 wurde er Sekretär des Komponistenverbandes der UdSSR. Sch. schrieb die Opern (Uraufführungsort Kasan) *Katschkyn* (»Flüchtling«, 1939), *Irek* (»Freiheit«, 1940), *Altyntschetsch* (»Goldhaarige«, 1941, 2. Fassung 1944), *Ildar* (1942, 2. Fassung 1954), *Tülak* (1945), *Schagyjr* (»Dichter«, 1947), *Namus* (»Ehre«, 1950) und *Mussa Dschalil* (1957), die Ballette *Fatych* (1943) und *Sügrá* (Kasan 1946), Orchesterwerke (Symphonie A dur, 1937; 2. Symphonie *Sabantuj*, 1970; Symphonische Dichtung *Kyrlaj*, 1947; »Tatarische Suite«, 1950; Ouvertüre *Nafisse*, 1952), Kammermusik (Streichquartett, 1935), Klavierwerke (Sonatine, 1935) sowie zahlreiche Lieder und Filmmusik.
Lit.: J. WINOGRADOW, N. Sch. i jewo twortschestwo (»N. Sch. u. sein Schaffen«), in: Literaturnyj Tatarstan II, (Kasan) 1949; J. GIRSCHMANN, N. G. Sch., Moskau 1957; O. MARTSCHENKO, N. G. Sch., in: Kompository sowjetskowo Tatarstana, Kasan 1957; S. AKSJUK: SM XXV, 1961, H. 3, S. 22ff.; A. JUSFIN, Pesni dlja wsech narodow (»Lieder f. alle Völker«), SM XXX, 1966; G. LITINSKIJ, Puti wospitanija talanta (»Wege d. Erziehung eines Talents«), SM XXXV, 1971.

+Schikaneder, Emanuel, 1751–1812.
Sch. lernte 1781 in Salzburg die Familie Mozart kennen. Er verfaßte etwa 55 Theaterstücke (9 davon mit Musik) und 44 Opern- und Singspiellibretti.
Lit.: E. J. DENT: in ML XXXVII 1956, S. 14ff.; G. FRIEDRICH, Der Theatermann Sch., in: Theater d. Zeit XI, 1956; W. HESS, »Vestas Feuer« v. E. Sch., Zum Erstdruck d. Textbuches, Beethoven-Jb. III, 1957; J. KEIM, Woher stammt d. Dichter d. Zauberflöte?, in: Neues Augsburger Mozartbuch, = Zs. d. Hist. Ver. f. Schwaben LXII/LXIII, 1962; W. SENN, Sch.s Weg zum Theater, Acta Mozartiana IX, 1962; O. E. DEUTSCH, Sch.s Testament, ÖMZ XVIII, 1963 (erstveröff. 1934); W. PFANNKUCH in: MGG XI, 1963, Sp. 1708ff.; W. SCHUH, »Il Fl. magico«, Fs. Fr. Blume, Kassel 1963; E. M. BATLEY in: ML XLVI, 1965, S. 231ff.; DERS., The Inception of »Singspiel« in 18th-Cent. Southern Germany, in: German Life and Letters XIX, 1965/66; DERS., E. Sch.'s »Hanns Dollinger oder Das heimliche Blutgericht«, in: Maske u. Kothurn XIV, 1968; DERS., A Preface to »The Magic Fl.«, = The Student's Music Library, Hist. and Critical Series o. Nr, London 1969; P. BRANSCOMBE, Die Zauberflöte. Some Textual and Interpretative Problems, Proc. R. Mus. Ass. XCII, 1965/66; FR. KLINGENBECK, Die Zauberflöte. Ein Buch ... als Liebeserklärung ... sowie mit kritischen Betrachtungen zu d. Unwahrscheinlichkeiten d. Sch.schen Textdichtung, Wien 1966; CH. OSBORNE, The Magic Fl., in: Opera 66, 1966 (mit engl. Übers. d. Librettos); J. CHAILLEY, »La fl. enchantée«, opéra maçonnique, Paris 1968, engl. NY 1971 u. London 1972; H.-A. KOCH, Das Textbuch d. »Zauberflöte«. Zu Entstehung, Form u. Gehalt d. Dichtung E. Sch.s, Jb. d. Freien deutschen Hochstifts 1969; GL. J. ASCHER, »Die Zauberflöte« u. »Die Frau ohne Schatten«. Ein Vergleich zwischen zwei Operndichtungen d. Humanität, Bern 1972.

Schilde, Klaus, * 12. 9. 1926 zu Schwarzenberg (Sachsen); deutscher Pianist, studierte am Konservatorium in Dresden (Heinz Sauer) sowie 1945–50 an der Staatlichen Hochschule für Musik in Leipzig (Hugo Steurer). Er besuchte Meisterkurse für Klavier bei Gieseking in Saarbrücken (1952–54), bei Edwin Fischer in Luzern (1953 und 1956) sowie bei Horbowsky in Stuttgart (1954) und vervollkommnete seine Studien bei Marguerite Long in Paris (1953–58). 1951–52 war Sch. Dozent an der Deutschen Hochschule für Musik H. Eisler in Berlin. Seit 1953 hat er ausgedehnte Konzertreisen u. a. nach Südamerika, Griechenland, Spanien, Frankreich und England unternommen. 1958 wurde er Professor für Klavier an der Nordwestdeutschen Musikakademie in Detmold.

+Schildt, Melchior, 1592 [erg.:] oder 1593 – 18. [del.: begraben 28.] 5. 1667.
Ausg.: Weihnachtskonzert »Ach mein herzliebes Jesulein« f. S., 2 V., Fag. (Vc.) u. B. c., hrsg. v. W. BREIG,

Kassel 1964; Choralbearb., hrsg. v. DEMS., = Die Org. II, 24, Köln 1968.
Lit.: +M. SEIFFERT, Gesch. d. Klaviermusik (I, 1899), Nachdr. Hildesheim u. Wiesbaden 1966; +TH. W. WERNER, Archivalische Nachrichten ..., [erg.: Fs. Th. Kroyer], Regensburg 1933. – W. BREIG in: MGG XI, 1963, Sp. 1713ff.; DERS. in: MuK XXXVII, 1967, S. 152ff.

Schilhawsky, Paul, * 9. 11. 1918 zu Salzburg; österreichischer Pianist, studierte am Mozarteum in Salzburg (Dirigieren, Klavier) sowie an der Münchner Universität u tritt seit 1942 als Konzertpianist auf. Er war in Salzburg Kapellmeister am Landestheater (1945–48) und Leiter der Opernschule am Mozarteum (1952–58). Seit 1958 leitet er am selben Institut eine Klasse für Liedinterpretation (1960 außerordentlicher, 1970 ordentlicher Professor). 1969–71 wirkte er als stellvertretender Präsident der Akademie Mozarteum und wurde 1971 zum Rektor der Hochschule Mozarteum ernannt. Seit 1972 leitet er auch die Internationale Sommerakademie der Hochschule für Musik und darstellende Kunst Mozarteum. Er veröffentlichte u. a. den Beitrag *Deutsche Dichter, österreichische Komponisten* (ÖMZ XXVIII, 1973).

+Schiljajew, Nikolaj Sergejewitsch, * 6.(18.) 10. 1881 [erg.:] zu Kursk, [erg.:] † 28. 1. 1938 in der Verbannung.
Als Musiklehrer von Marschall Tuchatschewskij wurde er 1937 verhaftet, posthum aber wieder rehabilitiert.
Lit.: JE. K. GOLUBEW: in: Wydajuschtschijesja dejateli teoretiko-kompositorskowo fakulteta Moskowskoj konserwatorii, Moskau 1966, S. 58ff.; JU. OLENEW, S. PATSCHINSKIJ u. M. NACHIMOWSKIJ, Pamjati N. S. Sch.a (»Erinnerungen an N. S. Sch.«), SM XXXIV, 1970; GR. B. BERNANDT u. J. M. JAMPOLSKIJ in: Kto pisal o musyke, Moskau 1971, S. 307f.

Schiller, Elsa Maria, * 18. 10. 1897 zu Baden (Niederösterreich), † 26./27. 11. 1974 zu München; österreichische Pianistin, studierte ab 1908 bei E. v. Dohnányi und Kodály an der Musikhochschule in Budapest (1921 Abschlußdiplom) sowie bei E. v. Sauer in Dresden und konzertierte als Solistin und Liedbegleiterin in ganz Europa. Ab 1947 leitete sie die Abteilung »Ernste Musik« bei RIAS-Berlin (1949 Hauptabteilungsleiterin). 1955 wurde sie Produktionschef der Deutschen Grammophon Gesellschaft in Hannover und 1959 Programmdirektor der E-Musik bei der gleichen Gesellschaft in Hamburg.

+Schiller, Johann Christoph Friedrich von, 1759–1805.
Die Operneindrücke, die Schiller in Ludwigsburg empfing, blieben nicht ohne Einfluß auf den Stil seiner frühen Dramen, vor allem der *Räuber*. In den 1790er Jahren skizzierte er Grundzüge einer klassischen Musikästhetik, aber als Postulat (der gleichzeitigen musikalischen Klassik, der Verwirklichung seiner ästhetischen Forderungen durch Haydn und Mozart, stand er fremd gegenüber). In der affizierenden, auf Sinne und Gefühl wirkenden Macht der Musik sah Sch. deren primäre Eigenschaft: »aber weil in dem Reiche der Schönheit alle Macht, insofern sie blind ist, aufgehoben werden soll, so wird die Musik nur ästhetisch durch die Form« (an Körner, 10. 3. 1795). – Sch.s Gedichte, um 1800 oft vertont, waren für die Entwicklung der Liedkomposition nach 1820 nahezu bedeutungslos. *Die Räuber* bildeten einen Opernstoff für Mercadante (*I brigante*, 1836) und Verdi (*I masnadieri*, 1847), *Fiesko* für Lalo (*Fièsque*, 1867), *Die Braut von Messina* für Fibich (*Nevěsta messinská*, 1884). An weiteren Vertonungen nach Sch. seien erwähnt das Melodram *Abschied der Johanna d'Arc* für Orch. mit Glasharmonika (1806)

von A. Reicha, *Die Frauen und die Sänger* für gem. Chor (nach dem Gedicht *Die vier Weltalter*, 1845–46) von F. Mendelssohn Bartholdy sowie die symphonische Trilogie *Wallenstein* (1873–81) und die dramatische Legende *Le chant de la cloche* für Soli, Doppelchor und Orch. (1879–83) von V. d'Indy.
Ausg.: +Nationalausg. (J. PETERSEN u. a., Weimar 1943ff., auf 43 [del.: 33] Bde angelegt), ab 1961 hrsg. v. L. BLUMENTHAL u. B. V. WIESE, 1972 mit 20 Bden vorliegend. – Sämtliche Werke, auf Grund d. Originaldrucke hrsg. v. G. FRICKE, H. G. GÖPFERT u. H. STUBENRAUCH, 5 Bde, München 1958–59, ²1960 (auch Darmstadt 1961), revidiert ⁴1965–67 (dazu: Begriffsregister zu d. theoretischen Schriften, bearb. v. W. DÜSING, ebd. 1969), 20bändige Taschenbuchausg. = dtv-GA LXXI–XC, ebd. 1965–66. – Briefwechsel zwischen Sch. u. Körner, hrsg. v. KL. L. BERGHAHN, = Winkler Texte o. Nr, ebd. 1973.
Lit.: +W. VULPIUS, Sch.-Bibliogr. 1893–1958 (= Bibliogr., Kat. u. Bestandsverz. o. Nr, 1959), fortgeführt v. dems. als: Sch.-Bibliogr. 1959–63, = ebd., Weimar 1967; Jb. d. Deutschen Schillerges. Iff., 1957ff. (in VI, 1962, X, 1966 u. XIV, 1970 weitere Bibliogr. 1959–69 nebst Nachträgen sowie Forschungsber.). – J. MAINKA, Sch. u. d. Musik. Eine Literaturübersicht, Wiss. Zs. d. Fr.-Sch.-Univ. Jena, Ges.- u. sprachwiss. Reihe V, 1955/56; H. KOOPMANN, Fr. Sch., 2 Bde, = Slg Metzler L-LI, Stuttgart 1966. – G. v. WILPERT, Sch.-Chronik, = Kröners Taschenausg. CCLXXXI, ebd. 1958, auch Bln 1959.
+R. BUCHWALD, Sch. (Lpz. 1937, 2. neu bearb. Ausg. Wiesbaden 1953–54 [erg. frühere Angabe]), 4. neu bearb. Aufl. (in 1 Bd) ebd. 1959, auch Bln 1959, Ffm. ⁵1966. – FR. BRANDSTAETER, Über Sch.s Lyrik im Verhältnisse zu ihrer mus. Behandlung, Danzig 1863 (Gymnasialprogramm); K. BURDACH, Sch.s Chordrama u. d. Geburt d. tragischen Stils aus d. Musik, Deutsche Rundschau CXLII–CXLIII, 1910, Wiederabdruck in: Vorspiel, Bd II, Halle (Saale) 1926; A. ABER, Die Musik im Schauspiel, Lpz. 1926; G.-W. BARUCH, Verdi u. Sch., Quellenkundliche Studien zum Libretto-Problem, Diss. Prag 1935; J. LIEBNER, Sch. hatása Verdire, in: Új zenei szemle VI, 1955, deutsch als: Der Einfluß Sch.s auf Verdi, Kgr.-Ber. Kassel 1962, u. in: MuG XIII, 1963, auch frz. in: SMZ CI, 1961, S. 105ff.; W. SIEGMUND-SCHULTZE, Händel u. Sch., Versuch einer Gegenüberstellung, Fs. d. Händelfestspiele Halle (Saale) 1955; E. FORNEBERG, W. A. Mozart, Lebens- u. Werkstil. Synaesthetisch-typologischer Vergleich mit Bach–Beethoven u. Goethe–Sch., = Literarhist.-mw. Abh. XIV, Würzburg 1956; I. HÄUSLER, Die Dramen Sch.s als Grundlagen f. Opernlibretti, Diss. Wien 1956; M. PARZELLER, Sch. u. d. Musik, in: Goethe (Jb. d. Goethe-Ges.), N. F. XVIII, 1956; A. PORTER, Verdi and Sch., Opera Annual III, 1956/57; W. F. MAINLAND, Sch. and the Changing Past, London 1957 (u. a. über d. Verwendung d. Wortes »mus.«); G. BIANQUIS, En marge de la querelle des Xénies. Sch. et Reichardt, in: Etudes germaniques XIV, 1959; M. COOPER, Sch. and Music, in: Adam XXVII, 1959; DERS., Verdi and Sch., in: Essays on Music, hrsg. v. F. Aprahamian, London 1967 (= Wiederabdruck aus: The Listener v. 11. 11. 1965); J. MITTENZWEI, Sch.s »mus.« Briefwechsel mit Körner, in: Das Mus. in d. Lit., Halle (Saale) 1962; W. SALMEN, J. Fr. Reichardt, Freiburg i. Br. 1963; L. K. GERHARTZ, Verdi u. Sch., Gedanken zu Sch.s »Wallensteins Lager« u. d. Schlußszenen d. 3. Aktes d. »Forza del destino«, in: Verdi (Boll. quadrimestrale dell'Istituto di studi verdiani) II, Nr 6, 1963–65, auch engl. u. ital.; DERS., Die Auseinandersetzungen d. jungen G. Verdi mit d. literarischen Drama, = Berliner Studien zur Mw. XV, Bln 1968; P. MICHELSEN, Studien zu Sch.s »Räubern«, Jb. d. deutschen Schillerges. VIII, 1964; M. C. IVES, Mus. Elements in Sch.'s Concept of Harmony, in: German Life and Letters XVIII, 1964/65; R. M. LONGYEAR, Sch. and Music, = Univ. of North Carolina Studies in the Germanic Languages and Lit. LIV, Chapel Hill (N. C.) 1966; DERS., Sch. and Opera, MQ LII, 1966; DERS., Sch., Moszkowski and Strauss. Joan of Arc's »Death and Transfiguration«, MR XXVIII, 1967; M. TARANTOVÁ, Fr. Sch. a J. W. Goethe v hudbě českého obrozeni (»Fr. Sch. u. J. W. Goethe in d. Musik d. tschechischen Wiedergeburt«), in: Zprávy Bertramky 1966,

Nr 48/49; W. WITTE, Turandot, in: Publ. of the Engl. Goethe Soc., N. S. XXXIX, 1968/69 (zu Sch. u. Puccini); C. DAHLHAUS, Ethos u. Pathos in Glucks »Iphigenie auf Tauris«, Mf XXVII, 1974.

+**Schilling,** [erg.: Friedrich] Gustav, 1805 [nicht: 1803] – 1880 [nicht: 1881].
+*Für Freunde der Tonkunst* (1845) erschien als 5. [nicht: 4.] Band des Rochlitzschen Werkes.
Lit.: H. H. EGGEBRECHT in: MGG XI, 1963, Sp. 1720f.

Schilling, Hans Ludwig, * 9. 3. 1927 zu Mayen (Eifel); deutscher Komponist und Musikschriftsteller, studierte ab 1947 in Freiburg i. Br. an der Musikhochschule (Genzmer, P. Hindemith) und an der Universität (W. Gurlitt), an der er 1957 mit der Dissertation *Die Oper Cardillac von P. Hindemith. Beiträge zu einem Vergleich der beiden Opernfassungen* (gedruckt als *P. Hindemiths Cardillac...*, = Literarhistorisch-musikwissenschaftliche Abh. XVII, Würzburg 1962) promovierte, sowie bei Nadia Boulanger in Paris. Er komponierte u. a. *Memento*, lyrisch-dramatisches Szenar in 7 Bildern für Sprecher, T., Bar., Baßbar., Chorsolisten, 2 Chöre, Fernchor und Orch., mit Fernorch. ad libitum (nach Jens Peter Jacobsen, 1971); Orchesterwerke (*Antifone 69* für Trp., 6 Blechbläser, Schlagzeug und Org., 1969; *H-G-B-S-Sound* für Pfeifenorg., Elektroorg., Holzbläser und Big band, 1970; *Houston Organ Concerto* für Org. und Orch., 1972), Kammermusik (Bläserquintett *Zéacis Hafis*, 1967; Metamorphosen über ein altes Liebeslied für 4 Holzbläser, 1951; Zyklus für Va und Org., 1969), Orgelwerke (2 Partiten, 1954 und 1958; Orgelmesse, 1970), Vokalwerke (Kantaten *Legende von Weisen und Zöllner* für Soli, Chor und Orch., nach Brecht, 1965, und *David singt vor Saul* für A. und 9 Instr., 1961; *Tout le fatras immonde*, Picasso-Poem für dramatischen S. und 7 Instr., 1962; *Missa unthematica* für 4–7st. Chor a cappella, 1952; *Mitten im dem Leben* für 10st. Doppelchor a cappella, 1970; *Halunken-Song* auf Texte von Grasshoff, 1970) sowie Klavierlieder und Hörspielmusik. – Aufsätze (Auswahl): *Zur Instrumentation in I. Strawinskys Spätwerk, aufgezeigt an seinem »Septett 1953«* (AfMw XIII, 1956); *Hindemiths Orgelsonaten* (MuK XXXIII, 1963); *P. Hindemiths Messe* (in: Musica sacra LXXXV, 1965).
Lit.: H. E. BACH, H. L. Sch.s Orgelschaffen, MuK XL, 1970; A. J. SCHMID, Der Komponist H. L. Sch., Freiburg i. Br. 1972 (Slg. v. Aufsätzen, z. T. Wiederabdrucke, v. u. über Sch.).

Schilling, Otto-Erich Helmut, * 6. 4. 1910 und † 11. 7. 1967 zu Stuttgart; deutscher Musikkritiker und Komponist, studierte 1932–38 an der Staatlichen Hochschule für Musik in Stuttgart (Holle, Eisenmann) und war Musikkritiker am dortigen »Neuen Tageblatt«. Nach 1945 wirkte er als Abteilungsleiter für zeitgenössische Musik am Süddeutschen Rundfunk in Stuttgart. 1960–63 gab Sch. die Zeitschrift *Opernwelt* heraus; komponierte Ballette (*Inscribo Satanis*, Stuttgart 1950; *Taubenflug*, München 1955) und Hörspielmusik.

Schilling, Tom, * 23. 1. 1928 zu Esperstedt am Kyffhäuser (Halle); deutscher Tänzer und Choreograph, studierte an der Ballettschule des Dessauer Theaters sowie bei Dore Hoyer, Mary Wigman und Olga Iljina und kam über die Staatsopern Dresden (1945–46) und Leipzig (1946–52) als Ballettmeister an das Nationaltheater Weimar (1953–56). 1956–64 war er Ballettdirektor und Chefchoreograph der Staatsoper Dresden, seit 1965 wirkt er als künstlerischer Leiter und Chefchoreograph an der Komischen Oper Berlin. Von seinen Ballettinszenierungen seien genannt: *Gajaneh* (Musik A. Chatschaturjan, Weimar 1953 und Dresden

1961); *Abraxas* (Egk, Dresden 1957 und Bln 1966); *Die sieben Todsünden* (Brecht/Weill, Dresden 1962); »Ein Amerikaner in Paris« (Gershwin, ebd. 1964); »Phantastische Symphonie« (Berlioz, Bln 1966); »Nachmittag eines Fauns« (Debussy, ebd.); *Cinderella* (Prokofjew, Bln 1967); *La mer* (Debussy, Bln 1968); *Undine* (Henze, Bln 1970); *Fancy Free* (L. Bernstein, Bln 1971); »Romeo und Julia« (Prokofjew, Bln 1972).

+**Schillinger,** Joseph, 19.(31.) 8. 1895 – 1943.
+*The Sch. System of Musical Composition* (Erstaufl. 1941, ³1946); +*The Mathematical Basis of the Arts* (1948 [nicht: 1947]), Nachdr. NY 1966.
Lit.: J. MYHILL, Mus. Theory and Mus. Practice, The Journal of Aesthetics and Art Criticism XIV, 1955/56; J. BACKUS, Pseudo-Science in Music, Journal of Music Theory IV, 1960; D. GOJOWY, Moderne Musik in d. Sowjetunion bis 1930, Diss. Göttingen 1966.

+**Schillings,** Max von, 1868 – 24. [nicht: 23.] 7. 1933.
Lit.: Gedenkschrift M. v. Sch., hrsg. v. J. GEUENICH u. K. STRAHN, = Beitr. zur Gesch. d. Dürener Landes X, Düren 1968. – F. v. LEPEL, M. v. Sch. u. seine Oper »Mona Lisa«, Bln-Charlottenburg 1954; D. SATZKY in: Rheinische Musiker IV, hrsg. v. K. G. Fellerer, = Beitr. zur rheinischen Mg. LXIV, Köln 1966, S. 141ff.

+**Wilhelm Schimmel.**
Seit dem Tode von Arno Wilhelm Sch. (* 11. 12. 1898 zu Leipzig, † 21. 6. 1961 zu Braunschweig) ist Klaus (Nikolaus) Wilhelm Sch. (* 14. 9. 1934 zu Braunschweig) Leiter der Pianofortefabrik. Der Anteil an der Neuproduktion von Flügeln und Pianos in der Bundesrepublik Deutschland liegt bei über 30%: 1973 über 9000 Instrumente, davon 1100 unter den 1971 übernommenen französischen Markennamen Gaveau, Érard und Pleyel; hinzu kommen über 1000 Instrumente der dem Unternehmen seit 1971 angehörenden (West-)Berliner May Pianofortefabrik GmbH. Die Firma befindet sich in Familienbesitz.

+**Schimmer,** Roman, * 25. 9. 1912 zu Graslitz (Böhmen).
Er war 1. Konzertmeister des Südfunk-Sinfonie-Orchesters in Stuttgart bis 1972. Als Solist konzertierte er 1973 auch in Südamerika. Sch. unterrichtet heute an der Städtischen Musikschule Trossingen.

Schindelmeisser, Louis (Ludwig) Alexander Balthasar, * 8. 12. 1811 zu Königsberg; † 30. 3. 1864 zu Darmstadt; deutscher Dirigent und Komponist, studierte bei W. Gährich und A. B. Marx in Berlin sowie 1831 bei seinem Stiefbruder H. Dorn in Leipzig, wo er Freundschaft mit R. Wagner schloß. 1832–53 wirkte er als Theaterkapellmeister u. a. in Berlin, Budapest, Frankfurt a. M., Hamburg, Wiesbaden und Darmstadt. Er komponierte Opern (*Peter von Szapáry*, Pest 1839; *Malvina*, ebd. 1841; *Der Rächer* nach *Le Cid* von Corneille, ebd. 1846; *Melusine*, Darmstadt 1861), das Ballett *Diavolina*, Orchesterwerke (Concertino C moll für Klar. und Orch., 1832; Sinfonia concertante für 4 Klar. und Orch., 1833; Festouvertüre *Rule Britannia* op. 43; Ouvertüre *Loreley* op. 44; Fantasie *Ein illustriertes Studentenlied* op. 45), das Oratorium *St. Bonifacius* (1844), eine Kantate (1845), Klavierwerke (3 Sonaten op. 8, op. 23 und op. 40; 2 Impromptus op. 4 und op. 7; *6 Charakterstücke in Liedform* op. 14; 3 Bagatellen op. 22) und zahlreiche Lieder.
Lit.: H. DORN, Ergebnisse aus Erlebnissen, Bln 1877; W. WEISSHEIMER, Erlebnisse mit R. Wagner ..., Stuttgart 1898; O. DORN, Das Wiesbadener Theaterorch. u. seine Dirigenten, Mk II, 1902/03; KL. RÖNNAU in: MGG XI, 1963, Sp. 1726ff.

+Schindler, Anton [erg.:] Felix, 1798–1864. Sch. erhielt von Beethoven zahlreiche Handschriften und Briefe. Von den etwa 400 Konversationsheften, die nach Beethovens Tod in seinen Besitz übergingen, vernichtete er aus persönlichen Gründen mehr als die Hälfte. – +*Biographie von L. van Beethoven* (1840, ³1860), NA hrsg. von E. Klemm, = Reclams Universal-Bibl. Bd 496, Lpz. 1970, engl. Neuübers. hrsg. von D. W. MacArdle als *Beethoven as I Knew Him*, London und Chapel Hill (N. C.) 1966, Nachdr. NY 1972; dass. (Münster/Westf. ⁴1871), Nachdr. Hildesheim 1970. Lit.: L. v. Beethoven, Neun ausgew. Briefe an A. Sch., Faks. hrsg. v. K.-H. KÖHLER u. GR. HERRE, Lpz. 1970. – D. W. MACARDLE in: MR XXIV, 1963, S. 50ff.; H. SCHENKER, Beethovens Klavierspiel. Ein Kommentar zu Sch.s Schilderung, in: Musikerziehung XVIII, 1964/65 (mit Nachtrag v. O. Jonas S. 205ff.); E. DOERNBERG in: MQ LI, 1965, S. 373ff.; J. SCHMIDT-GÖRG, A. Sch.s mus. Nachlaß im Beethoven-Arch. zu Bonn, Fs. J. Racek, = Sborník prací filosofické fakulty brněnské univ. XIV, F 9, 1965.

Schinkel, Karl Friedrich, * 13. 3. 1781 zu Neuruppin (Brandenburg), † 9. 10. 1841 zu Berlin; deutscher Architekt, Maler und Bühnenbildner, arbeitete nach der Ausbildung an der Berliner Bauakademie (ab 1797) und einer Studienreise nach Italien und Frankreich (1803–05) zunächst als Maler (Schaubilder für Panoramen). 1815 wurde er in Berlin zum Geheimen Oberbaurat und Leiter des Dekorationswesens der Hoftheater ernannt. Bis 1832 entwarf er die Ausstattung von zahlreichen Schauspielen und Opern (*Die Zauberflöte*, 1816; *Undine* von E. T. A. Hoffmann, 1816; *Alceste*, 1817; *Otello* von Rossini, 1820). Einen Schwerpunkt bildeten seine szenische Entwürfe zu Werken Spontinis (»Die Vestalin«, 1816; »Cortez«, 1818; »Olympia«, 1821; »Nurmahal«, 1822; »Alcidor«, 1824; »Agnes von Hohenstaufen«, 1827). – Sch., der letzte in einer glanzvollen Reihe von Architekten (→ Buontalenti, I. → Jones, → Juvarra), die mit ihren Überlegungen zur Bühnengestaltung dem Theater wichtige Impulse gegeben haben, löste durch seine Formulierung der klassizistischen Reliefbühne die Tradition der barocken Raumbühne endgültig ab und entwickelte im Unterschied zu → Beuther und G. → Fuentes ein konsequentes Gegenkonzept. Seine Dekorationen bestehen aus gemalten Prospekten, nicht aus gebauten Kulissen: die Bühne wird zum Bild, die Zentralperspektive tritt an die Stelle der Diagonalperspektive, Genauigkeit des historischen Details wird zur Richtschnur in der Darstellung. In den 12 *Zauberflöten*-Dekorationen (die bedeutendste Bühnenausstattung des 19. Jh.) entfaltet Sch. ein monumentales Panorama des alten Ägypten; vor symbolischem Hintergrund spielt sich die Handlung auf einem flachen Proszenium ab. Sch.s bahnbrechende Lösung verflachte im Hoftheaterstil der folgenden Zeit. Seine Entwürfe, die in der National-Galerie Berlin aufbewahrt werden, wurden bereits zu seinen Lebzeiten unter dem Titel *Dekorationen auf den beiden Königlichen Theatern in Berlin* ... (Bln 1819, mehrere Neuaufl.) veröffentlicht. Lit.: P. MAHLBERG, Sch.s Theaterdekorationen, Düsseldorf 1916; P. ZUCKER, Die Theaterdekoration d. Klassizismus, Bln 1925; G. SCHÖNE, Das Bühnenbild im 19. Jh., Ausstellungskat. München 1959; H. KINDERMANN, Theatergesch. Europas, Bd V: Von d. Aufklärung zur Romantik (2. Teil), Salzburg 1962; E. RIEMER, K. Fr. Sch.s Bühnenbildentwürfe zu E. T. A. Hoffmanns Oper Undine, Mitt. d. E. T. A. Hoffmann-Ges. 1971, H. 17. **HS**

+Schiøler, Victor, * 7. 4. 1899 und [erg.:] † 17. 2. 1967 zu Kopenhagen.

+Schiørring, Nils, * 8. 4. 1910 zu Kopenhagen. Er wurde Mag. art. 1933 [nicht: 1935]. – Sch., seit 1953 Vorsitzender des Musikhistorisk Museum in Kopenhagen und seit 1963 der Dansk Selskab for musikforskning (deren *Dansk aarbog for musikforskning* er gemeinsam mit S. Sørensen redigiert; zuletzt Jg. VI, 1968–72), wurde 1965 Leiter des musikwissenschaftlichen Instituts der Universität Kopenhagen. 1962 nahm ihn die dänische Akademie der Wissenschaften und Literatur als Mitglied auf. – Von seinen weiteren Veröffentlichungen seien genannt: *Billeder fra 125 aars musikliv* (Kopenhagen 1952); *Musikkens veje* (»Die Wege der Musik«, = Berlingske leksikonbibl. VIII, ebd. 1959); *H. S. Paulli og dansk musikliv i det 19. århundrede* (in: Fund og forskning IV, 1957); *C. B. Rutström og R. Nyerup. Et bidrag til den svensk-danske folkevises melodihistorie* (in: Studier ..., Fs. C.-A. Moberg, = STMf XLIII, 1961); *Omsyngning og inkonstans* (DMT XXXVI, 1961); *The Contribution of Ethnomusicology to Historical Musicology* (Kgr.-Ber. NY 1961, Bd I); *Nogle håndskrevne dansk-norske koralbøger fra det 18. århundredes første halvdel* (in: Natalicia musicologica, Fs. Kn. Jeppesen, Kopenhagen 1962); *Nachwirkungen der Lobwasserpsalter in Dänemark* (in: Norddeutsche und nordeuropäische Musik, hrsg. von C. Dahlhaus und W. Wiora, = Kieler Schriften zur Musikwissenschaft XVI, Kassel 1965); *Wiederaufgefundene Melodien aus der verschollenen A.-Krieger-Ariensammlung 1657* (Fs. W. Wiora, ebd. 1967); *Notater til et par P. Dass-melodier* (Fs. O. Gurvin, Oslo 1968); *Flerstemmighed i dansk middelalder* (»Mehrstimmigkeit im dänischen Mittelalter«, Fs. J. P. Larsen, Kopenhagen 1972); zahlreiche lexikalische Beiträge (besonders für dänische und andere skandinavische Lexika). Er gab (mit Th. Knudsen) *Folkevisen i Danmark* heraus (8 Bde, Kopenhagen 1960–68).

+Schipa, Raffaele Tito (Attilio) Amedeo, * 2. 1. 1889 zu Lecce, [erg.:] † 16. 12. 1965 zu New York. Bis etwa 1950 sang er wiederholt an der Mailänder Scala und an der Oper in Rom. In den letzten Jahren wirkte Sch. auch als Gesangslehrer (u. a. Interpretationskurs in Budapest). Er lebte zuletzt (ab 1964) in New York. Lit.: R. CELLETTI in: Le grandi v., = Scenario I, Rom 1964, Sp. 727ff. (mit Diskographie v. R. Vegeto).

+Schipke, Paul Robert Max, 1873 – [erg.: 29. 1.] 1935.

Schipper, Emil Zacharias, * 19. 8. 1882 und † 20. 7. 1957 zu Wien; österreichischer Sänger (Baßbariton), Dr. jur., studierte in Mailand, debütierte 1904 am Deutschen Theater in Prag als Telramund und kam über Linz (1911), die Wiener Volksoper (1912–15) und die Münchner Hof- bzw. Staatsoper (1916–22) an die Wiener Staatsoper (Kammersänger). Daneben war er ständiger Gast an der Covent Garden Opera in London und der Berliner Staatsoper und trat an verschiedenen Opernhäusern in Nord- und Südamerika sowie bei den Salzburger Festspielen auf. 1938 zog er sich von der Bühne zurück. Sch. war besonders als Wagner-Sänger geschätzt. Er war mit der Sängerin Maria Olszewska verheiratet.

+Schippers, Thomas, * 9. 3. 1930 zu Kalamazoo (Mich.). Seit 1970 ist er Musikdirektor des Cincinnati Orchestra (O.). Bei den Bayreuther Festspielen 1963 wurde ihm die Leitung der neu inszenierten *Meistersinger* übertragen. An weiteren Opern, die Sch. zur Uraufführung brachte, sei S. Barbers *Antony and Cleopatra* (NY 1966) genannt. 1972 wurde er zum Professor of Music am

College-Conservatory of Music der University of Cincinnati ernannt.

Schirinskij, Sergej Petrowitsch, * 5.(18.) 7. 1903 zu Jekaterinodar (Kuban), † 18. 10. 1974 zu Moskau; russisch-sowjetischer Violoncellist, Bruder von Wassilij Sch., studierte bis 1923 bei Alfred von Glehn und Brandukow am Moskauer Konservatorium und wurde im gleichen Jahr Mitglied des Streichquartetts des Moskauer Konservatoriums (Zyganow, 1. Violine; W. Schirinskij, 2. Violine; Wadim Borisowskij, Bratsche), das seit 1931 unter dem Namen »Beethoven-Streichquartett« auftritt. Er wirkte ab 1926 als Solist und lehrte ab 1931 am Moskauer Konservatorium (1945 Professor). Dm. Schostakowitsch widmete ihm 1973 sein 14. Streichquartett.
Lit.: W. JUSEFOWITSCH in: SM XXXVII, 1973, H. 8, S. 30ff.; JE. ALTMAN in: SM XXXVIII, 1974, H. 5, S. 76ff.

+Schirinskij, Wassilij Petrowitsch, * 4.(17.) 1. 1901 zu Jekaterinodar (Kuban), [erg.:] † 16. 8. 1965 zu Mamontowka (bei Moskau).
Sch. lehrte (1950 Professor) bis zu seinem Tode am Moskauer Konservatorium. Weitere Werke: +2 Opern *Pjer i Ljus* (»Pierre et Louis«, nach Rolland, 1943–46) und *Iwan Grosnyj* (»Iwan der Schreckliche«, 1954); Scherzofantasie (1955) und Sinfonietta (1958) für Orch.; Violinkonzert (1961); +4. Streichquartett (1939, 2. Fassung 1955), 5. und 6. Streichquartett (1953, 1958), Klavierquartett (1964), Streichtrio (1954); 2. Bratschensonate (1953), je eine Sonate für Klar. (1952) sowie V. (1962) und Kl., 24 Praeludien für Kl. (1962); Romanzen (nach Puschkin, A. Achmatowa u. a., 1964).

Schirma, Grigorij Romanowitsch (Schyrma), * 8.(20.) 1. 1892 zu Szakuny (Gouvernement Grodno); weißrussisch-sowjetischer Chordirigent und Ethnograph, war 1912–28 Chordirigent und Musiklehrer an verschiedenen Kindermusikschulen, übte 1928–39 eine wissenschaftlich-ethnographische Tätigkeit im westlichen Weißrußland aus und wurde 1939 künstlerischer Leiter des Staatlichen weißrussischen Lied- und Tanzensembles. 1967 übernahm er den Vorsitz im weißrussischen Komponistenverband und gleichzeitig das Amt eines Verwaltungssekretärs im Komponistenverband der UdSSR. Er bearbeitete zahlreiche weißrussische Volkslieder für Chor und veröffentlichte u. a. *Belaruskija narodnyja pesni* (»Weißrussische Volkslieder«, geplant auf 4 Bde, bisher 3 Bde, Minsk 1947–62).
Lit.: I. G. NISNEWITSCH, Gr. R. Sch., Moskau 1964; A. BOGATYRJOW in: SM XXXVI, 1972, H. 1, S. 26f.

+G. Schirmer.
Rudolph Edward [nicht: Ernst] Sch., 1859 – 19. [nicht: 20.] 8. 1919; sein Neffe Gustave Sch.(III), * 29. 12. 1890 zu Boston, [erg.:] † 28. 5. 1965 zu Palm Beach (Fla.). – 1964 übernahm der Verlag, der weiterhin von Rudolph Tauhert (* 15. 1. 1900 zu New York) geleitet wird, den Verlag der Associated Music Publishers (AMP), zu dessen Autoren u. a. E. Carter, L. Kirschner, G. Schuller, C. Suriñach, H. Villa-Lobos und K. Husa gehören.
Lit.: R. SABIN in: Mus. America LXXX, 1960, Nr 11, S. 12 u. 54ff.; One Hundred Years of Music in America, hrsg. v. P. H. LANG, NY 1961; H. HEINSHEIMER, Gestaltwandel d. amerikanischen Musikverlags, Fs. f. einen Verleger (L. Strecker), Mainz 1973.

+Schiske, Karl [erg.:] Hubert Rudolf, * 12. 2. 1916 zu Raab (Győr, Ungarn), [erg.:] † 16. 6. 1969 zu Wien.
Sch. war 1932–38 Privatschüler von E. Kanitz, studierte Klavier u. a. bei H. Weber an der Musikakademie und Musikwissenschaft bei A. Orel und E. Schenk

an der Universität in Wien (Titel der Diss. 1942: *Zur Dissonanzverwendung in den Symphonien A. Bruckners*). – An der Wiener Musikakademie wurde er 1968 zum ordentlichen Professor ernannt; 1966/67 war er Visiting Professor an der University of California in Riverside. Zu seinen Schülern zählen u. a. Bj. Dimov, I. Eröd, K. Schwertsik und O. Zykan. 1967 wurde er mit dem Großen Österreichischen Staatspreis ausgezeichnet. – Weitere Werke: 5. Symphonie op. 50 (1965); Kammerkonzert op. 28 (1949) und Divertimento op. 49 (auch für 10 Instr., 1963) für Kammerorch.; Sextett op. 5 (1937), Bläserquintett op. 24 (1945), *Musik* für Klar., Trp. und Va op. 27 (1948), Sonate für V. und Kl. op. 18 (1943–48), *Drei Stücke für Gloria* für V. solo op. 32 (1951); 3 Stücke nach Volksweisen op. 35 (1951), Etüdensuite op. 36 (1951) und Sonatine op. 42 (1953) für Kl., Sonate für Kl. 4händig op. 29 (1949); Variationen über ein eigenes Thema op. 10 (1938), Toccata op. 38 (1952), Triosonate op. 41 (auch für 3 Melodieinstr., 1954) und Choral-Partita op. 46 (1957) für Org.; *Candada* für S., gem. Chor und Orch. op. 45 (1956); 99. Psalm für gem. Chor op. 30 (1949), 4 Chöre für 3 gleiche St. op. 22 (1945).
Lit.: A. OREL in: Fs. H. Fischer, = Innsbrucker Beitr. zur Kulturwiss., Sonder-H. 3, 1956, S. 149ff. (zu »Drei Stücke f. Gloria«); FR. SAATHEN in: Melos XXIII, 1956, S. 249ff.; W. SZMOLYAN in: ÖMZ XXII, 1967, S. 733f.; K. ROSCHITZ, K. Sch., = Österreichische Komponisten d. XX. Jh. XVI, Wien 1970.

+Schitomirskij, Alexandr Matwejewitsch, 1881–1937.
Lit.: D. GOJOWY, Moderne Musik in d. Sowjetunion bis 1930, Diss. Göttingen 1966.

Schitomirskij, Daniel Wladimirowitsch (Pseudonyme D. Wladimirow und W. Danin), * 9.(22.) 12. 1906 zu Pawlograd (Gouvernement Jekaterinoslaw); russisch-sowjetischer Musikforscher, studierte am Konservatorium in Charkow und anschließend bei Schiljajew (Komposition) und bei Iwanow-Borezkij (Musikwissenschaft) am Moskauer Konservatorium, wo er 1931 die historisch-theoretische Fakultät absolvierte. Ab 1931 lehrte er Musikgeschichte (1936 Dozent) zunächst am Moskauer Konservatorium, dann an den Konservatorien in Baku (1949–53) und Gorkij (1955–64). 1967 promovierte er mit der Dissertation *R. Schuman* zum Doktor der Kunstwissenschaft. Er schrieb u. a.: *Simfonitscheskoje twortschestwo Tschajkowskowo* (»Tschaikowskys symphonisches Schaffen«, Moskau 1936); *Dm. Schostakowitsch* (ebd. 1947); *Pessennoje i chorowoje twortschestwo sowjetskich kompositorow* (»Das Lied- und Chorschaffen sowjetischer Komponisten«, ebd. 1949); *R. i Kl. Schuman v Rossii* (»R. und Cl. Schumann in Rußland«, ebd. 1949, 2 1962); *Balety P. Tschajkowskowo* (ebd. und Leningrad 1950, 2 1957); *R. Schuman* (= Bibl. ljubitelja musyki o. Nr, Moskau 1955, 2 1964); ferner zahlreiche Aufsätze für SM und Beiträge für Sammelschriften.

+Schittenhelm, Hermann, * 10. 9. 1893 zu Boll (bei Oberndorf am Neckar).
Das von ihm gegründete Hohner-Handharmonika-Orchester übernahm 1968 Rudolf Würthner (* 13. 8. 1920 zu Trossingen), der es nunmehr als »Hohner-Orchester 1927« weiterführt.

+Schiuma, Alfredo [erg.:] Luigi, * 1. 7. 1885 zu Spinazzola (Bari) [del. frühere Angaben], [erg.:] † 24. 7. 1963 zu Buenos Aires.
Von seinen Werken seien ferner genannt eine 4. Symphonie (1957) und ein symphonisches Scherzo *Malambo* (1951).

Schiuma (ski'u:ma), Oreste, * 17. 4. 1881 zu Spinaz-zola (Bari), † 4. 6. 1957 zu Buenos Aires; argenti-nischer Musikschriftsteller italienischer Herkunft, Bru-der von Alfredo L. Sch., war Mitarbeiter verschiede-ner Zeitschriften und Musikkritiker von Tageszeitun-gen. Er veröffentlichte (Erscheinungsort Buenos Aires): *Beethoven en la vida y en las sinfonías* (1928); *Música y músicos argentinos* (1943); *Argentina musical* (1944); *Músicos argentinos contemporáneos* (1948); *Poemas musicales argentinos* (1954); *Cien años de música argentina* (1956).

Schiwotow, Alexej Semjonowitsch, * 1.(14.) 11. 1904 zu Kasan, † 27. 8. 1964 zu Leningrad; russisch-sowjetischer Komponist, studierte 1925–30 am Kon-servatorium in Leningrad bei Schtscherbatschow. Er war 1941–44 und ab 1948 Mitglied der Leningrader Verwaltung des sowjetischen Komponistenverbandes. Seine Kompositionen umfassen u. a. Orchesterwerke (Suite, 1927, Jazzsuite, 1930, Tanzsuite, 1935, Theater-suite, 1949, und Suite für Varietéorch., 1954; *Elegija panjati S. M. Kirowa*, »Elegie in memoriam S. M. Kiro-w«, 1935; *Romantitscheskaja poema*, 1940; *Geroitsche-skaja poema*, »Heroisches Poem«, 1946; *Prasdnitschnaja uwertjura*, »Festouvertüre«, 1947), *Fragmenty* für 9 Instr. (1928), den vokal-symphonischen Zyklus *Sapad* (»Der Westen«) für T., Chor und Orch. (1932), den Liederzyk-lus *Liritscheskije etjudy* (»Lyrische Etüden«, 1934) sowie weitere Lieder, Romanzen, Bühnen- und Filmmusik.

Schjelderup-Ebbe, Dag, * 10. 12. 1926 zu Oslo; norwegischer Musikforscher, erhielt seine musikalische Ausbildung am Konservatorium in Oslo und am Oberlin Conservatory/O. (1946–47). Er studierte dann an der University of California in Berkeley (M. A. 1950) und an der Universität Oslo, wo er 1965 mit der Arbeit *E. Grieg 1858–67. With Special Reference to the Evolution of His Harmonic Style* (= Institutt for musikk-vitenskap, Universitet i Oslo, Skrifter V, Oslo und London 1964) den Grad des dr. philos. erwarb. Schj.-E. wurde dann an der Osloer Universität Dozent für Musikwissenschaft. – Veröffentlichungen (Auswahl): *A Study of Grieg's Harmony* (Oslo 1953); *Neue Ansich-ten über die früheste Periode E. Griegs* (Dansk aarbog for musikforskning 1961); *Purcell's Cadences* (= Institutt for musikkvitenskap, Universitet i Oslo, Skrifter III, Oslo 1962); *Et nyfunnet orkesterpartitur med R. Nordraaks musikk til Bj. Bjørnsons drama* »*Maria Stuart i Skotland*« (in: Studia musicologica Norvegica I, hrsg. von O. Gurvin, ebd. VII, 1968); *Kjerulfs fem sanger fra* »*Spanisches Lie-derbuch*« (»Kjerulfs 5 Gesänge aus . . .«, Fs. O. Gurvin, ebd. 1968); *Neuere norwegische musikwissenschaftliche Arbeiten* (AMl XLIV, 1972).

Schläger, Hans, * 5. 12. 1820 zu Feldkirchen (Ober-österreich), † 17. 5. 1885 zu Salzburg; österreichischer Dirigent und Komponist, war Sängerknabe und dann Hilfslehrer in St. Florian; sein Nachfolger wurde Bruckner, mit dem er in freundschaftlicher Verbin-dung stand. Sch. ging 1845 nach Wien, war 1854–61 Chormeister des Wiener Männergesangvereins und 1861–68 Domkapellmeister und Direktor des Mo-zarteums in Salzburg sowie zugleich Chormeister der Liedertafel. Er war Mitgründer der Internationalen Stiftung Mozarteum und wirkte auch bei den Vorbe-reitungen zur ersten Mozart-GA mit. Von seinen Kompositionen (25 gedruckt) fanden besonders Män-nerchöre und Lieder Anklang.
Lit.: Nachruf in: 5. Jahresber. d. Internationalen Stiftung Mozarteum 1885.

⁺Schlag & Söhne.
Die Orgelbauanstalt erlosch in der Inflationszeit der 20er Jahre.

Lit.: Fr. Seidel, Die Orgelbauerfamilien Schl., Schweid-nitz, Instrumentenbau-Zs. XVI, 1962; ders. in: MGG XI, 1963, Sp. 1736f.

⁺Schlatter, Viktor, * 19. 2. 1899 zu St. Gallen, [erg.:] † 13. 10. 1973 zu Zollikon (Zürich).
Schl. wirkte als Organist am Großmünster in Zürich bis 1970.

⁺Schlecht, Raimund, 1811–91.
Schl. trat auch als Komponist von Kirchenmusik im cäcilianischen Stil hervor. Eine grundlegende *Musik-geschichte der Stadt Eichstätt* blieb Manuskript (Ordi-nariatsarchiv Eichstätt).
Lit.: J. Gmelch in: Sammelblätter d. Hist. Ver. Eichstätt XLV, 1930/31, S. 24ff.

⁺Schlemm, Anny, * 22. 2. 1929 zu Neu-Isenburg (Hessen).
Neben ihrem Engagement an den Städtischen Bühnen Frankfurt a. M. und verschiedenen Auslandsverpflich-tungen (u. a. auch zu den Festspielen von Edinburgh und Salzburg) führten sie ständige Gastverpflichtungen des weiteren u. a. an die Opernhäuser von Stuttgart und München (Staatstheater am Gärtnerplatz). Zu den Partien ihres umfangreichen Repertoires zählen Mar-garethe (»Fausts Verdammnis«, Berlioz), Dulcinea (»Don Quichotte«, Massenet), Jenufa (Janáček) sowie Marie und Gräfin Geschwitz (*Wozzeck* bzw. *Lulu* von A. Berg).

⁺Schlemm, Gustav Adolf, * 17. 6. 1902 zu Gießen.
Schl. lebt seit 1964 wieder in Wetzlar. Weitere Werke: *Hermann und Dorothea* (1954), *Toccata con fuga* (1955), 3. Symphonie mit *Psalmodia judaica* (1958), *Bremen-Suite* (1962), *Tanzbilder* (1964) und *Jagdouvertüre* (1966) für Orch.; *Romantisches Konzert* für Horn und Orch. (1967); Quintett für Hf., Fl., V., Va und Vc. (1964), 3. Streichquartett (1955), Trios für V., Klar. und Kl. (1954) sowie Hf., V. und Vc. (1959), Sonate für Vc. und Org. (1959); Oratorium *Media in vita* für Soli, gem. Chor und Orch. (1951); Messe As dur für gem. Chor a cappella (1962); Chöre, Lieder, Filmmusiken.

Schlemmer, Oskar, * 4. 9. 1888 zu Stuttgart, † 13. 4. 1943 zu Sehringen (bei Badenweiler, Schwarzwald); deutscher Maler und Bühnenbildner, war Meister-schüler von Adolf Hölzel an der Stuttgarter Kunst-akademie und beschäftigte sich bereits 1912 während seines Studiums mit Tanzexperimenten. 1916 wurden Teile seines *Triadischen Balletts* in Stuttgart aufgeführt (in definitiver Form 1922 in Stuttgart, 1926 in Donau-eschingen mit Musik von P. Hindemith für mechani-sche Orgel). 1920 wurde er an das Bauhaus in Weimar berufen und stattete, nach einer Begegnung mit Hin-demith im selben Jahre, 1921 dessen Operneinakter *Mörder, Hoffnung der Frauen* und *Nusch-Nuschi* für die Uraufführung in Stuttgart aus. Schl. war 1923–25 als Bühnenbildner für die Berliner Volksbühne tätig, wur-de nach der Übersiedlung des Bauhauses nach Dessau (1925) mit dem Aufbau einer Versuchsbühne beauf-tragt und inszenierte danach in eigener Ausstattung u. a. die Ballette »Petruschka« von Strawinsky, »Der holzgeschnitzte Prinz« von Bartók und Don Juan von Gluck sowie die Oper *La vida breve* von de Falla (alle Magdeburg 1926), *Spielzeug* (Musik Tschaikowsky, »Nußknacker-Suite«, Dresden 1928), *Die Vogelscheu-chen* von H. Frömbgen und K. Gutheim (Kammertanz-theater Hagen 1928), »Die Nachtigall« und *Renard* von Strawinsky (Breslau 1929) und Schönbergs *Glückliche Hand* (Bln 1930, Krolloper). Durch die Gastspielreise der Bauhausbühne durch Deutschland (1929), die Teil-nahme an der Züricher Internationalen Theaterausstel-

lung (1931) und die Aufführung des *Triadischen Balletts* in Paris (1932) wurden Schl.s Gestaltungsprinzipien einem größeren Publikum bekannt. 1933 wurde er als »entartet« aus dem Lehramt an den Berliner Vereinigten Kunsthochschulen entlassen. Schl. schuf einen mathematisch-definierten kubischen Bühnenraum, in dem die zur Kunstfigur des Tänzers stilisierte menschliche Gestalt sich als organische, aber »abstrakte« Marionette bewegt. Durch »raumplastische Kostüme« entmaterialisiert, erscheinen die Tänzer als Projektion des Raumes, dieser wiederum stellt die funktionale Entsprechung der stereometrisch artikulierten Figuren dar. – Seine Auffassung von der bewegten Gestalt im Raum legte Schl. in dem Aufsatz *Ausblicke auf Bühne und Tanz* (in: Melos VIII, 1927, Wiederabdruck ebd. XXXVII, 1970) dar. Er veröffentlichte ferner u. a. *Die Bühne im Bauhaus* (mit L. Moholy-Nagy und F. Molnár, = Bauhausbücher IV, München 1925, Nachdr. = Neue Bauhausbücher o. Nr, Mainz 1965).
Lit.: Briefe u. Tagebücher, hrsg. v. T. SCHLEMMER, München 1958. – W. GROHMANN, Kokoschka, Hindemith, Schl., in: Cicerone XIX, 1927; O. Schl. u. d. abstrakte Bühne, Ausstellungskat. Zürich u. München 1961; G. MARBACH, Schl.s Begegnungen mit Schönberg, Scherchen u. Hindemith, NZfM CXXIII, 1962; H. RISCHBIETER u. W. STORCH, Bühne u. bildende Kunst im XX. Jh., Velber bei Hannover 1968; D. SCHEPER, O. Schl., Das Triadische Ballett u. d. Bauhausbühne, 2 Bde, Diss. Wien 1970.   HS

+Schlensog, [erg.: Max] Martin ([erg.:] eigentlich Max Hermann Theodor), * 6. 6. 1897 zu Löwen (Niederschlesien).
Er wirkte 1945–62 als Schulrektor in Hamburg. Neben weiterer Schul- und Jugendmusik komponierte er ein Requiem (1960), ein Te Deum (1961), eine *Byzantinische Kantate* (1962) und Bühnenmusiken.

+Schlesinger, –1) Adolph Martin (eigentlich Abraham Moses), 1769 zu Sülz (Schlesien) – 1838 zu Berlin. –2) Maurice (Moritz) Adolphe (eigentlich Mora Abraham), 3. 10. 1797 zu Berlin – 25. 2. 1871 zu Baden-Baden. [erg. frühere Angaben.]
Lit.: H.-M. PLESSKE, Bibliogr. d. Schrifttums zur Gesch. deutscher u. österreichischer Musikverlage, in: Beitr. zur Gesch. d. Buchwesens III, hrsg. v. K.-H. Kalhöfer u. H. Rötzsch, Lpz. 1968, S. 187f. – zu –2): I. MAHAIM, Nouvelle version d'une lettre apocryphe de Beethoven à l'Ed. M. Schl. de Paris, SMZ XCIX, 1959; A. TYSON, M. Schl. as a Publisher of Beethoven, 1822–27, AMl XXXV, 1963.

+Schlick, Arnolt, um 1455–1525.
Schl. heiratete bereits um 1482 [nicht: um 1493] Barbara Struplerin und wurde gegen 1485 kurpfälzischer Hoforganist in Heidelberg.
Ausg.: Orgelkompositionen, hrsg. v. R. WALTER, Mainz 1970.
Lit.: +G. FROTSCHER, Gesch. d. Orgelspiels … (I, 1935, ²1959), Bln ³1966; +M. A. VENTE, Die Brabanter Org. (1958), Amsterdam ³1963. – S. KASTNER, Rapports entre Schl. et Cabezón, in: La musique instr. de la Renaissance, hrsg. v. J. Jacquot, Paris 1955; G. PIETZSCH, Quellen u. Forschungen zur Gesch. d. Musik am kurpfälzischen Hof zu Heidelberg bis 1622, = Akad. d. Wiss. u. d. Lit. zu Mainz, Abh. d. geistes- u. sozialwiss. Klasse, Jg. 1963, Nr 6; H. LANGE in: Das Klavierspiel VII, 1965, Nr 4, S. 5ff.; H. HUSMANN, Zur Charakteristik d. Schl.schen Temperatur, AfMw XXIV, 1967; W. R. THOMAS u. J. J. K. RHODES, Schl., Praetorius and the Hist. of Org.-Pitch, The Org. Yearbook II, 1971.

Schlick, Johann Konrad, * 1748(?) im Gebiet des Hochstiftes von Münster (Westf.), † 12. 7. 1818 zu Gotha; deutscher Violoncellist und Komponist, spielte zunächst in der Kapelle des Fürstbischofs von Münster und trat 1777 als Violoncellist und Sekretär der Hof-

kapelle in den Dienst Herzogs Ernst II. von Gotha. Er unternahm zahlreiche Konzertreisen, u. a. nach Rußland, Ungarn und Italien, ab 1785 auch zusammen mit seiner Frau, der Violinistin Regina Strinasacchi (* 1759 zu Ostiglia, Lombardei, † 11. 6. 1839 zu Dresden). Schl. veröffentlichte ein Konzert für V., Vc. und Orch. op. 1 (Gotha und St. Petersburg 1796), ein Konzert E moll für Vc. und Orch. (Lpz. vor 1814), 3 Quintette für Fl., V., Vc., Va und Kb. (Paris 1787), *6 quatuors concertants* op. 2 (Gotha und St. Petersburg vor 1815), 3 Sonaten für Kl., V. und Vc. op. 3 (ebd. 1797), 3 Sonaten für Vc. und B. (Paris 1803), *Recueil de petites pièces* für Vc. oder 2 Git. (Lpz. 1800) und eine Sonatine für 2 Git. (Hannover vor 1815).

Schlifstein, Semjon Issaakowitsch (Schlifschtejn), * 20. 1. (2. 2.) 1903 zu Saratow; russisch-sowjetischer Musikforscher, lebt in Moskau. Er trat besonders als Herausgeber von Sammelpublikationen hervor und edierte u. a. von Kaschkin *Isbrannyje statji o P. I. Tschajkowskom* (»Ausgewählte Aufsätze über P. I. Tschaikowsky«, Moskau 1953), *Statji o russkoj musyke i musykantach* (»Aufsätze über russische Musik und Musiker«, ebd.) und *Wospominanija o P. I. Tschajkowskom* (»Erinnerungen an P. I. Tschaikowsky«, = Russkaja klassitscheskaja musykalnaja kritika o. Nr, ebd. 1954), von Mjaskowskij *Notografitscheskij sprawotschnik* (»Werkverzeichnis«, ebd. 1962) und *Statji, pisma, wospominanija* (2 Bde, ebd. 1959–60, 2. Aufl. als *Sobranije materialow*, »Materialsammlung«, ebd. 1964) sowie von Prokofjew *Materialy, dokumenty, wospominanija* (»Materialien, Dokumente, Erinnerungen«, ebd. 1956, erweitert ²1961, engl. ebd. und London 1960, ²1968, deutsche Übers. der 2. Aufl. Lpz. 1965). Außerdem schrieb er u. a. *Glinka i Puschkin* (Moskau 1950) und »*Kasn Stepana Rasina*« *Schostakowitscha i tradizii Mussorgskowo* (»Die ,Hinrichtung des Stepan Rasin' von Schostakowitsch und die Traditionen Mussorgskijs«, in: Dm. Schostakowitsch, hrsg. von G. Sch. Ordschonikidse, ebd. 1967). Von einer geplanten Monographie über Mussorgskij erschienen als Vorabdrucke *Ot Gogolja k Puschkinu* (»Von Gogol zu Puschkin«, SM XXXV, 1971) und *Otkuda sche rasswet?* (»Woher der Sonnenaufgang?«, ebd.; zu *Chowanschtschina*).

Schlitzer, Franco, * 23. 7. 1909 und † 15. 3. 1963 zu Neapel; italienischer Musikforscher, promovierte an der Universität seiner Heimatstadt, beschäftigte sich 1930–32, angeregt durch B. Croce, mit der Erforschung der Neapolitanischen Schule und arbeitete bis 1944 für Zeitschriften und Zeitungen in Neapel. Er war Mitglied des künstlerischen Rates der »Settimane Senesi« der Accademia Musicale Chigiana in Siena (1951–55). Neben Arbeiten zu (älteren) italienischen Opernkomponisten (→+Bellini, M. ʼA. →Cesti, →+Cherubini, →+Cimarosa, →+Donizetti, →+Pergolesi, →+Rossini, →+Sacchini, →+Spontini) veröffentlichte er u. a.: *Le »Stagioni« di Haydn* (Neapel 1940); *La »Missa solemnis« di L. van Beethoven* (Florenz 1941); *Traetta, Leo, Bellini* (Siena 1952); *Inediti verdiani nell'Archivio dell' Accademia Chigiana* (ebd. 1953); *Mondo teatrale dell'800* (Neapel 1954); *Canzoni d'amore del Cinquecento* (Siena 1955). Außerdem edierte er die Sammelschrift *Musicisti toscani* (2 Bde, Bd II mit A. Damerini, = Accad. musicale Chigiana XI–XII, Siena 1954–55).

Schlögl, Alfons, * 10. 3. 1886 zu Sellrain (Tirol), † 28. 12. 1926 zu Telfs (Tirol); österreichischer Komponist, besuchte die Lehrerbildungsanstalt in Innsbruck und die kirchenmusikalische Abteilung der Akademie für Musik und darstellende Kunst in Wien. 1916–26 war er Professor an der Lehrerbildungsanstalt in Salzburg. Schl., ein vorzüglicher Kontrapunktiker, nannte seinen Stil »Neupalästrinismus«. Sein Hauptwerk sind die Proprien für das ganze Kirchenjahr; ferner schrieb er 7 Messen, Gesänge für die Karwoche, ein mehrchöriges Te Deum, das Oratorium *Kain*, Motetten, Lieder, Orgelwerke und Choralbearbeitungen. Er gab auch ältere Kirchenmusik heraus.

+Schloezer, Boris Fjodorowitsch de, * 8. 12. 1881 [nicht: 1884] zu Witebsk, [erg.:] † 7. 10. 1969 zu Paris.
+*Introduction à J.-S. Bach* (1947), span. Buenos Aires 1961, deutsch als *Entwurf einer Musikästhetik* (Hbg 1964); +*Problèmes de la musique moderne* (= Arguments XII, 1959), NA Paris 1972, span. Barcelona 1960. – Weitere Veröffentlichungen: *Musique et peinture non figurative* (Rev. d'esthétique XV, 1962); *Présence du passé* (in: La musique et ses problèmes contemporains, 1953–63, = Cahiers de la Compagnie M. Renaud – J.-L. Barrault Nr 41, Paris 1963, gekürzt als *La musique ancienne et nous*, française de sociologie III, 1962); *Confrontation* (RBM XX, 1966).
Lit.: U. BÄCKER, Frankreichs Moderne v. Cl. Debussy bis P. Boulez. Zeitgesch. im Spiegel d. Musikkritik, = Kölner Beitr. zur Musikforschung XXI, Regensburg 1962; D. BANCROFT, Stravinsky and the »NRF« (1920–29), ML LV, 1974.

+Schlüter, Erna [erg.:] Anna Elisabeth Margarete, * 5. 2. 1904 zu Oldenburg, [erg.:] † 1. 12. 1969 zu Hamburg.

+Schlusnus, Heinrich, 1888 – 18. [nicht: 19.] 6. 1952.
Lit.: +E. v. NASO (mit A. Schlusnus), H. Schl. (1957), neubearb. Hbg 1962, auch = Ullstein-Bücher Bd 503, Ffm. 1965; DERS. in: Diener d. Musik, hrsg. v. M. Müller u. W. Mertz, Tübingen 1965, S. 227ff.; C. BRACHE in: Die Bühnengenossenschaft IX, 1958, S. 423f.; H. GAPPENACH in: Rheinische Musiker VII, hrsg. v. D. Kämper, = Beitr. zur rheinischen Mg. XCVII, Köln 1972, S. 101ff.

Schmalfuss, Peter, * 13. 1. 1937 zu Berlin; deutscher Pianist, studierte 1953–56 am Konservatorium in Saarbrücken bei Alexander Sellier und Gieseking sowie 1956–58 in Zürich bei A. Aeschbacher. Er ist Dozent für Klavier an der Akademie für Tonkunst in Darmstadt und entfaltet seit 1959 eine rege Konzerttätigkeit in ganz Europa sowie im Nahen und Fernen Osten.

+Schmedes, –1) Erik, 1868 – 21. [nicht: 22.] 3. 1931.
Das erste Jahrzehnt seiner Wirkungszeit an der Wiener Hofoper fiel mit der Ära G. Mahlers zusammen. Zu seinen Rollen zählten neben den großen Wagner-Partien (auch Rienzi) u. a. Florestan, Palestrina sowie verschiedene Partien des italienischen Repertoires. Schm. war auch als Gesangspädagoge tätig; zu seinen bekanntesten Schülern zählt Maria Müller.
Lit.: Le grandi v., hrsg. v. R. CELLETTI, = Scenario I, Rom 1964, Sp. 734ff. (mit Diskographie v. R. VEGETO).

+Schmelzer von Ehrenruef (Ehrenruff), –1) Johann Heinrich, um 1623 vermutlich zu Scheibbs (Niederösterreich) [nicht: Wien] – zwischen 4. 2. und 20. 3. [nicht: 30. 6.] 1680 zu Prag [nicht: Wien]. – Seine +*Duodena selectarum sonatarum* erschienen 1659 [nicht: 1669].
–2) Andreas Anton, 1653–1701. Er war Violinist der Wiener Hofkapelle bis 1693 [nicht: 1700].
Ausg.: zu –1): +*Ballettmusik* . . ., in: Wiener Tanzmusik in d. 2. Hälfte d. 17. Jh. (P. NETTL, = DTÖ XXVIII, 2, Bd 56 [nicht: 49], 1921); +*3 Stücke zum Pferdeballett* in: Deutsche Bläsermusik v. Barock bis zur Klassik (H.

SCHULTZ, = RD XIV [nicht: XVI], Lpz. 1941), 2. Aufl. = EDM XIV, Abt. Kammermusik II, Kassel 1961; +Violinsonaten (E. SCHENK, 1958), [del. als nicht veröff.:] E. Schenk in: StMw XXV. – Duodena selectarum sonatarum (1659). Werke hs. Überlieferung, hrsg. v. DEMS., = DTÖ CV, Graz 1963; Sacroprofanus concentus musicus . . . (1662), hrsg. v. DEMS., ebd. CXI/CXII, 1965.
Lit.: +E. WELLESZ, Die Ballett-Suiten v. J. H. u. A. A. Schm., Sb. Wien CLXXVI [nicht: CLXXXVI], 1914. – H. FEDERHOFER in: MGG XI, 1963, Sp. 1829ff. – zu –1): R. FLOTZINGER, J. H. Schm.s Sonata »Lanterly«, StMw XXVI, 1964; A. KOCZIRZ, Zur Lebensgesch. J. H. Schm.s, ebd.; P. NETTL, Österreichische Folklore d. 17. Jh., in: Musa – Mens – Musici, Gedenkschrift W. Vetter, Lpz. 1970.

Schmid, Anton, * 30. 1. 1787 zu Pihl (bei Böhmisch-Leipa), † 3. 7. 1857 zu Salzburg; österreichischer Musikschriftsteller, war ab 1798 Sängerknabe im Augustinerkloster seiner Heimatstadt. 1812 ging er als Privatmusiklehrer nach Wien, wo er 1819 Skriptor und 1844 Kustos der Hofbibliothek wurde und mit der Neuordnung der Musiksammlung betraut war. Er veröffentlichte: *O. dei Petrucci da Fossombrone* (Wien 1845, Nachdr. Amsterdam 1968); *J. Haydn und N. Zingarelli. Beweisführung, daß J. Haydn der Tonsetzer des allgemein beliebten österreichischen Volks- und Fest-Gesanges sei* (Wien 1847); *Chr. W. Ritter von Gluck* (Lpz. 1854); ferner zahlreiche Abhandlungen.
Lit.: M. BERMANN, Zwei österreichische Musikgelehrte, II: A. Schm., in: Blatt f. Musik, Theater u. Kunst I, 1855.

Schmid (Schmidt), deutsche Familie von Musikern, Notenstechern, Musikdruckern und Verlegern.
–1) Balthasar, getauft 20. 4. 1705 und begraben 27. 11. 1749 zu Nürnberg, studierte ab 1726 an der Universität Leipzig, errichtete 1729 in Nürnberg einen Musikverlag, in dem bis 1738 nur eigene Klavierwerke Galanten Stils erschienen, und wirkte dort auch als Organist ab 1733 an St. Margarethen, ab 1737 an der Augustinerkirche und ab 1743 außerdem an St. Walburg. Er stach, druckte und verlegte u. a. J. S. Bachs 4. Teil der *Clavier-Übung* (BWV 988, »Goldberg-Variationen«, 1742) und *Einige canonische Veraenderungen . . .* (BWV 769, 1748) sowie vorwiegend Werke G. Ph. Telemanns und der Bach-Schüler C. Ph. E. Bach, J. L. Krebs, Nichelmann und J. N. Tischer. Auch kommt er als mutmaßlicher Widmungsempfänger von Bachs »Faber-Kanon« (BWV 1078) in Betracht. Sein Sohn –2) Johann Michael, getauft 11. 5. 1741 und begraben 21. 3. 1793 zu Nürnberg, war ab 1767 als Musiker, Kupferstecher und Kunsthändler in Nürnberg tätig und verlegte 1773–91 Kompositionen von Cimarosa, Dezède, Fr. v. Falcke, Ernst Johann Benedikt Lang und Johann August Wenk, ferner die wichtige *Sammlung verschiedener Lieder von guten Dichtern und Tonkünstlern* (4 Teile, 1779–83).
Ausg.: zu –1): 2 Menuette in: L. Mozarts Notenbuch, hrsg. v. H. ABERT, Lpz. o. J.
Lit.: FR. SMEND, Bachs Kanonwerk über »Vom Himmel hoch da komm ich her«, Bach-Jb. XXX, 1933; G. KINSKY, Die Originalausg. d. Werke J. S. Bachs, Wien 1937, Nachdr. Hilversum 1967; H. HEUSSNER, Der Musikdrucker B. Schm. in Nürnberg, Mf XVI, 1963; FR. KRAUTWURST in: MGG XI, 1963, Sp. 1837ff.; H.-J. SCHULZE, J. S. Bachs Kanonwidmungen, Bach-Jb. LIII, 1967.

+Schmid, –1) Bernhard d. Ä., 1535 [nicht: 1520] – 1592. –2) Bernhard d. J., [erg.:] getauft 1. 4. 1567 [nicht: * 1548] und † 1625(?) zu Straßburg.
Ausg.: zu –2): Tabulatur Buch . . . (1607), Faks.-Ausg. = Bibl. musica Bononiensis IV, 52, Bologna 1969.
Lit.: +W. MERIAN, Der Tanz in d. deutschen Tabulaturbüchern (1927), Nachdr. Hildesheim u. Wiesbaden 1968. – CL. W. YOUNG, The Keyboard Tablatures of B. Schm.,

Schmid

Father and Son, Diss. Univ. of Illinois 1957; DERS. in: MGG XI, 1963, Sp. 1842ff.

[del.:] **Schmid,** Edmund, * 3. 5. 1886 zu Berlin; ist identisch mit →+Schmid [–1) W.], –2) E.

+Schmid, Erich, * 1. 1. 1907 zu Balsthal (Solothurn).
Er war Dirigent des Tonhalle-Orchesters in Zürich bis 1957, des Gemischten Chores Zürich 1950–74 und Chefdirigent des Radio-Orchesters Beromünster bis 1971. Ab 1962 leitete er zusätzlich den Männerchor Zürich. Daneben ist Schm., der sich um die frühe Verbreitung von Kompositionen Busonis, Mahlers, Regers und der Wiener Schule verdient gemacht hat und auch zahlreiche zeitgenössische Werke (besonders von Schweizer Komponisten) zur Uraufführung brachte, als Gastdirigent vor allem in Deutschland, Frankreich, Italien und England tätig. 1963 übernahm er die Leitung der Dirigierklasse an der Musik-Akademie der Stadt Basel. Über sein Studium bei Schönberg berichtet er in dem Beitrag *Ein Jahr bei A. Schönberg in Berlin* (in: Melos XLI, 1974). Schm. lebt heute in Geroldswil (Zürich).
Lit.: P. O. SCHNEIDER in: SMZ CXII, 1972, S. 160ff.

+Schmid, Ernst Fritz (Friedrich), 1904–60.
+*C. Ph. E. Bach und seine Kammermusik* (1931) war seine Dissertation (1929) und +*J. Haydn ...* (1934) seine Grazer Habilitationsschrift. – +*Miszellen zur Augsburger Mozartforschung* (Zs. des Historischen Vereins für Schwaben LXII/LXIII, 1962 [nicht: LXII, 1957/58]); +*Die Orgeln der Abtei Amorbach* (1938), 2. Aufl. bearb. von Fr. Bösken als *Die Orgeln von Amorbach,* = Beitr. zur mittelrheinischen Musikgeschichte IV, Mainz 1963 (vgl. dazu J. Eppelsheim in: Mf XXIV, 1971, S. 43ff. und 178ff.). – Weitere Veröffentlichungen: +*Musik an den schwäbischen Zollernhöfen der Renaissance* (Kassel 1962); *Mozart and Haydn* (MQ XLII, 1956); *Zur Entstehungszeit von Mozarts italienischen Opern* (Mozart-Jb. 1958); *J. Haydn und die vokale Zierpraxis seiner Zeit* (Haydn-Kgr.-Ber. Budapest 1959); *Die Privatmusikaliensammlung des Kaisers Franz II. und ihre Wiederentdeckung in Graz im Jahre 1933* (ÖMZ XXV, 1970; verfaßt 1951); *Neue Funde zu Haydns Flötenuhrstücken* (in: Haydn-Studien II, 4, 1970; verfaßt 1959). Neben den +*Bänden in der Neuen →+Mozart-Ausg.* (IV, 12, Bd VI; VIII, 19, Abt. 1–2; IX, 24, Abt. 1) edierte er ferner: *Neue lustige teutsche Lieder ... 1586/88* (= Lechner-GA IX, Kassel 1958); Oratorium *Il ritorno di Tobia* (= Haydn-GA XXVIII, 1, München 1963).
Lit.: J. P. LARSEN in: Mf XIII, 1960, S. 129f.; W. PLATH in: Musica XIV, 1960, S. 178; ANON., In memoriam E. Fr. Schm., Recklinghausen 1961 (mit Schriftenverz.); H. FR. DEININGER in: Neues Augsburger Mozartbuch, = Zs. d. Hist. Ver. f. Schwaben LXII/LXIII, 1962, S. 547ff.

+Schmid, Georg, * 29. 11. 1907 zu München.
Seit 1949 ist Schm. 1. Solobratschist im Symphonieorchester des Bayerischen Rundfunks. Daneben unterrichtet er weiterhin (als Professor) Bratsche (Meisterklasse) und Kammermusik an der Münchner Musikhochschule. Mitglied des Kehr-Trios war er bis 1960.

Schmid, Hans, * 31. 5. 1920 zu München; deutscher Musikforscher, studierte Musik bei H. v. Waltershausen und Musikwissenschaft bei R. v. Ficker und Ursprung in München, wo er 1951 mit einer Dissertation über *Die musiktheoretischen Handschriften der Benediktinerabtei Tegernsee* promovierte. 1952–57 war er Assistent am Musikwissenschaftlichen Seminar der Universität München, ist seit 1953 Lehrbeauftragter dort und seit 1960 wissenschaftlicher Mitarbeiter der Musikhistorischen Kommission der Bayerischen Akademie der Wissenschaften in München, außerdem seit 1968 Schriftführer der Gesellschaft für Bayerische Musikgeschichte und als solcher Redakteur der DTB. Er schrieb u. a.: *Zur sogenannten »Musica Adelboldi Traiectensis«* (AMl XXVIII, 1956); *Byzantinisches in der karolingischen Musik, II: Zur Tonartenlehre* (Ber. zum XI. Internationalen Byzantinisten-Kgr. München 1958); *Die Kölner Handschrift der Musica Enchiriadis* (Kgr.-Ber. Köln 1958); *Una nuova fonte di musica organistica del s. XVII* (in: L'organo I, 1960); *»Lexicon musicum Latinum«. Ein Unternehmen zur Erforschung der musikalischen Fachsprache des Mittelalters* (mit E. Waeltner, in: Organicae voces, Fs. J. Smits van Waesberghe, Amsterdam 1963); Artikel *Gluck* (NDB VI, 1964); *Die Grabstätte O. di Lassos* (Mf XVII, 1964); *Bayerische Musikhandschriften des Mittelalters* (in: Musik in Bayern II, hrsg. von F. Göthel, Tutzing 1972). – Ausgaben: E. F. Dall'Abaco, *Ausgewählte Werke III* (= DTB, N. F. I, Wiesbaden 1967); *Musik in Bayern I (Bayerische Musikgeschichte)* (mit R. Münster, Tutzing 1972). Schm. lieferte ferner die Beiträge *Musik* für das »Handbuch der Bayerischen Geschichte« (hrsg. von M. Spindler und Fr. Brunhölzl, 4 Bde in 6, München 1967–74) und war Mitarbeiter (Bayern) an den vorliegenden Ergänzungsbänden dieses Lexikons.

+Schmid, Heinrich Kaspar, 1874 – 1953 zu München [nicht: Geiselbullach].
Lit.: +W. ZENTNER ... in: Musica VII, 1953 [nicht: 1952].

Schmid, Reinhold, * 19. 11. 1902 zu Berndorf (Niederösterreich); österreichischer Komponist und Chordirigent, studierte in Wien an der Akademie für Musik und darstellende Kunst Orgel, Klavier, Gesang und Dirigieren sowie an der Universität Musikwissenschaft, an der er 1929 mit der Arbeit *Die Linearstruktur in M. Regers »Schlichten Weisen«* promovierte. Er war dann u. a. in Wien Professor am Theresianum (1929–36), Chordirektor an der Karlskirche (1933–39), Dirigent des Schubertbunds (1939–45), Chordirektor des Singvereins der Gesellschaft der Musikfreunde (1939–45 und 1953–67) und Leiter der Singakademie (1946–53). 1945 wurde Schm. Professor an der Akademie für Musik und darstellende Kunst in Wien (1966 außerordentlicher, 1969 ordentlicher Hochschulprofessor). Er bereitete Chöre für Konzerte und Schallplattenaufnahmen in verschiedenen europäischen Städten (Wien, Berlin, Paris, Rom, Mailand, London) für die Dirigenten K. Böhm, H. v. Karajan, Klemperer, Sawallisch, Solti u. a. vor. Seine Kompositionen umfassen Orchesterwerke (*Walzerphantasie, Tanzrhapsodie*), Kammermusik, Klavierstücke, Chorwerke mit Begleitung (*Inmitten einer großen Stadt* für gem. Chor und Orch.) und a cappella (*Les cloches de Nantes, Jardin d'amour*) sowie Lieder. Er schrieb *Assoziationen um das Orchester* (Wien 1954).

+Schmid, Rosl, * 25. 4. 1911 zu München.
Neben ihrer Konzerttätigkeit ist sie (weiterhin) als Leiterin einer Meisterklasse für Klavier an der Münchner Musikhochschule tätig.

+Schmid, –1) [erg.: Berthold Georg] Waldemar, * 16. 10. 1881 zu Berlin, [erg.:] † 13. 2. 1967 zu Kiel. –2) [erg.: Anton Paul] Edmund, * 3. 5. 1886 zu Berlin, [erg.:] † 11. 5. 1973 zu Hamburg.

+Schmid-Lindner, August, 1870–1959.
Ausgewählte Schriften erschienen Tutzing 1973.

Schmidek, Kurt, * 18. 3. 1919 zu Wien; österreichischer Komponist, studierte 1945–47 an der Akademie für Musik und darstellende Kunst in Wien, an der er seit 1962 eine Klasse für Lied und Oratorium leitet (1970 außerordentlicher Hochschulprofessor). 1959–70 war er in gleicher Eigenschaft auch an der Grazer Musikakademie tätig. Von seinen Kompositionen seien genannt: 1. Klavierkonzert op. 8 (1946); Streichquartett op. 28 (1952); Concertino für Kl., Streichorch. und Blechbläser op. 33 (1955); *Caprichos*, 6 Betrachtungen zu Bildern nach Goya nach Worten von Lion Feuchtwanger für T. und Kl. op. 37 (1959); Streichtrio op. 39 (1961); Symphonie in C op. 47 (1966); Divertissement für Kammerorch. op. 48 (1967); 2. Klavierkonzert op. 51 (1969); *Kleine Symphonie* für Kammerorch. op. 55 (1972).

+Schmidseder, Ludwig (Pseudonym Louis Fabro), * 24. 8. 1904 zu Passau, [erg.:] † 21. 6. 1971 zu München.
Schm., der auch als Film- und Fernsehkomiker bekannt war, schrieb insgesamt etwa 40 Filmmusiken (u. a. *Ich hab' mich so an Dich gewöhnt*, 1952) und 500 Schlager (darunter die Wiener Lieder *Ich trink den Wein nicht gern allein*, 1934, und *I hab' die schönen Maderln net erfunden*, 1938). Er verfaßte auch mehrere Kochbücher.

Schmidt, Annerose, * 5. 10. 1936 zu Wittenberg; deutsche Pianistin, studierte 1954–57 an der Musikhochschule in Leipzig bei Hugo Steurer, erhielt 1955 den 1. Preis im Gesamtdeutschen Pianistenwettbewerb und 1956 im Internationalen Schumann-Wettbewerb. Seitdem ist sie in zahlreichen west- und osteuropäischen Ländern sowie im Nahen Osten konzertiert.

+Schmidt, Arthur Paul, 1846–1921.
Henry Richter Austin, * 17. 5. 1882 zu London, [erg.:] † 13. 5. 1961 zu Marblehead (Mass.). – Der Verlag A. P. Schmidt & Co. wurde 1961 von der Summy-Birchard Company in Evanston (Ill.) erworben.

Schmidt, Eberhard, * 23. 3. 1907 zu Slawentzitz (Oberschlesien); deutscher Komponist, studierte am Stern'schen Konservatorium in Berlin und bildete sich dann autodidaktisch weiter. Vor 1933 schrieb er Lieder für Chöre und Agitproptruppe und emigrierte 1935 nach Paris, wo er Stücke für das Arbeitertheater und für Kinderballette komponierte. 1936–39 nahm er in der Internationalen Brigade am Spanischen Bürgerkrieg teil, kam danach in verschiedene französische Internierungslager und 1941 ins KZ Sachsenhausen. 1945 begann er eine umfassende musikalische Tätigkeit. Schm. war Direktor des Konservatoriums in Schwerin und lebt heute als freischaffender Komponist in Berlin. Er schrieb u. a. die Operette *Bolero* (Libretto Otto Schneidereit, Bln 1952), die Singspiele *Schweinekirmes* (Schwerin 1956) und *Brigitte und das Schweineglück* (1961), die Fernsehkinderopern *Der Dieb im Warenhaus* und *Die Zauberpauke*, die szenische Kantate *Klaus Störtebeker* (1958), *Stralsunder Suite* für Orch., Kammermusik (Oktett für Fl., Ob., Klar., Fag., Horn, 2 V. und Kb.), 1962; Suite für V. und Kl., 1963), Vokalwerke (Poem *Hans Beimler* für Sprecher, S., gem. Chor und Orch., 1961; Kantate *Weiße Rose* nach autobiographischen Angaben der Geschwister Scholl für S., Bar., Sprecher, Kl. und Orch., 1963; Lieder für Bar. und Orch., 1963; zahlreiche Solo- und Massenlieder) sowie Filmmusik (*Fritz Reuter*, 1949; *Mich dürstet*, 1960).

Schmidt, Ferdinand, * 25. 10. 1883 zu Höferhof (Bergisches Land), † 22. 4. 1952 zu Tannenhof (bei Remscheid); deutscher Kantor und Organist, erhielt seine musikalische Ausbildung 1900–06 am Städtischen Konservatorium in Köln bei Heuser (Klavier), Fr. W. Franke (Orgel) und Sträßer (Komposition). Er war ab 1906 Organist an der Luther-Kirche in Köln und

1921–44 Kantor und Organist in Düren. Ab 1949 unterrichtete er an der Kirchenmusikschule der Rheinischen Kirche in Elberfeld. Mit der von ihm ins Leben gerufenen »Niederrheinischen Chorgemeinschaft« veranstaltete er Singwochen.
Lit.: H. WERKLE, F. Schm., d. »Rheinische Kantor«, Mitt. d. Arbeitsgemeinschaft f. rheinische Mg. III, 1962–66 (mit Werkverz.), u. MuK XXXIII, 1963.

+Schmidt, Franz, 1874–1939.
Er studierte ab 1890 [nicht: 1880] in Wien u. a. bei F. Hellmesberger und R. Fuchs, kurze Zeit auch bei Bruckner. Am Wiener Konservatorium war er Cellolehrer ab 1901, an der Akademie für Musik Professor für Klavierspiel ab 1914 [nicht: 1910] sowie für Kontrapunkt und Komposition ab 1922 [erg. frühere Angaben]. – +*Variationen* über ein Thema von Beethoven für Kl. und Orch. (1923 [nicht: 1942]).
Lit.: Sonder-H. Fr. Schm., = ÖMZ XIX, 1964, H. 3. – R. WAGNER, Das mus. Schaffen v. Fr. Schm., Diss. Wien 1938; A. ARBEITER, Studien zum Vokalwerk v. Fr. Schm., Diss. ebd. 1954; DERS., Einführung in »Das Buch mit sieben Siegeln«, Judenburg 1958; E. SCHENK, Zwei unbekannte Frühwerke v. Fr. Schm., = Anzeiger d. philosophisch-hist. Klasse d. Österreichischen Akad. d. Wiss. 1956, Nr 8 (= Mitt. d. Kommission f. Musikforschung VII), Wien 1956; DERS., Fr. Schm.s Jugendwerke. Echtheitsbeweis u. Datierung, in: Musikerziehung XII, 1958/ 59; H. TRUSCOTT, Fr. Schm. Symphonist, MMR LXXXVI, 1956; C. NEMETH, Ein neuaufgefundenes Skizzenblatt zu Fr. Schm.s »Variationen über ein Husarenlied«, ÖMZ XII, 1957; DERS. in: Musikerziehung XII, 1958/59, S. 79ff. (zur Tokkata u. Fuge As dur f. Org.); A. JIRASEK, Eine unbekannte Komposition Fr. Schm.s, ÖMZ XV, 1960 (Romanze f. Kl.); A. LIESS in: MGG XI, 1963, Sp. 1853ff.; J. DICHLER in: Musikerziehung XVII, 1963/64, S. 195ff.; FR. BLASL, »Das Buch mit sieben Siegeln« v. Fr. Schm., ebd. XVIII, 1964/65; L. WICKES in: Miscellanea musicologica I, (Adelaide) 1966, S. 37ff. (zu »Das Buch mit sieben Siegeln«); K. NEUMANN, Folkloristische Einflüsse in d. Werken Fr. Schm.s, ÖMZ XXIV, 1969 (zu d. »Variationen über ein Husarenlied«); R. SCHOLZ, Die Orgelwerke v. Fr. Schm., = Diss. d. Univ. Wien VII, Wien 1971 (Diss. aus 1962); N. TSCHULIK, Fr. Schm., = Österreichische Komponisten d. XX. Jh. XVIII, ebd. 1973; H. HASELBÖCK, Zur Orgelmusik v. Fr. Schm. u. A. Schönberg, MuK XLIV, 1974.

Schmidt, Gerd (Pseudonym Ralph Dokin), * 16. 3. 1926 zu Suhl (Thüringen); deutscher Komponist und Arrangeur von Tanz- und Unterhaltungsmusik in Bergen-Enkheim (Hessen). Er ist seit 1948 als Musikbearbeiter für Tanz- und Unterhaltungsmusik tätig, seit 1955 ausschließlich für die Schallplattenindustrie sowie für Rundfunk und Fernsehen. Seit 1960 betätigt er sich auch als Schallplattenproduzent.

+Schmidt, Günther, * 31. 7. 1927 zu Ansbach.
Schm., der seit 1967 in München lebt, veröffentlichte ferner: +*Die Historienkomposition* (Hdb. der deutschen evangelischen Kirchenmusik, hrsg. von K. Ameln, Chr. Mahrenholz und W. Thomas, Bd I, 3, Göttingen 1969); *Strukturprobleme der Mehrstimmigkeit im Repertoire von St. Martial* (Mf XV, 1962, siehe auch XVI, 1963, S. 173f.); *Geschichtliche Perspektiven »Zum theologischen Problem der Musik«* (Mf XIX, 1966).

Schmidt, Harvey, * 12. 9. 1929 zu Dallas (Tex.); amerikanischer Musicalkomponist, studierte an der University of Texas, komponierte Revuen für das dortige Universitätstheater und hatte seinen ersten Erfolg am Broadway in New York mit dem Musical *The Fantasticks* (1960, nach Edmond Rostands Schauspiel). 1963 folgte das Musical *110 in the Shade* (nach dem Bühnenstück *The Rainmaker* von N. Richard Nash, Songs von Tom Jones; deutsche Erstaufführung als »40 Grad im Schatten«, Kassel 1971, deutsch von Max Colpet) und 1966 *I do! I do!* (nach Jan de Hartogs Komödie »Das Himmelbett«).

Schmidt, Hugo Wolfram, * 9. 10. 1903 zu Eddersheim (am Main); deutscher Musikpädagoge, studierte Klavier, Orgel und Komposition am Dr. Hoch'schen Konservatorium in Frankfurt a. M., 1925–27 an der Musikhochschule in Köln und 1928 an der Akademie für Kirchen- und Schulmusik in Berlin-Charlottenburg. 1958 wurde er Leiter der Abteilung für Schulmusik an der Musikhochschule in Frankfurt (Professor) und 1962 Direktor der Rheinischen Musikschule Köln. Schm. gründete 1963 die jährlich stattfindenden Orff-Wochen und die »Kölner Kurse für Neue Musik« sowie 1964 die »Kölner Kurse für Alte Musik«. Er ist Herausgeber der *Neuen Reihe* (Köln 1952ff.) und veröffentlichte u. a.: *Das ästhetische Verhalten als Grundlage der Musikerziehung* (Lpz. 1930); *Musikkunde* (3 Bde, Köln 1942, ²1952); *Die psychologischen Grundlagen der Musikerziehung* (Hdb. der Schulmusik, hrsg. von E. Valentin, Regensburg 1962); *Aufbruch der jungen Musik. Von Webern bis Stockhausen* (mit H. Kirchmeyer, = Die Garbe, Musikkunde IV, Köln 1970); *C. Orff* (ebd. 1971).

Schmidt, Johann Christoph, * 6. 8. 1664 zu Hohnstein (Sachsen), † 13. 4. 1728 zu Dresden; deutscher Komponist, Schüler von Chr. Bernhard, gehörte ab 1676 der Dresdner Hofkapelle an. Nach Studien in Italien wurde er 1696 Vizekapellmeister (1698 Hofkapellmeister, 1717 Oberkapellmeister) und Kammerorganist. Zu seinen Schülern gehörten C. H. Graun und Chr. G. Schröter. Von seinen Kompositionen sind die Opera seria *Latona in Delo*, das Divertissement *Les quatre saisons* (1719), 4 Orchestersuiten sowie Messen, Kantaten und Motetten erhalten. J. S. Bach fertigte sich eine Kopie der Motette *Auf Gott hoffe ich* an und besaß ein 6st. Kyrie von Schm. – Sein Bruder Johann Wolfgang Schm. (* 20. 11. 1677 zu Hohnstein, † 5. 4. 1744 zu Dresden) kam um 1709 als Kopist an die Dresdner Hofkapelle und erhielt 1719 eine Organistenstelle für die evangelische Kirchenmusik, die er ab 1737 an der Sophienkirche gemeinsam mit W. Fr. Bach innehatte.

Ausg.: Gavotte aus »Les quatre saisons« u. 2 Sätze d. Ouvertüre A moll, in: Musik am sächsischen Hof VI, hrsg. v. O. Schmid, Lpz. 1904; Menuett aus einer Kl.-Suite, in: Deutsche Klaviermusik aus d. Beginne d. 18. Jh., hrsg. v. Th. W. Werner, = NMA III, Hannover 1927.
Lit.: M. Fürstenau, Zur Gesch. d. Musik u. d. Theaters am Hofe d. Kurfürsten v. Sachsen, 2 Bde, Dresden 1861–62, Nachdr. Hildesheim 1971 sowie, hrsg. v. W. Reich, Lpz. 1971 (jeweils 2 Bde in 1); Th. W. Werner, Die Musikhandschriften d. Kestnerschen Nachlasses im Stadtarch. zu Hannover, ZfMw I, 1919; I. Becker-Glauch, Die Bedeutung d. Musik f. d. Dresdner Hoffeste, = Mw. Arbeiten VI, Kassel 1951; Fr. Krummacher, Die Überlieferung d. Choralbearb. in d. frühen ev. Kantate, = Berliner Studien zur Mw. X, Bln 1965; Chr. Wolff, Der stile antico in d. Musik J. S. Bachs, = BzAfMw VI, Wiesbaden 1968 (im Notenanh. d. Kyrie aus Bachs Besitz).

Schmidt, Johann Michael, * 16. 1. 1728 zu Meiningen, † 8. 4. 1799 zu Marktbreit (Unterfranken); deutscher Theologe und Musikschriftsteller, studierte ab 1749 an der Universität in Leipzig, wo er wahrscheinlich auch Schüler J. S. Bachs war, lebte um 1754 in Naumburg (Saale), wurde 1762 Rektor der Lateinschule in Marktbreit und 1788 dort 2. Pfarrer und Konsistorialassessor. Er veröffentlichte die vielbeachtete, gegen das Freidenkertum der Aufklärung gerichtete Schrift *Musico-Theologia, oder Erbauliche Anwendung musicalischer Wahrheiten* (Bayreuth und Hof 1754,

nld. von J. W. Lustig, Amsterdam 1756), in der er sich mehrfach auf J. S. Bach beruft. Als Widmungsempfänger von Bachs 7st. »Faber-Kanon« (BWV 1078) ist Schm. umstritten.
Lit.: Ph. Spitta, J. S. Bach, Bd II, Lpz. 1880, ⁴1930, Wiesbaden u. Darmstadt ⁵¹962 (= Nachdr. d. 4. Aufl.), ⁶¹964; H. Besch, J. S. Bach, Frömmigkeit u. Glaube, = Beitr. zur Förderung christlicher Theologie II, 37, Gütersloh 1938, Kassel ²1950; Fr. Hamel, J. S. Bach. Geistige Welt, Göttingen 1951; H.-J. Schulze, J. S. Bachs Kanonwidmungen, Bach-Jb. LIII, 1967.

Schmidt, Joseph, * 4. 3. 1904 zu Dawideny (Bezirk Storozynetz, Bukowina), † 16. 11. 1942 zu Hinwil (Zürich); rumänischer Sänger (lyrischer Tenor), studierte am Wiener Konservatorium und 1925–26 an der Berliner Hochschule für Musik. Seine kleine Statur verhinderte eine Bühnenkarriere. Außergewöhnliche Erfolge errang er als Konzertsänger, im Rundfunk (Debüt 1928 in Berlin als Vasco da Gama in Meyerbeers »Die Afrikanerin«), mit Schallplattenaufnahmen (Tamino, Postillon von Lonjumeau, Herzog in *Rigoletto*, Manrico, Alfred, Bajazzo, Cavaradossi, Kalaf in *Turandot*) sowie im Tonfilm (*Ein Lied geht um die Welt*, 1933; *Ein Stern fällt vom Himmel*, 1935). Nachdem er Deutschland 1933 verlassen mußte, gastierte er an der Oper in Antwerpen als Rudolf (*La Bohème*) sowie in anderen europäischen Ländern, der Türkei, in Palästina und den USA (Debüt in der New Yorker Carnegie Hall 1937). Er ließ sich 1938 in Brüssel nieder, flüchtete dann nach Südfrankreich und 1942 in die Schweiz, wo er als mittelloser Internierter verstarb.
Lit.: K. u. G. Ney-Nowotny, J. Schm., Das Leben u. Sterben eines Unvergeßlichen, Wien 1967.

Schmidt, Leopold, * 15. 3. 1912 zu Wien; österreichischer Musikforscher und Volkskundler, promovierte nach Studien an der Universität Wien 1935 mit der Dissertation *Formprobleme der deutschen Weihnachtsspiele* (= Die Schaubühne XX, Emsdetten i. W. 1937) und habilitierte sich 1946 in Wien mit der Schrift *Wiener Volkskunde* (=Wiener Zs. für Volkskunde, Ergänzungs-Bd XVI, Wien 1940). 1952 zum Professor für Volkskunde ernannt, übernahm er im gleichen Jahr die Leitung und 1960 die Direktion des Österreichischen Museums für Volkskunde in Wien. Schm. ist korrespondierendes Mitglied der Österreichischen Akademie der Wissenschaften und Schriftleiter des *Jahrbuchs des österreichischen Volksliedwerkes* (Iff., 1952ff.; darin zahlreiche eigene Beiträge). Von seinen weiteren Veröffentlichungen seien genannt: *Das Volkslied im alten Wien* (Wien 1947); *Burgenländische Volkskunde 1951–55* (= Wissenschaftliche Arbeiten aus dem Burgenland XI, Eisenstadt 1956); *Das deutsche Volksschauspiel. Ein Handbuch* (Bln 1962); *Die Volkserzählung. Märchen, Sage, Legende, Schwank* (Bln 1963); *Volksgesang und Volkslied* (Bln 1970). – Aufsätze: *Das Archiv der österreichischen Volkskunde* (in: Estudos e ensaios folclóricos, Fs. R. Almeida, Rio de Janeiro 1960); *Geschichte der österreichischen Volksliedsammlung im 19. und 20. Jh.* (in: Beitr. zur österreichischen Volksliedkunde, hrsg. von W. Wünsch, Graz 1967); *Wien im Volkslied* (ÖMZ XXIII, 1968); *Zwischen 1819 und 1889. Die Volkstümlichkeit des Volksliedes im 19. Jh.* (ÖMZ XXIV, 1969); *Spätmittelalterliche Volksmusik in Kärnten und seinem Umland* (ÖMZ XXV, 1970). – Er gab heraus: *Le théâtre populaire européen* (= Folklore européen III, Paris 1965); *Historische Volkslieder aus Österreich vom 15. bis zum 19. Jh.* (= Wiener Neudr. I, Wien 1971).
Lit.: W. Graf, L. Schm. u. d. Volksliedforschung, Jb. d. österreichischen Volksliedwerkes XXI, 1972; W. Deutsch, Volksmusik als Teil d. Volkskunde. L. Schm., ÖMZ XXVII, 1972.

Schmidt, Manfred, * 27. 6. 1928 zu Berlin; deutscher Sänger (lyrischer Tenor), studierte bei H. Brauer in Berlin und wurde 1959 an die Städtischen Bühnen in Bielefeld engagiert. Seit 1961 ist er Ensemblemitglied des Opernhauses Köln (Kammersänger). Er sang bei den Salzburger Festspielen (1960), beim Holland Festival (1961), an der Mailänder Scala (1966), in Athen (1968) und London (1969). Schm. ist auch als Konzertsänger hervorgetreten.

Schmidt, William, * 6. 3. 1926 zu Chicago; amerikanischer Komponist, studierte ab 1952 bei H. Stevens und I. Dahl an der University of Southern California in Los Angeles und war daneben als Jazzarrangeur tätig. Er komponierte u. a. ein *Concerto breve* für Blechbläser und Jazzband (1957), das Schlagzeugquartett *Percussion Rondo* (1957), 6 Duos für Fag. (1957), ein Bläserquintett (1959), eine Sonate für Va und Kl. (1959), ein Rondino für Pos. (1959) und *A Little Midnight Music* für Sax. (1970) mit Kl.

Schmidt-Boelcke, Werner, * 28. 7. 1903 zu Berlin; deutscher Dirigent, studierte ab 1920 am Stern'schen Konservatorium in Berlin Klavier (Breithaupt), Komposition (Bumcke) und Dirigieren (A. v. Fielitz), wurde 1923 Kapellmeister an den Meinhardt-Bernauer-Bühnen in Berlin, 1926 im Phöbus-Palast in München, war 1927–29 Chefdirigent der Deutschen Emelka-Theater mit Sitz in Berlin und 1934–44 Chefdirigent am Metropol-Theater und am Admirals-Palast in Berlin. 1945 wurde Schm.-B. Director of Light Music bei Radio Hamburg, 1947 Dirigent bei Radio München und 1949 beim Bayerischen Rundfunk (1950–67 Chefdirigent des Rundfunkorchesters). Ab 1925 trat er als Komponist von Musik für Stummfilme (*Die Mühle von Sanssouci*, 1925; *Die Heilige und ihr Narr*, 1928; *Katharina Knie*, 1929) und Tonfilme (*Johannisnacht*, 1933; *Gefährliche Jagd*, 1950) hervor. Für die Wiederaufführung 1973 des Stummfilms *Alraune* (1927) im Fernsehen (ZDF) stellte er eine Musikkompilation her.

Schmidt-Gaden, Gerhard Alfred Josef, * 19. 6. 1937 zu Karlsbad; deutscher Chorleiter und Stimmbildner, studierte an der Staatlichen Hochschule für Musik in München sowie am Singschullehrerseminar in Augsburg und war Schüler in Chorleitung von K. Thomas in Leipzig (1956–59). Als Gymnasiast gründete er 1956 den Singkreis Bad Tölz (Oberbayern), der sich ab 1957 Tölzer Knabenchor nannte. 1964 wurde Schm.-G. an das Orff-Institut und 1966 an das Mozarteum in Salzburg berufen. Seit 1969 ist er ausschließlich Leiter des Tölzer Knabenchors, der Konzerttourneen durch verschiedene europäische Länder unternommen sowie bei Festspielen und bei Rundfunk- und Fernsehproduktionen mitgewirkt hat. Der Chor, der seit 1962 Schallplattenaufnahmen macht, erhielt mehrfach Preise und sang u. a. bei den Uraufführungen von Pendereckis *Lukas-Passion* (1966) und *Utrenja* (1971).

+Schmidt-Garre, Helmut, * 23. 6. 1907 zu Düsseldorf.
Weitere Veröffentlichungen: *Oper. Eine Kulturgeschichte* (Köln 1963); *Ballett. Vom Sonnenkönig bis Balanchine* (Velber bei Hannover 1966). Von seinen zahlreichen Aufsätzen seien an neueren genannt (alle NZfM): *Rimbaud, Mallarmé, Debussy. Parallelen zwischen Dichtung und Musik* (CXXV, 1964); *Webern als Angry Young Man. Aus alten Zeitungskritiken* ... (ebd.); *»Salome«, Inbild des Fin de siècle* (CXXVIII, 1967); *Exotismus in der Musik* (CXXIX, 1968); *Debussy und Maeterlinck, die Kongruenz ihres Empfindens und die Inkongruenz ihrer Wirkung* (CXXX, 1969); *Mallarmé und*

der Wagnérisme (ebd.); *Musique suggérée* (ebd.); *Offenbach und das Zweite Kaiserreich gehören zusammen* (ebd.); *E. A. Poes Musikästhetik* (CXXXII, 1971); *Musik, die dunkelste aller Künste bei Tieck – eine Flammen- und Wolkensäule bei Goethe* (CXXXIII, 1972); *Der Horror vacui in der Musik des 19. Jh.* (CXXXIV, 1973).

Schmidt-Gentner, Willy, * 6. 4. 1894 zu Neustadt am Rennsteig (Thüringen), † 12. 2. 1964 zu Wien; deutscher Komponist von Filmmusik, studierte in Sondershausen und am Stern'schen Konservatorium in Berlin sowie bei Reger. Er war zunächst Violinist, wurde nach dem 1. Weltkrieg Kapellmeister in Berliner Großkinos und war dann bis 1930 musikalischer Oberleiter bei der Ufa. Während dieser Zeit schrieb er zahlreiche Begleitmusiken für Stummfilme. Von seinen Tonfilmmusiken seien genannt: *Schneider Wibbel* (1930); *Episode* (1935); *Hotel Sacher* (1939); *Der Postmeister* (1940); *Krambambuli* (1940); *Operette* (1940; mit dem Walzer *Ich bin heute ja so verliebt*); *Der gebieterische Ruf* (1943); *Spionage* (1954).
Lit.: H. A. THOMAS, Die deutsche Tonfilmmusik, = Neue Beitr. zur Film- u. Fernsehforschung III, Gütersloh 1962, S. 89ff.

+Schmidt-Görg, Joseph, * 19. 3. 1897 zu Rüdinghausen (Kreis Hörde, heute Dortmund).
Schm.-G. wirkte als Ordinarius an der Universität Bonn bis 1965; Direktor des Beethoven-Archivs war er bis 1972. Zu seinem 70. Geburtstag wurde er mit einer Festschrift geehrt (*Colloquium amicorum*, hrsg. von S. Kross und H. Schmidt, Bonn 1967, mit Schriftenverz.). Er besorgt weiterhin die +*Veröffentlichungen des Beethovenhauses in Bonn* (→+Beethoven); seit 1961 erscheinen unter seiner Leitung Beethovens *Werke* (→+Beethoven-Ausg.). – +*N. Gombert. Kapellmeister Kaiser Karls V. Leben und Werk* (1938), Nachdr. Tutzing 1971; +*Beethoven. Die Geschichte seiner Familie* (= Veröff. ..., N. F. IV, 1, Bonn und München 1964); +*Akustische Probleme der modernen Orchesterbehandlung* (AMl V, 1933 [nicht: IV, 1932]). – Neuere Veröffentlichungen zu Beethoven und seinem Umkreis: *L. van Beethoven* (mit H. Schmidt, Bonn, Hbg und Braunschweig 1969, engl. London 1970, ital. Rom 1970); *Des Bonner Bäckermeisters G. Fischer Aufzeichnungen über Beethovens Jugend* (= Veröff. ..., N. F. IV, 6, Bonn und München 1971); zahlreiche Aufsätze (besonders in dem von ihm und P. Mies herausgegebenen *Beethoven-Jb.*; ferner u. a. in: Fs. A. van Hoboken, Mainz 1962; Fs. E. Schenk, = StMw XXV, 1962; Fs. J. Racek, = Sborník prací filosofické fakulty brněnské university XIV, F 9, 1965; Beethoven-Symposion Wien 1970, = Sb. Wien CCLXXI, 1971, auch = Veröff. der Kommission für Musikforschung XII; Fs. für einen Verleger [L. Strecker], Mainz 1973). – Von seinen weiteren Publikationen seien genannt: *Die Messe* (= Das Musikwerk XXX, Köln 1967, engl. 1968); *Ein handschriftliches neu-gallikanisches Graduale aus dem Jahre 1852* (Fs. K. G. Fellerer, Regensburg 1962); *Zur Musikanschauung in den Schriften der hl. Hildegard* (in: Der Mensch und die Künste, Fs. H. Lützeler, Düsseldorf 1962); *Neues zum Augsburger Tafelkonfekt* (in: Organicae voces, Fs. J. Smits van Waesberghe, Amsterdam 1963); *Ein Wappenbrief für den kurfürstlich-trierschen Konzertmeister J. G. Lang* (Fs. H. Engel, Kassel 1964); *Zur Struktur und Rhythmik der frühen Sequenzen* (in: Musicae scientiae collectanea, Fs. K. G. Fellerer, Köln 1973). – Er führte die →+Gombert-GA fort und edierte ferner die *Carmina/Lieder* der Hildegard von Bingen (mit P. Barth und I. Ritscher, Salzburg 1969).

+Schmidt-Isserstedt, Paul Hans Ernst [erg. Vornamen], * 5. 5. 1900 zu Berlin, [erg.:] † 28. 5. 1973 zu Holm (bei Hamburg).
Der Titel seiner +Dissertation (Münster/Westf.) lautet *Die Einflüsse der Italiener auf die Instrumentation der Mozartschen Jugendopern* [erg. frühere Angaben]. – Chefdirigent des Sinfonieorchesters des Norddeutschen Rundfunks in Hamburg war er bis 1971 (danach Ehrendirigent). 1955–64 leitete er zusätzlich das Stockholms filharmoniska orkester. Als Gast dirigierte er besonders in seinen letzten Lebensjahren zahlreiche bedeutende Orchester. – Schm.-I. war Mitglied der Kungl. Musikaliska akademien in Stockholm.

+Schmidtmann, Friedrich, * 2. 2. 1913 zu Mönchengladbach.
Schm. wurde 1964 Lehrer am Konservatorium in Dortmund. An neueren Werken seien 2 Symphonien (1968 und 1970) genannt. [del.: *Der Schlüssel zur Musik von heute.*]

+Schmieder, Wolfgang, * 29. 5. 1901 zu Bromberg.
Leiter der 1946 von ihm gegründeten Musikabteilung an der Stadt- und Universitätsbibliothek Frankfurt a. M. war Schm. bis 1963; seitdem lebt er in Freiburg i. Br. Zu seinem 70. Geburtstag wurde er mit einer Festschrift geehrt (*Quellenstudien zur Musik,* hrsg. von K. Dorfmüller mit G. v. Dadelsen, Ffm. 1972, mit »Ergänzungen und Korrekturen« zu K. Dorfmüllers und A. Otts *W. Schm.-Bibliographie,* FAM XIV, 1967). – +*Thematisch-systematisches Verzeichnis ...* (BWV; 1950), Lpz. ²1958, ³1961, 4. (bezeichnet als 3.) Aufl. Wiesbaden 1966, 5.(4.) Lpz. 1966, 6.(4.) Wiesbaden 1969; +*Bibliographie des Musikschrifttums* (1950ff.), Ffm. 1961 (für 1956–57) und 1964 (für 1958–59; 1960–67 fortgeführt vom Staatlichen Institut für Musikforschung Preußischer Kulturbesitz, Hofheim a. Ts. 1968, Mainz 1969–74); +Ph. Spitta, *J. S. Bach* ([erg.:] Lpz. 1935, ²1941, Wiesbaden ³1949), 4. (bezeichnet als 3.) Aufl. Lpz. 1953, 5.(4.) 1954, 6.(4.) Wiesbaden 1961, 2. Aufl. der +span. Ausg. (1950) = Biogr. Gandesa o. Nr, México (D. F.) 1959. – Von seinen neueren Veröffentlichungen seien genannt: *Musik. Alte Drucke bis etwa 1750* (mit G. Hartwieg, 2 Bde, = Kat. der Herzog-August-Bibliothek Wolfenbüttel, Die neue Reihe XII–XIII, Ffm. 1967); *57 unveröffentlichte Briefe und Karten von R. Strauss in der Stadt- und Universitätsbibliothek Frankfurt/Main* (Fs. H. Osthoff, Tutzing 1961); *»Menschliches Allzumenschliches« oder Einige unparteiische Gedanken über Thematische Verzeichnisse* (Fs. O. E. Deutsch, Kassel 1963); *Werkstatt-Erfahrungen beim Katalogisieren von Musikhandschriften* (FAM XIII, 1966); *Bemerkungen zum »neuen Eitner«* (Mf XXVI, 1973).

+Schmierer, Johann Abraham, [erg.:] um 1660 zu Augsburg – wahrscheinlich nach 1700.

+Schmit, Camille, * 30. 3. 1908 zu Aubange (Province de Luxembourg, Belgien).
Am Conservatoire in Lüttich war Schm. ab 1946 [nicht: 1940] Lehrer für Harmonie und ab 1956 für Kontrapunkt und Fuge. 1966 wurde er Direktor des Conservatoire in Brüssel. Er ist verheiratet mit Jacqueline →Fontyn. – Weitere Werke: *Alternances* für Orch. (1970); *Polyphonies* für Bläserquintett (1969) und für Saxophonquartett (1969), *Burlesques* für Fl., Ob., Klar. und Fag. (1965), Trio für Ob., Klar. und Fag. (1945); *Burlesques* (1946), *Rigaudon* (1946) und *Histoire pour Pierre* (1970) für Kl., *Psautier* für Str., Kl., Ob., Klar. und Fag. (1946), Kantate *La halte des heures* für mittlere St. und Kl. (P. Éluard, 1958), *L'air d'Arlon* für Vokalquartett und Kl. (1959).

+Schmitt [–1) Aloys], –2) Jakob, 1803 – [erg.:] 24. 5. [nicht: 6.] 1853. –3) Georg Aloys, 1827–1902.
Lit.: R. SIETZ u. D. HÄRTWIG in: MGG XI, 1963, Sp. 1868ff. – zu –3): H. ERDMANN, Schwerin als Stadt d. Musik, Lübeck 1967.

+Schmitt, Florent, 1870–1958.
Schm. war 1929–39 Musikkritiker von »Le temps«; 1936 wurde er als Nachfolger von P. Dukas in das Institut de France (Académie des beaux-arts) aufgenommen. – +*Çançunik* op. 79 [nicht: 78], +Streichquartett op. 112 [nicht: 111].
Lit.: Y. HUCHER u. M. RAVEAU, L'œuvre de Fl. Schm., Paris 1960 (Werkverz., mit engl. Übers.). – R. DUMESNIL, Cl. Debussys u. Fl. Schm.s Kantaten f. d. Rompreis, in: Antares V, 1957; J. BRUYR in: Schweizer musikpädagogische Blätter XLVI, 1958, S. 164ff.; E. BONDEVILLE u. J. CARLU, Inst. de France, Acad. des beaux-arts. Notice sur la vie et les travaux de Fl. Schm., Paris 1959; FL. DE LANGLE, Les débuts d'un grand compositeur bzw. Fl. Schm. à travers ses lettres de jeunesse, Rev. générale belge XCVII, 1959; DERS., Les années d'apprentissage de Fl. Schm., in: Annales-conferencia 1963, Nr 147; M. MARCERON, Fl. Schm., = Musiciens d'aujourd'hui III, Paris 1959; J. ROY, Présences contemporaines, Musique frç., ebd. 1962 (mit Werkverz. u. Bibliogr.); CL. CHAMFRAY in: Le courrier mus. de France 1967, Nr 17 (Biogr. u. Werkverz.); E. BONDEVILLE, Fl. Schm., Paris 1970.

+Schmitt, Friedrich, 1812–84.
Lit.: H. J. SCHOLZ, Das Registerproblem in d. deutschen Gesangspädagogik v. J. Fr. Agricola bis Fr. Schm., Diss. Köln 1972.

+Schmitt, Joseph ([erg.:] Taufnamen Georgius Adamus Josephus), getauft 18. [nicht: * 19.] 3. 1734 – 1791.
Nach seinem Tod kam ein Carl [nicht: Philipp] Joseph Baldner (um 1766 oder um 1769 [nicht: um 1772] – 1818) nach Amsterdam, der sich dort fortan Schmidt nannte. Diese Namensgleichheit gab zu häufigen Verwechslungen Anlaß.
Lit.: A. DUNNING, J. Schm., Leben u. Kompositionen d. Eberbacher Zisterziensers u. Amsterdamer Musikverlegers, = Beitr. zur mittelrheinischen Mg. I, Amsterdam 1962 (= Druck d. +Staatsarbeit v. 1960); A. GOTTRON u. DERS. in: MGG XI, 1963, Sp. 1876ff.; H. UNVERRICHT in: Mitt. d. Arbeitsgemeinschaft f. mittelrheinische Mg. 1969, Nr 18 (Ergänzungen zur Biogr.).

+Schmitt-Walter, Karl, * 23. 12. 1900 zu Germersheim (Pfalz).
Er war Mitglied der Bayerischen Staatsoper in München bis 1964. Bei den Bayreuther Festspielen wirkte er letztmals 1961 (Beckmesser) mit. Neben seiner Unterrichtstätigkeit an der Musikhochschule in München hatte er ab 1962 eine Lehrverpflichtung an Det Kongelige Teater in Kopenhagen.

+Schmittbauer, Joseph Aloys (Alois Schmittbaur), 1718–1809.
Lit.: KL. W. NIEMÖLLER in: Rheinische Musiker II, hrsg. v. K. G. Fellerer, = Beitr. zur rheinischen Mg. LIII, Köln 1962, S. 88ff.; DERS., J. A. Schm.s Werke u. ihre Würdigung im 18. Jh., Fs. K. G. Fellerer, Regensburg 1962; F. LÄNGIN in: Ekkhart (Jb. f. d. Badner Land) 1969, S. 161ff.

+Schmitz, Franz Arnold, * 11. 7. 1893 zu Sablon (bei Metz).
Schm., 1961 an der Mainzer Universität emeritiert, vertrat 1965–67 den Lehrstuhl für Musikwissenschaft an der Universität Basel. Neuere Veröffentlichungen: +*Die oratorische Kunst J. S. Bachs* (1950), Wiederabdruck in: J. S. Bach, hrsg. von W. Blankenburg, = Wege der Forschung CLXX, Darmstadt 1970; *Bemerkungen zu V. Ruffo's Passionskompositionen* (in: Miscelánea ..., Fs. H. Anglés II, Barcelona 1958–61); *P. Blaschke* (in: Musica sacra LXXX, 1960); *Zum Verständnis des Gloria in Beethovens Missa solemnis* (Fs. Fr. Blume, Kassel 1963);

Nachruf auf W.Gurlitt (Jb. der Akademie der Wissenschaften und der Literatur zu Mainz 1964); *G.Strecke* (in: G.Strecke, hrsg. von K.Schodrok, = Schriftenreihe Kulturwerk Schlesien o. Nr, Würzburg 1965); *L.Schrade in memoriam* (mit P.Sacher u. a., Bern 1966); *A.Bruckners Motette »Os justi«. Eine Erwägung zur Problematik der kirchenmusikalischen Restauration im 19. Jh.* (in: Epirrhosis, Fs. C.Schmitt, Bln 1968, Bd I). Lit.: G. STRECKE in: Schlesien III, 1958, S. 149ff.; H. J. MARX in: Rheinische Musiker VII, hrsg. v. D. Kämper, = Beitr. zur rheinischen Mg. XCVII, Köln 1972, S. 104ff.

+**Schmitz,** Eugen, 1882–1959.
+*Geschichte der Kantate und des geistlichen Konzerts ...* (1914), Nachdr. Hildesheim und Wiesbaden 1966. – Als weiteres Buch ist *Schuberts Auswirkung auf die deutsche Musik bis zu H.Wolf und Bruckner* (Lpz. 1954) zu nennen.
Lit.: H. GRÜSS in: Mf XIII, 1960, S. 33f.

+**Schmitz,** Hans-Peter, * 5. 11. 1916 zu Breslau. Schm. lehrt heute als Professor an der Berliner Musikhochschule. – +*Querflöte und Querflötenspiel in Deutschland ...* (1952), Kassel ²1958; +*Die Kunst der Verzierung im 18. Jh.* (1955), ebd. ²1965; ³1973; +*Flötenlehre* (1955), ebd. ³1966, ⁵1971. – Neuere Schriften: *Verteidigung des Dirigenten. Randbemerkungen zum Problem der Begabung* (Bln 1957); *Singen und Spielen.* *Versuch einer allgemeinen Musizierkunde* (Kassel 1958); *Marginalien zur Bachischen Flötenmusik* (in: Musa – Mens – Musici, Gedenkschrift W.Vetter, Lpz. 1970); *Aufführungspraxis. Bemerkungen zum Verhältnis Interpretation-Komposition in Vergangenheit und Gegenwart* (NZfM CXXXIV, 1973). – Ausgaben: +*J.J.Quantz, Versuch ...* (Faks. der Ausg. Breslau ³1789 [nicht: Bln 1750], = DMl I, 2, 1953), Kassel ⁴1968; +*G. Fr.Händel, Elf Sonaten ...* (= Hallische Händel-Ausg. [erg.: IV, 3], 1955); *J.S.Bach, Werke für Flöte* (= Neue Bach-Ausg. VI, 3, Kassel 1963); ferner Flötenmusik u. a. von C.Ph.E.Bach, Fr.Couperin, Fr.Kuhlau, A.Mahault, F.Ries und C.Tessarini.

+**Schmitz,** Paul, * 16. 4. 1898 zu Hamburg. Schm. war musikalischer Oberleiter und GMD am Staatstheater in Kassel bis 1963 (anschließend bis 1966 Gastvertrag). 1964–73 wirkte er wieder als GMD am Opernhaus in Leipzig (1968 Ernennung zum Ehrenmitglied) und als Gastdirigent des Gewandhausorchesters. Schm. lebt seit 1966 in München.

+**Schmitz,** Peter, * 20. 1. 1895 und [erg.:] † 12. 7. 1964 zu Köln.
Schm. war Städtischer Musikdirektor in Trier bis 1931, dann 1933–37 Kapellmeister am Staatstheater Kassel und 1938–42 an den Städtischen Bühnen Graz sowie 1945–49 GMD in Meiningen und Eisenach. 1953–62 leitete er die Chor- und Orchestergemeinschaft der Nordstern Versicherungs-Aktien-Gesellschaft in Köln.

Schmolzi, Herbert, * 25. 3. 1921 zu Ludwigsthal (Saar); deutscher Musikpädagoge, studierte in Köln Schulmusik (1939–47) sowie Musikwissenschaft (1939–48) und promovierte 1948 mit einer Dissertation über *Die Behandlung der Violine in den Werken J.S.Bachs.* Er wurde am Staatlichen Konservatorium (heute Musikhochschule) des Saarlandes in Saarbrücken 1947 Lehrer für Musiktheorie und Chordirigieren, 1958 Leiter der Abteilung für Schulmusik (1960 Professor) und war 1961–74 Rektor. Von seinen Veröffentlichungen seien genannt: *Schönbergs Streichquartett, ein Weg zur Atonalität* (in: Musik und Bildung in unserer Zeit, hrsg. von E.Kraus, Mainz 1961, auch in: Musik im Unterricht, Ausg. B, LII, 1961); *Zum Wort-Ton-Verhältnis in den*

Weihnachtsgeschichten von H. Schütz und H.Distler (in: Musik im Unterricht, Ausg. B, LII, 1961); *Probleme der Musiktheorie* (Hdb. der Schulmusik, hrsg. von E. Valentin, Regensburg 1962); *A. Schönberg, Pierrot lunaire* (in: Fortschritt und Rückbildung in der deutschen Musikerziehung, hrsg. von E.Kraus, Mainz 1965).

Schmückle, Hans-Ulrich, * 15. 8. 1916 zu Ulm; deutscher Bühnenbildner, Schüler des Malers Adolf Hölzel in Stuttgart, in dessen Atelier er →Schlemmer begegnete, der in ihm das Interesse am Theater weckte. 1946–49 war er am Schauspielhaus Stuttgart engagiert, gastierte anschließend an verschiedenen Bühnen (»Orpheus und Eurydike«, Städtische Oper Bln 1954) und wurde 1954 Ausstattungsleiter der Städtischen Bühnen Augsburg (»Figaros Hochzeit«, 1962). Ab 1960 arbeitete er mit Erwin Piscator zusammen (*Rosamunde Floris* von Blacher, Städtische Oper Bln 1960) und war 1961–66 neben seinem Augsburger Engagement Ausstattungsleiter an der Freien Volksbühne Berlin (Rolf Hochhuth, *Der Stellvertreter*, 1962; Peter Weiß, *Die Ermittlung*, 1965). Schm. erarbeitete mit Scherchen Aufführungsmodelle u. a. für J.-Ph.Rameaus *Platée*, Berlioz' *Les Troyens* (beide 1962) und den *Rienzi* (1963, Projekt für die Augsburger Freilichtbühne), verwirklicht wurde lediglich *Idomeneo* (Teatro S.Carlo, Neapel 1963). Weitere Ausstattungen entwarf er für die Salzburger Festspiele (*Die Entführung aus dem Serail*, 1961), den Maggio Musicale Fiorentino (*Salome*, 1964), die Komische Oper Berlin (*Abraxas*, 1966), das Opernhaus in Leipzig (*Aufstieg und Fall der Stadt Mahagonny*, 1967) und die Scottish Opera in Glasgow (*Les Troyens*, 1969; *Fidelio*, 1970).

+**Schnabel,** Alexander Maria, * 17. 12. 1889 zu Riga, [erg.:] † 17. 6. 1969 zu Hamburg, wo er ab 1953 lebte.

+**Schnabel,** –1) Artur, 1882 – 1951 [erg.:] zu Morschach (Schwyz) im Hotel [nicht: zu] Axenstein. – +*Music and the Line of Most Resistance* (1942), Nachdr. NY 1969. – Posthum erschien die Autobiographie *My Life and Music* (mit Einleitung von E.Crankshaw, London 1961, NY 1963, schwedisch Stockholm 1960, Auszug russ. in: Ispolnitelskoje iskusstwo sarubeschnych stran III, Moskau 1967), erneut veröff. zusammen mit +*Reflections on Music* (1933, auch NY 1934), Gerrards Cross 1970 und NY 1972.
–2) Therese [erg.:] Emilie, 1876 – [erg.: 30. 1.] 1959 zu Sorengo (Tessin) [nicht: Lugano].
Lit.: zu –1): Sonder-H. Schn., = The Piano Quarterly XXII, 1973/74, Nr 84 (mit Werkverz., Bibliogr. u. Diskographie). – +C. SAERCHINGER, A. Schn. (1957, auch NY 1958), Nachdr. Westport (Conn.) 1973, Auszug russ. in: SM XXVIII, 1964, H. 2, S. 92ff. – L. BARENBOJM, Applikaturnyje prinzipy A.a Schn.ja (»A. Schn.s Applikationsprinzipien«), in: Woprossy musykalno-ispolnitelskowo iskusstwa III, Moskau 1962; H. C. SCHONBERG, The Great Pianists, NY 1963, deutsch als: Die großen Pianisten, = Das moderne Sachbuch LXIII, Bern 1965 u. 1967; N. KONTSCHEWSKIJ, A. Schn., ... (»A. Schn., Künstler u. Pädagoge«), in: Woprossy fortepiannoj pedagogiki III, Moskau 1971; K. WOLFF, The Teaching of A. Schn., A Guide to Interpretation, London u. NY 1972.

Schnabel, Gottfried, * 13. 3. 1930 zu Karlsruhe; deutscher Komponist, studierte an der Nordwestdeutschen Musikakademie in Detmold und an der Musikhochschule in Freiburg i. Br. Komposition bei Fortner sowie Klavier bei Conrad Hansen und Edith Picht-Axenfeld. 1959–65 war er Leiter der Bühnenmusik am Düsseldorfer Schauspielhaus. Seit 1966 lebt er als freier Komponist und Klavierpädagoge in Calw (Schwarzwald). Er schrieb: Symphonie in 2 Sätzen (1950); Septett (1953); *Lyrische Fantasie* (1957), *Ballet blanc* (1958) und *Kleine Weckmusik* (1959) für Orch.; Kyrie für 3 Chöre und Soli a cappella (1968); *Déroulement* für Kammerorch. (1968); *Statics* für Orch. (1970); zahlreiche Bühnenmusiken.

+Schnabel, –1) Joseph Ignaz, 1767–1831.
Lit.: +H. E. GUCKEL, Kath. Kirchenmusik in Schlesien (1912), Nachdr. Walluf bei Wiesbaden 1972; H. FUHRICH in: Schlesien XII, 1967, S. 106ff.; H. UNVERRICHT in: Schlesische Lebensbilder V, Würzburg 1968, S. 77ff.

Schnapper, Edith Betty, * 31. 10. 1909 zu Frankfurt am Main; deutsche Musikforscherin, studierte 1928–31 privat Klavier, Harmonielehre und Kontrapunkt, 1932–34 Musikwissenschaft in Bonn (Schiedermair), Berlin (Schering) und Bern, wo sie 1937 mit der Dissertation *Die Gesänge des jungen Schubert vor dem Durchbruch des romantischen Liedprinzips* (= Berner Veröff. zur Musikforschung X, 1937) promovierte. 1938 ließ sie sich in Cambridge nieder, wo sie als Bibliothekarin und im Lehramt tätig war. Sie veröffentlichte *One in All. An Anthology of Religion* (London 1952), *The Inward Odyssey. The Concept Way in the Great Religions of the World* (ebd. 1963) sowie *Labyrinths and Labyrinth Dances in Christian Churches* (Fs. O.E. Deutsch, Kassel 1963) und gab *The British Union-Catalogue for Early Music Printed Before the Year 1801* (2 Bde, London 1957) heraus.

Schnebel, Dieter, * 14. 3. 1930 zu Lahr (Schwarzwald); deutscher Komponist, studierte Theologie und Philosophie an den Universitäten in Freiburg i. Br. (1949–52) und Tübingen (1952–55), Musikwissenschaft an der Tübinger Universität, wo er 1955 mit der Dissertation *Studien zur Dynamik A. Schönbergs* promovierte, sowie Musiktheorie in Freiburg bei Doflein, während seines Tübinger Universitätsstudiums auch Klavier an der Musikhochschule in Stuttgart bei H. v. Besele. 1957–63 war Schn. Pfarrer in Kaiserslautern, 1963–70 Pfarrer und hauptamtlicher Religionslehrer in Frankfurt a. M.; seit 1970 lebt er in München. – Nach intensiver Auseinandersetzung mit der Musik der Wiener Schule entstanden unter dem Einfluß K. Stockhausens zunächst serielle Kompositionen. Nach Überwindung der seriellen Technik erarbeitete Schn. Konzepte kollektiven Komponierens, in denen die musikalischen Prozesse nur verbal definiert sind und der konkrete Verlauf den Interpreten überlassen ist. Es folgten Arbeiten, die die optisch-gestischen Aspekte des Musikmachens thematisieren. Schließlich war Schn. bestrebt, kompositorisch die Entstehung bzw. Produktion von Lauten zu analysieren. Schn. selbst gliedert sein Schaffen in verschiedene Werkkomplexe: »Versuche«: I *Analysis* für Saiteninstrumente und Schlagzeug (1953), II *Stücke* für Streichquartett (1954–55), III *Fragment* für Kammerensemble und St. (1955, Alternativversion mit Bläsern statt St.) und IV *Compositio* für Orch. (1955–56, Ausarbeitung 1963–64). »Für Stimmen (... missa est)«: I *dt 31₆* für 12 Vokalgruppen (1956–58), II *amn* für 7 Vokalgruppen (1958, 1966–67), III *:! (madrasha 2)* für 3 Chorgruppen (1958, 1967–68, Neufassung 1970) und (als instrumentaler Teil) IV *Choralvorspiele* für Org., Nebeninstrumente und Tonband (1966, 1968–69). »Projekte« (verbal definierte, nicht auskomponierte Musik): *raum–zeit γ* für eine unbestimmte Anzahl von Instrumentalisten (1958–), *Das Urteil* für denaturierte Instr., naturierte Singstimmen, sonstige Schallquellen und Publikum (nach Kafka, 1959) und *glossolalie* für Sprecher und Instrumentalisten (1959–60, Ausarbeitung als *Glossolalie 61* für 3–4 Sprecher und 3–4 Instrumentali-

sten, 1960–61). »Abfälle I«: 1 *réactions* für (1) Instrumentalisten und Publikum (1960–61; Modell in instrumentaler Version als *concert sans orch.* für einen Pianisten und Publikum, 1964, in vokaler Version als *fall←→out*, Passion für einen Vokalisten und Publikum, 1965–) und 2 *visible music I* für einen Dirigenten und einen Instrumentalisten (1960–62, durch Reduktion auf einen Dirigenten Modell als *nostalgie*, Solo für einen Dirigenten, = *visible music II*, 1962, durch Reduktion auf einen Instrumentalisten Modell als *espressivo*, Musikdrama für einen Klavieristen, = *visible music III*, 1964). »Abfälle II«: 1 *stoj* für 3 Instrumentalisten (1964, Modell als *anschläge–ausschläge*, szenische Variationen für 3 Instrumentalisten, 1965–66) und 2 *lectiones* für 4 Sprecher und Zuhörer (1964–74). »Gehörgänge«: *ki-no*, Nachtmusik für Projektoren und Hörer (1963–67), *MO-NO*, Musik zum Lesen (1969), *Hörfunk I (Radiophonien)* (1969–70) und *Hörfunk II (Störung)* (1972). »Produktionsprozesse«: *Maulwerke* für mehrere Artikulationsorgane und Reproduktionsgeräte (1968–74; daraus *Atemzüge* und *Mundstücke I/II* für mehrere Stimmorgane und Reproduktionsgeräte (1970–73). Seit 1973 arbeitet er an *SCHULMUSIK*, daraus *Blasmusik* und *Gesums* für Vokalisten sowie *Übungen mit Klängen* für Instrumentalisten (1973/74), und an *ORCHESTRA* (für Orch.). – Er veröffentlichte »*Mo-No*«. Musik zum Lesen (Köln 1969), *M.Kagel. Musik, Theater, Film* (= DuMont Dokumente o. Nr, ebd. 1970) und als Sammlung zahlreicher verstreuter Abhandlungen (u. a. zu Beethoven, Cage, Debussy, Mahler, Schönberg, Schubert, La M. Young und zum eigenen Schaffen) *Denkbare Musik. Schriften 1952–72* (hrsg. von H.R. Zeller, = ebd. 1972). Schn. edierte ferner von K. Stockhausen *Texte zur elektronischen und instrumentalen Musik* (3 Bde, = ebd. 1963–71).
Lit.: M. BORTOLOTTO, Comédie à tiroir. Sulle urgenze mimetiche della nuova musica, in: Il verri 1964, Nr 14; DERS., phantasiestuecke après une lecture de cage, in: la biennale XIV, 1964; P. RUMMENHÖLLER, Möglichkeiten neuester Chromatik, in: Der Einfluß d. technischen Mittler auf d. Musikerziehung unserer Zeit, hrsg. v. E. Kraus, Mainz 1968; W. GRUHN, D. Schn.s »Glossolalie«. Ein Beitr. zum Thema »Musik als Sprache« – »Sprache als Musik«, in: Musik u. Bildung IV, 1972; H. R. ZELLER, Choralbearb. als Arbeitsprozeß, in: Melos XL, 1973.

+Schneeberger, Hansheinz, * 16. 10. 1926 zu Bern.
Schn.s Streichquartett bestand bis 1959, Konzertmeister des Sinfonieorchesters des NDR in Hamburg war er bis 1961. Unter der Leitung von P. Sacher brachte er 1958 Bartóks 2sätziges Violinkonzert (1907/08; →Geyer, St.) zur Uraufführung. Er leitet seit 1961 eine Meisterklasse an der Basler Musik-Akademie.

+Schneegaß, Cyriacus, 1546–97.
Lit.: C. DAHLHAUS, Der Dreiklang als Symbol, MuK XXV, 1955; DERS., Musiktheoretisches aus d. Nachlaß d. S. Calvisius, Mf IX, 1956.

Schneerson, Grigorij Michajlowitsch (Schnejerson), * 28. 2. (13. 3.) 1901 zu Jenissejsk (Sibirien); russisch-sowjetischer Musikforscher, studierte 1915–18 am Konservatorium in Petrograd sowie 1919–23 in Moskau (Medtner, Igumnow) und war dort 1918–30 Pianist und Dirigent am dramatischen Theater. Ab 1933 stand er in Moskau dem Sekretariat des Internationalen Musikverbands vor, leitete 1938–48 die Musikabteilung der WOKS (Wsessojusnoje Obschtschestwo Kulturnoj Swjasi s sagranizej, »Allunionsvereinigung für kulturelle Beziehungen mit dem Ausland«) und führte 1948–61 die Auslandsabteilung von »Sowjetskaja musyka« (SM). Seit 1968 ist Schn. korrespondierendes

Mitglied der (Deutschen) Akademie der Künste in (Ost-)Berlin. Neben zahlreichen Aufsätzen (vor allem für SM) veröffentlichte er u. a.: *Musykalnaja kultura Kitaja* (Moskau 1952, deutsch als *Die Musikkultur Chinas*, Lpz. 1955); *A.Chatschaturjan* (Moskau 1958, engl. und dänisch ebd. und London 1959); *O musyke schiwoj i mjortwoj* (»Über die lebendige und die tote Musik«, Moskau 1960, ²1964, bulgarisch Sofia 1966); *E.Busch* (Moskau 1962, ²1964, Neufassung 1971); *Franzusskaja musyka XX weka* (»Die französische Musik des 20. Jh.«, ebd. 1964, ²1970); *Musyka i wremja ...* (»Musik und Zeit. Gedanken über die zeitgenössische Musik«, ebd. 1970); *Statji o sarubeschnoj musyke, otscherki, wospominanija* (»Schriften über ausländische Musik, Abrisse, Erinnerungen«, ebd. 1974). Er gab eine Sammlung von Aufsätzen chinesischer Komponisten und Musikforscher als *O kitajskoj musyke* heraus (»Über chinesische Musik«, = *Musykalnaja kultura sarubeschnych stran* o. Nr, ebd. 1958, nur Bd I erschienen) und betreut als Hauptredakteur die Bibliographieserie *Sarubeschnaja literatura o musyke* (»Ausländische Literatur über Musik«, bislang 7 Bde, ebd. 1962ff.; Bibliogr. mit Abstracts, 1954ff.).

+**Schnéevoigt,** Georg Lennart, 1872–1947.
Lit.: H. AALTOILA, Sigrid ja G. Schn., in: Suomalaisia musiikin taitajia, hrsg. v. M. Pulkkinen, Helsinki 1958.

+**Schneider,** –1) Georg Abraham, 1770–1839. Zu seiner Tochter Maschinka →+Schubert [–1) Fr.] –2).
–2) Louis, 1805–78. Seine Erinnerungen erschienen posthum unter dem Titel *Aus meinem Leben* (3 Bde, Bln 1879).
Ausg.: zu –1): Duette f. tiefe Instr. (2 Fag., Vc., Kb.), hrsg. v. O. PISCHKITL u. K. U. KRAEHNKE, Lpz. o. J.; 3 Duos f. V. u. Va op. 44, hrsg. v. U. DRÜNER, München 1972.
Lit.: +A. MEYER-HANNO, G. A. Schn. ... (1956), = Berliner Studien zur Mw. VII, Bln 1965. – L. PECKHOLD, L. Schn. ..., Wesen u. Wertung seines Schaffens f. d. deutsche Theater d. 19. Jh., Diss. Bln 1956 (FU).

Schneider, Georg Laurenz, * 13. 2. 1766 zu Burgpreppach (Unterfranken), † 6. 4. 1855 zu Coburg; deutscher Komponist und Dirigent, besuchte das Alumneum in Regensburg und das Egidien-Gymnasium in Nürnberg, kam schon 1780 als Kapellmeister nach Ingelfingen (Hohenlohe), gründete 1784 die Hofkapelle in Hildburghausen und ging 1792 als herzoglicher Musikdirektor nach Coburg, wo er 1829 pensioniert wurde. Er komponierte das Singspiel *Die Hochzeit im Bade* (Coburg 1798) und die Oper *Algol* (ebd. 1800), Lieder, darunter zwei W.A.Mozart unterschobene (K.-V. Anh. 246 und 247), Quodlibets, Sinfonien, Konzerte, die Ouvertüre *Ein veste Burg* für 2 Orch., Sonaten und Duos.
Ausg.: eine Melodie in: J. ZAHN, Die Melodien d. deutschen ev. Kirchenlieder V, Gütersloh 1892, Nachdr. Hildesheim 1963; 3 Duos f. 2 V. op. 4, hrsg. v. G. LENZEWSKI, Bln 1926.
Lit.: H. KNORR, Bilder aus d. heimatlichen Mg. III, Coburger Heimatblätter XIII, 1933.

+**Schneider,** Hans, * 23. 2. 1921 zu Eichstätt (Bayern). 1958 schloß Schn. seinem Antiquariat, aus dem inzwischen über 200 z. T. recht umfangreiche Kataloge und Sonderlisten mit Schwerpunkt auf dem Gebiet der musikalischen Erst- und Frühdrucke erschienen sind, einen Verlag für Musikliteratur (besonders Musikwissenschaft) an, dessen Katalog u. a. auch Nachdrucke bzw. Neuauflagen von musikwissenschaftlichen Standardwerken aufweist, ferner die Reihen *Münchner Veröffentlichungen zur Musikgeschichte* (hrsg. von Thr.G. Georgiades, bis 1974 22 Bde) und *Mainzer Studien zur*

Musikwissenschaft (hrsg. von H.Federhofer, bis 1973 6 Bde) umfaßt. Mit dem Erwerb des Max Hesses Verlags Berlin (1965) gingen auch die Verlagsrechte von Schuster & Löffler, J.Bard, Deutsche Brahmsgesellschaft und die der Musiktitel der Deutschen Verlagsgesellschaft auf Schn. über.

Schneider, Horst Paul Johannes, * 24. 6. 1911 zu Grumbach (Erzgebirge); deutscher Dirigent und Komponist, studierte an den Musikhochschulen in Köln (Jarnach), Leipzig (Straube, K.Thomas) und Stuttgart, wo er 1956 das Staatsexamen für Schulmusik ablegte. Er war 1. Kapellmeister der Städtischen Bühnen in Lübeck und Königsberg (1935–44) sowie in Hannover (1947) und Freiburg i. Br. (1949–53). 1962 wurde er Professor und Leiter der Abteilung Schulmusik an der Freiburger Musikhochschule. Er schrieb u. a. die Ballette *Vagabunden* (Braunschweig 1941) und *Die grünen Hosen* (Königsberg 1934) sowie *Psalmengebet* für 2 Soli, gem. Chor und Orch. (1951).

Schneider (sned'ɛ:r), Hortense Caroline-Jeanne, * 30. 4. 1833 zu Bordeaux, † 6. 5. 1920 zu Paris; französische Operettensängerin (Sopran), debütierte 1846 in ihrer Heimatstadt am Athénée, einem Liebhabertheater, und sang ab 1853 am Theater in Agen. Offenbach engagierte sie 1855 für die Bouffes-Parisiennes, wo sie im selben Jahr in *Une pleine eau* von Comte d'Osmond und Jules Costé und in *Le violoneux* von Offenbach debütierte. Ab 1856 trat sie im Théâtre-des-Variétés, ab 1858 am Théâtre Palais-Royal (Prinzessin Talmouze in *Le fils de la belle au bois dormant*) auf. 1871 unternahm sie eine ausgedehnte Auslandstournee, u. a. nach Rußland. Ihre größten Erfolge waren die weiblichen Hauptrollen in Offenbachs *La belle Hélène* (1864), *Barbe-Bleue* (1866), von *La grande-duchesse de Gérolstein* (1867), *La Périchole* (1868) und *La diva* (1869) im Théâtre-des-Variétés, die ihr den Ruf einer »Operettenkönigin« des Second Empire einbrachten. 1880 zog sie sich von der Bühne zurück.
Lit.: M. ROUFF u. TH. CASEVITZ, La vie de fête sous le Second Empire. H. Schn., Paris 1931; AURIANT, Les lionnes du Second Empire, ebd. 1936; S. KRACAUER, J. Offenbach u. d. Paris seiner Zeit, Amsterdam 1937, engl. London 1937, frz. als: Offenbach ou le secret du Second Empire, Paris 1937, deutsche NA als: Pariser Leben. J. Offenbach u. seine Zeit, München 1962, Bln 1964; J. BRINDEJONT-OFFENBACH, Offenbach, mon grand-père, Paris 1940, deutsch Bln 1967; A. DECAUX, Offenbach, roi du Second Empire, Paris 1958, NA 1970, auch 2. Aufl. = Hist. contemporaine o. Nr, ebd. 1966, deutsch München 1960 u. Wien 1962.

+**Schneider,** Johann, 16. [nicht: 17.] 7. 1702 – 15. 1. 1788 [nicht: 6. 12. 1787].
Lit.: FR. PETERS-MARQUARDT in: MGG XI, 1963, Sp. 1899f.

+**Schneider** [–1) Johann Gottlob], –2) Johann Christian Friedrich, 1786–1853. –5) Theodor, 14. 4. [nicht: 5.] 1827 – 1909.
Lit.: zu –2): +A. SCHERING, Gesch. d. Oratoriums (1911), Nachdr. Hildesheim u. Wiesbaden 1966. – H. LOMNITZER, Das mus. Werk Fr. Schn.s ..., insbesondere d. Oratorien, 2 Bde, Diss. Marburg 1961; M. GECK, Fr. Schn.s »Weltgericht«, in: Studien zur Trivialmusik d. 19. Jh., hrsg. v. C. Dahlhaus, = Studien zur Mg. d. 19. Jh. VIII, Regensburg 1967.

+**Schneider,** Marius, * 1. 7. 1903 zu Hagenau (Elsaß).
Er lehrte an der Kölner Universität bis 1968. – +*Consideraciones acerca del canto gregoriano* (in: Arbor XIV, 1949 [nicht: Ann Arbor 1949]); +*Singende Steine.* [erg.:] *Rhythmus-Studien an drei katalanischen Kreuzgängen ro-*

manischen Stils (1955). – *+Geschichte der Mehrstimmigkeit. Historische und phänomenologische Studien* (Teil I, 1934: *Die Naturvölker*, II, 1935: *Die Anfänge in Europa*), als 2. Aufl. bezeichneter Nachdr. und ergänzt um Teil III (*Die Kompositionsprinzipien und ihre Verbreitung*), Tutzing 1968 (1 Bd). – Aus der Fülle seiner weiteren Veröffentlichungen seien an neueren genannt: *Die Natur des Lobgesangs* (= Basiliensis de musica orationes II, Basel 1964); *Il significato della musica* (Rom 1970); *Außereuropäische Folklore und Kunstmusik* (= Das Musikwerk XLIV, Köln 1972, auch engl.); *Klagelieder des Volkes in der Kunstmusik der italienischen Ars nova* (AMl XXXIII, 1961); *Wurzeln und Anfänge der abendländischen Mehrstimmigkeit* (Kgr.-Ber. NY 1961, Bd I); *Das gestalttypologische Verfahren in der Melodik des Fr.Landino* (AMl XXXV, 1963); *Der Zusammenhang von Melodie und Text im Kultgesang nicht-christlicher Religionen* (in: Musik und Altar XV, 1963); *Der Rhythmus als Stilelement im Cancionero de la casa de Medinaceli. Ein Beitrag zur Editionstechnik und zum Verhältnis von Musik und Sprache* (Mf XVIII, 1965); *Le rythme de la musique artistique espagnole du XVIᵉ s. vu à travers la chanson populaire* (StMl VII, 1965); *Pukku und Mikku. Ein Beitrag zum Aufbau und System der Zahlenmystik des Gilgamesch-Epos* (in: Antaios IX, 1967); *Vier Klagelieder aus dem Cancionero de la casa de Medinaceli und ihre Beziehung zur Volksmusik* (Fs. Br. Stäblein, Kassel 1967); *Zur Metrisierung des altdeutschen Liedes* (Fs. W.Wiora, ebd.); *Die Natur des Rhythmus* (NZfM CXXIX, 1968); *Über das Wachstum des Rhythmus in der Musik des Volkes des Mittelalters und der Renaissancezeit* (in: Musik als Gestalt und Erlebnis, Fs. W.Graf, = Wiener musikwissenschaftliche Beitr. IX, Wien 1970); *Das Schöpfungswort in der vedischen Kosmologie* (in: Musica scientiae collectanea, Fs. K.G.Fellerer, Köln 1973). Lit.: N. WEISS, Systematisches Verz. d. wiss. Arbeiten v. M. Schn., Mitt. d. Deutschen Ges. f. Musik d. Orients 1968, Nr 7; R. GÜNTHER, Special Bibliogr., M. Schn., in: Ethnomusicology XIII, 1969.

Schneider, Martin, deutscher Komponist und Instrumentist, widmete dem Bürgermeister und Rat der Stadt Hirschberg seine 1667 in Liegnitz gedruckten Arietten *Erster Theil Neuer geistlicher Lieder, Ariaetten, Canto solo, cum Sonatella à 5 V.*, wobei er Texte aus Angelus Silesius' *Heiliger Seelenlust* (Breslau 1657) benutzte. Einige Lieder fanden trotz ihrer monodisch-solistischen Eigenart Eingang in Gemeindegesangbücher, wie z. B. in das Lüneburgische von 1695. Lit.: H. KÜMMERLING in: MGG XI, 1963, Sp. 1905f.

+Schneider, Max, * 20. 7. 1875 zu Eisleben, [erg.:] † 5. 5. 1967 zu Halle (Saale).
+Die Anfänge des Basso continuo und seiner Bezifferung (1918), Nachdr. Farnborough 1971; *+J.Mattheson, Grundlage einer Ehren-Pforte* (1910), Nachdr. Kassel 1969; *+D.Ortiz, Tratado de glosas* (1913, ²1936), ebd. ³1967. – Schn. war (mit H. Besseler) Generaleditor der großangelegten *Musikgeschichte in Bildern* (Lpz. 1961ff.). Lit.: H. CHR. WOLFF in: Musica XIV, 1960, S. 459f.; W. SIEGMUND-SCHULTZE in: MuG XV, 1965, S. 468f. – DERS. in: Mf XX, 1967, S. 241ff., MuG VII, 1967, S. 470ff., AMl XL, 1968, S. 7ff., u. BzMw X, 1968, S. 207f.; W. RACKWITZ in: Händel-Jb. XIII/XIV, 1967/68, S. 7ff.

+Schneider, Michael, * 4. 3. 1909 zu Weimar. Schn. war 1965–74 Leiter der Abteilung für evangelische Kirchenmusik an der Musikhochschule in Köln, wo er auch das Amt der Gürzenich-Organisten innehatte; an der Musikhochschule wirkt er weiterhin als Dozent. Konzertreisen führten ihn als Organisten auch nach Übersee (USA, Südafrika). – *+Die Orgelspieltechnik des frühen 19. Jh. in Deutschland, dargestellt an den*

Orgelschulen der Zeit (1941), Nachdr. Regensburg 1968. – Er schrieb eine Reihe kleiner Beiträge, von denen genannt seien: *Orgelbau und Orgelspiel in Frankreich* (in: Der Kirchenmusiker XV, 1964); *Erinnerungen eines K.-Thomas-Schülers aus dem Jahre 1940* (in: Chorerziehung und Musik, Fs. K.Thomas, Wiesbaden 1969); *Begegnungen mit J.N.David und seinem Werk* (in: Ex Deo nascimur, Fs. J.N.David, ebd. 1970); *Orgeldisposition und Registrierung* (in: Die Würzburger Domorgeln, hrsg. von H.G.Klais, = Orgelbeispiele des 20. Jh. I, Ffm. 1970).

Schneider, Otto, * 19. 6. 1912 zu Markt Piesting (Niederösterreich); österreichischer Musikpädagoge und Komponist, studierte an der Akademie für Musik und darstellende Kunst in Wien (Lechthaler, Grossmann) und gründete 1949 die Musikschule in Piesting. Seit 1956 ist er Lehrer für Musiktheorie und Klavier an der Musikschule Wiener Neustadt (1964 Professor). Daneben ist er Mitarbeiter u. a. der Internationalen Stiftung Mozarteum Salzburg und beschäftigt sich mit einer umfassenden Mozartbibliographie 1791–1970. Er veröffentlichte neben zahlreichen Aufsätzen *Mozart in Wirklichkeit* (= Musikalische Quellenbücher III, Wien 1955) und *Mozart-Handbuch* (mit A. Algatzky, ebd. 1962). Seine Kompositionen umfassen Orchesterwerke (Konzert für Orch., 1964; *Musik für kleines Orch.*, 1970; Konzert für Pk. und Streichorch., 1973), Kammermusik (2 Streichquartette, 1944 und 1966; Holzbläserquartett, 1967; Trio für Alt-Fl., Va und Vc., 1969; Suite für Ob. und Kl., 1970) und Vokalwerke (5 Gesänge für 4st. gem. Chor a cappella, 1972; 3 Notturni für Bar., Horn und Kl., 1973).

Schneider, Paul → Sartorius, P.

Schneider, Urs, * 16. 5. 1939 zu St.Gallen; Schweizer Dirigent, studierte am Zürcher Konservatorium (Violindiplom 1961) sowie bei Erich Schmid, R.Kubelík, Markevitch und Klemperer. 1962 gründete er das Ostschweizer Kammerorchester, mit dem er zahlreiche Auslandstourneen unternahm. 1971–73 war er künstlerischer Leiter der Camerata Academica in Salzburg. Seither wirkt er als Gastdirigent hauptsächlich zeitgenössischer Musik.

Schneider, Willy (Pseudonym Matthias Burger), * 15. 10. 1907 zu Kirchheim unter Teck (Württemberg); deutscher Musikpädagoge und Komponist, studierte 1926–27 in Duisburg sowie 1928–35 in Stuttgart am Konservatorium für Musik und bei Leonhardt an der Staatlichen Hochschule für Musik (Dirigieren). Er wurde 1953 Dozent am Hochschulinstitut für Musik in Trossingen (1954 Leiter der Fachschule für Bläser, 1961 Professor). Schn. schrieb ein Concerto grosso für Streicher, Fl. und Fag. (1963), Concertinos für Alt-Fl., Kl. und Streichorch. (1963) und für Ob. und Streichorch. (1964), ein Konzert für Trp. und Streicher (1965), Bläsermusik, Solo- und Kammermusikstücke mit Blasinstrumenten und eine Reihe von Chören. Daneben publizierte er pädagogische Werke (*Chorische Bläserschule*, Mainz 1954; Schulen, z. T. mit anderen Autoren, für Klarinette, ebd. 1954, Trompete, ebd. 1954, Zugposaune, ebd. 1959, Tenorhorn, ebd. 1962, und Waldhorn, ebd. 1968; *Handbuch der Blasmusik*, ebd. 1954; *Transponierende Instrumente*, ebd. 1969).

Schneider-Siemssen, Günther, * 7. 6. 1926 zu Augsburg; österreichischer Bühnenbildner, studierte in München an der Akademie für angewandte Kunst (Sievert) und an der Akademie für bildende Kunst (Preetorius), erhielt eine praktische Ausbildung an der Bayerischen Staatsoper unter Cl.Krauss und war

1948–50 Filmarchitekt sowie 1951–53 Bühnenbildner am Landestheater Salzburg und 1954–62 Ausstattungschef des Bremer Theaters. 1962 wurde er an die Wiener Staatsoper berufen (1964 Chefbühnenbildner), an der er u. a. die Ausstattungen zu *Pelléas et Mélisande* (1962), *Die Frau ohne Schatten* (1964), *Der Rosenkavalier* (1968), *Fidelio* (1970) und G. v. Einems *Der Besuch der alten Dame* (1971) besorgte. Seit 1965 arbeitet Schn.-S., der an zahlreichen großen Opernhäusern der Welt gastiert, für die Salzburger Festspiele (*Boris Godunow*, 1965; *Don Giovanni*, 1968; *De temporum fine comoedia* von Orff, 1973; *Die Frau ohne Schatten*, 1974) und hat seit 1967 die Bühnenbilder sämtlicher Wagner-Inszenierungen bei den Salzburger Osterfestspielen entworfen. Er ist seit 1951 auch ständiger Mitarbeiter des Salzburger Marionettentheaters. Zu dem *Fidelio*-Film *Von der Skizze zur Premiere* (1970) verfaßte er das Drehbuch.
Lit.: G. Prossnitz, H. Schn.-S., Bühnenbilder zu H. v. Karajans Ringinszenierung f. d. Osterfestspiele Salzburg, Ausstellungskat. Salzburg 1972.

+**Schneider-Trnavský,** Mikuláš, 1881–1958.
Neben der +Sammlung slowakischer Volkslieder [erg.:] *Sbierka slovenských ľudových piesní* (2 Bde, 1905–10 [nicht: 1908]) veröffentlichte er an weiteren: *Sbierka slovenských národných piesní* (5 H., Bratislava 1930, als *Slovenské národné piesne*, Prag 1935–40, Bratislava ²1950–51) und *50 slowakische Volkslieder* (ebd. 1943). Seine Erinnerungen erschienen als *Úsmevy a slzy* (»Lächeln und Tränen«, = Edicie hudobnej literatury XV, ebd. 1959). 1956 wurde er zum Nationalkünstler ernannt.
Lit.: +Zd. Bokesová, M. Schn.-Trn., Bratislava [nicht: Prag] 1952. – I. Hrušovský in: Slovenská hudba I, 1957, S. 4f. (zur 1. Symphonie »Spomienková«); J. Šamko, Význam tvorby M. Schn.-Trn.ého (»Die Bedeutung d. Werkes v. Schn.-Trn.«), in: Hudobnovedné štúdie II, 1957 (mit russ. und deutscher Zusammenfassung); ders., M. Schn.-Trn., = Edície hudobnej literatúry XXXIV, Bratislava 1965; I. Belsa, Pamjati M. Schn.a-Trn.owo (»Dem Andenken an M. Schn.-Trn.«), SM XXII, 1958; L. Burlas in: Slovenská hudba II, 1958, S. 290ff.

+**Schneiderhan,** Walther, * 9. 4. 1901 zu Wien.
Schn., Bruder von Wolfgang Schn., war 1. Konzertmeister der Wiener Symphoniker bis 1967. Er erhielt 1958 den (österreichischen) Professorentitel.

+**Schneiderhan,** Wolfgang [erg.:] Eduard, * 28. 5. 1915 zu Wien.
Schn., Bruder von Walther Schn., unterrichtete 1938–56 auch am Mozarteum in Salzburg. Er hält weiterhin Meisterkurse in Luzern ab (vgl. dazu seine gesammelten *Luzerner Ansprachen …*, Wiesbaden 1961, 1963 und 1967). 1964 wurde er zum Mitglied der Kungl. Musikaliska akademien in Stockholm ernannt. Er veröffentlichte *Kadenzen zum Violinkonzert op. 61. Übertragen nach Beethovens Originalkadenzen zur Klavierfassung des Konzerts* (München 1968). Schn., dem zahlreiche Ehrungen zuteil wurden, lebt heute in Luzern.

Schneidermann, Dina, * 28. 3. 1931 zu Odessa; bulgarische Violinistin, lebt in Sofia. Sie begann ihre Ausbildung bereits mit 5 Jahren bei Pjotr Stoljarskij in Odessa und absolvierte 1956 als Schülerin von Weniamin Scher und Julij Ejdlin das Leningrader Konservatorium. 1960 wurde ihr der einzige Preis beim Concours international d'exécution musicale in Genf verliehen. D. Schn. hat in ganz Europa, Kanada, Kuba sowie in der Türkei konzertiert.

+**Schneidt,** Hanns-Martin, * 6. 12. 1930 zu Kitzingen (Unterfranken); deutscher [erg.:] Dirigent.

In Berlin gründete und leitete er auch den Bach-Chor der neuen Kaiser-Wilhelm-Gedächtniskirche. Schn., der als Gastdirigent, Organist und Cembalist im In- und Ausland auftrat, ging 1963 nach Wuppertal, wo er seitdem als GMD wirkt. Seit 1971 unterrichtet er (als Professor) Dirigieren an der Hamburger Musikhochschule.
Lit.: I. Hermann in: Das Orch. XX, 1972, S. 261ff.

Schneitzhoeffer, Jean-Madeleine (Schneitzaeffer), * 13. 10. 1785 zu Toulouse, † 4. 10. 1852 zu Paris; französischer Komponist, studierte am Pariser Conservatoire bei Catel, war 1815–23 Pauker an der Pariser Opéra und in der königlichen Kapelle und ab 1823 Chef du chant an der Opéra, daneben ab 1807 Leiter einer Solfègeklasse am Pariser Conservatoire, an dem er dann 1831–50 eine Chorausbildungsklasse leitete. Außer einigen Orchesterwerken (Ouvertüren, eine *Sinfonia dei gatti*) und einem Requiem komponierte er Ballette für die Pariser Opéra, darunter *Proserpine* (1818), *Zémire et Azor* (1824), *Mars et Vénus ou Les filets de Vulcain* (1826) und *La Sylphide* (1832; seine bekannteste Ballettkomposition, die er für die Maria Taglioni schrieb).

Schnejerson, Grigorij Michajlowitsch → Schneerson, Gr.

+**Schnitger,** Arp, 2. [nicht: 9.] 7. 1648 – begraben 28. [del.: † 24.] 7. 1719 [nicht: 1720].
Die Orgel von +St. Cosmae in Stade wurde nicht von ihm, sondern von B. Hueß erbaut (1669–73), Schn. hat sie 1688 lediglich repariert.
Lit.: +G. Fock, A. Schn. u. seine Schule. Ein Beitr. zur Gesch. d. Orgelbaues im Nord- u. Ostseeküstengebiet, [erg. als nunmehr erschienen:] = Veröff. d. Orgelwiss. Forschungsstelle d. Univ. Münster V, Kassel 1974. – Die A.-Schn.-Org. d. Hauptkirche St. Jacobi Hbg, Fs., Hbg 1961; A. Schn. … en zijn werk in het Groningenland, hrsg. v. H. A. Edskes, R. Koning u. H. F. W. Kruize, = Publ. v. de Stichting Groningen Orgelland I, Sneek 1969. – G. Fock in: MGG XI, 1963, Sp. 1913ff.; A. Hoppe, A. Schn. u. d. Org. in d. Kirche zu Beverstedt, MuK XXXVI, 1966; H. A. Edskes, De nagelaten geschriften v. d. orgelmaker A. Schn., Sneek 1968; W. Lottermoser, Orgelgutachten auf Grund akustischer Messungen (Schn.-Org. v. Hollern/Stade), in: Das Musikinstr. XVIII, 1969; E. Völsing in: Musica sacra LXXXIX, 1969, S. 199ff.

Schnittke, Alfred Garrijewitsch, * 24. 11. 1934 zu Engels (Wolgadeutsche Republik); russisch-sowjetischer Komponist deutscher Abstammung, studierte 1953–58 am Moskauer Konservatorium Komposition und Kontrapunkt bei Golubew sowie Instrumentation bei Nikolaj Rakow, war 1958–61 Aspirant und ist heute dort Lehrer für Instrumentation. Er schrieb: Musical *Odinadzataja sapowed* (»Das elfte Gebot«, 1962, unvollendet); *Poema o kosmosse* (»Dichtung vom Kosmos«, 1961) und *pianissimo …* (1968) für Orch.; Musik für Kammerorch. (1964); 2 Violinkonzerte (1957, revidiert 1962, und 1966); Klavierkonzert (1960); Konzert für Ob., Hf. und Streicher (1970); *Dialoge* für Vc. und 7 Instrumentalisten (Fl., Ob., Klar., Horn, Trp., Schlagzeug und Kl., 1965); Serenade für 5 Musiker (1968); Streichquartett (1966); 2 Sonaten für V. und Kl. (Nr 1, 1963, und Nr 2, … *quasi una sonata*, 1968); Sonate (1963), Praeludium und Fuge (1963), Improvisation und Fuge (1965) und Variationen über einen Akkord (1966) für Kl.; elektronische Studie (1969, im Moskauer Studio für elektronische Musik realisiert); Oratorium *Nagasaki* für Mezzo-S., Chor und Orch. (1958); *Pesni wojny i mira* (»Lieder von Krieg und Frieden« für S., Chor und Orch. auf russische Volkslieder (1959); 3 Lieder für Mezzo-S. und Kl. (1965); ferner

Chöre sowie Musik für Film, Theater und Fernsehen. – Veröffentlichungen: *Raswiwat nauku o garmonii* (»Eine Wissenschaft von der Harmonie entwickeln«, SM XXV, 1961); *Nekotoryje ossobennosti orkestrowowo golossowedenija w simfonitscheskich proiswedenijach D.D. Schostakowitscha* (»Einige Besonderheiten der Orchesterstimmführung in den symphonischen Werken von D.D. Schostakowitsch«, in: Dm. Schostakowitsch, hrsg. von G. Sch. Ordschonikidse, Moskau 1967); *Originalnyj samyssel* (»Eine Originalkonzeption«, SM XXXII, 1968); *E. Denisow* (in: Res facta VI, [Krakau] 1972). Lit.: S. RASORJONOW, Ob odnom musykalnom wetschere (»Über einen mus. Abend«), SM XXXVI, 1972 (zum Streichquartett); Aufsatzfolge in: SM XXXVIII, 1974, H. 10, S. 12ff.

Schnitzer, Franz Xaver (Schnizer), OSB, * 13. 12. 1740 zu Wurzach (Württemberg), † 9. 5. 1785 zu Ottobeuren; deutscher Komponist und Organist, trat 1760 dem Benediktinerorden der Abtei in Ottobeuren bei, wo er die Dreifaltigkeitsorgel und die Hl.-Geist-Orgel von K. Riepp einweihte und ab 1769 als Chorregent wirkte. Er veröffentlichte *6 sonate per il cemb. ed org.* op. 1 (Ottobeuren 1773) und *Cantus Ottoburani monasterii pro festis et processionibus consuetis* (ebd. 1784). Außerdem schrieb er Kirchenmusik (Messen, Requiem; *Octotonium Ottoburanum*, 8 Magnificat, 1768–69; *Alma redemptoris mater*, 1782) und Schuldramen. Ausg.: Orgelmusik in Benediktinerklöstern IV, hrsg. v. E. KRAUS, = Cantantibus organis XV, Regensburg 1970. Lit.: U. SIEGELE in: MGG XI, 1963, Sp. 1919f.

Schnitzer, Ignaz, * 20. 12. 1839 zu Pest, † 18. 6. 1921 zu Wien; ungarisch-österreichischer Journalist, Schriftsteller und Bühnenautor, kam 1857 nach Wien und war dort als Musikkritiker für das »Fremdenblatt« und ab 1865 als Redakteur der Zeitungen »Die Debatte« und des »Pester Lloyd« tätig. Von 1867 an lebte er wieder in Pest, wo er bis 1880 das von ihm gegründete deutschsprachige *Neue Pester Journal* leitete. Neben einer Reihe ungarischer Bühnenstücke übersetzte er Dichtungen von Petőfi, darunter das Nationalepos »Held János«, ins Deutsche (*Poetische Werke*, 6 Bde, 1910). 1881 übersiedelte Schn. endgültig nach Wien. Nach der Novelle *Saffi* von Mór Jókai schrieb er für Johann Strauß das Libretto zu *Der Zigeunerbaron* (1885). Auch J. Hellmesberger (*Das Orakel*, 1889) und Eysler (*Bruder Straubinger*, 1903, mit dem Lied *Küssen ist keine Sünd'*) komponierten Operetten auf Libretti von Schn. Mit *Meister Johann* (2 Bde, Wien 1920) veröffentlichte er wichtige Beiträge zur Lebensgeschichte der Strauß-Familie.

+Schnoor, Hans, * 4. 10. 1893 zu Neumünster (Holstein). Weitere Schriften: +*Weber auf dem Welttheater. Ein Freischützbuch* (1942, ²1944), Hbg ⁴1963; +*Oper, Operette, Konzert. Ein praktisches Nachschlagebuch ...* (1955), Gütersloh ⁴⁸1969; *Welt der Tonkunst. Eine Einführung in die Musikkunde* (ebd. 1960); *Harmonie und Chaos. Musik der Gegenwart* (München 1962); *Die Stunde des Rosenkavalier. Dreihundert Jahre Dresdner Oper* (ebd. 1968); *Kreis Wiedenbrück. Musik und Theater ohne eigenes Dach* (= Beitr. zur westfälischen Musikgeschichte V, Hagen 1969); *Rororo-Musikführer. Oper, Operette, Musical, Konzert* (Reinbek bei Hbg 1969). Lit.: G. R. KOCH in: Opernwelt 1971, H. 2, S. 9.

+Schnorr von Carolsfeld, Ludwig, 1836–65. Lit.: O. SCHNEIDER in: ÖMZ XX, 1965, S. 378f.

+Schnyder von Wartensee, [erg.: Franz] Xaver, 1786–1868.

Die Zauberoper +*Fortunat* wurde 1831 [nicht: 1827] uraufgeführt. Ausg.: 3. Sinfonie »Symphonie militaire« B dur (1848), hrsg. v. P. O. SCHNEIDER, = Schweizerische Musikdenkmäler IX, Kassel 1973. Lit.: X. Schn. v. W. u. H. G. Nägeli. Briefe aus d. Jahren 1822–35, Ausw. hrsg. v. P. O. SCHNEIDER, = 146. Neujahrsblatt d. Allgemeinen Musikges. Zürich, Zürich 1962. – M. HERRMANN, Erinnerungen an X. Schn. v. W. im Nachlaß eines Südfranzosen, SMZ CII, 1962; H. P. SCHANZLIN, Briefe d. Haydn-Schülers Neukomm an d. Schweizerkomponisten Schn. v. W., Fs. A. v. Hoboken, Mainz 1962; P. O. SCHNEIDER in: MGG XI, 1963, Sp. 1922ff.; DERS. in: SMZ CIV, 1964, S. 11ff. (zur Militärsinfonie); DERS., Romantischer Kontrapunkt, SMZ CVIII, 1968; J. BURDET, La musique dans le canton de Vaud au XIXᵉ s., = Bibl. hist. vaudoise XLIV, Lausanne 1971; WL. VOGEL, Kuriosum oder geniale Intuition?, SMZ CXII, 1972.

Schoberlechner, Franz, * 21. 7. 1797 zu Wien, † 7. 1. 1843 zu Berlin; österreichischer Pianist und Komponist, war Schüler von J. N. Hummel (der mit ihm in Konzerten auftrat und für ihn sein 2. Klavierkonzert C dur schrieb) und nahm Kompositionsunterricht bei E. A. Förster. Er war 1815–20 in Lucca Hofkapellmeister der Erzherzogin Marie Luise, ging dann nach Wien und begab sich 1823 wieder auf Konzertreisen, die ihn über Deutschland nach St. Petersburg führten. Dort heiratete er 1824 die italienische Sängerin Sophie Dall'Occa (* 1807 zu St. Petersburg, † Januar 1864 zu Florenz), mit der er ausgedehnte Reisen durch Rußland, Deutschland und Oberitalien unternahm. Sch. schrieb u. a. die Opern *I virtuosi teatrali* (Florenz 1817), *Gli arabi nelle Gallie* (Lucca 1819), *Il barone di Dolzheim* (St. Petersburg 1827) und *Rossane* (Mailand 1839), die Operette *Der junge Onkel* (Wien 1823), eine Symphonie (1811), 2 Klavierkonzerte, Fantasie und Variationen auf ein Thema von Rossini op. 38, Variationen op. 46 und Variationen auf ein Thema von Bellini für Kl. und Orch., eine Sonate op. 25, *Sonate mélancolique* op. 45, Variationen und Rondos für Kl. sowie kammermusikalische Werke.

+Schobert, Johann, um 1740 [nicht: um 1720; erg.:] in Schlesien(?) – 28. [nicht: 18.] 8. 1767. Ausg.: 6 Sinfonien f. Cemb. mit Begleitung v. V. u. Hörnern ad libitum op. 9, hrsg. v. G. BECKING u. W. KRAMOLISCH, = EDM, Sonderreihe IV, Kassel 1960. Lit.: H. C. TURRENTINE, J. Sch. and French Clavier Music from 1700 to the Revolution, 2 Bde (I Text u. thematischer Kat., II Ausg. v. 3 begleiteten Cemb.-Werken), Diss. State Univ. of Iowa 1962; W. S. NEWMAN, The Sonata in the Class. Era, Chapel Hill (N. C.) 1963, revidiert NY u. London 1972 (Paperbackausg.); E. REESER in: MGG XII, 1965, Sp. 2ff.

+Schoch, Rudolf, * 30. 7. 1896 zu Dürnten (Zürich). Sch., 1963 von der Universität Zürich zum Ehrendoktor ernannt, war Übungslehrer am Oberseminar des Kantons Zürich bis 1963. Weitere Schriften: +*Musikerziehung durch die Schule* (1946), 2. neubearb. Aufl. Luzern 1958 (auch span.); *Neue Wege zum Melodie- und Formgefühl durch Improvisation* (Zürich 1957); *Beiträge zum Arbeitsprinzip im Gesang- und Musikunterricht* (ebd. 1960); *Durch Klavierunterricht bzw. Durch Blockflötenunterricht zur Musik* (Wilhelmshaven 1963 bzw. 1964); *Hundert Jahre Tonhalle Zürich* (Zürich 1968). Lit.: E. KRAUS in: Musik im Unterricht (Ausg. B) XLVI, 1956, S. 347.

+Schock, Rudolf Johann, * 4. 9. 1915 zu Duisburg. Er widmete sich in den letzten Jahren hauptsächlich der Operette sowie unterhaltender Musik und erreich-

te durch seine zahlreichen Schallplatteneinspielungen und Fernsehauftritte große Popularität.
Lit.: FR. HERZFELD, R. Sch., = Rembrandt-Reihe XLII, Bln 1962.

Schöberlein, Ludwig Friedrich, * 6. 9. 1813 zu Colmberg (Mittelfranken), † 8. 7. 1881 zu Göttingen; deutscher Theologe und Liturgiewissenschaftler, besuchte die Gymnasien in Regensburg und München, studierte ab 1830 Philosophie in München und ab 1832 Theologie in Erlangen, wo er 1849 Privatdozent wurde. 1850 ging er als außerordentlicher Professor nach Heidelberg; 1855 wurde er ordentlicher Professor in Göttingen, als solcher 1862 Konsistorialrat und 1874 Abt von Bursfelde (Münden, Niedersachsen). Mit M. Herold und E. Krüger gründete Sch. 1876 die liturgisch-kirchenmusikalische Monatsschrift *Siona,* die er bis zu seinem Tode leitete. Von seinen Veröffentlichungen seien genannt: *Der evangelische Hauptgottesdienst ... für das ganze Kirchenjahr nach den Grundsätzen der Reformation* (Heidelberg 1854); *Über den liturgischen Ausbau des Gemeindegottesdienstes in der deutschen evangelischen Kirche* (Gotha 1859); *Schatz des liturgischen Chor- und Gemeindegesangs* (mit Fr. Riegel, 3 Bde, Göttingen 1865–72); *Musica sacra für höhere Lehranstalten, Kirchenchöre usw.* (ebd. 1869, ⁵1905); *Die Musik im Cultus der evangelischen Kirche* (Heidelberg 1881).
Lit.: ANON., L. Sch. zum Gedächtnis, in: Siona VI, 1881; A. PONGRATZ, Mg. d. Stadt Erlangen im 18. u. 19. Jh., Diss. Erlangen 1958.

+Schoeck, Othmar, 1886–1957.
Sch. leitete den Männerchor Aussersihl ab 1909 [nicht: 1907] und 1911–17 den Lehrer-Gesangverein in Zürich [nicht: St. Gallen]. – Weitere Werke: *+Für ein Gesangfest im Frühling* für Männerchor und Orch. op. 54 [nicht: 55] (Keller, 1942); Liederzyklus *Unter Sternen* op. 55 (ders., 1941–43); *Maschinenschlacht* und *Gestutzte Eiche* für Männerchor op. 67 (Hesse, 1953); *Ritornelle und Fughetten* für Kl. op. 68 (1953); zwei 2st. Lieder für Kinder- oder Frauenchor und Kl. op. 69 (Morgenstern/Uhland, 1941–45); Liederfolge *Nachhall* für mittlere St. und Orch. op. 70 (Lenau und Claudius, 1955); Cellosonate (1957).
Lit.: O. Sch. im Wort, hrsg. v. W. VOGEL, St. Gallen 1957; DERS., O. Sch. im Gespräch. Tagebuchaufzeichnungen, Zürich 1965 (vgl. dazu W. Reich in: SMZ CVI, 1966, S. 23ff.). – Sonder-H. Sch. = SMZ XCVI, 1956, H. 9. – O. Sch., Publ. zum 75. Geburtstag, hrsg. v. d. O. Sch.-Ges., Bern 1961. – +H. CORRODI, O. Sch. (1931, ²1936), Frauenfeld ³1956. – DERS. in: Musica X, 1956, S. 605ff.; DERS. u. K. WIDMAIER, O. Sch., d. Meister d. Liedes, in: Phonoprisma VII, 1964; W. VOGEL, O. Sch., ein Schweizer Eichendorff-Komponist, in: Aurora XVI, 1956; DERS., O. Sch.s letztes Werk, SMZ XCVIII, 1958 (zur Cellosonate); O. FRIES, Sch. als Opernkomponist, SMZ XCVII, 1957; S. GOSLICH, Das Wandbild. O. Sch. u. F. Busoni, in: Musica XI, 1957; G. HAUSSWALD, ebd. S. 69ff. (zur Oper »Penthesilea«); W. HESS in: Schweizer musikpädagogische Blätter XLV, 1957, S. 67ff.; A. W. MARTIN, O. Sch. u. d. schweizerische Geist, St. Gallen 1957; W. SCHUH in: SMZ XCVII, 1957, S. 125ff., CI, 1961, S. 218ff., CVII, 1967, S. 73ff. (zu »Notturno« u. »Nachhall«) u. CVIII, 1968, S. 167ff. (zu »Penthesilea«); E. STAIGER, O. Sch., SMZ XCVII, 1957, auch in: Musik u. Dichtung, = Atlantis-Musikbücherei o. Nr, Zürich ²1959, ³1966; H. EHINGER in: Jahresring LVIII/LIX, 1958, S. 283ff.; DERS. in: Musica XIV, 1960, S. 80ff.; H. ANDREAE in: SMZ CI, 1961, S. 222ff. (zu d. »Ritornelle u. Fughetten«); F. BUSONI, Briefe u. Widmungen an O. Sch., SMZ CVI, 1966; H. HESSE, Drei Briefe an O. Sch., ebd.; H. VOGT, ebd. S. 136ff. (zu »Lebendig begraben« op. 40); J. FORNER, Ein unveröff. Regerbrief. Über d. Begegnung O. Sch.s mit Reger, in: 1843–1968, Hochschule f. Musik

Lpz., hrsg. v. M. Wehnert u. a., Lpz. 1968; R. U. RINGGER, O. Sch. u. d. Schweizerische, Schweizer Monatshefte XLVIII, 1968/69; CH. KÖNIG, Der Lyriker O. Sch., ÖMZ XXIV, 1969.

+Schöffer, Peter, 1475/80 – [erg.: Januar] 1547.
Ausg.: 65 deutsche Lieder (4–5st.) nach d. Liederbuch v. P. Sch. u. M. Apiarius (Biener), erste Partiturausg. d. Straßburger Druckes v. spätestens 1536 hrsg. v. H. J. MOSER, Wiesbaden 1967.
Lit.: +H. RIEMANN, Notenschrift u. Notendruck (1896), Nachdr. = Bibl. musica Bononiensis I, 8, Bologna 1969. – W. SENN, Das Sammelwerk »Quinquagena carminum« aus d. Offizin P. Sch.s, AMl XXXVI, 1964; J. BENZING in: MGG XII, 1965, Sp. 15f.

+Schöffler, Paul, * 15. 9. [nicht: 7.] 1897 zu Dresden.
Stationen seiner internationalen Karriere waren u. a. die Covent Garden Opera in London, die Pariser Opéra, die Mailänder Scala und die Metropolitan Opera in New York; auch wirkte er bei den Festspielen von Salzburg und Bayreuth sowie beim Maggio musicale fiorentino mit. 1970 wurde Kammersänger Sch., dessen Stimmlage Bariton [nicht: Baß] war und der heute im Ruhestand in Wien lebt, zum Ehrenmitglied der Wiener Staatsoper ernannt.
Lit.: Le grandi v., hrsg. v. R. CELLETTI, = Scenario I, Rom 1964, Sp. 737ff. (mit Diskographie); H. CHRISTIAN, P. Sch., Wien 1967.

+Schoemaker, Maurice (Maurits), * 27. 12. 1890 zu Anderlecht (bei Brüssel), [erg.:] † 24. 8. 1964 zu Etterbeek (bei Brüssel).
Sch. war Leiter der belgischen Vereinigung für musikalischen Urheberrechte (SABAM) und des belgischen Zentrums für Musikdokumentation (CeBeDeM). – Werke: die Opern *Swane* (1933, Antwerpen 1955), *De regenboog / Arc-en-ciel* (1937, ebd. 1951) und *Kasper de toverviool / Gaspard ou le violon magique* (1954, Radio Brüssel 1961); *Feu d'artifice* (1924), *Breughel-Suite* (1928), 3 Symphonien (*Sinfonia da camera,* 1929; *Sinfonia breve,* 1938; 1946), *Legende van de heer Halewijn* (1930), *Médée la magicienne* (1936) und dramatischer Prolog *Marillac l'épée* (1949) für Orch.; Fagottkonzert (1947); Streichquartett (1945), *Volière* für 4 Klar. (1961), Streichtrio (1934), *Sonate du souvenir* für Vc. und Kl. (1953), Sonate für Vc. solo (1940); Klaviersonate (1934), *Tombeau de Chopin* für 2 Kl. (1949); Liederzyklen (*Mère,* 1936; *Suite sylvestre,* 1955); Bühnenmusiken.

Schönbach, Dieter, * 18. 2. 1931 zu Stolp (Pommern); deutscher Komponist und Regisseur, studierte 1949–59 Komposition in Detmold und Freiburg i. Br. (Bialas, Fortner). 1959 wurde er als musikalischer Leiter an das Schauspielhaus Bochum engagiert; seit 1968 ist er an den Städtischen Bühnen Münster (Westf.) tätig, 1973 erhielt er außerdem ein Engagement an das Basler Stadttheater. – Kompositionen (Auswahl): die erste Multimedia-Oper *Wenn die Kälte in die Hütten tritt, um sich bei den Frierenden zu wärmen, weiß einer »Die Geschichte von einem Feuer«* (Libretto Elisabeth Borchers, Kiel 1968, Neufassung Münster 1969); Multimedia-Show anläßlich der Olympischen Spiele *Hymnus 2* (München 1972); 4 Orchesterstücke (*Farben und Klänge* in memoriam W. Kandinskij, 1958; *Ritornelle,* 1961; *Pour Varsovie,* 1963; *entré,* 1964), *Variationen in Tala* für Orch. (1961), Klavierkonzert (1958); Streichquartett (1957), *Kammermusik 1960* für 14 Instr., *Hoquetus* für 8 Bläser (1964), *Canzona da sonar* (1 für Streichorch., 1966, 2 für Kammerensemble, 1967, 3 für Block-Fl. und Tonband, 1967 und 4 für Kammerensemble, 1967), *Atemmusik 3* für Rasseln, Pfeifen, Glöckchen und verschiedene Instr. (1969); *Chant liturgique* für Chor und Orch. (1964), *Canticum psalmi*

resurrectionis, Kantate für S., Schlagzeug und Instrumente (1957), *Come S. Francesco predicò agli uccelli*, Konzert für S. und Instrumente (1959), *Lyrische Gesänge I* für S. und Instrumente (nach Elisabeth Borchers, 1961) und *II* für S. und 2 Kl. (1962), *Cantico psalmi ad laudes*, Kantate für S. und Orch. (1964). Er schrieb den Beitrag *Neue Aspekte für das totale Theater* (in: Melos XXXVIII, 1971, und in: Musik und Bildung III, 1971).
Lit.: H. KRELLMANN, Die verschmolzenen Medien, in: Musica XXIV, 1970; D. GOJOWY, Die U-Bahn fährt plötzlich durch Wasser, in: Melos XLI, 1974.

+Schoenbaum, Camillo, * 13. 6. 1925 zu Hohenems (Vorarlberg).
Neuere Veröffentlichungen: *Die böhmischen Musiker in der Musikgeschichte Wiens vom Barock zur Romantik* (Fs. E. Schenk, = StMw XXV, 1962); *Die tschechische musikwissenschaftliche Literatur 1945–60. Publikationen zur älteren böhmischen Musikgeschichte* (in: Musik des Ostens I, Kassel 1962); *Threnodia huius temporis* (Fs. J. Racek, = Sborník prací filosofické fakulty brněnské university XIV, F 9, 1965); *Harmonia pastoralis Bohemica* (Fs. W. Wiora, Kassel 1967); *J. J. Božans »Slavíček ŕájský« (Paradiesnachtigall, 1719) und die tschechischen katholischen Gesangbücher des XVII. Jh.* (in: Studia ..., Fs. H. Feicht, Krakau 1967). Von seinen Ausgaben seien genannt: *Geistliche +Solomotetten des 18. Jh.* (= DTÖ CI/CII, Graz 1962); J. D. Zelenka, *Orchestrální skladby* (»Orchesterwerke«, = MAB LXI, Prag 1963); *Deutsche Komödienarien 1754–58*, 2. Teil (mit H. Zeman, = DTÖ CXXI, Graz 1971). – Auch die vorliegenden Ergänzungsbände dieses Lexikons verdanken Sch. viele Informationen besonders zum zeitgenössischen Musikleben in der Tschechoslowakei.

+Schönberg, Arnold [erg.:] Franz Walter, 1874–1951.
Sch. lernte A. v. Zemlinsky 1895 kennen; von ihm erhielt er, neben der Unterweisung im Kontrapunkt, auch Ratschläge zu seinen Kompositionen, u. a. zur revidierten Fassung des Streichquartetts D dur (1897). Für einen Kompositionswettbewerb des Wiener Tonkünstlervereins waren die *Gurre-Lieder* als Klavierliederzyklus ausgeführt, ehe sie zum symphonischen Vokalwerk umgearbeitet wurden. In Berlin verschaffte R. Strauss Sch. den Lehrauftrag am Stern'schen Konservatorium und empfahl ihm als Opernstoff Maeterlincks Drama *Pelléas et Mélisande*, das dann Sch. als Vorlage zur gleichnamigen Symphonischen Dichtung diente. In Wien gründete Sch. 1904 zusammen mit Zemlinsky zur Pflege zeitgenössischer Musik die »Vereinigung schaffender Tonkünstler«, deren Ehrenpräsident Mahler war. Sch.s Beziehung zu Mahler wandelte sich von anfänglicher Ablehnung zu glühender Verehrung, die ihren Ausdruck in der Prager Gedenkrede von 1911 fand. Zu Sch.s Schülern zählten 1904–11 neben A. Berg und A. Webern auch K. Horwitz, H. Jalowetz, K. Linke, J. Polnauer, E. Stein und E. Wellesz, die teilweise durch Mahlers Jugendfreund G. Adler Sch. empfohlen wurden. Ergebnis dieser Lehrtätigkeit war die *Harmonielehre* (»Dieses Buch habe ich von meinen Schülern gelernt«), die den Auftakt und ersten Höhepunkt in Sch.s umfangreichen theoretischen Schaffen darstellt. Seit der Uraufführung von *Pelleas und Melisande* (1905) entfaltete Sch. eine rege Tätigkeit als Dirigent, die ihren Höhepunkt vor dem ersten Weltkrieg in der Aufführung der *Gurre-Lieder* in Leipzig (1914; Uraufführung 1913 unter Schreker in Wien) fand. Dem Wiener »Verein für musikalische Privataufführungen«, der 1918 aus öffentlich abgehaltenen Proben zur *Kammersymphonie* hervorgegangen war, wurde 1922 ein Prager Schwe-

sterverein angeschlossen. Zu dem Schülerkreis, der in seinen künstlerischen Anschauungen durch die Probenarbeit für die Aufführungen des Vereins bzw. durch Sch.s Unterricht geprägt wurde, gehörten die Komponisten H. E. Apostel und H. Eisler, die Interpreten R. Kolisch, K. Rankl, R. Serkin, E. Steuermann (schon in Berlin Schüler von Sch.) und H. Swarowsky sowie die Musiktheoretiker E. Ratz und J. Rufer.
Ergänzungen und Berichtigungen zum früheren Werkverzeichnis: Streichsextett *Verklärte Nacht* op. 4 (nach R. Dehmel, 1899; Fassung für Streichorch. 1917, revidiert 1943; bearb. für Klaviertrio von E. Steuermann); *Pelleas und Melisande* op. 5 (1902/03, revidiert 1913 und 1918); 6 Lieder für Gesang und Orch. op. 8 (1903/04; Ausg. für Gesang und Kl. von Webern, 1911); *Kammersymphonie* op. 9 (1906, revidiert 1923; bearb. für Orch. 1922 und als op. 9B 1935; bearb. von Webern für V., Fl., Klar., Vc. und Kl. bzw. für Klavierquintett); 2. Streichquartett op. 10 (1907/08, bearb. für Streichorch. 1929; daraus *Litanei* und *Entrückung* für Gesang und Kl. bearb. von A. Berg, 1921); Suite für Kl. op. 25 (1921–23); Suite für kleine Klar., Klar., Baßklar., Streichtrio und Kl. op. 29 (1924–26); *Von Heute auf Morgen* op. 32 (1928; Text von Gertrud Sch. unter dem Pseudonym Max Blonda); 2. *Kammersymphonie* op. 38 (für 18 Soloinstr., konzipiert 1906–11, Erweiterung um ein Melodram, skizziert 1916, Endfassung für chorische Streicherbesetzung und Bläser 1939, davon Fassung für 2 Kl. als op. 38B, 1941/42); *Thema und Variationen für Blasorch.* op. 43A [nicht: 42A] (1943), dass. für Orch. op. 43B (1943/44 [nicht: 1942]). – Ohne op.-Zahl: *Gurre-Lieder* (nach J. P. Jacobsen, 1900/01, zunächst als Liederzyklus mit Kl., Instrumentation 1901–03 und 1910/11; Bearb. des Schlußgesangs des 1. Teiles *Lied der Waldtaube* für Gesang und Kammerorch. 1922; Kl.-A. und einzelne Gesänge für Singst. und Kl. von A. Berg, 1913 bzw. 1914); Konzert für Streichquartett und Orch. nach Händels Concerto grosso op. 6 Nr 7 [nicht: op. 7 Nr 6]; B. c. zu M. Monns Cellokonzert G moll mit Kadenz, ferner zu dessen *Sinfonia a quattro* A dur und Klavierkonzert D dur, sowie zu J. Manns Divertimento D dur (in: DTÖ XIX, 2). – Weitere Werke: 3 Klavierstücke (1894); 6 Stücke für Kl. 4händig (1896); Lieder für Gesang und Kl. (*In hellen Träumen hab ich Dich oft geschaut*, N. Lenau, 1893; *Mädchenfrühling*, R. Dehmel, 1897; *Die Beiden*, Hofmannsthal, 1899; »Brettellieder«, 1901; *Deinem Blick mich zu bequemen*, Goethe, 1903; *Am Strande*, Rilke[?], 1908, Zählung als op. 14 Nr 3 nachträglich gestrichen); ferner Bearbeitungen: B. c. zu Fr. Tumas *Sinfonia a quattro* E moll und *Partite a tre* C moll, A dur und G dur; »Rosen aus dem Süden« op. 388 und »Lagunenwalzer« op. 411 von J. Strauß (Sohn) für Streichquartett, Harmonium und Kl.
Theoretische Werke (ausführliches Verzeichnis bei R. Brinkmann, 1969): *Harmonielehre* (1911), 3. vermehrte und verbesserte Aufl. Wien 1921, 7. Aufl. hrsg. von J. Rufer, 1966, ital. hrsg. von L. Rognoni, 2 Bde, = La cultura LXV, Mailand 1963; *Structural Functions of Harmony* (1954), NY ²1969, ital. = La cultura X, Mailand 1967; *Models for Beginners in Composition* (1942), NY ³1947, deutsch als *Modelle für Anfänger im Kompositionsunterricht*, hrsg. von R. Stephan, Wien 1972; *Grundlagen der musikalischen Komposition* (1948, Ms.), engl. Originalversion *Fundamentals of Composition* hrsg. von G. Strang (mit L. Stein), London 1967, Paperbackausg. 1970, ital. hrsg. von G. Manzoni, Mailand 1969, ungarisch Budapest 1971; *Style and Idea* (1950), ital. Mailand 1960, span. Madrid 1963, in anderer Ausw. hrsg. von L.

Stein, London 1972 (enthält 104 Aufsätze in 10 Abt.). – *Ausgewählte Briefe* (E. Stein, 1958), engl. London 1964, NY 1965, tschechisch Prag 1965, ital. Florenz 1969. Ausg.: GA, hrsg. v. J. RUFER in Verbindung mit C. DAHLHAUS, R. STEPHAN, I. VOJTĚCH u. unter Mitarbeit v. R. HOFFMANN, R. KOLISCH, L. STEIN u. E. STEUERMANN, angelegt in 2 Reihen (A: vollendete u. aufführbare unvollendete Werke, Kl.-A., Bearb.; B: Frühfassungen, unvollständige Werke, Skizzen, Entwürfe, Kritische Ber.) zu je 8 Abt. (I Lieder, II Kl.-Werke, III Bühnenwerke, IV Orch.-Werke, V Chorwerke, VI Kammermusik, VII Bearb., VIII Suppl. u. Ephemeres), Wien u. Mainz 1966ff. (vgl. dazu R. STEPHAN in: Kgr.-Ber. Bonn 1970, S. 279ff., in: ÖMZ XXVI, 1971, S. 308ff., u. in: Fs. f. einen Verleger [L. Strecker], Mainz 1973, S. 82ff.), bisher erschienen: Lieder mit Kl.-Begleitung (= Abt. I, Reihe A, Bd 1, hrsg. v. J. RUFER, 1966); Werke f. Kl. zu 2 Händen (II, A, 4, E. STEUERMANN u. R. BRINKMANN, 1968); Werke f. Org., Werke f. 2 Kl. zu 4 Händen, Werke f. Kl. zu 4 Händen (II, A, 5 u. II, B, 5, CHR. M. SCHMIDT, 1973); »Von heute auf morgen« (III, A, 7, 1. Teil: Partitur, R. HOFFMANN u. W. BITTINGER, 1970, 2. Teil: Kl.-A., T. OKULJAR, 1974; III, B, 7, 1. Teil: Skizzen u. Texte, G. NEUWIRTH, 2. Teil: Kritischer Ber., G. NEUWIRTH u. T. OKULJAR, 1974); J. Brahms, Klavierquartett g-Moll op. 25, f. Orch. gesetzt (VII, A, 26, R. STEPHAN, 1972). – Moderne Psalmen, hrsg. v. R. KOLISCH, 3 H. (I Faks. u. Übertragung d. Textes, II Faks. d. Skizzen zum 1. Psalm, III Partitur), Mainz 1956; Fünfzehn Gedichte aus »Das Buch d. hängenden Gärten« v. St. George f. Gesang u. Kl., mit einem Nachwort hrsg. v. TH. W. ADORNO, = Insel Bücherei Bd 683, Wiesbaden 1959; 30 Kanons, hrsg. v. J. RUFER, Kassel 1963; Streichquartett D dur (1897), hrsg. v. O. W. NEIGHBOUR, London 1966; Fr. Tuma, Partita a tre G dur f. 2 V., Vc. u. Gb. (Gb.-Aussetzung v. Sch.), hrsg. v. R. LÜCK, Köln 1968. Preliminary Exercises in Counterpoint, hrsg. v. L. STEIN, London 1963, NY 1964, Paperbackausg. 1970; Schöpferische Konfessionen, hrsg. v. W. REICH, Zürich 1964. – The Orchestral Variations Op. 31. A Radio Talk, in: The Score 1960, Nr 27; Neue Aspekte d. Orchestration, in: Gespräche mit Komponisten, hrsg. v. W. REICH, = Manesse-Bibl. d. Weltlit. o. Nr, Zürich 1965; Analyse d. 4 Orch.-Lieder op. 22 f. d. Frankfurter Sender am 21. 2. 1932, in: J. MAEGAARD, Studien zur Entwicklung d. dodekaphonen Satzes bei A. Sch., Bd I, Kopenhagen 1972. – Texte (Die glückliche Hand, Totentanz d. Prinzipien, Requiem, Die Jakobsleiter), Wien 1926; Testi poetici e dramatici ed. e ined., ital. v. E. CASTELLANI u. hrsg. v. L. ROGNONI, Mailand 1967 (bisher umfangreichste Slg v. Dichtungen). Letter on the Origin of the Twelve-Tone System, in: N. SLONIMSKY, Music Since 1900, NY 1937, erweitert ⁴1971; Briefe an G. Mahler u. G. Mahler. Erinnerungen u. Briefe, Amsterdam 1940, 2. Aufl. hrsg. v. D. MITCHELL, Bln 1970; J. YASSER, A Letter from A. Sch., JAMS VI, 1953; J. BIRKE, R. Dehmel u. A. Sch., in Briefwechsel, Mf XI, 1958 (Nachträge in: Mf XVII, 1964, S. 60ff.); FR. GLÜCK, Briefe v. A. Sch. an A. Loos, ÖMZ XVI, 1961; R. STEINER, Der unbekannte Sch., Aus unveröff. Briefen an H. Nachod, SMZ CIV, 1964; I. VOJTĚCH, A. Sch., A. Webern, A. Berg. Unbekannte Briefe an E. Schulhoff, in: Miscellanea musicologica XVIII, (Prag) 1965; E. KLEMM, Der Briefwechsel zwischen A. Sch. u. Verlag C. F. Peters, DJbMw XV, 1970; H. GÜNTHER, »Pierrot Lunaire« – konzertant oder szenisch? Ein unbekannter Brief A. Sch.s, in: Musica XXV, 1971; R. VLAD, A. Sch. schreibt an G. Fr. Malipiero, in: Melos XXXVIII, 1971, ital. in: nRMI V, 1971, S. 264ff. Lit.: Bibliogr., Dokumente: A. PH. BASARD, Serial Music. A Classified Bibliogr. of Writings on Twelve-Tone and Electronic Music, Berkeley (Calif.) 1961; D. NEWLIN, The Sch.-Nachod Collection. A Preliminary Report, MQ LIV, 1968; L. QU. MUMFORD u. E. N. WATERS, Mus. Vienna in the Library of Congress, Fs. J. Stummvoll, = Museion N. F. II, 4, Wien 1970, Bd II. – Sonder-H.: Melos XXXVI, 1969, H. 5; Lo spettatore mus. 1971, Nr 1; ÖMZ XXIX, 1974, H. 6. – Sch., Webern, Berg. Bilder, Partituren, Dokumente, = Museum d. 20. Jh., Kat. XXXVI, Wien 1969; A. Sch., Ausstellungskat. hrsg. v. E.

HILMAR, Wien 1974. – Perspectives on Sch. and Stravinsky, hrsg. v. B. BORETZ u. E. T. CONE, Princeton (N. J.) 1968 (= Wiederabdrucke aus »Perspectives of New Music«). Allgemeines zu Leben u. Werk: ⁺J. RUFER, Das Werk A. Sch.s (1959), engl. London 1962 u. NY 1963. – ⁺E. WELLESZ, A. Sch. (engl. 1925), Nachdr. NY 1969 u. 1971, auch London 1971; ⁺H. H. STUCKENSCHMIDT, A. Sch. (1951), span. Madrid 1964, polnisch Krakau 1965; ⁺R. LEIBOWITZ, Sch. et son école (= La fl. de Pan o. Nr, 1947), Nachdr. d. engl. Ausg. (1949 [nicht: 1947]) NY 1970; ⁺TH. W. ADORNO, Philosophie d. Neuen Musik (1949), Ffm. ³1967, frz. = Bibl. des idées o. Nr, Paris 1962, span. Buenos Aires 1966; ⁺J. RUFER, Die Komposition mit zwölf Tönen (1952), Kassel ²1966. – R. SESSIONS, Sch. in the United States, in: Tempo 1944, Nr 9, Wiederabdruck mit neuen Anm. ebd. 1972, Nr 103; D. NEWLIN, Bruckner, Mahler, Sch., NY 1947, deutsch Wien 1954; P. BOULEZ, Sch. est mort, in: The Score 1952, Nr 6, ital. in: Il verri, N. S. IV, 1960, Nr 6, deutsch in: Melos XLI, 1974; H. EISLER, A. Sch., in: Sinn u. Form VII, 1953, russ. in: Isbrannyje statji musykowedow Germanskoj Demokratitscheskoj Respubliki, Moskau 1960; DERS., Brief an A. Sch., in: Sinn u. Form XVII, 1965; DERS. in: Materialien zu einer Dialektik d. Musik, hrsg. v. M. Grabs, Lpz. 1973, S. 231ff.; TH. W. ADORNO, A. Sch., in: Prismen, Ffm. 1955, Nachdr. 1969, München 1963 = dtv Bd 169, span. Barcelona 1962, engl. London 1967; DERS., Zum Verständnis Sch.s, Frankfurter H. X, 1955; DERS., Über einige Arbeiten A. Sch.s, in: Forum X, 1963, auch in: Impromptus, = Ed. Suhrkamp Bd 267, Ffm. 1968 (zu: 3 Stücke f. Kammerorch., 4 deutsche Volkslieder f. Singst. u. Kl. u. »Herzgewächse« op. 20); D. MILHAUD, Erinnerungen an A. Sch., ÖMZ X, 1955; D. SCHNEBEL, Studien zur Dynamik A. Sch.s, Diss. Tübingen 1955, Auszüge in: Denkbare Musik, hrsg. v. H. R. Zeller, = DuMont Dokumente o. Nr, Köln 1972; DERS., Sch.s späte tonale Musik als disponierte Gesch., ebd.; J. RUFER, Rede auf A. Sch., in: Melos XII, 1957, engl. in: The Score 1958, Nr 17; DERS., Sch. als Maler. Grenzen u. Konvergenzen d. Künste, in: Aspekte d. Neuen Musik, Fs. H. H. Stuckenschmidt, Kassel 1968; R. L. HENDERSON, Sch. and »Expressionism«, MR XIX, 1958; J. C. PAZ, A. Sch. o el fin de la era tonal, = Música V, Buenos Aires 1958; H. H. STUCKENSCHMIDT, Stil u. Ästhetik Sch.s, SMZ XCVIII, 1958; DERS., Luft v. anderem Planeten, in: Melos XXXII, 1965; DERS., A. Sch., Zürich 1974; A. WALKER, Sch.'s Class. Background, MR XIX, 1958; DERS., Back to Sch., MR XXI, 1960; P. GRADENWITZ, Sch.s religiöse Werke, in: Melos XXVI, 1959, engl. erweitert in: MR XXI, 1960; K. WENDEL, Sch.s Schlüsselstellung zur mus. Weltsprache, Gravesaner Blätter IV, 1959; W. M. LANGLIE, A. Sch. as a Teacher, Diss. Univ. of California at Los Angeles 1960; A. MELICHAR, Sch. u. d. Folgen. Eine notwendige kulturpolitische Auseinandersetzung, Wien 1960; L. ROGNONI, Gli scritti e i dipinti di A. Sch., in: L'approdo mus. III, 1960; DERS., La contradiction de Sch., in: L'arc 1965, Nr 27 (Aix-en-Provence); E. WELLESZ, Sch. u. d. Anfänge d. Wiener Schule, ÖMZ XV, 1960; DERS., Erinnerungen an Sch., ÖMZ XXIII, 1968; DERS., Erinnerungen an G. Mahler u. A. Sch., in: Orbis musicae I, (Tel Aviv) 1971; W. ZILLIG in: Stilporträts d. Neuen Musik, = Veröff. d. Inst. f. Neue Musik u. Musikerziehung Darmstadt II, Bln 1961, ²1965, S. 16ff.; J. MAEGAARD, A Study in the Chronology of op. 23–26 by A. Sch., Dansk aarbog f. musikforskning (II), 1962; DERS., A. Sch. og Danmark, ebd. VI, 1968–72 (mit deutscher Zusammenfassung); J. SWIDER, A. Sch., Kattowitz 1962; J. C. CRAWFORD, The Relationship of Text and Music in the Vocal Works of Sch. 1908–14, Diss. Harvard Univ. (Mass.) 1963; PH. FRIEDHEIM, Tonality and Structure in Early Works of Sch., 2 Bde, Diss. NY Univ. 1963; DERS., Rhythmic Structure in Sch.'s Atonal Compositions, JAMS XIX, 1966; J. KÁRPÁTI, Sch. A. = Kis zenei könyvtár XXVII, Budapest 1963; D. MITCHELL, The Language of Modern Music, London 1963, revidiert ²1966; H. F. REDLICH, Unveröff. Briefe A. Bergs an A. Sch., Fs. Fr. Blume, Kassel 1963; W. REICH, Zwei verschollene Porträts v. A. Sch. u. A. Berg, SMZ CIII, 1963; DERS., Vom Wiener »Sch.-Ver.«. Mit unbekannten Briefen

v. A. Berg, SMZ CV, 1965; DERS., A. Sch. oder Der konservative Revolutionär, = Glanz u. Elend d. Meister o. Nr, Wien 1968, engl. London u. NY 1971, auch Washington (D. C.) 1971; GL. GOULD, A. Sch., A Perspective, = Univ. of Cincinnati Occasional Papers III, Cincinnati (O.) 1964; P. S. ODEGARD, The Variation Sets of A. Sch., Diss. Univ. of California at Berkeley 1964; DERS., Sch.'s Variations. An Addendum, MR XXVII, 1966; L. CAMMAROTA, L'espressionismo e Sch., Bologna 1965; TH. J. CLIFTON, Types of Ambiguity in Sch.'s Tonal Compositions, Diss. Stanford Univ. (Calif.) 1966; H. R. JUNG, A. Sch. u. d. Liszt-Stipendium, BzMw VIII, 1966; L. STEIN, The Privataufführungen Revisited, in: Essays . . ., Fs. P. A. Pisk, Austin (Tex.) 1966; PH. JARNACH, Kleine Rede auf A. Sch. (1951), Jb. Freie Akad. d. Künste in Hbg 1967; J. MEYEROWITZ, A. Sch., = Köpfe d. 20. Jh. XLVII, Bln 1967; L. SCHRADE, Altes im Neuen Werk, in: De scientia musica studia atque orationes, Bern 1967; A. PAYNE, A. Sch., = Oxford Studies of Composers V, London 1968 u. 1969; R. LAUL, O twortscheskom metode A. Sch.a (»Über A. Sch.s Schaffensweise«), in: Woprossy teorii i estetiki musyki IX, hrsg. v. L. N. Raaben, Leningrad 1969; R. LEIBOWITZ, Sch., = Solfèges XXX, Paris 1969; S. PAWLISCHIN, Twortschestwo A. Sch.a . . . (»Das Werk A. Sch.s 1899–1908«), in: Musyka i sowremennost VI, hrsg. v. T. A. Lebedewa, Moskau 1969; R. SCHOLLUM, Die Wiener Schule. Sch., Berg, Webern. Entwicklung u. Ergebnis, Wien 1969; Fragen Sie mehr über Brecht. H. Eisler im Gespräch, hrsg. v. H. BUNGE, München 1970, S. 167ff.; J. A. KREMLJOW, Otscherki twortschestwa i estetiki nowoj wjenskoj schkoly (»Abriß v. Schaffen u. Ästhetik d. neuen Wiener Schule«), Leningrad 1970; B. W. PILLIN, Some Aspects of Counterpoint in Selected Works of A. Sch., Los Angeles 1970; J. JACQUOT, Les musiciens et l'expressionisme, 1. Teil: Sch. et le »Blaue Reiter«, in: L'expressionisme dans le théâtre européen, hrsg. v. D. Bablet u. dems., = Le chœur des muses o. Nr, Paris 1971; J. PEYSER, The Music. The Sense Behind the Sound, NY 1971; M. PFISTERER, Zur Frage d. Satztechnik in d. atonalen Werken v. A. Sch., Zs. f. Musiktheorie II, 1971; V. BL. WEBER, Expressionism and Atonality. The Aesthetic of A. Sch., Diss. Yale Univ. (Conn.) 1971; J. MAEGAARD, Studien zur Entwicklung d. dodekaphonen Satzes bei A. Sch., 3 Bde, Kopenhagen 1972; FR. RACEK, Wo wurde Sch. geboren?, ÖMZ XXVIII, 1973; A. L. RINGER, Sch.iana in Jerusalem, MQ LIX, 1973; CHR. M. SCHMIDT, Über Sch.s Geschichtsbewußtsein, in: Zwischen Tradition u. Fortschritt, hrsg. v. R. Stephan, = Veröff. d. Inst. f. Neue Musik u. Musikerziehung Darmstadt XIII, Mainz 1973; W. SCHMIDT, Gestalt u. Funktion rhythmischer Phänomene in d. Musik A. Sch.s, Wilhelming (Chiemgau) 1973.

Stilvergleiche: H. KELLER, Sch. and Stravinsky. Sch.ians and Stravinskyans, MR XV, 1954; H. KL. METZGER, Webern u. Sch., in: A. Webern, = die reihe II, hrsg. v. H. Eimert u. K. Stockhausen, Wien 1955, auch engl., Wiederabdruck in: Kommentare zur Neuen Musik I, = DuMont Dokumente o. Nr, Köln 1963; H. POUSSEUR, Da Sch. a Webern. Una mutazione, in: Incontri mus. 1956, Nr 1; E. STEIN, Berg u. Sch., in: Tempo 1957, Nr 44; H. OESCH, Hauer u. Sch., ÖMZ XV, 1960; N. NOTOWICZ, Eisler u. Sch., DJbMw VIII, 1963, auch in: Sinn u. Form XVI, 1964, ungarisch in: Magyar zene VI, 1965, S. 451ff.; J. KÁRPÁTI, Bartók és Sch., in: Magyar zene V, 1964; E. KLEMM, Bemerkungen zur Zwölftontechnik bei Eisler u. Sch., in: Sinn u. Form XVI, 1964; H. H. STUCKENSCHMIDT, Kandinsky u. Sch., in: Melos XXXI, 1964; K. H. EHRENFORTH, Sch. u. Webern. Das XIV. Lied aus Sch.s Georgeliedern op. 15, NZfM CXXVI, 1965; M. LICHTENFELD, Sch. u. Hauer, in: Melos XXXII, 1965; D. VENUS, Vergleichende Untersuchungen zur melischen Struktur d. Singst. in d. Liedern v. A. Sch., A. Berg, A. Webern u. P. Hindemith, Diss. Göttingen 1965; DERS., Zum Problem d. Schlußbildungen im Liederwerk v. Sch., Berg u. Webern, in: Musik u. Bildung LXIII, 1972; H. KIRCHMEYER, Sch. u. Hauer, NZfM CXXVII, 1966; C. DAHLHAUS, Sch. u. Bach, NZfM CXXVII, 1967; J. VYSLOUŽIL, A. Hába, A. Sch. u. d. tschechische Musik, in: Aspekte d. Neuen Musik, Fs.

H. H. Stuckenschmidt, Kassel 1968; H. KAUFMANN, Struktur bei Sch., Figur bei Webern, in: Spurlinien, Wien 1969; R. STEPHAN, Hába u. Sch. (Die Wiener Schule u. d. tschechische Musik d. 20. Jh.), Colloquium Musica Bohemica et Europaea, Kgr.-Ber. Brünn 1970; E. STAEMPFLI, Pelleas u. Melisande. Eine Gegenüberstellung d. Werke v. Cl. Debussy u. A. Sch., SMZ CXII, 1972.

zu Theorie u. Analyse: W. u. A. GOEHR, A. Sch.'s Development Towards the Twelve-Note System, in: European Music in the 20th Cent., hrsg. v. H. Hartog, London 1957; E. WELLESZ, The Origins of Sch.'s Twelve-Tone System, Washington (D. C.) 1958, Wiederabdruck in: Lectures on the Hist. and Art of Music, hrsg. v. I. Lowens, NY 1968; M. BABBITT, Discussion of the All-Combinatorial Tetrachord in the Row of Sch.'s String Trio, Journal of Music Theory VI, 1961; M. KASSLER, The Decision of A. Sch.'s Twelve-Note-Class System and Related Systems, Princeton (N. J.) 1961; G. PERLE, Serial Composition and Atonality. An Introduction to the Music of Sch., Berg, and Webern, Berkeley (Calif.) 1962, 21968, revidiert 31972; C. DAHLHAUS, Über d. Analysieren Neuer Musik. Zu Sch.s Klavierstücken op. 11/1 u. 33ª, in: Musik im Unterricht (Ausg. B) LVI, 1965, auch in: Fortschritt u. Rückbildung in d. deutschen Musikerziehung, hrsg. v. E. Kraus, Mainz 1965; DERS., Emanzipation d. Dissonanz, in: Aspekte d. Neuen Musik, Fs. H. H. Stuckenschmidt, Kassel 1968; DERS., Was ist eine Zwölftonreihe?, NZfM CXXXI, 1970; R. SM. BRINDLE, Serial Composition, London 1966; E. KLEMM, Zur Theorie einiger Reihenkombinationen, AfMw XXIII, 1966; DERS., Zur Theorie d. Reihenstruktur u. Reihendisposition in Sch.s 4. Streichquartett, BzMw VIII, 1966; R. CH. SUDERBERG, Tonal Cohension in Sch.'s Twelve-Tone Music, Diss. Univ. of Pennsylvania 1966; R. WILLE, Reihentechnik in Sch.s op. 19,2. Ein Beitr. zur Vorgesch. d. Reihenkomposition, Mf XIX, 1966; D. M. EPSTEIN, Sch.'s Grundgestalt and Total Serialism. Their Relevance to Homophonic Analysis, 2 Bde, Diss. Princeton Univ. (N. J.) 1968; L. RICHTER, Sch.s Harmonielehre u. d. freie Atonalität, DJbMw XIII, 1968; K. H. WÖRNER, Prima la seria – dopo la musica?, in: Aspekte d. Neuen Musik, Fs. H. H. Stuckenschmidt, Kassel 1968; J. RUFER, Technische Aspekte d. Polyphonie in d. 1. Hälfte d. 20. Jh., Jaarboek I. P. E. M. 1969; DERS., Begriff u. Funktion v. Sch.s Grundgestalt, in: Melos XXXVIII, 1971; DERS., Von d. Musik zur Theorie. Der Weg A. Sch.s, Zs. f. Musiktheorie II, 1971; R. BRINKMANN, Zur Entstehung d. Zwölftontechnik, Kgr.-Ber. Bonn 1970; D. REXROTH, A. Sch. als Theoretiker d. tonalen Harmonik, Diss. Bonn 1971; J. F. SPRATT, The Speculative Content of Sch.'s »Harmonielehre«, in: Current Musicology 1971, Nr 11; FL. CAGIANELLI, Tra fenomenologia e strutturalisma. L'opera teorica di Sch., Perugia 1972; R. STEPHAN, Sch.s Entwurf über »Das Komponieren mit selbständigen Stimmen«, AfMw XXIX, 1972.

zum Liedschaffen: K. H. EHRENFORTH, Ausdruck u. Form, Sch.s Durchbruch zur Atonalität in d. Georgeliedern, = Abh. zur Kunst-, Musik-, u. Literaturwiss. XVIII, Bonn 1963; C. DAHLHAUS, Sch.s Lied »Streng ist uns d. Glück u. spröde«, in: Neue Wege d. mus. Analyse, = Veröff. d. Inst. f. Neue Musik u. Musikerziehung Darmstadt VI, Bln 1967; W. M. STROH, Sch.'s Use of Text. The Text as a Mus. Control in the 14th »Georgelied«, op. 15, in: Perspectives of New Music VI, 1967/68; R. BRINKMANN, Sch. u. George. Interpretation eines Liedes, AfMw XXVI, 1969 (zu op. 15 Nr 14); J. MacDEAN, Evolution and Unity in Sch.'s George Songs op. 15, Diss. Univ. of Michigan 1971.

zum Kl.- u. Org.-Werk: T. T. TUTTLE, Sch.'s Composition f. Piano Solo, MR XVIII, 1957; R. FRIEDBERG, The Solo Keyboard Works of A. Sch., MR XXIII, 1962; A. GIBBS, Sch.'s Variations on a Recitative, MT CIII, 1962; A. MILNER in: The Org. XLIII, 1963/64, S. 179ff. (zu op. 40); W. ROGGE, Das Klavierwerk A. Sch.s, = Forschungsbeitr. zur Mw. XV, Regensburg 1964; GL. E. WATKINS, Sch. and the Org., in: Perspectives of New Music IV, 1965/66; G. KRIEGER, Sch.s Werke f. Kl., = Kleine Vandenhoeck-Reihe CCLXXXVIII, Göttingen 1968; R. BRINKMANN, A. Sch., Drei Klavierstücke op. 11. Studien zur frühen Atonalität bei Sch., = BzAfMw VII, Wiesbaden 1969;

DERS. in: MuK XXXIX, 1969, S. 67ff. (zu op. 40); J. GRAZIANO in: Current Musicology 1972, Nr 13, S. 58ff. (zu op. 23).

zum Bühnenwerk: H. KELLER in: The Score 1957, Nr 21, S. 30ff. (zu »Moses u. Aron«); DERS., ebd. 1958, Nr 23, S. 27ff. (zu op. 32); DERS., Sch. and the First Sacred Opera, in: Essays on Music, hrsg. v. F. Aprahamian, London 1967 (zuerst in: The Listener v. 12. 11. 1959); H. MAYER in: Mens en melodie XIII, 1958, S. 135ff. (zu op. 17 u. op. 32); W. ZILLIG in: Melos XXIV, 1957, S. 69ff. (zu »Moses u. Aron«); K. H. WÖRNER, Gotteswort u. Magie. Die Oper »Moses u. Aron« v. A. Sch., Heidelberg 1959, engl. London 1963, NY 1964 (mit vollständigem Libretto deutsch u. engl.); DERS., Die Musik in d. Geistesgesch., = Abh. zur Kunst-, Musik- u. Literaturgesch. XCII, Bonn 1970 (u. a. zu op. 17 u. op. 18); R. LEIBOWITZ in: Les temps modernes XVI, 1960/61, S. 1799ff., TH. W. ADORNO in: Quasi una fantasia. Mus. Schriften II, Ffm. 1963, S. 306ff., u. H. F. REDLICH in: Opera XVI, (London) 1965, S. 401ff. (zu »Moses u. Aron«); J. RUFER in: ÖMZ XX, 1965, S. 302ff. (zu op. 17, op. 18 u. op. 32); H. H. STUCKENSCHMIDT in: Essays ..., Fs. P. A. Pisk, Austin (Tex.) 1966, S. 243ff. (zu »Moses u. Aron«); H. H. BUCHANAN in: JAMS XX, 1967, S. 434ff. (zu op. 17).

zu d. Orch.-Werken: R. LEIBOWITZ, Introduction à la musique de douze sons. Les variations pour orch. op. 31 d'A. Sch., Paris 1949; DERS. in: Le compositeur et son double, = Bibl. des idées o. Nr, ebd. 1971, S. 210ff. (zu op. 36); M. RULFFS, Die moderne Instrumentation, untersucht an Orchesterwerken v. Sch., Strawinsky, Bartók u. Hindemith, Diss. Hbg 1959; C. DAHLHAUS, A. Sch., Variationen f. Orch. op. 31, = Meisterwerke d. Musik VII, München 1968; DERS., Sch.'s Orchesterstücke op. 16,3 u. d. Begriff d. »Klangfarbenmelodie«, Kgr.-Ber. Bonn 1970; R. ZIMMERMANN, Zum Begriff d. Sinfonischen in d. Kammersinfonien (einschließlich d. Sinfonien f. Kammerorch.) d. 20. Jh., Diss. Lpz. 1968; H. POUSSEUR in: Jaarboek I. P. E. M. 1969, S. 47ff. (zu op. 31); J. MAEGAARD in: Kgr.-Ber. Bonn 1970, S. 499ff. (zu op. 16 Nr 3).

zum Chorwerk: A. BASSO in: Rass. mus. XXVII, 1957, S. 219ff. (zu d. »Gurre-Liedern«); K. H. WÖRNER in: NZfM CXVIII, 1957, S. 147ff. (zu op. 50C); DERS., Die Musik in d. Geistesgesch., = Abh. zur Kunst-, Musik- u. Literaturgesch. XCII, Bonn 1970, S. 271ff.; W. ZILLIG in: The Score XXV, 1959, S. 7ff.; DERS. in: Neue Musik in d. Bundesrepublik Deutschland ... IV, 1960/61, S. 29ff.; DERS. in: ÖMZ XVI, 1961, S. 193ff., u. H. PAULI in: SMZ CII, 1962, S. 351ff. (zur »Jakobsleiter«); A. PAYNE in: Tempo 1964/65, Nr 71, S. 24ff. (zu op. 35); H. H. STUCKENSCHMIDT, »Nicht ohne Zorn«. Zeittafel u. Kommentare zu Sch.s »Gurreliedern«, in: Forschungen u. Fortschritte XLI, 1967; D. W. SIMPSON, Analysis and Performance of the »a cappella« Choral Music f. Mixed V. of A. Sch., Diss. Columbia Univ. (N. Y.) 1968; H. KELLER in: Nutida musik XII, 1968/69, S. 76ff. (zur »Jakobsleiter«).

zur Kammermusik: TH. W. ADORNO, A. Sch., Phantasie f. Geige mit Klavierbegleitung op. 47, in: Der getreue Korrepetitor, Ffm. 1963; DERS., Sch.s Bläserquintett, in: Moments mus., = Ed. Suhrkamp LIV, ebd. 1964; H. KIRCHMEYER, Die zeitgesch. Symbolik d. Pierrot Lunaire, in: 50 Jahre G. Bosse Verlag, hrsg. v. E. Valentin, Regensburg 1963; W. PFANNKUCH in: Fs. Fr. Blume, Kassel 1963, S. 258ff. (zu op. 4); G. PERLE in: The Commonwealth of Music, Gedenkschrift C. Sachs, NY 1965, S. 307ff. (zu op. 21); GL. L. GLASOW, Variation as Formal Design and Twelve-Tone Procedure in the Third String Quartet by A. Sch., Diss. Univ. of Illinois 1967; R. STEPHAN in: Versuche mus. Analysen, = Veröff. d. Inst. f. Neue Musik u. Musikerziehung Darmstadt VIII, Bln 1967, S. 42ff. (zu op. 26); H. SCHMOLZI, Wort-Ton-Beziehungen im »Pierrot Lunaire«, in: Musik im Unterricht (Ausg. A u. B) LIII, 1968; E. STAEMPFLI in: Melos XXXVII, 1970, S. 35ff. (zu op. 45); P. BOULEZ, Sprechen, Singen, Spielen, in: Melos XXXVIII, 1971 (zu op. 21); Die Streichquartette d. Wiener Schule. Eine Dokumentation, hrsg. v. U. v. RAUCHHAUPT, Hbg 1971, München 1972; R. GERLACH, War Sch. v. Dvořák beeinflußt? Zu

A. Sch.s Streichquartett D dur, NZfM CXXXIII, 1972; S. PAWLISCHIN, Lunnyj Pjero A. Sch.a, = Musykanty pedagogu o. Nr, Kiew 1972; A. WHITTALL, Sch.'s Chamber Music, London 1972; ST. KUNZE in: Zwischen Tradition u. Fortschritt, hrsg. v. R. Stephan, = Veröff. d. Inst. f. Neue Musik u. Musikerziehung Darmstadt XIII, Mainz 1973, S. 66ff. (zu op. 26).

zu d. Bearb.: H.-J. MARX, Von d. Gegenwärtigkeit hist. Musik. Zu A. Sch.s Bach-Instrumentation, NZfM CXXII, 1961; R. LÜCK, Die Gb.-Aussetzungen A. Sch.s, DJbMw VIII, 1963; DERS., A. Sch. u. d. deutsche Volkslied, NZfM CXXIV, 1963. HWE

Schönberg, Stig Gustav, * 13. 5. 1933 zu V. Husby (bei Norrköping); schwedischer Organist und Komponist, studierte 1953–60 an der Musikhochschule in Stockholm (Larsson, Blomdahl) sowie bei Fl. Peeters und war Lehrer für Musiktheorie an der Musikschule in Linköping (1961–62) und Assistentorganist am dortigen Dom (1962–64). Seit 1965 ist er Organist an der S:t Görans Kyrka in Stockholm. Sch. konzertierte im In- und Ausland. Seine Kompositionen umfassen *Madeleine och Konrad*, Tanzspiel um die Menschenseele (1967, Neufassung 1972), Orchesterwerke (*Concitato* op. 54, 1968; *Impromptu visionario* op. 69, 1972; Konzert für Org. und Streichorch. op. 24, 1962), Kammermusik (6 Streichquartette: op. 19, 1961, op. 29, 1963, op. 53, 1968, op. 58, 1969, op. 61, 1970, und op. 67, 1972; *Dialoger* für Fl. und Klar. op. 18, 1960), Klavierstücke, Orgelwerke (*Toccata concertante* I op. 3, 1954, II op. 55, 1968, und III op. 62 Nr 1, 1970; *De sungen drei Engel*, 10 Choralveränderungen op. 63, 1970), *Rex gloriae*, 4 Gesänge für Singst. und Org. op. 59 (1969), *Fem sånger* (»5 Gesänge«) für Singst. und Kl. (1971) und Chöre.

Schoener, Eberhard, * 13. 5. 1936 zu Stuttgart; deutscher Dirigent und Komponist, studierte an der Nordwestdeutschen Musikakademie in Detmold (Varga) und ab 1957 an der Accademia Musicale Chigiana in Siena. Er ist seit 1962 Chefdirigent des Münchner Jugendsinfonieorchesters, außerdem seit 1965 künstlerischer Leiter der Münchner Kammeroper und seit 1970 Leiter des Experimentalstudios für Elektronische Musik in der Bavaria-Ateliergesellschaft in München. 1964–69 war er auch Musikalischer Oberleiter der Bayerischen Opernbühne. Sch. hat eine Reihe Auftragskompositionen ausgeführt, u. a. für die Weltausstellung 1970 in Osaka, für das Schauspielhaus Düsseldorf zu Shakespeares »Sommernachtstraum« (Regie Ponnelle), für die Berliner Bachtage 1971 und für den Spielfilm *Trotta* von Johannes Schaaf (1971).

Schönheit, Walter, * 27. 5. 1927 zu Erfurt; deutscher Chorleiter und Organist, studierte 1947–49 an der Musikhochschule in Weimar und wurde 1949 als Organist und Kantor an die Johanniskirche in Saalfeld berufen (1953 Kirchenmusikdirektor). Er leitet mehrere Kirchenchöre, darunter die Thüringer Sängerknaben, mit denen er seit 1952 in Konzerten sowie im Rundfunk und Fernsehen auftritt. An der Fr.-Liszt-Hochschule in Weimar ist Sch. seit 1961 Lehrer für Chorleitung, Orchesterdirigieren und Partiturspiel. Er schrieb den Beitrag *Romantik in der Kirche? J. Brahms* (in: Credo musicale, Fs. R. Mauersberger, Kassel 1969).

+Schönherr, Max, * 23. 11. 1903 zu Marburg (Maribor, Slowenien); Bruder von Wilhelm Sch. Sch., 1952 zum (österreichischen) Professor ernannt, dirigierte das große Rundfunkorchester an Radio Wien bis 1969. Er promovierte 1973 an der Wiener Universität mit einer Arbeit über *C. M. Ziehrer*. 1968 wurde er zum Ehrenmitglied der J. Strauß-Gesellschaft in Wien ernannt. – Neuere Kompositionen: die Operet-

ten *Deutschmeisterkapelle* (Wien 1958) und *Bombenwalzer* (Bayerischer Rundfunk München 1968), das Kindermusical *Flori Quietschvergnügt* (Wien 1958); zahlreiche Suiten (u. a. *Wiener Tagebuch*, 1960; *Slawisches Panorama*, 1961; *Festa musicale*, 1966) und Ouvertüre *Das Mädl aus der Vorstadt* (1961) für Orch.; Concertino für Kl. und Orch. (1964). Er schrieb auch Orchesterbearbeitungen nach Werken von L. Fall, J. Hellmesberger, Fr. Lehár, J. Offenbach, O. Straus, Joh. und Jos. Strauß sowie C. M. Ziehrer. – Veröffentlichungen: +*J. Strauß Vater. Ein Werkverzeichnis* (mit K. Reinöhl, = Das Jahrhundert des Walzers I, Wien 1954 [del. frühere Angaben]); *Inventar des C. M. Ziehrer-Archives in der Musiksammlung und Theatersammlung der Österreichischen Nationalbibliothek in Wien* (ebd. 1969); *Fr. Lehár. Bibliographie zu Leben und Werk* (ebd. 1970, Auszug in: ÖMZ XXV, 1970, S. 330ff.); *Der »Gasteiner Walzer« von Johann Strauß* (ÖMZ XIX, 1964); verschiedene Beiträge über den Walzer *An der schönen blauen Donau* (ÖMZ XXII, 1967 – XXIII, 1968). Er edierte L. Boccherinis *La musica notturna di Madrid* (London 1962) und war auch Mitarbeiter bei den vorliegenden Ergänzungsbänden dieses Lexikons.
Lit.: E. HILMAR in: Mitt. d. Steirischen Tonkünstlerbundes 1964, Nr 17/18, S. 1ff.

+**Schönherr**, Wilhelm, * 4. 8. 1902 zu Marburg (Maribor, Slowenien); Bruder von Max Sch.
Sch., der seit Mitte der 60er Jahre im Ruhestand in München lebt, wurde 1963 zum (österreichischen) Professor ernannt.
Lit.: E. HILMAR in: Mitt. d. Steirischen Tonkünstlerbundes 1964, Nr 17/18, S. 1ff.

Schönstedt, Friedrich Wilhelm Arno Paul Max, * 12. 9. 1913 zu Sondershausen (Thüringen); deutscher Kirchenmusiker, studierte ab 1935 am Kirchenmusikalischen Institut in Leipzig bei Ramin, J. N. David und C. A. Martienssen; es folgten 1938 private Studien bei K. Straube und 1940 bei Karl Heitmann in Berlin. 1938 wurde er Kantor und Organist an St. Matthäi und 1945 an St. Thomas in Leipzig. 1947 erfolgte seine Berufung als Organist an das Münster in Herford (1948 Kirchenmusikdirektor), verbunden mit einer Dozentur an der Westfälischen Landeskirchenmusikschule. Zahlreiche Konzertreisen führten ihn ins europäische Ausland sowie in die USA und nach Kanada. 1974 wurde er zum Professor ernannt. Er veröffentlichte: *Alte Westfälische Orgeln* (= Schriftenreihe der Westfälischen Landeskirchenmusikschule V, Gütersloh 1953).

Schönzeler, Hans-Hubert, * 22. 6. 1925 zu Leipzig; britischer Dirigent und Musikforscher deutscher Herkunft, lebt in London. Er studierte 1946–49 am N. S. W. State Conservatorium of Music in Sydney (Dirigieren bei E. Goossens), 1949–52 privat bei R. Kubelík und 1953–54 am Pariser Conservatoire (Diplom in Dirigieren 1954). Außerdem absolvierte er Dirigierkurse in Hilversum bei C. Zecchi und an der Accademia Musicale Chigiana in Siena bei P. van Kempen. Er wirkte u. a. als Dirigent und musikalischer Berater der Londoner Music in Miniature Films Ltd. (1956–62), als Chefdirigent des Twentieth Century Ensemble in London (1957–62) und als stellvertretender Chefdirigent des West Australian Symphony Orchestra in Perth (ab 1967). Gegenwärtig tritt Sch. als Gastdirigent bei europäischen, australischen und kanadischen Orchestern und Rundfunkstationen auf und hält auch Vorlesungen über deutsche Musik. Neben einigen Kompositionen (*Three Sketches*, 1951, auch *Variations satyriques*, 1962, für Kl.; Sonate für Va und Kl., 1969; *Tristesse*, 5 Lieder nach Texten von Verlaine,

1969) schrieb er eine Biographie über *Bruckner* (= Illustrated Calderbook Bd 148, London 1970, auch = Library of Composers III, NY 1970).

+**Schofield**, Bertram, * 13. 6. 1896 zu Southport (Lancashire).
Sch., der heute in Oxford lebt, trat 1961 als Keeper of MSS. des British Museum in den Ruhestand.

+**Scholes**, Percy Alfred, 1877–1958.
+*Everyman and His Music. Simple Papers on Varied Subjects* (1917), Nachdr. = Essay Index Reprint Series o. Nr, Freeport (N. Y.) 1969; +*The Listener's Guide to Music* (1919, ¹⁰1942), auch = Oxford Paperbacks XXII, London 1961; +*The Puritans and Music* [erg.:] *in England and New England* (1934), Nachdr. NY 1962; +*The Oxford Companion to Music* (1938 [nicht: 1936], ⁹1955), 10. Aufl. hrsg. von J. O. Ward, London 1970; +*The Great Dr. Burney* (1948), Nachdr. Westport (Conn.) 1971; +*The Concise Oxford Dictionary of Music* (1952), 2. Aufl. hrsg. von J. O. Ward, London 1964. – Seinem Schriftenverzeichnis ist die bedeutsame Veröffentlichung *The Mirror of Music, 1844–1944. A Century of Musical Life in Britain as Reflected in the Pages of the »Musical Times«* nachzutragen (2 Bde, London 1948, Nachdr. Freeport/N. Y. 1970). Posthum erschien seine Edition von *Burney's Musical Tours in Europe* (2 Bde, London 1959).

+**Schollum**, Robert, * 22. 8. 1913 zu Wien.
Sch. wirkt seit 1959 als Professor an der Akademie für Musik und darstellende Kunst in Wien (seit 1971/72 als ordentlicher Hochschulprofessor); 1965–69 war er Präsident des Österreichischen Komponistenbundes. 1961 erhielt er den österreichischen Staatspreis für Komposition, 1971 den Preis der Stadt Wien. – Weitere Werke: insgesamt 5 Symphonien (op. 50, 1953–55; op. 60, 1955–59; op. 67, 1962; op. 74, 1967; op. 77, 1969), 8 *Augenblicke* op. 54c (1956–58), *Spiele* op. 82 (1970) und *Rufe* op. 90 (1972) für Orch., *Konturen* für Streichorch. op. 59b (1958), *Gespräche* für Kammerorch. op. 62 (1959); Violinkonzert op. 65 (1961); *Oktett in 8 Skizzen* op. 63 (1959), 5 Stücke für Bläserquintett op. 83 (1970), 2 Streichquartette (op. 40, 1949; op. 72, 1966), *Mosaik* für Ob., Schlagzeug und Kl. op. 75 (1967), Konzertstück *Die Ameisen* für Vc. und Kl. op. 93 (1974); *Psalm 122* für Chor und Orch. op. 58b (1957), *Psalm-Kommentare* für gem. Chor und Instr. op. 80 (1969), Chorfantasie für Soli, Chor, Kl. und Orch. op. 86 (nach Dante, 1971); Lieder, Spielmusiken. – Er veröffentlichte: *Musik in der Volksbildung* (= Schriften zur Volksbildung des Bundesministeriums für Unterricht X, Wien 1962); *E. Wellesz* (= Österreichische Komponisten des XX. Jh. II, ebd. 1964); *Die Wiener Schule. Entwicklung und Ergebnis* (ebd. 1969); *Das kleine Wiener Jazzbuch* (mit J. Fritz u. a., Salzburg 1970); *Singen als menschliche Kundgebung. Einführung in die Arbeit mit den »Singblättern zur Musikerziehung«* (Wien 1970); *Anmerkungen zur Liedgestaltung bei Beethoven* (in: Beethoven-Almanach 1970, hrsg. von E. Tittel, = Publ. der Wiener Musikhochschule IV, ebd.); *Stilistische Elemente der frühen Webern-Lieder* (Webern-Kgr.-Ber., =Beitr. 1972/73, Kassel 1973); zahlreiche Beiträge in »Musikerziehung« und ÖMZ.
Lit.: H. VOGG in: ÖMZ XI, 1956, S. 116f.; W. SZMOLYAN, Neue Werke v. R. Sch., ÖMZ XXVIII, 1973.

Scholtz, Friedrich (Fjodor Jefimowitsch Scholz), * 5. 10. 1787 zu Gernstadt (Schlesien), † 15. 10. 1830 zu Moskau; deutsch-russischer Komponist und Dirigent, begann 1802 ein Architekturstudium in Breslau und studierte dort gleichzeitig Komposition bei J. Schnabel. 1811 erhielt er in St. Petersburg in der zaristischen

Hofkapelle die Stelle eines Kapellmeisters. Er übersiedelte 1815 nach Moskau und war dort von 1820 bis zu seinem Tode Kapellmeister am Bolschoj Teatr. Sch. schrieb (teilweise u. a. mit Aljabjew und Werstowskij) die Musik zu Vaudevilles (*Wolschebnaja flejta*, »Die Zauberflöte«, 1821; *Prodaschnaja odnokolka*, »Der verkäufliche Wagen«, 1823), zu Balletten (*Ruslan i Ludmila*, nach Puschkin, Moskau 1821, das erste russische Nationalballett; *Tri talismana*, »3 Talismane«, 1823; *Tri pojassa, ili Russkaja Sandriljona*, »3 Gürtel oder die russische Sandriljona«, 1826; *Polifem, ili Torschestwo Galatei*, »Polyphem oder Das Fest der Galatea«, 1829; *Don Schuan*; *Rasbojniki Sredisemnowo Morja*, »Mittelmeerpiraten«) und zu anderen Bühnenwerken sowie Instrumentalmusik.
Lit.: W. Uschakow in: Sewernaja ptschela 1830, Nr 150 (Nekrolog); B. Steinpress, Stranizy is schisni A. A. Aljabjewa (»Blätter aus d. Leben v. ...«), Moskau 1956, S. 148ff.

Scholz, Bernd, * 28. 2. 1911 zu Neustadt (Oberschlesien); deutscher Komponist von Unterhaltungsmusik, lebt in Schliersee (Oberbayern). Er studierte an der Akademie für Kirchen- und Schulmusik in Berlin (Examen 1935) und ist seitdem freischaffend für Rundfunk (Hörspielmusik), Film und Fernsehen tätig. Von seinen zahlreichen Kompositionen seien genannt: *Concertante Musik* für 22 Bläser (1954); *Possenspiel-Ouvertüre*; *Iberiana-Suite*; *Japanisches Konzert* für Git. und Orch.; *Drei Capricen* und Konzert für Kl. und Orch.; *Canciones del Alto Duero* für S. und Git. (nach Texten von Antonio Machado); *Schwarzes Liederbuch* für S. und Git. (nach Texten farbiger Dichter); Musik zu den Filmen *Nanga Parbat* (1935) und *Kampf um den Himalaja* (1937).

+Scholz, −1) Bernhard [erg.:] Ernst, 1835–1916. −2) Hans (Johann), 1879 – [erg.: 20. 10.] 1953.
Lit.: zu −1): J. Bittner, Die Klaviersonaten E. Francks ... u. anderer Kleinmeister seiner Zeit, 2 Bde, Diss. Hbg 1968.

+Scholz, Erwin Christian, * 6. 8. 1910 zu Wien. Sch., 1969 zum außerordentlichen Hochschulprofessor ernannt, wirkt u. a. an der Hochschule für Musik und darstellende Kunst in Wien als Leiter der Abteilung Musikpädagogik. Außer mit weiterem kompositorischen Schaffen ist er besonders mit klavierpädagogischen Werken hervorgetreten.

Scholz, Martin, * 15. 4. 1911 zu Eisenberg (Thüringen); deutscher Klavierbauer, erhielt seine Ausbildung 1925–32 in Eisenberg und Bremen und wandte sich danach dem Bau historischer Tasteninstrumente zu. 1932–39 und 1946–48 war er bei der Klavierbaufirma Ammer, 1939–43 als Restaurator am Staatlichen Musikinstrumentenmuseum Berlin tätig; 1948–55 betreute er die Sammlung W. Rück in Nürnberg und ist seitdem Leiter der Werkstatt für historische Tasteninstrumente bei Hug & Co. in Basel.

Schonberg (ʃɔnbɔːg), Harold C., * 29. 11. 1915 zu New York; amerikanischer Musikkritiker, studierte am Brooklyn College in New York (B. A. 1937) und an der New York University (M. A. 1938). 1946–50 war er Musikkritiker bei der »New York Sun«; seit 1950 ist er bei der »New York Times« (1960 Hauptkritiker) tätig. Er ist Mitarbeiter bei einer Reihe von amerikanischen Zeitschriften und Zeitungen. 1971 erhielt er den Pulitzer-Preis für Kritik. – Veröffentlichungen (Auswahl): *Chamber and Solo Instrument Music* (= The Guide to Longplaying Records III, NY 1955); *The Collector's Chopin and Schumann* (NY 1959); *The Great Pianists* (NY 1963, deutsch = Das moderne Sachbuch LXIII, Bern 1965); *The Great Conductors* (NY 1967, London 1968, deutsch Bern 1970, auch = List Taschenbücher XXXIX, München 1973); *The Lives of the Great Composers* (NY 1970, ital. Mailand 1972).

Schonsleder, Wolfgang, SJ, * 21. 10. 1570 zu München, † 17. 12. 1651 zu Hall in Tirol; deutscher Gelehrter, studierte ab 1587 an der Universität Ingolstadt, trat 1590 in den Jesuitenorden ein, lehrte 1596–97 an der Universität Dillingen, dann am Kolleg in München Rhetorik und klassische Sprachen und war ab 1628 im Kolleg von Wildenau (Oberpfalz) und ab 1648 im Kolleg von Hall in Tirol. Neben Lexika und Sprachlehrbüchern schrieb er unter dem Namen Volupius Decorus das Lehrbuch *Architectonice musices universalis* (Ingolstadt 1631, ²1684; Kompositionslehre mit Beispielen und Verzierungsanleitungen).
Lit.: M. Wittwer, Die Musikpflege im Jesuitenorden, Diss. Greifswald 1934; G. Pietzsch, Zur Pflege d. Musik an d. deutschen Univ. bis zur Mitte d. 16. Jh., AfMf VI, 1941; H. Chr. Wolff, Die Musik d. alten Niederländer (15. u. 16. Jh.), Lpz. 1956; W. Boetticher, O. di Lasso u. seine Zeit, Bd I, Kassel 1958; R. Dammann, Der Musikbegriff im deutschen Barock, Köln 1967.

Schoof, Manfred, * 6. 4. 1936 zu Magdeburg; deutscher Jazzmusiker (Trompete, Komposition, Orchesterleitung), besuchte 1955–57 die Musikakademie in Kassel und 1958–63 die Musikhochschule in Köln. 1963–64 spielte er in verschiedenen Jazzformationen in Köln und war als Arrangeur für Rundfunkorchester, u. a. für Kurt Edelhagen, tätig. 1964 gründete er das M.-Sch.-Quintett (Gerd Dudek, A. v. Schlippenbach, Buschi Niebergall, J. Liebezeit), das bis 1969 bestand und zu den avantgardistischen Jazzensembles Deutschlands gehörte. M. Sch. wirkte bei zahlreichen Aufführungen zeitgenössischer Werke mit, u. a. in B. A. Zimmermanns Oper *Die Soldaten* und im Requiem sowie in Schullers *The Visitation* (mit Albert Mangelsdorff). Er gilt als der bedeutendste deutsche Free Jazz-Musiker. – Aufnahmen: *Voices* (CBS); *Glockenbär* (Wergo); *Jazzepisoden der Oper Die Soldaten*; *European Echoes* (FMP 0010, 1969); *Globe Unity* (MPS, 1966); *German Allstars in Südamerika* (CBS).

+Schop, Johann, um 1590 – [erg.: im Sommer] 1667.
Ausg.: eine Courante in: Nld. klaviermuziek uit de 16ᵉ en 17ᵉ eeuw, hrsg. v. A. Curtis, = Monumenta musica Neerlandica III, Amsterdam 1961.

+Schopenhauer, Arthur, 1788–1860.
Ausg.: Werke, kritisch bearb. v. W. Freiherr v. Löhneysen, Bd I–V, Stuttgart u. Ffm. 1960–65, revidiert ²1968.
Lit.: Jb. d. Sch.-Ges., Bd I–XXXI, 1912–44, ab Bd XXXII, 1948, als: Sch.-Jb. (in XXXVII, 1956: A. Hübscher, Sch. u. Wagner). – W. Roth, Sch.s Metaphysik d. Musik u. sein mus. Geschmack, ihre Entwicklung u. ihr wechselseitiges Verhältnis, Diss. Mainz 1921; G. Boni, L'arte mus. nel pensiero di Sch., = Manifestazioni culturali ... o. Nr, Rom 1954; P. Lorenz, Sch. als Wagner-Kritiker, ÖMZ XII, 1957; F. Viscidi, Il problema della musica nella filosofia di Sch., Padua 1959; J. G. W. Gielen, Muziek en lit. bij Sch., Mallarmé en Wagner: Mens en melodie XV, 1960; H. Hartmann, Sch. u. d. Musikphilosophie, in: Musica XIV, 1960; G. Becerra Schmidt, Algunas analogías entre el pensamiento de Sch. y el romanticismo mus., Anales de la Univ. de Chile CXIX, 1961; U. A. Padovani, Wagner e Sch., in: Sophia XXIX, 1961; J. Mittenzwei, Die Metaphysik d. Musik in Sch.s »Welt als Wille u. Vorstellung«, in: Das Mus. in d. Lit., Halle (Saale) 1962; M. Vogel, Apollinisch u. Dionysisch, = Studien zur Mg. d. 19. Jh. IV, Regensburg 1966; G. Epperson, The Mus. Symbol. A Study of the Philosophic Theory of Music, Ames (Ia.) 1967; C. Rosset, Sch., philosophie de l'absurde, Paris 1967; E. Sans, R. Wagner et la pensée sch.ienne, ebd. 1969; C. Dahlhaus, Wagners Konzeption d. mus. Dramas, = Arbeitsgemeinschaft »100 Jahre Bayreuther Festspiele« V, Regensburg 1971.

Schornburg, Heinrich, * 1533 zu Echteld oder Tiel (Diözese Utrecht), † 1596 zu (Bad) Schwalbach (Taunus); deutscher Musiktheoretiker, studierte 1566 an der Universität Krakau und 1567 in Basel. Er lehrte ab 1570 in Köln, wo er noch Medizin studierte und ab 1583 als Professor der Medizin wirkte. Neben astronomischen und geometrischen Arbeiten veröffentlichte er eine mathematisch orientierte Musikabhandlung *Elementa musica* (Köln 1582), in der vor allem die Monochordeinteilung dargelegt wird.

Lit.: H. Hüschen, Der Kölner Arzt H. Sch. u. seine Musikabh., Fs. Fr. Blume, Kassel 1963.

+**Schorr,** Friedrich, 1888–1953.

Lit.: Le grandi v., hrsg. v. R. Celletti, = Scenario I, Rom 1964, Sp. 740ff. (mit Diskographie v. R. Vegeto); D. Shaw-Taylor in: Opera XVI, (London) 1965, S. 323ff.

+**Schosland,** Wilhelm, * 6. 3. 1896 zu Berlin.

An der Bundes-Lehrer-Akademie Feldkirch (Vorarlberg) unterrichtete er bis 1961; bis zum selben Jahr war er auch Dirigent des Bregenzer Festspielchores. Neben seiner Tätigkeit als Chordirektor an der Stadtpfarrkirche in Bregenz wirkte er ab 1962 als Lektor für Harmonielehre, Kontrapunkt und Generalbaß an der Universität Innsbruck. 1965 wurde er zum Kirchenmusik-Referenten für Vorarlberg ernannt.

+**Schostakowitsch,** Dmitrij Dmitrijewitsch, * 12. (25.) 9. 1906 zu St. Petersburg.

Sch.s neuere Werke weisen wieder stärker auf die Frühzeit seines Schaffens zurück als die in den späten 30er Jahren einsetzende Werkgruppe. Das »autobiographische« 8. Streichquartett op. 110 (1960) verdeutlicht diese Rückbeziehung auch durch Zitate aus früheren Werken (u. a. aus der 1. Symphonie und aus der Oper *Lady Macbeth* . . .). Die Entwicklung aller Sätze eines zyklischen Werkes aus einem Motiv (in op. 110 Sch.s Initialen: DEsCH) oder aus nah verwandten Motiven sowie die Tendenz, die Sätze ineinander übergehen zu lassen, bewirken eine Konzentration der großen Formen von Kammer- und Orchestermusik. Starke, über das Musikalische hinausreichende Wirkung übten die 12. (*1917 god* op. 112, 1961) und 13. Symphonie (dem Andenken Lenins, op. 113, 1962) aus, die allerdings 1963 umgearbeitet werden mußte. – Zu seinen Schülern gehören u. a. A. Balantschiwadse, K. Karajew, B. Tschaikowsky und K. Chatschaturjan.

Berichtigungen zu den früheren Werkangaben: die Oper *Lady Macbeth Mzenskowo ujesda* (nach Leskow, 1930–32, Leningrad 1934, Neufassung als *Katerina Ismajlowa* op. 114, Moskau 1962; die Operette *Moskwa, Tscherjomuschki* op. 105 (ebd. 1959 [nicht: 1957]); 3. Symphonie *Perwomajskaja* (»Zum 1. Mai« E moll op. 20 (1929 [nicht: 1931]), 4. Symphonie C moll op. 43 (1936, Moskau 1962), 11. Symphonie *1905 god* (»Das Jahr 1905«) G moll op. 103 (1957, ohne Chor); 2. Klaviertrio op. 67 (1944 [nicht: 1946]). – Weitere Werke: Symphonien Nr 12–15 (*1917 god*, »Das Jahr 1917«, op. 112, 1961; D moll für B., Männerchor und Orch. op. 113, 1962, nach Gedichten von Je. Jewtuschenko, revidiert 1963, dem Andenken Lenins; für S., B., Streichorch. und Schlagzeug op. 135, nach Gedichten von Apollinaire, García Lorca, W. Küchelbeker und Rilke, 1969, B. Britten gewidmet; op. 141, 1971), Festouvertüre op. 96 (1954), Ouvertüre über russische und kirgisische Themen (1963), Praeludium op. 130 (1967, dem Andenken des Helden aus der Schlacht bei Stalingrad) und die symphonische Dichtung *Oktjabr* op. 132 (»Oktober«, 1967) für Orch.; 2. Violinkonzert op. 129 (1967), 2 Cellokonzerte (op. 107, 1959; op. 126, 1966); mittlerweile insgesamt 14 Streichquartette (op.

49, 1938; op. 68, 1944; op. 73, 1946; op. 83, 1949; op. 92, 1952; op. 101, 1956; op. 108, 1960; *Dresden* op. 110, 1960; op. 117, 1963; op. 118, 1964; op. 122, 1965; op. 133, 1968; op. 138, 1970; op. 142, 1973), Violinsonate op. 134 (1968); Kantate *Kasn Stepana Rasina* (»Die Hinrichtung Stenka Rasins«) für B., gem. Chor und Orch. op. 119 (nach Texten von Je. Jewtuschenko, 1964); Zyklus *Wernost* (»Treue«) für Männerchor a cappella op. 136 (1970); ferner Lieder (5 op. 121, 1965; 7 für S., V., Vc. und Kl. op. 127, A. Blok, 1967; *Wesna, wesna*, »Frühling, Frühling«, op. 128, Puschkin, 1967; 6 op. 143, Maria Zwetajewa, 1974) und Filmmusik (*Junost Marxa*, »Die Jugend von Marx«, op. 120, 1965; *Korol Lir*, »King Lear«, op. 137, 1970). – Sch. verfaßte u. a. (hier nur ins Deutsche übersetzte Beiträge genannt): *Einige aktuelle Fragen des Musikschaffens* (MuG VI, 1956); *Die Musik kennen und lieben* (MuG X, 1960); *Die Berufung des Komponisten* (in: Sowjetwissenschaft, Kunst und Literatur X, 1962); *Merkmale der Gegenwart in der Musik* (ebd.); *Gedanken über den zurückgelegten Weg* (in: Musik in der Schule XIII, 1962); *Musik und Zeit* (ÖMZ XX, 1965); *Oper. Das ist vor allem Musik* (MuG XV, 1965). In der →+Prokofjew-GA gab Sch. die Bände VI–XI heraus.

Lit.: Dm. Dm. Sch., Notografitscheskij sprawotschnik (»Werkverz.«), hrsg. v. Je. L. Sadownikow, Moskau 1961, erweitert (durch eine Bibliogr.) ²1965. – Tscherty stilja Dm. Sch.a (»Stileigenheiten bei Sch.«), hrsg. v. L. G. Berger, ebd. 1962; Dm. Sch., hrsg. v. G. Sch. Ordschonikidse u. a., ebd. 1967. – Aufsatzfolgen in: MuG XVI, 1966, H. 9, u. in: SM XXX, 1966, H. 9. – +I. I. Martynow, Dm. Sch. (1946), = Bibl. chudoschestwennaja samodejatelnost XXXIII, Moskau ²1956 u. 1962, Nachdr. d. +engl. Ausg. (1947) NY 1969 u. Westport (Conn.) 1970, ungarisch Budapest 1965; +D. A. Rabinowitsch, Dm. Sch. (1959 [nicht: 1950]). – M. Dm. Sabinina, Dm. Sch., Moskau 1959, usbekisch Taschkent 1965; H. Pezold, Aus d. Leben u. Schaffen d. Komponisten Dm. Sch., in: Musik in d. Schule XI, 1960; H. A. Brockhaus, Dm. Sch., = Musikbücherei f. jedermann XXI, Lpz. 1962, 2. Aufl. = Reclams Universal-Bibl. Bd 9046–48C, Lpz. 1963 (mit Ausw. v. Aufsätzen Sch.s); R. Hofmann, D. Chostakovitch, = Musiciens de tous les temps I, Paris 1963; L. W. Danilewitsch, Nasch sowremennik . . . (»Unser Zeitgenosse. Das Schaffen Sch.s«), Moskau 1965; K. Laux, Dm. Sch., Chronist seines Volkes, = Beitr. zur Kulturpolitik o. Nr, Bln 1966; St. Lazarov, Dm. Sch., Sofia 1967; N. F. Kay, Shostakovich, = Oxford Studies of Composers VIII, London 1971; E. Ochs in: Musik in d. Schule XXII, 1971, S. 359ff.; Krz. Meyer, Szostakowicz, Krakau 1973. – S. M. Chentowa, Sch., pianist, Leningrad 1964.

A. N. Dolschanskij in: SM XXIII, 1959, H. 10, S. 95ff. (zur mus. Ausdrucksform); B. Budrin in: Woprossy musykalnoj formy I, hrsg. v. Wl. W. Protopopow, Moskau 1966, S. 181ff. (zu Variationszyklen in Sch.s Schaffen); D. Gojowy, Moderne Musik in d. Sowjetunion bis 1930, Diss. Göttingen 1966; T. Souster, Shostakovich at the Crossroads, in: Tempo 1966, Nr 78; W. Wl. Wanslow, Twortschestwo Sch.a (»Sch.s Schaffen«), = Nowoje w schisni, nauke, technike VI, 10, Moskau 1966; L. A. Masel, Über d. Stil Dm. Sch.s, BzMw IX, 1967; Krz. Meyer in: Polsko-rosyjskie miscellanea muzyczne, hrsg. v. Z. Lissa, Krakau 1967, S. 265ff. (zu Fragen d. thematischen Materials); Ws. Ws. Saderazkij, Polifonija w instrumentalnych proiswedenijach Dm. Sch.a (»Polyphonie in d. Instrumentalwerken v. Dm. Sch.«), Moskau 1969; E. Denissow in: Res facta IV, (Krakau) 1970, S. 118ff. (zur Instrumentation); A. Zuker, Tema naroda u Sch.a i tradizii Mussorgskowo (»Das Volksthema bei Sch. u. d. Traditionen Mussorgskijs«), in: Woprossy teorii i estetiki musyki X, hrsg. v. L. N. Raaben, Leningrad 1971. – G. Zàccaro in: Il convegno mus. II, 1965, Nr 3/4, S. 81ff., T. Leje in: SM XXXII, 1968, H. 9, S. 34ff., W. Ju. Delson in: Woprossy musykalno-ispolnitelskowo iskusstwa V, hrsg. v. A. A. Nikolajew, Moskau 1969, S. 193ff., u.

A. Gentilucci in: nRMI IV, 1970, S. 445ff. (zum jungen Sch.).
Istorija russkoj sowjetskoj musyki, hrsg. v. A. Dm. Alexejew u. W. A. Wassina-Grossman, Bd I–IV, Moskau 1956–63. – G. Wl. Grigorjewa in: Musyka i sowremennost III, hrsg. v. T. A. Lebedewa, ebd. 1965, S. 68ff., L. Bubennikowa in: SM XXXVII, 1973, H. 3, S. 43ff., u. A. Bretanizkaja in: SM XXXVIII, 1974, H. 9, S. 47ff. (alle zu »Die Nase«); M. Cooper in: Opera XIV, (London) 1963, S. 794ff., K. Sakwa in: SM XXVII, 1963, H. 3, S. 57ff. (deutsch in: MuG XIII, 1963, S. 428ff.), W. P. Bobrowskij in: SM XXVIII, 1964, H. 4, S. 45ff., H.-P. Müller, Bemerkungen zu ..., = Studien I, 1965 (Beilage zu »Theater d. Zeit« XX, 1965, Nr 21), N. A. Schumskaja in: Musyka i sowremennost III, hrsg. v. T. A. Lebedewa, Moskau 1965, S. 104ff., E. L. Frid in: SM XXXI, 1967, H. 12, S. 70ff., P. Slatagorow, ebd. H. 5, S. 60ff. (ungarisch in: Magyar zene VIII, 1967, S. 519ff.), A. Bogdanowa, »Katerina Ismajlowa« Dm. Dm. Sch.a, Moskau 1968, u. M. Tscherkaschina in: SM XXXV, 1971, H. 6, S. 62ff. (alle zu »Katerina Ismajlowa«); M. Dm. Sabinina, »Moskwa, Tscherjomuschki«, SM XXIII, 1959, deutsch in: Sowjetwiss., Kunst u. Lit. VII, 1959, S. 774ff.
Wl. A. Frumkin in: Woprossy musykosnanija III, hrsg. v. Ju. Ws. Keldysch u. A. St. Ogolewez, Moskau 1960, S. 1ff. (zu Besonderheiten d. Sonatenform in d. Symphonien); L. A. Masel, Simfonii Dm. Dm. Sch.a. Putewoditel (»Ein Führer«), ebd. 1960; Ders. in: Musykalno-teoretitscheskije problemy sowjetskoj musyki, hrsg. v. S. S. Skrebkow, = Trudy kafedry teorii musyki o. Nr, ebd. 1963, S. 60ff. (zu Sonatenform u. Zyklen in d. großen Symphonien); W. P. Bobrowskij in: Musyka i sowremennost I, hrsg. v. T. A. Lebedewa, ebd. 1962, S. 149ff. (zur Umgestaltung d. Gattung d. Passacaglia in d. Sonaten- u. Symphoniezyklen); Ders., ebd. III, 1965, S. 32ff., u. V, 1967, S. 38ff. (zur Programmatik d. symphonischen Werks); H. A. Brockhaus, Die Sinfonik Dm. Sch.s, Diss. Bln 1962 (HU); M. Dm. Sabinina, Simfonism Sch.a. Put k srelosti (»Entwicklung zur Reife«), Moskau 1965; B. M. Jarustowskij, Simfonii o wojne i mire (»Die Symphonien über Krieg u. Frieden«), ebd. 1966; Vl. Karbusický in: Hudební rozhledy XXIII, 1970, S. 466ff. (zu d. Vokalsymphonien); G. A. Orlow, Simfonism Sch.a na perelome (»Sch.s Symphonieschaffen am Wendepunkt«), in: Woprossy teorii i estetiki musyki X, hrsg. v. L. N. Raaben, Leningrad 1971. – Sowjetskaja simfonija sa 50 let, hrsg. v. G. Gr. Tigranow, ebd. 1967 (darin zur 1., 5., 7. u. 10.–13. Symphonie). – A. G. Schnitke in: Musyka i sowremennost IV, hrsg. v. T. A. Lebedewa, Moskau 1966, S. 127ff., u. Kl. Körner in: AfMw XXXI, 1974, S. 116ff. (zur 4. Symphonie); E. Fresenius in: Musik in d. Schule XVI, 1965, S. 449ff., u. H. Pezold, ebd. S. 356ff. (zur 7. Symphonie); L. N. Lebedinskij, Sedmaja i odinnadzataja simfonii Dm. Sch.a (»Die 7. u. 11. Symphonie« v. Dm. Sch.), = W pomoschtsch sluschateljam narodnych uniwersitetow kultury o. Nr, Moskau 1960; T. Lewaja in: Musyka i sowremennost V, hrsg. v. T. A. Lebedewa, ebd. 1967, S. 3ff. (zur 9. Symphonie); Snatschitalnoje jawlenie sowjetskoj musyki (»Eine bedeutende Erscheinung d. sowjetischen Musik«), SM XVIII, 1954, H. 6, S. 119ff. (deutsch in: Sowjetwiss., Kunst u. Lit. II, 1954, tschechisch in: Hudební rozhledy VII, 1954, S. 778ff.), B. M. Jarustowskij in: SM XVIII, 1954, H. 4, S. 8ff., u. Ju. Kremljow in: SM XXI, 1957, H. 4, S. 74ff., vgl. dazu A. A. Nikolajew, ebd. H. 6, S. 84ff., bzw. Ju. Kremljow, ebd. H. 10, S. 89ff. (alle zur 10. Symphonie); L. W. Danilewitsch in: SM XXI, 1957, H. 12, S. 4ff., A. N. Dolschanskij in: SM XXII, 1958, H. 3, S. 29ff., Ju. Ws. Keldysch, ebd. S. 36ff., L. N. Lebedinskij, ebd., H. 1, S. 42ff. (deutsch in: Sowjetwiss., Kunst u. Lit. VI, 1958, S. 415ff.), I. Popow in: Sowjetwiss., Kunst u. Lit. VI, 1958, S. 51ff., u. Wl. W. Protopopow, O jedinstwe zikla w odinnadzatoj simfonii »1905 god« Dm. Dm. Sch.a (»Über d. zyklische Einheit in d. 11. Symphonie ,Das Jahr 1905' v. Dm. Sch.«), in: Soobschtschenija instituta istorii iskusstw Akademii Nauk SSSR XV, Moskau 1959 (alle zur 11. Symphonie); G. Rienäcker u. V. Reising, Die 11. u. 12. Sinfonie v. Dm. Sch., Einführungsmaterial f. Kulturfunktionäre, Bln

1970; L. W. Danilewitsch in: SM XXV, 1961, H. 11, S. 10ff. (deutsch in: Sowjetwiss., Kunst u. Lit. X, 1962, S. 425ff.), H. Brock in: MuG XII, 1962, S. 555ff., K. Schönewolf in: Musik in d. Schule XIII, 1962, S. 151ff., u. I. W. Belezkij, Dwenadzataja simfonija Dm. Dm. Sch.a »1917 god« (»Die 12. Symphonie ,Das Jahr 1917' v. Dm. Sch.«), Moskau 1964 (alle zur 12. Symphonie); H. Lindlar, Spätstil?, SMZ CXIII, 1973 (zur 13.–15. Symphonie); L. W. Danilewitsch in: SM XXXIV, 1970, H. 1, S. 14ff., u. M. Dm. Sabinina, ebd., H. 9, S. 22ff. (zur 14. Symphonie); Ju. S. Korew in: SM XXXVI, 1972, H. 9, S. 8ff., u. H.-P. Müller in: MuG XXII, 1972, S. 714ff. (zur 15. Symphonie). – W. A. Wassina-Grossman in: SM XXI, 1957, H. 10, S. 28ff. (deutsch in: Sowjetwiss., Kunst u. Lit. VI, 1958, S. 55ff.), u. I. Postnikow, Wtoroj fortepiannyj konzert Sch.a, Moskau 1959 (zum 2. Kl.-Konzert); D. Oistrach in: SM XX, 1956, H. 7, S. 3ff. (deutsch in: Sowjetwiss., Kunst u. Lit. IV, 1956, S. 877ff., tschechisch in: Hudební rozhledy IX, 1956, S. 752ff.; zum 1. V.-Konzert); I. Wl. Nestjew in: SM XXXI, 1959, H. 12, S. 9ff. (deutsch in: MuG X, 1960, S. 198ff.), u. T. W. Boganowa, Wiolontschelnyj konzert Dm. Sch.a, Moskau 1960 (zum 1. Vc.-Konzert); L. S. Ginsburg in: Issledowanija, statji, otscherki, ebd. 1971, S. 158ff. (zu d. Vc.-Konzerten).
W. P. Bobrowskij, Kamerno-instrumentalnyje ansambli Dm. Sch.a (»Die instr. Kammerensembles v. Dm. Sch.«), Moskau 1961; A. N. Dolschanskij, Kamernyje instrumentalnyje proiswedenija Dm. Sch.a (»Die instr. Kammermusikwerke v. Dm. Sch.«), = Bibl. sluschatelja konzertow o. Nr, ebd. 1965. – M. Kotyńska in: Musyka XII, 1967, H. 3, S. 36ff., u. N. O'Loughlin in: Tempo 1968/69, Nr 87, S. 9ff., u. in: MT CXV, 1974, S. 744ff. (zu d. Streichquartetten); D. A. Rabinowitsch in: SM XXI, 1957, H. 3, S. 14ff. (tschechisch in: Hudební rozhledy X, 1957, S. 458ff.; zum 6. Quartett); Ju. Ws. Keldysch in: SM XXIV, 1960, H. 12, S. 19ff. (engl. in: MT CII, 1961, S. 226ff.), u. L. S. Ginsburg in: Issledowanija, statji, otscherki, Moskau 1971, S. 193ff. (zum 8. Quartett); H. Keller in: Tempo 1970, Nr 94, S. 6ff. (zum 12. Quartett); M. Je. Tarakanow in: SM XXXV, 1971, H. 7, S. 33ff. (zum 13. Quartett); B. Tischtschenko in: SM XXXVIII, 1974, H. 9, S. 40ff. (u. a. zum 14. Quartett). – W. Ju. Delson, Fortepiannoje twortschestwo Dm. Dm. Sch.a (»Das Kl.-Werk v. Dm. Dm. Sch.«), Moskau 1971; S. S. Skrebkow in: SM XVII, 1953, H. 9, S. 18ff., W. Siegmund-Schultze in: Wiss. Zs. d. M.-Luther-Univ. Halle–Wittenberg, Ges.- u. sprachwiss. Reihe VI, 1956/57, S. 479ff., A. N. Dolschanskij, Dwadzat tschetyre preljudii i fugi Dm. Sch.a (»24 Praeluden u. Fugen v. Dm. Sch.«), Leningrad 1963, revidiert ²1970, Ju. Rubanenko in: Ob ispolnenii fortepiannoj musyki, hrsg. v. L. A. Barenbojm u. K. I. Juschak, Moskau 1965, S. 197ff., J. M. Chomiński in: Polsko-rosyjskie miscellanea muzyczne, hrsg. v. Z. Lissa, Krakau 1967, S. 287ff., M. Etinger in: Teoretitscheskije problemy musyki 20 weka I, hrsg. v. Ju. N. Tjulin, Moskau 1967, S. 441ff., u. E. Długokęcka-Galińska in: Musyka XVII, 1972, H. 1, S. 30ff. (alle zu d. 24 Praeluden u. Fugen op. 87 f. Kl.).
W. P. Bobrowskij, Pesni i chory Sch.a (»Sch.s Lieder u. Chöre«), = W pomoschtsch sluschateljam narodnych uniwersitetow kultury, Bessedy o musyke o. Nr, Moskau 1962; S. Slonimskij in: SM XXIX, 1965, H. 4, S. 20ff., u. G. Sch. Ordschonikidse in: Musyka i sowremennost IV, hrsg. v. T. A. Lebedewa, Moskau 1966, S. 186ff. (zu »Kasn Stepana Rasina«); G. Sch. Ordschonikidse in: SM XXXII, 1968, H. 9, S. 26ff., u. Je. A. Mnazakanowa in: Musyka i sowremennost VII, hrsg. v. T. A. Lebedewa, Moskau 1971, S. 69ff. (zu d. 7 Liedern op. 127); B. Tischtschenko in: SM XXXVIII, 1974, H. 9, S. 40ff. (u. a. zu d. 6 Liedern op. 143).
Je. Sinkewitsch in: SM XXXV, 1971, H. 9, S. 41ff. (zur Bühnenmusik »Hamlet« op. 32); E. Fradkina in: Is istorii musyki XX weka, hrsg. v. M. S. Druskin u. a., Moskau 1971, S. 52ff., u. St. Jacobsson in: Musikrevy XXVII, 1972, S. 176ff. (zur Filmmusik). – Wl. Gurewitsch, Sch., redaktor »Chowanschtschiny« (»Sch. als Bearb. d. ,Chowanschtschina'«), in: Musyka i sowremennost VII, hrsg. v. T. A. Lebedewa, Moskau 1971.

Schostakowitsch, Maxim Dmitrijewitsch, * 10. 5. 1938 zu Leningrad; russisch-sowjetischer Dirigent und Pianist, Sohn von Dmitrij Sch., erhielt als Kind Klavierunterricht an der Zentralen Kindermusikschule am Moskauer Konservatorium, vervollkommnete sich später bei Flier, studierte ab 1961 Dirigieren am Leningrader Konservatorium bei Nikolaj Rabinowitsch und später am Moskauer Konservatorium bei A. Hauck. 1963 nahm er an einem Dirigentenseminar bei Markevitch teil und war auch einige Zeit Schüler von Roschdestwenskij. 1964 wurde er Dirigent der Moskauer Symphoniker und 1965, nach Abschluß seiner Studien am Moskauer Konservatorium, Stellvertreter von Swetlanow beim staatlichen Symphonieorchester der UdSSR.

+B. Schott's Söhne.
Der Verlag erwarb 1955 den → Ars viva-Verlag und 1970 die Schallplattenfirma →Wergo. 1974 übergaben Dr. jur. Dr. phil. h. c. Ludwig Strecker (* 13. 1. 1883 zu Mainz), der zu seinem 90. Geburtstag mit einer *Festschrift für einen Verleger* (hrsg. von C. Dahlhaus, Mainz 1973) geehrt wurde, und Heinz Schneider-Schott (* 22. 4. 1906 [erg.:] zu Mainz) die Geschäftsleitung an A. →+Volk, Günther Schneider-Schott (* 8. 4. 1939 zu Mainz) und Dr. jur. Peter Hanser-Strecker (* 14. 7. 1942 zu München). Im Ausland wird das Mainzer Haus durch namhafte Verlage vertreten, so in Frankreich (seit 1973) durch Editions musicales Amphion, in Italien durch Edizioni Suvini Zerboni, in Jugoslawien durch Jugoslavenska autorska agencija und ZAMP, in Spanien durch Ediciones Quiroga, in der Tschechoslowakei durch Ceský hudební fond, Dilia und Slovanská literárna agentúra und in den USA durch Belwin-Mills Publ. Corp. Neben dem zentralen Orchesterkatalog geben zahlreiche Einzelkataloge über Spezialreihen für bestimmte Instrumente, Besetzungen oder Stilepochen Auskunft. Die Liste der erfolgreichen zeitgenössischen Verlagsautoren wurde um die Komponisten Henze, Holliger, Ligeti, Nono, Penderecki, Reimann, Schnebel und B. A. Zimmermann erweitert. An musikwissenschaftlichen Unternehmungen seien die Gesamtausgaben von →+Wagner, →+Schönberg (mit der Universal Edition Wien) und P. Hindemith genannt sowie das vorliegende →+*Riemann Musiklexikon.* Die Zeitschrift +*Musik im Unterricht* wurde mit dem 60. Jg. (1969) in *Musik und Bildung* (Iff., 1969ff.) umbenannt; die Zeitschriften +*Melos* (1974 im 46. Jg.) und +*Neue Zeitschrift für Musik* (135. Jg.) erscheinen seit 1975 vereinigt als *Melos/NZ* (I, 1975).
Lit.: H.-M. PLESSKE, Bibliogr. d. Schrifttums zur Gesch. deutscher u. österreichischer Musikverlage, in: Beitr. zur Gesch. d. Buchwesens II, hrsg. v. K.-H. Kalhöfer u. H. Rötzsch, Lpz. 1968. – Kleiner Abriß d. Verlagsgesch., Mainz 1961; Kurze Verlagsgesch. Musikverlag B. Sch. S. Mainz, ebd. 1970; H. SCHNEIDER, Zur Datierung d. Musikdrucke d. Verlages B. Sch. S., Börsenblatt f. d. Deutschen Buchhandel (Frankfurter Ausg.) XXIV, 1971, Nr 7.

+Schott & Co. Ltd.
1961 übernahm Peter W. Makings die Leitung des Verlages. Zu den neueren Komponisten im Verlagskatalog zählen Banks, P. M. Davies, A. Gilbert und A. Goehr.

Schott, Kaspar, SJ, * 1608 zu Königshofen (Unterfranken), † 22. 5. 1666 zu Würzburg; deutscher Theologe, Mathematiker und Musiktheoretiker, wurde 1627 Jesuit, studierte ab 1629 an den Universitäten Würzburg und Palermo, wo er später Moraltheologie und Mathematik lehrte, und kehrte über Rom 1655 als Dozent der Mathematik am Jesuitengymnasium nach Würzburg zurück. Seine durch Kircher beeinflußte

Schrift *Magiae universalis naturae et artis pars II acustica* (Würzburg 1657) enthält neben der Darstellung der Akustik eine universale Musiklehre. Ähnlich, wenngleich weniger umfassend, behandelt Sch. die Musik auch im 9. Buch seines Kompendiums *Organum mathematicum libris IX explicatum* (Würzburg 1668).
Lit.: ST. LÉGER, Notices des ouvrages de Gaspard Sch., Paris 1785; TH. BECK, K. Sch., Zs. d. Ver. deutscher Ingenieure XLVI, 1902.

+Schrade, Leo, * 13. 12. 1903 zu Allenstein (Ostpreußen), [erg.:] † 21. 9. 1964 zu Spéracèdès (Alpes-Maritimes).
Schr., Ordinarius an der Universität Basel bis zu seinem Tode, war 1962/63 Ch. E. Norton Professor of Poetry an der Harvard University/Mass. (die Vorlesungen erschienen als *Tragedy in the Art of Music,* Cambridge/Mass. 1964, deutsch als *Vom Tragischen in der Musik,* Mainz 1967). Zu seinem 60. Geburtstag wurde er mit einer Festschrift geehrt (*Musik und Geschichte / Music and History,* Köln 1963, auch London 1965); verstreute Aufsätze sind in der Gedenkschrift *De scientia musicae studia atque orationes* gesammelt (hrsg. von E. Lichtenhahn, Bern 1967, mit Schriftenverz. und Bibliogr.; darin die bis dahin ungedruckten Vorträge »Herkules am Scheideweg«. Zur neuen Musik der Nachkriegsjahre und *Vom Sinn der Musik in Honeggers Werk*).
– Das Buch +*Die handschriftliche Überlieferung der ältesten Instrumentalmusik* (1931; 2. ergänzte Aufl. hrsg. von H. J. Marx, Tutzing 1968) ist seine Königsberger Habilitationsschrift. Weitere Veröffentlichungen: +*Monteverdi, Creator of Modern Music* (1950), NY und London ²1964, Nachdr. der Erstaufl. NY 1969; +*Bach ...* (1954), Nachdr. NY 1973; *G. de Machaut and the »Roman de Fauvel«* (in: Miscelánea ..., Fs. H. Anglés, Bd II, Barcelona 1958–61); *Das musikalische Werk von H. Schütz in der protestantischen Liturgie* (= Schriften der Freunde der Universität Basel X, Basel 1961); *Strawinsky, die Synthese einer Epoche* (in: Universitas XVII, 1962, und in: I. Strawinsky, hrsg. von O. Tomek, Köln 1963, Wiederabdruck in: Melos XXXVIII, 1971); *The Cycle of the Ordinarium Missae* (in: In memoriam J. Handschin, Straßburg 1962); *Ein neuer Fund früher Mehrstimmigkeit* (AfMw XIX/XX, 1962/63); *W. A. Mozart* (Bern 1964). – Die GA-Sammlung +*Polyphonic Music of the Fourteenth Cent.* (1956ff.) umfaßt insgesamt 4 Bde (→Denkmäler, USA 5). Schr. initiierte ferner die Reihe *Basiliensis de musica orationes* (Basel 1962ff.).
Lit.: K. v. FISCHER in: AfMw XXI, 1964, S. 161f., u. in: AMl XXXVI, 1964, S. 187f.; DERS., L. Schr. u. d. Mw., NZfM CXXV, 1964; H. OESCH in: Melos XXXI, 1964, S. 351f.; W. ARLT in: SMZ CV, 1965, S. 3ff.; E. LICHTENHAHN in: Mf XVIII, 1965, S. 121ff.; DERS., L. Schr. in Basel, in: Basler Stadtbuch 1966; W. G. WAITE in: JAMS XVIII, 1965, S. 3f.; P. SACHER, R. STAMM, E. LICHTENHAHN u. A. SCHMITZ, L. Schr. in memoriam, Bern 1966.

+M. J. Schramm – Karl Maendler.
Karl Maendler (* 22. 3. 1872 und [erg.:] † 2. 8. 1958 zu München) entwickelte auch in den zwanziger Jahren für das *Orff-Schulwerk* nach Angaben Orffs und nach exotischen Vorbildern die dafür vorgesehenen eigenen Xylophone.
Lit.: KL. BECKER-EHMCK, Meine Begegnung mit K. Maendler, u. W. ZENTNER, K. Maendler, ein Meister d. Instrumentenbaus, in: Orff-Inst., Jb. (I) 1962, u. in: Das Musikinstr. XII, 1963.

Schramm, Margit, * 21. 7. 1935 zu Dortmund; deutsche Operettensängerin (Sopran), studierte am Konservatorium ihrer Heimatstadt und debütierte 1956 am Stadttheater in Saarbrücken als Kornett von Richthofen (*Der Bettelstudent*). 1957–58 war sie am Stadttheater in Koblenz, 1959–64 am Münchner Gärtnerplatztheater, 1965–66 am Theater des Westens in Berlin und 1967 an den Städtischen Bühnen in Dortmund engagiert. Seit 1968 gehört sie dem Ensemble des Hessischen Staatstheaters in Wiesbaden an. M. Schr. singt alle großen Rollen des Operettenrepertoires, tritt in Funk und Fernsehen auf und unternimmt Gastspiele im In- und Ausland.

Schramm, Melchior, * um 1553 zu Münsterberg (Schlesien), † 6. 9. 1619 zu Offenburg (Baden); deutscher Komponist und Organist, war ab 1565 Sängerknabe in der Hofkapelle in Prag, dann in Innsbruck, um 1571 Organist am Damenstift in Halle (Saale) und ab 1574 Kapellmeister in Sigmaringen beim Grafen Karl von Hohenzollern. Ihm widmete er seine *Sacrae cantiones 5–6 v.* (Nürnberg 1576). Neben weiteren Motetten (1606 und 1612), u. a. für das *Officium Nuptiale* Fuggers, schrieb Schr. 4st. *Neuwe außerlesene Teutsche Gesäng* (Ffm. 1579) und Stücke für Sammelwerke. Schr.s Werke, zwischen Lassus und H. L. Hassler stehend, waren sehr verbreitet. Ab 1605 war Schr. Stadtorganist in Offenburg.
Lit.: WaltherL; C. J. A. HOFFMANN, Die Tonkünstler Schlesiens, Breslau 1830; W. BÖTTICHER, O. di Lasso u. seine Zeit, Kassel 1958.

+Schramm, Paul (Pseudonyme Rodriguez del Plata, A. H. Richards), * 22. 9. 1892 zu Wien, [erg.:] † vermutlich vor 1947 in Australien(?).
Er ist zuletzt als Mitglied der Australasian Performing Right Association nachweisbar.

+Schrammel, Johann, 1850–93.
Er gründete mit seinem Bruder Josef und dem Gitarristen Anton Strohmayer 1878 zunächst ein Trio; ab 1886 wurde das Trio durch den Klarinettisten Georg Dänzer zum Quartett erweitert. Primarius des Trios und des Quartetts war Josef Schr. Nach Dänzers Tod (1893) trat an die Stelle der Klarinette in der Originalbesetzung des »Schrammelquartetts« das Akkordeon. [del. bzw. erg. frühere Angaben hierzu.]
Lit.: H. JANCIK in: MGG XII, 1965, Sp. 65f.

+Schreiber, Frederick (Fritz) C., * 13. 1. 1895 zu Wien.
Organist und Chorleiter an der Reformed Protestant Church in New York war Schr. 1939–58. Neuere Werke: *Christmas Suite* (1967), Toccata und Fuge (1967), *Chronos* (1968), *Memorial* (1968), *Images* (1971), *Contrasts* (1972), 2. Sonatine (1973), 4 *Essays* (1973) und Variationen über ein deutsches Volkslied (1974) für Orch.; 2. Klavierkonzert (1969); Magnificat für S., gem. Chor und Orch. (1972); 5 Lieder *The Chinese Flute* für Singst., Fl., Celesta, Hf. und Kl. (1972); 7 *Songs of Love and Death* (1974).

Schreiber, Josef, * 25. 12. 1900 zu Hlavnice (Mähren); tschechischer Musikpädagoge, Chordirigent und Komponist, absolvierte 1924 das Konservatorium in Brünn und 1926–28 die Meisterschule in Prag (J. B. Foerster). Nach vorübergehender Lehrtätigkeit in Opava/Troppau und Mährisch-Ostrau wurde er 1949 mit Vorlesungen an der Palacký-Universität in Olmütz, später an der dortigen Hochschule für Pädagogik betraut (1959 Dozent). Seiner vorwiegend pädagogischen Arbeit ging eine rege Tätigkeit als Chordirigent verschiedener Gesangvereine voraus, mit denen er große Kantaten- und Oratorienwerke neuerer tschechischer Meister aufführte. Er schrieb neben Instrumentalmusik Vokalwerke, besonders Liederzyklen und Stücke für Chor sowie einige theoretische Abhandlungen, u. a. *Nauka o harmonii* (»Harmonielehre«, Prag 1953).

+Schreiber, Ottmar, * 16. 2. 1906 zu St. Goarshausen (Rhein).

Dozent an der Musikhochschule in Frankfurt a. M. war Schr. bis 1971. Er veröffentlichte zahlreiche weitere Beiträge zur M. Reger-Forschung (vor allem in den weiterhin von ihm herausgegebenen *Mitteilungen des M.-Reger-Institutes, Bonn*), gab in der → +Reger-GA eine Reihe Bände heraus und edierte eine »Neue Folge« *+Briefe zwischen der Arbeit* von Reger (= Veröff. des M.-Reger-Institutes, Elsa-Reger-Stiftung VI, Bonn 1973).

Schreier, Peter, * 29. 7. 1935 zu Meißen; deutscher Sänger (lyrischer Tenor), war Mitglied des Dresdner Kreuzchors (1945–54), studierte privat Gesang in Leipzig (1954–56) und an der Staatlichen Hochschule für Musik in Dresden (1956–59). 1961 wurde er an die Staatsoper Dresden und 1963 an die Staatsoper Berlin engagiert (1964 Kammersänger). Er gastierte u. a. bei den Salzburger Festspielen, an der Wiener Staatsoper, der Mailänder Scala, der Metropolitan Opera in New York sowie am Teatro Colón in Buenos Aires. Zu seinem Repertoire zählen die einschlägigen Partien in den Opern Mozarts, Max (*Der Freischütz*) und David (*Die Meistersinger von Nürnberg*) sowie der Evangelist in J. S. Bachs Passionen; er ist auch ein bekannter Liedinterpret. Daneben ist Schr. als Dirigent hervorgetreten.
Lit.: W. LANGE, Mozart, Lieder, Dirigate. Ein Gespräch mit P. Schr., in: Theater d. Zeit XXVII, 1972.

Schreiner, Alexander, * 31. 7. 1901 zu Nürnberg; amerikanischer Organist deutscher Herkunft, studierte Orgel bei Widor und Vierne in Paris (1924–26) sowie Musikwissenschaft an der University of Utah in Salt Lake City (B. A. 1942; Ph. D. 1954). 1924 wurde er Chief Organist an The Tabernacle in Salt Lake City und hat seitdem zahlreiche Orgelkonzerte in Amerika und Europa gegeben. Er komponierte *Organ Voluntaries* (3 Bde, NY 1937–67) und ein Konzert für Org. und Orch. H moll (1956).

Schreiter, Heinz Willy, * 9. 8. 1915 zu Leipzig; deutscher Komponist von (gehobener) Unterhaltungsmusik, studierte Klarinette und Komposition, war 1933–37 Klarinettist am Landestheater Neustrelitz und setzte 1951–54 seine Kompositionsstudien an der Musikhochschule in Berlin bei Blacher fort. Er schrieb auch Filmmusik (u. a. für Walt Disney-Filme) und das Ballett *Der Neffe der Marquesa*.

+Schreker, Franz, 1878–1934.
Das Signum des Schr.schen Stils, »Disparatheit zwischen dem symbolisch durchkreuzten Naturalismus und dem romantischen Schein darüber« (Adorno), entfaltet sich erstmalig in der Oper *Der ferne Klang*. Dem entspricht die Neuheit der musikalischen Mittel: Modalität, tonale Orientierung nach einem Achsensystem, Verzicht auf motivische Arbeit zugunsten einer freien Tektonik athematischer Entwicklungen, rückläufige Großformen. Die Assimilation des Wiener Jugendstils und zur Atonalität tendierender Chromatik wird nach 1908 für die 5 Gesänge für tiefe St. und Kl. (1909) und *Das Spielwerk und die Prinzessin* wichtig. Seit dieser Zeit datiert seine Freundschaft mit A. Schönberg (Schr. dirigierte die Uraufführung der *Gurrelieder*, Wien 1913) und A. Berg, den er deutlich beeinflußte. In den Opern *Die Gezeichneten* und *Der Schatzgräber*, die ihm die Anerkennung als einem der bedeutendsten und am meisten aufgeführten lebenden Opernkomponisten seiner Zeit brachten, werden mit dem Resultat der weitesten Ausstrahlung eindringliche theatralische Stringenz und souveräne Disposition der Form fortschreitend zusammengefaßt. Diese Wirkung haben, in veränderter historischer Situation, die späteren Werke nicht mehr erreicht; die letzten Stücke schließlich,

unter ihnen so bedeutende wie die Lieder *Vom ewigen Leben* (1924), die Schr.s avancierteste Position bezeichnen, und die 1932 vor der Uraufführung in Freiburg i. Br. abgesetzte Oper *Christophorus* sind gar nicht mehr rezipiert worden. Schr.s Werke, nach 1933 geächtet, haben den ihrer kompositorischen Qualität und ihrem historischen Rang angemessenen Platz bisher nicht wiedergewinnen können.

Werke: die Opern *Flammen* op. 10 (Dora Leen, einaktig, 1901, Uraufführung nach dem Kl.-A., Wien 1902) sowie (Texte alle von Schr.) *Der ferne Klang* (1901–10, Ffm. 1912, daraus *Nachtstück*, 1905), *Das Spielwerk und die Prinzessin* (1909–12, am gleichen Abend Ffm. und Wien 1913, einaktige Fassung als »Mysterium« *Das Spielwerk*, 1916, München 1920), *Die Gezeichneten* (1913–15, Ffm. 1918, daraus *Vorspiel zu einem Drama*, 1914), *Der Schatzgräber* (1915–18, Ffm. 1920), *Irrelohe* (1919–24, Köln 1924), »Vision einer Oper« *Christophorus* (1924–27, A. Schönberg gewidmet), *Der singende Teufel* (1924–28, Bln 1928) und eine »große Zauberoper« *Der Schmied von Gent* (nach de Costers *Smetse Smee*, 1929–32, Bln 1932); Tanzspiele *Der Wind* für V., Va, Vc., Klar. und Kl. (1908) und »4 Stücke im alten Stil« *Ein Tanzspiel* (*Rokoko*, 1908, orchestriert 1920, Darmstadt 1920) sowie die Pantomime *Der Geburtstag der Infantin* für Streichorch. (nach Wilde, 1908, Wien 1908, Umarbeitung für Orch. 1923, als *Spanisches Fest* Bln 1927); Symphonie op. 1 (1899, daraus der 3. Satz Andante), symphonische Ouvertüre *Ekkehard* op. 12 (Org. ad libitum, nach V. v. Scheffel, 1902), *Romantische Suite* (1902, darin das ursprünglich separate Intermezzo für Streichorch. op. 8, 1900), *Phantastische Ouvertüre* (1902), *Valse lente* (um 1908), *Festwalzer und Walzerintermezzo* (1908), 4 kleine Stücke (4 Stücke für Filmmusik, 1931) und *Vorspiel zu einer großen Oper* (zum nur als Dichtung vorhandenen *Memnon*, 1933) für Orch.; Kammersymphonie für 23 Soloinstr. (1916), kleine Suite für Kammerorch. (1928), *Love Song* für Hf. und Streichorch. (1895); Violinsonate (1897); 2 Walzer-Impromptus op. 9 (um 1900), Adagio (vor 1902) und *Melodie* (um 1902) für Kl.; *Der Holdestein* für S., B., gem. Chor und Orch. (oder Kl., vor 1899), *Der 116. Psalm* für 3st. Frauenchor, Orch. und Org. op. 6 (1900), *Schwanengesang* für 8st. gem. Chor und Orch. op. 11 (1902), Melodram *Das Weib des Intaphernes* mit Orch. (1930); 2 Lieder auf den Tod eines Kindes op. 5 (1895), *Lied der Fiorina* (1896), 2 Liebeslieder (1897) und 4 Lieder (aus Mia Holms *Mutterliedern*, um 1898), 2 Lieder op. 2, 5 op. 3 (Heyse) und 5 op. 4 (alle vor 1899), 3 Lieder (V. Zusner, 1899), 8 Lieder op. 7 (1898–1900), *Vergangenheit* (Lenau, 1906), *Entführung* (George, 1902), 5 Gesänge für tiefe St. und Kl. (1909, instrumentiert nach 1920), *Das feurige Männlein* (1915) und 2 lyrische Gesänge *Vom ewigen Leben* (W. Whitman, 1924, instrumentiert 1929); 2 Ave Maria für Singst. und Org. (beide 1902); Motette *Auf dem Gottesacker* (vor 1899) und *Gesang der Armen im Winter* (um 1902) für gem. Chor, *Schlehenblüte* und *Versunken* für Männerchor (beide vor 1899); Instrumentationen der 2. ungarischen Rhapsodie von Liszt (1932) und von 2 Liedern von H. Wolf. – Libretti zu (z. T. nicht vertonten) Opern und Tanzdichtungen erschienen als *Dichtungen für Musik* (2 Bde, Wien 1920–21), ferner, neben kleineren Miszellen, die Operndichtung *Die tönenden Sphären* (geschrieben 1915, ebd. 1924).

Lit.: Briefwechsel A. Schönberg – Fr. Schr., hrsg. v. Fr. C. HELLER, = Publ. d. Inst. f. österreichische Musikdokumentation I, Tutzing 1974. – K. KOBALD, J. Bittner u. Fr. Schr., ÖMZ IX, 1954; FR. SCHULTZE in: Musikerziehung XII, 1958/59, S. 167ff.; W. ZILLIG in: gehört-gelesen VI,

1959, S. 1107ff.; DERS., Der ferne Klang, in: Die Furche 1960, Nr 34, engl. in: MT CV, 1964, S. 652ff.; H. H. STUCKENSCHMIDT in: Theater u. Zeit IX, 1961/62, S. 341ff.; TH. W. ADORNO, Schr., in: Quasi una fantasia. Mus. Schriften II, Ffm. 1963; H. BURES-SCHREKER, El caso Schr., = Colección de música I, Buenos Aires 1968, überarbeitet deutsch in: Fr. Schr., Beitr. v. DERS., H. H. STUCKENSCHMIDT u. W. OEHLMANN, = Österreichische Komponisten d. XX. Jh. XVII, Wien 1970; G. NEUWIRTH, Die Harmonik in d. Oper »Der ferne Klang« v. Fr. Schr., = Studien zur Mg. d. 19. Jh. XXVII, Regensburg 1972; N. CHADWICK, Fr. Schr.'s Orchestral Style and Its Influence on A. Berg, MR XXXV, 1974; S. DÖHRING, Fr. Schr. u. d. große musiktheatralische Szene, Mf XXVII, 1974; R. U. RINGGER in: SMZ CXIV, 1974, S. 65ff.
GN

Schrems, Hans (Johann), * 29. 1. 1914 zu Mitterteich (Oberpfalz), † 7. 11. 1969 zu Regensburg; deutscher Chordirigent, Neffe von Theobald Schr., studierte in München und Berlin, übernahm am Musikgymnasium der Regensburger Domspatzen deren stimmliche Erziehung und fachkundliche Betreuung und war außerdem Dirigent des Lasso-Chores in Regensburg. Zahlreiche Konzertreisen mit den Domspatzen führten ihn u. a. durch die Bundesrepublik, die Schweiz, Belgien, Frankreich und Italien.
Lit.: J. THAMM in: Musica sacra XC, 1970, S. 86ff.

+Schrems, Theobald, * 17. 2. 1893 zu Mitterteich (Oberpfalz), [erg.:] † 15. 11. 1963 zu Regensburg.
Eine Festschrift zu seinem 70. Geburtstag wurde von G. P. Göllner herausgegeben (*Musicus–Magister*, Regensburg 1963).
Lit.: A. SCHARNAGL in: Musica sacra LXXXIII, 1963, S. 54ff.; J. THAMM, ebd. LXXXIV, 1964, S. 101ff.; H. WAGENER, Th. Schr., Zur Bibliogr. d. Schrifttums, ebd. LXXXVI, 1966.

Schriever, Gerda (verheiratete Drechsel), * 27. 8. 1928 zu Leipzig; deutsche Konzertsängerin (Alt), studierte in ihrer Heimatstadt bei Margarete Bäumer (1948–53) an der Musikhochschule, wo sie seit 1962 neben ihrer Konzerttätigkeit als Dozentin für Gesang wirkt; seit 1967 ist sie auch Mitglied der Leipziger Bachsolisten.

+Schröder, Friedrich [erg.:] Hermann Dietrich, * 6. 8. 1910 zu Naefels (Glarus), [erg.:] † 25. 9. 1972 zu Berlin.
Schr. studierte nur an der Universität Münster (Westf.) [del.: und Berlin]. Er komponierte die Operetten +*Chanel Nr. 5* (Bln 1948), +*Isabella* (Mannheim 1952 [nicht: Nürnberg 1949]), *Die große Welt* (Wiesbaden 1950) und *Die Jungfrau von Paris* (nach Millöckers *Die Jungfrau von Belleville*, Wien 1969) sowie 43 Filmmusiken (u. a. zu *Charleys Tante*, *Des Teufels General* und *Frühstück im Doppelbett*). Von seinen Evergreens seien an weiteren genannt *Ich werde jede Nacht von Ihnen träumen* und *Man müßte Klavier spielen können* (aus der Filmoperette *Immer nur du*, 1941).

Schröder, Fritz, * 26. 5. 1891 zu Ravensburg, † 22. 8. 1973 zu Meierhofen (bei Isny, Allgäu); deutscher Opernregisseur und Musikschriftsteller, studierte an den Universitäten in Tübingen und München und promovierte 1922 mit einer Dissertation über *B. Molique und seine Instrumentalkompositionen* (Stuttgart 1923). Er war Oberspielleiter an den Bühnen in Erfurt (1927), Wiesbaden (1928–32), Kassel (1932–33), Königsberg (1934–39) und Stuttgart (1939–45). Ab 1945 verfaßte er deutsche Texte u. a. von Fr.-A. Boïeldieus *Le calife de Bagdad*, H. Purcells *The Fairy Queen*, Brittens *Albert Herring*, Strawinskys *The Rake's Progress* und Martinůs *Ariane*. Er edierte *Variations sur l' Air de Marlborough* von Abbé Vogler und gab Volksliedsammlungen heraus.

+**Schröder,** –1) H a n n i n g, * 4. 7. 1896 zu Rostock. Er lebt seit 1961 als freischaffender Komponist in (West-)Berlin. Neuere Werke: Divertimento für 5 Bläser (1957); Divertimenti für 3 Holzbläser (1958) sowie für Va und Vc. (1963); *Komposition* für Fl., 2 Klar., 2 Trp., Vibraphon, kleine Trommel und Streichorch. (1967); 2. Sonate für Fl. solo (1967); *Völker der Erde* für tiefe St., Fl. und Klar. (Nelly Sachs, 1968); *Metronom 80* für V. solo (1969); Nonett für Bläserquintett, V., Va, Vc. und Kb. (1970).

–2) C o r n e l i a (geborene Auerbach), * 24. 8. 1900 zu Breslau. C. Schr. wirkte ab 1961 an einer Westberliner Volksmusikschule. – +D.G.Türk, *Kleine Handstücke für Kl.* (1932), NA Kassel 1960, ²1970. – Neben kleineren Beiträgen veröffentlichte sie ein *Chronologisches Verzeichnis der Werke L.Cherubinis* (BzMw III, 1961).

+**Schröder,** –1) H e r m a n n, 1843 – 30. [nicht: 31.] 1. 1909. Sein Vater K a r l, [erg.:] 17. 3. 1816 zu Oberbösa (Thüringen) – 21. 4. 1890 [nicht: 1889] zu Berlin.

–2) C a r l (Karl), 1848–1935. Er wurde mit 17 [nicht: 14] Jahren Mitglied der Hofkapelle in Sondershausen; am Stern'schen Konservatorium in Berlin lehrte er bis 1921 [nicht: 1924].

Lit.: R. Sietz in: MGG XII, 1965, Sp. 79f.

+**Schroeder,** H e r m a n n, * 26. 3. 1904 zu Bernkastel (Mosel).
Stellvertretender Direktor der Kölner Musikhochschule war Schr. 1958–61, Lektor für Musiktheorie an der Universität Bonn 1946–72. Den Kölner Bachverein leitete er 1946–61; seitdem dirigiert er den Kölner Kammerchor. 1974 wurde er von der Bonner Universität mit der Würde eines Dr. phil. h. c. ausgezeichnet. – Neuere Werke: insgesamt etwa 20 Messen (u. a. *Missa Ambrosiana*, 1959; *Missa figuralis*, 1960; *Missa syllabica*, 1962; *Missa Eucharistica*, 1962; *Missa melismatica*, 1963; *Mass to Honor S.Cecilia*, 1966; *Ordinarium Gregorianum*, 1967), lateinische und deutsche Proprien (u. a. *Johannespassion*, 1964, und *Matthäuspassion*, 1965, für Solosänger und gem. Chor; Episteln und Evangelien in deutscher Sprache für Feste und besondere Anlässe, 1965), geistliche Motetten und Lieder mit und ohne Instr., Kantaten (u. a. ein Zyklus von 5 Kantaten *Sei beklagt, Bei stiller Nacht, O Traurigkeit, Die ganze Welt* und *Freu dich, o Himmelskönigin* für gem. Chor, Gemeinde und Org., 1960); insgesamt 3 Sonaten (1957, 1966, 1969), Choralfantasie *O heiligste Dreifaltigkeit* (1959), Partita *Veni creator spiritus* (1959), *Pezzi piccoli* (1960), Orgel-Ordinarium IV *Cunctipotens genitor Deus* (1964), 7 *Gregorianische Miniaturen* (1965) sowie zahlreiche Orgelchoräle und Choralvorspiele für Org.; Sonate für Vc. (1966), Duplum für Cemb. (1967), Concertino für V. und Ob. (1968) und Konzert für Ob. (1972) mit Org.; Hymnus *Veni creator spiritus* für Orch. (1961); Klavierkonzert op. 35 (1955), Flötenkonzert op. 37 (1958), Klarinettenkonzert op. 47 (1973), Bratschenkonzert (1974); Sextett für Kl. und Bläser op. 36 (1957), Quartett für Ob. und Streichtrio op. 38 (1959); 6 *Mörike-Chöre* a cappella (1969), zahlreiche weitere Chöre; Spielmusiken. – Schriften (alle mit H.Lemacher): *Lehrbuch des Kontrapunkts* (Mainz 1950, ⁴1962); *Generalbaßübungen* (Düsseldorf 1954, ²1965); *Harmonielehre* (Köln 1958, ⁵1967); *Formenlehre der Musik* (ebd. 1962, ²1968, engl. revidiert als *Musical Form*, ebd. 1967).

Lit.: Rheinische Musiker II, hrsg. v. K. G. Fellerer, = Beitr. zur rheinischen Mg. LIII, Köln 1962, S. 95ff.; K. Kremer, Die Vertonung d. »Ordinarium missae« v. H. Schr., in: Musica sacra LXXXIV, 1964; Ders., ebd. LXXXIX, 1969, S. 58ff. (mit Verz. d. kirchenmus. Werke

v. R. Keusen); H.-E. Bach, H. Schr.s Orgelordinarium im Lichte einer alten Tradition, ebd. LXXXV, 1965; Ders., Ein deutsches Ordinarium v. H. Schr., ebd. LXXXVI, 1966; R. Keusen, Die Org.- u. Vokalwerke H. Schr.s, Diss. Bonn 1972; Ders. in: Musica sacra XCIV, 1974, S. 176ff.

+**Schröder,** K u r t, * 6. 9. 1888 zu Hagenow (Mecklenburg), [erg.:] † 5. 1. 1962 zu Frankfurt am Main.

+**Schröder,** O t t o, 1860–1946.
Die zu einem großen Teil von ihm vorbereitete +GA der Werke J. Walters liegt nunmehr abgeschlossen vor (→+Walter, J.).

+**Schröder-Devrient** (ʃrˈødərdevrˈiːnt), W i l h e l m i n e, 1804–60.
Die früher genannten Wagner-Partien (Adriano, Senta, Venus) wurden von ihr kreiert. – +*Memoiren einer Sängerin* (1861) engl. als *Pauline. Memoirs of a Singer*, London und NY 1898, Nachdr. Los Angeles 1967.

Lit.: A. M. Lingg, Queen of Tears, Opera News XXIV, 1960; H. Kühner in: MGG XII, 1965, Sp. 81ff.; M. Walter, Tragödin u. Sängerin, in: Miszellen zur Mg., hrsg. v. H. Ehinger u. H. P. Schanzlin, Bern 1967 (= Wiederabdruck aus: Basler Nachrichten v. 31. 1. 1960); V. Huber, Flirt u. Flitter. Lebensbilder aus d. Bühnenwelt, Düsseldorf 1970.

Schröder-Feinen, U r s u l a, * 21. 7. 1936 zu Gelsenkirchen; deutsche Sängerin (dramatischer Sopran), studierte an der Folkwang-Hochschule in Essen sowie bei Maria Helm in Mannheim. 1960 debütierte sie am Opernhaus in Gelsenkirchen, dessen Ensemble sie bis 1970 (zunächst als Opernsoubrette, später als jugendlich dramatischer Sopran) angehörte. Seit 1970 ist sie Mitglied der Deutschen Oper am Rhein in Düsseldorf-Duisburg. Gastspiele führten U. Schr.-F. an die Mailänder Scala, die Metropolitan Opera in New York und zu den Bayreuther Festspielen. Zu ihren Partien gehören Leonore (*Fidelio*), Kundry (*Parsifal*), Sieglinde (*Walküre*), Brünnhilde (*Siegfried*), Chrysothemis (*Elektra*) und Jenufa.

+**Schröter,** C h r i s t o p h Gottlieb, 1699 – 20. 5. [nicht: 2. 11.] 1782.

Lit.: P. Benary, Die deutsche Kompositionslehre d. 18. Jh., = Jenaer Beitr. zur Musikforschung III, Lpz. 1961; Fr. Oberdörffer in: MGG XII, 1965, Sp. 83ff.

+**Schröter,** –1) C o r o n a Elisabeth Wilhelmine, 1751–1802. Sie sang bereits mit 14 [nicht: 16] Jahren im Leipziger Gewandhaus und wurde 1776 [nicht: 1778] von Goethe nach Weimar geholt, wo sie 1779 [nicht: 1777] erstmals die Titelrolle in der Prosafassung von +*Iphigenie auf Tauris* spielte.

–2) J o h a n n Samuel, [del.: um] 1752 [erg.:] oder 1750 zu Guben (an der Lausitzer Neiße) [nicht: Warschau] – 1788. Von ihm erschienen etwa 12 [nicht: 15] von insgesamt 17 Klavierkonzerten und 19 [nicht: 8] Klaviertrios.

–3) J o h a n n Heinrich, 1762 – [erg.:] nach 1782 (zu London?).

Ausg.: zu –2): Kl.-Konzert C dur op. 3, Nr 3, hrsg. v. K. Schultz-Hauser, = Concertino CXXX, Mainz 1964.

Lit.: W. Brennecke (z. T. mit Ch. Cudworth) in: MGG XII, 1965, Sp. 86ff. – zu –1): E. Wurm, Goethe u. C. Schr., Chronik d. Wiener Goethe-Ver. LXI, 1957. – zu –2): K. Wolff in: MQ XLIV, 1958, S. 338ff.

+**Schröter,** H e i n z, * 2. 5. 1907 zu Berlin, [erg.:] † 2. 1. 1974 zu Teheran.
1959 begründete er mit M.Rostal und G.Cassado (an dessen Stelle später S.Palm trat) das Kölner Trio, das vielfach im In- und Ausland konzertierte. Eine Konzertreise führte Schr. zuletzt Ende 1973 durch mehrere asiatische Länder. Seine Tätigkeit als Direktor der Köl-

ner Musikhochschule beendete er 1972, führte seine Klavierklasse jedoch weiter. Ferner war er an der Gründung der Internationalen Meisterkurse in Bonn beteiligt, an denen er jährlich mitwirkte. An neueren Kompositionen seien ein weiteres Klaviertrio (1970), *Four Pieces for Three* für Klaviertrio (1973) und 4 Stücke *Spiegelungen* für Kl. (1973) genannt. Schr. veröffentlichte auch eine Reihe kleinerer Beiträge (u. a. *Die Verfassung der Musikhochschulen. Formen, Kompetenzen und Verantwortung der Hochschulleitung*, NZfM CXXXI, 1970).
Lit.: G. SCHWEIZER in: Musica VIII, 1954, S. 254ff.; FR. HOMMEL in: NZfM CXXXV, 1974, S. 129.

Schtogarenko, Andrej Jakowlewitsch, * 2.(15.) 10. 1902 zu Nowyje Kajdaki (Gouvernement Jekaterinoslaw); ukrainisch-sowjetischer Komponist und Pädagoge, erhielt ab 1910 Klavierunterricht an der Musikschule in Jekaterinoslaw, leitete 1926–30 ein Harmonikaensemble in Dnjepropetrowsk und studierte 1930–36 Komposition bei Semjon Bogatyrjow am Konservatorium in Charkow. 1954 wurde er Direktor des Konservatoriums in Kiew, an dem er außerdem einen Lehrstuhl für Komposition innehatte. Seine Kompositionen umfassen u. a. Orchesterwerke (3 Symphonien, Nr 1 *Simfonia-skaska*, »Symphonie-Märchen«, 1947, Nr 2, 1965, und Nr 3; symphonische Suiten *Dewitschja dolja*, »Das Mädchenschicksal«, 4 ukrainische Lieder für Singst. und Orch., 1937, *Detstwo*, »Kindheit«, nach Gorkij, 1939, für Streicher, 1946, und *Pamjati Lessi Ukrainki*, »Zum Gedenken an Lessja Ukrainka«, 1951; Symphonische Dichtung *Pochid*, »Kampfgang«, 1936; Divertimento für Fl., Celesta und Streichorch., 1967; Violinkonzert, 1969), Kammermusik (Streichquartett, 1935; Klaviertrio; Rondo für V. und Kl., 1935; Cellosonate), Klavierstücke, die symphonische Kantate *Ukraina moja* (»Meine Ukraine« für Soli, Chor und Orch. (1943), Kantaten *Moskwa* (zum 800jährigen Jubiläum der Stadt) für Soli, Chor und Orch. (1948) und *Pro Stalina* (»Über Stalin«) sowie zahlreiche Chöre, Sololieder, Bühnen- und Filmmusik.
Lit.: A. SNOSKO-BOROWSKYJ, A. Scht., Kiew 1947; N. K. BOROWYK, A. Ja. Scht., ebd. 1961; DERS., Twortschist A. Scht. (»Das Werk v. A. Scht.«), ebd. 1965; W. MOSKALENKO in: SM XXXV, 1971, H. 10, S. 4ff.; G. KONKOWA in: SM XXXVII, 1973, H. 1, S. 24ff.

Schtschedrin, Rodion (Robert) Konstantinowitsch, * 16. 12. 1932 zu Moskau; russisch-sowjetischer Komponist und Pianist, studierte 1950–55 am Konservatorium in Moskau (Flier, Schaporin) und lebt seitdem dort als freischaffender Komponist. Er ist verheiratet mit der Primaballerina Maja Plissezkaja. Seine Kompositionen umfassen u. a. die Oper *Ne tolko ljubow* (»Nicht nur Liebe«, Moskau 1961), die Ballette *Konjokgorbunok* (»Das bucklige Pferdchen«, ebd. 1960), »Carmen-Suite« (ebd. 1967) und *Anna Karenina* (ebd. 1972), Orchesterwerke (2 Symphonien, 1958 und 1965; Symphonische Dichtung *Powest o nastojaschtschem tscheloweke*, »Die Geschichte von einem wirklichen Menschen«, nach Boris Polewoj, 1950; 2 Konzerte für Orch., *Osornyje tschastuschki*, »Übermütige Tschastuschki«, 1963, und *Swony*, »Klänge«, 1968; Kammersuite für 20 V., Hf., Akkordeon und 2 Kb., 1961; 2 Klavierkonzerte, 1954 und 1966), Kammermusik (Klavierquintett, 1952; 2 Streichquartette, 1951 und 1954; Suite für Klar. und Kl., 1952), Klavierwerke (Suite *Prasdnik w kolchose*, »Fest auf der Kolchose«, 1951; 24 Praeludien und Fugen, 1969–70; »Polyphones Heft«, 1973), Vokalwerke (Oratorium *Lenin w serdze narodnom*, »Lenin im Herzen des Volkes«, 1969; Kantaten *Dwadzat wossem*, »28«, 1953, und *Bjurokratiade*, »Bürokratiade«,

für Soli, Chor und Orch., 1963; *Poetorium*, Konzert für Sprecher, Frauen-St., Chor und Orch., 1969; Romanzen nach Texten von Wladimir Majakowskij) sowie Bühnen- und Filmmusik.
Lit.: N. ROGOSCHINA, R. Schtsch., Moskau 1959; M. TARAKANOW in: SM XXX, 1966, H. 1, S. 9ff. (zur 2. Symphonie); DERS., Neue Gestalten u. neue Mittel in d. Musik, BzMw X, 1968; ST. D. KREBS, Soviet Composers and the Development of Soviet Music, London 1970; I. SEMZOWSKIJ in: SM XXXV, 1971, H. 8, S. 30ff. (zu »Lenin w serdze narodnom«); L. GENINA, ebd. XXXVI, 1972, H. 10, S. 18ff. (zu »Anna Karenina«); H. GERLACH in: MuG XXII, 1972, S. 721ff.; DIES. in: Musik in d. Schule XXIV, 1973, S. 253ff.; I. LICHATSCHEWA in: SM XXXVI, 1972, H. 6, S. 12ff.; S. NEEF in: Theater d. Zeit XXVIII, 1973, H. 8, S. 39ff. (Gespräch; zu »Ne tolko ljubow«); G. ROSCHDESTWENSKIJ in: SM XXXVII, 1973, H. 2, S. 26ff. (zu »Anna Karenina«).

+Schtscherbatschow, Wladimir Wladimirowitsch, 1889–1952.
Auch die +4. Symphonie [erg.:] *Ischorskaja* (»Ischorsker«, 1935) ist, wie die zweite, mit Soli und Chor besetzt; die +5. Symphonie [erg.:] *Russkaja geroitscheskaja* (»Russische heroische«, 1948) wurde 1950 revidiert. Schtsch. schrieb ferner ein Nonett für 7 Instr. (Fl., Hf., Kl., Streichquartett), Singst. und Tänzer (1919); zu seinen Klavierwerken zählen 2 Suiten (1913, 1921).
Lit.: W. BOGDANOW-BERESOWSKIJ in: SM XVII, 1953, H. 7, S. 17ff.; Istorija russkoj sowjetskoj musyki, hrsg. v. A. D. ALEXEJEW u. W. A. WASSINA-GROSSMAN, Bd II, Moskau 1959 (darin besonders d. Kap. »Symphonische Musik, Konzerte, Kammermusikwerke«, S. 378ff.); G. A. ORLOW, Wl. Wl. Schtsch., ... (»Abriß d. Lebens u. Schaffens«), Leningrad 1959; M. I. TSCHULAKI, O Wl. Schtsch.e i jewo schkole (»Über Wl. Schtsch. u. seine Schule«), in: SM XXIII, 1959, auch in: Leningradskaja konserwatorija w wospominanijach 1862–1962, hrsg. v. G. Gr. Tigranow, Leningrad 1962; D. GOJOWY, Moderne Musik in d. Sowjetunion bis 1930, Diss. Göttingen 1966; A. DMITRIJEW in: Sowjetskaja simfonija sa 50 let, hrsg. v. G. Gr. Tigranow, Leningrad 1967, S. 511ff. (über d. 5. Symphonie).

Schu, Erich → Schumann, E.

Schubanow, Achmet Kujanowitsch, * 29. 4. 1906 zu Kossuaktam (Gouvernement Aktjubinsk), † 30. 5. 1968 zu Alma-Ata; kasachisch-sowjetischer Komponist, Musikforscher und Dirigent, studierte 1929–32 in Leningrad am Konservatorium Violine (E.Etigon), Oboe (Fjodor Niemann) und Musikgeschichte und war 1932–33 an der Akademie für Kunstwissenschaft Aspirant für Musikwissenschaft. Ab 1934 lebte er in Alma-Ata, wo er das erste kasachische Volksinstrumentenorchester (ab 1944 unter dem Namen »Kurmangasy«) gründete, dessen künstlerischer Leiter er 1938–45 war. Daneben leitete er 1945–50 in Alma-Ata die kunstwissenschaftliche Abteilung der Akademie der Wissenschaften (1945 Doktor der Kunstwissenschaft) und war 1945–51 Direktor des dortigen Konservatoriums (1944 Professor). Er schrieb die Opern *Abaj* (mit Latyf Chamidi, Alma-Ata 1944, Neufassung Moskau 1958) und *Tulegen Tochtarow* (mit Chamidi, Alma-Ata 1947, Neufassung 1963), Orchesterwerke (Symphonische Dichtung *Abaj*, 1941; Suite nach Themen kasachischer Volkslieder, 1943; Fantasieouvertüre, 1944), Klavier-, Violin- und Vokalwerke, die Musik zu dem Film *Amangeldy* (mit M.Gnessin) sowie zahlreiche Stücke für kasachische Volksinstrumente. – Veröffentlichungen (Auswahl): *Kasachskij narodnyj kompositor Kurmangasy* (»Der kasachische Volkskomponist Kurmangasy«, Ksyl-Orda 1936); *Schisn i twortschestwo kasachskich narodnych kompositorow XIX – natschala XX weka*

(»Leben und Schaffen der kasachischen Volkskomponisten im 19. und zu Beginn des 20. Jh.«, Alma-Ata 1942, kasachisch); *Struny stoletij* ... (»Die Saiten der Jahrhunderte. Skizzen über Leben und schöpferisches Wirken der kasachischen Volkskomponisten«, ebd. 1958); *Solowji stoletij* ... (»Nachtigallen der Jahrhunderte. Skizzen über Volkskomponisten und -sänger«, ebd. 1967). Er edierte den Sammelband *Otscherki po istorii kasachskoj sowjetskoj musyki* (»Abrisse zur Geschichte der kasachisch-sowjetischen Musik«, ebd. 1962).
Lit.: B. Jersakowitsch, Jubilej kasachskowo musykanta (»Jubiläum eines kasachischen Musikers«), in: Musykalnaja schisn IX, 1966.

Schubanowa, Gasisa Achmetowna, * 2. 12. 1928 in der Kolchose Schana-Turmys (bei Aktjubinsk); kasachisch-sowjetische Komponistin, Tochter von Achmet Schubanow, absolvierte 1954 ihr Studium bei Schaporin am Moskauer Konservatorium und ist gegenwärtig in Alma-Ata Vorsitzende des kasachischen Komponistenverbandes. Sie schrieb die Opern *Tungi-saryn* (»Donner in den Nächten«, Moskau 1955) und *Enlik-Kebek* (1972), die Ballette *Legenda o beloj ptize* (»Legende vom weißen Vogel«, 1965) und *Karakumskaja tragedija* (»Tragödie in Kara-kum«, 1972), Orchesterwerke (Symphonische Dichtung *Aksak-Kulan*, 1955; Symphonie *Schiger*, »Energie«, 1971; Konzert für V. und Orch., 1958), Kammermusik (*Liritscheskaja poema* für Streichquartett, 1952; Variationen für V. und Kl., 1951), das Oratorium *Sarja nad stepju* (»Morgenrot über der Steppe«, 1960), die Kantate *Pesnja radosti* (»Lied der Freude«, 1953), a cappella-Chöre, Romanzen, Lieder sowie Bühnen- und Filmmusik.
Lit.: N. Tiftikidi, S weroj w beluju ptizu (»Mit d. Glauben an d. weißen Vogel«), SM XXX, 1966; Je. Trembowelskij, O zitirowanii i nazionalnoj suti (»Über d. Zitieren u. d. nationale Eigenart«), SM XXXVII, 1973 (zur Symphonie »Schiger«).

+Schubart, Christian Friedrich Daniel, 24. 3. 1739 zu Obersontheim (Schwaben) [del. bzw. erg. frühere Angaben] – 1791.
Sch. war 1763–69 in Geislingen Präzeptor, Musiklehrer und Organist, dann bis zu seiner Ausweisung 1773 durch den Herzog von Württemberg in Ludwigsburg Organist der Stadtkirche und Musikdirektor (auch Violinist im Opernorchester). Nach seiner Freilassung (1787) wurde Sch. in Stuttgart zum Hofdichter sowie zum Direktor des Schauspiels und der deutschen Oper ernannt. – Die ab 1774 von ihm herausgegebene polemische Zeitschrift *Deutsche Chronik* führte er in der Folgezeit als *Vaterländische Chronik* (1787), *Vaterlandschronik* (1788–89) und *Chronik* (1790–91) fort. – Von Sch. sind etwa 81 Lieder bekannt, davon 47 auf eigene Texte.
Ausg.: ein Lied aus »Mus. Rhapsodien« I in: H. J. Moser, Das deutsche Sololied u. d. Ballade, = Das Musikwerk XIV, Köln 1957, engl. 1958. – Ideen zu einer Ästhetik d. Tonkunst (1806), Nachdr. (mit Vorbemerkungen u. Register v. Fr. u. M. Kaiser) Hildesheim u. Darmstadt 1969.
Lit.: +M. Friedlaender, Das deutsche Lied im 18. Jh. (1902), Nachdr. Hildesheim 1962 (3 Bde in 2); +H. Kretzschmar, Gesch. d. neuen deutschen Liedes (= Kleine Hdb. d. Mg. nach Gattungen IV, 1911), Nachdr. ebd. u. Wiesbaden 1966. – O. Schimpf, Chr. Fr. D. Sch. u. d. deutsche Lied, Diss. Marburg 1950; R. W. Harpster, Genius in the 18th Cent., C. F. D. Sch.'s »Vom mus. Genie«, in: Current Musicology 1973, Nr 15; R. Schollum, Sch.s u. Schuberts »Forelle«-Vertonungen, in: Musikerziehung XXVIII, 1974/75.

+Schubert, Ferdinand [erg.:] Lukas, 1794–1859.
Lit.: I. Weinmann in: MGG XII, 1965, Sp. 104ff.; R. van Hoorickx, Two Essays on Sch., II: F. and Fr. Sch., RBM XXIV, 1970.

+Schubert, –1) Franz, 1808–78. Sein Vater Franz Anton Sch., 1768 – 1827 [nicht: 1824].
–3) Georgine, 1840 – 1878 zu Strelitz [nicht: Potsdam].
Lit.: K. Laux in: MGG XII, 1965, Sp. 101ff.

+Schubert, Franz Peter, 1797–1828.
Sch. erhielt ersten Unterricht bei dem Regens chori und Organisten der Liechtenthaler Pfarrkirche Michael Holzer, der als einer der ersten Wiener Komponisten Lieder veröffentlicht hatte (1779); möglicherweise wurde in Holzers Unterricht seine Hinwendung zum Lied begründet. Den wesentlichen Anstoß zu Sch.s Liedkomposition gaben die Lieder Zumsteegs: Sch.s erstes Lied *Hagars Klage* D 5 (1811) ist nach dem Modell des Zumsteeg-Liedes *Hagar's Klage in der Wüste Berseba* (1797) komponiert. Als Hofsängerknabe im Stadtkonvikt (1808–13) lernte Sch. die Symphonien Haydns, Mozarts und Beethovens kennen. Obwohl er »den Weg zur großen Sinfonie«, d. h. zur repräsentativen Instrumentalmusik suchte (vgl. Brief an L. Kupelwieser vom 31. 3. 1824), trat doch das Lied, vor allem ab 1814, immer mehr in den Mittelpunkt seines Schaffens (die Zahl der Lieder wird auf 634 geschätzt). Erst ab 1822 fand Sch. auch in der Instrumentalmusik zu sich selbst (H moll-Symphonie). Seine Instrumentalmusik aus den letzten Lebensjahren stehen nicht, wie noch z. B. die Symphonien Nr 1–6, unter direkter Einwirkung der Wiener Klassik, sondern erhalten ihre Besonderheit aus ihrer Affinität zur Liedstruktur. Trotz ihres lyrischen Grundcharakters stehen sie (nach Georgiades, 1967) mit der Instrumentalmusik des späteren 19. Jh. in keiner genetischen Beziehung. Manche für das Lied konstitutive Züge treten in der Instrumentalmusik verselbständigt hervor: das Suggestive der Harmonik und die bestrickende Macht der geschlossenen, in sich vollendeten Melodie. – War im 18. Jh. das Lied in der Theorie der Berliner Schule als musikalisches Kunstwerk kaum geahnt, so gewann es durch Sch. Werkcharakter im Sinne der Wiener Klassik (besonders durch seine Goethe-Vertonungen). Im Melodiebegriff der Berliner Liederschule (bei J. A. P. Schulz u. a.: »Schein des Bekannten«, »Volkston«) ist dennoch die Voraussetzung für Sch.s Lied als vollgültiges musikalisches Werk gegeben (Schwab, 1965). Die Vorstellung, seine Lieder seien die Grundlage für das romantische Lied von Mendelssohn Bartholdy und Schumann bis R. Strauss gewesen, ist umstritten. Zwar geht vom Sch.-Lied der Werkanspruch der Gattung aus, doch scheint das »romantische« Lied eher an vorschubertsche Tradition anzuknüpfen, die es vertieft und differenziert (Georgiades). Die Gesellschaft, die seit Sch. das Lied als Gattung trägt, ist in erster Linie nicht mehr der Adel, sondern das selbstbewußt gewordene Bürgertum, das sich nach außen hin jedoch noch nicht konsolidiert hatte. Auch das Lied hat zu Sch.s Zeit seinen Ort nicht im Konzertsaal, sondern im Kreis gleichgestimmter Freunde (»Schubertiaden«). Doch gerade die innere Distanzierung von der repräsentativen Musik ermöglicht die Entfaltung der spezifischen Liedaussage. – Streichquintett [nicht: Klavierquintett] C dur op. 163 (D 956, 1828); +Oktett F dur op. posth. 166 (D 803 [nicht: 806], 1824). StK
Ausg.: +GA ... (E. Mandyczewski u. a., 1884–97), Nachdr. Wiesbaden 1965 (41 Bde in 19). – Neue Ausg. sämtlicher Werke, hrsg. v. d. Internationalen Sch.-Ges. unter d. Leitung v. W. Dürr, A. Feil u. Chr. Landon, angelegt in 8 Serien (I Kirchenmusik, II Bühnenwerke, III Mehrstimmige Gesänge, IV Lieder, V Orchesterwerke, VI Kammermusik, VII Klaviermusik, VIII Suppl.; dazu separat Kritische Ber.), Kassel 1964ff. (vgl. dazu: L.

NOWAK in: Beitr. 1968/69, S. 14ff.; A. FEIL u. W. DÜRR in: ÖMZ XXIV, 1969, S. 553ff.; DIES. u. CHR. LANDON in: Mf XXVI, 1973, S. 75ff.), bisher erschienen: Serie IV, Bd 1 u. 6–7 (hrsg. v. W. DÜRR, 1970, 1969, 1968); V, 1 (A. FEIL u. CHR. LANDON, 1967), Sinfonien Nr 1–3; VI, 1 (A. FEIL, 1969), Oktette u. Nonett, VI, 2 (M. CHUSID, 1971), Streichquintette, VI, 8 (H. WIRTH, 1970), Werke f. Kl. u. ein Instr. (V., Fl., Arpeggione); VII, Abt. 1 (Werke f. Kl. 4händig), Bd 4 (CHR. LANDON, 1972), Märsche u. Tänze; VIII, 5 (O. E. DEUTSCH, 1964), Sch., Die Dokumente seines Lebens. – Symphonie H moll, hrsg. v. M. CHUSID, = Norton Critical Scores III, NY 1968; Scherzo H moll (aus d. Symphonie H moll), nach Sch.s eigenen Skizzen vervollständigt v. G. ABRAHAM, London 1971.
Lit.: +O. E. DEUTSCH, Fr. Sch., Die Dokumente seines Lebens u. Schaffens, Bd I nur engl. als: Sch., Thematic Cat. ... (1951; Ergänzungen u. Berichtigungen in: ML XXXIV, 1953, S. 25ff.), unveränderter Nachdr. d. Ausg. v. 1951 NY 1970(?), Bd II, 1: Die Dokumente seines Lebens (1914), Neuaufl. Kassel 1964 (s. o. Neue GA), Bd IV (ursprünglich II, 2): Sch., Die Erinnerungen seiner Freunde (1957), Lpz. 21966, engl. London u. NY 1958; DERS., Sch., Zeugnisse seiner Zeitgenossen. Ausgew. Erinnerungen, = Fischer Bücherei Bd 609, Ffm. 1964; Fr. Sch., Im eigenen Wirken u. in d. Betrachtungen seiner Freunde, hrsg. v. W. REICH, = Manesse Bibl. d. Weltlit. o. Nr, Zürich 1971. – +O. E. DEUTSCH, Fr. Sch., Briefe u. Schriften (1919), 4. Aufl. = Orpheus-Bücher VIII, Wien 1954, engl. London 1928, Nachdr. NY 1970: Fr. Sch. in seinen Briefen u. Aufzeichnungen, hrsg. v. H. WERLÉ, Lpz. 1948, 41955. – R. PETZOLDT, Fr. Sch. ..., Sein Leben in Bildern, Lpz. 1953, 21956, rumänisch = Viața în imagini o. Nr, Bukarest 1962; FR. NOVOTNY, Zu einem Bildnis Fr. Sch.s, in: Musica XV, 1961. – O. E. DEUTSCH, Sch.-Museum d. Stadt Wien in Sch.s Geburtshaus ..., Wien 1954, 31964, 41970; R. KLEIN, Schubertstätten, ebd. 1972.
zu Autographen, Drucken u. Ausg.: FR. C. CAMPBELL, Sch. Song Autographs in the Whittall Collection, The Library of Congress Quarterly Journal of Acquisitions VI, 1949; FR. RACEK, Von d. Sch.-Hss. d. Stadtbibl., Fs. ... d. Wiener Stadtbibl., Wien 1956; P. BADURA-SKODA, Unbekannte Eigenschriften bekannter Schubertwerke, NZfM CXXII, 1961; M. J. E. BROWN, Discoveries of the Last Decade, MQ XLVII, 1961 u. LVII, 1971; E. NORMAN MCKAY, The Interpretation of Sch.'s Decrescendo Markings and Accents, MR XXII, 1961; W. SUPPAN, Sch.-Autographe im Nachlaß Weis-Ostborn, Graz, StMl VI, 1964; A. FEIL u. W. DÜRR, Kritisch revidierte GA v. Werken Fr. Sch.s im 19. Jh., in: Musik u. Verlag, Fs. K. Vötterle, Kassel 1968; R. VAN HOORICKX, A Sch. Autograph at the Brussels Conservatoire, RBM XXII, 1968; DERS., Notes on a Collection of Sch. Songs Copied from Early Mss. Around 1821–25, ebd.; DERS., About Some Early Sch. Mss., MR XXX, 1969; I. KECSKEMÉTI, Eine wieder aufgetauchte Eigenschrift Sch.s, ÖMZ XXIII, 1968; DERS., Neu entdeckte Sch.-Autographe, ÖMZ XXIV, 1969; CHR. LANDON, Neue Sch.-Funde, ebd., engl. in: MR XXXI, 1970, S. 215ff.; O. E. DEUTSCH, Eine merkwürdige Sch.-Hs., in: Musa–Mens–Musici, Gedenkschrift W. Vetter, Lpz. 1970; A. OREL, Sch.iana in Schweden, ebd.; A. WEINMANN, Zwei neue Sch.-Funde, ÖMZ XXVII, 1972.
zu Leben u. Werk allgemein: +H. KREISSLE V. HELLBORN, The Life of Fr. Sch. (2 Bde, 1866), Nachdr. NY 1972; +K. KOBALD, Fr. Sch. (1922), Wien 21928, 61963; +DERS., Fr. Sch. u. seine Zeit (1928 [nicht: 1921]), engl. London 1928, Nachdr. = Essay and General Lit. Index Reprint Series o. Nr, Port Washington (N. Y.) 1970; +O. BIE, Fr. Sch. (1925), engl. NY 1928, Nachdr. Westport (Conn.) 1971; +N. FLOWER, Fr. Sch. (1928), NA London 1935, 21949, Nachdr. 1964; +A. KOLB, Fr. Sch. (1941), Erlenbach 31968, auch = Signum-Taschenbücher Bd 247, Gütersloh 1964, dänisch Kopenhagen 1969; +B. PAUMGARTNER, Fr. Sch. (1943, 21947), Zürich 31960, 41974; +The Music of Sch. (hrsg. v. G. ABRAHAM, 1947), Nachdr. = Essay and General Lit. Index Reprint Series o. Nr. Port Washington (N. Y.) 1969; +A. HUTCHINGS, Sch. (1945, 21956), revidiert = Master Musician Series o. Nr, London 31964, Nachdr. 1973; +A. EINSTEIN, Sch. (1951), Nachdr. ebd. 1971, frz. = Leurs figures o. Nr, Paris

1959, japanisch Tokio 1963, ital. Mailand 1970; +H. GOLDSCHMIDT, Fr. Sch. (1954), Bln 21958, 51964; +M. J. E. BROWN, Sch. (1958), London 21961, deutsch Wiesbaden 1969; +M. SCHNEIDER, Sch. (= Solfèges IV, 1947), deutsch (1958), Hbg 21965, engl. = Evergreen Profile Book IV, NY 1959. – M. J. E. BROWN, Sch.'s Variations, London 1954; DERS., Essays on Sch., NY 1966; M. BUSCH, Formprinzipien d. Variation bei Beethoven u. Sch., Diss. Köln 1955; W. VETTER, Sch.s Klassizität, Mf VIII, 1955; R. BAUER, Fr. Sch. et la lit. de son temps, in: Etudes germaniques XIII, 1958; H.-W. BERG, Sch.s Variationswerke, Diss. Freiburg i. Br. 1958; H. GOLDSCHMIDT, Die Frage d. Periodisierung im Schaffen Sch.s, BzMw I, 1959; FR. BRAUN, Studien zur Dynamik in Sch.s Instrumentalmusik, Diss. Tübingen 1960; R. RHEIN, Fr. Sch.s Variationswerke, Diss. Saarbrücken 1960; V. LEVI, Le arie e ariette di Sch. su testo ital., Fs. E. Schenk, = StMw XXV, 1962; E. SEIDEL, Die Enharmonik in d. harmonischen Großformen Fr. Sch.s, Diss. Ffm. 1962; TH. W. ADORNO, Sch., in: Moments mus., = Ed. Suhrkamp LIV, Ffm. 1964 (= Wiederabdruck aus: Die Musik XXI, 1928/29), ital. in: Lo spettatore mus. 1969, H. 4; M. CHUSID, Sch.'s Cyclic Compositions of 1824, AMl XXXVI, 1964; B. GR. KREMLJOW, Sch., = Serija biogr., Schisn sametschatelnych ljudej XVIII, Moskau 1964; FR. D'EAUBONNE u. M.-R. HOFMANN, La vie de Sch., = Vies et visages o. Nr, Paris 1965; A. FEIL, Studien zu Sch.s Rhythmik, München 1966; W. MARGGRAF, Fr. Sch., = Reclams Universal-Bibl. Bd 87, Lpz. 1967; W. RIEZLER, Sch.s Instrumentalmusik. Werkanalysen, = Atlantis-Musikbücherei o. Nr, Zürich 1967; M. BOYD, Sch.'s Short Cuts, MR XXIX, 1968; JU. N. CHOCHLOW, O poslednem periode tworitschestwa Sch.a (»Über Sch.s letzte Schaffensperiode«), Moskau 1968; DERS., Sch., Nekotoryje problemy tworitscheskoj biogr. (»Einige Probleme d. Schaffensbiogr.«), ebd. 1972; M.-L. KUPELWIESER DE BRION, Une grande amitié. Fr. Sch. et L. Kupelwieser, Paris 1968; M. K. WHAPLES, On Structural Integration in Sch.'s Instr. Works, AMl XL, 1968; X. WASSILJEWA, Fr. Sch., Leningrad 1969; E. T. CONE, Sch.'s Beethoven, MQ LVI, 1970; H. GÁL, Fr. Sch. oder d. Melodie, Ffm. 1970, engl. London 1974; R. VAN HOORICKX, Ferdinand u. Fr. Sch., RBM XXIV, 1970; DERS., Sch.'s Reminiscences of His Own Works, MQ LX, 1974; H. KELLER, Sch.s Verhältnis zur Sonatenform, in: Musa–Mens–Musici, Gedenkschrift W. Vetter, Lpz. 1970; M. OČADLIK, B. Smetanas Beziehungen zu Fr. Sch., ebd.; D. SCHNEBEL, Auf d. Suche nach d. befreiten Zeit. Versuch über Sch., NZfM CXXXI, 1970, auch in: Denkbare Musik, hrsg. v. H. R. Zeller, = DuMont Dokumente o. Nr, Köln 1972, ital. in: Lo spettatore mus. 1970, Nr 1, S. 33ff.; A. TENSCHERT, Fr. Sch., = Österreich-Reihe Bd 379/380, Wien 1971; J. REED, Sch., The Final Years, London u. NY 1972; K. GUDEWILL, Von Mozart zu Sch., Sequenzmelodik in Instrumentalwerken aus d. Zeit v. ca. 1780 bis ca. 1830, in: Musicae scientiae collectanea, Fs. K. G. Fellerer, Köln 1973. – Aufsatzfolge in: ÖMZ XXVII, 1972, H. 4.
zum Liedschaffen: +M. BAUER, Die Lieder Fr. Sch.s (1915), Nachdr. Niederwalluf bei Wiesbaden 1972; +R. CAPELL, Sch.'s Songs (1928), revidiert NY u. London 21957, Nachdr. NY 1966, London 31973; +FR. BLUME, Goethes Mondlied in Sch.s Kompositionen (1928), Wiederabdruck in: Syntagma musicologicum, Kassel 1963. – M. u. L. SCHOCHOW (Hrsg.), Fr. Sch., Die Texte seiner einstimmig komponierten Lieder u. ihre Dichter, Hildesheim 1974. – E. ZIMMERMANN, Gestaltungsfragen in klass. u. romantischen Liederzyklen, Diss. Bonn 1952; H. H. DRAEGER, Zur Frage d. Wort-Ton-Verhältnisses im Hinblick auf Sch.s Strophenlied, AfMw XI, 1954; A. LIESS, J. M. Vogl, Hofoperist u. Schubertsänger, Graz 1954; H. HAAS, Über d. Bedeutung d. Harmonik in d. Liedern Fr. Sch.s, = Abh. zur Kunst-, Musik- u. Literaturwiss. I, Bonn 1957; J. MAINKA, Das Liedschaffen Fr. Sch.s in d. Jahren 1815 u. 1816, Diss. Bln 1958 (HU); J. KRAMARZ, Das Rezitativ im Liedschaffen Fr. Sch.s, Diss. Bln 1959 (FU); JU. N. CHOCHLOW in: Woprossy musykosnanija III, hrsg. v. Ju. W. Keldysch u. A. S. Ogolewez, Moskau 1960, S. 738ff. (zu d. Heine-Liedern); DERS., Simnij put Fr. Sch.a (»Die Winterreise v. Fr. Sch.«), ebd. 1967; E. GR. PORTER in: MR XXI, 1960, S. 16ff. (zu »Der Doppelgänger«); DERS.,

Sch.'s Song Technique, = Student's Music Library o. Nr, London 1961; P. A. WULFIUS in: Woprossy musykosnanija III, hrsg. v. Ju. W. Keldysch u. A. S. Ogolewez, Moskau 1960, S. 694ff. (zu »Die schöne Müllerin«); J. KERMAN, A Romantic Detail in Sch.'s »Schwanengesang«, MQ XLVIII, 1962; G. SPIES, Studien zum Liede Fr. Sch.s. Vorgesch., Eigenart u. Bedeutung d. Strophenvariierung, Diss. Tübingen 1962; W. GERSTENBERG, Sch.iade. Anm. zu einigen Liedern, Fs. O. E. Deutsch, Kassel 1963; DERS., Der Rahmen d. Tonalität im Liede Sch.s, in: Musicae scientiae collectanea, Fs. K. G. Fellerer, Köln 1973; P. HAUSCHILD, Studien zur Liedmelodie Fr. Sch.s, Diss. Lpz. 1963; BR. A. BAGGETT, Analytical Guide to the Understanding and Performance of Selected Song Cycles of Fr. SCH., Diss. Columbia Univ. (N. Y.) 1964; A. CR. BELL, The Songs of Sch., Lowestoft (Suffolk) 1964; E. NORMAN McKAY, Zur Interpretation v. Sch.-Liedern, ÖMZ XIX, 1964; R. HEINZ, Fr. Sch., »An d. Musik«. Versuch über ein Lied, in: Beitr. zur Gesch. d. Musikanschauung im 19. Jh., hrsg. v. W. Salmen, = Studien zur Mg. d. 19. Jh. I, Regensburg 1965; H. W. SCHWAB, Sangbarkeit, Popularität u. Kunstlied, ebd. III; E. SEIDEL, Ein chromatisches Harmonisierungsmodell in Sch.s »Winterreise«, Kgr.-Ber. Lpz. 1966, erweitert in: AfMw XXVI, 1969; W. WIORA, Die Romantisierung alter Mollmelodik im Liede v. Sch. bis Wolf, DJbMw XI, 1966; M. J. E. BROWN, Sch. Songs, = BBC Music Guides IX, London u. Seattle (Wash.) 1967; THR. G. GEORGIADES, Sch., Musik u. Lyrik, Göttingen 1967 (mit separatem Notenanh.); FR. D. STOVALL, Sch.'s Heine Songs, Diss. Austin (Tex.) 1967; FR. GRASBERGER, Kostbarkeiten d. Musik, Bd I, Das Lied, Tutzing 1968 (mit Faks. d. Hss.); E. TH. SIMPSON, A Study, Analysis and Performance of the Schwanengesang of Fr. Sch., Diss. Columbia Univ. (N. Y.) 1968; J. MÜLLER-BLATTAU, Fr. Sch., Der Sänger Goethes, in: Goethe u. d. Meister d. Musik, Stuttgart 1969; E. SCHWARMATH, Mus. Bau u. Sprachvertonung in Sch.s Liedern, = Münchner Veröff. zur Mg. XVII, Tutzing 1969; J. WILDBERGER, Verschiedene Schichten d. mus. Wortdeutung in d. Liedern Fr. Sch.s, SMZ CIX, 1969; H. H. EGGEBRECHT, Prinzipien d. Sch.-Liedes, AfMw XXVII, 1970; J. P. LARSEN, Zu Sch.s Vertonung d. Liedes »Nur wer d. Sehnsucht kennt«, in: Musa–Mens–Musici, Gedenkschrift W. Vetter, Lpz. 1970; R. STEGLICH, Das romantische Wanderlied u. Fr. Sch., ebd.; D. B. GREENE, Sch.'s »Winterreise«. A Study in the Aesthetics of Mixed Media, The Journal of Aesthetics and Art Criticism XXX, 1970/71; E. BRODY u. R. A. FOWKES, The German Lied and Its Poetry, NY 1971; G. ESTERMANN, Die Klavierbegleitung im Sololied bei Sch. u. Schumann, Diss. Innsbruck 1971; D. FISCHER-DIESKAU, Auf d. Spuren d. Sch.-Lieder. Werden, Wesen, Wirkung, Wiesbaden 1971; G. MAIER, Die Lieder J. R. Zumsteegs u. ihr Verhältnis zu Sch., = Göppinger akademische Beitr. XXVIII, Göppingen 1971; J. M. STEIN, Poem and Music in the German Lied from Gluck to H. Wolf, Cambridge (Mass.) 1971; W.-J. DÜRING, Erlkönig-Vertonungen. Eine hist. u. systematische Untersuchung, = Kölner Beitr. zur Musikforschung LXIX, Regensburg 1972; G. KOWRIGA, Skwosnaja forma w pesnjach Sch.a (»Die durchgehende Form in Sch.s Liedern«), in: Woprossy musykalnoj formy II, hrsg. v. Wl. Protopopow, Moskau 1972; B. KINSEY, Sch. and the Poems of Ossian, MR XXXIV, 1973; H. L. MARSHALL, Symbolism in Sch.'s »Winterreise«, in: Studies in Romanticism XII, 1973; J. H. THOMAS, Sch.'s Modified Strophic Songs with Particular Reference to »Schwanengesang«, MR XXXIV, 1973.

zur Kirchenmusik: M. J. E. BROWN, Sch.'s Settings of the »Salve Regina«, ML XXXVII, 1956; R. VAN HOORICKX, Sch.'s »Pastoral Mass«, ML XLII, 1961; R. S. STRINGHAM, The Masses of Fr. Sch., Diss. Cornell Univ. (N. Y.) 1964; A. NIEMEYER, Fr. Sch.s »Lazarus«-Fragment u. seine Beziehung zur Textdichtung, Kgr.-Ber. Lpz. 1966.

zum Chorschaffen: V. KELDORFER, Sch.s Chorschaffen, ÖMZ XIII, 1958; R. G. Cox, Choral Texture in the Music of Fr. Sch., Diss. Northwestern Univ. Evanston (Ill.) 1963.

zum Bühnenwerk: M. J. E. BROWN, Sch.'s Two Major Operas, MR XX, 1959; E. NORMAN McKAY, The Stage-Works of Sch., Considered in the Framework of Austrian Biedermeier Soc., Diss. Oxford 1962/63; DIES., Rossinis Einfluß auf Sch., ÖMZ XVIII, 1963; DIES., Sch.'s Music f. the Theatre, Proc. R. Mus. Ass. XCIII, 1966/67; FR. RACEK in: Biblos XII, 1963, S. 136ff. (zu »Der häusliche Krieg«); F. BISOGNI, Rossini e Sch., nRMI II, 1968; M. J. CITRON, Sch.'s Seven Complete Operas. A Musico-Dramatic Study, Diss. Univ. of North Carolina 1971.

zum Kl.-Werk: H. TRUSCOTT in: MR XIV, 1953, S. 89ff. (zu op. 122); DERS., Sch.'s Unfinished Piano Sonata in C Major (1825), MR XVIII, 1957; P. MIES, Der zyklische Charakter d. Klaviertänze bei Fr. Sch., Kgr.-Ber. Wien Mozartjahr 1956; DERS., Die Entwürfe Fr. Sch.s zu d. letzten drei Klaviersonaten v. 1828, BzMw II, 1960; G. WINKLER, Das Problem d. Polyphonie im Klavierschaffen Fr. Sch.s, Diss. Wien 1956; M. J. E. BROWN in: MMR XC, 1960, S. 124ff. (zum »Trauer-Walzer«); A. BRENDEL in: ÖMZ XVII, 1962, S. 57ff. (zur »Wanderer-Fantasie«); E. A. STERLING, A Study of Chromatic Elements in Selected Piano Works of Beethoven, Sch., Schumann, Chopin, and Brahms, Diss. Indiana Univ. 1966; PH. RADCLIFF, Sch. Piano Sonatas, = BBC Music Guides XVIII, London 1967, Seattle (Wash.) 1971; F. BISOGNI, Rilievi filologici sulle sonate giovanili di Fr. Sch. (1815–17), nRMI II, 1968; M. HUGHES, L. MOSS u. C. SCHACHTER in: Journal of Mus. Theory XII, 1968, S. 184ff. (zu op. 94; vgl. dazu J. Rothgeb u. C. Schachter, ebd. XIII, 1969, S. 128ff. bzw. 218ff.); W. DÜRR, Eine unbekannte Fantasie v. Sch., ÖMZ XXIV, 1969; W. S. NEWMAN, The Sonata Since Beethoven, Chapel Hill (N. C.) 1969, revidiert NY u. London 1972 (Paperbackausg.); A. WHITTALL, The Sonata Crisis. Sch. in 1828, MR XXX, 1969; R. VAN HOORICKX in: RBM XXIV, 1970, S. 81ff. (zu op. 10); K. M. KOMMA in: Zs. f. Musiktheorie III, 1972, H. 2, S. 2ff. (zu op. posth. 164).

zur Kammermusik: H. TRUSCOTT in: MR XIX, 1958, S. 27ff., bzw. XX, 1959, S. 119ff. (zum Streichquartett D moll bzw. G dur); H.-M. SACHSE, Fr. Sch.s Streichquartette, Diss. Münster (Westf.) 1959; M. CHUSID, The Chamber Music of Fr. Sch., Diss. Univ. of Calif. at Berkeley 1961; DERS., Sch.'s Overture f. String Quintet and Cherubini's Overture to Faniska, JAMS XV, 1962; A. A. ABERT, Rhythmus u. Klang in Sch.s Streichquintett, Fs. K. G. Fellerer, Regensburg 1962; R. BRUCE, The Lyrical Element in Sch.'s Instr. Forms, MR XXX, 1969 (zum Streichquartett C moll D 703); J. A. WESTRUP, Sch. Chamber Music, = BBC Music Guides V, London u. Seattle (Wash.) 1969; H. HOLLANDER, Stil u. poetische Idee in Sch.s D-moll-Streichquartett, NZfM CXXXI, 1970; R. A. COOLIDGE, Form in the String Quartets of Fr. Sch., MR XXXII, 1971; K. MARX in: NZfM CXXXII, 1971, S. 588ff. (zum »Forellenquintett« u. Oktett).

zu d. Orch.-Werken: J. MÜLLER-BLATTAU, Sch.s »Unvollendete« u. d. Problem d. Fragmentarischen in d. Musik, in: Das Unvollendete als künstlerische Form, hrsg. v. J. A. Schmoll gen. Eisenwerth, Bern 1956, Wiederabdruck in: Von d. Vielfalt d. Musik, Freiburg i. Br. 1966; FR. WOHLFAHRT in: NZfM CXIX, 1958, S. 16ff., u. in: Das Orch. VI, 1958, S. 1ff. (zur Symphonie H moll); F. HÜTTENBRENNER, A. Hüttenbrenner u. Sch.s H-moll-Symphonie, Zs. d. Hist. Ver. f. Steiermark LII, 1961; E. LAAFF, Sch.s große C dur Symphonie. Erkennbare Grundlagen ihrer Einheitlichkeit, Fs. Fr. Blume, Kassel 1963; M. J. E. BROWN, Sch.'s »Ital.« Overtures, MR XXVI, 1965; DERS., Sch. Symphonies, = BBC Music Guides XIII, London 1970, Seattle (Wash.) 1971; ST. KUNZE, Symphonie h-moll, = Meisterwerke d. Musik I, München 1965; I. WL. LAWRENTEWA, Simfonii Sch.a, Moskau 1967; R. LEIBOWITZ, Tempo et caractère dans les symphonies de Sch., in: Le compositeur et son double, = Bibl. des idées o. Nr, Paris 1971 (im Anh., S. 162ff.: Une symphonie perdue de Sch.); R. WEBER, Die Sinfonien Fr. Sch.s im Versuch einer strukturwiss. Darstellung u. Untersuchung, 2 Bde, = Veröff. zur theoretischen Mw. III–IIIa, Münster (Westf.) 1971–72.

Schubert, Heino, * 11. 4. 1928 zu Glogau (Schlesien); deutscher Organist und Komponist, studierte 1947–53 in Detmold (Bialas, K. Thomas, Michael Schneider) sowie 1954–57 in Freiburg i. Br. (Genzmer,

Edith Picht-Axenfeld) und ist heute in Essen Domorganist an der Bischofskirche und Dozent an der Folkwang-Hochschule. Seine Kompositionen umfassen Kirchenmusik (*Missa in E* für 4 gemischte St., 1950; *3 Motetten zum Fest Christi Himmelfahrt,* 1957; *Missa »Unanimi voce«* für Chor, Gemeinde und Org., 1959; Kantate *Gelobet seist du, Jesu Christ* für Chor, Instrumente, Org. und Gemeinde, 1959; *Deutsches Marien-Proprium,* 1965; *»Psalmi«. Musica per adventum* für S., Chor und Bläser, 1968; 2 Psalmen für S. und Org., 1968), eine Orgelfantasie über *Ite missa est* (1964), ein Magnificat für Org. (1964), Kammermusik, weltliche Chöre, Kantaten und Volksliedsätze sowie die Schuloper *Kasperl wird reich.* Er verfaßte *Eine Selbstdarstellung* (in: Zeitgenössische schlesische Komponisten, hrsg. von G. Pankalla und G. Speer, = Veröff. des Arbeitskreises für schlesisches Lied und schlesische Musik IV, Dülmen/Westf. 1973, mit Werkverz.).
Lit.: Artikel H. Sch. in: Rheinische Musiker VII, hrsg. v. D. KÄMPER, = Beitr. zur rheinischen Mg. XCVII, Köln 1972.

+**Schubert,** Heinz, 1908 – Ende [nicht: März] 1945.
Lit.: E. VALENTIN in: ZfM CXIII, 1952, S. 9ff. (mit Werkverz.).

Schubert, Johann Friedrich, * 17. 12. 1770 zu Rudolstadt (Saale), † Oktober 1811 zu Mülheim (bei Köln); deutscher Violinist und Komponist, ging 1791 als 2. Violinist des Orchesters der Döbbelinschen Theatertruppe nach Berlin, mit dieser dann nach Stettin und wurde dort 1798 deren Musikdirektor. Nach 1804 leitete er die Konzerte der Kölner Kaufmannschaft in Mülheim. Er schrieb die Oper *Die nächtliche Erscheinung* (Stettin 1798) und Kammermusik (3 Duos für 2 V. op. 1, 3 Duos für 2 V. op. 2 und 24 kleine Stücke für Kl. op. 3) sowie eine Symphonie concertante für Ob. (oder Klar.), Fag. und Orch. op. 4 und ein Konzert für V. und Orch., ferner eine *Neue Singe-Schule* ... (Lpz. 1804).

+**Schubert,** Kurt, * 19. 10. 1891 [erg.:] zu Berlin, [del.:] gefallen 2./3. 5. 1945. (Weiteres nicht zu ermitteln. Die [frühere] Sterbeangabe betrifft einen anderen K. Sch.)

+**Schubert,** Paul, * 20. 3. 1884 zu Grünhof (Lettland), [erg.:] † 1945 in der Nähe von Dresden.
Sch. war Prorektor des Konservatoriums in Riga bis 1934.

+**Schuberth** [–1) Gottlob], –2) Julius Ferdinand Georg, 1804–75. Sein Bruder Friedrich Wilhelm August, 1817 – [erg.:] nach 1890. Der 1943 in Leipzig zerstörte Verlag J. Schuberth & Co. etablierte sich nach dem 2. Weltkrieg in Wiesbaden.
–3) Karl (Carl) [erg.:] Eduard, 1811–63. Die Cellosonate hat die op.-Zahl 43 [nicht: 42].
Lit.: K. STEPHENSON in: MGG XII, 1965, Sp. 186ff.; H.-M. PLESSKE, Bibliogr. d. Schrifttums zur Gesch. deutscher u. österreichischer Musikverlage, in: Beitr. zur Gesch. d. Buchwesens III, hrsg. v. K.-H. Kalhöfer u. H. Rötzsch, Lpz. 1968, S. 202f. – Briefe Fr. Berwalds an J. Sch., in: Musik u. Verlag, Fs. K. Vötterle, Kassel 1968.

+**Schubiger,** Anselm ([erg.:] Taufnamen Joseph Alois), 1815–88.
Sch. legte 1835 die Ordensgelübde im Kloster Einsiedeln ab und wurde erst 1839 [nicht: 1835] zum Priester geweiht. – +*Die Sängerschule St. Gallens vom 8. bis 12. Jh.* (1858), Nachdr. Hildesheim 1966.

+**Schuch,** Ernst, Edler von, 1846 – 1914 zu Kötzschenbroda (bei Dresden) [nicht: zu Dresden].
Sch., in dessen Dresdner Wirkungszeit etwa 50 Uraufführungen und viele Erstaufführungen fielen, brach-te die früher genannten Opern von R. Strauss zur Uraufführung [nicht: Erstaufführung]. – Seine Frau Klementine Proska, 1850 [nicht: 1853] – 1932. – Die Tochter Liesel v. Sch. (* 12. 12. 1891 zu Dresden), bis 1935 Mitglied der Dresdner Oper, unterrichtete 1935–67 Gesang an der dortigen Musikhochschule. Sie lebt heute im Ruhestand in Dresden.
Lit.: E. KRAUSE, R. Strauss, E. v. Sch. u. Dresden, in: R.-Strauss-Ehrung, hrsg. v. W. Höntsch, = Blätter d. Staatstheater Dresden 1963/64; G. M. HENNEBERG u. U. PÜSCHEL, Virtuosentum u. Ensemblegedanke, in: 300 Jahre Dresdner Staatstheater, bearb. v. W. Höntsch u. U. Püschel, Bln 1967.

Schuchardt, Theodor, * 23. 3. 1601 zu Weberstedt (Thüringen), † 25. 7. 1677 zu Eisenach; deutscher Komponist, studierte ab 1621 an der Universität in Greifswald, lehrte an verschiedenen Schulen in Thüringen und war 1644–71 Kantor in Eisenach. Er veröffentlichte 15 Kompositionen in *Threnodia sacra* (Gotha und Eisenach 1653) und ein *Christliches Gespräch* zu 8 St. (Gotha 1656).
Lit.: W. BRAUN, Th. Sch. u. d. Eisenacher Musikkultur im 17. Jh., AfMw XV, 1958; DERS., Das Eisenacher Begräbniskantional aus d. Jahre 1653, Jb. f. Liturgik u. Hymnologie IV, 1958/59; H. ENGEL, Musik in Thüringen, = Mitteldeutsche Forschungen XXXIX, Köln 1966.

Schüchner, Heinrich, * 10. 9. 1908 zu München; deutscher Violoncellist, studierte an der Akademie der Tonkunst in München bei J. Hegar sowie in Berlin an der Staatlichen Hochschule für Musik bei Feuermann und privat bei P. Grümmer. Er war Mitglied des Orchesters des Berliner Reichssenders (1934–43), des Bruckner-Orchesters in Linz (1943–45) und wurde 1945 Solovioloncellist beim NDR-Sinfonieorchester sowie 1953 Dozent an der Musikhochschule in Hamburg (Professor). Er ist sowohl als Solist als auch als Kammermusiker (Hamann-Quartett) aufgetreten.

Schüchter, Wilhelm, * 15. 12. 1911 zu Bonn, † 27. 5. 1974 zu Dortmund; deutscher Dirigent, kam nach einem Studium an der Staatlichen Hochschule für Musik in Köln (H. Abendroth, Jarnach) als Kapellmeister über Würzburg (1937–40) und Aachen, wo er neben H. v. Karajan arbeitete (1940–42), an die Städtische Oper Berlin (1942–43). 1947 wurde er 1. Kapellmeister und Stellvertreter von Schmidt-Isserstedt am NDR Hamburg. 1958–61 war er Chefdirigent des NHK-Symphonieorchesters Tokio. Ab 1962 war Sch. GMD der Stadt Dortmund, ab 1965 außerdem künstlerischer Leiter des Musiktheaters der Städtischen Bühnen Dortmund.

+**Schüler,** Johannes, * 21. 6. 1894 zu Vietz (Mark Brandenburg), [erg.:] † 3. 10. 1966 zu Berlin.
1963–64 war er als Dirigent an der Deutschen Oper Berlin tätig. 1969 wurde in Hannover seine Komposition *Die fünf Marienlieder des Kuno Kohn* für Bar. und Orch. posthum uraufgeführt.

+**Schünemann,** Georg, 1884–1945.
Die Arbeit +*Experimentelle und erkenntnistheoretische Musikerziehung* ist keine selbständige Schrift ([del.:] Schule und Volk 1900), sondern ein Vortrag (veröff. in: Musik in Volk, Schule und Kirche. Vorträge der V. Reichsschulmusikwoche in Darmstadt 1926, Lpz. 1927); der vollständige Titel des 1. Teiles von +*Die Musikerziehung* heißt Die Musik in Kindheit und Jugend, [erg.:] *Schule und Volk* (1930). Die Beethovenschen +*Konversationshefte* (1941–43) hat Sch. nicht als Faks.-Ausg., sondern in kritischer Übertragung ediert; davon sind H. 1–37 (1818–23) in italienischer Übersetzung erschienen (*I quaderni di conversazione di Beethoven,* hrsg.

von G. Barblan, Turin 1968). – +*Geschichte des Dirigierens* (1913), Nachdr. Hildesheim und Wiesbaden 1965; +*Führer durch die deutsche Chorliteratur* (ab 1935), [erg.:] 2 Bde, I: *Männerchor* (1935), II: *Gemischter Chor* (1936); +*Die Bachpflege der Berliner Singakademie* (Bach-Jb. XXV, 1928 [nicht: XXVIII, 1931]).
Lit.: K.-H. KÖHLER, Die Editionstätigkeit d. Musikabt. in Gesch. u. Gegenwart, BzMw IV, 1962; J. WULF, Musik im Dritten Reich, Gütersloh 1963, auch = rororo Taschenbuch Nr 818–20, Reinbek bei Hbg 1966.

+**Schürer,** Johann Georg, [erg.: um] 1720 [erg.:] in Böhmen (vermutlich zu Raudnitz an der Elbe) – 1786.
Lit.: D. HÄRTWIG in: MGG XII, 1965, Sp. 192ff.

+**Schürmann,** Georg Caspar (Schurmann, Scheuermann), 1672 oder [erg.: Anfang] 1673 – 25. [nicht: 8.] 2. 1751.
Die Oper +*Ixion* wurde 1722 [nicht: um 1704] und +*Daniel* 1701 [nicht: 1706] uraufgeführt.
Lit.: G. CROLL in: MGG XII, 1965, Sp. 195ff.

+**Schütz,** Adalbert, * 15. 8. 1912 zu Berlin.
Von ihm komponierte 1st. Introitus- und Gradualmusiken erschienen als *Betheler Cantional* (4 H., Bethel 1965–66). Er veröffentlichte eine Reihe kleinerer Beiträge (u. a. *Zur Deutung des Musikalischen Opfers,* in: Wort und Dienst, N. F. VI, 1959, und *Wort und Ton im Lied der Kirche,* in: Musik als Lobgesang, Fs. W. Ehmann, Darmstadt 1964).

+**Schütz,** Franz, * 15. 4. 1892 und [erg.:] † 19. 5. 1962 zu Wien.

Schütz, deutsche Musikerfamilie, –1) Gabriel, * 1. 2. 1633 zu Lübeck, † 9. 8. 1710 zu Nürnberg, war 6 Jahre Schüler des Lübecker Ratsmusikers N. Bleyer, studierte 1654–55 Musik in Hamburg und kam 1656 nach Nürnberg, wo er 1658 Exspektant der Stadtmusik und 1666 planmäßiger Stadtmusikus wurde. Er galt als einer der besten Gambenspieler und Zinkenbläser seiner Zeit. J. Ph. Krieger war sein Schüler. Von ihm sind Sonaten für Gambe und Gb., 2 Partiten für Gambe, Fl., V. und Gb. sowie Lieder für Singst. und Gb. überliefert. –2) Jacob Balthasar, * 5. 1. 1661 und begraben 29. 1. 1700 zu Nürnberg, Sohn von Gabriel Sch. und dessen Schüler im Gambenspiel, studierte in seiner Vaterstadt Gesang bei Schwemmer, Klavierspiel bei Wecker und Komposition bei D. Eberlin, wurde dort 1674 Ratsdiskantist, 1686 Stadtmusik-Exspektant und 1690 Stadtmusikus. Von ihm stammen 8 mit JBS signierte 1st. Lieder mit Gb. (in: H. Müller, *Der Geistlichen Erquick-Stunden ... Poetischer Andacht-Klang,* Nürnberg 1691). –3) Georg Gabriel, getauft 14. 2. 1670 und begraben 13. 3. 1716 zu Nürnberg, Sohn von Gabriel Sch., war ab 1694 Stadtmusik-Exspektant und ab 1702 Stadtmusikus in Nürnberg. Von ihm ist eine mit GGS signierte Melodie erhalten (ebd.).
Ausg. zu –2): eine Melodie in: J. ZAHN, Die Melodien d. deutschen ev. Kirchenlieder IV, Gütersloh 1891, Nachdr. Hildesheim 1963.
Lit.: M. SEIFFERT, Vorw. zu: Nürnberger Meister d. zweiten Hälfte d. 17. Jh., – DTB VI, 1, Lpz. 1905; H. HECKMANN, Ein später Brief v. J. Stainer, Fs. W. Wiora, Kassel 1967.

+**Schütz,** Heinrich, 1585–1672.
Sein Vater Christoph Sch., um 1550 – 25. 8. 1631 [nicht: 7. 10. 1635]; sein Vetter war der Dichterkomponist Heinrich Albert [nicht: Albrecht]. – Die +*Symphoniae sacrae* I op. 6 (1629) umfassen 20 3–6st. lateinische Konzerte [nicht: 1–3st. konzertierende lateinische Motetten]; +*Die Sieben Worthe ...* (1645?) sind lediglich handschriftlich [nicht: gedruckt] überliefert; +*Der 133.* [nicht: 113.] *Psalm* (1619); von +*Psalm 119* wurde

nur das Titelblatt gedruckt. – Nach Abschluß des Sch.-Werke-Verzeichnisses (SWV, W. Bittinger, Kassel 1960, bisher nur als kleine Ausg.) wurden, neben einer Anzahl Frühfassungen bereits bekannter Kompositionen, folgende Werke neu aufgefunden: das geistliche Konzert *Ein Kind ist uns geboren* für 2 T. und B. c. und die Hohelied-Motette *Stehe auf, meine Freundin* für 8st. Doppelchor (Steude, 1967) sowie der 137. Psalm für 8st. Doppelchor (Breig, 1970). Vermutlich ist Sch. auch der Komponist einer anonym überlieferten 6st. Litanei (Düben-Slg, Universitätsbibl. Uppsala; Br. Grusnick in: Sagittarius II, 1969, S. 39ff.). Eine erst 1960 bekannt gewordene deutsche Übersetzung von Monteverdis *Combattimento di Tancredi e Clorinda* stammt wahrscheinlich von Sch. selbst oder aus seinem Umkreis (Osthoff, 1961). – Neuere archivalische Forschungen über das Verhältnis von Sch.' kirchenmusikalischem Werk zur liturgischen Tradition des Dresdner Hofgottesdienstes weisen Sch. ein eher künstlerisch als liturgisch orientiertes Amtsverständnis nach (Schmidt, 1961). Schließlich wurde die Gültigkeit des Sch.schen Werkes (und der alten Musik überhaupt) für den heutigen Gottesdienst in Frage gestellt (Eggebrecht, 1969).
Ausg.: +GA (PH. SPITTA, 1885–94 bzw. 1909–29), Nachdr. Wiesbaden 1968–74 (18 Bde in 13). – Neue Sch.-GA, hrsg. v. d. Internationalen H. Sch.-Ges. (früher Neue Sch.-Ges.), Kassel 1955ff., bisher erschienen: Bd I (1955), Hist. d. Geburt Jesu Christi (hrsg. v. FR. SCHÖNEICH); II (1957), Die sieben Worte Jesu Christi am Kreuz, Lukas-, Johannes- u. Matthäus-Passion (BR. GRUSNICK, W. KAMLAH u. FR. SCHMIDT); III (1956), Hist. d. Auferstehung Jesu Christi (S. HUBER); IV (1956), Mus. Exequien (FR. SCHÖNEICH); V (1955), Geistliche Chormusik 1648 (W. KAMLAH); VI (1957), Der Psalter in 4st. Liedsätzen nach C. Beckers Dichtung (W. BLANKENBURG; vgl. dazu U. Prinz in: Mf XXV, 1972, S. 175ff.); VIII–IX (1960), Cantiones sacrae 1625 (G. GROTE); X–XII (1963), Kleine geistliche Konzerte 1636/39 (W. EHMANN u. H. HOFFMANN); XIII–XVII (1957–68), Symphoniae sacrae I–II (R. GERBER bzw. DERS. u. G. KIRCHNER, ab Bd XV W. BITTINGER); XXII (1962), 19 ital. Madrigale, Venedig 1611 (H. J. MOSER, mit deutscher Übers.); XXIII (1971), Psalmen Davids 1619, Nr 1–9 (W. EHMANN); XXVII–XXVIII (1970–71), Einzelne Psalmen I–II (W. BREIG); XXXI (1970), Trauermusiken (DERS.); XXXII (1971), Choralkonzerte u. -sätze (DERS.); XXXVII (1970), Weltliche Lieder u. Madrigale (W. BITTINGER); XXXVIII (1971), Weltliche Konzerte (DERS.). – Eine »Stuttgarter Sch.-Ausg.« f. d. praktischen Gebrauch, hrsg. v. G. GRAULICH (mit P. Horn), faßt Einzelausg. (Hänssler-Verlag Stuttgart) in Bde zusammen, bisher liegen vor: Bd VIII (1973), Mus. Exequien; XII (1971), 12 geistliche Gesänge op. 13. – 100. Psalm »Jauchzet d. Herren, alle Welt« f. 3 Chöre zu 4 St. u. B. c. u. 137. Psalm »An d. Wassern zu Babel« f. 8 St. u. B. c., hrsg. v. W. BREIG, 2 H., Kassel 1969; Litanei »Domine Deus, Deus virtutum«, mehrchöriges lat. Konzert f. 2 Favoritchöre, 4st. Capellchor ad libitum u. B. c., hrsg. v. G. GRAULICH, Stuttgart 1971 (v. Grusnick Sch. zugeschrieben); Motette »Stehe auf, meine Freundin« f. 8st. Doppelchor u. B. c. ad libitum, hrsg. v. W. STEUDE, Lpz. 1972. – Autobiogr. (Memorial 1651), Faks. hrsg. v. H. M. KRAUSE-GRAUMNITZ, Lpz. 1972.
Lit.: R. L. PATRICK, A Computer-Based Thematic Index to the Works of H. Sch., Diss. Univ. of Kentucky 1971. – Acta Sagittariana. Mitt. d. Internationalen H. Sch.-Ges., (Kassel) 1963ff.; Sagittarius: Beitr. zur Erforschung u. Praxis alter u. neuer Kirchenmusik, hrsg. v. d. Internationalen H. Sch.-Ges., bisher 4 Bde, (ebd.) I, 1966, II, 1969, III, 1970, IV, 1973. – H. Sch. (1585–1672) in seinen Beziehungen zum Wolfenbütteler Hof, hrsg. v. H. HAASE, = Ausstellungskat. d. Herzog-August-Bibl. VIII, Wolfenbüttel 1972. – KL. BLUM u. M. ELSTE, Internationale H. Sch. Diskographie 1928–72, Bremen 1972; H. Sch., Verz. d. Schallaufnahmen, = Deutsches Rundfunkarch., Sonder-Hinweisdienst Musik o. Nr, Ffm. 1972 (nebst Nachtrag).– Sch.-Sonder-H., = Musica sacra XCII, 1972, H. 4.

+C. v. WINTERFELD, J. Gabrieli u. sein Zeitalter . . . (1834), Nachdr. Hildesheim 1965; +A. SCHERING, Zur Metrik d. Psalmen v. H. Sch., Fs. P. Wagner, Lpz. 1926 [del. frühere bibliogr. Angaben]; +Die Kompositionslehre H. Sch.ens in d. Fassung seines Schülers Chr. Bernhard (J. MÜLLER-BLATTAU, 1926), Kassel ²1963; +R. GERBER, Das Passionsrezitativ bei H. Sch. u. seine stilgesch. Grundlagen (1929), Nachdr. Hildesheim 1973; +H. J. MOSER, Sch. u. d. ev. Kirchenlied (1930), Wiederabdruck in: Musik in Zeit u. Raum, Bln 1960; +DERS., Kleines H.-Sch.-Buch (1940), engl. übers. u. hrsg. v. D. McCulloch, London u. NY 1967; +W. GURLITT, H. Sch. (1935), Wiederabdruck in: Mg. u. Gegenwart I, = BzAfMw I, Wiesbaden 1966; +W. S. HUBER, Motivsymbolik bei H. Sch., Versuch einer morphologischen Systematik d. Sch.schen Melodik (Diss. 1958), gedruckt Basel 1961.

M. GEIER, Kurtze Beschreibung Des (Tit.) Herrn H. Sch.ens Chur-Fürstl. Sächs. ältern Capellmeister geführten müheseeligen Lebens-Lauff (1672), Faks.-Ausg. Kassel 1935, Neuaufl. hrsg. v. D. Berke, 1972. – O. BENESCH, Sch. u. Rembrandt, Fs. O. E. Deutsch, Kassel 1963, Wiederabdruck in: Sagittarius III, 1970, engl. in: Collected Writings, Bd I: Rembrandt, London 1970; R. PETZOLD, H. Sch. u. seine Zeit in Bildern, Lpz. u. Kassel 1972. – A. SCHMIEDECKE, Die Familie Sch. in Weißenfels, Mf XII, 1959; P. VÁRNAI, H. Sch., = Kis zenei könyvtár VIII, Budapest 1959; H. R. JUNG, Ein neuaufgefundenes Gutachten v. H. Sch. aus d. Jahre 1617, AfMw XVIII, 1961, erweitert als: Ein unbekanntes Gutachten v. H. Sch. . . ., BzMw IV, 1962; DERS., Zwei unbekannte Briefe v. H. Sch. aus d. Jahren 1653/54, BzMw XIV, 1972; O. WESSELY, Ein unbekanntes Huldigungsgedicht auf H. Sch., Anzeiger d. Österreichischen Akad. d. Wiss., Philosophisch-hist. Klasse XCVIII, zugleich = Mitt. d. Kommission f. Musikforschung XII, Wien 1961; R. TELLART, H. Sch., = Musiciens de tous les temps XXXVIII, Paris 1968; I. ALLIHN, in: MuG XXII, 1972, S. 659ff.; W. BLANKENBURG in: MuK XLII, 1972, S. 3ff.; O. BRODDE, H. Sch., Kassel 1972; H. EPPSTEIN, H. Sch., Stockholm 1972; D. ARNOLD, Sch. in Venice, in: Music and Musicians XX, 1972/73; FR. BLUME in: Syntagma musicologicum II, Kassel 1973, S. 139ff., engl. in: Studies in Music VII, (Nedlands/W. A.) 1973, S. 1ff.

A. ADRIO u. a., Bekenntnis zu H. Sch., Kassel 1954; L. SCHRADE, H. Sch. and J. S. Bach in the Protestant Liturgy, in: The Mus. Heritage of the Church IV, hrsg. v. Th. Hoelty-Nickel, St. Louis (Mo.) 1954, Wiederabdruck ebd. VII, 1970, auch in: De scientia musicae studia atque orationes, Bern 1967; DERS., Das mus. Werk v. H. Sch. in d. protestantischen Liturgie, = Schriften d. Freunde d. Univ. Basel X, Basel 1961; J. HEINRICH, Stilkritische Untersuchungen zur »Geistlichen Chormusik« v. H. Sch., Diss. Göttingen 1956; W. BRAUN, Th. Schuchardt u. d. Eisenacher Musikkultur im 17. Jh., AfMw XV, 1958; A. ROESELER, Studium zum Instrumentarium in d. Vokalwerken v. H. Sch., Die obligaten Instr. in d. Psalmen Davids u. in d. Symphoniae sacrae I, Diss. Bln 1958 (FU); W. MUDDE, H. Sch., Composer of the Bible, in: The Mus. Heritage of the Lutheran Church V, hrsg. v. Th. Hoelty-Nickel, St. Louis (Mo.) 1959; J. KRAUSE, Pilatus u. d. Credo. Zu einem Zitat in d. Johannes-Passion v. H. Sch., MuK XXXI, 1961; W. OSTHOFF, Monteverdis »Combattimento« in deutscher Sprache u. H. Sch., Fs. H. Osthoff, Tutzing 1961; E. SCHMIDT, Der Gottesdienst am kurfürstlichen Hofe zu Dresden. Ein Beitr. zur liturgischen Traditionsgesch. v. J. Walter bis zu H. Sch., Göttingen 1961 (vgl. dazu W. Blankenburg in: MuK XXXI, 1961, S. 226ff., u. in: Mf XIX, 1966, S. 214ff.); M. GECK, Ein textbedingter Archaismus im Werke v. H. Sch., AMl XXXIV, 1962; W. EHMANN, Die »Kleinen geistlichen Konzerte« v. H. Sch. u. unsere mus. Praxis, MuK XXXIII, 1963; G. MITTRING, Totendienst u. Christuspredigt. Zum Text d. Mus. Exequien v. H. Sch., in: Musik als Lobgesang, Fs. W. Ehmann, Darmstadt 1964; J. MITTRING, Der Dreiertakt, Ausdruck d. Freude? Zu H. Sch.ens »Geistlicher Chormusik« v. 1648, MuK XXXIV, 1964; FR. BLUME, Das Zeitalter d. Konfessionalismus, in: Gesch. d. ev. Kirchenmusik, Kassel ²1965; K. v. FISCHER, Die Passionshist. v. H. Sch. u. ihre gesch. Voraussetzungen, in: Musik u. Gottesdienst XX, 1966; CL. GANZ, Der

Beckerpsalter v. H. Sch., in: Musica sacra LXXXVII, 1967; THR. G. GEORGIADES, Schubert. Musik u. Lyrik, Göttingen 1967; H. WICHMANN-ZEMKE, Untersuchungen zur Harmonik in d. Werken v. H. Sch., Diss. Kiel 1967; W. STEUDE, Neue Sch.-Ermittlungen, DJbMw XII, 1967; DERS., Die Markuspassion in d. Lpz.er Passionen-Hs. v. J. Z. Grundig, DJbMw XIV, 1969; DERS., Wegweiser in d. Zukunft? H. Sch., in: Credo mus., Fs. R. Mauersberger, Kassel 1969; H. DRUDE, H. Sch. als Musiker d. ev. Kirche, Diss. theol. Göttingen 1969; W. BREIG, Neue Sch.-Funde, AfMw XXVII, 1970; DERS., Zum Parodieverfahren bei H. Sch., in: Musica XXVI, 1972; DERS., H. Sch.' Parodiemotette »Jesu dulcissime«, in: Convivium musicorum, Fs. W. Boetticher, Bln 1974; KL. HOFMANN, Zwei Abh. zur Weihnachtshist. v. H. Sch., MuK XL, 1970 – XLI, 1971; R. BRAY, The »Cantiones sacrae« of H. Sch. Re-examined, ML LII, 1971; S. HERMELINK, Bemerkungen zur Sch.-Ed., in: Mus. Ed. im Wandel d. hist. Bewußtseins, hrsg. v. Thr. G. Georgiades, = Mw. Arbeiten XXIII, Kassel 1971; I. ALLIHN, Sch.-Pflege u. -Forschung in d. DDR, in: Musikrat d. DDR, Bull. IX, 1972; A. ANDREJEW, O G. Schjutze i teorii doklassitscheskoj musyki (»Über H. Sch. u. d. Theorie d. vorklass. Musik«), SM XXXVI, 1972; D. ARNOLD, Sch.'s »Venetian« Psalms, MT CXIII, 1972; W. BLANKENBURG, Die Dialogkompositionen v. H. Sch., MuK XLII, 1972; DERS., Sch. u. Bach, ebd.; H. EGGEBRECHT, Mus. Analyse, in: Muzikološki zbornik VIII, 1972; DERS., H. Sch., MuK XLIII, 1973; J. RIFKIN, Sch. and Mus. Logic, MT CXIII, 1972; S. SCHMALZRIEDT, H. Sch. u. andere zeitgenössische Musiker in d. Lehre G. Gabrielis. Studien zu ihren Madrigalen, = Tübinger Beitr. zur Mw. I, Neuhausen-Stuttgart 1972; M. SEELKOPF, Ital. Elemente in d. Kleinen geistlichen Konzerten v. H. Sch., Mf XXV, 1972; H. WALTER, Ein unbekanntes Sch.-Autograph in Wolfenbüttel, in: Musicae scientiae collectanea, Fs. K. G. Fellerer, Köln 1973; R. GERLACH, Lat. u. deutsche Komposition bei H. Sch., in: Convivium musicorum, Fs. W. Boetticher, Bln 1974. – H. H. EGGEBRECHT, Sch. u. Gottesdienst. Versuch über d. Selbstverständliche, = Veröff. d. Walcker-Stiftung f. orgelwiss. Forschung III, Stuttgart 1969 (vgl. dazu u. a. W. Kamlah in: MuK XXXIX, 1969, S. 207ff., u. Fr. Indermühle in: Musik u. Gottesdienst XXIV, 1970, S. 80ff.).   WBR

Schütze, Rainer, * 27. 2. 1925 zu Heidelberg; deutscher Cembalobauer, eröffnete nach einem Architekturstudium 1954 in Heidelberg eine Werkstatt für historische Tasteninstrumente. Er wandte sich nach eingehenden Untersuchungen über die Zusammenhänge von Bauweise und Klangqualität bzw. Klangabstrahlung an historischen und modernen Cembali von der heute üblichen Rastenkonstruktion mit nach unten offenem Gehäuse ab und baute seine Instrumente in der niederländischen Bauweise mit allseits geschlossenem, leichtem Corpus und durchweg ohne 16'-Register.

Schuh, Oscar Fritz, *15.1.1904 zu München; österreichischer Schauspiel- und Opernregisseur und Theaterleiter, kam als Regisseur über Augsburg, Oldenburg, Osnabrück und Darmstadt 1928 an die avantgardistische Bühne von Gera (hier inszenierte er u. a. *Wozzeck* von Alban Berg, *Neues vom Tage* von P. Hindemith, »Herzog Blaubarts Burg« von Bartók) und ging 1931 nach Prag. 1932–40 wirkte er an der Staatsoper Hamburg, ab 1940 in Wien, hier zunächst an der Staatsoper (schließlich als Oberregisseur), ab Kriegsende auch am Burgtheater. 1953–58 war er Direktor des Theaters am Kurfürstendamm in Berlin, 1959–62 Generalintendant der Städtischen Bühnen Köln und 1963–68 Intendant des Deutschen Schauspielhauses Hamburg. Seit 1946 führt Sch. regelmäßig Regie bei den Salzburger Festspielen. 1960 wurde er Dozent und Leiter der Theaterabteilung an der Musikhochschule Köln. Er gastierte als Regisseur an der Komischen Oper Berlin, in Neapel, Mailand, Venedig und Zürich.

– Von Anbeginn seiner Regietätigkeit erstrebte Sch. eine Bühne, die von unverbindlicher Abstraktion wie vom Illusionismus des herkömmlichen Guckkastens, aber auch vom »komödiantischen« wie vom »literarischen« Theater gleich weit entfernt ist und die er selbst »geistiges Theater« nennt. In Wien begegnete er 1940 Neher, seinem fortan für zwei Jahrzehnte wichtigsten Bühnengestalter. Mozart steht im Zentrum der Opernregie von Sch.; die szenische Deutung seiner Bühnenwerke hat er in stets erneuten Realisierungen unablässig vertieft. Sch. inszenierte auch mehrere Uraufführungen musikalischer Bühnenwerke: *Das Opfer* von Zillig (Hbg 1937); *Johanna Balk* von Wagner-Régeny (Wien 1941); bei den Salzburger Festspielen *Dantons Tod* (1947) und *Der Prozeß* (1953) von G. v. Einem, »Der Zaubertrank« von Frank Martin (1948), *Antigonae* von Orff (1949), *Penelope* (1954) und *Die Schule der Frauen* (1956; deutsche Fassung) von Liebermann sowie *Irische Legende* von Egk (1955). Er veröffentlichte zahlreiche Aufsätze, Reden und Schriften, darunter die *Salzburger Dramaturgie* (Salzburg 1951, Neuaufl. 1969) und *Bühne als geistiger Raum* (mit Fr. Willnauer, = Dokumente des modernen Theaters I, Bremen 1963; darin Verz. der Inszenierungen 1932–62 und von Publ.).   KDG

+Schuh, Willi, * 12. 11. 1900 zu Basel. Musikredaktor der »Neuen Zürcher Zeitung« war Sch. bis 1965, die Redaktion der *Schweizerischen Musikzeitung / Revue musicale suisse* (SMZ) hatte er bis 1968 inne. 1969 wurde er zum Ehrenmitglied des Schweizerischen Tonkünstlervereins gewählt. Als Festgabe zum 70. Geburtstag erschien die Schriftensammlung *Umgang mit Musik. Über Kompositionen, Libretti und Bilder* (Zürich 1970, mit Verz. der Buchpublikationen und Editionen). – Die Schrift +*Formprobleme bei H. Schütz* (1928) ist seine Berner Dissertation. +*Renoir und Wagner* (1959), ergänzt und überarbeitet in *Umgang mit Musik*. – Neuere Bücher: *Ein paar Erinnerungen an R. Strauss* (Zürich 1964); *H. v. Hofmannsthal und R. Strauss. Legende und Wirklichkeit* (München 1964, Wiederabdruck in *Umgang mit Musik*); *Der Rosenkavalier. 4 Studien* (= Oltner Liebhaberdruck XVII, Olten 1968, Wiederabdruck von 3 Studien in *Umgang mit Musik*); *C. Beck* (mit D. Larese, Amriswil 1972). – Weitere Editionen: +*R. Strauss, H. v. Hofmannsthal. Briefwechsel* (1952, 2¹955), Zürich ³¹964 und ⁴¹970 (jeweils erweitert), engl. London 1961; *R. Strauss, Cl. Krauss. Briefwechsel* (mit G. Kl. Kende, München 1963, ²1964); *R. Strauss. Gesamtverzeichnis* (mit E. Roth, London 1964); *R. Strauss. Briefwechsel mit W. Sch.* (Zürich 1969); *Der Rosenkavalier. Fassungen, Filmszenarium, Briefe von H. v. Hofmannsthal und R. Strauss* (Ffm. 1971). Er ist Mitherausgeber der *Schweizer Beiträge zur Musikwissenschaft* (= Publ. der Schweizerischen musikforschenden Gesellschaft, Serie III, bislang Bd I, Bern 1972). – Mit H. Ehinger, P. Müller und H. P. Schanzlin bearbeitete Sch. das *Schweizer Musikerlexikon / Dictionnaire des musiciens suisses* (Zürich 1964, Nachtrag 1965). Lit.: P. SACHER in: SMZ CIX, 1969, S. 58ff.

Alexander Schuke, deutsche Orgelbauanstalt in Potsdam, gegründet 1820 von Gottlieb Heise (* 23. 3. 1785 zu Querfurt, † 1848 zu Potsdam); 1848–67 fortgeführt von dessen Schüler Carl Ludwig Gesell (* 24. 1. 1809 und † 7. 3. 1867 zu Potsdam), danach von dessen Sohn Carl Eduard Gesell (* 11. 5. 1845 und † 8. 4. 1894 zu Potsdam) und ab 1894 von Carl Alexander Sch. (* 14. 8. 1870 zu Stepenitz bei Meyenburg, † 16. 11. 1933 zu Potsdam). Die Firma, die seit 1894 mit »Alexander Schuke« firmiert, stand 1933–52 unter der Leitung von A. Sch.s Söhnen Karl Sch. (→ Berliner Orgelbauwerkstatt) und Hans-Joachim Georg Sch. (* 7. 1. 1908 zu Potsdam); seit 1953 ist H.-J. Sch. Alleininhaber. Von den in den letzten Jahren erbauten Werken seien die Orgeln des Tschaikowsky-Konservatoriums in Moskau (1959, 26 St.), der Kaiser-Wilhelm-Gedächtniskirche in Berlin (1962, 63 St.), der Kirche St. Michael in Jena (1962–63, 51 St.), der St. Bartholomäuskirche in Berlin (1964–65, 36 St.), der Kreuzkirche in Düsseldorf (1966, 45 St.), der St. Thomaskirche in Leipzig (1966–67, 47 St.) und der Kapelle des Oekumenischen Zentrums in Genf (1968, 15 St.) genannt. Daneben übernahm die Firma auch die Restaurierung der Barockorgeln der Marienkirche in Stralsund, des Brandenburger Doms, der St. Marienkirche in Angermünde (Uckermark) und der Marktkirche in Halle (Saale). Lit.: P. WILLIAMS, The Sch. Org. in St. Thomas, Lpz., The Org. Yearbook II, 1971.

Schukowskij, German Leontjewitsch, * 31. 10. (13. 11.) 1913 zu Radsiwillowo (Gouvernement Wolynien); ukrainisch-sowjetischer Komponist, studierte bis 1941 am Konservatorium in Kiew, wo er 1951–58 Musiktheorie lehrte. Seit 1967 ist er in der Verwaltung des ukrainischen Komponistenverbandes tätig. Seine Kompositionen umfassen u. a. die Opern *Wid schtschirokogo serzja* (»Von ganzem Herzen«, Moskau 1951) und *Perscha wesna* (»Der erste Frühling«, Kiew 1959), die Mono-Oper *Druschina soldata* für Bar. (»Die Frau eines Soldaten«, 1967), die Ballette *Rostislawa* (Kiew 1955) und *Lissowa pisnja* (»Das Waldlied«, Moskau 1961), *Karneval*, Suite für Orch. (1967), ein Klavierkonzert sowie Vokalwerke und Filmmusik.

Schuler, Manfred, * 1. 3. 1931 zu Konstanz; deutscher Musikforscher, studierte 1953–57 an den Universitäten in Freiburg i. Br. (W. Gurlitt) und München (Georgiades) und promovierte 1958 in Freiburg mit der Arbeit *Das Orgeltabulaturbuch von J. Paix. Ein Beitrag zur Geschichte der deutschen Orgel- und Klaviermusik in der zweiten Hälfte des 16. Jh.* Er ist im Schuldienst tätig. Neben der Edition von G. Maineios *Il primo libro de balli (Venedig 1578)* (= MMD V, Mainz 1961) veröffentlichte er u. a.: *Zur Frühgeschichte der Passacaglia* (Mf XVI, 1963); *Der Personalstatus der Konstanzer Domkantorei um 1500* (AfMw XXI, 1964); *Die Konstanzer Domkantorei um 1500* (ebd.); *Die Musik in Konstanz während des Konzils 1414–18* (AMl XXXVIII, 1966); *Die Musik an den Höfen der Karolinger* (AfMw XXVII, 1970); *Spanische Musikeinflüsse in Rom um 1500* (AM XXV, 1970).

+Schulhoff, –1) Julius, 1825–98. –2) Erwin (Ervín), 1894–1942. Er hielt sich 1933 in der Sowjetunion auf und erwarb die sowjetische Staatsbürgerschaft. – Die frühere Werkcharakteristik gilt nur für die Kompositionen der ersten Schaffensperiode bis 1930; eine Neuorientierung begann mit der Kantate *Manifest* für Chor und Orch. (nach Karl Marx, 1932). Nach 1930 entstanden ferner die Symphonien Nr 2–6 (1932; 1935; »spanische«, 1937; 1938; *Symfonie svobody*, »Freiheitssymphonie«, 1941) und Skizzen zu einer 7. und 8. Symphonie (*Eroica*, 1941; 1942). Lit.: zu –1): J. BITTNER, Die Klaviersonaten E. Francks ... u. anderer Kleinmeister seiner Zeit, 2 Bde, Diss. Hbg 1968. – zu –2): VL. MUSIL u. G. HOFMEYER, Bibliogr. Verz. d. Werke v. E. Sch., Bln 1967; E. KŘÍSTKOVÁ, E. Sch., Bibliogr. seznam z díla E. Sch.a (»Bibliogr. zum Werk E. Sch.s«), = Metodické a bibliografické texty krajské knihovny v Ostravě, Bibliogr. VI, Ostrau 1969. – E. Sch., ... (»Erinnerungen, Studien u. Dokumente«), hrsg. v. V. STARÁ, = Knižnice hudebních rozhledů IV, 1,

Schuller

Prag 1958 (mit Werkverz.). – J. JIRÁNEK, Die tschechische proletarische Musik in d. 20er u. 30er Jahren, BzMw IV, 1962; VL. MUSIL in: Hudební rozhledy XVI, 1963, S. 138ff., u. in: Mitt. d. Deutschen Akad. d. Künste V, 1967, Nr 6, S. 14f.; I. VOJTĚCH, A. Schönberg, A. Webern, A. Berg. Unbekannte Briefe an E. Sch., in: Miscellanea musicologica XVIII, 1965; J. LUDVOVÁ in: Hudební věda X, 1973, S. 225ff. (über Sch. als Pianist; mit deutscher Zusammenfassung).

Schuller, Gunther A., * 22. 11. 1925 zu New York; amerikanischer Komponist, Dirigent und Hornist, studierte 1941–43 an der Manhattan School of Music Horn, Musiktheorie und Kontrapunkt; als Komponist ist er Autodidakt. Er war 1. Hornist der Cincinnati Symphony (1943–45) und des Metropolitan Opera Orchestra (1945–59), war dann als freischaffender Komponist tätig (1959–67), daneben Acting Head (1963–65) und Head (1965) des Composition Department der Berkshire Music Festival in Tanglewood (Mass.) sowie Professor of Composition an der School of Music der Yale University in New Haven/Conn. (1964–66). Seit 1967 ist er Präsident des New England Conservatory of Music in Boston. Sch. organisierte die Konzertreihe »Twentieth Cent. Innovations« an der Carnegie Recital Hall und stellte für die New Yorker Radiostation WBAI die Sendereihe »Contemporary Music in Evolution« zusammen. Er ist Ehrendoktor der Northeastern University in Boston und der University of Illinois in Urbana. In seinem Schaffen verbindet sich Jazz mit symphonischer Musik. Die von ihm hierfür geprägte Formel »third stream« wurde zum Fachbegriff. – Kompositionen: Oper The Visitation (eigenes Libretto nach Kafka, Hbg 1966 als »Die Heimsuchung«; daraus Suite für Orch., 1970); Kinderoper The Fisherman and His Wife (Libretto John Updike nach dem Märchen der Gebrüder Grimm, Boston 1970); Ballette Variants (NY 1960, Choreographie Balanchine) und The Five Senses (1967). – Orchesterwerke: Vertige d'Eros (1945); Symphonic Study (1948); Symphonie für Blechbläser und Schlagzeug (1950); Dramatic Overture (1951); Symphonic Tribute to Duke Ellington (1955); Little Fantasy (1957); Spectra (1958); 7 Studies on Themes of Paul Klee (1959); Music for »Journey to the Stars« (1962); American Triptych (1962); Composition in Three Parts (1963); 5 Bagatelles (1964); Symphony (1965); Concerto (ursprünglicher Titel Gala Music, 1966); Triplum (1967); Fanfare for St. Louis (1968); Shapes and Designs (1969); Suite für Kammerorch. (1949, auch für Holzbläserquartett); Contours für kleines Orch. (1958); Meditation (1963) und Study in Textures (1966) für Blasorch.; Atonal Jazz Study (1948), Twelve by Eleven (1955) und Transformation (1956) für Jazzorch. – Konzerte für Horn (1944), Vc. (1945), Kl. (1962) und Kb. (1968) mit Orch.; Fantasia concertante für 3 Pos. (1947, auch mit Kl.), Rezitativ und Rondo für V. (1954, auch mit Kl.), Concertino (1959) und Variants (1960) für Jazzquartett, Contrasts für Holzbläserquintett (1961), Threnos, in memoriam D. Mitropoulos, für Ob. (1963), Colloquy für 2 Kl. (1968) und Museum Piece für Renaissanceinstrumente (1970) mit Orch.; Capriccio für Tuba und kleines Orch. (1960); Movements für Fl. und Streichorch. (1961); Journey Into Jazz für Erzähler, Jazzquintett und Orch. (1962); Diptych für Blechbläserquintett und Blasorch. (1964). – Kammermusik: Lines and Contrasts für 16 Hörner (1960); Variants on a Theme of Thelonious Monk für Fl., Altsax., Altsax. oder Baßklar. oder Fl., Vibraphon, Kl., Git., Kb., Trommeln und Streichquartett (1960); Doppelquintett für Holz- und Blechbläserquintett (1961); Music from »Yesterday in Fact« für Jazzquintett,

Fl., Baßklar., Horn, V. und Vc. (1963); Variants on a Theme of John Lewis für Fl., Altsax. oder Fl., Vibraphon, Kl., Git., 2 Kb., Trommeln und Streichquartett (1960); Abstraction für improvisierendes Altsax., Streichquartett, 2 Kb., Git. und Schlagzeug (1960); Automation für Fl., Klar., Fag., Horn, Kl., Hf., Schlagzeug, V. und Kb. (1963); Conversations für Jazz- und Streichquartett (1959); Fanfare für 4 Trp. und 4 Pos. (1962); Perpetuum mobile für 4 gestopfte Hörner und Tuba (1948); 5 Pieces für 5 Hörner (1952); Holzbläserquintett (1958); Music für Blechbläserquintett (1961); Night Music für improvisierende Baßklar., Git., 2 Kb. und Trommeln (1962); Fantasia concertante für 3 Ob. und Kl. (1946); Quartett für 4 Kb. (1947); 2 Streichquartette (1957 und 1965); Adagio (1953) und Aphorisms (1967) für Fl. und Streichtrio; Fantasy Quartet für 4 Vc. (1959); Little Brass Music für Trp., Horn, Pos. und Tuba (1962); Densities No. 1 für Klar., Vibraphon, Hf. und Kb. (1963); Trio für Ob., Horn und Va (1948); Music für V., Kl. und Schlagzeug (1957); Lifelines für Fl., Git. und Schlagzeug (1960); Sonaten für Vc. (1946) und Ob. (1951) mit Kl., und für Klar. und Baßklar. (1949); Fantasien für Vc. solo (1951) und für Hf. solo (1959); Music für Glockenspiel (1962); Episodes für Klar. solo (1965). – Vokalwerke: 7 Lieder nach Klabund (1946) und Meditations (1960) für S. und Kl.; 6 Renaissance Lyrics für T., Fl., Ob., Kl., V., Va, Vc. und Kb. (1962); 5 Shakespearean Songs für Bar. und Orch. (1965); Sacred Cantata on Psalm 98 (1966). – Er veröffentlichte u. a.: Horn Technique (London 1962); The History of Jazz, bisher Bd I: Early Jazz (NY 1968); American Performance and New Music (in: Perspectives of New Music I, 1962/63); Conversation with Steuermann und Conversation with Varèse (ebd. III, 1964/65); Composing for Orchestra (ebd. IX/2–X/1, 1971); ferner ein Beitrag für: The Orchestral Composer's Point of View (hrsg. von R. St. Hines, Norman/Okla. 1970).
Lit.: Werkverz. in: Composers of the Americas X, Washington (D. C.) 1964. – E. W. SCHWEITZER, Generation in String Quartets of Carter, Sessions, Kirchner, and Sch., Diss. Univ. of Rochester (N. Y.) 1966; H. SCHNEIBER in: Beitr. 1968/69, Kassel 1969, S. 20ff. (Gespräch).

+Schultheiß, Benedikt, [erg.:] getauft 20. 9. 1653 zu Nürnberg – 1693.
Sch. schrieb auch Arien für Singst., 4 Violen und Gb. (enthalten in A. Myhldorfers Neumännischer löblicher Abzug, Leichenpredigt für Maria Salome Neumann, Nürnberg 1682).
Lit.: E. v. RUMOHR, Der nürnbergische Tasteninstrumentalstil im 17. Jh., Diss. Münster (Westf.) 1939; FR. KRAUTWURST in: MGG XII, 1965, Sp. 238f.

Carl L. Schultheiß KG, Musikverlag und Werkstätte für Notentypie in Tübingen, gegründet 1920 von Carl Ludwig Sch. († 1958) in Ludwigsburg als Einzelfirma. 1925 übersiedelte der Verlag nach Stuttgart; im selben Jahr wurde das eigene Notenherstellungsverfahren »Notentypie« entwickelt, nach dem 1926 die ersten Drucke hergestellt wurden. 1944 wurde der Betrieb ausgebombt, 1946 nahm er seinen Sitz in Tübingen. Seit 1952 (Eintritt des Schwiegersohns Ekkehard Abromeit) ist die Firma Kommanditgesellschaft. Die Verlagsgebiete umfassen vor allem Orgelmusik, geistliche Chormusik (in Sammlungen und Blattausgaben) sowie Werke für die Chor- und Organistenschulung.

Schulthesius, Johann Paul, * 14. 9. 1748 zu Fechheim (Oberfranken), † 18. 4. 1816 zu Livorno; deutscher Theologe, Komponist und Musikschriftsteller, besuchte ab 1764 das Gymnasium Casimirianum in Coburg, ab 1770 die Universität in Erlangen, nahm dort Musikunterricht bei Kehl und ging 1774 als Pfarrer der lutherischen deutschen und holländischen Gemeinden nach Pisa und Livorno, wo er nochmals Komposition bei R. Checchi studierte, vielfach als Klavierspieler hervortrat und später Mitglied (1807 Sekretär) der Accademia di Scienze, Lettere ed Arti wurde. Seine Kompositionen tragen häufig programmatische Überschriften. Er veröffentlichte 3 Sonaten für Cemb. (oder Kl.) und V., 2 Sonaten für Kl., 2 Klavierquartette, zahlreiche Variationswerke für Kl., ein Klaviertrio und ein Klavierquartett. Auch schrieb er *Sulla musica da chiesa* (Mailand 1810).

Lit.: Fr. W. Jähns, C. M. v. Weber in seinen Werken, Bln 1871, Nachdr. 1967 (Nr 9–14); Fr. Peters-Marquardt in: MGG XII, 1965, Sp. 239ff.

+**Schulthess,** Walter, * 24. 7. 1894 und [erg.:] † 23. 6. 1971 zu Zürich.
Sch., der Stefi → Geyer 1920 heiratete, war Mitbegründer der Internationalen Musikfestwochen Luzern und (mit P. Sacher) Initiator des Collegium musicum Zürich. Er komponierte auch zahlreiche Lieder (u. a. 2 Zyklen nach Chr. Morgenstern).

+**Schultz,** Johannes, [erg.:] getauft 26. 6. 1582 zu Lüneburg – 1653.
Ausg.: 4st. Paduanen u. Intraden (1617), hrsg. v. H. Mönkemeyer, = Consortium o. Nr, Wilhelmshaven 1969.

Schultz, Svend Simon, * 30. 12. 1913 zu Nyköbing Falster (Seeland); dänischer Komponist, studierte 1933–38 an Det Kongelige Danske Musikkonservatorium in Kopenhagen, war danach Lehrer an verschiedenen Musikinstituten sowie Musikkritiker bei »Politika« (1942–49) und wurde 1949 Chorkapellmeister und Chorinstruktor beim dänischen Rundfunk. Konzerte mit eigenen Werken gab er in Dänemark, Norwegen, Schweden, Finnland, Italien und der Schweiz. Er schrieb u. a. die Opern *Kaffehuset* (1949), *Solbadet* (»Das Sonnenbad«, Århus 1949), *Høst* (»Herbst«, ebd. 1950), *Bag kulisserne* (»Hinter den Kulissen«, Kopenhagen 1951), *Bryllupsrejse* (»Hochzeitsreise«, 1951), *Tordenvejret* (»Das Gewitter«, 1954), *Hosekræmmeren* (»Der Hosenkrämer«, 1955), *Dommer Lynch* (»Richter Lynch«, 1959) und *Konen i muddergrøften* (»Die Frau im Morast«, dänisches Fernsehen 1963), die Marionettenopern *Hyrdinden og skorstensfejeren* (»Die Schäferin und der Schornsteinfeger«, ebd. 1953) und *Marionetterne* (»Die Marionetten«, ebd. 1957), Orchesterwerke (5 Symphonien, 1941, 1949, 1955, 1958 und 1962; Klavierkonzert, 1943), Kammermusik (5 Streichquartette, 1939, 1940, 1960, 1961 und 1962), Klavierwerke und Vokalmusik (*Sankt Hans Nat*, 1953, und *Mortens klosterrov*, »Martins Klosterraub«, 1958, für Soli, Chor und Orch.; Chöre und Lieder).

+**Schultze,** Christoph, [erg.: vor Weihnachten] 1606 – 26. [nicht: 28.] 8. 1683.
Lit.: W. Braun, Das »Große Hymnus-Buch« d. Kantors Chr. Sch., Jb. f. Liturgik u. Hymnologie VI, 1961; ders., Der Kantor Chr. Sch. u. d. »Neue Musik« in Delitzsch, Wiss. Zs. d. M.-Luther-Univ. Halle-Wittenberg, Ges.- u. sprachwiss. Reihe X, 1961; ders. in: MGG XII, 1965, Sp. 243f.

+**Schultze,** Norbert [erg.:] Arnold Wilhelm Richard, * 26. 1. 1911 zu Braunschweig.
Sch. ist seit 1961 Präsident des Verbandes deutscher Bühnenschriftsteller und -komponisten; seinen Musik- und Bühnenverlag leitete er bis 1968. An weiteren Werken seien genannt die Fernsehoper *Peter der dritte* (ZDF 1964) sowie zahlreiche Filmmusiken (u. a. zu *Das tanzende Herz*, 1951, *Das Mädchen Rosemarie*, 1957, und *Der Gauner und der liebe Gott*, 1960). Sch. ist seit 1943 verheiratet mit der Schauspielerin, Sängerin und Schriftstellerin Iwa Wanja, die auch die Libretti zu +*Käpt'n Bay-Bay*, +*Regen in Paris* und *Peter der dritte* schrieb.

Schulz, Claus Friedrich, * 21. 6. 1934 zu Rostock; deutscher Tänzer, begann als Eleve am Mecklenburgischen Staatstheater in Schwerin und ging 1951 an die Komische Oper Berlin sowie 1956 als 1. Solotänzer an die Deutsche Staatsoper Berlin (1960 Meistertänzer), deren Ballettdirektor er 1970–71 war. 1972 kehrte er nach einem Gastspiel in Paris nicht in die DDR zurück. Seine besten Rollen sind der Narr in »Schwanensee« (Tschaikowsky, Bln 1959), der Mercutio in »Romeo und Julia« (Prokofjew, Bln 1963) und die Titelrollen in »Der verlorene Sohn« (Prokofjew, Bln 1964) und »Petruschka« (Strawinsky, Bln 1965).
Lit.: W. Hoerisch, Meistertänzer Cl. Sch., Bln 1968.

+**Schulz,** Johann Abraham Peter (Schultz), getauft [del.: *] 31. 3. 1747 – 1800.
Sch. war Dirigent am Französischen Theater in Berlin bis 1778 [nicht: 1787]. Nach vorübergehender Tätigkeit am Privattheater der Kronprinzessin Friederike Luise wirkte er von 1780 bis 1787 [nicht: 1778] als Prinzlicher Hofkomponist und -kapellmeister in Rheinsberg und ging dann nach Kopenhagen, wo er dem dänischen Musikleben maßgebende Impulse verlieh, die zum Aufbau einer nationalen Tonschule wesentlich beitrugen. – Aus dem Bühnenwerk +*Le barbier de Séville* sind lediglich 2 Gesangsnummern bekannt. Von seinen Bühnenmusiken ist besonders die Schauspielmusik zu Racines *Athalie* (1783, konzertante Version 1786) zu erwähnen. – Sch. verfaßte auch eine Schrift *Über den Choral und die ältere Literatur desselben* (Erfurt ²1872); Teile einer Autobiographie (*Fragmente einer eigenen Lebensbeschreibung*) sind erstmals erschienen in C. v. Ledebur, Tonkünstler-Lexicon Berlins (Bln 1861, Nachdr. Tutzing 1965).
Ausg.: Lieder im Volkston. Bey d. Claviere zu singen, hrsg. v. K. F. Hirschmann, Mainz 1941; Lieder in: Sange fra olysningstiden (»Lieder aus d. Zeit d. Aufklärung«), hrsg. v. J. Nørgaard, Kopenhagen 1968(?). – 6 Stücke f. Kl. op. 1, hrsg. v. W. Hillemann, Mainz 1934; Sonata D dur f. V. u. Cemb., hrsg. v. dems., Wilhelmshaven 1961; 4 Stücke f. Kl. (Cemb.) aus op. 1, hrsg. v. W. Frickert, Lpz. bzw. Ffm. 1971. – J. Ph. Kirnberger, Die wahren Grundsätze d. Harmonie, Bln 1773 (v. Sch. niedergeschrieben nach Kirnbergers Unterrichtsanweisungen), Nachdr. Hildesheim 1970.
Lit.: J. A. P. Sch., 1., 2. u. 3. autobiogr. Skizze über sein Leben, hrsg. v. H. Gottwaldt, Lüneburger Blätter 1955, H. 6, u. 1961, H. 11/12; Briefwechsel zwischen J. A. P. Sch. u. J. H. Voß, hrsg. v. dems. u. G. Hahne, = Schriften d. Landesinst. f. Musikforschung Kiel IX, Kassel 1960. – J. Fr. Reichardt, J. A. P. Sch. (AmZ III, 1800/01), hrsg. v. R. Schaal, ebd. 1948; J. Leo, J. G. Sulzer u. d. Entstehung einer Allgemeinen Theorie d. schönen Künste, Bln 1907. – W. Salmen, J. Fr. Reichardt, Freiburg i. Br. 1963; N. M. Jensen, Den danske romance 1800–50 og dens mus. forudsaetninger, Kopenhagen 1964 (mit deutscher Zusammenfassung); G. Hahne, J. A. P. Sch.' Gedanken über d. Einfluß d. Musik auf d. Bildung eines Volkes, in: Musikerziehung in Schleswig-Holstein, zur Mw. v. Ch. Dahlhaus u. W. Wiora, = Kieler Schriften zur Mw. XVII, Kassel 1965; ders., J. H. Voß' Versuch einer GA d. Lieder J. A. P. Sch.', Mf XX, 1967; ders. u. H. Gottwaldt in: MGG XII, 1965, Sp. 245ff.; J. Mainka, Frühe Analysen zweier Stücke aus d. Wohltemperierten Kl., BzMw VII, 1965, auch in: Musa – Mens – Musici, Gedenkschrift W. Vetter, Lpz. 1970; ders., Realistik im norddeutsch-u. dänischen Singspiel um 1790, DJbMw XIII, 1968; ders., J. A. P. Sch. u. d. mus. Entwicklung im Zeitalter v. Sturm u. Drang, Habil.-Schrift Bln 1970 (HU); ders., J. A. P. Sch.' »Athalia«. Ein Beitr. zur Untersuchung d. Beziehung d. »Sturm u. Drang«

zum Klassizismus, BzMw XIII, 1971; H. W. Schwab, Sangbarkeit, Popularität u. Kunstlied. Studien zu Lied u. Liedästhetik d. mittleren Goethezeit 1770–1814, = Studien zur Mg. d. 19. Jh. III, Regensburg 1965; H. Glahn, Nogle kirkelige lejlighedskompositioner of J. A. P. Sch. (»Einige kirchliche Gelegenheitskompositionen v. J. A. P. Sch.«), Dansk aarbog f. musikforskning VI, 1968–72 (mit deutscher Zusammenfassung); K. A. Bruun, Dansk musiks hist. fra Holberg-tiden til C. Nielsen, Kopenhagen 1969, Bd I.

+Schulz, Johann Philipp Christian, 24. 9. [nicht: 1. 2.] 1773 – 1827.
Lit.: G. Hempel, Von d. Lpz.er Ratsmusik zum Stadt- u. Gewandhausorch., Diss. Lpz. 1961.

Schulz, Rudolf Willy Paul Friedrich, * 12. 7. 1911 zu Hannover; deutscher Violinist, studierte 1922–30 in Hannover und 1930–32 an der Hochschule für Musik in Berlin (Havemann). Er wurde 1932 1. Konzertmeister des Landesorchesters Berlin, 1934 an der Staatsoper Berlin und war ab 1949 in gleicher Stellung im RIAS-Sinfonie-Orchester tätig. Seit 1954 ist er 1. Konzertmeister an der Deutschen Oper Berlin. Als Solist und als Primarius des Streichquartettes Berlin widmet sich Sch. besonders auch der zeitgenössischen Musik. Daneben lehrt er an der Berliner Musikhochschule (1950 Professor).

+Schulz, Walter, * 29. 7. 1893 zu Frankfurt an der Oder, [erg.:] † 21. 1. 1967 zu Berlin.
An der Leipziger Musikhochschule lehrte Sch. bis zu seinem Tode. 1966 wurde er zum Ehrensenator der Fr.-Liszt-Hochschule in Weimar ernannt.

Schulz-Reichel, Fritz (Pseudonym Schräger Otto), * 4. 7. 1912 zu Meiningen; deutscher Pianist und Komponist von Unterhaltungs-, Schlager und Filmmusik, war 1934 Pianist im Orchester James Kok, dann Barpianist und Mitgründer des Orchesters Hohenberger. Er ist im In- und Ausland für Rundfunk- und Fernsehen (z. T. mit eigenen Shows) tätig. 1967 erhielt er als erster Popkünstler das »Goldene Grammophon« für mehrere Millionen verkaufte Schallplatten. Einer seiner Erfolgstitel ist der Schlager *Im Café de la Paix in Paris.*

Schulze, Christian Andreas (Schultze, Praetorius), * um 1660 wahrscheinlich zu Dresden, † 11. 9. 1699 zu Meißen; deutscher Komponist, Schüler der Dresdner Kreuzschule, studierte ab 1675 an der Leipziger Universität und wurde 1678 Stadt- und Domkantor in Meißen. Von seinen Kompositionen sind die *Historia Resurrectionis Domini nostri Jesu Christi* (1686) als wohl einziger erhaltener Beleg für diese Gattung nach H. Schütz und Selle sowie 38 geistliche Vokalwerke zu nennen. Rund 30 verschollene Stücke sind in zeitgenössischen Musikalieninventaren bezeugt.
Lit.: E. Noack, Die Bibl. d. Michaeliskirche zu Erfurt, AfMw VII, 1925; P. Krause in: MGG XII, 1965, Sp. 254ff.; Fr. Krummacher, Die Überlieferung d. Choralbearb. in d. frühen ev. Kantate, = Berliner Studien zur Mw. X, Bln 1965.

+Schulze, Erich, * 1. 2. 1913 zu Berlin.
Sch., weiterhin Vorstand und Generaldirektor der →GEMA, wurde 1956 zum Dr. jur. h. c. der Universität Köln ernannt, 1974 erhielt er den (österreichischen) Professorentitel. Von seinen neueren Schriften zum Urheberrecht seien hier genannt: *+Urheberrecht in der Musik ...* (1951, ²1956), Bln ³1965 und ⁴1972 (jeweils neubearb.); *Kommentar zum Gesetz betreffend das Urheberrecht an den Werken der Literatur und der Tonkunst ...* (Loseblattausg., 3. Lieferung Ffm. 1969); *Wenn Beethoven heute lebte ...* (in: Beethoven-Almanach 1970, hrsg. von E. Tittel, = Publ. der Wiener Musikhoch-

schule IV, Wien 1970); *Länderberichte über Musik im Gottesdienst* (in: Symposion ... Salzburg 1971, = Internationale Gesellschaft für Urheberrecht, Schriftenreihe XLVII, München 1971); *Rechtsbeziehungen des Musikverlegers zum Urheber und zur Verwertungsgesellschaft* (Fs. für einen Verleger [L. Strecker], Mainz 1973). Die von ihm besorgte Herausgabe der Loseblattsammlung *+Rechtsprechung zum Urheberrecht ...* lag 1973 als 19. Lieferung vor.

+Schuman, William Howard, * 4. 8. 1910 zu New York.
Sch. war Präsident der Juilliard School of Music bis 1962 und des Lincoln Center for the Performing Arts 1962–69; seit 1970 leitet er die Videorecord Corporation of America. Sch., Mitglied u. a. des National Institute of Arts and Letters, der American Academy of Arts and Sciences und der Royal Academy of Music in London, erhielt Ehrengrade (Dr. h. c.) von zahlreichen amerikanischen Universitäten. Sein Schaffen wurde u. a. mit dem Pulitzer Prize for Music (1943) ausgezeichnet. – Weitere Werke: Ballett *The Witch of Endor* (NY 1965); *Prayer in Time of War* (1943), *Credendum* (1955), 7.–9. Symphonie (1960; 1962; *Le Fosse Ardeatine*, 1968), *The Orchestra Song* (auch für Blasorch., 1963), *To Thee Old Cause* (1968) und *In Praise of Shahn* (1969) für Orch.; *Newsreel* (auch für Orch., 1941), Ouvertüre *Chester* (1956), Praeludium *When Jesus Wept* (1958), *Dedication Fanfare* (1968) und *Anniversary Fanfare* (1969) für Blasorch.; +Violinkonzert (1947, 2. Fassung 1954, 3. Fassung 1958), Fantasie *A Song of Orpheus* für Vc. und Orch. (1961); Variationen *Amaryllis* für Streichtrio (1964); *Three-Score Set* (1943), 3 *Piano Moods* (1958) und *Voyage* (1953, auch als Ballett *Voyage for a Theater* für Kammerorch., NY 1953) für Kl.; *Prologue* für gem. Chor und Orch. (1939); *Carols of Death* (W. Whitman, 1958) und *Haste* (als 5. +Round on Famous Words, 1969) für gem. Chor a cappella; Kanon und Koda *Deo ac veritati* (1963) für Männerchor; Lieder und Filmmusiken (*Steeltown*, 1944; *Night Journey*, 1947; *The Earth Is Born*, 1959). Sch. instrumentierte Ch. Ives' *Variations on »America«* für Orchester (1963).
Lit.: Werkverz. in: Composers of the Americas V, Washington (D. C.) 1959, Nachdr. 1964, u. in: Bol. interamericano de música 1959, Nr 12.

+Schumann, Clara Josephine, 1819–96.
Cl. Sch.s Konzerttätigkeit ließ nach ihrer Heirat mit Robert Sch. (1840) zunächst nach, und sie beschäftigte sich, angeregt durch ihren Mann, vorwiegend mit Literatur (Shakespeare, Goethe, Jean Paul) sowie mit dem Studium ausgewählter Klavierwerke (D. Scarlatti, Bach, Mozart, Beethoven). Nach dem Tod ihres Mannes (1856) nahm Cl. Sch. ihre Konzerttätigkeit wieder auf. Ihre anspruchsvollen, für die Zeit des Klaviervirtuosentums ungewöhnlichen Konzertprogramme umfaßten, neben Werken von Robert Sch., Brahms, Chopin und Mendelssohn Bartholdy, vorzugsweise auch Werke von Bach, Mozart und Beethoven. – Werke ab op. 12 (bis op. 11, 3 *Romances* für Kl., 1839, meist Gelegenheitswerke im virtuosen Genre der Zeit): Lieder op. 12 (3, aus Rückerts *Liebesfrühling*, 1840, aufgenommen in R. Sch.s op. 37 als Nr 2, 4 und 11) und op. 13 (6, 1841); 2. Scherzo op. 14 (1843), 4 *Pièces fugitives* op. 15 (1843) und 3 Praeludien und Fugen op. 16 (1845) für Kl.; Klaviertrio G moll op. 17 (1845); op. 18 und op. 19 nicht nachweisbar; Variationen über ein Thema von R. Sch. op. 20 (1853) und 3 Romanzen op. 21 (1853) für Kl.; 3 Romanzen für Kl. und V. op. 22 (1853); 6 Lieder op. 23 (1853). – Unter Cl. Sch.s Namen veröffentlichte Marie Sch. (zusammen mit Brahms) le-

diglich ausgewählte Fingerübungen und Studien aus Czernys +Klavierschule (*Vollständig theoretisch-practische Pianoforte-Schule* op. 500) [del. bzw. erg. frühere Angabe dazu].

Lit.: +Cl. Sch. – J. Brahms. Briefe aus d. Jahren 1853–96 (B. LITZMANN, 1927), Nachdr. Hildesheim 1970, Nachdr. d. +engl. Ausg. (1927) NY 1972. – FR. T. CALLOMON, Unbekannte Briefe R. u. Cl. Sch.s, NZfM CXVII, 1956; Fr. Wieck, Briefe aus d. Jahren 1830–38, hrsg. v. K. WALCH-SCHUMANN, = Beitr. zur rheinischen Mg. LXXIV, Köln 1968; E. B. VENATOR, Drei neu aufgefundene Sch.-Dokumente, NZfM CXXXII, 1971; Is perepiski J. Bramsa s Kl. i R. Sch. (»Aus d. Briefwechsel v. J. Brahms mit Cl. u. R. Sch.«), hrsg. v. W. LEWIK u. W. TARASSOWA, SM XXXVI, 1972. – Journal intime, übers. u. hrsg. v. Y. HUCHER, Paris 1967 (R. u. Cl. Sch.s Tagebuch nach 1840, mit frühen Dokumenten, Briefen, Auszügen aus Claras Reisetagebuch nach R. Sch.s Tod, Gedichten v. R. u. seinem Sohn Felix Sch. sowie Auszügen aus R. Sch.s »Mus. Haus- u. Lebensregeln«). FR. MUNTE, Verz. d. deutschsprachigen Schrifttums über R. Sch. 1856–1970, = Schriftenreihe zur Musik o. Nr, Hbg 1972 (darin als Anh.: Schrifttum über Cl. Sch.). – +B. LITZMANN, Cl. Sch., Ein Künstlerleben ... (Bd I ⁸1925, II ⁷1925, III ⁶1923), Nachdr. Hildesheim u. Wiesbaden 1971, Nachdr. d. +engl. Ausg. (1913) NY 1972; +W. QUEDNAU, Cl. Sch. (1955), Bln ⁵1958. – Z. HRABUŠŠAY, Vzťahy Kl. Sch. ovej k Bratislave (»Cl. Sch.s Beziehungen zu Preßburg«), in: Hudobnovedné štúdie II, 1957; M. FLESCH-THEBESIUS, Cl. Sch. in Ffm., NZfM CXX, 1959; B. HARDING, Concerto. The Glowing Story of Cl. Sch., Indianapolis 1961; R. PITROU, Cl. Sch., Paris 1961; E. WICKOP, Cl. Sch. als Komponistin, in: Musik im Unterricht (Allgemeine Ausg.) LII, 1961; D. WL. SCHITOMIRSKIJ, R. i Kl. Sch. w Rossii (»R. u. Cl. Sch. in Rußland«), Moskau 1962 (mit Fragmenten aus Cl. Sch.s russ. Reisetagebuch); W. QUEDNAU, Die große Sinfonie. Roman einer Künstlerfreundschaft, Gütersloh 1963; I. FELLINGER in: MGG XII, 1965, Sp. 261ff.; R. PERREAU, Un concert de Cl. Sch. à Colmar, Annuaire de la Soc. hist. et littéraire de Colmar XV, 1965; H.-M. PLESSKE, R. u. Cl. Sch. im Roman u. in d. Novelle, Sammelbände d. R.-Sch.-Ges. II, Lpz. 1966; A. M. R. DUNLOP (unter d. Pseudonym E. Kyle), Duet. The Story of Cl. and R. Sch., London u. NY 1968 (Roman); K. STEPHENSON, Cl. Sch., 1819/1969, Bonn 1969; GR. HOLMEN, Cl. Sch., Gyldendal 1970, dänisch; E. SAMS, Brahms and His Clara Themes, MT CXIX, 1971; M. WILLFORT in: NZfM CXXXII, 1971, S. 239ff. (vgl. dazu M. Flesch-Thebesius, ebd. S. 297f.).

+**Schumann,** Elisabeth, 1888 [nicht: 1885] – 1952.
Lit.: E. PURITZ, The Teaching of E. Sch., London 1956; G. MOORE, Am I too Loud?, London u. NY 1962, Paperbackausg. Harmondsworth (Middlesex) 1966, deutsch als: Bin ich zu laut?, Tübingen 1963, ²1964, auch Stuttgart 1968; Le grandi v., hrsg. v. R. CELLETTI, = Scenario I, Rom 1964, Sp. 744ff. (mit Diskographie v. R. Vegeto); A. MATHIS, E. Sch., in: Opera XXIV, 1973 – XXV, 1974.

Schumann, Erich, * 5. 1. 1898 zu Potsdam; deutscher Physiker und Akustiker, studierte 1919–22 in Berlin an der Hochschule für Musik und an der Universität (Stumpf, Max Planck), an der er 1922 mit der Dissertation *Die Abhängigkeitsbeziehungen zwischen der objektiven und subjektiven Tonintensität* promovierte. Danach folgte mit einer theoretisch-physikalischen Arbeit die Promotion zum Dr. rer. nat. Er war 1922–29 Assistent von Stumpf (Akustik) und Arthur Wehnelt (Physik), 1929–33 Privatdozent für systematische Musikwissenschaft und Leiter der Abteilung Akustik im I. Physikalischen Institut der Universität Berlin (Habilitation 1929 mit der Schrift *Die Physik der Klangfarben*), Direktor des II. Physikalischen Instituts sowie 1951–63 Direktor des Helmholtz-Instituts für Tonpsychologie und medizinische Akustik. 1922–45 wirkte er neben seiner Tätigkeit an der Berliner Universität im Reichswehrministerium bzw. im Oberkommando des Heeres (Leiter von dessen Forschungsabteilung). Er veröffentlichte u. a.: *Akustik* (Breslau 1925); *Die Garten'schen Beiträge zur Vokallehre* (AfMw V, 1923); *Zur Physik der Vokalklangfarben* (in: Musicae scientiae collectanea, Fs. K. G. Fellerer, Köln 1973). Sch. ist auch als Komponist (Pseudonym ab 1974 Erich Schu, davor Jo von Dolgelin, Welka Olsa, Gustav Smittbern), u. a. mit einer Serenade für Fl., Kl., Hf. und Streichorch., mit (Militär-)Märschen (*Panzerschiff Deutschland*, wurde Heeresmarsch II/156) sowie mit Filmmusik, hervorgetreten.

+**Schumann,** –1) Georg Alfred, 1866–1952. –2) Camillo, 1872–1946.
Lit.: H. SCHURZ, C. Sch., Bln 1960 (mit Werkverz.); DERS., Fr. v. Bose u. G. Sch., Sächsische Heimatblätter VIII, 1962.

+**Schumann,** Robert Alexander, 1810–56.
Für Sch.s schriftstellerische Tätigkeit war der Einfluß seines Vaters von Bedeutung; ab 1823 arbeitete Sch. an der *Bildergalerie der berühmtesten Menschen aller Völker und Zeiten* mit, die von seinem Vater herausgegeben wurde. Darüber hinaus schrieb er Gedichte und Dramen, die zum großen Teil noch unveröffentlicht sind. – Ergänzungen und Berichtigungen zum früheren Werkverzeichnis: 8 *Phantasiestücke* op. 12 (1837); *Liederkreis* op. 24 (1840); 3 *Romanzen und Balladen* op. 49 (1840); 5 *Lieder und Gesänge* op. 51 (1840–46); *Ouvertüre, Scherzo und Finale* op. 52 (1841, revidiert 1845); 4 *Skizzen für den Pedalflügel* op. 58 (1845); *Beim Abschied zu singen* op. 84 (1848); *Verzweifle nicht im Schmerzenstal* op. 93 (1849); 9 *Lieder und Gesänge aus Goethes »Wilhelm Meister«* op. 98a (1841); 5 *Lieder und Gesänge* op. 127 (1840–51); Introduktion und Allegro C dur für Kl. und Orch. op. 134 (1853). – Symphonie G moll (1832–33, 1. und 2. Satz vollendet); Skizze zu einem kanonischen Satz A dur.

Ausg.: +GA (CLARA SCH., 1879–93), Nachdr. London 1967–68 (31 Bde in 21). – Jugend-Album op. 68, Faks. hrsg. v. G. EISMANN, Lpz. 1956. – GA d. Kl.-Werke, hrsg. v. A. B. GOLDENWEISER, 5 Bde, Moskau 1960–65; Kl.-Werke, nach Eigenschriften u. Originalausg. hrsg. v. V. IRMER, bisher 2 Bde (I: op. 15, 68, 99, 124; II: op. 1, 12, 18–19, 21, 23, 28, 82, 111), München o. J. (1959–69). – Sämtliche Heine-Lieder f. eine Singst. u. Kl., hrsg. v. C. SCHRÖDER, Lpz. 1959; Liederkreis ... op. 39, = Insel-Bücherei Bd 710, Wiesbaden 1960 (mit Nachwort v. Th. W. Adorno); Faschingsschwank aus Wien op. 26, hrsg. v. H. O. HIEKEL, München 1966; Carnaval op. 9, hrsg. v. DEMS., ebd. 1968; Dichterliebe op. 48, hrsg. v. A. KOMAR, = A Norton Critical Score o. Nr, NY 1971 (mit Beitr. v. dems., A. Forte, F. Salzer u. H. Schenker); Symphonie G moll, hrsg. v. M. ANDREAE, Ffm. 1972; Kinderszenen op. 15, hrsg. v. FR. GOEBELS, = Wiener Urtext Ed. o. Nr, Wien 1973; Papillons op. 2, hrsg. v. H.-CHR. MÜLLER, ebd.

+*Gesammelte Schriften* (M. KREISIG, ⁵1914), Nachdr. Farnborough 1969; Gesammelte +Schriften über Musik u. Musiker (H. SCHULZE, = Reclams Universal-Bibl. Nr 2471–73a, 1956), 2. Aufl. ebd. Bd 226, Lpz. 1965. – Erinnerungen an F. Mendelssohn Bartholdy. Nachgelassene Aufzeichnungen, Faks. hrsg. v. G. EISMANN, Zwickau 1947, revidiert ²1948; R. Sch.s Moskauer Gedichte, v. DEMS., BzMw I, 1959; Tagebücher, GA in 3 Bden, hrsg. v. DEMS., bisher Bd I: 1827–38, Lpz. 1971. – Aus Kunst u. Leben, hrsg. v. W. REICH, = Slg Klosterberg o. Nr, Basel 1945, span. Buenos Aires 1957; R. Sch. in eigenen Wort, hrsg. v. DEMS.; = Manesse Bibl. d. Weltlit. o. Nr, Zürich 1967; On Music and Musicians, hrsg. v. K. WOLFF, NY 1946, Nachdr. 1969; Aus R. Sch.s Briefen u. Schriften, hrsg. v. R. MÜNNICH, Weimar 1956; Isbrannyje statji o musyke (»Ausgew. Abh. über Musik«), hrsg. v. D. WL. SCHITOMIRSKIJ, Moskau 1956; O hudbě a hudebnících (»Über Musik u. Musiker«), = Klasikové hudební vědy a kritiky II, 3, Prag 1960; The Mus. World of R. Sch., A

Selection from His Own Writings, hrsg. v. H. PLEASANTS, London u. NY 1965.
+Jugendbriefe (CLARA SCH., 1885), engl. London 1888, Nachdr. St. Clair Shores (Mich.) 1970. – Pisma (»Briefe«), hrsg. v. D. WL. SCHITOMIRSKIJ, bisher Bd I (1817–40), Moskau 1970. – Sch.s Briefe in Ausw., hrsg. v. K. STORCK, = Bücher d. Weisheit u. Schönheit o. Nr, Stuttgart o. J. (1906), engl. London 1907, Nachdr. NY 1971; Sch., A zeneszerző élete leveleiben (»Ein Komponistenleben in Briefen«), hrsg. v. S. JEMNITZ, Budapest 1958; FR. KRAUTWURST, Briefe v. Chr. H. Rinck, F. Mendelssohn Bartholdy u. R. Sch. aus d. Nachlaß J. G. Herzogs in d. Erlanger Universitätsbibl., Jb. f. Fränkische Landesforschung XXI, 1961; W. SCHWARZ, R. Sch. u. d. deutsche Osten. Aus unveröff. Tagebuchaufzeichnungen, Briefen u. Ber., in: Musik d. Ostens II, Kassel 1963; DERS., Aus H. Dorns Rigaer Zeit. Unveröff. Briefe an R. Sch. 1839–42, ebd. III, 1965; DERS., Von Musik u. Musikern im deutschen Osten. Nach unveröff. Briefen an R. Sch. aus d. Jahren 1834–54, in: Norddeutsche u. nordeuropäische Musik, hrsg. v. C. Dahlhaus u. W. Wiora, = Kieler Schriften zur Mw. XVI, ebd. 1965; DERS., Eine Musikerfreundschaft d. 19. Jh., Unveröff. Briefe v. F. David an R. Sch., Fs. J. Müller-Blattau, = Saarbrücker Studien zur Mw. I, ebd. 1966; R. FEDERHOFER-KÖNIGS, Der Briefwechsel v. W. J. v. Wasielewski ... in seiner Bedeutung f. d. Sch.-Forschung, in: Convivium musicorum, Fs. W. Boetticher, Bln 1974.
Lit.: +A. DÖRFFEL, Literarisches Verz. d. im Druck erschienenen Tonwerke v. R. Sch., Lpz. 1875 [del. frühere Angaben]; Thematisches Verz. sämmtlicher im Druck erschienenen Werke R. Sch.'s, Lpz. o. J. (1860), erweitert 41868, Nachdr. London 1966; An Alphabetical Index to »R. Sch., Werke«, hrsg. v. M. OCHS, = MLA Index Series VI, Ann Arbor (Mich.) 1967; An Alphabetical Index to the Solo Songs of R. Sch., hrsg. v. W. J. WEICHLEIN, ebd. VII.
FR. MUNTE, Verz. d. deutschsprachigen Schrifttums über R. Sch. 1856–1970, = Schriftenreihe zur Musik o. Nr, Hbg 1972. – É. HARASZTI, Trois faux documents sur Fr. Liszt, Rev. de musicol. XLI/XLII, 1958; O. JONAS, Sch.-Hss. in d. USA, NZfM CXIX, 1958; Erst- u. Frühdrucke v. R. Sch. in d. Musikbibl. Lpz., hrsg. v. F. HIRSCH u. E. ROESER, = Bibliogr. Veröff. d. Musikbibl. d. Stadt Lpz. o. Nr, Lpz. 1960; R. Sch., = Bibliogr. Kalenderblätter, Sonderblatt V, Bln 1960; G. EISMANN, Nachweis d. internationalen Standorte v. Notenautographen R. Sch.s, Sammelbände d. R.-Sch.-Ges. II, Lpz. 1966; H.-J. ROTHE, Neue Dokumente zur Sch.-Forschung aus d. Lpz.er Stadtarch., Kgr.-Ber. Lpz. 1966, erweitert in: Arbeitsber. zur Gesch. d. Stadt Lpz. XIII, 1967; K. GEIRINGER, Sch.iana im Besitz v. J. Brahms, in: Convivium musicorum, Fs. W. Boetticher, Bln 1974. – H. C. SCHONBERG, The Collector's Chopin and Sch., = Keystone Books VIII, Philadelphia (Pa.) 1959.
Sammelbände d. R.-Sch.-Ges., 2 Bde, Lpz. 1961–66. – Sonder-H. u. Aufsatzfolgen in: L'éducation mus. 1956, Nr 32–33; Musica X, 1956, H. 7/8, u. XIV, 1960, H. 6; Musik im Unterricht (Allgemeine Ausg.) XLVII, 1956, H. 7/8; Musik in d. Schule VII, 1956, S. 55ff.; NZfM CXVII, 1956, H. 7/8, CXXI, 1960, H. 6/7, u. CXXIV, 1963, S. 223ff.; ÖMZ XI, 1956, H. 6, u. XV, 1960, H. 4; RM 1956, Nr 232; SM XXIV, 1960, H. 6; SMZ XCVI, 1956, H. 7/8. – Sch., = Génies et réalités o. Nr, Paris 1970 (mit Beitr. v. FR. MALLET-JORIS, M. BRION u. a.); R. Sch., The Man and His Music, hrsg. v. A. WALKER, London 1972.
+J. A. FULLER-MAITLAND, R. Sch. (1884, 1913), Nachdr. Port Washington (N. Y.) 1970; +H. BEDFORD, R. Sch. (1926), London 21933, Nachdr. Westport (Conn.) 1971; +J. CHISSELL, Sch. (= Master Musicians o. Nr, 1948), London u. NY 21956, revidiert 31967, auch = The Great Composers Series BS 151V, NY 1962; +M. BRION, Sch. et l'âme romantique (1954), engl. auch NY 1956, ital. = Sirio VI, Mailand 1958; +P. u. W. REHBERG, R. Sch. (1954), Zürich 21966; +G. EISMANN, R. Sch. (1956), erweitert Lpz. 21964, auch engl. – V. BASCH, La vie douloureuse de Sch., Paris 1928, engl. NY 1931, Nachdr. Freeport (N. Y.) 1970 u. Westport (Conn.) 1972; A. COLLING, La vie de R. Sch., Paris 1931, NA 1951, ital. = Le vite dei musicisti o. Nr, Mailand 1958; R. H.

SCHAUFFLER, Florestan. The Life and Work of R. Sch., NY 1945, Nachdr. 1963; E. MÜLLER, R. Sch., Eine Bildnisstudie, = Musikerreihe VII, Olten 1950; H. STAM, R. Sch., Haarlem 1950 u. 1958 = Gottmer-muziek-pockets XVII; E. CREUZBURG, R. Sch., = Musikbücherei f. jedermann V, Lpz. 1955; A. BOUCOURECHLIEV, Sch., = Solfèges II, Paris 1956, deutsch als: R. Sch. in Selbstzeugnissen u. Bilddokumenten, = rowohlts monographien VI, Reinbek bei Hbg 1958, 41970, nld. = Picturaboeken VI, Utrecht 1958, engl. = Evergreen Profile Book II, NY 1959, jugoslawisch = Bibl. mikrokozma IX, Belgrad 1962; R. PETZOLDT u. E. CRASS, R. Sch., Sein Leben in Bildern, Lpz. 1956, 21961, rumänisch = Viața în imagini o. Nr, Bukarest 1960; H. SCHULZE, R. Sch., Bln 1956; P. M. YOUNG, Tragic Muse. The Life and Works of R. Sch., London 1957, erweitert 1961 u. 1967, deutsch als: R. Sch., Lpz. 1968, 21971; G. KROÓ, R. Sch., = Kis zenei könyvtár IV, Budapest 1958; Y. TIÉNOT, Sch., L'homme à travers ses écrits, = Pour mieux connaître o. Nr, Paris 1959; J. CHRISTOPHE, Sch., ebd. 1960; J. CIČATKA, R. Sch., Olmütz 1960; E. JONESCU, Sch., = Clasicii muzicii universale o. Nr, Bukarest 1962; D. WL. SCHITOMIRSKIJ, R. Sch., Moskau 1964; E. BUENZOD, R. Sch., = Musiciens de tous les temps XVI, Paris 1965; FR. HUG, R. Sch., Bln 1965; V. J. SÝKORA, R. Sch., = Hudební profily XVI, Prag 1967; N. M. WLADYKINA-BATSCHINSKAJA, R. Sch., Moskau 1968; Y. u. A. RÉMY, Sch., Paris 1970; K. LAUX, R. Sch., = Reclams Universal-Bibl. Bd 119, Lpz. 1972.
G. EISMANN, Bemerkenswertes zur Genealogie R. Sch.s, Mf XXII, 1969. – WL. W. STASSOW, Liszt, Sch. i Berlioz w Rossii, St. Petersburg 1896, 21914, NA Moskau 1954, rumänisch Bukarest 1956, engl. in: Selected Essays on Music, hrsg. v. G. Abraham, London 1968; H. EHINGER, Die beiden Schweizerreisen R. Sch.s, in: Die Ernte XLII, 1961, auch separat; W. BOETTICHER, Neue Materialien zu R. Sch.s Wiener Bekanntenkreis, Fs. E. Schenk, = StMw XXV, 1962; H. ULLRICH, R. Sch.s Beziehungen zu Wien 1840–56, ÖMZ XXVI, 1971. – M. WALTER, R. Sch. u. seine Verleger, in: Miszellen zur Mg., hrsg. v. H. Ehinger u. H. P. Schanzlin, Bern 1967; W. BOETTICHER, R. Sch. u. seine Verleger. Anregungen zu weiterer Forschung, in: Musik u. Verlag, Fs. K. Vötterle, Kassel 1968. – S. KROSS in: Bonner Geschichtsblätter X, 1956, S. 180ff., u. in: NZfM CXVII, 1956, S. 354f. bzw. 642ff. (zu Sch.s Sterbehaus); D. KERNER, Krankheiten großer Musiker, Stuttgart 1963, 21967; E. SAMS in: MT CXII, 1971, S. 1156ff., u. CXIII, 1972, S. 456 (zu Sch.s Handverletzung).
H. TRUSCOTT, The Evolution of Sch.'s Last Period, in: The Chesterian XXXI, 1957; M. LINDER, Die Psychose v. R. Sch. u. ihr Einfluß auf seine mus. Komposition, Schweizer Arch. f. Neurologie u. Psychiatrie LXXXIII, 1959; A. LACHUTI, Sjuitnyje zikly Sch.a (»Sch.s Suitenzyklen«), in: Trudy kafedry teorii musyki I, hrsg. v. S. S. Skrebkow, Moskau 1960; R. FISKE, A Sch. Mystery, MT CV, 1964; D. KÄMPER, Zur Frage d. Metronombezeichnungen R. Sch.s, AfMw XXI, 1964; M. HONSA, Synkope, Hemiole u. Taktwechsel in d. Instrumentalwerken R. Sch.s, Diss. Innsbruck 1964; E. SAMS in: MT CVI, 1965, S. 584ff. (vgl. dazu S. 767ff.; deutsch in: NZfM CXXVII, 1966, S. 218ff.), CVII, 1966, S. 392ff. (deutsch in: Musica XXI, 1967, S. 178f.) u. S. 1050f., sowie CXI, 1970, S. 1096f. (zu Sch.s Gebrauch v. Chiffren); DERS., Why Florestan and Eusebius?, MT CVIII, 1967; DERS., The Tonal Analogue in Sch.'s Music, Proc. R. Mus. Ass. XCVI, 1969/70; G. EISMANN, Zu R. Sch.s letzten Kompositionen, BzMw X, 1968; S. KEIL, Untersuchungen zur Fugentechnik in R. Sch.s Instrumentalschaffen, = Hamburger Beitr. zur Mw. XI, Hbg 1973. – R. BORGATTI, Due aspetti del romanticismo. Sch. e Chopin, in: Quaderni dell'Accad. chigiana XXIX, 1953; D. WL. SCHITOMIRSKIJ in: SM XXIV, 1960, H. 2, S. 16ff. (deutsch in: Sowjetwiss., Kunst u. Lit. VIII, 1960, S. 750ff.), u. in: Fr. Schopen, hrsg. v. G. Edelman, Moskau 1960, S. 296ff. (zu Sch. u. Chopin); DERS., Sch. i russkaja schkola, SM XXIV, 1960, engl. in: Music Journal XX, 1962, S. 97ff.; P. M. YOUNG, R. Sch. u. d. engl. Musikkultur, MuG X, 1960; G. W. SPINK, Sch. and Sterndale Bennett, MT CV, 1964; M. SCHOPPE, Sch. im Spiegel d. Tageslit., Ein Beitr. zur Erforschung d. Sch.-Rezeption zwischen 1830 u. 1956, 2 Bde, Diss. Halle (Saale) 1968; E. DOFLEIN, Historismus

in d. Musik, in: Die Ausbreitung d. Historismus über d. Musik, hrsg. v. W. Wiora, = Studien zur Mg. d. 19. Jh. XIV, Regensburg 1969.
M. CARNER, Mahler's Re-Scoring of the Sch. Symphonies, MR II, 1941, auch in: Of Men and Music, London 1944, ital. als: +La riorchestrazione . . ., [erg.:] in: L'orch., Gedenkschrift G. Marinuzzi, Florenz 1954. – R. LEIBOWITZ, Le respect du texte. Faut-il réorchestrer les symphonies de Sch.?, in: Les temps modernes XVI, 1960, auch in: Le compositeur et son double, = Bibl. des idées o. Nr, Paris 1971; W. SEIBOLD, Sch.-Sinfonien schlecht instrumentiert?, NZfM CXXVI, 1965, auch in: Das Orch. XIII, 1965; A. G. ZLOTNIK, Die beiden Fassungen v. Sch.s D-moll-Symphonie, ÖMZ XXI, 1966; DERS., Orchestration Revisions in the Symphonies of R. Sch., 2 Bde, Diss. Indiana Univ. 1972; M. R. MANIATES, The D Minor Symphony of R. Sch., Fs. W. Wiora, Kassel 1967; G. ABRAHAM, Slavonic and Romantic Music, London 1968 (darin Wiederabdruck v. 3 älteren Aufsätzen zu Orch.-Werken); A. GEBHARDT, R. Sch. als Symphoniker, = Forschungsbeitr. zur Mw. XX, Regensburg 1968; E. SAMS, Politics, Lit., People in Sch.'s op. 136, MT CIX, 1968; C. DAHLHAUS, Studien zu romantischen Symphonien, Jb. d. Staatl. Inst. f. Musikforschung . . . 1972; E. VOSS, R. Sch.s Sinfonie in g-moll, NZfM CXXXIII, 1972; M. FRAGER, The Ms. of the Sch. Piano Concerto, in: Current Musicology 1973, Nr 15.
H. STOFFELS, Ein R.-Sch.-Dokument in Krefeld, NZfM CXXII, 1961 (zur Kl.-St. v. op. 44); L. E. CORRELL, Structural Revisions in the String Quartets op. 41 of R. Sch., in: Current Musicology 1968, Nr 7; S. HELMS, Der Melodiebau in d. Kammermusik R. Sch.s, NZfM CXXXI, 1970; FR. KRUMMACHER, Schwierigkeiten b. ästhetischen Urteils über mit. Musik, Fs. E. Pepping, Bln 1971 (zu op. 47); J. WESTRUP, The Sketch f. Sch.'s Piano Quintet op. 44, in: Convivium musicorum, Fs. W. Boetticher, Bln 1974.
D. N. FERGUSON, Piano Interpretation. Studies in the Music of Six Great Composers, London 1950; R. RÉTI, The Thematic Process in Music, NY 1951 u. 1952, London 1961, auch ebd. u. Mystic (Conn.) 1966 (zu op. 15); E. LEIPOLD, Die romantische Polyphonie in d. Klaviermusik R. Sch.s, Diss. Erlangen 1954; H. HOPF, Stilistische Voraussetzungen d. Klaviermusik R. Sch.s, Diss. Göttingen 1957; D. WEISE, Ein bisher verschollenes Ms. zu Sch.s »Album f. d. Jugend«, Fs. J. Schmidt-Görg, Bonn 1957; D. E. BOAL, A Comparative Study of Existing Mss. and Ed. of the R. Sch. Sonata in F Sharp Minor, op. 11, f. Piano, Diss. Univ. of Colorado 1959; R. STEGLICH, Zwei Titelzeichnungen zu R. Sch.s Jugendalbum als Interpretationsdokumente, DJbMw IV, 1959; D. LEHMANN, Satztechnische Besonderheiten in d. Klavierwerken v. Fr. Chopin u. R. Sch., Chopin-Kgr.-Ber. Warschau 1960; J. P. FLETCHER, An Analytical Study of the Form and Harmony of the Pfte Music of Chopin, Sch., and Liszt, Diss. Oxford (Christ Church) 1963/64; I. FELLINGER, Unbekannte Entwürfe zu R. Sch.s Klavierstücken op. 99 u. op. 124, Kgr.-Ber. Lpz. 1966; E. A. STERLING, A Study of Chromatic Elements in Selected Piano Works of Beethoven, Schubert, Sch., Chopin and Brahms, Diss. Indiana Univ. 1966; FR. WÜHRER, Meisterwerke d. Klaviermusik, Wilhelmshaven 1966 (zu op. 6, 11, 13, 20 u. 22); J. DEMUS, Abenteuer d. Interpretation, Wiesbaden 1967; W. BOETTICHER, Neue textkrit. Forschungen an R. Sch.s Klavierwerk, AfMw XXV, 1968; DERS., Zur Zitatpraxis in R. Sch.s frühen Klavierwerken, in: Speculum musicae artis, Fs. H. Husmann, München 1970; W. S. NEWMAN, The Sonata Since Beethoven, Chapel Hill (N. C.) 1969, revidierte Paperbackausg. NY u. London 1972; J. CHAILLEY, Carnaval de Sch., op. 9, = Au-delà des notes II, Paris 1971; W. KRÜGER, Das Nachtstück, = Schriften zur Musik IX, München 1971; L. LESZNAI, R. Sch., Kinderszenen op. 15, StMl XIII, 1971; J. CHISSELL, Sch. Piano Music, = BBC Music Guides XXV, London u. Seattle (Wash.) 1972; G. PUCHELT, Variationen f. Kl. im 19. Jh., Darmstadt 1973. – S. WALSH, Sch. and the Org., MT CXI, 1970.
D. MINTZ, Sch. as an Interpreter of Goethe's »Faust«, JAMS XIV, 1961; R. CH. GODWIN, Sch.'s Choral Works and the Romantic Movement, Diss. Univ. of Illinois 1967;

H. CHR. WOLFF, Sch.s »Genoveva« u. d. Manierismus d. 19. Jh., in: Beitr. zur Gesch. d. Oper, hrsg. v. H. Becker, = Studien zur Mg. d. 19. Jh. XV, Regensburg 1969; R. SIETZ, Zur Textgestaltung v. R. Sch.s »Genovefa«, Mf XXIII, 1970; S. POPP, Untersuchungen zu R. Sch.s Chorkompositionen, Diss. Bonn 1971; E. SAMS, Sch. and Faust, MT CXIII, 1972.
W. SIEGMUND-SCHULTZE, Wort u. Ton bei R. Sch., Kgr.-Ber. Hbg 1956; H. LINDLAR, Zu Sch.s Eichendorff-Zyklus, in: Aurora XXII, 1962, auch in: NZfM CXXIII, 1962; R. DALMONTE, Il »Lied« nell'opera di Sch. e Heine, in: Convivium, N. S. XXXIII, 1965 (mit Verz. d. Heine-Vertonungen); R. U. RINGGER, Zu Eichendorff-Sch.s »Liederkreis«, SMZ CVI, 1966; V. SALAS VIÚ, Los lieder y la música para piano de Sch., in: Música y creación mus., = Ser y tiempo XXXVIII, Madrid 1966; D. SCHNEBEL, Sprache als Musik in d. Musik, Schweizer Monatshefte XLVI, 1966/67, erweitert als: Vokalkomposition bei Sch., in: Denkbare Musik, hrsg. v. H. R. Zeller, = DuMont Dokumente o. Nr, Köln 1972; P. BENARY, Die Technik d. mus. Analyse, dargestellt am ersten Lied aus R. Sch.s »Dichterliebe«, in: Versuche mus. Analysen, = Veröff. d. Inst. f. Neue Musik u. Musikerziehung Darmstadt VIII, Bln 1967; THR. G. GEORGIADES, Schubert. Musik u. Lyrik, Göttingen 1967 (vgl. dazu: D. Conrad, Sch.s Liedkomposition, v. Schubert her gesehen, Mf XXIV, 1971); H. WISSKIRCHEN, »Zwielicht«, in: Musik im Unterricht (Ausg. B) LVIII, 1967 (zu op. 39 Nr 10); FR. GRASBERGER, Kostbarkeiten d. Musik, Bd I: Das Lied, Tutzing 1968 (zu »Mondnacht«); B. KINSEY, Mörike Poems Set by Brahms, Sch., and Wolf, MR XXIX, 1968; E. SAMS, The Songs of R. Sch., London u. NY 1969; A. SCHNEIDER, R. Sch. u. H. Heine. Eine hist.-ästhetische Untersuchung anhand d. Vertonungen mit Berücksichtigung einiger Probleme d. Liedanalyse, Diss. Bln 1970 (HU); E. BRODY u. R. A. FOWKES, The German Lied and Its Poetry, NY 1971; G. ESTERMANN, Die Klavierbegleitung im Sololied bei Schubert u. Sch., Diss. Innsbruck 1971; J. M. STEIN, Poem and Music in the German Lied from Gluck to H. Wolf, Cambridge (Mass.) 1971; ST. WALSH, The Lieder of Sch., London 1971, NY 1972; E. BUSSE, Die Eichendorff-Rezeption im Kunstlied. Versuch einer Typologie anhand v. Kompositionen Sch.s, Wolfs u. Pfitzners, Diss. Marburg 1973; H. KNAUS, Musiksprache u. Werkstruktur in R. Sch.s »Liederkreis«, = Schriften zur Musik XXVII, München 1973.
TH. VALENSI, Le romantisme et Sch., Nizza 1953; H. SCHULZE, Zur Frage d. ästhetischen Anschauungen R. Sch.s, = Studienmaterial f. d. künstlerischen Lehranstalten d. DDR, Reihe Musik H. 5, Dresden 1954; M. S. DRUSKIN: in SM XX, 1956, H. 7, S. 66ff., deutsch in: Sowjetwiss., Kunst u. Lit. IV, 1956, S. 1000ff. (zu Sch.s künstlerischer Methode); H. HEYER, R. Sch. als Musikkritiker. Ein Zeitbild aus Lpz.s romantischen Tagen, Fs. . . . d. Gewandhauskonzerte 1781–1956, Lpz. 1956; H. PISCHNER, R. Sch. u. d. »Übergangszeit«, MuG VI, 1956; M. ELSSNER, Zum Problem d. Verhältnisses v. Musik u. Wirklichkeit in d. musikästhetischen Anschauungen d. Schumannzeit, Diss. Halle (Saale) 1964; E. A. LIPPMAN, Theory and Practice in Sch.'s Aesthetics, JAMS XVII, 1964; L. B. PLANTINGA, Sch.'s View of »Romantic«, MQ LII, 1966; DERS., Sch. as Critic, = Yale Studies in the Hist. of Music IV, New Haven (Conn.) 1967; J. BESSER, Die Einflüsse August Sch.s, C. E. Richters u. M. Oberländers auf d. politische Entwicklung R. Sch.s, BzMw X, 1968; TH. A. BROWN, The Aesthetics of R. Sch., NY 1968; C. DAHLHAUS, Klassizität, Romantik, Modernität. Zur Philosophie d. Mg. im 19. Jh., in: Die Ausbreitung d. Historismus über d. Musik, hrsg. v. W. Wiora, = Studien zur Mg. d. 19. Jh. XIV, Regensburg 1969.
→ +Schumann, Cl.

+**Schumann-Heink,** Ernestine, 1861–1936.
Lit.: C. WILLIAMS in: Le grandi v., hrsg. v. R. Celletti, = Scenario I, Rom 1964, Sp. 746ff. (mit Diskographie).

+**Schunke** (Schuncke), –1) Carl (Charles), 1801–39. Sein Vater [erg.: Johann] Michael Sch., 1778 [nicht: 1780] – 1821.
–2) [erg.: Christian] Ludwig (Louis), 1810–34. Sein

Vater [erg.: Johann] Gottfried Sch., 1777 – 1861 [nicht: 1840].
Lit.: H. HOPF in: MGG XII, 1965, Sp. 325ff. – zu –2): M. SCHUNCKE, Die Künstlerfreundschaft zwischen R. Schumann u. L. Sch., Sammel-Bde d. R.-Schumann-Ges. I, Lpz. 1961; DERS., L. Sch. ... u. seine Familie, ebd. II, 1966.

+Schuppanzigh, Ignaz, 1776–1830.
Lit.: +TH. V. FRIMMEL, Beethoven-Hdb. (II, 1926), Nachdr. Hildesheim u. Wiesbaden 1968. – D. W. MCARDLE, Beethoven and Sch., MR XXVI, 1965.

+Schuré, Édouard, 1841–1929.
Lit.: A. MERCIER, Douze lettres inéd. de R. Wagner à E. Sch., Rev. de musicol. LIV, 1968; C. SCHNEIDER, E. Sch., Seine Lebensbegegnungen mit R. Steiner u. R. Wagner, Freiburg i. Br. 1971.

+Schuricht, Carl, * 3. 7. 1880 zu Danzig, [erg.:] † 7. 1. 1967 zu Corseaux (bei Vevey, Vaud).
Lit.: FR. WOHLFAHRT in: NZfM CXVIII, 1957, S. 226f.; D. HANDMAN in: Journal mus. frç. 1967, Nr 155, S. 14ff.; W. TAPPOLET in: SMZ CVII, 1967, S. 103f.

Schuricke, Erhard Rudi (Rudolf) Hans, * 16. 3. 1913 zu Brandenburg (Havel), † 28. 12. 1973 zu München; deutscher Sänger, studierte in Berlin Gesang bei Kardosch und Schauspiel an der M.-Reimann-Schule, gründete das »Rudi-Schuricke-Terzett«, mit dem er ab Mitte der 30er Jahre in Berlin erfolgreich wurde, und machte sich außerdem solistisch als Sänger vor allem sentimentaler Schlagerlieder einen Namen (*Ganz leis' erklingt Musik, So wird's nie wieder sein*). In den 50er Jahren war der von ihm gesungene Schlager *Capri-Fischer* (Musik G. Winkler) in den Hitlisten führend. 1972 gelang Sch. ein Comeback (Langspielplatte *So eine Liebe gibt es einmal nur*, 1973). Als Textdichter und Komponist ist Sch. mit den Schlagern *Tarantella, Es werden wieder Rosen blüh'n* und *Komm bald wieder* hervorgetreten.

Schuster, Ignaz, * 20. 7. 1779 und † 6. 11. 1835 zu Wien; österreichischer Sänger und Komponist, war Sängerknabe, dann Bassist im Wiener Schottenstift und galt ab 1801 am Leopoldstädter Theater als einer der beliebtesten Coupletsänger (»Staberl« in Bäuerles *Bürger in Wien*). 1806 wurde er Mitglied der Hofkapelle, 1807 trat er dann der Chor zu St. Stephan bei. 1821–28 wirkte er als Regisseur am Leopoldstädter Theater und unternahm Gastspielreisen. Er schrieb u. a. (Uraufführungsort Wien) die Karikaturparodie *Hamlet, Prinz vom Tandelmarkt* (1807), die große romantisch-komische Oper *Der Palast der Wahrheit* (1810), das lokale Singspiel *Der Winkelschreiber* (1811), die komische Oper *Kora, die Sonnenjungfrau* (1812), die Travestie *Der Baum der Diana* (1812), das musikalische Lustspiel *Die falsche Primadonna von Krähwinkel* (1818), das komische Singspiel *Die natürliche Zauberei* (1821) und das Zauberspiel *Jupiter in Wien* (1825) sowie eine große Messe (1817) und Männerchöre.
Lit.: A. BAUER, Opern u. Operetten in Wien, = Wiener mw. Beitr. II, Graz 1955.

+Schuster, Joseph, 1748–1812.
Neben dem +Streichquartett C dur (K.-V. Anh. 211) können nach neuem Manuskriptfund in der Musikabteilung des Národní Museum Prag auch die restlichen der 4 »Mailänder« Streichquartette Mozarts (B dur, A dur und höchstwahrscheinlich auch Es dur, K.-V. Anh. 210 und 212–213) Sch. zugeschrieben werden. Mit 2 weiteren Quartetten (G moll und D moll, Ms. Národní Museum Prag) bilden sie eine Sammlung von 6 Streichquartetten (wohl entstanden zwischen 1778 und 1791).

Ausg.: 6 Divertimenti da camera f. Cemb. (Kl.) u. V., hrsg. v. W. PLATH, 3 H., = NMA Nr 229 u. 232–233, Kassel 1971–73.
Lit.: L. FINSCHER, Mozarts »Mailänder« Streichquartette, Mf XIX, 1966.

Schuster, Martha (verheiratete Schreier), * 27. 3. 1948 zu Dorndürkheim (bei Worms); deutsche Organistin, erhielt in Mainz Unterricht in Klavier bei Luise Wandel (ab 1955) sowie in Orgel bei Hellmann (ab 1961) und setzte ihre Orgelstudien an der Musikhochschule in Frankfurt a. M. bei Walcha (1964–69) sowie 1969 privat bei Marie-Claire Alain in Paris fort. 1968 wurde sie Assistentin von Rilling an der Gedächtniskirche, seit 1971 ist sie Organistin an der Markuskirche in Stuttgart. M. Sch. hat in Ost- und Westeuropa, den USA und in Japan konzertiert.

Schuyt (sxœŭt), Cornelis Floriszoon, * 1557 und † 9. oder 10. (begraben 12.) 6. 1616 zu Leiden; niederländischer Organist und Komponist, Sohn und Schüler des Organisten Floris Sch. (* 1526 und † 1601 zu Leiden), studierte ab 1578 in Italien und kehrte um 1581 in die Heimat zurück, wurde 1593 neben seinem Vater Stadtorganist und war an der Pieterskerk und an der Hooglandsche Kerk tätig (ab 1601 nur an der Pieterskerk). Von seinen Kompositionen wurden in Leiden gedruckt: *Il I° libro di Madrigali* zu 5 St. (1600); *Hollandsche madrigalen* zu 5, 6 und 8 St. (1603); *Hymeneo overo Madrigali nuptiali e altri amorosi* zu 6 St., *con un echo doppio* zu 12 St. (1611); *Dodeci padovane et altretante gagliarde ... con due canzone fatte alla francese per sonare* zu 6 St. (1611); weitere Stücke finden sich in Sammelwerken der Zeit.
Ausg.: Vijfstemmige madrigalen v. C. Sch., hrsg. v. A. SMIJERS, 3 H., = Uitgave d. Vereeniging voor noord-nld. mg. XLV, Amsterdam 1937–48.
Lit.: M. SEIFFERT in: TVer V, 1898, S. 244ff.; K. PH. BERNET KEMPERS in: MGG XII, 1965, Sp. 334f.; A. ANNEGARN, Fl. en C. Sch., = Muziekhist. monografieën V, Amsterdam 1973.

Schuyt (sxœŭt), Nico, * 2. 1. 1922 zu Alkmaar; niederländischer Komponist, studierte am Konservatorium von Rotterdam bei B. van Lier, schrieb u. a. die Schuloper *De varkenshoeder* (»Der Schweinehüter«), das Ballett *De kast van de oude chinees* (»Der Schrank des alten Chinesen«) (*Réveil*, 1955; *Corteggio*, 1958; *Sonata per orch.*, 1964; *Hymnus*, 1966–67; *Naar de maan*, »An den Mond«, für Orch. und Knabenchor, 1968; Suite *Greetings from Holland*, 1971; *Quasi in modo di valzer*, 1973), *Sonata a tre* für Ob., Fag. und Kl. (1954), *Arcadia* für S., Va und Vc. oder S. und Kl. (auf einen Text von M. de Vreede, 1966), Klavierstücke und Chöre.

Schwab, Heinrich Wilhelm, * 8. 5. 1938 zu Ludwigshafen; deutscher Musikforscher, studierte an den Universitäten Mainz, Kiel und Saarbrücken und promovierte 1964 in Saarbrücken über *Lied und Liedästhetik der mittleren Goethezeit (1770–1814)* (gedruckt als *Sangbarkeit, Popularität und Kunstlied. Studien zu Lied und Liedästhetik der mittleren Goethezeit 1770–1814*, = Studien zur Musikgeschichte des 19. Jh. III, Regensburg 1965). Er wurde 1966 Sachbearbeiter der landeskundlichen Abteilung im Musikwissenschaftlichen Institut der Universität Kiel. – Veröffentlichungen (Auswahl): *Das Musikgedicht als musicologische Quelle* (in: Beitr. zur Geschichte der Musikanschauung im 19. Jh., hrsg. von W. Salmen, = Studien zur Musikgeschichte des 19. Jh. I, Regensburg 1965); *Unterhaltendes Musizieren im Industriegebiet des 19. Jh.* (in: Studien zur Trivialmusik des 19. Jh., hrsg. von C. Dahlhaus, ebd. VIII, 1967); *Das Lied der Berufsvereine*.

Ihr Beitrag zur »Volkskunst« im 19. Jh. (Zs. für Volkskunde LXIII, 1967); *Vergleichende Untersuchungen zu J. Grabbes »Il primo libro de Madrigali« (1609)* (in: Sagittarius II, 1969); *Beispiele zum Problem des »Religiösen« in Liedersammlungen des 19. Jh.* (in: Triviale Zonen in der religiösen Kunst des 19. Jh., = Studien zur Philosophie und Literatur des 19. Jh. XV, Ffm. 1971); *Konzert. Öffentliche Musikdarbietung vom 17. bis 19. Jh.* (= Musikgeschichte in Bildern IV, 2, Lpz. 1971); *Zur sozialen Stellung des Stadtmusikanten* (in: Der Sozialstatus des Berufsmusikers vom 17. bis 19. Jh., hrsg. von W. Salmen, = Musikwissenschaftliche Arbeiten XXIV, Kassel 1971); *Das Einnahmebuch des Schleswiger Stadtmusikanten Fr. A. Berwald* (= Kieler Schriften zur Musikwissenschaft XXI, ebd. 1972). Ferner edierte Schw. J. Grabbes *Werke* (= Denkmäler norddeutscher Musik II, ebd. 1971) und (mit W. Salmen) *Musikgeschichte Schleswig-Holsteins in Bildern* (= Quellen und Studien zur Musikgeschichte Schleswig-Holsteins I, Neumünster 1971). Er war Mitarbeiter (Neuaufnahmen) an den vorliegenden Ergänzungsbänden dieses Lexikons.

Schwabach, Kurt, * 26. 2. 1898 zu Berlin, † 26. 10. 1966 zu Hamburg; deutscher Textdichter von Liedern und Schlagern, war bis Kriegsende 1918 Flieger, trat dann mit Chansons, Gedichten und Libretti hervor. Er emigrierte 1937 nach Palästina und kehrte 1949 nach Deutschland zurück. Mit über 2000 Titeln war er einer der fruchtbarsten und erfolgreichsten deutschen Textdichter. 1963 erhielt er die R.-Strauss-Medaille für Verdienste im Urheberrecht. Er schrieb (Komponisten in Klammern) die Gesangstexte für die Operette *Glückliche Reise* (Künneke) sowie die Musicals *Prärie-Saloon* (Olias) und *Charley's neue Tante* (Olias). - Schlagertexte: *Wenn du einmal dein Herz verschenkst* (Willy Rosen, 1928); *Diesmal muß es Liebe sein* (Rudi Maluck, 1956); *Danke schön* (mit Roy Ilene, B. Kaempfert, 1963).

Schwaen, Kurt, * 21. 6. 1909 zu Kattowitz; deutscher Komponist, studierte Klavier, Orgel und Musiktheorie in Breslau bei Fr. Lubrich sowie 1929–33 Musikwissenschaft an den Universitäten in Breslau und Berlin (Fr. Blume, C. Sachs, Schering). Er wurde 1948 Musikreferent der Deutschen Volksbühne in Berlin, wo er seit 1953 freischaffend lebt. Seine Kompositionen umfassen u. a. die Schuloper *Die Horatier und die Kuratier* (nach Brecht, Bln 1957), die Funk- und Fernsehoper *Fetzers Flucht* (Funk 1959, Fernsehen 1963), die Kammeroper *Leonce und Lena* (nach Georg Büchner, Bln 1961), die komische Oper *Die Morgengabe* (Bln 1962), die Kinderoper *Pinocchios Abenteuer* (1970), das Ballett *Ballade vom Glück* (1966), Orchesterwerke (Suite *Parkfestspiele*, 1955; *Concerto piccolo* für Jazzorch., 1957; Konzert für Klar., Trp. und Orch., 1959; Konzert für Kl. und Orch., 1964), Kammermusik, Vokalwerke (Kantaten *Unsere schöne Heimat*, 1953, *Blüh' Vaterland im Frieden*, 1955, und *Sturm und Gesang*, 1958; 3 Kinderkantaten, 1959, 1960 und 1962; Chorzyklen, Chor-, Solo- und Massenlieder) und Filmmusik. - Veröffentlichungen: *Über Volksmusik und Laienmusik* (Dresden 1952); *Die Ad-libitum-Besetzung. Ein Lehrbuch für Dirigenten und Laienorchester* (Lpz. 1953); *Instrumentationslehre für Volksinstrumente* (Lpz. 1954).
Lit.: H. BROCK in: MuG VIII, 1958, S. 270ff. (zu »Die Horatier u. d. Kuratier«); Würdigungen zum 60. Geburtstag u. i. Musik in d. Schule XX, 1969, S. 225ff., DERS., Darstellung d. Lebensbildes u. d. schöpferischen Entwicklung v. K. Schw., Diss. Bln 1969 (HU), Auszug in: Sammelbände zur Mg. d. DDR I, hrsg. v. H. A. Brockhaus u. K. Niemann, Bln 1969, S. 216ff.; H. GERLACH in: Musik in d. Schule XXIII, 1972, S. 15f. u. 33ff.

(zu »Pinocchios Abenteuer«); I. ISKE, ebd. XXV, 1974, S. 228ff.; CHR. KADEN in: MuG XXIV, 1974, S. 350ff.

+Schwaiger, Rosl (Rosa), * 5. 9. 1918 zu [erg.: Maria] Alm (Pinzgau), [erg. :] † 19. 4. 1970 zu München. R. Schw. war ab 1962 Mitglied des Staatstheaters am Gärtnerplatz in München und trat u. a. bei den Festspielen von Salzburg und Glyndebourne hervor. Sie widmete sich auch zeitgenössischer Musik (u. a. Messiaen). 1962 wurde sie zur (bayerischen) Kammersängerin ernannt.

Schwalbé, Michel, * 27. 10. 1919 zu Radom (Polen); französischer Violinist, beendete 1932 seine Ausbildung an der Musikhochschule in Warschau, erhielt mit 15 Jahren einen Ehrenpreis beim dortigen Internationalen Wieniawski-Violinwettbewerb und vervollkommnete seine Studien am Pariser Conservatoire bei Enescu und Monteux. Er war 1. Konzertmeister des Orchestre de la Suisse Romande (1944–46), Primarius des Schwalbé-Streichquartetts in Zürich (1946–48) und wirkte als Professor für Violine am Genfer Konservatorium (1948–57). 1957 wurde er 1. Konzertmeister der Berliner Philharmoniker, 1963 Professor an der Hochschule für Musik in Berlin und 1964 Leiter der Meisterklasse für Violine an der Sommerakademie Mozarteum in Salzburg. Daneben hat er zahlreiche Tourneen als Solist unternommen.

Schwan, Olof, * 18. 10. 1744 zu Säter (Kopparberg), † 15. 4. 1812 zu Stockholm; schwedischer Orgelbauer, ausgebildet bei Jonas Gren und Peter Stråhle in Stockholm und letzter Vertreter der von der Familie Cahman ausgehenden Stiltradition, gründete um 1770 in Stockholm eine eigene Werkstatt. Er baute u. a. 1798 eine 56st. Orgel für die Storkyrkan (St. Nicolai) in Stockholm. 1794 wurde er Mitglied der Musikaliska akademien in Stockholm.

+Schwanenberg, Johann Gottfried, 1740(37?) zu Wolfenbüttel (Braunschweig?) [erg. frühere Angaben] – 29. 3. [nicht: 5. 4.] 1804.
Der +dramatische Prolog (1794) hat den Titel *Das Gericht Apollos* [nicht: *Der Ausspruch des Apollo*]. Die +*Gründliche Abhandlung ...* (1797) stammt nicht von ihm, sondern von dem Wiener Musikmeister J. I. Fr. Schw. (um 1761–1830).
Ausg.: 8 Cemb.-Sonaten, hrsg. v. J. ZÜRCHER, Hofheim a. Ts. 1968.
Lit.: H. O. HIEKEL in: MGG XII, 1965, Sp. 342ff.

+L. Schwann Verlag.
[del.:] → Gregorianischer Choral. – Der Musikverlag Schwann war eine Abteilung der Düsseldorfer Firma Pädagogischer Verlag Schwann GmbH. 1974 wurde er vom Musikverlag C. F. Peters in Frankfurt a. M. übernommen.

Schwartz, Arthur, * 25. 11. 1900 zu Brooklyn (N. Y.); amerikanischer Komponist von Shows und Musicals, studierte an der New York University (B. A. 1920) und an der Columbia University in New York (M. A. 1921, Doctor of Laws 1924), widmete sich ab 1928 auf Anraten Gershwins ganz der Musik und errang 1929 in New York einen ersten Erfolg mit Songs zu *The Little Show*. Von seinen weiteren Broadwaystücken seien genannt: *The Band Wagon* (1931); *Revenge with Music* (1934); *Stars in Your Eyes* (1939); *A Tree Grows in Brooklyn* (1951); *By the Beautiful Sea* (1954); *The Gay Life* (1961). Seit 1934 schreibt Schw. auch Filmmusik.
Lit.: ST. GREEN, The World of Mus. Comedy, NY 1960; D. EWEN, Great Men of American Popular Song, Englewood Cliffs (N. J.) 1970.

Schwartz, Elliot S., * 19. 1. 1936 zu New York; amerikanischer Komponist und Pianist, Schüler von Beeson, Creston und Luening, studierte in New York an der Columbia University (1953–57) und am Columbia Teacher's College (1957–60). Er lehrte an der University of Massachusetts in Amherst (1960–64) und am Bowdoin College in Brunswick/Me. (ab 1964). Schw. ist Co-Direktor der Bowdoin Music Press und Direktor des jährlichen Bowdoin Contemporary Music Festival. Er schrieb: Konzertstück für Bläserquintett, 4 Streichinstr. und Schlagzeug (1965); *Texture* für Kammerorch. (1966); *Dialog* für Kb. (1967); *Elevator Music* für beliebige Instr. (1967); *Signals* für Pos. und Kb. (1968); *Magic Music* für Kl. und Orch. (1968); *Music for Napoleon and Beethoven* für Trp., Kl. und Tonband (1969); Septett für St., Kl. und 5 verschiedene Instr. (1969); *Music for Soloists and Audience* für beliebige Instr., 4 Dirigenten und Zuhörer (1970); *Island* für Orch. (1970). Neben Zeitschriftenbeiträgen veröffentlichte er: *The Symphonies of R. Vaughan Williams* (Amherst/Mass. 1964); *Contemporary Composers on Contemporary Music* (NY 1967); *Electronic Music. A Listener's Guide* (London 1973).
Lit.: M. Bowen in: Music and Musicians XVI, 1967/68, Nr 7, S. 24ff.

[**+Schwartz**, recte:] **Schwarz**, Josef (Joseph) [erg.:] Hubert, 26. [nicht: 25.] 11. 1848 – 1933.
Schw. leitete den Kölner Männergesangverein 1892–1923 [nicht: 1890–1924].
Lit.: H. Schwartz in: Rheinische Musiker VI, hrsg. v. D. Kämper, = Beitr. zur rheinischen Mg. LXXXIII, Köln 1969, S. 175ff.

+Schwarz, Gerhard, * 22. 8. 1902 zu Reussendorf (Schlesien).
Organist in Waldenburg (Schlesien) war Schw. 1945–47 [nicht: ab 1935]. Er leitete die Landeskirchenmusikschule der Evangelischen Kirche im Rheinland in Düsseldorf [nicht: Wuppertal-Elberfeld] und war ab 1950 auch Dozent (1961 Professor) für Improvisation an der Musikhochschule in Köln. Seit 1967 lebt er bei Göttingen im Ruhestand. – Neuere Werke: *Die Weihnachtsgeschichte* für Soli, Chor und Instr. (1959); die Kantaten *Du hast meine Klage verwandelt* (1962) und *Jesu meine Freude* (1963) für Chor und Instr. sowie *Turmbau zu Babel* für Soli, Chor und Orch. (1966); Intrade für Bläser (1966); *Eichendorff-Gesänge* für Männerchor (1967); Ostinato und Ricercare für 6 Instr. (1968); *Eichendorff-Liederbuch* für Singst. und Kl. (1970); liturgische Stücke, Choralsätze, Liedweisen für den Gemeindegesang und Spielmusiken. Er verfaßte *Eine Selbstdarstellung. Von der Singbewegung zur neuen Musik* (in: Zeitgenössische schlesische Komponisten, hrsg. von P. Pankalla und G. Speer, = Veröff. des Arbeitskreises für schlesisches Lied und schlesische Musik IV, Dülmen/Westf. 1973, mit Werkverz.).
Lit.: A. Rössler in: MuK XXXII, 1962, S. 197ff.

Schwarz, Hans-Helmut, * 24. 10. 1924 zu Heidelberg; deutscher Pianist und Musikpädagoge, studierte an der Hochschule für Musik und Theater in Mannheim (1940–43) und an der Fr.-Liszt-Hochschule in Weimar (1943–44) und nahm an Meisterkursen bei Frieda Hodapp, Borowskij und Wührer teil. Er ist Preisträger u. a. des Concours international d'exécution musicale in Genf (1948) und des Concorso internazionale di piano F. Busoni in Bozen (1956). 1954 übernahm er eine Klavierklasse an der Hochschule für Musik und Theater in Mannheim. 1971 wurde er Professor für Klavier und Rektor der Musikhochschule Heidelberg-Mannheim. Als Pianist entfaltet er seit 1942 eine rege

Konzerttätigkeit im In- und Ausland (Tourneen in die USA und nach Japan). Mit der Pianistin Edith Henrici bildet er ein Klavierduo.

Schwarz, Josef Hubert → +Schwartz, J.

+Schwarz [–1) Joseph], –2) Boris, * 13.(26.) 3. 1906 zu St. Petersburg.
Er promovierte 1950 an der Columbia University (N. Y.) mit einer Arbeit über *French Instrumental Music Between the Revolutions, 1789–1830*. Schw., 1962 Austauschprofessor an der Akademie der Wissenschaften in Moskau, lehrt derzeit als Professor of Music an der City University of New York. – Veröffentlichungen: *Music and Musical Life in Soviet Russia, 1917–70* (London und NY 1972); *K. Rathaus* (MQ XLI, 1955); *Beethoven and the French Violin School* (MQ XLIV, 1958); *Beethoveniana* bzw. *More Beethoveniana in Soviet Russia* (MQ XLVII, 1961 bzw. XLIX, 1963); *Stravinsky in Soviet Russian Criticism* (MQ XLVIII, 1962); *A. Schoenberg in Soviet Russia* (in: Perspectives of New Music IV, 1965/66, Wiederabdruck in: Perspectives on Schoenberg and Stravinsky, hrsg. von B. Boretz und E. T. Cone, Princeton/N. J. 1968); *A Little-Known Beethoven Sketch in Moscow* (MQ LVI, 1970); *Beethovens op. 18 und Haydns Streichquartette* (Kgr.-Ber. Bonn 1970); lexikalische Beiträge. Er gab von C. Flesch *Violin Fingering, Its Theory and Practice* heraus (London 1964).

Schwarz, Reinhard, * 12. 5. 1936 zu Berlin; deutscher Dirigent, studierte in Berlin 1950–58 am Städtischen Konservatorium und besuchte 1958–60 die Dirigierkurse bei H. v. Karajan in Berlin. Er war 1. Kapellmeister an den Städtischen Bühnen in Wuppertal (1965–69) sowie am Opernhaus in Frankfurt a. M. (1969–71). Seit 1971 ist er GMD der Stadt Hagen, wo er auch die Hagener Tage der Avantgarde ins Leben rief. Schw. wirkt seit 1963 als Gastdirigent an der Wiener Staatsoper und leitet Konzerte im In- und Ausland.

+Schwarz, Rudolf, * 29. 4. 1905 zu Wien.
Er war Chefdirigent des BBC Symphony Orchestra bis 1962 und wurde dann musikalischer Leiter des Northern Sinfonia Orchestra in Newcastle-upon-Tyne.
Lit.: G. Miller, The Bournemouth Symphony Orch., Sherborne (Dorset) 1970.

Schwarz, Vera, * 10. 7. 1889 zu Zagreb, † 4. 12. 1964 zu Wien; österreichische Sängerin (Sopran), studierte in Wien (Philipp Forstén), wo sie 1912 am Theater an der Wien debütierte. Sie gehörte zum Ensemble des Opernhauses in Hamburg (1914–17), der Berliner Hofbzw. Staatsoper (1917–21) und wurde 1921 an die Wiener Staatsoper engagiert. 1925 kreierte sie als Partnerin von Tauber in der Uraufführung von Lehárs *Zarewitsch* die Rolle der Lisa. V. Schw. trat bei den Festspielen in Salzburg (1929) und Glyndebourne (1939) auf und gastierte in London, Paris und Amsterdam. 1939 übersiedelte sie nach Hollywood. Ab 1948 gab sie Gesangskurse am Mozarteum in Salzburg. Ihre wichtigsten Partien waren Lady Macbeth und Octavian.

Schwarz, Werner, * 21. 8. 1906 zu Tilsit (Ostpreußen); deutscher Musikforscher und -pädagoge, studierte 1925–31 in Königsberg und Berlin und promovierte 1932 an der Königsberger Universität mit einer Dissertation über *R. Schumann und die Variation mit besonderer Berücksichtigung der Klavierwerke* (= Königsberger Studien zur Musikwissenschaft XV, Kassel 1932). Seit 1931 ist er im höheren Schuldienst tätig, anfangs in Königsberg und Tilsit, nach 1946 u. a. in Schleswig, seit 1954 in Kiel. – Veröffentlichungen (Auswahl): *Die Bedeutung des Religiösen im musikdramatischen Schaffen*

H.Pfitzners (Fs. J.Müller-Blattau, = Annales Universitatis Saraviensis, Philosophische Fakultät IX, Saarbrücken 1960); *R.Schumann und der deutsche Osten* (in: Musik des Ostens II, Kassel 1963); *Aus H.Dorns Rigaer Zeit. Unveröffentlichte Briefe an R.Schumann 1839–42* (ebd. III, 1965); *Eine Musikerfreundschaft des 19.Jh., Unveröffentlichte Briefe von F.David an R.Schumann* (Fs. J. Müller-Blattau, = Saarbrücker Studien zur Musikwissenschaft I, ebd. 1966).

+Schwarz-Schilling, Reinhard, * 9. 5. 1904 zu Hannover.
In Innsbruck wirkte Schw.-Sch. ab 1929 [nicht: 1925]. – Er wurde an der Berliner Musikhochschule 1969 Leiter der Abteilung Komposition. Konzertreisen führten ihn 1960 und 1967 nach Nordamerika, 1972 nach Japan und Südkorea (wo er auch als Gastprofessor an der Seoul National University wirkte). – Weitere Werke: Sonatine für Kl. (1947); Kantate *Laetare Jerusalem* für 6st. gem. Chor, 2 Trp. und Streichorch., Adventskantate *O Heiland, reiß die Himmel auf* für S., 2st. Frauenchor, V., Va und Org., *Signum magnum* für gem. Chor, Gemeinde, 4 Trp., 4 Hörner, 4 Pos. (oder Org., alle 1958); 4 Tanz- und Liebeslieder für 3st. Frauenchor (1962); Symphonie in C (1963); *Die Einsetzungsworte* und *Zur Kommunion* für 4st. gem. Chor (1966); Klaviersonate (1968); Lieder.
Lit.: A. BERNER, R. Schw.-Sch., Bln 1964 (Werkverz.). – DERS. in: Musica XI, 1957, S. 135ff. (zur Kantate »Lob d. Mutter«, zum V.-Konzert u. zur Messe »In terra pax«); W. OEHLMANN, ebd. XXII, 1968, S. 347ff., u. XXVIII, 1974, S. 267f.; H. BERGER in: Musica sacra LXXXIX, 1969, S. 111ff. (mit Werkverz.); E. ZILLINGER in: Der Kirchenmusiker XXI, 1970, S. 19ff.; K. WESTPHAL in: Das Orch. XXII, 1974, S. 306f.

+Schwarzkopf, Elisabeth, * 9. 12. 1915 zu Jarotschin (Posen).
E. Schw. debütierte 1962 als Marschallin an der Metropolitan Opera in New York. 1971 nahm sie mit einer Galavorstellung im Brüsseler Théâtre de la Monnaie Abschied von der Bühne, gibt jedoch weiterhin Liederabende. E. Schw. lebt heute in Collonge-Bellerive (Genf).
Lit.: B. GAVOTY, E. Schw., = Die großen Interpreten XX, Ffm. 1957, auch frz. u. engl.; G. MOORE, Am I too Loud?, London u. NY 1962, Paperbackausg. Harmondsworth (Middlesex) 1966, deutsch als: Bin ich zu laut?, Tübingen 1963, ²1964, auch Stuttgart 1968; F. SERPA in: Le grandi v., hrsg. v. R. Celletti, = Scenario I, Rom 1964, Sp. 749ff. (mit Diskographie v. J. P. Kenyon); CL.-D. SCHAUMKELL, Schw.'s Farewell to the Stage, in: Opera XXIII, 1972.

+Schwechten, Heinrich, 1812 [erg.:] zu Stolzenau (Weser) – 1871.
Nach dem Tode von Wilhelm Schw. († 26. 1. 1954 zu Berlin) erlosch die Firma in West-Berlin. Sein Bruder Friedrich Schw. († 15. 1. 1966 zu Berlin) führte den Fabrikationsbetrieb in Ost-Berlin weiter und gab ihn 1960 auf.

+Schweiger, Hans, * 7. 11. 1900 zu Wien.
Schw. zog sich 1970 von der Bühne zurück. 1964 wurde er zum Professor ehrenhalber ernannt.

+Schweitzelsperg, Casimir (auch Caspar), 1668 – [erg.:] nach 1722.
Lit.: FR. BASER in: MGG XII, 1965, Sp. 398f.

+Schweitzer, Albert, * 14. 1. 1875 zu Kaysersberg (Oberelsaß), [erg.:] † 4. 9. 1965 zu Lambarene (Gabun).
Schw. erhielt 1953 den Friedensnobelpreis. – +*J.S. Bach* (1908), neueste Aufl. Wiesbaden ⁸1972, neueste Aufl. der +engl. Ausg. (E.Newman, 1911, 2 Bde) London 1962, Boston 1964, Paperbackausg. NY 1966, weitere neuere Übersetzungen in dänischer, hebräischer, italienischer, japanischer, polnischer, russischer und spanischer Sprache; +*Deutsche und französische Orgelbaukunst* (1906, ²1927), Nachdr. der Erstaufl. Wiesbaden 1962, 3. Aufl. ebd. 1968, engl. in: Music in the Life of A. Schw. (s. u. Ausg.), frz. in: L'orgue 1967, Nr 122/123 (mit Einleitung von P. Valloton). Die +kritisch-praktische Ausgabe der Orgelkompositionen J. S. Bachs (*Sämtliche Orgelwerke*, NY 1912ff.) liegt nunmehr abgeschlossen vor (Bd I–V 1912–14, VI 1954, VII–VIII 1967). – +*Aus meinem Leben und Denken* (1931), NA Hbg 1974 (darin ein mit den Jahren 1931–65 abschließendes Kap. von R.Grabs).
Ausg.: Gesammelte Werke, hrsg. v. R. GRABS, 5 Bde, München 1974. – Music in the Life of A. Schw., hrsg. v. CH. R. JOY, NY 1951, revidiert London 1953, auch = Beacon Paperback LXXXVII, Boston 1959 (Schriftenausw. in engl. Übers.).
Lit.: A. Schw., sein Denken u. sein Weg, hrsg. v. H. W. BÄHR, Tübingen 1962 (u. a. mit Wiederabdruck d. Beitr. v. +L. Schrade, 1960). – +R. QUOIKA, A. Schw.s Begegnung mit d. Org. (1954), Bln ²1958; DERS., Ein Orgelkolleg mit A. Schw., Freising 1970; E. R. JACOBI, A. Schw., d. Musiker, Schweizer musikpädagogische Blätter XLVI, 1958; FR. MOREL, Der Musiker A. Schw., in: Musik u. Gottesdienst XIII, 1959; DERS., ebd. XVII, 1964, S. 175ff.; M. S. DRUSKIN, A. Schw. i woprossi Bachowedenija (»A. Schw. u. Fragen d. Bach-Forschung«), SM XXIV, 1960; H. ZURLINDEN, Erinnerungen ..., St. Gallen 1962; A. BRINER in: Musik u. Gottesdienst XIX, 1965, S. 111ff.; H. KLOTZ in: AMl XXXVII, 1965, S. 91ff.; H. A. METZGER in: MuK XXXV, 1965, S. 225ff.; R. RENSCH, A. Schw. u. d. Orgelbau in: Das Musikinstr. XIV, 1965; W. BLANKENBURG in: Mf XIX, 1966, S. 1ff.; J. FESCHOTTE, A. Schw. et l'orgue in: L'orgue 1966, S. 49ff.; H. ZERASCHI, A. Schw. u. sein Lpz.er Musikverlag, MuG XVI, 1966; L. LENEL, Reminiscences of A. Schw. as Organist and Teacher, in: Church Music I, 1967; CHR. STROUX, Zur Entwicklung d. Vorstellungen über d. Org. seit A. Schw., in: Org. u. Orgelmusik heute, hrsg. v. H. H. Eggebrecht, = Veröff. d. Walcker-Stiftung f. orgelwiss. Forschung II, Stuttgart 1968.

+Schweitzer, Anton, 1735–87.
Ausg.: Rezitativ u. Arie aus »Alceste«, in: H. CHR. WOLFF, Die Oper II, = Das Musikwerk XXXIX, Köln 1971, auch engl.
Lit.: +A. LOEWENBERG, Annals of Opera (²1955), Nachdr. NY 1970.

Schweizer, Klaus, * 12. 12. 1939 zu Ebingen (Kreis Balingen); deutscher Komponist, studierte 1958–61 an der Musikhochschule in Karlsruhe Klavier (Yvonne Loriod), Komposition (Wildberger) und Schulmusik sowie ab 1961 Musikwissenschaft an der Universität Freiburg i. Br., wo er 1968 mit der Dissertation *Die Sonatensatzform im Schaffen A.Bergs* (= Freiburger Schriften zur Musikwissenschaft I, Stuttgart 1970) promovierte. – Werke (Auswahl): *2 Sätze über bewegliche Zeitmaße* für Fl., V. und Va (1963); *5 Klavierstücke* (1963); *3 Nachtstücke* für Va und Kl. (1963); *6 Einminutenstücke* für V. solo (1963); *Stilübung* (nach Fragmenten aus *Lettera amorosa* von René Char, 1964); *Konversationsszene*, dargestellt von 4 Holzbläsern (Fl., Ob., Klar., Fag., 1966); Variationen für Orch. (1968). – Weitere Schriften: *Grafische Musik für Spielmusikgruppen* (in: Melos XXXVIII, 1971); *O. Messiaens Klavieretude »Mode de valeurs et d'intensité«* (AfMw XXX, 1973).

+Schwemmer, Heinrich, 1621–96.
Ausg.: 2 Lieder in: Begräbnisgesänge Nürnberger Meister f. Exulanten aus d. Steiermark, hrsg. v. H. FEDERHOFER, = Musik alter Meister III, Graz 1955.
Lit.: H. E. SAMUEL, The Cantata in Nuremberg During the 17th Cent., Diss. Cornell Univ. (N. Y.) 1963; DERS. in: MGG XII, 1965, Sp. 399ff.

+**Schwencke,** –1) Johann Gottlieb, [erg.: 11. 8.] 1744–1823.
–4) Karl, 1797 – nach [erg.: 7. 1.] 1870. Der von Beethoven für ihn 1824 geschriebene Kanon trägt die Werknummer WoO 187.

Schwenn, Günther, * 18. 3. 1903 zu Berlin; deutscher Bühnenschriftsteller, Librettist und Textdichter von Operettenliedern und Schlagern, lebt in Montreux. Er studierte Literatur- und Kunstgeschichte, war Dramaturg am Berliner Metropoltheater und Leiter eines literarischen Kabaretts, dann freischaffend für Bühne und Film tätig. Schw. ist Ehrenmitglied des Verbands Deutscher Textdichter. Er schrieb die Gesangstexte zu den Operetten (Auswahl) *Maske in Blau* (Buch Heinz Hentschke, Musik Raymond, 1937), *Hochzeitsnacht im Paradies* (Hentschke, Fr. Schröder, 1942) und *Nächte in Schanghai* (Leo Lenz und Waldemar Frank, Schröder, 1947), das Libretto zum Musical *Fanny Hill* (Musik Kuhn, 1972), ferner Liedertexte zu über 50 musikalischen Bühnenstücken, darunter *Lauf ins Glück*, *Ball der Nationen* und *Frauen im Metropol*, und mehr als 100 Spielfilmen, u. a. *Kora Terry* und *Die 3 Codonas*. Von seinen über 1000 Liedertexten seien an Evergreens genannt: *Wenn die Sonne hinter den Dächern versinkt*; *Im Leben geht alles vorüber*; *Für eine Nacht voller Seligkeit*; *So stell ich mir die Liebe vor*; *Es kommt auf die Sekunde an*; *Ein Glück, daß man sich so verlieben kann*; *Unter den roten Laterne von St. Pauli*; *Heimweh nach dem Kurfürstendamm*.

Schweppe, Joachim, * 3. 3. 1926 zu Kiel; deutscher Organist und Komponist, studierte 1947–52 privat Klavier bei Carlo Stephan und Eliza Hansen, Komposition bei Klussmann und Rohwer an der Staatlichen Hochschule für Musik in Hamburg sowie Orgel bei Manfred Kluge an der Schleswig-Holsteinischen Musikakademie und norddeutschen Orgelschule in Lübeck, die er 1958 absolvierte. Er war Kantor und Organist an St. Stephanus in Hamburg (1960–66) und wurde 1966 in gleicher Position an die Kreuzkirche in Hamburg-Wandsbek berufen. – Kompositionen (Auswahl): 2. Sonate für V. und Kl. (1958); Toccata und Fuge für Org. (1963); Choralkantate *Die Nacht ist vorgedrungen* für T., Chor und Orch. (1962); *Freuet euch in dem Herrn* für T. und Orch. (1966); *Gesänge des Abgeschiedenen* (nach Trakl, 1965) und *Motette 68* (nach Brecht, 1968) für gem. Chor a cappella; ferner zahlreiche Lieder sowie mehrere Orgel- und Klavierstücke.

Schwertsik, Kurt, * 25. 6. 1935 zu Wien; österreichischer Komponist, studierte 1949–56 an der Wiener Musikakademie Horn bei Gottfried Freiberg sowie Komposition bei J. Marx und Schiske. Er gründete 1958 in Wien zusammen mit Cerha das Ensemble »die Reihe«, das er im Rahmen von Konzerten mit Neuer Musik dirigiert. Er war 1959–60 Beobachter am elektronischen Studio des WDR Köln, dann Romstipendiat der Österreichischen Akademie der Wissenschaften; 1961 wurde er Hornist im Niederösterreichischen Tonkünstlerorchester. Seit 1968 ist er 2. Hornist bei den Wiener Symphonikern. – Kompositionen (Auswahl): Sonatine für Horn und Kl. op. 1 (1954); Trio für V., Horn und Kl. op. 3 (1960); Streichquartett op. 4 (1960); *Für Audifax und Abachum* für Orch. op. 8 (1963); *Eichendorff-Quintett* für Fl., Ob., Klar., Horn und Fag. op. 9 (1964); Melodrama *Veränderungen* für Sprecher, Kl. und Projektionen op. 10a (1964); *Stückwerk* (nach Gedichten von Walter Zettl) für S., Englisch Horn, Pos., Kontrafag., Kb. und Kl. op. 12 (1966); *Querschnitt durch eine Operette* für Bläserquintett op. 13 (1966); *Österreichisches Quodlibet* für Fl., Fag., Trp., Tuba, Harmonium, Hf., Git., Schlagwerk, V.

und Kb. op. 14 (1967, Musik zur Austrovision im österreichischen Pavillon bei der Weltausstellung in Montreal); *Shai-Î-Mar*, 7 Arien nach Gedichten von Hans Carl Artmann für Bar. und Kammerorch. op. 17 (1967); *Symphonie im Mob-Stil* für Orch. op. 19 (1969).

+**Schwickerath,** Eberhard, 1856–1940.
Lit.: D. KÄMPER in: Rheinische Musiker V, hrsg. v. K. G. Fellerer, = Beitr. zur rheinischen Mg. LXIX, Köln 1967, S. 122ff.

+**Schwieger,** Hans, * 15. 6. 1906 zu Köln.
Schw., weiterhin musikalischer Leiter der Kansas City Philharmonic (Mo.), ist daneben als Gastdirigent an verschiedenen Opernhäusern und bei namhaften Orchestern in den USA, Südamerika und Europa tätig. Eine Konzertreise führte ihn 1972 in die UdSSR. Schw. wurde mehrfach zum Dr. h. c. ernannt (u. a. 1949 durch die University of Missouri).

Schwinger, Walter-Wolfram, * 14. 7. 1928 zu Dresden; deutscher Musikkritiker, studierte 1948–52 in Berlin an der Humboldt-Universität (Dräger, E. H. Meyer, Vetter), an der er 1954 mit der Arbeit *Das Opernschaffen von A. H. Chelard* promovierte. Er war Musikkritiker der Berliner Tageszeitung »Der Morgen« (ab 1950), Musikredakteur der »Hannoverschen Rundschau« (1960–64), Leiter der Musikredaktion der »Stuttgarter Zeitung« (ab 1964) sowie daneben Mitherausgeber der Zeitschrift *Musica* (ab 1968, Herausgeber ab 1971). Von der Spielzeit 1975/76 an wurde Schw. als Nachfolger von W. Windgassen zum Operndirektor der Württembergischen Staatstheater in Stuttgart ernannt. Er schrieb u. a.: *Schumann und Chelard ... 1839–41* (in: R. Schumann, hrsg. von H. J. Moser und E. Rebling, Lpz. 1956); *Er komponierte Amerika. G. Gershwin, Mensch und Werk* (Bln 1960, ⁵1965, slowakisch als *Rhapsody in Blue*, Bratislava, 1969); *B. Bartóks Streichquartette* (in: Musica XXVII, 1973); *Nach der Historie eine Satire? Der Opernkomponist Krz. Penderecki* (in: Oper 1973).

+**Schymberg,** Hjördis Gunborg, * 24. 4. 1909 zu Alnö (Västernorrlands län).
Hj. Sch. gehörte der Königlichen Oper in Stockholm bis 1959 an. Seit 1962 ist sie als Gesangslehrerin u. a. in Stockholm tätig.

+**Schytte** [–1) Ludvig], –2) Henrik Vissing (Wissing), 1827 – 1903 [nicht: 1909].

Sciamarello (sⁱⁱamar′eʎo), Valdo, * 20. 1. 1924 zu Buenos Aires; argentinischer Komponist, studierte u. a. bei Bautista (Komposition), Scaramuzza und De Raco (Klavier). Er war Leiter der Musikabteilung der Escuela de Bellas Artes an der Universidad Nacional de la Plata und erhielt auch Lehrstühle an der Pontificia Universidad Católica Argentina »Santa María de los Buenos Aires« und am Staatlichen Konservatorium. Außerdem war er Dirigent des Kinderchors am Teatro Colón. Seine Kompositionen umfassen u. a. die lyrische Komödie *Marianita Limeña* (Buenos Aires 1957), die Ballette *Recordad el Amor* für Kl., Schlagzeug und Gesang (1962), *Galería humana* für Schlagzeug (1962) und *Credo* für Klavierquartett (1964), *Variaciones concertantes* für Kl. und Orch. (1952), *Díptico* für Kammerorch. (1953), Kammermusik (*Scherzino* für Ob., Klar. und Fag., 1956; *Cantos de Ondina*, 3 Vokalisen für hohen S., Fl., Ob., Klar. und Hf., 1966), Klavierstücke, Vokalwerke sowie Bühnen- und Filmmusik.
Lit.: Werkverz. in: Compositores de América XII, Washington (D. C.) 1966.

Sciarrino (ʃar′ri:no), Salvatore, * 4. 4. 1947 zu Palermo; italienischer Komponist, Autodidakt, begann 1959 zu komponieren und trat 1962 mit seinen Werken an die Öffentlichkeit. 1969 übersiedelte er nach Rom, wo er gegenwärtig am Conservatorio di Musica S. Cecilia lehrt. Er komponierte u. a. die einaktige Kammeroper *Amore e Psiche* (Libretto Aurelio Pes, Mailand 1973), Orchesterwerke (Berceuse, 1967; *Da a da da*, 1970; *... da un divertimento* für 10 Instr., 1970; *Sonata da camera*, 1971; *Grande sonata da camera*, 1972; Rondo für Fl. und Kammerorch., 1972; Romanze für Va d'amore und Orch., 1973; Variationen für Vc. und Orch., 1974), Kammermusik (Streichquartett II, 1967; Streichtrio, 1974; *Arabesque* für 2 Kirchenorg., 1971; *De o de do* für Cemb., 1970; *3 notturni brillanti* für Va solo, 1974), Klavierwerke (Prélude, 1969; *De la nuit*, 1971; Sonate für 2 Kl., 1966) sowie *Aka aka to I, II* und *III* für Frauen-St. und 12 Instr. (baskischer Text, 1967), *Terzetti e serenate* für 2 S., B. und Kammerorch. auf Texte von Rabelais (1968) und *Musiche per l'Orlando furioso* für Chor (1969).

Sciroli, (ʃirˈɔːli), Gregorio (Schiroli, Siroli), * 5. 10. 1722(?) zu Neapel, † nach 1777 zu Mailand(?); italienischer Komponist, studierte 1732–42 am Conservatorio della Pietà dei Turchini in Neapel bei Fago und L. Leo. Er war Maestro di capella des Prinzen von Bisignano (bis 1752) sowie Kapellmeister an verschiedenen italienischen Theatern. Ab 1777 lebte er als Gesangslehrer in Mailand. Sein bedeutendster Schüler war Aprile, genannt Lo Scirolino. Sc. schrieb zahlreiche Opern, von denen genannt seien: *Capitan Giancocozza* (Neapel 1747); *La smorfiosa* (Rom 1748); *Ulisse errante* (Palermo 1749); *Achille in Sciro* (Text Metastasio, Neapel 1751); *Lo barone deluso* (Rom 1752); *Il finto pastorello* (Neapel 1755); *La Zita correvata* (Federico, ebd. 1756); *La marina di Chiaia* (ebd. 1757); *La sposa alla moda* (Rom 1758); *Sesostri re d'Egitto* (Zeno und Pariati, Pisa 1759); *Olimpiade* (Metastasio, Venedig 1760); *Merope* (Zeno, Mailand 1761); *Alessandro nelle Indie* (Metastasio, Bologna 1764); *Solimano* (Venedig 1766); *Le nozze in campagna* (Goldoni, ebd. 1768); *Zemira e Azor* (Nizza 1778). Ferner schrieb er Kammermusik, Kantaten und Arien.

+Sciutti, Graziella, * 17. 4. 1927 [nicht: 1932] zu Turin.
Sie wurde 1955 Ensemblemitglied der Mailänder Scala und 1960 der Wiener Staatsoper. Stationen ihrer internationalen Karriere waren des weiteren die Covent Garden Opera in London, die Deutsche Oper Berlin (1961 als Zerline bei der Eröffnungsvorstellung des neuerrichteten Hauses), das Teatro Colón in Buenos Aires, die San Francisco Opera sowie die Metropolitan Opera in New York, ferner die Festspiele von Edinburgh, Glyndebourne, Salzburg und das Holland Festival.

Scolari, Giuseppe, * 1720 zu Vicenza, † 30. 7. 1769 zu Venedig (oder möglicherweise 1771 zu Lissabon); italienischer Komponist von Drammi giocosi, vertonte vor allem Libretti von Goldoni. Zu seinen bekanntesten Werken zählt *La cascina* (Venedig 1756, im selben Jahr auch in Mailand und Dresden). Zur Aufführung seiner Opern reiste Sc. auch ins Ausland (1750 nach Spanien, 1761 nach Portugal). Von seinen weiteren Werken seien genannt: *Il Pandolfo* (Venedig 1745); *L'Olimpiade* (ebd. 1749); *Alessandro nell'Indie* (Barcelona 1750); *Chi tutto abbraccia nulla stringe* oder *L'avaro schernito* (Venedig 1753); *Adriano in Siria* (ebd. 1754); *Cajo Fabricio* (Rom 1755); *Statira* (Venedig 1756); *Le nozze* (Mailand 1757); *La conversazione* (Venedig 1758); *Il ciarlatano* (ebd. 1759); *Il finto cavaliero* (Modena 1760); *La buona figliuola maritata* (Murano 1762); *Il viaggiatore ridicolo* (mit Mazzoni, Mailand 1762); *Il*

Tamerlano (ebd. 1764); *Cajo Mario* (ebd. 1765); *L'Antigono* (Neapel 1766); *Il trionfo di Camilla* (Modena 1767); *Il Bejglierbej di Caramania* (Lissabon 1771).

Scontrino, Antonio, * 17. 5. 1850 zu Trapani (Sizilien), † 7. 1. 1922 zu Florenz; italienischer Komponist und Kontrabassist, studierte 1861–70 am Konservatorium in Palermo und 1871–73 in München. Er konzertierte dann im Ausland. 1891 erhielt er einen Lehrstuhl für Kontrapunkt und Komposition am Konservatorium in Palermo und wirkte ab 1898 in gleicher Funktion am Konservatorium in Florenz. Sc. komponierte die Opern *Matelda* (Mailand 1879), *Il progettista* (Rom 1882), *Il sortilegio* (Turin 1882), *Gringoire* (Mailand 1890) und *La cortigiana* (ebd. 1896), Orchesterwerke (*Grande polonese*, 1869; *Marcia trionfale*, 1882; *Sinfonia marinaresca*, 1897; *Sinfonia romantica*, 1914; *Preludio religioso*, 1919), Konzerte für Kb. (1908), Fag. (1920) und Kl. mit Orch., Kammermusik (4 Streichquartette, 1901, 1903, 1905 und 1918), Klavierstücke, Chöre, Lieder und Bühnenmusik.
Lit.: A. DAMERINI, Ricordo di A. Sc., in: I grandi anniversari del 1960 ..., hrsg. v. dems. u. G. Roncaglia, = Accad. mus. Chigiana (XVII), Siena 1960; B. FRIEDLAND, Italy's Ottocento. Notes from the Mus. Underground, MQ LVI, 1970.

+Scott, Charles Kennedy, * 16. 11. 1876 zu Romsey (Hampshire), [erg.:] † 2. 7. 1965 zu London.
+*Madrigal Singing* (1931), Nachdr. Westport (Conn.) und Freeport (N. Y.) 1970.

+Scott, Cyril Meir, * 27. 9. 1879 zu Oxton (Cheshire), [erg.:] † 31. 12. 1970 zu Eastbourne (Sussex).
Sc., Ehrendoktor des Chicago Conservatory of Music, wurde 1969 zum Ehrenmitglied der Royal Academy of Music in London gewählt. – +*Smetse Smee* ist eine Bühnenmusik [nicht: Oper] zu einem Stück von Charles de Coster. – An neueren Kompositionen seien genannt: *Neapolitan Rhapsody* für Orch. (1960); 3. und 4. Streichquartett (1960, 1968), Trio für Fl., Vc. und Kl. (1960), Sonate für 2 V. (1963) und Sonate für Fl. (1961) mit Kl., *Pastoral Ode* (1961) und *Victorian Waltz* (1963) für Kl., Variationen und *Russian Fair* für 2 Kl.; *Rondo serioso* für Va d'amore (1958). – Weitere Schriften: +*Music. Its Secret Influence ...* (1933, ⁵1952), erweitert London 1958, auch ebd. und NY 1969; *Die Tragödie St. Georges* (= Rheingauer Drucke V, Eltville 1952); *Die »Frankfurter Gruppe«* (NZfM CXIX, 1958); die Autobiographie *Bone of Contention* (London und NY 1969); ferner mehrere Bücher medizinischen Inhalts (*Cancer Prevention*, London 1968).
Lit.: TH. ARMSTRONG, The Frankfort Group, Proc. R. Mus. Ass. LXXXV, 1958/59; DERS. in: MT C, 1959, S. 453f.

Scott, Sir Walter, Baronet, * 15. 8. 1771 zu Edinburgh, † 21. 9. 1832 auf seinem Schloß Abbotsford in der Nähe von Dryburgh Abbey (Berwickshire, Schottland); schottischer Dichter und Schriftsteller, studierte in Edinburgh, wirkte dort ab 1792 als Advokat und wurde 1806 1. Sekretär am Gerichtshof. 1820 wurde er in den Adelsstand erhoben. Er sammelte, angeregt durch Thomas Percys *Reliques of Ancient English Poetry*, Lieder und Balladen seiner Heimat, die er 1802/03 frei bearbeitet und kommentiert als *The Minstrelsy of the Scottish Border* herausgab. Mit *The Lay of the Last Minstrel* (1805), *Marmion, a Tale of Flodden Field* (1808), *The Lady of the Lake* (1810) u. a. folgten Versromane aus der englisch-schottischen Ritterzeit, die außerordentlichen Erfolg hatten. Bereits 1805 wandte er sich mit *Waverley* (1814 anonym erschienen) dem Prosaroman zu und veröffentlichte insgesamt 27 »Waverley Novels«, historische Romane, in denen er nach inten-

siven historischen Studien 5 Jahrhunderte schottischer und englischer Geschichte bearbeitete und durch die er zum Begründer des historischen Romans wurde. – Die seinen Romanen eingefügten Lieder wurden u. a. von Schubert (*Sieben Gesänge aus W. Sc.s Fräulein vom See* op. 52 [D 835–839, 843 und 846], *Lied der Anne Lyle* aus Sc.s *Montrose* und *Gesang der Norna* aus *The Pirate* op. 85 [D 830–831] sowie *Romanze des Richard Löwenherz* op. 86 aus *Ivanhoe* [D 907]), Mendelssohn Bartholdy (*Jagdlied* für Männerstimmen op. 120 Nr 1), A. Jensen (Chorwerke und *Sechs Lieder nach Sc.* op. 52) und Mackenzie vertont. Sc.s Romane wurden schon zu seinen Lebzeiten mehrfach dramatisiert, vor allem von Thomas John Dibdin, und mit Musik versehen, u. a. von Bishop, und bildeten die Grundlage für zahlreiche Libretti von Opern, so für A. Adam (*Le Caleb de W. Sc.* nach *The Bride of Lammermoor*, Paris 1827, und *Richard en Palestine* nach *The Talisman*, ebd. 1844), Auber (*Le château de Kenilworth*, Text Scribe, ebd. 1823, und *La fiancée de Lammermoor*, Scribe, ebd. 1829), Bellini (*I Puritani e i Cavalieri* nach *Old Mortality*, ebd. 1835), Bizet (*La jolie fille de Perth*, ebd. 1867), Fr.-A. Boïeldieu (*La dame blanche*, Text von Scribe nach *The Monastery* und *Guy Mannering*, ebd. 1825), Carafa de Colobrano (*Le nozze di Lammermoor*, ebd. 1829, und *La prison d'Edimbourg*, ebd. 1833), Donizetti (*Elisabetta al castello di Kenilworth*, Neapel 1829, und *Lucia di Lammermoor*, ebd. 1835), Flotow (*Rob Roy*, Paris 1836), H. Marschner (*Der Templer und die Jüdin* nach *Ivanhoe*, Lpz. 1829), O. Nicolai (*Il templario*, Turin 1840), Rossini (*La donna del lago*, Neapel 1819, und *Ivanhoe*, Pasticcio, Paris 1826) und Sullivan (*Ivanhoe*, London 1891), Balletten, so für Michele Costa (*Kenilworth*, ebd. 1831), sowie für Orchesterstücke (J. Fr. Barnett, *The Lay of the Last Minstrel*, 1874; Berlioz, Ouvertüren *Waverley*, 1828, und *Rob Roy*, 1838) und Vokalkompositionen (M. Bruch, dramatische Kantate *Das Feuerkreuz*, Text Bulthaupt nach *The Lady of the Lake*, 1889; G. Macfarren, Kantate *The Lady of the Lake*, 1877). Unter J. Haydns schottischen Liedern befinden sich 3 von Sc. (Hob. XXXIa: 255, 257 und 258). Blewitt schrieb die Musik zu Sc.s Drama *The House of Aspen* (London 1829).
Lit.: J. C. CORSON, Bibliogr. of Sir W. Sc. ... 1797–1940, Edinburgh 1943; E. JOHNSON, Sir W. Sc., The Great Unknown, 2 Bde, NY 1970. – O. E. DEUTSCH, Sc. u. Schubert, in: Mus. Kurier III, 1921; DERS., The W. Sc. Songs, ML IX, 1928; H. A. WHITE, Sir W. Sc.'s Novels on the Stage, = Yale Studies in Engl. Lit. LXXVI, New Haven (Conn.) 1927; M. R. DOBIE, The Development of Sc.'s »Minstrelsy«. An Attempt at a Reconstruction, in: Edinburgh Bibliogr. Soc. Transactions II, 1, Edinburgh 1940; A. BONSANTI, Appunti sullo Sc. e la sua Donna del lago, in: Conservatorio di Musica »G. B. Martini« Bologna, An-4uario 1965–70. AKG

+Scotti, Antonio, 1866–1936.
Lit.: J. P. KENYON in: Le grandi v., hrsg. v. R. Celletti, = Scenario I, Rom 1964, Sp. 755ff. (mit Diskographie).

+Scotto, –1) Ottaviano (I), [erg.:] 15. Jh. zu Monza – 23. 12. [nicht: 11.] 1498. –2) Ottaviano (II), [erg.:] † 1552 zu Venedig, Vetter [nicht: Sohn] des vorigen. –3) Gerolamo (Hieronymus), † [erg.:] 3. 9. 1572 [nicht: 1573], Bruder [nicht: Sohn] des vorigen.
Lit.: +H. RIEMANN, Notenschrift u. Notendruck [del.: Fs. C. G. Röder] (1896), Nachdr. = Bibl. musica Bononiensis I, 8, Bologna 1969. – A.-M. BAUTIER-RÉGNIER, L'éd. mus. ital. et les musiciens d'outremonts au XVIᵉ s. (1501–63), in: La Renaissance dans les provinces du Nord, hrsg. v. Fr. Lesure, Paris 1956; CL. SARTORI, La famiglia degli editori Sc., AMl XXXVI, 1964.

Scotto, Renata, * 24. 2. 1934 zu Savona; italienische Opernsängerin (Sopran), studierte bei Ghirardini und

Mercedes Llopart in Mailand, debütierte dort 1953 am Teatro Nuovo als Violetta (*La Traviata*) und im selben Jahr an der Scala in der Partie des Walter in Alfredo Catalanis *La Wally*. Sie gastierte u. a. bei den Festspielen in Edinburgh (1957), an der Metropolitan Opera in New York, an der Covent Garden Opera in London (1962–65) und an der Wiener Staatsoper.
Lit.: E. GARA in: Opera XXII, (London) 1971, S. 199ff.

Scotto, Vincent Baptiste, * 22. 4. 1874 zu Marseille, † 15. 11. 1952 zu Paris; französischer Komponist, war zunächst als Gitarrist und Interpret eigener Chansons in seiner Heimatstadt tätig und kam 1906 nach Paris, wo er bald einer der erfolgreichsten Chansonkomponisten wurde. Von seinen über 4000 Liedern wurden u. a. besonders *La petite Tonkinoise* (1906), *Rosalie, elle est partie, J'ai deux amours* (für Joséphine Baker), *Laissez-moi vous aimer* und *Le plus beau de tous les tangos du monde* (für T. Rossi) bekannt. 1913 schrieb Sc. auf einen Text von Jean Rodor (1881–1967) sein berühmtes Chanson *Sous les ponts de Paris*. Er komponierte auch etwa 70 Revueoperetten (*Suzy*, 1913; *Au pays du soleil*, 1933; *La danseuse aux étoiles*, 1950) sowie Filmmusik. Autobiographisches veröffentlichte er in seinem Buch *Souvenirs de Paris* (Paris 1947).

+Scotus (Scotigena, Scottigena, Scottus), Johannes, auch Eriugena (Erigena, Erugena, Jerugena) genannt, zwischen 810 und 815 – zwischen 881 und 886 [erg. frühere Lebensdaten].
Lit.: H. HÜSCHEN in: MGG III, 1954, Sp. 1492ff.; P. JONES, The Glosses de musica of John Scottus Erigena in the Ms. Lat. of the Bibl. Nationale, Paris, Tivoli 1957 (mit Ausg. d. Glossen zu »De nuptiis«, Buch IX, v. Martianus Capella); G. KALDENBACH, Die Kosmologie d. J. Sc. Eriugena. Versuch einer Interpretation seines philosophischen Hauptwerkes »De divisione naturae libri V« unter kosmologischem Grundaspekt, Diss. München 1963; D. M. CAPPUYNS, Jean Scot Érigène, Brüssel 1964; W. WIORA, Das vermeintliche Zeugnis d. J. Eriugena f. d. Anfänge d. abendländischen Mehrstimmigkeit, AMl XLIII, 1971.

+Scribe, [erg.: Augustin] Eugène, 24. [nicht: 25.] 12. 1791 – 20. [nicht: 21.] 2. 1861.
→Libretto.
Lit.: +W. L. CROSTEN, French Grand Opera. An Art and a Business (1948), Nachdr. NY 1972. – A. SCHERLE, E. Scr. u. d. Oper d. 19. Jh., in: Maske u. Kothurn III, 1957; R. M. LONGYEAR, Le livret bien fait. The Opéra Comique Librettos of E. Scr., Southern Quarterly I, 1963; H. KIRCHMEYER, Die deutsche Librettokritik bei E. Scr. u. G. Meyerbeer, NZfM CXXV, 1964; L. MAURICE-AMOUR in: MGG XII, 1965, Sp. 437ff.; E. FORBES, The Age of Scr. at the Paris Opéra, in: Opera XIX, 1968; H. BECKER, G. Meyerbeers Mitarbeit an d. Libretti seiner Opern, Kgr.-Ber. Bonn 1970; K. S. PENDLE, E. Scr. and French Opera of the 19ᵗʰ Cent., Diss. Univ. of Illinois 1970, gekürzt in: MQ LVII, 1971, S. 535ff.; DIES., Scr., Auber and »The Count of Monte Christo«, MR XXXIV, 1973; P. J. SMITH, The Tenth Muse, NY 1970; H. HEINSHEIMER in: NZfM CXXXV, 1974, S. 237ff.

Scuderi, Gaspare, * 2. 12. 1889 zu Trapani (Sizilien), † 12. 12. 1962 zu Mailand; italienischer Komponist, studierte am Conservatorio di Musica S. Pietro a Majella in Neapel (d'Arienzo) sowie in Berlin (1910–11), Rom (1911–13) und Florenz (1913–14). Danach ließ er sich in Mailand nieder, wo er das Ateneo Musicale leitete (1923–38) und 1930 das Liceo Musicale gründete, dessen Direktion er auch übernahm. 1940–43 war er Leiter des Liceo Musicale in Varese. Anschließend lehrte er Komposition am Konservatorium in Parma (1955–57 Direktor). Er schrieb die Opern *Donata* (Genua 1938) und *Melfe* (1958), Orchesterwerke (symphonisches Praeludium, 1940; Klavierkonzert), Kammermusik,Klavierstücke und Lieder und veröffentlichte: *L'Iris di Mascagni* (Mailand 1922); *L'Orfeo di Gluck* (ebd. 1924); *Le sonate per pfte di Beethoven* (ebd. 1926); *Musica, campo di Agramante (Polemiche musicali)* (= I quaderni paralleli o. Nr, ebd. 1964).

Sculthorpe (skʹʌlθɔːp), Peter Yoshua, * 29. 4. 1929 zu Launceston (Tasmania); australischer Komponist, studierte ab 1947 am University Conservatorium of Music in Melbourne (B. M. 1951) sowie ab 1959 in Oxford bei Rubbra und Wellesz und ab 1966 an der Yale University in New Haven (Conn.). Er wurde an der University of Sydney 1962 Lecturer und 1968 Reader. Seine Kompositionen umfassen u. a. das Ballett *Sun Music* (Sydney 1968), *Love 200* für Entertainers, Jazzband und Symphonieorch. (1970), die Musical-Farce *Ulterior Motifs*, Orchester- und Kammermusik (*Irkanda I* für V. solo, 1955, *II* für Streichquartett, 1959, *III* für Klaviertrio, 1960, und *IV* für V. solo, Streichorch. und Schlagzeug, 1961; *Sun Music I* für Orch., 1965, *II* für Chor und Schlagzeug, 1966, *III* und *IV* für Orch., 1967; ferner *Ketjak*, 1969, *Music for Japan*, 1970, *Rain Music*, 1970, und *Overture for a Happy Occasion*, 1970, für Orch.; 7 Streichquartette, 1953–66; Streichterzett *The Loneliness of Bunjil*, 1954; Sonate für V. solo, 1954; Sonate für Va und Schlagzeug, 1960; *Tabuh-Tabuhan* für Bläserquintett und 2 Schlagzeug, 1968; Streichquartettmusik, 1970), Klavierwerke (Sonatine, 1954; Sonate, 1963; *3 Haikus*, 1966), *The Stars Turn* für mittlere St. und Orch. (1970), Chöre, Lieder sowie Bühnen- und Filmmusik.
Lit.: D. R. PEART, The Australian Avant-Garde, Proc. R. Mus. Ass. XCIII, 1966; R. D. COVELL, Australia's Music, Melbourne 1967; A. BOYD, P. Sc.'s Sun Music I, in: Miscellanea musicologica III, (Adelaide) 1968; A. D. MCCREDIE, Mus. Composition in Australia, Canberra 1969.

Sczuka, Karl, * 15. 6. 1900 zu Schillersdorf (Oberschlesien), † 23. 5. 1954 zu Baden-Baden; deutscher Komponist, wurde 1929 Mitarbeiter der Schlesischen Funkstunde in Breslau, für die er vorwiegend Hörspielmusik schuf. Ab 1947 war er Hauskomponist beim Südwestfunk in Baden-Baden. 1952 erhielt er für seine Ouvertüre *Fahrende Musikanten* den 1. Preis beim Kompositionswettbewerb des Süddeutschen Rundfunks in Stuttgart. Der SWF Baden-Baden stiftete 1955 den Karl-Sczuka-Preis für Hörspielmusik, der in 2jährigen Abständen zunächst für Hörspielmusik, die der SWF ausgestrahlt hatte, verliehen wurde, seit 1967 jedoch für alle Rundfunkanstalten der ARD ausgeschrieben ist. Scz.s Kompositionen umfassen Orchesterwerke (*Schlesische Ouvertüre*, 1930; *3 ländliche Tänze* für Streicher, 1933; Suite *Maskerade*, 1938; Divertimento, 1948; *Klassische Symphonie zum Weihnachtsfest*, 1949), Kammermusik (Streichquartett, 1944), Klavierwerke (Sonate, 1924; Toccata, 1946), die Kantate *Das schlesische Jahr* (1930), *Fabeln*, 7 Lieder für Bar., Fl. und Streicher, Klavierlieder, eine Reihe von Chansons (*Der schwierige Fall*; *Die Friedenspfeife*; *Der hinterlistige Windstoß*) sowie Hörspiel-, Bühnen- und Filmmusik.

+Searle, Humphrey, * 26. 8. 1915 zu Oxford.
S., 1947–49 Generalsekretär der IGNM und 1950–62 ehrenamtlicher Sekretär der »Liszt Society«, war Musical Adviser des Sadler's Wells Ballet bis 1957. Er wirkte 1964/65 als Composer-in-Residence an der Stanford University (Calif.) und ist seit 1965 Professor am Royal College of Music in London. – Neuere Kompositionen: die Opern *The Photo of the Colonel* op. 41 (nach Ionescos *Tueur sans gages*, Ffm. 1964 als »Das Photo des Generals«) und *Hamlet* (Hbg

1968); das Ballett *Dualities* op. 39 (Wiesbaden 1963); 3.–6. Symphonie (op. 36, 1960; op. 38, 1962; 1964; 1971), *Scherzi* (1965) und *Zodiac Variations* (1973) für Orch.; Variationen und Finale für 10 Instr. op. 34 (1958, als Ballett *The Great Peacock* op. 34a, Edinburgh 1958), Sinfonietta für 9 Instr. (1969), 3 Sätze für Streichquartett op. 37 (1960), Fantasie für Vc. und Kl. (1972); *Prelude on a Theme of A. Rawsthorne* für Kl. (1965); *Jerusalem* für Sprecher, T., gem. Chor und Orch. (Blake, 1970), *Oxus* für hohe St. und Orch. (1967); *Burn-Up* für Sprecher und Kammerorch. (1962), *Les fleurs du mal* für T., Horn und Kl. (1972); *Counting the Beats* für hohe St. und Kl. op. 40 (1963); *Song of the Sun* op. 42 (1964), *The Canticle of the Rose* (1965), *The Divine Narcissus* (1969) und *I Have a New Garden* (1969) für Chor; Bearbeitungen (u. a. Liszts Klaviersonate für Orch., 1963). – Neuere Schriften: +*The Music of Liszt* (1954), 2. revidierte Aufl. NY 1966 und Magnolia (Mass.) 1968, tschechisch Bratislava 1961; +*Twentieth Cent. Counterpoint* (1954), span. = Música y músicos o. Nr, Barcelona 1957; +*Ballet Music. An Introduction* (1958 [nicht: 1957]), revidiert NY ²1973; *Twentieth Cent. Composers* (Bd III: Britain, Scandinavia and the Netherlands, mit R.Layton, London 1972, NY 1973); *Berlioz and »Benvenuto«* (in: Opera XVII, 1966); *Webern and His Musical Legacy* (in: Composer 1970/71, Nr 38); zahlreiche weitere Beiträge vor allem zur Neuen Musik und zu Liszt (u. a. zu den Orchesterwerken in: Fr. Liszt, hrsg. von A.Walker, London 1970, S. 279ff.). S. edierte die englische Originalausgabe von Schönbergs *Structural Functions of Harmony* [nicht: »Harmonielehre«] (NY 1954) sowie *H.Berlioz. A Selection from His Letters* (London und NY 1966) und besorgte den Nachdruck der →+Liszt-GA. Weitere Übersetzungen: H.H. Stuckenschmidt, *A. Schoenberg* (London 1959); Fr. Wildgans, *A. Webern* (ebd. 1966 und NY 1967, Nachdr. 1969); W.Kolneder, *A. Webern* (London und Berkeley/Calif. 1968).
Lit.: E. LOCKSPEISER in: MT XCVI, 1955, S. 468ff.; M. SCHAFER, British Composers in Interview, London 1963, S. 125ff.; M. RAYMENT, H. S., Avant-Garde or Romantic?, MT CV, 1964; DERS. in: MGG XV, 1965, Sp. 440ff.; A. JACOBS in: Opera XIX, (London) 1968, S. 271f. u. S. 342, M. KINGSBURY in: MT CX, 1969, S. 369ff. (Interview), u. ST. WALSH in: Tempo 1969, Nr 89, S. 6ff. (alles zu »Hamlet«); J. MOREHAN in: MT CXIII, 1972, S. 193ff. (zur »Toccata alla passacaglia«).

Seay (siː), Albert, * 6. 11. 1916 zu Louisville (Ky.); amerikanischer Musikforscher, studierte am Murray State Teachers College/Ky. (B. A. und B. M. 1937), an der Louisiana State University in Baton Rouge (M. M. 1939) und der Yale University in New Haven (Conn.), wo er 1954 mit einer Dissertation über *The Declaratio musicae disciplinae of Ugolino of Orvieto* (gedruckt als *Ugolino of Orvieto. Declaratio musicae disciplinae*, 3 Bde, = CSM VII, Rom 1959–62) zum Ph. D. promovierte. Seit 1953 ist er am Colorado College tätig (zunächst Assistant Professor, später Professor und Chairman des Department of Music). Er schrieb, neben Aufsätzen u. a. für JAMS, RBM, Rev. de musicol., The Consort, MD und Ann. Mus., *Music in the Medieval World* (= Prentice-Hall History of Music Series o. Nr, Englewood Cliffs/N. J. 1965). Von seinen Ausgaben seien genannt (alle beim American Institute of Musicology erschienen): P. Attaingnant, *Transcriptions of Chansons for Keyboard* (= CMM XX, 1961); Anonymus, *Ex codice Vaticano, Lat. 5129* (= CSM IX, 1964); J.Hothby, *Tres tractatuli contra B. Ramum* (= CSM X, 1964), und *Collected Musical Works* (= CMM XXXIII, 1964); Guilelmus Monachus, *De preceptis artis mvsicae* (= CSM

XI, 1965); J. Arcadelt, *Opera omnia* (= CMM XXXI, 1965ff.); P. Sandrin, *Opera omnia* (= CMM XLVII, 1968); E. Genet (Carpentras), *Opera omnia* (= CMM LVIII, 1972ff.).

+Sebastian, Georges ([erg.:] ursprünglich György Sebestyén), * 17. 8. 1903 zu Budapest.
Neben seinen Konzert- und Opernverpflichtungen in Paris ist S. als Gastdirigent in der ganzen Welt hervorgetreten.

Sebastiani, Augusto, * 30. 5. 1889 zu Neapel, † 17. 6. 1971 zu Buenos Aires; argentinischer Harfenist und Musikpädagoge italienischer Herkunft, studierte bei seinem Onkel César S. (Harfe) sowie bei A. Farinelli (Klavier) und De Nardis (Komposition). S., der bereits mit 11 Jahren als Konzertsolist auftrat, war 1. Harfenist am Teatro S. Carlo in Neapel. 1913 ging er als 1. Harfenist an das Teatro Colón in Buenos Aires, wo er eine rege Konzerttätigkeit entfaltete, die ihn in verschiedene südamerikanische Länder und in die USA führte. Daneben lehrte er in Buenos Aires am Staatlichen Konservatorium (1922–69) und übernahm 1933 die Leitung des Antiguo Conservatorio Beethoven. Er schrieb Orchesterstudien für Harfe, die zur Unterrichtsliteratur der italienischen Konservatorien gehören.

+Sebastiani, Johann, 1622 bei [nicht: zu] Weimar – 1683.
Lit.: W. Braun, J. S. u. d. Musik in Königsberg, in: Norddeutsche u. nordeuropäische Musik, hrsg. v. C. Dahlhaus u. W. Wiora, = Kieler Schriften zur Mw. XVI, Kassel 1965; Ders. in: MGG XII, 1965, Sp. 444ff.

Sebastiani, Pía, * 27. 2. 1925 zu Buenos Aires; argentinische Pianistin und Komponistin, Tochter von Augusto S., studierte Klavier bei Lalewicz und Komposition bei Gilardi und Messiaen in Paris sowie bei Copland und Milhaud am Berkshire Music Center in Tanglewood (Mass.). Sie konzertierte am Teatro Colón in Buenos Aires und in der Carnegie Hall in New York. Eine Zeitlang war sie in Paris tätig. Ihre Kompositionen umfassen Orchesterwerke (Klavierkonzert, 1941; *Estampas*, 1946), Kammermusik, Klavierwerke (4 Praeludien, 1944–47; *Canción de cuna para Bibí*, 1947) und Lieder.

Sebeők von Lasztocz, Sára → Seeböck, Charlotte von.

Sebestyén (ʃ'ɛbɛʃtje:n), Ernő, * 9. 7. 1940 zu Budapest; ungarischer Violinist, erhielt seinen ersten Violinunterricht mit 4 Jahren und trat mit 9 Jahren in die Fr. Liszt-Musikhochschule in Budapest ein, die er 1963 absolvierte. 1960 wurde er Mitglied des Orchesters der Budapester Staatsoper (1963 1. Konzertmeister) und 1963 Professor an der Musikhochschule. Gegenwärtig ist er 1. Konzertmeister im Orchester der Deutschen Oper Berlin. S. ist Primarius des S.-Streichquartetts (1. Preis 1969 beim Internationalen Musikwettbewerb Budapest). Das S.-Trio wurde 1972 beim Kammermusikwettbewerb in Colmar mit einem 1. Preis ausgezeichnet.

Sebők (ʃ'ɛbø:k), György, * 2. 11. 1922 zu Szeged; ungarischer Pianist, studierte 1939–43 an der Fr. Liszt-Musikhochschule in Budapest Klavier, Komposition (Kodály) und Kammermusik (Weiner) und begann seine Pianistenlaufbahn 1946 in Bukarest. Er konzertierte anschließend in Mittel- und Osteuropa (einschließlich der UdSSR), wurde 1949 Professor für Klavier am Bartók-Konservatorium in Budapest und gewann 1952 den Liszt-Preis. 1957 ging er nach Paris; seither ist er auch in westeuropäischen Ländern, in Japan, Südafrika und Nordamerika aufgetreten. S. wur-

de 1962 Professor of Piano an der Indiana University in Bloomington.

+Sechter, Simon, 1788–1867.
Lit.: E. Tittel, S. S. als Kirchenkomponist, Diss. Wien 1935 (mit thematischem Verz.); Ders. in: MGG XII, 1965, Sp. 447ff.; W. Zeleny, Die hist. Grundlagen d. Theoriesystems v. S. S., Diss. Wien 1938; U. Thomson, Voraussetzungen u. Artung d. österreichischen Generalbaßlehre zwischen Albrechtsberger u. S., Diss. ebd. 1960; H. Kier in: Musica sacra LXXXVIII, 1968, S. 16ff.; L. Nowak, Ein Doppelautograph S.–Bruckner, in: Symbolae hist. musicae, Fs. H. Federhofer, Mainz 1971; W. Reich, S. S. im eigenen Wort, NZfM CXXXII, 1971.

+Sedaine, Michel [erg.:] Jean, 1719–97.
Lit.: L. Günther, L'œuvre dramatique de S., Paris 1908; L. Maurice-Amour in: MGG XII, 1965, Sp. 453f.

+Sedlak, Adolf, * 7. 8. 1901 zu Wien.
S., seit 1957 Professor, wurde 1959 zum Direktor des Horak-Konservatoriums in Wien ernannt. An neueren musikpädagogischen Werken erschien eine *Klavierfibel für vier Hände* (Köln 1966) und *Mein Spielbuch* (ebd. 1967).

Sedlmayr, Artur Georg (Pseudonym Hans Rua), * 1. 10. 1918 zu Penzberg (Oberbayern); deutscher Komponist und Arrangeur von Unterhaltungs- und Tanzmusik, studierte an der Staatlichen Hochschule für Musik in München 1947–49 Komposition (Geierhaas) sowie Dirigieren, Klavier und Violine. Er war 1950–58 musikalischer Mitarbeiter bei Filmen (Assistent von Becce) und Arrangeur beim Tanzorchester (1952–64) und Bearbeiter für das Rundfunkorchester (1958–65) des Bayerischen Rundfunks. Von seinen Kompositionen seien *Südamerikanische Suite* (1954), *Carmencita* (1954), *Bolero 64* (1965) sowie Lieder für S. und Orch. (*So lieb bist nur du*, 1956) genannt.

Seeböck, Charlotte von (Sára Sebeők von Lasztocz), * 11. 4. 1886 zu Sátoraljaujhely (Komitat Borsod-Abaúj-Zemplin), † 24. 7. 1952 zu Budapest; ungarische Sängerin (Sopran), studierte in Budapest und bei Rosa Papier in Wien, war 1905–07 an der Wiener Hofoper engagiert und sang 1907–08 am Opernhaus in Frankfurt a. M. 1908–29 war sie Mitglied der Staatsoper in Budapest, wo sie dann als Gesangspädagogin wirkte. Anfangs als Koloratursopran tätig, trat sie später auch in dramatischen Partien hervor.

Seefehlner, Egon Hugo, * 3. 6. 1912 zu Wien; österreichischer Musikorganisator und Theaterleiter, promovierte an der Wiener Universität zum Dr. jur., war 1946–61 Generalsekretär der Wiener Konzerthausgesellschaft und in dieser Eigenschaft Initiator und Organisator der Wiener Internationalen Musikfeste, gleichzeitig 1954–61 Stellvertretender Direktor der Wiener Staatsoper und dann 1961–72 Stellvertreter des Generalintendanten und Generalsekretär der Deutschen Oper Berlin, deren Generalintendant er 1972 wurde. Mit Wirkung von 1977 an wurde er als Direktor an die Wiener Staatsoper berufen.

+Seefried, Irmgard, * 9. 10. 1919 zu Köngetried (Schwaben).
I. S., die weiterhin der Staatsoper Wien angehört, wurde 1972 zu deren Ehrenmitglied ernannt. Für sie und ihren Mann Wolfgang Schneiderhan entstanden Kompositionen für S., V. und Orch. u. a. von Henze (*Ariosi*, 1963) und Fr. Martin (*Maria Triptychon*, 1968). Sie schrieb den Beitrag *Meine Wege zu Hindemith und B. Bartók* (ÖMZ IX, 1954).
Lit.: E. Werba in: Opera XVII, (London) 1966, S. 611ff.

+Seeger, (s'i:gə), Charles Louis, * 14. 12. 1886 zu México (D. F.).

S. lebt seit 1955 in Los Angeles, wo er 1960–70 an der University of California als Research Musicologist tätig war. Zu seinem 80. Geburtstag wurde ihm vom Inter-American Institute for Musical Research dessen Yearbook II (1966) gewidmet (mit Ausw.-Bibl. 1923–66). – Von seinen neueren Schriften seien genannt: *Music and Class Structure in the United States* (American Quarterly IX, 1957); *Prescriptive and Descriptive Music Writing* (MQ XLIV, 1958, Wiederabdruck in: Readings in Ethnomusicology, hrsg. von D. P. McAllester, = Landmarks in Anthropology o. Nr, NY 1971); *On the Moods of a Music-Logic* (Fs. O. Kinkeldey, = JAMS XIII, 1960); *The Cultivation of Various European Traditions in the Americas* (Kgr.-Ber. NY 1961, Bd I); *Preface to a Critique of Music* (Kgr.-Ber. »Etnomusicología« Cartagena de Indias 1963, revidierter Wiederabdruck = Inter-American Music Bull. 1965, Nr 49); *The Music Process as a Function in a Context of Functions* (Inter-American Institute for Musical Research, Yearbook II, 1966); *On the Formational Apparatus of the Music Compositional Process* (in: Ethnomusicology XIII, 1969); *Toward a Unitary Field Theory for Musicology* (in: Selected Reports [des Institute of Ethnomusicology, University of California at Los Angeles] I, 3, 1970); *Reflections upon a Given Topic. Music in Universal Perspective* (in: Ethnomusicology XV, 1971). Lit.: H. Cowell in: American Composers on American Music, Stanford (Calif.) 1933, NA (unverändert) NY 1962, S. 119ff.

Seeger, Horst, * 6. 11. 1926 zu Erkner (bei Berlin); deutscher Musikforscher, studierte in Berlin an der Humboldt-Universität (Dräger, E. H. Meyer, W. Vetter) und an der Deutschen Hochschule für Musik. 1958 promovierte er über das Thema *Komponist und Folklore in der Musik des 20. Jh.*, wirkte als Kritiker in Berlin und wurde 1960 Chefdramaturg der Komischen Oper Berlin. Seit 1973 ist er Stellvertreter des Generalintendanten und Leiter der Staatsoper bei den Staatstheatern Dresden. – Veröffentlichungen (Auswahl): *W. A. Mozart* (Lpz. 1956, ²1960, ³1963); *Kleines Musiklexikon* (Bln 1958, ²1959); *A. Chr. Dies, Biographische Nachrichten von J. Haydn* (Bln 1959, ²1965, auch Kassel 1964); *J. Haydn* (= Musikbücherei für jedermann XX, Lpz. 1961, ²1970); *Übersetzungsprobleme in Verdis »Rigoletto«* (Jb. der Komischen Oper Berlin II, 1961/62); *Der kritische Musikus. Musikkritiken aus drei Jahrhunderten* (=Reclams Universal-Bibl. Bd 136, Lpz. 1964, ²1966); *Musiklexikon* (2 Bde, Lpz. 1966); *Entwurf eines Systems der Wissenschaft vom musizierenden Theater* (Jb. der Komischen Oper Berlin VIII, 1967/68); *Wir und die Musik* (Bln 1968); *Probleme der Gestaltung des sozialistischen Menschenbildes auf der Musikbühne* (in: Theater der Zeit XXIV, 1969); *Wahrheit und Erkenntnis. Zu W. Felsensteins Opernästhetik* (ebd. XXVI, 1971). Er verfaßte das Libretto zu der Oper *Spanische Tugenden* von Matthus und bearbeitete und übersetzte Operntexte. Lit.: G. Friedrich, Das Hist. u. d. Konkrete, Jb. d. Komischen Oper Bln X, 1969/70 (dabei ein Gespräch mit S.), vgl. dazu W. Ebermann in: Theater d. Zeit XXVI, 1971, H. 10, S. 41ff., u. E. Kröplin, ebd., H. 12, S. 27 u. 30.

Seeger, Peter, * 5. 1. 1919 zu Berlin; deutscher Komponist und Musikpädagoge, studierte 1935–41 an der Hochschule für Musik in Berlin (Fr. Stein, K. Thomas, Walther Greindl, Tiessen). Er war 1945–46 Städtischer Musikdirektor in Nordhausen und 1947–50 Direktor der Musikschule der Ortenau in Offenburg; 1950–57 wirkte er als freischaffender Komponist, Chor- und Orchesterdirigent. Seit 1957 ist er als Musikerzieher tätig. Er schrieb die Kurzoper *Ach, du lieber Salomon*

(Stuttgart 1952), Kinderopern und -singspiele, Orchesterwerke (*Cantata per strumenti*, 1965; *Spiegeleien*, 1968), Kantaten (*Ein Bilderbuch*, 1952; *Abendkantate*, 1955; *Kleine Weisheiten*, 1958; *Frühlingserwarten*, 1963; *O Musica*, 1966; *Blauer Mond*, 1968; *Sonette an Orpheus*, 1969; *Der Strom*, 1969; *Warehouse-Life*, 1970; *Weihnachtskantate*, 1970) sowie Chor-, Schul- und Bläsermusik.

Seelich, Daniel → Selichius, D.

+Seelig, Paul Johann, 1876 – 1945 in einem japanischen Gefangenenlager zu Bandung (Java) [del. frühere Angabe].

+Seemann, Carl, * 8. 5. 1910 zu Bremen. Konzertverpflichtungen führten ihn inzwischen auch in die meisten ostasiatischen Länder. Das Duo mit Wolfgang Schneiderhan bestand 1952–66. S. war 1964–74 Direktor der Musikhochschule Freiburg i. Br. 1972 wurde er für die Jahre 1973–76 zum Vizepräsidenten des Deutschen Musikrates gewählt.

Segall (sǝg'aɫ), Bernardo, * 4. 8. 1911 zu Campinas (Staat São Paulo); brasilianischer Pianist und Komponist, war als Kind Schüler von Klíass und A. Cantú, trat mit 10 Jahren mit eigenen Klavierstücken öffentlich auf und begann 1928 in den USA seine Studien bei Siloti (Klavier) und Saminsky (Komposition). Ausgedehnte Konzertreisen führten ihn durch Lateinamerika, in die USA und nach Europa. Villa-Lobos widmete ihm sein 4. Klavierkonzert, das er 1953 in der Hollywood Bowl uraufführte. Er komponierte Ballette (*As I Lay Dying*, NY 1966) sowie Bühnenmusik und Filmmusik (*Nasa's First Manned Moon Landing*, 1970).

+Seger, Josef Ferdinand Norbert, 1716–82. Ausg.: Compositioni per org., hrsg. v. J. Racek u. Vr. Bělský, 2 Bde, = MAB LI u. LVI, Prag 1961–62. Lit.: J. Smolka, Varhanní fugy na témata J. S. Bacha, připisované J. Segrovi (»Orgelfugen über Themen v. J. S. Bach, d. S. zugeschrieben werden«), in: Opus musicum I, 1969.

Segerstam, Leif Selim, * 2. 3. 1944 zu Vaasa; finnischer Dirigent und Komponist, studierte 1952–63 an der Sibelius-Akatemia in Helsinki sowie 1963–65 an der Juilliard School of Music in New York (Persinger, Jean Morel, Hall Overton, Persichetti). Er wirkte in Helsinki als Lehrer für Musiktheorie an der Sibelius-Akatemia (1965–67) und als Kapellmeister der Finnischen Nationaloper (1965–68) und wurde 1968 Kapellmeister, 1970 1. Kapellmeister und 1971 Chefdirigent an der Königlichen Oper in Stockholm sowie 1972 1. Kapellmeister an der Deutschen Oper Berlin; seit 1973 ist er Direktor der Finnischen Nationaloper in Helsinki. Daneben ist er u. a. an der Covent Garden Opera in London, der Metropolitan Opera in New York und bei den Salzburger Festspielen aufgetreten (seit 1974). Seine Kompositionen umfassen u. a. das Ballett *Pandora* (Helsinki 1967), Orchesterwerke (*Legenda*, 1960; Violinkonzert, 1967; *Patria*, 1974), Kammermusik (4 Streichquartette, 1962, 1964, 1966 und 1966; *A Nnoooww* für Holzbläserquintett, 1973), Vokalwerke (*Missa piccola* für gem. Chor, 1962; *Reincarnation* für S. und Frauenchor, 1965; *3 Leaves of Grass* für S. und Kl., Text Walt Whitman, 1966; *Nuorisokantaatti*, »Jugendkantate«, für Unisonochor und Orch., 1967; *Prolonged Moments* für 3 S., Bläserensemble und Schlagzeug, 1973).

Segler, Helmut Ernst Wilhelm, * 14. 6. 1914 zu Nitzlin (Pommern); deutscher Musikpädagoge, studierte an der Hochschule für Musikerziehung in Berlin, war Dozent für Schulmusik an der Musikhochschule in Freiburg i. Br. (1948–51) und wurde nach verschiedenen Stellungen als Musiklehrer 1958 Dozent an der Pädagogischen Hochschule in Braunschweig, an der er heute Lehrstuhlinhaber (1963 Professor) ist. Neben mehreren Aufsätzen (*Der elementare Bereich des Musikunterrichts in neuer Sicht*, in: Didaktik der Musik 1967, hrsg. von W. Krützfeld, Hbg 1968; *Versuche zum musikalischen Anfangsunterricht*, in: Musica XXIV, 1970) veröffentlichte er eine Sammlung von Kindertänzen *Klare, klare Seide* (mit F. Hoerburger, Kassel 1962) und *Musik als Schulfach* (mit L. U. Abraham, = Schriftenreihe der Pädagogischen Hochschule Braunschweig XIII, Braunschweig 1966).

+Segni, Giulio, 1498 – [erg.: 24. 7.] 1561.
Ausg.: 13 Ricercari in: Musica nova (Venedig 1540), hrsg. v. H. C. SLIM, = Monuments of Renaissance Music I, Chicago 1964.
Lit.: O. MISCHIATI in: MGG XII, 1965, Sp. 462f.

+Segovia [erg.:] y Torres, Andrés, * 21. [nicht: 17.] 2. 1893 zu Linares (Jaén).
Neben seiner regen Konzerttätigkeit, die er bis heute fortsetzt, lehrte S. u. a. an der Accademia musicale Chigiana in Siena und an der University of California in Berkeley. Von den zahlreichen Ehrungen, die ihm zuteil wurden, sei die mehrfache Ernennung zum Ehrendoktor, zuletzt durch die Universitäten von Oxford (1972) und Madrid (1974), und die Aufnahme als Ehrenmitglied in die Real Academia de bellas artes de San Fernando (Madrid), in die Kungl. Musikaliska akademien (Stockholm) und in die Accademia nazionale di S. Cecilia (Rom) genannt. S. lebt heute in Madrid.
Lit.: S. CHOTZINOFF, A Little Nightmusic. Intimate Conversations with … A. S., NY 1964; B. WOLMAN in: SM XXVIII, 1964, H. 8, S. 81ff.; B. GAVOTY in: SM XXXIII, 1969, H. 2, S. 126ff.; VL. BOBRI, The S. Technique, NY 1972.

+Sehlbach, Oswald Erich, * 18. 11. 1898 zu Wuppertal(-Barmen).
An der Folkwang-Hochschule in Essen lehrte S. Komposition und Kontrapunkt bis 1966. – Neuere Werke: die Oper Baal op. 96 (1960); 5 *Engramme* für Orch. op. 112 (1967); *Serenata serena* für Streichorch. op. 100 (1963); Violinkonzert op. 99 (1964), Hornkonzert op. 114 (1969), Kammerkonzerte für Hf. und Ob., Block-Fl., Fl. und Klar. sowie Fag. op. 97 Nr 1–4 (1960) mit Streichorch., Kammersymphonie für Klar., Kl. und Streichorch. op. 110 (1966); Bläserquintett op. 113 (1969), 3 Streichquartette (op. 69, 1952, op. 103 und op. 104, 1965), Holzbläserquartett op. 91 (1958); *Lieder der Liebe* für S., Ob., Va und Vc. op. 93 (Morgenstern, 1958); zahlreiche Stücke und Sonaten mit Kl.
Lit.: H. ECKERT, Gemeinsame Grundlagen d. kompositorischen Schaffens v. L. Weber, E. S. u. S. Reda, in: Beitr. zur Mg. d. Stadt Essen, hrsg. v. K. G. Fellerer, = Beitr. zur rheinischen Mg. VIII, Köln 1955; A. BRASCH, E. S., Skizzen zu seiner Biogr., Wolfenbüttel 1958; G. SCHUHMACHER, E. S. zum 70. Geburtstag. Gedanken an sein Werk, ebd. 1968 (mit Werkverz.); Rheinische Musiker VI, hrsg. v. D. KÄMPER, = Beitr. zur rheinischen Mg. LXXXIII, Köln 1969, S. 179ff.

+Sehling, Josef Antonín, [erg.:] 7. 1. 1710 – 1756.

Sehnal (s'ɛhnal), Jiří, * 15. 2. 1931 zu Radslavice; tschechischer Musikforscher, promovierte 1955 an der Universität in Olmütz mit der Dissertation *Starý český kontrapunkt instrumentální* (»Der alte tschechische instrumentale Kontrapunkt«) und wurde 1970 mit der Arbeit *Kapela olomouckého biskupa Karla Liechtenstein-Castelcorna* (»Die Kapelle des Olmützer Bischofs …«, Brünn 1968) Kandidat der historischen Wissenschaft.

Er ist seit 1964 Mitarbeiter des musikhistorischen Instituts des Mährischen Museums in Brünn. – Veröffentlichungen (Auswahl): *Hudební literatura zamecké knihovny v Kroměříži* (»Die Musikliteratur der Schloßbibliothek in Kremsier«, Gottwaldov 1960); *Das älteste Musikinventar Mährens* (BzMw VII, 1965); *Zur Geschichte der Orgel im Kloster Velehrad im 18. Jh.* (KmJb L, 1966); *Das Musikinventar des Olmützer Bischofs Leopold Egk aus dem Jahre 1760 als Quelle vorklassischer Instrumentalmusik* (AfMw XXIX, 1972); *Das Gesangbuch des P. Bohunek aus Rychnov nad Kněžnou* (in: Sborník prací filosofické fakulty brněnské university XXI, H 7, 1972). – Ausgaben: G. Benda, *Sinfonie X–XII* (= MAB LXVIII, Prag 1966); Michna z Otradovic, *Missa Sancti Wenceslai* (ebd. II, 1, 1966).

Seibel, Klauspeter, * 7. 5. 1936 zu Offenbach am Main; deutscher Dirigent, studierte 1948–56 am Konservatorium in Nürnberg (M. Gebhard, W. Schönherr) und 1956–58 an der Staatlichen Hochschule für Musik in München (Lessing, Eichhorn, K. Höller, Rosl Schmid). Nach Engagements am Bayerischen Staatstheater am Gärtnerplatz in München (1957–63; ab 1960 1. Kapellmeister) und an den Städtischen Bühnen in Freiburg i. Br. (1963–65) wurde er 1. Kapellmeister an den Bühnen der Hansestadt Lübeck (1965–67), am Staatstheater Kassel (1967–71) und an den Städtischen Bühnen in Frankfurt a. M. (seit 1971). Mit Wirkung ab 1975 wurde er zum GMD der Stadt Freiburg i. Br. berufen. 1957–63 war er auch Musikalischer Leiter des Orchestervereins Wilde Gungl in München.

+Seiber, Mátyás [erg.:] György, 1905 – 1960 [erg.:] im Krüger National Park.
Dem Andenken S.s widmeten Werke Z. Kodály (*Media vita in morte sumus* für gem. Chor, 1961) und Gy. Ligeti (*Atmosphères* für Orch., 1961). Von seinen letzten Werken seien genannt: *Improvisation* für Ob. und Kl. (1957); *Permutazione a cinque* für Bläserquintett (1958); *Improvisations* für Jazzband und Orch. (mit J. Dankworth, 1959); Ballett *The Invitation* (London 1960); Violinsonate (1960). – Als Schrift ist zu nennen *The String Quartets of B. Bartók* (London 1945, deutsch als *Die Streichquartette von B. Bartók*, Bonn 1954).
Lit.: H. KELLER in: MT XCVI, 1955, S. 580ff.; DERS. in: Tempo 1960, Nr 55/56, S. 4f.; G. SCHWEIZER, Zwischen Bartók u. Schönberg. Das Bild M. S.s, ZfM CXVI, 1955; J. S. WEISSMANN, Die Streichquartette v. M. S., in: Melos XXII, 1955 – XXIII, 1956; DERS. in: Nutida musik VIII, 1964/65, S. 104ff. (zu »Ulysses«); DERS. in: MGG XII, 1965, Sp. 468ff.; GY. RÁNKI, S. M., in: Magyar zene I [recte: II], 1961, Nr 4; L. HEDWALL in: Nutida musik VII, 1963/64, H. 4, S. 11ff. (zu d. »Tre pezzi«); H. WOOD, The Music of M. S., MT CXI, 1970.

Seidel, Elmar, * 7. 6. 1930 zu Frankenstein (Schlesien); deutscher Musikforscher und Komponist, studierte Komposition 1949–53 an der Nordwestdeutschen Musikakademie Detmold bei Bialas und 1953 in Paris bei Messiaen sowie später Musikwissenschaft in Frankfurt a. M. (H. Osthoff), wo er 1962 mit der Dissertation *Die Enharmonik in den harmonischen Großformen Fr. Schuberts* promovierte. Seit 1961 ist S. Dozent für Tonsatz am Staatlichen Hochschulinstitut für Musik in Mainz (1973 Professor). Er veröffentlichte u. a.: *Die Harmonielehre H. Riemanns* (in: Beitr. zur Musiktheorie des 19. Jh., hrsg. von M. Vogel, = Studien zur Musikgeschichte des 19. Jh. IV, Regensburg 1966); *Ein chromatisches Harmonisierungs-Modell in Schuberts »Winterreise«* (Kgr.-Ber. Lpz. 1966 und AfMw XXVI, 1969); *Eine Wiener Harmonie- und Generalbaßlehre der Beethoven- und Schubertzeit* (in: Symbolae historiae musicae, Fs. H. Federhofer, Mainz 1971); *Bemerkungen zum 2.*

Pièce en Trio des Livre d'Orgue von O. Messiaen (in: Musica sacra XCIII, 1973). S. war Mitarbeiter am Sachteil dieses Lexikons (u. a. Artikel *Harmonielehre* und *Musiktheater*). – Kompositionen: Variationen für Kl. (1950); Fantasie für 3 Holzbläser und Schlagzeug (1952); Fantasie für Kl. (1956); *Skizzen* für Streichquartett (1962); Lieder nach Gedichten von Georg Trakl; ferner Bühnenmusik.

Seidel, Friedrich Ludwig, * 1. 6. 1765 zu Treuenbrietzen (Mark Brandenburg), † 5. 5. 1831 zu Berlin; deutscher Komponist, Organist und Dirigent, studierte, unterstützt von Reichardt, bei Georg Benda. Nach einer Reise mit Reichardt (1785), die ihn nach Paris und London führte, ließ er sich in Berlin nieder, wo er 1792 Organist an der Marienkirche, 1801 Mitglied des Nationaltheaters und 1808 Musikdirektor der königlichen Kapelle wurde und 1822–30 Hofkapellmeister war. Er schrieb u. a. die Opern *Der Dorfbarbier* (Bln 1807) und *Lila* (nach Goethe, Bln 1818), das Singspiel *Claudine von Villabella* (Bln 1801), mehrere Ouvertüren, ein Sextett für Bläser und Kl., das Oratorium *Unsterblichkeit*, Kirchenmusik (*Missa de profundis*; Requiem) sowie Ballett- und Bühnenmusik.
Lit.: M. BLUMNER, Gesch. d. Singakad. zu Bln, Bln 1891.

+Seidel, Jan, * 25. 12. 1908 zu Nymburk (Mittelböhmen).
S. war 1958–64 künstlerischer Leiter und ist seit 1967 Hauptdramaturg am Nationaltheater in Prag. Von seinen neueren Werken sei genannt die Oper *Tonka* (1964), ein 2. Oboenkonzert (1959), ein Flöten- (1966) und ein Hornkonzert (1968).
Lit.: A. HOŘEJŠ in: Hudební rozhledy XI, 1958, S. 964f.; M. KOUBKOVÁ u. M. PŘÍHODA, J. S., Prag 1961.

Seidel, Samuel, begraben 9. 11. 1665 zu Glashütte (Sachsen); deutscher Komponist, war ab 1640 Kantor in seiner Heimatstadt, schrieb, beeinflußt von Hammerschmidt, eine Reihe satztechnisch schlichter Motetten und geistlicher Konzerte. Von seinen Werken wurden gedruckt: *Suspiria musicalia cordis ardentissima ex septem psalmis poenitentialibus excerpta* für 1–2 St., 2 Instr. und Gb. (Freiberg 1650); *Corona gloriae, Geistliches Ehren-Kräntzlein von zwölff schönen wolriechenden Röselein* für 5–6 St. und Gb. (ebd. 1657); *Geistliches Seelen-Paradis und Lust-Gärtlein, voll Himmlischer und Hertzerqvickender Lebens-Früchte* für 5–6 St. und Gb. (ebd. 1658).
Lit.: M. SCHRAMM, Beitr. zur Mg. d. Stadt Glashütte, AfMf III, 1938, S. 39ff.

+Seidel, Toscha, * 5. [nicht: 4.] (17.) 11. 1899 zu Odessa, [erg.:] † 15. 11. 1962 zu Rosemead (Calif.).

Seidler-Winkler, Karl Ludwig Bruno (eigentlich nur Winkler), * 18. 7. 1880 und † 19. 10. 1960 zu Berlin; deutscher Pianist und Dirigent, studierte in Berlin bei Jedliczka, trat als Arrangeur, Bearbeiter und Konzertbegleiter hervor. Er war künstlerischer Leiter der Deutschen Grammophon Gesellschaft in Berlin, 1923–25 Kapellmeister bei der Brunswick-Balke-Collender Co. in Chicago und unternahm ausgedehnte Konzerttourneen durch die USA. In Berlin leitete er 1925–33 die Orchesterabteilung der Funkstunde am deutschen Rundfunk und ab 1934 die Rundfunkklasse für Gesang an der Hochschule für Musik. Nach dem 2. Weltkrieg wirkte er als Gesangspädagoge. S.-W. komponierte auch populäre Orchesterstücke und Lieder.

Seidlhofer, Bruno, * 5. 9. 1905 zu Wien; österreichischer Pianist und Klavierpädagoge, war 1921–29 Schüler von Fr. Schmidt (Klavier und Komposition)

und Fr. Schütz (Orgel) an der Akademie für Musik und darstellende Kunst in Wien sowie Privatschüler Alban Bergs. Neben einer Konzerttätigkeit als Pianist, Organist und Cembalist folgte S. 1938 der Berufung an die Akademie für Musik und darstellende Kunst in Wien (1943 außerordentlicher, 1956 ordentlicher Professor für Klavier), an der er heute, wie seit 1962 auch an der Musikhochschule in Köln, eine Meisterklasse leitet. Zu seinen international bekannt gewordenen Schülern zählen u. a. Bækkelund, Freire, Gulda, Heiller, Jacques Klein, A. Jenner und Petermandl.

+Ernst Seifert.
[del. letzter Satz und erg.:] Ernst S. sen., der Begründer des Kölner Stammhauses, eröffnete 1906 auch einen Betrieb in Kevelaer (Niederrhein), der ab 1931 unter der Leitung seines Sohnes Romanus S. als selbständige Firma Romanus Seifert & Sohn auftrat. Ein anderer Sohn, Ernst S. jun., eröffnete 1936 eine Firma in Bergisch Gladbach. 1961 liierten sich die Betriebe von Köln und Bergisch Gladbach und stehen seitdem als »Seifert-Orgelbau-Köln u. Berg. Gladbach« unter der Leitung von Helmut S., einem Sohn von Ernst S. jun.

Seifert, Wolfgang, * 30. 1. 1932 zu Bad Langensalza (Thüringen); deutscher Musikforscher, studierte in Weimar und Jena, wo er 1956 promovierte (*Chr. G. Körner, ein Musikästhetiker der Deutschen Klassik,* = Forschungsbeitr. zur Musikwissenschaft IX, Regensburg 1960). Er war ab 1955 Mitarbeiter des Musikwissenschaftlichen Instituts der Universität Jena, ab 1956 Leiter des »Musikwissenschaftlichen Studios« beim Berliner Rundfunk und ab 1958 beim Westdeutschen Rundfunk Köln Redakteur im Bereich »Sinfonie und Oper«, dessen Leitung neben der stellvertretenden Leitung der Hauptabteilung Musik er 1966 übernahm. 1972 wurde er Sendeleiter des Hörfunks und stellvertretender Programmdirektor beim WDR. Er veröffentlichte u. a.: *G. Verdi* (= Musikbücherei für jedermann VII, Lpz. 1955); *G. Puccini* (ebd. XIV, 1957); *Beethoven und kein Ende* (NZfM CXXXI, 1970); *Die Stunde Null von Neubayreuth* (NZfM CXXXII, 1971).

+Seiffert, Max, 1868–1948.
+J. P. Sweelinck, *Werken* (Den Haag [nicht: Amsterdam] und Lpz. 1894 [nicht: 1895]–1901), Nachdr. als *Collected Works*, Farnborough 1968 (10 Bde in 8); +*Geschichte der Klaviermusik.* [erg.:] *Die ältere Geschichte bis um 1750* (1899), Nachdr. Hildesheim und Wiesbaden 1966.
Lit.: FR. STEIN, M. Reger u. M. S., in: Musica XII, 1958.

Ed. Seiler, Pianofortefabrik, gegründet 1849 von Eduard S. in Liegnitz als Handwerksbetrieb. Nach 1868 wurden fabrikmäßige Herstellungsmethoden entwickelt. S.s Schwiegersohn August Lauterbach erweiterte die Fabrik 1896 und 1907 durch Neubauten. 1923 übernahm Anton Dütz, Sohn des Pianofortefabrikanten Anton Dütz sen., Warschau, die Leitung des Werkes, das unter ihm Weltgeltung erreichte. Der Zusammenbruch 1945 setzte der Liegnitzer Klavierfabrik ein Ende. 1951 konnte Steffen Dütz, Sohn von Anton Dütz jun., in Dänemark mit den Pianofortefabrikanten Ernst Hockauf und Alfred Jörgensen den Bau von Klavieren S.scher Tradition fortsetzen. 1954 wurde in Dänemark eine Familienaktiengesellschaft gegründet, die 1955 mit der deutschen Firma (Stammhaus zunächst in Nürnberg, dann in Kitzingen, Unterfranken) verschmolzen wurde. Angekauft wurden die Kitzinger Firmen J. Kleber & Co., Klavier- und Möbelfabrik (1961), und Zeitter & Winkelmann, Pianofortefabrik (1963), sowie das Würzburger Piano-

haus (1964), das als Vertriebsunternehmen weitergeführt wird.
Lit.: H. UNVERRICHT, Zur Gesch. d. Klavierbaues in Liegnitz, Instrumentenbau-Zs. IX, 1955.

+Seiler, Emil, * 5. 2. 1906 zu Nürnberg.
S. ist auch als Spezialist für historische Streichinstrumente (besonders Viola d'amore) hervorgetreten (zahlreiche Einspielungen für die Archiv Produktion der Deutschen Grammophon Gesellschaft), brachte eine Reihe von Werken für Va und Cemb. (oder Org.) zur Uraufführung und gab u. a. ein Konzert für 2 Violetten (bzw. V. und Va), Streicher und B. c. von Telemann heraus (Bln 1969).

Seiss, Isidor Wilhelm, * 23. 12. 1840 zu Dresden, † 25. 9. 1905 zu Köln; deutscher Pianist und Musikpädagoge, erhielt Klavierunterricht bei Fr. Wieck und betrieb musiktheoretische Studien bei J. Otto und Carl August Gustav Riccius sowie 1859 bei Hauptmann in Leipzig. 1861 wurde er un. F. Hiller an das Konservatorium für Musik in Köln verpflichtet und dort 1878 zum Professor und 1884 zum stellvertretenden Direktor ernannt. 1873–1900 leitete er außerdem die Musikalische Gesellschaft, bei der er auch als Solist auftrat; zu seinen Schülern zählten W. Mengelberg, Bungert und Elly Ney. Seine Klavierkompositionen erfüllen vornehmlich didaktische Aufgaben, so 3 Sonatinen op. 8, *Bravourstudien* op. 10, *Fantasie in Form einer Tokkata* op. 11 und *Präludien in Form von Etüden mit besonderer Berücksichtigung der linken Hand* op. 12. Außerdem komponierte er eine Oper *Der vierjährige Posten*.
Lit.: R. SIETZ, Artikel I. S., in: Rheinische Musiker I, hrsg. v. K. G. Fellerer, = Beitr. zur rheinischen Mg. XLIII, Köln 1960.

+Seixas (s'eiʃeʃ, José António Carlos de, 1704–42.
Von seinen Kompositionen (alle Ms.) sind die +10 Messen und das +Te Deum nicht mehr nachweisbar. Zu seinem Œuvre gehören des weiteren 9 Motetten und ein Konzert für Cemb. und Streichorch. (eines der ersten 3sätzigen Konzerte der Zeit). Nach zeitgenössischen Quellen soll S. mehr als 700 Sonaten (auch Toccaten genannt) für Tasteninstrumente geschrieben haben, von denen jedoch lediglich etwa 100 belegbar sind.
Ausg.: 80 Sonaten f. Tasteninstr., hrsg. v. M. S. KASTNER, = Portugaliae musica, Serie A, X, Lissabon 1965; Ouvertüre D dur und Sinfonia B dur, hrsg. v. P. SALZMANN, 2 Bde, ebd. XVI–XVII, 1969.
Lit.: W. S. NEWMAN, The Sonata in the Class. Era, Chapel Hill (N. C.) 1963, revidiert NY u. London 1972 (Paperbackausg.); J.-P. SARRAUTTE, Un compositeur portugais au XVIIIᵉ s., C. S., Arquivos do Centro cultural português I, 1969; KL. F. HEIMES, C. S., Zum Quellenstudium seiner Klaviersonaten, AfMw XXVIII, 1971.

+Séjan, [erg.: Jean] Nicolas, 11. 5. 1746 [nicht: 19. 3. 1745] – 1819.
Ausg.: eine Sonate in: Six Keyboard Sonatas from the Class. Era, hrsg. v. W. S. NEWMAN, Evanston (Ill.) 1965.
Lit.: J.-M. GEORGEOT in: L'orgue 1972, Nr 141, S. 14ff.

+Sekles, Bernhard, 20. 3. [nicht: 6.] 1872 – 8. [nicht: 15.] 12. 1934.
Zu seinen Schülern zählten auch O. Gerster, H. Rosbaud und Rudi Stephan.
Lit.: K. HOLL in: MGG XII, 1955, Sp. 480f.

Selichius, Daniel (Selich, Seelich), getauft 4. 2. 1581 zu Wittenberg, † 1626 zu Wolfenbüttel; deutscher Komponist, besuchte ab 1601 die Universität Wittenberg und war spätestens ab 1616 Director musices auf Burg Wesenstein bei Eilenburg (Sachsen). Wenig später kam er als Kapellmeister an Herzog Philipp Sigismunds Hof und wurde 1621 Nachfolger von M. Praetorius in Wolfenbüttel. Von seinen Kompositionen

wurden *Ein Weynacht Gesang ...* (Lpz. 1616) und sein *Opus novum, Geistlicher Lateinisch und Teudscher Concerten und Psalmen Davids* (Wolfenbüttel 1624) gedruckt.
Lit.: S. FLESCH in: MGG XII, 1965, Sp. 491ff.

Selīm III., * 24. 12. 1761, † (ermordet) 29. 7. 1808 zu Istanbul; 28. Sultan des Osmanischen Reiches, widmete sich als Kronprinz und in den ersten Jahren seiner Regierung intensiv der Musik und der Dichtkunst. Er spielte Ṭanbūr und Nāy und komponierte. Unter seinen Musiklehrern war der jüdische Ṭanbūrī Isak († 1814); außerdem wirkte an seinem Hof eine große Zahl bekannter Komponisten und Instrumentalisten. S. III. soll einige neue Maqāmāt zusammengestellt haben, und er wird als schulbildend für einen Stil angesehen, der sich bis gegen 1825 gehalten hat. Auf seine Anregung hin entstanden die Notenschriften des Armeniers Ḥamparts'um Limoncuyan († 1839) und des Mevlevi-Derwischs und Komponisten 'Abdülbāqī Dede († 1821). Von seinen Kompositionen sind heute noch über 60 weltliche und geistliche Vokal- und Instrumentalstücke bekannt. Bei einigen von ihnen sind Unterschiebungen und Verwechslungen mit anderen Komponisten wahrscheinlich.
Ausg.: einzelne Kompositionen in zahlreichen türkischen Notendrucken, vor allem in: Türk musikisinin klasikleri (»Klassiker d. türkischen Musik«, = Istanbul konservatuvarı neşriyatı o. Nr (»Veröff. d. Istanbuler Konservatoriums«, Fortsetzung d. älteren Dār ül-elḥān küllīyātı), Istanbul o. J. (um 1930), Nr 129, 137, 139, 150–153 passim, 159–162, u. in: Mevlevi âyinleri (»Geistliche Kompositionen d. Mevlevi«), H. 5, hrsg. v. Z. AHMET, SUPHI [EZGI] u. M. CEMIL, =»Veröff. d. Istanbuler Konservatoriums« o. Nr, ebd. 1935; einige seiner Stücke transkribiert v. SUPHI [EZGI] in: Nazarî ve amelî türk musikisi (»Die türkische Musik in Theorie u. Praxis«), Bd I–V, ebd. 1933–53, u. in: Türk musikîsi klasikleri (»Klassiker d. türkischen Musik«), = Millî eğitim bakanlığı, Türk musikisini araştırma ve değerlendirme sektyonu (»Erziehungsministerium, Kommission zur Erforschung u. Auswertung d. türkischen Musik«), Bd I, ebd. 1970.
Lit.: Ş. GAVSĪ, Ta'rīḥ-i mūsīqī, Bd I: Sulṭān S.-i sālis (»Mg. I: Sultan S. III.«), in: Peyâm 1895, Nr 45; R. YEKTĀ, S.-i sālis mūsīqīşinās (»S. III. als Musiker«), in: Yenî mecmū'a 1917, Nr 16; Z. AHMET in: Mevlevi âyinleri (s. o.), H. 5, Istanbul 1935, S. 3ff.; S. N. ERGUN, Türk musikisi antolojisi (»Anth. d. türkischen Musik«), Bd I u. II: Dinî eserler (»Geistliche Kompositionen«), ebd. 1942 (mit weiteren Quellen); Türk musikisi dergisi (»Türkische Musikzs.«) 1948, Nr 12 (Sonder-Nr S. III.); Y. ÖZTUNA, Türk musikisi lûgati (»Lexikon d. türkischen Musik«), in: Musiki mecmuası 1953, Nr 60, 1955, Nr 83 u. 87; DERS., Türk musikîsi ansiklopedisi (»Enzyklopädie türkischer Komponisten«), Istanbul 1969; DERS., S. III., in: Türk musikîsi klasikleri (s. o.) Bd I, ebd. 1970 (mit Werkverz.); B. S. EDIBOĞLU, Ünlü türk bestekârları (»Bekannte türkische Komponisten«), ebd. 1962; A. C. EREN, S. III., in: Islâm ansiklopedisi X, ebd. 1966 (erweiterte türkische Ausg. d. EI,); S. K. AKSÜT, 500 yıllık türk musikisi (»500 Jahre türkische Musik«), Ankara 1967. ENE

+Selle, Thomas, 1599–1663.
Ausg.: +C. v. WINTERFELD, Der ev. Kirchengesang ... (1843–47), Nachdr. Hildesheim 1966 (3 Bde); +J. ZAHN, Die Melodien d. deutschen ev. Kirchenlieder (1889–93), Nachdr. ebd. 1963. – zwei 5- bzw. 8st. Kurzmessen mit Gb., hrsg. v. J. BIRKE = Chw. XC, Wolfenbüttel 1963; Ausgew. Kirchenmusik, hrsg. v. KL. VETTER, = Das Chorwerk alter Meister IV, 7, Stuttgart 1966.
Lit.: +H. KRETZSCHMAR, Gesch. d. neuen deutschen Liedes (= Kleine Hdb. d. Mg. nach Gattungen IV, 1911), Nachdr. Hildesheim u. Wiesbaden 1966. – W. BRAUN, Th. S.s Lasso-Bearb., KmJb XLVII, 1963; DERS. in: MGG XII, 1965, Sp. 482ff.; M. RÖSSLER in: Württembergische Blätter f. Kirchenmusik XXX, 1963, S. 65ff.

Sellentin, Horst, * 14. 9. 1920 zu Berlin, † 10. 5. 1973 zu Hamburg; deutscher Chordirigent, studierte in Hamburg und 1939–41 am Mohr'schen Konservatorium in Berlin sowie als Gast während der Militärzeit 1942–43 am Konservatorium der Stadt Wien (V. Keldorfer). Er sang ab 1946 im Chor des NDR, war ab 1947 Dirigent verschiedener Chöre und leitete 1960–67 den Knabenchor des NDR (ab 1967 »Hamburger Knabenchor e. V. an St. Nicolai«), der bei der deutschen Erstaufführung von Brittens *War Requiem* (1963) und bei der Uraufführung von Henzes Oratorium *Das Floß der Medusa* (1968) mitwirkte.

Sellitto, Giuseppe (Selletti, Sellitti), * 22. 3. 1700 und † 23. 8. 1777 zu Neapel; italienischer Komponist, studierte wahrscheinlich am Conservatorio S. Maria di Loreto in Neapel. Er komponierte dann für Theater in Neapel, Rom, Venedig, Bologna und Florenz mit großem Erfolg vor allem Intermezzi und Opere buffe. Sein erstes bekanntes Werk ist das Dramma per musica *Amor d'un'ombra e gelosia d'un'aura* (Neapel 1725). 1752–53 gastierte er mit einer italienischen Operntruppe, die sein Intermezzo *Il cinese rimpatriato* (London 1748) auf dem Programm hatte, in Paris. 1760 zog er sich vom Theater zurück und wurde Organist an S. Giacomo degli Spagnoli in Neapel; daneben erteilte er Gesangsunterricht. Von seinen weiteren (insgesamt über 45) Bühnenwerken seien genannt: *Nitocri* (Libretto Zeno, Venedig 1733); *Siface* (Metastasio, Neapel 1734); *La franchezza delle donne* (ebd. 1734); *La vedova ingegnosa* (ebd. 1735); *I due baroni* (Federico, ebd. 1736); *Sesostri re d'Egitto* (Zeno und Pariati, Rom 1742); *L'innocenti gelosie* (Neapel 1744); *Orazio Curazio* (Rom 1746); *L'amor comico* (Neapel 1750); *L'amore alla moda* (ebd. 1755). S. schrieb außerdem eine Kantate zu 2 St. (1770) sowie Oratorien und Serenaden. – Sein Bruder Giacomo S. (* 28. 7. 1701 und † 20. 11. 1763 zu Neapel) war Kapellmeister am Collegio dei Nobili in Neapel und trat auch als Komponist hervor (Stabat mater; 72 Fugen für Cemb.). Außerdem wird ihm die Oper *Genoviefa* (Neapel 1745) zugeschrieben.
Lit.: U. Prota Giurleo, G. S., Gazzetta mus. di Napoli IV, 1958.

Sellner, Gustav Rudolf, * 25. 5. 1905 zu Traunstein (Oberbayern); deutscher Regisseur und Theaterleiter, war nach Universitätsbesuch und Schauspielausbildung in München 1924–38 als Schauspieler, Dramaturg und Regisseur tätig, ferner als stellvertretender Intendant in Oldenburg und Göttingen und als Generalintendant in Hannover. Nach dem Kriege wirkte er als Regisseur und Leiter des Schauspiels in Kiel und Essen sowie 1951–61 als Intendant des Landestheaters Darmstadt. 1961–72 war er Generalintendant der Deutschen Oper Berlin (1972 Ehrenmitglied); außerdem hat er u. a. am Schillertheater Berlin, am Burgtheater Wien, an den Staatsopern Hamburg und Stuttgart sowie bei den Salzburger Festspielen inszeniert. Der Schwerpunkt der Inszenierungen S.s liegt im Schauspiel bei der griechischen Tragödie (in den Übertragungen von Wolfgang Schadewaldt und Rudolf Bayr) und der französischen Avantgarde, in der Oper bei der Moderne: Deutsche Erstaufführung von *The Turn of the Screw* von Britten (Darmstadt 1957); *Moses und Aron* von Schönberg (Bln 1959); deutsche Erstaufführung von *Atlántida* von de Falla (Bln 1962); szenische Uraufführung von »Die Orestie des Aischylos« von Milhaud (Bln 1963); ferner die Uraufführungen von *Montezuma* von Sessions (Bln 1964), der Henze-Opern *Der junge Lord* (Bln 1965) und *Die Bassariden* (Salzburg 1966), von *Zwischenfälle bei einer Notlandung*

von Blacher (Hbg 1966), *Prometheus* von Orff (Stuttgart 1968) und »Odysseus« von Dallapiccola (Bln 1968). Er veröffentlichte u. a. die Schrift *Theatralische Landschaft* (mit W. Wien, Bremen 1962). – S.s Regie sucht Ordnung, Raumgliederung, nicht Illustration und Dekor, und ist wesentlich mit der Arbeit der Bühnenbildner Sanjust, Raffaëlli und Fritz Wotruba verbunden.
Lit.: H. Kaiser, Vom Zeittheater zur S.-Bühne, Darmstadt 1961; G. Hensel, Ein Jahrzehnt S.-Theater in Darmstadt, ebd. 1962; R. Bayr, Delphischer Apollon, Salzburg 1966.

+Selma y Salaverde, Fray Bartolomeo de, [erg.:] zwischen 1580 und 1590 – nach 1638.
Fagottist in Diensten des Erzherzogs Leopold von Österreich war er 1628–30; dann ging er nach Venedig. Er soll noch an mehreren europäischen Fürstenhöfen gewirkt haben.
Ausg.: Canzone Nr 23 f. 2 Fag. sowie Fantasien Nr 5 u. 8 f. Fag. u. B. c., hrsg. v. M. S. Kastner, 3 H., = Fag.-Bibl. VI–VIII, Mainz 1971; 2 canzoni a tre f. Bläser oder Streichinstr. u. B. c., hrsg. v. dems., = Música hispana, Serie C, X, Barcelona 1972.

+Selnecker, Nikolaus, 6. [erg.: oder 5.(?)] 12. 1528 – 12. [nicht: 24.] 5. 1592.
S. verlor seine Stellung als Hofprediger in Dresden 1564, war dann 1565–67 Professor an der Universität Jena und erhielt anschließend eine Professur an der Universität in Leipzig, wo er bis zu seiner Entlassung (1586) auch als Superintendent und Pfarrer an der Thomaskirche, unterbrochen durch einen Aufenthalt im Herzogtum Braunschweig (1572–74), wirkte. Nach einer Tätigkeit als Superintendent in Hildesheim kehrte er 1592 nach Leipzig zurück. [del. bzw. erg. frühere Angaben dazu.]
Lit.: W. Blankenburg in: MGG XII, 1965, Sp. 489f.

+Selvaggi, Rito, * 22. 5. 1898 zu Noicattaro di Bari, [erg.:] † 19. 5. 1972 zu Zoagli (Genua).
S. war 1959–68 Direktor des Conservatorio in Pesaro. – Weitere Werke: das »Dramma mistico« *Eletta* (1947, zusammen mit +Santa Caterina da Siena, 1947, als *Dittico Cateriniano*), die »Trilogia del fuoco« *S. Lorenzo, Giovanna d'Arco* und *Savonarola* (1955); »Trittico sinfonico« *La natività di Gesù* (1935) und »Ouvertüre olimpionica« *Il più bel dono della vita* (1966) für Orch.; Violinsonate (1939), *Sonata drammatica* für Va und Kl. (1954); Sonate *Omaggio a Chopin* (1961) und Suite (1965) für Kl.; Suite *Fiori Mariani* für Org. (1963); Oratorium *Profumo di Dio* für Sprechchor, Chor und Orch. (1967), Elegie für Vc., Chor und Orch. (zum Tode A. Toscaninis, 1957); 9 japanische Gedichte *Lampade* für Singst. und Kl. (1965); Chöre, Instrumentationen (u. a. Cembalomusik von Bach, Clementi, Frescobaldi, Galuppi und Zipoli für Streichorch.) und Bearbeitungen (u. a. Schumanns Symphonien). S. verfaßte auch Lehrwerke.

+Sembrich, Marcella (Prakseda Marcelina Kochańska), 1858–1935.
Mitglied der Metropolitan Opera, an der sie bereits 1883 erstmals gesungen hatte, war sie ab 1898 [nicht: 1902].
Lit.: Le grandi v., hrsg. v. R. Celletti, = Scenario I, Rom 1964, Sp. 764ff. (mit Diskographie v. R. Vegeto).

Semkow, Jerzy (Georg), * 12. 10. 1928 zu Radomsko (bei Tschenstochau); polnischer Dirigent, studierte 1948–51 an der Musikhochschule in Krakau bei Malawski sowie 1951–53 in Leningrad bei Chajkin und war 1954–56 Assistent von Mrawinskij an der Leningrader Philharmonie. Er wirkte am Moskauer Bolschoj Teatr (1956–58), war Chefdirigent der Warschauer Oper (1958–61) und dirigierte an der Königlichen Oper in Kopenhagen (1965–70). Seit 1963 gastiert er an den großen europäischen Opernbühnen. Daneben wirkte er mit beim Festival in Aix-en-Provence (1967–70), unternahm mit der Londoner Philharmonie eine Tournee durch den Fernen Osten (1969) und leitete 1970–71 das Cleveland Symphony Orchestra (O.). S. wird als Interpret des spätromantischen Repertoires geschätzt.

+Senallié, Jean Baptiste (Senallier, Senaillé), 1687 – 15. [nicht: 8.] 10. 1730.
Ausg.: V.-Sonate D moll, hrsg. v. H. RUF, = V.-Bibl. Nr 26, Mainz 1968; Introduktion u. Allegro spiritoso, f. Klar. u. Kl. hrsg. v. R. DE SMET, London 1972.
Lit.: +L. DE LA LAURENCIE, L'école frç. de v. ... (I, 1922), Nachdr. Genf 1971; +A. MOSER, Gesch. d. Violinspiels (1923), 2. Aufl. hrsg. v. H.-J. Nösselt, 2 Bde, Tutzing 1966–67. – A. L. KISH, The Life and Works of J. B. S., 2 Bde, Diss. Bryn Mawr College (Pa.) 1964 (als Anh. Ausg. d. 5 Bücher V.-Sonaten mit B. c.).

+Senart, Maurice, * 29. 1. 1878 und [erg.:] † 23. 5. 1962 zu Paris.

Sendrey, Albert Richard, * 26. 12. 1922 zu Chicago; amerikanischer Komponist, Dirigent und Arrangeur ungarischer Herkunft, Sohn von Aladár Szendrei, studierte an den Konservatorien in Leipzig und Paris sowie am Trinity College of Music in London und war Schüler von A. Coates, Barbirolli und Geehl. Er arbeitete als Arrangeur für Filmgesellschaften in Paris (1935–37) und London (1937–44) und ließ sich dann in Hollywood nieder. S. schrieb u. a. das Ballett *Danse d'odalisque*, 3 Symphonien, eine *Oriental Suite* (1935) und Toccata und Fuge für Orch., Kammermusik (2 Streichquartette; Duo für Horn und Va; Divertimento für Vc.), ein Concertino für Kl. sowie Musik für Film (*The Yearling*; *A Date with Judy*; *The Three Musketeers*) und Fernsehen (*Riverboat*; *Laramie*), ferner Musicals (*Peter Pan*, NY 1954).

+Sendt, Willy, 1907–52.
Lit.: BR. STÜRMER, W. S.s künstlerischer Nachlaß. Erfreuliches Ergebnis d. Sichtung d. hinterlassenen Mss., Deutsche Sängerbundeszeitung XLIV, 1955; DERS., Gedenkworte f. einen Freund, ebd. XLV, 1956; H. GAPPENACH in: Rheinische Musiker VII, hrsg. v. D. Kämper, = Beitr. zur rheinischen Mg. XCVII, Köln 1972, S. 109ff.

Sénéchal (seneʃ'al), Michel, * 11. 2. 1930 zu Paris; französischer Sänger (lyrischer Tenor), studierte am Pariser Conservatoire und war 1. Preisträger des Concours international d'exécution musicale in Genf. Gegenwärtig gehört er dem Ensemble der Pariser Opéra an und gastiert bei den Festspielen in Salzburg und Aix-en-Provence sowie an der Staatsoper in Wien. In seinem Repertoire dominieren die Werke J.-Ph. Rameaus, Mozarts und Rossinis.

+Senefelder, Johann Nepomuk Franz Aloys, 1771–1834.
Lit.: E. METZGER, Weltruhm aus bayerischen Steinplatten. A. S., d. deutsche Erfinder d. Steindruckkunst, = In Deutschlands Namen IV, Lpz. 1942; Bild vom Stein, München 1961 (Ausstellungskat.); A. S., Offenbach 1971 (Ausstellungskat.); F. H. MAN, Hommage à S., München 1971 (Ausstellungskat.).

+Senfl, Ludwig, um 1486 zu Basel – zwischen 2. 12. 1542 und 10. 8. 1543 [del. bzw. erg. frühere Angaben].
Ausg.: Sämtliche Werke (+GA), hrsg. v. d. Schweizerischen musikforschenden Ges. hrsg., bisher erschienen (ab Bd IV alle Wolfenbüttel): Bd I (auch = EDM V, Abt. Motette u. Messe I, Lpz. 1936), 7 Messen zu 4–6 St. (hrsg. v. E. LÖHRER u. O. URSPRUNG); II (auch = EDM X, Abt. Mehrstimmiges Lied I, Wolfenbüttel 1938), Deutsche Lieder, Teil 1: Lieder aus hs. Quellen bis etwa

1533 (A. GEERING); III (auch = EDM XIII, Abt. Motette u. Messe II, Lpz. 1939), Motetten, Teil 1: Gelegenheitsmotetten u. Psalmvertonungen (W. GERSTENBERG); IV (auch = EDM XV, Abt. Mehrstimmiges Lied II, 1940), Deutsche Lieder, Teil 2: Lieder aus H. Otts erstem Liederbuch v. 1534 (A. GEERING); V (1949), Deutsche Lieder zu 4–6 St., Teil 3: Lieder aus gedruckten Liederbüchern v. 1534 (A. GEERING), Finck 1536, Schöffler u. Apiarius 1536, Forster 1539–40, Salblinger 1540 u. Ott 1544 (DERS. u. W. ALTWEGG); VI (1961), Deutsche Lieder, Teil 4: Lieder aus gedruckten Liederbüchern v. Rhaw 1544, Forster 1549 u. 1556. Ital., frz. u. lat. Lieder u. Gesänge. Lat. Oden (DIES.); VII (1960), Instr.-Carmina aus hs. u. gedruckten Quellen. Lieder in Bearb. f. Geigen, Org. u. Laute (DIES.); VIII–X (1964–72), Motetten, Teil 2–4: Kompositionen d. Proprium missae I–III (W. GERSTENBERG).
Lit.: +C. v. WINTERFELD, Der ev. Kirchengesang ... (I, 1843), Nachdr. Hildesheim 1966; +A. W. AMBROS, Gesch. d. Musik (III, 1868, u. V, ³1911), Nachdr. ebd. 1968; +H. J. MOSER, P. Hofhaimer (1929), ebd. ²1966. – H. J. ROTHE, Alte deutsche Volkslieder u. ihre Bearb. durch Isaac, S. u. Othmayr, Diss. Lpz. 1957; L. HALVORSON, The »Lieder« of L. S., 2 Bde, Diss. Univ. of Rochester (N. Y.) 1959; W. GERSTENBERG, S.iana, Fs. H. Osthoff, Tutzing 1961; A. MAIN, Maximilian's Second-Hand Funeral Motet, MQ XLVIII, 1962; K. C. ROBERTS JR., The Music of L. S., 2 Bde (in Bd II Übertragung d. »Liber selectarum cantionum« v. 1520), Diss. Univ. of Michigan 1965; M. BENTE, S.s Musik im Heidelberger Kapellkat., Kgr.-Ber. Lpz. 1966; DERS., Neue Wege d. Quellenkritik u. d. Biogr. L. S.s, Wiesbaden 1968; H. HECKMANN, Eine schwäbische Musikdarstellung mit einem S.-Zitat, in: Musik u. Verlag, Fs. K. Vötterle, Kassel 1968; W. SEIDEL, Die Lieder L. S.s, = Neue Heidelberger Studien zur Mw. II, Bern 1969; A. DUNNING, Die Staatsmotette 1480–1555, Utrecht 1970; D. SMITHERS, A Textual-Mus. Inventory and Concordance of Munich Univ. MS 328–331, R. M. A. Research Chronicle VIII, 1970.

Senfter, Johanna, * 27. 11. 1879 und † 11. 8. 1961 zu Oppenheim (Rheinhessen); deutsche Komponistin, studierte am Hoch'schen Konservatorium in Frankfurt a. M. (Komposition bei I. Knorr, Violine bei A. Rebner, Klavier bei Friedberg) und 1908–10 bei Reger am Konservatorium in Leipzig (A.-Nikisch-Preis 1910). Ihr Œuvre umfaßt u. a. 9 Symphonien, 26 Orchesterwerke mit Gesangs- bzw. Instrumentalsoli, Kammermusik, Orgelwerke, Chöre und Lieder.

Senghor, Léopold Sédar, * 9. 10. 1906 zu Joal (Senegal); senegalesischer Politiker, Dichter, Schriftsteller und Philosoph, studierte an örtlichen Lyzeum und in Paris an der Sorbonne. Nach mehreren Jahren Lehrtätigkeit schlug er die politische Laufbahn ein und wurde erster Deputierter, später Minister und 1960 erster Präsident des unabhängigen Senegal. 1968 erhielt er den Friedenspreis des Deutschen Buchhandels. S. vertritt eine Philosophie der »Négritude« und eine spezifisch afrikanische Ästhetik der Aufeinanderbezogenheit von Sprache, Melodie und Rhythmus, die er in mehreren Abhandlungen geäußert hat, so in *L'esprit de la civilisation ou Les lois de la culture négro-africaine* (in: Présence africaine 1956) und *Négritude. Zur Psychologie des Negro-Afrikaners* (Neue Rundschau LXXIV, 1963). Er betont immer wieder, daß der Vortrag der überlieferten Dichtung stets von Musikinstrumenten begleitet worden ist, und schreibt für seine eigenen Dichtungen die Instrumentalbesetzung genau vor.

Sengstschmid, Johann, * 16. 7. 1936 zu Steinakirchen am Forst (Niederösterreich); österreichischer Komponist, studierte 1958–61 an der Akademie für Musik und darstellende Kunst in Wien (Swarowsky, A. Uhl, Steinbauer), war 1961–62 Volksschullehrer bei den Wiener Sängerknaben, 1962–65 in St. Pölten-

Spratzern und 1965–68 Musiklehrer am Bundesgymnasium in St. Pölten. Seit 1968 ist er als Musikpädagoge am Institut der Englischen Fräulein in Bamberg tätig. Von seinen Kompositionen seien genannt: *Rosette zu zwei Stimmen* für ein Akkordinstr. oder 2 Melodieinstr. op. 2 (1959); *Quadruplum* für Streichquartett oder Streichorch. op. 10 (1961); Quintett für Fl., V., Va, Vc. und Hf. op. 11 (1961); *Tricinium* für V., Va und Vc. oder 3 andere Melodie- oder Akkordinstr. op. 18 (1963); *Missa »Adoramus te«* für Unisonochor und Org. oder 3 Melodieinstr. op. 21 (1964); Capriccio für Orgelpedal op. 26 (1968); *Vier Stücke* für 4st. Bläserchor op. 27 (1969); Scherzo für Blockflötenquartett op. 28 (1971); musikalische Meditation *Der Engel des Herrn* für Singstimmen, V. und Org. op. 38. Er veröffentlichte *O. Steinbauer und seine Klangreihenlehre* (ÖMZ XVIII, 1963) und *Anatomie eines Zwölftonspiels. Ein Blick in die Werkstatt J. M. Hauers* (Zs. für Musiktheorie II, 1971).

Senis, Nicolaus de → Nicolaus de Senis.

+Senn, K a r l [erg.:] (Carl) Johann, * 31. 1. 1878 und [erg.:] † 26. 7. 1964 zu Innsbruck.
Der Titel der +Operette lautet *Märchen* [nicht: *Röschen*] in *Nervi* (Innsbrucker Rundfunk 1954).

+Senn, Kurt Wolfgang, * 11. 3. 1905 zu Szczakowa (Galizien), [erg.:] † 25. 6. 1965 zu Bern.
S. hat sich als Organist durch Tourneen auch im Ausland einen Namen gemacht. Er schrieb u. a. die Beiträge *Über die musikalischen Beziehungen zwischen J. G. Walther und J. S. Bach* (MuK XXXIV, 1964) und *W. Burkhards Fantasie und Choral »Ein' feste Burg ist unser Gott« für Org., op. 58* (in: Musik und Gottesdienst XVIII, 1964).
Lit.: H. STUDER in: Musik u. Gottesdienst XIX, 1965, S. 29ff.; TH. KÄSER, ebd. S. 81ff.

+Senn, W a l t e r, * 11. 1. 1904 zu Innsbruck.
S., Sohn von Karl S., wurde an der Universität Innsbruck 1961 zum außerordentlichen Professor ernannt. Neben seiner Lehrtätigkeit leitet er die Musiksammlung des Tiroler Landesmuseums Ferdinandeum. S. lebt heute in Sistrans (bei Innsbruck). Von seinen neueren Aufsätzen seien genannt: *Mozartiana aus Tirol* (Fs. W. Fischer, = Innsbrucker Beitr. zur Kulturwissenschaft, Sonder-H. III, Innsbruck 1956); *Eine »Viola da Gamba« von St. de Fantis 1558* (CHM II, 1957); *Mozarts »Zaide« und der Verfasser der vermutlichen Textvorlage* (Fs. A. Orel, Wien 1960); *Mozarts Skizze der Ballettmusik zu »Le gelosie del serraglio« (KV Anh. 109/135ᵃ)* (AMl XXXIII, 1961); *Aus dem Musikleben in Neustift* (Jb. des Tiroler Kulturinstituts II, 1962); *»Jodeln«. Ein Beitrag zur Entstehung und Verbreitung des Wortes* (Jb. des österreichischen Volksliedwerkes XI, 1962); *Innsbrucker Hofmusik* (ÖMZ XXV, 1970); *Ein Musikalienverzeichnis der Pfarrkirche St. Nikolaus zu Meran aus dem Jahre 1682* (in: Symbolae historiae musicae, Fs. H. Federhofer, Mainz 1971); *Der Catalogus Musicalis des Salzburger Doms (1788)* und *Das wiederaufgefundene Autograph der Sakramentslitanei in D von L. Mozart* (Mozart-Jb. 1971/72); weitere Beiträge zur Mozart-Forschung (u. a. in: Acta Mozartiana VIII, 1961; *Neues Augsburger Mozartbuch*, = Zs. des Historischen Vereins für Schwaben LXII/LXIII, 1962; Mozart-Jb. 1964 und 1967–68/70; ÖMZ XXIX, 1974, S. 346ff.); lexikalische Beiträge (u. a. für MGG und die vorliegenden Ergänzungsbände des »Riemann Musiklexikons«). In der Neuen Mozart-Ausg. gab er heraus Bd I der *Messen* (= I, 1, Abt. 1, Kassel 1968) und von L. Mozart die *Sakramentslitanei in D* (= X, 28, Abt. 3–5, Bd I, ebd. 1973).

+Senstius, K a i [erg.:] Helmer, * 15. 12. 1889 zu Kopenhagen, [erg.:] † 31. 7. 1966 zu Odense.

Ser Lorenzo → L a u r e n t i u s d e F l o r e n t i a.

+Serafin, Tullio (Tulio), * 1. 9. [nicht: 8. 12.] 1878 zu Rottanova di Cavarzere (Venetien), [erg.:] † 3. 2. 1968 zu Rom.
S. war bis in die 60er Jahre als Gastdirigent tätig. Er veröffentlichte *Stile, tradizioni e convenzioni del melodramma italiano del Settecento e dell'Ottocento* (mit A. Toni, 2 Bde, Mailand 1958–64).
Lit.: BR. BARTOLETTI in: nRMI II, 1968, S. 304ff.; W. WEAVER in: Opera XIX, (London) 1968, S. 273ff. (mit weiteren Nachrufen S. 275ff.).

+Serassi, Giuseppe (»il vecchio«), 1694 – [erg.: 1. 8.] 1760. Sein Sohn Andrea Luigi S., [erg.: 19. 5.] 1725 – 1799. Dessen Sohn Giuseppe [erg.: Antonio] S. (»il giovane« oder Giuseppino), 1750 – 19. 2. [nicht: 13. 5.] 1817. Ferdinando S. ([erg.:] 1858 – 1894) war ein Vetter des vorigen.
Lit.: C. TRAINI, Organari bergamaschi, Bergamo 1958; L. F. TAGLIAVINI in: MGG XII, 1965, Sp. 556ff.

Serato, Arrigo, * 7. 2. 1877 zu Bologna, † 27. 12. 1948 zu Rom; italienischer Violinist, Sohn des Violoncellisten Francesco S. (* 17. 9. 1843 zu Castelfranco Veneto, † 24. 12. 1919 zu Bologna, Mitglied des Trio Bolognese mit Federico Sarti und Gustavo Tofano sowie des Quartetto Bolognese mit Sarti, A. Massarenti und Angelo Consolini), Schüler von Sarti in Bologna, konzertierte ab 1895 erfolgreich in Europa (vor allem in Deutschland) und Amerika. Er nahm seinen Wohnsitz in Berlin, vervollkommnete seine Violinstudien bei Joachim und spielte auch in dessen Quartett. 1915 kehrte er nach Italien zurück und wurde Lehrer am Conservatorio di Musica S. Cecilia in Rom, an dem er ab 1926 bis zu seinem Tode Meisterkurse leitete. Ab 1921 ging er wieder auf Konzertreisen, gründete 1925 mit Pizzetti (Klavier) und Mainardi (Violoncello) ein Trio, war 1925–30 auch Mitglied eines mit Lorenzoni und Arturo Bonucci gebildeten Trios und gab außerdem Duoabende mit dem Pianisten Ernesto Consolo. Daneben hielt er ab 1932 Meisterkurse an der Accademia Musicale Chigiani in Siena.
Lit.: A. DELLA CORTE, A. S. violinista, Siena 1950.

+Serauky, W a l t e r Karl-August, 1903 – 1959 zu Halle (Saale) [nicht: Leipzig].
Weitere Aufsätze aus seinen letzten Lebensjahren: *Das Ballett in G. Fr. Händels Opern* (Händel-Jb. II, 1956); *W. A. Mozart und die Musikästhetik des ausklingenden 18. und frühen 19. Jh.* (Kgr.-Ber. Wien Mozartjahr 1956); *R. Wagner in Vergangenheit und Gegenwart* (DJbMw III, 1958); *G. Fr. Händels italienische Kantatenwelt* (Kgr.-Ber. Händel-Ehrung Halle 1959); *Händel und die Oper seiner Zeit* (Händel-Jb. V, 1959).
Lit.: R. ELLER in: BzMw I, 1959, H. 3, S. 76f., u. in: Wiss. Zs. d. K.-Marx-Univ. Lpz., Ges.- u. sprachwiss. Reihe IX, 1959/60, H. 1 (Beilage); W. MARTIN, ebd.; W. SIEGMUND-SCHULTZE in: Händel-Jb. VI, 1960, S. 15ff.

Serebrier (serebri̯er), J o s é, * 3. 12. 1938 zu Montevideo; uruguayischer Komponist und Dirigent, studierte am Conservatorio Nacional de Música in seiner Heimatstadt bei Santórsola, 1956–58 am Curtis Institute of Music in Philadelphia (V. Giannini), 1958–60 an der University of Minnesota in Minneapolis (Dorati) sowie bei Copland und Monteux. Er dirigierte Orchester in Minneapolis, Boston und Pittsburgh sowie das National Orchestra Washington. Konzerttourneen führten ihn durch Südamerika und Europa. S. schrieb u. a. Orchesterwerke (Ouvertüre *La leyenda de Fausto*, 1954; 1. Symphonie, 1956; *Poema elegíaco*, 1957;

Momento psicologico für Streichorch., 1957; Partita, 1958; Fantasie für Streichorch., 1960; Symphonie für Schlagzeug, 1964; *The Star Wagon* für Kammerorch., 1967; *Nueve* für Kb. und Orch., 1970; *Colores mágicos*, Variationen für Hf. und Kammerorch. mit Bildern des Systems »Synchora«, 1971), Kammermusik (Bläserquintett *Pequeña música*, 1955; *Seis por televisión* für Bläserquartett und Schlagzeug, 1968; Quartett für Sax., 1955; *Suite canina* für Bläsertrio, 1957), Klavierstücke (Sonate, 1971), a cappella-Chöre und Sololieder.

Serendero Proust, David, * 28. 7. 1934 zu Santiago de Chile; chilenischer Komponist, Dirigent und Violinist, studierte am Conservatorio der Universidad de Chile in Santiago Violine, Komposition und Musikwissenschaft (1953–59), bei T. Fuchs Dirigieren (1957–58) sowie an der Stuttgarter Musikhochschule bei Max Kergl Violine und bei Müller-Kray Dirigieren. Er war Violinist in verschiedenen Orchestern seiner Heimatstadt und 1961 Konzertmeister des Symphonieorchesters in Heilbronn. 1967 übernahm er in Santiago die Leitung des Orquesta Sinfónica de Chile und 1968 die des Conservatorio. Seine Kompositionen umfassen u. a. Orchesterwerke (Interludium, 1959; *Estratos*, 1968), Kammermusik (Danza für 2 V. und Va, 1952, Neufassung 1964; *Dúo heterogéneo* für Fl. und Klar., 1953; *Kergliana*, Scherzo für 3 V., 1961; *Bayreuther Eindruck*, Fantasie für V. und Kl., 1972), Klaviermusik (Rhapsodie *Reinhild*, 1961), *La leyenda de la creación* für S., B., Chor und Orch. (1959), *A la nueva Eva*, Magnificat für S., A., T., B., Chor und Orch. (1964), das konzertante Melodram *El ensayo* für S. und 14 Instr. (1962) sowie Unterhaltungsmusik (*Obsesiva*, 1968, und *Contigo*, 1968, für Gesang und Orch.; *Mi Mulata*, Bossa nova para orquesta popular, 1969). Er veröffentlichte *Wagner y la tetralogía* (Rev. musical chilena XVII, 1963) und *Las artes de Polinesia* (ebd. XXIV, 1970).
Lit.: Werkverz. in: Compositores de América XV, Washington (D. C.) 1969.

Sergejew, Konstantin Michajlowitsch, * 20. 2. (5. 3.) 1910 zu St. Petersburg; russisch-sowjetischer Tänzer und Choreograph, begann sein Studium in den Abendlehrgängen der Leningrader Ballettschule, trat als 18jähriger der Truppe von Joseph Kreszinsky bei und ging 19jährig an die Akademische Tanzschule, von der aus er 1930 an das GATOB-Ballett (ab 1935 Kirow-Ballett) verpflichtet wurde. Er qualifizierte sich rasch zu einem der führenden Premier danseurs des sowjetischen Balletts und kreierte während der 30er und 40er Jahre zahlreiche Hauptrollen in neuen sowjetischen Balletten, zum Teil als Partner von Galina Ulanowa. 1951–55 und 1960–70 war er Ballettdirektor des Kirow-Theaters in Leningrad. S. genoß aber auch als Tänzer des klassischen Repertoires großes Ansehen und trat in vielen Balletten zusammen mit seiner Frau Natalia Dudinskaja auf. Gastspiele führten ihn nach China (1950), Berlin (1954) sowie in die ČSSR und nach Dänemark (1958). Obwohl er mit eigenen Choreographien hervorgetreten ist (Prokofjew, *Soluschka*, »Aschenbrödel«, Leningrad 1946; K. Karajew, *Tropoju grom*, »Auf dem Gewitterpfad«, ebd. 1958; B. Meisel, *Dalekaja planeta*, »Der ferne Planet«, ebd. 1963), ist er besonders bedeutend als äußerst stilbewußter Konservator und Restaurator der klassischen Originalchoreographien.
Lit.: V. IVING, K. S., in: J. Slonimsky u. a., The Soviet Ballet, NY 1947, Nachdr. NY 1970; V. M. BOGDANOW-BEREZOWSKIJ, K. S., Leningrad 1951.

Sergi (s'ɔːrʒi), Arturo, * 8. 11. 1925 zu New York; amerikanischer Sänger (Tenor), studierte an der Columbia University seiner Heimatstadt sowie am Conservatorio di Musica G. Verdi in Mailand (Sergio Nazor). Nach seinem Debüt als Otello an den Städtischen Bühnen in Wuppertal (1955) war er an den Städtischen Bühnen in Frankfurt a. M. (1957–60) und der Hamburgischen Staatsoper (1960–68) engagiert. 1968–71 gehörte er dem Ensemble der Bühnen der Stadt Köln an. Gastspiele führten ihn an die Covent Garden Opera in London, die Mailänder Scala, die Metropolitan Opera in New York und zu den Bayreuther Festspielen. Zu seinen Partien zählen Radames, Cavaradossi, Florestan und Lohengrin.

+Sérieyx, Auguste [erg.:] Jean Maria Charles, 1865–1949.
Lit.: V. d'Indy, H. Duparc, A. Roussel. Lettres à A. S., hrsg. v. M. L. SÉRIEYX, Lausanne 1961.

Serkin (s'ɔːkin), Peter, * 24. 7. 1947 zu New York; amerikanischer Pianist, Sohn von Rudolf S., studierte bei seinem Vater am Curtis Institute of Music in Philadelphia, trat bereits mit 10 Jahren öffentlich auf und spielte im Alter von 14 Jahren zusammen mit seinem Vater W. A. Mozarts Konzert für 2 Kl. mit dem Cleveland Orchestra. 1962 begann er eine internationale Konzertkarriere. S. widmet sich besonders der Interpretation zeitgenössischer Musik.

+Serkin, Rudolf, * 28. 3. 1903 zu Eger.
S., einer der bedeutendsten Pianisten unserer Zeit, wurden zahlreiche Ehrungen zuteil, so die mehrfache Ernennung zum Ehrendoktor und die Aufnahme in die American Academy of Arts and Sciences sowie (als Ehrenmitglied) in die Accademia nazionale di S. Cecilia in Rom. Seit 1968 ist er Direktor des Curtis Institute of Music in Philadelphia.
Lit.: J. KAISER, Große Pianisten in unserer Zeit, München 1965, ²1972, engl. London 1971.

Serlio, Sebastiano, * 6. 9. 1475 zu Bologna, † 1554 (1555?) zu Fontainebleau; italienischer Maler, Architekt und Architekturtheoretiker, von seinem Vater zum Maler ausgebildet, studierte dann bei →Peruzzi Architektur, floh nach dem Sacco di Roma (1527) nach Venedig und wurde 1540 von Franz I. als Berater beim Schloßbau von Fontainebleau verpflichtet. Von seiner Tätigkeit als Theaterarchitekt ist lediglich der Bau eines provisorischen Theaters aus Holz in Vicenza (1539) gesichert. Weitreichenden Einfluß auf die Entwicklung des Theaterbaus und der Bühnengestaltung hatte er durch seine von →Vitruv beeinflußte *Architettura* (7 Bücher: I–VI Venedig u. a. 1537–51, VII Lyon 1575, postum). Die von Peruzzi vorgebildete Bildbühne systematisierte S. durch die Einführung von 3 stehenden Dekorationstypen (scena tragica, scena comica, scena satyrica) und definierte damit eine neue Art der Bühnengestaltung verbindlich, die, modifiziert und weiterentwickelt, bis heute grundsätzlich ihre Gültigkeit behalten hat.
Lit.: E. FLECHSIG, Die Dekoration d. modernen Bühne in Italien v. d. Anfängen bis zum Schluß d. 16. Jh., Dresden 1894; NICOLL, Development of the Theatre, London 1927, ³1947; G. SCHÖNE, Die Entwicklung d. Perspektivbühne v. S. bis Galli-Bibbiena, = Theatergesch. Forschungen XLIII, Lpz. 1933; H. H. BORCHERDT, Das europäische Theater im MA u. in d. Renaissance, Lpz. 1935, Hbg ²1969; H. LECLERC, Les origines ital. de l'architecture théâtrale moderne, Paris 1946; H. KINDERMANN, Theatergesch. Europas, Bd II: Das Theater d. Renaissance, Salzburg 1959.

Serly (s'ɔːli), Tibor, * 25. 11. 1901 zu Losonc (heute Lučenec, ČSSR); amerikanischer Komponist und Dirigent ungarischer Herkunft, lebt seit 1937 in New York. Bis 1925 studierte er Komposition und Dirigieren an der Musikakademie in Budapest bei Bartók, Kodály,

Koessler und J. Hubay sowie Violine und Bratsche bei Arthur Hartmann und Herweje von Ende in New York. Er war als Bratschist Mitglied u. a. des Philadelphia Orchestra und des NBC Symphony Orchestra. Seit 1939 ist er freiberuflich tätig. Bartók war in den letzten Jahren seiner amerikanischen Emigration mit S. eng befreundet; die letzten Takte des 3. Klavierkonzerts und das unvollendete Bratschenkonzert wurden nach Bartóks Tod (1945) von S. beendet. Er komponierte: 4 Lieder (nach Joyce, 1927); Konzert für Va und Orch. (1929); 1. Symphonie (1931); Symphonie für Bläser (1932); *6 Dance Designs* (1935), *Transylvanian Suite* (1935, revidiert 1947), Suite *Colonial Pageant* (1937) und *American Elegy* (1945) für Orch.; Rhapsodie für Va und Orch. (1948); *Concerto in modus lascivus* für Pos. und Kammerorch. (1953); *Lament in modus lascivus* für Streichorch. (Homage to Bartók, 1955); Symphonie für Streichorch. (1956); Konzert für 2 Kl. und Orch. (1957); *American Fantasy of Quodlibets* (1959); *Concertino 3 Times 3* für Kl. und Orch. (1965). Ferner schrieb er *A Second Look at Harmony* (NY 1964).

+Sermisy, Claudin de (Claude), um 1490 – [erg.: 13. 9.] 1562.
Ausg.: Opera omnia, hrsg. v. G. ALLAIRE u. I. CAZEAUX, = CMM LII, (Rom) 1970ff., bisher erschienen: Bd I (1970), Magnificats and Magnificat Sections, hrsg. v. G. ALLAIRE; II (1972), Holy Week Music (DERS.) – 24 Sätze in: P. Attaingnant, Treize livres de motets, 1534 et 1535, Bd I–III, V–VII u. IX–XII, hrsg. v. A. SMIJERS bzw. (ab Bd VIII) v. T. A. MERRITT, Paris bzw. Monaco 1934–63; 13 Chansons, hrsg. v. M. HONEGGER, 13 H., = Chansons frç. o. Nr, Paris 1963–67; eine Lamentation in: Mehrstimmige Lamentationen aus d. ersten Hälfte d. 16. Jh., hrsg. v. G. MASSENKEIL, = MMD VI, Mainz 1965. – eine Anzahl Chansons in Einzelausg. in d. Reihe »Plein jeu«, Paris 1968ff.
Lit.: +O. KADE, Die ältere Passionskomposition ... (1893), Nachdr. Hildesheim 1971. – G. REESE, Music in the Renaissance, NY 1954, revidiert 1959; G. G. ALLAIRE, The Masses of Cl. de S., Diss. Boston Univ. (Mass.) 1960; DERS., Les messes de Cl. de S., Rev. de musicol. LIII, 1967; I. A.-M. CAZEAUX, The Secular Music of Cl. de S., 2 Bde (I Text, II Übertragung), Diss. Columbia Univ. (N. Y.) 1961; H. M. BROWN, The Genesis of Style. The Parisian Chanson 1500–30, in: Chanson and Madrigal 1480–1530, hrsg. v. J. Haar, = Isham Library Papers II, Cambridge (Mass.) 1964; FR. LESURE in: MGG XII, 1965, Sp. 561ff.; D. HEARTZ, »Au près de vous«. Claudin's Chanson and the Commerce of Publishers' Arrangements, JAMS XXIV, 1971.

Serna, Estacio de la (Laserna, Lacerna), * um 1565 zu Sevilla, † um 1625 zu Lima(?); spanisch-peruanischer Organist und Komponist, Sohn des Sängers Alexandro de la S. an der Kathedrale von Sevilla, wurde 1593 Organist an der Iglesia Colegiata de S. Salvador in Sevilla und war 1595–1604 Organist der Königlichen Kapelle in Lissabon. Er übersiedelte dann nach Peru, wo er an der Kathedrale in Lima bis 1614 Kapellmeister war und anschließend das Organistenamt übernahm. Er komponierte eine Reihe von Tientos und die Musik für die Exequien der Königin Margarita von Spanien (Kathedrale in Lima 1612).
Ausg.: 2 Tientos in: Fr. Correa de Arauxo, Libro de tientos y discursos de música ... intitulado Facultad orgánica, hrsg. v. M. S. KASTNER, Bd II, = MMEsp XII, Barcelona 1952.
Lit.: R. STEVENSON, The Music of Peru, Aboriginal and Viceroyal Epochs, Washington (D. C.) 1960; DERS., The First New World Composers. Fresh Data from Peninsular Arch., JAMS XXIII, 1970.

+Serocki, Kazimierz, * 3. 3. 1922 zu Toruń (Thorn). S., einer der prominentesten Komponisten der moder-

nen polnischen Musik, war 1956 einer der Initiatoren des internationalen Musikfestivals für zeitgenössische Musik »Warschauer Herbst«; 1957–59 nahm er an den Darmstädter Ferienkursen für Neue Musik teil. Er lebt heute in Warschau. – Weitere Werke: *Suita preludiów* für Kl. (1952); 2. +Symphonie für S., Bar., gem. Chor und Orch. (1953); Suite für 4 Pos. (1953); Sonatine für Pos. und Kl. (1954); Sonate für Kl. (1955); Sinfonietta für 2 Streichorch. (1956); die Liederzyklen *Serce nocy* (»Herz der Nächte«) für Bar. (1956) bzw. *Oczy powietrza* (»Augen der Luft«) für S. (1957) und Orch. (beide auch mit Kl.); +*Musica concertante* für Kammerorch. (1958); *Epizody* für Streichorch. und 3 Schlagzeuggruppen (1959); *Segmenti per orch.* (7 Instrumentalgruppen: 12 Blasinstr., 5 Saiteninstr. und Schlagzeug, 1961); »Propositionen« *A Piacere* für Kl. (1963); *Freski symfoniczne* für Orch. (1964); *Niobe* für 2 Sprech-St., gem. Chor und Orch. (1966); Sextett *Continuum* für 123 Schlaginstr. (6 Spieler, 1966); *Forte e piano* für 2 Kl. und Orch. (1967); 4 Sätze *Poezje* (»Gleichnisse«) für S. und Kammerorch. (1969); *Swinging Music* für Klar., Pos., Vc. (oder Kb.) und Kl. (1970); *Dramatic Story* für Orch. (1970); *Fantasmagoria* für Kl. und Schlagzeug (1971); *Fantasia elegiaca* für Org. und Orch. (1972).
Lit.: Z. LISSA, Koncert romantyczny K. S.ego, in: Muzyka II, 1951; T. A. ZIELIŃSKI in: Ruch muzyczny XVI, 1972, Nr 24, S. 3ff. (zu »Continuum«).

+Serow, –1) Alexandr Nikolajewitsch, 11.(23.) 1. 1820 – 20. 1. (1. 2.) 1871. Eine weitere Oper *Taras Bulba* (1865–68) blieb ebenfalls unvollendet. »Kritische Aufsätze« erschienen posthum gesammelt als *Krititscheskije statji* (4 Bde, St. Petersburg 1892–95).
–2) Walentina Semjonowna, 1846 – [erg.:] Juni 1924 [nicht: 1927].
Lit.: zu –1): Isbrannyje statji (»Ausgew. Aufsätze«), hrsg. v. G. N. CHUBOW, 2 Bde, Moskau 1950–57, Bd I deutsch als: Aufsätze zur Mg., hrsg. v. N. Notowicz, Bln 1955; Wospominanija o M. I. Glinke (»Erinnerungen an M. I. Glinka«), = Russkaja klassitscheskaja musykalnaja kritika o. Nr, Moskau 1951. – Pisma (»Briefe«), hrsg. v. I. SMIRNOWA, SM XXVII, 1961; Is pissem S.a (»Aus S.s Briefen«), hrsg. v. M. BUTYLINA, SM XXXV, 1971. – +O. v. RIESEMANN, Monographien zur russ. Musik (I, 1923), Nachdr. Hildesheim 1971. – G. BĂLAN, Un strălucit precursor al esteticii muzicale ştiintifice (»Ein glänzender Vorläufer d. wiss. Musikästhetik«), in: Muzica V, 1955; D. LEHMANN, Der russ. Komponist u. Musikforscher A. N. S. u. sein Mozart-Bild, Kgr.-Ber. Wien Mozartjahr 1956; DERS. in: MGG XII, 1965, Sp. 568ff.; T. N. LIWANOWA, Polemika W. W. Stassowa i A. N. S.a ob operach Glinki (»W. W. Stassows u. A. N. S.s Polemik über Glinkas Opern«), in: Pamjati Glinki 1857–1957, hrsg. v. W. A. Kisseljow u. a., Moskau 1958; G. ABRAHAM, The Operas of S., in: Essays, Fs. E. Wellesz, Oxford 1966; B. LJUBIMOW, S. o musykalnoj drame (»S. über d. Musikdrama«), SM XXXII, 1968; A. M. STUPEL, A. N. S., Leningrad 1968; A. GOSENPUD, Opernoje tworschestwo A. N. S.a (»A. N. S.s Opernschaffen«), SM XXXV, 1971. – zu –2): N. SELOW in: SM XXX, 1966, H. 11, S. 50ff.

Serpette (sɛrp'ɛt), Henry-Charles-Antoine-Gaston, * 4. 11. 1846 zu Nantes, † 3. 11. 1904 zu Paris; französischer Komponist, war Advokat und studierte Komposition am Pariser Conservatoire bei A. Thomas. 1871 erhielt er für die Kantate *Jeanne d'Arc* den 1er grand prix de Rome. Er schrieb u. a. (Aufführungsort Paris) die Opéras-comiques *Le moulin du Vert-Galant* (1876) und *Le Capitole* (1895), die Comédie-opérette *La demoiselle du téléphone* (1891), die Operetten *Madame le diable* (Text Meilhac und A. Mortier, 1882), *Princesse* (1883), *Tige de lotus* (1883), *Le petit chaperon rouge* (1885), *Adam et Ève* (1886), *La lycéenne* (Text Georges

Feydeau, 1887) und *Le royaume des femmes* (1896), Klavierstücke, Lieder, Romanzen sowie Bühnenmusik.

Serrano (sɛrr′ano) y Ruiz, Emilio, * 13. 3. 1850 zu Vitoria, † 8. 4. 1939 zu Madrid; spanischer Komponist und Pianist, studierte Klavier (Dámaso Zabalza) und Komposition (Arrieta y Corera) am Konservatorium in Madrid, an dem er 1870–1920 Komposition lehrte. 1895 wurde er Pensionado de mérito an der Academia Española de Bellas Artes in Rom. 1895–98 war S. künstlerischer Direktor der Königlichen Oper in Madrid. Daneben entfaltete er eine rege Konzerttätigkeit als Pianist und Dirigent. Er schrieb u. a. die Opern *Mitridates* (Madrid 1882), *Doña Juana la loca* (nach *Locura de amor* von M. Tamayo y Baus, ebd. 1890), *Irene de Otranto* (ebd. 1891), *Gonzalo de Córdoba* (ebd. 1898) und *La maja de rumbo* (Buenos Aires 1910), die Zarzuela *La Bejarana* (mit Francisco Alonso, Madrid 1924), Orchesterwerke (Symphonie Es dur, 1887; Symphonische Dichtung *La primera salida de Don Quijote*, 1908; Konzert für Kl. und Orch.), Kammermusik (Streichquartett H moll, 1908), Klavierwerke (Suite *Las narraciones de la Alhambra*) und Vokalmusik (*Canciones del hogar* für Singst. und Orch.). – Veröffentlichungen: *Prontuario teórico de la armonia* (Madrid 1884); *Estado actual de la música en el teatro* (ebd. 1901). Lit.: J. SUBIRÁ, Las cinco óperas del Académico D. E. S., in: Acad. (Bol. de la Real Acad. de bellas artes de S. Fernando) 1962.

Serrano, José, * 14. 10. 1873 zu Sueca (Valencia), † 8. 3. 1941 zu Madrid; spanischer Komponist, ging nach anfänglichen Studien bei seinem Vater und später am Konservatorium in Valencia nach Madrid, wo er mit Zarzuelas im Stil des Género chico in der Tradition von Bretón und Chapí y Lorente außerordentlich erfolgreich war. Genannt seien (Uraufführungsort Madrid): *El motete* (1900); *La reina mora* (1903); *Mal de amores* (1904); *Moros y cristianos* (1905); *Alma de dios* (1907); *La alegría del batallón* (1909); *El carro del sol* (mit Vives, 1911); *La canción del olvido* (1916); *El príncipe Carnaval* (1916); *Los de Aragón* (1927); *Los claveles* (1929); *La dolorosa* (1930). Eine postume andalusische Oper *La venta de los gatos* wurde 1943 in Madrid uraufgeführt. Lit.: A. SAGARDÍA, El compositor J. S., = Capacidades III, Madrid 1972.

Serrao, Paolo, * 1830 zu Filadelfia (Catanzaro), † 17. 3. 1907 zu Neapel; italienischer Komponist und Musikpädagoge, studierte in Neapel am Conservatorio di Musica S. Pietro a Majella (C. Conti) sowie bei Mercadante, lehrte zunächst privat Klavier und Komposition und wurde 1863 Professor für Komposition am Conservatorio ... in Neapel. Zu seinen Schülern zählen Cilea, Giordano, Leoncavallo, G. Martucci, Mugnone und Paolantonio. Er schrieb die Opern *Pergolesi* (Neapel 1857), *La duchessa di Guisa* (ebd. 1865) und *Il figliuol prodigo* (ebd. 1868), die Sinfonia funebre *Omaggio a Mercadante* (1871), Klavierstücke, das Oratorium *Gli ortonesi in Scio* (1859), die Passion *Le tre ore d'agonia*, Messen, ein Requiem und Lieder.

+Serre, Jean-Adam, [erg.: 14. 11.] 1704 – [erg.: 22. 3.] 1788.
Ausg.: Essais sur les principes de l'harmonie où l'on traite de la théorie de l'harmonie en général ..., Faks. d. Ausg. Paris 1753, = MMMLF II, 52, NY 1967; dass., Nachdr. Hildesheim 1971; Observations sur les principes de l'harmonie, occasionnées par quelques écrits modernes sur ce sujet, Faks. d. Ausg. Genf 1763, = MMMLF II, 53, NY 1967.
Lit.: E. R. JACOBI in: MGG XII, 1965, Sp. 575ff.

Sertl, Otto, * 12. 6. 1924 zu Wien; österreichischer Rundfunkredakteur, studierte in Wien an der Akademie für Musik und darstellende Kunst Klavier und Musiktheorie (Lechthaler, J. Marx) sowie an der Universität Musikwissenschaft und promovierte 1951 in Innsbruck über *J. Dessauer (1798–1876), ein Liedmeister des Wiener Biedermeier.* Ab 1953 war er im Studio Klagenfurt und ab 1957 im Studio Salzburg des ORF tätig. 1960 wurde er Leiter des Bühnen- und Konzertvertriebs des Musikverlags B. Schott's Söhne in Mainz und 1963 Hauptabteilungsleiter für Musik des Saarländischen Rundfunks. Seit 1968 ist S. Leiter der Hauptabteilung Musik im Hörfunk beim ORF.

+Servais, –1) Adrien François, 1807–66. S., der nur 2 [nicht: 3] Cellokonzerte (op. 5 und op. 18) schrieb, unternahm schon ab 1833 [nicht: 1843] ausgedehnte Konzertreisen.
Lit.: zu –1): W. PAPE, Die Entwicklung d. Violoncellspiels im 19. Jh., Diss. Saarbrücken 1962.

Servandoni, Giovanni Niccolò (Jean Nicolas), * 2. 5. 1695 zu Florenz, † 19. 1. 1766 zu Paris; italienischer Architekt, Festdekorateur und Bühnenbildner, Schüler des Architekturmalers G. P. Pannini in Piacenza und des Architekten G. I. Rossi in Rom, ging 1724 nach Paris, wo er ab 1728 »premier peintre-décorateur de l'Académie Royale de Musique« (*Orion*, Lacoste, 1728; *Tancrède*, Campra, 1729; *Phaéton*, Lully, 1730; *Les Indes galantes*, J. Ph. Rameau, 1735) sowie Leiter der Hoffeste war und 1731 in die Académie Royale de Peinture et de Sculpture aufgenommen wurde. Als renommierter Inszenator von Festlichkeiten veranstaltete er 1738–42 in der Salle des machines in den Tuilerien »spectacles à décors«, in denen die späteren Dioramen vorweggenommen waren (*Représentation de l'église de St-Pierre à Rome*, 1738; *Descente d'Enée aux enfers*, 1740), und reiste 1742 nach Lissabon, 1745 nach Bordeaux, 1749 nach London, 1755 nach Dresden (*Ezio*, 1755, und *L'Olimpiade*, 1756, von J. A. Hasse), 1760 nach Wien (Festveranstaltungen bei der Hochzeit des Erzherzogs Joseph mit Isabella von Bourbon-Parma) und 1764 an den Hof Karl Eugens, Herzog von Württemberg (*Demofoonte* von Hasse, mit Colomba, anläßlich der Eröffnung des Ludwigsburger Hoftheaters). – S. war Regisseur, Techniker, Erfinder effektvoller Feuerwerke und Experimentator im Gesamtbereich des Fest- und Theaterwesens. Als Bühnenbildner vertrat er eine klassizistische Variante der winkelperspektivischen Szenengestaltung, die er in Paris einführte (*Philomèle*, 1734). Seine Dekorationen wahren immer die Beziehung zu realer Architektur, seine Landschaften sind »romantisch« eingefärbt; die durch additive Reihung von dekorativen und ornamentalen Elementen gekennzeichneten Szenerien verraten einen »goût bizarre et pittoresque«. Die wenigen erhaltenen Entwürfe S.s befinden sich in der Albertina in Wien, der Sammlung Scholz in New York und im Nationalmuseum in Stockholm.
Lit.: P. ZUCKER, Die Theaterdekoration d. Klassizismus, Bln 1925; H. TINTELNOT, Barocktheater u. barocke Kunst, Bln 1939; J. SCHOLZ u. A. H. MAYOR, Baroque and Romantic Stage Design, NY 1950; S. ARMBRUSTER, Zur Entwicklung d. neuzeitlichen Theaterdekoration in Frankreich bis zum Klassizismus, Diss. München 1954; P. BJURSTRÖM, S., décorateur de théâtre, Rev. d'hist. du théâtre VI, 1954; DERS., S. et la Salle des machines, ebd. XI, 1959; H. KINDERMANN, Theatergesch. Europas, Bd III: Theater d. Barockzeit, Salzburg 1959. HS

+Sessions, Roger Huntington, * 28. 12. 1896 zu Brooklyn (N. Y.).

An der Princeton University (N. J.) wirkte S. bis 1965; seitdem lehrt er Komposition an der Juilliard School of Music in New York. 1966–67 war er E. Bloch Professor an der University of California in Berkeley und 1968–69 Ch. E. Norton Professor an der Harvard University (Mass.). – In einem »mehr klassizistischen Stil« sind S.' Werke nur bis etwa 1935 gehalten; seit 1953 bedient er sich auch der Zwölftontechnik. – S., Mitglied zahlreicher Akademien (u. a. des National Institute of Arts and Letters) und mehrfacher Ehrendoktor (u. a. der Harvard University), wurde 1961 mit der Gold Medal der American Academy of Arts and Letters ausgezeichnet. – +*Montezuma* (1947–62, Bln 1964); +*Idyll of Theocritus* für [erg.: S. und] Orch. (1954 [nicht: 1956]); +Violinkonzert (1931–35 [nicht: 1940]). – Neuere Werke: Divertimento (1959), 5.–8. Symphonie (1963, 1966, 1967, 1968) und Rhapsodie (1970) für Orch.; Doppelkonzert für V., Vc. und Orch. (1971); Concertino für Kammerorch. (1972); 3. Klaviersonate (1965), 6 Stücke für Vc. solo (1966), Kanons für Streichquartett (in memoriam I. Strawinsky, 1971; Kantate *When Lilacs Last in the Dooryard Bloom'd* für S., A., Bar., Chor und Orch. (W. Whitman, 1970), Psalm 140 für S. und Org. (oder Orch., 1963). – Weitere Schriften: +*The Musical Experience of Composer, Performer, Listener* (1950), Nachdr. Princeton/N. J. 1971, auch London und NY 1972 (Paperbackausg.); *Questions About Music* (= The Ch. E. Norton Lectures 1968–69, Cambridge/Mass. 1970); *Problems and Issues Facing the Composer Today* (MQ XLVI, 1960). – S. übersetzte (mit O. Strunk und A. H. Krappe) A. Einsteins *The Italian Madrigal* (3 Bde, Princeton/N. J. 1949, Nachdr. 1970).
Lit.: A. BAGNALL u. L. A. WRIGHT, R. H. S., A Selective Bibliogr. and a Listing of His Compositions, in: Current Musicology 1973, Nr 15. – N. SLONIMSKY in: American Composers on American Music, hrsg. v. H. Cowell, Stanford (Calif.) 1933, NA (unverändert) NY 1962, S. 75ff.; R. COGAN in: Musik och ljudteknik III, 1961, H. 2, S. 4ff.; DERS. u. E. POZZI in: Bol. interamericano de música 1963, Nr 33, S. 3ff.; A. IMBRIE in: Perspectives of New Music I, 1962/63, Nr 1, S. 117ff., Wiederabdruck in: Perspectives on American Composers, hrsg. v. B. Boretz u. E. T. Cone, = The »Perspectives of New Music« Series o. Nr, NY 1971; DERS. in: Tempo 1972, Nr 103, S. 24ff. (zu d. Symphonien): E. T. CONE in: Perspectives of New Music IV, 1965/66, Nr 2, S. 29ff. (Interview), Wiederabdruck in: Perspectives on American Composers … (s. o.); DERS. in: Perspectives of New Music X, 1971/72, Nr 2, S. 130ff.; E. C. LAUFER, ebd. IV, 1965/66, Nr 1, S. 95ff. (zu »Montezuma«); E. W. SCHWEITZER, Generation in String Quartets of Carter, S., Kirchner, and Schuller, Diss. Univ. of Rochester (N. Y.) 1966; H. WEINBERG u. P. PETROBELLI, R. S. e la musica americana, nRMI V, 1971; H. S. POWERS in: MQ LVIII, 1972, S. 297ff. (zu »When Lilacs Last …«).

+Setaccioli, Giacomo, 1868–1925.
S., dessen Oper +*Adriana Lecouvreur* unvollendet blieb und nicht aufgeführt wurde [del. frühere Angabe dazu], schrieb an weiteren Opern *L'ultimo degli Abenceragi* (Rom 1893) und *Il Mantellaccio* (RAI 1954).
Lit.: ANON., G. S., Rom 1969.

Seter, Mordecai, * 26. 2. 1916 zu Noworossisk (Westkaukasus); israelischer Komponist, studierte 1932–37 an der Ecole Normale de Musique in Paris bei Strawinsky, Dukas und Nadia Boulanger und ist heute Lehrer an der Israel-Musikakademie in Tel Aviv. Sein kompositorisches Schaffen ist von der antikhebräischen Liturgie und nahöstlichen folkloristischen Elementen beeinflußt. Er komponierte u. a. die Ballette *Judith* (Tel Aviv 1962) und *Part Real, Part Dream* (NY 1965, Choreographie von Martha Graham nach der *Fantaisie concertante* für Orch.), Orchesterwerke

(Variationen, 1959; *Ricercar* für Kammerorch., 1961, als Ballett Den Haag 1971, Fassung für Streichquartett 1965; Elegie für Klar. und Streicher oder Kl.; *Jephta's Daughter* und *Rounds* für Kammerorch.), Kammermusik (*A due e a tre* für Violinen, I *Easy Duets*, II *Progressive Duets & Trios* und III *Duetti virtuosi*, 1950–54; *Diptyque* für Fl., Englisch Horn, Klar. und Fag., 1955; *Monodrama* für Klar. und Kl., 1972; Sonaten für 2 V., 1962, und für V. solo, 1971), Klavier- und Vokalwerke (Kantate *I' Shabbat* für Soli, gem. Chor und Streicher oder Org., 1940; Oratorium *Tikun-Chazot*, »Mitternachtswache«, für T., gem. Chor und Orch., 1962; 3 Motetten, 1962; *Jerusalem*, Symphonie für Chor und Orch., 1966; *Yemenite Suite* für Kammerorch. mit oder ohne Mezzo-S. oder Bar., 1966).

+Setterquist.
Nach dem Tode von Erik Gustaf Gunnar S. (1879 – [erg.: 2. 9.] 1936) führte sein nicht als Orgelbauer tätig gewesener Sohn [erg.: Gustaf Adolf] Gunnar S. (* 1914) die Firma lediglich bis 1940. Der Betrieb, seitdem nicht mehr in Händen der Familie S. und als »E. A. Setterquist & Son Eftr.« (‚Nachfolger') firmierend (Sitz in Strängnäs, Södermanland), ging 1956 auf Einar Ekholm (* 1908) und die Angestellten der Firma über.

Seuffert, Johann Philipp, getauft 5. 3. 1693 zu Gössenheim (Franken), † 18. 6. 1780 zu Würzburg; deutscher Orgelbauer, lernte bei Johann Hofmann in Würzburg und war dann in Österreich, Böhmen, Ungarn und Polen tätig. Nach seiner Rückkehr übernahm er die Werkstatt von Franz Carl Hillenbrand in Würzburg und wurde 1731 Hoforgelmacher. Er konstruierte über 200 Orgeln, darunter die Haupt- und Chororgel von Kloster Banz (1736 bzw. 1743), die Hauptorgel der Klosterkirche Ebrach (1742–43), die Haupt- und Chororgel der Klosterkirche Grafschaft/Westf. (1745–47) sowie die Orgeln der Hofkirche und der Franziskanerkirche in Würzburg (1746 bzw. 1767). Seine Nachfolger waren sein Sohn Franz Ignaz S. (1732–1810), dann sein Enkel Philipp Albert S. (1764–1834) und nach dem Aussterben der Würzburger Linie Balthasar Schlimbach (1807–96).
Lit.: L. WALTER, Der Würzburger Hoforgelmacher J. Ph. S., in: Die Mainlande XII, 1961; R. REUTER, Die Grundlagen d. Gesch. d. Orgelbaues in Westfalen, Fs. K. G. Fellerer, Regensburg 1962; DERS., Die Orgelchronik d. J. Fr. Nolte. Eine unbekannte Quelle zur Gesch. d. Orgelbaus in Westfalen, KmJb XLVII, 1963; TH. WOHNHAAS u. H. FISCHER, J. Ph. S. u. seine Nachkommen, in: Fränkische Lebensbilder, N. F. II, 1968.

+Ševčík, Otakar, 1852–1934.
Zu seinen Schülern zählten nicht die bekannten Geiger H. Wieniawski, A. Wilhelmj und H. Heermann, sondern deren Kinder. An weiteren Schülern S.s sind zu nennen: [erg.: Jan] Kubelík, Daisy Kennedy [→ +Moiseiwitsch] sowie R. Kolisch und Wolfgang Schneiderhan. – Die +»Halbtonmethode« wurde zuerst von dem Dont-Schüler Joseph Hiebsch (*Methodik des Violinunterrichts*, Lpz. 1886) entwickelt. – Weitere Unterrichtswerke: »School of Intonation« op. 11, *Dvojhmatová škola* op. 12 (»Doppelgriffschule«), *Škola arpegií a modulací* op. 13 (»Schule der Arpeggios und Modulationen«), *Škola akordická* op. 14 (»Akkordschule«), *Škola flažoletu a pizzicata* op. 15 (»Schule der Flageolette und Pizzicati«), *Škola houslového přednesu na podkladě melodickém* op. 16 (»Schule des Vortrags auf melodischer Grundlage«), *Výměna poloh v jednoduchých hmatech a dvojhmatech* op. 22 (»Lagenwechsel in einfachen Griffen und Doppelgriffen«), *Chromatika ve všech polohách* op. 23 (»Chromatik in allen Lagen«), *Pizzicato levé ruky se*

sončasným arco pravé ruky op. 24 (»Pizzicato mit der linken Hand mit gleichzeitiger Arco-Technik der rechten Hand«). Als op. 17–21 (Brünn 1929–32) erschienen analytische Studien einzelner Takte und Taktgruppen der Violinkonzerte von H. Wieniawski (Nr 2 D moll), Brahms (als op. 25 auch eine entsprechende Arbeit zur Kadenz von J. Joachim, Bln 1929), Tschaikowsky, Paganini (Nr 1 Es dur) und Mendelssohn Bartholdy. Die Studie zum Violinkonzert von Dvořák blieb Manuskript (ohne op.-Zahl), die zum Violinkonzert von Beethoven unvollendet. Als op. 26 veröffentlichte er *R. Kreutzer. Etudes-Caprices s analytickými studiemi* (»Etudes-Caprices mit analytischen Studien«, 4 H., Brünn 1932–33).

Lit.: +A. Moser, Gesch. d. Violinspiels (1923), 2. Aufl. hrsg. v. H.-J. Nösselt, 2 Bde, Tutzing 1966–67; +V. Nopp, [erg.: Profesor] O. Š., Brünn [nicht: Prag] 1948. – J. Vymětal, O. Š. a jeho houslová metoda (»O. Š. u. seine V.-Methode«), Prag 1904; J. Bastař, O. Š. ebd. 1934; ders., Studie k dějinám československého houslového uměni (»Studie zur Gesch. d. tschechoslowakischen V.-Kunst«), Diss. ebd. 1948; N. Kubát, O. Š., ebd. 1956; A. Mingotti, Wie übt man Š.s Meisterwerke f. V.? Eine Anleitung zum Studium, Köln 1956; V. Starý, O. Š. v Prachaticích ... (»O. Š. in Prachatitz. Gesammelte Aufsätze«), Česky Budějovice 1967; K. Samajevová, Kyjevské obdobi činnosti O. Š.a (»Der Kiewer Zeitabschnitt im Schaffen v. O. Š.«), in: Hudební rozhledy XXVI, 1973.

+Séverac, [erg.: Joseph-Marie] Déodat de, 1872 [nicht: 1873] – 1921.
Lit.: J. Canteloube, S., Paris 1950; Vl. Jankélévitch, La rapsodie, = Bibl. d'esthétique o. Nr, ebd. 1955; E. Brody, The Piano Music of D. de S., A Stylistic Analysis, 2 Bde, Diss. NY Univ. 1964; dies. in: MR XXIX, 1968, S. 172ff.

+Sevitzky, Fabien (Kussewizkij), * 17.(29.) 9. 1891 [nicht: 1893] zu Wischnij Wolotschok (Gouvernement Twer), [erg.:] † 3. 2. 1967 zu Athen.
S., mehrfach zum Ehrendoktor amerikanischer Universitäten ernannt, war 1959–65 musikalischer Leiter des University of Miami Symphony Orchestra (Fla.) und 1965–66 der Greater Miami Philharmonic. Bis zu seinem Tode ist er als Gastdirigent namhafter Orchester hervorgetreten.

+Seydelmann, Franz, 1748–1806.
S. wurde 1778 [nicht: 1787] kurfürstlicher Kapellmeister in Dresden.
Lit.: R. Engländer in: MGG XII, 1965, Sp. 598ff.

Seydî (Saiyidî), möglicherweise Šaiḫ Maḥbūb, türkischer Musiktheoretiker der 2. Hälfte des 15. Jh., schrieb vor 1504 das türkische (*al-Maṭlaʿ*) *Fī bayān al-adwār wa-l-maqāmāt wa-fī ʿilm al-asrār wa-r-riyāḍāt* (»[Einführung in die] Erklärung der melischen und metrischen Zyklen und der Maqāmāt, des verborgenen Wissens und der naturwissenschaftlichen Theorien [der Musik]«), fälschlich als Musikkapitel des Murādnāma bezeichnet. Dieses umfangreiche Lehrgedicht mit Prosateilen enthält neben pseudohistorischen »Erzählungen« sehr anschauliche, aus der Praxis der Zeit erwachsene und terminologisch höchst interessante Abschnitte über die charakteristischen Töne der 12 Maqāmāt, der 6 (bzw. 7) Āwāzāt, der 4 Šuʿab (beides Maqām-Ausschnitte) und der aus diesen zusammengesetzten 56 Tarkībāt, über Intervalle an Hand von 38 Tonbuchstaben, über 16 Metren (in al-Fārābīs Terminologie), über die einzelnen Teile der mehrsätzigen Nauba (als ausführlichste Quelle neben ʿAbdalqādir al-Marāġī), über Aufführungszeiten der Maqāmāt usw. und über Musikinstrumente.
Ausg.: M. K. Özergin, XV. Yüzyıla ait bir edvar kitabı, Seydî'nin el-Matla'ı (»Ein Musikbuch aus d. 15. Jh., S.s

al-M.«), in: Musiki mecmuası 1964, Nr 196ff., 1965, Nr 205f. u. 208ff., sowie 1966, Nr 215f. u. 218 (Text in neutürkischer Umschrift).
Lit.: G. Oransay, Türkiye'nin beşyüz yıllık küğ yaşamından belgeler (»Dokumente aus d. 500jährigen Musikleben d. Türkei«), in: Musiki mecmuası 1964, Nr 196; M. Yeşil, Türk musikisi için bir bibliyografya denemesi (»Versuch einer Bibliogr. zur türkischen Musik«), ebd. 1966, Nr 221.

Seyfarth, Johann Gabriel (Seiffart, Seifarth, Seyfart), * 1711 zu Reisdorf (bei Weimar), † 6. 4. 1796 zu Berlin; deutscher Komponist und Violinist, studierte in Weimar bei J. G. Walther (Klavier) sowie in Zerbst bei Hoeckh (Violine) und J. Fr. Fasch (Komposition). Er trat als Violinist auf und wurde 1741 Kammermusikus am Hofe des Prinzen Heinrich von Preußen. Daneben hatte er die Ballettmusik für die Königliche Oper in Berlin zu schreiben. Er komponierte u. a. eine Sinfonie, ein Cembalokonzert, eine Kantate, eine Sonatine für Cemb. und Lieder.
Lit.: S. Loewenthal, Die musikübende Ges. zu Bln u. d. Mitglieder J. Ph. Sack, Fr. W. Riedt u. J. G. S., Diss. Basel 1928; H. Uldall, Das Klavierkonzert d. Berliner Schule, = Slg mw. Einzeldarstellungen X, Lpz. 1928.

+Seyfried, Ignaz Xaver, Ritter von, 1776–1841.
+*L. van Beethovens Studien im Generalbass, Contrapunkt und in der Compositionslehre* (²1853 [nicht: 1852]), Nachdr. Hildesheim 1967.

+Seymer, John William, * 21. 8. 1890 und [erg.:] † 17. 3. 1964 zu Stockholm.

+Sgambati, Giovanni, 1841–1914.
Lit.: M. Rinaldi, Il sogno di G. Sg., in: I grandi anniversari del 1960 ..., hrsg. v. A. Damerini u. G. Roncaglia, = Accad. mus. Chigiana (XVII), Siena 1960; S. Martinotti in: MGG XII, 1965, Sp. 609ff.; B. Friedland, Italy's Ottocento. Notes from the Mus. Underground, MQ LVI, 1970.

Sgatberoni, Johann Anton, * um 1708 und † 5. 2. 1795 zu Graz; österreichischer Organist und Komponist, war Stadtpfarrmusikus in Graz und zählt mit seinen Mitte des 18. Jh. verfaßten Cembalokonzerten, von denen die in D dur, B dur, G dur und A dur erhalten sind, zu den Mitgründern dieser Gattung in Österreich.
Ausg.: Cemb.-Konzerte G dur u. A dur, hrsg. v. H. Federhofer u. G. M. Schmeiser, = Musik alter Meister XXVIII/XXIX, Graz 1972.
Lit.: H. Federhofer u. G. M. Schmeiser, Grazer Stadtmusikanten als Komponisten vorklass. Klavierkonzerte, Hist. Jb. d. Stadt Graz IV, 1971.

Sgrizzi (zgr'id-dzi), Luciano, * 30. 10. 1910 zu Bologna; italienischer Pianist, Cembalist und Komponist, lebt in Purasca (Tessin). Er trat 1923–26 als Konzertpianist in Europa und Südamerika auf, studierte 1926–31 Orgel und Komposition in Parma bei Ferrari Trecate sowie 1934–36 bei Bertelin in Paris und setzte dann seine Konzertlaufbahn fort (1950 Salzburger Festspiele), ab 1947 auch als Cembalist. Seit 1948 ist Sgr. für Radio Lugano (auch Fernsehen) tätig; 1951 wurde er Mitglied der von Loehrer geleiteten Solistenvereinigung Società Cameristica di Lugano. Er schrieb u. a. ein Klavierkonzert (1936), *Suite belge* für Kammerorch. (1952), *Elegia e scherzo* für Fl., Fag. und Kl. (auch für Fl. und kleines Orch., 1952), *Suite-serenata* (1953), das Divertimento *Viottiana* (1954) und *Sinfonietta rococò* (1954) für kleines Orch., *English Suite* für Kammerorch. (1956), *Capriccio* für Fl. und kleines Orch. (1957), *Ostinati* für Kl. (1960) sowie freie Bearbeitungen. Sgr. ist auch mit Neuausgaben italienischer Musik (Banchieri, Rinaldo da Capua, Marcello, Pergolesi, A. Scarlatti, Vivaldi) hervorgetreten.

+Shakespeare, W i l l i a m , 1564–1616.
Sh., aus wohlhabendem bürgerlichen Hause stammend, ging vermutlich um 1586 mit einer Schauspieltruppe nach London, wo er, als Bühnenautor inzwischen erfolgreich geworden, mit dem Tragöden R. Burbage und dem Clown W. Kemp um 1594 die Schauspieltruppe »Lord Chamberlain's Men« gründete, die später (1603) in »King's Men« umbenannt wurde. Diese Truppe führte dann Sh.s Stücke vor allem im Globe Playhouse (nach 1599) und am Blackfriar Theatre (nach 1609) auf. Um 1611 zog sich Sh. von der Bühne zurück und lebte bis zu seinem Tode in Stratford-on-Avon. – 1623 stellten J. Heminge und H. Condell, Mitglieder von Sh.s Schauspieltruppe, einen Folioband zusammen, der die Grundlage für alle späteren Ausgaben bildet.

Die zentrale und am häufigsten verwendete musikalische Gattung in Sh.s Dramen ist das Lied (meist Volkslied, Straßenlied, Ballade oder Ayre; ausgeführt von Männer- bzw. die Frauenrollen von Knabenstimmen). Entgegen den sonstigen Gepflogenheiten der elisabethanischen Dramatiker, nur Titel und Textanfänge anzugeben (oft mit »cantat« bezeichnet), sind bei Sh. gegenüber der Vorlage häufig abgeänderten Liedtexte vollständig wiedergegeben. Dadurch ist das Lied nicht mehr bloßes Divertissement, sondern gewinnt durch Einarbeitung in die Textstruktur (als Anspielung, Zitat und Parodie; zur Personencharakterisierung, zur Schilderung dramatischer Situationen und Dispositionen) dramatische Funktion. Entsprechend der Tradition findet das Lied vor allem in der Komödie Verwendung. Entgegen der Tradition, die in der Tragödie keine Lieder kennt, hat Sh. auch hier Lieder verlangt, die zwar sparsamer, aber um so gezielter eingesetzt werden: Ophelias Lied im *Hamlet* spiegelt den Grad ihres Wahnsinns in verstärktem Maße wider, da es in der elisabethanischen Zeit als unschicklich galt, Adelige auf der Bühne singen zu lassen. Dabei wird, ein Novum für die Zeit, Tragisches mit Lyrischem verbunden (sinnfällig dargestellt in Desdemonas »Willow-Song« im *Othello*). – Genaue Bühnenanweisungen geben Aufschluß über die zu verwendende Instrumentalmusik, die aufgrund ihrer rein funktionalen Gebundenheit im Vergleich zum Lied nicht über die traditionelle Bühnenmusik der Zeit hinausgeht. Instrumentalmusik ist überwiegend in den Tragödien und Königsdramen vorgesehen: das Broken Consort als Repräsentationsmusik bei Banketten; zarte, helle Klänge von Streichern (auch mit Harfen) beim Eingreifen übernatürlicher Mächte und zur Darstellung von Sphärenmusik; Signalinstrumente (Trompete, Posaune, auch die Oboe als unheilverkündendes Instrument) bei prunkhaft festlichen oder bei kriegerischen Ereignissen. – Die Bedeutung der Musik in Sh.s Dramen läßt nicht nur Schlüsse auf deren »Musikalisierbarkeit« zu, sondern gibt auch Aufschluß über Musikästhetik und gesellschaftliche Rolle der Musik im elisabethanischen Zeitalter.

Nahezu alle Stücke sind vertont worden. Bereits um 1664 soll laut S. Pepys' Tagebuch eine musikalische Bearbeitung des Hamlet-Monologs »To be, or not to be« für Singst. und Git. vorgelegen haben, und 1736 ließ man den 5. Akt des *Hamlet* in eine choreographisch-musikalische Apotheose des toten Helden münden. Von den zahlreichen Vertonungen seien genannt: Komödien: *The Comedy of Errors* (um 1591/92): R. Rodgers, Musical *The Boys from Syracuse* (NY 1938); *The Two Gentlemen of Verona* (um 1593): Fr. Schubert, Lied *An Silvia* D 891 (1826); *The Taming of the Shrew* (1593): H. Goetz, Oper (Mannheim 1874), E. Wolf-

Ferrari, Oper *Sly*, auf dem Vorspiel basierend (Mailand 1927), C. Porter, Musical *Kiss me, Kate* (NY 1948); *All's Well That Ends Well* (1590/94 oder 1602/03): M. Castelnuovo-Tedesco, Oper (Florenz 1959); *A Most Pleasaunt and Excellent Conceited Comedie of Syr Iohn Falstaffe, and The Merrie Wives of Windsor* (1597): K. D. v. Dittersdorf, komisches Singspiel *Die lustigen Weiber von Windsor und der dicke Hans* (Oels 1796), A. Salieri, *Falstaff ossia Le tre burle* (Wien 1799, mit Teilen aus *Henrie the Fourth*), O. Nicolai, Oper *Die lustigen Weiber von Windsor* (Bln 1849), A. Adam, Oper *Falstaff* (Paris 1856), G. Verdi, *Falstaff* (Mailand 1893, mit großen Teilen aus *Henrie the Fourth*), R. Vaughan Williams, *Sir John in Love* (London 1929); *Much Adoe About Nothing* (um 1598): H. Berlioz, *Béatrice et Bénédict* (Baden-Baden 1862), R. Hahn, musikalische Komödie (Paris 1936); *The Most Excellent Historie of the Merchant of Venice* (vor 1600): C. M. v. Weber, Lied »Sagt, woher stammt Liebeslust« für 3 Frauen-St. und Git. (1821), R. Hahn, Oper (Paris 1935), H. U. Engelmann, Konzertarie *Elegia e canto* für S., Kl. und Streichorch. op. 9 (auf den Text »Wie süß das Mondlicht auf dem Hügel schläft«, 1952), M. Castelnuovo-Tedesco, Oper (Florenz 1961); *A Midsommer Nights Dreame* (vor 1600): H. Purcell, Semi-Opera *The Fairy Queen* (London 1692), F. Mendelssohn Bartholdy, Ouvertüre op. 21 (1826) und Schauspielmusik für Soli, Chor und Orch. op. 61 (1842), A. Thomas, Oper (Paris 1850), H. Wolf, *Lied des transferierten Zettel* für Singst. und Kl. (1889) und *Elfenlied* für S., Frauenchor und Orch. (1889–91), C. Orff, Bühnenmusik (Darmstadt 1952, Neufassung Stuttgart 1964), B. Britten, Oper op. 64 (Aldeburgh Festival 1960); *Twelfth Night, or What You Will* (1600/02): J. Haydn, »She never told her love«, Nr 4 aus 6 *Englische Kanzonetten* für Singst. und Kl. Hob. XXVIa:31–36 (1794/95), R. Schumann, *Schlußlied des Narren*, Nr 5 aus 5 *Lieder und Gesänge* op. 127 (1840–51), J. Brahms, »Komm herbei, Tod«, Nr 2 aus 4 *Gesänge* für Frauenchor, 2 Hörner und Hf. op. 17 (1860), B. Smetana, Opernfragment *Viola* (1874 und 1883–84, Fragment des 1. Aktes, Prag 1924), E. W. Korngold, *Narrenlieder* op. 29 (1943); *Measure for Measure* (um 1603/04): R. Wagner, komische Oper *Das Liebesverbot oder Die Novize von Palermo* (Magdeburg 1836).

Königsdramen (History Plays): *The Tragedy of King Richard the Third* (um 1592/93): B. Smetana, symphonische Dichtung (1858); *The Historie of Henrie the Fourth* (1597): G. Holst, Oper *At the Boar's Head* (Manchester 1925); *The Famous History of the Life of King Henry the Eight* (1612/13): C. Saint-Saëns, Oper (Paris 1883).

Tragödien: *An Excellent Conceited Tragedie of Romeo and Juliet* (1591/95): G. Benda, Oper (Gotha 1776), V. Bellini, *I Capuleti ed i Montecchi* (Venedig 1830), H. Berlioz, dramatische Symphonie für Soli, Chor und Orch. op. 17 (1839), Ch. Gounod, Oper (Paris 1867), P. Tschaikowsky, Fantasieouvertüre (1869, revidiert 1880), S. Prokofjew, Ballett op. 64 (Leningrad 1940), H. Sutermeister, Oper (Dresden 1940), B. Blacher, Kammeroratorium op. 22 (1949, zur Oper umgearbeitet 1950), L. Bernstein, Musical *West Side Story* (NY 1957); *The Tragedie of Iulius Caesar* (vermutlich 1599): R. Schumann, Ouvertüre op. 128 (1851), G. Fr. Malipiero, Oper (Genua 1936), G. Klebe, einaktige Oper *Die Ermordung Caesars* op. 32 (Essen 1959); *The Tragicall Historie of Hamlet, Prince of Denmarke* (um 1600): H. Berlioz, *La mort d'Ophélie* für Singst. und Orch. (1847) und *Marche funèbre pour la dernière scène d'Hamlet* für Orch. (1848), Fr. Liszt, symphonische Dichtung (1858), A. Thomas, Oper (Paris 1868), J. Brahms, 5 *Ophelia-Lieder* für S. und Kl. (1873), P. Tschaikowsky, Fantasieouvertüre op. 67a (1888), R. Strauss, 3 Lieder der Ophelia (6 Lieder op. 67, 1919), B. Blacher, Tondichtung op. 17 (1940) und Ballett op. 35 (München 1950), H. Searle, Oper (Hbg 1968), S. Szokolay, Oper (Budapest 1968), H. U. Engelmann, Aktions-Musiktheater *Ophelia* op. 36 (phonetischer Text nach Sh. von Miriam Goldschmidt, Hannover 1969); *The Historie of Troylus and Cresseida* (um 1602): W. Zillig, Oper (Düsseldorf 1951); *The Tragœdy of Othello, the Moore of Venice* (um 1603): G. Rossini, Oper (Neapel 1816), G. Verdi, Oper (Mailand 1887), A. Dvořák, Ouvertüre op. 93 (1892), B. Blacher, Ballett *Der Mohr von Venedig* (Wien 1955); *True Chronicle Historie of the Life and Death of King Lear and His Three Daughters* (um 1604/05): H. Berlioz, Ouvertüre op. 4 (1831), G. Verdi, Opernplan (1843, 1850–57); *The Tragedie of Macbeth* (um 1606): G. Verdi, Oper (Florenz 1847), G. Bizet, Opernplan (um 1858), B. Smetana, *Macbeth a corodějnice* für Kl. (»Macbeth und die Hexen«, 1859), R. Strauss, Tondichtung op. 23 (1887–90), E. Bloch, Drame lyrique (Paris 1910); *The Life of Antony and Cleopatra* (1606/07): Fr. Schubert, Trinklied »Bacchus, feister Fürst« D 888 (1826), G. Fr. Malipiero, Oper (Florenz 1938), S. Barber, Oper op. 40 (NY 1966).

Spätwerke (Romantic Plays): *The Tragedie of Cymbeline* (um 1608/09): R. Kreutzer, Oper *Imogène ou La gageur indiscrète* (Paris 1796), Fr. Schubert, Ständchen »Horch, horch, die Lerch« für Singst. und Kl. D 889 (1826); *The Winters Tale* (Anfang 1611): M. Bruch, Oper *Hermione* op. 40 (Bln 1872), K. Goldmark, Oper (Wien 1907); *The Tempest* (1611): H. Purcell, Semi-Opera *The Tempest, or The Enchanted Island* (1695?), J. Fr. Reichardt, Singspiel *Die Geisterinsel* (Bln 1798), J. R. Zumsteeg, Oper *Die Geisterinsel* (Stuttgart 1798), H. Berlioz, Orchesterfantasie (1830), Fr. Halévy, Oper (London 1850), P. Tschaikowsky, Orchesterfantasie op. 18 (1873), A. Thomas, fantastisches Ballett (Paris 1889), Zd. Fibich, Oper (Prag 1895), A. Honegger, *Deux chants d'Ariel* und Orchestervorspiel (1923), L. Foss, Suite für Streichorch. (1941), H. Sutermeister, Oper *Die Zauberinsel* (Dresden 1942), Fr. Martin, 5 *Chansons d'Ariel* für kleinen Chor a cappella (1950) und Oper (Wien 1956), M. Tippett, *Songs for Ariel* für Singst. und Kl. oder Cemb. (1962).

Sonnets (begonnen vor 1598, erschienen 1609): Dm. Schostakowitsch, 58. Sonett (Nr 5 aus 6 Romanzen für B. und Kl. op. 62, 1942), M. Castelnuovo-Tedesco, 27 Sonette für Singst. und Kl. (1945), B. Britten, Nr 8 aus dem Liederzyklus *Nocturne* für T., 7 Soloinstr. und Streichorch. op. 60 (1958), R. Haubenstock-Ramati, *Mobile for Sh.* für St. und 6 Spieler (nach dem 53. und 54. Sonett, 1960), A. Reimann, 3 Sonette für Bar. und Kl. (1964).

An weiteren Vertonungen aus verschiedenen Werken Sh.s seien genannt: J. Sibelius (zahlreiche Lieder), R. Vaughan Williams (zahlreiche Chorwerke und Lieder), E. W. Korngold (4 Lieder op. 31 aus *Othello* und *As You Like It*), W. Fortner (Lieder, 1946), B. Britten (Oper *The Rape of Lucretia* op. 37, Glyndebourne 1946, nach Sh.s Epos von 1594), I. Strawinsky (3 Lieder: 8. Sonett »Musick to heare«, Lied des Ariel »Full fadom five thy father lies« und, aus *A Pleasant Conceited Comedie Called, Loves Labors Lost*, um 1593/94, das Lied »When daisies pied and violets blew« für Mezzo-S., Fl., Klar. und Va, 1953) und G. Schuller (5 Lieder für Bar. und Orch., 1965).

Ausg.: Comedies, Hist. & Tragedies. The First Folio (London 1623), Faks. hrsg. v. H. Kökeritz, New Haven (Conn.) 1955; dass., neu hrsg. v. Ch. Hinman, NY 1968. – A New Variorum Ed. of Sh., hrsg. v. H. H. Furness, fortgeführt v. d. Modern Language Ass. of America, Philadelphia 1871 (bisher noch nicht abgeschlossen); The Arden Sh., hrsg. v. W. J. Craig u. R. H. Case, 39 Bde, London 1899–1924, neu hrsg. v. U. Ellis-Fermor, ebd. 1953ff.; The Works of Sh. (Cambridge Ed.), hrsg. v. A. Quiller-Couch u. J. D. Wilson, 36 Bde, Cambridge 1921–66. – deutsche Ausg.: Sh.'s dramatische Werke, übers. v. A. W. v. Schlegel, ergänzt u. erläutert v. L. Tieck, 9 Bde, Bln 1825–33 u. ö., neu hrsg. v. K. Balser, 10 Bde, Wiesbaden 1964, dass. nach d. Ausg. v. 1843/44 hrsg. v. W. Clemen u. a., München 1967. – Sh., Worte über Musik, in Ausw. hrsg. v. K. Sydow, Wolfenbüttel 1951. – Sh. Music. Music of the Period, hrsg. v. E. W. Naylor, London 1913, Nachdr. NY 1973; Songs from Sh.'s Tragedies, hrsg. v. Fr. W. Sternfeld, London 1964; The Stratford Series of Sh. Songs, hrsg. v. L. Bridgewater, 2 Bde, ebd.

Lit.: A Sh. Encyclopædia, hrsg. v. O. J. Campbell u. E. G. Quinn, London 1966. – A. Boustead, Music to Sh., ebd. 1964 (Kat. v. Bühnenmusik, Liedsätzen usw.); V. Duckles, The Music f. the Lyrics in Early 17th-Cent. Engl. Drama. A Bibliogr. of the Primary Sources, in: Music in Engl. Renaissance Drama, hrsg. v. J. H. Long, Lexington (Ky.) 1968. – Sh.-Jb. (Jb. d. Deutschen Sh.-Ges.) Iff., (Bln) 1865ff., N. F. Iff., 1924ff.; Sh. Survey. An Annual Survey of Sh.an Study and Production, (Cambridge) 1949ff. (1962, Nr 15: The Poems and Music); Sh.-Quarterly Iff., (NY) 1950ff. (hervorgegangen aus: Sh. Ass. of America Bull., 1924–29). – Schekspir i musyka, Leningrad 1964 (Aufsatz-Slg); Sh. in Music, hrsg. v. Ph. Hartnoll, London 1964, Paperbackausg. = Papermac Bd 177, NY 1967 (Aufsatz-Slg, nebst Verz. d. Vertonungen).

+E. W. Naylor, Sh. and Music (1896, 21931), Nachdr. NY 1965; +G. H. Cowling, Music on the Sh.ian Stage ([erg.:] 1913), Nachdr. NY 1964; +J. H. Long, Sh.'s Use of Music, 3 Bde, Gainesville (Fla.) 1955–71. – L. Ch. Elson, Sh. in Music, = Library of Sh.an Biogr. and Criticism IIA, Boston 1900, Nachdr. NY 1968, auch Freeport (N. Y.) 1970 (Slg d. wichtigsten mus. Anspielungen, deren Erklärung u. Ableitung, nebst Ausg. d. originalen Musik); A. H. Moncur-Sime, Sh., His Music and Song, London 1915, Nachdr. NY 1971; Fr. Bridge, Sh.an Music in the Plays and Early Operas, London 1923, Nachdr. NY 1965; R. S. Noble, Sh.'s Use of Song, with the Text of the Principal Songs, London 1923, Nachdr. NY 1966; J. Str. Manifold, The Music in Engl. Drama, from Sh. to Purcell, London 1956; M. O. Thompson, Uses of Music and Reflections of Current Theories of the Psychology of Music in the Plays of Sh., Jonson, Beaumont, and Fletcher, Diss. Univ. of Minnesota 1956; J. J. Wey, Mus. Allusion and Song as Part of the Structure of Meaning of Sh.'s Plays, Washington (D. C.) 1957; E. S. H. Doss, The Unity of Play and Song in Sh., Diss. Univ. of Arkansas 1958; J. Hollander, The Untuning of the Sky, London 1961; T. Waldo u. R. Blackmon, Mus. Terms and the Complexity of Sh.'s Style, Diss. Univ. of Florida 1961; G. L. Finney, Mus. Background f. Engl. Lit., 1580–1650, New Brunswick (N. J.) 1962; W. H. Auden, Music in Sh., in: The Dyer's Hand and Other Essays, London 1963, deutsch als: Des Färbers Hand ..., Gütersloh 1965, schwedisch Stockholm 1965, polnisch in: Res facta III, 1969, S. 149ff.; Fr. W. Sternfeld, Music in Sh.an Tragedy, = Studies in the Hist. of Music o. Nr, London u. NY 1963; Br. Priestman, Music f. Sh., Some Practical Problems, ML XLV, 1964; W. Mellers, Music in the Sh.an Theatre, in: Harmonious Meeting, London 1965; P. J. Seng, The Vocal Songs in the Plays of Sh., A Critical Hist., Cambridge (Mass.) 1967, 21968; R. Tenschert, Sh. u. d. Musik, SMZ CVII, 1967; M. L. Robbins, Sh.'s Sweet Music, Diss. Brandeis Univ. (Mass.) 1968 (Glossar mus. Termini, nebst Beispielen aus Stücken v. Lyly, Marston u. Jonson).

J. P. Cutts, A Reconsideration of the »Willow Song«, JAMS X, 1957; ders., Music and the Supernatural in »The Tempest«, ML XXXIX, 1958; ders., Sh.'s Song and Masque Hand in »The Two Noble Kinsmen«, in:

Engl. Miscellany XXIII, 1967; J. HOLLANDER, Musica mundana and Twelfth Night, in: Sound and Poetry, hrsg. v. N. Frye, NY 1957; Volti mus. di Falstaff, hrsg. v. A. DAMERINI u. G. RONCAGLIA, = Accad. mus. Chigiana (XVIII), Siena 1961; J. BRANSCOMBE, Some Viennese Hamlet Parodies and a Hitherto Unknown Mus. Score f. One of Them, Fs. O. E. Deutsch, Kassel 1963; G. BARBLAN, Il »Macbeth« e la crisi verdiana nel nome di Sh., in: Engl. Miscellany XX, 1964; R. FISKE, The »Macbeth« Music, ML XLV, 1964; E. R. HOTALIN JR., Nineteenth Cent. Opera Adaptions of Sh.'s »Romeo and Juliet«, Diss. Northwestern Univ. (Ill.) 1964; A. SCHAEFFNER, Debussy et ses projets sh.iens, Rev. de la Soc. d'hist. du théâtre XVI, 1964; A. BONVALOT, The Round of Sh.'s Age in England and Scotland. Three Collectors and Their Store, 1580–1612, Diss. Harvard Univ. (Mass.) 1966; K. D. GRÄWE, Sh.s dramatische Charaktere u. Verdis Operngestalten. Über d. Verhältnis v. Dramentext u. Opernlibretto, in: Studi verdiani (I), Kgr.-Ber. Venedig 1966; M. BRAJUCHA, I canti nel teatro di Sh., = Bibl. siciliana di cultura VIII, Catania 1967; G. SCH. ORDSCHONIKIDSE, Opery Werdi na sjuschety Schekspira, Moskau 1967; D. SCHITOMIRSKIJ, Schekspir i Schostakowitsch, in: Dm. Schostakowitsch, hrsg. v. G. Sch. Ordschonikidse, ebd.; R. COVELL, Seventeenth Cent. Music f. »The Tempest«, in: Studies in Music II (Nedlands W. A.) 1968; J. A. HEISE, Die dramatische Funktion d. Musik in Sh.s Romanzen vor d. Hintergrund elisabethanischer Musikvorstellungen u. unter Berücksichtigung frühjakobäischer Maskenspiele, Diss. Marburg 1968; G. HAUGER, »Othello« and »Otello«, ML L, 1969; CL. P. COX JR., Music as a Unifying Element in Sh.'s Romances, Diss. Univ. of Michigan 1970; J. RUDOLPH, Realismus u. Antizipation in Werken L. v. Beethovens. Zur Wechselwirkung d. Künste am Beispiel d. »Egmont«-Musik u. d. »Fidelio«-Problems in Sh.s »Cymbeline«, Beethoven-Kgr.-Ber. Bln 1970; R. E. AYCOCK, Sh., Boito, and Verdi, MQ LVIII, 1972.

Shankar, Ravi, * 7. 4. 1920 zu Benares; indischer Sitarspieler und Komponist, Brahmane, Bruder von Uday Sh., studierte 1935–36 und 1938–44 Gesang und Sitar bei Ustad Allauddin Khan († 6. 9. 1972), seinem Schwiegervater, und begann 1944 seine Konzerttätigkeit. 1949 gründete er bei All-India Radio das Indian National Orchestra, trat aber 1956 vom Amt des Musikdirektors beim Rundfunk zurück. Im gleichen Jahr gewannen Filme mit seiner Musik (*Pather Panchali*; *Kabulliwallah*; *Anuradha*) Preise bei den internationalen Filmfestspielen in Berlin, Venedig und Cannes. Durch zahlreiche Schallplatten und mehrere Konzertreisen ist Sh. auch in den westlichen Ländern bekannt geworden, u. a. im Zusammenspiel mit Y. Menuhin und den Beatles. Er eröffnete 1963 die »Kinnara«-School of Music in Bombay und 1966 eine Dependance in Los Angeles. Anläßlich des 100. Geburtstages von R. Tagore schrieb Sh. das Ballett *Samanya Kshati* nach dessen gleichnamiger Dichtung (Neu-Delhi 1961). Sh. veröffentlichte Memoiren unter dem Titel *My Music, My Life* (London und NY 1968, deutsch als *Meine Musik, mein Leben*, München 1969).

Lit.: J. KUCKERTZ, Die klass. Musik Indiens u. ihre Aufnahme in Europa im 20. Jh., AfMw XXXI, 1974.

Shankar, Uday, * 1. 12. 1900 zu Udayapur; indischer Tänzer, Choreograph und Pädagoge, Bruder von Ravi Sh., kam als Kunststudent nach London, wo Anna Pawlowa auf ihn aufmerksam wurde und sich bei der Vorbereitung zweier Ballette mit indischen Themen von ihm beraten ließ. Er studierte später auch in Paris und entwickelte einen eigenen Stil, der von den verschiedenen Schulen des klassischen indischen Tanzes weit entfernt ist und dabei doch wesentliche Elemente des klassischen wie des folkloristischen Tanzstils seiner Heimat konserviert. Sh. schuf ein eigenes Unterrichtssystem und eröffnete 1938 ein India Culture

Centre in Almōṛā (Uttar Pradesh). Mit seiner Truppe umreiste er mehrfach die ganze Welt.
Lit.: R. SINGHA u. R. MASSEY, Indian Dances, London 1967.

+Shapero, Harold [erg.:] Samuel, * 29. 4. 1920 zu Lynn (Mass.).
An der Brandeis University in Waltham (Mass.) ist Sh. seit 1966 Leiter des Studios für elektronische Musik. Von seinen neueren Werken seien genannt: Partita für Kl. und Kammerorch. (1960), 3 Improvisationen in B (1968) und 3 Studien in Cis (1969) für Kl. und Synthesizer.

Shapey (ʃ′eipi), Ralph, * 12. 3. 1921 zu Philadelphia; amerikanischer Komponist und Dirigent, studierte bei Emanuel Zetlin (Violine) und Wolpe (Komposition). Er war Assistant Conductor des Philadelphia National Youth Administration Orchestra (1938–42) und Musikdirektor von Chor und Orchester der University of Pennsylvania in Philadelphia (1963–64), an der er auch lehrte. Seit 1964 ist er Associate Professor und Professor of Music an der University of Chicago sowie Musikdirektor der Contemporary Chamber Players. Daneben wirkt Sh. als Gastdirigent verschiedener Orchester der USA. Er komponierte Orchesterwerke (Fantasie, 1951; Symphonie Nr 1, 1952; Symphonische Dichtung Challenge – The Family of Man, 1955; Ontogeny, 1958; Rituals, 1959; Konzert, 1959, und Invocation-Concerto, 1968, für V. und Orch.), Kammermusik (Konzert für Klar. und V., Vc., Kl., Horn, Tom-Tom und Baßtrommel, 1954; De profundis für Kb. und Instrumente, 1960; Convocation für Kammergruppe, 1962; Chamber Symphony für 10 Solisten, 1962; Partita-Fantasy für Vc. und 16 Spieler, 1967; Movements für Holzbläserquintett, 1960; Blechbläserquintett, 1963; Klavierquintett, 1947; 6 Streichquartette, 1946, 1949, 1951, 1953, 1958, mit Frauen-St., und 1963; Oboenquartett, 1952; Discourse für 4 Instr., 1961; Klaviertrio, 1955; Evocation für V., Kl. und Schlagzeug, 1959; Duo für Va und Kl., 1957), Klavierstücke und Vokalwerke (Cantata für S., T., B., Erzähler, Kammerorch. und Schlagzeug, 1951; Dimensions für S. und 23 Instr., 1960; Incantations für S. und 10 Instr., 1961; Walking Upright, 8 Lieder für Frauenstimmen und Tonband, 1967).

+Sharp, Cecil James, 1859–1924.
+*English Folk Song. Some Conclusions* (1907), 2. Aufl. revidiert von M. Karpeles, London 1936, 3. Aufl. (mit einem Beitr. von R. Vaughan Williams) 1954, ⁴1965 = Mercury Books o. Nr, auch Belmont (Calif.) 1965; +*English Folk Songs from the Southern Appalachian Mountains* (London 1917, 2. Aufl. hrsg. von +M. Karpeles, 1932 [erg. frühere Angaben]), NA London 1960, Auszüge ebd. 1967 und Cambridge (Mass.) 1968. Aus dem Nachlaß erschien The Idiom of the People (hrsg. von J. Reeves, London und NY 1958, auch NY 1965). Lit.: +A. H. FOX STRANGWAYS u. M. KARPELES, C. Sh. (London [nicht: Oxford] 1933), ebd. ²1955, neubearb. v. M. Karpeles als: C. Sh., His Life and Work, London u. Chicago 1967. – ST. WILSON, C. Sh., a Man of Zeal, MT C, 1959.

Sharp (ʃɑːp), Geoffrey Newton, * 14. 6. 1914 zu Leeds (Yorkshire), † 29. 3. 1974 zu Chelmsford (Essex); englischer Musikschriftsteller und -kritiker (im Hauptberuf Unternehmer), studierte Maschinenbau am Trinity College in Cambridge (1932–35) und Musikgeschichte am Royal College of Music in London (1937–39). Er gründete 1940 in Cambridge die Zeitschrift The Music Review (MR), deren Herausgeber er bis zu seinem Tode war. Daneben schrieb er zahlreiche

Beiträge für andere Zeitschriften und für Zeitungen (u. a. für die »Sunday Times«).
Lit.: J. BOULTON in: MR XXXV, 1974, S. 1ff.

+Shaw, Artie (eigentlich Arthur Arshawsky), * 23. 5. 1910 zu New York.
Sh. zog sich als Präsident einer Filmverleih- und Produktionsgesellschaft (Artixo Productions) vom Musikleben zurück. Als Autobiographie veröffentlichte er *The Trouble with Cinderella. An Outline of Identity* (NY 1952, ²1963, auch London 1955).
Lit.: W. FR. VAN EYLE, Discography of A. Sh., Zaandam 1966.

+Shaw, George Bernard, 1856–1950.
+*The Perfect Wagnerite* (1898, ⁴1923 [nicht: 1922]), Nachdr. = Dover Books on Music T1707, NY 1967 und 1972, deutsche NA (*Wagner-Brevier*) = Bibl. Suhrkamp Bd 337, Ffm. 1973.
Ausg.: +*Music in London, 1890–94* (1932), Nachdr. London 1956, auch NY 1973, in Auszügen deutsch als: Musik in London, hrsg. v. H. H. STUCKENSCHMIDT, = Bibl. Suhrkamp XLII, Ffm. 1957, u. +*London Music in 1888–89* ... (1937), auch NY 1937, Nachdr. 1961 u. 1973, deutsch als: Musikfeuilletons d. Corno di Bassetto, übers. u. hrsg. v. E. KLEMM, = Reclams Universal-Bibl. Bd 463, Lpz. 1972, beides dänisch als: G. B. Sh. som musikanmelder, hrsg. v. I. BUHL, = Hasselbalchs kultur-bibl. Bd 198, Kopenhagen 1961, russ. als: O musyke i musykantach, hrsg. v. I. F. BELSA u. S. KONDRATJEW, Moskau 1965, rumänisch Bukarest 1969. – How to Become a Mus. Critic, hrsg. v. D. H. LAURENCE, London 1960, NY 1961 u. 1967; G. B. S. on Music, hrsg. v. A. ROBERTSON, = Pelican Books A 583, Harmondsworth 1962.
Lit.: G. S. BARBER, Sh.'s Contribution to Music Criticism, Publ. of the Modern Language Ass. of America LXXII, 1957; E. GÜNSBERGER, G. B. Sh. u. d. Musik, Diss. Wien 1958; A. WILLIAMSON, Wagner and Sh., A Dramatic Comparison, MR XIX, 1958; D. V. MEHUS, B. Sh. als Musikkritiker, ÖMZ XV, 1960; FR. PIETCH, The Relationship Between Music and Lit. in the Victorian Period. Studies in Browning, Hardy, and Sh., Diss. Northwestern Univ. (Ill.) 1961; E. J. WEST, Disciple and Master. Sh. and Mozart, in: Shavian 1961, Nr 2; CH. L. HOLST, The Mus. Dramaturgy of B. Sh., Diss. Wayne State Univ. (Mich.) 1963; J. O'DONOVAN, Sh. and the Charlatan Genius. A Memoir, Dublin u. London 1965; N. R. CIRILLO, The Poet Armed. Wagner, D'Annunzio, Sh., Diss. NY Univ. 1968; B. EKVALL, G. B. Sh. som musikkritiker, in: Musikkultur XXXII, 1968; CH. HAYWOOD, G. B. Sh. on Shakespearian Music and the Actor, Shakespeare Quarterly XX, 1969; J. W. KLEIN, Sh. as a Critic of Opera, in: Opera XX, 1969.

+Shaw, –1) Martin [erg.: Edward] Fallas, * 9. 3. 1875 zu London, [erg.:] † 24. 10. 1958 zu Southwold (Suffolk).
Er edierte u. a. *National Anthems of the World* (mit H. Coleman, London 1960, revidiert ³1969, auch NY).

+Shaw, Robert Lawson, * 30. 4. 1916 zu Red Bluff (Calif.).
Seit 1967 ist Sh. musikalischer Leiter und Chefdirigent des Atlanta Symphony Orchestra (Ga.). Als Gast dirigierte er u. a. die New York Philharmonic und das Boston Symphony Orchestra.

Shaw (ʃɔ:), Harold Watkins, * 3. 4. 1911 zu Bradford (Yorkshire); englischer Musikforscher und Bibliothekar, studierte am Wadham College in Oxford und am Royal College of Music in London (M. A., D. Litt.), war bis 1949 Senior Music Adviser am Hertfordshire County Council sowie 1949–71 Principal Music Lecturer am Worcester College of Education. Seit 1971 ist er Kustos der Parry Room Library des Royal College of Music. Er veröffentlichte u. a.: *Eighteenth-Century Cathedral Music* (London 1953); *The*

Three Choirs Festival 1713–1953 (Worcester 1954); *The Story of Handel's Messiah, 1741–84* (London 1963); *A Textual and Historical Companion to Handel's »Messiah«* (ebd. 1964); ferner zahlreiche Aufsätze zur englischen Musik des 16. bis 18. Jh. – Ausgaben: J. Blow, *Coronation Anthems and Anthems with Strings* (mit A. Lewis, = Mus. Brit. VIII, ebd. 1953) und *Complete Organ Works* (ebd. 1958); Händel, *Messiah* (ebd. 1965) und *»Utrecht« Te Deum* (ebd. 1969).

Shawe-Taylor (ʃɔ:t'eilə), Desmond, * 29. 5. 1907 zu Dublin; britischer Musikkritiker, betrieb 1926–30 am Oriel College in Oxford klassische und später autodidaktisch musikalische Studien. Er war Musikkritiker beim »New Statesman and Nation« (1945–58) und lieferte die Schallplattenbesprechungen für den »Observer« (1950–58). Seit 1958 ist er als Nachfolger von E. Newman Musikkritiker der »Sunday Times«. Sh.-T. schrieb u. a.: *Covent Garden* (London 1948); *The Record Guide* (mit E. Ch. Sackville West, ebd. 1951, revidiert 1955, Suppl. 1956); *The Operas of L. Janáček* (Proc. R. Mus. Ass. LXXXV, 1958/59); *The Extended Formal Arias in »Don Carlo«* ([2.] Kgr.-Ber. »Studi verdiani« Verona u. a. 1969).

Shawn (ʃɔ:n), Ted, * 21. 10. 1891 zu Kansas City (Miss.), † 9. 1. 1972 zu Orlando (Fla.); amerikanischer Tänzer, Choreograph und Pädagoge, einer der Pioniere des Tanzes in Amerika, studierte bei Hazel Wallack, debütierte 1911 in Denver (Colo.), versammelte 1914 eine kleine Kompanie um sich und verband sich im gleichen Jahr mit Ruth Saint Denis, der neben Isadora Duncan bedeutendsten Protagonistin des modernen Tanzes in Amerika. Zusammen gründeten sie 1915 Denishawn, eine Schule für zeitgenössischen Tanz, zu deren frühesten Schülern auch Martha Graham, Weidman und Doris Humphrey gehörten. Nach der Trennung von Ruth Saint Denis (1932) versammelte Sh. eine Kompanie um sich, mit der er ab 1933 zahlreiche Tourneen unternahm, kehrte aber immer wieder mit ihnen nach Jacob's Pillow zurück, einer Farm in Massachusetts, die er zur Heimstätte des ersten kontinuierlichen amerikanischen Dance Festivals gemacht hatte. Im Laufe der Jahrzehnte sind in Jacob's Pillow viele führende Tanzensembles der westlichen Welt zu Gast gewesen. Von seinen zahlreichen Choreographien seien *Xochitl* (Musik Grunn), *Feather of the Dawn* (Cadman), *Job* (Vaughan Williams) und *»The Dreams of Jacob«* (Milhaud, 1949) erwähnt. 1937 wurde er vom dänischen König zum Ritter des Dannebrog-Ordens geschlagen. – Veröffentlichungen: *R. St. Denis, Pioneer and Prophet* (San Francisco 1920); *American Ballet* (NY 1926); *Gods Who Dance* (NY 1929); *Fundamentals of a Dance Education* (Girard/Kan. 1937); *Dance We Must* (Pittsfield/Mass. 1940); *Every Little Movement* (Lee/Mass. 1954); *33 Years of American Dance, 1927–59* (Pittsfield/Mass. 1959); *One Thousand and One Night Stands* (mit Gr. Poole, Garden City/N. Y. 1960; autobiographisch).

+Shearer, Moira (geborene King, verheiratete Kennedy), * 17. 1. 1926 zu Dunfermline (Fife).
M. Sh. zog sich nach einer kurzen Tätigkeit als Schauspielerin in den 50er Jahren ins Privatleben zurück.
Lit.: H. FISHER, M. Sh., = Dancers of To-Day II, London 1951, ³1958.

+Shearing, George Albert, * 13. 8. 1919 zu London.
Sh. übte mit seinem Quintett nachhaltigen Einfluß auf die Entwicklung des Cool Jazz aus. 1964 vervollkommnete er sein Klavierspiel bei J. Gimpel. Sein

Quintett, in dem u. a. auch Toots Thielemans (Mundharmonika), Cal Tjader (Vibraphon, Bongos) sowie 1962 der Vibraphonist Gary Burton spielten, hat er 1965 reorganisiert. Von seinen Aufnahmen seien *September in the Rain, Lullaby of Birdland, Sh. Bossa Nova* und *Jazz Moments* genannt. Er schrieb auch Filmmusik (Zeichentrickfilm *Dangerous Dan McGrew*, 1965).

Sheinkman, Mordechai, * 30. 5. 1926 zu Tel Aviv; israelischer Komponist, studierte in seiner Heimatstadt (David Shor), in New York (Kyriena Ziloti) sowie ab 1951 in Berlin (Blacher) und Detmold (Fortner). Gegenwärtig lebt er als Dirigent und Klavierbegleiter in New York. Er schrieb u. a.: *Passi* für Orch.; Klavierkonzert op. 3 (1955); Serenade für Streicher; Bläserquintett; Streichquartett; Divertimento für Klar., Trp., Pos. und Hf.; Suite für Klar., Trp., Pos. und Hf.; Violinsonate (1953); Divertimento für 2 Kl.; Klavierstücke und Sololieder (»Brandung«, 1952; 5 Lieder, 1960).

Shên Kua, * um 1030, † um 1095; chinesischer Gelehrter der nördlichen Sung-Dynastie (960–1126), war einer der interessantesten und vielseitigsten Persönlichkeiten der chinesischen Geschichte, dessen Kenntnisse sich auf jedes wissenschaftliche und technologische Gebiet seiner Zeit erstreckten. Zwei seiner Schriften enthalten musikgeschichtliche Informationen: das *Yüeh lun* (»Kommentar zur Musik«), das sich mit den Lü lü (Tonsystemen) und den Instrumenten beschäftigt. Das andere Werk ist eine berühmte Sammlung von Sh.s Memoiren und tagebuchartigen Aufzeichnungen mit dem Titel *Mêng ch'i pi t'an* (»Traum-Strom Essays«), zunächst etwa 1086 abgeschlossen, dann durch zwei Nachträge ergänzt. Die Eintragungen, die sich auf Musik beziehen, behandeln u. a. die Modi der volkstümlichen Musik sowie gewisse Liedformen und deren Kompositionsregeln zur Sung-Zeit. Von besonderem Interesse ist Sh.s Beschreibung der Kung-ch'ê-Notationssymbole, der ersten solchen Quelle über diese in der Sung-Periode entstandene Tonsilbennotation, im Gegensatz zu den älteren Tonschriftsystemen, z. B. dem Lü-System, das die Charaktere der 12 Halbtonnamen benutzt.
Lit.: J. Needham, Science and Civilisation in China, Bd I, Cambridge (Mass.) 1954, Nachdr. 1961, S. 135ff.; R. Chao Pian, Sonq Dynasty Mus. Sources and Their Interpretation, = Harvard-Yenching Monograph Series XVI, ebd. 1967, S. 30ff. u. ö.; W. Kaufmann, Mus. Notations of the Orient, = Indiana Univ. Humanities Series LX, Bloomington 1967, S. 70ff.

+Shepherd, Arthur, 1880–1958.
Lit.: W. S. Newman, A. Sh., in: MQ XXXVI, 1950; R. N. Loucks, A. Sh., 4 Bde (in 7), Diss. Univ. of Rochester (N. Y.) 1960 (mit Werkverz.).

+Shepherd, John, 16. Jh.
Ausg.: 8 Sätze in: The Mulliner Book, hrsg. v. D. Stevens, = Mus. Brit. I, London 1951, ²1954, Nachdr. 1966; 6 Responsorien zu 4 u. 6 St., hrsg. v. Fr. Ll. Harrison, = Chw. LXXXIV, Wolfenbüttel 1961; Te Deum laudamus, hrsg. v. Br. Turner, = Pro Musica Series o. Nr, NY 1969.
Lit.: H. B. Lamont, J. Sh., 2 Bde (I Text, II Übertragung), Diss. Univ. of Southern California at Los Angeles 1963; ders. in: MGG XII, 1965, Sp. 637ff.; P. Le Huray, Music and Reformation in England, 1549–1660, = Studies in Church Music o. Nr, London 1967; N. Davison, The »Western Wind« Masses, MQ LVII, 1971.

Shepp (ʃep), Archie, * 24. 5. 1937 zu Fort Lauderdale (Fla.); amerikanischer Jazzmusiker (Tenor-, Sopransaxophon, Klavier, Komposition), gehört seit seiner Zusammenarbeit mit dem Pianisten Cecil Taylor (1960–61) zu den exponierten Vertretern des Free Jazz.

1961 hielt er sich erstmals in Europa auf, 1963 war er gemeinsam mit Don →Cherry Leiter der »New York Contemporary Five«, 1965 spielte er in der Band von John →Coltrane und 1967 trat er bei den Donaueschinger Musiktagen auf. – Aufnahmen: *Into The Hot* (mit C. Taylor, 1961; Impulse AS9); *A. Sh. & The New York Contemporary Five* (1963; International Polydor 623235); *Live At The Donaueschingen Music Festival* (1967; MPS 2120651); ferner erschienen unter eigenem Namen auf Impulse: *Four For Trane* (1964; AS 71); *Fire Music* (1965; AS 86); *On This Night* (1965; AS 97); *Three For Quarter, One For A Dime* (1966; AS 6192); *Life in San Francisco* (1966; AS 9118); *Mama Too Tight* (1966; AS 9134); *The Magic Of Ju-Ju* (1967; AS 9154); *The Way Ahead* (1968; AS 9170); *Kwanza* (1968/69; AS 9262); *For Losers* (1969; AS 9188); *Things Have Got To Change* (1971; AS 9212).

Sheriff, Noam, * 7. 1. 1935 zu Tel Aviv; israelischer Komponist und Dirigent, studierte Komposition bei Ben-Haim in Tel Aviv (1952–58), Dirigieren bei Markevitch (1955) und Philosophie an der Hebrew University in Jerusalem (1956–60). Er vervollkommnete seine Kompositionsstudien bei Blacher an der Musikhochschule in Berlin (1960–62). Sh. war Gründer und Leiter (1956–60) des Orchesters der Hebrew University sowie Professor für Dirigieren (1966–67) an der Rubin Academy of Music in Jerusalem und an der Nationalakademie in Tel Aviv. Er ist als Gastdirigent israelischer Orchester und als Kompositions- und Dirigierlehrer tätig. Daneben ist er musikalischer Berater des Ministeriums für Kultur und Erziehung. – Kompositionen (Auswahl): *Festival Prelude* (1957) und *Song of Degrees* (1959) für Orch.; *Ashrei* für A., Fl., 2 Hf. (oder Hf. und Kl.) und 2 Tom-Toms (1961); *Music* für Holzbläser, Pos., Kl. und Kb. (1961, Version des 2. Satzes für Pos. und Kl.); *Destination 5'* für Blechbläser und Schlagzeug (1962); Klaviersonate (1962); Ballettmusik *Heptaprisms* (1965); *Confession* für Vc. solo (1966); *Arabesque* für Fl. (1966); Inventionen für Hf. und für Fl. und für Horn (alle 1968); *2 Epigrams* für Kammerorch. (1968); Chaconne (1968) und *Israel Suite* (1969) für Orch.; ferner Chöre sowie Bühnen- und Filmmusik.

Shibata, Minao, * 29. 9. 1916 zu Tokio; japanischer Komponist, studierte Botanik und Ästhetik an der Kaiserlichen Universität in Tokio und 1940–43 privat Komposition bei Saburō Moroi. 1959–69 lehrte er als Professor für Musikwissenschaft an der staatlichen Hochschule für Musik und bildende Künste in Tokio. – Hauptwerke: Gesangszyklus *La bonne chanson* für Frauen-St. und Kl. (1948); *Signature Theory* für S. und Orch. (1953); *Black Portrait* für S. und Kammerorch. (1954); *Konkrete Musik* für stereophonische Übertragung (1955); Improvisationen für Kl. Nr 1 und 2 (1957 und 1968); *Black Distance* für S. und Kammerorch. (1958); *Hans, the Empty Pocket* (»Hans im Glück«) für Sprecher, Männerchor und Kammerorch. (1959); *Sinfonia* für Orch. (1960); *Essay for Six Brasses* (1965); Improvisation für Elektronische Musik (1968); *Ryuteki* für Marimba, Schlagzeug und elektronische Klänge (1970). Ferner schrieb er u. a. *Musique et technologie au Japon* (RM 1971, Nr 268/269).

Shifrin (ʃifɹin), Seymour J., * 28. 2. 1926 zu New York; amerikanischer Komponist, studierte an der Columbia University in New York (A. B. 1947, M. A. 1949) und 1942–45 privat bei Schuman. Er war an der University of California in Berkeley 1952–54 Instructor, 1954–60 Assistant Professor, 1960–64 Associate Professor und 1964–66 Professor. 1966 wurde er

Professor an der Brandeis University in Waltham (Mass.). Seit 1962 gehört er zum Herausgeberstab der *Perspectives of New Music*. Er komponierte u. a. *Music* (1948) und *Three Pieces* (1959) für Orch., eine Kammersymphonie (1961), Kammermusik (Serenade für 5 Instr., 1958; *In eius memoriam* für Fl., Klar., V., Vc. und Kl., 1968; 4 Streichquartette, 1949, 1962, 1966 und 1967; Sonate für Vc. und Kl., 1948; Duo für V. und Kl., 1971; Konzertstück für V. solo, 1961), Klavierwerke (*Four Cantos*, 1949; Fantasie, 1950; *Trauermusik*, 1961; *The Modern Temper* für Kl. 4händig, 1961) und Vokalmusik (*Cantata to Sophoclean Choruses* für Chor und Orch., 1957; *Odes of Shang* für Chor, Kl. und Schlagzeug, 1963; *A Medieval Latin Lyric* für Chor a cappella, 1954; *Satires of Circumstance* für S., Fl., Klar., V., Vc., Kb. und Kl., 1964; *Two Early Songs*, 1947, *The Cat and the Moon*, 1949, *No Second Troy*, 1951, und *Spring and Fall*, 1953, für S. und Kl.).

Lit.: D. LEWIN in: Perspectives of New Music II, 1963/64, Nr 2, S. 169ff. (zum 2. Streichquartett); M. BOYKAN, ebd. V, 1966/67, Nr 1, S. 163ff. (zu d. »Satires of Circumstance«).

Shimizu, Osamu, * 4.11.1911 zu Osaka; japanischer Komponist, studierte bei Kunihiko Hashimoto sowie an der Musikhochschule in Tokio. Er war in der Musikabteilung von Radio Tokio tätig und ist gegenwärtig Generaldirektor des Verlagshauses Kawai-Gakufu. Sh. widmet sich dem Versuch, Stoffe des traditionellen japanischen Kabuki-Theaters zu Opern westlichen Stils zu verarbeiten. Seine Kompositionen umfassen u. a. die Opern *Shuzenji-Monogatari* (»Die Geschichte des Nō-Maskenschnitzers von Shuzenji«, Tokio 1954), »Die Prinzessin von Charcoal« (Osaka 1956), »Der Mann, der in den blauen Himmel schießt« (ebd. 1956), »Der ungeschickte Violoncellist« (ebd. 1957), »Das singende Skelett« (ebd. 1962), *Shunkan* (‚Der Priester Shunkan‘, 1964), »Die Verbannung« (Osaka 1964) und »Hymne auf Dengyō Daishi« (1966), die komische Oper *Muko Erabi* (»Die Bräutigamwahl«, Tokio 1969), die historische Oper *Daibutsu-Kaigen* (ebd. 1970), die Ballette »Die Erde« (1957) und »Feuer in der Ebene« (1962), Orchesterwerke (3 Symphonien, 1951, 1957 und 1960; 4 Stücke nach einer indischen Melodie, 1950; Suite, 1952), Kammermusik (Quartett für Koto und Streicher; Skizzen für 3 Kotos; Ballade für V. und Kl., 1941), »Olympische Hymne« für Chor und Orch. (geschrieben zur Eröffnung der Olympischen Spiele Tokio 1964) sowie buddhistische Kantaten, zahlreiche Chöre und Lieder.

Shinohara, Makoto, * 10.12.1931 zu Osaka; japanischer Komponist, studierte 1952–54 an der Musikhochschule in Tokio (Ikenouchi), 1954–59 am Pariser Conservatoire (Aubin, Messiaen) und 1962–64 an der Musikhochschule in Köln (B.A. Zimmermann, Koenig), arbeitete in den elektronischen Studios in Utrecht (1965–66) und der Columbia University in New York (1971–72) sowie beim japanischen Rundfunk NHK in Tokio (1974). – Kompositionen: Violinsonate (1958); *3 pièces concertantes* für Trp. und Kl. (1959); *Obsession* für Ob. und Kl. (1960); *Solitude* für Orch. (1961); *Alternance* für Schlagzeug (1962); *Tendance* für Kl. (1963); *Elektronische Musik Broadcasting* (1964), *Visions I* (1965) und *Mémoires* (1966); *Consonance* für 6 Instr. (1967); *Fragmente* für Tenor-Block-Fl. (1968); *Personnage* für einen Sänger, Beleuchtung und Tonband (1968); *Visions II* für Orch. (1970); *Relations* für Fl. und Kl. (1970); *Reflexion* für Ob. solo (1970); Elektronische Musik *City Visit* (1971); *Rencontres* für einen Schlagzeuger und Tonband (1972); *Tayutai* für Koto (1972); *Kyudo* für Shakuhachi und Hf. (1973).

Shiokawa, Yuuko, * 1.6.1946 zu Tokio; japanische Violinistin, lebte ab 1958 in Lima (Peru) und studierte ab 1963 an der Musikhochschule in München bei Stross. Sie erhielt mehrere Preise, tritt als Solistin bei Festspielen auf und konzertiert im In- und Ausland.

Shirley (ʃə:li), George, * 18.4.1934 zu Indianapolis (Ind.); amerikanischer Sänger (lyrischer Tenor), studierte bei Themy S. Georgi sowie an der Wayne State University in Detroit/Mich. (B. S. in Musikerziehung) und debütierte 1959 als Eisenstein (*Fledermaus*) in Woodstock (N. Y.). 1961 trat er erstmals an der Metropolitan Opera in New York auf. Gastspiele führten ihn zu den Festspielen in Spoleto (1961) und Glyndebourne (1968) sowie an die Mailänder Scala und die Covent Garden Opera in London. Sh. hat sich auch als Konzertsänger einen Namen gemacht. 1967 wurde er Ehrendoktor der Wilberforce University (O.).

Shirley-Quirk (ʃ'ə:likw'ə:k), John, * 28.8.1931 zu Liverpool; englischer Sänger (Bariton), absolvierte die University of Liverpool (B. S.) und studierte Gesang bei R. Henderson. Er debütierte 1961 bei der English Opera Group und tritt heute an der Covent Garden Opera in London, der Scottish National Opera sowie bei den großen internationalen Festspielen auf. Daneben wirkt er als Lied- und Oratoriensänger. Sh.-Qu. ist Ehrenmitglied der Royal Academy of Music in London.

Shore (ʃə:ə), Samuel Royle, * 12.4.1856 zu Birmingham, † 19.2.1946 zu Hindhead (Surrey); englischer Organist und Komponist, von Beruf Anwalt, studierte Orgel bei Alfred Gaul und bildete sich autodidaktisch auf dem Gebiet der Musikhistorie und der Komposition weiter. Er war ehrenamtlicher Organist und widmete sich dem Studium der anglikanischen Kirchenmusik. Auf seine Initiative wurde die →Denkmäler-Reihe *Tudor Church Music* ins Leben gerufen. Sh. komponierte u. a. Messen (*Missa Moderata*, 1899; *Missa Stabat mater*, 1906), ein Requiem (1906), ein Te Deum (1915), zahlreiche weitere kirchenmusikalische Werke und *Study ... on the Tune »University«* für Org. (1934).

Shu, Tsang-houei, * 1929 zu Changhwa (Taiwan); chinesischer Komponist und Musikpädagoge, studierte 1946–50 Violine und Komposition an der Normaluniversität in Taiwan, setzte seine Violinausbildung 1955 in Paris an der Ecole C. Franck bei Colette de Lioncourt fort und studierte Musikgeschichte bei Chailley an der Sorbonne sowie Komposition und Analyse bei A. Dommel-Diény und Messiaen. Nach seiner Rückkehr nach Taiwan (1959) widmete er sich der Komposition. Er ist Mitglied des Instituts für Musikforschung am College of Chinese Culture und Direktor des Chinese Folk Music Research Center. Shu sammelte über 3000 Volkslieder aus Taiwan. Unter seinen Werken befinden sich eine Violinsonate, ein Klaviertrio sowie eine Kantate für S., Chor, Glocke und Holzblock.

Shuard (ʃ'u:əd), Amy, * 19.7.1924 zu London; englische Sängerin (dramatischer Sopran), studierte in ihrer Heimatstadt am Trinity College of Music, debütierte 1949 in Johannesburg als Aida und war 1949–55 in London am Sadler's Wells Theatre engagiert. Seit 1955 tritt sie an der Covent Garden Opera in London auf. Gastspiele führten sie u. a. an die Wiener Staatsoper, die Mailänder Scala und zu den Bayreuther Festspielen. Ihre wichtigsten Partien sind Lady Macbeth, Amelia, Santuzza, Turandot, Brünnhilde, Elektra und Jenufa.

+Sibelius, Jean (Johan) Julius Christian, 1865–1957.
Lit.: A. Hemming, Luettelo J. S.ta ja hänen teoksiaan
käsittelvästä kirjalliusuudesta (»Verz. d. Arbeiten über
J. S. u. seine Kompositionen«), Helsinki 1958; Fr. Blum,
J. S., An International Bibliogr. ..., = Detroit Studies in
Music Bibliogr. VIII, Detroit (Mich.) 1965. – H. E. Johnson, J. S., The Recorded Music, Helsinki 1957 (engl.,
finnisch u. schwedisch). – S.-Mitt., hrsg. v. d. Deutschen
S.-Ges., Wiesbaden 1958ff.; S.-Sonder-H., = ÖMZ XX,
1965, H. 3; Aufsatzfolge in: MuG XV, 1965, S. 815ff. –
J. S., hrsg. v. M. Jalas u. S. Rapola, Helsinki 1958; J. S.,
hrsg. v. T. Makinen u. R. Bjorklund, ebd. 1965.
+K. Ekman, J. S. (1935), engl. London 1936, Nachdr.
Westport (Conn.) 1972; **+**B. v. Törne, S., A Close-Up
(1937), schwedisch Stockholm 1945, ²1955, finnisch in
2. Aufl. Helsinki 1965; **+**O. E. Andersson, J. S. i Amerika
(1955), finnisch Helsinki 1960. – S. Levas, J. S., 2 Bde,
ebd. 1957–60, engl. gekürzt als: S., A Personal Portrait,
London 1972 u. Lewisburg (Pa.) 1973; B. Rands, S. and
His Critics, MR XIX, 1958; H. E. Johnson, S., London
u. NY 1959, auch London 1960, schwedisch Stockholm
1961; H. Raynor, S., An Attempted Postscript, in: The
Chesterian XXXIV, 1959; P. Balogh, J. S., = Kis zenei
könyvtár XVIII, Budapest 1961; E. Tanzberger, J. S.,
Wiesbaden 1962, ²1965 (mit Werkverz., auch separat);
W. Alexandrowa u. Je. Bronfin, J. S., Moskau 1963;
M. Watschnadse, J. S., ebd.; R. Layton, S., The Early
Years, Proc. R. Mus. Ass. XCI, 1964/65; ders., S.,
= Master Musicians o. Nr, London u. NY 1965; ders.,
S. and His World, London 1970, auch = Studio Book
o. Nr, NY 1970; L. Normet in: SM XXIX, 1965, H. 12,
S. 125ff.; I. Oramo, J. S., Helsinki 1965, schwedisch
Stockholm 1967 (Bildbiogr.); G. Sbîrcea, J. S., Bukarest
1965; M. Vignal, J. S., = Musiciens de tous les temps
XXII, Paris 1965; J. C. G. Waterhouse, S. and the 20th
Cent., MT CVI, 1965; E. Tawaststjerna, J. S., bisher
3 Bde v. 4 geplanten erschienen, Helsinki 1965–67, schwedisch (bislang 1 Bd) Stockholm 1968 (daraus d. Kap.
»J. S. u. Cl. Debussy. Eine Begegnung in London 1909«
deutsch in: Colloquium L. Janáček et musica Europaea
Brno 1968, = Mw. Kolloquien d. Internationalen Musikfestspiele in Brno III, Brünn 1970); R. Seebohm,
Pfitzner u. sein Zeitgenosse S., Mitt. d. H. Pfitzner Ges.
1969, Nr 25.
+C. Gray, S., The Symphonies (1935, finnisch als: **+**Sibeliuksen sinfoniat, 1945), Nachdr. Freeport (N. Y.) 1970;
+E. Tawaststjerna, Sibeliuksen pianosävellykset (1955),
engl. als: The Pfte Compositions of S., Helsinki 1957;
+S. Parmet, Sibeliuksen sinfoniat (1955), schwedisch
Stockholm 1955, engl. London 1959 u. 1965. – V. Helasvuo, S. and the Music of Finland, Helsinki 1952,
²1957; R. Leibowitz, Le plus mauvais compositeur du
monde, = Brimborions XXXVII, Lüttich 1955; U. Dibelius, Form u. Impression. »Die Okeaniden« v. J. S.,
NZfM CXVII, 1956; N.-E. Ringbom, De två versionerna
av S. tondikt »en saga«, = Acta Acad. Aboensis, Humaniora XXII, 2, Åbo 1956; ders., S., Symphonien, Symphonische Tondichtungen, Violinkonzert, Voces intimae.
Analytische Beschreibungen, Helsinki u. Wiesbaden 1957;
E. Tawaststjerna, Ton och tolkning. ... (»Ton u. Erläuterung. S.-Studien«), Stockholm 1957; ders., Sibeliuksen pianoteokset säveltäjän kehityslinjan kuvastajina (»S.'
Kl.-Werke als Widerspiegelung d. Stilentwicklung d. Tondichters«), Helsinki 1960; J. Rosas, Otryckta kammarmusikverk av J. S. (»Ungedruckte Kammermusikwerke v.
J. S.«), = Acta Acad. Aboensis, Humaniora XXIII, 4,
Åbo 1961; P. E. Gerschefski, The Thematic, Temporal,
and Dynamic Processes in the Symphonies of J. S., Diss.
Florida State Univ. 1962; J. Heininen, Dodecafonia Sibeliana, Music Journal XX, 1962; S. Vestdijk, De symfonieën v. J. S., Amsterdam 1962; R. L. Jacobs, S.'
»Lemminkaïnen and the Maidens of Saari«, MR XXIV,
1963; O. E. Andersson, Studier i musik och folklore,
= Skrifter ... Nr 408, Åbo 1964 (darin Wiederabdruck
v. 3 Aufsätzen zu S.); A. Whitall, S.' Eighth Symphony,
MR XXV, 1964; Bo Wallner, S. och den svenska tonkonsten, in: Suomen musiikin vuosikirja VII, 1964/65
(mit engl. Zusammenfassung); A. Forslin, Konstnärsgemenskap hos S. och Runeberg, Finsk tidskrift 1965; H.
Hollander, Stilprobleme in d. Symphonien v. S., in:

Musica XIX, 1965; S. Martinotti, S. e Nielsen nel sinfonismo nordico, in: Chigiana XXII, N. S. II, 1965; J.
Matter, S. et Debussy, SMZ CV, 1965; ders., Quelques
aspects de l'être symphonique de S., SMZ CVI, 1966;
ders., Kullervo ou Comment naît un grand musicien,
SMZ CVII, 1967; R. Simpson, S. and Nielsen. A Centenary Essay, London 1965; L. Normet, Reunamerkintöja
Sibeliuksen III sinfoniasta, in: Suomen musiikin vuosikirja VIII, 1966/67 (mit engl. Zusammenfassung: Marginalia to S.' Third Symphony); Th. W. Adorno in:
Impromptus, = Ed. Suhrkamp Nr 267, Ffm. 1968, S. 88ff.
(Glosse); E. Salmenhaara, »Tapiola«. Sävelruno ...
(»Die Tondichtung ,Tapiola' als Vertreter f. S.' Spätstil«),
= Acta musicologica Fennica IV, Helsinki 1970 (mit
engl. Zusammenfassung); E. Brüll, Der Klassiker S.,
MuG XXI, 1971; L. Pike, S.' Debt to Renaissance Polyphony, ML LV, 1974; F. Tammaro, L'»imperativo« nella
musica di S., nRMI VIII, 1974.

Siccardi, Honorio, * 13. 9. 1897 zu Buenos Aires,
† 10. 9. 1963 zu Lomas de Zamora (Provinz Buenos
Aires); argentinischer Komponist, studierte in seiner
Heimatstadt bei Berutti, Drangosch und Gilardi sowie
in Italien bei G. Fr. Malipiero und war Pianist am Konservatorium in Parma. Danach lehrte er an verschiedenen Instituten in Buenos Aires und gründete mit
Gianneo und Paz sowie mit den Brüdern J.J. und J.M.
Castro den »Grupo Renovación«. Seine Kompositionen umfassen u. a. die Opern El angelus (1927) und
Flechas y arcabuces (1939), die Kammeroper Mador
(1956), die Ballette Buenos Aires (1935) und Títeres
(1936), Orchesterwerke (2 argentinische Suiten, 1945
und 1946, Symphonie Nr 1, 1950; Violinkonzert, 1942;
Klavierkonzert, 1950), Kammermusik (Suite für Bläser und Schlagzeug, 1934; 7 Streichquartette, 1922,
1940, 1944, 1949, 1952, 1954 und 1955; Streichtrio,
1943; Suite für Klar. und Kl., 1951; Solosonaten für
Va und Vc., 1954), Klavierwerke (Sonate, 1922; Los
rondós de Mañiña, 1932; Concerto für 2 Kl., 1954) sowie
Chorwerke und zahlreiche Lieder. Er veröffentlichte:
D. Scarlatti a través de sus sonatas (Buenos Aires 1945);
Reseña de actividades musicales en la República Argentina,
Bd I (ebd. 1955); ferner didaktische Werke, u. a. Síntesis de instrumentación (mit J.Ficher, ebd. 1942).
Lit.: Werkverz. in: Compositores de América II, Washington (D. C.) 1956, Nachdr. 1962.

Sichart, Lorenz (Sichert, Sighard), getauft 8. 12.
1694 und begraben 6. 5. 1771 zu Nürnberg; deutscher
Komponist, wirkte in Nürnberg als Organist ab 1719
auf dem Musikchor der Frauenkirche und ab 1743 bei
St.Egidien. Er komponierte Sonaten und Fugen für
Kl. und Org. sowie Kirchenkantaten. Die Staatsbibliothek München besitzt von ihm handschriftlich (Mus.
Ms. 4820) ein Vollständiges Choral-Buch, darinnen die gebräuchlichsten Melodien enthalten sind (1755).

+Sicher, Fridolin, 6. [nicht: 5.] 3. 1490 – 1546.
S., der 1537 von Ensisheim (Elsaß) wieder nach Bischofszell (Thurgau) zurückkehrte, nannte sich 1545
Chorherr in Bischofszell und Organist in St. Gallen.
Ausg.: Antiphon »Ecce Maria genuit«, in: Die Org. im
Kirchenjahr, hrsg. v. E. Kraus, Bd III, = Cantantibus organis XII, Regensburg 1964.
Lit.: Th. A. Warburton jr., Fr. S.'s Tablature. A Guide
to a Keyboard Performance of Vocal Music, Diss. Univ.
of Michigan 1969.

+Sichra, Andrej Ossipowitsch, 1773 in Böhmen
[nicht: 1772 zu Wilna] – 3.(15.) 12. 1850 [del. früheres
Sterbedatum].
Die Erfindung der 7saitigen russischen Gitarre, auf der
er einer der populärsten Virtuosen war, wurde ihm zu
Unrecht zugeschrieben. Er lebte um 1800 in Wilna,
1805–20 in Moskau und ist dann bis 1829 in St.Peters-

burg nachweisbar, wo er 1826–27 das *Schurnal dlja gitary* (»Journal für die Gitarre«) und 1828–29 das *Sankt Petersburgskij schurnal dlja gitary* herausgab. [del. frühere Angaben.]
Lit.: M. IWANOW, Russkaja semistrumnaja gitara (»Die russ. 7saitige Git.«), Moskau 1948; B. WOLMAN, Gitara w Rossii (»Die Git. in Rußland«), Leningrad 1961.

Sicilianos (sisili'anos), G i o r g o s , * 29. 8. 1922 zu Athen; griechischer Komponist, studierte am Odeion Athenon (1944–49), an der Accademia Nazionale di S. Cecilia in Rom (1951–53), am Pariser Conservatoire (1953–54) sowie ab 1955 in den USA bei Piston, Blacher und Persichetti. 1956 ließ er sich in Athen nieder, wo er 1960–61 Leiter der Musikabteilung des griechischen Rundfunks, 1962–65 Generalsekretär der griechischen Musikakademie sowie stellvertretender Vorsitzender der griechischen Gesellschaft für zeitgenössische Musik war. Er schrieb die Ballette *Tavaygaia* für 2 Kl. und Schlagzeug (Athen 1958, Orchesterfassung 1962) und *Báxxeç* (»Bacchantinnen«) für Frauenchor und Orch. (1959), Orchesterwerke (Konzert für Orch., 1954; Symphonie, 1956; *Σύνθεσις*, »Komposition«, für Doppel-Streichorch. und Schlagzeug, 1962; Variationen über 4 rhythmische Themen, 1963; »Perspektiven«, 1966; »Episoden« für Kammerorch., 1967; Konzert für Vc. und Orch., 1963; *Paysages* für Schlagzeug und Orch., 1974), Kammermusik (4 Streichquartette, 1952, 1955, 1961 und 1967), Klavierstücke (*Mινιατούρα*, »Miniaturen«, 1963), Vokalwerke (*Στάσιμον B*, »Stehendes B«, für Mezzo-S., Frauenchor und Orch., 1965; *'Eπίκλησις II*, »Anrufung«, für Sprecher, Männerchor, 4 Frauen-St. und 12 Instr., 1969) sowie zahlreiche Bühnenmusiken.
Lit.: N. SLONIMSKY, New Music in Greece, MQ LI, 1965, S. 225ff.

Sieben, O t t o → N a r h o l z , Gerhard.

+Sieben, W i l h e l m [erg.:] Ludwig, * 29. 4. 1881 zu Landau (Pfalz), [erg.:] † 23. 8. 1971 zu München.
Lit.: A. MÄMPEL, Die Anfänge W. S.s in Dortmund, in: Beitr. zur Gesch. Dortmunds u. d. Grafschaft Mark LVIII, 1962; H. REUTTER in: NZfM CXXXII, 1971, S. 561.

Siebenkäs, J o h a n n (Siebenkees), getauft 23. 12. 1714 und † 22. 1. 1781 zu Nürnberg; deutscher Organist und Komponist, besuchte das Egidiengymnasium in Nürnberg, wo er Klavierunterricht durch Förtsch erhielt, studierte ab 1726 Musik bei Heinichen in Dresden und war in Nürnberg ab 1737 in verschiedenen Organistenämtern tätig, zuletzt ab 1772 (offiziell 1775) an St. Sebald. Dort trat er ab 1761 auch mit Oratorienaufführungen hervor. G. W. Gruber und Nopitsch waren seine Schüler. Man kennt von ihm eine Kirchweihkantate und ein Klavierstück. Mehrere Jahrgänge Kirchenkantaten sowie zahlreiche Orgel- und Kammermusikwerke sind verschollen.
Lit.: FR. KRAUTWURST in: MGG XII, 1965, Sp. 671f.

+Sieber, J o h a n n G e o r g (S. père), [erg.:] 2. 2. 1738 [nicht: 1734; erg.:] zu Reiterswiesen (Unterfranken) – [erg.:] 13. 1. 1822 [nicht: 1815].
Er war 1762–86 1. Hornist an der Pariser Opéra [nicht: ab 1763 an der Opéra-Comique] und gehörte auch dem Orchester der Concerts Spirituels an. – Sein Sohn G e o r g e s - J u l i e n (S. fils), 15. [nicht: 17.] 11. 1775 – [erg.:] 22. 1. 1847 [nicht: 1834] leitete das Verlagshaus S., das bis 1847 noch nachweisbar ist, 1824–34.
Lit.: A. DEVRIÈS, Les éditions mus. S., Rev. de musicol. LV, 1969.

Siebert, W i l h e l m Dieter, * 22. 10. 1931 zu Berlin; deutscher Komponist, studierte in Berlin bei Rufer und

in Freiburg i. Br. bei Fortner. 1957 widmete er sich zusammen mit O. Sala Experimenten auf dem Gebiet des Jazz und der Elektronik. Seit 1963 ist er Mitglied der »Gruppe Neue Musik Berlin«. – Werke (Auswahl): Komposition für Fl. und Tonband (1964); Trio für Fl., Hf. und Schlagzeug (1967); *Orpheus' Dream* für S., Vc. und Tonband (1967); *Paganini-Variationen* für Fl., Kl., Streichtrio und Tonband (1968); *De architectura* (nach Texten von L. B. Alberti, 1968); *Pennergesang* (nach Texten von G. Br. Fuchs, 1968).

+Siefert, P a u l (Sibert, Sivert, Syfert), [erg.: getauft 28. 6.] 1586 – 1666.
S. war Organist 1611–16 an der altstädtischen Kirche in Königsberg und anschließend bis 1623 in der Kapelle Sigismunds III. von Polen in Warschau [del. bzw. erg. frühere Angaben dazu].
Lit.: C.-A. MOBERG, Om P. S.s »Psalmen Davids« 1651, in: Eripainos uusi musiikkilehti VII/VIII, 1957; C. DAHLHAUS, Cribrum musicum. Der Streit zwischen Scacchi u. S., in: Norddeutsche u. nordeuropäische Musik, hrsg. v. dems. u. W. Wiora, = Kieler Schriften zur Mw. XVI, Kassel 1965; W. NITSCHKE, Zu P. S.s Psalmen, Kgr.-Ber. Bonn 1970; W. KMICIC-MIELESZYŃSKI, Poglądy M. Scacchiego na znajomość kontrapunktu P. S.a (»M. Scacchis Beurteilung v. P. S.s Kontrapunktkenntnissen«), in: Zeszyty naukowe Państwowa wyższa szkoła muzyczna w Gdańsku XX, Danzig 1972.

+Siegel, C.(arl) F. W., † 1869.
Richard Linnemann, * 1845 und † 1909 zu Leipzig; seine Söhne C a r l , * 25. 9. 1872 und † 14. 12. 1945 zu Leipzig, und R i c h a r d , * 1874 und † 1932 zu Leipzig [erg. frühere Angaben]. – →+Kistner, Fr.

+Siegel, –1) R u d o l f , 1878 – 1948 zu Bayreuth [nicht: München].
–2) R a l p h (Rudolf) M a r i a , * 8. 6. 1911 und [erg.:] † 2. 8. 1972 zu München; deutscher Komponist, Textdichter und Musikverleger, wirkte nach Musik- und Gesangsstudien in Florenz, Rom, Köln und Berlin (E. Toch, N. Lopatnikoff) als Operettentenor in Berlin (Metropol-Theater, Theater im Admiralspalast) und München (Theater am Gärtnerplatz) sowie 1946–49 als Oberspielleiter am Neuen Theater in Augsburg. S. wurde vor allem bekannt als Komponist von Bühnenwerken (Operetten, musikalische Lustspiele, Musicals, u. a.: *Der Mann im Frack*, Oberhausen 1931; *Alles für Eva*, Bln 1933; *Liebes-Olympiade*, Düsseldorf 1935; *Liebeszauber*, Bln 1935; *Holde Aida*, Nürnberg 1937; *Frechheit siegt*, München 1942; *Blumen für Gloria*, Augsburg 1948; *Herr Kayser und die Nachtigall*, Wiesbaden 1960; Musical *Charley's Tante*, München 1967; Märchenmusical *Polaria in Afrika*, Freiburg i. Br. 1969), durch mehrere hundert Schlagerkompositionen (*Unter der roten Laterne von St. Pauli*; *Reite, kleiner Reiter*; *Sing' ein Lied, wenn du mal traurig bist*; *Ich hab' noch einen Koffer in Berlin*) sowie durch über 2500 Schlagertexte (*Caprifischer*; *O mia bella Napoli*; *Chiantilied*; *Schau mich bitte nicht so an*; *Eine weiße Hochzeitskutsche*; *Die Liebe ist ein seltsames Spiel*). – Die von S. 1948 mit Sitz in München gegründeten und bis zu seinem Tode von ihm geleiteten Ralph Maria Siegel Musikverlage befassen sich fast ausschließlich mit der Produktion von Schlagern und U-Musik. Das Unternehmen umfaßt die folgenden Verlage: Ralph Maria Siegel Musikedition, Joh. Hoffmann's Wwe. Musikverlag, Teoton-Verlag, Edition Jupiter, Meteor-Musik, Extra-Musikverlag, Intervall-Musik, Symphonic-Verlag, Edition Südropa, Edition Meridian KG, Edition Kasparek KG (mit eigenem Bühnenvertrieb), Acuff-Rose Musikverlage KG, Robert Mellin Musikverlage KG und Robert Rühle Musikverlag. Die weiter zum Un-

ternehmen gehörende Schallplattenfirma Stellina-Jupiter Record produziert Schlagermusik.
Lit.: zu −2): Musikhandel IX, 1958, S. 121f., u. XIV, 1963, S. 123.

+Siegele, Ulrich, * 1. 11. 1930 zu Stuttgart.
Er habilitierte sich 1965 mit einer Arbeit über *Die Musiksammlung der Stadt Heilbronn. Katalog mit Beiträgen zur Geschichte der Sammlung und zur Quellenkunde des XVI. Jh.* (= Veröff. des Archivs der Stadt Heilbronn XIII, Heilbronn 1967) an der Universität Tübingen, wo er seitdem Musikwissenschaft lehrt (Professor). − *+Musik des oberschwäbischen Barock* (= Veröff. der Gesellschaft der Orgelfreunde III), Bln 1952, ³1959 [nicht: 3 H., 1952–59]. − Neuere Aufsätze: *Bemerkungen zu Bachs Motetten* (Bach-Jb. XLIX, 1962); *Von Bachschen Modellen und Zeitarten* (Fs. W.Gerstenberg, Wolfenbüttel 1964); *Bachs Motette »Jesu meine Freude«. Protokoll einer Aufführung* (MuK XXXIX, 1969); *Das Drama der Themen am Beispiel des »Lohengrin«* (in: R. Wagner, hrsg. von C.Dahlhaus, = Studien zur Musikgeschichte des 19. Jh. XXVI, Regensburg 1971); *Entwurf einer Musikgeschichte der sechziger Jahre* (in: Die Musik der sechziger Jahre, hrsg. von R.Stephan, = Veröff. des Instituts für Neue Musik und Musikerziehung Darmstadt XII, Mainz 1972).

+Siegl, Otto, * 6. 10. 1896 zu Graz.
S. wirkte als Theorielehrer am Laugs'schen Konservatorium in Hagen [nicht: Essen]. − An der Akademie für Musik und darstellende Kunst in Wien lehrte er (ab 1958 als ordentlicher Hochschulprofessor) bis 1967. S., 1958–61 Präsident des Steirischen Tonkünstlerbundes, wurde 1960 in den österreichischen Kunstsenat berufen (Nachfolger E.Kornauths). Sein Schaffen erhielt zahlreiche Auszeichnungen (u. a. 1957 Großer Staatspreis für Musik). − Weitere Werke: 2 Symphonien (1958, 1959) und *Allegro sinfonico* (1969) für Orch.; Cellokonzert (1957), Konzert für Fl. und Streichorch. (1955), Kammerkonzerte für Kl. und Orch. (1960) sowie Fl., Klar. und Streichorch. (1960); 2 Streichquintette (op. 116, 1940; 1954), *Quintett-Serenade* für Klar., Fag., V., Va und Vc. (1961), 5 Streichquartette (*Burleskes Streichquartett*, op. 29, 1924; op. 35, 1924; op. 77, 1932; op. 112, 1941; *Festliches Streichquartett*, 1956), Trio für Klar., Vc. und Kl. (1959), Sonaten mit Kl. für Vc. (op. 20, 1923; op. 24, 1923; op. 33, 1924; 1967), V. (op. 39, 1925; op. 117, 1940), Va (op. 41, 1925; op. 103, 1938), Klar. (*Floriani-Sonate*, 1965; 1969) und Fl. (1968), Sonatina für V. und Git. (1956), Sonate für Klar. und Vc. (1965); Partita (1953) und *Form und Ausdruck* (1961) für Kl.; Oratorium *Stern des Lebens* für Soli, gem. Chor, Org. und Orch. (1959), Kantaten *Eines Menschen Lied* für Soli, gem. Chor und Orch. op. 73 (1931), *Klingendes Jahr* für S., Männerchor, Kl. und Streichorch. op. 81 (1933) und *Wort und Wunder* für S., gem. Chor und Orch. (1955); *Seemannsliederspiel* für Männerchor und Streichorch. sowie über 200 weitere Vokalwerke mit und ohne Orch.; Te Deum *Hymnus Ambrosianus* für S., Männerchor und Orch. op. 149 (1950), 4 Messen (*Missa Mysterium magnum* für Chor op. 48, 1926; *Orgel-Festmesse* op. 146, 1949, und *Missa parva*, 1953, für Soli, Chor und Org.; *Missa humilitatis* für Soli, Chor, Org. und Orch., 1959); etwa 80 Lieder (u. a. die Zyklen *Lieder der Marlene* op. 13, 1921; *Binding-Lieder* op. 79, 1932; *Liederzyklus für unsere Zeit* op. 144, 1947).
Lit.: H. VOGG in: Musikerziehung X, 1955/56, S. 28ff. (mit Werkverz.); E. L. URAY in: Mitt. d. Steirischen Tonkünstlerbundes 1960, Nr 3, S. 1ff.; H. LEMACHER in: Musica sacra LXXXII, 1962, S. 20ff. (mit Werkverz.); W. SUPPAN, O. S., = Österreichische Komponisten d. XX. Jh. IX, Wien 1966.

+Siegmeister, Elie, * 15. 1. 1909 zu New York.
S. unterrichtete am Hofstra College (N. Y.) bis 1958, leitete 1950–65 die Hofstra Symphony und wurde 1965 Full Professor an der Hofstra University. Neuere Werke: die Opern *The Mermaid in Lock Number Seven* (einaktig, Pittsburgh/Pa. 1958) und *The Plough and the Stars* (Baton Rouge/La. 1969); *Theater Set* (1960), *Dick Whittington and His Cat* (1966), 5 *Fantasies of the Theater* (Beckett, Ionesco, Brecht, Pirandello, O'Casey, 1967) und *The Face of War* (1968) für Orch.; Flötenkonzert (1960); Sextett für Blechbläser und Schlagwerk (1965), 2. Streichquartett (1960), Werke mit Kl. für V. (3 Sonaten, 1951–59, 1965, 1969), Klar. (*Prelude*, 1970) und Fag. (*Contrasts*, 1970), *Fantasy and Soliloquy* für Vc. solo (1970); 2. Sonate (1964) sowie Thema und Variationen (1967) für Kl.; *In Our Time* (1965) und *I Have a Dream* (1967) für Chor a cappella. − Neuere Schriften: *+The Music Lover's Handbook* (1943), Neuaufl. als *The New Music Lover's Handbook* (Irvington-on-Hudson/N. Y. 1973); *Invitation to Music* (ebd. 1961); *Harmony and Melody* (2 Bde, Belmont/Calif. 1965–66).

+Siegmund-Schultze, Walther, * 6. 7. [nicht: 6.] 1916 zu Schweinitz (Elster, Bezirk Cottbus).
Er promovierte 1940 in Breslau mit einer Arbeit über *Mozarts Vokal- und Instrumentalmusik in ihren motivisch-thematischen Beziehungen* und habilitierte sich 1951 in Halle (Saale) mit *Untersuchungen zum Brahms-Stil und Brahms-Bild*. − S.-Sch., weiterhin Direktor des Musikwissenschaftlichen Instituts der M.-Luther-Universität Halle–Wittenberg, Schriftleiter des *Händel-Jahrbuchs* (darin zahlreiche Aufsätze von ihm selbst) und daneben seit 1955 Wissenschaftlicher Sekretär der G.-Fr.-Händel-Gesellschaft, hat seit 1958 die Editionsleitung der *Hallischen Händel-Ausgabe* (→+Händel) inne. − Neuere (separat erschienene) Veröffentlichungen: +*G.Fr. Händel. Leben und Werk* (1954), erweitert Lpz. ²1959, neuerlich erweitert ³1962, slowakisch Bratislava 1959; *Über den Begriff der Volkstümlichkeit in der Kunst* (= Hallische Universitätsreden, N. F. II, Halle 1960); *Halles Beitrag zur Musikgeschichte. Gedanken zu den progressiven Traditionen hallischer Musik* (ebd. V, 1961); *G.Fr.Händel. Thema mit 20 Variationen* (ebd. 1965); *J.Brahms. Eine Biographie* (Lpz. 1966, ²1974); *Ziele und Aufgaben der sozialistischen Musikerziehung* (= Hdb. der Musikerziehung I, Lpz. 1967). Die Zahl seiner Aufsätze umfaßt über 300 Titel (vor allem zur Händel-Forschung sowie zu Telemann, Mozart und Beethoven, zur Geschichte der Oper und zu musikästhetischen Fragen; viele davon veröff. in »Wissenschaftliche Zs. der M.-Luther-Universität Halle–Wittenberg, Gesellschafts- und sprachwissenschaftliche Reihe« und in MuG). Von den von ihm edierten Sammelschriften (auch hier besonders über Händel und jeweils mit eigenen Beiträgen) sei genannt *Traditionen und Aufgaben der hallischen Musikwissenschaft* (= Wissenschaftliche Zs. . . . Halle–Wittenberg 1963, Sonder-Bd; darin Bibliogr. der Schriften S.-Sch.s bis 1962).
Lit.: S. BIMBERG in: MuG XVI, 1966, S. 473ff.

Siems, Margarethe, * 20. 12. 1879 zu Breslau, † 13. 4. 1952 zu Dresden; deutsche Sängerin (Koloratursopran), studierte bei Aglaja Orgeni in Dresden sowie bei Battistini in Mailand und debütierte 1902 am Deutschen Theater in Prag, dessen Ensemblemitglied sie bis 1908 war. 1909–19 gehörte sie der Dresdner Staatsoper an. In den dortigen Uraufführungen der Opern von R. Strauss sang sie die Chrysothemis (*Elektra*) und die Marschallin (*Der Rosenkavalier*). An der Stuttgarter Hofoper kreierte sie außerdem die Zerbinetta (*Ariadne auf Naxos*). Sie trat an der Covent Garden Opera in

London und der Berliner Staatsoper auf und lehrte ab 1920 am Stern'schen Konservatorium in Berlin. 1937–40 war M. S. Professor für Gesang am Breslauer Konservatorium.

+Siepi, Cesare, * 10. 2. 1923 zu Mailand.
S. debütierte 1941 in Schio (Venetien) [nicht: Florenz]. 1951 sang er erstmals an der Metropolitan Opera in New York, mit der ihn seitdem ständige Verpflichtungen verbinden. Seit 1966 ist er zusätzlich Mitglied der Wiener Staatsoper. Als Gast ist er ferner an zahlreichen bedeutenden Opernhäusern (u. a. Covent Garden Opera in London) zu hören; auch wirkte er bei Festspielen (u. a. Salzburger Festspiele, Maggio musicale Fiorentino) mit. Zu seinen großen Partien zählen des weiteren Mephistopheles (*Faust*), Figaro (Mozart) sowie König Philipp (*Don Carlos*).
Lit.: Le grandi v., hrsg. v. R. Celletti, = Scenario I, Rom 1964, Sp. 770ff. (mit Diskographie v. R. Vegeto).

+Sietz, Reinhold [erg.:] Curt Franz Johannes, * 15. 12. 1895 zu Danzig, [erg.:] † 13. 10. 1973 zu Köln.
+H.Purcell. *Zeit, Leben, Werk* (1955), tschechisch = Hudební profily VII, Prag 1960. – Sein Werk *+Aus F.Hillers Briefwechsel. Beiträge zu einer Biographie F. Hillers* liegt nunmehr abgeschlossen vor (7 Bde, = Beitr. zur rheinischen Musikgeschichte XXVIII, XLVIII, LVI, LX, LXV, LXX und XCII, Köln 1958–70). An neueren Schriften seien weiter genannt: *Der Nachlaß F.Hillers* (mit M.Sietz, = Mitt. aus dem Stadtarchiv von Köln LIX, ebd. 1970); *Th.Kirchner, ein Klaviermeister der deutschen Romantik* (= Studien zur Musikgeschichte des 19. Jh. XXI, Regensburg 1971); *Die Niederrheinischen Musikfeste in Aachen in der ersten Hälfte des 19. Jh.* (Zs. des Aachener Geschichtsvereins LXXII, 1960); *Das Stammbuch von J.Rietz* (in: Studien zur Musikgeschichte des Rheinlandes II, Fs. K. G. Fellerer, = Beitr. zur rheinischen Musikgeschichte LII, Köln 1962); *Die musikalische Gestaltung der Loreleysage bei M.Bruch, F. Mendelssohn und F.Hiller* und *M.Bruch als Preisrichter* (in: M.Bruch-Studien, hrsg. von D. Kämper, ebd. LXXXVII, 1970); *Zur Textgestaltung von R.Schumanns »Genovefa«* (Mf XXIII, 1970); *Dr. H. Franck, ein Freund Wagners, Hillers und Heines* (in: Musicae scientiae collectanea, Fs. K. G. Fellerer, Köln 1973); lexikalische Beiträge (besonders für MGG und »Rheinische Musiker«).
Lit.: D. Kämper in: Mf XXVII, 1974, S. 2f.

+Sievers, Eduard, 1850–1932.
Lit.: +G. Becking, Der mus. Rhythmus als Erkenntnisquelle (1928), Nachdr. Darmstadt 1958 u. Stuttgart 1972. – G. Ungeheuer, Die Schallanalyse v. S., Zs. f. Mundartforschung XXXI, 1964; Portraits of Linguists. A Biogr. Sourcebook f. the Hist. of Western Linguistics, 1746–1963, hrsg. v. Th. A. Sebeok, 2 Bde, Bloomington (Ind.) 1966; Th. Cable, Metrical Simplicity and S.' Five Types, in: Studies in Philology LXIX, 1972.

+Sievers, Gerd, * 16. 10. 1915 zu Hamburg.
Seine Dissertation *+Die Grundlagen H. Riemanns bei M. Reger* (1949), erschien überarbeitet Wiesbaden 1967. Neuere Aufsätze: *Magische Quadrate* (in: Musica XIV, 1960); *Das Ezzolied in der Vertonung von W.Burkhard und J.N.David* (Fs. H.Engel, Kassel 1964); *J.N.Davids Spiegelkabinett. Analytische Studie* (in: Ex Deo nascimur, Fs. J.N.David, Wiesbaden 1970). S. gab in der →+Reger-GA eine Anzahl Bände heraus, edierte (mit O. Schreiber) eine Gedenkschrift *M.Reger zum 50. Todestag* (= Veröff. des M.-Reger-Instituts ... Bonn IV, Bonn 1966) und war Mitbearbeiter der 6. Aufl. des K.-V. (Wiesbaden 1964; →+Mozart, S. 234, rechte Sp.).

+Sievers, Heinrich, * 20. 8. 1908 zu Dorum (Kreis Wesermünde).

S., Honorarprofessor an der Technischen Hochschule (heute Technische Universität) Hannover seit 1959, wurde im selben Jahr Professor für Musikwissenschaft an der Hochschule für Musik und Theater in Hannover, deren Kirchenmusikabteilung er zugleich leitete. Neuere Veröffentlichungen: *Die Musik in Hannover. Die musikalischen Strömungen in Niedersachsen vom Mittelalter bis zur Gegenwart* (Hannover 1961) und *Musica curiosa. Neu eröffnetes musicalisch-historisches Raritäten-Cabinet* (Tutzing 1970, 21971).

Sievert, Ludwig, * 17. 5. 1887 zu Hannover, † 11. 12. 1966 zu München; deutscher Bühnenbildner, war nach dem Besuch der Kunstgewerbeschule Aachen als Theatermaler tätig. 1912 wurde er künstlerischer Beirat am Stadttheater Freiburg i. Br. (*Der Ring des Nibelungen*, 1912/13; *Parsifal*, 1912) und wirkte 1914–19 am Nationaltheater Mannheim (*Undine* und *Die Zauberflöte*, 1916). Ab 1917 arbeitete er auch für das Theater in Baden-Baden, wo er selbst Regie führte (*Die Zauberflöte*, 1921), und ab 1919 für die Städtischen Bühnen in Frankfurt a. M. Unter der Intendanz von Cl.Krauss schuf er dort: *Der fliegende Holländer* (1920); *Mörder, Hoffnung der Frauen* und *Das Nusch-Nuschi* von P.Hindemith (1921); *Die Frau ohne Schatten* (1923); »Figaros Hochzeit« (1924); *Chowanschtschina* von Mussorgskij (1924); *Così fan tutte* (1926); *Ariadne auf Naxos* (1926); *Don Giovanni* (1927); *Falstaff* (1927); *Cardillac* von Hindemith (1928); *Boris Godunow* (1929); *Von Heute auf Morgen* von Schönberg (1930); *Tristan und Isolde* (1934); *Doktor Johannes Faust* von H.Reutter (1936); *Carmina Burana* (1937). 1937 folgte er Cl. Krauss an das Nationaltheater München, wo er u. a. *Aida* (1937), *Salome* und *Friedenstag* von R.Strauss (1938), *Der Mond* von Orff (1939), *Tannhäuser* (1939) und *Die Meistersinger von Nürnberg* (1943) ausstattete. Wie schon vorher für die Berliner und Wiener Staatsoper, die Mailänder Scala und die Salzburger Festspiele war er nach dem Kriege nur noch als Gastbühnenbildner tätig. – S.s Schaffen zeugt von großer stilistischer Spannweite. In der Auseinandersetzung mit R. Wagners Musikdrama schuf er für den *Ring des Nibelungen* (Ffm. 1924/25) eine expressiv-symbolische Raumbühne, die mit A. →Appias kubisch-abstrakter Lösung (Basel 1924/25) scharf kontrastierte. Für Mozarts Musiktheater fand er in tänzerisch-rhythmischer Dekorationen eine adäquate szenische Form.
Lit.: L. Wagner, Der Szeniker L. S., Bln 1926; E. L. Stahl, L. S., Lebendiges Theater, München 1944.

+Siface, Giovanni Francesco (eigentlich Grossi), 1653–97.
Lit.: A. Della Corte in: MGG V, 1956, Sp. 955f.; A. Heriot, The Castrati in Opera, London 1956, ital. Mailand 1962.

Sighard, Lorenz → Sichart, L.

Sigurbjörnsson, Thorkell, * 16. 7. 1938 zu Reykjavik; isländischer Komponist, Pianist und Dirigent, studierte in Reykjavik (1948–57) sowie an der Hamline University in St.Paul/Minn. (1957–59) und an der University of Illinois in Urbana (1959–61). 1966–69 war er beim isländischen Rundfunk tätig. Seit 1968 ist er Rezensent der Zeitung »Morgunbladið«. Daneben tritt er als Pianist und Dirigent zeitgenössischer Musik in Erscheinung. – Kompositionen: Ballade für T., Fl., Va und Git. (Text Brecht, 1960); *Leikar* für Chor und Orch. (1961); *Composition in 3 Scenes*, Kammeroper auf eigenen Text für Soli, Chor, 3 Tasteninstr., 3 Schlagzeuger, Git. und Altsax. (1964); *Cadenza and Dance* für V. und Orch. (1967); Streichquartett *Hässel-*

by (1968); *Ymur* für Orch. (1969); *Missa minuscula* für Frauenchor (1969); *Kisum* für Klar., Va und Kl. (1970); *Laeti* für Orch. und Tonband (1971); Elektronische Musik *Fípur* (1971).

+Siklós, A l b e r t ([erg.:] eigentlich Schönwald), 1878 – 3. [nicht: 2.] 4. 1942.
S., der 1928–38 in Budapest die Zeitschrift *A zene* (»Die Musik« herausgab, lehrte ab 1910 Transposition, Partiturspiel und Theorie (1913 Professor) und ab 1918 Komposition an der Budapester Musikakademie [del. bzw. erg. frühere Angaben dazu]. Die Oper *A hónapok háza* (+»Das Haus der Monde«) ist einaktig [nicht: 2aktig]; er schrieb insgesamt 4 [nicht: 3] Suiten für kleines Orch. und 2 [nicht: ein] Cellokonzerte (1895, 1902).
Lit.: J. UJFALUSSY in: MGG XII, 1965, Sp. 690f.

+Sikorski, H a n s [erg.:] (Johannes) Carl, * 30. 9. 1899 zu Jersitz [nicht: Posen], [erg.:] † 22. 8. 1972 zu Bad Wiessee (Oberbayern).
S., Ehrenmitglied u. a. der GEMA und des Deutschen Musikverlegerverbandes, war ab 1965 Vizepräsident der CISAC und ab 1969 des BIEM. – Zur Unternehmensgruppe der Musikverlage Hans Sikorski in Hamburg gehören ferner Alexis-Musikverlag, Connelly-Musikverlag Dr. Hans Sikorski KG, Fünf-Sterne Musikverlag Hans Sikorski KG, Goldy-Musikverlag Hans Sikorski KG und MOP-Musikverlag Hans Sikorski KG (alle für Tanz- und Unterhaltungsmusik). Auf dem Gebiet der E-Musik ist die Vertretung der sowjetischen Staatsverlage zu nennen. Neue Zweigniederlassungen wurden in Amsterdam, Innsbruck und Zürich eröffnet.

+Sikorski, K a z i m i e r z, * 28. 6. 1895 zu Zürich.
Als Rektor an der Musikhochschule in Łódź wirkte S. 1947 [nicht: 1948] bis 1954, an der Musikhochschule in Warschau 1951–57 als Professor und 1957–66 als Rektor. Er war 1953–59 Präsident des polnischen Komponistenverbandes (1971 Ehrenmitglied). Zu seinen bedeutendsten Schülern zählen Gr. Bacewicz, J. Ekier, St. Kisielewski, J. Krenz, A. Panufnik, R. Palester und K. Serocki. – Weitere Werke: insgesamt 4 Symphonien (1919; 1921; *III Symfonia w formie concerto grosso*, 1953; 1971), Konzert [nicht: Concertino] für Klar. und Orch. (1947), Konzert für Horn und kleines Orch. (1949), Flötenkonzert (1957), Konzert für Trp., Streichorch., 4 Pk., Xylophon und Tamtam (1959), *Koncert polifoniczny* für Fag. und Orch. (1965), Oboenkonzert (1967); Streichsextett D moll op. 6 (1930); +*Stabat mater* für B., gem. Chor und Org. (1943, Fassung für Soli, Chor und Orch. 1950); zahlreiche Chöre (vor allem Bearbeitungen polnischer Volkslieder); Filmmusiken. – Hervorzuheben sind seine theoretischen Arbeiten *Instrumentoznawstwo* (»Instrumentenkunde«, Warschau 1932, Krakau ²1950, ³1975), *Harmonia* (3 Bde, Krakau 1948–49, gekürzte Ausg. in 1 Bd ebd. 1955 bzw. in 2 Bden 1960–61, ⁴1972) und *Kontrapunkt* (3 Bde, ebd. 1953–57).
Lit.: H. FEICHT, K. S. jako teoretyk propedeutyki i kompozycji »K. S. als Theoretiker d. Propädeutik u. Komposition«, in: Studia muzykologiczne V, 1956; K. SCHILLER in: Ruch muzyczny II, 1958, Nr 5, S. 15ff. (zur 3. Symphonie).

Sikorski, T o m a s z, * 19. 5. 1939 zu Warschau; polnischer Komponist und Pianist, Sohn von Kazimierz S., studierte 1956–62 an der Musikhochschule in Warschau bei Drzewiecki (Klavier) sowie bei seinem Vater (Komposition) und vervollkommnete seine Studien bei Nadia Boulanger in Paris. Er unternahm als Pianist Tourneen in die ČSSR und nach England und lebt heute als freischaffender Komponist in Warschau. –

Kompositionen (Auswahl): Funkoper *Przygody Sindbada żeglarza* (»Seemann Sindbads Abenteuer«, 1971); *Echa II* (»Echo II«) für 1–4 Kl., Glocken, Gongs, Tamtams und Tonband (1963); *Antyfony* (»Antiphone«) für S., Kl., Horn, Glocken, 4 Gongs und Tonband (1963); *Prologi* für Frauenchor ohne Worttext, 2 Kl., 4 Fl., 4 Hörner und 3 Schlagzeuger (1964); *Architektury* (»Architekturen«) für Kl., Bläser und Schlagzeug (1965); *Concerto breve* für Kl., 24 Bläser und 4 Schlagzeuger (1965); *Sonant* für Kl. (1967); *Diafonia* für 2 Kl. (1969); *Homofonia* für 4 Hörner, 4 Trp., 4 Pos., Kl. und Gong (1970); *Vox humana* für gem. Chor, 2 Kl., 12 Blechbläser, 4 Gongs und 4 Tamtams (1971); *Zerstreutes Hin ausschauen* für Kl. (1971); *Holzwege* für Orch. (1972); *Bez tytułu* (»Ohne Titel«) für Klar., Pos., Kl. und Vc. (1972); *Monodia e sequenza* für Fl. und Kl. (1972).

+Silbermann, A l p h o n s, * 11. 8. 1909 zu Köln.
S. war 1958–64 Lehrbeauftragter und Honorarprofessor an der Universität Köln und 1964–69 Lehrstuhlinhaber für Soziologie der Massenkommunikation und Kunstsoziologie an der Universität Lausanne. Er wirkt derzeit als Wissenschaftlicher Rat und Professor sowie als Direktor des Instituts für Massenkommunikation an der Kölner Universität. – +*La musique, la radio et l'auditeur* (= Bibl. de musicologie o. Nr, 1954), span. Buenos Aires 1957, deutsch als *Musik, Rundfunk und Hörer,* = Kunst und Kommunikation I, Köln 1959; +*Wovon lebt die Musik? Die Prinzipien der Musiksoziologie* (1957), span. = Ensayistas de hoy XXIX, Madrid 1962, engl. = International Library of Sociology and Social Reconstruction o. Nr, London 1963, frz. = Travaux de droit, d'économie, de sociologie et de sciences politiques LXX, Genf 1968, auch japanisch. – Von seinen neueren Veröffentlichungen seien genannt: *Ketzereien eines Soziologen* (Wien 1965); *Empirische Kunstsoziologie. Eine Einführung mit kommentierter Bibliographie* (Stuttgart 1973); *Sozialpsychologische Aspekte im Wandel des Chopin-Idols* (Chopin-Kgr.-Ber. Warschau 1960); *Die Ziele* bzw. *Die Pole der Musiksoziologie* (Kölner Zs. für Soziologie und Sozialpsychologie XIV, 1962 bzw. XV, 1963); *Schallplatte und Gesellschaft* (in: Theater und Zeit XI, 1963/64); *Theoretische Stützpunkte der Musiksoziologie* (in: Musik und Bildung IV, 1972).
Lit.: T. KNEIF, Gegenwartsfragen d. Musiksoziologie, AMl XXXVIII, 1966; DERS., Musiksoziologie, = Musik-Taschen-Bücher, Theoretica IX, Köln 1971.

+Silbermann, –1) A n d r e a s (André), 1678–1734. Eine Lehre bei E. Casparini ist unwahrscheinlich und quellenmäßig nicht belegt. Wesentlich für seine Entwicklung war seine Tätigkeit bei Fr. [nicht: A.] Thierry.
–2) G o t t f r i e d, 1683–1753. -3) J o h a n n A n d r e a s (Jean André), 24. [nicht: 26.] 6. 1712 – 1783.
Lit.: zu –1): A. BENDER, Les org. S. de Marmoutier et Ebersmünster, = Org. d'Alsace II, Straßburg 1960; P. MEYER-SIAT, Die Org. zu St-Nicolas in Straßburg, Acta organologica V, 1971.
zu –2): +U. DÄHNERT, Die Org. G. S.s in Mitteldeutschland (= Forschungen zur sächsischen Kunstgesch. II, 1953), Nachdr. = Bibl. organologica XXXIV, Amsterdam 1971 (mit Korrekturen u. Ergänzungen). – P. RUBARDT, Die Silbermannorg. in Rötha, Lpz. 1953; W. L. SUMNER, S. and His Work, Hinrichsen's Mus. Yearbook VIII, 1956; M. UNGELENK, Gesch. d. Silbermannorg. v. Schloß Burgk, = Museumsreihe II, Burgk (Saale) 1958; U. DÄHNERT, Nicht ausgeführte Orgelbaupläne G. S.s, insbesondere beim Dispositionsentwurf f. St. Marien in Zwickau, Walcker Hausmitt. 1961, H. 27; DERS., Der Org.- u. Instrumentenbauer Z. Hildebrandt. Sein Verhältnis zu G. S. u. J. S. Bach, Lpz. 1962; DERS., Ist d. Hilbersdorfer Brüstungspositiv im Lpz.er Musikinstr.-Museum ein Werk G. S.s?, Instrumentenbau-Zs. XVIII, 1964;

DERS. u. P. WILLIAMS, The Newly Restored S. Org. in the Catholic Court Church, Dresden, The Org. Yearbook IV, 1973; U. PAPE, Die S.-Org. im Bremer Dom, in: Ars org. XII, 1964; H. K. H. LANGE, Die S.-Stimmung, Instrumentenbau-Zs. XX, 1966; DERS., Die Orgelstimmung G. S.s. Ein Beitr. zur Aufführungspraxis alter Musik, Kgr.-Ber. Bonn 1970, erweitert in: Acta organologica VII, 1973, S. 154ff.; W. LOTTERMOSER, E. JENKNER u. D. KRIEGER, Plenum-Klangbilder d. G. S.-Org. im Dom v. Freiburg, in: Das Musikinstr. XVI, 1967; W. MÜLLER, Auf d. Spuren v. G. S., Ein Lebensbild d. berühmten Orgelbauers nach urkundlichen Quellen gezeichnet, Kassel u. Bln 1968; DERS., G. S.s letztes Werk. Ein Beitr. zur Baugesch. d. Dresdner Hofkirchenorg. aus Anlaß ihrer Wiederherstellung, Sächsische Heimatblätter XIX, 1973; B. BILLETER, Die S.-Stimmungen, AfMw XXVII, 1970; P. WILLIAMS, Org. in Freiberg, Saxony, The Org. Yearbook II, 1971; W. LOTTERMOSER, Probleme bei d. Restauration d. S.-Org. in d. Hofkirche zu Dresden, MuK XLII, 1972.
zu –3): A. BENDER, Les org. S. de Soultz, Haut-Rhin, = Org. d'Alsace I, Straßburg 1960; H. KOBEL, Die Org. d. J. A. S. v. 1761 im Dom zu Arlesheim u. ihre Restauration 1959–62, in: Musik u. Gottesdienst XVI, 1962; R. WALTER, Der Orgelbau f. d. Fürstabtei St. Blasien 1772/75, in: Musicae sacrae ministerium, Fs. K. G. Fellerer, = Schriftenreihe d. Allgemeinen Cäcilien-Verbandes ... V, Köln 1962; DERS., J. A. S. e i suoi criteri costruttivi, in: L'organo IX, 1971; DERS., J. A. S. u. d. Bau d. Chororg. in Zwiefalten, in: Symbolae hist. musicae, Fs. H. Federhofer, Mainz 1971; W. LOTTERMOSER u. E. JENKNER, Klanganalytische Untersuchungen im Anschluß an d. Restauration d. J. A. S.-Org. v. Arlesheim/Basel, in: Das Musikinstr. XV, 1966; P. MEYER-SIAT u. A. RABER, L'orgue S. de l'église St-Georges de Sélestat et de l'église des Dominicains de Colmar, Annuaire de la Soc. hist. et littéraire de Colmar XIX, 1969/70; P. A. HORN, Die Org. J. A. S.s, Acta organologica IV, 1970; M. SCHAEFER, Les anciennes org. S. du Temple-Neuf à Strasbourg, in: La musique en Alsace, = Publ. de la Soc. savante d'Alsace et des régions de l'Est X, Straßburg 1970.

+**Silcher,** Philipp Friedrich (Friederich), 1789–1860. Lit.: P. MIES, Fr. S.s Liedbearb. Beethovenscher Melodien, Beethoven-Jb. III, 1957/58; O. BRODDE in: Der Kirchenchor XX, 1960, S. 65ff.; H. J. DAHMEN, S. u. Mozart, Acta Mozartiana VII, 1960; DERS. u. PH. HARDENRAUCH, S., Bilder aus seinem Leben, Stuttgart 1960; H. MOHR DE SYLVA in: Württembergische Blätter f. Kirchenmusik XXVII, 1960, S. 69ff.; D. STOVEROCK, Fr. S. in seinen musikpädagogischen Schriften, in: Musik im Unterricht (Allgemeine Ausg.) LI, 1960; E. VALENTIN, Fr. S., d. Zeitgenosse Beethovens u. Schumanns, in: Musica XIV, 1960; S. WILLERT, Fr. S.s Bedeutung f. d. Volksliedpflege, in: Musik in d. Schule XII, 1961.

Silja, Anja, * 17. 4. 1940 zu Berlin; deutsche Sängerin (Sopran), wurde von ihrem Großvater Egon Friedrich Maria Aders van Rijn ausgebildet, gab mit 10 Jahren in Berlin ihr erstes Konzert und debütierte 1955 als Rosina am Staatstheater in Braunschweig. Sie gastierte 1958–59 an der Staatsoper in Stuttgart, deren Ensemble sie seit 1965 angehört. 1960–63 (und wieder ab 1974) war sie an den Städtischen Bühnen in Frankfurt a. M. engagiert. Daneben trat A. S. bei den Festspielen in Aix-en-Provence (1959), bei den Bayreuther Festspielen (ab 1960) und beim Holland Festival (1968) auf. Sie gastierte an bedeutenden Bühnen Europas, in Japan und den USA (1972 Debüt als Leonore in *Fidelio* an der Metropolitan Opera in New York). Unter der Regie von Wieland Wagner gestaltete sie neben den großen Wagner-Partien (Senta, Elisabeth, Venus, Elsa, Eva, Brünnhilde, Isolde) die Salome, Elektra, Desdemona, Marie (*Wozzeck*) und Lulu. Ihr Repertoire umfaßt außerdem u. a. Donna Anna, Königin der Nacht, Carmen, Lady Macbeth, die Jenny in *Aufstieg und Fall der Stadt Mahagonny*, Renata in Prokofjews »Der feurige Engel« sowie Schönbergs *Erwartung*.

Lit.: J. HEINZELMANN, A. S., = Rembrandt-Reihe LII, Bln 1965; W. SCHWINGER in: Opera XX, (London) 1969, S. 193ff.

Sills (silz), Beverly (eigentlich Belle Silverman), * 25. 5. 1929 zu Brooklyn (N. Y.); amerikanische Sängerin (Koloratursopran), studierte privat bei Estelle Liebling (Gesang) und bei Gallico (Klavier) und sang an der Philadelphia Civic Opera und der New York City Opera. 1956 kreierte sie in Central City (Colo.) die Titelpartie in D. Moores Volksoper *The Ballad of Baby Doe*. 1969 trat sie erstmals an der Mailänder Scala auf. Seitdem gastiert B. S. an den großen Opernhäusern Amerikas und Europas. Für 1975 wurde sie von der Metropolitan Opera in New York mit der weiblichen Hauptrolle in Rossinis *L'assedio di Corinto* betraut. Zu ihren wichtigsten Partien gehören Cleopatra (*Giulio Cesare*), Lucia di Lammermoor, Anna Bolena, Maria Stuarda, Elizabeth in *Roberto Devereux* und Marie in *La fille du régiment* von Donizetti, Violetta, Manon von Massenet, Micaëla, Königin Schemachan (»Der goldene Hahn« von N. Rimskij-Korsakow), die 3 Frauenrollen in *Les contes d'Hoffmann*, Salome und Zerbinetta.
Lit.: H. WEINSTOCK in: Opera XXI, (London) 1970, S. 1094ff.

Silly, François → Bécaud, Gilbert.

+**Siloti,** Alexander (Alexandr) Iljitsch, 27. 9. (9. [nicht: 10.] 10.) 1863 – 8. [nicht: 18.] 12. 1945. Lit.: A. I. S., Wospominanija i pisma (»Erinnerungen u. Briefe«), hrsg. v. L. N. RAABEN, Leningrad 1963.

Silva, Alfonso de, * 22. 12. 1903 zu Callao, † 7. 5. 1937 zu Lima; peruanischer Komponist, studierte an der Academia Nacional de Música »Alcedo« bei Federico Gerdes (Dirigieren) und am Konservatorium in Madrid bei Campo y Zabaleta (Fuge und Kontrapunkt). Er schrieb Orchesterwerke (*Canto de hadas*, 1921; Suite *Instantes*, 1923; *Canción amarilla*, 1924, auch für 2 Kl.; *Minuetto giocoso*, 1925), Stücke für Violine und Klavier (*Rêve*, 1921; *Berceuse india*, 1922; *Mis petits regrets*, 1923; *Canción india a Virgino Laghi*, 1930), Klavierwerke (*Gran vals N° 3*, 1919; Impromptu, 1922; *Poemas ingenuos*, 1922) und Klavierlieder.
Lit.: Werkverz. in: Compositores de América XIII, Washington (D. C.) 1967.

+**Silva,** Andreas de, [erg.:] * zwischen 1475 und 1480.
A. de S., wahrscheinlich spanischer Herkunft [del. frühere Angaben], lebte möglicherweise schon vor 1519 in Italien (Drucke ab 1514 dort nachgewiesen). Er ist nicht identisch mit S. Virdungs Freund Andreas Silvanus. – Von S. sind über 35 Motetten (darunter der ihm zugeschriebene 6st. Motette *Gaude felix Florentia*, 1513?), mehrere Messen, ein ihm zugeschriebenes Te Deum sowie weltliche Werke überliefert.
Ausg.: Opera omnia, 3 Bde, hrsg. v. W. KIRSCH, = CMM XLIX, (Rom) 1970ff., bisher Bd I–II, 3- u. 4st. bzw. 5- u. 6st. Motetten (1970–71). – 2 [weitere] Motetten in: P. Attaingnant, Treize livres de motets ..., Bd IV u. XII, hrsg. v. A. SMIJERS bzw. T. A. MERRITT, Monaco 1960–63; 5 Motetten in: The Medici Cod. of 1518, 3 Bde, hrsg. v. E. E. LOWINSKY, = Monuments of Renaissance Music III–V, Chicago 1968.
Lit.: W. KIRSCH, A. de S., ein Meister aus d. ersten Hälfte d. 16. Jh., in: Analecta musicologica II, 1965; DERS. in: MGG XII, 1965, Sp. 705ff.; DERS., Die Motetten d. A. de S., Studien zur Gesch. d. Motette im 16. Jh., Habil.-Schrift Ffm. 1971. – zu A. Silvanus: G. PIETZSCH, Quellen u. Forschungen zur Gesch. d. Musik am kurpfälzischen Hof zu Heidelberg bis 1622, = Akad. d. Wiss. u. d. Lit. zu Mainz, Abh. d. geistes- u. sozialwiss. Klasse, Jg. 1963, Nr 6.

+Silva, Francisco Manuel da, 1795 – 18. 12. [nicht: 20. 11.] 1865.
S. wurde 1837 Professor an der Musikabteilung (1841 übergegangen in das Konservatorium) des Colégio de belas-artes in Rio de Janeiro.
Lit.: A. DE ALBUQUERQUE, Ouviram do Ipiranga. Vida de Fr. M. da S., Rio de Janeiro 1959; A. DE ANDRADE, Fr. M. da S. e seu tempo, 1808–65. Uma fase do passado mus. do Rio de Janeiro á luz de novos documentos, 2 Bde, = Coleção Sala Cecília Meireles I, ebd. 1967.

Silva (s'ilvɐ), João Cordeiro da, portugiesischer Organist und Komponist der 2. Hälfte des 18. Jh., trat 1756 in den Orden der S.Cecília ein, wurde 1763 Organist und Komponist der Capela Real von Ajuda und wirkte später als Kapellmeister sowie als Lehrer der königlichen Prinzen. Er gehörte mit großer Sicherheit zu einer Gruppe von portugiesischen Musikern, die in Neapel ihre Studien vervollkommneten. S. schrieb u. a. die Opern *Il ratto di Proserpina* (1784), *Archelao* (1785), *Telemaco nelle isola di Calypso* (1787), *Megara Tebana* (1788) und *Bauce e Palemone* (1789), das Oratorium *Salome Madre de Sette Martiri Maccabei* (1783) sowie Messen und Psalmen.

Silva (s'ilvɐ), Manuel Nunes da, * um 1650 und † nach 1704 zu Lissabon; portugiesischer Musiktheoretiker, studierte bei João Álvares Frovo, dem Musikbibliothekar König Joãos IV., und war danach Musiklehrer und Chorleiter an verschiedenen Seminarien und Kirchen in Lissabon. Er verfaßte den Traktat *Arte minima, que com semibreve prolaçam tratta em tempo breve, os modos da maxima & longa sciencia da musica* (Lissabon 1685, ²1704, ³1725), ein allgemein musiktheoretisches Lehrbuch mit Abhandlungen über Kontrapunkt und Komposition, das die Ausbildungsgrundlage für zahlreiche portugiesische Musiker des 18. Jh. (Frei Jacinto, Seixas) bildete.

+Silva, Óscar da, 21. 4. 1870 zu Paranhos (bei Porto), [erg.:] † 6. 3. 1958 zu Porto.

Silva Gomes (s'ilvɐ g'omiʃ), André da, * 1752 zu Lissabon, † 17. 6. 1844 zu São Paulo; portugiesischer Komponist, war von 1774 bis zu seinem Tode Mestre de capela an der Kathedrale in São Paulo. Er schrieb zahlreiche Kirchenwerke, die u. a. in der Curia Metropolitana in São Paulo, im Archiv des Instituto de Ciências, Artes e Letras in Campinas und in der Bibliothek des Conservatório Dramático e Musical de São Paulo aufbewahrt sind.
Ausg.: Messe für 8 St. u. Instr., hrsg. v. R. DUPRAT, Brasilia 1966.
Lit.: CL. DE OLIVEIRA, A. da S. G., o mestre de capela da Sé de São Paulo, São Paulo 1954; J. DA VEIGA OLIVEIRA, Um chantre de São Paulo no s. XVII [recte: XVIII], in: Comunicações e artes II, 1970.

Silva Pereira (s'ilvɐ pɐr'eirɐ), Joaquim da, * 5. 3. 1912 zu Celorico da Beira (Guarda); portugiesischer Dirigent, Violinist und Bratschist, studierte am Conservatório Nacional in Lissabon bei António Eduardo da Costa Ferreira (Kontrapunkt und Fuge) und Freitas Branco (Musikwissenschaft) sowie 1936–39 in Paris bei Thibaud (Violine). Konzertreisen führten ihn als Violinisten durch Europa, nach Afrika, Asien und Nordamerika. Seit 1947 widmet er sich ausschließlich dem Dirigieren (Tourneen durch Italien, die Schweiz, Südafrika und Japan). 1955–57 vervollkommnete er seine Studien bei C.Zecchi an der Accademia Musicale Chigiana in Siena und bei Swarowsky an der Wiener Musikakademie (1957 Kapellmeisterdiplom). 1958 übernahm er das Orquestra Sinfónica in Porto und leitete 1964–65 das dortige Konservatorium. Daneben dirigierte S. P. das Orquestra Sinfónica Nacional.

Silva Valdés, Jesús, * 31. 5. 1914 zu Morelia (Staat Michoacán); mexikanischer Gitarrist, studierte bei den Brüdern Gonzalo und Alfonso López Gandía (Gitarre) und am Conservatorio Nacional de Música in México (D. F.) u. a. bei Francisco Salinas (Gitarre) sowie bei Ponce und José Rolón (Harmonielehre und Komposition). Er unterrichtete Gitarre an der Musikhochschule der Universidad Nacional Autónoma de México. 1956 übernahm er die Gitarrenklasse der Accademia Musicale Chigiana in Siena, lehrte ab 1962 an der School of Music in Brooklyn (N. Y.) und wirkt gegenwärtig als Professor-in-Residence an der School of Arts in Winston-Salem (N. C.). Konzertreisen führten ihn u. a. in die USA, nach Kanada und Europa. Eine Reihe mexikanischer Komponisten (Galindo Dimas, Hernández Moncada, Sandi, Ponce) widmeten ihm Werke für Gitarre.

Silvani, Francesco, * um 1660 zu Venedig; italienischer Librettist, wirkte überwiegend in Venedig. Er schrieb mehr als 50 Operntextbücher, von denen eines seiner beliebtesten *La virtù trionfante dell'amore e dell'odio, ovvero Il Tigrane* war und durch A.Scarlatti (Neapel 1716), Vivaldi (mit Benedetto Micheli und Nicola Romaldi, Rom 1724), J.A.Hasse (Neapel 1729) sowie Gluck (bearb. von Goldoni, Crema 1743) in Musik gesetzt wurde. Weitere Libretti vertonten u. a. d'Albergati, Albinoni, Aldrovandini, A.M.Bononcini, Buini, Caldara, Chintzer, Duni, Galuppi, Fr. und M. Gasparini, Gluck (*La finta schiava*, Pasticcio mit Lampugnani, Giacomo Macari und L.Vinci, Venedig 1744), Händel (Pasticcio, *Ernelinda*, London 1713), J.A.Hasse, Jomelli (*Semiramide*, Venedig 1743), Lotti, Orlandini, Perti, C.Fr.Pollarolo, Porpora, G.Porta, Sarri, A.Scarlatti, Vivaldi und M.'A.Ziani.

+Silvani, Marino, [erg.:] * zu Bologna, † 1711.
Lit.: CL. SARTORI, Dizionario degli editori mus. ital., Florenz 1958.

Silvanus, Andreas → +Silva, A. de.

Silver (silv'ɛ:r), Charles, * 16. 4. 1868 und † 10. 10. 1949 zu Paris; französischer Komponist, studierte bei Massenet und Dubois am Pariser Conservatoire (1er prix d'harmonie 1889). 1891 erhielt er für die Kantate *L'interdit* den 1er grand prix de Rome. Er war Professor für Harmonielehre am Pariser Conservatoire. S. schrieb u. a. (Aufführungsort, wenn nicht anders angegeben, Paris) den Conte lyrique *La belle au bois dormant* (Marseille 1901), die Opéras-comiques *Le clos* (1906) und *La mégère apprivoisée* (nach Shakespeare, 1922), das Drame lyrique *Myriane* (1912), die Comédie lyrique *La grand'mère* (nach Hugo, 1930), die Epopée lyrique *Quatre-vingt-treize* (Nizza 1935), die Ballette *Neigilde* (1908) und *Sartoria* (1945), Orchesterwerke (*Rapsodie sicilienne*, 1894; *Poème carnavalesque*, 1896; *Le jardin du paradis*, 1926; *Paysage polaire*, 1928; *Suite transylvaine*, 1930), Klavierstücke, das Oratorium *Tobie*, Mystère en 4 épisodes (1902), die Kantate *Naïs* für Soli, Chor und Orch. (1912) sowie Chöre, Lieder (*Chants slaves*) und Filmmusik.

Silver (s'ilvə), Frank, * 8. 9. 1896 zu Boston, † 14. 6. 1960 zu New York; amerikanischer Komponist, war ab 1911 Schlagzeuger im Orchester der Bowery Music Hall in New York, unternahm dann Tourneen mit Raymond Hitchcocks Hitchy-Koo-Orchestra und gründete 1919 ein eigenes Orchester. Später war er auch als Theater- und Konzertagent tätig. Zu seinen bekannten Songs zählen *Gold Digger Blues*, *What Do We Get from Boston* und *Yes, We Have No Bananas* (Text Irving Cohn, deutsch von Fr.Löhner als *Ausgerechnet Bananen*, 1928).

Silver (s'ilvə), Horace Ward Martin Tavares, * 2. 9. 1928 zu Norwalk (Conn.); amerikanischer Jazzpianist, Komponist und Orchesterleiter, studierte zunächst Tenorsaxophon, später Klavier. In Jazzkreisen wurde er bekannt, nachdem er 1950–51 im Quintett von Stan Getz gespielt hatte. Er gehörte danach in New York zu Art Blakeys Combo, gründete mit diesem 1954 »The Jazz Messengers« und 1956 ein eigenes Quintett, das zu den wichtigsten Orchestern des Hard bop zählte. Die bekannteste Komposition aus dieser Zeit ist *The Preacher*. Nach 1964 machten sich in seinem Spiel auch Einflüsse lateinamerikanischer Musik bemerkbar. Von seinen Kompositionen seien genannt: *Quick Silver* (mit Blakey, 1954); *Strollin'* (1960); *Finger Poppin'*.
Lit.: N. Hentoff, Even Mynheers Turn to S., in: Downbeat XXIII, 1956; L. Feather, Pieces f. S., ebd. XXIV, 1957; G. Kopel, H. S. et les prêcheurs, in: Jazz Magazine 1959 (Paris); J. S. Wilton, H. S., in: The Collector's Jazz Modern, Philadelphia 1959; R. G. Reisner, The Jazz Titans, Garden City (N. Y.) 1960.

+Silvestri, Constantin, * 31. 5. 1913 zu Bukarest, [erg.:] † 23. 2. 1969 zu London.
GMD der Bukarester Oper war S. bis 1957. Ab 1961 lebte er in England und leitete das Symphonieorchester in Bournemouth. Von seinen Werken seien genannt: Praeludium und Fuge (Toccata) für Orch. op. 17 Nr 2 (1955); 3 Stücke op. 4 Nr 2 (1933, revidiert 1950) und 3 Stücke über Themen aus Bihor (1950) für Streichorch.; 2 Streichquartette, 2 Violinsonaten, Sonate für Ob. und Kl. op. 19 (1939), *Sonatina a 2 voci* für Klar. und Vc. (oder Fag., 1938); Suite *Copii la joacă* op. 3 (»Spielende Kinder«, 1931) und Suite op. 6 (1933) für Kl.; Lieder mit Kl. nach Heine (op. 1) und Rilke (op. 28 Nr 2).
Lit.: G. Miller, The Bournemouth Symphony Orch., Sherborne (Dorset) 1970; M. Cristescu in: Muzica XXIV, (Bukarest) 1974, Nr 3, S. 19ff.; Th. Bălan, ebd. Nr 6, S. 14ff., u. Nr 7, S. 21ff.

Silvestri, Florido (Floridus) de, * um 1600 zu Barbarano (Brescia), † um 1672 zu Rom; italienischer Komponist, Priester, lebte in Rom und war 1647–54 Kanonikus an S. Spirito in Sassia und ab 1664 an S. Giacomo degli Incurabili. Er komponierte zahlreiche kirchenmusikalische Werke und ist auch als Herausgeber von Sammlungen geistlicher und weltlicher Werke, vor allem von Komponisten aus Rom, bekannt; gedruckt wurden in Rom u. a.: *Floridus concentus sacras continens laudes* für 2–5 St. (1643); *Has alteras sacras cantiones* für 2–4 St. und B. c. (1645); *Floridus modulorum hortus ... tertiam selectionem* für 2–4 St. und B. c. (1647); *Cantiones alias sacras* für 2–4 St. und B. c. (1649); *Has quatuor missas* für 4–8 St. und B. c. (1651); *Has sacras cantiones pars secunda* für 4 St. (1652); *Florido concento di madrigali ... parte prima* (1652) und *parte seconda* (1653) für 3 St. und B. c.; *Has alias cantiones sacras* für 2–4 St. und B. c. (1654); *Alias cantiones sacras* für 3 St. und Org. (1655); *Has alias sacras cantiones pars prima* für eine St. und B. c. (1659); *Psalmos istos ab excellentissimis auctoribus* für 3 St. (1662); *Has alteras sacras cantiones ... pars secunda* für eine St. und B. c. (1663); *Istas alias sacras cantiones* für 1–4 St. (1664) und für 3 St. (1668) und B. c.; *Sacras cantiones* für 2 St. und B. c. (1672).

Silwęstrow, Walentij Wassyljowitsch, * 30. 9. 1937 zu Kiew; ukrainisch–sowjetischer Komponist, studierte in seiner Heimatstadt 1955–58 am Institut für Ingenieurwesen und Architektur und gleichzeitig an der Abendmusikschule (Klavier) sowie 1958–64 am Tschaikowsky-Konservatorium (Ljatoschinskyj, Rewuzkyj). Er lehrte dann 1963–65 Klavier am Musikstudio der Universität Kiew und 1965–69 am Musikstudio der Gesellschaft der Ukraine. S. gehört zu den bedeutendsten Vertretern avantgardistischer Musik in der Sowjetunion. Er komponierte u. a. Orchesterwerke (2 Symphonien, Nr 1, 1963, und Nr 2, für Kammerorch., 1965; *Monodija* für Kl. und Orch., 1965; *Spektry*, »Spektrum«, für Kammerorch., 1965; *Eschatofonija*, 1966; Poem in memoriam B. Ljatoschinskyj, 1968), Kammermusik (*Hymne* für 5 Instrumentalgruppen, 1967; *Misterija* für Alt-Fl. und 6 Schlagzeuger, 1964; Klavierquintett, 1961; *Quartetto piccolo* für Streichquartett, 1961; Trio für Fl., Trp. und Celesta, 1962; *Projekzii*, »Projektionen«, für Cemb., Vibraphon und Röhrenglocken, 1965; *Drama* für Klaviertrio), Klavierwerke (Variationen, 1958; Sonatine, 1959; Sonate, 1960; Elegie, 1967; Sonate, 1972), Vokalwerke (Kantate für St. und Kammerorch., 1973) und Filmmusik.
Lit.: V. Kučera, Ars nova soudobé sovětské hudby (»Ars nova d. zeitgenössischen sowjetischen Musik«), in: Hudební rozhledy XXV, 1969.

Šimai (ʃimai), Pavol, * 29. 6. 1930 zu Levice (Slowakei); slowakischer Komponist, studierte 1941–44 bei Kadosa in Budapest sowie bei Cikker in Bratislava und P. Dessau in Berlin. – Kompositionen: Klaviersonate (1961); Klaviersuite *Zo Slovenska* (»Aus der Slowakei«, 1962); Ode für Soli, Chor und Orch. (1963); *Panychída* (»Totenfeier«) für Männerchor (1963); Liederzyklus *Panova flauta* (»Panflöte«) für Bar., Chor und Orch. (1963); *Tanečná fantázia* (»Tanzfantasie«) für Orch. (1963); Liederzyklus *November* für Bar. und Kl. (1964); Symphonische Dichtung *Víťazstvo* (»Der Sieg«, 1964) und *Combattimenti* (1965) für Orch.; Zyklus *Sen a ráno* (»Traum und Morgen«) für gem. Chor (1966); *Meditácia* (»Meditation«) für A. und Streichquartett (1966); *I Think Continually* für gem. Chor und Orch. (Text Stephen Spencer, 1968); *Pezzo da concerto* für Fl. und Git. (1969); *5:10* für Klar., V., Vc. und Kl. (1972). Daneben schrieb er Bühnen-, Film-, Funk- und Fernsehmusik sowie Songs und Tanzmusik.

Simeonov, Vladi Georgiev, * 23. 5. 1912 zu Razgrad; bulgarischer Dirigent, absolvierte als Violinschüler von S. Popov 1934 die Musikakademie in Sofia und vervollkommnete seine Studien in Dirigieren ab 1940 bei Molinari am Conservatorio di Musica S. Cecilia in Rom sowie bis 1943 am Wiener Konservatorium bei Reichwein. Er war 1945–51 Dirigent beim Symphonieorchester in Plovdiv und 1951–54 am Sofioter Rundfunk sowie gleichzeitig Dozent für Dirigieren am bulgarischen Staatskonservatorium. 1954 wurde S. Dirigent bei der Sofioter Philharmonie und beim Symphonieorchester des Pionierpalastes sowie Pädagoge am Staatskonservatorium. S. ist als Gastdirigent in verschiedenen osteuropäischen Ländern aufgetreten.

Simeonow, Konstantin Arsenjewitsch, * 7.(20.) 6. 1910 zu Kosnakowo (Gouvernement Twer); ukrainisch-sowjetischer Dirigent, absolvierte 1928 die Leningrader (vorher Petrograder) Chorakademiekapelle, an der er ab 1931 als Chordirigent tätig war. 1931–36 studierte er Dirigieren bei A. Hauck und Ilja Mussin. Er debütierte 1936 als Konzertdirigent und wurde 1961 Chefdirigent des Kiewer Schewtschenko-Operntheaters sowie 1967 Chefdirigent am Leningrader Kirow-Operntheater.

+Simionato, Giulietta, * 12. 5. [nicht: 15. 12.] 1910 zu Forlì.
Von den zahlreichen Stationen ihrer internationalen Karriere seien neben der Mailänder Scala vor allem die Wiener Staatsoper (ständige Verpflichtungen ab 1956)

und die Metropolitan Opera in New York (ständige Verpflichtungen ab 1959) genannt; auch wirkte sie vielfach bei Festspielveranstaltungen mit, so 1957–63 bei den Salzburger Festspielen und 1954–65 fast jährlich bei den Festspielen in der Arena von Verona. Zu den Partien ihres verschiedene Stimmfächer umfassenden Repertoires gehörten u. a. Orfeo (Gluck), Cherubino (*Le nozze di Figaro*), Donna Elvira (*Don Giovanni*), Dorabella (*Così fan tutte*), Rosina (*Il barbiere di Siviglia*), Jane Seymour (*Anna Bolena*), Valentine (*Les Huguenots*), Carmen, Eboli (*Don Carlos*), Azucena (*Il trovatore*), Amneris (*Aida*) und Mrs. Quickly (*Falstaff*). G. S. beendete 1966 ihre künstlerische Laufbahn und lebt seitdem in Rom.

Lit.: R. CELLETTI in: Le grandi v., = Scenario I, Rom 1964, Sp. 775ff. (mit Diskographie v. R. Vegeto); G. GUALERZI in: Opera XV, (London) 1964, S. 87ff.

Šimkus (ʃ'imkus), Stasys, * 23. 1. (4. 2.) 1887 zu Motiškiai (bei Kaunas), † 15. 10. 1943 zu Kaunas; litauisch-sowjetischer Komponist, Organist und Chordirigent, studierte ab 1906 Musiktheorie in Wilna, später in Warschau, sowie ab 1908 Orgel und Komposition bei Ljadow, Wihtol und M. Steinberg am Konservatorium in St. Petersburg. 1915–20 lebte er in den USA, 1921–22 vervollkommnete er seine Studien bei Karg-Elert und Graener in Leipzig. 1923 eröffnete er eine Privatmusikschule in Klaipėda (ab 1924 staatliches Konservatorium) und wirkte 1931–37 in Kaunas als Dirigent an der Staatsoper und als Professor für Komposition am Konservatorium. Von seinen Werken seien genannt: Oper *Kaimas prie dvaro Pagirėnai* (»Das Dorf am Gut Pagirėnai«, Kaunas 1942); Symphonische Dichtung *Nemunas* (1930); Klaviersuite *Silhouettes de Lithuanie* (1921); Kantate *Atsisveikinimas su tėvyne* (»Abschied von der Heimat«) für 3 Solo-St., gem. Chor und Orch. (1916); Ballade *Nugrimzdęs dvaras* (»Das versunkene Schloß«, 1922); ferner Chöre, Lieder und Kirchenmusik. Aufsätze, Dokumente, Briefe und Erinnerungen erschienen unter dem Titel *St. Š.* (hrsg. von D. Palionytė), Wilna 1967.

Lit.: J. GAUDRIMAS, Is istorii litowskoj musyki (»Aus d. Gesch. d. litauischen Musik«), Bd II, Leningrad 1972.

Simm, Juhan, * 31. 7. (12. 8.) 1885 zu Vana-Suislepa (Kreis Vellin, Estland), † 20. 12. 1959 zu Tartu; estnisch-sowjetischer Dirigent und Komponist, studierte bei Läte und Rudolf Tobias in Tartu sowie 1911–14 in Berlin am Stern'schen Konservatorium (Komposition bei Klatte und J. Stern, Dirigieren bei A. v. Fielitz). Er war in Tartu Dirigent am Theater »Vanemuise« (1914–41) und Dozent für Musiktheorie und Gesang an verschiedenen Lehranstalten. S. komponierte Orchesterwerke (3 Ouvertüren, 1914, 1950 und 1955), Vokalwerke (Kantate *Laul orjadele*, »Lied der Sklaven«, für B., Chor und Orch., 1910; *Kalevipoeg isa haual*, »... am Grab des Vaters«, für T., B., Chor und Orch., 1910; Chorkantaten, Lieder) und Bühnenmusik.

Simó, Manuel, * 30. 6. 1916 zu San Francisco de Macorís; dominikanischer Dirigent und Komponist, studierte ab 1941 bei Enrique Casal Chapí (Kontrapunkt und Komposition) und am Konservatorium Kolischer in Montevideo. Er ist 1. Dirigent des Nationalorchesters in Santo Domingo und lehrt Komposition am dortigen Conservatorio, dessen Direktor er 4 Jahre lang war. S. schrieb Orchesterwerke (2 Symphonien), Kammermusik (*Pregón del naranjero* für 4 Solo-St., Fl., Ob., Englisch Horn, Fag. und Kl., mit Manuel Rueda) und Chorwerke (*Misa quisqueyana*, mit Rueda).

Simon (s'aimən), Abbey, * 8. 1. 1922 zu New York; amerikanischer Pianist, absolvierte das Curtis Institute of Music in Philadelphia und war Schüler von David Saperton, J. Hofman und Godowsky. Seine pianistische Laufbahn begann 1940; Konzertreisen haben ihn seither durch Nord- und Südamerika, zahlreiche europäische Länder einschließlich der UdSSR sowie nach Australien und Japan geführt.

Simon, Alicja, * 13. 11. 1879 zu Warschau, † 23. 5. 1957 zu Łódź; polnische Musikforscherin, studierte 1904–09 an der Berliner Universität (Kretzschmar, J. Wolf) und promovierte 1914 in Zürich mit der Dissertation *Polnische Elemente in der deutschen Musik bis zur Zeit der Wiener Klassiker*. Sie leitete die Musikabteilungen der Library of Congress in Washington/D. C. (1924–28) sowie der staatlichen Kunstsammlung in Warschau (1929–39) und war 1945–54 Dozentin sowie ab 1954 Professor für Musikwissenschaft an der Universität in Łódź. Von ihren zahlreichen Schriften seien genannt: *Berliner Lautenmusikbestände* (Kgr.-Ber. Wien 1910); *Polonezy w zbiorze Sperontesa* (»Polonaisen in der Sperontes-Sammlung«, Kwartalnik muzyczny 1911, H. 1); *The Polish Songwriters* (Warschau 1936, ²1939). Ferner gab sie *Opera Libretti of the Library of Congress. Authors, Composers, Versions and First Performances. Continuation of O. G. Sonneck's Libretti Catalogue* (Washington/D. C. 1925–28) heraus.

Lit.: Z. JACHIMECKI, Muzykologia i piśmiennictwo muzyczne w Polsce (»Mw. u. Musikschrifttum in Polen«), = Polska Akad. umiejętności, Historija nauki polskiej w monografiach XXIII, Krakau 1948.

Simon (sim'õ), Anton (Antoine, Antony) Juljevitsch, * 5. 8. 1850 in Frankreich, † 19. 1. (1. 2.) 1916 zu St. Petersburg; französisch-russischer Dirigent und Komponist, studierte am Pariser Conservatoire bei A. Fr. Marmontel und Duprato. Er war in Moskau Dirigent am Théâtre Bouffe (ab 1871), Professor für Klavier an der Schule der Philharmonischen Gesellschaft (ab 1891) sowie Superintendent der Orchester der kaiserlichen Theater und musikalischer Leiter des Alexandrowskij-Instituts. Er schrieb u. a. die Opern *Rolla* op. 40 (Moskau 1892), *Le chant d'amour triomphant* op. 46 (nach Turgenjew, ebd. 1897) und *Les pêcheurs* op. 51 (nach Hugo, ebd. 1899), das Mimodrama *Esmeralda* (nach *Notre-Dame de Paris* von Hugo, ebd. 1902), das Ballett *Les étoiles* (ebd. 1899), Orchesterwerke (Suite op. 29; Symphonische Dichtungen *Danse de la bayadère* op. 34, *La revue de la nuit* op. 36 und *La pécheresse* op. 44; Klavierkonzert op. 19; Klarinettenkonzert op. 30; Fantasie für Vc. und Orch. op. 42), Kammermusik (22 Stücke für Bläserensemble op. 26; Streichquartett op. 24; 2 Klaviertrios op. 16 und op. 25) sowie Klavierwerke, Chöre und zahlreiche Lieder.

Simon, Hans-Arno, * 19. 9. 1919 zu Breslau; deutscher Komponist von Unterhaltungs-, Film- und Fernsehmusik, Pianist und Dirigent, lebt in Grainau (Oberbayern). Er studierte ab 1936 Musik an der Schlesischen Landesmusikschule sowie Musikwissenschaft und Germanistik an der Universität in Breslau. S. gründete 1946 mit Patrick Hoffmann das Hamburger Klavierduo und war ab 1951 Solopianist bei Telefunken. 1957 begann er eine eigene Musikproduktion (Edition Simon Music) und eröffnete 1960 die Schallplattenfirma Simon Records (Hamburg). S. schrieb zahlreiche Orchesterstücke. Zu seinen bekanntesten Schlagern zählen *Anneliese-Polka* (1953) und *Gib mir den Wodka, Annuschka* (1955). Seine Töchter Pat S. (* 31. 8. 1949 zu Hamburg) und Bettina S. (* 26. 11. 1951 zu Hamburg) sind als Schlagersängerinnen hervorgetreten.

+Simon, Hermann, 1896–1948.

Lit.: G. BAUM, Das Liedschaffen H. S.s, in: Musica I,

1947; O. Söhngen in: Der Kirchenmusiker VII, 1956, S. 46ff.

+Simon, James, 1880 – [erg.:] nach dem 12. 10. 1944 [nicht: 1941] (Datum der Deportation in das Konzentrationslager Auschwitz).

+Simoneau, Léopold, * [erg.:] 3. 5. 1918 zu Quebec [nicht: Montreal].
S. wurde 1969 von der University of Ottawa zum Ehrendoktor ernannt. 1971 ging er nach San Francisco, wo er nunmehr am Conservatory of Music unterrichtet. – Auch seine Frau Pierrette Alarie ([erg.:] * 9. 11. 1921 zu Montreal) ist besonders mit Mozart-Partien und mit Partien des französischen Repertoires bekannt geworden. Sie studierte ab 1943 am Curtis Institute of Music in Philadelphia, sang ab 1945 an der Metropolitan Opera in New York und ab 1949 an der Opéra und der Opéra-Comique in Paris, daneben an weiteren bedeutenden amerikanischen und europäischen Bühnen sowie u. a. bei den Festspielen von Aix-en-Provence, Edinburgh und Salzburg. In den letzten Jahren widmete sie sich vorwiegend dem Konzert- und Liedgesang und unterrichtet heute ebenfalls am San Francisco Conservatory of Music.
Lit.: Le grandi v., hrsg. v. R. Celletti, = Scenario I, Rom 1964, Sp. 778ff. (mit Diskographie v. R. Vegeto).

Simoni, Renato, * 5. 9. 1875 zu Verona, † 5. 7. 1952 zu Mailand; italienischer Dramatiker, Kritiker, Journalist, Regisseur und Librettist, war Mitarbeiter bei mehreren Tageszeitungen (ab 1899 in Mailand bei »Tempo«, ab 1903 beim »Corriere della sera«). Er schrieb neben mehreren dramatischen Arbeiten einige Textbücher, u. a. (Komponisten in Klammern) für die Opern Madame sans-gêne nach Victorien Sardou (Giordano, NY 1915), Turandot nach Carlo Gozzi, mit Adami (Puccini, Mailand 1926) und Dibuk nach Shelōmōk An-ski (Rocca, ebd. 1934), die Operetten La secchia rapita (Giulio Ricordi, Turin 1910) und Primarosa, mit Carlo Lombardo (Pietri, Mailand 1926) sowie das Ballett L'amore delle tre melarance, nach Gozzi (G. C. Sonzogno, ebd. 1936).
Lit.: R. S., Diario mus., in: La Scala II, 1950; M. Morini, S. e Illica associati per un libretto, ebd. XII, 1960.

Simonow, Jurij Iwanowitsch, * 4. 3. 1941 zu Saratow; russisch-sowjetischer Dirigent und Bratschist, studierte am Leningrader Konservatorium Dirigieren bei Nikolaj Rabinowitsch (1962–66) und Bratsche bei J. Kramarow (Abschluß 1965). 1967–69 war er Chefdirigent des Symphonieorchesters in Kislowodsk (Nordkaukasus). 1968 erhielt er beim Concorso internazionale di direzione d'orchestra dell'Accademia Nazionale di S. Cecilia in Rom den 1. Preis. S. wurde 1969 Dirigent am Moskauer Bolschoj Teatr und 1970 dessen Chefdirigent. Zahlreiche Gastspielreisen führten ihn in verschiedene europäische Länder.

Simons (s'aimənz), Netty, * 26. 10. 1913 zu New York; amerikanische Komponistin, studierte in ihrer Heimatstadt an der Music Settlement School (Wolpe), an der sie später auch unterrichtete, der Juilliard School of Music (Siloti), der University School of Fine Arts sowie bei Grainger. Sie produzierte Sendungen mit zeitgenössischer Musik für die American Composers Alliance und die University of Michigan in Ann Arbor. Ihre Kompositionen umfassen u. a. die Oper Bell Witch of Tennessee (NY 1958), Kammermusik (Quintett für Fl., Ob., Klar., Fag. und Kb., 1953; Streichquartett, 1950; Quartett für Fl., V., Va und Vc., 1951; Facets N° 1 für Horn, V. und Kl., N° 2 für Piccolo-Fl., Klar. und Kb., 1961, N° 3 für Va und Kl. oder Ob. und Kl., und N° 4 für Streichquartett, 1962), Tanzsuite Circle of

Attitudes für V. solo (mit oder ohne Tänzer, 1963), Two Dot for 2 Pianos (1970), Vokalwerke (Trialogue N° 1, 1963, und N° 2, 1968, für Mezzo-S., Bar. und Va, Text Dylan Thomas; Three Songs für Mezzo-S. und Kl., 1950), Design Group N° 1 für Schlagzeug (1–3 Spieler, 1967) und N° 2, Duo für Multiple flutes und Kb. (1968); Silver Thaw für 1–8 Spieler (1969); Buckeye Has Wings (1971) und Too Late – The Bridge Is Closed (1972) für einen oder irgendeine Zahl von Spielern in irgendeiner Kombination und Chöre.
Lit.: Werkverz. in: Composers of the Americas XVIII, Washington (D. C.) 1972.

+Simonsen, Melvin, * 18. 9. 1901 zu Oslo.
Er trat 1974 in den Ruhestand.

+Simpson, Christopher, um 1605 [del.: um 1610] – 1669.
Ausg.: The Division-Viol, or, The Art of Playing ex tempore Upon a Ground, Faks. d. 2. Aufl. (1665) hrsg. v. N. Dolmetsch, London u. NY 1955; A Compendium of Practical Music in Five Parts, Faks. d. 2. Aufl. (1667) hrsg. v. Ph. J. Lord, Oxford 1970.
Lit.: G. Vellekoop, Chr. S.s »The Division-Viol«, in: Mens en melodie XIII, 1958; M. Meredith, Chr. S. and the Consort of Viols, 3 Bde (I Text, II–III Ausg. v. Tänzen, Suiten u. Fantasien), Diss. Univ. of Wales 1969.

Simpson (s'impsən), Robert Wilfred Levick, * 2. 3. 1921 zu Leamington (Warwickshire); englischer Musikschriftsteller und Komponist, studierte 1941–44 Komposition bei Howells und erlangte 1952 den Grad eines Doctor of Music an der University of Durham. Seit 1951 ist er in der Musikabteilung der BBC tätig (seit 1953 musikalischer Leiter des Third Program; dort erste Sendung eines vollständigen Zyklus der Symphonien Bruckners). – Veröffentlichungen (Erscheinungsort, wenn nicht anders angegeben, London): C. Nielsen, Symphonist (1952, NA 1964); Guide to Modern Music on Records (mit O. Prenn, 1958); Sibelius and Nielsen (1965); The Essence of Bruckner (1967, Philadelphia 1968); Beethoven Symphonies (= BBC Music Guides XI, 1970, Seattle/Wash. 1971); The Chamber Music for Strings (in: The Beethoven Companion, hrsg. von D. Arnold und N. Fortune, 1971). Er gab die Sammelschrift The Symphony (2 Bde, = Pelican Books A 772–773, Harmondsworth 1966–67, NY 1972) heraus. Als Komponist zum konservativen Flügel des Musikschaffens in England gehörend, ist S. selbst mit 4 Symphonien (1951, 1957, 1963 und 1971), einer Fantasie für Streicher (1944), einem Violinkonzert (1959), einem Klavierkonzert (1967), mit Kammermusik (Quintett für Klar. und Streicher, 1968; 3 Streichquartette, 1952, 1953 und 1954; Klarinettentrio, 1967) und Klavierstücken hervorgetreten.
Lit.: R. S., Fiftieth Birthday Essays, hrsg. v. R. Johnson, London 1971.

+Simpson, Thomas, [erg.:] getauft 1. 4. 1582 zu Milton (Kent), [erg.:] † nach 1625.
S. ist als Violist 1608–10/11 am Heidelberger Hof nachweisbar. 1616–22(?) [nicht: um 1610] war er Fürstlich Holstein-Schaumburgischer Musicus und zuletzt (ab 1622 [nicht: 1618]) bis 1625 in der Kapelle Christians IV. in Kopenhagen. Danach verliert sich seine Spur.
Ausg.: 3 Tänze in: G. Reichert, Der Tanz, = Das Musikwerk XXVII, Köln 1965, auch engl.; 2 Paartänze, f. Instrumentalensemble hrsg. v. E. Hettrick, = Pro musica Instrumental Series o. Nr, NY 1970; Tänze, f. Block-Fl.-Quintett hrsg. v. dems., NY 1971.
Lit.: G. Pietzsch, Quellen u. Forschungen zur Gesch. d. Musik am kurpfälzischen Hof zu Heidelberg bis 1622, = Akad. d. Wiss. u. d. Lit. zu Mainz, Abh. d. geistes- u. sozialwiss. Klasse, Jg. 1963, Nr 6.

+**Simrock,** Nikolaus (Nicolaus), [erg.:] 23. 8. 1751 [nicht: 1752] – [erg.:] 12. 6. 1832 [nicht: 1833].
S.s Tätigkeit als Kaufmann (u. a. Musikalien, Musikinstrumente) in Bonn ist bereits für 1785 nachweisbar; der Musikverlag mit eigener Notenherstellung wurde 1793 eröffnet. Zu den Erstausgaben von Werken Beethovens gehört auch op. 47 (»Kreutzer-Sonate«). – Peter Joseph S., 18. [nicht: 13.] 8. 1792 – 1868 zu Köln [nicht: Bonn]; Fritz (Friedrich) August S., 1837 [nicht: 1838; erg.:] zu Bonn – 1901 zu Ouchy (bei Lausanne) [nicht: zu Lausanne]; Hans [erg.:] (Johann) Baptist S., [erg.:] 17. 4. 1861 zu Köln – 26. 7. [nicht: 6.] 1910; Fritz Alfred Auckenthaler-Honegger, * 17. 11. 1893 zu Zürich, † 19. 4. 1973 zu Basel [erg. frühere Angaben hierzu].
Der Verlag, dessen Notensortiment nicht mehr besteht, war 1938–51 im Besitz der Verlagsgruppe Hans C. Sikorski; er wurde 1951 an den früheren Eigentümer Musikverlage Anton J. Benjamin Hamburg–London zurückgegeben, wo er mit der alten (Sub-)Firmierung »N. Simrock« weitergeführt wird.
Lit.: +S.-Jb. (E. H. Müller, 1928ff.), Jg. I, 1928, II, 1929, III, 1930/34. – H.-M. Plesske, Bibliogr. d. Schrifttums zur Gesch. deutscher u. österreichischer Musikverlage, in: Beitr. zur Gesch. d. Buchwesens III, hrsg. v. K.-H. Kalhöfer u. H. Rötzsch, Lpz. 1968. – Th. Henseler, Das mus. Bonn im 19. Jh., Bonner Geschichtsblätter XIII, 1959; W. Ottendorff-Simrock in: Rheinische Musiker I, hrsg. v. K. G. Fellerer, = Beitr. zur rheinischen Mg. XLIII, Köln 1960, S. 237ff.; J. Brahms u. Fr. S., Weg einer Freundschaft. Briefe d. Verlegers an d. Komponisten, hrsg. v. K. Stephenson, = Veröff. aus d. Hamburger Staats- u. Universitätsbibl. VI, Hbg 1961; H. Unverricht, Die S.-Drucke v. Haydns Londoner Sinfonien, in: Studien zur Mg. d. Rheinlandes II, Fs. K. G. Fellerer, = Beitr. zur rheinischen Mg. LII, Köln 1962; ders., N. S. als Lieferant v. Opernpartituren f. d. Mainzer Bühne, Mitt. d. Arbeitsgemeinschaft f. mittelrheinische Mg. 1970, Nr 20; K. G. Fellerer, M. Bruch u. d. Urheberschutz, in: 50 Jahre G. Bosse Verlag, hrsg. v. E. Valentin, Regensburg 1963; F. Mendelssohn Bartholdy, Briefe, Bd I: Briefe an deutsche Verleger, hrsg. v. R. Elvers, = Veröff. d. Hist. Kommission zu Bln o. Nr, Bln 1968.

Sims (simz), Ezra, * 16. 1. 1928 zu Birmingham (Ala.); amerikanischer Komponist, studierte am Konservatorium seiner Heimatstadt (1945–48), an der Yale University in New Haven/Conn. (1950–52) sowie bei Milhaud und L. Kirchner am Mills College in Oakland/Calif. (1953–55). Seit 1958 ist er Bibliothekar der Loeb Music Library der Harvard University in Princeton (Mass.). Daneben wirkt er als Musikdirektor des New England Dance Theatre. Er schrieb *The Trojan Women* und *Masque* für Kammerorch. (1955), ein Streichquartett (1959) und Vokalwerke (*Chamber Cantata on Chinese Poems* für T. und Kammerensemble, 1954; *Brief Glimpses Into Contemporary French Literature* für 4 Countertenors und Kl., 1958; *Kubla Khan*, Nr 1 für Sprecher, Gamelan und Kammerorch., und Nr 2 für Sprecher und Tonband, um 1958), ferner Werke mit Vierteltönen (*Sonate concertanti* für Ob., Va, Vc., Kb. und Streichquartett, 1961; Streichquartett Nr 3, 1962; *A Passion* für Sprecher, T., Bar., 4 Klar., Marimbaphon 4händig, 1963), Werke mit Viertel- und Sechsteltönen (Oktett für Doppel-Streichquartett, 1964; *In memoriam Alice Hawthorne* für Sprecher, T., Bar., 4 Klar., Horn, Marimbaphon 4händig, 1967; *From an Oboe Quartet* für Ob., V., Va und Vc., 1971), die Tonbandcollage *Antimatter, 3 Dances for Toby* (Choreographie Toby Armour, 1968) sowie Musique concrète mit Tonband (*Commonplace Book or A Salute to Our American Container Corp.*, 1969; *Real Toads*, Choreographie Cliff Keuter, 1970).

Sims, Zoot (eigentlich John Haley), * 29. 10. 1925 zu Inglewood (Calif.); amerikanischer Jazzmusiker (Tenor-, Alt-, Baritonsaxophon und Klarinette), war ab 1941 in verschiedenen Unterhaltungsmusik- und Jazzorchestern beschäftigt (Benny Goodman 1943 und 1946). Berühmtheit erlangte er als Mitglied der »Four Brothers«-Saxophongruppe des »Second Herd« von Woody Herman (1947–49). 1957 besaß er kurzfristig ein eigenes Ensemble mit Al Cohn, war jedoch meist als freier Solist in verschiedenen Bands tätig. 1966 nahm er an dem Konzert »Titans of the Tenorsax« in New York teil (mit John Coltrane, Coleman Hawkins und Sonny Rollins). Z. S., zunächst von Lester Young beeinflußt, gilt mit seiner vitalen Staccatophrasierung und phänomenalen Technik neben Stan Getz als der swingendste Saxophonist der Cool Jazz-Richtung.

+**Šín,** Otakar, 1881–1943.
Š. war ab 1928 Mitglied der tschechischen Akademie der Wissenschaften und Künste. Sein +Handbuch ... (1936) [erg.:] *Nauka o kontrapunktu, imitaci a fuze* erschien in 2. Aufl. Prag 1945, eine »Allgemeine Musiklehre« *Všeobecná nauka o hudbě* ebd. 1949 (beendet von Fr. Bartoš und K. Janeček).
Lit.: K. Janeček, O. Š., Prag 1944; K. Risinger, Vůdčí osobnosti české moderní hudební teorie (»Führende Persönlichkeiten d. modernen tschechischen Musiktheorie«), = Hudební rozpravy XI, Prag 1963.

+**Sinatra,** Frank (Francis) Albert, * 12. 12. 1915 zu Hoboken (N. J.).
S., einer der besten und erfolgreichsten Entertainer des Showbusiness überhaupt, begann ein Comeback 1953 mit seiner Filmrolle in *From Here to Eternity*, für die er auch den Oscar erhielt. Weitere bekannte Filme waren *The Man with the Golden Arm* (1956), *High Society* (1956), *The Pride and the Passion* (1957), *Can-Can* (1960) und *Come Blow Your Horn* (1962). Zu seinen bekanntesten Titeln der 50er und 60er Jahre zählen *South of the Border* (1953), *Three Coins in the Fountain* (1954), *Love and Marriage* (1955), *Witchcraft, All the Way* und *Come Fly with Me* (1957), *Onely the Lonely* und *Come Dance with Me* (1958), *High Hopes* (1959), *The Nearness of You, How Deep Is the Ocean* und *Nice 'n' Easy* (1960) sowie *The Lady Is a Tramp* und *Strangers in the Night*. Er wirkte oft auch zusammen mit Dean Martin und S. → Davis.
Ausg.: Songs by S., 1939–70, hrsg. v. Br. Hainsworth, Bramhope (Leeds) 1973.
Lit.: A. I. Lonstein u. V. R. Marino, The Complete S., Ellenville (N. Y.) 1970 (Diskographie sowie Verz. d. Film-, Fernseh-, Bühnen-, Rundfunkauftritte sowie). – E. J. Kahn jr., The Voice. The Story of an American Phenomenon, NY u. London 1947; R. G. Reisner, S., in: Playboy 1958, Nr 48; ders., The Jazz Titans, Garden City (N. Y.) 1960; R. Douglas-Home, S., NY u. London 1962; A. Shaw, S., Twentieth-Cent. Romantic, NY 1968, Neuaufl. als: S., Retreat of the Romantic, London 1969; G. Ringgold u. Cl. McCarty, The Films of Fr. S., NY 1971; K. Barnes, S. and the Great Song Stylists, Shepperton (Middlesex) 1972.

+**Sinding,** Christian [erg.:] August, 1856–1941.
Lit.: Sv. Jordan, Chr. og Augusta S., DMT XXXVI, 1961; G. Rugstad, S.s pianokvintett, in: Studia musicologica Norvegica I, hrsg. v. O. Gurvin, = Inst. f. musikkvitenskap, Univ. i Oslo, Skrifter VII, Oslo 1968.

Singer, Georg, * 6. 8. 1908 zu Prag; israelischer Dirigent, studierte am Prager Konservatorium und war Schüler von A. v. Zemlinsky und F. Fr. Finke und übersiedelte 1939 nach Tel Aviv. Er dirigiert regelmäßig die Israelische Philharmonie und das Jerusalemer Rundfunkorchester sowie das Orchester der Israel National Opera in Tel Aviv. Als Gast hat er bei verschiedenen europäischen Orchestern und an den Staatsopern in München, Hamburg und Stuttgart, seit 1969 auch an der New York City Center Opera, dirigiert. S. ist auch als Komponist mit 2 Orchestersuiten, einem Concertino für Kl. und Streichorch., 2 Stücken für Va und Orch. und Klavierstücken hervorgetreten.

Singer, Jacques, * 9. 5. 1920 zu Przemyśl (Rzeszów); amerikanischer Dirigent polnischer Herkunft, studierte am Curtis Institute of Music in Philadelphia (Flesch) und an der Juilliard School of Music in New York (L. Auer, Kochański, R. Goldmark). 1961 wurde er Music Director des Oregon Symphony Orchestra; als Gastdirigent ist er in Nord- und Südamerika sowie in Europa aufgetreten.

[margin handwritten: d Aug. 1980]

Singer, Johann, deutscher Musiktheoretiker des 16. Jh., veröffentlichte eine stofflich sehr knapp gehaltene Gesangslehre, die zu den ältesten in deutscher Sprache verfaßten Elementarmusiklehrbüchern gehört: *Ein kurtzer außzug der Music, den jungen, die singen und auff den instrumenten lernen wöllen, gantz nützlich* (Nürnberg 1531).

+Singer, Kurt, 1885 – [erg.:] 7. 2. [nicht: 1.] 1944.
+Die Berufskrankheiten der Musiker (1926), 2. Aufl. neu bearb. von A. Solomon, Bln 1960.

+Singer, Peter [erg.:] Alkantara (Josef Anton), 1810 – 25. [nicht: 26.] 1. 1882.
Lit.: H. RAHE, Gottes Spuren. Symbole u. Gleichnisse in d. Musik, in: Musicae sacrae ministerium, Fs. K. G. Fellerer, = Schriftenreihe d. Allgemeinen Cäcilien-Verbandes ... V, Köln 1962; R. FEDERHOFER-KÖNIGS in: MGG XII, 1965, Sp. 729f.

+Singher, Martial [erg.:] Jean-Paul, * 14. 8. 1904 zu Oloron-Ste-Marie (Basses-Pyrénées).
An der Metropolitan Opera in New York wirkte S. bis 1959. Er unterrichtete am Mannes College of Music in New York 1951–55 und am Curtis Institute of Music in Philadelphia 1954–68. Als Nachfolger von Lotte Lehmann übernahm er 1962 die Leitung der Gesangs- und Opernabteilung an der Music Academy of the West in Santa Barbara (Calif.), wo er heute auch lebt. Einer seiner bekanntesten Schüler ist J. King.

+Sinigaglia, Leone, 1868–1944.
Lit.: R. ALLORTO, I canti popolari piemontesi nelle raccolte di L. S., in: Ricordiana, N. S. III, 1957; L. ROGNONI in: Musicisti piemontesi e liguri, hrsg. v. A. Damerini u. G. Roncaglia, = Accad. mus. Chigiana (XVI), Siena 1959, S. 57ff.; S. MARTINOTTI in: Il convegno mus. I, 1964, S. 347ff.; A. ROGNONI SCHILLACI, Una singolare lettera di Debussy a L. S., in: Lo spettatore mus. VII, 1972.

Sink, Kuldar, * 14. 9. 1942 zu Tallinn; estnisch-sowjetischer Flötist, Cembalist und Komponist, studierte 1957–60 an der Musikschule seiner Heimatstadt und anschließend am Leningrader Konservatorium. Gegenwärtig ist er Flötist des Orchesters des Estnischen Rundfunks und Cembalist des Tallinn-Kammerorchesters. Er schrieb u. a. ein Concertino für Fl. und Orch. (1960), 2 Kammersymphonien (1962 und 1967), Kompositionen für 2 Kl. (1964–66), die Kantate *Aastaajad* (»Die Jahreszeiten«, 1965), ein Oktett (1966) und *Diario degli accidenti musicali* für Kammerensemble mit variabler Besetzung (1971), ferner Bühnen- und Filmmusik.
Lit.: H. TAUK, Kuus eesti tanase muusika loojat (»6 estnische zeitgenössische Komponisten«), Tallinn 1970 (mit engl. u. russ. Zusammenfassung).

Sinn, Christoph Albert, * um 1681 zu Wernigerode (Harz), † nach 1717; deutscher Geometer und Musiktheoretiker, hielt sich 1703 in Clausthal auf, lebte um 1706 in Wernigerode, wo er 1717 seine Schrift *Die aus mathematischen Gründen richtig gestellte Musikalische*

Temperatura Practica veröffentlichte, in der er bereits die gleichschwebende Temperatur für Tasteninstrumente mit Hilfe der Logarithmenrechnung ermittelte. Ab 1717 war er Geometer des Fürsten zu Braunschweig-Lüneburg.
Lit.: E. JACOBS, Chr. A. S., d. Verfasser d. Temperatura practica, VfMw V, 1889.

Sinopoli, Giuseppe, * 1. 12. 1946 zu Venedig; italienischer Komponist, studierte Medizin an der Universität in Padua (Dr. med. 1972) und Musik am Conservatorio di Musica B. Marcello seiner Heimatstadt, an dem er seit 1972 Dozent für zeitgenössische Musik ist. Neben elektronischen Kompositionen (*Doutes* für Prepared piano, Fl., Va für 3 Verstärkerkanäle und Tonband, 1960; *25 studi su tre parametri*, 1969; *Musica per calcolatori analogici*, 1969; *Isoritmi*, 1972) schrieb er u. a.: *Numquid et unum* für Cemb. und Fl. (1970); *Opus Daleth* für Orch. (1971); *Opus Ghimel* (1971) und *Opus Schir* (1972) für Kammerorch.; *Sunyata* für Streichquintett und S. (1972); *Per clavicembalo* (1972); Klaviersonate (1974).

Sinzig, Pedro, OFM, * 29. 1. 1876 zu Linz am Rhein, † 9. 12. 1952 zu Düsseldorf; deutsch-brasilianischer Komponist und Musikschriftsteller, begann seine Theologiestudien in Deutschland und setzte sie 1893–98 im Franziskanerkloster in Salvador (Bahia) fort. Er stand dem Kloster in Lajes (Staat Santa Catarina) vor, wurde dann an das Hauptkloster seines Ordens nach Rio de Janeiro versetzt, war als Organist und Chorleiter tätig und gründete die Zeitschrift *Música sacra* (1941) sowie die Escola de Música Sacra. S. komponierte u. a. Oratorien (*São Francisco seráfico*; *Natal! Natal!*), Kantaten, Messen, Litaneien und ein Magnificat, ein *Laudate Dominum omnes gentes* sowie Orgel- und Klavierstücke. Er veröffentlichte neben zahlreichen Aufsätzen für »Música sacra« das Musiklexikon *Pelo mundo do som* (Rio de Janeiro 1947).
Lit.: L. LINHARES BEUTTENMÜLLER, Frei P. S. OFM, Rio de Janeiro 1955.

+Siohan, Robert [erg.:] Lucien, * 27. 2. 1894 zu Paris.
Am Pariser Conservatoire unterrichtete S. bis 1962; er wurde dann Inspecteur général de la musique im Ministère des affaires culturelles. – An der Sorbonne promovierte er mit der Thesis *Théories nouvelles de l'homme* (veröff. als +*Horizons sonores* ..., = Bibl. d'esthétique o. Nr, Paris 1956) [del. bzw. erg. frühere Angaben dazu]. – Weitere Kompositionen: die Oper *Le baladin de satin cramoisi* (1927); 5 Stücke *Mallarméennes* für Kl. (1951); *Gravitations* für Va und Kl. (1952); *Strophes* I–III für 2 Kl. (II und III zusammen auch als *Face à face*, 1967–68); Klavierquartett (mit Mezzo-S. im 2. Satz, 1969). – Neuere Schriften: +*Stravinsky* (= Solfèges III, 1959), engl. = Library of Composers II, NY 1970; *Histoire du public musical* (= Histoire illustrée de la musique XVIII, Lausanne 1967, deutsch als *Publikum und Kritik*, = Illustrierte Geschichte der Musik XVIII, ebd. und Zürich 1967); *Le fantastique musical* (Rev. d'esthétique VIII, 1955); *Les formes musicales de la parodie et du pastiche* (Cahiers de l'Association internationale des études françaises XII, 1960); *Les objections à la résonance* (in: La résonance dans les échelles musicales, hrsg. von E. Weber, Paris 1963); *Das musikalische Ausbildungswesen in Frankreich* (in: Musica XIX, 1965).

Sioly, Johann, * 25. 3. 1843 und † 8. 4. 1911 zu Wien; österreichischer Komponist von Liedern und Couplets, war nach Absolvierung des Wiener Konservatoriums mehrere Jahre Orchestermusiker in Pokornys Braunhirschentheater (Arena in Fünfhaus) und wurde 1861 Hauskapellmeister und Pianist der Volkssängergesellschaft Lamminger. Ab 1869 war er ständiger Klavierbegleiter seiner Lebensgefährtin, der populären Coupletsängerin Antonie Mansfeld. Nach ihrem plötzlichen Tod (1875) schloß er sich E. Guschlbauer und den Duettisten W. Seidl an. Für Guschlbauer komponierte S. das Einlagelied *Weil i a alter Drahrer bin* ... (Das »Drehen« der Werkelkurbel versinnbildlichte Guschlbauer beim Vortrag mit dem Gedankenbild »die Nacht zum Tag umdrehen«; so wurde »Drah'n« zum wienerischen Begriff des die »Nacht Durchschwärmens«.) Mit Liedern wie *Heut' hab' i schon mei Fahn'l* (Text J. Hornig), *I bin a echter Weana* (E. Herzog), *Das waß nur a Weana* (F. Kriebaum) und vor allem mit Liedern auf Texte von Wiesberg (*Das Sternenlied*; *'s Herz in der Brust*; *Das hat ka Goethe g'schrieb'n*; *Die Mondscheinbrüder*; *So a Kongoneger hat's halt guat*) verdiente sich S. den Titel »Strauß des Wiener Brettls«.

Siqueira (sik′eirɐ), Baptista, * 8. 7. 1906 zu Princesa (Staat Paraíba); brasilianischer Komponist und Musikforscher, Bruder von José S., ließ sich 1927 in Rio de Janeiro nieder und studierte 1928–37 am Instituto de Música. Er war Mitgründer des Orquestra Sinfônica Brasileira. An der Escuela Nacional de Música lehrt er Harmonielehre und Theorie. 1969 promovierte er an der Universidade Federal do Rio de Janeiro. Er komponierte u. a. die Opern *Marquêsa de Santos* (1948) und *Rita Valéria* (1962), Ballettmusik, Orchesterwerke (Symphonische Dichtungen *Guanabara*, 1945, *Macunaíma*, 1946, und *Igaraúnas*, 1948; 3 Symphonien, 1952, 1963 und 1964; Klavierkonzert, 1959; *Um canto de solidão* für Kammerorch., 1968), Kammermusik (2 Streichquartette, 1959 und 1965), Klavierstücke (*3 sonatas brasileiras*, 1955; *A volta pequena*, 1967), Kantate *Caatimbó* für Chor und Orch. (1959), Stücke für Gesang und Kl., a cappella-Chöre und kirchenmusikalische Werke (Motette *A cruz*, 1966). S. veröffentlichte u. a. (Erscheinungsort Rio de Janeiro): *Modinhas do passado* (1955); *Novos rumos no estudo do fado* (1956); *Pentamodalismo nordestino* (1956); *E. Nazareth na música brasileira* (1967); *Estética musical* (1970); *Três vultos históricos da música brasileira. Mesquita, Callado, Anacleto* (1970).

Siqueira (sik′eirɐ), José de Lima, * 24. 6. 1907 zu Conceição (Staat Paraíba); brasilianischer Komponist und Dirigent, Bruder von Baptista S., studierte in Rio de Janeiro an der Escuela Nacional de Música (Fr. Braga, Burle Marx), an der er 1937 Dozent für Harmonielehre wurde (später Professor für Komposition und Dirigieren). Bis 1948 leitete er das Orquesta Sinfónica Brasileira, dessen Mitgründer er war. Er rief ferner das Orquesta Sinfónica de Rio de Janeiro ins Leben und gründete 1956 die Sociedad Artística Internacional. Als Gastdirigent trat er in Südamerika, den USA (1944) und in der UdSSR (1955) auf. S. ist verheiratet mit der Sängerin Alice Ribeiro. Seine Kompositionen umfassen u. a. die Oper *A compadecida* (Rio de Janeiro 1961), das lyrisch-symphonische Drama *Gimba* (1960), das Ballett *Bailado das garças* (1943), Orchesterwerke (3 Symphonien, 1951; Symphonische Dichtungen *Os pescadores*, 1934, *Alvorada brasileira*, 1936, und *O canto do Tabajara*, 1946; Violoncellokonzert, 1952; 3 Klavierkonzerte, 1955, 1965 und 1964; Violinkonzert, 1957), Kammermusik (3 Streichquartette, 1963–65; Klaviertrio, 1932; Violoncellosonate, 1964), Klavierwerke (10 Sonatinen, 1963), Vokalwerke (Oratorien *Candomblé* für Chor und Orch., 1958,

und *Candomblé II* für Soli, Chor und Orch., 1970; *Tres poesías de Vinicius de Moraes*, 1968, für Singst. und Orch.; *Cantata a Manuel Bandeira* für Gesang und Streichquartett, 1968) und zahlreiche Lieder.

Lit.: E. Nogueira França, Festival J. S., Rev. brasileira de música II, 1963; Werkverz. in: Compositores de América XVI, Washington (D. C.) 1970.

aš-Šīrāzī → Quṭbaddīn aš-Šīrāzī.

Sirius-Verlag Berlin, gegründet 1938 in Berlin von Borris als Selbstverlag (Musikverlag Dr. Siegfried Borris), 1950 übernommen und ausgedehnt auf allgemeinen Musikverlag durch Margarita Katz. Die Firma verlegt Bühnen- und Orchesterwerke, Chormusik, Spiel- und Blockflötenmusik sowie Unterrichts- und Studienwerke. 1971 übernahm die Heinrichshofen's Verlag den S.-V.

Sirmay, Albert → Szirmai, A.

†Širola, Božidar, 1889–1956.
Š. war 1935–41 Direktor der Musikakademie und 1941–45 Leiter des ethnographischen Museums in Zagreb [del. frühere Angaben dazu]. Er komponierte ferner eine konzertante Symphonie für Kl. und Orch. (1952), ein Violinkonzert (1953), ein Bläseroktett *Spomen iz Slovenije* (»Erinnerung an Slowenien«, 1926), 13 Streichquartette, ein Klavierquartett, 3 Klaviertrios, Kantaten und Bühnenmusiken. Š. verfaßte die erste kroatische Musikgeschichte *Pregled povijesti hrvatske muzike* (Zagreb 1922).

Lit.: K. Kovačević, Hrvatski kompozitori i njihova djela (»Kroatische Komponisten u. ihre Werke«), Zagreb 1960.

Sitsky, Larry, * 10. 9. 1934 zu Tientsin (China); australischer Komponist und Pianist, studierte am N. S. W. State Conservatory of Music in Sydney und dann in San Francisco bei E. Petri. Er ist zur Zeit Dozent an der Musikhochschule in Canberra. Seine Kompositionen umfassen die Opern *Fall of the House of Usher* (nach Poe, Hobart/Tasmania 1965) und *Lenz* (nach Büchner, 1970), das Ballett *Dark Refuge* (Sydney 1964), Orchesterwerke (*Sinfonia* für 10 Spieler, 1964; *Apparitions*, 1966; *Homage to Strawinsky*, 1968; Konzert für V., 1970, und für Bläserquintett, 1970, mit Orch.), Kammermusik (Streichquartett, 1969), Klavierwerke, Chormusik und Lieder. Er schrieb u. a. über *The Six Sonatinas for Piano of F. Busoni* (in: Studies in Music II, 1968, wiederabgedruckt in: Studi musicali II, 1973) und veröffentlichte einen autobiographischen Beitrag in »Music Now« (I, 1971, Nr 4, S. 5ff.).

Lit.: R. D. Covell, Australia's Music, Melbourne 1967; A. D. McCredie, Cat. of 46 Australian Composers and Selected Works, Canberra 1969; ders., Mus. Composition in Australia, ebd.

†Sittard, –1) Josef, 1846–1903.
†*Geschichte des Musik- und Concertwesens in Hamburg vom 14. Jh. bis auf die Gegenwart* (1890), Nachdr. Hildesheim 1970; **†***Zur Geschichte der Musik und des Theaters am Württembergischen Hofe, 1458–1793* (1890–91), Nachdr. ebd. (2 Bde in 1).

Lit.: H. Siedentopf, Der Nachlaß d. Musikgelehrten J. S., Mf XXVI, 1973.

Sittner, Hans, * 9. 8. 1903 zu Linz; österreichischer Musikpädagoge, Pianist und Komponist, studierte 1921–27 in Wien an der Universität (Dr. jur. 1925) und gleichzeitig an der Akademie (heute Hochschule) für Musik und darstellende Kunst, der er 1946–72 (bis 1973 ordentlicher Professor) leitete. Er komponierte u. a. das Ballett *Tanzlegendchen* für Orch. (nach Gottfried Keller, Steyr 1936), Klavierstücke, Chöre und Lieder. Neben zahlreichen Aufsätzen vor allem über musikpädagogische Fragen (*Zur Methodik und Didaktik der Musikhochschule*, Fs. der Akademie ... in Graz, Graz 1963) veröffentlichte er: *Kienzl–Rosegger. W.Kienzls »Lebenswanderung« ..., Kienzls Briefwechsel mit P.Rosegger* ... (Zürich 1953); *R.Stöhr. Mensch, Musiker, Lehrer* (Wien 1965). Eine Auswahl *Aus Schriften und Reden* (mit Werkverz.) wurde von W.Rohm (3 Bde, ebd. 1963–73) herausgegeben.

Sivec (sʹivets), Jože, * 19. 1. 1930 zu Laibach/Ljubljana; jugoslawischer Musikforscher, studierte an der Musikakademie und an der Universität in Ljubljana, an der er 1966 mit der Dissertation *Opera in njena reprodukcija v Stanovskem gledališču v Ljubljani od leta 1790 do 1861* (»Die Oper und ihre Wiedergabe im Ständischen Theater zu Laibach 1790–1861«, gedruckt als *Opera v Stanovskem gledališču* ..., = Razprave in eseji XV, Ljubljana 1971, mit deutscher Zusammenfassung) promovierte und dann Assistent für Musikwissenschaft wurde. Er schrieb ferner u. a.: *Stilistische Orientierung der Musik des Protestantismus in Slowenien* (in: Musica antiqua II, Kgr.-Ber. Bydgoszcz 1969); *Zbirka »Neue teutsche Lieder« (Nürnberg 1588) W.Stricciusa* (in: Muzikološki zbornik V, 1969); *Zbirka nemških pesmi W.Stricciusa iz leta 1593* (»Die Sammlung deutscher Lieder des W.Striccius von 1593«, ebd. VI, 1970); *»Ecce, quomodo moritur justus« J.Gallusa, M.A.Ingegnerija in O. di Lassa* (ebd. VII, 1971); *Nemška opera v Ljubljani od leta 1861 do 1875* (»Die deutsche Oper ...«, ebd. VIII, 1972).

Šivic (ʃʹivits), Pavel, * 2. 2. 1908 zu Radovljica (Slowenien); jugoslawischer Komponist und Pianist, absolvierte als Schüler von Ravnik (Klavier) und Osterc (Komposition) 1931 das Konservatorium in Ljubljana und studierte dann bei V.Kurz (Klavier) sowie bei J. Suk und A.Hába (Komposition) am Prager Konservatorium. Er war 1939–41 Dozent an der Musikakademie in Ljubljana, an der er 1946 außerordentlicher und 1962 ordentlicher Professor für Komposition wurde. Daneben ist er als Konzertsolist und Begleiter aufgetreten. Seine Kompositionen umfassen u. a. die Oper *Cortezova vrnitev* (»Die Rückkehr von Cortez«, 1973), ein Divertimento für Kl. und Orch. (1949), Kammermusik (*Musique pour quinze*, 1968; *Interpunktionen* für Klar., Kl. und Vibraphon, 1965; Klaviertrio, 1968; *Istrska legenda*, »Istrische Legende«, für V. und Kl., 1940; *Igra*, »Spiel«, für Ob. und Kl., 1960; *Evocazione* für Sax. und Kl., 1964), Klavierwerke (*Dvanajsttonska suita*, »Zwölfton-Suite«, 1937; Sonate, 1948; *A tort et à travers*, 1967), Vokalwerke (*Jetnik*, »Der Gefangene«, für Singst. und Orch., 1933; *Svečana predigra*, »Feierliches Vorspiel«, für gem. Chor und Orch., 1949; Kantate *Požgana vas*, »Das niedergebrannte Dorf«, für A. oder Bar., gem. Chor und Orch., 1961; *Contemplazioni* für Rezitator und Orch., 1966; *Pravljice za ledene dobe*, »Märchen aus der Eiszeit«, für Singst., Kl., Vc., Kb. und Schlagzeug, 1958; *Otroška astronomija*, »Kinderastronomie«, für Bar., Chor, Schlagzeug und Kl., 1961; zahlreiche Chöre und Lieder) sowie Bühnen- und Filmmusik.

Sivieri, Enrique, * 16. 7. 1915 zu Buenos Aires; argentinischer Dirigent und Pianist, trat nach seinem Musikstudium in Italien als Pianist auf, war Dirigent am Teatro Colón (1944) sowie an den Bühnen in Santiago de Chile (1948–50) und Lima (1950) und gründete 1956 das Teatro de Opera de Cámara in Buenos Aires, mit dessen Ensemble er in Südamerika und Europa gastierte. 1959 wurde er Musikdirektor am Teatro Colón in Buenos Aires. 1960 übernahm er die Leitung der Kunsthochschule des Teatro Colón, an der er bis

1969 lehrte. Seitdem wirkt er als Opern- und Konzertdirigent im In- und Ausland.

Sivó, Josef, * 26. 11. 1931 zu Arad (Banat); österreichischer Violinist, studierte zunächst bei seinem Vater, dann bei D.Rados, Enescu und R.Odnoposoff und erwarb ein Abschlußdiplom der Fr.-Liszt-Musikhochschule in Budapest. Er ist Preisträger der internationalen Wettbewerbe in Budapest, Prag, Warschau, Genf und Genua und hat seit 1963 in den Musikzentren Europas, Japans, Südafrikas und Mexikos sowie bei den Wiener Festwochen, den Salzburger Festspielen und dem Festival in Montreux konzertiert. 1960–71 war er Mitglied der Wiener Philharmoniker (1964 Konzertmeister). Seit 1964 leitet er eine Violinklasse an der Wiener Akademie (heute Hochschule) für Musik und darstellende Kunst (1971 außerordentlicher Hochschulprofessor).

Sivori, Ernesto Camillo, * 25. 10. 1815 und † 18. 2. 1894 zu Genua; italienischer Violinist und Komponist, erhielt mit 5 Jahren Violinunterricht und studierte danach bei Giacomo Costa (1824–27) sowie auf Empfehlung Paganinis, der ihn unterrichtete und auf der Gitarre begleitet hatte, bei A.Dellepiane. Nach einer erfolgreichen Konzertreise (1827–28) wurde er 1837 1. Violinist im Orchester des Teatro Carlo Felice in Genua. 1841–43 unternahm er eine Europatournee und reiste 1846–50 durch Nord- und Südamerika. 1871 trat er der Londoner Philharmonic Society zum letzten Male im Ausland auf. Bis 1880 konzertierte er in Genua. Er schrieb 2 Violinkonzerte sowie Stücke für Violine mit oder ohne Orchester- oder Klavierbegleitung (*La Génoise* op. 1; Variationen über *Nel cor più non mi sento* op. 2 und über *Le Pirate* op. 3; *Fantaisie-étude* op. 10; *3 romances sans paroles* op. 23; *12 études caprices* für V. solo op. 25; *2 duos concertants* für V. und Kl.; Fantasien über Arien aus *Lucia di Lammermoor, Il trovatore, Un ballo in maschera* u. a.; *Carnaval de Chili; Carnaval américain; Folies espagnoles; Andante cantabile*) und ein Duett für V. und Kb.

Ausg.: Berceuse f. V. u. Kl. op. 30, hrsg. v. H. Marteau, Lpz. 1926; 12 Études-caprices op. 25, hrsg. v. dems., Lpz. 1928; dass., hrsg. v. F. Touché, Paris 1930.
Lit.: E. James, C.S., A Sketch of His Life, Talents, Travels and Successes, London 1845; L. Escudier, Mes souvenirs, Paris 1863; G. da Fieno, Di due chiarissimi Genovesi, cav. C. S., violinista, e comm. F. Romani, poeta lirico, Mailand 1871; A. Pierrottet, C. S., ebd. 1896.

+Les Six.
Lit.: Sonder-H. »Il gruppo dei Sei«, = L'approdo mus. 1965, Nr 19/20. – J. Cocteau in: Melos XXI, 1954, S. 1ff.; S. M. Trickey, Les S., Diss. North Texas State Univ. 1955; V. Rasin, »Les S.« and J. Cocteau, ML XXXVIII, 1957; Bo Wallner, A. Honegger och Les S., in: Fransk musik, Uppsala 1957; L. F. Ramón y Rivera in: Bol. del Inst. de folklore III, 1959, Nr 4, S. 1ff.; W. Zillig, D. Milhaud, A. Honegger u. d. »Groupe des S.«, in: Bayerischer Rundfunk, Konzerte mit Neuer Musik X, 1959; R. B. Bobbitt, The Harmonic Idioms in the Works of Les S., 2 Bde, Diss. Boston Univ. 1963; R. Dumesnil, Sowremennyje französkije kompository gruppy »Schesti« (»Die zeitgenössischen frz. Komponisten d. Gruppe ‚Les S.'«), russ. hrsg. v. M. S. Druskin, Leningrad 1964; Als d. S. jung waren. Briefe v. u. an Fr. Poulenc, in: Melos XXXVI, 1969; C. W. F. Hillen in: Mens en melodie XXV, 1970, S. 40ff.

+Sixt, Paul, * 22. 2. 1908 zu Stuttgart, [erg.:] † 8. 1. 1964 zu Detmold.
S. war bis zu seinem Tode als GMD in Detmold tätig.

+Sixt von Lerchenfels, Johann, um 1550/60 [del.: um 1570] – 1629.

Sixta, Jozef, * 12. 5. 1940 zu Jičín (Böhmen); slowakischer Komponist, studierte in Bratislava am Konservatorium bei Očenáš (1955–60) und an der Musikakademie bei A. Moyzes (1960–64) und wirkt seither als Theorielehrer am Konservatorium in Bratislava. – Werke (Auswahl): Bläserquintett mit Kl. (1961); Fantasie für Kl. (1962); *Tri skladby* (»Drei Stücke« für kleines Orch. (1962); Symphonie (1964); Streichquartett (1965); Variationen für 13 Instr. (1967); *Synchrónia* (1968) und *Asynchrónia* (1970) für Streichorch.

Siyāṭ, Beiname von 'Abdallāh ibn Wahb, Abū Wahb, * um 740 zu Mekka, † nach 785 zu Bagdad; arabischer Sänger, Freigelassener eines angesehenen Stammes, wurde Schüler von Yūnus al-Kātib, ging um 775 nach Bagdad und wurde dort, zusammen mit Yaḥyā → †al-Makkī und weiteren Musikern aus Mekka und Medina, Vermittler der traditionellen arabischen Musik des Ḥiǧāz. Hofmusiker war er unter den Kalifen al-Mahdī (775–785) und al-Hādī (785–786), zu seinen Schülern gehörten Ibn Ǧāmiʿ und Ibrāhīm → †al-Mauṣilī. Zu Beginn des 10. Jh. waren im Irak noch über 20 seiner Lieder bekannt.
Lit.: Ibn Ḥurdāḏbih († 911), Muḫtār min Kitāb al-Lahw wa-l-malāhī (Fragment seines »Buches d. Vergnügungen u. d. Musikinstr.«), Beirut 1961; Abū l-Faraǧ al-Iṣfahānī († 967), Kitāb al-Aġānī al-kabīr (»Großes Buch d. Lieder«), Bd VI, Kairo ³1935; Ibn Faḍlallāh al-ʿUmarī († 1349), Masālik al-abṣār …, Bd X, Ms. Aya Sofya (Istanbul) Nr 3423 (arabische Enzyklopädie d. Wiss. u. Künste); A. Caussin de Perceval, Notices anecdotiques sur les principaux musiciens arabes, Journal asiatique VII, 2, 1873; H. G. Farmer, A Hist. of Arabian Music to the XIIIth Cent., London 1929, Nachdr. 1967; Ḥ. az-Ziriklī, al-Aʿlām, Bd IV, Damaskus ²1954 (arabisches biogr.-bibliogr. Lexikon); E. Neubauer, Musiker am Hof d. frühen ʿAbbāsiden, Diss. Ffm. 1965.

Sjöberg (ʃʹøbærj), **Birger,** * 6. 12. 1885 zu Vänersborg (Älvsborg), † 30. 4. 1929 zu Växjö (Kroneberg); schwedischer Schriftsteller, Gitarrensänger und Komponist, war 1907–24 Mitarbeiter der Tageszeitung »Helsingborgs-posten« in Hälsingborg. Als Komponist ist er durch *Småstadvisor om kärleken, döden och universum* (»Kleinstadtlieder von Liebe, Tod und Weltall«, veröff. in: Fridas bok, Stockholm 1922, und in: Fridas andra bok, ebd. 1929, postum) bekannt geworden.

†Sjögren, Johan Gustaf Emil, 1853–1918.
Lit.: L. Hedwall, E. Sj., Preludium och fuga A moll op. 49 (1909), Kyrkomusikernas tidning XXXII, 1966.

†Skalkottas, Nikos, 1904–1949 [nicht: 1943].
In Berlin studierte Sk. 1925–27 bei Ph. Jarnach und dann bis 1931 [nicht: 1933] bei A. Schönberg, vorübergehend (1931) auch bei K. Weill. Der größte Teil seiner über 150 Kompositionen ist nicht zu seinen Lebzeiten erschienen oder bekannt geworden.
Lit.: J. G. Papaioannou in: European Music in the 20th Cent., hrsg. v. M. Hartog, London 1957, S. 320ff.; Ders. in: MGG XII, 1965, Sp. 744ff.; Cl.-H. Bachmann in: ÖMZ XIV, 1959, S. 464ff.; Th. Antoniou in: SMZ CIX, 1969, S. 136ff.

Skalovski, Aleksa Todor, * 21. 1. 1909 zu Tetovo (Mazedonien); jugoslawischer Komponist und Dirigent, studierte Komposition an der Belgrader Musikakademie (Milojević, Slavenski, Logar) und Dirigieren bei L. v. Matačić. 1944–48 war er Dirigent des Symphonieorchesters in Skopje und 1948–54 Direktor und Dirigent am dortigen Opernhaus; 1954 wurde er Dirigent der mazedonischen Philharmonie. Er schrieb das Ballett *Pepeljuga* (»Aschenbrödel«), Kammermusik, *Baltepe* für A., Bar., Chor, Bläserensemble und Schlagzeug sowie eine Reihe vorwiegend auf Volksmusikthematik basierender Chöre.

†Škerjanc, Lucijan Marija, * 17. 12. 1900 zu Graz, [erg.:] † 27. 2. 1973 zu Ljubljana.

Er wurde 1949 Mitglied der slowenischen Akademie für Wissenschaft und Kunst in Ljubljana und war dort 1950–55 Intendant der slowenischen Philharmonie. – Šk. schrieb nur ein Violinkonzert [nicht: 2]. – Weitere Werke: eine kleine Suite (1950), *Problemi* (1958), Sinfonietta (1958) und 7 zwölftönige Fragmente (1959) für Streichorch.; Konzerte für Klar. (Concertino, 1949; 1960), Hf. (1955) und Horn (1962) mit Orch.; Streichquintett (1950), Concertone für 4 Vc. (1954), Duo für 2 V. (1952), 4 *Dithyrambic Pieces* für V. und Kl. (1960), 7 Etüden für Vc. (1961); Klaviersonate (1956); Bühnenmusiken. – Neben Lehrwerken und kleineren Beiträgen schrieb er: *A. Lajovic* (= Slovenska akad. znanosti in umetnosti, Razred za umetnosti, Serija za glasbeno umetnost XV, Ljubljana 1958); *Kompozicijska tehnika J. Petelina-Gallusa* (ebd. 1965, mit deutscher Zusammenfassung).
Lit.: P. Šivic in: Zvuk 1970, S. 251ff. (zum Kl.-Werk); Dr. Cvetko, ebd. 1973, S. 184ff.

Škerl (ʃkɛrl), **Dane,** * 26. 8. 1931 zu Laibach/Ljubljana; jugoslawischer Komponist und Dirigent, studierte an der Musikakademie seiner Heimatstadt bei L. M. Škerjanc (Komposition) und am Elektronischen Studio der Musikhochschule in Köln. Er war 1963–68 Dozent an der Musikakademie in Sarajevo (1968 Professor, 1969 Vizepräsident). Er schrieb die Ballette *Kontrasti* (Sarajevo 1967) und *Grozdanin kikot* (ebd. 1969), Orchesterwerke (5 Symphonien, Nr 1, 1951, Nr 2, *Sinfonija monotematica* für Streichorch., 1958, Nr 3, 1965, Nr 4, 1970, und Nr 5, 1972; Serenade für Streicher, 1952; Concerto, 1957; *Kolo*, 1959; 18 Etüden für Streicher, 1960; *Kontrasti*, 1962; Kleine Suite, 1965; *Intrada*, 1968; 2 Concertinos für Kl. und Streichorch., 1950 und 1959; *Invenzioni* für V. und Streicher, 1960; Klarinettenkonzert, 1963; *Improvvisazioni concertanti* für Horn, Va und Kammerorch., 1968; Posaunenkonzert, 1970), Kammermusik (*Četiri minijature*, »4 Miniaturen«, für Kl., Fag. und Kl., 1957; Praeludium und Scherzo für V., Klar. und Kl., 1959; *3 improvizacje*, »3 Improvisationen«, für Fl., Vc. und Kl., 1966; *Skica*, »Skizze«, für V. und Kl., 1964), Klavierstücke (Sonatine, 1947; 2 Etüden, 1960), Vokalwerke (Kantate *Moj dom*, »Mein Haus«, für Soli, Kinderchor und Orch., 1962; *Tuga ova pregolema*, »Welch übergroße Trauer«, für Soli, Chor und Orch., 1966) sowie Bühnen- und Filmmusik.

Skibine (skibʹin), **George,** * 17. 1. 1920 zu Jasnaja Poljana (Ukraine); amerikanischer Tänzer und Choreograph ukrainischer Herkunft, studierte bei Olga Preobrajenska und Lifar in Paris sowie bei Obuchow und Vilzak in New York, wo er 1946 in *Les Sylphides* debütierte. Er war Mitglied der Ballets Russes von De Basil sowie 1947–56 1. Solotänzer des Grand Ballet des Marquis de Cuevas in Monte Carlo (1950 Debüt als Choreograph mit »Romeo und Julia« von Tschaikowsky). 1957–62 wirkte er zusammen mit seiner Frau, der Solotänzerin Marjorie Tallchief, an der Pariser Opéra (1958 Ballettmeister). 1964–66 war er Choreograph und künstlerischer Direktor des Harkness Ballet. Seit 1969 ist er in gleicher Position am Dallas Civic Theater (Tex.) tätig. Sk. gastierte u. a. an den Bühnen in Chicago, Frankfurt a. M., Lübeck und Wuppertal. Zu seinen bekanntesten Choreographien zählen: *Annabel Lee* (Musik Byron Schiffmann, Deauville 1951); »Le prisonnier du Caucase« (A. Chatschaturjan, Gajaneh-Suite, Paris 1951); *Idylle* (François Serette, ebd. 1951); *Concerto* (Jolivet, Klavierkonzert, ebd. 1954); *Daphnis et Chloé* (Ravel, ebd. 1959); *Bacchus et Ariane* (Roussel, Wuppertal 1964); »Der Feuervogel« (Strawinsky, ebd. 1967).

Lit.: P. W. Manchester, G. Sk., in: Dancers and Critics, hrsg. v. C. Swinson, London 1950; M. Glotz, G. Sk., Paris 1955; M. Lobet, Le ballet frç. d'aujourd'hui, Brüssel 1959; I. Lidova, G. Sk., in: Les saisons de la danse 1970, H. 24 (mit Verz. d. Choreographien).

Skilondz, Adelaida Andrejewna von, * 27. 1. 1882 zu St. Petersburg, † 5. 4. 1969 zu Stockholm; schwedische Sängerin (Koloratursopran) russischer Herkunft, studierte am Konservatorium in St. Petersburg und debütierte dort 1904 an der Hofoper. Sie kreierte bei der Uraufführung von N. Rimskij-Korsakows Oper *Solotoj petuschok* (»Der goldene Hahn«) an der Moskauer Oper (1909) die Partie der Königin von Schemachan, wurde 1910 an die Hofoper in Berlin engagiert und gehörte 1915–20 der Königlichen Oper in Stockholm an. Ab 1921 war sie als Gesangspädagogin tätig.

+Skjerne, Carl Godtfred, * 10. 5. 1880 und [erg.:] † 3. 5. 1965 zu Kopenhagen.

Skjold-Rasmussen, Arne, * 19. 5. 1921 zu Kopenhagen; dänischer Pianist, studierte 1938–42 in Kopenhagen an Det Kongelige Danske Musikkonservatorium bei Johanne Stockmarr und Christian Christiansen und debütierte 1944 in Kopenhagen. Nach weiteren Studien in Paris (1946) und Wien (1950) und Teilnahme an Kursen Edwin Fischers hat er in Dänemark, in den übrigen skandinavischen Ländern, in Frankreich, Italien, England und in der Schweiz konzertiert. Skj.-R. wurde 1954 Lehrer (1959 Professor) an Det Kongelige Danske Musikkonservatorium.

+Sköld, [erg.: Karl] Yngve, * 29. 4. 1899 zu Vallby (Södermanland).
Bibliothekar der Föreningen Svenska tonsättare in Stockholm war Sk. 1938–64. – Er komponierte ein +Doppelkonzert für V. und Vc. [nicht: Va] mit Orch. (1950). – Weitere Werke: insgesamt 4 Symphonien (1916, 1937, 1949, 1966); 3. Klavierkonzert op. 67 (1969), Concertino für 5 Bläser, Streichorch. und Pk. (1963); 3 Streichquartette (1930, 1955, 1965), Quartett für 2 Fl., Vc. und Kl. (1958); Divertimento für Streichtrio op. 70 (1971), Stücke mit Kl. für V. (2 Sonaten, 1918, 1924; Suite im alten Stil, 1944; 2. Suite, 1959), Vc. (Sonate, 1927) und Fl. (Sonatine, 1956), Sonaten für Va und Org. (1962) und für V. solo (1958); 2 Sonaten (1914, 1963), Sonatine op. 68 (1970) und 3 Impromptus op. 69 (1970) für Kl.; Lieder und Chöre.

Skołyszewski (skɔuiʃ'ɛfski), Franciszek, * 24. 8. 1904 zu Wieliczka (bei Krakau), † 8. 5. 1969 zu Krakau; polnischer Musiktheoretiker und Pädagoge, absolvierte 1927 ein Studium in mathematischer Logik an der Krakauer Universität und studierte Musik am Krakauer Konservatorium sowie 1928–31 in Berlin bei E. Petri (Klavier) und Gmeindl (Musiktheorie und Komposition). 1953–56 unterrichtete er an der Krakauer Musikhochschule. Zu seinen Privatschülern zählt Penderecki. 1968 promovierte er an der Krakauer Universität mit der Dissertation *Harmonia funkcyjna kodem konstrukcyjnym* (»Funktionale Harmonie als Konstruktionskode«). Er schrieb u. a.: *Dotychczasowe próby zastosowań cybernetyki do muzyki* (»Die bisherigen Versuche von der Anwendung der Kybernetik auf die Musik«, in: Muzyka XI, 1966); *Formy muzyczne* (»Musikalische Formen«, mit A. Frączkiewicz, 2 Teile, Krakau 1966–70).

Skorzeny, Fritz, * 15. 12. 1900 zu Wien, † 20. 9. 1965 zu München; österreichischer Komponist und Musikkritiker, studierte privat Violine und Komposition und war lange Jahre als Kritiker in Wien tätig

(»Neue freie Presse«, 1938–45; »Neues Wiener Tagblatt«; »Amtliche Wiener Zeitung«; »Neue österreichische Tageszeitung«, ab 1950). 1961 erhielt er den Titel Professor. Er schrieb Orchesterwerke (Symphonische Suite, 1952; *3 kleine Stücke*, 1956; *Sinfonischer Walzer*, 1960; Kammerkonzert für 20 Instr.; Violinkonzert, 1947; Konzert für Ob., Streicher und Hf.), Kammermusik (3 Streichquartette, 1942, 1944 und 1954; Trio für Fl., Va und Kl., 1941; 2 Suiten für V., Va und Kb., 1950; Streichtrio, 1963; Trio für Fl., V. und Git.; 3 Duostudien für V. und Vc., Va und Vc. sowie Fl. und Vc., 1946–47; Sonate, 1949, Suite, 1950, und *Phantasie-Sonate in memoriam Ginette Neveu*, 1950, für V. und Kl.; *Tempora mutantur*, 7 Stücke für Kl., 1958) und Vokalwerke (Zyklus *Ein Lebensfrühling* für S. und Orch., 1943; *Das Karussell*, nach Rilke, für Männerchor und Orch., 1942; *Ménagerie* für Chor und Orch.; a cappella-Chöre und zahlreiche Lieder).
Lit.: H. Vogg in: ÖMZ XII, 1957, Sonder-H., S. 45f.

Skrebkow, Sergej Sergejewitsch, * 21. 3. (3. 4.) 1905 und † 6. 2. 1967 zu Moskau; russisch-sowjetischer Musikforscher und -theoretiker, Doktor der Kunstwissenschaft, beendete 1930 sein Studium am Moskauer Konservatorium, an dem er ab 1932 als Dozent für Musiktheorie und -geschichte wirkte (1946 Professor, ab 1948 Leiter des Instituts für Musiktheorie). Er veröffentlichte (Erscheinungsort, wenn nicht anders angegeben, Moskau) u. a.: *Dm. St. Bortnjanskij* (in: Jeschegodnik Instituta istorii iskusstwa, Akademija nauk SSSR II, 1948); *Utschebnik polifonii* (»Lehrbuch der Polyphonie«, Teil 1–2, 1951, ²1956); *Praktitscheskij kurs garmonii* (»Praktische Harmonielehre«, mit O. Skrebkowa, 1952); *Chrestomatija po garmonitscheskomu analisu* (»Chrestomathie zur harmonischen Analyse«, mit ders., 1954, ⁴1967); *Gegen die Atonalität Schönbergs, für Prokofjew* (in: Sowjetwissenschaft, Kunst und Literatur V, 1957); *Analis musykalnych proiswedenij* (»Analyse von Musikwerken«, 1958); *Kantaty, oratorii, chorowyje sjuity* (»Kantaten, Oratorien, Chorsuiten«, mit W. Protopopow) und *Kantata, oratorija i proiswedenija dlja chora* (»Kantate, Oratorium und Chorwerke«, mit N. Tumanina, in: Istorija russkoj sowjetskoj musyki, hrsg. von A. D. Alexejew und W. A. Wassina-Grossman, Teil II–III, 1959); *K woprossu o simfonitscheskoj lirike Mozarta* (»Zur Frage der symphonischen Lyrik bei Mozart«, in: Woprossy musykosnanija III, hrsg. von Ju. W. Keldysch und A. S. Ogolewez, 1960); *Trudy kafedry teorii musyki* (»Arbeiten über Musiktheorie«, 2 Bde, 1960–63); *Polifonija i polifonitscheskije formy* (»Polyphonie und polyphone Formen«, = Bessedy o musyke o. Nr, 1962); *Primenenije akustitscheskich metodow issledowanija w musykosnanii* (»Die Anwendung akustischer Untersuchungsmethoden in der Musikwissenschaft«, 1964); *Chudoschestwennyje prinzipy musykalnych stilej* (»Die künstlerischen Prinzipien musikalischer Stile«, in: Musyka i sowremennost, hrsg. von T. A. Lebedewa, Bd III, 1965); *Garmonija w sowremennoj musyke* (»Die Harmonie in der zeitgenössischen Musik«, 1965); *Ewoljuzija stila w russkoj chorowoj musyke XVII weka* (»Die Stilentwicklung in der russischen Chormusik des 17. Jh.«, in: Musica antiqua Europae Orientalis, Kgr.-Ber. Bydgoszcz 1966, Bd I); *Ob intonazionnych ossobennostjach garmonitscheskich funkzij w sowremennoj musyke* (»Über die Intonationseigenarten der harmonischen Funktionen in der zeitgenössischen Musik«, in: Teoretitscheskije problemy musyki XX weka I, hrsg. von Ju. N. Tjulin, 1967); *Woprossy teorii musyki* (»Fragen zur Musiktheorie«, 1968); *Russkaja chorowaja musyka XVII – natschala XVIII weka* (»Russische Chormusik vom 17. bis zum Anfang des 18. Jh.«, 1969).

+Skrjabin, Alexandr Nikolajewitsch (Alexandre Scriabine), 25. 12. (6. [nicht: 10.] 1.) 1872 – 14.(27.) 4. 1915.

Skr. war zwar ab 1897 mit der Pianistin Wera Iwanowna Issakowitsch (1875–1920) verheiratet, lebte aber ab 1905 mit Tatjana de Schloezer, einer Schwester von B. de Schloezer, zusammen. Er konzertierte zeitlebens mit eigenen Klavierwerken nicht nur in Europa, sondern 1906/07 auch in den USA. – Er hatte Kontakt zum St. Petersburger Kreis der Jungrussen (damals noch N. Rimskij-Korsakow und Ljadow), steht mit seinem Schaffen jedoch in der westlich orientierten Tradition des Moskauer Konservatoriums. Bemerkenswert scheint heute weniger der Einfluß von Chopin und Liszt (Formenwelt und Satz der Klaviermusik) und der vorübergehende von Wagner (mittlere Phase, zumal in der Symphonik), als die konsequente Evolution harmonischer Eigenheiten (alterierte Septnonenakkorde, die sich vornehmlich der neapolitanischen Wendung bemächtigten), die 1908 zur Aufgabe der funktionalen Tonalität führte. Seitdem leitete Skr. alle melodischen und harmonischen Gestalten aus einem mehrtönigen, chromatisch modifizierbaren und auf alle 12 Stufen transponierbaren »Klangzentrum« ab (Z. Lissa; z. B. in op. 60 c fis b e1 a1 d2 [→Mystischer Akkord]: seiner Herkunft nach ein erstarrter Dominantseptnonenakkord mit freien Vorhalten [nicht: von den oberen Partialtönen abgeleitet]). Dieses primär harmonische »Klangzentrum«, das Skr. als Konsonanz begreift, fungiert nicht im Sinn einer Schönbergschen Reihe, sondern eher im Sinn der symmetrisch strukturierten Messiaenschen Modi, zumal in den 5 Préludes op. 74. In den Skizzen zu L'acte préalable experimentiert Skr. mit Permutationen von Tonfolgen und notiert Akkordtürme, die alle 12 Töne enthalten. – Er verfaßte auch Entwürfe zu einem Opernlibretto (1901–03) und die Dichtung Poema ekstasa (Genf 1906), die in Verbindung mit der 5. Klaviersonate op. 53 und dem Poema ekstasa für Orch. op. 54 steht. Nach seinem Tode wurden umfangreiche literarisch-philosophische Aufzeichnungen vorgefunden, Miszellen über verschiedenartigste geistige Tendenzen der Zeit, gipfelnd in messianischem Selbstbewußtsein und ekstatischen Hymnen im Tonfall Nietzsches.

Die unmittelbare musikalische Wirkung Skr.s blieb auf einen kleinen Kreis beschränkt (Medtner, Feinberg, Szymanowski u. a.); vorübergehend setzten sich Mjaskowskij, Strawinsky (»Feuervogel«) und Prokofjew (einige Frühwerke) mit ihm auseinander. In den letzten Jahren fand Skr. als einer der ersten Repräsentanten der Neuen Musik wachsende Aufmerksamkeit. Nicht nur berühren sich seine musikalischen Innovationen (serielle Ansätze, Clusterbildungen, eine Art »Momentform«) mit jüngsten Tendenzen, sondern auch seine über die Musik hinausreichenden Ideen (Multimedia-Aspekte, Ekstatik). GE

Werke: *Metschty* E moll op. 24 (*Rêverie*, 1898), symphonisches Allegro D moll (symphonische Dichtung, 1896–99), 1. Symphonie E dur op. 26 (6. Satz »Hymne an die Kunst« mit Mezzo-S., T. und gem. Chor, 1899–1900), 2. Symphonie C moll op. 29 (1901), 3. Symphonie *Boschestwennaja poema* C moll op. 43 (*Poème divin*, 1903–04), *Poema ekstasa* op. 54 (*Poème de l'extase*, 1905–07) und *Prometej. Poema ognja* op. 60 (*Prométhée. Poème du feu*, mit Kl., Org., vokalisierendem Chor und Farbenklavier, 1909–10) für Orch., Scherzo F dur (1899?) und Andante A dur (1899) für Streichorch., Klavierkonzert Fis moll op. 20 (1896–97); ein Beitrag (Nr 2 G dur) zu Variationen über ein russisches Volkslied für Streichquartett (Gemeinschaftskomposition

mit Glasunow, Ljadow, u. a., 1898[99?]), je eine Romanze für Singst. (1883[91?]) bzw. Horn (1893[94–97?]) und Kl. – Klavierwerke: 10 Sonaten (F moll op. 6, 1892; *Sonate-Fantaisie* Gis moll op. 19, 1892–97; Fis moll op. 23, 1897–98; Fis dur op. 30, 1901–03; op. 53, 1907; op. 62, 1911–12; op. 64, 1911–12, »Weiße Messe«; op. 66, 1913; op. 68, 1913, »Schwarze Messe«; op. 70, 1913) und 2 Jugendsonaten (*Sonate-Fantaisie* Gis moll, 1886; Es moll, 1887–89?, 1. Satz umgearbeitet als *Allegro appassionato* Es moll op. 4, 1887–93); Sammlungen von Préludes (24 op. 11, 1888–96; 6 op. 13, 1895; 5 op. 15, 1895–96; 5 op. 16, 1894–95; 7 op. 17, 1895–96; 4 op. 22, 1897–98; 2 op. 27, 1900; 4 op. 31, 1903; 4 op. 33, 1903; 3 op. 35, 1903; 4 op. 37, 1903; 4 op. 39, 1903; 4 op. 48, 1905; 2 op. 67, 1912–13; 5 op. 74, 1914, Skr.s letzte Werke), Sammlungen von Poèmes (2 op. 32, 1903; *Poème tragique* op. 34, 1903; *Poème satanique* op. 36, 1903; op. 41, 1903; 2 op. 44, 1905; *Poème-Nocturne* op. 61, 1911–12; *Masque* und *Etrangeté* op. 63, 1912; 2 op. 69, 1913; 2 op. 71, 1914; *Vers la flamme* op. 72, 1914), Sammlungen von Etüden (12 op. 8, 1894–95; 8 op. 42, 1903; 3 op. 65, 1912), von Impromptus (2 *à la mazur* op. 7, 1891; 2 op. 10, 1894; 2 op. 12, 1895; 2 op. 14, 1895) und von Mazurkas (10 op. 3, 1888–90; 9 op. 25, 1899; 2 op. 40, 1903); zahlreiche weitere Stücke: *Valse* F moll op. 1 (1885–86), *Etude, Prélude* und *Impromptu à la mazur* op. 2 (1887, 1889, 1889), 2 Nocturnes op. 5 (1890), *Prélude* und *Nocturne* op. 9 (für die linke Hand, 1894), *Allegro de concert* B moll op. 18 (1895?–97), Polonaise B moll op. 21 (1897–98), Fantasie H moll op. 28 (1900–01), *Valse* As dur op. 38 (1903), *Feuillet d'album, Poème fantasque* und *Prélude* op. 45 (1905), Scherzo C dur op. 46 (1905), *Quasi valse* op. 47 (1905), *Etude, Prélude* und *Rêverie* op. 49 (1905), *Fragilité, Prélude, Poème ailé* und *Danse languide* op. 51 (1906), *Poème, Enigme* und *Poème languide* op. 52 (1907, 1907, 1905), *Prélude, Ironies, Nuances* und *Etude* op. 56 (1908), *Désir* und *Caresse dansée* op. 57 (1908), *Feuillet d'album* op. 58 (1911?), *Poème* und *Prélude* op. 59 (1910–11) und 2 Tänze *Guirlandes* und *Flammes sombres* op. 73 (1914); op. 50 und op. 55 nicht erschienen; ferner nachgelassene Stücke: Kanon D moll (1883), Nocturne As dur (1884), 2 Mazurkas (H moll, 1884; C dur, 1886), *Valse* Des dur (1886), 5st. Fuge E moll (1892), Fantasie (1899), *Poème en forme d'une sonate* (1900) und *Feuillet d'album* (1905) für Kl. sowie Fantasie A moll für 2 Kl. (1889).

Ausg.: Polnoje sobranije sotschinenij dlja fortepiano (GA d. Kl.-Werke), 3 Bde, hrsg. v. K. N. IGUMNOW (Bd I–II) bzw. L. N. OBORIN u. JA. I. MILSTEIN (Bd III), Moskau 1947–53; Ausgew. Klavierwerke, hrsg. v. G. PHILIPP, 6 Bde, Lpz. 1966–74 (Bd I: Etüden, II–III: Préludes, Poèmes u. a., IV: Mazurkas, V–VI: Sonaten); Youthful and Early Works of A. and Julian Scriabin, hrsg. v. D. M. GARVELMANN, Bronx (N. Y.) 1970. – gesammelte Schriften, hrsg. v. M. O. GERSCHENSON, in: Russkije propilei VI, Moskau 1919; Prometheische Phantasien, hrsg. v. O. v. RIESEMANN, Stuttgart 1924, Nachdr. Gräfelfing 1968.

Lit. (im folgenden gelten d. Abk. Skr. bzw. Scr. auch f. andere Transkriptionsformen): A. VODARSKY-SHIRAEFF, Bibliogr. of Skr., NY 1934. – Pisma (»Briefe«), hrsg. v. A. W. KASCHPEROW, Moskau 1965. – Aufsatzfolgen in: Muzyka IV, 1959, H. 2, S. 65ff., SM XXXI, 1967, H. 8, S. 47ff., u. XXXVI, 1972, H. 1, S. 102ff. +A. E. HULL, The Great Russ. Tone-Poet. Scr. (1916), Nachdr. NY 1970; +A. J. SWAN, Scr. (1923), Nachdr. NY 1969; +L. W. DANILEWITSCH, A. N. Skr. (1953), deutsch Lpz. 1954. – A. A. ALSCHWANG, A. N. Skr., Moskau 1945; DERS. in: SM XXV, 1961, H. 1, S. 77ff., deutsch als: Die Stellung Skr.s in d. Gesch., BzMw VI, 1964 (s. auch v. dems., Isbrannyje sotschinenija, »Ausgew. Werke«, hrsg. v. Gr. B. Bernandt u. a., Bd I, Moskau 1964); G.

NEUHAUS in: SM XIX, 1955, H. 4, S. 37ff.; R. W. WOOD, Skr. and His Critics, MMR LXXXVI, 1956; B. PASTERNAK, Ich kannte Skr., in: Melos XXVI, 1959; H. TRUSCOTT in: The Chesterian XXXV, 1961, S. 81ff.; S. M. CHENTOWA in: Woprossy musykalno-ispolnitelskowo iskusstwa III, hrsg. v. L. S. Ginsburg u. A. A. Solonzow, Moskau 1962, S. 37ff. (Skr. als Pianist); L. W. DANILEWITSCH in: SM XXIX, 1965, H. 4, S. 82ff.; D. LEHMANN, A. Skr. u. d. russ. Revolution, MuG XV, 1965; M. MICHAJLOW, A. N. Skr., = Knischka dlja junoschestwa o. Nr, Moskau 1966 u. 1971, rumänisch Bukarest 1972; E. D. R. NEILL, Scr. il profeta, Rass. mus. Curci XXI, 1968; F. BOWERS, Scr., 2 Bde, Tokio 1969, ²1970, engl.; DERS., The New Scr., Enigma and Answers, NY 1973; W. JU. DELSON, Skr., Moskau 1971; M. SCRIABINE in: Les cahiers canadiens de musique 1971, Nr 3, S. 13ff. (mit Briefen); WL. VOGEL in: ÖMZ XXVI, 1971, S. 706ff.; H.-L. DE LA GRANGE in: Music and Musicians XX, 1971/72, Nr 5, S. 34ff.; M. COOPER, A. Skr. and the Russ. Renaissance, in: Studi mus. I, 1972; W. ÉVRARD, Scr., Paris 1972; CHR. PALMER, A Note on Skr. and Pasternak, MT CXIII, 1972; A. PASTERNAK, Skr., Summer 1903 and After, ebd.; CHR. RÜGER, A. Skr., Humanitas oder Mystik?, MuG XXII, 1972.

H. BOEGNER, Die Harmonik d. späten Klavierwerke A. Skr.s, Diss. München 1955; C. DAHLHAUS, A. Skr., Aus d. Vorgesch. d. atonalen Musik, Deutsche Universitätszeitung XII, 1957; DERS., Struktur u. Expression bei A. Skr., in: Musik d. Ostens VI, Kassel 1971 (zur 7. Sonate op. 64); I. BARSOWA, Skr. i russkij simfonism, SM XXII, 1958; A. W. LUNATSCHARSKIJ, W mire musyki (»In d. Welt d. Musik«), Moskau 1958 u. 1971; W. O. BERKOW in: SM XXIII, 1959, H. 6, S. 90ff. (zur Harmonie); Z. LISSA in: Chopin-Kgr.-Ber. Warschau 1960, S. 335ff. (zur Harmonie bei Skr. u. Chopin); DIES., Zur Genesis d. »Prometheischen Akkords« bei A. N. Skr., in: Musik d. Ostens II, Kassel 1963; DIES., Schopen i Skr., in: Russko-polskije musykalnyje swjasi, hrsg. v. I. F. Belsa, Moskau 1963; W. JU. DELSON in: Woprossy musykalno-ispolnitelskowo iskusstwa III, hrsg. v. L. S. Ginsburg u. A. A. Solonzow, ebd. 1962, S. 65ff. (zur Interpretation d. Kl.-Werke v. Skr. u. Prokofjew); J. M. CHOMIŃSKI, Szymanowski i Skr., in: Russko-polskije musykalnyje swjasi, hrsg. v. I. F. Belsa, ebd. 1963, auch in: Studia nad twórczością K. Szymanowskiego, Krakau 1969; CL.-CHR. v. GLEICH, Die sinfonischen Werke v. A. Skr., = Utrechtse bijdrage tot de mw. III, Bilthoven 1963; H. FÖRSTER, Die Form in d. sinfonischen Werken A. N. Skr.s, Diss. Lpz. 1964; ST. ŁOBACZEWSKA in: K. Szymanowski, hrsg. v. Z. Lissa, = Prace Inst. muzykologii Uniwersytetu warszawskiego o. Nr, Warschau 1964, S. 177ff. (zu d. Kl.-Sonaten v. Szymanowski u. Skr.); P. DICKINSON, Skr.'s Later Music, MR XXVI, 1965; M. C. HUGHES, Tonal Orientation in Skr.'s Preludes. An Analysis on the Basis of Information Theory, Diss. Univ. of Texas 1965 (vgl. dazu Current Musicology 1966, Nr 2, S. 82ff., u. 1967, Nr 5, S. 143ff.); W. G. KARATYGIN, Isbrannyje statji (»Ausgew. Aufsätze«), hrsg. v. Ju. A. Kremljow, Moskau 1965; O. JE. SACHALTUJEWA, O garmonii Skr.a (»Über Skr.s Harmonie«), = W pomoschtsch pedagogu-musykantu o. Nr, ebd.; M. SAVINELLI, Il simbolismo nell'opera di Scr., in: Chigiana XXII, N. S. II, 1965; G. M. GATTI in: Terzo programma II, 1966, S. 304ff.; D. GOJOWY, Moderne Musik in d. Sowjetunion bis 1930, Diss. Göttingen 1966; M. K. MICHAJLOW in: Russkaja musyka na rubesche XX weka, hrsg. v. dems. u. Je. M. Orlowa, Moskau 1966, S. 129ff. (zu d. nationalen Quellen im Frühwerk); S. L. RANDLETT, The Nature and Development of Scr.'s Pianistic Vocabulary, Diss. Northwestern Univ. (Ill.) 1966; W. P. DERNOWA in: Teoretitscheskije problemy musyki XX weka I, hrsg. v. Ju. N. Tjulin, Moskau 1967, S. 183ff. (zu Gesetzmäßigkeiten d. Harmonie u. »Enigme« op. 52 Nr 2); DIES., Garmonija Skr.a (»Skr.s Harmonie«), Leningrad 1968; B. PASTERNAK in: SM XXXI, 1967, H. 1, S. 95ff. (zu Skr. u. Chopin); E. SZCZEPAŃSKA-GOŁASOWA in: Polsko-rosyjskie miscellanea muzyczne, hrsg. v. Z. Lissa, Krakau 1967, S. 218ff. (zum Aufbau d. Kl.-Sonaten); R. DIKMANN, A. Skr., Beschluß u. Vollendung, SMZ CIX, 1969; B. GALEJEW in: Musyka i sowremennost VI, hrsg. v. T. A. Lebedewa, Moskau

1969, S. 77ff. (Skr. u. d. Entwicklung d. Idee d. sichtbaren Musik); JU. A. KREMLJOW, Isbrannyje statji (»Ausgew. Aufsätze«), Leningrad 1969; S. E. PAWTSCHINSKIJ, Proiswedenija Skr.a posdnewo perioda (»Skr.s Werke d. Spätperiode«), = W pomoschtsch pedagogu-musykantu o. Nr, Moskau 1969; G. E. WITTLICH, An Examination of Some Set-Theoretic Applications in the Analysis of Non-Serial Music, Diss. Univ. of Iowa 1969 (zur 7. Sonate op. 64); L. HOFFMANN-ERBRECHT, Skr.s »Klangzentrenharmonik« u. d. Atonalität, Kgr.-Ber. Bonn 1970; DERS., A. Skr. u. d. russ. Symbolismus, in: Musik d. Ostens VI, Kassel 1972; R. J. JACKSON, Harmony Before and After 1910, in: The Computer and Music, hrsg. v. H. B. Lincoln, Ithaca (N. Y.) 1970; SL. KOŽUCHAROV, Problemi na musikalnata interpretazija, Sofia 1970; Musykalnoje iskusstwo u nauka (»Mus. Kunst u. Wiss.«), hrsg. v. JE. W. NAZAJKINSKIJ, Moskau 1970 (darin ders. u. Ju. Rags zur Beziehung Musik u. Licht u. zum »Prometej«); A. FORCHERT, Bemerkungen zum Schaffen A. Skr.s. Ordnung u. Ausdruck an d. Grenzen d. Tonalität, Fs. E. Pepping, Bln 1971; M. KELKEL in: Rev. de musicol. LVII, 1971, S. 40ff. (zum »Acte préalable«); CHR. RÜGER, Ethische Konstanz u. stilistische Kontinuität im Schaffen A. N. Skr.s unter besonderer Berücksichtigung seiner Klavierkompositionen, Diss. Lpz. 1971; MST. SMIRNOV in: Opus musicum III, (Brünn) 1971, S. 279ff., u. in: Hudební rozhledy XXV, 1972, S. 77ff. (zum Volkscharakter d. Skr.schen Kl.-Werke); W. M. BELJAJEW, Mussorgskij, Skr., Strawinskij, Moskau 1972 (Slg älterer Aufsätze); G. EBERLE in: NZfM CXXXIII, 1972, S. 8ff.; H. MACDONALD, »Words and Music by A. Skr.«, MT CXIII, 1972 (zum »Poema ekstasa«); A. RAṬIU in: Muzica XXII, (Bukarest) 1972, H. 2, S. 17ff., u. H. 3, S. 15ff., frz. ebd. XXIII, 1973, H. 1, S. 41ff., u. H. 2, S. 43ff. (zum Harmoniesystem); H. STEGER, Grundzüge d. mus. Prinzipien A. Skr.s, NZfM CXXXIII, 1972; WL. VOGEL, Zur Idee d. »Prometheus« v. Skr., SMZ CXII, 1972 (zuvor schwedisch in: Nutida musik XI, 1967/68, H. 7/8, S. 2ff.); W. NUSSGRUBER, Über d. sinfonische Werk v. A. Skr., in: Musikerziehung XXVI, 1972/73; D. WL. SCHITOMIRSKIJ, Zur Harmonik A. Skr.s, in: Convivium musicorum, Fs. W. Boetticher, Bln 1974.

+Škroup, – 1) František [erg.:] Jan, 1801–62. Als Kapellmeister am Prager Ständetheater führte er bereits 1854–56 Opern von Wagner (1856 Wagner-Woche) und Verdi auf. – Außer den tschechischen Opern, darunter +Dráteník (»Der Drahtbinder«, 1826; die erste tschechische Nationaloper) und +Libušin sňatek (»Libuschas Hochzeit«; [erg.:] in Prag bereits 1835 uraufgeführt, 1850 kam lediglich die 1849 beendete Neufassung zur Aufführung), schrieb er auch einige deutsche Singspiele (u. a. Der Nachtschatten, nach Schikaneder, Prag 1827). Das Lied +Kde domov můj (»Wo ist mein Heim«, aus dem Musikschauspiel Fidlovačka, Prag 1834) wurde 1918 zur 1. Strophe (= tschechische Nationalhymne) der tschechoslowakischen Nationalhymne bestimmt [del. bzw. erg. frühere Angaben dazu]. – Er gab auch Sammlungen tschechischer Lieder verschiedener Komponisten als Věnec ze zpěvů vlasteneckých (»Vaterländischer Liederkranz«, Prag 1835–44) heraus. – 2) Jan Nepomuk, 1811–92. Er veröffentlichte u. a. 1864 in Prag eine +Gesangschule für Anfänger, ferner als grundlegend für eine tschechische Musikterminologie Počátky hudební (in: Časopis českého musea 1850).

Ausg.: zu –1): Fidlovačka, Kl.-A. hrsg. v. K. SOLE, Prag 1952; Věnec ze zpěvů vlasteneckých, hrsg. v. J. PLAVEC, ebd. 1960.

Lit.: zu –1): J. PROCHÁZKA, Neznámá Škr.ova hudba k Tylově »Lesni panně« (»Unbekannte Musik v. Škr. zu Tyls Märchenspiel ‚Die Waldfee‘«), in: Hudební rozhledy VII, 1954; J. PLAVEC, W. A. Mozart a Fr. Škr., in: Zprávy Bertramky 1959, H. 16; DERS., Dějinný a dnešní význam Fr. Škr.a (»Die hist. u. gegenwärtige Bedeutung v. Fr. Škr.«), in: Hudební rozhledy XV, 1962; O. PULKERT, Odchod Fr. Škr.a ze Stavovského divadla (»Fr. Škr.s Abschied v. Landesständischen Theater«), in: Dějiny a současnost I, 1959. – zu –2): E. LÉBLOVÁ, J. N. Škr.

a jeho opera »Švédové v Praze« (»J. N. Škr. u. seine Oper ‚Die Schweden in Prag'«), Diplomarbeit Prag 1953, Abriß in: Miscellanea musicologica II, 1957, S. 37f.; J. Plavec in: Hudební rozhledy XIV, 1961, S. 707ff.

+**Skrowaczewski,** Stanisław, * 3. 10. 1923 zu Lwów (Lemberg).
Skr., der auch bei A. Honegger und P. Klecki studiert hat, gewann 1956 den internationalen Dirigierwettbewerb in Rom. Er leitete die Philharmonie von Kattowitz bis 1954 und die von Krakau 1954–56, war 1956–59 Dirigent der Nationalphilharmonie in Warschau und ist seit 1960 musikalischer Direktor und Chefdirigent des Minneapolis Symphony Orchestra (1970 umbenannt in Minnesota Orchestra). Daneben ist er als Gastdirigent in Europa, Amerika und Israel aufgetreten. 1963 ernannte ihn die University of Minnesota zum Ehrendoktor. An weiteren Kompositionen seien genannt die 3. und 4. Symphonie (1953, 1956), die symphonischen Variationen *Muzyka nocą* (»Nachtmusik«, 1952) und ein Konzert für Englisch Horn und Orch. (1969).

+**Skuherský,** František Zdeněk, 1830–92.
Sein Opernschaffen umfaßt folgende Werke [del. frühere Angaben]: *Samo* (1854, unvollendet); *Der Apostat* (vor 1860, tschechisch als *Vladimír*, Prag 1863); *Der Liebesring* (Innsbruck 1861, tschechisch als *Lora*, Prag 1868); *Der Rekrut* (vor 1865, tschechisch als *Rektor a generál*, ebd. 1873). – Sk.s Bedeutung liegt vor allem in den fortschrittlichen theoretischen Arbeiten: *O formách hudebních* (Prag 1873, ²1884, deutsch als *Die musikalischen Formen*, 1879); *Nauka o hudební komposici* (»Kompositionslehre«, 4 Bde, ebd. 1880–84); *Nauka o harmonii na vědeckém základě* (»Harmonielehre auf wissenschaftlicher Grundlage«, ebd. 1885, auch deutsch).
Lit.: E. Klein, Fr. Zd. Sk. a representanti jeho školy (»Fr. Zd. Sk. u. d. Repräsentanten seiner Schule«), Diss. Prag 1929; R. Quoika, Die Prager Orgelschule, 1830–90, KmJb XLVI, 1962; F. Řehánek, Fr. Zd. Sk., teoretik harmonie, in: Opus musicum II, 1971.

Skulte, Ādolfs, * 15.(28.) 10. 1909 zu Kiew; lettisch-sowjetischer Komponist, studierte 1930–34 bei Wihtol und Jānis Mediņš am Lettischen Konservatorium in Riga, an dem er 1936 Assistent von Wihtol, 1946 Dozent und 1952 Professor wurde. Seine Kompositionen umfassen u. a. Ballette (*Brīvības sakta*, »Sakta der Freiheit«, Riga 1950, Neufassung ebd. 1955; »Gewitter im Frühling«, ebd. 1967), Orchesterwerke (4 Symphonien: 1951, 1959, mit Chor, 1963 und 1965; Symphonische Dichtungen *Viļņi*, »Wellen«, 1935, und *Rītausmā*, »Morgengrauen«, 1936; Suiten *Prinzessa Gundega*, 1947, und *Rainis*, 1949; Orchesterkantate *Riga*, 1951; *Horeografiska poema*, »Choreographische Dichtung«, 1957), ein Streichquartett (1936), Klaviersonaten, Kantaten, Chöre, Sololieder sowie Bühnen- und Filmmusik.
Lit.: L. E. Krassinskaja, A. Sk., Moskau 1959 (mit Werkverz.).

+**Slavenski,** Josip (eigentlich Štolcer, Sl. war ab 1930 sein Pseudonym), 1896 – 30. [nicht: 29.] 11. 1955.
Sl. war in Belgrad ab 1924 Musiklehrer [nicht: Professor ... in Zagreb], dann ab 1949 Professor für Komposition an der Musikakademie. Er beschäftigte sich auch mit Naturtonreihen und elektronischer Musik. – Von seinen Werken seien genannt: *Prasimfonija* (»Ursymphonie«, um 1918–26, verschollen), *Balkanofonija* op. 10 (1927), *Simfonija orijenta* (*Religiofonija*) für Soli, Chor und Orch. (1934) und *Simfonijski epos* (1941–45) für Orch.; Violinkonzert (1927); 4 Streichquartette (op. 3, 1923; *Lirski* op. 11, 1928; 1938; 4 *Balkanske igre*, »Tänze vom Balkan«, um 1940, ursprünglich für Orch.,

1938), *Slavenska sonata* für V. und Kl. op. 5 (1924), *Sonata religiosa* für V. und Org. op. 7 (1919–25), Klaviersonate op. 4 (1924); Kantaten, Chöre und Lieder (u. a. *Pesme moje majke*, »Lieder für meine Mutter«, für A. und Streichquartett, 1944); ferner Bühnenmusiken.
Lit.: K. Kovačević, Hrvatski kompozitori i njihova djela (»Kroatische Komponisten u. ihr Werk«), Zagreb 1960; E. Sedak Auer, Komorna muzika J. Sl.og (»Die Kammermusik v. J. Sl.«), Diplomarbeit ebd. 1963; M. Graf in: Das Orch. XIII, 1965, S. 395ff.; P. Stefanović, Šta se sve krije i otkriva u »Balkanofoniji« J. Sl.og (»Was sich in J. Sl.s ‚Balkanophonie' verbirgt u. enthüllt«), in: Zvuk 1971, Nr 111/112; Dr. Cvetko, Veze J. Sl.og sa Sl. Ostercom (»Die Beziehungen zwischen J. Sl. u. Sl. Osterc«), in: Arti musices III, 1972 (mit engl. Zusammenfassung).

+**Slavický,** Klement, * 22. 9. 1910 zu Tovačov (Mähren).
Neuere Werke: 2. Sinfonietta für Orch. (1962); *Trialogo* für V., Klar. und Kl. (1966), Stücke mit Kl. für Ob. (Suite, 1959), Klar. (*Miniatury*, 1963) und Horn (*Capricci*, 1967), *Intermezzi mattutini* für Fl. und Hf. (1965), Partita für V. solo (1963), *Musica monologica* für Hf. (1969); Sonate *Zamyšlení nad životem* (»Gedanken über das Leben«, 1958), *Na bílých i černých* (»Auf weißen und schwarzen Tasten«, 1958), 12 kleine Etüden (1964) sowie Etüden und *Essays* (1965) für Kl., Suite für Kl. 4händig (1969); *Fresky* (1957), *Ecce homo* (1957) und *Invokace* (1963) für Org.; Ballade Nr 10 für Solo-St., Männerchor und Rezitation (1970); *Pezzi sacri* für gem. Chor und Org. (1970); Madrigale für gem. Chor (1961); Kinderlieder.
Lit.: J. Matějček in: Musica XI, 1957, S. 515f.; Hovoříme s Kl. Sl.m (»Wir sprechen mit Kl. Sl.«), in: Hudební rozhledy XII, 1959; J. Šeda, ebd. XIV, 1961, S. 188ff.; J. Macek, ebd. XX, 1967, S. 292ff. (zur Partita); E. Herzog, ebd. XXIII, 1970, S. 259ff. (zu »Rhapsodische Variationen«); E. Pensdorfová, ebd. S. 228ff. (Gespräch).

Slavík, Josef, * 26. 3. 1806 zu Jince/Jinetz (Mittelböhmen), † 30. 5. 1833 zu Budapest; tschechischer Violinist und Komponist, studierte am Prager Konservatorium bei Fr. W. Pixis und wurde dann Mitglied des Orchesters der Prager Oper, für die er mit dem Literaten Simeon Macháček Mozarts *Don Giovanni* ins Tschechische übersetzte. Nach erfolgreichen Solokonzerten übersiedelte er nach Wien, wo er 1825 Mitglied der Hofkapelle wurde. Hier arbeitete er freundschaftlich mit Schubert, der ihm seine Fantasie C dur für V. und Kl. op. 159 widmete (Uraufführung durch Sl. 1828), und mit Chopin zusammen. Von den Kompositionen Sl.s sind Variationen E dur (1822) und auf der G-Saite (über ein Thema aus Bellinis *Il pirata*, 1830), Konzerte Fis moll (1823, Neufassung 1826) und A moll (1832, nur der 1. Satz erhalten), eine *Caprice* D dur (1824) sowie ein *Grand potpourri* für V. und Orch. op. 1 (1826) bekannt.
Ausg.: Konzert A moll, hrsg. v. Fr. Ondříček, Prag 1906, ²1947; Variationen auf d. G-Saite, hrsg. v. J. Mařák, ebd. 1907; Caprice D dur f. V. solo, in: Česká hudba XXXV, 1932; Konzert Fis moll, hrsg. v. V. Frait, Prag 1944; Grand potpourri als »Introduction, variations et rondino«, hrsg. v. Zd. Vlk, ebd. 1945.
Lit.: J. Pohl, J. Sl., Prag 1906; J. Čeleda, J. Sl., ebd. 1933; Fr. Vinklhofer, J. Sl., ebd.; V. Lev, Český Paganini (»Der tschechische Paganini«), ebd. 1940; J. Feld, J. Sl., Diss. ebd. 1952; M. Masařík, J. Sl., Diplomarbeit Brünn 1953; St. Klíma, J. Sl., Prag 1956; L. S. Ginsburg, J. Slawik, Moskau 1957.

Slaviūnas, Zenonas Jono (Slavinskas), * 1.(14.) 1. 1907 zu Skaudvilė, † 12. 3. 1973 zu Wilna; litauisch-sowjetischer Folklorist, studierte in Kaunas Musik bei Gruodis und A. Kačanauskas sowie 1930–35 litauische

Sprache und Literatur an der Universität. Er war 1935–39 Mitarbeiter im Archiv der litauischen Folklore, ab 1941 Leiter der Phonogrammabteilung des Instituts für Ethnologie, 1945–47 Leiter der Sektion Folklore am Institut für Geschichte in Wilna sowie von 1945 bis zu seinem Tode Dozent am dortigen Pädagogischen Institut. Mittels des Phonographen hat er 8000 Volksmelodien aufgezeichnet. – Veröffentlichungen (Auswahl): *Lietuvių kanklės* (»Litauische Kanklės«, = Tautosakos darbai III, Kaunas 1937); *Lietuvių etnografinės muzikos bibliografija* (»Bibliographie der litauischen Musikethnographie«, ebd. V, 1938); *Sutartinės. Daugiabalsės lietuvių liaudies dainos* (»Sutartinės. Mehrstimmige litauische Volkslieder«, 3 Bde, Wilna 1958–59, Edition von 1820 Sutartinės mit Kommentar); *Zur litauischen Vokalpolyphonie* (Deutsches Jb. für Volkskunde XIII, 1967); *Sutartinių daugiabalsiškumo tipai ir jų chronologijos problema* (»Die Typen der Mehrstimmigkeit der Sutartinės und das Problem ihrer Chronologie«, = Liaudies kūryba I, Wilna 1969); *Sutartinės. Mnogogolosnyje pesni litowskowo naroda* (»Sutartinės. Mehrstimmige litauische Volkslieder«, Leningrad 1972).

Slenczynska (slentʃ'inskɑ), Ruth (verheiratete Kerr), * 15. 1. 1925 zu Sacramento (Calif.); amerikanische Pianistin und Komponistin, gab ihr erstes öffentliches Konzert im Alter von 4 Jahren am Mills College in Oakland (Calif.), studierte an der University of California in Berkeley sowie bei E. Petri, Artur Schnabel, Cortot und Rachmaninow (Klavier), ferner bei Nadia Boulanger und Dandelot (Komposition). 1933 debütierte sie in New York. Konzertreisen führten sie durch Europa und Amerika. R. Sl. lehrte 1950–52 an der Academy of Music in San Francisco und ist heute Professor für Klavier an der Southern Illinois University in Edwardville. Sie schrieb zahlreiche Klavierstücke und veröffentlichte u. a.: *Forbidden Childhood* (mit L. Biancolli, NY und London 1961); *Music at Your Fingertips. Aspects of Pianoforte Technique* (mit A. M. Lingg, ebd. 1961).

+Slezak, Leo, 1873–1946.
Sl. trat auch als (populärer) Filmschauspieler auf (besonders in komischen Rollen). Die meisten seiner Schriften liegen inzwischen in Taschenbuchausgaben vor: +*Meine sämtlichen Werke* (1922), = rororo Bd 329, Reinbek bei Hbg 1959, 111970; +*Der Wortbruch* (1928), ebd. Bd 330, 1959, 101971; +*Rückfall* (1940), ebd. Bd 501, 1962, 61969; +*Mein Lebensmärchen* (1948), = Fischer-Bücherei Bd 214, Ffm. 1958, auch = dtv Bd 283, München 1965, 51971, NA = Piper-Präsent XV, ebd. 1971. Lit.: Mein lieber Bub. Briefe eines besorgten Vaters, hrsg. v. W. SLEZAK, München 1966, Wien 1968. – DERS., What Time's the Next Swan?, NY 1962, deutsche Taschenbuchausg. als: Wann geht der nächste Schwan?, = dtv Bd 670, München 1970, 31972; Le grandi v., hrsg. v. R. CELLETTI, = Scenario I, Rom 1964, Sp. 783f. (mit Diskographie v. Th. Kaufmann u. R. Vegeto).

Śliwiński (sjliv'i:ɲski), Józef, * 15. 12. 1865 und † 4. 3. 1930 zu Warschau; polnischer Pianist, studierte bei Leschetizky in Wien sowie bei Anton Rubinstein am St. Petersburger Konservatorium und konzertierte in ganz Europa. Er wurde als Interpret der Werke Chopins, Liszts und Schumanns sehr geschätzt. Lit.: E. ALTBERG, Polscy pianiści (»Polnische Pianisten«), Warschau 1948.

+Slobodskaya, Oda (verheiratete Pelly), * 28. 11. (10. 12.) 1888 [nicht: 1895] zu Wilna, [erg.:] † 29. 7. 1970 zu London.
Bis zu ihrem Tode unterrichtete sie Gesang an der Guildhall School of Music und am Royal College of Music in London.

Lit.: E. GRENVILLE, Reminiscenses of O. Sl., in: Recorded Sound 1969, Nr 35 (mit Diskographie).

Slonimskij, Jurij Jossifowitsch, * 28. 2. (13. 3.) 1902 zu St. Petersburg; russisch-sowjetischer Ballettkritiker, -historiker und -librettist, studierte in seiner Heimatstadt an der juristischen Fakultät der Universität und an der Theaterabteilung der Hochschule für Kunstgeschichte. Er begann 1919 als Ballettkritiker und war 1922–23 einer der Organisatoren der Gruppe »Junges Ballett«, der u. a. auch der junge Balanchine angehörte. Sl. verfaßte eine Reihe von Monographien zur Ballettgeschichte, von denen genannt seien: *Schisel* (»Giselle«, Leningrad 1926, Neuaufl. 1969); *Mastera baleta* ... (»Ballettmeister ..., Petersburger Ballettmeister des 19. Jh.«, Moskau 1937); *The Soviet Ballet* (mit anderen, NY 1947, Nachdr. 1970); *Sowjetskij balet,* ... (»Sowjetisches Ballett. Materialien zur Geschichte des sowjetischen Balletttheaters«, Moskau 1950); *P. I. Tschajkowskij i baletnyj teatr jewo wremeni* (»P. I. Tschaikowsky und das Balletttheater seiner Zeit«, ebd. 1956); *Didlo* (»Didelot«, Leningrad 1958); *»Lebedinoje osero«* P. Tschajkowskowo (»P. Tschaikowskys ‚Schwanensee'«, ebd. 1962); *Sem baletnych ostorij* (»7 Ballettgeschichten«, ebd. 1967). Sl. wirkte darüber hinaus als Dozent und nahm als Verfasser zahlreicher Ballettlibretti (*Junost,* »Jugend«, Musik Tschulaki, Leningrad 1949; *Sem krassawiz,* »Die 7 Schönen«, Karajew, Baku 1952; *Tropoju groma,* »Auf dem Pfade des Donners«, Karajew, ebd. 1958; *Bereg nadeschdy,* »Küste der Hoffnung«, Spadavecchia, Moskau 1959) bedeutenden Einfluß auf die sowjetische Ballettszene.

Slonimskij, Sergej Michajlowitsch (Slonimsky), * 12. 8. 1932 zu Leningrad; russisch-sowjetischer Komponist, Pianist und Musikschriftsteller, Neffe von Nicolas Slonimsky, absolvierte 1955 sein Kompositionsstudium (Boris Arapow, O. Jewlachow) und 1956 sein Klavierstudium (Wladimir Nielsen) am Leningrader Konservatorium, an dem er seit 1956 Lehrer für Musiktheorie ist. Er schrieb u. a. die Oper *Wirineja* (Leningrad 1967), das Ballett *Ikar* (»Ikarus«, Libretto J. Slonimskij, Choreographie Wassiljew, Moskau 1971), Orchesterwerke (*Karnawalnaja uwertjura,* »Karnevalouvertüre«, 1957; Symphonie, 1959; *Concerto buffo* für Kammerorch., 1966), Kammermusik (Dialoge für Bläserquintett, 1964; *Antifony,* »Antiphonen«, für Streichquartett, 1970; Suite für Va und Kl., 1959; Sonate für V. solo, 1961; Sonate für Kl., 1963), Vokalwerke (Kantate *Golos is chora,* »Stimme aus dem Chor«, 1963; symphonischer Zyklus *Pesni wolnizy,* »Freiheitslieder«, für Mezzo-S., Bar. und Kl., 1957, Orchesterfassung 1962; Vokalsuite *Wesna prischla,* »Der Frühling ist da«, nach japanischen Gedichten, 1966; Vokalszene *Proschtschanije s drugom w pustyne,* »Abschied für einen Freund«, für hohe St. und Kl., 1970) sowie Orgelwerke und Filmmusik. – Veröffentlichungen: *»Pesn o semle«* G. Malera i woprossy orkestrowoj polifonii (»,Das Lied von der Erde' von G. Mahler und Fragen der Orchesterpolyphonie«, in: Woprossy sowremennoj musyki, hrsg. von M. S. Druskin, Leningrad 1963); *Simfonii Prokofjewa* (»Die Symphonien Prokofjews«, Moskau 1964).
Lit.: D. RABINOWITSCH u. a. in: SM XXXII, 1968, H. 4, S. 31ff. (zu »Wirineja«); M. TARAKANOW u. N. TSCHERNOWA in: SM XXXVI, 1972, H. 5, S. 12ff. (zu »Ikar«).

+Slonimsky, Nicolas (Nikolaj [erg.:] Leonidowitsch), * 15. (27.) 4. 1894 zu St. Petersburg.
Sl. ist als Dirigent mit Uraufführungen auch von Werken Varèses, Rieggers, Ruggles', Chávez', Roldáns und García Caturlas hervorgetreten, ferner mit amerikanischen Erstaufführungen von Werken Schönbergs.

1964–67 lehrte er als Lecturer in Music an der University of California in Los Angeles, wo er heute lebt. An weiteren Kompositionen sind eine Suite für Vc. und Kl. (1951), ein Zirkelkanon (»perpetual canon«) *Möbius Strip Tease* für S. und T. mit obligatem Kl. (uraufgeführt 1965 beim Arrière-Garde Coffee Concert an der University of California; vgl. Source 1971, Nr 9, S. 64ff.) und *50 Minitudes* für Kl. (1973; vgl. Source 1974, Nr 11, S. 115f.) zu nennen. – +*Music Since 1900* (1937, ²1938, ³1949), 4. revidierte und erweiterte Aufl. NY 1971; +*Music of Latin America* (1945, ²1946, ³1949 [nicht: ²1950]), Nachdr. NY 1972 (mit neuem Vorw. und Addenda); +*The Road to Music* (1947), revidiert NY 1966; +*A Thing or Two About Music* (1948), Nachdr. Westport (Conn.) 1972; +*Lexicon of Musical Invective. Critical Assaults on Composers Since Beethoven's Time* (1953), NY ²1965, Paperbackausg. Seattle/Wash. 1969; +*O.* [nicht: D.] Thompson, *The International Cyclopedia of Music and Musicians* (4–⁷1946–56), 8. revidierte Aufl. NY 1958 (⁹1964 hrsg. von R. Sabin, ¹⁰1975 hrsg. von Br. Bohle); *Baker's Biographical Dictionary of Musicians* (⁵1958), NY *1965 Supplement* und *1971 Supplement* (letzteres mit wertvollem Vorw.). – Weitere Veröffentlichungen: *Fun with Musical Games and Quizzes* (Ewen, NY 1952); *The Weather at Mozart's Funeral* (MQ XLVI, 1960); *Modern Idioms and Techniques* (= Einleitung zu: The New Book of Modern Composers, hrsg. von D. Ewen, NY ³1961); *The Plush Era in American Concert Life* (in: One Hundred Years of Music in America, hrsg. von P. H. Lang, NY 1961); *Modern Composition in Rumania* (MQ LI, 1965); *New Music in Greece* (ebd.); *A. Tcherepnin* (in: Tempo 1968/69, Nr 87); lexikalische Beiträge über amerikanische Musik und Musiker. – Auch die vorliegenden Ergänzungsbände dieses Lexikons verdanken Sl., dem Nestor der biographischen Musiklexikographie, viele dienliche Hinweise.
Lit.: H. COWELL in: American Composers on American Music, Stanford (Calif.) 1933, NA (unverändert) NY 1962, S. 107ff. – Werkverz. in: Composers of the Americas XV, Washington (D. C.) 1969; D. L. ROOT, The Pan American Ass. of Composers (1928–34), Yearbook f. Inter-American Mus. Research VIII, 1972.

Slovák (sl'əva:k), Ladislav, * 10. 9. 1919 zu Bratislava; slowakischer Dirigent, studierte in Bratislava am Konservatorium 1938–42 Orgel und 1942–45 Dirigieren sowie 1949–53 an der Hochschule für musische Künste Dirigieren bei Talich. Er war Assistent bei Mrawinskij in Leningrad, wurde 1955 Chefdirigent des Rundfunksymphonieorchesters in Bratislava und 1961 der Slowakischen Philharmonie. Auslandsreisen mit seinem Orchester führten ihn u. a. durch europäische Länder und mit der Tschechischen Philharmonie nach Übersee.

Sluszny (slyzn'i), Naum, * 30. 3. 1914 zu Genf; belgischer Pianist, studierte Klavier bei Askenase sowie Harmonielehre und Kontrapunkt an den Konservatorien in Antwerpen und Brüssel. Auf seinen Konzerttourneen in Europa, Kanada und Westafrika trat er besonders als Beethoven-Interpret hervor. Er leitete eine Ausbildungsklasse für Klavier am Konservatorium in Mons und wirkt seit 1971 als Professor am Konservatorium in Brüssel. Sl. ist Gründer und Pianist des Trios Reine Élisabeth de Belgique. Er schrieb eine *Mini-suite* für Kl. und Kammerorch., eine Suite für Git. und Kammerorch. op. 4, eine »Jugoslawische Rhapsodie« für Klaviertrio und Klavierwerke (6 Praeludien op. 1, 1968; Sonate op. 2; Sonatine op. 3, 1969).

Smalley (sm'ɔ:li), Roger, * 26. 7. 1943 zu Swinton (bei Manchester); englischer Komponist, studierte am Royal College of Music in London (Klavier bei A. Hopkins, Komposition bei P. R. Fricker) sowie bei K. Stockhausen in Köln. 1967 wurde er Artist-in-Residence am King's College in Cambridge. Er gründete 1970 das Ensemble »Intermodulation« zur Aufführung avantgardistischer Musik. Von seinen Kompositionen seien die Elektronische Musik *A Round of Silence* (1963), Variationen für Orch. (1964, revidiert 1967), *Piano Pieces I–V* (1962–65), *Pulses* für 5 Gruppen zu je 4 Instr. (1969), *Strata* für 15 Streicher (1970) und *Beat Music* für 55 Spieler (1971) sowie eine *Missa brevis* (nach Blitheman, 1967) genannt. Er verfaßte Beiträge für MT (*Debussy and Messiaen*, CIX, 1968; Analyse von K. Stockhausens *Momente*, CXV, 1974) und *Tempo* sowie *Some Aspects of the Changing Relationship Between Composer and Performer in Contemporary Music* (Proc. R. Mus. Ass. XCVI, 1969/70).

+**Smareglia,** Antonio, 1854–1929.
Lit.: V. LEVI, Nozze istriane nel centenario della nascita di A. Sm., Triest 1954; E. PERPICH, A. Sm., Diss. ebd. 1960; S. BENCO, Ricordi di A. Sm., Duino 1968.

+**Smart,** –1) Sir George Thomas, 1776–1867. –3) Henry [erg.:] Thomas, 1813–79.
Lit.: +H. B. u. C. L. E. Cox, Leaves from the Journals of Sir G. Sm. (1907), Nachdr. NY 1971. – CH. CUDWORTH in: MGG XII, 1965, Sp. 770ff. – zu – 1) N. TEMPERLEY, Tempo and Repeats in the Early 19th Cent., ML XLVII, 1966; P. J. WILLETTS, Beethoven and England. An Account of Sources in the British Museum, London 1970.

+**Smend** [–1) Julius], –2) Friedrich, * 26. 8. 1893 zu Straßburg.
Sm. wurde 1958 an der Berliner Kirchlichen Hochschule emeritiert. Zu seinem 70. Geburtstag wurde er mit einer Festschrift geehrt (Bln 1963). – Veröffentlichungen: +*J. S. Bach. Kirchen-Kantaten* (1947–49, ²1950), Bln ³1966 (6 H. in 1 Bd); gesammelte Reden und Aufsätze erschienen als *Bach-Studien* (hrsg. von Chr. Wolff, Kassel 1969); ferner sei genannt *Bachs Trauungs-Kantate* [Nr. 195] »*Dem Gerechten muß das Licht immer wieder aufgehen*« (Mf V, 1952, auch in: J. S. Bach, hrsg. von W. Blankenburg, = Wege der Forschung CLXX, Darmstadt 1970).
Lit.: G. v. DADELSEN, Fr. Sm.s Ausg. d. h-moll-Messe v. J. S. Bach, Mf XII, 1959.

Smendzianka (smɛndzj'aŋka), Regina, * 9. 10. 1924 zu Thorn/Torún; polnische Pianistin und Musikpädagogin, studierte ab 1936 bei Henryk Sztompka in ihrer Heimatstadt und 1945–48 an der Musikhochschule in Krakau. Seitdem hat sie in Ost- und Westeuropa sowie in China konzertiert. 1972 wurde sie zur Rektorin der Warschauer Musikhochschule ernannt. R. Sm. wird als Interpretin der Chopinschen Klaviermusik und der Werke polnischer Komponisten der vorchopinschen Epoche geschätzt.

+**Smetáček,** Václav, * 30. 9. 1906 zu Brünn.
Seine Studien an der Karlsuniversität in Prag schloß er 1933 mit einer Dissertation über das Thema *Počátky Smetany orchestrace* (»Die Anfänge von Smetanas Orchestrierung«) ab. – Sm. ist weiterhin Chefdirigent des Prager Symphonischen Orchesters FOK. Gastverpflichtungen führten ihn an die Mailänder Scala sowie an das Teatro Colón in Buenos Aires.
Lit.: D. JORIO in: Discoteca IX, 1968, Nr 84, S. 13ff.

Smetak, Walter, * 12. 2. 1913 zu Zürich; brasilianischer Komponist und Violoncellist Schweizer Herkunft, studierte am Zürcher Konservatorium, am Mozarteum in Salzburg und am Neuen Wiener Konservatorium. Er war Violoncellist in Symphonieorchestern und ließ sich dann in Salvador (Bahia) nieder, wo er sich akustischen und kompositorischen Forschungen widmete und zahlreiche neue Instrumente, die er als »Klangkörper der Plastik« bezeichnet, schuf. Er verfaßte auch 300 Gedichte, die Texte mit improvisiertem Klang in synthetischer Sprache beinhalten. Sm. schrieb Theaterstücke (*Som para Macbeth*; *Som para Everyman*; *A quadratura do círculo*, Theater der weißen Schatten 1971; *A caverna*, Szenenstück mit Gesprächen und Klängen in Buchform, 1971), Kammermusik und experimentelle Musik (*El mesmo* für Schlagzeug, 1968; *M 2500*, 1968, *Vir e ser*, 1969, und *Um sol realizado*, 1970, für plastische Klänge; Improvisation mit Zeichnungen *Anestisia* für 10 traditionelle und unbekannte Instr., 1971).

+Smetana, Bedřich, 1824–84.
Ergänzungen und Berichtigungen zum früheren Werkverzeichnis: Orchesterwerke: Ouvertüren zu *Doktor Faust* (1862) und *Oldřich a Božena* (1863), *Pochod k slavnosti Shakespearově* (»Festmarsch zur Shakespeare-Feier«, 1864) und *Pražský karneval* (»Prager Karneval«, 1883). – Kammermusik: 2 Streichquartette (*Z mého života* E moll, 1876; D moll, 1883). – Klavierwerke (ausgenommen die zahlreichen einzelnen Tänze und Charakterstücke sowie Gelegenheitswerke): 8 *Bagately a impromptus* (1844), Sonate G moll (1846), *6 charakteristických skladeb* op. 1 (»6 Charakterstücke«, 1847/48), 6 Stücke *Lístky do památníku* op. 2 (»Albumblätter«, 1848), 2 Stücke op. 3 (»An R. Schumann« und »Wanderlied«, 1848/49), jeweils 4 Stücke *Črty* op. 4–5 (»Skizzen«, 1848–49), 4 Stücke *Svatební scény* (»Hochzeitsszenen«, 1849), 3 Stücke *Poklad melodií* (»Melodienschatz«, 1850), 3 *Polky salónní* op. 7 und 3 *Polky poetické* op. 8 (»Salon-« bzw. »Poetische Polkas«, 1848–54), Polka *Vidění na plese* (»Ballvision«, 1850–52, 2. Fassung 1858), *Macbeth a čarodějnice* (»Macbeth und die Hexen«, 1859), je 2 Stücke *Vzpomínky na Čechy ve formě polek* op. 12–13 (»Erinnerungen an Böhmen in Polkaform«, 1859), Konzertetüde *Na břehu mořském* Gis moll (»Am Seegestade«, 1861), *Koncertní fantasie na české národní písně* (»Konzertfantasie über tschechische Volkslieder«, 1862), 6 Stücke *Sny* (»Träume«, 1875), 14 *České tance* (2 Teile, 1877–79) und 4 *Polky* (gedruckt 1879) sowie eine Sonate für 2 Kl. zu 8 Händen (1850); 6 Praeludien für Org. (1846). – Chorwerke: Offertorien D moll und G dur (1846) für gem. Chor und Kammerensemble, 2 Fugen auf die Texte »Ich hoffe auf den Herrn« und »Lobet den Herrn« für gem. Chor (1846), *Heilig ist der Herr* für Doppelchor sowie die Choralfiguration *Jesu meine Freude* (1846), *Česká píseň* (»Tschechisches Lied«, 3 Fassungen: für Männerchor op. 17, 1860; als Kantate für gem. Chor und Kl., 1868; für gem. Chor und Orch., 1878).
Ausg. (Erscheinungsort Prag): GA, hrsg. v. d. Sm.-Ges. unter Leitung v. Zd. Nejedlý, auf 18 Bde geplant, davon sind erschienen: Bd I, Jugendwerke bis 1843, hrsg. v. DEMS., 1924; II–IV, Prodaná nevěsta (»Die verkaufte Braut«), hrsg. v. O. Ostrčil, 1932–36. – Studijní vydání děl B. Sm.y (»Studienausg. d. Werke B. Sm.s«), hrsg. unter d. Leitung v. Fr. Bartoš u. A. Waisar, 1940ff., bisher erschienen: Bd I–VII, IX–X u. XIII, Opern u. Chorwerke, 1940–60; VIII, XI u. XIII (1951–62), Orch.-Werke I–II u. Triumph-Symphonie. – Kl.-Werke, hrsg. v. M. Očadlík, 3 Bde, 1944–57; Lieder, hrsg. v. Fr. Bartoš, 1962. – Prodaná nevěsta, Faks. d. 1. Kl.-Skizze u. d. Kl.-A., hrsg. v. M. Očadlík, 1944 bzw. 1950.
Lit.: Soupis dopisů B. Sm.y (»Ein Verz. d. Briefe B. Sm.s«), = Miscellanea musicologica XV, 1960; Fr. Bartoš, Příspěvky k soupisu dopisů B. Sm.y (»Beitr. zum Verz. d. Briefe B. Sm.s«), in: Hudební věda I, 1964. – DERS. u. Zd. Němec, Z dopisů B. Sm.y (»Aus Briefen B. Sm.s«), Prag 1947; O. Pulkert, Neznámé dopisy B. Sm.y (»Unbekannte Briefe v. B. Sm.« [an Fr. B. Ulm]), in:

Hudební rozhledy XII, 1959; Př. Pražák, Nad dopisem Ž. Schwarzové, dcery B. Sm.y (»Der Brief v. Ž. Schwarz, d. Tochter B. Sm.s«), in: Ročenka Univ. knihovny v Praze 1961 (Brief v. 10. 7. 1889 an d. Sm.-Forscher A. Hnilička); Fr. Bartoš, Několik netištěných dopisů B. Sm.y (»Einige ungedruckte Briefe v. B. Sm.«), in: Hudební rozhledy XVI, 1963.
+O. Hostinský, B. Sm. [erg.:] a jeho boj o moderní českou hudbu (»B. Sm. u. sein Kampf um d. moderne tschechische Musik«, 1901), Prag ²1941; +Zd. Nejedlý, Zpěvohry Sm.y (1908), 2. Aufl. = Sebrané spisy XVII, ebd. 1949, ³1954; +DERS., B. Sm., [erg.:] Doba zrání (»Die Reifezeit«, 1924), ebd. ²1962; +VL. Helfert, Tvůrčí rozvoj B. Sm.y ([erg.: ebd. 1924, 2. Aufl.] 1953), deutsch als: Die schöpferische Entwicklung Fr. Sm.s, Lpz. 1956; +I. I. Martynow, B. Sm. (1950), NA Moskau 1963; +Př. Pražák, B. Sm. (= Knižnice životopisů o. Nr, 1955), Prag ²1961.
R. Budiš u. V. Kafková, B. Sm., Výběrová bibliogr., Prag 1963 (Ausw.-Bibliogr.). – Sborník Musea B. Smetany (»Sammel-Bde d. B. Sm.-Museums«) Iff., (ebd.) 1959ff. – V. H. Jarka, Kritické dílo B. Sm.y 1858–65 (»Das kritische Schaffen v. B. Sm. ...«), Prag 1948; Zd. Nováček, K spoločenskému zmyslu života a diela B. Sm.u (»Zur gesellschaftlichen Idee im Leben u. Werk B. Sm.s«), in: Hudobnovedné štúdie I, 1955; M. Očadlík, Co dalo Švédsko B. Sm.ovi?, in: Miscellanea musicologica III, 1957, Auszug als: Vad har Sverige givit B. Sm.?, Musikrevy XI, 1956; DERS. in: Miscellanea musicologica XII, 1960, S. 77ff. (Aufsatzfolge); DERS., Vyprávění o B. Sm.ovi (»Erzählung über B. Sm.«), = Čtení o hudbě VIII, Prag 1960; DERS., Die radikalen Demokraten. Liszt u. Sm., StMl V, 1963; S. K. Gulinskaja, B. Sm., Moskau 1959, NA 1968; J. Lhotský, Psychiatrisches zur Krankheit u. Todesursache Fr. Sm.s, Münchener medizinische Wochenschrift CI, 1959; B. Čapková, Z jabkenické myslivny (»Aus d. Jabkenitzer Forsthaus«), Prag 1963; J. Burghauser, Nejen pomníky (»Nicht nur Denkmäler«), Sm., Dvořák, Fibich, = Edice Přátel hudby II, ebd. 1966; B. Karásek, B. Sm., ebd. 1966, deutsch 1967; J. A. Molnár, B. Sm., ebd. 1966, deutsch 1967; J. A. Molnár, Dvořák. - Kis zenei könyvtár XXXIX, Budapest 1967; Sm. in Göteborg 1856–62, hrsg. v. CL. Thörnqvist, Göteborg 1967; M. Malý u. K. Plicka, Jabkenická léta B. Sm.y (»B. Sm.s Jabkenitzer Sommer«), Prag 1968; L. Nolan, The Life of Sm., the Pain and the Glory, London 1968; Br. Large, Sm., ebd. u. NY 1970; J. Clapham, The Sm.–Pivoda Controversy, ML LII, 1971; DERS., Sm., = The Master Musicians Series o. Nr, London u. NY 1972; H. Feldmann, The Otological Aspects of B. Sm.'s Disease, MR XXXII, 1971 (zuvor deutsch in: Monatsschrift f. Ohrenheilkunde u. Laryngo-Rhinologie XCVIII, 1964, S. 209ff.); K. Laux, in: MuG XXIV, 1974, S. 149ff. – Sm.-Sonder-H., = Hudební věda XI, 1974, Nr 2.
O. Zich, Symfonické básně Sm.ovy (»Sm.s symphonische Dichtungen«), Prag 1924, ²1949; V· Smetáček, Počátky Sm.y orchestrace (»Die Anfänge v. Sm.s Orchestrierung«), Diss. ebd. 1933; Př. Pražák, Sm.ovy zpěvohry (»Sm.s Opern«), 4 Bde, ebd. 1948; DERS., Sm.ova Prodaná nevěsta. Vznik a osudy díla (»Sm.s ,Verkaufte Braut'. Entstehung u. Schicksal«), ebd. 1962; J. Měrka, Melodika a deklamace v operách B. Sm.y (»Melodik u. Deklamation in Sm.s Opern«), Diss. Brünn 1951; L. Novák, O Sm.ě kvartetu č. 1 (»Über Sm.s 1. Streichquartett«), Diss. Prag 1952; J. Žák, Sm.ův »Dalibor«. Vznik a rozbor opery (»Sm.s ,Dalibor'. Entstehung u. Analyse d. Oper«, Diss. ebd. 1953; J. Plavec, Sm.ova tvorba sborová (»Sm.s Chorwerke«), ebd. 1954; Fr. Bartoš, Ke genesi Sm.ovy Prodané nevěsty (»Zur Entstehungsgesch. d. ,Verkauften Braut'«, in: Musikologie IV, 1955; M. Očadlík, Sm.ova píseň do Bozděchovy činohry (»Sm.s Lied zum Schauspiel v. Bozděch«), in: Miscellanea musicologica I, 1956; DERS., Echa twórczości chopinowskiej u B. Sm.y (»Der Widerhall d. Chopinschen Schaffens bei B. Sm.«), Chopin-Kgr.-Ber. Warschau 1960; DERS., Klavírní dílo B. Sm.y (»Sm.s Kl.-Werke«), Prag 1961; DERS., B. Sm.s Beziehungen zu Fr. Schubert, in: Musa – Mens – Musici, Gedenkschrift W. Vetter, Lpz. 1970; DERS., Sm.ův tvůrčí řád (»Sm.s schöpferische Ordnung«), in: Opus musicum II, 1970; H. Sequardtová, Polka v díle B. Sm.y (»Die Polka in Sm.s Werk«), Diplomarbeit Prag 1956,

Zusammenfassung in: Miscellanea musicologica II, 1957, S. 91f.; G. Schuffenhauer, Die tschechoslowakische Volksmusik u. ihr Einfluß auf d. Opern Fr. Sm.s, Diss. Bln 1957 (FU); A. Sychra, Sm.ovo pojetí symfonické básně (»Sm.s Konzeption d. symphonischen Dichtung«), in: Hudební rozhledy X, 1957; J. Zich, Instrumentace Sm.ova »Dalibora«, = Hudební rozpravy I, Prag 1957; V. Felix, Sm.ova harmonie, 3 Bde, Diss. ebd. 1960, ein Kap. daraus in: Živá hudba I, 1959, S. 85ff. (mit russ. u. deutscher Zusammenfassung); J. Jiránek, Beitr. zum Vergleich d. Klavierstils v. Fr. Chopin u. B. Sm., Chopin-Kgr.-Ber. Warschau 1960, tschechisch in: Hudební rozhledy XIII, 1960, S. 94ff.; Ders., Liszt a Sm., in: Hudební věda, 1961, Nr 4, gekürzt ungarisch in: Magyar zene II, 1961, Nr 9, S. 26ff., deutsch in: StMl V, 1963 (zum Kl.-Stil); Ders., Vztah hudby a slova ve Sm.ově Prodané nevěstě. Příspěvek k otázce hudební deklamace ... (»Die Beziehung v. Musik u. Sprache in Sm.s ‚Verkaufter Braut‘. Ein Beitr. zur Frage d. mus. Deklamation«), in: Hudební věda VIII, 1971 (mit engl., deutscher u. russ. Zusammenfassung); M. Ladmanová, Chopin u. Sm., Chopin-Kgr.-Ber. Warschau 1960; I. Vojtěch, Am Rande d. Schumann-Sm.-Frage, Sammelbände d. R.-Schumann-Ges. I, 1961; Vl. Hudec, Zum Problem d. »Lisztartigen« in Sm.s symphonischen Dichtungen, StMl V, 1963; V. Střelcová, Několik poznámek k interpretaci »Čertovy stěny« B. Sm.y (»Bemerkungen zur Interpretation d. ‚Teufelswand‘«), in: Sborník prací filosofické fakulty brněnské univ. XIV, F 9, 1965; C. Riha, Zur Interpretation d. »Verkauften Braut«, Jb. d. Komischen Oper Bln VII, 1966/67; M. Smirnow, Sm-pianist i jewo fortepiannyj stil (»Sm. als Pianist u. sein Kl.-Stil«), in: Woprossy musykalno-ispolnitelskowo iskusstwa IV, hrsg. v. A. A. Nikolajew, Moskau 1967; G. Abraham, The Genesis of »The Bartered Bride«, in: Slavonic and Romantic Music, London 1968 (= Wiederabdruck aus: ML XXVIII, 1947); K. Janeček, Sm.ův kvartet »Z mého života«. Tektonický rozbor (»Sm.s Streichquartett ‚Aus meinem Leben‘. Eine Strukturanalyse«), in: Živá hudba IV, 1968 (mit deutscher Zusammenfassung); Ders., Sm.ova poslední fugová práce (»Sm.s letzte Fugenarbeit«), in: Hudební věda VIII, 1971 (Analyse d. langsamen Satzes d. 2. Streichquartetts; mit deutscher, engl. u. russ. Zusammenfassung); Vl. Karbusický, Beethoven u. Sm., Stilanalytische u. soziologische Notizen, Kgr.-Ber. Bonn 1970; Zd. Vokurka, Ještě k vavřínům Sm.ovy Hubičky (»Nochmals zum Lorbeer d. Sm.schen Kusses«), in: Opus musicum II, 1970 (mit einem unveröff. Brief); M. Ottlová, Sm.ova Sonáta g moll, in: Hudební rozhledy XXIV, 1971.   CSch

Smetana, František, * 8. 5. 1914 zu Ohništany (Böhmen); tschechischer Violoncellist, Schüler von K. Pr. Sádlo, debütierte mit 15 Jahren, studierte am Prager Konservatorium Komposition bei O. Šín (1931–36) und vervollkommnete seine Violoncellostudien 1936–38 an der Ecole Normale de Musique in Paris bei D. Alexanian und P. Fournier. Neben solistischer Tätigkeit (Tourneen durch England, die Schweiz, Niederlande, Belgien, Norwegen und Jugoslawien) wirkte er im Tschechischen Nonett (1932–36), Smetana-Trio (1934–37), Tschechoslowakischen Streichquartett (1939–46) und Prager Trio (1957–62) mit. 1963 folgte er einer Berufung als Pädagoge und Dirigent nach Puerto Rico. Seit 1966 ist er in den USA an der Musikfakultät der Iowa State University of Science and Technology in Ames tätig. Er schrieb u. a. ein Streichquartett D moll, ein Klaviertrio C moll, *Meditace na chorál svatováclavský* (»Meditationen über den St. Wenzel-Choral«) für Vc., zahlreiche Stücke für Vc. und Kl. und Lieder.

Smetana, Robert, * 29. 8. 1904 zu Wien; tschechischer Volksliedforscher, promovierte 1934 in Prag mit der Dissertation *O melodických idiomech v lidovém zpěvu* (»Über die melodischen Idiome im Volksgesang«), war 1924–32 Musikarchivar des Mährischen Museums in Brünn, 1936–45 Beamter, 1946 Lehrer und 1951 Dozent der Palacký-Universität in Olmütz. Seit 1956 ist er Leiter des dortigen musikwissenschaftlichen Instituts. Die meisten Publikationen gab er gemeinsam mit dem Literaturhistoriker Bedřich Václavek (1897–1943) heraus, u. a. die Volksliededitionen *České písně kramářské* (»Tschechische Krämerlieder«, Prag 1937, ²1949), *Český národní zpěvník* (»Tschechisches Nationalgesangbuch«, ebd. 1940, ²1949), *České světské písně zlidovělé* (»Tschechische weltliche volkstümlich gewordene Lieder«, ebd. 1955) sowie eine NA von František Sušils 1835 in Brünn erschienenen *Moravské národní písně* (»Mährische Volkslieder«, Prag 1941, ²1951). – Weitere Veröffentlichungen: *O české písni lidové a zlidovělé* (»Über tschechisches Volkslied und volkstümlich gewordenes Lied«, 1950); *O místo a význam Dvořákova skladatelského díla v českém hudebním vývoji* (»Über die Stellung und Bedeutung des kompositorischen Werkes von Dvořák in der tschechischen Musikentwicklung«, = Knižnice hudebních rozhledu II, 7, ebd. 1956); *Hudební vývoj a jeho členění* (»Die Entwicklung der Musik und ihre Gliederung«, in: Hudební věda IX, 1972, mit deutscher und russ. Zusammenfassung).

Smetanovo kvarteto (Smetana-Quartett), tschechisches Streichquartett, wurde von Studenten des Prager Konservatoriums gebildet, trat 1943 als Kvarteto české konservatoře (»Quartett des tschechischen Konservatoriums«) auf und debütierte 1945 in Prag unter seinem heutigen Namen mit dem Primarius Jaroslav Rybenský (* 12. 1. 1923 zu Bojanov, Kreis Chrudim, Schüler von Josef Micka und František Daniel), der 1947–56 dem Ensemble als Bratschist angehörte, Lubomír Kostecký 2. Violine (* 5. 6. 1922 zu Ostrau, Schüler von Micka und Daniel) sowie den Gründern des Quartetts Václav →Neumann Bratsche und Antonín Kohout Violoncello (* 12. 12. 1919 zu Lubná, Kreis Rakovník, Schüler von K. Pr. Sádlo). 1947 wurde Jiří Novák (* 5. 9. 1924 zu Horní Jelení, Kreis Pardubice, Schüler von Feld) Primarius des Ensembles. 1956 nahm Milan Škampa (* 4. 6. 1928 zu Prag, Schüler von Černý, Plocek und Daniel, 1952 Dr. phil. der Karlsuniversität mit einer Dissertation über *J. Suk*) den Platz des erkrankten Rybenský ein. Beim Internationalen Wettbewerb für Quartettspiel im Rahmen des Prager Frühlings 1951 erhielt das Sm. kv. den 1. Preis. 1952 wurde es zum Kammermusikensemble der Tschechischen Philharmonie ernannt. Sein Repertoire, das fast durchweg auswendig vorgetragen wird, umfaßt neben Werken von Smetana, Dvořák und Janáček Quartette von Haydn, Mozart und Beethoven sowie zeitgenössische Musik (Martinů, J. Pauer, Prokofjew, Schostakowitsch). Das Ensemble hat Tourneen durch Europa (seit 1954), Australien und die USA (seit 1957) unternommen.
Lit.: K. Mlejnek, Smetanovci, Janáčkovci a Vlachovci (»Smetana-Quartett, Janáček-Quartett u. Vlach-Quartett«), = Hudba na každém kroku XI, Prag 1962; Vl. Šefl in: Hudební rozhledy XVIII, 1965, S. 592ff. u. 853ff.; R. J. Kříž, ebd. XXII, 1969, S. 515ff.

Smetona, Antanas, * 1939 zu Paris; litauischer Pianist, Enkel des letzten litauischen Staatspräsidenten, studierte an der Cleveland Music School/O. (1950–56) sowie in New York am Mannes College of Music (B. S. 1961) und an der Juilliard School of Music (M. S. 1963). Sm. konzertiert in den Musikzentren Amerikas und Europas und ist Assistant Professor of Music an der Indiana State University in Terre Haute.

+Smets, Paul, 1901–60.
Die +Neubearbeitung von Fr. X. Mathias' und J. Wör-

schings *Die Orgelbauer-Familie Silbermann* … (1960) ist als erschienen nicht nachgewiesen.

+Smijers, Albert Antoon, 1888–1957. Am Amsterdamer Konservatorium unterrichtete er bis 1934 [nicht: 1943]. Sm. war Mitglied der niederländischen Academie voor wetenschappen und Dr. h. c. der Universität Löwen. – *+Algemeene muziekgeschiedenis* (1938), Utrecht ²1940; →+Josquin Desprez-Ausg.; →+Obrecht-Ausg.; →+Attaingnant-Ausg.

Smit, Leo, * 12. 1. 1921 zu Philadelphia; amerikanischer Pianist und Komponist, studierte ab 1930 Klavier bei Isabella Vengerova und ab 1935 Komposition bei Nabokov. Er begann 1939 seine Konzerttätigkeit und widmete sich besonders der Neuen Musik. 1957 übernahm er einen Lehrauftrag an der University of California in Los Angeles. Sm. komponierte u. a. die Oper *The Alchemy of Love* (1969), Ballette (*Yerma*, 1946; *In Transit*, 1947; *Virginia Sampler*, NY 1947), Orchesterwerke (*Joan of Arc*, 1942; *Hymn and Toccata-Breakdown* für Kammerorch., 1945; Ouvertüre *The Parcae*, 1951; Symphonie Nr 1, 1956, und Nr 2, Capriccio für Streichorch., 1958; Klavierkonzert, 1968), Kammermusik (Sextett für Klar., Fag. und Streicher, 1940; *Rural Elegy and Rondo* für V. und Kl., 1945; *Academic Graffiti* für V., Klar., Vc., Kl. und Schlagzeug, 1963), Klavierwerke (7 *Characteristic Pieces*, 1948; Variationen, 1949), Vokalwerke (*V-Shum-Roo* für Chor und Org., 1946; Chöre a cappella und Lieder) sowie Filmmusik.

+Smith, Bessie (Elizabeth), [erg.:] wahrscheinlich 15. 4. 1894 [nicht: 1895] – 1937.
Lit.: *+P. OLIVER, B. Sm. (1960), engl. = Kings of Jazz III, London 1959, auch NY 1961, schwedisch = Jazz II, Stockholm 1959, ital. = Kings of Jazz o. Nr, Mailand 1961. – J. AVERTY, B. Sm., Cahiers frç. de la musique I, 1957; G. SCHULLER, The Hist. of Jazz, Bd I, NY 1968; A. MATZNER u. I. WASSERBERGER in: Jazzové profily, Prag 1969, S. 27ff.; C. MOORE, Somebody's Angel Child. The Story of B. Sm., NY 1969; A. POLILLO, Bessie the Great, Jazz Journal XXII, 1969; D. STEWART-BAXTER, Ma Rainey and the Class. Blues Singers, = Blues Paperbacks o. Nr, NY u. London 1970; CHR. ALBERTSON, Bessie, NY 1972.

Smith (smiθ), Carleton Sprague, * 8. 3. 1905 zu New York; amerikanischer Musikforscher und Flötist, studierte bis 1928 an der Harvard University in Cambridge/Mass. (B. A. und M. A. 1928) und promovierte 1930 in Geschichte an der Universität in Wien. 1927–38 war er Musikkritiker des »Boston Transcript« und 1931–59 Direktor der Musikabteilung der Public Library in New York. Er lehrte Geschichte an der Columbia University in New York und wurde 1939 Assistant Professor of Music an der New York University (1959 Leiter des Brazilian Institute). Er veröffentlichte: *Haydn's Chamber Music and the Flute* (MQ XIX, 1933); *Music of the New World* (in: Music Today I, 1949); *America in 1801–25. The Musicians and the Music* (Bull. of the New York Public Library LXVIII, 1964); *Music Manuscripts Lost During World War II* (in: Book Collector XVII, 1968).

Smith (smiθ), Carol (verheiratete Zanforlin), * 20. 2. 1926 zu Oak Park (Ill.); amerikanisch-schweizerische Sängerin (Mezzosopran), studierte 1943–51 privat bei Lola Fletcher und 1951–52 bei Kathryn Long an der Metropolitan Opera School in New York sowie ab 1955 bei Cordone in Mailand. Sie begann ihre Laufbahn als Konzertsängerin und war Solistin der Bach Aria Group. Ihr Operndebüt gab sie am Teatro S. Carlo in Neapel. Seitdem hat sie an den Opernhäusern in Zürich, München und Hamburg gastiert und Konzerttourneen in die USA, die Schweiz und die Bun-

desrepublik sowie nach den Niederlanden unternommen. Neben einem umfangreichen Konzertrepertoire gehören zu ihren wichtigsten Partien Orpheus (*Orfeo ed Euridice* von Gluck), Azucena (*Il trovatore*), Ulrica (*Un ballo in maschera*), Eboli (*Don Carlos*), Amneris (*Aida*), Carmen und Brangäne (*Tristan und Isolde*).

Smith (smiθ), Federico, * 2. 3. 1929 zu New York; kubanischer Komponist, lebte 1950–62 in México (D. F.) und im Staat Michoacán und arbeitete free-lance als Komponist, Redakteur und Lehrer. 1962 ließ er sich in La Habana nieder, wo er am kubanischen Institut für Filmkunst und -industrie tätig wurde. Er studierte in Boston Klavier bei Klaus Goetze und am Conservatorio Nacional de Música in México (D. F.) Komposition bei Galindo Dimas, Instrumentation bei José Pablo Moncayo und Analyse bei R. Halffter. Sm. komponierte die Ballette *Santa María* (México/D. F. 1960), *El reyecito* (ebd. 1961), *Café Concordia* (ebd. 1961) und *Solidaridad* (La Habana 1966), Orchesterwerke (*Música* Nr 1, 1958, Nr 2 für 2 Sax. und Orch., 1966, und Nr 3 mit elektrischer V. als Soloinstr., 1970), Kammermusik (Sonate für Klar. und Kl., 1959), Klavierwerke (Suite, 1967) und Chöre (*Porqué el hombre está hecho vida*, 1966) sowie Film- und Fernsehmusik.

Smith (smiθ), Jimmy (eigentlich James Oscar), * 8. 12. 1925 zu Norristown (Pa.); amerikanischer Jazzorganist und -pianist, studierte 1948 Kontrabaß an der Hamilton School of Music und 1949–50 Klavier an der Ornstein School of Music. 1955 gründete er ein eigenes Trio, dessen Besetzung (Orgel, Gitarre, Schlagzeug) zum Vorbild zahlreicher Jazzgruppen wurde. 1962 kam er erstmals nach Europa. – Aufnahmen: *Back at the Chicken Shack* (Blue Note BST 84117K); *The Best of J. Sm.* (Verve 711073); *Bucket* (Blue Note BST 84235K); *Crazy Baby* (Blue Note BST 84030K); *Greatest Hits* (Liberty LBS 83135X); *The Greatest Hits II* (Liberty LBS 83367X); *Home Cookin'* (Blue Note BST 84050K); *Jazz Highlights IV* (Sunset SLS 50226Z); *Midnight Special* (Blue Note BST 84078K); *Portrait* (United Artists UAS 29322XD); *Bluesmith* (Verve 2304100).

+Smith, John Christopher, 1712–95. Sm. unternahm 1746–50 eine Europareise, wurde 1754 Organist in London und war 1762–72 Master of Music der Prinzessin von Wales. 1774 zog er sich nach Bath zurück. – Sm. komponierte 4 [nicht: 3] italienische Opern und neben dem Oratorium *+Paradise Lost* (1760) 8 [nicht: 5] weitere Oratorien.
Ausg.: Orch.-Suite aus »Ulysses«, hrsg. v. F. BUCK, Hbg 1961; Ouvertüre zu »The Fairies«, hrsg. v. R. GRAVES, London 1972. – D. Garricks Libretto zur Oper »The Fairies«, Faks. d. Ausg. London 1755, ebd. 1969. Lit.: A. D. MCCREDIE, J. Chr. Sm. as a Dramatic Composer, ML XLV, 1964; J. S. HALL in: Händel-Jb. X/XI, 1964/65, S. 59ff.; DERS. u. A. D. MCCREDIE in: MGG XII, 1965, Sp. 796ff.; GW. BEECHEY, The Keyboard Suites of J. Chr. Sm., RBM XXIV, 1970. – zu J. Chr. Sm. (Vater): J. S. HALL, J. Chr. Sm., Handel's Friend and Secretary, MT XCVI, 1955, deutsch in: Händel-Jb. III, 1957, S. 126ff.; DERS., J. Chr. Sm., His Residence in London, Händel-Jb. III, 1957; K. SASSE, Neue Daten zu J. Chr. Sm., ebd.

+Smith, John Stafford, [erg.:] getauft 30. 3. 1750 [del.: um 1750] – 1836.
Sm.s Sammlung *+A Collection of English Songs, in Score for 3 and 4 Voices, Composed About the Year 1500. Taken from Manuscripts of the Same Age* erschien London 1779 [del. frühere Angaben dazu]. – Als Komponist ist Sm. mit Vokal- und Orgelwerken hervorgetreten. Die Me-

lodie der →Nationalhymne der USA stammt aus seiner um 1780 komponierten Catch *To Anacreon in Heaven.*
Lit.: B. FRITH, J. St. Sm., 1750–1836, Gloucester Composer, Gloucester 1950; E. COLE, St. Sm.'s Burney, ML XL, 1959; P. M. YOUNG in: MGG XII, 1965, Sp. 802ff.

Smith (smiθ), Julia Frances, * 25. 1. 1911 zu Denton (Tex.); amerikanische Komponistin, Pianistin und Musikschriftstellerin, studierte in New York an der Juilliard School of Music (1930–32 und 1933–39) sowie an der New York University (1932–33 und 1947–52), an der sie 1952 mit einer Dissertation über *A. Copland* (NY 1955) promovierte. 1941 gründete sie das Department of Music Education an der Julius Hartt School of Music in Hartford (Conn.), dessen Leiterin sie bis 1946 war. Seitdem ist sie als freischaffende Komponistin sowie als Pianistin und Autorin tätig. Sie schrieb die Opern *Cynthia Parker* (1938, Neufassung 1945), *The Stranger of Manzano* (1943), *The Gooseherd and the Goblin* (1946) und *Cockcrow* (1953), die Weihnachtsoper *The Shepherdess and the Chimneysweep* (1963), Orchesterwerke (*American Dance Suite*, 1936, Neufassung 1963, auch für 2 Kl., 1938, Neufassung 1964; *Hellenic Suite*, 1941; *Folkways Symphony*, 1948; Klavierkonzert, 1939, Neufassung 1970), Kammermusik (Streichquartett, 1964; *Trio-Cornwall* für Klaviertrio, 1955; 2 Stücke für Va und Kl., 1944), Klavierstücke (Sonatine in C, 1944; *Characteristic Suite*, 1949), Vokalwerke (*Our Heritage* für Chor und Kl. oder für Chor, Orch., Kammerorch. oder Blasorch., 1956; *Remember the Alamo* für Sprecher, Chor und Blasorch., mit Cecile Vashaw, 1964; *3 Love Songs*, 1955) sowie die Ouvertüre *Sails Aloft* für Blasorch. (mit Cecile Vashaw, 1965). Sie veröffentlichte u. a. *Master Pianist. The Career and Teaching of C. Friedberg* (NY 1963) und *A Directory of American Women Composers* (Chicago 1970).

Smith (smiθ), Robert, * 4. 12. 1922 zu Whitchurch (Glamorgan); walisischer Komponist, studierte am University College of South Wales and Monmouthshire in Cardiff und gehört seit 1947 dem Lehrkörper des Music Department am University College of North Wales in Bangor an (1969 Senior Lecturer). 1964–66 war er Vice-Chairman der Guild for the Promotion of Welsh Music, deren Vice-President er 1971 wurde. Seine Kompositionen umfassen u. a. die Oper *The Tinker's Wedding*, 3 Symphonien (Symphonie E moll, *Sinfonia pastorale* und Sinfonietta), Kammer- und Klaviermusik (Klarinettensonate), Sonatine für Kl.) sowie Lieder und Bühnenmusik. Ferner veröffentlichte er 5 Kataloge walisischer Musik.

Smith (smiθ), Russell, * 23. 4. 1927 zu Tuscaloosa (Ala.); amerikanischer Komponist, studierte 1948–53 an der Columbia University in New York. Er unterrichtete dort am Queens College (1960–61) sowie am Hunter College (1962–64) und war Produktionsleiter und Herausgeber bei G. Ricordi (1961–65) und H. W. Gray (1965–66). 1967–69 lehrte er an der University of Alabama. Daneben wirkte er als Composer-in-Residence beim Cleveland Orchestra (1966–67) und bei der New Orleans Philharmonic (1969–70). Er schrieb die einaktige Oper *The Unicorn in the Garden* (Hartford/Conn. 1957), das Ballett *Antigone* (für das Charles Weidman Dance Theater, 1949), Orchesterwerke (*Tetrameron*, 1957; *Can-Can and Waltz*, 1958; Divertimento, 1958; Nocturne für Streichorch., 1967; 2 Klavierkonzerte, 1953 und 1957), Kammermusik (Duo und Fuge für Holzbläserquintett, 1949; *Eclogue* für V. und Kl., 1949), Klavierstücke (Praeludien, 1962), Vokalwerke (*Palatine Songs* für hohe St. und Kammerorch., nach klassischen griechischen Texten, 1956;

Anglican Mass für Chor, 1954) sowie Film- und Fernsehmusik.

Smith (smiθ), William Charles, * 22. 7. 1881 und †20. 11. 1972 zu London; englischer Musikbibliograph, besuchte die Woolwich High School und das King's College in London und wurde 1900 am British Museum angestellt, an dem er als Nachfolger von Squire 1920–44 Assistant Keeper of Printed Books war. Neben zahlreichen Aufsätzen, vor allem über Händel, veröffentlichte er u. a. *Catalogue of Printed Music Published Before 1801 Now in the British Museum. 2nd Supplement* (London 1940); *Concerning Handel, His Life and Works* (ebd. 1948); *A Bibliography of the Musical Works Published by J. Walsh During the Years 1695–1720* (ebd., Fortsetzung 1721–66, mit Ch. Humphries, ebd. 1967); *Music Publishing in the British Isles from the Earliest Times to the Middle of the 19th Cent.* (mit Ch. Humphries, ebd. 1954); *The Italian Opera and Contemporary Ballet in London, 1789–1820. A Record of Performances and Players with Reports from the Journals of the Time* (ebd. 1955); *Verzeichnis der Werke G. Fr. Händels* (Händel-Jb. II, 1956); *Handel. A Descriptive Catalogue of the Early Editions* (mit Ch. Humphries, London 1960); *A Handelian's Notebook* (ebd. 1965).

Smith (smiθ), William O., * 22. 9. 1926 zu Sacramento (Calif.); amerikanischer Komponist und Klarinettist, studierte am Mills College in Oakland (Calif.) bei Milhaud und an der University of California in Berkeley bei Sessions (M. A. 1952). Er komponierte zahlreiche Werke für Klarinette (*Quadrodram* für Klar., Pos., Kl., Schlagzeug, Tänzer und Film, Seattle/Wash. 1970; Konzert für Klar. und Combo, 1957; Quintett für Klar. und Streichquartett, 1950; Serenade für Fl., V., Trp. und Klar., 1947; *Schizophrenic Scherzo* für Klar., Trp., Sax. und Pos., 1947; Quartett für Klar., V., Vc. und Kl., 1958; Suite für Klar., Fl. und Trp., 1947; Trio für Klar., V. und Kl., 1957; Sonate für Klar. und Kl., 1948; Suite für V. und Klar., 1952; *Duo for Clar. and Recorded Clar.*, 1961; *5 Pieces*, 1958, und *Variants*, 1967, für Klar. solo), ferner u. a. ein Concertino für Trp. und Jazzinstrumente (1948), ein Streichquartett (1952), ein Capriccio für V. und Kl. (1952), ein Divertimento für Jazzinstrumente (1956) sowie *Exploration* für Tonband und Jazzensemble (1963).

Smith Brindle, Reginald → Brindle, R. Sm.

+Smits van Waesberghe (v'asbergɔ), Josef Maria Anton Franz, SJ, * 18. 4. 1901 zu Breda.
Sm. v. W. war bis 1960 Lehrer am Konservatorium und 1957–72 Professor an der Universität Amsterdam. Zu seinem 60. Geburtstag wurde er mit der Festschrift *Organicae voces* (hrsg. von P. Fischer, Amsterdam 1963) geehrt. – Neuere Veröffentlichungen: +*Cymbala (Bells in the Middle Ages)* (1951), NA London 1961; *De melodien van H. van Veldekes liederen* (= Musicologica medii aevi II, Amsterdam 1957); *Musikerziehung. Lehre und Theorie der Musik im Mittelalter* (= Mg. in Bildern III, 3, Lpz. 1969); *Guido of Arezzo and Musical Improvisation* und *The Musical Notation of Guido of Arezzo* (MD V, 1951); *Die Imitation der Sequenztechnik in den Hosanna-Prosulen* (Fs. K. G. Fellerer, Köln 1962); *Das gegenwärtige Geschichtsbild der mittelalterlichen Musik* (KmJb XLVI, 1962 – LIII, 1969); ,*De Glorioso Offizio ... Dignitate Apostolica ...*'. *Zum Aufbau der Groß-Alleluia in den Päpstlichen Ostervespern* (in: Essays ..., Fs. E. Wellesz, Oxford 1966); *Die Handschrift Nikk B 113* (KmJb L, 1966); *Einleitung zu einer Kausalitätserklärung der Evolution der Kirchenmusik im Mittelalter (von etwa 800 bis 1400)* (AfMw XXVI, 1969); *Neue Kompositionen des*

Johannes Metz (um 975), Hucbalds von St. Amand und Sigeberts von Gembloux? (in: Speculum musicae artis, Fs. H. Husmann, München 1970); *The Treatise on Music Translated Into Hebrew by Juda ben Isaac (Paris B. N. Héb. 1037, 22v – 27v)* (in: Yuval II, 1971); *Studien über das Lesen (pronuntiare), das Zitieren und über die Herausgabe lateinischer musiktheoretischer Traktate (9.–16. Jh.)* (AfMw XXVIII, 1971 – XXIX, 1972); *Einige Regeln der lateinischen rhythmischen Prosa in mittelalterlichen Traktaten* (in: Musicae scientiae collectanea, Fs. K. G. Fellerer, Köln 1973); *Gedanken über den inneren Traditionsprozeß in der Geschichte der Musik des Mittelalters* (in: Studien zur Tradition in der Musik, Fs. K. v. Fischer, München 1973); *Wie Wortwahl und Terminologie bei Guido von Arezzo entstanden und überliefert wurden* (AfMw XXXI, 1974). – Sm. v. W. gab u. a. heraus Bd I von *The Theory of Music from the Carolingian Era up to 1400* (mit P. Fischer und Chr. Maas, = RISM [B III¹], München 1961).
Lit.: A. B. M. BRANS in: Gregoriusblad XCV, 1971, S. 58ff.; W. PAAP in: Mens en melodie XXVIII, 1973, S. 2ff.

Smola, Emmerich, * 8. 7. 1922 zu Bergreichenstein (Böhmerwald); deutscher Dirigent, erhielt seine musikalische Ausbildung bei seinem Vater Emmerich Sm. sowie bei Theodor Seidl in Prag und wurde 1946 Kontrabassist im kleinen Orchester des Südwestfunks. 1948–51 war er Abteilungsleiter »Musik« und gleichzeitig ständiger Dirigent des Orchesters des SWF-Studios in Kaiserslautern. 1951–52 leitete er die Musikabteilung des Landesstudios Rheinland-Pfalz in Mainz. Seit 1951 ist er Leiter des Rundfunkorchesters des SWF in Kaiserslautern. Daneben wirkt er als Programmgestalter, schreibt Hörspielmusik und Arrangements.

Smulders (sm'œldərs), Charles (Karl) Anton, * 8. 5. 1863 zu Maastricht, † 21. 4. 1934 zu Lüttich; belgischer Pianist und Komponist niederländischer Herkunft, studierte bei J. Th. Radoux am Conservatoire Royal de Musique in Lüttich (1886 Abschluß mit der Goldmedaille für Klavier), an dem er 1887 Professor für Solfège und Harmonielehre wurde. Nach einer Karriere als Klaviervirtuose wandte er sich der Komposition zu. 1891 erhielt er für seine Kantate *Andromède* den Prix de Rome. Er komponierte Orchesterwerke (Symphonische Dichtungen *Adieu, absence, retour*, 1897, *Chant d'amour*, 1898, und *L'aurore, Le jour, Le crépuscule*; 2 Konzerte für Kl. und Orch.; Musikalische Paraphrase des Neujahrsgebets der Synagoge *Rosch-Haschana* für Vc. und Orch., 1896; *Yom Kippur* für Vc. und Orch., auch für Vc. und Kl.), Kammermusik (2 Sonaten für V. und Kl.), Chöre (*La mer, La route, Pater noster, Hymne au soleil* und *Psaume* für Männerchor) sowie Klavierstücke und Lieder. Sm. trat auch als Romanschriftsteller hervor.
Lit.: W. PAAP, Ch. Sm. en A. Diepenbrock, in: Mens en melodie I, 1946; FR. BRUNKLAUS, C. Sm., = Voghelstruysreeks I, Maastricht 1959.

+Smyth, Dame Ethel Mary, 22. [nicht: 23.] 4. 1858 zu Rectory (Middlesex) [nicht: London] – 1944.
Die Oper +*Der Wald* (Bln 1902 [nicht: Dresden 1901]); sie schrieb ein Konzert für V., Horn und Orch. [del.: Hornkonzert] (1927).
Lit.: TH. BEECHAM in: MT XCIX, 1958, S. 361ff.; CH. ST. JOHN, E. Sm., London 1959 (mit zusätzlichen Kap. v. V. Sackville-West u. K. Dale).

Soares Gomes dos Santos (sw'ariʒ g'omiʒ duʃ s'ɐ̃tuʃ), Milton (auch nur M. Gomes), * 26. 8. 1916 zu Salvador (Staat Bahia); brasilianischer Komponist, promovierte 1939 an der Universidad Federal da Bahia

zum Dr. med. und studierte dort ab 1955 Musiktheorie, Ästhetik und Harmonielehre sowie Kontrapunkt, Komposition und Instrumentation, ist Mitgründer der Komponistengruppe Bahia. Er komponierte u. a. Orchesterwerke (*Madrugada após a grande tormenta final*, 1967; *Reflexão sôbre a eterna continuidade das coisas* für Schlagzeug und Streichorch., 1968; Ouvertüre *Farrapos, sol e silêncio*, 1971), Kammermusik (*Estrutura para 9 instrumentos de percussão* für Xylophon, Metallophone, Pk., Becken und brasilianische Schlaginstr., 1964; Septett für 3 Block-Fl., 2 V., Vibraphon und Kl., 1969; Klaviertrio, 1970), Klavierwerke (*Símbolos, intuítos e manchas*, 1970), Vokalwerke (*Primevos e postrídio* für Chor, Orch. und Schlagzeug, 1969; *Proclive* für Chor, Orch. und Schlagzeug, 1970).

+Sobieski, Marian, * 14. 6. 1908 zu Miłosławice (Posen), [erg.:] † 25. 10. 1967 zu Warschau.
1947–54 lehrte S. an der Musikhochschule in Posen und danach an der Warschauer Universität (ab 1954 Dozent). 1957–60 war er Vizepräsident des polnischen Komponistenverbandes. Aufsätze: *Polska muzyka ludowa* (»Polnische Volksmusik«, in: Materiały do studiów i dyskusji II, 1951); *Oblicze tonalne polskiej muzyki ludowej* (»Das tonale Gesicht der polnischen Volksmusik«, in: Studia muzykologiczne I, 1953). – Seine Frau Jadwiga Sobieska (geborene Pietruszyńska, * 14. 10. 1909 zu Warschau) war nach ihrem Studium u. a. Assistentin an der Universität Posen (1933–35) und 1950–54 am Kunstinstitut der Polnischen Akademie der Wissenschaften in Warschau. Ab 1954 leitete sie dort das Archiv für polnische Volksmusikaufnahmen. Sie veröffentlichte u. a.: *Materiały do nauki o polskim folklorze muzycznym* (»Materialien zum Studium der polnischen Volksmusik«, 2 Bde, Warschau 1959–61); *Ze studiów nad folklorem muzycznym Wielkopolski* (»Aus Studien zur Volksmusik Großpolens«, Krakau 1972); *Uwagi o ewolucji folkloru muzycznego w ostatnim dwudziestoleciu* (»Zur Entwicklung der polnischen Volksmusik in den letzten 20 Jahren«, in: Muzyka XI, 1966); *Folklor muzyczny w praktyce i nauce* (»Volksmusik in Praxis und Wissenschaft«, in: Polska współczesna kultura muzyczna 1944–64, hrsg. von É. Dziębowska, Krakau 1968). – Gemeinsame Veröffentlichungen von M. und J. S.: *Tempo rubato u Chopina i w polskiej muzyce ludowej* (in: Muzyka V, 1960, deutsch als *Das Tempo rubato bei Chopin und in der polnischen Volksmusik*, Chopin-Kgr.-Ber. Warschau 1960); *Polska muzyka ludowa i jej problemy* (»Polnische Volksmusik und ihre Probleme«, hrsg. von L. Bielawski, Krakau 1973).
Lit.: J. STĘSZWESKI, M. S., in: Muzyka XII, 1967, u. in: Etnografia polska XIII, 1969, deutsch in: Deutsches Jb. f. Volkskunde XIV, 1968, frz. in: La musique en Pologne 1968, Nr 3.

Sobinow, Leonid Witaljewitsch, * 26. 5. (7. 6.) 1872 zu Jaroslawl, † 14. 10. 1934 zu Riga; russisch-sowjetischer Sänger (lyrischer Tenor), studierte in Moskau 1890–94 Rechtswissenschaft an der Universität und 1892–97 Gesang an der philharmonischen Musikschule (Alexandr Dodonow, Alexandra Santagano-Gortschakowa) und gab 1897 als Sinodal in Anton Rubinsteins *Demon* sein Debüt am Moskauer Bolschoj Teatr. 1902 trat er zum ersten Male in St. Petersburg auf und gastierte dann u. a. an der Mailänder Scala (1904–06) sowie an den Opernhäusern in Monte Carlo (1907), Madrid (1908), Berlin, London und Paris (1909–10). 1917 und 1921 war er Direktor und Solist des Bolschoj Teatr in Moskau. Von 1924 bis zu seinem Tode leitete er das Stanislawskij-Theater in Moskau. Zu seinen wichtigsten Partien gehörten außer dem italienischen Fach

Jontek (*Halka*), Lenskij (*Jewgenij Onegin*) und Lohengrin. N. Rimskij-Korsakow widmete ihm seine beiden Romanzen *Burja* (»Der Sturm«) und *Arion*.
Ausg. u. Lit.: L. W. S., hrsg. v. J. BOJARSKIJ, Moskau 1937 (Aufsatz-Slg); M. LWOW, L. W. S., ebd. 1951 u. 1953; N. M. WLADYKINA-BATSCHINSKAJA, L. W. S., = Serija biogr., Schisn sametschatelnych ljudej Bd 257, ebd. 1958, [3]1972; I. I. REMISOW, L. W. S., ebd. 1960; A. ORFJONOW, Twortscheskij put L. W. S.a (»Der Schaffensweg v. L. W. S.«), ebd. 1965; L. W. S., hrsg. v. K. N. KIRILENKO, 2 Bde (I: Briefe; II: Aufsätze, Reden, Aussprüche sowie Briefe u. Erinnerungen an S.), ebd. 1970; I. STEPANOWA u. a. in: SM XXXVI, 1972, Nr 10, S. 58ff.

Sobolewski, Friedrich (Fryderyk) Eduard, * 1. 10. 1808 zu Königsberg, † 17. 5. 1872 zu St. Louis (Mo.); deutscher Kapellmeister, Violinist, Komponist und Musikkritiker polnischer Herkunft, studierte in Dresden bei C. M. v. Weber, war in Königsberg Musikdirektor am Stadttheater (1830–35), Kantor der Altstädtischen Kirche (ab 1835), gründete dort 1838 die »Philharmonische Gesellschaft«, mit der er das 1. Ostpreußische Musikfest veranstaltete, sowie 1843 die »Musikalische Akademie«. Daneben schrieb er unter dem Pseudonym J. Feski Kritiken für die »Ostpreußische Zeitung« und die NZfM. 1847–54 leitete er das Theater in Königsberg. 1854 übernahm er die Direktion des Theaters in Bremen. 1859 übersiedelte er nach Milwaukee, wo er mit der dortigen Philharmonic Society konzertierte. Bis 1866 dirigierte er dann in St. Louis das von ihm gegründete Orchester der Philharmonic Society. Er schrieb die Opern *Imogen* (Königsberg 1832), *Velleda* (ebd. 1835), *Salvator Rosa* (ebd. 1848), *Der Seher von Khorassan* (ebd. 1850, Text Th. Moore), *Komala* (Weimar 1858) und *Mohega, the Flower of the Forest* (Milwaukee 1859), die Oratorien *Lazarus* (nach Herder), *Johannes der Täufer*, *Himmel und Erde* und *Der Retter* sowie Orchesterwerke, Kantaten und Lieder und veröffentlichte u. a. *Oper, nicht Drama* (Königsberg 1857) und *Das Geheimnis der neuesten Schule der Musik* (Lpz. 1859).
Lit.: O. BURCKHARDT, Der Musikver. v. Milwaukee, Milwaukee (Wis.) 1900; E. E. HIPSHER, American Opera and Its Composers, Philadelphia 1927; J. MÜLLER-BLATTAU, Gesch. d. Musik in Ost- u. Westpreußen v. d. Ordenszeit bis zur Gegenwart, Königsberg 1931, erweitert Wolfenbüttel [2]1969.

Sochor, Arnold Naumowitsch, * 7. 4. 1924 zu Leninakan (Armenien); russisch-sowjetischer Musikforscher, studierte in Leningrad bis 1949 am Konservatorium (Theorie), anschließend bis 1954 an der Universität und vervollkommnete sich 1953 als Aspirant. 1955 wurde er wissenschaftlicher Mitarbeiter am Leningrader Institut für Theater, Musik und Kinematographie und daneben 1966 Dozent für Ästhetik am dortigen Konservatorium. S. gehört dem Redaktionskollegium von *Sowjetskaja musyka* (SM) und dem Vorstand des sowjetischen Komponistenverbands an. Er veröffentlichte u. a.: *W. P. Solowjow-Sedoj* (Leningrad 1952, Paperbackausg. 1967); *Russkaja sowjetskaja pesnja* (»Das sowjetischrussische Lied«, ebd. 1959); *Musyka kak wid iskusstwa* (»Die Musik als Kunstgattung«, Moskau 1961, [2]1970, auch Riga 1962, bulgarisch Sofia 1964, tschechisch Prag 1964); *Wospitatelnaja rol musyki* (»Die pädagogische Rolle der Musik«, = Bibl. musykalnowo samoobrasowanija o. Nr, Leningrad 1962); *Is istorii pessen Welikoj Otetschestwennoj wojny* (»Aus der Geschichte der Lieder des Großen Vaterländischen Krieges«, = Bessedy o musyke o. Nr, Moskau 1963); *Ruski kompozitori ot kraja na XIX i načaloto na XX vek* (»Russische Komponisten vom Ende des 19. und Anfang des 20. Jh.«, Sofia 1964); *G. Swiridow* (Moskau 1964,

[2]1972); *A. P. Borodin* (= Klassiki mirowoj musykalnoj kultury o. Nr, ebd. 1965); *Majakowskij i musyka* (ebd. 1965); *O spezifike samodejatelnowo iskusstwa* (»Über die Eigenart der Laienkunst«, ebd.); *Estetitscheskaja priroda schanra w musyke* (»Die ästhetische Natur der Gattung in der Musik«, ebd. 1968); *Put sowjetskoj pesni* (»Der Weg des sowjetischen Liedes«, ebd.); ferner zahlreiche Beiträge für SM und verschiedene Sammelpublikationen. – Ausgaben: *Musyka sowjetskowo baleta* (»Die Musik des sowjetischen Balletts«, mit Ju. Slonimskij, Moskau 1962, Aufsatz-Slg); *Stranizy musykalnoj Leniniany* (»Blätter der musikalischen Leniniana«, Leningrad 1970, dass.).

Società Italiana Fonotipia, 1904 in Mailand von R. Seligsohn als Tochtergesellschaft der Berliner →International Talking Machine Co. gegründet. Kurz danach wurden beide Firmen von Baron d'Erlanger über ein deutsch-englisch-französisches Unternehmen aufgekauft. Dem neu gebildeten Aufsichtsrat gehörten R. Seligsohn, Vincent Higgins, Leiter von Covent Garden, und Umberto Conte Visconti di Modrone, Präsident der Mailänder Scala, an. Das Repertoire der S. I. F. enthält ein künstlerisch bedeutendes Programm, zumeist Opernarien (E. Caruso, Scotti, Tamagno), das durch vertragliche Vereinbarungen 1907–10 über die amerikanische →Columbia (1) in den USA vertrieben wurde. 1911 wurde die S. I. F. von der Carl →Lindström Gesellschaft aufgekauft.

+Sočnik, Hugo, * 7. 1. 1889 zu Berlin, [erg.:] † 16. 4. 1963 zu Mitteltal (bei Freudenstadt).
Als weiterer Beitrag erschien *Bach auf dem heutigen Klavier* (in: Musik im Unterricht, Allgemeine Ausg. LIII, 1962). Er verfaßte auch Beiträge für MGG und NDB. Seine Ehe mit Reina Backhaus (* 5. 4. 1892 [nicht: 1895] zu Wiesbaden; bis 1944 Mitglied des Staatstheaters Danzig [weiteres nicht zu ermitteln]) wurde 1933 geschieden.
Lit.: H. KÜHL in: Musik im Unterricht (Allgemeine Ausg.) LIV, 1963, S. 235f.

+Söderman [–1) Johan August], –2) Carl August, [erg.: 13. 10.] 1860 – [erg.: 15. 2.] 1916. –3) Greta [erg.:] Lisa, * 13. 11. 1891 zu Göteborg, [erg.:] † 9. 10. 1969 zu Stockholm.

Södersten, Axel Gunno (Pseudonym Gess), * 10. 1. 1920 zu Stockholm; schwedischer Organist und Chordirigent, studierte in Stockholm Klavier bei Gottfrid Boon sowie an der dortigen Musikhochschule Orgel und Dirigieren bei T. Mann. Kompositionsstudien trieb er bei M. Melchers, Pizzetti und Messiaen. Seit 1943 ist er Organist an der Immanuelskirche in Stockholm und seit 1943 auch Musiklehrer am theologischen Seminar in Lidingö. 1948–73 war er außerdem Dirigent des Symphonieorchesters der Freien evangelischen Gemeinde in Stockholm sowie Dirigent des schwedischen Missionssängerbundes und des Predigerchors, mit dem er Konzertreisen durch Norwegen, Finnland, Dänemark, Deutschland, die Tschechoslowakei sowie (1954 und 1973) die USA unternommen hat. Von seinen Kompositionen seien genannt: Klavierkonzert (1948); symphonischer Psalm für Solo-St., Chor, Org. und Streichorch. (1954); Choralpartita *Befall i Herrens händer* (»In des Herren Hände befehle ich«) für Org. (1956); Kyrie für Solo-St. und Männerchor (1968); Konzert für Org. und Streichorch. (1970); *I Jesu spår* (»In Jesu Wegen«), Geistliche Lieder für Männerchor (1971); *God is Love* für Solo-St., Männerchor und Org. (1972); Orgelsymphonie über 3 Gedichte von Bo Setterlind (1974).

Söderström, Elisabeth, * 7. 5. 1927 zu Stockholm; schwedische Sängerin (lyrischer Sopran), studierte in ihrer Heimatstadt bei Adelaida von Skilondz und an der Kungl. Musikhögskolan. Sie debütierte 1948 an der Königlichen Oper in Stockholm, deren ständiges Ensemblemitglied sie seit 1950 ist (Schwedische Hofsängerin). Gastspiele führten sie u. a. zu den Festspielen in Salzburg (1955), Glyndebourne (1957) und Edinburgh (1959) sowie an die Metropolitan Opera in New York (1959–64) und an die Covent Garden Opera in London (1967). Neben Mozart-Rollen gehören zu ihrem Repertoire Mimi (*La Bohème*), die drei weiblichen Hauptrollen im *Rosenkavalier* und die Marie (*Wozzeck*). Lit.: J. AMIS in: Opera XX, (London) 1969, S. 16ff.

Söffing, Tilly (verheiratete Andersen), * 13. 8. 1932 zu Apolda (Thüringen); deutsche Tänzerin, wurde in Jena ausgebildet, erhielt ihr erstes Engagement in Gera und kam über Weimar, Aachen und Augsburg 1960 als Solotänzerin nach Köln und 1965 an die Deutsche Oper am Rhein in Düsseldorf–Duisburg, gastierte mehrfach auch an anderen deutschen Bühnen und trat beim Fernsehen auf. Sie ist eine ausgesprochene Tanzaktrice, deren eigentliche Domäne das moderne Ballett ist. T. S. realisierte Choreographien wie Milloss' *Wandlungen* (nach Schönbergs Variationen für Orch. op. 31, Köln 1960), *Der wunderbare Mandarin* (Bartók, ebd. 1961) und *Estro barbarico* (nach Bartóks 2. Klavierkonzert, ebd. 1963) sowie Béjarts »Die Reise« (P. Henry, Köln 1962) und »Die Sinfonie eines einsamen Menschen« (Henry und Schaeffer, ebd. 1963).

+Söhngen, Oskar, * 5. 12. 1900 zu Hottenstein (heute Wuppertal).

S., mittlerweile emeritiert, veröffentlichte des weiteren u. a.: *Wandel und Beharrung* (Bln 1965, gesammelte Vorträge und Abh.; mit Bibliogr. 1961–65); *Theologie der Musik* (Kassel 1967); *M. Regers geistliche Musik* (in: M. Reger zum 50. Todestag, hrsg. von O. Schreiber und G. Sievers, = Veröff. des M.-Reger-Instituts ... Bonn IV, Bonn 1966); *Was heißt »evangelische Kirchenmusik«?* (Fs. W. Wiora, Kassel 1967); *What Is the Position of Church Music in Germany Today?* (in: Cantors at the Crossroads, Fs. W. E. Buszin, St. Louis/Mo. 1967); *Kirchenmusik als soziale Manifestation* (in: Musik und Verlag, Fs. K. Vötterle, Kassel 1968); *Zwinglis Stellung zur Musik im Gottesdienst* (in: Theologie in Geschichte und Kunst, Fs. W. Ellinger, Witten 1968); *Das Verhältnis der evangelischen Kirche zur Kunst* (in: Evangelische Theologie XXIX, 1969); *Die Musikanschauungen der Reformatoren und die Überwindung der mittelalterlichen Musiktheologie* (in: Musa–Mens–Musici, Gedenkschrift W. Vetter, Lpz. 1970); *Wo steht die Kirchenmusik zu Beginn der siebziger Jahre?* (MuK XL, 1970); *Die moderne Musikentwicklung und die Kirchenmusik* (MuK XLI, 1971). – Zum +*Handbuch zum Evangelischen Kirchengesangbuch* → +Mahrenholz, Chr. Lit.: W. EHMANN in: Musica X, 1956, S. 821ff.; E. GAFERT in: MuK XXX, 1960, S. 297f.; W. POSTH in: Der Kirchenmusiker XXI, 1970, S. 193ff.

Sönnerstedt, Bernhard, * 26. 7. 1911 zu Norrhult (Kronobergs län); schwedischer Sänger (Baß) und Theaterleiter, studierte bei Dagmar Gustafsson am Konservatorium in Stockholm sowie bei Schlusnus in Hamburg und De Luca in Mailand. Er trat 1939 zunächst als Konzertsänger in Stockholm auf, gehörte dort ab 1940 der Königlichen Oper an und war 1956–69 Produzent an der Opernabteilung des schwedischen Rundfunks. 1960 übernahm er die Leitung des Stora Teater in Göteborg. S. ist Mitglied der Kungl. Musikaliska Akademien in Stockholm.

Söregi (ʃˈœrɛgi), Nelly, * 19. 3. 1932 zu Budapest; ungarisch-deutsche Violinistin, studierte in Budapest am Nationalkonservatorium (1938–42) und in der Meisterklasse von Zathurecky an der Musikhochschule (1942–45) sowie in Salzburg am Mozarteum (1946–52) und in Detmold an der Nordwestdeutschen Musikakademie bei Tibor Varga, dessen Assistentin sie nach dem Examen wurde. 1962 übernahm N. S. die Leitung einer Violinklasse an der Musikhochschule in Hamburg (1966 Professor). Daneben konzertiert sie im In- und Ausland.

Sörensen, Sören, → Sørensen, S.

Sørenson, Torsten, * 25. 4. 1908 zu Tanum (Göteborgs och Bohus län); schwedischer Komponist und Organist, studierte am Königlichen Konservatorium in Stockholm (Nordqvist, M. Melchers) sowie bei Hilding Rosenberg und Orff. Seit 1946 lehrt er Theorie an der Musikhochschule in Göteborg und wirkt als Organist an der dortigen Oscar Fredriks Kirche. Er komponierte u. a. Orchesterwerke (Sinfonietta für Streicher, 1949; *Sinfonia da chiesa*, 1959; *Sinfonia da chiesa* Nr 2 für Streichorch., 1969; 5 kleine Stücke für Streicher, 1969; Konzert für Org. und Streichorch., 1954), Kammermusik (Blechbläserquintett, 1972; Streichquartett, 1971; Holzbläsertrio Nr 1, 1952, und Nr 2, 1960; *Serenata per tre* für Fl., Va und Vc., 1966; *Flaucepi* für Fl., Vc. und Kl., 1971; 2 Solosonaten für Fl., 1962–67, eine Klaviersonate (1960), Orgelwerke (3 Suiten, 1945–52; *Invocazione*, 1968) und Vokalwerke (*Kristushymnus* für S., T., B., gem. Chor, Org. und Orch., 1950; Psalm 150 für S., gem. Chor, Trp., Streicher und Org., 1969; Psalm 134 für gem. Chor, Mädchenchor, Streichorch. und Org., 1973; *Laudate nomen Domini* für Knabenchor oder gem. Chor, Bläser und Schlagzeug, 1973; Lieder).

+Soest, Johannes, 1448–1506. Lit.: G. PIETZSCH, Quellen u. Forschungen zur Gesch. d. Musik am kurpfälzischen Hof zu Heidelberg bis 1622, = Akad. d. Wiss. u. d. Lit. zu Mainz, Abh. d. geistes- u. sozialwiss. Klasse Jg. 1963, Nr 6.

Sofronizkij, Wladimir Wladimirowitsch, * 25. 4. (8. 5.) 1901 zu St. Petersburg, † 29. 8. 1961 zu Moskau; russisch-sowjetischer Pianist, studierte 1916–21 am Petrograder Konservatorium (Nikolajew) und entfaltete ab 1920 eine rege Konzerttätigkeit (1928 Tournee nach Warschau und Paris). Er war Professor für Klavier an den Konservatorien in Leningrad (1936–42) und Moskau (ab 1942). Seine Interpretation der Werke Chopins und Skrjabins wurde sehr geschätzt. Lit.: W. DELSOHN, Wl. Wl. S., Moskau 1959; D. A. RABINOWITSCH, Portrety pianistow (»Pianistenporträts«), ebd. 1962, ²1970; W. M. BOGDANOW-BERESOWSKIJ in: SM XXIX, 1965, H. 12, S. 83ff.; M. NIKONOWITSCH in: SM XXXII, 1968, H. 1, S. 56ff., u. H. 3, S. 52ff.; JA. I. MILSTEIN, Wospominanija o Sofronizkom (»Erinnerungen an S.«), Moskau 1970.

Sogomonjan, Sogomon Geworkowitsch → Komitas, S.

Sografi, Simeone Antonio, * 29. 7. 1759 und † 4. 1. 1818 zu Padua; italienischer Dramatiker und Librettist, promovierte an der Universität in Padua zum Dr. jur., war zunächst bei einem Advokaten in Venedig tätig und wandte sich später in Padua und Venedig ganz seiner literarischen Tätigkeit zu. Neben einer Reihe von dramatischen Arbeiten in der Nachfolge Goldonis verfaßte er zahlreiche Libretti, u. a. für Andreozzi (*Giovanna d'Arco o sia La pulcella d'Orléans*, Vicenza 1789), Gazzaniga, Nasolini, G. B. Borghi (*La morte di Semiramide*, Mailand 1791), A. Calegari, Zingarelli (*Apelle,*

[Randnotiz links:] d Aug. 28 1983

Venedig 1793), S. Mayr (*Saffo o sia I riti d'Apollo Leucadio*, ebd. 1794; *Telemaco nell'isola di Calipso*, ebd. 1797), Tritto, Paer, Cimarosa (*Gli Orazi e i Curiazi*, ebd. 1796), Portugal, Trento, Salieri (*Annibale in Capua*, Triest 1801), G. Nicolini, G. Farinelli (*La vergine del sole*, Venedig 1805), Morlacchi und Pavesi (*Le Danaidi romane*, ebd. 1816). Von Donizetti wurden zwei von S.s Komödien in Musik gesetzt: *Olivo e Pasquale* (Libretto J. Ferretti, Rom 1827); *Le convenienze ed inconvenienze teatrali* (Libretto Donizetti, Neapel 1827). Lit.: A. DELLA CORTE, »Le convenienze teatrali« di A. S., in: Satire e grotteschi e di musicisti d'ogni tempo, Turin 1946.

Sojo (s'ɔxo), Vicente Emilio, * 8. 12. 1887 zu Guatire (Staat Miranda), † 11. 8. 1974 zu Caracas; venezolanischer Komponist, Patriarch der modernen Musikbewegung seines Landes, Lehrer mehrerer Generationen, übersiedelte nach Studien bei Régulo Rico Lugo 1906 nach Caracas, wo er an der Academia de Bellas Artes Musiktheorie studierte. 1921–36 lehrte er Musiktheorie und Solfège an der Escuela Superior de Música de Caracas, übernahm 1936 deren Leitung und erhielt daneben 1937 einen Lehrstuhl für Komposition. S. war Gründer und Leiter des Orquesta Sinfónica Venezuela und des Chores Orfeón Lamas. Er sammelte über 400 Volkstänze und Gesänge der Kolonialzeit, die er mit einer harmonisierten Begleitung herausgab. S. komponierte vor allem Kirchenmusik: *Misa coral* für Kinderstimmen, Tenöre, Bässe und Org. (1915); *Misa cromática* für Soli, Chor und Orch. (1922); ein Ave Maria für T., tiefe Stimmen, Chor, 2 Trp. und Streichquintett (1922); *Requiem in memoriam patris patriae* für Männerstimmen und Orch. (1929); Kantate *Hodie super nos fulgebit lux* für Soli, Chor und Orch. (1935); *Misa blanca para S. Heduviges* (1938) und *Misa a S. Cecilia* (1953) für Soli, Chor und Orch.; Motetten; ferner Kammermusik (Streichquartett, 1913), Orgelwerke und Lieder (*10 canciones infantiles venezolanas*, 1958; *9 canciones sefardíes*, 1964). Lit.: CR. RAMÓN FERNÁNDEZ, V. E. S., Caracas 1968; Werkverz. in: Compositores de América XIV, Washington (D. C.) 1968.

Sokola, Miloš, * 18. 4. 1913 zu Bučovice (Mähren); tschechischer Komponist, studierte in Brünn Violine bei Oldřich Vávra und Komposition bei Petrželka (1936–38) und vervollkommnete seine Kompositionsstudien in Prag bei V. Novák (1938–39) und Křička (1943–45). 1942–73 war er Mitglied des Prager Nationaltheaterorchesters. Er komponierte die Oper *Marnotratný syn* (»Der verschwenderische Sohn«, Olmütz 1963), Orchesterwerke (*Variace na tema V. Kaprálové*, »Variationen auf ein Thema von V. Kaprálová«, 1957; Symphonische Dichtung *Devátý květen*, »9. Mai«, 1960; Violinkonzert, 1954; Konzert für Org. und Streichorch., 1973), Kammermusik (Bläserquintett, 1973; 5 Streichquartette, 1944, 1946, 1955, 1964 und 1971; Sonate für V. und Kl., 1972), Klavierwerke (5 Miniaturen, 1931; Sonate, 1946; 12 Praeludien, 1954; Suite für die rechte Hand, 1972), Orgelwerke (*Toccata quasi Passacaglia* auf das Thema BACH, 1964; »B-A-C-H-Studie«, 1972), Kantaten, Chöre und Lieder. Lit.: J. PACLT, in: Hudební rozhledy X, 1957, S. 652ff. (über d. »Variationen auf ein Thema v. V. Kaprálová«).

Sokolow, Anna, * 1912 zu Hartfort (Conn.); amerikanische Tänzerin, Choreographin und Tanzpädagogin, arbeitete mit Martha Graham und Louis Horst, ließ sich dann im klassisch-akademischen Tanz an der Metropolitan Opera Ballet School ausbilden. Sie tanzte in der Graham-Kompanie, unterrichtete am Neighborhood Playhouse und versammelte ab 1934 wiederholt eigene Gruppen um sich, u. a. in México (D. F.), wo sie ab 1939 regelmäßig wirkte und als Pädagogin und Choreographin starken Einfluß ausübte. Für das Ballet de Bellas Artes schuf sie viele Choreographien, von denen sie die erfolgreichsten auf ihre New Yorker Gruppe übertrug. Ihre in asketischem Stil gehaltenen Ballette handeln überwiegend von Visionen, Alpträumen und Frustrationen, die häufig in Zeitlupenmotiven dargestellt werden. Zu ihren bekanntesten Kreationen zählen: *Lament for the Death of a Bullfighter* (Musik Revueltas, México/D. F. 1953); *Lyric Suite* (Alban Berg, ebd. 1953); *Opus '60* (T. Macero, ebd. 1961); *Dreams* (Kompositionen von J. S. Bach, Macero und Webern; ebd. 1961); *Rooms* (Kenyon Hopkins, NY 1965); *Deserts* (Varèse, London 1967). Lit.: A. S., The Rebel and the Bourgeois, in: The Modern Dance, hrsg. v. S. J. COHEN, Middletown (Conn.) 1966; A. S., Talking to Dance and Dancers, in: Dance and Dancers XVIII, 1967 (Interview).

Sokolow, Nikolaj Alexandrowitsch, * 14. (26.) 3. 1859 und † 27. 3. 1922 zu St. Petersburg/Petrograd; russischer Komponist und Pädagoge, studierte 1877–85 am St. Petersburger Konservatorium (N. Rimskij-Korsakow), wo er ab 1896 Musiktheorie lehrte. Einer seiner Schüler war Dm. Schostakowitsch. Er schrieb u. a. die Ballette *Dikije lebedi* (»Wilde Schwäne«, 1900) und *Zwety malenkoj Idy* (»Die Blumen der kleinen Ida«, nach Hans Christian Andersen), ein Divertissement für Orch. sowie Kammermusik (3 Streichquartette) und veröffentlichte musiktheoretische Arbeiten. Lit.: W. G. KARATYGIN, Pamjati N. A. S.a (»In memoriam N. A. S.«), in: Orfej I, (Petrograd) 1922.

Solage (sɔl'a:ʒ), französischer(?) Komponist, stand wahrscheinlich im ausgehenden 14. Jh. mit dem französischen Königshaus in Verbindung. Eine seiner Balladen ist Jean, Duc de Berry, gewidmet, zwei weitere enthalten Anspielungen auf die Hochzeit einer Catherine, vermutlich Catherine de France, Schwester König Karls VI., die 1386 den Sohn des Herzogs geheiratet hatte. 10 Kompositionen (4 3st. und 3 4st. Balladen; ein 3st. und ein 4st. Virelai; ein 3st. Rondeau) sind im Codex Chantilly 1047 (→ Quellen: Ch) überliefert. Während die 3st. Stücke Machaut nahestehen, zeigen die 4st. deutlich Charakteristika der Ars subtilior (→ Ars nova). Ausg. u. Lit.: W. APEL, French Secular Music of the Late Fourteenth Cent., = Mediaeval Acad. of American Publ. LV, Cambridge (Mass.) 1950, sowie French Secular Compositions of the 14th Cent., Bd I: Ascribed Compositions, hrsg. v. DEMS., = CMM LIII, (Rom) 1970 (darin Ausg. d. Kompositionen); G. REANEY, The Ms. Chantilly, Musée Condé 1047, MD VIII, 1954; U. GÜNTHER, Der mus. Stilwandel d. frz. Liedkunst in d. 2. Hälfte d. 14. Jh., Diss. Hbg 1957; DIES., Der Gebrauch d. tempus perfectum diminutum in d. Hs. Chantilly 1047, AfMw XVII, 1960; DIES., Die Anwendung d. Diminution in d. Hs. Chantilly 1047, ebd.; DIES., Datierbare Balladen d. späten 14. Jh. I, MD XV, 1961; DIES., Die Musiker d. Herzogs v. Berry, MD XVII, 1963; W. MARGGRAF, Tonalität u. Harmonik in d. frz. Chanson zwischen Machaut u. Dufay, AfMw XXIII, 1966.

+Solano, Francisco Inácio, um 1720 in der Provinz Coimbra – 18. 9. 1800 zu Lissabon [erg. Lebensdaten].

Solar-Quintes (sol'ark'intes), Nicolás Álvarez, * 23. 7. 1893 zu Gijón (Oviedo), † 9. 8. 1967 zu Madrid; spanischer Dichter, Folklorist, Kritiker, Komponist und Musikforscher, war Sekretär der Sociedad Filarmónica Gijonesa und ehrenhalber Mitarbeiter am Instituto Español de Musicología. Er schrieb 2 Zarzuelas, 3 Sainetes, eine Serenade, eine Suite, eine Fantasie und zahlreiche asturianische Chansons, von denen *El*

Roble sich besonderer Beliebtheit erfreute. S.-Qu. verfaßte mehrere Studien über die Musikgeschichte am spanischen Hof von Philipp II. bis Karl IV. und über den (bisher nicht veröffentlichten) *Cancionero asturiano*; von seinen Aufsätzen seien genannt: *Las relaciones de Haydn con la Casa de Benavente* (AM II, 1947); *S. Mercadante en España y Portugal. Su correspondencia con la Condesa de Benavente* (AM VII, 1952); *El compositor español J. de Nebra* (AM IX, 1954); *Nuevos documentos para la biografía del compositor S. Durón* (AM X, 1955); *Músicos de Mariana de Neoburgo y de la Real Capilla de Nápoles* (AM XI, 1956); *Panorama musical desde Felipe III a Carlos II* (AM XII, 1957); *Nuevos documentos sobre ministriles, trompetas, cantorcicos, organistas y capilla real de Felipe II* (in: Miscelánea ..., Fs. H. Anglés II, Barcelona 1958–61); *Nuevas noticias de músicos de Felipe II, de su época, y sobre impresión de música* (AM XV, 1960); *La bibliothèque musicale d'un amateur éclairé de Madrid: la Duchesse-Comtesse de Benavente, Duchesse d'Osuna (1752–1834)* (mit Y. Gérard, RMFC III, 1963).
Lit.: G. BOURLIGUEUX, La obra de Don N. A. S.-Qu., Bol. del Inst. de estudios asturianos XXI, 1967.

Solares, Enrique, * 11. 7. 1910 zu Guatemala City; guatemaltekischer Komponist und Pianist, studierte 1933–35 in seiner Heimatstadt bei Raúl Paniagua und S. Ley, 1936–39 in Prag bei V. Kurz und Krička sowie am Konservatorium in Brüssel bei J. Jongen und Moulaert und 1940–41 in Rom bei A. Casella. 1942 kehrte er nach Guatemala zurück und trat 1948 in den diplomatischen Dienst ein. Daneben lehrt er Komposition und Klavier am Konservatorium seiner Heimatstadt und tritt als Pianist auf. Er schrieb Orchesterwerke (*Suite miniatura*, 1943; symphonische Fantasie, 1957; *Ricercare sobre el nombre B-A-C-H*, 1957, und Partita, 1957, für Streichorch.), Kammermusik (*Cuarteto breve* für Streichquartett, 1955; Suite für Vc. und Kl., 1943, Neufassung 1951; Sonate für V. solo, 1958), Klavierwerke (Sonate, 1941; Sonatine, 1947; *Idea con 15 deformaciones*, 1962; *Pieza para aflojar los dedos y martirizar los oídos* ..., 1968; *Travesuras*, 1. Serie 1969; *Micropiezas*, 1969; *12 Microtransferencias*, 1970), eine Fantasie (1959) und *Ofrenda a Fernando Sors* (1959) für Git., eine Siciliana für Org. (1950) sowie Chöre und Lieder.
Lit.: Werkverz. in: Compositores de América IV, Washington (D. C.) 1958, Nachdr. 1962.

Soldan, Kurt Erich Richard, * 7. 1. 1891 zu Berlin, † 19. 8. 1946 zu Leipzig; deutscher Dirigent, studierte in seiner Heimatstadt am Konservatorium und an der Universität (Musikwissenschaft) und war Korrepetitor und Leiter der Bühnenmusik der Berliner Hofoper (1913–16), 2. Kapellmeister am Stadttheater in Rostock (1916–17) sowie 1. Kapellmeister in Barmen-Elberfeld (1919–22). 1922 leitete er die Konzerte des Städtischen Sinfonie-Orchesters Berlin, dirigierte die ersten Konzerte des Deutschlandsenders und wurde Mitarbeiter des Verlags C. F. Peters in Leipzig. 1946 übernahm er die Kapellmeisterklasse und Opernschule an der Leipziger Musikhochschule. S. gab eine große Anzahl von Partituren (Urtextausgaben) sowie Klavierauszüge von Oratorien und Chorwerken (*Messias*; *Matthäus-Passion*; *Die Jahreszeiten*; Requiem von Verdi) und Opern (*Mignon* von A. Thomas; *Carmen* von Bizet; *Rigoletto*; »Der Troubadour«, »Die Macht des Schicksals«; »Ein Maskenball«; *Don Carlos* und *Aida* von Verdi) heraus.

+Soler, (Padre) Antonio, getauft [nicht: *] 3. 12. 1729 – 1783.
Ausg.: +*Concierto para dos instr. de tecla* Nr 1–6, hrsg. v. M. S. KASTNER, = Música hispana II, Serie C Nr 3, 4, 1, 5, 6 u. 8, Barcelona 1952–62, NA in 2 Bden, Mainz

1972; dass., f. 2 Org. bearb. v. S. RUBIO, Madrid 1968, bzw. v. R. DE LA RIBA, ebd. 1971. – Sonatas para instr. de tecla, hrsg. v. S. RUBIO, ebd. 1957ff., bisher erschienen Bd I–VII, 1957–73 (120 Sonaten); Fandango f. Cemb., hrsg. v. DEMS., ebd. 1971. – eine Anzahl Vokalwerke (Congregante y festero, 1761; Contradanza de colegio, 1763; De un maestro de capilla, 1774; En piélagos inmensos, 1788; Lamentación, 1763; Salve, 1753; Stabat mater), hrsg. v. FR. MARVIN, Wien 1967–70. – Llave de la modulación (1762), Faks.-Ausg. = MMMLF II, 42, NY 1967.
Lit.: FR. M. CARROLL, An Introduction to A. S., Diss. Univ. of Rochester (N. Y.) 1960; W. S. NEWMAN, The Sonata in the Class. Era, Chapel Hill (N. C.) 1963, revidierte Paperbackausg. NY u. London 1972; T. ESPINOSA, Selected Unpubl. »Villancicos« of Padre Fray A. S. with Reference to the Cultural Hist. of 18th-Cent. Spain, 2 Bde, Diss. Univ. of Southern California 1969; KL. F. HEIMES, A. S.'s Keyboard Sonatas, Pretoria 1969; A. DIECKOW, A Stylistic Analysis of the Solo Keyboard Sonatas of A. S., Diss. Washington Univ. 1971; S. RUBIO, Música del P. A. S., que se conserva en el monasterio de el Escorial, in: Tesoro sacro mus. LV, 1972 (mit Ausg. d. »Versos para ‚Te Deum'«); DERS., El Padre S., compositor de música vocal, ebd. LVI, 1973 (mit Ausg. eines 2st. Stabat mater mit B. c. sowie eines 4st. Responsoriums mit B. c.).

Soler, Francisco, * um 1625 zu Barcelona, † 1688 zu Gerona; spanischer Komponist, war Maestro de capilla an der Pfarrkirche in Reus (Tarragona). 1657 nahm er am Wettbewerb um den Kapellmeisterposten an der Kathedrale in Valencia teil und war von 1682 bis zu seinem Tode Maestro de capilla an der Kathedrale in Gerona. Von seinen Kompositionen sind nachgewiesen: Messe für 14 St. und Ménestrels (1680), Requiem für 8 St. und B. (1682) und mehrere Villancicos im Archiv der Kathedrale von Gerona; Messe für 10 St. und Ménestrels, *Missa pro defunctis* für 8 St., *Lectiones pro Hebdomada Sancta* für 9 St. (1682), Magnificat für 10 St., Salve regina für 10 St. (1682), *Laudate Dominum* für 9 St., Pange lingua für 3 St. und B. c., *Ecce virgo concipiet* für 4 St. und mehrere Villancicos in der Biblioteca Central de Barcelona.
Lit.: F. PEDRELL, Cat. de la Bibl. mus. de la Diputació de Barcelona, Bd II, Barcelona 1909; FR. CIVIL, La música en la catedral de Gerona durante el s. XVII, AM XV, 1960; H. ANGLÉS, La música española desde la Edad Media hasta nuestros días, Barcelona 1961.

Soler, Josep, * 1935 zu Barcelona; spanischer Komponist, studierte in Barcelona bei Taltabull Balaguer. Er schrieb Choralpraeludium und Toccata für Org. (1960), die Oper *Agamemnon* (Monte Carlo 1961), *Das Stundenbuch* für S. und Kl. (Text Rilke, 1962), ein Klaviertrio (1964), *O lux Beata Trinitas* für Org. (1964), das Ballett für Kl. und Orch. *Orpheus* (1965), *Imperayritz de la Ciutat loyosa* für Org. (1965), eine Symphonie (1966), ein Streichquartett (1966), die Symphonie *The Solar Cycle* (1967), *Lachrymae* für 11 Instr. (1967), das Oratorium *Passio Domini N. J. C.* (1968), *Diaphonia* für 17 Blasinstr. (1968), *Visió de l'anyell místic* für 13 Instr. (1968), Streichtrio (1968), *Música triste* für Git. (1968), *Salmo 87* (1972), 2 Lieder für Bar. und Kl. (1972) sowie die Oper *Edipo y Iocasta* (1974).

Soler, Pedro (eigentlich Pierre Genard), * 8. 6. 1938 zu Narbonne; französischer Flamencogitarrist, wurde nach 4jährigem klassischen Gitarrestudium 2. Gitarrist einer Flamencotruppe und gab 1959 seine ersten Soloabende. Zusammen mit der Joselito, Niño de Almadén und Pepe de la Matrona erhielt er den Prix international du disque de l'Academie Charles Cros. Gastspiele führten ihn durch Europa sowie nach Südamerika.

Solera, Temistocle, * 25. 12. 1815 zu Ferrara, † 21. 4. 1878 zu Mailand; italienischer Librettist und Kom-

ponist, ausgebildet in Wien und Mailand, war in Spanien Impresario in mehreren Städten und Ratgeber der Königin Isabella und war ab 1859 im italienischen Staatsdienst in verschiedenen Missionen tätig. Die letzten Lebensjahre verbrachte er in Paris und in Mailand. Er schrieb eine Reihe von Operntextbüchern, u. a. die zu Verdis *Oberto, conte di S.Bonifacio* (Mailand 1839), *Nabucodonosor [Nabucco]* (ebd. 1842), *I Lombardi alla prima crociata* (ebd. 1843), *Giovanna d'Arco* (ebd. 1845) und *Attila* (Venedig 1846). Seine Kompositionen umfassen neben geistlicher Musik, Kammermusik und Liedern u. a. die Opern *Ildegonda* (Mailand 1840), *Il contadino di Agliate* (ebd. 1841, Neufassung als *La fanciulla di Castelguelfo*, Modena 1842), *Genio e sventura* (Padua 1843) und *La hermana de Pélayo* (Madrid 1845).
Lit.: T. MANTOVANI, T. S., in: Musica d'oggi V, 1927; U. ROLANDI, Libretti e librettisti verdiani, Rom 1941; G. PUGLIESE, Dai Lombardi alla Gerusalemme, in: Gerusalemme, hrsg. v. M. Medici, = Quaderni dell'Istituto di studi verdiani II, Parma 1963; A. CAVICCHI, Verdi e S., Considerazioni sulla collaborazione per »Nabucco«, Kgr.-Ber. »Studi verdiani« (I), Venedig 1966.

+**Solerti,** Angelo, 1865–1907.
+*Le origini del melodramma* (= Piccola bibl. di scienze moderne LXX, 1903), Nachdr. = Bibl. musica Bononiensis III, 3, Bologna 1969, auch Hildesheim 1969; +*Gli albori del melodramma* (1904–05), Nachdr. Hildesheim 1969; +*Musica, ballo e drammatica alla corte medicea dal 1600 al 1637* (1905), Neuaufl. NY 1968, Nachdr. = Bibl. musica Bononiensis III, 4, Bologna 1969.

Sollberger (sʹɔlbɔːgə), Harvey, * 11. 5. 1938 zu Cedar Rapids (Ia.); amerikanischer Flötist und Komponist, studierte Komposition bei Philip Bezanson an der University of Iowa in Iowa City (B. A. 1960) sowie bei Jack Beeson und Luening an der Columbia University in New York (M. A. 1964). 1965–71 war er Instructor of Music, daneben Co-Director (1962–68) und Director (ab 1968) der Group for Contemporary Music an der Columbia University. – Kompositionen (Auswahl): Duo für Fl. und Kl. (1961); 5 Lieder für Männer-St., Fl., V., Va und Kl. (auf Texte von Juan Ramón Jiménez, 1961); Trio für Fl., Vc. und Kl. (1961); *Grand Quartet* für Fl. (In memoriam Friedrich Kuhlau, 1962); 2 Stücke für Fl. (1958, revidiert 1960 und 1962); *Solos* für V. und 5 Instr. (Fl., Klar., Horn, Kb. und Kl., 1962); *2 Oboes Troping* (1963); *Chamber Variations* für 12 Spieler und einen Dirigenten (2 Fl., Ob., Klar., Fag., 2 Schlagzeuger, Kl., V., Va, Vc. und Kb., 1964); *Musica transalpina* für S., Bar. und 6 Instr. (1965); Musik zu Sophokles' *Antigone* (Bühnen- und Konzertfassung, 1966); Impromptu für Kl. (1968); *For No Clear Reason* für S. und Kl. (1969); 2 Motets from Musica Transalpina (1970); Divertimento für Fl., Vc. und Kl. (1970); *As Things Are and Become* für Streichtrio (1971).

Sollertinskij, Iwan Iwanowitsch, * 20. 11. (3. 12.) 1902 zu Witebsk (Weißrußland), † 11. 2. 1944 zu Nowosibirsk (Sibirien); russisch-sowjetischer Musikforscher, studierte 1921–24 in Petrograd an der romanisch-germanistischen Fakultät der Universität und an der Hochschule für Kunstgeschichte. Danach war er Mitarbeiter von Zeitschriften und Zeitungen und setzte sich in seinen Beiträgen besonders für die Neue Musik ein. 1929 wurde er Lektor, dann künstlerischer Leiter der Leningrader Philharmonie. Daneben übte er ab 1936 eine Lehrtätigkeit am Leningrader Konservatorium aus (1939 Professor). 1941 wurde er mit der Leningrader Philharmonie nach Nowosibirsk evakuiert. Er schrieb verschiedene Miszellen, u. a. über Beethoven, Berlioz, Bizet, Brahms, Bruckner, Gluck,

Mahler, Meyerbeer, Offenbach, Rolland, Shakespeare und Stendhal, die postum in der Aufsatzsammlung *Musykalno-istoritscheskije etjudy* (»Musikgeschichtliche Studien«, hrsg. von M.S.Druskin, Leningrad 1956, 2. Aufl. als *Istoritscheskije etjudy*, 1963) zusammengefaßt wurden.

+**Solnitz,** Anton Wilhelm, um 1708 [nicht: um 1722] – um 1758 zu Leiden [nicht: Amsterdam].

+**Solomon** (eigentlich Solomon Cutner), * 9. 8. 1902 zu London.
S. hat sich krankheitshalber aus dem Konzertleben zurückgezogen. Seine bedeutenden Interpretationen sind z. T. in Schallplatteneinspielungen festgehalten.
Lit.: G. MOORE, Am I too Loud?, London u. NY 1962, Paperbackausg. Harmondsworth (Middlesex) 1966, deutsch als: Bin ich zu laut?, Tübingen 1963, ²1966, auch Stuttgart 1968; J. KAISER, Große Pianisten in unserer Zeit, München 1965, ²1972, engl. London u. NY 1971.

Solomon (sʹɔləmən), Izler, * 11. 1. 1910 zu St.Paul (Minn.); amerikanischer Dirigent, studierte Violine bei Poljakin in Philadelphia und Dirigieren bei Michael Press in New York und wurde Press' Assistant am Music Department des Michigan State College in Lansing. 1932 debütierte er dort als Dirigent. Er war Leiter des Illinois Symphony Orchestra (bis 1935), des Women's Symphony Orchestra in Chicago (1939–42) und wurde 1956 Music Director des Indianapolis Symphony Orchestra. S. wirkte als Gastdirigent in den USA (u. a. bei NBC) sowie in Europa und Israel.

+**Solotarjow,** Wassilij Andrejewitsch, * 24. [nicht: 23.] 2. (7. 3.) 1872 (offizielle Dokumente 1873) zu Taganrog, [erg.:] † 25. 5. 1964 zu Moskau.
Bis zu seinem Tode lebte S. in Moskau. Weitere Werke: Opern +*Dekabristy* (1925, Neufassung als *Kondratij Rylejew*, Moskau 1957), *Chwesko Andiber* (ebd. 1929) und *Ak-Gjül* (1942), Operette *Rikiki* (1917); 7. Symphonie (1962); Kammermusik und Chorwerke. – Das +*Lehrbuch über die Fuge* [erg.:] *Fuga, rukowodstwo k praktitscheskomu isutscheniju* (1932), Moskau ²1956, ³1965. Seine Erinnerungen veröffentlichte er als *Wospominanija o moich welikich utschiteljach, drusjach i towarischtschach* (»Erinnerungen an meine großen Lehrer, Freunde und Kameraden«, hrsg. von W.N.Rimskij-Korsakow, ebd. 1957).
Lit.: Aufsatzfolge zum 90. Geburtstag in: SM XXVII, 1963, H. 3. 26ff. – Istorija russkoj sowjetskoj musyki I–II u. IV/1–2, hrsg. v. D. A. ALEXEJEW u. W. A. WASSINA-GROSSMAN, Moskau 1956–63 (darin besonders in Bd I d. Kap. über »Bearb. v. Volksliedern«, S. 83ff., in Bd II d. Kap. über »Oper«, S. 155ff., u. in Bd IV/1–2 d. Kap. über »Massenlieder« u. »Operette«, S. 108ff. bzw. 60ff.); S. G. NISNEWITSCH, W. A. S., ebd. 1964.

Solowjow-Sedoj, Wassilij Pawlowitsch, * 12.(25.) 4. 1907 zu St.Petersburg; russisch-sowjetischer Komponist, studierte in Leningrad bei Rjasanow 1929–31 am Zentralmusiktechnikum und 1931–36 am Konservatorium. 1948 wurde er Leiter der Sektion Leningrad des sowjetischen Komponistenverbandes. Er schrieb die Operetten *Wernyj drug* (»Ein treuer Freund«, Kujbyschew 1945), *Samoje sawetnoje* (»Vollkommene Vertrautheit«, Moskau 1952), *Olimpijskie swjosdy* (»Olympische Sterne«, Leningrad 1962) und *U rodnowo pritschala* (»Am teueren Seil«, 1970), die Ballette *Taras Bulba* (Leningrad 1940, Neufassung ebd. 1955) und *W port woschla »Rossija«* (»In den Hafen lief die 'Rossija' ein«, 1964), *Partisanschtschina* (»Partisanentum«) für Orch. (1934), Kammermusik, Vokalwerke sowie Bühnen- und Filmmusik. Überaus beliebt wurden seine zahlreichen populären Lieder, die an die Tradition der

Tschastuschka, einer Gattung der russischen Volksdichtung, anknüpfen.

Lit.: W. P. S.-S., Notografitscheskij sprawotschnik (»Werkverz.«), hrsg. v. O. A. GEJNINA u. O. S. NOWIKOWA, Leningrad 1971. – A. SOCHOR, W. P. S.-S., ebd. 1952, Paperbackausg. 1967; JU. KREMLJOW, W. P. S.-S., ebd. 1960.

+Solti, Sir Georg (György), * 21. 10. 1912 zu Budapest.

Die vertragliche Bindung mit dem Los Angeles Philharmonic Orchestra löste S. bereits 1961 wieder. Die Covent Garden Opera in London entwickelte er während seiner zehnjährigen Wirkungszeit als musikalischer Direktor (1961–71, anschließend Gastverträge) zu einem musikalischen Zentrum überragender Bedeutung. Seit 1969 leitet er das Chicago Symphony Orchestra. 1971 verpflichtete er sich, jährlich jeweils 2 Monate das London Philharmonic Orchestra zu dirigieren. Die Leitung des Orchestre de Paris, das er ebenfalls 1971 übernahm (China-Tournee 1974), hat S. 1975 an D. Barenboim abgegeben. Seit 1973 ist er musikalischer Leiter der Pariser Opéra. S. als einem der führenden Opern- und Konzertdirigenten unserer Zeit wurden zahlreiche Auszeichnungen zuteil, so die Ernennung zum Dr. h. c. (u. a. durch die University of Leeds) und die Verleihung des Adelstitels Sir. S. hat seinen ständigen Wohnsitz in London und ist seit 1972 britischer Staatsangehöriger.

Lit.: G. S. on Opera Policy, in: Opera XV, 1964 (Interview mit H. Rosenthal; ein weiteres Gespräch ebd. XIX, 1968, S. 534ff.); BR. MAGEE, S.'s Ten Years, ebd. XXII, 1971; H. ROSENTHAL, ebd. S. 672ff. (mit Aufstellung d. wichtigsten Aufführungen d. Londoner »S. Decade«).

+Sołtys, –1) Mieczysław, 1863 – 11. [nicht: 12.] 11. 1929.

–2) Adam, * 4. 7. 1890 und [erg.:] † 6. 7. 1968 zu Lemberg. Professor am Lemberger Konservatorium war er ab 1921 (1930–39 Direktor) und wieder ab 1945. Nach dem Kriege dirigierte er auch die Lemberger Philharmonie. Kompositionen: 2 Symphonien (1927, 1946), symphonische Dichtung *Słowanie* (1949), Suite über slawische Themen (1950), *Uroczysta uwertura* (»Festliche Ouvertüre«, 1950), symphonische Dichtung *O pokoj* (»Für den Frieden«, 1953), Fantasie über das Thema *Warszawianki* (»Die Warschauerinnen«, 1957), Ballade *Dudziarz* (1958) und symphonische Dichtung *Z gór i dolin* (»Von Bergen und Tälern«, 1960) für Orch.; Streichquartett (1921), Unterrichtsstücke für V. und Kl. (1958) und Klavierstücke.

Lit.: L. T. BŁASZCZYK, Dyrygenci polscy i obcy w Polsce działający w XIX i XX wieku (»Polnische u. ausländische Dirigenten im 19. u. 20. Jh.«), Krakau 1964. – zu –1): A. PORĘBOWICZOWA in: Ruch muzyczny VII, 1963, Nr 21, S. 18f. – zu –2): T. KACZYŃSKI u. A. NIKODEMOWICZ, ebd. XII, 1968, Nr 22, S. 6f. bzw. S. 5f.

Somers (sˈʌməz), Harry Stewart, * 11. 9. 1925 zu Toronto; kanadischer Komponist und Pianist, studierte in seiner Heimatstadt am Royal Conservatory of Music bei Reginald Godden (Klavier) und bei Weinzweig (Komposition) sowie in San Francisco und Denver (Colo.) bei Robert Schmitz (Klavier). 1949–50 und 1960–61 vervollkommnete er sich in Komposition bei Milhaud in Paris. 1969–71 lebte er in Italien und ließ sich dann in Toronto als freischaffender Komponist und Rundfunkkommentator nieder. Er schrieb u. a. die Opern *The Fool* (Toronto 1956) und *Louis Riel* (ebd. 1967), die Operette *The Homeless Ones* (CBC Television 1956), die Ballette *The Fisherman and His Soul* (Hamilton 1956), *Ballad* (Ottawa 1958) und *The House of Atreus* (ebd. 1964), Orchesterwerke (Symphonie Nr 1, 1951; Passacaglia und Fuge, 1954; Fantasie,

1958; *5 Concepts*, 1961; Symphonie für Bläser und Schlagzeug, 1961; *Stereophony*, 1963; *Picasso Suite*, 1964; Improvisation, 1968; Klavierkonzerte, 1947 und 1956; Suite für Hf. und Kammerorch., 1949), Kammermusik (3 Streichquartette, 1943, 1950 und 1959; 2 Violinsonaten, 1953 und 1955; *Music for Solo V.*, 1974), 5 Klaviersonaten (1945, 1946, 1950, 1950 und 1957), *12 Miniatures* für S., Sopran-Block-Fl. oder Fl., Va da gamba oder Vc. und Spinett oder Kl. (1964), *Kuyas* für Singst., Fl. und Schlagzeug (1967) sowie Chöre und Sololieder.

Lit.: H. OLNICK in: The Canadian Music Journal III, 1959, H. 4, S. 3ff.; Werkverz. in: Composers of the Americas V, Washington (D. C.) 1959, Nachdr. 1964; L. HEPNER in: The Canada Music Book 1971, Nr 3, S. 87ff.

Somfai (ʃˈɔmfɔi), László, * 15. 8. 1934 zu Jászladány (Komitat Szolno); ungarischer Musikforscher, studierte 1953–58 an der Liszt-Musikakademie in Budapest bei Szabolcsi und Bartha, war 1958–62 Musikbibliothekar an der Musiksammlung der Nationalbibliothek Széchényi in Budapest und wurde 1963 wissenschaftlicher Mitarbeiter am Bartók-Archiv der ungarischen Akademie der Wissenschaften in Budapest. – Veröffentlichungen (Auswahl): *Mozart »Haydn«-kvartettjei* (in: Zenetudományi tanulmányok V, 1957); *A klasszikus kvartetthangzás megszületése Haydn vonósnégyeseiben* (»Die Entstehung des klassischen Quartettklanges in den Streichquartetten von Haydn«, ebd. VIII, 1960); *Haydn als Opernkapellmeister* (mit D. Bartha, 2 Bde, Budapest 1960); *Albrechtsberger-Eigenschriften in der Nationalbibliothek Széchényi, Budapest* (StMl I, 1961, IV, 1963 und IX, 1967); *Az Erkel-kéziratok problémái* (»Probleme der Erkel-Handschriften«, in: Zenetudományi tanulmányok IX, 1961); *Liszt Faust-szimfónidjának alakvaltásai* (»Formwandlungen der Faust-Symphonie von Liszt«, in: Magyar zene I [recte: II], 1961, Nr 6–7/8, deutsch in: StMl II, 1962, S. 87ff.); *A Haydn-interpretáció problémái* (»Haydn-Interpretationsprobleme«, in: Magyar zene VI, 1965); *J. Haydn. Sein Leben in zeitgenössischen Bildern* (Kassel und Budapest 1966, engl. London und NY 1969); *A. Webern* (= Kis zenei könyvtár XL, Budapest 1968); *»Per finire«. Some Aspects of the Finale in Bartók's Cyclic Form* (StMl XI, 1969, ungarisch in: Magyar zene XI, 1970, S. 3ff.); *A Bold Enharmonic Modulatory Model in J. Haydn's String Quartets* (in: Studies in 18th-Cent. Music, Fs. K. Geiringer, London 1970); *Zur Aufführungspraxis der frühen Streichquartett-Divertimenti Haydns* (in: Der junge Haydn, hrsg. von V. Schwarz, = Beitr. zur Aufführungspraxis I, Graz 1972); *Rhythmic Continuity and Articulation in Webern's Instrumental Works* (Webern-Kgr.-Ber., = Beitr. 1972/73, Kassel 1973). – Ausgaben: J. Haydn, *Scena di Pedrillo* (Budapest und Mainz 1960); J. G. Albrechtsberger, *Concerto per l'org. (cemb. o pfte) ed archi*, = Musica rinata I, Budapest 1964; J. M. Haydn, *Sinfonia D dur*, ebd. IV; Chr. W. Gluck, *Il re pastore* (= Gluck-GA III, 8, Kassel 1968); W. A. Mozart, *Sinfonien* (mit Fr. Schnapp, = Neue Mozart-Ausg. IV, 11, Bd 8, ebd. 1971).

+Somis, –1) Giovanni Battista (Giovanbattista), 1686 – 14. [erg.: oder 15.] 8. 1763. Die ihm zugeschriebenen +*Sonate a violino e violoncello o cembalo* op. 1 (1722) und op. 2 (1723) stammen von seinem Bruder L. S.

–2) Lorenzo [erg.:] Giovanni (auch Ardy genannt), 1688–1775.

Lit.: F. GHISI, Giovanbattista e L. S. musicisti piemontesi, in: Le celebrazioni del 1963 . . ., hrsg. v. M. Fabbri, = Accad. mus. Chigiana (XX), Siena 1963; B. SCHWARZ in: MGG XII, 1965, Sp. 862ff.; M.-TH. BOUQUET, Musique et musiciens à Turin de 1648 à 1775, = Memoria dell'Accad. delle scienze di Torino IV, 17, zugleich auch = La vie mus. en France sous les rois Bourbons XV, Turin bzw. Paris 1968. – zu –1): B. BECHERINI in: Musicisti piemontesi e liguri, hrsg. v. A. Damerini u. G. Roncaglia, = Accad. mus. Chigiana (XVI), Siena 1959, S. 7ff.

Somma, Antonio, * 28. 8. 1809 zu Udine, † 8. 8. 1865 zu Venedig; italienischer Dichter, Literat und Advokat, war 1840–47 Direktor des Teatro Grande in Triest und Mitgründer der irredentistischen Zeitschrift »La favilla«. Er schrieb für Verdi das Libretto zu *Un ballo in maschera* nach Scribes *Gustave III* (Rom 1859) sowie zwischen 1853 und 1856 das Textbuch zu einem *Re Lear,* das Verdi durch genaue Szenenanweisungen beeinflußte, aber nie in Musik setzte.
Lit.: A. PASCOLATO, Re Lear e Ballo in maschera. Lettere di G. Verdi ad A. S., Città di Castello 1902; T. MANTOVANI, Libretti verdiani, in: Musica d'oggi V, 1927; FR. ABBIATI, Gli anni del »Ballo in maschera«, in: Verdi (Boll. quadrimestrale dell'Istituto di studi verdiani) I, 1960; FR. FLORA, Il libretto, ebd. (zu »Il ballo in maschera«); L. K. GERHARTZ, Il »Re Lear« di A. S. ed il modello melodrammatico dell'opera verdiana. Principi per una definizione del libretto verdiano, (1.) Kgr.-Ber. »Studi verdiani« Venedig 1966; R. E. AYCOCK, Shakespeare, Boito and Verdi, MQ LVIII, 1972, S. 589.

Somma, Bonaventura, * 30. 7. 1893 zu Chianciano (Toscana), † 23. 10. 1960 zu Rom; italienischer Chordirigent, Komponist und Organist, studierte am Conservatorio di Musica S. Cecilia in Rom (Dobici, Falchi, O. Respighi), war ab 1911 Leiter der Cappella del Santuario di Valle di Pompei in Rom und 1922–23 Dirigent bei den Ballets Russes in Paris. Ab 1926 wirkte er in Rom als Chordirektor der Accademia di S. Cecilia sowie als Maestro di cappella an S. Luigi dei Francesi. 1939 lehrte er am Conservatorio di Musica S. Cecilia, mit dessen Chor er zahlreiche Konzerte in Europa und den USA gab. Er schrieb Orchesterwerke (Symphonie; *Contemplazione della morte; Leggenda pastorale e toccata*), Vokalwerke (Oratorium *La lampada spenta,* 1929), Vokalwerke (Oratorium *La Pentecoste;* Messa da Requiem; *Sorella chiara* für Soli, Chor und Orch.; *Cantico del sole* für Männerchor und Orch.; Lieder) und Bühnenmusik.
Lit.: T. ONOFRI, A. BELLI u. L. BIANCHI, B. S., hrsg. v. E. Mucci, Rom 1968.

+Sommer, Hans (eigentlich Zincke [nicht: Zincken]), 1837 – 26. [nicht: 28.] 4. 1922.

+Sommer, Vladimír, * 28. 2. 1921 zu Nieder-Georgenthal (Dolní Jiřetín, Nordböhmen).
S., Schüler u. a. von K. Janeček [nicht: Janáček], war Fachassistent an der Akademie der musischen Künste in Prag bis 1960; seitdem ist er Kompositionslehrer an der dortigen Karlsuniversität (1963 Dozent, gegenwärtig Professor). – Weitere Werke: Sonate für 2 V. (1948); 2. Streichquartett (1950–55); Cellokonzert (1961); 1. Symphonie *Vokální symfonie* für Mezzo-S., Sprecher, gem. Chor und Orch. (nach Fr. Kafka, F. Dostojewskij und C. Pavese, 1958–62); 2. Symphonie *Koncertantní symfonie* für Streichquartett und Kammerorch. (1962); Freske *Černý muž* (»Der schwarze Mann«) für Bar., Sprecher und Orch. (1964); 3. Streichquartett (1960–66); 3. Symphonie für Streicher, Kl. und Pk. (1968); Kinder- und Massenlieder, 10 Filmmusiken.
Lit.: J. JIRÁNEK in: Hudební rozhledy VIII, 1955, S. 682ff. (zum Liedschaffen); I. VOJTĚCH, O dosavadní tvorbě Vl. S.a (»Über d. bisherige Schaffen v. Vl. S.«), in: Musikologie IV, 1955; J. MATĚJČEK, Heutige Komponisten im Porträt, in: Musica XI, 1957; W. KUČERA in: Hudební rozhledy XVII, 1964, S. 400ff., russ. in: SM XXIX, 1965, H. 6, S. 115ff. (zur 1. Symphonie); R. J. KŘÍŽ in: Hudební rozhledy XXIII, 1970, S. 24ff. (Gespräch).

Sommerlatte, Ulrich (Pseudonym Oliver Staal), * 21. 10. 1914 zu Berlin; deutscher Komponist, lebt in Schliersee (Oberbayern). Er studierte 1933–41 Dirigieren, Komposition und Klavier an der Hochschule für Musik in Berlin, war 1936 Kapellmeister beim Niedersächsischen Symphonie-Orchester Hannover und Leiter der Hannoverschen Madrigal-Vereinigung. Seit 1946 wirkt er freischaffend als Komponist für Rundfunk, Film, Fernsehen und Schallplatte. S. ist Mitglied des Aufsichtsrats der GEMA und Inhaber eines Musikverlags in München. Er komponierte Orchesterwerke (*Legende,* 1936), Unterhaltungsmusik (*Tivoli-Suite,* 1952), das Ballett *Fortunata* (1965) und Filmmusik (*Schule für Eheglück,* 1954; *Der Löwe von Babylon,* 1959; *Vater, unser bestes Stück,* 1959).

Són, Hary → Budapest String Quartet.

Sondheim, Stephen, * 22. 3. 1930 zu New York; amerikanischer Musicalkomponist und Textdichter, studierte am Williams College in Williamstown/Mass. (B. A.) und bei Babbitt. Er verfaßte die Songtexte u. a. zu L. Bernsteins *West Side Story* (1957), Jule Stynes *Gypsy* (1959) und Rodgers' *Do I Hear a Waltz?* (1965) und schrieb Songtexte und Musik zu *A Funny Thing Happened on the Way to the Forum* (NY 1962), *Anyone Can Whistle* (NY 1964) und *Company* (NY 1971).

+Sondheimer, Robert, * 6. 2. 1881 zu Mainz, [erg.:] † 7. 12. 1956 zu Hannover.
S. promovierte 1921 [nicht: 1919] mit der Dissertation *Die Sinfonien Fr. Becks* (Teilabdruck in: ZfMw IV, 1921/22), nicht aber mit *+Geschichte der vorklassischen Symphonie,* die niemals erschienen ist [lediglich die früher genannten Teilabdrucke wurden veröffentlicht]. – *+Die Theorie der Sinfonie . . .* (1925; vgl. dazu den bibliographischen Index, hrsg. von G. Wolf und J. LaRue, in: AMl XXXVII, 1965, S. 79ff.), Nachdr. München 1970; H. J. Rigel (MR XVII, 1956).

Sonneborn, Günter (Pseudonym Thomas Gronau), * 16. 1. 1921 zu Essen; deutscher Komponist, Arrangeur und Dirigent von Unterhaltungs-, Tanz- und Schlagermusik, studierte privat in Essen und in Berlin. 1950–59 war er Arrangeur beim Apollo-Theater-Orchester in Düsseldorf. Seitdem ist er freischaffend für Schallplattenfirmen, Rundfunk und Fernsehen tätig. Von seinen zahlreichen Schlagern seien genannt: *Es muß die Liebe sein* (1964); *Schatten und Licht* (1966); *Ich warte auf ein Wunder* (1968); *Messalina* (1969).

+Sonneck, Oscar George Theodore, 1873–1928. Nachdrucke und weitere Veröffentlichungen (soweit nicht anders angegeben, alle NY): *+Fr. Hopkinson . . . and J. Lyon* (1905), 1967; *+Early Concert-Life in America* (1907), Wiesbaden 1969; *+Early Opera in America* (1915), 1964; *+Report on »The Star-Spangled Banner«, »Hail Columbia«, »America«, »Yankee Doodle«* (1909), 1972; *+Miscellaneous Studies in the History of Music* (1921), 1968; *+Beethoven. Impressions by His Contemporaries* (1926), 1967; *+A Bibliography of Early Secular American Music* (1905, ²1945), 1964; *+Catalogue of Opera Librettos Printed Before 1800* (1914), 1967; *+Catalogue of First Editions of E. MacDowell* (1917), 1971; *+Catalogue of First Editions of St. C. Foster* (1915), 1971. – *Dramatic Music. Catalogue of Full Scores in the Collection of the Library of Congress* (Washington/D. C. 1908), 1969; *Orchestral Music Catalogue. Scores in the Collection of the Library of Congress* (ebd. 1912), 1969.

Sonner, Rudolf, * 24. 5. 1894 zu Freiburg im Breisgau, † 26. 10. 1955 zu Trossingen; deutscher Komponist und Musikkritiker, studierte an den Universitäten in Basel (1920–21), Freiburg i. Br. (1922) und Berlin

(1922–24), begann 1924 seine journalistische Laufbahn, lehrte ab 1927 an der Musikschule in Trossingen und war ab 1950 Redaktionsleiter der Zeitschriften *Die Harmonika* und *Harmonika-Revue*. Er schrieb die Oper *Die Mär vom Mummelsee*, die Kinderoper *Rumpelstilzchen*, die Chorfantasie mit Orch. *Wie schön leuchtet . . .* (1940) sowie Lieder und veröffentlichte u. a.: *Alte Orgeln erklingen wieder* (Stuttgart 1939); *Die Geschichte der deutschen Orgelbewegung* (ebd. 1941); *Weltliche Orgelmusik aus 3 Jahrhunderten* (ebd. 1942); *Elektronische Musik. Ihre drei Arbeitsbereiche* (ZfM CXVI, 1955); *Die Entwicklung der elektronischen Musik und ihre Instrumente* (in: Das Musikinstrument IV, 1955).

+Sonninen, Ahti, * 11. 7. 1914 zu Kuopio.
S. lehrt seit 1957 an der Sibelius-Akatemia in Helsinki. Weitere Werke: die Ballette *Pessi ja Illusia* (»Pessi und Illusia«, Helsinki 1952) und *Ruususolmu* (»Die Rosenknospe«, ebd. 1956); *Itäkarjalainen sarja* (»Ostkarelische Suite«, 1942) und Rhapsodie (1958) für Orch., 4 Partiten für Streichorch. (oder Block-Fl., 1960), *Reactions* für Kammerorch. (1961); Violinkonzert (1943), Klavierkonzert (1945), Praeludium und Allegro für Pos. und Streichorch. (1961); *Thesen* für Streichquartett (1968), *Festivitas* (1958) und *In memoriam* (1962) für Vc. und Kl.; »Das Landstraßen-Requiem« für Soli, Chor und Orch. (1970), Liederzyklen mit Orch. (u. a. *Juhannusyö*, »Johannisnacht«, 1946; *Karjalan neidon lauluja*, »Lieder karelischer Mädchen«, 1948; *El amor pasa*, 1953; 5 Lieder nach biblischen Texten, 1957; *Taivahan takoja*, »Des Himmels Schmied«, 1958); 6 Lieder nach biblischen Texten für gem. Chor (1956), 6 Lieder für Männerchor (1963); etwa 70 Lieder mit Kl.; Bühnen- und Filmmusiken.

+Sonnleithner (Sonnleitner) [–1) Christoph], –2) Jo sef von, [erg.:] 3. 3. 1766 [nicht: 1765] – 26. [nicht: 25.] 12. 1835. –3) Leopold von, 1797–1873.
Lit.: zu –2): +TH. V. FRIMMEL, Beethoven-Hdb. (II, 1926), Nachdr. Hildesheim u. Wiesbaden 1968; W. DEUTSCH u. G. HOFER, Die Volksmusiksammlung d. Ges. d. Musikfreunde in Wien (S.-Slg.) = Schriften zur Volksmusik II, Wien 1969 (darin: L. Schmidt, Zur Bedeutung d. österreichischen Volksliedsammlung v. 1819). – zu –3): O. E. DEUTSCH, L. v. S.s Erinnerungen an d. Musiksalons d. vormärzlichen Wien, ÖMZ XVI, 1961.

Sonoda, Takahiro, * 17. 9. 1928 zu Tokio; japanischer Pianist, studierte an der staatlichen Hochschule für Musik in Tokio bei L. Kreutzer und Leo Silota, dann als Privatschüler bei Roloff in Berlin. 1957 ging er nach Europa, zunächst nach Paris, dann nach Deutschland. Er spielt heute in allen Musikzentren Europas, der USA und Japans. Durch sachliche und intelligente Interpretationen ist er zum repräsentativen Pianisten Japans aufgestiegen. Seit 1967 leitet er eine Meisterklasse an der Hochschule für Musik und bildende Künste Kyoto.

Sønstevold, Gunnar, * 26. 11. 1912 zu Elverum (Hedmark); norwegischer Komponist, lebt in Oslo. Nach Klavier- und Violinstudien erhielt er Kompositionsunterricht bei Hilding Rosenberg in Stockholm, bei K. Andersen in Oslo und bei Jelinek an der Musikakademie in Wien. 1966 wurde er Leiter der Musikabteilung des norwegischen Rundfunks. Von seinen Werken seien genannt: Ballette *Bendik og Årolilja* (Oslo 1959) und *Ritual* (ebd. 1967); Sinfonietta für Orch. (1949), Konzerte für Sax. (1962) und für Fl., Fag. (1964) mit Orch.; Streichquartett (1960), *Quadri* für Hf., Kl. und 2 Schlagzeuger (1967), Duo für Fl. und Ob. (1959); *Arnold* für Beat-Musiker (1970); ferner Bühnen-, Fernseh- und Filmmusik (letztere z. T. zusammen mit seiner Frau Maj S.).

+Sontag, Henriette Gertrude Walpurgis, 3. [nicht: 13.] 1. 1806 – 1854.
H. S. starb, nachdem sie die Cholera überstanden hatte, an einem Typhusanfall [del. bzw. erg. frühere Angaben hierzu].
Lit.: FR. RUSSELL, Queen of Song. The Life of H. S., NY 1964; R. SIETZ in: Rheinische Musiker III, hrsg. v. K. G. Fellerer, = Beitr. zur rheinischen Mg. LVIII, Köln 1964, S. 90ff.

+Sonzogno.
Riccardo S., [erg.:] 1871 – 1915; Renzo (Lorenzo) S., [erg.: 21. 1.] 1877 – 3. [nicht: 2.] 4. 1920; Piero Ostali, [erg.:] * 14. 9. 1872 zu Desenzano del Garda, † 20. 3. 1961 zu Mailand; Enzo Ostali, [erg.:] * 1. 9. 1913 zu Bellusco (Mailand).

+Sonzogno, Giulio Cesare, * 24. 12. 1906 zu Mailand.
S. leitete ab 1958 die Scuola musicale in Mailand. Weitere Werke: die Opern +*I passeggeri* (Triest 1961), *Il denaro del Signor Arne* (nach S. Lagerlöf, 1968), *Boule de suif* (einaktig, nach G. de Maupassant, Bergamo 1970) und *Mirra* (einaktig, 1970); »Action chorégraphique« *Contrasti* (1970); *Tango* für Orch. (1935); Filmmusiken.

+Soot, Fritz [erg.:] (Friedrich) Wilhelm, * 20. 8. 1878 zu Wellesweiler (Saar) [nicht: Neunkirchen], [erg.:] † 9. 6. 1965 zu Berlin.

Sopeña (sop'eɲa) Ibáñez, Federico, * 25. 1. 1917 zu Valladolid; spanischer Musikforscher, studierte bis 1936 in Bilbao und Madrid, war in Madrid 1951–56 Direktor des Real Conservatorio de Música y Declamación (heute Real Conservatorio Superior de Música) und ist dort seit 1955 Professor für Ästhetik und Musikgeschichte. Er war auch als Musikkritiker tätig (1939–43 für »Arriba«, 1960–66 für »A. B. C.«) und ist Gründer (1952) sowie Herausgeber der Zeitschrift *Música*. Seine wichtigsten Veröffentlichungen sind (Erscheinungsort Madrid): *J.* Turina (1943, erweitert ²1956); *Historia de la música en cuadros esquemáticos* (1946, ⁴1970); *La vida y la obra de Fr.Liszt* (1951); *Historia de la música española contemporánea* (= Bibl. del pensiamento actual LXXXIX, 1958, ²1967); *La música en la vida espiritual* (= Cuadernos Taurus V, 1958); *Strawinsky* (1958); *Introducción a Mahler* (1960); *Atlántida. Introducción a M. de Falla* (= Cuadernos Taurus XLIV, 1962); *El »Requiem« en la música romántica* (1965); *Historia crítica del Conservatorio de Madrid* (1967); *J.Rodrigo* (= Artistas españoles contemporáneos, Serie musicos I, 1970); *La música en el museo del Prado* (mit A. Gallego Gallego, = Arte de España II, 1972). S. war Mitarbeiter an den Ergänzungsbänden dieses Lexikons.

+Sor, Joseph Fernando Macari [erg. Vornamen], getauft 14. (* 13.?) 2. 1778 – 1839.
S. schrieb eine *Méthode* [nicht: *Traité] pour la guitare* (zuerst Bonn 1830, auch Paris 1832).
Ausg.: Méthode pour la guitare, engl. übers. als: Method f. the Span. Guitar, hrsg. v. A. MERRICK (um 1830 erschienen), Nachdr. NY 1971. – 9 Etüden u. 4 Menuette, hrsg. v. B. MIRANDA, = Album de guitare XIII, Paris 1961; Studi per chitarra, hrsg. v. R. CHIESA, Mailand 1966; Fantaisie dédiée à I. Pleyel f. Git., hrsg. v. E. PUJOL, Paris 1967; 24 Etudes choisies pour guitarre, hrsg. v. N. ALFONSO, Brüssel 1970.
Lit.: M. ROCAMORA, F. S., Barcelona 1957; W. GR. SASSER, The Guitar Works of F. S., Diss. Univ. of North Carolina, 1960; CL. MARINI, La musica per chitarra di F. S., in: Il convegno mus. I, 1964 (mit Werkverz.); H. RADKE in: MGG XII, 1965, Sp. 926f.

+Sorabji, Kaikhosru [erg.:] Shapurji (ursprünglich Leon Dudley S.), wahrscheinlich * 14. 8. 1892 zu

Chingford (Essex) [nicht: Chelmsford]. (S. selbst verweigert jegliche Auskünfte über Geburtsdatum und -ort.)

S., dessen Vater Parse [nicht: Inder] war, ist einer der eigenwilligsten Komponisten des 20. Jh. Seine Kompositionen (vorzugsweise für oder mit Klavier) sind zum überwiegenden Teil dermaßen komplex und schwierig, daß er, um inadäquate Aufführungen zu verhindern, kurzerhand alle öffentlichen Aufführungen verbot. Kennzeichnend für sein Schaffen ist das großangelegte, in der Tradition von Bachs *Kunst der Fuge* und Busonis *Fantasia contrappuntistica* stehende, sie in ihren Ausmaßen und in bezug auf die Vielschichtigkeit polyphoner Strukturen allerdings weit übersteigende *Opus clavicembalisticum* (ca. 2–3 Stunden Aufführungsdauer). – Werke für Kl.: 5 Sonaten (1919, 1922, 1922, 1928, *Opus archimagicum*), 4 Symphonien (Nr 2–4: 1954, 1960, 1964), 2 Toccaten (1920, 1936), *In the Hothouse* (1918), *Fantasie espagnole* (1922), *Le jardin parfumé* (1923), *Prelude, Interlude and Fugue* (1924), *Valse-Fantaisie* (Hommage à J. Strauß, 1925), *Opus clavicembalisticum* (1930), *Gulistan* (1940), *100 Transcendental Studies* (1940–44), *Concerto per suonare da me solo* (1946), *Sequentia cyclica* (über Dies irae, 1949), *Passeggiata veneziana* (1956) und *Fantasia hispanica*. – Weitere Werke: »Tantrische« Symphonie (1939), »Dschami« Symphonie für Bar., Doppelchor, Kl., Org. und Orch. (1942–51), 2 Symphonien für Kl., Orch., Chor und Org. sowie *Chaleur* und *Opusculum* für Orch.; 5 Konzerte (Nr 2, 1920) sowie symphonische Variationen (1951) und *Opus clavisymphonicum* (1959) für Kl. und Orch.; 2 Klavierquintette (Nr 1, 1920); 3 Orgelsymphonien (Nr 1, 1926; Nr 3, 1953); Hohe Messe für 8 Soli, Doppelchor, Orch. und Org. (1958–61); 3 *Poèmes* (Verlaine und Baudelaire, 1918) und 3 *Fêtes galantes* (Verlaine, 1924) für Singst. und Kl.

Lit.: CL. GRAY-FISK in: MT CI, 1960, S. 230ff.; A. WHITTALL, S.ana, MT CVII, 1966.

+Sørensen, Søren, * 29. 9. 1920 zu Kopenhagen. Organist und Chorleiter an Holmens Kirke in Kopenhagen war S. bis 1958. 1958 wurde er zum ordentlichen Professor für Musikwissenschaft und Direktor des musikwissenschaftlichen Instituts der Universität Aarhus berufen, deren Rektor er ab 1967 war. Er ist seit 1964 Mitglied des Direktoriums der Internationalen Gesellschaft für Musikwissenschaft und der Commission mixte für RISM sowie Redakteur (mit N. Schiørring) des *Dansk aarbog for musikforskning* (Kopenhagen 1961ff.). Er gab mit B.Hjelmborg die Festschrift *Natalicia musicologica Kn.Jeppesen* (Kopenhagen 1962) heraus. – Sein *+Kirkens liturgi* (1952) erschien revidiert in 2. Aufl. ebd. 1972. – Weitere Veröffentlichungen: *Das Buxtehudebild im Wandel der Zeit* (= Senat der Hansestadt Lübeck, Amt für Kultur VI, Lübeck 1972); *Instrumentalforspillene i Buxtehudes kantater* (Dansk aarbog for musikforskning [I], 1961); *Über einen Kantatenjahrgang des Görlitzer Komponisten Chr.L.Boxberg* (in: Natalicia musicologica, Fs. Kn. Jeppesen, Kopenhagen 1962); *Monteverdi–Förster–Buxtehude* (Dansk aarbog for musikforskning [III], 1963, ital. in: RIdM II, 1967, S. 341ff.); *Allgemeines über den dänischen protestantischen Kirchengesang* (in: Norddeutsche und nordeuropäische Musik, hrsg. von C.Dahlhaus und W.Wiora, Kassel 1965); *J.H.Scheins »Opella nova«* (in: Renaissance-muziek 1400–1600, Fs. R.B. Lenaerts, = Musicologica Lovaniensia I, Leuven 1969); *Das musikwissenschaftliche Studium in Dänemark seit 1870* (BzMw XIV, 1972); *En håndskreven koralbog fra ca. 1860* (Fs. J.P.Larsen, Kopenhagen 1972).

Soresina, Alberto, * 10. 5. 1911 zu Mailand; italienischer Komponist, studierte in seiner Heimatstadt am Conservatorio di Musica G.Verdi Violine bei V.Ranzato und E.Polo sowie Komposition bei Paribeni und R.Bossi (Diplom 1933) und 1940–42 an der Accademia Musicale Chigiana in Siena (Frazzi). Er war Lehrer für Kontrapunkt und Komposition in Mailand (1947–60), Gesangslehrer am Conservatorio di Musica G.Verdi in Turin (1963–66) und wurde 1967 Lehrer für Musiktheorie am Conservatorio di Musica G.Verdi in Mailand. Für die Oper *Lanterna rossa* (Siena 1942) erhielt S. 1942 den 1. Preis des Concorso Accademia Chigiana. Seine Kompositionen umfassen ferner die Opern *Occhio di sole* (Bergamo 1941), *Cuor di cristallo* (ebd. 1942), *L'amuleto* (ebd. 1953) und *Tre sogni per Marina* (Lecco 1967), Orchesterwerke (*Trittico Wildiano*, 1939; *Il santo*, 1940; *2 notturni* für Hf. und Streichorch., 1946; *2 musiche in fa*, 1951; Concerto, 1955, und Divertimento, 1956, für Streicher; *Tempo e fantasia* für Kl. und Streicher, 1955; Sonate für kleines Orch., 1966), Kammermusik (Concertino für Va, Vc. und Kl., 1953; *Sonatina serena* für V. und Kl., 1956), Klavierstücke (*Breve sonata sugli squilli militari* für 2 Kl., 1957; *3 studi* zu 4 Händen, 1940), Orgelstücke (Partita, 1968) und Vokalwerke (*La fanciulla mutata in rio* für St. und Orch., 1939; *La vedova di Nain* für Soli und Streicher, 1946; *Catharina* für Rezitator, Chor und Orch., 1950; *Tre dialoghi* für St. und Kl., 1946).

+Sorge, Georg Andreas, 1703–78.
Lit.: M. FRISCH, G. A. S. u. seine Lehre v. d. mus. Harmonie, Diss. Lpz. 1954; P. BENARY, Die deutsche Kompositionslehre d. 18. Jh., = Jenaer Beitr. zur Musikforschung III, Lpz. 1961; R. DAMMANN, Der Musikbegriff im deutschen Barock, Köln 1967; C. O. BLEYLE, G. A. S.'s Influence on D. Tannenberg and Org. Building in America During the 18th Cent., Diss. Univ. of Minnesota 1969; R. FRISIUS, Untersuchungen über d. Akkordbegriff, Diss. Göttingen 1970.

Soriano, Alberto, * 5. 2. 1915 zu Santiago del Estero (Argentinien); argentinisch-uruguayischer Musikforscher und Komponist, studierte an der Escola Nacional de Música und an der Universidade Federal da Bahia. Er war 1945–49 Professor für Harmonielehre am Conservatório Brasileiro de Música in Rio de Janeiro und 1953–69 Professor für Musikethnologie an der Universidad de la República in Montevideo, wo er heute die Musikabteilung der Facultad de Humanidades y Ciencias leitet. S. schrieb u. a.: *Esencialidad musical* (Montevideo 1940); *Algunas de las inmanencias etnomusicológicas* (ebd. 1967); *Tres rezos augúricos y otros cantares de liturgía negra* (ebd. 1968); *»La caracola«, en los mitos y códices precortesianos* (Rev. musical chilena XXIII, 1969). Seine Kompositionen umfassen Orchesterwerke (*4 rituales sinfónicos*, 1953; Ballettsuite, 1954; *Canticos sobre a la revolución de Cuba*, 1961; *Tiempo sinfónico en honor de los mineros de Bolivia*, 1962; *Tiempo sinfónico para los caidos en Buchenwald*, 1964; *Tres esquemas sinfónicos sobre la vida de Artigas*, 1964; *Tríptico de Praga*, 1966; *Suite sinfónica*, 1967; 2 Gitarrenkonzerte, 1952 und 1954; Klavierkonzert, 1966; Konzert für V. und Streicher, 1957; Violoncellokonzert, 1964; *Pastoral de Sibiu* für Fl. und Orch., 1965), Kammermusik (Streichquartett, 1958; Bläserquartett, 1967; Klaviertrio, 1962; Sonaten mit Kl. für Vc., 1958, und für V., 1962), Klavierstücke, *Tres canciones* für S. und Orch. (1962) und Chöre.
Lit.: Werkverz. in: Compositores de América XVI, Washington (D. C.) 1970.

Sorkočević (sɔrkʼɔtʃevitç), Antun (auch Sorgo, Sorgoevich, Sijerkowinsky), * 25. 12. 1775 zu Ragusa

(heute Dubrovnik), † 14. 2. 1841 zu Paris; jugoslawischer Komponist, Sohn von Luka S., studierte bei seinem Vater und bei Julije Bajamonti in Ragusa sowie in Rom (1789–91) und ging später als Gesandter der Republik Ragusa nach Paris. Er schrieb u. a. eine Symphonie, 5 Ouvertüren, 2 Triosonaten für V., Vc. und Kl., 3 Trios für 2 V. und Kb., eine 4händige Klaviersonate und Vokalwerke (Romanze *Nell'umile mia capanna* für S. und Orch.; Psalm 109 *Dixit Dominus* für Soli, Chor und Orch.; Psalm 136 *Babilonskijem nad rijekama*, »An Wasserflüssen Babylons«, für Soli, Chor und B. c.; 2 Tantum ergo; *La preghiera* für S. und Kl.). Ferner verfaßte er eine *Mémoire sur la langue et les mœurs des peuples slaves* (Paris 1808) sowie *Fragments sur l'histoire politique et littéraire de l'ancienne République de Raguse et sur la langue slave* (ebd. 1839).
Lit.: B. Kovačević, Knez A. Sorgo (»Der Fürst A. Sorgo«), in: Srpski književni glasnik 1925.

Sorkočević (sɔrk'ɔtʃevitç), Luka (Lukša; auch Sorgo, Sorgoevich, Sijerkowinsky), * 13. 1. 1734 und † 11. 9. 1789 zu Ragusa (heute Dubrovnik); jugoslawischer Komponist, studierte bei Giuseppe Antonio Valente und Julije Bajamonti in Ragusa (1754–57) sowie bei Rinaldo da Capua in Rom (1757–63) und war bis zu seinem Tode Diplomat der Republik Ragusa. In seinem Hause hielt er zahlreiche literarische und musikalische Soiréen ab. Zu seinen Freunden zählten Metastasio, J. Haydn und Gluck. Von seinen Kompositionen sind 7 Sinfonien, 4 Ouvertüren, die Arie *Qual rupe in mezzo all'onde* für S. und Orch., ein Tantum ergo für Chor a cappella, *Canzone slava* für St. und Kl., eine Sonate für V. und Kl. und *La vertu perdue* für V. und Vc. erhalten.

+Soro Barriga, Enrique, 1884–1954.
Lit.: Werkverz. in: Compositores de América I, Washington (D. C.) 1955, Nachdr. 1962.

Sosen, Otto Ebel von → +Ebel von Sosen, O.

Sotin, Hans, * 10. 9. 1939 zu Dortmund; deutscher Sänger (Baß), studierte privat bei Friedrich Wilhelm Hezel, dann am Dortmunder Konservatorium bei Dieter Jacob, erhielt 1962 sein erstes Engagement bei den Sommerspielen in Eutin und kam über das Opernhaus Essen 1964 an die Hamburgische Staatsoper, der er gegenwärtig als 1. Bassist angehört (1973 Kammersänger). Seit 1973 ist er auch Mitglied der Wiener Staatsoper. Neben Auslandsgastspielen hat S. eine rege Konzerttätigkeit (Bach-Kantaten, *Matthäuspassion*) entfaltet. Zu seinen Partien gehören Sarastro, Don Alfonso (*Così fan tutte*) und Landgraf (*Tannhäuser*).

+Soto de Langa, Francisco, 1534 oder 1538 [del.: 1539] – 1619.

Soublette (soubl'ete), Sylvia, * 5. 2. 1924 zu Antofagasta; chilenische Sängerin, Chordirigentin und Komponistin, studierte am Conservatorio Nacional de Música in Santiago de Chile bei Clara Oyuela (Gesang), Heinlein (Interpretation) und Santa Cruz (Komposition) sowie am Pariser Conservatoire ab 1951 bei Milhaud und Messiaen (Komposition und Chorleitung) und 1960 bei T. Fuchs (Dirigieren). Seit 1958 lehrt sie an der Universidad Católica de Chile in Santiago Gesang und Interpretation. 1963 wurde sie Leiterin des Conjunto de Música Antigua de Chile, mit dem sie auf Tourneen durch die USA, Europa und Südamerika ging. S. S. schrieb Chormusik (*Coros bíblicos*, 1951; *Aquel pastorcito*, 1957), Gesangsstücke mit Instrumenten (*Suite gloriana II* für Vokalquartett, Streichquartett und Cemb., 1968) und Bühnenmusik.

+Souchay, Marc-André, * 4. 2. 1906 zu Stuttgart. Leiter der Orchesterschule an der Musikhochschule in

Hannover war S. bis 1963. Er wurde 1964 Dozent an der dortigen pädagogischen Hochschule. An neueren Werken sind zu nennen die Opern *Eine kleine Schmunzel-Oper* (1969) und *Skandalon! das dreifache Ärgernis im Jahr 56 p. Chr. n.* (1970).

Soukupová (s'ɔukupɔvɑ:), Věra, * 12. 4. 1932 zu Prag; tschechische Sängerin (Alt), wurde nach privaten Gesangsstudien 1957 Solistin der Pilsner Oper und war 1960–63 am Prager Nationaltheater engagiert. Danach widmete sie sich vorwiegend dem Konzertgesang und trat nur gelegentlich auf der Bühne auf (Bayreuther Festspiele 1966 als Erda; Berliner Staatsoper). Ab 1968 war sie auch Mitglied der Hamburgischen Staatsoper.

+Soulage, Marcelle, * 12. 12. 1894 zu Lima (Peru). Lehrerin für Solfège am Pariser Conservatoire war sie bis 1965. Werke: *Invocation à la nuit et danse orientale* (mit S., 1928) und *Badinages* (1931) für Orch.; Streichquartett (1922), Klavierquartett (1925), Suite für V., Va und Kl. (1918), Klaviertrio (1922), Cellosonate (1920), Bratschensonate (1921); Liederzyklus *Proses d'amour et de mort* für Singst. und Orch. (1945); *Océan* für Sprech-St. und Singst. mit Orch. (1946); zahlreiche Lieder und Chöre. – M. S. veröffentlichte neben kleineren Analysen und pädagogischen Werken *Le solfège* (= Que sais-je? Bd 959, Paris 1962, ²1969).

Souliotis (suli'ɔtis), Elena, * 28. 5. 1943 zu Athen; griechische Opernsängerin (Sopran), studierte bei Mercedes Llopart in Mailand und debütierte 1964 als Santuzza in *Cavalleria rusticana* am Teatro S. Carlo in Neapel. Sie ist seitdem an zahlreichen Bühnen der Alten und Neuen Welt aufgetreten, u. a. an der Mailänder Scala, der Covent Garden Opera in London und dem Teatro Colón in Buenos Aires. Ihr Repertoire konzentriert sich vor allem auf die einschlägigen Partien der italienischen Oper.

+Šourek (ʃ'ɔurɛk), Otakar, 1883–1956.
Skladby Dvořákovy / +*Dvořáks Werke* (1917), erweitert von J. Burghauser als *A. Dvořák. Thematický katalog* (Prag 1960, deutsch Kassel und Lpz. 1960, engl. London 1960); +*Život a dílo A. Dvořáka* (1916 [nicht: 1922] – 1933, 2. Aufl. Prag 1922–57, 3. Aufl. Bd I–II, ebd. 1954–55, populäre Ausg. in 1 Bd in 8 Sprachen, ebd. 1954); +*Dvořák ve vzpomínkách a dopisech* (1938, russ. in 1 Bd hrsg. von I. F. Belsa, Moskau 1964); +*Dvořákovy skladby komorní* (1943, engl. Prag 1956); +*Dvořákovy skladby orchestrální* (1944–46, engl. ebd. 1956, Nachdr. Westport/Conn. 1970). – Neben weiteren Schriften über A. Dvořák schrieb Š.: *Smetanova »Má vlast«* (»Smetanas ,Mein Vaterland'«, Prag 1940), *Komorní skladby B. Smetany* (»B. Smetanas Kammermusikwerke«, ebd. 1945), *R. Karel* (ebd. 1946); *J. Suk* (ebd. 1954, auch in 8 weiteren Sprachen); *O některých janáčkovských problémech edičních* (»Über einige Editionsprobleme bei Janáček«, in: Musikologie III, 1955). – Bis zu seinem Tode war Š. Herausgeber der → +Dvořák-GA.
Lit.: Fr. Oeser in: Musica X, 1956, S. 263ff.

+Souris, André, * 10. 7. 1899 zu Marchienne-au-Pont (Hennegau), [erg.:] † 12. 2. 1970 zu Paris.
Präsident der belgischen Sektion der IGNM war S. 1946–52; als Kompositionslehrer wirkte er am Brüsseler Conservatoire bis zu seinem Tode. Zu seinen Schülern gehörten A. Boucourechliev und H. Pousseur. – Weitere Werke: *Cinque laude* für Chor und Kammerorch. (1961); *Ouverture pour une arlequinade* für Kammerorch. (1962); *Triptyque pour un violon* für Sprecher, Mezzo-S., 2 A., 2 Bar., B., Org. und Schlagzeug (1963); *Concert flamand* für 4 Holzbläser (1965); weitere Film- und Bühnenmusik. – S., Mitarbeiter zahlrei-

cher literarischer und musikalischer Zeitschriften (u. a. »Carré rouge«, »Cahiers musicaux«), edierte eine Anzahl Bände des »Corpus des luthistes français (= Le chœur des muses, Série Les luthistes o. Nr, Paris 1960ff.). Lit.: Fs. A. S. = RBM XX, 1966 (mit Werkverz. v. L. v. Deuren). – R. WANGERMÉE in: La musique belge contemporaine, Brüssel 1959, S. 82ff.; H. CLOSSON, A. S. ou l'intelligence mus., Rev. générale (Perspectives européennes des sciences humaines) III, 1970.

+Sousa, John Philip, 1854–1932.
Das Gerücht, S. sei in Leipzig geboren und sein Name im Pseudonym für S(iegfried) O(chs) USA, beruht auf einer nicht nachprüfbaren Anekdote, die bereits 1935 in dem Buch »Judentum und Musik. Mit dem ABC jüdischer und nichtarischer Musikbeflissener« (hrsg. von Chr. M. Rock und H. Brückner, München 1935, ²1936) kursierte.
Ausg.: The Stars and Stripes Forever, f. Orch. bearb. v. L. STOKOWSKI, NY 1971; Nobles of the Mystic Shrine, hrsg. v. F. FENNELL, NY 1972.
Lit.: P. E. BIERLEY, J. Ph. S., A Descriptive Cat. of His Works, = Music in American Life o. Nr, Urbana (Ill.) 1973. – J. R. SMART, The S. Band, Washington (D. C.) 1970 (Diskographie). – K. W. BERGER, The March King and His Band. The Story of J. Ph. S., NY 1957; M. L. BROWN, D. Blakely, Manager of S.'s Band, Bull. of the NY Public Library LXV, 1961; R. FR. GOLDMAN in: HiFi Stereo Rev. XIX, 1967/68, S. 35ff.; P. E. BIERLEY, J. Ph. S., American Phenomenon, NY 1973. – zur Anekdote: ANON. (H. F. Kutschbach) in: Popular Mechanics LVIII, 1959, Mai-H., S. 6ff., vgl. dazu A. Baresel in: Das Musikinstr. XV, 1966, S. 966, u. erneut in: Instrumentenbau-Zs. XXVIII, 1974, S. 529.

Sousa Carvalho, João de → +Carvalho, J. de.

Souster (saustə), Tim (Timothy) Andrew James, * 29. 1. 1943 zu Bletchley (Buckinghamshire); englischer Komponist, studierte 1961–65 u. a. bei Bernard Rose und Wellesz am New College in Oxford (B. A. 1964, B. Mus. 1965), war 1965–67 Produzent für Kammermusik bei BBC, lebte dann als freischaffender Komponist, Interpret und Musikschriftsteller und war 1969–71 Composer-in-Residence am King's College in Cambridge. Er gründete 1969 mit Smalley das Ensemble »Intermodulation« zur Aufführung Neuer (auch Elektronischer) Musik, in dem neben S. (Bratsche) und Smalley (Orgel, Klavier) noch Robin Thompson (Fagott, Sopransaxophon) und Peter Britton (Schlagzeug) mitwirken. S. schrieb eine Reihe von Beiträgen u. a. für MT, Tempo, Melos und The Listener. Von seinen Kompositionen seien genannt: *Poem in Depression* für S., Fl., Va, Vc. und Kl. (1966); *2 Choruses* für 7st. Chor oder 7 Solo-St. (2 S., A., 2 T. und 2 B., 1966); *Parallels* für 2 Schlagzeuger (1966); *Piano Piece I* (1966); *Study* für Org. (1966); *Metropolitan Games* für 2 Kl. (1967); *Tsuwamonodomo* für 3 Chöre, 3 Orch., Kl., Prepared piano, Hf. und Solo-S. (1968); *Titus Groan Music* für Bläserquintett, Live electronics und Tonband (1969); *Triple Music II* für 3 Orch. (1970); *Chinese Whispers* für Schlagzeug und 3 Synthesizers (1970); *Song of an Average City* für kleines Orch. und Natural Sounds (1974); *World-Music* für Instrumentalensemble und Tonband (1974); *Zorna* für Sopransax., Zeitverzögerungssystem und Schlagzeug (1974).

Souza Lima (s'uzε l'imε), João de, * 21. 3. 1898 zu São Paulo; brasilianischer Pianist, Dirigent und Komponist, studierte am Konservatorium seiner Heimatstadt und ab 1919 bei Marguerite Long, Paray, Emmanuel und Brailowsky am Pariser Conservatoire, an dem er 1926 Nachfolger von Marguerite Long wurde. Eine rege Konzerttätigkeit führte ihn durch Europa,

Nordafrika und Südamerika. Er war 30 Jahre in São Paulo Dirigent des städtischen Symphonieorchesters, gründete dort das staatliche Symphonieorchester (1963) und das »Trio São Paulo« und war Mitgründer der Academia Brasileira de Música. Seine Kompositionen umfassen u. a. die Oper *Andrés del Sarto* (1957), Ballettmusik (*A dança inacabada*; *Brasil moderno*), Orchesterwerke (Symphonische Dichtung *O rei Mameluco*, 1937; *Bailados das lendas brasileiras*, 1940; *Poema das Américas*, 1942), Kammermusik (Streichquartett), Klavierwerke, *Psalmus brasilicus* für Chor und Orch. sowie Lieder. Er veröffentlichte *Comentários sôbre a obra pianística de Villa-Lobos* (Rio de Janeiro 1969).

+Souzay, Gérard [erg.:] (eigentlich Gérard Marcel Tisserand), * 8. 12. 1918 zu Angers.
Seit den 60er Jahren ist S. in den USA auch als Opernsänger hervorgetreten (New York City Opera erstmals 1960, Metropolitan Opera in New York erstmals 1965). Daneben hielt er wiederholt Meisterkurse am Mannes College of Music in New York.

+Sowerby, Leo, * 1. 5. 1895 zu Grand Rapids (Mich.), [erg.:] † 7. 7. 1968 zu Port Clinton (O.).
Kompositionslehrer am American Conservatory of Music sowie Organist und Chorleiter an der Cathedral of St. James in Chicago war er bis 1962. Danach wirkte er als Direktor des College for Church Musicians an der National Cathedral in Washington (D. C.). An weiteren Werken sind 2 Cellokonzerte (1917, 1933) sowie die Kantaten *The Canticle of the Sun* (1946) und *The Throne of God* (1957) zu nennen.

+Sowiński, Wojciech, 1805 [nicht: 1803] – 1880.
Les musiciens polonais et slaves (1857, polnisch als *Słownik muzyków polskich*, 1874), Nachdr. der frz. Ausg. von 1857 NY 1971.
Lit.: Z. KUŁAKOWSKA, W setną rocznicę słownika muzyków polskich (»Zum 100. Jahrestag d. ersten polnischen Musiklexikons«), in: Muzyka II, 1957.

Sowjetskij kompositor (»Der sowjetische Komponist«), staatlicher sowjetischer Musikverlag in Moskau, gegründet 1956, mit Filiale in Leningrad. 1918 wurden die in Moskau bzw. Leningrad ansässigen privaten Musikverlage (Bessel, Gutheil, Jürgenson) enteignet und im Staatsverlag Musgis (Musykalnoje gossudarstwennoje isdateltswo, »Staatlicher Musikverlag«) zusammengefaßt. Musgis kooperierte mit der Universal-Edition in Wien und veröffentlichte vor allem Werke russisch-sowjetischer Modernisten. 1939 kam es in Moskau zur Gründung des Parallelverlags Musfond SSSR (Musykalnyj fond SSSR, »Musikstiftung der UdSSR«); Musgis wurde 1956 in die beiden Verlage Musyka und Sowjetskij kompositor, der seit 1957 die halbmonatlich erscheinende Zeitschrift *Musykalnaja schisn* herausgibt, aufgeteilt; beide Verlage wurden 1964 zunächst wieder unter der Bezeichnung Musyka verbunden. Seit 1967 besteht aber der Verlag Sowjetskij kompositor wieder; seine Hauptaufgabe ist die Propagierung neuer Werke sowjetischer Komponisten. Der Verlag hat eigene Abteilungen für Orchestermusik, Bühnenwerke, Vokalmusik, pädagogische Werke, Kinder- und Jugendmusik, Folklore, Musikwissenschaft und -bibliographie. Er wird in der BRD durch die Musikverlage Hans Sikorski in Hamburg vertreten.

Spada, Pietro, * 29. 7. 1935 zu Rom; italienischer Pianist, studierte am Conservatorio di Musica S. Cecilia in Rom bei Tito Aprea und C. Zecchi (Klavier) sowie am Conservatorio di Musica G. Verdi in Mailand bei Ghedini (Komposition). Seit 1958 hat er in Europa,

Nord- und Südamerika und Japan konzertiert. Für 1966–67 übernahm er eine Gastprofessur an der Florida State University in Tallahassee. 1967–68 war er Artist-in-Residence am Cincinnati Conservatory of Music (O.) und wurde 1968 zum Professor der Indiana University ernannt. Gegenwärtig ist er Professor für Klavier am Conservatorio di Musica G. Verdi in Turin. Sp. gab bisher unveröffentlichte Klavierwerke M. Clementis (Ancona und NY 1972) heraus.

Spadavecchia (spadav′ɛk-kia), Antonio Emmanuilowitsch (Spadawekkia), * 21. 5. (3. 6.) 1907 zu Odessa; russisch-sowjetischer Komponist italienischer Abstammung, absolvierte als Schüler von Schebalin 1937 das Moskauer Konservatorium und vervollkommnete sich dann bis 1944 bei Prokofjew. Er schrieb u. a. die Opern *Ak-busat* (»Das Zauberpferd«, mit Chalik Saimow, Ufa 1942, Neufassung 1952), *Chosjajka gostinizy* (»Die Gastwirtin«, nach Goldoni, Moskau 1949), *Choschdenije po mukam* (»Der Leidensweg«, nach Alexej Tolstoj, Molotow 1953, Neufassung unter dem Titel *Ognennyje gody*, »Die feurigen Jahre«, 1966), *Owod* (»Die Bremse«, 1957) und *Brawyj soldat Schwejk* (Swerdlowsk 1963), die musikalischen Komödien *Neschdannaja swadba* (»Die unerwartete Hochzeit«, Ufa 1944) und *Serdze skripki* (»Das Herz der Geige«, 1954), die Ballette *Wragi* (»Die Feinde«, 1938) und *Bereg stschastja* (»Das Ufer des Glücks«, 1954), Orchesterwerke (symphonische Suite *Dschangar*, 1940; *Geroitscheskaja uwertjura*, »Heroische Ouvertüre«, über zwei baschkirische Volkslieder, 1942; Klavierkonzert, 1944), Kammermusik (Streichquartett, 1937; *Romantitscheskoje trio*, 1937), Lieder sowie Bühnen- und Filmmusik.
Lit.: Istorija russkoj sowjetskoj musyki, hrsg. v. A. D. ALEXEJEW u. W. A. WASSINA-GROSSMAN, Bd IV, 1–2, Moskau 1963.

Späth, Andreas (André; auch Spaeth), * 9. 10. 1790 zu Rossach (bei Coburg), † 26. 4. 1876 zu Gotha; deutscher Instrumentalist und Komponist, trat 1810 als Klarinettist in die Coburger Hofkapelle ein und studierte bei dem Coburger Kammermusiker Christian Friedrich Gumlich sowie ab 1816 in Wien bei Riotte. Er wurde dann Organist in Morges am Genfer See (1821), in Neuchâtel (1832) und in Coburg (1838), wo er auch die Stelle eines Konzertmeisters der Hofkapelle innehatte. Sp. komponierte u. a. die in Coburg aufgeführten Opern *Ida von Rosenau* (1821), *Elise* (1833), *Der Astrolog* (1837) und *Omar und Sultana* (1842), Instrumentalmusik (Symphonie concertante für 2 Klar. und Orch.; Nonett für Ob., Klar., Horn, Fag. und Streichquintett; 2 Streichquartette; Klavierstücke), Oratorien (*Petrus*; *Judas Ischariot*) und Kirchenmusik (Messe op. 55; *Missa pro defunctis*; Te Deum op. 185; Reformationskantate op. 250).
Lit.: A. E. CHERBULIEZ, Die Schweiz in d. deutschen Mg., Frauenfeld 1932; DERS., Gesch. d. Musikpädagogik in d. Schweiz, Bern 1944; J. BURDET, Les origines du chant choral dans le canton de Vaud, Lausanne 1946.

+Späth, Franz Jakob, * 1714 und † 1786 [erg.:] zu Regensburg.
Sp.s Vater hieß Johann Jakob [nicht: Franz Joseph], [erg.: 1672] – 1760 [erg.:] zu Regensburg; sein Schwiegersohn Christian Friedrich Schmahl, 1739 – [erg.: 15. 5.] 1814.

+Spaeth, Sigmund, * 10. 4. 1885 zu Philadelphia (Pa.), [erg.:] † 11. 11. 1965 zu New York.
+Milton's Knowledge of Music (1913), Paperbackausg. Ann Arbor (Mich.) 1963, Nachdr. NY 1973; *+The Common Sense of Music* (1924), Nachdr. Westport (Conn.) 1972; *+A History of Popular Music in America*

(1948), Nachdr. London 1960; *+Opportunities in Music* [erg.:] *Careers* (1950), revidiert NY 1966; *+Great Symphonies* (1952), Nachdr. Westport (Conn.) 1972. – An weiteren Veröffentlichungen seien genannt *Fifty Years with Music* (NY 1959) und *The Importance of Music* (mit Vorw. von R. Rodgers, NY 1963, London 1969).

+Spalding, Albert, 1888–1953.
+Rise to Follow. An Autobiography (1943), Nachdr. St. Clair Shores (Mich.) 1972.

+Spangenberg [–1) Johann], –2) Cyriacus, 7. 6. [nicht: 17. 1.] 1528 – 7. [nicht: 10.] 2. 1604.
Ausg.: *+Von d. Musica u. d. Meistersängern* (A. v. KELLER, 1861), Nachdr. Hildesheim 1966.
Lit.: B. NAGEL, Meistersang, = Slg Metzler XII, Stuttgart 1962, ²1971; FR. ONKELBACH in: MGG XII, 1965, Sp. 970ff.

Spangenberg, Wolfhart (Lycosthenes Psellionoros Andropediacus), * um 1570 zu Mansfeld (Harz), † vor Oktober 1636 zu Buchenbach (Franken); deutscher Humanist, Meistersinger und Geistlicher, Sohn von Cyriacus Sp., studierte ab 1586 in Tübingen Theologie, fand aber wegen seines Flacianischen Glaubensbekenntnisses keine Stellung. 1595–1611 war er in Straßburg als Korrektor tätig, übersetzte antike und humanistische Dramen für das Theater und schrieb selbst Dramen, die von den Meistersingern der Stadt aufgeführt wurden. Von 1611 bis zu seinem Tode war er Pfarrer bei Wolf von Stetten in Buchenbach. Musikhistorisch bedeutend ist insbesondere seine Tätigkeit im Rahmen der bereits 1492 gegründeten Straßburger Meistersingerschule. Er verfaßte für die Schule, ohne einen neuen Ton zu erfinden, etwa 20 Meisterlieder, meist geistlichen Inhalts, ferner einige Theaterstücke, darunter die »Comoedi« *Singschul. Ein kurtzer einfältiger Bericht, vom Uhralten herkommend, fortpflantzung, nutz, unnd rechtem gebrauch, deß alten löblichen Teutschen MeisterGesangs* (erst 1964 entdeckt). In Anlehnung und Erweiterung der gleichnamigen Schrift seines Vaters verfaßte Sp. eine Abhandlung *Von der Musica; Singekunst oder MeisterGesang* (erstmals 1971 veröffentlicht), in der biographische Abschnitte sowie Darstellungen der Sitten und Gebräuche der Straßburger Meistersingerschule (in der auch Frauen mitwirkten) von Interesse sind. – Unter Sp.s Gelegenheitswerken ist ein Lobgedicht auf die 1608 wiederhergestellte Orgel des Straßburger Münsters erwähnenswert.
Ausg.: Ausgew. Dichtungen, hrsg. v. E. MARTIN, Straßburg 1887; Griech. Dramen in deutscher Bearb., hrsg. v. O. DÄHNHARDT, = Bibl. d. Literarischen Ver. in Stuttgart CCXI/CCXII, Tübingen 1897; Anbind- oder Fangbriefe, hrsg. v. F. BEHREND, ebd. CCLXII, 1914; Kleinere Dichtungen, hrsg. v. F. BEHREND, Jb. f. Gesch., Sprache u. Lit. Elsaß-Lothringens XXX/XXXI, 1914/15; Singschul, hrsg. v. A. VIZKELETY, in: Euphorion LVIII, 1964; Von d. Musica, Singschul, hrsg. v. DEMS., = Sämtliche Werke I, Bln 1971.
Lit.: E. MARTIN, Urkundliches über d. Meistersänger zu Straßburg, in: Straßburger Studien I, 1883; G. BOSSERT, W. Sp., ADB XXXV, 1893; J. SCHWALLER, Untersuchungen zu d. Dramen W. Sps., Diss. Straßburg 1914; L. FREISLER, W. Sps Tierdichtungen, Diss. Prag 1926; H. MÜLLER, Zur Blütezeit d. Straßburger Meistergesangs, Zs. f. d. Gesch. d. Oberrheins CX, 1962; DERS., W. Sp., Zs. f. deutsche Philologie LXXXI, 1962 – LXXXII, 1963; C. KOOZNETZOFF, Das Theaterspielen d. Meistersinger, Diss. Heidelberg 1964, Zusammenfassung in: Der deutsche Meistersang, hrsg. v. B. Nagel, = Wege d. Forschung Bd 148, Darmstadt 1967; B. RAVICOVITCH, Un plaidoyer pour le Meistergesang, Singschul de W. Sp., in: Etudes germaniques XXII, 1967; A. VIZKELETY, W. Sp., Vorbereitung einer GA, Jb. f. Internationale Germanistik II, 1970.
MB

Spangler, österreichische Musikerfamilie. –1) Johann Michael, * um 1721, † 4. 6. 1794 zu Wien, Sänger und Chorregent, ab 1749 an der Hofkirche zu St. Michael in Wien, sang ab 1764 auch im Chor des Hoftheaters. Nach I. Pleyel nahm er den aus dem Kapellhaus entlassenen J. Haydn bei sich auf. –2) Maria Magdalena Rosalie, * 4. 9. 1750 zu Wien(?), Tochter von Johann Michael Sp., Sängerin, ab 1764 im Chor des Wiener Hoftheaters, kam über J. Haydns Vermittlung als Diskantistin zum Fürsten Esterházy in Eisenstadt (1768–76), sang mehrmals Titelrollen bei Erstaufführungen von Opern Haydns. 1769 heiratete sie den Sänger und Komponisten Frieberth. –3) Johann Georg Joseph, * 22. 3. 1752 zu Wien(?), † 2. 11. 1802 zu Wien, Sohn von Johann Michael Sp., Kirchenmusiker und Komponist, war zunächst Tenorist, 1795 Nachfolger seines Vaters als Chorregent zu St. Michael, gehörte 1793–99 zugleich der Hofkapelle an, war Verwalter des Hofmusikarchivs und hatte ab 1798 den Titel eines Kapellmeister-Substituten. Er komponierte Messen, Proprien, Motetten und andere Kirchenwerke, die sich bis ins 19. Jh. großer Beliebtheit erfreuten.

Spani, Hina (eigentlich Higinia Tuñón), * 15. 2. 1896 zu Púan (Provinz Buenos Aires), † 11. 7. 1969 zu Buenos Aires; argentinische Sängerin (lyrischer Sopran), studierte in Mailand bei Vittorio Moratti und debütierte 1915 an der Scala als Anna in Catalanis *Loreley.* Sie trat am Teatro Colón in Buenos Aires (1915–19 und 1934–40) auf und gastierte an den Opernhäusern in Rio de Janeiro, São Paulo, Rom, Paris und London. Bis 1946 war sie noch im Konzertfach tätig und wirkte danach als Gesangspädagogin in Buenos Aires (1952 Leiterin der Musikschule der Universität). In ihrem Repertoire dominierten die Partien Puccinis.

Spannagel, Carl, * 21. 9. 1897 zu Münster (Westf.); deutscher Komponist und Bratschist, studierte zunächst an der Universität Münster Germanistik und Musikwissenschaft (1922–25), war 1926–27 Korrepetitor in Münster und studierte später an der Berliner Hochschule für Musik Bratsche und Komposition. Seit 1932 ist er als Bratschist und Komponist tätig (Mitglied des Kammerorchesters Michael Taube, Berlin, des Borries-Streichtrios und 1935–45 des Deutschlandsender-Orchesters, Berlin). 1948–62 war er Dozent für Theorie und Komposition an der Hochschule für Musik in Berlin (Professor). Seitdem ist er freiberuflich tätig. Er schrieb Werke für Orchester (Concerto grosso für Streicher und Trp., 1964; Konzert für Bratsche und Kammerorch., 1964; Konzert für Fl. und Orch., 1965) sowie Kammer- und Chormusik.

Sparry, Franz (Spary; Taufname Josef), OSB, * 28. 4. 1715 zu Graz, † 5. 4. 1767 zu Kremsmünster; österreichischer Kapellmeister und Komponist, studierte an der Abteischule von Admont und an der Universität Salzburg, trat 1736 in das Stift Kremsmünster ein, ging 1740–42 zur musikalischen Ausbildung nach Italien (in Neapel Schüler von L. Leo und in Rom von Chiti) und war 1747–67 Stiftskapellmeister; sein Nachfolger wurde G. v. Pasterwitz. Er komponierte Kirchenmusik im strengen und konzertanten Stil, ferner Oratorien, die Musik zu Dramen und Lustspielen, geistliche und weltliche Arien, darunter auch solche mit mundartlichen Texten. *»Solt i woana oder lacha«,* durch ein in Steyr gedrucktes Flugblatt verbreitet, ist mit neuen Texten volkstümlich geworden.

Spasov, Ivan, * 17. 1. 1934 zu Sofia; bulgarischer Komponist, studierte ab 1951 am Konservatorium seiner Heimatstadt (Wladigeroff) sowie ab 1960 an der Musikhochschule in Warschau (K. Sikorski, Wisłocki).

Seit 1962 ist er in Plovdiv Musikdirektor des Symphonieorchesters und Dozent am Konservatorium. Er schrieb Orchesterwerke (Symphonie, 1961; »Mikrosuite« für Kammerorch., 1963; »Spielen« für Kammerorch., 1964; *Mouvement I* für 12 Streichinstr., 1967, und *II* für 12 Streichinstr. und 3 Dudelsäcke, 1968), Kammermusik (*Episodes* für 4 Instrumentengruppen, 1965; *Musique pour des amis* für Streichquartett und Jazzquartett, 1966; Sonate für Klar. und Kl., 1959; Sonate für Va und Kl., 1960; Bagatellen für Fl. und Kl., 1964; »10 Gruppen« für Jagdhorn und Kl., 1965), »Die Kunst der Reihe« für Kl. (1966) und Vokalwerke (Oratorium »Plakat« für Sprecher, Chor und Orch., Text Wladimir Majakowskij, 1958; »Polnische Lieder« für S. und Kammerorch., 1962; »Antirequiem über das Lied eines zum Tode Verurteilten« für B., Sprecher, Chor und Orch., 1964; Kleines Requiem für S., 24st. Chor, Sprecher und 6 Instr., 1967; »Drei Lieder einer Frau« für S., Fl., V. und Va, 1967; »5 Gedichte nach Apollinaire« für Frauen-St., Fl., Git., Va und Pos., 1968).

+Spataro, Giovanni, um 1458 – 1541.
Sp. war ab 1505 Sänger und ab 1512 Kapellmeister an S. Petronio in Bologna [erg. frühere Angaben dazu].
Ausg.: Opera omnia, hrsg. v. G. Vecchi, = Antiquae musicae Ital., Monumenta Bononiensia II, Bologna 1962ff., bisher erschienen: Bd I (1967), ... Honesta defensio ...; Bd II (1962), Utile e breve regule di canto. – Le utile e breve regule di canto di G. Sp. nel Cod. London British Museum Add. 4920, hrsg. v. dems., in: Quadrivium V, 1962. – Trattato di musica, Faks. d. Ausg. Venedig 1531, = Bibl. musica Bononiensis II, 14, Bologna 1970.
Lit.: U. Sesini, Momenti di teoria mus. tra Medioevo e Rinascimento, hrsg. v. G. Vecchi, = Antiquae musicae Ital., Subsidia hist., La musica a Bologna A II, Bologna 1966.

+Spazier, Johann Gottlieb Karl, 1761–1805.
Lit.: +M. Friedlaender, Das deutsche Lied im 18. Jh. (1902), Nachdr. Hildesheim 1962 (3 Bde in 2). – E. Wege, Der Liederkomponist u. Musikschriftsteller J. G. K. Sp., BzMw V, 1963.

+Specht, Richard, 1870–1932.
+G. Puccini. The Man, His Life, His Work (1933), Nachdr. Westport (Conn.) 1970.

+Speckner, Anna Barbara, * 20. 10. 1902 zu München.
Sie leitete 1937–66 Cembalokurse an der Internationalen Sommerakademie des Mozarteums und 1962–68 eine Cembaloklasse am Mozarteum in Salzburg. Ab 1966 unterrichtete sie am Salzburger Orff-Institut. Sie gab *Alte englische Kontratänze für Tasteninstrumente* (nach J. Playfords *The English Dancing Master,* Mainz 1967, mit Schallplatte) heraus.

+Spee, Friedrich von, 1591–1635.
Ausg.: ein Satz in: H. J. Moser, Das deutsche Sololied u. d. Ballade, = Das Musikwerk XIV, Köln 1957, engl. 1958.
Lit.: G. Rehm, Ein Adventslied v. Fr. v. Sp., in: Musica sacra LXXXIII, 1963; M. Härting, Eine Quelle Sp.scher Kirchenlieder, ebd. LXXXV, 1965; ders., Unbekannte Sp.-Liederdrucke, ebd. LXXXVII, 1967, auch in: Studien zur klevischen Musik- und Liturgiegesch., hrsg. v. W. Gieseler, = Beitr. zur rheinischen Mg. LXXV, Köln 1968; W. Lipphardt in: MGG XII, 1965, Sp. 1023ff.; K. Keller, Beitr. zur niederrheinischen Kulturgesch. d. 16. u. 17. Jh. über Weyer, Sp., Grevius sowie zwei niederrheinische Gesangsbücher, = Veröff. d. Hist. Ver. f. Geldern u. Umgebung LXIX, Geldern 1970.

+Speer, Georg Daniel, 1636–1707.
Ausg.: Mus. Türckischer Eulenspiegel, hrsg. v. L. Ballová, Bratislava 1971.
Lit.: +H. J. Moser, Corydon (1933), Hildesheim ²1966. – G. Boeckh, Der Tököly-Appendix d. »Ungarischen oder

Dacianischen Simplizissimus«, in: Forschungen u. Fortschritte XXXIII, 1959; H. J. MOSER, D. Sp. als Dichter u. Musiker, in: Musik in Zeit u. Raum, Bln 1960; B. HANSEN, D. Sp. (1687) über d. Klavierunterricht, SMZ CIII, 1963; F. BURKHARDT, Der »Ungarische Simplizissimus« als Kirchenmusikant, Württembergische Blätter f. Kirchenmusik XXXV, 1968; DERS. in: Schlesien XIV, 1969, S. 15ff. bzw. 234ff.; DERS. in: Lebensbilder aus Schwaben u. Franken XI, Stuttgart 1969; Z. FALVY, D. Sp. magyar táncai (»D. Sp.s ungarische Tänze«), Fs. B. Szabolcsi, = Magyar zenetörténeti tanulmányok II, Budapest 1969, deutsch als: Sp., Mus.-Türckischer Eulen-Spiegel, StMl XII, 1970 (mit Ausg.).

Speer, Gotthard, * 27. 2. 1915 zu Kuhnern (Kreis Neumarkt, Schlesien); deutscher Musikpädagoge, studierte an der Staatlichen Hochschule für Musikerziehung in Berlin-Charlottenburg, wurde 1947 Dozent an der Pädagogischen Akademie in Paderborn und später ordentlicher Professor für Musikerziehung an der Pädagogischen Hochschule, Abteilung Köln, sowie Leiter des Instituts für Ostdeutsche Musik in Bensberg (Sammlung für ostdeutsche Musikpflege und Arbeitskreis für schlesisches Lied und schlesische Musik). Neben musikpädagogischen Schriften und Ausgaben veröffentlichte er u. a.: *Über Vertonungen Eichendorffscher Dichtung* (in: Der Wegweiser 1959, Nr 35); *Ostdeutsches Musik- und Liedgut* (ebd. 1964, Nr 52); *Ostdeutsches Musikleben in Nordrhein-Westfalen* (in: Leistung und Schicksal, hrsg. von E. G. Schulz, Köln 1967).

+Spelman, Timothy Mather, * 21. 1. 1891 zu Brooklyn (N. Y.), [erg.:] † 21. 8. 1970 zu Florenz, wo er ab 1951 lebte.

+Spencer, Kenneth, * 25. 4. 1911 zu Los Angeles, [erg.:] † 25. 2. 1964 zu Pontchartrainsee (La.).

+Spendiarow, Alexandr Afanasjewitsch (Spendiarjan), 1871–1928.
Ausg.: Polnoje sobranije sotschinenij (»Vollständige Slg d. Werke«), hrsg. v. G. BUDAGJAN, Eriwan 1943ff.
Lit.: Pisma (»Briefe«), hrsg. v. K. G. GRIGORJAN, Eriwan 1962; Sp. o musyke (»Sp. über Musik«), hrsg. v. WL. A. BALJAN, ebd. 1971. – Aufsatzfolgen in: SM XXV, 1961, H. 11, bzw. XXXV, 1971, H. 12. – +A. I. SCHAWERDJAN, A. A. Sp. (1939), NA Moskau 1957, auch Eriwan 1971, russ. u. armenisch; +G. GR. TIGRANOW, A. A. Sp., Po materialam pissem i wospominanij (»Nach Materialien aus Briefen u. Erinnerungen«, 1953), auch Moskau 1959, ²1971. – A. TER-GEWONDJAN, Wospominanija o Sp.e (»Erinnerungen an Sp.«), SM XX, 1956; E. ABASSOWA, Opera »Almast« A. Sp.a, Baku 1958; A. A. BARSAMJAN, »Almast« A. A. Sp.a, = Putewoditeli po sowjetskoj musyke o. Nr, Moskau 1958; G. GR. TIGRANOW, N. A. Rimskij-Korsakow i A. A. Sp., in: N. A. Rimskij-Korsakow i musykalnoje obrasowanije, hrsg. v. S. L. Ginsburg, Leningrad 1959; M. A. SPENDIAROWA, Sp., = Schisn sametschatelnych ljudej Bd 380, Moskau 1964; A. Sp., hrsg. v. R. ATAJAN, Eriwan 1971 (armenisch, russ. u. engl.); Slowo o Sp.e (»Ein Wort über Sp.«), hrsg. v. WL. A. BALJAN, ebd.

Sperger, Johannes Matthias, * 23. 3. 1750 zu Feldsberg (Niederösterreich; heute Valtice, ČSSR), † 13. 5. 1812 zu Ludwigslust (bei Schwerin); österreichischer Kontrabassist und Komponist, in Wien als Kontrabassist ausgebildet, soll bereits 1768 mit eigenen Kompositionen aufgetreten sein, wurde nach Verpflichtungen an die Fürstenhöfe in Großwardein und Eisenstadt (Fürstprimas Batthyani und Fürst Esterházy), 1789 an die Mecklenburgisch-Schweriner Hofkapelle berufen, wo er bis 1812 1. Kontrabassist war. Neben Vokalwerken (Kantaten, Chören, Arien) komponierte er hauptsächlich Instrumentalmusik (39 Sinfonien; Symphonie concertante für Fl., Va und Kb.; Flötenkonzert; Fagottkonzert; 2 Trompetenkonzerte; 2 Hornkonzerte; Bratschenkonzert; Violoncellokon-

zert; 17 Kontrabaßkonzerte, davon 2 in doppelter Fassung; 3 Streichquartette op. 1 erschienen im Druck, Bln 1793).
Ausg.: Kb.-Konzert A dur, Kl.-A. hrsg. v. A. KRANZ, = Ed. Pro musica Nr 174, Lpz. 1956; Sonate f. Va u. Kb., hrsg. v. R. MALARIĆ, = Diletto mus. Nr 272, Wien 1967; Rondo f. Fl., 2 Hörner, V., Va u. Kb., hrsg. v. DEMS., ebd. Nr 371, 1971; Duetto f. 2 Fl., in: Die Kammermusik, hrsg. v. H. UNVERRICHT, = Das Musikwerk XLVI, Köln 1972, auch engl.
Lit.: H. FEDERHOFER, Musiktheoretische Schriften aus J. M. Sp.s Besitz, Fs. J. Racek, = Sborník prací filosofické fakulty brněnské univ. XIV, F 9, 1965; A. MEIER, Konzertante Musik f. Kb. in d. Wiener Klassik, = Schriften zur Musik IV, Giebing bei Prien (Chiemsee) 1969, ²1973; A. D. MCCREDIE, Mecklenburg Sources f. a Historiography of the Era of L. v. Beethoven, Kgr.-Ber. Bonn 1970.

+Sperontes, 1705 – 27. [erg.: (28.?, begraben 30.)] 9. 1750.
Ausg.: Singende Muse an d. Pleisse … (1736), Faks.-Ausg. Leipzig 1964 (mit Nachwort v. H. Irrgang).

Kurt Sperrhake, Cembalo- und Klavierbaufirma in Passau, gegründet 1943 von Kurt Sp., wird gegenwärtig geleitet von K. Sp. (Inhaber) und seinem Sohn Horst Sp., der 1968 die Geschäfts- und Betriebsführung übernahm. Das Unternehmen stellt Cembali, Spinette, Clavichorde und Klaviere her.

+Speth, Johann (Späth), [erg.:] 9. 11. 1664 – nach 1719(?) [nicht: 1709; erg.:] zu Augsburg.
Ausg.: Ars magna consoni et dissoni (1693), hrsg. v. TR. FEDTKE, Kassel 1973.
Lit.: R. SCHAAL, Zur Musikpflege im Kollegiatstift St. Moritz zu Augsburg, Mf VII, 1954 (darin ein Brief Sp.s); A. LAYER in: MGG XII, 1965, Sp. 1038ff.; H. GLEASON, A Seventeenth-Cent. Org. Instruction Book, in: Bach III, (Berea/O.) 1972.

Spiegelman (spʹi:glmən), Joel Warren, * 23. 1. 1933 zu Buffalo (N. Y.); amerikanischer Komponist, studierte an der Yale University in New Haven/Conn. (1949–50), an der University of Buffalo/N. Y. (1950–53), an der Longy School of Music in Cambridge/Mass. (1953–54) sowie bei Shapero, I. Fine und A. Berger an der Brandeis University in Waltham/Mass. (1954–56). Er vervollkommnete seine Kompositionsstudien 1956–60 bei Nadia Boulanger in Paris. Seit 1964 befaßt er sich mit Elektronischer Musik. 1970 gründete er das New York Electronic Ensemble. – Kompositionen (Auswahl): Klaviersonate (1956); *2 Movements* für Orch. (1957); Serenade für 2 Fl., 2 Hf., Kl. und Celesta (1958); Fantasie für Streichquartett (1964); *Medea,* Elektronische Musik für die Euripides-Tragödie (1964); *Kousochki* für Kl. 4händig (1966); *Phantom of the Opera* für Frauen-St. und Schlagzeug (1967); *The 11th Hour,* Ballett für Tonband (1969); *Symphony* für S., Fl., Kb., Synthesizer und Tonband unter Verwendung von Material von *The 11th Hour* (1971).

+Spier, Rosa (Rozalie), * 7. 11. 1891 zuʳDen Haag, [erg.:] † 8. 7. 1967 zu Amsterdam.
Lit.: PH. BERGHOUT in: Mens en melodie XXII, 1967, S. 248ff.

Spies (spi:s), Claudio, * 26. 3. 1925 zu Santiago de Chile; amerikanischer Komponist chilenischer Herkunft, studierte in Boston am New England Conservatory of Music (1942–46) sowie bei Nadia Boulanger in Cambridge (Mass.) an der Longy School of Music (1943–45) und an der Harvard University (A. B. 1950, M. A. 1954). Er lehrte 1954–57 an der Harvard University, 1957–58 am Vassar College in Poughkeepsie (N. Y.) und 1958–64 am Swarthmore College in Philadelphia (Associate Professor). Seit 1970 ist er Professor für Komposition an der Princeton University (N. J.). Er schrieb: *Music for a Ballet* (1955); *Descanso en jardín* für T., Bar. und Holzbläserquintett (1957); *Il cantico di frate sole* für Baßbar. und Orch. (nach Franz von Assisi, 1958); *Verses from the Book of Ruth* für Frauenstimmen und Kl. (1959); 5 Psalms für S., T., Fl., Fag., Horn, Mandoline, Va und Vc. (1959); Kanon für 4 Fl. (1960); *Tempi*, Musik für 14 Instr. (1962); Impromptu für Kl. (1963); *Animula Vagula, Blandula* für Chor a cappella (1964); *Viopiacem*, Duo für Va und Tasteninstrumente (1965); 5 *Orchestral Songs* für S. und Orch. (1966); *LXXXV, Eigths and Fives* für Streicher und Klar., zu Ehren von Strawinskys 85. Geburtstag (1967); *Times Two* für Hörner (1968); 3 Lieder nach Gedichten von May Swenson für S. und Kl. (1969); Bagatelle für Kl. (1970); 7 *Enzensberger-Lieder* für Bar., Klar., Horn, Vc. und Schlagzeug (1972). Sp. veröffentlichte zahlreiche Artikel für die »Perspectives of New Music«, von denen die folgenden in revidierter Fassung auch in dem Sammelwerk »Perspectives on Schoenberg and Stravinsky« (hrsg. von B. Boretz und E. T. Cone, Princeton/N. J. 1968) erschienen sind: *A. Schoenberg. Analysis of the Four Orchestral Songs Op. 22* (III, 1964/65); *Notes on Stravinsky's »Abraham and Isaac«* (ebd.); *Notes on Stravinsky's Variations* (IV, 1965/66); *Some Notes on Stravinsky's Requiem Settings* (V, 1966/67).

Lit.: Werkverz. in: Composers of the Americas XV, Washington (D. C.) 1969. – D. MARTINO in: Perspectives of New Music II, 1963/64, Nr 2, S. 112ff. (zu »Tempi«); P. LANSKY, The Music of Cl. Sp., An Introduction, in: Tempo 1972, Nr 103.

Spies, Leo, * 23. 5. (4. 6.) 1899 zu Moskau, † 1. 5. 1965 zu Ahrenshoop (Rostock); deutscher Komponist und Dirigent, studierte 1913–15 Komposition bei O. v. Riesemann in Moskau, 1915–16 bei Schreyer in Dresden, 1916–17 an der Hochschule für Musik in Berlin-Charlottenburg bei Kahn und Humperdinck sowie 1921 privat bei Křenek. Er war Kapellmeister am Stadttheater in Rostock (1924–28), Dirigent und musikalischer Leiter des Balletts der Staatsoper Berlin (1928–35) sowie Kapellmeister am Deutschen Opernhaus Berlin-Charlottenburg (1935–44) und an der Städtischen Oper Berlin (1945–47). 1947 berief ihn Felsenstein an die Komische Oper Berlin; ab 1954 war er freischaffend tätig. 1959 erhielt er den Professorentitel. Er schrieb u. a. die Ballette *Apollo und Daphne* (Bln 1936) und *Der Stralauer Fischzug* (Bln 1936), Orchesterwerke (Orchesterfantasie, 1955; 2 Symphonien, 1957 und 1961; *Hochzeitsmusik*, 1962; *Divertimento notturno* für Kl. und Orch., 1941; 2 Violinkonzerte, 1940 und 1953; Violoncellokonzert, 1940; Bratschenkonzert, 1961; Kammermusik (Nonette *Divertimento goldoniano*, 1939, und *Rustikale Fantasien*, 1962; Serenade für 6 Blasinstr., Hf., Kb. und Schlagzeug, 1946; 2 Sonaten für 5 Bläser, 1959 und 1963; 2 Streichquartette, 1939 und 1963; Sonate für 3 V., 1958; Trio für 2 Vc. und Kl., 1959; Trio-Sonatina für V., Vc. und Kl., 1963; 5 *Sommerbilder* für Va und Kl., 1955; 3 *Stücke* und *Kleine Suite* für Klar. und Kl., 1958), Klavierwerke (3 Sonaten, 1917, 1938 und 1963; 2 Suiten, 1940 und 1941; *Das Köpenicker Klavierbuch*, 1958; Capriccio *Ulenspiegelei*, 1960; Zyklus *Lieder des Waldes*, 1961; 13 Bagatellen, 1962), die Kantaten *Turksib* (nach Johannes R. Becher, 1932) und *Rosenberg-Kantate* (1955) sowie Chöre, Lieder (u. a. nach Shakespeare und Klabund) und Bühnenmusik. Sp. gab Janáčeks Feuilletons aus den »Lidové noviny« heraus (Lpz. 1959).

Lit.: K. DITTRICH in: Musik in d. Schule XVI, 1965, S. 332ff.

Spiess (spi:s), Lincoln Bunce, * 14. 11. 1913 zu Hartford (Conn.); amerikanischer Musikforscher, studierte an der Harvard University/Mass. (B. A. 1935, M. A. 1937) und promovierte dort 1948 mit einer Dissertation über *Polyphony in Theory and Practice from the 9th Cent. to the Close of the 13th Cent.* (3 Bde) zum Ph. D. An der University of California in Los Angeles war er 1948–50 Assistant Professor und 1950–51 Associate Professor. Seit 1951 lehrt er an der Washington University in St. Louis/Mo. (1968 Professor). Er schrieb: *Historical Musicology* (mit anderen, = Musicological Studies IV, Brooklyn/N. Y. 1963); *A Mercedarian Antiphonary* (= Music of New Mexico Symbol Series I, Santa Fé/N. M. 1965); *An Introduction to Certain Mexican Musical Archives* (mit Th. Stanford, = Detroit Studies in Music Bibliography XV, Detroit/Mich. 1968). Von seinen zahlreichen Aufsätzen seien genannt: *An Introduction to the Pre-St. Martial Sources of Early Polyphony* (in: Speculum XXII, 1947); *Discant, Descant, Diaphony and Organum* (JAMS VIII, 1955); *An Introduction to the Pre-History of Polyphony* (in: Essays on Music, Fs. A. Th. Davison, Cambridge/Mass. 1957); *The Diatonic »Chromaticism« of the Enchiriadis Treatises* (JAMS XII, 1959); *Benavides and Church Music in New Mexico in the Early 17th Cent.* (JAMS XVII, 1964); *Inconstancy of Meaning in Certain Medieval and Renaissance Musical Terms* (in: Cantors at the Crossroads, Fs. W. E. Buszin, St. Louis/Mo. 1967); *Instruments in the Missions of New Mexico* (in: Essays in Musicology, Fs. W. Apel, Bloomington/Ind. 1968).

Spiess, Ludovic, * 13. 5. 1938 zu Cluj (Siebenbürgen); rumänischer Opernsänger (Tenor), studierte in Bukarest und Mailand und debütierte 1964 an der Staatsoper in Bukarest als Herzog in *Rigoletto*. Seitdem hat er u. a. an den Staatsopern in Wien (seit 1967), Stuttgart und München (seit 1968), am Teatro Colón in Buenos Aires (seit 1969), der Mailänder Scala (seit 1970), der Metropolitan Opera in New York (seit 1971) und am Bolschoj Teatr in Moskau gastiert. Seine Partien umfassen neben dem italienischen Fach u. a. Florestan, Tannhäuser und Lohengrin.

Lit.: T. ALBESCU in: Muzica XXI, 1971, Nr 6, S. 18ff.; E. ELIAN, ebd. XXII, 1972, Nr 1, S. 23f.

+Spieß, Meinrad ([erg.:] Taufname Matthäus), 1683 – 12. 6. [nicht: 7.] 1761.

Lit.: P. BENARY, Die deutsche Kompositionslehre d. 18. Jh., = Jenaer Beitr. zur Musikforschung III, Lpz. 1961; A. GOLDMANN in: MGG XII, 1965, Sp. 1043ff.; E. FR. FEDERL, Der »Tractatus musicus« d. Pater M. Sp., Fs. Br. Stäblein, Kassel 1967; H.-J. IRMEN, M. Sp. u. sein Begriff d. Musica u. Musica sacra, in: Musica sacra XC, 1970.

Spinacino (spinatʃ'i:no), Francesco, * 2. Hälfte 15. Jh. zu Fossombrone (Pesaro), † nach 1507 zu Venedig; italienischer Lautenist und Komponist, wirkte vermutlich bis zu seinem Tod in Venedig. Seine beiden Bücher *Intabulatura de lauto* veröffentlichte Petrucci 1507 als die ersten ihrer Art. Sie enthalten 27 Ricercare, 2 Basse danze und 52 Bearbeitungen von Chansons und geistlichen Kompositionen, ferner eine *Regola per quelli che non sanno cantare*, in der die italienische Lautentabulatur erklärt wird.

Ausg. u. Lit.: Recercare di tutti li toni, in: O. KÖRTE, Lauten u. Lautenmusik, Lpz. 1901; »Palle« v. Isaac, Übertragung f. Laute, in: H. Isaac, Weltliche Werke, hrsg. v. J. WOLF, = DTÖ XIV, 1 (Bd 29), Wien 1907; O. KINKELDEY, Org. u. Kl. in d. Musik d. 16. Jh., Lpz. 1910, Nachdr. Hildesheim u. Wiesbaden 1968; E. ENGEL, Die Instrumentalformen in d. Lautenmusik d. 16. Jh., Diss. Bln 1915 (mit Ausg. eines Ricercars); 2 Ricercare in: H. NEEMANN, Alte Meister d. Laute, Bln-Lichterfelde o. J. (1926); L. DE LA

Laurencie, Les luthistes, Paris 1928; eine Canzone u. ein Ricercar in: A. Schering, Gesch. d. Musik in Beispielen, Lpz. 1931, ³1955, engl. NY 1950; Le luth et sa musique, hrsg. v. J. Jacquot, = Colloques internationaux du Centre National de la Recherche Scientifique, Sciences humaines o. Nr, Paris 1958; ein Ricercar in: ApelN; H. L. Schmidt, The First Printed Lute Books, Fr. Sp.'s »Intabulatura de lauto«, 2 Bde, Diss. Univ. of North Carolina 1969.

+Spindler, Franz Stanislaus, [erg.:] 4. 5. 1763 [nicht: 1759] – 1819.

Spinelli, Gianfranco, * 18. 3. 1928 zu Mailand; italienischer Organist und Dirigent, Sohn von Santo Sp., Schüler von Bettinelli, Galliera, Paribeni, Margola und Votto am Mailänder Konservatorium, absolvierte 1966 ein Studium der Paläographie an der Universität in Parma. Seit 1944 ist er in Mailand Organist an S.Maria Segreta, daneben seit 1961 Lehrer für Orgel und Gregorianischen Gesang am Conservatorio di Musica G. Verdi und seit 1967 Leiter der Polifonica Ambrosiana.

Spinelli, Santo, * 23. 12. 1902 und † 21. 6. 1944 zu Settala (Milano); italienischer Organist und Komponist, studierte 1920–31 Klavier, Orgel und Komposition (Pozzoli) an den Konservatorien in Mailand und Parma. 1924–44 war er Organist am Dom in Mailand; 1927 wurde er Lehrer für Orgel und Gregorianischen Gesang am Mailänder Konservatorium und 1935 Lehrer für Orgel und Kirchenmusik an der Scuola Superiore di Musica Sacra in Mailand. Neben zahlreichen Orgel- und Klavierwerken schrieb er Kirchenmusik (*Messa ambrosiana*, 1942; Kantaten, Motetten).

+Spiridio, ([erg.:] eigentlich Johann Nenning), [erg.:] 16. 7. 1615 zu Neustadt (Saale) – 21. 11. 1685 zu Bamberg.
Sp. war um 1643 Organist in Rom, weilte dann in Belgien, kehrte um 1650 nach Deutschland zurück und ging über Neustadt (1658 Vicarius) als Prediger nach Prag (1660–64). Zuletzt wirkte er als Subprior im Kloster St. Theodor in Bamberg (1676–82).
Lit.: A. Deckert, Sp.n a Monte Carmelo u. Justinus a Desponsatione B. V. M., zwei Musiker im Karmelhabit, Ber. d. Hist. Ver. Bamberg C, 1964.

+Spisak, Michał, * 14. 9. 1914 zu Dąbrowa Górnicza (bei Kattowitz), [erg.:] † 29. 1. 1965 zu Paris. Weitere Werke: *Duetto concertante* für Va und Fag. (1949); Streichquartett (1951); 3 *Préludes* für S. und Fl. (1953); Symphonie concertante Nr 2 (1956); *Concerto giocoso* für Kammerorch. (1957); *Improvvisazione* für V. und Kl. (1962); Kantate *Le galopin* für Sprecher, B., Kinder-St., Kinder- und Männerchor (1962).
Lit.: Ruch muzyczny IX, 1965, Nr 14, S. 3ff.; A. Mitscha in: Zeszyty naukowe Państwoweij wyzszej skoły muzycznej w Katowicach X, 1969, S. 5ff.

+Spitta, –1) Julius August Philipp, * 27. [nicht: 7.] 12. 1841 – 1894. +*J. S. Bach* (1873–80, ⁴1930), 5. Aufl. (= Nachdr.) Wiesbaden und Darmstadt 1962, die +gekürzte Ausg. (W. Schmieder, 1935) in 5. bzw. 6. Aufl. (jeweils als 4. Aufl. bezeichnet) Lpz. 1954 bzw. Wiesbaden 1961, davon die +span. Ausg. (= Biografías Gandesa o. Nr, 1950) in 2. Aufl. México (D. F.) 1959; +Friedrich II., *Musikalische Werke* (1889), Nachdr. als *Musical Works*, NY 1967. – Seine Nichte Klara, * 10. [nicht: 9.] 5. 1886 zu Odessa, [erg.:] † 2. 10. 1956 zu Detmold.
–2) Friedrich [erg.:] Adolf Wilhelm, 1852 – 7. [nicht: 8.] 6. 1924.
–3) Heinrich [erg.:] Arnold Theodor, 19. 3. 1902 zu Straßburg, [erg.:] † 23. 6. 1972 zu Lüneburg, wo er ab 1957 als Professor für Musikerziehung an der Pädagogischen Hochschule lehrte.

Lit.: zu –1): R. Heinz, Geschichtsbegriff u. Wissenschaftscharakter d. Mw. in d. zweiten Hälfte d. 19. Jh., = Studien zur Mg. d. 19. Jh. XI, Regensburg 1968; C. Dahlhaus, Geschichtliche u. ästhetische Erfahrung, in: Die Ausbreitung d. Historismus über d. Musik, hrsg. v. W. Wiora, ebd. XIV, 1969.

+Spitzmüller, Alexander (Alexandre; Freiherr von Harmersbach), * 22. 2. 1894 zu Wien, [erg.:] † 12. 11. 1962 zu Paris.
Lit.: H. A. Fiechter in: ÖMZ XIV, 1959, S. 122f.

+Spivacke, Harold, * 18. 7. 1904 zu New York.
Er promovierte 1933 an der Berliner Universität mit einer Arbeit *Über die objektive und subjektive Tonintensität* [del. früherer Dissertationstitel], die Aushändigung der Promotionsurkunde jedoch »ist seinerzeit aus politischen Gründen unterblieben« (Promotions-Ersatzbescheinigung des Berliner Senators für Wissenschaft und Kunst von 1965; vgl. auch R. Schaal, Verzeichnis deutschsprachiger musikwissenschaftlicher Dissertationen, Kassel 1963, Nr 2363). – Sp., der in zahlreichen Instituten und Organisationen tätig war, hat sich um den Ausbau des Music Department der Library of Congress in Washington (D. C.), das er 35 Jahre hindurch bis 1972 leitete, besonders verdient gemacht. Hervorzuheben sind auch von ihm in Auftrag gegebene Kompositionen (u. a. von A. Copland, A. Ginastera, P. Hindemith, W. Piston, G. C. Menotti, R. Harris, W. Schuman).

Spivak, Raúl, * 30. 8. 1916 zu Buenos Aires; argentinischer Pianist, studierte bei Scaramuzza in Buenos Aires sowie bei Steuermann und A. Schnabel in den USA, war außerdem 1940–51 Kompositionsschüler von Gilardi, Gaito und Ficher in La Plata. Ausgedehnte Konzertreisen führten ihn durch Lateinamerika, die USA, Kanada und Europa. Er setzte sich besonders für lateinamerikanische und spanische Musiker ein. 1965 war er Artist-in-Residence an der North Carolina State University in Raleigh und 1967 an der University of North Carolina in Charlotte. 1968 wurde Sp. Professor für Klavier an der Florida Atlantic University in Boca Raton.

+Spivakovsky, –1) Jascha, * 19.(31.) 8. 1896 zu Kiew, [erg.:] † 23. 3. 1970 zu Melbourne.
–2) Tossy, * 22. 1. (4. 2.) 1907 zu Odessa. Nach 1956 führten ihn Konzerttourneen regelmäßig auch nach Europa. Er schrieb Kadenzen zu den Violinkonzerten von Mozart (Ffm. 1967) sowie zum Violinkonzert von Beethoven (Wiesbaden 1964) und verfaßte den Aufsatz *Polyphony in Bach's Works for Solo Violin* (MR XXVIII, 1967).
Lit.: zu –2): G. Yost, The Sp. Way of Bowing, Pittsburgh (Pa.) 1949.

+Spohr, Louis (Ludewig), 1784–1859.
Sp. komponierte insgesamt 10 [nicht: 9] +Symphonien; das Manuskript der 10. in Es dur (1857) befindet sich in der Deutschen Staatsbibliothek in Berlin. Das 4. +Doppelquartett op. 136 steht in G moll [nicht: B dur]. - Eine »L.-Spohr-Gesellschaft« wurde in Kassel bereits 1908 gegründet, 1934 aufgelöst und 1952 [nicht: 1954] erneut ins Leben gerufen.
Ausg.: Streichquartette op. 15, hrsg. v. Fr. O. Leinert, = Bärenreiter Taschenpartituren XXI, Kassel 1954; Streichquartett Es dur op. 29 Nr 1, hrsg. v. dems., ebd. XXII, 1955; Klar.-Konzert Nr 1 C moll op. 26, hrsg. v. dems., ebd. XXIII, 1957; Kl.-Trio B dur op. 133, hrsg. v. dems., ebd. 1958, NA = Das 19. Jh. o. Nr, ebd. 1969; 6 deutsche Lieder f. eine Singst., Klar. u. Kl. op. 103, hrsg. v. dems., = ebd. 1971; V.-Konzert A dur (1804), hrsg. v. F. Göthel, = Bärenreiter Taschenpartituren XXIV, ebd. 1955; V.-Konzert Nr 7 E moll op. 38, hrsg. v. dems., = Neue Ausw. d. Werke I, ebd. 1963; 3. Symphonie

C moll op. 78, hrsg. v. H. HEUSSNER, = Bärenreiter Taschenpartituren XXVII, ebd. 1957; Sonata concertante op. 113 u. op. 115 f. Hf. u. V., hrsg. v. M. CALL u. L. KAUFMANN, Bryn Mawr (Pa.) 1958, NA 1966 bzw. 1969; Oktett E dur op. 32, hrsg. v. FR. UHLENDORFF, = Bärenreiter Taschenpartituren XXX, Kassel 1958; Nonett F dur op. 31, hrsg. v. E. SCHMITZ, ebd. XLV, 1959; Klar.-Konzert Nr 4 E moll, Kl.-A. hrsg. v. ST. DRUCKER, NY 1965; Notturno f. Harmonie- u. Janitscharenmusik, hrsg. v. E. SIMON, NY 1966; Sonate B dur f. Hf. u. V. op. 16, hrsg. v. H. J. ZINGEL, Lpz. 1969; Arie u. Rezitativ d. Maria aus »Des Heilands letzte Stunden« (1835), in: G. MASSENKEIL, Das Oratorium, = Das Musikwerk XXXVII, Köln 1970, auch engl. – +Selbstbiogr., Nachdr. d. engl. Ausg. (1865) NY 1969 (2 Bde in 1), gekürzte Ausg. als: The Mus. Journeys, übers. u. hrsg. v. H. PLEASANTS, Norman (Okla.) 1961; dass. als: Lebenserinnerungen, ungekürzte Erstausg. nach d. autographen Quellen hrsg. v. F. GÖTHEL, Tutzing 1968 (2 Bde in 1).
Lit.: Briefwechsel mit seiner Frau Dorette, hrsg. v. F. GÖTHEL, Kassel 1957; H. HEUSSNER, L. Sp. schreibt an R. Wagner, NZfM CXIX, 1958. – L. Sp., Fs. 1959, hrsg. v. G. KRAFT, P. MICHEL u. H. R. JUNG, Weimar 1959; Aufsatzfolge in: Musica XIII, 1959, S. 293ff. – H. BECKER, Meyerbeers Beziehungen zu L. Sp., Mf X, 1957; H. HOMBURG, L. Sp.s erste Aufführung d. Matthäus-Passion in Kassel. Ein Beitr. zur Gesch. d. Bachbewegung im 19. Jh., MuK XXVIII, 1958; DERS., L. Sp. u. d. Bach-Renaissance, Bach-Jb. XLVII, 1960; DERS., Politische Äußerungen L. Sp.s Ein Beitr. zur Opposition Kasseler Künstler während d. kurhessischen Verfassungskämpfe, Zs. d. Ver. f. hessische Gesch. u. Landeskunde LXXV/LXXVI, 1964/65; DERS., L. Sp., Bilder u. Dokumente seiner Zeit, = Kasseler Quellen u. Studien III, Kassel 1968; F. GÖTHEL, Tragik d. Mozartnachfolge, Acta Mozartiana VI, 1959; G. KRAFT in: MuG IX, 1959, S. 733ff.; D. M. MAYER, The Forgotten Master. The Life and Times of L. Sp., London 1959; W. TAUTENHAHN in: Schweizer musikpädagogische Blätter XLVII, 1959, N. 172ff.; P. MICHEL, L. Sp., ein fortschrittlicher Musiker u. Pädagoge seiner Zeit, in: Musik in d. Schule XI, 1960; H. HEUSSNER, Der Hofkapellmeister L. Sp., Ein sozialgesch. Porträt, Fs. H. Engel, Kassel 1964; R. LEBE, Ein deutsches Hoftheater in Romantik u. Biedermeier, = Kasseler Quellen u. Studien II, ebd. 1964 u. 1969; R. FOLTER, L. v. Beethoven u. L. Sp., Eine oft mißverstandene Musikerfreundschaft, NZfM CXXVII, 1966; S. HESSELINK, L. Sp. als vioolpedagoog, in: Mens en melodie XXIV, 1969. – R. HOVE, Glemte noder. Sp.s kammermusik (»Vergessene Noten ...«), DMT XXXI, 1956; F. GÖTHEL, Zur Wiedergabe v. Werken L. Sp.s, in: Das Orch. VIII, 1960; D. GREINER, L. Sp.s Beitr. zur deutschen romantischen Oper, Diss. Kiel 1960; R. LEBE, Ein deutsches Hoftheater in Romantik u. Biedermeier. Die Kasseler Bühne zur Zeit Feiges u. Sp.s, = Kasseler Quellen u. Studien II 1964 u. 1969; M. SONNLEITHNER, Sp.s Violinkonzerte, Diss. Graz 1964; A. A. ABERT, Webers »Euryanthe« u. Sp.s »Jessonda« als große Opern, Fs. W. Wiora, Kassel 1967; G. DRECHSLER, Lieder L. Sp.s u. textgleiche Kompositionen d. Zeit, Diss. Innsbruck 1971.

Spoliansky, Mischa (Michael), * 28. 12. 1898 zu Białystok; deutscher Komponist von Revuen, Bühnen-, Film- und Unterhaltungsmusik, studierte in Berlin Klavier bei J. Schwarz und Komposition bei Klatte, dann bei Lendvai. Nach ersten Kompositionen für das Kabarett (u. a. für »Schall und Rauch«) entwickelte sich Sp. zu einem bekannten Bühnenkomponisten. Nach 1933 ging er nach England und später in die USA. Er lebt heute in London. – Werke: Revue *Es liegt in der Luft* (Text M. Schiffer, Bln 1923); Volksstück *Zwei Krawatten* (Bln 1929, Text Georg Kaiser, verfilmt 1930); Oper *Himmelmeyer*; musikalische Komödie *Wie werde ich reich und glücklich* (1930, verfilmt 1930); Jazzoper *Rufen Sie Herrn Plim!*; Musical *Katharina Knie* (nach Carl Zuckmayer, in der Bearb. von Robert Gilbert, München 1957). Von seinen Filmmusiken seien

genannt: *Nie wieder Liebe* (1931, mit Borgmann); *The Dangerous Age* (1949); *The Whole Truth* (1958).

Sponsel, Johann Ulrich, getauft 5. 12. 1721 zu Muggendorf (Fränkische Schweiz), † 10. 1. 1788 zu Burgbernheim (Mittelfranken); deutscher Theologe und Orgelhistoriker, besuchte 1741–44 das Gymnasium Academicum in Coburg und bis 1746 die Universität Erlangen, wurde Pfarrer in Bayreuth-St. Georgen und Lenkersheim (Mittelfranken) und war ab 1766 Superintendent in Burgbernheim, wo er, angeregt durch die 1768 von Gessinger neuerrichtete Orgel, eine besonders für die Kenntnis des spätbarocken fränkischen Orgelbaus aufschlußreiche *Orgelhistorie* (Nürnberg 1771) schrieb.
Ausg.: Orgelhistorie, im Auszuge neu hrsg. v. P. SMETS, Kassel 1931.
Lit.: FR. KRAUTWURST in: MGG XII, 1965, Sp. 1077f.

+Spontini, Gaspare Luigi Pacifico, 1774–1851.
Sp. arbeitete im Winter 1797/98 [nicht: Herbst 1791] an der Opernfarce +*L'eroismo ridicolo*, die 1798 in Neapel uraufgeführt wurde (erweitert als +*La finta filosofa*, Neapel 1799), nachdem bereits 1797 in Venedig +*Adelina Senese* in Szene gegangen war. 1810 übernahm er die musikalische Leitung des Théâtre de l'Impératrice; ein Jahr später heiratete er Marie-Catherine-Céleste Érard (3. 8. 1811, notariell beglaubigter Ehekontrakt 25. 7. 1811) [del. frühere Angaben dazu]. – Neben der Übersetzung des Textes der Oper +*Olympie* (1819) für die Berliner Fassung (+*Olimpia*, 1821) wirkte E. T. A. Hoffmann auch an einer Umarbeitung des 3. Aktes mit. – Bereits 1827 ging der 1. Akt der Oper +*Agnes von Hohenstaufen* in Szene. Mit L.Rellstabs unsachlicher Kritik dieser Aufführung in der »Vossischen Zeitung« und der abgewogenen Gegendarstellung von H.Dorn (gehörte mit A.B.Marx in der Folgezeit zu Sp.s Befürwortern) in der »Berliner allgemeinen musikalischen Zeitung« flammte die öffentliche Auseinandersetzung um Werk und Persönlichkeit Sp.s mit großer Heftigkeit wieder auf. Die anonym erschienene Schrift, fälschlich H.Dorn zugeschrieben, +*Sp. in Deutschland* (1830) stammt aus dem Kreise der Sp.-Anhänger. – Der Ertrag der Bußtagskonzerte war Sp. kontraktlich zugesichert, er verzichtete jedoch ab 1826 auf diese Einnahmen zugunsten eines Fonds (Sp.-Fonds [nicht: Stiftung]) zur Unterstützung von Orchestermitgliedern. – 1838 reiste Sp. über London und Paris nach Italien und führte in Jesi mit Kardinal Ostini und in Rom mit Papst Gregor XVI. Gespräche über Kirchenmusik, die ihn veranlaßten, die Schriften *Editto contro l'abuso delle musiche teatrali introdotto nelle chiese* und *Rapporto intorno alla riforma della musica sacra* (Ms., beide 1838) zu verfassen. – Der Orden Pour le mérite wurde Sp. 1843 [nicht: 1842] verliehen.
Lit.: +L. DE LOMÉNIE, M. Sp., [erg.: Galerie des contemporains illustres par] un homme de rien (1841); +R. WAGNER, Erinnerungen an Sp., [erg.:] in: Gesammelte Schriften, Bd III, (1872). – G. BARBLAN, L'europeismo della »Vestale«, in: La Scala VII, 1955; L. RONGA in: Arte e gusto nella musica, Mailand 1956, S. 172ff.; A. DE ANGELIS, Stimolata da G. Sp. l'azione dell'Accad. di S. Cecilia per la riforma della musica sacra, Annuario dell'Accad. III, 1957; H. MÜLLER V. ASOW, G. Sp.s Briefwechsel mit W. v. Goethe, in: Chronik d. Wiener Goethe-Ver. LXI, 1957, separat Bln 1957; FR. SCHLITZER, »La finta filosofa« di G. Sp., Neapel 1957; DERS., Circostanze della vita di G. Sp., Con lettere ined., = Quaderni dell'Accad. Chigiana XXXVII, Siena 1958; FR. SCHNAPP, E. T. A. Hoffmanns Textbearb. d. Oper »Olimpia« v. Sp., Jb. d. Wiener Goethe-Ver., N. F. LXVI, 1962; W. PFANNKUCH in: MGG XII, 1965, Sp. 1078ff.; K. G. FELLERER, G. Sp. u. d. Kirchenmusikreform, Fs. W. Wiora, Kassel 1967; G.

ABRAHAM, Sp.'s Greatest Hits, in: Slavonic and Romantic Music, London 1968 (= Wiederabdruck aus: ML XXIII, 1942); P. FRAGAPANE, Sp. e la sua »Julie« (1805), in: Chigiana XXV, N. S. V, 1968; R. T. LAUDON, Sources of the Wagnerian Synthesis. A Study of the Franco-German Tradition in 19th-Cent. Opera, Diss. Univ. of Illinois 1969; D. A. LIBBY, G. Sp. and His French and German Operas, Diss. Princeton Univ. (N. J.) 1969; J. G. RUSHTON, Music and Drama at the Acad. Royale de musique (Paris) 1774–89, Diss. Oxford Univ. 1969; A. SGUERZI, Sp. napoleonico, in: Lo spettatore mus. V, 1970.   JWI

Spontoni (Spontone, Sponton); italienische Musiker-familie. –1) Bartolomeo, getauft 22. 8. 1530 zu Bologna, † Anfang 1592 zu Treviso, Schüler von Jacques Du Pont und Chr. Morales in Rom sowie Niccolò Mantovani, einem Maestro di cappella an S. Petronio in Bologna, wo er 1551–52 als Sänger und 1577–83 als Kapellmeister tätig war. 1584–86 wirkte er als Kapellmeister an S. Maria Maggiore in Bergamo, 1586–88 am Dom in Verona und 1591–92 an der Kathedrale in Treviso. Ein Schüler von ihm war Bottrigari. In Venedig erschienen von seinen Werken: *Il Io libro de Madrigali à 4 v.* (1558); *Il Io libro de Madrigali et canzon à 5 v. con uno dialogo à 8* (1561); *Il IIo libro de Madrigali a 5 v. con una canzone* (1567); *Libro IIIo de Madrigali a 5 v.* (1583); *Missarum quinis, senis et octonis v. liber Io* (1588); zahlreiche Kompositionen sind ferner in Sammelwerken der Zeit enthalten. –2) Alessandro, getauft 1. 6. 1549 und † nach 1590 zu Bologna, Bruder und Schüler von Bartolomeo, Freund von Bottrigari, wirkte 1569–85 als Maestro di cappella in Forlì. Er schrieb ein Buch 5st. Madrigale (Venedig 1585). Weitere Stücke sind in zeitgenössischen Drucken erhalten. –3) Ciro, getauft 12. 8. 1556 zu Bologna, Sohn aus erster Ehe von Bartolomeo, besorgte den Druck des 3. (Bottrigari gewidmeten) Buches Madrigale seines Vaters von 1583. –4) Lodovico, getauft 2. 3. 1555 und † nach 1609 zu Bologna, Vetter von Bartolomeo und Alessandro oder vielleicht Sohn von Alessandro, war Priester, lebte wahrscheinlich in Forlì. Von ihm wurden in Venedig gedruckt *Il Io libro de Madrigali* (1586) und *Motetti a 8 v. Libro IIo* (1609).
Ausg.: zu –1): 6st. Missa »Così estrema è la doglia«, Torchi II, S. 31ff.
Lit.: R. CASIMIRI, Musica e musicisti nella cattedrale di Padova nei s. XIV, XV e XVI, in: Note d'arch. XVIII, 1941, S. 112f., u. XIX, 1942, S. 70; G. D'ALESSI, La cappella mus. del duomo di Treviso (1300–1633), Vedelago 1954; O. MISCHIATI in: MGG XII, 1965, Sp. 1090ff.

Spoorenberg, Erna (van Ulsen Sp.), * 11. 4. 1926 zu Jokjakarta (Java); niederländische Sängerin (lyrischer Sopran), studierte bei Aaltje Noordewier-Reddingius in Hilversum und bei Berthe Seroen in Amsterdam und debütierte 1947 bei Radio Hilversum. Sie gastierte an der Wiener Staatsoper (1951 und 1952) sowie der Hamburger Staatsoper (1962) und konzertierte in ganz Europa. Seit 1958 ist sie Mitglied der Niederländischen Oper in Amsterdam. Die Titelpartie in Debussys *Pelléas et Mélisande* gehört zu ihren wichtigsten Rollen.

+Sporer, Thomas, um 1490 – vor dem 6. 8. 1534 zu Freiburg im Breisgau (oder Straßburg?) [del. bzw. erg. frühere Angaben].
Ausg.: ein Satz in: 18 weltliche Lieder aus d. Drucken Chr. Egenolffs, hrsg. v. H.-CHR. MÜLLER, = Chw. CXI, Wolfenbüttel 1970.

+Sporn, Fritz, * 20. 2. 1887 und [erg.:] † 8. 9. 1959 zu Zeulenroda (Vogtland).
Sp. wirkte ab 1936 als Kirchenmusikdirektor in Zeulenroda. Von seinen Kompositionen seien weiter das Oratorium *Deutschland* für S., Bar., Sprecher, gem.

Chor und Orch. op. 38 und (als letztes Werk) die Kantate *Allerseelen* op. 48 genannt.

Spossobin, Igor Wladimirowitsch, * 20. 4. (3. 5.) 1900 und † 31. 8. 1954 zu Moskau; russisch-sowjetischer Musiktheoretiker, absolvierte 1927 die wissenschaftliche Komponistenabteilung am Moskauer Konservatorium, an der er dann bis zu seinem Tode Musiktheorie lehrte (1932 Dozent, 1939 Professor, 1943–48 Inhaber des Lehrstuhls für Musiktheorie). Er schrieb u. a. (Erscheinungsort Moskau): *Praktitscheskij utschebnik garmonii* (»Praktische Harmonielehre«, 2 Bde, 1934–35); *Dwuchgolosnoje solfedschio* (»Zweistimmiges Solfeggio«, 1936); *Trjochgolosnoje solfedschio* (»Dreistimmiges Solfeggio«, 1936); *Musykalnaja forma. Utschebnik obschtschewo kursa analisa* (»Die musikalische Form. Lehrbuch für einen Gesamtanalysekurs«, 1947, ³1962); *Elementarnaja teorija musyki* (»Elementare Musiklehre«, 1951, ³1958, Neuaufl. 1967); *Lekzii po kursu garmonii* (»Vorlesungen in Harmonielehre«, 1969).
Lit.: S. S. GRIGORJEW in: Wydajuschtschijesja dejateli teoretiko-kompositorskowo fakulteta moskowskoj konserwatorii, hrsg. v. T. Fridrizowitsch, Moskau 1966, S. 131ff.

+Spreckelsen, Otto [erg.:] Max Gerhard, * 9. 8. 1898 zu Himmelpforten (bei Stade, Niedersachsen).
Er war Leiter des Itzehoher Konzertchors 1924–33 und wiederum 1945–65.

+Sprenger, [erg.: Otto] Eugen, [erg.:] 7. 1. 1882 zu Stuttgart – 25. 8. 1953 zu Frankfurt am Main.
Der jetzige Inhaber der Werkstatt, Eugen Spr. (* 26. 11. 1920 zu Frankfurt a. M.), baut heute hauptsächlich Kopien historischer Streichinstrumente (Gamben, Violen d'amore).

Springer, Alois, * 20. 12. 1935 zu Groß Olkowitz (Oleksovice; bei Znaim, Mähren); deutscher Dirigent und Violinist, studierte 1953–56 Violine und Klavier an der Musikhochschule in Frankfurt a. M. und 1956 Dirigieren bei M. Stephani am Landeskonservatorium in Wuppertal. 1956 wurde er 1. Violinist und Assistentdirigent im Zürcher Kammerorchester, 1959 1. Konzertmeister des Städtischen Orchesters Trier, war dann als Assistent von Leinsdorf (1965) und Boult (1966) in Tanglewood (Mass.), 1965–69 als Solist und Assistentdirigent beim Orchester von Radio Luxembourg sowie 1967–68 als Assistent von L. Bernstein bei der New York Philharmonic tätig. 1968 wurde er Chefdirigent der Philharmonia Hungarica (Marl i. W.).

+Springer, Hermann, 1872 – Anfang [nicht: Mai] 1945 bei Landsberg (Warthe) [nicht: Mitteldeutschland].
Die +*Miscellanea musicae bio-bibliographica* erschienen 1912–14 [nicht: 1913–16].
Lit.: P. WACKERNAGEL, Aus glücklichen Zeiten d. Preußischen Staatsbibl., Fs. Fr. Smend, Bln 1963.

+Springer, Max, 1877–1954.
Er komponierte insgesamt 8 [nicht: 3] Messen und 4 [nicht: 2] Symphonien.
Lit.: A. WEISSENBÄCK in: Zs. f. Kirchenmusik LXXIV, 1954, S. 201ff.

Sprongl, Norbert, * 30. 4. 1892 zu Obermarkersdorf (Niederösterreich); österreichischer Komponist, absolvierte die Lehrerbildungsanstalt in Graz (1911) und war dann im Lehrberuf tätig (1915–45 in Wien). Nach dem 1. Weltkrieg studierte er Komposition bei J. Marx an der Wiener Musikakademie. Er ist ehrenamtlich Archivar der Österreichischen Gesellschaft für zeitgenössische Musik. 1956 erhielt er den Professorentitel. Spr. schrieb Orchesterwerke, (3. Klavierkonzert, 1954; 1. Violinkonzert, 1961; 1. Orchestersuite, 1962;

Divertimento für Streichorch., 1962; Partita, 1964; 3. Symphonie, 1965; Passacaglia für Kl. und Streichorch., 1967), Kammermusik (1. Sonate für Kb., 1951, und Suite für Fl., 1962, mit Kl.; Klavierquartett, 1963; Bläserquintett, 1964), Klavier- und Orgelstücke, Chöre und Lieder.
Lit.: R. STOCKHAMMER, N. Spr., Wien 1974.

+Squarcialupi, Antonio ([erg.:] eigentlich Antonio del Bessa), 1416–80.
Die Schülerschaft H. Isaacs bei Squ. ist nicht nachweisbar. → Quellen: Sq.
Lit.: +A. EINSTEIN, The Ital. Madrigal (1949), Nachdr. Princeton (N. J.) 1970. – B. BECHERINI, A. Squ. e il Cod. Mediceo-Palatino 87, in: L'Ars nova ital. del Trecento, Kgr.-Ber. Certaldo 1959; K. v. FISCHER in: MGG XII, 1965, Sp. 1096f.; DERS., Paolo da Firenze u. d. Squ.-Kod. (I – Fl 87), in: Quadrivium IX, 1969, separat = Bibl. di quadrivium, Musicologica IX, Bologna 1969; FR. D'ACCONE, A. Squ. alla luce di documenti ined., in: Chigiana XXIII, N. S. III, 1966.

+Squire, William Barclay, 16. [nicht: 18.] 10. 1855 – 1927.
+The Fitzwilliam Virginal Book (1899), Nachdr. NY 1963.
Lit.: A. H. KING, W. B. Squ., Music Librarian, in: The Library V, 12, 1957.

Šrámek (ʃr'a:mɛk), Vladimír, * 10. 3. 1923 zu Košice (Slowakei); tschechischer Komponist, Absolvent des Konservatoriums in Prag, war 1953–63 in der Musikabteilung des Nationalmuseums tätig und lebt seitdem freischaffend. Er hielt sich abseits der offiziell unterstützten Strömungen und schuf mit Ausdrucksmitteln der Neuen Musik einen persönlichen Stil, der in seiner Heimat kaum Anerkennung gefunden hat. Von seinen Werken seien genannt: die Kammeroper Jezdci (»Die Ritter«, nach Aristophanes, 1955); Trio für 2 V. und Va (1957); »3 ernste Kompositionen« für Fl. und Kl. (1958); Astronauti (»Astronauten«), Ouvertüre für Orch. (1959); Exercises für Fl., Ob. und Klar. (1959); Tempi für Streichquartett (1959); »Die Stadt«, Elektronische Musik (1959); Mesures für Kl. (1959); 2 Bläserquintette (1959 und 1960); Variabilité für V., Va und Vc. (1960); Metamorphoses I–VII für verschiedene Besetzungen (1961–63); Metra symmetrica für Bläserquintett (1961); Rondo für 8 Bläser (1961); Gitanjali nach R. Tagore für Sprecher und Fl. (1961); »Altmayafragment« für St., Tonband, Fl., Kl. und Schlagzeug (1962); Smích (»Gelächter«) für St., Tonband, Fl., Kl. und Schlagzeug (1962); Spectrum I–III, musikalisches Theater für Stimmen und Instrumente (1963–65); »Die Grube«, Solopantomime mit Baßklar., Git. und Schlagzeug (1963); »Licht der Welt«, Pantomime für Mann und Frau mit Instrumenten (1964); Kobaltová květina (»Die Kobaltblume«), Fernsehspiel für S., A., Frauenstimmen und Orch. (1964); »Der letzte Wald«, Fernsehspiel für A., B. und Kammerorch. (1965); Sonett für »Sonet Duo«, Elektronische Musik (1966); Anticomposizione für V., Va und Vc. (1966); »Bericht über eine Katastrophe« für Kammerensemble (1966); »Anderer Bericht über eine Katastrophe« für Nonett (1969).

Srebotnjak, Alojz, * 27. 4. 1931 zu Postojna (Slowenien); jugoslawischer Komponist, studierte an der Musikakademie in Ljubljana, dann bei Frazzi in Siena, bei Porena in Rom und bei P. R. Fricker in London. 1964–70 lehrte er an der pädagogischen Akademie in Ljubljana und wurde 1970 Professor für Komposition an der dortigen Musikakademie. Er schrieb u. a.: Sinfonietta in due tempi (1958); Zyklus Mati (»Die Mutter«) für St. und Streicher (1958); Invenzione variata für Kl.

(1961); Kantate Ekstaza smrti (»Die Ekstase des Todes«) für Bar., Chor und Orch. (1961); Monologe für Fl., Ob., Horn, Pk. und Streicher (1962); Micro-Songs für St. und 13 Instr. (1964); Sonatine Nr 2 (1966) und Nr 3 (1968) für V. und Kl.; Epizode (»Episoden«) für Orch. (1967); ferner Bühnen- und Filmmusik.

Srnka (s'rŋka), Jiří, * 19. 8. 1907 zu Písek (Böhmen); tschechischer Komponist und Violinist, war Schüler von Ševčík, J. Mařák und Jindřich Feld (Violine) sowie von Šín, Novák und A. Hába (Komposition). 1936–61 schrieb er die Musik zu mehr als 120 Filmen, zahlreichen Schauspielen und Hörspielen. In seinen übrigen Werken repräsentierte er die Avantgarde der 30er Jahre sowohl in dodekaphonen wie in Vierteltonkompositionen. Er schrieb u. a.: Violinkonzert (1957); Partita für V. und Kammerorch. (1962); Streichquintett (1930); 2 Streichquartette (1928 und 1936); Bläserquartett (1928); Kammersuite für V. und Kl. (1929); 2 Vierteltonkompositionen für Kl. (1936); Lieder.
Lit.: J. PILKA, Filmová hudba J. Srnky (»Filmmusik v. J. Srnka«), = Knihova hudebních rozhledů III, 5, Prag 1957.

Šrom (ʃrɔm), Karel, * 14. 9. 1904 zu Pilsen; tschechischer Komponist und Musikkritiker, studierte 1919–25 bei A. Hába, wirkte in Prag 1928–45 als Kritiker verschiedener Zeitungen und war 1945–50 am dortigen Rundfunk tätig. 1951 wurde er Redakteur des ORBIS-Verlags. Er schrieb Orchesterwerke (2 Symphonien, 1930 und 1946; 2 Suiten, Nr 1, 1934, und Nr 2, Hajaja, 1961; Scherzo Plivník, »Der Kobold«, 1953; Symphonisches Allegro Vzdech na bruslích, »Seufzer auf Schlittschuhen«, 1957; Serenade für Streicher, 1922; Klavierkonzert, 1961), Kammermusik (2 Nonette Vynajítka, »Inventionen«, für Bläserquintett, V., Va, Vc. und Kb., 1952, und Etudy, »Etüden«, 1959; 2 Streichquartette, 1923 und 1941; Klaviertrio, 1943; Violinsonate, 1920), Klavierstücke (Chvilky, »Augenblicke«, 1942; 7 Stücke, 1943; Cerná hodinka, »Dämmerstunde«, 1965; Minutky, »Minuten«, für 2 Kl., 1951) sowie Lieder und verfaßte Orchestr a dirigent (»Orchester und Dirigent«, Prag 1960).
Lit.: J. DOUBRAVOVÁ in: Hudební rozhledy XXVII, 1974, S. 397ff. (zum Werk).

Staal, Oliver → Sommerlatte, Ulrich.

+Stabile, Annibale, um 1535 zu Neapel [del. frühere Angaben] – [erg.: April] 1595.
Lit.: +A. EINSTEIN, The Ital. Madrigal (1949), Nachdr. Princeton (N. J.) 1970.

Stabile, Mariano, * 12. 5. 1888 zu Palermo, † 11. 1. 1968 zu Mailand; italienischer Opernsänger (Bariton), studierte am Conservatorio di Musica S. Cecilia in Rom bei Antonio Cotogni und debütierte 1909 in Palermo als Marcello in La Bohème. 1921 wurde er von Toscanini an der Mailänder Scala für die Rolle des Falstaff engagiert, die zu seiner Glanzpartie werden sollte. Er trat an zahlreichen großen Opernhäusern auf (Pariser Opéra, 1924; Chicago, 1924–25; Covent Garden Opera in London, 1926–31) und wirkte bei einer Reihe von Festspielen mit (Salzburg, 1935–39; Glyndebourne, 1936–39; Edinburgh, 1948). Ab 1964 hielt er Gesangskurse am Conservatorio di Musica G. Rossini in Pesaro ab. St. war ebenso bedeutend als Mozart-Sänger (Don Giovanni) wie als Wagner-Sänger (Beckmesser).

Stachowicz (staχ'əvitʃ), Damian, * 1658 zu Sokołów (bei Przemyśl), † 27. 11. 1699 zu Łowicz (bei Łódź); polnischer Komponist, Piaristenmönch, war Lehrer für Poesie und Rhetorik am Piaristenkollegium in Łowicz. Er schrieb kirchenmusikalische Werke im konzertierenden Stil, u. a. Litaneien, Psalmen, Motetten sowie eine *Missa Requiem* für 2 S., A., T., B., 2 V., 2 Trp. und B. c. und *Veni consolator*, Concerto für S., Trp. und B. c. (1703; beide handschriftlich überliefert). Ausg.: Concerto a 2 »Veni consolator«, hrsg. v. A. CHYBIŃSKI, = Wydawnictwo dawnej muzyki polskiej XIII, Krakau 1959, ²1966. Lit.: Z. M. SZWEYKOWSKI, Sylwetka kompozytorska D. St.a (»Profil d. Komponisten D. St.«), in: Muzyka VII, 1962.

Stachowski, Marek, * 21. 3. 1936 zu Piekary Śląskie (Kattowitz); polnischer Komponist und Musikpädagoge, studierte 1961–65 bei Penderecki an der Krakauer Musikhochschule, an der er seit 1966 lehrt (1972 Dozent). Er schrieb u. a.: *Musica da camera* für Fl., Hf. und Schlagzeug (1965); *Musica per quartetto d'archi* (1965); *Z ksiçgi godzin* (»Aus dem Stundenbuch«), Kantate für T., 2 Männerchöre und Orch. (Text Rilke, 1965); *Musica con una battuta del tam tam* für Streichorch. und Tamtam (1966); *Lines of Dylan Thomas* für 2 gem. Chöre und Orch. (1967); *Sequenze concertanti* für Orch. (1968); *Chant de l'espoir*, Kantate für Bar., S., Knabenchor, gem. Chor und Orch. (Text Paul Éluard, 1969); *Irisation* für Orch. (1970); *Audition* für Fl., Vc. und Kl. (1970); *Extensions for Piano* (1971); 2. Streichquartett (1972).

+Stadelmann, Li, * 2. 2. 1900 zu Würzburg. Bei ihren Konzerten, die sie weiterhin auch ins Ausland führten, widmet sie sich seit 1954 insbesondere dem Spiel des Hammerklaviers. Ab 1964 unterrichtete sie an der Münchner Musikhochschule nurmehr im Clavichordspiel.

+Staden, –1) Johann, [erg.: getauft 2. 7.] 1581 – 1634.
–2) Sigmund Theophil, [erg.: getauft 6. 11.] 1607 zu Kulmbach (Oberfranken) – begraben [del.: †] 30. 7. 1655. →Harsdörffer.
Ausg.: zu –1): 5 Sätze in: Geistliches Chorlied I–II, hrsg. v. G. GROTE, Bln 1963, ²1966; 4 Toccaten u. ein Balletto f. Org. in: Fränkische Orgelmeister d. 17. Jh., hrsg. v. A. REICHLING, 2 H., = Veröff. d. Ges. f. Orgelfreunde XXXI u. XXXIII, Bln 1967–68.
Lit.: H. E. SAMUEL in: MGG XII, 1965, Sp. 1109ff. – zu –1): +C. v. WINTERFELD, Der ev. Kirchengesang ... (II, 1845), Nachdr. Hildesheim 1966; +DERS., Zur Gesch. hl. Tonkunst (1850–52), Nachdr. ebd. – O. MISCHIATI, L'intavolatura d'org. tedesca della Bibl. nazionale di Torino. Cat. ragionato, in: L'organo IV, 1963; H. E. SAMUEL, The Cantata in Nuremberg During the 17ᵗʰ Cent., Diss. Cornell Univ. (N. Y.) 1963. – zu –2): J. HAAR, Astral Music in 17ᵗʰ-Cent. Nuremberg. The »Tugendsterne« of Harsdörffer and St., MD XVI, 1962; DERS., The Tugendsterne of Harsdörffer and St., An Exercise in Mus. Humanism, = MSD XIV, (Rom) 1965; P. KELLER, Die Oper »Seelewig« v. S. Th. St. u. G. Ph. Harsdörffer, Diss. Zürich 1971; DERS., New Light on the »Tugendsterne« of Harsdörffer and St., MD XXV, 1971.

+Stader, Maria, * [erg.:] 5. 11. 1911 [nicht: 1915] zu Budapest.
1969 beendete M. St. ihre künstlerische Laufbahn. An der Musikakademie in Zürich unterrichtete sie bis 1951, ist jedoch bis heute als Gesangspädagogin (Meisterklasse am Zürcher Opernstudio, Meisterkurse auch in den USA) tätig. Als Lehrwerk erschien *J. S. Bach. Arie »Aus Liebe will mein Heiland sterben«, Matthäus-Passion* (= Wie Meister üben III, Zürich 1967, engl. = Learning with the Masters III, ebd. 1968, darin auch Biographie und Diskographie).

Stadler, Anton Paul, * 28. 6. 1753 zu Bruck an der Leitha, † 15. 6. 1812 zu Wien; österreichischer Klarinetten- und Bassetthornvirtuose und Komponist, stand gemeinsam mit seinem Bruder Johann Nepomuk Franz (* 6. 5. 1755, † 2. 5. 1804 zu Wien), der die gleichen Instrumente beherrschte, im Dienste des Fürsten Golizyn, des russischen Gesandten am Wiener Hof. Die Brüder wurden um 1783 in die »Kaiserliche Harmonie« und 1787 in die Hofkapelle aufgenommen; daneben traten sie in Konzerten auf. A. St. war mit Mozart befreundet, der für ihn u. a. das Klarinettenquintett K.-V. 581, das Klarinettenkonzert K.-V. 622 und die obligaten Partien in den Arien Nr 9 und 23 der Oper *La clemenza di Tito* (die St. bei den ersten Aufführungen in Prag spielte) komponierte. 1799 in der Hofkapelle pensioniert, wirkte er anscheinend weiterhin im Opernorchester mit. 1799/1800 verfaßte er im Auftrag des Grafen Georg Festetic einen *Musick Plan* für eine in Kesthely am Plattensee zu errichtende Musikschule. Verdienste erwarb er sich um die Verbesserung der Klarinette (Erweiterung des Tonumfangs nach unten) und des Bassetthorns (Ergänzung der cis und dis-Klappen). St. komponierte Terzette für Bassetthörner, Capricen für Klar., Duettinos für 2 Csákans oder Csákan und V., Capricen für Csákan oder Flûte double und *Parthien* für 6 Blasinstr. Nach E. L. Gerber (1792) habe »einer der Brüder Stadler ... zu Wien um 1780 Tabellen, Menuetten und Trios fürs Klavier herauszuwürfeln, stechen lassen«.
Ausg.: Klar.-Duos, hrsg. v. J. MICHAELS, Hbg o. J.; Musick Plan, hrsg. v. E. HESS, Mozart-Jb. 1962/63.
Lit.: E. L. GERBER, Hist.-biogr. Lexicon d. Tonkünstler II, Lpz. 1792, Nachdr. Graz 1964; J. KRATOCHVÍL, Ist d. heute gebräuchliche Fassung d. Klarinettenkonzerts u. d. Klarinettenquintetts v. Mozart authentisch?, BzMw VI, 1960; DERS., Otázka původního znění Mozartova koncertu pro klar. a kvintetu pro klar. a smyčce (»Die Frage der Originalfassung v. Mozarts Klar.-Konzert u. Klar.-Quintett«), in: Hudební věda I, 1967 (mit deutscher, russ. u. engl. Zusammenfassung); G. CROLL u. K. BIRSAK, A. St.s »Bassettklar.« u. d. »St.-Quintett« KV 581. Versuch einer Anwendung, ÖMZ XXIV, 1961; K. BIRSAK, Bemerkungen zum Bau u. z. »Bassettklar.«, Mozart-Jb. 1968/ 70; K. M. PISAROWITZ in: Mitt. d. Internationalen Stiftung Mozarteum XIX, 1971, H. 2, S. 29ff.

Stadler, Maria Irmgard (verheiratete Nagora), * 28. 3. 1941 zu Michaelbeuern (bei Salzburg); österreichische Sängerin (Sopran), studierte am Mozarteum in Salzburg und an der Wiener Musikakademie. 1963 debütierte sie als Micaela (*Carmen*) an der Staatsoper in Stuttgart, deren Ensemble sie seitdem angehört (1970 Kammersängerin). Sie ist u. a. bei den Festspielen in Salzburg, Glyndebourne, Edinburgh und Venedig sowie als Gast an den Staatsopern in Wien und München und an der Deutschen Oper Berlin aufgetreten. Zu ihren Partien gehören Cherubino (*Le nozze di Figaro*), Elvira (*Don Giovanni*), Eva (*Meistersinger*), Octavian (*Rosenkavalier*), Komponist (*Ariadne auf Naxos*), Marie (*Verkaufte Braut*), Marie (*Wozzeck*) und Jenufa.

Stadler, Johann Wilhelm, * 8. 10. 1747 zu Repperndorf (bei Kitzingen), † 26. 6. 1819 zu Eltersdorf (bei Erlangen); deutscher Komponist, besuchte die Lateinschule in Marktbreit (Unterfranken) und das Gymnasium in Ansbach, studierte ab 1770 Theologie in Erlangen, wo er auch Kompositionsschüler Kehls war, und wurde 1778 Stadtkantor und Seminarlehrer (1805 Rektor) in Bayreuth (1817 Dr. phil. Erlangen). Er komponierte das Oratorium *Die Kreuzfahrer*, zahlreiche Kantaten, Trauerarien, Choralsätze sowie Kirchenlieder und veröffentlichte in verschiedenen Almanachen mehrere Lieder für Singst. und Kl.
Ausg.: 2 Melodien in: J. ZAHN, Die Melodien d. deutschen ev. Kirchenlieder, Bd I (Nr 2004) u. Bd II (Nr 3606), Gütersloh 1889–90, München ²1946, Nachdr. Hildesheim 1963.
Lit.: G. SCHMIDT, J. B. Kehl u. J. W. St., Arch. f. Gesch. v. Oberfranken XLVI, 1966 (mit Werkverz.).

+Stadler, Maximilian ([erg.:] Taufnamen Johann Carl Dominic), 4. [nicht: 7.] 8. 1748 – 1833.
Er war auch mit Beethoven bekannt (der Kanon *Signor Abbate* zeugt von den Beziehungen zwischen beiden Komponisten). St. ordnete Mozarts Nachlaß, kollationierte den Erstdruck von dessen Requiem und half Konstanze und G. N. →+Nissen bei der Abfassung der Mozart-Biographie. Von Mozarts Kompositionen hat er eine Anzahl ergänzt bzw. vollendet. Als Leiter des kaiserlichen Musikarchivs sammelte er *Materialien zur Geschichte der Musik unter den österreichischen Regenten* (Österreichische Nationalbibl., Cod. Ser. nov. 4310), die bis zum Tode Josephs II. reichen und die älteste österreichische Musikgeschichte darstellen.
Ausg.: W. A. Mozart, Larghetto u. Allegro in Es f. 2 Kl. (KV⁶: Deest). Fragment vollendet v. M. St., hrsg. v. G. Croll, Kassel 1964. – M. St.s eigenhändig geschriebener Lebenslauf, Wien 1829, hrsg. v. R. Haas, Mozart-Jb. 1957; Materialien zur Gesch. d. Musik unter d. österreichischen Regenten, in: K. Wagner, Abbé M. St., Seine Materialien ..., Ein Beitr. zum mus. Historismus im vormärzlichen Wien, Diss. Salzburg 1972 (vgl. dazu ders. in: ÖMZ XXIV, 1969, S. 709ff.).
Lit.: L. Finscher, M. St. u. Mozarts Nachlaß, Mozart-Jb. 1960/61; Fr. Blume, Requiem but no Peace, MQ XLVII, 1961, deutsch als: Requiem u. kein Ende, in: Syntagma musicologicum, hrsg. v. M. Ruhnke, Kassel 1963; G. Croll, Ein überraschender Mozart-Fund. Ein erster Ber., Mozart-Jb. 1962/63; Ders., Eine zweite, fast vergessene Selbstbiogr. v. Abbé St., ebd. 1964; Ders., Briefe zum Requiem, ebd. 1967; H. Hellmann-Stojan in: MGG XII, 1965, Sp. 1122ff.; H. Eppstein, Mozarts »Fantasie« KV 396, in: Mf XXI, 1968.

+Stadlmair, Hans, * 3. 5. 1929 zu Neuhofen an der Krems (Oberösterreich).
Tourneen mit dem von ihm geleiteten Münchner Kammerorchester führten ihn wiederholt auch in die USA, nach Süd- und Mittelamerika, Afrika und Asien. Neuere Werke: Konzert für V. und Streicher (1962); Metamorphosen *Lacrimae* für Streicher (1966, für Orch. 1967); Toccata für Streichorch. und Cemb. (1966, für Orch. 1967); Konzert für Trp. und Streicher (1967); Sinfonietta für Streichorch. (1967); Canzona für Vc. und Streichorch. (1967); *Styx* für Sprecherin, Cemb. und Schlagzeug (nach Else Lasker-Schüler, 1968); *Sinfonia serena* für Streicher (1970); Kammermusik (u. a. 2 Sonaten für Kl., 1961 und 1971) und Chorwerke (*Das Auge des Adlers* für gem. Chor, nach Thomas von Aquin, 1969). Ferner schrieb er den Beitrag »*... denn da feiert kein Stern, kein Stern steht stille*« (in: Ex Deo nascimur, Fs. J. N. David, Wiesbaden 1970).

Stadlmann, österreichische Geigenbauerfamilie. –1) Daniel Achatius, * um 1680 zu Goisern (Oberösterreich), † 27. 10. 1744 zu Wien, wurde wahrscheinlich in Wien bei dem Lautenmacher Heinrich Kramer ausgebildet, dessen Tochter er 1707 heiratete. Er baute hochgewölbte Violinen, bei denen er sich an das Modell Jakob Stainers anschloß. –2) Johann Joseph, * vermutlich 1720 und † 27. 12. 1781 zu Wien, Sohn von –1), übernahm die Werkstatt des Vaters, war ab 1750 Hoflautenmacher. Vor allem sind seine Violoncelli geschätzt. –3) Michael Ignaz, * um 1756 und † 9.(10.?) 3. 1813 zu Wien, Vetter oder Neffe von –2), war ab 1772 selbständiger Meister, 1776–81 Adjunkt bei der kaiserlichen Kapelle sowie ab 1784 (1782?) Hoflautenmacher und spielte zugleich Kontrabaß in der Hofkapelle. Er ist einer der ersten Wiener Meister, der Instrumente mit flacher Wölbung baute und sich dem Vorbild Stradivaris anschloß.

+Stadlmayr, Johann, um 1570 [nicht: 1560] – 12. [nicht: 11.] 7. 1648.
Lit.: W. Senn in: MGG XII, 1965, Sp. 1127ff.; H. H. Junkermann, The Magnificats of J. St., 2 Bde (I Text, II Übertragung), Diss. Ohio State Univ. 1966.

Stadtfeld, Chrétien-Joseph-François-Alexandre, * 28. 4. 1826 zu Wiesbaden, † 4. 11. 1853 zu Brüssel; belgischer Komponist deutscher Herkunft, studierte am Conservatoire Royal de Musique in Brüssel bei Fétis. In seinem umfangreichen Œuvre sind nahezu alle Gattungen vertreten; hervorzuheben sind 4 Symphonien. Seine einzige große Oper *Hamlet* (vollendet 1853, aufgeführt 1882 in Weimar unter der Leitung von Lassen) sowie die zahlreichen Lieder sind von Meyerbeer beeinflußt.
Lit.: A. Thys, Historique des soc. chorales de Belgique, Gent u. Köln 1855; M. Weber, A. St., Leben u. Werk. Ein Beitr. zur belgischen Mg. d. 19. Jh., Diss. Bonn 1969.

+Stäblein, Bruno, * 5. 5. 1895 zu München.
St., 1963 an der Erlanger Universität emeritiert, ist seit 1967 Vorstand der Gesellschaft für bayerische Musikgeschichte. Zu seinem 70. Geburtstag wurde er mit einer Festschrift geehrt (hrsg. von M. Ruhnke, Kassel 1967, mit Schriftenverz.). Von seinen neueren Aufsätzen seien genannt: *Die Unterlegung von Texten unter Melismen. Tropus, Sequenz und andere Formen* (Kgr.-Ber. NY 1961, Bd I); *Zur Frühgeschichte der Sequenz* (AfMw XVIII, 1961); *Der Tropus »Dies sanctificatus« zum Alleluia »Dies sanctificatus«* (Fs. E. Schenk, = StMw XXV, 1962); *Die Schwanenklage. Zum Problem Lai – Planctus – Sequenz* (Fs. K. G. Fellerer, Regensburg 1962); *Notkeriana* (AfMw XIX/XX, 1962/63); *Modale Rhythmen im Saint-Martial-Repertoire?* (Fs. Fr. Blume, Kassel 1963); *Zum Verständnis des »klassischen« Tropus* (AMl XXXV, 1963); *Zwei Textierungen des Alleluia Christus Resurgens in St. Emmeram-Regensburg* (in: Organicae voces, Fs. J. Smits van Waesberghe, Amsterdam 1963); *Die Sequenzmelodie »Concordia« und ihr geschichtlicher Hintergrund* (Fs. H. Engel, Kassel 1964); *Zur Musik des Ludus de Antichristo* (Fs. J. Müller-Blattau, = Saarbrücker Studien zur Musikwissenschaft I, ebd. 1966); *Zur Stilistik der Troubadour-Melodien* (AMl XXXVIII, 1966); *»Gregorius Praesul«, der Prolog zum römischen Antiphonale* (in: Musik und Verlag, Fs. K. Vötterle, Kassel 1967); *»Psalle symphonizando«* (Fs. W. Wiora, ebd.); *Kann der gregorianische Choral im Frankenreich entstanden sein?* und *Nochmals zur angeblichen Entstehung des gregorianischen Chorals im Frankenreich* (AfMw XXIV, 1967 bzw. XXVII, 1970); die Einführung zu *Die Gesänge des altrömischen Graduale Vat. lat. 5319* (= Monumenta monodica medii aevi II, ebd. 1970); *Zwei Melodien der altirischen Liturgie* (in: Musicae scientiae collectanea, Fs. K. G. Fellerer, Köln 1973); *Die Entstehung des gregorianischen Chorals* (Mf XXVII, 1974).

Staehelin, Martin, * 25. 9. 1937 zu Basel; Schweizer Musikforscher, studierte 1956–67 Musikwissenschaft an der Universität in Basel (Schrade, A. Schmitz), wo er 1967 mit der Dissertation *Quellenstudien zu H. Isaac und seinem Messen-Œuvre* promovierte, sowie daneben 1958–62 Schulmusik und Flöte an der Musik-Akademie der Stadt Basel. 1971 habilitierte er sich an der Zürcher Universität. Er veröffentlichte u. a.: *Zum Egenolff-Diskantband der Bibliothèque Nationale in Paris* (AfMw XXIII, 1966); *Quellenkundliche Beiträge zum Werk von J. Ghiselin-Verbonnet* (AfMw XXIV, 1967); *Der Grüne Codex der Viadrina* (= Abh. der Akademie der Wissenschaften und der Literatur zu Mainz, Geistes- und Sozialwissenschaftliche Klasse, Jg. 1970, Nr 10); *P. de la*

Rue in Italien (AfMw XXVII, 1970); *Zum Schicksal des alten Musikalien-Fonds von San Luigi dei Francesci in Rom* (FAM XVII, 1970); *Zur Echtheitsproblematik der Mozartschen Bläserkonzertante* (Mozart-Jb. 1971/72; *Eine Florentiner Musik-Handschrift aus der Zeit um 1500* (in: Schweizer Beitr. zur Musikwissenschaft I, 1972); *K. Paumann und die Orgelgeschichte des Klosters Salem im 15. und 16. Jh.* (Mf XXV, 1972); *Neues zu B. Frank* (Fs. A. Geering, Bern 1972); *Zum Phänomen der Tradition in der Musikgeschichte des 15. und 16. Jh.* (in: Studien zur Tradition in der Musik, Fs. K. v. Fischer, München 1973). Aus dem Nachlaß von H. Birtner gab St. *Messen* von H. Isaac heraus (= MMD VII, Mainz 1970).

Staehle, Johann Hugo Christoph Ludwig Herkules, * 21. 6. 1826 zu Fulda, † 29. 3. 1848 zu Kassel; deutscher Komponist, war Schüler von Deichert, Hauptmann und Spohr in Kassel sowie von Louis Plaidy und Ferdinand David in Leipzig, wo er sich während der Winter 1843/44 und 1844/45 aufhielt. Spohr, der St. hoch schätzte, brachte 1844 dessen Symphonie und 1847 dessen Oper *Arria* zur Aufführung. Von den weiteren etwa 80 Werken St.s erschienen ein Klavierquartett op. 1, 12 Lieder op. 2 und op. 5 sowie 6 Salonstücke und 3 Scherzi für Kl. op. 3 und op. 4 im Druck.
Lit.: Fr. Uhlendorff, H. St., in: Lebensbilder aus Kurhessen u. Waldeck III, Marburg 1942.

+Stählin, Jacob (geadelt als St. von Storcksburg), [erg.:] 10. 5. 1709 [nicht: 1710] – 25. 6. (6. [nicht: 17.] 7.) 1785.
Nach einem Studium an der Universität Leipzig wurde St. 1735 als Professor an die St. Petersburger Akademie der Wissenschaften berufen. 1742–45 war er Erzieher des Zaren Peter III. und hatte wesentlichen Anteil an der Reorganisation der kaiserlichen Akademie (1765–69). – In St.s Schriften wird erstmals über das musikalische Leben in Rußland berichtet (bereits 1738 regelmäßig Zeitschriftenartikel über Opernaufführungen). Seine Aufsätze *+Nachrichten von der Musik in Rußland* (1770) erschienen russisch als *Iswestija o musyke w Rossii* (hrsg. von T. N. Liwanowa, in: Musykalnoje nasledstwo I, Moskau 1935) und zusammen mit *+Zur Geschichte des Theaters in Rußland* (1769) als *Musyka i balet w Rossii XVIII weka* (hrsg. von B. I. Sagurskij und B. Wl. Assafjew, Leningrad 1935).

+Staempfli, Edward, * 1. 2. 1908 zu Bern.
Neuere Werke: das Ballett *Spannungen* (Bielefeld 1962); *Epitaphe pour P. Éluard* (1954), *Strophen* (1958), *Orchesterwerk 1960* und 5 *Nachtstücke* (1961) für Orch.; 4. Klavierkonzert (1963), 3. Violinkonzert (1966); *Tripartita* für 3 Kl. und Blasorch. (1960), *Sätze und Gegensätze* für Vibraphon, Kl., Schlagzeug und Streicher (1973), Musik für 16 Streicher (1969), *Großes Mosaik* für 2 Kl. und 11 Instr. (1966), *Mosaik II* für Fl., Ob., Klar., Horn, Fag., Schlagzeug und Kl. (1973), *Ornamente* für 2 Fl., Celesta und Schlagzeug (1960), 6. Streichquartett (1962), Quartett für Klar., V., Vc. und Hf. (1965), Duo für Klar. und Kl. (1970); Oratorien *Wenn der Tag leer wird . . .* für Soli, Chor und Orch. (N. Sachs, 1967) und *L'avventura d'un povero Christiano* für Sprecher, Sprecherin, S., A., T., B., 2 gem. Chöre und Orch. (1973); Kantaten *Divertimento* für S. und 8 Instr. (1959), *Wege des Wanderers* für S. und 12 Instr. (Fr. Hölderlin, 1966) und *Jenseits* für S. und 7 Instr. (M. L. Kaschnitz, 1974); *Zions Klage und Tröstung* für S., A., Bar., Sprecher, gem. Chor und Orch. (1970), *Solo la muerte* für Bar., gem. Chor und 7 Spieler (P. Neruda, 1973), *Gedanken über die Zeit* für S., Fl., Ob., Hf., Schlagzeug und Kl. (P. Fleming, 1973), *Tagebuch*

aus Israel für A., V., Klar., Vc. und Kl. (1968); Liederzyklus *Traumschalmei* für Singst. und Kl. (1970). – Von seinen Aufsätzen seien genannt: *Musik, Wort und Sprache* (in: Melos XXXIV, 1967); *Strawinskys »Symphonies pour instruments à vent«* (ebd. XXXVI, 1969); *Das Streichtrio op. 45 von A. Schönberg* (ebd. XXXVII, 1970); *Im Zwiespalt der Empfindungen* (ebd. XXXVIII, 1971; über Strawinskys Einfluß auf St.); *Pelleas und Melisande. Eine Gegenüberstellung der Werke von Cl. Debussy und A. Schönberg* (SMZ CXII, 1972).
Lit.: H. H. Stuckenschmidt in: SMZ CVIII, 1968, S. 117f.

Staern, Gunnar Oscar, * 23. 1. 1922 zu Djursholm (bei Stockholm); schwedischer Dirigent, studierte privat und an der Kungl. Musikhögskolan in Stockholm bei T. Mann Dirigieren und bei Nanny Larsén-Todsen Gesang und vervollkommnete sich später in Orchesterleitung bei Furtwängler und H. v. Karajan. 1954–62 war er Dirigent der Gävleborgs Orkesterförening in Gävle. Seither tritt er als Gastdirigent u. a. bei den Festspielen in Stockholm und in Göteborg (auch ständiger Gastdirigent am Stora Teatern) auf. Er hat auch Tourneen u. a. nach Monte Carlo, Australien und in den Fernen Osten unternommen. 1955–58 war er mit der Pianistin Käbi Laretei verheiratet.

+Stagno, Roberto (eigentlich Vincenzo Andriolo), [erg.:] 11. 10. 1840 [nicht: 1836] – 1897.
Die Tochter Bianca Stagno Bellincioni (* 23. 1. 1888 zu Budapest; Sopran) begann mit ihrem Debüt 1913 in Graz eine alsbald international verlaufende Bühnenkarriere und wirkte 1916–31 auch als Filmschauspielerin. 1950, nach dem Tode ihrer Mutter Gemma →+Bellincioni, übernahm sie deren Gesangsschule in Neapel. Seit 1961 lebt sie im Ruhestand in Mailand.

+Stahl, Hermann Wilhelm, 1872 – 1953 [nicht: 1954].
An weiteren Schriften seien genannt: *Geschichte des Schulgesangunterrichts* (Bln 1913); *Geschichte der Kirchenmusik in Lübeck* (Lübeck 1931); *Die Totentanzorgel der Marienkirche in Lübeck* (Mainz ²1942).
Lit.: H. Frey in: Lübeckische Blätter LXXXVIII, 1953, S. 199ff.; W. Haacke in: MuK XLII, 1972, S. 84f.

Stahlmann (st'a:lmən), Sylvia, * 5. 3. 1933 zu Nashville (Tenn.); amerikanische Sängerin (Sopran), studierte in New York an der Juilliard School of Music, debütierte 1951 unter dem Pseudonym Giulia Bardi am Théâtre de la Monnaie in Brüssel, war dann unter ihrem eigentlichen Namen bei der New York City Opera Company (1956) sowie an den Opern in San Francisco (1958) und Chicago (1960) engagiert. Sie war 1954–72 (ab 1966 als Gast) an die Städtischen Bühnen in Frankfurt a. M. verpflichtet. S. St. tritt auch als Konzertsängerin auf.

+Stainer, Jakob (Steiner), spätestens 1617 – 1683.
St. geriet 1669 [nicht: 1699] wegen Häresie in Haft. Bisher sind keine Brüder von St. als Instrumentenmacher nachweisbar.
Lit.: Fr. Baser in: Musica IX, 1955, S. 154ff.; H. Heckmann, Ein später Brief v. J. St., Fs. W. Wiora, Kassel 1967; W. Senn in: ÖMZ XXV, 1970, S. 680ff.

+Stainer, Sir John, 1840–1901.
+Dufay and His Contemporaries (1898), Nachdr. Amsterdam 1963; *+Early Bodleian Music. Sacred and Secular Songs, . . .* (1901), Nachdr. Farnborough 1967 (mit dem zusätzlichen Kommentar-Bd, hrsg. von W. Br. Nicholson, London 1913). – St. veröffentlichte ferner *The Music of the Bible, With Some Account of the Develop-*

ment of Modern Musical Instruments from Ancient Types (London 1879, revidiert hrsg. von Fr. W. Galpin, ebd. 1914, Nachdr. NY 1970).
Lit.: E. R. JACOBI, Die Entwicklung d. Musiktheorie in England nach d. Zeit v. J.-Ph. Rameau, Teil II, = Slg mw. Abh. XXXIX–XXXIXa, Straßburg 1960; E. A. WIENANDT u. R. H. YOUNG, The Anthem in England and America, NY u. London 1970.

Stoinoff, Petko Gruev (Stajnov), * 19. 11. (1. 12.) 1896 zu Kazanlâk (Stara Zagora); bulgarischer Komponist, mit 5 Jahren erblindet, absolvierte als Schüler von Alexander Wolf (Komposition und Theorie) und Ernst Münch (Klavier) 1924 das Dresdener Konservatorium. Er ließ sich 1927 in Sofia nieder, wo er 1927–41 Klavierlehrer an der staatlichen Blindenschule, 1932–44 1. Vorsitzender des von ihm gegründeten Vereins bulgarischer Komponisten Sâvremenna Muzika (»Zeitgenössische Musik«), 1933–44 Vorsitzender des bulgarischen Sängerverbands, 1941–44 Direktor der Nationaloper und 1946–53 Musikrat im Kulturministerium war. Seit 1941 ist er Mitglied der bulgarischen Akademie der Wissenschaften (seit 1948 ständiges Mitglied des Präsidiums), an der er 1948 das musikwissenschaftliche Institut gründete und seitdem leitet, seit 1967 daneben Vorsitzender des Nationalrats für alle Amateurkünste. Er schrieb Orchesterwerke (*Trakijski tanci*, »Thrakische Tänze«, 1926; Symphonische Dichtungen *Legenda*, 1926, und *Trakija*, »Thrakien«, 1939; symphonische Suite *Prikazska*, »Märchen«, 1930; Konzertouvertüre *Balkan*, 1936; *Simfonično skerco*, 1938; 2 Symphonien, 1945 und 1948; *Mladežka koncertna uvertjura*, »Jugendouvertüre«, 1952), Kammermusik, zahlreiche a cappella-Chöre (*Sân sânyuvach*, »Ich habe geträumt«, 1919; *Da bjacha, libe*, »Wenn es sein könnte, Liebchen«, 1926; Liederzyklus *Zasviri Dimo*, »Dimo spielt Hirtenflöte«, *Pusti Dimo*, »Verflixter Dimo«, und *De bre, Dimo*, »Dimo, hüpfe!«, 1928; *Izgrejalo jasno slânce*, »Die helle Sonne geht auf«, 1930; *Ela se vie, previva*, »Die Tanne beugt sich«, Hochzeitslied, 1931; Balladen *Tajnata na Struma*, »Das Geheimnis vom Struma-Fluß«, 1931, *Urvič*, 1934, *Sto dvadeset duši*, »120 Mann waren sie an der Zahl«, 1935, *Kum German*, »German, der Pate«, 1953, *Balada za drugarja Anton*, »Ballade von dem Genossen Anton«, 1954, und *Matroska balada*, »Matrosenballade«, 1955; *Patrioti*, »Patrioten«, 1955; *Rodino*, »Du, Heimat«, 1957; *Mojata rodina*, »Mein Vaterland«, 1961) und Liedbearbeitungen.
Lit.: A. BOGDANOV, P. St., Sofia 1952; V. KRÂSTEV, P. St., ebd. 1957; P. St. za bâlgarska muzikalna kultura (»P. St. u. d. bulgarische Musikkultur«), hrsg. v. A. BALAREVA u. a., ebd. 1967; Aufsatzfolge in: Bâlgarska muzika XXII, 1971, Nr 10.

Stalder, Hans Rudolf, * 9. 7. 1930 zu Zürich; Schweizer Klarinettist, studierte an den Konservatorien Zürich und Würzburg sowie bei Louis Cahuzac in Paris. Er war 1953–55 Soloklarinettist im Städtischen Orchester St. Gallen und ist seit 1955 in gleicher Stellung im Tonhalle-Orchester Zürich tätig. 1955 gründete er das St.-Quintett. St. hat als Solist und Kammermusiker (u. a. mit seiner Frau, der Flötistin Ursula Burkhard) in Europa und den USA konzertiert und wirkt als Pädagoge am Zürcher Konservatorium.

+Stamitz (Stamic, Staimiz, Stainiz, Steinmetz), Anton Thadäus Johann Nepomuk (Antonín Tadeáš Jan Nepomucký) [erg. Vornamen], getauft 27. [del.: * 24.] 11. 1750 [nicht: 1754] zu Deutsch-Brod (Böhmen) [nicht: Mannheim], † nach dem 27. 10. 1796 vermutlich zu Paris (Charenton?) [del. frühere Angaben].

Konzertreisen führten St. durch ganz Mitteleuropa, so u. a. 1772 und 1774 auch nach Wien. Mozart lernte ihn 1778 in Paris kennen. 1782–89 war St. Mitglied der königlichen Kapelle in Versailles. – Der Schwerpunkt seines Schaffens liegt auf Orchestermusik: 15 Symphonien, 6 Doppelkonzerte (bzw. konzertante Symphonien), mindestens 15 Violin-, mehrere Viola- und 5 Klavierkonzerte.
Ausg.: Konzert D dur f. Fl. u. Orch., in: Flötenkonzerte d. Mannheimer Schule, hrsg. v. W. LEBERMANN, = EDM LI, Abt. Orchestermusik V, Wiesbaden 1964. – weitere (neuere) Einzelausg. u. a. in d. Verlagen Albersen, Den Haag (Hrsg. CL. v. GLEICH), Breitkopf & Härtel, Wiesbaden (P. GRADENWITZ, W. LEBERMANN), Hug, Zürich (K. SCHULTZ-HAUSER) und Schott, Mainz (W. LEBERMANN). Lit.: W. LEBERMANN, Biogr. Notizen über J. A. Fils, J. A. St., C. J. u. J. B. Toeschi, Mf XIX, 1966. →+Stamitz, J.

+Stamitz (Stamic, Staimiz, Stainiz, Steinmetz), Carl [erg.:] Philipp (Karel Filip), 7.(?, [erg.: getauft 8.]) 5. 1745 – 1801.
Nach dem Tode seines Vaters erhielt St. Unterricht bei Chr. Cannabich, I. Holzbauer und Fr. X. Richter. In Paris trat er nach 1770 [nicht: 1785] als Hofkapellmeister in die Dienste des Herzogs Louis de Noailles und unternahm von dort häufig ausgedehnte Konzertreisen. Sein musikalischer Nachlaß ist seit dem vergeblichen Versuch einer Versteigerung im Jahre 1810 verschollen. Als zweite, ebenfalls verschollene Oper wird in zeitgenössischen Berichten *Dardanens Sieg* erwähnt. Weitere Kompositionen: etwa 50 Sinfonien, um 25 konzertante Sinfonien, über 50 Solokonzerte, Kammermusik in unterschiedlicher Besetzung.
Ausg.: J. S. BUNKE, »Concerto in B♭ flat (No. 2)« f. Clarinet by K. St., Diss. NY Univ. 1971 (mit Anm. versehene Partitur). – neuere Einzelausg. u. a. in d. Verlagen Bärenreiter, Kassel (Hrsg. FR. SCHNAPP, W. UPMEYER), Breitkopf & Härtel, Wiesbaden (P. GRADENWITZ, D. HELLMANN, W. LEBERMANN, F. SCHROEDER), Hofmeister, Lpz. (H. BOESE, W. BORISSOWSKY), Peters, Frhm. (W. LEBERMANN), Schott, Mainz (DERS., H. MÖNKEMEYER), Sikorski, Hbg (W. LEBERMANN, J. WOJCIECHOWSKI), Simrock, Hbg (J. WOJCIECHOWSKI), Universal-Ed., Wien (P. DOKTOR) u. Zeneműkiadó, Budapest (G. BALASSA). Lit.: FR. C. KAISER, C. St. (1745–1801). Biogr. Beitr., Das symphonische Werk. Thematischer Kat. d. Orchesterwerke, Diss. Marburg 1962; J. ZALOHA, Drei unbekannte Autographe v. K. St. in d. Musikaliensammlung in Český Krumlov, Mf XIX, 1966. →+Stamitz, J.

+Stamitz (Stamic, Staimiz, Steiniz, Steinmetz), Johann Wenzel Anton, 19. [erg.: oder 17.] 6. 1717 – 1757.
St.' Vater Antonín stammt aus Pardubitz (Ostböhmen) [nicht: Marburg an der Drau]. J. St. besuchte 1728–34 die Jesuitenschule in Iglau [nicht: Deutsch Brod]. 1741 trat er in die Dienste des Kurfürsten von der Pfalz Karl Philipp und dessen Nachfolgers Karl Theodor (ab 1743) [del. frühere Angaben dazu]. 1744 [nicht: 1745] heiratete er Maria Antonia Lünenborn. Im Herbst 1754 verpflichtete A. de La Poupelinière St. als Dirigenten und Komponisten für sein Orchester in Passy (Paris). – An weiteren Kompositionen von St. sind u. a. nachweisbar: 6 Violinkonzerte op. 9 (Paris 1764), 6 *Concertos for harpsichord, org. or pfte with instr. parts* op. 10 (nur Solo-Stim. erhalten, London o. J.), 3 Sinfonien op. 11 (Paris 1760?). Die Zuweisung von Kompositionen zu J. St. oder seinen beiden Söhnen Carl und Anton ist oft unsicher und ändert sich je nach Forschungslage; der Autor der von H. Riemann in DTB III, 1 (1902) veröffentlichten B dur-Sinfonie ist nach neueren Quellen in der Waldsteinschen Musiksammlung auf Schloß Doksy (Nordböhmen) Fr. X. Richter.

Ausg.: Sonate G dur f. V. u. Continuo op. 6a, hrsg. v. J. RACEK u. FR. BROŽ, = MAB XXVIII, Prag 1956; Sinfonien A dur, G dur u. D dur, hrsg. v. A. HOFFMANN, = Corona XXXVIII, Wolfenbüttel 1957; Fl.-Konzert D dur, hrsg. v. W. LEBERMANN, London 1961; Fl.-Konzert G dur, in: Flötenkonzerte d. Mannheimer Schule, hrsg. v. DEMS., = EDM LI, Abt. Orchestermusik V, Wiesbaden 1964; V.-Konzert C dur, hrsg. v. DEMS., Wilhelmshaven 1964; V.-Konzert G dur, hrsg. v. DEMS., = Concertino CXLII, Mainz 1964; Konzert B dur f. Klar., Streicher u. 2 Hörner, hrsg. v. DEMS., = Klar.-Bibl. Nr 11, ebd. 1968; Konzert G dur f. Va, Streichorch. u. Cemb., hrsg. v. R. LAUGG, Ffm. 1962; Fl.-Konzert D dur, Kl.-A. hrsg. v. P. GRADENWITZ, Wiesbaden 1963; Sinfonie Es dur (1. u. 4. Satz), in: L. HOFFMANN-ERBRECHT, Die Sinfonie, = Das Musikwerk XXIX, Köln 1967, auch engl.
Lit.: H. BOESE, Die Klar. als Soloinstr. in d. Musik d. Mannheimer Schule, Diss. Bln 1940; H. H. EGGEBRECHT, Das Ausdrucks-Prinzip im mus. Sturm u. Drang, DVjs. XXIX, 1955; DERS., Mannheimer Stil-Technik u. Gehalt, in: Musica Bohemica et Europaea, Kgr.-Ber. Brünn 1970; P. GRADENWITZ, in Musica XI, 1957, S. 131ff.; DERS., J. St. als Kirchenkomponist, Mf XI, 1958; DERS., Die Steinmetz-Mss. d. Landes- u. Hochschulbibl. Darmstadt, Mf XIV, 1961; DERS. u. FR. KAISER in: MGG XII, 1965, Sp. 1150ff.; E. SCHMITT, Die kurpfälzische Kirchenmusik im 18. Jh., Diss. Heidelberg 1958; FR. NOACK, Die Steinmetz-Mss. d. Landes- u. Hochschulbibl. Darmstadt, Mf XIII, 1960; W. KORTE, Darstellung eines Satzes v. J. St., Fs. K. G. Fellerer, Regensburg 1962; J. P. LARSEN, Zur Bedeutung d. »Mannheimer Schule«, ebd.; B. ŠTĚDROŇ, Beitr. zur Kontroverse um d. tschechische Herkunft u. d. Nationalität v. J. V. Stamic, in: Sborník prací filosofické fakulty brněnské univ. XI, F 6, 1962, auch in: BzMw VI, 1964, S. 16ff.; R. FUHRMANN, Mannheimer Kl.-Kammermusik, 2 Bde, Diss. Marburg 1963; S. HERMELINK in: Ruperto-Carola XIX, 1967, Bd 42, S. 41ff.; G. PESTELLI, Il cammino stilistico di J. St., in: Chigiana XXIV, N. S. IV, 1967; J. SOCHR, K otázce datování německobrodské cesty J. V. Stamice ... (»Die Datierungsfrage v. J. St.' Besuch in Deutsch-Brod ...«), in: Hudební věda IV, 1967 (mit engl., deutscher u. russ. Zusammenfassung); H.-R. DÜRRENMATT, Die Durchführung bei J. St., = Publ. d. Schweizerischen musikforschenden Ges. II, 19, Bern 1969; P. ANDRASCHKE, Formbildung in d. Anfangssätzen d. späten Symphonien v. J. St., in: Musica Bohemica et Europaea, Kgr.-Ber. Brünn 1970; J. FUKAČ, Biogr. u. quellenkundliche Gegebenheiten d. Mg. d. böhmische Länder in Beziehung zur Mannheimer Schule, ebd.; A. RIETHMÜLLER, Mannheimer Kompositionsstil u. zeitgenössische Ästhetik, ebd.; T. VOLEK, Das Verhältnis v. Rhythmus u. Metrum bei J. W. St., Kgr.-Ber. Bonn 1970; E. K. WOLF, The Symphonies of J. St., Authenticity, Chronology and Style, 3 Bde, Diss. NY Univ. 1972; FR. NOSKE, Zum Strukturverfahren in d. Sinfonien v. J. St., in: Musicae scientiae collectanea, Fs. K. G. Fellerer, Köln 1973.

Stampiglia (stamp'i:ʎa), Silvio, * 14. 3. 1664 zu Civita Lavinia (heute Lanuvio, bei Rom), † 26. 1. 1725 zu Neapel; italienischer Librettist, entfaltete eine fruchtbare literarische Tätigkeit, zunächst in Rom, dann in Neapel (1696–1704), Florenz (1704–05), Wien (1706–18, kaiserlicher Hofdichter), zuletzt in Rom (ab 1718) und Neapel (ab 1722). Sein erfolgreichstes Opernbuch war *La Partenope*, das u. a. von Caldara (Neapel 1699), L. A. Predieri (Bologna 1710), Sarri (Neapel 1722), L. Vinci (unter dem Titel *La Rosmira fedele*, Venedig 1725), Händel (London 1730), Sarri und Costanzi (Rom 1734), Vivaldi (unter dem Titel *Rosmira*, Venedig 1738), Porpora (Neapel 1742), Paganelli (unter dem Titel *Rosmira*, Florenz 1746) und G. Cocchi (unter dem Titel *La Rosmira fedele*, Venedig 1753) vertont wurde. Seine zahlreichen anderen Libretti (auch für Oratorien, Kantaten, Serenate und Intermezzi) wurden u. a. von A. M. und G. B. Bononcini, A. Scarlatti, Aldrovandini, Fr. Conti, Ariosti, M.

A. Ziani, Fr. Mancini, L. Leo, G. Porta, L. Vinci, Sarri, Porpora und Terradellas in Musik gesetzt.

Stančić (st'antʃitç), Svetislav, * 7. 7. 1895 und † 7. 1. 1970 zu Zagreb; jugoslawischer Klavierpädagoge, studierte in Zagreb und Berlin (H. Barth, C. Ansorge, Busoni) und war Professor für Klavier an der Zagreber Musikakademie. Aus seiner Schule ging eine Reihe bekannter jugoslawischer Pianisten hervor, u. a. Melita Lorković, B. Kunc, Branka Musulin, Ivo Maček und Jurica Murai. St. ist auch als Komponist von Orchester-, Klavier- und Vokalkompositionen hervorgetreten.
Lit.: K. KOVAČEVIĆ, Sv. St., in: Muzičke novosti I, 1953.

Standford (st'ændfəd), Patric John, * 5. 2. 1939 zu Barnsley (Yorkshire); englischer Komponist, studierte 1961–64 bei Rubbra in London, 1964–65 bei G. Fr. Malipiero und 1965 bei Lutosławski in Italien. Seit 1967 ist er Professor an der Guildhall School of Music in London. Von seinen Kompositionen seien genannt: *Suite française* für Bläserquintett op. 1 (1964); Streichquartett Nr 1 op. 2 (1964) und Nr 2 op. 6 (1965); Symphonische Dichtung *Saracinesco* op. 10 (1966); Suite für Orch. op. 11 (1967); Nocturne für Kammerorch. op. 12 (1967); Oratorium *The Nativity* op. 15 (1968); Ballett *Celestial Fire* op. 17 (Stafford 1968); *La notte* für Kammerorch. op. 18 (1968); Variationen für Kl. op. 23 (1969); Streichquartett Nr 3 op. 25 (1969, Neufassung 1973); Klaviertrio op. 30 (1970); *Antitheses* für 15 Streicher op. 37 (1971); Symphonie Nr 1 op. 40 (1972); *Christus-Requiem* op. 41 (1973); Symphonie Nr 2 *Il paradiso* op. 44 (1973).

+Standfuß, J. (Johann?) C., † um 1759 [del. bzw. erg. frühere Angaben].
Bei der Kochschen Theatertruppe in Leipzig wirkte St. etwa 1750–56, darauf ist er bis 1757 in Weimar nachweisbar.
Lit.: +G. CALMUS, Die ersten deutschen Singspiele v. St. u. Hiller (1908), Neudr. Walluf bei Wiesbaden 1973; K. WESSELER, Untersuchungen zur Darstellung d. Singspiels auf d. deutschen Bühne d. 18. Jh., Diss. Köln 1955.

+Stanford, Sir Charles Villiers, 1852–1924.
St. schrieb 7 [nicht: 6] Symphonien (Nr 7 D moll op. 124, 1911).
Lit.: FR. HUDSON, C. V. St., Nova bibliogr., MT CIV, 1963 – CV, 1964; DERS., A Cat. of the Works of Ch. V. St., MR XXV, 1964. – H. HOWELLS, An Address at the Centenary of Ch. V. St., Proc. R. Mus. Ass. LXXIX, 1952/53; S. STOOKES, C. V. St., Man of Letters, MMR LXXXV, 1955; H. WILKINSON, The Vocal and Instr. Technique of Ch. V. St., 2 Bde (I Text, II Musikbeispiele), Diss. Univ. of Rochester (N. Y.) 1959; FR. HUDSON in: MGG XII, 1965, Sp. 1172ff.

Stange, Hermann, * 19. 12. 1835 und † 22. 6. 1914 zu Kiel; deutscher Organist und Komponist, studierte 1854–56 am Leipziger Konservatorium und 1856–57 privat bei Hauptmann. 1857 wurde er Musiklehrer beim Grafen Bernstorff in Hannover, unterrichtete auf dem Schloß Monrepos bei Neuwied Prinzessin Elisabeth zu Wied-Neuwied (spätere Königin von Rumänien), war 1860–63 an der Rossal-School in Fleetwood (England) tätig und gab nach seiner Rückkehr Privatunterricht in Kiel und Hamburg. 1867 wurde er Domorganist in Schleswig und 1876 Organist an der Heiligengeistkirche in Kiel. Daneben war er 1878–1913 Akademischer Musikdirektor (Vorlesungen über Theorie und Geschichte der Musik, liturgische Übungen). St. war Mitgründer (später auch künstlerischer Leiter) der schleswig-holsteinischen Musikfeste, deren erstes 1875 in Kiel stattfand. – Ausgaben und Kompositionen (Auswahl): *Kirchenmusik für gem. Chor. Eine Samm-*

lung der wichtigsten Chorgesänge der evangelischen Kirche (Schleswig 1870); *Liebesleid und Freud in deutschen Volksliedern* für S., A., T. und B. (Hbg um 1876); *45 vierstimmige Choräle für höhere Schulen* (mit E. Fromm, Kiel 1884); *50 zwei- und dreistimmige Choräle zum Schulgebrauch* (mit dems., ebd.); *Vierstimmiges Choralbuch zu dem neuen schleswig-holsteinischen Gesangbuch für Kirche, Schule und Haus* (mit dems., ebd. ²1888); *64 zwei- und dreistimmige Lieder für Kirche, Schule und Haus aus dem Liederanhang zum schleswig-holsteinischen Gesangbuch* (1. Teil, Schleswig 1912).
Lit.: H. Fey, Schleswig-holsteinische Musiker, Hbg 1922; E. Pomsel, H. St. im Kieler Musikleben, Mitt. d. Ges. f. Kieler Stadtgesch. LVI, 1964.

+Stanislav, Josef, * 22. 1. 1897 zu Hamburg, [erg.:] † 5. 8. 1971 zu Prag.
In seinen letzten Lebensjahren befaßte sich St. fast ausschließlich mit Untersuchungen über zentralafrikanische und arabische Musik. Sein kompositorisches Schaffen umfaßt auch zahlreiche Massenlieder (*S presidentem Gottwaldem,* »Mit Präsident Gottwald«, und *Se zpěvem a smíchem,* »Mit Gesang und Lachen«, 1951). Von seinen Schriften seien genannt: *Hudební kultura, umění a život* (»Musikkultur, Kunst und Leben«, = Knihovna Unie českých hudebníků z povolání XXIII, Prag 1940), *O lidové hudbě, písni, tanci a lidové tvořivosti* (»Über Volksmusik, Lieder, Tänze und Volksschaffen«, ebd. 1958); *L. Kuba* (= Knižnice hudebních rozhledů, R. A. VI, ebd. 1963); *K počátkům hudebního myšlení* (»Zu den Anfängen des musikalischen Denkens«, in: Živá hudba I, 1959); *K základním problémům etnomuzikologie* (»Grundprobleme der Musikethnologie«, in: Hudební věda I, 1964); *Ukolébavky v Kongu* (»Weihnachtslieder im Kongo«, in: Živá hudba X, 1968); *Etnomuzikologie Afriky* (in: Hudební věda VIII, 1971). Eine Sammlung seiner Aufsätze erschien als *Stati a kritiky* (hrsg. von J. Macek, = Knižnice hudebních rozhledů III, 6–7, Prag 1957).
Lit.: M. Koubková u. M. Příhoda, J. St., Prag 1961 (mit Kompositions- u. Schriftenverz.). – Vl. Karbusicky u. V. Pletka, Delnické písně (»Arbeiterlieder«), 2 Bde, ebd. 1958; J. Jiránek, Die tschechische proletarische Musik in d. 20er u. 30er Jahren, BzMw IV, 1962; Ders., Houslová sonáta J. St.a (»Die V.-Sonate v. J. St.«), in: Hudební rozhledy XXIV, 1971; Ders. in: Hudební věda VIII, 1971, S. 271f.

Stanislawskij, Konstantin Sergejewitsch (eigentlich Alexejew), * 5.(17.) 1. 1863 und † 7. 8. 1938 zu Moskau; russisch-sowjetischer Theaterleiter, Schauspielerpädagoge und Regisseur, machte sein richtungsweisendes System der Schauspielkunst auch für eine kontinuierliche Opernarbeit fruchtbar. Er wollte zuerst Opernsänger werden, nahm Gesangs- und Schauspielunterricht bei Fjodor Komissarschewskij und trat in Opern- und Operettenaufführungen des elterlichen Privattheaters auf. 1885 wurde er, neben S. Tanejew, Tschaikowsky u. a., Mitdirektor am Konservatorium der Russischen Musikgesellschaft. Er gründete 1888 die Gesellschaft für Kunst und Literatur mit Opernklasse sowie 1898 (zusammen mit Wladimir Nemirowitsch-Dantschenko) das Moskauer Künstlertheater (MCHAT), dem 1914 ein Opernstudio, 1918 das Opernstudio des Bolschoj Teatr (ab 1920 selbständig) und 1935 das operndramatische Studio angegliedert wurde. Zu seinen wichtigsten Operninszenierungen (1921–28) gehören *Werther, Jewgenij Onegin, Il matrimonio segreto, Zarskaja newesta* (»Die Zarenbraut«) und *La Bohème.* Ab 1928 zwang ihn eine Krankheit, seine Inszenierungspläne durch Mitarbeiter ausführen zu lassen. – St. machte die Partitur zur Grundlage

seiner Opernregie. Großen Einfluß auf seine praktischen Methoden hatte das Wirken Schaljapins. St.s Arbeit mit dem »Sängerschauspieler« nahm wesentliche Prinzipien Felsensteins vorweg. – Eine 8bändige Ausgabe seiner Schriften erschien russ. Moskau 1954–59. – Deutsche Ausgaben: *Mein Leben in der Kunst* (Bln 1951) und *Die Arbeit des Schauspielers an sich selbst* (2 Bde, Bln 1961–62).
Lit.: O Stanislawskom (»Über St.«), Moskau 1948 (gesammelte Erinnerungen); K. E. Antarowa, Studioarbeit mit St., Bln 1952; N. M. Malyschewa, O wokalnom ispolnenii ... (»Über d. vokalen Vortrag. Im Hinblick auf d. Gedanken v. K. S. St.«), in: Woprossy musykosnanija I, hrsg. v. A. St. Ogolewez, Moskau 1953/54; dies., in: Woprossy wokalnoj pedagogiki IV, hrsg. v. W. L. Tschaplina, ebd. 1969 (zur Bedeutung v. St.s Prinzipien d. Vokalpädagogik); G. W. Kristi, St.s Weg zur Oper, Bln 1954; P. Rumjanzew, Rabota Stanislawskowo nad operoj »Rigoletto« (»St.s Arbeit an d. Oper ,Rigoletto'«), Moskau 1955; Ders., St. i opera (»St. u. d. Oper«), ebd. 1969; Zd. Soušek, Stanislavského systém v opeře (»St.s System in d. Oper«), in: Sborník Janáčkova akad. múzických umění I, 1959; Gh. Kulibin u. C. Cîrjan, Stanislawski şi teatrul de operă (»St. u. d. Operntheater«), in: Muzica XIII, 1963; O. Sobolewskaja, Kak stawila »Zarskaja newesta« (»Wie ,Die Zarenbraut' aufgeführt wurde«), SM XXVIII, 1968; dies., St.s Opern-Arbeit, Jb. d. Komischen Oper Bln XII, 1970/72; B. A. Pokrowskij, Wospitanije artista-pewza i prinzipy K. S. Stanislawskowo (»Die Erziehung eines Künstler-Sängers u. d. Prinzipien v. K. S. St.«), SM XXXVI, 1972. **KDG**

Stanke, Willi (Pseudonym Walter Forster), * 5. 11. 1907 zu Posen; deutscher Komponist und Dirigent von Unterhaltungsmusik, studierte 1927–33 am Stern'schen Konservatorium in Berlin Violine bei Petschnikow und Musiktheorie bei Klatte und war dann Violinist im Berliner Sinfonieorchester. Ab 1935 unternahm er mit einem eigenen Orchester Konzerttourneen im In- und Ausland. St. hat als Dirigent und Komponist Schallplattenverträge bei Electrola, Odeon, Columbia und Telefunken. 1963 gründete er eine eigene Produktionsfirma in Hamburg(-Wedel).

+Stanley, John, 1713–86.
Ausg.: Org.-Voluntaries, Faks. einer Ausg. aus d. 18. Jh. hrsg. v. D. Vaughan, 3 Bde, London 1957. – 30 Org.-Voluntaries op. 5–7, hrsg. v. G. Phillips, 3 H., = Tallis to Wesley Series XXVII–XXIX, ebd. 1967; Org.-Konzerte op. 10 Nr 4 C moll u. Nr 5 A dur, hrsg. v. P. Le Huray, 2 H., ebd. 1967–68; 8 Solos f. V. u. Cemb. (Vc./Va da gamba ad libitum) op. 1, hrsg. v. G. Pratt, ebd. 1972; 4 Sonaten f. Quer-Fl. u. B. c., hrsg. v. B. Weigart, 2 Bde, = Il fl. traverso Nr 70–71, Mainz 1972.
Lit.: J. Wilson, J. St., Some Op. Numbers and Ed., ML XXXIX, 1958; T. Frost, The Cantatas of J. St., ML LIII, 1972.

+Stanske, Heinz, * 2. 12. 1909 [nicht: 1913] zu Berlin.
Ab 1959 unterrichtete er an der Frankfurter Musikhochschule (1962 Professor).

+Starczewski, Feliks, 1868 – 29. 11. 1945 [nicht: 21. 1. 1946].
St. war ab 1903 Bibliothekar der Warschauer Musikgesellschaft.

Starer (st'æɔɹe), Robert, * 8. 1. 1924 zu Wien; amerikanischer Komponist österreichischer Herkunft, studierte an der Wiener Musikakademie (1937–38), dem Konservatorium in Jerusalem (1938–43) und der Juilliard School of Music in New York (1947–49), deren Lehrkörper er seit 1947 angehört. 1963 wurde er Professor an der City University of New York. Von seinen Kompositionen seien genannt: Opern *The Intruder* (NY 1956) und *Pantagleize* (1970); Ballette *The Dybbuk* (Bln 1960), *Samson Agonistes* (NY 1961), *Phaedra* (NY

1962) und *The Lady of the House of Sleep* (NY 1968). – Orchesterwerke: Fantasie für Streicher (1945); 3 Symphonien (1950, 1951 und 1969); Praeludium und Rondo giocoso (1953); *Samson Agonistes*, Symphonic Portrait (1963); *Mutabili* (1965); 3 Klavierkonzerte (1947, 1953 und 1972); *Concerto a tre* für Klar., Trp., Pos. und Streicher (1954); Konzert für Va, Streicher und Schlagzeug (1958) und für V., Vc. und Orch. (1967). – Kammermusik: Streichquartett (1947); Concertino für 2 St. oder Instr., V. und Kl. (1948); *5 Miniatures* für Blechbläser (1948); Trio für Klar., Vc. und Kl. (1964); Dialoge für Klar. (1961); *Variants* für V. und Kl. (1963). – Klavierwerke: 2 Sonaten (1949 und 1965); *Sketches in Color* (1963); *Fantasia concertante* für Kl. 4händig (1959). – Vokalmusik: *Kohelet* (1952) und *Ariel*, Visions of Isaiah (1959) für S., Bar., gem. Chor und Orch.; *Joseph and His Brothers* für Sprecher, S., T., Bar., Baßbar., gem. Chor und Orch. oder Org. (1966); *5 Proverbs on Love* (1950) und *On the Nature of Things* (1958) für Chor a cappella; *Sabbath Eve Service* für S., A., Bar. oder T., gem. Chor und Org. (1967); ferner Werke für Schul- bzw. Blasorch. und Lieder. Lit.: Werkverz. in: Composers of the Americas XVIII, Washington (D. C.) 1972.

Starker (st′ɑːkə), Janos, * 5. 7. 1924 zu Budapest; amerikanischer Violoncellist ungarischer Herkunft, studierte in seiner Heimatstadt an der Fr. Liszt-Musikhochschule sowie in Wien an der Akademie für Musik und darstellende Kunst und gründete die Wiener Kammermusikvereinigung, die sich besonders den Werken der Wiener Schule widmete. Er war Solovioloncellist an der Staatsoper in Budapest (1945–46), verließ dann Ungarn und ließ sich in den USA nieder, wo er Mitglied der Metropolitan Opera (1949–53) und des Chicago Symphony Orchestra (1953–58) war. Gegenwärtig lehrt er an der Indiana University in Bloomington (1958 Professor, 1961 Ehrendoktor).

Starkie (st′ɑːki), Walter Fitzwilliam (Pseudonym Don Gualterio), * 9. 8. 1894 zu Ballybrack (bei Dublin); britischer Romanist und Musikschriftsteller, studierte am Trinity College der University of Dublin (M. A. 1920, Litt. D. 1924) und erhielt daneben eine musikalische Ausbildung an der Royal Irish Academy of Music. Er war Professor of Spanish Literature und Lecturer in Italian Literature an der University of Dublin (1926–47), Representative des British Council in Spanien (1940–54), Direktor des British Institute in Spanien (1940–56), Distinguished Professor an der New York University (1959) sowie Professor-in-Residence an der University of California in Los Angeles (1961–70). St. wurden zahlreiche Ehrungen zuteil; er ist Commander of the British Empire und Chevalier de la Légion d'honneur. Von seinen Veröffentlichungen seien genannt: *J. Benavente* (London 1924); *L. Pirandello* (ebd. 1926, ²1937, Berkeley/Calif. ³1964, span. Barcelona 1946); *Raggle-Taggle* (London 1933 und 1964); *Spanish Raggle-Taggle* (ebd. und NY 1934, Neuaufl. = Penguin Books Nr 1197, Harmondsworth 1961); *Don Gypsy* (London 1936, span. Barcelona 1944); *The Waveless Plain* (London 1938); *Grand Inquisitor* (ebd. 1940); *La España de Cisneros* (Barcelona 1943); *In Sara's Tents* (London 1953, deutsch als *Auf Zigeunerspuren*, München 1957); *The Road to Santiago* (London 1957, span. Madrid 1958); *Spain. A Musicians Journey Through Time and Space* (2 Bde und 6 Schallplatten, Genf 1958, frz. = Histoire universelle de la musique I–II, ebd. 1958); *Scholars and Gypsies* (London und NY 1963).

Starokądomskij, Michail Leonidowitsch, * 31. 5. (13. 6.) 1901 zu Brest-Litowsk, † 24. 4. 1954 zu Mos-

kau; russisch-sowjetischer Komponist und Organist, absolvierte 1926 ein Orgelstudium bei Goedicke und 1928 ein Kompositionsstudium bei Mjaskowskij am Moskauer Konservatorium, an dem er 1930–54 Instrumentation lehrte (1939 Dozent, 1947 Professor). Er schrieb u. a. die Oper *Sot* (1933), die Operetten *Kak jejo sowut* (»Wie heißt sie«, 1934), *Tri wstretschi* (»3 Begegnungen«, 1942), *Wessjolyj petuch* (»Der fröhliche Hahn«, 1944) und *Solnetschnyj zwetok* (»Die Sonnenblume«, 1947), eine Symphonie (1940), ein Konzert für Orch. (1933), ein Konzert für Org. und Streicher (1935), ein Violinkonzert (1937), 2 Streichquartette (1925 und 1928), das Oratorium *Semjon Proskakow* für Sprecher, Soli, gem. Chor und Orch. (1931), zahlreiche Lieder, vor allem Kinderlieder, sowie Bühnen- und Filmmusik.

Staryk (st′æɔɹik), Steven (Pseudonym Stefan Primas), * 28. 9. 1932 zu Toronto; kanadischer Violinist ukrainischer Herkunft, war nach seinem Studium am Royal Conservatory of Music in Toronto sowie privaten Studien in New York Mitglied der Toronto Symphony (1949–51) und Solist, Kammermusiker und Konzertmeister bei der CBC (Radio-Canada, 1951–56). 1956 wurde er von Beecham an das Royal Philharmonic Orchestra London als Konzertmeister engagiert und war dann in dieser Funktion auch beim Concertgebouworkest und dem Amsterdamer Kammerorchester (1960–63) sowie dem Chicago Symphony Orchestra (1963–67) tätig. Gleichzeitig übte er eine Lehrtätigkeit am Amsterdamer Konservatorium (1960–63) bzw. der Northwestern University in Evanston (Ill.) aus. 1969 erhielt er eine Professur für Violine am Conservatory of Music des Oberlin College (O.). Gegenwärtig leitet er die Abteilung für Streichinstrumente an der Community Music School in Vancouver.

+Starzer, Josef, 1726 [erg.:] oder 1727 – 1787. Ausg.: V.-Konzert F dur, hrsg. v. P. ANGERER, = Diletto mus. Nr 82, Wien 1964.

+Stassow, Wladimir Wassiljewitsch, 1824–1906. Seine in Italien zusammengetragene Sammlung handschriftlicher Kopien von etwa 400 Werken des 16.–17. Jh. überließ St. 1870 der kaiserlichen Bibliothek in St. Petersburg. Seine Ausgabe von M. I. Glinkas *Sapiski* (»+Erinnerungen«, 1887) erschien deutsch als *Aufzeichnungen aus meinem Leben* (hrsg. von H. A. Brockhaus, Bln 1961, Wilhelmshaven 1969, engl. Ausg. von R. B. Mudge, Norman/Okla. 1963).

Ausg.: Statji o Schaljapine (»Aufsätze über Schaljapin«), = Russkaja klassitscheskaja musykalnaja kritika o. Nr, Moskau 1952; O ruské hudební klasice (»Über d. russ. mus. Klassik«), = Klasikové hudební vědy a kritiky II, 4, Prag 1960; O russkoj musyke i schiwopissi (»Über russ. Musik u. Malerei«), Wilna 1962; Selected Essays on Music, hrsg. v. G. ABRAHAM, London 1968. +Pisma k rodnym (»Briefe an d. Verwandten«), hrsg. v. Je. D. STASSOWA, 3 Bde, Moskau 1953–62. – Is neopublikowannych pisem Wl. St.a (»Aus d. unveröff. Briefen« [an M. Tschaikowskij]), SM XX, 1956; Perepiska St.a i S. Ljapunowa (»Briefwechsel zwischen Wl. St. u. S. Ljapunow«), SM XXI, 1957; Is archiwow russkich musykantow ... (»Aus Arch. russ. Musiker. Publ. u. Aufsätze«), = Trudy Gossudarstwennowo zentralnowo museja musykalnoj kultury imeni M. I. Glinki o. Nr, Moskau 1962 (mit Briefen v. St.); Pisma k dejateljam russkoj kultury (»Briefe an russ. Kulturschaffende«), hrsg. v. N. D. TSCHERNIKOW, Bd I, ebd.; Pismo Wl. W. St.a (»Ein Brief v. Wl. W. St.«), kommentiert v. A. SKOBLIONOK, SM XXVII, 1963; Pisma Wl. W. St.a k Dm. W. St.u, hrsg. v. N. RJASANOWA, SM XXXI, 1967 (Briefe v. St. an seinen Bruder Dmitrij); M. A. Balakirew. Wl. W. St., Perepiska (»Briefwechsel«), hrsg. v. A. S. LJAPUNOWA, 2 Bde, Moskau 1970–71.

Lit.: Wl. W. St., Materialy k bibliografii. Opissanije ruko-pissej (»Materialien zur Bibliogr., Beschreibung d. Hss.«), Moskau 1956. – B. Jičínský, K literárnímu stylu V. V. Stasova (»Zu Wl. W. St.s literarischem Stil«), Prag 1960; A. A. Ratschkowa, Istorija otdela not Gossudarstwennoj Publitschnoj Biblioteki im. M. Je. Saltykowa-Schtsche-drina (1795–1959) (»Gesch. d. Notenabt. d. Staatl. Öffent-lichen M. Je. Saltykow-Schtschedrin-Bibl.«), in: Trudy Gossudarstwennoj Publitschnoj Biblioteki imeni M. Je. Saltykowa-Schtschedrina VIII (11), 1960; Vl. Fédorov, V. V. Stasov chez l'abb. F. Santini à Rome, Fs. A. v. Ho-boken, Mainz 1962; V. I. Seroff, Das mächtige Häuflein, Zürich 1963, ²1967; A. K. Lebedew u. A. W. Solodow-nikow, Wl. W. St., ... (»Leben u. Werk«), Moskau 1966; Je. Gr. Salita u. Je. I. Suworowa, St. w Peterburge (»St. in St. Petersburg«), Leningrad 1971; A. Belonenko, St. o drewnerusskoj musyke (»St. über altruss. Musik«), SM XXXVIII, 1974; K isutscheniju nasledija Wl. W. St.a (»Zur Erforschung v. Wl. W. St.s Nachlaß«), hrsg. v. I. F. Kunin, ebd.

Šťastný → +Štiastný.

Statkowski, Roman, * 24. 12. 1859 zu Szczypiórno (bei Kalisch), † 12. 11. 1925 zu Warschau; polnischer Komponist und Musikpädagoge, studierte zunächst am Warschauer Musikinstitut (Zeleński) sowie bis 1890 am St. Petersburger Konservatorium. Er war am War-schauer Musikinstitut Professor für Musikgeschichte und -ästhetik (ab 1904) und Professor für Komposition (ab 1909). Von seinen Schülern sind Perkowski, Ma-klakiewicz, Feliks Wrobel, Kondracki, Lefeld, Wilko-mirski und Szabelski zu nennen. St. schrieb die Opern *Filenis* (Warschau 1904) und *Maria* (ebd. 1906), Or-chesterwerke (*Fantazja symfoniczna* op. 25, 1900), Kam-mermusik (6 Streichquartette; *Deux feuilles d'album* op. 32 und *Deux pièces* op. 34 für V. und Kl.) sowie zahlreiche Klavierstücke (*Immortelles* op. 19, 1896; *Pièces caractéristiques* op. 27; *Six préludes* op. 37).
Lit.: St. Jarociński, Z korespondencji R. St.ego (»Aus R. St.s Briefwechsel«), in: Studia muzykologiczne I, 1953.

Stauch, Karl Eduard Oscar Richard, * 15. 11. 1901 und † 14. 12. 1968 zu Berlin; deutscher Komponist, war Schüler von Klatte. Er komponierte Operetten (*Die Tatarin*, 1938, mit dem Lied *Nimm mich in Deine Arme*), zahlreiche Werke der gehobenen Unterhal-tungsmusik sowie eine Reihe von Filmmusiken.

Stauder, Wilhelm, * 12. 4. 1903 zu Luzern; deut-scher Musikforscher, studierte am Dr. Hoch'schen Konservatorium und an der Universität in Frank-furt a. M., an der er 1934 mit der Dissertation *J. André. Ein Beitrag zur Geschichte des deutschen Singspiels* (Teil-druck in: AfMw I, 1936) promovierte. 1940 habilitier-te er sich mit der Arbeit *Grenzen und Möglichkeiten elektroakustischer Hilfen in der Musik- und Sprachfor-schung.* Er lehrte in Frankfurt a. M. 1940–41 und 1949–71 an der Universität (1952 Professor) sowie 1962–66 an der Musikhochschule. St. veröffentlichte: *Tanz-musik* (in: Hohe Schule der Musik, hrsg. von J. Müller-Blattau, Bd IV, Potsdam 1937); *Das kleine Buch der Musikinstrumente* (= Humboldt-Taschenbücher LXX, Ffm. 1957, München ³1963, neu überarbeitet als *Ta-schenbuch der Musikinstrumente*, Ffm. 1973, schwedisch Stockholm 1958, frz. = Petite bibl. Payot XLVI, Paris 1963); *Die Harfen und Leiern der Sumerer* (Ffm. 1957); *Die Harfen und Leiern der Vorderasiens in babylonischer und assyrischer Zeit* (Ffm. 1961); *Die Musik der Sumerer, Babylonier und Assyrer* (Hdb. der Orientalistik, Suppl. IV, Leiden 1970); *Alte Musikinstrumente in ihrer vieltau-sendjährigen Entwicklung und Geschichte* (Braunschweig 1973); *Einführung in die Instrumentenkunde* (= Taschen-bücher zur Musikwissenschaft XXI, Wilhelmshaven 1974).

Stauffer, Teddy (eigentlich Ernest Henry), * 2. 5. 1909 zu Murat am Murtensee (Schweizer Mittelland); Schweizer Bandleader und Violinist, erhielt mit 9 Jah-ren Violinunterricht in Bern, studierte später auch Klarinette und Saxophon, absolvierte eine Lehre als Bankkaufmann und spielte daneben in einer Amateur-jazzband, mit der er 1929 nach Gleiwitz und dann nach Berlin ging. Die Swing-Band (»Teddy St. und seine Teddies«, international als »Teddy St. and His Original Teddies« auftretend) wurde bald eines der be-liebtesten Tanzorchester und war um 1933 in ganz Europa bekannt. 1936 machte T. St. mit seiner Band seine erste Schallplattenaufnahme für Telefunken, der bis 1939 rund 100 weitere folgten. Der Band gehörten u. a. Ernst Höllerhagen, Eugen Henkel, Dobschinski, Kurt Hohenberger und Franz Thon an. 1940 übersie-delte T. St. allein in die USA; das Orchester übernahm Eddie Brunner (1912–60). In Amerika bespielte T. St. 1940–41 weitere 80 Schallplatten für Elite–Decca; fer-ner machte er nach 1945 Aufnahmen für RCA und Columbia in México (D. F.) und für Telefunken und Decca in London. Er trat auch in amerikanischen Rundfunk- und Fernsehsendungen auf, u. a. in der Bob-Hope-Show. 1942 ließ er sich in Acapulco als Hotel- und Nachtklubbesitzer nieder. T. St. veröffent-lichte als Autobiographie *Es war und ist ein herrliches Leben* (Bln 1968).

+Stavenhagen, Bernhard, 24. [nicht: 25.] 11. 1862 – 25. [nicht: 26.] 12. 1914.
Lit.: H. R. Jung, Der Liszt-Schüler B. St. u. seine Be-ziehungen zu Weimar, in: Weimar. Ein Kulturspiegel f. Stadt u. Land, Sonder-H. zum Lisztjahr 1961; K. Schul-thess, B. St.s Schweizer Ahn J. Häberlig u. seine Vorfah-ren, in: Genealogie XIV, 1965.

Steber (st'i:bə), Eleanor, * 17. 7. 1916 zu Wheeling (W. Va.); amerikanische Sängerin (Sopran), studierte in Boston am New England Conservatory sowie in New York bei Althouse, debütierte 1940 als Sophie (*Der Rosenkavalier*) an der Metropolitan Opera in New York, zu deren ständigen Mitgliedern sie seither ge-hört. Gastspiele führten sie zu den Festspielen in Glyndebourne (1947), den Bayreuther Festspielen (1953) und den Salzburger Festspielen (1959). In der Uraufführung von Barbers *Vanessa* (1958) kreierte sie die Titelrolle.

Stech, Willi, * 29. 11. 1905 zu Krefeld; deutscher Pianist und Dirigent, studierte 1922–27 an der Kölner Musikhochschule Klavier (Erdmann) und Komposi-tion (Jarnach) und trat als Pianist in zahlreichen Kon-zerten im In- und Ausland auf. 1933 wurde er Pro-grammreferent des Deutschlandsenders in Berlin (spä-ter Leiter der Abteilung Unterhaltungsmusik). 1939 gründete er das Deutsche Tanz- und Unterhaltungs-orchester, mit dem er bis 1945 Konzerttourneen un-ternahm. Seit 1950 ist St. als Dirigent und Pianist beim Südwestfunk in Baden-Baden tätig. 1951–70 leitete er das Kleine Orchester des Südwestfunks, das sich neben klassischen Kammermusikwerken besonders der vir-tuosen Unterhaltungsmusik widmete.

+Stecker, Karel, 1861 – 13. 3. [nicht: 10.] 1918 zu Mladá Boleslav (Jungbunzlau, Böhmen) [nicht: Prag].

Štědroň (ʃt'ɛdraŋ), Miloš, * 9. 2. 1942 zu Brünn; tschechischer Komponist, studierte ab 1959 an der Universität Brünn, an der er 1964 mit der Dissertation *Janáček a hudba 20. století* (»Janáček und die Musik des 20. Jh.«, 2 Bde, Brünn 1964–67) graduierte. 1965–71 studierte er Musiktheorie und Komposition an der Janáček-Akademie, wurde dann Assistent am Institut für Musikgeschichte des Mährischen Museums und

1963 Lehrer (Musiktheorie, Geschichte der Oper) an der Brünner Universität. – Kompositionen (Auswahl): Kammeroper *Aparát* (»Der Apparat«, nach Kafkas *In der Strafkolonie*, 1967); Ballett *Justina* (nach de Sade, 1969). – *Meditation* für Baßklar. (1963); *Via crucis* für Fl., Baßklar., Kl., Cemb. und Schlagzeug (1964); *Dyptich* für Baßklar., Kl., Streicher und Schlagzeug (1967); altslawische Passion *Agrafon* für Madrigalchor, Renaissanceinstrumente und Jazzensemble (1968); *For Tyche*, Thirdstream für Orch. (1969); Vokalsymphonie für S., Baßbar. und Orch. (1969); Kantate *Verba* für Chor und 2 Trp. (1969); Streichquartett (1970); *Concerto per sei* für Pos., Baßklar., Kl., Hf., Kb. und Schlagzeug (1970); Symphonie *Kolo* (1971); Konzert für Kb. und Streicher (1971); zahlreiche elektronische Kompositionen und Musique concrète, u. a. *Utis* (RTB Brüssel 1969); ferner Jazzstücke (*Jazz trium vocum* für Chor und Jazzensemble, 1972), Schauspiel-, Film- und Fernsehmusik sowie Teamworks mit Parsch, Piños und Růžička, u. a. Divertissement mit Musik des Grafen Haugwitz für Hf., Kl. und Kammerorch. (1968). Mit Parsch bearbeitete Št. auch Monteverdi- und Caccini-Opern. – Aufsätze (Auswahl): *Zur Frage der »Adaption« der Oper »Griechische Passion« von B. Martinů* (in: B. Martinůs Bühnenschaffen, = Musikwissenschaftliche Kolloquien der internationalen Musikfestivale in Brno I, Prag 1967); *Možnosti intervalové a melodické analýzy* (»Intervallmöglichkeiten und melodische Analysen«, in: Opus musicum III, 1971); zahlreiche Beiträge zur Janáček-Forschung (u. a.: *Janáček a avantgarda dvacátých let*, »Janáček und die Avantgarde der 20er Jahre«, in: Hudební rozhledy XXI, 1968, serbokroatisch in: Muzikološki zbornik IV, 1968, S. 88ff., mit engl. Zusammenfassung; *Janáček und der Expressionismus*, in: Sborník prací filosofické fakulty brněnské university XIX, H 5, 1970).
Lit.: J. Bártová, Autoři team-worku, in: Hudební rozhledy XXII, 1969.

+Štědroň, –1) Vladimír, * 30. 3. 1900 zu Vyškov (Mähren). Er lehrte am Prager Konservatorium 1952–60. Neuere Werke: Ballettszenen nach Shakespeare (Genf 1970); Polka *Janka* (1962) und *Moto baladico* (1967) für Orch.; *Monologe* für Fl. (1967) und Horn (1969); Sonatine (1957) und *Pět prostých skladbiček* (»5 einfache Stücke«, 1963) für Kl.; Lieder und Chöre.
–2) Bohumír, * 30. 10. 1905 zu Vyškov. 1963 wurde er an der Brünner Universität zum Professor ernannt. An der Akademie der musischen Künste in Prag unterrichtete er bis 1959. Zu seinem 60. Geburtstag wurde ihm eine Festschrift gewidmet (= Sborník prací filosofické fakulty brněnské university XVI, H 2, 1967, mit Schriftenverz., 1928–66, von M. Štědroň). – Neuere Schriften: *Dílo L. Janáčka* (= Knižnice hudebních rozhledů V, 9, Prag 1959, engl. als +*The Work of L. Janáček*, 1959, deutsch umgearbeitet als *Verzeichnis der musikalischen Werke Janáčeks*, BzMw II, 1960 – III, 1961); *Zur Genesis von L. Janáčeks Oper Jenufa* (= Opera Universitatis Purkynianae Brunensis, Facultas philosophica Bd 139, Brünn 1968). Von seinen zahlreichen Aufsätzen (besonders über Janáček) seien an neueren deutschsprachigen genannt: *Janáček und Polen* (Chopin-Kgr.-Ber. Warschau 1960); *Beiträge zur Kontroverse um die tschechische Herkunft und die Nationalität von J.V. Stamic* (in: Sborník prací filosofické fakulty brněnské university XI, F 6, 1962, als *Zur Nationalität von J.V. Stamic* auch in: BzMw VI, 1964); *Zu Janáčeks Sprachmelodien* (Kgr.-Ber. Lpz. 1966); *Die Landschaftstrompeter und Tympanisten im alten Brünn* (Mf XXI, 1968); *Ein Chorinventar aus dem Jahr 1768 in Deutsch Brod (Havlíčkův Brod) in tschechischer Sprache* (in: Sborník prací filoso-

fické fakulty brněnské university XXI, H 7, 1972). – Das von ihm (mit Gr. Černušák und Zd. Nováček) redigierte +Musiklexikon liegt abgeschlossen vor (*Československý hudební slovník osob a institucí*, »Tschechoslowakisches Musiklexikon der Personen und Institutionen«, 2 Bde, Prag 1963–65).
Lit.: zu –1): K. Matějček in: Hudební rozhledy XIII, 1960, S. 260ff.; J. Fukač, Vl. Št., in: Zprávy Vlastivědného muzea ve Vyškově 1967, Nr 70 (mit Bibliogr.). – zu –2): J. Vysloužil in: Hudební věda III, 1966, S. 25ff.

+Steenkiste, Vincent Joseph van (Dorus), 1812 – [erg.: 9.] 6. 1896.
Seine Schwester Julie Aimée Josèphe Dorus-Gras, 8. [nicht: 7.] 9. 1805 – 1896.

+Stefan, Paul ([erg.:] eigentlich Paul Stefan Grünfeldt), 1879–1943.
+*Dvořáks Leben und Werke* (1935), Nachdr. der +engl. Ausg. (*A. Dvořák*, 1941) NY 1971.

+Stefani, –1) Jan, zwischen 1746 und 1748 [del.: 1746] – 1829.
–2) Józef, 1800 – [erg.:] 19. 3. 1876 [nicht: 1864]. Er komponierte 19 [nicht: 10] Messen, ferner viele Tänze für Orch., Kantaten, Chöre und Lieder.
Ausg.: zu –1): Kantate »Niechaj wiek wiekom sprzyja« (‚Jahrhundertelang möge es klingen‘), in: J. Prosnak, Kultura muzyczna Warszawy XVIII wieku, Krakau 1955.
Lit.: zu –1): H. Harley in: Poradnik muzyczny 1964, Nr 5, S. 6ff. – zu –2): M. Szalińska, Utwory fortepianowe J. St.ego (»J. St.s Kl.-Werke«), Diss. Warschau 1958; E. Borowiak, Utwory orkiestrowe J. St.ego (»J. St.s Orch.-Werke«), Diss. ebd. 1959; H. Harley in: Poradnik muzyczny 1964, Nr 11, S. 8ff.

Stefániai (ʃtˈɛfaːniɔi), Imre, * 13. 12. 1885 zu Budapest, † 4. 7. 1959 zu Santiago de Chile; ungarischer Pianist und Musikpädagoge, studierte in Berlin bei Busoni und E. v. Dohnányi. Er gastierte 1909 in Mexiko und den USA, wirkte zwischen 1914 und 1926 in Spanien und war 1926–38 Professor an der Fr. Liszt-Musikhochschule in Budapest sowie 1929–38 Redakteur der Zeitschrift »Muzsika«. 1938 ging er nach Südamerika und leitete ab 1947 die Musikabteilung der Universidad Católica de Chile in Santiago.

Stefanov, Vasil Ivanov, * 24. 4. (7. 5.) 1913 zu Schumen; bulgarischer Dirigent und Violinist, studierte an der staatlichen Musikakademie in Sofia (S. Popov) und wirkte ab 1933 als assistierender Konzertmeister des akademischen Symphonieorchesters (ASO). Nach der Neuformierung des kaiserlich-bulgarischen Militärsymphonieorchesters (später staatliche Philharmonie Sofia) wurde er Assistent von Popov. 1946–54 war er 2. Dirigent dieses Orchesters und gründete 1954 das staatliche Symphonieorchester in Šumen. 1950–53 lehrte er Violine an der Musikakademie in Sofia (Honorarprofessor). Seit 1961 leitet er den Sofioter Männerchor »Gusla«.

Stefanović (stɛfˈanɔvitɕ), Dimitrije, * 25. 11. 1929 zu Pančevo (Serbien); jugoslawischer Musikforscher, studierte an der Musikakademie in Belgrad und an der Faculty of Music der University of Oxford (Wellesz), wo er 1954 mit der Dissertation *The Tradition of the Sticheraria Manuscripts* promovierte. Er ist am musikwissenschaftlichen Institut in Belgrad tätig. Von seinen Veröffentlichungen seien genannt: *Einige Probleme zur Erforschung der slavischen Kirchenmusik* (KmJb XLIII, 1959); *Melody Construction in Byzantine Chant* ([12.] Kgr.-Ber. »Etudes byzantines« Ohrid 1961); *Manuscripts of Byzantine Chant in Oxford* (mit N.G. Wilson, Oxford 1963); *P. Lampadarios and Metropolitan Serafim of Bosnia* (in: Studies in Eastern Chant I, hrsg. von M.

Velimirović, London 1966); *The Influence of the Byzantine Chant on the Music of the Slavic Countries* ([13.] Kgr.-Ber. »Byzantine Studies« Oxford 1966); *The Serbian Chant from the 15th to the 18th Cent.* (in: Musica antiqua ... I, Kgr.-Ber. Bydgoszcz 1966); *A Medieval Slavonic Hymn in Honour of Pope Clement I* (Eastern Churches Rev. I, 1967); *New Data About the Serbian Chant* (in: Essays in Musicology, Fs. Dr.Plamenac, Pittsburgh/Pa. 1969); *Some Aspects of the Form and Expression of Serbian Medieval Chant* (in: Musica antiqua II, Kgr.-Ber. Bydgoszcz 1969); *Vloga prvega beograjskega pevskega društva v razvoju srpske glasbe* (»Die Rolle der ersten Belgrader Chorvereinigung in der Entwicklung der serbischen Musik«, in: Muzikološki zbornik VII, 1971, mit engl. Zusammenfassung).

+**Steffan,** Ernst, * 2. 1. 1890 [nicht: 1896] zu Wien, [erg.:] † 26. 9. 1967 zu Berlin.

+**Steffan,** Joseph Anton (Josef Antonín Štěpán, Giuseppe Antonio Steffani, auch Stephan), 1726–97. Ausg.: +M. FRIEDLÄNDER, Das deutsche Lied im 18. Jh. (1902), Nachdr. Hildesheim 1962. – Composizioni per piano, hrsg. v. J. RACEK u. D. ŠETKOVÁ, 2 Bde, = MAB LXIV u. LXX, Prag 1964–68; Variationen f. Kl. in: České variace XVIII století / Böhmische Variationen d. 18. Jh., hrsg. v. D. ŠETKOVÁ, = Musica viva hist. XV, ebd. 1966, ²1971; Capricci f. Kl., Erstausg. hrsg. v. A. WEINMANN, München 1971. Lit.: D. ŠETKOVÁ in: MGG XII, 1965, Sp. 1257ff.; DIES., Klavírní dílo J. A. Štěpána (»Das Kl.-Werk v. J. A. St.«), = Hudební rozpravy XII, Prag 1965.

+**Steffani,** Agostino, 1654–1728. Lit.: +FR. CHRYSANDER, G. Fr. Händel (I, 1858), Nachdr. Hildesheim u. Wiesbaden 1966. – W. BAXTER JR., A. St., A Study of the Man and His Work, 2 Bde, Diss. Univ. of Rochester (N. Y.) 1957; G. CROLL, A. St. (1654–1728). Studien zur Biogr., Bibliogr. d. Opern u. Turnierspiele, Habil.-Schrift Münster (Westf.) 1961; DERS., Zur Chronologie d.»Düsseldorfer« Opern A. St.s, Fs. K. G. Fellerer, Regensburg 1962; A. DELLA CORTE, Qualche lettere e qualche melodrammi di A. St., Rass. mus. XXXII, 1962; A. LUALDI, A. St. diplomatico per forza, in: Musiche ital. rare e vive, hrsg. v. A. Damerini u. G. Roncaglia, = Accad. mus. Chigiana (XIX), Siena 1962; PH. KEPPLER, A. St.'s Hannover Operas and Rediscovered Cat., in: Studies in Music, Fs. O. Strunk, Princeton (N. J.) 1968; C. TIMMS, Revisions in St.'s Chamber Duets, Proc. R. Mus. Ass. XCVI, 1969/70; DERS., Handel and St., A New Handel Signature, MT CXIV, 1973.

Steffek, Hanny, * 9. 12. 1930 zu Bielitz/Biala (bei Kattowitz); österreichische Sängerin (Sopran), studierte an der Akademie für Musik und darstellende Kunst in Wien und am Mozarteum in Salzburg. Sie debütierte 1950 bei den Salzburger Festspielen, war 1951–52 am Staatstheater in Wiesbaden, 1953 am Opernhaus in Graz, 1953–55 an den Städtischen Bühnen in Frankfurt a. M. und 1957–72 an der Bayerischen Staatsoper in München (Bayerische Kammersängerin) engagiert. 1964–73 sang sie auch an der Wiener Staatsoper, 1973 wurde sie Mitglied der Volksoper in Wien. Gastspiele führten sie u. a. zum Maggio Musicale in Florenz (1954), an die Oper in Rom (1956) und die Covent Garden Opera in London (1957). Zu ihren Hauptpartien zählen Despina (*Così fan tutte*), Papagena (*Die Zauberflöte*) und Sophie (*Der Rosenkavalier*). H. St. ist verheiratet mit Albert Moser, der 1963–73 Direktor der Wiener Volksoper war.

Steffen, Wolfgang (Pseudonym Wolfgang Eberhardt), * 28. 4. 1923 zu Neuhaldensleben (Sachsen-Anhalt); deutscher Komponist, studierte in Berlin 1946–49 am Städtischen Konservatorium und 1949–53 an der Staatlichen Hochschule für Musik Komposition bei Tiessen, 1951–53 an der Freien Universität Musik-

wissenschaft bei W.Gerstenberg und Adrio sowie Theaterwissenschaft bei Hans Knudsen. Seit 1959 lebt er als freischaffender Komponist in Berlin und ist Leiter des »Studio Neue Musik« (VDMK-Berlin). – Von seinen Kompositionen seien genannt: Ballette *Der göttliche Tänzer* op. 13 und *Aus dem Lebensbuch eines Tänzers* op. 13A (Bremerhaven 1966). – Sinfonietta für Streichorch. op. 5 (1957); Violinkonzert op. 32 (1969); Cembalokonzert op. 34 (1969); *Polychromie* für Kl. und Orch. op. 38A (1970); *Klangsegmente* für Cimbalom, Hf., Cemb. und Orch. op. 41 (1973). – *Reihenproportionen* op. 25 (1962); *Diagramm* für Vc. und Org. oder Kl. op. 29 (1968); Trio für Ob., Klar. und Fag. op. 23 (1970); Trio für Fl., Vc. und Kl. op. 37 (1971); *Triplum* 72 für Fl., Kl. und Schlagzeug op. 39 (1972). – *Altserbischer Zyklus »Schön Jegda«* für gem. Chor und 10 Instr. (1962); *Hermann-Hesse-Zyklus* für gem. Chor, Sprecher und 3 Instr. op. 19 (1963); *Altspanischer Zyklus* für gem. Chor, Sprecher und 11 Instr. (1964); *5 Sprüche aus der Agende* für gem. Chor, Bar., Org. und Streichquartett op. 28 (1969); *Erfahrungen* für Vokal- und Instrumentalensemble op. 40 (Text Ingeborg Drewitz, 1972); ferner Lieder.

Steffens, Walter, * 31. 10. 1934 zu Aachen; deutscher Komponist, studierte am Dortmunder Konservatorium Dirigieren (Agop) und an der Musikhochschule in Hamburg Musiktheorie (Maler), Komposition (Klussmann, Jarnach) und Klavier (Robert Henry). 1969 wurde er Leiter einer Klasse für Komposition an der Nordwestdeutschen Musikakademie in Detmold (Professor); seit 1974 ist er Mitglied der Freien Akademie der Künste in Hamburg. Er komponierte die 3aktigen Opern *Eli* (nach Nelly Sachs, Dortmund 1967) und *Unter dem Milchwald* (nach Dylan Thomas, Hbg 1972), *Ein indisches Märchen* (in Anlehnung an Somadevas Märchen des Kathasaritsagara mit 2 Liedern und Dichtungen von Manfred P.Hein, 1964, auch als Ballett) und *Pintura del mundo* (nach dem Gemälde »Garten der Lüste« von Hieronymus Bosch, 1969) für Orch., *Triade* für Fl. und Streichorch. (1971), *Tarec. Versuch eines Abschieds* für Orch. (1972), Streichquartett Nr 1 (*Ekstase*, 1964) und Nr 2 (*Quartetto lirico*, 1965), *Hommage à B.Bartók* für Klar. und Kl. (1964), *Pluie de feu / Feuerregen*, auf eine Rauchgrafik von Bernard Aubertin für Kl. (1970), *Kontroversen*, musikalische materialien und strukturen in akustischen spielformen für Soto oder Git. (1971), *Johannes-Prolog* für simultane Kammerbesetzung, gem. Chor und Gesangssolisten (1971), *Epitaph auf Rimbaud* (nach Dichtungen von Gerhard Alt und Arthur Rimbaud) für A. und Kammerorch. (1964), *Neue Gleichnisse* nach Dichtungen u. a. von Tadeusz Różewicz für S., Fl., Klar. und Va (1966) sowie *Drei Szenen* auf Texte von Johannes Bobrowski für A. oder Baßbar. (1969). St. schrieb: *Entwurf einer abstrakt-temperierten Notenschrift* (NZfM CXXII, 1961); *Eli. Das Mysterienspiel vom Leiden Israels als Oper* (in: N.Sachs zu Ehren, Ffm. 1966).

+**Stege,** Fritz [erg.:] Hermann Albert, * 11. 4. 1896 zu Witterschlick (bei Bonn), [erg.:] † 31. 3. 1967 zu Wiesbaden. An neueren Büchern erschienen: *Musik, Magie, Mystik* (Remagen 1961); *Musik hören, verstehen, erleben. Eine Einführung* (Wien 1962, nld. = Prisma-boeken Nr 1149, Utrecht 1966). Lit.: J. WULF, Musik im Dritten Reich, Gütersloh 1963, auch = rororo Taschenbuch Bd 818–820, Reinbek bei Hbg 1966.

+**Steglich,** Rudolf, * 18. 2. 1886 zu Ratsdamnitz (Pommern). d. July 10 1976

Vorstand des musikwissenschaftlichen Seminars der Universität Erlangen war St. bis 1956. – Neuere Veröffentlichungen: *Über die »kantable Art« der Musik J. S. Bachs* (= Jahresgabe 1957 der Internationalen Bach-Gesellschaft, Zürich 1957, wiederabgedruckt in: J. S. Bach, hrsg. von W. Blankenburg, = Wege der Forschung CLXX, Darmstadt 1970); *G. Fr. Händel* (= Wilhelmshavener Vorträge XXV, Wilhelmshaven 1960); *Tanzrhythmen in der Musik J. S. Bachs* (= Jahresgabe 1960 der Internationalen Bach-Gesellschaft Schaffhausen, Wolfenbüttel 1962); *Der Mozartklang und die Gegenwart* (Acta Mozartiana III, 1956); *Über Chopins E-dur-Etüde op. 10, Nr. 3* (Chopin-Jb. 1956); *Zur Aufführung der Johannespassion J. S. Bachs* (MuK XXVII, 1957); *Tanzrhythmen in Mozarts Musik* (Mozart-Jb. 1958); *Über das Lebendige in Händels Opern* (Händel-Jb. IV, 1958); *Zwei Titelzeichnungen zu R. Schumanns Jugendalbum als Interpretationsdokumente* (DJbMw IV, 1959); *Über Beethovens Märsche* (Fs. A. Orel, Wien 1960); *Mozarts verschiedenerlei Zeitgenossen und die Stilkritik* (Mozart-Jb. 1960/61); *Motivischer Dualismus und thematische Einheit in Beethovens Neunter Symphonie* (Fs. H. Besseler, Lpz. 1961); *Wandlungen des Menschheitsideals in der Musik* (in: Studium generale XV, 1962); *Mozarts Mailied – allegro aperto?* (Mozart-Jb. 1962/63); *Chopins Klaviere* (Chopin-Jb. 1963); *Dokumentarisches zur Lebensgeschichte eines Beethovenschen Sonatensatzes* (Fs. O. E. Deutsch, Kassel 1963; zu op. 7); *J. S. Bach über sich selbst und im Urteil der Mit- und Nachwelt* (Fs. H. Engel, ebd. 1964); *Über einige Merkwürdigkeiten in J. S. Bachs Werken* (DJbMw IX, 1964); *Das romantische Wanderlied und Fr. Schubert* (in: Musa – Mens – Musici, Gedenkschrift W. Vetter, Lpz. 1970). – Er edierte ferner weitere Urtextausgaben Bachscher Werke (alle München): *Inventionen und Sinfonien* (1955), *Französische Suiten* (1956), *Englische Suiten* (1958), *Kleine Präludien und Fughetten* (1959), *Toccaten* (1961) und die *Klavierübung 2.–4. Teil* (1962).
Lit.: Fr. Krautwurst in: Musica X, 1956, S. 157f.; W. Siegmund-Schultze in: 15. Händelfestspiele Halle (Saale) 1966, S. 25ff.

Stegmann, Josua, * 14. 9. 1588 zu Sülzfeld (bei Meiningen), † 3. 8. 1632 zu Rinteln (Weser); deutscher lutherischer Theologe und Kirchenlieddichter, studierte ab 1608 in Leipzig, promovierte 1617 in Wittenberg zum D. theol. und erhielt noch im gleichen Jahr die Stelle eines Superintendenten der Grafschaft Schaumburg und die eines Professors am Gymnasium in Stadthagen. Nach Umwandlung des Gymnasiums in eine Universität und deren Verlegung nach Rinteln (1621) wurde er deren erster Theologieprofessor. St. verfaßte zahlreiche theologische Abhandlungen. Darüber hinaus dichtete er viele Kirchenlieder, von denen sich *Ach bleib mit deiner Gnade* noch heute im evangelischen Kirchengesangbuch findet. Im 6. Kapitel (*Christi nati doxologia*) seines Werkes *Studii pietatis ...* (Marburg 1630) wird St.s vom Luthertum geprägte Musikanschauung mannigfach transparent; es lassen sich dort auch umfangreiche musiktheoretische Bemerkungen antreffen.

+Steibelt, Daniel [erg.:] Gottlieb, 1765 – 20. 9. (2. 10.) 1823.
Lit.: +G. Müller, D. St. ... (1933), Nachdr. Baden-Baden 1973.

+Steigleder, Johann Ulrich, 1593–1635.
Ausg.: Compositions f. Keyboard, hrsg. v. W. Apel, 2 Bde (I: »Tabulatur-Buch, darinnen dass Vatter unser ...« v. 1627, II: »Ricercar Tabulatura, ...« v. 1624), = Corpus of Early Keyboard Music XIII, (Rom) 1968–69.

– zu Utz St.: 6st. Motette »Veni sancte spiritus«, hrsg. v. Cl. Gottwald, = Die Motette Nr 457, Stuttgart 1963.
Lit.: +A. G. Ritter, Zur Gesch. d. Orgelspiels (1884), Nachdr. Hildesheim 1969 (2 Bde in 1), +neue Bearb. v. G. Frotscher (1935–36, ²1959), Bln ³1966. – U. Siegele in: MGG XII, 1965, Sp. 1226ff.; M. Schuler, Eine neu entdeckte Komposition v. Adam St., Mf XXI, 1968.

+Stein, Erwin, 1885–1958.
+A. Schönberg. Ausgewählte Briefe (1958), engl. London und NY 1964, ital. Florenz 1969. – Posthum erschien die Schrift *Form and Performance* (London und NY 1962, deutsch als *Musik. Form und Darstellung*, München 1964).
Lit.: G. A. Bianca, I presupposti estetici della dodecafonia, Padua 1970; A. Schönberg, Ausstellungskat. hrsg. v. E. Hilmar, Wien 1974.

+Stein, –1) Fritz (Friedrich) Wilhelm, * 17. 12. 1879 zu Gerlachsheim (Baden), [erg.:] † 14. 11. 1961 zu Berlin. Von seinen letzten Beiträgen seien genannt: *Der musikalische Instrumentalkalender. Zu Leben und Wirken von Gr. J. Werner* (in: Musica XI, 1957, auch in: Hausmusik XXII, 1958); *M. Reger und M. Seiffert* (in: Musica XII, 1958); *Die Briefe der Eltern M. Regers an H. Geist* (Mitt. des M.-Reger-Instituts 1962, H. 13). Er edierte ferner von A. Pfleger *Geistliche Konzerte* (2 Bde, = EDM L und LXIV, Abt. Oratorium und Kantate IV–V, Kassel 1961–64) sowie in der →+Reger-GA die Bde XXXI–XXXIV (Sologesänge).
–2) Max Martin, * 27. 7. 1911 zu Jena. Er veröffentlichte die Sammlung *Der heitere Reger. Heiteres von und um M. Reger* (Wiesbaden 1969, ²1971).
Lit.: zu –1): K. Hasse u. H. J. Moser in: Mitt. d. M.-Reger-Inst. 1959, H. 10, S. 5ff.; O. Söhngen u. H. Grabner, ebd. 1962, H. 13, S. 3ff.; M. Schneider in: MuK XXXII, 1962, S. 46f.; H. Wirth in: Mf XV, 1962, S. 153f.; J. Wulf, Musik im Dritten Reich, Gütersloh 1963, auch = rororo Taschenbuch Nr 818–820, Reinbek bei Hbg 1966; K. Gudewill, Zur Gesch. d. Faches Mw. an d. Christian-Albrechts-Univ. in Kiel, in: Musikerziehung in Schleswig-Holstein, hrsg. v. C. Dahlhaus u. W. Wiora, = Kieler Schriften zur Mw. XVII, Kassel 1965.

Stein, Horst Walter, * 2. 5. 1928 zu Elberfeld; deutscher Dirigent, studierte an der Staatlichen Hochschule für Musik in Köln und wurde 1947 an die Städtischen Bühnen in Wuppertal engagiert. Anschließend wirkte er als Kapellmeister an der Hamburgischen Staatsoper (1951–55), als Staatskapellmeister der Staatsoper Berlin (1955–61), als stellvertretender GMD wieder an der Hamburgischen Staatsoper (1961–63) und 1963–70 als GMD und Operndirektor des Nationaltheaters Mannheim. 1970 wurde St. als 1. Dirigent an die Wiener Staatsoper verpflichtet. Seit 1973 ist er GMD der Hamburgischen Staatsoper. Als Gastdirigent tritt er an bedeutenden europäischen Bühnen sowie in den USA und in Südamerika auf.

+Stein, –1) Johann Andreas, 1728–92.
Lit.: +Fr. J. Hirt, Meisterwerke d. Klavierbaus (1955), revidierte engl. Ausg. als: Stringed Keyboard Instr., 1440–1880, Boston 1968. – L. Wegele in: Lebensbilder aus d. Bayerischen Schwaben IX, München 1966, S. 231ff.

Stein, Leo, * 25. 3. 1861 zu Lemberg, † 28. 7. 1921 zu Wien; österreichischer Operettenlibrettist, war nach dem Jurastudium zunächst als Beamter der Südbahn in Wien, dann ab 1888 freischaffend als Librettist und Schriftsteller tätig. Er war Mitgründer und langjähriger Ehrenpräsident der österreichischen Gesellschaft der Autoren, Komponisten und Musikverleger (AKM). Von seinen mehr als 30 Operettenlibretti (darunter auch solche für Eysler, L. Fall, Heuberger und O. Straus) seien genannt (Mitautoren und Komponisten in Klammern): *Wiener Blut* (mit V. →Léon, Johann

Strauß, 1899); *Die lustige Witwe* (mit Léon, Lehár, 1905); *Der Graf von Luxemburg* (anon., mit A. M. Willner und Bodanzky, Lehár, 1909); *Polenblut* (O. Nedbal, 1913); *Die Csárdásfürstin* (mit Bela Jenbach, Kálmán, 1915); *Mädi* (mit A. → Grünwald, R. Stolz, 1923).

Stein (stain), Leon, * 18. 9. 1910 zu Chicago; amerikanischer Musikforscher, Komponist und Dirigent, studierte in Chicago 1922–27 Violine, 1927–29 Theorie und 1937–40 bei De Lamarter, H. Lange und Stock Dirigieren. 1935 absolvierte er die School of Music der DePaul University in Chicago (Mus. M.), an der er bereits ab 1931 Violine und Theorie gelehrt hatte, und leitete ab 1945 das Universitätsorchester, nach seiner Promotion (1949) mit der Dissertation *The Racial Thinking of R. Wagner* (NY 1950) auch das Department für Theorie und Komposition. Ab 1955 dirigierte er die Chicago Sinfonietta und als Gast zahlreiche Orchester in den USA und Kanada. 1952–57 leitete er das Institute of Music des College of Jewish Studies in Chicago. St. veröffentlichte neben zahlreichen Beiträgen über jüdische Musik u. a. *Structure and Style. The Study and Analysis of Musical Forms* (Evanston/Ill. 1962, ²1965, dazu *Anthology of Musical Forms*, ebd.). Er komponierte u. a. einaktige Opern (*The Fisherman's Wife*, St. Joseph/Mich. 1955; *Deidre*, Chicago 1957), Ballette (*Exodus*, Chicago 1939; *Doubt*, ebd. 1940), Orchesterwerke (Praeludium und Fuge, 1935; Sinfonietta für Streichorch., 1938; Konzert für V. und Streichorch., 1939; 4 Symphonien, 1940, 1942, 1950 und 1974; Rhapsodie für Fl., Hf. und Streichorch., 1954; *The Dust Return*, 1971), Kammermusik (5 Streichquartette, 1933, 1962, 1964, 1965 und 1967; *Adagio and Dance Chassidic* für Fl. solo, 1935; 2 Holzbläserquintette, 1936 und 1970; Quintett für Sax. und Streichquartett, 1957; Posaunenquartett, 1960; Trio für V., Sax. und Kl., 1961), Klavier- und Orgelwerke sowie Vokalmusik (Psalm 97 *The Lord Reigneth* für T., Frauenchor und Kl. oder Orch., 1953; Lieder).

Stein (stain), Leonard, * 1. 12. 1916 zu Los Angeles; amerikanischer Pianist und Komponist, studierte Klavier bei Richard Buhlig (1936–40) sowie Theorie und Komposition bei Schönberg (1935–42), war Teaching Assistant von Schönberg an der University of California in Los Angeles (1939–42) und promovierte 1965 an der University of Southern California in Los Angeles mit einer Dissertation über *The Performance of Twelve-Tone and Serial Music for the Piano* zum D. M. A. 1968 wurde er Associate Professor of Music am California State College; außerdem ist er Musical Director des Pasadena Art Museum und Mitarbeiter an der Schönberg-GA. St. gab von Schriften Schönbergs heraus: *Structural Functions of Harmony* (London 1954, ²1969, NY 1969); *Preliminary Exercises in Counterpoint* (London 1963, NY 1964, Paperbackausg. 1970); *Fundamentals of Musical Composition* (mit G. Strang, London 1967, Paperbackausg. 1970, ital. Mailand 1969). – Weitere Veröffentlichungen: *The Performer's Point of View* (in: Perspectives of New Music I, 1962/63); *The Privataufführungen Revisited* (in: Essays ..., Fs. P. A. Pisk, Austin/Tex. 1966); *Webern's Dehmel Lieder of 1906–08* (in: A. v. Webern. Perspectives, hrsg. von D. Irvine unter Mitwirkung von H. Moldenhauer, Seattle/Wash. 1966).

Stein, Nikolaus, * um 1565 zu Steinau an der Straße (Oberhessen), † nach 1623; deutscher Verleger, war 1598–1623 in Frankfurt a. M. tätig (danach dort nicht mehr nachgewiesen). Neben theologischen und juristischen Werken gab er als einer der ersten Verleger Musikdrucke heraus. Daneben betrieb er einen ausgedehnten Notenhandel. Von seinen 57 gesicherten musikalischen Verlagswerken (die Mehrzahl davon gab er mit dem Drucker W. → Richter heraus) sind 49 erhalten. Die Schwerpunkte bildeten die katholische Kirchenmusik (Viadana) und Tanz- oder Liedsammlungen deutscher Komponisten.

Lit.: E.-L. BERZ, Die Notendrucker u. ihre Verleger in Ffm. v. d. Anfängen bis etwa 1630, Diss. Ffm. 1967.

+Stein, Rose, * 9. 9. 1901 [nicht: 1907] zu Straßburg.

An den Musikhochschulen Frankfurt a. M. und Stuttgart unterrichtete sie bis 1966.

+Steinbach [–1) Emil], –2) Fritz, 1855–1916.

Lit.: I. FELLINGER in: Rheinische Musiker IV, hrsg. v. K. G. Fellerer, = Beitr. zur rheinischen Mg. LXIV, Köln 1966, S. 158ff.

Steinbacher, Johann Michael; österreichischer Organist und Komponist der 1. Hälfte des 18. Jh., wurde 1740 Organist der Stadtpfarre zum Heiligen Blut in Graz, wirkte aber in dieser Stadt schon ab spätestens 1727, ebenfalls als Organist. Seine Suiten für Cemb. (so 2 in G dur und 2 in A moll, jeweils von demselben unbekannten Kopisten 1750 geschrieben, sowie 2 nicht veröffentlichte Suiten in F dur und D dur) charakterisieren mit ihrer zahlenmäßig nicht normierten, bunten Folge von Tanzsätzen und frei gestalteten Spielstücken das Endstadium der Suite vor ihrer Umwandlung in das Divertimento. St. schrieb daneben noch zahlreiche Cembalokonzerte.

Ausg.: Cemb.-Suiten G dur u. A moll, hrsg. v. H. FEDERHOFER u. G. M. SCHMEISER, = Musik alter Meister XXXV, Graz 1973.

Lit.: H. FEDERHOFER u. G. M. SCHMEISER, Grazer Stadtmusikanten als Komponisten vorklass. Klavierkonzerte, Hist. Jb. d. Stadt Graz IV, 1971.

Steinbauer, Othmar, * 6. 11. 1895 zu Wien, † 5. 9. 1962 zu Altenburg (Niederösterreich); österreichischer Musiktheoretiker, studierte in Wien Violine bei Ševčík und Gottfried Feist sowie Theorie bei J. Marx und Schönberg. 1922–23 war er in Berlin als Theatermusiker tätig und gründete dort 1923 mit Max Deutsch die »Gesellschaft für moderne Musikaufführungen in Berlin«. 1924–28 wirkte er in Wien als Musiklehrer und 1928–31 als Leiter der von ihm gegründeten »Wiener Kammer-Konzert-Vereinigung«, mit der er auch in Deutschland konzertierte. Angeregt von Hauer, entwickelte er ab 1931 eine musikalische Satzlehre, die gegen Ende der 50er Jahre die Bezeichnung »Klangreihenlehre« erhielt. Ab 1935 arbeitete er im Instrumentenmuseum des Staatlichen Instituts für Musikforschung in Berlin. 1952 wurde er Lehrer für Violine an der Wiener Musikakademie, an der er auch 1959–61 Klangreihenkomposition lehrte. St. leitete dann das Seminar für Klangreihenkomposition in Wien, dem heute ein Verein angeschlossen ist. Er veröffentlichte: *Das Wesen der Tonalität* (München 1928); *Die moderne Vielle. Ein neues Musikinstrument* (in: Die Musikerziehung IV, 1950/51); *J. M. Hauers Zwölftonspiel* (ÖMZ XVIII, 1963). Unvollendet blieb das *Lehrbuch der Klangreihen-Komposition. Melos und Sinfonie der zwölf Töne*. Von seinen Kompositionen seien genannt: Konzert für kleines Orch.; *Drei Gesänge* für Bar. oder A. und Kl.; Musik für Fl., Ob., Horn und Fag.; 2 Violinsonaten; Sonate für Clavicemb. oder Orgelpositiv; Klaviersonate; *Drei Gesänge* für A. und Streichorch.; *Fünf Stücke* für Streichquartett.

Lit.: Gedenkschrift zum 75. Geburtstag v. O. St., Mitteilungsblatt d. Ver. am Seminar f. Klangreihenkomposition in Wien 1970.

+Steinberg, Maximilian Ossejewitsch, 22. 6. (4. 7.) 1883 – 1946.
St., der 1943 den Grad eines Doktors der Kunstwissenschaft erwarb und zu dessen Schülern Dm. Schostakowitsch gehörte, komponierte ferner eine 5. Symphonie *Simfonija rapsodija na usbekskije temy* (1942). Neben N. A.Rimskij-Korsakows *Osnowy orkestrowki* (+»Grundlagen der Instrumentation«, [erg.:] 2 Bde, Bln, St.Petersburg und Moskau 1913, Moskau und Leningrad ²1946, engl. als *Principles of Orchestration,* Bln 1922, Nachdr. NY 1964 und Gloucester/Mass. 1966, 2 Bde in 1, rumänisch Bukarest 1960) gab er (ab der 9. Aufl.) auch dessen *Praktitscheskij utschebnik garmonii* (»Praktisches Harmonielehrbuch«, St.Petersburg 1912, Moskau ¹⁹1956) mit eigenen Ergänzungen heraus. Seine Erinnerungen an Rimskij-Korsakow und an Glasunow erschienen als *Wospominanija M. O. St.a* (in: Wospominanija utschenikow N. A. Rimskowo-Korsakowa, hrsg. von L. B. Nikolskaja, in: N. A. Rimskij-Korsakow i musykalnoje obrasowanije, hrsg. von L. S. Ginsburg, Leningrad 1959) sowie als *Wospominanija o N. A. Rimskom-Korsakowe i A. K. Glasunowe* (in: Leningradskaja konserwatorija w wospominanijach 1862–1962, hrsg. von G. Gr. Tigranow, ebd. 1962).
Lit.: W. M. BOGDANOW-BERESOWSKIJ, M. St., Moskau 1947; L. B. NIKOLSKAJA, Simfonitscheskoje tworitschestwo M. O. St.a (»M. O. St.s Symphonisches Schaffen«), in: Nautschno-metoditscheskije sapiski Saratowskoj konserwatorii, Saratow 1959; DIES. in: SM XXVII, 1963, H. 8, S. 30ff.; I. P. JAUNSEM, ebd., S. 27ff.; M. A. GANINA in: Sowjetskaja simfonija sa 50 let, hrsg. v. G. Gr. Tigranow, Leningrad 1967, S. 493ff. (zur 4. Symphonie).

+Steinberg, William ([erg.:] eigentlich Hans Wilhelm St.), * 1. 8. 1899 zu Köln.
St., weiterhin Leiter des Pittsburgh Symphony Orchestra, war 1958–59 ständiger Dirigent des London Philharmonic Orchestra und leitete 1969–72 das Boston Symphony Orchestra. Darüber hinaus ist er als Gastdirigent international bedeutender Orchester in den USA und Europa hervorgetreten.
Lit.: H. STODDARD, Symphony Conductors of the USA, NY 1957.

Steinbrecher, Alexander, * 16. 6. 1910 zu Brünn; österreichischer Komponist, Textdichter und Dirigent, studierte in Brünn und Prag und lebt seit 1929 in Wien. Nach musikalischen und textlichen Arbeiten für Kabarett, Singspiel, Operette, Ballett und Bühnenmusik wurde er 1946 1. Kapellmeister des Wiener Burgtheaters. St. komponierte musikalische Bühnenwerke, zu denen er immer auch die Gesangstexte schrieb; die meistgespielten davon sind (Uraufführungsort Wien): musikalisches Lustspiel *Der Schneider im Schloß* (1936); Singspiel *Die Gigerln von Wien* (1939); musikalisches Lustspiel *Die Theres' und die Hoheit* (1941); Singspiel *Brillanten aus Wien* (darin *Ich kenn' ein kleines Wegerl im Helenental*, 1943); musikalische Burleske *Meine Nichte Susanne* (darin *Unter einem Regenschirm am Abend*, 1943); kabarettistischer Exkurs *Seitensprünge* (Libretto Hans Weigel, 1947); Operette für Schauspieler *Entweder – oder* (1949). St.s Œuvre bildet die Nachfolge der heute noch volkstümlichen Melodien der Wenzel und Adolf Müller, Suppè, Millöcker und der vielen Schöpfer von Wiener Weisen. Außer Neufassungen von Operetten schrieb St. die Bühnenmusik zu zahlreichen Inszenierungen des Burgtheaters.

Steinbrenner, Wilfried, * 26. 3. 1943 zu Mosbach (Baden), † 9. 4. 1975 zu Homburg (Saar); deutscher Komponist, studierte an der Staatlichen Hochschule für Musik in Freiburg i. Br. 1962–67 Komposition bei Fortner und Klavier bei Wolfgang Fernow (Diplom

1967) sowie 1962–65 Horn bei Gustav Leonards. Er war 1970–72 im Lektorat des Verlags B. Schott's Söhne in Mainz tätig; ab 1972 lebte er freischaffend in Wieslautern (Pfalz). Seine Kompositionen umfassen u. a.: *Bicinium* für 2 Fl. (1964); *Two Parting Kisses* für Kl. (1964); Streichtrio (1965); *Kinderlied* (nach Günter Grass, 1965); 3 Orchesterstücke (1967); *Agonia* für Piccolo-Fl., Blechbläser, Schlagzeug und Tonband (1968); *Préludes* für Orch. (1970); Ballett *Carmen*, Bizet-Collagen (mit Fortner, Choreographie Cranko, Stuttgart 1971); *Kristall*, lyrisches Paradoxon für S. und 27 Instrumentalisten (nach Paul Celan, 1972); *Sieben Lügengeschichten* für 5 Musiker (1973); szenische Kantate *Streik bei Mannesmann* (Kollektivarbeit mit Henze u. a., 1973); *Imago*, Redukt für 64 Streicher und V. solo (1973); *Laisser vibrer jusqu'à la mort oder Imago II (2. Traum)* für S., große Trommel, Baßtuba und Kb. (1974).

+Steinecke, [erg.: Friedrich Heinrich] Wolfgang, * 22. 4. 1910 zu Essen, [erg.:] † 23. 12. 1961 zu Darmstadt.
Seine +Dissertation erschien unter dem Titel *Die Parodie in der Musik* (= Kieler Beitr. zur Musikwissenschaft I, 1934), Nachdr. Wolfenbüttel 1970. – Die +*Darmstädter Beiträge zur Neuen Musik* (Iff., 1958ff.) gab er bis Bd III (1960) heraus (fortgeführt von E. Thomas, Mainz 1961ff.). Posthum erschien sein Beitrag *Kranichstein. Geschichte, Idee, Ergebnisse* (in: Darmstädter Beitr. ... IV, 1961). Er gab die weiteren heraus *Neue Musik in der Bundesrepublik Deutschland* (Mainz 1959).
Lit.: W. FORTNER in: Melos XXIX, 1962, S. 54; H. U. ENGELMANN, Von d. guten alten Zeit d. Neuen Musik, ebd. XXXVII, 1970.

+Steiner, Adolf, * 12. 4. 1897 zu Schwäbisch Hall.
An der Kölner Musikhochschule unterrichtete er 1950–62. Mit Hilma Holstein und W. Marschner bildete er ab 1950 ein Klaviertrio. St. lebt heute in Baden-Baden.

Franz Steiner Verlag GmbH, deutscher Verlag in Wiesbaden, gegründet 1949 von Fr. St., gegenwärtig geleitet von Dr. Claus St. Die Firma verlegt wissenschaftliche Literatur. Seit 1962/63 erscheinen, hrsg. von H. H. Eggebrecht, das *Archiv für Musikwissenschaft* (AfMw; Bd XIX/XXff.) sowie die *Beihefte zum Archiv für Musikwissenschaft* (BzAfMw; Bd I/II, 1966ff.) und seit 1971, hrsg. von dems., das *Handwörterbuch der musikalischen Terminologie* (in Lieferungen).

Steiner, Heinrich, * 27. 11. 1903 zu Oehringen (Württemberg); deutscher Dirigent und Pianist, Bruder von Adolf St., studierte am Hoch'schen Konservatorium in Frankfurt a. M. und 1921–28 an der Hochschule für Musik in Berlin (E. Petri, Leonid Kreutzer, Prüwer, Juon). Ab 1924 unternahm er Konzertreisen als Pianist und Dirigent. Er war 1935–36 Musikalischer Oberleiter am Stadttheater Würzburg, 1936–39 1. Kapellmeister (ab 1937 Abteilungsleiter für Orchester und Chor) am Berliner Rundfunk sowie 1939–45 Operndirektor und Leiter der Symphoniekonzerte am Staatstheater Oldenburg. Seit 1950 ist er Leiter (GMD) des Nordmark-Sinfonie-Orchesters sowie seit 1952 Musikalischer Oberleiter der Städtischen Bühnen Flensburg. 1967 erhielt er den Titel Professor.

Steiner, Max (Maximilian) Raoul, * 10. 5. 1888 zu Wien, † 28. 12. 1971 zu Los Angeles; amerikanischer Filmkomponist und Dirigent österreichischer Herkunft, studierte am Wiener Konservatorium bei R. Fuchs, H. Graedener und Mahler, war als Operndirigent tätig, ging 1904 nach England und 1911 nach Paris. 1914 folgte er einer Einladung zu den Ziegfield

Follies nach New York, wo er mit Herbert, Gershwin, J. Kern und Youmans zusammenarbeitete. Er dirigierte Broadway-Musicals und trat als Konzertpianist auf. 1929 ließ er sich in Hollywood nieder. St. komponierte zahlreiche Filmmusiken, von denen die preisgekrönten genannt seien: *The Informer* (1935); *So This Is Paris* (1936); *Now Voyager* (1942); *Since You Went Away* (1944); *Life with Father* (1947); *Treasure of the Sierra Madre* (1948). Zu seinen bekanntesten Songs zählen: *It Can't Be Wrong*; *Someday I'll Meet You Again*; *As Long as I Live*; *On My Way*.

Steiner, Rudolf, * 27. 2. 1861 zu Kraljevec (Österreich-Ungarn, heute Jugoslawien), † 30. 3. 1925 zu Dornach (Solothurn); österreichischer Philosoph und Pädagoge, studierte in Wien und trat zunächst (ab 1890 am Goethe- und Schiller-Archiv in Weimar tätig) als Goethe-Forscher hervor. 1897 übersiedelte er als Lehrer nach Berlin, wo er außerdem Mitherausgeber der *Dramaturgischen Blätter* wurde. 1902 trat er der Theosophischen Gesellschaft bei, von der er sich aber später trennte, um die Anthroposophie als eigene Lehre zu begründen. 1910–13 wurden in München vier Mysteriendramen St.s aufgeführt. 1913 gründete er die Anthroposophische Gesellschaft, deren Sitz das Goetheanum in Dornach wurde. Mit Kursen und Vorträgen, auch auf Vortragsreisen durch mehrere Länder Europas, verbreitete St. seine Lehre. Als Schöpfer der Eurhythmie (1912; ab 1916 wiederholt Kurse für Ton- und Lauteurhythmie, außerdem für Sprachgestaltung und dramatische Kunst) setzte er sich mit dem Verhältnis von Sprache, Ton und Körperbewegung als Evidenz geistiger Gesetzmäßigkeiten auseinander und trug zu einer (pythagoreisch orientierten) Musikspekulation sowie zur Entwicklung der Musiktherapie und -pädagogik bei.
Ausg.: GA, hrsg. v. d. R. St. Nachlaßverwaltung, Dornach 1954ff.; Das Vortragswerk R. St.s, bearb. v. H. SCHMIDT, ebd. 1950. – Das Tonerlebnis im Menschen. Eine Grundlage f. d. Pflege d. mus. Unterrichts, hrsg. v. H. v. WARTBURG, ebd. 1928, ³1966.
Lit.: K. S. PICHT, Das literarische Lebenswerk R. St.s, Dornach 1926 (Bibliogr.); H. WIESBERGER, R. St., Das literarische u. künstlerische Werk, ebd. 1961, Nachtrag I, 1962 (bibliogr. Übersicht). – E. BINDEL, Die Zahlengrundlagen d. Musik im Wandel d. Zeiten, 3 Bde, Stuttgart 1950–53; BR. WALTER, Von d. Musik u. v. Musizieren, Ffm. 1957; K. v. BALTZ, R. St.s mus. Impulse, = Goetheanum-Bücher III, Dornach 1961; J. HEMLEBEN, R. St. in Selbstzeugnissen u. Bilddokumenten, = rowohlts monographien LXXIX, Reinbek bei Hbg 1963; FR. RITTELMEYER, Meine Lebensbegegnung mit R. St., Stuttgart 1963; W. ABENDROTH, R. St.s Schriften zum Theater, Schweizer Monatshefte XLIV, 1964/65; C. SCHNEIDER, E. Schuré. Seine Lebensbegegnungen mit R. St. u. R. Wagner, Freiburg i. Br. 1971.

Steiner, Siegmund Anton, * 26. 4. 1773 zu Weitersfeld (Niederösterreich), † 28. 3. 1838 zu Wien; österreichischer Musikverleger, war Singknabe in Klagenfurt (Niederösterreich), ab 1794 Advokaturschreiber und Sekretär in Wien, erwarb 1803 die von Senefelder gegründete »Chemische Druckerey«, betrieb ab 1806 Musikalienhandel und übernahm 1807 die Musikalien des Verlages Fr. A. Hoffmeister; der 1814 angestellte T. Haslinger wurde 1815 sein Gesellschafter. Der Verlag führte die Bezeichnung »S. A. Steiner & Co.«. Um diese Zeit war der spätere Wiener Großverleger Diabelli in der Firma als Korrektor beschäftigt. 1821 wandte sich St. vom Lithographiedruck ab und arbeitete nunmehr mit dem Notenstichverfahren. 1822 gingen die Verlagsrechte des k. k. Hoftheater-Musikverlags und die des Josef Riedl (vorher Kunst- und Industrie-Bureau) an St. über. 1826, als die Verlagsnummer 4747 erreicht war, zog sich St. zurück und überließ Haslinger die Firma. Die bedeutendsten Verlagswerke St.s waren Beethovens op. 90–101, 112–116 und 121a.
Lit.: M. UNGER, L. van Beethoven u. seine Verleger S. A. St. u. T. Haslinger in Wien ..., Bln 1921; A. WEINMANN in: MGG XII, 1962, Sp. 1241ff.

Steiner, Willy, * 5. 5. 1910 zu Öhringen (Württemberg); deutscher Dirigent, studierte 1926–29 an der Hochschule für Musik in Berlin, war Mitglied des St.-Quartetts (1926) und des Havemann-Quartetts (1927), 1931–45 Leiter des Berliner Funk-Orchesters und 1947–48 Chefdirigent des Hamburger Rundfunkorchesters. Seit 1948 ist er leitender Dirigent des Rundfunkorchesters Hannover des NDR. 1963–64 war er auch Chefdirigent des Yomiuri-Symphonieorchesters in Tokio. *[handwritten margin: d. Oct 3 1975]*

+Steinert, Alexander Lang, * 21. 9. 1900 zu Boston.
Werke: *Nuit méridionale* (1926), *Leggenda sinfonica* (1930), *Airs Corps Suite* (1942) und *Epic Prelude* (1970) für Orch., symphonische Dichtung *The Nightingale and the Rose* für Sprecher und Orch. (O. Wilde, 1950); *Concerto sinfonico* für Kl. und Orch. (1935), Rhapsodie für Klar. und Orch. (1945); Klaviertrio (1927), Violinsonate (1925); Klaviersonate (1929); Film- und Fernsehmusik.

Steingass, Toni, * 13. 4. 1921 zu Köln; deutscher Komponist von Unterhaltungsmusik, erhielt ab 1931 Klavier- und Harmonielehreunterricht, bildete sich dann autodidaktisch weiter und wurde nach Kriegsende Kölns erster Alleinunterhalter (Klavier, Akkordeon, Gesang). Er gründete den Musikverlag T. St. in Köln und ist freier Mitarbeiter u. a. des WDR, der Deutschen Welle, des SWF sowie bei Radio Bremen. St. schrieb u. a.: *Der schönste Platz ist immer an der Theke*; *Hurra-Marsch* (1959); *Leckerchen-Walzer* (1960); *Jubel, Trubel, Heiterkeit* (1966); *Nur bis heute Abend* (1967); *Jeder Mensch* (1968); *Putzfimmels-Marie* (1969); *Quatsch-Walzer* (1971) und *Jung wat ha' meer hück en Freud* (1972).

+Steingräber, Theodor Leberecht, 1830–1904. St. gründete 1878 den Verlag in Hannover [nicht: Leipzig; erg.:] und verlegte ihn 1890 nach Leipzig; die Leitung von 1916 [nicht: 1918] bis 1926 hatte Walter Friedels [nicht: St.s] Schwiegersohn Georg Heinrich inne. Der Steingräber Verlag übersiedelte nach dem 2. Weltkrieg von Leipzig zuerst nach Frankfurt a. M. (1953) und nahm dann 1956 seinen Sitz in Offenbach a. M.

Steingruber, Ilona, * 8. 2. 1912 und † 10. 12. 1962 zu Wien; österreichische Sängerin (Sopran), sollte ursprünglich Pianistin werden, debütierte 1942 in Tilsit, trat als Konzert- und Oratoriensängerin auf und wurde 1948 an die Wiener Staatsoper verpflichtet. Sie erwarb sich besondere Verdienste als Interpretin zeitgenössischer Musik. I. St. war mit Fr. Wildgans verheiratet.

+Steinhard, Erich, 1886 – nach 1941. St., deutsch-böhmischer [nicht: tschechischer] Musikforscher, wurde am 26. 10. 1941 in das Konzentrationslager Litzmannstadt (Łódź) deportiert und ist seitdem verschollen. – Die +*Musikgeschichte von der Urzeit zur Gegenwart* sollte die deutsche Fassung von Gr. Černušáks *Dějepis hudby* (»Musikgeschichte«, Prag 1936) werden [del. frühere Angaben dazu], die beide zusammen in Arbeit hatten (vermutlich schon im Druck, 1939 von der Zensur vernichtet).

Steinhardt, Arnold → Guarneri String Quartet.

Steininger, Franz (François) Xaver, * 3. 6. 1778 zu Mainz, † um 1852 zu Frankfurt am Main(?); deutscher Geigenbauer, lernte in Aschaffenburg bei seinem Vater Jacob St., einem Kurfürstlich Mainzischen Hofgeigenmacher, und vervollkommnete sich in Linz und Wien. Er arbeitete in Darmstadt (1801), Frankfurt a. M. (1803) und Warschau (1806). 1807 gründete er mit seinen Brüdern Johann, Martin und Moritz in St. Petersburg die erste Werkstatt für Geigenbau in Rußland. Seine Instrumente wurden sehr geschätzt und oft unter falschem (italienischem) Etikett verkauft. St. hatte großen Einfluß auf die nachfolgende russische Geigenbauergeneration (Nikolaus Kittel, Ludwig Otto). 1818 bürgerte sich St., unterstützt von Spohr, wieder in Frankfurt a. M. ein. Ab 1827 wirkte er für einige Zeit in Paris. Er galt als hervorragender Kopist von Stradivari-Geigen.

Steinkopf, Otto, * 28. 6. 1904 zu Stolberg (bei Aachen); deutscher Fagottist, studierte in Berlin an der Universität Instrumentenkunde (C. Sachs) und Akustik (Schaefer), am Stern'schen Konservatorium Musiktheorie (Klatte) sowie privat Fagott (Herbert Wonneberger). Er war 1. Fagottist u. a. im Gewandhausorchester Leipzig (1937–43), im Radio-Sinfonie-Orchester Berlin (1955–61) und in der Cappella Coloniensis (1954–70). Daneben wirkte er im Berliner Bläserkreis für alte Musik (1953–63) und lehrte an der Musikhochschule Berlin Saxophon (1958–62). Als Instrumentenbauer für historische Blasinstrumente (Rekonstruktion der barocken Clarine mit Überblaslöchern) wirkte er 1950–53 als freier Mitarbeiter der Berliner Instrumentensammlung des Instituts für Musikforschung. 1964–70 war er in der historischen Abteilung des Moeck-Verlages in Celle tätig.

+Steinmeyer, Georg Friedrich, 1819 [erg.:] zu Walxheim (Württemberg) – 1901 [erg.:] zu Oettingen (Bayern).
[erg.: Friedrich] Johannes St., * 1857 und † 1928 [erg.:] zu Oettingen. – Die Orgelbaufirma (weiterhin als G. F. Steinmeyer & Co. firmierend) wurde fortgeführt von Hans St. (* 16. 8. 1889 und † 3. 1. 1970 zu Oettingen). Seit 1967 steht sie in der 4. Generation unter der Leitung seines Sohnes Fritz St. (* 8. 12. 1918 zu Toledo/O.). An neueren Werken sind die Orgel in der St. Michaelskirche Hamburg mit 85 Registern (1960 als 2000. Werk) und die Orgel in der Meistersingerhalle Nürnberg mit 86 Registern (1963) zu nennen.
Lit.: 125 Jahre Orgelbau St., Oettingen 1972; H. NICOL in: Gottesdienst u. Kirchenmusik 1972, S. 166ff. – FR. HÖGNER, ebd. 1970, S. 12ff., u. in: MuK XL, 1970, S. 139f. (Nachrufe auf Hans St.).

Steinpress, Boris Solomonowitsch, * 31. 7. (13. 8.) 1908 zu Berdjansk (heute Ossipenko, Südrußland); russisch-sowjetischer Musikforscher, absolvierte 1931 als Pianist bei Igumnow das Moskauer Konservatorium und studierte dort anschließend bis 1936 Musikwissenschaft bei Iwanow-Borezkij und unterrichtete gleichzeitig ab 1931 an dieser Anstalt. 1938 erhielt er für eine Dissertation über Le nozze di Figaro von Mozart den Titel Kandidat der Kunstwissenschaft. 1938–40 und 1943–59 war er wissenschaftlicher Hauptmitarbeiter an der Musikabteilung der »Bolschaja sowjetskaja enziklopedija« ('Große sowjetische Enzyklopädie'). 1939–41 hatte er den Lehrstuhl für Musikgeschichte am Moskauer Zentral-Fernunterricht-Musikinstitut inne (1940 Dozent) und unterrichtete 1942–43 am Konservatorium in Swerdlowsk (Ural). Heute ist er freischaffend tätig. In einer Reihe seiner Publikationen

setzte sich St., ein Gegner der Puschkinschen Legende Mozart i Salieri, für die Rehabilitierung Salieris ein. – Von seinen Veröffentlichungen seien genannt (Erscheinungsort Moskau): Woprossy materialnoj kultury w musyke (»Fragen der materiellen Kultur in der Musik«, 1931); K istorii »zyganskowo penija« w Rossii (»Zur Geschichte des ‚Zigeunergesangs' in Rußland«, 1934); Stranizy is schisni A. A. Aljabjewa (»Blätter aus dem Leben von A. A. Aljabjew«, 1956); A. A. Aljabjew w isgnanii (»A. A. Aljabjew in der Verbannung«, 1959); Enziklopeditscheskij musykalnyj slowar (»Enzyklopädisches Musiklexikon«, mit I. M. Yampolsky, 1959, ²1966); Is musykalnowo proschlowo (»Aus der musikalischen Vergangenheit«, 2 Bde, 1960–65, Aufsatz-Slg); Populjarnyj otscherk istorii musyki do XIX weka (»Populärer Abriß der Musikgeschichte bis zum 19. Jh.«, 1963); Musyka XIX weka (»Die Musik des 19. Jh.«, 1968); Legenda o Mozarte (»Legende von Mozart«, 1969). – Aufsätze: M. Ju. Wielgorskij, blagoschelatel Glinki (»..., der Gönner Glinkas«, in: M. I. Glinka, Sbornik statij, hrsg. von Je. Gordejewa, Moskau 1958; Rannije publikazii proiswedenij Glinki w Itali (»Frühe Publikationen von Glinkas Werken in Italien«, ebd.); »Besumnyj den, ili Schenitba Figaro« Bomarsche kak istotschnik opery Mozarta (»‚Der tolle Tag oder Die Hochzeit des Figaro' von Beaumarchais als Quelle der Oper Mozarts«, in: Woprossy musykosnanija III, hrsg. von Ju. W. Keldysch und A. S. Ogolewez, ebd. 1960); Der Petersburger Musiker L. Fuchs (Mf XV, 1962); Russische Ausgaben der Mozart-Werke im 18. Jh. (Mozart-Jb. 1962/63); Erfindung und Wahrheit über Mozart (in: Sowjetwissenschaft. Kunst und Literatur XIII, 1965); Haydns Oratorien in Rußland zu Lebzeiten des Komponisten (in: Haydn-Studien II, 1969/70); Musyka Gajdna w Rossii pri schisni kompositora (»Die Musik Haydns in Rußland zu Lebzeiten des Komponisten«, in: Musykalnoje ispolnitelstwo VI, hrsg. von G. Ja. Edelman und A. A. Nikolajew, Moskau 1970); zahlreiche Beiträge vor allem für SM.
Lit.: E. STÖCKL, Zur sowjetischen Diskussion über Mozarts Tod, Mf XVII, 1964.

+Steinway & Sons.
Der Name von Heinrich Engelhard Steinweg (1797–1871) wurde 1854 [nicht: 1864] anglisiert (Henry E. St.); als Gitarren- und Zithermacher ließ er sich in Seesen im Großherzogtum Braunschweig [nicht: in Braunschweig] nieder. – Die Familien-Aktiengesellschaft, seit 1955 unter der Gesamtleitung von Henry Z. St. (* 23. 8. 1915 zu New York) als Präsidenten sowie seinen Brüdern Theodore D. (* 30. 3. 1914 zu New York) und John H. St. (* 28. 6. 1917 zu Plymouth/Mass.), wurde 1972 in die CBS (Columbia Broadcasting System, Inc., New York) eingegliedert; der Firmenname St. & S. wie auch die Firmenleitung blieben jedoch unverändert. Die Gesamtproduktionszahl der Firma (weiterhin New York–London–Hamburg) hatte Mitte 1971 die Fabrikationsnummer 420000 überschritten.
Lit.: R. KAMMERER, The St. Dynasty, in: Mus. America LXXXI, 1961.

+Stekel, Eric-Paul, * 27. 6. 1898 zu Wien.
Direktor des Conservatoire in Grenoble war St. bis 1970; seitdem beschränkt er seine Tätigkeit auf die Leitung des von ihm 1952 gegründeten Orchestre symphonique de Grenoble. – Weitere Werke: Ouvertüre Grenoble für Orch. (1954); Divers morceaux für Bläser (1960); Conte de mon vieux piano op. 27 (1950) und Hommage à Mozart (1957) für Kl.; Oratorium Détresse et espérance / Das ewig alte Lied von Leid und Trost (1945).

+**Stekl,** Konrad, * 21. 7. 1901 zu Ragusa (Dubrovnik, Dalmatien).

St. trat 1966 in den Ruhestand. – Aus seinem umfangreichen Œuvre sei genannt: insgesamt 11 Opern (*Nachtigallenschlag* op. 4, 1926; *Märchen* op. 7, Graz 1927; *Das Laubhaus* op. 12, 1929; *Sun* op. 15, 1930; *Der Rattenfänger* op. 41, 1946; *Grauli* op. 51, 1952; *Anna Iwanowna* op. 57, 1959; *Der Kammerkavalier* op. 60, 1961; *Marino Falieri* op. 61, 1963; *Königin Teje* op. 63, 1964; *Das Fest auf Haderslevhuus* op. 80); *Symphonie des 1. Mai* op. 47b (mit Chor) und *12-Ton-Skizzen* op. 56a für Orch.; Trompetenkonzert op. 89; *Musik im 12-Ton* für Streichorch. op. 56b; *Bizarrerie* für 4 Klar. op. 87, Oboensonate op. 88; Requiem für Soli, gem. Chor, Knabenchor und Orch. op. 45 (Österreichischer Staatspreis 1957), Hymnarium *Der Verduner Altar* für S., A., T., Bar., 2 B., Sprech-, Knaben-, Frauen-, Männer- und gem. Chor, Org. und Orch. op. 58 (abendfüllend), Oratorium *Franz von Assisi* für Sprecher, S., A., T., B., gem. Chor und Orch. op. 85; Liederzyklen mit Orch., über 200 Lieder. Er veröffentlichte auch zahlreiche kleinere Beiträge, besonders zur Musikgeschichte der Steiermark (vor allem in: Mitt. des Steirischen Tonkünstlerbundes).
Lit.: W. Suppan in: Mitt. d. Steirischen Tonkünstlerbundes 1961, Nr 7/8, S. 1ff.; Steirisches Musiklexikon, hrsg. v. dems., Graz 1962–66, S. 572ff. (mit ausführlichem Werkverz.).

Stella, Antonietta, * 15. 3. 1929 zu Perugia; italienische Opernsängerin (Sopran), studierte in ihrer Heimatstadt bei Aldo Zeetti, debütierte 1951 an der Oper in Rom als Leonore (*La forza del destino*) und trat 1953 in der Arena von Verona und im gleichen Jahr an der Mailänder Scala auf. Gastspiele führten sie u. a. an die Covent Garden Opera in London (1955), an die Metropolitan Opera in New York (1956–60) sowie an die Wiener Staatsoper. Zu ihren Hauptpartien zählen Leonore (*Il Trovatore*), Violetta, Aida, Mimi und Tosca.

Stellwagen, Friedrich, † 1659 zu Lübeck; deutscher Orgelbauer, stammte aus Halle (Saale), kam 1629 als Geselle und zukünftiger Schwiegersohn von G. Fritzsche mit diesem nach Hamburg und war ab 1635 in Lübeck ansässig. St. vermehrte die von Fritzsche nach Norden gebrachten Stimmen um die verbesserte Art des Trichterregals (Schalmeikonstruktion, längerer schwach konischer Schaft mit weitem Konusaufsatz), die dann rasche Verbreitung fand. Er war 1629 am Bau der Maria-Magdalenen-Orgel in Hamburg beteiligt, reparierte 1635/36 in Lübeck die Domorgel, baute 1636–37 für die kleine Orgel von St. Jakobi u. a. ein neues Brustwerk und Rückpositiv, führte 1637–41 den Umbau der großen Orgel der Marienkirche durch, arbeitete zur gleichen Zeit an der Vergrößerung der Orgel in St. Nikolai in Mölln und an einem Neubau für die Schloßkirche in Ahrensburg (Holstein), setzte in einem Umbau der großen Orgel von St. Petri in Lübeck (1643–46) neue Schleifladen anstelle der Springladen ein und reparierte dort die kleine Orgel. 1644–47 vergrößerte er die Orgel in St. Katharinen in Hamburg, bekam ab 1645 alle Orgeln der 5 Lübecker Hauptkirchen in Pflege, errichtete 1650 eine Orgel in Salzwedel, war 1651–52 mit Umbauten in Lüneburg und 1653–55 mit dem Umbau der Totentanzorgel der St. Marienkirche in Lübeck beschäftigt. Sein letztes Werk war der Neubau der Orgel in St. Marien in Stralsund (1653–59).
Lit.: G. Fock, Hamburgs Anteil am Orgelbau im niederdeutschen Kulturgebiet, Zs. d. Ver. f. Hamburgische Gesch. XXXVIII, 1939, S. 353f.; W. Stahl, Lübecks Org., Lübeck 1939; ders., Mg. Lübecks, Bd II, Kassel 1952, S. 41f.; H.-J. Schuke, Die Denkmalsorg. in Stralsund, St. Marien, in: Der Kirchenmusiker XIII, 1962.

+**Stelzner,** Alfred, [erg.:] 29. 12. 1852 zu Hamburg – 1906.

+**Stendhal,** 1783–1842.

St., dessen Vorliebe für die italienische Oper bereits auf die frühe Begegnung mit Cimarosas Werk zurückgeht (*Il matrimonio segreto* hörte er im Gefolge Napoleons 1800 in Italien), nahm bei seinen späteren Aufenthalten in Italien (besonders 1814–21), wo er persönlichen Umgang mit bekannten Sängerinnen und Sängern pflegte und auch Rossinis Bekanntschaft machte, regen Anteil am Musiktheater. In Paris stand er in enger Beziehung u. a. zu G. Pasta und dem Kreis der Rossini-Anhänger. 1824–27 schrieb er für das »Journal de Paris« die Berichte über die italienische Oper. Welch wichtige Rolle die Musik in seinem Leben immer wieder spielte, ist verschiedenen Essays sowie seinen autobiographischen Aufzeichnungen (*Journal*, 1801–23; *Souvenirs d'égotisme*, 1832; *Vie de Henry Brulard*, 1835–36) zu entnehmen. – +*Vies de Haydn, Mozart et Métastase* (1817), neu ins Engl. übers. und hrsg. von R. N. Coe, London und NY 1972; +*Vie de Rossini* (1824), ungarisch Budapest 1964, die +engl. Ausg. (*Life of Rossini*, 1956) [erg.:] übers. und mit Anm. versehen von dems., revidiert London und NY 1970, auch = Washington Paperbacks LXI, Seattle (Wash.) 1972.
Ausg.: Œuvres complètes, hrsg. v. E. Champion u. P. Arbelet, 34 Bde, Paris 1913–40 (unvollständig); Œuvres complètes, hrsg. v. V. Del Litto u. E. Abravanel, 48 Bde, ebd. 1968–72 (vervollständigt u. beschließt d. Ausg. v. Champion–Arbelet); Œuvres complètes, hrsg. v. H. Martineau, 79 Bde, = Le livre du Divan o. Nr, ebd. 1927–37, Nachdr. (in 54 Bden) Nendeln (Liechtenstein) 1968; Œuvres complètes, hrsg. v. G. Eudes, 25 Bde, Paris 1951–56; Romans et nouvelles (2 Bde) u. Œuvres intimes (1 Bd), hrsg. v. H. Martineau, = Bibl. de la Pléiade Bd 4, 13 u. 109, ebd. 1952 bzw. 1956, NA 1963–64 bzw. 1962.
Lit.: Correspondance, hrsg. v. H. Martineau u. V. Del Litto, 3 Bde, = Bibl. de la Pléiade Bd 158, 196 u. 199, Paris 1962–68. – +H. Cordier, Bibliogr. st.ienne (1914), Nachdr. Nendeln (Liechtenstein) 1968; weitere (laufende) Bibliogr. v. L. Royer, Grenoble 1928–37, u. v. V. Del Litto, Lausanne 1938–57, ab 1958 v. dems. in: Stendhal Club (Rev. trimestrielle) Iff., (ebd.) 1958/59ff. – Aurea Parma XXXIV, 1950, H. 2 (Omaggio a St.; darin u. a.: A. Caraccio, St. devant la musique) u. LI, 1967, H. 2/3 (Omaggio a St. II; darin u. a.: M. Bonfantini, Ivrea o Novara?; L. Guichard, Berlioz et St.; L. Magnani, Le teorie estetiche di St., Arti figurative, musica; G. Tintori, La musique dans »La Chartreuse de Parme« de St.). – +R. E. Kühnau, Quellenuntersuchungen zu St.-Beyles Jugendwerken, [erg.:] Diss. Marburg 1908. – L. Magnani, St. e la musica della felicità, Rass. mus. XXII, 1952, Wiederabdruck in: G. Rossini, hrsg. v. A. Bonaccorsi, = »Hist. musicae cultores« Bibl. XXIV, Florenz 1968; P. Meylan, St. et Rossini, Schweizer musikpädagogische Blätter XLII, 1954; I. I. Sollertinskij, St. i musyka, in: Musykalno-istoritscheskije etjudy, hrsg. v. M. S. Druskin, Leningrad 1956; R. Switzer u. M. Williams, The Music Critic, Modern Language Quarterly XVII, 1956; R. N. Coe, St., Rossini and the »Conspiracy of Musicians« (1817–23), The Modern Language Rev. LIV, 1959; ders., St. et les quatre cantatrices frç., in: St. Club III, 1960/61; F. Boyer, St., les biographes de Rossini et la presse mus. à Paris en 1858, ebd. IV, 1961/62; P. Sabatier, A propos d'une rencontre à Trieste. St. et C. Ungher, ebd. VI, 1963/64; R. W. Lowe, L'admiration de St. pour Cimarosa, in: Les études class. XXXII, 1964; P. Petrobelli, Balzac, St. e il Mosè di Rossini, in: Conservatorio di musica G. B. Martini Bologna, Annuario 1965–70; M. Colesanti, St. a teatro, = Studie testi I, Mailand 1966; Fl. Br. S(ain)t Clair, St. and Music, Diss. Stanford Univ. (Calif.) 1968; W. Schwyn, La musique comme catalyseur de l'émotion st.ienne, Diss. Zürich 1968; J.-M. Bailbé, Le roman et la musique en France, sous la Monarchie de Juillet,

= Interférences arts/lettres II, Paris 1969; A. Doyon u. Y. du Parc, Amitiés parisiennes de St., = Collection st.ienne XI, Lausanne 1969.

+Stenhammar, –1) Per Ulrik, 1828 [nicht: 1829] – 1875. –2) Oscar Fredrik, 11. 7. 1834 zu Törnvalla – 1. 3. 1884 zu Stockholm [erg. frühere Angaben]. –3) Fredrika, 1836–80. –4) [erg.: Karl] Wilhelm Eugen, 1871–1927, wirkte 1924/25 als Kapellmeister am Kungl. Teatern in Stockholm. –5) Claes Göran, * 26. 9. 1897 und [erg.:] † 1. 11. 1968 zu Stockholm. Lit.: zu –3) Brev (Briefe), hrsg. v. E. Stenhammar, Stockholm 1958. – zu –4) Sonder-H. St., = Musikrevy XXVI, 1971, Nr 6. – Bo Wallner in: STMf XXXIV, 1952, S. 28ff. – XXXV, 1953, S. 5ff. (zur Kammermusik); ders., ebd. XLIII, 1961, S. 355ff. (zu Streichquartettskizzen; mit deutscher Zusammenfassung); ders., En turnépianists vedermödor (»Eines Tourneepianisten Mühen«), Fs. G. Boon, Stockholm 1966 (ein Brief an O. Morales); ders., W. St., Stockholm 1970 (mit Werkverz. u. Diskographie); J. Rabe, En mus. dagbok av W. St., STMf XL, 1958.

Stenzel, Otto, * 12. 4. 1903 zu Berlin; deutscher Komponist und Dirigent, studierte in Berlin an der Hochschule für Musik (Gmeindl, A. Krasselt), war dann Violinist im Blüthner-Orchester und im Philharmonischen Orchester, ab 1925 Kapellmeister der Ufa-Uraufführungstheater und 1930–43 musikalischer Leiter der Berliner »Scala«; 1948–65 war er in gleicher Stellung bei der Revue »Holiday on Ice« tätig. Neben Kompositionen für Revuen schrieb St. Musik für Stummfilme (*Dr. Monnier und seine Frauen*, 1928; *Menschen am Sonntag*, 1929).

Štěpán, Josef Antonín → +Steffan, J. A.

+Štěpán, Václav, 1889–1944. Sein Sohn Pavel St. (* 28. 5. 1925 zu Brünn) begann bereits 1941 mit seiner Konzerttätigkeit und unternimmt heute internationale Konzertreisen. 1944–59 war er am Prager Rundfunk tätig; seit 1961 ist er Professor für Klavier an der Prager Akademie für musische Künste. Lit.: J. R. Ludová in: Hudební rozhledy XXVI, 1973, S. 419f. (Gespräch mit P. Št. über Mozart-Interpretation).

Stepanjan, Arọ Lewonowitsch, * 13.(25.) 4. 1897 zu Jelisawetpol (heute Kirowabad), † 9. 1. 1966 zu Eriwan; armenisch-sowjetischer Komponist und Pädagoge, studierte bis 1930 am Leningrader Konservatorium (M. Gnessin, W. Schtscherbatschow) und lehrte danach am Konservatorium in Eriwan (1934 Dozent). 1938–48 war er Vorsitzender des armenischen Komponistenverbandes. Seine Kompositionen umfassen u. a. die Opern *Kadsch Nasar* (»Mutiger Nasar«, Eriwan 1935), *Lussabazin* (»Morgendämmerung«, ebd. 1938) und *Erossui* (»Die Heldin«, ebd. 1950), Orchesterwerke (3 Symphonien, 1943, 1945 und 1953; Klavierkonzert, 1959; Rhapsodie für Kl. und Orch., 1962), Kammermusik (4 Streichquartette; 2 Sonaten für V. und Kl., 1943 und 1947; Sonate für Vc. und Kl., 1943), eine Klaviersonate (1949) sowie die Kantate *Kolkosiana* (1949) und zahlreiche Lieder. Lit.: M. Kazachjan, A. L. St., Eriwan 1962.

Štěpánová ([ʃţ'ɛpɑːnəvɑː), Ilona, * 19. 11. 1899 zu Lemberg; tschechische Pianistin, deren Lehrer ihre Eltern, die Pädagogen V. und Růžena Kurz, waren, debütierte 1910 mit dem Wiener Tonkünstlerorchester unter O. Nedbal. Von da an war sie solistisch tätig (Premiere des Klavierkonzerts von Dvořák in der Bearbeitung von V. Kurz) und nahm an Musikfesten teil (Uraufführung von Janáčeks Concertino beim IGNM-Fest in Frankfurt a. M. 1926). Nach ihrer Verheiratung mit V. Štěpán gab sie auch mit diesem gemeinsame Konzerte; nach dessen Tod war sie vor allem pädagogisch tätig.

+Stephan, Rudi, 1887 – 1915 bei [nicht: zu] Tarnopol (Ostgalizien). Lit.: A. Machner, Zwischen gestern u. heute. Ein Wort f. R. St., in: Musica VIII, 1954; K. Holl in: NZfM CXXVI, 1965, S. 339ff.; A. D. McCredie, The Munich School and R. St., Some Forgotten Sources and Byways of Mus. Jugendstil and Expressionism, MR XXIX, 1968.

+Stephan, Gustav-Adolf Carl Rudolf, * 3. 4. 1925 zu Bochum. St. habilitierte sich 1963 in Göttingen mit *Antiphonar-Studien* und wurde 1967 auf das Ordinariat für Musikwissenschaft der Freien Universität Berlin berufen. Seit 1965 ist er Herausgeber der *Veröffentlichungen des Instituts für Neue Musik und Musikerziehung Darmstadt* (Bd VIff., Bln 1968ff., Bd Xff., Mainz 1971ff., zuletzt Bd XV, 1975) und seit 1968 Mitherausgeber der →+Schönberg-GA sowie (mit C. Dahlhaus) der Reihe *Berliner musikwissenschaftliche Arbeiten* (München 1971ff.). – +*Neue Musik* (1958), Göttingen ²1973; +*Musik* (1957), engl. Fassung als *Music, A to Z*, hrsg. von J. Sacher, = Grosset's Universal Library Nr 4620, NY 1963. – Von seinen neueren Publikationen seien genannt: *G. Mahler, IV. Symphonie G-Dur* (= Meisterwerke der Musik V, München 1966); *Zur jüngsten Geschichte des Melodrams* (AfMw XVII, 1960); *A. Bergs »Lulu«* (NZfM CXXII, 1961); *Über J. M. Hauer* (AfMw XVIII, 1961); *Hörprobleme serieller Musik* (in: Der Wandel des musikalischen Hörens, = Veröff. ... [s. o.] III, 1962); *Vom alten und vom neuen Petruschka. I. Strawinsky 1910 und 1946* (NZfM CXXIII, 1962); *Gedanken zu A. Schönbergs Bläserquintett op. 26* (in: Versuche musikalischer Analysen, = Veröff. ... [s. o.] VIII, 1967); *Das Neue in der Neuen Musik* und *Überlegungen zur Funktion der Hausmusik heute* (in: Über das Musikleben der Gegenwart, ebd. IX, 1968, ersteres auch in: *Das musikalisch Neue und die Neue Musik*, hrsg. von H.-P. Reinecke, Mainz 1969); *Außermusikalischer Inhalt, Musikalischer Gehalt. Gedanken zur Musik der Jahrhundertwende* (Jb. des Staatlichen Instituts für Musikforschung 1969); *Bemerkungen zu P. Boulez' Komposition von R. Chars »Klage der verliebten Eidechse«* (in: Musik und Bildung I, 1969); *Gibt es ein Geheimnis der Form bei R. Wagner?* (in: Das Drama R. Wagners als musikalisches Kunstwerk, hrsg. von C. Dahlhaus, = Studien zur Musikgeschichte des 19. Jh. XXIII, Regensburg 1970); *Zu Beethovens letzten Quartetten* (Mf XXIII, 1970); *Gy. Ligeti: Konzert für Vc. und Orch., Anmerkungen zur Cluster-Komposition* (in: Die Musik der sechziger Jahre, = Veröff. ... [s. o.] XII, 1972); *Schönbergs Entwurf über »Das Komponieren mit selbständigen Stimmen«* (AfMw XXIX, 1972); *Über Mozarts Kontrapunkt* (NZfM CXXXIII, 1972); *M. Reger und die Anfänge der Neuen Musik* (NZfM CXXXIV, 1973, auch in: Musik und Bildung V, 1973); *Zu einigen Liedern A. Weberns* (Webern-Kgr.-Ber., = Beitr. 1972/73, Kassel 1973); *Zum Problem der Tradition in der neuesten Musik* (in: Studien zur Tradition in der Musik, Fs. K. v. Fischer, München 1973); *Hába und Schönberg* (Fs. A. Volk, Köln 1974); *Über Schönbergs Arbeitsweise* (in: A. Schönberg, Ausstellungskat. hrsg. von E. Hilmar, Wien 1974).

Stephănescu (stefən'ɛsku), George, * 13. 12. 1843 und † 25. 4. 1925 zu Bukarest; rumänischer Komponist, studierte 1859–64 am Konservatorium seiner Heimatstadt sowie 1867–71 am Pariser Conservatoire (A. Thomas, Auber, Reber, Delle Sedie). Er war in Bukarest Professor für Gesang am Konservatorium (1872–1904), Dirigent am Teatrul cel Mare (1877–90) und

gründete 1892 die Compania lirică romană, die 1921 zur Gründung der rumänischen Oper führte. Şt. schrieb u. a. die Opern *Scaiul bărbaţilor* (1885) und *Petra* (1902), die Operetten *Peste Dunăre* (»Über das Wasser«, Bukarest 1880), *Mama soacră* (»Die Schwiegermutter«, 1890) und *Cometa* (»Der Komet«, 1899), die Feerie *Sînziana şi Pepelea* (»Sînziana und Pepelea«, 1880), Orchesterwerke (Symphonie A dur, 1869; Melodram für Orch. *Sentinela română*, »Der rumänische Wachtposten«, 1868; *Uvertura naţională*, 1876; Symphonische Dichtungen *In munţi*, »Im Gebirge«, 1888, und *In alte timpuri*, »In anderen Zeiten«, 1895), Kammermusik (Oktett für Streicher und Blasinstr., 1870; *Omagiu lui Haydn*, »Huldigung an Haydn«, Scherzo für Streicher, Fl. und Kl., 1870; Streichquartett, 1870; Sonate für Vc. und Kl., 1863), Klavierstücke, Vokalwerke (Kantate *Dalila* für Soli, gem. Chor und Orch., 1868; a cappella-Chöre, Lieder) sowie Bühnenmusik und veröffentlichte *Despre mecanismul vocal* (»Über den Mechanismus des Gesangs«, Bukarest 1896).
Lit.: V. Tomescu, Un înaintaş al muzicii noastre (»Ein Vorläufer unserer Musik«), in: Muzica IV, 1954; G. Stephănescu, G. St., Viaţa în imagini (»G. St., Sein Leben in Bildern«), Bukarest 1962; J. C. Spiru in: Muzica XII, 1962, Nr 9, S. 23ff.; C. Răsvan, ebd. XIX, 1969, Nr 3, S. 33ff.; V. Popescu-Deveselu in: Studii şi cercetări di istoria artei, Seria Teatru, muzică, cinematografie XVI, 1969, S. 249ff.; L. Hăngănut, Aspecte ale activităţii şi pedagogiei vocal-interpretative a lui G. St. (»Aspekte v. G. St.s Gesangs- und Interpretationstechnik«), in: Lucrări di muzicologie VII, 1971.

+Stephani, –1) Hermann, 1877–1960.

–2) Martin, * 2. 11. 1915 zu Eisleben. Er war Dirigent der Konzertgesellschaft Wuppertal 1951–63 (GMD 1959) und des Frankfurter Cäcilienvereins 1957–59; auch die Leitung der von ihm gegründeten Marburger Kantorei gab er inzwischen ab. Direktor des Bergischen Landeskonservatoriums war er 1955–63. St. ist weiterhin Direktor der Nordwestdeutschen Musikakademie in Detmold und wirkt seit 1959 auch als Dirigent des Musikvereins der Stadt Bielefeld. Er schrieb u. a. den Beitrag *Hindemiths Apotheose der Gesetzmäßigkeit als Wagnis des Glaubens an »Die Harmonie der Welt«* (in: Musik als Lobgesang, Fs. W. Ehmann, Darmstadt 1964).
Lit.: zu –1): H. Heussner in: Mf XIV, 1961, S. 138f.; ders. in: MGG XII, 1965, Sp. 1265ff.

Stephanie, Johann Gottlieb (der Jüngere), * 19. 2. 1741 zu Breslau, † 23. 1. 1800 zu Wien; deutscher Bühnenautor, studierte Rechtswissenschaft in Halle (Saale); widmete sich ab etwa 1769 dem Theater und war mit seinem Bruder Christian Gottlob St. dem Älteren (* 1734 zu Breslau, † 10. 4. 1798 zu Wien) als Dramaturg und Regisseur an den Wiener Hoftheatern tätig. Er übersetzte und bearbeitete zahlreiche Libretti (N. Piccinni, Gaßmann, Monsigny, Sacchini, Paisiello, Grétry) und schrieb Singspieltexte bzw. Sprechstücke mit Musik, die u. a. von Starzer, I. Umlauff, Mederitsch, Süßmayr und Fr. Teyber vertont wurden. Am bekanntesten wurde St. als Librettist von Mozarts Singspiel *Die Entführung aus dem Serail* (nach Bretzners *Belmont und Constanze*, Wien 1782) und der Komödie mit Musik *Der Schauspieldirektor* (ebd. 1786) sowie von Dittersdorfs komischer »Operette« *Doctor und Apotheker* (ursprünglicher Titel *Der Apotheker und der Doctor*, ebd. 1786).
Lit.: S. Hochstöger, G. St. d. Jüngere, Jb. d. Ges. f. Wiener Theater-Forschung XII, 1960.

+Stephenson, Kurt, * 30. 8. 1899 zu Hamburg.
An der Universität Bonn lehrte er (als Wissenschaftlicher Rat und Professor) bis 1964; seitdem lebt er im Ruhestand in Bad Bramstedt (Gayen, Schleswig-Holstein). – *+Bachs Erbe . . .* (= Akademische Vorträge und Abh. XIV, Bonn 1950 [erg. frühere Angabe]). – Neuere Schriften: *Cl. Schumann, 1819/1969* (Bonn 1969); *Die »Rückblicke eines alten Burschen« und ihr Dichter E. Höfling* (Zs. des Vereins für hessische Geschichte und Landeskunde LXXI, 1961); *Der junge Brahms und Reményis »Ungarische Lieder«* (Fs. E. Schenk, = StMw XXV, 1962); *J. Brahms und G. D. Otten* (Fs. K. G. Fellerer, Regensburg 1962); zahlreiche lexikalische Beiträge. St. war (mit A. Scharff und W. Klötzer) Herausgeber der Bde IV–VIII der *Darstellungen und Quellen zur Geschichte der deutschen Einheitsbewegung im 19. und 20. Jh.* (Heidelberg 1963–70; darin, neben einer Anzahl studentengeschichtlicher Studien, in Bd V, 1965, ein überarbeiteter Neudr. von *+Das Lied der studentischen Erneuerungsbewegung 1814–19*, 1958). – Weitere Ausgaben: *+Die musikalische Klassik* (= Das Musikwerk [erg.: VI], 1953), Neuaufl. Köln 1960, engl. 1962; *Romantik in der Tonkunst* (ebd. XXI, 1961, engl. 1962); *J. Brahms und Fr. Simrock. Weg einer Freundschaft. Briefe des Verlegers an den Komponisten* (= Veröff. aus der Hamburger Staats- und Universitätsbibliothek VI, Hbg 1961); *J. Brahms in seiner Familie. Der Briefwechsel. Mit den Lebensbildern der Hamburger Verwandten* (ebd. IX, 1973).
Lit.: Rheinische Musiker IV, hrsg. v. K. G. Fellerer, = Beitr. zur rheinischen Mg. LXIV, Köln 1967, S. 160ff.

Stepp, Christoph, * 23. 10. 1927 zu Breslau; deutscher Dirigent, studierte an der Musikhochschule in München bei Heinrich Knappe, Eichhorn und Geierhaas und gründete 1950 das Münchner Kammerorchester, das er bis 1955 leitete. 1956 wurde er Assistent von Fricsay und Kapellmeister an der Bayerischen Staatsoper in München, 1957 1. Kapellmeister an den Städtischen Bühnen in Augsburg und 1960 GMD und Chefdirigent des Philharmonischen Orchesters der Pfalz in Ludwigshafen.

Sterbini, Cesare, * um 1784 und † 19. 1. 1831 zu Rom; italienischer Librettist, war am Hauptschatzamt der Reverenda Camera Apostolica tätig. Er schrieb für Rossini nach Beaumarchais das Textbuch zu *Almaviva ossia L'inutile precauzione* (*Il barbiere di Siviglia*, Rom 1816). Weitere Libretti verfaßte er u. a. für Cordella, Fr. Basili und Generali.

+Sterkel, Johann Franz Xaver, 1750 – 12. [nicht: 21.] 10. 1817.
St. war 1810–14 [nicht: 1810/11] Großherzoglicher Hofmusikdirektor in Aschaffenburg; 1815 übersiedelte er nach Würzburg. Während seines Italienaufenthaltes (1779–82) wurde 1782 in Neapel seine Oper *Il Farnace* uraufgeführt.
Ausg.: Streichquintett G dur, hrsg. v. A. Gottron, Heidelberg 1959; 6 Duette f. V. u. Va op. 8, hrsg. v. W. Lebermann, = V.-Bibl. Nr 29, Mainz 1969; Ausgew. Stücke f. Kl., hrsg. v. W. Frickert, Zürich 1971.
Lit.: R. Fuhrmann, Mannheimer Kl.-Kammermusik, 2 Bde, Diss. Marburg 1963; A. Scharnagl in: MGG XII, 1965, Sp. 1272ff.; H. Unverricht, Drei Briefe v. J. Fr. X. St. an seine Verleger, Mitt. d. Arbeitsgemeinschaft f. mittelrheinische Mg. 1974, Nr 29.

Stern, Ernst, * 1. 4. 1876 zu Bukarest, † 28. 8. 1954 zu London; rumänisch-deutscher Bühnenbildner, studierte 1898 an der Münchener Kunstakademie bei Franz v. Stuck, war Mitarbeiter der Zeitschriften »Jugend« und »Simplizissimus« sowie Mitglied des Kabaretts »Die Elf Scharfrichter«. 1906–21 wirkte er als künstlerischer Berater und Chefbühnenbildner von M. Reinhardt (*Orpheus in der Unterwelt*, Münchener Künstlertheater 1911; *Ariadne auf Naxos*, Stuttgarter Hoftheater 1912; *Der Mikado*, Münchener Künstlerthea-

ter 1912). 1929–34 arbeitete er für die Revue- und Operettentruppen Erik Charells und N. Cowards (*White House Inn*, London 1931). Nach seiner Emigration stattete er für englische Theater Shakespeare-Stücke, Operetten und Opern aus (Lehár, *Paganini*, London 1937; Zeller, »The Bird Seller«, ebd. 1947; Massenet, *Werther*, ebd. 1952). Er veröffentlichte *Reinhardt und seine Bühne* (mit H. Herald, Bln 1920) und *Bühnenbildner bei M. Reinhardt* (Bln 1955). – St. überwand die Dekorationsprinzipien des 19. Jh. durch einen Stilpluralismus, der einseitig festgelegte Prinzipien vermeidet. Bei Komödien und musikalischen Werken bevorzugte er Groteske und Parodie; der Übergang zur Ausstattungsrevue wurde ihm durch die Mitarbeit an Reinhardts spektakulären Masseninszenierungen (»König Ödipus« von Sophokles, 1910; *Das Mirakel* von Karl Gustav Vollmoeller, Musik Humperdinck, 1914) vorbereitet.
Lit.: C. NIESSEN, M. Reinhardt u. seine Bühnenbildner, Ausstellungskat. Köln 1958; L. GEORGI, Der Bühnenbildner E. St., Diss. Bln 1971.

+Stern (stə:n), Isaac, * 21. 7. 1920 zu Kriminiesz (Kremenez, Ukraine).
St., der weiterhin international konzertiert (1956 erstmals in der UdSSR), bildet seit 1961 ein Klaviertrio mit E. Istomin und L. Rose.
Lit.: G. PERCY in: Musikrevy XXII, 1967, H. 2, S. 38ff.

+Sternberg, Erich Walter, * 31. 5. 1891 zu Berlin, [erg.:] † 15. 12. 1974 zu Tel Aviv.
Er gründete 1936 das heutige Israel Philharmonic Orchestra [erg.:] zusammen mit Br. Huberman. – Präsident der israelischen Sektion der IGNM war St. bis 1953. Weitere Werke: Violinsonate (1955); *Sichot Haruach* (»Gespräche mit dem Wind« für A. und Orch. (1956); *Hechalil Bemerchakim* (»Die ferne Flöte«) für A. und Fl. (1958); Oratorium *Techiat Israel* (»Die Auferstehung Israels«, 1959); *Tewat Noah* (»Die Arche Noahs«) für Orch. (1960); *Tefilot* (»Gebete der Demut«) für A. und Kammerorch. (1962); »Die Opferung Isaaks« für S. und Orch. (1965); »Liebeslieder« für Chor und Orch. (1968); »Das Erbarmen« für Bar. und Streichorch. (1969); »Mein Bruder Jonathan« für S., A., B. und Streichorch. (1969).

+Sternefeld, Daniel, * 27. 11. 1905 zu Antwerpen.
St. war Chefdirigent des Symphonieorchesters des belgischen Rundfunks in Brüssel bis 1972. Seine Tätigkeit als Gastdirigent führte ihn ins europäische wie außereuropäische Ausland. Am Konservatorium von Antwerpen leitete er lange Jahre eine Orchesterklasse. Unter seinen Kompositionen befindet sich eine Oper [nicht: 2] *Mater dolorosa* (nach einem Märchen von Andersen, Antwerpen 1935).

Sternfeld (st'ə:nfeld), Frederick William, * 25. 9. 1914 zu Wien; englischer Musikforscher österreichischer Herkunft, studierte bis 1937 an der Wiener Universität (Lach, Wellesz) und 1940–43 an der Yale University in New Haven (Conn.), an der er 1943 mit einer Dissertation über *Goethe and Music* (NY 1954) zum Ph. D. promovierte. 1940–46 gehörte er der Wesleyan University in Middletown (Conn.) und 1946–56 dem Dartmouth College in Hanover/N. H. (1946 Assistant Professor, 1955 Professor) an. 1956 wurde er Lecturer an der University of Oxford und 1959 Visiting Professor am Royal College of Music in London. St. war Herausgeber des von ihm gegründeten *Renaissance Quarterly* (1946–54) und der *Proceedings of the Royal Musical Association* (Proc. R. Mus. Ass.). Er edierte *Songs from Shakespeare's Tragedies* (London 1964), *A History of Western Music* (bisher Bd I, *Music from the*

Middle Ages to the Renaissance, und Bd V, *Music in the Modern Age*, ebd. 1973) und *The Age of Enlightenment 1745–90* (mit E. Wellesz, = New Oxford History of Music VII, ebd.) sowie die 3. revidierte Aufl. von E. H. Fellowes *English Madrigal Verse 1588–1632* (mit D. Greer, Oxford und NY 1967) und schrieb *Music in Shakespearean Tragedy* (= Studies in the History of Music o. Nr, London und NY 1963, NY 1967) sowie eine Reihe von Beiträgen zur Musik bei Shakespeare und seiner Zeit u. a. für Ann. Mus., MD und ML. An weiteren Aufsätzen seien *The Melodic Sources of Mozart's Most Popular »Lied«* (MQ XLII, 1956), *Poetry and Music. Joyce's Ulysses* (in: Sound and Poetry, hrsg. von N. Frye, NY 1957), *Expression and Revision in Gluck's »Orfeo and Alceste«* (Essays . . ., Fs. E. Wellesz, Oxford 1966) und *Aspects of Italian Intermedi and Early Opera* (in: Convivium musicorum, Fs. W. Boetticher, Bln 1974) genannt.

Steszewski (stɛʃ'ɛfski), Jan Maria, * 20. 4. 1929 zu Koźmin Wielkopolski (bei Posen); polnischer Musikforscher, studierte 1948–52 in Posen bei Chybiński und Sobieski und promovierte 1965 bei M. Chomiński in Warschau mit einer Dissertation über *Problematyka historyczna pieśni kurpiowskich* (»Die geschichtliche Problematik der kurpischen Volkslieder«). Seit 1952 ist er Mitarbeiter der Volksmusikabteilung des Kunstinstituts der Akademie der Wissenschaften (1950–54 in Posen, seit 1954 in Warschau). Er hat Lehraufträge für Musikethnologie und polnische Volksmusik an den Universitäten in Krakau (seit 1963) und Warschau (seit 1966). 1973 wurde er Präsident des polnischen Komponistenverbands. – Veröffentlichungen (Auswahl): *Morfologia rytmów mazurkowych na Mazowszu Polnym* (»Die Morphologie der Mazurkarhythmen in Feldmasowien«, in: Muzyka IV, 1959 – V, 1960); »*Chmiel*«. *Szkic problematyki etnomuzycznej wątku* (»,Chmiel'. Eine Skizze der musikethnologischen Problematik des Motivs«, ebd. X, 1965); *Die Apokope, eine Eigentümlichkeit im Volksliedervortrag* (Fs. W. Wiora, Kassel 1967); *Z zagadnień wariabilności muzyki ludowej* (»Probleme der Variabilität der Volksmusik«, in: Studia . . ., Fs. H. Feicht, Krakau 1967); *Sachen, Bewußtsein und Benennungen in ethnomusikologischen Untersuchungen. Am Beispiel der polnischen Folklore* (Jb. für Volksliedforschung XVII, 1972); *Geige und Geigenspielen im polnischen Volksgebrauch* (in: Die Geige in der europäischen Volksmusik, hrsg. von W. Deutsch und G. Hofer, Wien 1973).

+Steuermann, Eduard (Edward), * 18. 6. 1892 zu Sambor (bei Lemberg) [nicht: zu Lemberg], [erg.:] † 11. 11. 1964 zu New York.
Ab 1948 lehrte er an der Philadelphia Music Academy, die ihn auch zum Ehrendoktor ernannte, und ab 1952 an der Juilliard School of Music in New York. Er gab Meisterkurse in den USA, in Europa (außer bei den Internationalen Ferienkursen in Darmstadt zuletzt auch am Salzburger Mozarteum) und Israel. St. ist auch als Komponist hervorgetreten (u. a.: Suite für Kammerorch., 1964; 2 Streichquartette; Klaviertrio; *Improvisation und Allegro* für V. und Kl., 1955; Klaviersuite 1954; *Auf der Galerie* für Chor und Orch., nach Kafka, 1964; Lieder). – Als einer der 19 Vorstände sowie als »Vortragsmeister« (neben Berg und Webern bzw. E. Stein) und führender Klavierinterpret war er am Wirken des 1918 entstandenen Schönbergschen »Vereins für musikalische Privataufführungen« in Wien wesentlich beteiligt (später auch im entsprechenden Prager Verein). St., der im Verlauf seiner pianistischen Laufbahn auch verschiedene Kompositionen von Schönberg zur Uraufführung brachte, fertigte Klavier-

auszüge von dessen Bühnenwerken *Erwartung* (erschienen Wien 1923) und *Die glückliche Hand* (für 2 Kl., ebd. 1923) an, stellte eine Ausgabe für 2 Kl. des Schönbergschen Klavierkonzerts her (NY 1943), bearbeitete dessen Sextett *Verklärte Nacht* für Klaviertrio (unveröff.) sowie die *Kammersymphonie* op. 9 für Kl. zu 2 Händen (Wien 1922). – In der →+Schönberg-GA zeichnet er (mit R. Brinkmann) als Herausgeber der *Werke für Kl. zu 2 Händen.* St. veranstaltete auch eine Ausgabe der Klavierwerke von Brahms (11 H., Wien 1929–30).

Lit.: Briefe an Th. W. Adorno, in: Zeugnisse, Fs. Th. W. Adorno, Ffm. 1963. – Th. W. Adorno in: Neue Musik in d. Bundesrepublik Deutschland, hrsg. v. E. Thomas, 1963/64–1964/65, Pfungstadt 1965, S. 25ff.; Ders. in: Impromptus, = Ed. Suhrkamp CCLXVII, Ffm. 1968, S. 150ff.; G. Schuller, A Conversation with St., in: Perspectives of New Music III, 1964/65, Wiederabdruck in: Perspectives on American Composers, hrsg. v. B. Boretz u. E. T. Cone, = The Perspectives of New Music Series o. Nr, NY 1971; R. Leibowitz, Il silenzio di E. St., in: Il gruppo dei Sei, = L'approdo mus. 1965, Nr 19/20; A. Schönberg, Ausstellungskat. hrsg. v. E. Hilmar, Wien 1974.

+Stevens, Bernard [erg.:] George, * 2. 3. 1916 zu London.

St. wirkt weiterhin am Royal College of Music in London. Neuere Werke: Introduktion und Allegro für 2 Kl. (1957); *Lyric Suite* für Streichtrio (1958); Praeludium und Finale für Orch. (1960); 2. Streichquartett (1962); 2. Symphonie (1964); Variationen für Orch. (1964); Trio für V., Horn und Kl. (1966); Fantasie für Org. (1966); Suite für Fl., Ob., V., Va da gamba, Vc. und Cemb. (1967); *Choriamb* für Orch. (1968); Kantate *Et resurrexit* für A., T., Chor und Orch. (1969); Anthem *Hymn to Hight* für Chor, Blechbläser, Schlagzeug und Org. (1970); *The Turning World* für Bar., Chor und Orch. (1971); *The Bramble Briar* für Git. (1974). Er verfaßte u. a. die Beiträge *The Soviet Union* und *Czechoslovakia and Poland* (in: European Music in the 20th Cent., hrsg. von H. Hartog, London 1957).

Lit.: R. Stevenson in: MT CIX, 1968, S. 525ff.

+Stevens, Denis William, * 2. 3. 1922 zu High Wycombe (Buckinghamshire).

St. ging 1956 nach England zurück, wo er an der Royal Academy of Music in London lehrte (1961 Ehrenmitglied). Nach Gastdozenturen u. a. an der University of California at Berkeley (1962) und der Pennsylvania State University (1963–64) ist er seit 1965 Professor of Musicology an der Columbia University (N. Y.). Mit dem Ensemble der von ihm gegründeten Accademia Monteverdiana wie auch mit den Ambrosian Singers hat er Tourneen durch Europa und die USA unternommen (auch zahlreiche Rundfunk- und Fernsehsendungen sowie Schallplatteneinspielungen von Musik des Mittelalters bis zum Barock). St. wurde 1967 zum Ehrendoktor (Humane Letters) der Fairfield University (Conn.) ernannt. – +*Tudor Church Music* (1955), NA London und NY 1961, ²1966, Nachdr. der Ausg. von 1955 NY 1973; +Th. Tomkins (1957), revidierter Nachdr. NY 1967. – Neuere Aufsätze: *German Lute-Songs of the Early 16th Cent.* (Fs. H. Besseler, Lpz. 1961); *Problems of Editing and Publishing Old Music* (Kgr.-Ber. NY 1961, Bd I); *Where Are the Vespers of Yesteryear?* (MQ XLVII, 1961); *Polyphonic Tropers in 14th-Cent. England* (in: Aspects of Medieval and Renaissance Music, Fs. G. Reese, NY 1966); *»Madrigali guerrieri, et amorosi«. A Reappraisal for the Quartercentenary* (MQ LIII, 1967, auch in: The Monteverdi Companion, hrsg. von D. Arnold und N. Fortune, London 1968); Cl.

Monteverdi, *»Selva morale e spirituale«* (in: Cl. Monteverdi e il suo tempo, Kgr.-Ber. Venedig u. a. 1968); J. Taverner (in: Essays in Musicology, Fs. Dr. Plamenac, Pittsburgh/Pa. 1969); *Music in Honor of St. Thomas of Canterbury* (MQ LVI, 1970); *Monteverdi's Necklace* (MQ LIX, 1973); ferner zahlreiche Miszellen (besonders in MT) und lexikalische Beiträge. – Seine umfangreiche Herausgebertätigkeit (+*The Mulliner Book,* 1951, revidiert London 1954; +R. Carver, *Collected Works,* Bd I, 1959 [mehr bislang nicht erschienen]) umfaßt neben Anthologien (*In nomine. Altenglische Kammermusik,* = HM CXXXIV, Kassel 1956; *The Treasury of English Church Music,* Bd I: 1100–1545, London 1965; *Early Tudor Organ Music,* Bd II: *Music for the Mass,* = Early English Church Music X, ebd. und NY 1969) besonders Werke von Monteverdi. Er edierte ferner *A History of Song* (London 1960) und *The Penguin History of Music* (mit A. →+Robertson) und führte Groves *Supplementary Volume* (ebd. 1961) zu Ende.

Stevens (st'i:vnz), Halsey, * 3. 12. 1908 zu Scott (N. Y.); amerikanischer Komponist, studierte Klavier bei George Mulfinger und Komposition bei W. H. Berwald an der Syracuse University/N. Y. (B. Mus. 1931, M. Mus. 1937) und 1944 bei E. Bloch an der University of California in Berkeley. Er lehrte 1937–41 als Associate Professor an der Dakota Wesleyan University in Mitchell (S. Dak.) sowie 1941–46 als Professor und Direktor des College of Music an der Bradley University in Peoria (Ill.). 1946 wurde St. Professor of Music und Chairman des Department of Composition an der School of Music der University of Southern California in Los Angeles. Er komponierte Orchesterwerke (2 Symphonien, 1945; *Triskelion,* 1953; *Sinfonia breve,* 1957; *Symphonic Dances,* 1958; Konzert für Vc. und Orch., 1964; Concertino für Kl. 4händig, Streicher und Pk., 1966; *Threnos,* 1968), Kammermusik (Septett für Klar., Fag., Horn, 2 Va und 2 Vc., 1957; Quintett für Fl., V., Va, Vc. und Kl., 1945; Streichquartett Nr 3, 1949; Klaviertrio Nr 2, 1945, und Nr 3, 1954; Sonaten und Suiten in verschiedenen Besetzungen), Klavierwerke (Sonate Nr 3, 1948; Fantasie, 1961), Orgelwerke, Harfenstücke, Vokalmusik (*The Ballad of William Sycamore* für gem. Chor und Orch., 1955; *A Testament of Life* für Chor und Orch., 1959; *Magnificat,* 1962, und *Te Deum,* 1967, für gem. Chor und Orch.; *Two Shakespeare Songs* für Singst., Fl. und Klar., 1959) und Bühnenmusik. Daneben veröffentlichte er u. a.: *The Life and Music of B. Bartók* (NY 1953, revidiert London 1964, Paperbackausg. 1967); *Some »Unknown« Works of Bartók* (MQ LII, 1966); *The Choral Music of Z. Kodály* (MQ LIV, 1968).

Lit.: Werkverz. in: Composers of the Americas XI, Washington (D. C.) 1965; W. T. Berry, The Music of H. St., MQ LIV, 1968.

Stevens (st'i:vnz), James (Pseudonym Paul James), * 5. 5. 1930 zu London; englischer Komponist, studierte an der Londoner Guildhall School of Music, am Pariser Conservatoire und an der Berliner Musikhochschule. Seitdem ist er als freischaffender Komponist, Schriftsteller, Produzent und Dirigent (Schallplattenaufnahmen, Shows) sowie als Fernseh- und Rundfunksprecher tätig. St. komponierte Orchesterwerke (3 Symphonien, 1954, 1955 und 1956; Ouvertüren *In a Nutshell,* 1957, und *Lion and Unicorn,* 1958), Kammermusik (*Four Movements and a Coda* für Va und Kl., 1957), ferner Musik zu einer Reihe von Filmen (*Sparrows Can't Sing?*; *The Insomniac*; *The Rival World*) und Fernsehstücken.

Stevens (st'i: vnz), John Edgar, * 8. 10. 1921 zu London; englischer Musikforscher, promovierte mit der Dissertation *Early Tudor Song Books* zum Ph. D. an der University of Cambridge, an der er Dozent für Englisch (seit 1952) und Musikgeschichte (seit 1974) ist. Er veröffentlichte u. a. *Music and Poetry in the Early Tudor Court* (London und Lincoln/Nebr. 1961, Lincoln 1963), die Aufsätze *Music in Mediæval Drama* (Proc. R. Mus. Ass. LXXXIV, 1957/58) und *Shakespeare and the Music of the Elisabethan Stage* (in: Shakespeare in Music, hrsg. von Ph. Hartnoll, London 1964, Paperbackausg. = Papermac Bd 177, NY 1967) und gab *Mediæval Carols* (= Mus. Brit. IV, London 1952, ²1958) sowie *Music at the Court of Henry VIII* (ebd. XVIII, 1962, ²1969) heraus.

Stevens (st'i: vnz), Morton, * 30. 1. 1929 zu Newark (N. J.); amerikanischer Komponist und Dirigent, studierte an der Juilliard School of Music in New York, war Arrangeur u. a. 1950–59 für Sammy Davis jr. und wirkt seit 1960 als freischaffender Komponist in Hollywood. Seit 1965 ist er Director of Music bei CBS (Columbia Broadcasting System Television). Er komponierte Film- und Fernsehmusik (*Tales of Wells Fargo*; *Wild and Wonderful*; *Ben Casey*; *The Wild Wild West*; *Hawaii Five-O*; *Death of Innocence*).

Stevens (st'i: vnz), Risë, * 11. 6. 1913 zu New York; amerikanische Sängerin (Mezzosopran), studierte an der Juilliard School of Music in New York sowie bei Marie Gutheil-Schoder und H. Graf in Wien (1935) und debütierte 1936 in der Titelpartie von A. Thomas' *Mignon* am Prager Opernhaus, dessen Ensemble sie bis 1938 angehörte. Ab 1939 trat sie an der Metropolitan Opera in New York auf. R. St. gastierte an der Wiener Staatsoper, der Mailänder Scala, der Pariser Opéra und bei den Festspielen in Glyndebourne. Zu ihren Partien zählten Orpheus, Cherubino, Dalila, Carmen und Octavian.
Lit.: K. CRICHTON, Subway to the Met. R. S.' Story, NY 1959.

Stevenson (st'i: vensen), Sir John Andrew, * November 1761 zu Dublin, † 14. 9. 1833 zu Kells (Meath); irischer Komponist, war ab 1771 in Dublin Chorist an der Christ Church Cathedral sowie der St. Patrick's Cathedral, an der er ab 1783 als Chordirigent wirkte; 1800 übernahm er die Stelle des Chorleiters an der Christ Church und wurde 1814 1. Organist und Musikdirektor der Castle Chapel. 1791 erhielt er den Dr. h. c. der Dublin University. Er schrieb Musik zu den zeitgenössischen Farcen (Uraufführungsort Dublin) *The Sonnin-Law* (1781), *The Dead Alive* (1781) und *The Agreable Surprise* (1782), die Operetten *The Contract* (Dublin 1782), *The Double Stratagem* (ebd. 1784), *Love in a Blaze* (ebd. 1799), *The Bedouins, or Arabs of the Desert* (ebd. 1801), *False Alarms, or My Cousin* (London 1807), *The Patriot, or the Hermit of Saxellen* (Dublin 1811), *The Spanish Patriots, or A Thousand Years Ago* (London 1812), *The Russian Sacrifice, or The Burning of Moscow* (Dublin 1813) sowie das Oratorium *Thanksgiving* (1831) und veröffentlichte *Irish Melodies* (mit Th. Moore, 8 Bde, Dublin 1807–21), *Sacred Melodies* (ebd. 1816) und *A Collection of Services and Anthems* (London 1825).
Lit.: I. S. BUMPUS, Sir J. S., A Biogr. Sketch, London 1893.

Stevenson (sti: vənsən), Robert Murrell, * 3. 7. 1916 zu Melrose (N. M.); amerikanischer Musikforscher, absolvierte die University of Oxford (B. Litt.), die Yale University in New Haven/Conn. (M. Mus.), die Harvard University in Cambridge/Mass. (S. T. B.), das Princeton Theological Seminary/N. J. (Th. M.),

die University of Rochester/N. Y. (Ph. D.) und die Juilliard Graduate School of Music in New York. Ferner studierte er Klavier bei A. Schnabel, Komposition bei Hanson und Strawinsky sowie Musikwissenschaft bei Schrade und Westrup. An der University of Texas in El Paso wurde er 1946 Assistant Professor, 1946–49 gehörte er dem Lehrkörper des Westminster Choir College in Princeton an und wurde 1950 Assistant Professor an der University of California in Los Angeles, wo er heute als Professor tätig ist. – Von seinen Veröffentlichungen seien genannt: *Music in Mexico. A Historical Survey* (NY 1952); *La música en la catedral de Sevilla, 1478–1606. Documentos para su estudio* (Los Angeles 1954); *Music Before the Classic Era* (London 1955, ebd. und NY ²1958, Nachdr. Westport/Conn. 1973); *Cathedral Music in Colonial Peru* (Lima 1959); *The Music of Peru. Aboriginal and Viceroyal Epochs* (ebd., Washington/D. C. 1960); *J. Bermudo* (Den Haag 1960); *Spanish Music in the Age of Columbus* (ebd., Neuaufl. 1964); *Spanish Cathedral Music in the Golden Age* (Berkeley/Calif. und Cambridge 1961, London 1962); *La música colonial en Columbia* (= Publ. del Instituto popular da cultura de Cali I, Cali 1964); *Protestant Church Music in America* (NY 1966); *Portuguese Music and Musicians Abroad (to 1600)* (Lima 1966); *Portugaliae musica. A Bibliographical Essay* (ebd. 1967); *Music in Aztec and Inca Territory* (Berkeley/Calif. 1968); *Music in El Paso, 1919–39* (= Southwestern Studies XXVII, El Paso/Tex. 1970); *Renaissance and Baroque Musical Sources in the Americas* (Washington/D. C. 1970); *Foundations of New World Opera, with a Transcription of the Earliest Extant American Opera, 1701* (Lima 1973). – Aufsätze: *Opera Beginnings in the New World* (MQ XLV, 1959); *Fr. Correa de Arauxo. New Light on His Career* (Rev. musical chilena XXII, 1968); *Some Portuguese Sources for Early Brazilian Music History* (Inter-American Institute for Musical Research, Yearbook IV, 1968); *The Afro-American Musical Legacy to 1800* (MQ LIV, 1968); *The First New World Composers. Fresh Data from Peninsular Archives* (JAMS XXIII, 1970); *Tribute to J. B. Alcedo (1788–1878)* (Inter-American Music Bull. 1971, Nr 80); *English Sources for Indian Music Until 1882* (in: Ethnomusicology XVII, 1973); *Espectáculos musicales en la España del s. XVII* (Rev. musical chilena XXVII, 1973); *The South American Lyric Stage (to 1800)* (Inter-American Music Bull. 1973, Nr 87); *The Toledo Manuscript Polyphonic Choirbooks and Some Other Lost or Little Known Flemish Sources* (FAM XX, 1973); *Written Sources for Indian Music until 1882* (in: Ethnomusicology XVII, 1973). St. ist mit Orchestermusik (*Nocturne in Ebony*, 1945; *Texas Suite*, 1950) sowie Klavier- und Chorwerken auch als Komponist hervorgetreten.

Stevenson (st'i: vənsən), Ronald, * 6. 3. 1928 zu Blackburn (Lancashire); britischer Komponist und Pianist, studierte am Royal Manchester College of Music und am Conservatorio di Musica S. Cecilia in Rom. Er war 1963–65 Senior Lecturer für Komposition an der Universität in Kapstadt. St. ist heute als freischaffender Komponist und als Pianist für Konzert und Rundfunk (BBC, RAI) tätig, hauptsächlich als Interpret eigener Werke. Von seinen Kompositionen seien genannt: *Anger Dance* für Git. (1966); *Medieval Scottish Triptych* für Chor a cappella (1966); *Passacaglia on DSCH* für Kl. (auf die Initialen von Dm. Schostakowitsch in deutscher Umschrift, 1967); *Klavierkonzert Nr 1* (1967); *Lieder auf Gedichte von Hugh Macdiarmid* (1967); *Praeludium und Fuge auf ein Thema aus Liszts Faust-Symphonie* für Org. (1967); *Praeludium, Fuge und Fantasie über Motive aus Busonis Faust* für Kl.

(1968); Liederzyklus *Border Boyhood* für T. und Kl. (1972). St. ist auch als Musikschriftsteller hervorgetreten: *M.Emmanuel* (ML XL, 1959); *An Introduction to the Music of R.Vlad* (MR XXII, 1961); *Western Music. An Introduction* (London 1971, NY 1972).
Lit.: A. BUSH, R. St.'s Passacaglia, in: The Composer 1964, Nr 14; C. SCOTT-SUTHERLAND, The Music of R. St., MR XXVI, 1965.

Stewart (stjˊuːət), Rex William, * 22. 2. 1907 zu Philadelphia (Pa.), † 7. 9. 1967 zu Los Angeles; amerikanischer Jazzmusiker (Kornett), ab 1914 in Washington (D. C.) ansässig, begann mit 12 Jahren zu musizieren, spielte 1924–25 bei Elmer Snowdon, 1926 bei Fletcher Henderson, 1928–32 in McKinney's Cotton Pickers und bis 1934 wieder bei Henderson. 1934 wurde er von Duke Ellington engagiert und gehörte bis 1944 zu dessen bedeutendsten Solisten. In der Komposition *Boy Meets Horn* wandte er seine Erfindung der »Halfvalve«-Technik an, einer Spielweise, bei der die Ventile nur halb gedrückt werden, um flageolettartige Töne zu erzielen. Nachdem St. Duke Ellington verlassen hatte, gründete er eine eigene Band, mit der er 1947–51 Europa und Australien bereiste. Danach arbeitete er auch als Discjockey, Programmdirektor von Rundfunkanstalten und als Journalist. – Aufnahmen: (mit Fletcher Henderson:) *A Study in Frustration I* und *VI* (Columbia 4 CL–19, 1926–32) und *The Big Re-Union* (Jazztone J–1285 1957); (mit Duke Ellington:) *The Ellington Era* 1927–40 *I* (Columbia C 3L–27) und *II* (C 3L–39), *At His Very Best* (RCA Victor LPM–1715, 1940) und *Duke Ellington with His All Star Band* (Stardust SD–124, 1943); (mit Johnny Hodges:) *Things Ain't what They Used to Be* (RCA Victor LPV–533, 1940–41); (mit Cootie Williams:) *The Big Challenge* (Jazztone J–1268, 1957); (unter eigenem Namen:) *Rex Stewart* (Dial LP–215, 1948).

Stewart (stjˊuːət), Thomas, * 29. 8. 1928 zu San Saba (Tex.); amerikanischer Sänger (Bariton), studierte an der Juilliard School of Music in New York und debütierte 1957 als Minister (*Fidelio*) an der (damals) Städtischen (heute Deutschen) Oper Berlin, deren Ensemblemitglied er bis 1964 war. Gastspiele führten ihn u. a. zu den Bayreuther Festspielen (1965) sowie zu den Salzburger Osterfestspielen (1967), an die Wiener Staatsoper, die Covent Garden Opera in London und die Metropolitan Opera in New York. Zu seinen Partien zählen Graf Luna (*Il trovatore*), Germont (*La Traviata*), Marquis Posa (*Don Carlos*), Escamillo (*Carmen*), Fliegender Holländer und Wotan. Er ist mit Evelyn →Lear verheiratet.

Stezenko, Kyrylo Grygorowytsch (Kirill Grigorjewitsch), * 30. 4. (12. 5.) 1882 zu Kwytki (Gouvernement Kiew), † 29. 4. 1922 zu Weprik (Gouvernement Kiew); ukrainisch-sowjetischer Komponist und Chordirigent, Priester, studierte an der Musikschule der kaiserlich-russischen Musikgesellschaft in Kiew und assistierte 1899 Lyssenko als Chorleiter. 1907–09 lebte er in der Verbannung. Ab 1917 leitete er eine Musikabteilung am Ausbildungskommissariat in Kiew. Seine Kompositionen umfassen u. a. die unvollendete Oper *Plenniza* (»Die Gefangene«), die Kinderoper *Lissitschka, kotik ta piwnyk* (»Füchsin, Kätzchen und Hahn«, 1926), die Operette *Swatannja na Gontschariwzi* (»Hochzeit auf dem Gontschariwzi«), 5 Kantaten nach Gedichten von Taras Schewtschenko sowie zahlreiche Chöre, Romanzen, Lieder und Bühnenmusik.
Ausg.: Sobranije proiswedenij (GA), hrsg. v. N. GORDEJTSCHUK u. a., 5 Bde, Kiew 1963–66.

Lit.: N. GRINTSCHENKO, K. St., Charkow u. Kiew 1930; N. GORJUCHINA u. L. EFREMOWA, K. St., Kiew ²1955; L. A. PARCHOMENKO, K. St., ebd. 1963.

+Štiastný (Šťastný), –1) Bernard Václav, 1760–1835.
–2) [erg.: František] Jan, 1764 zu Prag oder 1774 zu Pilsen – um 1830 [del. bzw. erg. frühere Angaben]. Das früher ihm zugeschriebene Werk +*Il maestro ed il scolare* ... stammt von seinem Bruder Bernard Václav Št.

Stibilj, Milan, * 2. 11. 1929 zu Laibach/Ljubljana; jugoslawischer Komponist, studierte an den Musikakademien in Ljubljana bei Pahor und in Zagreb bei Kelemen (1961–64) sowie im Studio für Elektronische Musik in Utrecht. Er komponierte u. a. Orchesterwerke (Symphonische Dichtung *Slaček in vrtnica*, »Die Nachtigall und die Rose«, 1961; *Verz*, »Vers«, 1964; *Ekthesis*, 1968; *Koncertantna glasba*, »Konzertante Musik«, für Horn und Orch., 1958; *Skladbe*, »Kompositionen«, für Horn und Streichorch., 1959; *Congruences* für Kl. und Orch., 1963; *Impresije*, »Impressionen«, für Fl., Hf. und Streichorch., 1963; *Kontemplacija*, »Kontemplation«, für Ob. und Streichorch., 1966), Kammermusik (*Mondo* für V., Klar., Kb. und Schlagzeug, 1964; *Sarabanda* für 4 Klar., 1960; *Asimilacija*, »Assimilation«, für V. solo, 1965; *Anekdote* für Kl., 1957), Vokalwerke (slowenisches Requiem *Apokatastasis* für T., Chor und Orch., 1967; *Epervier de ta faiblesse, domine* für Rezitator und Schlagzeug, 1964; *Sivina*, »Das Grau«, 1955, und *Pomladna misel*, »Frühlingsgedanken«, 1955, für Singst. und Kl.) und Elektronische Musik (*Mavrica*, »Der Regenbogen«, 1968).

+Stich (stiç), Jan Václav, 28. 9. [nicht: 10.] 1746 – 1803.
Lit.: H. A. FITZPATRICK, The Horn & Horn-Playing and the Austro-Bohemian Tradition 1680–1830, London 1970.

Stich-Randall (stitʃɾˊændəl), Theresa, * 24. 12. 1927 zu West Hartford (Conn.); amerikanische Sängerin (Sopran) deutscher Abstammung, studierte an der Hartford School of Music (Conn.) und an der Columbia University in New York. Sie war 1951 Preisträgerin im Lausanner Gesangswettbewerb und debütierte 1952 als Violetta an der Wiener Staatsoper (1962 Kammersängerin). Seitdem ist sie an den großen Opernbühnen Europas sowie der USA aufgetreten und machte sich außerdem als Konzertsängerin einen Namen.

+Stieber, Hans [erg.:] Albert Oskar, * 1. 3. 1886 zu Naumburg (Saale), [erg.:] † 18. 10. 1969 zu Halle (Saale).
Als Professor und Abteilungsleiter für die Meisterklassen Komposition, Dirigieren und Operndramaturgie wirkte er an der Musikhochschule in Halle bis zu deren Umwandlung (1955) in ein Schulmusikinstitut, an dem er dann noch einige Jahre Kompositions- und Theorielehrer war. 1948–53 leitete er die R.-Franz-Singakademie in Halle. – Von seinen Werken seien im einzelnen genannt: dramatisches Bühnenoratorium *Der Sonnenstürmer* (Chemnitz 1921), musikalische Legende *Heiligland* (Essen 1925), deutsches Mysterium *Die singende Quelle* (Hannover 1933), musikalisches Spiel *Der Eulenspiegel* (Lpz. 1936), Oper *Der Dombaumeister* (Breslau 1942), »Insektenoper« *Geziefer* (1950), dramatische Variationen über eine deutsche Oper (»Die Zauberflöte«) *Tamino* (1958), Kammeroper *Die schwarze Tinktur* (1960); *Sinfonische Trilogie* (1941), *Sinfonische Tragödie* (1946), *Sinfonischer Aufbruch* (1952) und *Sinfonische Komödie* für Orch.; Violinkonzert (1957), Sinfoni-

sche Ballade für Kl. und Orch. (1959), konzertante Suite *Commedia dell'arte senza parole* für Git. und Kammerorch. (1960); *Sinfonische Aphorismen* (1940) und *Sinfonische Legende* (1942) für Kammerorch.; Sextett für Klar., Baßklar. und Streichquartett (1954), Klarinettenquintett (1919), 3 Streichquartette (1928, 1957, 1957), Streichtrio (1964), Trio für Kl., Fl. und Vc. (1964), *Duo concertante* für Va und Laute (1964), *Zwiegespräch* für V. und Va (1965); die Kantaten *Völkerwanderung* für A., T., 2 Männerchöre und Orch. (1924), *Eine Faustkantate* für Bar. und Orch. (1931), *Gutenberg-Legende* für S., B., Männerchor, Kl. und Orch. (1940), *Überwinde* für S., Männerchor und Kammerorch. (1951), *Fries der Lauschenden* für Soli und Kammerorch. (»Barlach-Kantate«, 1957), *Finale 1964 »Und hätte der Liebe nicht ...«* für S., A., Baßbar. und Orch. (1964) und *Salve Äskulap!* für Soli und Kammerorch. (1967), die symphonischen Oden *Der im Einsamen singt* für B., Frauenchor und Orch. (1925), *Menschen* für Männerchor und Kammerorch. (1927), *Ecce homo* (1931) und *Das Leben – ein Tanz* (1943) für gem. Chor und Orch., *Sinfonisches Festival* für S., Chor und Orch. (1964). St. trat auch mit Bühnenmusik und als Autor von Sprechdramen hervor.
Lit.: KL. SCHNEIDER in: Hannoversche Geschichtsblätter, N. F. XXVI, 1972, S. 201ff. (mit Werkverz. u. Bibliogr.).

Stiebler, Ernstalbrecht, * 29. 3. 1934 zu Berlin; deutscher Komponist, studierte 1953–59 in Hamburg Schulmusik und Komposition (Klussmann), erhielt entscheidende Anregungen durch die Darmstädter Ferienkurse für Neue Musik und erwarb 1964 das Diplom für Musiktheorie an der Hamburger Musikhochschule. Seit 1969 ist er als Musikredakteur beim Hessischen Rundfunk tätig. – Werke (Auswahl): *Hommage à Schoenberg* für Fl. solo (1958); *Studien I* (1958) und *II* (1960) für Kl.; *Klangmomente* für 2 Kl. (1961); *Labile Aktion* für Kl. (1962); *Extension* für Streichtrio (1963); *Stadien* für 3 Klar. (1964); *Attaques* für Org. (1965); *Fragment nach van Hoddis* für Frauenchor und Instrumente (1966); *Betonungen* für Org. (1968); *Modell* für Kammerorch. (1973).

+Stiedry, Fritz, * 11. 10. 1883 zu Wien, [erg.:] † 9. 8. 1968 zu Zürich.
St., der zum persönlichen Freundeskreis Schönbergs zählte und mit ihm in regem Briefwechsel stand, brachte dessen Oper *Die glückliche Hand* op. 18 (Wien 1924) und die 2. Kammersymphonie op. 38 (NY 1940) zur Uraufführung. 1958 verließ er die USA und lebte zuletzt zurückgezogen in Zürich.
Lit.: J. RUFER, Das Werk A. Schönbergs, Kassel 1959; A. Schönberg, Ausstellungskat. hrsg. v. E. HILMAR, Wien 1974.

+Stier, Alfred, * 27. 11. 1880 zu Greiz (Thüringen), [erg.:] † 21. 7. 1967 zu Ilsenburg (Harz).
+Kirchliches Singen (1952), Bln ²1960; *Methodik der +Musikerziehung. Nach den Grundsätzen der Tonika-Do-Lehre* (Lpz. 1958 und Wiesbaden 1961) [del. frühere Angaben]. – Neben kleineren Beiträgen veröffentlichte er das weiteren die autobiographische Schrift *Lobgesang eines Lebens* (Kassel 1964).
Lit.: O. BRODDE in: Der Kirchenchor XX, 1960, S. 87ff.; R. MÖNCH in: Der Kirchenmusiker XI, 1960, S. 240ff., u. in: Württembergische Blätter f. Kirchenmusik XXVII, 1960, S. 95ff.; A. D. MÜLLER in: MuK XXX, 1960, S. 291ff.; W. TAPPOLET in: Musik und Gottesdienst XXII, 1968, S. 17ff.

+Stierlin, Kuno, * 30. 8. 1886 zu Ulm, [erg.:] † 26. 8. 1967 zu Düsseldorf.

+Stierlin-Vallon, Henri, 1887 – [erg.: 14. 2.] 1952.

+Stignani, Ebe, * 11. 7. 1903 [nicht: 1907] zu Neapel, [erg.:] † 6. 10. 1974 zu Imola (Emilia-Romagna).
E. St., die besonders im italienischen Fach auch außerhalb Italiens (u. a. an den Opernhäusern von London, Paris, San Francisco und Chicago) erfolgreich aufgetreten war, beendete 1958 ihre sängerische Laufbahn und lebte zuletzt in Imola.
Lit.: R. CELLETTI in: Le grandi v., = Scenario I, Rom 1964, Sp. 803f. (mit Diskographie v. R. Vegeto).

+Still, William Grant, * 11. 5. 1895 zu Woodville (Miss. [nicht: Mo.]).
Weitere Werke: die Opern *Mota* (1951), *The Pillar* (1956), *Minette Fontaine* (1958) und *Highway No. 1, U. S. A.* (einaktig, University of Miami/Fla. 1963); insgesamt 5 Symphonien (*Afro-American Symphony*, 1931, revidiert 1969; *Song of a New Race*, 1937; 1945; *Autochthonous*, 1947; 1958), *Old California* (1941), *In Memoriam: The Colored Soldiers Who Died for Democracy* (1943), *Festive Overture* (1944), *Archaic Ritual* (1946), *Little Red Schoolhouse* (1957), Serenade (1957), 5 Suiten *The American Scene* (alle 1957), *Patterns* (1961), *The Peaceful Land* (1961), *Preludes* (1962), Threnodie *In Memory of J. Sibelius* (1965), *Miniature Overture* (1965) und *Choreographic Prelude* (1970) für Orch., *Ennanga* für Hf. und Orch. (1956), 3 *Folk Suites* (1962) und *Little Folk Suites from the Western Hemisphere* (1969) für Kammerorch.; *From a Lost Continent* (1948) und *A Psalm for the Living* (1954) für Chor und Orch., *Las Pascuas, or Christmas in the Western World* für Chor und Streichorch. (1967); *The Little Song That Wanted to Be a Symphony* für Sprecher, Frauenchor und Orch. (1954); Lieder.
Lit.: Werkverz. in: Bol. interamericano de música 1959, Nr 14, u. in: Composers of the Americas V, Washington (D. C.) 1959, Nachdr. 1964. – R. R. SIMPSON, W. Gr. St., The Man and His Music, Diss. Michigan State Univ. 1964; W. Gr. St. and the Fusion of Cultures in American Music, hrsg. v. R. B. HAAS, Los Angeles 1972.

+Stivori, Francesco, Mitte 16. Jh. – [erg.:] 1605 wahrscheinlich zu Graz.
Lit.: H. FEDERHOFER, Graz Court Musicians and Their Contribution to the 'Parnassus musicus Ferdinandeus' (1615), MD IX, 1955; DERS., Musikpflege u. Musiker am Grazer Habsburgerhof d. Erzherzöge Karl u. Ferdinand v. Innerösterreich, Mainz 1967.

+Stobaeus, Johann(es) (Stobäus, Stobeus, Stoboeus), 1580–1646.
Lit.: H. HAASE, Eine wichtige Quelle f. J. St. Grudentinus. 6 Sammelbände aus Königsberger Beständen in Göttingen, Fs. Fr. Blume, Kassel 1963; D. HÄRTWIG in: MGG XII, 1965, Sp. 1262ff.

Stock (stɔk), David Frederick, * 3. 6. 1939 zu Pittsburgh (Pa.); amerikanischer Komponist, studierte 1956–63 am Carnegie Institute of Technology in Pittsburgh Komposition bei Lopatnikoff und Trompete bei Anthony Pasquarelli sowie 1965–68 Komposition bei A. Berger und Shapero an der Brandeis University in Waltham/Mass. (M. F. A. 1963). Er trieb 1960–61 auch Kompositionsstudien in Paris an der Ecole Normale de Musique bei Andrée Vaurabourg und privat bei Nadia Boulanger. 1961–63 war er Trompeter beim Pittsburgh Symphony Orchestra. Seitdem lehrt er Musiktheorie, u. a. an der Brandeis University (1966–68), am New England Conservatory of Music in Boston (1968–70) und seit 1970 am Antioch College in Yellow Springs (O.). Von seinen Kompositionen seien genannt: Divertimento für Orch. (1957); Streichquartett (1962); Capriccio für Kammerorch. (1963); *Symphony in One Movement* (1963); Serenade für Fl., Klar., Horn, Va und Vc. (1964); Quintett für Klar. und Streicher (1967);

Flashback für Kammerensemble, Cemb. und Schlagzeug (1968); *3 Pieces* für V. und Kl. (1969); *Triple Play* für Piccolo-Fl., Kb. und Schlagzeug (1970).

+**Stockem,** Johannes (Jean de; Johannes de Prato alias Stokem, Stochem), [erg.:] um 1440–1500.
Ausg.: 4 Chansons in: Harmonice musices Odhecaton A (1504), hrsg. v. H. HEWITT, = The Medieval Acad. of America Publ. XLII, Studies and Documents V, Cambridge (Mass.) 1942, ²1946; Chanson »Je suis dalemaigne« in: H. M. BROWN, Theatrical Chansons of the XVth and Early XVIth Cent., ebd. 1963.
Lit.: A. SEAY, An »Ave maris stella« by J. St., RBM XI, 1957 (mit Ausg.); DERS. in: MGG XII, 1965, Sp. 1376f.

+**Stockhausen,** Ella (Jonas-St.), * 1. 10. 1883 zu Dortmund, [erg.:] † 6. 2. 1967 zu Berlin.

+**Stockhausen,** –1) Franz [erg.:] Anton Adam, [erg.:] getauft 1. 9. 1789 [nicht: * 1792] – [erg.: 10. 9.] 1868. Seine Frau [erg.: Marie] Margarete (geborene Schmuck; Marguerite Schmouck), [erg.:] 29. 3. 1803 zu Guebwiller (Gebweiler, Elsaß) – 1877.
–2) Julius, 1826–1906.
Lit.: zu –1): H. J. ZINGEL in: Rheinische Musiker VII, hrsg. v. D. Kämper, = Beitr. zur rheinischen Mg. XCVII, Köln 1972, S. 114ff. – zu –2): J. WIRTH-STOCKHAUSEN, Fr. Chrysanders Briefe an J. St., Mf VII, 1954; E. F. KRAVITT, The Lied in 19th-Cent. Concert Life, JAMS XVIII, 1965; R. SIETZ, Aus F. Hillers Briefwechsel, Bd VI, = Beitr. zur rheinischen Mg. LXX, Köln 1968.

+**Stockhausen,** Karlheinz, * 22. 8. 1928 zu Mödrath (bei Köln).
St., seit 1963 künstlerischer Leiter des Studios für Elektronische Musik des WDR Köln, wirkt seit 1953 als Dozent bei den Internationalen Ferienkursen für Neue Musik in Darmstadt (vgl. dazu R. Gehlhaar, 1968, und Fr. Ritzel, 1970), darüber hinaus lehrte er Komposition u. a. am Konservatorium in Basel, der University of Pennsylvania in Philadelphia (1965) und an der University of California in Davis (1966/67) sowie 5 Jahre bei den 1963 von ihm gegründeten Kölner Kursen für Neue Musik; 1971 wurde er als Professor für Komposition an die Musikhochschule in Köln berufen. Tourneen als Dirigent und Interpret eigener Werke führen ihn seit 1958 mehrere Monate jährlich ins europäische und außereuropäische Ausland (so leitete er u. a. 1970 bei der Weltausstellung in Osaka im für ihn gebauten Kugelauditorium des Deutschen Pavillons 183 Tage lang mit 20 Solisten aus 5 Ländern täglich 5½ Stunden Live-Aufführungen eigener Werke vor insgesamt etwa 1 Million Zuhörern). St. ist Mitglied der Freien Akademie der Künste in Hamburg.
Werke: Choral für 4st. gem. Chor a cappella (1950), 3 Lieder für A. und Kammerorch. (1950), 3 Chöre nach Verlaine a cappella (1950) und eine Sonatine für V. und Kl. (1951), alle später zusammengefaßt als *Frühe Noten*; *Kreuzspiel* für Ob., Baßklar., Kl. und 3 Schlagzeuger Nr $\frac{1}{7}$ (1951); *Formel* für Orch. Nr $\frac{1}{6}$ (1951); *Musique concrète Etude* Nr $\frac{1}{5}$ (1952); *Spiel* für Orch. Nr $\frac{1}{4}$ (1952); *Schlagquartett* für Kl. und 3 × 2 Pk. Nr $\frac{1}{3}$ (1952); *Punkte* für Orch. Nr $\frac{1}{2}$ (1952, Neufassung 1962, revidiert 1964 und 1966); *Kontra-Punkte* für 10 Instr. Nr 1 (Fl., Klar., Baßklar., Fag., Trp., Pos., Kl., Hf., V. und Vc., 1952–53); *Klavierstücke I–IV* Nr 2 (1952–53); elektronische Musik *Studie I* und *II* Nr 3 I–II (1953, 1954); *Klavierstücke V–X* Nr 4 (1954–55, Neufassung von *IX* und *X* 1961); *Zeitmaße* für 5 Holzbläser Nr 5 (Fl., Ob., Englisch Horn, Klar. und Fag., 1955–56); *Gruppen* für 3 Orch. Nr 6 (1955–57); *Klavierstücke XI* Nr 7 (1956); elektronische Musik *Gesang der Jünglinge* Nr 8 (1955–56); *Zyklus* für einen Schlagzeuger Nr 9 (1959); *Carré* für 4 Orch. und 4 Chöre Nr 10 (1959–60); *Refrain* für

3 Spieler Nr 11 (Kl., Celesta und Schlagzeug, 1959); *Kontakte* für elektronische Klänge Nr 12 (1959–60; Fassung mit Kl. und Schlagzeug als Nr 12$\frac{1}{2}$, danach das musikalische Theater *Originale*, Köln 1961); *Momente* für S., 4 Chorgruppen und 13 Instrumentalisten Nr 13 (1962–64, Work in progress; »Kölner Version« als Nr 13$\frac{1}{2}$); »2 × 7 Seiten für Ausarbeitungen« *Plus Minus* Nr 14 (1963); *Mikrophonie I* für Tamtam, 2 Mikrophone, 2 Filter und Regler Nr 15 (6 Spieler, 1964; »Brüsseler Version« als Nr 15$\frac{1}{2}$); *Mixtur* für 5 Orchestergruppen, 4 Ringmodulatoren und Sinusgeneratoren Nr 16 (1964; Fassung für kleine Besetzung als Nr 16$\frac{1}{2}$, 1967); *Mikrophonie II* für Chor (6 S., 6 B.), Hammondorg. und 4 Ringmodulatoren Nr 17 (1965); *Stop* für Orch. Nr 18 (1965; »Pariser Version« für 18 Spieler in 6 Gruppen als Nr 18$\frac{1}{2}$, 1969); *Solo* für ein Melodieinstr. mit Rückkopplung Nr 19 (1 Spieler mit 4 Assistenten, 6 Versionen, 1965–66); elektronische Musik *Telemusik* Nr 20 (1966); *Adieu* für Bläserquintett Nr 21 (1966); elektronische und konkrete Musik *Hymnen* Nr 22 (1966–67; Fassung mit Solisten als Nr 22$\frac{1}{2}$; *Dritte Region der* »*Hymnen*« mit Orch. als Nr 22$\frac{2}{3}$, 1969; definitive Fassung 1971); *Prozession* für Tamtam, Bratsche, Elektronium, Kl., 2 Mikrophone, 2 Filter und Regler Nr 23 (6 Spieler, 1967); *Stimmung* für 6 Vokalisten Nr 24 (2 S., A., 2 T. und B., 1968; »Pariser Version« als Nr 24$\frac{1}{2}$); *Kurzwellen* für 6 Spieler Nr 25 (Kl., Elektronium, Tamtam mit Mikrophon, Bratsche mit Kontaktmikrophon, 2 Filter mit 4 Reglern und Lautsprechern und 4 Kurzwellenempfänger, 1968); »15 Kompositionen, Mai 1968« *Aus den sieben Tagen* für Ensemble Nr 26 (1968, 1 *Richtige Dauern*, 2 *Unbegrenzt*, 3 *Verbindung*, 4 *Treffpunkt*, 5 *Nachtmusik*, 6 *Abwärts*, 7 *Aufwärts*, 8 *Oben und unten*, 9 *Intensität*, 10 *Setz die Segel zur Sonne*, 11 *Kommunion*, 12 *Litanei*, 13 *Es*, 14 *Goldstaub*, 15 *Ankunft*); *Spiral* für einen Solisten mit Kurzwellenempfänger Nr 27 (1968); Sextett *Dr.K.* für Fl., Va, Vc., Baß-Klar., Kl. und Schlagzeug (Vibraphon und Glokken) Nr 28 (1969); »Wandklänge zur Meditation« *Fresco* für 4 Orchestergruppen Nr 29 (1969); *Pole* für 2 Nr 30 (1969–70); *Expo* für 3 Nr 31 (1969–70); *Mantra* für 2 Pianisten Nr 32 (1970); »17 Texte intuitiver Musik« *Für kommende Zeiten* Nr 33 (1968–70; daraus u. a. *Intervall, Wach, Japan, Übereinstimmung* und *Ceylan*); »Parkmusik« *Sternklang* für 5 Gruppen Nr 34 (1971); *Trans* für Orch. und Tonband Nr 35 (1971); »12 Situationen für verschiedene Besetzungen« *Alphabet pour Liège* Nr 36 (1972; daraus *Indianerlieder* für eine Frauen- und eine Männer-St. als Nr 36$\frac{1}{2}$); *Ylem* für 19 Spieler bzw. Sänger Nr 37 (1972); »Anbetungen« *Inori* für einen Solisten und Orch. Nr 38 (1973–74; daraus *Vortrag über HU* für einen Solisten als Nr 38$\frac{1}{2}$); *Leichte Sätze* für gem. Chor Nr 39 (1974, Work in progress; daraus Nr 1 *Atmen gibt das Leben*); *Herbstmusik* für einige Spieler Nr 40 (1974; daraus das Schlußduett *Laub und Regen* für Va und Klar. als Nr 40$\frac{1}{2}$); *Musik im Bauch* für Schlagzeug und Spieluhren Nr 41 (1975).
Die unter St.s Mitarbeit von H. Eimert herausgegebene Schriftenreihe +*die Reihe* hat mittlerweile ihr Erscheinen eingestellt (Nr 1–8, Wien 1955–62, engl. London und Bryn Mawr/Pa. 1958–68, Nr 1 span. Buenos Aires 1959). Seine Schriften erschienen 3bändig gesammelt und hrsg. von D. Schnebel als *Texte zur elektronischen und instrumentalen Musik* (= DuMont Dokumente o. Nr, Köln 1963), als *Texte zu eigenen Werken, zur Kunst anderer, Aktuelles* (= ebd. 1964) und als *Texte zur Musik, 1963–70* (= ebd. 1971; vgl. dazu u. a. E. Karkoschka in:

Melos XXXII, 1965, S. 5ff. und 303ff., H.R. Zeller, ebd. XXXIX, 1972, S. 165ff., und R. Brinkmann in: Mf XXVII, 1974, S. 243f.). Zahlreiche Aufsätze wurden vor allem ins Schwedische übersetzt (in: Nutida musik, bzw. in: Från Mahler till Ligeti, hrsg. von O. Nordwall, Stockholm 1965). An neueren Beiträgen seien im einzelnen genannt *Registrazione d'una conferenza* (in: Nuova musica, = Il verri 1969, Nr 30) sowie *Die Zukunft der elektroakustischen Apparaturen in der Musik* und *Weltmusik* (in: Musik und Bildung VI, 1974). Lit.: Aufsatzfolge in: Musik u. Bildung VI, 1974, H. 1; Sonder-H. St.–Berio–Ligeti, = Musique en jeu 1974, Nr 15. – Interviews in: Source 1967, Nr 1, S. 104ff. (mit R. Ashley u. L. Austin), nRMI II, 1968, S. 96ff. (mit L. Pinzauti), Musique contemporaine, = VH 101 1970/71, Nr 4, S. 110ff. (mit J.-Y. Bosseur), Ruch muzyczny XV, 1971, Nr 2, S. 14ff. (mit T. Kaczyński), u. in: U. Stürzbecher, Werkstattgespräche mit Komponisten, Köln 1971, S. 58ff.; J. COTT, St., Conversations with the Composer, NY 1973, London 1974. – R. P. MORGAN, St.'s Writings on Music, MQ LXI, 1975.

R. CRAFT, Boulez and St., in: The Score 1958, Nr 24 (zu »Zeitmaße«); H. J. SCHATZ in: Melos XXV, 1958, S. 67ff. (zu »Zeitmaße«); H. SCHERCHEN, St. u. d. Zeit. Zur Gesch. einer Gesch., Gravesaner Blätter 1959, Nr 13 (auch engl.); C. CARDEW in: MT CII, 1961, S. 619ff. u. 698ff. (zu »Carré«); DERS., St. Serves Imperialism, London 1974; N. DEL MAR, On Co-Conducting St.'s »Gruppen«, in: Tempo 1961, Nr 59; K. H. WÖRNER, K. St., Werk u. Wollen 1950–62, = Kontrapunkte VI, Rodenkirchen 1963, erweiterte engl. Fassung hrsg. v. B. Hopkins, Berkeley (Calif.) u. London 1973; DERS., Das Phänomen St., in: Musica XXII, 1968; DERS., Der Komponist K. St. u. sein Werk f. d. moderne Musik, in: Universitas XXIV, 1969; G. FANT in: Nutida musik VIII, 1964/65, S. 59ff. (zu »Punkte«); S. HEIKINHEIMO in: Suomen musiikin vuosikirja 1965–66, S. 7ff. (mit engl. Zusammenfassung); DERS., The Electronic Music of K. St., Studies on the Esthetical and Formal Problems of Its First Phase, = Acta musicologica Fennica VI, Helsinki 1972; BR. Mc ELHERAN, Preparing St.'s »Momente«, in: Perspectives of New Music IV, 1965/66; K. BOEHMER, Zur Theorie d. offenen Form in d. Neuen Musik, Darmstadt 1967; DERS., Werk-Form-Prozeß, in: Musik auf d. Flucht vor sich selbst, hrsg. v. U. Dibelius, = Reihe Hanser XXVIII, München 1969; DERS., K. St. oder: Der Imperialismus als höchstes Stadium d. kapitalistischen Avantgardismus, MuG XXII, 1972; U. DIBELIUS, Moderne Musik 1945–65, München 1966 u. Stuttgart 1968; J.-Y. BOSSEUR, Chronique mus., Aspect de l'innovation mus. au XXᵉ s., »Momente« de St., in: Pensée (Rev. du rationalisme moderne) 1967, Nr 134; B. SCHÄFFER, W kręgu nowej muzyki (»Im Banne d. Neuen Musik«), Krakau 1967; R. SMALLEY in: MT CVIII, 1967, S. 794ff. (zu »Gruppen«), CX, 1969, S. 30ff. (zu d. Kl.-Stücken), CXI, 1970, S. 379ff., u. CXV, 1974, S. 23ff. u. 289ff. (zu »Momente«); M. H. WENNERSTROM, Parametric Analysis of Contemporary Mus. Form, Diss. Indiana Univ. 1967 (zu »Refrain«); R. GEHLHAAR, Zur Komposition Ensemble, Kompositionsstudio K. St. ... 1967, = Darmstädter Beitr. zur Neuen Musik XI, Mainz 1968 (auch engl.); J. HARVEY, St., Theory and Music, MR XXIX, 1968; DERS., The Music of St., Berkeley (Calif.) u. London 1975; G. MARCUS, St.'s »Zeitmasse«, MR XXIX, 1968; T. A. ZIELIŃSKI, K. St., in: Ruch muzyczny XII, 1968; M. NEUHAUS, Über d. Schlagzeug-Technik d. »Zyklus«, in: Musik u. Bildung I, 1969; FR. RITZEL, Musik f. ein Haus. Kompositionsstudio K. St. ... 1968, = Darmstädter Beitr. zur Neuen Musik XII, Mainz 1970; PH. K. BRACANIN, The Abstract System as Compositional Matrix. An Examination of Some Applications by Nono, Boulez, and St., in: Studies in Music V, 1971 (zu »Klavierstück VII« u. »Kreuzspiel«); W. KRÜGER, K. St., Allmacht u. Ohnmacht in d. neuesten Musik, = Forschungsbeitr. zur Mw. XXIII, Regensburg 1971; J. LEKFELDT, St.'s Telemusik, DMT XLVI, 1971; GR. SCHNEJERSON, Serialism i aleatorika, SM XXXV, 1971; R. MACONIE, St.'s »Mikrophonie I«, in: Perspectives of New Music X, 1971/72; R. BRINKMANN, Von einer Veränderung d. Redens über Mu-

sik, in: Die Musik d. sechziger Jahre, hrsg. v. R. Stephan, = Veröff. d. Inst. f. Neue Musik u. Musikerziehung Darmstadt XII, Mainz 1972; G. ULRICH, »Mikrophonie I«. v. K. St. im Musikunterricht, in: Musik u. Bildung IV, 1972; A. JERRENTRUP in: Rheinische Musiker VII, hrsg. v. D. Kämper, = Beitr. zur rheinischen Mg. XCVII, Köln 1972, S. 116ff. (vgl. dazu D. Kämper in: Mitt. d. Arbeitsgemeinschaft f. rheinische Mg. IV, 1967–72, S. 161ff.); E. KARKOSCHKA in: Melos XXXIX, 1972, S. 223ff. (zu »Momente«); M. E. KELLER, Gehörte u. komponierte Struktur in St.s »Kreuzspiel«, ebd.; L. PESTALOZZA, St. e l'autoritarismo mus., in: Aspetti della musica d'oggi, hrsg. v. G. Pestelli, = Quaderni della Rass. mus. V, 1972 (zu »Hymnen«); D. SCHNEBEL, Denkbare Musik, hrsg. v. H. R. Zeller, = DuMont Dokumente o. Nr, Köln 1972; J. STENZL in: Zs. f. Musiktheorie III, 1972, H. 1, S. 35ff. (zu »Kreuzspiel«); H. H. STUCKENSCHMIDT, K. St. u. sein Werk f. d. Neue Musik, in: Universitas XXVII, 1972; H. VOGT, Neue Musik seit 1945, Stuttgart 1972 (mit Analyse v. H. P. Raiß zu »Musik f. ein Haus«); E. BOZZETTI in: Musik u. Bildung V, 1973, S. 17ff., auch in: Zs. f. Musiktheorie IV, 1973, H. 2, S. 37ff. (zu »Studie II«); W. BUROW, St.s Studie II, = Schriftenreihe zur Musikpädagogik o. Nr, Ffm. 1973; T. KNEIF, Adorno u. St., Zs. f. Musiktheorie IV, 1973; W. M. STROH, Zur Dialektik kompositorischer Verfügungsgewalt, AfMw XXX, 1973; R. FUHRMANN in: Perspektiven neuer Musik, hrsg. v. D. Zimmerschied, Mainz 1974. S. 250ff. (zu »Telemusik«); J. HÄUSLER, K. St. u. sein Werk f. d. Musik d. Gegenwart, in: Universitas XXIX, 1974; H. STUPPNER, Serialità e misticismo in »Stimmung« di K. St., nRMI VIII, 1974.

Stockhold, Hans → Pütz, Johannes.

Stockmann, Christine Doris, * 3. 11. 1929 zu Dresden; deutsche Musikforscherin, studierte 1947–49 an der Staatlichen Akademie für Musik und Theater in Dresden und 1949–52 an der Berliner Humboldt-Universität, an der sie 1958 mit der Dissertation *Der Volksgesang in der Altmark* (erweitert als *Der Volksgesang in der Altmark. Von der Mitte des 19. Jh. bis zur Mitte des 20. Jh.*, = Deutsche Akademie der Wissenschaften zu Berlin, Veröff. des Instituts für deutsche Volkskunde XIX, Bln 1962) promovierte. Seit 1953 ist sie Mitarbeiterin am Institut für deutsche Volkskunde an der Deutschen Akademie der Wissenschaften in Berlin (1960–63 Oberassistentin, seither wissenschaftliche Arbeitsleiterin); seit 1965 hat sie auch einen Lehrauftrag an der Humboldt-Universität Berlin. Mit ihrem Mann Erich St. und W. Fiedler veröffentlichte sie *Albanische Volksmusik,* Bd I: *Gesänge der Çamen* (ebd. XXXVI, 1965). – Aufsätze: *Die vokale Bordun-Mehrstimmigkeit in Südalbanien* (mit E. Stockmann), in: Ethnomusicologie III, = Les colloques de Wégimont V, 1958–60); *Zur musikalischen Struktur einiger mehrstimmiger Gesänge der südalbanischen Laben* (Deutsches Jb. für Volkskunde XI, 1965); *Das Problem der Transkription in der musikethnologischen Forschung* (ebd. XII, 1966); *Hörbild und Schallbild als Mittel musikethnologischer Dokumentation* (Fs. W. Wiora, Kassel 1967); *Elektronische Datenverarbeitung in der Ethnologie und den ihr nahestehenden Wissenschaften* (Deutsches Jb. für Volkskunde XV, 1969); *Musik als kommunikatives System. Informations- und zeichentheoretische Aspekte insbesondere bei der Erforschung mündlich tradierter Musik* (DJbMw XIV, 1969); *Deutsche Rechtsdenkmäler des Mittelalters als volksmusikalische Quelle* (StMl XV, 1973); *Die Glocke im Profangebrauch des Spätmittelalters* (in: Studia instrumentorum musicae popularis III, Stockholm 1974).

+Stockmann, Erich, * 10. 3. 1926 zu Stendal. St. gehört seit 1964 dem Executive Board des International Folk Music Council (IFMC) an, zu dessen Vizepräsident er 1974 ernannt wurde. Die Tagungsberichte der von ihm 1962 gegründeten Study Group on

Folk Musical Instruments im IFMC gibt er heraus als *Studia instrumentorum musicae popularis* (Iff., Stockholm 1969ff.). St. ist ferner mit E.Emsheimer Herausgeber des *Handbuchs der europäischen Volksmusikinstrumente* (vgl. Deutsches Jb. für Volkskunde V, 1959, S. 412ff., und AMl XXXII, 1960, S. 47ff.; bisher Bd I: B. Sárosi, *Die Volksmusikinstrumente Ungarns*, Lpz. 1968) sowie mit O.Elschek und J.Mačák einer *Musikethnologischen Jahresbibliographie Europas* (seit 1966, Iff., Bratislava 1967ff.). Er edierte *Albanische Volksmusik*, Bd I: *Gesänge der Çamen* (mit W.Fiedler und Doris St., = Deutsche Akademie der Wissenschaften zu Berlin, Veröff. des Instituts für deutsche Volkskunde XXXVI, Bln 1965) und *Sowjetische Volkslied- und Volksmusikforschung* (mit H.Strobach, ebd. XXXVII, 1967). – Weitere Aufsätze: *Die europäischen Volksmusikinstrumente* (Deutsches Jb. für Volkskunde X, 1964); *Towards a History of European Folk Music Instruments* (JIFMC XVII, 1965 / StMl VII, 1965); *Volksmusikinstrumente und Arbeit* (Deutsches Jb. für Volkskunde XI, 1965); *Aufgaben der Volksmusikinstrumentenforschung* (Jb. des österreichischen Volksliedwerkes XVI, 1967); *Neue Beiträge zur Erforschung der europäischen Volksmusikinstrumente* (Fs. W.Wiora, Kassel 1967); *Zur Typologie der Volksmusikinstrumente* (mit O.Elschek, Deutsches Jb. für Volkskunde XIV, 1968); *The Diffusion of Musical Instruments as an Interethnic Process of Communication* (Yearbook of the IFMC III, 1972).

Stockmeier, Wolfgang, * 13. 12. 1931 zu Essen; deutscher Komponist, Organist und Musikpädagoge, studierte ab 1951 in Köln Schulmusik, Kirchenmusik und Komposition an der Musikhochschule und Musikwissenschaft an der Universität, an der er 1957 mit einer Dissertation über *Die deutsche Orgelsonate der Gegenwart* (Köln 1958) promovierte. Er wurde 1960 an die Musikhochschule in Köln berufen (1962 Professor, 1974 Leiter der Abteilung Kirchenmusik), wirkt daneben als Konzertorganist und ist seit 1961 auch Lektor für Musiktheorie an der Universität Köln. 1970 wurde ihm der Titel eines Kirchenmusikdirektors verliehen. 1973 erhielt er einen Lehrauftrag für Theorie- und Formenkunde sowie künstlerisches und liturgisches Orgelspiel an der Westfälischen Landeskirchenmusikschule in Herford. Neben Orchester-, Kammer- und Klaviermusik schrieb er vor allem Orgel- und Chormusik, u. a. ein Konzert für Org. und Streichorch. (1962), Variationen über ein Thema von Kuhnau (1965), 3 Sonaten (1965, 1966 und 1970) und 2 Toccaten (1966 und 1970) für Org., *Parzival vor der Gralsburg* für Männerchor und Org. oder Kl. (1965), *Die Weihnachtsgeschichte* für Kinderchor und Instrumente (1968) sowie das Oratorium *Jona* für Soli, Chor und Orch. (1972). Neben Zeitschriftenbeiträgen und Artikeln für MGG veröffentlichte er u. a. *Musikalische Formprinzipien. Formenlehre* (= Musik-Taschen-Bücher Bd 252, Köln 1967) sowie *Die Programmusik* (= Das Musikwerk XXXVI, Köln 1970, auch engl.) und edierte in der Haydn-GA die *Sinfonien 1773–74* (= Reihe I, Bd 7, München 1966) und *1775–76* (mit S.Gerlach, = I, 8, 1970) sowie die *Klaviertrios, 1. Folge* (= XVII, 1, 1970). Lit.: J. DORFMÜLLER, Orgelmusik in d. Auseinandersetzung mit d. Dodekaphonie. Zu W. St.s Orgelsonaten I bis III, MuK XLIV, 1974.

+Stöhr, Richard, * 11. 6. 1874 zu Wien, [erg.:] † 11. 12. 1967 zu Montpelier (Vt.).
+*Praktischer Leitfaden der Harmonielehre* (1909, ¹⁴1928), Wien ²¹1963.
Lit.: H. SITTNER, R. St., Mensch, Musiker, Lehrer, Wien 1965 (mit Werkverz.).

+Stölzel, Gottfried Heinrich (Stöltzel), 1690–1749.
Zu St.s Œuvre, das zum großen Teil verschollen ist, gehören (soweit nachgewiesen) 18 musikdramatische Werke [del.: 22 Opern], 12 Kantatenjahrgänge (davon 4 Doppeljahrgänge) [del. frühere Angabe] und 7 [nicht: 14] Passionen. – Die früher als verschollen angesehene +*Abhandlung vom Recitativ* (1739) liegt als Manuskript in der Bibliothek der Gesellschaft der Musikfreunde in Wien vor (Steger, 1962).
Ausg.: Concerto grosso a quattro cori D dur, hrsg. v. G. DARVAS, Ffm. 1972. – +J. Mattheson, Grundlage einer Ehrenpforte (M. SCHNEIDER, 1910), Nachdr. Kassel 1969; +Selbstbiogr. deutscher Musiker (W. KAHL, 1948), Nachdr. = Facsimiles of Early Biogr. V, Amsterdam 1972.
Lit.: W. STEGER, G. H. St.s »Abh. v. Recitativ«, Diss. Heidelberg 1962; D. HÄRTWIG u. FR. HENNENBERG in: MGG XII, 1965, Sp. 1378ff.; FR. HENNENBERG, Das Kantatenschaffen v. G. H. St., 2 Bde, Diss. Lpz. 1965.

+Stoessel, Albert Frederic, 1894–1943.
St. war nicht Schwiegersohn von W.Damrosch; er war vielmehr mit seiner ehemaligen Schülerin Julia Pickard verheiratet.
Lit.: CH. D. MCNAUGHTON, A. St., American Musician, 2 Bde, Diss. NY Univ. 1957.

Stojanov, Andrej → +Stoyanov, Andrey.

Stojanov, Stojan Georgiev, * 27. 10. (9. 11.) 1902 zu Silistra, † 10. 7. 1953 zu Sofia; bulgarischer Klarinettist und Pädagoge, studierte bis 1932 an der Staatlichen Musikakademie in Sofia (Nikola Stefanov), an die er 1943 als Dozent für Kammermusik berufen wurde (1945–47 Direktor der Akademie, 1947 Professor. Ab 1947 war er Leiter der Nationaloper in Sofia. Daneben trat er als Soloklarinettist in zahlreichen Konzerten auf.

Stojanov, Veselin → Stoyanov, Vesselin.

+Stojanović (stɔj'anɔvitɕ), Petar Lazar, 25. 8. (6. 9.) 1877 – 11. [nicht: 12.] 9. 1957.
Er war 1937–45 Professor für Violine an der Belgrader Musikakademie.
Lit.: VL. PERIČIĆ (mit D. Kostića u. D. Skovrana), Muzička stvaraoci u Srbiji (»Musikschöpfer in Serbien«), Belgrad 1969 (mit engl. Zusammenfassung).

+Stojowski, Sigismund [erg.:] (Zygmunt) Denis Antoni, 1869–1946.
Lit.: J. WŁ. REISS, Statkowski, Melcer, St., Warschau 1949.

Stoker (st'oukǝ), Richard, * 1938 zu Castleford (Yorkshire); englischer Komponist, studierte an der Royal Academy of Music in London (Berkeley) sowie bei Nadia Boulanger in Paris. Seit 1962 ist er Professor für Komposition an der Royal Academy of Music in London. Er schrieb: Trio für Fl., Ob. und Klar. (1960); *Festival Suite* für Trp. und Kl. (1961); Klarinettensonate (1961); Bläserquintett (1962); *Miniature Spring Trio* (1963); Sextett für Bläser und Streicher (1963); Violinsonate (1964); Klaviertrio (1965); *3 Miniature Quartets* (1966); Oper *Johnson Preserv'd* (London 1967); Ballett *Garden Party* (ebd. 1971); Serenade für Orch. (1971); *Polemics* für Oboenquartett (1971); *The Noble Nature* und *Truth* für Chor a cappella (1974).

+Stokowski, Leopold Anthony [del. frühere Vornamen], * 18. 4. 1882 zu London [nicht: Krakau]. d. Sept. 13 1977
St. ist der Sohn eines Polen und einer Schottin [nicht: Irin]. 1962 gründete er das American Symphony Orchestra, das er bis 1973 als Musikdirektor leitete. 1970 wurde er zum ständigen Dirigenten des London Symphony Orchestra ernannt. – Seine Schrift +*Music for All of Us* (1943, ²1947, +russ. [erg.: Moskau 1959]) erschien auch in italienischer (Mailand 1957) und tsche-

chischer (= Knižnica estetického vzdelavania VIII, Bratislava 1963) Übersetzung.

Lit.: H. STODDARD, Symphony Conductors of the USA, NY 1957; H. C. SCHONBERG, The Great Conductors, NY 1967, London 1968, deutsch Bern 1970, auch = List Taschenbücher Bd 391, München 1973; H. KUPFERBERG, Those Fabulous Philadelphians, NY 1969, London 1970; E. JOHNSON, St. Looks Back, in: Music and Musicians XIX, 1970/71; St., Essays in Analysis of His Art, hrsg. v. DEMS., London 1973 (mit Verz. bedeutender Aufführungen, d. Transkriptionen sowie Diskographie v. I. Lund); E. ARIAN, Bach, Beethoven and Bureaucracy. The Case of the Philadelphia Orch., Univ. of Alabama 1971.

Stoll (stɔl), Pierre, * 15. 10. 1924 zu Mülhausen (Elsaß); französischer Dirigent, studierte am Konservatorium seiner Heimatstadt und privat bei Bour. Er war 2. Kapellmeister am Stadttheater Straßburg (1948–49), Leiter der Maîtrise de Tour Sainte Marseille (1950–51), 2. Kapellmeister am Stadttheater Mülhausen (1951–53) und 1. Kapellmeister der Straßburger Oper (1954–72). Seitdem hat er in Frankreich und im Ausland gastiert. Er gilt als Spezialist für zeitgenössische Musik. 1959–69 war er Generalsekretär der ISCM.

Stolpe, Antoni, * 23. 5. 1851 zu Puławy (bei Lublin), † 7. 9. 1872 zu Meran; polnischer Pianist und Komponist, Sohn des Pianisten Edward St. (1812–72), studierte 1862–67 am Warschauer Musikinstitut Klavier bei seinem Vater und Komposition bei August Freyer und Moniuszko sowie in Berlin am Stern'schen Konservatorium Klavier bei Th. Kullak und Komposition bei Kiel. Nach seinem Studienabschluß wurde er von Kullak als Lehrer für Klavier an das Stern'sche Konservatorium berufen. Er schrieb Orchesterwerke (Symphonie A moll, 1867; symphonische Ouvertüre, 1868; Konzertouvertüre, 1869; Konzert für Kl. und Orch., 1869), Kammermusik (Klaviersextett, 1867; Streichquintett, 1868; 2 Streichquartette, 1866 und 1869; Klaviertrio, 1869; Sonate für V. und Kl., 1872), Klavierwerke (2 Sonaten für Kl., 1867 und 1870; Caprice-étude de concert, 1869), Chorwerke (Credo für gem. Chor, Streichquintett und Org., 1867) und Klavierlieder.

Lit.: ST. GOLACHOWSKI, A. St., Szkic biograficzny (»Biogr. Skizze«), in: Muzyka polska 1935, H. 7.

Stolte, Adele (verheiratete Iwer), * 12. 10. 1932 zu Sperenberg (Kreis Potsdam); deutsche Konzertsängerin (Sopran), studierte 1952–58 privat bei Annelise Buschmann in Rostock und trat erstmals 1958 zusammen mit dem Thomanerchor in Leipzig auf. Seitdem ist sie ständige Solistin bei den Oratorienaufführungen des Leipziger Gewandhausorchesters, der Staatskapellen in Dresden und Berlin sowie des Kreuzchors und der Thomaner. Gastspiele führten sie u. a. in die UdSSR, die Schweiz, die Bundesrepublik (Hamburg, Stuttgart, München) sowie nach Italien und Frankreich. A. St. ist Mitglied der »Leipziger Bachsolisten«.

+Stoltzer, Thomas (Stolzer, Stolczer, Scholczer, Stollerus, Stollcerus), 1480/85(?)–1526.

Ausg.: Ausgew. Werke, 1. Teil (+3 Messen ..., H. ALBRECHT, = RD, heute EDM, XXII), Abt. Ausgew. Werke einzelner Meister II, Lpz. 1942, Nachdr. Ffm. 1969 [erg. frühere Angaben], 2. Teil: Sämtliche Psalmmotetten, hrsg. v. L. HOFFMANN-ERBRECHT, = EDM LXVI, Abt. Ausgew. Werke ... VII, Ffm. 1969. – 8 Vespern in: Vesperarium precum officia, hrsg. v. H. J. MOSER, = G. Rhau-GA IV, Kassel 1960.

Lit.: +K.-L. HAMPE, Die deutschen Psalmen d. Th. St. (1943), Auszug in: Musik d. Ostens I, Kassel 1962, S. 146ff. – Z. FALVY, Th. St.s Anstellungsurkunde aus d. Jahre 1522, StMl I, 1961; L. HOFFMANN-ERBRECHT, Th. St., = Die Musik im alten u. neuen Europa V, Kassel 1964; DERS., St.iana, Mf XXVII, 1974.

+Stolz, Robert [erg.:] Elisabeth, * 25. 8. 1880 zu Graz, [erg.:] 27. 6. 1975 zu Berlin.

1938 emigrierte St. nach Paris und 1940 in die USA, 1946 kehrte er nach Wien zurück [del. frühere Angaben dazu]. – Er war Träger zahlreicher Orden und Auszeichnungen, 1947 wurde ihm der (österreichische) Professorentitel verliehen. – Von seinen über 60 Operetten seien genannt (Uraufführungsort Wien, sofern nicht anders angegeben): *Studentenulk* (Marburg 1899), *Manöverliebe* (Brünn 1904), *Die lustigen Weiber von Wien* (1909), *Das Glücksmädel* (1910), *Der Favorit* (Bln 1916, daraus *+Du sollst der Kaiser meiner Seele sein*), *Lang, lang ist's her ...* (1917), *Das Sperrsechserl* (1920), *Der Tanz ins Glück* (1920, Neufassung als *Hallo, das ist die Liebe*, 1958), *Die Tanzgräfin* (1921), *Mädi* (Bln 1923), *Der Hampelmann* (1923), *Der Mitternachtswalzer* (1926), *Eine einzige Nacht* (1927), *Peppina* (Bln 1930), *Wenn die kleinen Veilchen blühen* (Den Haag 1932 als »Als de lentebloemen bloeien«), *Venus in Seide* (Zürich 1932, daraus *O mia bella Napoli*), *Der verlorene Walzer* (ebd. 1933, nach dem Film *Zwei Herzen im Dreivierteltakt*, 1930, s. u.), *Ein Mädel hat sich verlaufen* (Bln 1934), *Grüezi* (Zürich 1934, Bln 1935 als *Himmelblaue Träume*, Neufassung Bregenz 1969 als *Hochzeit am Bodensee*), *Der süßeste Schwindel der Welt* (1937, Neufassung als *Kleiner Schwindel in Paris*, 1956), *Mister Strauss Goes to Boston* (NY 1945), *Drei von der Donau* (nach Nestroys *Lumpazivagabundus*, 1947), *Frühling im Prater* (1949), *Rainbow Square* (London 1951), *Ballade vom lieben Augustin* (1953), *Signorina* (Nürnberg 1954), *Kitty und die Weltkonferenz* (1959), *Trauminsel* (Bregenz 1962), *Ein schöner Herbst* (1963), *Frühjahrsparade* (1964, nach dem gleichnamigen Film, s. u.) und *Wiener Café* (Graz 1965); ferner die einaktige Oper *Die Rosen der Madonna* (1920), seit 1952 jährlich Musiken für die Wiener Eisrevue und über 100 Filmmusiken, darunter eine der ersten europäischen Tonfilmmusiken (*Zwei Herzen im Dreivierteltakt*, 1930, daraus *+Zwei Herzen ...*, und *Auch du wirst mich einmal betrügen*) sowie *Der Raub der Mona Lisa* (1931, daraus *Warum lächelst du, Mona Lisa?*), *Mein Herz ruft immer nur nach dir* (1933, Titellied und *Ich sing mein Lied heut nur für dich*), *Frühjahrsparade* (1934, neuverfilmt als *Spring Parade*, dafür 1941 den Oscar, *Ich liebe alle Frauen* (1935, *Ob blond, ob braun, ich liebe alle Frau'n* und *Schenk mir dein Herz heute nacht*), *Herbstmanöver* (1935, *Auf der Heide blüh'n die letzten Rosen*), *Ungeküßt sollst du nicht schlafen gehn* (1936), *It Happened Tomorrow* (René Clair, dafür den Oscar 1944) und *A Breath of Scandal* (1959). Von seinen mittlerweile über 2000 Liedern seien ferner genannt *Servus Du* (1911), *In Wien gibt's manch winziges Gasserl* (1916), *Salome* (der erste europäische Foxtrott, 1919), *Hallo, du süße Klingelfee* (1919), *20 Blumenlieder* op. 500 (1927), *Mein Liebeslied muß ein Walzer sein* und *Die ganze Welt ist himmelblau* (1930, als Einlagen für R. Benatzkys *Im weißen Rössl*, Bln 1930), *Vor meinem Vaterhaus steht eine Linde* (1933), *Ave Maria* (1933), *Singend, klingend, ruft Dich das Glück* (1934) sowie *Frag nicht, warum ich gehe* und *Komm in den Park von Sanssouci*. Er schrieb außerdem einen *Begräbnismarsch für Hitler* (1938), einen Marsch für die UNO (1957) und eine *Vietnamese Ballad* (1967).

Lit.: W.-D. BRÜMMEL u. FR. VAN BOOTH, R. St., Melodie eines Lebens, Hbg 1967 (Bildbiogr.; mit chronologischem Abriß v. Leben u. Werk).

+Stolze, Gerhard Wolfgang, * 1. 10. 1926 zu Dessau.

Dem Ensemble der Staatsoper Berlin gehörte er bis 1961 an. Seitdem ist St., der heute in Klosterneuburg

(Niederösterreich) lebt, Mitglied der Wiener Staatsoper. Gastverträge führen ihn daneben ständig an die Bayerische Staatsoper in München, die Württembergischen Staatstheater in Stuttgart und die Hamburgische Staatsoper. Er gab ferner Gastspiele u. a. an den Opernhäusern von Paris, London, Stockholm und New York (Metropolitan Opera) und wirkte bei verschiedenen Festspielen mit (neben Bayreuth u. a. Salzburg und Schwetzingen). St. war auch in Uraufführungen zeitgenössischer Opern (Egk, Erbse, Klebe, Orff) zu hören.

+**Storace,** Bernardo, 17. Jh.
Ausg.: Selva di varie compositioni ... (1644), hrsg. v. B. Hudson, = Corpus of Early Keyboard Music VII, (Rom) 1965.
Lit.: R. A. Hudson, The Development of Ital. Keyboard Variations on the »Passacaglio« and »Ciaccona« from Guitar Music in the 17th Cent., Diss. Univ. of California at Los Angeles 1967.

+**Storace,** –1) Stephen, 4. 4. 1762 [del. früheres Datum] – 1796. –2) Nancy (Ann Selina St.), [erg.:] 27. 10. 1765 [nicht: 1766] – 1817.
Lit.: A. Weinmann, Eine »Aria v. [J. Chr.] Bach« f. d. St., ÖMZ XXI, 1966. – zu –1): R. Fiske, The Operas of St. St., Proc. R. Mus. Ass. LXXXVI, 1959/60; ders. in: MGG XII, 1965, Sp. 1411ff.; ders., Engl. Theatre Music in the 18th Cent., London 1973; ders., St.'s »Gli Equivoci«, in: Opera XXV, 1974. – zu –2): B. Matthews, The Childhood of N. St., MT CX, 1969.

Storchio (st'ɔrkio), Rosina, * 19. 5. 1872 zu Venedig, † 24. 7. 1945 zu Mailand; italienische Sängerin (lyrischer Sopran), studierte am Conservatorio di Musica G. Verdi in Mailand und debütierte 1892 als Micaëla (*Carmen*) am Teatro Dal Verme in Mailand. Sie trat in Berlin und Frankfurt a. M. (1895) sowie in Moskau (1897) auf und kreierte an der Mailänder Scala die Titelrollen in Giordanos *Siberia* (1903) sowie in Puccinis *Madama Butterfly* (1904). R. St. gastierte an allen großen europäischen und amerikanischen Bühnen. 1917 übernahm sie die Hauptrolle des Filmes *Come morì Butterfly*.
Lit.: Carteggi pucciniani, hrsg. v. E. Gara, = Le vite o. Nr, Mailand 1958.

Storck, Helga, * 21. 5. 1940 zu Mechtal (Oberschlesien); deutsche Harfenistin, studierte privat bei Dora Wagner in Köln, bei Phia Berghout in den Niederlanden und 1966–67 bei Grandjany an der Juilliard School of Music in New York. Sie war 1961–67 Soloharfenistin am WDR in Köln und gehört in gleicher Stellung seit 1969 dem Philharmonischen Orchester Hamburg an. Daneben konzertiert sie seit 1960 solistisch und kammermusikalisch im In- und Ausland. Mit ihrem Mann, dem Violoncellisten Klaus St., bildet sie ein Duo, das sich auch für die Aufführung zeitgenössischer Musik einsetzt.

+**Storck,** Karl [erg.:] Gustav Ludwig, 1873–1920.
+*Mozart. Sein Leben und Schaffen* (1908), Nachdr. Scarsdale (N. Y.) 1969.
Lit.: H. Lemacher in: Musica sacra LXXVIII, 1958, S. 114ff.; ders., Musikpolitisches damals u. heute, ebd. LXXX, 1960; G. Biener, ebd. XC, 1970, S. 270ff.

Storck, Klaus, * 11. 2. 1928 zu Berlin; deutscher Violoncellist, studierte bei Münch-Holland an der Nordwestdeutschen Musikakademie in Detmold und besuchte Meisterkurse bei Mainardi. 1954–58 war er Dozent am Staatlichen Hochschulinstitut für Musik und am P.-Cornelius-Konservatorium in Mainz sowie 1958–65 Dozent (später Leiter einer Meisterklasse) an der Folkwang-Hochschule in Essen. 1964 wurde er Professor für Violoncello an der Musikhochschule in

Köln, 1971 wurde er an die Hochschule für Musik und Theater in Hannover berufen. Er ist mit der Harfenistin Helga St. verheiratet.

Storm, Ricardo, * 14. 3. 1930 zu Montevideo; uruguayischer Komponist, studierte bei Wilhelm Kolischer (Klavier) und Enrique Casal Chapí (Komposition). Er komponierte u. a. die Oper *El regreso* (OSSODRE 1958), Orchester- und Kammermusik (*Introducción y allegro* für Orch., 1953; Streichquartett, 1958, auch als Fassung für Streichorch., 1968; Violinsonate, 1956), Klavierstücke (Suite, 1949; Fantasie, 1950) sowie *3 canciones* für Mezzo-S. und Orch. (1963), *2 muchachas* für S. und Kl. (nach García Lorca, 1950) und a cappella-Chöre.
Lit.: Werkverz. in: Compositores de América XVI, Washington (D. C.) 1970.

Stoska, Polyna (eigentlich Apolonija Stoščus), * 1911 zu Worcester (Mass.); amerikanische Sängerin (lyrischer Sopran), studierte bei Frank E. Doyle in Boston (1926–28) und an der Juilliard School of Music in New York (ab 1928) sowie bei Charlotte Gadski-Busch in Berlin, wo sie 1938 am Deutschen Opernhaus in der Titelpartie von Webers *Euryanthe* debütierte. 1941–46 war sie bei der City Center Opera Company in New York engagiert, trat dann am Broadway auf und gehörte 1947–53 dem Ensemble der Metropolitan Opera an. Gastspiele führten sie u. a. an die Wiener Staatsoper und die Deutsche Oper Berlin. Zu ihrem Repertoire gehörten die einschlägigen Partien in den Opern Mozarts, Wagners und R. Strauss'.

Stout (staut), Alan, * 26. 11. 1932 zu Baltimore (Md.); amerikanischer Komponist, studierte am Peabody Conservatory in Baltimore bei Cowell und an der University of Washington in Seattle (M. A.). Seit 1963 gehört er der School of Music an der Northwestern University in Evanston (Ill.) als Associate Professor an. Er schrieb Orchesterwerke (Symphonie Nr 4, 1971, Auftragswerk des Chicago Symphony Orchestra; *Movements* für V. und Orch., 1962), Kammermusik (Streichquartett Nr 10, 1962) und Vokalwerke (*Laudi* für S., Bar. und Orch., 1961).

Stoutz, Edmond de, * 18. 12. 1920 zu Zürich; Schweizer Dirigent, studierte nach einem Jurastudium Violoncello, Klavier, Oboe, Schlagzeug und Komposition an der Musikhochschule in Zürich sowie in Salzburg und Wien. Er gehörte 2 Jahre dem Tonhalle-Orchester Zürich als Violoncellist und Schlagzeuger an und gründete 1954 das Zürcher Kammerorchester, dessen künstlerische Leitung er seither innehat; 1962 schloß sich die Gründung (und Leitung) des Zürcher Konzertchors an. Mit seinen Ensembles widmet er sich besonders der Pflege zeitgenössischer Musik (zahlreiche Uraufführungen und Kompositionsaufträge).

+**Stoverock,** Dietrich (Diedrich), * 27. 7. 1900 zu Dortmund.
Stellvertretender Direktor an der Berliner Musikhochschule war St. bis 1953, die Leitung der Abteilung Musikerziehung hatte er bis 1968 inne. Neuere Veröffentlichungen: *Gehörbildung. Geschichte und Methode* (= Musikpädagogische Bibl. VIII, Heidelberg 1964); *H. W. Henze, Fünf neapolitanische Lieder* (in: Musik und Bildung in unserer Zeit, hrsg. von E. Kraus, Mainz 1961); *Prinzipien der Werkbehandlung im Musikunterricht der höheren Schule* (in: E. Valentin, Hdb. der Schulmusik, Regensburg 1962); *Die Ausbildung des Schulmusikerziehers in der Musikhochschule* (in: Quantität und Qualität in der deutschen Musikerziehung, hrsg. von E. Kraus, Mainz 1963). Er war Mitherausgeber der »Schriften-

reihe zum Musikunterricht in der mittleren und höheren Schule« *Die Oper* (Bln 1958ff.).

+Stoyanov, A n d r e y [erg.:] (Andrej) Anastasov (Stojanov), * 10.(22. [nicht: 23.]) 3. 1890 und [erg.:] † 29. 9. 1969 zu Šumen (heute Kolarovgrad).
Als Pianist konzertierte St. 1914–47. Leiter der Abteilung Musikpädagogik am Musikinstitut der Akademie der Wissenschaften in Sofia war er ab 1953 [nicht: ab 1958].

Stoyanov, V e s s e l i n Anastasov (Veselin Stojanov), * 7.(20.) 4. 1902 zu Šumen, † 29. 6. 1969 zu Sofia; bulgarischer Komponist und Pianist, studierte 1922–26 am Konservatorium in Sofia bei seinem Bruder Andrey St. und 1926–30 an der Wiener Musikakademie (Fr. Schmidt). Ab 1937 lehrte er am Konservatorium in Sofia (1945 Professor für Komposition und Formenlehre, als dessen Direktor er 1943–44 und 1956–62 wirkte. Daneben leitete er 1953–54 die bulgarische Staatsoper. Er schrieb die Opern *Žensko carstvo* (»Königreich der Frauen«, Sofia 1935), *Salambo* (ebd. 1940) und *Hitâr Petâr* (»Peter der Schlaukopf«, ebd. 1958), Orchesterwerke (2 Symphonien, 1962 und 1969; groteske Suite *Baj Ganju*, 1941; Symphonische Dichtung *Kârvava pesen*, »Blutiges Lied«, 1947; 2 Klavierkonzerte, 1948 und 1953; Cellokonzert, 1960), Kammermusik (3 Streichquartette, 1933, 1934 und 1935; Violinsonate, 1932), Klavierstücke, die Kantate *Da bâde den* (»Es werde Tag«, 1952), Chöre und Lieder.
Lit.: B. Stâršenov, V. St., Sofia 1962.

+Stradella, A l e s s a n d r o, 1. (getauft 4.) 10. 1644 – 25. 2. 1682 [del. bzw. erg. frühere Lebensdaten].
Ausg.: D. W. Daniels, A. Str.'s Oratorio »S. Giovanni Battista«, 2 Bde, Diss. State Univ. of Iowa 1963 (Ausg. u. Kommentar); Sinfonia aus d. Serenata »Il Barcheggio«, in: G. Hausswald, Die Orchesterserenade, = Das Musikwerk XXXIV, Köln 1970, auch engl.; Arie d. Herodes aus »S. Giovanni Battista« in: G. Massenkeil, Das Oratorium, ebd. XXXVII; E. F. McCrickard, A. Str.'s Instr. Music, 2 Bde, Diss. Univ. of North Carolina 1971 (Ausg. v. 12 Werken f. V. u. B. c., 9 f. 2 V. u. B. c., 2 f. V., Vc. u. B. c. sowie 3 f. größeres Ensemble; mit Kommentar, Werkverz. u. thematischem Kat.); 3 Sinfonien, hrsg. v. E. H. Tarr, 3 H., = Arch. de la musique instr. XII–XIV, Paris 1972; 3 Sonaten, hrsg. v. dems., 3 H., ebd. IX–XI; Concerto grosso D dur f. 2 V., Laute (Git.) u. Streichorch., hrsg. v. R. Chiesa, Mailand 1973.
Lit.: O. H. Jander, A Cat. of the Mss. of Compositions by A. Str., Found in European and American Libraries, Wellesley (Mass.) 1960, revidiert 1962; ders., A. Str., 2 Bde, = The Wellesley Ed. Cantata Index Series IVa–b, ebd. 1969. – E. Schenk, Osservazioni sulla scuola instr. modenese nel Seicento, in: Atti e memorie ... V, 10, (Modena) 1952, deutsch in: StMw XXVI, 1964, S. 25ff.; E. Allam in: Proc. R. Mus. Ass. LXXX, 1953/54, S. 29ff.; R. Allorto, A. Str. e la cantata a tre per il SS. Natale, in: Musicisti della Scuola emiliana, hrsg. v. A. Damerini u. G. Roncaglia, = Accad. mus. Chigiana (XIII), Siena 1956; A. Hutchings, The Baroque Concerto, NY 1961; R. Giazotto, Vita di A. Str., 2 Bde, Mailand 1962; O. H. Jander, The Works of A. Str. Related to the Cantata and the Opera, Diss. Harvard Univ. (Mass.) 1962; ders. in: MGG XII, 1965, Sp. 1418ff., ders., The Prologues and Intermezzos of A. Str., in: Analecta musicologica VII, 1969; L. Bianchi, Carissimi, Str., Scarlatti e l'oratorio mus., = Contributi di musicologia II, Rom 1969; H.-B. Dietz, Mus. Struktur u. Architektur im Werke A. Str.s, in: Analecta musicologica IX, 1970; C. M. Gianturco, The Operas of A. Str. (1644–82), 2 Bde, Diss. Oxford Univ. 1970; dies., Caratteri stilistici delle opere teatrali di Str., RIdM VI, 1971; dies., The Revisions of A. Str.'s »Forza dell'amor paterno«, JAMS XXV, 1972; dies., A Possible Date f. Str.'s »Il trespolo tutore«, ML LIV, 1973; A. Ziino, Osservazioni sulla struttura de »L'accad. d'amore« di A. Str., in: Chigiana XXVI/XXVII, N. S. VI/VII, 1971.

+Stradivari, –1) [erg.: Giacomo] A n t o n i o, 1644 (1648/49?) – 1737. Er scheint sich 1667 [del.: um 1665] selbständig gemacht zu haben. Die mit »Messias« [nicht: Messia] bezeichnete Geige (1715) erhielt ihren Namen dadurch, daß sie von dem Geigenhändler L. Tarisio oft angepriesen (»verheißen«) wurde, dieser sich aber nie von ihr trennen konnte.
–2) [erg.: Giacomo] F r a n c e s c o, 1671 [erg.:] zu Cremona – 11. 5. [erg.: oder 15. 1.] 1743. –3) O m o b o n o [erg.:] Felice, 1679 [erg.:] zu Cremona – 9. [nicht: 8.] 6. 1742.
Lit.: W. Senn in: MGG XII, 1965, Sp. 1422ff. – zu –1): +Fr. J. Fétis, A. Str. ... (1856), engl. als: Notice of A. Str., the Celebrated Violinmaker ..., übers. v. J. Bishop, London 1864, Nachdr. 1964. – +W. H., A. F. u. A. E. Hill, A. Str. ... (1902), London ²1909, Nachdr. d. Ausg. v. 1902 hrsg. v. S. Beck, = Music Library Ass. Reprint Series o. Nr, NY 1963; +W. L. v. Lütgendorff, Die Geigen- u. Lautenmacher ... (1904, 5–⁶1922, 2 Bde), Nachdr. Tutzing 1968; +C. Bonetti, A. Cavalcobò u. U. Gualazzini, A. Str. ... (1937) [erg. frühere Autorenangabe]; +Fr. Farga, Geigen u. Geiger (1940), Zürich ³1950, ⁵1960, engl. als: V. and Violinists, London 1950, NY ²1969; +O. Möckel, Die Kunst d. Geigenbaues (Fr. Winkel, ²1954), Halle ³1967; +K. Jalovec, Ital. Geigenbauer (1957), Prag ³1964, zuerst tschechisch ebd. 1952, tschechisch u. engl. London 1958, engl. revidiert ebd. 1964. – A. Baruzzi, La casa nuziale di A. Str. a Cremona, 1667–80, Brescia 1959, engl. London 1962; A. Puccianti, A. Str., = I grandi liutai cremonesi I, Cremona 1959; W. Henly, A. Str. ..., His Life and Instr., hrsg. v. C. Woodcock, Brighton 1961; G. Cugini, A. Str. e la scuola class. liutistica cremonese, Cremona 1962; D. D. Boyden, The Hist. of V. Playing from Its Origins to 1761 ..., London 1965, deutsch als: Die Gesch. d. Violinspiels v. seinen Anfängen bis 1761, Mainz 1971 (mit Anh. »Das Geburtsdatum v. A. Str.«); W. Lottermoser u. J. Meyer, Über d. Klang d. Str.-Geige »Prince Khevenhüller«, Instrumentenbau-Zs. XXII, 1968; Gy. Szántó, Str., Bln 1969 (aus d. Ungarischen), rumänisch Bukarest 1970 (romanhaft); B. Miller, The Construction Methods of A. Str., in: The Strad LXXX, 1969/70; P. Frisoli, The »Museo Str.ano« in Cremona, GSJ XXIV, 1971; H. K. Goodkind, V. Iconography of A. Str. ..., Treatises on the Life and Work ..., Larchmont (N. Y.) 1972; W. Kolneder, Das Buch d. V., Zürich 1972; S. F. Sacconi, I segreti di Str., Cremona 1972 (mit Kat. d. im »Museo civico A. Ponzone« in Cremona aufbewahrten Instr. Str.s); G. R. Jones, A. Str. and His Craft. A Story of the Master's Life, NY 1973; L. Metz, L. Tarisio, de »Violenjager«. De »Messias«-viool v. Str., in: Mens en melodie XXXVIII, 1973.

+Sträßer, E w a l d, 1867–1933.
Lit.: J. Schwermer in: Rheinische Musiker I, hrsg. v. K. G. Fellerer, = Beitr. zur rheinischen Mg. XLIII, Köln 1960, S. 248ff.

Straesser (str'æsɔr), J o e p (Joseph) Willem Frederik, * 11. 3. 1934 zu Amsterdam; niederländischer Komponist, Enkel von E. Sträßer, studierte 1953–56 an der Universität seiner Heimatstadt (Musikwissenschaft) sowie 1956–65 am dortigen Konservatorium bei van der Horst (Orgel), Felderhof (Musiktheorie) und de Leeuw (Komposition). 1962 wurde er Lehrer für Musiktheorie und Neue Musik am Utrechter Konservatorium. – Werke (Auswahl): *Five Close Ups* für Kl. (1962, revidiert 1973); Oboenquartett (1962); *Alliages II* für Fl., Klar., Trp., Horn, Va, Vc. und Schlagzeug (1964) und *III* für Vc. und Kl. (1964); *Herfst der muziek* (»Herbst der Musik«) für gem. Chor a cappella (1964); *22 Pages* für 3 Männer-St., Bläser, Hf. und 3 Schlagzeuger (Text Cage, 1965); *Mouvements* für Org. (1965); Streichquartett Nr 2 (1966); *Chorai* für Streichorch., Hf. und 3 Schlagzeuger (1967); *Seismograms* für 2 Schlagzeuger (1967); *Summerconcerto* für Ob. und Kammerorch. (1967); *Ramasasirì* für S., Fl., Kl. oder

Cemb., Marimba oder Vibraphon und 2 Schlagzeuger (nach Texten aus Papua-Sprachen, 1968); *Musique pour l'homme* für S., A., T., B., 5 Schlagzeuger und Orch. (Texte aus der Erklärung der Menschenrechte der UNO, 1968); *Blossom-Songs* für gem. Chor (1968); *Missa* für gem. Chor und Blechbläser (1969); *Enclosures* für Bläser und Schlagzeug (1971); *Intersections II* für Orch. (1971); *Eichenstadt und Abendstern*, 6 Lieder für S. und Kl. (1972); *Encounters* für Baßklar. und Schlagzeug (1973); *Intersections III* (1973) und *3 speelmuziekjes* (1974) für Kl.
Lit.: D. Manneke in: Sonorum speculum 1973, Nr 53, S. 24ff. (zu »Intersections III«).

+Straková, Theodora, * 21. 12. 1915 zu Wien.
Th. Str., weiterhin im Moravský hudební archiv (»Mährisches Musikarchiv«) in Brünn tätig, wurde 1968 an der dortigen Universität mit einer Kandidatendissertation über *Hudba u brtnických Collaltů v 17. a 18. století* (»Die Musik bei der Adelsfamilie Collalto in Pirnitz im 17. und 18. Jh.«, 2 Bde) habilitiert. Von ihren neueren Schriften seien weiter genannt: *Starobrněnská varhanní tabulatura ... v 17. století* (»Eine Alt-Brünner Orgeltabulatur ... des 17. Jh.«, in: Musikologie V, 1958); *V. Tomášek a jeho klavírní eklogy* (»V. Tomášek und seine Klaviereklogen«, in: Časopis Moravského musea, Vědy společenské / Acta Musei Moraviae, Scientiae sociales XLV, 1960); *J. A. Štěpán a Haydnovo Divertimento Es dur* (ebd. XLI, 1961); *Vl. Helfert a F. X. Šalda* (ebd.; Briefwechsel); *V. Pichl a jeho vztah k G. B. Martini* (»V. Pichl und seine Beziehungen zu G. B. Martini«, ebd. XLVII, 1962); *Das Musikalieninventar von Pirnitz (Brtnice)* (Fs. J. Racek, = Sborník prací filosofické fakulty brněnské university XIV, F 9, 1965); *K hudební minulosti Dubu u Olomouce* (»Zur Musikgeschichte von Dub bei Olmütz«, in: Časopis Moravského musea ... LIII/LIV, 1968/69); zahlreiche kleinere Beiträge zur lokalen Musikgeschichte in Mähren (u. a. in: Opus musicum Iff., 1969ff.). Sie verfaßte ferner (mit J. Sehnal und S. Přibáňová) einen *Průvodce po archivních fondech Ústavu dějin hudby Moravského musea v Brně* (»Führer durch die Archivbestände des musikhistorischen Museums ...«, Brünn 1971) und edierte den Symposiumsbericht *Operní dílo L. Janáčka* (»L. Janáčeks Opernschaffen«, = Acta Janáčkiana I, ebd. 1968; darin von ihr selbst *Die Zwischenspiele in Kátja Kabanová*).

Strand, Per Zacharias, * 30. 6. 1797 zu Stockholm, † 8. 3. 1844 zu Kumla (Örebro); schwedischer Orgelbauer, wurde bei seinem Vater Pehr Str. (1758–1826) und im Ausland ausgebildet und übernahm etwa 1825 die väterliche Werkstatt. Von den etwa 70 von ihm gebauten Orgeln war die im Dom zu Lund (61 St. auf 4 Manualen und Pedal, 1836) die bedeutendste. Sein ältester Sohn J. Samuel Str. (1786–1860) übte ebenfalls den Beruf eines Orgelbauers aus und war außerdem als Organist in Västra Vingaker (Södermanland) tätig.

Strang (stɹæŋ), Gerald, * 13. 2. 1908 zu Claresholm (Alberta, Kanada); amerikanischer Komponist, Schüler von Koechlin, Schönberg und Toch, studierte 1926–28 an der Stanford University/Calif. (B. A. 1928), 1928–29 an der University of California in Berkeley sowie 1935–36 und 1946–48 an der University of Southern California in Los Angeles (Ph. D. 1948). Nach einer Assistentenzeit bei Schönberg an der University of California in Los Angeles (1936–38) lehrte er 1938–58 am Long Beach City College (Calif.) und war dort 1954–58 Chairman des Music Department. 1958–65 wirkte er als Professor of Music am San Fernando Valley State College/Calif. (1958–62 Chair-

man des Music Department) und 1965–69 am California State College in Long Beach sowie 1969–70 als Dozent für Elektronische Musik an der University of California in Los Angeles. 1935–40 gab er die *New Music Edition* heraus. Str. komponierte u. a. *Percussion Music* für 3 Spieler (1935), Intermezzo für Orch. (1935), *3 Pieces* für Fl. und Kl. (1937), 2 Symphonien (1942 und 1947), *Overland Trail* für Orch. (1943), Divertimento für 4 Instr. (1948), *3 Excerpts from Walt Whitman* für Chor (1950), Violoncellokonzert (1951), Concerto grosso (1951), Sonate für Fl. solo (1953) sowie Computer-Musik (*Compusition* ♯2–♯7, 1963–69). Er veröffentlichte *Ethics and Esthetics of Computer Composition* (in: The Computer and Music, hrsg. von H. B. Lincoln, Ithaca/N. Y. 1970) und gab Schönbergs *Fundamentals of Musical Composition* (mit L. Stein, London und NY 1967, ital. Mailand 1969) heraus.

Straram (straˈã), Walther (anagrammatisch für Marrast), * 9. 7. 1876 zu London, † 24. 11. 1933 zu Paris; französischer Dirigent, war ab 1892 in Paris als Violinist im Orchestre Lamoureux tätig und wurde 1896 nach autodidaktischen Studien Korrepetitor an der Oper in Lyon, später Chordirigent an der Pariser Opéra und der Opéra-Comique. Nach einer Assistentenzeit in Boston bei Caplet (1909–13) schlug er 1919 die Laufbahn eines Dirigenten ein und wurde Administrator des Théâtre des Champs-Élysées in Paris; 1926 gründete er ein Orchester, das in den »Concerts Straram« zahlreiche zeitgenössische Werke u. a. von A. Honegger, Koechlin, Roussel, Poulenc, Tansman und Milhaud uraufführte und Kompositionen von Schönberg, Alban Berg, P. Hindemith und Prokofjew in Frankreich bekannt machte.

Strasfogel (stɹˈæsfougl), Ian, * 5. 4. 1940 zu New York; amerikanischer Musikorganisator, studierte an der Harvard University in Cambridge/Mass. (B. A. 1961), war 1962–64 Assistant Administrator der New York City Opera Company und 1968–72 Chairman des Opera Department am New England Conservatory of Music in Boston. Er ist gegenwärtig General Director der Opera Society of Washington (D. C.) sowie Artistic Director des Music Theatre Project am Music Center in Tanglewood (Mass.) und der Augusta Opera Company, daneben Freelance Stage Director u. a. der Nederlandse Opera und der New York City Opera.

Strasser, Hugo, * 7. 4. 1922 zu München; deutscher Kapellenleiter und Komponist, studierte an der Akademie der Tonkunst in München (Hauptfach Klarinette), wurde durch Jazzkonzerte in Deutschland als Klarinettist bekannt und war 1949 Gründungsmitglied der Max Greger-Band. Seit 1954 leitet er ein eigenes Orchester für Rundfunk-, Schallplatten-, Fernseh- und Filmaufnahmen. Str. arbeitet eng mit dem Allgemeinen Deutschen Tanzlehrer-Verband zusammen.

Établissements S. M. L. Strasser-Marigaux [(S. A.), Instrumentenbaufirma in Paris, gegründet 1933 von Charles Strasser, der das Unternehmen (mit Liliane Vimont und Bernard Schorr) leitet. Die Hauptproduktion beruht auf der Produktion von Oboen, Klarinetten, Flöten und Saxophonen. Der Firma angeschlossen sind die King Musical Instruments in Eastlake (O.). 1950 wurde die Flötenbaufirma Louis Lot aufgekauft, deren handwerkliche Tradition Str.-M. seitdem fortführt. Langjähriger Gesellschafter des Unternehmens war der Instrumentenbauer Jules Marigaux.

Stratas, Teresa (eigentlich Anastasia Strataki), * 26. 5. 1938 zu Toronto; kanadische Sängerin (lyrischer Sopran) griechischer Abstammung, studierte an der

Faculty of Music der University of Toronto (graduiert 1959). Ihre Gesangslehrerin war Irene Jessner. 1958 debütierte sie bei der Canadian Opera Company in Toronto als Mimi in *La Bohème*. 1959 trat sie zum ersten Male an der Metropolitan Opera in New York, 1962 an der Mailänder Scala (Isabella in *Atlántida* von de Falla) auf. Sie gastierte an den Staatsopern in Wien und München, der Deutschen Oper Berlin, am Bolschoj Teatr in Moskau sowie an den Opernhäusern in Leningrad, Tallinn und Riga und sang bei den Salzburger Festspielen (1969 und 1972). Im Fernsehen stellte sie u. a. die Desdemona in Verdis *Otello* (BBC) und die *Salome* (ZDF, 1975) dar. T. Str. hat sich auch als Konzertsängerin einen Namen gemacht.

Strategier (str'a:texi:r), Herman, * 10. 8. 1912 zu Arnhem; niederländischer Komponist und Dirigent, studierte am Institut für niederländische Kirchenmusik in Utrecht sowie bei H. Fr. Andriessen Komposition. Er unterrichtete am Institut für katholische Kirchenmusik in Utrecht (1939–63) und war gleichzeitig als Organist und Dirigent verschiedener Kirchenchöre tätig. Gegenwärtig ist Str. Dozent am Institut für Musikwissenschaft der Utrechter Rijksuniversiteit und Dirigent des Nederlands Madrigaalkoor in Leiden. Seine Kompositionen umfassen Orchesterwerke (Praeludium und Fuge, 1951; *Intrada sinfonica,* 1954; *Partita in modi antichi*, 1954; Concertino für Klar. und Orch., 1951; *Concertante speelmuziek* für Fl., Fag. und Orch., 1971; *Triptiek* für Kl. und Blasorch., 1960), Kammermusik (Quartett für Fl., V., Va und Vc. 1968), Klavierwerke (*Quatre pièces brèves* für Kl. 4händig, 1973), Orgelstücke, Vokalwerke (Oratorium *Koning Swentibold*, 1955, und der *Arnhemsche Psalm*, 1955, für Soli, Chor und Orch.; Requiem für gem. Chor und Orch., 1961; Te Deum für Soli, Chor und Orch., 1967; *Colloquia familiaria* für S., gem. Chor und Streichorch., 1969; *Psaume CIII* für S., Chor und Orch., 1971; *Mors responsura*, zum Gedenken an J. Mul, für S., A., gem. Chor und Orch., 1972) und zahlreiche Volksliedbearbeitungen.

Stratico, Michele, * um 1721(?) wahrscheinlich in Zara (Zadar), † um 1782; dalmatinischer Komponist und Violinist, studierte 1737–45 Jura an der Universität in Padua und gehörte dort zum Freundeskreis Tartinis, dessen Schüler er zeitweise war. Er schrieb zahlreiche Instrumentalwerke, von denen *Sei sonate a v. e vc. o clavicemb.* . . . *Opera prima* (London um 1763) im Druck erschienen. Lit.: V. Duckles u. M. Elmer, Thematic Cat. of a Ms. Collection of 18th-Cent. Ital. Instr. Music in the Univ. of California, Berkeley, Music Library, Berkeley 1963; M. T. Roeder, Sonatas, Concertos, and Symphonies of M. Str., Diss. Univ. of California in Santa Barbara 1971.

+Strattner, Georg Christoph, um 1645 – begraben [nicht: †] 11. 4. 1704.

+Straube, Montgomery Rufus Karl Siegfried [erg. Vornamen], 1873–1950. Lit.: E. Wolf-Ferrari an K. Str., Fünf Briefe aus d. Jahren 1901 u. 1902, in: Musica XXIII, 1969, S. 338ff.; M. Reger, K. Str., Briefzeugnisse einer Freundschaft, hrsg. v. M. Mezger, Württembergische Blätter f. Kirchenmusik XL, 1973. – R. Engländer, K. Str., Mitt. d. M. Reger-Inst., Bonn, 1954, H. 1; K. Voppel, K. Str. u. d. Wesen d. deutschen Orgelspiels, MuK XXV, 1955; E. Zillinger, Das Vermächtnis d. Orgelmeisters K. Str., in: Der Kirchenmusiker XI, 1960; H.-J. Moser, Orgelromantik, Ludwigsburg 1961; M. Mezger, Bachs Amt u. Erbe im Thomaskantorat v. K. Str., in: Theologia viatorum VIII, 1961/62; K. Dreimüller, K. Str.s Sauer-Org. in Wesel. Nachruf auf d. im Zweiten Weltkrieg zerstörte Denkmal-Org. d. Willibrordi-Domes, in: Studien zur Mg. d. Rheinlandes II, Fs. K. G. Fellerer, = Beitr. zur rheinischen Mg. LII, Köln 1962; G. Stiller, K. Str. u. J. S. Bachs Kantaten in d. Lpz.er Gottesdiensten, MuK XL, 1970, dass. erweitert in: J. S. Bach, Ende u. Anfang, Gedenkschrift G. Ramin, Wiesbaden 1973, S. 27ff.; C.-G. Åhlén, Grammofonens veteraner V, Musikrevy XXVII, 1972 (Diskographie); Fr. Högner, Persönliche Erinnerungen an K. Str., in: Gottesdienst u. Kirchenmusik 1972; ders., K. Str. u. d. mißbrauchte Musikphilologie, MuK XLIV, 1974; L. Doormann, Das Vermächtnis K. Str.s als Bachspieler, MuK XLIII, 1973; E. Tietze, ebd. S. 1ff.; H.-O. Hudemann in: Gottesdienst u. Kirchenmusik 1974, S. 5ff.

+Straus, Oscar [erg.:] Nathan (eigentlich Strauss), 1870–1954. Die Operette *+Liebeszauber* wurde in Berlin 1916 [nicht: 1919] uraufgeführt. Lit.: H. Keller in: MR XV, 1954, S. 136f.; E. Nick in: Musica VIII, 1954, S. 100ff.

Strauß, Christoph (Straus), * um 1575(?), † zwischen 1. und 20. 6. 1631 zu Wien; österreichischer Komponist und Organist, einer Musikerfamilie entstammend, die durch mehrere Generationen in habsburgischen Diensten stand, war ab etwa 1594 Organist an der Hofkirche St. Michael in Wien, 1601–19 Kammerorganist, 1614 zugleich Pfleger der kaiserlichen Besitzung Katterburg, 1617 Nachfolger des Erasmus de Sayve als kaiserlicher Vizekapellmeister (»Capellmeister Amtsverwalter«) und wurde 1619 aus der Hofkapelle entlassen. Spätestens 1626 übernahm er die Stelle eines Kapellmeisters an St. Stephan in Wien. Str. war ein Meister der Übergangszeit: während sich seine Motetten zu 5–7 St. noch der älteren polyphonen Praxis nähern, sind die Kompositionen zu 8–20 St. überwiegend homophon, mehrchörig, auch konzertant angelegt. Bekannt sind zwei in Wien gedruckte Sammelwerke: *Nova ac diversimoda sacrarum cantionum compositio seu motettae 5–10 v., lib. 1* (1613) und *Missae 8–20 tam v., quam variis instr., et b. generali ad org. accomodato* (1631); weitere Werke sind handschriftlich erhalten. Ausg.: Missa pro defunctis f. instr. u. vokalen Doppelchor, in: 3 Requiem f. Soli, Chor, Orch. aus d. 17. Jh., hrsg. v. G. Adler, = DTÖ XXXI, 1 (Bd 59), Wien 1923. Lit.: P. W. Gano, The Masses of Chr. Str., Diss. Univ. of California at Los Angeles 1971.

+Strauß, –1) Johann [erg.: Baptist] (Vater), 1804–49.

–2) Johann (Sohn), 1825–99. Die Operette *+Indigo* [erg.:] *und die vierzig Räuber* (1871) wurde von E. Reiterer [nicht: Reiter] als *+1001 Nacht* bearbeitet (Wien 1906). Das aus dem Nachlaß stammende Ballett *+Aschenbrödel* wurde von J. Bayer musikalisch eingerichtet und in Berlin 1901 uraufgeführt. – Nach dem Tod von Str. entstanden zahlreiche, z. T. auch erfolgreiche Operetten unter Verwendung seiner Melodien, darunter *Wiener Blut* (von Str. bereits als Operette geplant, eingerichtet von A. Müller jun., Wien 1899) und *Die Tänzerin Fanny Elßler* (O. Stalla, Bln 1934).

–3) Josef, 1827–70. Nach seinen Melodien richtete E. Reiterer die jahrzehntelang erfolgreiche Operette *Frühlingsluft* (Wien 1903) ein.

–4) Eduard, 1835–1916. Er ließ 1907 sämtliche Notenmaterialien der 1902 aufgelösten Str.-Kapelle vernichten.

–5) Johann, 1866–1939. Nicht er ist der letzte musikalische Vertreter der Familie, sondern sein Neffe Eduard Leopold Maria Str. (* 24. 3. 1910 und † 6. 4. 1969 zu Wien). Dieser studierte an der Wiener Musikakademie, war vorwiegend als Musikpädagoge tätig, widmete sich ab 1956 der Orchesterleitung und dirigierte von 1966 bis zu seinem Tode das Wiener J.-Str.-

Orchester. Auf Tourneen, die ihn durch die ganze Welt führten, machte er die Kompositionen seiner Vorfahren bekannt. Er war Vorstandsmitglied sowie Ehrenmitglied und -präsident mehrerer J.-Str.-Gesellschaften.

Ausg.: zu –2): GA, hrsg. v. d. J.-Str.-Ges. Wien unter Leitung v. Fr. Racek, auf 50 Bde geplant (2 Serien: I Instrumentalwerke, 31 Bde, II Bühnen- u. Vokalmusik, 19 Bde), Wien 1967ff. (vgl. dazu ders. in: ÖMZ XXII, 1967, S. 292ff.), bisher erschienen: Serie I, Bd 18–20 (1968, 1971), op. 292–329; Serie II, 3 (1974), Die Fledermaus; II, 9 (1970), Eine Nacht in Venedig. – Die Fledermaus, hrsg. v. H. Swarowsky, = Eulenburg Taschenpartituren Nr 922, London 1968.

Lit.: zur Familie: Die Walzer-Dynastie Str., Ausstellungskat. d. Ges. d. Musikfreunde Wien hrsg. v. Fr. Grasberger, Wien 1966. – +Verz. d. sämtlichen im Druck erschienenen Kompositionen ... (Chr. Flamme, 1898), Nachdr. Wiesbaden 1972. – M. Schönherr, Beitr. zu einer Bibliogr. d. Dynastie Str., ÖMZ XIX, 1964. – +H. E. Jacob, J. Str., Vater u. Sohn. Die Gesch. einer mus. Weltherrschaft ... (1953), Neuaufl. Bremen 1960, auch Gütersloh 1962, nld. Utrecht 1960; +A. Witeschnik, Die Dynastie Str. (= Österreich-Reihe LIV, 1939), Neuaufl. Wien 1958. – H. Jäger-Sunstenau, J. Str., Der Walzerkönig u. seine Dynastie. Familiengesch., Urkunden, = Wiener Schriften XXII, ebd. u. München 1965; H. Fantel, J. Str., Father and Son and Their Era, Newton Abbot 1971, auch als: The Waltz Kings. J. Str., Father & Son, and Their Romantic Age, NY 1972; G. Bailey, The Str. Family. The Era of the Great Waltz, London 1972; J. Wechsberg, The Waltz Emperors. The Life and Times and Music of the Str. Family, NY 1973.

zu –2): Aufsatzfolge in: ÖMZ XIX, 1964, S. 12ff.; Sonder-H. (100 Jahre Donauwalzer) J. Str., = ÖMZ XXII, 1967, H. 1. – +P. Kuringer, J. Str. (1952), Neuaufl. = Gottmer-muziek pockets III, Haarlem 1958. – K. Pfannhauser, Eine menschlich-künstlerische Str.-Memoire, Fs. A. Orel, Wiesbaden 1960; H. Weigel, J. Str., oder Die Stunde d. Größe, in: Flucht vor d. Größe, Wien 1960; K. Pahlen, Der Walzerkönig J. Str., Ein Leben f. d. Musik in Wien, Zürich 1961, engl. Chicago 1965; E. Mejlich, I. Str., Is istorii wenskowo walsa (»Aus d. Gesch. d. Wiener Walzers«), Leningrad 1962 u. 1969, lettisch Riga 1966; Fr. Grasberger, Die Wiener Philharmoniker bei J. Str. 1963; G. Sbîrcea, J. Str. şi imperiul sferic al valsului (»J. Str. u. d. Sphärenreich d. Walzers«), Bukarest 1963; M. Schönherr in: ÖMZ XXIII, 1968, S. 3ff. bzw. 82ff. (zu Aufführungen d. Donauwalzers in London bzw. Paris); A. M. Pols, Het leven v. J. Str., Brüssel 1969; J. Freyenfels, J. Str. in Rußland, NZfM CXXXIV, 1973, auch in: Das Orch. XXII, 1974; D. Stoverock, »Die Fledermaus« v. J. Str., = Schriftenreihe »Die Oper« o. Nr, Bln 1973; Fr. Mailer, »Glücklich ist, wer vergißt«. Aus d. Gesch. d. »Fledermaus« in Wien, ÖMZ XXIX, 1974.

zu –3): L. Lerchenfeld, Genie wider Willen, NZfM CXXXI, 1970, auch in: Das Orch. XVIII, 1970.

+**Strauss,** Richard [erg.:] Georg, 11. [nicht: 1.] 6. 1864 – 1949.

Sein Vater Franz Joseph, 1822 zu Parkstein (Oberpfalz) – 1905 zu München [erg. frühere Angaben]. – Berichtigungen und Ergänzungen zum früheren Werkverzeichnis: 5 *Stimmungsbilder* op. 9 (1882); *Guntram* op. 25 (Neufassung Weimar 1940); 2 Lieder op. 26 (1891–93); 2 Gesänge op. 51 (1902, 1906); 6 Lieder op. 56 (1903–06); 2 Militärmärsche op. 57 (1906); *Ariadne auf Naxos* op. 60 (Neufassung *Der Bürger als Edelmann,* Bln 1918); *Schlagobers* op. 70 (Wien 1924); *Die Liebe der Danae* op. 83 (Generalprobe Salzburg 1944). – +H. Berlioz, Instrumentationslehre (2 Bde, 1905 [nicht: 1904]), Neuaufl. Lpz. 1955, ital. in 3 Bden Mailand 1955–57, japanisch Tokio 1955, russ. in 2 Bden, hrsg. von S. P. Gortschakow, Moskau 1972. Ausg.: »Morgen« op. 27 Nr 4, Faks. hrsg. v. Fr. Grasberger, Wien 1964; Schlußszene aus d. »Rosenkavalier«,

Faks. hrsg. v. L. Nowak, ebd.; »Wir beide wollen springen«, Faks. hrsg. v. A. Ott, Tutzing 1968; Concert f. d. Waldhorn mit Begleitung d. Orch. oder Pfte op. 11. Clavierauszug, Faks. d. Autographs hrsg. v. dems., ebd. 1971; »Im Abendrot« (aus »Vier letzte Lieder«), Faks., London o. J. – Lieder, GA in 4 Bden (IV: Lieder mit Orch.), hrsg. v. Fr. Trenner, ebd. 1964; Nachlese. Lieder aus d. Jugendzeit. Verstreute Lieder aus späteren Jahren, hrsg. v. W. Schuh, ebd. 1968.

+R. Str. et R. Rolland. Correspondance, Fragments de journal (G. Samazeuilh, = Cahiers R. Rolland III, 1951), Neuaufl. Paris 1959, engl. hrsg. v. R. Myers, Berkeley (Calif.) u. London 1968, Paperbackausg. London 1970, russ. = Is arch. Rollana III, Moskau 1960. – W. Schmieder, 57 unveröff. Briefe u. Karten v. R. Str. in d. Stadt- u. Universitätsbibl. Ffm., Fs. H. Osthoff, Tutzing 1961; R. Str. u. Fr. Wüllner im Briefwechsel, hrsg. v. D. Kämper, = Beitr. zur rheinischen Mg. LI, Köln 1963; R. Str. u. Cl. Krauss, Briefwechsel, ausgew. u. hrsg. v. G. Kl. Kende u. W. Schuh, München 1963, revidiert ²1964; Briefe an Fr. Busch in: SMZ CIV, 1964, S. 210ff.; Aus d. Briefwechsel R. Str. / Cl. Krauss. 12 unveröff. Briefe, hrsg. v. G. Kl. Kende, SMZ CVI, 1966; H. Pfitzner an R. Str., Mitt. d. H.-Pfitzner-Ges. 1966, Nr 17, S. 1ff. (5 Briefe); »Der Strom d. Töne trug mich fort«. Die Welt um R. Str. in Briefen, hrsg. v. Fr. Grasberger (mit Franz u. Alice Str.), Tutzing 1967; R. Str. u. L. Thuille. Briefe d. Freundschaft, 1877–1907, hrsg. v. A. Ott, = Drucke zur Münchner Mg. IV, München 1969; ders., R. Str. u. J. L. Nicodé im Briefwechsel, in: Quellenstudien zur Musik, Fs. W. Schmieder, Ffm. 1972; Briefwechsel mit W. Schuh, Zürich 1969; Lettres inéd. de R. Str. à S. Dupuis, hrsg. v. M. Lemaire, Rev. générale VIII, 1970; Briefe an E. Roth in: Tempo 1972, Nr 98, S. 9ff. – +W. Schuh, Ein paar Erinnerungen an R. Str. (1958), Neuaufl. Zürich 1964; A. Chybiński, W czasach Str.a i Tetmajera. Wspomnienia (»In d. Zeiten v. Str. u. Tetmajer. Erinnerungen«), = Źródła pamiętnikarsko-literackie do dziejów muzyki polskiej VII, Krakau 1959; H. Zurlinden, Erinnerungen an R. Str., C. Spitteler ... St. Gallen 1962; K. Böhm, Begegnung mit R. Str., hrsg. v. Fr. E. Dostal, Wien 1964; E. Roth, Musik als Kunst u. Ware. Betrachtungen u. Begegnungen eines Musikverlegers, Zürich 1966; Fr. Strauss, Aphorismen um R. Str., ÖMZ XXIII, 1968.

Lit.: E. H. Müller v. Asow, R. Str., Thematisches Verz., 3 Bde (I–II: op. 1–86; III: Werke ohne op.-Zahl, vollendet u. hrsg. v. A. Ott u. Fr. Trenner), Wien 1959–74; W. Schuh u. E. Roth, R. Str., Gesamtverz. d. gedruckten Werke, London 1964. – R. Str.-Bibliogr., Bd I: 1882–1944, bearb. v. O. Ortner (aus d. Nachlaß hrsg. v. Fr. Grasberger), Bd II: 1944–64, bearb. v. G. Brosche, = Museion, N. F. III, 2, 1–2, Wien 1964–73. – Diskographien v. A. Jefferson in: Opera XIX, (London) 1968, S. 703ff., u. XX, 1969, S. 844ff. (zu d. Opern), u. v. C.-G. Åhlen in: Musikrevy XXVI, 1971, S. 217ff. (Str. als Dirigent u. Pianist).

R. Str. u. Salzburg, Ausstellungskat., Salzburg u. Wien 1964; »Göttlich ist u. ewig d. Geist«, dass., hrsg. v. Fr. Grasberger u. Fr. Hadamowsky, = Biblos Schriften XXXVIII, zugleich = Ritters Schriften XXXVIII, Wien 1964; Staatstheater Dresden. Staatsoper. R.-Str.-Ehrung 1964, hrsg. v. W. Höntsch, = Blätter d. Staatstheater Dresden, Spielzeit 1963/64; R.-Str.-Festjahr, München 1964, hrsg. v. A. Ott, München 1964; R. Str. u. seine Zeit, hrsg. v. S. v. Scanzoni, = Stadtmuseum München, Ausstellungskat. XIII, ebd.

+R. Str.-Jb. (W. Schuh, 1954), R. Str.-Jb. 1959/60, Bonn 1960; +Mitt. d. Internationalen R.-Str.-Ges., Nr 1–62/63, Bln 1952–69, fortgeführt als: R. Str.-Blätter, Nr 1ff., Wien 1971ff. – Sonder-H. u. Aufsatzfolgen: L'approdo mus. 1959, Nr 5; Forvm XI, 1964, Nr 126/127, S. 330ff.; Musikrevy XIX, 1964, H. 3; NZfM CXXV, 1964, H. 6; ÖMZ XIX, 1964, H. 5/6, S. 221ff., u. H. 8; Tempo 1964, Nr 69. – Fs. Franz Str., Tutzing 1967.

+E. Newman, R. Str. (1908), Nachdr. = Select Biogr. Reprint Series o. Nr, NY 1969; +Cl. Rostand, R. Str. (1949), NA = Musiciens de tous les temps XII, Paris 1964; +O. Erhardt, R. Str. (1953), ital. Mailand 1957; +E. Krause, R. Str. (1955), revidiert Lpz. u. Stuttgart ³1963, Lpz. ⁴1970, tschechisch Prag 1959, russ. Moskau

1961, engl. London 1964 u. Boston 1969, rumänisch Bukarest 1965. – H. GOLLOB, R. Wagner u. R. Str. in d. mus. Malerei, = Wiener Projekte IV, Wien 1957; J. GREGOR, R. Str., Sein Schaffen u. seine geistige Macht, in: Universitas XII, 1957; DERS. in: ÖMZ XIV, 1959, S. 382ff.; L. KUSCHE, Heimliche Aufforderung zu R. Str., München 1959; DERS., R. Str. im Kulturkarussell d. Zeit, 1864–1964, ebd. 1964; M. OČADLÍK, O aktuálnost R. Str.e (»Zur Aktualität v. R. Str.«), in: Miscellanea musicologica IX, 1959; R. PETZOLDT, R. Str., Sein Leben in Bildern, Lpz. 1960, ungarisch Budapest 1961, rumänisch =Viaţa în imagini o. Nr, Bukarest 1963; N. DEL MAR, R. Str., A Critical Commentary of His Life and Works, 3 Bde, London u. Philadelphia (Pa.) 1962–72; I. FÁBIÁN, R. Str., = Kis zenei könyvtár XXIV, Budapest 1962; H. KRALIK, R. Str., Weltbürger d. Musik, Wien 1963; TH. W. ADORNO, R. Str., in: Die Neue Rundschau LXXV, 1964, engl. in: Perspectives of New Music IV, 1965/66; A. BERGER, R. Str. als geistige Macht, Garmisch-Partenkirchen 1964; P. CRONHEIM, R. Str., Portret v. een grandseigneur, in: Mens en melodie XIX, 1964; A. DAMERINI in: Chigiana XXI, N. S. I, 1964, S. 101ff.; W. GÖTZE in: Stimmen d. Zeit 1964, Nr 174, S. 203ff.; H. J. MOSER, R. Str., Sein Leben u. sein Werk f. d. Musik d. 20. Jh., in: Universitas XIX, 1964; A. GOLÉA, R. Str., Paris 1965; DERS., R. Str. in frz. Sicht, NZfM CXXVII, 1966; FR. GRASBERGER, R. Str., Hohe Kunst, erfülltes Leben, Wien 1965; W. PANOFSKY, R. Str., Partitur eines Lebens, München 1965, Bln 1967; U. v. RAUCHHAUPT, Umstrittener R. Str., Krise im Musik-Feuilleton, in: Beitr. zur Gesch. d. Musikkritik, hrsg. v. H. Becker, = Studien zur Mg. d. 19. Jh. V, Regensburg 1965; G. R. MAREK, R. Str., The Life of a Non-Hero, London u. NY 1967; W. DEPPISCH, R. Str. in Selbstzeugnissen u. Bilddokumenten, = rowohlts monographien Bd 146, Reinbek bei Hbg 1968; D. JAMEUX, R. Str., = Solfèges XXXI, Paris 1971; A. JEFFERSON, The Life of R. Str., Newton Abbot 1973.
+FR. V. SCHUCH, R. Str., E. v. Schuch u. Dresdens Oper (1952 [nicht: 1949]), Lpz. ²1953. – I. WENGER-OEHN (KORN), Die Wiener Oper unter R. Str. u. Fr. Schalk, Diss. Wien 1962; J. WULF, Musik im Dritten Reich, Gütersloh 1963, auch = rororo Taschenbuch Nr 818–820, Reinbek bei Hbg 1966; FR. HADAMOWSKY, R. Str. u. Salzburg, Salzburg 1964; K. LAUX, R. Str. u. Dresden, Sächsische Heimatblätter X, 1964; G. OHLHOFF, R. Str.' Berufung nach Weimar. Nach Dokumenten d. Thüringischen Landeshauptarch., SMZ CIV, 1964; E. OTTO, Das oberpfälzische Element bei R. Str., in: Genealogie XIII, 1964, auch in: Blätter zur Gesch. u. Landeskunde d. Oberpfalz VII, 1967; DERS., R. Str. u. d. Dritte Reich, in: Israel-Forum I, 1967; FR. GRASBERGER, R. Str. u. d. Wiener Oper, Tutzing 1969.
H. FÄHNRICH, Europäische Begegnung. R. Str. u. R. Rolland, in: Musica XI, 1957; G. KL. KENDE, R. Str. u. Cl. Krauss, ebd. XIV, 1960; H. E. MÜLLER v. ASOW, R. Str. u. G. Verdi, ÖMZ XVI, 1961; S. v. SCANZONI, R. Str. u. seine Sänger, = Drucke zur Münchner Mg. II, München 1961; J. MATTER, R. Str. et Mahler, SMZ CIV, 1964; W. THOMAS, R. Str. u. seine Zeitgenossen, = Langen-Müller Paperbacks o. Nr, München 1964; E. OTTO, R. Str. u. M. Reger., Antipoden oder Gesinnungsverwandte?, Mitt. d. M.-Reger-Inst., Bonn, 1966, Nr 16, auch in: Neue Beitr. zur Regerforschung u. Mg. Meiningens, hrsg. v. H. Oesterheld, = Südthüringer Forschungen VI, Meiningen 1970; A. OTT, R. Str. u. sein Verlegerfreund E. Spitzweg, in: Musik u. Verlag, Fs. K. Vötterle, Kassel 1968; R. TENSCHERT, R. Str. u. St. Zweig, ÖMZ XXIII, 1968; J. KNAUS, L. Janáček u. R. Str., NZfM CXXXIII, 1972; M. SEE, R. Str. u. R. Rolland. Bilanz einer Lebensfreundschaft, NZfM CXXXIV, 1973.
R. TENSCHERT, R. Str. u. Mozart, Mozart-Jb. 1954; H. OSTHOFF, Mozarts Einfluß auf R. Str., SMZ XCVIII, 1958; R. GERLACH, Don Juan u. Rosenkavalier. Studien zu Idee u. Gestalt einer tonalen Evolution im Werk R. Str.', = Publ. d. Schweizerischen Musikforschenden Ges. II, 13, Bern 1966; DERS., R. Str., Prinzipien seiner Kompositionstechnik, AfMw XXIII, 1966 (mit einem Brief); H. BURTON, Gespräche mit Gl. Gould, NZfM CXXXIV, 1973.
E. ROTH, R. Str., Bühnenwerke ..., Dokumente d. Uraufführungen, London 1954 (auch engl. u. frz.). – R.

SCHOPENHAUER, Die antiken Frauengestalten bei R. Str., Diss. Wien 1952; G. HAUSSWALD, Antiker Mythos bei R. Str., in: Musica XII, 1958; H. FÄHNRICH, Das »Mozart-Wagner-Element« im Schaffen v. R. Str., SMZ XCIX, 1959; A. JEFFERSON, The Operas of R. Str. in Britain, 1910–63, = Soc. f. Theatre Research. Publ. o. Nr, London 1963; A. NATAN, R. Str., Die Opern, Basel 1963; E. ZABRSA, Die Opern v. R. Str. bei d. Salzburger Festspielen, Diss. Wien 1963; L. LEHMANN, Singing with R. Str., London 1964, amerikanische Ausg. als: Five Operas and R. Str., NY 1964; W. MANN, R. Str., A Critical Study of the Operas, London 1964, NY 1966, deutsch als: R. Str., Das Opernwerk, München 1967, auch als: Die Opern v. R. Str., ebd. 1969; H. BECKER, R. Str. als Dramatiker, in: Beitr. zur Gesch. d. Oper, = Studien zur Mg. d. 19. Jh. XV, Regensburg 1969; P. BURWIK, Die Bühnenbilder zu d. Wiener Aufführungen v. R. Str.-Opern, 1902–65, Diss. Wien 1970; A. A. ABERT, R. Str., Die Opern, Velber bei Hannover 1972; DIES., R. Str. u. d. Erbe Wagners, Mf XXVII, 1974.
H. FÄHNRICH, Semiramis. Eine ungeschriebene Oper v. R. Str., in: Musica XII, 1958; DERS., Dreimal Helena. Die Helena-Tragödie v. Euripides, Goethe u. R. Str., NZfM CXX, 1959; D. ARNOLD, R. Str. and Wilde's »Salome«, MMR LXXXIX, 1959; G. KL. KENDE, Die »Wiener Fassung« d. »Ägyptischen Helena«, ÖMZ XVI, 1961 (vgl. dazu S. 501); M. SEE, Ariadne I oder II?, NZfM CXXII, 1961; A. BONACCORSI in: Rass. mus. XXXII, 1962, S. 127ff. (zu »Elektra«); E. GRAF in: ÖMZ XVIII, 1963, S. 241ff. (zu »Intermezzo«); DERS. in: ÖMZ XIX, 1964, S. 228ff. (zu »Die Frau ohne Schatten«); H. F. REDLICH in: MR XXIV, 1963, S. 185ff. (zu »Capriccio«); G. FRIEDRICH, K.-H. HAGEN u. E. KRAUSE in: Jb. d. Komischen Oper Bln IV, 1963/64, S. 146ff. (zu »Salome«); H. SCHMIDT-GARRE, »Salome«. Inbild d. Fin de s., NZfM CXXVIII, 1967; R. WITTELSBACH in: Fs. 1817–1967, Akad. f. Musik u. darstellende Kunst in Wien, Wien 1967, S. 93ff. (zu »Salome« u. »Elektra«); E. WĄSOWSKA in: Muzyka XIII, 1968, H. 3, S. 41ff., u. H. 4, S. 56ff. (zur dramatischen Funktion d. Musiksprache in »Salome«); H. KAUFMANN, Ästhetische Manipulationen bei R. Str., in: Spurlinien, Wien 1969 (Wiederabdrucke; zu »Friedenstag« u. »Die schweigsame Frau«); M. HORWARTH, Tebaldini, Gnecchi, and R. Str., in: Current Musicology 1970, Nr 10 (zu »Elektra«); G. v. NOÉ, Das Leitmotiv bei R. Str., NZfM CXXXII, 1971 (zu »Elektra«); GL. J. ASCHER, »Die Zauberflöte« u. »Die Frau ohne Schatten«. Ein Vergleich zwischen zwei Operndichtungen d. Humanität, Bern 1972; R. GERLACH, Rausch u. Konstruktion. Farbklang–Klangfarbe, NZfM CXXXIV, 1973 (zu »Elektra«); DERS., Der lebendige Inhalt u. d. tote Form. Marginalien zum »Rosenkavalier«, NZfM CXXXV, 1974; W. KELLER, »Die Liebe d. Danae«. Eine Wagner-Oper v. R. Str.? Ein Beitr. zur ästhetischen Manipulation, NZfM CXXXIV, 1973.
+R. TENSCHERT, Das Sonett in R. Str.' Oper »Capriccio«. Eine Studie zur Beziehung v. Versmetrik u. mus. Phrase ([erg.: SMZ XCVIII] 1958), engl. in Tempo 1959, Nr 47, S. 6ff. – G. BAUM in: NZfM CXVII, 1956, S. 614ff., auch in: Das Orch. XXII, 1974, S. 666ff. (zu »Die Frau ohne Schatten«); DERS., Briefe als Spiegel d. Persönlichkeit. R. Str. u. seine Textdichter, in: Musica XIII, 1959; R. TENSCHERT, Composer and Librettist, in: Tempo 1956, Nr 41; W. WENDHAUSEN, Das stilistische Verhältnis v. Dichtung u. Musik in d. Entwicklung d. musikdramatischen Werke R. Str.', Diss. Hbg 1956; G. KL. KENDE, Cl. Krauss über seine Zusammenarbeit mit R. Str., Nach Gesprächen aufgezeichnet, SMZ XCVII, 1957; DERS., R. Str. u. Cl. Krauss. Künstlerfreundschaft u. ihre Zusammenarbeit an »Capriccio«, = Drucke zur Münchner Mg. I, München 1960, NA 1964; A. E. DE LA MAÈSTRE, Debussys Deklamationstechnik in »Pelléas u. Mélisande« im Lichte d. Briefwechsels v. R. Str. u. R. Rolland, ÖMZ XVII, 1962 (zur frz. Fassung v. »Salome«); A. A. ABERT, St. Zweigs Bedeutung f. d. Alterswerk v. R. Str., Fs. Fr. Blume, Kassel 1963; DIES., R. Str.' Anteil an seinen Operntexten, in: Musicae scientiae collectanea, Fs. K. G. Fellerer, Köln 1973; FR. D. HIRSCHBACH, A. Kerr als Lieder- u. Operndichter, in: Wirkendes Wort XVII, 1967; W. SCHUH, R. Str. u. seine Libretti, in: Kgr.-Ber. Bonn

1970; H.-A. KOCH, »Fast kontrapunktisch streng«. Beobachtungen zur Form v. H. v. Hofmannsthals Operndichtung »Die Frau ohne Schatten«, Jb. d. Freien deutschen Hochstifts 1971; W. RITZER, Die Frau ohne Schatten. Gedanken zum Libretto, ÖMZ XXIX, 1974; R. GERLACH, Die ästhetische Sprache als Problem im »Rosenkavalier«. Der Text d. ersten Szene oder Über Altklugheit u. zweite Naivität, in: Melos/NZfM I, 1975. ST. KISIELEWSKI, Poematy symfoniczne R. Str.a, = Bibl. słuchacza koncertowego, Seria symfoniczna XVI, Krakau 1955; W. BRENNECKE, Die Metamorphosen-Werke v. R. Str. u. P. Hindemith, in: H. Albrecht in memoriam, Kassel 1962, auch in: SMZ CIII, 1963; E. WR. MURPHY, Harmony and Tonality in the Large Orchestral Works of R. Str., Diss. Indiana Univ. 1963; A. OTT, Couperin als Quelle f. R. Str., FAM XIII, 1966; R. M. LONGYEAR, Schiller, Moszkowski, and Str., Joan of Arc's »Death and Transfiguration«, MR XXVIII, 1967; W. GRUHN, Die Instrumentation in d. Orchesterwerken v. R. Str., Diss. Mainz 1968; CHR. PALMER, Str.' Alpine Symphony, MR XXIX, 1968; G. KRAUKLIS, Simfonitscheskije poemy R. Schtraussa, Moskau 1970; P. R. FRANKLIN, Str. and Nietzsche. A Revaluation of »Zarathustra«, MR XXXII, 1971; R. E. THURSTON, Mus. Representation in the Symphonic Poems of R. Str., Diss. Univ. of Texas 1971; W. DÖMLING, Collage u. Kontinuum. Bemerkungen zu G. Mahler u. R. Str., NZfM CXXXIII, 1972. R. BREUER, Drei »neue« Lieder v. R. Str., SMZ XCIX, 1959; R. TENSCHERT in: ÖMZ XVI, 1961, S. 221ff., u. H. FEDERHOFER in: Musik' u. Verlag, Fs. K. Vötterle, Kassel 1968, S. 260ff. (zum »Krämerspiegel«); FR. GRASBERGER, Kostbarkeiten d. Musik, Bd I: Das Lied, Tutzing 1968 (zu »Traum durch d. Dämmerung«; mit Faks.); G. BAUM, H. Wolf u. R. Str. in ihren Liedern, NZfM CXXX, 1969; A. JEFFERSON, The Lieder of R. Str., London 1971, NY 1972. L. WURMSER, R. Str. as an Opera Conductor, ML XLV, 1964; DERS., Str. and Some Class. Symphonies, ebd.; H. C. SCHONBERG, The Great Conductors, NY 1967, London 1968, deutsch als: Die großen Dirigenten, Bern 1970, auch = List-Taschenbücher Bd 391, München 1973; E. LOCKSPEISER, The Berlioz-Str. Treatise on Instrumentation, ML L, 1969.

→ +Hofmannsthal, H. v.

Strawinsky, Sviatoslav Soulima, * 23. 9. 1910 zu Lausanne; amerikanischer Pianist, Sohn von Igor Strawinsky, studierte in Paris (I. Philipp, Nadia Boulanger) und konzertiert seit 1931 in Europa, Nord- und Südafrika sowie in Amerika. Seit 1950 ist er Professor für Klavier an der School of Music der University of Illinois in Urbana. Er schrieb einige Klavierstücke, von denen eine Sonate B moll (1948), 6 Sonatinen (1967), Variationen (1970) und 25 Stücke für Kl. 4händig *Music Alphabet* (1973) genannt seien.

+Strawinsky, Igor Fjodorowitsch (Strawinskij, Stravinsky), * 5.(17.) 6. 1882 zu Oranienbaum (bei St. Petersburg), [erg.:] † 6. 4. 1971 zu New York.

Der Vater Fjodor Ignatjewitsch, 20. 6. 1843 im Kreis Retschizkij (Gouvernement Minsk) – 21. 11. (4. 12.) 1902 zu St. Petersburg; die Mutter Anna (geborene Cholodowskij), 1854 – 7. 6. 1939. – 1910–14 lebte Str. abwechselnd in Ustilug (Wolhynien) und in Clarens (Schweiz). Der Dichter Ch. F. Ramuz übersetzte die von Str. zusammengestellten russischen Originaltexte zu *Renard* und *Les noces* ins Französische und gestaltete gemeinsam mit Str. den französischen Originaltext zur *Histoire du soldat* nach russischen Vorlagen. – Str.s erste Frau Katerina, 1881 – 2. 3. 1939 zu Sancellemoz (Haute-Savoie). [del. bzw. erg. frühere Angaben dazu.]

Die Flexibilität und Vielfalt der Klangvorstellungen von Str. wird besonders belegt durch die Instrumentationsarbeit an *Les noces* (1914–23 mindestens vier verschiedene Fassungen; umfangreiche Skizzensammlung noch unveröffentlicht). In Hollywood komponierte Str. 1940–45 auch kurze Musiken für Bläser und Big

band sowie (bisher unveröffentlichte) Filmmusiken, die zu verschiedenen Orchesterwerken wiederverwendet wurden. Von Einfluß auf die kompositorische Entwicklung Str.s war ab 1948 die Bekanntschaft mit R. Craft, der sich besonders für die Musik von A. Schönberg und A. Webern einsetzte. Zeugnisse einer systematischen Erprobung der eigenen seriellen Verfahrensweise, ohne das seit *Le sacre du printemps* typische Klangbild (unregelmäßig akzentuierte Rhythmik, Akkordballungen) ganz aufzugeben, bilden die biblische Allegorie *The Flood* (1961–62), die geistliche Ballade *Abraham and Isaac* (1962–63), die Variationen für Orch. (1963–64) und das 2teilige lateinische Requiem *Introitus* (1965) und *Requiem Canticles* (1965–66). Auch im Wiederaufleben der Dirigiertätigkeit von Str. wurde der Einfluß Crafts deutlich; von 1951 (Str.s erstem Europaaufenthalt nach 1939) bis 1967 unternahm er alljährlich zusammen mit Craft Konzertreisen durch Europa. Str.s letztes Dirigat fand 1967 in Toronto mit der *Pulcinella*-Suite statt. Als Dirigent hatte er offensichtlich bereits am 16. 4. 1914 in Montreux [nicht: 1915 in Genf] mit dem Scherzo seiner revidierten Symphonie in Es in einem von E. Ansermet geleiteten Konzert debütiert. Str., in der UdSSR lange Zeit boykottiert, wurde dort Anfang der 60er Jahre offiziell rehabilitiert (Aufführungen seiner Werke, Neudrucke des Œuvres, Schrifttum). 1962 besuchte Str. erstmals nach 1914 wieder Rußland zu Konzerten in Moskau und Leningrad. – Das Interesse an elektrisch betriebenen Aufnahmegeräten veranlaßte ihn, seine wichtigsten Werke 1917–27 in Paris für das Pianola (Pleyel) einzuspielen. Mit dem Aufkommen der Schallplatte begannen dann Str.s Bemühungen um Einspielung seines Gesamtwerkes, was unter Mitwirkung von Craft 1953–67 (Columbia) mit wenigen Ausnahmen realisiert werden konnte.

Bühnenwerke: »Conte dansé« *L'oiseau de feu* (Str. und M. Fokine, Paris 1910; daraus: 1. Suite, 1911; 2. Suite, 1919; 3., Firebird Ballet Suite, 1945; für V. und Kl. *Prélude et ronde des princesses* und Berceuse, 1929, letztere in Neufassung, und Scherzo, mit S. Dushkin, 1933; Kanon über das Thema des Finale für Orch., 1965); »Scènes burlesques« *Pétrouchka* (Str. und A. Benois, Choreographie Fokine, Paris 1911; Neufassung für kleineres Orch., 1946; 3 Sätze für Kl., 1921; *Danse russe* für V. und Kl. mit Dushkin, 1932); »Tableaux de la Russie païenne« *Le sacre du printemps* (Str. und N. Roerich, Choreographie W. Nischinskij, Paris 1913; revidiert um 1922 und 1947; Neufassung der *Danse sacrale*, 1943); »Conte lyrique« *Le rossignol* (Str. und S. Mitussow nach H. Chr. Andersen, 1908–14, Choreographie B. Romanov, Ausstattung A. Benois, Paris 1914; revidiert 1962; nach dem 2. und 3. Akt die symphonische Dichtung *Le chant du rossignol*, 1917, als Ballett, Choreographie L. Massine, Ausstattung H. Matisse, Paris 1920; *Chant du rossignol* und *Marche chinoise* für V. und Kl., mit Dushkin, 1932); »Histoire burlesque chantée et jouée« *Renard* (Str. nach russischen Volkserzählungen, 1915–16, Choreographie Br. Nijinska, Paris 1922); *Histoire du soldat* »à réciter, jouer et danser« (Str. und Ch. F. Ramuz nach russischen Volkserzählungen, Choreographie G. Pitoëff, Lausanne 1918; Suite für V., Klar. und Kl., 1919; Konzertsuite, 1920); »Ballet avec chant« *Pulcinella* (Musik nach Pergolesi, Choreographie Massine, Ausstattung Picasso, Paris 1920; revidiert 1965; Suite, 1922, revidiert 1947; Suite für V. und Kl., 1925; *Suite italienne* Nr 1 für Vc. und Kl., mit Piatigorsky, 1932, und Nr 2 für V. und Kl., mit Dushkin, um 1933); Opera buffa *Mavra* (B. Kochno nach Puschkin, Choreographie Br. Nijinska, Ausstattung L.

Survage, Paris 1922; *Chanson de Paracha* für S. und Orch., 1922–23; *Chanson russe* für V. und Kl., mit Dushkin, 1937, auch für Vc. und Kl., mit D. Markevitch); »Scènes chorégraphiques russes avec chant et musique« *Les noces* (Str. nach russischen Volksliedern, 1914–23, Choreographie Br. Nijinska, Paris 1923; weitere vollständige Fassung für Soli, gem. Chor und Orch., 1914–17; die 2 ersten Bilder für Soli, gem. Chor, Pianola, 2 Cymbala [→Crotales], Harmonium und Schlagzeug); Opern-Oratorium *Oedipus rex* (Cocteau und Str. nach Sophokles, lat. von J. Daniélou, konzertant Paris 1927, szenisch Bln 1928; revidiert 1948); Ballett *Apollon musagète* (Choreographie A. Bolm, Washington/D. C. 1928; Choreographie G. Balanchine, Paris 1928; revidiert 1947); Ballett-Allegorie *Le baiser de la fée* (Musik Str., nach H. Chr. Andersen, Choreographie Br. Nijinska, Paris 1928; revidiert 1950; Divertimento, 1934, revidiert 1949; Ballade für V. und Kl., mit J. Gautier, 1947); Melodrama *Perséphone* für Sprecher, T., gem. Chor, Kinderchor und Orch. (A. Gide, Choreographie K. Jooss, Paris 1934; revidiert 1949); »Ballet en trois donnes« *Jeu de cartes* (Str. und M. Malaïeff, Choreographie Balanchine, NY 1937); Ballett *Orpheus* (Str., Choreographie Balanchine, NY 1948); Oper *The Rake's Progress* (W. H. Auden und Ch. Kallman nach Bildern von W. Hogarth, Venedig 1951; *Lullaby* für 2 Block-Fl., 1960); »Ballet for 12 Dancers« *Agon* (1953–57, Choreographie Balanchine, NY 1957); »A Musical Play« *The Flood* (Craft, nach der Heiligen Schrift und den mittelalterlichen Mysterienspielen von York und Chester, CBS-Fernsehen NY 1962, szenisch Hbg 1963).
Orchesterwerke: Symphonie Es dur op. 1 (1905–07, revidiert 1907 und 1914); *Scherzo fantastique* op. 3 (1907–08); *Feu d'artifice* op. 4 (1908); *Chant funèbre* für Blasorch. op. 5 (1908, verschollen); *Symphonies d'instr. à vent* (in memoriam Cl. Debussy, 1920, revidiert 1945–47); Suite Nr 2 für kleines Orch. (1921; nach *Trois pièces faciles* und Nr 5 der *Cinq pièces faciles* für Kl. 4händig); Concerto für Kl., Bläser, Pk. und Kb. (1923–24, revidiert 1950); Suite Nr 1 für kleines Orch. (1917–25; nach Nr 1–4 der *Cinq pièces faciles* für Kl. 4händig); *Quatre études* (1914–18 und 1928, revidiert 1952; Nr 1–3 nach *Trois pièces* für Streichquartett, Nr 4 nach *Etude pour pianola*); Capriccio für Kl. und Orch. (1928–29, revidiert 1949); *Concerto en ré* für V. und Orch. (mit Dushkin, 1931); Praeludium für Jazzband (1936–37, revidiert 1953); »Concerto in Es« *Dumbarton Oaks* für Kammerorch. (1937–38); *Symphony in C* (1938–40); *Danses concertantes* für Kammerorch. (1941–42); *Four Norwegian Moods* (1942); *Circus Polka* (»für einen jungen Elefanten«, 1942, für Kl., 1942, für Blasorch. bearb. von D. Reksin, 1942); *Scènes de ballet* (1944); »Elegical Chant« *Ode* (1943); *Scherzo à la russe* für Big band (1944, für Orch., 1943–44); *Symphony in Three Movements* (1942–45); *Ebony Concerto* für Klar. und Jazz-Big band (1945); »Basler Concerto« *Concerto in D* für Streichorch. (1946); *Greeting Prelude* (1955); *Movements* für Kl. und Orch. (1958–59); *Eight Instrumental Miniatures* für 15 Spieler (1962; nach *Les cinq doigts* für Kl.); Variationen (A. Huxley in memoriam, 1963–64).
– Kammermusik: *Trois pièces* für Streichquartett (1914; für Orch. als Nr 1–3 der *Quatre études*); *Rag-Time* für 11 Instr. (1918); *Trois pièces* für Klar. solo (1919); Concertino für Streichquartett (1920, für 12 Instr., 1952); Oktett für Bläser (1922–23, revidiert 1952); *Duo concertant* für V. und Kl. (mit Dushkin, 1931–32); Elegie für Va (V.) solo (1944); Septett für Klar., Horn, Fag., Kl., V., Va und Vc. (1952–53); *Epi-*

taphium für Fl., Klar. und Hf. (»für das Grabmal des Prinzen Max Egon zu Fürstenberg«, 1959); Doppelkanon für Streichquartett (R. Dufy in memoriam, 1959); *Fanfare for a New Theatre* für 2 Trp. (1964). – Klavierwerke: Tarantella (1898); Scherzo (1902); Sonate Fis moll (1903–04); *Quatre études* op. 7 (1908); *Valse des fleurs* für 2 Kl. (1914; nach der Uraufführung, NY 1949, verschollen); *Trois pièces faciles* für Kl. 4händig (1914–15; als Nr 1–3 der Suite Nr 2 für kleines Orch.); *Cinq pièces faciles* für Kl. 4händig (1916–17; Nr 1–4 als Suite Nr 1 für kleines Orch., Nr 5 als Nr 4 der Suite Nr 2 für kleines Orch.); *Etude pour pianola* (1917; als Nr 4, *Madrid*, von *Quatre études* für Orch.); *Piano-Rag-Music* (1919); 8 sehr leichte Stücke im Fünftonumfang *Les cinq doigts* (1921; als *Eight Instrumental Miniatures* für 15 Spieler, 1962); Sonate (1924); *Sérénade en la* (1925); Concerto für 2 Kl. (1931–35); Tango (1940, auch für Orch., 1953, 1. Fassung für Orch. von F. Guenther, 1941); Sonate für 2 Kl. (1943–44).
Chorwerke (mit Instr.): Kantate für gem. Chor und Kl. (1904, verschollen); Kantate *Swjosdoliki* (»Le roi des étoiles«) für Männerchor und Orch. (K. Balmont, 1911–12); *Symphonie de psaumes* für Chor und Orch. (1930, revidiert 1948); Kantate *Babel* für Männerchor, Sprecher und Orch. (nach Moses I, 11, 1944); Messe für gem. Chor und doppeltes Bläserquintett (1944–48); Kantate für S., T., Frauenchor und 5 Instr. (1951–52); *Canticum sacrum. Ad honorem S. Marci nominis* für T., Bar., gem. Chor und Orch. (1955); *Threni. Id est Lamentationes Jeremiae Prophetae* für 6 Soli, gem. Chor und Orch. (1957–58); Kantate *A Sermon, a Narrative, and a Prayer* für A., T., Sprecher, gem. Chor und Orch. (1960–61); *Introitus* für Männerchor und Kammerensemble (T. S. Eliot in memoriam, 1965); *Requiem Canticles* für A., B., gem. Chor und Orch. (1965–66). – a cappella-Chöre: 4 russische Bauernlieder *Podbljudnyja* (»Unterschale«) für 1–3 Soli und 2–4st. Frauenchor (1914–17, für gleiche St. und 4 Hörner, 1954); *Ottsche nasch* (Pater noster, 1926), *Simwol wery* (Credo, 1932, Neufassung 1964) und *Bogorodize dewo* (Ave Maria, 1934; alle in Neufassung mit lateinischem Text, 1949) sowie Anthem *The Dove Descending Breaks the Air* (T. S. Eliot, 1962) für 4st. gem. Chor. – Sologesänge: Romanze »Sturmwolke« für St. und Kl. (Puschkin, 1902); Lied »Die Pilze ziehen in den Krieg« für B. und Kl. (1904); Gesangssuite *Fawn i pastuschka* (»La faune et la bergère«) für Mezzo-S. und Orch. op. 2 (Puschkin, 1906); Stücke für St. und Kl. (aus »Kosma Prutkow«, 1906, verschollen); »Souvenirs de mon enfance« *Trois petites chansons* für St. und Kl. (nach russischen Volksweisen, um 1906, endgültige Fassung 1913, erweitert für St. und kleines Orch. 1929–30); *Pastorale* für S. und Kl. (Vokalise, 1907, für St., Ob., Englisch Horn, Klar. und Fag., 1923, erweitert für V. und Kl., mit Dushkin, 1933, auch für V., Ob., Englisch Horn, Klar. und Fag., 1933); 2 Lieder für Mezzo-S. und Kl. op. 6 (S. Gorodezkij, 1907, 1908); *Deux poèmes* für Bar. und Kl. op. 9 (P. Verlaine, 1910, für Bar. und Kammerorch., 1910–14 und 1951); 2 Lieder für hohe St. und Kl. (K. Balmont, 1911, mit Kammerorch., 1954); *Trois poésies de la lyrique japonaise* für St. und Kl. (1912–13, auch mit Kammerorch., 1912–13); »Chansons plaisantes« *Pribaoutki* für (Männer-)St. und Instrumentalensemble (1914); Gesangssuite *Berceuses du chat* für mittlere St. und 3 Klar. (nach russischen Volksliedern, 1915–16); *Trois histoires pour enfants* für St. und Kl. (nach russischen Volksweisen, 1915–17; Nr 1 und 2 als Nr 4 und 3 der *Four Russian Songs*, Nr 1, *Tilimbom*, erweitert für St. und Orch., 1923); *Quatre*

chants russes für St. und Kl. (nach russischen Volkswei-sen, 1918–19; Nr 1 und 4 als Nr 1 und 2 der *Four Russian Songs*); *Three Songs from W. Shakespeare* für Mezzo-S., Fl., Klar. und Va (1953); *Four Russian Songs* für Mezzo-S., Fl., Hf. und Git. (1953–54; Nr 1 und 2 nach Nr 1 und 4 der *Quatre chants russes*, Nr 3 und 4 nach Nr 2 und 1 der *Trois histoires pour enfants*); »Dirge-Canons und Song« *In memoriam Dylan Thomas* für T., Streichquartett und 4 Pos. (1954); »A Sacred Ballad« *Abraham and Isaac* für Sprecher (Bar.) und Kammer-orch. (hebräischer Text, 1962–63); *Elegy for J. F. K.* für Mezzo-S. (Bar.) und 3 Klar. (Auden, 1964); *The Owl and the Pussy-Cat* für St. und Kl. (E. Lear, 1966).
B e a r b e i t u n g e n : *Kobold* (Grieg, 1909), Nocturne As dur und *Valse brillante* Es dur (Chopin, 1909) für Orch.; 2 »Flohlieder« für Bar. und Orch. (Beethoven, Mus-sorgskij, 1910); *Chowanschtschina* (Mussorgskij, mit Ravel, Paris 1913); »Lied der Wolgaschiffer« für Blä-ser und Schlaginstr. (nach einem russischen Volkslied, 1917); *La Marseillaise* für V. (1919); *Variation d'aurore* und *Entr'acte symphonique* für Orch. (1921) sowie *L'oiseau bleu* für kleines Orch. (1941; Tschaikowsky, »Dornröschen«); *The Star Spangled Banner* für Orch. und gem. Chor ad libitum (1941); *Choralvariationen . . . über* »*Vom Himmel hoch . . .*« für gem. Chor und Orch. (J. S. Bach, 1955–56); *Tres sacrae cantiones* für 6–7 St. a cappella (Gesualdo, 1957–59); *Monumentum pro Ge-sualdo di Venosa ad CD annum* für Instr. (nach 3 Madri-galen, 1960); *Canzonetta* für 2 Klar., 4 Hörner, Hf. und Kb. (Sibelius, 1963); *Two Sacred Songs* für Mezzo-S. und 9 Instr. (H. Wolf, *Spanisches Liederbuch*, 1968); 2 Praeludien und Fugen für Streicher und Holzbläser (J. S. Bach, »Wohltemperiertes Klavier«, um 1969); ferner weitere kleinere Werke und Skizzen (siehe E. W. White, Str., London und Berkeley/Calif. 1966).
S c h r i f t e n : +*Chroniques de ma vie* (mit W. Nouvel, 1935), Paris ²1962, auch = Bibl. médiations LXXXIII, 1971, Nachdr. der +engl. Ausg. (1936) NY 1962 und 1969, +deutsche Ausg. (1937) auch = List-Bücher CXVII, München 1958, russ. Leningrad 1963 und 1969, bulgarisch = Bibl. »Znameniti muzikanti« o. Nr, Sofia 1966, ungarisch Budapest 1969; +*Poétique musicale* (mit Roland-Manuel, 1942), frz. und engl. Cambridge (Mass.) 1970 (1 Bd), +deutsch (1949) Mainz ³1966, ital. Mailand 1954, dänisch Kopenhagen 1961, rumänisch Bukarest 1967, polnisch in: Res facta IV, 1970, S. 198ff. – Schriften mit R. Craft (vgl. dazu D. Hamilton in: Notes XXVI, 1969/70, S. 531f., und XXX, 1973/74, S. 286f., sowie L. Cyr in: NZfM CXXXIV, 1973, S. 83ff.): *Avec Str.* (Monaco 1958, Auszug deutsch Mün-chen 1962); *Conversations with I. Str.* (London 1958 und Garden City/N. Y. 1959) und *Memories and Commen-taries* (ebd. 1959 und 1960), zusammen als *Str. in Con-versation with R. Craft* (Harmondsworth 1962, deutsch Zürich 1961, auch frz., schwedische und serbokroati-sche [Teil-]Ausg.); *Expositions and Developments* (Garden City/N. Y. und London 1962); *Dialogues and a Diary* (Garden City/N. Y. 1963, erweitert London 1968, Aus-züge russ. in: Musyka i sowremennost V, hrsg. von T. A. Lebedewa, Moskau 1967, S. 262ff.; Sammel-Bd von *Conversations . . . , Memories . . . , Expositions . . .* und *Dialogues . . .*, russ. Leningrad 1971); *Themes and Episodes* (NY 1966, ²1967); *Retrospectives and Con-clusions* (NY 1969, erweitert als *Themes and Conclusions*, London 1972, verändert deutsch Ffm. 1972).
Ausg.: Faks. d. Skizzen 1911–13 v. »Le sacre du prin-temps«, London 1969. – »Petrushka«, hrsg. v. CH. HAMM, = Norton Critical Scores IV, NY 1967 (Fassung v. 1911; mit Kommentaren u. Aufsätzen). – »Die Gesch. v. Solda-ten«, übers. u. hrsg. v. H. R. HILTY u. E. HOLLIGER, St.

Gallen 1961 (basierend auf d. letzten Fassung d. frz. Origi-nals v. 1946 u. d. freien deutschen Nachdichtung H. Rein-harts v. 1921).
Lit.: (im folgenden gilt d. Abk. »Str.« f. alle üblichen Schreibweisen): Fjodor Str., Statji, pisma, wospominanija (»Aufsätze, Briefe, Erinnerungen«), hrsg. v. L. KUTATE-LADSE, Leningrad 1972 (mit Briefen v. I. Str.); I. F. Str., Statji i materialy (»Aufsätze u. Materialien«), hrsg. v. L. S. DJATCHKOWA, Moskau 1973 (mit 60 Briefen).
+Str.-Bibliogr. (P. D. MAGRIEL, 1940), 2. revidierte Ausg. in: Str. in the Theatre, hrsg. v. M. LEDERMANN, NY 1949, auch London 1951. – A. P. BASART, Serial Music. A Clas-sified Bibliogr. of Writings on Twelve-Tone and Electronic Music, Berkeley (Calif.) 1961 (Werke bis einschließlich »Threni«); CL. SPIES, Ed. of Str.'s Music, in: Perspectives on Schoenberg and Str., hrsg. v. B. Boretz u. E. T. Cone, Princeton (N. J.) 1968, ²1972; I. F. Str., A Practical Guide to Publ. of His Music, hrsg. v. D.-R. DE LERMA, Kent (O.) 1974. – D. HAMILTON, I. Str., A Discography of the Com-poser's Performances, in: Perspectives . . . (s. o.); D. STARKE, I. Str., Diskographisches Werkverz., in: R. Craft, Erinnerungen u. Gespräche, Ffm. 1972; I. Str., Phono-graphie, hrsg. v. U. SCHARLAU, ebd. – Str. and the Dance. A Survey of Ballet Productions, 1910–62, Ausstellungskat. NY 1962; Str. and the Theatre. A Cat. of Decor and Costume Designs f. Stage Productions of His Works, 1910–62, NY 1963. – A. NEWMAN, Bravo Str., Cleveland (O.) 1967 (Bilder-Slg mit Faks. v. »The Owl and the Pussy-Cat«); TH. STRAVINSKY, Catherine and I. Str., A Family Album, London 1973.
Sonder-H.: The Score 1957, Nr 20; Str., Wirklichkeit u. Wirkung, = Musik d. Zeit, N. F. I, Bonn 1958; Feuilles mus. XV, 1962, H. 2/3; MQ XLVIII, 1962, H. 3, als: Str., A New Appraisal of His Work, hrsg. v. P. H. LANG, = The Norton Library N 199, NY 1963; Musique en jeu 1971, Nr 4; Perspectives of New Music IX/2–X/1, 1971; Tempo 1962, Nr 61/62, 1967, Nr 81, u. 1971, Nr 97; Melos XXXVIII, 1971, H. 9; Les cahiers canadiens de musique, 1972, Nr 4.
+A. CASELLA, I. Str. (1926), erweitert Brescia 1947, ³1961; +TH. W. ADORNO, Philosophie d. neuen Musik (1949), Ffm. ³1969, Paperbackausg. 1972, frz. Paris 1962, un-garisch Budapest 1970; +M. MONNIKENDAM, I. Str. (1958), Neudr. = Componisten-serie III, ebd. 1966; +R. VLAD, Str. (= Saggi Bd 231, 1958), Nachdr. d. +engl. Ausg. (1960) London 1967, Paperbackausg. 1971, rumänisch Bukarest 1967; +R. SIOHAN, Str. (1959), Paris ²1971, engl. = Il-lustrated Calderbook CB LXXIII, London 1966, auch = Library of Composers II, NY 1970. – +P. STEPHAN, Str., . . . (in: Anbruch XIV, 1932 [nicht: XVI, 1934]); +I. Str. (E. CORLE, 1949), Nachdr. Freeport (N. Y.) 1969.
H. STROBEL, I. Str., = Atlantis-Musikbücherei o. Nr, Zü-rich 1956, engl. = Merlin Music Book VII, NY 1955, Nachdr. 1973; F. SOPEÑA, I. Str., Madrid 1956; H. H. STUCKENSCHMIDT, Str. u. sein Jh., = Anm. zur Zeit V, Bln 1957; E. W. WHITE in: European Music in the 20th Cent., hrsg. v. H. Hartog, London 1957, S. 40ff.; Str., ebd. u. Berkeley/Calif. 1966 (grundlegend); S. LIFAR, Str. et Diaghilev, Cahiers mus. III, 1958; A. PLEBE, La poetica di Str., Rivista di estetica V, 1960; E. ANSERMET, Les fonde-ments de la musique dans la conscience humaine, 2 Bde, = Langages I, Neuchâtel 1961, bearb. deutsch München 1965; DERS., Ecrits sur la musique, hrsg. v. J.-Cl. Piget, Neuchâtel 1971; FR. HERZFELD, I. Str., = Rembrandt-Reihe XXXV, Bln 1961; H. ENGEL, Der Komponist als Ästhetiker. Str., in: H. Albrecht in memoriam, Kassel 1962; H. GRAF, Str. u. d. Klavierklang, ÖMZ XVII, 1962; D. MITCHELL, Str. and Neo-Classicism, in: Tempo 1962, Nr 61/62; DERS., The Language of Modern Music, London 1963, ²1966; A. SOURIS, Debussy et Str., RBM XVI, 1962; U. WEISSTEIN, Cocteau, Str., Brecht, and the Birth of Epic Opera, in: Modern Drama V, 1962; TH. W. ADORNO, Str., Ein dialektisches Bild, in: Quasi una fantasia. Mus. Schrif-ten II, Ffm. 1963; L. FÁBIÁN, I. Sztravinszkij, = Kis zenei könyvtár XXVII, Budapest 1963; S. GOSLICH, Str., Objektivität d. Wiedergabe, in: Vergleichende Interpreta-tionskunde, = Veröff. d. Inst. f. Neue Musik u. Musik-erziehung Darmstadt IV, Bln 1963; B. JARUSTOWSKIJ, I. Str., Kratkij otscherk schisni i tvortschestwa (»I. Str., Kur-zer Abriß d. Lebens u. Schaffens«), Moskau 1963, ²1969,

deutsch Bln 1966; DERS., Musykalnyj dnewnik mastera (»Mus. Tagebuch eines Meisters«), SM XXXV, 1971; L. PESTALOZZI, Il »puro gioco« str.ano, in: Il verri, N. S. 1963, Nr 7; N. NABOKOV, I. Str., = Köpfe d. 20. Jh. XXXVI, Bln 1964; G. TINTORI, Str., Mailand 1964, frz. Paris 1966; GR. BERGER, I. Str., Wolfenbüttel 1965; G. CIAMAGA, 20th Cent. Orchestration and Its Practice in the Works of Str., Diss. Brandeis Univ. (Mass.) 1965; P. FALTIN, I. Str., = Hudobné profily V, Bratislava 1965; A. v. MILLOSS, Str. u. d. Ballett, ÖMZ XX, 1965; M. PHILIPPOT, I. Str., = Musiciens de tous les temps XVIII, Paris 1965; CL. SPIES, Some Notes on Str.'s Requiem Settings, in: Perspectives on Schoenberg and Str., hrsg. v. B. Boretz u. E. T. Cone, Princeton (N. J.) 1968, ²1972; DERS., Impressions After an Exhibition, in: Tempo 1972, Nr 102; U. DIBELIUS, Str.s mus. Wirklichkeit, in: Melos XXXIV, 1967; P. MEYLAN, Ch.-F. Ramuz et les musiciens, Rev. mus. de Suisse Romande XX, 1967; O. NORDVALL, I. Str., Ett porträtt med citat, Stockholm 1967; L. SCHRADE, Altes im Neuen Werk, in: De scientia musicae studia atque orationes, Bern 1967; I. Str., = Génies et réalités o. Nr, Paris 1968 (Sammelschrift); L. DAVIES, Str. as Littérateur, ML XLIX, 1968; P. M. YOUNG, Str., NY u. London 1969; A. DOBRIN, I. Str., NY 1970; W. W. SMIRNOW, Twortscheskoje formirowanije I. F. Str.owo (»I. F. Str.s schöpferischer Werdegang«), Leningrad 1970; J. L. BROECKX, I. Str., Poging tot inzicht in zijn hist. rol, Tijdschrift v. de Vrije Univ. Brussel XIII, 1970/71, engl. als: I. Str., An Attempt at an Inside Into His Hist. Role, in: Interface I, 1972; R. BERNIER, Propos sur I. Str., Bull. de la Classe des beaux-arts de l'Acad. royale de Belgique LIII, 1971; P. H. LANG in: MQ LVII, 1971, S. 506ff.; H. OESCH, I. Str. u. sein Werk, in: Universitas XXVI, 1971; In memoriam I. Str., hrsg. v. D. RÉVÉSZ, Budapest o. J. (1971?); R. WANGERMÉE, Specchi di Str., nRMI V, 1971; D. BANCROFT, Str. and the ,NRF', ML LIII, 1972 u. LV, 1974; R. CRAFT, Str., Chronicle of a Friendship, 1948–71, London u. NY 1972, Paperbackausg. 1973; M. DRUSKIN, Sametki o Str.om (»Bemerkungen über Str.«), SM XXXI, 1972; P. HORGAN, Encounters with Str., A Personal Record, London u. NY 1972; L. LIBMAN, And Music at the Close. Str.'s Last Years. A Personal Memoir, NY 1972; R. VLAD, Gli ultimi anni di Str., nRMI VI, 1972; R. MIDDLETON, Str.'s Development. A Jungian Approach, ML LIV, 1973; DERS., After Wagner. The Place of Myth in 20th-Cent. Music, MR XXXIV, 1973; E. L. WAELTNER, Str.s mg. Vorstellungen, in: Zwischen Tradition u. Fortschritt, hrsg. v. R. Stephan, = Veröff. d. Inst. f. Neue Musik u. Musikerziehung Darmstadt XIII, Mainz 1973; J. WILDBERGER, Eine mus.-rhetorische Figur bei Str., SMZ CXIII, 1973; FR. ROUTH, Str., = Master Musicians Series o. Nr, London 1974.

R. CRAFT, A. PIOVESAN u. R. VLAD, Le musiche religiose di I. Str., Venedig 1957 (mit Werkverz.); P. MEYLAN, Une amitié célèbre. Ch. F. Ramuz, I. Str., Lausanne u. Paris 1961; L. FREDERICKSON, Str.'s Instrumentation, Diss. Univ. of Illinois 1961; M. COSMAN u. H. KELLER, Str. at Rehearsal, London 1962, deutsch als: Str. dirigiert, Ffm. 1962; A. DE BERNARDI, I. Str., Lettura dal »russo« al »neoclass.«, Diss. Turin 1964; J. A. HUFF, Linear Structures and Their Relation to Style in Selected Compositions by I. Str., Diss. Northwestern Univ. (Ill.) 1965; W. N. CHOLOPOWA, Oritmitscheskoj technike i dinamitscheskich swojstwach ritma Str.owo (»Über d. rhythmische Technik u. d. dynamischen Eigenschaften d. Rhythmus' bei Str.«), in: Musyka i sowremennost IV, hrsg. v. T. A. Lebedewa, Moskau 1966, deutsch als: Russ. Quellen d. Rhythmik Str.s, Mf XXVII, 1974; A. SCHNITKE, Ossobennosti orkestrowowo golossowedenija rannich proiswedenij Str.owo (»Die Besonderheiten d. orchestralen Stimmführung in Str.s frühen Werken«), in: Musyka i sowremennost V, hrsg. v. T. A. Lebedewa, Moskau 1967; W. SMIRNOW, O predpossylkach ewoljuzii Str.owo k neoklassizismu (»Über d. Voraussetzungen d. Entwicklung Str.s zum Neoklassizismus«), in: Woprossy teorii i estetiki musyki V, hrsg. v. Ju. A. Kremljow, Leningrad 1967; DERS., U istokow kompositorskowo puti I. Str.owo (»Über I. Str.s Anfang d. Kompositionsweges«), ebd. VIII, 1968; G. MOKREJEWA, Ob ewoljuzii garmonii rannewo Str.owo (»Über d. Entwicklung d. Harmonie beim frühen Str.«), in: Teoretitscheskije problemy musyki XX weka I, hrsg. v. Ju. N. Tjulin, Moskau 1967; G. GRIGORJEWA, Russkij folklor w sotschinenijach Str.owo (»Russ. Folklore in Str.s Werken«), in: Musyka i sowremennost VI, hrsg. v. T. A. Lebedewa, ebd. 1969; A. SOURIS, La musique sacrée d'I. Str., in: Encyclopédie des musiques sacrées, Traditions chrétiennes, Bd II, Paris 1970; A. GENTILUCCI, Il pfte di Str., in: Chigiana XXVI/XXVII, N. S. VI/VII, 1971; J. PEYSER, The New Music. The Sense Behind the Sound, NY 1971, Paperbackausg. 1972; J. HUNKEMÖLLER, I. Str.s Jazz-Porträt, AfMw XXIX, 1972; G. PESTELLI, Il giovane Str. (1906–13), = Corsi universitari o. Nr, Turin 1973; L. SOMFAI, Sprache, Wort u. Phonem im vokalen Spätwerk Str.s, in: Über Musik u. Sprache, hrsg. v. R. Stephan, = Veröff. d. Inst. f. Neue Musik u. Musikerziehung Darmstadt XIV, Mainz 1974.

L. ERHARDT, Balety I. Str.ego (»Die Ballette v. I. Str.«), Krakau 1962; N. GOLDNER, The Str. Festival of the NY City Ballet, NY 1974. – I. JA. WERSCHININA, Rannije balety Str.owo. Schar-ptiza, Petruschka, Wesna swjaschtschennaja (»Str.s frühe Ballette. L'oiseau de feu, Petruschka, Le sacre du printemps«), Moskau 1967; H. KIRCHMEYER, Str.s russ. Ballette. Der Feuervogel, Petruschka, Le sacre du printemps, Stuttgart 1974. – A. DENNINGTON, The Three Orchestrations of Str.'s »Firebird«, in: The Chesterian XXXIV, 1960; W. SMIRNOW, Estetika i stil »Scharptizy« I. Str.owo (»Ästhetik u. Stil d. ,L'oiseau de feu' v. I. Str.«), in: Woprossi teorii i estetiki musyki VIII, hrsg. v. Ju. A. Kremljow, Leningrad 1968; D. STOVEROCK, Zwei Ballette: »Der Feuervogel« v. I. Str. u. »Hamlet« v. B. Blacher, = Schriftenreihe »Die Oper« o. Nr, Bln 1969. – R. STEPHAN, Vom alten u. v. neuen Petruschka, I. Str. 1910 u. 1946, NZfM CXXIII, 1962; H. ETTL, Petruschka. Ein Modell zur Werkbetrachtung im Musikunterricht, Stuttgart 1968; I. F. KOWSCHAR, Put I. F. Str.owo k »Petruschke« i balet »Petruschka« (»I. F. Str.s Weg zu ,Petruschka' u. d. Ballett ,Petruschka'«), Diss. Leningrad 1969; A. JARZĘBSKA, Folklor rosyjski w »Petruszce« I. Str.ego (»Russ. Folklore in I. Str.s ,Petruschka'«), in: Muzyka XVIII, 1973. – P. BOULEZ, Str. demeure, in: Musique russe I, Paris 1953, Wiederabdruck in: Relevés d'apprenti, hrsg. v. P. Thévenin, = Tel quel o. Nr, Paris 1966 (zu »Le sacre du printemps«); H. SCHARSCHUCH, Analyse zu I. Str.s »Sacre du printemps«. Studie zu Entstehung u. Gesch. d. Leittonklanges zwischen 1400 u. 1930, = Forschungsbeitr. zur Mw. VIII, Regensburg 1960; I. VOJTĚCH, Svěcení jara (»Le sacre du printemps«), in: Divadlo 1962, Nr 6; B. PILARSKI, »Święto wiosny« I. Str.ego (»,Le sacre du printemps' v. I. Str.«), in: Szkize o muzyce, Warschau 1969; S. SKREBKOW, K woprossu o stile sowremennoj musyki. »Wesna swjaschtschennaja« Str.owo (»Zur Frage d. Stils d. modernen Musik. ,Le sacre du printemps' v. Str.«), in: Musyka i sowremennost VI, hrsg. v. T. A. Lebedewa, Moskau 1969; R. SMALLEY, The Sketchbook of the Rite of Spring, in: Tempo 1969/70, Nr 91; TR. C. BULLARD, The First Performance of I. Str.'s »Sacre du printemps«, 3 Bde, Diss. Univ. of Rochester (N. Y.) 1971; H. POUSSEUR, Str. selon Webern selon Str., in: Musique en jeu 1971, Nr 4–5, engl. in: Perspectives of New Music X, 1971/72, Nr 2, u. XI, 1972/73, Nr 1 (zu »Agon« u. »Le sacre du printemps«); A. SCHAEFFNER, Au fil des esquisses du »Sacre«, Rev. de musicol. LVII, 1971. – E. FORNEBERG, Von Andersens Nachtigallen-Märchen zu Str.s Oper »Le rossignol«, in: Musik u. Musikerziehung in d. Reifezeit, hrsg. v. E. Kraus, Mainz 1959. – A. SCHAEFFNER, »Renard« et »l'époque russe« de Str., in: La musique et ses problèmes contemporains ..., 1. Teil, = Cahiers de la Compagnie M. Renaud – J. L. Barrault 1963, Nr 41; A. DE BERNARDI, »Renard« di Str., in: Il convegno mus. I, 1964. – KL. REINHARDT, I. Str.s Konzertsuite nach d. »Gesch. v. Soldaten« in Zusammenhang mit d. Textbuch v. Ch. F. Ramuz, in: Musik u. Bildung III, 1971. – W. EBERMANN u. M. KOERTH, Die Verwandlung Pulcinellas. Ein Beitr. zur Entdeckung Pergolesis f. d. Musiktheater, Jb. d. Komischen Oper Bln III, 1962/63; H. HUCKE, Die mus. Vorlagen zu I. Str.s »Pulcinella«, Fs. H. Osthoff, = Frankfurter musikhist. Studien o. Nr, Tutzing 1969. – H. LINDLAR, Christ-kultische Elemente in Str.s Bauernhochzeit, in: Melos XXV, 1958; FR. HRABAL, Svatba (»Les noces«), in: Divadlo 1962, Nr 6; R. BIRKAN,

O poetitscheskom texte »Swadebki« Str.owo (»Über d. poetischen Text v. ,Les noces' v. Str.«), in: Russkaja musyka na rubesche XX weka, hrsg. v. M. K. Michajlow u. E. M. Orlowa, Moskau 1966; DERS., O tematisme »Swadebki« Str.owo («Über d. Thematik v. ,Les noces' v. Str.«), in: Is istorii musyki XX weka, hrsg. v. R. S. Druskin u. a., ebd. 1971; R. CRAFT, Str.'s Svadebka (Les noces), in: Prejudices and Disguise, NY 1974. – D. GUTKNECHT, Str.s zwei Fassungen d. »Apollon musagète«, Fs. K. G. Fellerer, Köln 1973. – M. SEE, I. Str., The Rake's Progress, Bonn 1951. – JU. WS. KELDYSCH, Balet »Agon« i »Nowyj etap« Str.owo (»Das Ballett ,Agon' u. ,Die neue Etappe' v. Str.«), SM XXIV, 1960.
E. STAEMPFLI, Str.s »Symphonies d'instr. à vent«, in: Melos XXXVI, 1969; L. SOMFAI, Symphonies of Wind Instr., StMI XIV, 1972. – E. PAŁŁASZ, Elementy barokowego stylu w Koncercie skrypcowym D-dur I. Str.ego (»Elemente d. Barockstils in Str.s V.-Konzert D dur«), in: Polsko-rosyjskie miscellanea muzyczne, hrsg. v. Z. Lissa, Krakau 1967. – B. M. WILLIAMS, Time and the Structure of Str.'s Symphony in C, MQ LIX, 1973. – U. KRAEMER, »Four Norwegian Moods« v. I. Str., in: Melos XXXIX, 1972. – CL. SPIES, Notes on Str.'s Variations, in: Perspectives on Schoenberg and Str., hrsg. v. B. Boretz u. E. T. Cone, Princeton (N. J.) 1968, ²1972. – W. KOLNEDER, Str.s »Drei Stücke f. Streichquartett«, ÖMZ XXVI, 1971. – E. L. WAELTNER, Aspekte zum Neoklassizismus Str.s: Schlußrhythmus, Thema u. Grundriß im Finale d. Bläser-Oktetts 1923, Kgr.-Ber. Bonn 1970. – H. L. SCHILLING, Zur Instrumentation in I. Str.s Spätwerk, aufgezeigt an seinem »Septett 1953«, AfMw XIII, 1956. – D. C. JOHNS, An Early Serial Idea of Str., MR XXIII, 1962 (zur Sonate f. 2 Kl.).
CL. GOTTWALD, Swesdoliki u. d. mus. Archetypik, in: Melos XXXVIII, 1971. – D. ZIMMERSCHIED, I. Str., Symphonie de psaumes, in: Perspektiven neuer Musik, Mainz 1974. – C. MASON, Serial Procedures in the Ricercar II of Str.'s »Cantata«, in: Tempo 1962, Nr 61/62. – A. v. RECK, Gestaltzusammenhänge im »Canticum sacrum« v. Str., SMZ XCVIII, 1958; KL. v. LOEFFELHOLZ, I. Str.s »Canticum sacrum«, NZfM CXXIX, 1968; H. VOGT, Neue Musik seit 1945, Stuttgart 1972 (zum »Canticum sacrum«, S. 283ff., mit Analyse v. H. P. Raiss). – C. MASON, Str.'s New Work, in: Tempo 1961, Nr 59 (zu »A Sermon, a Narrative, and a Prayer«); TH. CLIFTON, Types of Symmetrical Relations in Str.'s »A Sermon, a Narrative, and a Prayer«, in: Perspectives of New Music IX, 1970/71. – E. SALZMAN, Current Chronicle. United States, Princeton, MQ LIII, 1967 (zu »Requiem Canticles«). – CL. SPIES, Notes on Str.'s »Abraham and Isaac«, in: Perspectives on Schoenberg and Str., hrsg. v. B. Boretz u. E. T. Cone, Princeton (N. J.) 1968, ²1972. – R. HOLLOWAY, Str.'s Self-Concealment, in: Tempo 1974, Nr 108 (zu d. geistlichen Vokalwerken).
H. L. SCHILLING, I Str.s Erweiterung u. Instrumentation d. canonischen Orgelvariationen »Vom Himmel hoch, da komm ich her« v. J. S. Bach, MuK XXVII, 1957. – R. MACONIE, Str.'s Final Cadence, in: Tempo 1972, Nr 103 (zu »Two Sacred Songs« nach H. Wolf).

+Strecke, Gerhard Werner, * 13. 12. 1890 zu Oberglogau (Oberschlesien), [erg.:] † 8. 12. 1968 zu Ratingen (bei Düsseldorf).
Ein Teil seiner Werke wurde 1914 und 1945 durch Kriegseinwirkung vernichtet. – Weitere Werke: Missa tertia für 2 (oder 4) Singst. und Org. op. 91; Eichendorff-Tricinien für gleiche St. op. 93; 7 Lieder für Singst. und Kl. op. 94; Konzert op. 95 und Capriccio op. 96 für V. und Orch.; Praeludium und Fuge für Org. op. 97; Symphonische Legende op. 98 und 10. Suite Weberiade op. 99 für Orch.; 3 Triosonaten op. 100 und 24 Praeludien und Fugen in allen Tonarten op. 101 für Org. – Autobiographisches wurde posthum veröffentlicht als Aus meiner Erinnerungsmappe (in: Schlesien XV, 1970) und Eine Selbstdarstellung (in: Zeitgenössische schlesische Komponisten, hrsg. von G.Pankalla und G.Speer, = Veröff. des Arbeitskreises für schlesisches

Lied und schlesische Musik IV, Dülmen/Westf. 1973, mit Werkverz.).
Lit.: G. Str., hrsg. v. K. SCHODROCK, = Kulturwerk Schlesien XVII, Würzburg 1965 (mit Werkverz.). – A. SCHMITZ in: Schlesien V, 1960, S. 225ff.; J. THAMM in: Musica sacra LXXXI, 1961, S. 88ff.

Strecker, Heinrich Josef, * 24. 2. 1893 zu Wien; österreichischer Komponist, studierte bei C.Horn in Wien und war als Theaterkapellmeister tätig. Er komponierte Singspiele (Die Kleine vom Zirkus, Wien 1931; Ännchen von Tharau, Breslau 1932, daraus Draußen ist Frühling), Operetten (Der ewige Walzer, Bremen 1937, daraus Besuch in der Lobau) und eine Reihe von Wiener-liedern (Ja, ja der, Wein ist gut, 1923; Drunt' in der Lobau, 1928; Sing' mir das Lied noch einmal, 1937).

Strehler (str'e:ler), Giorgio, * 14. 8. 1921 zu Barcola (Triest); italienischer Regisseur, Theaterleiter und Schauspieler, gründete 1947 in Mailand mit Paolo Grassi das »Piccolo Teatro«. 1972 wurde er für 6 Jahre als künstlerischer Berater der Salzburger Festspiele engagiert. Von seinen Operninszenierungen seien genannt: Jeanne d'Arc au bûcher (Mailand 1945) und Judith (ebd. 1951) von A.Honegger; Ljubow k trjom apelsinam (»Die Liebe zu den drei Orangen«, ebd. 1947) und in szenischer Uraufführung Ognennyj angel (»Der feurige Engel«, Venedig 1955) von Prokofjew; La Traviata (Mailand 1948); Lulu von Alban Berg (Venedig 1949); Ariadne auf Naxos von R.Strauss (Mailand 1950); Die Dreigroschenoper von Brecht/Weill (ebd. 1956); Histoire du soldat von Strawinsky (ebd. 1957); Die Entführung aus dem Serail (Salzburger Festspiele 1965) und Die Zauberflöte (ebd. 1974) sowie Fidelio (Maggio Musicale Fiorentino 1969); ferner Opern von Piccinni, Cimarosa, Donizetti, Massenet, G.Fr.Malipiero und Petrassi. – Str., an dessen Regiearbeit die Bühnenbildner Damiani maßgeblichen Anteil hat, inszeniert eine auf kritischer Textkenntnis beruhende analytisch pointierte Kunstrealität; historisierende Stilzitate etwa oder (wie in der Entführung) die ostentativ herausgespielte Antithetik von gesprochenem und gesungenem Theater unterstützen die Zeigefunktion der Bühne.
Lit.: Piccolo Teatro 1947–58, Mailand 1958 (Dokumentation); R. REBORA, G. Str., Panorama dell'arte ital., Turin 1951; S. D'AMICO, Palcoscenico del dopoguerra, ebd. 1953; E. GAIPA, G. Str., Bologna 1960.

+Streich, Rita (verheiratete Berger), * 18. 12. 1920 [nicht: 1926] zu Barnaul (Nowosibirsk).
R. St., die 1953 erstmals an der Staatsoper Wien gastierte, war 1956–72 deren Mitglied. Als Gast sang sie daneben an verschiedenen international bedeutenden Opernhäusern. Sie wirkte auch bei den Festspielen von Salzburg, Bayreuth, Glyndebourne, Aix-en-Provence u. a. mit und gab Liederabende in zahlreichen europäischen Ländern, den USA, Japan, Australien und Neuseeland. 1974 übernahm sie als Professor eine Gesangsklasse an der Folkwang-Hochschule in Essen.
Lit.: O. ALAIN in: Musica (Disques) 1963, Nr 113, S. 4ff.

Streicher, Ljubow Lwowna, * 3.(15.) 3. 1888 zu Wladikawkas (Nordkaukasus), † 31. 3. 1958 zu Moskau; russisch-sowjetische Komponistin und Pädagogin, absolvierte 1910 ein Violinstudium bei L.Auer sowie 1913 ein Kompositionsstudium bei Ljadow und M. Steinberg am St.Petersburger Konservatorium, an dem sie gleichzeitig (1911–13) Solfège lehrte. 1913–15 unterrichtete sie in Jekaterinodar Violine und Musiktheorie, dirigierte das dortige Symphonieorchester und wirkte als Pädagogin in Rostow am Don (1915–21), an der Glinka-Musikschule in Petrograd (1922–24), am Leningrader Konservatorium (1932–37) sowie am

Gnessin-Musikinstitut in Moskau (1946–52). Sie schrieb u. a. die Kinderoper *Tschassy* (»Uhren«, 1932), das Ballett *Notschi fialki* (»Die Nacht der Veilchen«, 1914), *Jewrejskaja poema* (»Jüdisches Poem«, 1927) und die Symphonie *Schenschtschina wostoka* (»Die Frau aus dem Osten«, 1937) für Orch., *Armjanskij kwartet* (»Armenisches Quartett«) für Streichquartett (1936), ein Streichquartett (1955), eine Violoncellosonate (1944) sowie Lieder und Bearbeitungen von Volksliedern.

Streicher, Ludwig, * 26. 6. 1920 zu Wien; österreichischer Kontrabassist und Violoncellist, studierte ab 1934 an der Wiener Musikakademie (Diplom 1940), war am Staatstheater in Krakau Solokontrabassist (1940–44) und Solovioloncellist (ab 1943). Er ist Mitglied der Wiener Philharmoniker und des Orchesters der Staatsoper in Wien (seit 1945) sowie der Wiener Hofmusikkapelle (seit 1958). 1966 wurde er Professor für Kontrabaß an der Akademie (heute Hochschule) für Musik und darstellende Kunst in Wien (1973 außerordentlicher Hochschulprofessor) und begann als Kontrabaßsolist zu konzertieren. Tourneen führen ihn durch Europa und in den Nahen Osten.

Streisand (stı'aizənd), Barbra, * 24. 4. 1942 zu New York; amerikanische Sängerin und Schauspielerin, erhielt Gesangs- und Schauspielunterricht in New York, trat zuerst als Sängerin in Nachtclubs auf und wurde einem größeren Publikum durch Fernsehsendungen bekannt (*PM East* von Mike Wallace). Sie errang ihren ersten Bühnenerfolg 1962 in dem Musical *I Can Get It for You Wholesale* von →Rome. Seit der Broadway-Inszenierung (1964) von →Stynes Musical *Funny Girl* gilt B. Str. als eine der vielseitigsten amerikanischen Musicaldarstellerinnen. 1969 verkörperte sie die Hauptrolle in der Verfilmung des Musicals *Hello Dolly* von J. →Herman.

+Strelnikow, Nikolaj Michajlowitsch (Mesenkampf), 2.(14.) 5. 1888 zu St. Petersburg [nicht: Plozk] – 1939.
1918–28 war er Mitarbeiter an der Zeitschrift *Schisn iskusstwa* (»Das Kunstleben«) und ab 1922 musikalischer Leiter des Leningrader Jugendtheaters. Seine zweite Oper heißt *Graf Nulin* (nach Puschkin, 1938). Str., der als der Begründer der sowjetischen Operette gilt, komponierte ferner die Operetten *Tschornyj amulet* (»Das schwarze Amulett«, Leningrad 1927), *Luna-park* (Moskau 1928), *Cholopka* (»Die Leibeigene«, Leningrad 1929), *Tschajchana w gorach* (»Tschajchana in den Bergen«, Moskau 1930), *Serdze poeta ili Béranger* (»Das Herz des Dichters oder Béranger«, Leningrad 1934) und *Presidenty i banany* (»Präsidenten und Bananen«, 1939).
Lit.: M. JANKOWSKIJ, Operetta, in: Istorija russkoj sowjetskoj musyki, hrsg. v. A. D. Alexejew u. W. A. Wassina-Grossman, Bd I, Moskau 1956; B. PUSCHTSCHIN in: SM XXXVI, 1972, H. 5, S. 50ff.

Streppọni, Feliciano, * 1797 zu Lodi, † 13. 1. 1832 zu Triest; italienischer Komponist, studierte bis 1820 am Mailänder Konservatorium bei Giuseppe Federici, wurde dann Maestro di cappella am Dom in Monza, wandte sich aber der Opernkomposition zu und verlor 1828 seine Stellung. Er wurde dann stellvertretender Kapellmeister von Farinelli am Teatro Grande in Triest, war 1830 auch Direktor dieses Theaters, dann nur noch Kapellmeister. Str. komponierte Opern (*Il marito nubile,* Turin 1822; *Chi fa così, fa bene,* Mailand 1823; *Francesca da Rimini,* Vicenza 1823; *Sargino, ossia L'allievo dell'amore,* Triest 1828; *L'Ullà di Bassora,* Mailand 1831) und Kirchenmusik. Seine Familie hinterließ er in Armut.

Lit.: G. OLDRINI, Storia mus. di Lodi, Lodi 1883; G. STEFANI, Verdi e Trieste, Triest 1951; FR. WALKER, The Man Verdi, NY u. London 1962.

Streppọni, Giuseppina (eigentlich Clelia Maria Josepha), * 8. 9. 1815 zu Lodi, † 14. 11. 1897 zu Sant'Agata (Parma); italienische Sängerin (Sopran), erste Tochter von Feliciano Str., studierte 1830–34 am Konservatorium in Mailand, trat 1834 in Triest auf, dann am Kärntnertortheater in Wien, in den folgenden Jahren u. a. in Venedig, Rom und Florenz. 1839 debütierte sie an der Mailänder Scala, wo sie mit dem Tenor Napoleone Moriani und dem Bariton Giorgio Ronconi ein dominierendes Dreigestirn bildete. 1846 zog sie sich nach Paris zurück, um eine Gesangsschule zu eröffnen, lernte dort 1847 Verdi kennen, mit dem sie ab 1848 zusammenlebte und 1859 die Ehe einging.
Lit.: M. MUNDULA, La moglie di Verdi, G. Str., Mailand 1938; FR. WALKER, The Man Verdi, NY u. London 1962; CL. SARTORI, La Str. e Verdi a Parigi nella morsa quarantottesca, nRMI VIII, 1974.

Stresemann, Wolfgang, * 20. 7. 1904 zu Dresden; deutscher Dirigent und Musikorganisator, studierte in Berlin, Heidelberg und Erlangen Rechtswissenschaft (Dr. jur. 1928) und in Berlin Musik (J. P. Ertel, Gmeindl), dirigierte die National Orchestral Association in New York (1939–45 Assistant Conductor), das Westminster Orchestra in Princeton/N. J. (1943) und das Toledo Orchestra in Toledo/O. (1949–55) und war Musikkritiker der »New Yorker Staatszeitung« (1945–49) sowie 1956–59 Intendant des Radio-Symphonie-Orchesters in Berlin. Seit 1959 ist er Intendant des Berliner Philharmonischen Orchesters. Str. ist auch als Komponist von Orchesterwerken, Kammermusik und Liedern hervorgetreten.

Striccius, Wolfgang, * um 1570 zu Wunstorf (Niedersachsen), † nach 1611; deutscher Komponist, wirkte als Kantor an der Lateinschule in Laibach/Ljubljana (1588–92) sowie als Musiklehrer und »publicus Imperali autoritate Notarius« in Uelzen (1593) und war nach einem Aufenthalt in Krems (Österreich) Schulmeister in Pattensen/Niedersachsen (1596–1611). Er schrieb *Neue Teutsche Lieder mit 4 St., mehrer thails ad pares v.* (Nürnberg 1588), *Der erste Teil newer teutscher Gesänge zu 5 und 4 St.* (Uelzen 1593), *Neue Teutsche Gesänge zu Dreyen St.* (Helmstedt 1600) und *Exulta satis filia,* Motette zu 6 St.
Lit.: DR. CVETKO, Zgodovina glasbene umetnosti na Slovenskem (»Gesch. d. Musik in Slowenien«), Bd I, Ljubljana 1958; A. RIJAVEC, Glasbeno delo v obdobju protestantizma na Slovenskem (»Die Musik in d. Zeit d. Protestantismus in Slowenien«), Diss. ebd. 1964; J. SIVEC, Zbirka »Neue Teutsche Lieder« (Nürnberg 1588) W. Str.' (»Die Slg ... v. W. Str.«), in: Muzikološki zbornik V, 1969 (mit engl. Zusammenfassung); DERS., Zbirka nemških pesni W. Str.a iz leta 1593 (»Die Slg deutscher Lieder v. W. Str. v. 1593«), ebd. VI, 1970 (mit engl. Zusammenfassung); DERS., Kompozicijski stavek W. Str.a (»Der Kompositionssatz v. ...«), = Razprave VII, 3, Ljubljana 1972 (mit deutscher Zusammenfassung).

Stricker, Augustin Reinhard, * um 1675 zu Berlin(?), † nach 1720; deutscher Komponist, erhielt seine Ausbildung wahrscheinlich in Italien, war ab 1702 Tenor, Instrumentalist und Kopist an der Königlichen Oper in Berlin, heiratete 1705 die Sängerin und Lautenistin Katharina Elisabeth Müller und wurde 1714 erster Kapellmeister am Anhalt-Köthener Hof, an dem er bis 1717 wirkte. 1717–18 lebte er als kurfürstlich-pfälzischer Kammerkompositeur in Neuburg a. d. Donau. Mattheson widmete ihm seine Schrift *Das beschützte*

Orchester (Hbg 1717). Str. schrieb die Opern *Der Sieg der Schönheit über die Helden* (mit Finger und Volumier, Bln 1706), *Alexanders und Roxanens Heirath* (Bln 1708), das Dramma boschereccio *Crudeltà consuma amore* (mit Finger, Ouvertüre, und Greber, 1. und 3. Akt, Neuburg 1717) sowie Kammermusik und veröffentlichte *Sechs italienische Cantaten* . . . (Köthen 1715).

Lit.: L. SCHNEIDER, Gesch. d. Oper in Bln, Bln 1852; C. SACHS, Musik u. Oper am kurbrandenburgischen Hofe, Bln 1910; H. A. FRENZEL, Brandenburgisch-preußisches Schloßtheater, Bln 1959.

Striegler, Christian, * 21. 5. 1931 zu Bischofswerda; deutscher Musikredakteur, studierte am Thüringischen Landeskonservatorium in Erfurt und an der Akademie für Musik und Theater in Dresden. Er war 1951–57 Pianist und Arrangeur im Orchester Heinz Kretzschmar und leitete dann ein eigenes Tanz- und Unterhaltungsorchester. 1961–64 war er Musikproduktionsassistent beim Hessischen Rundfunk (Fernsehen). Er ist gegenwärtig Musikredakteur beim WDR Köln (Fernsehen/Unterhaltung).

+Striggio (Strigi, Strigia), –1) Alessandro, um 1535 – zwischen 1589 und 1595 [del.: um 1587]. –2) Alessandro, [erg.:] um 1573 zu Mantua – 6. 6. 1630 zu Venedig.

Ausg.: zu –1): ein Satz in: 4 Madrigale v. Mantuaner Komponisten, 5- u. 8st., hrsg. v. D. ARNOLD, = Chw. LXXX, Wolfenbüttel 1961; 2 Sätze in: The Bottegari Lutebook, hrsg. v. C. MACCLINTOCK, = The Wellesley Ed. VIII, Wellesley (Mass.) 1965; La caccia a 4, 5, 6 e 7 v. (1567), hrsg. v. F. MOMPELLIO, = Capolavori polifonici del s. XVI, Bd XI, Rom 1972. – zu –2): d. Libretto v. »La favola d'Orfeo« in: Drammi per musica dal Rinuccini allo Zeno, hrsg. v. A. DELLA CORTE, = Classici ital. LVII, Turin 1958, Bd I.

Lit.: zu –1): +O. G. SONNECK, Miscellaneous Studies . . . (1921), Nachdr. NY 1968; +A. EINSTEIN, The Ital. Madrigal (1949), Nachdr. Princeton (N. J.) 1970. – R. J. TADLOCK, A. Str., Madrigalist, JAMS XI, 1958; DERS., The Early Madrigals of A. Str., 2 Bde (I Kommentar, II Übertragung), Diss. Univ. of Rochester (N. Y.) 1959; DERS. in: MGG XII, 1965, Sp. 1606ff.; W. ELDERS, The Lerma Cod., A Newly Discovered Choirbook from 17th-Cent. Spain, TVer XX, 4, 1967; B. R. HANNING, The Influence of Humanist Thought and Ital. Renaissance Poetry on the Formation of Opera, Diss. Yale Univ. (Conn.) 1969.

Strinasacchi (strinas'ak-ki), Teresa, * 1768 zu Ostiglia (Lombardei), † nach 1838; italienische Sängerin (Sopran), debütierte 1787 in Mantua in Paisiellos *Due contesse*, trat in Chioggia und Treviso (1791), in Volterra (1793) sowie in Wien auf. Sie gehörte zu den Ensembles venezianischer (1797–1801) und Pariser Bühnen (1801–05) und sang 1806 erstmals an der Mailänder Scala. Gastspiele führten sie an das Théâtre-Italien in Paris (1816) und nach London (1823). Ihre Glanzrolle war die Carolina in *Matrimonio segreto* von Cimarosa.

Lit.: F. PIROVANO, Notizie stor.-biogr. sulle opere di P. Guglielmi, RMI XVII, 1910.

+Stringfield, Lamar, * 10. 10. 1897 zu Raleigh (N. C.), [erg.:] † 21. 1. 1959 zu Asheville (Ala.).

Lit.: D. R. NELSON, The Life and Works of L. Str., Diss. Univ. of North Carolina 1971.

+Stringham, Edwin John, * 11. 7. 1890 zu Kenosha (Wis.), [erg.:] † 1. 7. 1974 zu Chapel Hill (N. C.).

Von seinen Kompositionen seien genannt: die symphonischen Dichtungen *Phantom* (1913), *Visions* (1926) und *Ancient Mariner* (1928), 3 Partels (1923), Symphonie (1929) sowie 2 Nocturnes (1932, 1938) für Orch., *Fantasy on a Negro Folk Theme* für V. und Orch. (1943); Notturno für Holzbläser, Hörner und Hf. (1934); Streichquartett (1936).

Strnad, Oskar, * 26. 10. 1879 zu Wien, † 3. 9. 1935 zu Bad Aussee; österreichischer Bühnenbildner und Architekt, wurde nach dem Studium an der Technischen Hochschule in Wien und einer praktischen Ausbildung 1909 von Roller an die Wiener Kunstgewerbeschule berufen. Ab 1912 selbständiger Architekt (Ehrenhof der Kölner Werkbundausstellung, 1914; Villen in Wien), entwarf er 1918 erste Bühnenausstattungen für das Wiener Volkstheater. Das Projekt einer »Ringbühne« (1920), bei der die innerhalb einer Rotunde amphitheatralisch ansteigenden Sitzreihen von einer drehbaren Rundbühne umfaßt werden, blieb unausgeführt. 1923 begann seine Zusammenarbeit mit M. Reinhardt. Ab 1926 war er – neben Roller – ständiger Bühnenbildner bei den Salzburger Festspielen (*Ariadne auf Naxos*, 1926; *Die Zauberflöte*, 1928; *Don Giovanni*, 1929; *Oberon*, 1932; *Tristan und Isolde*, 1933; *Die Entführung aus dem Serail*, 1935). Daneben wirkte er an den Staatsopern in Wien (*Wozzeck*, 1930), Dresden (*Der Ring des Nibelungen*, 1930/31) und Berlin (*Tannhäuser*, 1933) sowie am Pariser Théâtre-des-Champs-Elysées und beim Maggio Musicale Fiorentino. – Die von ihm geforderte Verbindung von Phantasie und Präzision führte zu szenischen Lösungen, die eine Synthese aus architektonischer Logik, ornamentaler Eleganz und handwerklicher Detailgenauigkeit bildeten, wobei der Realitätscharakter der Szenenbauten mit der malerischen Illusion zu einer Vision wirklichen Theatergeschehens verschmolz. Sein Nachlaß befindet sich in der Theatersammlung der Österreichischen Nationalbibliothek.

Lit.: J. GREGOR, O. Strn., sein Vermächtnis an d. Theater, Wiener Jb. f. Kunstgesch. XII/XIII, 1949; O. NIEDERMOSER, O. Strn. zum Gedenken, in: Alte u. moderne Kunst XIV, 1969.

+Strobel, Heinrich [erg.:] Eduard August, * 31. 5. 1898 zu Regensburg, [erg.:] † 18. 8. 1970 zu Baden-Baden.

Str., 1969 als Präsident der IGNM zurückgetreten, war Leiter der Musik-Abteilung (ab 1965 Hauptabteilung Musik und Unterhaltung) des Südwestfunks in Baden-Baden und Herausgeber von *Melos* bis zu seinem Tode. 1956 wurde er zum Ritter der Légion d'honneur und 1963 auf Vorschlag der Universität Freiburg i. Br. zum Professor ernannt; die Universität Basel verlieh ihm 1961 die Würde eines Dr. phil. h. c. – +*Cl. Debussy* (1940, frz. 1942 [nicht: 1952]), Zürich ⁵1961, span. = Libros de música o. Nr, Madrid 1966; +*P. Hindemith. Zeugnis in Bildern* (1955), 2. erweiterte Aufl. Mainz 1961. – Von seinen neueren Beiträgen seien genannt: *Die Einheit der modernen Kunst* (in: Prisma der gegenwärtigen Musik, hrsg. von J. E. Berendt und J. Uhde, = Soziale Wirklichkeit VI, Hbg 1959, auch in: Melos XXX, 1963); *Deutsche Musik zwischen den Weltkriegen* und *Deutschland seit 1945* sowie *Vier Jahrzehnte deutsches Musiktheater* (in: Melos XXX, 1963, letzterer Aufsatz auch in: Das Orchester XI, 1963); *Dialogue impromptu* (in: La musique et ses problèmes contemporains, 1953–63, Bd II, = Cahiers de la Compagnie M. Renaud–J.-L. Barrault XLI, Paris 1963); *Die deutsche Musik nach 1945* (in: Universitas XIX, 1964); *I. Strawinsky und seine Kunstauffassung* (ebd. XX, 1965); *So sehe ich Webern* (in: Melos XXXII, 1965); *Reflexionen über Debussy* (ebd. XXXIII, 1966); *50 Jahre Melos* (ebd. XXXVII, 1970); *Libretti für Rolf* (Fs. R. Liebermann, Hbg 1970, auch in: Melos XXXVII, 1970). – Str. war zwischen den Kriegen der Vorkämpfer für Hindemith und Strawinsky. Nach 1945 förderte er nachdrücklich die jungen Komponisten der Avantgarde. Dank seiner Initiative vergab der Südwestfunk mehr als 100 Kom-

positionsaufträge; die daraus entstandenen Werke wurden vorwiegend bei den Donaueschinger Musiktagen uraufgeführt, für deren künstlerische Gestaltung Str. verantwortlich war. 1968 wurde zu seiner Ehrung eine gemeinnützige H.-Str.-Stiftung des Südwestfunks e. V. ins Leben gerufen mit dem vorrangigen Ziel der Ausbildung des künstlerischen Nachwuchses und der musischen Erziehung der Jugend; im Rahmen der Stiftung besteht seit 1971 ein Experimentalstudio in Freiburg i. Br.
Lit.: Str.-Sonder-H., = Melos XXXV, 1968, H. 5. – K. H. Ruppel in: Antares V, 1957, Nr 8, S. 38ff.; H. Lindlar in: Musica XII, 1958, S. 300ff. – W.-G. Baruch in: Melos XXXVII, 1970, S. 381 (mit weiteren Nachrufen S. 382ff.); H. Oesch, Das »Melos« u. d. Neue Musik, Fs. f. einen Verleger (L. Strecker), Mainz 1973.

Strobl, Joseph (Pseudonym Karl Borgner), * 31. 3. 1908 zu München; deutscher Dirigent, studierte privat bei J. Haas und Pfitzner sowie an der Akademie der Tonkunst in München, wo er nach dem 2. Weltkrieg die Musikabteilung des Bayerischen Rundfunks leitete und 1946 Chefdirigent des Theaters am Gärtnerplatz sowie 1950 des Tonkünstlerorchesters wurde. Seit 1956 gastiert er im In- und Ausland. Er ist auch als Hörspielautor und Regisseur hervorgetreten, produzierte die erste Oper in Stereo (*Der Zerrissene* von G. v. Einem) und brachte am Bayerischen Rundfunk die deutsche Erstaufführung von Verdis *Il finto Stanislao* und Donizettis *Rita* heraus. Str. ist auch kompositorisch (*Scherzino* für großes Orch.; Concertino für Hackbrett und Streicher; *Fünf weltliche Gesänge* für T., gem. Chor und 15 Instr.) tätig. 1969 wurde er in Wien als erster Ausländer mit dem »Goldenen Rathausmann« ausgezeichnet.

Stroe, Aurel, * 5. 5. 1932 zu Bukarest; rumänischer Komponist, studierte 1951–56 am Bukarester Konservatorium (I. Dumitrescu, Andricu), an dem er seit 1962 Dozent für Komposition und Instrumentation ist. Er schrieb die Oper *Nu va primi premiul Nobel/Ça n'aura pas le prix Nobel* (Kassel 1971 als »Kein Nobelpreis dafür«), die Minioper *De Ptolemaeo* für Tonband (1970), Orchesterwerke (Symphonie, 1954; *Uvertura burlescă*, 1961; Konzert für Streichorch., 1950; *Arcade,* »Arkaden«, für 11 Instr., Org. und Ondes Martenot, 1962; *Laudes I* für 28 Streichinstr., 1966, und *II* für 12 instrumentale Ensembles, 1968; *Canto I* für 12 instrumentale Ensembles, 1967), Kammermusik (Trio für Ob., Klar. und Fag., 1953; Streichquartett, 1955; *Signum* für Bläser, 1963; Konzertmusik für Kl., Blechbläser und Schlagzeug, 1965; *Canto II* für Fl., Schlagzeug und 2 Kl., 1969; *Rêver c'est désengrener les temps superposés* für Klar., Vc. und Cemb., 1972; *De profundis* für Cemb., Kl., Org. und Tonband, 1973), Klavierwerke (Sonate, 1955), *Son et écho* für Tonband (1969) und Vokalwerke (Kantate für Chor und Orch. nach Pablo Neruda, 1957; *Cantata festivă* für gem. Chor und Orch., 1959; *Monumentum* für Männerchor und Instrumentalensemble, 1961; *Only Through Time, Time is Conquered*, für Bar., Org., 4 Pos. und 4 Gongs, nach T. S. Eliot, 1965; Kammerkantate für A., gem. Chor und Kammerorch., nach Paul Éluard, 1969; Lieder).
Lit.: C. D. Georgescu in: Muzica XXII, 1972, H. 11, S. 14ff. (zum »Canto II«).

Strohbach, Siegfried, * 27. 11. 1929 zu Schirgiswalde (Oberlausitz); deutscher Komponist, studierte 1946–49 Komposition und Dirigieren bei K. Thomas in Frankfurt a. M. und 1949–51 Gesang bei Gümmer in Hannover. 1951–53 war er Schauspielkapellmeister am Landestheater Hannover. Anschließend wirkte er in Hannover als Musiklehrer und Chorleiter und ist

seit 1966 dort Dozent an der Musikhochschule. Sein umfangreiches kompositorisches Schaffen umfaßt u. a. die Kammeroper *Die Wette – oder Herr Cecco besucht ein Gartenfest* (Hannover 1949), eine Serenade in D für Streichorch. (1950), ein Concerto in G für 2 Fl., Glockenspiel und Streichorch. (1960), das Klaviertrio *Der Kuckuck* (1958), geistliche Chorwerke (symphonische Kantate *Denn der Herr ist nahe* für S., Bar., gem. Chor und Orch., 1958; *Missa in perpetuo canone* für 4st. gem. Chor, 1961), weltliche Chorwerke (*5 Trinklieder* für Bar., Männerchor und Kl., 1951; *Eichendorff-Serenade* für 4st. gem. Chor, Fl., V. und Va, 1963; 5 Chorlieder aus *Des Knaben Wunderhorn* für 4st. gem. Chor, 1958), *Halunkensongs* für Bar., Trp., V., Kb., Akkordeon und Schlagzeug (Text Grasshoff, 1956), Volksliedbearbeitungen für Chor, Liederzyklen für Singst. und Kl. sowie Bühnenmusik.
Lit.: F. Kaufmann in: Musica sacra LXXXIII, 1963, S. 367ff. (zur »Missa in perpetuo canone«).

+**Stross,** Wilhelm [erg.:] Carl, * 5. 11. 1907 zu Eitorf (Sieg), [erg.:] † 18. 1. 1966 zu Rottach-Egern (Tegernsee).

Strouse (strauz), Charles, * 7. 6. 1928 zu New York; amerikanischer Komponist, studierte an der Eastman School of Music der University of Rochester/N. Y. (Diplom 1947), in Paris bei Nadia Boulanger sowie nach seiner Rückkehr in die USA bei Diamond und Copland. Er komponierte zahlreiche Songs auf Texte von Lee Adams, u. a. für Revuen (*Shoestring Revue*; *Shoestring '57*; *Catch the Star*; *Kaleidoscope*) sowie die Musicals mit sozialkritischer Tendenz *Bye Bye Birdie* (NY 1960), *All American* (NY 1962) und *Golden Boy* (NY 1964, daraus die Evergreens *Night Song, I Want to Be with You, No More*). Str. ist auch mit E-Musik hervorgetreten.

+**Stroux,** Christoph, * 18. 11. 1931 zu München. Str., ab 1965 Lehrbeauftragter an der Universität Freiburg i. Br., promovierte dort 1967 mit einer Arbeit über *Die Musica poetica des Magister H. Faber*. 1970 wurde er Senior Lecturer an der University of Port Elizabeth (Südafrika). Er war Hauptmitarbeiter am Personen- und Sachteil dieses Lexikons (1959–67); auch die vorliegenden Ergänzungsbände verdanken ihm Hinweise. Von seinen Veröffentlichungen sei genannt *Zur Entwicklung der Vorstellungen über die Orgel seit A. Schweitzer* (in: Orgel und Orgelmusik heute, hrsg. von H. H. Eggebrecht, = Veröff. der Walcker-Stiftung für orgelwissenschaftliche Forschung II, Stuttgart 1968).

Strozzi, Giulio, * 1583 und † 1660 zu Venedig; italienischer Literat und Dichter, studierte in Pisa, ging 1608 nach Rom und lebte später in Venedig, Urbino, Padua und Udine. Er gründete die Accademia degli Ordinati in Rom, versuchte eine Wiedererweckung der Accademia dei Dubbiosi in Udine, war Mitglied der Accademia degli Incogniti in Venedig und rief dort die Accademia Musicale degli Unisoni in seinem eigenen Haus ins Leben, wo er häufig selbst mit seiner Adoptivtochter Barbara auftrat. Neben einer Reihe von dramatischen Arbeiten schrieb er mehrere Operntextbücher, die u. a. von Monteverdi (*La finta pazza Licori*, Venedig 1628; *La Proserpina rapita*, ebd. 1630), Manelli (*La Delia o sia La sera sposa del solo*, ebd. 1639), Sacrati (*La finta pazza*, ebd. 1641; *La Proserpina rapita*, ebd. 1644) und Cavalli (*Il Romolo e 'l Remo*, ebd. 1645) in Musik gesetzt wurden. Außerdem veröffentlichte er *Le glorie della Signora A. Renzi romana* (Venedig 1644).
Ausg.: Libretto »La finta pazza« in: Drammi per musica dal Rinuccini allo Zeno, hrsg. v. A. Della Corte, = Classici ital. LVII, Turin 1958, Bd I

Lit.: CL. SARTORI, La prima diva della lirica ital., A. Renzi, nRMI II, 1968 (besonders S. 432ff.).

+Strozzi, Gregorio, [erg.:] nicht vor 1615 zu S. Severino (bei Potenza) – nach 1687 zu Neapel(?). Str. wurde 1634 Organist an der Chiesa dell'Annunziata in Neapel und ist noch 1643 dort nachweisbar.
Ausg.: Capricci da sonare cembali et organi (1687), hrsg. v. B. HUDSON, = Corpus of Early Keyboard Music XI, (Rom) 1967.
Lit.: W. APEL, Die südital. Clavierschule d. 17. Jh., AMl XXXIV, 1962; U. PROTA-GIURLEO, Due campioni della scuola mus. napoletana del s. XVII, in: L'org. III, 1962; B. HUDSON, Notes on Gr. Str. and His »Capricci«, JAMS XX, 1967.

+Strozzi, Piero (Pietro), [erg.:] * Mitte 16. Jh. zu Florenz.
Lit.: A. C. MINOR u. B. MITCHELL, A Renaissance Entertainment. Festivities f. the Marriage of Cosimo I, Duke of Florence, » in 1539, Columbia (Mo.) 1968; CL. V. PALISCA, »Camerata Fiorentina«. A Reappraisal, in: Studi mus. I, 1972.

+Strub, Max, * 28. 9. 1900 zu Mainz, [erg.:] † 23. 3. 1966 zu Detmold.
Lit.: H. GROHE in: Mitt. d. H.-Pfitzner-Ges. 1966, Nr 16, S. 2ff. (Nachruf).

Struck, Paul Friedrich, * 6. 12. 1776 zu Stralsund, † 14. 5. 1820 zu Preßburg; deutscher Komponist, studierte ab 1792 in Berlin und war 1796–99 Schüler von Albrechtsberger und J. Haydn. 1800 wurde er Mitglied der Kungl. Musikaliska akademien in Stockholm, wo er 1801 die schwedische Erstaufführung von Haydns *Schöpfung* organisierte. 1802 ließ er sich in Wien nieder und lebte von 1817 bis zu seinem Tode in Preßburg. Von seinen Werken seien genannt: 3 Sonaten für Kl., V. und B. op. 1 (1797, Haydn gewidmet); Streichquartett op. 2 (1797); *Grand trio* für Kl., V. und Vc. op. 3 (1797); 3 Sonaten für Kl., Fl. oder V. und B. op. 4 (1798); Quartett für Kl., Fl. und 2 Hörner op. 5; 3st. Gesänge für S., T. und B. op. 6; *Grand duo* für Kl. und Klar. oder V. op. 7 (1804); Symphonie Es dur (mit Zimbeln) op. 10 (1810); Lieder op. 11 und op. 15; Klavierquartett op. 12; *8 deutsche Tänze* für Kl. op. 13 (1815); *Trauer-Cantate beym Tode seines Kindes* op. 16 (1816); *Sonate pour le pfte avec clarinette et deux cors, ou violon et vc.* op. 17; ferner Menuett und Trio für Kl. 4händig (1796), Kantate *Die Geburts-Feyer einer Mutter* für S., T. und Kl. (1798) und 6 Gesänge für S., A., T., B. und Kl. (1808).
Lit.: C. FR. HENNERBERG, P. Str., en Wiener kompositör fran Haydns och Beethovens dagar (»..., ein Wiener Komponist aus Haydns u. Beethovens Tagen«), StMf III, 1920, deutsch Stralsund 1931; DERS., Die erste Aufführung v. Haydns Oratorium »Die Schöpfung«, StMf III, 1921; C.-G. STELLAN MÖRNER, P. Str.s schwedische Beziehungen 1800–10, in: Haydn-Studien II, 1969.

+Strüver, Paul, 1896 – [erg.: 6. 8.] 1957.

Strumiłło (strum'iųo), Tadeusz, * 10. 7. 1929 zu Ksiażniczki nr Kraków, † 12. 4. 1956 in der Hohen Tatra (Lawinenunglück); polnischer Musikforscher, studierte 1943–45 privat bei Jachimecki und dann bis 1951 an der Posener Universität bei Chybiński. Ab 1953 war er im polnischen Staatsverlag tätig. – Von seinen Veröffentlichungen seien genannt: *J. Zarębski* (Krakau 1954); *Szkice z polskiego życia muzycznego XIX wieku* (»Skizzen aus dem polnischen Musikleben des 19. Jh.«, = Małe monografie muzyczne V, ebd. 1954); *Sentymentalizm jako wstępna faza romantyzmu w muzyce polskiej* (»Die Sentimentalität als einleitende Phase der Romantik in der polnischen Musik«, Warschau 1955); *Źródła i początki romantyzmu w muzyce polskiej* (»Quellen und Ursprung der Romantik in der

polnischen Musik«, Krakau 1956). – Aufsätze: *Do dziejów symfonii polskiej* (»Zur Geschichte der polnischen Symphonie«, in: Muzyka IV, 1953); *Historiografia muzyki polskiego oświecenia i romantyzmu* (»Die Musikgeschichtsschreibung der polnischen Aufklärung und Romantik«, in: Materiały do studiów i dyskusji VI, 1955). – Er edierte von M. Kl. → +Ogiński *Listy o muzyce* (»Briefe über Musik«, = Źródła pamiętnikarsko-literackie do historii muzyki polskiej II, Krakau 1956).
Lit.: T. MAREK, T. Str., in: Przegląd kulturalny 1956, Nr 17; K. MICHAŁOWSKI, T. Str., ... (»T. Str., Zum 10. Todestag«), in: Tygodnik powszechny 1966, Nr 20.

+Strungk, Nicolaus Adam, 1640–1700.
Nach seiner Wirkungszeit als Violinist in Celle (1660/61) weilte Str. 1661–62 in Wien und ging erst 1665 an den Hof nach Hannover [del. bzw. erg. frühere Angaben dazu]. Ratsmusikdirektor in Hamburg wurde er 1679 [nicht: 1678].
Lit.: +A. MOSER, Gesch. d. Violinspiels (1923), 2. Aufl. hrsg. v. H.-J. Nösselt, 2 Bde, Tutzing 1966–67; +G. FROTSCHER, Gesch. d. Orgelspiels ... (I, 1935, ²1959), Bln ³1966. – FR. W. RIEDEL, Quellenkundliche Beitr. zur Gesch. d. Musik f. Tasteninstr. in d. zweiten Hälfte d. 17. Jh., = Schriften d. Landesinst. f. Musikforschung Kiel X, Kassel 1960.

+Strunk, William Oliver, * 22. 3. 1901 zu Ithaca (N. Y.).
Str. war 1959–60 Präsident der American Musicological Society. 1961–71 leitete er die *Monumenta musicae Byzantinae* (Kopenhagen), zu deren Herausgebern er weiterhin gehört. Seit seiner Emeritierung 1966 an der Princeton University (N. J.) lebt Str. in Italien (Grottaferrata/Latium bzw. Rom). Eine Festschrift für Str. erschien als *Studies in Music History. Essays for O. Str.* (Princeton/N. J. 1968). In den »Monumenta musicae Byzantinae« bearbeitete er den Band *Specimina notationum antiquiorum* (= I, 7, Kopenhagen 1966). – +*Source Readings in Music History* (1950), Paperbackausg. NY 1965. Weitere Veröffentlichungen: *The Antiphons of the Oktoechos* (JAMS XIII, 1960); *A Cypriote in Venice* (in: Natalicia musicologica, Fs. Kn. Jeppesen, Kopenhagen 1962); *Byzantine Music in the Light of Recent Research and Publication* (in: Proceedings ..., Kgr.-Ber. Oxford 1966); *H. J. W. Tillyard and the Recovery of a Lost Fragment* (in: Studies in Eastern Chant I, hrsg. von M. Velimirović, London 1966); *Zwei Chilandari Chorbücher* (in: Anfänge der slavischen Musik, = Slowakische Akademie der Wissenschaften ..., Symposia I, Bratislava 1966); *Church Polyphony. Apropos of a New Fragment at Grottaferrata* (in: L'Ars nova italiana del Trecento III, Kgr.-Ber. Certaldo 1969); *Tropus and Troparion* (in: Speculum musicae artis, Fs. H. Husmann, München 1970); *Die Gesänge der byzantinisch-griechischen Liturgie* (in: Geschichte der katholischen Kirchenmusik I, hrsg. von K. G. Fellerer, Kassel 1972).

+Strunz, [erg.: Georg] Jacob, [erg.:] 24. 12. 1781 [nicht: 1783] – 1852.
Lit.: A. WÜRZ in: MGG XII, 1965, Sp. 1627f.

+Stuck, Batistin (Stück), um 1680 zu Livorno [nicht: Florenz] – 8. [nicht: 9.] 12. 1755.
St.s Opern +*Méléagre* und +*Manto la fée* wurden in Paris 1709 [nicht: 1705 bzw. 1711] uraufgeführt.
Lit.: M. BARTHÉLÉMY, Les cantates de J.-B. St., RMFC II, 1961/62; S. MILLIOT in: RMFC IX, 1969, S. 91ff.

+Stuckenschmidt, Hans Heinz, * 1. 11. 1901 zu Straßburg.
St., 1967 an der Berliner Technischen Universität emeritiert, ist weiterhin als Musikkritiker tätig. Zu seinem 65. Geburtstag wurde er mit einer Festschrift

geehrt (*Aspekte der Neuen Musik*, hrsg. von W. Burde, Kassel 1968, mit Bibliogr. von H. Poos). 1974 wurde er zum ordentlichen Mitglied der Akademie der Künste in (West-)Berlin ernannt. Gesammelte Kritiken erschienen als *Oper in dieser Zeit. Europäische Opernereignisse aus vier Jahrzehnten* (Velber bei Hannover 1964). – +*A. Schönberg* (= Atlantis-Musikbücherei o. Nr, 1951, ²1957, frz. 1957 [nicht: 1956], engl. auch NY 1960 [nicht: 1959]), japanisch Tokio 1959, span. Madrid 1964, polnisch Krakau 1965; +*Neue Musik* (1951), ital. = Saggi CCLXXVI, Turin 1960; +*Schöpfer der Neuen Musik* (1958), Taschenbuchausg. = dtv LXVII, München 1962, und = Suhrkamp Tschenbuch Bd 183, Ffm. 1974. – Neuere Bücher: *B. Blacher* (Bln 1963, mit Werkverz. von H. Kunz); *J. N. David. Betrachtungen zu seinem Werk* (Wiesbaden 1965, mit Lebensabriß von H. v. Hase); *M. Ravel. Variationen über Person und Werk* (Ffm. 1966, engl. Philadelphia/Pa. 1968 und London 1969); *F. Busoni. Zeittafel eines Europäers* (Zürich 1967, engl. London und NY 1970); *Musik des 20. Jh.* (= Kindlers Universitäts-Bibl. o. Nr, München 1969, engl. London und NY 1969, frz. = L'univers des connaissances XXXIX, Paris 1969); *Die großen Komponisten unseres Jahrhunderts* (bislang Bd I, *Deutschland und Mitteleuropa*, München 1971, engl. = Twentieth-Cent. Composers II, London 1970 und NY 1971); *A. Schönberg* (Zürich 1974). – Von seinen zahlreichen Aufsätzen (besonders für »Melos« und »Universitas«) seien an neueren genannt: *Zeitgenössische Techniken in der Musik* (SMZ CIII, 1963, engl. in: MQ XLIX, 1963, S. 1ff.); *Debussy or Berg? The Mystery of a Chord Progression* (MQ LI, 1965); *L'influence de Debussy. Autriche et Allemagne* (in: Debussy et l'évolution de la musique au XXe s., hrsg. von E. Weber, Paris 1965); *Hauers Alternative* (ÖMZ XXI, 1966); *Die Musik, der Mensch und die Menschen* (Kölner Zs. für Soziologie und Sozialpsychologie XXI, 1969, auch in: Musik und Bildung V, 1973, und in: Das Orchester XXII, 1974); *Kriterien und Grenzen der Neuheit* (in: Das musikalisch Neue und die Neue Musik, hrsg. von H.-P. Reinecke, Mainz 1969); *Was ist Musikkritik? Gedanken zur Vernichtung des Kunsturteils durch Soziologie* (in: Studien zur Wertungsforschung, hrsg. von H. Kaufmann, Bd II, Graz 1969, mit nachfolgendem Gespräch zwischen St. und Kaufmann über *Kunsturteil und Gesellschaft*); *Beethoven, Höhepunkt und Fortschritt* (Fs. »Beethoven im Mittelpunkt«, Bonn 1970); *Schreker und seine Zeit* (in: Fr. Schreker, = Österreichische Komponisten des XX. Jh. XVII, Wien 1970); *Kritik und Irrtum* (Fs. für einen Verleger [L. Strecker], Mainz 1973); *Schönbergs Berliner Jahre 1926–33* (in: A. Schönberg, Ausstellungskat., hrsg. von E. Hilmar, Wien 1974). – Er edierte: *Spectaculum. Texte moderner Opern* (Ffm. 1962).

Studer, Hans, * 20. 4. 1911 zu Muri (Bern); Schweizer Komponist, studierte in Muristalden am Lehrerseminar sowie in Bern an der Universität (1934–36) und am Konservatorium (Klavier bei Fr. J. Hirt, Theorie und Orgel bei E. Graf) und vervollkommnete seine Musikstudien bei W. Burkhard und Moeschinger. Er war als Seminarmusiklehrer in Thun und Bern und als Organist und Kirchenchorleiter in Muri tätig. St. lebt heute freischaffend in Muri. Seine Kompositionen umfassen das Oratorium *Die Leiden Hiobs* für Soli, Chor und Orch. (1946), geistliche Vokalwerke a cappella (Motetten *Jesus wandelt auf dem Meer*, 1958, und *Lasset eure Lenden umgürtet sein* für gem. Chor; Introiten), Geistliche Konzerte mit Org. (*Und darnach sah ich einen andern Engel* für T., 1943; *Ich will mich freuen des Herrn* für Frauenchor, 1950; *Herr, auf dich traue ich* für 2 S.,

1957; *Ich danke dir, Herr* für B., 1960), 3 Psalmen für gem. Chor und Org. (1940), geistliche Kantaten (*In dich hab ich gehoffet, Herr* für B., gem. Chor und Org., 1951; *Der Lobgesang* für S., gem. Chor, 7 Soloinstr. und Org., 1957; *Siehe, der Tag des Herrn* für A., gem. Chor und Org., 1957; *Das Licht der Welt* für S., B., gem. Chor, Orch. und Org., 1962), weltliche Kantaten (*Pan kai Aphrodite* für A., Frauenchor und Orch., auf antike Texte, 1950, Neufassung 1962; *Der irre Spielmann* für T., Horn und Kl., 1956; *Herbstklarheit* für S., Klar. und Kl., 1961; *Die Fragmente* für S. und Bläserquartett, 1961), Liederzyklen (*Du weites Land* für tiefe St. und Kl., 1951), Orchesterwerke (Sinfonia, 1959; Fantasie, 1961, und Suite für Streichorch.; Kleines Konzert für Kl. 4händig und kleines Orch., 1952; Konzert für Org., Bläser und Schlagzeug, 1952; Concertino für Fl., Klar. und Streichorch., 1965), Kammermusik (Streichquartett, 1960; *Suite innocente*, 1952, und *Kleine Suite*, 1956, für V. und Kl.) und Orgelwerke (*Toccata, Arie und Fuge*, 1960).

Lit.: P. MIEG, H. St., in: 40 Schweizer Komponisten d. Gegenwart, Amriswil, 1956; TH. KÄSER in: Der ev. Kirchenchor LXXI, 1966, S. 64ff.

Studio 49, Schlaginstrumentenbau in Gräfelfing (bei München), gegründet 1949 von Klaus Becker-Ehmck (* 1927 zu México/D. F.) und Paul Johannes Müller. Tochtergesellschaft ist die Studio 49 Music-Export GmbH. 1972 wurde die Schreinerei Georg Ganz in München-Blumenau übernommen. Inhaber und Geschäftsführer des St. 49 sind Becker-Ehmck, seine Frau Margarethe sowie sein Bruder Herbert Becker-Ehmck, der auch die technische Leitung innehat. Das Unternehmen stellt das authentische Orff-Schulwerk-Instrumentarium und seit 1960 das sogenannte Royal-Percussion-Program (Marimbaphone, Vibraphone, Orchesterglockenspiele und -xylophone, Röhrenglockenspiele, Cymbelspiele) sowie seit 1972 elektronische Kirchenorgeln her. Die Firma steht in ständiger Verbindung mit Orff, Gunild Keetman und anderen Mitarbeitern des Orff-Schulwerks.

+**Stumm.**
Die Geburtsjahre von Johann Michael St.s Söhnen Johann Heinrich († 1788) und Johann Friedrich († 1803 [nicht: 1788]) sind fraglich, doch ist wohl einer der beiden 1715 geboren. – Der der 4. Generation angehörende Carl St. (* 1783) verstarb 1845 [erg. frühere Angabe]. – Das Kirner Unternehmen erlosch 1906 mit Gustav St.s Tod. Sein letztes Werk, für Traisen (bei Bad Kreuznach) bestimmt, wurde nicht mehr aufgestellt.
Lit.: +E. FR. SCHMID, Die Orgeln d. Abtei Amorbach (1938), 2. Aufl. bearb. v. Fr. Bösken als: Die Orgeln v. Amorbach. Eine Mg. d. Klosters, = Beitr. zur mittelrheinischen Mg. IV, Mainz 1963. – H. KLOTZ, Vom rheinischen Orgelbau im 18. Jh., in: Beitr. zur Musik im Rhein-Maas-Raum, hrsg. v. C. M. Brand u. K. G. Fellerer, = Beitr. zur rheinischen Mg. XIX, Köln 1957; H. RÖTTGER, Zum Restaurierungsproblem d. Amorbacher St.-Org., in: Ars org. XIII, 1966/67, S. 12ff.; FR. BÖSKEN, Quellen u. Forschungen zur Orgelgesch. d. Mittelrheins, = Beitr. zur mittelrheinischen Mg. VI, Mainz 1967; W. REINDELL, Ein unverhofftes Jubiläum, in: Ars org. XVI, 1968; J. EPPELSHEIM, Die St.-Org. d. ehemaligen Abtei Amorbach. Anm. zu einer neu aufgelegten Studie E. Fr. Schmids, Mf XXIV, 1971; DERS., Studien zum Orgelbau d. Familie St. in Rhaunen-Sulzbach, Bd I: Das Werk J. M. St.s (1683–1747), Habil.-Schrift München 1972.

+**Stumpf,** [erg.: Friedrich] Carl, 1848–1936.
+*Tonpsychologie* (1883–90), Nachdr. Hilversum 1965.
Lit.: A. WELLEK, Musikpsychologie u. Musikästhetik, Ffm. 1963.

+Stuntz, Joseph Hartmann, 23. [nicht: 25.] 7. 1793 – 1859.

Stupka, František, * 18. 1. 1879 zu Tedražice (Böhmen), † 24. 11. 1965 zu Prag; tschechischer Dirigent, Violinist und Pädagoge, studierte bis 1901 am Prager Konservatorium (Ševčík) und war in Odessa 1. Konzertmeister des Opernorchesters (1901–02) sowie Professor für Violine, Kammermusik und Dirigieren am dortigen Konservatorium (1902–19). 1919 übernahm er zusammen mit Talich die Leitung der Tschechischen Philharmonie in Prag. Mit dem Aufbau der Mährischen Philharmonie in Olmütz betraut, wurde er 1946 deren Direktor. Daneben lehrte er an der Musikakademie in Brünn. St. trat als Gastdirigent in der UdSSR, der Schweiz und in Österreich auf.

+Sturzenegger, Richard, * 18. 12. 1905 zu Zürich. Solocellist der Bernischen Musikgesellschaft und Lehrer einer Meisterklasse an der Musikhochschule Zürich war St. bis 1963. Er wurde dann Direktor des Berner Konservatoriums und 1968 auch Präsident des Schweizerischen Musikrats. – Weitere Werke: 8 *Texte Michelangelo Buonarrotis* für Bar. und Streichquartett (R. M. Rilke, 1944); Violinkonzert *Drei Gesänge Davids* (1963); Klaviertrio (1964); *Fresco* für Streichorch. (1965); Oper *Atalante* (1968); Suite für Bar. und Vc. (P. Verlaine, 1973); 4. Violoncellokonzert (1974); 2. Streichquartett (1974).
Lit.: R. St., Werkverz., Zürich 1970.

+Stutschewsky, Joachim (Jehojachin), * 26. 1. (7. 2.) 1891 zu Romny (Ukraine).
St. war Inspektor der Musik in der Kulturabteilung des israelischen Nationalrates [nicht: Nationaltheaters]. – Neuere Werke: symphonische Dichtung *Safed* (1960) und Suite *Israel* (1964) für Orch., *Music for Strings* (1965); Concertino für Klar. (1958), Phantasie für Ob. und Hf. (1959) sowie *Concertante Music* für Fl. (1963) mit Streichorch.; Bläsersextett (1960), Blechbläserquintett (1967), 4 Sätze für Bläserquintett (1967), 5 Stücke für Streichquartett (1959), Praeludium und Fuge für 2 Trp. und 2 Pos. (1969), *Imaginations* für Fl., V., Vc. und Kl. (1971), Terzett für Ob., Klar. und Fag. (1959), Streichtrio (1960), *Three for Three* für 3 Vc. (1967), *Hassidic Fantasy* für Klar., Vc. und Kl. (1972), *Impressions* für Klar. und Fag. (1964), 3 *Miniatures* für 2 Fl. (1964), *Fragments* für 2 Klar. (1966); Solostücke für Klar. (*Monologue*, 1962), Ob. (*Moods*, 1963), Fag. (3 Stücke, 1963), Va (*Soliloquia*, 1964), Horn (*Calling Voice*, 1965), Fl. (*Visions*, 1968), V. (*Thoughts and Feelings*, 1969), Vc. (*Composition*, 1969) und Pos. (*Monologue II*, 1970); 4 *Inattendus* für Kl. (1967); Kammerkantate »Im Spiegel durch 24 Stunden« für Sprecher, S., T. und Instr. (1960); zahlreiche Bearbeitungen.
Lit.: J. St.'s Seventieth Anniversary Cat. of Works, Tel Aviv 1961; M. B. Stanfield in: The Strad LXXII, 1961/62, S. 457ff.

Styne (stain), Jule (eigentlich Jules Stein), * 31. 12. 1905 zu London; amerikanischer Komponist von Unterhaltungsmusik, Regisseur und Produzent, gewann 13jährig ein Stipendium am Chicago College of Music, studierte Klavier und Komposition, arbeitete dann als Pianist in einem Tanzorchester und gründete 1931 eine eigene Band. Mitte der 30er Jahre ging er nach Hollywood, wo er zusammen mit dem Textdichter Sammy Cahn Songs (zahlreiche Evergreens, darunter: *I've Heard That Song Before*; *I'll Walk Alone*; *Give Me Five Minutes More*; *Saturday Night Is the Loneliest Night in the Week*) und Filmmusik (*Three Coins in the Fountain*, 1954) schrieb. 1944 komponierte St. sein erstes Musical (*Glad to See You*); sein zweites Stück (*High Button Shoes*, 1947) war bereits ein großer Broadway-Erfolg. Von seinen weiteren Musicals seien genannt: *Gentlemen Prefer Blondes* (NY 1949, 1953 verfilmt mit Marilyn →Monroe in der Hauptrolle); *Bells Are Ringing* (NY 1956, daraus *Just in Time* und *The Party's Over*); *Gypsy* (NY 1959); *Do Re Mi* (NY 1960); *Subways Are for Sleeping* (NY 1961); *Funny Girl* (NY 1964, mit Barbra →Streisand in der Hauptrolle, auch verfilmt; daraus: *People*; *Don't Rain on My Parade*; *The Music That Makes Me Dance*); *Fade Out, Fade In* (NY 1964).
Lit.: S. Schmidt-Joos, Das Musical, = dtv Bd 319, München 1965, S. 134ff.

Suárez Urtubey (sŭ'areθ urt'uβɛĭ), Pola (Amalia), * 30. 4. 1931 zu Santiago del Estero; argentinische Musikforscherin, studierte in ihrer Heimatstadt am Konservatorium M. Gómez Carrillo und erwarb 1965 das Lizentiat, 1972 das Doktorat in Musikwissenschaft an der Pontificia Universidad Católica Argentina S. Maria de los Buenos Aires, an der sie das Instituto de Musicología C. Vega leitet. Sie lehrt am Centro Latinoamericano de Altos Estudios Musicales des Instituts Di Tella, am Konservatorium J. J. Castro und am städtischen Konservatorium M. de Falla. Neben einer Reihe von Zeitschriftenbeiträgen veröffentlichte sie u. a. (Erscheinungsort Buenos Aires): *Autoridades y gobierno del Teatro Colón* (in: La historia del Teatro Colón, 1908–68, hrsg. von R. Caamaño, 1969); *Caracteres y evolución de la música en la Argentina (1810–1950)* (mit A. Ginastera, in: Historia argentina, hrsg. von R. Levillier, 1969); *La música en el ideario de Sarmiento* (1970); *La música en revistas argentinas* (= Bibliogr. argentina de artes y letras XXXVIII, 1970).

Subhalakṣmi, M. S. (auch Subbulakshmi geschrieben), * 16. 9. 1916 zu Madurai; indische Sängerin, erlernte bereits in früher Jugend Gesang und Vīṇā-Spiel von ihrer Mutter, der Vīṇā-Spielerin Ṣaṇmukhavadivu. Im Alter von 10 Jahren trat sie zur Begleitung ihrer Mutter in Konzerten auf und gab mit 17 Jahren ihr erstes größeres Solokonzert. Ihre Bedeutung in der Musikwelt ganz Indiens erlangte sie durch ein Konzert anläßlich der All India Music Conference in Bombay (1944) und durch die Filme *Sāvitri* und *Mīra*. Heute gilt sie als eine der hervorragenden Sängerinnen karnatischer Musik.

+Subirá Puig, José (Pseudonym u. a. Jesús A. Ribó), * 20. 8. 1882 zu Barcelona.
S., dem zahlreiche Ehrungen zuteil wurden, ist seit 1954 Bibliotecario perpetuo der Real Academia de bellas artes de San Fernando in Madrid. Ab 1958 war er Vizepräsident des Instituto de estudios madrileños, dessen Ehrenmitglied er 1968 wurde. Zu seinem 80. Geburtstag wurde ihm der 18. Jg. (1963) des »Anuario musical« gewidmet (darin Biographie und Bibliographie von J. M.ᵃLlorens). – Sein Werk +*La tonadilla escénica* umfaßt nur 3 [nicht: 4] Bde (1928–30) und wird ergänzt durch die selbständige Publikation *Tonadillas teatrales inéditas. Libretos y partituras* (Madrid 1932); +*Historia de la música* (1947, ²1951), 3. erweiterte Aufl. in 4 Bden, Barcelona 1958 [nicht: 1956]. – Neuere Bücher: *Compendio de historia de la música* (Madrid 1954, ²1966, ³1974); *Breve historia de la música* (Barcelona 1956, ²1964); *La musique espagnole* (= Que sais-je? Bd 823, Paris 1959, japanisch Tokio 1961); *El gremio de representantes españoles y la Cofradía de Nuestra Señora de la Novena* (= Bibl. de estudios madrileños V, Madrid 1960); *Catálogo de la Sección de música de la Biblioteca municipal de Madrid* (bislang Bd I, Teatro menor. Tonadillas y sainetes, ebd. 1965); *Cien operas. Autores, per-*

sonajes, argumentos (= Los tres dados o. Nr, ebd. 1967); *Temas musicales madrileños* (= Bibl. de estudios madrileños XII, ebd. 1971); *Variadas versiones de libretos operísticos* (= Anejos de la rev. »Segismundo« IV, ebd. 1973). Von seinen zahlreichen Aufsätzen (besonders in: AM; Academia [s. u. Lit.], ab 1957 von ihm selbst geleitet; Anuario del Instituto de estudios madrileños; Rev. de ideas estéticas) seien an neueren genannt: *El »cuatro« escénico español* (in: Miscelánea . . ., Fs. H. Anglés, Bd II, Barcelona 1958–61); *Conciertos espirituales españoles en el s. XVIII* (Fs. K. G. Fellerer, Regensburg 1962); *Músicos al servicio de Calderón y de Comella* (AM XXII, 1967); *Un panorama histórico de lexicografía musical* (AM XXV, 1970); *Nuevas ojeados históricas sobre la tonadilla escénica* (AM XXVI, 1971). – S. edierte u. a. die großangelegte Sammlung *La tonadilla escénica* (Tonadillas aus der 2. Hälfte des 18. Jh., mit 24 H., ein Werk je H., abgeschlossen, Madrid 1970–73). Er war Mitarbeiter bei zahlreichen Enzyklopädien und Lexika, so auch bei den vorliegenden Ergänzungsbänden dieses Lexikons.

Lit.: ANON., Homenaje a la tonadilla escénica y al académico Don J. S., in: Acad. (Bol. de la Real Acad. de bellas artes de S. Fernando) 1970, Nr 1 (mit Biogr. u. Bibliogr.); FR. J. LÉON TELLO, Don J. S. cumple 90 años, Rev. de ideas estéticas 1973 (Madrid); L. ROMERO TOBAR, Conversación con S., Anales del Inst. de estudios madrileños IX, 1973.

Subotnik, Morton, * 14. 4. 1933 zu Los Angeles; amerikanischer Komponist, studierte Englische Literatur an der University of Denver/Colo. (B. A.) und Komposition bei L. Kirchner und Milhaud am Mills College in Oakland/Calif. (M. A.), wo er Assistant Professor of Music wurde. Er war Musikdirektor des Repertory Theater am Lincoln Center und Artist-in-Residence an der New York University, an der er seit 1966 am Intermedia-Program der School of Arts arbeitet. Seit 1969 ist er Direktor der Abteilung Elektronische Musik des Electric Circus in New York. Von seinen Kompositionen seien genannt: Sonate für Kl. 4händig (1959); *Sound Blocks of Vision* für V., Vc., 2 Xylophone und Tonband (1960); Serenade Nr 1 für 6 Instr. (1960), Nr 2 für Klar., Horn und Schlagzeug (1963) und Nr 3 für Fl., Klar., V., Kl. und Tonband (1965); *Play!* Nr 1 für Holzbläserquintett, Kl., Tonband und Film (1962), Nr 2 für Orch., Dirigent und Tonband (1963), Nr 3 für Schauspieler, Tonband und Film (1964) und Nr 4 für 4 Spieler, 2 Dirigenten, 4 Musiker, Tonband und 2 Filme (1967); Klavierpraeludien *The Blind Owl* und *The Feast* (1961); Praeludien Nr 3 (1965) und Nr 4 (1966) für Kl. und elektronische Klänge; *Realities I* und *II* (1967) sowie *Silver Apples of the Moon* (1967) und *Wild Bull* (1967) für elektronische Klänge; *Laminations* für Orch. und elektronische Klänge (1967); *A Ritual Game Room* für elektronische Klänge, Licht, einen Tänzer, 4 Spieler und kein Publikum (1970); ferner Elektronische Musik zu Shakespeares *King Lear* (San Francisco 1960), Georg Büchners »Danton's Death« (NY 1965), Brechts *Galileo Galilei* und *Der Kaukasische Kreidekreis* sowie zu Fernsehfilmen.

Lit.: V. THOMSON, M. S., in: American Music Since 1910, NY 1970; B. E. JOHNSON in: Nutida musik XVI, 1972/73, H. 2, S. 38f.

Šubrtová (ʃub'rtɔvɑ:), Milada, * 24. 5. 1924 zu Lhota (Böhmen); tschechische Sängerin (Sopran), begann nach 1945 ihre künstlerische Tätigkeit als Solistin der Prager 5. Mai-Oper und kam 1948 bei der Fusion beider Bühnen an das Prager Nationaltheater. 1954 wurde sie 1. Preisträgerin des Internationalen Gesangswettbewerbs des Prager Frühlings. Sie hat sich beson-

ders in den Hauptrollen des tschechischen Opernrepertoires und als Konzert- und Oratoriensängerin einen Namen gemacht.

⁺Suchoň (s'uxɔɲ), Eugen, * 25. 9. 1908 zu Pezinok (Westslowakei).
S., mehrfacher Staatspreisträger und 1958 mit dem Titel »Nationalkünstler« ausgezeichnet, lehrte an der Pädagogischen Hochschule in Bratislava bis 1960. Die dortige Universität verlieh ihm 1969 die Würde eines Dr. h. c. – Von seinen Werken seien genannt: die Opern *Krútňava* (»Der Strudel«, Bratislava 1949) und *Svätopluk* (1951–59, ebd. 1960); *Baladická suita* (»Balladeske Suite«) op. 9 (1936), Ouvertüre zum Drama *Kráľ Svätopluk* (»König Svätopluk«) op. 10 (1935) und *Metamorfózy* (1935) für Orch., symphonische Phantasie *BACH* für Org., Streicher und Schlagzeug (1972); Fantasie und Burleske für V. und Orch. op. 7 (1933, umgearbeitet 1948), *Rapsodická suita* für Kl. und Orch. (1965); Serenade op. 5 (auch für Bläserquintett, 1932) und 6 Stücke (1955–63) für Streichorch.; Streichquartett op. 2 (1931, umgearbeitet 1939), Klavierquartett op. 6 (1933); Sonate op. 1 (1929), Sonatine op. 11 (1937) und *Poème macabre* (1963) für V. und Kl.; *Horalská suita* (»Goralen-Suite«, 1956), *Obrázy zo Slovenska* (»Bilder aus der Slowakei«, 1957) und *Kaleidoskop* (1968) für Kl. (auch für verschiedene Instrumental- und Vokalensembles; *Žalm zeme Podkarpatskej* (»Psalm des Karpatenlandes«) für T., gem. Chor und Orch. op. 12 (1938), *Piesne z hôr* (»Lieder aus den Bergen«) für S., T. und Orch. (1943), *Spievanký* für Soli, gem. Chor und kleines Orch. (1930), *Nox et solitudo* op. 4 (1932) und *Ad astra* (1961) für Singst. und Kl. (oder Kammerorch.), Melodram *Kontemplation* für Sprecher und Kl. (1964); *O horách* (»Von den Bergen«) für Männerchor op. 8 (1934–42), Zyklus *O človeku* (»Vom Menschen«) für gem. Chor (1962); ferner Volksliedbearbeitungen und Filmmusik. S. veröffentlichte auch einige musiktheoretische Schriften.

Lit.: ⁺J. CLAPHAM, »The Whirlpool« ... (1958 [nicht: 1908]; zur Oper »Krútňava«). – M. SAMKO in: MuG VIII, 1958, S. 571ff.; O. DONOVALOVÁ in: Hudobnovedné štúdie V, 1961, S. 5ff. (zu »Krútňava«; mit deutscher u. russ. Zusammenfassung); DIES., ebd. VI, 1963, S. 5ff. (zur Oper »Svätopluk«; mit russ. Zusammenfassung); J. KRESÁNEK, Národný umelec E. S. (»Der Nationalkünstler E. S.«), = Knižnica národných umelcov československých o. Nr, Bratislava 1961; I. MARTYNOW in: SM XXV, 1961, H. 12, S. 117ff., u. J. TERRAYOVÁ in: Slovenské divadlo IX, 1961, S. 365ff. (zu »Svätopluk«); W. ALEXANDROWA in: Woprossy sowremennoj musyki, hrsg. v. M. S. Druskin, Leningrad 1963, S. 223ff. (zu »Krútňava«); L. BURLAS, Jednota a vývoj v diele E. S.a (»Einheit u. Entwicklung in E. S.s Werk«), in: Musicologica Slovaca I, 1969 (mit deutscher Zusammenfassung); I. VAJDA, ebd. S. 43ff. (zum »Žalm zeme Podkarpatskej«); E. HAINS in: Opus musicum IV, 1972, S. 6ff. (zu »Krútňava«) – zahlreiche weitere Beitr. in »Hudební rozhledy« sowie in »Slovenská hudba« (u. a. S.-Sonder-H.: XII, 1968, Nr 7).

Suchý (s'uxi:), František, * 21. 4. 1891 zu Březové Hory (heute Příbram), † 13. 6. 1973 zu Prag; tschechischer Komponist und Dirigent, studierte 1913–14 in Prag bei Stecker sowie 1914–16 in Leipzig bei A. Nikisch und war 1920–48 als Dirigent in Turčanský Svätý Martin, in Komárno und in Prag tätig. Danach widmete er sich der Sammlung tschechischer Volkslieder. Er komponierte u. a. die Opern *Lásky div* (»Das Wunder der Liebe«, Moravská Ostrava 1925) und *Havéři* (»Bergleute«, 1957), die Ballette *Porcelánové království* (»Das Königreich des Porzellans«, Turčanský Svätý Martin 1924) und *Škola hrou* (»Schule der Spiele«, 1962), Orchesterwerke (Symphonie *Stříbrné město*, »Die

Stadt des Silbers«, 1933; *Našim studentům*, »An unsere Studenten«, 1947; *Tance Žitného ostrova*, »Tänze der Insel von Žitný«, 1961; Symphonische Dichtung *Velký Permon*, 1962; *Vinařská suita*, »Suite der Weinlese«, für Va und Orch., 1955), Kammermusik (Nonett, 1944; Bläserquintett, 1936) und Vokalwerke (Kantate *Blahoslavení čistého srdce*, »Die Segnung eines reinen Herzens«, 1930; *Missa festiva Pascha nostrum*, 1939; Liederzyklus *Havéři* für Bar., Fl., Va und Kl., 1941).

Suchý (s′uxi:), František, * 9. 4. 1902 zu Libina (Mähren); tschechischer Oboist und Komponist, studierte bei Kvapil am Konservatorium in Brünn (1922–27) und bei V. Novák am Prager Konservatorium (1935–37). Er gründete 1927 das Moravské dechové kvinteto (»Mährisches Bläserquintett«) und war 1927–47 als 1. Oboist des Rundfunkorchesters in Brünn tätig. 1947 wurde er Professor für Oboe und Musiktheorie am Konservatorium in Brünn. Er schrieb die Oper *Maryla* op. 41 (Brünn 1961), Orchesterwerke (3 Symphonien, Nr 1 op. 33, 1946, 2. Fassung 1947, Nr 2 op. 37, 1950, und Nr 3 op. 43, 1957; symphonische Suite *Vysočina*, »Hochland«, op. 44, 1957; Sinfonietta für Kammerorch. op. 12, 1932; Bläserserenade op. 30, 1944; Flötenkonzert op. 19, 1939; *Barokní koncert*, »Barockkonzert«, für V. und Orch. op. 31, 1944; Oboenkonzert op. 35, 1948), Kammermusik (Sextett op. 48, 1960; *Quintetto concertante* für Bläser op. 34, 1947; Streichquartett op. 15, 1934; Streichtrio op. 38, 1951; Fantasie für Ob. und Kl. oder Streichorch. op. 54, 1971; Suite für Klar. und Kl. op. 55, 1972), Vokalwerke (Oratorium *V Getsemaně*, »In Gethsemane«, op. 7, 1937; *Česká mše*, »Tschechische Messe«, op. 8, 1929; Kantaten *Svobodni*, »Freiheitskantate«, op. 20, 1947, und *Otčina*, »Vaterlandskantate«, op. 47, 1959; Lieder) und veröffentlichte *Dechové nástroje jako nástroje komorní a koncertantní* (»Blasinstrumente als Kammer- und konzertierende Instrumente«, in: Sborník Janáčkovy akademie múzických umění I, 1959); *Melodické ozdoby a manýry hudby předklasické a klasické* (»Melodische Verzierungen und Manieren der vorklassischen und klassischen Musik«, ebd. VI, 1972, mit deutscher und russ. Zusammenfassung).

+Suder, Joseph, * 12. 12. 1892 zu Mainz. Als Schulmusiker war S. in München bis 1960 tätig. Die Oper *+Kleider machen Leute* wurde 1964 in Coburg uraufgeführt. – Weitere Werke: Monodram *Urlicht* (1941); *Symphonische Musik I* und *II* (1941, 1963), Klavierkonzert (1923–38); Septett (1924, Orchesterfassung 1934), 3 Streichquartette (1919, 1939, 1967), Klavierquartett (1936), 2 Violinsonaten (1919, 1949); über 50 Lieder.

Süss, Christian Jürgen, * 8. 10. 1937 zu Leipzig; deutscher Dirigent, war Mitglied des Leipziger Thomanerchors (1948–56) und studierte an den Musikhochschulen in Leipzig (1956–58) und Berlin (1958–61). Er war 2. Kapellmeister am Nationaltheater in Mannheim (1964–67) sowie 1. Kapellmeister am Stadttheater Saarbrücken (1967–70) und an der Deutschen Oper am Rhein in Düsseldorf–Duisburg (1970–73). 1973 wurde er als GMD an die Städtische Bühne in Heidelberg berufen. S. ist als Gast an der Hamburgischen Staatsoper und beim Südwestfunk aufgetreten.

Süss, Reiner, * 2. 2. 1930 zu Chemnitz; deutscher Sänger (Baßbuffo), gehörte 1940–46 dem Thomanerchor an und studierte dann bei Hans Lissmann und Otto-Erich Lindner in Leipzig (1946–53). Nach einem Engagement beim Rundfunkchor Leipzig (1953–56) kam er als Solist an das Theater Bernburg (1956–57) und an das Landestheater Halle/Saale (1957–59). 1959

wurde er Mitglied der Staatsoper Berlin (1962 Kammersänger). Neben seiner umfangreichen Tätigkeit bei Fernsehen, Rundfunk, Schallplatte und Konzert ist er bei verschiedenen Gastspielen, u. a. in Wien, Budapest und Dresden, vor allem in der Rolle des Ochs von Lerchenau bekannt geworden. S. sang die Titelpartie des *Puntila* von P. Dessau bei der Uraufführung 1966.

+Süßmayr, Franz Xaver (bis 1795 auch Sießmayr), 1766 – 17. [nicht: 16.] 9. 1803.
Ausg.: Quintett f. Fl., Ob., V., Va u. Vc., hrsg. v. H. STEINBECK, = Diletto mus. CXII, Wien 1962; Ouvertüre C dur, hrsg. v. I. KECSKEMÉTI, = Musica rinata VI, Budapest 1965, ²1972; »Das Namensfest« f. Kindersolisten, Kinderchor u. Orch. (1799), hrsg. v. DEMS., ebd. VIII, 1965. – Mozarts (Requiem-)Fragment mit d. Ergänzungen v. Eybler u. S., hrsg. v. L. NOWAK, = Neue Mozart-Ausg. I, 1, Abt. 2, Teil-Bd II, Kassel 1965.
Lit.: +C. PREISS, Fr. X. S., in: Heimatgaue XVII, 1936 [del. frühere bibliogr. Angabe]. – J. WINTERBERGER, Fr. X. S., Leben, Umwelt u. Gestalt, Diss. Innsbruck 1946; E. HESS, Zur Ergänzung d. Requiems v. Mozart durch Fr. X. S., Mozart-Jb. 1959; J. KECSKEMÉTI, S.-Hss. in d. Nationalbibl. Széchényi, StMl II, 1962 u. VIII, 1966, separat Budapest 1966; K. MARGUERRE, Mozart u. S., Mozart-Jb. 1962/63; H. H. HAUSNER, Fr. X. S., = Österreich-Reihe Bd 254–256, Wien 1964; O. WESSELY in: MGG XII, 1965, Sp. 1697ff.; W. JERGER, Mozarts Schüler u. Mitarbeiter, Acta Mozartiana XIII, 1966; BR. BROPHY, Pro »Tito«, MT CX, 1969; FR. BEYER, »Mozarts Komposition zum Requiem«. Zur Frage d. Ergänzung, Acta Mozartiana XVIII, 1971; W. PLATH, Zur Echtheitsfrage bei Mozart, Mozart-Jb. 1971/72; D. KERNER, Das Requiem-Problem, NZfM CXXXV, 1974.

Suffern, Carlos, * 25. 9. 1905 zu Luján (Provinz Buenos Aires); argentinischer Komponist, studierte am Staatlichen Konservatorium in Buenos Aires, wirkte eine Zeitlang als Pianist, war Musikkritiker der Zeitung »La razón«, künstlerischer Direktor am Teatro Colón und Vizedirektor des Staatlichen Konservatoriums (1945–47). Er wurde dann Professor für Musikgeschichte an der Nationaluniversität Rosario, der Päpstlich Katholischen Universität und am Staatlichen Konservatorium in Buenos Aires. S. schrieb Orchesterwerke (2 *bocetos sinfónicos*; Symphonische Dichtung *La noche*, 1944), Kammermusik (Klavierquintett; Klavierquartett; Streichquartett; Sonate für V. und Kl.) Vokalwerke (*Belkiss* für Soli, Sprecher, Chor und Orch.; Psalm VI für St., Chor und Orch.; *Los juegos rústicos* für Soli, Chor und Kammerensemble; *La urna* für St. und Streichquartett; *Trigo* für St., Ob. und Kl.; *2 estampes japonaises* und *3 baladas de Liliencron* für Gesang und Kl.) und Klavierwerke (*Cuentos de niños*; Sonate; *Burla del unicornio* für 2 Kl.).

Sufračī (»Speisemeister«), Pseudonym oder Berufsbezeichnung eines persischen Musiktheoretikers aus der Mitte des 18. Jh.; er verfaßte für den Afšāren-Šāh ʿAlīqulīḫān (1747–48) die persische *Risāla-i Kirāmīya* (»Abhandlung für den Verehrenswürdigen«, d. h. ʿAlīqulīḫān) über die 12 Maqām-hā und deren »Ableitungen« (šuʿba-hā, āwāza-hā; mit Hinweisen auch auf türkische Termini, über Metren (uṣūl) und über Kompositionsformen (taṣnīf) seiner Zeit. Wie die bisher gefundenen 14 Handschriften beweisen, war der Traktat weit verbreitet.
Lit.: M. T. DĀNIŠPAŽŪH, Ṣad wa-sī wa-and aṯar-i fārsī dar mūsīqī (»130 u. mehr persische Werke über Musik«), in: Hunar wa-mardum XCV, (Teheran) 1970 (mit Mss.-Angaben).

Sugár (ʃ′uga:r), Rezső, * 9. 10. 1919 zu Budapest; ungarischer Komponist, studierte 1937–43 Komposition bei Kodály sowie Schulmusik an der Budapester Musikhochschule. 1949 wurde er Professor für Komposition am Konservatorium in Budapest. 1954 erhielt er für sein Oratorium *Hunyadi-Hősi ének* (»Hunyadi-Heldengesang«, für Soli, Chor und Orch.) den Kossuth-Preis. Er schrieb u. a. das Ballett *Ácisz és Galatea* (»Acis und Galatea«, Szeged 1958, 2. Fassung als *A tenger lánya*, »Die Meerestochter«, Budapest 1963), ein Divertimento für Streichorch. (1948), eine Orchestersuite (1958), 6 kleine Stücke für Streichorch. (1959), Variationen für V. und Orch. (1956), Kammermusik (3 Streichquartette, 1950–69; *Frammenti musicali* für Bläserquintett und Kl., 1958), die Kantate *Kőmíves Kelemen* für S., Bar., gem. Chor und Orch. (1958), Chöre, Lieder und Unterrichtsmusik.

Suitner, Otmar, * 16. 5. 1922 zu Innsbruck; österreichischer Dirigent, studierte am Konservatorium in Innsbruck und am Mozarteum in Salzburg (Klavier bei Ledwinka, Dirigieren bei Cl. Krauss). 1942–44 war er als Kapellmeister am Tiroler Landestheater Innsbruck und 1945–52 vornehmlich als Konzertpianist tätig. 1952 wurde er Städtischer Musikdirektor in Remscheid, 1957 GMD des Pfalzorchesters Ludwigshafen und 1960 GMD und Chef der Staatskapelle und Staatsoper Dresden. 1964–71 war S. 1. und geschäftsführender GMD der Deutschen Staatsoper Berlin (1965 Verleihung einer Ehrenprofessur durch den Kultusminister der DDR, 1968 durch den österreichischen Bundespräsidenten). Gastspiele führten ihn u. a. nach Italien, Griechenland und in die UdSSR. 1964 dirigierte S. erstmalig bei den Bayreuther Festspielen.

+Suk, Josef, 1874–1935.
Lit.: R. BUDIŠ, J. S., Výběrová bibliografie (»Ausw.-Bibliogr.«), »Ve spolupráci s Městkou lidovou knihovnou v Praze o. Nr, Prag 1965. – +O. FILIPOVSKÝ, Klavírní tvorba J. S.a (»J. S.s Kl.-Werk«), Pilsen [nicht: Prag] 1947; +J. BERKOVEC, J. S. (1956), 2. Aufl. = Hudební profily I, Prag 1962. – M. ŠKAMPA, J. S., Člověk, skladatel, reprodukční umělec (»Mensch, Komponist, Interpret«), Diss. ebd. 1952; ZD. SÁDECKÝ in: MuG IV, 1954, S. 119ff.; DERS., Lyrismus v tvorbě J. S.a (»Der Lyrismus in J. S.s Schaffen«), Prag 1966; M. SKALICKÁ, Význam thematicke práce v prvním komposičním období J. S.a (»Die Bedeutung d. thematischen Arbeit in J. S.s erster Kompositionsperiode«), Diplomarbeit ebd. 1956, Abriß in: Miscellanea musicologica II, 1957, S. 115f.; B. MIKODA, Sborová tvorba J. S.a (»J. S.s Chorschaffen«), in: Sborník Vyšší školy pedagogické v Plzni, Pedagogická umění I, 1958; J. ZICH, Instrumentace smyčcové serenády J. S.a (»Die Instrumentation d. Streicherserenade v. J. S.«), in: Živá hudba II, 1962 (mit russ. u. deutscher Zusammenfassung); J. BERKOVEC, J. S., Prag 1968, auch deutsche, engl. frz. u. russ. Ausg.; M. KUNA, J. S. V. Talichovi ... (»J. S. an V. Talich. Eine Korrespondenz aus Talichs Nachlaß«), in: Hudební věda VII, 1970; J. NOZKA in: Rass. mus. Curci XXV, 1972, Nr 2, S. 25ff.; VL. ŠTĚDROŇ, J. S. a jeho žák (»J. S. u. seine Schüler«), in: Opus musicum IV, 1972; E. HLOBIL in: Hudební rozhledy XXVII, 1974, S. 34ff.; S. JAREŠ u. E. ILLINGOVÁ in: Hudební věda XI, 1974, S. 386ff. (über J. S. u. d. Böhmische Quartett; mit deutscher Zusammenfassung).

Suk, Josef, * 8. 8. 1929 zu Prag; tschechischer Violinist, Enkel des Komponisten Josef S. und Urenkel von Dvořák, studierte zunächst bei Jaroslav Kocian, später (bis 1953) am Prager Konservatorium und an der Musikakademie bei Maria Hlounová und Plocek. 1951 war er Primarius des Pražské kvarteto. Nach kurzer Orchesterpraxis unternahm er Konzertreisen als Solist sowie als Mitglied des von ihm 1951 gegründeten und bis 1968 geleiteten Suk-Trios. Nach dessen Auflösung bildete er mit Katchen (bis 1965) ein Duo.
Lit.: J. BÁRTOVÁ in: Opus musicum III, 1971, S. IIIff.

+Suk, Váša (Václav; Wjatscheslaw Iwanowitsch), 1861–1933.

S. wirkte 1924–32 auch als Dirigent am Stanislawskij-Studio in Moskau. 1925 erhielt er als erster Ausländer von der Russischen Föderativen Republik (RSFSR) den Titel »Nationalkünstler«.
Lit.: +I. REMESOW, W. S. (1933), Neuaufl. = Mastera Bolschowo teatra 1776–1951 o. Nr, Moskau 1951. – B. CHAJKIN in: SM XXV, 1961, H. 11, S. 102ff.; Č. GARDAVSKÝ in: Hudební rozhledy XIV, 1961, S. 857f.; Z. UHEREK, Kladenský rodák V. S. (»Der Kladner Landsmann V. S.«), Prag 1963.

+Šulek, Stjepan, * 5. 8. 1914 zu Zagreb.
Š., seit 1954 Professor für Komposition und Orchestration an der Zagreber Musikakademie und Mitglied der jugoslawischen Akademie der Wissenschaften und Künste in Zagreb, leitete 1958–62 auch das Kammerorchester von Radio Zagreb. – Werke: die Opern *Koriolan* (nach Shakespeare, Zagreb 1957) und *Oluja* (»Der Sturm«, nach dems., ebd. 1969); 6 Symphonien (1944; *Eroica*, 1946; 1948; 1954; 1963; 1966), feierlicher Prolog *Scientiae et arti* für Orch. (1966), Konzerte mit Orch. für Kl. (1949, 1951, 1963, 1970), Vc. (1950), V. (1951), Fag. (1958) und Va (1959), Konzert für Klar. und Kammerorch. (1967); 3 Praeludien (1942), »Musik für Kleine« (1946) und Sonate (1947) für Kl.; Kantate *Zadnji Adam* (»Der letzte Adam«, 1964).
Lit.: KR. ŠIPUŠ, Stj. Š., Zagreb 1961; I. SUPIČIĆ, Estetika Stj. Š.a ... (Stj. Š.s Ästhetik. Synthetischer Überblick über d. Grundkonzeptionen«), in: Muzikološki zbornik V, 1969; DERS., Aesthetic Views in Contemporary Croatian Music, in: Arti musices, Sonder-H. 1970.

+Sullivan, Sir Arthur Seymour, 1842–1900.
→Gilbert, W. Schw.

Ausg.: The Mikado, Faks. d. Autographs hrsg. v. G. JACOB, Farnborough 1968. – The First Night Gilbert & S., hrsg. v. R. ALLEN, NY 1958 (enthält u. a. d. 14 Libretti in d. Fassung d. Erstaufführungen u. Faks. d. Programmhefte).
Lit.: M. R. BRISTOW, A Gilbert and S. Bibliogr., Bel Air (Md.) 1968. – Sir A. S., An Index to the Texts of His Vocal Works, hrsg. v. S. POLADIAN, = Detroit Studies in Music Bibliogr. II, Detroit (Mich.) 1961; C. ROLLINS u. J. R. WITT, The D'Oyly Carte Opera Company in Gilbert and S. Operas. A Record of Productions, 1875–1961, London 1962. – FR. L. MOORE, Hdb. of Gilbert and S., NY u. ebd. 1962; The Corgi Book of Gilbert and S., hrsg. v. R. LEWIS, London 1964; Gilbert and S., Kgr.-Ber. Univ. of Kansas 1970, hrsg. v. J. HELYAR, = Univ. of Kansas Publ., Library Series XXXVII, Lawrence (Kan.) 1971; L. AYRE, The Gilbert and S. Companion, NY 1972, Paperbackausg. London 1974(?); J. M. DR. HARDWICK, The Drake Guide to Gilbert and S., NY 1973.
+A. LAWRENCE, Sir A. S. ... (1899), Nachdr. NY 1973; +W. Schw. Gilbert, The Savoy Operas. Being the Complete Text of the Gilbert and S. Operas as Originally Produced in the Years 1875–96 (1926), davon zahlreiche Nachdr., zuletzt = St. Martin's Library o. Nr, London u. NY 1962; +H. SULLIVAN u. N. FLOWER, Sir A. S., His Life, Letters & Diaries (1927), ²1950, revidierte Neuaufl. London 1966; +H. PEARSON, Gilbert and S. (1935), Nachdr. Freeport (N. Y.) 1971; +G. E. DUNN, A Gilbert & S. Dictionary (1936), Nachdr. NY 1971, auch Folcroft (Pa.) 1973; +L. W. A. BAILEY, The Gilbert and S. Book (1952), revidiert London u. NY 1956, Neuaufl. London u. Chester Springs (Pa.) 1966; +GL. DAVIDSON, Stories from Gilbert and S. (1952), Neuaufl. London 1963. – A. H. GODWIN, Gilbert and S., A Critical Appreciation of the »Savoy Operas«, ebd. 1926, Nachdr. Port Washington (N. Y.) 1969; W. COX-IFE, Training the Gilbert and S. Chorus, London 1955; DERS., How to Sing Both Gilbert and S., ebd. 1961; A. POWER-WATERS, The Melody Maker. The Life of Sir A. S., NY 1959; H. REYNOR, S. Reconsidered, MMR LXXXIX, 1959; M. GREEN, Treasury of Gilbert and S., London 1961; G. HUGHES, Composers of Operetta, ebd. u. NY 1962; R. MANDER u. J. MITCHESON, A Picture Hist. of Gilbert and S., London 1962; N. G. WYMER, Gilbert and S., ebd. 1962, NY 1963; CL. R.

BULLA, Stories of Gilbert and S. Operas, NY 1968; A. LAMB, Gilbert and S. and the Gaiety, MT CXII, 1971; DERS., Ivanhoe and the Royal Engl. Opera, MT CXIV, 1973; P. M. YOUNG, Sir A. S., London 1971, NY 1972; P. KLINE, Gilbert and S. Production, NY 1972; I. G. TAYLOR, How to Produce Concert Versions of Gilbert and S., London 1972; L. W. A. BAILY, Gilbert and S. and Their World, ebd. 1973; I. PARROTT, Iolanthe, MR XXXIV, 1973.

+Sulzer, Johann Georg, 1720–79.
+*Allgemeine Theorie der Schönen Künste in einzeln, nach alphabetischer Ordnung der Kunstwörter auf einander folgenden Artikeln abgehandelt* (1771–74), [del. frühere weiteren Angaben und erg.:] Nachdr. von Heilmann, Biel 1777, 2. verbesserte Aufl. Lpz. 1778–79, als neue vermehrte Aufl. (mit bibliogr. Anm.) in 4 Bden hrsg. von Fr. v. Blankenburg (Lpz. ³1786–87, als neue vermehrte 2. Aufl. mit neuen Anm. ⁴1792–94), sämtliche Zusätze auch separat unter Blankenburgs Namen als *Litterarische Zusätze zu J. S.s Allgemeiner Theorie der Schönen Künste ...* (3 Bde, Lpz. 1796–98); ein literarisches Jb. ohne musikalische Beiträge sind die »Nachträge« von J. G. Dyck und G. Schatz, *Charaktere der vornehmsten Dichter aller Nationen ...* (8 Bde, Lpz. 1792–1808).
Lit.: H. WILI, J. G. S., Persönlichkeit u. Kunstphilosophie, Diss. Freiburg i. Üe. 1954; FR. RITZEL, Die Entwicklung d. »Sonatenform« im musiktheoretischen Schrifttum d. 18. u. 19. Jh., = Neue mg. Forschungen I, Wiesbaden 1968.

+Sulzer, Salomon, 1804–90.
S. war ab 1820 mit 16 [nicht: 13] Jahren Kantor in Hohenems (Vorarlberg). Das jüdische Gesangbuch +*Schir Zion* (»Die Harfe Zions«) erschien 1839–65 [nicht: 1845–68].
Lit.: E. WERNER in: MGG XII, 1965, Sp. 1736f.; DERS., From Generation to Generation. Studies on Jewish Mus. Tradition, NY 1968; E. MANDELL in: The Jews of Austria, hrsg. v. J. Fränkel, London 1967, S. 221ff.; A. L. RINGER, S. S., J. Mainzer and the Romantic a capella Movement, StMl XI, 1969.

Sumac, Yma (eigentlich Emperatriz Chavarri), * 10. 9. 1927 zu Ichocan (Peru); amerikanische Sängerin indianisch-spanischer Abstammung mit einem Stimmumfang von 5 Oktaven, konzertiert seit 1941 in ganz Amerika und Europa und macht Rundfunk- und Schallplattenaufnahmen. Sie war verheiratet mit dem peruanischen Komponisten und Dirigenten Moises Vivanco.

Sumaya, Manuel (Zumaya), * um 1678 zu México (D. F.), † zwischen 12. 3. und 4. 5. 1756 zu Oaxaca; mexikanischer Komponist, war 1710–38 Maestro de capilla an der Kathedrale in México (D. F.). Neben Villancicos und Kirchenmusik (Magnificat, Miserere, Motetten, Lamentationen) schrieb er die erste mexikanische Oper *La Parténope* (Libretto Stampiglia), die 1711 im Palast des Vizekönigs uraufgeführt wurde (erste Opernaufführung Nordamerikas).

Sundström, Hans Einar, * 13. 6. 1885 und † 7. 1. 1968 zu Stockholm; schwedischer Bibliothekar und Musikforscher, war nach Studien an der Universität Uppsala (fil. lic.) 1912–50 an der königlichen Bibliothek in Stockholm angestellt (1930 stellvertretender 1., 1940 ordentlicher 1. Bibliothekar). Daneben war er als Musikkritiker für Tageszeitungen tätig. S. gehörte zu den Gründern der Svenska Samfundet för Musikforskning (1919) und deren Organ *Svensk tidskrift för musikforskning* (STMf; 1935–42 Hauptredakteur), in dem er eine Anzahl Studien, vor allem zur schwedischen Operngeschichte, veröffentlichte. Er war auch einer der Hauptredakteure von *Sohlmans Musiklexikon*

(4 Bde, Stockholm 1948–52). 1941 wurde er Mitglied der Kungl. Musikaliska akademien in Stockholm.

+Sunyol y Baulenas, Dom Gregorio María, 1879–1946.
+*Método completo* [del.: *para tres cursos] de canto gregoriano* [erg.:] *según la escuela de Solesmes* (1905, ab der 5. Aufl., 1921, Erscheinungsort Barcelona [nicht: Tournai], ⁸1943), 10. Aufl. 1959.
Lit.: H. ANGLÉS, Il canto gregoriano e l'opera dell'Abate Don G. M. Suñol, in: Pontificio Istituto di musica sacra, Monografie e conferenze I, Rom 1948, frz. in: Rev. grégorienne XXVII, 1948.

Supervia, Conchita, * 8. 12. 1895 zu Barcelona, † 30. 3. 1936 zu London; spanische Sängerin (Mezzosopran), debütierte 1910 in Bretóns *Los amantes de Teruel* am Teatro Colón in Buenos Aires und sang 1911 in Rom bei der italienischen Erstaufführung des *Rosenkavaliers* die Partie des Octavian. Sie trat in Turin (1912), Venedig (1913), Mailand (1914) und Chicago (1916) auf und war Mitglied der Mailänder Scala (1925–29), der Pariser Opéra (1930) und Opéra-Comique sowie der Covent Garden Opera in London (1933–34). C. S. war besonders als Rossini-Sängerin bekannt; zu ihren weiteren Rollen gehörten Cherubino, Carmen, Dalila (*Samson et Dalila*) und Concepción (*L'heure espagnole*). C. S. ist auch als Konzertsängerin und Interpretin spanischer Lieder hervorgetreten.
Lit.: G. LAURI-VOLPI, Voci parallele, Mailand 1955, russ. Leningrad 1972; D. SHAWE-TAYLOR in: Opera XI, (London) 1960, S. 16ff.

Suphi (Ṣubḥī; vollständiger Name Mehmed Suphi Zühdü, später angenommener Familienname Ezǧi bzw. Ezgi), * 1869, † 12. 4. 1962 zu Istanbul; türkischer Mediziner, Musikforscher und Komponist, 1892 Dr. med., Sanitätsoffizier bis 1923, erhielt seine musikalische Ausbildung ab 1880 bei Vefâli Tahsin Efendi (Violine), Hacı Ârif Bey (Theorie), Medenî Azîz Efendi (Nây und Komposition), ab 1886 bei →Zekâi Dede, dessen Werke er 1940–43 herausgab, und später bei Halîm Efendi (traditionelles Ṭanbûr-Spiel). 1932–47 war er Mitglied der »Kommission für Studien und Veröffentlichung türkischer Musik« am Konservatorium von Istanbul als Mitherausgeber der Notendrucke geistlicher türkischer Musik (*Ilâhîler*, 2 H., Istanbul 1931–33; *Bektaşi nefesleri*, 2 H., ebd. 1933; *Mevlevî âyinleri*, 13 H., ebd. 1934–39; *Türk musikisi klâsiklerinden temcit – na't – salat – durak*, ebd. 1946). Sein Hauptwerk, u. a. durch Zusammenarbeit mit Rauf →Yekta und Sâdettin Arel († 1955) angeregt, ist das 5bändige *Amelî ve nazarî türk musikisi* (»Die türkische Musik in Theorie und Praxis«, ebd. 1933–53). Autographen seiner 165 Kompositionen befinden sich in Familienbesitz.
Lit.: S. N. ERGUN, Türk musikisi antolojisi (»Anth. d. türkischen Musik«), Bd I–II: Dinî eserler (»Geistliche Musik«), Istanbul 1942–43; I. M. K. INAL, Hoş sadâ, ebd. 1958 (über türkische Musiker d. 19. u. frühen 20. Jh.); I. B. SÜRELSAN, Dr. S. E., in: Musiki mecmuası 1965, Nr 206; S. K. AKSÜT, 500 yıllık türk musikisi (»500 Jahre türkische Musik«), Ankara 1967, S. 147f.; L. MANIK, Das arabische Tonsystem im MA, Leiden 1969, S. 131; Y. ÖZTUNA, Türk bestecileri ansiklopedisi (»Enzyklopädie türkischer Komponisten«), Istanbul 1969; DERS., Türk musikisi ansiklopedisi, Bd I, ebd. 1970 (mit vollständigem Werkverz.). – Nachrufe und Würdigungen in: Musiki mecmuası 1962, Nr 171–172.

Supičić (s'upitʃitç), Ivo, * 18. 7. 1928 zu Zagreb; jugoslawischer Musikforscher, studierte in seiner Heimatstadt an der Musikakademie (Klavier) und an der Universität (Jura) sowie 1960–63 an der Sorbonne in Paris, wo er 1962 mit der Dissertation *Eléments de la so-*

ciologie musicale (kroatisch Zagreb 1964, polnisch Warschau 1969) promovierte. 1964 wurde er Professor für Musikästhetik und -soziologie an der Musikakademie in Zagreb. Er ist Schriftleiter der 1970 von ihm gegründeten Zeitschrift *International Review of the Aesthetics and Sociology of Music* (darin eine Reihe eigener Beiträge). Von seinen Veröffentlichungen seien genannt: *La musique expressive* (= Bibl. internationale de musicologie o. Nr, Paris 1957); *Esthétique musicale et sociologie de la musique* (Rev. d'esthétique XIII, 1960); *Problèmes de la sociologie musicale* (Cahiers internationaux de sociologie XXXVII, 1964); *Umjetničko-historijska uvjetovanost u muzičkom stvaranju* (»Künstlerisch-geschichtliche Bedingtheit im musikalischen Schaffen«, in: Rad Jugoslavenske Akademije znanosti i umjetnosti 1965, Bd 337); *Pour une sociologie de la musique* (Rev. d'esthétique XIX, 1966); *Formalizem in ekspresionizem v estetiki evropske glasbe* (»Formalismus und Expressionismus in der Ästhetik der europäischen Musik«, in: Muzikološki zbornik III, 1967, mit engl. Zusammenfassung); *L'essenza della musica e l'estetica contemporanea* (Rivista di estetica XIII, 1968); *Science on Music and Values in Music* (The Journal of Aesthetics and Art Criticism XVIII, 1969/70); *Musique et expression* (SMZ CX, 1970); *Musique et société. Perspectives pour une sociologie de la musique* (Zagreb 1971); *Doprinos J. Andreis muzičkoj estetici u Hrvatskoj* (»Der Beitrag von J. Andreis zur Musikästhetik in Kroatien«, in: Arti musices III, 1972).

Suppan, Wolfgang, * 5. 8. 1933 zu Irdning (Steiermark); österreichischer Musikforscher, studierte 1954–59 an der Universität in Graz (Federhofer, J. Marx), an der er 1959 mit der Dissertation *H. E. J. v. Lannoy (1787 bis 1853)*. *Leben und Werke* (Auszug gedruckt = Musik aus der Steiermark IV, 2, Graz 1960) promovierte. 1963 wurde er Referent, später Oberkonservator am Deutschen Volksliedarchiv in Freiburg i. Br. 1971 habilitierte er sich an der Universität Mainz mit der Schrift *Die Schichtung des deutschen Liedgutes in der zweiten Hälfte des 16. Jh.* (gedruckt als *Deutsches Liedleben zwischen Renaissance und Barock*, = Mainzer Studien zur Musikwissenschaft IV, Tutzing 1973). 1974 nahm er einen Ruf als Professor und Vorstand des Instituts für Musikethnologie an der Hochschule für Musik und darstellende Kunst in Graz an. Daneben ist er seit 1967 zusammen mit Rajeczky Vorsitzender der Kommission zur Erforschung und Edition historischer Volksmusikquellen im International Folk Music Council der UNESCO. – S. veröffentlichte: *Steirisches Musiklexikon* (= Beitr. zur steirischen Musikforschung II, Graz 1962–66); *Volkslied. Seine Sammlung und Erforschung* (= Slg Metzler LII, Stuttgart 1968, japanisch Tokio 1973); *Handbuch des Volksliedes, Bd I: Die Gattungen des Volksliedes* (München 1973); *Lexikon des Blasmusikwesens* (Freiburg i. Br. 1973). – Aufsätze (Auswahl): *Bi-bis tetrachordische Tonreihen im Volkslied deutscher Sprachinseln Süd- und Osteuropas* (StMl III, 1962); *Der neue Melodien-Katalog des Deutschen Volksliedarchivs* (mit J. Lansky, FAM X, 1963); *Über die Totenklage im deutschen Sprachraum* (JIFMC XV, 1963); *Die Beachtung von »Original« und »Singmanier« im deutschsprachigen Volkslied* (Jb. für Volksliedforschung IX, 1964); *Melodiestrukturen im deutschsprachigen Brauchtumslied* (Deutsches Jb. für Volkskunde X, 1964); *Schubert-Autographe im Nachlaß Weis-Ostborn* (StMl VI, 1964); *O. Siegl* (= Österreichische Komponisten des 20. Jh. IX, Wien 1966); *Zur Musik der »Erlauer Spiele«* (StMl XI, 1969); *Der Beitrag der europäischen Musikethnologie zur Jazzforschung* (in: Jazzforschung III/IV, 1971/72); *Zum*

Problem der Trivialisierung in den Kunstliedern im Volksmund (in: Das Triviale in Literatur, Musik und Bildender Kunst, hrsg. von H. de la Motte-Haber, = Studien zur Philosophie des 19. Jh. XVIII, Ffm. 1972); *Weitere Quellen im älteren Volkslied in der Steiermark* (ÖMZ XXVIII, 1973). – Ausgaben: *Musik aus der Steiermark* (mit K. Stekl und A. Michl, Wien 1959ff.); *Deutsche Volkslieder mit ihren Melodien* (mit W. Heiske und R. W. Brednich, Bd V, Freiburg i. Br. 1965); *Gottscheer Volkslieder* (mit R. W. Brednich, 2 Bde, Mainz 1969–72); *Die Ebermannstädter Liederhandschrift* (mit dems., Kulmbach 1972).

+Suppè [nicht: Suppé], Franz von, 1819–95. S. wirkte ab 1840 am Theater in der Josephstadt, 1862–65 am Kaitheater und 1865–82 am Carltheater [del. bzw. erg. frühere Angaben]. – Ergänzungen und Berichtigungen zum früheren Werkverzeichnis: Lustspiel mit Gesang +*Dichter und Bauer* (1846), Musik zum fünfaktigen Schauspiel +*Der Bandit oder Ein Abenteuer in Spanien* (1848), die Operetten *Das Pensionat* (einaktig, Wien 1860, die erste Wiener Operette im modernen Sinn) und *Die Kartenschlägerin* (einaktig, ebd. 1862, Neufassung in 2 Akten als *Pique Dame*, Graz 1864), »komisch-mythologische Oper« +*Die schöne Galathee* (einaktig, Wien 1865) und die Oper *Donna Juanita* (Zell und Genée, ebd. 1880). Er schrieb Musik zu 36 Opern und Operetten sowie zu mehr als 190 Possen und anderen Bühnenwerken.
Lit.: J. KROMER, Fr. v. S., Leben u. Werk, Diss. Wien 1941; G. PICHLER, Ein Doppelgänger d. »Hobellieds«, ÖMZ XII, 1957; G. HUGHES, Composers of Operetta, London 1962.

+Supper, Walter, * 9. 9. 1908 zu Esslingen am Neckar. S. übte seine Tätigkeit als Hauptkonservator beim Staatlichen Amt für Denkmalpflege in Stuttgart bis 1973 aus. Er gab D. Brustwerckles *Summaria von ergetzlichen und wundersamben Begebenheiten so eynem Orgelmacher widerfahren* (= Veröff. der Gesellschaft der Orgelfreunde XIII, Bln 1964) heraus und veröffentlichte des weiteren: *Die Orgel im Kirchenraum* (ebd. XXIX, 1967); *Über die Arten zu registrieren* (in: Ars organi IX, 1961, auch in: Musica sacra LXXXII, 1962); *Die Orgellandschaft Württemberg* (Acta organologica I, 1967); *Ist die Barock-Orgel der Höhepunkt des Orgelbaues?* (in: Ars organi XV, 1967, nld. in: De praestant XVII, 1968, Nr 1, S. 4ff.); *Die wichtigsten Windladenarten* (Acta organologica III, 1969); *Orgelbau* (in: Die evangelische Kirchenmusik, hrsg. von E. Valentin und Fr. Hofmann, Regensburg 1969); *Chr. Mahrenholz und die Orgel* (in: Kerygma und Melos, Fs. Chr. Mahrenholz, Kassel und Bln 1970).

Supraphon, tschechoslowakischer Staatsverlag für Musik, Musikbücher und Schallplatten, entstanden nach der Verstaatlichung (1949) der zahlreichen privaten Musikverlage unter der Benennung Národní Hudební Vydavatelství Orbis (»Nationale Musikedition Orbis«), dem 1951 auch der Verlag der Hudební Matice Umělecké Besedy einverleibt wurde. Die Verlagsrechte der privaten Musikverlage, unter denen Melpa (Melantrich & O. Pazdírek, Prag und Brünn 1936–48), Fr. A. Urbánek (gegründet 1871 in Prag durch František Augustin Urbánek, 1913–49 Fr. A. Urbánek a synové), Edition M. Urbánek (Mojmír Urbánek, Prag 1900–49) und Hudební Matice Umělecké Besedy (Musikverlag des Kunstvereins, ebd. 1871–1951) die bedeutendsten waren, gingen an den Staatsverlag über. Národní Hudební Vydavatelství Orbis ging 1953 im Státní Nakladatelství Krásné Literatury, Hudby a Umění (SNKLHU; »Staatsverlag für Schöne Literatur,

Musik und Kunst«) als eigene Sektion des Staatsverlages auf. 1961 entstand durch Zusammenlegung der Musiksektion des Staatsverlages mit den Grammophonwerken Supraphon Státní Hudební Vydavatelství (SHV; »Staatlicher Musikverlag«), dem auch die Musikredaktionen des slowakischen Staatsverlages und des staatlichen pädagogischen Verlages angeschlossen wurden. Gleichzeitig wurde eine relativ selbständige Zweigstelle des SHV in Bratislava errichtet (Štátné Hudobné Vydavateľstvo). 1966 übernahmen alle Sektionen des SHV den gemeinsamen Firmennamen Supraphon. – Die Produktion des Verlages liegt seit 1949 bei 300–400 Musikalien- und Buchtiteln jährlich (ohne Schallplatten), 1953–63 erschienen insgesamt 4200 Publikationen. Unter den verschiedenen Reihen und größeren Unternehmen ragen die Sammlung *Musica antiqua Bohemica* (MAB), die Ausgaben der Werke Smetanas, Fibichs, Dvořáks, Janáčeks, J. B. Foersters, J. Suks und Nováks, die Editionsreihen *Hudebně historické dokumenty* (»Musikhistorische Dokumente«), *Musica viva historica* und verschiedene musikwissenschaftliche Gesamtausgaben (Rolland, Nejedlý) hervor. Ein bedeutender Teil der Editionstätigkeit ist zeitgenössischen und pädagogischen Werken gewidmet. – Die Schallplattenredaktion, die über ein Forschungsinstitut für Grammophontechnik verfügt, koordiniert die Produktion mit dem Editionsplan des Verlages, so daß bedeutende neuere Werke meist gleichzeitig in Partituren und Schallplattenaufnahmen vorliegen. Sie erscheinen teils in der Plattenreihe *Musica nova Bohemica et Slovaca*, teils einzeln. Auch zur Sammlung MAB erscheint eine parallele Plattenserie. CSCH

+Suriano, Francesco, 1549 – [erg.:] 19. 7. [del.: nach] 1621.
Ausg.: ein 16st. Psalmus dixit I toni, hrsg. v. L. FEININGER, = Monumenta liturgiae polychoralis Sanctae Ecclesiae Romanae, Psalmodia cum 4 choris XIII, Rom 1970. – Missa Papae Marcelli. Two Arrangements from the Early Baroque, hrsg. v. H. J. BUSCH, = Recent Researches in the Music of the Baroque Era XVII, Madison (Wis.) 1970 (darin d. Bearb. v. S. u. v. G. Fr. Anerio).
Lit.: +R. MOLITOR, Die nachtridentinische Choralreform (1901–02), Nachdr. Hildesheim 1967. – H.-W. FREY, Die Kapellmeister an d. frz. Nationalkirche S. Luigi dei Francesi in Rom im 16. Jh., Teil II, AfMw XXIII, 1966; SH. PH. KNISLEY, The Masses of Fr. Soriano. A Style-Critical Study, = Univ. of Florida Monographs, Humanities XXVI, Gainesville (Fla.) 1967.

Suriñach (suriɲ'ak), Carlos, * 4. 3. 1915 zu Barcelona; amerikanischer Komponist spanischer Herkunft, studierte 1936–39 am Konservatorium seiner Heimatstadt (Morera) sowie an den Musikhochschulen in Köln (Papst) und Berlin (M. Trapp). 1944 wurde er in Barcelona Direktor des Orquesta Filarmónica und des Gran Teatro del Liceo. 1947–50 wirkte er als Gastdirigent in Paris und zahlreichen anderen europäischen Städten. 1951 übersiedelte S. nach New York. Sein Schaffen umfaßt neben der einaktigen Oper *El mozo que casó con mujer brava* (Barcelona 1948) und den Balletten *Montecarlo* (ebd. 1945), *Deep Rhythm* (NY 1953), *Embattled Garden* (Choreographie Martha Graham, ebd. 1958), *Acrobats of God* (dies., NY 1960), *David and Bath-Sheba* (Butler, CBS-TV 1960), *Apasionada* (NY 1961) und *Agathe's Tale* (1967) Orchesterwerke (3 Symphonien: *Passacaglia-Symphony*, 1945, Symphonie Nr 2, 1949, und *Sinfonía chica*, 1957; *Sinfonietta flamenca*, 1953; Tanzsuite *Madrid 1890*, 1956; Konzert für Orch., 1958; symphonische Variationen, 1963; Ouvertüre *Drama Jondo*, 1964; *Melorhythmic Dramas*, 1966; Doppelkonzert für V., Kl. und Kammerorch., 1954; Konzert für Kl. und Kammerorch.,

1956), Kammermusik (*Tres cantos bereberes* für Fl., Ob., Klar., Va, Vc. und Hf., 1952; *Tientos* für Hf. oder Cemb., Englisch Horn und Pk., 1953; *Hollywood Carnival (Sketches in Cartoon)* für Fl., Klar., Trp., Pk., Schlagzeug und Kb., 1954; Klavierquartett, 1944), Klavierwerke (*Flamenquerías* für Kl. 4händig, 1951) und Vokalwerke (*Three Songs of Spain* auf Texte von García Lorca für hohe St. und Orch., 1945; *Tres cantares*, Text Lope de Vega, für mittlere St. und Orch., 1958; *Cantata of St. John* für gem. Chor und Schlagzeug, 1962).
Lit.: Werkverz. in: Composers of the Americas IX, Washington (D. C.) 1963.

Surman (s'ə:mən), John Douglas, * 30. 8. 1944 zu Tavistock (Devonshire); englischer Jazzmusiker, studierte Klarinette und Musikpädagogik am London College of Music und an der University of London, spielte daneben ab 1959 in der Mike Westbrook Band zunächst Klarinette, später Sopransaxophon (1966) und Baritonsaxophon (1967). 1967 gründete er ein eigenes Quartett, 1970 ein Trio mit Barre Philipps (Baß) und Stu Martin (Schlagzeug). 1968 wurde er beim Jazzfestival in Montreux als bester Solist ausgezeichnet. Nach Gerry Mulligan erweiterte er die Spielweise des Baritonsaxophons um Techniken (Phrasierung, Ausdehnung des Ambitus), die dem Free Jazz angehören. – Aufnahmen: *J. S.* (1968; Deram SML 1030); *The Trio* (1970; Dawn DNLS 3006); *The J. S. Trio Live in Altena* (1970; JG-Records 018).

+Surzyński, Józef, 1851–1919.
Die Zeitschrift +*Muzyka kościelna* leitete er bis 1903, die +*Monumenta musices sacrae in Polonia* erschienen 1885–96. – Sein Bruder Mieczysław S. (20. 12. 1866 zu Schroda/Środa, Posen – 11. 9. 1924 zu Warschau [erg. frühere Angaben]) gilt in Polen als einer der bedeutendsten Orgelkomponisten seiner Zeit.
Lit.: T. BŁASZCZYK, Dyrygenci polscy i obcy w Polsce działający w XIX i XX wieku (»Polnische u. ausländische Dirigenten in Polen im 19. u. 20. Jh.«), Krakau 1964; KR. WINOWICZ, J. S., Diss. Posen 1965; DERS., Działność J. S.ego w Poznaniu (»J. S.s Wirken in Posen«), = Z dziejów muzyki polskiej XV, Bydgoszcz 1972. – E. WROCKI, M. S., Życie i dzialalność (»Leben u. Werk«), Warschau 1924; L. KUCHARSKI in: Muzyka XVIII, 1973, S. 122ff. (zum Org.-Werk v. M. S.).

+Susato, Tilman, um 1500 wahrscheinlich zu Köln (oder Soest?) – zwischen 1561 und 1564 vermutlich zu Antwerpen [erg. frühere Angaben].
Daß S. Sohn von J. v. Soest gewesen sein soll, ist nicht nachgewiesen. – Sein Sohn Jacques S., † 19. [nicht: 20.] 11. 1564 [erg.:] vermutlich zu Antwerpen.
Ausg.: Le premier livre des chansons à 2 ou 3 parties (1544), hrsg. v. A. AGNEL, 2 Bde, = Les cahiers de plein jeu o. Nr, Paris 1970–71.
Lit.: +A. GOOVAERTS, Hist. et bibliogr. de la typographie mus. dans les Pays-Bas (1880), Nachdr. Amsterdam 1963. – A. C. SILLIMAN, »Responce« et »Replique« in Chansons Publ. by T. S., 1543–50, RBM XVI, 1962; H. HÜSCHEN in: Rheinische Musiker IV, hrsg. v. K. G. Fellerer, = Beitr. zur rheinischen Mg. LXIV, Köln 1966, S. 167ff.; U. MEISSNER, Der Antwerpener Notendrucker T. S., Eine bibliogr. Studie zur nld. Chansonpubl. in d. ersten Hälfte d. 16. Jh., 2 Bde, = Berliner Studien zur Mw. XI, Bln 1967; L. F. BERNSTEIN, The C.-F. Chansons of T. S., JAMS XXII, 1969; W. KIRSCH, »Musica dei donum optimi«. Zu einigen weltlichen Motetten d. 16. Jh., Fs. H. Osthoff, = Frankfurter musikhist. Studien o. Nr, Tutzing 1969.

+Susskind, [erg.: Hans] Walter (Süsskind), * 1. 5. 1913 zu Prag.
S., der am Prager Konservatorium bei K. Hoffmeister (Klavier), J. Suk und A. Hába (Komposition) sowie an

741

der dortigen Musikakademie bei G. Szell (Dirigieren) studierte, begann seine Laufbahn ursprünglich als Pianist (auch Spezialist für das Vierteltonklavier) [erg. frühere Angaben]. – Musikdirektor des Toronto Symphony Orchestra war S. 1955–65 (zugleich Leiter des dortigen Mendelssohn Choir). Seit 1968 leitet er in gleicher Stellung das St. Louis Symphony Orchestra (Mo.). Das Aspen Festival (Colo.) stand 1962–68, das Mississippi River Festival (Ill.) steht seit 1969 unter seiner Leitung als Musikdirektor. 1969 wurde er von der Southern Illinois University zum Ehrendoktor ernannt. S. lebt heute in St. Louis (Mo.).

+Suter, Hermann, 1870–1926.
Lit.: W. Müller v. Kulm in: Lebensbilder aus d. Aargau, = Argovia LXV, Aarau 1953, S. 442ff.; H. Oesch, Die Musik-Akad. d. Stadt Basel . . . 1867–1967, Basel 1967.

+Suter, Robert, * 30. 1. 1919 zu St. Gallen.
S., seit 1968 redaktioneller Mitarbeiter von Radio Basel, unterrichtet an der Musik-Akademie Basel weiterhin Harmonielehre, Kontrapunkt, Improvisation und Komposition. – Neuere Werke: Orchestersonate (1967), *Epitaffio* für Blechbläser, Streicher und Schlagzeug (1968), 3 Nocturnes für Va und Orch. (1969; vgl. dazu SMZ CX, 1970, S. 148ff.), *Airs et ritournelles* für Schlagzeug und Instrumentalgruppen (1973); Fantasie für Klar., Hf. und 16 Solostreicher (1965), *Estampida* für Schlagzeug und 7 Instr. (1960), Serenade für 7 Instr. (1964), 4 Etüden für Bläserquintett (1962), *Fanfares et pastorales* für 2 Hörner, Trp. und Pos. (1965), Sonatine für Ob., Fag. und Cemb. (1966), *Improvisationen II* für Ob. und Va (1961), Duetti für Fl. und Ob. (1967), Elegie für Vc. solo (1969); Sonate (1967) sowie Introduktion und Toccata (1972) für Kl.; *Die Ballade von des Cortez Leuten* für Sprecher, gem. Chor, Sprechchor und Orch. (Brecht, 1960), *Musikalisches Tagebuch I* für Singst. und 7 Instr. (Hofmannsthal und Trakl, 1960), Kammerkantate *Heilige Leier, sprich, sei meine Stimme* für S., Fl. und Git. (nach frühgriechischen Fragmenten, 1960); *Ein Blatt aus sommerlichen Tagen* für 3st. Frauenchor (Storm, 1966). S. schrieb auch einige kleinere Beiträge für die SMZ.
Lit.: D. Larese u. J. Wildberger, R. S., Amriswil 1967; J. Wildberger in: SMZ CVII, 1967, S. 320ff.

+Sutermeister, Heinrich, * 12. 8. 1910 zu Feuerthalen (Zürich).
S. leitet seit 1963 eine Kompositionsklasse an der Musikhochschule in Hannover (1966 Professor). – Neuere Werke: die Oper *Madame Bovary* (nach Flaubert, Zürich 1967), die Fernsehopern *Das Gespenst von Canterville* (nach Wilde, ZDF 1964) und *Der Flaschenteufel* (nach R. L. Stevenson, ebd. 1971); Ballett *Max und Moritz* für S., A., T., B. und Kl. 4händig (nach W. Busch, 1951, Bayreuth 1970); 2. Divertimento für Orch. (1960), *Poème funèbre* für Streichorch. (»En mémoire de P. Hindemith«, 1965); 3. Klavierkonzert (1962), 2. Cellokonzert (1972); 2. und 3. Serenade für Kammerorch. (1961; *Sérénade pour Montreux*, 1970); *Hommage à A. Honegger* für Kl. (1955); »Oratorium für Fernsehen und Konzert« *La croisade des enfants* für S., T., B., 3 Sprech-St., gem. Chor und Kinderchor (nach M. Schwob, 1969); *Ecclesia* für S., B., Chor und Orch. (1975); die Kantaten Nr 4–8 *Das Hohelied* »Singen will ich dem Hochgesang« für S., Bar., gem. Chor und Orch. (Chr. Morgenstern, 1960), *Der Papagei aus Kuba* für gem. Chor und Kammerorch. (nach La Fontaine und Fr. v. Hagedorn, 1961), *Erkennen und Schaffen* für S., Bar., gem. Chor und Orch. (Schiller, 1963), *Anbetung dem Gotte* für Männerchor, 2 Hörner, 3 Trp., 2 Pos., Tuba, Kl. und Schlagzeug

(Sonnenhymne des Echnaton, 1965) und *Omnia ad unum* für Bar., gem. Chor und Orch. (nach Leibniz und A. v. Haller, 1966); 4 Lieder für Bar. und Kl. (oder V., Fl., Ob., Fag. und Cemb.; nach Texten Schweizer Minnesänger, 1969); 3 Chorlieder für Jugendchor und Kl. (J. Ringelnatz), *Suite chorale* für gem. Chor und Männerchöre (u. a. *Schilflieder, Der Kaiser von China*). – S. veröffentlichte auch kleinere Beiträge, genannt seien *Brief an einen jungen angehenden Komponisten* (SMZ XCVIII, 1958) und *Gedanken zu Shakespeares Bedeutung für die Geschichte des Musiktheaters* (Shakespeare-Jb. C, 1964).
Lit.: H. Ehinger in: SMZ XCVIII, 1958, S. 333ff. (3 Gespräche); H. Jaton, ebd. S. 339ff.; P. Eckstein in: Hudebni rozhledy XIX, 1966, S. 186ff. (Interview); A. Briner in: SMZ CVII, 1967, S. 223ff. (zu »Madame Bovary«); D. Larese, H. S., Amriswil 1972.

+Suthaus, [erg.: Heinrich] Ludwig, * 12. 12. 1906 zu Köln, [erg.:] † 7. 9. 1971 zu Berlin.
Kammersänger S., der neben seinen festen Verpflichtungen in Berlin und Wien insbesondere in den 50er Jahren an zahlreichen in- und ausländischen Opernhäusern (u. a. Mailand, London als Tristan, San Francisco, Buenos Aires) gastierte und 1955 eine Konzertreise durch die UdSSR unternahm, beendete Mitte der 60er Jahre seine sängerische Laufbahn.

Sutherland (s'ʌðələnd), Joan, * 7. 11. 1926 zu Sydney; australische Sängerin (Koloratursopran), studierte am Konservatorium ihrer Heimatstadt sowie bei Clive Carey an der Royal Academy of Music in London und debütierte 1947 in Sydney in der Titelpartie von H. Purcells *Dido and Aeneas*. 1952 wurde sie an die Covent Garden Opera in London verpflichtet, an der sie 1955 die Jennifer in Tippetts *Midsummer Marriage* kreierte. Von 1959 an hat sie u. a. an der Metropolitan Opera in New York, der Mailänder Scala sowie der Wiener Staatsoper gastiert und ist bei den Festspielen in Glyndebourne aufgetreten. Sie ist verheiratet mit dem australischen Dirigenten Richard Bonynge (* 29. 9. 1930), der seit 1965 die künstlerische Leitung der Sutherland/Williamson International Grand Opera Company innehat (Tourneen durch Australien). Von ihren Partien seien Händels Alcina, Cleopatra und Rodelinde, Mozarts Königin der Nacht und Donna Anna, Bellinis Beatrice di Tenda und Norma, Donizettis Semiramide und Lucia di Lammermoor sowie Delibes Lakmé genannt. J. S., als Konzertsängerin (*Messias, Acis and Galathea*) gleichermaßen erfolgreich, beherrscht auch die Improvisationspraxis des Barockzeitalters. Sie erhielt den Dr. h. c. der University of Leicester (1968) und den der University of Liverpool (1974).
Lit.: R. Braddon, J. S., London u. NY 1962, dänisch Kopenhagen 1966; E. Greenfield, J. S., = Recordmasters I, London 1972, NY 1973.

Sutherland (s'ʌðələnd), Margaret Ada, * 20. 11. 1897 zu Adelaide; australische Komponistin, studierte am N. S. W. State Conservatorium of Music in Melbourne sowie in London bei Bax und lehrte 1930–33 an der University of Melbourne. Sie schrieb Orchesterwerke (*Suite on a Theme by Purcell*, 1935; *Symphonic Studies*, 1949; *Open Air Piece*, 1953; Concerto grosso, 1958; Violinkonzert, 1960; Fantasie für V. und Orch., 1962; *Concertante* für Ob., Streicher und Schlagzeug, 1961), Kammermusik (Quartett für Englisch Horn und Streicher, 1956; 3 Streichquartette; Divertimento für Streichtrio, 1954; Trio für Ob. und 2 V., 1954; Violinsonate, 1925; 6 Bagatellen für V. und Kl., 1960; Sonate *Oiseau-Lyre* für Klar. und Kl., 1949; Sonatine für Ob. und Kl., 1954), Klavierstücke (*Chiaros-*

curo Nr 1 und 2, 1969; *Voices* Nr 1 und 2, 1969; *Extension*, 1969; *Pavane and Ceremonial Pieces*, 1957, und *Burlesque and Movement*, 1958, für 2 Kl.) und Lieder. M. S. veröffentlichte *Young Days in Music* (Melbourne 1968).
Lit.: W. ARUNDEL ORCHARD, Music in Australia, Melbourne 1952, S. 95; A. D. MCCREDIE, Cat. of 46 Australian Composers and Selected Works, Canberra 1969; DERS., Mus. Composition in Australia, ebd. 1969.

[del.:] **Sutter,** Jules-Toussaint de, * 10. 4. 1889 zu Gent; ist identisch mit →⁺De Sutter.

⁺Suvini Zerboni.
Gegenseitige Vertretungsverträge verbinden den Verlag, der weiterhin unter der Leitung von L. Sugar steht, außer mit dem Musikverlag B. Schott's Söhne u. a. auch mit Faber Music Ltd., Nippon Gakki Co. Ltd. und der Universal Edition A. G. Neben der intensiven Förderung der zeitgenössischen italienischen Musik widmet er sich nunmehr auch ausländischen Komponisten (insbesondere aus Ungarn, Japan und Südamerika). An weiteren Namen aus dem Verlagskatalog seien Berio, Castiglioni, Donatoni, Ghedini, R. Malipiero, G. Manzoni, Pizzetti, Sinopoli, Vlad und Zafred genannt.

⁺Svanholm, Set Karl Viktor, * 2. 9. 1904 zu Västerås, [erg.:] † 4. 10. 1964 zu Nacka (bei Stockholm). Stationen seiner internationalen Karriere waren neben der Mitwirkung bei den Salzburger und Bayreuther (1939 und 1942) Festspielen die Berliner (Ensemblemitglied 1938–42) und Wiener Staatsoper, die Mailänder Scala, die Metropolitan Opera in New York (Ensemblemitglied 1946–56) und die Covent Garden Opera in London (ständige Verpflichtungen 1948–57). Sv., 1946 zum Königlich schwedischen Hofsänger ernannt, war Direktor der Stockholmer Oper 1957–63.
Lit.: S. Sv., in: Opera VI, (London) 1955, S. 357ff.; B. HAGMAN, Porträtt av operachef, Musikrevy XII, 1957.

Švara (ʃvʼara), Danilo, * 2. 4. 1902 zu Ricmanje (bei Triest); jugoslawischer Dirigent und Komponist, studierte Klavier bei A. Trost in Wien (1920–22) und bei Fr. Malata in Frankfurt a. M. (1922–25). Er war Dirigent am Opernhaus in Ljubljana (1925–27) und studierte erneut 1927–30 am Konservatorium in Frankfurt a. M. bei Sekles (Komposition) sowie bei H. v. Schmeidel und Rottenberg (Dirigieren). Außerdem vervollkommnete er sich noch privat bei Scherchen. Ab 1930 war Šv. wieder als Dirigent am Opernhaus in Ljubljana (1957–59 Direktor) und daneben als Dozent für Dirigieren an der dortigen Musikakademie (1962 Professor) tätig. Er schrieb u. a. die Opern *Kleopatra* (Ljubljana 1937), *Veronika Deseniška* (»Veronika von Desenize«, ebd. 1946), *Slovo od mladosti* (»Abschied von der Jugend«, ebd. 1954), *Prešern* (1953) und *Ocean* (»Ozeanien«, ebd. 1967), das Ballett *Nina* (1964), Orchester- und Kammermusik (3 Symphonien, 1933, 1935 und 1947; *Sinfonia da camera*, 1956; *Sinfonia in modo istriano*, 1957; *Concerto grosso dodecafono* für 5 Bläser und Streicher, 1961; *Arabesques*, 1969; 2 Streichquartette, 1932 und 1938; Suite für V. und Kl., Zyklus *Dodekafoniai*, I *Duo concertante* für Fl. und Cemb., 1967, II Violinkonzert, 1966, III Oboenkonzert, 1966, IV *Symposium* für Ob., Va und Hf., 1968, und V Konzert für Klar. und Kammerorch., 1969), Klavierwerke (Sonate, 1930; *Morceaux*, 1967), die Kantaten *Vizija* (»Vision« für S., Bar., gem. Chor und Orch. (1931) und *Otroška suita* (»Kindersuite«) für Jugendchor und 8 Instr. (1960), Chöre, Lieder und Filmmusik.

Svéd, Alexander de (Sándor), * 28. 5. 1908 zu Budapest; österreichischer Sänger ungarischer Herkunft

(Bariton), studierte zunächst Violine bei J. Hubay in Budapest und dann Gesang in Italien bei Battistini, Riccardo Stracciari und Mario Sammarco sowie bei Feinhals in München. Er debütierte 1930 an der Nationaloper in Budapest, war 1935–39 an der Wiener Staatsoper engagiert, sang 1937 bei den Salzburger Festspielen und trat 1939–40 auch an der Mailänder Scala auf. 1940 gab er als Renato in Verdis *Un ballo in maschera* sein Debüt an der Metropolitan Opera in New York, der er bis 1960 angehörte. A. de Sv. trat auch bei den Festspielen in Bayreuth und beim Maggio Musicale Fiorentino auf. Die Staatsopern Wien und Berlin verliehen ihm den Titel Kammersänger.

Sveinbjörnsson, Sveinbjörn, * 28. 6. 1847 zu Nesi am Seltjörn, † 23. 2. 1927 zu Kopenhagen; isländischer Komponist und Pianist, studierte in Kopenhagen und bei C. Reinecke in Leipzig. 1874 komponierte er zum 1000jährigen Fest der Besiedlung Islands die Volkshymne *Ó, guð vors lands* (»O, Gott unseres Landes«) und galt von da an als Nationaltondichter. Beliebt sind seine Volksliedbearbeitungen für eine Solostimme und Klavier und die Ballade *Sverrir konungur* (»König Sverre«) für T. und Kl. Als gewandter Pianist war er ein vorzüglicher Anwalt seiner Werke.

⁺Svendsen, Johan Severin, 1840–1911.
Lit.: F. BENESTAD, J. S. Sv.s violinkonsert i A-dur op. 6, in: Norsk musikkgranskning, Årbok IX, 1956–58; Ø. ECKHOFF, Noen særdrag ved J. Sv.s instrumentalstil (»Einige Besonderheiten . . .«), Fs. O. Gurvin, Oslo 1968 (mit engl. Zusammenfassung); BJ. KORSTEN, J. Sv.s cellokonsert op. 7, Bergen 1970 (mit engl. Zusammenfassung).

Svensson, Sven Erik Emanuel, * 3. 11. 1899 zu Västerås, † 22. 4. 1960 zu Uppsala; schwedischer Musiktheoretiker und -pädagoge, studierte Violine in Uppsala, Musiktheorie und Musikwissenschaft in Kopenhagen bei Peder Møller, Komposition in Stockholm bei W. Stenhammar (1924–26) und Dirigieren in Berlin bei Kunwald (1932). Er war Mitgründer und Lehrer der Uppsala Musikskola (1930–45) und Director musices an der Universität Uppsala (1939–45). 1945 erhielt er die Würde eines fil. dr. h. c. der Universität Uppsala und wurde 1951 Mitglied der Kungl. Musikaliska akademien in Stockholm. Er veröffentlichte u. a.: *Harmonilära* (mit C.-A. Moberg, Stockholm 1933), *H. Alfvén* (Uppsala 1946), *J. Haydns stråkkvartetter* (Stockholm 1948), *Musik i teori och praxis* (= Folkbildningsserien o. Nr, ebd. 1952, revidiert 1961) und eine Reihe von Studien in STMf; mit E. Noreen gab er *Bonniers illustrerade musiklexikon* (Stockholm 1946) heraus. Ferner komponierte er Orchesterwerke (Symphonie E moll, 1937; Serenade für 2 Streichorch., 1941), Kammermusik (2 Streichquartette, 1938 und 1940), Vokalwerke (*Promotionskantate*, 1941) und Bühnenmusik.
Lit.: C.-A. MOBERG in: STMf XLII, 1960, S. 5ff.

Svijs (Suys, Suess, Zuess, Suss, Suest, Sweys, Sweyss, Zwijs, Zwits), deutsche Orgelbauerfamilie des 15. und 16. Jh., vermutlich Schweizer Herkunft. –1) Hans (Johan, Jehan, Jan, Jannes, Hansken, auch mit den Beinamen »von Nürnberg«, »von Köln« oder »Schwanenberg von Köln«), als Orgelbauer 1498–1539 nachweisbar, zählt zu den bedeutendsten Orgelbaumeistern seiner Zeit, war in Straßburg, Nürnberg und Frankfurt a. M. tätig, wurde Bürger von Köln und hat vor allem auch in den Niederlanden und in Belgien gewirkt. –2) Jaspar (Jasper, mit dem Zusatz »Jansz«, Johannis, Johanson oder Johansen), Sohn von Hans, 1539–58 nachweisbar, war zunächst Mitarbeiter seines Vaters, führte nach dessen Tode die Werkstatt mit H.

Svoboda

Niehoff als Teilhaber weiter, mit dem er bedeutende Werke in Amsterdam (Oude Kerk, Neubau der kleinen Orgel, 1544–45), Delft (Oude Kerk, 1545–46; Nieuwe Kerk, Große Orgel, 1547–48), Hamburg (St. Petri, große Orgel, 1548–51), Maastricht (St. Servatius, 1553) und Gouda (St. Jan, 1556–58) schuf. –3) L i e b i n g (Lieven, Levinus, auch mit dem Zusatz »von Köln«), 1440–72/73 nachweisbar, erhielt 1440 in Frankfurt das Bürgerrecht und ließ sich später in Köln nieder. –4) S e b a s t i a n (auch mit den Zusätzen »van Diest« und »alias Mouken [Mauken]«), 1518–27 nachweisbar, wurde 1518 Organist an St. Quintinus in Hassel (Belgien) und ging später nach Diest.
Lit.: M. A. VENTE, Die Brabanter Org., Zur Gesch. d. Orgelkunst in Belgien u. Holland im Zeitalter d. Gotik u. d. Renaissance, Amsterdam 1958, ²1963; H. KLOTZ, Artikel Sv., in: Rheinische Musiker IV, hrsg. v. K. G. Fellerer, = Beitr. zur rheinischen Mg. LXIV, Köln 1966.

Svoboda, Jiří, * 23. 12. 1897 zu Třebíč (Mähren); tschechischer Komponist und Musikforscher, studierte bei J. B. Foerster (Komposition) und Štěpán (Klavier) sowie 1919–24 an der Prager Karlsuniversität (Nejedlý, Zich), an der er 1926 mit einer Dissertation über *Písňová tvorba J. B. Foerstra. Rozbor podstaty romantické písně* (»Das Liedschaffen J. B. Foersters. Analyse des Wesens des romantischen Liedes«) promovierte. Er unterrichtete ab 1919 an verschiedenen Lehranstalten in Prag und wurde 1946 Dozent an der pädagogischen Hochschule in Brünn (1948 Professor). Sv. schrieb Orchesterwerke (Symphonie op. 36, 1952), Kammermusik (Bläserquintett op. 23, 1942; Capriccio für V. und Kl. op. 28, 1946), Klavierstücke (Suite op. 17, 1937; Sonate op. 19, 1939; Praeludium op. 22, 1941), Vokalwerke (Kantaten *Kvýročí Mnichova,* »Zum Gedenktag für München«, op. 31, 1949, und *Vyzvání na cestu,* »Einladung zur Reise«, op. 34, 1951; Liederzyklus *Manon* für St. und Orch. op. 21, 1940; zahlreiche Chöre) sowie Bühnenmusik und veröffentlichte u. a.: *Učebnice dirigování a sborového umění pro pěvecké soubory. Systém V. Steinmana* (»Lehrbuch des Dirigierens und der Chorkunst für die Sängervereinigungen. Das System von V. Steinman«, Prag 1952, ³1962); *Vývoj české a slovenské hudby* (»Entwicklung der tschechischen und slowakischen Musik«, Teil I, mit J. Trojan, und II, ebd. 1966).

Svoboda, Josef, * 10. 5. 1920 zu Čáslav (Böhmen); tschechischer Bühnenbildner, studierte nach einer Schreinerlehre in seiner Heimatstadt an der Kunstgewerbeschule in Prag Architektur. Als Ausstattungsleiter wirkte er in Prag ab 1947 an der Großen Oper des 5. Mai (*Káta Kabanová,* 1947, und *Výlet pána Broučka,* »Die Ausflüge des Herrn Brouček«, 1948, von Janáček), ab 1951 am Nationaltheater (*Halka* von Moniuszko, 1951; *Der Freischütz,* 1952; *Prodaná nevěsta,* »Die verkaufte Braut«, 1953; *Le nozze di Figaro,* 1954; *Faust,* 1955; *Don Giovanni,* 1956; »Pique Dame«, 1957) und arbeitete gleichzeitig für die Opernhäuser in Ostrava und Bratislava. Zu internationalem Ruf gelangte er mit der Ausstattung von Alfred Radoks *Laterna Magica* (Weltausstellung Brüssel, 1958). Er gastierte beim Holland Festival (*Jenufa,* 1960), in Venedig (*Intolleranza 1960* von Nono, 1961), Rio de Janeiro (*Wozzeck,* 1963), Mailand (*Cardillac,* 1964; »Der feurige Engel«, 1969), Moskau (»Orpheus in der Unterwelt«, 1965), Wiesbaden (»Hoffmanns Erzählungen«, 1966), Berlin (»Der Troubador«, 1966), London (*Die Frau ohne Schatten,* 1967; *Pelléas et Mélisande,* 1969), München (*Oberon,* 1967; *Prometheus* von Orff, 1968; *Die Soldaten* von B. A. Zimmermann, 1969; *Die Zauberflöte,* 1970) und bei den Bayreuther Festspielen (*Der fliegende Holländer,*

1969). – Überaus produktiv und Experimenten gegenüber stets offen, ist Sv. der vielseitigste Szenograph unserer Tage. Er hat, ausgehend von A. → Appias und Edward Gordon Craigs Definition der Bühne als Raum, die in avantgardistischen Szenengestaltungen der 20er Jahre konkretisierten Überlegungen (→ Reinking, → Prampolini, → Moholy-Nagy, Erwin Piscator) systematisiert und erweitert. Sv.s Bühne, als Medium des Geschehens ein »psychoplastischer Raum«, stellt eine Synthese aus konstruktiven Elementen, funktional autonomen Materialien und akzentuiert verwendeten technischen Mitteln (Licht, Projektion, Film, TV) dar. Das Ergebnis ist eine im Prinzip mit Multi media-Shows vergleichbare kinetische Collage, welche die Struktur des Stückes in Form von assoziativen Raumbildern spiegelt.
Lit.: VL. JINDRA, Atakovaná scéna (»Die attackierte Bühne«), in: Divadlo XVII, 1966; CH. SPENCER in: Opera XVIII, (London) 1967, S. 631ff. (Gespräch); J. Sv., Ausstellungskat. Bln 1969, Nürnberg 1970; D. BABLET, La scena e l'immagine. Saggio su J. Sv., Turin 1970; V. PTÁČKOVÁ in: Hudební rozhledy XXIV, 1971, S. 3ff. HS

Svoboda, Tomas, * 6. 12. 1939 zu Paris; amerikanischer Komponist, Dirigent und Pianist tschechischer Herkunft, studierte in Prag 1954–62 am Konservatorium und 1962–64 an der Musikakademie sowie 1966–69 in Los Angeles an der University of Southern California (M. Mus.). Er ist Professor für Komposition, Dirigieren und Klavier an der Portland State University (Oreg.). Seine Kompositionen umfassen u. a. Orchesterwerke (4 Symphonien, op. 20, 1957, op. 41, 1962, op. 43, 1966, und op. 69, 1974; *Reflections* op. 53, 1968; *Sinfoniette – à la Renaissance* op. 60, 1972; Symphonische Dichtung *In A Linden's Shadow* für Org. und Orch. op. 25, 1958; 6 Variationen für V. und Streichorch. op. 32, 1961; *Christmas Concertino* für Hf. und Kammerorch. op. 34, 1961; Konzert für Kl. und Orch. op. 71, 1974), Kammermusik (Doppeloktett für 8 Fl. und 8 Vc. op. 59, 1971; Septett für Fag., Cemb. und Streichquintett op. 39, 1962; Divertimento für 7 Instr. op. 48, 1967; Quintett E moll für Fl., Ob., Klar., Vc. und Kl. op. 37, 1962; *Chorale and Dance* für Blechbläserquintett op. 43a, 1966; *Parabola* für Klar., Kl., V., Va und Vc. op. 58, 1971; 2 Streichquartette, Nr 1 op. 29, 1960, und Nr 2, *Two Epitaphs,* op. 47, 1967; Trio für Ob., Fag. und Kl. op. 38, 1962; Suite für Kl. und Schlagzeug op. 18, 1956; Sonate für Va und Kl. op. 36, 1961; Duo für Fl. und Ob. op. 65, 1974), Klavierwerke (3 Fugen für Kl. 4händig op. 12, 1955; Toccata G moll op. 17a, 1956; Sonate Nr 1 op. 49, 1967; *A Quiet Piece* op. 63, 1973; 4 Walzer op. 68, 1974), Orgelstücke und Vokalwerke (*Child's Dream* für Kinderchor und Orch. op. 66, 1973; Lieder nach mährischen Volksdichtungen für T. und Kl.; 10 Lieder *Of the Horses* op. 27, 1959, 5 Lieder *Of the Love* op. 31, 1961, und 6 Lieder *Of the War* op. 33, 1961).

Švorc (ʃvɔrts), Antonín, * 12. 2. 1934 zu Jaroměř (Böhmen); tschechischer Opernsänger (Bariton), erhielt nach seiner Ausbildung in Prag sein erstes Engagement in Liberec/Reichenberg (1955–56) und wurde dann an das Prager Nationaltheater verpflichtet (Hans Sachs, Fliegender Holländer, Pizarro). 1962 wurde er Mitglied der Berliner Staatsoper; er hat auch an anderen deutschen Bühnen gastiert und ist bei Festspielen, u. a. in Spoleto, aufgetreten.

+Swan, Alfred Julius, * 27. 9. (9. 10.) 1890 zu St. Petersburg, [erg.:] † 2. 10. 1970 zu Haverford (Pa.).
+*Scriabin* (1923), Nachdr. NY 1969. – Neuere Schriften: *Russian Music and Its Sources in Chant and Folk-*

744

Song (NY und London 1973); *Russian Liturgical Music and Its Relation to 20th-Cent. Ideals* (ML XXXIX, 1958); *Die russische Musik im 17. Jh.* (Jb. für Geschichte Osteuropas XII, 1964); *O spossobach garmonisazii snamennowo raspewa* (»Zur Harmonisierungsmethode des Zeichengesanges«, in: Anfänge der slavischen Musik, = Slowakische Akademie der Wissenschaften, Institut für Musikwissenschaft, Symposia I, Bratislava 1966); *Das Leben N. Medtners* (in: Musik des Ostens IV, Kassel 1967).

Swanson (sw'ɔnsɔn), Howard, * 18. 8. 1909 zu Atlanta (Ga.); amerikanischer Komponist, studierte am Cleveland Institute of Music (O.) sowie 1938–40 in Paris bei Nadia Boulanger. 1941–45 arbeitete er beim Internal Revenue Department in New York. Seitdem ist er als freischaffender Komponist tätig. Er schrieb zahlreiche Lieder, die von Marian Anderson kreiert wurden, darunter *4 Preludes* nach T. S. Eliot (1947) sowie Orchesterwerke (Symphonie Nr 1, 1945; *Short Symphony*, 1948; Symphonie Nr 3, 1970; *Night Music* für Kammerorch., 1950; Symphonie für Streicher, 1951), Kammermusik (*Nocturne* für V. und Kl., 1948; Suite für Vc. und Kl., 1949) und Klavierstücke (Sonate, 1948; Scherzo *The Cuckoo*, 1948; Praeludien, 1950).

+Swarowsky, Hans, * 16. 9. 1899 zu Budapest.
Seit 1959 ist er Dirigent an der Wiener Staatsoper. Daneben tritt Sw., der sich vor allem den Werken von R. Strauss, G. Mahler und der Wiener Schule widmete, als Gastdirigent namhafter Orchester in Europa und Amerika hervor. Sw. ist ein hervorragender Dirigierpädagoge; zu den zahlreichen Schülern, die er während seiner fast 30jährigen Lehrtätigkeit an der Wiener Musikakademie sowie im Rahmen des Carinthischen Sommers in Ossiach ausbildete, gehören Cl. Abbado, M. Caridis und Z. Mehta. Sw. wirkte bei der Entstehung des Librettos zu R. Strauss' *Capriccio* mit (u. a. Übersetzung des Ronsardschen Sonetts) und fertigte mehrere Neuübertragungen ins Deutsche von Opern Monteverdis, Glucks, Mozarts, Verdis, Puccinis u. a. an. Er gab J. Strauß' *Die Fledermaus* heraus (= Ed. Eulenburg Nr 922, Zürich 1968) und veröffentlichte verschiedene Beiträge (vorwiegend zu Fragen der Aufführungspraxis) in der ÖMZ (zuletzt u. a.: *Marginalien zu Fragen des Stils und der Interpretation,* XXIV, 1969 – XXV, 1970; *Bemerkungen zur Interpretation der Schubert-Symphonien,* XXVII, 1972) und in den R.-Strauss-Blättern, ferner den Beitrag *A. Webern. Bemerkungen zu seiner Gestalt* (Webern-Kgr.-Ber., = Beitr. 1972/73, Kassel 1973). 1974 wurde Sw. zum Präsidenten der R.-Strauss-Gesellschaft ernannt.

+Swarthout, Gladys, * 25. 12. 1900 [nicht: 1904] zu Deepwater (Mo.), [erg.:] † 7. 7. 1969 zu Florenz.
Die Partie der Carmen, mit der sie vor allem bekannt geworden war, sang sie auch 1950 in der ersten für das US-Fernsehen produzierten Oper.

Swaryczewska, Katarzyna → Morawska, K.

+Sweelinck, Jan Pieterszoon, [erg.: Mai] 1562 – 1621.
Sw.s Vater Pieter Swybertszoon (Peter Swibbertszoon) heiratete Elsken Sweling 1558 [nicht: 1590]. – +Chansons (1594 [nicht: 1584]); +*Pseaumes de David* (4 Bücher, 1604–21 [nicht: 1604–23]).
Ausg.: +GA (M. SEIFFERT, 1894–1901 [nicht: 1895–1903]), Nachdr. als: Collected Works, Farnborough 1968 (10 Bde in 8); eine v. dems. geplante NA wird v. d. Vereniging voor nld. mg. fortgeführt als: Opera omnia, Amsterdam 1957ff., bisher erschienen (Bandzählung d. alten GA ist beibehalten): Bd I (1968), Kl.-Werke, 3 Teil-Bde (1: Fantasien u. Toccaten, hrsg. v. G. LEONHARDT, 2: geist-

liche Liedsätze, A. ANNEGARN, 3: weltliche Liedsätze u. Tänze sowie Lautenmusik, FR. NOSKE); II–III (1965–66), Cinquante pseaumes de David, Buch 1–2 (R. LAGAS); VI (1957, zugleich NA aus d. alten GA), Cantiones sacrae (B. VAN DEN SIGTENHORST MEYER). – Ausgew. Werke f. Org. u. Kl., hrsg. v. D. HELLMANN, 2 Bde, Lpz. 1957; Fantasie, Toccata u. Variationen über »Moll Sims«, in: Nld. klaviermuziek uit de 16e en 17e eeuw, hrsg. v. A. CURTIS, = Monumenta musica Neerlandica III, Amsterdam 1961; 3 Choralvariationen f. Org., hrsg. v. FL. PEETERS, NY 1965; Werke f. Org. oder Kl. aus d. »Celler Klavierbuch 1662«, hrsg. v. J. H. SCHMIDT, = Exempla musica Neerlandica II, Amsterdam 1965; Choralpartita »O Mensch, bewein dein Sünde groß«, hrsg. v. O. MISCHIATI, Mainz u. NY 1967; 2st. Rimes frç. et ital., Duette zum Spielen u. Singen, hrsg. v. J. PH. HINNENTHAL, = HM LXXV, Kassel 1968.
Lit.: +M. SEIFFERT, Gesch. d. Klaviermusik ... (I, 1899), Nachdr. Hildesheim u. Wiesbaden 1966; +L. SCHIERNING, Quellengesch. Studien zur Org.- u. Klaviermusik ... (1958), gedruckt als: Die Überlieferung d. deutschen Org.- u. Klaviermusik aus d. 1. Hälfte d. 17. Jh., = Schriften d. Landesinst. f. Musikforschung Kiel XII, Kassel 1961. – R. H. TOLLEFSEN, J. P. Sw., A Bibliogr., 1604–1842, TVer XXII, 2, 1971. – A. VOIGTS, Die Toccaten J. P. Sw.s. Ein Beitr. zur frühen Instrumentalmusik, Diss. Münster (Westf.) 1955; H. GURTNER, Zur Registrierung Sw.scher Orgelwerke, in: Musik u. Gottesdienst XII, 1958; J. WOUTERS, J. P. Sw., Der »Orpheus v. Amsterdam«, in: Musica XV, 1961, auch in: Sonorum speculum 1962, Nr 10 (deutsch u. engl.); A. ANNEGARN, De Cantiones sacrae v. J. P. Sw., Gregoriusblad LXXXIII, 1962; W. BLANKENBURG in: MuK XXXII, 1962, S. 164ff. (zu d. Psalmlied-Motetten); M. FALK in: Musik u. Gottesdienst XVI, 1962, S. 30ff., u. in: Musica XVII, 1963, S. 53ff.; A. C. VOS, J. P. Sw., = AO-reeks Nr 912, Amsterdam 1963; FR. NOSKE in: TVer XIX, 3–4, 1962–63, S. 125ff.; DERS., Forma formans. Een structuuranalytische methode, toegepast op de instr. muziek v. J. P. Sw., Amsterdam 1969; M. A. VENTE in: TVer XIX, 3–4, 1962–63, S. 186ff.; DERS., Sw.s Orgelreisen, TVer XXII, 2, 1971; O. MISCHIATI, L'intavolatura d'org. tedesca della Bibl. Nazionale di Torino. Cat. ragionato, in: L'org. IV, 1963 (mit frz., deutscher u. engl. Zusammenfassung); A. CURTIS, J. Reinken and a Dutch Source f. Sw.'s Keyboard Works, TVer XX, 1–2, 1964–65; DERS., Sw.'s Keyboard Music. A Study of Engl. Elements in 17th-Cent. Dutch Composition, = Publ. of the Sir Th. Browne Inst. IV, Leiden u. London 1969, 21972; J. H. VAN DER MEER, Sw. u. Nürnberg?, TVer XX, 1–2, 1964–65; T. A. ANDERSON, The Metrical Psalmody of J. P. Sw., 2 Bde (Bd II: praktische Ausg. d. 4. Buches d. »Pseaumes de David«), Diss. Univ. of Iowa 1968; W. BERKOW, Chromatitscheskaja fantasija J. Swelinka. Is istorii garmonii (» ... Aus d. Gesch. d. Harmonie«, = W pomoschtuch pedagogu-muzykantu o. Nr, Moskau 1972; A. VERNOOY, De ontwikkeling v. de Fuga in de Fantasieën v. J. P. Sw., Gregoriusblad XCVII, 1973.

+Sweschnikow, Alexandr Wassiljewitsch, * 30. 8. (11. 9.) 1890 zu Kolomna (Gouvernement Moskau) [erg. frühere Angabe].
Sw., 1946 zum Professor ernannt, ist weiterhin Direktor des Moskauer Konservatoriums und Leiter des staatlich-akademischen Chores des russischen Liedes. Er hat auch eine Reihe von Beiträgen über die Chorkunst veröffentlicht.
Lit.: A. W. Sw., hrsg. v. W. W. PODOLSKAJA, Moskau 1970 (Sammel-Bd mit Verz. d. Aufsätze u. Chorbearb.). – D. L. LOKSCHIN, Wydajuschtschije russkije chory i jich dirischory (»Berühmte russ. Chöre u. ihre Dirigenten«), ebd. 1935, 2. Aufl. als: Sametschatelnyje russkije chory i jich dirischory (»Bemerkenswerte ...«), 1963; Istorija russkoj sowjetskoj musyki, hrsg. v. A. D. ALEXEJEW u. W. A. WASSINA-GROSSMAN, Bd III, ebd. 1959 (darin besonders d. Kap. über »Volksliedbearb.«, S. 75ff.); KL. B. PTIZA in: SM XXIX, 1965, H. 10, S. 65ff.; DERS., Mastera chorowowo iskusstwa w Moskowskoj konserwatorii (»Meister d. Kunst d. Chordirigierens am Moskauer Konservatorium«), Moskau 1970.

Swetlanow, Jewgenij Fjodorowitsch, * 6. 9. 1928 zu Moskau; russisch-sowjetischer Dirigent, Komponist und Pianist, absolvierte 1951 das Moskauer Gnessin-Institut (Klavier bei M. Gurwitsch, Komposition bei M. Gnessin) und studierte dann bis 1955 Komposition bei Schaporin sowie Dirigieren bei A. Hauck (Gauk) am Moskauer Konservatorium. 1953 wurde er Dirigent beim Moskauer Rundfunksymphonieorchester, 1955 am Bolschoj Teatr, an dem er 1962–64 den Posten eines Chefdirigenten innehatte. Seit 1965 leitet er das staatliche Symphonieorchester der UdSSR. Seine Kompositionen umfassen u. a. eine Symphonie (1956), die Symphonischen Dichtungen *Prasdnitschnaja* (»Festliches Poem«, 1950), *Daugawa* (1952) und *Sibirskaja fantasija* (»Sibirische Fantasie«, 1953), ein Klavierkonzert (1951), ein Streichquartett, die Kantate *Rodnyje polja* (»Heimatfelder«, 1949) sowie Bühnen- und Filmmusik.
Lit.: JE. RAZER in: SM XXVII, 1963, H. 2, S. 65ff.; G. SCHOCHMAN in: SM XXXV, 1971, H. 6, S. 24ff.; W. TOLBA in: SM XXXVII, 1973, H. 11, S. 54ff.

+Swieten, Gottfried [erg.: Bernhard] van, 29. 10. 1733 zu Leiden [erg. frühere Angaben] – 1803.
G. v. Sw. studierte Medizin in Leiden und wurde 1773 mit einer Schrift über den Einfluß der Musik auf die Heilwirkung promoviert (*Musicae in medicinam influxus atque utilitatis . . .*, Rotterdam 1773). Die von ihm gegründete +musikalische Gesellschaft nannte sich »Gesellschaft der Associierten«. – C. Ph. E. Bach widmete ihm die 6 Streichersinfonien [nicht: Streichquartette] (Wq 182, 1773).
Lit.: A. HOLSCHNEIDER, Die mus. Bibl. G. v. Sw.s, Kgr.-Ber. Kassel 1962; D. E. OLLESON, G. v. Sw., Patron of Haydn and Mozart, Proc. R. Mus. Ass. LXXXIX, 1962/63; DERS. in: MGG XII, 1965, Sp. 1786f.; DERS., G. Baron v. Sw. and His Influence on Haydn and Mozart, Diss. Oxford Univ. 1967; DERS., The Origin and Libretto of Haydn's »Creation«, Das Haydn-Jb. IV, 1968; W. PAAP in: Mens en melodie XX, 1965, S. 204ff., deutsch u. engl. in: Sonorum speculum 1966, H. 27, S. 9ff.; M. STERN, Haydns »Schöpfung«. Geist u. Herkunft d. v. Sw.schen Librettos. Ein Beitr. zum Thema »Säkularisation« im Zeitalter d. Aufklärung, in: Haydn-Studien I, 3, 1966; H. WALTER, G. v. Sw.s hs. Textbücher zu »Schöpfung« u. »Jahreszeiten«, ebd. I, 4, 1967; A. SCHELP, Het tekstboek v. »Die Schöpfung«, in: Mens en melodie XXIII, 1968; W. PASS, Beethoven u. d. Historismus, in: Beethoven-Studien, = Österreichische Akad. d. Wiss., Sb. CCLXX, = Veröff. d. Kommission f. Musikforschung XI, Wien 1970.

Swift, Richard, * 24. 9. 1927 zu Middlepoint (O.); amerikanischer Komponist, studierte an der University of Chicago bei Grosvenor Cooper, Leonard Meyer und Leland Smith (M. A. 1956), ist seit 1956 Professor of Music an der University of California in Davis sowie zur Zeit auch Chairman des Department of Music.
Seine Kompositionen umfassen die Oper *The Trial of Tender O'Shea* (San Francisco 1964), Orchesterwerke (*A Coronal*, 1956; *Extravaganza*, 1967; *Tristia*, 1968; Konzerte für Kl., 1961, und für V., 1968, mit Kammerensemble), Kammermusik (*Stravaganza I*, 1956, *II*, 1959, *III* für Klar., V. und Kl., 1961, *IV* für Va und Kl., 1961, und *VII* für Va, 1969; 3 Streichquartette, 1957–68), Vokalwerke, Komposition für Band und Solowerke sowie Gelegenheitskompositionen (*Carmina Archilochi*, 1965; *Music for a While*, 1966).
Lit.: K. KOHN in: Perspectives of New Music II, 1963/64, H. 1, S. 90ff. (zum Konzert f. Kl. u. Kammerensemble).

Świrek (scf'irɛk), Józef, * 5. 2. 1899 zu Poradów (bei Krakau); polnischer Geigenbauer, war Schüler von Albert Caressa in Paris. Für seinen Satz von Streichinstrumenten (Violine, Viola, Violoncello und Kontrabaß) erhielt er bei einem Wettbewerb 1972 in Lüttich eine hohe Auszeichnung. Sw. veröffentlichte *Lutnictwo* (»Der Geigenbau«, mit Wł. Kamiński, Krakau 1972).

Swiridow, Georgij (Jurij) Wassiljewitsch, * 3.(16.) 12. 1915 zu Fatesch (Gouvernement Kursk); russisch-sowjetischer Komponist, studierte 1932–36 in Leningrad am Zentralen Musiktechnikum Klavier bei Braudo und Komposition bei Michail Judin sowie 1936–41 am dortigen Konservatorium bei Rjasanow und Schostakowitsch. 1955 übersiedelte er nach Moskau und wurde 1957 Mitglied der Leitung des Komponistenverbands der UdSSR. 1968 löste er Schostakowitsch in seiner Funktion als 1. Sekretär des Komponistenverbands der Russischen SSR ab. Er schrieb die musikalischen Komödien *Nastojaschtschij schenich* (»Der wahre Bräutigam«, 1939), *Raskinulos more schiroko* (»Weit erstreckte sich das Meer«, Nowosibirsk 1943) und *Ogonki* (»Die Flämmchen«, Kiew 1952), Orchesterwerke (Symphonie für Streichorch., 1940; Musik für Kammerorch., 1964; *Malenkij triptich*, »Kleines Triptychon«, 1964; 2 Konzerte für Kl. und Orch., 1936 und 1942), Kammermusik (Klavierquintett, 1945, Neufassung 1955; 2 Streichquartette, 1945 und 1947; Klaviertrio, 1945, Neufassung 1955), Vokalwerke (*Poema pamjati Sergeja Jessenina*, »Gedicht zum Gedenken an S. Jessenin«, für T., Chor und Orch., 1956; *Patetitscheskaja Oratorija*, »Pathetisches Oratorium«, nach Wl. Majakowskij, für Soli, Chor und Orch., 1959; *Peterburgskije pesni*, »Petersburger Lieder«, für S., Mezzo-S., Bar., B., Kl. und Streicher, nach Texten von A. Blok, 1963; *Kurskije pesni*, »Kursker Lieder«, für Chor und Orch., 1964; *Derewjannaja Rus*, »Hölzernes Rußland«, Kleine Kantate für T., Männerchor und Orch., nach Texten von S. Jessenin, 1964; Oratorium *Pjat pessen o Rossii*, »5 Lieder über Rußland«, für Mezzo-S., Bar., B., Chor und Orch., 1967; Kantate *Pamjati A. T. Twardowskowo*, »Zum Gedächtnis an A. T. Twardowskij«, für Chor und Orch., nach Nikolaj Nekrassow, 1972) sowie zahlreiche Lieder, Bühnen- und Filmmusik.
Lit.: L. POLJAKOWA, Wokalnyje zikly G. Sw.a (»Die Vokalzyklen v. Sw.«), Moskau 1961, ²1971; DIES., Kurskije pesni G. Sw.a (»Die Kursker Lieder v. G. Sw.«), ebd. 1970; N. TUMANINA, Oratorii i kantaty (»Oratorien u. Kantaten«), in: Istorija russkoj sowjetskoj musyki, hrsg. v. A. D. Alexejew u. W. A. Wassina-Grossman, Bd IV, 1, ebd. 1963, S. 224ff.; W. A. WASSINA-GROSSMAN u. O. LEWASCHEWA, Kamerno-wokalnaja musyka (»Vokale Kammermusik«), ebd. S. 153ff.; G. JASON u. M. SABININA, Operette, ebd. IV, 2, 1963, S. 60ff.; A. SOCHOR, G. Sw., ebd. 1964, ²1972; DERS., Tradizii i nowatorstwo w twor.schestwe Sw.a (»Tradition u. Neuerung in Sw.s Werk«), in: Woprossy teorii i estetiki musyki X, hrsg. v. L. N. RAABEN, Leningrad 1971, S. 60ff.; DM. SCHOSTAKOWITSCH u. a. in: SM XXIX, 1965, H. 12, S. 20ff. (zum 50. Geburtstag); M.-R. HOFMANN, La musique russe des origines à nos jours, Paris 1968, S. 258ff.; M. ELIK, »Poema pamjati S. Jessenina« G. Sw.a (»Gedicht zum Gedächtnis an S. Jessenin' v. G. Sw.«), Moskau 1971; DERS. in: SM XXXVI, 1972, Nr 11, S. 37ff. (zur Kantate »Pamjati A. T. Twardowskowo«); G. Sw., Sbornik statej (»Aufsatz-Slg«), hrsg. v. DM. WL. FRISCHMAN, Moskau 1971; DERS., Peterburgskije pesni G. Sw.a (»Die Petersburger Lieder v. G. Sw.«), ebd. 1973; L. N. RAABEN, Instrumentalnoje twort.schestwo Sw.a 30–40-ch godow (»Sw.s Instrumentalwerk in d. 30er u. 40er Jahren«), in: Woprossy teorii i estetiki musyki X, Leningrad 1971, S. 101ff.

Swoboda, Henry (Heinrich), * 29. 10. 1897 zu Prag; amerikanischer Dirigent tschechischer Herkunft, studierte in seiner Heimatstadt bei Talich und Zemlinsky sowie an der Universität, an der er 1923 mit einer Dissertation über *Die nachbeethovensche Variationenform* promovierte. Er war Dirigent an der Oper in Prag (1921–23) und am dortigen Rundfunk (1931–38). 1938 übersiedelte er in die USA, wo er musikalischer Leiter der Schallplattenfirmen Westminster Recording Company und Concert Hall (1948–51) sowie Dirigent des Harvard-Radcliffe Orchestra (1962–64) und ab 1964 des Orchesters des Opera Workshop der University of Texas in Austin war. Sw. unternahm Konzertreisen durch Europa, Südamerika und den Nahen Osten. Er gab *The American Symphony Orchestra* (NY 1967) heraus.

Syāmā Śāstrī, * 26. 4. 1762 zu Tiruvārūr, † 6. 2. 1827 zu Tanjore, gehört mit → Tyāgarāja und → Muttusvāmī Dīkṣitar zu den Klassikern der neueren karnatischen Musik. In seiner Jugend lernte er Sanskrit und Telugu sowie ein wenig Musik. Mit 18 Jahren ging er nach Tanjore und setzte sein Musikstudium fort. Vermutlich begann dort auch seine Kompositionstätigkeit. Śy. Ś. gilt als »gelehrter Komponist«. Seine Kompositionen, meist Kṛti, haben durchweg ein kompliziertes metrisch-rhythmisches und melodisches Gefüge. Die Melodien sind eng an die meist sehr einfachen Texte (Sanskrit, Telugu oder Tamil) gebunden.
Ausg.: Kritis of Śy. Ś., hrsg. v. S. VIDYA, Bd II–III, Madras 1947–48 (Text in Tamil-, Sanskrit- u. Telugu-Schrift, Sa ri ga ma-Notation in Sanskrit- u. Tamil-Schrift u. Viṇā-gamaka-Zeichen); Kṛti-maṇi-mālai, Bd IV, hrsg. v. R. RANGARĀMĀNUJA AYYANGĀR, ebd. ²1969 (enthält 44 kṛti-Kompositionen; Texte u. Melodien in Tamil-Schrift).
Lit.: P. SAMBAMOORTHY, Great Composers, Bd I, Madras ²1962, S. 69ff.; T. V. SUBBA RAO, Studies in Indian Music, Bombay u. a. 1962, S. 123f.

+Sychra, Antonín, * 9. 6. 1918 zu Boskovice (Mähren), [erg.:] † 21. 10. 1969 zu Prag.
S., bis zu seinem Tode Professor an der Prager Karlsuniversität, war Mitglied der tschechoslowakischen Akademie der Wissenschaften. Er betätigte sich auch als Musik- und Theaterkritiker. – *+Estetika Dvořákovy symfonické tvorby* (1959), deutsch als *A. Dvořák. Zur Ästhetik seines sinfonischen Schaffens,* Lpz. 1972. – Neuere Bücher und Aufsätze: *Hudba a slovo z experimentálního hlediska* (»Musik und Wort nach dem experimentellen Gesichtspunkt«, mit K. Sedláček, Prag 1962); *Hudba očima vědy* (»Musik mit den Augen der Wissenschaft gesehen«, = Otázky a názory LVI, ebd. 1965); *Die Einheit von absoluter Musik und Programmusik* (BzMw I, 1959); *L. v. Beethovens Skizzen zur IX. Symphonie* (Beethoven-Jb. IV, 1959/60, auch in: Haydn-Kgr.-Ber. Budapest 1959); *K estetice operety a příbuzných žánrů* (»Zur Ästhetik der Operette und verwandter Gattungen«, in: Opereta 62, Prag 1962); *O některých současných možnostech heuristické práce v marxistické muzikologii* (»Über einige zeitgenössische Möglichkeiten der heuristischen Arbeit in der marxistischen Musikwissenschaft«, in: Hudební věda 1962); *Experimentelle Untersuchungen im Hinblick auf gemeinsame Gesetzmäßigkeiten von Musik und Sprache* (Wissenschaftliche Zs. der M.-Luther-Universität Halle–Wittenberg, Gesellschafts- und sprachwissenschaftliche Reihe XII, 1963); *Hudba a kybernetika* (»Musik und Kybernetik«, in: Nové cesty hudby, hrsg. von M. Černohorská und V. Dolanská, Prag 1964); *Janáčkův spisovatelský sloh. Klíč k sémantice jeho hudby* (»Janáčeks Stil als Schriftsteller. Ein Schlüssel zur Semantik seiner Musik«, in: Estetika I, 1964); *Objektivní a subjektivní momenty v hudební analýze* (»Objektive und subjektive Momente in der musikalischen Analyse«, Fs. J. Racek, = Sborník prací filosofické fakulty brněnské univ. XIV, F 9, 1965); *The Method of Psychoacoustic Transformation Applied to the Investigation of Expression in Speech and Music* (mit K.

Sedláček, in: Kybernetica V, 1969); *Die Anwendung der Kybernetik und der Informationstheorie in der marxistischen Ästhetik* (BzMw XII, 1970); zahlreiche weitere Beiträge besonders in »Hudební rozhledy«.
Lit.: J. JIRÁNEK in: Hudební věda VII, 1970, S. 3ff.; M. JŮZL in: Slovenská hudba XIV, 1970, S. 29ff.; G. KNEPLER in: BzMw XII, 1970, S. 133f.

Sydeman (s'aidmən), William, * 8. 5. 1928 zu New York; amerikanischer Komponist, studierte an der Duke University in Durham/N. C. (1944–45), an der Mannes Music School in New York (B. S. 1955), an der Julius Hartt School of Music in Hartford/Conn. (M. M. 1958) sowie bei Salzer und Sessions. Gegenwärtig lehrt er Komposition an der Mannes Music School. Von seinen Kompositionen seien genannt: 3 Orchesterstudien (1959, 1963 und 1967); *Oecumenicus,* Konzert für Orch. (1964); *In Memoriam – John F. Kennedy* für Erzähler und Orch. (1966); Konzertstück für Kammerorch. (1960); 3 *Concerti da camera* für V. und Kammerorch. (1959, 1960 und 1965); *The Affections* für Trp. und Kl. (1969); *Prometheus,* Kantate für 3 Männer-St., Frauenchor und Orch. (1957); *Encounters* für V., Vc., Kl. 4händig und Singst. (1967); *The Lament of Elektra* für A., 5st. Chor und Kammerorch. (1968).

Sydow, Kurt, * 6. 6. 1908 zu Stettin; deutscher Musikpädagoge, studierte an der Hochschule für Musik in Berlin bei Josef Wolfsthal (Violine), Höffer (Klavier), P. Hindemith (Kammermusik), Tiessen (Theorie), Schünemann und C. Sachs (Musikwissenschaft), war Mitarbeiter von Martin Luserke (Juist 1929–32) und Götsch (Frankfurt/Oder 1932–39). Ab 1947 lehrte er an pädagogischen Hochschulen (1953 Professor), zuletzt in Osnabrück. Verbreitung fand sein Lehrerhandbuch *Wege elementarer Musikerziehung* (Kassel 1955). Er veröffentlichte ferner *Weltliches Laienspiel. Ein Spielhandbuch* (= Pädagogische Bücherei XVII, Hannover 1950) und edierte die Tagungsberichte (darin auch eigene Beiträge) *Musik in Volksschule und Lehrerbildung* (= Musikalische Zeitfragen XI, Kassel 1961), *Sprache und Musik* (Wolfenbüttel 1966) sowie *Musikhören und Werkbetrachtung in der Schule* (ebd. 1970).

Syjanec, Mariano Drago → Drago, M.

Sýkora (s'i:kəra), Václav Jan, * 10. 10. 1918 und † 21. 2. 1974 zu Prag; tschechischer Pianist und Musikforscher, absolvierte als Schüler von Heřman 1943 die Meisterklasse für Klavier am Prager Konservatorium, an dem er ab 1946 als Professor für Klavier wirkte. Außerdem war er als Konzertsolist und Klavierbegleiter tätig. Neben einer Reihe von Zeitschriftenaufsätzen und kleineren Beiträgen schrieb er (Erscheinungsort Prag) *Národní umělec J. Heřman* (»Der Nationalkünstler …«, 1956), *Fr. X. Dusek. Život a dílo* (»… Leben und Werk«, 1958), *Improvizace včera a dnes* (»Improvisation gestern und heute«, = Edice přátel hudby V, 1966) sowie *R. Schumann* (= Hudební profily XVI, 1973) und edierte Klavierkompositionen in der in Prag erscheinenden Denkmälerreihe MAB (mit J. Racek): *Čeští klasikové* (»Tschechische Klassiker«, 2 Bde, = XIV, 1953 und XX, 1954); J. L. Dussek, *Dvanáct melodických etud / Douze études mélodiques* (= XXI, 1954, NA 1970) und Sonaten Nr 1–7, 17–23 und 24–29 (3 Bde, = XLVI, 1960, NA 1969, LIX, 1962 und LXIII, 1963); G. Benda, 16 Sonaten (= XXIV, 1956) und 34 Sonatinen (= XXXVII, 1958). Außerdem gab er u. a. *Staré hanácké tance ze 17. století* (»Alte [mährische] Tänze des 17. Jh. aus Haná«, Prag 1972) und von Reicha 36 Fugen für Kl. (3 Teile, ebd. 1973) heraus. S. ist auch als Komponist, vor allem von Klavier- und Chormusik, hervorgetreten.

Symonds (s'aimɔndz), Norman Alec, * 23. 12. 1920 zu Nelson (British Columbia); kanadischer Komponist, Schüler von Gordon Delamont, gründete eine eigene Jazzformation, mit der er 1957 am Stratford Festival teilnahm. Von seinen Kompositionen seien genannt: Jazzoper *Opera for Six Voices* (CBC 1961); Fernsehballett *Tensions* (CBC-TV 1964); *Impulse* für Orch. (1969); Elegie (1962) und *Pastel* (1963) für Streichorch.; Concerto grosso für Jazzquintett und Orch. (1958); *Autumn Nocturne* für Tenorsax. und Streicher (1960); 2 Konzerte für Jazzoktett (1955 und 1956); *Experiments for Improvising* für Jazzinstrumente (1957); *Shepherd's Lament* für Jazzquartett (Fl., Git., Kb. und Trommeln; 1959); *Boy Meets Girl* für gem. Chor und Schlagzeug (1964).
Lit.: Werkverz. in: Composers of the Americas XI, Washington (D. C.) 1965.

+Syrmen, Maddalena Laura, 1735(?) zu oder bei Venedig – um 1800 zu Venedig(?) [erg. frühere Angaben].

+Szabelski, Bolesław, * 3. 12. 1896 zu Radoryż (bei Lublin).
Am Konservatorium in Kattowitz war er 1929–39 Lehrer für Orgelspiel; 1945 wurde er an der dortigen Musikhochschule Leiter der Orgel- und Kompositionsklassen [erg. frühere Angaben dazu]. – Weitere Werke: insgesamt 5 Symphonien (1926, 1934, 1951, 1955 und 1968), Toccata (1938), *Uwertura uroczysta* (»Feierliche Ouvertüre«, 1953) und 3 *Sonety* (1958) für Orch., Praeludien für Kammerorch. (1963); 2. Concertino (1955) und *Wiersze* (»Verse«, 1961) für Kl. und Orch., Flötenkonzert (1964); *Aforyzmy »9«* für 10 Instr. (1962); 2. Streichquartett (1956); *Marsz żołnierski* (»Soldatenmarsch«) für Chor und Blasorch. (1948), Improvisationen für Chor und Kammerorch. (1959).
Lit.: Z. LISSA in: Muzyka I, 1956, H. 1, S. 34ff. (zur 3. Symphonie); B. POCIEJ, IV symfonia B. Sz.ego, in: Ruch muzyczny II, 1958, Nr 19, S. 16ff. (zur 4. Symphonie); L. MARKIEWICZ, Cechy stylistyczne muzyki B. Sz.ego (»Stilistische Besonderheiten in B. Sz.s Musik«), in: Zeszyty naukowe Państwowa wyższa szkoła muzyczna w Katowicach I, 1962; DERS. in: Ruch muzyczny X, 1966, Nr 24, S. 3ff.; H. SCHILLER, B. Sz., kompozytor nowej muzyki, in: Życie i myśl XIV, 1964; Z. WACHOWICZ, Stare i nowe w twórczości B. Sz.ego (»Altes u. Neues im Werk v. B. Sz.«), in: Muzyka IX, 1964; J. W. HAWEL, Zjawiska rytmiczno metryczne in III symfonii B. Sz.ego (»Rhythmisch-metrische Phänomene in B. Sz.s 3. Symphonie«), Diss. Kattowitz 1967; B. SCHÄFFER, W kręgu nowej muzyki (»Im Banne d. neuen Musik«), Krakau 1967.

Szabó (s'ɔbo:), Ferenc, * 27. 12. 1902 und † 4. 11. 1969 zu Budapest; ungarischer Komponist, studierte an der Musikakademie in Budapest bei Weiner und Kodály, emigrierte nach Berlin und ging 1932 in die UdSSR. 1945 wurde er Professor an der Musikakademie in Budapest und war 1959–67 deren Direktor. Er wurde 1951 und 1954 mit dem Kossuth-Preis ausgezeichnet. – Werke (Auswahl): Suite für Kammerorch. (1926, Neufassung als *Elfelejtett szerenád*, »Vergessene Serenade«, 1963); 2 Streichquartette (1926 und 1962); Streichtrio (1927); Sonate für Vc. solo (1929); Chorwerk *Farkasok dala* (»Lied der Wölfe«, nach Petőfi, 1929); Sonate für V. solo (1930); *Lirai szvit* (»Lyrische Suite«, 1936) und *Moldvai rapszódia* (»Moldauer Rhapsodie«, 1940) für Orch.; 3 Klaviersonaten (1940, 1947 und 1961); Konzert für Orch. (1948); Klavierstücke *Felszabadult melódiák* (»Befreite Melodien«, 1949); Suite *Ludas Matyi* für Orch. (1950, umgearbeitet als Ballett, 1960); *Emlékeztető* (»Memento«) für Orch. (1952);

Oratorium *Föltámadott a tenger* (»Grimmig erhob sich das Meer«) für Solostimmen, Chor und Orch. (1955). – Er veröffentlichte auch eine Reihe kleinerer Beiträge besonders in der Zeitschrift »Magyar zene« (u. a. in VIII, 1967, die autobiographische Miszelle *Élet és művészet*, »Leben und Kunst«, russ. in: SM XXXII, 1968, H. 5, S. 90ff.).
Lit.: A. PERNYE, Sz. F. fiatalkori kamaraművei (»Die Kammermusik d. jungen F. Sz.«), in: Magyar zene IV, 1963; DERS., Sz. F., Budapest 1965; T. SÁRAI in: Magyar zene X, 1969/70, S. 227f.; J. MARÓTHY, Sz. F. indulása (»Die Anfangsperiode v. F. Sz.«), Budapest 1970; DERS., Barikád és szerenád ... (»Barrikade u. Serenade. Über ein unbekanntes Sz.-Werk«), in: Magyar zene XIII, 1972; Nachruf in: MuG XX, 1970, S. 395f.

+Szabolcsi, Bence, * 2. 8. 1899 und [erg.:] † 21. 1. 1973 zu Budapest.
Sz. war ab 1961 Direktor des Bartók-Archivs in Budapest. Zu seinem 70. Geburtstag erschienen die Festschriften *B. Sz. Septuagenario* (hrsg. von D. Bartha, = StMl XI, Budapest 1969) und *Magyar zenetörténeti tanulmányok* (»Ungarische musikgeschichtliche Studien«, hrsg. von F. Bónis, ebd., mit Bibliogr.). Von der Zeitschrift *Studia musicologica* (StMl) gab er die Bde III, 1962 (als *Z. Kodály octogenario sacrum*) und X, 1968 – XIV, 1972 heraus. Die Schriftenreihe +*Zenetudományi tanulmányok* schloß er mit Bd X (Budapest 1962) ab. Das +*Musiklexikon* (*Zenei lexikon*, 1930–31, ebd. 21935) erschien als revidierte Neuausg. in 3 Bden (1965). – +*A zene története* (1940), ebd. 21943, 41968, tschechisch Bratislava 1962; +*Beethoven* (1947), Budapest 21948, 31960; +*A melódia története* (1950), ebd. 21957, engl. NY und London 1966; +*B.Bartók. Sa vie et son œuvre* (1956), Budapest 21968, deutsch ebd. 1957, Paperbackausg. München 1972, polnisch Krakau 1957, rumänisch gekürzt Bukarest 1962. – Sz. gab ferner heraus: *A magyar zenetörténet kézikönyve* (»Handbuch der ungarischen Musikgeschichte«, Budapest 1947, 31962, russ. ebd. 1964, engl. London 1964, deutsch Lpz. 1965); *Bartók B. kézírása* (»Die Handschrift B. Bartóks«, mit B. Rajeczka, Budapest 1961, mit 24 Faks.); *B.Bartók, Musiksprachen* (= Reclams Universal-Bibl. Nr 353, Lpz. 1972). – Weitere Schriften und Aufsätze (soweit nicht anders vermerkt, Budapest): *A magyar zene évszázadai* (»Jahrhunderte ungarischer Musik«, 2 Bde = Magyar zenetudomány I–II, 1959–61); *Európai vissadat. A klassikus zene kialakulása Vivalditól Mozartig* (»Europäische Morgenröte. Aufstieg der klassischen Musik von Vivaldi bis Mozart«, 1949, 21961, deutsch Wiesbaden 1970); *B. Bartók. Leben und Werk* (= Reclams Universal-Bibl. Nr 8923, Lpz. 1961); *A válaszút és egyéb tanulmányok* (»Der Scheideweg und andere Studien«, 1963); *A zenei köznyelv problémái* (»Probleme der musikalischen Umgangssprache«, in: Magyar zene VII, 1966, erweitert separat 1968); *B.Bartók* (= Reclams Universal-Bibl. Nr 341, Lpz. 1968); *Tanzmusik aus Ungarn im 16. und 17. Jh.* (= Musicologica Hungarica, N. F. IV, Kassel 1970); *The Decline of Romanticism. End of the Century, Turn of the Century* (StMl XII, 1970).
Lit.: C. JOLLY in: Composer 1966, Nr 20, S. 7ff.; G. LUKÁCS in: Muzsika XII, 1969, S. 1ff.; L. VARGYAS u. a. in: Magyar zene X, 1969/70, S. 118–147; B. RAJECZKY in: StMl XIV, 1972, S. 3f.; J. UJFALUSSY in: Magyar zene XIV, 1973, S. 3ff.

+Szadek, Tomasz (Sądek, Sądesz), [erg.: um] 1550 – um 1611 [erg.] vermutlich zu Krakau.
Ausg.: ein Satz in: Music of the Polish Renaissance, hrsg. v. J. M. CHOMIŃSKI u. Z. LISSA, Krakau 1955; Offertorium »Dies est laetitiae« (1578), hrsg. v. Z. M. SZWEYKOWSKI, = Wydawnictwo dawnej muzyki polskiej XXXIII, ebd. 1957.

+Szalonek, Witold, * 2. 3. 1927 zu Czechowitz (Kattowitz).
Sz., der 1960 die Darmstädter Ferienkurse und 1962–63 die Kurse für musikalische Analyse von N. Boulanger in Paris besuchte, wurde 1961 Adjunkt, 1966 Professor und 1972 Rektor der Musikhochschule in Kattowitz. 1970 hielt er Kompositionskurse in Århus ab. – Werke: *Pastorale* für Ob. und Kl. (1952); Trio für Fl., Klar. und Fag. (1952); Ballade *Dzwon* (»Die Glocke«) für 2 Chöre a cappella (García Lorca, 1953); *Suita kurpiowska* (»Kurpische Suite«) für A. und 9 Instr. (1955); *Suita polyphonica* für Streichorch. (1955); Cellosonate (1958); Triptychon *Wyznania* (»Geständnisse«) für Sprecher, Chor und Kammerorch. (1959); Concertino für Fl. und Kammerorch. (1962); Arabesken für V. und Kl. (1964); *Les sons* für Orch. (1965); *Mutazioni* für Kammerorch. (1966); 4 *Monologhi* für Ob. solo (1966); *Proporzioni* für Fl., Va und Hf. (1967); *Improvisations sonoristiques* für Klar., Pos., Vc. und Kl. (1968); *Mutanza* für Kl. (1968); *1+1+1+1* für 1–4 Streichinstr. (1969); Kantate *Ziemio miła* (»Liebliches Land«) für St. und Orch. (1969); *Connections* für 5 Bläser und 4 Streicher (1972); Chorwerke, Lieder, Bühnenmusik. – Sz. veröffentlichte *Cl. Debussy* (= Bibl. Pánstwowej wyższej szkoły muzycznej katowicach, Wykłady i prelekcje biblioteki II, Kattowitz 1962).
Lit.: WŁ. NIEDZIELSKI, Elementy folkloru w twórczości W. Szalonka (»Folkloreelemente in W. Sz.s Schaffen«), Diss. Kattowitz 1968; R. GABRYŚ in: Ruch muzyczny XIII, 1969, Nr 17, S. 11ff. (zu d. »Proporzioni«); M. KONDRACKI, ebd. XIV, 1970, Nr 14, S. 13ff. (zu »1 + 1 + 1 + 1«).

Szałowski (ʃau̯'ɔfski), Antoni, * 21. 4. 1907 zu Warschau, † 21. 3. 1973 zu Paris; polnischer Komponist, Sohn des Violinpädagogen Bonifacy Sz. (1868–1923), studierte bis 1930 in Warschau bei K. Sikorski Komposition und bei Grz. Fitelberg Dirigieren, anschließend bis 1936 bei Nadia Boulanger in Paris Komposition. Seine Werke stehen der französischen Musik nach dem 1. Weltkrieg nahe. Er widmete sich besonders der Funkmusik; 1960 erhielt er für sein Fernsehballett *La femme têtue* den 1. Preis der ORTF. An weiteren Kompositionen seien genannt: Ballett *Zaczarowana oberża* (»Die verwunschene Herberge«, Warschau 1961); Symphonie (1939); symphonische Variationen (1928); Ouvertüre (1936); Sinfonietta (1940); Triptychon für Orch. (1950); Concertino für Streichorch. (1942); Klavierkonzert (1930); Violinkonzert (1954); Konzert für Ob., Klar., Fag. und Orch. (1958); Concertino für Fl. und Streichorch. (1951); Bläserquintett (1954); 4 Streichquartette (1928, 1934, 1936 und 1956); Sonatine für Ob. und Kl. (1946); Kantate für Frauenchor und Streichorch. auf mittelalterliche Texte (1960); ferner Klaviermusik und Lieder.
Lit.: WŁ. MALINOWSKI, Technika orkiestrowa a forma w Uwerturze Sz.ego (»Orchestrierungstechnik u. Form in d. Ouvertüre v. Sz.«), in: Muzyka III, 1958.

+Szántó, Theodor (Tivadar), 1877–1934.
Lit.: Z. KODÁLY, Visszatekintés (»Rückblick«), hrsg. v. F. Bónis, Bd II, = Magyar zenetudomány VI, Budapest 1964.

+Szarzyński, Stanisław Sylwester, 17./18. Jh.
Neu aufgefunden wurde ein *Concerto de Spiritu Sancto* »*Veni Sancte Spiritus*« für S., 2 V. und B. c. (1697). Sz. gilt als der erste polnische Komponist von Triosonaten.
Ausg.: +Triosonate D dur (1706), hrsg. v. A. CHYBIŃSKI, = Wydawnictwo dawnej muzyki polskiej I, Krakau 1928, ²1958; +Concerto »Pariendo non gravaris« f. T., 2 V., Va u. B. c. (1704), hrsg. v. DEMS., ebd. V. 1930, ²1960; +Concerto »Jesus spes mea« f. S., 2 V. u. B. pro org. (1698), hrsg. v. DEMS., ebd. X, 1931, ³1972; Antiphon +»Ave regina coelorum« f. S., 3 V., Baßviole u. B. c., hrsg. v. Z. M. SZWEYKOWSKI u. BR. RUTKOWSKI, ebd. XXV, 1953, ²1964; +Motette »Ad hymnos ad cantus«, hrsg. v. Z. M. SZWEYKOWSKI, ebd. XXVI, 1953, ²1964; Concerto »Veni Sancte Spiritus« f. S., 2 V. u. B. c. (1697), hrsg. v. W. ŚWIERCZEK, ebd. L, 1963.
Lit.: B. GOŁEMBIEWSKA, St. S. Sz. i jego twórczość (»St. S. Sz. u. sein Werk«), Diss. Warschau 1958; Z. M. SZWEYKOWSKI, Notatki z zapomnianej przeszłości V ... (»Notizen aus verschollener Vergangenheit, Teil V: Unerwartete Schätze in Sandomir. St. S. Sz.«), in: Ruch muzyczny III, 1959; Z. PLEŃ-WEBEROWA, Problemy strukturalne koncertu »Veni Sancte Spiritus« St. S. Sz.ego (»Strukturprobleme im Konzert ›Veni Sancte Spiritus‹ v. St. S. Sz.«), in: Z zagadnień muzyki kameralnej, = Zeszyty naukowe Katedry historii i teorii muzyki Univ. Jagiellonskiej II, Krakau 1966; A. SZWEYKOWSKA, Pastorele staropolskie na zespoły wokalno-instrumentalne (»Altpolnische Pastoralen f. vokale u. instr. Besetzungen«), in: Żródła do historii muzyki polskiej XII, ebd. 1968.

Szathmáry (s'ɔtmɑːrj), Zsigmond, * 28. 4. 1939 zu Hódmezővásárhely (bei Szeged); ungarischer Organist und Komponist, studierte in Budapest 1955–58 am B.-Bartók-Konservatorium und 1958–63 an der Fr.-Liszt-Musikakademie (Orgel bei Ferenc Gergely, Komposition bei Sugár und Szabó). Er setzte seine Studien 1963–64 in Wien an der Akademie für Musik und darstellende Kunst (Orgel bei Alois Forer) und 1964–66 in Frankfurt a. M. an der Musikhochschule (Orgel bei Walcha) fort. 1970 wurde er Kantor und Organist an der Evangelisch-lutherischen Kirchengemeinde in Hamburg-Wellingsbüttel und 1972 Dozent für Orgelspiel an der Lübecker Musikakademie. Als Konzertorganist trat er in verschiedenen europäischen Ländern und in Japan auf. – Kompositionen (Auswahl): *Alpha* für Fl., Klar., Trp., Kl., V., Va und Vc. (1970); *Disperazione* (nach Bibeltexten und Fragmenten aus dem Tagebuch der Anne Frank) für S., Bar. und Kammerensemble (1970); Streichquartett (1970); *Dialog I* für Org. (1971) und *II* für Org. und Tonband (1971); *Monolog* für Fl. mit elektrischer Verstärkeranlage (1971); *Katharsis* für Klar., Org. und Schlagzeug (1972).
Lit.: H. CHR. WORBS in: MuK XLIV, 1974, S. 197f.

Szczepańska (ʃtʃɛp'aːjnska), Krystyna, * 23. 1. 1917 zu Nasielsk (Warschau); polnische Sängerin (Mezzosopran), beendete 1944 ihr Gesangsstudium bei Stefan Belina-Skupiewski und debütierte 1947 als Amneris an der Schlesischen Oper in Beuthen/Bytom. 1957 wurde sie an die Staatsoper in Warschau engagiert. Ihr Repertoire umfaßt u. a. Opern von Moniuszko, Tschaikowsky, Dargomyschskij, Bizet und Verdi. Sie ist auch als Konzertsängerin hervorgetreten.

Sze, Yi-kwei, * 1. 6. 1919 zu Shanghai; amerikanischer Sänger (Baßbariton) chinesischer Herkunft, absolvierte das Nationalkonservatorium seiner Heimatstadt, übersiedelte 1947 in die USA und gab sein Debüt in New York. Bei Edyth Walker und bei Kipnis setzte er sein Gesangsstudium fort. Es folgten zahlreiche Gastspiele an Opernbühnen sowie Konzertreisen u. a. nach Ost- und Südostasien, Australien und Neuseeland, ab 1961 auch durch europäische Länder. Zu seinen Hauptpartien zählen Boris Godunow und Bartóks Blaubart. Er ist mit der Pianistin Nancy Lee verheiratet.

Székely (s'eːkɛj), Endre, * 6. 4. 1912 zu Budapest; ungarischer Komponist, studierte 1933–37 an der Musikakademie seiner Heimatstadt (Siklós) und leitete danach verschiedene Arbeiterchöre. Nach 1945 wirkte er entscheidend bei der Organisation des ungarischen Musiklebens mit (Herausgeber der Zeitschriften *Éneklő munkás*, »Der singende Arbeiter«, und *Éneklő nép*, »Das Volk singt«). Sz. war in Budapest Dirigent am Stadttheater (1948) und Chordirigent des ungarischen Rundfunks (1950–51). Seit 1960 ist er Professor an der Lehrerbildungsanstalt in Budapest. Er schrieb die Oper *Vizirózsa* (»Wasserrose«, Radio Budapest 1962), die Operette *Aranycsillag* (»Goldener Stern«, Budapest 1951), Orchesterwerke (Symphonie, 1957; 3 Suiten, Nr 1 für kleines Orch., 1947, Nr 2 für Streichorch., 1961, und Nr 3 für Orch., 1965; Rhapsodie für V. und Orch., 1956; Konzert für Kl., Streicher und Schlagzeug, 1958; Sinfonia concertante für V., Kl. und Kammerorch., 1961; Konzert für 8 Instr. und Orch., 1964; *Musica notturna* für Kl., 5 Bläser und 5 Streicher, 1967), Kammermusik (*Kamarazene*, »Kammermusik«, für 8 Ausführende, 1963, und für 6 Ausführende, 1966; 3 Bläserquintette, 1952, 1961 und 1966; 3 Streichquartette, 1954, Neufassung 1961, 1958 und 1962; Streichtrio, 1943; 2 Bläsertrios, 1958 und 1959; Rhapsodie für Va und Kl., 1956; Capriccio für Fl. und Kl., 1961), 2 Klaviersonaten (1953 und 1962), Vokalwerke (Petőfi-Kantate, 1953; *Meditációk*, »Meditationen«, für T. und Orch., 1961; Kantate nach Worten von Ingeborg Bachmann für S. und Kammerensemble, 1973; *Halálvirágok*, »Totenblumen«, für T., Fl. und Vc., 1958; Chöre und Lieder).

Székely (s'e:kɛj), Erik, * 2. 1. 1927 zu Lugano; Schweizer Komponist ungarischer Herkunft, studierte bei seinem Vater Fülöp Sz. (einem Schüler Bartóks und Kodálys) sowie an den Konservatorien Lausanne, Genf (1951 Unterrichtsdiplom für Klavier) und La Chaux-de-Fonds. Am Gymnasium von Neuchâtel ist er seit 1960 als Klavierpädagoge tätig. Er schrieb Orchesterwerke (Nocturne für Horn und Kammerorch., 1950; *Suite symphonique en 3 tableaux d'après Paul Klee*, 1961), Kammermusik (Streichquartett, 1953; *Aubade et séquence* für 4 Hörner, 1954; Streichtrio, 1962), Klavierstücke (*Garrigues*, 1960) und Vokalwerke (*3 chœurs sur des chansons anonymes du XIIIᵉ s.*, 1957; *Le vent nocturne* für S. und Kl. nach Gedichten von Apollinaire, 1964).

Székely (s'e:kɛj), Mihály, * 8. 5. 1901 zu Jászberény (Szolnok), † 22. 3. 1963 zu Budapest; ungarischer Opernsänger (Baß), studierte bei Géza László. Er war ab 1924 Mitglied der Staatsoper Budapest und gastierte an zahlreichen europäischen Opernhäusern sowie an der Metropolitan Opera in New York. Zu seinen Hauptpartien gehörten Osmin, Leporello, Sarastro, König Philipp (*Don Carlos*), Boris Godunow sowie Bartóks Blaubart, den er beispielhaft gesungen hat. Lit.: P. VÁRNAI, Sz. M., = Nagy magyar eloadóművészek II, Budapest 1967.

+Székely, Zoltán, * 8. 12. 1903 zu Kocs (Ungarn). Sz. lebte ab 1923 in den Niederlanden (1938–40 Professor am Amsterdamer Konservatorium) und ging 1950 in die USA, wo er heute in Los Angeles als amerikanischer Staatsbürger lebt. Seit 1937 ist er Primarius des [del.: gründete 1933 das] →Hungarian String Quartet. Neben seiner intensiven Konzerttätigkeit (vor allem Kammermusik) unterrichtet er als Professor für Kammermusik bzw. zusammen mit den anderen Quartettmitgliedern als Quartet-in-Residence an verschiedenen amerikanischen Universitäten (University of Southern California in Los Angeles, University of Colorado in Boulder u. a.) und Colleges. Verschiedene Komponisten haben Sz. Violinwerke gewidmet, so neben Castelnuovo-Tedesco, Molnár und Pijper vor allem Bartók (2. Rhapsodie für V. und Orch. bzw. Kl.; Violinkonzert, von Sz. 1939 uraufgeführt).

+Szelényi, István, * 8. 8. 1904 zu Zólyom (heute Zvolen, Slowakei), [erg.:] † 31. 1. 1972 zu Budapest.

Sz. wirkte in Budapest als Professor am staatlichen Musikgymnasium bis 1948 (1948–50 Direktor), an der B. Bartók-Musikfachschule 1950–66 und an der Fr.-Liszt-Musikhochschule 1966–72. Herausgeber der Zeitschrift +*Új zenei szemle* (»Neue Musikzeitschrift«) war er bis zum Einstellen ihres Erscheinens 1956. – Neuere Werke: Concerto da camera für Orch. (1963), Tanzsuite für Streichorch. (1964); *Summa vitae* (über ein Motiv von Liszt, 1956), Concertino (1964), *Variations concertants* (1965) und ein Konzert für Kl. (1969) und Orch.; *Kamarazene* (»Kammermusik«) für 2 Trp., 2 Hörner und 2 Pos. (1966), 4. Streichquartett (1964), 2. Klaviertrio (1962), *Sinfonietta a tre* für 3 V. (1964), 3 *Dialoghi* für V. und Vc. (1965) sowie eine kleine Suite für 4st. V.-Ensemble (1963); 6.–7. Sonate (1956, 1969), Sonatine (1960), Toccata (1964) und ein »Musikalisches Bilderbuch« (1967) für Kl.; Oratorien *Spartacus* (1960), *Tíz nap, amely megrengette a világot* (»10 Tage, die die Welt erschütterten«, 1962) und *Pro pace* (1968); Kantaten *Fáklya* (»Die Fackel«, 1960) und *Cantata de minoribus* (1960). Er gab einzelne kritische Ausgaben von Liszt und (mit Z. Gárdonyi) die ersten 4 Bde der Klavierwerke in der neuen GA heraus (Budapest und Kassel 1970ff.) und verfaßte neben kleineren Beiträgen zu Bartók, Kodály und Liszt (u. a. *Az ismeretlen Liszt*, in: Magyar zene II, 1961, Nr 9, deutsch als *Der unbekannte Liszt*, in: Kgr.-Ber. Liszt–Bartók, Budapest 1961, = StMl V, 1963): *Liszt F., Élete képekben* (»Leben in Bildern«, Budapest 1956, ³1961); *A magyar zene története* (»Geschichte der ungarischen Musik«, 2 Bde, = Bibl. musica I–II, ebd. 1959); *A romantikus zene harmóniavilága* (»Die Harmoniewelt der romantischen Musik«, ebd. 1965); *A népdalharmonizálás alapelvei* (»Die Grundprinzipien der Volksliedharmonien«, ebd. 1968).

Lit.: J. MARÓTHY in: Magyar zene XIII, 1972, S. 122f.

+Szeligowski, Tadeusz, * 13. 9. 1896 zu Lemberg, [erg.:] † 10. 1. 1963 zu Posen. Als Professor an den Musikhochschulen Posen (ab 1947) und Warschau (ab 1951) wirkte Sz. bis zu seinem Tode. Er war 1951–54 Präsident des polnischen Komponistenverbandes. – Weitere Kompositionen: die Oper *Teodor gentleman* (Breslau 1963); das Ballett *Mazepa* (Warschau 1959); *Uwertura burleska* (1952) und 2 Tanzsuiten (1954) für Orch.; Bläserquintett (1950), 2 Streichquartette (1929, 1934), Flötensonate und *Air grave et air gai* für Englisch Horn und Kl. (1954), Suite *Na łące* für 2 Kl. (»Auf der Wiese«, 1960), Sonatine für Kl. (1940); *Tryptyk lubelski* (»Lubliner Triptychon«) für S. und Orch. (1946), *Wesele lubelskie* (»Lubliner Hochzeit«, 1948) und *Karta serc* (»Herzblatt«, 1952) für S., Chor und Orch.; Messen, Motetten, Psalmen, Lieder, Bühnen- und Filmmusiken.

Lit.: Z. LISSA, »Bunt żaków« T. Sz.ego (»,Die Scholaren v. Krakau' v. T. Sz.«), = Mała bibl. operowa XII, Krakau 1955, ²1957; J. KAŃSKI, »Mazepa« I. Sz.ego, in: Ruch muzyczny III, 1959; Z. MYCIELSKI, ebd. VIII, 1963, H. 1, S. 4f.; A. STEINBRICH, T. Sz. i jego twórczy wkład w dziedzinę wychowani a muzycznego (»T. Sz. u. seine schöpferische Tätigkeit im Bereich d. Musikerziehung«), Diss. Warschau 1965; T. KOWASKI, Muzyka instrumentalna T. Sz.ego, = Zeszyty naukowe Państwowej wyższej szkoły muzycznej w Gdańsku XI, Danzig 1972; H. CZYŻEWSKI, Z zagadnień polskiej chóralnej twórczości dodekafonicznej (»Probleme d. polnischen dodekaphonen Chorschaffens«), ebd. XX.

+Szell, George (György), * 7. 6. 1897 zu Budapest, [erg.:] † 30. 7. 1970 zu Cleveland (O.). Sz. war bis zuletzt musikalischer Direktor und Chefdirigent des Cleveland Orchestra, daneben ab 1958 mehrere Jahre ständiger Dirigent des Concertgebouw-

orkest in Amsterdam und ab 1969 künstlerischer Berater und führender Gastdirigent der New York Philharmonic. Darüber hinaus dirigierte er als Gast international bedeutende Orchester der USA und Europas und wirkte wiederholt bei Festspielen mit. Von den zahlreichen Ehrungen, die Sz. zuteil wurden, sei des weiteren die Ernennung zum Commander of the Order of the British Empire (1963) erwähnt.
Lit.: E. Helm, G. Sz. u. d. Cleveland-Orch., in: Fono-Forum VI, 1961.

+Szemere, László, * 3. 6. 1906 [nicht: 1910] und [erg.:] † 28. 8. 1963 zu Budapest.

+Szendrei, Aladár (Alfred Sendrey), * 29. 2. 1884 zu Budapest.
Sz. wurde 1962 Professor für jüdische Musik an der University of Judaism in Los Angeles, die ihn 1967 mit dem Dr. h. c. auszeichnete. – +*Dirigierkunde* (1932, ²1952), Lpz. ³1956; +*Bibliography of Jewish Music* (1951), Nachdr. NY 1969. – Weitere Schriften: *David's Harp. The Story of Music in Biblical Times* (mit M. Norton, NY 1964); *Music in Ancient Israel* (NY und London 1969, deutsch als *Musik in Alt-Israel*, Lpz. 1970); *The Music of the Jews in the Diaspora (Up to 1800)* (Cranbury/N. J. 1970, NY 1970 und 1971).

Szenkar (s'ɛnkar), Alexander Michael, * 24. 10. 1896 zu Budapest, † 27. 8. 1971 zu Buenos Aires; argentinischer Dirigent, Bruder von Eugen Sz., studierte an der Königlichen Musikakademie in Budapest bei Kodály und V. v. Herzfeld und begann seine Dirigentenlaufbahn mit 19 Jahren. Über Stettin, Saarbrücken, Detmold, die Deutsche Oper in Mährisch-Ostrau und Gera-Allenburg kam er 1930 als Nachfolger von Cl. Krauss als GMD nach Graz. Er gab Gastkonzerte am Berliner Rundfunk und unternahm 1935 seine erste Konzerttournee in die UdSSR, leitete 1936–38 die Philharmonie in Charkow, dirigierte auch die Moskauer Philharmonie, übersiedelte 1938 nach Argentinien und ließ sich in Buenos Aires nieder. Er war Gründer und Leiter der Camerata Académica de Buenos Aires. 1959–60 leitete er das Symphonieorchester des uruguayischen Rundfunks in Montevideo.

+Szenkar, Eugen (Jenő Szenkár), * 9. 4. 1891 zu Budapest; ungarischer Dirigent, nahm 1941 (in der Emigration) die brasilianische Staatsangehörigkeit an [del. frühere Angaben hierzu].
Er war bis 1960 [nicht: 1956] GMD der Stadt Düsseldorf und dirigierte fortan als Gast an den bedeutenden Musikzentren in aller Welt (auch wieder in Budapest). Sein Wirken galt vor allem Bartók und Kodály sowie R. Strauss und G. Mahler. Sz., Ehrenmitglied der Internationalen G.-Mahler-Gesellschaft, hat heute seinen Wohnsitz in Dino (bei Lugano) und in Düsseldorf.

+Szervánszky, Endre, * 27. 12. 1911 zu Kistétény.
Sz. ist weiterhin Professor für Komposition an der Musikhochschule in Budapest. Weitere Werke: 6 Stücke (1959) und Variationen (1964) für Orch., Konzert für Klar. und Orch. (1965), Serenade für Streichorch. (1948); 2 Bläserquintette (1952, 1957), 2. Streichquartett (1957); Requiem für Chor und Orch. (1963); Chöre, Musik für Kinder, Film- und Bühnenmusiken.
Lit.: F. Halmy in: Tempo 1969, Nr 88, S. 2ff.

+Szeryng, Henryk, * 22. 9. 1918 zu Warschau.
Sz. als einem der bekanntesten Violinisten unserer Zeit wurden zahlreiche Ehrungen zuteil. 1971 spielte er in London Paganinis 3. Violinkonzert Es dur, dessen Manuskript kurz zuvor wiederaufgefunden worden war.

Szidon (s'idõ), Roberto, * 21. 9. 1941 zu Pôrto Alegre; brasilianischer Pianist ungarischer Abstammung, studierte in seiner Heimatstadt (1963–65) und vervollkommnete sein Studium bei Rafael de Silva und bei Arrau in New York (1965–66). Er begann seine internationale Karriere 1965 und hat seitdem in Lateinamerika, den USA und in Europa konzertiert. Sz., der wechselweise in Brasilien und Deutschland lebt, wurde 1971 Kulturattaché seines Landes in der Bundesrepublik.

+Szigeti, Joseph, * 5. 9. 1892 zu Budapest, [erg.:] † 20. 2. 1973 zu Luzern.
Sz., der sich 1940 [nicht: 1926] in den USA fest niederließ, kehrte Ende der 50er Jahre nach Europa zurück und lebte dann bis zu seinem Tode in Baugy sur Clarens (Vaud). Ihm wurden vielfach Ehrungen zuteil, so die Ernennung zum Mitglied der Accademia Nazionale di S. Cecilia in Rom und zum Ehrenmitglied der Royal Academy of Music in London. – Sz. gab u. a. auch kommentierte Ausgaben (für V. und Kl.) der Violinkonzerte von Beethoven (Mailand 1963) und Brahms (ebd. 1964) heraus. – +*With Strings Attached* (1947), 2. erweiterte Aufl. NY 1967 (mit Diskographie), deutsch erweitert als *Zwischen den Saiten*, Rüschlikon-Zürich 1962 (mit Diskographie), ungarisch Budapest 1965. – Neuere Schriften: *A Violinist's Notebook* (mit 200 Musikbeispielen, engl. und deutsch London 1964, erschienen auch in einer japanischen Ausg. in Tokio, zusammen mit der Autobiographie auch russ. Moskau 1969); *The Ten Beethoven Sonatas for Piano and Violin* (hrsg. von P. Rolland, Urbana/Ill. 1965, russ. in: SM XXXI, 1967 – XXXII, 1968, und in: Ispolnitelskoje iskusstwo sarubeschnych stran V, hrsg. von G. Ja. Edelman, Moskau 1970, erweitert deutsch als *Beethovens Violinwerke*, = Atlantis-Musikbücherei o. Nr, Zürich 1965, ungarisch Budapest 1968, ital. Mailand 1969); *Sz. on the Violin* (London 1969, NY 1970). Von den zahlreichen Beiträgen sei genannt *Druck- und Lesefehler in der Violin-Literatur* (NZfM CXXVII, 1966).
Lit.: K. Blaukopf, Große Virtuosen, Teufen (Appenzell Außerrhoden) 1953, ²1957, frz. Paris 1956; R. Gelatt, Music-Makers, NY 1953; Cl. Curzon: in: The Strad LXXIII, 1962/63, S. 181ff.; Fr. Kramer, The Challenge of Perfection, ebd. LXXVI, 1965/66; J. W. Hartnack, Große Geiger unserer Zeit, München 1967, auch Gütersloh 1968; J. Lw. Soroker, J. Sz., Moskau 1968.

Szirmai (s'irmɔj), Albert (Sirmay), * 2. 7. 1880 zu Budapest, † 15. 1. 1967 zu New York; amerikanischer Komponist ungarischer Herkunft, studierte bis 1906 an der Musikakademie in Budapest (Koessler, Szendy), war dort Musikkritiker der deutschsprachigen Zeitung »Pester Lloyd« sowie ab 1907 Dirigent an der Komischen Oper. Er übersiedelte in den 20er Jahren nach New York, wo er als Leiter der Musikabteilung des Verlages Chappell & Co. wirkte. Seine Kompositionen umfassen u. a. die Operetten *Bálkirálynő* (»Die Ballkönigin«, Budapest 1907), *A mexikói leány* (»Das mexikanische Mädchen«, ebd. 1912), *The Girl on the Film* (London 1913), *Mágnás Miska* (Budapest 1916), *Gróf Rinaldó* (»Graf Rinaldo«, ebd. 1918), *The Bamboula* (London 1925), *Alexandra* (Budapest 1925), *Éva grófnó* (»Gräfin Eva«, ebd. 1928), *Lady Mary* (London 1928), *Ripples* (NY 1930), *A ballerina* (Budapest 1931), *Tabáni legenda* (»Die Legende von Tabáni«, ebd. 1957) und *A tündérlaki lányok* (»Die Mädchen von Tündérlaki«, ebd. 1964) sowie Klavierstücke, Kanzonen und Lieder.
Lit.: F. Bónis in: Magyar zene IV, 1963, S. 503ff. (Gespräch); Ders., ebd. VIII, 1967, S. 286f.

Szmolyan, Walter, * 19. 2. 1929 zu Wien; österreichischer Musikforscher, studierte in seiner Heimatstadt an der Universität, der Musikakademie sowie am Städtischen Konservatorium und war danach als Sänger, Musikschriftsteller und -kritiker tätig. Seit 1961 ist er Mitarbeiter des Verlages Lafite in Wien (1964 Lektor), bei dem er die Betreuung der Reihe *Österreichische Komponisten des XX. Jh.* (bisher 20 Bde; davon von ihm selbst *J. M. Hauer*, = Bd VI, 1965) übernommen hat. Daneben gestaltet er Musiksendungen des ORF (Konzerteinführungen, Komponistenportraits). Szm. ist Mitgründer und Generalsekretär der Internationalen Schönberg-Gesellschaft (Aufbau eines Dokumentations- und Forschungszentrums über die Musik der Wiener Schule im Mödlinger Schönberg-Haus). Als verantwortlicher Redakteur der *Österreichischen Musikzeitschrift* (ÖMZ) veröffentlichte er zahlreiche Artikel in dieser Zeitschrift, von denen genannt seien: *Das Bauernfeindsche Theater im Palais Auersperg in Wien* (XVIII, 1963); *Hauers Kompositionstechnik in der Oper »Die schwarze Spinne«* (XXI, 1966); *Ein Violinkonzert von J. M. Hauer* (XXIV, 1969); *Beethoven-Funde in Mödling* (XXVI, 1971); *Die Geburtsstätte der Zwölftontechnik* (ebd.); *Webern-Stätten in Österreich* (XXVII, 1972); *Schönberg in Mödling* (XXIX, 1974); *Schönberg und Berg als Lehrer* (ebd.).

Szőnyi (sø:ɲi), Erzsébet (Elisabeth), * 25. 4. 1924 zu Budapest; ungarische Komponistin und Musikpädagogin, studierte in ihrer Heimatstadt an der Fr.-Liszt-Musikhochschule Komposition bei Viski und Klavier bei Ernő Szegedi (Diplom 1947) sowie ab 1947 am Pariser Conservatoire bei Aubin, Nadia Boulanger und Messiaen (Prix de composition 1948). 1948 wurde sie Professor an der Musikakademie in Budapest, 1960 Leiterin der Schulmusikabteilung. Neben ihrer kompositorischen Tätigkeit hat sie in Zusammenarbeit mit Kodály das musikpädagogische System Ungarns ausgearbeitet. 1959 wurde ihr der Erkel-Preis verliehen. Sie veröffentlichte u. a.: *A zenei írás-olvasás módszertana* (»Methodik des musikalischen Schreibens und Lesens«, Budapest 1953, ³1965); *La formation musicale par l'oreille* (Montréal 1966); *Aspekte der Kodály-Methode* (= Schriftenreihe zur Musikpädagogik VII, Ffm. 1973); zahlreiche Aufsätze in Fachzeitschriften. Ihre Kompositionen umfassen die Opern *Dalma* (Libretto nach Mór Jókai von Edit Kovács, 1953) und *Firenzei tragédia* (Libretto nach Oscar Wildes *A Florentine Tragedy*, 1957), die Kinderoper *A makrancos királylány* (»Die widerspenstige Prinzessin«, Libretto E. Kovács, 1955), Orchesterwerke, Kammermusik, Vokalwerke, pädagogische Werke und Ballettmusik.

Szokolay (s'okoloj), Sándor, * 30. 3. 1931 zu Kunágota (bei Medgyesegyháza, Békés); ungarischer Komponist, studierte 1950–57 an der Fr.-Liszt-Musikhochschule in Budapest bei Szabó (1950–52) und F. Farkas (1952–57). Er war 1957–60 Lehrer an der Musikschule des Rundfunks und wurde 1966 Professor für Kontrapunkt und Komposition an der Musikhochschule in Budapest. Mit seinen Opern *Vérnász* (»Die Bluthochzeit«, Text nach García Lorca, Budapest 1964) und *Hamlet* (nach Shakespeare, ebd. 1968) wurde Sz. international bekannt. – Weitere Werke: Oper *Sámson* (nach László Németh, ebd. 1973); Ballett *Az iszonyat balladája* (»Ballade des Entsetzens«, 1960); Konzerte für V. (1957), für Kl. (1958) und für Trp. (1969) mit Orch.; Oratorien *A tűz marciusa* (»März des Feuers«, nach Gedichten von Endre Ady, 1958) und *Istar pokoljárása* (»Höllenfahrt Istars«, Text Sándor Weöres, 1960) für Soli, Chor und Orch.; *Deploration*, Requiem zum Andenken an Poulenc für Kl., Chor und Orch. (1964).

Lit.: I. FÁBIÁN, Two Opera Composers, in: Tempo 1969, Nr 88; ST. WALSH, Two Hamlets, ebd. Nr 89; G. FÓDOR in: Magyar zene X, 1969/70, S. 172ff. u. 282ff. (zu »Hamlet«).

Szostek-Radkowa (ʃ'ostɛkratk'ova), Krystyna, * 14. 3. 1933 zu Kattowitz; polnische Sängerin (Mezzosopran), studierte 1955–59 an der Hochschule für Musik in Kattowitz (A. Lenczewska) und erhielt Preise bei den Gesangswettbewerben u. a. in Genf (1959), Vercelli (1960) und Sofia (1961). 1957–62 war sie an der Oper in Beuthen/Bytom engagiert, 1962 wurde sie Mitglied der Warschauer Staatsoper. Als Konzertsängerin hat sie Tourneen durch Ost- und Westeuropa unternommen.

+Szpinalski, Stanisław [erg.:] Leopold, * 15. 11. 1901 zu Jekaterinodar (heute Krasnodar, Kaukasien), [erg.:] † 12. 6. 1957 zu Paris.
Szp. war Rektor der Warschauer Musikhochschule bis zu seinem Tode.
Lit.: T. ZALEWSKI in: Ruch muzyczny I, 1957, Nr 8, S. 2ff.; J. JAROSZEWICZ, ebd. XI, 1967, Nr 13, S. 3f.

Sztompka (ʃt'ompka), Henryk, * 4. 4. 1901 zu Bogusławce (Wolhynien), † 21. 6. 1964 zu Krakau; polnischer Pianist, studierte am Warschauer Konservatorium bei Józef Turczyński (Diplom 1926) und vervollkommnete seine Studien 1928–32 bei Paderewski in Morges (Vaud). Beim 1. internationalen Fr.-Chopin-Klavierwettbewerb 1927 in Warschau wurde ihm der Spezialpreis für die beste Interpretation der Mazurken von Chopin verliehen. Szt. konzertierte in ganz Europa und wurde besonders als Interpret romantischer Klaviermusik (Chopin, R. Schumann) geschätzt. Ab 1945 wirkte er als Professor für Klavier an der Musikhochschule in Krakau. Er veröffentlichte eine Monographie über *Artur Rubinstein* (Krakau 1966).
Lit.: K. TARNOWSKI, Artysta i człowiek. H. Szt. (»Künstler u. Mensch ...«), in: Ruch muzyczny VIII, 1964.

+Szulc [–1) Józef Zygmunt], –2) Bronisław, * 24. 12. 1881 zu Warschau, [erg.:] † 17. 7. 1955 zu Tel Aviv.
Sz., 1899–1908 Hornist [nicht: 1. Trompeter] im Orchester der Warschauer Oper, leitete 1936–55 ein Symphonieorchester in Tel Aviv.

Szulc (ʃults), Zdzisław, * 28. 1. 1895 und † 29. 3. 1959 zu Posen/Poznań; polnischer Instrumentologe, baute am Museum in Posen, wo er 1945–59 als Kustos wirkte, eine Musikinstrumentensammlung auf. 1954 wurde er Vizepräsident des polnischen Kunstgeigenbauerverbandes, dessen Mitgründer er auch gewesen war. Von seinen Veröffentlichungen sei das *Słownik lutników polskich* (»Lexikon der polnischen Geigenbauer«, Posen 1953) genannt.

Szweykowski (ʃvɛjk'ofski), Zygmunt Marian, * 12. 5. 1929 zu Krakau; polnischer Musikforscher, studierte 1947–51 an der Universität in Posen (Chybiński) und promovierte 1964 mit der Dissertation *Technika koncertująca w polskiej muzyce wokalno-instrumentalnej okresu baroku* (»Die konzertierende Technik in der polnischen vokal-instrumentalen Musik der Barockzeit«). Er war 1954–61 Redakteur beim Polnischen Musikverlag in Krakau sowie 1954–64 Oberassistent und 1964–70 Adjunkt an der Krakauer Universität, an der er 1970 Dozent wurde und seit 1971 den Lehrstuhl für Musikwissenschaft innehat. Von seinen Veröffentlichungen seien genannt: *Sylwetka kompozytorska D. Stachowicza* (»Ein Komponistenprofil von D. Stachowicz«, in: Muzyka VII, 1962); *Próba periodyzacji okresu baroku w Polsce* (»Ein Versuch der Periodisierung des Barockzeitalters in Polen«, ebd. XI, 1966); *Wenecki koncert rondowy w polskiej praktyce kompozytorskiej okresu baroku* (»Das venezianische Konzert in Rondoform in der polnischen Kompositionspraxis der Barockzeit«, in: Studia . . ., Fs. H.Feicht, Krakau 1967); *Tradition and Popular Elements in Polish Music of the Baroque Era* (MQ LVI, 1970); *Muzyczne poszukiwania w bibliotekach szwedzkich* (»Musikalische Untersuchungen in schwedischen Bibliotheken«, in: Muzyka XVI, 1971 – XVII, 1972); *Msze G.Fr.Anerio i ich związek z działalnością kompozytora w Polsce* (»Die Messen von G.Fr.Anerio und ihr Zusammenhang mit der Tätigkeit des Komponisten in Polen«, ebd. XVIII, 1973). – Ausgaben: *Kultura staropolska* (»Die altpolnische Kultur«, = Z dziejów polskiej kultury muzycznej I, Krakau 1958); *Muzyka w dawnym Krakowie* (»Musik im alten Krakau«, ebd. 1964, auch mit engl. Text). Szw. ist u. a. Herausgeber der Editionsreihen *Źródła do historii muzyki polskiej* (»Quellen zur Geschichte der polnischen Musik«) und *Symfonie polskie* sowie des *Katalog tematyczny rękopiśmiennych zabytków dawnej muzyki w Polsce* (»Thematischer Katalog handschriftlicher Denkmäler alter Musik in Polen«). Zahlreiche Einzelausgaben alter polnischer Musik edierte er in der Reihe »Wydawnictwo dawnej muzyki polskiej«.

+Szymanowska, Maria [erg.:] Agata, 1789 – 1831.
Lit.: M. Sz., ... Album. Materiały biograficzne, sztambuchy, wybór kompozyji (»Biogr. Materialien, Stammbücher, Ausg. v. Kompositionen«), gesammelt u. bearb. v. J. u. M. MIRSKI, redigiert u. ergänzt v. WŁ. HORDYŃSKI, Krakau 1953. – ST. SZENIC, M. z Wołowskich Sz., fortepianistka (»Die Pianistin M. Sz. geborene Wołowska«), in: Muzyka VI, 1955; T. STRUMIŁŁO u. M. WITKOWSKI, Mickiewicz – Sz. – Otylia v. Goethe, in: Przegląd Zachodni XII, 1956; M. IWANEJKO, M. Sz., = Dokumentacja warszawskiego okresu zyciz i twórczości Fr. Chopina o. Nr, Krakau 1959; K. SWARYCZEWSKA, Mazurki M. Sz.iej i Chopina (»Die Mazurken v. M. Sz. u. Chopin«), in: Muzyka IV, 1959; DIES. in MGG XIII, 1966, Sp. 32f.; J. GOŁOS, Some Slavic Predecessors of Chopin, MQ XLVI, 1960; T. SYGA u. ST. SZENIC, M. Sz. i jej czasy (»M. Sz. u. ihre Zeit«), Warschau 1960; I. KARASIŃSKA, Dnewnik Je. Schimanowskoj (»Ein Tagebuch d. [ältesten Tochter] Helena Sz.«), in: Russko-polskije muzykalnyje swjasi, hrsg. v. I. Belsa, Moskau 1963; A. KLODNER, Neznámy list M. Sz.ej (»Ein unbekannter Brief v. M. Sz.«), in: Slovenská hudba VIII, 1964; J. DAVIES in: The Consort XXIII, 1966, S. 167ff.

+Szymanowski, Karol [erg.:] Maciej, 24. 9. (6. 10.) 1882 zu Timoschowka (Tymoszówka, Ukraine) – 1937.
Sz. ging schon 1919 wieder nach Warschau und wirkte am dortigen Konservatorium 1927–29 als Direktor bzw. 1930–31 als Rektor [del. frühere Angaben dazu]. – Werke: die Opern *Złocisty szczyt* (»Die goldene Lanze«) und *Roland* (beide um 1890, verschollen) sowie *Hagith* op. 25 (einaktig, 1913, Warschau 1922) und *Król Roger* op. 46 (»König Roger«, 1918–24, ebd. 1926), Operette *Loteria na mężów, czyli narzeczony nr. 69* (»Lotterie für Ehemänner oder Der Bräutigam Nr 69«, 1909), Ballettgroteske *Mandragora* op. 43 (zum 3. Akt von Molières *Le bourgeois gentilhomme*, Warschau 1920), Ballettpantomime *Harnasie* für T., gem. Chor und Orch. op. 55 (1923–31, Prag 1935), Bühnenmusik zu T.Miciński's Drama *Kniaź Potiomkin* op. 51 (»Fürst Potemkin«, Warschau 1925). – 4 Symphonien (F moll op. 15, 1907; B dur op. 19, 1910, mit G.Fitelberg 1930–36 uminstrumentiert; *Pieśń o nocy*, »Lied der Nacht«, mit T. und gem. Chor op. 27, nach Dschelāled-Din Rumi [Manlānā Ğalāl o'd-Din Rumi], 1914–16; Symphonie concertante mit Kl. op. 60, 1932) und eine Konzertouvertüre op. 12 (1905, uminstru-

mentiert 1913) für Orch., 2 Violinkonzerte (op. 35, 1916; op. 61, 1933); 2 Streichquartette (C dur op. 37, 1917; op. 56, um 1925–27), Klaviertrio op. 16 (1907, zurückgezogen), Sonate D moll op. 9 (1904), Romanze D dur op. 23 (1910), *Nokturn i tarantella* op. 28 (1915), 3 Poèmes *Mity* op. 30 (»Mythen«, 1915), 3 Capricen nach Paganini op. 40 (1918) und *La berceuse d'Aïtacho Enia* op. 52 (1925) für V. und Kl.; Sonaten (2 Jugendsonaten G moll und Fis moll, vor 1898, verschollen; Nr 1–3: C moll op. 8, 1904; A dur op. 21, 1911; op. 36, 1917), Variationen (B moll op. 3, 1901–03; H moll über ein polnisches Volksthema op. 10, 1900–04), Etüden (4 op. 4, 1900–02; 12 op. 33, 1916) und Mazurkas (20 op. 50, 1924–26; 2 op. 62, 1933 und 1934) sowie 9 Préludes op. 1 (1900), Fantasie C dur op. 14 (1905), 3 Poèmes *Metopy* op. 29 (»Metopen«, 1915), 3 *Maski* op. 34 (»Masken«, 1916), ein Praeludium (1909) mit Fuge (1905) Cis moll und 4 polnische Tänze für Kl. – *Stabat mater* für S., A., Bar., gem. Chor und Orch. op. 53 (1926), *Veni creator* für S., gem. Chor, Org. und Orch. op. 57 (1930), die Kantaten *Demeter* op. 37bis (nach Euripides' »Bacchantinnen«, 1917, uminstrumentiert 1924) und *Agave* op. 39 (1917) für A. sowie *Litania do Marii Panny* op. 59 (»Litanei an die Jungfrau Maria«, 2 Fragmente, 1930–33) für S. mit Frauenchor und Orch., *Salome* op. 6 (um 1904) und *Penthesilea* op. 18 (1908, beide 1912 uminstrumentiert) für S. sowie 8 *Pieśni miłosne Hafiza* op. 26 (»Liebeslieder des Hafis«, nach Bethge, 1914, davon 3 aus op. 24) für Singst. mit Orch., zahlreiche Lieder (6 op. 2, 1900–02; 3 op. 5, 1902; *Łabędź*, »Der Schwan«, op. 7, 1904; 4 op. 11, 1905; 5 op. 13, 1907, deutsch; 12 op. 17, 1907, deutsch; 6 op. 20, 1909; *Bunte Lieder* op. 22, 1910, deutsch; *Des Hafis Liebeslieder* op. 24, nach Bethge, 1911, deutsch; 4 *Pieśni księżniczki z baśni*, »Lieder der Märchenprinzessin«, op. 31, 1915, 3 davon 1933 instrumentiert; 3 op. 32, 1915; 4 für mittlere Frauen-St. op. 41, nach Tagore, 1918; *Pieśni muezina szalonego*, »Lieder des verliebten Muezzins«, op. 42, 1918, 1934 instrumentiert; 2 baskische Lieder op. 44, 1920; 5 *Słopiewnie* op. 46bis, 1921, instrumentiert 1928; 3 Wiegenlieder op. 48, 1922; 20 *Rymy dziecięce*, »Kinderreime«, für mittlere St. op. 49, 1923; 4 op. 54, nach Joyce, 1926, engl.; 12 *Pieśni kurpiowskie*, »Kurpische Lieder«, op. 58, auf Volkstexte, 1930–32) und *Vocalise-Etude* (1928) für Singst. und Kl.; Volksliedbearbeitungen für gem. Chor a cappella (6 *Pieśni kurpiowskich*, 1929); literarische und musikalische Schriften.
Seine Schwester Stanisława Szymanowska-Korwin, 1892 [nicht: 1889] – [erg.: 7. 12.] 1938. – *+Jak należy śpiewać utwory K. Sz.ego* (»Wie die Lieder von K. Sz. zu singen sind«, Warschau 1938, Neuaufl. Krakau 1957 [del. frühere Angaben dazu].
Ausg.: Dzieła (GA), hrsg. v. T. CHYLIŃSKA, 26 Bde, Krakau 1965ff. (vgl. dazu dies. in: Muzyka XV, 1970, H. 4, S. 114ff.), bisher erschienen: Bd I (hrsg. u. L. MARKIEWICZ, 1968), Konzertouvertüre op. 12; III (T. CHYLIŃSKA, 1967), 3. Symphonie op. 27; IV (DIES., 1973), 4. Symphonie concertante op. 60; V (B. KONARSKA u. ZB. WISZNIEWSKI, 1972), 1. V.-Konzert op. 35; VI (A. NEUER, 1973), 2. V.-Konzert op. 61; VII (Z. HELMAN, 1965), Stabat mater op. 53; VIII (DIES., 1975), Veni creator op. 57 u. Litania do Marii Panny op. 59; IX (DIES., 1975), Demeter op. 73bis u. Agave op. 39; XIV (WŁ. KĘDRA, 1968), Kl.-Werke I (Sonaten op. 8, 21 u. 36); XV (M. KOTYŃSKA, 1970), Kl.-Werke II (Metopy op. 29 u. Maski op. 34); XXIII (Z. HELMAN u. A. MRYGOŃ, 1973), Król Roger op. 46. – dass. in deutscher u. engl. Ausg., hrsg. v. DENS., 17 Bde, Wien 1973ff., bisher erschienen: Bd II (1973), 3. Symphonie op. 27 u. 4. Symphonie concertante op. 60; XIV (1973), Król Roger op. 46. – Kl.-Werke, hrsg. v. I. F. BELSA, 3 Bde, bisher Bd I, Moskau 1971. – Etüden op. 33, Faks. v. J.

Szymanowski

DRATH, = Bibl. Państwowej wyższej szkole muzycznej, Faks. I, Kattowitz 1963.
Lit.: K. MICHAŁOWSKI, Kat. tematyczny dzieł i bibliogr. (»Thematischer Kat. d. Werke u. Bibliogr.«), Krakau 1967. – Z listów (»Aus d. Briefen«), hrsg. v. T. (BRONO-WICZ-)CHYLIŃSKA, =Źródła pamiętnikarsko-literackie do dziejów muzyki polskiej V, ebd. 1958; Z pism (»Aus d. Schriften«), hrsg. v. DERS., ebd. VI; Dzieje przyjaźni ... (»Gesch. einer Freundschaft. K. Sz.s Briefwechsel mit P. u. Z. Kochański«), hrsg. v. DERS., ebd. XI, 1971; Is-brannyje statji i pisma (»Ausgew. Aufsätze u. Briefe«), hrsg. v. A. FARBSTEIN, Leningrad 1963 (mit einem Beitr. v. Z. Lissa über Sz. als Komponisten u. Musikwissenschaftler); weitere Briefe u. a. in: Ruch muzyczny VI, 1962, H. 9, S. 4f. (K. u. St. Sz. an St. Stoiński), VIII, 1964, H. 6, S. 3ff. (an I. Landsberger), XI, 1967, H. 7, S. 3f. (3 an R. Totenberg), XIV, 1970, H. 18, S. 7f., sowie XVI, 1972, H. 12ff., u. XVII, 1973, H. 2ff. (an L. Gradstein), ferner in: Muzyka XIV, 1969, H. 1, S. 68ff. (an H. u. N. Neuhaus), u. in: Heterofonía III, 1970, H. 14, S. 10ff. (an J. Smeterlin). Z życia i twórczości K. Sz.ego. Studia i materiały (»Aus K. Sz.s Leben u. Schaffen ...«), hrsg. v. J. M. CHOMIŃSKI, Krakau 1960; K. Sz., Kgr.-Ber. Warschau 1962, hrsg. v. Z. LISSA, = Prace Instytutu muzykologii Uniwersytetu warszawskiego o. Nr, Warschau 1964 (mit engl. Zusammenfassungen). – Sz.-Sonder-H.: Muzyka II, 1957, H. 4 (mit Diskogr.); Zeszyty naukowe PWSM w Katowicach II, Kattowitz 1963; Aufsatzfolgen in: SM XXVI, 1962, H. 2 u. 11. – ST. GOLACHOWSKA in: Muzyka III, 1952, H. 3/4, S. 50ff. (zum Sz.-Archiv in Łódź); K. MICHAŁOWSKI, ebd. XV, 1970, H. 3, S. 83ff. (über unbekannte Materialien in d. Univ.-Bibl. Posen). – ⁺ST. GOLACHOWSKI, K. Sz. (= Bibl. słuchacza koncertowego, Seria biogr. IV, 1956), Erstaufl. Warschau 1948. – Nad Sz.m 1937–57 (»Über Sz.«), in: Ruch muzyczny I, 1957 (Erinnerungen u. a.); A. CHYBIŃSKI, K. Sz. a Podhale (»K. Sz. u. Podhale« [= Region nördlich d. Tatra]), Krakau 1958; KR. DĄ-BROWSKA, Karol z Atmy (»Karol aus d. ,Atma'«), Warschau 1958 (Erinnerungen); B. BRELIK, J. EKIERT u. T. MAREK, K. Sz., ebd. 1960; L. GRADSTEIN u. J. WALDORFF, Gorzka sława (»Bittere Berühmtheit«), ebd. (Erinnerungen); T. (BRONOWICZ-)CHYLIŃSKA, K. Sz., Kra-kau 1962, ²1967, engl. NY 1973 (Bildbiogr.); DIES., K. Sz., Nicht bloß Komponist, ÖMZ XXII, 1967; DIES., Sz. i jego muzyka (»Sz. u. seine Musik«), Warschau 1971; ST. KISIELEWSKI in: Rev. brasileira de música I, 1962, H. 1, S. 51ff., u. in: Nutida musik VI, 1962/63, H. 4, S. 26ff.; Z. LISSA in: MuG XII, 1962, S. 143ff.; B. M. MACIEJEW-SKI, K. Sz., His Life and Music, London 1967; J. PACLT in: Muzyka XII, 1967, H. 2, S. 46ff. (K. Sz. u. d. tschechi-sche Musikkultur); G. SANNEMÜLLER in: Musica XXI, 1967, S. 268f.; M. IDZIKOWSKI in: Ruch muzyczny XII, 1968, H. 10, S. 15ff. (Erinnerungen v. L. Idzikowski); P. J. PIRIE in: Music and Musicians XXI, 1973/73, H. 4, S. 36ff.

ST. KISIELEWSKI, L'œuvre de K. Sz., in: Perspectives polonaises V, 1962; Z. LISSA in: Muzyka VII, 1962, H. 3, S. 3ff. (K. Sz. u. d. marxistische Kunsttheorie); DIES., u. d. Romantik, StMl III, 1962; J. IWASZKIEWICZ, »Har-nasie« K. Sz.ego, Krakau 1964; J. ŚWIDER in: R. Wagner a polska kultura muzyczna, hrsg. v. K. Musioł, = Zeszyty naukowe PWSM w Katowicach V, Kattowitz 1964, S. 95ff. (Sz.s Verhältnis zu Wagner); E. KLEMM, Über Reger u. Sz., in: M. Reger. Beitr. zur Regerforschung, Suhl u. Meiningen 1966; Z. HELMAN, Zagadnienia techniki dźwiękowej w twórczości K. Sz.ego (»Probleme d. Klang-technik in K. Sz.s Werk«), Diss. Warschau 1967; DIES., Nieznana pieśń K. Sz.ego (»Ein unbekanntes Lied v. K. Sz.«), in: Studia ..., Fs. H. Feicht, Krakau 1967; DIES. in: Muzyka XIV, 1969, H. 4, S. 36ff. (zur modalen Konzep-tion); DIES., Zur Modalität im Schaffen Sz.s u. Janáčeks, in: Colloquium L. Janáček et musica Europaea Brno 1968, = Mw. Kolloquien d. Internationalen Musikfest-spiele in Brno III, Brünn 1970; B. SCHÄFFER, Blaski i cienie przykładu K. Sz.ego (»Licht u. Schatten in K. Sz.s Werk«), in: Współczesność XII, 1967; DERS., W kręgu nowej muzyki (»Im Banne d. neuen Musik«), Krakau 1967; J. M. CHOMIŃSKI, Studia nad twórczością K. Sz.ego (»Studien z. Werk v. K. Sz.«), ebd. 1969 (meist Wie-derabdrucke älterer Studien); L. MARKIEWICZ in: Mu-zyka XIV, 1969, H. 2, S. 53ff. (tonal-harmonische Eigen-arten d. Fugenthemen v. Sz.); G. SANNEMÜLLER, Zur Fra-ge d. Stils bei K. Sz., NZfM CXXXIII, 1972; ST. OLĘDZKI in: Muzyka XVIII, 1973, H. 3, S. 51ff. (zur Kl.-Faktur).

T

Tabachnik (tabaʃn'ik), Michel, * 10. 11. 1942 zu Genf; Schweizer Dirigent und Komponist, studierte am Conservatoire de Musique in Genf und besuchte die Darmstädter Ferienkurse für Neue Musik (Boulez, Pousseur, K. Stockhausen). Er war Assistent von Markevitch (1966) und Boulez (1967–71). Gegenwärtig ist er in Lissabon Chefdirigent des Orchesters der Stiftung Gulbenkian sowie künstlerischer Direktor des Ensemble Européen de Musique Contemporaine. Daneben wirkt er als Gastdirigent der großen europäischen Orchester. Von seinen Werken seien genannt: *Frise* für Kl. (1968); *Pastel I* (1968) und *II* (1969) für Kammerorch.; *Mondes* für Orch. (1972); Elektronische Musik *Sillages* und *D'autres Sillages* (1972); Invention für 16 St. (1972); *Movimenti* (1973), *Eclipses* (1974) und *Les imaginaires* (1974) für Orch.

+Tacchinardi [–1) Nicola], –3) Alberto, [erg.:] * 20. 12. 1887 und † 15. 4. 1968 zu Florenz.

+Tack, Franz, * 24. 3. 1908 zu Solingen.
+Der gregorianische Choral (1960), engl. als *Gregorian Chant*, = Anth. of Music XVIII, Köln 1960. – Er verfaßte ferner: *Die musikgeschichtlichen Voraussetzungen der christlichen Kultmusik und ihre Bedeutung für den gregorianischen Vortragsstil* (Kgr.-Ber. Wien Mozartjahr 1956).

Taddei (tad-d'ɛ:i), Giuseppe, * 26. 6. 1916 zu Genua; italienischer Sänger (Bariton), studierte in seiner Heimatstadt und in Rom, wo er 1936 debütierte. Er gehörte dem Ensemble der Wiener Staatsoper an (1945–48) und wurde 1951 an die Metropolitan Opera in New York engagiert. T. gastierte u. a. an der Mailänder Scala und der Covent Garden Opera in London und trat bei den Festspielen in Verona und Salzburg auf. 1974 zog er sich von der Bühne zurück. Seine wichtigsten Partien waren Figaro (*Il barbiere di Siviglia*), Papageno, Leporello, Rigoletto, Scarpia und Hans Sachs.

+Tadei, Alessandro, 1585/88–1667.
2. Organist am Dom in Udine war T. 1642–47.
Lit.: W. JESINGHAUS in: Schweizer musikpädagogische Blätter 1953, Nr 16, S. 1ff.; H. FEDERHOFER, Musikpflege u. Musiker am Grazer Habsburgerhof d. Erzherzöge Karl u. Ferdinand v. Innerösterreich (1564–1619), Mainz 1967.

Tadeo (tad'ɛ:o), Giorgio, * 2. 10. 1929 zu Verona; italienischer Sänger (Baß), studierte bei Ettore Campogalliani, debütierte 1953 als Mephisto (*Faust*) bei der RAI sowie an der Oper in Palermo und trat bald darauf an der Piccola Scala und der Scala in Mailand auf. Gastspiele führten ihn zu den Festspielen nach Edinburgh, Schwetzingen und Aix-en-Provence, an die Wiener Staatsoper, das Teatro Colón in Buenos Aires und die Pariser Opéra. Sein Repertoire umfaßte die wichtigsten Fachpartien der Opernliteratur von Monteverdi bis zur Moderne.

Tafall Abad (taf'aʎ ab'aθ), Santiago, * 1858 und † 11. 10. 1930 zu Santiago de Compostela; spanischer Komponist und Organist, Sohn des Orgelbauers Mariano T., war Chorknabe an der Metropolitanbasilika in seiner Heimatstadt, an der er 1881 Organist und 1895 Maître de chapelle wurde. 1898 zum Kaplan an der Capilla Real in Granada ernannt, kehrte er kurz darauf nach Santiago de Compostela zurück, wo er dann als Kanoniker wirkte. Er schrieb eine Reihe von kirchenmusikalischen Werken, u. a. Messen, ein Totenoffizium, Motetten, Lamentationen, Psalmen, Hymnen und Villancicos. T. A. veröffentlichte auch musikwissenschaftliche Arbeiten; genannt seien: *Tratado de canto gregoriano* (Santiago de Compostela 1891); *La música del himno de los peregrinos flamencos del s. XII al Apóstol Santiago* (in: Ultreya 1920, Nr 2); *La capilla de música de la catedral de Santiago* (Bol. de la Real Academia Gallega 1931, Nr 26).
Lit.: J. LÓPEZ-CALO, Cat. mus. del arch. de la S. Iglesia Catedral de Santiago, Cuenca 1972.

Tagliaferro (tajafɛr'o), Magda, * 19. 1. 1893 zu Petropolis (Brasilien); französische Pianistin und Pädagogin, studierte bis 1907 am Pariser Conservatoire und vervollkommnete ihre Ausbildung bei Cortot. Ab 1908 entfaltete sie eine rege Konzerttätigkeit, die sie durch Europa, in die USA, nach Südamerika und Japan führte. Sie unterrichtete am Pariser Conservatoire (ab 1937) und gab Interpretationskurse in Rio de Janeiro und São Paulo (1940–41). M. T. gründete in Paris eine Schule für Klavier und leitete Kurse am Mozarteum in Salzburg (ab 1957) sowie an der Universität in Tokio (ab 1968). 1967 rief sie in São Paulo die Stiftung M. T. ins Leben.

[del.:] **Tagliapietra,** Giovanni und Teresa → Carreño.

+Tagliavini, Ferruccio, * 14. 8. 1913 zu Reggio nell'Emilia.
T. beendete um 1970 seine sängerische Laufbahn, die ihn vielfach auch an bedeutende ausländische Opernhäuser (u. a. Metropolitan Opera in New York ab 1948, Covent Garden Opera in London ab 1950) geführt hatte.
Lit.: G. GUALERZI in: Le grandi v., hrsg. v. R. Celletti, = Scenario I, Rom 1964, Sp. 829ff. (mit Diskographie v. R. Vegeto).

Tagliavini (taʎav'i:ni), Franco, * 29. 10. 1934 zu Novellara (Reggio Emilia); italienischer Sänger (Tenor), studierte am Konservatorium seiner Heimatstadt sowie bei Zita Fumagalli in Mailand und debütierte 1962 an der Mailänder Scala als Tonio (*Pagliacci*). Seitdem ist er außer an der Mailänder Scala u. a. am Teatro dell'Opera in Rom, an der Metropolitan Opera in New York, der Covent Garden Opera in London, der Deutschen Oper Berlin sowie in Chicago, San Francisco und beim Maggio Musicale Fiorentino aufgetreten.

+Tagliavini, Luigi Ferdinando, * 7. 10. 1929 zu Bologna.
Professor für Orgel am Bozener Konservatorium war T. 1959–64 und Dozent für Musikgeschichte an der Universität Bologna 1961–64; als Bibliothekar am dortigen Konservatorium wirkte er 1953–60. Er wurde 1964 Ordinarius für Orgel am Konservatorium in Parma und 1965 Professor für Musikwissenschaft an der Universität Freiburg (Schweiz). Die von ihm (seit 1968

mit O. Mischiati) geleitete Zeitschrift +*L'organo* (darin eine Reihe eigener Beiträge) lag 1972 im 10. Jg. vor. – Neuere Veröffentlichungen: *Un oratorio sconosciuto di L. Mozart* (Fs. O. E. Deutsch, Kassel 1963); *Prassi esecutiva e metodo musicologico* (Kgr.-Ber. Salzburg 1964, Bd I); *Un'importante fonte per la musica cembalo-organistica di J. K. Kerll. Il ms. DD/53 della Biblioteca musicale »G. B. Martini« di Bologna* (Fs. G. Barblan, = CHM IV, 1966); *Registrazioni organistiche nei Magnificat dei »Vespri« monteverdiani* (RIdM II, 1967); *Qu. Gasparini and Mozart* (in: New Looks at Italian Opera, Fs. D. J. Grout, Ithaca/ N. Y. 1968); *J. G. Walther trascrittore* (in: Analecta musicologica VII, 1969); *Orgel und Orgelmusik* (in: Geschichte der katholischen Kirchenmusik, hrsg. von K. G. Fellerer, Bd I, Kassel 1972). Er edierte des weiteren *Mitridate, re di Ponto* (= Neue Mozart-Ausg. II, 5, Bd IV, ebd. 1966).

Taglietti (taʎ'et-ti), Giulio, * um 1660 und † 1718 zu Brescia; italienischer Violinist und Komponist, Bruder von Luigi T., war ab 1695 Violinlehrer am Collegio dei Nobili in Brescia. Er veröffentlichte: *Sonate da camera à tre* für 2 V., Vc. und Cemb. (Bologna 1695); *Concerti e sinfonie à tre* op. 2 (Venedig 1696); *Concerti à 4 ... con va obbligata à beneplacito* op. 4 (Amsterdam 1699); *Pensieri musicali à violino e vc. col b. c. a parte all'uso d'arie cantabili* op. 6 (Venedig 1707); *Sonate da camera a* op. 9 (ebd. 1708); *Concerti à 4 con suoi rinforzi* op. 11 (Bologna 1713) und *Sonate a v. solo per camera col suo b. c.* op. 13 (ebd. 1715).

Taglietti (taʎ'et-ti), Luigi, * 1668 und † 1715 zu Brescia; italienischer Violinist und Violoncellist, Bruder von Giulio T., lehrte ab 1697 am Collegio dei Nobili in Brescia und schrieb zusammen mit Lucio Flagiolé und Paolo Menoni die Musik zu der Pastorale *La lega degli affetti* (Brescia 1714). Er veröffentlichte: *Suonate da camera a 3 ... con alcune aggiunte a vc. solo* op. 1 (Bologna 1697); *Sonate a v. e vc. con b. c.* op. 4 (Venedig 1705); *Concertini e preludj con diversi pensieri e divertimenti a 5* op. 5 (ebd. 1708); *Concerti a 4 ..., Sinfonie a 3* op. 6 (Amsterdam um 1710) sowie zahlreiche Violoncellosonaten.

+Taglioni, –1) Filippo, [erg.: 5. 11.] 1777 – 11. 9. [nicht: 12.] 1871. – 2) Maria (Marianne Sophie), [erg.:] 23. 4. [nicht: 3.] 1804 – 22. [nicht: 24.] 4. 1884. Lit.: I. Guest, The Romantic Ballet in Paris, London 1966. – zu –2): M. Fabregas, M. T., Barcelona 1958; F. Reyna in: La Scala XII, 1960, S. 31ff.; L. Hill, La Sylphide. The Life of M. T., London 1967; P. Migel, The Ballerinas from the Court of Louis XIV to Pavlova, NY 1972.

+Taglioni, –1) Salvatore, 1789(?) [del.: Juli 1790] – 1868.
T., Bruder von Filippo T., debütierte an der Pariser Opéra mit seiner Schwester Luisa [nicht: Luigia] ([erg.:] 1823 – 1893).

+Tagore, Rabindranath, 1861–1941.
T.s Hymne »Morgengesang Indiens« *Jana-gana-mana-adhinayaka, jaya he Bharata-bhagya-vidhata* (»Der du die Herzen der Völker durchwaltest«), 1911 während einer Kongreßversammlung in Kalkutta bekannt geworden, wurde 1950 zur indischen Nationalhymne erklärt. – Dichtungen T.s vertonten: D. Milhaud, *Poème du »Gitanjali«* (1914), *Child Poems* (1916, 5 Gedichte), 2 *Poèmes du »Gardener«* (1916–17) und 2 *Poèmes d'amour* (1915–20, je 2 Gedichte) für Singst. und Kl. sowie die Bühnenmusik zu *Amal, ou La lettre du roi* (in der Übers. von A. Gide, Paris 1936); A. Casella, 4 *Lieder L'adieu à la vie* für Singst. und Kl. op. 26 (1915, bearb. für Singst. und 16 Instr. op. 26bis, 1926); M. Castelnuovo-

Tedesco, 2 T.-Lieder (1916); K. Szymanowski, 4 Lieder op. 41 (1918); F. Ghedini, 3 *Liriche di T.* für Singst. und Kl. (1919); L. Janáček, *Potulný šílenec* (»Der umherirrende Verrückte«) für S. und Männerchor (1922); A. Zemlinsky, *Lyrische Symphonie* für S., Bar. und Orch. op. 18 (7 Gesänge, 1923); Fr. Bridge, 3 Lieder (1922–25, auch für Orch.); R. Shankar, Ballett *Samanya Kshati* (nach T.s gleichnamigem Gedicht, Neu-Delhi 1961).
Lit.: S. K. Nandi, Avanindranath T.'s Concept of Aesthetic Universality, The Journal of Aesthetics and Art Criticism XVIII, 1959/60; A. A. Bake in: Art and Letters XXXV, 1961, S. 10ff.; ders., T., the Musician, in: East and West, N. S. XII, 1961; R. T. on Art and Aesthetics, hrsg. v. Pr. Neogy, Neu-Delhi 1961; L. Sinjawer in: SM XXV, 1961, H. 5, S. 102ff.; H. Chr. Wolff, R. T. u. d. Musik, Fs. K. G. Fellerer, Regensburg 1962; V. A. Shakane, R. T., A Study in Romanticism, in: Studies in Romanticism III, 1963/64; N. Chatterji u. Fr. Bose in: MGG XIII, 1966, Sp. 52f.; Fr. Bose, R. T. u. d. moderne indische Musik, Fs. W. Wiora, Kassel 1967; G. Mapara, T. u. d. indische Musik, in: Indo-Asia XI, 1969; L. Ray, Rabindranath and Music, Journal of the Indian Musicological Soc. III, 1972.

+Tailleferre, [erg.: Marcelle] Germaine ([erg.:] eigentlich Taillefesse), * 19. 4. 1892 zu Parc-St-Maur (Gemeinde St-Maur-des-Fossés, Val-de-Marne).
Werke: Operette *Dolorès* (Paris 1950), Comédie musicale *Parfums* (Monte Carlo 1951), Satire lyrique *Il était un petit navire* (Paris 1951), Opéra-comique *Parisiana* (Kopenhagen 1955), Oper *La petite Sirène* (Ph. Soupault, ORTF 1958), einaktige Opéra-bouffe *Mémoires d'une bergère* (1959), Kammeroper *Le maître* (nach Ionesco, 1959, ORTF 1961); die einaktigen Ballette *Le marchand d'oiseaux* (Paris 1923, daraus eine Suite) und *Paris-Magie* (ebd. 1949); *Pavane, nocturne, finale* (1928), Ouvertüre (1932) und *A l'exposition* (1937) für Orch. Konzerte mit Orch. für Kl. (1919, Fassung für 2 Kl. 1924), 2 Kl. und Singstimmen (1934) und V. (1936), Concertino für Hf. und Orch. (1926), Fl., Kl. und Kammerorch. (1952) und S. und Orch. (1953), Ballade für Kl. und Orch. (1922); *Images* für 7 Instr. (1920), Streichquartett (1918), Partita für 2 Kl. und Schlagzeug (»Hommage à Rameau«, 1964), 2 Sonaten (1920, 1951) und Pastorale (1921) für V. und Kl., Pastorale für Fl. und Kl. (1939), je eine Solosonate für Hf. (1954) und Klar. (1958); 2 Pastoralen (1918), 6 leichte Stücke *Fleurs de France* (1930, Fassung für Orch. als *Suite à danser*), *Sicilienne* (1939), 10 kleine Geschichten *La forêt enchantée* (1951), *Scènes de cirque* (1951) und Partita (1951) für Kl., *Jeux de plein air* (1918) und 2 Walzer (1948) für 2 Kl.; 6 Chansons (1929) und *Cantate du Narcisse* (Valéry, 1937) für Singst. und Orch., *Concerto des vaines paroles* für Bar. und Orch. (J. Tardieu, 1956), 6 *Chansons françaises* (1920) und *C'est facile à dire* (1955) für Singst. und Kl.; Beiträge für die Gemeinschaftskompositionen *Les mariés de la Tour Eiffel* (einaktige Farce, Cocteau, mit Auric, Honegger, Milhaud und Poulenc, Paris 1921) und *La guirlande de Campra* für Orch. (1952), ferner Musik für Bühne, Film, Funk und Fernsehen.
Lit.: Cl. Chamfray in: Le courrier mus. de France 1965, Nr 9 (Biogr. u. Werkverz.). → +Six.

+Tajčević, Marko, * [erg.: 29. 1.] 1900 zu Osijek (Kroatien).
T., Mitbegründer [nicht: Gründer] der Lisinski-Musikschule in Zagreb, wirkte 1950–66 als ordentlicher Professor für musiktheoretische Fächer an der Belgrader Musikakademie. Neuere Werke: Variationen (1950) und Sonatine (1953) für Kl., 5 Volkslieder für Frauen-St. und Kl. (1953); Divertimenti G dur und

D dur für 3 V. (oder Streichorch., 1954); 3 Volkslieder für Männer-St. und Kl. (1954); 3 Madrigale für gem. Chor (1955); 2 Sonette für Bar. und Kl. (Michelangelo, 1956); 60 serbische Volkslieder für Chor (1957); Passacaglia und Fuge für Streichorch. (1958); Chaconne für V. solo (1959); *Preludijum i igra* für Fl. solo (»Praeludium und Spiel«, 1960); 3 Lieder aus dem Burgenland für A. und Männerchor (1961); *Haec dies* für gem. Chor (1967); »Das Lied von der Hochzeit zu Kana« für Soli und gem. Chor (1968). Von seinen musiktheoretischen Schriften seien genannt *Opšta nauka o muzici* (»Allgemeine Musiklehre«, Belgrad 1949, ³1963) und *Kontrapunkt* (ebd. 1958).
Lit.: Vl. PERIČIĆ (mit D. Kostića u. D. Skovrana), Muzički stvaraoci u Srbiji (»Musikschöpfer in Serbien«), Belgrad 1969, S. 539ff.

+Tajo, Italo, * 25. 4. 1915 zu Pinerolo (Piemont).
In seinem Repertoire finden sich des weiteren (meist von ihm kreierte) Partien aus Opern von Malipiero, Milhaud, Nono, Pizzetti, Rota u. a. zeitgenössischen Komponisten; ferner ist er auch als Musical- und Filmsänger hervorgetreten. T., der heute in Cincinnati (O.) lebt, ist seit 1966 Gesangsprofessor und Leiter einer Opernschule (Basso-in-Residence) am College-Conservatory of Music der dortigen Universität.
Lit.: R. HASTINGS in: Opera Annual VII, 1960, S. 102ff. u. 109ff.

+Takács, Jenö (von), * 25. 9. 1902 zu Siegendorf im Burgenland.
1940–42 lehrte T., der die österreichische Staatsangehörigkeit besitzt, an der städtischen Musikschule in Szombathely (Steinamanger) [nicht: am Ödenburger Konservatorium]. Nach seiner Pensionierung als Professor am College-Conservatory of Music der University of Cincinnati (O.) ließ er sich 1971 wieder in Siegendorf nieder. 1962 wurde ihm der Österreichische Staatspreis verliehen. – Neuere Werke: Serenade für Orch. op. 83 (nach Alt-Grazer Kontratänzen, 1966); *Eine kleine Tafelmusik* für Bläserquintett op. 74 (1962), *Homage to Pan* für 4 Klar. op. 87 (1968), Stücke mit Kl. für Tuba (*Sonata capricciosa* op. 81, 1965), Klar. (*Essays in Sound* op. 84, 1968), Altsax. (2 *Fantastics* op. 88, 1969) und Kb. (*Musica reservata* op. 91, 1970), *Dialoge* op. 77 (1963) und *Späte Gedanken* op. 90 (1969) für V. und Git.; *Sons et silences* op. 78 (1964), 4 *Epitaphe* op. 79 (1964), *Children's Pieces* op. 82 (1966–68) und *Twilight Music* op. 92 (1971) für Kl., *Tagebuch-Fragmente* für 2 Kl. (1973); *Toccata mistica* für gem. Chor und Org. op. 86 (1968). Eine »autobiographische Skizze« veröffentlichte er unter dem Titel *Aus meinem Leben* (in: Steirische Musikerjubiläen 1972, hrsg. von K. Stekl und W. Suppan, = Mitt. des Steirischen Tonkünstlerbundes 1972, Sonder-Nr).

Takahashi, Yūji, * 21. 9. 1938 zu Tokio; japanischer Komponist und Pianist, studierte an der privaten Tōhō-Musikhochschule in Tokio Komposition bei Sadao Bekku und Rō Ogura sowie 1963–64 bei Xenakis in Berlin. 1968–69 war er Mitglied des Center of the Creative and Performing Arts in Buffalo (N. Y.). Von seinen Kompositionen seien genannt: *Phonogène* für 2 Instr. und Tonband (1962); *L'ombilic des limbes* für Tonband (Text nach Gedichten von Antonin Artaud, 1963); *Chromamorphe I* für 7 Instr. (1963) und *II* für Kl. (1964); *Eksi Stikhia* für 4 V. (1967); *Rosace I* für elektrisch verstärkte V. und *II* für »tuned« Kl. (1968); *Operation Euler* für 2 oder 3 Ob. (1968); *Orphika* für Orch. (1969); *Metathesis* für Kl. (1969); *Kagahi* für Kl. und Kammerorch. (1971).

Takemitsu, Tōru, * 8. 10. 1930 zu Tokio; japanischer Komponist, studierte privat bei Yasuji Kiyose. In seiner Kompositionsweise verbindet er traditionsgebundene Sensibilität mit avantgardistischer Satztechnik. Von seinen Kompositionen seien genannt: *Pause Uninterrupted* für Kl. (1950); *Relief statique* (1955) und *Vocalismus A I* (1956) für Tonband; Requiem für Streichorch. (1957); *Solitude sonore* für Orch. (1958); *Le soncalligraphie* Nr 1–3 für 8 Streicher (1958–60); *Landscape* für Streichquartett (1960); *Music of Trees* für Orch. (1961); *Piano Distance* (1961); *RING* für Fl., Terzgit. und Laute (1961); *Coral Island* für S. und Orch. (1962); *Corona* für ein oder mehrere Kl. (1962) bzw. für ein oder mehrere Streichinstr. (1962); *Sacrifice* für Alt-Fl., Laute und Vibraphon mit Cymbales antiques (1962); *Watermusic* für Tonband (1963); *Arc* für Kl. und Orch. (1966); *Eclips* für Biwa und Sakuhati (1966); *The Dorian Horizon* für 17 Streicher (1966); *Novembersteps I* für Biwa, Sakuhati und Orch. (1967, Auftragskomposition der New York Philharmonic anläßlich ihres 125jährigen Bestehens); *Greens* (*Novembersteps II*, 1967) und *Textures* (1967) für Orch.; *Kwaidan* für Tonband (1967); *Stanza* für Git., Hf., Kl. und Vibraphon mit Frauen-St. (1969); *Varelia* für V., Klar., Git. und elektronische Org. mit 2 obligaten Piccolo-Fl. (1969); *Eucalyptus* für Fl., Hf., Ob. und Streicher (1970); *Seasons* für Schlagzeug (1970); *In Motion*, 16-Minuten-Farbfilm (mit dem Graphiker Kohei Sugiura, Kombination von Bildern, Klängen und Geräuschen, 1972); *Gemeaux* für Orch. (1974).
Lit.: W. LAADE, T. T.s »November Steps«, Shakuhachi-Musik u. Zen, in: Indo-Asia XII, 1970.

Taktakischwili, Otar Wassiljewitsch, * 27. 7. 1924 zu Tiflis; grusinisch-sowjetischer Komponist, studierte bis 1947 am Konservatorium seiner Heimatstadt (Sergej S. Barchudarjan), an dem er seit 1949 Komposition und Instrumentation lehrt. 1952 wurde er künstlerischer Leiter der Staatskapelle in Tiflis. T. schrieb die Opern *Mindija* (Tiflis 1961) und *Tri nowelly* (»3 Novellen«, ebd. 1967, 2. Fassung als *Tri schisni*, »3 Leben«, bestehend aus den Einaktern *Dwa brata*, »2 Brüder«, *Sudba soldata*, »Soldatenschicksal«, und *Tschikori*, Moskau 1973), Orchesterwerke (2 Symphonien, 1949 und 1953; 3 Ouvertüren, 1950, 1951 und 1955; Symphonische Dichtungen *Samgori*, 1950, und *Mzyri*, nach Michail Lermontow, 1956; Violoncellokonzert, 1947; Klavierkonzert, 1951; Trompetenkonzert, 1954; Concertino für V. und Kammerorch., 1955), Kammermusik (Klaviertrio, 1947; *Schutotschnaja i noktjurn*, »Burleske und Nocturno«, für Vc. und Kl., 1952), Klavierstücke, Vokalwerke (Oratorien *Schiwoj otschag*, »Der lebendige Herd«, 1964, und *Po sledam Rustaweli*, »Auf den Spuren von Rustaweli«, 1964; Kantate über die sowjetische Jugend für Soli, Chor und Orch., 1952; *Gurijskije pesni*, »Gurenlieder«, für 8 Männer-St., gem. Chor- und Orch., 1973; Chöre, Lieder) sowie Bühnen- und Filmmusik.
Lit.: L. POLJAKOWA, O. T., Moskau 1956; DIES. in: SM XXXVII, 1973, H. 3, S. 8ff. (zu »Tri schisni«); K. LAUX, Die Musik in Rußland u. in d. Sowjetunion, Bln 1958; P. CHUTSCHNA, O. T., Tiflis 1962, grusinisch; ST. D. KREBS, Soviet Composers and the Development of Soviet Music, London 1970; A. SCHAWESASCHWILI in: SM XXXVII, 1973, H. 7, S. 32ff. (zu »Gurijskije pesni«).

Taktakischwili, Schalwa Michajlowitsch, * 14.(27.) 8. 1900 zu Kwemo-Chwiti, † 18. 7. 1965 zu Tiflis; grusinisch-sowjetischer Komponist, studierte 1920–28 am Konservatorium in Tiflis (Sergej S. Barchudarjan) und war Direktor und Lehrer für Musiktheorie an der Musikschule in Batum, die er mitgegründet hatte.

1937–39 leitete er die Opernklasse des Konservatoriums in Tiflis (1941 Professor). Daneben wirkte er u. a. als Dirigent des Rundfunkchores von Tiflis (1934–38). 1951 wurde er Leiter des Opernstudios am Konservatorium in Tiflis und 1952 Dirigent der Staatskapelle der Grusinischen SSR. Er schrieb die Opern *Rasswet* (»Morgendämmerung«, Tiflis 1926), *Deputat* (»Der Abgeordnete«, ebd. 1939), das Ballett *Maltakwa* (ebd. 1937), Orchesterwerke (Sinfonietta, 1954; 2 Ouvertüren, 1944 und 1949; Symphonische Dichtung *1905 god*, »Das Jahr 1905«, 1931; Violoncellokonzert, 1932), Kammermusik (2 Streichquartette, 1930 und 1933; Violinsonate, 1952) sowie Klavierstücke, Chöre und Lieder.
Lit.: P. V. HUKUA, Sch. T., Tiflis 1962; ST. D. KREBS, Soviet Composers and the Development of Soviet Music, London 1970.

+Tal, Josef ([erg.:] ursprünglich Gruenthal), * 18. 9. 1910 zu Pinne (bei Posen).
Direktor des Israel Conservatory (Academy of Music) in Jerusalem war T. bis 1953 [nicht: 1955]. Seit 1965 ist er Leiter der Abteilung für Musikwissenschaft und Direktor des Instituts für elektronische Musik an der Hebrew University in Jerusalem. 1969 wurde er zum außerordentlichen Mitglied der Akademie der Künste in (West-)Berlin gewählt. – Werke: konzertante Oper *Saul at Ein Dor* (1957), Kurzoper *Amnon and Tamar* (1961), Oper *Ashmedai* (Hbg 1971), die Ballette mit elektronischer Musik *Ranges of Energy* (Breukelen bei Utrecht 1963), *From the Depth of the Soul* (1964) und *Variations* (1970); 2 Symphonien (1953, 1960) und *Festive Vision* (1959) für Orch., *Reflections* für Streichorch. (1950); Konzerte mit Orch. für Kl. (1944; 1953; mit T., 1956) und Va (1954), Konzerte mit elektronischer Musik für Kl. (1962, 1964, 1970), Cemb. (1964) und Hf. (1971), Konzert für V. und Streichorch. (1961), Doppelkonzert für V., Vc. und Kammerorch. (1970); Holzbläserquintett (1966), 2 Streichquartette (1959, 1964), *Lament* für Vc. und Hf. (1950), Stücke mit Kl. für V. (Sonate, 1952), Ob. (Sonate, 1952) und Va (Sonate, 1960; Duett, 1965), Intrada (1959) und *Structure* (1962) für Kl.; 6 *Sonnets* (1946) und Sonate (1950) für Kl.; elektronische Musik *Min hameitzar karati yah* (*I Called Upon the Lord in Distress*, 1971); Oratorium *The Death of Moses* für A., T., B., Chor, Orch. und elektronische Musik (1967), Kantate *Misdar Hanoflim* für S., Bar., gem. Chor und Orch. (1968), »Kantate für die Gefallenen« für Soli, Sprecher, Chor und Orch. (1969), *The Mother Rejoices* für gem. Chor, Kl. und Orch. (1949), choreographisches Poem *Exodus* für Bar. und Orch. (1946), *Succoth Cantata* für Solo-St., gem. Chor und kleines Orch. (1955), *Gesang zu Versen von H. Heine* für A., Fl., Horn, Kl. und Schlagzeug (1971); 3 Lieder für gem. Chor a cappella (1953). Neben musiktheoretischen Schriften (hebräisch) veröffentlichte T. die Beiträge *Musik, Hieroglyphen und Technologengeschwätz* (in: The World of Music XIII, 1971, auch engl. und frz.) und *Rationale und sensitive Komponenten des »Verstehens«* (in: Musik und Verstehen, hrsg. von P. Faltin und H.-P. Reinecke, Köln 1973).

Talamón, Gastón O., * 22. 8. 1883 und † 1. 6. 1957 zu Buenos Aires; argentinischer Musikschriftsteller und -kritiker, gab nach privaten Musikstudien die von ihm ins Leben gerufenen Zeitschriften für Musik *Música de América* (1919–21) und für Musik, Literatur und Kunst *Indoamérica* (1935) heraus. 1914–35 war er Musikkritiker bei der Zeitung »La prensa« und der Zeitschrift »Nosotros« sowie anderen argentinischen und lateinamerikanischen Zeitungen. Er veröffentlichte:

Die zeitgenössische argentinische Musik (Buenos Aires 1918); *Historia de la música del s. XVIII a nuestros días* (ebd. 1942); H. Villa-Lobos (ebd. 1948).

Talbot (t'ɔ:lbət), Howard (eigentlich Richard Lansdale Munkittrick), * 9. 3. 1865 zu Yonkers (N. Y.), † 12. 9. 1928 zu London; englischer Operettenkomponist amerikanischer Herkunft, studierte am Royal College of Music in London (Ch. H. Parry, J. Fr. Bridge, Gladstone) und errang 1894 in London einen durchschlagenden Erfolg mit der Operette *Wapping Old Stairs*. Von seinen zahlreichen weiteren, z. T. in Zusammenarbeit mit P. A. Rubens und Lionel Monckton geschriebenen und in London uraufgeführten Operetten seien genannt: *Monte Carlo* (1896), *A Chinese Honeymoon* (1899), *The Three Kisses* (1907), *The Arcadians* (mit Monckton, 1909), *Mr. Manhattan* (1916) und *My Nieces* (1921).

+Talich (t'aliç), Václav, * 28. 5. 1883 zu Kroměříž (Kremsier), [erg.:] † 16. 3. 1961 zu Beroun (Böhmen).
Chefdirigent der Slowakischen Philharmonie war T. bis 1952, Dirigent der Tschechischen Philharmonie in Prag nochmals 1952–54; gesundheitliche Gründe zwangen ihn jedoch, seine Tätigkeit allmählich auf Schallplattenaufnahmen zu beschränken. Er wirkte darüber hinaus als Professor für Dirigieren am Prager Konservatorium (1932–45), an der dortigen Musikakademie (1946–48) und an der Musikhochschule in Bratislava (1949–52). Zu seinen bekanntesten Schülern zählen K. Ančerl, Zd. Folprecht, V. Kašlík, I. Krejčí, J. Krombholc und L. Slovák. T., der (ab 1928) Mitglied der Kungl. Musikaliska akademien in Stockholm war, lebte ab 1956 im Ruhestand in Beroun.
Lit.: M. KUNA in: Hudební věda VII, 1970, S. 212ff. u. 357ff., sowie VIII, 1971, S. 94ff. (Briefe an T. v. B. Martinů u. J. Suk sowie A. Hába). – M. KRESÁK, Prof. V. T. a Slovensko (»Professor V. T. und die Slowakei«), in: Slovenská hudba II, 1958; J. ŠEDA u. O. SVOBODA, V. T. na gramofonových deskách (»V. T. auf Schallplatten«), Prag 1960; V. POSPÍŠIL, V. T., »Knižnice hudebních rozhledů A, IV, ebd. 1961; DERS. in: Hudební rozhledy XIV, 1961, S. 279ff.; DERS., Co jsme dlužni V. T.ovi (»Was wir V. T. verdanken«), ebd. XX, 1967; ZD. BÍLEK, T., osobnost vychovávajúca (»T., eine erzieherisch wirkende Persönlichkeit«), in: Slovenská hudba VII, 1963; J. ZICH in: Hudební rozhledy XVIII, 1965, S. 446ff. (über T.s Auffassung v. Smetanas »Tábor« u. »Blaník«); V. T., Dokument života a díla (»V. T., Dokument d. Lebens u. Schaffens«), hrsg. v. H. MASARYKOVÁ u. PR. ETLIKOVÁ, = Hudba v zrcadle doby VI, Prag 1967.

Tallat-Kelpša (tal'atk'ɛlpʃa), Juozas Antano, * 20. 12. 1888 (1. 1. 1889) zu Kalnujai (Gouvernement Kaunas), † 5. 2. 1949 zu Wilna; litauisch-sowjetischer Komponist und Dirigent, studierte 1907–16 am St. Petersburger Konservatorium bei A. Ljadow, Wihtol und M. Steinberg. Er unterrichtete in Kaunas an der von ihm gegründeten Musikschule (1920–33) und am Konservatorium (1933–48) sowie am Konservatorium in Wilna (1948–49). T.-K. ist einer der Mitgründer der litauischen Oper in Kaunas, an der er 1920–48 als Dirigent tätig war. Er schrieb die Oper *Vilmante* (»Die Tochter des Dorfschulzen«, 1924, unvollendet), *Liudna daina* (»Trauriges Lied«, 1931) und eine Ouvertüre nach litauischen Volksthemen (1945) für Orch. sowie Klavierwerke, Chöre, Lieder und Bühnenmusik.
Lit.: J. GAUDRIMAS, Is istorii litowskoj musyki, Leningrad 1972, Bd II, S. 159ff.

Tallchief (t'ɔ:ltʃi:f), Maria (verheiratete Balanchine, später Paschen jr.), * 24. 1. 1925 zu Fairfax (Okla.); amerikanische Tänzerin indianischer Herkunft, Schwester von Marjorie T., studierte bei Ernest Belcher, Bronislava Nijinska und Balanchine sowie an der

School of American Ballet in New York und war 1942–47 Mitglied des Ballet Russe de Monte Carlo, wo sie Rollen in Balletten von Balanchine kreierte (*Dances concertantes*, Musik Strawinsky, 1944, und *Night Shadow*, Rieti nach Bellini, 1946). Sie gehörte 1947–65 als Primaballerina dem New York City Ballet an, gastierte zeitweise bei anderen Kompanien und war 1965–66 an der Hamburgischen Staatsoper engagiert. M. T. wirkte bei zahlreichen Uraufführungen in Balanchine-Balletten mit, u. a. in »Firebird« (Strawinsky, NY 1948), *Bourrée fantasque* (Chabrier, NY 1949), *Scotch Symphony* (Mendelssohn Bartholdy, NY 1952), *Pas de dix* (Glasunow, NY 1955) und *Allegro brillante* (Tschaikowsky, NY 1956).

Lit.: O. MAYNARD, Bird of Fire. The Story of M. T., NY 1961; E. MYERS, M. T., NY 1966; T. TOBIAS, M. T., NY 1970; A. L. DE LEEUW, M. T., American Ballerina, Champaign (Ill.) 1971.

Tallchief (t'ɔːltʃiːf), Marjorie (verheiratete Skibine), * 19. 10. 1927 zu Fairfax (Okla.); amerikanische Tänzerin indianischer Herkunft, Schwester von Maria T., studierte bei Bronislava Nijinska und David Lichine, debütierte 1944 beim American Ballet Theatre, tanzte 1946–47 beim Original Ballet Russe und gehörte 1947–57 zu den führenden Ballerinen des Grand Ballet du Marquis de Cuevas in Monte Carlo. 1957–62 war sie Première danseuse étoile der Pariser Opera. Sie gastierte beim Harkness Ballet (1964–66) und beim Louisville Civic Ballet (1967). Gegenwärtig tritt sie vorwiegend beim Dallas Civic Ballet auf. M. T. kreierte zahlreiche Rollen in der Choreographie von Skibine, u. a. in *Annabel Lee* (Musik Byron Schiffmann, Monte Carlo 1951), *L'Ange gris* (Debussy, ebd. 1953), *Idylle* (François Serette, ebd. 1954), *Roméo et Juliette* (Berlioz, ebd. 1955) und *Concerto* (Jolivet, Paris 1958) sowie die Titelrolle in Alvin Aileys *Ariadne* (ders., Marseille 1965).

Lit.: L. NEMENSCHOVSKY, A Day with M. and G. Skibine, London 1960; E. HERF, M. T., in: Ballet Today IV, 1962.

+Tallis, Thomas, um 1505 – 1585.
T. wirkte zuerst 1532 als »joculator organorum« an der Dover Priory, 1537 an St.Mary-at-Hill in London und wenig später (bis 1540) an der Augustinerabtei Holy Cross in Waltham (Essex) [erg. frühere Angaben dazu]. Ausg.: d. +lat. Kirchenmusik, ([erg.:] hrsg. v. P. C. BUCK, E. H. FELLOWES, A. RAMSBOTHAM u. S. T. WARNER, 1928), Nachdr. NY 1963; +The Fitzwilliam Virginal Book (J. A. FULLER-MAITLAND u. W. B. SQUIRE, 1894–99), Nachdr. ebd.; +The Mulliner Book ([erg.:] hrsg. v. D. Stevens, London 1951), ebd. ²1966. – Engl. Sacred Music, 2 Bde (I Anthems, II Service Music), hrsg. v. L. ELLINWOOD, = Early Engl. Church Music XII–XIII, ebd. 1971. – Complete Keyboard Works, hrsg. v. D. STEVENS, ebd. 1953; 40st. Motette »Spem in alium nunquam habui«, hrsg. v. PH. BRETT, ebd. 1966 (revidiert nach »Tudor Church Music« VI); The Lamentations of Jeremiah f. 5 Männer-St., hrsg. v. DEMS., ebd. 1969; 2 Stücke in: Early Engl. Keyboard Music, hrsg. v. H. FERGUSON, ebd. 1971, Bd II; 5st. Te Deum, nach einer Ausg. v. E. H. Fellowes revidiert v. A. GREENING, = Tudor Church Music LXXII, ebd. 1972.
Lit.: +J. HAWKINS, A General Hist. [erg.: of the Science and Practice] of Music (1776), London ²1853 (3 Bde), Nachdr. (mit neuer Einleitung v. Ch. Cudworth) = American Musicological Soc., Music Library Ass. Reprint Series o. Nr, NY 1963 (3 Bde in 2); dass., Faks. d. Ausg. London 1875 hrsg. v. O. WESSELY, 2 Bde, = Die großen Darstellungen d. Mg. in Barock u. Aufklärung V, Graz 1969; +CH. BURNEY, A General Hist. of Music (I–II, 1776–82), neu hrsg. v. Fr. Mercer, London u. NY 1935, Nachdr. NY 1957; +FR. LL. HARRISON, Music in Medieval Britain (= Studies in the Hist. of Music o. Nr, 1958), auch NY 1959 u. 1967, London ²1963. – J. PILGRIM, T.'s

Lamentations and the »Engl. Cadence«, MR XX, 1959; A. SCHIPPER in: Mens en melodie XV, 1960, S. 243ff.; J. KERMAN, Byrd, T., and the Art of Imitation, in: Aspects of Medieval and Renaissance Music, Fs. G. Reese, NY 1966; D. STEVENS in: MGG XIII, 1966, Sp. 67ff.; R. H. ILLING, T.'s Psalm Tunes, in: Miscellanea musicologica II, (Adelaide) 1967 (mit Ausg.); DERS., Th. T. and R. Vaughan Williams, With Th. T.'s Psalm Tunes. A Text f. Organists, Adelaide 1968; P. DOE, T., = Oxford Studies of Composers IV, London 1968, ²1970; DERS., T.'s »Spem in alium« and the Elizabethan Respond-Motet, ML LI, 1970.

Talma (t'ælmə), Louise, * 31. 10. 1906 zu Arcachon (Gironde); amerikanische Komponistin, besuchte die Juilliard School of Music (1922–30) und die Columbia University in New York (1923–30) sowie die New York University (1930–31, B. Mus. 1931), danach die Graduate School der Columbia University (1931–33, M. A. 1933). In den Sommermonaten 1926–39 studierte sie bei Nadia Boulanger und I.Philipp in Fontainebleau, wo sie 1936–39 Lehrer für Solfège war. Seit 1928 gehört sie dem Music Department des Hunter College of the City of New York an (Professor of Music). – Kompositionen (Auswahl): Oper *The Alcestiad* (Text Thornton Wilder, Ffm. 1962); Toccata für Orch. (1944); *Dialogues* für Kl. und Orch. (1964); Streichquartett (1954); *Song and Dance* für V. und Kl. (1951); *3 Dialogues* für Klar. und Kl. (1968); 2 Klaviersonaten (1943, 1955); 6 Etüden für Kl. (1954); Oratorium *The Divine Flame* für Mezzo-S., Bar., gem. Chor und Orch. (1948); Kantate *All the Days of My Life* für T., Klar., Vc., Kl. und Schlagzeug (1965); *A Time to Remember* für gem. Chor und Orch. (nach Reden von John F.Kennedy, Prolog und Epilog aus *A Thousand Days* von Arthur M.Schlesinger jun., 1967); *The Tolling Bell* für Bar. und Orch. (1969); *Carmina Mariana* für 2 S. und Kl. (1943); Liederzyklus *Terre de France* für S. und Kl. (1945); *Birthday Song* für T., Fl. und Va (1960).
Lit.: E. BARKIN in: Perspectives of New Music X, 1971/72, Nr 2, S. 142ff.

+Talon, Pierre, 1721 – 25. [nicht: 26.] 6. 1785.
T. gehörte erst ab etwa 1761/65 [nicht: 1753] der Hofkapelle in Paris an. – Die 1765 erschienenen 6 Trios für V., Vc. und B. c. sind lediglich als op. 4 [del.: op. 3] angeführt. 1761 erschienen 6 [nicht: ein] *Quatuors* (oder *Symphonies*) für V., Ob., obligates Vc. und B. c. op. 2.
Lit.: B. S. BROOK in: MGG XIII, 1966, Sp. 76f.

Taltabull Balaguer (taltab'uʎ balag'ɛr), Cristóbal, * 28. 7. 1888 zu Barcelona; spanischer Komponist, studierte in Madrid bei Pedrell, in Leipzig bei Reger (1907–10) sowie in Paris bei Gédalge, Koechlin und Tournemire (1912–14). 1914–19 leitete er in Paris das Orchester des Filmkunstunternehmens Gaumont und war dort bis 1940 als Musikpädagoge tätig. Dann übte er den gleichen Beruf in Barcelona aus. Er schrieb die Oper *La vida es sueño* (1906), das Ballett *Les noctambules* (1930), Orchesterwerke (3 Symphonien; Symphonische Dichtung *Valdemar Daae*, nach einer Erzählung von Hans Christian Andersen), Kammermusik (3 Streichquartette; Streichtrio; Klaviertrio; Trio für Fl., Va und Vc.; 2 Klaviersonaten) und Vokalwerke (Chöre auf Texte von Charles d'Orléans und François Villon; Serie von 25 chinesischen Liedern für St. und Kl.).

Talvela, Martti, * 4. 2. 1935 zu Hiitola (Südfinnland); finnischer Sänger (Baß), studierte am Konservatorium in Lahti und bei Öhman in Stockholm, debütierte 1960 als Sparafucile (*Rigoletto*) an der Nationaloper in Helsinki, war 1961–62 an der königlichen Oper Stockholm engagiert und ist seitdem Mitglied der Deutschen Oper Berlin (1970 Kammersänger).

1962 trat er erstmals bei den Bayreuther Festspielen auf. Gastspiele führten ihn an die Wiener Staatsoper, die Mailänder Scala sowie an die Metropolitan Opera in New York. Seine wichtigsten Partien sind Fiesco, Philipp (*Don Carlos*), Pater Guardian (*Il forza del destino*), Daland (*Der fliegende Holländer*), Hunding (*Walküre*) und Boris Godunow.

Tamagno, (tam'a:ɲo), Francesco, * 28. 12. 1850 zu Turin, † 31. 8. 1905 zu Varese; italienischer Opernsänger (Tenor), studierte an der Musikschule seiner Heimatstadt und debütierte 1870 in der Rolle des Nearco in *Poliuto* von Donizetti am Teatro Regio in Turin. 1877 trat er als Vasco da Gama (*L'Africaine*) erstmals an der Mailänder Scala auf, an der er 1887 den Otello kreierte. 1894–95 gastierte T. als Turridu (*Cavalleria rusticana*) an der Metropolitan Opera in New York. Von seinen Partien seien außerdem Don Carlos, Gabriele Adorno (*Simon Boccanegra*), Alvaro (*La forza del destino*) und Raoul de Naugis (*Les Huguenots*) genannt. Lit.: M. CORSI, Fr. T., Mailand 1937; E. GARA, Fr. T., in: La Scala VI, 1954.

Tamberg, Eino, * 27. 5. 1930 zu Tallinn; estnisch-sowjetischer Komponist, studierte bis 1953 am Konservatorium seiner Heimatstadt (E. Kapp) und war danach als Tonmeister am estnischen Rundfunk tätig. Seit 1967 ist er Dozent für Komposition am Konservatorium in Tallinn. Er schrieb die Oper *Raudne kodu* op. 23 (»Das eiserne Haus«, 1965), die Ballette *Poiss ja liblik* op. 20 (»Der Junge und der Schmetterling«, 1963) und *Joanna tentata* op. 37 (1970), Orchesterwerke (symphonische Suite *Vürst Gabriel* op. 2, »Fürst Gabriel«, 1955; Concerto grosso op. 5, 1956; *Sümfoonilised tantsud* op. 6, »Symphonische Tänze«, 1957; *Ballett-symfoonia* op. 10, 1959; Toccata op. 31, 1967), Kammermusik (Streichquartett op. 8, 1958; Rondo für V. und Kl. op. 14, 1961; *Muusikat oboele* op. 35, »Musik für Ob.«, 1970), Vokalwerke (2 Oratorien, *Rahva vabaduse eest* op. 1, »Freiheit für das Volk«, 1953, 2. Fassung 1954, und *Kuupaiste-oratoorium* op. 17, »Das Mondschein-Oratorium«, 1962; 5 Romanzen nach Petőfi op. 4, 1955, und *Kuus lastelaulu vanadele helilaadidele* op. 33, »6 Kinderlieder im alten Stil«, 1968) sowie Bühnen- und Filmmusik. Lit.: H. TAUK, Kuus eesti tänase muusika loojat (»6 estnische zeitgenössische Komponisten«), Tallinn 1970 (mit engl. u. russ. Zusammenfassung).

Tamburini, Antonio, * 28. 3. 1800 zu Faenza, † 9. 11. 1876 zu Nizza; italienischer Sänger (Bariton), debütierte 1818 am Opernhaus in Cento (Bologna) in Generalis *La contessa di Colle Erboso*, trat 1821 in Livorno und Turin und 1822 erstmals an der Mailänder Scala auf. Er gastierte in Wien (1822 und 1824), London (1832 und 1851) sowie in Paris (1835, 1843 und 1854) und wirkte bei zahlreichen Uraufführungen mit, u. a. in Bellinis *Il pirata*, *La straniera* und *I Puritani*, in Donizettis *Don Pasquale* und *Chiara e Serafina* sowie in Mercadantes *I briganti* und in Pacinis *Giovanna d'Arco*. Lit.: J. DE BIEZ, T. et la musique ital., Paris 1877; H. GELLI-FERRARIS, A. T. nel ricordo d'una nipote, Livorno 1934.

+Tamiris (t'æməris), Helen (eigentlich Becker), * [erg.: 24. 4.] 1905 und [erg.:] † 4. 8. 1966 zu New York.

Tampere, Herbert, * 19. 1. (1. 2.) 1909 im Kreis Tartu; estnisch-sowjetischer Musikethnologe, studierte an der Universität in Tartu, an der er 1947 Dozent wurde. Er arbeitete am estnischen Volksliedarchiv und übernahm 1952 die Leitung der Volksliedabteilung an der estnischen Akademie der Wissenschaften. T. edier-

te die grundlegende estnische Volksliedsammlung *Eesti rahvalaule viisidega* (»Estnische Volkslieder mit Melodien«, 5 Bde, Tallinn 1956–65), ferner *Eesti rahvaviiside antoloogia* (»Anthologie estnischer Volksweisen«, = Eesti Akadeemilise helikunstnikkude seltsi toimetised I, ebd. 1935), *Valimik eesti rahvatantse* (»Auswahl estnischer Volkstänze«, = Eesti rahvaluule arhiivi toimetised VIII, Tartu 1938) und *Vana Kannel* (»Alte Kannel«, Bd III-IV, Tallinn 1938 bzw. Tartu 1941).

+Tanabe, Hisao, * 16. 8. 1883 zu Tokio.
An der staatlichen Hochschule für Musik und bildende Künste [del.: Kunst-Universität] in Tokio lehrte er bis 1970; Bericht über Forschungsreisen nach Korea und 1963. Neuere Bücher: *Shamisen ongakushi* (»Musikgeschichte des Samisen«, Tokio 1963); *Nihon ongakushi* (ebd., engl. als *Japanese Music*, ebd. 1966); *Nihon no gakki* (»Die Musikinstrumente Japans«, ebd. 1964); *Chūgoku, Chōsen ongaku chōsa kikō* (= Tōyō ongaku sensho / Series of Researches in Asian Music XI, ebd. 1970; Bericht über Forschungsreisen nach Korea und China). Lit.: H. ECKARDT in: MGG XIII, 1966, Sp. 78f.

Tanaka, Kiyoko, * 5. 2. 1932 zu Tokio; japanische Pianistin, studierte an der staatlichen Hochschule für Musik und bildende Künste in Tokio bei Kazuko Yasukawa und Leonid Kreutzer sowie am Pariser Conservatoire bei Lazare Lévy (1951). Sie wurde mehrfach bei Wettbewerben preisgekrönt (Concours international d'exécution musicale in Genf 1952, Concours international de piano et violon M. Long–J. Thibaud in Paris 1953, Fr.-Chopin-Klavierwettbewerb in Warschau 1955), betrieb 1960 weitere Studien in Wien und hat seitdem eine rege Konzerttätigkeit entfaltet.

+Tanaka, Shōhei, Mai 1862 zu Hyōgo [del. bzw. erg. frühere Angabe] – 1945 zu Chiba [nicht: Tokio].

+Tanejew [–1] Alexandr], –2) Sergej Iwanowitsch, 1856 zu [del.: bei] Wladimir na Kljasme – 1915 zu Djudkow (bei Swenigorod, Gouvernement Moskau) [nicht: Moskau]; entfernter Verwandter [nicht: Neffe] von Alexandr T.
Zu seinen Schülern gehörten auch Mjaskowskij, Medtner und Gretschaninow. Er komponierte 9 [nicht: 8] Streichquartette. – +*Podwischnoj kontrapunkt strogowo pisma* (1909), 2. Aufl. hrsg. von S. S. Bogatyrjow, Moskau 1959, engl. von G. Ackley Brower als *Convertible Counterpoint in the Strict Style*, Boston 1962. Lit.: +M. MONTAGU-NATHAN, Contemporary Russ. Composers (1917), Nachdr. Westport (Conn.) 1970; +GR. BERNANDT, S. I. T. (1950), Moskau ²1960. – S. I. T., Is nautschno-pedagogitscheskowo nasledija ... (»Aus d. wiss.-pädagogischen Nachlaß. Unveröff. Materialien, Erinnerungen d. Schüler«), hrsg. v. F. G. ARSAMANOW u. L. KORABELNIKOWA, ebd. 1967. – F. G. ARSAMANOW in: SM XX, 1956, H. 11, S. 27ff.; DERS., S. I. T., prepodawatel kursa musykalnych form (»Lehrer in mus. Formenlehre«), = W pomoschtsch pedagogu-musykantu o. Nr, Moskau 1963; TH. DE HARTMANN in: Tempo 1956, Nr 39, S. 8ff., russ. in: SM XXIX, 1965, H. 6, S. 84ff.; S. S. BOGATYRJOW in: SM XXI, 1957, H. 2, S. 133ff. (Analyse d. Ouvertüre auf ein russ. Thema); S. M. CHENTOWA, S. I. T. – pianist, in: Woprossy musykalno-ispolnitelskowo iskusstwa II, hrsg. v. L. S. Ginsburg u. A. A. Solowzow, Moskau 1958; CHR. A. ARAKELOW, T. i grusinskaja russkaja kultura, SM XXIII, 1959; L. KORABELNIKOWA, Nowyje materialy o S. T.e, ebd., 1959; DIES. T. o wospitanii kompozitorow (»T. über d. Erziehung v. Komponisten«), SM XXIV, 1960; DIES. in: Musykalnoje ispolnitelstwo VI, hrsg. v. G. Ja. Edelman u. A. A. Nikolajew, Moskau 1970, S. 194ff. (zu T.s Tschaikowsky-Interpretation); A. A. ALEXANDROW in: SM XXVII, 1963, H. 5, S. 28ff., u. H. 8, S. 50ff. (Erinnerungen an T.); M. I. FICHTENHOLZ, Konzertnaja sjuita dlja skripki i orkestra S. I. T.a (»S. I. T.s

Konzertsuite f. V. u. Orch.«), Moskau 1963; S. W. Jewsejew, Narodnyje i nazionalnyje korni musykalnowo jasyka
S. I. T.a (»Volkstümliche u. nationale Wurzeln v. S. I. T.s
mus. Sprache«), ebd.; W. G. Karatygin, Isbrannyje statji
(»Ausgew. Aufsätze«), hrsg. v. O. L. Dansker u. Ju. A.
Kremljow, ebd. 1965; G. Abraham in: MGG XIII, 1966,
Sp. 81ff.; G. Sawoskina, Rabota T.a nad wtorym kwarte-
tom (»T.s Arbeit am 2. Quartett«), in: Russkaja musyka na
rubesche XX weka, hrsg. v. M. K. Michajlow u. Je. M. Orlowa, Moskau 1966; T. A. Choprowa, S. I. T., Leningrad
1968; N. D. Baschanow, T., = Schisn sametschatelnych
ljudej, Serija biografitscheskaja X, Moskau 1971; W. Blok
in: SM XXXVIII, 1974, H. 4, S. 84ff. (zu einer unvollendeten Symphonie v. T.).

T'ang I-ming, * zu Pin-Chou (Provinz Shensi); chinesischer Staatsbeamter, Musiker und Musikforscher
der Ch'ing-Dynastie (1644–1911), lebte um 1850. Er
war ein geschätzter Instrumentalmusiker, der besonders die Ch'in (Halbröhrenzither) virtuos beherrschte,
nachdem er Musik bei Ts'ao Chih-yün, einem berühmten Virtuosen seiner Zeit, studiert hatte. T'ang
sammelte viele klassische Ch'in-Kompositionen, von
denen er über 100 Stücke in dem 16teiligen Werk
Tien-wen ko ch'in p'u (»Ch'in-Kompositionen des Tien-
Wen-Pavillons«, 1876) zusammenfaßte.

Tannhäuser (vielleicht nur ein Spielmannsname),
* vor oder um 1200 angeblich in der Oberpfalz, † nach
1266; deutscher Minnesänger, offenbar adeliger Herkunft, verbrachte längere Zeit am Wiener Hof Friedrichs des Streitbaren, der ihn mit Gütern belehnte. Nach
Friedrichs Tod führte er ein unstetes Wanderleben und
kam u. a. auch an den Hof Ottos II. von Bayern. – Je
eine Melodie enthalten in Spätüberlieferung das Singbuch von Puschmann sowie die Handschriften Kol-
mar und Jena; Texte T.s finden sich in der Manessischen Handschrift. Im Spätmittelalter verband sich seine legendär gewordene Gestalt mit der T.-Sage, die
vor allem im 19. Jh. durch Tieck, Cl. v. Brentano, Heine, Eduard Duller (Oper, vertont von C. Mangold,
1846) und R. Wagner dichterisch ausgestaltet wurde.
Ausg. u. Lit.: R. Wh. Linker, Music of the Minnesinger
and Early Meistersinger. A Bibliogr., = Univ. of North
Carolina Studies in the Germanic Languages and Lit.
XXXII, Chapel Hill (N. C.) 1962; R. J. Taylor, Die
Melodien d. weltlichen Lieder d. MA, 2 Bde, = Slg Metzler XXXIV–XXXV, Stuttgart 1964; Ders., The Art of
the Minnesinger, 2 Bde, Cardiff 1968; T., Die lyrischen
Gedichte d. Hss. C u. J, hrsg. v. H. Lomnitzer u. U.
Müller, = Litterae XIII, Göppingen 1973.

Tannwald, Peter → Merath, Siegfried.

Tänsen (oder, mit vorgestelltem Ehrentitel, Mian T.),
* 1530(32?), † 1595, oder * 1506, † 1585; indischer
Musiker am Hofe des Kaisers Akbar, wurde schon in
jungen Jahren Schüler von Svāmī Haridāsa, einem
Musiker in Vrindāvan. Nach dem Tode seines Vaters
nahm sich der muslimische Asket Ḥaẓrat Moḥammad
Ġaṻt seiner als geistiger Führer an und veranlaßte ihn,
zu ihm nach Gwalior zu kommen. Dort wurde T. bei
seiner Heirat mit einer Muslimin selbst Muslim und
erhielt den Namen Moḥammad 'Aṭā' 'Alī Ḫān. Nach
Abschluß seiner Musikausbildung bei Svāmī Haridāsa
berief ihn der Mahārāja von Rewa, Rāma Simha
Baghelā, an seinen Hof. Hier lernte ihn Kaiser Akbar
(1556–1605) kennen, in dessen Dienst T. trat und bis
zu seinem Tode blieb. T.s Musik beruht auf rein indischer Tradition. In der Musiktheorie übernahm er u. a.
die Lehre des Hanuman, welche Rāga, Rāginī und
Rāgaputra, d. h. »männliche« Haupt-Rāga, »weibliche«
Neben-Rāga und untergeordnete Rāga-»Söhne« unterschied. Sein Musikstil wurde von seinen Söhnen
und Schülern übernommen. Diese als »Seni« bezeichne-

ten Nachfolger bilden zwei Gruppen: die Rabābiyā
und die Bīnkār, d. h. die Rabāb-Spieler und die Bīn-
oder Vīṇā-Spieler. Bis in die Gegenwart hinein sind
viele Musiker Nordindiens der Tradition des T. verpflichtet.
Lit.: Birendra Kishore Roy Chaudhury, T. School of
Music, The Journal of the Music Acad. Madras XXXII,
1961; Ders., Mian T. am Hofe Akbars, BzMw VIII, 1966;
A. Daniélou, Inde du Nord, = Les traditions I, Paris 1966.

+Tansman, Alexandre (Aleksander), * 12. 6. 1897
zu Łódź; französischer Komponist polnischer Abstammung [del. bzw. erg. frühere Angabe].
Berichtigungen und Ergänzungen zum früheren Werkverzeichnis sowie neuere Werke: die Ballette +*Sextuor*
(einaktig, 1922, NY 1925), +*La grande ville* (Köln 1932),
+*Bric-à-brac* (1936, Lyon 1956), *Train de nuit* für 2
Kl. (London 1950), *Les habits neufs du roi* (einaktig,
nach H. Chr. Andersen, Venedig 1959) und *Résurrection* (nach Tolstoj, Nizza 1962); Drame lyrique *La
nuit kurde* (1925–27, französischer Rundfunk 1927),
Episode lyrique +*Le serment* (nach Balzac, 1953, Brüssel 1955), Fresque lyrique *Sabbataï Lévi, le faux Messie*
(1959, Paris 1961) und *Le rossignol de Boboli* (Festival
de Cimiez, Nizza 1965); 6. Symphonie +»In memoriam« (1943), 6 Etüden (1943, revidiert 1961), Capriccio (1953), Konzert (1954), *Suite baroque* (1958),
Kammersymphonie (1960), 4 *Essais* (1968), 4 Mouvements (1969), *Hommage à Erasme de Rotterdam* (1969)
und *Stèle*. *In memoriam I. Stravinsky* (1972) für Orch., 6
Mouvements für Streichorch. (1961), *Dyptique* für Kammerorch. (1969); Konzerte mit Orch. für Klar. (1955)
und Vc. (1962), Concertinos für Git. (1959) und Fl.
(1968) mit Orch. bzw. für Ob., Klar. und Streichorch.
(1953), *Musique de cour* für Git. (1960) und *Suite concertante* für Ob. (1963) mit Orch.; Quintett für Fl., V.,
Va, Vc. und Hf. (1954), Suite für Ob., Klar. und Fag.
(1959), Partita für Vc. (1953) und Fantasie für V. (1963)
sowie Sonatine (1957) und Suite für Fag. (1959) mit
Kl., Suite *In modo Polonico* für Git. (1961); 5. Sonate
(1954), *Suite variée* (1954) und 11 *Interludes* (1955) für
Kl., Fantasie über Walzer von J. Strauß für 2 Kl. (1962);
Psalm 118–120 für T., gem. Chor und Orch. (1961),
Prologue et cantate für Mädchenchor (Ecclésiastes, 1956).
– Er verfaßte ein *Autoportrait* (Journal musical français
1967, Nr 157).
Lit.: H. Lindlar in: Musica XI, 1957, S. 357f.; Cl.
Chamfray in: Le courrier mus. de France 1967, Nr 17
(Biogr. u. Werkverz.); T. Kaczyński in: Ruch muzyczny
XI, 1967, Nr 12, S. 6f., 1971, 1973, Nr 20, S. 3ff., u. XVIII,
1974, Nr 1, S. 11ff. (Gespräche).

+Tapia, Martín de, 16. Jh.
Ausg.: +Vergel de música, 1. Teil, hrsg. v. J. Subirá,
= Joyas bibliogr. XI, Madrid 1954 [del. bzw. erg. frühere
Angaben].
Lit.: J. Subirá, Un tratadista mus., el Bachiller T. Nu-
mantino, in: Celtiberia III, 1953; Ders., Algo más en
torno al Bachiller M. de T., ebd. X, 1960; Fr. J. León
Tello, Estudios de hist. de la teoría mus., Madrid 1962.

Tapia Colmán, Simón, * 24. 3. 1906 zu Aguarón
(Zaragoza); mexikanischer Komponist, Dirigent und
Violinist spanischer Herkunft, studierte am staatlichen
Konservatorium in Madrid bei Julio Francés (Violine),
Calés Otero und Campo y Zabaleta (Komposition).
Mit 16 Jahren wurde er Konzertmeister des Orchesters
des Teatro Apolo in Madrid. 1925 vervollkommnete
er seine Kompositionsstudien bei d'Indy und 1935 bei
P. Hindemith. 1939 übersiedelte er nach México (D.
F.), wo er am Conservatorio Nacional Harmonie und
Komposition, ab 1969 Akustik, Organologie und Mu-
sikgeschichte lehrte; 1971 übernahm er auch die Lei-
tung des Instituts. 1964 gründete er den Coro México,

Tapia Colmán

761

dessen ständiger Dirigent er ist. Er schrieb u. a. das Ballett *Leyenda gitana* (1945), Orchesterwerke (Symphonische Dichtungen *Una noche en Marruecos*, 1936, und *Sísifo*, 1956; *Sinfonía de cuerdas*, 1971; 2 Konzerte für Git. und Orch., 1947 und 1972; Violinkonzert, 1971) und Kammermusik (Streichquartett, 1964; Violinsonate *El afilador*, 1956; Violoncellosonate, 1958; *Núcleos* für V. solo, 1963) und verfaßte eine *Técnica abreviadísima del violín* (México/D. F. 1943).

+Tapissier, Jean, [erg.:] † Ende 1408.
Als Jehan de Noyers ist T. bereits 1391 [nicht: 1408] in einer burgundischen Hofakte erwähnt.
Ausg.: +J. F. R. u. C. STAINER, Dufay and His Contemporaries (1898), Nachdr. Amsterdam 1963. – Patrem u. Sanctus in: Fourteenth-Cent. Mass Music in France, hrsg. v. H. STÄBLEIN-HARDER, = CMM XXIX, Antwerpen 1962.
Lit.: CR. WRIGHT, T. and Cordier. New Documents and Conjectures, MQ LIX, 1973.

+Tappert, Wilhelm, 1830–1907.
+*Wandernde Melodien* (1868, ²1890), Nachdr. Oosterhout 1965; +*Wagner-Lexikon. Wörterbuch der Unhöflichkeit* ... (1887, ²1903), NA als *Wörterbuch der Unhöflichkeit*. R. *Wagner im Spiegel der zeitgenössischen Kritik*, = dtv Bd 475, München 1967 (mit Vorw. von H. Friedrich).

+Tappolet, Willy, * 6. 8. 1890 zu Lindau (Zürich).
Nach seinem Rücktritt 1960 an der Genfer Universität erhielt er den Titel eines Ehrenprofessors. Weitere Veröffentlichungen: *Notenschrift und Musizieren. Das Problem ihrer Beziehungen vom Frühmittelalter bis ins 20. Jh.* (Bln 1967); *Le séjour de W.-A. Mozart à Genève en 1766* (Kgr.-Ber. Wien Mozartjahr 1956); *G. Becker, ... 1834 bis ... 1928* (Fs. E. Schenk, = StMw XXV, 1962); *J. K. Weiss. Ein Beitrag zur Musikgeschichte Genfs im 18. Jh.* (Fs. K. G. Fellerer, Regensburg 1962); *A. Cortot* (in: Diener der Musik, hrsg. von M. Müller und W. Metz, Tübingen 1965); zahlreiche kleinere Beiträge in SMZ, u. a. *Fr. Martin und die religiöse Musik* (C, 1960), *A. Honegger et l'oratorio* (CII, 1962), *B. Schulé* (CIII, 1963) und *Haydn in unserer Zeit* (CX, 1970).

Tapray (tapr'ε), Jean-François, * 1738 zu Gray (Haute-Saône), † 1819 zu Fontainebleau; französischer Organist und Komponist, war Organist zunächst an der Kirche Notre-Dame in Dôle (Jura), dann an der Kathedrale St-Jean in Besançon, wurde 1767 Organist an der Ecole Militaire und bei den Ordres Royaux Militaires et Hospitaliers de Notre-Dame du Mont-Carmel et de St-Lazare in Paris und wirkte später an der Kirche St-Louis in Fontainebleau. Er ist einer der ersten französischen Komponisten, die für das Pianoforte schrieben, doch sind seine Werke für dieses Instrument vom Stil und Geist der Cembalomusik geprägt. T. veröffentlichte (Erscheinungsort Paris) eine Reihe von Sammlungen instrumentaler Musik, u. a. *VI concerti per cemb. o per l'org. con tre v. ed un vc. obbligato* op. 1 (1758), ein *Concerto pour le clavecin avec symphonie, 1er et 2nd v., alto e b.* op. 3 (1771), 4 Symphonies concertantes für Cemb., Pfte und Orch. (op. 8, 1778; op. 9 mit V. obbligato, 1778; op. 13, 1781; op. 15 mit 2 V. und B., Orch. ad libitum, um 1782/83), 3 Symphonien für Cemb. und Orch. (op. 12, 1780; op. 21 Nr 1–2, 1784), 2 Quartette für Cemb. oder Kl., Klar. oder V., Va und B. oder Vc. op. 18 (1784), *Quatuor concertant* für Cemb. oder Kl., Fl. oder V., Va und Fag. oder Vc. op. 19 (1784), *Quatuor concertant* op. 20 (1784), Trio- und Solosonaten, Orgelwerke sowie Übertragungen von Ouvertüren und Arietten von Monsigny und Grétry.

Lit.: B. S. BROOK, La symphonie frç. dans la seconde moitié du XVIIIe s., = Publ. de l'Inst. de musicologie de l'Univ. de Paris III, Paris 1962, Bd II; DERS. in: MGG XIII, 1966, Sp. 113ff.

Taranow, Glib Pawlowitsch, * 2.(15.) 6. 1904 zu Kiew; ukrainisch-sowjetischer Komponist, Dirigent und Pädagoge, studierte 1920–24 Komposition bei Glière und Ljatoschynskyj und Dirigieren bei Blumenfeld und Malko am Kiewer Konservatorium, an dem er seit 1925 als Pädagoge für Musiktheorie und Dirigieren tätig ist (1934 Dozent, 1939 Professor). 1942 wurde er Doktor der Kunstwissenschaft. Er hatte 1944–50 den Lehrstuhl für Instrumentation am Leningrader Konservatorium inne und war 1956–68 stellvertretender Leiter des ukrainischen Komponistenverbands. Er schrieb u. a. die Oper *Olexandr Newskij* (Taschkent 1942), 8 Symphonien (1934; 1947; 1949, Neufassung 1952; 1957; 1964; *Pamjati S. Prokofjewa*, »In memoriam ...«, 1964; 1967; 1969), 6 symphonische Suiten (1949; 1950; 1955; 1961; 1964; 1968), die Symphonischen Dichtungen *Witer si schodu* (»Wind aus Osten«, 1946), *Geroitschna* (»Die Heroische«, 1951), *Dawid Guramischwili* (1953), *Wogni na Angari* (»Lichter auf der Angara«, 1958) und *Tri monumenti* (»3 Monumente«, 1971), *Concerto piccolo* für Englisch Horn, Fl., Fag. und Streicher (1937); *Patetitschnyj sextet* (»Pathetisches Sextett«) für Streichquintett und Kl. (1945), 2 Streichquartette (1929 und 1945) sowie Bläsermusik, Lieder, Bühnen- und Filmmusik. T. verfaßte auch einen *Kurs tschtenija partitur* (»Kursus des Partiturlesens«, Moskau 1939) und theoretische Schriften.
Lit.: N. N. MICHAJLOW, Gl. P. T., Kiew 1963.

Ţăranu (tsər'anu), Cornel, * 20. 6. 1934 zu Cluj; rumänischer Komponist, studierte 1951–57 am Konservatorium seiner Heimatstadt bei Iuliu Mureşianu und Toduţă sowie in Paris bei Nadia Boulanger und Messiaen. Er wurde 1962 Lektor für Komposition am Konservatorium in Cluj. Sein Schaffen umfaßt die Kammeroper *Secretul lui Don Giovanni* (»Das Geheimnis des Don Giovanni«, 1970), Orchesterwerke (Symphonie, 1957; *Secvenţe*, »Sequenzen«, für Streichorch., 1960; *Sinfonia brevis*, 1962; *Simetrii*, »Symmetrien«, 1964; *Incantaţii*, »Beschwörungen«, 1965; Konzert für Kl. und Orch., 1966; *Intercalări*, »Einschübe«, für Kl. und Orch., 1967; *Sinfonietta giocosa*, 1968; *Alternanţe*, »Abwechslungen«, 1968; *Racorduri*, »Übergänge«, für Kammerorch., 1971), Kammermusik (Streichtrio, 1952; *Poem-sonată* für Klar.und Kl., 1954; Sonaten für Vc., 1956, und für Fl., 1960, mit Kl.; *Trei piese scurte*, »3 kurze Stücke«, für Klar. und Kl., 1964; *Dialoguri pentru şase*, »Dialoge für sechs«, 1966), Klavierwerke (*Sonata ostinato*, 1961; *Contraste I–II*, 1966; *Dialoguri II*, 1967), Kantaten (*Cîntare unui ev aprins*, »Lobgesang eines glühenden Zeitalters«, 1963, und *Stejarul lui Horia*, »Die Eiche des Horia«, 1964), Chöre, Lieder und Bühnenmusik. Er veröffentlichte *Enescu în conştiinţa prezentului* (»Enescu im Bewußtsein der Gegenwart«, Bukarest 1969) sowie eine Reihe von Aufsätzen (besonders über Enescu) in rumänischen Zeitschriften.
Lit.: G. SBÎRCEA in: Muzica XII, 1962, Nr 8, S. 17f. (zur Sonate f. Fl. u. Kl.); L. DANDARA, ebd. XXII, 1972, Nr 2, S. 15f. (zu »Racorduri«).

+Tardo, Padre Lorenzo, * 23. 10. 1883 zu Contessa Entellina (Palermo), [erg.:] † 28. 7. 1967 zu Grottaferrata (Rom).
Lit.: G. MARZI in: RIdM II, 1967, S. 412f.; M. PETTA in: Boll. della Badia Greca di Grottaferrata, N. S. XXI, 1967, S. 18f. (Publ.-Verz.); O. STRUNK, Padre L. T. ed il suo »Ottoeco nei mss. melurgici«. Alcune osservazioni sugli

Stichera Dogmatika, ebd., Wiederabdruck in: Kgr.-Ber. »Byzantine Studies« London 1967.

+Tardos, Béla, * 21. 6. 1910 und [erg.:] † 18. 11. 1966 zu Budapest.
Direktor des staatlichen Musikverlages Editio Musica Budapest war T. bis zu seinem Tode. Weitere Werke: die Opera buffa *Laura* (1958, revidiert 1964); Symphonie (1960), *Evocatio* für Orch. (1964); Fantasie für Kl. und Orch. (1961), Violinkonzert (1962); 3 Streichquartette (1947, 1949, 1963), Quartettino für Bläser (1963), *Cassazione* für Harfentrio (1964), Improvisationen für Klar. (1960) sowie Praeludium und Rondo für Fl. (1962) mit Kl., Violinsonate (1965); ferner Klavierwerke sowie Kantaten für Chor und Orch. (u. a. *A város peremén*, »Am Rande der Stadt«, 1958, und *Az új isten*, »Der neue Gott«, 1966).
Lit.: T. SÁRAI in: Magyar zene VII, 1966, S. 568ff.; P. VÁRNAI, T. B., = Mai magyar zeneszerzők o. Nr, Budapest 1966; J. SIMÓ in: Muzsika X, 1967, H. 1/2, S. 1.

+Tarisio, Luigi, um 1790 [del.: um 1795] zu Fontanetto Po (Vercelli) – 1854.
Lit.: +FR. FARGA, Geigen u. Geiger (1940, ³1950), Zürich ⁶1965. – W. A. SILVERMAN, The V. Hunter. The Life Story of L. T., the Great Collector of V., NY 1957, London 1964 (romanhaft); L. METZ, L. T., de »Violenjager«. De »Messias«-viool v. Stradivari, in: Mens en melodie XXVIII, 1973.

Tarp, Svend Erik, * 6. 8. 1908 zu Thisted (Nordjütland); dänischer Komponist, an Det Kongelige Danske Musikkonservatorium ausgebildet, studierte 1933 und 1937 in Deutschland, Österreich und in den Niederlanden. Er war in Kopenhagen Lehrer am Konservatorium (1936–42), an der Opernschule des königlichen Theaters (1936–40), an der Lehrerhochschule (1941–45) und an der Universität (1939–47). 1938 wurde er Berater und 1962 Direktor des internationalen Verbandes zur Sicherung der Komponistenrechte in Dänemark (KODA). Er komponierte u. a. die Opern *Prinsessen i det fjerne* (»Die Prinzessin in der Ferne«, nach Hermann Sudermann, Kopenhagen 1953) und *9,90* (dänisches Fernsehen 1962), die Ballette *Den detroniserede dyretæmmer* (»Der entthronte Tierbändiger«, Kopenhagen 1944) und *Skyggen* (»Der Schatten«, ebd. 1959) sowie zahlreiche Bühnenmusiken, eine Sinfonietta für Kammerorch. op. 11 (1931), 3 Symphonien (op. 42, 1945, op. 50, 1949, und op. 66, 1958), mehrere Orchestersuiten und Ouvertüren, Kammer- und Klaviermusik, ein Te Deum für Chor und Orch. op. 33 (1934), zahlreiche Lieder und Filmmusik.

Tarr (ta:), Edward Hankins, * 15. 6. 1936 zu Norwich (Conn.); amerikanischer Trompeter, studierte bei Roger Voisin (1953–57) und Adolph Herseth (1957–59) sowie Musikwissenschaft bei Schrade an der Universität in Basel (1959–64). 1968 gründete er das »E. T. Brass Ensemble«, unterrichtete 1968–70 Trompete an der Rheinischen Musikschule in Köln und war 1969 1. Trompeter des Orchestra della RAI in Rom. Seit 1972 lehrt er Zink und historische Trompeteninstrumente an der Schola Cantorum Basiliensis. 1973 wurde er Dozent für Blechbläserkammermusik an der Musikhochschule in Freiburg i. Br. In seinem Repertoire herrschen Musik des Barocks und der Moderne vor. Kagel widmete ihm die Stücke *Atem* und *Morceau de concours*. T. gab zahlreiche Werke für Trompete heraus.

Tartakow, Ioakim (Joachim) Wiktorowitsch, * 14. (26.) 11. 1860 zu Odessa, † 22. 1. 1923 zu Petrograd; russisch-sowjetischer Opernsänger (Bariton), studierte 1877–81 auf Empfehlung von Anton Rubinstein bei Camillo Everardi am St. Petersburger Konservatorium,

trat an der Oper in Odessa auf und debütierte 1882 am Marinskij Teatr in St. Petersburg. Ab 1884 gastierte er in Deutschland, Frankreich und England. 1890 lernte er Tschaikowsky kennen, der ihn förderte. Ab 1894 sang er wieder am Marinskij Teatr (1909–17 auch als Regisseur tätig) und lehrte ab 1920 als Professor am Konservatorium in Petrograd.

+Tartini, Giuseppe, 1692–1770.
T., der an der Universität in Padua Jura [nicht: Literatur] studierte, war zur Zeit seines Asyls in einem Minoritenkloster in Assisi (1710–14) sehr wahrscheinlich Schüler von B. Černohorský (Padre Boemo). – Der *+Traité des agréments de la musique* (1771 [nicht: 1781]) ist lediglich eine französische Teilübersetzung des wohl zwischen 1752 und 1756 verfaßten italienischen Originals mit dem Titel *Regole per arrivare a saper ben suonar il violino* ... [del. früherer Titel *Trattato delle appogiature*] (erhalten durch eine vollständige Kopie des T.-Schülers G. Fr. Nicolai, Venedig, Bibl. del Conservatorio, MS 323; vgl. Jacobi, 1961), das eine Meisterschule des Violinspiels darstellt (mit Kapiteln über Ornamentik und Bogenführung). – T.s +Brief vom 6. 3. 1760 an seine Schülerin Maddalena Lombardini-Sirmen wurde 1773 von L. Thomas ins Französische (Journal de musique) und erstmals 1784 von J. A. Hiller (in: *Lebensbeschreibungen* ... I, 1784) ins Deutsche übertragen; H. L. Rohrmann hat Hillers Übersetzung lediglich kopiert (1786) [del. bzw. erg. frühere Angaben dazu].
Ausg.: Sinfonie (Streichquartett) A dur, hrsg. v. H. ERDMANN, = HM LIII, Kassel 1957; V.-Konzerte D moll u. E moll, hrsg. v. G. GUGLIELMO, Padua 1969 bzw. 1972; V.-Konzerte B dur u. G dur, hrsg. v. J. BRAUN, Adliswil-Zürich 1972; V.-Konzert E dur, hrsg. v. T. NEY, Budapest u. Zürich 1973. – 3 V.-Sonaten, hrsg. v. F. SÁNDOR u. O. NAGY, Budapest 1963, ²1971; V.-Sonate G moll »Didone abbandonata« op. 1 Nr 10, hrsg. v. G. KEHR, = V.-Bibl. Nr 31, Mainz 1969; V.-Sonate E moll »Teufelstrillersonate«, hrsg. v. DEMS. (mit Kadenz v. Fr. Kreisler), ebd. Nr 34, 1970; Prima ed. a stampa delle 26 piccole sonate per v. e vc. e per v. solo, hrsg. v. G. GUGLIELMO, Padua u. NY 1970. – Treatise on the Ornaments of Music (»+Trattato delle appogiature«, S. BABITZ, 1956/57), separat NY 1958, Neuaufl. = Early Music Laboratory Bull. VI, Los Angeles 1970; Traité des agréments de la musique (1771, frz. Ausg. d. »Regole ...«), hrsg. v. E. R. JACOBI, Celle u. NY 1961 (im Anh. Faks. d. ital. Originals nach d. Ms. v. G. Fr. Nicolai nebst Brief an M. Lombardini-Sirmen, ital., frz., deutsch u. engl.); engl. Ausg. d. +Briefes an M. Lombardini-Sirmen als: A Letter from the Late Signor T. to Signora M. Lombardini (now Signora Sirmen). Publ. as an Important Lesson to Performers on the V., übers. v. CH. BURNEY, London 1779, Nachdr. NY u. London 1967 [del. früherer Titel]; Trattato di musica, Faks. d. Ausg. Padua 1754, = MMMLF II, 8, NY 1966; dass. deutsch als: Traktat über d. Musik gemäß d. wahren Wiss. v. d. Harmonie, hrsg. v. A. RUBELI, = Orpheus-Schriftenreihe zu Grundfragen d. Musik VI, Düsseldorf 1966; De' principj dell'armonia mus. ..., Faks. d. Ausg. Padua 1767, = MMMLF II, 64, NY 1967, auch als Nachdr. Hildesheim 1970.
Lit.: +M. DOUNIAS, Die Violinkonzerte G. T.s als Ausdruck einer Künstlerpersönlichkeit u. einer Kulturepoche (1935), Nachdr. Wolfenbüttel 1966; +W. S. NEWMAN, The Sonata in the Baroque Era (1959), revidiert Chapel Hill (N. C.) 1966 u. London 1968, Paperbackausg. NY 1972. – V. DUCKLES u. M. ELMER (mit P. Petrobelli), Thematic Cat. of a Ms. Collection of 18th-Cent. Ital. Instr. Music in the Univ. of California, Berkeley Music Library, Berkeley 1963; B. S. BROOK, Thematic Cat. in Music, Hillsdale (N. Y.) 1972. – P. BRAINARD, Die Violinsonaten G. T.s, Diss. Göttingen 1960; DERS., T. and the Sonata f. Unaccompanied V., JAMS XIV, 1961, ital. in: Chigiana XXVI/XXVII, N. S. VI/VII, 1971; DERS., Le sonate a tre di G. T., Un sunto bibliogr., RIdM IV, 1969 (mit thematischem Kat.); A. E. PLANCHART, A Study of the Theories

of G. T., Journal of Music Theory IV, 1960; E. R. JACOBI, G. F. Nicolai's Ms. of T.'s »Regole per ben suonar il v.«, MQ XLVII, 1961; P. PETROBELLI, Per l'ed. critica di un concerto t.ano (D. 21), in: Musiche ital. rare e vive ..., hrsg. v. A. Damerini u. G. Roncaglia, = Accad. mus. Chigiana (XIX), Siena 1962; DERS., T., Algarotti e la corte di Dresda, in: Analecta musicologica II, 1965; DERS., T., le sue idee e il suo tempo, nRMI I, 1967; DERS., G. T., Le fonti biogr., = Studi di musica veneta I, Wien 1968; DERS., La scuola di T. in Germania e la sua influenza, in: Analecta musicologica V, 1968; DERS., T. e Corelli, in: Studi corelliani, Kgr.-Ber. Fusignano 1968; DERS., T. e la musica popolare, in: Chigiana XXVI/XXVII, N. S. VI/VII, 1971; J. VAN ACKERE, Vragen omtrent de betekenis en de invloed v. G. T., RBM XVIII, 1964; D. D. BOYDEN, The Hist. of V. Playing, London 1965, revidiert 1967, deutsch als: Gesch. d. Violinspiels, Mainz 1971; A. DUNNING, Die De Geer'schen Musikalien in Leufsta. Mus. schwedisch-nld. Beziehungen im 18. Jh., STMf XLVIII, 1966 (über ein vollständiges u. vermutlich einziges Exemplar v. 6 V.-Konzerten); D. THEMELIS, Etude ou Caprice, München 1967 (mit d. Brief an M. Lombardini-Sirmen); L. GINSBURG, Dsch. T., Moskau 1969; M. ABBADO, Presenza di T. nel nostro s., nRMI IV, 1970; M. PINCHERLE, T.ana, = Quaderni dell'Accad. t.ana I, Padua 1972; V. FREYWALD, Violinsonaten d. Gb.-Epoche in Bearb. d. späten 19. Jh., = Hamburger Beitr. zur Mw. X, Hbg 1973.

+Taskin, –1) Pascal[erg.:]-Joseph, [erg.: getauft 27. 7.(?)] 1723 – 1793. –2) Pascal-Joseph, 20. [erg.: oder 21.] 11. 1750 – 1829 zu Versailles [nicht: Paris]. –3) Henry-Joseph, 1779 [erg.:] zu Versailles – 1852 zu Paris [nicht: Versailles]. –4) [erg.: Émile-]Alexandre, 8. [nicht: 18.] 3. 1853 – 1897.
Lit.: +FR. J. HIRT, Meisterwerke d. Klavierbaus (1955), engl. revidiert als: Stringed Keyboard Instr., Boston 1968; +D. H. BOALCH, Makers of the Harpsichord (1956), auch NY 1957. – W. THOENE in: MGG XIII, 1966, Sp. 137ff.

Taskova, Slavka (verheiratete Paoletti), * zu Sofia; bulgarische Sängerin (Koloratursopran), war zunächst Pianistin, studierte dann Gesang in Italien bei Gina Cigna und Lina Pagliughi. Sie debütierte als Rosina (Il barbiere di Siviglia) am Opernhaus in Florenz und trat bald an den großen italienischen Bühnen sowie in Amsterdam, Berlin, Schwetzingen (1971), München (1973) und Spoleto (1974) auf. Zu ihren Rollen zählen neben denen des italienischen Fachs die Koloraturpartien Mozarts, Alban Bergs Lulu und A. Reimanns Melusine. Sl. T. hat sich auch als Konzertsängerin einen Namen gemacht, wobei sie Werke der zeitgenössischen Musik bevorzugt.

Tassinari, Arrigo, * 29. 12. 1889 zu Cento (Ferrara); italienischer Flötist, studierte in Bologna, war 1910–34 Mitglied des Orchesters der Mailänder Scala und lehrte an den Konservatorien von Parma (1932–34), Neapel (1934–39) und Rom (1939–60). 1940 gründete er mit Ruata Sassolini (Harfe) und Renzo Sabatini (Viola) das Trio Artis, 1947 das Collegium Musicum, das später in I Virtuosi di Roma umbenannt wurde. Zu seinen Schülern zählt Gazzelloni. Er veröffentlichte eine Flötenschule und verfaßte autobiographische Ricordi della mia carriera artistica (Rom 1969).

Tassinari, Pia (eigentlich Domenica T., verheiratete Tagliavini), * 15. 9. 1909 zu Modigliana (Forlì); italienische Sängerin (Sopran, später Mezzosopran), studierte in Bologna und Mailand, debütierte 1929 in Casale Monferrato, trat 1931–37 an der Mailänder Scala, 1933–44 an der Oper in Rom und 1947–48 an der Metropolitan Opera in New York auf. Ihre wichtigsten Partien waren Mimi, Manon, Eva (Die Meistersinger von Nürnberg) und Margarethe (Faust). 1954 wechselte sie das Fach (Amneris, Carmen). P. T. wirk-

te bei zahlreichen Uraufführungen mit, u. a. in Verettis Il favorito del re.

+Tasso, Torquato, 1544–95.
Ausg.: Opere, hrsg. v. B. T. SOZZI, 2 Bde, Turin 1955–56. Lit.: P. NETTL, Bemerkungen zu d. T.-Melodien d. 18. Jh., Mf X, 1957; CL. GALLICO, Musicalità di D. Mazzocchi. »Olindo e Sofronia« dal T., in: Chigiana XXII, N. S. II, 1965; A. A. ABERT, T., Guarini e l'opera, nRMI IV, 1970.

+Tassopulos, Anna, * 17. 2. 1915 zu Athen [del. frühere Angaben].
Dem Ensemble des Düsseldorfer Opernhauses gehörte sie bis 1957 an. Gastverpflichtungen führten sie bis 1962 an verschiedene (auch ausländische) Opernhäuser. A. T. lebt heute in Köln.

+Tate, Phyllis Margaret Duncan, * 6. 4. 1911 zu Gerrards Cross (Buckinghamshire).
Weitere Werke: die Oper The Lodger (London 1960) und die Fernsehoper Dark Pilgrimage (BBC 1963); Saxophonkonzert (1944); Illustrations für Blechbläser (1969); Sonate für Klar. und Vc. (1947), Streichquartett (1952), Air and Variations für V., Klar. und Kl. (1958); A Secular Requiem für Chor und Orch. (1967), Christmas Ale für Soli, Chor und Orch. (1967); The Lady of Shalott für T. (1956), A Victoria Garland für 2 St. (1965), 7 Lincolnshire Folk Songs für Chor (1966), Apparitions für T. (1968) und Coastal Ballads für Bar. (1969) mit Instr.
Lit.: M. CARNER, The Music of Ph. T., ML XXXV, 1954; DERS. in: MT CV, 1964, S. 20f.; H. SEARLE in: MT XCVI, 1955, S. 244ff.

+Tátrai, Vilmos, * 7. 10. 1912 zu Budapest(-Kispest).
Seit 1965 unterrichtet T. als Professor an der Fr. Liszt-Musikhochschule in Budapest. Das von ihm gegründete Streichquartett, in dem an Stelle von Mihály Szűcs seit 1968 István Várkonyi (* 16. 6. 1931 zu Budapest) die 2. Violine spielt, konzertiert weiterhin auf internationaler Ebene, wobei besonders die Mitwirkung bei zahlreichen Festspielveranstaltungen (Salzburg, Wien, Edinburgh, Prager Frühling, Warschauer Herbst) erwähnt sei.

+Tatum, Art (Arthur), 1909 [nicht: 1910] – 1956.
Weitere Aufnahmen: Footnotes to Jazz II (1944; Folkways-Records FJ 2293); Art! (1946; Fontana SM 883 904); The Essential A. T. (1953–56; Verve 511 063); Tatum (1956; Verve 511 107).
Lit.: J. GR. JEPSEN, A. T., A Discography, Kopenhagen 1957; DERS., Discography of A. T. / Bud Powell, Brande (Dänemark) 1961; N. SHAPIRO u. N. HENTOFF, The Jazz Makers, NY 1957, London 1958; R. G. REISNER, The Jazz Titans, Garden City (N. Y.) 1960.

Tatyos Efendi, * 1855, † 16. 3. 1913 zu Istanbul; armenischer Violinvirtuose (kemânî) und Komponist türkischer Kunstmusik, lernte Kanun-Spiel (→Qānūn) bei Movses Papazyan, Violine bei Kör Sebuh († um 1900) und wurde in Komposition von Ziranis (Civan) Efendi († um 1910) und von Asdik Efendi († 1913) gefördert. Zunächst spielte er Kanun in verschiedenen Ensembles, wurde nach 1888 einer der beliebtesten Violinspieler Istanbuls und trat mit einer eigenen Instrumentalgruppe auf. Er endete als Alkoholiker in Vergessenheit und größter Armut. Von seinen 61 noch bekannten Kompositionen werden vor allem die Instrumentalstücke (peşrev, saz semâisi) geschätzt.
Ausg.: verstreute Notendrucke (u. a. 9 Stücke in: Türk musikisi klâsikleri, 10 H., Istanbul 1970–71).
Lit.: A. ÖNSAN, T. E., in: Türk musikisi dergisi 1951, Nr 39; Y. ÖZTUNA, Türk musikisi lûgati, in: Musiki mecmuası 1953, Nr 63, u. 1955, Nr 83 (mit Werkverz.); DERS.,

Türk bestecileri ansiklopedisi (»Enzyklopädie türkischer Komponisten«), Istanbul 1969; I. M. K. Inal, Hoş sadâ, ebd. 1958 (über türkische Musiker d. 19. u. frühen 20. Jh.); M. Rona, Yirminci yüzyıl türk musıkisi (»Türkische Musik im 20. Jh.«), ebd. 1970 (mit Werkverz. u. Liedertexten).

+**Taube,** Michael, * 13. 3. 1890 zu Łódź, [erg.:] † 23. 2. 1972 zu Tel Aviv.
Nach dem 2. Weltkrieg war er wiederholt Gast bei verschiedenen europäischen Orchestern (Berliner Philharmonisches Orchester, Orchestre Lamoureux u. a.). Er lebte zuletzt in Tel Aviv. Über seine Tätigkeit in Israel ab 1934 berichtete er in dem Beitrag *Musikleben in Israel* (in: Musica XI, 1957).

Taube, Werner, * 12. 5. 1930 zu Leipzig; deutscher Violoncellist, studierte 1949–52 an den Musikhochschulen in Leipzig und Berlin sowie 1952–60 bei Hoelscher in Stuttgart und erhielt 1959 beim Concours international d'exécution musicale in Genf den 2. Preis. Er konzertiert im In- und Ausland und unterrichtet seit 1966 an der Staatlichen Hochschule für Musik in Stuttgart (1972 Dozent). 1969–72 hatte er einen Lehrauftrag an der Badischen Hochschule für Musik in Karlsruhe. Daneben leitet er Kurse beim Institut für Neue Musik und Musikerziehung Darmstadt.

+**Tauber,** Richard (eigentlich Denemy nach dem Mädchennamen seiner Mutter, 1913 von seinem Vater Anton Richard T. adoptiert; den Namen Seiffert, den seine Mutter bei seiner Geburt trug, hat er höchstens vorübergehend als Pseudonym benutzt [del. frühere Angabe dazu]), 1891 [nicht: 1892] – 1948.
Du bist die Welt für mich, ein Film über T.s Leben (Titel nach einem von ihm komponierten Lied), entstand 1953 mit R. Schock als Hauptdarsteller.
Lit.: Le grandi v., hrsg. v. R. Celletti, = Scenario I, Rom 1964, Sp. 837ff. (mit Diskographie v. J. P. Kenyon); W. Korb, R. T., Wien 1966; Ch. Castle, This Was R. T., London 1971.

+**Taubert,** Karl (Carl) Gottfried Wilhelm, 1811–91.
Ausg.: Minnelied f. Kl., in: W. Kahl, Das Charakterstück, = Das Musikwerk VIII, Köln 1955, engl. 1961.
Lit.: J. Bittner, Die Klaviersonaten E. Francks (1817–93) u. anderer Kleinmeister seiner Zeit, 2 Bde, Diss. Hbg 1968; E. Glusman, T. and Mendelssohn. Opposing Attitudes Toward Poetry and Music, MQ LVII, 1971.

+**Taubman,** [erg.: Hyman] Howard, * 4. 7. 1907 zu New York.
T. ist weiterhin als Kritiker bei »The New York Times« tätig (u. a. 1960–66 Chef-Theaterkritiker). – +*How to Build a Record Library* (Garden City/N. Y. [nicht: NY] 1953, ²1955), Nachdr. Westport (Conn.) 1970. – Er veröffentlichte ferner *The Making of the American Theater* (NY 1965) sowie *The Symphony Orchestra Abroad. A Report of a Study* (Vienna/Va. 1970) und gab *The New York Times Guide to Listening Pleasure* heraus (NY 1968).
Lit.: Ll. Weldy, Music Criticism of O. Downes and H. T. in »The NY Times«, Sunday Ed., 1924–29 and 1955–60, Diss. Univ. of Southern California 1965.

Taubmann, Otto, * 8. 3. 1859 zu Hamburg, † 4. 7. 1929 zu Berlin; deutscher Komponist und Dirigent, studierte am Dresdner Konservatorium (Fr. Wüllner), wurde danach Theaterkapellmeister und übernahm 1886 das Wiesbadener Konservatorium, das er 1889 an Albert Fuchs abgab. Er wirkte als Kapellmeister in St. Petersburg (1891–92), leitete den Cäcilienverein in Ludwigshafen und übersiedelte 1895 nach Berlin, wo er als Komponist und Kritiker tätig war (1910 königlicher Professor, 1923 Senator der Akademie der Künste). 1920–25 lehrte T. an der Berliner Musikhochschule. Er schrieb die Oper *Porzia* (Ffm. 1916), eine Sym-

phonie A moll (1920), ein Streichquartett E moll (1923) und Vokalwerke (*Eine deutsche Messe* für Soli, gem. Doppelchor, Knabenchor und Org., 1899; *Der 13. Psalm,* »*Herr, wie lange willst du meiner so gar vergessen*« für Soli, Chor und Orch.; Kantate *Kampf und Friede* für St., gem. Chor, Orch. und Org., 1915; Chordrama *Sängerweihe,* 1904; *Thauwetter* für 4st. Männerchor und Orch., 1900; *Der 92. Psalm* »*Das ist ein köstlich Ding*« für Chor; 5 Gedichte für Männerchor). T. gab u. a. H. Schütz' *Historia der freudenreichen Geburt Gottes und Marien Sohnes Jesu Christi* (Lpz. 1909) sowie einen Klavierauszug von R. Wagners *Rienzi* (ebd. 1910) heraus.
Lit.: P. Schwers, Der 70jährige O. T., AMz LVI, 1929; G. Schünemann, Die Singakad. zu Bln 1791–1941, Bln 1941.

Taucher, Curt, * 25. 10. 1885 zu Nürnberg, † 7. 8. 1954 zu München; deutscher Sänger (Tenor), studierte bei Heinrich Hermann in München und debütierte 1908 in der Titelpartie von Gounods *Faust* am Stadttheater in Augsburg. Nach Engagements an den Opern in Chemnitz (1912–15) und Hannover (1915–20) kam er an die Dresdner Staatsoper (1920), wo er in der Uraufführung der *Ägyptischen Helena* von R. Strauss den Menelas kreierte und sich als Wagner-Tenor einen Namen machte. 1923–27 trat er an der Metropolitan Opera in New York auf. Gastspiele führten ihn an die Covent Garden Opera in London, die Staatsopern in Berlin und München sowie nach Barcelona, Zürich und Helsinki.

Tauriello (taưrï'eλo), Antonio, * 20. 3. 1931 zu Buenos Aires; argentinischer Komponist und Dirigent, studierte bei Spivak und Gieseking (Klavier) sowie bei Ginastera (Komposition). Er ist Kapellmeister am Teatro Colón, dirigiert Symphonieorchester in Chile und Brasilien und die Perkussionsgruppe »Ritmus« in Buenos Aires. Daneben lehrt er an der Juilliard School of Music in New York. Seine Kompositionen umfassen u. a. die Oper *Les guerres picrocholines* (Text nach Rabelais, Washington/D. C. 1971), Orchesterwerke (*Obertura sinfónica,* 1951; *Ricercari 1 a 6,* 1963; *Serenata I* für Hf., Celesta, Kl., Pk., Schlagzeug und Streicher, 1964, und *II* für Orch. oder Kammerorch., 1966; *Transparencias* für 6 Instrumentalgruppen, 1965; *Musica I* für Trp. und Streicher, 1958, *II* für Kl. und Instr., 1963, und *III* für Kl. und Orch., 1966; 2 Klavierkonzerte, 1952 und 1968; *Canti* für V. und Orch., 1967; *Mansión de Tlaloc* für Kl., Schlagzeug und Streicher, 1969; *Aria* für Fl. und Instr., 1970), Kammermusik (*Signos de los tiempos* für Fl., Klar., V., Vc. und Kl., 1969) und Klavierstücke.

+**Tausch,** Franz, 1762–1817.
Lit.: +Fr. Walter, Gesch. d. Theaters u. d. Musik am kurpfälzischen Hofe (= Forschungen zur Gesch. Mannheims u. d. Pfalz I, 1898), Nachdr. Hildesheim 1968.

+**Tausch,** Julius, 1827–95.
Zwischen 1853 und 1887 leitete er zehn Niederrheinische Musikfeste. 1878 war er als Gastdirigent in England und leitete die Orchesterkonzerte bei den Festspielen in Glasgow. 1879 wurde er zum Königlichen Musikdirektor ernannt. Seine Pensionierung erfolgte 1890 [nicht: 1888].
Lit.: W. du Mont in: Rheinische Musiker II, hrsg. v. K. G. Fellerer, = Beitr. zur rheinischen Mg. LIII, Köln 1962, S. 104ff.; Aus F. Hillers Briefwechsel, hrsg. v. R. Sietz, Bd IV (1876–81), ebd. LX, 1965.

+**Tausig** [–1) Aloys], –2) Carl, 1841–71.
Seine Frau *Seraphine,* [erg.:] 1841 – 1931.
Lit.: +W. v. Lenz, The Great Piano Virtuosos of Our Time from Personal Acquaintance (1899), Nachdr. NY

1973. – A. Fay, Music Study in Germany, Chicago 1880 u. ö., London 1886, Nachdr. (mit neuer Einleitung v. Fr. Dillon) NY 1965, deutsch als: Musikstudien in Deutschland, Bln 1882.

Tausinger, Jan, * 1. 11. 1921 zu Piatra Neamt (Rumänien); tschechischer Komponist, studierte bis 1947 am Konservatorium in Bukarest (Cuclin, Jora, Mendelsohn) sowie 1948–52 an der Musikakademie in Prag (Ančerl, Bořkovec, A. Hába) und war 1952–58 Direktor des Konservatoriums in Ostrava. In seinen Frühwerken 1947–62 (1. Symphonie, Kammermusik) Bartók verpflichtet, führte eine Neuorientierung (1962 Teilnahme an den Kursen für Neue Musik in Darmstadt) zu einem persönlichen Stil, in dem Quartklänge, Reihen und Aleatorik eine bedeutende Rolle spielen. Von seinen Werken seien genannt: 2 Streichtrios (1960 und 1965); 2 Streichquartette (1961 und 1966); Violinkonzert (1963); *Zlo* (»Das Böse«, 3 gem. Chöre nach Arthur Rimbaud, 1963); *Žně* (»Die Ernte«, 3 Männerchöre nach Jiři Wolker, 1963); *Confrontazione I* und *II* für Orch. (1964); *Colloquium* für Bläserquartett (1964); Concertino für Va und Kammerorch. (1965); Trio für V., Va und Git. (1965); *Avventure* für Fl. und Hf. (1965); *Canto di speranza* für Klavierquartett (1965); Ballett *Dlouhá noc* (»Die lange Nacht«, 1966); *Evolution* für Fl. (1966); *Happening* für Klaviertrio nach Zitaten von Josef Schwejk (1966); Praeludium, Sarabande und Postludium für Bläser, Hf. und Schlagzeug (1967); *De rebus musicalibus* für Fl., Baßklar., Kl. und Schlagzeug (1967); *Noc* (»Die Nacht«, Musikcollage nach Puschkin für S., gem. Chor, Orch. und Git., 1967); *Správná věc* (»Die gerechte Sache«, symphonisches Bild nach Wladimir Majakowskij für T., Bar., gem. Chor und Orch., 1967); Quintett für 2 Trp., Horn und 2 Pos. (1968); *Sonatina emancipata* für Trp. und Kl. (1968); 2 Apostrophen für Bläserquintett (1969); *Čmáranice po nebi* (»Gekritzel am Himmel«, nach Gedichten von W. Chlebnikow für S., Fl., Baßklar., Kl. und Schlagzeug (1971); Ave Maria für S., Sprecher und Orch. (1972); Etüde für Kl. (1972). Lit.: J. Kříž in: Hudební rozhledy XXII, 1969, S. 456ff. (Gespräch); M. Navrátil, ebd. XXIV, 1971, S. 221ff.

Tavares (tɐv'ariʃ), Mário, * 18. 4. 1928 zu Natal (Staat Rio Grande do Norte); brasilianischer Dirigent und Komponist, studierte Violoncello bei Thomaza Babini sowie bis 1955 Dirigieren und Komposition an der Musikschule der Universidade Federal in Rio de Janeiro. 1960 wurde er Chefdirigent des Symphonieorchesters des Teatro Municipal von Rio de Janeiro. Seine Kompositionen umfassen Orchesterwerke (*Introdução e dança brasileira* Nr 1 für Orch., 1953; *Potiguara, dança brasileira* Nr 2 für Streichorch., 1957; *Moda e ponteio* für Hf., Celesta und Streichorch., 1955; Concertino für Fl., Fag. und Streichorch., 1959), Kammermusik (*Duas impressões* für Streichquintett, 1951; Bläserquintett, 1964; Streichquartett, 1955; Variationen über Themen der Juruna-Indianer *Juparana* für Streichquartett, 1956; Violoncellosonate, 1954), Klavierstücke und Vokalwerke (Symphonische Dichtung *Ganguzama* für 4 Soli, gem. Chor und Orch., Text Alvaro Neiva, 1959; Lieder). Lit.: Werkverz. in: Compositores de América XVI, Washington (D. C.) 1970.

Tavares de Lima (tɐv'ariʒ də l'imɐ), Rossini, * 25. 4. 1915 zu Itapetininga (Staat São Paulo); brasilianischer Musikethnologe, studierte bei M. de Andrade am Conservatório Dramático e Musical in São Paulo, an dem er 1942 den Lehrstuhl für Folklore übernahm. Er gründete das Centro de Pesquisas Folclóricas »M. de Andrade« und 1960 das Muséu de Artes e Técnicas

Populares de São Paulo, das reiche Sammlungen besitzt und der Associação Brasileira de Folklóre eingegliedert wurde. T. de L. war auch Musikkritiker der Zeitung »A gazeta« und gab bei dieser 1958–63 ein wöchentliches Blatt mit Studien über brasilianische Folklore heraus, die eine Sammlung von 5 Bänden darstellen. – Weitere Veröffentlichungen (Auswahl): *Folclóre de São Paulo* (São Paulo 1954, ²1962); *Achêgas ao estudo do romanceiro do Brasil* (ebd. 1959); *Pesquisa do litoral norte* (mit G. Peixe und K. Setti, Bd I, Rio de Janeiro 1968); *Folclóre das festas cíclicas e literatura folclórica* (São Paulo 1970); *Romanceiro peninsular do Brasil* (ebd. 1970).

Tavener (t'ævənə), John, * 28. 1. 1944 zu London; englischer Komponist, Schüler von Berkeley und Lumsdaine, studierte an der Royal Academy of Music in London. Er ist nebenberuflich als Organist tätig. Von seinen Kompositionen seien genannt: Oper *The Cappemakers* (London, Royal Academy of Music, 1963); Klavierkonzert (1963); *3 Holy Sonnets of John Donne* für Bar. und Kammerorch. (1964); dramatische Kantaten *Cain and Abel* für Soli und Kammerorch. (1966) und *The Whale* für Erzähler, Soli, Chor und Orch. (1968); *Chamber Concerto* für Kammerorch. (1968); *3 Surrealist Songs* für Mezzo-S., Kl., Schlagzeug und Tonband (1968); *In Alium* für S., Orch. und Tonband (1968); *Grandma's Footsteps* für 5 Music boxes und Kammerensemble (1968); dramatische Kantate *A Celtic Requiem* für Soli, Kinderchor, gem. Chor und Orch. (1969); *Coplas* für Soli, Chor und Tonband (1970); *Nomine Jesu* für 5 Männer-Sprech-St., Mezzo-S., Chor, 2 Alt-Fl., Org. und Cemb. (1970); *Requiem for Father Malachy* (1973).

+**Taverner,** John, um 1490 [nicht: um 1495] – 18. [nicht: 25.] 10. 1545. P. M. Davies vollendete 1968 eine Oper *Taverner* (mit Einblendungen von T.s Musik, London 1972) über T.s Leben und Gedankenwelt (vgl. dazu das Sonder-H. Tempo 1972, Nr 101, und MT CXIII, 1972, S. 653ff.) und schrieb auch eine *Second Fantasia on J. T.'s* »In nomine« für Orch. (1964). Ausg.: Masses, Motets . . . (= +GA d. Kirchenmusik, [erg.:] hrsg. v. P. C. Buck, E. H. Fellowes, A. Ramsbotham, R. R. Terry u. S. T. Warner, 1923–24), Nachdr. NY 1963; +The Mulliner Book (D. Stevens, 1951), London ²1966. – ein Satz in: In nomine. Altengl. Kammermusik f. 4 u. 5 St., hrsg. v. Dems., = HM CXXXIV, Kassel 1956, ²1967; 4st. Messe »The Western Wind« 5st. Motette »Mater Christi«, hrsg. v. Ph. Brett, London 1962 bzw. 1964; Audivi vocem, In pace in idipsum u. Magnificat f. 4st. Chor a cappella sowie d. 6st. Messe »Gloria tibi Trinitas«, hrsg. v. H. Benham, NY 1969 (3 H.) bzw. London 1971; ein In nomine in: Early Engl. Keyboard Music, hrsg. v. H. Ferguson, London 1971, Bd II. Lit.: +G. Reese, Music in the Renaissance (1954), revidiert NY 1959; +Fr. Ll. Harrison, Music in Medieval Britain (= Studies in the Hist. of Music o. No, 1958), auch NY 1959 u. 1967, London ²1963. – A. Schipper in: Mens en melodie XV, 1960, S. 304ff.; D. Josephson in: American Choral Rev. IX, 1966/67, H. 2, S. 6ff., H. 3, S. 10ff. (zu 3 Festmessen), u. H. 4, S. 26ff. (zu d. kleineren liturgischen Werken); Ders., In Search of the Hist. T., in: Tempo 1972, Nr 101; P. Doe, Lat. Polyphony Under Henry VIII, Proc. R. Mus. Ass. XCV, 1968/69; Th. Messenger, Texture and Form in T.'s »Western Wind« Mass, JAMS XXII, 1969, Wiederabdruck in: MR XXXIII, 1972; D. Stevens in: Essays in Musicology, Fs. Dr. Plamenac, Pittsburgh (Pa.) 1969, S. 331ff. (mit Werkverz.); H. R. Benham, The Music of J. T., Diss. Univ. of Southampton 1970; Ders., The Music of T., A Liturgical Study, MR XXXIII, 1972; N. Davison, The »Western Wind« Masses, MQ LVII, 1971.

Tǫwaststjerna, Erik Verner, * 10. 10. 1916 zu Mikkeli; finnischer Musikforscher und Pianist, studierte an der Sibelius-Akatemia in Helsinki, bei Neuhaus in Moskau, bei Cortot in Paris sowie bei P. Baumgartner in Basel und konzertierte ab 1943 in Ost- und Westeuropa. 1960 wurde er Professor für Musikwissenschaft an der Universität in Helsinki. Er veröffentlichte u. a.: *Sibeliuksen pianosävellykset* (Helsinki 1955, engl. als *The Pianoforte Compositions of Sibelius*, ebd. 1957); *Ton och Tolkning. Sibelius-studier* (»Ton und Deutung ...«, Stockholm 1957); *Sibeliuksen pianoteokset säveltäjän kehityslinjan kuvastajina* (»Die Klavierwerke von Sibelius als Widerspiegelung der Stilentwicklung des Komponisten«, Helsinki 1960); *S. Prokofjevin ooppera Sota ja rauha* (»Die Oper Krieg und Frieden von S. Prokofjew«, ebd. 1960); *J. Sibelius* (bisher 3 Bde von 4 geplanten erschienen, ebd. 1965–67, schwedisch bislang 1 Bd, Stockholm 1968). – Sein Sohn Erik T. T. (* 8. 6. 1951 zu Helsinki) tritt nach Studien in Moskau, Wien und New York als Pianist hervor.

Taylor (t′eilə), Cecil Percival, * 25. 3. 1933 zu New York; amerikanischer Jazzmusiker (Klavier, Komposition), studierte am New York College of Music und am New England Conservatory in Boston Klavier und Komposition, tritt seit 1957 mit eigenen Jazz-Gruppen hervor, 1964 u. a. beim New Yorker Free Jazz Festival. Er gehört mit Ornette Coleman zu den Avantgardisten der Free Jazz-Richtung. Sein Spiel wird vorwiegend bestimmt durch Verbindung tonaler und atonaler Strukturen, rhythmische Intensität sowie ausgeprägte Clustertechniken. – Aufnahmen: *Looking Ahead* (1958; Contemporary 3562); *The Hard Driving Jazz* (1958; United Artists UAS 5014); *The World of C. T.* (1960; Candid 8006); *Into the Hot* (1961; Impulse AS 9); *Innovations* (1962; Freedom Intercord 28422); *Unit Structures* (1966; Blue Note 84237); *Conquistador* (1966; Blue Note 84260); *Nuits de la Fondation Maeght* (1969; Shandar SR 10011).
Lit.: A. B. SPELLMAN, Four Lives in the Bebop Business (C. T., Herbie Nichols, Ornette Coleman, Jackie McLean), NY 1966, London 1967; E. JOST, Free Jazz. Stilkritische Untersuchungen zum Jazz d. 60er Jahre, Mainz 1975.

+Taylor, Joseph Deems, * 22. 12. 1885 und [erg.:] † 3. 7. 1966 zu New York.
+*The Well Tempered Listener* (1940), Nachdr. Westport (Conn.) 1972; +*Some Enchanted Evenings* ... (1953, auch London 1955), Nachdr. ebd.

+Taylor, Edgar Kendall, * 27. 7. 1905 zu Sheffield (York).
Neben seiner ausgedehnten Konzerttätigkeit unterrichtet T. seit 1929 bis heute [nicht: bis 1954] am Royal College of Music in London.

Taylor (t′eilə), Paul, * 29. 7. 1930 zu Alleghany County (Pa.); amerikanischer Tänzer, Choreograph und Leiter seiner Paul Taylor Dance Company, studierte an der Syracuse University (N. Y.) Malerei, wandte sich dann dem Tanz zu und studierte weiter bei Margaret Craske, Martha Graham und Tudor in New York. Er trat in die Graham Company ein, war Mitglied der Kompanien von Cunningham, Pearl Lang und Anna Sokolow und tanzte als Gast auch beim New York City Ballet, wo Balanchine 1959 für ihn ein Solo in seinem Ballett *Episodes* choreographierte. 1960 gründete er seine eigene Tanzkompanie, mit der er große Auslandstourneen unternahm, die ihn mehrfach auch nach Europa geführt haben. T. arbeitet auf der Basis des Modern dance und verfügt über eine ungewöhnlich breite Skala von Möglichkeiten. Er choreographiert seine Ballette häufig zu einzelnen Sätzen

klassischer Musik. Am bekanntesten geworden sind: *3 Epitaphs* (amerikanische Volksmusik, 1956); *Junction* (Musik J. S. Bach, 1961); *Insects and Heroes* (McDowell, 1961); *Aureole* (Händel, 1962); *Party Mix* (Haieff, 1963); *Scudorama* (C. Jackson, 1963); *From Sea to Shining Sea* (McDowell, 1965); *Orbs* (J. Haydn, 1966); *Agathe's Tale* (Suriñach, 1967); *Lento* (Haydn, 1967); *Foreign Exchange* (Subotnik, 1970); *American Genesis* (verschiedene Komponisten, 1973); *Sports and Follies* (1974).
Lit.: P. T. Down with Choreography, in: The Modern Dance, hrsg. v. S. J. COHEN, Middletown (Conn.) 1965.

Tcherepnịn, Ivan, * 5. 2. 1943 zu Paris; amerikanischer Komponist, Sohn von Alexander Tscherepnin und Bruder von Serge Tch., besuchte 1959–62 die Kompositionsklasse seines Vaters an der Académie Internationale de Musique in Nizza, studierte 1960–64 an der Harvard University in Cambridge (Mass.) bei L. Kirchner und R. Thompson sowie 1965 bei Boulez, Pousseur und K. Stockhausen. 1966 arbeitete er am Electronic Music Studio in Toronto. 1967 lehrte er an der Harvard University und erwarb das Doctorate of music. Seit 1969 ist er Professor für Komposition am Konservatorium in San Francisco und an der Stanford University (Calif.). Von seinen Kompositionen seien genannt: *Deux entourages pour un thème russe* für Horn oder Ondes Martenot, Kl. und Schlagzeug (1961); *Beginnings* für Kl. (1963); *Cadenzas in Transition* für Fl., Klar. und Kl. (1963); *Sombres lumières* für Fl., Git. und Vc. (1965); *Work Music* für elektrische Git., Klar., Horn und Vc. (1965); *Wheelwinds* für 9 Blasinstr. (1966); *Rings* für Streichquartett und Tonband (1966); *Alternating Currents I* für 8 Schlagzeuger, 2 oder mehrere Tonbandgeräte, 4 Ringmodulatoren und Zubehör (1967) sowie *Light Music with Water* für verschiedene Instr. und Elektronik (1970).

Tcherepnịn, –1) Nikolaj und –2) Alexander → +Tscherepnin.

d.
Sept. 29
1977

Tcherepnịn, Serge, * 2. 2. 1941 zu Paris; amerikanischer Komponist, Sohn von Alexander Tscherepnin und Bruder von Ivan Tch., studierte 1958–63 an der Harvard University in Cambridge (Mass.) bei L. Kirchner (B. A.), 1963–64 an der Princeton University (N. J.) sowie bei Boulez, Eimert und K. Stockhausen. 1962 vervollkommnete er seine Studien bei Nono während der Ferienkurse für Neue Musik in Darmstadt und Dartington Hall. 1968–70 war er Leiter des Elektronischen Studios der New York University. Seit 1970 unterrichtet Tch. Komposition und Elektronische Musik an der School of Music in Valencia (Calif.). Von seinen Werken seien genannt: Streichtrio (1960); Streichquartett (1961); *Kaddish* für Sprecher, Klar., V., Ob., Fl., Kl. und 2 Schlaginstr. (Text Allan Ginsberg, 1962); *Figures-Grounds* für eine beliebige Anzahl und Art von Musikern zwischen 7 und 77 (1964); *Background Music I & II* für 4spuriges Tonband (1966); *Morning After Piece* für Sax. und Kl. (1966); die Multi-Media-Komposition *Piece of Wood* (1967); *Film* für Baschet-Instr., Tonbänder, Amplifikator, elektrische Lichteffekte und vorgeschriebene Bewegungen der Musiker auf der Bühne (1967); *»Hat« for Joseph Beuys* für einen Schauspieler und speziell präpariertes Tonband (1968); ferner Filmmusik.

+Teagarden, Jack (auch Big T. genannt; Weldon John T.), * 20. 8. 1905 zu Vernon (Tex.), [erg.:] † 15. 1. 1964 zu New Orleans.
T., der 1950–60 eigene Combos leitete, wirkte auch in zahlreichen Musikfilmen mit.

Lit.: J. D. Smith, Big Gate. A Chronological Listing of the Recorded Works of J. T. from 1928 to 1950, Washington (D. C.) 1951; ders. u. L. Guttridge, J. T., The Story of a Jazz Maverick, = Jazz Book Club XXXVII, London 1960 u. 1962; H. J. Waters, J. T.'s Music, His Career and Recordings, = Jazz Monographs III, Stanhope (N. J.) 1960; R. Blesh, Combo U. S. A., Eight Lives in Jazz, Philadelphia (Pa.) 1971.

Tear (tiə), Robert, * 8. 3. 1939 zu Barry (Glamorgan, South Wales); britischer Sänger (Tenor), studierte am King's College der University of Cambridge (M. A.), begann seine Solistenlaufbahn bei der English Opera Group Inc. und debütierte 1970 an der Covent Garden Opera in London als Dov in der Uraufführung von Tippetts *The Knot Garden*. Zu seinen Partien gehören Jaquino (*Fidelio*), Steuermann (*Der fliegende Holländer*), Lenskij (»Eugen Onegin«) und Matteo (*Arabella*). T. ist als Konzertsänger in den USA, Kanada, Japan, der UdSSR und verschiedenen anderen europäischen Ländern aufgetreten.

+Tebaldi, Renata, * 1. 2. 1922 zu Pesaro.
Lit.: C. Brache, M. Callas oder R. T.?, in: Musik im Unterricht (Allgemeine Ausg.) LI, 1960, auch in: Die Bühnengenossenschaft XII, 1960, S. 151ff.; W. Panofsky, R. T., = Rembrandt-Reihe XXXII, Bln 1961; V. Seroff, R. T., The Woman and the Diva, NY 1961; Le grandi v., hrsg. v. R. Celletti, = Scenario I, Rom 1964, Sp. 842ff. (mit Diskographie v. R. Vegeto).

+Tebaldini, Giovanni, 1864–1952.
Lit.: F. Degrada, Nel centenario della nascita di G. T., Annuario del Conservatorio G. Verdi ... 1963–64 (Mailand); M. Horwarth, T., Gnecchi, and Strauss, in: Current Musicology 1970, Nr 10.

Teed (ti:d), Roy Norman, * 18. 5. 1928 zu Herne Bay (Kent); englischer Komponist und Pianist, studierte 1949–53 bei Berkeley an der Royal Academy of Music in London. 1953–66 war er freischaffend als Komponist und Interpret tätig und wurde dann Professor an der Royal Academy of Music. Er schrieb u. a. ein Klavierkonzert (1952), das Schauspiel mit Musik *Upon This Rock* für Soli, Chor und Orch. (Peterborough Cathedral 1955), *The Pied Piper* für Soli, Chor und Orch. (1960), *The Pardoner's Tale* für Bar., Chor und Orch. (1967), ein Bläserquintett, ein Trio für 2 Ob. und Englisch Horn sowie Klavierstücke, Chorsätze und Lieder.

Teixeira (teiʃ'eira), António, getauft 14. 5. 1707 und † 1754/55 zu Lissabon; portugiesischer Komponist, studierte (wahrscheinlich auf Einladung Joãos V.) in Rom, wo er sich als Komponist sowie als Cembalist einen Namen machte. 1728 zurückgekehrt nach Lissabon, wurde er Kaplan und Kantor von S. Igreja Patriarchal und erhielt bald darauf die Priesterweihe. Er schrieb u. a. die Opern *Guerras do Alecrim e Mangerona* (Lissabon 1737) und *Variedades de Proteu* (um 1737), die Kantate *Gli sposi fortunati* (1732), ein Te Deum für 20 St. (1734) sowie ein Duett für 2 S., Streicher und Cemb.

Tejeda (tex'eða), Eduardo Estéban, * 25. 5. 1923 zu Buenos Aires; argentinischer Komponist, studierte bei Gilardi (Harmonielehre), Gianneo (Komposition), Ficher (Instrumentation) und Kröpfl (elektronische Komposition). Er komponierte Orchesterwerke (Ouvertüre *Espartaco*, 1958; Serenata, 1959; *Protestatio* für 106 Instr., 1966), Kammermusik (*Estructuras* für 5 Instr., 1954; *3 movimientos* für 6 Instr. und Schlagzeugensemble, 1963; *Secuencias móviles I* für St., Fl., Klar., Trp., Horn, Pos., V., Vc. und Kl., 1967, und *II* für Fl., Klar., V., Vc. und Kl., 1969;

Streichquartett, 1968), Klavierwerke (Sonate, 1958; *11 estructuras*, 1964), Vokalwerke (*Canciones del Paraná* für S. und Kl., 1957; *3 piezas* für St. und 5 Instr., 1962; Kantate für 4 Solo-St., Fl., Klar., Trp., Horn, V., Vc., Schlagzeug und elektronische Orgel, 1970) und Filmmusik.

Teldec → +Decca Records Ltd.

Telefunken Platte GmbH, 1932 als Tochterfirma der Telefunken Gesellschaft für drahtlose Telegraphie mbH in Berlin gegründet, produzierte zunächst nicht selbst, sondern übernahm die vor 1929 gegründete Ultraphon Gesellschaft, ein Glied des infolge der Weltwirtschaftskrise zersplitterten sogenannten Küchenmeister-Konzerns (aufgebaut 1925 von Heinrich J. Küchenmeister zur Fabrikation von Sprechmaschinen, später Schallplatten [Ultraphon Adler, Orchestrola], Tonfilmen [Tobis] und Radioapparaten; die einzelnen Firmen waren in einer Holding-Gesellschaft N. V. »Küchenmeisters Internationale Mij. voor Accoustiek« mit Sitz in Amsterdam zusammengefaßt). Die Ultraphon Gesellschaft hatte in ihrem Repertoire Aufnahmen u. a. von E. Kleiber, E. Jochum, Kreuder, Marlene Dietrich und J. Schmidt sowie der *Dreigroschenoper*. Unter Mitwirkung der Deutschen Bank übernahm 1937 die Telefunken Gesellschaft für drahtlose Telegraphie die →Deutsche Grammophon Gesellschaft; 1941 übertrug die Siemens & Halske AG 50% ihrer Anteile an der Telefunken Gesellschaft für drahtlose Telegraphie an die AEG und übernahm die gesamten Anteile an der Deutschen Grammophon Gesellschaft. 1945 wurden die in Berlin noch bestehenden Einrichtungen der Telefunken Gesellschaft für drahtlose Telegraphie demontiert. Mit den in der Nähe von Dresden ausgelagerten und nach 1945 zurückgeholten Matrizen begann die AEG 1946 wieder, Schallplatten zu pressen. Um Anschluß an das Auslandsgeschäft zu finden, wurde 1948 mit der →Capitol Records Inc. ein Repertoireaustausch vereinbart. 1950 schlossen sich T. Pl. und →+Decca Records zu der neugegründeten Teldec (Verwaltungssitz Hamburg) zusammen.

+Telemann, Georg Philipp, 1681–1767.
Ergänzungen und Berichtigungen zum früheren (Auswahl-)Werkverzeichnis: Von T.s Opern sind ferner *Sieg der Schönheit* (1722; als *Gensericus*, Braunschweig 1732) und *Flavius Bertaridus* (1729) vollständig erhalten. Außer 46 Passionsmusiken komponierte T. 6 Passionsoratorien, darunter *Seliges Erwägen des Leidens und Sterbens Jesu* (1719, nachweisbar 1728), Ramlers *Tod Jesu* (1755/56?) und die Brockes-Passion. Die dramatische Kantate *Ino* (1765) ist kein Oratorium, sondern eine weltliche Kantate. Die 40 sogenannten »Kapitänsmusiken« repräsentieren eine eigene Werkgruppe: jedes Werk besteht aus einem geistlichen Oratorium und einer weltlichen Serenata. – 3 weltliche Kantatenzyklen sind gedruckt erhalten, darunter 6 *Moralische Kantaten* für eine Singst. und Gb. (1735–36 [del.: um 1731, verschollen]), ferner je 6 Kantaten für eine Singst., Streicher und Gb. (1731) bzw. für eine Singst., ein Instr. und Gb. (1736–37). Von der *Singenden Geographie* (1708) wurden lediglich die von J. Chr. Losius stammenden Texte gedruckt, die Melodien sind hingegen ohne Angabe des Komponisten in 2 Exemplaren handschriftlich eingetragen. Die Oper *Pimpinone* wurde bereits 1728 [nicht: 1740] gedruckt. Die 3teilige *Musique de table* (1733) ist keine Folge von Orchestersuiten, sondern enthält je 3 Ouvertüren, Quartette, Konzerte, Triosonaten, Solosonaten und Conclusions. 1733 erschienen in Hamburg die 6 *Quatuors ou trios* (Nachdr. Paris 1746–48).

Ausg.: ⁺Mus. Werke, Kassel 1950ff., bisher erschienen: Bd I (M. Seiffert, 1950), 12 methodische Sonaten, II–V (G. Fock, 1953–57), Der harmonische Gottesdienst, XII–XIV (J. Ph. Hinnenthal, 1959–63), Tafelmusik [del. bzw. erg. frühere Angaben dazu]; weiter sind erschienen: XV (H. Hörner u. M. Ruhnke, 1964), Lukaspassion 1728; XVIII–XIX (W. Bergmann, 1965), 12 Pariser Quartette; XX (B. Baselt, 1967), Der geduldige Socrates, Hbg 1721; XXI (ders., 1969), Der neumodische Liebhaber Damon oder Die Satyrn in Arcadien, Hbg 1724; XXII (W. Hobohm, 1971), Die Donnerode u. Das befreite Israel; XXIII (S. Kross, 1973), 12 V.-Konzerte; XXIV (A. Hoffmann, 1974), Pyrmonter Kurwoche (Scherzi melodichi f. V., Va u. B. c.) u. Corellisierende Sonaten f. 2 V. (Fl.) u. B. c. – Kleines Magnificat (früher Bach zugeschrieben), hrsg. v. E. Paccagnella, Rom 1958 (vollständige Faks.-Ausg. d. Leningrader Hs.; vgl. dazu A. Dürr in: Mf XIV, 1961, S. 124ff., u. H.-J. Schulze in: Mf XXI, 1968, S. 44f.); 4 Motetten zu 3–8 St. mit u. ohne Gb., hrsg. v. W. K. Morgan, = Chw. CIV, Wolfenbüttel 1967; Weihnachtskantate »Ehre sei Gott in d. Höhe« f. S., A., T., B., Chor, 3 Trp., Pk., Streichorch. u. B. c., hrsg. v. G. Fock, Kassel 1968; 6. Psalm »Ach Herr, strafe mich nicht«, hrsg. v. W. Steude, Lpz. 1969; Kantate »Ha ha! wo will wi hüt noch danzen« f. S., V. u. B. c., hrsg. v. W. Hobohm, Lpz. 1971. – Ouvertürensuite G dur »La Bizarre« f. 2 V., Va u. B. c., hrsg. v. dems., Lpz. 1967; Konzert D dur f. 3 Clarinen (Trp.), Pk., 2 Ob., Fag. (ad libitum), Streichorch. u. B. c., hrsg. v. G. Fleischhauer, Lpz. 1968. – Orgelwerke, 2 Bde (I Choralvorspiele, II 20 kleine Fugen u. freie Orgelstücke), hrsg. v. Tr. Fedtke, Kassel 1964 (vgl. dazu M. Ruhnke in: Mf XVIII, 1965, S. 212ff.); 48 Choralvorspiele, hrsg. v. A. Thaler, = Recent Researches in the Music of the Baroque Era II, New Haven (Conn.) 1965. – zahlreiche weitere Einzelausg. u. a. in d. Verlagen Bärenreiter (Kassel), Breitkopf & Härtel (Wiesbaden), Hänssler (Stuttgart), Heinrichshofen (Wilhelmshaven), Moeck (Celle), Moeseler (Wolfenbüttel), Peters (Lpz. u. Ffm.), Schott (Mainz), Sikorski (Hbg) u. Vieweg (Bln). – G. Ph. T. . . ., Das Werk in d. gedruckten Ausg. d. Gegenwart, hrsg. v. d. Hamburger Öffentlichen Bücherhallen u. d. Hamburger T.-Ges., Hbg 1967.

Lit.: W. Kahl (Hrsg.), Selbstbiogr. deutscher Musiker d. XVIII. Jh., Köln 1948, Nachdr. = Facsimiles of Early Biogr. V, Amsterdam 1970. – G. Ph. T., Briefwechsel, hrsg. v. H. Grosse u. R. Jung, Lpz. 1972. – G. Ph. T., Leben u. Werk. Beitr. (v. W. Siegmund-Schultze u. a.) zur gleichnamigen Ausstellung . . . im Kulturhist. Museum Magdeburg, Magdeburg 1967; A. N. Verveen, Herdenkingstentoonstelling G. Ph. T., Haags Gemeentemuseum . . ., Den Haag 1967. – Beitr. zu einem neuen Telemannbild, hrsg. v. G. Fleischhauer u. G. Lange, = Konferenzber. d. 1. Magdeburger T.-Festtage . . . 1962, Magdeburg 1963 (mit Ausw.-Verz. d. T.-Schrifttums v. W. Hobohm); G. Ph. T., ein bedeutender Meister d. Aufklärungsepoche, hrsg. v. G. Fleischhauer u. W. Siegmund-Schultze, = Konferenzber. d. 3. Magdeburger T.-Festtage 1967, 2 Teile, ebd. 1969. – Magdeburger T.-Studien, Magdeburg 1966ff., bisher erschienen: Bd I (R. Petzoldt, 1966), T. u. seine Zeitgenossen; II (K. Zunft, 1967), T.s Liedschaffen u. seine Bedeutung f. d. Entwicklung d. deutschen Liedes in d. ersten Hälfte d. 18. Jh.; III (I. Allihn, 1971), G. Ph. T. u. J. J. Quantz; IV (W. Maertens, 1973), T.-Renaissance. Werk u. Wiedergabe. – G. Fleischhauer, Zehn Jahre T.-Arbeitskreis in Magdeburg, in: Musikrat d. Deutschen Demokratischen Republik, Bull. VIII, 1971.
⁺J. Sittard, Gesch. d. Musik- u. Concertwesens in Hbg (1890), Nachdr. Hildesheim 1971; ⁺A. Schering, Gesch. d. Instrumentalkonzerts (1905), Lpz. ²1927, Nachdr. Hildesheim u. Wiesbaden 1965; ⁺ders., Gesch. d. Oratoriums (1911), Nachdr. ebd. 1966; ⁺H. Kretzschmar, Gesch. d. neuen deutschen Liedes (1911), Nachdr. ebd.; ⁺R. Rolland, Voyage mus. au pays du passé (1919), engl. London 1922, Nachdr. = Essay Index Reprint Series o. Nr, Freeport (N. Y.) 1967, auch ungarisch; ⁺H. J. Moser, Gesch. d. deutschen Musik (II, 1922, ⁵1930), Nachdr. (mit Ergänzungen als »vermehrte u. verbesserte« Aufl.) Hildesheim 1968; ⁺ders., Mg. in hundert Lebensbildern (1952), Stuttgart ³1964; ⁺M. Seiffert, G. Ph. T.s

»Musique de Table« als Quelle f. Händel (1924), auch separat = Beihefte zu DDT II, Lpz. 1927, Nachdr. hrsg. v. H. J. Moser, Wiesbaden u. Graz 1960; ⁺W. S. Newman, The Sonata in the Baroque Era (1959), revidiert Chapel Hill (N. C.) 1966, London 1968, neuerlich revidiert NY u. London 1972 (Paperbackausg.).
G. Schweizer, Orch. u. Tabakskollegium, in: Frankfurt, Lebendige Stadt 1956, H. 2; W. Siegmund-Schultze, G. Ph. T., Wiss. Zs. d. M.-Luther-Univ. Halle–Wittenberg, Ges.- u. sprachwiss. Reihe VIII, 1958/59; H. Pohlmann, T. u. d. Urheberrecht, = Veröff. d. Hamburger T.-Ges. III, Hbg 1961; H. Grosse, T.s Aufenthalt in Paris, Händel-Jb. X/XI, 1964/65, separat Lpz. 1965; ders., Die Schreibweise d. Namens »G. Ph. T.« zu seiner Zeit, BzMw XIII, 1971; Ph. Beaussant, Situation de T., in: La table ronde 1965, Nr 207; W. Hobohm, G. Ph. T. u. seine Schüler, Kgr.-Ber. Lpz. 1966; ders., Zwei Kondolenzschreiben zum Tode G. Ph. T.s, DJbMw XIV, 1969; ders., Drei T.-Miszellen, BzMw XIV, 1972; ders., T.-Anekdoten, MuG XXIII, 1973; O. Büthe, Das Frankfurt T.s, in: Frankfurt, Lebendige Stadt 1967, H. 2; K. Laux in: MuG XVII, 1967, S. 379ff.; R. Petzoldt, G. Ph. T., Lpz. 1967, engl. NY 1974; M. Ruhnke, Relationships Between the Life and Work of G. Ph. T., in: The Consort XXIV, 1967; ders., T. als Musikverleger, in: Musik u. Verlag, Fs. K. Vötterle, Kassel 1968; L. Finscher, Der angepaßte Komponist. Notizen zur sozialgesch. Stellung T.s in: Musica XXIII, 1969 (vgl. dazu M. Ruhnke, ebd. XXIV, 1970, S. 340ff.); K. Grebe, G. Ph. T. in Selbstzeugnissen u. Bilddokumenten, = rowohlts monographien CLXX, Reinbek bei Hbg 1970; L. Füredi u. D. Vulpe, T., Bukarest 1971.
M. Ruhnke, Zum Stand d. T.-Forschung, Kgr.-Ber. Kassel 1962; ders., T.-Forschung 1967. Bemerkungen zum »T.-Werke-Verz.«, in: Musica XXI, 1967; ders., Die Pariser T.-Drucke u. d. Brüder Le Clerc, in: Quellenstudien zur Musik, Fs. W. Schmieder, Ffm. 1972; G. Fleischhauer, Entwicklung u. Stand d. Magdeburger T.-Pflege, Kgr.-Ber. Lpz. 1966. – Cl. H. Rhea jr., The Sacred Oratorios of G. Ph. T., 2 Bde (I Kommentar, II Ausg.), Diss. Florida State Univ. 1958; Kr. Wilkowska-Chomińska, Suita polska T.a, in: Muzyka IV, 1959; G. Godehart, T.s »Messias«, Mf XIV, 1961; A. Hutchings, The Baroque Concerto, NY 1961; A. Hoffmann, Die Lieder d. Singenden Geographie v. Losius–T., zugleich ein Beitr. zur Deutung d. Umwelt T.s während seiner Schulzeit in Hildesheim um 1700, = Alt-Hildesheim, Sonder-H. I, 1962; ders., Die Orchestersuiten G. Ph. T.s TWV 55, Wolfenbüttel 1969 (mit thematisch-bibliogr. Werkverz.); M. Ruhnke, T. im Schatten v. Bach?, in: H. Albrecht in memoriam, Kassel 1962; G. Fleischhauer, T.-Studien, in: Tradition u. Aufgaben d. Hallischen Mw., = Wiss. Zs. d. M.-Luther-Univ. Halle–Wittenberg, Sonder-Bd 1963; ders., Die Musik G. Ph. T.s im Urteil seiner Zeit, Händel-Jb. XIII/XIV, 1967/68 – XV/XVI, 1969/70; J. Birke, J. Hübners Text zu einer unbekannten Festmusik T.s, Mf XVII, 1964; W. Maertens, G. Ph. T. u. d. Musikerziehung, in: Musik in d. Schule XV, 1964; ders., G. Ph. T.s Hamburger »Kapitänsmusiken«, Fs. W. Wiora, Kassel 1967; B. Baselt, G. Ph. T. u. d. protestantische Kirchenmusik, MuK XXXVI, 1967; F. Kaufmann, Lukaspassion 1744 v. T., in: Musica sacra LXXXVII, 1967; E. Schenk, Corelli u. T., in: Chigiana XXIV, N. S. IV, 1967; A. Thaler, »Der Getreue Music-Meister«. A ,Forgotten' Periodical, in: The Consort XXIV, 1967; G. v. Dadelsen, Die sogenannte Barockmusik, in: Musik u. Verlag, Fs. K. Vötterle, Kassel 1968; L. Finscher, Corelli u. d. »corellisierenden« Sonaten T.s, in: Studi corelliani, Kgr.-Ber. Fusignano 1968; W. Siegmund-Schultze, G. Ph. T., ein hervorragender mus. Repräsentant d. Aufklärung, Wiss. Beitr. d. M.-Luther-Univ. Halle–Wittenberg, Ges.- u. sprachwiss. Reihe XVII, 1968; Cl. Annibaldi, L'ultimo oratorio di T., nRMI III, 1969; S. Kross, Das Instrumentalkonzert bei G. Ph. T., Tutzing 1969 (mit thematischem Verz.); ders., T. u. d. Aufklärung, in: Musicae scientiae collectanea, Fs. K. G. Fellerer, Köln 1973; H. Chr. Wolff, Das Tempo bei T., BzMw XI, 1969; W. Rackwitz, G. Ph. T.s Stellung in d. Epoche d. Aufklärung, Händel-Jb. XVII, 1971.
MR

Telke, Max → Dobschinski, Walter.

Tellefsen, Arve, * 14. 12. 1936 zu Trondheim; norwegischer Violinist, studierte bei Arne Stoltenberg in Trondheim und bei H. Holst an Det Kongelige Danske Musikkonservatorium in Kopenhagen (1954–58) und bei Galamian in New York. 1959 debütierte er in Oslo mit dem Filharmonisk Selskaps Orkester und hat seither in ganz Europa konzertiert.

Tello (t′eλo), Rafael J., * 5. 9. 1872 und † 20. 12. 1961 zu México (D. F.); mexikanischer Komponist und Pianist, studierte am Conservatorio Nacional de Música in México bei R. Castro, Luis G. Saloma und José Barradas. Er trat als Konzertpianist auf (ab 1888), lehrte am Konservatorium Musikerziehung (ab 1902), Komposition (ab 1903) und Klavier (ab 1904) und wurde 1914 stellvertretender Direktor. 1917 übernahm er die Leitung des von ihm gegründeten Conservatorio Libre de Música y Declamación. T. rief die Musikgesellschaft »Pro Arte Patrio«, die vorwiegend mexikanische Werke zur Aufführung brachte, ins Leben. Er schrieb die Opern *Juno* (1896), *Nicolás Bravo* (1910), *Dos amores* (1916) und *El oidor* (1942), Orchesterwerke (2 Symphonien), Kammermusik (Sextett für Fl., Ob., Klar., Fag., Horn und Kl.; *Drama en música* für Streichquartett und 11 weitere Streichquartette), Klavierstücke, Lieder und Kirchenmusik (4 Messen; Motetten).

+Telmányi, Emil, * 22. 6. 1892 zu Arad (Banat). 1957 gründete er mit seiner 2. Frau Annette (geborene Schiøler, * 17. 1. 1904 [erg.:] zu Kopenhagen) und seinen drei Töchtern ein Streich- bzw. Klavierquintett, das auch im europäischen Ausland (u. a. 1959 bei den Haydn-Festspielen in Budapest) konzertierte. Am Konservatorium in Aarhus unterrichtete T. bis 1969. Er lebt heute in Holte (bei Kopenhagen).

Tempia, Stefano, * 5. 12. 1832 zu Racconigi (Piemont), † 25. 11. 1878 zu Turin; italienischer Komponist und Violinist, Sohn des Kapellmeisters Giovanni Battista T., 1853–59 Maestro di cappella in Trino Vercellese. Nach Kompositionsstudien bei Luigi Felice Rossi in Turin wurde er 1861 Leiter der Hofkapelle und wirkte 1868–71 als Professor für Violine am dortigen Liceo Musicale. 1876 gründete er mit Giuseppe Ippolito Franchi-Verney die Accademia di Canto Corale, die nach ihm benannt wurde und deren Direktor er war. Daneben wirkte T. als Musikkritiker der »Gazzetta piemontese« und als Mitarbeiter der »Gazzetta musicale di Milano«. Er schrieb u. a. die Oper *Palleschi e Piagnoni* (1864), die Operette *Amore e capriccio* (Turin 1869), 6 Symphonien, Kammermusik sowie Vokalwerke (*Messa funebre per Carlo Alberto*, 1864) und veröffentlichte die Sammlungen *Canzoniere delle scuole e delle famiglie* (Turin o. J.), *Raccolta di canti per feste scolastiche* (ebd. o. J.), *15 canti educativi* (Mailand o. J.), *Studi sulla musicografia* (1873) sowie didaktische Werke für Violine, darunter *150 Esercizi mnemonici giornalieri* (Mailand o. J.).

+Tenaglia, Antonio Francesco, [erg.:] † nach 1661 zu Rom.

+Tenducci, Giusto Ferdinando (genannt »Il Senesino«, auch »Triorchis«), [erg.: um] 1736 – 25. 1. 1790 [del.: nach 1800; erg.:] zu Genua. T. leitete 1784–90 die Händel-Feste in London [del. frühere Angabe dazu]. Lit.: +A. HERIOT, The Castrati in Opera (1956), auch London 1960, ital. = Diapason o. Nr, Mailand 1962.

Tenner, Kurt von, * 18. 7. 1907 zu Wien; österreichischer Dirigent und Komponist, studierte am Neuen Wiener Konservatorium und wurde 1931 Kapellmei-

ster am Opernhaus in Graz. 1937–39 wirkte er als Gastdirigent an der Städtischen Oper Berlin sowie an den Bühnen in Wuppertal und Trier. Nach Engagements in Liegnitz (1939–40), Flensburg (1940–41) und Antwerpen (1941–43) kam er 1945 an die Wiener Staatsoper und wurde 1948 Operndirektor in Klagenfurt. 1949–73 war er am ORF tätig. Seine Kompositionen umfassen u. a. eine Suite (1936) und symphonische Varianten *Augustiniana* (1946) für Orch., eine Suite für Streichquartett (1935), eine Hornsonate (1935) und Vokalwerke (*Der deutsche Psalter* für S., gem. Chor und Orch., 1933; Ballade *Wieland der Schmied* für Bar. und Orch., nach Gerhart Hauptmann, 1934; *Die Bienen* für S. und Orch., nach H. Hesse, 1949; Motette *Wie die Väter Gott erschauten* für A. und gem. Chor a cappella, 1936; zahlreiche Lieder auf Texte von Morgenstern, Rilke und Richard Dehmel).

Tenney (t′eni), James C., * 10. 8. 1934 zu Silver City (N. M.); amerikanischer Komponist, studierte 1954–55 an der Juilliard School of Music in New York (Steuermann), 1956–58 am Bennington College in Bennington/Vt. (Boepple), 1959–61 an der University of Illinois in Urbana sowie 1956–65 bei Varèse und 1961–66 bei Cage. 1963 gründete er das Tone Roads Chamber Ensemble. Er war Dozent für Musiktheorie an der Yale University in New Haven/Conn. (1964–66), für Elektronische Musik an der New School for Social Research in New York (1965–66) und für Technologie an der School of Visual Arts in New York (1968–69). Seit 1970 lehrt er am California Institute of the Arts in Los Angeles. Er schrieb *13 Ways of Looking at a Blackbird* für T., 2 Fl., V., Va und Vc. (1958), *Monody* für Klar. solo (1959), Computermusik *Analog I* (*Noise Study*, 1961), *Dialogue* (1963), *Erogodos I* und *II* für 2 zusammen oder einzeln, vorwärts oder rückwärts abgespielte Tonbänder mit oder ohne Streich- und Schlaginstr. (1963 und 1964) und *Fabric for Ché* (1967) sowie *For Anne (Rising)* für Tonband (1969) und veröffentlichte *Sound-Generation by Means of a Digital Computer* (Journal of Music Theory VII, 1963), *Meta (+) Hodos: A Phenomenology of 20th-Cent. Musical Materials and an Approach to the Study of Form* (New Orleans 1964) und »Noise Study« (in: Musik und Bildung III, 1971).

Tennstedt, Klaus, * 6. 6. 1926 zu Merseburg (Saale); deutscher Dirigent, studierte an der Leipziger Musikhochschule Klavier bei A. Rhoden und Violine bei Davisson. Er wurde 1948 1. Konzertmeister und 1952 Kapellmeister an den Städtischen Bühnen Halle (Saale). 1954–57 war er 1. Kapellmeister an den Städtischen Bühnen Karl-Marx-Stadt, 1958–62 GMD der Landesoper Dresden und 1962–71 GMD des Mecklenburgischen Staatstheaters Schwerin. 1970 hatte er einen Gastvertrag mit der Komischen Oper Berlin. 1972 wurde T. zum GMD der Bühnen der Landeshauptstadt Kiel berufen. Als Gastdirigent trat er u. a. an der Hamburgischen und an der Bayerischen Staatsoper in München auf.

+Tenschert, Roland, * 5. 4. 1894 zu Podersam (Böhmen), [erg.:] † 3. 4. 1970 zu Wien. T. erhielt 1952 den (österreichischen) Professorentitel. +*Mozart* (1931, ²1939), Lpz. ³1951). – Weitere Veröffentlichungen: *W. A. Mozart* (= Meyers Bildbändchen, N. F. XV, Mannheim 1959); *Fr. Schubert* (= Österreich-Reihe Bd 379/380, Wien 1971); Miszellen zu R. Strauss. Lit.: H. BOESE in: ÖMZ XIV, 1959, S. 65ff.

+Teplow, Grigorij Nikolajewitsch, 20. 11. (1. 12.) 1711 zu Pskow – 30. 3. (10. 4.) 1779 zu St. Petersburg [del. bzw. erg. frühere Angaben].

Lit.: J. Stählin v. Storcksburg, Nachrichten v. d. Musik in Rußland, in: J. J. Haigold, Beylagen zum neuveränderten Rußland, 2 Bde, Riga 1769–70, russ. als: Iswestija o musyke w Rossii, hrsg. v. T. N. Liwanowa, in: Musykalnoje nasledstwo I, Moskau 1935, u. in: Musyka i balet w Rossii XVIII weka, hrsg. v. B. l. Sagurskij u. B. Wl. Assafjew, Leningrad 1935 [del. früherer Titel »J. Schtelin . . .«].

Teppa, Carlos, * 4. 6. 1923 zu Caracas; venezolanischer Violoncellist und Komponist, studierte an der Escuela Superior de Música seiner Heimatstadt bei Andrés und Carlos Añez (Violoncello), an der New York State University bei Bogumil Sykora und an der Accademia Musicale Chigiana in Siena bei Cassadó. Er konzertiert in Nord- und Südamerika sowie in Europa. T. schrieb u. a. das symphonische Ballett *Hamlet* (1965), Orchesterwerke (5 Symphonien, u. a. Nr 1 *Traumática*, 1965, und Nr 2 *El diálogo*, 1968; Symphonische Dichtungen *Pobre negro*, 1964, und *Don Quijote*, 1969; 3 Violinkonzerte, 1966–69; 2 Violoncellokonzerte, 1960 und 1964), Kammermusik (2 Bläserquintette, Nr 1, *Sonata*, 1964, und Nr 2, *Suite infantil*, 1969; Klavierquintett, 1970; Sonate für Fag. und Streichquartett, 1971; 2 Streichquartette, 1962 und 1966; 3 Klaviertrios, 1963, 1969 und 1970; 2. Violinsonate, 1973; 2 Sonaten für Vc. und Kl., 1958 und 1962) und Vokalmusik (*La mágica palabra* für St. und Streichorch., 1970).

Ter-Gewondjan, Anuschawan Grigorjewitsch, * 24. 2. (8. 3.) 1887 zu Tiflis, † 6. 6. 1961 zu Eriwan; armenisch-sowjetischer Komponist, studierte bis 1915 am Konservatorium in Petrograd (Glasunow, Ljadow, M. Steinberg), war 1918–25 Dozent für Musiktheorie am Konservatorium in Tiflis, 1926–34 und 1938–44 am Konservatorium in Eriwan (ab 1930 Direktor) sowie 1934–38 Direktor des Konservatoriums in Baku. Er schrieb die Opern *Seda* (1923), *W lutschach solnza* (»Im Sonnenschein«, 1949), die Ballette *Newesta ognja* (»Die Feuerbraut«, 1934) und *Anait* (1940), Orchesterwerke (Symphonie, 1942; Rhapsodie *Rast*, 1935) sowie a cappella-Chöre, Romanzen, Lieder und Bühnenmusik.
Lit.: G. Tigranow, Armjanskij musykalnyj teatr (»Das armenische Musiktheater«), Bd II, Eriwan 1960, Kap. 1; Je. Gilina, A. T.-G., ebd. 1962.

Ter-Tatewossjan, Dschon (John) Gurgenowitsch, * 14. 9. 1926 zu Eriwan; armenisch-sowjetischer Komponist, beendete 1952 das Violinstudium am Konservatorium in Eriwan und wurde im gleichen Jahr Direktor und Musikpädagoge der dortigen Saradschew-Musikschule. 1955 studierte er Komposition bei Mirsojan am Konservatorium in Eriwan. Er schrieb Orchesterwerke (3 Symphonien, Nr 1, 1957, Nr 2, *Po protschtenii rasskasa M. Scholochowa* »*Sudba tscheloweka*«, »Nach dem Lesen der Erzählung M. Scholochows ,Das Schicksal des Menschen'«, 1962, und Nr 3; »Symphonische Bilder«, 1953; »Lyrisches Poem«, 1953; »Symphonische Dichtung in memoriam Tscharenz«, 1963), Kammermusik (2 Streichquartette, 1955 und 1966; Tanzscherzo für V. und Kl., 1950) sowie Lieder und Filmmusik.

Termen, Lew Sergejewitsch → +Theremin, Leon.

+Terpandros, 7. Jh. v. Chr.
Lit.: +J. Lohmann, Der Ursprung d. Musik (1959), Wiederabdruck in: Musiké u. Logos, hrsg. v. A. Giannarás, Stuttgart 1970. – L. Deubner, Die viersaitige Leier, Mitt. d. Deutschen archäologischen Inst., Athenische Abt. LIV, 1929; ders., T. u. d. siebensaitige Leier, Philologische Wochenschrift L, 1930; M. Vogel, Die Enharmonik d. Griechen, 2 Bde, = Orpheus-Schriftenreihe zu Grundfragen d. Musik III–IV, Düsseldorf 1963; J. Chailley, Nicomaque, Aristote et Terpandre devant la transformation de

l'heptacorde grec en octocorde, in: Yuval I, hrsg. v. I. Adler, Jerusalem 1968.

+Terradellas, Domingo Miguel Bernabé, 1713–51. T. war bereits ab 1732 [nicht: 1735] Schüler von Durante am Conservatorio dei Poveri di Gesù Cristo [nicht: Sant'Onofrio a Capuana] in Neapel.
Ausg.: +La Merope, hrsg. v. R. Gerhard, = Publ. del Departement de música de la Bibl. de Catalunya XIV, Barcelona 1951 [del. früherer Titel].

Terrasse (tɛr'as), Claude Antoine, * 27. 1. 1867 zu Grand-Lemps (Isère), † 30. 6. 1923 zu Paris; französischer Komponist und Organist, studierte in Paris an der Ecole Niedermeyer (Gigout) und wirkte als Organist an den Kirchen in Auteuil, Arcachon sowie 1895–98 an der Eglise de la Ste-Trinité in Paris. Ab 1900 widmete er sich der Komposition, wobei die Operetten einen bevorzugten Platz einnehmen; genannt seien (Uraufführungsort, wenn nicht anders angegeben, Paris) *La petite femme de Loth* (1900), *Les travaux d'Hercule* (1901), *Chonchette* (1902), *La botte secrète* (1903), *Le Sire de Vergy* (1903), *Monsieur de la Palisse* (1904), *La manoir de Cagliostro* (1905), *Pâris ou Le bon juge* (1906), *L'ingénu libertin* (1907), *Le coq d'Inde* (1908), *Le mariage de Télémaque* (1910), *Pantagruel* (Lyon 1911), *Cartouche* (1912), *L'amour patriote* (1916), *Le cochon qui sommeille* (1918), *Chamouche* (1923) und *Faust en ménage* (1924). Er schrieb ferner die Bühnenmusik zu Alfred Jarrys *Ubu Roi* (1896), Instrumentalwerke, Kirchenmusik und Lieder und veröffentlichte *Nouvelle méthode de piano* (Paris 1909).
Lit.: J. Brindejont-Offenbach, 50 ans de musique frç., Paris 1925; R. Dumesnil, Portraits de musiciens, ebd. 1938.

+Terry, Charles Sanford, 1864–1936.
Nachdrucke: +J. S. Bach. Cantata Texts (1926), London 1966; +Bach. A Biography (1929), ebd. 1962; +Bach's Orchestra (1933), ebd. 1958, St. Clair Shores (Mich.) 1972; +The Music of Bach (1933), NY 1963; +J. Chr. Bach (1929), revidiert von H. C. R. Landon, London 1967; +J. N. Forkel, J. S. Bach (1920), NY 1970; +The Passions (1926), Westport (Conn.) 1971.

+Terry, Sir Richard Runciman, 1865–1938.
+*Voodooism in Music and Other Essays* (1934), Nachdr. Freeport (N. Y.) 1968. – Weitere Essays erschienen in der Sammlung *The Heritage of Music* (hrsg. von H. J. Foss, 3 Bde, London 1927–51, Nachdr. = Essay Index Reprint Series o. Nr, Freeport/N. Y. 1969).

+Tertis, Lionel, * 29. 12. 1876 zu West Hartlepool (Durham), [erg.:] † 22. 2. 1975 zu London.
Analog dem Prinzipien der »Tertis Model« Viola entwickelte T. 1960 ein entsprechendes Violoncello sowie 1962 eine Violine. Ihm wurden verschiedene Ehrungen zuteil, so 1950 die Ernennung zum Commander of the British Empire (C. B. E.).
Lit.: M. B. Stanfield, L. T. and the Future, in: The Strad LXXIV, 1963/64.

Terzakis (tɛrz'akis), Dimitris, * 12. 3. 1938 zu Athen; griechischer Komponist, studierte in seiner Heimatstadt bei Papaioannou und 1965 an der Musikhochschule in Köln bei B. A. Zimmermann und Eimert. Er lebt als freischaffender Komponist abwechselnd in Athen und Köln. – Werke (Auswahl): Septett für Fl. (1965); Μήδεια für S., V., Vc. und Schlagzeug (1966); 'Ηχώχρονος I (»Echozeit«) für Tonband (1967); 'Ωκεανίδες (»Okeaniden«) für Frauenstimmen und Orch. (1967); Trio für Vc., Git. und Schlagzeug (1967); 'Ηχώχρονος II für 8 Instr. und Schlagzeug (1968); Οἶχος (»Strophe«) für Chor a cappella (1968); Streichquartett (1969); 'Ηχώχρονος III für 7 elektronisch verstärkte Instr. und Tonband (1970); *Ἄχος* (»Traurigkeit«) für Git., St. und Schlagzeug (1970); *Nuances* für Mezzo-S., Va, Schlagzeug und Tonband (1970); *Hommage à Morse* für Bläser und Streichoktett (1970); *Transcriptions télégraphiques* für Orch. (1971); *X* für Bar., Instrumentalensemble, Chor und Tonband (1971); *Χροαί* (»Farben«) für Orch. (1972); *Ἔθος A* (»Gewohnheit«) für Ob., Vc. und Tonband (1972); »Sphärenharmonie« für Mezzo-S., Fl. und Vc. (1972); 3 Violinstücke (1972); *Ἔθος B* für Alt-St. und 2 Melodieinstr. (1973); *6 Στοιχηρόν* (»In Verse Übertragenes«) für Chor und Orch. (1973); Duo für Vc. und kleines Schlagzeug (1973); *Καταβασία* (»Absteigen«) für 6 Solo-St. (1973); *Kosmogramm* für Orch. (1974). – Aufsätze: *Auf der Suche nach neuem Tonhöhenmaterial* (in: Melos XXXVI, 1971); *Byzantinische Musik* (in: Musik und Bildung III, 1971).

+Terzi, Giovanni Antonio, 16./17. Jh.
Ausg.: Intavolatura di liutto, Libro primo (1593), Faks. hrsg. v. M. CAFFAGNI u. G. VECCHI, Bologna 1964; dass., hrsg. v. M. CAFFAGNI, = Antiquae musicae Ital. bibl., Monumenta Lombarda C, I, Mailand 1966.
Lit.: G. DARDO in: MGG XIII, 1966, Sp. 255f.; C. MAC-CLINTOCK, Two Lute Intabulations of Wert's »Cara la vita«, in: Essays in Musicology, Fs. W. Apel, Bloomington (Ind.) 1968.

Terzian (t'ɛrθĭan), Alicia, * 1. 7. 1936 zu Córdoba; argentinische Komponistin, studierte bis 1958 in Buenos Aires am Konservatorium, an dem sie gegenwärtig Kontrapunkt und Didaktik lehrt. Daneben ist sie Dozentin für Musikgeschichte an der Escuela Superior de Bellas Artes der Universidad Nacional de La Plata und hält Vorlesungen über die Geschichte der Oper an¦ der Hochschule der Künste des Teatro Colón in Buenos Aires. Sie schrieb die Ballettmusik *Movimientos* (1968), Orchesterwerke (*Movimientos contrastantes*, 1968; *Atmósferas II*; Violinkonzert, 1960; *Gris de la noche* für Streichorch., 1969), Kammermusik (Sextett *Cuadrados mágicos* für V., Kl., Fl., Klar., Fag. und Horn, 1969; 2 Streichquartette, 1957 und 1968), Klavierwerke (Toccata, 1954; *Juegos para Diana*, 1956; *Atmósferas I* für 2 Kl., 1969), Vokalwerke (*Cantata de la tarde* für Sprecher, gem. Chor und Orch., 1959; *Ab ovo* für Streichquartett, Schlagzeug und St., 1969; *Embryo* für St. und Va, 1969). Sie veröffentlichte *La notación musical armenia* (Rev. musical chilena XIX, 1965).

Terziani, Pietro, * 1765 und † 5. 10. 1831 zu Rom; italienischer Komponist, studierte bei Casali in Rom sowie ab 1780 am Conservatorio di S. Onofrio in Neapel (Insanguine). Er war als Kapellmeister in Neapel und ab 1816 in Rom tätig (S. Giovanni in Laterano, Chiesa del Gesù). Seine Kompositionen umfassen u. a. die Opern *Il geloso imprudente* (Rom 1785), *Creso* (Venedig 1788) und *I campi d'Ivrí* (Wien 1805), Kirchenmusik (*Litanie della Beata Vergine* für 3 St. und Org.; Messen, Motetten), Romanzen und Arien.

Teschner, Gustav Wilhelm, * 26. 12. 1800 zu Magdeburg, † 7. 5. 1883 zu Dresden; deutscher Sänger und Gesangspädagoge, studierte am Königlichen Institut für Kirchenmusik in Berlin (Zelter, B. Klein), in Neapel bei Crescentini, in Mailand bei D. Ronconi sowie in Dresden bei Miksch und ließ sich als Stimmbildner in Berlin nieder (1873 Königlich Preußischer Professor). Angeregt durch F. Santini, begann er alte geistliche Vokalmusik aus Italien und Deutschland zu sammeln. Seine umfangreiche Musikbibliothek befindet sich heute im Besitz der Berliner Staatsbibliothek. Er gab u. a. Sammlungen deutscher und italienischer kirchenmusikalischer Werke (Eccard, H. L. Haßler,

Stobaeus), Lieder (auch Volkslieder) sowie Kanzonetten und Solfeggien (Asioli, Bertalotti, Clari, Crescentini, Fr. Durante, Miksch, Minoja, Pilotti, Rodolphe, Zingarelli) heraus.
Lit.: R. SCHAAL in: MGG XIII, 1966, Sp. 258f.

+Teschner, Melchior, [erg.: 29. 4.] 1584 – 1635 zu Fraustadt (Niederschlesien) [nicht: Oberpritschen].
Lit.: +C. v. WINTERFELD, Der ev. Kirchengesang ... (II-III, 1845–47), Nachdr. Hildesheim 1966; †J. ZAHN, Die Melodien d. deutschen ev. Kirchenlieder (III u. V, 1890–92), Nachdr. ebd. 1963. – S. FORNAÇON in: MuK XXVII, 1957, S. 231ff.

Tess, Giulia, * 19. 2. 1889 zu Mailand; italienische Sängerin (dramatischer Sopran), debütierte im Alter von 19 Jahren in der Mezzosopranrolle der Mignon in Venedig, wechselte in das Sopranfach über, studierte bei Battistini und De Sabata und trat an den großen italienischen und ausländischen Bühnen auf. Sie kreierte an der Mailänder Scala unter Toscaninis Leitung die Titelrolle in Pizzettis *Débora e Jaéle* (1922) und sang dort die Elektra (R. Strauss) in der italienischen Erstaufführung (1925). Nach Beendigung ihrer Bühnenlaufbahn gab sie Darstellungsunterricht und übernahm 1946 in Mailand Lehraufträge am Conservatorio di Musica G. Verdi und am Studio der Scala. Zu ihren Schülern zählen F. Tagliavini und Fedora Barbieri.

+Tessarini, Carlo, [erg.: um] 1690 – nach 1766 [del.: um 1765].
T. war bereits 1720 Violinist an S. Marco in Venedig und 1733–43 mit Unterbrechungen (um 1737 Konzertmeister des Kardinals Wolfgang Hannibal in Brünn) an der Kathedrale in Urbino, wo er, nach Aufenthalten in Paris und in den Niederlanden, 1750–57 erneut wirkte. Ab 1761 soll er wieder in den Niederlanden gewesen sein. Zuletzt trat er am 15. 12. 1766 im Arnheimer Collegium musicum auf; danach verliert sich seine Spur. [del. bzw. erg. frühere Angaben hierzu.] – Mehrfach übersetzt wurde seine Violinschule *Gramatica di musica. Insegna il modo facile, e breve per bene imparare di sonare il violino su la parte ...* (Rom 1741).
Ausg.: V.-Konzert G dur op. 1 Nr 3, hrsg. v. H. MÜLLER, Bonn 1970.
Lit.: +A. SCHERING, Gesch. d. Instrumentalkonzerts ... (1905, ²1927), Nachdr. Hildesheim u. Wiesbaden 1965; +A. MOSER, Gesch. d. Violinspiels (1923), 2. Aufl. hrsg. v. H.-J. Nösselt, 2 Bde, Tutzing 1966–67; +W. S. NEWMAN, The Sonata in the Baroque Era (1959), revidiert Chapel Hill (N. C.) 1966, London 1968, neuerlich revidiert NY u. London 1972 (Paperbackausg.). – A. DUNNING, Some Notes on the Biogr. of C. T. and His Mus. Grammar, StMw XXV, 1962; DERS. in: MGG XIII, 1966, Sp. 260ff.

Testi, Flavio, * 4. 1. 1923 zu Florenz; italienischer Komponist, studierte an den Konservatorien in Turin und Mailand und bildete sich autodidaktisch weiter. Er komponierte u. a.: die Opern *Il furore di Oreste* (nach Aischylos, Bergamo 1956), *La celestina* (Florenz 1963) und *L'albergo dei poveri* (nach Gorkij, Mailand 1966); *Crocifissione* für Männerchor, Streicher, Blechbläser, Pk. und 3 Kl. (1955); Stabat mater für S., Chor und Instrumente (1958); *Musica da concerto* Nr 1 für V. und Orch. (1957), Nr 2 für Streicher (1958), Nr 3 für Kl. und Orch. (1962), Nr 4 für Fl. und Orch. (1962) und Nr 5 für Kl., V., Vc. und Orch. (1969); Doppelkonzert für V., Kl. und Orch. (1959); *New York. Oficina y denuncia* für Chor und Orch. (nach García Lorca, 1964); *Canto a las madres de los milicianos muertos* für S., Chor und Orch. (1967); *Passio Domini nostri Jesu Christi secundum Marcum* für S., A., 2 T., 2 B. und Instrumente (1969). T. arbeitet an einer *Storia della musica italiana da Sant'Ambrogio a noi* (bisher erschienen *La* *musica italiana nel Medioevo e nel Rinascimento*, 2 Bde, Mailand 1969, und *La musica italiana nel Seicento*, Bd I: *Il melodramma*, ebd. 1970).

Tetley (t'etli), Glen, * 3. 2. 1926 zu Cleveland (O.); amerikanischer Tänzer und Choreograph, studierte in New York bei Hany Holm, tanzte in verschiedenen Broadway Musicals, ließ sich von Margaret Craske und A. Tudor im klassisch-akademischen Tanz ausbilden und arbeitete auch bei Martha Graham. Er war zunächst Tänzer bei der New York City Opera Company, schloß sich dann dem American Ballet Theatre an und wurde schließlich Mitglied der M. Graham Company, tanzte aber auch in Robbins' »Ballets: U. S. A.«. 1962 gründete er eine eigene Truppe, für die er als eines seiner ersten Ballette Schönbergs *Pierrot lunaire* choreographierte (NY 1962). In Europa arbeitete er zunächst hauptsächlich mit dem Nederlands Dans Theater Den Haag zusammen, in Israel choreographierte er für die Batsheva Dance Company; seit 1967 schuf er mehrere Ballette auch für das englische Ballet Rambert. 1969 trat er in die künstlerische Leitung des Nederlands Dans Theater ein. 1974 wurde er als Nachfolger von Cranko Direktor und Chefchoreograph des Balletts der Württembergischen Staatstheater in Stuttgart, mit dem er 1973 sein Ballett *Voluntaries* uraufgeführt hatte. T. ist einer der eigenwilligsten Choreographen des Modern dance, ein Schöpfer spiritueller Ballette, die sich freilich bisweilen in Esoterik verlieren. Zu seinen wichtigen Choreographien zählen: *Sargasso* (Musik Křenek, *Symphonische Elegie*, Den Haag 1964); *De anatomische les* (»Die anatomische Lektion«, Landowsky, Symphonie *Jean de la Peur*, ebd. 1964); *Ricercare* (Seter, NY 1966); *Ziggurat* (K. Stockhausen, ein Teil der *Kontakte* und *Gesang der Jünglinge*, London 1967); *Circles* (Berio, Den Haag 1968); *Field Figures* (Stockhausen, London 1970); *Chronochromie* (Messiaen, Hbg 1971).

+Tetrazzini, –1) Eva, 1862–1938. Ihr Mann Cleofonte Campanini, 1. 9. [nicht: 10.] 1860 – 1919. –2) Luisa (eigentlich Luigia), 1871–1940. Sie debütierte 1890 [nicht: 1892].
Lit.: zu –2): D. Shaw-Taylor in: Opera XIV, (London) 1963, S. 593ff.; R. Celletti, Le grandi v., = Scenario I, Rom 1964, Sp. 851ff. (mit Diskographie v. R. Vegeto).

+Tetzel, Eugen Karl Gottfried, * 3. 9. 1870 zu Berlin.
Seine Lebensspur verliert sich Mitte der 30er Jahre in Berlin.

Teupen, Jonny Wilhelm Bernhard (Pseudonym als Komponist Jean Pierre Valmèr), * 9. 1. 1923 zu Berlin; deutscher Harfenist und Komponist, begann seine Harfenausbildung bei Max Saal, studierte ab 1939 an der Berliner Musikhochschule und war 1944–45 im Orchester der Berliner Staatsoper tätig. Seit 1949 ist er Harfenist am WDR in Köln. Er komponiert und bearbeitet Unterhaltungsmusik und hat eigene Produktionen für Film- und Fernsehmusik.

Teutsch, Karol, * 12. 3. 1921 zu Krakau; polnischer Violinist, Sohn und Schüler von Otto T., Konzertmeister der Krakauer Philharmonie und ehemals Professor am Bukarester Konservatorium, vervollkommnete sein Studium 1950–54 in Krakau bei Eugenia Umińska und Feliński. 1945–59 war er Mitglied der Krakauer Philharmonie (1947 Konzertmeister) und gehört seit 1959 der Warschauer Nationalphilharmonie an. Er gründete 1963 ein Kammerorchester an der Nationalphilharmonie, mit dem er Konzerte in zahlreichen europäischen Ländern, Asien, Nord- und Südamerika sowie Afrika gegeben hat.

Tevah (tev'ax), Victor, * 26. 4. 1912 zu Smyrna (heute Izmir, Türkei); chilenischer Violinist und Dirigent, studierte bis 1929 am Conservatorio Nacional de Música in Santiago de Chile und vervollkommnete 1931 seine Violinstudien an der Berliner Musikhochschule bei Georg Kulenkampff. Nach seiner Rückkehr nach Santiago wurde er 1932 Professor für Violine am Konservatorium und Konzertmeister der Asociación Nacional de Conciertos Sinfónicos; ab 1942 war er Konzertmeister und ab 1948 ständiger Dirigent des Orquesta Sinfónico Nacional. 1965 wurde er Leiter des Symphonieorchesters des von Casals gegründeten Conservatorio de Música de Puerto Rico. T. trat als Violinist und Dirigent in zahlreichen Städten Lateinamerikas und in Spanien auf.

Tevo, Zaccaria, OSF, * 16. 3. 1651 zu Piove di Sacco (bei Padua), † nach 1709 zu Treviso; italienischer Musiktheoretiker, war ab 1665 Schüler im Franziskanerkloster in Treviso, wo er 1667 der Kongregation beitrat und nach Aufenthalten in Fermo, Macerata, Padua und Venedig 1688 Organist und 1689 Kapellmeister wurde. Kompositionen sind nicht mehr erhalten. Sein Traktat *Il musico testore* (Venedig 1706) behandelt nach Gaffori, V. Galilei, Mersenne und Kircher in 4 Teilen Einteilung und Elementarlehre der Musik sowie die Intervalle und den Kontrapunkt.
Ausg.: Il musico testore (Venedig 1706), Nachdr. = Bibl. musica Bononiensis II, 47, Bologna 1969.
Lit.: J. Hawkins, A General Hist. of the Science and Practice of Music, London ³1875, Faks. hrsg. v. O. Wessely, = Die großen Darstellungen d. Mg. in Barock u. Aufklärung V, Graz 1969, Bd II, S. 772f. (mit Kap.-Überschriften); Anon., Musicisti dell'Ordine Francescano dei Minori Conventuali, in: Note d'arch. XVI, 1939; A. Satori, La Provincia del Santo dei Frati Minori Conventuali, = Pubbl. della Provincia patavina dei Frati Minori Conventuali I, Padua 1958.

+Teyber (Tayber, Teiber, Täuber), –1) Elisabeth, * 16. 9. 1744 und * 9. 5. 1816 zu Wien [del. frühere Angaben]. –2) Anton, 1756 [nicht: 1754] – 1822. –3) Franz, 25. 8. 1758 [nicht: 15. 11. 1756] – 21. [nicht: 22.] 10. 1810. –4) Therese, * 15. 10. 1760 und † 15. 4. 1830 zu Wien [erg. frühere Angaben].
Lit.: K. Pfannhauser in: MGG XIII, 1966, Sp. 268ff.

+Teyte, Dame Maggie (eigentlich Tate), * 17. 4. 1888 [nicht: 1889] zu Wolverhampton (Stafford). *d. May 26 1976* Von den zahlreichen Ehrungen, die ihr zuteil wurden, sei die Verleihung (1958) des Titels Dame of the British Empire (D. B. E.) genannt. M. T. lebt heute im Ruhestand in London.
Lit.: G. Moore, Am I too Loud?, London 1962, Paperbackausg. Harmondsworth (Middlesex) 1966, deutsch als: Bin ich zu laut?, Tübingen 1963, ²1964, auch Stuttgart 1968.

Thärichen, Werner, * 18. 8. 1921 zu Neuhardenberg (Mark Brandenburg); deutscher Komponist, Schlagzeuger und Pauker, studierte an der Hochschule für Musik in Berlin (Komposition bei Noetel und Wunsch, Dirigieren bei Jacobi), war Schlagzeuger und Solopauker an der Berliner Volksoper und den Staatsopern in Hamburg und Berlin und wurde 1948 in gleicher Stellung Mitglied des Berliner Philharmonischen Orchesters (Berliner Kammervirtuose). Er tritt auch als Solist und Dirigent im In- und Ausland auf. Th. schrieb u. a. die Kammeroper *Anaximanders Ende* (nach Wolfdietrich Schnurre, Bln 1958), Orchesterwerke (*Orchesterstück* op. 23, 1956; Vorspiel op. 35, 1957; Scherzo op. 37, 1961; *Die Orchesterversammlung* op. 42, 1965; Konzerte für Kl. und Orch., op. 39, 1961, und op. 44, 1965, für Fl. und Streichorch. op. 29, 1953, für

Pk. und Orch. op. 34, 1954, für V. und Orch. op. 36, 1956, für Vc. und Orch. op. 41, 1966, für Ob. und Orch. op. 46, 1967, für Klar. und Orch. op. 51, 1971, und für Marimbaphon, Pos. und Orch., 1974), Kammermusik (*Bläsermusik* für 4 Trp., 4 Pos. und Tuba op. 43, 1964; Oktett für Klar., Fag., Horn und Streichquintett op. 40, 1960; 3 Streichquartette, Nr 1 op. 31, 1951, Nr 2, 1956, und Nr 3; *Schlagzeug-Trio* op. 52; *Klangstufen* für V. und Kl. op. 49, 1969) und Vokalwerke (139. Psalm für A., Chor, Orch. und Elektronik op. 48, 1968; Konzert für Singst. und Orch. op. 38, 1959; Lieder).

+**Thalberg,** Sigismund [erg.:] Fortuné François, 8. [nicht: 7.] 1. 1812 – 27. 4. [nicht: 24. 7.] 1871 zu Posillipo (bei Neapel) [nicht: zu Neapel].
Th. war ein natürlicher Sohn von Joseph Th. und Fortunée Stein (Moritz Graf Dietrichstein war lediglich sein Ziehvater) [del. frühere Angabe dazu].
Ausg.: 3 Opernfantasien (über Mosè in Egitto op. 33, Il barbiere di Siviglia op. 63 u. Don Pasquale op. 67), hrsg. v. D. L. HITCHCOCK, NY 1971.
Lit.: +R. SCHUMANN, Gesammelte Schriften (M. Kreisig, 51914), Nachdr. Farnborough 1969; +P. RAABE, Fr. Liszt (2 Bde, 1931), revidiert Tutzing 21968; +S. SITWELL, Liszt, London 1934, 2. revidierte Aufl. ebd. 1955 u. NY 1956, NA NY 1967, +deutsch v. W. Reich als: Fr. Liszt, Zürich 1958, frz. Paris 1961 [erg. frühere Angaben]. – E. MÜHSAM, S. Th. als Klavierkomponist, Diss. Wien 1937; R. STOCKHAMMER, Liszt–Th., in: Musikerziehung XIV, 1960/61; A. DE ANDRADE, Um rival de Liszt no Rio de Janeiro, Rev. brasileira de música I, 1962; J. BITTNER, Die Klaviersonaten E. Francks (1817–93) u. anderer Kleinmeister seiner Zeit, 2 Bde, Diss. Hbg 1968; G. PUCHELT, Verlorene Klänge. Studien zur deutschen Klaviermusik 1830–80, Bln-Lichterfelde 1969; DERS., Variationen f. Kl. im 19. Jh., Darmstadt 1973; V. VITALE, S. Th. a Posillipo, nRMI VI, 1972.

Thalęsio, Pedro, *Ende 16. Jh.; portugiesischer oder spanischer Musiktheoretiker, wirkte ab 1593 als Kantor an der Kapelle des Hospital de Todos-Santos in Lissabon, 1610–12 in gleicher Position an de Sé da Guarda sowie bis 1639 als Professor für Musik an der Universität in Coimbra und war einer der Gründer der Confraria de S. Cecília dos Músicos. Er veröffentlichte *Arte de canto chão con huma breve instrução pera os sacerdotes ... e moços do coro, conforme ao uso romano* (Coimbra 1617, 21628) und *Compendio de canto de orgão, contraponto, composição, fugas e outras cousas.*

+**Thayer,** Alexander Wheelock, 1817–97.
+*Ludwig van Beethovens Leben* (1866–1908), Nachdr. der +englischen Ausg. (H.E.Krehbiel, 1921–25) = Classics Series o. Nr, London und Carbondale (Ill.) 1960, revidiert von E. Forbes als *Th.'s Life of Beethoven*, 2 Bde, London und Princeton (N. J.) 1964, Paperbackausg. Princeton 1970.
Lit.: J. SCHMIDT-GÖRG, Beethoven-Forschung, Fs. »Beethoven im Mittelpunkt«, hrsg. v. G. Schroers, Bonn 1970.

+**Thebom,** Blanche, * 19. 9. 1918 [nicht: 1922] zu Monessen (Pa.).
Neben ihren Verpflichtungen an der Metropolitan Opera in New York gab sie Gastspiele u. a. an den Opernhäusern von London (1957 als Dido in Berlioz' *Les Troyens*), Paris, Mailand und Brüssel und wirkte auch bei Festspielen mit (Glyndebourne u. a.). Eine Tournee führte sie 1958 in die UdSSR. Mitte der 60er Jahre zog sie sich von der Bühne zurück, ist jedoch weiterhin im Management der Metropolitan Opera Company tätig und übernahm 1968 als General Director die Leitung der Southern Regional Opera Company in Atlanta (Ga.), wo sie nunmehr auch ihren Wohnsitz hat.

+**Theil,** Fritz, * 6. 10. 1886 zu Altenburg (Thüringen), [erg.:] † 20. 2. 1972 zu Klingenmünster (Pfalz).

+**Theile,** Johann, 1646–1724.
Th., der sich 1666 [nicht: 1658] an der juristischen Fakultät der Universität Leipzig inskribierte, wirkte erst ab 1691 [nicht: 1689] in Merseburg (Saale). Danach war er vermutlich als Musiklehrer am Berliner Hof tätig und kehrte zwischen 1713 und 1717 nach Naumburg zurück. – Das +*Opus musicalis compositionis ...* wurde 1708 [nicht: 1701] veröffentlicht. Die +*Contrapuncts-Praecepta* (1690) sind weitgehend identisch mit dem bereits um 1670 erschienenen +*Unterricht von einigen gedoppleten Contrapuncten.*
Ausg.: Mus. Kunstbuch, hrsg. v. C. DAHLHAUS, = Denkmäler norddeutscher Musik I, Kassel 1965; Arie »Komm! ach komm! O süßer Tod« aus »Orontes«, in: Die Oper I, hrsg. v. H. Chr. Wolff, = Das Musikwerk XXXVIII, Köln 1971, auch engl.
Lit.: +H. J. MOSER, Corydon (1933), Nachdr. Hildesheim 1966; +W. S. NEWMAN, The Sonata in the Baroque Era (1959), revidiert Chapel Hill (N. C.) 1966, London 1968, neuerlich inklusive NY u. London 1972 (Paperbackausg.). – W. MAXTON, J. Th. als Theoretiker, Kgr.-Ber. Bamberg 1953; DERS., J. Th. u. d. Eröffnung d. Theaters am Gänsemarkt 1678, in: Hamburgische Staatsoper 1955; W. BRAUN, Zwei Quellen f. Chr. Bernhards u. J. Th.s Satzlehren, Mf XXI, 1968; E. J. MACKEY, The Sacred Music of J. Th., 2 Bde, Diss. Univ. of Michigan 1968.

Themelis (θ'εμελις), Dimitris, * 1. 5. 1931 zu Thessaloniki; griechischer Musikforscher, studierte 1945–52 am Staatskonservatorium seiner Heimatstadt (Violine) sowie 1957–64 bei Georgiades an der Münchner Universität Musikwissenschaft, an der er 1964 mit einer Dissertation über *Vorgeschichte und Entstehung der Violinetüde* (gedruckt als *Étude ou Caprice. Die Entstehungsgeschichte der Violinetüde*, München 1967) promovierte. 1969–71 war er Lektor für Musikwissenschaft an der Universität in Thessaloniki; seit 1971 ist er dort Direktor des Staatskonservatoriums. Er schrieb 'Ο »Προμηθέας« τοῦ Goethe σὲ μουσικὴ τοῦ Schubert (»Goethes Prometheus in der Musik von Schubert«, = Ρωτόντα I, Thessaloniki 1970); *Violintechnik in Österreich und Italien um die Mitte des 18. Jh.* (in: Der junge Haydn, hrsg. von V.Schwarz, = Beitr. zur Aufführungspraxis I, Graz 1972); Μουσικοποιητικὴ δομὴ στὸ ἑλληνικὸ δημοτικὸ τραγοῦδι (= Λαογραφία XXVIII, Athen 1972). Th. war Mitarbeiter (Neuaufnahmen Griechenland) an den vorliegenden Ergänzungsbänden dieses Lexikons.

+**Then-Bergh,** Erik, * 3. 5. 1916 zu Hannover.
Th.-B., der weiterhin konzertiert und als Professor an der Münchner Musikhochschule unterrichtet, lebt heute in Baldham (bei München).

Theodǫne de Cạprio OSB, † 1434 zu Caprio; italienischer Musiktheoretiker, war Prior des Benediktinerklosters, schrieb 1431 einen kurzen Traktat *Regulae contrapuncti,* der früher irrtümlich samt dem in CS III, S. 177ff., abgedruckten anonymen Traktat *De musica mensurabili* (Rom, Bibl. Vaticana, Barb. lat. 307; spätes 14. Jh.) einem nicht existierenden Theodorico de Campo zugeschrieben wurde.
Lit.: R. CASIMIRI, Th. de C. non Teodorico de Campo, in: Note d'arch. XIX, 1942, S. 38ff. u. 93ff. (mit Ed. d. »Regulae«); G. REANEY, The Question of Authorship in the Medieval Treatises on Music, MD XVIII, 1964.

Theodorakis (θεǝdor'akis), Mikis, * 29. 7. 1925 auf der Insel Chios; griechischer Komponist, studierte ab 1943 am Konservatorium in Athen sowie ab 1953 am Pariser Conservatoire (Messiaen, Aubin, Leibowitz), kehrte 1961 nach Griechenland zurück und gründete

die »Demokratische Jugend Lambrakis«, deren Hymne er komponierte. Nach dem Militärputsch von 1967 wurde er verhaftet und 1970 entlassen. Bis 1974 lebte er im Exil in Paris. Seine Kompositionen umfassen u. a. die Ballette *Orphée, Carnaval, Les amants de Teruel* und *Antigone,* Orchesterwerke (1. Symphonie; *Sinfonia, Oratorio,* Adagio; Ἐλεγεία καὶ θρῆνος, »Elegie und Klagelied«; Suite I für Kl. und Orch., II für Orch., und III für Chor und Orch.; Οἰδίπους τύραννος für Streichorch.; Klavierkonzert; Συρτὸς χανιώτικος, »Reigentanz«, für Kl. und Orch.), ein Klaviertrio, Vokalwerke (Oratorien *La chanson du frère mort,* 1962, *Les petites cyclades,* 1963, und Τὸ ἄξιον ἐστί, »Es ist würdig«, Text Odysseus Elytis, 1964; Ῥωμιωσύνη, »Griechentum«, für Chor und Orch., 1966; Lieder nach Gedichten von García Lorca, *Trois chants pour le front patriotique* und *Le soleil et le temps,* 1967, Ἐπιφανία, »Epiphanie«, und Μυθιστόρημα, »Roman«, nach Texten von Giorgos Seferis, 1968) sowie Musik zu zahlreichen Filmen (*The Shadow of the Cat, Electre, Ζορμπάς, Z* und *Phèdre*) und Dramen (*Αἴας* von Sophokles; *Αἱ Φοίνισσαι* und *Αἱ Τρωάδες* von Euripides; *Λυσιστράτη* von Aristophanes). Er schrieb u. a. *Γιὰ τὴν ἑλληνικὴ μουσικὴ* (»Für eine griechische Musik«, Athen 1961) und *Sångens makt* (»Die Macht des Gesangs«, mit Th. Thomell, in: Ord och bild LXXXI, 1972).
Lit.: A. BARANOWA, M. T., kompositor-borez (»Komponist u. Kämpfer«), SM XXX, 1966; J. COUBARD, M. Th., Paris 1969; G. GIANNARIS, M. Th., Music and Social Change, NY 1972, London 1973 (mit Bibliogr., Werkverz. u. Diskographie).

Theodorico de Campo → Theodone de Caprio.

+Theogerus von Metz, [erg.:] um 1050 – 29. 4. 1120 zu Cluny.
Th. v. M., ab 1088 [nicht: 1090] Abt in St. Georgen, wurde 1117 zum Bischof von Metz gewählt, konnte aber sein Amt nicht ausüben und zog sich nach Cluny zurück. – Sein Traktat *Musica* ist eine Bearbeitung einer Schrift seines Lehrers →+Wilhelm von Hirsau.
Lit.: G. ZEGGERT, Th., St. Georgen 1954 (mit Übers. d. »Musica«); H. HÜSCHEN in: MGG XIII, 1966, Sp. 322f.

Thérache (te′raʃ), Pierquin de (Therachet); französischer Komponist, war 1492–1527 Kapellmeister der Herzöge von Lothringen (im Dienste von René II. und dann von Antoine von Lothringen), aber nicht, wie Fétis behauptet, im Dienst des französischen Königs Ludwig XII. 1505 wurde er außerdem Domherr an der Eglise collégiale St-Georges in Nancy. Zusammen mit seinem Nachfolger Lasson ist er der Hauptrepräsentant einer noch wenig untersuchten lothringischen »Schule«, die aber schon von Wollick in seinem *Enchiridion* (1509) erwähnt wird und der vielleicht Josquin Desprez 1493 kurze Zeit angehört hat. Th. schrieb zwei 4st. Messen *O vos omnes* und *Comment peult avoir joye* (letztere in Cambrai, ms. 18, anon., aber von Wollick P. de Th. zugeschrieben), zwei 4st. Motetten (in: Motetti de la corona I–II, verlegt bei Petrucci 1514–19) und die 4st. Motette *Grande Maria virgo* (Wien, Nationalbibl., ms. 15941).
Lit.: FR. LESURE in: MGG XIII, 1966, Sp. 328.

+Theremin, Leon (Lew Termen), * 3.(15.) 8. 1896 zu St. Petersburg.
Weitere Kompositionen für das Thereminovox (Termenvox; →Aetherophon): J. Schillinger, *First Airphonic Suite* (mit Orch., 1929); B. Martinů, Fantasie (mit Ob., Streichquartett und Kl., 1945); A. Fuleihan, *Concerto for Theremin* (1945). – Die Ergebnisse von Th.s nach 1938 im Laboratorium für Akustik des Moskauer Konservatoriums durchgeführten elektro-musi-

kalischen Forschungen werden seit 1964 am Lehrstuhl für Akustik der Moskauer Universität gelehrt. Das jüngste von ihm konstruierte Elektrophon ist ein mehrstimmiges Termenvox (3–5 St.) mit Chorklangcharakter.

+Thibaud, Jacques, 1880–1953.
Lit.: Les concours M. Long – J. Th., = RM 1959, Nr 245.

+Thibault, Geneviève (verheiratete Comtesse de Chambure), * 20. 5. 1902 zu Neuilly-sur-Seine.
G. Th., 1968–71 Präsidentin der Société française de musicologie, war ab 1961 als Konservator am Instrumentenmuseum des Pariser Conservatoire tätig. – *+Bibliographie des éditions musicales publiées par N. du Chemin* (1953, Suppl. 1956), 2. Suppl. in: Ann. mus. VI, 1958–63; *+Bibliographie des éditions d'A. Le Roy et R. Ballard* (1955, Suppl. in: Rev. de musicol. XXXIX[erg.:]/XL, 1957). – Neuere Aufsätze: *Le concert instrumental dans l'art flamand au XV⁰ s. et au début du XVI⁰* (in: La Renaissance dans les provinces du Nord, hrsg. von Fr. Lesure, Paris 1956); *Un manuscrit italien pour luth des premières années du XVI⁰* (in: Le luth et sa musique, hrsg. von J. Jacquot, ebd. 1958); *Les collections privées de livres et d'instruments de musique d'autrefois et d'aujourd'hui* (FAM VI, 1959, auch in: Music, Libraries and Instruments, = Hinrichsen's 11th Music Book 1961); *L'ornementation dans la musique profane au Moyen-Age* (Kgr.-Ber. NY 1961, Bd I); *La méthode de mandoline de M. Corrette (1772)* (Fs. Vl. Fédorov, = FAM XIII, 1966); *Emblèmes et devises des Visconti dans les œuvres musicales du Trecento* (in: L'Ars nova italiana del Trecento [III], hrsg. von F. A. Gallo, Certaldo 1970).

Thibault de Courville, Joachim → Courville, J. Th. de.

+Thibaut IV., 30. 5. 1201 zu Troyes – 7. 7. 1253 zu Pamplona [erg. frühere Angaben].
Lit.: TH. KARP, A Lost Medieval Chansonnier, MQ XLVIII, 1962; A.-M. J. ARTIS, Les chansons de Th. comte de Champagne et roi de Navarre, Diss. (Hist.) Ohio State Univ. 1971(?); H. VAN DER WERF, The Chansons of the Troubadours and Trouvères. A Study of the Melodies and Their Relation to Poems, Utrecht 1972.

+Thibaut, Anton Friedrich Justus, 1772 [nicht: 1774] – 1840.
+Über Reinheit der Tonkunst, Nachdr. der 7. Aufl. (Freiburg i. Br. und Lpz. 1893) Darmstadt 1967 (= Libelli CLVI).
Lit.: W. KAHL, Heimsoeth u. Th., Ein vergleichender Beitr. zur Gesch. d. mus. Renaissancebewegung d. 19. Jh., Fs. A. Orel, Wien u. Wiesbaden 1960; H. KIEFNER in: Zs. d. Savignystiftung f. Rechtsgesch. (Romanische Abt.) XXVII, 1960, S. 305ff.; E. SAVELSBERG, A. Fr. J. Th. u. d. Heidelberger Singkreis, in: Musicae sacrae ministerium, Fs. K. G. Fellerer, = Schriftenreihe d. Allgemeinen Cäcilien-Verbandes ... V, Köln 1962; H. KIER in: Musica sacra LXXXV, 1965, S. 226ff.; M. LICHTENFELD, Zur Gesch., Idee u. Ästhetik d. hist. Konzerts, in: Die Ausbreitung d. Historismus über d. Musik, hrsg. v. W. Wiora, = Studien zur Mg. d. 19. Jh. XIV, Regensburg 1969.

+Thibaut, Jean Baptiste, [erg.: 5. 10.] 1872 – [erg.:] 7. 4. 1938 [nicht: 1937].

+Thiébaut, Henri [erg.:] Ferdinand (eigentlich Thibeaut), * 4. 2. 1865 zu Schaerbeek (Brüssel), [erg.:] † 12. 9. 1959 zu Glain (Lüttich).
Lit.: Y. LENOIR, Une cathédrale sonore. La passion du Christ de H. Th., Brüssel 1960.

+Thiel, Carl, 1862–1939.
Lit.: J. THAMM in: Musica sacra LXXXII, 1962, S. 303ff.; DERS., C. Th., Th. Schrems. Zur Entstehung d. Regensburger Musikgymnasiums, in: Musicus–Magister, Fs. Th. Schrems, Regensburg 1963.

Thiel, Jörn, * 12. 10. 1921 zu Dresden; deutscher Redakteur, Regisseur und Tonmeister, studierte 1936–39 am Stern'schen Konservatorium in Berlin (Br. Kittel), 1946–50 an der Staatlichen Hochschule für Musik in Köln (Fortner) sowie an der Universität in Kiel (Fr. Blume). Er war 1951–58 Redakteur, Tonmeister, Sprecher und Regisseur am WDR in Köln, 1958–61 Dozent des Fachs »Technische Mittler« an der Akademie für musische Bildung und technische Medien in Remscheid und 1961–64 Dozent für Bild- und Tonregie an der Folkwang-Hochschule in Essen. 1970 erhielt er einen Lehrauftrag für das Fach Fernsehregie an der Akademie für Musik und darstellende Kunst in Wien. Aus seiner umfangreichen Filmproduktion seien genannt *Mozart und die Flötenuhr* (1965), *Der Mönch von Salzburg* (1965) und *Tabla Calcutta* (1967). Er veröffentlichte u. a.: *Fernsehoper – Oper im Fernsehen* (in: Universitas XIX, 1964); *Musikdramaturgie für den Bildschirm. Autoren-, Producer- und Regieprobleme* (NZfM CXXVI, 1965, und in: Das Orchester XIII, 1965); *Die Orgel, Königin der Instrumente* (Ffm. 1973).

Thiele, Siegfried, * 28. 3. 1934 zu Chemnitz; deutscher Komponist, studierte 1953–58 an der Staatlichen Hochschule für Musik in Leipzig (J. Weismann, Johannes Weyrauch) sowie 1960–62 an der Deutschen Akademie der Künste in Berlin (L. Spies) und lehrte an den Musikschulen in Radeberg (1958–59) und Wurzen (1959–62). Seit 1962 ist er Dozent für Komposition und Tonsatz an der Staatlichen Hochschule für Musik in Leipzig. Er schrieb Orchesterwerke (*Sinfonie in fünf Sätzen*, 1965; *Pantomime*, 1962; *Musik*, 1968; Introduktion und Toccata, 1969; Konzert, 1970; Sinfonietta, 1972; *3 Orchester-Motetten nach Guillaume de Machaut*, 1972; *Ein kleines Trompetenkonzert*, 1961, Neufassung für Trp. und Kl., 1971; Concertino für Fl. und Streichorch., 1961; Klavierkonzert, 1963; Sonate für Streichquartett und kleines Orch., 1967; Concertino für Hf., Streicher, Pk. und Schlagzeug, 1970; Konzert für Org., Blechbläser, Pk. und Streicher, 1972), Kammermusik (Oktett für Klar., Horn, Fag., 2 V., Va, Vc. und Kb., 1966; Bläserquintett, 1962; *Proportionen* für Ob., Vc. und Kl., 1971; Sonatine für Klar. und Kl., 1969; Cantilena und Allegro für Fl. und Kl., 1971; *Übungen im Verstummen*, 4 Stücke für Vc. und Kl., 1972; Orgelwerke (4 Konzertetüden, 1972; *Jeu de temps, jeu d'espace*, 1974), *Sonata alla toccata* für Kl. (1969), *Apokalypse* für Chor, Blechbläser und Pk. (1966) sowie *Urworte. Orphisch* für 6st. gem. Chor a cappella (nach Goethe, 1962). Th. veröffentlichte u. a. den Beitrag *Zeitstrukturen in den Motetten des Ph. de Vitry und ihre Bedeutung für zeitgenössisches Komponieren* (NZfM CXXXV, 1974).
Lit.: H. BÖHM in: MuG XIX, 1969, S. 183f. (zur Sonate f. Streichquartett u. kleines Orch.); E. KNEIPEL, ebd., S. 322ff. (zur »Sinfonie in 5 Sätzen« u. 478f. (zur »Musik« f. Orch.); H.-J. SCHÄFER, ebd. S. 820 (zur Introduktion u. Toccata f. Orch.); G. SCHÖNFELDER in: MuG XXII, 1972, S. 100f. (zum Concertino f. Hf., Streicher, Pk. u. Schlagzeug); P. GÜLKE in: MuG XXIII, 1973, S. 681ff. (zu d. »3 Orch.-Motetten nach G. de Machaut«).

Thielemans, Pierre-Léo, * 22. 2. 1825 zu Woluwe-Saint-Pierre/Sint-Pieters-Woluwe (Brabant), † 23. 12. 1898 zu Guingamp (Côtes-du-Nord); belgischer Komponist, studierte am Brüsseler Konservatorium und wurde 1865 Organist an der Basilika Notre-Dame-de-Bon-Secours in Guingamp. Er beschäftigte sich besonders mit bretonischer Volksmusik und übte einen großen Einfluß auf Ropartz aus. Th. schrieb einen *Nouveau traité d'harmonie* (Paris 1888) und komponierte u. a. die Opéra-comique *Michel Columb, le sculpteur breton* (Ren-

nes 1867), verschiedene Kantaten, darunter *Les deux Bretagnes* auf walisische und bretonische Motive (1868) sowie Kirchenmusik.

Thieme, Clemens, * 7. 9. 1631 zu Großdittmansdorf (bei Dresden), † 27. 3. 1668 zu Zeitz; deutscher Komponist, empfing seine musikalische Ausbildung in Dresden durch Philipp Stolle, H. Schütz und Chr. Bernhard. Er fand dann in Dresden Anstellung und kam 1663 durch Vermittlung von H. Schütz nach Zeitz, wo er Konzertmeister, später Kapelldirektor der neugegründeten Hofkapelle wurde. Erhalten sind in Handschriften nur 6 instrumentale Ensemblewerke (5 Sonaten, 1 Suite) sowie 12 geistliche Vokalwerke (8 Psalmkonzerte, je 2 Messen bzw. Cantica). Durch Musikalieninventare der Zeit sind jedoch gegen 150 weitere Werke in annähernd 200 einzelnen Titelbelegen bezeugt.
Lit.: PH. SPITTA, Leichensermone auf Musiker d. XVI. u. XVII. Jh., MfM III, 1871; A. WERNER, Städtische u. fürstliche Musikpflege in Zeitz, = Veröff. d. Fürstlichen Inst. f. mw. Forschung zu Bückeburg IV, 2, Lpz. 1922; H.-J. BUCH, Bestandsaufnahme d. Kompositionen Cl. Th.s, Mf XVI, 1963.

+Thiemé, Friedrich (Frédéric; laut Tauf- und Sterberegister François), [erg.:] 3. 6. 1750 zu Reims – [erg.: 29. 3.] 1802.
Falls der im Tauf- bzw. Sterberegister (dort ist Th. als »artiste« bezeichnet) genannte François mit Friedrich Th. identisch ist, dann war dieser französischer [nicht: deutscher] Herkunft.
Ausg.: *Nouvelle théorie sur les différens mouvemens des airs* (Paris 1801), Nachdr. Genf 1972.

Thieme, Hermann Ernst Maria, * 18. 1. 1924 zu Dresden; deutscher Dirigent und Komponist von Bühnen-, Film- und Fernsehmusik, studierte 1946–50 an der Staatlichen Hochschule für Musik in München Klavier bei J. Pembaur und Georgii, Dirigieren bei Rosbaud und Komposition bei J. Haas und Geierhaas. Er war 1951 Kapellmeister an den Städtischen Bühnen Flensburg und 1952–54 Korrepetitor und Dirigent am Theater der Stadt Bonn. Th. arbeitete dann beim NWDR in Köln, beim SWF-Landesstudio in Mainz sowie bei den Münchner Kammerspielen und beim Bayerischen Staatsschauspiel. Seit 1957 ist er freischaffend tätig. Er komponierte u. a. Bühnenmusik zu Max Frischs *Die Chinesische Mauer* (Ruhrfestspiele Recklinghausen 1968) und Camus' *Caligula* (ebd. 1970) sowie Musik zu den Filmen *Adrian der Tulpendieb* (1967), *Lipizzaner* (1967), *Paarungen* (1969) und *All About George* (1971).

+Thieme, Karl, * 23. 6. 1909 zu Niederschlema (Erzgebirge).
Th. wirkt seit 1960 als Dozent für Musik und Musikerziehung (1968 Oberstudiendirektor) an der Pädagogischen Hochschule in Nürnberg. Von seinen neueren Werken seien genannt: *Varianti b–a–c–h* (1970) für Orch., Concerto per archi *Mosaici* (1971), *Rapsodia festiva* für Kl., Sax. und Orch. (1960), 3 *Invocazioni* für Org. (1970), oratorisches Triptychon *Die Stufen des Lebens* (1963, zur Einweihung der Nürnberger Meistersingerhalle, Neufassung 1966) und Canticum *Hoffnung* für S., gem. Chor, Orch. und Org. (Nelly Sachs, 1970).
Lit.: W. WÖRTHMÜLLER in: Gottesdienst u. Kirchenmusik 1974, S. 115ff.

Thienen (tjen'ā), Marcel van, * 3. 10. 1922 zu Paris; französischer Violinist und Komponist, studierte 1929–39 in seiner Heimatstadt an der Ecole Normale de Musique, am Conservatoire »Russe« sowie 1940–41 am Conservatoire und widmete sich ab 1943 der Komposition. 1953 konzertierte er in Haiti, wo er 1954 das

Conservatoire National de Musique gründete. 1956 nach Paris zurückgekehrt, baute er dort 1957 ein Studio für Elektronische Musik auf. Er schrieb die Opernfarce *Le ferroviaire* (1951), Orchesterwerke (*Andante*, 1943; Concerto grosso für Trp. und Streicher, 1944; *Petite symphonie sur le temps*, 1944; *Brasserie* Nr 1, 1947; *Amusette* Nr 4, 1951; *Petite suite digestive*, 1951), Kammermusik (*Mouvement symphonique* für Streichquintett mit Kl., 1943; *Sonate à Tortilla Flat* und *Amusette* Nr 1 für V. und Kl., 1948), Klavierwerke (*La machine humaine*, 1943; Sonate, 1945), Elektronische Musik (*La ralentie*, nach einer Dichtung von Henri Michaux, für 3 Instr. und Lärminstrumente, 1952; *De profundis* für V., Musique concrète und Elektronische Musik, 1957; *Le damné* für S., Bar., Schauspieler, Männerchor, Elektronische Musik und Orch., 1964) sowie Orchesterlieder auf Texte von Baudelaire, Paul Éluard und Arthur Rimbaud.

Thienhaus, Erich, * 22. 8. 1909 zu Lübeck, † 31. 3. 1968 zu Hamburg; deutscher Akustiker, studierte an den Technischen Hochschulen in München und Berlin (Dipl.-Ing. 1932), wo er 1935 mit der Dissertation *Das akustische Beugungsgitter und seine Anwendung zur Schallspektroskopie* (Bln 1935) zum Dr.-Ing. promovierte. Er war Orgelschüler von H. Distler und wirkte 1936–45 als Physiker an der Physikalisch-Technischen Reichsanstalt in Berlin. 1943 führte er das Tonbandverfahren in die Schallplattenaufnahmetechnik ein, wodurch die Entwicklung der Langspielplatte ermöglicht wurde. Ab 1946 war er Dozent und Leiter der Tonmeisterausbildung an der Nordwestdeutschen Musikakademie in Detmold, daneben Fachberater für Orgelbau und Raumakustik. – Veröffentlichungen (Auswahl): *Lautstärke von Orgelregistern* (mit W. Willms, MuK V, 1933); *Klangeinsätze an der Orgel* (mit F. Trendelenburg und E. Franz, Akustische Zs. I, 1936); *Orgelbaufragen im Lichte der akustischen Forschung* (AfMw IV, 1939); *Zur Klangwirkung von Klavichord, Cembalo und Flügel* (mit F. Trendelenburg und E. Franz, Akustische Zs. V, 1940); *Über die Aufgaben und Ziele der Akustik im Rahmen der Musikforschung* (Mf I, 1948); *Kunst und Technik im Orgelbau* (MuK XXI, 1951); *Akustik* (in: Kirchen. Hdb. für den Kirchenbau, hrsg. von W. Weyses und O. Bartning, = Hdb. zur Bau- und Raumgestaltung o. Nr, München 1959); *Raumakustik* (MGG XI, 1963); *Definitionen zur Glockenprüfung* (mit Th. Fehn, H. Rolli und J. Schaeben, in: Beitr. zur Glockenkunde, hrsg. von H. Rolli, Heidelberg 1971).

+**Thierry,** –1) Pierre, [erg.: Ende] 1604 – [erg.: 28. 10.] 1665. –2) Jean, * um 1638 und † 3. 10. 1689 zu Paris [del. bzw. erg. frühere Angaben]. –3) Charles, * [erg.: 15. 2.] 1641. –4) Alexandre, 1646 [erg.:] (oder 1647?) – [erg.: 1. 12.] 1699. –5) François, 1677 – [erg.: 22. 5.] 1749.
Lit.: [del. als nicht erschienen:] Fr. X. Mathias u. J. Wörsching, Die Orgelbauer-Familie Silbermann … (1960). – P. Hardouin in: MGG XIII, 1966, Sp. 343f.

+**Thill,** Georges, * 14. 12. 1897 zu Paris.
Th. debütierte bereits 1918 an der Pariser Opéra-Comique.
Lit.: Le grandi v., hrsg. v. R. Celletti, = Scenario I, Rom 1964, Sp. 857ff. (mit Diskographie).

+**Thilman,** Johannes Paul, * 11. 1. 1906 und [erg.:] † 29. 1. 1973 zu Dresden.
Nach vorübergehender Verwendung der Zwölftontechnik schuf Th. wieder Werke in erweiterter Tonalität und freitonale Kompositionen. – Neuere Werke: 6. und 7. Symphonie (in E op. 92, 1959; in A, 1962), symphonisches Vorspiel *Huldigung für R. Schumann* op.

100 (1961), *Monolog* (1967), Ode (1968), Kassation (1969), *Impulse* (1973) und *Ornamente* (1973) für Orch., *Episoden* für Kammerorch. (1967); Konzerte mit Orch. für Cemb. (1968), Baßklar. und Kl. (1971) und 2 Kl. (1971), Konzert *Orpheus* für Englisch Horn und kleines Orch. (1969); *Epigramme* für Fl., Kl., V., Va, Kb. und Schlagzeug (1970), *Elegie*, Stücke für Streichquintett (1972), *Dramatische Szenen* (1972) und Concertino (1973) für Streichquartett, *Concerti espressivi* für Pos., Pk. und Kl. (1965), 4 *Gespräche* für Fl., Baßklar. und Kl. (1966), *Aspekte* für Fl., Va und Hf. (1970), Stücke mit Kl. für V. (Sonatine op. 82, 1956), Kb. (4 *Charaktere*, 1964), Alt-Fl. (*Essays*, 1966) und Englisch Horn (*Tristan-Kontemplationen*, 1971); 4 Etüden *Wandlungen* (1963) und 5 Praeludien (1971) für Kl.; Liederzyklus *Die Sage unseres Tages* für A., Fl., Ob., Fag., Streichquartett, Kl., Schlagzeug und Vibraphon (1970). – Aufsätze: *Falsche Ideale. Ein Versuch zur Erkenntnis der Dekadenz* (BzMw II, 1960); *Zur Frage des sozialistischen Realismus* (BzMw III, 1961); *Negative Kategorien* (BzMw VI, 1964); *Innenporträt* und *Aus einem Lebensbericht* (MuG XVI, 1966); *Bemerkungen zur Sache* (MuG XXI, 1971); *Zu Hindemiths »Motetten«* (in: Musica XXVIII, 1974).
Lit.: E. Rubisch in: MuG X, 1960, S. 594ff. (zu op. 92); G. Berge in: MuG XVI, 1966, S. 26ff. (zum Kl.-Werk); H. Schulze in: Sammelbände d. R.-Schumann-Ges. II, 1966, S. 111ff. (zu op. 100); H. J. S.(chaefer) in: MuG XXIII, 1973, S. 162f.

+**Thiman,** Eric Harding, * 12. 9. 1900 zu Ashford (Kent), [erg.:] † 13. 2. 1975 zu London.
Dekan der Musikfakultät der Londoner Universität war Th. bis 1962. Weitere Veröffentlichungen: *Fugue for Beginners* (London 1966); *Varied Harmonies to Hymn Tunes* (ebd. 1969); *A Concise Harmony* (ebd. 1970).

+**Thimus,** Albert, Freiherr von, 23. [nicht: 21.] 5. 1806 – 1878.
Th. hatte den Adelstitel von seinen Vorfahren, denen er bereits 1779 verliehen worden war, ererbt [del.: 1869 geadelt]. – +*Die harmonikale Symbolik des Alterthums* (1868–76), Nachdr. Hildesheim 1970.
Lit.: R. Haase, Harmonikale Symbolik u. neue Pythagoras-Forschung: in: Symbolon II, 1964; ders. in: SMZ CVIII, 1968, S. 249f., auch in: Musikerziehung XXII, 1968/69, S. 31f.; A. Köster in: Rheinische Musiker III, hrsg. v. K. G. Fellerer, = Beitr. zur rheinischen Mg. LVIII, Köln 1964, S. 96ff.; ders., Die unmittelbaren Auswirkungen d. »Harmonikalen Symbolik« d. Freiherrn A. v. Th., in: Antaios VIII, 1967; H. Kayser, Gesch. d. Harmonik, in: Harmonie d. Welt, = Beitr. zur harmonikalen Grundlagenforschung I, Wien 1968.

+**Thiriet,** Maurice, * 2. 5. 1906 zu Meulan (Seine-et-Oise), [erg.:] † 28. 9. 1972 zu Puys (Seine-Maritime).
Weitere Werke: die Ballette *Bonaparte à Nice* (Nizza 1960), *Le More de Venise* (Monte Carlo 1960), *Les amants de Mayerling* (Nizza 1961), *La Chaloupée* (Kopenhagen 1961), *La dame blanche du cirque* (Fernsehballett 1966), *La chambre noire* (Toulouse 1969); das musikdramatische Schauspiel *Ben-Hur* (Paris 1961); *Six poèmes lyriques du vieux Japon* für S. und Orch. oder Kl. (1967).
Lit.: M. Pinchard, M. Th. à la recherche du spectacle total, in: Musica (Disques) 1963.

Thoinan (twan'ã), Ernest (eigentlich Antoine Ernest Roquet, * 23. 1. 1827 zu Nantes, † 26. 5. 1894 zu Paris; französischer Musikschriftsteller, von Beruf Kaufmann, erwarb sich auf Reisen nach England, Italien und Rußland sowie durch Violin- und Klavierstudien umfassende musikalische Kenntnisse, die es ihm ermöglichten, eine wertvolle Musikbibliothek zusammenzustellen. Er war Mitarbeiter von »La France musicale« und »L'Art musical« und veröffentlichte u. a. (Erscheinungsort Paris): *La musique à Paris* ... (mit A. de Lasalle, 1863); *L'opéra »Les Troyens« au Père La Chaise* ... (1863); *Déploration de G. Cretin sur le trépas de J. Ockeghem* (1864); *Les origines de la chapelle-musique des Souverains de France* (1864); *A. de Cousu* ... (1866); *L. Constantin, roi de violon, 1624–57* (1878); *Notes bibliographiques sur la guerre musicale des Gluckistes et des Piccinistes* (1878); *Notice sur les I^{eres} éditions du »Neveu de Rameau«* (1891); *Les relieurs français (1500–1800)* (1893); *Les Hotteterre et les Chédeville* ... (1894).

Thoma, Annette (geborene Schenk), * 23. 1. 1886 zu Neu-Ulm, † 26. 11. 1974 zu Ruhpolding (Oberbayern); deutsche Komponistin und Volksliedsammlerin, hielt sich nach ihrem Lehrerexamen in Englisch und Französisch in Frankreich und England auf und ließ sich 1910 in Riedering (bei Rosenheim) nieder. Sie war auf verschiedenen Gebieten des bayerischen Brauchtums pflegerisch und schriftstellerisch tätig und lieferte zahlreiche Beiträge für Tageszeitungen und Zeitschriften. Von ihren Werken hat die *Deutsche Bauernmesse* für 3st. Frauenchor (1933) allgemeine Verbreitung gefunden. A. Th. gab u. a. *Das Volkslied in Altbayern und seine Sänger. Ein Geburtstagsbuch für den Kiem Pauli* (München 1952) heraus.
Lit.: P. BERGMAIER, Die »Deutsche Bauernmesse« v. A. Th., in: Der Mangfallgau (Heimatkundliches Jb. f. d. Landkreis Bad Aibling) XI, 1966.

Thoma, Heinz Dieter, * 7. 11. 1933 zu München; deutscher Musikforscher, studierte an der Münchner Universität ab 1953 zunächst neuere Sprachen (Anglistik, Romanistik) sowie Indogermanistik und ab 1959 im Hauptfach Musikwissenschaft (Georgiades). Er ist seit 1965 Mitarbeiter dieses Lexikons, für das er im Sachteil u. a. die Artikel *Libretto* und *Sonate* schrieb und in den Ergänzungsbänden die Betreuung von Stichwortneuaufnahmen (allgemein) und das Spezialgebiet Librettisten übernahm. Für seine Promotion an der Münchner Universität bearbeitet er das Thema *Récitatif. Sprache, Vers, Musik, dramatische Deklamation. Dargestellt anhand der Tragédie lyrique von J.-B.Lully.*

+Thomán, István, 1862 – [erg.: 22. 9.] 1940.
Seine Frau Valerie Th., * 16. 8. 1878 und [erg.:] † 8. 9. 1948 zu Budapest; die Tochter Mária Th., * 12. 7. 1909 und [erg.:] † 18. 7. 1948 zu Budapest.
Lit.: B. BARTÓK, Th. I., 1927, in: Bartók-breviárium, hrsg. v. J. Ujfalussy, Budapest 1958; A. VARANNAI, Egy nagy magyar zongoratanitó Th. I., Liszt növendéke és Bartók mestere (»Ein großer ungarischer Kl.-Lehrmeister, I. Th., Liszts Schüler u. Bartóks Meister«), in: Muzsika II, 1959.

+Thomas von Aquin, [erg.:] wahrscheinlich 1225 [del.: oder 1224] – 1274.
Er war Schüler des Albertus Magnus nicht auch an der Sorbonne, sondern nur in Köln (1248–52). Die *+Summa theologiae*, an der er um 1267 zu arbeiten begann und die er 1273 vollendete, enthält 2 Abschnitte zur Musik (II, 2, q. 91 a. 1–2, und III, 1, q. 83 a. 5–6) [del. frühere Angaben dazu]. Außer in dem *+Aristoteles-Kommentar In libros politicorum expositio* (VIII, 2–3 [nicht: 5–7]) schrieb er u. a. auch in dem Kommentar *In libros de caelo et mundo expositio* (II, 14) sowie in den Bibelkommentaren *In psalmos Davidis expositio* [del. früherer Titel] und *In Isajam expositio* über die Musik. Hingegen stammt der unter seinem Namen überlieferte Traktat *+De musica* nicht von ihm. Umstritten ist überdies, ob er das heutige Fronleichnamsoffizium (mit der Sequenz *Lauda Sion* und den Hymnen *Pange lingua gloriosi cor-*

poris mysterium, Sacris solemniis und *Verbum supernum*) verfaßt hat [del. frühere Angaben dazu].
Ausg.: Ed. Piana, 18 Bde, Rom 1569–70. – +GA (Ed. Vivès [nicht: hrsg. v. J. Vivès, der d. Verleger war], 1871ff.); +Ed. Leonina, Rom 1882ff., bislang erschienen Bd I–XVI 1882–1949, XXII 1970, XXVI 1965, XL–XLI 1969–70 u. XLVII–XLVIII 1969–71. – Summa theologiae, lat. u. deutsch hrsg. v. Kath. Akad.-Verband, 36 Bde u. 2 Ergänzungs-Bde, Salzburg u. Lpz. 1934–66.
Lit.: +M. GRABMANN, Th. v. A. (1912), München ³1935, ⁸1949. – M.-D. CHENU, Th. v. A. in Selbstzeugnissen u. Bilddokumenten, = rowohlts monographien XLV, Reinbek bei Hbg 1960; F. J. KOVACH, Die Ästhetik d. Th. v. A., = Quellen u. Studien zur Gesch. d. Philosophie III, Bln 1961; H. HUSMANN, Zur Überlieferung d. Th.-Offizien, in: Organicae voces, Fs. J. Smits v. Waesberghe, Amsterdam 1963; H.-J. BURBACH, Studien zur Musikanschauung d. Th. v. A., = Kölner Beitr. zur Musikforschung XXXIV, Regensburg 1966; DERS. in: Musica sacra XCIV, 1974, S. 80ff.; H. HÜSCHEN in: MGG XIII, 1966, Sp. 360ff.

+Thomas, Charles Louis Ambroise, 1811–96.
Das Ballett +*Betty* (Paris 1846 [nicht: 1844]); die Oper +*La cour* [nicht: *Le cœur*] de *Célimène* (1855).
Lit.: M. COOPER, A. Th., = The Music Masters o. Nr, London 1950; J. W. KLEIN, A Hundred Years of »Mignon«, in: Opera XVII, 1966; DERS., The Other »Hamlet«, ebd. XX, 1969; M. J. ACHTER, F. David, A. Th., and French »Opéra Lyrique« 1850–70, Diss. Univ. of Michigan 1972.

Thomas, Charly → Zacharias, Helmut.

Thomas, David Wynne → Wynne, David.

+Thomas, Ernst, * 21. 2. [nicht: 6.] 1916 zu Darmstadt.
Musikredakteur der »Frankfurter Allgemeinen Zeitung« war Th. bis 1962. Seitdem ist er Direktor des Internationalen Musikinstituts Darmstadt und Leiter der Internationalen Ferienkurse für Neue Musik (siehe auch zu seinen Beitrag *Von der Notwendigkeit, Ferienkurse für Neue Musik zu veranstalten,* Fs. für einen Verleger [L. Strecker], Mainz 1973). Neben der weiterhin von ihm mitherausgegebenen *Neuen Zeitschrift für Musik* (NZfM; nach dem 135. Jg., 1974, vereinigt mit »Melos« als *Melos/NZ,* Jg. I, 1975) ediert er ab Bd IV die *Darmstädter Beiträge zur Neuen Musik* (Mainz 1961ff.; zuletzt Bd XIV, 1975) sowie die Zweijahresdokumentation *Neue Musik in der Bundesrepublik Deutschland* (Darmstadt). Er gab ferner von K. A. Hartmann *Kleine Schriften* heraus (Mainz 1965) und veröffentlichte seine »Auswahl aus 100 Sendungen des Westdeutschen Rundfunks 1961–66« als *Der neue Musikbericht* (Köln 1967).

Thomas (t′ɔməs), Jess Floyd, * 4. 8. 1927 zu Hot Springs (S. Dak.); amerikanischer Opernsänger (Tenor), studierte zunächst Psychologie an der University of Nebraska in Lincoln und an der Stanford University (Calif.) und nahm dann Gesangsunterricht bei Otto Schulmann. Er debütierte 1957 in San Francisco, wurde 1958 an das Badische Staatstheater in Karlsruhe sowie 1962 an die Württembergischen Staatstheater in Stuttgart engagiert und wurde 1963 Mitglied der Bayerischen Staatsoper in München (im gleichen Jahr Kammersänger), 1965 der Wiener Staatsoper sowie 1969 der Deutschen Oper in Berlin. Seit 1973 ist er außer an der Wiener Staatsoper auch am Opernhaus Zürich engagiert. 1961 sang er zum ersten Male bei den Bayreuther Festspielen, 1962 an der Metropolitan Opera in New York und 1969 bei den Salzburger Osterfestspielen.

Thomas (t′ɔməs), John Patrick, * 26. 3. 1941 zu Denver (Colo.); amerikanischer Sänger (Countertenor) und Komponist, studierte 1959–61 an der University of Wyoming in Laramie und 1961–66 an der University of California in Berkeley (B. A., M. A.) und war 1969–71 Assistant Professor an der Musikfakultät der State University of New York in Buffalo. Seit 1970 ist er als Sänger in den USA und Europa (Debüt beim Festival de Royan 1970) tätig, wirkte bei einer Reihe von Opernaufführungen mit (*Giasone* von Cavalli in Genua, *Elisabeth Tudor* von Fortner in München und Kiel, *Amore e Psiche* von Sciarrino in Mailand, »Tod in Venedig« von Britten in Graz und München) und trat bei zahlreichen Festspielen auf (Holland Festival, Steirischer Herbst, Berliner Festwochen). Von seinen Kompositionen seien genannt: *Various Objects Disturb the Water's Surface* für Streichquartett (1962); *Pieces for Joan Gallegos* für 2 Kl. (1963); *Ostraka* für Orch. (1963, Fassung für Blechbläserquintett 1965); *Four Poems of William Searle* für S., Hf. und Git. (1965); *Canciones* für Baßbar. und Klar. (nach spanischen Renaissancegedichten, 1967); *Last Rites* für Countertenor und Git. (1971); *Mignon* für S. und Vc. (nach Goethe, 1972); *Alice's Book*, Slg von Popgesängen für St. und beliebige Begleitung (1972); *3 Musicians I* für Tuba, Kb. und Kl. (1974) und *II* für Ob., Vc. und Cemb. (1974).

Thomás, Juan María, * 7. 12. 1896 und † 4. 5. 1966 zu Palma de Mallorca; spanischer Organist und Komponist, studierte bei Mas u Serracant in Barcelona und vervollkommnete sich bei Huré in Paris. Er wurde 1914 Organist an der Kathedrale seiner Heimatstadt, wo er 1931 das Cuarteto Vocal da Cámara und 1932 die Capella Clássica gründete. Th. stand mit de Falla in Verbindung, dem er die Schrift *M. de Falla en la isla* (Palma de Mallorca 1947) widmete. Seine Kompositionen umfassen Klavier- und Orgelmusik (*Homenaje a Falla* für Kl.; *Rosetón*, Slg von 12 Stücken für Org.) und Vokalwerke (*Dípticos* und *Homenaje a Juan Ramón y Zenobia*, Slg von 24 Liedern für gem. Chor, 1927; *El íntimo refugio* für Singst. und Kl., 1945; *Partita eucharística* für Singst. und Org., 1960).
Lit.: G. BOURLIGUEUX in: L'orgue 1968, Nr 128, S. 171f.

+Thomas, [erg.: Georg Hugo] Kurt, * 25. 5. 1904 zu Tönning (Schleswig), [erg.:] † 31. 3. 1973 zu Bad Oeynhausen (Nordrhein-Westfalen).
Th. war 1960–65 Leiter des Chorkonzerte des Bach-Vereins Köln und ab 1965 Dozent für Chorleitung an der Schleswig-holsteinischen Musikakademie in Lübeck. Zu seinem 65. Geburtstag wurde er mit einer Festschrift *Chorerziehung und Neue Musik* (hrsg. von M. Kluge, Wiesbaden 1969) geehrt. Von seinem *+Lehrbuch der Chorleitung* (1935–48) erschienen weitere Auflagen (Bd I, ebd. 16 1964, II 11 1969, III 7 1967) sowie eine englische Übersetzung als *The Choral Conductor* (NY 1971).
Lit.: J. G. MEHL u. CL. GOTTWALD in: Gottesdienst u. Kirchenmusik 1964, S. 87ff.; J. WILMOTS in: Vlaams muziektijdschrift XXII, 1970, S. 78ff.; W. BLANKENBURG in: MuK XLIII, 1973, S. 160f.

Thomas, Michael → Böttcher, Martin.

Thomas (t'ɔmɔs), Michael Tilson, * 21. 12. 1944 zu Los Angeles; amerikanischer Dirigent, studierte an der University of Southern California in Los Angeles (B. A., M. A.), war Assistent von Boulez 1966 bei den Festspielen in Bayreuth sowie 1967–69 beim Ojai Music Festival und wurde 1969 Assistant Conductor des Boston Symphony Orchestra. Daneben wirkt er als Music Director der Buffalo Philharmonic, gibt Gastkonzerte in den USA, Europa, Israel und Japan und hält Vorlesungen an der State University of New York in Buffalo.

Thomas, Peter (Pseudonyme J. C. Noel, Sten Clift, N. Raskolikow, Raoul Voli), * 1. 12. 1925 zu Breslau; deutscher Komponist von Unterhaltungs- und Filmmusik, studierte am Mohr'schen Konservatorium in Berlin, volontierte bei Carste und Eisbrenner und ist seit 1951 als Komponist tätig. 1964 gründete er das Peter-Thomas-Sound-Orchestra, das er auch leitet. Er ist Produzent für die Schallplattenfirmen Phonogramm und Deutsche Grammophon Gesellschaft sowie Dirigent bei Polydor-International. Th., der für in- und ausländische Filmgesellschaften (MGM, Rank, Columbia) und Fernsehanstalten über 250 Film- und Fernsehmusiken schrieb, erhielt Bundesfilmpreise in Gold für die Musik zu *Flucht nach Berlin* (1961) und *Die endlose Nacht* (1963). – Fernsehfilmmusik: *Melissa* (1967); *Raumpatrouille* (1968); *Babeck* (1969). – Musicals: *Wodka für die Königin* (Hbg 1968) und *Boeing–Boeing* (Texte Flatow nach der Komödie von Marc Camoletti, Oldenburg 1970). – Th. ist verheiratet mit der Schriftstellerin Cordula Ritter (Pseudonym als Textdichterin Gil Francropolus), die Texte für Esther Ofarim, Juliette Gréco, Françoise Hardy und Senta Berger geschrieben hat.

+Thomas, Theodore, 1835–1905.
Seine +Autobiographie (*A Musical Autobiography*, 1905) erschien als Nachdr. (mit neuer Einleitung von L. Stein) NY 1964.
Lit.: +CH. E. RUSSELL, The American Orch. and Th. Th. (1927), Nachdr. Westport (Conn.) 1971. – TH. C. RUSSELL, Th. Th., His Role in the Development of Mus. Culture in the United States, Diss. Univ. of Minnesota 1969.

+Thomas, Werner, * 27. 4. 1910 zu Wattenheim (Pfalz).
Seine Dissertation +*ΕΠΕΚΕΙΝΑ* ... wurde in Würzburg [nicht: München] gedruckt. – Den Lehrauftrag für Musikwissenschaft an der Universität Heidelberg hatte Th. bis 1963 inne. 1965 wurde er Gastdozent des »Orff-Instituts an der Akademie ,Mozarteum' Salzburg«, deren *Jahrbücher* (→ +Orff) er mitherausgibt (darin eine Reihe eigener Beiträge). Th. ist Mitherausgeber und Mitautor der auf 8 Bde konzipierten Dokumentation *C. Orff und sein Werk* (I–II, Tutzing 1975). An weiteren Veröffentlichungen seien genannt: *Das Orff-Schulwerk als pädagogisches Modell* (in: Erziehung und Wirklichkeit, = Gestalt und Gedanke IX, 1964); Interlinearversion zu *C. Orff, »Prometheus« / Αἰσχύλου Προμηϑεὺσ Δησμώτης* (Mainz 1967); *Das Problem des Elementaren in der Musikerziehung* (in: Grundfragen der Musikdidaktik, hrsg. von J. Derbolav, Ratingen 1967); *»Experimentelles Musiktheater«. Zur Struktur und Ortsbestimmung einer Neuform szenischer Improvisation* (in: Musik und Bildung II, 1970, und in: Das Orchester XVIII, 1970); *C. Orff, De temporum fine Comoedia ... Eine Interpretation* (Tutzing 1973).

Thomass, Eugen, * 24. 12. 1927 zu München; deutscher Komponist, lebt freischaffend in Grünwald (bei München). Er studierte ab 1945 an der Münchner Akademie der Tonkunst bei Geierhaas, Rosbaud und Maria Landes-Hindemith, begann mit Musik für Kabaretts in München, um sich dann Kompositionen für Film, Fernsehen und Theater zuzuwenden. Th. schrieb etwa 200 Musiken zu Filmen und Fernsehstücken (darunter zu *Orden für die Wunderkinder, Der Drache* und *Schinderhannes*), die musikalische Komödie *Der Mitternachtsmarkt* (Text Paul Willems, Salzburg 1964) und eine Popoper unter dem Arbeitstitel *Kasi und Cress* (1970), ferner Konzertlieder nach Gedichten von Gottfried Benn und H. Hesse.

Dr. Thomastik und Mitarbeiter oHG, österreichische Saitenfabrik mit Sitz in Wien, gegründet von Dr. Thomastik(†) und Otto Infeld(†); gegenwärtige Inhaber sind Margareta und Peter Infeld. Die Firma produziert Saiten für Streichinstrumente (Präzisions-, Seil-, Spirocore- und Dominantsaiten), Konzert- und Jazzgitarren sowie für Mandoline und Mandola, ferner Feinstimm-Saitenhalter und Kolophonium.

+Thomelin (tɔml'ε̃), –1) [erg.: Alexandre-]Jacques-Denis, um 1640–1693. –2) Louis-Antoine, [erg.:] * 1699. –3) Louis-Jacques, [erg.:] * 1752, Sohn von –2).
Lit.: H. MARLET in: MGG XIII, 1966, Sp. 363f. – zu –1): +N. DUFOURCQ, Notes sur les Richard, Rev. de musicol. XXXVI, 1954 [nicht: XXIV, 1952]. – P. HARDOUIN, ebd. XLI/XLII, 1958, S. 95ff.

+Thompson, Oscar, 1887–1945.
+*The International Cyclopedia of Music and Musicians* (NY 1939, ³1944), +4.–8. Aufl. hrsg. von N. Slonimsky, NY 1946–58, 9. Aufl. hrsg. von R. Sabin, 1964 (vgl. dazu P. H. Lang in: MQ LI, 1965, S. 387ff.) und 10. Aufl. hrsg. von Br. Bohle, 1975; +*How to Understand Music* (1935), revidiert hrsg. von D. E. Wheeler, NY und London 1958, auch = A Premier Book D 64, Greenwich (Conn.) 1962, Nachdr. der Ausg. von 1935 Freeport (N. Y.) 1972; +*The American Singer. A Hundred Years of Success in Opera* (1937), Nachdr. = Series in American Studies o. Nr, NY 1969; +*Debussy. Man and Artist* (1937), Nachdr. NY 1967, London 1968.

+Thompson, Randall, * 21. 4. 1899 zu New York.
Th. wurde 1965 an der Harvard University emeritiert. – Weitere Werke: 1. Streichquartett (1939); musikalisches Drama *The Nativity According to Saint Luke* für Soli, Chor, Kirchenglocken, Org. und Kammerorch. (1961); Kantate *A Feast of Praise* für gem. Chor und Kl. (1962); Oratorium *The Passion According to Saint Luke* für Soli, gem. Chor und Orch. (1965); Kantate *A Psalm of Thanksgiving* für Kinderchor und Orch. (oder Kl. bzw. Org., 1968); Motette *The Eternal Dove* für gem. Chor a cappella (1969); *The Place of the Blest* für S.-Stimmen und Kammerorch. (1969).
Lit.: CH. E. BROOKHART, The Choral Music of A. Copland, R. Harris, and R. Th., Diss. George Peabody College f. Teachers (Nashville/Tenn.) 1960.

Thomson (t'ɔmsən), Bryden, * 26. 7. 1929 zu Ayr (Schottland); schottischer Dirigent, erhielt seine Ausbildung an der Royal Scottish Academy of Music in Glasgow. 1959 begann er seine Laufbahn als 2. Kapellmeister beim BBC Scottish Orchestra in Glasgow, war dann Dirigent des Royal Ballet in London, der Norske Opera in Oslo, des Stora Teatern in Göteborg und der königlichen Oper in Stockholm und wurde 1968 leitender Dirigent des BBC Northern Symphony Orchestra in Manchester.

+Thomson, [erg.: Jean] César, 18. [nicht: 17.] 3. 1856 [nicht: 1857] – 22. [nicht: 21.] 8. 1931 zu Bissone (Tessin) [nicht: Lugano].

+Thomson, George, 1757–1851.
Th. gab folgende Sammlungen heraus (alle unter gleichlautendem Titel in London erschienen und von den bedeutendsten Komponisten der Zeit für Kl., V. und Vc. bearbeitet) [del. frühere Angaben]: +*A Select Collection of Original Scotish Airs for the Voice. With Introductory and Concluding Symphonies* ... (bearb. von I. Pleyel, L. Koželuch, Haydn und Beethoven, 5 Bde, 1793–1818); ... *of* ... *Welsh Airs* (bearb. von Haydn, Koželuch und Beethoven, 4 Lieder auch mit Hf., 3 Bde, 1809–17); ... *of* ... *Irish Airs* (bearb. von Beet-

hoven und Haydn, 2 Bde, 1814–16). Von diesen 3 Sammlungen, die noch zahlreiche Nachträge und Nachdrucke erfuhren, erschien 1822–25 eine 6bändige Auswahlausgabe (*Collection of the Songs of R. Burns, Sir W. Scott* ...).
Lit.: A. A. HUFSTADER, Beethoven's »Irische Lieder«. Sources and Problems, MQ XLV, 1959; J. M. ALLAN in: MGG XIII, 1966, Sp. 367ff.; J. SACHS, Hummel and G. Th. of Edinburgh, MQ LVI, 1970; P. J. WILLETTS, Beethoven and England. An Account of Sources in the British Museum, London 1970.

+Thomson, Virgil [erg.:] Garnett, * 25. 11. 1896 zu Kansas City (Mo.).
Th. ging bereits 1921 nach Frankreich und lebte 1925–40 in Paris [del. bzw. erg. frühere Angaben dazu]. Er ist Offizier der französischen Ehrenlegion, Mitglied der American Academy of Arts and Letters und der American Academy of Arts and Sciences sowie Ehrendoktor mehrerer amerikanischer Universitäten. – Ballett +*Filling Station* (1937, Hartford/Conn. 1938); 4. Sonate [nicht: Sonatine] für Kl. (1940); +*Three Landscapes* [nicht: *Pictures*] für Orch. (*The Seine at Night*, 1947; *Wheat Field at Noon*, 1948; *Sea Piece with Birds*, 1952); +Konzert für Fl., Streicher, Hf. und Schlagzeug (1954). – An weiteren Werken seien genannt: Oper *Lord Byron* (1967); *Fugue to Follow »A Solemn Music«* (1962) und *Suite in Homage to an Earlier England* (1966) für Orch.; 2 Sammlungen Etüden für Kl. (10, 1943–44; 9, 1940 und 1951), Etüde *Lamentations* für Akkordeon (1959), *Pange lingua* für Org. (1962); *Missa pro defunctis* für Männerchor, Frauenchor und Orch. (1960), Kantate *Crossing Brooklyn Ferry* für Chor und Orch. (W. Whitman, 1961); *Collected Poems* für S. und Bar. (1959), *The Feast of Love* für Bar. (1964) und *Ship Wreck and Love Scene from Byron's »Don Juan«* für T. mit Orch.; 4 Lieder auf Gedichte von Th. Campion für Mezzo-S., Klar., Va und Hf. (1951), *Old English Songs* für S. (1955) und Bar. (1955), *Songs for Alice Esty* für Singst. (1959), Messe für Solo-St. (oder Unisonochor, 1960) und 5 Lieder nach Shakespeare für Singst. (1961) mit Kl.; ferner zahlreiche *Portraits* (über 50 für Kl., darunter 40 in 5 H., 1929–45; 8 für V. solo, 1928–40; 5 für 4 Klar., 1929; 4 für V. und Kl., 1930–40), Filmmusik (*The Goddess*, 1957; *Power Among Men*, 1958, danach eine Suite *Fugues and Cantilenas*; *Journey to America*, 1964, für den amerikanischen Pavillon der Weltausstellung in New York) und Bühnenmusik. – +*The State of Music* (1939), revidiert = A Vintage Book V-214, NY 1962; +*The Musical Scene* (1945), Nachdr. NY 1968; +*The Art of Judging Music* (1948), Nachdr. NY 1969; +*Music Right and Left* (1951), Nachdr. ebd. – Er verfaßte des weiteren eine Autobiographie (*V. Th.*, NY 1966, London 1967) und *American Music Since 1900* (mit Beitr. von V. F. Yellin und G. Chase, = Twentieth-Cent. Composers I, NY 1970, London 1971; darin V. F. Yellin zu Th.s Opern, S. 91ff.); gesammelte Musikkritiken erschienen als *Music Reviewed 1940–54* (= Vintage Books Bd 179, NY 1967).
Lit.: Werkverz. in: Composers of the Americas III, Washington (D. C.) 1957, Nachdr. 1960. – P. GLANVILLE-HICKS in: ML XXXV, 1949, S. 207ff.; M. G. FIELD, V. Th. and the Maturity of American Music, in: The Chesterian XXVIII, 1954; E. HELM, V. Th.'s »Four Saints in Three Acts«, MR XV, 1954; K. O. HOOVER u. J. CAGE, V. Th., NY 1959 u. 1970, frz. Paris 1962.

Thon, Franz (Pseudonym Joachim Kaiser), * 30. 6. 1910 zu Köln; deutscher Tanzorchesterleiter und Arrangeur, studierte am Stern'schen Konservatorium in Berlin Klavier, Saxophon und Klarinette, später Komposition bei Werner L. Fritsch in Hamburg. Er wurde 1929 1. Saxophonist in der Jack Hamilton Band in

Hamburg, kam 1930 zum Ben Berlin Orchester in Berlin, 1931 zum Paul Goodwin Orchester und 1933 zum Scala Orchester in Berlin. Ab 1935 wirkte er bei der »Goldenen Sieben« des Deutschlandsenders Berlin mit und war 1937–39 wieder Mitglied des Scala Orchesters. 1946 ging er zum NWDR in Hamburg, wo er Leiter des NDR-Tanzorchesters, des Tanzorchesters ohne Namen im NDR und der NDR-Studio-Band wurde; er arbeitet auch als Arrangeur für diese Orchesterformationen.

+Thorarinsson, Jon, * 13. 9. 1917 zu Gilsárteigur. Am Konservatorium in Reykjavík wirkte er bis 1968, beim isländischen Nationalorchester bis 1961. Seit 1968 ist Th. Programmleiter an der staatlichen isländischen Rundfunk- und Fernsehanstalt.

+Thorborg, Kerstin, * 19. 5. 1896 zu Venjan (Kopparbergs län), [erg.:] † 12. 4. 1970 zu Hedemora (Kopparbergs län). 1944 wurde sie zur schwedischen Hofsängerin ernannt.

+Thordarson, Sigurður, * 8. 4. 1895 zu Dýrafjördur, [erg.:] † 27. 10. 1968 zu Reykjavík. Den Männerchor Reykjavík dirigierte Th. bis 1961, am isländischen Staatsrundfunk wirkte er bis 1966. Zu seinen bekanntesten Werken zählen: Ouvertüre C moll für Orch. (1937); *+Operette Í álögum* (Reykjavík 1944); *Formannsvísur* (»Schifferlieder«) für Männerchor mit Solo und Kl. (1958); *Ömmusögur* (»Großmutters Erzählungen«) für Orch. (1960); Operette *Sigurður Fáfnisbani* (»Sigurd der Drachentöter«, 1967).

+Thorpe Davie, Cedric, * 30. 5. 1913 zu London. Er schrieb ferner eine Kammeroper *The Jolly Beggars* (1960), Variationen über ein Thema von Lully (1962) und *Ballad of St. John's Town* (1968) für Blechbläser und verfaßte *Musical Structure and Design* (London 1953).

+Thrane, Waldemar, 1790 zu Drammen (Buskerud) [nicht: Oslo] – 1828. Lit.: B. Ovamme, Utenlandske musikere i Norge på W. Thr.s tid, Norsk musikkgranskning, Årbok 1951–53; F. Benestad, W. Thr., en pionér i norsk musikliv, = Inst. f. mw., Univ. i Oslo, Skrifter II, Oslo 1961.

+Thuille, Ludwig [erg.:] Wilhelm Andreas Maria, 1861–1907. Lit.: R. Strauss u. L. Th., Briefe d. Freundschaft, 1877–1907, hrsg. v. A. Ott, = Drucke zur Münchner Mg. IV, München 1969. – W. Mohr in: Musica XI, 1957, S. 94f.; W. Zentner, ebd. XV, 1961, S. 619f.

+Thuringus, Joachim, 17. Jh. Lit.: E. T. Ferand, Improvised Vocal Counterpoint in the Late Renaissance and Early Baroque, Ann. mus. IV, 1956.

+Thybo, Leif, * 12. 6. 1922 zu Holstebro (Westjütland). 1965 wurde Th. am Kongelige Danske Musikkonservatorium zum Professor ernannt. Neuere Werke: Konzerte mit Orch. für Kl. (1961–63), Fl. (1966), V. (1969), S. (1970) und Va (1972); Choralvariationen *Jesus Christus, unser Heiland* für Streich- und Bläserquintett (1970), Streichquartett (1963), *Hommage à B. Britten* für Flötenquartett (1968), *Passacaglia con intermedies* (1965), *Contrasti per org.* (1965) und *Liber organi* (1968) für Org., an größeren kirchlichen Werken u. a. eine Markus-Passion (1964), *Profetia* (1965) und *Dialog* (1968), *The Ecstasy* für S., Rezitation, Block-Fl., Ob., Va da gamba und Spinett (Donne, 1972), *Fortitudo mea* (1965) und *Amabo, mea dulcis Ipsitilla* (1968) für a cappella-Chor.

Thyrestam, Gunnar, * 11. 10. 1900 zu Gävle; schwedischer Komponist und Organist, studierte bis 1929 an der Musikhochschule in Stockholm und war 1938–55 Organist und Kantor in Ljusnarsberg (Västmanlands

län). Seit 1955 ist er Organist an der Heiligen Dreifaltigkeits-Kirche in Gävle. Er schrieb Vokalwerke (*Missa archaistica* für Chor a cappella, 1943; Te Deum für Chor und Orch., 1947; *Saligprisningarna* für Solo, Chor und Org., 1966; *Jesus Nasarenus* für 2 Soli, Rezitator und Org., 1969; *Kanta på tacksägelsedagen*, »Kantate zum Erntedankfest«, für S., gem. Chor, Trp. und Org., 1969; Kantate *Gratiarum* für S., 2 Trp., gem. Chor und Org., 1970; *Missa Trinitatis* für gem. Chor und Org., 1970), Orgelwerke (Toccata und Fuge, 1950; *Fantasiae sacrae*, 2 Bde, 1968; *Hymnus organi*, 1969; *Konnexion*, 1970; *Musik kring en altartavla*, »Musik um eine Altartafel«, 1970; *Psalmus organis*, 1970; *Musica extemporata*, 1971), die Orchestersuite *Gavlestad* (1969), *Sommerpastoral* für Fl., Streicher und Hf. (1969), ein Concertino für Kl. und Orch. (1973) sowie die Dialektoper *Mistingshälla* und Lieder.

Tibaldi, Giuseppe Luigi, * 22. 1. 1729 zu Bologna, † nach 1790 wahrscheinlich zu Bologna; italienischer Sänger (Tenor) und Komponist, studierte bei Padre Martini in Bologna, wurde 1750 Maestro di cappella in S. Giovanni in Monte, debütierte an der Oper in Pavia und sang 1767 in Wien in der Uraufführung von Glucks *Alceste* den Admeto sowie 1771 am Teatro Ducale in Mailand die Titelpartie in Mozarts *Ascanio in Alba*. Er schrieb u. a. eine Missa brevis, Motetten sowie *Duetti notturni* (16 Duette für 2 S. und B. c. und 2 Canzonette für S. solo, 1773–90).

+Tibbett, Lawrence Mervil (Tibbet), * 16. 11. 1896 zu Bakersfield (Calif.), [erg.:] † 15. 7. 1960 zu New York.

+Tiburtino, Giuliano (T. da Tievoli), [erg.:] um 1510 – 1569. Lit.: +A. Einstein, The Ital. Madrigal (I, 1949), Nachdr. Princeton (N. J.) 1970. – I. Horsley, The Monothematic Ricercari of G. T., JAMS IX, 1956; J. Haar, The »Fantasie et Recerchari« of G. T., MQ LIX, 1973.

+Tiby, Ottavio, 1891–1955. +A. Favara, *Corpus di musiche popolari siciliane* (= Accademia di scienze, lettere e arti, Atti, Suppl. Nr 4 [del. frühere Angaben hierzu], 1957). – Posthum wurden u. a. veröffentlicht *L'Italia nella esperienza artistica di R. Wagner* (StMw XXVI, 1964), *Aspetti e problemi del canto popolare* (= Centro nazionale di studi di musica popolare o. Nr, Palermo 1969) und *I polifonisti siciliani del XVI e XVII s.* (ebd.). Lit.: G. Barblan in: Mf XI, 1956, S. 296ff.

Tieck, Johann Ludwig, * 31. 5. 1773 und † 28. 4. 1853 zu Berlin; deutscher Dichter, verfaßte bereits als Primaner sein erstes Dramenfragment *Die Sommernacht* (1789) und besuchte mit seinem Freund → +Wackenroder, dessen musikalische Interessen er teilte, 1792–94 die Universitäten Halle (Saale), Göttingen und Erlangen. 1794–99 arbeitete er für den Verleger Carl August Nicolai, bei dem 1797 *Volksmährchen herausgegeben von Peter Leberecht* (darin u. a. *Der Ritter Blaubart, Der blonde Eckbert, Die Geschichte von den Heymons Kindern, Der gestiefelte Kater* und *Wundersame Liebesgeschichte der schönen Magelone und des Grafen Peter von Provence*) erschienen, die seine romantische Schaffensperiode einleiteten. Nach Wackenroders Tod gab er den Nachlaß des Freundes unter dem Titel *Phantasien über die Kunst für Freunde der Kunst* (1799) heraus, wobei er mehrere eigene Beiträge zur Kunst allgemein sowie zur Musik, nämlich *Ein Brief Joseph Berglingers, Unmusikalische Toleranz, Die Töne* und *Symphonien* (Lob der reinen Instrumentalmusik), beisteuerte. 1798 erschien sein Roman *Franz Sternbalds Wanderungen* (von den Zeitgenossen als romantischer Gegenpol zu Goethes *Wilhelm*

Meister verstanden), in dem die Verschmelzung der Elemente von Malerei und Musik dargestellt wird. Er schrieb für J.Fr.Reichardt das Libretto *Das Ungeheuer und der verzauberte Wald* (1800), das jedoch unvertont blieb. 1798 heiratete er Amalie Alberti (1769–1837), eine Schwägerin Reichardts. Aus dieser Ehe ging Dorothea T. (1799–1841) hervor, die die von August Wilhelm Schlegel und T. begonnene Shakespeare-Übertragung fortsetzte. 1802–19 lebte er auf dem Landgut des Grafen Finkenstein in Ziebingen (bei Frankfurt/Oder). Während dieser Zeit gab T. die *Minnelieder aus dem schwäbischen Zeitalter* (Bln 1803, Nachdr. Hildesheim 1966) heraus. Die Sonette aus dem unveröffentlichten Roman *Alma* (1803), die Rahmenhandlung des *Phantasus* (1812–16) sowie die Novelle *Musikalische Leiden und Freuden* (1824) entstanden unter dem Eindruck des Gesanges von Henriette von Finkenstein, der ältesten Tochter des Grafen, die bis zu ihrem Tod (1847) in der Familie Tieck lebte. 1819 nach Dresden übergesiedelt, wirkte T. als Kritiker der »Dresdener Abendzeitung« und, ab 1825, als dramaturgischer Berater des Dresdener Königlichen Schauspielhauses (Zusammentreffen mit C.M.v.Weber). Von Friedrich Wilhelm IV., der ihm 1842 die Friedensklasse des »Pour le mérite« verliehen hatte, wurde er zum Berater der Berliner Bühnen ernannt, für die dann Mendelssohn Bartholdy einige Schauspielmusiken zu seinen Inszenierungen schrieb (*Sommernachtstraum, Antigone, Ödipus auf Kolonos*). 1816 verlieh ihm die Universität Breslau den Dr. phil. h. c. – T. gilt als der vielseitigste Dichter unter den deutschen Romantikern. In den mit Wackenroder verfaßten *Herzensergießungen eines kunstliebenden Klosterbruders* (1796) rückt die Musik in den Bereich des Mystischen, wird die Einheit von Kunst und Religion offenbar. Seine weitgehend von rationaler Wortbedeutung befreite Poesie (Verselbständigung des Wortes zum reinen magischen Klang) nähert sich damit der indirekten Wirkung der Musik. Neben den episch-lyrischen Dramen *Leben und Tod der heiligen Genoveva* (1800) und *Kaiser Octavianus* (1804) entstanden die satirischen Dramen *Der Ritter Blaubart* (1797), *Der gestiefelte Kater* (1797) und *Prinz Zerbino* (1799), die durch den Reiz der grotesken Illusionsstörung quasi einen Vorgriff auf die Entwicklung des modernen europäischen Theaters bedeuten. Die historischen Romane *Der Aufruhr in den Cevennen* (1826) und *Vittoria Accorombona* (1840) stellen eine Überleitung zum Realismus dar. – Von seinen Werken wurden vertont als Opern: Spohr, *Pietro von Albano* (Kassel 1827); R. Schumann, *Genoveva* (Lpz. 1850); Giuseppe Apolloni, *Pietro d'Albano* (Venedig 1856); B.Scholz, *Golo* (nach *Leben und Tod der heiligen Genoveva*, Wiesbaden 1875); Langert, *Jean Cavalier oder die Camisarden* (nach *Der Aufruhr in den Cevennen*, Coburg 1880); Bialas, *Der gestiefelte Kater oder Wie man das Spiel spielt* (Schwetzingen 1975). – Bühnenmusik: J.Rietz zu *Blaubart* (1835); W.Taubert zu *Der gestiefelte Kater* (Bln 1844) und *Blaubart* (ebd. 1845). – Weitere Vertonungen: Rudorff, Ouvertüre *Der blonde Eckbert* für Orch. op. 8 und *Der Aufzug der Romanze* für Soli, Chor und Orch. op. 18; Genzmer, *Mondbeglänzte Zaubernacht* für gem. Chor; Bräutigam, *Die Musik* für 6st. gem. Chor a cappella (1963); Killmayer, *Romantische Chorlieder* für 3st. Männerchor mit Horn ad libitum (aus *Prinz Zerbino*, 1965); ferner Lieder von C.M.v.Weber (*Sind es Schmerzen, sind es Freuden* op. 30 Nr 6, 1813), E.T.A.Hoffmann (Jagdlied aus der Erzählung *Der Runenberg* für Männerchor, 1821), Mendelssohn Bartholdy (Minnelied op. 47 Nr 1), Brahms (Zyklus

Die schöne Magelone op. 33, 1861–68) sowie Lieder von J.Fr. und Louise Reichardt.

Ausg.: L. T.s Schriften, 28 Bde, Bln 1828–54, Nachdr. 1966; Werke v. T. sowie v. T. u. Wackenroder hrsg. v. J. MINOR, 3 Bde, = Deutsche National-Litteratur CXLIV–CXLV, Bln u. Stuttgart o. J.; W. H. Wackenroder u. L. T., Phantasien über d. Kunst, hrsg. v. W. NEHRING, = Reclams Universal-Bibl. Bd 9494/95, Stuttgart 1972; Werke, 4 Bde, hrsg. v. M. THALMANN, München 1972–73. – L. T., hrsg. v. U. SCHWEIKERT, 3 Bde, = Dichter über ihre Dichtungen IX, ebd. 1971.

Lit.: R. HUCH, Die Romantik, Bd I, Lpz. 1899, ⁴1911; P. KOLDEWEY, Wackenroder u. sein Einfluß auf T., Altona 1903; O. FISCHER, Über Farbe u. Klang, Zs. f. Ästhetik u. allgemeine Kunstwiss. II, 1907; M. EHRENHAUS, Die Operndichtung d. deutschen Romantik, = Breslauer Beitr. zur Literaturgesch. XIX, Breslau 1911; H. HARTMANN, Kunst u. Religion bei Wackenroder, T. u. Solger, Diss. Erlangen 1916; W. JOST, Von L. T. zu E. T. A. Hoffmann. Studien zur Entwicklungsgesch. d. romantischen Subjektivismus, = Deutsche Forschungen IV, Ffm. 1921; K. SCHÖNEWOLF, L. T. u. d. Musik, Diss. Marburg 1925; R. MINDER, Un poète romantique allemand, L. T., = Publ. de la Faculté des lettres de l'Univ. de Strasbourg LXXII, Paris 1936; A. H. FOX STRANGWAYS, Brahms and T.'s Magelone, ML XXI, 1940; CHR. KRASSNIG, T. u. d. Musik. Ihre Stellung in seinem Werk, Diss. Wien 1943; R. KIENZERLE, Aufbauformen romantischer Lyrik, aufgezeigt an T., Brentano u. Eichendorff, Diss. Tübingen 1946; P. BÖCKMANN, Klang u. Bild in d. Stimmungslyrik d. Romantik, in: Gegenwart im Geiste, Fs. R. Benz, Hbg 1954; M. THALMANN, L.T., Der romantische Weltmann aus Bln, = Dalp Taschenbücher Bd 318, München 1955; DIES., L. T., »Der Heilige v. Dresden«. Aus d. Frühzeit d. deutschen Novelle, = Quellen u. Forschungen zur Sprach- u. Kulturgesch. d. germanischen Völker CXXVII, N. F. III, Bln 1960; R. ERNY, Entstehung u. Bedeutung d. romantischen Sprachmusikalität im Hinblick auf T.s Verhältnis zur Lyrik, Diss. Heidelberg 1957; BR. A. ROWLEY, The Light of Music and the Music of Light. Synaesthetic Imagery in the Works of L. T., in: Publ. of the Engl. Goethe Soc. XXVI, 1957; K. BETZEN, Frühromantisches Lebensgefühl in L. T.s Roman »Franz Sternbalds Wanderungen«, Diss. Tübingen 1959; E. STAIGER, L. T. u. d. Ursprung d. deutschen Romantik, in: Die neue Rundschau LXXI, 1960; J. MITTENZWEI, Die Sehnsucht d. Romantiker nach Erlösung durch Musik, in: Das Mus. in d. Lit., Halle (Saale) 1962; W. KOHLSCHMIDT, Bemerkungen zu Wackenroders u. T.s Anteil an d. »Phantasien über d. Kunst«, in: Philologia deutsch, Fs. W. Henzen, Bern 1965; W. WIORA, Die Musik im Weltbild d. deutschen Romantik, in: Beitr. zur Gesch. d. Musikanschauung im 19. Jh., hrsg. v. W. Salmen, = Studien zur Mg. d. 19. Jh. I, Regensburg 1965; C. DAHLHAUS, Musikästhetik, = Musik-Taschen-Bücher, Theoretica VIII, Köln 1967; DERS., Romantische Musikästhetik u. Wiener Klassik, AfMw XXIX, 1972; ST. P. SCHER, Verbal Music in German Lit., = Yale Germanic Studies II, New Haven (Conn.) 1968; R. M. LONGYEAR, Beethoven and Romantic Irony, MQ LVI, 1970; CHR. GNEUSS, Der späte T. als Zeitkritiker, = Lit. in d. Ges. IV, Düsseldorf 1971; H. SCHMIDT-GARRE, Musik, d. dunkelste aller Künste bei T. – eine Flammen- u. Wolkensäule bei Goethe, NZfM CXXXIII, 1972.

+Tieffenbrugger, 15./16. Jh.

Kaspar T., [erg.: um] 1514 – 1571. Sein Vater ist vermutlich der 1521 in Venedig nachgewiesene Lautenmacher Ulrich T.; sein Onkel ist Michael T.(I), um 1485 – 1556 oder 1557 zu Roßhaupten (Füssen) [erg.: frühere Angaben]. K. T. ging erst um 1553 [nicht: 1545] nach Lyon.

Zu weiteren Familienmitgliedern: Jakob T., [erg.:] * zu Roßhaupten, † [del.: um] 1564. Michael T.(II), [erg.:] um 1520 – 1585. Johann T., [erg.:] * um 1550, der sich um 1582 in Paris und um 1585 in Lyon aufgehalten haben soll, ist ein Sohn von Kaspar T. Von Leonhard und Wendelin T. fehlen archivalische Belege. Ein Magnus T.(I) soll 1557 und ein Magnus T.(II) sollen ab 1580 [nicht: 1589] in Venedig gewirkt haben; ferner soll noch um 1600 ein Moises(?) T. dort tätig gewesen sein [del. früherer letzter Satz]. Lit.: +G. HART, The V. ([erg.:] 1875, 4. Aufl. 1887); +W. L. v. LÜTGENDORFF, Die Geigen- u. Lautenmacher ... (5–61922), Nachdr. Tutzing 1968; +K. JALOVEC, Ital. Geigenbauer (1957), Prag 31964, zuerst tschechisch als: Italští houslaři přel, ebd. 1952, tschechisch u. engl. London 1958, engl. revidiert ebd. 1964. – M. FLEURY, Le plan de Paris vers 1520, dit »de marqueterie«. Hist. d'un faux, Bull. municipal officiel de la Ville de Paris LXXIX, 1960, 14./15. Februar (über eine irrtümlich G. Duyffoprugcar zugeschriebene Baßviole); A. LAYER in: MGG XIII, 1966, Sp. 400ff.; E. K. BORTHWICK, The Riddle of the Tortoise and the Lyre, ML LI, 1970.

+**Tielke,** Joachim, 1641 [erg.:] zu Königsberg – 1719.
Lit.: G. HELLWIG in: GSJ XVII, 1964, S. 28ff.; A. W. LIGTVOET, Prachtige viool v. T. in Haags Gemeentemuseum, in: Mens en melodie XXIII, 1968.

Tierney (t'iəni), Harry Austin, * 21. 5. 1890 zu Perth Amboy (N. J.), † 22. 3. 1965 zu New York; amerikanischer Komponist, studierte an der Virgil School of Music in New York, trat zunächst als Konzertpianist auf und machte sich dann einen Namen als Komponist von Revuemusik (vor allem für die Ziegfield Follies) und Filmmusik. Von seinen für New Yorker Broadway-Theater geschriebenen Bühnenstücken seien genannt *The Canary* (1918), *Irene* (1919), *Up She Goes* (1922), *Kid Boots* (1923) und *Rio Rita* (1927). Zu seinen Hits zählen: *Mi-s-s-i-s-s-i-p-pi*(1916), *Jazz Marimba* (1918); *Just for Tonight*; *If You Can't Get a Girl in Summertime*; *Cleopatra*; *Journey's End*; *Someone Loves You After All*; *You're Always in My Arms*.

+**Tiersot,** Jean-Baptiste Élisée Julien, 1857–1936.
Sein Vater Edmond Pierre Lazare, 1822 [erg.:] zu Bourg-en-Bresse (Ain) – 1883 [erg.:] zu Paris. – +*Histoire de la chanson populaire en France* (1889), Nachdr. Osnabrück 1969.

+**Tiessen,** [erg.: Richard Gustav] Heinz, * 10. 4. 1887 zu Königsberg, [erg.:] † 29. 11. 1971 zu Berlin.
T. studierte an der Universität in Berlin bis 1914 [nicht: 1908] und war 1924–49 [nicht: 1922–33] Dirigent des Arbeiterchores »Der Junge Chor«. T. ist niemals als Pianist hervorgetreten. – [del.: *Ein Liebesgesang* op. 25].
– Weitere Werke: *Konzertante Variationen* für Kl. und Orch. op. 60 (1962); lyrische Rhapsodie *Die Amsel* für S. und Kammerorch. op. 62 (1967). – Er verfaßte des weiteren *Die Neue Musik, die IGNM und ihre Deutsche Sektion vor 1933* (in: Neue Musik in der Bundesrepublik Deutschland ..., 1958/59) und *Wege eines Komponisten* (= Anmerkungen zur Zeit VIII, Bln 1962).
Lit.: E. KROLL in: Musica XI, 1957, S. 191ff.; W. HUDER in: NZfM CXXXIII, 1972, S. 82f.

+**Tietjen,** Heinz, * 24. 6. 1881 zu Tanger, [erg.:] † 30. 11. 1967 zu Baden-Baden [siehe früheren Artikel im Personenteil, S. 789, linke Sp., am falschen alphabetischen Ort].
1958 wurde er zum Ehrenmitglied der Deutschen Oper Berlin ernannt. Ab 1959 lebte er im Ruhestand in Baden-Baden.

Tietz, Mychajlo Dmytrowitsch (Tiz), * 24. 2. (8. 3.) 1898 zu St. Petersburg; ukrainisch-sowjetischer Komponist, Musikforscher und Pädagoge, absolvierte 1924 am Musikdrama-Institut in Charkow die Kompositionsklasse von Semjon Bogatyrjow und die Klavierklasse von P. Luzenko und vervollkommnete sich dann in Komposition bei Mjaskowskij und Schiljajew am

Moskauer Konservatorium. 1924 wurde er Lehrer für Musiktheorie und Komposition am Konservatorium in Charkow (1935 Professor), an dem er 1943–71 den Lehrstuhl für diese Fächer innehatte. Er schrieb u. a. die Opern *Perekop* (»Der Quergraben«, mit Mejtus und Wsewolod Rybaltschenko, 1939) und *Hajdamaky* (mit dens., 1941), *Poema-konzert* für Kl. und Orch. (1946), 3 Streichquartette (1949, 1956 und 1969), ein Klavierquartett (1954), die Kantate *Pisnja Tscherwonoj kinnoty* (»Lieder der Roten Kavallerie«, 1963) sowie Chöre, Lieder und Bühnenmusik. Außerdem veröffentlichte er *K woprossu o peresmotre osnownych problem kursa garmonii* (»Zur Frage der Revision von grundlegenden Problemen der Harmonielehre«, Moskau 1953) und *Pro tematitschnu i kompozizijnu strukture musytschnych tworiw* (»Über Thematik und Kompositionsstruktur von Musikwerken«, Kiew 1962, Neuaufl. 1972).

Tietze, Ekkehard, * 10. 6. 1914 zu Erlbach (Vogtland); deutscher Organist, studierte an der Thomasschule und am Kirchenmusikalischen Institut der Leipziger Musikhochschule, an der er 1949–57 lehrte (1954 Kirchenmusikdirektor); gleichzeitig war er Kantor und Organist in Altenburg. 1956–57 leitete er den Leipziger Thomanerchor, 1957 wurde er als Kantor und Organist an die Friedenskirche in Potsdam berufen und im selben Jahr zum Professor ernannt.

+**Tiggers,** Piet (Petrus Johannes), * 18. 10. 1891 und [erg.:] † 12. 4. 1968 zu Amsterdam.
T. veröffentlichte ferner Beiträge in der Zeitschrift »Mens en melodie«.
Lit.: W. PAAP in: Mens en melodie XXIII, 1968, S. 157f.

Tigranjan, Armen Tigranowitsch, * 14.(26.) 12. 1879 zu Alexandropol (Südkaukasus), † 10. 2. 1950 zu Tiflis; armenisch-sowjetischer Komponist und Chordirigent, studierte 1898–1902 Flöte und Musiktheorie an der Musikschule in Tiflis (Klenowskij) und gründete 1902 den armenischen Nationalchor in Alexandropol, mit dem er in verschiedenen russischen Städten konzertierte. Ab 1913 war er als Dirigent, Pädagoge und Musikkritiker in Tiflis tätig. 1912 wurde seine Oper *Anusch*, die erste armenische Nationaloper, in Alexandropol uraufgeführt. Von seinen Werken sind außerdem zu nennen die Oper *David-Bek* (auf ein eigenes Libretto, Eriwan 1950), das Musikdrama *Leili i Medschnun* (»Leili und Medschnun«, 1915), eine Tanzsuite für Orch. (1946), die Kantate *Pjatnadzat let sowjetskoj Armenii* (»15 Jahre Sowjet-Armenien«) für Chor und Orch. (1936) sowie Chöre, Lieder und Bühnenmusik.
Lit.: K. JE. MELIK-WRTANESSJAN, A. T., Moskau u. Leningrad 1939; R. ATANJAN u. M. MURADJAN, A. T., Moskau 1966.

Tigrini, Orazio, * um 1535 (zu Arezzo?), † 15. 10. 1591 zu Arezzo; italienischer Komponist und Musiktheoretiker, Schüler von Paolo Antonio Pivi, war ab etwa 1560 Maestro di canto an S. Maria della Pieve und ab 1562 am Dom in Arezzo, hatte dort 1565–67, 1570–71 und 1587–91 die Kapellmeisterstelle inne und leitete 1571–87 die Domkapelle von Orvieto. Er veröffentlichte ein Madrigalbuch zu 4 St. (Venedig 1573) und 2 Madrigalbücher zu 6 St. (ebd. 1582–91) sowie eine *Musica super psalmos*. Sein Traktat *Il compendio della musica ... dell'arte del contrappunto* (ebd. 1588, 21602) ist eine zusammenfassende Darstellung der Zarlinoschen Kompositionslehre bis zu Kanon und Fuge mit zahlreichen Randhinweisen auf die im Vorwort genannten Traktate von Boethius bis Vicentino.
Ausg.: Il compendio della musica, Faks. d. Ausg. Venedig 1588, = MMMLF II, 25, NY 1966.

Lit.: F. CORADINI, La capella mus. del duomo di Arezzo dal s. XV a tutto il s. XIX, in: Note d'arch. per storia mus. XIV, 1937 – XV, 1938 u. XVIII, 1941.

Tikozkij, Jewgenij Karlowitsch, * 13.(25.) 12. 1893 zu St.Petersburg; weißrussisch-sowjetischer Komponist, studierte Klavier bei Margarethe Skornjakowa in St.Petersburg und war künstlerischer Leiter der Weißrussischen Philharmonie in Minsk (1944–51 und 1953–57). Seine Kompositionen, die starken Einfluß auf die Entwicklung der weißrussischen Musik ausgeübt haben, umfassen die Opern *Michas Padgornyj* (Minsk 1939), *Alessja* (ebd. 1944, 3. Fassung ebd. 1952) und *Dsjautschyna s Palessja* op. 46 (»Mädchen aus Palessien«, 1953), Orchesterwerke (6 Symphonien, 1927, 1941, 1948, 2. Fassung 1959, 1955, 1958 und 1963; *Slawa*, »Ruhm«, Ouvertüre für Orch. op. 59, 1961), Konzerte mit Orch. für Pos. op. 9 (1943) und Kl. op. 47 (1953), ein Klaviertrio op. 8 (1934) sowie Vokalwerke und Bearbeitungen weißrussischer Volkslieder.
Lit.: I. A. GUSSIN, Je. K. T., Moskau u. Leningrad 1965.

Tilegant, Friedrich, * 18. 5. 1910 zu Anderbeck (Kreis Oschersleben), † 18. 2. 1968 zu Pforzheim; deutscher Dirigent und Violinist, erhielt Violinunterricht bei seinem Vater und studierte später in Berlin bei Hugo Venus, P.Hindemith und Fr.Stein. Nach 1945 wirkte er als Kapellmeister am Stadttheater in Pforzheim und war Mitglied des Wendling-Quartetts. Er gründete das Südwestdeutsche Kammerorchester (1950), das unter seiner Leitung Tourneen durch Europa unternahm (ab 1953). 1968 wurde ihm der Titel Professor verliehen.

Tilgert, Günther, * 15. 10. 1927 zu Dortmund; deutscher Schlagerkomponist, Schüler des Städtischen Konservatoriums in Dortmund (ab 1933), war 1947–51 Korrepetitor und Operettenkapellmeister der Städtischen Bühnen Dortmund. Er leitete dann ein eigenes Showorchester und ist seit 1966 als Produzent in der Schallplattenindustrie und als Sachbearbeiter für Musikfragen (Musikverlage Hans Gerig KG, Köln) tätig. Von seinen über 300 Schallplattentiteln seien genannt: *Irena*; *Avus-Melodie*; *Cäsar und Cleopatra*; *Saturday Morning*; *Ein Girl wie Du*. T. schrieb auch Schauspiel-, Ballett- und Chormusik. Er hat Schallplatten u. a. mit Chansons der Schauspielerin Eva Pflug (* 12. 6. 1929 zu Leipzig) und dem Schlagersänger Sven Jenssen (* 21. 4. 1934 zu Kiel) produziert.

+Tillyard, Henry Julius Wetenhall, * 18. 11. 1881 und [erg.:] † 2. 1. 1968 zu Cambridge.
Seine [früher genannten] Universitätslehrtätigkeiten umfaßten Griechisch (1908–17 Edinburgh), Altphilologie (1919–21 Johannesburg), Russisch (1922–26 Birmingham), Griechisch (1926–46 Cardiff) und Altphilologie (1947–49 Grahamstown). T. war M. A. der Universität Cambridge, D. Litt. der Universität Edinburgh und Mitglied der Kgl. Danske Videnskabernas Selskab. Ihm (und E.Wellesz) wurde Bd I der *Studies in Eastern Chant* als Festschrift gewidmet (hrsg. von M.Velimirović, London 1966, mit »List of Works on Eastern Chant«). In den von ihm mitbegründeten und -geleiteten *Monumenta musicae Byzantinae* (→Denkmäler, Dänemark 2) veröffentlichte er des weiteren *The Hymns of the Pentecostarium* (= Serie Transcripta VII, 1961) und *The Hymns of the Hirmologium*, Teil III, 2: *The Third Plagal Mode* (ebd. VIII, 1956; A. Ayoutantis Übertragung revidiert und erläutert).
Lit.: O. STRUNK, H. J. W. T. and the Recovery of a Lost Fragment, in: Studies in Eastern Chant I, hrsg. v. M. Velimirović, London 1966; M. VELIMIROVIĆ, H. J. W. T., Patriarch of Byzantine Studies, MQ LIV, 1968; E. WEL-LESZ in: Studies in Eastern Chant II, hrsg. v. M. Velimirović, London 1971, S. 1ff.

Tilmouth (t'ilmauθ), Michael, * 30. 11. 1930 zu Grimsby (Lincolnshire); englischer Musikforscher, war nach dem Studium am Christ's College in Cambridge (M. A. 1958, Ph. D. 1959/60 mit einer Arbeit über *Chamber Music in England, 1675–1720*) 1959–62 Assistant Lecturer und 1962–71 Lecturer am Department of Music der University of Glasgow. Seit 1971 lehrt er als Professor of Music an der University of Edinburgh. Ab Nr 7 (1969) gibt er das Jahrbuch *R. M. A. Research Chronicle* heraus. Von seinen Schriften seien genannt: *A Calendar of References to Music in Newspapers Published in London and in the Provinces (1660–1719)* (= R. M. A. Research Chronicle I, 1961, »Errata and General Index« ebd. II, 1962, separat Cambridge ²1968); *The Royal Academies of 1695* (ML XXXVIII, 1957); *Some Early London Concerts and Music Clubs, 1670–1720* (Proc. R. Mus. Ass. LXXXIV, 1957/58); *The Technique and Forms of Purcell's Sonatas* (ML XL, 1959); *N. Matteis* (MQ XLVI, 1960); *J. Sherard, an English Amateur Composer* (ML XLVII, 1966); *The Appoggiatura in Beethoven's Vocal Music* (MT CXI, 1970); *Music on the Travels of an English Merchant: R.Bargrave (1628–61)* (ML LIII, 1972); *York Minster Ms. M. 16(s) and Captain Prendcourt* (ML LIV, 1973); ferner lexikalische Beiträge. Er edierte u. a. von M.Locke *Chamber Music* (2 Bde, = Mus. Brit. XXXI–XXXII, London 1971–72; vgl. dazu seinen Beitrag *Revisions in the Chamber Music of M.Locke*, Proc. R. Mus. Ass. XCVIII, 1971/72).

Timofẹjewa, Nina Wladimirowna, * 11. 6. 1935 zu Leningrad; russisch-sowjetische Tänzerin, studierte 1944–53 in Leningrad am Choreographischen Institut sowie bei Galina Ulanowa und wurde 1953 Solotänzerin des dortigen Kirow-Operntheaters. Seit 1956 ist sie Solistin des Bolschoj Teatr in Moskau. Neben den großen Ballerinenpartien des Repertoires kreierte sie zahlreiche Rollen in modernen sowjetischen Balletten, u. a. die Aegina in Grigorowitschs *Spartakus* (1968). Daneben unternimmt sie ausgedehnte Auslandstourneen.
Lit.: B. LWOW-ANOCHIN, N. T., in: Teatr 1968, H. 8 (Moskau); W. GOLUBIN, N. T., in: Teatralnaja schisn X, 1973.

+Tinctoris, Johannes, um 1435 – [erg.: vor dem 12. 10.] 1511.
Ausg.: Terminorum musicae diffinitorium, Faks. d. Ausg. Treviso um 1494, = MMMLF II, 26, NY 1966. – +E. DE COUSSEMAKER, J. T., Tractatus de musica (1. [nicht: 2.] Aufl. 1875); +J. N. FORKEL, Allgemeine Litteratur d. Musik (1792), Nachdr. Hildesheim 1962; +K. WEINMANN, J. T. ... (1917), neu hrsg. v. W. Fischer, Tutzing 1961. – A. SEAY, The »Proportionale musices« of J. T., Journal of Music Theory I, 1957 (engl. Übers. mit Übertragung d. Musikbeispiele); The Art of Counterpoint (Liber de arte contrapuncti), übers. u. hrsg. v. DEMS., = MSD V, (Rom) 1961; DERS., The »Expositio manus« of J. T., Journal of Music Theory IX, 1965 (engl. Übers.); Concerning the Nature and Property of Tones (De natura et propriete tonorum), übers. u. hrsg. v. DEMS., = Colorado College Music Press Publ., Translations II, Colorado Springs 1967: »Diffinitorium«, engl. als: Dictionary of Mus. Terms, hrsg. v. C. PARRISH, NY u. London 1963 (mit lat. Text); dass., ital. hrsg. v. L. CAMMAROTA, Rom 1965 (mit lat. Text). – Opera omnia, hrsg. v. FR. FELDMANN, = CMM XVIII, (Rom) 1960ff., bisher erschienen: Bd I (1960), Missa 3 v. – Missa a 4 v., hrsg. v. A. BORTONE, = Arch. musices metropolitanum Mediolanense XV, Mailand 1969.
Lit.: +O. J. GOMBOSI, J. Obrecht (1925), Nachdr. Niederwalluf bei Wiesbaden 1972; +CH. VAN DEN BORREN, J. T. (1930–32), Wiederabdruck in: RBM XXI, 1967, S. 10ff. – R. SCHÄFKE, Gesch. d. Musikästhetik, Bln 1934, Tutzing ²1964; G. REESE, Music in the Renaissance, NY 1954, re-

vidiert 1959; J. KREPS, Le mécènat de la cour de Bruxelles (1430–1559), in: La Renaissance dans les provinces du Nord, hrsg. v. Fr. Lesure, Paris 1956; N. CASTIGLIONI, Sul »Complexus effectuum musices« di J. T., Rivista di estetica IV, 1959; E. KRENEK, Proportionen u. pythagoräische Hämmer, in: Musica XIV, 1960; H. KIRCHMEYER, Zur Proportionslehre d. J. T., Instrumentenbau-Zs. XVII, 1963; G. GERRITZEN, Untersuchungen zur Kontrapunktlehre d. J. T., Diss. Köln 1966; H. HÜSCHEN in: MGG XIII, 1966, Sp. 418ff.; D. ZOLTAI, A zeneesztétika története, Bd I, Budapest 1966, deutsch als: Ethos u. Affekt. Gesch. d. philosophischen Musikästhetik v. d. Anfängen bis zu Hegel, ebd. 1970.

+Tinẹl, Edgar [erg.:] Pierre Joseph, 1854–1912. Lit.: P. TINEL, Le »Te Deum« jubilaire de T., in: Musica sacra »sancta sancte« LVIII, 1957; DERS., La messe à cinq v. de T., ebd.; FL. VAN DER MUEREN, E. T., ebd. LXIII, 1962.

+Tinódi, Sebestyén, * wahrscheinlich 1505/10 zu Baranya – Ende Januar 1556 [erg. frühere Angabe]. Ausg.: K. CSOMASZ TÓTH, A XVI. század magyar dallamai (»Die ungarischen Melodien d. 16. Jh.«), = Régi magyar dallamok tára I, Budapest 1958 (kritische NA d. Melodien); Cronica T. S. szörzese (»S. T.s Chronik in Faks.«), hrsg. v. B. VARJAS, = Bibl. Hungarica antiqua II, ebd. 1959. Lit.: B. SZABOLCSI, T. zeneja, a T. dallamok hasonmásával és átiratával (»T.s Musik, mit d. Faks. u. Umbearb. T.scher Melodien«), in: A magyar zene évszázadai, Bd I, Budapest 1959; DERS., A magyar zenetörténet kézikönyve (»Gesch. d. ungarischen Musik«), ebd. 1964, auch deutsch, engl. u. russ.

Tintọri, Giampiero, * 16. 5. 1921 zu Genua; italienischer Musikforscher und Komponist, studierte Klavier bei Carlo Vidusso und Musikpaläographie an der Universität Parma. 1957 wurde er Direktor des Museo Teatrale der Mailänder Scala. Von seinen Veröffentlichungen seien genannt: L'Arianna di B. Marcello (Mailand 1951); Il concerto per pianoforte e orchestra da Bach a Brahms (Pavia 1955); L'opera napoletana (= Piccola bibl. Ricordi VII, Mailand 1958); Sacre rappresentazioni nel ms. 201 della Bibliothèque municipale di Orléans (= Instituta et monumenta I, 2, Cremona 1958); Cronologia completa degli spettacoli e dei concerti (in: C. Gatti, Il Teatro alla Scala, Bd II, Mailand 1964); Stravinski (= Le vite dei musicisti IV, ebd. 1964, frz. Paris 1966); G. Verdi (= Portrait des Genius IV, Hbg 1966); Il Museo teatrale alla Scala (Mailand 1969); Gli strumenti musicali (2 Bde, Turin 1971). T. gab Instrumental- und Vokalmusik des 18. Jh. (Quattro cantate inedite von A. Scarlatti, Mailand 1958), Opern des 18. Jh. sowie Messen und Motetten von Gaspar van Weerbecke (= Arch. musices Metropolitanum Mediolanense XI, ebd. 1963) heraus. Als Komponist ist er u. a. mit der Oper Medeae Senecae Fragmina (Bergamo 1961), dem Ballett La maschera della morte rossa (Parma 1959), 2 Symphonien (1958 und 1960) und Kammermusik (Bläserquintett, 1955; Quintett für Ob. und Streicher, 1962; Peana per il suicidio di Ajace Telamonio für Horn und Kl., 1956) hervorgetreten.

Tiọmkin, Dmitri, * 28. 4. (10. 5.) 1894 zu St. Petersburg; amerikanischer Komponist von Unterhaltungs- und Filmmusik, studierte Klavier am Konservatorium in St. Petersburg, verließ Rußland 1921 und ließ sich zunächst in Berlin nieder. 1925 übersiedelte er in die USA, lebte einige Jahre in New York und dann in Hollywood, wo er zum erfolgreichen Filmmusikkomponisten aufstieg (1952 Academy Award für High Noon). Er veröffentlichte eine Autobiographie Please Don't Hate Me (NY 1952).

+Tippett, Sir Michael [erg.:] Kemp, * 2. 1. 1905 zu London. T. wurde 1959 zum Commander of the Order of the British Empire (C. B. E.) ernannt und 1966 geadelt. 1969 war er einer der drei Direktoren des Bath Festival, das er 1970–74 als künstlerischer Direktor alleine leitete. T. ist Ehrendoktor mehrerer Universitäten. – Werke: die Opern The Midsummer Marriage (1946–52, London 1955, daraus Ritual Dances für Orch. mit Chor ad libitum, 1953), King Priam (1958–61, Coventry 1962) und Knot Garden (London 1970); 3 Symphonien (1945, 1957, 1972), Konzert (1963) und Suite in D (1948) für Orch., Konzert für 2 Streichorch. (1939), Little Music (1946) und Fantasia concertante über ein Thema von Corelli (1953) für Streichorch., Divertimento über Sellinger's Round für Kammerorch. (1954); Konzert (1953–55) und Fantasie über ein Thema von Händel (1939–41) für Kl. und Orch.; 3 Fanfaren für Blechbläser (1943, 1953, 1953), Praeludium für Blechbläser, Glocken und Schlagzeug (1962), Sonate für 4 Hörner (1955), 3 Streichquartette (1935, revidiert 1943; 1942; 1946), Prelude, Recitative and Aria für Fl., Ob. und Kl. (1963), 4 Inventionen für 2 Block-Fl. (1954); 3 Sonaten für Kl. (1937, revidiert 1942; 1962; 1973), Preludio al Vespro di Monteverdi für Org. (1945); Oratorien A Child of Our Time für 4 Soli (1939–41, daraus 5 Negro spirituals a cappella, 1958) und The Vision of Saint Augustine für Bar. (lateinischer Text, 1965) mit Chor und Orch., Prologue und Epilogue (1964) und The Shires Suite (1965–70) für gem. Chor und Orch.; Kantate Crown of the Year für Frauenchor und Instrumentalensemble (1958), Magnificat and Nunc Dimittis für gem. Chor und Org. (1961); Music for Words Perhaps für Sprechstimmen und Kammerensemble (Yeats, 1960), Music für St. unisono, Streicher und Kl. (Shelley, 1960), Bonny at Morn für St. unisono und 3 Block-Fl. (1956); Songs for Dov für T. und Orch. (1970); Kantate Boyhood's End für T. und Kl. (1943), Liederzyklus The Heart's Assurance (1951) und 3 Songs for Ariel (1962) für St. und Kl., Songs for Achilles für T. und Git. (1961); Motetten Plebs Angelica für Doppelchor (1943) und The Weeping Babe für S. und gem. Chor (1944), 2 Madrigale (1942), 4 Songs from the British Isles (1956) und Hymne Wadhurst (1960) für gem. Chor, Lullaby für 6 St. (Yeats, 1960), Madrigal Dance, Clarion Air für 5 St. (1952); unveröffentlichte Werke (besonders 1928–39). – T. gab Lieder, Duette sowie Oden (J. S. Bach, J. Blow, G. Fr. Händel, H. Purcell u. a.) heraus und veröffentlichte Beiträge zur englischen Musik sowie zu eigenen Werken.

Lit.: M. T. Symposium on His 60th Birthday, hrsg. v. I. KEMP, London 1965 (mit Werk- u. Schriftenverz.). – A. MILNER, Rhythmic Techniques in the Music of M. T., MT XCV, 1954; DERS., op M. L, 1964, S. 423ff.; A. E. F. DICKINSON in: ML XXXVII, 1956, S. 50ff. (zu »The Midsummer Marriage«); C. MASON, T.'s Piano Concerto, in: The Score 1956, Nr 16; G. E. HANSLER, Stylistic Characteristics and Trends in the Choral Music of Five 20th Cent. British Composers. A Study of the Choral Works of B. Britten, G. Finzi, C. Lambert, M. T., and W. Walton, Diss. NY Univ. 1957; N. T. ATKINSON, The Choral Works of M. T. and Their Dept to the Past, Diss. Leeds 1960/61; N. GOODWIN, T.'s »Concerto Orch.« in: Tempo 1963, Nr 66/67; The Orch. Composer's Point of View, hrsg. v. R. ST. HINES, Norman (Okla.) 1970 (darin S. 203ff. ein Beitr. v. T.); A. WHITTALL, A War and a Wedding, ML LV, 1974 (zu »The Midsummer Marriage«).

Tipton (t'iptən), Thomas, * 18. 11. 1926 zu Wyandotte (Mich.); amerikanischer Sänger (Bariton), studierte an der University of Michigan in Ann Arbor (B. Mus. und M. Mus.), übersiedelte 1957 nach Deutschland, debütierte am Nationaltheater in Mannheim (1958–64) und war danach an den Württembergischen Staatstheatern in Stuttgart (1964–66) engagiert.

1966 wurde er Mitglied der Bayerischen Staatsoper in München. T. trat u. a. auch bei den Salzburger (1965 und 1966) und den Bayreuther Festspielen (1967) auf. Zu seinen wichtigsten Partien zählen Nabucco, Rigoletto, Macbeth und Wolfram.

Tirabạssi, Antonio, * 10. 7. 1882 zu Amalfi, † 5. 2. 1947 zu Brüssel; italienischer Musikforscher und Organist, wurde 1895 Organist der Confraternità dell'Addolorata in Neapel, widmete sich in der Abtei von Monte Cassino dem Studium der Neumenkunde und ließ sich 1909 in Brüssel nieder. Dort gründete er 1911 die »Concerts historiques«. 1924 promovierte er in Basel mit der Dissertation *La mesure dans la notation proportionelle et sa transcription moderne. Ecole flamande, 1450–1600* (Brüssel 1925), zu der ein 2. Teil als *P. de la Rue, Liber missarum. Première transcription moderne* (ebd. 1942) erschien. Von seinen weiteren Veröffentlichungen sei eine *Grammaire de la notation proportionelle et sa transcription moderne. Manuel des ligatures* (ebd. 1930) genannt.
Lit.: Y. Dupont-Juste, Bibliogr. des travaux d'A. T., in: Scriptorium II, 1948; A. T. musicologo amalfitano, hrsg. v. M. Schiavo, Salerno 1970; B. Huys, A. T. et la Belgique, Bull. d'information de la vie mus. belge XI, 1972.

+Tischer, Gerhard, 1877–1959.
Der in Starnberg ansässig gewesene Musikverlag »Tischer & Jagenberg« ist 1969 erloschen.
Lit.: E. Laaf in: Musik im Unterricht (Allgemeine Ausg.) LI, 1960, S. 16f.

+Tischer, Johann Nicolaus, 1707 zu Böhlen (Königsee, Oberbayern) – 3. 5. 1774 zu Schmalkalden [del. frühere Angaben].
Es ist zweifelhaft, ob T. Schüler J. S. Bachs war.
Lit.: K. Paulke, J. G. Vierling, AfMw IV, 1922.

+Tischhauser, Franz, * 28. 3. 1921 zu Bern.
1971 wurde T. zum Leiter der Abteilung Musik im Studio Zürich des Schweizerischen Rundfunks ernannt. Neuere Werke: Suite *Seldwyliana* für Orch. (»Geisterstunde in einer vormals lustigen Kleinstadt«, 1961); Fantasien *Punctus contra punctum* für T., B. und kleines Orch. (nach Fabeln von Lessing, 1962); *Omaggi a Mälzel* für 12 Solostreicher (1963); *Mattinata* für 23 Bläser (1965); *Antiphonarium profanum* für 2 Männerchöre a cappella (50 Sprichwörter, 1967); Kontertänze für 2 Orch. (»Typophonische Szenen zur Kretschmerschen Lehre von den schizothymen und zyklothymen Temperamenten«, 1968); *Eve's Meditation on Love* für S., Tuba und Streichorch. (1972).
Lit.: M. Favre in: SMZ CIII, 1963, S. 17ff.

Tischler, Hans, * 1. 1. 1915 zu Wien; amerikanischer Musikforscher österreichischer Herkunft, studierte an der Wiener Musikakademie Klavier und Komposition und promovierte 1937 an der Wiener Universität mit einer Dissertation über *Die Harmonik in den Werken G. Mahlers* und 1942 an der Yale University in New Haven (Conn.) über *The Motet in 13th-Cent. France* (2 Bde). 1945 wurde er Vorstand des Music Department und Professor für Klavier, Theorie und Musikgeschichte am Wesleyan College in Buckhannon (W. Va.), war ab 1947 Associate Professor an der Roosevelt University in Chicago und ist seit 1965 Professor an der Indiana University in Bloomington. Er schrieb: *The Perceptive Music Listener* (Englewood Cliffs/N. J. und London 1955); *Practical Harmony* (Boston 1964); *A Structural Analysis of Mozart's Piano Concertos* (= Musicological Studies X, Brooklyn/N. Y. 1966). T. verfaßte über mittelalterliche Musik und Themen aus dem 19. und 20. Jh. zahlreiche Aufsätze, von denen eine Auswahl genannt sei: *English Traits in the Early 13th-Century Motet* (MQ XXX, 1944); *Mendelssohn's Style* (MR VIII, 1947); G. *Mahler's Impact on the Crisis of Tonality* (MR XII, 1951); *Perotinus Revisited* (in: Aspects of Medieval and Renaissance Music, Fs. G. Reese, NY 1966); *A Propos a Critical Edition of the Parisian Organa Dupla* (AMl XL, 1968); *How Were Notre-Dame Clausulae Performed?* (ML L, 1969); *A Three-Part Rondellus in Trent MS 87* (JAMS XXIV, 1971); »*Musica Ficta*« *in the 13th. Cent.* (ML LIV, 1973); *Why a New Edition of the Montpellier Codex?* (AMl XLVI, 1974). Außerdem übersetzte er W. Apels *Geschichte der Orgel- und Klaviermusik* ins Englische (Bloomington/Ind. 1972).

Tịschtschenko, Boris Iwanowitsch, * 23. 3. 1939 zu Leningrad; russisch-sowjetischer Komponist, studierte bis 1962 am Leningrader Konservatorium (Salmanow, O. Jewlachow) und vervollkommnete seine Studien bis 1965 als Aspirant bei Dm. Schostakowitsch. Beim internationalen Musikwettbewerb des Prager Frühlings 1966 erhielt er den 1. Preis für sein 1. Violoncellokonzert. Er schrieb u. a. das Ballett *Dwenadzat* (»Zwölf«, nach Alexandr Blok, Leningrad 1964), Orchesterwerke (3 Symphonien, 1960, 1964 und 1966; *Sinfonia robusta*, 1970; Konzerte mit Orch. für V., 1958, Kl., 1962, und Vc., 1963 und 1969, sowie für Vc., Bläser, Schlagzeug und Org., 1967), Kammermusik (3 Streichquartette, 1957, 1959 und 1970; Sonate für V. solo, 1957), Vokalwerke (Kantate *Lenin schiw*, »Lenin lebt«, nach Wladimir Majakowskij, 1959) sowie Klavierstücke, Lieder, Bühnen- und Filmmusik.
Lit.: M. Aranowskij, Na puti k obnowleniju schanra (»Auf d. Wege zur Erneuerung einer Gattung«), in: Woprossy teorii i estetiki musyki X, hrsg. v. L. N. Raaben, Leningrad 1971, S. 123ff.; M. Nestjewa in: SM XXXVIII, 1974, Nr 11, S. 32ff.

Tisné (ti:n'e), Antoine, * 29. 11. 1932 zu Lourdes; französischer Komponist, studierte bis 1963 bei Milhaud und Rivier am Pariser Conservatoire und lebt seitdem freischaffend in Paris. 1962 wurde ihm der Grand prix de Rome und 1965 der Kussewitzky-Preis verliehen. Seine Kompositionen umfassen u. a. die Funkoper *Récits épiques du temps de la guerre* (ORTF 1963), Orchesterwerke (2 Symphonien, 1959 und 1963; Suite *Chant d'amour et de mort*, 1962; *Cosmogonies* für 3 Orch., 1967; *Séquences pour un rituel*, 1968; *Arborescences*, 1969; Konzerte mit Orch. für Kl., 1960, 1961 und 1963, Fl., 1965, Vc., 1965 und V., 1967; *Spectrales* für Vc. und Orch., 1969; *Impacts* für Ondes Martenot und 2 Orch., 1970; *Solstices* für Fag. und Streicher, 1974), Kammermusik (*Disparates* für Bläserquintett, 1967; Streichquartett, 1957; *Strates colorées* für Ob., Trp., Pos. und Va., 1970; *Visions des temps immémoriaux* für Ondes Martenot, Kl. und Schlagzeug, 1964; *Magnitudes* für 3 Ondes Martenot, 1968; Sonaten mit Kl. für Vc., 1961, V., 1963, Fl., 1964, und Va., 1966; *Soliloques* für Fag., 1968; *Invocations pour Elora* für Klar., 1969; *Dinos* für Ob., 1970), Klavierwerke (*Cimaises*, 1966; *Soleils noirs*, 1967), *Luminiscences* (1970) und *Volutes sonores* (1971) für Org., *Hommage à Calder* für Cemb. (1970) und Vokalmusik.
Lit.: Entretien avec A. T., in: Le courrier mus. de France 1968, Nr 3, S. 13ff.

+Tiszay, Magda, * 4. 4. 1919 zu Békéscaba.
M. T., die um 1960 Ungarn verließ und zugleich ihre sängerische Laufbahn beendete, lebt heute in München.

+Titelouze, Jehan (Jean), 1563 [erg.:] oder 1564(?) – 24. [nicht: 25.] 10. 1633.
Ausg.: Hymnes de l'église pour toucher sur l'orgue, hrsg. v. N. Dufourcq, Paris 1965.

Lit.: +A. G. Ritter, Zur Gesch. d. Orgelspiels ... (I, 1884), Nachdr. Hildesheim 1969, in d. Bearb. v. G. Frotscher als: Gesch. d. Orgelspiels ... (I, 1935, ²1959), Bln ³1966. – Aufsatzfolge in: RMFC V, 1965, S. 5ff. – A. C. Howell jr., French Baroque Org.ʼMusic and the Eight Church Tones, JAMS XI, 1958; Cl. Terni in: Le celebrazioni del 1963 ..., hrsg. v. M. Fabbri, = Accad. mus. Chigiana (XX), Siena 1963, S. 18ff.; M. Vanmackelberg, Autour de J. T., RMFC IV, 1964; ders. in: RMFC VII, 1967, S. 235; W. Elders, Zur Formtechnik in T.s »Hymnes de l'église«, Mf XVIII, 1965.

+Titon du Tillet, Évrard, 1677–1762.
Ausg.: Le Parnasse françois, Faks. d. Ausg. Paris 1732–43, Genf 1971.

+Titow, –1) Alexej Nikolajewitsch, 12.(23.) 7. [nicht: 13.(24.) 6.] 1769–1827. Das Ballett [nicht: Melodram] Nowyj Werter (+»Der neue Werther«, 1799) wird auch als Werk seines Bruders Sergej angesehen.
–2) Sergej Nikolajewitsch, * 1770 und [erg.:] † 1827 zu St.Petersburg. –3) Nikolaj Alexejewitsch, 1800–75.
Ausg.: Stücke v. –1) u. –3) in: Istorija russkoj musyki w notnych obrazach (+»Gesch. d. russ. Musik in Notenbeispielen«, Bd II, hrsg. v. L. S. Ginsburg, Moskau 1949 [del. frühere Angaben].
Lit.: zu –1): Ju. Slonimskij, Balet »Nowyj Werter« S. T.a, in: Utschonyje sapiski Gossudarstwennowo nautschno-issledowatelskowo instituta teatra i musyki II, 1958.

Titow, Wassilij Polikarpowitsch, * um 1650 und † 1710; russischer Komponist, wirkte als Sänger am Zarenhof in Moskau, gilt als der erste bedeutende Komponist mehrstimmiger geistlicher Chorwerke am Ende des 17. Jh. in Rußland. Er schrieb u. a. Musik zum Psaltyr rifmotwornaja (»Reimpsalter«) und Mesjazeslow (»Kirchenkalender«) von Simeon Polozkij sowie geistliche Konzerte a cappella, Psalmen und Sololieder.
Lit.: Wl. Protopopow, Tworenija W. T.a wydajuschtschewosja russkowo kompozitora (»Die Werke d. bedeutenden russ. Komponisten W. T.«), in: Musica antiqua III, Kgr.-Ber. Bydgoszcz 1972.

+Tittel, Ernst, * 26. 4. 1910 zu Sternberg (Mähren), [erg.:] † 28. 7. 1969 zu Wien.
T., ab 1954 außerordentlicher, ab 1961 ordentlicher Professor an der Wiener Musikakademie, erhielt 1965 zusätzlich einen Lehrauftrag für Kirchenmusik an der katholisch-theologischen Fakultät der Universität Wien. – An neueren Werken aus seinem umfangreichen kompositorischen Schaffen, das neben zahlreichen kirchenmusikalischen Werken (u. a. insgesamt über 25 Messen) auch Instrumentalmusik (vor allem Orgelmusik) und weltliche Vokalwerke (Kantaten, Chöre, Lieder) umfaßt, seien die Franziskus-Messe op. 78 (1964), das Deutsche Requiem op. 81 (1969) sowie die Kantate Ein fröhlicher Musikant op. 74 (1964) genannt. Nach seinem Tode erschien der von ihm zur Edition vorbereitete Beethoven-Almanach 1970 (= Publ. der Wiener Musikhochschule IV, Wien 1970; darin von ihm selbst: Beethoven und das Konservatorium der Gesellschaft der Musikfreunde). Des weiteren verfaßte er eine Harmonielehre (ebd. 1965) und veröffentlichte: Österreichische Kirchenmusik (= Schriftenreihe des Allgemeinen Cäcilienverbandes ... II, ebd. 1961); J.Lechthaler (= Österreichische Komponisten des XX. Jh. VII, ebd. 1966); Die Wiener Musikhochschule (= Publ. der Wiener Musikakademie I, ebd. 1967); Wiener Musiktheorie von Fux bis Schönberg (in: Beitr. zur Musiktheorie des 19. Jh., hrsg. von M. Vogel, = Studien zur Musikgeschichte des 19. Jh. IV, Regensburg 1966); ferner zahlreiche Beiträge besonders in der ÖMZ sowie in den Zeitschriften »Musikerziehung«, »Musica sacra« und »Singende Kirche«.

Lit.: H. Lemacher in: Musica sacra LXXX, 1960, S. 117ff. (mit Werkverz.); F. Haberl, ebd. LXXXIX, 1969, S. 277f.; H. Kronsteiner in: Musikerziehung XXIII, 1969/70, S. 51f.

+Tjulin, Jurij Nikolajewitsch, * 14.(26.) 12. 1893 zu Reval.
T., der sich vor allem als Musikforscher einen Namen machte, erhielt schon 1925 einen Lehrauftrag am Leningrader Konservatorium, wurde dort 1927 Dozent und 1935 Professor. Seit der Beendigung seiner Lehrtätigkeit 1967 lebt er in Moskau. – Weitere Kompositionen: Simfonitscheskije wariazii op. 26 (1960), 4 Ballady o »Wojne i mire« für B. und Kl. op. 31 (»4 Balladen über ‚Krieg und Frieden‘«, 1963) und eine Orgelsuite op. 33 (1972). – Neben einigen Lehr- und Aufgabenbüchern und zahlreichen Aufsätzen (vor allem zur Harmonielehre) verfaßte T. die Bücher: Utschenije o garmonii ... (»Harmonielehre, Bd I: Grundsätzliche Probleme der Harmonie«, Leningrad 1937, Moskau ³1966); Teoretitscheskije osnowy garmonii (»Theoretische Grundlagen der Harmonie«, mit N.G.Priwano, Leningrad 1956, Moskau ²1965); Strojenije musykalnoj retschi (»Der Aufbau der musikalischen Sprache«, Leningrad 1963, Moskau ²1968); Iskusstwo kontrapunkta (»Die Kunst des Kontrapunkts«, Moskau 1964); O programmnosti w proiswedenijach Schopena (»Über das Programmatische in Chopins Werken«, ebd., ²1968); Ju. Krejn (ebd. 1971); Naturalnyje i alterazionnyje lady (»Natürliche und alterierte Tonarten«, ebd. 1971); Strukturnyj analis proiswedenij Tschajkowskowo (»Strukturanalyse der Werke Tschaikowskys«, ebd. 1973). Ferner gab er (mit mehreren eigenen Beiträgen) u. a. heraus: Otscherki po istorii i teorii musyki (»Abrisse zur Musikgeschichte und -theorie«, Leningrad 1959; Otscherki po teoretitscheskomu musykosnaniju (»Abrisse zur theoretischen Musikwissenschaft«, ebd.); Teoretitscheskije problemy musyki XX weka (»Theoretische Probleme der Musik des 20. Jh.«, Bd I, Moskau 1967); Woprossy teorii musyki (»Fragen der Musiktheorie«, Bd II, ebd. 1970).
Lit.: Ju. N. T., Utschonyj, pedagog, kompositor (»Gelehrter, Pädagoge, Komponist«), hrsg. v. N. G. Priwano, Leningrad 1973 (mit Schriften- u. Werkverz.). – S. Bogojawlenskij in: SM XXXIII, 1969, H. 2, S. 28ff.; Ju. Cholopow, SM XXXVIII, 1974, H. 1, S. 30ff.

Tjumęnewa, Galyna Olexandriwna, * 7.(20.) 1. 1908 zu Poltawa (Ukraine); ukrainisch-sowjetische Musikforscherin, absolvierte 1936 als Schülerin von Semjon Bogatyrjow das musikdramatische Institut in Charkow. Sie wurde 1936 Dozentin für Musikgeschichte am Charkower Konservatorium, an dem sie 1947 den Lehrstuhl für Musikgeschichte erhielt. 1943–49 war sie außerdem künstlerische Leiterin der Charkower Philharmonie. Sie schrieb u. a. Wsajemni swjasky rosijskoi ta ukrainskoi musytschnych kultur (»Gegenseitige Beziehungen zwischen russischer und ukrainischer Musikkultur«, Kiew 1954), Tschaikowskij ta Ukraina (»Tschaikowsky und die Ukraine«, ebd. 1955), Tschaikowskij ta ukrainska narodna pisnja (»Tschaikowsky und das ukrainische Volkslied«, ebd. 1956), Rysy nowogo w sutschasnoi radjanskoj musyzi (»Züge des Neuen in der zeitgenössischen sowjetischen Musik«, ebd. 1959), Gogol i musyka (Moskau 1966) und I. M. Myklaschewskyj (Kiew 1968) und edierte den Sammelband S. S. Bogatyrjow. Issledowanija, statji, wospominanija (»Untersuchungen, Aufsätze, Erinnerungen«, mit Ju.N.Cholopow, Moskau 1972).

+Tobel, Rudolf von, * 20. 8. 1903 zu Bern.
Am Hochschulinstitut für Musik in Trossingen unterrichtete er als Professor für Violoncello und Kammer-

musik bis 1967 (danach Gastprofessor), daneben hielt er verschiedentlich Meisterkurse ab. Als neuerer Beitrag erschien *Musizieren, Üben und Erziehung* (in: Lobpreisung der Musik, Blätter für Musikerziehung ..., 1963, separat Gstaad 1969).

Tobias, Rudolf, * 17.(29.) 5. 1873 zu Käina (Estland), † 29. 10. 1918 zu Berlin; estnischer Komponist, absolvierte 1897 das St.Petersburger Konservatorium (Orgel bei Louis Homilius, Komposition bei N.Rimskij-Korsakow) und wirkte bis 1904 in St.Petersburg als Organist, Chorleiter, Pädagoge und als Korrepetitor am Marinskij Opernyj Teatr sowie 1905–08 in Tartu mit Läte zur Förderung der estnischen Musikkultur. Er war als Organist, Chorleiter und Pädagoge 1909 in Leipzig und ab 1910 in Berlin u. a. am Stern'schen Konservatorium tätig. Seine Kompositionen umfassen Orchesterwerke (Ouvertüre *Julius Cäsar*, 1896; *Rhapsodisches Capriccio*; Burleske; Konzertstück für Kl. und Orch.), Kammermusik (2 Streichquartette; Klaviertrio), Klavier- und Orgelwerke sowie Vokalmusik (Kantaten *Johannes aus Damaskus*, 1897, und *Ecclesia*, 2 Melodramenfragmente mit Orch. aus dem estnischen Nationalepos *Kalevipoeg*; Oratorien *Des Jona Sendung*, 1909, und *Jenseits des Jordans*; Chöre und Lieder). T. veröffentlichte auch eine Reihe von Aufsätzen zu aktuellen Fragen (AMZ, Signale für die musikalische Welt).

+Tocchi, Gian-Luca, * 10. 1. 1901 zu Perugia.
Er wurde 1959 Inhaber eines Lehrstuhles für Komposition am Conservatorio di musica S.Cecilia in Rom.

+Toch, Ernst, * 7. 12. 1887 zu Wien, [erg.:] † 1. 10. 1964 zu Los Angeles (Calif.).
1956 wurde T. zum Mitglied des National Institute of Arts and Letters gewählt. – *+Egon und Emilie* op. 46 [nicht: 64] (»kein Familiendrama von Chr.Morgenstern«, 1928); +Sonaten mit Kl. [nicht: Solosonaten] für V. op. 21 [nicht: 23], 1912) ...; 6 Chöre *The Inner Circle* [nicht: *The Cycle of Life*] op. 67 (1953). – Neuere Werke: die einaktige Oper *The Last Tale* op. 88 (1960–62); 5.–7. Symphonie (»rhapsodic poem« *Jephtha* op. 89, 1962; op. 93, 1963; op. 95, 1964), *Short Story* (1960), Intermezzo (1960), *Epilogue* (1961) und 3 Pantomimen (mit den Teilen *Puppet-Show* op. 92, Capriccio op. 91 und *The Enamoured Harlequin* op. 94; 1964) für Orch., je eine Sinfonietta für Streichorch. op. 96 (1964) bzw. Blasorch. op. 97 (1964); 5 Stücke für Fl., Ob., Klar., Fag., 2 Hörner und Schlagzeug op. 83 (1959), Quartett für Ob., Klar., Fag. und Va op. 98 (1964), *Sonatinetta* für Fl., Klar. und Fag. op. 84 (1959), 3 Impromptus für V. bzw. Va bzw. Vc. solo op. 90a–c (1963); 3 kleine Tänze op. 85 (1961) und *Reflections* op. 86 (1961) für Kl., Sonate für Kl. 4händig op. 87 (1962); *Phantoms* für Sprecher, Frauenchor und Kammerorch. op. 81 (1957); *Song of Myself* für Chor (Whitman, 1961); Walzer für Sprechchor (1961). – Weitere Schriften: *La melodía* (México/D. F. 1958); *Placed as a Link in This Chain. A Medley of Observations* (Los Angeles 1971).
Lit.: Werkverz. in: Composers of the Americas VII, Washington (D. C.) 1961, Nachdr. 1964, auch in: Bol. interamericano de música 1962, Nr 27, S. 42ff. – N. SLONIMSKY in: NZfM CXXVIII, 1967, S. 499f.

+Todi, Luísa (Luiza) Rosa (geborene de Aguiar), 1753–1833.
Lit.: M. DE SAMPAYO RIBEIRO, L. de Aguiar T., = Cultura artística o. Nr, Lissabon 1943.

+Todini, Michele, um 1625 – [erg.:] um 1689 wahrscheinlich zu Rom.
Lit.: E. WINTERNITZ, The Golden Harpsichord and T.'s »Galleria armonica«, The Metropolitan Museum of Art

Bull., N. S. XXIV, 1965, Wiederabdruck in: Mus. Instr. and Their Symbolism in Western Art, NY 1967.

Toduță (təd'utsə), Sigismund, * 17. 5. 1908 zu Simeria; rumänischer Komponist, studierte 1931–33 am Konservatorium in Cluj (Negrea), 1936–38 in Rom an der Accademia Nazionale di S. Cecilia (Pizzetti) und am Istituto Pontificio di Musica Sacra (A. Casella), an dem er 1938 promovierte. 1943 wurde er Professor für Tonsatz und Komposition am Konservatorium in Cluj (1962–66 Direktor). Seine Kompositionen umfassen u. a. die Oper *Meșterul Manole* (»Meister Manole«, 1947), Orchesterwerke (5 Symphonien, D dur, 1954, *In memoria lui G.Enescu*, mit Org., 1956, *Ovidiu*, 1957, 1961 und 1963; symphonische Variationen, 1940; Klavierkonzert, 1943; Konzert für Streicher, 1953), Kammermusik (Sonaten mit Kl. für Fl., 1952, Vc., 1952, V., 1953, und Ob., 1956), Klaviermusik und Vokalwerke (Oratorium *Miorița* für Soli, Chor und Orch., 1958; *Balada steagului*, »Die Ballade der Fahne«, für S., Chor und Orch., 1961; *Nuntă țărănească*, »Bauernhochzeit«, für Chor, 1955; Sololieder). Außerdem veröffentlichte er u. a.: *Ideea ciclică în sonatele lui G.Enescu* (»Die zyklische Idee in den Sonaten von G. Enescu«, in: Studii de muzicologie IV, 1968); *Formele muzicale ale barocului în operele lui J.S.Bach*, Bd I: *Forma mică mono-, bi- și tristrofica* (»Kleine ein-, 2- und 3strophige Form«, Bukarest 1969).
Lit.: C. ȚĂRANU in: Lucrări de muzicologie V, 1969, S. 51ff. (zum Oratorium »Miorița«).

Toebosch (t'u:bəs), Louis, * 18. 3. 1916 zu Maastricht; niederländischer Komponist, studierte an der Kirchenmusikschule in Utrecht, am Musiklyzeum in Maastricht und am Konservatorium in Lüttich. Er ließ sich 1940 als Chordirigent und Organist in Breda nieder. T. war auch als Lehrer an den Konservatorien in Tilburg (bis 1974 Direktor) und Maastricht tätig. Seine Kompositionen umfassen Orchesterwerke (Sinfonietta; *Breda-Suite*, 1948), Orgelstücke (2 Postludien, 1962–64) und Vokalmusik (*Sinfonietta* für Männerchor und Orch., 1957; *Kerstkantate*, »Weihnachtskantate«, 1959; Messen, Psalmen).
Lit.: W. PAAP in: Sonorum speculum 1964, Nr 21, S. 1ff.

+Töpfer, Johann Gottlob, 1791–1870.
+*Lehrbuch der Orgelbaukunst* (1855), +2. Aufl. als *Die Theorie und Praxis des Orgelbaues* (M. Allihn, 1888; Nachdr. = Bibl. organologica XX, Amsterdam 1972), +neu bearb. von P. Smets wieder als *Lehrbuch der Orgelbaukunst* (1936 [nicht: 1955–60]).

+Töpper, Hertha, * 19. 4. 1924 zu Graz.
H. T., 1955 zur Bayerischen Kammersängerin ernannt, ist weiterhin Mitglied der Bayerischen Staatsoper in München. Als Gast war sie an international bedeutenden Opernbühnen (Covent Garden Opera in London, La Scala in Mailand, Metropolitan Opera in New York) verpflichtet. 1960 sang sie erneut bei den Bayreuther Festspielen; ferner wirkte sie bei den Wiener Festwochen, den Salzburger und Münchner Festspielen mit. Konzerttourneen führten sie in den letzten Jahren u. a. in die Schweiz, nach Italien und Finnland, 1965 in die USA sowie 1968 in die UdSSR und nach Japan.

+Törne, Bengt [erg.: Axel] von, * 22. 11. 1891 und [erg.:] † 4. 5. 1967 zu Helsinki.
1964 wurde T. der Titel eines Dr. phil. h. c. der Universität Helsinki verliehen. An neueren Werken entstanden eine 5. und 6. Symphonie (op. 67, 1964; 1966) sowie 4 weitere symphonische Dichtungen. – +*Sibelius* (1937) erschien auch in finnischer Übersetzung (Helsinki 1945, erweitert 1965).

+Toeschi, –1) Carlo Giuseppe (Carl Joseph), [erg.:] getauft 11. 11. 1731 [nicht: * 1722] zu Ludwigsburg [nicht: Padua] – 1788. (Sein Vater Alessandro T., [erg.:] begraben 15. 10. 1758 [del.: † um 1758].) Neben zahlreichen Ballettmusiken (über 25) komponierte er mindestens 66 Sinfonien sowie 19 Flöten- und 11 Violinkonzerte [del. bzw. erg. frühere Angaben dazu]. –2) Giovanni Battista [erg.:] Maria (Johann Baptist), [erg.:] getauft 1. 10. 1735 [nicht: * um 1727] – begraben 3. 4. [nicht: † 1. 5.] 1800. Er wurde 1793 [nicht: 1788] Musikdirektor in München. –3) Carlo Teodoro (Carl Theodor), [erg.:] getauft 7. 4. 1768 [nicht: * um 1765] – [erg.:] 10. 10. 1843 [del.: nach 1835]. Er ist der Sohn von –2) [nicht: –1)] und erhielt 1798 zusammen mit seinem Vater den Titel Toesca de Castellamonte. 1801 wurde er zum Hofkomponisten ernannt.
Ausg.: zu –1): Fl.-Konzert G dur, Kl.-A. hrsg. v. R. Münster, = Alte Musik, Leuckartiana XXXIb, München 1962; Fl.-Konzert F dur in: Flötenkonzerte d. Mannheimer Schule, hrsg. v. W. Lebermann, = EDM LI, Abt. Orchestermusik V, Wiesbaden 1964; 6 Fl.-Duette u. 6 Fag.-Duette, hrsg. v. dems., je 2 H., = Il fl. traverso Nr 76–77 bzw. Fag.-Bibl. Nr 10–11, Mainz 1969. – zu –2): Sonate f. Va d'amore u. B., hrsg. v. D. Newlin u. K. Stumpf, = Diletto mus. Nr 127, Wien 1963.
Lit.: W. Lebermann, Biogr. Notizen über J. A. Fils, J. A. Stamitz, C. J. u. J. B. T., Mf XIX, 1966; ders., Zur Genealogie d. T., Mf XXII, 1969; ders., Giovanni Battista oder Johann Christoph?, Ein Nachtrag zur Genealogie d. T., Mf XXVII, 1974; R. Münster in: MGG XIII, 1966, Sp. 452ff.

Toffolétti, Massimo, * 1. 3. 1913 zu Mailand; italienischer Komponist, studierte Klavier bei Carlo Lonati (Diplom 1931) und Komposition bei A. Bossi und Pedrollo (Diplom 1939) am Conservatorio di Musica G. Verdi in Mailand, an dem er seit 1952 den Lehrstuhl für allgemeine Musikkultur innehat. – Kompositionen (Auswahl): Invention für Streicher (1951); *Il pianto della Madonna* für Soli, Chor und Orch. (1954); *Canto armeno* für 2 St. und Kl. (1955); *4 studi* für 11 Streicher (1961); *Alternanze* für Kammerorch. (1970); *Alternanze* (1972) und *Incastri* (1972) für Orch. – Veröffentlichungen: *Quaderni di esercitazioni* (mit R. Dionisi, Mailand 1962); *Studi sul corale* (mit dems. und G. Dardi, Padua 1969).

+Togni, Camillo, * 18. 10. 1922 zu Gussago (Brescia).
Neuere Werke: 6 Studien +*Ricerca* für Bar. und 5 Instr. (nach Sartres *La nausée,* 1953 [nicht: 1957]); 5 Lieder +*Helian di Trakl* op. 39 (1954 [nicht: 1955], Fassung für S. und Kammerorch., 1961); 3 Capriccios für Kl. (1954, 1956, 1957); elektronische Musik *Recitativo* (1961); *Gesang zur Nacht* für A. und Kammerorch. (Trakl, 1962); *Préludes et rondeaux* für S. und Cemb. (1964); 3 *Rondeaux per dieci* für S. und 9 Instr. (Charles d'Orléans, 1964); *Aubade* für 6 Instr. (1965); 6 *Notturni* für A., Klar., V. und 2 Kl. (nach Texten aus Trakls *Gesang zur Nacht,* 1966); 4. Capriccio *Ottave* für Kl. (1969); 3 Stücke für Chor und Orch. (1972).

Tokyo String Quartet, japanisches Streichquartett, wurde 1970 in New York von Raphael Hillyer, dem früheren Bratschisten des Juilliard String Quartet, gegründet, debütierte mit Koichiro Harada als Primarius (* 29. 4. 1945 zu Fukuoka, Schüler von Saitô an der Tôhô School of Music in Tokio sowie ab 1968 von R. Mann und Hillyer an der Juilliard School of Music in New York, war Solist des Aspen Festival Orchestra sowie zahlreicher japanischer Orchester), Yoshiko Nakura 2. Violine (Absolventin der Tôhô School of Music), Kazuhide Isomura Bratsche (* 27. 12. 1945

zu Toyohashi, Schüler an der Tôhô School of Music und ab 1968 von Hillyer an der Juilliard School of Music) und Sadao Harada Violoncello (* 4. 1. 1944 zu Tokio, 1966 Absolvent der Tôhô School of Music, war Solovioloncellist des Tokyo Philharmonic Orchestra sowie des Nashville Symphony Orchestra und vervollkommnete sich an der Juilliard School of Music, ist auch als Solist hervorgetreten) und erhielt noch im selben Jahr den 1. Preis beim Internationalen Musikwettbewerb der Rundfunkanstalten der BRD in München. 1974 übernahm Kikuei Ikeda die 2. Violine (* 31. 8. 1947 zu Yokosuka, Absolvent der Tôhô School of Music, war 1969 Konzertmeister des Tôhô String Orchestra und studierte danach bei Dorothy DeLay an der Juilliard School of Music, erhielt einen Preis beim Internationalen Musikwettbewerb in Wien und gab zahlreiche Soloabende in den USA und Japan). – Das Quartett hat in den Musikzentren Europas, Japans und der USA konzertiert. Sein Repertoire umfaßt vor allem Werke von Haydn, Mozart, Beethoven, Brahms, Debussy, Bartók und Alban Berg. Die Corcoran Gallery in Washington (D. C.) stellte dem Quartett Instrumente von N. Amati zur Verfügung. Der Primarius spielt eine »Große Amati« von 1656, Ikeda eine Violine von 1662, Isomura eine Bratsche von 1663 und Harada ein Violoncello von 1677.

+Tolbecque [–1) Isidore Joseph], –5) Auguste, 1830–1919. +*Quelques considérations sur la lutherie* (1890 [nicht: 1894]); +*L'art du luthier* (1903), Nachdr. NY 1969. –6) Jean, 1857 – [erg.:] 6. 9. 1889 [nicht: 1890].

+Toldrá, Eduardo, * 7. 4. 1895 zu Villanueva y Geltrú (Barcelona), [erg.:] † 31. 5. 1962 zu Barcelona.
Er schrieb 6 *Sonets* (»Sonette« [nicht: Violinsonaten]) für V. und Kl. (1922).
Lit.: M. Capdevila Massana, E. T., Barcelona 1964, erweitert 1972.

+Tollefsen, Carl Henry, * 15. 8. 1882 zu Kingston upon Hull, [erg.:] † 10. 12. 1963 zu New York.
Der zum T.-Trio gehörende Violoncellist Paul Kéfer, 1875 – 1941 zu Rochester (N. Y.) [nicht: New York].

Tolstoj, Lew (Leo) Nikolajewitsch, * 28. 8. (9. 9.) 1828 zu Jasnaja Poljana (Gouvernement Tula), † 7.(20.) 11. 1910 zu Astapowo (Gouvernement Kaluga); russischer Dichter, studierte 1844–47 an der Universität in Kasan (Orientalistik, Jura). Musikalisch umfassend gebildet, spielte er mehrere Instrumente und komponierte einige Klavierstücke. Nach seiner Beteiligung am Krimkrieg wurde er 1855 nach St. Petersburg versetzt (Zusammentreffen mit Nikolaj Nekrassow, Iwan Turgenjew und Alexandr Ostrowskij), schied 1856 aus der Armee aus und ließ sich auf seinem Gut Jasnaja Poljana nieder, wo er mit einigen Unterbrechungen (1857 und 1860 Reisen nach Deutschland, Frankreich, Italien und in die Schweiz, Wintermonate der Jahre 1881–96 in Moskau) den größten Teil seines Lebens verbrachte. Hier entstanden u. a. die Romane *Wojna i mir* (»Krieg und Frieden«, 1869), *Anna Karenina* (1877) und *Woskressenije* (»Auferstehung«, 1899), das unvollendete Drama *Schiwoj trup* (»Der lebende Leichnam«, 1900) sowie die sozialkritische Schrift *Tschto takoje iskusstwo* (»Was ist Kunst«, 1898). 1900 zum Ehrenmitglied der russischen Akademie der Wissenschaften ernannt, wurde er 1901 wegen seiner kritischen Schriften gegen Staat, Gesellschaft und Kirche exkommuniziert und verweigerte im gleichen Jahr die Annahme des Nobelpreises. – In einigen von T.s Schriften (*Luzern,* 1857; *Albert,* 1858; *Anna Karenina,* 1877; *Krejzerowa sonata,* »Die Kreutzer-Sonate«, 1889) hat die Musik in ihrer Eigenschaft, Empfindungen auszulösen, die Funktion, seine ästhetischen und moralischen Ansichten (Kriterium des Kunstwerkes: Schönheit, sittlich-religiöser Gehalt) zu untermauern. – Nach seinen Werken wurden u. a. vertont als Opern: Alfano, *Risurrezione* (Turin 1904); Janáček, *Anna Karenina* (unvollendet, 1907) und *Živá mrtvola* (»Der lebende Leichnam«, unvollständig, 1916); J. Hubay, *Anna Karenina* (1923); Réti, *Iwan und die Trommel* (1933); Strelnikow, *Beglez* (»Der Flüchtling«, nach *Sa tschto?*, »Wofür?«, Leningrad 1933); Ostrčil, *Honzovo králowství* (»Hansens Königreich«, Brünn 1934); Prokofjew, *Wojna i mir* (»Krieg und Frieden«, Leningrad 1944, 2. Fassung ebd. 1955); Wagner-Régeny, *La légende de l'homme heureux* (unvollendet, 1947); Martinů, Pastoraloper *What Men Live By* (NBC-Fernsehen, NY 1953); Cikker, *Vzkriesenie* (»Auferstehung«, Prag 1962). – Orchesterwerke: Roussel, symphonisches Prélude *Résurrection* op. 4 (1903); Arnič, 9. Symphonie *Vôjna in mir* (»Krieg und Frieden«, op. 63, 1960). – Kammermusik: Janáček, 1. Streichquartett (1923) sowie Klaviertrio (1909) nach *Krejzerowa sonata*. – Vokalmusik: Ch. H. Parry, Ode *War and Peace* für Soli, Chor und Orch. (1903); Durey, Kantate *La guerre et la paix* (1949); Lourié, 2 Kinderlieder (1920).

Ausg.: Polnoje sobranije sotschinenij. Jubilejnoje isdanije, 1828–1928 (»Sämtliche Werke. Jubiläumsausg.«), hrsg. v. W. G. Tschertkow, Moskau u. Leningrad 1928ff. (bisher fast 100 Bde); Sämtliche Werke, hrsg. v. R. Löwenfeld, Serie I, Bd 1–12, II, 1–2, u. III, 1–9, Lpz. 1900–11.

Lit.: (im folgenden steht die Abk. »T.« auch f. andere Schreibweisen) L. N. T., Bibliogr. d. Erstausg. deutschsprachiger Übers. u. d. seit 1945 in Deutschland, Österreich u. d. Schweiz in deutscher Sprache erschienenen Werke, hrsg. v. A. Seghers, Lpz. 1958. – R. Löwenfeld, L. N. T., Sein Leben, seine Werke, seine Weltanschauung, Lpz. 1892, ²1901; A. Schütz, L. T. über d. Musik, Neue Musikzeitung XXIII, 1902 u. XXXII, 1911; R. Newmarch, Tschaikowsky u. T., Mk II, 1903; N. Kaschkin, L. T. i jewo otnoschenije k musyke (»L. T. u. sein Verhältnis zur Musik«), in: Meschdunarodnyj tolstowskij almanach, hrsg. v. P. Sergejenko, Moskau 1909; R. Hohenemser, L. T. u. d. Musik, ZfMw II, 1919/20; I. Eiges, Wossrenije Tolstowo na musyku (»T.s Musikanschauung«), in: Estetika L. Tolstowo, hrsg. v. P. Sakulin, Moskau 1929; G. Abraham, T. and Mussorgsky. A Parallelism of Minds, ML XII, 1931; M. Alexejew, Beethoven in d. russ. Lit. d. 19. Jh., in: Germanoslavika II, 1932/33; N. Gussew u. A. Goldenweiser, L. T. i musyka (»L. T. u. d. Musik«), Moskau 1953; K 50-letiju so dnja smerti L. N. Tolstowo ... (»Zum 50. Todestag v. L. N. T., Wl. W. Stassow über T.«), SM XXIV, 1960; Př. Vrba, Twortschestwo L. Tolstowo i L. Janatschek (»L. T.s Schaffen u. L. Janáček«), in: Musykalnaja schisn XVII, 1960; J. Lavrin, L. T. in Selbstzeugnissen u. Bilddokumenten, = rowohlts monographien LVII, Reinbek bei Hbg 1961; S. L. Tolstoj, Musyka w schisni mojewo otza (»Die Musik im Leben meines Vaters«), in: Otscherki bylowo, Tula ³1965; E. Garden, Tchaikovsky and T., ML LV, 1974.

Tomadini, Jacopo, * 24. 8. 1820 und † 21. 1. 1883 zu Cividale del Friuli; italienischer Organist und Komponist, studierte in seiner Heimatstadt bei Giovanni Battista Candotti, Maestro di cappella des Domes, erhielt 1846 die kirchlichen Weihen, wurde Direktor des Museums und der Bibliothek und, als Nachfolger von Candotti, Maestro di cappella. 1877 gründete er mit Guerrino Anielli die Zeitschrift *Musica sacra*. Liszt, mit dem er in brieflichem Kontakt stand, schätzte ihn sehr. T. komponierte u. a. das Oratorium *La risurrezione del Cristo* für Soli, Chor und Orch. (1864), *Messa ducale* für 3 gleiche St. und Orch. (1869), Miserere E moll für 2 T., B., Streicher, Org. und Pk. (1881) sowie zahlreiche andere kirchenmusikalische Werke.

Lit.: C. Podrecca, Monsignor J. T. e la sua musica sacra, Cividale 1883; L. Pistorelli, J. T. e la sua »Risurrezione del Cristo«, RMI VI, 1899; Ders., Il miserere di J. T., RMI VIII, 1901; G. Trinko, J. T. e la musica sacra in Friuli, Udine 1908; Ders., Commemorazione di J. T. nel centenario della nascita, ebd. 1923; G. Cacciola, J. T., RMI LI, 1949.

+Tomášek, Jaroslav, * 10. 4. 1896 zu Koryčany (Mähren), [erg.:] † 26. 11. 1970 zu Prag.

T. promovierte 1931 [nicht: 1930] mit einer Arbeit über *Harmonický vývoj v komorních dílech V. Nováka* (»Die Entwicklung der Harmonik in den Kammermusikwerken von V. Novák«). Er komponierte ferner einen Liederzyklus *Žal* (»Kummer«) für S., T., B. und Orch. (1959) und ein symphonisches Rondo für Orch. mit Kl. (1959–62). – Seine Frau Jaromíra Tomášková-Nováková, * 23. 5. 1892 zu Jaroměř, [erg.:] † 25. 4. 1957 zu Prag.

+Tomášek, Václav Jan [erg.:] Křtitel, 1774–1850.

T. komponierte 4 Opern und Bühnenmusik (vor allem zu Werken Schillers).

Ausg.: +Tre Ditirambi f. Kl. op. 65 ([erg.:] hrsg. v. J. Pohanka, 1956), Prag ²1972. – Ecloga op. 63 Nr 1 u. Rhapsodie op. 41 Nr 1, in: Čeští klasikové, hrsg. v. J. Racek u. J. Sýkora, = MAB XX, Prag 1954; Sonate op. 21, 1. Satz, in: Fr. Giegling, Die Solosonate, = Das Musikwerk XV, Köln 1959, auch engl.; Píseň při víně (»Weinlied«) u. Jaro lásky (»Liebesfrühling«), in: Věnec, hrsg. v. J. Plavec u. J. Vanický, Prag 1960; Eglogues pour le pfte, Bd I (op. 35, 39, 47, 51), hrsg. v. A. Borková u. Th. Straková, = MAB LXXIII, ebd. 1970; Ballade »Leonore« in: Balladen v. G. A. Bürger in Musik gesetzt v. André, Kunzen, Zumsteeg, T. u. Reichardt, hrsg. v. D. Manicke, = EDM XLVI, Abt. Oper u. Sologesang Bd VI, Mainz 1970, Teil II; Ausgew. Kl.-Werke, hrsg. v. D. Zahn, München 1971.

Lit.: M. Postler, V. J. T., Bibliogr., = Bibliografický kat. ČSR, Ceské knihy 1960, Sonder-H. 2, Prag 1960. – Z. Němec, Vlastní životopis V. J. Tomáška (»V. J. T.s Autobiogr.«), ebd. 1941; P.-A. Gaillard, Le lyrisme pianistique de Chopin et ses antécédents directs, Chopin-Kgr.-Ber. Warschau 1960; Th. Straková, V. T. a jeho klavírní eklogy (»V. T. u. seine Eklogen f. Kl.«), Acta Musei Moraviae, Scientiae sociales XLV, 1960; J. Bužga in: MGG XIII, 1966, Sp. 469ff.; J. Šonka, Přátelství V. J. Tomáška s V. Hankou (»Die Freundschaft zwischen V. J. T. u. V. Hanka«), in: Zprávy Bertramky 1967, Nr 1; M. Tarantová, V. J. T. u. L. Dusík, ebd. 1968, Nr 53; M. Pokora, V. J. T., ... (»V. J. T., ein Komponist an d. Wende zweier Stilepochen«), in: Hudební rozhledy XXVII, 1974.

Tomąsi, Biagio (Tomasio), * um 1585 zu Comacchio (Ferrara), † 1640 zu Massafiscaglia (Ferrara); italienischer Organist und Komponist, studierte bei Girolamo Belli in Argenta, wurde 1609 in Comacchio Organist und Student des dortigen Seminars und danach Kanonikus und Maestro di cappella an der Chiesa della Collegiata di Massafiscaglia, wo er 1634 die Titel Arciprete und Vicario erhielt. Er veröffentlichte: *Il primo libro de Sacri fiori a 1, 2, 3 e 4 v. con la parte grave* (Venedig 1611); *Il primo libro di Madrigali a 5 v. con la parte grave accomodata per il clavicembalo* (ebd.); *Corisca ... Il secondo libro di Madrigali a 5 e 6 v., con il B. c. ... havendo posto nel fine la tavola che insegna il modo per concertarli* (ebd.); *Quaranta concerti. Il secondo libro de Sacri fiori a 1–8 v. con il B. c. ...* op. IV (ebd. 1615); *Motecta binis, ternis, quaternisque v. concinenda una cum litanijs B. M. V. quatuor v. cum b. c. ...* op. VI (ebd. 1635); ferner 5 Motetten in Sammlungen der Zeit.

Tomąsi, Giovanni Battista, italienischer Komponist und Organist des 17. Jh., stand im Dienst des Herzogs von Mantua ab etwa 1655 als Organist und von 1679 bis etwa 1692 als Maestro di cappella. Er kompo-

nierte die Opern *Il gran Costanzo* (Mantua 1670) und *Sesto Tarquinio* (Venedig 1679), das Roßballett *Le pompe della bellezza e del valore* (Mantua 1688) und eine Reihe Oratorien, darunter *La penitenza* (1680), *Il martirio di S. Agata* (1686), *Susanna* (1687) und *Il beato Luigi Gonzaga nel suo ingresso alla religione della »Compagnia di Gesù«* (1692).
Lit.: A. Bertolotti, Musici alla corte dei Gonzaga in Mantova, dal s. XV al XVIII, Mailand 1890, Nachdr. = Bibl. musica Bononiensis III, 17, Bologna 1969.

+**Tomasi,** Henri [erg.:] Fredien, * 17. 8. 1901 zu Marseille, [erg.:] † 13. 1. 1971 zu Paris.
T. wirkte nie in Indochina. Ab 1957 widmete er sich ganz seinem kompositorischen Schaffen. – Werke: Drame lyrique et chorégraphique *L'Atlantide* (1951, Mülhausen 1954), die Drames lyriques *Sampiero corso* (1953, Bordeaux 1956), *Don Juan de Mañara* (München 1956, frz. Mülhausen 1967; nach der Bühnenmusik *Miguel Mañara*, 1935), *Il poverello* (einaktig, 1957, ORTF 1960) und *Le silence de la mer* für Bar. und Kammerorch. (einaktig, 1959, Toulouse 1964), Opéra bouffe *Princesse Pauline* (1960, Paris 1962), Jeu littéraire et musical *Ulysse ou Le beau périple* (nach Jean Giono, 1961, Mülhausen 1965), Opéra bouffe de chambre *L'élixir du R. P. Gaucher* (nach A. Daudets *Les lettres de mon moulin*, 1962, Toulouse 1964) und Jeu satirique et symphonique *L'éloge de la folie* (nach Erasmus, 1965) sowie *Le triomphe de Jeanne* (für die Jeanne d'Arc-Gedenkfeiern, Rouen 1956); die Ballette *Boîte de nuit* (einaktig, 1930, Paris 1937), *La Grisi* (ebd. 1935), *La rosière du village* (ebd. 1936), Pastorale provençale *Les santons* mit Singst. und Chor (einaktig, ebd. 1939), *La féerie laotienne* (*Féerie cambodgienne*, einaktig, Mülhausen 1950, daraus *Concert asiatique* für Schlagzeug und Orch.), *Les folies mazarguaises* (1951, Marseille 1953), *Noces de cendres* (1952, Straßburg 1954), Poème chorégraphique *Dassine, sultane du Hoggar* für 2 Sprecher, Chor und Orch. (1959), *Les barbaresques* (einaktig, Nizza 1960) und *Nana* (einaktig, nach Zola, Straßburg 1962); *Symphonie du tiers monde* (pour le centenaire d'H. Berlioz, 1967), die symphonischen Dichtungen *Cyrnos* mit Kl. (1929), *Tam-tam* mit Soli und Chor (1931), *Vocero* (1932, als Ballett Nizza 1951) und *Chant pour le Vietnam* (nach Sartre, 1969), Tableau symphonique *Colomba* (nach Mérimée, 1934), *5 Danses sacrées et profanes* (1961) und *Taïtienne de Gauguin* (1963) für Orch.; *Sinfonietta provençale* (1958, danach *Le tombeau de Mireille*, Fassung für 2 Git., Piccolo-Fl. und Streichorch. als *Trois pastorales provençales*, 1965, Fassung für Fl., Streicher und Cemb., 1971) und *Marche kabyle et danse des jeunes filles berbères* (1958) für Kammerorch.; Konzerte mit Orch. für Fl. (1944; Concertino, 1944), Trp. (1948, als Ballett *Concerto-quadrille*, Marseille 1963), Sax. (1949, als Ballett »Ballade pour un clown« *Zippy*, Bordeaux 1966), Va (1950), Horn (1954), Klar. (1956), Pos. (1956), Fag. (1958), Ob. (1958, als Ballett *Jabadao*), V. (1962), 2 Git. (1966) und Vc. (1970); *Variations grégoriennes sur le Salve regina* für Trp., Hf. und Streichorch. (1964), *Concerto de printemps* für Fl. und Kammerorch. (Streicher und Schlagzeug, 1965), Konzert *Highland's Ballad* für Hf., Bläsertrio und Streicher (1966); *La moresca* (1965) für 8 und *Printemps* (1963) für 6 Bläser, Bläserquintett (1952), *Danseuses de Degas* für Hf. und Streichquartett (auch für Streichorch., 1964), *Être ou ne pas être* für 4 Pos. (1963), Suite für 3 Trp. (1964), *Croquis* für 2 Fag. (1962), *Recuerdos de los Baleares* für Schlagzeug und Kl. (1962), *Semaine Sainte à Cuzco* für Trp. und Org. (1962), Sonatine *Les cyclades* für Fl. (1966), 6 Etüden (1955) und eine Suite (1963) für Trp., 3 Ca-

dences-études de concert für Ob. (1964) und *Sonatine attique* für Klar. (1966); Oratorium *La nuit obscure de St. Jean de la croix* für Mezzo-S., kleinen Chor ad libitum und Orch. (1950), *Noa-Noa* für Bar., Chor und Orch. (1957), *L'été* für einen Sprecher, Männerchor und Orch. (nach Camus' *Retour à Tipasa*, 1966), Conte lyrique *La chèvre de Monsieur Seguin* für S. (1963), *Monsieur le sous-préfet aux champs* für 3 S. und Bar. (1964) und *La mort du petit dauphin* für S. und Sprecher (1964) mit Kinderchor und Kammerorch. (alle nach A. Daudet), *Chants populaires de l'île de Corse* für Chor und Kammerorch. (1962), Féerie radiophonique *Le colibri* für Soli, Frauenchor und kleines Orch. (1961), *Messe de minuit* für Kinderchor, Galoubet, Ob., Celesta, Vibraphon und 3 Git. (1960); Credo für T. solo (nach Verlaines *Liturgies intimes*, 1956); Orchesterlieder; Bühnenmusik (u. a. eine Ouvertüre zu Sophokles' *Ajax* in der Fassung von J. Maigret, 1934).
Lit.: Cl. Chamfray in: Le courrier mus. de France 1965, Nr 10 (Ergänzungen ebd. 1967, Nr 26ff.).

+**Tomasini,** –1) Aloisio Luigi, 1741 – 1808 zu Eisenstadt [del.: Esterháza]. –2) Anton [erg.:] Edmund, [erg.: 17. 2.] 1775 – 1824.
–3) [erg.: Aloisio] Luigi, um 1780 [del.: 1779 zu Esterháza] – [erg.:] 1858 zu Neustrelitz (Mecklenburg). Er war Mitglied der Hofkapelle in Neustrelitz ab 1808 und wurde 1825 deren Konzertmeister [del.: dann verscholl er].
Ausg.: zu –1): 2 Divertimenti f. Baryton (V.), V. u. B. (Vc.), hrsg. v. H. Unverricht, Zürich 1970.
Lit.: H. Wessely in: MGG XIII, 1966, Sp. 474ff. – zu –1): Fr. Korcak, L. T. ..., Konzertmeister d. Fürstlich Esterhazyschen Kapelle in Eisenstadt unter J. Haydn, Diss. Wien 1952; E. Fruchtman, The Baryton Trios of T., Burgksteiner, and Neumann, Diss. Univ. of North Carolina 1960; J. Harich, Das Haydn-Orch. im Jahre 1780, Das Haydn-Jb. VIII, 1971.

Tomaszewski (təmaʃˈɛfski), Mieczysław, * 17. 11. 1921 zu Posen; polnischer Musikforscher und -verleger, studierte polnische Philologie an der Universität in Toruń/Thorn (1947–48) und Musikwissenschaft bei Jachimecki an der Universität in Krakau (1952–59). Seit 1952 ist er im Verlag Polskie Wydawnictwo Muzyczne in Krakau tätig (1954 Cheflektor, 1960 Generaldirektor) und lehrt seit 1959 Musiktheorie an der Krakauer Musikhochschule (1972 Dozent). Er ist Herausgeber der *Documenta Chopiniana, Biblioteka Chopinowska* und *Biblioteka słuchacza koncertnego* (»Bibliothek eines Konzertbesuchers«; eine Art Konzertführer) und schrieb u. a.: *Kompozytorzy polscy o Chopinie* (»Polnische Komponisten über Chopin«, = Bibl. Chopinowska II, Krakau 1959, ²1964); *Filiacje twórczości pieśniarskiej Chopina z polską pieśnią ludową popularną i artystyczną* (in: Muzyka VI, 1961, deutsch als *Verbindungen zwischen den Chopinschen Liederwerken und dem polnischen populären Volks- und Kunstlied*, Chopin-Kgr.-Ber. Warschau 1960).

Tomek, Otto, * 10. 2. 1928 zu Wien; österreichischer Rundfunkredakteur, studierte in Wien am Städtischen Konservatorium (Josef Langer) und an der Universität (E. Schenk), an der er 1953 mit der Dissertation *Das Strukturphänomen des verkappten Satzes a tre in der Musik des 16. und 17. Jh.* (Auszug in: StMw XXVII, 1966) promovierte. Er war Sachbearbeiter für Neue Musik bei der Universal Edition in Wien (1953–57), Abteilungsleiter für Neue Musik am WDR in Köln, u. a. Programmgestaltung der Konzertreihe »musik der zeit« (1957–71), außerdem ab 1966 stellvertretender Hauptabteilungsleiter für alle Fragen der musikalischen Produktion. 1971 wurde er Programmchef Musik beim SWF in Baden-Baden. Daneben richtet er die Programme der Donaueschinger Musiktage ein und ist 1. Vorsitzender der H.-Strobel-Stiftung (→ +Strobel). Seit 1967 ist T. Mitherausgeber der Neuen Zeitschrift für Musik (NZfM, seit 1975 Melos/NZ).

Tomescu, Vasile, * 1. 6. 1929 zu Rădulești; rumänischer Musikforscher, studierte am Bukarester Konservatorium (Chirescu, I. Dumitrescu, Ciortea, Vancea). Er ist seit 1964 Chefredakteur der Zeitschrift Muzica und Sekretär des rumänischen Komponistenverbandes. 1970 promovierte er an der Pariser Universität mit einer Thesis über Histoire des relations musicales entre la France et la Roumanie, des origines à la fin du XIXᵉ s. (Bukarest 1973). – Weitere Veröffentlichungen (Auswahl): Drumul creator al lui D. Cuclin (»Der schöpferische Weg von D. Cuclin«, ebd. 1956); A. Castaldi (ebd. 1958); Muzica în R. S. România (ebd. 1958); A. Alessandrescu (ebd. 1962); Aspecte ale muzicii vocal-simfonice românești (in: Studii de istoria artei I, 1964); P. Constantinescu (Bukarest 1967); G. Enescu și cultura muzicală românească (in: Studii de muzicologie IV, 1968, auch frz.); Criterii și sensuri ale originalității în muzica romaneâscă (ebd. VII, 1971, frz. in: Muzica XXI, 1971). T. war Mitarbeiter (Rumänien) an den vorliegenden Ergänzungsbänden dieses Lexikons.

+Tomkins, –1) Thomas [erg.:] Farington, um 1545 – [del.: um] 1627. –2) Thomas, 1572 – [erg.: begraben 9.] 6. 1656.
–3) John, [erg.: um] 1586 [erg.:] zu St. David's (Pembrokeshire) – 1638. Er ging 1619 [nicht: 1613] als Organist an die St. Paul's Cathedral nach London, wo er 1625 [nicht: 1627] Gentleman der Chapel Royal wurde. Ausg.: zu –2): Services, Teil I: +5 Services ... (P. C. BUCK, E. H. FELLOWES, A. RAMSBOTHAM u. S. T. WARNER, 1928), Neuaufl. NY 1963. – Musica Deo sacra I–III, hrsg. v. B. ROSE, = Early Engl. Church Music V, IX u. XIV, London 1965–73; 13 Anthems, hrsg. v. R. W. CAVANAUGH, = Recent Researches in the Music of the Renaissance IV, New Haven (Conn.) 1968. – +Sämtliche Madrigale: Songs of 3, 4, 5 and 6 Parts, 1622 (E. H. FELLOWES, London 1922), revidiert hrsg. v. TH. DART, = The Engl. Madrigalists XVIII, ebd. 1961. – ein Satz in: Consort Songs, hrsg. v. PH. BRETT, = Mus. Brit. XXII, ebd. 1967. – 3 Voluntaries (Fancies, Verses) f. Org., Erstveröff. hrsg. v. D. STEVENS, = Tallis to Wesley Series XVII, NY 1960; ein Satz in: Early Engl. Keyboard Music, hrsg. v. H. FERGUSON, Bd II, London 1971. Lit.: D. STEVENS in: MGG XIII, 1966. – zu –2): +E. H. FELLOWES, The Engl. Madrigal Composers (1921, 21948), Nachdr. London 1958; +E. H. MEYER, Engl. Chamber Music (1946), Nachdr. NY 1971; +D. STEVENS, Tudor Church Music (1955), Nachdr. NY 1973, auch London 1961, ebd. u. NY 21966; +DERS., Th. T. (1957), verbesserter Nachdr. NY u. London 1967. – E. H. FELLOWES, Engl. Madrigal Verse, 1588–1632, London 1920, 21929, revidiert hrsg. v. Fr. W. Sternfeld u. D. Greer, Oxford 1967; A. M. BUTTERWORTH, The Verse Anthems of Th. T., Diss. Nottingham 1960/61; L. HAZARD in: L'orgue 1962, S. 101ff. (zum Org.-Werk); P. LE HURAY, Music and the Reformation in England, = Studies in Church Music o. Nr, London 1967; D. H. FOSTER, The Org. Music of Th. T., in: Diapason LXI, 1970; P. JAMES, Th. T., Sacred Music Omitted from »Musica Deo Sacra«, in: Soundings II, 1971.

Tomlinson (tʾɔmlinsən), Ernest, * 19. 9. 1924 zu Rawtenstall (Lancashire); englischer Komponist, studierte an der Manchester Cathedral Choir School, der Manchester University und dem Royal Manchester College of Music. Er übernahm zunächst einen Organistenposten, wandte sich aber bald der Komposition von Film-, Fernseh- und Rundfunkmusik zu. Sein Schaffen umfaßt u. a. die Oper The Head of the Family (1969), eine Sinfonia '62 (1962) und eine Symphony '65 (1965) für Jazz- und Symphonieorch., ein Concerto for 5

für 5 Sax. und Orch. (1965) und eine Suite of English Folk Dances (1951) sowie zahlreiche Unterhaltungsmusikstücke.

+Tommasi, Giuseppe Maria, 12. [nicht: 14.] 9. 1649 – 1713.

Tonelli, Antonio (eigentlich De' Pietri), * 19. 8. 1686 und † 25. 12. 1765 zu Carpi (Modena); italienischer Komponist und Violoncellist, studierte bei Nicolò Pace und Gaspare Griffoni in Carpi sowie in Bologna. Er lehrte ab 1706 am Collegio dei Nobili in Parma, war Kammervirtuose des Herzogs Farnese und lebte einige Zeit am dänischen Königshof. 1724 wurde er Organist an der Accademia del Rosario in Finale Emilia (1725 Maestro di cappella), wirkte 1730 als Leiter der Domkapelle in Carpi und gründete nach ausgedehnten Konzertreisen durch Norditalien eine Musikschule mit kostenlosem Unterricht in Carpi, die 3 Jahre bestand. 1741–45 als Kapellmeister in Alassio tätig, kehrte er 1746 nach Carpi zurück, wo er, mit einigen Unterbrechungen durch Konzertreisen, Domkapellmeister bis zu seinem Tode war. Er schrieb u. a. die Opern L'enigma disciolto (zusammen mit anderen Komponisten, Reggio Emilia 1723) und Lucio Vero (Carpi 1731 oder Alassio 1741), die Oratorien Il trionfo dell' umiltà di S. Filippo Neri (1724) und Sapienza, S. Antonio ed eresia (1725) für 3 Solo-St. und Instr. sowie Dialogo per musica fra il beato Andrea Conti e un'anima devota da eseguirsi nella chiesa dei PP. Minori Conventuali del Finale (1724) und Cantate per musica (1724). Die Aufzeichnungen seiner kirchenmusikalischen Werke gingen verloren. Als Manuskripte blieben erhalten Trattato di musica in due parti diviso (um 1760), Teorica musicale ordinata alla moderna pratica und Diario musicale. Lit.: L. F. VALDRIGHI, Il violoncellista T. e Suor Maria Illuminata corista e organista delle Clarisse di Carpi, in: Atti e memorie delle R. R. Deputazioni di storia patria per le Provincie dell'Emilia, N. S. V, 2, Modena 1880; A. TONI, Sul b. c. e l'interpretazione della musica antica, RMI XXVI, 1919, S. 261ff.; N. PELICELLI, Musicisti in Parma, in: Note d'arch. per la storia mus. XII, 1935.

+Toni, Alceo, * 22. 5. 1884 zu Lugo (Emilia-Romagna), [erg.:] † 4. 12. 1969 zu Mailand. T. war Mitglied der Accademia nazionale di S. Cecilia in Rom. Die mit T. Serafin verfaßte Schrift +Stile, tradizioni e convenzioni del melodramma italiano del Settecento e dell'Ottocento umfaßt 2 Bde (Mailand 1958–65) [del. bzw. erg. frühere Angaben].

Toni, George Olivier, * 27. 5. 1926 zu São Paulo; brasilianischer Dirigent, studierte in seiner Heimatstadt Klavier bei Samuel Arcanjo dos Santos, Harmonielehre bei Braunwieser, Theorie und Dirigieren bei Koellreutter und Mario Rossini sowie Komposition bei C. Guarnieri. 1956 gründete er das Orquestra de Câmara de São Paulo, mit dem er auch in verschiedenen europäischen Ländern konzertierte. 1970 wurde er zum Professor für Stillehre an der Escola de Comunicações e Artes der Universität São Paulo ernannt. Er ist auch als Komponist mit Orchesterstücken (3 variações), Klavierwerken und Liedern hervorgetreten.

Tonos-Verlag, deutscher Musikverlag, gegründet 1949 in Reutlingen und geleitet von Franz Bernhard König (* 26. 4. 1912 zu Stuttgart, Komponist und Verleger, Schüler von H. Herrmann und der Stuttgarter Musikhochschule). Der Verlag, der auch die Bezeichnungen Edition Tonos und Tonos international führt, hat seit 1954 seinen Sitz in Darmstadt (angeschlossen ist der Tonos-Musikverlag in Salzburg); in Rio de Janeiro besteht die Tochtergesellschaft Tonos Ltd.). Die Firma verlegt Instrumental- und Vokalmusik auch zeitgenössischer und avantgardistischer Komponisten.

Tons, Edgars, * 4.(17.) 1. 1917 zu Petrograd, † 8. 5. 1967 zu Riga; lettisch-sowjetischer Dirigent, studierte am Konservatorium in Riga Kontrabaß und 1945–50 Dirigieren. 1940 wurde er Kontrabassist im Symphonieorchester des lettischen Rundfunks, ab 1948 wirkte er als Dirigent am Opern- und Balletttheater der Lettischen SSR (1954–67 1. Dirigent), mit dem er Gastspiele in Moskau, Leningrad und Kiew gab. 1964–66 war er 1. Dirigent des Orkestr Latwijskowo Radio i Telewidenija, 1966–67 dirigierte er in Polen.

+Tonsor, Michael, um 1540 – nach 1605 zu Ingolstadt [erg. frühere Angabe].
T. war 1568–86 [del.: um 1570–90] Organist an St. Georg in Dinkelsbühl (Mittelfranken) und kehrte danach wahrscheinlich an das Kantorat der Liebfrauenkirche in Ingolstadt zurück.
Lit.: K. HENNEMEYER, M. T., ein vergessener Meisterschüler O. di Lassos?, Ingolstädter Heimatblätter XXVII, 1964; DERS. in: MGG XIII, 1966, Sp. 531ff.; M. GEBHARD, M. T., ein Zeitgenosse O. di Lassos, als Organist an d. St. Georgskirche in Dinkelsbühl, in: Hist. Ver. »Alt-Dinkelsbühl«, Jb. f. 1966.

Torądse, Dawid Alexandrowitsch, * 14. 4. 1922 zu Tiflis; grusinisch-sowjetischer Komponist, studierte 1937–39 am Konservatorium seiner Heimatstadt (Sergej Barchudarjan) sowie 1939–48 am Moskauer Konservatorium (Glière) und wurde 1954 Dozent für Instrumentation und Partiturspiel am Konservatorium in Tiflis. Er schrieb die Opern *Suramis Ziche* (1942), *Gola* (»Ruf der Berge«, Tiflis 1947) und *Newesta sewera* (»Die Braut des Nordens«, ebd. 1958), die musikalischen Komödien *Natela* (ebd. 1948) und *Mstitel* (»Der Rächer«, ebd. 1952), die Ballette *Gorda* (ebd. 1949) und *Sa mir* (»Für den Frieden«, ebd. 1953), Orchesterwerke (Symphonie, 1946; Festouvertüre, 1947; 3 Suiten, 1942, 1943 und 1947) sowie »Afrikanische Skizzen« für Chor und Orch. (1965).
Lit.: W. A. GWACHARIA, »Gorda« D. T., Tiflis 1964.

+Torchi, Luigi, 1858 – 19. [nicht: 18.] 9. 1920.
+La musica strumentale in Italia ... (RMI IV–VIII, 1897–1901 [nicht: *Gazzetta musicale* ...], separat Turin 1901), Nachdr. = Bibl. musica Bononiensis III, 8, Bologna 1969; *+Catalogo della Biblioteca del Liceo musicale di Bologna* (1892–93), Nachdr. (mit Berichtigungen von N. Fanti, O. Mischiati und L. F. Tagliavini) ebd. 1961; *+L'arte musicale in Italia* (1897–1907), Nachdr. Mailand 1968. Drei Aufsätze aus RMI erschienen im Wiederdruck gesammelt als *Studi di storia della musica* (= Bibl. musica Bononiensis III, 8a, Bologna 1969).
Lit.: A. ZIINO, Rassegna della letteratura wagneriana in Italia, Colloquium »Verdi–Wagner« Rom 1969, = Analecta musicologica XI, Wien 1972.

+Torelli, Gasparo (Guasparre), [erg.:] † nach 1613.
Ausg.: I fidi amanti (1600), hrsg. v. B. SOMMA, = Capolavori polifonici del s. XVI, Bd VII, Rom 1967.

Torelli, Giacomo, * 1.(?) 9. 1608 und † 17. 6. 1678 zu Fano; italienischer Theaterarchitekt, Ingenieur und Bühnenbildner, kam 1640 nach Venedig, wo er für das Teatro Novissimo (*La finta pazza*, 1641, *Bellerofonte*, 1642, und *Venre gelosa*, 1643, alle von Sacrati; *Ercole in Lidia* von Rovetta, 1645) und das Teatro SS. Giovanni Novetta (*Deidamia* von Cavalli, 1644; *Ulisse errante* von Sacrati, 1644) arbeitete. Durch Vermittlung des Herzogs von Parma berief ihn Königin Anna 1645 nach Paris (*La finta pazza*, 1645; *Orfeo* von Luigi Rossi, 1647; Gesamtausstattung der von Mazarin bei Pierre Corneille bestellten »pièce à machines« *Andromède*,

1649; *Le nozze di Peleo e di Theti* von Caproli, 1654; *Psyché et la puissance de l'amour* von J.-B. Boësset und Lully, Libretto Isaac de Benserade, 1656; *Rosaure*, Libretto Benserade, 1658). Nach Mazarins Tod zur Persona non grata erklärt, schuf er noch die Ausstattung zu Molières *Les fâcheux* (Vaux-le-Vicomte 1661) und kehrte nach Fano zurück, wo er die Innengestaltung des Teatro della Fortuna und die Ausstattung zu *Il trionfo della Fortuna* (Komponist unbekannt, 1677) entwarf. – T. verband die von Giovanni Battista Aleotti erfundene Kulissenbühne mit dem Maschinentheater. Bereits in Venedig entwickelte er ein System des simultanen Szenenwechsels. Durch das Ineinandergreifen von Längsachse und Querteilen organisierte er die Bühne zum zentralperspektivisch in die Tiefe ausgerichteten Illusionsraum, dessen bildnerische Gestaltung von der venezianischen Malerei (Veronese u. a.) beeinflußt ist. Seine Pariser Arbeiten sind durch Anpassung an die theoretischen Postulate des klassischen französischen Theaters gekennzeichnet: Für das von Corneille im Gegensatz zum stückbezogenen (nécessaire) als dramaturgisch bedingt (vraisemblable) bezeichnete Bühnenbild schuf er eine Reihe von Prototypen. Auf diesen, die bis ins 19. Jh. verbindlich blieben, beruhen die Arbeiten von →Burnacini, →Vigarani, →Bérain und →Santurini. T. veröffentlichte Stichfolgen seiner venezianischen Aufführungen (Bibliothèque Nationale in Paris, Gabinetto nazionale dei disegni e delle stampe in Rom und Theatermuseum in München).
Lit.: P. ZUCKER, Die Theaterdekoration d. Barock, Bln 1925; H. TINTELNOT, Barocktheater u. barocke Kunst, Bln 1939; A. G. BRAGAGLIA, N. Sabbatini e G. T., scenotecnici marchigiani, Pesaro 1952; S. ARMBRUSTER-RINDERKNECHT, Zur Entwicklung d. neuzeitlichen Theaterdekoration in Frankreich bis zum Klassizismus, Diss. München 1954; T. E. LAWRENSON, The French Stage in the 17th Cent., Manchester 1957; M. DIETRICH, Der barocke Corneille, ein Beitr. zum Maschinentheater d. 17. Jh., in: Maske u. Kothurn IV, 1958; H. KINDERMANN, Theatergesch. Europas, Bd III: Theater d. Barockzeit, Salzburg 1959; P. BJURSTRÖM, G. T. and Baroque Stage Design, Stockholm 1961. HS

+Torelli, Giuseppe (Gioseffo), 1658–1709.
Die Musik zu T.s Oratorium *+Adam auss dem Irdischen Paradiess verstossen* ist verschollen, lediglich das Textbuch wurde gedruckt (Wien 1700).
Ausg.: *+Cellosonate* G dur (FR. GIEGLING, = HM LXIX, 1950), Neuaufl. Kassel 1968. – Concerto A moll f. 2 Solo-V., Streichorch. u. Gb. op. 8 Nr 2, hrsg. v. B. PAUMGARTNER, = Antiqua CXVII, Mainz 1956; Konzert f. Streichorch. op. 6 Nr 1, hrsg. v. W. KOLNEDER, = Concertino CLVII, ebd. 1958; Trp.-Konzert, hrsg. v. J.-FR. PAILLARD, = Arch. de la musique instr. III, Paris 1962; Sonata a cinque Nr 7 u. Nr 1 f. Trp., Streichorch. u. B. c. bzw. Sinfonia D dur f. 2 Trp., 2 Ob., Streichorch. u. B. c., hrsg. v. F. SCHROEDER, 3 H., = Diletto mus. Nr 164–165 bzw. 310, Wien 1965 bzw. 1971; V.-Konzert E moll op. 8 Nr 9, hrsg. v. M. ABBADO, = Antica musica strumentale ital. o. Nr, Mailand 1968; Trp.-Konzert sowie 2 Sonaten f. Trp., Streichorch. u. B. c. (alle D dur), hrsg. v. E. H. TARR, 3 H., London 1968 bzw. 1973; Sonata a 4 f. 2 V., Va u. B. c., hrsg. v. G. KEHR, = Antiqua CXIX, Mainz 1969; Sinfonia f. Trp., 2 Konzerte f. eine Trp., 2 Konzerte f. 2 Trp., Sinfonia f. 2 Trp. u. 2 Ob. mit Streichorch. u. B. c. bzw. Sinfonia f. 2 Trp. u. Ob. mit Streichorch. u. B. c. (alle D dur), hrsg. v. M. SIEDEL, 4 H., = Ars instr. LVI–LVIII bzw. LXVII, Hbg 1971 bzw. 1973.
Lit.: +A. SCHERING, Gesch. d. Instrumentalkonzerts (²1927), Nachdr. Hildesheim u. Wiesbaden 1965. – F. GHISI, Aspetti vocali e strumentali della Scuola bolognese secentesca. G. B. Mazzaferrata, G. T., in: Musicisti della Scuola emiliana, hrsg. v. A. Damerini u. G. Roncaglia, = Accad. mus. Chigiana (XIII), Siena 1956; A. HUTCHINGS, The Baroque Concerto, NY 1961; R. E. NORTON, The Chamber Music of G. T., Diss. Northwestern Univ. (Ill.) 1967; U. ZINGLER, Studien zur Entwicklung d. ital.

Violoncellosonate v. d. Anfängen bis zur Mitte d. 18. Jh., Diss. Ffm. 1967; R. C. Van Nuys, The Hist. and Nature of the Trp. as Applied to the Sonatas of G. T., Diss. Univ. of Illinois 1969; E. J. Enrico, G. T.'s Music f. Instr. Ensemble with Trp., Diss. Univ. of Michigan 1970; M. Talbot, The Concerto Allegro in the Early 18th Cent., 2. Teil, ML LII, 1971.

+Torjussen, Trygve, * 14. 11. 1885 zu Drammen. Tr. lebt seit 1955 in Oslo im Ruhestand.

Tormis, Veljo, * 7. 8. 1930 zu Kuusalu (bei Tallinn); estnisch-sowjetischer Komponist, studierte bis 1956 am Moskauer Konservatorium (Schebalin), lehrte 1955–60 an der Musikschule seiner Heimatstadt und war 1956–69 Berater des estnischen Komponistenverbandes. Er schrieb die Oper *Luigelend* (»Schwanenflug«, 1965), Orchesterwerke (kleine Symphonie, 1961; 2 Ouvertüren, 1956 und 1959; symphonische Suite *Ookean*, »Der Ozean«, 1961; Kammermusik (Violinsonate, 1953; Suite für Bläser, 1958), Klavierstücke (3 Praeludien und Fugen, 1958) und Vokalwerke (Vokalsymphonie *Kalevipoeg* für Soli, Chor und Orch., 1956; Kantate *Mahtra sõda*, »Krieg in Machtra«, für Chor und Orch., 1958; *Eesti kalendrilaulud*, »Estnische Kalenderlieder«, für Frauen-, Männer- und gem. Chor a cappella, 1967; Zyklus der 4 Jahreszeiten *Looduspildid*, »Naturbilder«, für Frauenchor a cappella, 1969; Liederzyklen für St. und Kl., 1955–69) sowie Bühnen- und Filmmusik.
Lit.: P. Ledenew in: SM XXIX, 1965, H. 6, S. 36ff.; H. Tauk, Kuus eesti tänase muusika loojat (»6 estnische zeitgenössische Komponisten«), Tallinn 1970 (mit engl. u. russ. Zusammenfassung).

+Torner, Eduardo Martínez, 1888–1955.
Lit.: Á. Muñiz Toca, Vida y obra de E. M. T., Oviedo 1961.

+Torrefranca, Fausto, 1883–1955.
+*Le origini italiane del romanticismo musicale. I primitivi della sonata moderna* (1930) und +*Il segreto del Quattrocento. Musiche ariose e poesia popolaresca* (1939), Nachdr. = Bibl. musica Bononiensis III, 18–19, Bologna 1969–72. – Posthum erschienen: *G.B.Platti e la sonata moderna* (mit Anh. von Fr. Zobeley, = Istituzioni e monumenti dell'arte musicale italiana, N. S. II, Mailand 1963); *Avviamento alla storia del quartetto italiano* (hrsg. von A.Bonaccorsi, = L'approdo musicale 1966, Nr 23; darin auch Verz. von T.s Schriften).
Lit.: F. Mompellio in: AMl XXVIII, 1956, S. 9ff.; L. Pinzauti in: L'approdo mus. 1966, Nr 21, S. 167ff.

Torrejón y Velasco (tɔrrɛx'ɔn i bel'asko), Tomás de, getauft 23. 12. 1644 zu Villarrobledo (Albacete), † 23. 4. 1728 zu Lima; peruanischer Komponist, kam im Gefolge von Pedro Fernández de Castro y Andrade, dem Grafen von Lemos, bei dessen Ernennung zum Vizekönig von Peru (1667) nach Lima. Nach dessen Tod (1672) widmete er sich ganz der Musik. Ab 1676 war er Maestro de capilla an der Kathedrale in Lima. Neben kirchenmusikalischen Werken schrieb er die Zarzuela *La púrpura de la rosa* (Text Calderón de la Barca, Lima 1701), die als erstes musikalisches Bühnenwerk der Neuen Welt gilt.
Lit.: R. Stevenson, The Music of Peru, Washington (D. C.) 1960; S. Claro, La música secular de T. de T. y V., Rev. mus. chilena XXVI, 1972.

Torrentes, Andrés de, † 4. 9. 1580 zu Toledo; spanischer Komponist, war 1539–45, 1547–53 und von 1571 bis zu seinem Tode Maestro de capilla an der Kathedrale in Toledo. Er schrieb kirchenmusikalische Werke (*Missa de Nuestra Señora*; Motetten, Psalmen, Hymnen, Magnificat), die im Archiv der Kathedrale von Toledo aufbewahrt sind.

Ausg.: Magnificat im 7. Ton für 4 St., hrsg. v. H. Eslava, in: Lira sacro-hispana, 16. Jh., I, 1, Madrid 1869.
Lit.: F. Rubio Piqueras, Cod. polifónicos toledanos, Toledo 1925; R. Stevenson, Span. Cathedral Music in the Golden Age, Berkeley (Calif.) u. Cambridge 1961, London 1962.

+Torres, Eduardo, [erg.: 7. 7.] 1872 – 1934.

+Torres y Martínez Bravo, José de (Joseph), 1665–1738.
Er wurde 1724 Hofkapellmeister in Madrid.
Lit.: J. E. Druesedow Jr., The »Missarum liber« (1703) of J. de T. y M. Br., 2 Bde, Diss. Indiana Univ. 1971.

+Torri, Pietro, vor 1650 [nicht: um 1665] – 1737. T., zunächst Hoforganist (ab 1667), dann Kapellmeister am Hof in Bayreuth (bis 1684), wurde 1689 Hoforganist in München [erg. frühere Angaben].
Lit.: O. Kaul in: MGG XIII, 1966, Sp. 572ff.

Torriani, Vico Oxens, * 21. 9. 1920 zu Genf; Schweizer Schlagersänger und Schauspieler, lebt in Lugano. Er war zunächst im Hotelfach tätig und ging 1947 aus einem Gesangswettbewerb mit dem Vortrag Tessiner Volkslieder als Sieger hervor. Bald folgten zahlreiche Rundfunk- und Schallplattenaufnahmen sowie Konzerttourneen und (ab 1951) Dreharbeiten beim deutschen Film und später beim Fernsehen. T. trat auch beim Theater in Musicals und als Conférencier im Fernsehen (Fernsehserien *Grüezi Vico*, *Hotel Victoria* und *Der Goldene Schuß*) auf. Zu seinen Schlagererfolgen gehören: *Ananas aus Caracas*; *In der Schweiz*; *Romantica*; *Café Oriental*; *Schön und kaffeebraun*; *Kalkutta liegt am Ganges*.

Torricella (torritʃ'ɛlla), Christoph, * um 1715 in der Schweiz, † 4. 1. 1798 zu Wien; österreichischer Musikverleger, eröffnete vor 1775 in Wien eine Kunst- und Kupferstichhandlung, übernahm ab 1778 die Auslieferung der von Huberty gestochenen Noten und begann 1781 einen eigenen Musikverlag, in dem er u. a. Werke von W. A. Mozart, J. Haydn, Johann Christian Bach, Sarti, L. Koželuch, Fr. A. Hoffmeister sowie die Violinschule von Geminiani herausgab. Der Konkurrenz nicht gewachsen, gab T. 1786 seinen Verlag auf. Die Musikplatten wurden versteigert und von der Firma Artaria & Comp. erworben.
Lit.: A. Weinmann, Kat. A. Huberty (Wien) u. Chr. T., = Beitr. zur Gesch. d. Alt-Wiener Musikverlages II, 7, Wien 1962.

+Tortelier, Paul, * 21. 3. 1914 zu Paris. Neben seinen Konzertverpflichtungen und der Tätigkeit als Pädagoge ist T. mit weiteren Kompositionen hervorgetreten, von denen 3 Violinkonzerte sowie *Offrande* für Streichorch. (1970) genannt seien. Als Beitrag für den Unterricht schrieb er *Solmisation contemporaine* (Paris 1967).

+Tosar Errecart, Héctor [erg.:] Alberto, * 18. 7. 1923 zu Montevideo.
Professor am Conservatorio nacional de música in Montevideo war T. 1951–59 und 1967. Heute lehrt er als Professor für Komposition an der Universidad de la República in Montevideo. – Werke: 3 Symphonien (1945; für Streicher, 1950; 1973), Toccata (1940), *Momento sinfónico* (1949), *Serie sinfónica* (1952) sowie Rezitativ und Variationen *Intermisión* (1967) für Orch.; Concertino (1941) und *Sinfonía concertante* (1957) für Kl. und Orch.; Divertimento für Bläserquintett (1957), Streichquartett (1944), *Nocturno y scherzo* für V., Klar. und Kl. (1943), Sonaten für V. (1947) bzw. Kl. (1957) und Kl.; 2 Sonatinen (1940–54), *Danza criolla* (1940, auch für Orch.), *Improvisación* (1941), Suite

(1945) und 4 Stücke (1961, auch für Orch.) für Kl.; Psalm 102 für S. (1955) und Te Deum für B. (1960) mit gem. Chor und Orch., *Oda a amigas* für Sprecher und Orch. (1951), Triptychon *Naves errantes* für Bar. und 11 Instr. (nach R. Tagore, 1964); *Infinito* (1952), 3 *Canciones nocturnas* (1953), 5 Madrigale (1956) und Magnificat (1957) für gem. Chor; Lieder (6 *Canciones de »El Barrio de Santa Cruz«*, 1942).
Lit.: Werkverz. in: Compositores de América VI, Washington (D. C.) 1960, u. in: Bol. interamericano de música 1961, Nr 21, S. 40ff.

Tosạtti, Vieri, * 2. 11. 1920 zu Rom; italienischer Komponist, studierte bis 1945 in seiner Heimatstadt am Conservatorio di Musica S. Cecilia (Dobici, Jachino, Petrassi, Pizzetti) und ist seitdem als Pianist, Musikschriftsteller und -pädagoge tätig. Er schrieb das Dramma musicale assurdo *Il sistema della dolcezza* (Bergamo 1951), das Dramma da concerto *Partita a pugni* für Soli, Rezitator, Chor und Orch. (Venedig 1953), die Opern *Il giudizio universale* (Mailand 1955), *L'isola del tesoro* (Bologna 1958) und *La fiera della meraviglie* (Rom 1963), Orchesterwerke (Konzert für Kl. und Kammerorch., 1945; Konzert für Va und Orch., 1966; *Concerto iperciclico* für Klar. und Orch., 1970), Kammermusik (Konzert für Bläserquintett und Kl., 1945; Divertimento für Klar., Fag., V., Va und Vc., 1948, Fassung für Kammerorch., 1950; Streichquartett, 1948; *Introduzione fiabesca* für Klaviertrio, 1943; *Piccola sonata* für V. und Kl., 1945), Klavierstücke (*Tre studi da concerto*, 1943; *La sonata del sud*, 1944; Sonate für 2 Kl., 1943), Vokalwerke (*Sinfonia corale* für Chor und Orch., 1944; Requiem für 2 Soli, Chor und Orch., 1963; *Streitlied zwischen Leben und Tod* für Chor und Org., 1969; *Le canzoni nuziali* für Chor a cappella, 1942; 2 Wedekind-Lieder für 8 St., Kb. und Schlagzeug, 1969; *2 coretti* für 3 Frauen-St., 1970; Lieder).

+Toscanini, Arturo, 1867–1957.
Die Schallplattengesellschaft RCA Victor begann 1972 mit der Veröffentlichung einer Serie von (etwa 90) Schallplatten (*T. Edition*), welche die gesamten bei ihr registrierten Einspielungen T.s umfassen soll.
Lit.: P. BERRI, Introduzione ad una bibliogr. t.ana, in: Musica università V, 1967. – Discografia di A. T., Mailand 1957 (ital. u. engl.); A. T., A Complete Discography, NY 1966; K. VL. BURIAN, A. T., = Gramofonová deska IX, Prag 1967; R. VEGETO, Discografia completa e cronologica delle musiche incise da A. T., in: Discoteca VIII, 1967. – S. TH. SOMMER, T. Memorial Arch. (Part of the Music Division of the NY Public Library), FAM XVI, 1969; FR. SERPA, Gli schiaffi a T., nRMI IV, 1970. – M. MEDICI, Parma a T., Parma 1958; A. T., Parma nel centenario della nascita, hrsg. v. M. ALLODI, ebd. 1967. – C. GIUSSANI, Commemorazione di A. T. ..., Mailand 1958; La Scala, 1946–66, hrsg. v. FR. ARMANI, ebd. 1967; G. BARBLAN, T. e la Scala, ebd. 1972 (mit »Testimonianze e confessioni« v. E. Gara).
+ST. ZWEIG, A. T. (1937), zuerst deutsch in: Begegnungen mit Menschen, Büchern u. Städten, Ffm. 1937, Wiederabdruck in: Diener d. Musik, hrsg. v. M. Müller u. W. Mertz, Tübingen 1965, russ. in: Isbrannyje proiswedenija (»Ausgew. Werke«), Bd II, Moskau 1957; +D. EWEN, The Story of A. T. (1951), 2. erweiterte Aufl. NY 1960; +S. CHOTZINOFF, T. (1956), schwedisch Stockholm 1957; +R. C. MARSH, T. and the Art of Orchestral Performance (1956), Nachdr. Westport (Conn.) 1973; +SP. HUGHES, The T. Legacy. A Critical Study of A. T.'s Performances of Beethoven, Verdi, and Other Composers (1959), 2. erweiterte Aufl. NY 1969 (mit Diskographie), Paperbackausg. NY u. London 1970.
Sonder-H. T., = L'opera III, (Mailand) 1967, H. 7; La lezione di T., Kgr.-Ber. »Studi t.ani« Florenz 1967, hrsg. v. F. D'AMICO u. R. PAUMGARTNER, = La cultura e il tempo XXIX, Florenz 1970 (mit Diskographie v. R. Ve-

geto); A. T., hrsg. v. G. JA. EDELMAN, = Ispolnitelskoje iskusstwo sarubeschnych stran VI, Moskau 1971 (zusammengestellt aus d. Schriften v. +S. Chotzinoff [1956; s. o.] sowie [s. u.] B. H. Haggin [1959 u. 1967] u. S. Antek [1963]. – A. SERGE, T., The First Forty Years, MQ XXXIII, 1947; H. STROBEL, Werktreue u. Leidenschaft, in: Melos XXIV, 1957; K. H. WÖRNER in: NZfM CXVIII, 1957, S. 163f.; A. DELLA CORTE, T. visto da un critico, = Bibl. stor. della ILTE o. Nr, Turin 1958; E. LEINSDORF, T. at Salzburg, in: Opera Annual V, 1958/59; B. H. HAGGIN, Conversations with T., NY 1959; DERS., The T. Musicians Knew, NY 1967, Auszug russ. in: SM XXXII, 1968, H. 5, S. 59ff.; F. SACCHI, T., un s. di musica, Mailand 1960, rumänisch Bukarest 1967; A. DE ANDRADE, Um episódio brasileiro na carreira de T., Rev. brasileira de música II, 1963; S. ANTEK, This Was T., NY 1963, deutsch als: So war T., Rüschlikon 1964, Auszug russ. in: SM XXX, 1966, H. 5, S. 87ff. (»T. im Aufnahmestudio«); G. VALDENGO, Ho cantato con T., Como 1963, Auszug russ. in: SM XXXV, 1971, H. 1, S. 75ff.; G. GAVAZZENI, Il Verdi di T., in: L'opera ital. in musica, Fs. E. Gara, Mailand 1965; M. LABROCA, Perché T.?, in: L'Approdo mus. 1965, Nr 19/20; DERS. u. V. BOCCARDI, Arte di T., Turin 1966; E. LENDVAI, T. and Beethoven, StMl VIII, 1966, ungarisch separat Budapest 1967 (zur Wiedergabe d. 7. Symphonie); G. CROLL, T. in Salzburg, ÖMZ XXII, 1967; L. FRASSATI, Il maestro. A. T. e il suo mondo, Turin 1967; J. W. KLEIN, T. and Catalani, a Unique Friendship, ML XLVIII, 1967; G. PUGLIESE, Verdi and T., in: Opera XVIII, 1967; H. C. SCHONBERG, The Great Conductors, NY 1967, London 1968, deutsch als: Die großen Dirigenten, Bern 1970, auch = List Taschenbücher Bd 391, München 1973; D. H. WINFREY, A. T. in Texas. The 1950 NBC Symphony Orch. Tour, Austin (Tex.) 1967; N. F. LEYDEN, A Study and Analysis of the Conducting Patterns of A. T. as Demonstrated in Kinescope Films, Diss. Columbia Univ. (N. Y.) 1968; N. FIORDA, Arte, beghe e bizze di T., Rom 1969; E. MINETTI, A. T. visto dall'orch., Rass. mus. Curci XXIII, 1970; R. LEIBOWITZ, Le compositeur et son double, = Bibl. des idées o. Nr, Paris 1971, S. 13ff. u. 459ff.

+Tosi, –1) Giuseppe [erg.:] Felice, * [erg.: um] 1630.
–2) Pier Francesco, 1654 [nicht: gegen 1645] – 1732. Er war 1705–11 kaiserlicher Hofkapellmeister in Wien, hielt sich um 1727 erneut in London auf und wurde 1730 in Bologna zum Priester geweiht.
Ausg.: zu –2): J. Fr. Agricola, Anleitung zur Singkunst (1757), zusammen mit d. ital. Original v. Pier T., »Opinioni de' cantori antichi e moderni ...« (1723), Faks. hrsg. v. E. R. JACOBI, Celle 1966; dass. (ohne d. ital. Original), hrsg. v. K. WICHMANN, Lpz. 1966; Opinioni ..., Faks.-Ausg. = MMMLF II, 133, NY 1968; dass., Faks. d. engl. Ausg. (Observations on the Florid Song, ²1743), London 1967, auch hrsg. v. P. H. LANG, NY 1968. – +Opinioni ... (L. LEONI, 1904), Nachdr. = Bibl. musica Bononiensis II, 50, Bologna 1968.
Lit.: zu –2): K. WICHMANN, Der Ziergesang u. d. Ausführung d. Appoggiatura, Lpz. 1966; R. CELLETTI, La vocalità al tempo del T., nRMI I, 1967.

Tosti, Sir Francesco Paolo, * 9. 4. 1846 zu Ortona a Mare (Chieti), † 2. 12. 1916 zu Rom; englischer Gesangslehrer und Komponist italienischer Herkunft, studierte 1857–66 bei Mercadante und C. Conti am Conservatorio S. Pietro a Majella in Neapel, an dem er bis 1869 »maestrino« war. Nach seinem Debüt 1875 in London wurde er 1880 zum königlichen Gesangslehrer ernannt und lehrte ab 1894 an der Royal Academy of Music. 1912 kehrte er nach Rom zurück. Er schrieb zahlreiche Romanzen (*Forever; Goodbye; Mattinata; Vorrei morire*) und *2 poemetti su poesie di G. D'Annunzio* (1919).
Lit.: V. RICCI, Fr. P. T. e la lirica vocale ital. nell'Ottocento, RMI XXIV, 1917; E. A. MARIO, Fr. P. T., Siena 1947; M. LAMORGIA, Epicedio per l'aedo, in: La Scala

XIII, 1961; A. Piovano, Omaggio a F. P. Tosti, Ortona 1972.

+Totenberg, Roman, * 1. 1. 1913 zu Łódź.
Das Aspen Institute in Aspen (Colo.) leitete er 1950–60. 1961 wurde er zum Professor of Music und Leiter des String Department an der Boston University ernannt. Darüber hinaus hielt er Sommerkurse u. a. am Berkshire Music Center in Tanglewood (Mass.). T. lebt heute in Belmont (Mass.).

+Tóth, Aladár, * 4. 2. 1898 zu Székesfehérvár (Stuhlweißenburg), [erg.:] † 18. 10. 1968 zu Budapest.
Das +»Musiklexikon« (Zenei lexikon, 2 Bde, Budapest 1930–31, ²1935) liegt in einer von D. Bartha betreuten revidierten Neuauflage vor (3 Bde, ebd. 1965); »Ausgewählte Musikkritiken« aus den Jahren 1934–39 gab F. Bónis heraus (T. A. válogatott zenekritikái, = Magyar zenetudomány XI, ebd. 1968).
Lit.: J. Ujfalussy in: Muzsika XI, 1968, Nr 12, S. 1ff.

Touma, Habib Hassan, * 12. 12. 1934 zu Nazareth; palästinensischer Komponist, studierte Klavier, Theorie und Komposition am Konservatorium in Haifa, Schulmusik am Oranim-Institut in Kirjat Amal, Komposition bei Boscovich an der Israel-Musikakademie in Tel Aviv (1956–62) sowie Musikwissenschaft, Islamwissenschaft und Musikethnologie (K. Reinhard) an der Freien Universität in Berlin, wo er 1968 mit der Dissertation Der Maqām Bayāti im arabischen Taqsīm promovierte. Er ist heute Mitarbeiter am Internationalen Institut für vergleichende Musikwissenschaft in Berlin. Seine Kompositionen, die traditionelle arabische Musik mit eigenen Improvisationsformen verbinden, umfassen u. a. eine Oriental Rhapsody für 2 Fl. und Trommel (1958), Sama'i für Ob. und Kl. (1961), Study No. 1 (1962) und No. 2 (1965) für Fl. solo, Reflexus I für Solostreichinstrumente oder Streichorch. (1965), Taqsim für Kl. (1966) und Chöre. – Aufsätze: The Maqam Phenomenon (in: Ethnomusicology XV, 1971) und Das Maqamphänomen und sein Gefühlsgehalt (in: Musik und Bildung V, 1973).

Tourangeau (turãʒ'o), Huguette, * 12. 8. 1938 zu Montreal; kanadische Sängerin (Mezzosopran), studierte in ihrer Heimatstadt am pädagogischen Institut sowie am Konservatorium (Růžena Herlingerová) und debütierte 1964 als Cherubino (Le nozze di Figaro). Sie trat u. a. an der New York City Opera (1968) und der Hamburgischen Staatsoper (1969) auf. 1973 gab sie ihr Debüt an der Metropolitan Opera in New York als Muse und Niklaus in Les contes d'Hoffmann. Zu ihren wichtigsten Partien zählten Orpheus, Carmen, Maddalena (Rigoletto) und Prinz Orlovsky (Fledermaus).

Tourel (tur'ɛl), Jennie (anagrammatisch für El-Tour), * 22. 6. 1910 zu Montreal, † 23. 11. 1973 zu New York; amerikanische Sängerin (Koloraturmezzosopran) kanadischer Herkunft russisch-französischer Abstammung, studierte 1926–28 in Paris bei Anna El-Tour und debütierte 1931 an der Opéra Russe in Paris. 1933–40 gehörte sie der Pariser Opéra-Comique an und gastierte 1937 erstmalig an der Metropolitan Opera in New York, deren Mitglied sie 1944 wurde. 1963 übernahm sie eine Meisterklasse für Gesang an der Juilliard School of Music in New York und 1968 gleichzeitig die Meisterklasse für Vokalsolisten an der Rubin Academy of Music in Jerusalem. Zu ihren Partien zählten die Koloraturpartie der Rosina (Il barbiere di Siviglia) sowie Carmen und Mignon. 1951 sang sie bei der Uraufführung von Strawinskys The Rake's Progress die Partie der Türkenbab. J. T. trat auch als Konzertsängerin (u. a. Kammermusikabende mit L. Bernstein als Pianist) hervor.

+Tournemire, Charles [erg.:] Arnaud, 1870–1939.
Lit.: Fl. Peeters in: Musica sacra »sancta sancte« LXV, 1964, S. 129ff. (zum Orgelwerk); Ders. in: L'orgue 1965, Nr 113, S. 9ff.; R. Petit, Introduction à l'étude de l'œuvre de Ch. T., ebd. Nr 115; Gw. Beechey in: MT CXI, 1970, S. 543ff.; B. Lespinard in: L'orgue 1971, Nr 139bis, S. 1ff. (zu »L'orgue mystique«).

+Tours, –1) Barthélemy, 29. 10. [nicht: 10. 8.] 1797 – [erg.: 12.] 3. 1864. –3) Frank E., * 1. 9. 1877 zu London, [erg.:] † 2. 2. 1963 zu Santa Monica (Calif.).

+Tourte, François, [erg.: um] 1747 – 1835 (laut Archives de Paris: 4. 4. 1849).
Lit.: +Fr. J. Fétis, A. Stradivari (1856), engl. als: Notice of A. Stradivari ..., London 1864, Nachdr. 1964. – J. Roda, Bows f. Mus. Instr. of the V. Family, Chicago 1959; E. Melkus, Zur Frage d. Bachbogens, Instrumentenbau-Zs. XVII, 1963; P. Br. Curry, The Fr. T. V. Bow. Its Development and Its Effect on Selected Solo V. Lit. in the Late 18th and Early 19th Cent., Diss. Brigham Young Univ. (Ut.) 1968.

+Tovey, Sir Donald Francis, 1875–1940.
+Essays in Musical Analysis (1935–39), Paperbackausg. London 1972 (6 Bde in 7). – Als weitere Schrift sei eine Abhandlung über Beethoven genannt (ebd. 1944, Nachdr. 1965).
Lit.: +M. Grierson, D. Fr. T. ... (1952), Nachdr. Westport (Conn.) 1970. – H. F. Redlich in: MGG XIII, 1966, Sp. 598ff.

+Toye, –1) John Francis, * 27. 1. 1883 zu Winchester, [erg.:] † 31. 10. 1964 zu Florenz. +G. Verdi (1931), auch London ²1946, Neuaufl. als Verdi. His Life and Works, ebd. 1962.
–2) [erg.: Edward] Geoffroy, 1889–1942.

Toyoda, Koji, * 1. 9. 1933 zu Hamamatsu; japanischer Violinist, erhielt bereits im frühen Kindesalter Violinunterricht bei Suzuki und studierte ab 1952 am Pariser Conservatoire, vervollkommnete seine Studien bei Enescu und Grumiaux und wurde 1. Preisträger beim Concours international de piano et violon M. Long – J. Thibaud in Paris (1957) sowie beim Concours international Reine Élisabeth de Belgique in Brüssel (1959). Er war 1959–62 1. Konzertmeister des Rheinischen Kammerorchesters in Köln und ist seit 1962 in gleicher Stellung beim Radio-Symphonie-Orchester Berlin tätig (1968 Berliner Kammervirtuose). T. ist auch häufig als Konzertsolist aufgetreten.

Tozzi, Antonio, * um 1736 und † nach 1812 zu Bologna; italienischer Komponist, studierte bei Padre Martini und trat 1761 in die Accademia Filarmonica in Bologna ein, zu deren »Principe« er 1769 gewählt wurde. 1764 ging er zusammen mit seiner Frau, einer Sängerin (geborene Bianchi), an das Opernhaus in Braunschweig. 1774 wurde er Hofkapellmeister in München, kehrte wegen eines Skandals 1775 nach Italien zurück, wirkte ab 1776 als Kapellmeister der Compañía de los Sitios Reales in Madrid sowie 1783–1805 als Dirigent am Teatro S. Cruz in Barcelona. Danach lebte er wieder in Bologna. Er schrieb u. a. die Opern Tigrane (Libretto Goldoni, Venedig 1762), Andromaca (Braunschweig 1765), Adriano in Siria (Metastasio, Modena 1770), Il paese della cuccagna (Goldoni, Bologna 1771), Zenobia (Metastasio, München 1773), Orfeo ed Euridice (Calzabigi, ebd. 1775), Rinaldo (Venedig 1775), Le due gemelle (Madrid 1776), La caccia di Enrico IV (Barcelona 1788), Zemira ed Azor (Da Ponte, ebd. 1791), I due ragazzi savojardi (ebd. 1794) und Angelica e Medoro (ebd. 1805), die Oratorien Il trionfo di Gedeone (1771) und Sant'Elena al Calvario (1790) sowie Motetten und Kantaten.
Lit.: F. M. Rudhardt, Gesch. d. Oper am Hofe zu München, Freising 1865; E. Cotarelo y Mori, Orígenes

y establecimiento de la ópera en España hasta el 1800, Madrid 1917.

Tozzi, Giorgio, * 8. 1. 1923 zu Chicago; amerikanischer Opernsänger (Baß) italienischer Herkunft, studierte in seiner Heimatstadt bei Giacomo Rimini und John Raggett Howell und debütierte 1949 am Ziegfield-Theatre in New York als Tarquinius in *The Rape of Lucretia* von Britten. Nach Studien bei Giulio Lorandi in Mailand gastierte er 1954 an der Mailänder Scala und wurde 1955 an die Metropolitan Opera in New York engagiert, wo er 1958 in Barbers *Vanessa* die Rolle des Doktors kreierte. Gastspiele führten ihn u. a. zu den Salzburger Festspielen, an die Wiener Staatsoper und an die großen italienischen Bühnen.

+Trabaci, Giovanni Maria, um 1575 [del.: um 1580] – 1647.
Ausg.: Composizioni per org. e cemb., hrsg. v. O. MISCHIATI, bisher erschienen: Bd I, 12 Ricercate, u. Bd II, 7 Canzoni, 2 Capricci u. 4 C. f. (alles aus Libro I, 1603), = Monumenti di musica ital. I, 3–4, Brescia 1964–69. – Ricercate (aus Libro II, 1615) f. Org. (Cemb.), hrsg. v. J. BONFILS, 2 H., = L'organiste liturgique LIV u. LVII, Paris 1966.
Lit.: U. PROTA-GIURLEO, G. M. Tr. e gli organisti della Real cappella di Palazzo di Napoli, in: L'org. I, 1960; R. J. JACKSON, The Keyboard Music of G. M. Tr., 2 Bde (I 1964, II Übertragung), Diss. Univ. of California at Berkeley 1964; DERS., The »Inganni« and the Keyboard Music of Tr., JAMS XXI, 1968; D. CELADA, L'opera organistica di G. M. Tr., in: La nuova musicologia ital., = Quaderni della Rass. mus. III, 1965; M. PERRUCCI, G. M. Tr. ed E. R. Duni nella storia della musica ital., Matera 1965.

Tracey (tɹ'eisi), Hugh Travers, * 29. 1. 1903 zu Willand (Devonshire); britisch-südafrikanischer Musikforscher, ließ sich 1921 in Südrhodesien als Farmer nieder, wo er ab Ende der 20er Jahre Schallaufnahmen von Eingeborenenmusik zu sammeln begann. 1934–47 war er Leiter der Natal-Studios des südafrikanischen Rundfunks. 1947 gründete er (mit Winifred Hoernle) die African Music Society, deren Sekretär er seitdem ist (auch Redakteur von deren *Newsletters*, 1948, Nr 1 – 1953, Nr 6, sowie der Fortführung als *African Music*, Bd Iff., 1954–57ff.; darin zahlreiche Beiträge von ihm selbst). Er ist des weiteren Gründer (1953) und bis heute Leiter der International Library of African Music in Roodepoort (Transvaal). 1965 erhielt Tr. den Titel eines D. Mus. Hon. der Universität Kapstadt. Er schrieb u. a.: *Ngoma. An Introduction to Music for Southern Africans* (London 1941); *Chopi Musicians. Their Music, Poetry, and Instruments* (ebd. 1948, Neuaufl. 1970); *The Lion on the Path* (ebd. und NY 1967, mit Musiktranskription); *Codification of African Music and Textbook Project. A Primer of Practical Suggestions for Field Research* (mit G. Kubik und A. T. N. Tracey, Roodepoort 1969). Von seinen zahlreichen Schallplattenveröffentlichungen afrikanischer Musik ist die großangelegte Anthologie *The Sound of Africa* zu nennen (mittlerweile 210 Langspielplatten, 15 Länder und etwa 150 Sprachen umfassend).

Träder, Willi, * 24. 3. 1920 zu Berlin; deutscher Chordirigent, studierte 1939–42 in Berlin Schulmusik an der Hochschule für Musikerziehung (H. Chemin-Petit) und 1945–46 Komposition am Internationalen Musikinstitut (Höffer). Er gründete 1949 die beiden Chöre des »Singkreises Willi Träder« (Rupenhorner Singkreis Berlin und Niedersächsischer Singkreis Hannover), der sich besonders zeitgenössischer Chormusik widmet, und wurde 1953 als Dozent an die Hochschule für Musik und Theater in Hannover berufen (1964 Professor). Tr. veröffentlichte das *Hu-*

stedter Singbuch (Wolfenbüttel 1949), das *DGB-Liederbuch* (mit E. Heer, E. L. v. Knorr und J. Rohwer, Köln 1951), die Liedblattreihe *Alle singen* (mit Fr. Jöde, Mainz 1952), Liedsätze *Über Jahr und Tag* (ebd. 1956), das Chorbuch *Musik in der Schule* (Bd VIII, mit E. Kraus und F. Oberborbeck, Wolfenbüttel 1965) und das Chor- und Instrumentalbuch *Musik im Leben* (mit H. Sabel, Ffm. 1970).

Traeg, Johann, * um 1747 zu Gochsheim (Unterfranken), † 5. 9. 1805 zu Wien; österreichischer Musikverleger, ab 1782 in Wien als Kopist tätig, eröffnete 1794 mit einer Komposition von J. Haydn einen Musikverlag. Er war ab 1798 auch Kommissionär von Breitkopf & Härtel in Wien. Nach seinem Tod führte sein Sohn Johann Baptist Tr. (* 1781 zu Wien) die Firma bis zu deren Auflösung im Jahre 1818 weiter. Von den über 600 erschienenen Verlagswerken ging der Großteil an Artaria & Comp., die übrigen an Cappi & Diabelli über.
Lit.: A. WEINMANN, Verz. d. Musikalien d. Verlages J. Tr. in Wien 1794–1818, StMw XXIII, 1956; DERS., Ergänzungen u. Berichtigungen zum Verz. d. Musikalien d. Verlages J. Tr. in Wien, StMw XXVI, 1964.

+Traetta, –1) Tommaso [erg.:] Michele Francesco Saverio, 1727–79. Er übernahm 1765 [nicht: 1756] die Direktion des Ospedaletto S. Giovanni e Paolo in Venedig.
–2) Filippo, 1777–1854.
Ausg.: zu –1): Sinfonia D dur, hrsg. v. E. BONELLI, Padua 1959; Stabat mater f. Soli, Chor u. Streichorch., hrsg. v. A. ROCCHI, Ffm. 1966.
Lit.: D. BINETTI, T. e F. Trajetta (Tr.) nella vita e nell'arte, o. O. 1972. – zu –1): +H. KRETZSCHMAR, Gesch. d. Oper (1919), Nachdr. Wiesbaden 1970; +A. EINSTEIN, Gluck (1936), London 1954, NY 1962 = Great Composer Series o. Nr, London u. NY 1964 = Master Musician Series o. Nr, auch NY 1972 (Paperbackausg.). – B. CANTRELL, T. Tr. and His Opera »Sofonisba«, Diss. Univ. of California at Los Angeles 1957; H. BLOCH, T. Tr.'s Reform of Ital. Opera, CHM III, 1963; DERS. in: MGG XIII, 1966, Sp. 613ff.; A. DAMERINI, Una pregevole pagina sacra settecentesca. Lo »Stabat mater« di T. Tr., in: Chigiana XXI, N. S. I, 1964; D. HEARTZ, Operatic Reform at Parma. »Ippolito ed Aricia«, Kgr.-Ber. »Settecento parmense . . .« Parma 1968. – zu –2): +FR. L. RITTER, Music in America (1883), Neuaufl. (erweitert) = B. Franklin Research and Source Work Series, Music Hist. and Reference Series I, NY 1972.

+Traján (Trojan) Ṭurnovský, Jan, * um 1550 [del.: wahrscheinlich] zu Turnov (Böhmen).
Ausg.: Officium auf »Dunaj, voda hluboká« (»Donau, tiefes Wasser«) u. »Všemohoucí Stvořiteli« (»Allmächtiger Schöpfer«), in: J. POHANKA, Dějiny české hudby v příkladech, Prag 1958; Patrem »My všichni věříme« (»Wir glauben alle«), Responsorium »I také s duchem Tvým« (»Und mit deinem Geist«), Lieder »Ráčil pamět zůstaviti« (»Als Andenken hinterließ er«) u. »Poprosměž Ducha svatého« (»Nun bitten wir d. Heiligen Geist«), in: Česká polyfonní tvorba, hrsg. v. J. SNÍŽKOVÁ, ebd.
Lit.: J. RACEK, Česká hudba (»Tschechische Musik«), Prag 1958.

Trampler (tɹ'æmplə), Walter, * 25. 8. 1915 zu München; amerikanischer Violinist deutscher Herkunft, studierte an der Musikhochschule in München, war 1. Violinist am Deutschlandsender (1935–38) und Mitglied des Strub-Quartetts (1935–39). Er spielte dann im Boston Symphony Orchestra (1942–44) und gehörte dem New Music String Quartet an (1947–56). Seit 1956 tritt Tr. als Solist auf. Daneben ist er Mitglied des Ensembles Chamber Music Society of Lincoln Center in New York und lehrt an der Juilliard School of Music in New York und am Peabody Conservatory of Music in Baltimore.

Trân Van Khê, * 24. 7. 1921 zu Binh Hoa Dông (Mytho, Vietnam); vietnamesisch-französischer Musikforscher, studierte zunächst an der Universität Hanoi (1941–44), dann in Paris am Institut d'Etudes Politiques (1949–51) sowie bei Chailley und Schaeffner am Institut de Musicologie der Sorbonne (1951–58), wo er den Grad eines Docteur ès-lettres erwarb und seit 1959 an dessen Centre d'Etudes de Musique Orientale wirkt (1965 Direktor). Daneben arbeitet er seit 1959 beim Centre National de la Recherche Scientifique (1972 Forschungsleiter). 1971 wurde er Dozent für Musikethnologie an der UER (Unité d'Enseignement et de Recherche) de Musicologie der Universität Paris-Sorbonne. Tr. V. K. ist persönliches Mitglied des Internationalen Musikrates (UNESCO) und Vizepräsident des Wissenschaftlichen Rates beim Institut für vergleichende Musikforschung und für Dokumentation in Berlin. Auf zahlreichen Vortragsreisen (Europa, Asien, Afrika, USA) sowie durch Schallplattenaufnahmen (1960 und 1970 Grand prix du disque, 1969 Deutscher Schallplattenpreis) hat er die Musikkultur von Vietnam bekannt gemacht. Von seinen Veröffentlichungen seien genannt: *La musique vietnamienne traditionnelle* (= Annales du Musée Guimet VI, Paris 1962); *Viêt Nam* (= Les traditions musicales III, ebd. 1967); *Les échelles régulières du cycle des quintes et leurs déformations occasionnelles* (in: La résonance dans les échelles musicales, hrsg. von E. Weber, ebd. 1963); *Confucius, musicien et théoricien de la musique* (in: France–Asie/Asia XX, 1965/66); *La musique populaire au Vietnam* (JIFMC XVIII, 1966); *Die Bedeutung der traditionellen Musik in den außereuropäischen Ländern* (in: Musica XXI, 1967); *L'utilisation du sonographe dans l'étude du rythme* (Rev. de musicol. LIV, 1968); *La musique vietnamienne au XIXe s.* (in: Musikkulturen Asiens, Afrikas und Ozeaniens im 19. Jh., hrsg. von R. Günther, = Studien zur Musikgeschichte des 19. Jh. XXXI, Regensburg 1973); *Musiques traditionnelles et évolution culturelle* (in: Cultures I, 1973); *L'acculturation dans les traditions musicales de l'Asie* (International Rev. of Aesthetics and Art Criticism V, 1974); ferner Beiträge für Lexika und enzyklopädische Sammelschriften.

Tranchell (tɪ'ænʃl), Peter Andrew, * 14. 7. 1922 zu Cuddalore (Britisch Indien); englischer Komponist, studierte 1941–42 und 1946–49 am King's College in Cambridge (B. A. 1948, Mus. B. 1949, M. A. 1950), war an der University of Cambridge Assistant Lecturer (1950–52) und Lecturer (1952–60) sowie Leiter des dortigen Arts Theatre. Seit 1960 ist er Director of Music, Precentor und Director of Studies in Music am Gonville und Caius College. Er schrieb die Oper *The Mayor of Casterbridge* (Cambridge 1951), die Musical Comedy *Zuleika* (ebd. 1954) und die Operette *Twice a Kiss* (ebd. 1955), die Ballette *Falstaff* (1950), *Fate's Revenge* (1951), *Euridice* (Cambridge 1952), *Spring Legend* (ebd. 1957) und *Images of Love* (London 1964), Orchesterwerke (Variationen *Decalogue* für Blechbläser, Schlagzeug und Org., 1956; *Scherzetto*, 1960; Nocturne für kleines Orch., 2 Kl. und Org., 1961; Symphonische Dichtung *Eclogue*, 1962; *Festive Overture*, 1966; Concerto grosso, 1972), Kammermusik (Variationen auf ein Thema von Chopin für Streichquartett, 1949; Trio für V., Horn und Kl., 1941; *Triolet* für Fl., Klar. und Kl., 1948; Streichtrio, 1949; Ricercar für 2 Trp. und Org., 1965; Sonatine für Fl. und Kl., 1966), Klavierwerke (7 *Pieces in ‚Alphabetical‘ Order*, 1947, 2. Fassung 1960; Sonate, 1948; Sonatine, 1949; *Dodecafonia* Nr 6, 1950; 4 Stücke *Friendly Grotesques*, 1953, und *Spring Rondo*, 1968, für Kl. 4händig),

Orgelwerke (Orgelsymphonie *Nativitates*, 1942; *Caro Voluntary*, 1948; *Little Sonata*, 1949; *Sonata 1950*; Sonate, 1958; Sonatine, 1968), Vokalwerke (*What Deaths Men Have Died* für T. und Orch., 1948; Psalm CXLIV für T., B., gem. Chor und Orch., 1949; *City of God* für 3 Soli, gem. Chor und Orch., 1949; *2 Poems of T'ao Ch'ien* für Bar., Klar., Trp., Celesta, Streichquartett, Schlagzeug und Kl., 1948; *7 Poems of Po Chü-i* für Bar. und Klavierquintett, 1948; Kantaten *Daisy Simkins* für Soli, Chor und 2 Kl., 1954, und *The Mating Season* für Soli, Männerchor und Kl., 1962; *Cousin Cissie's Baby Book of Swans*, Liederzyklus von 13 Burlesken für T. oder S. und Kl., 1944; 2 Magnificat für a cappella-Chor, 1973) sowie Schauspiel- und Filmmusik.

+Třanovský, Juraj, [erg.:] 27. 3. 1592 [del.: oder 1591] zu Teschen (Těšín) [nicht: Třanovice] – 1637.
Lit.: ZD. BOKESOVÁ-HANÁKOVÁ, Hudba v díle Tř.ého (»Die Musik in Tř.s Werk«), Bratislava 1937; C. SCHOENBAUM, Bemerkungen zu d. Oden d. Tranoscius, Mf IX, 1956; K. CZOMASZ TÓTH, A humanista metrikus dallamok Magyarországon (»Die humanistischen metrischen Lieder in Ungarn«), Budapest 1967 (mit Übertragung d. 4st. Chorsätze u. deutscher Zusammenfassung); J. ĎUROVIČ, Príspevky k dejinám slovenskej hymnológie 16. a 17. storočia (»Beitr. zur Gesch. d. slowakischen Hymnologie im 16. u. 17. Jh.«), = Dokumenty k dejinám slovenskej hudby XXIII, Bratislava 1969; M. POŠTOLKA, Die »Odae Sacrae« d. Campanus (1618) u. d. Tranoscius (1629), in: Miscellanea musicologica XXI–XXIII, 1968–70.

Translateur, Siegfried (eigentlich Salo Tr.), * 19. 6. 1875 zu Carlsruhe (Oberschlesien), eingeäschert 2. 3. 1944 im Getto Theresienstadt; deutscher Komponist von Unterhaltungsmusik, lebte ab 1901 in Berlin, wo er auch Inhaber eines Musikverlags war. Er schrieb vor allem Charakterstücke, Märsche und Tänze. Sein Walzer *Wiener Praterleben* op. 12 ist besonders beim Berliner Sechstagerennen dank eines Berliner Stammgastes, der dazu pfiff, als »Sportpalast-Walzer« lebendig geblieben.

+Trantow, Herbert, * 19. 9. 1903 zu Dresden.
Neuere Werke: Musikalette *Lolotte oder Keiner nimmt den Kaiser ernst* (Dresden 1971); Bolero *Andalucia* (1957), *Kleine Tafelmusik* (1958), *Variationen über ein englisches Kinderlied* (1959) und Konzertouvertüre *La Giocosa* (1960) für Orch.; *Sonata liturgica* für Fl. (V., Va) und Kl. (1960); *Jazzettes* für Kl. (1963); 3 ernste Gesänge *Triptychon* für mittlere St., Streichorch., Hf. und Schlagzeug (1962).

+Trapp, Jakob, * 23. 6. 1895 zu Markt Erlbach (bei Nürnberg).
Das von ihm 1927 gegründete Konservatorium wird seit 1962 von der Stadt München als R. Strauss-Konservatorium weitergeführt. Tr. lebt heute in Tutzing (Oberbayern).

+Trapp, [erg.: Hermann Emil Alfred] Max, * 1. 11. 1887 und [erg.:] † 31. 5. 1971 zu Berlin.
Tr. war ab 1955 Mitglied der Berliner Akademie der Künste. Sein Schaffen umfaßt auch 7 Symphonien.

Traubel (tɪ'ɔːbl), Helen, * 20. 6. 1899 zu St. Louis (Mo.), † 28. 7. 1972 zu Santa Monica (Calif.); amerikanische Sängerin (hochdramatischer Sopran), studierte in ihrer Heimatstadt bei Vetta Karst und trat 1925–37 als Konzertsängerin auf. 1937 debütierte sie am Metropolitan Opera in New York, deren Ensemblemitglied sie bis 1953 war. Sie machte sich als Interpretin der großen Wagner-Partien einen Namen und gab zahlreiche Konzerte in Nord- und Südamerika sowie in Europa. H. Tr. veröffentlichte *The Metro-*

politan *Opera Murders* (NY 1951, ²1964) und eine Autobiographie *St. Louis Woman* (NY 1959).

Traunfellner, Peter Carl, * 20. 10. 1930 zu Wien; österreichischer Dirigent und Komponist, studierte in Wien an der Musikakademie (Abschluß 1952) sowie an der Universität (Germanistik und Musikwissenschaft) und war 1952–57 Kapellmeister und Korrepetitor an den Vereinigten Bühnen in Graz. 1957–61 lebte er als freischaffender Dirigent, Komponist und Pianist in Wien und gab Konzerte im In- und Ausland. Seit 1971 ist Tr. Professor für Theorie, Klavier und Korrepetition am Konservatorium der Stadt Wien. Er schrieb das Ballett *Rondo ostinato* (Graz 1952), Orchesterwerke (*Sinfonie 56*, 1958; Konzert für 4 Fl., Kl., Vibraphon, Kb. und Orch., 1960), Kammermusik (Streichtrio Nr 1, 1951; Musik für F-Fl. und Cemb., 1954; *3 Manierismen* für Vc. und Kl., 1970; *Permutationen* für V., V. auf Tonband, Vibraphon und Kl., 1971; *Suite parodique* für elektroakustisch verstärkte V. und Kl., 1971) und Vokalwerke (Kantate *Österreich*, 1965; 4 a cappella-Chöre nach Karl Kraus' *Die letzten Tage der Menschheit*, 1964) sowie Bühnen-, Hörspiel- und Filmmusik.

+Trautwein, Friedrich [erg.:] Adolf, 1888 – 20. [nicht: 21.] 12. 1956.
Er veröffentlichte ferner *Probleme des Hörens* (Gravesaner Blätter II, 1957).
Lit.: Fr. Winkel in: Musica XI, 1957, S. 93f.

+Trautwein, Traugott.
J. Guttentag übernahm 1840 lediglich das Sortimentsgeschäft; das mit dem Verlag 1858 an M. Bahn übergegangene Sortiment wurde 1874 wieder verkauft [del. bzw. erg. frühere Angaben dazu].

Traverse (trǽvəːs), Alan, * 13. 2. 1928 zu Croydon (Surrey); englischer Violinist, studierte an der Royal Academy of Music in London, war 1959–65 Mitglied des Royal Opera House Orchestra, 1965–69 des London Philharmonic Orchestra, anschließend 2. Konzertmeister des Royal Philharmonic Orchestra und ist seit 1973 1. Konzertmeister des Royal Liverpool Philharmonic Orchestra.

+Travis, Francis Irving, * 9. 7. 1921 zu Detroit (Mich.).
Tr., der heute in Basel lebt, unterrichtet seit 1965 (als Professor) Orchesterdirigieren an der Musikhochschule in Freiburg i. Br. Er brachte mehrfach zeitgenössische Kompositionen (besonders von Schweizer Komponisten) zur Uraufführung.

Travis (trǽvis), Roy, * 24. 6. 1922 zu New York; amerikanischer Komponist, studierte am Columbia College/S. C. (A. B. 1947), an der Juilliard School of Music bei B. Wagenaar (M. S. 1950) und an der Columbia University in New York bei Luening (M. A. 1951) sowie privat bei Salzer (1947–50) und am Pariser Conservatoire bei Milhaud (1951–52). Seit 1957 gehört er dem Department of Music der University of California in Los Angeles an (1958–64 Assistant Professor, 1964–68 Associate Professor, 1968 Professor). Er komponierte u. a.: Symphonisches Allegro (1951); Sonate Nr 1 (1954) und 5 Praeludien (1956) für Kl.; Streichquartett Nr 1 (1958); Oper *The Passion of Oedipus* (eigenes Libretto nach Sophokles, 1965); *Songs and Epilogues*, Zyklus für B. und Kl. (Sappho-Texte, 1965); *African Sonata* für Kl. (1966); *Duo concertante* für V. und Kl. (1967); Septett für Fl., Klar., V., Vc., Kb., Kl. und Schlagzeug (1968); *Collage* für Orch. (1968); Klavierkonzert (1969); Concerto für Fl., auf Tonband aufgenommene afrikanische Instr. und Synthesizer

(1971). – Veröffentlichungen: *Towards a New Concept of Tonality?* (Journal of Music Theory III, 1959); *Directed Motion in Two Brief Piano Pieces of Schoenberg and Webern* (in: Perspectives of New Music IV, 1965/66); *Tonal Coherence in the First Movement of Bartók's Fourth String Quartet* (in: The Music Forum II, 1970).

+Traxel, Josef Friedrich, * [erg.: 29. 9. 1916] zu Mainz.
Tr., Kammersänger seit 1954, war bis 1971 Mitglied der Württembergischen Staatstheater in Stuttgart (seitdem Ehrenmitglied). Gastspiele und Konzerte führten ihn auch nach Nord- und Südamerika. Seit 1962 leitet er eine Gesangsklasse an der Stuttgarter Musikhochschule (1965 Ernennung zum Professor).

Trede, Gerhard, * 17. 1. 1913 zu Hamburg; deutscher Komponist, studierte in seiner Heimatstadt. Er komponierte mehr als 1000 Begleitmusiken aller Art (auch Elektronische Musik) für Film, Fernsehen und Rundfunk, die er auch im eigenen Tonstudio aufnimmt.

Treger (trǽːgə), Charles, * 13. 5. 1935 zu Detroit (Mich.); amerikanischer Violinist, studierte bei William H. Engel, Hugo Kortschak, Karl Doktor, S. Goldberg und W. Kroll, gab sein erstes öffentliches Konzert im Alter von 11 Jahren und war 1962 1. Preisträger beim Wieniawski-Violinwettbewerb in Warschau. Seitdem konzertiert er mit den großen Orchestern der USA sowie Europas und tritt in zahlreichen Soloabenden auf. 1964 wurde ihm als erstem Ausländer die Wieniawski-Goldmedaille für die Interpretation polnischer Musik verliehen. Tr. ist Professor für Violine an der School of Music der University of Iowa in Iowa City.

+Tregian, Francis, [erg.: um] 1574 in Cornwall(?) [nicht: London] – 1619.
Ausg.: +The Fitzwilliam Virginal Book (J. A. Fuller-Maitland u. W. B. Squire, 1894–99), Nachdr. NY 1963.
Lit.: P. Willetts, Tr.'s Part-Books, MT CIV, 1963.

Treigle (trǽigl), Norman Wilfred, * 6. 3. 1927 und † 16. 2. 1975 zu New Orleans; amerikanischer Sänger (Baßbariton), debütierte 1947 als Lodovico (*Otello*) an der New Orleans Opera, studierte 1948–51 bei Elizabeth Wood an der Loyola University in New Orleans und wurde 1953 an die New York City Opera engagiert. Er gastierte in Europa (ab 1955), Kanada (1960) und Südamerika (1968). Zu seinen wichtigsten Partien gehörten Julius Caesar, Figaro (*Le nozze di Figaro*), Boris Godunow sowie die Titelpartie in Dallapiccolas *Il prigioniero*. Daneben kreierte er mehrere Rollen aus Opern von Floyd (Olin Blitch in *Susannah*, *The Passion of Jonathan Wade* und *Markheim*).

Treitschke, Georg Friedrich, * 29. 8. 1776 zu Leipzig, † 4. 6. 1842 zu Wien; deutscher Theaterschriftsteller und Schauspieler, war zunächst Kaufmann, dann Schauspieler und kam um 1800 nach Wien, wo er 1802 Regisseur und Dichter der Hofoper wurde und 1811–14 die stellvertretende Leitung des Theaters an der Wien innehatte. Er bearbeitete die 2. Fassung von Beethovens *Leonore* durch Kürzung der Handlung und Neugestaltung des Dialogs zur endgültigen 3. Fassung mit dem Titel *Fidelio* (Wien 1814). Außerdem schrieb er das Textbuch *Romulus und Remus*, mit dem sich Beethoven beschäftigte, dann aber wieder beiseite legte; das Libretto wurde von →Fuß vertont. Dagegen komponierte Beethoven die Schlußgesänge zu Tr.s Singspielen *Die gute Nachricht* (Germania, Wien 1814) und *Die Ehrenpforten* (*Es ist vollbracht*, ebd. 1814) sowie das Lied *Ruf vom Berge* (1816).
Lit.: Th. Frimmel, Beethoven-Hdb., Bd II, Lpz. 1926, Nachdr. Hildesheim u. Wiesbaden 1968, S. 332ff.

Tremblay (tɹ'embli), George Amédée, * 14. 1. 1911 zu Ottawa; kanadisch-amerikanischer Komponist, lebt seit 1919 in den USA, wo er ab 1936 seine Studien bei Schönberg vervollkommnete. 1965 gründete er in Los Angeles die School for the Discovery and Advancement of New Serial Techniques. Er schrieb Orchesterwerke (3 Symphonien, Nr 1 *Symphony in I Movement*, 1949, Nr 2, 1952, und Nr 3, 1970; Serenade, 1955, und *Epithalamium*, 1962, für Bläser, Streicher, Kl. und Schlagzeug), Kammermusik (Bläsersextett, 1968; 2 Bläserquintette, 1940 und 1950; 4 Streichquartette, 1936–63; *Modes of Transportation*, 1939, und *In Memoriam*, 1942, für Streichquartett; Klavierquartett, 1958; Quartett für Ob., Klar., Fag. und Va, 1964; Klaviertrio, 1959; Streichtrio, 1964; Duo für Va und Kl., 1966; Fantasie und Fuge für Fag. und Kl., 1967; Kontrabaßsonate, 1967) und 3 Klaviersonaten (1938–57).

Tremblay (trãbl'ɛ), Gilles, * 6. 9. 1932 zu Arvida (Provinz Québec); kanadischer Komponist und Pianist, studierte 1949–54 am Konservatorium in Montreal (Champagne), 1954–60 in Paris bei Messiaen, Yvonne Loriod sowie Martenot und gehörte 1960–61 zur Groupe de Recherches Musicales am ORTF. Gegenwärtig lehrt er Theorie am Konservatorium in Montreal. Von seinen Kompositionen seien genannt: *Phases* (1956) und *Réseaux* (1958) für Kl.; *Cantique de durées* für 7 instrumentale Formationen (1960); *Champs I* für Kl., Marimba- und Vibraphon und Schlagzeug (1965); *Kékoba* für S., Mezzo-S., T., Schlagzeug und Ondes Martenot (1965); *La sonorisation du pavillon du Québec* (Elektronische Musik für den kanadischen Pavillon der Weltausstellung 1967); *Souffles (Champs II)* für 2 Fl., Ob., Klar., Horn, 2 Trp., 2 Pos., 2 Schlagzeuger, Kl. und Kb. (1968); *Vers (Champs III)* für 3 V., Kb., 2 Fl., Klar., Horn, Trp., 3 Schlagzeuger und Kl. (1969); *Dimension soleils*, elektroakustische Musik für einen Film von Raymond Brousseau (1970); *»... Le sifflement des vents porteurs de l'amour ...«* für Fl., Schlagzeug und 4 Mikrophone (1971); *Jeux de solstices* für Fl., Klar., Horn, Kb. und 2 Schlagzeuger (1971). Außerdem veröffentlichte er u. a. *Note pour »cantique de durées«* (Rev. d'esthétique XXI, 1968) und *Oiseau-nature, Messiaen, musique* (Les cahiers canadiens de musique 1970, Nr 1).

Trémisot (tremiz'o), Édouard, * 21. 1. 1874 zu Lyon, † 1. 7. 1952 zu Bar-sur-Seine (Aube); französischer Komponist, studierte in Paris bei Massenet und Fauré. Er schrieb u. a. die Opern *Pyrame et Thisbé* (1904), *L'auréole* (1914), *L'épave* (1919) und *Stamboul* (1921), die Symphonische Dichtung *Tantale*, Klaviersuiten, *Le chant du héros* für Soli, Chor und Orch. (1938) sowie Lieder.

Trenet (trən'ɛ), Charles, * 18. 5. 1913 zu Narbonne; französischer Chansonsänger, Komponist, Textdichter und Interpret eigener Chansons, besuchte ab 1928 Kunstschulen in Berlin und Paris und war ab 1930 als Filmdekorateur tätig; in dieser Zeit entstanden seine ersten Chansons (*Fleur bleue*, *La polka du roi*). 1937 debütierte er als Interpret eigener Chansons mit *Je chante* in Marseille. 1938 trat er im »Théâtre ABC« zum ersten Male in Paris auf. Von seinen zahlreichen, meistens auf skurrile und optimistisch-ironische Texte geschriebenen Chansons seien genannt: *Y'a d'la joie* (1937); *La route enchantée* (1938); *La vie qui va* (1939); *C'est bon* (1942); *La mer* (1945); *Mes jeunes années* (1949); *L'âme des poètes* (1951); *Pauvre Georges André* (1956); *Sacre farceur* (1960); *Mon village englouti* (1963). Tr. ist auch als Romanschriftsteller hervorgetreten.

Lit.: M. ANDRY, Ch. Tr., = Masques et visages o. Nr, Paris 1953; P. MICHEL, Ch. Tr., ebd. 1964; M. PEREZ, Ch. Tr., = Poètes d'aujourd'hui Bd 125, ebd. 1965; F. SCHMIDT, Das Chanson, = Slg Damokles VIII, Ahrensburg u. Paris 1968; D. SCHULZ-KOEHN, Vive la chanson, Gütersloh 1969; CH. BRUNSCHWIG, L.-J. CALVET u. J.-CL. KLEIN, 100 ans de chanson frç., Paris 1972.

Trenner, Franz, * 12. 11. 1915 zu München; deutscher Musikforscher, promovierte 1949 an der Universität seiner Heimatstadt mit der Dissertation *Die Zusammenarbeit von H. v. Hofmannsthal und R. Strauss* und wurde Theorielehrer für Musiker, Schauspieler und Tänzer an der Städtischen Berufsschule in München. Er veröffentlichte u. a.: *R. Strauss. Dokumente seines Lebens und Schaffens* (München 1954); *H. v. Bülow, R. Strauss. Briefwechsel* (mit W. Schuh, R. Strauss Jb. 1954, engl. London 1955); *R. Strauss, Lieder* (GA, 4 Bde, London 1964). Mit A. Ott vollendete er das von E. Müller von Asow begonnene *Thematische Verzeichnis der Werke von R. Strauss* (3 Bde, Wien 1954–74).

Trento, Vittorio, * um 1761 zu Venedig, † 1833 zu Lissabon(?); italienischer Komponist, studierte in Venedig am Conservatorio dei Mendicanti (Bertoni), begann Ballette und Opern zu schreiben und wurde in Venedig Maestro al cembalo am Teatro S. Samuele sowie nach einer von Dragonetti veranlaßten London-Reise, bei der 1796 sein Ballett *The Triumph of Love* am Drury Lane Theater aufgeführt wurde, 1797 Kapellmeister am Teatro La Fenice. 1806 wirkte er als Maestro concertatore am Teatro Italiano in Amsterdam. Danach lebte er in Lissabon, London (1811) und Florenz (1818–21). Von seinen zahlreichen Opern seien genannt: *Orfeo negli Elisi* (Verona 1789); *Demofoonte* (Libretto Metastasio, Venedig 1791); *Quanti casi in un sol giorno ossia Gli assassini* (ebd. 1801); *Ifigenia in Aulide* (Neapel 1804); *La Climène* (London 1811); *La conquista delle nuove Amazoni* (Rom 1821); *Giulio Sabino in Langres* (Bologna 1824). Außerdem schrieb er über 50 Ballette sowie Oratorien (*The Deluge*, 1808; *I Maccabei*, 1824), *Canto funebre sulla tomba di Perceval* (1812) und Lieder. Lit.: A. DELLA CORTE, L'opera comica ital. nel '700, Bari 1923; W. C. SMITH, The Ital. Opera and Contemporary Ballet in London 1789–1820, London 1955.

+Treptow, Günther Otto Walther, * 22. 10. 1907 zu Berlin.
Tr., seit 1971 Kammersänger, war Mitglied der Deutschen Oper Berlin bis 1972. In den Jahren 1948–62 sang er als Gast u. a. an der Scala in Mailand, der Covent Garden Opera in London, der Metropolitan Opera in New York und am Bolschoj Teatr in Moskau.

Tretzscher, Matthias (Tretscher, Trötzscher), * 23. 3. 1626 zu Lichtenstadt (Böhmen), † 9. 4. 1686 zu Kulmbach (Oberfranken); deutscher Orgelbauer, war 1643–44 Orgelschüler von D. Schedlich in Nürnberg, erlernte dann den Orgelbau bei seinem Stiefvater Jacob Schedlich in St. Joachimsthal, war 1651–52 Organist in Marienberg (Böhmen) und ließ sich 1654 als Orgelmacher in Kulmbach nieder, wo er 1685 ein markgräfliches Privileg erhielt. Er hat im Obermaingebiet und im Raum zwischen Main und Donau über 50 Orgelwerke errichtet und gilt als der bedeutendste Orgelbauer des 17. Jh. in Ostfranken. – Hauptwerke: Bayreuth, Stadtkirche (1653, 20 St.); Heilsbronn (1654, 20 St.); Schweinfurt, St. Johannis (1662, 18 St.); Coburg, St. Moritz (1665, 18 St.); Kaisheim bei Donauwörth (1678, 3manualig, 30 St.). Tr.s bedeutendsten Schüler waren Johann Gruber, Tobias Dressel und Daniel Felix Streit, der 1696 die Werkstatt von Tr.s Witwe übernahm.

Lit.: R. QUOIKA, Der Orgelmacher J. Schedlich, AfMw XVIII, 1961; TH. WOHNHAAS, M. Tr. u. d. Kaisheimer Org., Jb. f. fränkische Landesforschung XXIII, 1963; H. HOFNER, M. Tr., in: Ars org. 1964, H. 23; DERS., Zur Orgelgesch. d. östlichen Frankenlandes, ebd. 1966, H. 28; H. FISCHER, Der mainfränkische Orgelbau bis zur Säkularisation, Acta organologica II, 1968.

Trew, Abdias (Treu), * 29. 7. 1597 zu Ansbach, † 12. 4. 1669 zu Altdorf (Mittelfranken); deutscher Theologe, Mathematiker und Musiktheoretiker, Großvater von Daniel Gottlieb Treu (1695–1749), besuchte als Sohn des Kantors Michael Tr. (1563–1620) ab 1611 das Gymnasium in Heilsbronn (Mittelfranken) und ab 1618 die Universität Wittenberg (Magister artium 1621), wurde Pfarrer 1622 in Heidenheim (bei Gunzenhausen) und 1623 in Markt Erlbach (Mittelfranken), ging 1625 als Rektor der Lateinschule nach Ansbach und wurde 1636 Professor der Mathematik an der Universität Altdorf, dort 1650 auch Professor der Physik. 1659–61 war Printz sein Schüler. Von seinen Schriften seien genannt: *Ianitor lycaei musici* (Rothenburg o. d. T. 1635, deutsch als *Lycaei musici epitome, das ist Musicalisches Kunstbüchlein,* ebd.); *Manuale geometriae practicae. Geometrisches Handbüchlein ..., wie solches in der ... Musica und Orgelmachen ... nutzlich* (Nürnberg 1636); *Directorium mathematicum* (3 Bde, Altdorf 1657). Unter Tr.s Namen erschienen in Altdorf 4 musikalische Disputationen: *De natura musicae* (1645, mit der von Printz übernommenen Definition und Klassifikation der Musik); *De natura soni et auditus* (1645); *De causis consonantiae et dissonantiae* (1648); *De divisione monochordi* (1662, mit einer Widmung, in der der Begriff »Music-Wissenschaft« vorkommt).
Lit.: H. HECKMANN, W. C. Printz u. seine Rhythmuslehre, Diss. Freiburg i. Br. 1952; M. VOGEL, Die Zahl Sieben in d. spekulativen Musiktheorie, Diss. Bonn 1955; FR. KRAUTWURST in: MGG XIII, 1966, Sp. 641ff.; R. DAMMANN, Der Musikbegriff im deutschen Barock, Köln 1967.

+Trexler, Georg, * 9. 2. 1903 zu Pirna.
Neuere Werke: Kantate *Assumpta est Maria* für 4 Soli, gem. Chor und Orch. (1958); Konzert für Org., Streicher und Pk. (1959); Sextett für Bläserquintett und Kl. (1959); *Symphonische Burlesken* für Orch. (1963); Responsorium *Ecce sacerdos magnus* für 3st. gem. Chor und Org. (1963); *Meditationen über Themen des »Te Deum«* von A. Bruckner für Org. (1967).
Lit.: W. DIETRICH in: Musica sacra LXXVI, 1956, S. 52ff.; G. BERGER, Zum kirchenmus. Schaffen G. Tr.s, in: Musik u. Altar XII, 1959; W. SCHRAMMEK in: Musica sacra LXXXVIII, 1968, S. 119ff., u. in: Werkheft f. Liturgie u. Kirchenmusik V, Lpz. 1969, S. 109ff. (mit Werkverz.); R. WALTER in: Musica sacra XCIII, 1973, S. 164ff.

Tricarico, Giuseppe, * 25. 6. 1623 und † 14. 11. 1697 zu Gallipoli (Apulien); italienischer Komponist, studierte in Neapel und lebte ab 1649 in Rom. Er war Kapellmeister der Accademia dello Spirito Santo in Ferrara (1654) und am Kaiserhof in Wien (1659–63). 1664 kehrte er nach Gallipoli zurück. Seine Kompositionen umfassen u. a. die Opern *L'Endimione* (Ferrara 1655), *La virtù guerriera* (Libretto A. Aureli, Wien 1659), *L'Almonte* (A. Draghi, ebd. 1661), *La generosità di Alessandro* (Sbarra, ebd. 1662) und *L'Endimiro creduto Uranio* (Neapel 1670), die Oratorien *La gara della misericordia e giustizia di Dio* (1661) und *Adamo ed Eva* (1663), *Concentus ecclesiastici liber quartus a 2–4 v.* (1649), 2 Madrigale a 3 v. in *Florido concento di Madrigali in musica a tre v. con la parte da sonare Lib. I°* (1652) und *Lib. II°* (1653) sowie Kantaten, Messen und Arien in Sammelwerken der Zeit.
Lit.: G. A. PASTORE, G. Tr. da Gallipoli musicista del s. XVII, in: Studi salentini XIII/XIV, 1958/59.

+Trichet, Pierre, 1586 [erg.:] oder 1587 – 1644.
Ausg.: +Traité des instr. de musique (FR. LESURE, 1955–56), separat Neuilly-sur-Seine 1957, Suppl. in: GSJ XV, 1962 – XVI, 1963.
Lit.: +Correspondance du P. M. Mersenne (III, 1946), Paris ²1969. – E. M. RIPIN, The French Harpsichord Before 1650, GSJ XX, 1967.

Triller, Valentin, * zu Guhrau (Niederschlesien); deutscher Theologe, gab als Pfarrer in Panthenau (bei Nimptsch) *Ein Schlesisch singebüchlein* (Breslau 1555), mit neuem Titel *Ein Christlich Singebuch, fur Layen vnd Gelerten, Kinder vnd alten, daheim vnd in Kirchen zu singen* (ebd. 1559) heraus, das 90 1st., 7 2st. und 43 3st. Melodien in schlichtem Satz enthält, wobei z. T. Volkslieder für den Gemeindegesang benutzt sind.
Lit.: W. BÄUMKER, Das kath. deutsche Kirchenlied in seinen Singweisen, Bd I–II, Freiburg i. Br. 1862, ²1886, Nachdr. 1883, Nachdr. Hildesheim 1962; W. SALMEN, Der volkskundliche Gehalt in V. Tr.s »Schlesisch Singebüchlein« v. 1555, in: Der Kirchenmusiker VI, 1955; H. EBERLEIN, V. Tr. u. sein schlesisches Singebüchlein, Jb. f. schlesische Kirche u. Kirchengesch. N. F. XXXIV, 1955 – XXXV, 1956; K. AMELN in: MGG XIII, 1966, Sp. 680f.

Trimble (tɪ´imbl), Lester, * 29. 8. 1923 zu Bangor (Wis.); amerikanischer Komponist und Kritiker, studierte Komposition und Musiktheorie am Carnegie Institute of Technology (heute Carnegie-Mellon University) in Pittsburgh (Pa.) bei Lopatnikoff, am Berkshire Music Center in Tanglewood/Mass. (1947) sowie in Paris am Conservatoire bei Milhaud und an der Ecole Normale de Musique bei A. Honegger (1950–51). Er lehrte Musik am Chatham College in Pittsburgh (1948–50) und schrieb Musikkritiken für die »New York Herald Tribune« (1951–59) sowie »The Nation« (1956–61). 1961–62 war er General Manager des American Music Center und anschließend Professor of Music an der University of Maryland in Catonsville (1963–67). Er komponierte u. a. die Oper *Boccaccio's »Nightingale«* (1962), Orchesterwerke (*Symphony in Two Movements,* 1951; Konzert für Bläser und Streicher, 1955; *Closing Piece,* 1957; *5 Episodes,* 1962; 2. Symphonie, 1968; *Notturno* für Streichorch., 1968; *Duo concertante* für 2 V. und Orch., 1968), Kammermusik (Sextett für Fl., Klar., Ob., Fag., Horn und Kl., 1952; Streichquartette Nr 1, 1950, und Nr 2, *Pastorale,* 1956; Duo für Va und Kl., 1951), Klavierstücke und Vokalmusik (*In Praise of Diplomacy and Common Sense* für 6 Schlagzeuger, B. oder Bar., Männersprechchor sowie einen Sprecher und eine Sprecherin, 1965; *4 Fragments from the Canterbury Tales* für hohe St., Fl., Klar. und Cemb. oder Kl., 1958; *Petit concert* für T. oder S., V., Ob. und Cemb., 1967).
Lit.: Werkverz. in: Composers of the Americas X, Washington (D. C.) 1964.

+Tristano, Lennie [erg.:] (Leonard) Joseph, * 19. 3. 1919 zu Chicago.
Tr. gab 1965 und 1968 Konzerte in Europa. Weitere Aufnahmen: *Requiem* (Atlantic 1224); *The New Tr.* (1958–62; Atlantic 1357).
Lit.: R. G. REISNER, The Jazz Titans, Garden City (N. Y.) 1960; W. FR. VAN EYLE, Discography of L. Tr., Zaandam 1966.

+Tritonius, Petrus, um 1465 [nicht: um 1475] – [erg.:] vermutlich 1525 zu Hall (Tirol).
Tr. studierte an den Universitäten Wien (1486) und Ingolstadt (1497), erwarb in Padua den Magister artium (1502?) und war Lehrer an der Domschule in Brixen (1500–04?). Als Lateinschulmeister wirkte er in Bozen (1508–12) und Hall (1512–19), danach hielt er sich in Schwaz (Tirol) auf; 1524 wurde er wieder nach Hall berufen. [del. bzw. erg. frühere Angaben dazu.] –

Tr. ist nicht der alleinige Autor der Odensammlung +*Melopoiae sive Harmoniae tetracenticae* (1507), wie aus dem (vollständigen) Titel des Werkes hervorgeht. → Odenkomposition.
Ausg.: Melopoiae ..., hrsg. v. G. VECCHI, = Antiquae musicae Ital. bibl., Corpus mensurabilis more antiquo musicae I, Bologna 1967.
Lit.: FR. WALDNER, P. Tr., recte Peter Treibenraiff, Zs. d. Ferdinandeums f. Tirol u. Vorarlberg III, 47, 1903; G. VECCHI in: MGG XIII, 1966, Sp. 69ff.

Trittinger, Adolf, * 23. 3. 1899 zu Klosterneuburg (Niederösterreich), † 25. 12. 1971 zu Melk (Niederösterreich); österreichischer Organist, Chorleiter und Komponist, studierte 1918–22 an der Akademie für Musik und darstellende Kunst in Wien und war nach 12jähriger Tätigkeit als Chordirektor und Musikpädagoge Organist an der Bruckner-Orgel in St. Florian (1934–38), wurde dort 1935 Musikdirektor und leitete bis 1938 die Aufführungen der Internationalen Bruckner-Gesellschaft. 1937 wurde er Hauptlehrer für Orgel am Bruckner-Konservatorium in Linz und 1939 dessen Direktor. Da er sich für die Aufführung der Werke P. Hindemiths einsetzte, wurde er 1943 entlassen und des Landes verwiesen. Ab 1946 war Tr. Musikdirektor am Stift Melk; 1956 wurde er zum Professor h. c. ernannt. Er schrieb Lieder, Chor- und Kammermusikwerke.

+**Tritto,** Giacomo, 1733 – 16. 9. [erg.: oder 17. 11.] 1824.
Sein Sohn Domenico Tr., 11. [nicht: 1.] 6. 1776 – 1851.
Lit.: U. PROTA-GIURLEO u. D. DiCHIERA in: MGG XIII, 1966, Sp. 712ff.; ST. KUNZE, Don Giovanni vor Mozart. Die Tradition d. Don-Giovanni-Opern im ital. Buffo-Theater d. 18. Jh., = Münchener Universitäts-Schriften, Reihe d. Philosophischen Fakultät X, München 1972.

+**Troester,** Arthur, * 11. 6. 1906 zu Rostow am Don.
Tr. ist weiterhin Konzertmeister im Sinfonieorchester des NDR in Hamburg und Professor an der Hamburger Musikhochschule. Das Trio mit C. Hansen und E. Röhn bestand bis 1970. Des weiteren bildete er lange Jahre ein Duo mit A. Kaul. Tr. spielte mehrfach Uraufführungen zeitgenössischer Kompositionen (u. a. 1954 das ihm gewidmete Cellokonzert von G. Klebe).

+**Trötschel,** Elfriede, [erg.: 22. 12.] 1913 – 1958.
Lit.: W. BOLLERT in: Musica XII, 1958, S. 559f.

+**Trojan,** Václav, * 24. 4. 1907 zu Pilsen.
+*Broučci* ist ein Rundfunkspiel für Kinder [nicht: Kinderoper]. – Von seinen weiteren Werken seien genannt die Kinderoper *Kolotoč* (»Das Karussell«, 1936–39, Ostrau 1960), *Sinfonietta armoniosa* für Kammerorch. (1971), 2. Bläserquintett (über Volksliedthemen, 1953), Bühnen- und mittlerweile mehr als 23 Filmmusiken (vor allem zu den Puppenspielfilmen von Jiří Trnka).
Lit.: VL. BOR u. ŠT. LUCKÝ, Tr., filmová hudba (»Die Filmmusik v. Tr.«), Prag 1958.

Trojano, Massimo (Troiano), * 1. Hälfte 16. Jh. zu Corduba (Neapel); italienischer Komponist und Dichter, studierte wahrscheinlich in Neapel bei Nola und war 1560–67 Mitglied der Privatkapelle von Johann Jakob Fugger in Augsburg. 1567 hielt er sich in Treviso, 1568 in Venedig auf und trat dann in den Dienst des Herzogs Albert von Bayern, wo er als Bühnendekorateur und Akteur bei der Aufführung der von ihm gedichteten und von Lassus komponierten Madrigalkomödie *La cortigiana innamorata*, die anläßlich der Vermählung des Herzogs Wilhelm VI. von Bayern mit Renate von Lothringen stattfand, mitwirkte. 1570 in einen Mordfall verwickelt, mußte er München verlassen. Er veröffentlichte 4 Bücher *Canzoni alla napolitana* für 3–4 St. (Venedig 1567–69), gab die Anthologie *Musica dei virtuosi della florida cappella del Duca di Baviera a 5 v.* (ebd. 1569) heraus und schrieb *Discorsi delli trionfi, giostre, apparati e delle cose più notabili fatte nelle sontuose nozze dell'Illustr. e Eccell. Signor Duca Guglielmo ... nell'anno 1568 à 22 di Febraro* (München 1568).
Lit.: R. EITNER, M. Tr. als Flüchtling, MfM XXIII, 1891; W. BOETTICHER, O. di Lasso u. seine Zeit, Kassel 1958.

+**Trombetti** (eigentlich Cavallari), –1) Ascanio, [erg.:] getauft 27. 11. 1544 und † 20. oder 21. 9. 1590 zu Bologna. Er war in Bologna 1583–89 [nicht: 1589–91] Maestro di cappella an S. Giovanni in Monte. –2) Girolamo, [erg.:] getauft 7. 12. 1557 und † 1624 zu Bologna.
Lit.: O. MISCHIATI in: MGG XIII, 1966, Sp. 722f.

+**Tromboncino,** Bartolomeo, [erg.:] um 1470 – nach 1535 [erg.:] zu Venedig(?).
Ausg.: +KN. JEPPESEN, Die ital. Orgelmusik am Anfang d. Cinquecento (1943), Kopenhagen ²1960 (2 Bde). – 6 Sätze in: The Bottegari Lutebook, hrsg. v. C. MACCLINTOCK, = The Wellesley Ed. VIII, Wellesley (Mass.) 1965; eine Lamentation in: Mehrstimmige Lamentationen aus d. 1. Hälfte d. 16. Jh., hrsg. v. G. MASSENKEIL, = MMD VI, Mainz 1965.
Lit.: +A. [nicht: M.] BERTOLOTTI, Musici alla corte dei Gonzaga in Mantova ... (1890), Nachdr. = Bibl. musica Bononiensis III, 17, Bologna 1969; +A. EINSTEIN, The Ital. Madrigal (1949), Nachdr. Princeton (N. J.) 1970. – CL. GALLICO, Un »Dialogo d'amore« di N. da Correggio musicato da B. Tr., StMw XXV, 1962; W. H. RUBSAMEN in: MGG XIII, 1966, Sp. 723ff.; C. DAHLHAUS, Untersuchungen zur Entstehung d. harmonischen Tonalität, = Saarbrücker Studien zur Mw. II, Kassel 1968; M. CAANITZ, Petrarca in d. Gesch. d. Musik, Freiburg i. Br. 1969; OSTHOFF, Theatergesang u. darstellende Musik in d. ital. Renaissance, 2 Bde, = Münchner Veröff. zur Mg. XIV, Tutzing 1969.

+**Tromlitz,** Johann Georg, 8. 11. [nicht: 1.] 1725 zu Reinsdorf über Artern/Unstrut (Halle) – 1805.
Ausg.: Ausführlicher u. gründlicher Unterricht d. Fl. zu spielen, Nachdr. d. Ausg. Lpz. 1791, Amsterdam 1973. – Sonate G dur f. Fl. u. Cemb., hrsg. v. H. RUF, Wilhelmshaven 1967.
Lit.: FR. DEMMLER, J. G. Tr., Ein Beitr. zur Entwicklung d. Fl. u. d. Flötenspiels, Diss. Bln 1961 (FU).

Trommer, Wolfgang, * 10. 7. 1927 zu Wuppertal; deutscher Dirigent, studierte 1946–47 an der Musikhochschule in Köln und 1947–49 an der Nordwestdeutschen Musikakademie in Detmold. Er begann seine Dirigentenlaufbahn 1949 am Opernhaus in Dortmund, wirkte ab 1955 als Kapellmeister am Staatstheater Hannover und ab 1961 als musikalischer Oberleiter (1962 GMD) des Stadttheaters Aachen. 1973 wurde er neben seinem Engagement in Aachen als Gastdirigent an die Hamburgische Staatsoper verpflichtet. Daneben ist er Dozent am Konservatorium in Maastricht (Holland) und Leiter des Hochschulorchesters des Konservatoriums in Düsseldorf.

+**Trost** [–1) Johann Caspar, –3) Johann Tobias Gottfried, † um 1719 [nicht: um 1791]. – 4) [erg.: Tobias] Gottfried Heinrich, 1673 – begraben [nicht: †] 15. 8. 1759.
Lit.: U. DÄHNERT in: MGG XIII, 1966, Sp. 828f.

Troyanos, Tatiana, * zu New York; amerikanische Sängerin (Mezzosopran), studierte in ihrer Heimatstadt an der Juilliard School of Music und trat an der City Center Opera auf. Seit 1964 gehört sie dem Ensemble der Hamburgischen Staatsoper an. Sie gastierte an der Bayerischen Staatsoper in München, der Deutschen Oper Berlin, der Covent Garden Opera in London sowie bei den Salzburger Festspielen. 1969 kreierte sie an der Hamburgischen Staatsoper die Jeanne in der Uraufführung von Pendereckis *Die Teufel von Loudun*. Ihr Repertoire reicht von Händel über Mozart, Bizet (*Carmen*), R. Strauss (*Salome*, ZDF 1975) bis Strawinsky. T. Tr. ist auch als Konzertsängerin hervorgetreten.

Troysen, Jan → Majewski, Hans-Martin.

Trozjuk, Bogdan Jakowlewitsch, * 29. 12. 1931 zu Baku (Aserbeidschan); aserbeidschanisch-sowjetischer Komponist, studierte in seiner Heimatstadt sowie 1952–58 am Moskauer Konservatorium (A. Chatschaturjan) und wurde durch seine »Jazz-Symphonie« (1962, 2. Fassung 1965) international bekannt. Er schrieb außerdem das Ballett *Belyj golub* (»Die weiße Taube«, Perm 1968), die Ballettsuite *Kukryniksiana* (1967) sowie Kammermusik, Vokalwerke und Bühnenmusik.

+Trubar, Primož (Primus Truber), 8. ([erg.:] oder 9.?) 6. 1508 – 1586 ([erg.:] oder 1587?) zu Derendingen (bei Tübingen [nicht: Solothurn]).
Tr. studierte in Triest (ab 1524), empfing 1530 die Priesterweihe, wurde 1542 Domherr in Laibach, mußte aber 1548, da er für die Reformation eintrat, fliehen und gelangte über Nürnberg, Rothenburg ob der Tauber (dort 2. Prediger), Kempten, Urach (1560), Tübingen und Laufen 1566 nach Derendingen. In der Zwischenzeit wirkte er auch als Superintendent in Laibach (1561–65). Als Quelle für das mittelalterliche slowenische kirchliche Volkslied sind das erste slowenische Gesangbuch *Eni psalmi, ta celi Catehismus, inu tih vegshih gody* ... (»Ettliche Psalmen, der ganze Katechismus, christliche Gesänge ...«, Tübingen 1567 u. ö.; enthält neben slowenischen auch deutsche und tschechische Kirchenlieder) sowie *Try duhouske peisni* (»3 geistliche Lieder«, ebd. 1574, mit 11 Texten) von musikgeschichtlicher Bedeutung. [del. früherer Artikeltext.]
Ausg.: Eni psalmi ..., Ljubljana 1967.
Lit.: Dr. Cvetko in: MGG XIII, 1966, Sp. 849f.

+Trunk, [erg.: Karl] Richard, * 10. 2. 1879 zu Tauberbischofsheim (Baden), [erg.:] † 2. 6. 1968 zu Herrsching am Ammersee.
Lit.: A. Ott, R. Tr., = Drucke zur Münchner Mg. III, München 1964 (mit Werkverz.).

+Trutowskij, Wassilij Fjodorowitsch, um 1740 zu Iwanowskaja sloboda (Gouvernement Belgorod) [nicht: zu Belgorod] – 1810 [del.: um 1811].
Lit.: T. N. Liwanowa, Russkaja musykalnaja kultura XVIII weka, Bd II, Moskau 1953.

Trythall, Harry Gilbert, * 28. 10. 1930 zu Knoxville (Tenn.); amerikanischer Komponist, Bruder von Richard Tr., Absolvent der University of Tennessee in Knoxville (B. A. 1951), der Northwestern University in Evanston/Ill. (M. Mus. 1952) und der Cornell University in Ithaca/N. Y. (D. M. A. 1960), studierte bei Van Actor, Riegger und Palmer. Er war 1960–64 Dirigent des Knox-Galesburg Symphony Orchestra in Galesburg (Ill.) und wurde dann Associate Professor of Music an der Peabody College School of Music in Nashville (Tenn.) Seit 1975 wirkt er an der West Virginia University in Morgantown. Er komponierte u. a. die Kammeroper *The Music Lesson* op. 4 (1960), Orchesterwerke (1. Symphonie op. 2, 1958; *Dionysia* op. 11, 1965; *A Solemn Chant* für Streichorch. op. 1, 1955), Kammermusik (*Quartet in One Movement* für Streichquartett op. 3, 1959; Blechbläserquintett op. 12, 1965), *A Vacuum Soprano* für Blechbläserquintett und Tonband op. 13 (1966), *Alpha Rhythm* für Jazzensemble

und Tonband op. 14 (1968), *Entropy* für 2 Blechbläsersextette, Fl., Hf., Celesta, Kl. und Tonband op. 15 (1967), *The Play of Electrons* (1967) und *Music for Aluminium Rooms* (1968) für Tonband, *The World, Mother, Apple Pie* für Schlagzeug, Film, Dias und Tonband op. 16 (1968), *Road Rock* für 16-mm-Film und Tonband (1968), *In the Presence* op. 17 (1968) und *A Time to Every Purpose* (1971) für gem. Chor und Tonband. Er veröffentlichte u. a. *Observations on Music-Dictation Programming* (Journal of Research in Music Education XVI, 1968) und *Principles and Practice of Electronic Music* (NY 1973).

Trythall (tɪˈaiθəl), Richard, * 25. 7. 1939 zu Knoxville (Tenn.); amerikanischer Komponist und Pianist, Bruder von Gilbert Tr., studierte 1957–61 an der University of Tennessee in Knoxville (B. M. 1961), 1961–63 an der Princeton University/N. J. (M. A. 1963) bei Van Vactor bzw. Sessions sowie 1963–64 an der Berliner Musikhochschule bei Blacher und Rufer. Er lebt seitdem in Rom, wo er Music Liaison Officer an der American Academy ist. Als Pianist spezialisierte er sich auf die Aufführung Neuer Musik. Er komponierte u. a.: Symphonie (1961); 3 Klavierstücke (1962); 4 Lieder für S. (1963); Klaviertrio (1964); Komposition für Kl. und Orch. (1965); Konzertarie *Penelope's Monologue* für S. und Orch. (1966); *Study Number One* für Tonband (1967); *Costruzione* (1967) und *Continuums* (1968) für Orch.; *Coincidences* für Kl. (1969); Suite für Cemb. und Tonband (1973); *A Christmas Cantata* für gem. Chor, Git. und Org. (1974); *Salute to the Fifties* für Schlagzeug (1975) und *Variations on a Theme of Fr. J. Haydn* für Bläserquintett (1975) mit Tonband.

Trzaskowski (tʃaskˈɔfski), Andrzej, * 23. 3. 1923 zu Krakau; polnischer Jazzkomponist und -pianist, studierte in seiner Heimatstadt Klavierspiel, Komposition und Musiktheorie und 1952–57 Musikwissenschaft an der Universität. 1959 gründete er ein eigenes Ensemble, mit dem er in den USA und zahlreichen europäischen Ländern konzertierte. In seinen Kompositionen verschmilzt er Elemente des Jazz und der E-Musik (auch mit elektronischen Effekten); genannt seien: *Nihil novi* für Trp. und Kammerorch. (1962); *Synopsis* für Jazzquintett (1964, bearb. für Orch. 1965); *The Quibbe* für 10 Instr. (1966); *Collection* für 12 Instr. (1970); *Double* für Jazzquintett und Tonband (1970); *The Blocks* für Trp., Kl. und Big band (1971); *Magma* für Fl., V. und Big band (1972); ferner Bühnen- und Filmmusik.

Ts'ai Yüan-ting, * 1135, † 1198; chinesischer Philosoph und Musiktheoretiker der südlichen Sung-Dynastie (1127–1279), Schüler und Freund des neokonfuzianischen Philosophen Chu Hsi, der auch ein Vorwort zu Ts'ais wichtigstem musiktheoretischen Werk schrieb (*Lü lü hsin shu*, »Neue Abhandlung über die 12 Halbtöne«, etwa 1180). In dieser 2bändigen Arbeit führte der Verfasser eine Ausdehnung des reinen Quintenzirkels um 6 Stufen ein und erweiterte damit die traditionelle »pythagoreische« 12-Ton-Skala durch die Halbtöne cisis, disis, eisis, fisis, gisis und aisis auf 18 Töne. Ts'ai postulierte die neuen 6 Halbtöne, um modale Kompositionen auf pentatonisch-heptatonischer Grundlage auch für die im Quintenzirkel weit entfernt liegenden Tonarten möglich zu machen. Sein 18töniges System ist manchmal irrtümlich als eine Temperierung oder gar als ein Beitrag zur Entwicklung der gleichschwebenden Temperatur bezeichnet worden. Da das einzige konstituierende Intervall seines Systems, die reine Quinte, in keiner Weise verändert (d. h. temperiert) ist, besteht kein Zusammenhang zwischen

demselben und irgendwelchen Temperaturen. Ein weiteres Werk von Ts'ai ist das *Yen-yüeh yüan pien* (»Erklärung des Streits über die Yen-Musik«). Der Terminus »Yen« stammt aus der Zeit der Sui-Dynastie (581–618) und bezeichnet die volkstümliche oder Profanmusik, im Gegensatz zu »Ya-yüeh«, der verfeinerten oder höfischen Musik.
Lit.: A. Forke, Gesch. d. neueren chinesischen Philosophie, Hbg 1938, S. 203ff. (zu Biogr. u. Philosophie).

Tschabukiani, Wachtang Michajlowitsch, * 27. 2. (12. 3.) 1910 zu Tiflis; georgisch-sowjetischer Solotänzer und Ballettmeister, studierte bis 1924 in Tiflis an der Tanzschule M. Perini und war 1924–26 Tänzer am dortigen Operntheater. 1926–29 vervollkommnete er seine Studien an der Choreographenschule in Leningrad (Wladimir Ponomarjow). 1929–41 wirkte er als 1. Solotänzer am Leningrader Kirow-Operntheater, wurde 1941 Solotänzer und Ballettmeister am Operntheater in Tiflis (1944 künstlerischer Leiter der Balletttruppe), 1951 Direktor der choreographischen Schule in Tiflis und 1965 Leiter der Ballettmeisterfakultät des grusinischen Rustaweli-Theaterinstituts. Tsch. gastierte in den USA (1933, 1934 und 1964) und in Westeuropa (1958). Von den von ihm choreographierten Balletten seien *Otello* (Musik Matschawariani, Tiflis 1957) und *Demon* (»Der Dämon«, Musik Zinzadse, 1961) hervorgehoben.
Lit.: W. Krassowskaja, W. Tsch., Leningrad 1960; W. Krieger, W. Tsch., Moskau 1960; E. Guguschwili, W. Tsch., Tiflis 1965.

Tschaikowsky, André (Tchaikowsky; eigentlich Andrzej Czajkowski), * 1. 11. 1935 zu Warschau; polnischer Pianist, studierte 1948–50 in Paris bei L. Lévy, 1951–55 in Warschau bei Szpinalski und K. Sikorski sowie in Brüssel bei Askenase. 1957 ließ er sich in Paris nieder. Tsch. ist auch als Komponist u. a. mit einer Symphonie (1958), Konzerten für V. (1950), Fl. (1950) und Kl. (1953) mit Orch., einer Sonate für Va und Kl. (1954), Klaviermusik (Sonatina G dur, 1949; Variationen über ein Thema von Harriet Cohen, 1950; Praeludium und Fuge, 1953; 2 Praeludien, 1954) und Liedern hervorgetreten.

+**Tschaikowsky,** Pjotr (Peter) Iljitsch (Tschajkowskij), 1840–93.
Die Übersetzung von Gevaerts Instrumentationslehre wurde Tsch. von A. [nicht: N.] Rubinstein übertragen. In den ersten Moskauer Jahren entstanden die +1. Symphonie G moll *Simnije grjosy* op. 13 (1866 [nicht: 1868]), *Torschestwennaja uwertjura na datskij gimn* op. 15 (»+Festouvertüre über die dänische Nationalhymne«, 1866 [nicht: 1868]) und die Oper +*Wojewoda* op. 3 (1870–72, Moskau 1874 [nicht: 1868]). Tsch. schrieb 1870–75 u. a. die Opern +*Opritschnik* (»Der Leibwächter«, 1870–72) und +*Kusnez Wakula* op. 14 (1874, St. Petersburg 1876, umgearbeitet als *Tscherewitschki*, »Die Pantöffelchen«, 1885, Moskau 1887). Die Neufassung der +2. Symphonie C moll op. 17 (1872) entstand 1879 [nicht: 1881], die 1. Neufassung der Ouvertüre +*Romeo i Dschuljetta* (1869) 1870, die 2. Neufassung als Orchesterfantasie 1880. Musikkritiker an den »+Russkije wedomosti« (‚Russische Nachrichten') war Tsch. 1872–76. Das Ballett +*Spjaschtschaja krassawiza* op. 66 [nicht: op. 71] wurde 1890 [nicht: 1892] uraufgeführt. – 1952 wurde in Hamburg ein Tsch.-Studio gegründet, das sich um die Aktivierung der Tsch.-Rezeption in Westeuropa bemüht und u. a. ein erstes vollständiges Werkverzeichnis in deutscher Sprache herausgab (s. u. Lit.). – (Weitere) Berichtigungen und Ergänzungen zum früheren Werkverzeichnis: Oper *Tscharodejka* (St. Peters-

burg 1887). – Musik zu Ostrowskijs »Der falsche Demetrius« (um 1867) und zu Shakespeares *Hamlet* op. 67a (St. Petersburg 1891). – Orchesterwerke: Ouvertüre F dur (1865 für kleines, 1866 für großes Orch.); Ouvertürenfantasie *Hamlet* op. 67 (1888); Elegie für Streicher (1884, später der Hamlet-Musik op. 67a eingefügt); *Charakternyje tanzy* (1865, später verwendet als »Tänze der Mägde« in *Wojewoda*); *Slawjanskij marsch* B dur op. 31 (1876); *Torschestwennyj koronazionnyj marsch* (»Feierlicher Krönungsmarsch«, 1883). – weltliche Chorwerke: *Romeo i Dschuljetta* für S., T. und Orch. (1893, beendet und orchestriert von S. I. Tanejew). – Kammermusik: *Souvenir d'un lieu cher* für V. und Kl. op. 42 (1878). – Klavierwerke: 12 Stücke *Wremena goda* op. 37b (»Die Jahreszeiten«, 1876); *Marsch dobrowolnowo flota* (»Marsch der freiwilligen Flotte«, 1878); 24 Stücke *Detskij albom* op. 39 (»Kinderalbum«, 1878); Impromptu-Capriccio (1884); *Wojennyj marsch* (»Militärmarsch«, 1893); Arrangement von C. M. v. Webers *Perpetuum mobile* für die linke Hand allein (1871); Klavierauszug 4händig von A. Gr. Rubinsteins *Iwan Grosnyj* (1869). – Schrift *Rukowodstwo k praktitscheskomu isutscheniju garmonii* (»Anleitung zum praktischen Studium der Harmonie«), Moskau 1872, NA als »Kurzes Lehrbuch der Harmonie«, 1875, deutsch 1899, engl. 1900 (Nachdr. Canoga Park/Calif. 1970).
Ausg.: +GA d. mus. Werke, geplant auf etwa 70 Bde, Moskau 1946ff. [nicht: 1940ff.]. – +*Musykalnyje feljetony i sametki* (H. A. Laroche [nicht: M. I. Tschaikowsky], 1898), deutsch als: Mus. Erinnerungen u. Feuilletons, hrsg. v. H. Stümcke, Bln 1899, Neuaufl. als: Erinnerungen u. Musikkritiken, = Reclams Universal-Bibl. Bd 554, Lpz. 1974; Polnoje sobranije sotschinenij. +Literaturnyje proiswedenija i perepiska (»GA d. schr. Werke. Literarisches Schaffen u. Briefwechsel«) hrsg. v. A. N. Alexandrow, Wl. W. Protopopow, K. Sawka u. T. Chrennikow, Moskau 1953ff. [erg. frühere Angaben]; +*Dnewniki* (I. I. Tschaikowsky, S. M. Tschemodanow u. N. T. Schegin, 1923), Nachdr. d. +engl. Ausg. (1945) Westport/Conn. 1973.
+*Perepiska s N. F. v. Meck* (Wl. A. Schdanow, N. T. Schugin u. B. S. Pschibyschewskij, 1934–36), Ausw. deutsch als: Teure Freundin. P. I. Tsch. in seinen Briefen an N. v. Meck, hrsg. v. E. v. Baer u. H. Pezold, Lpz. 1964; +*Perepiska M. A. Balakirewa s P. I. Tsch.*im (S. M. Ljapunow, 1912), Wiederabdruck in: M. A. Balakirew. Wospominanija i pisma, hrsg. v. A. A. Orlowa, Leningrad 1962. – 120 *let so dnja roschdenija P. I. Tsch.owo. Pisma Tsch.owo sarubeschnym musykantam* (»Zum 120. Geburtstag v. P. I. Tsch., Seine Briefe an ausländische Musiker«), SM XXIV, 1960; Briefe an F. Mackar, Saint-Saëns, E. Colonne u. a. in: Vl. Fédorov, Č. et la France, Rev. de musicol. LIV, 1968. – weitere ausgew. Abschnitte aus Schriften u. Briefen: Ob odnom pedagogitscheskom opyte... (»Über ein pädagogisches Experiment. Briefe an V. A. Pachulskij«), SM XXIII, 1960; *O Rossii i russkoj kulture* (»Über Rußland u. d. russ. Kultur«), Moskau 1961; *O simfonitscheskoj musyke* (»Über sinfonische Musik«), hrsg. v. I. F. Kunin, ebd. 1963; *O kompositorskom twortschestwe i masterstwe* (»Über d. Werk u. d. Meisterschaft d. Komponisten«), hrsg. v. ders., ebd. 1964; P. I. Tsch. i narodnaja pesnja (»Tsch. u. d. Volkslied«), hrsg. v. B. I. Rabinowitsch, ebd. 1963.
Lit. (im folgenden wird f. andere Transkriptionsformen auch d. Abk. »Tch.« verwandt): +P. I. Jürgenson, Cat. thématique des œuvres de P. Tch. (1897), Nachdr. d. Ausg. v. 1940, London 1965 – Systematisches Verz. d. Werke v. P. I. Tsch. Ein Hdb. f. d. Musikpraxis, hrsg. v. Tsch.-Studio, Hbg 1973. – B. W. Dobrochotow, Awtografy P. I. Tsch.owo w fondach gos. Museja musykalnoj kultury im. M. J. Glinki. Kat. sprawotschnik (»Tsch.s Autographen aus d. Beständen d. Staatl., Zentralen Glinka-Museums f. Musik. Kat. u. Führer«), Moskau 1956. – [erg.: N. Schemanin], +Literatura o P. I. Tsch.om sa 17 let (1935). – +*Proschloje russkoj musyki. Materialy i*

issledowanija, Bd I, [erg.:] hrsg. v. I. GLEBOW (= B. Wl. Assafjew) u. W. JAKOWLEW (1920); +Tsch. na szene teatra opery i baleta imeni S. M. Kirowa, [erg.:] hrsg. v. A. M. BRODSKIJ (1941); +Tch., A Symposium/The Music of Tch. (G. ABRAHAM, 1945 bzw. 1946), Nachdr. London 1968 sowie Port Washington (N. Y.) 1969 u. NY 1974. – +R. NEWMARCH, Tch. (1900), Nachdr. London 1969; +M. I. TSCHAIKOWSKY, Schisn P. I. Tsch.owo (1900–02), Nachdr. d. +engl. Ausg. (1906) London 1970; +E. EVANS, Tch. (1906, 1935), NA = Master Musicians Series o. Nr, ebd. u. NY 1957 u. 1966, auch = Baird X, NY 1960, bearb. v. G. Abraham = Great Composers Series o. Nr, ebd. 1963; +B. WL. ASSAFJEW, Jewgenij Onegin (1944), deutsch Potsdam 1949; +E. BLOM, Tch., Orchestral Works (1927), Nachdr. Westport (Conn.) 1971; +M. D. CALVOCORESSI u. G. ABRAHAM, Masters of Russ. Music (1936), d. Tsch.-Abschnitt auch separat 1944 [nicht: 1949] (identisch mit: +G. ABRAHAM, Tch., London 1939, Neudr. 1944). Neuere Lit. (Erscheinungsort, wenn nicht anders angegeben, Moskau): WL. W. PROTOPOPOW u. N. W. TUMANINA, Opernoje twortschestwo Tsch.owo (»Tsch.s Opernschaffen«), 1957; W. W. CHOLODOWSKIJ, Dom w Klinu (»Das Haus in Klin«), 1958, ⁴1971; Musykalnoje nasledije Tsch.owo. Is istorii jewo proiswedenij (»Tsch.s mus. Erbe. Aus d. Gesch. seiner Werke«), hrsg. v. K. J. DAWYDOWA, WL. W. PROTOPOPOW u. a., 1958; A. ALSCHWANG, P. I. Tsch., 1959, ³1970, rumänisch Bukarest 1961; A. DOLSCHANSKIJ, Simfonitscheskaja musyka Tsch.owo, 1961, Neudr. 1965; A. WEPRIK, Orkestrowaja faktura proiswedenij Tsch.owo (»Die Orch.-Faktur d. Werke v. Tsch.«) in: Otscherki po woprossam orkestrowych stilej, 1961; J. J. BORTNIKOWA, K. J. DAWYDOWA u. G. A. PRIBERGINA, Wospominanija o Tsch.om (»Erinnerungen an Tsch.«), 1962 u. 1973; N. W. TUMANINA, Tsch., put k masterstwu (»Tsch.«, d. Weg zur Meisterschaft«), 1962; DIES., Welikij master (»Der große Meister«), 1968; A. JAKOWLEW, P. I. Tsch., in: Isbrannyje trudy o musyke I, hrsg. v. D. W. Schitomirskij u. T. Sokolowa, 1964; K. E. v. MÜHLENDAHL, Die Psychose Tsch.s u. d. Einfluß seiner Musik auf gleichartige Psychotiker, Diss. med. München 1964; K. J. DAWYDOWA, Klinskije gody twortschestwa P. I. Tsch.owo (»Tsch.s Schaffensjahr in Klin«), 1965; M. ROJTERSTEIN, O jedinstwe sonatnoziklitscheskoj formy u Tsch.owo (»Über d. Einheit d. sonatisch-zyklischen Form bei Tsch.«), in: Woprossy musykalnoj formy I, hrsg. v. Wl. W. Protopopow, 1966; R. THOMAS, Tsch.s Es-dur-Sinfonie u. Idee einer Sinfonie »Das Leben«, NZfM CXXXVIII, 1967; G. ABRAHAM, Slavonic and Romantic Music, London u. NY 1968; J. FRISKIN, The Text of Tch.s B-flat Minor Concerto, ML L, 1969; J. BALABANOWITSCH, Tschechow i Tsch., 1970; Opery P. I. Tsch.owo Putewoditel (»Tsch.s. Opern. Ein Führer«), 1970; W. BLOK, Na puti k »Patetitscheskoj« (»Auf d. Weg zur ‚Pathétique'«), SM XXXIV, 1970; W. ZUKKERMAN, Wyrasitelnyje sredstwa liriki Tsch.owo (»Ausdrucksmittel v. Tsch.s Lyrik«), 1971; B. WL. ASSAFJEW, O musyke Tsch.owo (»Über Tsch.s Musik«), Leningrad 1972; R. LEIBOWITZ, Une fantasmagorie lyrique. »La dame de pique«, in: Les fantômes de l'opéra. »La dame de pique«. Nr, Paris 1972; A. MJASSOJEDOW, Tradizii Tsch.owo w prepodawanii garmonii (»Tsch.-Tradition im Harmonieunterricht«), 1972; J. BAJER, P. I. Č, Prag 1973; E. GARDEN, = Master Musicians Series o. Nr, London u. NY 1973; DERS., Tch. and Tolstoy, ML LV, 1974; S. W. JEWSEJEW, Narodnyje pesni w obrabotke P. I. Tsch.owo (»Volkslieder in d. Bearb. v. Tsch.«), 1973; JU. N. TJULIN, Proiswedenija Tsch.owo. Strukturnyj analis (»Tsch.s Werke. Eine Strukturanalyse«), 1973; J. H. WARRACK, Tch., London u. NY 1973; U. NIEBUHR, Der Einfluß A. Rubinsteins auf d. Klavierkonzerte P. Tsch.s, Mf XXVII, 1974.

Tschajkowskij, Boris Alexandrowitsch, * 10. 9. 1925 zu Moskau; russisch-sowjetischer Komponist, absolvierte als Schüler von Mjaskowskij, Dm. Schostakowitsch und Schebalin 1949 das Moskauer Konservatorium. Er schrieb u. a. die Oper *Swesda* (»Der Stern«, 1949), Orchesterwerke (2 Symphonien, 1947 und 1962; Fantasie auf russische Themen, 1950; *Slawjanskaja rap-*

sodija, »Slawische Rhapsodie«, 1951; Sinfonietta für Streichorch., 1953; Capriccio auf englische Themen, 1954; Concertino für Klar., 1957, und Konzert für Vc., 1964, mit Orch.), Kammermusik (Klavierquintett, 1962; 2 Streichquartette, 1954 und 1961; Klaviertrio, 1952; Streichtrio, 1955; Sonaten für V., 1952 und 1959, und für Vc., 1957, mit Kl.; Sonate für Vc. solo, 1946), Klavierwerke (2 Sonatinen, 1944 und 1947; Sonate, 1952) und Filmmusik.

Tschalajew, Schirwani Ramasanowitsch, * 16. 11. 1936 zu Chosrech (Dagestanische ASSR); sowjetischer Komponist lakischer Abstammung, studierte ab 1954 an der Musikschule in Machatsch-Kala und 1959–64 am Moskauer Konservatorium. Er schrieb u. a. die Oper *Gorzy* (»Das Bergvolk«, Leningrad 1971), eine Symphonie, die Symphonische Dichtung *Partu Patima,* ein Violinkonzert, eine Sonate für Vc. und Kl., die lyrische Kantate »Ich küsse Frauenhände« sowie die Vokalzyklen »Die Wolken«, »7 lakische Lieder« und »Muis Lieder«.

Tschemberdschi, Nikolaj Karpowitsch, * 11.(24.) 8. 1903 zu Zarskoje Selo (heute Puschkin), † 22. 4. 1948 zu Moskau; russisch-sowjetischer Komponist, studierte bei seinem Onkel Spendiarow sowie 1924–29 am Moskauer Konservatorium (Anatolij Alexandrow, Wassilenko, Konius). Er schrieb die Oper *Karlugas* (»Die Schwalbe«, Ufa 1942), das Ballett *Son Dremowitsch* (»Schlummernder Traum«, 1943), Orchesterwerke (6 Suiten, 1932–45; Symphonische Dichtung *Armenija,* »Armenien«, 1944; Sinfonietta, 1947; Violinkonzert), Kammermusik (Quintett für Kl. und Bläser, 1927; Streichquartett Nr 3, 1943; Suite *Pionerija,* »Pionierland«, für Trp. und Kl., 1927) sowie zahlreiche Lieder und veröffentlichte *Musyka Sowjetskoj Armenii sa gody Welikoj Otetschestwennoj Wojny* (»Die Musik Sowjet-Armeniens in den Jahren des Großen Vaterländischen Krieges«, Eriwan 1944).

Lit.: G. POLJANOWSKIJ, N. Tsch., Moskau u. Leningrad 1947.

Tscherepnin, Ivan und Serge → T c h e r e p n i n, I. bzw. S.

+Tscherepnin (Tcherepnin), –1) Nikolaj Nikolajewitsch, 3.(15.) 5. 1873 – 1945.
–2) Alexander Nikolajewitsch, * 8.(20.) 1. 1899 zu St. Petersburg. Als Professor für Komposition an der DePaul University in Chicago war Tsch. bis 1964 tätig. 1967 konzertierte er auf Einladung des sowjetischen Komponistenverbandes erstmals nach 1918 in der UdSSR (Moskau, Leningrad und Tiflis). Er veröffentlichte eine *Russische Musikanthologie* (Bonn und NY 1966, deutsch und engl.). – Weitere Werke [erg. frühere Angaben]: die Opern +*Ol-Ol* op. 35 (1925, Weimar 1928, Neufassung 1930, NY 1934), +*Die Hochzeit der Sobeide* op. 45 (nach Hofmannsthal, 1930, Wien 1933), *Die Heirat* op. 53 (nach Mussorgskij, 1935, Essen 1937), das gesungene Märchen +*The Farmer and the Nymph* für S., T., Sprecher und Orch. op. 72 (Aspen/Colo. 1952); die Ballette +*Training* op. 37 Nr 3 (1922, Wien 1934; aus den 3 Stücken für Kammerorch. op. 37), *Der Fahrend Schüler mit dem Teufelbannen* op. 54 (nach H. Sachs, 1937, Partitur verschollen, neu instrumentiert Kiel 1965), +*Chota Rostaveli* (S. Lifar, nur 2. Akt, 1. und 3. Akt von A. Honegger bzw. T. Harsányi, Monte Carlo 1946), +*La femme et son ombre* op. 79 (nach Claudel, Paris 1948), +*Le gouffre* (nach L. Andrejew, 1953, Nürnberg 1969); 4 Symphonien (op. 42, 1927; op. 77, 1947–51; op. 83, 1952, danach das Ballett *La colline des fantômes;* op. 91, 1957), Suite op. 87

(1953), Divertimento op. 90 (1955–57), Suite *Georgiana* op. 92 (1959, aus dem Ballett *Chota Rostaveli*) und *Symphonic Prayer* op. 93 (1959) für Orch., Serenade für Streichorch. op. 97 (1964); 6 Klavierkonzerte (op. 12, 1920; op. 26, 1923; op. 48, 1932; Fantasie op. 87, 1947; op. 96, 1963; op. 99, 1965) und Konzert für Mundharmonika und Orch. op. 86 (1953); Fanfare für Blechbläser und Schlagzeug (1961), Quintett für 2 Trp., Horn, Pos. und Tuba op. 105 (1972); Sonata da chiesa für Va da gamba und Org. op. 101 (1966, auch für Va da gamba, Fl., Streicher und Cemb.); 2. Sonate für Kl. op. 94 (1961), Suite für Cemb. op. 100 (1966); *Processional* und *Recessional* für Org. (1962); Partita (1961), *Tzigane* (1966) und Invention (1967) für Akkordeon solo; Volksliedkantate *Vom Spaß und Ernst* für Solo-St. und Streichorch. op. 98 (1964), die Hörspielmusik *Die Geschichte des närrischen Ivan* für Sprechstimmen, Soli, Chor und Orch. (nach Tolstoj, 1968); 7 chinesische Volkslieder für Gesang und Kl. op. 95 (1962, chinesisch); Messe für 3 Frauen-St. op. 102 (1966, engl.) sowie 6 liturgische Gesänge op. 103 (1967) und 4 russische Volkslieder op. 104 (1967) für gem. Chor a cappella. – Seine Söhne Ivan und Serge →Tcherepnin sind ebenfalls als Komponisten hervorgetreten.

Lit.: W. REICH, A. Tsch., Bonn 1961, revidiert ²1970, frz. = RM 1962, Nr 252; G. CHAJMOWSKIJ, Rasskasywajet A. Tsch. (»Es erzählt A. Tsch.«), SM XXXI, 1967; N. SLONIMSTOJ in: Tempo 1968/69, Nr 87, S. 16ff.; R. LAYTON ebd. 1974, Nr 108, S. 11ff.

Tschernęzkij, Semjon Alexandrowitsch, * 12.(24.) 10. 1881 zu Odessa, † 13. 4. 1950 zu Moskau; russisch-sowjetischer Komponist und Militärkapellmeister, Schüler von N. Tscherepnin (Dirigieren) sowie Wihtol und M. Steinberg (Komposition), absolvierte 1917 das St. Petersburger Konservatorium und war 1924–48 Hauptinspektor der Militärorchester in der sowjetischen Armee (1934 Generalmajor). 1932 gründete er das Musterblasorchester des Moskauer Militärbezirks (heute Hauptblasorchester des Verteidigungsministeriums der UdSSR). Als Initiator sowjetischer Militärmusik schrieb er mehr als 70 Märsche, Fantasien und Walzer, daneben Kammermusik und Lieder.

Tschernǫw, Alexandr Abramowitsch (eigentlich Pen), * 25. 10. (7. 11.) 1917 zu Petrograd; russisch-sowjetischer Komponist, studierte 1945–50 am Leningrader Konservatorium (M. Steinberg), an dem er anschließend Lehrer für Instrumentation und Partiturspiel wurde. Er schrieb die Oper *Perwyje radosti* (»Frühe Freuden«, Leningrad 1956), die Ballette *Ikar* (1964), *Owod* (»Die Bremse«, 1966) und *Optimistitscheskaja tragedija* (»Optimistische Tragödie«, mit Hans Hunger, 1967), die Symphonische Dichtung *Danko* (1951) und *Dramatitscheskaja poema* (»Dramatische Dichtung«, 1959) für Orch., 2 Streichquartette (1951 und 1955), die Kantate *Rowesniki* (»Altersgenossen«, 1957), zahlreiche Romanzen und Lieder sowie Filmmusik. Tsch. veröffentlichte: *I. O. Dunajewskij* (Leningrad 1956, Moskau ²1961); *Kak sluschat musyku* (»Wie man Musik hört«, mit M. Bjalik, Leningrad 1961); *O ljogkoj musyke, o dschase, o choroschem wkusse* (»Über leichte Musik, über Jazz, über guten Geschmack«, ebd. 1965).

Tschischkǫ, Oles (Alexandr) Semjonowitsch, * 20. 6. (2. 7.) 1895 zu Dwuretschnyj Kut (bei Charkow); russisch-sowjetischer Komponist und Sänger (Tenor), studierte 1914–18 am Konservatorium in Charkow (Gesang und Komposition), trat 1926–31 an verschiedenen Operntheatern auf und vervollkommnete sich

ab 1931 in Komposition bei Rjasanow am Leningrader Konservatorium, an dem er ab 1948 die Kompositionsklasse leitete. Er schrieb die Opern *Bronenossez Potjomkin* (»Panzerkreuzer Potemkin«, Leningrad 1937, Neufassung 1955) und *Machmud Torabi* (Taschkent 1944), Orchesterwerke (Symphonische Dichtung *Step*, »Die Steppe«, 1934; *Ukrainskaja sjuita* über Volksliedthemen, 1944), Klavier- und Orgelwerke, Kompositionen für Volksinstrumentenorchester und die vokalsymphonische Suite *Schachtjory* (»Die Bergarbeiter«, 1955).

Lit.: I. PUSTILNIK, Bronenossez Potjomkin, SM XX, 1956; I. GUSIN, O. S. Tsch., Leningrad 1960; DERS., O. Tsch.owo Bronenossez Potjomkin, opera, ebd.

Tschitschęrin, Georgij Wassiljewitsch, * 12.(24.) 11. 1872 zu Karaul (Kreis Kirsanowsk, Gouvernement Tambow), † 7. 7. 1936 zu Moskau; russisch-sowjetischer Diplomat, studierte 1891–95 an der historisch-philologischen Fakultät der Universität in St. Petersburg, trat 1898 in den diplomatischen Dienst ein, lebte 1904–18 in der Emigration in Berlin, Paris und London und wurde 1918 Volkskommissar für auswärtige Angelegenheiten in Petrograd (Leitung u. a. der sowjetischen Delegation beim Rapallo-Vertrag, 1922). Sein musikalisches Interesse galt der Neuen Musik (P. Hindemith, Schönberg, Strawinsky) und besonders W. A. Mozart, über den er 1930 *Mozart. Issledowatelskij etjud* (»Eine Forschungsstudie«, postum hrsg. von Je. F. Bronfin, Leningrad 1969, ²1971) schrieb.

Lit.: JE. BRONFIN in: MuG XXII, 1972, S. 706ff.

Tschulęki, Michail Iwanowitsch, * 6.(19.) 11. 1908 zu Simferopol (Krim); russisch-sowjetischer Komponist und Dirigent, studierte bis 1931 am Leningrader Konservatorium (Schtscherbatschow), an dem er 1933–37 Komposition und Instrumentation lehrte. 1937–39 war er Dirigent und künstlerischer Leiter der Leningrader Philharmonie; ab 1948 wirkte er als Sekretär des Komponistenverbandes der UdSSR. 1955 wurde er Direktor des Moskauer Bolschoj Teatr. Er schrieb die Ballette *Skaska o pope i rabotnike jewo Balde* (»Das Märchen vom Popen und seinem Knecht Flegel«, nach Puschkin, Leningrad 1940), *Mnimyj schenich* (»Der vermeintliche Bräutigam«, nach Goldonis *Il servitore di due padroni*, ebd. 1946) und *Junost* (»Jugend«, nach Nikolaj Ostrowskijs *Kak sakaljalas stal*, »Wie der Stahl gehärtet wurde«, ebd. 1949), Orchesterwerke (3 Symphonien, 1934, 1945, und *Simfonija-konzert*, 1959; Konzert für Orch., 1936; *Pesni i tanzy staroj Franzii*, »Lieder und Tänze aus dem alten Frankreich«, 1959) sowie Kammermusik, Klavierstücke, Chöre, Lieder und Filmmusik. Tsch. veröffentlichte *Instrumenty simfonitscheskowo orkestra* (»Die Instrumente des Symphonieorchesters«, Moskau 1950, ²1962) und *O musyke, kotoraja nas okruschajet* (»Über die Musik, die uns umgibt«, ebd. 1965) sowie Aufsätze.

Lit.: W. M. BOGDANOW-BERESOWSKIJ, Sowjetskij balet i balety M. Tsch., SM XI, 1947; I. I. SOLLERTSCHINSKIJ, Skaska o pope i rabotnike jewo Balde (»Die Erzählung v. Popen u. seinem Knecht Flegel«), in: Krititscheskije statji, Leningrad 1963.

Tschupp, Räto, * 30. 7. 1929 zu Scheid (Graubünden); Schweizer Dirigent, studierte 1954–57 in Zürich bei Erich Schmid (Dirigieren) und bei Marek (Klavier) sowie in Detmold bei K. Thomas (Chorleitung) und in Hilversum bei W. van Otterloo (Dirigieren). 1956 gründete er ein Kammerensemble, aus dem 1957 die von ihm geleitete Camerata Zürich hervorging. 1969 wurde er Dirigent des Südwestdeutschen Kammerorchesters in Pforzheim. Tsch. leitete zahlreiche Konzerte und Funkaufnahmen in Deutschland, wobei zeitge-

nössische Werke dominieren. Er veröffentlichte eine Monographie über *H.Pfister* (Zürich 1973).
Lit.: R. Suter in: SMZ ČXI, 1971, S. 88ff.

Tsouyopoulos (tsuj'ɔpulɔs), Georges S., * 11. 10. 1930 zu Athen; griechischer Komponist, Dipl.-Ing., studierte 1948–54 am Odeon in Athen, 1954 in Mailand und 1955–57 in Zürich bei P.Hindemith. 1955 ließ er sich in München als freischaffender Komponist nieder. Von seinen Kompositionen seien genannt: 2. Streichquartett (1956); *Sinfonietta da camera* für Orch. (1957); Serenata für Frauen-St., Fl., Git. und Va (nach italienischen Versen des Mittelalters und Ugo Foscolos, 1957); 2 Madrigale für Frauen-St. und Orch. (Texte Shakespeare und Kostis Palamas, 1957); 3 Fragmente für Chor und Orch. (nach altgriechischem Text, 1958); 3 Toccaten für Kl. (I und II, 1958; III, 1965); *Musik für Schlaginstr.* (1959); *Musik für Bläserquintett* (1966).

Tua, Teresa (Teresina), * 24. 4. 1866 zu Turin, † 28. 10. 1956 zu Rom; italienische Violinistin, studierte 1877–80 am Pariser Conservatoire (Massart) und spielte ab 1881 in den europäischen Musikzentren. 1887 gastierte sie in den USA. Nach Beendigung ihrer Konzertlaufbahn lehrte sie am Conservatorio di Musica G. Verdi in Mailand (1915–24) und um Conservatorio di Musica S. Cecilia in Rom. 1940 trat sie als Suor Maria di Gesù dem Convento dell'Adorazione bei.

Tuan An-chieh, etwa 830–900; hoher chinesischer Staatsbeamter und Musikgelehrter der späten T'ang-Dynastie (618–906), war zwischen 894 und 898 Vizepräsident einer Hochschule für die höheren Gesellschaftsschichten in der kaiserlichen Hauptstadt Chang-an. Er hinterließ zwei wichtige musikkritische Schriften, *Yüeh-fu tsa-lu* (»Diverse Aufzeichnungen über das Yüeh-fu«, d. h. die staatlich-institutionelle Musik) und *P'i-p'a-lu* (»Abhandlung über die Kurzhalslaute P'i-p'a«). Das erste Werk gibt Aufschlüsse über die offizielle Musikorganisation gegen Ende der T'ang-Dynastie. (Eine 2. Abhandlung wird von M. Gimm für wenig mehr als eine erweiterte Fassung des 13. Kapitels im ersten Werk gehalten.)
Lit.: T'ang Kien Wen Tse / Florilège de littérature des T'ang, hrsg. v. B. Belpaire, Paris 1957, S. 287ff. (fehlerhafte Übers. d. »Yüeh-fu tsa-lu«); M. Gimm, Das Yüeh-fu tsa-lu d. Tuan An-chieh, = Asiatische Forschungen XIX, Wiesbaden 1966 (kommentierte u. dokumentierte Übers.).

+Tubin, Eduard, * 18. 6. 1905 zu Dorpat (Tartu). Neuere Werke: die Opern *Barbara von Tisenhusen* (Tallinn 1969) und *Reigi ôpetaja* (1971), Ballett *Kratt* (1938–40, Dorpat/Tartu 1942, Neufassung ebd. 1961); Symphonien Nr 6–9 (1952–54; 1956; 1966; *Sinfonia semplice*, 1969), Musik für Streicher (1962), Konzert für Balalaika und Orch. (1964); Capriccio für V. und Kl. (1971), Sonaten für Va und Kl. (1964) bzw. V. solo (1962); Suite für Kl. (1959); Chöre, Lieder.

Tucci (tut-tʃi), Gabriella, * 4. 8. 1929 zu Rom; italienische Opernsängerin (Sopran), studierte bei Leonardo Filoni, ihrem späteren Mann, gab 1952 ihr Debüt in Spoleto, ging 1955 auf eine Australientournee und sang 1959 erstmals an der Mailänder Scala. 1960 debütierte sie an der Metropolitan Opera in New York, 1962 an der Covent Garden Opera in London und 1964 am Bolschoj Teatr in Moskau. Zu ihren Partien zählen Euridice (*Orfeo ed Euridice* von Gluck), Violetta (*La Traviata*), Aida, Desdemona (*Otello*), Mimi (*La Bohème*), Tosca und Liù (*Turandot*).

Tuček (t'utʃɛk), Franz Vincenz (Tuczek, auch Ferrarius), * 2. 2. 1773 zu Prag, † nach dem 2. 11. 1820 zu Pest(?); böhmischer Komponist, war herzog-

lich kurländischer Hofkapellmeister in Sagan und Náchod, kam dann über Wien nach Breslau und wirkte 1802 abwechselnd in Wien und Pest. Er schrieb zahlreiche Opern und Singspiele (*Daemona, das kleine Höckerweibchen*, Pest 1805; *Lanassa, oder Die Eroberung von Malabar*, ebd. 1805; *Der Zauberkuß, oder Die Stunde der Erlösung*, Wien 1807) sowie Instrumentalwerke, Oratorien, Kantaten und Kirchenmusik.
Ausg.: Concerto B dur f. Klar. u. Orch. (1797), Prag 1972.
Lit.: F. Bat'ha, K otázce skladatelů Tučků (»Zur Frage d. Komponisten T.«), in: Zprávy Bertramky 1960, Nr 20; K. M. Pisarowitz in: MGG XIII, 1966, Sp. 935f.

+Tucher, Christoph [nicht: Christian] Carl Gottlieb [erg.:] Sigmund, getauft 20. [del.: * 14.] 5. 1798 – 1877.

+Tucker, Richard (eigentlich Reuben Ticker), * 28. [nicht: 20.] 8. 1913 [nicht: 1917] zu New York, [erg.:] † 8. 1. 1975 zu Kalamazoo (Mich.).
Lit.: W. Cox, R. T., in: Mus. America LXXXI, 1961; G. Gualerzi in: Le grandi v., hrsg. v. R. Celletti, = Scenario I, Rom 1964, Sp. 866ff. (mit Diskographie v. S. Smolian).

Tudor (tj'u:də), Antony, * 4. 4. 1909 zu London; englischer Tänzer, Choreograph und Ballettpädagoge, studierte bei Marie Rambert, Margaret Craske und Nikolaj Legat. Schon 1931 schuf er sein erstes Ballett (*Cross-Garter'd*, inspiriert durch die Malvolio-Episode in Shakespeares *Twelfth Night*) für den Londoner Ballet Club. Erfolgreich waren *The Planets* (Musik G.Holst, London 1934), *Jardin aux lilas* (Chausson, *Poème*, ebd. 1936), *Dark Elegies* (Mahler, *Kindertotenlieder*, ebd. 1937) und *Judgment of Paris* (Weill, *Dreigroschenoper*-Suite, ebd. 1938). 1939 ging er nach New York und schloß sich dem neugegründeten Ballet Theatre an, für das er weitere wichtige Choreographien schuf: *Pillar of Fire* (Schönberg, *Verklärte Nacht*, NY 1942); *The Tragedy of Romeo and Juliet* (verschiedene Stücke von Delius, arrangiert von A. Dorati, NY 1943); *Dim Lustre* (R. Strauss, *Burleske* für Kl. und Orch., NY 1943); *Undertow* (Schuman, NY 1945). Als Lehrer wirkte er vor allem an der Metropolitan Opera Ballet School und an der Tanzabteilung der Juilliard School of Music in New York. Er choreographierte später auch für das New York City Ballet, war 1963–64 Direktor des königlich schwedischen Balletts in Stockholm, für das er 1963 seine *Echoes of Trumpets* (Martinů, *Fantaisies symphoniques*) schuf. Als Gast choreographierte er u. a. für das Royal Ballet *Shadowplay* (Musik Koechlin, 1967) und *Knight Errant* (R.Strauss, 1968), für das Australian Ballet *The Divine Horseman* (Egk, 1969) sowie für das National Ballet of Canada *Fandango* (A. Soler, 1972).
Lit.: J. Percival u. S. J. Cohen, A. T., in: Dance Perspectives XVII – XVIII, 1963.

+Tudor, David [erg.:] Eugene, * 20. [nicht: 26.] 1. 1926 zu Philadelphia (Pa.).
T. lehrte u. a. bei den Sommerkursen am Black Mountain College/N. C. (1951–53) und in Darmstadt (1956, 1958, 1959 und 1961) sowie als Gastdozent an amerikanischen Universitäten und Instituten. – Die seit 1949 datierende Zusammenarbeit T.s mit Cage war für die Entwicklung der Avantgardemusik besonders fruchtbar (u. a. gründeten sie 1951 mit E. Brown, M. Feldman und Chr.Wolff das »Project of Music for Magnetic Tape«, die erste amerikanische Gruppe zur Produktion elektronischer Musik auf Tonband, und beeinflußten sie in den 60er Jahren mit ihren Aufführungen von Cages *Cartridge Music*, *Variations II* und *III* wesentlich den Trend zur Live Electronic Music). Ab 1953 arbeitete er auch für die Merce Cunningham

Dance Company. – T. gilt seit der amerikanischen Erstaufführung von Boulez' 2. Klaviersonate (NY 1950) als der führende Avantgardepianist. Von den zahlreichen Uraufführungen ihm oft auch gewidmeter Kompositionen seien genannt: *Music of Changes* (NY 1952), *4'33"* (ebd.) und das Klavierkonzert (NY 1958) von Cage, *Five Piano Pieces for D. Tudor* von Bussotti (Darmstadt 1958) und *Kontakte* von Stockhausen (Köln 1960) sowie Stücke von E. Brown, M. Feldman, Chr. Wolff und L. Young. T. trat auch als Bandoneonspieler (Autodidakt) mit eigenen (*Bandoneon!*) und Werken von Kagel, G. Mumma und Pauline Oliveros sowie ab den 60er Jahren vor allem als Interpret elektronischer und multimedialer Werke hervor. – T.s kreative Realisationen von Musik offener Form mit indeterminierten, improvisatorischen Teilen und Zufallselementen haben viele Entwicklungen der Neuen Musik erst ermöglicht und den Akzent von Interpreten immer mehr zum Mitkomponisten verlagert. Seine eigenen, oft in Zusammenarbeit mit anderen entstandenen Werke sind überwiegend multimedial und verwenden (außer elektronischen Anlagen) Theater, Tanz, Film und Fernsehen sowie (mit zum ersten Male) neueste technische Errungenschaften wie Laser und andere Lichtsysteme; genannt seien: *Fluorescent Sound* (1964), *Bandoneon!* (*Bandoneon Factorial*, 1966), *Reunion* (1968), *Rainforest* (1968, Neufassung 1972), *Video III* (1968), *Assemblage* (1968), *Video/Laser I* (1969) und *II* (1970), *4 Pepsi Pieces* (für das Pepsi Cola-Pavillon der Weltausstellung 1970 in Osaka), *Gymnastics* (1970) und *The Red, Yellow, Green, and Blue Submarine* (1970).
Lit.: D. FREUND, D. T., Four Davis Concerts, in: Source 1967, Nr 2 (Fotober.); L. CROSS, Audio/Video/Laser, ebd. 1970, Nr 7/8; M. NYMAN, Experimental Music. Cage and Beyond, London 1974.

+Tudway, Thomas, um 1650 vermutlich zu Windsor [erg. frühere Angabe] – 1726.
Lit.: G. HENDRIE in: MGG XIII, 1966, Sp. 943f.

Tuebben, Walter B., * 16. 8. 1908 zu Düsseldorf; deutscher Dirigent, studierte bei Heinz Eccasius, Nayses und Stürmer, wurde 1928 Theaterkapellmeister und war später auch Regisseur in Aachen, Duisburg/Bochum, Magdeburg, Coburg, Hanau, Elbing und an der Bayerischen Kammeroper in München. 1962–73 leitete er als GMD das Städtische Orchester Solingen.

+Türk, Daniel Gottlob, 1750–1813.
Die *+Kurze Anweisung zum Generalbaßspielen* (1791) erschien in 2. Aufl. erweitert und verbessert als *Anweisung zum Generalbaßspielen* (Halle/Saale und Lpz. 1800). – T. besaß eine umfangreiche Bibliothek, bestehend aus 625 Musikbüchern, 246 Notenbänden und 568 Büchern nichtmusikalischen Inhalts, die 1817 in Halle versteigert wurde.
Ausg.: +Kleine Handstücke f. angehende Klavierspieler (C. AUERBACH, Hannover 1933), Kassel ²1960; +Klavierschule (E. R. JACOBI, = DMI I, 23, 1962 [nicht: I, 30, 1959]), ebd. ²1967. – Kl.-Sonaten E moll, C dur, A moll u. D dur, hrsg. v. H. ALBRECHT, 4 H., = Organum V, 9, 13, 19 u. 24, Lippstadt 1951–58. – Von d. wichtigsten Pflichten eines Organisten ..., Faks. d. Ausg. Halle 1787 hrsg. v. B. BILLETER, = Bibl. organologica V, Hilversum 1966; Anweisung zum Generalbaßspielen (1800), Faks. hrsg. v. DEMS., Amsterdam 1971.
Lit.: +W. SERAUKY, Mg. d. Stadt Halle (II, 2, 1942), Nachdr. Hildesheim 1971. – B. BILLETER, D. G. T.s Beitr. zur Kirchenmusik, in: Musik u. Gottesdienst XVII, 1963; W. FR. KÜMMEL, Die Anfänge d. Mg. an d. deutschsprachigen Univ., Mf XX, 1967.

+Tuma, Franz Seraf Ignaz Anton (František Ignác Tůma), 1704–74.

Ausg.: +Stabat mater f. 4st. Chor u. Org., [erg.:] hrsg. v. J. PLAVEC, = Documenta hist. musicae o. Nr (1959); Partita a tre Nr 7 [nicht: Triosonate A dur] (E. SCHENK, Wien [erg.:] 1953), Neuaufl. = Diletto mus. Nr 459, ebd. 1969. – Composizioni per orch., hrsg. v. J. RACEK u. VR. BĚLSKÝ, = MAB LXVII, Prag 1965; Composizioni strumentali, hrsg. v. DENS., ebd. LXIX, 1967; Partiten a tre G dur, C moll u. A dur f. 2 V., Vc. u. B. c. sowie Sinfonia (Sonate) a 4 E moll f. Streichorch. u. Gb., mit d. Gb.-Aussetzung v. A. Schönberg hrsg. v. R. LÜCK, 4 H., Köln 1968.
Lit.: A. PESCHEK, Die Messen v. Fr. T., 2 Bde, Diss. Wien 1957.

+Tunder, Franz, 1614–67.
Weitere Werke befinden sich u. a. in der Sammlung Düben der Universitäts-Bibliothek Uppsala (17 geistliche Vokalwerke sowie eine 7st. Sinfonia zur Motette *Da pacem*).
Ausg.: Choralbearb. in: Keyboard Music from Polish Mss., hrsg. v. J. GOŁOS u. A. SUTKOWSKI, = Corpus of Early Keyboard Music X, 2, (Rom) 1967.
Lit.: +FR. DIETRICH, Gesch. d. deutschen Orgelchorals im 17. Jh. (1932), Nachdr. Kassel 1971. – L. SCHIERNING, Die Überlieferung d. deutschen Org.- u. Klaviermusik aus d. 1. Hälfte d. 17. Jh., = Schriften d. Landesinst. f. Musikforschung Kiel XII, ebd. 1961; W. APEL, Neu aufgefundene Clavierwerke v. Scheidemann, T., Froberger, Reincken u. Kuhnau, AMl XXXIV, 1962; FR. KRUMMACHER, Die Überlieferung d. Choralbearb. in d. frühen ev. Kantate, = Berliner Studien zur Mw. X, Bln 1965; W. P. WINZENBURGER, The Music of Fr. T., 2 Bde, Diss. Univ. of Rochester (N. Y.) 1965 (in Bd II Ausg. v. 5 Werken f. Singst., Streichorch. u. B. c.); M. GECK in: MGG XIII, 1966, Sp. 975ff.; DERS. in: MuK XXXVII, 1967, S. 24ff.; K. GUDEWILL, Fr. T. u. d. nordelbingische Musikkultur seiner Zeit, = Veröff. d. Kultusverwaltung d. Hansestadt Lübeck I, Lübeck 1967; G. B. SHARP in: MT CVIII, 1967, Sp. 997ff.

Tung Kwong-kwong, * 13. 9. 1927 zu Tientsin; chinesische Pianistin, erhielt ihre erste Ausbildung bei ihrer Mutter, studierte danach bei Mario Paci in Schanghai sowie bei A. Schnabel in New York (1946–51) und bei Leonard Shure in Cleveland/O. (1951–55). Nach ihrem Debüt 1942 in Schanghai spielte sie in den Großstädten Ostchinas und trat 1951 erstmals in New York auf. Seitdem hat sie in den USA und in Kanada konzertiert und Tourneen durch Europa unternommen. Sie ist mit dem Violinisten →Ma Si-hon verheiratet, mit dem sie gemeinsam auftritt.

+Tunstede, Simon, um 1300 – 1369 (begraben zu Bruisyard).
Lit.: G. REANEY, The Question of Authorship in the Medieval Treatises on Music, MD XVIII, 1964; DERS. in: MGG XIII, 1966, Sp. 976ff.

+Tuotilo, † 915.
Lit.: +A. SCHUBIGER, Die Sängerschule St. Gallens ... (1858), Nachdr. Hildesheim 1966; +P. WAGNER, Einführung in d. gregorianischen Melodien (I, ³1911), Nachdr. ebd. 1962. – L. RÜSCH, Der Weihnachts-Tropus d. St.-Galler Mönchs T., Theologische Zs. XI, 1965.

+Turchi, Guido, * 10. 11. 1916 zu Rom.
T. hatte ab 1960 am Conservatorio di Roma den Lehrstuhl für Tonsatz und anschließend den für Komposition inne; daneben war er 1963–66 künstlerischer Leiter der Accademia filarmonica Romana. Seit 1967 ist er Direktor des Konservatoriums in Parma. – Neuere Werke: die Oper *Il buon soldato Svejk* (Mailand 1962); Paraphrasensuite über volkstümliche europäische Themen (1965) und *Musique de geste – Tre metamorfosi* (1970) für Orch.; Rhapsodie *Intonazioni sul II inno di Novalis* für S. u. Orch. (1969, auch für S., Klar. und Kl.). Von seinen Abhandlungen sei die über *P. Hindemith* genannt (in: L'approdo musicale I, 1958).

Turczyński (turtʃ'iɲski), Józef, * 2. 2. 1884 zu Schitomir (Ukraine), † 27. 12. 1953 zu Lausanne; polnischer Pianist und Pädagoge, studierte Rechtswissenschaft an der Universität Kiew (Dr. jur. 1907) sowie Klavier bei Busoni in Wien und Berlin. Als 1. Preisträger des internationalen Klavierwettbewerbs in St. Petersburg (1911) konzertierte er bald darauf in ganz Europa. Er übernahm 1915 die Klavierklasse des Kiewer Konservatoriums und war 1919–39 Professor für Klavier (einige Zeit auch Direktor) des Warschauer Konservatoriums. Danach lebte er als Pianist und Pädagoge in Morges (Vaud). Mit Bronarski betreute er die von Paderewski herausgegebene Chopin-GA (21 Bde, Warschau 1949–63).

+Tureck, Rosalyn, * 14. 12. 1914 zu Chicago. Neben ihrer Konzerttätigkeit ist R. T. auch als Pädagogin tätig: so unterrichtete sie 1943–55 an der Juilliard School of Music und ist seit 1966 Professor of Music an der University of California in San Diego. R. T., mehrfach zum Ehrendoktor (u. a. 1968 von der Roosevelt University in Chicago) ernannt, veröffentlichte als neueren Beitrag *Toward a Unity of Performance and Musicology* (in: Current Musicology 1972, Nr 14).

Turętzky, Bertram, * 14. 2. 1933 zu Norwich (Conn.); amerikanischer Kontrabassist, studierte bis 1955 an der Julius Hartt School of Music in Hartford/ Conn. (B. M.) sowie an der New York University (C. Sachs, Reese) und war 1955–58 Dozent für Kontrabaß, Ensemblespiel und Musikgeschichte an der University of Hartford, der University of Connecticut in Storrs und der Wesleyan University in Middletown (Conn.). Gegenwärtig lehrt er am Department of Music der University of California in La Jolla. Daneben entfaltet er als Solist eine rege Konzerttätigkeit in den USA und in Kanada. Viele Komponisten, u. a. Gaburo, Křenek, Kremenliev, Shapey und Stewart, schrieben Werke für ihn. T. veröffentlichte *The Contemporary Contrabass* (= The New Instrumentation I, Berkeley/ Calif. 1974).

+Turina, Joaquín, 1882–1949. T. war ab 1931 Professor für Komposition am Madrider Konservatorium.
Lit.: +F. SOPEÑA, J. T. (1943), 2. revidierte u. erweiterte Aufl. = Libros de actualidad intelectual XXV, Madrid 1956.

+Turini [–1) Gregorio], –2) Francesco, um 1589 – [erg.:] 1656. Er wurde vor 1620 [nicht: 1624] Domorganist in Brescia.
Ausg.: 6 Sonaten f. 2 V., Vc. u. B. c., hrsg. v. G. LEONHARDT, = Continuo o. Nr, Wien 1956.
Lit.: +W. S. NEWMAN, The Sonata in the Baroque Era (1959), revidiert Chapel Hill (N. C.) 1966, London 1968, neuerlich revidiert NY u. London 1972 (Paperbackausg.).

Turner (t'ə:nə), Dame Eva, * 10. 3. 1892 zu Oldham (Lancashire); englische Sängerin (dramatischer Sopran), studierte 1911–15 an der Royal Academy of Music in London und debütierte nach weiteren Studien bei Albert Richards-Broads 1920 als Santuzza (*Cavalleria rusticana*) an der Covent Garden Opera in London. Sie trat an der Mailänder Scala (ab 1924), an den Staatsopern in Berlin, Wien, München und Dresden (1925), am Teatro Colón in Buenos Aires (1927 und 1931) und an der Oper in Chicago (1928–30 und 1938) auf. E. T. war Professor für Gesang an der University of Oklahoma in Norman (1949–59) sowie an der Royal Academy of Music in London (1959–66).

Turner (t'ə:nə), Robert, * 6. 6. 1920 zu Montreal; kanadischer Komponist, studierte bei Champagne an

der McGill University in Montreal, an der er auch promovierte, bei Howells am Royal College of Music in London sowie bei Messiaen am Berkshire Music Center in Tanglewood (Mass.). 1952–68 war er in Vancouver Senior Music Producer bei der Canadian Broadcasting Corporation und 1955–57 Dozent an der University of British Columbia. 1968 wurde T. Assistant Professor an der Aladia University in Wolfville (N. S.). Seit 1969 ist er Associate Professor für Komposition und Musiktheorie an der University of Manitoba in Winnipeg. Seine Kompositionen umfassen u. a. die Oper *The Brideship* (Vancouver 1967), Orchesterwerke (Ouvertüre *Opening Night*, 1955; Variationen und Toccata für 10 Instr., 1959; Symphonie für Streicher, 1960; Nocturne, 1966; *Eidolons*, 12 Bilder für Kammerorch., 1972; Konzert für 2 Kl. und Orch., 1972), Kammermusik (*4 Fragments* für Blechbläserquintett, 1961; 2 Streichquartette, 1949 und 1954; Streichtrio, 1969; *Fantasy and Festivity* für Hf., 1971), Vokalwerke (Osterkantate *The Third Day* für Soli, gem. Chor und Kammerorch., 1962; *The Phoenix and the Turtle* für Mezzo-S. und 8 Instr., nach Shakespeare, 1964; *Suite in Homage to Melville* für S., A., V. und Kl., 1966; *2 Moods* für Sopransax. und Kl., 1972) sowie *Sonata lyrica* für Kl. (1955), *6 Voluntaries* für Org. (1959) und *Robbins' Round* für Jazzband (1959).
Lit.: Werkverz. in: Composers of the Americas V, Washington (D. C.) 1959, Nachdr. 1964, u. in: Bol. interamericano de música 1960, Nr 16, S. 24ff.

+Turnhout, –1) Gérard, um 1520 – 1580.
Ausg.: Sacred and Secular Song f. 3 V., hrsg. v. L. J. WAGNER, 2 Bde, = Recent Researches in the Music of the Renaissance IX–X, Madison (Wis.) 1970.
Lit.: +E. VAN DER STRAETEN, La musique aux Pays-Bas ... (IV u. VIII, 1867–88), Nachdr. Hildesheim 1965 u. (mit neuer Einleitung v. E. Lowinsky) = Mus. Library Ass. Reprint Series o. Nr, NY 1969 (8 Bde in 4).

Turnovský, Martin, * 28. 9. 1928 zu Prag; tschechischer Dirigent, studierte zunächst Klavier, dann 1948–52 Dirigieren bei Ančerl und Robert Brock, wurde Chorleiter des Opernensembles der Armee und 1955 Leiter des Armeesymphonieorchesters. 1956 studierte er kurze Zeit bei Szell. Ab 1960 war er ständiger Dirigent der Philharmonie in Brünn, 1963–66 Chefdirigent des Pilsener Rundfunksymphonieorchesters und 1967–68 Chefdirigent der Dresdner Staatskapelle. 1975 wurde er zum Musikdirektor der norwegischen Nationaloper in Oslo ernannt.

Turok (tj'uɹək), Paul, * 3. 12. 1929 zu New York; amerikanischer Komponist, absolvierte 1950 das Queens College of the City of New York in Flushing (Rathaus) und vervollkommnete seine Studien an der University of California in Berkeley (Sessions) sowie an der Juilliard School of Music in New York (B. Wagenaar). 1959 erhielt er einen Lehrauftrag am City College of the City of New York und dann am Williams College in Williamstown (Mass.). Er komponierte u. a. die Kammeroper *Domestic* op. 12 (1955), das Ballett *Youngest Brother* op. 4 (NY 1953), Orchesterwerke (Violinkonzert op. 6, 1953; Symphonie op. 11, 1955; *Homage to Bach* op. 26, 1969), Kammermusik (Bläserquintett op. 17, 1956; Variationen auf ein Thema von Schönberg für Streichquartett op. 2, 1950; 2 Streichquartette op. 8, 1955, und op. 29, 1969), Klavierwerke (*3 Transcendental Etudes* op. 30, 1969), Chöre und Lieder.
Lit.: Werkverz. in: Composers of the Americas XVI, Washington (D. C.) 1970.

+Turski, Zbigniew, * 28. 7. 1908 zu Konstancin (bei Warschau).

Neuere Werke: die Kurzoper »Schwätzereien« (Warschau 1967); die Ballette *Vernissage* (einaktig, 1961), *Medalion Gdański* (»Die Danziger Medaille«, 1964), »Titania und der Esel« (Danzig 1967) und *Ndege-Ptak* (»Der Vogel Ndege«, einaktig, 1970); kleine Ouvertüre für Orch. (1955); Violinkonzert Nr 2 (1959); *Canti de nativitate patriae* für S., T., B., gem. Chor und Orch. (1969), Triptychon *Regno ejukori* für B. und Orch. (asemantischer Text, 1974), Nocturne »Schatten« für T., gem. Chor und Schlagzeug (1967); zahlreiche Musiken für Film, Funk und Bühne.

+Turtschaninow, Pjotr Iwanowitsch, 1779–1856. Ausg.: Polnoje sobranije sotschinenij i pereloschenij (»GA d. Werke u. Übertragungen«), hrsg. v. A. Dm. Kastalskij, 5 Bde, Moskau 1905–06.

aṭ-Ṭūsī → Naṣīraddīn aṭ-Ṭūsī.

+Tutenberg, Fritz (Friedrich) August Heinrich, * 14. 7. 1902 zu Mainz, [erg.:] † 27. 9. 1967 zu Wiesbaden.

Ṭuukkanen, Kalervo, * 14. 10. 1909 zu Mikkeli; finnischer Komponist, studierte Musikwissenschaft an der Universität in Helsinki (Mag. phil. 1933) sowie Komposition bei Madetoja und Krohn. Er lehrte Musikgeschichte und -theorie am Konservatorium in Viipuri (1935–38) und war Kapellmeister in Pori (1942–44). Seitdem wirkt er als Dirigent und Musikpädagoge in Helsinki. Er schrieb Orchesterwerke (5 Symphonien, 1944–61, davon Nr 3 mit Soli und Chor; Ouvertüre *Tukkijoella*, »Die schwimmenden Baumstämme«, 1934; Symphonische Dichtung *Runonlaulaja*, »Der Barde«; Suiten; 2 Violinkonzerte, 1943 und 1956; Violoncellokonzert, 1946), Vokalwerke (*Karhunpyynti*, »Bärenjagd«, für Männerchor und Orch., 1948; Kantate *Ihminen ja elementit*, »Der Mensch und die Elemente«, für S., Bar., Chor und Orch.) sowie Bühnen-, Hörspiel- und Filmmusik. Er veröffentlichte *L. Madetoja* (Porvoo 1947).

Ṭuwais (»kleiner Pfau«; eigentlicher Name Abū 'Abdalmun'im 'Īsā ibn 'Abdallāh aḍ-Ḍā'ib), * um 632 zu Medina, † um 705 oder 710; arabischer Sänger, stand als Freigelassener des Stammes Maḥzūm in Diensten der Familie des späteren Kalifen 'Uṭmān, in dessen Regierungszeit (644–656) er als Musiker bekannt wurde. Er gilt als erster namhafter Sänger in islamischer Zeit und war Vertreter eines »neuen Stils« der städtischen Musik im Ḥiǧāz, der als al-ġinā' al-mutqan (»vollkommene Musik«) oder als al-ġinā' ar-raqīq (»feinsinnige Musik«) bezeichnet wurde und durch »persisch beeinflußte« Melodik sowie durch Metrisierung (īqā') gekennzeichnet war. Sein Nachruhm zeigt sich u. a. darin, daß die Chronologie seines Lebens (Geburt, Beschneidung, Hochzeit usw.) mit den Todesdaten der ersten Kalifen verknüpft wurde und sein Name in mehreren Sprichwörtern lebendig geblieben ist. Sein bekanntester Schüler war Ibn Suraiǧ. Isḥāq → +al-Mauṣilī schrieb seine Biographie, die später in das Kapitel über Ṭ. des *Kitāb al-Aġānī al-kabīr* (»Großes Buch der Lieder«) von Abu l-Faraǧ → +al-Iṣfahānī eingegangen ist. Einige seiner Stücke waren noch im 9. Jh. bekannt.
Lit.: Ibn Ḥurdāḏbih († 911), Muḫtār min Kitāb al-Lahw wa-l-malāhī (Fragment seines »Buches d. Vergnügungen u. d. Musikinstr.«), Beirut 1961; Ibn 'Abd Rabbih († 957), al-'Iqd al-farīd, engl. Übers. d. Musikkap. v. H. G. Farmer als: The Minstrels of the Golden Age of Islam, in: Islamic Culture XVII, 1943; Abu l-Faraǧ al-Iṣfahānī († 967), Kitāb al-Aġānī al-kabīr (»Großes Buch d. Lieder«), Bd III, Kairo ³1929, S. 27ff. u. ö.; Ibn Ḥallikān († 1282), Wafayāt al-a'yān, engl. Übers. v. MacGuckin de Slane als: Ibn Khallikan's Biogr. Dictio-

nary, 4 Bde, Paris 1842–78, Nachdr. NY 1961; Ibn Taġrībirdī († 1470), an-Nuǧūm az-zāhira ..., Bd I, Kairo 1929, S. 225 (Gesch. Ägyptens); A. Caussin de Perceval, Notices anecdotiques sur les principaux musiciens arabes, Journal asiatique, Serie VII, 2, 1873; H. G. Farmer, A Hist. of Arabian Music to the XIIIᵗʰ Cent., London 1929, Nachdr. 1967; Ders., Artikel Ṭ., EI IV, 1934; Ders., The Sources of Arabian Music, Bearsden 1940, revidiert Leiden 1965, Nr 21; Ḥ. Az-Ziriklī, al-A'lām, Bd II, Damaskus ²1955 (arabisches bio-bibliogr. Lexikon); S. Šaiḥānī, Ašhar al-muġannīn 'inda l-'arab (»Die berühmtesten Sänger bei d. alten Arabern«), Beirut 1962; A. Taimūr, al-Mūsīqī wa-l-ġinā' 'inda l-'arab, Kairo 1963 (Text-Slg zur arabischen Mg.); Ṣ. Daif, aš-Ši'r wa-l-ġinā' fī l-Madīna wa-Makka (»Poesie u. ġinā'-Musik in Medina u. Mekka«), Beirut 1967. ENe

+Tuyll van Serooskerken, Hendrik Otto Raimond, Baron van, * 3. 7. 1915 zu Amsterdam. Seit 1967 ist er Professor für Philosophie und Religion am Alabama College in Montevallo.

+Tveitt, Geirr, * 19. 10. 1908 zu Hardanger. Tv., der seit 1957 einen Ehrenlohn des norwegischen Reichstages erhält, wurde 1958 Berater des staatlichen Rundfunks. An neueren Werken seien genannt die Oper *Jeppe* (nach Holberg, 1966) und ein 6. Klavierkonzert.

Twardowski, Romuald, * 17. 6. 1930 zu Wilna; polnischer Komponist, studierte 1952–57 am Konservatorium seiner Heimatstadt (Juzeliūnas), 1957–60 an der Hochschule für Musik in Warschau (Woytowicz) sowie 1963 in Paris bei Nadia Boulanger. Er schrieb die Opern *Cyrano de Bergerac* (Beuthen/Bytom 1963), *Tragedyja albo rzecz o Janie i Herodzie* (»Tragödie oder die Geschichte von Johannes und Herodes«, Łódź 1969), *Lord Jim* (1973) und die Funkoper *Upadek ojca Suryna* (»Der Sturz des Paters Suryn«, szenisch Krakau 1969), das Ballett *Nagi książę* (»Der nackte Prinz«, Warschau 1964), Orchesterwerke (*Antifone* für 3 Orchestergruppen, 1961; *Nomopedia*, 5 Sätze für Orch., 1962; *Mała symfonia koncertująca*, »Kleine konzertante Symphonie«, für Streicher, Kl. und Schlagzeug, 1958; Klavierkonzert, 1956), Vokalwerke (Kantate *Pieśń o Białym Domu*, »Lied vom Weißen Haus«, für T., gem. Chor, 2 Kl. und Schlagzeug, 1959; *Carmina de mortuis* für gem. Chor, 1961; Zyklus *Trittico fiorentino*, Teil 1 *3 studi secondo Giotto* für Kammerorch., Teil 2 *Sonetti di Petrarca* für T. und 2 a cappella-Chöre und Teil 3 *Impressioni fiorentini* für 4 Instrumentalchöre, 1965–67; *Mała liturgia prawosławna*, »Kleine orthodoxe Liturgie«, für Kammerchor und 3 Instrumentalgruppen, 1968; *Oda do młodości*, »Ode an die Jugend«, für Rezitator, gem. Chor und Orch., 1969; *3 sonnets d'adieux* für Baßbar., Kl., Schlagzeug und Streicher, 1971).

Twardy, Werner (Pseudonym Daddy Monrou), * 28. 12. 1926 zu Oberhausen; deutscher Komponist von Unterhaltungs- und Schlagermusik, lebt in Kleineichen (bei Köln). Er studierte an der Folkwangschule in Essen Klavier und Komposition und war ab 1946 Pianist und Arrangeur in verschiedenen Tanz- und Unterhaltungsorchestern (Sigi Stemford, Joe Wick, Kurt Edelhagen) sowie 1953–60 beim Kleinen Tanz- und Unterhaltungsorchester des WDR. Seit 1960 ist er freiberuflich tätig, vor allem für die Deutsche Grammophon Gesellschaft in Hamburg. Zu seinen Erfolgstiteln gehören: *Keine wartet auf dich* (Text von → Feltz, 1960); *Musik zum Verlieben* (1961); für den Schlagersänger Roy Black komponierte er u. a. *Meine Liebe zu dir* (1967) und *Ich bin so gern bei dir* (1969).

+Twittenhoff, Wilhelm, * 28. 2. 1904 zu Werdohl (Westfalen), [erg.:] † 23. 9. 1969 zu Köln.

Seine +Dissertation *Die musiktheoretischen Schriften J. Riepels* (1933), gedruckt = Beitr. zur Musikforschung II, Halle (Saale) 1935, Nachdr. Hildesheim 1971. – Die Musische Bildungsstätte Remscheid leitete Tw. bis 1967. Gesammelte Aufsätze aus den Jahren 1954–69 erschienen posthum als *Musikalische Bildung. Gedanken aus 20 Jahren* (hrsg. von W. Stumme, = Bausteine für Musikerziehung und Musikpflege XX, Mainz 1972).

Tyāgarāja, * wahrscheinlich 4. 5. 1767 zu Tiruvārūr (Tanjore-Distrikt), † 6. 1. 1847 zu Tiruvayāru (bei Tanjore); ein Brahmane aus Tamilnad, studierte der indischen Überlieferung nach in früher Jugend Sanskrit und lernte von seinem Vater Rāmabrahman zahlreiche Divyanāma-kīrtanas (Gottesnamen-Preisgesänge), von seiner Mutter viele Gesänge von →Purandaradāsa. Dann erhielt er Musikunterricht bei Soṇṭhi Veṅkaṭarāmaṇayya in Tiruvayāru. Er führte das Leben eines Bettlers und Heiligen. Der hohe religiöse Gehalt seiner Texte und die Erfindung sehr wirkungsvoller, einprägsamer »Themen« begründeten seinen Ruhm, führten ihm zahlreiche Schüler zu und sicherten ihm bis heute den obersten Rang unter den Dichter-Komponisten der neueren karnatischen Musik.
Ausg.: 108 Kritis bzw. 120 Kritis of Ty., 2 Bde, hrsg. v. C. Subrahmanya Ayyar, Madras 1956–59 (Text u. Notation in Devanāgarī-Schrift mit Gamaka-Zeichen); Kṛtimaṇi-malai I–II, hrsg. v. R. Rangarāmānuja Ayyangār, ebd. ²1965 (696 Kṛti-Kompositionen, Notation in Tamil-Schrift); C. Rāmānujāchāri, The Spiritual Heritage of Ty., ebd. ²1966 (Texte d. Kṛti in Devanāgarī-Schrift u. engl. Übers., mit Einleitung v. V. Rāghavan).
Lit.: Bibliogr. in: Sangeet Natak (Journal of the Sangeet Natak Acad. New Delhi) 1967, Nr 6, S. 47ff. – T. V. Subba Rao, Studies in Indian Music, Bombay u. a. 1962, S. 113ff. u. 127ff.; P. Sambamoorthy, Ty., = National Biogr. Series o. Nr, Neu Delhi 1967; Ders., Great Composers Book, Bd II (T.), Madras 1970; S. Y. Krishnaswamy, Ty., Saint and Singer, Bombay 1968.

+**Tye,** Christopher, um 1500 – 1573.
Ausg.: +The Mulliner Book (D. Stevens, 1951), London ²1954, Nachdr. 1966. – 2 Sätze in: In nomine. Altengl. Kammermusik f. 4 u. 5 St., hrsg. v. Dems., = HM CXXXIV, Kassel 1956, ²1967; The Instr. Music, hrsg. v. R. W. Weidner, u. The Lat. Church Music, hrsg. v. J. R. Satterfield, 3 Bde, = Recent Researches in the Music of the Renaissance III bzw. XIII–XIV, Madison (Wis.) 1967–70; The Western Wind Mass, hrsg. v. N. Davison, London 1970.
Lit.: +E. H. Fellowes, Engl. Cathedral Music (1941), revidiert hrsg. v. J. A. Westrup, London u. NY 1969; +E. H. Meyer, Engl. Chamber Music (1946), Nachdr. NY 1971, London ²1951, deutsch als: Die Kammermusik Alt-Englands, Lpz. 1958. – J. R. Satterfield, A Cat. of T.'s Lat.

Music, in: Studies in Musicology, Gedenkschrift Gl. Haydon, Chapel Hill (N. C.) 1969. – Ders., The Lat. Church Music of Chr. T., Diss. Univ. of North Carolina 1962 (mit Musik-Suppl.); R. W. Weidner, The Instr. Music of Chr. T., JAMS XVII, 1964; Ders., T.'s »Actes of the Apostles«. A Reassessment, MQ LVIII, 1972; P. Le Huray, Music and the Reformation in England, = Studies in Church Music o. Nr, London 1967; N. Davison, The »Western Wind« Masses, MQ LVII, 1971; J. Blezzard in: MT CXIV, 1973, S. 1051ff.

Tyson (t′aisn), Alan Walker, * 27. 10. 1926 zu Glasgow; britischer Musikforscher, studierte an der University of Oxford (graduiert in Litterae humaniores), wurde dort 1952 Fellow des All Souls College und trieb dann psychoanalytische und medizinische Studien. Seit 1961 widmet er sich musikwissenschaftlichen Arbeiten und veröffentlichte zahlreiche Aufsätze u. a. für AMl, Mf, ML, MR, MQ, MT und Haydn-Jb. zu Editionsproblemen (Quellenbewertung, Echtheitsfragen) der Kompositionen der Wiener Klassik und ihrer Zeit sowie wichtige englische Ausgaben der Werke Haydns, Mozarts und Beethovens. T. ist Besitzer einer umfangreichen Sammlung von Frühausgaben und Quellenmaterial der Zeitspanne 1770–1850. Von seinen Publikationen seien *The Authentic English Editions of Beethoven* (= All Souls Studies I, London 1963), *English Music Publishers' Plate Numbers in the First Half of the 19th Cent.* (mit O. W. Neighbour, ebd. 1965), *Thematic Catalogue of the Works of M. Clementi* (Tutzing 1967) und *Beethoven Studies* (NY 1973, London 1974) genannt.

+**Tzarth,** Georg, 1708 – nach 1778 unbekannten Ortes [del. frühere Sterbeangaben].

Tzwyvel, Theodoricus (Tzwivel; Dietrich), * um 1490 zu Zweifall (Monschau, Eifel), † nach 1536; deutscher Humanist und Musiktheoretiker, lebte ab etwa 1505 in Münster (Westf.) in engem Kontakt mit dem Humanistenkreis um Johannes Murmellius und veröffentlichte ab 1505 mathematische Schriften, die auch die musikalische Proportionslehre von Boethius behandeln (*Opuscula dua*, Köln 1505). 1508 erschien in Köln sein *Introductorium musicae practicae*, eine Elementar- und Chorallehre für die Ausbildung des Priesternachwuchses, die er 1513 in einer stark erweiterten Auflage neu herausgab. 1514–34 betrieb er in Münster eine Druckoffizin, in der er humanistische und religiöse Schriften edierte, u. a. seinen eigenen *Tonarius* (1515) und einstimmige *Carmina scholastica* (um 1520).
Lit.: W. Kaiser, D. Tzw. u. sein Musiktraktat »Introductorium musicae practicae«, Münster 1513, = Marburger Beitr. zur Musikforschung II, Marburg 1968 (mit Ed. d. Introductorium u. Faks. d. Tonarius).

U

+Uc de Saint-Circ, 1. Hälfte 13. Jh.
Ausg. u. Lit.: +Fʀ. Gᴇɴɴʀɪᴄʜ, Der mus. Nachlaß d.
Troubadours, 3 Bde, = Summa musicae medii aevi III–IV
u. XV, Darmstadt 1958–65 [erg. frühere Angabe]. – Me-
lodie zu P–C 457,40 (Tres enemics e dos mals seignors ai)
in: Lo gai saber, hrsg. v. ᴅᴇᴍꜱ., = Mw. Studienbibl.
XVIII/XIX, ebd. 1959. – S. Sᴛʀᴏ́ɴꜱᴋɪ, Le lieu d'origine
d'Uc de S.-C., Annales du Midi XXV, 1913; V. Cʀᴇꜱᴄɪɴɪ,
Ugo di S.-C. a Treviso, in: Studi medievali, N. S. II, 1929;
J. Bᴏᴜᴛɪᴇ̀ʀᴇ u. A.-H. Sᴄʜᴜᴛᴢ, Biogr. des Troubadours,
= Bibl. Méridionale I, 27, Toulouse u. Paris 1950, revidiert
(mit I.-M. Cluzel) = Les classiques d'oc (I), Paris 1964.

+Uccellini, Marco, um 1603 – 1680.
Ausg.: +Sinfonia a tre op. 9 Nr 7 (E. Sᴄʜᴇɴᴋ, 1953),
Neuaufl. = Diletto mus. Nr 451, Wien 1969.
Lit.: +W. J. v. Wᴀꜱɪᴇʟᴇᴡꜱᴋɪ, Die V. im XVII. Jh. ...
(1874), Nachdr. = Bibl. musica Bononiensis III, 21, Bologna 1969; +A. Mᴏꜱᴇʀ, Gesch. d. Violinspiels (1923),
2. Aufl. hrsg. v. H.-J. Nösselt, Tutzing 1966–67 (2 Bde);
+E. Sᴄʜᴇɴᴋ, Osservazioni ... (1952), deutsch als: Beobachtungen über d. modenesische Instrumentalmusikschule d. 17. Jh., StMw XXVI, 1964.

+d'Udine, Jean (eigentlich Albert [erg.: Guillaume
Marie] Cozanet), 1870 – [erg.:] 9. 5. [nicht: 4.] 1938.

Ufkî, ʿAlī Beg (Ufqī; ursprünglich Albert Bobow-
sky oder Albertus Bobovius Leopolitanus), * zu Leo-
pol (Polen), † um 1676 zu Istanbul(?); polnischer Gelehrter, kam als Gefangener unter Murād IV. (1623–40)
nach Istanbul, wurde Muslim und blieb als Dolmet-
scher und Musiker (Sanṭūr-Spieler) am Sultanshof.
Neben einer türkischen Bibelübersetzung, einer türkischen Grammatik und einem Wörterbuch verfaßte er
lateinische Werke über das Istanbuler Hof- und Sitten-
leben, darunter Serai enderum mit Beschreibung der
Hofmusik. Zwischen 1650 und 1670 stellte er seine
türkisch geschriebene Maǵmūʿa-i sāz-wa-söz (»Sammlung von Instrumental- und Vokalwerken«) zusammen, die früheste bekannte Sammlung türkischer Musik in europäischer Notenschrift. Sie enthält überwiegend Volksmusik und -poesie, darunter auch eigene
Gedichte (Dichtername Ufqī) und Kompositionen des
Verfassers. Einige der von ihm aufgenommenen Stücke
finden sich auch in der wenig später entstandenen No-
tensammlung von → Cantemir.
Ausg.: Maǵmūʿa-i sāz-wa-söz, nach d. Ms. British Museum, Sloane 3114 (184ff.), hrsg. v. C. Eʀɢɪɴ (ohne d. Musikbeispiele) als: Hâzâ mecmua-i saz-ü söz, in: Musiki
mecmuası 1968, Nr 233ff.; Serai enderum, das ist Inwen-
dige beschaffenheit d. türckischen kayserl. residentz zu
Constantinopoli ... sampt dero ordnung u. gebräuchen
..., Durch N. Brenner in d. teutsche sprack übersetzt,
Wien 1667.
Lit.: J. H. Zᴇᴅʟᴇʀ, Großes vollständiges Universal-Lexi-
kon, Bd I, Halle u. Lpz. 1732, Nachdr. Graz 1961; J. Cʜʀ.
Aᴅᴇʟᴜɴɢ, Fortsetzung u. Ergänzungen zu Chr. G. Joe-
chers allgemeinem Gelehrten-Lexikon, Bd I, Lpz. 1784;
Ç. Uʟᴜᴄ̧ᴀʏ, Mecmua-i saz-ü söz, in: Türk musikisi der-
gisi (»Türkische Musik-Zs.«) 1948, Nr 14 (Istanbul); L.
Kᴀʀᴀʙᴇʏ, 300 küsur sene evvelinden kalma nota mecmua-
sına dair (»Über eine etwa 300 Jahre alte Noten-Slg«),
in: Musiki mecmuası 1951, Nr 35; H. S. Aʀᴇʟ, 300 küsur
senelik nota mecmuası hakkında (»Über d. ca. 300jährige
Noten-Slg«), ebd. 1951, Nr 45; H. Sᴀɴᴀʟ, Mehter mu-

sikisi (»Janitscharenmusik«), Istanbul 1964 (mit Auswer-
tung einiger Notenaufzeichnungen v. U.); Y. Öᴢᴛᴜɴᴀ,
Türk musikisi ansiklopedisi (»Enzyklopädie d. türkischen
Musik«), Bd I, ebd. 1970 (mit Werkverz.).   Eɴᴇ

+Ugarte, Floro Meliton, * 15. 9. 1884 und [erg.:]
† 11. 6. 1975 zu Buenos Aires.
+El junco (1944 [nicht: 1955], Buenos Aires 1955), +De
mi tierra (1. Folge 1923 [nicht: 1927]). – Weitere Werke: Violinkonzert (1963); 5 Ronroncitos für Kl. (1952);
Sonatina norteña für Bandoneon (1956); Naides (1953)
und Revelación (1954) für Singst. und Kl.
Lit.: Werkverz. in: Compositores de América I, Washington (D. C.) 1955, Nachdr. 1962. – M. Kᴜꜱꜱ, Contribución de Fl. U. al teatro lirico en Argentina, in: Heterofonía VII, 1974.

+Ugolini, Biagio (Blasius Ugolinus), [erg.:] * um
1700 und † um 1771 zu Venedig.
Lit.: E. Wᴇʀɴᴇʀ in: MGG XIII, 1966, Sp. 1023f.

+Ugolino de Orvieto, um 1380–1457.
Ausg.: +Declaratio musicae disciplinae, hrsg. v. A. Sᴇᴀʏ,
3 Bde = CSM VII, (Rom) 1959–62 [erg. frühere Angabe].
Lit.: +A. ᴅᴇ ʟᴀ Fᴀɢᴇ, Essais de diphtérographie mus.
(1864), Nachdr. Amsterdam 1964; +J. Wᴏʟꜰ, Gesch. d.
Mensural-Notation (I, 1904), Nachdr. Hildesheim u.
Wiesbaden 1965; +G. Pɪᴇᴛᴢꜱᴄʜ, Die Klassifikation d. Musik v. Boetius bis U. v. O. (1929), Nachdr. = Libelli Bd
236, Darmstadt 1968. – A. Hᴜɢʜᴇꜱ, U., The Monochord
and Musica ficta, MD XXIII, 1969.

+Ugolinus de Maltero, 13./14. Jh.
Die Diskussion um U. de M.s Traktat +De cantu fracti-
bili wurde bis in die jüngere Zeit hinein fortgesetzt
(vgl. H. Besseler in: AMl XLI, 1969, S. 107f.).
Ausg.: +H. Rɪᴇᴍᴀɴɴ, Präludien u. Studien (III, 1901),
Nachdr. Hildesheim 1967.

Ugrino Verlag, 1921 von → +Jahnn und dem Musikschriftsteller Gottlieb Friedrich Harms (1893–1931),
den Gründern der Glaubensgemeinde Ugrino in Hamburg (entsprechend der Satzung der Glaubensgemeinde, Aufführungen wertvoller Vokal- und Instrumentalmusik zu fördern) mit dem Ziel eingerichtete Ver-
lagsabteilung, für den praktischen Gebrauch geeignete GA der Werke älterer Komponisten herauszu-
bringen. Nach Auflösung der Glaubensgemeinde 1933
blieb der Verlag als selbständiges Unternehmen, eingetragen auf Sibylle Harms, bestehen. Neben dem (ab
1925 tätig gewesenen) Geschäftsführer Ernst Eggers
betreute Hilmar Trede († 1947) die Firma. Nach Rückkehr aus der Emigration (1945) trat Jahnn wieder in
den Verlag ein und war ab 1956 dessen alleiniger Inhaber. Nach seinem Tod (1959) ging das Unternehmen, das auch Geschäftsbeziehungen mit dem Verlag
C. F. Peters in Frankfurt a. M. und dem Deutschen Verlag für Musik in Leipzig aufnahm, auf Signe Trede,
Tochter von Jahnn, über. 1972 wurde die Firma vom
Deutschen Verlag für Musik übernommen. Im Verlag erschienen u. a. Gesamtausgaben der Werke von
Buxtehude, Gesualdo, V. Lübeck, Scheidt und die Tabulaturen etlicher Lobgesänge von Schlick.
Lit.: Cʜʀ. Mᴀʜʀᴇɴʜᴏʟᴢ in: MGG XIII, 1966, Sp. 1025f.;
H. H. Jahnn, Wiesbaden 1973 (Ausstellungskat.).

+Uhde, Hermann [erg.:] Heinrich, * 20. 7. 1914 zu Bremen(-Rockwinkel), [erg.:] † 10. 10. 1965 zu Kopenhagen.
U., Mitglied der Wiener Staatsoper bis 1961, sang ab 1955 auch regelmäßig an der Metropolitan Opera in New York.
Lit.: A. WILLIAMSON in: Opera XII, (London) 1961, S. 762ff.; DIES., ebd. XVII, 1966, S. 97ff.

+Uhl, Alfred, * 5. 6. 1909 zu Wien.
U. ist seit 1970 Präsident der (österreichischen) Gesellschaft der Autoren, Komponisten und Musikverleger (AKM). 1960 wurde er mit dem Großen Österreichischen Staatspreis ausgezeichnet. – Weitere Werke: Oper *Der mysteriöse Herr X* (Wien 1966); *Concerto a ballo* für Orch. (1967); *Kleines Konzert* für Va, Klar. und Kl. (1937, Fassung für Klaviertrio 1972), 48 Etüden für Klar. (1937), Divertimento für 3 Klar. und Baßklar. (1943), Streichquartett Nr 1 (1946), *Jubiläumsquartett* (1963), *Sonata classica* für Git. (1968), 15 Etüden für Fag. (1972), 20 Etüden für Va (1974); heitere Kantate *Wer einsam ist, der hat es gut* für Soli, Chor und Orch. (1960).
Lit.: A. WITESCHNIK, A. U., = Österreichische Komponisten d. XX. Jh. VIII, Wien 1966.

Uhl, Fritz, * 2. 4. 1928 zu Wien; österreichischer Opernsänger (Heldentenor), studierte 1947–52 an der Akademie für Musik und darstellende Kunst in Wien, war dann an den Theatern in Graz (1952–53), Luzern, Oberhausen (1954–56) und Wuppertal engagiert. Seit 1958 ist er Mitglied der Staatsoper München (1962 Kammersänger) und seit 1961 auch der Staatsoper Wien. 1957–64 sang er bei den Bayreuther Festspielen. Gastspiele führten ihn u. a. nach San Francisco, Buenos Aires, an die Covent Garden Opera London und zu den Salzburger Festspielen. U. machte sich vor allem als Wagner-Interpret einen Namen.

Uhland, Johann Ludwig, * 26. 4. 1787 und † 13. 11. 1862 zu Tübingen; deutscher Dichter, Gelehrter und Politiker, studierte in Tübingen bis 1808 Jura (Dr. jur. 1810), beschäftigte sich schon während seines Studiums mit deutscher und französischer Literatur des Mittelalters, deren Handschriften er 1810–11 in Paris studierte. Er wurde 1829 Professor für deutsche Sprache und Literatur in Tübingen, legte aber 1833 sein Amt nieder, als die Regierung den oppositionellen Professoren die gleichzeitige Ausübung ihres Landtagsmandats untersagte. Ab 1839 lebte er als Privatgelehrter in Tübingen, war 1848 Abgeordneter in der Nationalversammlung in Frankfurt a. M. und 1849 im Rumpfparlament in Stuttgart. Auf zahlreichen Reisen durch die deutschsprachigen Länder sowie durch ausgedehnte Korrespondenz trug er das Material für die erste wissenschaftlich zuverlässige Sammlung von deutschen Volksliedern *Alte hoch- und niederdeutsche Volkslieder mit Abhandlungen und Anmerkungen* (2 Bde, Stuttgart 1844–45, 4 Bde, ³1893, Nachdr. der 1. Aufl. Hildesheim 1968) zusammen. 1815 erschien die erste Ausgabe seiner Gedichte, 1817 *Vaterländische Gedichte*, denen später Dramen und dramatische Gedichte folgten, für die er mehrfach Gesangseinlagen und Bühnenmusik vorsah. U. zählt als volkstümlicher Lyriker und großer Balladen- und Romanzendichter mit seiner schlichten und kräftigen, vom Volkslied angeregten Sprache zu den bedeutendsten deutschen Spätromantikern. Seine Gedichte wurden zuerst von seinen schwäbischen Zeitgenossen C. Kreutzer und Silcher vertont, denen sich eine Reihe namhafter Komponisten anschloß: Brahms, 5 Lieder und *Märznacht* für Frauenchor; M. Bruch, 2 Lieder, *Die Kapelle* für Frauenchor und *Trinklied* für Männerchor; H. v.

Bülow, Ballade *Des Sängers Fluch* für Orch. op. 16; Busoni, Ballade *Des Sängers Fluch* op. 39a; Cornelius, Duett *Scheiden und Meiden*; Elgar, *The Black Knight*, Kantate für Chor und Orch. op. 25; Grieg, 2 Lieder; Hohlfeld, Chor *O brich nicht, Steg*; Humperdinck, Ballade *Das Glück von Edenhall* für Chor und Orch.; d'Indy, symphonische Ballade *La forêt enchantée* op. 8; Jemnitz, *5 Gesänge* op. 11; A. Jensen, 3 Lieder und 2 Chöre mit Hörnern und Hf. op. 10; Knab, Nr 1 und 2 aus *3 Liebeslieder* für 4st. gem. Chor a cappella; Liszt, 3 Lieder und *Saatengrün* für Männerchor; Loewe, 15 Lieder und Duett *Morgenlied*; Mendelssohn Bartholdy, 3 Lieder, Duett *Sonntags morgen* und 5 Lieder für gem. Chor und Kl.; Pfitzner, *Naturfreiheit* (aus *6 Jugendlieder*) und *Das Schifflein* für Männerchor op. 49 Nr 1; J. Raff, 2 Lieder und Duett *Die Kapelle*; Reger, 3 Lieder; Schoeck, 15 Lieder; Fr. Schubert, Lied *Frühlingsglaube*; R. Schumann, *Des Knaben Berglied*, Doppelkanon *Die Kapelle*, 3 Chorballaden und 5 Chöre a cappella; Spohr, 2 Lieder und *Trinklied* für Männerchor; R. Strauss, Lied *Die Ulme zu Hirsau* (aus *3 Gesänge* op. 43), 5 Lieder op. 47, *Das Thal* (aus *2 Gesänge* für B. und Orch. op. 51), Balladen *Taillefer* für Soli, Chor und Orch. op. 52 und Melodram *Das Schloß am Meer* für rezitierende St. und Kl. (1899); Ernest Walker, 3 Lieder aus op. 1 (Nr 4–6); J. Weismann, Zyklus *Wanderlieder* für Männerchor und Kl. op. 80. *Der gute Kamerad* und *Der Wirtin Töchterlein* wurden in Volksmelodien viel gesungen und am meisten bekannt.
Ausg.: U.s Werke, hrsg. v. L. FRÄNKEL, 2 Bde, = Meyers Klassikerausg. o. Nr, Lpz. 1893 (in Bd I: M. Friedländer, U.s Gedichte in d. Musik); Gesammelte Werke in 8 Bden, hrsg. v. W. REINÖHL, Lpz. 1914; Dichtungen, Briefe, Reden, in Ausw. hrsg. v. W. P. H. SCHEFFLER, Stuttgart 1963. – Schriften zur Gesch. d. Dichtung u. Sage, hrsg. v. A. v. KELLER, W. HOLLAND u. FR. PFEIFFER, 8 Bde IV, ebd. 1869, Nachdr. Hildesheim 1968; L. U.s Sammelband fliegender Blätter aus d. zweiten Hälfte d. 16. Jh., hrsg. v. E. K. BLÜMML, = Lieder u. Reime in fliegenden Blättern d. 16. u. 17. Jh. I, Straßburg 1911.
Lit.: L. FRÄNKEL, Bibliogr. d. U.-Lit., in: Germania XXXIV, Neue Reihe XXII, 1889. – W. HEISKE, L. U.s Volksliedersammlung, = Palaestra Bd 167, Lpz. 1929; A. THOMA, U.s Volksliedersammlung. Vorstudien zu einer kritischen NA, = Tübinger germanistische Arbeiten X, Stuttgart 1929; W. MOHR, »Das Schifflein« v. L. U. u. seine Vertonung, Mitt. d. H.-Pfitzner-Ges. 1968, 22. Folge.
AKG

+Uhlig, Theodor, 1822–53.
Lit.: +R. Wagners Briefe an Th. U., ... (1888), engl. hrsg. v. J. S. SHEDLOCK, London u. NY 1890, Nachdr. NY 1972.

Ujfalussy ('ujfɔlusj), József, * 13. 2. 1920 zu Debrecen; ungarischer Musikforscher, studierte zunächst 1938 bis zur Promotion 1944 an der Universität in Debrecen klassische Philologie und 1946–49 an der Musikhochschule in Budapest Komposition, Dirigieren und Musikgeschichte. Nach verschiedenen Positionen in der staatlichen Organisation für Volksbildung wirkt er seit 1955 als Professor für Musikästhetik und Musiktheorie an der Musikhochschule in Budapest sowie seit 1961 als Mitarbeiter des B.-Bartók-Archivs der ungarischen Akademie der Wissenschaften und als Vorsitzender des Verbandes ungarischer Musiker. 1961 wurde er mit dem Erkel-Preis und 1966 mit dem Kossuth-Preis ausgezeichnet. Von seinen zahlreichen Veröffentlichungen seien genannt: *Bartók-breviárium* (Budapest 1958); *A.-Cl. Debussy* (= Kis zenei könyvtár VII, ebd. 1959); *A valóság zenei képe ...* (»Das Abbild der Wirklichkeit in der Musik. Zur Logik der ästhetischen Bedeutung der Musik«, ebd. 1962, tschechisch Prag 1967); *Muzsikáló zenetörténet* (»Tönende Musikgeschichte«, Budapest 1964); *Bartók B.* (2 Bde, = Kis zenei könyvtár XXIX–XXX, ebd. 1965, ³1973, engl. ebd. und Boston/Mass. 1971); *Farkas F.* (Budapest 1969); *Intonation, Charakterbildung und Typengestaltung in Mozarts Werken* (StMl I, 1961); *Die Logik der musikalischen Bedeutung* (StMl IV, 1963); *Zur Dialektik des Wirklichkeitsbildes in der Musik* (BzMw V, 1963); *Ästhetisch-philosophische Probleme der Musik des 20. Jh.* (mit D. Zoltai, StMl VIII, 1966); *Jedinstwo prostranstwa, wremeni i dejstwija w soderschanii musykalnowo obrasa* (»Die Einheit von Ort, Zeit und Handlung im Inhalt des musikalischen Bildes«, in: Musyka Wengrii, hrsg. von S. W. Aksjuk, Moskau 1968); *Az Allegro barbaro harmóniai alapgondolata és Bartók hangsorai* (»Der harmonische Grundgedanke des Allegro barbaro und Bartóks Tonreihen«, Fs. B. Szabolcsi, = Magyar zenetörténeti tanulmányok II, Budapest 1969); *Dramatischer Bau und Philosophie in Beethovens VI. Symphonie* (StMl XI, 1969); zahlreiche Beiträge in »Magyar zene«.

Ųkmar, Vilko, * 10. 2. 1905 zu Postojna (Slowenien); jugoslawischer Komponist und Musikforscher, studierte an der Universität und am Konservatorium in Ljubljana, an der Musikakademie in Zagreb sowie am Wiener Konservatorium. 1934 wurde er in Ljubljana Professor für Musikgeschichte an der Musikakademie (1960 Ordinarius), 1962 erhielt er einen Lehrauftrag an der dortigen Universität. Er schrieb u. a. das Ballett *Godec* (1966), Orchesterwerke (*Slovenska uvertura*, 1932; *Simfonični poem I*, 1957, und *II*, 1962; Symphonie, 1967; Concertino für V. und Streichorch., 1962), Kammermusik (3 Streichquartette, 1933, 1954 und 1959; *Imaginacije* für V. und Kl., 1957; *Novele* für Vc. und Kl., 1960; *Memoari* für Hf., 1964), Klavierwerke (2 Sonaten, 1933 und 1957; *Bagatele*, 1964; *Sentences*, 1968), Vokalwerke (*Balada* für Chor und Orch., 1927; *Kantati iz vojnih dni*, »Kantate aus den Kriegstagen«, für Chor, 1966; »Astrale Erotik« für St. und Kl., 1968) und veröffentlichte u. a. *Zgodovina glasbe* (»Musikgeschichte«, mit Dr. Cvetko und R. Hrovatin, Ljubljana 1948), *Razvoj glasbe* (»Entwicklung der Musik«, ebd. 1961), *Glasba v preteklosti* (»Musik in der Vergangenheit«, ebd. 1972) und *Stylistic and Aesthetic Questions in Modern Music* (International Rev. of Aesthetics and Sociology of Music III, 1972).

Ulạnowa, Galina Sergejewna (verheiratete Ryndin), * 8.(21.) 1. 1910 zu St. Petersburg; russisch-sowjetische Tänzerin, war 1944–61 Primaballerina assoluta des Moskauer Bolschoj-Balletts. Sie stammt aus einer Schauspielerfamilie und absolvierte 1928 die Leningrader Ballettschule (Agrippina Waganowa). Im gleichen Jahr trat sie dem Ballett des Kirow-Theaters bei und tanzte schon in der ersten Spielzeit Solopartien, denen bald die Hauptrollen in den Ballettklassikern folgten. Wichtige Stationen ihrer Karriere waren die Rolle der Maria bei der Uraufführung von Sacharows *Bachtschissarajskij fontan* (»Die Fontäne von Bachtschissaraj«, Musik Assafjew, Leningrad 1934), die Julia in der Lawrowskij-Inszenierung von *Romeo i Dschuljetta* (Prokofjew, ebd. 1940) und die Giselle in der Moskauer Lawrowskij-Inszenierung von 1944. Als »tanzende Schauspielerin« zog sie solche Rollen vor, in denen sie ihre darstellerische Gestaltungskraft verwirklichen konnte. Sie veröffentlichte auch die Schrift *Ballets soviétiques* (= Cahiers du Cercle d'art o. Nr, Paris 1954, engl. London 1956).
Lit.: Vl. Potapov in: J. Slonimsky u. a., The Soviet Ballet, NY 1947, Nachdr. 1970, S. 79ff.; Ulanova on Soviet Ballet, hrsg. v. P. Brinson, London 1954; F. Fühmann, G. U., Bln 1961; A. E. Kahn, Days with Ulanova, London 1962; B. Lwow-Anochin, G. U., Moskau 1969.

Ulbrich, Siegfried (Pseudonym Marvin Martin), * 25. 5. 1922 zu Dresden; deutscher Komponist von Unterhaltungs- und Schlagermusik, lebt freischaffend, auch als Arrangeur, Textautor und Dirigent, in Berlin. Er schrieb Konzertstücke für großes Orchester, die Operette *Die rote Isabell* (Libretto Hentschke, Bln 1951), das Musical *Laß das, Hagen!*, Filmmusik (*Ein Mann muß nicht immer schön sein*), Fernsehmusik (u. a. zu García Lorcas »Bluthochzeit«) und eine Reihe von Schlagern (*Wir tanzen wieder Polka*, 1949; *Ja, so fängt das immer an*; *Sulaleila*).

+Uldall, Hans, * 18. 11. 1903 zu Flensburg.
U. war für den Norddeutschen Rundfunk als freier Mitarbeiter (Komponist und Bearbeiter) 1947–59 tätig. Er lebt heute in Varone di Riva (Gardasee) und Herne (Ruhrgebiet).

Ulenberg, Kaspar, * 1549 zu Lippstadt (Westfalen), † 16. 2. 1617 zu Köln; deutscher Theologe und Komponist, studierte in Wittenberg, wurde lutherischer Pfarrer in Lippstadt und nach seiner Konversion 1575 katholischer Pfarrer in Kaiserswerth (Düsseldorf). Er war in Köln Pfarrer und Kanonikus an St. Kunibert (1583–94) und Regens des Lorenz-Gymnasiums (1592–1615) sowie Rektor der Universität (1610–12) und Pfarrer der Universitätskirche St. Columba (1605–12). Er verfaßte eine Bibelübersetzung, zahlreiche katechetische Schriften sowie die Übersetzung der Psalmen Davids in Liedparaphrasen, die den wichtigsten katholischen Beitrag zum Psalmenlied des 16. Jh. darstellen. Von seinem Werk erschien in Köln *Die Psalmen Davids in allerlei Teutsche gesangreimen bracht: Durch Casparum Vlenbergium Pastorn zu Keiserswerd und Canonichen S. Swiberti daselbs* (1582, ²1603, ³1671, ⁹1676; mit geändertem Titel ³1613, ⁴1625, ⁵1630, ⁶1644, ⁷1649, ¹⁰1694 und ¹¹1710).
Ausg.: C. Hagius Rinteleus. Die Psalmen Davids nach K. U. (Köln 1582), hrsg. v. J. Overath, = Denkmäler rheinischer Musik III, Düsseldorf 1955; Liedpsalter nach K. U., hrsg. v. dems. u. J. Solzbacher, ebd. 1962; 33 Psalmlieder d. K. U., Originalweisen mit Textneufassungen hrsg. v. A. Lohmann, Freiburg i. Br. 1962.
Lit.: N. Esser, R. Edinger u. K. U., Zwei Kölner Psalterübers., Bonn 1913; J. Solzbacher, Die Psalmen Davids, in allerlei deutsche Gesangreime gebracht durch K. U., KmJb XXXIV, 1950; S. Fornaçon, K. U., in: Hagen, Mf IX, 1956; A. Lohmann, Zu K. U.s Singweisen in »33 Psalmlieder«, in: Musik u. Altar XV, 1963; G. Thurmair, »Retten! Bewahren!« oder »Freiheit! Fortschritt!«. Marginalien zur Textbearb. d. »33 Psalmlieder« d. K. U., ebd.; W. Lueger, Liedpsalter nach K. U., in: Musica sacra LXXXIII, 1963.

+Ulfrstad, Marius Moaritz, * 11. 9. 1890 zu Borgund (bei Ålesund, Møre og Romsdal), [erg.:] † 29. 10. 1968 zu Oslo.
Ragnhild U. (geborene Hovde), * 19. 4. 1895 [erg.:] zu Ålesund.

+Ullmann, Viktor, * 1. 1. 1898 zu Teschen, [erg.:] † wahrscheinlich Oktober 1944 im Konzentrationslager Auschwitz.
U. kam 1942 in das Konzentrationslager Theresienstadt. Er schrieb dort die Oper *Der Kaiser von Atlantis oder Die Verweigerung* (nach einem Text von Peter Kien, um 1943), eine (nicht erhaltene) Symphonie D dur, ein einsätziges Streichquartett, 2 Klaviersonaten, Chöre und Lieder (darunter *Säerspruch* nach C. F. Meyer für Baßbar., 1942).
Ausg.: ein Lied in: Lieder u. Gesänge nach Dichtungen v. Fr. Hölderlin, hrsg. v. K. M. Komma, = Schriften d. Hölderlinges. V, Tübingen 1967.
Lit.: H. G. Adler, Theresienstadt 1941–45, = Civitas gentium o. Nr, Tübingen 1955, ²1960, S. 615f., 655 u. 719;

J. Tihlariková, Komponisten in Theresienstadt, in: Melos XXXVI, 1969.

+Ullrich, Hermann [erg.:] Joseph, * 15. 8. 1888 zu Mödling (Niederösterreich).
Er trat 1959 als Senatspräsident am Obersten Gerichtshof in Wien in den Ruhestand. Neuere Schriften: *J. Bittner* (= Österreichische Komponisten des XX. Jh. XIII, Wien 1968); *Die blinde Glasharmonikavirtuosin M. Kirchgessner und Wien. Eine Künstlerin der empfindsamen Zeit* (Jb. des Vereins für Geschichte der Stadt Wien XXI/XXII, 1965–66, separat Tutzing 1971); *A.J.Becher (1803–48) als Komponist* (BzMw XIII, 1971); *Beethoven-Pflege im Wiener Vormärz* und *Musikkritik und -Kritiker im Wiener Vormärz* sowie *R. Schumanns Beziehungen zu Wien 1840–56* (ÖMZ XXVI, 1971); *A.J.Becher als Wiener Musikkritiker* (ÖMZ XXVII, 1972); zahlreiche Beiträge über M. Th. → +Paradis.

+Ulrich ('Alrik), Homer, * 27. 3. [nicht: 2.] 1906 zu Chicago.
Leiter des Music Department am Monticello College war er 1935–38 [nicht: 1929–35]. – +*Chamber Music* (1948, auch London 1949), NY ²1966 [nicht: 1953]; +*Music. A Design for Listening* (1957), NY ²1962, ³1970. – Er veröffentlichte ferner *A History of Music and Musical Style* (mit P. A. Pisk, NY und London 1963), *A Survey of Choral Music* (= The Harbrace History of Musical Forms o. Nr, NY 1973) und *The Nationality of Bach's Solo-Violin Partitas* (in: Essays . . ., Fs. P. A. Pisk, Austin/Tex. 1966).

+Ulybyschew, Alexandr Dmitrijewitsch, 1794 – 27. 1. (8. [nicht: 2.] 2.) 1858 [erg.:] zu Lukino (bei Nischnij Nowgorod).
Er kam 1810 nach Rußland, stand 1812–30 im Staatsdienst und war zugleich ab 1816 Redakteur in St. Petersburg [erg. frühere Angaben dazu]. – +*Nouvelle biographie de Mozart* (3 Bde, 1843), deutsche Bearb. von A. Schraishuon, Stuttgart 1847, und von K. Koßmaly als *Mozarts Opern*, Lpz. 1848, deutsche Übers. von L. Gantter, Stuttgart 1859, russ. von H. A. Laroche und P. I. Tschaikowsky, 3 Bde, Moskau 1890–92 [erg. frühere Angaben dazu].
Lit.: W. A. Kollar, Otscherk istorii musykalnowo teatra w Nischnem Nowgorode (»Abriß d. Gesch. d. Musiktheaters in Nischnij Nowgorod«), in: Is musykalnowo proschlowo I, hrsg. v. B. S. Steinpress, Moskau 1960; A. Steinberg, U istokow russkoj mysli o musyke (»Über d. Anfänge d. russ. Musikphilosophie«), SM XXXV, 1971.

'Umar Ḥaiyām (Omar Khayyam u. a.; vollständiger Name Ġiyāṭaddīn Abu l-Fatḥ 'Umar ibn Ibrāhīm al-Ḥaiyāmī), * um 1022, † um 1122 zu Nischapur; persischer Naturforscher, Philosoph im Geiste → +Avicennas, Mystiker und Dichter berühmt gewordener Vierzeiler (rubā'ī). Unter seinen überwiegend arabisch geschriebenen Werken findet sich eine Abhandlung über Tetrachordteilungen, die einzige über dieses Thema, welche von den zeitlich zwischen Avicenna und → +Ṣafīaddīn al-Urmawī verfaßten Werken bisher aufgefunden worden ist. Er geht darin von Berechnungen → +al-Fārābīs aus und setzt sich mit diesem, mit ungenannten griechischen Quellen und mit Avicenna auseinander. Diatonische, chromatische und enharmonische Tetrachordteilungen bespricht er an Hand von 20 Beispielen.
Ms: al-Qaul 'alā aġnās alladī bi-l-arba'a (»Traktat über d. Genera d. Tetrachords«), Manisa (Türkei), Genel Kitaplık 1705, f. 90ᵇ–92ᵇ, angezeigt v. A. Ateş in: Rev. de l'Inst. des mss. arabes IV, 1958; A. Shiloah, Les sept traités de musique dans le ms. 1705 de Manisa, in: Israel Oriental Studies I, 1971.

Lit.: V. Minorsky, Artikel 'U. Ḥ., EI III, 1936; C. Brockelmann, Gesch. d. arabischen Lit., Bd I, Leiden ²1943, Suppl. I, 1937; M. 'A. Tabrīzī, Raiḥānat al-adab, Bd I, Tabriz 1947 (persisches biogr. Lexikon islamischer Gelehrter); 'U. R. Kaḥḥāla, Mu'ǧam al-mu'allifīn, Bd VII, Damaskus 1959 (bio-bibliogr. Lexikon arabisch schreibender Autoren); J. Rypka, Hist. of Iranian Lit., Dordrecht 1968.

+Umińska, Eugenia, * 4. 10. 1910 zu Warschau.
E. U. unterrichtet weiterhin als Professor an der Krakauer Musikhochschule, deren Rektor (1964–66) und Prorektor (1966–69) sie war. Sie veröffentlichte das Lehrwerk *Studium gam i pasaży na skrypce* (»Tonleitern- und Passagenstudien auf der Geige«, Krakau 1968, ²1973).

+Umlauff (Umlauf), –1) Ignaz, 1746 – 1796 zu Meidling [nicht: Mödling] (Wien). –2) Michael, 1781 – 1842 zu Baden (Niederösterreich) [del.: Wien].
Lit.: zu –1): R. Reuter u. E. Wächtler, Die künstlerische u. hist. Bedeutung d. Singspiels »Die Bergknappen« v. I. U. am Beginn d. Gesch. d. deutschen Nationaloper, in: Freiberger Forschungshefte D 48, Lpz. 1965; W. Zimmermann, »Die Bergknappen« v. I. U., MuG XV, 1965; H. Wilsdorf, Ber. über eine Aufführung d. Singspiels »Die Bergknappen«, Deutsches Jb. f. Volkskunde XII, 1966.

Umm Kultūm bint Ibrāhīm (u. a. auch Om Kalsoum, Om Kalthoum, Omm Kolssum), * vor 1900 zu Ṭamāyi (Nildelta), † 3. 2. 1975 zu Kairo; ägyptisch-arabische Sängerin, Tochter eines Šaiḫ, der von Koranrezitation und Vortrag geistlicher Gesänge lebte, trat mit ihm zunächst bei ländlichen Festlichkeiten auf und ging 1920 nach Kairo, wo sie mit ihrer Stimme Aufsehen erregte. Namhafte ägyptische Dichter und Komponisten haben seitdem Lieder für sie geschrieben. Sie erhielt Unterricht in Lautenspiel und Musiktheorie und gründete ihr eigenes Ensemble (taḫt). Durch ihr Repertoire und ihre Vortragsweise hat sie den heute volkstümlichen Stil der ägyptisch-arabischen Kunstmusik entscheidend beeinflußt. Ihre bis in die Morgenstunden ausgedehnten Konzerte gehörten zu den gefeiertsten Ereignissen des arabischen Musiklebens. Konzertreisen führten sie auch nach Europa.
Lit.: Abu l-Ḥiḏr Mansī, al-Aġānī wa-l-mūsīqā aš-šarqīya baina l-qadīm wa-l-ḥadīṯ (»Orientalische Lieder u. Musik in alter u. neuer Zeit«, Kairo ²1966; Ṣ. Abu l-Maġd, Zakarīyā Aḥmad, = A'lām al-'arab XIX, ebd. o. J.; M. 'Auwād, U. K. allatī lā ya'rifuhā aḥad (»U. K., wie sie niemand kennt«), = Kitāb al-yaum IX, ebd. 1969.

Umstatt, Joseph, * um 1712, † 24. 5. 1762 zu Bamberg; deutscher Komponist, studierte wahrscheinlich bei Fux in Wien, ging 1744 als Musikdirektor zu Heinrich Graf von Brühl nach Dresden, wo ab 1747 G. W. Gruber sein Schüler in Kontrapunkt war, und wurde 1752 Hofkapellmeister in Bamberg. Er gehört zu den fruchtbarsten Komponisten der Vorklassik. U. schrieb die Oratorien *La vittima d'amore*, *Isacco* (1757) und *La morte d'Abel*, zahlreiche Kantaten, Messen, Hymnen, Offertorien, Vespern, Stabat mater, je um 40 Sinfonien, Konzerte und Kirchensonaten sowie Kammermusik.
Lit.: G. Reichert, Zur Gesch. d. Wiener Messenkomposition in d. 1. Hälfte d. 18. Jh., Diss. Wien 1935; H. Dennerlein, J. U., Fränkische Blätter IV, 1952; R. Laugg, Studien zur Instrumentalmusik im Zisterzienserkloster Ebrach, Diss. Erlangen 1953.

Ungar, Thomas, * 16. 5. 1931 zu Budapest; österreichischer Dirigent, studierte an der Musikhochschule in Budapest (Kapellmeisterdiplom 1956), am Conservatorio di Musica G. Verdi in Mailand und an der

Akademie für Musik und darstellende Kunst in Wien (Diplom 1959). Er leitete 1957–59 die Philharmonia Hungarica in Wien, wurde dann Chefdirigent des Siegerland Orchesters, 1961 Musikdirektor der Stadt Remscheid und 1966 Musikalischer Oberleiter des Stadttheaters Regensburg und war 1969–73 GMD der Stadt Freiburg i. Br. 1973 wurde er Professor an der Musikhochschule in Stuttgart.

Ungarisches Streichquartett → Hungarian String Quartet.

Unger, Gerhard, * 26. 11. 1916 zu Bad Salzungen (Thüringen); deutscher Sänger (Tenorbuffo), studierte an der Hochschule für Musik in Berlin und debütierte als Konzertsänger. 1947 wurde er an die Oper in Weimar engagiert, 1949–61 war er Mitglied der Staatsoper Berlin (Kammersänger). Seit 1961 gehört U. dem Ensemble der Staatsoper in Stuttgart, seit 1963 außerdem der Hamburgischen Staatsoper an. Daneben war er 1966–70 und 1973 an der Wiener Staatsoper verpflichtet. Er trat auch bei den Festspielen in Bayreuth auf (1951 und 1952) und gastierte an der Mailänder Scala sowie in Chicago. Zu seinen Partien gehören Pedrillo (*Die Entführung aus dem Serail*), Jaquino (*Fidelio*) und David (*Die Meistersinger von Nürnberg*).

+Unger, Heinz, * 14. 12. 1895 zu Berlin, [erg.:] † 25. 2. 1965 zu Willowdale (bei Toronto).
U., der sich vor allem um die Verbreitung des Werks von G. Mahler verdient gemacht hat (u. a. durch Erstaufführungen in Kanada), gründete 1952 in Toronto die York Concert Society, eine Orchestervereinigung, die er bis zu seinem Tode leitete.

+Unger, Gustav Hermann, 1886–1958.
In der Reger-GA gab er auch Bd I und III der *Orchesterwerke* heraus (Wiesbaden 1958–59).
Lit.: E. Otto in: Mitt. d. M.-Reger-Inst., Bonn, 1959, H. 9, S. 7 f.; W. Hammerschlag in: Rheinische Musiker I, hrsg. v. K. G. Fellerer, = Beitr. zur rheinischen Mg. XLIII, Köln 1960, S. 255 ff.; J. Wulf, Musik im Dritten Reich, Gütersloh 1963, auch = rororo Taschenbuch Nr 818–820, Reinbek bei Hbg 1966.

+Unger-Sabatier, Karoline, 1803 zu Stuhlweißenburg [nicht: Wien] – 1877.
Lit.: P. Sabatier, La cantatrice C. U., Rev. mus. de Suisse Romande XVII, 1963; DERS., A propos d'une rencontre à Trieste. Stendhal et C. Ungher, in: Stendhal Club VI, 1964.

+Unger, Max [erg.:] Ernst, 1883–1959.
+*M. Clementis Leben* (1914), Nachdr. NY 1971. – Von seinen letzten Aufsätzen seien genannt: *Urtextprobleme bei Beethoven* (in: Musica IX, 1955); *Vom geselligen Beethoven* (ÖMZ XII, 1957); *Neuentdeckte Liebesbriefe Beethovens* (NZfM CXX, 1959).

Uninsky (jun'inski), Alexander, * 2.(15.) 2. 1910 zu Kiew, † 19. 12. 1972 zu Dallas (Tex.); amerikanischer Pianist russischer Herkunft, studierte am Konservatorium seiner Heimatstadt sowie am Pariser Conservatoire und erhielt 1932 beim internationalen Chopin-Klavierwettbewerb in Warschau den 1. Preis. Er konzertierte in ganz Europa (ab 1927) sowie in den USA (ab 1943) und widmete sich besonders den Werken Chopins. 1955 wurde er Professor für Klavier am Konservatorium in Toronto, danach hatte er die gleiche Stellung an der Southern Methodist University in Dallas inne.

+Universal Edition A. G.
Nach dem Tode von Ernst Hartmann (†2. 4. 1970 zu Wien) und Dr. Alfred [erg.: August Ulrich] Kalmus († 25. 9. 1972 zu London) setzt sich der Vorstand des Verlages aus Alfred Schlee, Stefan G. Harpner und Dr. Johann Juranek zusammen. Unter der Firmierung »Universal Edition« bestehen derzeit Schwestergesellschaften in London, Zürich, Mailand, New York, Toronto, Adelaide und Mainz. – Die in lockerer Folge [nicht: als Zeitschrift] von H. Eimert (unter Mitarbeit von K. Stockhausen) vorgelegten Hefte von +*Die Reihe. Informationen über serielle Musik* (I–II, 1955; III, 1957 – VI, 1960; VII, 1960; VIII, 1962) sind auch auf Englisch erschienen (Philadelphia/Pa. 1958ff., ab H. IV Bryn Mawr/Pa. 1960–68). – An weiteren Komponisten, zu denen der Verlag inzwischen Dauerbeziehungen aufgenommen hat, seien G. Amy, H. Birtwistle, P.-H. Dittrich, J.-Cl. Éloy, Cr. Halffter und M. Kagel genannt. Seit 1969 befaßt sich die U. E. auch mit musikpädagogischer Produktion (*Rote Reihe* mit 50 Veröffentlichungen bis 1974), und 1974 wurde eine pädagogische Abteilung eingerichtet, die Lehrbücher für die Schule auch auf außermusikalischem Gebiet produziert. Gemeinsam mit dem Verlag B. Schott's Söhne Mainz wird seit 1966 die → +Schönberg-GA und seit 1973 die *Wiener Urtext Edition* (bis 1975 ca. 50 Bde) verlegt.
Lit.: A. Weinmann, A. Bruckner u. seine Verleger, in: Bruckner-Studien, Fs. L. Nowak, Wien 1964; DERS. in: MGG XIII, 1966, Sp. 1091ff.; M. Schnierer, Vztahy V. Nováka k vídeňskému nakladatelství U. E. (»V. Nováks Beziehungen zum Wiener Verlag U. E.«), in: Opus musicum I, 1969; DERS., Ke korespondenci V. Nováka s vídeňským nakladatelstvím U. E. (»Zu V. Nováks Korrespondenz mit d. Wiener Verlag U. E.«), in: Národní umělec V. Novák, hrsg. v. K. Padtra u. B. Štědroň, České Budějovice 1972 (mit deutscher Zusammenfassung).

Unverricht, Hubert Johannes, * 4. 7. 1927 zu Liegnitz; deutscher Musikforscher, studierte in Berlin ab 1947 an der Humboldt-Universität und ab 1951 an der Freien Universität, an der er 1954 über *Hörbare Vorbilder in der Instrumentalmusik bis 1750. Untersuchungen zur Vorgeschichte der Programmusik* promovierte. Nach Tätigkeiten am Berliner Institut für Musikforschung, bei der GEMA und 1956–62 am J. Haydn-Institut in Köln war er 1962–67 Assistent am Musikwissenschaftlichen Institut der Universität Mainz, wo er sich 1967 mit einer Arbeit über die *Geschichte des Streichtrios* (= Mainzer Studien zur Musikwissenschaft II, Tutzing 1969) habilitierte. Seitdem lehrt er in Mainz (1971 Ernennung zum Wissenschaftlichen Rat und Professor). – Veröffentlichungen (Aufsätze in Auswahl): *Die Eigenschriften und die Originalausgaben von Werken Beethovens in ihrer Bedeutung für die moderne Textkritik* (= Musikwissenschaftliche Arbeiten XVII, Kassel 1960); *Die beiden Hoffstetter* (mit A. Gottron und A. Tyson, = Beitr. zur mittelrheinischen Musikgeschichte X, Mainz 1968); *Die Kammermusik* (= Das Musikwerk XLVI, Köln 1973, auch engl.); (2.) Preisarbeit über *Die Bedeutung der Zeichen Keil, Strich und Punkt bei Mozart* (hrsg. von H. Albrecht, = Musikwissenschaftliche Arbeiten X, Kassel 1957); *Zur Situation des Urheberrechtsschutzes für musikwissenschaftliche Ausgaben* (Mf XI, 1958); *Urtext und Urtextausgaben* (mit G. Feder, Mf XII, 1959); *Der Schutz musikwissenschaftlicher Editionen nach dem neuen Urheberrechtsgesetz* (Mf XIX, 1966); *Autor, Komponist, Musikverleger. Ein Geschichtsabriß ihrer Rechtsbeziehungen* (in: Musik und Verlag, Fs. K. Vötterle, Kassel 1968); *Das Urtextproblem im Werk L. van Beethovens* (in: Slovenská hudba XIV, 1970); *Die Streichtrio-Manuskripte der Bibliothek Doria-Pamphilj in Rom* (mit Fr. Lippmann, in: Analecta musicologica IX, 1970); *Skizze, Brouillon, Fassung. Definitions- und Bestimmungsschwierigkeiten bei den Skizzen Beethovens* (Kgr.-Ber. Bonn 1970); *Zur*

Geschichte des Begriffs Programmusik (in: Musik und Bildung II, 1970); darüber hinaus besonders auch Aufsätze zur Haydn-Forschung und lexikalische Beiträge. Neben einigen Bänden in der →+Haydn-GA (I, 18; IV; XIV, 2–4; XXVIII, 2) und Einzelausgaben edierte er die Festschrift für H. Federhofer (*Symbolae historiae musicae*, Mainz 1971, mit Fr. W. Riedel) sowie das Nachschlagewerk *Musik und Musiker am Mittelrhein* (bislang Bd I, = Beitr. zur mittelrheinischen Musikgeschichte XX, ebd. 1974).

+Uray, Ernst Ludwig, * 26. 4. 1906 zu Schladming (Steiermark).
U., 1955 zum Professor ernannt, wurde 1961 Präsident des Steirischen Tonkünstlerbundes. Neuere Werke: 1. Symphonie (1963), symphonische Phantasie *Moinhos* (1967), *Schladminger Tänze* (1969), Concerto grosso (1969) und *Festpolonaise* (1971) für Orch.; Concertino für Va, Kl. und Orch. (1969).
Lit.: E. R. CWIENK in: ÖMZ XII, 1957, S. 342f.; W. SUPPAN in: Mitt. d. Steirischen Tonkünstlerbundes 1963, Nr 15/16, S. 1ff.

Urbach, Samuil Juljewitsch, * 25. 1. (7. 2.) 1908 zu Belostok (Białystok), † 19. 4. 1969 zu Moskau; russisch-sowjetischer Komponist, studierte in Moskau bis 1932 an der Gnessin-Musikschule (Litinskij) und bis 1937 am Konservatorium (Schebalin). 1937–40 wirkte er in Stalinabad, wo er ein Musiktheater gründete und tadschikische Volkslieder sammelte. Ab 1940 lebte er in Moskau. Er schrieb die Opern *Lola* (mit Balassanjan, Stalinabad 1939), *Bibi i Bobo ili Snatnyj schenich* (»Bibi und Bobo oder Der vornehme Bräutigam«, Moskau 1959) und *Dewtschata* (»Mädels«, ebd. 1969), das Ballett *Anor* (1940), Orchesterwerke (*Simfonija-ballada*, 1955, 2. Fassung 1957; 4 symphonische Suiten, 1945–63) sowie Lieder, Romanzen, Bühnen- und Filmmusik.

Urban, Christian, * 15. 10. 1778 und † 14. 5. 1860 zu Elbing; deutscher Musiktheoretiker und -organisator, war ursprünglich Stadtmusikus und später Leiter des Musiklebens in Elbing. Er veranstaltete 1833 das erste preußische Musikfest. Sein gedruckter Entwurf (1825) für eine Normalmusikschule für Preußen und die beiden musikerzieherischen Schriften *Über die Musik, deren Theorie und den Musikunterricht* (Elbing 1823) und *Theorie der Musik nach rein naturgemäßen Grundsätzen* (Königsberg 1824) sind heute noch lesenswert.

Urbanczyk, Edith, * 4. 9. 1937 zu Breslau; deutsche Sängerin (Sopran), studierte an der Münchner Musikhochschule (Violine) und an der Wiener Musikakademie (Gesang). Sie war an verschiedenen deutschen Bühnen als lyrische Sopranistin engagiert und hat sich in Konzerten als Interpretin zeitgenössischer Musik einen Namen gemacht. E. U. ist Dozentin für Gesang am R. Strauss-Konservatorium in München.

Urbanner, Erich, * 26. 3. 1936 zu Innsbruck; österreichischer Komponist, studierte 1955–61 an der Akademie für Musik und darstellende Kunst in Wien bei Grete Hinterhofer (Klavier), Swarowsky (Dirigieren) sowie bei Schiske und Jelinek (Komposition). Er ist Professor für Komposition, Leiter des Zwölftonseminars und Dozent für Partiturspiel an der Hochschule für Musik und darstellende Kunst in Wien. Außerdem tritt er als Dirigent von zeitgenössischer Musik auf. U. komponierte u. a. die musikalische Burleske nach Maupassant *Der Gluckerich, oder Tugend und Tadel der Nützlichkeit* (Wien 1965), Orchesterwerke (*Intrada*, 1957; Symphonie in einem Satz, 1963; Serenade für Streichorch., 1964; *Thema, 19 Variationen und ein Nachspiel*, 1968; *Kontraste*, 1970; Concerto »Wolfgang Ama-

deus« für 2 Orch., 3 Pos. und Celesta, 1972; Konzert, 1958, und *Dialoge*, 1965, für Kl. und Orch.; Violinkonzert, 1971; Kontrabaßkonzert, 1974), Kammermusik (*Lyrica* für Kammerensemble, 1971; *Kammermusik* für Fl., Ob., Fag., V., Vc. und Cemb., 1972; *Improvisation IV* für Bläserquintett, 1969; 3 Streichquartette, 1956, 1957 und 1972; *8 Aphorismen* für Fl., Klar. und Fag., 1966; *Schlag- und Klangfiguren* für Schlagzeug, 1964; *Solo* für V., 1971), Klavierwerke (2 Sonatinen, 1956 und 1957; *Improvisation II* für 2 Kl., 1966), *5 Songs* für Mezzo-S. und kleines Ensemble (1961) sowie eine *Missa »Benedicite gentes«* für gem. Chor und Org. (1958).

+Urhan, Chrétien (eigentlich Auerhahn), 1790 zu Montjoie (Monschau, Eifel) – 1845.
Lit.: W. JUSEFOWITSCH, Kr. Uran ... (»Chr. U., d. erste Interpret d. Va-Partie im ,Harold‘ v. Berlioz«), in: Woprossy musykalno-ispolnitelskowo iskusstwa IV, hrsg. v. A. A. Nikolajew, Moskau 1969; R. SIETZ in: Rheinische Musiker VI, hrsg. v. D. Kämper, = Beitr. zur rheinischen Mg. LXXXIII, Köln 1969, S. 208ff.

+Uribe Holguín, Guillermo → +Holguín.

al-Urmawī → +Ṣafīaddīn al-Urmawī.

+Urreda, Juan (Utrede, Vrede; Johannes), 2. Hälfte 15. Jh.
Lit.: +E. VAN DER STRAETEN, La musique aux Pays-Bas ... (VI–VIII, 1882–85), Nachdr. Hilversum 1965. – S. RUBIO, Las glosas de A. de Cabezón y de otros autores sobre el »Pange lingua« de J. de U., AM XXI, 1966; J. M. WARD in: MGG XIII, 1966, Sp. 1176ff.

Urreta, Alicia, * 12. 10. 1935 zu Veracruz; mexikanische Pianistin, Komponistin und Dirigentin, studierte 1948–54 bei Joaquín Amparán (Klavier) sowie am Conservatorio Nacional de Música in México (D. F.) bei R. Halffter (Harmonielehre) und Sándor Roth (Kammermusik) und tritt seit 1957 als Konzertpianistin auf. Sie gründete die Camerata de México und lehrt gegenwärtig an der Musikhochschule der Universidad Nacional Autónoma de México Kammermusik sowie am polytechnischen Institut der Universität Elektronische Musik. A. U. schrieb u. a. die Kammeroper *Romance de Doña Balada* (México/D. F. 1972), Ballettmusik (*Cubos*, *Luiz Negra*, *Mujer Flor* und *Tantra*, Musique concrète; *Un día de Luis*, Collage), *Rallenti* für Orch., *Salmodia I* und *II* für Kl., *Estudio I* und *II* für Git., *De natura mortis, o La verdadera historia de Caperucita roja* für St., Instr. und Tonband (1972), Bühnenmusik, Musique concrète für das Nō-Theater und Filmmusik.
Lit.: E. PULIDO in: Heterofonía IV, 1971/72, Nr 22, S. 23ff.

Urroz (urrʼɔθ), José, * Mitte 17. Jh. im spanischen Teil des von den Basken besiedelten Gebietes, † 1727 zu Ávila; spanischer Organist und Komponist, wirkte als Organist an der Metropolitanbasilika in Santiago de Compostela sowie ab 1710 bis zu seinem Tode an der Kathedrale in Ávila. Als bekannter Musiker seiner Zeit war er an der Kontroverse um die *Missa Scala Aretina* von → +Valls beteiligt. Seine Kompositionen umfassen kirchenmusikalische Werke; bekannt sind u. a. ein Te Deum, eine Messe und ein Magnificat.
Lit.: G. BOURLIGUEUX, Quelques aspects de la vie mus. à Ávila, AM XXV, 1970.

Urrutia Blondel (urrʼutʾa bləndʾɛl), Jorge, * 17. 9. 1905 zu La Serena; chilenischer Komponist, studierte in Santiago privat bei P. H. Allende (Komposition) und Santa Cruz (Kontrapunkt) sowie 1928–31 bei Koechlin, Dukas und Nadia Boulanger an der Ecole Normale de Musique in Paris und bei P. Hindemith und Mersmann an der Hochschule für Musik in Berlin. Nach seiner Rückkehr nach Chile erhielt er den Lehrstuhl

für Harmonielehre und Komposition am Conservatorio Nacional de Música in Santiago. Er schrieb das lyrische Stück in einem Akt *Comedia italiana* op. 5 (1925), das Ballett *Redes* op. 28 (Santiago 1953), Orchesterwerke (*3 trozos* op. 11, 1928; *Pastoral de Alhue* für Kammerorch. op. 17, 1937; symphonische Suiten *La guitarra del diablo* Nr 1, op. 19, und Nr 2, op. 21, 1942, als Ballett Santiago 1942, und *Música para un cuento de antaño* op. 25, 1948; Klavierkonzert op. 30, 1950), Kammermusik (Streichquartett op. 23, 1944), Klavierwerke, a cappella-Chöre und Lieder. Er veröffentlichte eine Reihe von Aufsätzen über chilenische Musiker und Folklore (besonders in der »Rev. musical chilena«).
Lit.: Werkverz. in: Compositores de América XIV, Washington (D. C.) 1968.

+Ursprung, Otto, 1879–1960.
An der Münchner Universität lehrte er [erg.:] bis 1949.
– *+Die katholische Kirchenmusik* (1931), Nachdr. NY 1973.
Lit.: Thr. G. Georgiades in: Mf XII, 1959; H. Schmid in: Mf XIV, 1961, S. 131ff. (mit Schriftenverz.).

+Ursuleac, Viorica (Krauss-U.), * 26. 3. 1899 zu Czernowitz (Bukowina).
V. U., österreichische (1934) und preußische (1935) Kammersängerin, war 1936–44 zugleich Mitglied der Münchner Staatsoper, an der sie auch die Partie der Gräfin in R. Strauss' *Capriccio* kreierte (1942). R. Strauss widmete ihr ebenfalls mehrere Lieder. Ab 1959 unterrichtete sie am Mozarteum in Salzburg.
Lit.: J. Gregor, Cl. Krauss, Wien 1953; O. v. Pander, Cl. Krauss in München, München 1955; S. v. Scanzoni, R. Strauss u. seine Sänger, = Drucke zur Münchner Mg. II, ebd. 1961.

Usandizaga (usandiθ'aga), José María, * 31. 3. 1887 und † 5. 10. 1915 zu San Sebastián; baskischer Komponist, studierte 1901–06 an der Schola Cantorum in Paris bei d'Indy, Grovlez, L. de Serres und La Tombelle. Neben Guridi gehört er zu den wichtigsten Vertretern der baskischen Musik. Er schrieb die baskische lyrische Pastorale *Mendi-Mendiyan* (Bilbao 1910), die Drames lyriques *Las golondrinas* (Madrid 1914) und *La llama* (San Sebastián 1918), Orchesterwerke (Symphonische Dichtungen *En la mare* und *Hassan y Melohah*; Rhapsodie *Irurak-Bat*; *Pantomime*; *Fantasía-danza*), Kammermusik (2 Streichquartette), Klavier- und Orgelwerke sowie Vokalmusik (*Ume zuríza* für Soli und Orch.; *Fantasía vasco-francesa* für Chor).
Lit.: J. M. de Arozamena, Joshemari U. y la bella época donostiarra, San Sebastián 1969.

Usmanbaş, Ilhan, * 9. 9. 1921 zu Istanbul; türkischer Komponist, begann mit 12 Jahren ein Violoncellostudium, studierte später Harmonielehre bei C. R. Rey am Konservatorium seiner Heimatstadt und 1942–48 Komposition bei Alnar und Saygun am Staatskonservatorium in Ankara, an dem er gegenwärtig Musikgeschichte lehrt. 1964–65 war er Direktor des Konservatoriums in Ankara. Bei zwei Aufenthalten in den USA arbeitete er bei Dallapiccola und Babbitt. U. gab bis 1952 seinen Kompositionen ein nationales Gepräge, wechselte dann aber zur Seriellen Musik. Seit 1958 widmet er sich auch der Aleatorik. – Kompositionen (Auswahl): Violinkonzert (1947); Violinsonate (1947); Streichquartett (1947); Symphonie (1948); *3 poemi in musica* für St. und Kl. (1952); *3 Pictures of Salvador Dali* für Streicher (1953); *3 Movements* für 2 Kl. (1957); *Un coup de dés* für Chor und Orch. (1959); *Shadows* für Orch. (1964); *Immortal Sea Stones* für Kl. (1965); *Questionnaire* für Kl. (1965); *A Jump Into Space* für V.

und 4 Instr. (1966); *Bursting Sinfonietta* für Orch. (1968); *Open Forms* für verschiedene Gruppen (1968); *Music for a Ballett* für Orch. (1969); *String Quartet '70* (1970), Şenlikname für St., Schlagzeug, Hf. und Frauenchor (1970); ferner Bühnen- und Filmmusik.

+Usper, Francesco (eigentlich Spongia), Ende 16. Jh. – [erg.:] Anfang 1641.
Lit.: S. Dalla Libera, Don Fr. Spongia, in: Musica sacra LXXXV, (Mailand) 1961; D. Arnold, Music at a Venetian Confraternity in the Renaissance, AMl XXXVII, 1965.

Ussachevsky (usatʃ'evski), Vladimir, * 21. 10. (3. 11.) 1911 zu Hailar (Mandschurei); amerikanischer Komponist russischer Herkunft, studierte am Pomona College/Calif. (B. A. 1935) und an der Eastman School of Music der University of Rochester/N. Y. (M. A. 1936, Ph. D. 1939). Seit 1947 gehört er dem Music Department der Columbia University in New York an. Dort begann er 1951 mit Tonbandexperimenten, die er ein Jahr später erfolgreich der Öffentlichkeit vorführte; seitdem ist U. als Komponist und Lehrer für Elektronische Musik an der Columbia University tätig. Seit 1967 untersucht er in den Bell Telephone Laboratories die Möglichkeiten einer Klangsynthese mit Hilfe von Computern. – Frühe Kompositionen: *Sonic Contours* für Tonband (1957); *Metamorphosen* (1957); *Linear Contrasts* (1958); *Experiment 4711* (1958); *Wireless Fantasy* (1960); mehrere Werke in Zusammenarbeit mit → +Luening. – Kompositionen seit 1961: *Creation*, Prolog für 4 Chöre und Tonband (1961); *Of Wood and Brass* für Tonband (1965); *Suicide Music for »Mourning Becomes Electra«* (Oper von Marvin Levy, NY 1967); *Suite from Music for Films* für Tonband (1967); *Computer Piece* (1968); *Four Miniatures*, Suite für Elektronische Musik (1968). – Filmmusiken *No Exit* (1962; Konzertversion für eine Schauspielerin und Tonband 1963) und *Line of Apogee* (1967). – Veröffentlichungen: *Notes on »A Piece for Tape Recorder«* (MQ XLVI, 1960); *Synthetic Means* (in: The Modern Composer and His World, hrsg. von J. Beckwith und U. Kasemets, Toronto 1961); *Applications of Modern Technology in Musicology, Music Theory, and Composition in the United States* (in: Papers of the Yougoslav-American Seminar on Music, hrsg. von M. H. Brown, Bloomington/Ind. 1970).
Lit.: Werkverz. in: Composers of the Americas IX, Washington (D. C.) 1963; L. M. Cross, A Bibliogr. of Electronic Music, Toronto 1967.

Ustinov, Peter Alexander, * 16. 4. 1921 zu London; englischer Schauspieler, Regisseur, Dramatiker, Drehbuch- und Romanautor, studierte am London Theatrical Studio, debütierte 1939 in London mit eigenen Sketches, wurde dann Schauspieler und begann Stücke zu schreiben (*The Love of the Four Colonels*, 1951; *Romanoff and Juliet*, 1956; *Photo Finish*, 1962; *Halfway up the Tree*, 1967; *The Unknown Soldier and His Wife*, 1967). Bei Filmen hauptsächlich als Darsteller beschäftigt (*Lola Montez*, 1955; *Topkapi*, 1964; *The Comedians*, 1966), hat er auch selbst Regie geführt (*Romanoff and Juliet*, 1961; *Billy Budd*, 1962). Gelegentlich arbeitet U. auch als Opernregisseur (*L'heure espagnole* von Ravel, *Gianni Schicchi* von Puccini und *Erwartung* von Schönberg, Covent Garden Opera London 1962; *Die Zauberflöte*, Hamburgische Staatsoper 1968; *Don Giovanni*, Edinburgh Festspiele 1973; *Don Quichotte* von Massenet, Pariser Opéra 1974).

Ustwolskaja, Galina Iwanowna, * 17. 7. 1919 zu Petrograd; russisch-sowjetische Komponistin, absolvierte 1947 in der Kompositionsklasse von Dm. Schostakowitsch das Leningrader Konservatorium und vervollkommnete sich dann bis 1950 als Aspirant. Seit 1948 lehrt sie Komposition an der Musikschule des Leningrader Konservatoriums. G. U. schrieb Orchesterwerke (2 Symphonien, Nr 1 für 2 Knaben-St. und Orch., 1955, und Nr 2 für St., Bläser, Schlagzeug und Kl., 1964; Sinfonietta, 1951; Symphonische Dichtung *Ogni w stepi*, »Feuer in der Steppe«, 1958; Klavierkonzert, 1947), Kammermusik (Oktett für 4 V., 2 Ob., Kl. und Pk., 1951; Streichquartett, 1945; Trio für V., Klar. und Kl., 1949; Komposition für Piccolo-Fl., Tuba und Kl., 1970; Komposition für Kb. und Kl., 1971), 3 Klaviersonaten (1948, 1951 und 1952), Vokalwerke (*Son Stepana Rasina*, »Stephan Rasins Traum«, für B. und Orch., 1949; *Tschelowek s gory Wyssokoj*, »Der Mensch vom Hohen Berg«, für Solo-St. und Orch., 1952) sowie Filmmusik.

Usunow, Dimiter (Dimitâr) Todorov (Uzunov), * 10. 12. 1922 zu Stara Zagora; bulgarischer Sänger (lyrischer Charaktertenor), studierte bei Ljudmila Prokopova und bei Hristo Brâmbarov und debütierte 1947 im *Werther* von Massenet am Sofioter Nationaltheater, dessen Ensemblemitglied er 1948 wurde. Gastspielreisen führten ihn an die Mailänder Scala (1960, Don José in *Carmen*), die Wiener Staatsoper und andere Opernhäuser Europas sowie der USA; bei den Salzburger Festspielen 1965 sang er die Partie des Dmitrij (*Boris Godunow*). Zu seinem Repertoire zählen besonders die einschlägigen Partien im italienischen und russischen Opernfach.

+Utendal, Alexander, um 1530 – 1581.
Ausg.: eine Motette in: Staatsmotetten f. Erzherzog Karl II. v. Innerösterreich, hrsg. v. A. DUNNING, = Musik alter Meister XXI/XXII, Graz 1971.
Lit.: +H. OSTHOFF, Die Niederländer u. d. deutsche Lied (1938), Nachdr. Tutzing 1967 (mit neuem Anh.). – H. FEDERHOFER in: MGG XIII, 1966, Sp. 1186f.

'Utmān Dede → Osman Dede.

'Utmān al-Mauṣilī (in arabischen Ländern als al-Mullā 'U. al-M., in der Türkei als Musullu Hafız Osman Efendi bekannt), * 1855 zu Mosul, † 30. 2. 1923 zu Bagdad; arabischer Mystiker (Maulawī-Derwisch), Dichter und Musiker, war Sohn eines Wasserträgers, ab früher Kindheit Halbwaise und infolge von Pocken erblindet. Nach umfassenden Studien führten ihn Bildungsreisen nach Istanbul, wo er später lange gelebt hat, nach Kairo (Aufenthalt 1895–1900), nach Mekka und nach Damaskus (Aufenthalt 1906–09). 1913 lebte er wieder im Irak. Die Verbindung von geistlich-islamischer und weltlicher Musik, dazu seine Auslandsaufenthalte eröffneten ihm einen Wirkungskreis im gesamten östlichen Teil des Osmanischen Reiches. In der Türkei, wo er unter die einheimischen Musiker gerechnet wird, prägte er einen, unter seinem Namen bekannten, irakisch beeinflußten Stil; türkische Maqāmāt führte er in die irakische Kunstmusik

ein und durch seinen Schüler → Saiyid Darwīš nahm er Einfluß auf die ägyptische Kunstmusik.
Lit.: in arabischer Sprache: M. K. AL-ḤULA'Ī, al-Mūsīqī aš-šarqī (»Die orientalische Musik«), Kairo 1904; Q. RIZQ, al-Mūsīqā aš-šarqīya wa-l-ġinā' al-'arabī (»Orientalische Musik u. arabischer Gesang«), Bd II, ebd. 1939; 'U. R. KAḤḤĀLA, Mu'ǧam al-mu'allifīn, 15 Bde, Damaskus 1957–61 (Lexikon arabischer Verfasser); Ġ. AL-ḤANAFĪ, al-Muġannūn al-Baġdādīyūn wa-l-maqām al-'irāqī (»Bagdader Musiker u. d. irakische Kunstmusik«), Bagdad 1964; 'A. AL-BAKRĪ, 'U. al-M. al-mūsīqār aš-šā'ir al-mutaṣauwif (»'U. al-M., d. Musiker, Dichter u. Mystiker«), ebd. 1966 (ausführliche Biogr. mit weiterer Lit.). – in türkischer Sprache: S. N. ERGUN, Türk musıkisi antolojisi (»Anth. d. türkischen Musik«), Bd II: Dinî eserler (»Geistliche Musik«), Istanbul 1943, S. 677ff.; Y. ÖZTUNA, Türk musıkisi lûgati (»Lexikon d. türkischen Musik«), in: Musiki mecmuası 1952, Nr 54 (verzeichnet 14 Kompositionen auf türkische Texte); M. TAŞÇI, Şarkı Güfteleri, Bd II, Istanbul ²1963, S. 155, 361 u. 432 (Slg türkischer Liedertexte); M. RONA, Yirminci yüzyıl türk musıkisi (»Die türkische Musik im 20. Jh.«), ebd. 1970 (mit türkischen Liedertexten).   ENE

+Uttini, Francesco Antonio Baldassare, 1723–95.
Lit.: M. TEGEN, U.s tryckta triosonater op. 1, STMf XLI, 1961; E. SUNDSTRÖM, Fr. A. U. som musikdramatiker, STMf XLV, 1963.

+Utz, [erg.: Hermann] Kurt (Curt), * 7. 5. 1901 zu Bruck (bei München), [erg.:] † 26. 5. 1974 zu Marburg a. d. Lahn.
U. war ab 1954 auch Kantor und Organist an der Elisabethkirche in Marburg. An der Universität wurde er 1966 in den Ruhestand versetzt. U. komponierte weitere Chor- und Orgelwerke.
Lit.: W. ZELLER in: MuK XLIV, 1974, S. 204f.

Uz, Johann Peter, * 3. 10. 1720 und † 12. 5. 1796 zu Ansbach; deutscher Dichter, Geheimer Justizrat, übersetzte mit Johann Nikolaus Goetz die Oden Anakreons in reimlose Verse (1746), gründete mit ihm und Johann Wilhelm Ludwig Gleim den anakreontischen Dichterkreis in Halle (Saale), schrieb lyrische Gedichte, das komische Epos *Sieg des Liebesgottes* (1753) und ein Lehrgedicht *Versuch über die Kunst stets fröhlich zu seyn* (1760). Seine Gedichte wurden von Komponisten des 18. Jh. vertont, darunter von W. A. Mozart (*An die Freude* K.-V. 53). Schubert schrieb die Lieder *Die Munterkeit ...*, *An Chloen* D 363 (Fragment), *Die Nacht* D 358, *Die Liebesgötter* D 446, *Gott, im Frühlinge* D 448, *Der gute Hirte* D 449 und *An die Sonne* D 439 (alle 1816) sowie *Gott im Ungewitter* D 985 und *Gott der Weltschöpfer* D 986 für gem. Chor und Kl. (beide 1829), Rein den Männerchor *Der Wettstreit*.
Ausg.: Sämtliche poetische Werke, 6 Bde, hrsg. v. A. SAUER, = Deutsche Lit. Denkmale XXXIII–XXXVIII, Stuttgart 1890, Nachdr. Darmstadt 1964.
Lit.: E. PETZET, J. P. Uz, Ansbach 1896, ²1930; M. FRIEDLAENDER, Das deutsche Lied im 18. Jh., 2 Bde, Stuttgart 1902, Nachdr. Hildesheim 1962; P. KHAESER, J. P. Uz, ein Lebensbild, Erlangen 1973.

V

Vacek (v′atsɛk), Miloš, * 20. 6. 1928 zu Horní Roveň; tschechischer Komponist, studierte 1934–47 am Konservatorium in Prag (Pícha, Řídký), wo er heute als freischaffender Komponist lebt. Er schrieb die Opern *Jan Želivský* (1956) und »Des Kaisers neue Kleider« (nach Hans Christian Andersen, 1962), die musikalische Fabel *Štěstí ševce Blechy* (»Das Glück des Schusterjungen Blecha«, Pilsen 1951), die musikalische Komödie *Petrohradský lichvář* (»Der Wucherer von Petrograd«, nach Nikolaj Nekrassow, 1953), die Ballette *Štěstí je prosté* (»Das Glück ist einfach«, 1952), *Komediantská pohádka* (»Das Märchen der Komödianten«, Pilsen 1958) und »Der Wind in der Luft« (Prag 1962), das Bluesdrama »Die Nacht ist mein Tag« (Frankfurt/Oder, 1964), Orchesterwerke (Sinfonietta, 1951; *Zbojnická rapsodie*, »Banditen-Rhapsodie«, 1952), Kammermusik (*Malá suita*, »Kleine Suite«, für 4 Pos., 1949; Streichquartett, 1950; *Miniaturní suita* für Streichquartett, 1951; Sonatine für V. und Kl., 1949; Suite für Vc. und Kl., 1947), Klavierstücke (*Radosti našich dětí*, »Die Freude unserer Kinder«, 1951), die Kantate *Zastavte válku* (»Schluß mit dem Krieg«, 1952) sowie Chöre, Lieder und Filmmusik.

+**Vach,** Ferdinand, 1860–1939.
Lit.: M. NAVRÁTIL, F. V., ... (»F. V., Mitschöpfer d. neuzeitlichen Chors u. sein Aufführungsstil«), Diplomarbeit Brünn 1958.

Vachon (vaʃ′ɔ̃), Pierre, * Juli 1731 zu Arles, † 7. 10. 1803 zu Berlin; französischer Violinist und Komponist, studierte bei Francesco Chiabran in Paris, debütierte dort 1756 in einem Concert Spirituel und wirkte ab 1758 als Konzertsolist. 1761 trat er als 1. Violinist in den Dienst von Louis François de Bourbon, Prince de Conti. 1772 und 1775 konzertierte er in London, ging 1784 an den pfälzischen Hof und wurde später in Berlin neben Fr. L. Benda Konzertmeister Friedrichs II. Er schrieb die Opern *Renaud d'Ast* (mit Trial, Fontaine bleau 1765) und *Hippomène et Atalante* (Paris 1769), die musikalischen Komödien *Ésope à Cythère* (mit Trial, ebd. 1766), *Les femmes et le secret* (ebd. 1767) und *Sara ou La fermière écossaise* (ebd. 1773) und veröffentlichte (Erscheinungsort, wenn nicht anders angegeben, Paris): je 6 Violinsonaten mit B. c. op. 1 (1760) und op. 3 (1769); 6 Sinfonien op. 2 (1761); 6 Trios für 2 V. und Vc. op. 5 (1772); je 6 Streichquartette op. 7 (1773), op. 5 (London 1775), op. 6 (ebd. um 1776) und op. 11 (1783); 6 Triosonaten op. 4 (London um 1775); 6 Violinduette op. 5 (ebd. 1775); weitere Kompositionen in Sammlungen der Zeit.
Lit.: L. DE LA LAURENCIE, L'école frç. de v., 3 Bde, Paris 1922–44, Nachdr. Genf 1971; B. S. BROOK, La symphonie frç. dans la seconde moitié du XVIIIᵉ s., 3 Bde, = Publ. de l'Inst. de musicologie de l'Univ. de Paris III, ebd. 1962.

Vačkář (v′atʃkɑ:rʃ), Dalibor Cyril (Pseudonym Dalibor C.Faltis), * 19. 9. 1906 zu Korčula (Dalmatien); tschechischer Komponist und Schriftsteller, absolvierte 1929 das Prager Konservatorium und 1932 die Meisterklasse bei K.Hoffmann (Violine) und Šín (Komposition), war 1934–45 Violinist beim Prager Rundfunkorchester. Seit 1947 lebt er freischaffend und ist

vor allem als Komponist von Filmmusik (30 Filme, alle unter Pseudonymen: Faltis, Filip, Martin, Raymond) bekannt geworden. Er schrieb ferner die Ballette *Švanda dudák* (»Švanda der Dudelsackpfeifer«, Prag 1954) und *Sen noci svatojanské* (»Sommernachtstraum«, nach Shakespeare, ebd. 1955), Orchesterwerke (4 Symphonien, Nr 1, *Optimistická*, 1941, Nr 2, *Země vyvolená*, »Auserwählte Erde«, mit A. und Chor, 1947, Nr 3, *Smoking Symphony*, 1948, und Nr 4, *Míru*, »Dem Frieden«, 1950; Sinfonietta für Streicher, Horn, Pk. und Kl., 1947; Praeludium für Kammerstreichorch., 1966; Concerto grosso, 1967; *Musica concertante*, 1974; Konzerte für V. und Orch., 1943 und 1958, für Kl. und Orch., 1953, und für Fag. und Streicher, 1962; *Legenda o člověku*, »Legende vom Menschen«, für Cemb. und Orch., 1967), Kammermusik (Streichquartett, 1931; Konzert für Streichquartett, 1960; *Pianoforte cantante* für Kl., Schlagzeug und Kb., 1968; Monolog, 1941, und Dialoge, 1961, für V. solo; Partita für Trp. solo, 1968), Klaviermusik (Sonate, 1938; *Extempore*, 1938; *Perspektivy*, 1971), *Píseň písní* (»Das Hohelied«) für gem. Kammerchor sowie weitere Chöre und Lieder. V. verfaßte auch die Libretti von R.Kubelíks *Veronika* (Brünn 1947) und *Chodská nevěsta* (»Die Chodenbraut«, 1948) sowie mit seinem Vater Václav V. *Instrumentace symfonického orchestru a hudby dechové* (»Die Instrumentation des Symphonieorchesters und der Bläsermusik«, 2 Bde, Prag 1954).

Vačkář (v′atʃka:rʃ), Tomáš, * 31. 7. 1945 und † 2. 5. 1963 zu Prag; tschechischer Komponist, Sohn von Dalibor V., absolvierte kurz vor seinem Tode das Prager Konservatorium. Er hatte eine ungewöhnliche Begabung als Maler und Komponist. Seine Werke entstanden ab 1960 und liegen alle gedruckt bzw. auf Schallplatten vor: *Concertino recitativo* für Fl., Streichorch. und Kl.; *Tři dopisy dívkám* (»3 Briefe an Mädchen«) für Str. und Kl. oder Kammerorch.; *Teenagers*, Sonate für Kl.; Metamorphosen über ein japanisches Thema und *Scherzo melancolico* für Orch.; *Skizzenbuch*, 10 Stücke für Kl. mit Zeichnungen des Komponisten; *Requiem* (unvollendet).

+**Vacqueras,** Beltrame (Vagueras, Vaqueras; Bernardus alias de Brassia [nicht: Crassia]), [erg.:] um 1450 – nach 1507; französischer [nicht: spanischer] Komponist, vermutlich aus der Landschaft Bresse (Ain/Saône-et-Loire) stammend.
Ausg.: Missa super L'homme armé, hrsg. v. L. FEININGER, in: Monumenta polyphoniae liturgicae Sanctae Ecclesiae Romanae I, 1, Rom 1948; 2 Sätze in: Bicinien aus Glareans Dodekachordon, hrsg. v. W. FREI, = HM CLXXXVII, Kassel 1965.
Lit.: J. M. LLORENS in: MGG XIII, 1966, Sp. 1270f.

Vactor, David van → Van Vactor, D.

+**Väisänen,** Armas Otto Aapo, * 9. 4. 1890 zu Savonranta (Mikhelin), [erg.:] † 18. 7. 1969 zu Helsinki.
V., Leiter eines Volkskonservatoriums in Helsinki bis 1957 und ab 1951 Vorsitzender der Gesellschaft für Musikwissenschaft in Finnland, war 1956–59 Ordi-

narius der Musikwissenschaft an der Universität Helsinki. Von seinen weiteren Veröffentlichungen seien genannt: *Samojedische Melodien* (= Mémoires de la Société finno-ougrienne CXXXVI, Helsinki 1965); *J. Sibelius und die Volksmusik* (Kgr.-Ber. Bamberg 1953); *Kalevalamelodin* (STMf XXXVI, 1954); *J. Kilpinens Kanteletar-Lieder* (Kgr.-Ber. Hbg 1956).

+Vaet, Jacobus, 1529 zu Courtrai [erg.:] oder Harelbeke (Westflandern) – 1567.
Ausg.: Sämtliche Werke, hrsg. v. M. Steinhardt, Graz 1961ff., bisher erschienen: Bd I–III, Motetten, = DTÖ XCVIII, C u. CIII/CIV, 1961–63; IV–V, Messen, = CVIII/CIX u. CXIII/CXIV, 1964–65; VI, Salve regina u. Magnificat, = CXVI, 1967; VII, Hymnen u. Chansons, = CXVIII, 1968.
Lit.: H. Jancik, Die Messen d. J. V., Diss. Wien 1929; M. Steinhardt, Addenda to the Biogr. of J. V., in: The Commonwealth of Music, Gedenkschrift C. Sachs, NY 1965; ders., The »Missa Si me tenes«. A Problem of Authorship, in: Aspects of Medieval and Renaissance Music, Fs. G. Reese, NY 1966.

Vainiūnas, Stasis Andrjaus, * 20. 3. (2. 4.) 1909 zu Riga; litauisch-sowjetischer Komponist, studierte 1928–34 am Konservatorium seiner Heimatstadt, unterrichtete an den Konservatorien in Kaunas (ab 1945) und Wilna (ab 1949; 1953 Professor). Er komponierte Orchesterwerke (Symphonie, 1957; 3 Konzerte für Kl. und Orch., 1945, 1952 und 1965; Rhapsodie für 2 Kl. und Orch., 1947; Konzert, 1949, und Konzertpoem, 1969, für Org. und Streichorch.; Rhapsodie, 1950, und Konzert, 1959, für V. und Orch.), Kammermusik (2 Klavierquintette, 1955 und 1966; Klaviertrio, 1946), Klavierwerke (*Mažoji vabzdžių siuita*, »Kleine Insektensuite«, 1940; Suite *Gimtinės laukai*, »Heimatliche Fluren«, 1963) und Lieder.
Lit.: S. Žiuraitiene, Vainiūno koncertas fortepijanui su orkestru (»V.' Kl.-Konzerte«), Wilna 1957; J. Gaudrimas, S. Wajnjunas i jewo simfonija (»St. V. u. seine Symphonie«), SM XXIII, 1959; J. Karosas, St. V., Wilna 1959; K. Jasinskas, St. V., ebd. 1960, russ. Leningrad 1961; J. Antanavičius, Nacionaline specifika ir jos elementai S. Vainiūno ir B. Dvariono fortepijoniniuose koncertuose (»Die nationale Eigenart u. ihre Elemente in d. Kl.-Konzerten v. St. V. u. B. Dvarionas«), in: Menotyra I, 1967.

Valcárcel (balk'arθel) Arze, Edgar, * 4. 12. 1932 zu Puno; peruanischer Komponist und Pianist, Neffe von Teodoro V., studierte an der Academia Nacional de Música »Alcedo« in Lima (Sas Orchassal), am Hunter College of the City of New York (Lybbert), am Centro Latinoamericano de Altos Estudios Musicales in Buenos Aires und am Electronic Music Center der Columbia University in New York (Ussachevsky, A. Lanza). Er ist Professor für Komposition am Conservatorio Nacional de Música in Lima. Seine Kompositionen umfassen u. a. Orchesterwerke (*Queñua*, Estudio sinfónico, 1962; *Aleaciones*, 1966; *Checán II*, 1970), ein Konzert für Klar. und Streichorch. (1959), ein Klavierkonzert (1968), Kammermusik (2 Streichquartette, 1960 und 1963; *Espectros I* für Fl., Va und Kl., 1964, und *II* für Horn, Vc. und Kl., 1966; *Dicotomías III* für 12 Instr., 1966; *Checán II* für 6 Instr., 1969, und *III* für 19 Instr., 1971), Klavierwerke (2 Sonaten, 1963 und 1971; *Dicotomías I* und *II*, 1966), Chorwerke, Lieder, Bühnenmusik und Elektronische Musik.
Lit.: Werkverz. in: Compositores de América XVII, Washington (D. C.) 1971.

+Valcárcel, Teodoro, 17. [nicht: 18.] 10. 1900 – 1942.

Valdambrini, Francesco, * 24. 3. 1933 zu Turin; italienischer Komponist, studierte bei Guido Turdú

am Conservatorio di Musica S. Cecilia in Rom sowie bei Dallapiccola und Maderna. 1963–68 lehrte er das Fach Stilkunde für zeitgenössische Musik an der Wiener Akademie für Musik und darstellende Kunst. Seitdem ist er Professor für Komposition und Leiter der Kompositionsklasse am Konservatorium in Bozen. Er schrieb u. a. die Opern *Pentheus* (nach Euripides, Bonn 1971), *Es war einmal. Hommage a G. de Nerval* (Dortmund 1971) und *Der gestiefelte Kater* (Bonn 1975), Orchesterwerke (*Dialoge* für Kl. und 2 Orchestergruppen, 1965; Concerto für Streichorch.), Kammermusik (*Dioe* für Ob. und Klar., 1969) und Lieder.

Valdengo (vald'εngo), Giuseppe, * 24. 5. 1914 zu Turin; italienischer Sänger (Bariton), studierte in seiner Heimatstadt bei Michele Accorinti am Conservatorio di Musica G. Verdi. Er debütierte 1936 am Teatro Regio in Parma als Figaro (*Il barbiere di Siviglia*), wurde 1938 an die Mailänder Scala engagiert und trat 1947 erstmals an der Metropolitan Opera in New York auf. Gastverpflichtungen führten ihn u. a. zu den Festspielen nach Glyndebourne, an die Covent Garden Opera in London, die Wiener Staatsoper sowie ans Teatro Colón in Buenos Aires. Zu seinen Partien zählen u. a. Amonasro, Jago, Falstaff, Sharpless (*Butterfly*) und Tonio (*Bajazzo*). Er veröffentlichte *Ho cantato con Toscanini* (Como 1963).

+Valderrábano, Enríquez de, um 1500 – nach 1557.
Ausg.: +Libro de música . . . (E. Pujol, 2 Bde, = MMEsp XXII–XXIII, 1965 [nicht: XX, 1957]). – Soneto XV u. XX f. Vihuela, f. Git. bearb. v. dems. = Bibl. de musique ancienne et moderne pour guitare Nr 1099, Paris 1968.
Lit.: Ch. Jacobs, Tempo Notation in Renaissance Spain, = Musicological Studies VIII, Brooklyn (N. Y.) 1964 (mit Ausg. v. 5 Stücken).

+Valen, Olav Fartein, 1887–1952.
Lit.: Bj. Kortsen, Thematical List of Compositions by F. V., Oslo 1962. – F. Mortensen in: Nutida musik V, 1961/62, H. 3, S. 14ff. (zum V.-Konzert); O. Gurvin, F. V., en banebryter i nyere norsk musikk, = Inst. f. musikkvitenskap, Univ. i Oslo, Skrifter IV, Oslo 1962; Bj. Kortsen, Studies of Form in F. V.'s Music, ebd. 1962; ders., F. V., Life and Music, 3 Bde, ebd. 1965; H.-M. (Salvesen-)Weydahl in: Musik och skola VII, 1963, S. 74ff., 102 u. 104ff.; T. Gunnarson, I samtale med F. V., Norsk musikktidsskrift I, 1967; J. Dorfmüller, Studien zur norwegischen Klaviermusik d. ersten Hälfte d. 20. Jh., = Marburger Beitr. zur Mw. IV, Kassel 1969.

Valencia (bal'enθïa), Antonio María, * 10. 11. 1902 und † 22. 7. 1952 zu Cali; kolumbianischer Komponist und Pianist, studierte 1917–19 am Conservatorio Nacional de Música in Bogotá sowie ab 1923 an der Schola Cantorum in Paris (d'Indy, de Falla). 1933 gründete er in Cali das Conservatorio und die Escuela de Bellas Artes, die heute seinen Namen trägt. Er schrieb u. a. Kammermusik (*Egloga incaica* für Fl., Ob., Klar. und Fag., 1935; Klaviertrio *Emociones caucanas*, 1938; *Duo en forma de sonata* für V. und Kl., 1926), Klavierstücke (*Chirimía y bambuco sotareño*, 1930) und Vokalwerke (*Himno eucarístico* für gem. Chor, Org. und Orch., 1946; *Kunanti-tutaya* (*No es tiempo todavía*) für T. und gem. Chor, 1935; *Canción del boga ausente* für Soloquartett, gem. Chor und Maracas, 1937; *Ai-je fait un rêve?* für St. und Kl., nach Heine, 1925).
Lit.: Werkverz. in: Compositores de América IV, Washington (D. C.) 1958, Nachdr. 1962.

+Valente, Antonio, 16. Jh. [del.: * um 1520 zu Neapel].
Als Organist an Sant'Angelo a Nido in Neapel ist V. 1565–80 nachweisbar.

Ausg.: Versi spirituali ... (1580), hrsg. v. I. FUSER, Padua 1958; Intavolatura de cimbalo ... (1576), hrsg. v. CH. JACOBS, Oxford 1973.
Lit.: J. A. BURNS, A. V., Neapolitan Keyboard Primitive, JAMS XII, 1959.

Valente, Caterina Germaine Maria, * 14. 1. 1932 zu Paris; deutsche Schlager- und Jazzsängerin italienisch-spanischer Herkunft, entstammt einer Artistenfamilie und wurde ab 1953 durch Auftritte mit dem Orchester Kurt Edelhagen bekannt. C. V. zählt zu den internationalen Spitzenstars in der Schallplatten- (über 250 Langspielplatten), Rundfunk- und Fernsehproduktion, auf der Bühne und beim Film. Sie erhielt zahlreiche Auszeichnungen (Goldene Schallplatte, Goldener Bildschirm, Musik-Oskar). Zu ihren erfolgreichen Schlagertiteln gehören: *Bonjour, Kathrin; Melodia d'amore; Ganz Paris träumt von der Liebe; Malagueña; Fiesta cubana; Hawaiiana Melodie.*

+Valentin, Erich, * 27. 11. 1906 zu Straßburg.
1964–72 war er Direktor der Münchener Musikhochschule. – *+Handbuch der Chormusik* (Bd I 1953, Bd II 1958 [nicht: 1957]), NA Regensburg 1968; *+Handbuch der Instrumentenkunde* (1954, ²1957 [nicht: ²1956]), ebd. ⁴1963, erweitert ⁶1974; *+Mozart. Eine Bildbiographie* [nicht: *Bildband*] (= Kindlers klassische Bildbiographien XII, 1959 [nicht: 1956]), auch Wien 1964 und Bln 1966, engl. London 1959 und NY 1960, Nachdr. 1970, frz. = Les musiciens par l'image o. Nr, Paris 1966; *+Beethoven* ... (ebd. III, 1958 [nicht: 1957]), auch Wien 1963 und Bln 1964, engl. London 1958, NA 1969, schwedisch Stockholm 1959, dänisch Kopenhagen 1962, frz. = Les écrivains, les musiciens, les peintres par l'image o. Nr, Paris 1963(?). – Neuere (Buch-)Veröffentlichungen: *Musica domestica. Von Geschichte und Wesen der Hausmusik* (Trossingen 1959); *Goethes Musikanschauung* (Olten 1960); *Telemann in seiner Zeit* (= Veröff. der Hamburger Telemann-Gesellschaft I, Hbg 1960); *Die goldene Spur. Mozart in der Dichtung H. Hesses* (Augsburg 1966); *Mozart. Sinnbild der Mitte* und *Zeitgenosse Mozart* (ebd. 1967 bzw. 1971; jeweils 4 gesammelte Vorträge). – Er edierte des weiteren: *+Die Tokkata* (1958 [nicht: 1957]), engl. = The Anth. of Music XVII, Köln 1958; *Handbuch der Schulmusik* (Regensburg 1962); *50 Jahre G. Bosse Verlag* (ebd. 1963); *Die evangelische Kirchenmusik. Handbuch für Studium und Praxis* (mit Fr. Hofmann, ebd. 1969); *Handbuch des Musikunterrichts für Musikschullehrer und für Musikerzieher* (mit W. Gebhardt und H. J. Vetter, ebd. 1970); *Die schönsten Mozart-Briefe* (München 1972; NA der Ausw.-Ausg. von L. Schiedermair); *Die schönsten Beethoven-Briefe* (ebd. 1973). [del.: Mitarbeiter der Neuen Mozart-GA.]

+Valentini, Giovanni, [erg.:] 1582 oder 1583 – [erg.: vermutlich 29.] 4. 1649.
Die Zuschreibung der *+»Enharmonischen Sonate«*, die handschriftlich in Kassel erhalten ist, scheint nunmehr gesichert.
Lit.: H. FEDERHOFER, Musikpflege u. Musiker am Grazer Habsburgerhof d. Erzherzöge Karl u. Ferdinand v. Innerösterreich (1564–1619), Mainz 1967.

+Valentini, Giuseppe, um 1680 zu Florenz oder Rom – um 1746 zu Florenz [del. bzw. erg. frühere Angaben].
Ausg.: 3. Concerto C dur f. Ob., V. concertante, Streicher u. Cemb., hrsg. v. R. FASANO, = Antica musica strumentale ital. XX, Mailand 1960; V.-Sonate D-moll, hrsg. v. H. RUF, = V.-Bibl. Nr 39, Mainz 1968.

+Valerius, Adrianus (Adriaen), [erg.: um] 1575 [erg.: vermutlich] zu Middelburg (Seeland) – 1625.

Ausg.: Neder-Landtsche gedenck-clanck (1626), Faks.-Ausg. NY 1968.

+Valesi, Johann Evangelist (Walleshauser), 1735 – [erg.:] 10. 1. 1816 [nicht: 1811].

Valetti, Rosa, * 25. 1. 1876 zu Berlin, † 10. 12. 1937 zu Wien, deutsche Schauspielerin und Diseuse, trat zunächst am Theater im Charakterfach, später in komischen Rollen auf und wurde in den 20er Jahren eine der hervorragenden Kabarettleiterinnen und Diseusen von Berlin. 1921 gründete sie das Kabarett »Größenwahn«, danach die »Rampe« und das »Larifari«. Sie setzte sich für das sozial engagierte Chanson ein. Bekannt wurde ihr Lied *Rote Melodie*, das Kurt Tucholsky 1922 für sie schrieb (Musik Fr. Hollaender). Bei der Uraufführung der *Dreigroschenoper* 1928 wirkte R. V. als Frau Peachum und 1930, neben Marlene Dietrich, in dem Film *Der blaue Engel* mit.
Lit.: K. BUDZINSKI, Die Muse mit d. scharfen Zunge, München 1961; W. v. RUTTKOWSKI, Das literarische Chanson in Deutschland, Bern 1966; H. GREUL, Bretter, die d. Zeit bedeuten, Köln 1967; R. HÖSCH, Kabarett v. gestern, Bln 1967.

+Vallas, Léon, 1879–1956.
V. war 1937–43 Präsident der Société française de musicologie. – *+Un siècle de musique et de théâtre à Lyon* (1932), Nachdr. Genf 1971; *+Les idées de Cl. Debussy* (1927), Nachdr. der +engl. Ausg. (*The Theories of Cl. Debussy*, 1929) NY 1967 und Magnolia (Mass.) 1968; *+Cl. Debussy et son temps* (1932), NA Paris 1958, deutsch als *Debussy und seine Zeit*, München 1961, Nachdr. der +engl. Ausg. (1933) NY 1973; *+La véritable histoire de C. Franck* (1955 [nicht: 1950]), Nachdr. Paris 1972, Nachdr. der +engl. Ausg. (*C. Franck*, 1951) Westport (Conn.) 1973.
Lit.: N. DUFOURCQ in: Rev. de musicol. XXXVIII, 1956, S. 101ff.

+Valle, Pietro Della (genannt »il Pellegrino«), 11. [nicht: 2.] 4. 1586 – [erg.: 21. 4.] 1652.
P. Della V. wurden fälschlich kirchenmusikalische Werke (*+Tantum ergo*) zugeschrieben; lediglich einige Oratorien sind gesichert (darunter *Ester*, 1626/27, vermutlich umgearbeitet als *Dialogo di Ester*, um 1647).
Ausg.: +A. SOLERTI, Le origini del melodramma (= Piccola bibl. di scienze moderne LXX, 1903), Nachdr. = Bibl. musica Bononiensis III, 3, Bologna 1969, auch Hildesheim 1969.
Lit.: V. LOSITO, P. Della V., Varese 1928; A. DELLA CORTE, Il valore artistico del »Carro di fedeltà d'amore«, Fs. J. Racek, = Sborník prací filosofické fakulty brněnské univ. XIV, F 9, 1965; P. KAST in: MGG XIII, 1966, Sp. 1240f.; A. ZIINO, P. Della V. e la »musica erudita«. Nuovi documenti, in: Analecta musicologica IV, 1967; DERS., »Contese letterarie« tra P. Della V. e N. Farfaro sulla musica antica e moderna, nRMI III 1969; R. GIAZOTTO, ebd. S. 96ff. (zu Della V.s Testament).

+Vallet, Nicolas, um 1583 vermutlich zu Corbény (bei Laon) [del. frühere Angaben] – nach 1626.
Ausg.: Œuvres pour luth seul. Le secret des muses (1. u. 2. Buch, 1615–16), hrsg. v. A. SOURIS (mit biogr. Studie v. M. Rollin), = Le chœur des muses o. Nr, Paris 1970. – 2 Stücke aus »Paradisus musicus testudinis« in: G. REICHERT, Der Tanz, = Das Musikwerk XXVII, Köln 1965, auch engl.
Lit.: M. FALK, Die Lautenbücher d. N. V., SMZ XCVIII, 1958; DIES. in: Mens en melodie XIV, 1959, S. 140ff.; H. RADKE in: MGG XIII, 1966, Sp. 1243f.

Valletti, Cesare, * 18. 12. 1922 zu Rom; italienischer Sänger (Tenor), studierte privat u. a. bei Schipa, debütierte 1947 in Bari, trat bald darauf an der Oper in Rom sowie an der Mailänder Scala auf und wurde 1953 an die Metropolitan Opera in New York engagiert.

Gastspiele führten ihn u. a. an die Covent Garden Opera in London sowie zu den Festspielen in Glyndebourne, Aix-en-Provence und Verona. V.s Repertoire umfaßt die lyrischen Partien der Mozart-Opern und die Rollen des italienischen Belcantofachs.

+Vallotti, Francesco Antonio, 1697 – 19. [nicht: 10.] 1. 1780.
An S. Antonio zu Padua wurde V. 1722 3. Organist, 1727 Vizekapellmeister und 1730 Kapellmeister [del. bzw. erg. frühere Angabe dazu].
Ausg.: Della scienza teorica e pratica della moderna musica (1779), hrsg. v. B. Rizzi als: Trattato della moderna musica, Padua 1950.
Lit.: S. Martinotti in: MGG XIII, 1966, Sp. 1244ff.; O. Wessely, J. J. Fux u. Fr. A. V., = Jahresgabe d. J.-J.-Fux-Ges. 1966, Graz 1967.

+Valls, Francisco, 1665 ([erg.:] oder um 1672?) – 2. 2. ([erg.:] oder 7.?) 1747.
Das Kompositionsjahr der Messe +Scala Aretina ist 1702.
Lit.: J. López-Calo, La controversia de V., in: Tesoro sacro mus. LI, 1968 u. LIV, 1971 (mit Ausg. d. Kyrie aus d. Messe »Scala Aretina«); ders., L'intervento di A. Scarlatti nella controversia sulla Messa »Scala Aretina« di Fr. V., in: Analecta musicologica V, 1968; ders., The Span. Baroque and Fr. V., MT CXIII, 1972.

Valmèr, Jean Pierre → Teupen, Jonny.

Valois (valw'a), Dame Ninette de (geborene Edris Stannus, verheiratete Connell), * 6. 6. 1898 zu Baltibooys (Blessington); irische Tänzerin und Choreographin, studierte u. a. bei Edouard Espinosa und bei Cecchetti, debütierte 1914 in einer Londoner Pantomime, ging 1919 zur Covent Garden Opera und wurde 1923 Mitglied von Diaghilews Ballets Russes. Sie eröffnete 1926 eine Academy of Choreographic Art in London. 1928 choreographierte sie Mozarts Les petits riens als ihr erstes Ballett, 1931 eröffnete sie in Zusammenarbeit mit dem Sadler's Wells Theatre eine neue Schule und nannte die Truppe von Schülern, mit denen sie abwechselnd im Old Vic und Sadler's Wells Theatre auftrat, Vic-Wells Ballet, aus dem dann das Sadler's Wells und das heutige Royal Ballet hervorgingen. Als Choreographin schuf sie während dieser Formationsjahre (Aufführungsort London) u. a. die Ballette Job (Musik Vaughan Williams, 1931), The Haunted Ballroom (G. Toye, 1933), The Rake's Progress (Gavin Gordon, 1935), The Gods Go a'Begging (Händel, arrangiert von Beecham, 1936) und The Prospect Before Us (Boyce, 1940) und nach der Übersiedlung des Sadler's Wells Ballet nach Covent Garden (1946) Don Quixote (Gerhard, 1950). Daß das englische Royal Ballet heute eine der großen Ballettkompanien der Welt ist, ist ihrer Initiative und Umsicht als Direktorin zu verdanken. N. de V. ist mehrfacher Ehrendoktor englischer und irischer Universitäten, erhielt 1947 den Ehrentitel eines Commander of the Order of the British Empire und wurde 1951 geadelt. Sie veröffentlichte Invitation to the Ballet (2 Bde, London 1937) und Come Dance with Me (NY 1957) und schrieb Texte zu J. Cranko und das Stuttgarter Ballett (Pfullingen 1969).
Lit.: K. Neatby, N. de V. and the Vic-Wells Ballet, London 1934; M. Clarke, The Sadler's Wells Ballet, ebd. 1955.

+Van Aerde, Raymond Joseph Justin, 1876 – [erg.: 16.] 3. 1944.

Vanagaitis, Antanas, * 7. (19.) 5. 1890 zu Valiai (bei Šakiai), † 10. 3. 1949 zu Gulfort (Miss.); litauischer Komponist, Organist und Schauspieler, studierte bei Naujalis in Kaunas sowie 1918–21 am Dresdner Konservatorium und ließ sich 1924 in Chicago nieder, wo

er mit eigenen Vaudevilles (Mamytė, »Mammi«, 1923; Dobilėlis, »Klee«, 1926) an die Öffentlichkeit trat. Ab 1928 gab er das folkloristische Magazin Margutis heraus, das 36 Jahre lang erschien. Seine Kompositionen umfassen neben zahlreichen weiteren Vaudevilles u. a. die Kantate Vytauto didžiojo garbei (»Zur Ehre von Vytautas dem Großen«) und Užgeso aušra (»Es wurde dunkel«) für B. und kleinen Chor (1928) sowie Malda žuvusiems už Lietuvos nepriklausombę (»Gebet für die für die Freiheit Litauens Gefallenen«) für gem. Chor.

+Vancea (v'antʃa), Zeno Octavian, * 8. 10. 1900 zu Bocşa(-Vasiova, Banat).
V. wirkte als Professor für Musikgeschichte (1949–53) und Kontrapunkt (1953–68) am Konservatorium C. Porumbescu in Bukarest sowie als Chefredakteur der Zeitschrift Muzica (1953–63) [del. bzw. erg. frühere Angaben dazu]. Seit 1968 ist er Vizepräsident des rumänischen Komponistenverbands. – Von seinen Werken seien genannt [del. frühere Angaben]: die einaktige Ballettpantomime Priculici (1932, Bukarest 1942); 2 Sinfonietten (1948, 1967), Rapsodia bănăţeană Nr 1–2 (1926, 1950), Suite O zi de vară (»Ein Sommertag«, 1951), Odă în amintiera celor căzuti în lupta pentru libertate (»Ode zur Erinnerung an die im Kampf um die Freiheit Gefallenen«, 1956), Triptic simfonic (1958), Burleske (1959) und Konzert (1960) für Orch., 5 Stücke für Streichorch. (1964); 5 Streichquartette (1931, 1952, 1954, 1966, 1970); 31. Psalm (1928), Requiem (1942) und die Kantate Cîntecul păcii (»Friedensgesang«, 1961) für Soli, Chor und Orch., 2 byzantinische Messen (1932, 1936) und Imagini bănăţene (auf Volksverse, 1956) für gem. Chor a cappella; Lieder. – Neben zahlreichen kleineren Beiträgen für »Muzica« (an neueren u. a. Despre melodie, »Über Melodie«, und Despre polifonie, XXIII, 1973) verfaßte er u. a.: 2 Schriften über G. Enescu (mit A. Tucher, Wien 1957; Bukarest 1964), Creaţia muzicală românească. S. XIX-XX (Bd I, Bukarest 1968); Die sozialen Grundlagen der rumänischen Kunstmusik (Kgr.-Ber. Wien Mozartjahr 1956); Einige Beiträge über das erste Manuskript der Colinda-Sammlung von B. Bartók und über seine einschlägigen Briefe an C. Brăiloiu (StMl V, 1963).
Lit.: C. V. Drăgoi in: Muzica XX, 1970, Nr 6, S. 44ff.; Gh. Firca in: Studii şi cercetări de istoria artei, Seria Teatru, muzică, cinematografie XVIII, 1971, S. 209ff.; D. Jucu in: Muzica XXIV, 1974, Nr 2, S. 9ff. (zu d. Streichquartetten).

Van Damme, Joseph (Pseudonym José van Dam), * 25. 8. 1940 zu Brüssel; belgischer Sänger (Bariton), studierte in seiner Heimatstadt am Konservatorium sowie an der Académie de Musique und erhielt 1. Preise bei den internationalen Wettbewerben in Toulouse (1961) und Genf (1964). Er war Mitglied der Pariser Opéra (1961–65) und des Grand Théâtre in Genf (1965–67). Seit 1967 gehört er dem Ensemble der Deutschen Oper Berlin an (1974 Kammersänger). Er trat bei den Salzburger Festspielen auf und gab Konzerte in Europa, Japan und den USA. Zu seinen Partien zählen Figaro (Le nozze di Figaro), Leporello (Don Giovanni), Fürst Igor, Kaspar (Freischütz), Escamillo (Carmen) und Amfortas (Parsifal).

[+Van Delden, recte:] **Delden,** Lex (Alexander) van, * 10. 9. 1919 zu Amsterdam.
Neben seiner Tätigkeit als Redakteur von »Het parool« ist er u. a. seit 1946 Sekretär der niederländischen Sektion der IGNM und seit 1960 Sekretär des niederländischen Komponistenvereins. – Die +1. Symphonie hat die op.-Nr 40 [nicht: 33]. – Weitere Werke: 5.–8. Symphonie (op. 65, 1959; op. 69, 1963, dazu ein Finale

concertante für 3 Trp. und Orch. op. 81, 1963; Sinfonia concertante für 11 Holzbläser op. 83, 1964; für Streichorch. op. 84, 1964) und *Musica sinfonica* op. 93 (1967); Konzerte mit Orch. für Trp. op. 54 (1956), 2 Ob. op. 64 (1959), Kl. op. 66 (1960), Fl. op. 85 (1965), V., Va und Kb. op. 88 (1965), 2 Sopransax. op. 91 (1967) und elektronische Org. op. 100 (1973), ferner *Piccolo concerto* für 12 Holzbläser, Pk., Schlagzeug und Kl. op. 67 (1960), Konzert für 2 Streichorch. op. 71 (1961), *Piccola musica concertata* für 3 Pos., Pk. und Streichorch. op. 79 (1963) und ein Konzert für Schlagzeug, Celesta und Saiteninstr. op. 94 (1968); Fantasie für Hf. und 8 Bläser op. 87 (1965), *Intrada e danza* für 6 Hf. op. 70 (1961), Streichsextett op. 97 (1971), *Musica notturna a cinque* für 4 Vc. und Hf. op. 90 (1967), 2 Streichquartette (op. 43, 1954; op. 86, 1965), Klaviertrio op. 95 (1969), Concertino für 2 Hf. op. 76 (1962), Sonate op. 82 (1964) und ein Konzert op. 89 (für Schüler, 1966) für V. und Kl., *Catena di miniature* für Fl. und Hf. op. 98 (1971), Sonate für Vc. solo op. 63 (1958); Funkoratorien *Anthropolis* für A., B., gem. Chor und Orch. op. 73 (1962) und *Icarus* für 4 Soli, Sprecher, gem. Chor, Orch., elektronische Klänge und Tonband op. 77 (1962), *Canto della guerra* für gem. Chor und Orch. op. 92 (Erasmus, 1967); Lieder und Bühnenmusik.

Lit.: W. PAAP in: Mens en melodie X, 1955, S. 175ff.

Vandelle (vãdˈɛl), Romuald, * 8. 11. 1895 zu Beaune (Côte-d'Or), † 9. 8. 1969 zu St-Georges Gevingey (Jura); französischer Komponist, Schüler von d'Indy, Koechlin und Schönberg, war Leiter der Musikabteilung von Radio Algier (1948–56) und ab 1957 Programmleiter für die symphonischen Sendungen bei der ORTF. Als Gründer des Quatuor Vandelle (1920–32) setzte er sich besonders für die Streichquartette von Bartók und Schönberg ein. Er komponierte Orchesterwerke (Symphonie; Divertissement), Kammermusik (2 Streichquartette; 2 Sonaten für V. und Kl.; Sonate und Duo für Va und Kl.; Praeludium und Gigue für Sax. und Kl.), Klavierstücke (*Marine*), Orgelwerke (*Chemin de croix*, 1949) und Vokalmusik (10 Messen; Motetten; *Passion selon St-Mathieu*; Kirchenkantate *St-Gabriel archange*; Te Deum; Chöre und Lieder). V. übersetzte Schönbergs *Harmonielehre* ins Französische (1925, unveröff.).

Lit.: N. PIERRONT in: L'orgue 1969, Nr 132, S. 182f.

Van De Moortel, Arie, * 17. 7. 1918 zu Brüssel(-Laeken); belgischer Bratschist und Komponist, studierte an den Konservatorien in Brüssel und Gent und konzertiert seit 1938 als Solist und Kammermusikspieler in ganz Europa. Er war Bratschist im Orchester von Radio Belge (1945–47) und lehrte an den Konservatorien in Brüssel (1946, Bratsche) und Gent (ab 1946, Kammermusik). Seit 1957 ist er Direktor der Académie de Musique in Anderlecht und seit 1962 Professor für Kammermusik am Konservatorium in Mons. Von seinen Kompositionen sind zu nennen: Sonatine für Kl. op. 2 (1939, orchestrierte Fassung als *Silly Symphonie*); Trio für Ob., Klar. und Fag. (1939, 2. Fassung 1954); Variationen *Er zat een sneeuwwit vogeltje* (1951); Sonate für Hf. (1955); Capriccio für Carillon (1957); Sonate für Fl. solo (1968); Rondo-Pastorale *In memoriam E. Ysaÿe* für V. und Kl. (1970).

+Van den Borren, Charles-Jean-Eugène, * 17. 11. 1874 und [erg.:] † 14. 1. 1966 zu Brüssel.
Van den B. lehrte an der Université de Liège ab 1927 [nicht: 1925]; 1953 wurde er Präsident der [erg.: Classe des beaux-arts] der Académie royale de Belgi-

que. – Zu seinem 90. Geburtstag wurde er mit den Festschriften *Liber amicorum* (Antwerpen 1964) und Jg. XVIII der RBM (mit Werkverz. 1898–1964) geehrt. Verstreute Aufsätze erschienen gesammelt als *Scripta selecta* (RBM XXI, 1967). – +*Les origines de la musique de clavier en Angleterre* (1912), Nachdr. der engl. Ausg. (*The Sources of Keyboard Music in England*, NY 1914) Westport (Conn.) 1970; +*Polyphonia sacra. A Continental Miscellany of the 15th Cent.* (1932), revidiert = Penn State Music Series o. Nr, University Park/Pa. 1963. – Posthum veröffentlicht wurde der Beitrag *The French Chanson* (in: The Age of Humanism, hrsg. von G. Abraham, = New Oxford History of Music IV, London 1968, ital. Mailand 1970).
Lit.: S. CLERCX in: AMl XXXVIII, 1966, S. 1f.; DIES., FL. VAN DER MUEREN u. A. VANDER LINDEN in: RBM XXI, 1967, S. 3ff.; F. GHISI in: RIdM I, 1966, S. 293ff.; R. B. LENAERTS in: Mf XIX, 1966, S. 241ff.; M. PINCHERLE in: Rev. de musicol. LII, 1966, S. 3ff.; M. BOEREBOOM in: Gamma XXVI, 1974, S. 237ff.

+Van den Gheyn, Matthias, 1721–85.
Lit.: +X. VAN ELEWYCK, M. Van den Gh. (1862), Faks.-Ausg. Utrecht 1972.

+Vander Linden, Albert-Charles-Gérard, * 8. 7. 1913 zu Löwen.
Vander L., weiterhin Bibliothekar am Conservatoire royal de musique in Brüssel, lehrt seit 1965 an der Brüsseler Universität. 1967 wurde er in die Académie royale de Belgique aufgenommen. Neben zahlreichen Beiträgen besonders für RBM (XIV, 1960 – XV, 1961: *Lettres de V. d'Indy à O. Maus*; XIX, 1965: *Comment faut-il prononcer »Dufay«?* und *Contribution à l'histoire de la formation d'une bibliothèque musicale*) und für »Académie royale de Belgique, Bull. de la Classe des beaux-arts« (XLIX, 1967: *Une »Brabançonne« inconnue*; L, 1968: *Chopin et Fr.-J. Fétis* und *Note sur les dédicaces de Ph. de Monte*; LI, 1969: *Considérations historiques sur le Prix de Rome de musique au XIXᵉ s.*) seien an weiteren Veröffentlichungen genannt: *Atlas historique de la musique* (mit P. Collaer und Fr. Van den Bremt, Paris 1960, nld. Hasselt 1961, ital. Mailand 1962, deutsch als *Bildatlas der Musikgeschichte*, Gütersloh 1963, engl. Cleveland/O. und London 1968); *Un fragment inédit du »Lauda Sion« de F. Mendelssohn* (AMl XXVI, 1954, Nachtrag dazu in: RBM XVII, 1963, S. 124f.); *Inventaire de la musique de l'église St-Michel, à Gand, au XVIIIᵉ s.* (in: Liber amicorum, Fs. Ch. Van den Borren, Antwerpen 1964); *Belgium from 1914 to 1964* (MQ LI, 1965); *Liszt et la Belgique* (StMl XI, 1969); viele Artikel für Lexika und Enzyklopädien.

+Van der Mueren (mˈyːrə), Floris (Florentijn) Jan, * 2. 11. 1890 zu Hoogstraten (Antwerpen), [erg.:] † 23. 12. 1966 zu Löwen.
Van der M. war ab 1939 Mitglied der Koninklijke Vlaamse Academie voor wetenschappen, letteren en schone kunsten van België. – Neuere Schriften: *Is parallelvergelijkende muziekgeschiedenis mogelijk?* (= Koninklijke Vlaamse Academie ..., Klasse der schone kunsten, Verhandelingen XIII, Brüssel 1958); *Perspectief van de Vlaamse muziek sedert P. Benoit* (= Vlaamse pockets XXXVIII, Hasselt 1961); *De zee. Simfonisch gedicht, muziek van P. Gilson* (= Leren luisteren V, Antwerpen 1962); *Muziekgeschiedenis en haar muziekesthetische verantwoording* (= Koninklijke Vlaamse Academie ... [s. o.] XVIII, Brüssel 1963); *P. Benoit in het huidig perspectief* (Antwerpen 1968); *L'histoire de la musique et la comparaison avec les autres arts* (Kgr.-Ber. Wien Mozartjahr 1956); *Limites géographiques du baroque* (in: Le »baroque« musical, = Les colloques de Wégimont IV,

1957); *École bourguignonne, école néerlandaise ou début de la Renaissance?* (RBM XII, 1958); *E. Tinel* (in: *Musica sacra* »sancta sancte« LXIII, 1962); *Pourquoi l'histoire universelle se désintéresse-t-elle de l'histoire de la musique?* (Fs. K.G.Fellerer, Regensburg 1962).
Lit.: M. BOEREBOOM u. A. VANDER LINDEN in: RBM XXI, 1967, S. 5ff.; R. B. LENAERTS in: Jb. v. de Koninkl. Vlaamse Acad. v. België 1967, S. 289ff., u. in: AMI XLI, 1969, S. 1f.

+Van der Straeten, Edmond, 1826–95.
+La musique aux Pays-Bas avant le XIXe s. (1867–88), Nachdr. Hilversum 1965 und (mit neuer Einführung von E.Lowinsky) = Musical Library Association Reprint Series o. Nr, NY 1969 (8 Bde in 4); *+Les ménestrels aux Pays-Bas du XIIIe au XVIIIe s.* (1878), Nachdr. Genf 1972.

+Van der Velden, Renier (Renatus), * 14. 1. 1910 zu Antwerpen.
Am Studio Antwerpen des belgischen Rundfunks wirkt er seit 1945; 1970 wurde er zum Mitglied der Koninklijke Vlaamse Akademie voor wetenschappen, letteren en schone kunsten van België gewählt. – Neuere Werke: die Ballette *De triomf van de dood* (nach Brueghel, Antwerpen 1964) und *Oostendse maskers* (»Ostender Masken«, nach M. de Ghelderode und J.Ensor, Brüssel 1965); Sinfonietta für Orch. (1969), Étüde für Kammerorch. (1969); Concertinos für V. und Kammerorch. (1964), für Fl. (1965) und Kl. (1971) mit Streichorch. sowie für 2 Kl. und 5 Blechbläser (2 Trp., Horn, Pos. und Tuba, 1965); Fantasie für 4 Klar. (1967), Stück für Fl. und Kl. (1970); Nocturne (1968) und Etüde (1968) für Kl., *Beweging (Mouvement)* für 2 Kl. (1965); Vokalise für Singst. und Kl. (1971).

+van de Woestijne, David, * 18. 2. 1915 zu Llanidloes (Wales).
D. van de W. ist weiterhin beim belgischen Rundfunk und Fernsehen tätig. Neuere Werke: Quintett für Fl., Ob., V., Va und Vc. (1953); Toccata für Kl. (1955); Sonate für 2 Kl. (1955); *Variations d'après un thème de L.-B.Lataste* für Cemb. (1955); Symphonie (1958); Kantate *Les aéronautes* für Soli, Chor, Sprechchor und Orch. (1963); Symphonie in einem Satz (1965); Variationen für 7 Instr. (2 Git., Fl., Ob., Klar., Fag. und Horn, 1965); Sarabande für 2 Git. (1965); Fernsehoper *De zoemende muzikant* (»Der summende Musikant«, 1967); *Concertino da camera* für Fl., Ob. und Streicher (1967); Oper *Graal '68* (Gent 1968); Streichquartett (1970); »Muziek bij een muzikaal-literaire kantate« *Aswoensdag* (»Aschermittwoch«) für Soli, Sprecher, Chor und Orch. (1971); Konzert für 2 Kl. und Orch. (1972).
Lit.: H. HEUGHEBAERT in: Vlaams muziektijdschrift XXIV, 1972, S. 225ff. (mit Werkverz.).

Vandini, Antonio, * um 1690 zu Bologna, † nach 1771 zu Padua; italienischer Violoncellist und Komponist, trat 1721 als Violoncellist in das Orchester der Basilica del Santo in Padua ein, wirkte 1722 bei den Krönungsfeierlichkeiten Karls VI. mit, wo er mit Tartini zusammentraf und mit diesem bis 1726 in Prag blieb. 1726–70 lebte er als 1. Violoncellist der Cappella Musicale del Santo wieder in Padua. Es ist sehr wahrscheinlich, daß Tartini, mit dem er im gleichen Orchester spielte, seine beiden Violoncellokonzerte für ihn geschrieben hat. Von V.s Kompositionen sind ein Concerto D dur für Vc., eine Sonate für Vc. solo (1717), 2 Soli für Vc. sowie 3 Sonaten für Vc. und B. handschriftlich erhalten.

Vandor, Ivan (Vándor), * 13. 10. 1932 zu Pécs (Ungarn); italienischer Komponist ungarischer Herkunft,

kam 1938 mit seiner Familie nach Rom, war 1948–52 als Jazzmusiker (Saxophon) tätig. Ab 1952 studierte er in Rom Komposition bei Petrassi am Conservatorio di Musica S.Cecilia (Diplom 1959) und an der Accademia Nazionale di S.Cecilia (Diplom 1963). 1967–68 gehörte er der Gruppe »Musica Elettronica Viva« an, die zahlreiche Tourneen durch Europa unternahm. Dann studierte er Musikethnologie an der University of California in Los Angeles (M. A. 1970). Von seinen Werken seien genannt: *Moti* für Orch. (1964); *Serenata* für Fl., Baßklar., Horn, Hf., Va und Vc. op. 4 (1964); Streichquartett (1964); *Esercizi* für 23 Blasinstr. (1965); *Musica per sette esecutori* (1967); *Canzone di addio* für Frauen-St., Fl., Mandoline, Va und Schlagzeug (1967); *Air* für Vc. und Kl. (1968); *Dance Music* für Orch. (1969); *Winds 845* für Fl., Ob., Horn und Fag. (1969); ferner Filmmusik. Er veröffentlichte u. a. *La notazione musicale strumentale del Buddismo tibetano* (nRMI VII, 1973).

+Van Durme, Jef (Jozef), * 7. 5. 1907 zu Kemseke (Waasland, Ostflandern), [erg.:] † 28. 1. 1965 zu Brüssel.
Sein +Oratorium trägt den Titel *De 14* [nicht: *Vier*] *stonden* (op. 7, 1931). – Weitere Werke: die Opern *The Death of the Salesman* op. 58 (nach Arthur Miller, 1955), *King Lear* op. 59 (1955–57), *Richard IV* op. 60 (1961) und *Antonius and Cleopatra* op. 61 (1957–64); *Van Gogh Suite* op. 57 (1954), Ballade Nr 3 (1961) und Suite Nr 3 (1962) für Orch.; *Allegro cappricioso* für Kl. (1963).
Lit.: J. DE SUTTER in: Vlaams muziektijdschrift XXII, 1970, S. 71ff. (mit Werkverz.).

Van Dyck (dik), Ernest, * 2. 4. 1861 zu Antwerpen, † 31. 8. 1923 zu Berlaer-lez-Lierre; belgischer Sänger (Heldentenor), studierte bei Saint-Yves Bax in Paris, trat dort, entdeckt von Lamoureux, ab 1883 in Konzerten auf, debütierte 1887 als Lohengrin im Théâtre Eden in Paris und sang 1888 erstmals in Bayreuth (*Parsifal*). Er war an der Wiener Staatsoper (1888–98) sowie an der Metropolitan Opera in New York (1898–1902) engagiert und machte sich vor allem als Wagner-Sänger einen Namen. 1892 kreierte er die Titelpartie von Massenets *Werther*. Ab 1906 lehrte er an den Konservatorien in Brüssel und Antwerpen.

+Van Elewyck, Xavier Victor Fidèle, chevalier, 1825–88.
+M. Van den Gheyn (1862), Faks.-Ausg. Utrecht 1972.

+Vanhal, Johann Baptist ([erg.:] Jan Křtitel Vaňhal), 1739 – 20. [nicht: 26.] 8. 1813.
V. schrieb auch 2 theoretische Werke (*Anfangsgründe des Generalbasses*, Wien 1817, und *Kurzgefaßte Anfangsgründe für das Pianoforte*, ebd. o. J.).
Ausg.: 7 Kl.-Stücke in: České sonatiny, hrsg. v. J. RACEK, K. EMINGEROVÁ u. O. KREBDA, = MAB XVII, Prag 1954; Kb.-Konzert E dur, hrsg. v. H. HERMANN, = Hofmeister Studienwerke o. 61; Lpz. 1957; Stücke f. Kl. 4händig in: Album čtyřručních skladeb starých českých mistrů, hrsg. v. E. KLEINOVÁ, A. FIŠEROVÁ u. E. MÜLLEROVÁ, Prag 1960; Konzert f. Va C dur, hrsg. v. J. PLICHTA, = Musica viva hist. X, ebd. 1962; Notturno C dur f. 2 Fl., 2 V. u. 2 Vc., hrsg. v. FR. SCHROEDER, Bln 1964; Concerto C dur f. Fag. u. Kl., hrsg. v. M. SCHWAMBERGER, Hbg 1964; Sinfonia G moll, hrsg. v. H. C. R. LANDON, = Diletto mus. Nr 38, Wien 1965; dass. hrsg. v. W. HOFMANN, Ffm. 1966; 6 leichte Stücke f. Kl. 4händig, hrsg. v. W. FRICKERT, Kassel 1966; Stücke f. Kl. in: České variace XVIII století, hrsg. v. D. ŠETKOVÁ, = Musica viva hist. XV, Prag 1966, ²1971; Snadné sonatiny (»Leichte Sonatinen«) f. Kl., hrsg. v. V. MILLEROVÁ, = Klavírní repertoár o. Nr, ebd. 1968; Thema con variazioni f. Kl.-Trio, ebd. 1969; Te Deum f. gem. Chor, 2 Hörner, Streicher u. Org., hrsg.

v. M. P. Eckhardt, Wien 1970; Divertimento C dur f. 2 Ob., 2 Hörner u. Fag., hrsg. v. H. Steinbeck, = General Music Series IX, Zürich 1971; Sonate Es dur f. Klar. u. Kl., hrsg. v. D. Stofer, = Klar.-Bibl. XIV, Mainz 1971; Trio a Serenade op. 12 Nr 5 f. V., Va, B., 2 Hörner ad libitum, in: H. Unverricht, Die Kammermusik, = Das Musikwerk XLVI, Köln 1972, auch engl.; Sonate Nr 5 Es dur f. Kla u. Kl., hrsg. v. A. Weinmann, = Diletto mus. Nr 544, Wien 1973; Concerto F dur f. Org., 2 V. u. B., hrsg. v. F. Haselböck, ebd. Nr 562.
Lit.: P. R. Bryan jr., The Symphonies of J. V., 2 Bde, Diss. Univ. of Michigan 1956 (mit thematischem Kat.); M. Poštolka, J. Haydn a naše hudba 18. stoleti (»J. Haydn u. unsere Musik im 18. Jh.«), Prag 1961; Ders. in: MGG XIII, 1966, Sp. 1255ff.; C. Schoenbaum, Die böhmischen Musiker in d. Musikgesch. Wiens vom Barock bis zur Romantik, Fs. E. Schenk, = StMw XXV, 1962; V. Duckles u. M. Elmer (mit P. Petrobelli), Thematic Cat. of a Ms. Collection of 18th-Cent. Ital. Instr. Music in the Univ. of California, Berkeley, Music Library, Berkeley 1963; F. Fišer, Varhanní tvorba J. K. V.a (»J. B. V.s Org.-Werke«), Diplomarbeit Prag 1968/69; A. Borková, Konfrontace V.ova klavírního stylu s klavírním stylem Mozartovým (»Ein Vergleich d. Kl.-Stils v. V. u. Mozart«), in: Hudební věda VI, 1969; Dies., Klavírní dílo J. K. V.a v konfrontaci s uměleckým postředim (»J. B. V.s Kl.-Werke in Konfrontation mit d. künstlerischen Umgebung«), Diss. Brünn 1971; Dies., K problematice české emigrace 18. stoleti (»Zur Problematik d. tschechischen Emigration im 18. Jh.«), in: Opus musicum III, 1971; L. Meierott, Die Schlacht bei Würzburg 1796, als Vorlage mus. Kompositionen, Mainfränkisches Jb. f. Gesch. u. Kunst XXIII, 1971.

+Van Hemel, Oscar Louis, * 3. 8. 1892 zu Antwerpen.
Neuere Werke: Concerto per strumenti a fiato (1960); Capriccio für Klar. und Kl. (1960); 6. Streichquartett (1961); 4 Shakespeare Sonnets für gem. Chor (1961); Concerto da camera für Fl. und Streicher (1962); Sextett für 5 Bläser und Kl. (1962); 4. Symphonie (1963); Konzert für Vc. (1963) und Concertino für V. (1963) mit Orch.; 3 Contrasts für Bläser und Schlagzeug (1963); 5. Symphonie (1964); Entrata für Orch. (1964); Serenade für Streicher, Ob., Klar. und Fag. (1965); Divertimento für Streicher (1965); Oboenquartett (1965); Polonaise für Orch. (1966); Suite für 2 V. (1966); 2. Violinkonzert (4 Scherzandi mit 4 Orchestergruppen, 1968); Song of Freedom für Sprechchor, gem. Chor und Orch. (1969); Konzert für 2 V. und Streicher (1970).
Lit.: W. Paap in: Mens en melodie XVII, 1962, S. 210ff.; J. Wouters in: Sonorum speculum 1962, Nr 13, S. 1ff.

Van Heusen (væn hj'u: sn), James (eigentlich Edward Chester Babcock), * 26. 1. 1913 zu Syracuse (N. Y.); amerikanischer Komponist, studierte 1930–32 an der Syracuse University, debütierte 1939 am Broadway in New York mit Songs für die Musical Comedy Swingin' the Dream und stand ab 1940 in Hollywood unter Vertrag bei der Paramount-Filmgesellschaft. Er arbeitete zunächst mit Johnny Burke als Textautor, dann mit Sammy Cahn zusammen. Mit letzterem erhielt er Academy Awards für die Songs All the Way (1957), High Hopes (1959) und Call Me Irresponsible (1963). V. H. schrieb zahlreiche Filmmusiken (Love Thy Neighbor; Playmates; Road to Zanzibar; Going My Way; And the Angels Sing; Mister Music; Let's Make Love) und Titelsongs für Filme (The Tender Trap; Where Love Has Gone; Thoroughly Modern Millie, 1967). Mit Cahn als Texter komponierte er die Broadway-Musicals Skyscraper (1965) und Walking Happy (1966).
Lit.: D. Ewen, Great Men of American Popular Song, Englewood Cliffs (N. J.) 1970.

+Vanický, Jaroslav, * 17. 4. 1922 zu Trnov (bei Opočno, Böhmen), [erg.:] † 15. 6. 1966 zu Český Brod.
Schriftleiter des Prager Staatsverlags für Denkmälerausgaben und Volkskunst war V. von 1953 [nicht: 1951] bis 1960. Danach war er Mitarbeiter am staatlichen Musikverlag und ab 1962 am Nationalmuseum in Prag. Als Redakteur von »Hudební rozhledy« arbeitete er bis 1960. – Weitere Schriften: Domaslav, první český hymnograf (in: Hudobnovedné štúdie IV, 1960, deutsch gekürzt als Frater Domaslav, der älteste bekannte Sequenzendichter Böhmens, Jb. für Liturgik und Hymnologie V, 1960); O rožmberské kapele a jejích inventářich (»Über die Kapellen der Herren von Rožmberk und ihre Inventarien«, Prag 1965, engl. in: The Consort XXII, 1965); O tscheschskoj musyke (»Über die tschechische Musik«, mit J.Jiránek und B.Karásek, Moskau 1965); Czech Mediaeval and Renaissance Music (in: Musica antiqua Europae Orientalis I, Kgr.-Ber. Bydgoszcz 1966); K vývojovým procesům v melodice druhé poloviny 16. a počátku 17. stoleti (»Zu den Entwicklungsprozessen in der Melodik der 2. Hälfte des 16. und des angehenden 17. Jh.«, in: Hudební věda III, 1966, mit deutscher, engl. und russ. Zusammenfassung).
Lit.: M. Poštolka in: Hudební věda III, 1966, S. 572ff.

+Van Maldeghem, Robert Julien, [erg.:] 9.10. 1806 [nicht: 1810] – 1893.
Zum +Trésor musical ... (1865–93; Nachdr. in 6 Bden Vaduz und NY 1965, als Vorw.: +G. Reese, M. and His Buried Treasure, 1948/49) → Denkmäler (Belgien 1).
Lit.: S. Wallon, Les acquisitions de la Bibl. du Conservatoire de Paris à la vente de la Collection Van M., RBM IX, 1955.

+Van Maldere, Pierre, 1729 – 1. [erg.: begraben 3.] 11. 1768.
Ausg.: Symphonie B dur op. 4 Nr 3, hrsg. v. A. Carse, London 1958.

+Vanneo, Stefano, 1493 – [erg.:] nach 1540 zu Ascoli Piceno(?).
Ausg.: Recanetum de musica aurea (1533), Faks. hrsg. v. S. Clercx, = DMl I, 28, Kassel 1970.

Van Neste, Carlo, * 1. 4. 1914 zu Courtrai; belgischer Violinist, studierte am Conservatoire in Brüssel sowie bei Enescu in Paris und konzertierte in Europa, Afrika und der UdSSR. Er ist gegenwärtig Professor an den Konservatorien in Brüssel und Utrecht.

+Van Nuffel, Jules [erg.:] (Julius) Joseph Paul Maria, 1883–1953.
An der Universität Löwen hatte Van N. ab 1933 das niederländische und ab 1939 auch das französische Lektorat für Musikgeschichte inne. – +Nova organi harmonia ([erg.:] Mechelen 1943–51).
Lit.: J. Joris, Cat. d. werken v. Mgr. J. Van N., in: Musica sacra »sancta sancte« LXIV, 1963 (Beilage zu Nr 2). – Sonder-H. Van N., = Gamma XXX, 1973, Nr 3. – J. Joris in: Musica sacra »sancta sancte« LXIV, 1963, S. 151ff.; E. L. Van Nuffel, Mgr. J. Van N. ..., Herinneringen, getuigenissen en dokumenten, Courtrai 1967.

Van Parys (vã par'i), Georges, * 7. 6. 1902 und † 28. 1. 1972 zu Paris; französischer Komponist von Chansons, Filmmusik und Operetten, wandte sich nach dem Studium der Rechtswissenschaft der Musik zu und trat zunächst als Begleitpianist von Chansonsängern, u. a. von Lucienne Boyer, hervor. Von seinen Chansons seien genannt (Textautoren in Klammern): C'est un mauvais garçon (Jean Boyer, 1936); A mon âge (Boyer, 1937); Ça fait d'excellents Français (Boyer, 1939); Sans lendemain (Michel Vaucaire, 1938); Retour à *Montmartre* (Vaucaire, 1957); *Un jour tu verras* (Mouloudji, 1954). V. P. komponierte die Musik für über 200 Filme, darunter die René-Clair-Filme *Le million* (1937), *Le silence est d'or* (1947) und *Les grandes manœuvres* (1955).

+Van Remoortel, Edouard, * 30. 5. 1926 zu Brüssel.
1958–63 war er Chefdirigent des St. Louis Symphony Orchestra (Mo.). Seit 1965 ist er musikalischer Berater des Orchestre national de l'Opéra in Monte Carlo, wo er heute auch seinen Wohnsitz hat.

Vantin, Martin, * 14. 5. 1919 zu Nürnberg; deutscher Sänger (Tenorbuffo), studierte in seiner Heimatstadt 1938–40 am Konservatorium sowie ab 1945 privat bei Werner Menke. Er debütierte 1947 an der Bayerischen Staatsoperette in München und kam über die Opern in Ulm (1948–50), Kassel (1950–51) und Wuppertal (1951–55) 1955 an die Städtische Oper Berlin (heute Deutsche Oper Berlin), deren Ensemblemitglied er seitdem ist (1967 Kammersänger). V. trat bei den Festspielen in Salzburg auf und gastierte im In- und Ausland.

+Vaňura, Česlav, [erg.:] 11. 2. 1667 – 1736.
Lit.: J. BUŽGA in: MGG XIII, 1966, Sp. 1268f.

Van Vactor (væn v'æktə), David, * 8. 5. 1906 zu Plymouth (Ind.); amerikanischer Komponist, Dirigent und Flötist, studierte an der Musikschule der Northwestern University in Evanston (Ill.) sowie ab 1929 in Wien bei Josef Niedermayr und ab 1931 in Paris bei Dukas. Danach war er Flötist im Chicago Symphony Orchestra, lehrte Musiktheorie an der Northwestern University (1936–43) und leitete die Kompositionsklasse des dortigen Konservatoriums. 1947 gründete er das Department of Fine Arts an der University of Tennessee in Knoxville und wurde Dirigent des dortigen Symphony Orchestra. Seine Kompositionen umfassen u. a. das Ballett *The Play of Words* (Chicago 1934), Orchesterwerke (2 Symphonien, 1937 und 1958; symphonische Suite, 1938; *Sewanee Suite*, 1963; *Sinfonia breve*, 1964; Flötenkonzert, 1932; Violakonzert, 1940; Violinkonzert, 1950; Suite für Trp. und Kammerorch., 1962), Kammermusik (Blechbläseroktett, 1963; Quintett für 2 V., Va, Vc. und Fl., 1932; 2 Streichquartette, 1940 und 1949; 5 Etüden für Trp., 1963), eine Klaviersonate (1962), Vokalwerke (Credo für Chor und Orch., 1941; Kantate für 3 hohe St. und Orch., 1947; Anthem für gem. Chor und Org., 1962; *Walden* für Chor und Orch., 1969) sowie Filmmusik.
Lit.: Werkverz. in: Composers of the Americas IX, Washington (D. C.) 1963.

+Vanzo, Vittorio Maria, 1862–1945.
Sein Œuvre umfaßt insgesamt 115 Werke.
Lit.: A. TONI, V. M. V., Mailand 1946 (mit Werkverz.); G. CONFALONIERI in: I grandi anniversari del 1600 ..., hrsg. v. A. Damerini u. G. Roncaglia, = Accad. mus. Chigiana (XVIII), Siena 1960, S. 133ff.

Vaquedano (bakeð'ano), José (Baquedano), * um 1642, † 17. 2. 1711 zu Santiago de Compostela; spanischer Komponist, wurde stellvertretender Maestro de capilla am königlichen Kloster Nuestra Señora de la Encarnación in Madrid und 1680 Maestro de capilla an der Metropolitanbasilika in Santiago de Compostela. Er komponierte kirchenmusikalische Werke (Messen, Psalmen, Magnificat, Motetten, Lamentationen, Villancicos).
Lit.: FR. J. SÁNCHEZ-CANTÓN, Noticias del maestro de capilla de la catedral de Santiago, Fray J. de Baquedano, in: El museo de Pontevedra 1962, Nr 16; J. LÓPEZ-CALO,

Cat. mus. del arch. de la S. Iglesia Catedral de Santiago, Cuenca 1972.

+Varèse, Edgar [erg.:] (eigentlich Edgard) Victor Achille Charles, * 22. 12. 1883 ([erg.:] nach anderen Unterlagen 24. 12. 1885) zu Paris, [erg.:] † 6. 11. 1965 zu New York.
Von seinen Lehrern an der Schola Cantorum in Paris ist besonders auch Ch. Bordes zu nennen. V. ging schon im Winter 1907 [nicht: 1908] nach Berlin. Sein Forschen nach neuen Klangmaterialien begann in Verbindung mit René Bertrand bereits 1913 [nicht: 1929], er setzte es fort u. a. mit dem Akustiker Harvey Fletcher (1927–36) und dem Physiker L. → +Theremin, der zwei Instrumente für V.s *Ecuatorial* (1933–34) baute.
Werke: 3 Stücke (1905[?]), *La chanson des jeunes hommes* (1905), *Le prélude à la fin d'un jour* (1905), *Rapsodie romane* (1906, auch für Kl.), *Bourgogne* (1907–08), *Gargantua* (1909, unvollendet), *Mehr Licht* (1911[?]) und *Les cycles du Nord* (1912[?]) für Orch. sowie die Oper *Oedipus und die Sphinx* (Hofmannsthal, 1908–14, unvollendet). (Alle diese Kompositionen wurden, bis auf das 1962 von V. selbst zerstörte *Bourgogne*, durch einen Brand in Berlin vernichtet.) – Erhaltene Werke: *Un grand sommeil noir* für Singst. und Kl. (Verlaine, 1906); 2 Lieder *Offrandes* für S. und Kammerorch. (*Chanson de là-haut* von V. Huidobro und *La croix du sud* von J. J. Tablada, 1921); *Amériques* für Orch. (1918[?]–22, revidiert 1927); *Hyperprism* für 9 Bläser und Schlagzeug (u. a. eine Sirene, 1922); *Octandre* für 7 Bläser (Fl., Klar., Ob., Fag., Horn, Trp., Pos.) und Kb. (1923); *Intégrales* für 11 Bläser (2 Piccolo-Fl., Ob., 2 Klar., Horn, 2 Trp., 3 Pos.) und Schlagzeug (4 Spieler; 1924); *Arcana* für Orch. (1925–27); *Ionisation* für Schlagzeugensemble (u. a. 2 Sirenen und Kl., 13 Spieler; 1930–31, N. Slonimsky gewidmet); *Ecuatorial* für Baßchor, 4 Trp., 4 Pos., Kl., Org., 2 Ondes Martenot und Schlagzeug (6 Spieler; 1. Fassung für B. solo, 4 Trp., 4 Pos., Kl., Org., 2 Theremins und Schlagzeug; spanische Fassung eines Textes aus dem heiligen Buch der Maya Quiché »Popul Vuh«, 1933–34); *Density 21.5* für Fl. (1936, revidiert 1946, für G. Barrères Platin-Fl. [21,5 ist das spezifische Gewicht von Platin]); *Etude pour espace* für gem. Chor, 2 Kl. und Schlagzeug (6 Spieler; 1947); *Déserts* für 14 Bläser (2 Fl., 2 Klar., 2 Hörner, 3 Trp., 3 Pos., 2 Tuben), Kl., Schlagzeug (5 Spieler) und 3 »Interpolations of electronically organized sound« (1949–54, 1. und 3. Interpolation 1961 unter Assistenz von B. Arel revidiert; elektronische Musiken *Good Friday Procession in Verges* (für Th. Bouchards Film *Around and About J. Miró*, 1955–56) und *Poème électronique* (1957–58, für den Philips-Pavillon der Weltausstellung in Brüssel 1958). Unvollendet blieben *Nocturnal* für S., Baßchor, 12 Bläser (Piccolo-Fl., Fl., Ob., 2 Klar., Fag., Horn, 2 Trp., 3 Pos.), Streicher, Kl. und Schlagzeug (5 Spieler; Text aus Anaïs Nins *House of Incest*, 1960–61, vollendet von Chou Wen-chung), *Dans la nuit* (nach H. Michaux) und *Nuit* (*Nocturnal II*) für S., 8 Bläser (Fl., Ob., Klar., 2 Trp., 2 Pos., Horn), Kb. und Schlagzeug (auf Worte von Anaïs Nin). – Veröffentlichungen: *Les instruments de musique et la machine électronique* (in: L'âge nouveau 1955, Nr 92); *The Liberation of Sound* (in: Perspectives of New Music V, 1966/67, auch in: Perspectives on American Composers [s. u.], und in: Contemporary Composers on Contemporary Music, hrsg. von E. Schwartz und B. Childs, NY 1967) und *Erinnerungen und Gedanken* (in: Darmstädter Beitr. zur Neuen Musik III, Mainz 1960, polnisch in: Res facta I, 1967, S.

5ff., ital. in: Lo spettatore mus. III, 1968, Nr 4, S. 3ff.).
Ausg.: Amériques, hrsg. v. Chou Wen-chung, NY 1973.
Lit.: Sonder-H. u. Aufsatzfolgen: Liberté 59, 1959, Nr 5
(Montréal); Nutida musik IX, 1965/66, H. 2, S. 18ff.;
RM 1969, Nr 265/266–267; Soundings 1974, Frühjahrs-H.
– Hommage à E. V., hrsg. v. D. Saint-Aubin, Montréal
1965; Perspectives on American Composers, hrsg. v. B.
Boretz u. E. T. Cone, = The »Perspectives of New Mu-
sic« Series o. Nr, NY 1971 (= Wiederabdrucke aus »Per-
spectives. . .«). – Erinnerungen an V. in: Perspectives of
New Music IV, 1965/66, Nr 2, S. 1ff.
+O. Vivier, Innovations instr. d'E. V., RM 1955, Nr 226
[del. frühere Angaben]. – H. Cowell, The Music of E. V.,
in: American Composers on American Music, Stanford
(Calif.) 1933, unveränderte NA NY 1962; M. Wilkinson
in: The Score 1957, Nr 19, S. 5ff. (S. 15ff. Analyse v.
»Density 21.5«), deutsch in: Melos XXVIII, 1961, S.
68ff. (zu »Intégrales« u. »Octandre«); L. C. Kalff, Le
Corbusier u. a., Le poème électronique Le Corbusier,
Paris 1958; B. Hambraeus in: Ord och bild LXVIII, 1959,
S. 145ff.; H.-Kl. Metzger in: Darmstädter Beitr. zur
Neuen Musik II, Mainz 1959, S. 54ff.; J. C. Paz, A.
Webern, E. V. y el nuevo espíritu mus., in: Cultura uni-
versitaria 1960, Nr 70/71; A. McMillan in: Nutida mu-
sik IV, 1960/61, H. 4, S. 9ff. (Gespräch); J. Cage in:
Silence, Middletown (Conn.) 1961 u. London 1968, Paper-
backausg. Cambridge (Mass.) u. London 1966, 41970, S.
83ff.; J. Roy in: Musique frç., = Présences contemporai-
nes o. Nr, Paris 1962, S. 123ff.; G. Fant in: Nutida musik
VI, 1962/63, H. 7, S. 29ff. (zu »Octandre«); H. Mayer in:
Mens en melodie XVIII, 1963, S. 56ff.; P. Faltin in:
Slovenská hudba VIII, 1964, S. 138ff. (Marginalien);
Chou Wen-chung in: Current Musicology 1965, Nr 1,
S. 169ff.; Ders. in: MQ LII, 1966, S. 151ff.; E. Helm,
Außenseiter V., in: Melos XXXII, 1965; R. Henderson
in: MT CVI, 1965, S. 942ff.; Fr. Lesure, Debussy et
E. V., in: Debussy et l'évolution de la musique au XXe s.,
hrsg. v. E. Weber, Paris 1965; G. Chase in: Inter-Ameri-
can Inst. f. Mus. Research, Yearbook II, 1966, S. 95ff.; P.
Hugli in: SMZ CVI, 1966, S. 155ff.; F. Ouellette, E. V.,
Paris 1966, engl. NY 1968 u. London 1973; L. M. Cross,
A Bibliogr. of Electronic Music, Toronto 1967; A.
Whitall, V. and Organic Athematicism, MR XXVIII,
1967 (zu »Déserts«); L. Alcopley, E. V. on Music and
Art. A Conversation, International Journal of the Con-
temporary Artist I, 1968; J. H. Conely, An Analysis of
Form in »Arcana« of E. V. and the Trilogy of S. Beckett,
Diss. Columbia Univ. (N. Y.) 1968; K. Boehmer in:
Kgr.-Ber. Bonn 1970, S. 307ff.; R. Brinkmann, ebd. S.
313ff. (vgl. auch S. 299 u. 318f.); G. Charbonnier, Entretiens avec E. V., = Entretiens o. Nr, Paris 1970 (mit einem Beitr. v. H. Halbreich über V.s Schaffen); M. Gümbel in: Zs. f. Musiktheorie I, 1970, H. 1, S. 31ff. (zu
»Density 21.5«); R. J. Jackson, Harmony Before and
After 1910. A Computer Comparison, in: The Computer
and Music, hrsg. v. H. B. Lincoln, Ithaca (N. Y.) 1970; P.
Reale, The Process of Multivalent Thematic Transformation, Diss. Univ. of Pennsylvania 1970 (zu »Ionisation«); V. Thomson, American Music Since 1910, = Twentieth-Cent. Composers I, London u. NY 1970 u. 1971; J.
Peyser, The New Music. The Sense Behind the Sound,
NY 1971; E. Salzman in: Stereo Rev. XXVI, 1971, H. 6,
S. 56ff.; H. Steinhardt, V., unbegriffener Prophet einer
kosmischen Schallwelt, in: Melos XXXVIII, 1971; L.
Varèse, V., A Looking-Glass Diary, Bd I: 1883–1928,
NY 1972, London 1973; H. Jolivet, V., = Musiciens de
notre temps o. Nr, Paris 1973; O. Vivier, V., = Solfèges
XXXIV, ebd.; V. Gruhn in: Perspektiven neuer Musik,
hrsg. v. D. Zimmerschied, Mainz 1974, S. 55ff. (zu »Ioni-
sation«); L. Stempel, Not Even V. Can Be an Orphan,
MQ LX, 1974 (u. a. zu »Un grand sommeil noir«).

+Varga, Tibor, * 4. 7. 1921 zu Győr (Raab).

In Sion (Wallis), wo V. lebt, gründete er 1964 das im
Sommer stattfindende und unter seiner Leitung stehen-
de Festival T. V., bei dem auch zeitgenössischer Musik
Raum geboten wird (zahlreiche Uraufführungen, Fo-
rum für Komponisten). Seit 1965 finden gleichzeitig
Interpretationskurse für verschiedene Instrumente und
Kammermusikgruppen statt, seit 1967 zusätzlich ein
internationaler Wettbewerb für Geiger.
Lit.: R. Cantiéni, Une leçon d'authenticité. Cours T. V.
à Sion, SMZ CVII, 1967.

Vargas-Wallis (b'argazb'aʎis), Darwin Horacio,

* 8. 3. 1925 zu Talagante; chilenischer Komponist, studierte autodidaktisch und am Conservatorio Nacional
de Música in Santiago de Chile (Urrutia Blondel, Orrego Salas, Santa Cruz). Er komponierte u. a. Orchesterwerke (Symphonie Reflexión, 1965; Rapsodia para días
de duelo y esperanza für Git. und Orch., 1962), Kammermusik (Quintett Nr 1 für Fl., Ob., Klar., Horn und
Fag., 1968; Sonate Nr 4 für 2 Klar. und Baßklar.,
1970), Stücke für Gitarre (Sonatine, 1963; Sonate für
2 Git., 1970), Harfe und Orgel sowie Vokalwerke
(Responso para un músico für S., Bar., gem. Chor und
Streichorch., 1965; Chöre und Lieder) und Bühnenmusik.
Lit.: Werkverz. in: Compositores de América XVII,
Washington (D. C.) 1971.

+Varnay, Astrid Ibolyka Maria, * 25. 4. 1918 zu

Stockholm.
An der Metropolitan Opera in New York sang A. V.
ständig bis 1956 (erneut als Gast 1974). Bei den Bayreuther Festspielen wirkte sie 1951–68 mit (des weiteren auch als Senta, Sieglinde, Ortrud und Kundry).
1967 wurde sie zur (Bayerischen) Kammersängerin ernannt. Als Nachfolgerin von Franziska Martienssen-
Lohmann übernahm sie 1970 die Meisterklasse für Gesang am Konservatorium in Düsseldorf. A. V. lebt
heute in München.
Lit.: B. W. Wessling, A. V., Bremen 1965 (mit Diskographie).

Varsi (b'arsi), Dinorah, * 15. 11. 1939 zu Monte-

video; uruguayische Pianistin, studierte in ihrer Hei-
matstadt und an der Ecole Normale de Musique in
Paris und vervollkommnete sich durch Studien bei
Anda. Sie gewann u. a. erste Preise beim internationa-
len Wettbewerb in Barcelona (1962) und beim
Concours international de piano Cl. Haskil in Luzern (1967).

Varviso, Silvio, * 26. 2. 1924 zu Zürich; Schweizer

Dirigent, studierte am Konservatorium seiner Heimatstadt bei W. Frey (Klavier) sowie bei Müller(-Zürich)
und Hans Rogner (Dirigieren) und wurde 1946 Kapellmeister am Stadttheater St. Gallen. 1950 ging er an
das Stadttheater in Basel (1956 Musikalischer Oberleiter) und war dann als Gastdirigent tätig (Städtische
Oper Berlin 1958–61; Covent Garden Opera London
1962). 1962 wurde er ständiger Dirigent an der Metropolitan Opera in New York. Außerdem wirkt er als
Musikdirektor an der königlichen Oper in Stockholm
(1970 Königlicher Kapellmeister). Seit 1972 ist er GMD
der Württembergischen Staatsoper in Stuttgart.

+Varvoglis, Marios, * 10.(22.) 12. 1885 und [erg.:]

† 30. 7. 1967 zu Athen.
Ab 1924 war er Professor für Komposition und Musikgeschichte am Hellenischen Odeon, das er von 1937
an zusammen mit A. Evangelatos leitete. Er wurde
1957 zum Präsidenten der griechischen Komponisten-
gesellschaft gewählt. Zu seinem Schaffen gehört ferner
die einaktige Oper Ἀπόγευμα ἀγάπης (»Nachmittag
der Liebe«, 1935, Athen 1944). V. betätigte sich auch
als Musikkritiker.

Vásárhelyi (v'a:ʃa:rhɛj), Zoltán, * 12. 3. 1900

zu Kecskemét; ungarischer Chordirigent, studierte
Violine bei J. Hubay und Komposition bei Kodály an
der Musikhochschule in Budapest. 1924–26 war er
Konzertmeister des Symphonieorchesters Estonia in

Tallinn, 1926 Solist des Kammerorchesters in Bergen (Norwegen) und 1926–42 Professor für Violine und Chordirigent an der Musikschule in Kecskemét. Hier organisierte er ein reges Musikleben und setzte sich früh (auch mit Uraufführungen) für die Chorwerke von Bartók und Kodály ein. 1942 übernahm er die Klasse für Chorleitung an der Musikhochschule in Budapest. V. komponierte eine Symphonie (1956) und zahlreiche Chöre, bearbeitete Volkslieder für Chor und veröffentlichte *Az énekkari vezénylés módszertana* (»Methodik der Chorleitung«, Budapest 1965).

Vásáry (v'aːʃaːrj), Tamás, * 11. 8. 1933 zu Debrecen; ungarischer Pianist, lebt seit 1956 in Westeuropa (seit 1958 in der Schweiz und in England). Er gab bereits mit 8 Jahren sein erstes Klavierkonzert und studierte später bei Lajos Hernádi an der Musikhochschule in Budapest, an der er ab 1943 Assistent von Kodály war. 1953–56 unternahm er Konzerttourneen durch osteuropäische Länder. Danach trat er in allen westeuropäischen Musikzentren auf, gab 1961 sein USA-Debüt in der Carnegie Hall in New York und spielte in Afrika, Japan, Australien und Südamerika. Er ist vor allem als Liszt-, Chopin- und Debussy-Interpret geschätzt.

Vašata (v'aʃata), Rudolf, * 27. 9. 1911 zu Prag; tschechischer Dirigent, Sohn des Dirigenten Josef V. (1884–1942), studierte ab 1934 bei Talich, der ihn 1937 an das Prager Nationaltheater engagierte. 1949–56 wirkte er als Chefdirigent der Oper in Ostrau. 1960 übernahm er die Leitung der Oper in Liberec. V. ist ständiger Gast des Prager Nationaltheaters, der Staatsoper und der Komischen Oper in Berlin sowie am Opernhaus in Frankfurt a. M. Er hat zahlreiche Werke im tschechischen Fernsehen dirigiert und ist als Pianist in den Liederabenden seiner Frau Ludmila → +Dvořáková aufgetreten.

+Vasconcellos (vɐʃkõs'eluʃ), Joaquim de (Joaquim António da Fonseca Vasconcelos [erg. frühere Angabe]), 1849 – 2. [nicht: 1.] 3. 1936.

Vasconcelos (vɐʃkõs'eluʃ), Jorge Croner de, * 11. 4. 1910 zu Lissabon; portugiesischer Komponist und Pianist, studierte in seiner Heimatstadt 1927–31 an der Universität (Literatur) und 1927–34 bei Freitas Branco am Conservatório Nacional sowie 1934–37 in Paris bei Nadia Boulanger, Roger-Ducasse, Dukas und Strawinsky. Seit 1939 ist er Professor für Komposition am Conservatório Nacional in Lissabon. Er schrieb die Ballette *A faina do mar*, *A lenda das amendoeiras* (1940) und *Coimbra* (1959), Orchesterwerke (*Poemetto sinfónico*, 1928; Symphonie *A vela vermelha*, 1962; Suite concertante für Kl. und Orch.), Kammermusik (Streichquartett; *3 peças* für V., 1943), *3 tocatas Carlos Seixas* (1942) und Partita (1961) für Kl. sowie Vokalwerke (*Melodias sobre antigos textos portugueses* für St., Fl. und Streichquartett, 1937; *Canções populares portuguesas* für St. und Kl. oder Orch.; Lieder). Lit.: S. KASTNER, Contribución al estudio de la música española y portuguesa, Lissabon 1941.

Vásquez (b'askeθ), Juan (Vázquez), * um 1500 zu Bajadoz (Estremadura), † um 1560 zu Sevilla; spanischer Komponist, war Kantor der Kathedrale von Palencia (1539), Mitglied der Kapelle des Kardinals von Tavera in Madrid und Toledo (1541–42) sowie ab 1545 Maestro de capilla der Kathedrale in Bajadoz. 1551 trat er in den Dienst des Don Antonio de Zúñiga in Osuna (Andalusien), erhielt 1556 die Priesterweihe und wurde Musiker bei Juan Bravo (wahrscheinlich identisch mit Graf Juan de Urneña, Provinz Salamanca,

genannt »el Santo«). 1560 lebte er am Hofe von Don Gonzalo de Moscoso y Cásceres Penna in Sevilla. Er veröffentlichte *Villancicos y canciones a 3 y a 4* (Osuna 1551), *Agenda defunctorum a 4 v.* (Sevilla 1556), *Recopilación de sonetos y villancicos a 4 y a 5* (ebd. 1560) sowie zahlreiche Villancicos in Transkriptionen für Gesang und Vihuela (mit Tabulatur) in Ausgaben der Zeit. Ausg.: Recopilación de sonetos . . ., hrsg. v. H. Anglés, = MMEsp IV, Barcelona 1946. Lit.: S. KASTNER, La música en la catedral de Bajadoz (años 1520–1603), AM XII, 1957; M. SCHNEIDER, Ein heute noch lebendes Volkslied bei J. V., AM XV, 1960; E. A. RUSSEL, Villancicos and Other Secular Polyphonic Music of J. V., A Courtly Tradition in Spain's »s. del oro«, Diss. Univ. of Southern California 1970; DIES., The Patrons of J. V., A Biogr. Contribution, AM XXVI, 1971.

Vasyliūnas, Izidorius, * 21. 3. (3. 4.) 1906 zu St. Petersburg; litauischer Violinist und Organist, studierte am Konservatorium in Kaunas und war Lehrer für Violine an den Konservatorien in Wilna (1940–41) und Kaunas (1941–44) sowie an der Universidad del Cauca in Popayan (Kolumbien, 1950–54). Seit 1963 unterrichtet er an der Brookline Music School (Mass.). Daneben ist er als Organist (seit 1959) an der litauischen Kirche in Cambridge (Mass.) tätig. Er spielte in verschiedenen Orchestern (u. a. im Orchester des ORF) und trat in Solo- und Kammermusikkonzerten in Wien, Toronto und New York auf.

Vaszy (v'ɔsj), Viktor, * 25. 7. 1903 zu Budapest; ungarischer Dirigent und Komponist, studierte an der Musikhochschule in Budapest bei Koessler und Kodály Komposition (Diplom 1927). 1929 gab er sein Debüt als Dirigent und war ab 1930 Professor an der Musikakademie in Budapest und ab 1929 Chordirektor des Budapester Universitätschores, mit dem er Konzertreisen durch Europa und 1937 in die USA unternahm. 1941 wurde er Direktor der Oper in Kolozsvár (heute Cluj, Rumänien), 1944 Dirigent der Budapester Staatsoper, 1945 Operndirigent in Szeged (1948 Direktor), 1951 Dirigent in Győr, dann wieder in Budapest und 1957 abermals Opernchef in Szeged. Zahlreiche Ur- und Erstaufführungen (darunter Werke von Bartók und Kodály) sind mit seinem Namen verbunden. Er komponierte u. a. 2 Suiten für Orch. (1926 und 1937), *Vigjáték-nyitáy* (»Lustspielouvertüre«, 1932), ein Streichquartett (1948), die Kantate *A föld dicsérete* (»Loblied der Erde«) für Bar., Chor und Orch. (1961) sowie Kammermusik, Chöre, Lieder und Filmmusik.

+Vatielli, Francesco (eigentlich Bracci V.), 31. 12. 1876 (laut Eintrag im Geburtenregister: 1. 1. 1877) – 1946 [erg. frühere Angaben]. *+Un musicista pesarese nel s. XVI* (1904), Nachdr. = Bibl. musica Bononiensis III, 15, Bologna 1968 (dazu beigebunden die Nachdr. von +»I. Canoni musicali« di L. Zacconi, 1905 [nicht: 1906], und +Di L. Zacconi, 1912); +Arte e vita musicale a Bologna. Studi e saggi (1927; Slg älterer Aufsätze), Nachdr. ebd. II, 18, 1969.

Vaubourgoin (voburgw'ɛ̃), Julien-Fernand, * 29. 12. 1880 und † 25. 11. 1952 zu Bordeaux; französischer Komponist, studierte 1900–07 am Konservatorium seiner Heimatstadt, wo er später Professor für Solfège, Klavier, Orgel, Dirigieren, Harmonielehre und Kontrapunkt wurde. Er war der Lehrer von Barraud und Beydts. Seine Kompositionen umfassen u. a. die Opéra-comique *Jolivette*, die Ballette *Nitétis* und *Hoa-Tchy* (Bordeaux 1950), Orchesterwerke (*Pannyre aux talons d'or*; *Nocturne Xanthis*, Suite in 12 Sätzen), Kammer- und Klaviermusik (*Lied* für V. und Kl., 1913; *Pièce* *sérieuse* für Kl., 1913), 3 Symphonien für Org. sowie Lieder.

Vaubourgoin (voburgw'ɛ̃), Marc, * 19. 3. 1907 zu Caudéran (Gironde); französischer Komponist, Sohn von Julien-Fernand V., erhielt zunächst Unterricht bei seinem Vater, studierte dann am Konservatorium in Bordeaux sowie am Pariser Conservatoire (Dukas, Widor, N. Gallon, Gédalge). 1937–43 war er Direktor des Konservatoriums in Nantes und wurde dann Dirigent bei der ORTF und 1954 Leiter ihrer musikwissenschaftlichen Abteilung. Er schrieb u. a. das Ballett *Conte de Noël, ou Le diable boiteux* (1942), Orchesterwerke (2 Symphonien, 1938 und 1955; *Prélude, fanfare et danse*, 1945; Orchestersuiten), Konzerte für Vc. (1936), Kl. (1947), Trp. (1962), Fag. (1964) und Cemb. (1968) mit Orch., Kammermusik (Bläserquintett, 1932; Sonate für V. und Vc., 1938; *6 petites pièces* für Altsax. und Kl., auch mit Orch., 1951), Klavierwerke (*Scènes de cirque*, 1953; *Humour*, 6 Stücke, 1955; Sonate, 1967) und Vokalmusik (3 Chansons nach Marot für 4st. Chor a cappella, 1952).

Vaughan (vɔ:n), Denis Edward, * 6. 6. 1926 zu Melbourne; australischer Dirigent, wurde nach einem Orgelstudium in London und Paris (Marchal) und einem Kontrabaßstudium in Wien 1950 Kontrabassist, Organist, Cembalist und Pianist beim Royal Philharmonic Orchestra in London und 1953 Assistant Conductor von Beecham. Er debütierte als Dirigent 1954 in London mit dem Londoner Royal Philharmonic Orchestra. V. bildete und leitete das »Orchestra of Naples«, mit dem er Tourneen durch zahlreiche europäische Länder unternommen hat. 1972 wurde er Solorepetitor an der Münchner Staatsoper. Seine Entdeckung von Diskrepanzen zwischen den Handschriften und gedruckten Partituren der Werke Verdis und Puccinis entfachte eine Kampagne, die zu der Stockholmer Konferenz für eine Revision der Berner Konvention zum Schutze der Originaltexte (1967) führte (vgl. dazu Rass. mus. XXIX, 1959, S. 27ff. und 106ff., sowie XXX, 1960, S. 60ff.). Er verfaßte ferner u. a. die Beiträge *Puccini's Orchestration* (Proc. R. Mus. Ass. LXXXVII, 1960/61) und *Der Schutz von Musikwerken* (NZfM CXXIII, 1962). Als erste Aufführung einer Verdi-Oper, basierend auf den Originaltexten, dirigierte er 1970 *La Traviata* an der Sadler's Wells Opera. Lit.: B. Dal Fabbro, Le partiture di Verdi e di Puccini, in: Musica d'oggi IV, 1961; I. Pizzetti, I mss. di Verdi e di Puccini. Una interpellanza al Senato della Repubblica, ebd.; G. Barblan, La polemica sulle partiture verdiane, in: Le vie d'Italia LXIX, 1963.

Vaughan (vɔ:n), Elisabeth, * 1937 zu Llanfyllin (Montgomeryshire); englische Sängerin (lyrischer Sopran), studierte in London an der Royal Academy of Music und gehört seit 1962 zum Ensemble der Covent Garden Opera. Sie gastiert in ganz Europa, Südafrika und den USA. Von ihren Partien sind zu nennen Gilda, Violetta, Leonora (*Il trovatore*), Desdemona, Mrs. Ford (*Falstaff*), Mimi und Butterfly.

+Vaughan Williams, Ralph, 1872–1958.
Berichtigungen und Ergänzungen zum früheren Werkverzeichnis: 6 Lieder *On Wenlock Edge* für T., Kl. und Streichquartett ad libitum (1909); Musik zu Aristophanes' »Wespen« für T., Bar., Männerchor und Orch. (1909, daraus *Aristophanic Suite* für Orch., 1912); *Fantasia on a Theme by Tallis* für Streichquartett und doppeltes Streichorch. (1910); *5 Mystical Songs* für Bar., gem. Chor ad libitum und Orch. (1911); *Fantasia on Christmas Carols* für Bar., gem. Chor und Orch. (1912); (2.) *London Symphony* (1913, 3 Revisionen 1918–34); 3

Rondels *Merciless Beauty* für hohe St. und Streichtrio (oder Kl., nach Chaucer, 1921); *The Lark Ascending* für V. und Orch. oder Kammerorch. (1914–20); Pastoralepisode *The Shepherds of the Delectable Mountains* für Soli, Frauenchor und kleines Orch. (London 1922); Masque mit Tanz und Gesang *On Christmas Night* (nach Ch. Dickens' *A Christmas Carol*, Chicago 1926); Kantate *In Windsor Forest* für gem. Chor und Orch.; *Dona nobis pacem* für S., Bar., gem. Chor und Orch. (1936); Choralsuite *5 Tudor Portraits* für A., Bar., gem. Chor und Orch. (1935); »Romantic Extravaganza« *The Poisoned Kiss* (mit gesprochenen Dialogen, 1927–29, 3 Revisionen 1934–57, Cambridge 1936); *Thanksgiving for Victory* (auch als *A Song of Thanksgiving*) für S., Sprecher, gem. Chor und Orch. (1944); »Morality« *The Pilgrim's Progress* (1906–51, London 1951); Kantate *The Sons of Light* für gem. Chor und Orch. (1950); *An Oxford Elegy* für Sprecher, gem. Chor und kleines Orch. (1949); Weihnachtskantate *This Day* für S., T., Bar., gem. Chor, Knabenchor, Org. ad libitum und Orch. (1953–54). – +*English Folksongs* (1912), NA London 1966; +*National Music* (1934), Neudr. als *National Music and Other Essays*, = Oxford Paperbacks LXXVI, ebd. 1963, ²1972; +*The Making of Music* (1955), Nachdr. Ithaca/N. Y. und London 1965. Mit A. L. Lloyd gab er *The Penguin Book of English Folk Songs* heraus (London 1959, ³1969).
Lit. (wenn nicht anders vermerkt, Erscheinungsort London): R. V. W., 1961 (Werkverz. u. Diskographie); P. R. Starbuck, R. V. W., A Bibliogr., 1967; F. F. Clough u. G. J. Cuming, Discography, 1964–71, The Music Yearbook 1972/73; L. Foreman, V. W., A Bibliogr. of Diss., MT CXIII, 1972. – P. J. Willetts, R. V. W., 1972 (Ausstellungskat.). – +H. J. Foss, R.V.W. (1950), Nachdr. Westport (Conn.) 1974. – D. Brown, V. W. Symphonies, MMR XC, 1960; J. Day, V. W., = The Master Musicians Series o. Nr, 1961, Neudr. 1972; A. E. F. Dickinson, V. W., 1963; M. Kennedy, The Works of R. V. W., 1964 (mit Werkverz. u. Bibliogr.), Paperbackausg. 1971 (ohne Werkverz. u. Bibliogr.); ders., R. V. W. in the First Centenary of His Birth, in: Studi mus. II, 1973; E. S. Schwartz, The Symphonies of R. V. W., Amherst (Mass.) 1964; U. Vaughan Williams, R. V. W., 1964; H. Ottaway, V. W., 1966; ders., V. W. Symphonies, 1972; Chr. Palmer, Delius, V. W. and Debussy, ML L, 1969; M. Hurd, V. W., 1970, auch NY 1970; J. E. Lunn u. U. Vaughan Williams, R. V. W., 1971 (Bildbiogr.); R. Douglas, Working with R. V. W., 1972; P. Porter, The Remains an Englishman, The Music Yearbook 1972/73.

+Vaurabourg, Andrée, * 8. 9. 1894 zu Toulouse.
Seit 1971 wird ein von ihr gestifteter A.-Honegger-Preis verliehen, mit dem ein Einzel- oder das Gesamtwerk eines Komponisten ausgezeichnet werden soll.

+Vautor, Thomas, * Ende 16. Jh. (1580/90?).
Ausg.: +*The First Set* ... (1619), hrsg. unter d. Titel »Songs of Divers Airs and Natures« (E. H. Fellowes, = EMS XXXIV [nicht: XXIV]), revidiert hrsg. v. Th. Dart, = The Engl. Madrigalists XXXIV, London 1958.
Lit.: E. H. Fellowes, The Engl. Madrigal Composers (1921, ²1948), Nachdr. London 1958.

Veale (vi:l), John, * 15. 6. 1922 zu Shortlands (Kent); englischer Komponist, studierte an der University of Oxford (Wellesz) sowie bei R. Harris in Princeton (N. J.) und lehrte 1951–54 an der University of Oxford. Seit 1955 widmet er sich ausschließlich der Komposition. Er schrieb Orchesterwerke (2 Symphonien, Nr 1, 1948, 2. Fassung 1952, und Nr 2, 1964; Symphonische Dichtung *Panorama*, 1951; Konzertouvertüre *The Metropolis*, 1955; Elegie für Fl., Hf. und Streichorch., 1952; Klarinettenkonzert, 1954; ein Streichquartett (1950), Vokalwerke (*Kubla Khan* für Bar.,

Chor und Orch., 1959; *The Love of Radha* für S. und Orch., 1965) sowie Film- und Fernsehmusik.

Veasey (v'iːzi), Josephine, * 10. 7. 1930 zu London; englische Sängerin (Mezzosopran), studierte in London und debütierte dort 1953 als Cherubino (*Le nozze di Figaro*) an der Covent Garden Opera. Sie gastierte an den Staatsopern in Wien und München sowie an der Deutschen Oper Berlin und trat bei den Festspielen in Edinburgh, Glyndebourne und Salzburg auf. Zu ihren Partien gehören Rosina (*Il barbiere di Siviglia*), Carmen, Fricka und Octavian. J. V. hat sich auch als Konzertsängerin einen Namen gemacht.

+Vecchi, Giuseppe, * 26. 11. 1912 zu Bologna.
An der Università Cattolica in Mailand lehrt er seit 1955 und daneben an der Universität in Bologna seit 1958 [nicht: 1948]. Außer zahlreichen Beiträgen für die weiterhin von ihm geleitete Zeitschrift *Quadrivium*.
Studi di filologia e musicologia medievale (I, 1956: *Modi d'arte poetica in G. di Garlandia e il ritmo »Aula vernat virginalis«*; V, 1962: *Le utili e brevi regule di canto di G. Spataro nel Cod. Lond. British Museum Add. 4920*; X, 1969: *Per una interpretazione moderna de canti scolareschi del medioevo*) sei an neueren Schriften genannt: *G. A. Perti* (Bologna 1961); *Due studi sui ritmi latini del medio evo* (ebd. 1967; = Wiederabdruck von 2 älteren Beitr., u. a. zu Gudinus monachus Luxoviensis); *La musica a Bologna*, Bd I: *Le accademie musicali del primo Seicento e Monteverdi a Bologna* (= Antiquae musicae Italicae Subsidia historica o. Nr., ebd. 1969); *Musica e scuola delle artes a Bologna nell'opera di Boncampagno di Signa (Sec. XIII)* (Fs. Br. Stäblein, Kassel 1967); *L'opera didattico-teorica di A. Banchieri in rapporto alla »nuova prattica«* (in: Cl. Monteverdi e il suo tempo, Kgr.-Ber. Venedig u. a. 1968). – V.s umfangreiche Herausgebertätigkeit umfaßt u. a. die Leitung der Denkmälersammlung *Antiquae musicae Italicae bibliotheca* (darin von ihm selbst ediert in der Abt. »Monumenta lyrica medii aevi Italicae«, Reihe III, »Mensurabilia«, als Faks.-Ausg. Bd I, mit F. A. Gallo, *I più antichi monumenti sacri italiani*, Bologna 1968, und Bd II, *Il canzoniere musicale del Codice Vaticano Rossi 215*, ebd. 1966, ferner in der Abt. »Corpus mensurabilis more antiquo musicae« als Bd I, 1967, P. Tritonius' *Melopoiae sive Harmoniae tetracenticae*, und als Bd II, 1952, N. Fabers *Melodiae Prudentianae et in Virgilium*, sowie in der regional gegliederten Abt. »Antiquae musicae Italicae monumenta« Werke, z. T. als GA angelegt, u. a. von G. M. Asola, A. Banchieri, G. Croce, G. C. Gabussi, G. Giacobbi, M. A. Ingegneri, G. A. Perti, A. Rota, V. Ruffo, L. Viadana) und die Leitung der großangelegten Faksimile- bzw. Neudruckreihe *Bibliotheca musica Bononiensis* (Bologna 1969ff.). Als weitere Edition sei die des *Pomerium* von Marchettus de Padua genannt (= CSM VI, Rom 1961).

+Vecchi, Orazio [erg.:] Tiberio, 1550 – [erg.: in der Nacht vom] 19. zum 20. 2. 1605.
V. war 1581–84 Domkapellmeister in Salò und 1584–86 in Modena. – Seine 4st. +Lamentationen erschienen 1587 [nicht: 1597].
Ausg.: 3–5st. Arie, canzonette e balli (= 21 Stücke aus: +Selva di varia ricreatione, O. Chilesotti, Mailand 1892), Nachdr. = Bibl. musica Bononiensis IV, 26, Bologna 1968. – 3–8st. Convito mus. (1597), hrsg. v. W. R. Martin, = Capolavori polifonici del s. XVI, Bd VIII, Rom 1966; Missa in Resurrectione Domini, hrsg. v. R. Rüegge, = Chw. CVIII, Wolfenbüttel 1967; Serenata aus »Selva ...«, in: G. Hausswald, Die Orchesterserenade = Das Musikwerk XXXIV, Köln 1970, auch engl.
Lit.: +J. C. Hol, H. V.s weltliche Werke (1934 [nicht: 1943]), Nachdr. Baden-Baden 1974; +A. Einstein, The Ital. Madrigal (II–III, 1949), Nachdr. Princeton (N. J.)

1970. – G. Roncaglia, Gli elementi precursori del melodramma nell'opera di O. V., RMI LV, 1953; Ders., O. V. e »Le veglie di Siena«, in: Musicisti della Scuola emiliana, hrsg. v. A. Damerini u. G. Roncaglia, = Accad. mus. Chigiana (XIII), Siena 1956; W. R. Martin, The »Convito mus.« of O. V., Diss. Oxford 1964/65; O. Mischiati in: MGG XIII, 1966, Sp. 1346ff.; R. Rüegge, O. V.s geistliche Werke, = Publ. d. Schweizerischen musikforschenden Ges. II, 15, Bern 1967; Cl. Sartori, O. V. e T. Massaino a Salò. Nuovi documenti ined., in: Renaissancemuziek 1400–1600, Fs. R. B. Lenaerts, = Musicologica Lovaniensia I, Löwen 1969; A. u. P. Torelli, O. V., »Poetica mus.«. Date importanti nella vita di O. V., Modena 1969; W. Kirkendale, Franceschina, Girometta, and Their Companions in a Madrigal »a diversi linguaggi« by L. Marenzio and O. V., AMl XLIV, 1972.

+Vecchi, Orfeo, um 1550 [nicht: um 1540] – vor [erg.: April] 1604.
Lit.: O. Mischiati in: MGG XIII, 1966, Sp. 1355f.

Vécsey (v'eːtʃɛj), Jenő, * 19. 7. 1909 zu Céce, † 19. 9. 1966 zu Budapest; ungarischer Komponist und Musikforscher, studierte 1930–35 bei Kodály an der Fr. Liszt-Musikhochschule in Budapest sowie 1941–42 an der Universität in Wien (Musikgeschichte). Ab 1942 Mitarbeiter an der ungarischen Nationalbibliothek Széchényi (1945 Leiter der Musikabteilung), gründete und betreute er die Reihe *Musica rinata* (ab 1963). Er schrieb u. a. das Ballett *Kele diák* (»Kele, der Wanderstudent«, 1944), Orchesterwerke (Suite, 1942; Symphonische Dichtung *Boldogkő vára*, »Die Burg Boldogkő«, 1951, 2. Fassung als Praeludium, Notturno und Scherzo für Orch., 1958; symphonisches Konzert *In memoriam György Knédy*, 1958; Concertinos für Kl., 1954, und für Kb., 1960, mit Orch.), Kammermusik (Streichsextett, 1958; Streichquartett, 1942) sowie Bagatellen für 2 Kl. V. verfaßte u. a.: *»L'infedeltà delusa«* (Fs. Z. Kodály, = Zenetudományi tanulmányok I, 1953) und *Haydn müvei az Országos Széchényi Könyvtár zenei gyűjteményében* (»Haydns Werke in der Musiksammlung der Nationalbibliothek Széchényi in Budapest«, = Az Országos Könyvtárügyi Tanács kiadványai XLVIII, Budapest 1959, auch deutsch und engl.). Er gab in der Haydn-GA *Le pescatrici* (mit D. Bartha und M. Eckardt, = Reihe XXV, Bd 4) und *L'infedeltà delusa* (mit D. Bartha, = XXV, 5) heraus.
Lit.: Kl. Hamburger in: Magyar zene VII, 1966, S. 571f.; L. Somfai in: StMl IX, 1967, S. 7f.

Vedro, Adu (Adolf), * 4.(16.) 10. 1890 zu Narva, † 27. 9. 1944 in einem deutschen Konzentrationslager; estnischer Komponist, studierte 1915–17 am Petrograder Konservatorium (Kontrabaß) und später am Konservatorium in Tallinn (Komposition), an dem er 1920–41 lehrte (1937 Professor). Er schrieb die Opern *Kaupo* (1932) und *Libahunt* (»Werwolf«, 1941), Orchesterwerke (Sinfonietta H moll, 1917; *Hällilaul*, »Wiegenlied«, 1918; 2 Fantasien über estnische Volksweisen), Kammermusik (Violinsonate; 2 estnische Rhapsodien für Kl.) sowie Kantaten, Chöre und Lieder.

Veerhoff, Carlos (Carl) Heinrich, * 3. 6. 1926 zu Buenos Aires; deutsch-argentinischer Komponist, studierte 1943–44 bei Grabner und 1952 bei Blacher an der Hochschule für Musik in Berlin sowie privat bei K. Thomas und Scherchen. Ab 1948 lehrte er Theorie an der Musikhochschule der Universidad Nacional de Tucumán. 1951–52 war er Assistent von Fricsay in Berlin. Seitdem lebt er als freischaffender Komponist in München. Er schrieb auf eigenes Libretto die Opern *Targusis* (1958) und *Die goldene Maske* (1968), die Mini-Oper *Es gibt doch Zebrastreifen* für 2 Sänger und 8 Instr. (Libretto Edith Sartorius, 1970), die Kammeroper *Der*

Grüne (1972), die Marionettenoper *Der Tanz des Lebens* (Zürich 1963), die Ballette *Pavane royale* (mit Chor, 1953) und *El porquerizo del rey* (Buenos Aires 1963), Orchesterwerke (4 Symphonien, Nr 1, *Panta rhei*, 1953, Nr 2, *Sinfonie in einem Satz*, 1956, Nr 3, *Spirales*, 1966, Neufassung 1969, und Nr 4, 1974; *Sinfonische Invention*, 1951; *Sinfonischer Satz*, 1952; *Mirages*, 1966; *Akróasis* für 24 Bläser und Schlagzeug, 1966; *Textur* für Streichorch., 1969, Neufassung 1971; *Torso*, 1971; *Sinotrauc*, 1973), Kammermusik (2 Bläserquintette, 1958 und 1969; Streichquartett, 1951; *Paginas für drei* für Cimbalom, Kl. und Hf., 1969; *Dialogues* für Altsax. und Kl., 1967; Sonate für V. solo, 1954), Klavierstücke (*Mosaicos*, 1952, *Kaleidoskop*, 1954) und Vokalwerke (*Gesänge auf dem Wege* für Bar. und Orch., 1964; *Cantos* für hohe St. und 7 Instr., 1964; Kantate *Ut omnes unum sint* für B. und 4 Blasinstr., 1967).

Vega, Aurelio de la → De la Vega, A.

Vega (b'ega), Carlos, * 14. 4. 1898 zu Cañuelas (Provinz Buenos Aires), † 10. 2. 1966 zu Buenos Aires; argentinischer Musikethnologe, Autodidakt, leitete ab 1931 das Instituto de Musicología des Unterrichtsministeriums in Buenos Aires. Er unternahm ausgedehnte Forschungsreisen durch Argentinien, Chile, Bolivien, Peru und Paraguay und zeichnete mehr als 5000 Melodien auf. An der Pontificia Universidad Católica Argentina in Buenos Aires lehrte er 1933–47 Musikethnologie. Von seinen Veröffentlichungen (Erscheinungsort, wenn nicht anders angegeben, Buenos Aires) seien genannt: *La música de un códice colonial del s. XVII* (1931, revidiert als *Un códice peruano colonial del s. XVII*, Rev. musical chilena XVI, 1962); *Tonleitern mit Halbtönen in der Musik der alten Peruaner* (AMl IX, 1937); *La música popular argentina* (2 Bde, 1941); *Los instrumentos musicales aborígenes y criollos de la Argentina* (1946); *Música sudamericana* (1946); *Bailes tradicionales argentinos* (2 Bde, 1948); *El origen de las danzas folklóricas* (1956); *La ciencia del folklore* (1960); *Música folklórica de Chile* (Santiago de Chile 1960); *Danzas argentinas* (2 Bde, 1960–61, auch engl.); *El himno nacional argentino* (1962); *Música de tres notas* (Kgr.-Ber. »Etnomusicología« Cartagena de Indias 1963); *Las canciones folklóricas Argentinas* (1964); *Una cadencia medieval en América* (Inter-American Institute for Musical Research, Yearbook I, 1965); *Mesomusic. An Essay on the Music of the Masses* (in: Ethnomusicology X, 1966); *Tradiciones musicales y aculturación en Sudamérica* (in: Music in the Americas, hrsg. von G. List und J. Orrego-Salas, = Inter-American Music Monograph Series I, Bloomington/Ind. 1967). Lit.: Rev. mus. chilena XXI, 1967, Nr 101 (mit Schriftenverz. v. P. Suárez Urtubey).

+Végh, Sándor (Alexandre), * 17. 5. 1912 zu Klausenburg (Kolozsvár/Cluj).
V., der seit 1958 auf der »Paganini« (Stradivari-Geige von 1724) spielt, ist weiterhin auch in Soloviolin- und Duoabenden (u. a. mit K.Engel, W.Kempff und R. Serkin) hervorgetreten. Lange Jahre konzertierte er (oft mit Casals) bei den Festspielen von Prades. 1963 übernahm er eine Meisterklasse am Konservatorium in Düsseldorf. Er schrieb den Beitrag *Musik als Erlebnis* (Eranos-Jb. XXIX, 1960). V., der die französische Staatsbürgerschaft besitzt, ließ sich 1971 in Greifensee (Zürich) nieder.

+Vehe, Michael, [erg.:] um 1480 – 1539.
Ausg.: Ein New Gesangbüchlein . . ., Faks. d. Ausg. Lpz. 1537 hrsg. v. W. LIPPHARDT, = Beitr. zur mittelrheinischen Mg. XI, Mainz 1970.
Lit.: F. HABERL, M. V. u. d. ersten kath. Gesangbücher, in: Musica sacra LXXXII, 1962.

+Veichtner, Franz Adam, [erg.: 10. 2.] 1741 – [erg.: 3. 3.] 1822 zu Klievenhof (Kurland) [nicht: St.Petersburg].
Zu seinen Schülern gehörten der junge J.Fr.Reichardt und der Kurländer K.Amenda, Freund des jungen Beethoven und dessen Berater in Fragen des Violinspiels.
Lit.: W. SALMEN, J. Fr. Reichardt, Freiburg i. Br. 1963; E. GERCKEN, Fr. A. V. u. d. Musikleben am kurländischen Hof, Baltische H. 1965, Nr 11; J. MÜLLER-BLATTAU, Benda, V., Reichardt, Amenda. Zur Gesch. d. nordostdeutschen Violinspiels in d. Frühklassik, in: Musik d. Ostens IV, Kassel 1967.

+Veidl, Theodor, 1885 – [erg.: 16. 2.] 1946.
Er wurde 1927 Universitäts-Musikdirektor und Lektor an der Deutschen Universität und 1940 Professor am Deutschen Hochschulinstitut für Musik in Prag.
Lit.: R. QUOIKA, Th. V., Schöpfer d. sudetendeutschen Volksoper, in: Sudetenland VII, 1965.

+Veinus, Abraham, * 12. 2. 1916 zu New York.
Neben einer revidierten Neuaufl. von +*The Concerto* (1944), NY 1964, auch Gloucester (Mass.) 1964, erschien ferner *Understanding Music* (mit W.Fleming, NY 1958).

+Veit, Wenzel Heinrich (Václav Jindřich), 1806–64.
Sein Sohn August Emanuel (Taufnamen Karl Maria Emanuel), 10. 3. 1856 – 8. 7. 1931 zu Brünn [erg. frühere Angaben].
Lit.: K. FIALA, V. J. V., Liberec 1964.

+Vejvanovský, Pavel Josef, vor oder um 1640 zu Hukvaldy oder Hlučín (Nordmähren) [del. frühere Angaben] – 24. [nicht: 22.] 6. 1693.
Ausg.: Composizioni per orch., 3 Bde, hrsg. v. J. RACEK u. J. POHANKA, = MAB XLVII–XLIX, Prag 1960–61.
Lit.: J. SEHNAL, Společenský profil P. V.ého podle kroměřížských matrik (»P. V. im Lichte d. Kremsierer Matrikeln«), in: Zprávy Vlastiv, Ústavu v Olomouci 1964, Nr 120.

Velasco-Llanos (bel'askoʌ'anos), Santiago, * 28. 1. 1915 zu Cali; kolumbianischer Komponist, studierte ab 1941 am Konservatorium der Universidad de Chile, wo er später Assistent für das Fach Musikanalyse war. 1947 wurde er 2. Dirigent des Orquesta Sinfónica de Chile. Ab 1952 leitete er das Konservatorium in Bogotá und wurde 1956 Direktor des Konservatoriums in Cali. Er schrieb Orchesterwerke (*Danza indígena*, 1941; *Sinfonía breve*, 1947; *Tío Guachupecito*, 1964; Sinfonietta für Streichorch., 1966), Kammermusik (2 Streichquartette, 1945 und 1946; Fuge D moll für Bläserquartett, 1948; Praeludium für Hf., 1949), Klavierstücke, Chöre und Bühnenmusik.
Lit.: Werkverz. in: Compositores de América XIII, Washington (D. C.) 1967.

Velasco Maidana (bel'asko maid'ana), José María, * 4. 7. 1900 zu Sucre; bolivianischer Komponist und Dirigent, studierte in seiner Heimatstadt und in Buenos Aires und wurde 1928 Lehrer für Musikgeschichte am Staatskonservatorium in La Paz. 1939 gründete er das erste Symphonieorchester und die erste Balletttruppe Boliviens. V. M. ist als Gastdirigent in Berlin (1938), den USA und zahlreichen lateinamerikanischen Ländern aufgetreten. Er ließ sich in Houston (Tex.) als freischaffender Komponist nieder. Seine Werke umfassen die Ballettoper *Churayna*, das Ballett *Amerindia* (1937), Orchesterwerke (*Estampas de mi tierra*, 1939; Symphonische Dichtungen *Vida de cóndores*, 1941, *Chaskha Laikla*, 1948, und *Forma y color*, 1949), Kammermusik (*Suite andina* für Bläserquintett, 1956;

Bläserquintett, 1965; *Río Quirpinchaca* für Klar. und Kl., 1965; *Canciones indias al amanecer*, 1965) und Vokalmusik (*Los caminos* für S. und Orch., 1951).
Lit.: Werkverz. in: Compositores de América XI, Washington (D. C.) 1965.

Velázquez (bel'aθkeθ), Higinio, * 11. 1. 1926 zu Guadalajara (Staat Jalisco); mexikanischer Komponist und Violinist, studierte ab 1939 bei Domingo Lobato und ab 1942 bei Bernal Jiménez, trat 1952 als Violinist dem staatlichen Orchester in México (D. F.) bei und wurde Schüler von R. Halffter (Formenlehre, Zwölftontechnik). Seit 1969 gehört er dem Streichquartett des Instituto Nacional de Bellas Artes y Letras an. V. komponierte Orchesterwerke (*Juárez*, 1961; *Sinfonía breve*, 1961; Symphonische Dichtung *Revolución*, 1963; *Andante atonal* für Streichorch., 1971), Kammermusik (Streichquartett, 1970; Elegie für Ob. und Kl., 1969; Sonatine für Vc. solo, 1970), Klavierwerke (*Estructuras*, 1969) sowie *3 canciones proletarias* für Mezzo-S. und Holzbläser (1965).

Veličkova, Ljuba → +Welitsch, Lj.

Velimirović (velim'iːɪəvitʃ), Miloš Milorad, * 10. 12. 1922 zu Belgrad; amerikanischer Musikforscher jugoslawischer Herkunft, studierte in Belgrad 1947–51 an der Universität und 1947–52 an der Musikakademie sowie 1952–55 in Cambridge/Mass. an der Harvard University (M. A. 1953), an der er 1957 über *The Byzantine Elements in Early Slavic Chant. The Heirmologion* (2 Bde, = Studies on the Fragmenta Chiliandarica Paleoslavica I, zugleich = Monumenta musicae Byzantinae, Subsidia IV, Kopenhagen 1960) zum Ph. D. promovierte. Seit 1957 lehrt er Musikgeschichte an der Yale University in New Haven/Conn. (1961 Assistant Professor, 1964 Associate Professor). Er ist Herausgeber der *Studies in Eastern Chant* (bisher 3 Bde, davon Bd I–II mit E. Wellesz, London 1966–73; darin eine Anzahl eigener Beiträge). Von seinen zahlreichen Aufsätzen seien genannt: *Russian Autographs at Harvard* (in: Notes XVII, 1959/60); *Lisztiana* (MQ XLVII, 1961); *Liturgical Drama in Byzantium and Russia* (in: Dumbarton Oaks Papers XVI, 1962); *Stand der Forschung über kirchenslavische Musik* (Zs. für slavische Philologie XXXI, 1963); *Two Composers of Byzantine Music. J. Vatatzes and J. Laskaris* (in: Aspects of Medieval and Renaissance Music, Fs. G. Reese, NY 1966); *Unknown Stichera for the Feast of St. Athanasios of Mount Athos* (in: Studies in Eastern Chant I, London 1966); *The Pre-English Use of the Term »Virginal«* (in: Essays in Musicology, Fs. Dr. Plamenac, Pittsburgh/Pa. 1969); *Present Status of Research in Byzantine Music* (AMl XLIII, 1971); *The Present Status of Research in Slavic Chant* (AMl XLIV, 1972); *The Byzantine Heirmos and Heirmologion* (in: Gattungen der Musik in Einzeldarstellungen, Gedenkschrift L. Schrade, Bd I, Bern 1973).

Vellones (vɛl'ɔn), Pierre (eigentlich Rousseau), * 29. 3. 1889 und † 17. 7. 1939 zu Paris; französischer Komponist, Dr. med., war in der Musik Autodidakt. Er schrieb u. a. das Ballett auf ein tibetanisches Thema *Le paradis d'Amitabha* (1938), eine Ballade (1934) und *Suite cavalière* (1938) für Orch., *Vitamines*, Jazz symphonique für kleines Orch. (1936), ein Konzert für Altsax. und Orch. (1934), die Symphonische Dichtung *Rastelli* für 4 Sax., Kl. und Orch. (1937), Kammermusik (*A Versailles* für Klavierquintett, 1934; *Karakorum* für 4 Sax. und Ondes Martenot, 1937; Rhapsodie für Altsax., Hf., Celesta und Schlagzeug, 1949), Klavierwerke (*Planisphère*; *Valse chromatique*; *Au jardin des bêtes*

sauvages, 16 Stücke für Kinder, 2 Bde, 1929), Vokalmusik (*Le Roi Salomon* für Gesang und Orch., 1938; *Six fables de Florian*, 1930, und *Chansons d'amour de la vieille Chine*, 1931 und 1936, für Gesang und Kl.) sowie Filmmusik.
Lit.: P. Landormy, W.-L. Landowski, R. Chalupt, P. V., RM 1946, Nr 202.

+Velluti, Giovanni Battista, 27. 1. 1781 zu Montolmo (heute Corridonia bei Macerata, Marken) – 22. 1. 1861 zu Sambruson di Dolo (Venetien) [del. frühere Angaben].
Lit.: A. Heriot, The Castrati in Opera, London 1956, ital. Mailand 1962.

Velte, Eugen Werner, * 12. 8. 1923 zu Karlsruhe; deutscher Komponist und Musikkritiker, studierte 1942–47 an der Karlsruher Musikhochschule, an die er 1957 als Dozent berufen wurde. Er ist ständiger freier Mitarbeiter des Süddeutschen Rundfunks sowie mehrerer Tageszeitungen. V. schrieb u. a.: 4 Stücke für Streichorch. (1965); Entrada für Bläser und Pk. (1967); Permutationsfuge für Streichquartett (1954); Streichquartett (1966); 3 Streichtrios (1948, 1953 und 1964); 4 Stücke für Fl., V. und Vc. (1962); Sonate für V. und Kl. (1963); *Dialog* für Fl. und V. (1968); *Dialoge* für Fl. und Kl. (1968); Klavier- und Orgelwerke; *Missa brevis* für 4st. gem. Chor a cappella (1958); 3 Motetten für S. und Org. (nach Augustinus-Texten, 1963); 3 Terzette für S., Mezzo-S. und Klar. (1967); Lieder.

Velut (vəl'y), Gilet (Veliout; Gillet, Egidius), französischer Komponist des frühen 15. Jh., ist mit Sicherheit nur 1411 auf Zypern im Gefolge Charlottes von Bourbon nachweisbar. Möglicherweise ist er identisch mit Egidius Flannel dit Lenfant, Kleriker aus der Diözese Cambrai, der 1421 in die Dienste des Papstes Martin V. trat. V.s Werke (ein Rondeau, 3 Balladen, ein Gloria, ein 3st. Credo, zwei 4st. Motetten, davon eine isorhythmisch) gehören nach Satztechnik und Überlieferung zu den ältesten Kompositionen von O (→ Quellen).
Ausg.: GA in: Early Fifteenth-Cent. Music, hrsg. v. G. Reaney, Bd II, = CMM XI, 2, Antwerpen 1959.
Lit.: J. F. R. u. C. Stainer, Dufay and His Contemporaries, London 1898, Nachdr. Amsterdam 1963 (mit Ed. d. Rondeaus); H. Leichtentritt, Gesch. d. Motette, = Kleine Hdb. d. Mg. nach Gattungen II, Lpz. 1908, Nachdr. Hildesheim 1967; Ch. van den Borren, Polyphonia sacra, Burnham 1932, revidiert = Penn State Music Series o. Nr, Univ. Park (Pa.) 1963 (mit Ed. d. isorhythmischen Motette); G. Reaney, The Ms. Oxford, Bodleian Library, Canonici Misc. 213, MD IX, 1955; W. Marggraf in: MGG XIII, 1966, Sp. 1370f.

Venckus (v'ɛntskus), Antanas, * 14. 12. 1934 zu Čiūteliai (bei Priekulė); litauisch-sowjetischer Musikforscher, studierte 1950–54 Chorleitung an der Musikschule in Klaipėda und 1954–59 Musikwissenschaft am Konservatorium in Wilna. Nach Unterrichtstätigkeiten an der Musikschule in Klaipėda (1959–62) und am Konservatorium in Alma-Ata (1962–65) wirkt er seit 1965 als Musikforscher und Theorielehrer am Wilnaer Konservatorium. – Veröffentlichungen (Auswahl): *Muzikos kūrinių analizė* (»Lehrbuch der Analyse von Musikwerken«, mit A. Ambrazas u. a., Wilna 1967); *Daugiadermijos ir daugiatonalijos teoriniai pagrindai* (»Theoretische Grundlagen der Polymodalität und der Polytonalität«, in: Menotyra I, [ebd.] 1867, russ. in: Musykalnaja nauka II, Moskau 1970); *J. Naujalio mišios, giesmės, motetai ir kantatos* (»Messen, Gesänge, Motetten und Kantaten von J. Naujalis«, in: O. Naujalis, hrsg. von O. Narbutienė, Wilna 1968); *M. K. Čiurlionio dermija* (»Modalität bei M. K. Čiurlionis«, in: Menotyra II,

1969); *Šešiagarsės lietuvių liaudies muzikos dermės* (»Die 6stufigen Modi der litauischen Volksmusik«, in: Liaudes kūryba I, hrsg. von A.Stravinskas, ebd.); *Menas semiotikos požiūriu* (»Kunst in semiotischer Betrachtungsweise«, in: Muzika ir teatras VI, 1970); *Ladowyje formacii* ... (»Modale Bildungen. Polymodalität und Polytonalität«, in: Problemy musykalnoj nauki II, Moskau 1973). Als Komponist ist V. mit Kammermusik (Introduktion und Allegro für V. und Kl., 1968), Klavier-, Orgel- und Chorwerken hervorgetreten.

+**Venegas de Henestrosa,** Luys (Hinestrosa, Ynestrosa), [erg.:] zwischen 1500 und 1510 zu Hinestrosa (Burgos) – nach 1557 vermutlich zu Toledo.
Ausg.: +*Libro de cifra nueva*, in: H. ANGLÉS, La música en la corte de Carlos V (1944), Barcelona ²1965.
Lit.: +G. FROTSCHER, Gesch. d. Orgelspiels ... (I, 1935, ²1959), Bln ³1966. – D. DEVOTO, Poésie et musique dans l'œuvre des vihuelistes, Ann. mus. IV, 1956; A. C. HOWELL JR., Paired Imitation in 16th-Cent. Span. Keyboard Music, MQ LIII, 1967; M. E. GREBE, Modality in the Span. Vihuela Music of the 16th-Cent. and His Incidence in Lat.-American Music, AM XXVI, 1971.

+**Vente,** Maarten Albert, * 7. 6. 1915 zu Nieuwerkerk (an der IJssel).
1965 wurde er an der Utrechter Universität zum Lektor für Instrumentenkunde ernannt. – +*Die Brabanter Orgel. Zur Geschichte der Orgelkunst in Belgien und Holland im Zeitalter der Gotik und der Renaissance* (1958), Amsterdam ²1963. – Neuere Veröffentlichungen: *Die niederländische Orgelkunst vom 16. bis zum 18. Jh.* (mit Fl.Peeters unter Mitarbeit von G.Peeters, Gh.Potvlieghe und P.Visser, Antwerpen 1971, auch nld., frz. und engl. Ausg.); *Vijf eeuwen Zwolse orgels 1447–1971* (= Bibl. organologica XLIX, Amsterdam 1971; *De Illustre Lieve Vrouwe Broederschap te 's-Hertogenbosch* (TVer XIX, 1960–63); *A.E.Veldcamps, drager van oudhollandse orgeltradities (1686–1741)* (TVer XX, 4, 1967); *The Renaissance Organ of Évora Cathedral, Portugal* (The Organ Yearbook I, 1970); *Sweelincks Orgelreisen* (TVer XXII, 1971–72). Mit C. C. Vlam stellte er das Quellenwerk *Bouwstenen voor een geschiedenis der toonkunst in de Nederlanden* zusammen (2 Bde, Amsterdam 1965–71).

+**Vento,** Ivo de, um 1544 [del.: um 1540] – 1575.
Ausg.: 4st. weltliche Chorlieder, hrsg. v. H. KULLA, = Christophorus Chorwerk VI, Freiburg i. Br. 1955.
Lit.: +H. OSTHOFF, Die Niederländer u. d. deutsche Lied (1938), Nachdr. Tutzing 1967 (mit neuem Anh.). – DERS. in: MGG XIII, 1966, Sp. 1402ff.

+**Vento,** Mattia, 1735–76.
Ausg.: 8 Sonaten f. Cemb. mit V.-Begleitung, hrsg. v. L. BETTARINI, = Collezione settecentesca Bettarini IV, Mailand 1969.

+**Venturini,** Francesco, † 1745.
Lit.: H. SIEVERS, Die Musik in Hannover, Hannover 1961.

+**Veracini,** Antonio, [erg.:] 17. 1. 1659 [nicht: um 1650] – [erg.:] 25. 10. 1733 zu Florenz.
Ausg.: Sonate a tre op. 1 Nr 1 u. 7, f. 2 V. u. Kl. (Vc. ad libitum) hrsg. v. FR. POLNAUER, = Violinmusik d. Barock o. Nr, Zürich 1969; Sonata da camera f. 2 V. u. B. c. op. 3 Nr 2, hrsg. v. DEMS., London 1970; Sonata A moll op. 3 Nr 4, f. V., Vc. u. Cemb. hrsg. v. H. RUF, Wilhelmshaven 1973.

+**Veracini,** Francesco Maria, 1690 – [erg.:] 31. 10. 1768 zu Florenz [nicht: um 1750 zu Pisa].
V. war bereits ab 1717 [nicht: 1720] Kammervirtuose am Dresdner Hof, lebte 1722–34 in Florenz und wirkte 1735–44 [nicht: 1736–45] als Opernkomponist in London. In seinen letzten Lebensjahren lebte er in Florenz, wo er an der umfangreichen +theoretischen Abhand-

lung *Il trionfo della pratica musicale* op. 3 (1758–62) schrieb.
Ausg.: Concerto grande da chiesa o della incoronazione f. Solo-V., 2 Ob., 2 Trp., Streicher, Pk. u. Org. (Cemb.), hrsg. v. A. DAMERINI, Padua 1958; 12 Sonaten (1716), f. Block-Fl. (Fl., V.) u. B. c. hrsg. v. W. KOLNEDER, Lpz. 1959; 12 Sonaten f. V. u. B. c. nach A. Corellis op. 5, hrsg. v. DEMS., 4 Bde, Mainz 1961; 12 Sonate accademiche f. V. mit Gb. op. 2 (1744), daraus Nr 1 u. 4–6, hrsg. v. DEMS., Lpz. 1962–71; V.-Konzert D dur, hrsg. v. B. PAUMGARTNER, = HM CLXIX, Kassel 1959; 3 Fughe a 4 e 5 soggetti (aus Trionfo della pratica mus.), hrsg. v. M. FABBRI, Siena 1965; V.-Sonate E moll, hrsg. v. G. MANOLIU, = Clasicii muzicii universale o. Nr, Bukarest 1966; Sonata prima (1716), f. V. (Fl.) u. B. c. hrsg. v. FR. C. RICCI, Mailand 1969; 3 Sonaten (1716), f. V. (Fl., Alt-Block-Fl.) u. B. c. hrsg. v. FR. BÄR, = HM CCXV, Kassel 1973; Sonata da camera A moll f. V., Vc. u. Cemb., hrsg. v. H. RUF, = L'arte del v. o. Nr, Wilhelmshaven 1973.
Lit.: M. FABBRI, Gli ultimi anni di vita di Fr. M. V., CHM III, 1963; DERS., Le acute censure di Fr. M. V. a »L'arte della fuga« di Fr. Geminiani, in: Le celebrazioni del 1963 ..., = Accad. mus. Chigiana (XX), Siena 1963; DERS., Appunti didattici e riflessioni critiche di un musicista preromantico. Le ined. »Annotazioni sulla musica« di Fr. M. V., in: La nuova musicologia ital., = Quaderni della Rass. mus. III, 1965; H. M. SMITH, F. M. V.'s »Il trionfo della pratica mus.«, Diss. Indiana Univ. 1963; M. GR. CLARKE, The V. Sonatas of F. M. V., Some Aspects of Ital. Late Baroque Instr. Style Exemplified, Diss. Univ. of North Carolina 1967; G. SALVETTI, Le »Sonate accademiche« di Fr. M. V., in: Chigiana XXV, N. S. V, 1968; M. GR. WHITE, F. M. V.'s »Dissertazioni sopra l'opera quinta del Corelli«, MR XXXII, 1971; DIES. in: ML LIII, 1972, S. 18ff.; J. W. HILL, The Instr. Music of Fr. M. V., 4 Bde, Diss. Harvard Univ. (Mass.) 1972; V. FREYWALD, Violinsonaten d. Gb.-Epoche in Bearb. d. späten 19. Jh., = Hamburger Beitr. zur Mw. X, Hbg 1973.

+**Verbonnet,** Jean → +Ghiselin, J. [del. früherer Artikel.]

Verchaly (vɛrʃalˈi), André, * 4. 12. 1903 zu Angers (Maine-et-Loire); französischer Musikforscher, studierte an der Pariser Sorbonne u. a. bei P.-M. Masson, betätigte sich bis 1939 als Pianist. 1945–68 war er, unterbrochen 1955–59 durch Mitarbeit am Centre National de la Recherche Scientifique, Conseiller technique für Musik beim französischen Jugendministerium. V. hatte 1949–74 das Amt des Generalsekretärs der Société Française de Musicologie inne (1974 Vizepräsident). Er verfaßte u. a.: *Le »Livre des vers du luth«, manuscrit d'Aix-en-Provence* (Aix-en-Provence 1958); *G. Bataille et son œuvre personnelle pour chant et luth* (Rev. de musicol. XXIX, 1947); *Les airs italiens mis en tablature de luth dans les recueils français au début du XVIIᵉ s.* (ebd. XXXV, 1953); *Desportes et la musique* (Ann. mus. II, 1954); *A propos des chansonniers de J. Mangeant (1608–15)* (in: Mélanges d'histoire et d'esthétique musicales, Fs. P.-M. Masson, Paris 1955, Bd II); *Les ballets de cour d'après les recueils de musique vocale (1600–43)* (in: Les divertissements de cour au XVIIᵉ s., = Cahiers de l'Association internationale des études françaises IX, 1957, Teil 1); *La tablature dans les recueils français pour chant et luth (1603–43)* (in: Le luth et sa musique, hrsg. von J. Jacquot, Paris 1958); *La métrique et le rythme musical au temps de l'humanisme* (Kgr.-Ber. NY 1961, Bd I); *Le recueil authentique des chansons de J.Chardavoine (1576)* (Rev. de musicol. XLIX, 1963); ferner zahlreiche Beiträge für Lexika und (enzyklopädische) Sammelschriften. Er gab *Airs de cour pour voix et luth* (= Publ. de la Société française de musicologie I, 16, Paris 1961) sowie nach (H.→+Expert) *Airs de quatre parties de J. Planson* (= Maîtres anciens de la musique française I, ebd. 1966) heraus und edierte den Kolloquiumsbericht *Les influences étrangères dans l'œuvre de W.A.Mozart* (ebd. 1958).

Verdalonga (berðal'ɔŋga), spanische Orgelbauerfamilie. –1) J o s é, * um 1740/50 zu Guadalajara, † 1809 zu Toledo, restaurierte die Orgel des königlichen Klosters S.Lorenzo de El Escorial und baute neue Instrumente für die Kathedrale in Coria (Cáceres), die Kollegialkirche S.Isidro in Madrid und 1796–97 für das Querschiff der Kathedrale in Toledo, wo er außerdem die »del Emperador« genannte Orgel restaurierte. –2) V a l e n t í n, * um 1770/80, † 1840 zu Madrid(?), Sohn von José V., half seinem Vater bei dessen Arbeiten in Toledo und baute dann neue Orgeln für die Metropolitankathedrale in Sevilla und die Pfarrkirche in Santiago de Utrera (Sevilla).
Lit.: G. Bourligueux, L. Garcimartín et l'orgue des Carmes Chaussées de Madrid (Documents inéd.), in: Mélanges de la Casa de Velázquez IV, Paris 1968; Ders., Les grandes org. du Monastère royal de l'Escurial, in: L'orgue 1968, Nr 127.

+Verdelot, Philippe, [erg.:] * vermutlich zu Caderousse (bei Orange), † vor 1552 zu Florenz(?).
V. ist in Venedig niemals an S.Marco tätig gewesen; lediglich 1533–35 wirkte er in Venedig, offenbar in einem weltlichen Aufgabenbereich. Kapellmeister am Baptisterium S.Giovanni in Florenz war er 1523–27 [nicht: um 1530] und weilte 1529/30–33 in Rom.
Ausg.: Opera omnia, hrsg. v. A.-M. Bragard, = CMM XXVIII, bisher erschienen: Bd I, 2 Messen, 9 Hymnen u. Magnificat, (Rom) 1966. – 6 [weitere] Motetten in: P. Attaingnant, +Treize livres de motets ... (A. Smijers bzw. ab Bd X T. A. Merritt), Bd IV u. X–XI, Monaco 1960–62; +Madrigal »Madonna, non so«, in: Ital. Madrigale (W. Wiora, 1930), Neuaufl. Wolfenbüttel 1955. – Le dixiesme livre contenant la Bataille à quatre de Cl. Janequin, avecq la cinquiesme partie de Ph. V. (Antwerpen 1545), hrsg. v. B. Huys, = Corpus of Early Music in Facsimile I, 11, Brüssel 1970; Le dotte et eccellente compositioni de i madrigali a cinque v., insieme con altri madrigali di varii autori, novamente ristampati & ricorretti (Venedig um 1538), hrsg. v. Dems., ebd. I, 26.
Lit.: +A. Einstein, The Ital. Madrigal (1949), Nachdr. Princeton (N. J.) 1970. – D. L. Hersh (Harran), Ph. V. and the Early Madrigal, 2 Bde (I Text, II Musik), Diss. Univ. of California at Berkeley 1963; Ders., Chi bussa? Or the Case of the Anti-Madrigal, JAMS XXXI, 1968; Ders., The »Sack of Rome« Set to Music, Renaissance Quarterly XXIII, 1970; A.-M. Bragard, Etude biobibliogr. sur Ph. V., musicien frç. de la Renaissance, = Acad. royale de Belgique, Classe des beaux-arts, Mémoires in –4° II, 11, Bd I, Brüssel 1964; Dies. in: MGG XIII, 1966, Sp. 1421ff.; N. Böker-Heil, Die Motetten v. Ph. V., Diss. Ffm. 1967; W. Elders, Studien zur Symbolik in d. Musik d. alten Niederländer, = Utrechtse bijdragen tot de mw. IV, Bilthoven 1968; W. Osthoff, Theatergesang u. darstellende Musik in d. ital. Renaissance, 2 Bde (I Text-, II Notenteil) = Münchner Veröff. zur Mg. XIV, Tutzing 1969; H. C. Slim, A Gift of Madrigals and Motets, 2 Bde (I Text, II Übertragung), Chicago 1972.

+Verdi, G i u s e p p e [erg.:] Fortunino Francesco (Eintrag im Taufregister: Joseph-Fortunin-François), 1813–1901.
V. erhielt ersten Musikunterricht bei dem Dorforganisten von Le Roncole, Pietro Baistrocchi, den er nach dessen Tode bis zu seiner Übersiedlung nach Mailand vertrat, und bei dem städtischen Musikdirektor von Busseto, Ferdinando Provesi. Aus seiner ersten Ehe mit [erg.:] Margherita B a r e z z i († 19. 6. 1840 zu Mailand) stammen V i r g i n i a Maria Luigia (* 26. 3. 1837 und † 12. 8. 1838 zu Busseto) und I c i l i o Romano Carlo Antonio (* 11. 7. 1838 zu Busseto, † 22. 10. 1839 zu Mailand).

Von frühen Opernplänen ist aufgrund eines Briefes V.s vom 27. 9. 1837 an den Präsidenten der Società Filarmonica und Direktor des Teatro Filodrammatico in Mailand, Pietro Massini, eine Oper *Rocester* auf ein Libretto von Antonio Piazza bekannt, allerdings nicht, inwieweit deren Ausarbeitung gediehen war. Die Aufführung von *Oberto, conte di San Bonifazio* erreichte V. bei dem Impresario der Mailänder Scala, Bartolomeo Merelli, durch die Vermittlung von Massini und dem Violoncellisten und Konzertmeister an der Scala, Vincenzo Merighi, sowie durch die Fürsprache seiner späteren zweiten Frau, Giuseppina →Strepponi. Der Verlag G.Ricordi erwarb für 2000 österreichische Lire die Rechte an der Oper, ohne einen Exklusivvertrag mit ihm abzuschließen (einige Jugendwerke überließ V. dem Verleger Fr.Lucca). Bei der Oper *Un giorno di regno* ist der Alternativtitel *Il finto Stanislao* der ursprüngliche Titel des Textbuches von F. →+Romani; er wurde bei späteren Aufführungen wieder mit eingeführt. Die Schwäche dieses Werkes lag z. T. an Romanis klassizistischem Text. Librettisten dagegen, die V.s Intentionen entgegenkamen, waren T. → Solera, Fr. M.→Piave, S.→Cammarano [Personenteil], A.→+Ghislanzoni und A.→+Boito. – Durch die Aufführung von *La battaglia di Legnano* in Rom 1849 [nicht: 1879] wurde der Name V. geradezu ein Symbol für das Risorgimento: der Ruf »Viva V.« stand für »Viva V(ittorio) E(manuele) R(e) d'I(talia)«. – Stoffe der Weltliteratur verwendete V. schon für *Ernani* (V.Hugo), *Alzira* (Voltaire) und *Il corsaro* (Byron). *Giovanna d'Arco* war zwischen 1845 und 1860 erfolgreich, wurde dann seltener aufgeführt und verschwand bis zum Ende des 19. Jh. völlig vom Spielplan; *I masnadieri* war bis 1880 ein italienisches Repertoirestück und wurde 1870–80 auch in französischer Fassung als *Les brigands* in Paris gespielt; *Luisa Miller* und *Macbeth* ([erg.:] Florenz 1847) erfreuten sich während des ganzen 19. Jh. großer Beliebtheit.

Mit *Rigoletto, Il trovatore* (Vorlage war ein Drama caballeresco [nicht: Schauerdrama] von Antonio García-Gutierrez) und *La Traviata* erfüllte sich V.s Konzeption der Oper als unmittelbare szenische Realisierung eines Geschehens durch Geste, Spiel, Bewegung und musikalischen Ausdruck, dem gegenüber das Wort die untergeordnete Rolle einer Umschreibung der betreffenden Situation einnimmt. Die Ausarbeitung einer Oper *Re Lear* (ein erster Hinweis findet sich in einem Brief V.s an Piave vom November 1845; am Libretto arbeitete 1849–52 Cammarano und nach dessen Tode 1853–56 Somma) scheiterte auch an einem Textbuch, das die literarische Vorlage eines primär auf sprachlicher Äußerung beruhenden Dramas praktisch unverändert übernahm. – *Les vêpres siciliennes* wurde in italienischer Fassung zunächst unter dem Titel *Giovanna de Guzman* gespielt (Parma 1855), dann als *I vespri italiani* (Mailand 1856). *Aroldo* (1857), eine Neufassung [nicht: Variante] von *Stiffelio*, erfuhr über die Aufführung in Rimini hinaus zwischen 1857 und 1870 auch eine Reihe von Aufführungen auf anderen italienischen Bühnen. *La forza del destino* (St.Petersburg 1862 [nicht: 1861]) erhielt an der Mailänder Scala (1869) eine neue (und endgültige) Fassung, für die die Ouvertüre neu hinzugefügt und ein Finale gänzlich umgearbeitet wurde. Die Uraufführung von *Aida* (im »Theater des Khediven« [nicht: im »Italienischen Theater«]), ursprünglich zur Eröffnungsfeier des Suez-Kanals (1869) geplant, mußte nach Fertigstellung der Oper (1870) um ein Jahr verschoben werden, da die in Paris gefertigten Bühnenbilder und Kostüme aus der

von den deutschen Truppen belagerten Stadt nicht herausgebracht werden konnten. – Das Streichquartett E moll wurde bereits 1873 [nicht: 1876] zum ersten Male gespielt (am 1. 4. privat in V.s Hotel in Neapel und am 6. 6. öffentlich in Palermo). Einen ersten Vorschlag einer *Messa da Requiem*, und zwar zum Gedenken an Rossini, äußerte V. bereits 1868; verschiedene Komponisten sollten sich daran beteiligen; V. selbst steuerte das *Libera me, Domine* bei, das in die endgültige Fassung (geschrieben Sommer [nicht: Winter] 1873 zum Andenken an A. → Manzoni) übernommen wurde.
Mit den einschneidenden Überarbeitungen von *Simon* [nicht: *Simone*] *Boccanegra* (Mailand 1881 [nicht: 1884]) und *Don Carlos* (eine gegenüber der Pariser Fassung, 1867, 4aktige, den Wünschen des Publikums und des italienischen Theaterbetriebs entgegenkommende Fassung wurde schon 1873 für Neapel erstellt; der 4aktigen Neubearbeitung für Mailand, 1884, fügte V. 2 Jahre später den dort eliminierten 1. Akt für Aufführungen in Modena 1886 wieder hinzu; allerdings ist das Werk dann fast ausschließlich in 4 Akten gespielt worden) kündigt sich V.s Spätwerk an, das in *Otello* und *Falstaff* seinen Höhepunkt erreicht: Motivische Gliederung, konstruktive Behandlung von Melodie, Rhythmus und Harmonie und eigenständige Orchestrierung stellen die dramatischen Bezüge her, Sing- und Instrumentalstimmen präzisieren Geste, Spiel und Bewegung. – Die *Quattro pezzi sacri* (mit den Teilen *Ave Maria* auf eine Scala enigmatica für 4st. Chor, 1889, *Stabat mater* für Chor und Orch., 1897, *Te Deum* für Doppelchor und Orch., 1895, und *Laudi alla Vergine Maria* für 4st. Frauenchor, nach Dante, 1886) wurden 1898 in Turin uraufgeführt (in Paris wurden 1898 lediglich 3 Stücke, ohne das *Ave Maria*, gespielt) [del. bzw. erg. frühere Angaben dazu].
V.s überliefertes Œuvre an nicht musikdramatischen Werken umfaßt weiter [del. frühere Angaben]: Scena lirica *Io la vidi* für T. und Orch. (Text Calisto Bassi, 1833); *Tantum ergo* für St. und Orch. (1836); *Gesù morì*, *Volgi, deh volgi*, *L'alta impresa è già compita* und *Jesus autem emissa voce magna expiravit* für 2 S. und Org. (1836?, Fragmente); Notturno *Guarda che bianca luna* für S., T., B. und obligate Fl. (Jacopo Vittorelli, 1839); Hymne *Suona la tromba* für Männerchor und Kl. oder Orch. (Goffredo Mameli, 1848); *Inno delle nazioni* für Chor und Orch. (A. Boito, 1862, für die Weltausstellung in London 1862); *Pater noster* für 5st. Chor a cappella (nach Dante, 1879); *Ave Maria* für S. und Streicher (nach dems., 1880). – 6 Romanzen (1838) und *Album di 6 romanze* (1845) sowie die Lieder *L'esule* (T. Solera, 1839), *La seduzione* (Luigi Balestra, 1839), *Chi i bei dì m'adduce ancora* (Goethe, 1842), *Il poveretto* (S. Manfredo Maggioni, 1847), *L'abandonnée* (anon., signiert mit M. L. E., 1849), Wiegenlied *Fiorellin che sorge appena* (Fr. M. Piave, 1850), *Fiorara* (Buvoli, 1853), *La preghiera di poeta* (N. Sole, 1858), *Il brigidin* (F. Dall'Ongaro, 1863), *Stornello* (anon., 1869) und Paraphrase des Agnus Dei *Pietà Signor* (V. und A. Boito, 1894) für Singst. und Kl.
Das Istituto di Studi V.ani in Parma (Leitung M. → Medici) wurde 1959 gegründet und 1963 vom italienischen Staat als Anstalt des öffentlichen Rechts mit dem Auftrag des Studiums und der Verbreitung des Werkes von V. anerkannt. Es sammelt die Briefe von und an V. mit dem Ziel einer Gesamtpublikation, organisiert mit jeweils bestimmter Thematik Congressi internazionali di studi v.ani (bisher 4: *Situazione e prospettive degli studi v.ani nel mondo*, Venedig 1966; *Don Carlos / Don Carlo*, Verona, Parma und Busseto 1969; *Il teatro e la musica di G. V.*, Mailand 1972; *Simon*

Boccanegra e V. negli Stati Uniti, Chicago 1974) sowie Convegni di studi (bisher 2: *I vespri siciliani*, Turin 1973; *V. e Schiller*, Parma 1973) und veröffentlicht als Sammelschriften *V.*, *Quaderni* und die *Atti* der Kongresse (nähere Angaben dazu s. u. Lit.).

Lit.: C. Hopkinson, A Bibliogr. of the Works of G. V., 1813–1901, Bd I: Vocal and Instr. Works, NY 1973; M. Chusid, A Cat. of V.'s Operas, = Music Indexes and Bibliogr. V., Hackensack (N. J.) 1974.
+G. Cesari u. A. Luzio, I copialettere di G. V. (1913), Nachdr. = Bibl. musica Bononiensis V, 23, Bologna 1968; +Carteggi v.ani (A. Luzio, 1935), 4 Bde, Rom 1935–47 [erg. frühere Angaben]; Ined. v.ani nell'arch. dell'Accad. Chigiana, hrsg. v. Fr. Schlitzer, = Quaderni dell'Accad. Chigiana XXVII, Siena 1953; Isbrannyje pisma (»Ausgew. Briefe«), hrsg. v. A. D. Buschen, Moskau 1959; G. V., Briefe zu seinem Schaffen, ausgew. u. übers. v. O. Büthe u. A. Lück-Bochat, Ffm. 1963; R. Sietz, Ein unbekannter Brief G. V.s an F. Hiller, Mitt. d. Arbeitsgemeinschaft f. rheinische Mg. IV, 1967–72, Nr 33; G. V., 35 Briefe zu »Aida«, hrsg. v. H. Seeger, Jb. d. Komischen Oper Bln IX, 1968/69; Letters of G. V., hrsg. v. Ch. Osborne, London u. NY 1971. – +G. V., Briefe, hrsg. v. Fr. Werfel u. P. Stefan, 1926), engl. als: V., The Man in His Letters, NY 1973; +C. Graziani, G. V., Autobiogr. dalle lettere (1941), NA Mailand 1951; L. Eősze, G. V. életének krónikája, = Napról napra ... II, Budapest 1966, deutsch als: Wenn V. ein Tagebuch geführt hätte, ebd. 1966. – R. Petzoldt, G. V., Sein Leben in Bildern, Lpz. 1951, rumänisch = Viaţa în imagini o. Nr, Bukarest 1963; H. Kühner, G. V. in Selbstzeugnissen und Bilddokumenten, = rowohlts monographien LXIV, Reinbek bei Hbg 1961, 5 1973; P. Petit u. G. Tintori, G. V., = Vies et visages, Documents o. Nr, Paris 1966, deutsch = Porträt d. Genius IV, Hbg 1966.
+V. (Boll. dell'Istituto di studi v.ani), publ. zunächst als Periodikum (Untertitel: Boll. quadrimestrale dell'Istituto di studi v.ani), Jg. I, 1960 – III, 1962, dann in unregelmäßiger Folge, bislang 10 H., zusammengefaßt zu Bden mit jeweils besonderer Thematik: Bd I, 1960 (= Jg. I in 4 H.: Nr 1–3 u. Index [ohne Numerierung]; zu »Un ballo in maschera«]; Bd II, 1961–66 (= Jg. II, 1961, in 1 H.: Nr 1–3 [Nr 4 vacat] = Jg. III, 1962, in 1 H.: Nr 5; im folgenden ohne Jg.-Bezeichnung, 1966, 1 H.: Index; alle zu »La forza del destino«]; Bd III, 1969ff. (bislang 2 H.: Nr 7, 1969 u. Nr 8, 1973; zu »Rigoletto«). – Quaderni dell'Istituto di studi v.ani, Parma 1963ff., bislang 4 Bde: Bd I (hrsg. v. M. Medici, 1963), Il corsaro; II (ders., 1963), Gerusalemme; III (ders., 1968), Stiffelio; IV (S. Abdoun, 1971), Genesi dell'Aida. – Atti del I bzw. II Congresso di studi v.ani Venedig 1966 bzw. Verona, Parma u. Busseto 1969, Parma 1969 bzw. 1972; Colloquium »V.–Wagner« Rom 1969, Ber. hrsg. v. Fr. Lippmann, = Analecta musicologica XI, Köln 1972. (Von einer Einzelzitierung d. Beitr. aus diesen f. d. V.-Forschung wichtigen Sammelschriften wurde im folgenden abgesehen, da bibliogr.-bibliothekarisch leicht verfügbar.)
+C. Bellaigue, V. (1911), ital. Mailand 1956; +C. Gatti, V. (1931), engl. NY 1955, frz. Paris 1961, ungarisch Budapest 1967; +Fr. Toye, G. V. (1931), Nachdr. London 1962, 2 1964, auch = Vintage Books V 82, NY 1959, Nachdr. 1972, auch ital. u. hebräisch. – G. Cenzato, Itinerari v.ani, Mailand 1949, 2 1955; D. Hussey, V., NY 1949, 2. Aufl. = Great Composers Series BS 115X, NY 1962, revidiert = The Master Musicians Series o. Nr, London u. NY 3 1963, auch London 1973; L. Gianoli, G. V., = Musicisti o. Nr, Brescia 1951, 2 1963; W. Seifert, G. V., = Musikbücherei f. jedermann VII, Lpz. 1955; Th. R. Ybarra, V., Miracle Man of Opera, NY 1955; L. A. Solowzowa, Dsch. Werdi ... (»G. V., Lebens- u. Schaffensweg«), = Klassiki mirowoj musykalnoj kultury o. Nr, Moskau 1957, erweitert 2 1966, rumänisch = Clasicii muzicii universale o. Nr, Bukarest 1961; A. Dm. Buschen, Roschdenije opery ... (»Die Geburt d. Oper. Der junge V.«), Moskau 1958; M. Mila, G. V., = Bibl. di cultura moderna Bd 529, Bari 1958; P. Pierre, V., = Solfèges X, Paris 1958, nld. = Pictura-boeken X, Utrecht 1959, engl. London 1962; Fr. Walker, V.an Forgeries, MR XIX, 1958 – XX, 1959, ital. in: Rass. mus.

XXX, 1960 (vgl. dazu J. W. Klein in: MR XX, 1959, S. 244ff.); DERS., The Man V., London u. NY 1962 (grundlegend); K. G. FELLERER, V. u. d. Musik d. Risorgimento, in: Studi ital. VI, Köln 1959; J. V. SHEEAN, Orpheus at Eighty, London 1959; G. RONCAGLIA, Musica e musicisti nei giudizi di G. V., in: Accad. Nazionale di scienze, lettere e arti, Atti e memorie VI, 2, (Modena) 1960; L. EŐSZE, G. V., = Kis zenei könyvtár XVIII, Budapest 1961; J. BACHTÍK, G. V., = Hudební profily XI, Prag 1963; G. MARTIN, V., His Music, Life and Times, NY 1963, London 1965; F. MOMPELLIO, Critiche di V. ai critici, Fs. E. Desderi, Bologna 1963; H. SWOLKIEŃ, V., Krakau 1963, ²1968; G. PANNAIN, G. V., = Classe unica Bd 158, Turin 1964; G. PIGHINI, Il genio di G. V. visto da un biologo, Parma 1964; G. CONFALONIERI, Religiosità di G. V., in: L'opera ital. in musica, Fs. E. Gara, Mailand 1965; J. MALRAYE, G. V., = Musiciens de tous les temps XXIV, Paris 1965; M. WL. NJURNBERG, Dsch. Werdi, Leningrad 1968; K. H. RUPPEL, Der weltmännische Bauer, in: Musica XXII, 1968; V. BAERWALD, G. V., Stuttgart 1969; C. POESIA, G. V., = Biographica V, Bologna 1969; G. BALDINI, Abitare la battaglia. La storia di G. V., hrsg. v. F. D'Amico, = Saggi o. Nr, Mailand 1970 (vgl. dazu M. Mila in: nRMI V, 1971, S. 526ff.); G. MARCHESI, G. V., = La vita sociale della nuova Italia XVIII, Turin 1970; A. MAVRODIN, V., Bukarest 1970; CL. SARTORI, La Strepponi e V. a Parigi nella morsa quarantottesca, nRMI VIII, 1974. – →Werfel, Fr.

E. BLOM, V. as Musician, ML XII, 1931, Wiederabdruck in: Classics, Major and Minor, London 1958, Nachdr. NY 1972; R. EGGER, Die Arienformen in d. Oper V.s, Diss. Innsbruck 1951; P. SCHMIEDEL, Die Entwicklung d. Harmonik im Opernschaffen G. V.s: Eine Tonsystem-Studie, Diss. Lpz. 1953; FR. I. TRAVIS, V.s Orchestration, Diss. Zürich 1956; W. SIEGMUND-SCHULTZE, Probleme d. V.-Oper, Kgr.-Ber. Köln 1958; G. RONCAGLIA, Galleria v.ana. Studi e figure, Mailand 1959; R. SCHAWERDJAN, Melodika Werdi, SM XXIV, 1960; H. DRESSLER, Das große Duett, SMZ CIII, 1963; G. ENGLER, Eifersucht. Über melodisch-motivische Beziehungen in Werken V.s, NZfM CXXIV, 1963; W. A. HERRMANN JR., Religion in the Operas of G. V., Diss. Columbia Univ. (N. Y.) 1963; J. W. KLEIN, Bizet and V., An Antagonism, MR XXIV, 1963; H. KUNITZ, Cimbasso. Die Baßpos. G. V.s, Instrumentenbau-Zs. XVII, 1963; H. SWAROWSKY in: ÖMZ XVIII, 1963, S. 453ff.; G. CONFALONIERI, Mascagni e V., in: P. Mascagni, hrsg. v. M. Morini, Mailand 1964; C. DELFRATI, I valori drammatici nel melodramma V.: Il convegno mus. I, 1964; J. KOVÁCS, A kései V.-stílus műhelyéből (»Stilprobleme in V.s Spätwerk«), in: Magyar zene V, 1964; A. MORAVIA, Das Plebejische bei V., in: Sinn u. Form XVI, 1964; G. BARBLAN, Problemi e impegni d'arte in V., in: L'opera ital. in musica, Fs. E. Gara, Mailand 1965; M. MILA, L'equivoco della rinascita v.ana, 1932–64, ebd.; DERS., L'unità stilistica nell'opera di V., nRMI II, 1968; P. PINAGLI, Romanticismo di V., = Saggi illustrati o. Nr, Florenz 1967; L. K. GERHARTZ, Die Auseinandersetzungen d. jungen G. V. mit d. literarischen Drama. Ein Beitr. zur szenischen Strukturbestimmung d. Oper, = Berliner Studien zur Mw. XV, Bln 1968; J. KERMAN, V.'s Use of Recurring Themes, in: Studies in Music, Fs. O. Strunk, Princeton (N. J.) 1968; H. TRENNER, Zur Stilgesch. d. Koloratur v. Monteverdi bis V., Diss. Innsbruck 1968; FR. LIPPMANN, V. u. Bellini, in: Beitr. zur Gesch. d. Oper, hrsg. v. H. Becker, = Studien zur Mg. d. 19. Jh. XV, Regensburg 1969; P. PETROBELLI, Osservazioni sul processo compositivo in V., AMl XLIII, 1971; E. BATTAGLIA, Voci v.ane, equivoco di scuola?, nRMI VI, 1972.

+M. MILA, Il melodramma di V. (1933), Bari ²1958, gekürzt = Universale economica CCCIV, Mailand 1960; SP. HUHGES, Famous V. Operas, London u. Philadelphia (Pa.) 1968; CH. OSBORNE, The Complete Operas of V., London u. NY 1969, auch London 1973; M. RINALDI, Gli »anni di galera« di G. V., Rom 1969; Opery Dsch. Werdi, ... (»G. V.s Opern. Ein Führer«), hrsg. v. L. SOLOWZOWA, Moskau 1971; J. BUDDEN, The Operas of V., Bd I: From Oberto to Rigoletto, London 1973. – W. BARUCH, V. u. Schiller. Quellenkundliche Studien zum Libretto-Problem, Diss. Prag 1935; J. KAMES, Die V.-

Opern nach Shakespeare-Dramen, Diss. Wien 1948; FR. SCHLITZER, V.'s »Alzira« at Naples, ML XXXV, 1954; J. LIEBNER, Schiller hatása V.re, in: Új zenei szemle VI, 1955, deutsch als: Der Einfluß Schillers auf V., Kgr.-Ber. Kassel 1962 u. in: MuG XIII, 1963, auch frz. in: SMZ CI, 1961, S. 105ff.; K. H. RUPPEL, V. u. Shakespeare, SMZ XCV, 1955, auch in: Forvm X, 1963; A. PORTER, V. and Schiller, Opera Annual III, 1956/57; DERS., A Sketch f. »Don Carlos«, MT CXI, 1970; DERS., The Making of »Don Carlos«, Proc. R. Mus. Ass. XCVIII, 1971/72; DERS., A Note on Princess Eboli, MT CXIII, 1972; G. BARBLAN, Un prezioso spartito del »Falstaff«, Mailand 1957; J. BALZER, »Simon Boccanegra«. En V.-studie, DMT XXXIV, 1959; K. G. FELLERER, V. u. Wagner, in: Studi ital. III, Köln 1959; R. MARLOWE, V. and Shakespeare, MR XX, 1959; R. W. MENDL, V. and Shakespeare, in: The Chesterian XXXIV, 1959; H. SCHMIDT-GARRE, V.s Griff nach Shakespeare, NZfM CXX, 1959; L. GUADAGNINO, Kriterien d. V.-Forschung. Ansätze zu einer kritischen Betrachtung d. »Othello«, NZfM CXXI, 1960; Volti mus. di Falstaff, hrsg. v. A. DAMERINI u. G. RONCAGLIA, = Accad. mus. Chigiana (XVIII), Siena 1961; J. FRINGS, »Othello« bei Shakespeare u. V., Shakespeare-Jb. XCVII, 1961; E. H. MÜLLER V. ASOW, R. Strauss u. G. V., ÖMZ XVI, 1961; H. FÄHNRICH, V.s »Re Lear«, NZfM CXXIII, 1962; J. W. KLEIN, Some Reflections on V.'s »Simone Boccanegra«, ML XLIII, 1962; DERS., V.'s »Otello« and Rossini's, ML XLV, 1964; L. POLJAKOWA, Werdi i Gutjerres (»V. u. Gutierrez«), SM XXVI, 1962; C. MARINELLI, Tre opere di V., »La battaglia di Legnano, Macbeth, Simon Boccanegra«, in: Nuova ant. di scienze, lettere ed arti XCVIII, 1963, Bd 488; W. OSTHOFF, Die beiden »Boccanegra«-Fassungen u. d. Beginn v. V.s Spätwerk, in: Analecta musicologica I, 1963; DERS., Die beiden Fassungen v. V.s »Macbeth«, AfMw XXIX, 1972; G. PUGLIESE, Perchè il V. minore, in: Musica d'oggi VI, 1963; H. S. ROLLMANBRANCH, Psychoanalytic Reflections on V.'s Don Carlo, in: The American Imago XX, 1963; E. LENDVAI, A müalkotás egysége V. Aidájában (»Die mus. Einheit d. ‚Aida‘ v. V.«), in: Magyar zene V, 1964; M. MILA, V. minore. Lettura dell'»Alzira«, RIdM I, 1966; DERS., Lettura del »Corsaro« di V., nRMI V, 1971; G. ORDSCHONIKIDSE, Opery Werdi na sjuschety Schekspira (»V.s Opern auf Shakespearesche Stoffe«), Moskau 1967; W. WEAVER, The Irresistible »Ernani«, in: Opera XVIII, 1967; R. LEJTES, Dramaturgitscheskije ossobennosti opery Werdi »Otello« (»Die dramaturgischen Besonderheiten v. V.s Oper ‚Otello‘«), Leningrad 1968; L. PESTALOZZA, Macbeth, in: Il verri 1968, Nr 29; KL. SCHLEGEL, Bekenntnis zum Ungewöhnlichen. V.s Mitarbeit am »Aida«-Libretto, Jb. d. Komischen Oper Bln IX, 1968/69; A. A. ABERT, Über Textentwürfe V.s, in: Beitr. zur Gesch. d. Oper, hrsg. v. H. Becker, = Studien zur Mg. d. 19. Jh. XV, Regensburg 1969; A. BLYTH, V.'s »Otello«, in: Opera XX, 1969; CL. GALLICO, Ricognizione di »Rigoletto«, nRMI III, 1969; DERS., Chiaroveggenza di critici di »Rigoletto«, in: Analecta musicologica IX, 1970; I. GRACE, An Analysis of the Dramatic Content of the Music of V.'s Otello, Diss. Columbia Univ. (N. Y.) 1969; G. HAUGER, »Othello« and »Otello«, ML L, 1969; CH. OSBORNE, V.'s »Really First« Opera, in: Opera XX, 1969 (»u »Rocester«); L. L. STOCKER, The Treatment of the Romantic Literary Hero in V.'s »Ernani« and in Massenet's »Werther«, Diss. Florida State Univ. 1969; W. BOLLERT, Auber, V. u. »Maskenball«-Stoff, Kgr.-Ber. Bonn 1970; U. GÜNTHER, Die Pariser Skizzen zu V.s »Don Carlos«, ebd.; DIES., La genèse de »Don Carlos«, Rev. de musicol. LVIII, 1972 u. LX, 1974 (zur Pariser Fassung 1867); DIES., Zur Entstehung v. V.s »Aida«, in: Studi mus. II, 1973; C. NEULS-BATES, V.'s »Les vêpres siciliennes« (1855) and »Simon Boccanegra« (1857), 2 Bde, Diss. Yale Univ. (Conn.) 1970; H. ROSENTHAL, V.'s »Falstaff« u. »Nabucco«, in: Opera XXI, 1970 bzw. XXIII, 1972 (diskographisch); ST. STOMPOR, Zur Dramaturgie v. V.s Oper »Die Macht d. Schicksals«, Jb. d. Komischen Oper Bln XI, 1970/71; D. R. B. KIMBELL, »Poi ... diventò ‚L'Oberto‘«, ML LII, 1971; R. E. AYCOCK, Shakespeare, Boito, and V., MQ LVIII, 1972; J. BUDDEN, Varianti nei »Vespri siciliani«, nRMI VI, 1972; R. LEIBOWITZ, »Don

Carlo« ou les fantômes du clair-obscur, in: Les fantômes de l'opéra, = Bibl. des idées o. Nr, Paris 1972; G. PESTELLI, Le riduzioni del tardo stile v.ano, nRMI VI, 1972 (zu »Don Carlos«); PH. FRIEDHEIM, Formal Patterns in V.'s »Il trovatore«, in: Studies in Romanticism XII, 1973; J. KERMAN, Notes on an Early V. Opera, in: Soundings III, 1973 (zu »Ernani«); FR. NOSKE, Ritual Scenes in V.'s Operas, ML LIV, 1973; DERS., V. u. d. Belagerung v. Haarlem, in: Convivium musicorum, Fs. W. Boetticher, Bln 1974 (zu »La battaglia di Legnano«); BR. ARCHIBALD, Tonality in »Otello«, MR XXXV, 1974. G. CHIGI SARACINI, La messa v.ana, in: Quaderni dell' Accad. Chigiana XXXVIII, 1958; H. F. REDLICH u. FR. WALKER, »Gesù mori«. An Unknown Early V. Ms., MR XX, 1959; G. RONCAGLIA, La religiosità di V., il suo »Te Deum« e lo »Stabat mater«, in: Musiche ital. rare e vive . . . , hrsg. v. A. Damerini u. G. Roncaglia, = Accad. mus. Chigiana (XIX), Siena 1962; DERS., Il »Requiem« di V., in: Le celebrazioni del 1963 . . . , hrsg. v. M. Fabbri, ebd. (XX), 1963; F. SOPEÑA IBÁÑEZ, El »requiem« en la música romántica, = Libros de música II, Madrid 1965; D. ROSEN, V.'s »Liber scriptus« Rewritten, MQ LV, 1969; DERS., La »Messa« a Rossini e il »Requiem« per Manzoni, RIdM IV, 1969 – V, 1970; C. BARISON, V. e il suo quartetto d'archi, Rass. mus. Curci XXIII, 1970; D. B. GREENE, G. V.'s »Dies irae«, in: Response XI, 1970/71; M. MILA, »Te Deum« e »Stabat mater« di V., in: Chigiana XXVI/XXVII, N. S. VI/VII, 1971. P. I. RUMJANZEW, Rabota Stanislawskowo nad operoj »Rigoletto« (»Die Arbeit v. Stanislawskij an d. Oper ,Rigoletto'«), Moskau 1955; E. M. KOLERUS, Moderne Opernbearb. nach V. in textlicher u. dramaturgischer Hinsicht, Diss. Wien 1956; KL. SCHLEGEL in: Jb. d. Komischen Oper Bln II, 1961/62, S. 103ff. u. VIII, 1967/68, S. 80ff. (zu W. Felsensteins Inszenierung v. »La Traviata«); H. SEEGER, Übersetzungsprobleme in V.s »Rigoletto«, ebd. II, 1961/62; O. KOKOSCHKA, Entwürfe zu V.s »Maskenball«, in: Forvm X, 1963; W. SZMOLYAN, V.s Opern in Wien, ÖMZ XVIII, 1963; G. GAVAZZENI, Il V. di Toscanini, in: L'opera ital. in musica, Fs. E. Gara, Mailand 1965; G. PUGLIESE, V. and Toscanini, in: Opera XVIII, 1967; E. ARNOST, V. in Argentina, in: L'opera IV, (Mailand) 1968; R. LEIBOWITZ, Vérisme, véracité et vérité de l'interprétation de V., in: Le compositeur et son double, = Bibl. des idées o. Nr, Paris 1971; P. VÁRNAI, V. Magyarországon (»V. in Ungarn«), in: Magyar zene XII, 1971 – XIII, 1972.

Veremans (v'erəmans), Renaat, * 2. 3. 1894 zu Lierre (Antwerpen), † 5. 6. 1969 zu Antwerpen; flämischer Komponist, studierte am Antwerpener Konservatorium und war 1921–41 Direktor der königlichen Oper in Antwerpen. Er wurde durch sein Chor- und Liedschaffen in seiner Heimat sehr populär. Daneben schrieb er u. a. die Oper *Anna-Maria* (Antwerpen 1938) sowie Orchester-, Kirchen-, Bühnen- und Filmmusik.

+Veress, Sándor, * 1. 2. 1907 zu Klausenburg (Kolozsvár/Cluj).
V. lehrt auch als Extraordinarius für Musikwissenschaft seit 1968 an der Berner Universität. – Neuere Kompositionen: Concerto für Streichquartett und Orch. (1961); *Passacaglia concertante* für Ob. und Streichorch. (1961); Variationen auf ein Thema von Kodály für Orch. (1962); Klaviertrio (1963); Elegie für Bar., Streichorch. und Hf. (1964); *EXPOsition–VARiation–REcapitulation* für Kammerorch. (1964); *Musica concertante* für 12 Streicher (1966); Sonate für Vc. solo (1967); Bläserquintett (1968); 7 Madrigale *Songs of the Seasons* für gem. Chor. (1968). Er schrieb ferner den Beitrag *B.Bartóks 44 Duos für zwei Violinen* (Fs. E. Doflein, Mainz 1972).
Lit.: E. DOFLEIN in: Melos XXI, 1954, S. 74ff.; DERS. in: SMZ XCVII, 1957, S. 57ff.; J. DEMÉNYI in: Tempo 1969, Nr 88, S. 19ff.

+Veretti, Antonio, * 20. 2. 1900 zu Verona.
V., Mitglied einer Reihe italienischer Musikakademien,

ist seit 1956 auch Präsident der Accademia nazionale L.Cherubini di musica, lettere e arti figurative in Florenz. – Neuere Werke: Fantasie für Klar. und Kl. (oder Orch., 1959); Concertino für Fl. und Kl. (oder Kammerorch., 1959); Elegie für Gesang, Klar., V. und Git. (1965); *Prière pour demander une étoile* für Chor a cappella (1966, Fassung für Chor und Orch. 1967).
Lit.: N. COSTARELLI in: Rass. mus. XXV, 1955, S. 26ff.; DERS., A. V. e la sua »Prière pour demander une étoile«, in: Chigiana XXIII, N. S. III, 1966.

+Verhulst, Johannes Joseph Hermann, 1816–91.
Ausg.: Symphonie op. 46, hrsg. v. J. TEN BOKUM, = Exempla musica Neerlandica V, Amsterdam 1971.
Lit.: G. WERKER in: Mens en melodie XXI, 1966, S. 70ff.

Verkoeyen (fərk'u:jə), Jos, * 3. 10. 1914 zu Kerkrade; niederländischer Violinist, studierte bei Back in Amsterdam, war 1940–49 Mitglied des städtischen Orchesters in Utrecht, 1949–54 2. Kapellmeister des Rundfunk-Kammerorchesters Hilversum und wurde 1956 als 1. Konzertmeister Mitglied des Orchesters der Neo-Radio-Unie. Er ist der Gründer und Primarius des Gaudeamus-Kwartet (Jan Brejaart 2. Violine, Jan van der Velde Bratsche, Max Werner Violoncello) und machte sich als Interpret zeitgenössischer Musik einen Namen. V. schrieb den Beitrag *De strijkers en de nieuwe muziek* (in: Mens en melodie XXIV, 1969, deutsch als *Die Streicher und die Neue Musik* in: Das Orchester XIX, 1971, auch deutsch und engl. in: Sonorum speculum 1970, Nr 45, tschechisch in: Hudební rozhledy XXIV, 1971, S. 448f.).

Verlag Neue Musik, Verlag des Verbandes der Komponisten und Musikwissenschaftler der DDR, gegründet 1957 mit Sitz in Berlin. Lizenzträger war Notowicz in seiner Funktion als 1. Sekretär des Verbandes deutscher Komponisten und Musikwissenschaftler, jetziger Lizenzträger ist dessen Amtsnachfolger Werner Lesser; Verlagsleiter ist Herbert Lehmann, Cheflektor Helge Jung. Dem Unternehmen obliegt die Verbreitung besonders von zeitgenössischer Musik der DDR, neuer musikwissenschaftlicher und populärwissenschaftlicher Literatur sowie Unterrichts- und Kinderliteratur.

Vermeersch (vərm'e:rs), Jef, * 7. 2. 1928 zu Brügge; belgischer Sänger (Heldenbariton), studierte an den Konservatorien in Brügge und Gent sowie privat bei Achiel van Beveren und Mina Bolotine-Wagner. 1952–57 trat er als Konzertsänger auf und debütierte 1960 als Wotan (*Rheingold*) in Antwerpen. Nach einem Engagement am Musiktheater im Revier in Gelsenkirchen (1966) kam er 1973 an die Deutsche Oper Berlin. V. hat an den großen europäischen Bühnen gastiert und sang 1973 bei den Osterfestspielen in Salzburg den Kurwenal. Zu seinem Repertoire zählen ferner Kaspar (*Freischütz*), Hans Sachs, Falstaff und Golaud (*Pelléas et Mélisande*).

+Vermeulen, Matthijs, * 8. 2. 1888 zu Helmond (Nordbrabant), [erg.:] † 26. 7. 1967 zu Laren (Nordholland).
Werke: 7 Symphonien (*Symphonia carminum*, 1912–14; *Prélude à la nouvelle journée*, 1920; *Thrène et Péan*, 1922; *Les victoires*, 1941; *Les lendemains chantants*, 1945; *Les minutes heureuses*, 1959; *Dithyrambes pour les temps à venir*, 1963–65); Streichquartett (1961), Streichtrio (1924), Sonaten für V. (1925) bzw. Vc. (1918, 1938) und Kl.; Lieder (3 *Chants d'amour* für Mezzo-S. oder T. und Kl., 1962). Seine Erinnerungen erschienen als *De muziek, dat wonder* (= Ooievaar LXXIV, Den Haag und Antwerpen 1958), ferner ein Beitrag zu seiner 7. Symphonie in: Sonorum speculum 1966, Nr 29, S. 24ff.

Lit.: Nachruf in: Sonorum speculum 1967, Nr 32, S. 32f. (mit Werkverz.). – W. PAAP in: Mens en melodie XI, 1956, S. 162ff.; DERS., ebd. XXII, 1967, S. 257ff.; G. WERKER, ebd. XVIII, 1963, S. 77ff.; DERS., W. Pijper en M. V., ebd., XXVII, 1972; E. VERMEULEN in: Sonorum speculum 1966, Nr 28, S. 1ff.; TH. VERMEULEN-DIEPEN-BROCK in: Mens en melodie XXIII, 1968, S. 11ff.; R. DE LEEUW, Muzikale anarchie, Amsterdam 1973, Auszug deutsch u. engl. in: Sonorum speculum 1973, Nr 52, S. 1ff.

Verneuil (vɛrnˈœ:j), Raoul de, * 9. 4. 1899 zu Lima; peruanischer Komponist, lebt in Paris. Er studierte ab 1924 am Pariser Conservatoire und trat 1932 in Madrid als Dirigent eigener Werke an die Öffentlichkeit. Seitdem werden seine Kompositionen in den USA, Südamerika und Europa aufgeführt. Er schrieb Orchesterwerke (Symphonie; *Paracas*; *Les sons*; Symphonische Dichtungen *Apolo* und *Narciso*; *Musique*, 1954; Konzert für Streichorch.; Violinkonzert; Violoncellokonzert; 3 Klavierkonzerte; Trompetenkonzert; Konzert für Fl., Trp., Horn und Orch.; Konzert für Cemb. und Kammerorch.), Kammermusik (3 Bläserquintette; 3 Streichquartette; Streichtrio; Trio für Fl., Horn und Kl.; Trio für Fl., Vc. und Kl.; Konzert für Fl. und Kl.; *Estructuras* für V. und Kl.; 2 Violinsonaten; Flötensonate), *Arquitectura celeste* für Org., *9 poemas* und *Esquemas* für Kl. sowie Vokalwerke (*4 sonetos del ruiseñor* für S. und Orch.; *Sinfonía sacra* für 4st. Chöre und Orch.; *Leyenda india*, Oktett für S. und 7 Instr.; 12 Lieder nach Texten von Baudelaire).

Verocąi, Giovanni, * um 1700 zu Venedig, † 13. 12. 1745 zu Braunschweig; italienischer Violoncellist und Komponist, wahrscheinlich Schüler von Vivaldi, war 1727 1. Violoncellist des Opernorchesters in Breslau, wurde 1729 am Dresdner Hof Violoncellist neben Gasparo Janeschi, mit dem er 1730 in Warschau und 1731–32 am Zarenhof in St.Petersburg konzertierte. Nach seiner Heirat mit der deutschen Sängerin Sophie Kayser (1732) nahm er an Konzerten und Opernaufführungen teil. 1739 wurde er Konzertmeister am Hofe von Braunschweig-Wolfenbüttel. Von seinen Opern, die alle in Braunschweig uraufgeführt wurden und deren Partituren verschollen sind, seien genannt: *Venceslao* (1739); *Penelope* (1740); *Demofoonte* (1741); *Zenobia e Radamisto* (1742); *Cato* (1743); *Sesostri* (1744); *Adriano in Siria* (1745). Daneben veröffentlichte er *12 Sonates à v. seul avec la b.* op. 1 (St.Petersburg 1735–38) und *Labirinto musicale per 2 v. e b.*
Lit.: R.-A. MOOSER, Annales de la musique et des musiciens en Russie au XVIIIᵉ s., Bd I, Genf 1948.

+Verrall, John W., * 17. 6. 1908 zu Britt (Ia.).
V. lehrt als Professor of Music an der University of Washington. – Seine +3 Opern [erg.:] *The Cowherd and the Sky Maiden*, *The Wedding Knell* und *Three Blind Mice* wurden in Seattle (Wash.) uraufgeführt (1952, 1952, 1955). – Neuere Werke: Symphonie für Kammerorch. (1967); Bratschenkonzert (1968); Canzona für Org. (1968); Nonett für Streichquartett und Bläserquintett (1970). Er schrieb des weiteren *Fugue and Invention in Theory and Practice* (Palo Alto/Calif. 1966) und *Basic Theory of Music* (ebd. 1970).

Verrett (vˈɛrit), Shirley, * zu New Orleans; amerikanische Sängerin (Mezzosopran), studierte an der Juilliard School of Music in New York (Goldovsky) sowie bei Giulietta Simionato und debütierte 1957 beim Shakespeare Festival in Yellow Springs (O.) in der Titelrolle von Brittens *The Rape of Lucretia*. Nach Engagements an der Kölner Oper (1959) und der City Opera in New York (1964) trat sie an der Mailänder Scala und der Covent Garden Opera in London auf (ab 1966). In der Rolle der Carmen folgte danach ihr

Debüt an der Metropolitan Opera in New York. Ihre wichtigsten Partien sind Orpheus, Dalila, Ulrica, Azucena, Amneris, Eboli und Selika (*L'Africaine*).
Lit.: SP. JENKINS in: Opera XXIV, (London) 1973, S. 585ff.

+Vesque von Püttlingen, Johann, 1803–83.
Lit.: H. IBL, Studien zu J. V. v. P.s Leben u. Opernschaffen, Diss. Wien 1949.

Vester, Frans, * 22. 5. 1922 zu Den Haag; niederländischer Flötist, studierte 1937–41 am Konservatorium in Amsterdam, gründete 1957 das Danzi-Bläserquintett und gehört dem Ensemble »Diapason 422« an. Zahlreiche Konzertreisen führten ihn durch Europa, in die UdSSR, die USA, nach Kanada und Israel. Gegenwärtig lehrt V. als Professor für Flöte am Konservatorium in Den Haag. Er veröffentlichte *Classical Studies for Flute* (2 Bde, London 1966–69) sowie *Flute Repertoire Catalogue* (ebd. 1967) und gab mehrere Werke für Blasinstrumente heraus.

Vestris (vɛstrˈi), Gaetan Apolline Baldassare (eigentlich Gaetano Apollino Baldassare Vestri), * 18. 4. 1729 zu Florenz, † 27. 9. 1808 zu Paris; italienischer Tänzer und Choreograph, der berühmteste Tänzer seiner Zeit, genannt »le Dieu de la danse«, stammte aus einer italienischen Komödiantenfamilie, war in Paris Schüler von Louis Dupré, debütierte dort 1748 an der Opéra, wurde 1751 »premier danseur«, 1761 Maître de ballet und wirkte 1770–76 als Choreograph. Er gastierte in ganz Europa, u. a. auch in Stuttgart bei Noverre, dessen Ballette er in Wien, Warschau und Paris einstudierte. V. trat in *Médée et Jason* als erster Tänzer seiner Zeit ohne Maske auf. Seine bekanntesten Ballette waren *Endymion* (1773) und *Nid d'oiseaux*. 1792 heiratete er die Tänzerin Anna Friederike Heinel. – Aus V.' Verbindung mit der Ballerina Marie Allard ging Auguste V. (* 27. 3. 1760, † 5. 12. 1842 zu Paris) hervor, der 1772 an der Pariser Opéra in der Pastorale *La cinquantaine* von J.Desfontaines debütierte, 1792 »premier sujet de la danse« wurde und später als Demi-caractère-Tänzer in Paris und London hohes Ansehen genoß. Er lehrte ab 1821 an den Ecoles de perfectionnement et de grâce der Pariser Opéra und trat 1833 zum letzten Male in einem »menuet de cour« zusammen mit Maria Taglioni öffentlich auf.
Lit.: G. CAPON, Les V., Le »Dieu« de la danse et sa famille, Paris 1908; A. LEVINSON, Meister d. Balletts, Potsdam 1923; S. LIFAR, A. V., Brüssel 1950; I. GUEST, The Romantic Ballet in England, London 1954.

Vetter, Daniel, * zu Breslau, † 7. 2. 1721 zu Leipzig; deutscher Kirchenmusiker, kam 1678 nach Leipzig, wurde Orgelschüler von W.Fabricius und 1679 dessen Nachfolger als Organist an St.Nicolai. Er veröffentlichte *Musicalische Kirch- und Hauß-Ergötzlichkeit, bestehend in denen gewöhnlichen Geistlichen Liedern, so durchs gantze Jahr bey öffentlichen Gottesdienst gesungen werden* (Lpz. 1709, Dresden ²1716), dem 1713 ein *Anderer Theil* folgte. Den 69 bzw. 48 4st. für die Orgel gesetzten Melodien folgte *Nachgehends eine gebrochene Variation auff dem Spinett oder Clavicordio zu tractiren*. Das Werk diente also damals auch der Hausmusik.
Lit.: WaltherL; J. ZAHN, Die Melodien d. deutschen ev. Kirchenlieder, Bd V, Gütersloh 1890, Nachdr. Hildesheim 1963; M. WEHNERT in: MGG XIII, 1966, Sp. 1570f.

Vetter, Michael, * 18. 9. 1943 zu Oberstdorf (Allgäu); deutscher Blockflötist und Komponist, trat nach einem Philosophie- und Theologiestudium (1964–69) als Interpret von Blockflötenkompositionen der Vorklassik und der zeitgenössischen Musik (u. a. von Kagel, Pousseur, Schönbach, K.Stockhausen und eigenen

Werken) hervor und veröffentlichte die Ergebnisse seiner klang- und spieltechnischen Untersuchungen in dem Schulwerk *Il flauto dolce ed acerbo* (3 Bde, Celle 1964–69) sowie in Aufsätzen (*Apropos Blockflöte*, in: Melos XXXV, 1968; *Die Blockflöte in der Musik der Gegenwart*, Hdb. des Musikunterrichts ..., hrsg. von E. Valentin u. a., Regensburg 1970; *Liebesspiele oder Zur musikalischen Zukunft der Sprache*, in: Melos XL, 1973). Von seinen Kompositionen, die graphisch-textlich fixiert sind, seien genannt: Kammeroper *Der Dichter und das Mädchen* (1966); *Reaktionen auf Revolutionäre*, Duo für einen Instrumentalisten und seinen Verstärker, ein musikalisches Gleichnis; *New Incussions for Two* für elektrische Block-Fl./St. und elektrische Git. (auch in Triofassung mit Publikum ad libitum); *Memorandum*, Duo für 2 Spieler verschiedener musikalischer Sprachen für St. und elektrische Block-Fl./St.; *Retrospektive*, Musik zu einer Ausstellungseröffnung für St. und elektrische Block-Fl./St.; *Konstellationen* (1965); *Figurationen* III für ein beliebiges Instr. (1965); *Imagia* (1965); *Rezitative* für einen Blockflötisten (1967); *Steinspiel* (1967); *Felder II*, musikalisches Projekt für Kinder (1968); *Orzismus*, Begeisterung wider Chöre für Publikum, 3 Spieler und Projektionen (1969); *Incussions* (1969); *Revolution* (1971) und *Sonnenuntergang* (1971) für elektrische Git., elektrische Block-Fl., Trp. und Schlagzeug; *Nacht*, Ringmusik für kleines Ensemble (1971).

+**Vetter**, [erg.: Hermann] W a l t h e r, * 10. 5. 1891 und [erg.:] † 1. 4. 1967 zu Berlin.
1958 wurde er an der Humboldt-Universität Berlin emeritiert. Die 2. Folge gesammelter Aufsätze +*Mythos–Melos–Musica* erschien Lpz. 1961. Seinem Wirken wurde eine Gedenkschrift gewidmet (*Musa–Mens–Musici*, hrsg. von E. H. Meyer, Lpz. 1970, mit Verz. seiner Arbeiten). An neueren Schriften seien hier genannt: *Chr. W. Gluck. Ein Essay* (Lpz. 1964); *Deutschland und das Formgefühl Italiens. Betrachtungen über die Metastasianische Oper* (DJbMw IV, 1959); *G. Mahlers sinfonischer Stil* (DJbMw VI, 1961); *Der deutsche Charakter der italienischen Oper G. Chr. Wagenseils* (Fs. K. G. Fellerer, Regensburg 1962); *Zur Stilproblematik der italienischen Oper des 17. und 18. Jh.* (Fs. E. Schenk, = StMw XXV, 1962); *Italienische Opernkomponisten um G. Chr. Wagenseil. Ein stilkundlicher Versuch* (Fs. Fr. Blume, Kassel 1963); *Italiens Musik im Lichte von Dichtung und bildender Kunst* (DJbMw VIII, 1963); *H. Wölfflin und die musikalische Stilforschung* (Fs. H. Engel, Kassel 1964); *The Image of Italian Music and Art Presented in German Literature* (in: The Commonwealth of Music, Gedenkschrift C. Sachs, NY und London 1965); *Tschechische Opernkomponisten. Ein stilkundlicher Versuch* (Fs. J. Racek, = Sborník prací filosofické fakulty brněnské university XIV, F 9, 1965); *Sonderprobleme in Mozarts »Zauberflöte« und im »Titus«. Ein Versuch über Mozarts Formgefühl* (Jb. der Komischen Oper Berlin VII, 1966/67). Er legte ferner in NA J. N. Forkels *Über J. S. Bachs Leben, Kunst und Kunstwerke* vor (Bln 1966 und Kassel 1968).
Lit.: H. WEGENER in: DJbMw XI, 1966, S. 7f.; H. BECKER in: Mf XX, 1967, S. 245ff.; H. SCHÄFER in: MuG XVII, 1967, S. 400ff.; FR. BLUME in: AMl XL, 1968, S. 3ff.; E. H. MEYER in: BzMw X, 1968, S. 209f.

+**Vetterl,** K a r e l, * 30. 6. 1898 zu Brünn.
V., der nicht am Brünner Konservatorium als Lehrer gewirkt hatte, leitete 1945–53 die Brünner Universitätsbibliothek und ab 1966 die Musikabteilung des Instituts für Ethnographie und Folkloristik der tschechischen Akademie der Wissenschaften in Brünn. – Weitere Veröffentlichungen: *Lidová píseň v Janáčkových*

sborech do roku 1885 (»Das Volkslied in Janáčeks Chören bis 1885«, Fs. J. Racek, = Sborník prací filosofické fakulty brněnské university XIV, F 9, 1965); *The Method of Classification and Grouping of Folk Melodies* (StMl VII, 1965); *A Select Bibliography of European Folk Music* (mit E. Dal u. a., Prag 1966); *Zur Klassifikation und Systematisierung der Volksweisen im westlichen Karpatenraum* (Fs. W. Wiora, Kassel 1967); *Die Melodienordnung auf der Basis der metrorhythmischen Formgestaltung* (in: Methoden der Klassifikation von Volksliedweisen, hrsg. von O. Elschek und D. Stockmann, = Slowakische Akademie der Wissenschaften, Institut für Musikwissenschaft, Symposia II, Bratislava 1969); *Lied und Gesang in tschechischen Urkunden des 15. und 16. Jh.* (StMl XIII, 1971); weitere Aufsätze u. a. in »Český lid« und »Estetická výchova«. – Ausgaben: *Lidové písně a tance z Valašskokloboucka* (»Volkslieder und -tänze aus der Walachei«, 2 Bde, Prag 1955–60); *Czech and Slovak Folk Song, Music and Dance* (mit A. Elscheková, Tóth u. a., ebd. 1962).
Lit.: J. VYSLOUŽIL in: Hudební rozhledy IX, 1956, S. 716ff., u. XI, 1958, S. 472ff.; O. SIROVÁTKA in: Český lid XLV, 1958, S. 276ff.

Vetterling, A r n o, * 26. 3. 1903 zu Naumburg (Saale), † 30. 1. 1963 zu Hildesheim; deutscher Komponist von Operetten, war einige Zeit in Chemnitz als Theaterkapellmeister tätig, ging dann nach Berlin und trat Mitte der 30er Jahre als Komponist hervor. Nach dem Krieg ließ er sich in Bremen nieder. Von seinen Bühnenwerken hatte die singspielhafte Operette *Die Liebe in der Lerchengasse* (Magdeburg 1936) nachhaltigen Erfolg.

Veyron-Lacroix (vɛr'ɔ̃lakrw'a), R o b e r t, * 13. 12. 1922 zu Paris; französischer Pianist und Cembalist, studierte am Pariser Conservatoire (Samuel-Rousseau, Nat) und entfaltet im In- und Ausland eine rege Konzerttätigkeit, bei der Werke des Barocks und der Klassik im Mittelpunkt stehen. Er lehrte an der Schola Cantorum in Paris (1956) und der Accademia Internazionale di Nizza (1959). 1967 wurde er Professor für Klavier am Pariser Conservatoire. V.-L. veröffentlichte *Recherches de musique ancienne* (Paris 1955).

+**Viadana,** L o d o v i c o (Grossi da V.), um 1560 [nicht: 1564] – 1627 [nicht: 1645].
V.s Schülerschaft bei T. Porta ist nicht gesichert. Sein Wirken als Domkapellmeister in Mantua ist dokumentarisch nachgewiesen für die Jahre 1593–97 (vermutlich aber war er dort noch bis Ende 1600 tätig) [nicht: 1594–1609].
Ausg.: Opere, = Monumenta mus. mantovani I, bisher erschienen: Serie I (Musica vocale sacra), Bd I, Cento concerti ecclesiastici (1602), Teil 1, Concerti a una v. con l'org., hrsg. v. CL. GALLICO, Mantua u. Kassel 1964. – Missa Dominicalis (1608), f. T. (Bar., S.) u. Gb. hrsg. v. A. SCHARNAGL, = Musica divina X, Regensburg 1954, ²1964; 4st. Missa pro defunctis, hrsg. v. DEMS., ebd. XIX, 1966; 3 geistliche Konzerte f. A. u. B. c., hrsg. v. R. EWERHART, = Cantio sacra XL, Köln 1969; 3 geistliche Konzerte f. S. u. B. c., hrsg. v. DEMS., ebd. LI; La Fiorentina (1610) f. 9 Instr., in: W. KIRKENDALE, L'aria di Fiorenza, id est Il ballo del Gran Duca, Florenz 1972.
Lit.: +A. W. AMBROS, Gesch. d. Musik (IV, 1878, ³1909), Nachdr. Hildesheim 1968; +O. KINKELDEY, Org. u. Kl. in d. Musik d. 16. Jh. (1910), Nachdr. ebd. u. Wiesbaden 1968; +H. RIEMANN, Hdb. d. Mg. (II, 2, 1912, ³1921), Nachdr. NY 1972; +M. SCHNEIDER, Die Anfänge d. B. c. u. seiner Bezifferung (1918), Nachdr. Farnborough 1971; +FR. TH. ARNOLD, The Art of Accompaniment from a Thorough-B. (1931), Nachdr. 1961, sowie (mit neuer Einleitung v. D. Stevens) = American Musicological Soc., Music Library Ass. Reprint Series o. Nr, NY 1965–66 (2 Bde). – ST. KUNZE, Die Instrumentalmusik G. Gabrielis,

2 Bde, = Münchner Veröff. zur Mg. VIII, Tutzing 1963 (in Bd II Ausg. einer Sinfonia); CL. GALLICO, L'arte dei »Cento concerti ecclesiastici« di L. V., in: La nuova musicologia ital., = Quaderni della Rass. mus. III, 1965; DERS., Monteverdi e i dazi di V., RIdM I, 1966; H. HAACK, H. Schütz u. L. V., Mf XIX, 1966; DERS., Anfänge d. Generalbaßsatzes in d. »Cento concerti ecclesiastici« (1602) v. L. Grossi da V., 2 Bde (II Notenteil), = Münchner Veröff. zur Mg. XXIII, Tutzing 1974; F. MOMPELLIO in: MGG XIII, 1966, Sp. 1575ff.; DERS., L. V., musicista fra due s. (XVI–XVII), = »Hist. musicae cultores« Bibl. XXIII, Florenz 1967; J. J. SOLURI, The »Concerti ecclesiastici« of L. Grossi da V., Diss. Univ. of Michigan 1967.

+Vianna, Fructuoso, * 6. 9. 1896 zu Itajubá (Minas Gerais).

An weiteren Werken seien genannt *Variações sôbre um tema popular* (1923, revidiert 1956), *Toada* Nr 1–6 (1928–46) und 5 Walzer (1934–49) für Kl. sowie *Cantar dos cantares* (1951) und *Madrigal* (1955) für Singst. und Kl.

Lit.: Werkverz. in: Bol. interamericano de música 1958, Nr 3, S. 65ff., u. in: Compositores de América IV, Washington (D. C.) 1958, Nachdr. 1962.

+Viardot-García, Pauline [erg.:] Michelle-Ferdinande, 1821–1910.

Lit.: Pisma P. Wiardo k russkim snakomym (»Briefe v. P. V. an russ. Bekannte«), in: SM XXIV, 1960, H. 8, S. 89ff. – GR. SCHWIRTZ, »Le dernier sorcier«. Zur Frage d. Opernlibretti v. I. S. Turgenev, Wiss. Zs. d. Fr.-Schiller-Univ. Jena, Ges.- u. sprachwiss. Reihe VIII, 1958/59; A. FITZLYON, The Price of Genius. A Life of P. V., London 1964, Paperbackausg. 1971; DERS. in: Opera XXII, (London) 1971, S. 582ff.; S. DESTERNES u. H. CHANDET (mit A. Viardot), La Malibran et P. V., Paris 1969; A. S. ROSANOW, P. Wiardo-G., Leningrad 1969, 2 1973; P. WADDINGTON, P. V.-G. as Berlioz's Counselor and Physician, MQ LIX, 1973.

+Vicentino, Nicola, 1511 – vermutlich 1576 zu Mailand [nicht: 1572 zu Rom].

→Archicembalo.

Ausg.: Opera omnia, hrsg. v. H. W. KAUFMANN, = CMM XXVI, (Rom) 1963. – DERS., V.'s Arciorg., Journal of Music Theory V, 1961 (Übers. d. »Descrizione dell'arciorg.« mit Anm.).

Lit.: +TH. KROYER, Die Anfänge d. Chromatik ... (1902), Nachdr. Farnborough 1968; +A. EINSTEIN, The Ital. Madrigal (I, 1949), Nachdr. Princeton (N. J.) 1970. – E. T. FERAND, Improvised Vocal Counterpoint in the Late Renaissance and Early Baroque, Ann. mus. IV, 1956; H. W. KAUFMANN, The Motets of N. V., MD XV, 1961; DERS., V. and the Greek Genera, JAMS XVI, 1963; DERS., The Life and Works of N. V., = MSD XI, Dallas (Tex.) 1966; DERS., More on the Tuning of the »Archicemb.«, JAMS XXIII, 1970; P. R. BRINK, The Archicemb. of N. V., Diss. Ohio State Univ. 1966; CH. NICK, A Stylistic Analysis of the Music of N. V., Diss. Indiana Univ. 1967; D. HARRÁN, V. and His Rules of Text Underlay, MQ LIX, 1973.

Vickers (vˈikəz), Jon (eigentlich Jonathan Stuart), * 29. 10. 1926 zu Prince Albert (Saskatchevan); kanadischer Opernsänger (Heldentenor), studierte 1949–56 am Royal Conservatory of Music in Toronto (George Lambert), debütierte 1954 bei der Canadian Opera Company, 1957 an der Covent Garden Opera in London, 1959 an der Wiener Staatsoper und 1960 an der Metropolitan Opera in New York. Gastspiele führten ihn zu den Bayreuther (ab 1958) und zu den Salzburger Festspielen (erstmals 1966). Zu seinen Hauptpartien zählen Florestan (*Fidelio*), Siegmund (*Walküre*) und Otello. V. erhielt Ehrendoktorate der University of Saskatchevan in Saskatoon und der Bishops University in Quebec.

+Victoria, Tomás Luis de, um 1548/50 – 1611.

Ausg.: An Alphabetical Index to T. de V., »Opera omnia«, hrsg. v. Bibliogr. Committee of the NY Chapter of the Music Library Ass., = MLA Index Series V, Ann Arbor (Mich.) 1966. – +GA (Thomae Ludovici V.ae Abulensis opera omnia ..., F. PEDRELL, 1902–13; vgl. dazu S. Rubio in: AM XXVII, 1972, S. 39ff.), Nachdr. Farnborough 1965–66 (8 Bde in 4). – Opera omnia, nach d. Pedrellschen Ausg. korrigiert u. erweitert hrsg. v. H. ANGLÉS, Rom 1965ff. (vgl. dazu ders. in: Renaissancemuzik 1400–1600, Fs. R. B. Lenaerts, = Musicologica Lovaniensia I, Löwen 1969, S. 21ff.), bisher erschienen: Bd I (= MMEsp XXV, 1965), Missarum liber primus; II (= XXVI, 1965), Motetes I–XXI; III (= XXX, 1967), Missarum liber secundus; IV (= XXXI, 1968), Motetes XXII–XLVI. – 15 Motetten u. andere Sätze, hrsg. v. S. RUBIO, 2 Bde. = Ant. polifónica sacra I–II, Madrid 1954–56; Missa pro defunctis cum responsorio »Libera me Domine« 6 v., hrsg. v. R. WALTER, = Musica divina XV, Regensburg 1962; Lauda Sion, Magnificat primi toni sowie Salve regina f. Doppelchor u. B. c., hrsg. v. A. G. PETTI, 3 H., = Lat. Church Music of the Polyphonic Schools o. Nr, London 1969.

Lit.: G. REESE, Music in the Renaissance, NY 1954, revidiert 1959; S. RUBIO in: La ciudad de Dios LXXVII, 1961, S. 691ff.; R. STEVENSON, Span. Cathedral Music in the Golden Age, Berkeley (Calif.) 1961; DERS. in: Rev. mus. chilena XX, 1966, Nr 95, S. 9ff.; DERS. in: MGG XIII, 1966, Sp. 1586ff.; KL.-U. DÜWELL, Studien zur Kompositionstechnik d. Mehrchörigkeit im 16. Jh., Diss. Köln 1963; TH. N. RIVE, An Investigation Into Harmonic and Cadential Procedure in the Work of T. L. de V., 1548–1611, Diss. Univ. of Auckland 1963; DERS., V.'s »Lamentationes Geremiae«. A Comparison of Cappella Sistina MS 186 with the Corresponding Portions of »Officium hebdomadae sanctae« (Rom 1585), AM XX, 1965; DERS., An Examination of V.'s Technique of Adaption and Reworking in His Parody Masses, with Particular Attention to Harmonic and Cadential Procedure, AM XXIV, 1969; H. MICHELS, T. L. de V. u. seine Missa »O quam gloriosum«, in: Musica sacra LXXXVI, 1966; V. SALAS VIÚ, Misticismo y manierismo in T. L. de V. sowie V. y el manierismo, in: Música y creación mus., = Ser y tiempo XXXVIII, Madrid 1966; U. VITORIA BURGOA, La verdad sobre el apellido del gran músico T. L. [V.], ... con una ligera alusión a la relación que puede existir entre éste y Fr. de Vitoria, Burgos 1967; J. A. KRIEWALD, The Contrapuntal and Harmonic Style of T. L. de V., Diss. Univ. of Wisconsin 1968; E. C. CRAMER, The »Officium hebdomadae sanctae« of T. L. de V., A Study of Selected Aspects and an Ed. and Commentary, 2 Bde, Diss. Boston Univ. 1973.

Victory (vˈiktəɹi), Gerard (Pseudonym Alan Loraine), * 24. 12. 1921 zu Dublin; irischer Komponist und Dirigent, studierte in seiner Heimatstadt neuere Sprachen am University College (B. A.) sowie Musik am Trinity College (B. M.) und wurde 1962 Vizedirektor, 1967 Musikdirektor bei Radio Eireann. Sein kompositorischer Stil wird von nationaler Folklore geprägt; seit 1961 bedient er sich vorwiegend serieller und postserieller Techniken. Er schrieb u. a. die Opern *An fear a phós balbhán* / *The Silent Wife* (Dublin 1953), *Iomrall Aithne* (ebd. 1956), *The Music Hath Mischief* (irisches Fernsehen 1964) und *Chatterton* (1967), die Operetten *Nita* (1944) und *One upon a Moon* (1949), das Ballett *The Enchanted Garden* (1950), Orchesterwerke (*Cúirt an mheán-oíche* / *The Midnight Court*, 1959; Ouvertüre *The Rapparee*, 1959, Kurzfassung als *Cavaliero Overture*, 1959; *Short Symphony*, 1961; Ballade, 1963; *Favola di notte*, 1966; *Five Mantras*, 1963, und *Homage to Petrarch*, 1967, für Streichorch.; Klavierkonzert, 1954), Kammermusik (Bläserquintett, 1957; *Rodomontade* für 5 Holzbläser, 1964; Streichquartett, 1963; *Sémantiques* für Fl. und Kl., 1967), Klavierwerke, Vokalmusik (*Five Songs by James Joyce* für T., gem. Chor, Schlagzeug und Streichorch., 1954; *Voyelles* für S., Fl., Schlagzeug und Streichorch., Text Arthur Rimbaud, 1966; Kantaten und Chöre) sowie Bühnen-, Rundfunk- und Filmmusik.

+Vidaković, Albe, * 2. 10. 1914 zu Subotica (Wojwodina), [erg.:] † 18. 4. 1964 zu Zagreb.

V. lehrte an der Universität Zagreb (1963 außerordentlicher Professor), wo er 1957 das Seminar für Musikwissenschaft und 1963 das Institut für Kirchenmusik eingerichtet hatte, bis zu seinem Tode. – *+I nuovi confini* ... (StMw XXIV, 1960 [nicht: 1957]). – Er veröffentlichte des weiteren *»Asserta musicalia« (1656) J. Križanića i njegovi ostali radovi s područja glazbe* (»J. Križanićs ‚Asserta musicalia‘ und seine anderen Arbeiten auf dem Gebiet der Musik«, = Rad Jugoslavenske akademije znanosti i umjetnosti Bd 337, Zagreb 1965, mit deutscher Zusammenfassung, engl. ebd. 1967) sowie die Aufsätze *Tragom naših srednjevjekovnih neumatskih glazbenih rukopisa* (»Auf den Spuren unserer mittelalterlichen Neumenhandschriften«, in: Ljetopis Jugoslavenske akademije znanosti i umjetnosti 1960), *Dubrovački zapisi glazbenog folklora s početka XIX stoljeća* (»Die Aufzeichnungen von Volksmusik am Anfang des 19. Jh. in Dubrovnik«, in: Zbornik za narodni život i običaje Južnih Slavena XL, 1962) und *O hrvatskoj crkvenoj pučkoj popijevci* (»Über das kroatische Kirchenvolkslied«, in: Zajednička žrtva 1963).
Lit.: ANON. in: Musica sacra XCIV, 1974, S. 184f.

Vidal, Blaise, * Ende 17. Jh. zu Clermont-Ferrand, † um 1750 zu Bordeaux(?); französischer Komponist von Kirchenmusik, war Maître de chapelle an der Kathedrale St-Pierre von Vannes und an der Primatenkirche von Bordeaux.
Lit.: G. BOURLIGUEUX, La maîtrise de la cathédrale de Vannes au XVIIIᵉ s., Bull. de la Soc. d'hist. et d'archéologie de Bretagne 1969/70.

Vidal, Paul-Antoine, * 16. 4. 1863 zu Toulouse, † 9. 4. 1931 zu Paris; französischer Komponist, Dirigent und Musikpädagoge, studierte am Konservatorium in Toulouse und am Pariser Conservatoire. 1883 erhielt er für die Scène lyrique *Le gladiateur* den 1ᵉʳ grand prix de Rome. Er wurde an der Pariser Opéra 1889 Souschef des chœurs, 1892 Directeur du chant und 1906 Dirigent. 1914–19 war er Directeur de la musique an der Opéra-Comique. Ab 1884 wirkte er als Professor für Solfège, ab 1886 für Klavierbegleitung und ab 1910 für Komposition am Pariser Conservatoire. Von seinen Werken seien genannt: Fantaisie lyrique *Eros* (1892); Drame lyrique *Guernica* (Paris 1895); Oper *La Burgonde* (ebd. 1898); Drame *Ramsès* (1900); Ballette *La maladetta* (Paris 1893), *L'impératrice* (1901), *Zino-Zina* (Paris 1908) und *Terpsichore* (1909), Pantomimen *La révérence* (1890) und *Pierrot assassin de sa femme* (1892); *Petite suite espagnole* für kleines Orch. (1902); *Solo de concert* für Pos. und Kl. (1897), *Sérénade sur l'eau* für V. und Kl. (1913); *Au temps des fées* (1926) und *Variations japonaises* für 2 St. und Orch.; ferner Klavierstücke (Marsch, 1892; *Pages d'album*; *Staccato*; *Scherzetto*; *Romance sans paroles*), Chöre, Lieder (*Chansons de Shakespeare*, 1912), Bühnenmusik sowie didaktische Schriften.
Lit.: A. HOÉRÉ in: RM XII, 1931, S. 463f.

+Viderø (v'iðərø), Finn, * 15. 8. 1906 zu Fuglebjerg (Seeland).
V., der seit 1949 wieder über Orgel- und Cembalomusik an der Kopenhagener Universität liest, war Gastprofessor für Orgel 1959–60 an der Yale University (Conn.) und 1967–68 an der North Texas State University. 1965–67 unterrichtete er Orgel an den Konservatorien in Esbjerg und Odense; seit 1968 ist er Or-

gellehrer am Konservatorium in Kopenhagen. 1964 verlieh ihm die schwedische Akademie in Turku die Würde eines Dr. theol. h. c. – *+Orgelskole* (Kopenhagen 1933), revidiert ebd. 1963; *+Orgelmusik* (I, ebd. 1938), Bd II ebd. 1963 (mit F. Ditlevsen). – Er edierte ferner *European Organ Music of the 16ᵗʰ and 17ᵗʰ Cent.* (ebd. 1969).

Vidmar, Nada, * 28. 5. 1917 zu Bruck an der Leitha (Niederösterreich); jugoslawische Sängerin (Koloratursopran), studierte an der Musikakademie in Ljubljana, wo sie nach Beendigung ihrer Ausbildung als 1. Sopranistin an der Oper und als Konzertsängerin wirkte. Gastspiele führten sie nach Österreich, Italien, Belgien, Bulgarien, in die UdSSR und nach Israel.

+Vidoudez.
Lit.: P. VIDOUDEZ, Les altos et les archets »V. Genève«, Genf 1960; DERS., Quelques considérations sur l'archet et les archetiers frç., ebd. 1967 (mit Liste frz. Bogenmacher).

Vidusso, Carlo, * 10. 2. 1911 zu Talcahuano (Chile); italienischer Pianist und Musikpädagoge, studierte in Buenos Aires bei Drangosch und in Mailand am Conservatorio di Musica G. Verdi sowie bei R. Bossi und Paribeni. Ab 1931 entfaltete er eine rege Konzerttätigkeit. 1939–51 lehrte er Klavier am Konservatorium in Parma und ab 1951 am Mailänder Konservatorium.

+Viebig, Ernst [erg.:] Wilhelm-Richard, * 10. 10. 1897 zu Berlin(-Schöneberg), [erg.:] † 18. 9. 1959 zu Eggenfelden (Niederbayern).

Vieira Brandão (vi'eire brend'ẽu), José, * 26.9.1911 zu Cambuquira (Staat Minas Gerais); brasilianischer Pianist und Komponist, studierte an der Escola Nacional de Música der Universidade do Brasil (Diplom 1929) und vervollkommnete seine Studien 1932 bei Marguerite Long und Villa-Lobos. Ab 1940 trat er als Pianist in den USA und in Südamerika auf. 1943 wurde er Professor für Musikerziehung und 1950 für Klavier am Conservatório Nacional de Canto Orfeônico in Rio de Janeiro. Seine Kompositionen umfassen die Oper *Máscaras* (1958), *Fantasia concertante* für Kl. und Orch. (1936), Kammermusik (Divertimento für Bläserquintett, 1969; *Chôro* in 2 Sätzen für Fl., Klar., Englisch Horn und Baßklar., 1944; 2 Streichquartette, 1948 und 1960), Klavierwerke (Toccata Nr 1, in memoriam Villa-Lobos, 1959), das Oratorium *Pai Nosso* für Baßbar., Chöre und Orch. (1964) sowie a cappella-Chöre und Lieder.

Viera, Joe, * 4. 9. 1932 zu München; deutscher Jazzmusiker (Sopran- und Altsaxophon) und Musikschriftsteller, studierte in München Physik an der Technischen Hochschule (Dipl.-Ing. 1960) sowie privat Musik und leitet seit 1955 mit geringen Unterbrechungen eigene Bands. 1968 wurde er Direktor des Education Center der Europäischen Jazzföderation München, zu deren Mitgründern er gehört. Seit 1972 ist er Leiter des Jazzstudios an der Musikhochschule in Hannover. V. gibt seit 1970 die in Wien erscheinende *reihe jazz* heraus (darin von ihm selbst: I *Grundlagen der Jazzrhythmik*, 1970; II *Grundlagen der Jazzharmonik*, 1970; III *Arrangement und Improvisation*, 1971; VII *Der Free Jazz. Formen und Modelle*, 1974). Neben einer Reihe von Zeitschriftenbeiträgen veröffentlichte er u. a. *Neue Formen, freies Spiel. Grundlagen der Jazzpraxis* (Wien 1971) und *Essay in Jazz* (= Rote Reihe LII, Wien 1972, mit Schallplatte).

+Vierdanck, Johann (Vyrdanck, Fierdanck, Feyertagk, Feyerdanck), um 1605 – 1646.

Lit.: +W. Vetter, Altpommersche Variationskunst, ... (1937), Wiederabdruck als: Eine Randbemerkung zu J. V.s Instrumentalschaffen, in: Mythos–Melos–Musica II, Lpz. 1961.

+**Vierling,** Johann Gottfried, 1750–1813.
Lit.: W. Blankenburg in: MGG XIII, 1966, Sp. 1609ff.; ders., Der Schmalkaldener Organist J. G. V. u. d. kirchenmus. Leben seiner Zeit, in: Beitr. zur Gesch. d. ev. Kirchenmusik u. Hymnologie in Kurhessen u. Waldeck, Kassel 1969.

+**Vierne,** Louis-Victor-Jules, 1870–1937.
V. wirkte an Notre-Dame [nicht: Came]. – Berichtigungen zum früheren Werkverzeichnis: *Triptyque* op. 58 (1929–31); *Messe basse pour les défunts* op. 62 (1934); *Psyché* op. 33 und *Les djinns* op. 35 (nach V.Hugo, 1914 bzw. 1912); *12 Préludes für Kl.* op. 36 (1921); *Violinsonate G moll* op. 23 (1905). – Seine Erinnerungen (*Mes souvenirs*, Bull. trimestriel des amis de l'orgue 1934, Nr 19 – 1937, Nr 30/31) erschienen wiederabgedruckt in: L'orgue 1970, Nr 134bis (in 135bis weiteres, bislang unveröffentlichtes autobiographisches Material), und wurden von J.R.Crawford ins Englische übersetzt (*Mes souvenirs by L. V.*, Diss. University of Miami/Fla. 1973, mit Anm.).
Lit.: +In memoriam L. V. (1939; [erg.:] darin auch »Mes souvenirs«), Wiederabdruck in: L'orgue 1970, Nr 134bis. – H. Nanceau in: L'orgue 1961, S. 29ff. (Erinnerungen an V.); J. Bruyr in: SMZ CIII, 1963, S. 141ff.; P. C. Long, Transformations of Harmony and Consistencies of Form in the Six Org. Symphonies of L. V., Diss. Univ. of Arizona 1963; dies., V. and His Six Org. Symphonies, in: Diapason LXI, 1970; H. Doyen, Mes leçons d'orgue avec L. V., Paris 1966; F. Aprahamian in: MT CXI, 1970, S. 430ff.; E. J. Kasouf, L. V. and His Six Org. Symphonies, Diss. Catholic Univ. of America (Washington/D. C.) 1970 (= Catholic Univ. of America, Studies in Music XXXIX).

Vieru, Anatol, * 8. 6. 1926 zu Iaşi; rumänischer Komponist, studierte 1946–51 am Bukarester Konservatorium (P. Constantinescu, Rogalski, C. Silvestri) und 1951–54 am Moskauer Konservatorium (Bogatyrjow, A.Chatschaturjan, Rogal-Lewizkij), wo er sich 1955–58 als Aspirant vervollkommnete. Er lehrt seit 1958 am Bukarester Konservatorium. V. komponierte u. a. Orchesterwerke (*Suită în stil vechi*, »Suite im alten Stil«, 1946; Konzert für Orch., 1955; Konzert für Fl., 1958, Vc., 1962, und V., 1964, mit Orch.; Kammersymphonie für 15 Instr. und St., 1962; *Jocuri*, »Spiele«, für Kl. und Orch., 1963; *Clepsidra*, »Sonnenuhr«, 1968; Symphonie Nr 2, 1973), Kammermusik (2 Streichquartette, 1954 und 1957; Klarinettenquintett, 1958; *Sita lui Eratostene*, »Das Sieb des Eratosthenes«, für variables Ensemble, 1963; *Rezonanţe Bacovia* für Fl. solo, 1964; *Steps of Silence* für Streichquartett und Schlagzeug, 1966; *Museum Music* für Cemb. und 12 Streichinstr., 1968), *Nautilos* für Kl. und Tonband (1968), *Steinland* für Org. und Tonband (1973), Vokalmusik (*Miorița*, Oratorium für Soli, gem. Chor und Orch., 1957; *Cantata anilor lumină*, »Die Kantate der Lichtjahre«, 1960; *Lupta cu inerția*, »Kampf gegen Trägheit«, für Gesang und Kammerensemble, 1961; *Scene nocturne*, »Nächtliche Szenen«, Suite von 8 Stücken für 2 Chöre a cappella, 1964; Chöre und Lieder) sowie Filmmusik. Er schrieb zahlreiche Beiträge besonders für die Zeitschrift »Muzica«.
Lit.: Şt. Mangoianu in: Muzica XIII, 1963, Nr 4, S. 14ff. (zum Vc.-Konzert); W. M. Klepper, ebd. XV, 1965, Nr 9, S. 4ff. (zu »Lupta cu inerția«); L. Glodeanu, ebd. XVIII, 1968, Nr 1, S. 17ff. (zu »Scene nocturne«); C. D. Georgescu, ebd. XX, 1970, Nr 7, S. 21ff. (zu »Clepsidra«).

+**Vieuxtemps,** –1) Henri [erg.:] Joseph François, 1820–81. V.' Villa lag in Dreieichenhain (bei Frankfurt a. M.) [nicht: in Frankfurt]. Er schrieb insgesamt

7 [nicht: 6] Violinkonzerte (Nr 7, A moll op. 49, posthum).
–2) Jean Joseph Lucien, 4. [nicht: 5.] 7. 1828 zu Verviers (Lüttich) [nicht: Brüssel] – [erg.: 25.] 1. 1901 zu Brüssel(-Schaerbeek).
Lit.: zu –1): E. H. Müller v. Asow, Ein ungedruckter Brief v. H. V. an W. A. Mozart Sohn, Fs. E. Schenk, = StMw XXV, 1962; E. Ysaÿe, H. V., mon maître, hrsg. v. P. André, = Les cahiers Ysaÿe I, Brüssel 1968; A. Vander Linden, L'exotisme dans la musique de Ch. de Bériot (1802–70) et d'H. V. (1820–81), Bull. de la Classe des beaux-arts de l'Acad. royale de Belgique LII, 1970.

+**Chr. Friedrich Vieweg.**
Der Musikverlag wurde 1971 von der Verlagsgruppe F.E.C.Leuckart (München) übernommen.

+**Viganò,** Salvatore, 1769–1821.
Lit.: É. Haraszti, La cause de l'échec de Prométhée, CHM II, 1957; M. Krüger, J.-G. Noverre u. sein Einfluß auf d. Ballettgestaltung, = Die Schaubühne LXI, Emsdetten i. W. 1963; Cl. Sartori in: MGG XIII, 1966, Sp. 1616ff.; G. Winkler, Das Wiener Ballett v. Noverre bis F. Elßler, Diss. Wien 1967; F. Reyna, V. e le sue creature, in: L'opera V, (Mailand) 1969; L. Rossi, V., Capolavori scritti sull'acqua, Rass. mus. Curci XXII, 1969.

Vigarani, Carlo, * 1622/23 zu Reggio Emilia(?), † 1713 zu Paris; italienischer Bühnenbildner und Theateringenieur, Sohn von Gaspare V. (* 1586/88 zu Reggio Emilia, † 1663/64 zu Modena, ab 1631 Theaterarchitekt und Festdekorateur des Herzogs von Parma), kam 1659 als dessen Mitarbeiter zur Errichtung eines Theaterneubaus anläßlich der bevorstehenden Hochzeit Ludwigs XIV. nach Paris (Einweihung dieser »Salle des machines« 1662). 1663 betraute ihn der König mit der Organisation und Gestaltung der Versailler Hoffeste, die in der Vereinigung aller Formen höfischer Unterhaltung programmatisch waren für das barocke Gesamtkunstwerk. Beim ersten dieser »Festes galantes« (1664) – die aus Ariosts *Orlando furioso* entnommene Rahmenhandlung gab ihm den Titel *Les plaisirs de l'isle enchantée* – wurden Comédies-ballets von Molière mit der Musik von Lully aufgeführt, beim zweiten (1668, zur Feier des Friedens von Aachen) *George Dandin* von Molière und die Pastorale *Les festes de l'Amour et de Bacchus* von Lully, beim dritten (1674, anläßlich der Eroberung der Franche-Comté) die Tragédie lyrique *Alceste* von Lully und die Tragédie *Iphigénie* von Racine. Von Ludwig XIV. in den Adelsstand erhoben und zum »Intendant des machines et des plaisirs du Roy« ernannt, erhielt er nach der Unterzeichnung des »acte de Société« mit Lully (1672) das Exklusivrecht, dessen an der Académie Royale de Musique aufgeführte Opern auszustatten (1673 zusätzlich bestätigt durch ein königliches Patent). Bis zur Beendigung des Vertrages (1680) entwarf er die Dekorationen von Lullys Tragédies lyriques *Cadmus et Hermione* (1673), *Thésée* (1675), *Atys* (1676), *Isis* (1677), *Bellérophon* (1679) und *Proserpine* (1680). Sein Nachfolger wurde →Bérain. – V. paßte das von Giacomo →Torelli übernommene System der Szenengestaltung dem gesteigerten Repräsentationsbedürfnis der höfischen Gesellschaft an, ohne dessen durch die Postulate des französischen Klassizismus bestimmte Logik anzutasten. Mittels Akzentuierung der räumlichen Tiefenbewegung durch hintereinandergereihte Kulissen und eindrucksvolle Architekturmotive verlieh er seinen Bühnenbildern monumentalen Glanz. Wesentlicher Bestandteil seiner Arbeiten war der effektvolle Einsatz der Bühnenmaschinerie.
Lit.: Feste, Illuminationen, Festtafeln u. Feuerwerke zur Zeit d. Sonnenkönigs, hrsg. v. J. Gregor, = Denkmäler d. Theaters o. Nr, München 1930; W. Holsbeer, L'hist.

de la mise-en-scène dans le théâtre frç. 1600–87, Paris 1933; G. PICCININI, Alcune notizie su G. e C. V., Reggio Emilio 1934; A. BEIJER, XVIIth and XVIIIth Cent. Theatrical Designs at the Stockholm National Museum, Gazette des beaux-arts 1945; N. DECUGIS u. S. REYMOND, Le décor du théâtre en France du moyen âge à 1925, Paris 1953; 16th and 17th Cent. Theatre Designs in Paris, Ausstellungskat. London 1956; H. KINDERMANN, Theatergesch. Europas Bd III: Theater d. Barockzeit, Salzburg 1959. HS

Vignanelli (viɲan'ɛl-li), Ferruccio, * 4. 10. 1903 zu Civitavecchia (Latium); italienischer Organist und Cembalist, studierte in Rom am Pontificio Istituto di Musica Sacra (Dobici, Don P. Ferretti, Refice), an dem er 1933–74 Professor für Orgel war. 1952–74 lehrte er Cembalo am Conservatorio di Musica S. Cecilia. Daneben wirkte er als Organist an verschiedenen römischen Kirchen (1923–47) und konzertierte in ganz Europa, den USA, Kanada und Mexiko.

Vignola (viɲ'ɔ:la), Giuseppe, * 15. 2. 1662 und † November 1712 zu Neapel; italienischer Komponist und Organist, studierte bei Provenzale am Conservatorio della Pietà dei Turchini in Neapel und wurde dort vom Impresario Andrea del Po beauftragt, zeitgenössische komische Opern für das Teatro S. Bartolomeo einzurichten. Er bearbeitete u. a. *Mitridate* von Aldrovandini (1706), *L'inganno vinto dalla ragione* von Lotti (1708) und *L'humanità nelle fiere overo Il Lucullo* von A. Scarlatti (1708). Ab 1709 war V. Organist an der Regia Cappella in Neapel. Er schrieb die Opern *Tullo Ostilio* (Neapel 1707), *La Rosmene overo La infedeltà fedele* (ebd. 1709) und *Teodora Augusta* (ebd. 1709) sowie die Oratorien *La nave della redenzione* (1696), *La Regina Esther* (1699), *Il Gedeone geroglifico* (1701), *Il giudizio universale* (1710) und *La Debbora profetessa guerriera* (1712).

+Vila, –1) Pedro Alberto (Pere Alberch), 1517 [erg.:] zu Vich (bei Barcelona) – 1582.
Ausg.: +L. Venegas de Henestrosa, Libro de cifra nueva (H. ANGLÉS, 1944), Barcelona ²1965.
Lit.: J. ROMEU FIGUERAS, Notas a la bibliogr. del músico P. A. V., AM XXVI, 1971.

Villa (b'iʎa), Ricardo, * 23. 10. 1871 und † 18. 4. 1915 zu Madrid; spanischer Komponist und Dirigent, studierte am Madrider Konservatorium Violine und Komposition und wirkte als Violinist sowie als Dirigent am königlichen Theater. 1909 gründete er die Banda Municipal de Madrid, mit der er bis zu seinem Tode große Erfolge erzielte. Er schrieb u. a. die Oper *Raimundo Lulio* (Madrid 1902), die Zarzuelas *El patio de Monipidio* (Barcelona 1910) und *El Cristo de la Vega* (Madrid 1915), Orchesterwerke (*Cantos regionales*, 1899; Symphonische Dichtung *La vision de Fray Martín*, 1900; *Impresiones sinfónicas*, 1906), eine *Rapsodia asturiana* für V. und Orch. (1905), eine *Fantasía española* für Kl. und Orch. (1908), *Escenas montañesas* für Chöre und Männerstimmen sowie eine *Misa solemne*.
Lit.: Dos directores mus. madrileños, R. V. y E. Vega, Anales del Inst. de estudios madrileños VI, 1970.

+Villa-Lobos, Heitor, 1887–1959.
V.-L. war 1907 Schüler von A. França (Harmonie), später von B. Niederberger (Violoncello). Er hat weder Expeditionen oder Reisen zur Erforschung von Volksmusik unternommen noch folkloristisches Material gesammelt. 1932 wurde er Leiter des Musikschulwesens von Rio de Janeiro, 1942 von Brasilien. 1949–59 unternahm er Konzerttourneen nach Europa, den USA sowie Israel. V.-L. war Ehrendoktor mehrerer Universitten. 1960 wurde ein Museum „V.-L." im brasilianischen Erziehungs- und Kultusministerium in Rio de Janeiro

gegründet. [del. bzw. erg. frühere Angaben dazu.] – Berichtigungen und Ergänzungen zum früheren Werkverzeichnis: die Oper *Yerma* (1955, Santa Fé 1971), die Ballette *Amazonas* (1917, Paris 1927), *Uirapuru* (»Der verzauberte Vogel«, 1917, instrumentiert 1934, Buenos Aires 1935), *Mandu-çarará* (1940) und *Emperor Jones* (NY 1956). – Orchesterwerke: die symphonischen Dichtungen *Naufrágio de Kleônikos* (1917), *Danças dos indios mestiços do Brasil* (orchestrierte Fassung 1916) und *Madona* (1945), 4 Suiten *Descobrimento do Brasil* (1936–42) und *Suite sugestiva* (1929) für Orch.; 2 Suiten für Kammerorch. (1958); *Chôros*, darunter Nr 11 für Kl. und Orch. (1941), Nr 12 für Orch. (1944); *Bachianas brasileiros*, darunter Nr 1 für Violoncelloorch. (1930–32 und 1936–38), Nr 2 für Kammerorch. (1931) und Nr 9 für Streichorch. oder Chor a cappella (1945); Fantasie für Sax. und Streichorch. (1948). – Kammermusik: 17. Streichquartett (1957), Nonett für Soloinstrumente, Schlagzeug und gem. Chor (1923), Quartett für Hf., Celesta, Fl., Altsax. (mit Frauenchor, 1921), Duett *Assobio a jato* für Vc. und Fl. (1950) und Duett für Ob. und Fag. (1957).
Lit. (wenn nicht anders vermerkt, Erscheinungsort Rio de Janeiro): +Compositores de América (III, 1957), Nachdr. Washington (D. C.) 1960; V.-L. em discografia, 1965; V.-L., Sua obra, 1967. – +V. MARIZ, H. V.-L. (1949), engl. = Lat. American Monographs XXIV, Gainesville (Fla.) 1963, Washington (D. C.) ²1970, frz. = Musiciens de tous les temps XXXI, Paris 1967 (mit Werkverz. u. Diskographie); A. MAGELHÃES DE GIACOMO, V.-L., São Paulo o. J., ⁶1972; E. NOGUEIRA FRANÇA, V.-L., compositeur brésilien, in: Synthèses 1958, Nr 145/146; DERS., V.-L., Rev. brasileira de música I, 1962; DERS., V.-L., Síntese critica e biogr., 1970 (mit Werkverz. u. Diskographie); C. MAUL, A gloria escandalosa de H. V.-L., 1960; J. C. DE ANDRADE MURICY, V.-L., 1961 (mit Werkverz.); E. MARTÍN, Oyendo a V.-L., Rev. de música II, (La Habana) 1961; P. PITSCHUGIN, E. V.-L., SM XXVI, 1962; J. A. ORREGO-SALAS in: Rev. mus. chilena XIX, 1965, Nr 93, S. 25ff., engl. in: Inter-American Music Bull. 1966, Nr 52, S. 3ff.; M. BEAUFILS, V.-L., musicien et poète du Brésil, = Inst. des hautes études de l'Amérique lat. de l'Univ. de Paris o. Nr, 1967; A. LIMA BARBOSA, V.-L. e o modernismo mus., Cadernos brasileiros X, 1968; H. MENEGALE, V.-L. e a educação, 1969; J. DE SOUZA LIMA, Comentários sôbre a obra pianística de V.-L., 1969; A. ESTRELLA, Os quartetos de cordas de V.-L., 1970; E. DA COSTA PALMA u. E. DE BRITO CHAVES JUN., As Bachianas brasileiros de V.-L., 1971; A. NÓBREGA, As Bachianas brasileiros de V.-L., 1971; L. GUIMARÃES u. a., V.-L. visto da platéia e na intimidade (1912–35), 1972; L. M. PEPPERCORN, V.-L.'s Brazilian Excursions, MT CXIII, 1972; DIES., H. V.-L., Zürich 1972.

Villalpando (biʎalp'ando), Alberto, * 21. 11. 1940 zu La Paz; bolivianischer Komponist, studierte 1958–63 in Buenos Aires am staatlichen Konservatorium (Jurafsky, Saenz, García Morillo, Ginastera) sowie 1963–64 am Centro Latinoamericano dos Altos Estudios Musicales (R. Malipiero, Dallapiccola, Copland, Messiaen). Er leitete ab 1964 das staatliche Filminstitut von Bolivien und wurde 1967 Direktor der Musikabteilung des bolivianischen Kultusministeriums. V. schrieb Orchesterwerke (*Liturgias fantásticas*, 1963; *Estructuras* für Kl. und Schlagzeug, 1964; *Del amor, del miedo y del silencio* für Kl. und Kammerorch., 1968; *Concertino semplice* für Fl. und Orch., 1965), Kammermusik (*Preludio, passacaglia y postludio* für Streichquartett, 1963; *Mística* Nr 2 für Streichquartett, 1966, Nr 3 für Instrumentalensemble und Tonband, 1969, und Nr 4 für Streichquartett, Kl. und Tonband, 1971), *Cantata solar* für Soli, Chor und Orch. (1965), Ballettmusik (*Danzas para una imágen perdida*, 1969) und Filmmusik.

Villanueva (biʎanu'eba), Felipe, * 1862 und † 1893 zu Tecamec (Mexiko); mexikanischer Komponist, Autodidakt, war 1887 Mitgründer des Instituto Musical in México (D. F.). Er gilt als der Schöpfer der »Danza mexicana«, die neben ihm besonders Elorduy pflegte. Seine Kompositionen umfassen die Oper *Keofar* (1893), Klavierstücke (*Danzas humorísticas*, Walzer, Mazurkas) sowie Kirchenmusik.

Villaverde (biʎab'ɛrde), Enrique, * 1702 zu Cañizar (Guadalajara), † 2. 5. 1774 zu Oviedo; spanischer Komponist, erhielt seine musikalische Ausbildung an der Primatenkirche von Toledo (1715–24) und war ab 1724 bis zu seinem Tode Maestro de capilla an der Kathedrale von Oviedo. Er schrieb Kirchenmusik im italienischen Stil, u. a. Messen, Motetten, Psalmen, Hymnen, Lamentationen, Miserere, Sequenzen, Totenoffizien und Villancicos.
Lit.: G. BOURLIGUEUX, Apuntes sobre los maestros de capilla a la catedral de Oviedo, Bol. del Inst. de estudios asturianos XXV, 1971.

Villesavoye (vilzaw'a), Paul de la, * 1683 zu Paris, † 28. 5. 1760 zu Straßburg; französischer Komponist, lebte ab 1703 in Lyon, wo er 1718–31 die Konzerte der Académie des Beaux-Arts dirigierte. Ab 1738 war er Maître de chapelle an der Kathedrale in Straßburg. Er komponierte die Idylle héroïque *Le retour de Pyrrhus Néoptolème en Épire après le siège de Troye* (Lyon 1718), *Airs à boire* und Motetten (erhalten ist nur die Motette *O mi Jesu salus* für 2 St. und B. c.).
Lit.: L. VALLAS, Un s. de musique et de théâtre à Lyon, 1688–1789, Lyon 1932, Nachdr. Genf 1971; G. BOURLIGUEUX, Un livre de musique de la cathédrale de Vannes, Bull. de la Soc. polymathique du Morbihan, Mémoires 1966.

+Villoteau, Guillaume-André (laut Eintrag im Sterberegister Villotteau), 19. [nicht: 6.] 9. 1759 – 27. [nicht: 23.] 4. 1839 zu Tours [nicht: Paris].
+Recherches sur l'analogie de la musique avec les arts ... (1807), Nachdr. Genf 1970.

+Viña y Manteola, Facundo-Severino-Felix de la [erg. frühere Angaben], 21. [nicht: 23.] 2. 1876 – 1952.

+Vinay, Ramon, * [erg.: 31. 8. 1912] zu Chillán (Chile).
Der Metropolitan Opera in New York gehörte V. (als Heldentenor) bis 1962 an. Nach 1962 trat er auch wieder in Baritonpartien auf, so u. a. als Telramund (in Bayreuth) und als Jago. Seine Abschiedsvorstellung gab er 1969 an Opernhaus von Santiago de Chile, dessen künstlerischer Direktor er dann noch bis 1971 war. V. lebt heute in La Fustera (Alicante).

+Vincent, John, * 17. 5. 1902 zu Birmingham (Ala.). Als Professor für Komposition an der University of California in Los Angeles wurde V. 1969 emeritiert. – Werke: die einaktige Opera buffa *Primeval Void* (1969, Wien 1971, Amerikahaus) und das Ballett *Three Jacks* (1941, danach eine Suite, 1954, und *The House That Jack Built* für Sprecher und Orch., 1956); *Symphony on Folk Songs* (1951), Symphonie in D (»A Festival Piece in One Movement«, 1954, revidiert 1956), Suite (1932), *Symphonic Poem After Descartes* (1958), Ouvertüre *Lord Arling* (zur unvollendeten gleichnamigen Oper, 1959), *Rondo Rhapsody* (1965) und die symphonische Dichtung *The Phoenix* (1966) für Orch., *La Jolla Concerto* für Kammerorch. (1958), *Nude Descending the Staircase* für Streichorch. (nach dem Bild von Duchamp, 1948), Tondichtung *Nacre* für Blasorch. (1973, nach einem Orchesterstück von 1932); *Soliloquy and Dance* für Vc. und Streichorch. (1947), *Consort* für Kl. und Streicher (1960, revidiert als Sym-

phonie für Streichorch. und Kl., 1973), *Benjamin Franklin Suite* für Streichorch. mit obligater Glasharmonika (1963, nach einem B. Franklin zugeschriebenen Quartett für 3 V. und Vc.); *Percussion Suite* für 6 Spieler (1973); 2 Streichquartette (in G, 1936; 1967), Trio für Fl., Ob. und Fag. (1937), 2 Stücke für Vc. und Kl. (1961); *I Wonder as I Wander* für A. (oder Bar.), Chor und Orch. (1944), *Miracle of the Cherry Tree* für Bar. (oder A.) und Orch. (1944), Stabat mater für S. und Männerchor (1970), Chöre (*Fragment from Horace*, 1968), Lieder und Bühnenmusiken sowie Transkriptionen nach Barockmusik *Baroque Album* für Streichorch. und Kl. (1972). Er schrieb *New Opera in Buenos Aires* (Inter-American Music Bull. 1964, Nr 44) und *State and Private Aid to Music* (in: Music in the Americas, hrsg. von G. List und J. Orrego Salas, = Inter-American Music Monograph Series I, Bloomington/Ind. 1967).
Lit.: Werkverz. in: Composers of the Americas VIII, Washington (D. C.) 1962.

+Vincenti, Giacomo, † [nicht: *] 1619.
Lit.: M. S. KASTNER, Una intavolatura d'org. ital. del 1598, CHM II, 1957.

+Vincentius, Caspar, vermutlich um 1580 – vor Juni 1624 zu Würzburg [del. bzw. erg. frühere Angaben]. V. war ab 1618 bis zu seinem Tode Domorganist in Würzburg.
Lit.: +M. A. VENTE, Die Brabanter Org. (1958), Amsterdam ²1963. – J. G. KRANER in: MGG XIII, 1966, Sp. 1658ff.

+Vinci, Leonardo da, 1452–1519.
Lit.: E. WINTERNITZ in: MGG XIII, 1966, Sp. 1664ff.; DERS., Keyboards f. Wind Instr. Invented by L. da V., in: Aspects of Medieval and Renaissance Music, Fs. G. Reese, NY 1966; DERS., La musica nel »Paragone« di L. da V., in: Studi mus. I, 1972; TH. BRACHERT, A Mus. Canon of Proportion in L. da V.'s »Last Supper«, Art Bull. LIII, 1971; B. BUJIĆ, Josquin, Leonardo, and the »Scala peccatorum«, International Rev. of the Aesthetics and Sociology of Music IV, 1973.

+Vinci, Leonardo, zwischen 1690 und 1696 vielleicht zu Strongoli (Kalabrien) oder Neapel – 27. oder 29. 5. 1730 [erg. frühere Angaben].
V. vertrat 1728 die Kapellmeisterstelle am Conservatorio dei Poveri di Gesù Cristo in Neapel, wo Pergolesi zu seinen Schülern [nicht: Mitschülern] gehörte.
Lit.: U. PROTA-GIURLEO in: Il convegno mus. II, 1965, Nr 1/2, S. 3ff.; H. HUCKE in: MGG XIII, 1966, Sp. 1660ff.; R. B. MEIKLE, L. V.'s »Artaserse«, Diss. Cornell Univ. (N. Y.) 1970 (Ausg. mit kritischem Ber.); H. HELL, Die neapolitanische Opernsinfonie in d. ersten Hälfte d. 18. Jh. = Münchner Veröff. zur Mg. XIX, Tutzing 1971.

+Vinci, Pietro, um 1540 [del.: um 1535] – [erg.: 2. Hälfte] 1584.
Ausg.: 3 Stücke in: Orgelmusik an europäischen Kathedralen III, Bergamo/Passau, hrsg. v. E. KRAUS, = Cantantibus organis XI, Regensburg 1963; ein Satz in: The Bottegari Lutebook, hrsg. v. C. MacCLINTOCK, = The Wellesley Ed. VIII, Wellesley (Mass.) 1965; Il primo libro della musica a due v. (1560), in: Scuola polifonica siciliana, hrsg. v. P. E. CARAPEZZA, = Musiche rinascimentali siciliane II, Rom 1971; Il secondo libro de' motetti e ricercari a tre v., hrsg. v. DEMS., ebd. III, 1972.
Lit.: O. MOMPELLIO in: MGG XIII, 1966, Sp. 1667ff.; O. TIBY, I polifonisti siciliani del XVI e XVII s., Palermo 1969.

+Viñes y García Roda, Ricardo Javier [erg. frühere Angaben], 1875 [nicht: 1885] – 1943.
Lit.: S. MORENO in: Heterofonía I, 1968, Nr 1, S. 22ff.

Vintschger, Jürg von, * 23. 5. 1934 zu St. Gallen; Schweizer Pianist, studierte 1952–54 an der Akademie für Musik und darstellende Kunst in Wien bei Seidlhofer (Klavier), Ratz und Schiske (Musiktheorie) sowie bei C. Zecchi (Klavier) in Rom und debütierte 1954 in Wien. Konzerte haben ihn seither in zahlreiche europäische Länder sowie in die USA (1963) und nach Südamerika (1969) geführt.

Vinzenz von Beauvais (Vincentius Bellovacensis) OP, * um 1194, † 1264; französischer Philosoph, studierte in Paris, trat um 1120 dem Dominikanerorden bei, war um 1246 Subprior in Beauvais und stand ab etwa 1250 als Erzieher und Bibliothekar im Dienste König Ludwigs IX. Sein Hauptwerk *Speculum maius* (gedruckt Straßburg 1473–78 u. ö., auch Douai 1624, 4 Bde) ist die umfangreichste enzyklopädische Schrift des Mittelalters und enthält neben anderen Stellen zur Musik im 3. Teil, dem *Speculum doctrinale* (Lib. XVII, cap. 10–35, um 1259) einen geschlossenen Musiktraktat, der die Musica als Wissenschaft innerhalb des Quadriviums nach Boethius, Isidorus von Sevilla und Richard von St. Victor darstellt.
Lit.: L. LIESER, V. v. B. als Kompilator u. Philosoph, Lpz. 1928; G. GÖLLER, V. v. B. O. P. u. sein Musiktraktat im Speculum doctrinale, = Kölner Beitr. zur Musikforschung XV, Regensburg 1959 (mit Texted. d. Traktats).

+**Viotti,** Giovanni Battista, 1755–1824.
Nach neueren Forschungen (White, 1969) sind sämtliche bisher als Klavierkonzerte bezeichneten Kompositionen in ihrer originalen Fassung Violinkonzerte.
Ausg.: Prima sinfonia concertante f. 2 V. principali, 2 Ob., 2 Hörner u. Streichorch., hrsg. v. F. QUARANTA, Mailand 1960; V.-Konzert Nr 22 A moll, hrsg. v. P. MUNTEANU, = Clasicii muzicii universale o. Nr, Bukarest 1966; Fl.-Quartett B dur op. 22 Nr 1, hrsg. v. D. LASOCKI, London 1968; V.-Konzert Nr 2 E dur, hrsg. v. W. LEBERMANN, = Concertino CLVIII, Mainz 1968; V.-Konzert Nr 19 G moll, hrsg. v. R. GIAZOTTO, = Antica musica strumentale ital. o. Nr, Mailand 1964.
Lit.: +L. DE LA LAURENCIE, L'école frç. de v. (1922–24), Nachdr. Genf 1971; +A. MOSER, Gesch. d. Violinspiels (1923), 2. Aufl. hrsg. v. H.-J. Nösselt, 2 Bde, Tutzing 1966–67; +M. WALTER, Ein Klavierkonzert v. J. B. V. (1955), Wiederabdruck in: Miszellen zur Mg., hrsg. v. H. Ehinger u. H. P. Schanzlin, Bern 1967. – E. CH. WHITE, G. B. V. and His V. Concertos, 2 Bde, Diss. Princeton Univ. (N. J.) 1957; DERS., Did V. Write Any Original Piano Concertos?, JAMS XXII, 1969; DERS., Toward a More Accurate Chronology of V.'s V. Concertos, FAM XX, 1973; B. SCHWARZ, Beethoven and the French V. School, MQ XLIV, 1958; DERS. in: MGG XIII, 1966, Sp. 1792ff.; M. RINALDI, Missione stor. di G. B. V., in: Musicisti piemontesi e liguri, hrsg. v. A. Damerini u. G. Roncaglia, = Accad. mus. Chigiana (XVI), Siena 1959; E. BADURA-SKODA, Ein unbekannter Brief V.s, in: Speculum musicae artis, Fs. H. Husmann, München 1970.

Viozzi, Giulio (bis 1931 Weutz), * 5. 7. 1912 zu Triest; italienischer Komponist, studierte Klavier und Komposition am Konservatorium in Triest, an dem er 1939 einen Lehrauftrag für Harmonielehre und 1956 den Lehrstuhl für Komposition erhielt. Er schrieb u. a. die Opern *Allamistakeo* (nach einer Erzählung von Edgar Allan Poe, Bergamo 1954), *Un intervento notturno* (Triest 1957), *Il sasso pagano* (ebd. 1962), *La giacca dannata* (ebd. 1967) und *Elisabetta* (1970), die Rundfunkoper *La parete bianca* (RAI 1954), das Ballett *Prove di scena* (Mailand 1958), Orchesterwerke (*4 momenti* für Streicher, 1945; *Hangar 26*, 1947; *Studio su un tema di 12 suoni dal »Don Giovanni« di Mozart*, 1961; Konzert für Streicher, 1967; *Discorso del vento*, 1968; Konzerte für V., 1956, Streichquintett und Kl., 1959, Kl., 1959 und 1967, Vc., 1960, sowie Klar., Vc. und Kl., 1965, mit Orch.), zahlreiche Kammermusikwerke (2 Streichquartette, 1949 und 1950; Trio für Klar., Vc. und Kl., 1956; Klavierquartett, 1957; Sonate für Kb. und Kl.,

1966; Trio für V., Kb. und Kl., 1968; *Divagazioni* für Streichtrio und Git., 1968), Klavierstücke, Chöre und Lieder.

Virchi (v'irki), Giovan Paolo (genannt Targhetta oder Targetti), * 1552 zu Brescia, † 1610 zu Mantua; italienischer Organist, Lautenist und Komponist, Sohn des Lautenisten Girolamo V. (1523–75), war 1582–91 Organist am Hofe des Herzogs Alfonso II. von Ferrara. Gegen 1597 ging er an den Hof von Mantua. V. galt als bedeutender Chitarronespieler seiner Zeit. Er veröffentlichte *Il primo libro di Tabulatura di citthara di ricercati, madrigali, canzoni, napolitane et saltarelli* (Venedig 1574), *Il primo* bzw. *secondo libro di Madrigali a 5 v.* (ebd. 1584 bzw. 1588), *Il primo libro de Madrigali a 6 v.* (ebd. 1591) sowie Motetten und Madrigale in Sammlungen der Zeit.

+**Virdung,** Sebastian, * [erg.:] um 1465 (vermutlich 19. oder 20. 1.).
Ausg.: Musica getutscht (1511), Faks. hrsg. v. KL. W. NIEMÖLLER, = DMI I, 31, Kassel 1970; Livre plaisant u. Dit is een seer schoo boecxke, Faks. d. frz. bzw. d. flämischen Ausg. (Antwerpen 1529 bzw. 1568) d. »Musica getutscht« hrsg. v. J. H. VAN DER MEER, Amsterdam 1973.
Lit.: H. H. LENNEBERG, The Critic Criticized. S. V. and His Controversy with A. Schlick, JAMS X, 1957; J. EISENBERG, V.'s Keyboard Illustrations, GSJ XV, 1962; G. PIETZSCH, Quellen u. Forschungen zur Gesch. d. Musik am kurpfälzischen Hof zu Heidelberg, = Akad. d. Wiss. u. d. Lit. zu Mainz, Abh. d. geistes- u. sozialwiss. Klasse, Jg. 1963, Nr 6; FR. KRAUTWURST, Bemerkungen zu S. V.s »Musica getutscht« (1511), Fs. Br. Stäblein, Kassel 1967; A. VANDER LINDEN, Notes sur les traductions frç. et flamande de la »Musica getutscht« de V., RBM XXII, 1968.

+**Virneisel,** Wilhelm Peter Heinrich, * 12. 5. 1902 zu Koblenz.
V., der heute in Siegsdorf (Oberbayern) lebt, trat an der Universitätsbibliothek Tübingen 1967 in den Ruhestand. – +*Fünfzig Jahre Deutsche Musiksammlung* (in: Musikhandel [erg.:] VII, 1956 [nicht: 1957]). – An weiteren Arbeiten sind zu nennen der Aufsatz *Aus Beethovens Skizzenbüchern* (in: Colloquium amicorum, Fs. J. Schmidt-Görg, Bonn 1967), die Faks.-Ausg. der Autographe zu Bachs *Cantate burlesque (Bauernkantate)* BWV 212 (München 1965) und des Kyrie aus Beethovens *Missa solemnis* op. 123 (Tutzing 1965; vgl. dazu auch *Zur Handschrift der Missa solemnis von Beethoven*, ÖMZ XXI, 1966) sowie die Fortführung der +Bibliographie des Beethoven-Schrifttums (→ +Beethoven, S. 84, rechte Sp.).

Viscarra Monje (bisk'arra m'ɔŋxe), Humberto, * 3. 3. 1898 zu Sorata (La Paz), † 2. 9. 1971 zu La Paz; bolivianischer Pianist und Komponist, studierte am staatlichen Konservatorium in La Paz sowie in Italien (1920) und in Paris (ab 1927). Er war Direktor des Konservatoriums in La Paz (1930–32 und 1950–68), an dem er Klavier lehrte. 1940–44 leitete er die von ihm gegründete Akademie Man Césped. V. M. schrieb Orchesterwerke (*Scherzo*, 1948; *Leyenda*, 1959; *Pequeña danza*, 1960), Klavierwerke (*Colección de piezas bolivianas estilizadas sobre motivos criollos*, 1932; *Variaciones sobre un motivo de Armando Palmero*, 1952), Chöre und Lieder.

Vischer, Friedrich Theodor, * 30. 6. 1807 zu Ludwigsburg, † 14. 9. 1887 zu Gmunden (Oberösterreich); deutscher Theologe, Philosoph und Ästhetiker, studierte am Tübinger Stift, war dann Vikar und Repetent, habilitierte sich 1836 in Tübingen für Ästhetik und deutsche Literatur und wurde 1844 ordentlicher Professor. Wegen liberaler Ansichten seines Amtes enthoben, lehrte V. 1855–66 in Zürich, danach wieder

an der Universität Tübingen. In seiner von Hegel beeinflußten Ästhetik spielt die Musik die Stufenrolle einer »subjektiven Kunst«. Er schrieb u. a.: *Plan zu einer neuen Gliederung der Ästhetik* (in: Kritische Gänge II, Tübingen 1844); *Vorschlag zu einer Oper* (ebd.); *Ästhetik oder Wissenschaft des Schönen, zum Gebrauche für Vorlesungen* (3 Teile, Reutlingen und Lpz. 1846–58, München ²1922–23 in 6 Bden: von Musik handelt Bd V, die §§ 767–832 stammen jedoch von K. Köstlin); *Das Schöne und die Kunst. Zur Einführung in die Ästhetik* (Stuttgart 1898).
Lit.: M. Diez, Fr. Th. V. u. d. ästhetische Formalismus, Stuttgart 1889; H. Glockner, Fr. Th. V. u. d. 19. Jh., = Neue deutsche Forschung X, Bln 1931; Fr. Schlawe, Fr. Th. V., Stuttgart 1959; W. Oelmüller, Fr. Th. V. u. d. Problem d. nachhegelschen Ästhetik, = Forschungen zur Kirchen- u. Geistesgesch., N. F. VIII, ebd. 1959; M. Elssner, Hegel u. V. über Gegenstand, Inhalt u. Form in d. Musik, Kgr.-Ber. Lpz. 1966.

Visconti, Luchino, conte di Modrone, * 2. 11. 1906 zu Mailand; italienischer Regisseur, Bühnenbildner und Choreograph, begann seine Laufbahn 1935 als Assistent des Filmregisseurs Jean Renoir, wurde Bühnenregisseur in Mailand und Rom, trat 1946 der Schauspieltruppe Morelli–Stoppa bei und verschaffte sich als Filmregisseur internationalen Ruf. Zugleich einer der profiliertesten italienischen Opernregisseure, wirkte er an der Mailänder Scala (*La vestale* von Spontini, 1954; *La sonnambula* und *La Traviata*, 1955; *Anna Bolena* von Donizetti und »Iphigenie auf Tauris« von Gluck, 1957), bei dem Festival von Spoleto (*Macbeth* von Verdi, 1958; *Salome* von R. Strauss, 1961), an der Covent Garden Opera in London (*Don Carlos* von Verdi, 1958; *Il trovatore*, 1964; *Der Rosenkavalier*, 1966; *La Traviata*, 1967) und an der Wiener Staatsoper (*Falstaff*, 1967).
Lit.: Venti spettacoli di L. V. con R. Morelli, Bologna 1958; C. Molinari, Sullo stile di L. V. Una proposta, in: La Biennale di Venezia XI, 1961.

+Visée, Robert de, um 1650 – um 1725 [erg.:] zu Paris.
Ausg.: Œuvres complètes pour guitare, hrsg. v. R. W. Strizich, = Le pupitre XV, Paris 1969. – Menuet, Sarabande, Menuet und en rondeau u. Gigue sowie Suiten C moll u. E dur f. Git., hrsg. v. K. Scheidt, 3 H., Wien 1971–72.

Viski (viʃki), János, * 10. 6. 1906 zu Kolozsvár (heute Cluj, Rumänien), † 16. 1. 1961 zu Budapest; ungarischer Komponist, studierte 1927–32 an der Musikakademie in Budapest bei Kodály. 1940 wurde er Professor an der Nationalmusikschule in Budapest und 1941 Direktor des Konservatoriums in Kolozsvár. Ab 1942 war er Professor für Komposition an der Budapester Musikakademie. V. wurde 1954 mit dem Erkel- und 1956 mit dem Kossuth-Preis ausgezeichnet. Er schrieb u. a.: Symphonische Suite (1935) und *Enigma* (1940) für Orch.; Konzerte für V. (1947), für Kl. (1953) und für Vc. (1955) mit Orch.; Ballade *Az irisórai szarvas* (»Der Hirsch von Irisóra«) für Bar. und Orch. (1958); ferner Chöre und Lieder.
Lit.: F. Farkas in: Magyar zene I [recte: II], 1961, Nr 4, S. 439f.; K. Dobos, V. J., = Mai magyar zeneszerzők o. Nr, Budapest 1968.

Vita, Helen, * 7. 8. 1928 zu Hohenschwangau (bei Füssen, Bayern); deutsch-schweizerische Filmschauspielerin und Diseuse, nahm Gesangsunterricht bei Françoise Rosay in Genf, spielte ab 1945 Theater in Paris und Zürich und wirkte ab 1950 in zahlreichen Filmen mit. Daneben trat sie im Zürcher »Cabaret Federal« und in der Münchner »Kleinen Freiheit« auf; hier hatte sie 1954 in der Wirtschaftswunderparodie *Bier unter Palmen* besonderen Erfolg. Die Musik zu dieser Kabarettrevue und zu anderen Programmen schrieb Walter Baumgartner, den sie 1956 heiratete. Zunehmend trat H. V. als Spezialistin für das literarische Chanson (Kurt Tucholsky) und besonders für Lieder mit frech verkleidetem erotischem Inhalt (Texte von Colette Renard, übertragen von →Brandin) hervor, die sie auf Tourneen, in eigenen Fernsehshows und auf Schallplatte bekannt gemacht hat.
Ausg.: H.-V.-Songbuch, hrsg. v. W. Brandin, München 1970.
Lit.: H. Greul, Bretter, die d. Zeit bedeuten, Köln 1967.

Vitale, Vincenzo, * 13. 12. 1908 zu Neapel; italienischer Pianist, studierte am Conservatorio di Musica S. Pietro di Majella (S. Cesi, G. Napoli) und an der Ecole Normale de Musique in Paris (Cortot). Er war Lehrer für Klavier an den Konservatorien in Udine (1932–36), Palermo (1936–42) und Neapel (1942–70) und wurde 1970 an das Conservatorio di Musica S. Cecilia in Rom berufen. 1944 gründete er das Orchestra Napoletana da Camera (seit 1949 der Associazione »A. Scarlatti« angegliedert) und rief 1955 die *Gazzetta musicale di Napoli* ins Leben. V. veröffentlichte *31 sonate* von Cimarosa (Mailand 1971) und Beiträge in der nRMI.

+Vitali, Filippo, um 1590 [del.: um 1600] – 1653.
Lit.: +H. Riemann, Hdb. d. Mg. (II, 2, 1912), Nachdr. d. Aufl. Lpz. 1920–23, NY 1972 (2 Bde in 4). – J. W. Pruett, The Works of F. V., Diss. Univ. of North Carolina 1962; ders. in: MGG XIII, 1966, Sp. 1834ff.

+Vitali, –1) Giovanni Battista, 18. 2. 1632 zu Bologna [del. frühere Angaben] – 1692.
–2) Tommaso Antonio, [erg.:] 7. 3. 1663 [del.: um 1665] – [erg.:] 9. 5. 1745 zu Modena. Er stand 1675–1742 [nicht: bis um 1747] im Dienste der Este in Modena. – Die +Ciaccona G moll kann ihm nicht mit Sicherheit zugeschrieben werden.
Ausg.: zu –1): Artifici mus. ... op. 13, hrsg. v. L. Rood u. G. Parker Smith = Smith College Music Arch. XIV, Northampton (Mass.) 1959; Sonata F dur »La Guidoni« op. 5 Nr 8, f. 2 V., B.-Viole (Vc.) u. Org. (Cemb., Kl.) hrsg. v. M. Tilmouth, = Seventeenth-Cent. Chamber Music VI, London 1959; J. R. Dailey, G. B. V.'s »Op. XI«. A Performing Ed. f. Orch., Diss. Univ. of Chicago 1969; Triosonate D moll op. 2 Nr 6, hrsg. v. E. Schenk, = Diletto mus. Nr 433, Wien 1970. – zu –2): Sonate f. V., Vc. u. Cemb., hrsg. v. Ph. Hinnenthal, = HM XXXVIII, Kassel 1950, Neuaufl. 1959; Chaconne G moll f. V. u. B. c., hrsg. v. D. Hellmann, ebd. C, 1966 (vgl. dazu W. Reich in: Mf XXIII, 1970, S. 39ff.); dass., hrsg. v. L. Salter, London 1972.
Lit.: J. G. Suess in: MGG XIII, 1966, Sp. 1836ff. – zu –1): E. Schenk, Osservazioni sulla scuola strumentale modenese nel Seicento, in: Atti e memorie dell'Accad. di scienze, lettere e arti di Modena V, 10, 1952, deutsch in: StMw XXVI, 1964, S. 25ff.; A. Damerini, La sonata di G. B. V., in: Musicisti lombardi ed emiliani, hrsg. v. dems. u. G. Roncaglia, = Accad. mus. Chigiana (XV), Siena 1958; J. G. Suess, G. B. V. and the »Sonata da chiesa«, 2 Bde, Diss. Yale Univ. (Conn.) 1963. – zu –2): H. Keller, Die Chaconne g-moll, v. V.?, NZfM CXXV, 1964, vgl. dazu auch W. Reich in: BzMw VII, 1965, S. 149ff., u. G. Barblan in: RIdM I, 1966, S. 94ff.

Vitier (bitiʼɛr) García-Marruz, Sergio, * 18. 1. 1948 zu La Habana; kubanischer Gitarrist und Komponist, studierte in seiner Heimatstadt am Conservatorio »Amadeo Roldán« sowie an der Escuela Superior de Música de Cubanacán, trat der Gruppe für experimentelle Musik der ICAIC bei und betrieb Kompositionsstudien bei Brouwer. Er war u. a. Gitarrist des Orquesta Cubana de Música Moderna und unterrichtete an der Escuela de Música Moderna des CNC. V. gab zahlreiche Solokonzerte und schrieb u. a.: *Aristas y horizontes* für Git., Schlagzeug, Prepared piano, Org. und Tonband (mit Eduardo Ramos, 1970); *O yaya* für Git., T. und Tonband (mit Rogelio Martínez Furé, 1970); *Treno* für Tonband (1971); *Partitura de »Divinas palabras«* für Org., Cemb., Git., Fl., Klar., Pos., Xylophon, Schlagzeug und Chor (1971); *Canción de los sinsontes* für Bar. und Git. (1971).

Vītoliņš (v'i:təlin), Jānis, * 8.(20.) 4. 1886 zu Litene, † 14. 5. 1955 zu Riga; lettisch-sowjetischer Komponist und Fagottist, studierte an den Konservatorien in Riga und Moskau und lehrte danach Fagott am Konservatorium in Riga. Er schrieb die Ballette *Ilga* (Riga 1937) und *Turaidas roze* (»Die Rose aus Turaida«, 1940), 2 Symphonien (1924 und 1955), 2 Lettische Rhapsodien für Orch. (1932) sowie andere Instrumentalstücke und Lieder.

Vītoliņš (v'i:təlin), Jēkabs, * 24. 7. (5. 8.) 1898 auf dem Landgut Bakšani (heute Madona, Livland); lettisch-sowjetischer Musikforscher, absolvierte 1924 die Kompositionsklasse von Wihtol am lettischen Konservatorium in Riga und studierte Musikwissenschaft an den Universitäten in Wien (1929–31) und Paris (1936–37). Er war 1924–29 Dramaturg der lettischen Nationaloper, 1932–39 Redakteur der Zeitschrift *Mūzikas apskats* (»Musikrevue«) und 1938–62 Dozent für Musikgeschichte am lettischen Konservatorium. 1961 promovierte er am Leningrader Konservatorium mit der Dissertation *Issledowanija w oblasti latyschskoj narodnoj muzyki* (»Untersuchungen auf dem Gebiet der lettischen Volksmusik«) zum Doktor der Kunstwissenschaft. 1946 wurde er Leiter der Abteilung für musikalische Folklore am Institut für Sprache und Literatur der Akademie der Wissenschaften der Lettischen SSR. Er veröffentlichte u. a.: *Kordirigenta māksla* (»Die Kunst des Chordirigenten«, Riga 1928, ²1947); *Mūzikas vēsture* (»Geschichte der Musik«, ebd. 1937); *Latviešu tautas mūzika* (»Die lettische Volksmusik«, 2 Bde, ebd. 1958–68); *Die lettischen Hirtenlieder* (Deutsches Jb. für Volkskunde XIII, 1967); *A. Kalniņš* (Riga 1968); *Ja. Witol w latyschskoj musyke* (»Ja. Wihtol in der lettischen Musik«, in: Ja. Witol, hrsg. von A. Darkewitsch, Leningrad 1969); *Latyschskaja narodnaja pesnja* (mit Jā. Vītoliņš, = Folklornaja bibl. ljubitelja musyky o. Nr, Moskau 1969); *Tautas dziesma latviešu mūzika* (»Das Volkslied in der lettischen Musik«, Riga 1970).

Vitruv (Marcus Vitruvius Pollio, vielleicht Lucius Vitruvius Mamurra); römischer Ingenieur, Architekt und Architekturtheoretiker des 1. Jh. v. Chr., diente unter Caesar (möglicherweise identisch mit dessen »praefectus fabrum« Mamurra) und Augustus als Heeresingenieur und baute nach eigenen Angaben in Fano eine Basilika. Sein Werk *De architectura* (10 Bücher) faßt die antike Kenntnis von Architektur und Technik enzyklopädisch zusammen. Die behandelten Themen reichen von grundsätzlichen Erörterungen zur Architektur und Städteplanung über Baustoffkunde, Erläuterung der Säulenordnungen und Gebäudeformen bis zur Wasserversorgung, Zeitmessung und zum Maschinenbau: in diesem Zusammenhang ist auch (in Buch X) die antike Wasserorgel (hydraulis) beschrieben. Die Ausführungen über das Theater der Antike (in Buch V), die 1487 in Rom erstmals gedruckt wurden, haben Theorie und Praxis des Theaters der Renaissance entscheidend beeinflußt (→ Palladio, → Serlio). V. hat durch seine Beschreibung griechischer und römischer Theaterbauten Normen der architektonischen Konstruktion antiker Theater überliefert und die Kenntnis der Periaktendekoration vermittelt.
Lit.: F. BURGER, V. u. d. Renaissance, Jb. f. Kunstwiss. XXXII, 1909; H. H. BORCHERDT, Das europäische Thea-

ter im MA u. in d. Renaissance, Lpz. 1935, Hbg ²1969; P. THIELSCHER, Die Schallgefäße d. antiken Theaters, Fs. F. Dornseiff, Lpz. 1953; DERS., Die Stellung d. V.ius in d. Gesch. d. abendländischen Musik, in: Das Altertum III, 1957; DERS., V.ius u. d. Lehre d. Ausbreitung d. Schalles, ebd. IV, 1958; L. MAGAGNATO, Teatri ital. del Cinquecento, Venedig 1964; J. PERROT, L'orgue de ses origines hellénistiques à la fin du XIIIᵉ s., Paris 1965, engl. London u. NY 1971; G. WILLE in: MGG XIII, 1966, Sp. 1841ff.

⁺Vitry, Philippe de, 1291 [erg.:] zu Vitry (Champagne) oder Paris(?) – 1361 [erg.:] zu Meaux oder Paris(?).
Ausg.: ⁺W. APEL, The Notation of Polyphonic Music (⁴1953), Cambridge (Mass.) ⁵1961, deutsch = ApelN. – ⁺Ars nova (G. REANEY, A. GILLES u. J. MAILLARD, 1956–57), separat = CSM VIII, (Rom) 1964; dass., engl. v. L. PLANTINGA in: Journal of Music Theory V, 1961, S. 204ff.
Lit.: ⁺J. WOLF, Gesch. d. Mensural-Notation (1904), Nachdr. Hildesheim u. Wiesbaden 1965 (3 Bde in 1); ⁺H. BESSELER, Die Musik d. MA u. d. Renaissance (1931), Nachdr. Darmstadt 1964, auch NY 1973; ⁺L. SCHRADE, Ph. de V., ... (1956), Wiederabdruck in: De scientia musicae studia atque orationes, Bern 1967. – G. REANEY, »Ars Nova« in France, in: Ars Nova and the Renaissance, 1300–1540, hrsg. v. A. Hughes u. G. Abraham, = New Oxford Hist. of Music III, London 1960, ital. Mailand 1964; DERS., New Sources of »Ars Nova« Music, MD XIX, 1965; R. BOCKHOLDT, Semibrevis minima u. Prolatio temporis, Mf XVI, 1963; GR. A. HARRISON, The Monophonic Music in the »Roman de Fauvel«, Diss. Stanford Univ. (Calif.) 1963; E. APFEL, Beitr. zu einer Gesch. d. Satztechnik v. d. frühen Motette bis Bach, Bd I, München 1964; S. GULLO, Das Tempo in d. Musik d. XIII. u. XIV. Jh., Bern 1964; H. BESSELER, Falsche Autornamen in d. Hss. Straßburg (V.) u. Montecassino (Dufay), AMl XL, 1968; M. CAANITZ, Petrarca in d. Gesch. d. Musik, Freiburg i. Br. 1969; F. A. GALLO, Tra G. di Garlandia e F. da V., Note sulla tradizione di alcuni testi teorici, MD XXIII, 1969; J. MICHELS, Die Musiktraktate d. J. de Muris, = BzAfMw VIII, Wiesbaden 1970; L. PRISOR, Einzelanalysen früher Ars nova-Motetten ..., exemplifiziert an d. V. zugeschriebenen Motetten, Diss. Freiburg i. Br. 1971; H. KÜHN, Die Harmonik d. Ars nova. Zur Theorie d. isorhythmischen Motette, = Berliner mw. Arbeiten V, München 1973; S. THIELE, Zeitstrukturen in d. Motetten d. Ph. de V. u. ihre Bedeutung f. zeitgenössisches Komponieren, NZfM CXXXV, 1974.

⁺Vittadini, Franco (Francesco), 1884 – 30. [nicht: 29.] 11. 1948.
V. schrieb insgesamt 4 [nicht: 3] Ballette (*Vecchia Milano*, Mailand 1928; *La dama galante*, Venedig 1929; *Fiordisole*, Mailand 1935; *La Taglioni*, ebd. 1945) und 17 [nicht: 10] Messen.
Lit.: Un s. di vita nel Civico Istituto mus. Fr. V. di Pavia (1867–1967), Pavia 1967 (Sammelschrift).

⁺Vittori, Loreto, getauft [del.: *] 16. 1. 1604 – 23. [del.: 27.(?)] 4. 1670.
Ausg.: Lied d. Acis »Luminosa ruggia« aus »La Galatea« (1639), in: K. G. FELLERER, Die Monodie, = Das Musikwerk XXXI, Köln 1968, auch engl.
Lit.: CL. GALLICO, La »Querimonia« di Maddalena di D. Mazzocchi e l'interpretazione di L. V., CHM IV, 1966.

⁺Vivaldi, Antonio Lucio, 4. 3. 1678 – 28. († und begraben) 7. 1741 [erg. frühere Angaben].
V.s 3jähriges Dienstverhältnis bei Markgraf Philipp von Hessen-Darmstadt in Mantua begann bereits 1718 (oder 1719). Vermutlich 1725 (vielleicht auch früher) reiste er nach Amsterdam, dem Sitz des Verlags Roger–Le Cène, bei dem fast sämtliche für den Druck bestimmte Kompositionen V.s erstveröffentlicht wurden. Auf Einladung Karls VI., dem er 2 Sammlungen von je 12 Violinkonzerten unter dem Titel *La cetra* gewidmet hat (eine Sammlung daraus erschien 1727 als op. 9), reiste V. nach Wien und anschließend nach

Prag, wo mindestens 5 seiner Opern aufgeführt wurden (1730–32). Seine letzte Reise nach Wien erfolgte 1741, wo er Anfang Februar nachweisbar ist. Rege Beziehungen pflegte V. auch zu Böhmen und Mähren und zu Dresden, das ab 1717 vor allem durch seinen Schüler J.G. Pisendel zum Hauptort deutscher V.-Pflege wurde.

Über ein kompositorisches Schaffen V.s vor 1705 (Erscheinungsjahr der Triosonaten op. 1) ist bisher nichts bekannt geworden, zudem ist bis 1713 nur Instrumentalmusik nachweisbar. Von 1713 (Uraufführungsjahr seiner für Vicenza geschriebenen Oper *Ottone in Villa*) bis 1739 hat V. kontinuierlich für Oper und Konzert gearbeitet. Zwischen 1714 und 1718 folgten für Venedig 8 Opern, danach kamen bis 1739 jährlich etwa 2 neue Opern (außerdem zahlreiche ältere in Neufassung) heraus, die Hälfte davon in Venedig. Wegen zahlreicher auswärtiger Opernaufführungen mußte V. seine Tätigkeit am Ospedale della Pietà in Venedig oft unterbrechen, mitunter für mehrere Jahre (1718–22, 1726–34). Neben Ancona, Ferrara, Florenz, Mantua, Mailand, Reggio nell'Emilia, Rom, Treviso, Verona, Vicenza und Prag fanden wahrscheinlich auch in Parma, Graz, München und Wien Opernaufführungen zu V.s Lebzeiten statt. – Formen der Oper und des Konzerts durchdrangen sich in V.s Schaffen. Unter Loslösung vom Concerto grosso-Typ Corellis, unter Einwirkung der Konzerte Torellis, Albinonis u. a. und beeinflußt vor allem durch die venezianische Opernarie, gewann V. sein dreisätziges Konzert und die großräumige Ritornellform der schnellen Ecksätze; ebenso lassen sich viele langsame Mittelsätze auf Opernstücke (vor allem Lamenti) zurückführen. Umgekehrt wurde in der Oper das bereits in den frühen Werken dieser Gattung erprobte »Aria-Concerto«, eine dem Konzertsatz analog gebildete Arie, von 1724 an zum vorherrschenden Arientyp. Mit den 12 Konzerten *L'estro armonico* op. 3 (1711; mehrere Neuaufl. und Nachdr.), die rasch berühmt und für das Schaffen zahlreicher Komponisten maßgebend wurden, hat V. dem italienischen Solokonzert in der europäischen Musik zum Durchbruch verholfen. In den offenbar zuletzt entstandenen Konzerten aus op. 3 ist die Ritornellform voll ausgebildet. Typisch für das Ritornell ist die Prägnanz der Themen und die Flexibilität der Affekte, vereinzelt auch emphatische, kantable Melodik. Zu den bedeutendsten und geschichtlich fortwirkenden Neuerungen gehören ferner das mehrgliedrige, tonartlich in sich geschlossene Anfangsritornell, die variable, oft kombinationenreiche Wiederkehr der Ritornellglieder im Satzverlauf, die Kontrastverengungen in oder kurz nach der Satzmitte und das spannungsbildende, lange, oft besonders virtuose oder harmonikal weit ausgreifende Solo vor dem Schlußritornell. In den späteren Werken (besonders in op. 7–9 und in einem großen Teil der handschriftlich überlieferten Konzerte) sind die Ritornelle breiter angelegt und kontrasthaltiger (kantable oder chromatische Motivgruppen, unvermittelter Dur-Moll-Wechsel), die Soli stärker profiliert und in ihrer Figuration differenzierter. Ritornell und Solo werden durch motivische Arbeit (Aufgreifen und Fortspinnen von Ritornellmotiven durch das Solo oder Begleiten des Solos durch Ritornellmotive) enger verknüpft. In den Konzerten der 30er Jahre haben die Ritornelle durchgehend, die Soli streckenweise kantable Melodik. Die am Konzert herausgebildete Ritornellform gewann in V.s Schaffen von etwa 1713 an eine ähnlich zentrale Stellung wie die Sonatenhauptsatzform bei Haydn und Mozart. V. legte sie Sätzen von Sinfonien, Ripienokonzerten, Sonaten, Trios und Quartetten, ebenso

Arien, Ensembles und öfter auch Chorsätzen geistlicher Kompositionen zugrunde.

V.s Werke gelangten bereits ab 1717 nach Dresden und haben offensichtlich auf das Schaffen deutscher Komponisten, u. a. Pisendel, J. Fr. Fasch und vor allem J. S. Bach (Brandenburgische Konzerte Nr 1, 4 und 5, Tripelkonzert BWV 1044), der auch zahlreiche Werke V.s bearbeitet hat, eingewirkt. Während V.s Musik, einer Äußerung Ch. de Brosses' zufolge, um 1739 in Venedig nicht mehr sehr geschätzt wurde, sind seine Werke vor allem in Westeuropa, vermutlich aber auch in Süddeutschland, Österreich, Böhmen und Mähren noch Jahre nach seinem Tode verbreitet und aufgeführt worden. Mehrere Instrumentalsammlungen (op. 1, op. 3, op. 8) wurden in Paris noch um 1750, einzelne Konzerte in London gar bis etwa 1770 nachgedruckt. Das in Frankreich beliebte Konzert *La primavera* (op. 8 Nr 1) hat J.-J. Rousseau 1775 für Flöte arrangiert. Auch Opern V.s und Pasticci mit V.schen Arien sind noch in den 40er Jahren in deutschen und italienischen Städten, vermutlich auch in Wien, aufgeführt worden.

Gegenwärtig sind etwa 770 Kompositionen von V. bekannt (s. u. Lit., Werkverz. von Ryom, das sämtliche bis 1973 bekannten authentischen, zweifelhaften und V. früher fälschlich zugeschriebenen Werke anführt; Abk.: RV), darunter 46 Opern (V. selbst gibt 94 bis 1739 komponierte Opern an), von denen 21 erhalten sind: *Ottone in villa* (Vicenza 1713), *Orlando finto pazzo* (Venedig 1714), *L'incoronazione di Dario* (ebd. 1716), *Arsilda regina di Ponto* (ebd. 1716), *Armida al campo d'Egitto* (ebd. 1718; nur 1. und 3. Akt erhalten), *Il teuzzone* (Text von Zeno, Mantua 1719), *Tito Manlio* (ebd. 1719), *La verità in cimento* (Venedig 1720), *Ercole sul Termodonte* (Rom 1723), *Giustino* (ebd. 1724), *La virtù trionfante dell'amore e dell'odio, overo Il Tigrane* (Silvani, 1. Akt von B. Micheli, 3. Akt von N. Romaldi, ebd. 1724), *Dorilla in Tempe* (Venedig 1726), *Farnace* (ebd. 1727), *Orlando* (*furioso*; ebd. 1727), *L'Atenaide* (Zeno, Florenz 1729), *La fida ninfa* (Verona 1732), *L'Olimpiade* (Metastasio, Venedig 1734), *Griselda* (Zeno und Goldoni, ebd. 1735) und *Catone in Utica* (Metastasio, Verona 1737; nur 2. und 3. Akt erhalten) sowie die wahrscheinlich nicht von V. stammenden Opern *Bajazet* (*Tamerlano*; Verona 1735) und *Rosmira* (Venedig 1738). Von den nicht erhaltenen Opern (bisher nur Text nachweisbar) seien genannt: *La costanza trionfante degl'amori e degl'odii* (ebd. 1716, Neufassung als *Artabano re de' Parti* ebd. 1718, als *Doriclea* Prag 1732), *Scanderbeg* (Florenz 1718), *La candace o siano li veri amici* (Silvani und D. Lalli, Mantua 1720); *Ipermestra* (Florenz 1728); *Semiramide* (Mantua 1732), *Montezuma* (Venedig 1733) und *Feraspe* (Silvani, ebd. 1739). – Weitere Werke: 344 Solokonzerte, 81 Konzerte mit 2 oder mehreren Soloinstrumenten, 61 Sinfonien und Ripienokonzerte, 23 Kammerkonzerte (ohne Ripieno), 93 Sonaten und Trios, 3 Oratorien (erhalten nur *Juditha triumphans*, Venedig 1716), 8 Serenate und andere größere Vokalwerke (erhalten *Gloria e Himeneo* und 2 »Serenate à 3« *Mio cor* und *La Sena festeggiante*), 38 weltliche Solokantaten, 12 Motetten, 8 »Introduzioni« und 37 liturgische Werke. Erst in jüngster Zeit ist das große Ausmaß der Eigenbearbeitungen V.s bekanntgeworden, darunter Neufassungen für andere Besetzungen, Austausch von Sätzen oder von Satzteilen, Parodien sowie Umarbeitungen verschiedenster Art. Vom Magnificat (RV 610/611) existieren 4, von der Oper *Farnace* (Venedig 1727) 6 verschiedene Fassungen. In den Werken fast aller Gattungen, vor allem in Opern der 30er Jahre, hat V.

häufig Sätze bzw. Arien aus älteren Kompositionen wiederverwendet.

Von folgenden Sammlungen der Instrumentalwerke V.s sind an Erstdrucken bekannt: 12 Triosonaten op. 1 (1705); 12 Violinsonaten op. 2 (1709); 12 Konzerte *L'estro armonico* op. 3 (1711); 12 Violinkonzerte *La stravaganza* op. 4 (um 1714); 4 Violin- und 2 Triosonaten op. 5 (1716); 6 Violinkonzerte op. 6 (1716–21); 10 Violin- und 2 Oboenkonzerte op. 7 (1716–21); 12 Violinkonzerte *Il cimento dell'armonia e dell'inventione* op. 8 (1725); 12 Violinkonzerte *La cetra* op. 9 (1727); 6 Flötenkonzerte op. 10 (um 1728; vermutlich eigene Bearb.); 5 Violinkonzerte und 1 Oboenkonzert op. 11 (1729); 5 Violinkonzerte und 1 Ripienokonzert op. 12 (1729); 6 Sonaten *Il pastor fido* für Musette, Vielle, Fl., Ob. (V.) und B. c. op. 13 (1737; Arrangements des Verlegers). Ausg.: +GA d. Instrumentalwerke (G. FR. MALIPIERO, mit A. Ephrikian, A. Fanna, Br. Maderna, B. Prato, R. Olivieri u. Fr. Zobeley), Mailand 1947–72, angelegt in 16 Serien u. 530 Kompositionen umfassend, wobei jedes Werk in Einzel-H. hrsg. wurde: Folge I: 210 Konzerte f. 1 V. u. 26 Konzerte f. 2–4 V., II: 6 Konzerte f. Va d'amore, III: 27 Konzerte f. 1–2 Vc., IV: 11 Konzerte f. V. u. andere solistische Streichinstr., V: 2 Konzerte f. 1 bzw. 2 Mandolinen, VI: 16 Konzerte f. 1–2 Fl., VII: 17 Konzerte f. 1–2 Ob., VIII: 37 Fag.-Konzerte, IX: Konzert f. 2 Trp., X: 2 Konzerte f. 1–2 Hörner, XI: 52 Konzerte u. Sinfonien f. Streicher, XII: 31 Konzerte (mit Ripieno) u. 19 Konzerte (ohne Ripieno) f. mehrere unterschiedliche Soloinstr., XIII: 30 Sonaten f. V. u. B. c. u. 19 Sonaten f. 2 V. u. B. c., XIV: 9 Sonaten f. Vc. u. B. c., XV: 5 Sonaten f. Fl. (Ob.) u. B. c., XVI: 10 Sonaten u. Trios verschiedener Besetzungen. – kritische Ausg. d. Instrumentalwerke in Einzel-H., hrsg. v. R. ELLER, Lpz. 1974ff. – 4 Sonaten »Fatto per il Maestro Pisendel« f. V. u. B. c., hrsg. v. H. GRUSS, Lpz. 1965; 6 Sonaten »Il pastor fido«, hrsg. v. J.-P. RAMPAL u. R. VEYRON-LACROIX, 2 H., NY u. London 1965. – weitere Einzelausg. d. Instrumentalwerke u. a. in d. Verlagen Bärenreiter (Kassel), Carish (Mailand), Doblinger (Wien), Eulenburg (London), Heinrichshofen (Wilhelmshaven), Peters (Lpz.), Ricordi (Mailand), Schott (Mainz) u. Zeneműkiado (Budapest). Dramma per musica »La fida ninfa«, hrsg. v. R. MONTEROSSO, = Inst. et monumenta I, 3, Cremona 1964; Kantate »All'ombra di sospetto« (RV 678), hrsg. v. M. FECHNER, Lpz. 1970; Kantate »Piango, gemo, sospiro« (RV 675), hrsg. v. V. MORTARI, Mailand 1970. – Magnificat f. Soli, Chor u. Orch. (RV 610b), hrsg. v. H. C. R. LANDON, Wien 1961; 6 Motetten f. Solo-St. u. Instr. (RV 623, 629, 631, 626, 630 u. 628), hrsg. v. R. BLANCHARD, = Le pupitre VII, Paris 1968; Kyrie, Credo, Stabat mater u. Beatus vir, hrsg. v. R. FASANO, 4 H., Wien 1968–72; Lauda Jerusalem f. 2 S., Doppelchor u. doppeltes Streichorch. (RV 609) u. Kyrie f. 2 S., 2 A., Doppelchor u. doppeltes Streichorch. (RV 587), hrsg. v. J. BRAUN, = Ed. Eulenburg Nr 1081 bzw. 1090, London 1969, beides auch hrsg. v. F. DEGRADA, Mailand 1971 bzw. 1973; Psalm 126 »Nisi Dominus« (RV 608), hrsg. v. DEMS., ebd. 1971; Beatus vir (RV 598), hrsg. v. A. CORGHI, ebd. 1970; Psalm 112 »Laudate pueri« f. S. u. Orch. (RV 601) u. Salve regina f. Kontra-A. u. 2 Orch. (RV 616), hrsg. v. A. EPHRIKIAN, 2 H., ebd.; Beatus vir (RV 597), hrsg. v. BR. MADERNA, ebd.; Gloria (RV 589), Credo f. Chor u. Streichorch. (RV 591), Dixit Dominus (RV 594), Magnificat (RV 610a u. 611) u. Stabat mater f. Kontra-A., Streichorch. u. B. c. (RV 621), hrsg. v. G. FR. MALIPIERO, 5 H., ebd.; Sacrum militare oratorium »Juditha triumphans« (RV 644), hrsg. v. A. ZEDDA, ebd. 1971; 2 Psalmen f. Chor, Streichorch. u. Gb., hrsg. v. R. RÜEGGE, = Chw. CXII, Wolfenbüttel 1972.
Lit.: B. S. BROOK, Thematic Cat. in Music, Hilsdale (N. Y.) 1972. – +M. RINALDI, Cat. numerico tematico ... (1945), Neuaufl. Rom 1954; +M. PINCHERLE, A. V. et la musique instr., 2 Bde (II: +Inventaire thématique; 1948), Nachdr. NY 1968. – L. CORAL, A Concordance of the Thematic Indexes to the Instr. Works of A. V., = MLA Index Series IV, Ann Arbor (Mich.) 1965, ²1972; A. V.,

Cat. numerico-tematico delle opere strumentali, hrsg. v. A. FANNA, Mailand 1968; A. ST. MARTIN, V. Violin Concertos. A Hdb., Metuchen (N. J.) 1972; N. OHMURA, A Reference Concordance Table of V.'s Instr. Works, Kawasaki 1972; P. RYOM, A. V., Table de concordances des œuvres, Kopenhagen 1973, deutsch als: Verz. d. Werke A. V.s (RV). Kleine Ausg., Lpz. 1974 (vgl. dazu ders. in: Fs. J. P. Larsen, Kopenhagen 1972, S. 127ff.). – P. DAMILANO, Inventario delle composizioni mus. ms. di A. V. esistenti presso la Bibl. Nazionale di Torino, RIdM III, 1968. – T. PARKINSON, Discography of A. V. on Long-Playing Records, Diss. Kentucky State Univ. 1972.
V.ana (Publ. du Centre international de documentation A. V.) Iff., (Brüssel) 1969ff. (vgl. dazu J. W. C. de Jong in: Mens en melodie XXV, 1970, S. 117ff.); V. Informations, hrsg. v. d. International V. Soc., Iff., (Charlottenlund) 1971ff. (frz., deutsch u. engl.). – A. CAVICCHI, Ined. nell'epistolario V.–Bentivoglio, nRMI I, 1967. – +M. PINCHERLE, V. (1955), Nachdr. d. +engl. Ausg. (1957) NY 1962 (Paperbackausg.). – N. LOESER, V., = Gottmer-muziek-pockets XXVIII, Haarlem 1959; R. GIAZOTTO, V., = Le vite dei musicisti o. Nr, Mailand 1965; (mit G. Rostirolla), A. V., Turin 1973 (mit Werkverz. v. A. Girard u. Diskographie v. L. Bellingardi); I. IANEGIC, A. V., Bukarest 1965; W. KOLNEDER, A. V., Wiesbaden 1965, engl. London 1970, ungarisch Budapest 1970; M. MARNAT, A. V., = Musiciens de tous les temps XIX, Paris 1965; T. VOLEK u. M. SKALICKÁ, A. V. a Čechy (»A. V. u. Böhmen«), in: Hudební věda II, 1965, deutsch als: V.s Beziehungen zu d. böhmischen Ländern, AMl XXXIX, 1967; R. DE CANDÉ, V., = Solfèges XXVIII, Paris 1967; J. GALLOIS, A. V., = Nos amis les musiciens o. Nr, ebd.; M. MEUNIER-THOURET, V., = Classiques Hachette de la musique o. Nr, ebd. 1972; H. PABISCH, Neue Dokumente zu V.s Sterbetag, ÖMZ XXVII, 1972.
+A. SCHERING, Gesch. d. Instrumentalkonzerts ... (1905, ²1927), Nachdr. Hildesheim u. Wiesbaden 1972; +W. KOLNEDER, Aufführungspraxis bei V. (1955), Nachdr. Adliswil-Zürich 1973; +W. S. NEWMAN, The Sonata in the Baroque Era (1959), revidiert Chapel Hill (N. C.) 1966, London 1968, neuerlich revidiert NY u. London 1972 (Paperbackausg.). – R. ELLER, Zur Frage Bach–V., Kgr.-Ber. Hbg 1956; DERS., Die Konzertform A. V.s, Habil.-Schrift Lpz. 1957; DERS., Die Entstehung d. Themenzweiheit in d. Frühgesch. d. Instrumentalkonzerts, Fs. H. Besseler, Lpz. 1961; DERS., V. – Dresden – Bach, BzMw III, 1961, Wiederabdruck in: J. S. Bach, hrsg. v. W. Blankenburg, = Wege d. Forschung CLXX, Darmstadt 1970; A. BONACCORSI, I mss. v.ani di Dresda, in: Immagini esotiche nella musica ital., hrsg. v. A. Damerini u. G. Roncaglia, = Accad. mus. Chigiana (XIV), Siena 1957; M. BRUNI, Vocalità solistica in V., in: Musicisti lombardi ed emiliani, hrsg. v. dens., ebd. (XV), 1958; DERS., Letture v.ane.»Arsilda regina di Ponto«, in: Volti mus. di Falstaff, hrsg. v. dens., ebd. (XVIII), 1961; H. R. RARIG JR., The Instr. Sonatas of A. V., Diss. Univ. of Michigan 1958; L. E. ROWELL, Four Operas of A. V., Diss. Univ. of Rochester (N. Y.) 1959; A. HUTCHINGS, The Baroque Concerto, NY u. London 1961, Nachdr. London 1964, NY 1965; W. KOLNEDER, Die Solokonzertform bei V., = Slg mw. Abh. XLII, Straßburg 1961; DERS., Der Aufführungsstil U., ÖMZ XIX, 1964; DERS., V.s Aria-Concerto, DJbMw IX, 1964; DERS., Die Vivaldiforschung. Gesch., Probleme, Aufgaben, in: Forschungen u. Fortschritte XL, 1966, auch in: ÖMZ XXII, 1967; DERS., Melodietypen bei V., Zürich 1973; O. RUDGE, Il »Choris« della »Juditha triumphans« di A. V., in: Musiche ital. rare e vive ..., hrsg. v. A. Damerini u. G. Roncaglia, = Accad. mus. Chigiana (XIX), Siena 1962; G. KÜNTZEL, Die Instrumentalkonzerte v. J. Fr. Fasch (1688–1758), Diss. Ffm. 1965; K. HELLER, Die Bedeutung J. G. Pisendels f. d. deutsche V.-Rezeption, Kgr.-Ber. Lpz. 1966; DERS., Die deutsche Überlieferung d. Instrumentalwerke V.s, = Beitr. zur mw. Forschung in d. DDR II, Lpz. 1971; M. RINALDI, Alla scoperta di V. operista, Fs. G. Barblan, = CHM IV, 1966; P. RYOM, La comparaison entre les versions différentes d'un concerto d'A. V. transcrit par J. S. Bach, Dansk aarboog f. musikforskning 1966/67; DERS., Le recensement des cantates d'A. V., ebd. VI, 1968–72; H. CHR. WOLFF, V. u. d. Stil d. ital. Oper, AMl XL, 1968;

P. Damilano, A. V. compose due vespri?, nRMI III, 1969; M. M. Dunham, The Secular Cantatas of A. V. in the Foà Collection, Diss. Univ. of Michigan 1969; H.-G. Klein, Der Einfluß d. V.schen Konzertform im Instrumentalwerk J. S. Bachs, = Slg. mw. Abh. LIV, Straßburg 1970; R. Rüegge, Die Kirchenmusik v. A. V., SMZ CXI, 1971. REL

Vivanco (bib'aŋko), Sebastián de, * um 1550 zu Ávila, † 26. 10. 1622 zu Salamanca; spanischer Komponist, war bis 1576 Maestro de capilla in Lérida, wirkte dann in Segovia, ab 1587 in Sevilla, 1588–1602 in Salamanca und leitete von 1602 bis zu seinem Tode die Kapelle der Kathedrale von Salamanca, wo er auch ab 1603 an der Universität Musik lehrte. Von seinen Kompositionen erschienen ein *Liber magnificarum* (Salamanca 1607, enthält 18 Magnificat), ein Sammelwerk von Motetten (Titelblatt verloren, ebd. 1608, 68 Motetten) und ein *Liber missarum* (ebd. 1610, 4 Messen). Weitere Werke (Messen, Motetten, Magnificat, Benedicamus Domino) sind handschriftlich überliefert. Ausg.: Motette »O Domine Jesuchriste«, in: Lira sacrohispana, 17. Jh., I, 1, hrsg. v. H. Eslava, Madrid 1869; 10 Motetten in: Ant. polifonica sacra, hrsg. v. S. Rubio Piqueras, 2 Bde, ebd. 1954–56.
Lit.: R. Stevenson, Span. Cathedral Music in the Golden Age, Berkeley (Calif.) 1961; M. Cantor, The »Liber magnificarum« of S. de V., 2 Bde, Diss. NY Univ. 1967; E. A. Arias, The Masses of S. de V. ..., 2 Bde, Diss. Northwestern Univ. (Ill.) 1971.

+Vives, Amadeo [erg.:] Roig, 1871 – 1. [nicht: 2.] 12. 1932.
Von seinen Werken seien ferner genannt (alle Madrid): die einaktigen Zarzuelas +*Bohemios* (1904 [nicht: 1920, mit C. del Campo]), *La balada de la luz* (1900), *El húsar de la guardia* (mit A. Giménez, 1904) und *Juegos malabares* (1909), die Oper *Colomba* (1910), die Operette *La generala* (1912), die Zarzuela grande *La villana* (1927) und die Comedia lírica *Talismán* (1932).
Lit.: D. Pr. Thompson, Doña Franciscita, a »Zarzuela« by A. V., Translation, Adaption, Mus. Direction, and Production, 3 Bde, Diss. Univ. of Iowa 1970; F. Hernández-Girbal, A. V., Madrid 1971; A. Sagardía, A. V., = Vida y pensamiento españoles, Serie »Biogr.« o. Nr, ebd.

Viviani, Giovanni Buonaventura, * 15. 7. 1638 zu Florenz, † nach 1692; italienischer Violinist und Komponist, vielleicht Schüler von M.'A.Cesti, war zumindest 1656–60 Violinist in der Innsbrucker Hofkapelle und 1672–76 deren Kapellmeister. Nach jeweils kürzerem Wirken in Venedig, Rom und Neapel hatte er 1687–92 das Domkapellmeisteramt in Pistoia inne und gab 1693 in Florenz sein letztes bekanntes Druckwerk heraus. V. schrieb u. a. die Opern *La vaghezza del fato* (Wien 1672), *Zenobia* (Neapel 1678) und *Mitilene, regina delle Amazzoni* (ebd. 1681), Oratorien, Triosonaten op. 1, Motetten op. 3 und op. 5, Solosonaten op. 4, Solokantaten op. 6, Kantaten für 1–3 St. op. 7 und Solfeggien op. 8.
Lit.: U. Prota-Giurleo, Notizie ined. intorno a G. B. V., in: Arch. d'Italia e rassegna internazionale degli arch. II, 25, 1956; H. Seifert, G. B. V., Leben, instr. u. vokale Kammermusikwerke, Diss. Wien 1970.

Vlachovo kvarteto (Vlach-Quartett), tschechisches Streichquartett, gegründet 1950 in Prag von Josef Vlach (* 8. 6. 1923 zu Ratměřice, Böhmen, Absolvent des Konservatoriums und der Musikakademie in Prag, Initiator, 1958, und Leiter des Tschechischen Kammerorchesters, Dirigent des Orchesters des Prager Rundfunks und der Tschechischen Philharmonie sowie seit 1964 Professor für Violine an der Prager Musikakademie), debütierte mit Vlach als Primarius, Václav Snítil 2. Violine (* 1. 3. 1928 zu Hradec Králové,

Absolvent der Prager Musikakademie, daselbst Professor für Violine), Soběslav Soukup Bratsche und Viktor Moučka Violoncello (* 6. 2. 1926 zu Kolín, Absolvent des Konservatoriums und der Musikakademie in Prag, Professor für Violoncello am Konservatorium). Die Bratsche übernahmen 1952 Jaroslav Motlík und 1954 Josef Kodousek (* 27. 11. 1923 zu Prag, Absolvent des Konservatoriums und der Musikakademie in Prag, Professor für Bratsche an beiden Instituten). Das Vl. kv. konzertiert in ganz Europa, Australien und Nordamerika mit einem Programm, das von der Klassik bis zur Moderne reicht.
Lit.: K. Mlejnek, Smetanovci, Janáčkovci a Vlachovci (»Smetana-, Janáček- u. Vlach-Quartett«), = Hudba na každém kroku XI, Prag 1962; J. Kříž in: Hudební rozhledy XXIV, 1971, S. 111ff.

+Vlad, Roman, * 29. 12. 1919 zu Czernowitz (Bukowina).
Vl. war 1955–58 und 1966–69 künstlerischer Leiter der Accademia Filarmonica Romana und ist in gleicher Stellung seit 1968 am Teatro Comunale in Florenz tätig. – Neuere Werke: Funkoper *Il dottore di vetro* (1958, RAI 1960, szenisch Köln 1961), Fernsehoper *La fontana* (1967); die Ballette *Il ritorno* (Köln 1960) und *Il gabbiano* (nach Tschechow, Siena 1968); Pantomime *Masques ostendais* (Spoleto 1959, als Ballett Hannover 1960); *Divertimento sinfonico* für Orch. (1968); Musica concertata *Sonetto a Orfeo* für Hf. und Orch. (1958); Ode *Chrysea Phorminx* für Git. und Kammerorch. (1964); *Improvvisazioni su una melodia* für Klar. und Kl. (1970); *Variazioni intorno all'ultima Mazurka di Chopin* für Kl. (1964); *Il magico flauto di Severino* für Fl. (1971); Kantate *Immer wieder* für S. und 8 Instr. (Rilke, 1965); *Lettura di Michelangelo* für Chor a cappella (1964). – +*Strawinsky* (1958), 2. Aufl. der +engl. Ausg. (1960) London 1967, rumänisch Bukarest 1967. – Neuere Aufsätze: *Rossini e i compositori moderni* (Rass. mus. XXIV, 1954, Wiederabdruck in: G.Rossini, hrsg. von A.Bonaccorsi, = »Historiae musicae cultores« Bibl. XXIV, Florenz 1968); *Il trascrittore* (in: A.Casella, hrsg. von F.D'Amico und G.M.Gatti, = Symposium ... I, Mailand 1958); *Forma e struttura nella nuova musica* (Rass. mus. XXIX, 1959); *Elementi di discontinuità nella tradizione musicale* und *Musicisti svedisi d'oggi* (ebd. XXX, 1960); *Le nuove vie della giovane musica* (ebd. XXXI, 1961); *Busoni* (in: F.Busoni, L'approdo musicale 1966, Nr 22); *Strawinsky compositore seriale* (nRMI I, 1967); *Composizioni senza musica* (ebd. III, 1969); *A.Schoenberg a G.Fr.Malipiero* (ebd. V, 1971, deutsch in: Melos XXXVIII, 1971).
Lit.: R. Stevenson, An Introduction to the Music of R. Vl., MR XXII, 1961; B. Porena, Per un nuovo balletto di R. Vl., in: Chigiana XXV, N. S. V, 1968.

Vladigerov, Pančo → +Wladigeroff, Pantscho.

Vlijmen (vl'eimən), Jan van, * 11. 10. 1935 zu Rotterdam; niederländischer Komponist, studierte in Utrecht Klavier und Orgel am Konservatorium (Abschluß 1959) sowie Komposition bei Kees van Baaren, war Direktor der Musikschule in Amersfoort (1961–65), Lehrer für Musiktheorie am Utrechter Konservatorium (1965–67) und wurde 1967 2. Direktor des Konservatoriums in Den Haag. Er komponierte u. a.: Streichquartett (1955); Bläserquintett (1958); 3 Lieder nach Gedichten von Morgenstern (1958); *Costruzione* für 2 Kl. (1960); *Gruppi* für 20 Instr. und Schlagzeug (1962); *Serenata I* für 12 Instr. und Schlagzeug (1963) und *II* für Fl. und 4 Instrumentalgruppen (1964); *Sonata* für Kl. und 3 Instrumentalgruppen (1966); *Dialogue* für Klar. und Kl. (1967); *Per diciasette* für 17 Bläser (1968); *Interpolations* für Orch. und elektronische

Klänge (1968); *Omaggio a Gesualdo* für V. und 6 Instrumentalgruppen (1971).
Lit.: R. du Bois in: Sonorum speculum 1964, Nr 21, S. 17ff. (zu »Gruppi«); R. Schollum, ebd. 1969, Nr 38, S. 12ff. (zu »Serenata II«); W. Paap in: Mens en melodie XXVI, 1971, S. 108ff.; T. Hartsuiker in: Sonorum speculum 1973, Nr 53, S. 1ff. (zu »Omaggio a Gesualdo«).

Vodička, Václav → **+Wodiczka,** Wenzeslaus.

+Völker, Franz [erg.:] Friedrich, * 31. 3. 1899 zu Neu-Isenburg (bei Frankfurt a. M.), [erg.:] † 5. 12. 1965 zu Darmstadt.

Völker, Wolf, * 27. 5. 1896 zu Barmen; deutscher Opernregisseur, war nach dem Studium der Musikwissenschaft und Theatergeschichte an den Universitäten Bonn und Köln einige Jahre Schauspieler. An den Bühnen von München-Gladbach, Königsberg, Görlitz und Oldenburg sammelte er Erfahrungen für seine mehrjährige Tätigkeit als Opernregisseur in Essen (1928–38), wo er u. a. *Wozzeck* von A. Berg inszenierte. Als Oberspielleiter der Staatsoper Berlin (1938–51) war er Regisseur der Uraufführung von Egks *Peer Gynt* (1938), der deutschen Erstaufführung von P. Hindemiths *Mathis der Maler* (1948) und des *Boris Godunow* von Mussorgskij in der Originalfassung (1950) sowie der Uraufführung von Brechts und P. Dessaus *Das Verhör des Lukullus* (1951). Bis 1954 war V. Oberspielleiter der Staatsoper Hamburg und bis 1964 der Städtischen (bzw. Deutschen) Oper Berlin. Als Leiter des Opernstudios Berlin (1954–64) führte er in *Abstrakte Oper Nummer 1* von Blacher und 1958 in der Uraufführung von »Tagebuch eines Irren« (*Diary of a Madman*) von Searle Regie. V. ist heute Gastregisseur an zahlreichen in- und ausländischen Opernbühnen.

+Vogel, Adolf [erg.:] August, * 18. 8. 1897 zu München, [erg.:] † 20. 12. 1969 zu Wien.
Kammersänger V. sang an der Staatsoper in Wien bis 1959; an der dortigen Musikakademie unterrichtete er (als Professor) bis 1965.

Vogel, Barbara, * 23. 8. 1939 zu Pritzwalk (Ostprignitz); deutsche Sängerin (lyrischer Sopran), absolvierte 1962 die Hochschule für Musik in Berlin und war 1962–64 im Opernstudio der Deutschen Oper Berlin. Seit 1964 ist sie am gleichen Hause fest engagiert. Zu ihren Partien gehören Papagena, Zerline, Lulu und Luise (*Der junge Lord*).

+Vogel, Johannes Emil Eduard Bernhard [erg. Vornamen], 1859–1908.
+*Bibliothek der gedruckten weltlichen Vocalmusik Italiens* ... (1892, teilweise revidiert und ergänzt [nicht: revidierte NA] von A. Einstein, 1945–48), Nachdr. Hildesheim 1962, weitere Ergänzungen von E. Hilmar bzw. L. Bianconi in: Analecta musicologica IV, 1967 – V, 1968 bzw. IX, 1970 und XII, 1973.

+Vogel, Jaroslav, * 11. 1. 1894 zu Pilsen, [erg.:] † 2. 2. 1970 zu Prag.
V. war musikalischer Leiter des Nationaltheaters in Prag bis 1958 und 1959–62 Chefdirigent der Philharmonie in Brünn. Von seinen Werken seien genannt: die Opern *Maréja* (einaktig, Olmütz 1923), *Mistr Jíra* (»Meister Georg«, einaktig, Prag 1926), *Jovana* (Mährisch-Ostrau 1939) und *Hiawatha* (1963, ebd. [Ostrau] 1974), eine Orchestersuite (1918), ein Klaviertrio (1913) und eine Sonatine für Klar. und Kl. (1926). Das Buch +*L. Janáček* ... (1959 [nicht: 1958]) erschien auch Prag 1958, engl. ebd. 1962 und London 1963 sowie tschechisch Prag 1963.
Lit.: V. Pospíšil in: Hudební rozhledy XXVII, 1974, S. 362ff. (zur Oper »Hiawatha«).

+Vogel, –1) Johann Christoph, [erg.:] getauft 18. 3. 1758 [nicht: * 1756] – 27. [nicht: 26.] 6. 1788.
Ausg.: Fag.-Konzert C dur, hrsg. v. J. Wojciechowski, Hbg 1966.
Lit.: +M. Dietz, Gesch. d. mus. Dramas in Frankreich während d. Revolution ... (²1893), Nachdr. Hildesheim 1970. – A. Bickel, J. Chr. V., d. große Nürnberger Komponist zwischen Gluck u. Mozart, Nürnberg 1956.

Vogel, Martin, * 23. 3. 1923 zu Frankfurt (Oder); deutscher Musikforscher, studierte ab 1949 an der Universität Bonn und promovierte 1954 mit einer Dissertation über *Die Zahl Sieben in der spekulativen Musiktheorie* und habilitierte sich dort 1959 mit einer Abhandlung über *Die Enharmonik der Griechen* (2 Bde, = Orpheus-Schriftenreihe zu Grundfragen der Musik III–IV, Düsseldorf 1963). 1968 wurde er zum Wissenschaftlichen Rat und Professor ernannt. – Weitere Buchveröffentlichungen: *Die Intonation der Blechbläser* (ebd. I, 1961); *Der Tristan-Akkord und die Krise der modernen Harmonielehre* (ebd. II, 1962); *Apollinisch und Dionysisch. Geschichte eines genialen Irrtums* (= Studien zur Musikgeschichte des 19. Jh. VI, Regensburg 1966); *Die Zukunft der Musik* (= Orpheus-Schriftenreihe ... VIII, Düsseldorf 1968); *Onos lyras. Der Esel mit der Leier* (2 Bde, ebd. XIII–XIV, 1973); *Die Lehre von den Tonbeziehungen* (ebd. XVI, Bonn-Bad Godesberg 1975). – Aufsätze: *Nietzsches Wettkampf mit Wagner* (in: Beitr. zur Geschichte der Musikanschauung im 19. Jh., hrsg. von W. Salmen, = Studien zur Musikgeschichte des 19. Jh. I, Regensburg 1965); *Nietzsche und die Bayreuther Blätter* (in: Beitr. zur Geschichte der Musikkritik, hrsg. von H. Becker, ebd. V, 1965); *Zum Ursprung der Mehrstimmigkeit* (KmJb XLIX, 1965); *Läßt sich die Reine Stimmung verwirklichen?* (Kgr.-Ber. Lpz. 1966); *Musica falsa und falso bordone* (Fs. W. Wiora, Kassel 1967); *Der sumer von triere bei Friedrich von Hausen* (Mf XXII, 1969); *Funktionszeichen auf akustischer Grundlage* (Zs. für Musiktheorie I, 1970); *Was hatte die »Liebesgeige« mit der Liebe zu tun?* (in: Musicae scientiae collectanea, Fs. K. G. Fellerer, Köln 1973). – V. edierte die Sammelschrift *Beiträge zur Musiktheorie des 19. Jh.* (= Studien zur Musikgeschichte des 19. Jh. IV, Regensburg 1966) und *A. Hába, Mein Weg zur Viertel- und Sechsteltonmusik* (= Orpheus-Schriftenreihe ... X, Düsseldorf 1971). Er konstruierte außerdem enharmonisch umstimmbare Trompeten, Waldhörner und Tuben, ein enharmonisch umstimmbares 2manualiges Cembalo (Ausführung Merzdorf), ein Reinharmonium mit 72 Tönen in der Oktave (Ausführung Straube's Harmoniumbauanstalt) und ein elektronisches Tasteninstrument mit 171 Tönen in der Oktave (Ausführung Frank Meyer-Eppler).

+Vogel, Wladimir Rudolfowitsch, * 17.(29.) 2. 1896 zu Moskau.
V. lebt seit 1964 in Zürich. Anregungen zur Komposition mit Sprechchören erhielt er durch russische Vokalmusik. – Werke: *Sinfonia fugata in memoriam F. Busoni* (1924), 4 Etüden (1930–33), *Tripartita* (1934), *Rallye* (1934, Fassung für Blasorch. als *Devise*, 1936), *Passacaglia* (1946), *Sept aspects d'une série de douze sons* (1950), *Spiegelungen* (1952), *Interludio lirico* (1954), *Preludio–Interludio–Postludio* (1954) und *Hörformen I–VI* (1967) für Orch.; *Konzerte* für V. (1937) und Vc. (1954) mit Orch.; »Hörformen« *Aus der Einheit – die Vielfalt, in der Vielfalt – die Einheit* für Kl. und Streichorch. (1973); *Abschied* und *Meloformen* für Streichorch. (beide 1974). – *Ticinella* für Fl., Ob., Klar., Sax. und Fag. (1941); 12 *Variétudes* (1942) und *Inspiré par Jean Arp* (1956) für Fl., Klar., V. und Vc.; *Turmmusik I–IV* für Hörner, Trp. und Pos. (1958); »Hörformen« *Analogien* für

Streichquartett (1974); *Für Fl., Ob., Klar. und Fag.* (1974). – 6 expressionistische Stücke *Nature vivante* (1917–22), *Etude-Toccata* (1926), *Variétude-Chaconne* (1931), *Epitaffio per A.Berg* (1936), *Dai tempi piu rimoti* (1922–41), revidiert 1968), 4 Versionen einer Zwölftonfolge (1973) und *Einsames Getröpfel und Gewuschel* (1973) für Kl.; *Komposition* für 2 Kl. (1923, auch für 1 Kl.). – *Wagadus Untergang durch die Eitelkeit* für S., A., Bar., Sprechchor, gem. Chor und 5 Sax. (1933, verschollen, Neufassung 1955); *Thyl Claes* für Sprecher, S., Sprechchor und Orch. (1. Teil, 1937, verschollen, Neufassung 1943, daraus 6 Fragmente für Sprecher, S. und Orch., 1942, und 3 Suiten für Orch., 1945; 2. Teil für Sprecher, S. und Orch., 1945, daraus Suite für Orch., 1948, und *Cortège de noces* für Orch., 1948); *An die Jugend der Welt* für Jugendchor und beliebige Instr. (1953); *Arpiade* für S., Sprechchor, Fl., Klar., Va, Vc. und Kl. (H. Arp, 1954); *Antigonae* für Sprechchor und Schlagzeug (1955); Oratorium *Jona ging doch nach Ninive* für Sprecher, Bar., Sprechchor, gem. Chor und Orch. (M. Buber, 1958); Kantate *Meditazione sulla maschera di A.Modigliani* für Sprecher, 4 Soli, gem. Chor und Orch. (1960); *An die akademische Jugend* für gem. Chor, Hörner, Trp. und Pos. (1962); Drama-Oratorio *Flucht* für 4 Sprecher, Gesangsquartett, Sprechchor und Orch. (R. Walser, 1964); *Gli spaziali* für 2 Solo-Sprech-St., Gesangsquintett und Orch. (1971). – *Madrigaux* für gem. Chor (1939), *Das Lied von der Glocke* für doppelten Sprechchor (Schiller, 1959), *Mondträume* für Sprechchor (H. Arp, 1964) und Madrigale *Aforismi e pensieri di L. da Vinci* (1969) für Chor a cappella. – Kantate *Alla memoria di G.B.Pergolesi* für T. und Orch. (1958); *Goethe-Aphorismen* für S. (1955), *Eine Gotthardkantate* für Bar. (Hölderlin, 1956) und *Worte* für 2 Frauen-St. (H. Arp, 1962) und Streicher; *In memoriam R.Vuataz* für A., Va, Hf. und Pk. (1947); *Dal quaderno di Francine settenne* für hohen S., Fl. und Kl. (1952), 5 Lieder für tiefen A. und Streichtrio (Nelly Sachs, 1966). – *Man sieht nicht den tiefblauen Himmel* (1913) und *Die Bekehrte* (Goethe, 1920) für S. und Kl.; 3 Sprechlieder für tiefe St. und Kl. (A. Stramm, 1922); 3 »Liriche« für B. und Kl. (Fr. Chiesa, 1942), 5 Lieder für A. und Kl. (1956). – V. veröffentlichte den Aufsatz *Zur Idee des »Prometheus« von Skrjabin* (SMZ CXII, 1972). Lit.: H. EHINGER, Der Sprechchor als Kunstform, NZfM CXXVII, 1966; H. OESCH, Wl. V., Bern 1967; G. SCHUHMACHER, Gesungenes u. gesprochenes Wort in Werken Wl. Vs., AfMw XXIV, 1967; G. WERKER, De componist Wl. V., in: Mens en melodie XXIII, 1968; G. COGNI, La parola che è musica la parola che diviene musica, in: Chigiana XXVI/XXVII, N. S. VI/VII, 1971.

+Vogeleis, Martin, 1861–1930.
Lit.: M. METZ, Hist. de la musique en Alsace d'après les travaux de M. V., in: La musique en Alsace, = Publ. de la Soc. savante d'Alsace et des régions de l'Est X, Straßburg 1970.

+Voggenreiter Verlag.
Der Verlag (Sitz Bonn–Bad Godesberg) wird gegenwärtig von Ernst V. (* 1940) geleitet.

+Vogl, Adolf, * 18. 12. 1873 und [erg.:] † 2. 2. 1961 zu München.

+Vogl, Johann Michael, 1768 zu Ennsdorf (bei Steyr, Oberösterreich) [nicht: zu Steyr] – 20. [nicht: 19.] 11. 1840.
V. ist auch als Komponist hervorgetreten, vor allem mit Liedern, Arien und Duetten sowie einigen kirchenmusikalischen Werken (darunter 3 Messen).
Lit.: H. HELLMANN-STOJAN in: MGG XIII, 1966, Sp. 1891ff.; E. WERBA, Hist. u. Aktuelles zur Interpretation d. Schubert-Liedes, ÖMZ XXVII, 1972.

Vogl, Raimund (Pseudonym Ralph Erwin), * 31. 10. 1896 zu Bielitz (Schlesien), † 15. 5. 1943 in einem Internierungslager bei Paris; österreichischer Komponist und Barpianist, verfaßte eine Reihe von Schlagern, von denen *Ich küsse Ihre Hand, Madame* (Text Fr. → Rotter) besondere Popularität genießt.

+Vogler, Georg Joseph, 1749–1814.
6 leichte Klavierkonzerte [nicht: -sonaten] +op. 2, 6 leichte Klaviersonaten mit V. ad libitum [nicht: Violinsonaten] +op. 3 und 6 [nicht: 1] +Flötenquartette. – Seine Schrift *+Data zur Akustik* erschien 1801 in Leipzig [nicht: Offenbach].
Ausg.: Oper »Gustav Adolf och Ebba Brahe«, hrsg. v. M. TEGEN, = Monumenta musicae Svecicae VII, Stockholm 1973. – Tonwiss. u. Tonsetzkunst (1776), Nachdr. Hildesheim 1970; Betrachtungen d. Mannheimer Tonschule (1778–81), Nachdr. ebd. 1971 (3 Bde).
Lit.: +K. E. v. SCHAFHÄUTL, Abt G. J. V. (1888 [nicht: 1868]). – H. KREITZ, Abbé G. J. V. als Musiktheoretiker, Diss. Saarbrücken 1958; H. J. MOSER, Orgelromantik, Ludwigsburg 1961; H. W. HAMANN, Abt V. in Salzburger Sicht, ÖMZ XVII, 1962; DERS., Abbé V.s Simplifikationssystem im Urteil d. Zeitgenossen, MuK XXXIII, 1963; K. JUNG, Abbé V. u. sein »Simplifikationssystem«, in: Das Musikinstr. XI, 1962; R. FUHRMANN, Mannheimer Kl.-Kammermusik, 2 Bde, Diss. Marburg 1963; I. LENZ in: NZfM CXXV, 1964, S. 434ff.; W. RECKZIEGEL in: MGG XIII, 1966, Sp. 1894ff.; FR. RITZEL, Die Entwicklung d. »Sonatenform« in musiktheoretischen Schrifttum d. 18. u. 19. Jh., = Neue mg. Forschungen I, Wiesbaden 1968; M. HUBER, Abbé V., d. Phantast auf d. Org., in: Musik u. Gottesdienst XXIII, 1969, auch in: MuK XL, 1970.

+Vogt, Hans, * 14. 5. 1911 zu Danzig.
V. wurde 1971 als Leiter einer Kompositionsklasse an der Musikhochschule Heidelberg–Mannheim zum Professor ernannt. – Neuere Werke: die einaktige Opera giocosa *Athenerkomödie* (Mannheim 1964); 2. Konzert (1960), *Monologe* (1964) und *Azione sinfoniche* (1971) für Orch.; Cellokonzert (1968); *Divertissements concertants* für Kl. und kleines Orch. (1969); *Concerto da camera* für 15 Solostreicher und Git. (1971); Streichquartett (1960), *Dialoge* für Klaviertrio (1961), Streichquintett (1967), Streichtrio (1969), *Sonata alla toccata* für Kl. (1971), 14 Stücke *Elemente zu einer Sonate* für Vc. und Kl. (1974); Passionsmusik *Ihr Töchter von Jerusalem* für gem. Chor, T. und Schlagzeug (1963), Kantate *Sine nomine* für T., gem. Chor und Orch. (1965), Magnificat für S., gem. Chor und Orch. (1966), Requiem für S., B., gem. Chor, 2 Trp. und Schlagzeug (1969), *Song of an Old Soldier* für gem. Chor a cappella (1972). Er veröffentlichte das Buch *Neue Musik seit 1945* (Stuttgart 1972).
Lit.: H. RENNER in: Musica XI, 1957, S. 198ff.

Vogt, Mauritius Johann, OCist, * 30. 6. 1669 zu Königshofen (Franken), † 17. 8. 1730 zu Maria Teinitz (bei Kralowitz, Böhmen); böhmischer Komponist und Musiktheoretiker deutscher Herkunft, studierte in Prag Theologie und trat 1692 in das böhmische Zisterzienserstift Plaß ein, wo er 1698 zum Priester geweiht wurde. Er veröffentlichte u. a. den Musiktraktat *Conclave thesaurum artis musicae* (Prag 1719), der auch eingehender den Orgelbau behandelt und als Tonsatzbeispiele Kompositionen von V. enthält. Ab 1722 war er Superior an der Wallfahrtskirche Maria Teinitz.
Lit.: R. QUOIKA, P. M. J. V., ein Orgelbautheoretiker d. Barockzeit, KmJb XLI, 1957; R. DAMMANN, Der Musikbegriff im deutschen Barock, Köln 1967.

+Vohanka, Rudolf, * 28. 12. 1880 zu Winarschitz (Vinařice u Loun, Böhmen), [erg.:] † 6. 4. 1963 zu Prag.

Voicu, Ion (Voicou), * 8. 10. 1925 zu Bukarest; rumänischer Violinist, studierte in Bukarest (Enescu) und Moskau (D. Oistrach) und debütierte 1940 in Bukarest. Im selben Jahr trat er als 1. Violinist in das Rundfunkorchester Bukarest ein und war 1947–49 in gleicher Stellung in der dortigen Philharmonie tätig. Er konzertierte in den bedeutenden Musikzentren der Welt. 1969 gründete er in Bukarest ein eigenes Kammerorchester.

+Voigt, Henriette, 1808–39.
Lit.: Fr. Schmidt, Das Musikleben d. bürgerlichen Ges. Lpz.s im Vormärz, = Mus. Magazin XLVII, Lpz. 1912 [del. früherer Titel Fr. Schneider].

Vojtěch (vʼɔjtɛx), Ivan, * 27. 11. 1928 zu Boskovice (Mähren); tschechischer Musikforscher, studierte 1947–49 an der Universität in Brünn (Racek, B. Štědroň) und 1949–51 an der Karlsuniversität in Prag, an der er 1953 mit der Dissertation *Dvě studie k otázce obsahu a formy v programní hudbě* (»2 Studien zur Frage des Inhalts und der Form in der Programmusik«) promovierte. 1956–60 war er wissenschaftlicher Assistent an der Janáček-Akademie in Brünn. Seit 1961 lehrt er Musikgeschichte (Schwerpunkt Musik des 20. Jh.) an der Prager Karlsuniversität. Neben zahlreichen Miszellen zur Neuen Musik, vor allem zu Schönberg, veröffentlichte er u. a.: *O dosavadní tvorbě Vl. Sommera* (»Zum bisherigen Schaffen von Vl. Sommer«, in: Musicologie IV, 1955); *Liszt o svých současnících. Z kroniky hudebního pokroku* (»Liszt über seine Zeitgenossen. Aus den Annalen des musikalischen Fort schritts«, Prag 1956); *Skladatelé o hudební poetice 20. století* (»Komponisten über musikalische Poetik des 20. Jh.«, = Otázky a názory XXVIII, ebd. 1960); *Am Rande der Schumann-Smetana-Frage* (Sammelbände der R.-Schumann-Ges. I, Lpz. 1961); *Prostor pro operu* (»Raum für die Oper«, in: Divadlo XVI, 1965); *Smysl a společenské poslání neprofesionální koncertní činnosti* (»Sinn und gesellschaftliche Sendung der nicht professionellen Konzerttätigkeit«, in: Hudební rozhledy XXIV, 1971); *Der Verein für musikalische Privataufführungen in Prag* (in: A. Schönberg, Ausstellungskat. hrsg. von E. Hilmar, Wien 1974). – Ausgaben: S. S. Prokofjew, *Cesta k hudbě socialistického života* (»Der Weg zur Musik des sozialistischen Realismus«, = Paměti, korespondence, dokumenty XXVI, Prag 1961); A. Einstein, *Od renesance k hudbě dneška. Výběr studií z článku* (»Von der Renaissance zur heutigen Musik. Auswahl von Studien und Aufsätzen«, = Klasikové hudební vědy a kritiky II, 7, ebd. 1968).

Voketaitis, Arnold Mathew, * 11. 5. 1930 zu East Haven (Conn.); amerikanischer Sänger (Baßbariton) litauischer Abstammung, war 12 Jahre als Trompeter tätig, ehe er das Gesangstudium ergriff. Er debütierte 1958 in R. Strauss' *Die schweigsame Frau* an der New York City Opera und wurde deren Mitglied. Seit 1965 gastiert er an den bedeutenden Opernhäusern der USA, mit namhaften Orchestern des Landes sowie in Kanada und Spanien.

+Volbach, Fritz, 1861–1940.
Lit.: H. Trott in: Rheinische Musiker IV, hrsg. v. K. G. Fellerer, = Beitr. zur rheinischen Mg. LXIV, Köln 1966, S. 182ff.

+Volckmar, Wilhelm [erg.: Adam] Valentin, 1812–87.
Lit.: R. Stephani in: Lebensbilder aus Kurhessen u. Waldeck 1830–1930, Bd VI, Marburg/Lahn 1958, S. 344ff.

+Voldan, Bedřich, * 14. 12. 1892 zu Hlinsko (Böhmen).

Professor am Prager Konservatorium war V. bis 1958. – Seine zweite Frau Marie V.ová (geborene Holubová, * 9. 1. 1928 [erg.:] zu Horní Rokytná bei Mnichovo Hradiště, Böhmen) unterrichtet seit 1964 am Prager Konservatorium.

Volden, Torstein, * 6. 11. 1934 zu Trondheim; norwegischer Musikforscher, studierte 1959–67 an der Osloer Universität, an der er 1967 mit *Studier i E. Griegs »Haugtussasanger« (Op 67)* ... (»Studien über E. Griegs ,Haugtussa'-Lieder [op. 67] mit besonderer Berücksichtigung des Ursprungs der Lieder und der Beziehung von Dichtung und Musik«) zum Cand. philol. promovierte. Seit 1971 ist er Lektor am Stavanger Lehrerseminar und am Rogaland Musikkonservatorium. V. war Mitarbeiter (Neuaufnahmen Norwegen) an den vorliegenden Ergänzungsbänden dieses Lexikons.

Volek, Jaroslav, * 15. 7. 1923 zu Trenčín (Slowakei); tschechischer Musikforscher, absolvierte 1946 das Prager Konservatorium bei Šín und A. Hába sowie 1948 die Meisterschule bei Řídký und promovierte 1952 an der Universität in Bratislava mit der Dissertation *Teoretické základy harmonie z hlediska vedeckej filozofie* (»Die theoretischen Grundlagen der Harmonie vom Gesichtspunkt der wissenschaftlichen Philosophie«, Bratislava 1954). 1957 wurde er an der Prager Universität Dozent für Ästhetik, 1958 Kandidat der philosophischen Wissenschaften. – Er veröffentlichte u. a.: *Novodobé harmonické systémy z hlediska vědecké filosofie* (»Die modernen Harmonischen Systeme vom Gesichtspunkt der wissenschaftlichen Philosophie«, = Knižnice hudebních rozhledů A II/III, Prag 1961); *K otázkám předmětu a metod estetiky a obecné teorie umění* (»Zu den Fragen des Gegenstands und der Methoden der Ästhetik und allgemeinen Kunsttheorie«, ebd. 1963); *Kapitoly z dějin estetiky* (»Kapitel aus der Geschichte der Ästhetik«, ebd. 1969). – Aufsätze: *O některých zajímavých vztazích mezi tematickou prací a instrumentací v Bartókově díle Koncert pro orch.* (in: Hudební věda II, 1962, deutsch als *Über einige interessante Beziehungen zwischen thematischer Arbeit und Instrumentation in Bartóks Werk: »Concerto für Orch.«*, StMl V, 1963); *Příspěvek k analýze pojmu artefakt* (»Beiträge zur Analyse des Begriffes Artefakt«, Acta Universitae Carolinae, Aesthetica, 1962); *O experimentu v umění a speciálně v hudební tvorbě* (»Über das Experiment in der Kunst und speziell im Musikschaffen«, in: Hudební věda II, 1965); *Hudba jako předmět sdělení* (»Die Musik als Gegenstand der Mitteilung«, ebd. IX, 1972); ferner zahlreiche Beiträge für »Hudební rozhledy«.

Volek, Tomislav, * 11. 10. 1931 zu Prag; tschechischer Musikforscher, promovierte 1954 an der Karlsuniversität mit der Diplomarbeit *Ferdinand Heller*, war 1955–60 Assistent am musikwissenschaftlichen Seminar der Universität und wurde 1960 Mitarbeiter des musikwissenschaftlichen Instituts der Akademie der Wissenschaften in Prag. – Veröffentlichungen (Auswahl): *Hudebníci Starého a Nového města pražského v roce 1770* (»Musiker der Prager Alt- und Neustadt im Jahre 1770«, in: Miscellanea musicologica I, 1956); *Čtyři studie k dějinám české hudby 18. století* (»4 Studien zur böhmischen Musikgeschichte des 18. Jh.«, ebd. VI, 1958); *Über den Ursprung von Mozarts Oper »La Clemenza di Tito«* (Mozart-Jb. 1959); *Repertoir pražské Spenglerovy divadelní společnosti v sezóně 1793–94* (»Das Repertoire der Prager Spenglergesellschaft 1793–94«, in Miscellanea musicologica XIV, 1960); *Repertoir Nosticovského divadla v Praze ... 1794, 1796–98* (»Das Repertoire des Nostitztheaters ...«, ebd. XVI, 1961);

A. Vivaldi a Čechy (»A. Vivaldi und Böhmen«, mit M. Skalická, in: Hudební věda II, 1965, deutsch in: AMl XXXIX, 1967, S. 64ff.); *Czech Music of the Seventeenth and Eighteenth Cent.* (in: Musica antiqua Europae Orientalis, Kgr.-Ber. Bydgoszcz 1966); *Česká hudba 1740–60* (»Tschechische Musik . . .«, in: Hudební věda V, 1968); *Průvodce po pramenech k dějinám hudby* (»Führer durch die Quellen zur Musikgeschichte [der böhmischen und mährischen Sammlungen]«, Prag 1969); *Das Verhältnis von Rhythmus und Metrum bei J. W. Stamitz* (Kgr.-Ber. Bonn 1970).

Voli, R a o u l → T h o m a s , Peter.

+Volk, A r n o ([erg.:] ursprünglich Alois), * 15. 1. 1914 zu Würzburg.
Der A. V. Verlag Hans Gerig KG hat seinen Sitz [erg.:] in Köln. – *+Das Musikwerk* . . . (1951ff.), neuerdings ergänzt durch die Schallplattenreihe *Opus musicum*, lag 1974 mit 47 Bden abgeschlossen vor (auch weiterhin jeweils engl. als *+The Anthology of Music*), die *+Beiträge zur rheinischen Musikgeschichte* (1952ff.) umfaßten 1974 über 100 Bde. Neu im Verlagsprogramm sind u. a. die Buchreihe *Veröffentlichungen des Staatlichen Instituts für Musikforschung Preußischer Kulturbesitz* (hrsg. von H.-P. Reinecke, bis 1974 7 Bde), die *Veröffentlichungen der musikgeschichtlichen Abteilung des Deutschen Historischen Instituts in Rom* (mit der Serie *Analecta musicologica*, Bd XIIff., 1973ff., und die Noteneditionsreihe *Concentus musicus*, bis 1974 2 Bde) und die »Musik-Taschenbücher« *Theoretica* (bis 1974 13 Bde). – V., seit 1968 Präsident des Stiftungsrates der Hindemith-Stiftung, gehört seit 1974 der Geschäftsleitung des Verlages B. Schott's Söhne in Mainz an. Zu seinem 60. Geburtstag wurde ihm eine Festschrift gewidmet (hrsg. von C. Dahlhaus und H. Oesch, Köln 1974). Er schrieb den Beitrag *»Musik und Ware«. Anmerkungen zu einem immer brisanten Thema* (Fs. für einen Verleger [L. Strecker], Mainz 1973).

+Volkmann, [erg.: Hermann] O t t o , * 12. 10. 1888 zu Düsseldorf(-Gerresheim), [erg.:] † 25. 9. 1968 zu Bonn.

+Volkmann, –1) Friedrich R o b e r t , 1815–83.
Ausg.: Serenade F dur f. Streichorch. op. 63 Nr 2, hrsg. v. A. H o f f m a n n , = Corona XC, Wolfenbüttel 1966.
Lit.: H. C l a u s s , G. Nottebohms Briefe an R. V., = Beitr. zur westfälischen Mg. I, Lüdenscheid 1967. – H. T r u s - c o t t , The Instr. Music of R. V., MMR LXXXVI, 1956; P. S z e m z ő , Heckenast G., a zenei kiadó . . . (»Der Musikverleger G. Heckenast. Von Fr. Liszt zu R. V.«), in: Magyar könyvszemle LXXVII, 1961; K. W e n s c h , Die Ahnen d. Komponisten V., in: Genealogie XIV, 1965; J. B i t t n e r , Die Klaviersonaten E. Francks . . . u. anderer Kleinmeister seiner Zeit, 2 Bde, Diss. Hbg 1968; G. P u - c h e l t , Verlorene Klänge. Studien zur deutschen Klaviermusik 1830–80, Bln-Lichterfelde 1969.

Volkonsky, A n d r é (Andrej Michajlowitsch W o l k o n - skij), * 14. 2. 1933 zu Genf; russischer Komponist, Pianist und Cembalist, lebt in Genf. Er studierte 1944– 46 Klavier am Conservatoire de Musique in Genf (Johnny Aubert und Lipatti) und 1949–54 Komposition am Moskauer Konservatorium. 1964 gründete er in Moskau das Ensemble »Madrigal« zur Pflege der Musik des Mittelalters und der Renaissance. Bis zu seiner Übersiedlung in den Westen (1973) unternahm er Tourneen durch die UdSSR, die ČSSR und die DDR. Er komponierte u. a.: Kantaten *Rus* (»Rußland«, nach Gogols »Die toten Seelen«, 1952) und *Obras mira* (»Das Bild der Welt«, 1953); Serenade (1953), Capriccio (1954), und Konzert (1954) für Orch.; Klavierquintett (1955); *Musica stricta* für Kl. (1956); *Suite des miroirs* für S., Org., Git., V., Fl. und Schlagzeug (1960); Bratschensonate (1960); *Platsch Schasy* (»Schasas Kla-

ge«) für S. und kleines Ensemble (nach 'Umar Ḥaiyām, 1961); »Jeux à 3« für Fl., V. und Cemb. (1962); »Concerto itinérant« für 3 Solisten und 26 Instr. (nach 'Umar Ḥaiyām, 1967); »Réplique« für kleines Ensemble (1969); »Les mailles du temps« für 3 Gruppen (13 Instr., 1969); ferner Bühnen- und Filmmusik.

+Vollerthun, G e o r g , 1876–1945.
Seine Lehrtätigkeit an der Berliner Musikhochschule endete 1936.

+Vollweiler, K a r l , 1813–48.
Sein Vater Georg Jacob [nicht: Johann] V., 29. 11. 1770 zu Eppingen (Baden) [erg. frühere Angabe] – 1847.

+Volpe, A r n o l d , 9. 7. [nicht: 6.] 1869 – 1940.

Voltaire (vɔlt'ɛ:r), F r a n ç o i s - M a r i e (anagrammatisch aus Arouet l[e] j[eune]), * 21. 11. 1694 und † 30. 5. 1778 zu Paris; französischer Philosoph und Schriftsteller der Aufklärung, äußerte sich gelegentlich in Briefen und Abhandlungen (*Deuxième préface d'Oedipe*, 1730; *Dissertation sur la tragédie ancienne et moderne*, Vorw. zu *Sémiramis*, 1748; Artikel *Art dramatique*, in: Questions sur l'Encyclopédie, 1772) zu musikalischen Fragen. Während er dem Instrumentalmusik reserviert gegenüberstand, zeigte er beachtliches Interesse für die Oper. Er hielt das von Lully in Anlehnung an die Deklamation in der klassischen Tragédie ausgebildete Rezitativ der Tragédie lyrique für die ideale Möglichkeit eines musikalischen Theaters. Im Glauben, die Zusammenarbeit zwischen Dichter und Musiker, wie sie Ph. Quinault und Lully pflegten, wiederbeleben zu können, schrieb er für J.-Ph. Rameau die Libretti zu der Tragédie lyrique *Samson* (Musik verloren), der Opéra *Pandore* (1740), dem Comédie-ballet *La princesse de Navarre* (Versailles 1745, Neufassung durch J.-J. Rousseau als *Les fêtes de Ramire*, ebd. 1745; der Erfolg dieses zur Hochzeit des Dauphins aufgeführten Werkes brachte ihm den Sitz in der Académie-Française ein) und dem Opéra-ballet *Le temple de la gloire* (ebd. 1745). Andere Versuche einer Mitarbeit an musikdramatischen Kompositionen (Royer, de Laborde, Fr. A. Philidor, Grétry) scheiterten an V.s konservativer Einstellung. – Seine dichterischen Werke regten zahlreiche Opernvertonungen an; genannt seien: C. H. Graun, *Mérope* (Bln 1756); Duni, *La fée Urgèle* (Fontainebleau 1765); Grétry, *Le huron* (Paris 1768); Monsigny, *La belle Arsène* (Fontainebleau 1773); I. Pleyel, *Die Fee Urgèle* (Wien 1776); Paisiello, *Il re Teodoro in Venezia* (Wien 1784); Salieri, *La princesse de Babylon* (1788); S. Mayr, *Adelaide di Guesclino* (Venedig 1799); Rossini, *Tancredi* (ebd. 1813), *Maometto II* (Neapel 1820) und *Semiramide* (Venedig 1823); Spontini, *Olimpie* (Paris 1819); Stuntz, *Heinrich IV. zu Givry* (München 1820); Bellini, *Zaira* (Parma 1829); Verdi, *Alzira* (Neapel 1845); Dupérier, *Zadig* (Paris 1938). Auch Glucks Ballett *Semiramis* (Wien 1765), Castelnuovo-Tedescos *Candide* für Kl. (1944) und L. Bernsteins Musical *Candide* (NY 1956) basieren auf V.schen Vorlagen.
Lit.: E. V a n D e r S t r a e t e n , V. musicien, Paris 1878; P. S a k m a n , V. als Ästhetiker u. Literarkritiker, Arch. f. d. Studium d. neueren Sprachen u. Lit. CXIX, 1907 – CXX, 1908; P.-M. M a s s o n , L'opéra de Rameau, Paris 1930, Nachdr. NY 1972; F. G a r r e c h t , V. u. d. Musik, in: Musica X, 1956; J. R. V r o o m a n , V.'s Aesthetic Pragmatism, The Journal of Aesthetics and Art Criticism XXXI, 1972/73.

+Vomáčka, B o l e s l a v , * 28. 6. 1887 zu Jungbunzlau (Mladá Boleslav, Mittelböhmen), [erg.:] † 1. 3. 1965 zu Prag.
Weitere Werke: die komische Oper *Čekanky* op. 62 (»Heiratslustige Mädchen«, 1957); *+Symphonie F dur*

op. 47 (1943–45 [nicht: 1950]), 3 Stücke *Fanfáry míru* (»Fanfaren des Friedens«) für Trp. und Orch. op. 69 (1960); Nonett für Bläser op. 64 (1957), Streichquartett op. 66 (1959); 7 Rondeaux für Bar. und Hf. op. 65 (1958), 3 Duette *Předjaří* (»Vorfrühling«) für S., A. und Kl. op. 68 (1960); a cappella-Chöre (u. a. *Mladá láska*, »Junge Liebe«, für doppelten Männerchor op. 63, 1958, und *Májové slunce*, »Maisonne«, für Frauenchor op. 70, 1960).

+Vondenhoff, Bruno, * 16. 5. 1902 zu Köln.
Während seiner Wirkungszeit als GMD in Frankfurt a. M. war V. bis 1950 auch Intendant der Oper. Die Opernschule an der Frankfurter Musikhochschule leitete er (als Professor) bis 1967.

Vondrovic (vˈɔndrɔvits), Otakar, * 23. 11. 1898 zu Poděbrady; tschechischer Pianist, studierte in Prag zunächst Medizin (Dr. med.) sowie Klavier bei K. Hoffmeister (1927–30) und in Paris bei Cortot (1930–31). Er war zugleich als Arzt und Konzertsolist tätig und spielte zahlreiche Erstaufführungen neuer Klavierwerke. Ab 1954 bildete er mit Ivan Kawaciuk und Heran ein Klaviertrio.

+Voormolen, Alexander [erg.:] Nicolaas, * 3. 3. 1895 zu Rotterdam.
V. wirkte 1938–55 als Bibliothekar am Konservatorium im Haag. – Weitere Werke: Bratschensonate (1953); Chaconne und Fuge für Orch. (1958); Lobgesang *Ex minimus patet ipse Deus* für mittlere St., Streichorch. und Celesta (1970); ferner Lieder.
Lit.: W. PAAP in: Mens en melodie XX, 1965, S. 47ff.; DERS., ebd. XXX, 1975, S. 71ff.; E. REESER in: Sonorum speculum 1965, Nr 22–23, S. 1ff. bzw. 18ff.

+Vopelius, Gottfried, 1645 [nicht: 1635] – 1715.
Lit.: J. GRIMM, Das »Neu Lpz.er Gesangbuch« d. G. V. (Lpz. 1682). Untersuchungen zur Klärung seiner gesch. Stellung, = Berliner Studien zur Mw. XIV, Bln 1969.

+Voříšek, Jan [erg.:] Václav (Hugo), 1791–1825.
Ausg.: Composizioni per piano solo, hrsg. v. J. RACEK u. O. LOULOVÁ, = MAB LII, Prag 1961; 4 Lieder aus op. 10, 15 u. 21 in: Písně, hrsg. v. M. POŠTOLKA u. O. PULKERT, = Documenta hist. musicae o. Nr, ebd.; Ausgew. Klavierwerke, hrsg. v. D. ZAHN, München 1971; Grande ouverture C moll f. 2 Kl. op. 16, hrsg. v. O. ZUCKEROVÁ, = Das 19. Jh. o. Nr, Kassel 1971.
Lit.: E. KOMORZYNSKI, J. H. Worzischek, ein Vergessener, ÖMZ XIII, 1958; O. LOULOVÁ, Vídeňský fragment Voříškovy písně »Der Frühlingsregen« (»Ein Wiener Fragment d. Liedes ,Der Frühlingsregen'«), in: Miscellanea musicologica XIV, 1960; DIES., Pražská léta J. V. Voříška (»J. V. V.s Prager Jahre«), in: Zprávy Bertramky 1961, Nr 27; T. VOLEK, Dopis Voříškův otci z r. 1814 (»Ein Brief V.s v. 1814 an d. Vater«), in: Miscellanea musicologica XII, 1960; S. V. KLÍMA, J. V. V. a L. v. Beethoven, in: Beethoveniana I, (Prag) 1963; DERS., Nové poznatky o J. V. Voříškovi (»Neue Erkenntnisse über J. V. V.«), in: Hudební rozhledy XIX, 1966; G. WERKER in: Mens en melodie XVIII, 1963, S. 114ff.; A. SIMPSON, A Profile of J. V. V., Proc. R. Mus. Ass. XCVII, 1970/71.

Vorlová, Sláva (geborene Miroslava Johnová), * 15. 3. 1894 zu Náchod (Ostböhmen), † 24. 8. 1973 zu Prag; tschechische Komponistin, war Schülerin von V. Novák und Řídký und beendete 1948 ihre Studien in der Meisterklasse des Prager Konservatoriums. Sie schrieb u. a. die Opern *Zlaté ptáče* op. 27 (»Der goldene Vogel«, 1950), *Rozmarýnka* op. 30 (»Rosmarin«, Kladno 1955), *Náchodská kasace* op. 37 (»Nachoder Kassation«, 1956) und *Dva světy* op. 45 (»Die 2 Welten«, 1958), Orchesterwerke (Symphonie op. 18, 1948; *Kybernetické studie*, 1962; *Bhukar* op. 67, 1965; Doppelkonzert für Ob., Hf. und Orch. op. 59, 1963; Konzerte für Ob. op. 28, 1952, Vc. op. 6, 1954, Va op. 35, 1954, Trp. op. 31, 1956, und Fl. op. 48, 1959, mit Orch. sowie für

Baßklar. und Streicher op. 50, 1961; Kammerkonzert für Kb. und Streichorch. op. 74, 1968), Kammermusik (Nonett op. 10, 1944; Blechbläserquintett *6 a 5* op. 71, 1967; *Imanence*, »Immanenzen«, für Baßklar., Kl. und Schlagzeug op. 87, 1970; *Variace na Händlovo téma* für Baßklar. und Kl. op. 68, 1966; *Dróleries* op. 63, 1964, und *Il fauno danzante* op. 66, 1965, für Baßklar. solo) und die Ballettmusik *Model Kinetic* op. 69 (1967) sowie Klavierstücke, Kantaten, Chöre, Lieder und Schauspielmusik.

Vorreiter, Leopold, * 13. 8. 1904 zu Lemberg; deutscher Musikorganologe, studierte in Wien an der Musikakademie 1921–24 Klavier und Theorie, danach Forstwissenschaften und Technologie (Dipl.-Ing. 1929, Dr.-Ing. 1932), war 1935–38 als Assistent für Holztechnologie an der Technischen Hochschule in Dresden und dann im Forstdienst (1935–45 und 1956–61) bzw. als technologischer Berater (1945–53) tätig. Seit 1961 widmet er sich ganz musikorganologischen Forschungen (1973 Gründung eines Instituts für Musikorganologie in Neugemering bei München). Außer Schriften zu technologischen Fragen (*Holztechnologisches Handbuch*, 3 Bde, Wien und München 1949–63) veröffentlichte er u. a.: *Altmakedonische Pracht- und Riesenlyren* (in: Antike Welt III, 1972); *Münzen als musikhistorische Quellen* (Numismatische Zs. LXXXVII/LXXXVIII, 1972); *Altsemitische Schräglyren* (Mf XXVII, 1974); *Musikikonographie des Altertums im Schrifttum 1850–1949 und 1950–74* (AMl XLVI, 1974); *Unbekannte archaisch-antike Lyren der Ägäis* (in: Antike Welt V, 1974).

Voss, Egon, * 7. 11. 1938 zu Magdeburg; deutscher Musikforscher, studierte an den Universitäten in Kiel, Münster (Westf.), Köln und Saarbrücken und promovierte 1968 in Saarbrücken mit *Studien zur Instrumentation R. Wagners* (= Studien zur Musikgeschichte des 19. Jh. XXIV, Regensburg 1970). Seit 1969 ist er in München Redakteur der →+Wagner-GA (darin eine Reihe Bände von ihm selbst ediert). Er schrieb u. a.: *Beethovens »Eroica« und die Gattung der Sinfonie* (Kgr.-Ber. Bonn 1970); *Wagners fragmentarisches Orchesterwerk in e-moll, die früheste der erhaltenen Kompositionen?* (Mf XXIII, 1970); *Zu Beethovens Klaviersonate As-dur op. 110* (ebd.); *R. Wagner und die Symphonie* (in: R. Wagner, hrsg. von C. Dahlhaus, = Studien zur Musikgeschichte des 19. Jh. XXVI, Regensburg 1971); *Wagners Striche im Tristan* (NZfM CXXXII, 1971); *R. Schumanns Sinfonie in g-moll* (NZfM CXXXIII, 1972).

Voss, Friedrich, * 12. 12. 1930 zu Halberstadt; deutscher Komponist, studierte 1949–54 Klavier und Komposition an der Berliner Musikhochschule. 1962 erhielt er den R.-Schumann-Preis der Stadt Düsseldorf und 1964 den Rom-Preis. Er schrieb u. a. das Ballett *Die Nachtigall und die Rose* (nach Wilde, Oberhausen 1962), 3 Symphonien (1959, 1963 und 1967), *Dithyrambus* über ein Motiv von Beethoven für Orch. (1970), *Epitaph* (1960) und *Tragische Ouvertüre. In memoriam Dag Hammarskjöld* (1962) für Streichorch., *Résonances. Zwölf Poèmes* für Kammerorch. (1957), Variationen für Bläser und Pk. (1960), ein Konzert für V. und Orch. (1962), *Pan exzentrisch*, Fantasie für Fl. und Orch. (1962), ein Concertino für Vc. und Streichorch. (1965), Kammermusik (Klaviertrio, 1957; Streichquartett, 1960; Variationen für Fl., 1967) und *Noch aber rauchen die Ruinen der Tage* für gem. Chor a cappella (1964).

+Voß (Voss), –1) Gerhard Johann, 1577–1649. Er wurde 1622 [nicht: 1618] Professor der Beredsamkeit

in Leiden und 1631 [nicht: 1633] Professor der Geschichte in Amsterdam.
-2) Isaac, 1618—89.
Lit.: H. Hüschen in: MGG XIV, 1968, Sp. 31f. – zu -1): DERS., Der Polyhistor G. J. Vossius ... als Musikschriftsteller, Fs. W. Wiora, Kassel 1967. – zu -2): DERS., I. V. ... u. sein Traktat »De poematum et viribus rhythmi« (Oxford 1673), in: Musik u. Verlag, Fs. K. Vötterle, ebd. 1968.

J. M. Vosseler, deutsche Harfenbauwerkstatt, gegründet 1934 von Harfenbaumeister J. Martin Vosseler in Schwenningen (Baden). 1938 wurde der Betrieb nach Trossingen (Württemberg) verlegt.

Vostřák (v'ɔstrʃɑːk), Zbyněk, * 10. 6. 1920 zu Prag; tschechischer Komponist und Dirigent, studierte 1938–43 in Prag bei Karel und am Konservatorium, an dem er dann bis 1948 lehrte. Er war Schlagzeuger im Orchester des tschechischen Rundfunks (1943–45) und wirkte als Dirigent an der Oper in Aussig/Ústí nad Labem. 1963 wurde er Leiter des Kammerensembles »Musica Viva Pragensis«, mit dem er seit 1967 in ganz Europa konzertiert hat. V. schrieb die Opern *Rohovín Čtverrohý* op. 12 (»Horn des Vierhorns«, Olmütz 1949), *Kutnohorští havíři* op. 18 (»Die Kuttenberger Bergleute«, Prag 1955), *Pražské nokturno* (»Prager Nocturno«, Ustí nad Labem 1960), *Rozbitý džbán* op. 25 (»Der zerbrochene Krug«, nach Kleist, Prag 1963), die Ballette *Filosofská historie* (»Eine philosophische Geschichte«, ebd. 1949), *Viktorka* (ebd. 1950) und *Sněhurka* (»Schneewittchen«, ebd. 1956), Orchesterwerke (*Pražska ouvertura*, »Prager Ouvertüre«, op. 6, 1941; *Zrození měsíce*, »Geburt des Mondes«, für Kammerorch. op. 39, 1966; *Metahudba*, »Metamusik«, op. 43, 1968; *Kyvadlo času*, »Pendel der Zeit«, für Vc., 4 Instrumentengruppen und elektronische Org. op. 40, 1967), Kammermusik (*Krystalisace*, »Kristallisationen«, für 12 Bläser op. 28, 1962, auch für Kl.; *Tao*, 12 Blätter für 9 Spieler op. 41, 1967; *Afekty*, »Affekte«, für 7 Instr. op. 32, 1963; *Synchronia* für 6 Instr. op. 37, 1965; *Sextant* für Bläserquintett op. 42, 1969; *Kontrasty*, »Kontraste«, op. 27, 1961, *Kosmogonia* op. 38, 1968, und *Elemente* op. 35, 1964, für Streichquartett; *Trigonum* für V., Ob. und Kl. op. 36, 1965; *Rekolekce*, »Rekollektionen«, für V. solo op. 30, 1962), Vokalwerke (*Three Sonnets from Shakespeare* für B. und Kammerorch. op. 33, 1963; Kantate nach Kafka für gem. Chor, Bläser und Schlagzeug op. 34, 1964; Lieder) sowie Elektronische Musik (*Váhy světla*, »Die Lichtwaage«, 1967; *Dvě ohniska*, »2 Brennpunkte«, 1969; *Síť ticha*, »Netz der Stille«, 1971).
Lit.: D. PANDULA in: Estetická výchova IV, 1965/66, S. 163f.

Votto, Antonino, * 30. 10. 1896 zu Piacenza; italienischer Dirigent und Pianist, studierte am Conservatorio di Musica S. Pietro a Majella in Neapel (Klavier bei Longo, Komposition bei De Nardis) und debütierte 1919 als Konzertpianist in Triest. 1919–21 unterrichtete er dort Klavier am Conservatorio di Musica G. Verdi. Danach war er Maestro sostituto von Panizza am Teatro Colón in Buenos Aires und von Toscanini an der Mailänder Scala. 1928 begann er seine Dirigentenlaufbahn in Udine und dirigierte bald darauf an den großen Bühnen Italiens. 1941 erhielt er den Lehrstuhl für Dirigieren am Conservatorio di Musica G. Verdi in Mailand und wurde ständiger Dirigent der Scala. Gastspiele führten ihn an eine Reihe von europäischen und außereuropäischen Opernbühnen.

+Vox Productions, Inc.
Präsident und Generaldirektor der Firma ist derzeit G. H. de Mendelssohn-Bartholdy. Die deutsche Gesellschaft P. P. Kelen in Köln ist erloschen.

Vrána (vr'ɑːna), František, * 14. 11. 1914 zu Bystřice (Mähren); tschechischer Komponist und Pianist, studierte 1929–38 an den Konservatorien in Brünn (Petrželka) und Prag (V. Kurz, J. Suk und V. Novák), wirkte 1939–45 als Pianist beim tschechischen Rundfunk in Mährisch-Ostrau und wechselte dann zu Radio Prag über. Er schrieb u. a. Orchesterwerke (2 Symphonien, Nr 1 *Sinfonia giocosa* op. 31, 1965, und Nr 2 op. 36, 1964; 2 Ouvertüren, 1945 und 1939; *Taneční suita*, »Tanzsuite«, für kleines Orch., 1952; Capriccio op. 34, 1961; 2 Klavierkonzerte, Nr 1, 1937, und Nr 2 mit Streichorch., 1941; Concertinos für Kl., 1937, und für Va., 1944, mit Orch.), Kammermusik (2 Streichquartette, 1936 und 1937; Klaviertrio, 1934; Violinsonate, 1942; Suite für Vc. und Kl. op. 19, 1942; Violoncellosonate, 1944), Klavierwerke (Sonate op. 11, 1938; Serenade, 1948; Fantasie, 1949; *Koncertní etuda* für Org. (1934), *Bajky* (»Fabeln«) für Bar. und Bläserquintett (1963), 3 Männerchöre op. 35 nach Texten von Puschkin (1961) sowie Lieder.

Vranický, -1) Pavel und -2) Antonín → +Wranizky.

+Vranken, -1) Petrus Joseph (Josefus) Jakobus [erg. Vornamen], 1870 – 1948 zu Daun [del.: Doune] (Eifel). -2) Jaap, 1897–1956.
Lit.: zu -2): H. ANTCLIFFE in: MMR LXXXVI, 1956, S. 184ff.; W. PAAP in: Mens en melodie XI, 1956, S. 150ff.

+Vredeman [erg.:] de Vries, Jacob (Jacques), um 1563 – 1621.
Sein Bruder Michael Vr., um 1562 [del.: um 1564] – 19. [nicht: 26.] 1. 1629.
Lit.: M. A. VENTE in: MGG XIV, 1968, Sp. 36f.

+Vredenburg, Max, * 16. 1. 1904 zu Brüssel.
Direktor der niederländischen Jeunesses Musicales war er bis 1969. – Weitere Werke: 3 Stücke für Fl. und Kl. (1963); Trio für Ob., Klar. und Fag. (1965); *Akiba* (1968) und *Du printemps* (1969) für Mezzo-S. (oder Bar.) und Orch.; zahlreiche Filmmusiken.
Lit.: N. HERMANS in: Sonorum speculum 1964, Nr 18, S. 23ff.; W. PAAP in: Mens en melodie XXIX, 1974, S. 18f.

+Vreuls, Victor [erg.:] Jean Léonard, 1876 – 27. [nicht: 26.] 7. 1944 zu Saint-Josse-ten-Noode (Brüssel).
Lit.: L. SAMUEL in: Annuaire de l'Acad. royale de Belgique CXXIII, 1957, S. 169ff.

Vriend (vri:nd), Jan, * 10. 11. 1938 zu Sijbekarspel (Nordholland); niederländischer Komponist, studierte am Amsterdamer Konservatorium sowie 1966–67 in Utrecht (Elektronische Musik) und 1968 in Paris bei Xenakis an der Schola Cantorum und bei der Groupe de Recherches Musicales der ORTF. 1965 wurde er Dirigent des Amsterdamer Studentenkammerorchesters ASKO (Aufführungen zeitgenössischer Musik) und 1966 des HOORN'S Kamerkoor (Aufführung älterer Musik). – Kompositionen (Auswahl): *Diamant* für Orch. (1967); *Huantan* für Org. und Blasorch. (1969); *Bau* für Orch. (1970); *Watermuziek* für großes Schulorch. und Elektronische Musik (1966); *Paroesie* für Fl., Fag., Horn, Trp., V., Kb., Kl., Hf., Marimbaphon und Tom-Toms (1963); Streichquartett (1963); *Deux pièces* für V. und Kl. (1963); *Pour la flûte* für Fl. (1961); *Soft Improvisation* für Gambe solo (1967); 4 Zwölftonstudien (1960) und Variationen (1961) für Kl.; *Herfst* für Org. (»Herbst«, 1965); *Transformation 1* für gem. Chor und Orch. (1966); Introitus für Kammerchor, 4 Pos., 6 Klar. und 2 Baßklar. (1969); *Songs with Intermezzo* für mittlere St. und Kl. (1962).

Vries, Gerd de, * 4. 10. 1944 zu Leer (Ostfriesland); deutscher Musikforscher, studierte in Berlin ab 1964 Musikwissenschaft (Adrio, Rudolf Stephan, Dahlhaus) sowie 1965–69 Klavier und Musiktheorie am Städtischen Konservatorium (späteres J. Stern-Institut der Hochschule für Musik). 1969 wurde de Vr. Mitarbeiter an den vorliegenden Ergänzungsbänden dieses Lexikons (verantwortlich besonders für die Erarbeitung der Addenda zu Komponisten des 20. Jh.; genannt seien +*Cage* und +*Xenakis*). Seit 1970 wirkt er auch auf dem Gebiet der modernen Kunst (Mitinhaber einer Galerie in Köln). Er edierte *Art & Language* (mit P. Maenz, = Du Mont International o. Nr, Köln 1972, engl. und deutsch) sowie Texte zum veränderten Kunstverständnis nach 1965 als *On Art / Über Kunst* (= ebd. 1974).

Vronski, Vitya → Babin, Victor.

+**Vroons,** Franciscus Johannes, * 28. 4. 1911 zu Amsterdam.
An der Nederlandse Opera in Amsterdam, deren Ensemble er bis 1963 angehörte, wirkte Vr. 1957–65 auch als künstlerischer Direktor. Seit 1960 unterrichtet er als Professor (Gesang und Opernschule) an den Konservatorien von Den Haag und Utrecht.

+**Vuataz,** Roger, * 4. 1. 1898 zu Genf.
Leiter der Musikabteilung von Radio Genf war V. bis 1965. Er hatte 1917–70 auch das Organistenamt an der Eglise nationale protestante in Genf inne. 1962–69 war er Präsident des Concours international d'exécution musicale in Genf. – Weitere Werke: Opera buffa *Monsieur Jabot* (Genf 1958); Ballett *Solitude* op. 110 (1962); Konzert für Kl. op. 112 (1964) und *Fantaisies I–III* für Hf. op. 123 (1973) mit Orch.; Streichquartett op. 116 (1970); Triptychon *Nocturnes* für Vc. op. 126 (1974); 3 Sonatinen op. 109 (1963) und Sonate op. 114 (1964–69) für Kl.
Lit.: Liste des œuvres, Zürich 1970; J. DERBÈS in: SMZ CVIII, 1968, S. 193ff. (zum Kl.-Konzert).

Vučković, Vojislav, * 18. 10. 1910 zu Pirot (Serbien), † 25. 12. 1942 zu Belgrad; jugoslawischer Musikforscher, Komponist und Dirigent, studierte ab 1929 am Prager Konservatorium bei Karel und J. Suk (Diplom 1933) sowie bei Malko (Dirigieren) und A. Hába (Vierteltonmusik). 1934 promovierte er an der Prager Karlsuniversität mit der Dissertation *Hudba jako propagační prostředek* (»Die Musik als Propagandamittel«). Ab 1935 lebte er in Belgrad als Musikredakteur und -kritiker sowie als Sekretär und Dirigent der Belgrader Philharmonie. 1936 wurde er Professor an der Musikschule »Stanković« und an der Musikakademie. Er schrieb das Ballett *Čovek koji je ukrao sunce* (»Der Mensch, der die Sonne stahl«, 1935), Orchesterwerke (3 Symphonien, Nr 1 1933, Nr 2 1941 und Nr 3 *Herojski oratorium*, »Heroisches Oratorium«, 1942; Symphonische Dichtungen *Ozareni put*, »Der verklärte Weg«, 1939, *Ali Binak*, 1940, und *Burevesnik*, »Der Sturmbote«, nach Gorki, 1942; *Zaveštanje Modesta Musorgskog*, »Das Vermächtnis Modest Musorgskijs«, für Streichorch., 1940), Kammermusik (Streichquartett, 1932; Viertelton-Trio für 2 Klar. und Kl., 1933) sowie 2 Lieder für S., Ob., Klar. und Fag. (1938) und veröffentlichte: *Materialistička filozofija umetnosti* (»Materialistische Philosophie der Kunst«, Belgrad 1935); *Muzički portreti* (»Musikalische Portraits«, ebd. 1939). Aufsätze erschienen in den Sammelbänden *Izbor eseia* (hrsg. von St. Đurić-Klajn, ebd. 1955), *Umetnost i umetničko delo* (»Kunst und Kunstwerk«, hrsg. von D. Plavša, ebd. 1962) und *Studije, eseji, kritike. V. V., umetnik i borac* (»Studien, Aufsätze, Kritiken. V. V.,

Künstler und Kämpfer«, 2 Bde, hrsg. von D. Stefanović, ebd. 1968).
Lit.: O. DANON, Sećanja na V. V. (»Erinnerungen an V. V.«), in: Muzika 1948, Nr 1.

+**Vuillaume,** Jean-Baptiste, 1798–1875.
V. trennte sich 1828 [nicht: 1928] von Lété.
Lit.: W. SENN in: MGG XIV, 1968, Sp. 41ff.; L. METZ in: Mens en melodie XXVII, 1972, S. 332ff.; R. MILLANT, J. B. V., London 1972, frz., engl. u. deutsch.

+**Vuillermoz,** Émile, * 23. 5. 1878 zu Lyon, [erg.:] † 2. 3. 1960 zu Paris.
Weitere Veröffentlichungen: +*La vie amoureuse de Chopin* (1927), teilweise Neuaufl. (mit B. Gavoty) als *Chopin amoureux*, Paris 1960, rumänisch Bukarest 1967; +*Histoire de la musique* (1950, Neuaufl. 1956), von J. Lonchampt ergänzte Ausg. Paris 1973; +*Cl. Debussy* (= Les grands compositeurs du 20e s. I, 1957 [nicht: 1952]), Neuaufl. ebd. 1962 und 1970; *G. Fauré* (ebd. 1960, engl. Philadelphia/Pa. 1969).
Lit.: B. GAVOTY in: Musica (Disques) 1961, H. 84, S. 16ff.

Vukdragović (vugdr'agovitç), Mihailo, * 8. 11. 1900 zu Okučani (Serbien); jugoslawischer Komponist, Dirigent und Pädagoge, studierte an der Musikschule Belgrad (Milojević) und am Konservatorium in Prag (Jirák, Talich), war anschließend Professor (1927–37) sowie Direktor (1935–37) der Belgrader Musikschule »Stanković«. Mit Unterbrechungen leitete er bis 1948 die Musikprogrammabteilung und das Symphonieorchester von Radio Belgrad. Ab 1940 Professor für Dirigieren an der Musikakademie Belgrad (1947–52 Direktor), war V. auch erster Rektor der Akademie der Künste (1957–59) und Generalsekretär des jugoslawischen Komponistenverbands (1953–62); er ist ständiges Mitglied der serbischen Akademie der Wissenschaften und der Künste. Von seinen Kompositionen seien genannt *Simfonijska meditacija* (1938), die Symphonische Dichtung *Put u pobedu* (»Der Weg zum Sieg«, 1944) sowie die Kantaten *Vezilja slobode* (»Strickerin der Freiheit«, 1947), *Svetli grobovi* (»Helle Gräber«, 1954) und *Srbija* (»Serbien«, 1961). Er schrieb neben kammermusikalischen Werken, Chören und Sologesängen auch Musik für Bühne und Film.
Lit.: R. PETROVIĆ in: Zvuk 1970, Nr 109/110, S. 416ff.

+**Vulpius,** Melchior, um 1570 ([del.:] 1560?) – 1615.
Ausg.: Deutsche Sonntägliche Evangeliensprüche, in Einzelausg. hrsg. v. H. NITSCHE u. H. STERN, = Geistliche Chormusik I (Die Motette), Stuttgart 1960ff.; Motetten »Angelus ad pastorem« (10st.) u. »Gloria, laus et honor« (12st.), hrsg. u. M. EHRHORN, 2 H., = Chor-Arch. u. Nr, Kassel 1969.
Lit.: H. D. METZGER u. H. STERN in: Württembergische Blätter f. Kirchenmusik XXVII, 1960, S. 90ff.; FR. RECKOW in: MGG XIV, 1968, Sp. 45ff.

Vurnik, Stanko, * 11. 4. 1898 zu Šentvid (Slowenien), † 23. 3. 1932 zu Ljubljana; jugoslawischer Musikforscher und Ethnologe, auf dem Gebiet der Musik Autodidakt, studierte slawische Philologie und Kunstgeschichte an der Universität in Ljubljana (Dr. phil. 1925) und wurde dort 1923 Assistent am ethnographischen Museum. Daneben wirkte er als Musikkritiker. Mit seinen Arbeiten zur Musikethnologie beeinflußte er die Entwicklung der slowenischen Folkloristik. Er veröffentlichte u. a.: *Uvod v glasbo* (»Einführung in die Musik«, Bd I, Ljubljana 1929); *Studija o stilu slovenske ljudske glasbe* (»Studien über den Stil in der slowenischen Volksmusik«, in: Dom in svet 1930, Nr 43); *Studija o glasbeni folklori na Belokranjskem* (»Über die Musikfolklore in Weißkrain«, in: Etnolog IV, 1930/31); *Stil v zgodovini glasbe* (»Stil in der Geschichte der Musik«, ebd. 1931, Nr 44).

Lit.: F. STELÉ, Dr. St. V., in: Zbornik za umetnostno zgodovino IX, 1931; M. BREJC, St. V., in: Etnolog V/VI, 1931; DR. CVETKO, Les formes et les résultats des efforts musicologiques yougoslaves, AMl XXXI, 1959; KR. UKMAR, St. V., Življenje in delo (»Leben u. Werk«), Diss. Ljubljana 1965; DERS., Problem stila v interpretaciji St. V.a (»Das Stilproblem in d. Interpretation v. St. V.«), in: Muzikološki zbornik III, 1967.

+**Vycpálek,** Ladislav, * 23. 2. 1882 zu Prag(-Wrschowitz/Vršovice), [erg.:] † 9. 1. 1969 zu Prag.
V., 1924 in die Česká Akademie aufgenommen, war ab 1907 an der Prager Universitätsbibliothek tätig, deren Musikabteilung er 1922–42 [erg.:] leitete. – Von seinen Werken seien genannt: 2 Variationsfantasien *Vzhůru srdce* (»Sursum corda!«) für Orch. op. 30 (über tschechische Kirchenlieder aus der Hus-Zeit, 1950, auch für Kl.); Streichquartett op. 3 (1909), Sonate *Chvála houslí* op. 19 (»Lob der Geige«, mit Mezzo-S., 1928) und Sonatine op. 26 (1947) für V. und Kl., Duo für V. und Va op. 20 (1929), Suiten *Cestou* op. 9 (»Unterwegs«, 6 kleine Stücke, 1911–14) und *Doma* op. 38 (»Zu Hause«, 1959) für Kl., Solosuiten für Va op. 21 (1929) und V. op. 22 (1930); *Kantáta o posledních věcech člověka* op. 16 (»Kantate von den letzten Dingen des Menschen«, 1921), Kantate *Blahoslavený ten člověk* op. 23 (»Selig ist der Mensch«, 1933) und *České requiem (Smrt a spasení)* op. 24 (»Tschechisches Requiem / Tod und Erlösung«, 1940) für Soli, Chor und Orch., 2 Duette op. 35 (nach mährischer Volkspoesie, 1956) und eine kleine Volkskantate *Svatý Lukáš, malíř boží* op. 36 (»St. Lukas, der Maler Gottes«, 1956) für Frauenchor und Kammerorch., Lieder für Singst. und Orch. (4 Lieder *V boží dlani*, »In Gottes Hand«, op. 14, 1916, auch mit Kl.) bzw. Singst. und Kl. (6 Trauergesänge *Na rozloučenou*, »Zum Abschied«, op. 25, 1945), Werke für gem. Chor (*Září*, »September«, op. 32, 1951; *Červenec*, »Juli«, op. 33, 1951; 2 Chöre *Ta láska*, »Diese Liebe«, op. 40, 1962), Männerchor (3 Chöre *Bezručův hlas*, »Bezručs Stimme«, op. 37, 1958) und Frauenchor (*Motovidlo*, »Ein verdrehter Kerl«, mit Kl. op. 39, 1961); ferner zahlreiche Bearbeitungen nach mährischen Volksliedern (u. a. *Sirotek*, »Waisenkind«, für gem. Chor op. 11b, 1914, auch mit Va und Vc.; 5 mährische Balladen für Singst. und Kl. op. 12, 1915; 15 Lieder *Láska, bože, láska*, »Die Liebe, o Gott, die Liebe«, für Singst. und Kl. op. 27–28, 1949; 5 Lieder *Marná láska*, »Vergebliche Liebe«, für Frauenchor op. 34, 1954; 2 Frauenchöre op. 41, 1962).
Lit.: L. V., Festbroschüre zum 75. Geburtstag, Prag 1957 (mit Werkverz.). – J. SMOLKA, L. V., Tvůrčí vývoj (»Schöpferische Entwicklung«), ebd. 1960.

Vysloužil (v´islou̯il), Jiří, * 11. 5. 1924 zu Košice; tschechischer Musikforscher, promovierte 1949 an der Universität Brünn mit einer Dissertation über *Problémy a methody hudebního lidopisu* (»Probleme und Methoden der musikalischen Folkloristik«) und habilitierte sich 1960 mit der Schrift *L. Janáček a lidová píseň* (»L. Janáček und das Volkslied«). Er lehrte 1953–60 in Brünn an der Janáček-Musikakademie und ist seit 1963 Dozent an der dortigen Universität (1972 Ordinarius

des Instituts für Musikwissenschaft). Er veröffentlichte u. a.: *Z korespondence O. Hostinského L. Janáčkovi* (»Aus der Korrespondenz von O. Hostinský mit L. Janáček«, in: Musikologie III, 1954 und V, 1958); *A. Hába als Kompositionslehrer* (Fs. J. Racek, = Sborník prací filosofické fakulty brněnské university XIV, F 9, 1965, tschechisch in: Hudební rozhledy XVIII, 1965, S. 805ff.); *Problems of Style in 20th-Cent. Czech Music* (MQ LI, 1965); *První čtvrttónové skladby A. Háby* (»Die ersten Viertelton-Kompositionen von A. Hába«, in: Hudební věda III, 1966, mit engl., deutscher und russ. Zusammenfassung); *Zu den ethnomusikologischen Aspekten beim Studium der tschechischen Musikgeschichte* (in: Sborník prací filosofické fakulty brněnské university XVI, H 2, 1967); *A. Hába, A. Schönberg und die tschechische Musik* (in: Aspekte der Neuen Musik, Fs. H. H. Stuckenschmidt, Kassel 1968, und in: Sborník prací filosofické fakulty brněnské university XVII, H 3, 1968, tschechisch in: Hudební rozhledy XXII, 1969, S. 38ff.); *Hábas Idea of Quarter-Tone Music* (in: Hudební věda V, 1968); *L'origine, l'apparition et la fonction du quart de ton dans l'œuvre de G. Enesco* (in: Studii de muzicologie IV, 1968); *A. Hába. Profil, dílo, bibliografie, dokumenty* (Brünn 1970); *Idea národnosti Schönbergova škola a česká hudba* (»Die Idee der Nationalität der Schönberg-Schule und die tschechische Musik«, in: Hudební rozhledy XXVII, 1974).

Vytautas, Laurušas, * 8. 5. 1930 zu Wilna; litauisch-sowjetischer Komponist, studierte 1951–56 am litauischen Staatskonservatorium in Wilna bei Juzeliūnas. Er war in der Musikabteilung des litauischen Rundfunks tätig und wurde 1963 Direktor der Staatsoper Wilna. Seit 1971 ist er außerdem Vorsitzender des Komponistenverbands der Litauischen SSR. Seine Kompositionen umfassen u. a. die Oper *Paklyde paukščiai* (»Verwehte Vögel«), die Symphonische Dichtung *Audronaša* (»Sturmvogel«), eine Violinsonate, *Novelė* (»Novelle«) für Kl., die Kantaten *Lietuva dainuoja Leninuj* (»Litauen singt für Lenin«) für Kinder-, gem. Chor und Orch. und *Ąžuolų vainikas* (»Eichenkranz«) für Mezzo-S., B., gem. Chor und Orch. (1972), die Ballade *Motina* (»Mutter«) für T., Männerchor und Orch. sowie Chöre mit Instrumentalbegleitung.

Vyvyan (v´ivian), Jennifer (verheiratete Crown), * 13. 3. 1925 zu Broadstairs (Kent), † 5. 4. 1974 zu London; englische Sängerin (Sopran), studierte an der Royal Academy of Music in London zunächst Klavier, später bei R. Henderson sowie bei Fernando Carpi und David Keren Gesang. 1951 erhielt sie den 1. Preis beim Concours international d'exécution musicale in Genf. Sie sang in London an der Covent Garden Opera und am Sadler's Wells Theatre sowie mit der Glyndebourne Opera Company. Gastspiele führten sie in die UdSSR, nach Südafrika, Kanada und in verschiedene europäische Länder. J. V. war besonders als Händel- und Mozart-Sängerin bekannt und kreierte von Britten u. a. die Governess in *The Turn of the Screw* und die Tytania in *A Midsummer Night's Dream*.

W

Waart, Edo de, * 1. 6. 1941 zu Amsterdam; niederländischer Oboist und Dirigent, studierte in Amsterdam am Muzieklyceum und war dort 1963–65 als Oboist beim Concertgebouworkest tätig. Als 1. Preisträger des Mitropoulos-Wettbewerbs in New York (1964) wurde er 1965 Assistent von L. Bernstein bei der New York Philharmonic und war dann 1966–67 Assistentdirigent beim Concertgebouworkest. Seit 1967 ist er Dirigent beim Rotterdams Philharmonisch Orkest (1973 Chefdirigent). Daneben wirkt er seit 1975 als ständiger Gastdirigent des San Francisco Symphony Orchestra.

Wachsmann, Franz → Waxman, Fr.

Wachsmann, Klaus Philipp, * 7. 3. 1907 zu Berlin; amerikanischer Musikethnologe deutscher Herkunft, studierte an den Universitäten Berlin und Freiburg (Schweiz), wo er 1935 mit *Untersuchungen zum vorgregorianischen Gesang* promovierte (= Veröff. der Gregorianischen Akademie zu Freiburg I, 19, Regensburg 1935). Nach weiteren Studien in London (afrikanische Sprachen) lebte er ab 1938 in Afrika, wo er 1948–57 das Museum in Kampala (Uganda) leitete. Er ließ sich dann in den USA nieder und wurde 1963 Leiter des Instituts für Musikethnologie an der University of California in Los Angeles. Von seinen Veröffentlichungen seien genannt: *Tribal Crafts of Uganda* (mit M. Trowell, London 1953); *An Approach to African Music* (Uganda Journal VI, 1938/39); *Musicology in Uganda* (Journal of the Royal Anthropological Institute of Great Britain and Ireland LXXXIII, 1953); *A Study of the Norms in the Tribal Music of Uganda* (in: Ethnomusicology I, 1957); *Recent Trends in Ethnomusicology* (Proc. R. Mus. Ass. LXXXV, 1958/59); *Criteria for Acculturation* (Kgr.-Ber. NY 1961, Bd I); *The Primitive Musical Instruments* (in: Musical Instruments Through the Ages, hrsg. von A. Baines, London 1961, revidiert 1966, deutsch als *Die primitiven Instrumente*, in: Musikinstrumente, hrsg. von dems., München 1962); *The Earliest Sources of Folk Music from Africa* (StMl VII, 1965); *Negritude in Music* (in: Composer 1966, Nr 19); *Pen-equistidance and Accurate Pitch. A Problem from the Source of the Nile* (Fs. W. Wiora, Kassel 1967); *A Drum from 17th Cent. Africa* (GSJ XXIII, 1970). Er edierte *Essays on Music and History in Africa* (Evanston/Ill. 1971; darin von ihm selbst *Musical Instruments in Kiganda Tradition and Their Place in the East African Scene*).

+Wackenroder, Wilhelm Heinrich, 1773–98.
Ausg.: Werke u. Briefe, Bln 1938, 2. ergänzte Aufl. hrsg. v. L. Schneider, Heidelberg 1967 (mit Bibliogr.); Sämtliche Schriften, hrsg. v. K. O. Conrady, = rororo Klassiker Bd 506/507, Reinbek bei Hbg 1968 (mit Bibliogr.); W. H. W. u. L. Tieck. Phantasien über d. Kunst, hrsg. v. W. Nehring, = Reclams Universal-Bibl. Bd 9494/95, Stuttgart 1972. – Scritti di poesia e di estetica, ital. v. B. Tecchi, Florenz 1967; W. H. W.'s Confessions and Phantasies, engl. v. M. E. H. Schubert, Diss. Stanford Univ. (Calif.) 1970 (mit Anm. u. kritischer Einleitung).
Lit.: B. Tecchi, W., Florenz 1927, deutsch als: W. H. W., Bad Homburg 1962; M. Jacob, Die Musikanschauung im dichterischen Weltbild d. Romantik, aufgezeigt an W. u.

Novalis, Diss. Freiburg i. Br. 1946; D. Hammer, Die Bedeutung d. vergangenen Zeit im Werk W.s, Diss. Ffm. 1960; J. Mittenzwei, Die Sehnsucht d. Romantiker nach Erlösung durch Musik, in: Das Mus. in d. Lit., Halle (Saale) 1962; H. U. Engelmann, J. Berglinger u. A. Leverkühn oder: Über d. Wärme u. über d. Kälte, NZfM CXXIV, 1963; W. Kohlschmidt, Bemerkungen zu W.s u. Tiecks Anteil an d. Phantasien über d. Kunst, in: Philologia deutsch, Fs. W. Henzen, Bern 1965; W. Wiora, Die Musik im Weltbild d. deutschen Romantik, in: Beitr. zur Gesch. d. Musikanschauung im 19. Jh., hrsg. v. W. Salmen, = Studien zur Mg. d. 19. Jh. I, Regensburg 1965; C. Dahlhaus, Musikästhetik, = Musik-Taschen-Bücher, Theoretica VIII, Köln 1967; ders., Romantische Musikästhetik u. Wiener Klassik, AfMw XXIX, 1972; G. Lohmann in: MGG XIV, 1968, Sp. 54ff.; St. P. Scher, Verbal Music in German Lit., = Yale Germanic Studies II, New Haven (Conn.) 1968; E. Hertrich, J. Berglinger. Eine Studie zu W.s Musiker-Dichtung, = Quellen u. Forschungen zur Sprach- u. Kulturgesch. d. germanischen Völker, N. F. XXX, Bln 1969; R. Kahnt, Die Bedeutung d. bildenden Kunst u. d. Musik bei W. H. W., = Marburger Beitr. zur Germanistik XXVIII, Marburg 1969; M. Frey, Der Künstler u. sein Werk bei W. H. W. u. E. T. A. Hoffmann, = Europäische Hochschulschriften I, 29, Bern 1970; L. Siegel, W.'s Mus. Essays in »Phantasien über d. Kunst«, The Journal of Aesthetics and Art Criticism XXX, 1971/72; J. Kielholz, W. H. W., Schriften über d. Musik. Musik- u. literaturgesch. Ursprung u. Bedeutung in d. romantischen Lit., = Europäische Hochschulschriften I, 57, Bern 1972; K. Schlager, Der Fall Berglinger, AfMw XXIX, 1972.

+Wackernagel, [erg.: Karl Eduard] Philipp, 1800–77.
+*Das deutsche Kirchenlied* ... (1864–77), Nachdr. Hildesheim 1964; +*M. Luthers geistliche Lieder mit den zu seinen Lebzeiten gebräuchlichen Singweisen* (1848), Nachdr. ebd. 1970; +*Bibliographie zur Geschichte des deutschen Kirchenliedes im XVI. Jh.* (2 Teile in 1 Bd 1854–55), Nachdr. ebd. 1961.

+Wacław Szamotulczyk (v'atsuaf ʃamət'ultʃik; W. z Szamotuł), um 1520 – um 1560 wahrscheinlich zu Pińczow (Kielce) [del.: um 1567 zu Wilna].
Er war in Krakau 1547–54 lediglich als Komponist angestellt.
Ausg.: +Psalm XXX »In te domine speravi« (1554) (M. Szczepańska u. H. Opieński, 1930), 2. revidierte Aufl. Krakau 1964, 21965, 31972. – Lieder f. 4st. Chor a cappella hrsg. v. Z. M. Szweykowski, = Wydawnictwo dawnej muzyki polskiej XXVIII, ebd. 1956, 21965, 31972; Chorsätze in: Muzyka w dawnym Krakowie, hrsg. v. dems., ebd. 1964, u. in: Muzyka staropolska, hrsg. v. H. Feicht, ebd. 1966.
Lit.: K. Hławiczka, W. z Szamotuł. Pieśni (»Lieder«), in: Muzyka II, 1957; ders., C. f. pieśni »Już się zmierzcha« W.a z Szamotuł (»Der C. f. d. Liedes ,Es dämmert schon'...«), ebd. III, 1958; ders., Melodie W.a z Szamotuł, C. Bazylika i M. Gomółki w kancjonale Brzeskim (»Melodien v. W. Sz., C. Bazylik u. M. Gomółka im Gesangbuch v. Brzeg«), ebd. XIII, 1968; A. u. Z. M. Szweykowski, W. z Szamotuł, ... (»W. Sz., ein Renaissancemusiker u. -dichter«), ebd. IX, 1964; H. Feicht in: MGG XIII, 1966, Sp. 19f.

al-Wādī, –1) ʿUmar ibn Dāwūd ibn Zāḍān (oder Rāḍān), * um 690 zu Wādī al-Qurā (Oase an der Karawanenstraße Medina–Damaskus), † um 755; arabischer Sänger und Baumeister persischer Herkunft, lernte in Mekka, begründete an seinem Heimatort eine Sängerschule, in der vor allem »improvisierend« (irti-ǧālan) zur Begleitung der Rahmentrommel (duff) gesungen wurde und aus der Musiker wie Ḥakam al-W., Sulaimān al-W., Ḥulaid al-W. und Yaʿqūb al-W. hervorgegangen sind. Nach 725 wurde er Lieblingssänger des Prinzen und späteren Kalifen →al-Walīd II. Ibn Ḥurdāḏbih († 911) fand in Anthologien noch 53 seiner Stücke. –2) Ḥakam (ibn Yaḥyā) ibn Maimūn, Abū Yaḥyā, * um 715, † um 795 zu Wādī al-Qurā; arabischer Sänger persischer Abstammung, Sohn eines umaiyadischen Hofbarbiers, war Schüler von ʿUmar al-W., wurde durch dessen Vermittlung Hofsänger bei al-Walīd II., ging um 750 als Gesellschafter eines ʿabbāsidischen Prinzen nach Bagdad und blieb dort bis kurz vor seinem Tode als Hofmusiker der Kalifen al-Mahdī (775–785), al-Hādī (785–786) und Hārūn ar-Rašīd (786–809). Er galt als der erste bedeutende Musiker der ʿabbāsidischen Ära und als Spezialist im Metrum »hazaǧ«. Eine schriftliche Sammlung seiner Lieder(-texte mit Vortragsangaben) war noch im 10. Jh. bekannt.

Lit.: Ibn Ḥurdāḏbih († 911), Muḥtār min Kitāb al-lahw wa-l-malāhī, Beirut 1961 (Fragment seines »Buches d. Vergnügungen u. d. Musikinstr.«); Ibn ʿAbd Rabbih († 957), al ʿIqd al-farīd, engl. Übers. d. Musikkap. v. H. G. Farmer als: The Minstrels of the Golden Age of Islam, in: Islamic Culture XVII, 1943; Abu l-Faraǧ al-Iṣfahānī († 976), Kitāb al-Aǧānī al-kabīr (»Großes Buch d. Lieder«), Bd VI u. VII, Kairo ³1935; A. Caussin de Perceval, Notices anecdotiques sur les principaux musiciens arabes, Journal asiatique VII, 2, 1873; O. Rescher, Abriß d. arabischen Literaturgesch., Bd I, Konstantinopel 1925; H. G. Farmer, A Hist. of Arabian Music to the XIII th Cent., London 1929, Nachdr. 1967; Ḥ. az-Ziriklī, al-Aʿlām, Bd II, Damaskus ²1954 (arabisches bio-bibliogr. Lexikon); S. Ṣaiḥānī, Ašhar al-muǧannīn ʿinda l-ʿarab (»Die berühmtesten Sänger bei d. alten Arabern«), Beirut 1962; E. Neubauer, Musiker am Hof d. frühen ʿAbbāsiden, Diss. Ffm. 1965; F. Sezgin, Gesch. d. arabischen Schrifttums, Bd I, Leiden 1967.   ENe

+Waechter, Eberhard, * 9. 7. 1929 zu Wien.
E. W., weiterhin Mitglied der Staatsoper Wien, gastierte inzwischen an zahlreichen führenden Opernhäusern in Europa (Covent Garden Opera in London, Mailänder Scala) sowie den USA (Metropolitan Opera in New York erstmals 1961) und wirkte bei verschiedenen Festspielen mit (neben Bayreuth auch Salzburg, Edinburgh und Glyndebourne). Zu seinen Partien zählen der Graf Almaviva (*Le nozze di Figaro*), Don Giovanni, Amfortas (*Parsifal*), Wolfram (*Tannhäuser*) und Orest (*Elektra* von R. Strauss). 1963 wurde er zum Österreichischen Kammersänger ernannt.

+Waelrant, Hubert (Waelrand), um 1517 – 1595.
W., über dessen Leben bis 1544 nichts bekannt ist, war weder an der Universität in Löwen immatrikuliert (1534) noch Schüler von Willaert in Venedig. 1553–57 wirkte er als Lehrer an einer Musikschule in Antwerpen [del.: 1547 eröffnete er eine Musikschule]. – Sein +*Sacrarum cantionum* umfaßt 8 Bde (1554 Bd I, 1555–57 Bd II-VIII, in Bd VI ausschließlich Werke von W.) [del. bzw. erg. frühere Angaben dazu]. Eine Handschrift mit 36 Sätzen von W. im Villanellen-Stil befindet sich im Winchester College (Fellows Library Ms. 12143).

Ausg.: Symphonia angelica de diversi eccellentissimi authori ... (1585), hrsg. v. B. Huys, = Corpus of Early Music in Facsimile I, 21, Brüssel 1970.
Lit.: Fr. Noske, Remarques sur les luthistes des Pays-Bas (1580–1620), in: Le luth et sa musique, hrsg. v. J. Jacquot, Paris 1958; H. Slenk, The Music School of H.

W., JAMS XXI, 1968; W. Piel, Studien zum Leben u. Schaffen H. W.s unter besonderer Berücksichtigung seiner Motetten, = Marburger Beitr. zur Musikforschung III, Marburg 1969 (mit Ausg. v. 7 bisher unveröff. Motetten); R. L. Weaver, The Motets of H. W., 3 Bde, Diss. Syracuse Univ. (N. Y.) 1971 (mit Übertragung v. 25 Motetten).

Wälterlin, Oskar, * 30. 8. 1895 zu Basel, † 4. 4. 1961 zu Hamburg; Schweizer Schauspieler, Regisseur und Theaterleiter, war 1925–32 Intendant des Stadttheaters Basel, 1933–38 Oberspielleiter der Oper in Frankfurt a. M. und von 1938 bis zu seinem Tode Intendant des Zürcher Schauspielhauses. In Basel kam es zur Zusammenarbeit mit dem Bühnenbildner und -reformer A. →Appia, aus der die Inszenierungen von *Siegfried* (1920), *Die Meistersinger von Nürnberg, Tristan und Isolde, Parsifal* (1921/22), *Das Rheingold* und *Die Walküre* (1924/25) hervorgingen. Zu W.s Opernszenierungen zählen ferner in Frankfurt die Uraufführung der *Zaubergeige* von Egk (1935) und der *Carmina Burana* von Orff (1937), bei den Salzburger Festspielen die Uraufführung von *Julietta* von Erbse (1959) und in Zürich die Uraufführung der »Oper einer Privatbank« *Frank V.* von P. Burkhard (Text Dürrenmatt, 1960). W.s Regie zeichnet sich, auch in den zahlreichen Schauspielaufführungen, durch den Sinn für Atmosphärisches aus; sie vermied jeden äußerlichen Effekt. In der Stilisierung und Konzentration auf das Wesentliche verriet sich der frühe Einfluß von Appia.
Lit.: E. Brock-Sulzer, O. W. zum Gedächtnis, in: Theater heute II, 1961.

+Waeltner, Ernst Ludwig, * 2. 7. 1926 zu Heidelberg.
W. ist seit 1960 mit dem Aufbau des *Lexicon musicum Latinum* der Musikhistorischen Kommission der Bayerischen Akademie der Wissenschaften betraut. 1962 erhielt er einen Lehrauftrag für Musik des 20. Jh. an der Universität München. Er gibt die Reihe *Meisterwerke der Musik. Werkmonographien zur Musikgeschichte* (München 1965ff., bisher 7 Bde) heraus. – Weitere Aufsätze: *Metrik und Rhythmik im Jazz* (in: Terminologie der Neuen Musik, hrsg. von R. Stephan, = Veröff. des Instituts für Neue Musik und Musikerziehung Darmstadt V, Bln 1965) und *Probleme der kritischen Einführung in musikalische Werke* (in: Über Músik und Kritik, hrsg. von dems., ebd. XI, Mainz 1971).

Waganowa, Agrippina Jakowlewna, * 12.(24.) 6. 1879 zu St.Petersburg, † 5. 11. 1951 zu Leningrad; russisch-sowjetische Tänzerin und Ballettpädagogin, studierte an der St. Petersburger Ballettschule. Als Solistin des Marientheater-Balletts spielte sie immer eine zweite Rolle. Sie nahm 1916 ihren Abschied und begann nach der Oktoberrevolution zu unterrichten. 1921 wurde sie als Dozentin an die Leningrader Choreographische Schule berufen, wo sie das ganze Unterrichtssystem von Grund auf reformierte, so daß mehr und mehr vom W.-System gesprochen wurde, das für die ganze Ballettausbildung in der Sowjetunion verbindlich wurde. Zu ihren Schülern gehören Galina Ulanowa und Sergejew. 1934 erschien in Leningrad ihr fundamentales Buch *Osnowy klassitscheskowo tanza* (deutsch als *Die Grundlagen des klassischen Tanzes*, Bln 1954, auch = Theater heute XXIII, Velber bei Hannover 1966, engl. NY 1969). Sie veröffentlichte ferner *Wospominanija, statji, materialy* (»Erinnerungen, Aufsätze, Materialien«, Moskau 1958). 1957 wurde die Leningrader Ballettschule in »Staatliches W.-Institut für Choreologie« umbenannt.
Lit.: N. Roslavleva, Era of the Russ. Ballet, London 1966.

+Wagenaar [-1) Johan], -2) Bernard, * 18. 7. 1894 zu Arnheim, [erg.:] † 19. 5. 1971 zu York (Me.).

[handwritten margin note: d. Dec 24 1975]

Er war Lehrer für Komposition, Kontrapunkt und Instrumentation an der Juilliard Graduate School of Music (ab 1937 Juilliard School of Music) bis 1968. – Werke [erg. frühere Angaben]: Kammeroper *Pieces of Eight* (NY 1944); 4 Symphonien (1926, 1931, 1935, 1949), 2 Divertimenti (1927, 1953), Sinfonietta (1929), *Fantasietta on 3 British-American Ballads* (1940), *Feuilleton* (1942), *Song of Mourning* (1944), Konzertouvertüre (1954) und *Preamble* (1956) für Orch.; Tripelkonzert für Fl., Hf. und Vc. (1937) und 5 *Tableaux* für Vc. (1952) mit Orch.; Concertino für 8 Instr. (1942), 2.–4. Streichquartett (1931–61), Violinsonate (1928), Sonatine für Vc. und Kl. (1934); *4 Vignettes* für Hf. (1965); Sonate (1928), *Instructive Pieces* und *Ciacona* (1948) für Kl., *Eclogue* für Org. (1940); Lieder und Chöre.
Lit.: zu –2): J. HIJMAN, B. W., ein holländischer Komponist in d. Vereinigten Staaten, in: Sonorum speculum 1966, H. 27, auch engl.

Wagenaar-Nolthenius (w'ɑ:xənɑrnɔlt'e:nius), Helene (Hélène), * 9. 4. 1920 zu Amsterdam; niederländische Musikforscherin und -schriftstellerin, studierte an der Rijksuniversiteit in Utrecht (A. Smijers), wo sie 1948 mit einer Arbeit über *De oudste melodiek van Italië* promovierte und an der sie seit 1958 (Extraordinaria, 1966 Ordinaria) Musikgeschichte (Altertum und Mittelalter) lehrt. 1970 wurde sie in die Koninklijke Nederlandse Akademie van wetenschappen aufgenommen. Von ihren Büchern und Aufsätzen (z. T. auch nur unter dem Autorennamen »Nolthenius«) seien genannt: *Duecento. Zwerftochten door Italië's late middeleeuwen* (Utrecht 1951, deutsch als *Duecento. Hohes Mittelalter in Italien*, Würzburg 1957, engl. London und NY 1968); *Beethoven vanuit zijn muziek* (Delft 1956); *Renaissance in Mei. Florentijns leven rond Fr. Landini* (Utrecht 1956); *Muziek in de kentering. Echo's van het Hellenisme* (ebd. 1959); *Het Adriaansofficie* (= Scripta musicologica Ultrajectina II, ebd. 1968; kritische Ausg. von Ms. Utr. UB 406); »*Oud als de weg naar Rome?*«. *Vragen rond de herkomst van het Gregoriaans* (= Mededelingen der Koninklijke Nederlandse Akademie van wetenschappen, Afdeeling Letterkunde, N. F. XXXVII, Nr 1, Amsterdam 1974); *De Leidse fragmenten. Nederlandse polifonie uit het einde der 14ᵈᵉ eeuw* (in: Renaissancemuziek 1400–1600, Fs. R. B. Lenaerts, = Musicologica Lovaniensia I, Löwen 1969); *Wat is een rondeel?* (TVer XXI, 2, 1969); *Estampie / Stantipes / Stampita* (in: L'Ars nova italiana del Trecento [III], hrsg. von F. A. Gallo, Certaldo 1970); *Ein Münchener Mixtum. Gregorianische Melodien zu altrömischen Texten* (AMl XLV, 1973). H. W.-N. betätigte sich auch als Musikjournalistin sowie als Autorin von Novellen und Romanen und verfaßte ferner das Libretto zu H. Andriessens Oper *De spiegel uit Venetië* (1967).

Wagenmann, Abraham, * um 1570 zu Öhringen (Württemberg), † 19. 3. 1632 zu Nürnberg; deutscher Buch- und Musikdrucker, Verleger und Buchhändler, kam 1593 nach Nürnberg, wo er 1600–30 außer Musiksammeldrucken (1605–25) Werke von V. Dretzel, Erythraeus, M. Franck, Ghro, H. Heyden, Herbst, Jeep, Posch, M. Praetorius, Peuerl, E. Widmann u. a. herausbrachte. Wichtig ist W. auch als Drucker und Verleger evangelischer Gesangbücher.
Lit.: W. BRENNECKE, Das Hohenlohesche Gesangbuch v. 1629 u. J. Jeep, Jb. f. Liturgie u. Hymnologie IV, 1958/59; TH. WOHNHAAS, Nürnberger Gesangbuchdrucker u. -verleger im 17. Jhs., Fs. Br. Stäblein, Kassel 1967.

+Wagenseil, Georg Christoph, 29. [nicht: 15.] 1. 1715 – 1777.

Ausg.: +Sonata a tre B dur f. 2 V. u. B. c. op. 1 Nr 3 (E. SCHENK, 1953), revidierte Neuaufl. = Diletto mus. Nr 443, Wien 1969. – Concertino A dur f. Vc., Streichorch. u. Cemb., hrsg. v. E. MAINARDI u. FR. RACEK, ebd. Nr 61, 1960; Konzert E dur f. Pos. (oder andere Instr. in d. A./ T.-Lage) u. Orch., hrsg. v. K. JANETZKY, Heidelberg 1963; Vc.-Konzert C dur, hrsg. v. FR. RACEK, = Diletto mus. Nr 121, Wien 1963; Fl.-Konzert C dur, hrsg. v. H. KÖLBEL, = Das Kammerorch. o. Nr, Zürich 1968; Sinfonie D dur f. Streichorch. mit B. c., hrsg. v. G. KEHR, = Concertino Nr 167, Mainz 1969; Sonate D dur f. Fl. u. B. c., hrsg. v. R. SCHOLZ, = Diletto mus. Nr 536, Wien 1972.
Lit.: H. SCHOLZ-MICHELITSCH, Das Klavierwerk bzw. Das Orch.- u. Kammermusikwerk v. G. Chr. W., = Tabulae musicae Austriacae III bzw. VI, Wien 1966–72 (thematischer Kat.). – W. VETTER, Der deutsche Charakter d. ital. Oper G. Chr. W.s, Fs. K. G. Fellerer, Regensburg 1962; DERS., Ital. Opernkomponisten um G. Chr. W., Ein stilkundlicher Versuch, Fs. Fr. Blume, Kassel 1963; J. KUCABA JR., The Symphonies of G. Chr. W., 2 Bde (II Musiksuppl.), Diss. Boston Univ. (Mass.) 1967; H. SCHOLZ-MICHELITSCH, G. Chr. W. als Klavierkomponist. Eine Studie zu seinen zyklischen Soloklavierwerken, Diss. Wien 1967; DIES. in: MGG XIV, 1968, Sp. 68ff.

+Wagenseil, Johann Christoph, 1633–1708. J. Chr. W. wurde 1667 [nicht: 1697] Professor der Geschichte und Rechtswissenschaften an der Nürnberger Universität in Altdorf.
Lit.: H. ZOHN u. M. C. DAVIS, J. Chr. W., Polymath, Monatshefte XLVI, (Madison/Wis.) 1954.

+Wagner, Georg Gottfried, 1698–1756.
Lit.: W. MERKEL in: Vogtländische Musiker vor 1900, = Museumsreihe XII, Plauen 1957, S. 100ff.; Schriftstücke v. d. Hand J. S. Bachs, hrsg. v. W. NEUMANN u. H. J. SCHULZE, = Bach-Dokumente I, Lpz. u. Kassel 1963; Fremdschriftliche u. gedruckte Dokumente zur Lebensgesch. J. S. Bachs, hrsg. v. DENS., ebd. II, 1969.

+Wagner, Gotthard ([erg.:] Taufname Joseph), 29. 12. 1678 – 13. 12. 1738 [del. bzw. erg. frühere Angaben].

Wagner, Heinrich Matussowitsch, * 2. 7. 1922 zu Żyrardów (Bezirk Warschau); russisch-sowjetischer Komponist und Pianist polnischer Herkunft, studierte 1937–39 am Warschauer Konservatorium und später bis 1954 am Konservatorium in Minsk (Komposition bei Bogatyrjow). Danach wirkte er als Konzertmeister am weißrussischen Rundfunk in Minsk. Seit 1963 ist W. dort Professor für Musikerziehung am Gorkij-Institut. Er schrieb die Fernsehoper *Utro* (»Der Morgen«, 1967), die Ballette *Podstawnaja newesta* (»Die falsche Braut«, Minsk 1958), *Swet i teni* (»Licht und Schatten«, ebd. 1958) und *Posle bala* (»Nach dem Ball«, nach der gleichnamigen Erzählung von Leo Tolstoj, ebd. 1971), Orchesterwerke (3 Symphonien, 1954, 1970 und Nr 3 für Kammerorch., 1972; Suite, 1955; Fantasie für V. und Orch., 1956; Klavierkonzert, 1965), Kammermusik (Streichquartett, 1952; Klaviertrio, 1950), Klavierzyklus (1971) und Vokalwerke (*Wetschno schiwyje*, »Die ewig Lebendigen«, 1959; Chorstücke und Lieder) sowie Bühnen- und Filmmusik.
Lit.: B. S. SMOLSKI, Belarusski musykalni teatr (»Das weißruss. Musiktheater«), Minsk 1963; G. S. GLUSCHTSCHANKA u. a., Gistorija belaruskaj sawezkaj musyki, ebd. 1971.

+Wagner, –1) Johann Gottlob (Jean Théophile), 1748 – 1789 Ort unbekannt [del.: zu Dresden].
–2) Christian Salomon, 1758 [nicht: 1754] – 1812/ 16. Er baute 1796 [nicht: 1786] ein Cembalo mit 3 Manualen.

+Wagner, Johanna [erg.:] Julia Pauline, 1826 [nicht: 1828] zu Lohnde [nicht: Seelze] (bei Hannover) – 1894.

+**Wagner,** J o s e p h Frederick, * 9. 1. 1900 zu Spring-field (Mass.), [erg.:] † 12. 10. 1974 zu Los Angeles (Calif.).
Das von ihm gegründete Boston Civic Symphony Or-chestra leitete W. bis 1944. 1961 wurde er zum Chair-man der Kompositionsabteilung des Conservatory of the California Institute of the Arts in Los Angeles er-nannt. – Neuere Werke: die einaktige Oper *New Eng-land Sampler* (nach Tschechows »Der Heiratsantrag«, Los Angeles 1965); *Pastoral Costarricense* für Orch. (1956), *Music of the Sea* (1956) und *Litany for Peace* (1956) für Streicher, *Symphonic Transitions* (1958), symphoni-sche Dichtung *Merlin and Sir Boss* (nach M. Twains *The Connecticut Yankee*, 1963), *Northland Evocation* (1965) und *A Festive Fanfare* (1969) für symphonisches Blas-orch.; *Fantasy in Technicolor* für Kl., Bläser und Schlagzeug (1959), Konzert für Org., Blechbläser und Schlagzeug (1963), 2. Harfenkonzert (1964); 3 *Charades* für Blechbläserquintett (1964), Fantasie und Fuge für Bläserquintett (1968), *Patterns of Contrast* für 2 Fl. und 2 Klar. (1959), *Impromptu Fantasy* für Fl., Klar. (oder Va) und Kl. (1958), *Preludes and Toccata* für V., Vc. und Hf. (1963), Klaviertrio (1969), Konzert-stück für V. und Vc. (1966), Fantasie-Sonate für Hf. solo (1963); *Sonata with Differences* für 2 Kl. (1952, re-vidiert 1963); 12 Konzertpraeludien für Org. (1970); 2 romantische Legenden für Frauenchor, Fl., Klar. und Kl. (1958), *Pastoral Hymn* für gem. Chor und Kl. (oder Org., 1960), *American Balladset* für a cappella-Chor (1963); *Sonata of Sonnets* für Singst. und Kl. (1961), 3 *Browning Love Songs* für hohe St. und Kl. (1964). – +*Orchestration* (= McGraw-Hill Series in Music o. Nr, 1959 [nicht: 1958]); +*Band Scoring* (= ebd. 1960 [nicht: 1959]).

+**Wagner,** P e t e r Joseph, 1865–1931.
Nachdrucke: +*Das Graduale der St. Thomaskirche zu Leipzig (14. Jh.) als Zeuge deutscher Choralüberlieferung* ([erg.:] Lpz. 1930–32), Hildesheim und Wiesbaden 1967; +*Einführung in die gregorianischen Melodien* (Bd I 1895, ³1911; II 1905, ²1912; III 1921), ebd. 1962; +*Ge-schichte der Messe . . .* (1913), ebd. 1963. – +*Fs. P. W. . . .* (1926), Farnborough 1969.
Lit.: L. QUAST in: Fs. »Vierhundert Jahre Friedrich-Wil-helm-Gymnasium Trier«, Trier 1961, S. 89ff.; P. SCHUH in: Musica sacra LXXXIII, 1963, S. 114ff.

+**Wagner,** Wilhelm Richard, 1813–83.
Der Vater Karl (Carl) F r i e d r i c h Wilhelm W., 18. [nicht: 17.] 6. 1770 – 1813; die Mutter J o h a n n e R o -s i n e (Johanna Rosina), geborene Pätz (Bertz, Pertz), 19. [nicht: 10.] 9. 1774 [nicht: 1778] – 1848; der Stief-vater L u d w i g [erg.: Heinrich Christian] G e y e r, 1779 [nicht: 1780] – 30. 9. [nicht: 8.] 1821; die erste Frau Minna, geborene Planer, 1809 – 25. [nicht: 24.] 1. 1866 [die Ehe wurde nicht geschieden]; die zweite Frau [erg.: Francesca Gaetana] C o s i m a, geborene Liszt, 24. [nicht: 25.] 12. 1837 zu Como [nicht: Bellassio] – 1930. W. war das jüngste von 9 [nicht: 8] Geschwi-stern. Nicht die Heirat seiner Mutter mit Friedrich W., sondern die mit L. Geyer fand in Pötewitz (bei Zeitz) statt [del. frühere Angaben dazu]. Die Frage, wer sein leiblicher Vater war, ist nicht zweifelsfrei ge-klärt. [Die nachfolgenden Berichtigungen und Er-gänzungen stehen in Korrelation zum Textfall des früheren Artikels.]
W. lebte 1814–20 in Dresden, war dann in Possendorf (bei Dresden) bei einem Pfarrer »in Pension« und nach L. Geyers Tode bei dessen Bruder in Eisleben. Bereits 1817 besuchte er eine Dresdener Schule. In der Zeit des Besuches der Kreuzschule (1822–27) fällt die (nicht erhaltene) Übertragung der ersten 3 Bücher der »Odys-

see« ins Deutsche. W. besuchte das Nicolai-Gymna-sium in Leipzig 1828–30, danach war er für ein halbes Jahr Thomas-Schüler. Im Februar 1831 ließ er sich als Studiosus musicae an der Leipziger Universität imma-trikulieren. In Leipzig war sein Onkel, der Schriftstel-ler und Philologe Gottlob Heinrich Adolph W. (1774–1835), von großem Einfluß auf ihn. 1828 hörte er die 1. Symphonie von Beethoven im Gewandhaus. Um zu seinem Drama *Leubald* Musik schreiben zu können, versuchte er zunächst, autodidaktisch die Anfangsgrün-de des Komponierens zu erlernen. Dann (1828) nahm er heimlich Kompositions-[nicht: Klavier-]Unterricht bei dem Gewandhausgeiger und Komponisten [nicht: Organisten] Christian Gottlieb Müller. Nachhaltigen Eindruck übte die Darstellung der Leonore (*Fidelio*) durch Wilhelmine Schröder-Devrient, die er 1829 in Leipzig erlebte, auf ihn aus. Nachdem W. seiner Fa-milie gegenüber seinen Entschluß, Musiker zu werden, durchgesetzt hatte, wurde der Kompositionsunterricht bei Müller offiziell. Der Geigenunterricht bei Robert Sipp (ebenfalls Geiger im Gewandhausorchester), den er daneben erhielt, war nur kurz und wurde von ihm nie ernsthaft betrieben. Dem Plan der Familie, ihn zu J. N. Hummel nach Weimar zu schicken, entgegnete er, für ihn bedeute Musik Komponieren und nicht Klavier-spielen. Er wechselte im Spätsommer 1831 den Kom-positionslehrer und wurde für etwa ein halbes Jahr Schüler des Thomaskantors Th. Weinlig. – Zu W.s frühesten Werken gehören des weiteren: 4 Ouver-türen, ein Streichquartett, 3 Klaviersonaten, mehrere Stücke zu einem Schäferspiel, ein Lied *Abendglocken* (alle verschollen) und 7 Kompositionen zu Goethes *Faust* sowie mehrere nicht näher bestimmbare und nicht erhaltene Arien und Gesangsstücke.
Im Herbst 1832 hielt sich W. auf der Rückreise von Wien in Prag auf, wo im Konservatorium seine Sym-phonie C dur (1832) unter Fr. D. Weber uraufgeführt wurde. W. gab sein Debüt als Musikdirektor mit Mo-zarts *Don Giovanni* bei einem Sommeraufenthalt der Magdeburger Operntruppe in Lauchstädt (bei Merse-burg), dessen Theater Merkmale aufweist, die im spä-teren Bayreuther Festspielhaus wiederkehren. Im Som-mer 1834 begann er die Komposition einer Fragment gebliebenen Symphonie E dur (verschollen). – W. ver-lor seine Stellung als Musikdirektor in Riga im März [nicht: Januar] 1839. Er verließ Riga am 9. 7. 1839 und traf am 17. 9. in Paris ein. Dort schrieb er unter dem Eindruck der Beethoven-Interpretationen durch das Conservatoire-Orchester unter Fr. A. Habeneck die zu-nächst als Kopfsatz einer Faust-Symphonie geplante *Ouvertüre zu Goethe's Faust I. Teil* [erst in der Neube-arbeitung von 1855 als *Eine Faust-Ouvertüre* veröffent-licht]. Für die »Revue et gazette musicale« verfaßte W. u. a. »Eine Pilgerfahrt zu Beethoven« und 1841 für die Dresdener »Abendzeitung« Korrespondenzberichte im Stil von Heine, den er in Paris kennengelernt hatte. Die Ernennung zum Königlich Sächsischen Hofkapellmei-ster neben C. G. Reissiger erfolgte am 2. 2. 1843. – Text und Musik zum *Tannhäuser* verfaßte W. 1842–45 [nicht: 1843/44], zum *Lohengrin* 1845–48 [nicht: 1846–48]. Einen Prosaentwurf zu *Die Meistersinger von Nürn-berg*, gedacht als Satyrspiel zum *Tannhäuser*, schrieb er im Sommer 1845. Die konkrete Arbeit am Nibelun-gen-Stoff begann 1848. *Das Liebesmahl der Apostel* ent-stand 1843, die Bearbeitung von Glucks »Iphigenie in Aulis« 1846–47 (Erstaufführung 22. 2. 1847). – W.s aktive Beteiligung am politischen Geschehen in den Jahren 1848 und 1849 und eine zunehmende Radikali-sierung seiner Ansichten zeigen die seinerzeit auch veröffentlichte Rede *Wie verhalten sich republikanische*

Bestrebungen dem Königtum gegenüber? (Juni 1848) vor dem republikanischen Vaterlandsverein in Dresden und die anonym erschienenen Beiträge für Röckels »Volksblätter«, wie *Der Mensch und die bestehende Gesellschaft* (10. 2. 1849) und *Die Revolution* (8. 4. 1849). Das Scheitern der revolutionären Bewegungen und die anhaltende steckbriefliche Verfolgung (erst 1862 wurde die volle Amnestie gewährt) ließen W. resignieren. Ausdruck dessen ist das Schopenhauer-Erlebnis, ausgelöst durch die Lektüre von *Die Welt als Wille und Vorstellung* im Herbst 1854. Die Komposition von *Tristan und Isolde* und die darauf zurückzuführende Unterbrechung der Kompositionsarbeiten am *Ring des Nibelungen* nach dem 2. Akt des *Siegfried* im Sommer 1857 stehen in deutlicher Beziehung dazu, aber auch zur Affäre mit Mathilde Wesendonck [nicht: Wesendonk]. Dichtung und Musik des *Rheingold* entstanden 1851–54 bzw. 1853–54, Text und Komposition der *Walküre* 1851–56 bzw. 1854–56. Die ersten 2 Akte der Dichtung *Der junge Siegfried* (1851–52) komponierte W. unter dem Titel *Siegfried* (1856–57). Im Frühjahr 1857 konzipierte er bereits auch den *Parsifal* in Grundzügen. Die Lieder auf Texte von M. Wesendonck sowie der 1. Akt des *Tristan* entstanden noch im (sogenannten) Asyl in Zürich, während der 2. Akt in Venedig, der 3. Akt in Luzern geschaffen wurde (Beendigung am 6. [nicht: 8.] 8. 1859). – W. hörte in Wien den *Lohengrin* zum ersten Male am 11. [nicht: 31.] 5. 1861. Den Text zu *Die Meistersinger von Nürnberg* verfaßte er im Winter 1861/62, der Kompositionsbeginn schloß sich an: W. hoffte, wie schon beim *Tristan,* durch eine schnelle Verbreitung des Werkes seine schwierige Finanzlage ändern zu können; der Kompositionsabschluß verzögerte sich jedoch. Da die Konzerte in Rußland, Prag und andernorts nicht genug einbrachten, mußte er schließlich 1864 vor seinen Gläubigern aus Wien fliehen. In dieser Situation traf ihn die Berufung (1864) durch →Ludwig II. nach München, wohin im gleichen Jahr [nicht: 1865] auch H. v. Bülow kam. 1865 begann W., seine Autobiographie zu diktieren. Die Übersiedlung nach Tribschen erfolgte 1866 (dort zunächst Beendigung der *Meistersinger* am 24. 10. 1867). *Siegfried* wurde zu Beginn des Jahres 1871 [nicht: 1869] vollendet, nachdem W. bereits 1864–65 und 1869–70 daran gearbeitet, die Arbeiten jedoch durch die Beendigung der *Meistersinger* und die Fortführung der *Götterdämmerung* (die Dichtung *Siegfrieds Tod,* 1848 geschaffen und in der Folgezeit mehrfach umgearbeitet, erhielt schon 1856 von ihm den Titel *Götterdämmerung*) unterbrochen hatte. – 1869 wurde W. von der Kgl. Akademie der Künste in Berlin zum auswärtigen Mitglied gewählt (Akademievortrag 1871 *Über die Bestimmung der Oper*). Die Grundsteinlegung des Festspielhauses fand am 22. 5. 1872, W.s 59. Geburtstag, statt. Die Frage, ob W. in seinem Festspielhaus auch Werke anderer Komponisten aufführen wollte, ist nicht eindeutig zu beantworten: seine eigenen Äußerungen lassen die eine wie die andere Folgerung zu. Der 1883 in Bayreuth gebildete Allgemeine R.-W.-Verband bestand bis 1938. Seine Aufgaben übernahm nach dem 2. Weltkrieg in der Bundesrepublik Deutschland der R.-W.-Verband e. V., der besonders durch Stiftung die Vergabe von Stipendien zur Teilnahme an den Bayreuther Festspielen besorgt (bis 1972 4550 Stipendiaten aus aller Welt). Weitere W.-Gesellschaften bestehen u. a. in Chile, England, Frankreich, in den Niederlanden, Österreich, der Schweiz und den USA. (Siehe auch G. Strobel in: MGG XIV, 1968, Sp. 130ff.). – Eine »R.-W.-Stiftung Bayreuth« mit Sitz

in Bayreuth wurde 1973 ins Leben gerufen. Ihr zugefallen sind das Festspielhaus am »Grünen Hügel«, W.s Haus »Wahnfried« und (leihweise) das W.-Archiv einschließlich nachgelassener Kunstschätze, Partituren und Handschriften. Hauptaufgaben der Stiftung (vertreten durch einen 3köpfigen Vorstand, bestehend aus je einem Mitglied der Familie W. und je einem Vertreter der Bundesrepublik und des Freistaates Bayern) sind, die dauernden Voraussetzungen für die jährliche Durchführung der Bayreuther Festspiele zu schaffen, W.s künstlerischen Gesamtnachlaß geschlossen zu erhalten und die W.-Forschung zu fördern.

Berichtigungen und Ergänzungen zum früheren Werkverzeichnis:

A. Musikalische Werke (soweit erhalten): I. Opern und Musikdramen: *Die Hochzeit* (1832–33); *Die Feen* (1832–34); *Das Liebesverbot* ... (1834–36); *Rienzi* ... (1837–40); *Der fliegende Holländer* (1840–41, Umarbeitung des Schlusses 1860); *Tannhäuser* ... (1842–45, Umarbeitung 1847, Umarbeitung für Paris 1860); *Lohengrin* (1845–48); *Das Rheingold* (1851–54); *Die Walküre* (1851–56); *Siegfried* (1851–52, 1856–57, 1864–65 und 1869–71); *Götterdämmerung* (1848–50, 1852–53, 1856 und 1869–74); *Tristan und Isolde* (1854–55 und 1857–59); *Die Meistersinger von Nürnberg* (1861–67). – II. Chorwerke: *Neujahrs-Kantate* (1834); *La descente de la courtille* (1839–40); *Trauermarsch* ... (s. u. Orchesterwerke); *Wahlspruch für die deutsche Feuerwehr* (1869). – III. Orchesterwerke: »Paukenschlag«-Ouvertüre nicht erhalten; Fragment eines Orchesterwerks E moll, möglicherweise identisch mit einer Ouvertüre zu Schillers Schauspiel *Die Braut von Messina* (1830–31); Schlußmusik zu *König Enzio* nicht erhalten; *Entreacte tragique* Nr 1 D dur (Fragment, Skizze vollständig) und Nr 2 C moll (nur als Skizze erhalten, 1832?); Ouvertüre *Polonia* (1836); Symphonie E dur nicht erhalten; Ouvertüre zu *Goethe's Faust I. Teil* (1839–40, umgearbeitet 1855 als *Eine Faust-Ouvertüre*); Trauermusik für Blasinstr. und Trommeln zur Beisetzung der Asche C.M. v. Webers nach Motiven aus *Euryanthe* (1844); Bearbeitung des Liedes *Träume* (M. Wesendonck) für Solo-V. und kleines Orch. (1857); *Kaisermarsch* (1871). – IV. Lieder: Sieben Kompositionen zu Goethes *Faust* (1831?): 1. *Lied der Soldaten »Burgen mit hohen Mauern«,* 2. *Bauern unter der Linde,* 3. *Branders Lied »Es war ein Ratt’ im Kellernest«* (mit Chor), 4. *Lied des Mephistopheles »Es war einmal ein König«,* 5. *Lied des Mephistopheles »Was machst du mir vor Liebchens Tür«,* 6. *Gretchens Lied »Meine Ruh’ ist hin«,* 7. *Melodram »Ach neige, du Schmerzenreiche«; Französische Lieder* [nicht: Romanzen] (1839–40); *Extase* und *La tombe dit à la rose* (V. Hugo; beide Fragment); *Fünf Gedichte für eine Frauenstimme* (M. Wesendonck): 1. *Der Engel,* 2. *Träume,* 3. *Schmerzen,* 4. *Stehe still,* 5. *Im Treibhaus* (gedruckt 1862 in der Folge 1, 4, 5, 3, 2). Arien und Einlagestücke: Szene und Arie für S. *Ich sollte ihm entsagen* E dur (1832; ursprünglich für *Die Feen* bestimmt?); Allegro zur Arie des Aubry in H. Marschners *Der Vampyr* (1833); Romanze *Sanfte Wehmut will sich regen* zu K. Blums Singspiel *Marie, Max und Michel* (1837); Arie des Orovist mit Männerchor *Norma il predèse* zu V. Bellinis *Norma* (1839). – V. Klaviersik: *Fantasia* Fis moll (1831); Sonate A dur (1832); *Albumblatt für E.B. Kietz* [nicht: *Ein Lied ohne Worte*]; Polka (für M. Wesendonck, 1853); Sonate As dur (für dies., 1853 [nicht: 1835]; veröff. 1878 als *Eine Sonate für das Album von Frau M.W.*); *Züricher Vielliebchen-Walzer* (1854). – VI. Bearbeitungen: Instrumentation von Rossinis Duett »Die Seemänner« aus den *Soirées musicales* (1838); Arrangements zu Donizettis *Les Mar-*

tyrs (1840), Halévys *Le guitaréro* (1841) und Aubers *Zanetta* (1842); von Donizettis *L'elisir d'amore* hat W. einen Kl.-A. nicht angefertigt; Kl.-A. zu *Le guitaréro* (1842); Bearbeitung von Glucks *Iphigénie en Aulide* (1846–47); Bearbeitung von Mozarts *Don Giovanni* verschollen.

B. Literarische Werke: I. Schriften: *Halévy und die französische Oper* (1841); *Autobiographische Skizze* (1843); *Bericht über die Aufführung der neunten Symphonie von Beethoven im Jahre 1846 in Dresden* (1870–71?); *Das Kunstwerk der Zukunft* (1849); *Eine Mitteilung an meine Freunde* (1851); *Deutsche Kunst und deutsche Politik* (1867–68); *Zensuren* (1868); *Mein Leben* (1865–80); *Das Bühnenfestspielhaus zu Bayreuth* (1873) [+*Bayreuth* ist ein Obertitel innerhalb von Bd IX der »Gesammelten Schriften«]. – II. Dichtungen: *Leubald* (1828); Prosaentwurf *Die hohe Braut* (1836); Oper in 4 Akten *Die hohe Braut oder Bianca und Giuseppe* (1842; komponiert 1848 von J.Fr.Kittl als *Bianca und Giuseppe oder Die Franzosen vor Nizza*); Singspiel [nicht: komische Oper] *Männerlist größer als Frauenlist oder Die glückliche Bärenfamilie* (1837); Entwurf zu einer Oper in 3 Akten *Die Bergwerke zu Falun*; *Die Sarazenin* (1841–42); Entwurf zu einem gesprochenen Drama *Jesus von Nazareth* (1849); *Wieland der Schmied* [del.: *als Drama entworfen*] (1850); *Eine Kapitulation* (1870). EVo

Ausg.: +GA (R. W.s mus. Werke, M. BALLING, 10 Bde, 1912–29), Nachdr. als: The Works of R. W., 7 Bde, NY 1971 (Bd I: Tannhäuser; II: Lohengrin; III: Tristan u. Isolde; IV: Die Hochzeit, Die Feen; V: Das Liebesverbot; VI: Lieder u. Gesänge, Chorgesänge; VII: Orchesterwerke, 1. u. 3. Teil). – Sämtliche Werke, in Zusammenarbeit mit d. Bayerischen Akad. d. Schönen Künste, München, hrsg. v. C. DAHLHAUS, 2 Reihen (A: Noten-Bde mit Kritischem Ber. im Anh., auf 53 Teil-Bde angelegt; B: Dokumenten-Bde), Mainz 1970ff. (vgl. dazu ders., Gesamtkunstwerk u. W.-Ausg., Fs. f. einen Verleger [L. Strecker], ebd. 1973), bisher erschienen: Reihe A, Bd XIV, 1–3, Parsifal, hrsg. v. E. Voss u. M. GECK, 1972–73; A XVIII, 1, Orchesterwerke, 1. Teil (E. Voss, 1973); A XIX, Klavierwerke (C. DAHLHAUS, 1970); Reihe B, Bd XXX, Dokumente zur Entstehung u. ersten Aufführung d. Bühnenweihfestspieles Parsifal (M. GECK u. E. Voss, 1970). – Les fées, Ouvertüre hrsg. v. A. DE ALMEIDA, = L'offrande mus. XI, Paris 1964. – Faks.-Ausg.: Die Meistersinger v. Nürnberg, Mainz 1893 (Dichtung) u. München 1922 (Partitur); Tristan u. Isolde, ebd. 1923; Siegfried-Idyll, ebd. 1925; Parsifal, ebd. 1925; Kinder-Katechismus zu Kosel's Geburtstag, Mainz 1937; Fünf Gedichte f. eine Frauenstimme (Wesendonck-Lieder), hrsg. v. H. KRAUSE-GRAUMNITZ, Lpz. 1962, ²1972; Lohengrin, Vorspiel zur Oper u. Einleitung zum 3. Aufzug, hrsg. v. DEMS., ebd. 1975.
+Prose Works (W. A. ELLIS, 1892–99), Nachdr. St. Clair Shores (Mich.) 1972. – Autobiogr. Skizze u. d. »Rote Brieftasche« (autobiogr. Notizen v. W.), in: Sämtliche Briefe I (s. u.). – Die Hauptschriften, hrsg. v. E. BÜCKEN, = Kröners Taschenausg. CXLV, Lpz. 1937, 2. Aufl. neubearb. v. E. Rappl, Stuttgart 1956 (Texte gekürzt); Beethoven par W., übers. v. J.-L. CRÉMIEUX-BRILHAC, Paris 1937, Nachdr. 1970; O hudbě a o umění (»Über Musik u. über Kunst«), in Klasikové hudební vědy a kritiky II, 2, Prag 1959 (Aufsatzausw.); Pariser Novellen. Ein deutscher Musiker in Paris, hrsg. v. W. VETTER, Lpz. 1961; Mein Leben. Erste authentische Veröff. hrsg. v. M. GREGOR-DELLIN, München 1963 (enthält auch d. Annalen 1864–68 u. eine Zeittafel 1869–83); W. on Music and Drama. A Compendium, hrsg. v. A. GOLDMAN u. E. SPRINCHORN, NY 1964, London 1970; Werke in zwei Bden, auf Grund d. v. ... W. Golther hrsg. Ausg. neubearb. v. P. A. FAESSLER, Zürich 1966; Die Musikdramen, = Campe Klassiker o. Nr, Hbg 1971 (mit Vorw. v. J. Kaiser); Mojat život (»Mein Leben«), hrsg. v. L. NIČKOVA-GOLEMINOVA, Sofia 1971; L'esthétique de W. / W.'s Aesthetics, Ausw. u. Einleitung v. C. DAHLHAUS, Bayreuth 1972 (je 1 Bd); W. Writes from Paris. Stories, Essays and Articles by the Young Composer, hrsg. v.

R. L. JACOBS u. G. SKELTON, London 1973; Stories and Esssays, hrsg. v. CH. OSBORNE, ebd. u. La Salle (Ill.) 1973; Die Kunst u. d. Revolution. Das Judentum in d. Musik. Was ist deutsch?, hrsg. v. T. KNEIF, München 1975. Sämtliche Briefe, im Auftrage d. R.-W.-Familien-Arch. Bayreuth hrsg. v. G. STROBEL u. W. WOLF, auf 35 Bde geplant, Lpz. 1967ff., bisher Bd I–II (1967–70), Briefe d. Jahre 1830–42 bzw. 1842–49. – +R. W.s Briefe in Originalausg. (1912–14), daraus nachgedruckt d. Slgen VII–VIII (R. W.s Briefwechsel mit seinen Verlegern, I: Briefwechsel mit Breitkopf & Härtel, II: Briefwechsel mit B. Schott's Söhne, 1911), Wiesbaden 1971, ferner v. d. engl. Ausg. bisher: I–II, R. to Minna W. (1909), NY 1972; III Family Letters of R. W. (1911), ebd.; IV, R. W.'s Letters to His Dresden Friends ... (1890), ebd.; V, R. W. to M. Wesendonck (1905), Boston 1971; IX, Correspondence of W. and Liszt (1897 [nicht: 1911]), NY 1969 u. 1972. – +W. ALTMANN, R. W.s Briefe nach Zeitfolge u. Inhalt (1905), Nachdr. Niederwalluf bei Wiesbaden 1971. – The Nietzsche-W. Correspondence, hrsg. v. E. FÖRSTER-NIETZSCHE, NY 1921, Neuaufl. 1970, London 1922, ital. als: Carteggio Nietzsche-W., hrsg. v. M. Montinari, = Enciclopedia di autori class. XXIX, Turin 1959; W. et son éd. parisien. Lettres inéd. de W. et de Minna W., RM IV, 1923, S. 53ff.; W. LIPPERT, R. W.s Verbannung u. Rückkehr 1849–62. Mit unveröff. Briefen u. Aktenstücken, Dresden 1927; The Letters of R. W. to A. Pusinelli, hrsg. v. E. LENROW, NY 1932, Nachdr. 1972; +König Ludwig II. u. R. W., ... (O. STROBEL, 5 Bde, 1936–39 [nicht: 4 Bde, 1937]); +Letters of R. W., The Burrell Collection (J. N. BURK, 1950), Nachdr. NY 1972, +deutsch (Briefe 1835–65. Die Slg Burrell, 1953) auch Gütersloh 1963; Drei unveröff. Briefstellen aus veröff. Briefen u. neun unveröff. Briefe R. W.s an Malwida v. Meysenbug aus d. Tribschener Jahren, hrsg. v. A. ZINSSTAG, Basel 1956; DERS., Die Briefsammlungen d. R. W.-Museums in Tribschen bei Luzern, ebd. 1961; Nejswestnoje pismo W.a (»Ein unbekannter Brief v. W.«), SM XXIV, 1960, H. 1, S. 73ff.; H. BUSSER, W. et Louis II de Bavière. Correspondance, La rev. des deux mondes 1960; D. HÄRTWIG, Ein unbekannter W.-Brief in Schwerin, MuG X, 1960; R. W. et Louis II de Bavière. Lettres 1864–83, in Ausw. hrsg. v. BL. OLLIVIER, Paris 1960; R. W. u. d. arme Wiener Hofoper. Ein unbekannter Briefwechsel aus d. Arch. d. ehemaligen Wiener Obersthofmeisteramtes, MuG XIII, 1963, S. 283ff.; Über mus. Kritik. Brief an d. Hrsg. d. NZfM, NZfM CXXIV, 1963, S. 172ff.; 5 unveröff. Briefe in: L. u. FR. HENNENBERG, R. W. u. wir, Lpz. 1963; W. SCHUH (Hrsg.), R. W. u. J. Gautier. Neue Dokumente, SMZ CIII, 1963; W. GRUPE, W.-Briefe im Deutschen Zentralarch., Abt. Merseburg, MuG XIV, 1964; Lettres à J. Gautier par R. et Cosima W., hrsg. v. L. GUICHARD, = Connaissance de soi o. Nr, Paris 1964; G. LEPRINCE, Trois lettres inéd. de R. W., Rev. de musicol. L, 1964; Fünf neu aufgefundene Briefe v. R. W. (an Fürstin Pauline Metternich), hrsg. v. M. ULLRICHOVÁ, = BzMw VI, 1964, Beilage zu H. 4; L. KUSCHE, R. W. u. d. Putzmacherin oder Die Macht d. Verleumdung, Wilhelmshaven 1967 (enthält 26 unveröff. Briefe an Bertha Goldwag); A. MERCIER, Douze lettres inéd. de R. W. à I. Schuré (1869–78), Rev. de musicol. LIV, 1968; J. BERGFELD, Sieben unbekannte Briefe Fr. Nietzsches an R. W., AfMw XXVII, 1970; X. IGNATJEWA, Briefe v. R. W. u. H. v. Bülow in d. Beständen d. Staatl. Zentralen Museums d. Musikkultur »M. I. Glinka« zu Moskau, DJbMw XV, 1970; 5 Briefe an Herzog Georg II. v. Sachsen-Meiningen in: Neue Beitr. zur Regerforschung ..., hrsg. v. H. ÖSTERHELD, = Südthüringer Forschungen VI, Meiningen 1970, S. 83ff.; P. SLEZAK in: ÖMZ XXIX, 1974, S. 31ff. (Brief an A. Tessarini).
Lit.: +N. OESTERLEIN, Kat. einer R. W.-Bibl. (1882–95), Nachdr. Wiesbaden 1970. – E. KASTNER, W.-Cat., Chronologisches Verz. d. v. u. über R. W. erschienenen Schriften, Musikwerke etc., etc., nebst biogr. Notizen, Offenbach a. M. 1878, Nachdr. Hilversum 1966. – Internationale W.-Bibliogr. 1956–60 bzw. 1961–66, hrsg. v. H.(ENDRIK) BARTH, Bayreuth 1961 bzw. 1968 (verzeichnet nur deutsche, engl. u. frz. Buchpubl.); Bibliogr. w.iana. Opere di e su R. W. pubbl. in Italia 1958–70, hrsg. v. M. A. BARTOLI BACHERINI, ebd. 1971; R. W. in d. Dichtung.

Bibliogr. deutschsprachiger Veröff., hrsg. v. H.-M. PLESS-
KE, ebd. – Eine umfassende u. laufende Verzeichnung d.
W.-Schrifttums, entsprechend d. bibliogr. Dokumenta-
tionen zu →⁺Bach, →⁺Beethoven u. →⁺Mozart, steht
noch aus; sie ist ein dringendes Erfordernis d. W.-For-
schung.
Rev. wagnérienne, hrsg. v. E. DUJARDIN, Paris 1885–88,
Nachdr. Genf 1968; The Meister. The Quarterly Journal
of the ... W. Soc., hrsg. v. W. A. ELLIS, London 1888–95;
Bayreuther Festspielführer, Bayreuth 1901–39; Das Bay-
reuther Festspielbuch, ebd. 1951f., sowie Bayreuther Festspiele. Programmhefte, ebd. 1953ff. (Verz. d. einzelnen
Beitr. 1951–66 in d. W.-Bibliogr. 1961 bzw. 1968 [s. o.]);
The W. Soc. Newsletter, London 1953ff.; Tribschener
Blätter. Mitt. d. Ges. R. W.-Museum Tribschen, Luzern 1956ff.
⁺H. TH. FINCK, W. and His Works (1893), Nachdr.
= Studies in Music XLII, NY 1968, auch Westport
(Conn.) 1968; ⁺P. BEKKER, R. W., Das Leben im Werke
(1924), engl. NY 1931, Nachdr. Freeport (N. Y.) 1970,
auch Westport (Conn.) 1971; ⁺G. DE POURTALÈS, W.
(1932, deutsch 1957 [nicht: 1958]), frz. Neuaufl. Lüttich
1960, Nachdr. d. ⁺engl. Ausg. (1932) Westport (Conn.)
1972, ital. = Le vite dei musicisti o. Nr, Mailand 1959,
polnisch Warschau 1962; ⁺E. NEWMAN, The Life of R.
W. (1933–46), Neuaufl. NY 1960; ⁺A. EINSTEIN, Music
in the Romantic Era (= The Norton Hist. of Music Series
VI, 1947), NY ²1949, ital. Florenz 1952, frz. = Pour la
musique o. Nr, Paris 1959, polnisch Warschau 1965; ⁺Th.
W. ADORNO, Versuch über W. (1952), auch = Knaur-
Taschenbücher LIV, München 1964, wiederabgedruckt
in: Die mus. Monographien. W., Berg, Mahler, = Ge-
sammelte Schriften XIII, Ffm. 1971, frz. = Les essais
CXXII, Paris 1966, ital. (mit »Mahler«) Turin 1966; ⁺R.
DUMESNIL, R. W. (= Art et hist. o. Nr, 1954), span. Bar-
celona 1956. – E. NEWMAN, W. as Man and Artist, Lon-
don 1914, revidiert 1924, Nachdr. 1963 = Classics of
Mus. Lit. II, u. 1969 = J. Cape Paperback LXVI, auch
NY 1952 u. 1960 sowie Gloucester (Mass.) 1963 u. 1965;
R. L. JACOBS, W., London u. NY 1935, Nachdr. = Great
Composer Series BS–141V, NY 1962, revidiert = Master
Musicians Series o. Nr, London u. NY 1965; O. STROBEL,
R. W., Leben u. Schaffen. Eine Zeittafel, Bayreuth 1952;
ZD. v. KRAFT, R. W., Ein dramatisches Leben, München
1953, frz. Paris 1957, auch = Vies et visages o. Nr, ebd.
1964; A. KNAB, R. W., Eine Zusammenfassung, Mün-
chen 1958; J. ROUSSELOT, La vie passionnée de W., = Les
vies passionnées XXVII, Paris u. Verviers 1960; M.
SCHNEIDER, W., = Solfèges XVII, Paris 1960, ital. = Enciclopedia popolare Mondadori o. Nr, Mailand 1962;
R. W., = Génies et réalités o. Nr, Paris 1962, Neuaufl.
1972, nld. = Genie en wereld o. Nr, Hasselt 1971 (Sammelschrift ohne Hrsg.); W. G. ARMANDO, R. W., Hbg
1962, Gütersloh 1963; H. GAL, R. W., Versuch einer
Würdigung, = Fischer-Bücherei Bd 506, Ffm. 1963; E.
KUBY, R. W. & Co., Hbg 1963; L. MARCUSE, Das denk-
würdige Leben d. R. W., München 1963, Neudruck Zü-
rich 1973, tschechisch Prag 1970; F. H. TÖRNBLOM,
= Musikens mästare o. Nr, Stockholm 1963 (revidierte
Neuaufl.); Ş. AL-BUSTĀNĪ, Wāgnar al-laḥn attā'ir, Kairo
1964 (Biogr.); G. PANNAIN, R. W., Mailand 1964; V.
ŠEDIVÁ, R. W., = Hudobné profily VI, Bratislava 1966;
GY. SÓLYOM, W., Budapest 1966; E. CIOMAC, Viaţa şi
opera lui R. W. (»R. W.s Leben u. Werk«), Bukarest 1967;
CH. WHITE, An Introduction to the Life and Work of
R. W., Englewood Cliffs (N. J.) 1967; R. W. GUTMAN,
R. W., ..., NY 1968 u. 1972, auch = A Harvest Book
HB272, NY 1974, deutsch als: R. W., Der Mensch, sein
Werk, seine Welt, München 1970; GY. KRÓO, 2 Bde,
= Kis zenei könyvtár XLI, Budapest 1968; C. v. WE-
STERNHAGEN, W., Zürich 1968; R. RAPHAEL, R. W.,
= Twayne's World Author Series LXXVII, NY 1969; E.
PADMORE, W., = The Great Composers o. Nr, London
1971, NY 1973; M. GREGOR-DELLIN, W.-Chronik. Daten
zu Leben u. Werk, = Reihe Hanser XCVII, München
1972. – zu Cosima W.: R. GRAF DU MOULIN ECKART,
C. W., 2 Bde, ebd. 1929–31; Aussprüche d. Meisters aus d.
[bislang sekretierten] Tagebüchern d. Meisterin (1874–83),
hrsg. v. H. v. WOLZOGEN, Bayreuther Blätter LIX, 1936 –
LXI, 1938; R. BANDORF, Der Urheberrechtsstreit über d.

Tagebücher v. C. W., Arch. f. Urheber-, Film-, Funk- u.
Theaterrecht 1955, Bd 20; E. W. WASSERBURGER, C. W. u.
Fr. Nietzsche. Eine Studie ihrer Freundschaft auf Grund
d. Briefe C. W.s an Fr. Nietzsche, Diss. Radcliffe College
(Cambridge/Mass.) 1957; A. v. HILDEBRAND, Briefe u.
Erinnerungen, hrsg. v. B. Sattler, München 1962 (darin
Briefe an C. W.); J. BERGFELD, Drei Briefe Nietzsches an
C.W., in: Maske u. Kothurn X, 1964; Lettres à J. Gautier
par R. et C. W., hrsg. v. L. GUICHARD, = Connaissance
de soi o. Nr, Paris 1964; A. H. SOKOLOFF, C. W. ..., NY
1969, London 1970, deutsch als: C. W., außergewöhnliche
Tochter v. Fr. Liszt. Eine Biogr., Hbg 1970, auch = List
Taschenbücher Nr 392, München 1973; D. SUTHERLAND,
Cosima. Eine Biogr., Tübingen 1970.
⁺H. MAYER, R. W. in Selbstzeugnissen u. Bilddokumenten (1959), Neuaufl. Reinbek bei Hbg 1967, ital. Mailand
1967, engl. NY 1972. – E. FUCHS u. E. KREOWSKI, R. W.
in d. Karikatur, Bln 1907; E. W. ENGEL, R. W.s Leben u.
Werke im Bilde, 2 Bde, Wien u. Lpz. 1913; H. GOLLOB,
R. W. u. R. Strauss in d. mus. Malerei, = Wiener Pro-
jekte IV, Wien 1957; W. SCHUH, Renoir u. W., Erlenbach
bei Zürich 1959 (mit 5 W.-Porträts); O. DAUBE, »Ich
schreibe keine Symphonien mehr«. R. W.s Lehrjahre nach
d. erhaltenen Dokumenten, Köln 1960; W. PANOFSKY,
W., Eine Bildbiogr., = Kindlers Bildbiogr. o. Nr, Mün-
chen 1963, auch Bln 1966, engl. London 1963, schwedisch
Stockholm 1968; R. PETZOLDT (mit E. Crass), R. W.,
Sein Leben in Bildern, Lpz. 1963; M. E. TRALBAUT,
R. W. im Blickwinkel fünf großer Maler. H. Fantin-
Latour, P. Cézanne, O. Redon, A. Renoir, V. v. Gogh,
= Dortmunder Vorträge LXIX, Dortmund 1965; C. v.
WESTERNHAGEN, R. W.s Dresdener Bibl. 1842–49. Neue
Dokumente zur Gesch. seines Schaffens, Wiesbaden 1966;
W. WOLF, R. W.s geistige u. künstlerische Entwicklung
bis zum Jahre 1848. Untersuchungen an W.s Briefen,
Schriften u. Werken, Diss. Lpz. 1966; L. EŐSZE, Wenn
W. ein Tagebuch geführt hätte ..., Budapest 1969, un-
garisch = Napról napra V, ebd. 1970; Die Bildnisse R.
W.s, hrsg. v. M. GECK, = Studien zur Kunst d. 19. Jh.
IX, München 1970; R. HOLLINRAKE, The Title-Page of
W.'s »Mein Leben«, ML LI, 1970; R. W. in Selbstzeug-
nissen u. im Urteil d. Zeitgenossen, hrsg. v. M. HÜRLI-
MANN, = Manesse Bibl. d. Weltlit. o. Nr, Zürich 1972;
W., Sein Leben, sein Werk u. seine Welt in zeitgenössi-
schen Bildern u. Texten, hrsg. v. H. BARTH, D. MACK u. E.
Voss, Wien 1975 (mit Vorw. v. P. Boulez).
Wörterbuch d. Unhöflichkeit. R. W. im Spiegel d. zeit-
genössischen Kritik, hrsg. v. W. TAPPERT, Lpz. 1876,
²1903, Neudr. = dtv Bd 475, München 1967; G. BRASCHO-
WANOFF, R. W. u. d. Antike, Lpz. 1910; CHR. v. EHREN-
FELS, R. W. u. seine Apostaten, Wien 1913; E. LUDWIG,
W. oder Die Entzauberten, Bln 1913; M. LEROY, Les
premiers amis frç. de W., Paris 1925; J. BARZUN, Darwin,
Marx, W., Critique of a Heritage, London 1942, revidiert = Anchor Book A127, Garden City (N. Y.) 1958;
A. KOLB, König Ludwig II. v. Bayern u. R. W., Amsterdam 1947, Neuaufl. Ffm. 1963; CH. RUMPF, W. u. Wolf-
ram, Diss. Ffm. 1954; H. BARBIERI, R. W. u. Baudelaire,
3 Bde, Thesis Toulouse 1955; E. HARASZTI, P.-L. Dietsch
u. seine Opfer, Mf VIII, 1955; C. S. BROWN, Music in
Zola's Fiction, Especially W.'s Music, in: Publ. of the
Modern Language Ass. of America LXXI, 1956, siehe
auch ebd. LXXIII, 1958, S. 448ff.; L. RONGA, Per la critica w.iana, in: Arte e gusto nella musica, Mailand 1956;
W. VETTER, Mozart im Weltbild R. W.s, Kgr.-Ber. Wien
Mozartjahr 1956; FR. GARRECHT, W. u. d. Dritte Reich.
Gedanken zur psychologischen Wechselwirkung v. Musik u. Politik, in: Musica XI, 1957; FR. B. JOSSERAND, A
Study of R. W.'s Nationalism, Diss. Univ. of Texas 1957;
M. GREGOR(-DELLIN), W. u. kein Ende. R. W. im Spiegel v. Th. Manns Prosawerk, Bayreuth 1958; DERS., R. W.,
d. Revolution als Oper, = Reihe Hanser CXXIX, München 1973; W. SERAUKY, W. in Vergangenheit u. Gegenwart, DJbMw III, 1958; W. VORDTRIEDE, R. W.s »Tod
in Venedig«, in: Euphorion LII, 1958/59; DERS., R. W.
als Vermittler, in: Novalis u. d. frz. Symbolisten, Stuttgart 1963; C. BARDUZZI, Arte e sapere cemento dei
popoli. Beethoven, W., Mozart, Rom 1959; A. ESPIAU
DE LA MAESTRE, P. Claudel u. R. W. oder Eros, Musik u.
christlicher Glaube, in: Wort u. Wahrheit XIV, 1959;

K. G. Fellerer, Verdi u. W., in: Studi ital. III, 1959; H. Kaufmann, Zwischen Kommune u. Teutonismus. Anm. zum politischen Charakter R. W.s, in: Forvm IV, 1959; W. Zillig, Von d. Spätromantik zur Neuen Musik. R. W., in: gehört–gelesen VI, 1959; G. Cogni, W. e Beethoven, = Bibl. degli eruditi e bibliofili XLVI, Florenz 1960; J. M. Stein, R. W. and the Synthesis of Arts, hrsg. v. A. Brede, Detroit (Mich.) 1960, Nachdr. Westport (Conn.) 1973; A. A. Abert u. L. Guichard in: Kgr.-Ber. NY 1961, Bd I, S. 314ff. bzw. 323ff. (vgl. auch Bd II, S. 140ff.; über Liszt, W. u. d. Beziehungen zwischen Musik u. Lit. im 19. Jh.); H. Kirchmeyer, Aus d. religiös-konfessionellen Polemik in d. Musikspekulation d. 19. Jh., in: Musicae sacrae ministerium, Fs. K. G. Fellerer, = Schriftenreihe d. Allgemeinen Cäcilien-Verbandes ... V, Köln 1962; ders., Situationsgesch. d. Musikkritik u. d. mus. Pressewesens in Deutschland, dargestellt v. Ausgang d. 18. bis zum Beginn d. 20. Jh., = Studien zur Mg. d. 19. Jh. VII, Regensburg 1967ff., Teil IV, Das zeitgenössische W.-Bild, bisher erschienen: Bd I, W. in Dresden (1972), II, Dokumente 1842–45 (1967), III, Dokumente 1846–50 (1968); Darwin, Marx, and W., A Symposium, Ber. hrsg. v. H. L. Plaine, Columbus (O.) 1962; L. Guichard, La musique et les lettres en France au temps du wagnérisme, = Univ. de Grenoble, Publ. de la Faculté des lettres et sciences humaines XXIX, Paris 1963; H. Hakel, Richard d. Einzige. Satire, Parodie, Karikatur, Wien 1963; G. Leprince, Présence de W., Paris 1963; E. Lockspeiser, Music and Painting. A Study in Comparative Ideas from Turner to Schoenberg, London 1963; Fr. R. Love, Young Nietzsche and the W.ian Experience, = Univ. of North Carolina Studies in the Germanic Languages and Lit. XXXIX, Chapel Hill (N. C.) 1963; Th. Mann, W. u. unsere Zeit. Aufsätze, Betrachtungen, Briefe, hrsg. v. E. Mann, Ffm. 1963, ungarisch Budapest 1965, schwedisch Stockholm 1968; W. Schwabe, R. W. u. d. Kirche, Diss. theol. Lpz. 1963; H. H. Stuckenschmidt, R. W. u. d. atonale Musik, in: Melos XXX, 1963; R. Giddings, W. and the Revolutionaries, ML XLV, 1964; Cl. Lévi-Strauss, W., le père irrécusable de l'analyse structurale des mythes, in: Mythologica I, Paris 1964, deutsch Ffm. 1971; Ch. F. Liddell, Music as Religion. An Inquiry of W.'s Concept of the Function of Art, Diss. Univ. of Michigan 1964; R. W. a polska kultura muzyczna, hrsg. v. K. Musioł, = Państwowa wyższa szkoła muzyczna w Katowicach, Zeszyt naukowy V, Kattowitz 1964 (darin S. 133ff. Übersicht über d. polnische W.-Lit.; mit deutschen Zusammenfassungen); ders., R. W. u. Polen, BzMw VI, 1964; O. Tiby, L'Italia nella esperienza artistica di R. W., StMw XXVI, 1964; A. Cœuroy, W. et l'esprit romantique. W. et la France. Le wagnérisme littéraire, = Idées LXXXVI, Paris 1965; U. Eckhart-Bäcker, Frankreichs Musik zwischen Romantik u. Moderne. Die Zeit im Spiegel d. Kritik, = Studien zur Mg. d. 19. Jh. II, Regensburg 1965; Fr. Hrabal, R. W. a my ..., in margine Helfert–Očadlík (»R. W. u. wir [= d. Tschechen] ...«), in: Miscellanea musicologica XVIII, (Prag) 1965 (mit deutscher Zusammenfassung); M. Lichtenfeld, Gesamtkunstwerk u. allgemeine Kunst. Das System d. Künste bei W. u. Hegel, in: Beitr. zur Gesch. d. Musikanschauung im 19. Jh., hrsg. v. W. Salmen, = Studien zur Mg. d. 19. Jh. I, Regensburg 1965; W. J. McGrath, W.ianism in Austria. The Regeneration of Culture Through the Spirit of Music, Diss. Univ. of California at Berkeley 1965; P. Michel, R. W.s musikpädagogische Reformideen, BzMw VII, 1965; L. Siegel, W. and the Romanticism of E. T. A. Hoffmann, MQ LI, 1965; G. D. Turbow, W.ism in France, 1839–70. A Measure of Social and Political Trend, Diss. Univ. of California at Los Angeles 1965; M. Vogel, Nietzsches Wettkampf mit W., in: Beitr. zur Gesch. d. Musikanschauung im 19. Jh., hrsg. v. W. Salmen, = Studien zur Mg. d. 19. Jh. I, Regensburg 1965; ders., Apollinisch u. Dionysisch. Gesch. eines genialen Irrtums, ebd. VI, 1966; P. G. Dippel, R. W. u. Italien. Vom Zaubergarten zur Lagune, Emsdetten 1966; H. F. Redlich, W.ian Elements in Pre-W.ian Opera, in: Essays ..., Fs. E. Wellesz, Oxford 1966; K.-H. Volkmann-Schluck, R. W. als Repräsentant d. 19. Jh., in: Kritik u. Metaphysik, Fs. H. Heimsoeth, Bln 1966; R. E. Herzstein, R. W. at the Crossroads of German Anti-Semitism, 1848–1933, Zs. f. d. Gesch. d. Juden in Deutschland IV, 1967; N. R. Cirillo, The Poet Armed. W., d'Annunzio, Shaw, Diss. NY Univ. 1968; A. Ferran, R. W. ou L'harmonie des correspondances, in: L'esthétique de Baudelaire, Paris 1968; R. Leibowitz, I guai del w.ismo. Riflessioni sull'interpretazione delle opere di W., nRMI II, 1968; J. Matter, W. l'enchanteur, = Langages o. Nr, Neuchâtel 1968; E. Michottes »La visite de R. W. à Rossini (Paris 1860)« (1906) u. »Une soirée chez Rossini à Beau-Séjour (Passy 1858)« (o. J.), übers. u. hrsg. v. H. Weinstock als: R. W.'s Visit to Rossini ..., Chicago 1968; D. Bancroft, Claudel on W., ML L, 1969; P. Dettmering, Dichtung u. Psychoanalyse. Th. Mann, R. M. Rilke, R. W., = Dialog XXXIII, München 1969; M. Geck, R. W. u. d. ältere Musik, in: Die Ausbreitung d. Historismus über d. Musik, hrsg. v. W. Wiora, = Studien zur Mg. d. 19. Jh. XIV, Regensburg 1969; R. T. Laudon, Sources of the W.ian Synthesis. A Study of the Franco-German Tradition in the 19th-Cent. Opera, Diss. Univ. of Illinois 1969; J. Müller, R. W. über Goethes »Faust«, in: Neue Goethe-Studien, Halle (Saale) 1969; É. Sans, R. W. et la pensée schopenhauerienne, Paris 1969; P. Claudel, R. W., Rêverie d'un poète frç. (geschrieben 1926), hrsg. v. M. Malicet, = Annales littéraires de l'Univ. de Besançon CX, ebd. 1970; C. Dahlhaus, Soziologische Dechiffrierung v. Musik. Zu Th. W. Adornos Wagnerkritik, The International Rev. of Music Aesthetics and Sociology I, 1970, auch in: Neues Forvm XX, 1972, H. 222, S. 70ff.; ders., W. and Program Music, in: Studies in Romanticism IX, 1970, deutsch in: Jb. d. Staatl. Inst. f. Musikforschung ... 1973, S. 50ff.; ders., E. Blochs Philosophie d. Musik W.s, ebd. 1971; ders., W.s Berlioz-Kritik u. d. Ästhetik d. Häßlichen, Fs. A. Volk, Köln 1974; A. Walker, Liszt's Mus. Background, in: Fr. Liszt, London 1970; Ant. della critica w.iana in Italia, hrsg. v. A. Ziino, Messina 1970; Kl. Kropfinger, Untersuchungen zur Beethoven-Rezeption R. W.s, Bonn 1971; Colloquium »Verdi–W.« Rom 1969, Ber. hrsg. v. Fr. Lippmann, = Analecta musicologica XI, Köln 1972; L. Prox, W. u. Heine, DVjs. XLVI, 1972; D. Schnebel, Aktualität W.s, in: Denkbare Musik, hrsg. v. H. R. Zeller, = DuMont Dokumente o. Nr, Köln 1972, ergänzt durch: Raumkompositionen, Lichtspiele, Bewegung d. Personen bei W., NZfM CXXXV, 1974; W. Fortner, R. W.s Wirkung auf d. Späteren, Fs. f. einen Verleger (L. Strecker), Mainz 1973; E. Koppen, Dekadenter W.ismus. Studien zur europäischen Lit. d. Fin de s., = Komparatistische Studien II, Bln 1973; A. Werner, Mendelssohn–W., Eine alte Kontroverse in neuer Sicht, in: Musicae scientiae collectanea, Fs. K. G. Fellerer, Köln 1973.

+E. Newman, A Study of W. (1899), Nachdr. NY 1974; +ders., W. Nights / The W. Operas (1949), Nachdr. als: The W. Operas, London 1961, NY 1963; +E. Kurth, Romantische Harmonik u. ihre Krisis in W.s »Tristan« (1920, 31923), Nachdr. Hildesheim 1968; +A. Lorenz, Das Geheimnis d. Form bei R. W. (1924–33), Tutzing 21966 (unverändert). – Das Drama R. W.s als mus. Kunstwerk, hrsg. v. C. Dahlhaus, = Studien zur Mg. d. 19. Jh. XXIII, Regensburg 1970; R. W., Werk u. Wirkung, hrsg. v. dems., ebd. XXVI, 1971. – W. Einbeck, Der religiös-philosophische Gehalt in R. W.s Musikdramen, = Bücher d. Schatzkammer o. Nr, Buenos Aires u. Würzburg 1956; W. Hess, Die künstlerische Dreieinheit in W.s Tondramen, Mf XI, 1958; E. Bloch, Paradoxa u. Pastorale in W.s Musik, in: Merkur XIII, 1959, auch in: Verfremdungen I, = Bibl. Suhrkamp LXXXV, Ffm. 1962, u. in: Literarische Aufsätze, ebd. 1965; O. J. Hartmann, Die Esoterik im Werk R. W.s, Freiburg i. Br. 1960; J. Dauven, La gamme mystique de R. W., suivi de couleur et musique. Les thèmes wagnériens expliqués note par note, Paris 1961; H. v. Stein, Dichtung u. Musik im Werk R. W.s, Bln 1962; C. v. Westernhagen, Vom Holländer zum Parsifal. Neue W.-Studien, = Atlantis-Musikbücherei o. Nr, Freiburg i. Br. 1962; A. Williamson, W. Opera, London 1962; G. Knepler, R. W.s mus. Gestaltungsprinzipien, BzMw V, 1963; J. Mainka, Sonatenform, Leitmotiv u. Charakterbegleitung, ebd.; G. Schultz, Das Recht in d. Bühnendichtungen R. W.s, in: Verlagsalmanach C. Heymanns Verlag, Köln 1963; E.

ARRO, R. W.s Rigaer Wanderjahre. Über einige baltische Züge im Schaffen W.s, in: Musik d. Ostens III, Kassel 1965; C. DAHLHAUS, W.s Begriff d. »dichterisch-mus. Periode«, in: Beitr. zur Gesch. d. Musikanschauung im 19. Jh., hrsg. v. W. Salmen, = Studien zur Mg. d. 19. Jh. I, Regensburg 1965; DERS., Die Bedeutung d. Gestischen in W.s Musikdramen, München 1970; DERS., W.s Konzeption d. mus. Dramas, = Arbeitsgemeinschaft »100 Jahre Bayreuther Festspiele« V, Regensburg 1971; DERS., W.s Musikdramen, Velber bei Hannover 1971; S. PFABIGAN, Entsagung u. Resignation im Schriftwerk R. W.s, Diss. Wien 1965; P. ROUBERTOUX, W. dramaturge. Recherche sur les éléments lyriques dans la dramaturgie de W., Brüssel 1965; G. COGNI, W. poeta, Fs. G. Barblan, = CHM IV, 1966; H. MAYER, Anm. zu W., = Ed. Suhrkamp Bd 189, Ffm. 1966; E. RAPPL, W.-Opernführer, Regensburg 1967; E. BORRELLI, Dall'»Olandese« al »Parsifal«, = Nuova bibl. del Leonardo XV, Florenz 1968; BR. MAGEE, Aspects of W., London 1968, NY 1969, revidiert London 1973; K. OVERHOFF, Die Musikdramen R. W.s. Eine thematisch-mus. Interpretation, Salzburg 1968; ST. KUNZE, Naturszenen in W.s Musikdrama, Kgr.-Ber. Bonn 1970; R. LEIBOWITZ, R. W. et le dépassement du romantisme, in: Temps modernes XXVII, 1970; E. VOSS, Studien zur Instrumentation R. W.s, = Studien zur Mg. d. 19. Jh. XXIV, Regensburg 1970; G. BAUM, Die dramaturgische Bedeutung d. Sologesänge in R. W.s Bühnenwerken, NZfM CXXXII, 1971; A. SOMMER, Die Komplikationen d. mus. Rhythmus in d. Bühnenwerken R. W.s, = Schriften zur Musik X, Giebing 1971; E. LICHTENHAHN, Die »Popularitätsfrage« in R. W.s Pariser Schriften, in: Schweizer Beitr. zur Mw. I, 1972; S. SCHMIDT, Die Ouvertüre in d. Zeit v. Beethoven bis W., Probleme u. Lösungen, Diss. Freiburg i. Br. 1972; FR. LIPPMANN, Ein neuentdecktes Autograph R. W.s. Rezension d. Königsberger »Norma«-Aufführung v. 1837, in: Musicae scientiae collectanea, Fs. K. G. Fellerer, Köln 1973; G. MATTERN, Die große Bedeutung d. Rechts in d. Bühnendichtungen R. W.s, Bayreuth 1973; P.-A. GAILLARD, La métabole au service du drame chez R. W., SMZ CXIV, 1974.

H. E. SHAAR, »Die Feen«, R. W.'s First Opera, Diss. Catholic Univ. of America (Washington/D. C.) 1964; G. ABRAHAM, A Lost W. Aria, MT CX, 1969. – E. ISTEL, R. W.s Oper »Das Liebesverbot«, Mk VIII, 1908/09; H. ENGEL, Über R. W.s Oper »Das Liebesverbot«, Fs. Fr. Blume, Kassel 1963. – M. GECK, »Rienzi« in Bayreuth?, NZfM CXXIX, 1968. – G. LEPRINCE, »The Flying Dutchman« in the Setting by Ph. Dietch, MQ L, 1964; H. KÜHN, W.s Senta u. d. nordische Exhibitionismus, NZfM CXXXV, 1974; P. S. MACHLIN, W., Durand and the »Flying Dutchman«. The 1852 Revisions of the Overture, ML LV, 1974. – D. STEINBECK, Zur Textkritik d. Venus-Szenen im »Tannhäuser«, Mf XIX, 1966; K. MUSIOL, Über d. Herkunft eines Tannhäuser-Motivs, Mf XXI, 1968; C. HOPKINSON, Tannhäuser. An Examination of 36 Ed., = Musikbibliogr. Arbeiten I, Tutzing 1973. – GY. SÓLYOM, Lohengrin, Höhepunkt u. Zerfall d. großen romantischen Oper, StMl IV, 1963. – †G. B. SHAW, The Perfect W.ite. A Commentary on the Niblung's Ring (1898), London ⁴1923, Nachdr. = Dover Books on Music T1707, NY 1967, deutsche NA als: Ein W.-Brevier, = Bibl. Suhrkamp Bd 337, Ffm. 1973; E. HUTCHESON, A Mus. Guide to the R. W. Ring of the Nibelung, NY 1940, Nachdr. 1972; R. SAITSCHIK, Götter u. Menschen in R. W.s »Ring d. Nibelungen«. Eine Lebensdeutung, Tübingen 1957; L. MARCUSE, Das Textbuch d. »Ring«, chauvinistisch? fortschrittlich?, in: Theater u. Zeit VI, 1958/59; R. DONINGTON, W.'s »Ring« and Its Symbols. The Music and the Myth, London u. NY 1963, ³¹974; J. JIRÁNEK, Die philosophischen Grundlagen d. Ringdramas, BzMw V, 1963; D. SERENDERO, W. y la Tetralogía, Rev. mus. chilena XVII, 1963; R. L. JACOBS, A Freudian View of »The Ring«, MR XXVI, 1965; J. CULSHAW, Ring Resounding, 2 Bde, London u. NY 1967 (zur Gesamteinspielung Wien 1958–64); R. BAILEY, W.'s Mus. Sketches f. »Siegfrieds Tod«, in: Studies in Music Hist., Fs. O. Strunk, Princeton (N. J.) 1968; C. DAHLHAUS, Formprinzipien in W.s »Ring d. Nibelungen«, in: Beitr. zur Gesch. d. Oper, hrsg. v. H. Becker, = Studien zur Mg.

d. 19. Jh. XV, Regensburg 1969; T. KNEIF, Zur Deutung d. Rheintöchter in W.s »Ring«, AfMw XXVI, 1969; K. OVERHOFF, W.s Nibelungen-Tetralogie. Eine zeitgemäße Betrachtung, Salzburg 1971; R. BRINKMANN, »Drei d. Fragen stell' ich mir frei«. Zur Wanderer-Szene im 1. Akt v. W.s »Siegfried«, Jb. d. Staatl. Inst. f. Musikforschung ... 1972; W. BREIG, Studien zur Entstehungsgesch. v. W.s »Ring d. Nibelungen«, Habil.-Schrift Freiburg i. Br. 1973; H. KOLLAND, Zur Semantik d. Leitmotive in R. W.s »Ring d. Nibelungen«, International Rev. of the Aesthetics and Sociology of Music IV, 1973; C. v. WESTERNHAGEN, Die Entstehung d. »Ring«. Dargestellt an d. Kompositionsskizzen R. W.s, Zürich 1973; P. NITSCHE, Klangfarbe u. Form. Das Walhallthema in Rheingold u. Walküre, in: Melos/NZfM I, 1975; FR. ORLANDO, Propositions pour une sémantique du leitmotiv dans »L'anneau du Nibelungen«, in: De la sémiologie à la sémantique mus., = Musique en jeu 1975, Nr 17. – PH. T. BARFORD, The Way of Unity, MR XX, 1959; M. VOGEL, Der Tristan-Akkord u. d. Krise d. modernen Harmonielehre, = Orpheus-Schriftenreihe zu Grundfragen d. Musik II, Düsseldorf 1962; J. CHAILLEY, Tristan et Isolde, = Les cours de Sorbonne 1962–63, Paris 1963, Neuaufl. = Au-delà des notes III, ebd. 1972; H. SCHARSCHUCH, Gesamtanalyse d. Harmonik v. R. W.s Musikdrama »Tristan u. Isolde«. Unter spezifischer Berücksichtigung d. Sequenztechnik d. Tristanstiles, 2 Bde, = Forschungsbeitr. zur Mw. XII, Regensburg 1963; H. TRUSCOTT, W.'s »Tristan« and the Twentieth Cent., MR XXIV, 1963; FR. EGERMANN, Aischyleische Motive in R. W.s Dichtung v. »Tristan u. Isolde«, DJbMw IX, 1964, Wiederabdruck in: Musa–Mens–Musici, Gedenkschrift W. Vetter, Lpz. 1970; E. ZUCKERMANN, The First Hundred Years of W.'s »Tristan«, NY u. London 1964; Hundert Jahre Tristan, hrsg. v. W.(IELAND) WAGNER, Emsdetten 1965; W. J. MITCHELL, The Tristan Prelude. Technique and Structure, in: The Music Forum I, 1967; K. ALFORD, The Semantics of the »Tristan-Chords« Throughout the Work. An Analysis on the Basis of the Information Theory, Diss. Univ. of Texas 1969; R. BAILEY, The Genesis of »Tristan u. Isolde«, and a Study of W.'s Sketches and Drafts f. the First Act, Diss. Princeton Univ. (N. J.) 1969; H. POOS, Der dritte Tristan-Akkord, Kgr.-Ber. Bonn 1970, erweitert als: Zur Tristanharmonik, Fs. E. Pepping, Bln 1971; E. VOSS, W.s Striche im Tristan, NZfM CXXXII, 1971; Z. HELMAN, Dramaturgiczna funkcja harmoniki w »Tristane i Izoldzie« W.a, in: Muzyka XVII, 1972, auch in: Studia i rozprawy, hrsg. v. D. Żebrowski, Bd II, Warschau 1972; A. É. LEFRANÇOIS, »Tristan et Isolde« de R. W., Etude thématique et analyse, Paris 1973; R. JACKSON, »Leitmotive« und Form in »Tristan« Prelude, MR XXXVI, 1975. – H. KRAUSE-GRAUMNITZ, Der Wahnmonolog. Eine Studie ..., in: Schriften zur Theaterwiss. II, Bln 1960; L. R. SHAW, The Noble Deception. »Wahn«, W., and »Die Meistersinger v. Nürnberg«, in: Monatshefte LII, (Madison/Wis.) 1960; N. LEHNHOFF, Darstellungsmittel d. Lustspielhaften, d. Humors u. d. Komik in R. W.s »Meistersingern v. Nürnberg«, Diss. Wien 1962; R. BOCKELMANN, Die Rolle d. H. Sachs, Sammelbände d. R.-Schumann-Ges. II, Lpz. 1966; N. I. WIJERU, Opera R. W.a »Njurnbergskije mejstersingery«. Musykalnyje formy i dramaturgija, Moskau 1972; H. KÜHN, Der Niedergang d. populären Oper u. W.s »Meistersinger v. Nürnberg«, NZfM CXXXIV, 1973. – TH. W. ADORNO, Zur Partitur d. Parsifal, in: Moments mus., = Ed. Suhrkamp LIV, Ffm. 1964, ital. in: Lo spettatore mus. IV, 1969, Nr 5, S. 2ff.; W. KELLER, Anarchismus im »Parsifal«, = Schriften d. Schweizerischen Ges. R.-W.-Museum Tribschen/Luzern II, Zürich 1967; I. LUDWIG, Die Klanggestalt in R. W.s »Parsifal«. Ein Beitr. zur Erhellung v. Materie u. Idee d. Gesamtkunstwerkes, Diss. Hbg 1970; L. BECKETT, »Parsifal« as Drama, ML LII, 1971. – R. M. BREITHAUPT, W.s Klaviermusik, Mk III, 1903/04; G. JANNI, Le opere pianistiche di W., in: Musica d'oggi VI, 1963; P. RATTALINO, Le opere pianistiche di W., in: Terzo programma IV, 1963; W. WOLF, R. W.s Klavierwerke, MuG XIII, 1963; W. S. NEWMAN, W.'s Sonatas, in: Studies in Romanticism VII, 1967/68; DERS., The Sonata Since Beethoven, Chapel Hill (N. C.) 1969, revidiert NY u. London 1972 (Paperbackausg.); E. VOSS, W.s fragmentarisches Orchesterwerk in e-moll, d. früheste d. erhaltenen Kompositionen?, Mf XXIII, 1970; R. S. FURNESS u. A. D. WALKER, A W. Polonaise, MT CXIV, 1973. A. APPIA, La mise-en-scène du drame wagnérien, Paris 1895, neu hrsg. v. E. Stadler, = Theaterjahrbuch d. Schweizerischen Ges. f. Theaterkultur XXVIII/XXIX, Bern 1963; E. PREETORIUS, Vom Bühnenbild bei R. W., Haarlem 1938; DERS., W., Bild u. Vision, Bln 1942; C. H. KLOSTERHALFEN, Der Ring. Untersuchungen zur Bedeutung eines dramatischen Requisits, Diss. Köln 1958; K. HOMMEL, Die Separatvorstellungen vor König Ludwig II. v. Bayern, München 1963; J. HERZ, Zur filmischen Gestaltung v. R. W.s Oper »Der fliegende Holländer«, Jb. d. Komischen Oper Bln IV, 1963/64; DERS., R. W. u. d. Erbe. Möglichkeiten d. Musiktheaters an einer Repertoirebühne, ebd. VI, 1965/66; D. STEINBECK, Inszenierungsformen d. »Tannhäuser« (1845–1904). Untersuchungen zur Systematik d. Opernregie, = Forschungsbeitr. zur Mw. XIV, Regensburg 1964; R. W.s Tannhäuser-Szenarium. Das Vorbild d. Erstaufführungen mit d. Kostümbeschreibung u. d. Dekorationsplänen, hrsg. v. DEMS., = Schriften d. Ges. f. Theatergesch. LXIV, Bln 1968; J. NĚMEČEK, Komentař k premiérám W.ových oper na Národním divadle (»Komentar zu d. Premieren d. W.-Opern im Nationaltheater«), in: Hudební věda III, 1966 (mit engl., deutscher u. russ. Zusammenfassung); I.-M. KÜGLER, »Der Ring d. Nibelungen«. Studie zur Entwicklungsgesch. seiner Wiedergabe auf d. deutschsprachigen Bühne, Diss. Köln 1967; H. SÄUBERLICH, R. W. u. d. Probleme d. Bühnenbildes seiner Werke im 19. Jh., Diss. Kiel 1967; W. ZÖRNER, Szenische Interpretationsprobleme d. Gegenwart bei R. W.s »Die Meistersinger v. Nürnberg«, Diss. Graz 1967; M. u. D. PETZET, Die R.-W.-Bühne König Ludwigs II., 2 Bde, = Studien zur Kunst d. 19. Jh. VIII, München 1970; P. HILDEBRANDT, R. W.s »Parsifal« auf d. Wiener Opernbühnen, Diss. Wien 1971. H. PORGES, Die Aufführung v. Beethovens Neunter Symphonie unter R. W. in Bayreuth, Lpz. 1872; P. LINDAU, Nüchterne Briefe aus Bayreuth, Breslau 1876; W. MOHR, R. W. u. d. Kunstwerk d. Zukunft im Lichte d. Bayreuther Aufführung betrachtet, Köln 1876; H. BARTH, Bayreuth in d. Karikatur, Bayreuth 1957, 2. erweiterte Aufl. als: R. W. u. Bayreuth in Karikatur u. Anekdote, 1970; Der Festspielhügel. R. W.s Werk in Bayreuth, hrsg. v. DEMS., München 1973; K. H. WÖRNER, Wandel d. Optischen. 8 Jahrzehnte Bayreuther Bühnenbild, NZfM CXIX, 1958, auch in: Das Orch. VI, 1958; ZD. V. KRAFT, Das Festspielhaus in Bayreuth. Zur Gesch. seiner Idee, d. Werdegangs u. seiner Vollendung, Jüterbog 1959, Bayreuth ²1967, ³1969; J. MISTLER, A Bayreuth avec R. W., =Bibl. des Guides bleus o. Nr, Paris 1960; J. MEINERTZ, R. W. u. Bayreuth. Zur Psychologie d. Schaffens u. Erlebens v. W.s Werken, Bln 1961; K. NEUPERT, Die Besetzung d. Bayreuther Festspiele 1876–1960, in: H. Barth, Internationale W.-Bibliogr. 1956–60, Bayreuth 1961; S. SKRAUP u. a., Der Fall Bayreuth, = Theater unserer Zeit II, Basel 1962; R. W. u. d. neue Bayreuth, hrsg. v. W.(IE-LAND) WAGNER, = List-Bücher Bd 237, München 1962; I.-M. KINNE, R. W., Der Ring d. Nibelungen. Die Bayreuther Inszenierungen 1876–1963, 2 Bde, Diss. Wien 1964; G. SKELTON, W. at Bayreuth. Experiment and Tradition, London u. NY 1965; V. GOLLANCZ, The Ring at Bayreuth. And Some Thoughts on Operatic Production, London 1966 (mit Nachwort v. Wieland W.); F. DE LIOCOURT, R. W. u. d. heutige Bayreuth, Bayreuth 1967; H. KAISER, Der Bühnenmeister C. Brandt u. R. W., Darmstadt 1968; E. SANDER, Bayreuther Bühnengesch. d. »Meistersinger v. Nürnberg« 1888–1964, Diss. Wien 1968; P. TURING, New Bayreuth, St. Martin (Jersey) 1969; W. BRONNENMEYER, Vom Tempel zur Werkstatt. Gesch. d. Bayreuther Festspiele, Bayreuth 1970; Dokumente zur Entstehung u. ersten Aufführung d. Bühnenweihfestspieles Parsifal, hrsg. v. M. GECK u. E. VOSS, = W.-GA B XXX, Mainz 1970; W. SCHÜLER, Der Bayreuther Kreis v. seiner Entstehung bis zum Ausgang d. wilhelminischen Ära. Wagnerkult u. Kulturreform im Geiste völkischer Weltanschauung, = Neue Münstersche Beitr. zur Geschichtsforschung XII, Münster (Westf.) 1971; C.-F. BAUMANN, Bühnentechnik im Bayreuther Festspielhaus, = Arbeits-

gemeinschaft »100 Jahre Bayreuther Festspiele« XI, München 1973; S. GROSSMANN-VENDREY, Bayreuth, Gesch. einer Utopie, NZfM CXXXIV, 1973; H. LUCAS, Die Festspiel-Idee R. W.s, = Arbeitsgemeinschaft »100 Jahre Bayreuther Festspiele« II, Regensburg 1973; G. ZEH, Das Bayreuther Bühnenkostüm, ebd. XI, München 1973.

+Wagner, Robert, * 20. 4. 1915 zu Wien. Der Titel seiner +Dissertation (1938) lautet Das musikalische Schaffen von Fr. Schmidt. – Als GMD in Münster (Westf.) wirkte W. bis 1961, war dann 1960–66 Musikdirektor in Innsbruck und 1965–70 Präsident des Mozarteums in Salzburg. Daneben trat er auch als Gastdirigent hervor. Er schrieb über B. Paumgartners 50jährige Tätigkeit am »Mozarteum« (ÖMZ XXII, 1967), ferner verschiedene meist musikpädagogische Beiträge.
Lit.: W. KELLER, R. W., Präsident d. Akad. Mozarteum, in: Orff-Inst., Jb. III, 1964–68.

Wagner, Rudolf, * 26. 7. 1885 zu Neuhaus (bei Höchstadt an der Aisch, Oberfranken), † 2. 5. 1956 zu Gauting (Oberbayern); deutscher Philologe und Musikforscher, studierte Musikwissenschaft bei Sandberger und Kroyer in München, wo er 1920 mit der Dissertation Die Theorie des Taktierens bei den Alten (Teildruck als Der Berliner Notenpapyrus nebst Untersuchungen zur rhythmischen Notierung und Theorie, in: Philologus LXXVII, N. F. XXXI, 1921) promovierte. Von seinen Aufsätzen seien genannt: Der Oxyrhynchos-Notenpapyrus (in: Philologus LXXIX, N. F. XXXIII, 1924); Beiträge zur Lebensgeschichte J.Ph.Kriegers und seines Schülers N. Deinl (ZfMw VIII, 1925/26); Die Geschichte der Orgeln in der Spitalkirche zu Nürnberg (Zs. für evangelische Kirchenmusik V, 1927 – VI, 1928); Die Organisten der Kirche zum Hl. Geist in Nürnberg (ZfMw XII, 1929/30); Nachträge zur Geschichte der Nürnberger Musikdrucker im 16. Jh. (Mitt. des Vereins für Geschichte der Stadt Nürnberg XXX, 1931); Zum Wiederaufleben der antiken Musikschriftsteller seit dem 16. Jh. (in: Philologus XCI, N. F. XLV, 1936); W. Breitengraser und die Nürnberger Kirchen- und Schulmusik seiner Zeit (Mf II, 1949).
Lit.: FR. KRAUTWURST, R. W., Mf IX, 1956 (mit Schriftenverz.).

+Wagner, Siegfried [erg.:] Helferich Richard, 1869–1930.
Er übernahm die Gesamtleitung der Bayreuther Festspiele 1908 [nicht: 1909 nach dem Tode seiner Mutter; Cosima W. starb am 1. 4. 1930]. – Zu seinen Söhnen Adolf Wieland Gottfried [erg. Vornamen] W., * 5. 1. 1917 zu Bayreuth, [erg.:] † 17. 10. 1966 zu München, und Wolfgang [erg.:] Manfred Martin W., * 30. [nicht: 20.] 8. 1919 zu Bayreuth, siehe eigene Artikel.
Lit.: G. SKELTON, W. at Bayreuth, London u. NY 1965; ZD. V. KRAFT, Der Sohn, Graz 1969; D. MACK in: NZfM CXXX, 1969, S. 297f.; W. BRONNENMEYER, »Vom Tempel zur Werkstatt«. Gesch. d. Bayreuther Festspiele, Bayreuth 1970; TH. E. REIMERS, S. W. as Innovator, in: Opera XXIII, 1972.

Wagner, Sieglinde, * 21. 4. 1921 zu Linz; österreichische Sängerin (Alt), studierte am Konservatorium ihrer Heimatstadt und debütierte 1943 am dortigen Stadttheater als Erda. Nach Studien an der Münchner Musikhochschule trat sie 1947–52 an der Wiener Staatsoper auf. Seit 1952 gehört S. W. dem Ensemble der Deutschen Oper Berlin an (Kammersängerin). Sie gastierte an der Mailänder Scala, der Oper in Rom, in Amsterdam, Madrid und Barcelona. Zu ihren Partien gehören Dorabella, Brangäne, Amneris und Octavian.

Wagner, Werner S., * 3. 12. 1927 zu Köln; argentinischer Komponist, studierte bei Ficher und war Präsident der Vereinigung junger argentinischer Komponi-

sten sowie Mitgründer der Unión de Compositores in Argentinien. Er schrieb u. a. Orchesterwerke (*Rapsodia argentina*, 1962; *Concierto de cámara*, 1968; *Lamentaciones*, 1968; *Improvisaciones sinfónicas*, 1970; Suite für Streichorch., 1961; Klavierkonzert, 1964), Kammermusik (*Música a 12* für Fl., Ob., Klar., Fag., Horn, Trp., Pos., V., Va, Vc., Pk. und Xylophon, 1968; 2 Streichquartette, 1959 und 1962), Klavierstücke und Lieder (*Suite de canciones*, 1970).
Lit.: Werkverz. in: Compositores de América XV, Washington (D. C.) 1969.

Wagner, Adolf W i e l a n d Gottfried, * 5. 1. 1917 zu Bayreuth, † 17. 10. 1966 zu München, Sohn von Siegfried W.; deutscher Bühnenbildner und Regisseur, studierte Malerei und Musik und bildete sich autodidaktisch zum Regisseur aus. Erste Versuche als Bühnengestalter unternahm er ab 1935 in Lübeck und Köln (in Opern seines Vaters) und in Altenburg (*Der Freischütz*); 1943 fertigte er seinen ersten Entwurf für Bayreuth an (*Die Meistersinger*). 1951 übernahmen Wieland und sein jüngerer Bruder Wolfgang W. die Leitung der Bayreuther Festspiele. – Was an der ungewohnten szenischen Konzeption des *Parsifal* und den nachfolgenden Inszenierungen Wieland W.s als »Entrümpelung« bezeichnet und als Sakrileg vielfach mißdeutet wurde, war die Konsequenz eingehenden Studiums der antiken Dichter, der psychoanalytischen Forschungen von Sigmund Freud und C. G. Jung wie auch der theoretischen Schriften von R. Wagner. Der Versuch, dessen als mythische Abbilder erkannte Bühnengestalten im Lichte der modernen Tiefenpsychologie zu beglaubigen, fand auf der antiillusionären Lichtbühne des neuen Bayreuth statt: an die Stelle der herkömmlichen Illustration trat die den Ort definierende Abbreviatur oder das archaische Symbol. – Auch außerhalb Bayreuths, in Stuttgart, Hamburg, Berlin und Köln, hat W. seine szenische Interpretation von Wagner-Opern zur Diskussion gestellt. Zusammen mit Wolfgang W. leitete er Gastspiele des Bayreuther Ensembles im Ausland, so in Neapel (1952–53), Brüssel (1954) und Barcelona (1955). Die in der Auseinandersetzung mit dem Werk R. Wagners gewonnenen Erfahrungen hat W. in Inszenierungen anderer Opern ständig auf die Probe gestellt. – Wichtige Inszenierungen: In Bayreuth *Der Ring des Nibelungen* (1951 und 1965), *Parsifal* (1951), *Tristan und Isolde* (1952 und 1962), *Tannhäuser* (1955 und 1961), *Die Meistersinger von Nürnberg* (1956 und 1963) und *Der fliegende Holländer* (1959); in München »Orpheus und Eurydike« von Gluck (1952); in Stuttgart *Fidelio* (1954), *Antigonae* von Orff (1956), *Rienzi* (1957), *Salome* (1962), *Elektra* (1962 und 1964), *Lulu* und *Wozzeck* von Alban Berg (1966); in Hamburg *Carmen* (1959); in Berlin *Aida* (1961); in Frankfurt a. M. »Othello« von Verdi (1965) und *Wozzeck* (1966). – Er veröffentlichte *Überlieferung und Neugestaltung* (in: Maske und Kothurn I, 1955) und edierte *R. Wagner und das neue Bayreuth* (= List-Bücher Bd 237, München 1962) sowie *Hundert Jahre Tristan* (Emsdetten 1965).
Lit.: Internationale W.-Bibliogr. 1961–66, hrsg. v. H. BARTH, Bayreuth 1968, S. 75ff. – K. H. RUPPEL, W. W. inszeniert R. W., Konstanz 1960; M. MILDENBERGER, Film u. Projektion auf d. Bühne, Emsdetten 1961; W. PANOFSKY, W. W., Bremen 1964; A. GOLÉA, Entretiens avec W. W., Paris 1967, deutsch Salzburg 1967; CL. LUST, W. W. et la survie du théâtre lyrique, Lausanne 1969; W. SCHÄFER, W. W., Tübingen 1970; G. SKELTON, W. W., The Positive Skeptic, NY u. London 1971.   KDG

Wagner, W o l f g a n g Manfred Martin, * 30. 8. 1919 zu Bayreuth, Bruder von Wieland W.; deutscher Regisseur, studierte privat Musik und erwarb sich erste

praktische Regieerfahrungen bei den Bayreuther Festspielen. Ein mehrjähriges Praktikum an der Berliner Staatsoper schloß er 1944 ab. Ab 1951 mitverantwortlicher Leiter der Festspiele, inszenierte W. in Bayreuth *Lohengrin* (1953–54 und 1967), *Der fliegende Holländer* (1955), *Tristan und Isolde* (1957), *Der Ring des Nibelungen* (1960 und 1970) und *Die Meistersinger von Nürnberg* (1968). Als Gastregisseur inszenierte er 1955 am Staatstheater Braunschweig *Don Giovanni*, in den Jahren 1956–62 u. a. *Die Meistersinger von Nürnberg* in Rom, *Tristan und Isolde* und *Der Ring des Nibelungen* in Venedig sowie *Die Walküre* in Palermo. Seit dem Tode seines Bruders Wieland W. ist er alleinverantwortlicher Leiter der Bayreuther Festspiele. 1967 führte er mit dem Bayreuther Ensemble ein Gastspiel beim Osaka-Festival durch.
Lit.: W. W. zum 50. Geburtstag, hrsg. v. H. BARTH, Bayreuth 1965; W. SEIFERT in: NZfM CXXXV, 1974, S. 485ff.

⁺Wagner-Régeny, R u d o l f, * 28. 8. 1903 zu Szászrégen (Sächsisch-Reen, Siebenbürgen), [erg.:] † 18. 9. 1969 zu Berlin.
W.-R. war Mitglied der Deutschen Akademie der Künste (Ost-Berlin), der Akademie der Künste (West-Berlin) sowie der Bayerischen Akademie der Schönen Künste (München). – Weitere Werke: die Oper ⁺*Persische Episode* (1940–50, [erg.:] Rostock 1963), 6 Kurzopern ⁺*Moschopulos* und *Der nackte König* (beide Gera 1928), *Sganarelle* (Essen 1929), *Esau und Jacob* und *La sainte courtisane* (beide 1930) sowie *Die Fabel vom seligen Schlächtermeister* (1931–32, Dresden 1964); das Ballett *Moritat* (1929). – 3 Orchestersätze (1952), *Einleitung und Ode* (1967) und *Acht Kommentare zu einer Weise des G. de Machaut* (1968) für Orch.; Divertimento für 3 Holzbläser und Schlagzeug (1954); ⁺2 Klaviersonaten ([erg.:] 1943), ⁺7 Klavierfugen ([erg.:] 1953), *Spinettmusik* (1935), *Klavierbüchlein* (1941), 6 kleine Stücke *Hexameron* (1943) und 2 *Tänze für Palucca* (1951) für Kl. – ⁺*Cantica Davidi regis* [erg.:] für Knaben- oder Frauenchor und kleines Orch. (1954); Kantaten ⁺*Genesis* (1956) [erg.:] für A., Chor und kleines Orch. und *Schir Haschirim* für A., Bar., Frauenchor und kleines Orch. (1964); *Jüdische Chronik* für A., Bar., Kammerchor, 2 Sprecher und kleines Orch. (1960, mit Blacher, Dessau, K. A. Hartmann und Henze); Solokantate *An die Sonne* (1968); *Lieder der Frühe* für S. und Kl. (1919–25) und 8 *Gesänge des Abschieds* für Bar. und Kl. oder Orch. (H. Hesse, 1968). – W.-R. veröffentlichte Aufsätze, darunter *Mit Empfinden suchen, mit Gedanken finden wir* (in: Sinn und Form XV, 1963) und *Über die Musikbühne* (ebd. XIX, 1967).
Lit.: R. W.-R., Begegnungen, biogr. Aufzeichnungen, Tagebücher u. sein Briefwechsel mit C. Neher, hrsg. v. T. MÜLLER-MEDEK, Bln 1968; G. HOFMEYER, Vorläufiges Verz. d. Kompositionen v. R. W.-R., ebd. – T. MÜLLER-MEDEK, Lieder – Sterne – Gesichter. Zum Liedschaffen R. W.-R.s, MuG XIII, 1963; D. HÄRTWIG, Der Opernkomponist R. W.-R., Leben u. Werk, Bln 1965; DERS., Klarheit, Einfachheit und Wahrhaftigkeit. Gedanken zum Opernschaffen R. W.-R.s, MuG XV, 1965; DERS., Poesie u. Sensibilität. Das Kantatenwerk R. W.-R.s, MuG XXIII, 1973; FR. K. PRIEBERG, Musik im anderen Deutschland, Köln 1968; E. BRÜLL in: MuG XIX, 1969, S. 756ff.; FR. DIECKMANN, Ein Musikerleben. W.-R.s Aufzeichnungen, in: Sinn u. Form XXII, 1970.

⁺Wagner-Schönkirch, Hans, 1872–1940.
Lit.: M. SONNEWEND, H. W.-Sch. u. d. Wiener Lehrera-cappella-Chor, in: Musikerziehung XI, 1957/58; DIES., H. W.-Sch., Werke-Verz., Wien 1969.

Wahren, K a r l - H e i n z, * 28. 4. 1933 zu Bonn; deutscher Komponist, absolvierte 1961 das Städtische Konservatorium in Berlin und studierte dann bei Rufer und

K. A. Hartmann. Er ist Mitglied der Gruppe für Neue Musik in Berlin. – Werke (Auswahl): Sonatine für Kl. (1958); *Sinfonia giovanna* (1959); *Pas de deux* für V., Fl., Klar. und Fag. (1961); *Kammermusik 1965* für kleines Ensemble (1965); *Frétillement* für Fl. und Kl. (1966); *Wechselspiele I* für Kammerorch. (1966) und *II* für Fl., Kl. und Streichorch. (1967); *Sequenzen* für Kammermusikensemble (1966); *Permutation* für Flöten (1967); Konzert für Fl. und 12 Instr. (1967); *Konzertante Aspekte III* für Orch. (1968); *L'art pour l'art* für Fl., Vc., Kl. und Tonband (1968); *Permutation II* für 3 Fl. (1968); 2. Klavierkonzert (1968); Kantate *Du sollst nicht töten* für Chor, Orch., 2 Sprecher und Tonband (1970); *Passioni II* für Mezzo-S., Chor und Instrumentalensemble (1974).

+Waissel, Matthäus [nicht: Matthias] (Mattheus), um 1540 – 1602 zu Königsberg(?) [del. bzw. erg. frühere Angaben].
Eine 2. Aufl. von W.s +*Tabulatura continens ... cantiones 4, 5 et 6 v. ...* (1573) als +*Tabulatura oder Lautenbuch* (1592) ist nicht nachweisbar; vermutlich liegt eine Verwechslung mit seiner *Tabulatura Allerley künstlicher Preambulen, auserlesener Deudtscher und Polnischer Tentze* (Frankfurt/Oder 1591, ²1592) vor.
Ausg.: 12 polnische Tänze in: Tánce polskie z tabulatur lutniowych I, hrsg. v. Z. STĘSZEWSKA, Warschau 1962.
Lit.: K. SCHEIT, Ce que nous enseignent les traités de luth des environs de 1600, in: Le luth et sa musique, hrsg. v. J. Jacquot, Paris 1958; J. KLIMA u. H. RADKE in: MGG XIV, 1968, Sp. 138ff.

Wajnonen, Wassilij Iwanowitsch, * 8.(21.) 2. 1901 zu St. Petersburg, † 24. 3. 1964 zu Moskau; russischsowjetischer Tänzer und Choreograph, beendete 1919 seine Ausbildung an der Petrograder Ballettschule und tanzte dann im Ballett des ehemaligen Marientheaters vornehmlich Charakterrollen. Er schloß sich der Gruppe junger Experimentatoren um Lopuchow und Anfang der 20er Jahre den Avantgardisten des »Jungen Balletts« an, für dessen Mitglieder er einzelne Solonummern choreographierte, die z. T. noch heute zum Repertoire gehören. Ab 1930 war er nur als Choreograph tätig. Im gleichen Jahr choreographierte er die Leningrader Uraufführung von Schostakowitschs *Solotoj wek* (»Das Goldene Zeitalter«). 1932 errang er seinen größten Erfolg mit der Leningrader Uraufführung von Assafjews *Plamja Parischa* (»Die Flamme von Paris«), wo er die Mittel des Charaktertanzes zur Gestaltung der Helden von 1789 benutzte. Später choreographierte W. die Uraufführungen von Assafjews *Partisanskije dni* (»Partisanentage«, ebd. 1937), *Mirandolina* (Wassilenko, Moskau 1949) und *Stschastliwyj bereg* (»Das Glücksufer«, Spadavecchia, Nowosibirsk 1952). Als Gastchoreograph in Budapest hatte er auch Einfluß auf die Entwicklung des ungarischen Balletts zu Beginn der 50er Jahre.
Lit.: K. ARMASCHEWSKAJA u. N. WAJNONEN, Baletmejster W., Moskau 1971.

Wakhevitch, (vakv'itʃ), Georges, *18. 8. 1907 zu Odessa; französischer Maler und Bühnenbildner, arbeitete zunächst für den Film (*Les visiteurs du soir*, 1942; *Barbe-Bleu*, 1951; *The Beggar's Opera*, 1953), ab 1935 auch als Bühnenbildner hauptsächlich für Pariser Theater. 1948 entwarf er an der Covent Garden Opera in London seine erste Opernausstattung (*Boris Godunow*), der weitere folgten (*Carmen*, 1953; *Les contes d'Hoffmann*, 1954; *Otello*, 1955). Er gastierte u. a. an der Mailänder Scala (*The Consul* von Menotti, 1951; *Les dialogues des Carmélites* von Poulenc, 1957), an der Wiener Staatsoper (»Der Sturm« von Frank Martin, 1956) sowie bei den Festspielen von Aix-en-Provence (*Così*

fan tutte, 1948) und Salzburg (*Simon Boccanegra*, 1961). – W. ist ein typischer Vertreter der malerischen, auf opulente Bildwirkung zielenden Operndekoration, die das Bühnengeschehen mehr illustriert als interpretiert.

Wal-Berg, Voldemar, * 13. 10. 1910 zu Konstantinopel; französischer Dirigent und Komponist von Unterhaltungsmusik und Chansons, studierte 1922–27 am Klindworth-Scharwenka-Konservatorium in Berlin und 1928–34 am Pariser Conservatoire. Von 1931 an war er für die Schallplattenfirma Polydor tätig. Für die französischen Chansons von Marlene Dietrich schrieb er die Musik. Ab 1935 dirigierte er bei Columbia Schallplattenaufnahmen u. a. von Trenet und Josephine Baker. – Kompositionen (Auswahl): *Rythmes* (1946), *Suite de valses* (1948), *Rapsodie mexicaine* (1950), *Ballet des oiseaux* (1957), *Concerto tzigane* (1957), *Tänze aus Slawien* (1960), *Paysages méditerranés* (1960), *Parisiana* (1966), 3 Ballettwalzer (1968) und *Brasilia* (1968) für Orch.; Concerto für Trp. und Orch. (1948); *Capriccio* (1951) und *Holiday in Paris* (1951) für Kl. und Orch.; Rhapsodie für Fl. und Orch. (1956); ferner Filmmusik.

Walaciński (valats'i:ɲski), Adam, * 18. 9. 1928 zu Krakau; polnischer Komponist und Musikkritiker, studierte 1947–52 am Konservatorium in Krakau Violine und 1952–55 privat Komposition. 1948–56 war er Violinist im Krakauer Rundfunkorchester; seit 1957 lebt er als freischaffender Komponist in Krakau. Besonders geschätzt als Autor von Bühnen- und Filmmusik, gehört er zu den gemäßigt avantgardistischen polnischen Komponisten. Er komponierte u. a.: *Composizione »Alfa«* für Orch. (1958); Streichquartett (1959); *Rotazione* für Kl. (1961); *Horyzonty* für Orch. (1962); *Canto tricolore* für Fl., V. und Vibraphon (1962); *Intrada* für 7 Interpreten (1962); *Sekwencje* für Orch. mit konzertierender Fl. (1963); *Liryka sprzed zaśnięcia* (»Lyrik vor dem Einschlafen«) für S., Fl. und 2 Kl. (1963); *Concerto da camera* für V. und Streichorch. (1964, Neufassung 1967); *Canzona* für Vc., Prepared piano und Tonband (1966); *Dichromia* für Fl. und Kl. (1967); *Refrains et réflexions* für Orch. (1969); *Notturno* für 24 Streicher, 3 Fl. und Schlagzeug (1970); *Allaloa* für Kl. (1970); *Torso* für Orch. (1971); *On peut écouter* für Fl., Ob. und Fag. (1971); ferner Film- und Bühnenmusik.
Lit.: B. SCHÄFFER, Klasycy dodekafonii (»Klassiker d. Dodekaphonie«), Bd II, Krakau 1963, S. 310f. u. 336.

+Walbe, Joel, * 23. 9. 1898 zu Schepetowka (Ukraine).
Er studierte ab 1960 an der Universität Wien (E. Schenk, W. Graf), wo er 1964 mit der Dissertation *Der Gesang Israels und seine Quellen. Ein Beitrag zur Ausführung der religiösen Gesänge* promovierte (Kap. VI im Auszug als *Sonagraphic Analysis of Biblical Readings*, in: Ethnomusicology XI, 1967). W. komponierte des weiteren eine Kantate *Hayarden* (»Der Jordan«) für B., gem. Chor und Orch. (1967) und ein Streichquartett *Ginossar* (1968).

+Walcha, Helmut, * 27. 10. 1907 zu Leipzig.
W. war Organist an der Friedenskirche in Frankfurt a. M. bis 1944, an der dortigen Dreikönigskirche wirkt er bis heute. Die Frankfurter Bach-Stunden veranstaltete W. bis 1959, seine Unterrichtstätigkeit an der Frankfurter Musikhochschule beendete er 1972. W. veröffentlichte 2 weitere Bände Choralvorspiele (Ffm. 1963–66), gab J. S. Bachs 6st. Ricercar aus dem *Musikalischen Opfer* sowie *Die Kunst der Fuge* in Orgelübertragungen heraus (Ffm. 1964 bzw. 1967) und schrieb u. a. die

Wunder der Polyphonie (in: Das musikalische Selbstporträt ..., hrsg. von J. Müller-Marein und H. Reinhardt, Hbg 1963) sowie *Über die Bedeutung der Konzentration für die musikalische Gestaltung* ... (in: 1843–1968, Hochschule für Musik Leipzig, hrsg. von M. Wehnert u. a., Lpz. 1968).

+Walcker, Eberhard Friedrich, 1794–1872. Sein Vater Johann Eberhard W., 15. 4. 1756 zu Cannstatt – 17. 7. 1843 zu Stuttgart [erg. frühere Angaben]. Die »Umschaffung« einer Esslinger Orgel durch Abbé Vogler ist nicht nachgewiesen. Seine Söhne: –1) Heinrich, 10. 10. 1828 zu Ludwigsburg – 24. 11. 1903 zu Kirchheim unter Teck; –2) Friedrich, * 1829 und † 1895 zu Ludwigsburg; –3) Carl, * 6. 3. 1845 und † 19. 5. 1908 zu Ludwigsburg; –4) Paul, 31. 5. 1846 zu Ludwigsburg – 6. 6. 1928 zu Frankfurt (Oder); –5) Eberhard, * 8. 4. 1850 und † 17. 12. 1926 zu Ludwigsburg [erg. frühere Angaben]. Werner W.-Mayer (* 1. 2. 1923 zu Ludwigsburg), weiterhin Leiter und Alleininhaber des als »E. F. Walcker + Cie. Orgelbau« firmierenden Betriebes in Ludwigsburg (Zweigbetriebe in Murrhardt/Württemberg, Hanweiler bei Saarbrücken und Guntramsdorf/Niederösterreich [del. frühere Angaben dazu]), erreichte durch umfassende Modernisierung eine Steigerung der Werkstattkapazität. In eigenen Experimenten wie auch in Zusammenarbeit mit Komponisten und Orgelfachleuten (H. Bornefeld, J. N. David, Gy. Ligeti, E. K. Rößler, H. Schulze) widmet er sich der Verwirklichung neuer Ideen und qualitativer Verbesserungen im Orgelbau. Neben zahlreichen Beiträgen in den von ihm angeregten, seit 1949 erscheinenden *Walcker-Hausmitteilungen* (bis 1971 42 H.; in H. 35, 1965, von ihm selbst: *Orgelbau W.*), verfaßte er: *Die Gestaltung des Orgelspieltisches* (Ludwigsburg 1968); *Die römische Orgel von Aquincum* (ebd. 1970); *Orgelforschung und zeitgenössische Musik* (Mf XXVI, 1973); *Die Orgel der Reger-Zeit* (in: M. Reger 1873–1973, hrsg. von Kl. Röhring, Wiesbaden 1974). – Von den Orgelbauten (bis 1969 über 5400) seien an neueren genannt: Dom Wesel (1963, 66 St.); Dom Essen (1965, 54 St.); Konservatorium Budapest (1967, 86 St.); Johannesstift Berlin-Spandau (1968, 61 St.); Gesellschaft der Musikfreunde Wien, Konzertsaal (1968, 100 St.); Mozarteum Salzburg (1969, 54 St.); Ulmer Münster (1969, 95 St.). – Aufgrund der Initiative von W.-Mayer wurde 1965 eine »W.-Stiftung für orgelwissenschaftliche Forschung« gegründet (Vorsitzender des Kuratoriums und wissenschaftliche Leitung H. H. Eggebrecht, zugleich Herausgeber von deren *Veröffentlichungen* ..., bisher 3 Bde, Stuttgart 1967–69), die u. a. Kolloquien über Gegenwartsprobleme der Orgel durchführt (erstmals 1968: *Orgel und Orgelmusik heute. Versuch einer Analyse*, = Veröff. der W.-Stiftung ... II) und mehrere Publikationsreihen herausgibt.
Lit.: J. FISCHER, Das Orgelbauergeschlecht W., Kassel 1966; C. CLUTTON, Two Important W. Rebuilds, in: The Org. XLVI, 1966/67; Op. 5300. Die neue Org. im Konzertsaal d. Ges. d. Musikfreunde Wien v. W. W.-Mayer, Stuttgart 1969; G. KLEEMANN, Die Orgelmacher u. ihr Schaffen im ehemaligen Herzogtum Württemberg unter Hervorhebung d. Lebensgangs u. d. Arbeit d. Orgelmachers J. E. W., ebd.

Waldbauer, Imre (Emmerich), * 13. 4. 1892 zu Budapest, † 3. 12. 1953 zu Iowa City; ungarischer Violinist und Pädagoge, studierte bei J. Hubay, gründete 1909 mit Jenő Kerpely (Violoncello) das nach ihm benannte Streichquartett (Egon Kornstein, 2. Violine; A. Molnár, Bratsche), das später mit János Temesváry (2. Violine), Péter Szervánszky (Bratsche) und Tivadar

Ország (Violoncello) auftrat. Das W.-Quartett machte sich durch die Interpretation zeitgenössischer Werke u. a. von Bartók (dessen 2. Streichquartett ihm gewidmet ist), Kodály, Lajtha und Weiner sowie durch die ungarischen Erstaufführungen der Streichquartette von Schönberg, Alban Berg und P. Hindemith einen Namen. W. war Professor an der Musikhochschule in Budapest und (ab 1946) an der University of Iowa in Iowa City.

+Walden, Herwarth (ursprünglich Georg Lewin), * 16. 9. 1878 zu Berlin, [erg.:] † 31. 10. 1941 zu Saratow in einem Gefängnis.
Lit.: Der Sturm. H. W. u. d. europäische Avantgarde Bln 1912–32, Ausstellungskat. d. Nationalgalerie Bln 1961.

Waldenmaier, August Peter, * 14. 10. 1915 zu Dachau; deutscher Komponist von Unterhaltungsmusik und Dirigent, studierte ab 1932 an der Akademie der Tonkunst in München Klavier, Komposition und Dirigieren. 1948–60 war er Aufnahmeleiter (gehobene Unterhaltungsmusik) beim Bayerischen Rundfunk. Er schrieb u. a.: Konzert für Fag. und Orch. op. 14 (1948, revidiert 1966); Konzertstücke nach Paganini für Orch. op. 16 (1950); 3 Orchesterstücke op. 24 (1955); Rhapsodie für Vc. op. 29 (1957) und *Rondo diabolico* für Kl. op. 42 (1963) mit Orch.; *Perpetuum mobile* für Orch. op. 44 (1965); 2 Balladen für B. und Orch. op. 47 (1969); ferner zahlreiche Orchesterarrangements sowie Operettenneubearbeitungen.

Waldhans, Jiří, * 17. 4. 1923 zu Brünn; tschechischer Dirigent, war nach Beendigung seines Studiums am Brünner Konservatorium (1948) Korrepetitor, Chorleiter und Dirigent der Oper in Ostrau und 1955–62 Chef des dortigen philharmonischen Orchesters. 1962 wurde er Chefdirigent der Philharmonie in Brünn, mit der er zahlreiche Auslandsreisen unternahm.

+Waldmann, Guido, * 17. 11. 1901 zu St. Petersburg.
Direktor der nunmehr Staatlichen Hochschule für Musikerziehung Trossingen war er bis 1971. Neben weiteren musikpädagogischen Beiträgen (besonders zu Fragen des Laienmusizierens) liegen an neueren Veröffentlichungen u. a. *Aufgaben der ostdeutschen Volksliedforschung* (in: Musik des Ostens I, Kassel 1962) und *Mehrstimmiges Singen im slawischen Bauernlied* vor (in: Volksmusik Südosteuropas, hrsg. von W. Wünsch, = Südosteuropa-Schriften VII, München 1966). Er verfaßte ferner zahlreiche lexikalische Beiträge zur Musik Rußlands und ist mit Übersetzungen aus dem Russischen hervorgetreten. W. gab auch eine Schrift *Rasse und Musik* (= Musikalische Volksforschung III, Bln 1939) heraus.

Waldmüller, Lizzi (Felicitas) Karoline, * 25. 5. 1904 zu Knittelfeld (Steiermark), † 8. 4. 1945 zu Wien (bei einem Bombenangriff); österreichische Operettensängerin und Filmschauspielerin, begann ihre Karriere als Soubrette in Innsbruck und kam über Hamburg, Graz und H. Marischkas Wiener Operettenbühnen nach Leipzig und Berlin. Einen Namen machte sie sich besonders als Darstellerin in deutschen Tonfilmen: *Die spanische Fliege* (1931); *Strafsache van Geldern* (1932); *Lachende Erben* (1933); *Bel ami* (1939, mit dem Lied *Du hast Glück bei den Frau'n, Bel ami*; Musik Mackeben); *Casanova heiratet* (1940); *Frau Luna* (1941); *Die Nacht in Venedig* (1942); *Ein Walzer mit dir* (1943); *Es lebe die Liebe* (1944); *Ein Mann wie Maximilian* (1944). L. W. war verheiratet mit dem Operettensänger Max Hansen.

Waldoff, Claire, * 21. 10. 1884 zu Gelsenkirchen, † 22. 1. 1957 zu Bad Reichenhall; deutsche Diseuse, begann ihre Laufbahn als Mitglied einer Wandertruppe, spielte in Berlin Chargenrollen und hatte 1906 ihren ersten großen Auftritt im Kabarett »Roland von Berlin«. Das »Lindenkabarett« (ab 1907) und Nelsons »Chat Noir« (ab 1910), die Londoner Music Hall »Empire« (1913) und das Berliner »Kabarett der Komiker« (ab 1926) waren u. a. die Stätten ihrer Erfolge: Mit ihren rührend-komischen oder frechen Couplets (*Hannelore*; *Hermann heeßt er*) errang sie außerordentliche Volkstümlichkeit, die noch den Boykottmaßnahmen der Nationalsozialisten standhielt. Walter Kollo, häufig auch ihr Klavierbegleiter, zählte mit Claus Clauberg zu ihren wichtigsten Komponisten. Cl. W. trat auch in Revuen von Kollo (*Drei alte Schachteln*; *Immer feste druff*) auf. Mitte der 20er Jahre wurde sie zudem in den Revuen von Rudi Charell gefeiert. Sie schrieb *Weeste noch ...!* (Düsseldorf 1953).

Lit.: Kl. Budzinski, Die Muse mit d. scharfen Zunge, München 1961; W. V. Ruttkowski, Das lit. Chanson in Deutschland, = Slg Dalp XCXI, Bern 1966; H. Greul, Bretter, die d. Zeit bedeuten, Köln 1967; R. Hösch, Kabarett v. gestern, Bln 1967.

+**Waldstein,** Ferdinand Ernst Joseph Gabriel, Graf von, 1762–1823.
Lit.: T. Volek in: Miscellanea musicologica VI, (Prag) 1958, S. 118ff. (über Musik bei d. Fürstenbergern u. W.s).

Waldstein, Wilhelm, * 9. 11. 1897 zu Wiener Neustadt, † 22. 7. 1974 zu Wien; österreichischer Musikforscher und Komponist, studierte Germanistik, Geschichte, Musikwissenschaft und Philosophie und promovierte 1920 mit einer Dissertation über *Die Entwicklung der künstlerischen Reformpläne in R. Wagners in der entscheidenden Epoche zwischen »Lohengrin« und der »Ringdichtung«* (gedruckt als *R. Wagner. Eine kulturhistorische Studie über die Entwicklung der künstlerischen Reformpläne in der entscheidenden Epoche ...,* = Germanische Studien XVII, Bln 1922, Nachdr. Nendeln/Liechtenstein 1967). Er trat 1921 in den höheren Schuldienst ein und wurde 1946 in das Bundesministerium für Unterricht berufen; 1951 wurde er dort Leiter der Abteilung für allgemeine Kunstangelegenheiten. Von seinen Kompositionen seien genannt: Ouvertüre in C (1936), *Lyrische Passacaglia* (1963), *Diptychon* (1967) und *Tema con variazioni e coda enigmatica* (1968) für Orch.; Divertimento für Kammerorch. (1968); ferner ein Streichquintett, 3 Streichquartette, ein Klavierquintett, Lieder und Chorwerke. – Veröffentlichungen: *Kunst und Ethos. Essays* (Salzburg 1954); *Erscheinung und Zeichen. Essays* (Wien 1964); *H. Gal* (= Österreichische Komponisten des XX. Jh. V, Wien 1965); ferner zahlreiche Beiträge für ÖMZ.

+**Waldteufel,** Emil ([erg.:] eigentlich Charles Émile Lévy dit W.), 1837 – 12. [nicht: 16.] 2. 1915.
Lit.: P. Hering in: La musique en Alsace, = Publ. de la Soc. savante d'Alsace et des régions de l'Est X, Straßburg 1970, S. 157ff.

al-Walīd II. (vollständiger Name al-Walīd ibn Yazīd ibn 'Abdalmalik, Abu l-'Abbās), * 709, † (ermordet) 17. 4. 744 zu al-Baḥrā' (bei Palmyra); 11. Umaiyadenkalif (743–44), war Mäzen der Künste und Wissenschaften, Dichter und Musiker. Begeistert von allem »Beduinischen« und »Altarabischen«, führte er als Kronprinz ein sehr unorthodoxes Leben in syrischen Wüstenschlössern, förderte ḥiǧāzische Dichter und umgab sich mit Musikern wie Ma'bad, Mālik aṭ-Ṭā'ī, Ḥakam sowie 'Umar al-Wādī und Yūnus al-Kātib. Er selbst komponierte, spielte Laute ('ūd) und Handtrommel (ṭabl) und schlug die Rahmentrommel (duff) im Schreiten nach Art der ḥiǧāzischen Sänger. Isḥāq al-Mauṣilī und Abu l-Faraǧ al-Iṣfahānī haben den Beitrag

hervorgehoben, den er zur Entwicklung der arabischen Kunst- und Hofmusik geleistet hat.
Lit.: Ibn Ḥurdāḏbih († 911), Muḫtār min Kitāb al-Lahw wa-l-malāhī, Beirut 1961 (Fragment seines »Buches d. Vergnügungen u. d. Musikinstr.«); al-Mas'ūdī († 957), Murūǧ aḏ-ḏahab, Ed. u. frz. Übers. v. C. Barbier de Meynard als: Les prairies d'or, Bd VI, Paris 1871, Nachdr. Teheran 1970; Abu l-Faraǧ al-Iṣfahānī († 976), Kitāb al-Aġānī al-kabīr (»Großes Buch d. Lieder«), Bd VII u. IX, Kairo ³1935–36; O. Rescher, Abriß d. arabischen Litteraturgesch., Bd I, Konstantinopel 1925; H. G. Farmer, A Hist. of Arabian Music to the XIIIth Cent., London 1929, Nachdr. 1967; H. Lammens, al-W. b. Yazīd IV, 1934; F. Gabrieli, al-W. b. Yazīd, Il califfo e il poeta, Rivista degli studi orientali XV, 1935; R. Blachère, Le prince omayyade al-W. (II) ibn Yazīd et son rôle littéraire, in: Mélanges Gaudefroy-Demombynes, Kairo 1935–45; ders., Hist. de la littérature arabe, Bd I, 3, Paris 1966; C. Brockelmann, Gesch. d. arabischen Lit., Bd I, Leiden ²1943, Suppl. I, 1937.

+**Walin,** Stig Alfred Ferdinand, * 18. 10. 1907 zu Rönninge (Schweden).
St., der heute in Rönninge lebt, lehrte an der Stockholmer Musikhochschule bis 1960. Als ständiger Sekretär (seit 1971 im Ruhestand) der Kungl. Musikaliska akademien erhielt er 1959 den Professorentitel. – [del.:] *Zur Deutung der Begriffe Faburden–Fauxbourdon* (1953) [der Autor ist N. Wallin]. – Weitere Aufsätze: *Mozart och Sverige* (STMf XXXVIII, 1956); *Geijer och musiken* (in: Geijerstudier III, Uppsala 1958); *Kungl. Musikaliska akademien och den svenska folkmusiken* (Fs. C. A. Moberg, = STMf XLIII, 1961); *Zur Frage der Stimmung von den Buxtehude-Orgeln* (STMf XLIV, 1962).

Walker (wɔ:kə), Arthur Dennis, * 14. 9. 1932 zu Bradford (Yorkshire); englischer Musikforscher und -bibliothekar, war Bibliothekar in Bradford (1951–57) und London (1958–64); seit 1964 ist er Musikbibliothekar an der Manchester University. Außer zahlreichen Miszellen über Studienpartituren (besonders in der Zeitschrift »Music Teacher«) verfaßte er das Verzeichnis *Bruckner's Works. A List of the Published Scores of the Various Versions* (in: Brio III, 1966) und den Katalog *G. Fr. Handel. The Newman Flower Collection in the H. Watson Music Library* (Manchester 1972). Er edierte ferner einige Werke von Bruckner und Händel.

Walker (wɔ:kə), Daniel Pickering, * 30. 6. 1914 zu London; englischer Musikforscher, studierte an der Universität in Oxford, wo er 1940 mit der Dissertation *French Verse in Classical Metres, and The Music to Which It Was Set, of the Last Quarter of the Sixteenth Cent.* promovierte. Seit 1945 lehrt er an der University of London (Professor). – Er veröffentlichte: *Musical Humanism in the 16th and Early 17th Cent.* (MR II, 1941 – III, 1942, deutsch als *Der musikalische Humanismus im 16. und frühen 17. Jh.,* = Musikwissenschaftliche Arbeiten V, Kassel 1949); *Spiritual and Demonic Magic from Ficino to Campanella* (London 1958). – Aufsätze: *The Aims of Baïf's Académie de poésie et de musique* (Journal of Renaissance and Baroque Music [= MD] I, 1946/47); *The Influence of »Musique mesurée à l'antique«, Particularly on the »Airs de cour« of the Early Seventeenth Cent.* (MD II, 1948); *Claude le Jeune und Musique mesurée* (MD III, 1949); *Ficino's »Spiritus« and Music* (Ann. mus. I, 1953); *La musique des intermèdes florentins de 1589 et l'humanisme* (in: Les fêtes de la Renaissance I, hrsg. von J. Jacquot, Paris 1956); *Kepler's Celestial Music* (Journal of the Warburg and Courtauld Institutes XXX, 1967). – Ausgaben: Cl. le Jeune, *Airs (1608)* (4 Bde, = Miscellanea I, [Rom] 1951–59; *Les fêtes du mariage de Ferdinand de Médicis et de Christine de Lorraine, Florenz*

1589, Teil I: *Musique des intermèdes de »La pellegrina«* (= Le chœur des muses o. Nr, Paris 1963).

+Walker, Frank, * 10. 6. 1907 zu Gosport (Hampshire), [erg.:] † 1. 3. 1962 zu Tring (Hertfordshire).
W. studierte nicht in Portsmouth, sondern absolvierte dort die Grammar School. Er wurde dann Ingenieur und arbeitete bei Cable & Wireless in London. Als Musikforscher war er Autodidakt. – *+H. Wolf ...* (1951), erweitert London und NY ²1968. – Neben einer Reihe verstreuter Beiträge zur Verdi-Forschung verfaßte er des weiteren die grundlegende Biographie *The Man Verdi* (ebd. 1962), veröffentlichte u. a. den Aufsatz *Conversations with H. Wolf* (ML XLI, 1960, deutsch in: SMZ C, 1960, S. 218ff.) sowie *Lettere disperse e inedite di V.Bellini* (Rivista del Comune di Catania VIII, 1960), gab von A.Boito *Lettere inedite e poesie giovanile* heraus (= Quaderni dell'Accademia Chigiana XL, Siena 1959) und edierte die Neuauflagen von A.Loewenbergs *Annals of Opera, 1597–1940* (2 Bde, Genf ²1955) und von E.Dents *A. Scarlatti* (London und NY 1960).
Lit.: H. F. REDLICH in: MGG XIV, 1968, Sp. 158ff.

+Wallaschek, Richard, 1860 – 1917 [nicht: 1918].
+Primitive Music (1893), Nachdr. NY 1970.

Wallat, Hans, * 18. 10. 1929 zu Berlin; deutscher Dirigent, studierte am Konservatorium in Schwerin. Er war 1. Kapellmeister 1950–51 in Stendal, 1951–52 in Meiningen und 1953–56 am Mecklenburgischen Staatstheater Schwerin, wurde 1956 Musikalischer Oberleiter in Cottbus und wirkte als 1. Kapellmeister 1958–61 am Opernhaus Leipzig, 1961–64 an der Württembergischen Staatsoper in Stuttgart sowie 1964–65 an der Deutschen Oper Berlin. 1965–70 war er GMD in Bremen und ist seitdem GMD und Operndirektor am Nationaltheater Mannheim. Gastspiele führten ihn u. a. an die Wiener Staatsoper (ab 1968) und an die Metropolitan Opera in New York (Debüt 1971 mit *Fidelio*). 1970 trat er zum ersten Mal bei den Bayreuther Festspielen auf. Auch als Konzertdirigent hat sich W. einen Namen gemacht.

+Wallberg, Heinz, * 16. 3. 1923 zu Herringen (Westfalen).
W. wirkte 1961–74 als GMD am Staatstheater Wiesbaden. Daneben leitete er das Niederösterreichische Tonkünstlerorchester in Wien (1964–75), war als ständiger Gastdirigent der Wiener Staatsoper tätig, dirigierte an europäischen und außereuropäischen Konzert-, Opern- und Festspielzentren und unternahm mit den Bamberger Symphonikern Tourneen durch Europa und den Nahen Osten. Seit 1975 ist W. GMD der Stadt Essen sowie Chefdirigent des Bayerischen Rundfunkorchesters. 1965 wurde ihm der (österreichische) Professorentitel verliehen.
Lit.: I. SAMSON in: Das Orch. X, 1962, S. 197ff.

+Wallek-Walewski, Bolesław, [erg.: 23. 1.] 1885 – [erg.: 9. 4.] 1944.
Er wirkte ab 1910 als Professor und ab 1938 als Direktor des Krakauer Konservatoriums. Ab 1924 dirigierte er auch in Posen. Die Oper *+Pomsta Jontkowa* ([del.:] 1927) wurde 1926 in Posen uraufgeführt.
Lit.: WŁ. POŹNIAK in: Ruch muzyczny III, 1959, Nr 11, S. 6ff.; L. ŚWIERCZEK, B. W.-W., in: Nasza przeszłość XVIII, 1963 (biogr. Abriß u. zum kirchenmus. Schaffen).

+Wallenstein, Alfred, * 7. 10. 1898 [nicht: 1901] zu Chicago.
W. ist weiterhin als Gastdirigent international bedeutender Orchester besonders der USA (Los Angeles Philharmonic, Chicago Symphony Orchestra, New York Philharmonic) hervorgetreten. Daneben hielt er Dirigierkurse ab und wirkte als Visiting Conductor an der Juilliard School of Music in New York (ab 1970). Von verschiedenen amerikanischen Universitäten wurde er zum Ehrendoktor ernannt.

+Waller, Fats (Thomas [erg.:] Wright W.), 1904–43.
Aufnahmen: *F. W., Organ* (1926–27, Collector's 12–6), *Smashing Thirds* (1929–37, RCA 550), ferner in den Sammlungen *Treasury of Jazz* IX und XXVI (1934–35, RCA 130278 bzw. 430571), *Jazz Classics* IV–V (1936–37, RCA 130206 bzw. 130208) und *Jazz Star Serie* XIII (1938–42, RCA 10118).
Lit.: J. R. T. DAVIES, The Music of F. W., London 1953 (mit Diskographie); CH. FOX, F. W., = Kings of Jazz VII, ebd. 1960, schwedisch = Jazz VII, Stockholm 1960, ital. = Kings of Jazz o. Nr, Mailand 1961; Ain't Misbehavin'. The Story of F. W., hrsg. v. W. I. KIRKEBY (mit S. Traill u. D. P. Schiedt), NY u. London 1966.

Wallerstein, Lothar, * 6. 11. 1882 zu Prag, † 18. 11. 1949 zu New Orleans; amerikanischer Dirigent und Opernregisseur österreichischer Herkunft, begann als Korrepetitor 1909 in Dresden, war 1910–14 Kapellmeister nach Breslau, 1922 nach Duisburg und 1924 nach Frankfurt a. M. In Frankfurt bauten W., Cl. Krauss und Sievert ein umfassendes Repertoire auf, zu dem ein szenisch von großzügiger Raumgliederung und suggestiver Licht- und Bewegungsregie gekennzeichneter *Ring des Nibelungen* zählte. W.s Zusammenarbeit mit Cl.Krauss wurde in Wien (1927–38) und bei den Salzburger Festspielen (1926–37) fortgeführt. In Wien hat W. als Oberregisseur 65 Opern (darunter *Wozzeck* von Alban Berg und *Intermezzo* von R.Strauss), in Salzburg mit 11 Werken fast die Hälfte des dort bis 1937 gespielten Opernrepertoires betreut, meist mit Roller und Strnad als Bühnenbildnern. Mit R.Strauss schuf er eine Neufassung des *Idomeneo* von Mozart (Wien 1931) sowie mit Krauss und Strauss eine Umarbeitung von dessen Oper *Die ägyptische Helena* (Salzburg 1933). 1938 verließ er Österreich, gründete 1939 in Den Haag eine Opernschule und war 1941–46 Oberspielleiter der Metropolitan Opera in New York. W.s Regiestil war von A.Appia und Edward Gordon Craig beeinflußt, verzichtete aber nicht völlig auf Realismen und Bühneneffekte alter Schule.
Lit.: J. GREGOR, Cl. Krauss, Wien 1953; E. PIRCHAN, A. WITESCHNIK u. O. FRITZ, 300 Jahre Wiener Operntheater, ebd.; J. KAUT, Festspiele in Salzburg, Salzburg 1965.

+Wallin, Nils Lennart, 11. 3. 1924 zu Östersund (Jämtland).
W., Direktor der Folkliga Musikskolan in Ingesund (bei Arvika, Värmland) 1953–65, weilte 1960–62 im Auftrage der UNESCO in Ägypten und Syrien. 1963–68 bereitete er die Gründung des Institutet för Rikskonserter (Reichsstelle für das Konzertwesen in Schweden) vor, dessen Generaldirektor er dann 1968 wurde. 1970–75 war er obester Leiter der Stockholmer Philharmonie und Generaldirektor des Konzertvereins in Stockholm. – *+Allmän musikhistoria* (1955), Arvika ²1960. – Neben kleineren Beiträgen über musikorganisatorische Fragen verfaßte er an neueren Aufsätzen *Hymnus in honorem Sancti Magni comitis Orchadiae: Codex Upsaliensis C 233* (Fs. C. A.Moberg, = STMf XLIII, 1961) und *Triptyk* (in: Svenska musikperspektiv, hrsg. von G.Hillström, = Publ. utg. av Kungl. Musikaliska akademien med musikhögskolan IX, Stockholm 1971; handelt u. a. über Schwedens zeitgenössisches Musikleben).

+Walliser, Christoph Thomas, 1568–1648.
Seine *+Catecheticae cantiones ...* (1611) liegen nicht ge-

druckt vor, sondern sind lediglich im Nachwort zum Traktat +*Musicae figuralis* ... (1611) erwähnt.
Lit.: U. P. C. KLEIN, Chr. Th. W. ..., Ein Beitr. zur Mg. Strassburgs, Diss. Univ. of Texas 1964; D. KRICKEBERG, Das protestantische Kantorat im 17. Jh., = Berliner Studien zur Mw. VI, Bln 1965; DERS. in: MGG XIV, 1968, Sp. 173ff.; CL. GOTTWALD, Humanisten-Stammbücher als mus. Quellen, Fs. H. Osthoff, = Frankfurter musikhist. Studien o. Nr, Tutzing 1969; KL. W. NIEMÖLLER, Untersuchungen zu Musikpflege u. Musikunterricht an d. deutschen Lateinschulen v. ausgehenden MA bis um 1600, = Kölner Beitr. zur Musikforschung LIV, Regensburg 1969.

Wallmann, Margarethe (Margherita), * 22. 6. 1904 zu Wien; österreichische Tänzerin, Choreographin und Opernregisseurin, studierte klassischen Tanz in Wien, Berlin und Paris und wurde in Dresden Schülerin von Mary Wigman, mit der sie 1927 in Berlin ein Tanzstudio eröffnete. 1931–39 wirkte sie als Choreographin bei den Salzburger Festspielen (auch Opernregie), an der Wiener Staatsoper, in London, Florenz, Mailand und Hollywood (Film *Anna Karenina*, 1935). Ab 1937 war sie am Teatro Colón in Buenos Aires tätig, wo sie mit dem von ihr wesentlich erweiterten Ballett bis 1948 ein umfangreiches Repertoire (*Daphnis et Chloé* von Ravel, *El sombrero de tres picos* von de Falla, *Le bourgeois gentilhomme* von R. Strauss) einstudierte. An der Mailänder Scala setzte sie ab 1948 zunächst ihre Ballettarbeit fort (»Der Feuervogel«, *Josephslegende*, »Schwanensee«, »Dornröschen«), um sich dann zunehmend der Opernregie zu widmen: *Die Liebe der Danae* von R. Strauss (1952); *L'incoronazione di Poppea* (1953) und *Il ballo delle ingrate* (1954) von Monteverdi; *David* von Milhaud (1955); Uraufführungen von *Les dialogues des Carmélites* von Poulenc (1957) und von *Assassinio nella cattedrale* von Pizzetti (1958); *Les Troyens* von Berlioz (1959). Außerdem inszenierte M. W. u. a. in Rom, Wien, London, Paris, Chicago, Neapel und Palermo; bei den Salzburger Festspielen übernahm sie 1954 im *Danse des morts* von A. Honegger, 1955 in *Perséphone* von Strawinsky, 1960 in *Le mystère de la Nativité* (»Mysterium von der Geburt des Herrn«, szenische Uraufführung) von Frank Martin die Choreographie.
Lit.: FR. ARMANI, La Scala 1946–56, Mailand 1957; J. KAUT, Festspiele in Salzburg, Salzburg 1965.

+**Wallner,** Bo, * 15. 6. 1923 zu Lidköping (Skaraborg).
Als Dozent an der Universität Uppsala wirkte W. 1956–61, an der Stockholmer Musikhochschule lehrt er weiterhin. Er war 1958–65 Schriftleiter der Zeitschrift *Nutida musik* (darin zahlreiche Beiträge von ihm selbst). – Weitere Veröffentlichungen: *Vår tids musik i Norden* (»Musik unserer Zeit im Norden«, = Publ. utg. av Kungl. Musikaliska akademien med musikhögskolan V, Stockholm 1968); *W. Stenhammar* (ebd. 1970); *40-tal. En klippbok om Måndagsgruppen* ... (»Die 40er. Ein Sammelbuch über die Montagsgruppe und das schwedische Musikleben«, = Accent II, ebd. 1971); *W. Stenhammar och kammarmusiken* bzw. *W. Stenhammars stråkkvartettskisser* (STMf XXXIV, 1952– XXXV, 1953 bzw. XLIII, 1961 [Studier ..., Fs. C. A. Moberg]); *Honegger och Les Six* (in: Fransk musik, Uppsala 1957); *Aniara, Revue vom Menschen in Zeit und Raum* (in: Melos XXVII, 1960); *Musik in Schweden* (in: Darmstädter Beitr. zur Neuen Musik III, Mainz 1960); *Die Nationalromantik im Norden* (Kgr.-Ber. Kassel 1962); *Scandinavian Music After the Second World War* (MQ LI, 1965); *C. Nielsen, romantiserad* (STMf LIII, 1971, mit engl. Zusammenfassung). Er edierte u. a. *Musikens material och form* (3 Bde, = Radiokonserva-

toriets kursböcker o. Nr, Stockholm 1968) und »*Facetter*« av och om K.-B.*Blomdahl* (mit G. Bucht und P. O. Lundahl, = Skrifter om svensk musik o. Nr, ebd. 1970).
Lit.: M. RYING in: Nutida musik XVII, 1973/74, H. 4, S. 23ff. (Interview).

Wallon (val'ō), Simone, * 29. 8. 1918 zu Pau (Pyrénées-Atlantiques); französische Musikforscherin und -bibliothekarin, studierte bei P.-M. Masson an der Pariser Universität (Licence-ès-lettres 1951, Diplôme d'études supérieures 1952) und wurde 1951 Bibliothekarin an der Bibliothèque Nationale in Paris. Sie veröffentlichte u. a.: *La chanson »Sur le Pont d'Avignon« au XVIe et au XVIIe s.* (in: Mélanges ..., Fs. P.-M. Masson, Paris 1955, Bd I); *Romances et vaudevilles français dans les variations pour piano et pour piano et violon de Mozart* (Kgr.-Ber. Wien Mozartjahr 1956); *Un recueil de pièces de clavecin de la seconde moitié du XVIIe s.* (Rev. de musicol. XXXVIII, 1956); *Les chansons populaires et folkloriques françaises de la St-Martin* (ebd. XLVII, 1961); *A propos d'un chant d'avril du XVIe s.* (Bull. folklorique de l'Ile de France 1963); *L'alliance franco-russe dans la chanson française de 1890 à 1901* (FAM XIII, 1966); *Les chemins de fer et la musique* (in: Les vieux papiers LXVII, 1967); F. Arnaudin, *Chants populaires de la Grande-Lande et des régions voisines*, Bd II (mit A. Dupin und J. Boisgoutier, Bordeaux 1970).

+**Walsh,** John, [erg.:] um 1665/66 – 1736. Sein gleichnamiger Sohn, * 23. 12. 1709 und † 1766 zu London [erg. frühere Angabe].
Lit.: W. CHR. SMITH u. CH. HUMPHRIES, Handel. A Descriptive Cat. of the Early Ed., London 1960, revidiert NY u. Oxford ²1970; DIES., A Bibliogr. of the Mus. Works Publ. by the Firm of J. W. During the Years 1721–66, London 1968; J. S. HALL in: MGG XIV, 1968, Sp. 183ff.; H. F. REDLICH, G. Fr. Händel u. seine Verleger. Beitr. zu einem ungeschriebenen Kap., in: Musik u. Verlag, Fs. K. Vötterle, Kassel 1968.

Walter, Alfred, * 8. 5. 1929 zu Wallern/Volary(Böhmerwald); deutscher Dirigent, studierte 1948–52 Musikwissenschaft in Erlangen und Graz sowie Dirigieren bei Celibidache. 1952–65 war er Kapellmeister am Opernhaus Graz, ab 1957 außerdem musikalischer Assistent und Studienleiter bei den Bayreuther Festspielen. Er wurde 1966 Chefdirigent des Symphonieorchesters der Stadt Durban (Südafrika) und 1969 des Radiosymphonieorchesters Reykjavík. Seit 1970 ist er GMD der Stadt Münster (Westf.).

+**Walter,** Gabriel Anton, 1752–1826.
Lit.: +FR.-J. HIRT, Meisterwerke d. Klavierbaus (1955), engl. revidiert als: Stringed Keyboard Instr., 1440–1880, Boston (Mass.) 1968. – J. H. VAN DER MEER, Mozarts Hammerflügel, Kgr.-Ber. Salzburg 1964; DERS. in: MGG XIV, 1968, Sp. 189f.

Walter, Arnold Maria, * 30. 8. 1902 zu Hannsdorf/ Hanušorice (Mähren), † 6. 10. 1973 zu Toronto; kanadischer Komponist und Musikpädagoge, studierte Komposition bei Br. Weigl in Brünn, Klavier bei Breithaupt und Lamond in Berlin sowie Musikwissenschaft an der dortigen Universität und promovierte 1926 an der Prager Universität zum Dr. utr. jur. 1928–30 lehrte er in Brünn, war 1930–33 Musikkritiker beim »Vorwärts« und der »Weltbühne« in Berlin und ging 1933 nach Spanien. 1937 übersiedelte er nach Kanada, wo er 1952–68 an der University of Toronto Direktor der Faculty of Music und dann Professor of Musicology war. Er komponierte u. a. Orchesterwerke (Symphonie, 1942; Konzert, 1958), Kammermusik (Klaviertrio), Klavierstücke (Sonate, 1950) und Lieder.
Lit.: Werkverz. in: Composers of the Americas XI, Washington (D. C.) 1965.

+Walter, Bruno (eigentlich Br. W. Schlesinger), * 15. 9. 1876 zu Berlin, [erg.:] † 17. 2. 1962 zu Beverly Hills (Calif.).
W. wurden zahlreiche Ehrungen zuteil, so u. a. die Ernennung zum Ehrendoktor durch die University of Southern California und die University of California in Los Angeles sowie durch die University of Edinburgh. – +*Theme and Variations* (1946, deutsch als *Thema und Variationen*, 1947), erneut deutsch Ffm. 1960, auch Stuttgart 1963, Paperbackausg. Ffm. 1967, tschechisch = Hudba v zrcadle doby I, Prag 1965, ungarisch Budapest 1966; +*G. Mahler* (1936), Nachdr. der Ausg. NY 1941, NY 1970, auch NY 1974, tschechisch hrsg. von Fr. Pekelská, Prag 1958, ungarisch = Kis zenei könyvtár II, Budapest 1969; +*Von der Musik und vom Musizieren* (1957), ital. Mailand 1958, engl. NY und London 1961, Paperbackausg. NY 1964, schwedisch Stockholm 1967, Auszug russ. in: Ispolnitelskoje iskusstwo sarubeschnych stran I, hrsg. von G. Ja. Edelman, Moskau 1962.
Lit.: Briefe 1894–1962, hrsg. v. L. WALTER LINDT, Ffm. 1969, ungarisch Budapest 1972; Th. Mann, Br. W., Briefwechsel, hrsg. v. H. WYSLING, in: Blätter d. Th. Mann-Ges. 1969, Nr 9. – W. BOLLERT, Br. W. u. d. Schallplatte, in: Musica Schallplatte IV, 1961; DERS., Br. W.s letzte Schallplattenaufnahmen, in: Phonoprisma VIII, 1965; Br. W., Schallplattenverz., = Sonder-Hinweisdienst Musik o. Nr, Ffm. 1972. – TH. MANN, Br. W., in: Altes u. Neues, Ffm. 1953 (Stockholmer GA), Wiederabdruck in: Diener d. Musik, hrsg. v. M. Müller u. W. Mertz, Tübingen 1965; KL. PRINGSHEIM in: Die neue Rundschau LXVII, 1956, S. 699ff.; B. PLEIJEL in: Musikrevy XII, 1957, S. 214ff.; H. RAYNOR, W., Klemperer and the »Song of the Earth«, in: The Chesterian XXXII, 1958; E. MÜLLER-AHREMBERG, 10 Jahre Br. W. Konzerte, Fs. ... 1811–1961, Mus. Akad., Bayerisches Staatsorch., München 1961; P. MORREN, Eresaluut aan Br. W., = Problemen XXXII, Antwerpen 1962; E. VALENTIN u. H. FRIESS in: Mitt. d. H. Pfitzner-Ges. 1962, Nr 9, S. 1ff. bzw. 3ff.; E. WELLESZ in: ML XLIII, 1962, S. 201ff.; G. DUŠINSKÝ, Br. W. v Bratislave 1897–98 (»Br. W. in Preßburg ...«), in: Slovenská hudba XI, 1967; H. C. SCHONBERG, The Great Conductors, NY 1967, London 1968, deutsch als: Die großen Dirigenten, Bern 1970, auch = List Taschenbücher Bd 391, München 1973; A. v. IMHOFF, Br. W. in Köln, Mitt. d. Arbeitsgemeinschaft f. rheinische Mg. IV, 1967–72, Nr 39.

Walter, Erich, * 30. 12. 1927 zu Fürth; deutscher Tänzer und Choreograph, erhielt seine Ausbildung ab 1942 an den Ballettschulen »Olympiada Alperowa-Helken« und »Narina Karsinska« in Nürnberg, trat 1947 an den Städtischen Bühnen Nürnberg sein erstes Tänzerengagement an, ging dann nach Göttingen und Wiesbaden und war 1953–64 Ballettmeister der Wuppertaler Bühnen, an denen er rasch zum führenden Choreographen der deutschen Nachkriegsgeneration avancierte. Schon während seiner Wuppertaler Zeit arbeitete W. als Gastchoreograph auch in Berlin, Hannover und Wien. 1964 ging er als Ballettdirektor an die Deutsche Oper am Rhein Düsseldorf-Duisburg. Zu seinen charakteristischsten Arbeiten gehören die für die Wuppertaler Bühnen choreographierten Ballette »Der Kuß der Fee« (Strawinsky, 1954), »Der Zweikampf« (Monteverdi, 1954/55), Musik für Saiteninstrumente, Schlagzeug und Celesta (Bartók, 1955), *Die weiße Rose* (Fortner, 1957), *Der wunderbare Mandarin* (Bartók, 1958), *L'Orfeo* (Monteverdi, 1961), *Verklärte Nacht* (Schönberg, 1961), *Don Juan* (Gluck, 1962), *Undine* (Henze, 1962) und *Der Tod und das Mädchen* (Schubert, 1964). Für die Deutsche Oper am Rhein choreographierte er »Streichquartett Nr. 1« (Janáček, 1966), »Petruschka« (Strawinsky, 1966), *La demoiselle élue* (Debussy, 1966), »Reflexionen« (Frank Martin, 1969), *Le*

sacre du printemps (Strawinsky, 1970) und »Romeo und Julia« (Prokofjew, 1972).
Lit.: GR. BARFUSS, KL. GEITEL u. H. KOEGLER, Ein Ballett in Deutschland, Düsseldorf 1971.

Walter, Fried (eigentlich Walter Schmidt), * 19. 12. 1907 zu Ottendorf-Okrilla (Kreis Dresden); deutscher Komponist und Dirigent, studierte an der Orchesterschule der Dresdner Staatsoper und bei Schönberg an der Akademie der Künste in Berlin. 1947–73 war er Kapellmeister (und Abteilungsleiter) beim RIAS Berlin. Er schrieb die Opern *Königin Elisabeth* (Stockholm und Hbg 1939), *Andreas Wolfius* (Bln 1940) und *Dorfmusik* (Wiesbaden 1943), das Ballett *Kleopatra* (Prag 1943), Symphonien, Kammermusik, Unterhaltungsmusik, Volksliedsuiten und Volksliedbearbeitungen.

+Walter, [erg.: Johann] Ignaz, [erg.:] 31. 8. 1755 [nicht: 1759] – 22. [nicht: 28.] 2. 1822.
W. war mit der aus dem Braunschweigischen stammenden Sopranistin Juliane (geborene Brown-Roberts, 1759–1835) verheiratet [del. bzw. erg. frühere Angaben dazu].
Lit.: M. PISAROWITZ in: MGG XIV, 1968, Sp. 190ff.

+Walter, Johann(es), 1496 [nicht: 1490] – 1570.
Ausg.: Sämtliche Werke (+GA), hrsg. u. zu einem großen Teil vorbereitet v. O. SCHRÖDER zusammen mit M. Schneider, fortgeführt v. W. BRAUN (Bd IV) bzw. J. STALMANN (Bd VI), 6 Bde, Kassel 1943–73: Bd I–III, Geistliches Gesangbüchlein (Wittenberg 1551), in Bd I (1943, Neuausd. 1953), Deutsche Gesänge, II (1953), Cantiones lat., III (1955), Lieder u. Motetten, d. nur 1524, 1525 u. 1544 im Wittenbergischen Gesangbüchlein enthalten oder in Hss. u. Drucken verstreut sind; IV (1973), Deutsche Passionen nach Matthäus u. Johannes, Magnificat octo tonorum (1540), Psalmen, eine Antiphon, Fugen sonderlich auf Zinken; V (1961), Cantiones septem v. (1544), 1545, bzw. Magnificat octo tonorum 4, 5 et 6 v. (Jena 1557); VI (1970), Das Christlich Kinderlied D. M. Lutheri »Erhalt uns Herr ...« (1566), Anon. aus d. Torgauer W.-Hss. u. Gedichte ohne Musik. – +Wittembergisch geistlich Gesangbuch v. 1524 (O. KADE, 1878), Nachdr. NY 1966.
Lit.: A. P. BUKER, »Choralbearb.« from J. Walther to D. Buxtehude, Diss. Boston Univ. (Mass.) 1953; L. FINSCHER, Eine wenig beachtete Quelle zu J. W.s Passions-Turbae, Mf XI, 1958; J. STALMANN, J. W.s »Cantiones lat.«, Diss. Tübingen 1960; DERS., Die reformatorische Musikanschauung d. J. W., Kgr.-Ber. Kassel 1962; DERS., J. W.s Versuch einer Reform d. gregorianischen Chorals, Fs. W. Gerstenberg, Wolfenbüttel 1964; DERS., Musik beim Evangelium. Gedanke u. Gestalt einer protestantischen Kirchenmusik im Leben u. Schaffen J. W.s, in: Der Kirchenmusiker XXII, 1971; E. SCHMIDT, Der Gottesdienst am kurfürstlichen Hofe zu Dresden. Ein Beitr. zur liturgischen Traditionsgesch. v. J. W. bis zu H. Schütz, Göttingen 1961; A. FORCHERT, Eine Aufl. d. W.-Gesangbuches v. 1534, Jb. f. Liturgik u. Hymnologie VIII, 1963; E. SOMMER, J. W.s Weise zu Luthers »Vom Himmel hoch da komm ich her«, ebd. X, 1965; W. BLANKENBURG, J. W.s letztes Werk v. 1566, MuK XXXVI, 1966; DERS., J. W.s Gedanken über d. Zusammengehörigkeit v. Musik u. Theologie u. ihre Bedeutung f. d. Gegenwart, MuK XL, 1970; DERS., J. W.s Chorgesangbuch v. 1524 in hymnologischer Sicht, Jb. f. Liturgik u. Hymnologie XVIII, 1973/ 74; L. R. WARKENTIN, The »Geistliches Gesangbüchlein« of J. W. and Its Hist. Environment, Diss. Univ. of Southern California at Los Angeles 1967; M. BENDER, Allein auf Gottes Wort. J. W., Kantor d. Reformation, Bln 1971; G. B. SHARP in: MT CXII, 1971, S. 1060ff.

+Walter, –2) Karl Josef, * 14. 11. 1892 zu Biebrich (am Rhein).
Als Organist am Wiener Stephansdom wirkte W. bis 1946, als Professor an der dortigen Akademie für Musik und darstellende Kunst bis 1958. Von seinen neueren Werken seien genannt: Festmesse (1959) und Proprien für das Fest der Kreuzerhöhung und das Fest

des hl. Bernardus (1962) für gem. Chor, Bläser und Org.; Fantasien für 2 Org. (1962); Deutsches Tedeum für Kinderchor und Org. (1970).
Lit.: E. TITTEL in: Musica sacra LXXX, 1960, S. 50ff.

+**Walter,** Rudolf, * 24. 1. 1918 zu Groß-Wierau (Schlesien).
W. wurde 1964 Lehrbeauftragter für Musiktheorie an der Mainzer Universität und 1967 Professor und Abteilungsleiter an der Hochschule für Musik und darstellende Kunst in Stuttgart. – +*M. Regers Choralvorspiele für Orgel* (KmJb ... XL, 1957 [nicht: 1956]). – Neben Beiträgen über kirchenmusikalische Fragen (besonders in den Zeitschriften »Musica sacra« und »Musik und Altar«) verfaßte er eine Reihe von Aufsätzen über Orgelmusik und -bau; genannt seien an neueren: *Der Orgelbau für die Fürstabtei St. Blasien 1772/75* (in: Musicae sacrae ministerium, Fs. K. G. Fellerer, = Schriftenreihe des Allgemeinen Cäcilien-Verbandes ... V, Köln 1962); *Regers evangelisches Kirchenmusikschaffen und seine Ursachen* (Mitt. des M.-Reger-Institutes, Bonn, 1966, H. 16); *Beziehungen zwischen süddeutscher und italienischer Orgelkunst vom Tridentiner Konzil bis zum Ausgang des Barock* (Acta organologica V, 1971); *J. A. Silbermann e i suoi criteri costruttivi* (in: L'organo IX, 1971); *A Spanish Registration List of c1770* (The Organ Yearbook IV, 1973); *Entstehung, Uraufführung und Aufnahme von M. Regers op. 127* (Mitt. des M.-Reger-Institutes, Bonn, 1974, H. 20). – In der Editionsreihe +*Süddeutsche Orgelmeister des Barock* (Altötting 1956ff.) erschienen des weiteren Werke von J. J. Froberger (Bd VII, 1968), *Orgelstücke aus der Orgelschule »Wegweiser«,* Augsburg 1689 (VIII, 1965), J. E. Kindermanns *Harmonia organica* (IX, 1967) und Fr. X. Murschhausers *Prototypon longo-breve organicum* (X, 1970). W. gab ferner *Orgelkompositionen* von A. Schlick (Mainz 1970) sowie Werke u. a. von G.-B. Fasolo, Cl. Monteverdi, A. Poglietti und L. de Victoria heraus.
Lit.: Prof. Dr. R. W., 25 Jahre Kirchenmusikdirektor, in: Musica sacra XCIII, 1973, S. 231f.

+**Waltershausen,** Hermann Wolfgang Sartorius, Freiherr von, 1882–1954.
Das 1948 von ihm in München gegründete W.-Seminar (staatlich genehmigte musische Bildungsstätte) wird seit seinem Tod von seiner Frau Caroline (geborene Strößner, * 3. 1. 1900 [erg.:] zu Hof, Vogtland) geleitet.
Lit.: Gedenkschrift zum 10. Todestag, hrsg. v. W.-Seminar, München 1964.

+**Walther von der Vogelweide,** um 1170–1230.
Ausg.: +FR. GENNRICH, Troubadours, Trouvères, Minne- u. Meistergesang (= Das Musikwerk II, 1951), Neuaufl. Köln 1960; +Die Lieder W.s v. d. V., unter Beifügung erhaltener u. erschlossener Melodien (FR. MAURER, 1955–56), Tübingen 31967–69. – Ausgew. Melodien d. Minnesangs, hrsg. v. E. JAMMERS, = Altdeutsche Textbibl., Ergänzungsreihe I, ebd. 1963; R. J. TAYLOR, Die Melodien d. weltlichen Lieder d. MA, Bd II, = Slg Metzler XXXV, Stuttgart 1964; DERS., The Art of the Minnesinger, 2 Bde (I Melodien, II Kommentar), Cardiff 1968; Deutsche Lieder d. MA, hrsg. v. H. MOSER u. J. MÜLLER-BLATTAU, Stuttgart 1968; W. v. d. V., Die Lieder, mhd. u. in nhd. Prosa mit einer Einführung in d. Liedkunst W.s, hrsg. v. FR. MAURER, = Uni-Taschenbücher CLXVII, München 1972 (d. »Einführung« auch in: Wirkendes Wort XXII, 1972). – Die Gedichte W.s v. d. V., hrsg. v. K. LACHMANN, Bln 1827 (Textausg.), aufgrund d. 10., v. C. v. Kraus bearb. Ausg. neu hrsg. v. H. Kuhn, Bln 131965 (mit Darstellung d. Melodieüberlieferung v. Chr. Petzsch, S. XXXVIff.).
Lit.: R. WH. LINKER, Music of the Minnesinger and Early Meistersinger. A Bibliogr., = Univ. of North Carolina Studies in the Germanic Languages and Lit.

XXXII, Chapel Hill (N. C.) 1962; M. G. SCHOLZ, Bibliogr. zu W. v. d. V., = Bibliogr. zur deutschen Lit. d. MA IV, Bln 1969; H. TERVOOREN, Bibliogr. zum Minnesang, ebd. III, 1969. – R. J. TAYLOR, Die Melodien d. weltlichen Lieder d. MA, Bd I, = Slg Metzler XXXIV, Stuttgart 1964; K. H. HALBACH, W. v. d. V., ebd. XL, 1965, 31973. – Der deutsche Minnesang, hrsg. v. H. FROMM, = Wege d. Forschung XV, Darmstadt 1961, 51972 (Slg v. z. T. überarbeiteten älteren Studien, darin besonders: U. Aarburg, Melodien zum frühen deutschen Minnesang, 1956/57; W. MOHR, Zur Form d. ma. deutschen Strophenliedes, 1953); W. v. d. V., hrsg. v. S. BEYSCHLAG, ebd. CXII, 1971 (Slg ... [s. o.], darin besonders: +Fr. Gennrich, Melodien W.s v. d. V., 1942; +J. A. Huisman, Neue Wege ..., 1950, Teilabdruck d. S. 53–65; U. Aarburg, Wort u. Weise im Wiener Hofton, 1957/58; K.-H. Schirmer, Zum Aufbau d. hochmittelalterlichen Strophenliedes, 1959); K. PLENIO, Bausteine zur altdeutschen Strophik, = Libelli CCXCIV, ebd. 1971 (= Wiederabdruck d. Aufsätzen aus: Beitr. zur Gesch. d. deutschen Sprache u. Lit. XLII, 1917 – XLIII, 1918).
+FR. MAURER, Die politischen Lieder W.s v. d. V. (1954), Tübingen 31972. – FR. GENNRICH, Zur Liedkunst W.s v. d. V., Zs. f. deutsches Altertum u. deutsche Lit. LXXXV, 1954/55; W. MOHR, Zu W.s »Hofweise« u. »Feinem Ton«, ebd.; K.-H. SCHIRMER, Die Strophik W.s v. d. V., Halle (Saale) 1956; DERS., Nochmals zur Kadenzwertung in d. Lyrik W.s v. d. V., Zs. f. deutsche Philologie XC, 1971 (Sonder-H.); R. J. TAYLOR, Zur Übertragung d. Melodien d. Minnesänger, Zs. f. deutsches Altertum u. deutsche Lit. LXXXVII, 1956/57; DERS., Minnesang. Wort unde wise, in: Essays in German Lit. I, hrsg. v. Fr. Norman, London 1965; FR. ACKERMANN, Zum Verhältnis v. Wort u. Weise im Minnesang, in: Wirkendes Wort IX, 1959; B. KIPPENBERG, Der Rhythmus im Minnesang. Eine Kritik d. literar- u. musikhist. Forschung, = Münchener Texte u. Untersuchungen zur deutschen Lit. III, München 1962; W.-H. BRUNNER, W.s v. d. V. Palästinalied als Kontrafaktur, Zs. f. deutsches Altertum u. deutsche Lit. XCII, 1963; FR. MAURER, Ton u. Lied bei W. v. d. V., in: Dichtung u. Sprache. MA, Bern 1963, 21971; DERS., Sprachliche u. mus. Bauformen d. deutschen Minnesangs um 1200, in: Poetica I, 1967; A. H. TOUBER, Zur Einheit v. Wort u. Weise im Minnesang, Zs. f. deutsches Altertum u. deutsche Lit. XCIII, 1964; S. GUTENBRUNNER, Einige Waltherkonjekturen, Zs. f. deutsche Philologie LXXXV, 1966; J. SCHAEFER, Formen d. Überlagerung in Metren W.s v. d. V., in: Neophilologus L, 1966; U. AARBURG, Probleme um d. Melodien d. Minnesangs, in: Deutschunterricht XIX, 1967; DIES. in: MGG XIV, 1968, Sp. 229ff.; G. F. JONES, W. v. d. V., = Twayne's World Authors Series XLVI, NY 1968.

+**Walther,** Johann Gottfried, 1684–1748.
Ausg.: Concerto G dur nach Telemann, hrsg. v. PH. A. PRINCE, London 1961; Choralpartita »Meinen Jesum laß' ich nicht«, hrsg. v. W. L. SUMNER, ebd. 1963 (mit einer Abh. über W.s Org. in Weimar); A Collection of Chorale Preludes, hrsg. v. TH. BECK, St. Louis (Mo.) 1964; Ausgew. Orgelwerke, hrsg. v. H. LOHMANN, 3 Bde, Wiesbaden 1966; Concerto A dur, hrsg. v. W. STOCKMEIER, = Die Org. II, 23, Köln 1968. – +Mus. Lexicon (R. SCHAAL, 1953), Kassel 31967; +J. Mattheson, Grundlage einer Ehrenpforte (M. SCHNEIDER, 1910), Nachdr. Kassel 1969.
Lit.: +PH. SPITTA, J. S. Bach (I, 1873), 5. Aufl. (= Nachdr. d. 4. unveränderten Aufl. Lpz. 1930) Wiesbaden u. Darmstadt 1962, 61964; +P. BENARY, Die deutsche Kompositionslehre d. 18. Jh. (1956), gedruckt = Jenaer Beitr. zur Musikforschung III, Lpz. 1961. – W. E. BUSZIN in: The Mus. Heritage of the Church IV, St. Louis (Mo.) 1954, S. 12ff.; TH. BECK, The Org. Chorales of J. G. W. An Analysis of Style, Diss. Northwestern Univ. (Ill.) 1961; W. FR. SCHMIDT, The Org. Chorales of J. G. W., Diss. State Univ. of Iowa 1961; K. W. SENN, J. S. Bach. Ursachen u. Wirkungen einer Musikerfreundschaft, in: Musik u. Gottesdienst XVII, 1963; DERS., Über d. mus. Beziehungen zwischen J. G. / J. S. Bach, MuK XXXIV, 1964; A. G. HUBER, Bach-Studien. Die Cantabile-Spielart ..., Vom Staccato, Pizzicato. J. G. W., J. Matthe-

son, Zürich 1964; R. Dammann, Der Musikbegriff im deutschen Barock, Köln 1967; W. Breig in: MGG XIV, 1968, Sp. 205ff.; L. F. Tagliavini, J. G. W. trascrittore, in: Analecta musicologica VII, 1969.

+**Walton,** Sir William Turner, * 29. 3. 1902 zu Oldham (Lancashire).
W. ist Träger des »Order of Merit«. – Weitere Werke: die Oper *The Bear* (nach Tschechow, Aldeburgh 1967); 2. Symphonie (1960), *Variations on a Theme by Hindemith* (1963), *Capriccio burlesco* (1968) und *Improvisations on an Impromptu by B.Britten* (1970) für Orch.; Gloria (1961), Missa brevis (1966).
Lit.: +Fr. St. Howes, The Music of W. W. (1942–43), London ²1965. – G. E. Hansler, Stylistic Characteristics and Trends in the Choral Music of Five 20th-Cent. British Composers. A Study of the Choral Works of B. Britten, G. Finzi, C. Lambert, M. Tippett, and W. W., Diss. NY Univ. 1957; M. Schafer in: British Composers in Interview, London 1963, S. 73ff.; F. Aprahamian in: Music and Musicians XX, 1971/72, S. 22ff.; H. Ottaway, W.'s First Symphony, MT CXIII, 1972.

+**Waltz,** Hermann, * 12. 7. 1879 zu Heidelberg, [erg.:] † 28. 3. 1960 zu Krefeld.

Walzel, Camillo (eigentlich Friedrich Zell), * 11. 2. 1829 zu Magdeburg, † 17. 3. 1895 zu Wien; österreichischer Librettist, trat mit 16 Jahren in die lithographische Anstalt seines Vaters ein, übersiedelte 1847 nach Wien, wurde Offizier und widmete sich nebenher der Schriftstellerei. Ab 1856 war er Beamter bei der Ersten Donaudampfschiffahrts-Gesellschaft (1866 Kapitän) und trat 1873 in den Ruhestand, um ganz als Feuilletonist (»Neues Fremdenblatt«, Münchener »Fliegende Blätter«, »Kladderadatsch«, Bühnendichter, Librettist und Übersetzer tätig zu sein. 1884–89 war er Direktor des Theaters an der Wien. Als Verfasser von Operettentexten gehört er zusammen mit Richard Genée zu den Mitgründern der Wiener Operette. Mit ihm schrieb er für Johann Strauß *Cagliostro in Wien* (1875), *Der lustige Krieg* (1881) und *Eine Nacht in Venedig* (1883), für Suppè u. a. *Fatinitza* (1876), *Boccaccio* (1879) und *Donna Juanita* (1880) sowie für Millöcker *Gräfin Dubarry* (1879), *Der Bettelstudent* (1882), *Gasparone* (1884) und *Der Vice-Admiral* (1886). W. verfaßte für Genée als Komponisten u. a. *Der Seekadett* (1876), *Im Wunderland der Pyramiden* (1877), *Nanon* (1877) und *Die Dreizehn* (1887).

Walzel, Leopold Matthias, * 29. 11. 1902 und † 9. 6. 1970 zu Wien; österreichischer Komponist und Musikkritiker, studierte in Wien 1921–33 Musiktheorie, Instrumentation und Komposition sowie Klavier bei Rebay, daneben Rechtswissenschaften an der Universität (Dr. jur. 1926). Er war 1924–53 Mitarbeiter verschiedener Tageszeitungen und Zeitschriften, 1952–64 ständiger Musikkritiker der »Österreichischen Neuen Tageszeitung« und 1956–66 Vorsitzender der Österreichischen Gesellschaft für zeitgenössische Musik (ÖGZM), dann deren Ehrenvorsitzender. 1956 wurde ihm der Titel Professor verliehen. Er komponierte u. a. die Oper *Salamis* op. 14 (unaufgeführt; daraus Orchestersuite op. 41), 4 Symphonien (op. 20, 1940; op. 38, 1964; op. 39, 1965; op. 45, 1970), *Intrada persica* op. 19 (1955) und *Scherzino buffo* op. 28 (1960) für Orch., 3 Kammerkonzerte (op. 10 für Ob., Trp., Hf., 1940, op. 11 für V., 1941, und op. 12 für Hf., 1965, mit Streichorch.), Kammermusik (*Ottetto sereno* für Streichquintett mit Kb., Horn, Klar. und Fag. op. 16, 1958; *Parallelenquintett* für V., Va, Vc., Kb. und Kl. op. 27, 1960; Streichtrio op. 32, 1965; *Sonata burlesca* für Kb. und Kl. op. 37, 1964), Klavierstücke und Vokalwerke (*Kirschblütenlieder* für S. oder T. und Kl. op. 15, 1957;

Missa Gregoriana für gem. Chor und Orch. op. 26, 1959; *Von der Kunst und vom Künstler*, Praeludium für Kl. und 5 Gesänge für Bar. und Kl. op. 40, nach Josef Weinheber, 1968).
Lit.: W. Waldstein in: ÖMZ XII, 1957, S. 436f.

+**Wambach,** Emile Xaver, 1854–1924.
W. schrieb 4 [nicht: 2] Oratorien (*Mozes op de Nijl*, 1881; *Yolande*, 1884; *Blancefloer*, 1889; *Jeanne d'Arc*, 1909). – Sein Vater Paul, [erg.:] 3. 7. 1818 zu Albshausen (bei Gießen) – [erg.: 7.] 8. 1899.
Lit.: M.-Th. Buyssens in: Gamma XXVI, 1974, S. 192ff.

+**Wand,** Günter, * 7. 1. 1912 zu Elberfeld.
Das Gürzenichorchester und die Gürzenichkonzerte standen bis 1973 unter seiner Leitung. 1972 schloß er mit der Bernischen Musikgesellschaft und dem Berner Orchesterverein einen Vertrag als ständiger Gastdirigent ab. Gastverpflichtungen führten ihn weiterhin in zahlreiche europäische Länder (1968 auch nach Japan), ferner unternahm er mehrfach Konzerttourneen mit dem Gürzenichorchester und den Bamberger Symphonikern. – Er schrieb den autobiographischen Beitrag *Der Gürzenich-Kapellmeister* (in: Das musikalische Selbstporträt ..., hrsg. von J.Müller-Marein und H. Reinhardt, Hbg 1963).

Wang Kuang-ch'i, * 1891 zu Wen-chiang (Provinz Szechuan), † 12. 1. 1936 zu Berlin; chinesischer Musikforscher, kam 1920 nach Berlin, wo er zunächst Nationalökonomie, später Musikgeschichte und Musiktheorie studierte. 1932 erhielt er eine Dozentur an der Universität Bonn, wo er 1934 mit der Dissertation *Über die chinesische klassische Oper* (Teildruck in: Orient et Occident I, 1934) promovierte. W. trug mit seinen Schriften in chinesischer Sprache in hohem Maße zum Verständnis europäischer Musikgeschichte und -theorie sowie zur Entwicklung europäischer Musikpflege in China bei. Von seinen Schriften seien genannt: »Geschichte der chinesischen Musik« (2 Bde, 1934, Neudr. in 1 Bd, Taipeh 1956, chinesisch); *Über die chinesische Musik* (in: Chinesische Musik, hrsg. von R. Wilhelm, Ffm 1927); *Musikalische Beziehungen zwischen China und dem Westen im Laufe der Jahrtausende* (in: Studien zur Kultur des Nahen und Fernen Ostens, Fs. P.Kahle, Leiden 1935).

Wang Kuo-wei, * 3. 12. 1877 zu Hai-ning (Provinz Chekiang), † 2. 6. 1927 zu Peking; chinesischer Philosoph, Archäologe und Musikhistoriker, schrieb eine Reihe von musikwissenschaftlichen Abhandlungen zur Geschichte der chinesischen Vokalmusik und Oper. Er übte starken Einfluß auf die Entwicklung der Musikwissenschaft in China aus. Seine wichtigsten Schriften zur Musik wurden als *W.K. hsi ch'ü lunwen chi* (»W. K.s gesammelt Schriften über Oper und Lied«, Peking 1957) neu aufgelegt.

Wang P'o, chinesischer Taoist, Gelehrter und Ingenieur der Periode der Fünf Dynastien (907–960 n. Chr.), konstruierte eine unregelmäßige Temperatur des »pythagoreischen« Tonsystems, in der 5 der 12 möglichen großen Terzintervalle sehr nahe an den 386 Cents der natürlichen Stimmung liegen (2–4 Cents höher), während die übrigen 7 großen Terzen zwischen 405 und 409 Cents weit sind, also dicht bei dem traditionellen »pythagoreischen« Intervall von 408 Cents. Nicht ganz zu Unrecht ist seine Konstruktion mit der des Ramos de Pareja (Bologna 1482) verglichen worden.

+**Wangenheim,** Volker, * 1. 7. 1928 zu Berlin.
Seit 1963 ist W. GMD der Stadt Bonn. Verpflichtungen als Gastdirigent führten ihn in zahlreiche Musikzentren Europas, Nord- und Südamerikas sowie nach

Japan. 1971 wurde er zum Leiter der Dirigentenklasse und des Orchesters der Kölner Musikhochschule ernannt (1973 Professor). Daneben leitet er das Bundesjugendorchester. – Neuere Kompositionen: *Sinfonietta concertante* (1962), *Concerto per archi* (1963), *Sinfonia notturna* (1964), *Sinfonie 1966*; *Klangspiel I* für Streicher (1971) und *II* für Kammerensemble (1972); Stabat mater für 6st. gem. Chor (1964), *Hymnus choralis* (1965), *130. Psalm* (1965), Messe für gem. Chor a cappella (1967).

+Wangermée, Robert, * 21. 9. 1920 zu Lodelinsart (Hennegau).
An der Brüsseler Universität ist W. seit 1965 ordentlicher Professor (Musikwissenschaft und Journalismus) sowie seit 1965 Leiter des Centre de sociologie de la musique am Institut für Soziologie. Bei der Radiodiffusion-Télévision belge wurde er 1960 Generaldirektor für die französischsprachigen Sendungen. – Neuere (musikbezogene) Schriften: *La musique flamande dans la société des XVe et XVIe s.* (Brüssel 1965, deutsch als *Die flämische Musik in der Gesellschaft des 15. und 16. Jh.*, ebd., auch nld., engl. NY 1968); *»Hiroshima« et la musique du film* (in der Sammelschrift des Institut de sociologie *»Tu n'as rien vu à Hiroshima«*, Brüssel 1962); *Zeitgenössische Musik in Belgien* (ÖMZ XVII, 1962); *Introduction à une sociologie de l'opéra* (Fs. A. Souris, = RBM XX, 1966, tschechisch in: Hudební rozhledy XXIV, 1971, S. 83ff.); *L'improvisation pianistique chez Mozart* (Rev. belge d'archéologie et d'histoire de l'art 1970); *Tradition et innovation dans la virtuosité romantique* (AMl XLII, 1970); *La radio, la musique et les moralistes* (in: Publics et techniques de la diffusion artistique, Fs. R. Clausse, Brüssel 1971); *Le ballet de cour* (in: Gattungen der Musik in Einzeldarstellungen, Gedenkschrift L. Schrade, Bd I, Bern 1973); *Über Wesen und Formen des Musikhörens* (in: 50 Jahre Musik im Hörfunk, hrsg. von K. Blaukopf u. a., München 1973).

Wanslow, Wiktor Wladimirowitsch, * 16. 5. 1923 zu Wjatka (Ural); russisch-sowjetischer Musikforscher, studierte nach Absolvierung des pädagogischen Instituts in Barnaul/Altaj (1944) bis 1948 bei Spossobin am Moskauer Konservatorium, an dem er ab 1947 Musiktheorie ist. 1950–58 war er in Moskau wissenschaftlicher Mitarbeiter am Institut für Philosophie der wissenschaftlichen Akademie der UdSSR, arbeitete 1958–63 als Lektor an der Allunions-Theatervereinigung und übernahm 1963 die Leitung des Sektors für Theorie und Kritik am wissenschaftlichen Forschungsinstitut für Kunstgeschichte der Kunstakademie der UdSSR. 1965 promovierte er mit der Dissertation *Sintes iskusstw w opernom spektakle* (»Die Synthese der Künste in der Opernaufführung«) zum Doktor der Kunstwissenschaft. Er veröffentlichte u. a. (Erscheinungsort, wenn nicht anders angegeben, Moskau): *Simfonitscheskoje twortschestwo A. K. Glasunowa* (»Das symphonische Schaffen von A. K. Glasunow«, Moskau und Leningrad 1950); *Ob otraschenii dejstwitelnosti w musyke* (1953, deutsch als *Über die Widerspiegelung der Wirklichkeit in der Musik*, = Sonderdruck zu MuG I, 1951, H. 8); *Prekrasnoje w dejstwitelnosti i w iskusstwe* (»Das Schöne in der Wirklichkeit und in der Kunst«, 1955); *Soderschanije i forma w iskusstwe* (»Inhalt und Form in der Kunst«, 1956); *Problema prekrasnowo* (»Das Problem des Schönen«, 1957); *R. Wagner* (1959); *Isobrasitelnoje iskusstwo i musykalnyj teatr* (»Die bildende Kunst und das Musiktheater«, 1963); *Opera i jejo szenitscheskoje woploschtschenije* (»Die Oper und ihre szenische Verkörperung«, 1963); *Estetika romantisma* (»Die Ästhetik

der Romantik«, 1966); *Twortschestwo Schostakowitscha* (»Das Schaffen von Schostakowitsch«, = Nowoje w schisni, nauke, technike VI, 10, 1966); *Balety Grigorowitscha i problemy choreografii* (»Die Ballette von Grigorowitsch und Probleme der Choreographie«, 1968, ²1971); *S. Wirsaladse* (1970); ferner Aufsätze für SM und »Musykalnaja schisn«.

+Ward, John, [erg.:] getauft 8. 9. 1571 zu Canterbury – vor dem 31. 8. 1638.
Ausg.: +Madrigals ... (E. H. FELLOWES, London 1922), revidiert hrsg. v. TH. DART als: First Set of Madrigals (1613), = The Engl. Madrigalists XIX, ebd. 1968.
Lit.: +E. H. FELLOWES, The Engl. Madrigal Composers (1921, ²1948, [erg.:] Nachdr. 1958 [nicht: 1950]). – W. MELLERS, The Madrigal and »Jacobean Melancholy«, in: Harmonious Meeting, London 1965; G. HENDRIE in: MGG XIV, 1968, Sp. 240ff.

+Ward, John Milton, * 6. 7. 1917 zu Oakland (Calif.).
Er wurde an der Harvard University (Mass.) 1958 ordentlicher Professor (Leiter des Music Department 1957–61). – Die Ausgabe [nicht: Schrift] +*The Dublin Virginal Manuscript* (Wellesley/Mass. 1954), 2. revidierte Aufl. ebd. 1964. – Neuere Schriften: *Music for »A Handefull of Pleasant Delites«* (JAMS X, 1957); *Le problème des hauteurs dans la musique pour luth et vihuela au XVIe s.* (in: Le luth et sa musique, hrsg. von J. Jacquot, Paris 1958); *The Lute Music of MS Royal Appendix 58* (Fs. O. Kinkeldey, = JAMS XIII, 1960); *Parody Technique in 16th-Cent. Instrumental Music* (in: The Commonwealth of Music, Gedenkschrift C. Sachs, NY und London 1965); *»Joan qd John« and Other Fragments at Western Reserve University* (in: Aspects of Medieval and Renaissance Music, Fs. G. Reese, NY 1966); *Apropos »The British Broadside Ballad and Its Music«* (JAMS XX, 1967); *Spanish Musicians in Sixteenth-Cent. England* (in: Essays in Musicology, Fs. Dr. Plamenac, Pittsburgh/Pa. 1969); *Curious Tunes for »Strange Histories«* (in: Words on Music, Fs. A. T. Merritt, Cambridge/Mass. 1972).

Ward (wɔːd), Robert, * 13. 9. 1917 zu Cleveland (O.); amerikanischer Komponist und Dirigent, studierte an der Eastman School of Music der University of Rochester (N. Y.) bei Hanson und Bernard Rogers (B. Mus. 1939), der Juilliard School of Music in New York bei Fr. Jacobi und Stoessel (M. A. 1946) sowie am Berkshire Music Center in Tanglewood (Mass.) bei Copland. Er lehrte in New York 1946–56 an der Juilliard School of Music (1954–56 Assistent des Präsidenten), daneben 1946–48 an der Columbia University (N. Y.) und war 1956–67 Vizepräsident und Managing Editor der Galaxy Music Corporation und der Highgate Press. Seitdem ist er Präsident der North Carolina School of the Arts. W. schrieb die Opern *He Who Gets Slapped* (Libretto Bernard Stambler, NY 1956) und *The Crucible* (ders. nach Arthur Miller, NY 1961, deutsch als *Hexenjagd*, Bern und Wiesbaden 1963), Orchesterwerke (4 Symphonien, 1941, 1948, 1950 und 1958; Ouvertüre *Jubilation*, 1946; *Jonathon and the Gingery Snare* für Sprecher und Orch., 1950; *Euphony*, 1954; *Festive Ode*, 1966; *Antiphony* für Bläser, 1967; Klavierkonzert, 1968), Kammermusik (Streichquartett, 1965) und Vokalwerke (*Earth Shall Be Fair* für gem. Chor oder Doppelchor, Kinderchor oder S. und Orch. oder Org., 1960; *Sweet Freedom's Song* für S., Bar., Sprecher, Chor und Orch., 1965).
Lit.: Werkverz. in: Composers of the Americas IX, Washington (D. C.) 1963.

Warfield (wʼɔːfiːld), William, * 22. 1. 1920 zu West Helena (Ark.); amerikanischer Sänger (Baßbariton), studierte an der Eastman School of Music der University of Rochester (N. Y.) und debütierte 1950 als Konzertsänger in der Town Hall in New York. 1952 gastierte er als Porgy (*Porgy and Bess*) in Wien, Berlin, London und Paris. 1955 ging er mit dem Philadelphia Orchestra auf Europatournee. Seitdem hat er mit namhaften amerikanischen Orchestern (New York Philharmonic, Boston Symphony Orchestra) in den bedeutenden Musikzentren der Alten und Neuen Welt gastiert.

+**Warlamow**, Alexandr Jegorowitsch, 15.(27.) 11. 1801 – 15.(27.) 10. 1848.
Unter dem Titel *Russkij pewez* (»Der russische Sänger«, Moskau 1848) gab W. eine Sammlung von Volksliedern heraus.
Lit.: N. Listowa, A. W., ... (»Sein Leben u. Liedschaffen«), Moskau 1968.

+**Warner**, Sylvia Townsend, * 6. 12. 1893 zu Harrow on Hill (London).
Sie gehörte 1918–28 dem Herausgebergremium der Reihe *Tudor Church Music* an (→Denkmäler, Großbritannien 5).

Warner, Theodor, * 6. 7. 1903 zu Jüterbog (Kreis Potsdam); deutscher Musikpädagoge, studierte in Berlin ab 1922 an der Universität Physiologie (Dr. phil. 1928), 1920–25 Musik am Stern'schen Konservatorium und 1932–34 an der Akademie für Kirchen- und Schulmusik. Nach naturwissenschaftlicher Tätigkeit an den Universitäten Berlin und Heidelberg und am Imperial College of Science in London wandte er sich 1934 als Hochschullehrer endgültig der Musik zu, ging 1939 von Berlin nach Graz (1944 Professor) und wirkt seit 1949 an der Pädagogischen Hochschule Flensburg. W. hat mit seiner Schrift *Musische Erziehung zwischen Kult und Kunst* (= Beitr. zur Musikerziehung III, Bln 1954) nachhaltigen Anstoß zu einer didaktischen Neubesinnung des Schulfaches Musik gegeben, die er seither in zahlreichen Aufsätzen und Schriften weiter gefördert hat; genannt seien *Neue Musik im Unterricht* (= Beitr. zur Schulmusik XVI, Wolfenbüttel 1965) und *Das Undurchhörbare. Beiträge zur Hörpsychologie und Didaktik der Moderne* (Baden-Baden und Stuttgart 1969). Er ist auch als Komponist hervorgetreten.

+**Warrack**, Guy [erg.:] Douglas Hamilton, * 8. 2. 1900 zu Edinburgh.
Er war 1952 und 1956 Vorsitzender der Composers' Guild of Great Britain und 1955–59 Präsident des International Council of Composers. Seit 1958 ist er Mitglied des General Council of Performing Right Society. Nachzutragen ist seine Schrift *Sherlock Holmes and Music* (London 1947).

Warrack (wˈɔɹək), John, * 9. 2. 1928 zu London; englischer Oboist, Musikschriftsteller und -kritiker, studierte am Royal College of Music in London (1948–51) und war dann als Oboist in Londoner Orchestern tätig (1951–54). 1955–61 war er Musikkritiker beim »Daily Telegraph« und 1961–72 1. Musikkritiker beim »Sunday Telegraph«. Neben einer Reihe von Miszellen, überwiegend zur neueren englischen Musik, veröffentlichte er: *Six Great Composers. Bach, Mozart, Beethoven, Schubert, Chopin, Verdi* (London 1958); *Concise Oxford Dictionary of Opera* (mit H. Rosenthal, ebd. und NY 1964, 21972, deutsch als *Friedrichs Opernlexikon*, bearb. von H. O. Spingel, Velber bei Hannover 1969); *C. M. v. Weber* (London 1968, deutsch Hbg 1972); *Tchaikovsky Symphonies and Concertos* (= BBC Music Guides XVI, London 1969 und Seattle/Wash. 1971); *Tchaikovsky* (London 1973).

Warren (wˈɔɹən), Harry (eigentlich Guaragna), * 24. 12. 1893 zu Brooklyn (N. Y.); amerikanischer Komponist von Unterhaltungs- und Filmmusik, als Musiker Autodidakt, begann nach dem 1. Weltkrieg Songs zu schreiben. Sein erster Erfolg war *Rose of the Rio Grande*. Nach 1933 ging er nach Hollywood (zu Warner Brothers und Twentieth-Century-Fox), wo er u. a. die Musik zu zwei Gl. Miller-Filmen schrieb. Nach dem Krieg war er als freier Filmkomponist tätig. Einige seiner Songs gehören zu den Evergreens der Jazzmusik, u. a. *Serenade in Blue, September in the Rain* und *Chattanooga Choo-Choo*. Für folgende Stücke erhielt er Preise als beste Songs des Jahres: *Lullaby of Broadway* (1935); *You'll Never Know* (1943); *On the Atchison, Topeka and the Santa Fé* (1946).
Lit.: D. Ewen, Great Men of American Popular Song, Englewood Cliffs (N. J.) 1970.

Warren (wˈɔɹən), Raymond, * 7. 11. 1928 zu Weston Super Mare (Somerset); englischer Komponist, studierte bei Orr an der Cambridge University (1949–52) und später privat bei Tippett und Berkeley. 1952–55 war er Director of Music an der Woolverstone Hall School in Suffolk; 1955 wurde er Lecturer und 1966 Professor of Composition and Teaching an der Belfast University. Er komponierte u. a. die Kinderoper *Finn and the Black Hag* (Belfast 1959), die Kammeroper *The Lady of Ephesus* (ebd. 1959), die Opern *Graduation Ode* (ebd. 1963) und *Let My People Go* (Liverpool 1972), Orchesterwerke (*Magnificat Fanfare*, 1965; 1. Symphonie, 1965; Violinkonzert, 1966), Kammermusik (Bläserserenade *Music for Harlequin*, 1964; 1. Streichquartett, 1966), Klavier- und Orgelstücke, das Oratorium *The Passion* für T., Bar., Chor und Orch. (1962), geistliche und weltliche Kantaten, Lieder (*Songs of Old Age* für Bar. und Kl., 1968) sowie Bühnenmusik.
Lit.: Ch. Acton in: MT CX, 1969, S. 1031ff.

+**Wartisch**, Otto, * 18. 11. 1893 zu Magdeburg, [erg.:] † 29. 4. 1969 zu Wolfratshausen (Oberbayern).

+**Wasielewski**, Wilhelm Joseph von, 1822–96.
+*Die Violine und ihre Meister* (1869, 71927), Nachdr. Wiesbaden 1968; +*Die Violine im 17. Jh.* [erg.:] *und die Anfänge der Instrumentalkomposition* (1874), Nachdr. = Bibl. musica Bononiensis III, 21, Bologna 1969; +*Geschichte der Instrumentalmusik im XVI. Jh.* (1878), Nachdr. Wallauf bei Wiesbaden 1972; +*Das Violoncell und seine Geschichte* (1889, 31925), Nachdr. Wiesbaden 1968, engl. London 1894, Nachdr. ebd. und NY 1968.
Lit.: K. Stephenson in: Rheinische Musiker IV, hrsg. v. K. G. Fellerer, = Beitr. zur rheinischen Mg. LXIV, Köln 1966, S. 189ff.; R. Federhofer-Königs, Der Briefwechsel v. W. J. v. W. ... in seiner Bedeutung f. d. Schumann-Forschung, in: Convivium musicorum, Fs. W. Boetticher, Bln 1974.

Wassermann, Dale → Leigh, Mitch.

+**Wassilenko**, Sergej Nikiforowitsch, 1872–1956.
Kompositionslehrer am Moskauer Konservatorium war er bis 1950. – Außer der als Oper aufgeführten Kantate *Skasanije o grade welikom Kitesche i tichom osere Swetojare* (»+Die Sage von der großen Stadt Kitesch und dem stillen See Swetojar«) schrieb W. insgesamt 5 Opern, 2 Operetten, 8 Ballette, 5 Symphonien, 3 symphonische Dichtungen, Orchestersuiten, Konzerte, Kammermusik, Vokalwerke und Filmmusik. – +*Handbuch der Orchestrierung Instrumentowka dlja simfonitscheskowo orkestra* (2 Bde, Moskau 1952–59). – Er verfaßte ferner: *S. W. Rachmaninow* ... (»Kurze Skizze des Lebens und Schaffens«, = Knischka dlja junoschest-

wa o. Nr, Leningrad 1961); *Balety Prokofjewa* (= Bibl. musykalnowo samoobrasowanija o. Nr, ebd. 1965). Lit.: G. K. IWANOW, S. N. W., Notografitscheskij sprawotschnik (»Werkverz.«), Moskau 1973. – ⁺G. A. POLJANOWSKIJ, S. N. W. (1947), Neuaufl. ebd. 1964. – Istorija russkoj sowjetskoj musyki, hrsg. v. A. D. ALEXEJEW u. W. A. WASSINA-GROSSMAN, Bd I–III, ebd. 1956–59; J. W. DRUSKIN u. S. S. GURWITSCH, Wydajuschtschijesja russkije kompository w dorewoljuzionnom Rostowe-na-Donu (»Prominente russ. Komponisten im vorrevolutionären Rostow am Don«), in: Is musykalnowo proschlowo I, hrsg. v. B. S. Steinpress, ebd. 1960; J. A. FORTUNATOW in: Wydajuschtschijesja dejateli teoretiko-kompositorskowo fakulteta Moskowskoj konserwatorii (»Hervorragende Lehrpersonen d. theoretisch-kompositorischen Fakultät d. Moskauer Konservatoriums«), ebd. 1966; D. GOJOWY, Moderne Musik in d. Sowjetunion bis 1930, Diss. Göttingen 1966; A. KOSLOWSKIJ, Utschitel-drug (»Der Lehrer als Freund«), SM XXXVI, 1972.

Wassiljew, Wladimir Wiktorowitsch, * 18. 4. 1940 zu Moskau; russisch-sowjetischer Tänzer und Choreo graph, absolvierte 1958 als Schüler von Michail Gabowitsch die Ballettschule des Moskauer Bolschoj Teatr und wurde im selben Jahr Solist des Bolschoj-Balletts, wo seine Begabung besonders unter der Führung von Golejsowskij und Grigorowitsch zur Entfaltung kam. 1964 erhielt er auf dem internationalen Ballettwettbewerb in Varna einen Grand Prix und in Paris den Nischinskij-Preis. 1971 debütierte er als Choreograph mit dem Ballett *Ikar* (»Ikarus«) von S. Slonimskij. Neben Rollen des klassischen Repertoires (Basil in *Don Quixote* von Minkus) ist besonders das moderne sowjetische Repertoire seine Domäne. Zu seinen bekannten Rollen zählen Iwanuschka (*Konjok-Gorbunok*, »Das bucklige Pferdchen«, von Schtschedrin, Choreographie Alexandr Radunskij, 1960), Prinz (*Schtschelkuntschik*, »Nußknacker«, Tschaikowsky, Grigorowitsch, 1966) und Spartakus (*Spartak*, A. Chatschaturjan, Grigorowitsch, 1968). Lit.: A. ILOUPINA, Vasiliev, in: Les saisons de la danse 1970, Nr 50; JE. GRINJOW in: Musykalnaja schisn XVI, 1973, Nr 1, S. 8ff.

Wassina-Grossmann, Wera Andrejewna, * 21. 2. (5. 3.) 1908 zu Rjasan; russisch-sowjetische Musikforscherin, studierte in Moskau Klavier am Musiktechnikum (bis 1931) sowie Musiktheorie und -geschichte am Konservatorium (bis 1938) und begann ihre pädagogische Tätigkeit 1939 in Moskau an der Kinder-Zentralmusikschule und am zentralpädagogischen Musikinstitut. 1942–57 lehrte sie Musiktheorie am Moskauer Konservatorium (1944 Dozentin). Ab 1949 war sie wissenschaftliche Mitarbeiterin des Instituts für Kunstgeschichte in Moskau. 1954 promovierte sie mit der Arbeit *Russkij klassitscheskij romans* (»Die russische klassische Romanze«, Moskau 1956) zum Doktor der Kunstwissenschaft. Sie veröffentlichte u. a. (Erscheinungsort, wenn nicht anders angegeben, Moskau): *A. K. Ljadow* (Moskau und Leningrad 1945); *Ju. A. Schaporin* (ebd. 1946); *Perwaja kniga o musyke* (»Das erste Buch über die Musik«, 1951, erweitert ³1958); *Werdi »Rekwijem«* (1955); *Schisn Glinki* (»Das Leben Glinkas«, 1957, 2. Aufl. unter dem Titel *M. I. Glinka*, = Bibl. chudoschestwennaja samodejatelnosti XXX, 1959); *Wokalnyje formy* (»Vokalformen«, 1960, ²1963); *Kniga dlja ljubitelej musyki* (»Ein Buch für Musikliebhaber«, 1962, ²1964, Riga 1966); *Romantitscheskaja pesnja XIX weka* (»Das romantische Lied des 19. Jh.«, 1966); *Sapadnojewropejskaja romantitscheskaja pesnja. Germanija i Awstrija* (»Das westeuropäische romantische Lied. Deutschland und Österreich«, 1966); *Mastera sowjetskowo romansa* (»Die Meister der sowjetischen

Romanze«, 1968); *Rasskasy o musyke* (»Erzählungen über Musik«, 1968); *Russkaja poesija w russkom romanse* (»Russische Poesie in der russischen Romanze«, 1972); *Musyka i poetitscheskoje slowo*, Bd I: *Ritmika* (»Musik und dichterischer Text«, Bd I: »Rhythmik«, 1972); ferner zahlreiche Aufsätze, u. a. für SM, vor allem zum russischen Liedschaffen. – Ausgabe: *Istorija russkoj sowjetskoj musyki* (»Geschichte der russisch-sowjetischen Musik«, mit A. D. Alexejew, I, 1956, II, 1959, III, 1959, und IV, 1–2, 1963).

Waßmuth, Johann Georg Franz (Wasmuth), † 1766 zu Würzburg; deutscher Komponist, kam um 1729 als Violinist der fürstbischöflichen Kapelle nach Würzburg, wo er 1730 Hoforganist und Chorregent, 1731 Hofkomponist und 1737 außerdem Kapellmeister wurde. Er schrieb unter dem Einfluß der älteren Wiener Schule (Fux, G. B. Bononcini, Caldara, G. Reutter d. J.) 16 Serenate, 8 Burlesken, zahlreiche Messen, Konzerte, Partiten und Sinfonien. Lit.: O. KAUL, Gesch. d. Würzburger Hofmusik im 18. Jh., = Fränkische Forschungen zur Gesch. u. Heimatkunde II–III, Würzburg 1924; DERS., Die musikdramatischen Werke d. Würzburger Hofkapellmeisters G. Fr. W., ZfMw VII, 1924/25.

Watanabe, Akeo, * 5. 6. 1919 zu Tokio; japanischer Dirigent, studierte in seiner Heimatstadt an der Musikhochschule und bei Rosenstock sowie 1950–52 an der Juilliard School of Music in New York bei Jean Morel. 1956 gründete er das Nippon Philharmonic Orchestra, das unter seiner Leitung (bis 1968) zu einem angesehenen Klangkörper Japans heranwuchs. 1962–67 lehrte er an der Tokioter Musikhochschule. W. ist als Gastdirigent mit seinem Orchester in den USA aufgetreten (1964). Er stand auch am Pult verschiedener europäischer Orchester, u. a. der Berliner Philharmoniker.

Waterman (w'ɔ:təmən), Richard Alan, * 10. 7. 1914 zu Solvang (Calif.), † 8. 11. 1974 zu Tampa (Fla.); amerikanischer Musikethnologe, studierte an der Northwestern University in Evanston (Ill.), an der er 1943 mit einer Dissertation über *African Patterns in Trinidad Negro Music* zum Ph. D. promovierte und 1943–56 als Dozent tätig war. Er lehrte an der University of Washington in Seattle (1953–54), der Wayne State University in Detroit/Mich. (1956–66) und der University of South Florida in Tampa (1966 Professor). Als Jazzspezialist leitete er die Jazzfestivals in Newport (1952) und Detroit (1961 und 1962) und war Redakteur des »Jazz Seminar« der Rundfunkanstalten WFMT in Chicago (1955–56) und WDTM in Detroit (1962–64) sowie von Schulfunksendungen des Detroiter Fernsehens. Ab 1968 war er auch Mitarbeiter des Jazzinstituts der Akademie für Musik und darstellende Kunst in Graz. W. veröffentlichte: *Percussion Rhythm in the Music of the Negroes of Trinidad* (Chicago Anthropological Society Bull. I, 1945); *Folk Music of Puerto Rico* (Washington/D. C. 1947); *»Hot« Rhythm in Negro Music* (JAMS I, 1948); *African Influence on the Music of the Americas* (in: Acculturation in the Americas, Kgr.-Ber. Chicago 1952); *Aboriginal Songs from Groote Eylandt, Australia* (in: Proceedings of the Centennial Workshop on Ethnomusicology, Kgr.-Ber. Vancouver 1967); *Diprotodon to Detribalization. Studies of Change Among Australian Aborigines* (East Lansing/Mich., 1970). Lit.: BR. NETTL in: Yearbook f. Inter-American Mus. Research VII, 1971, S. 125ff.; L. S. SUMMERS in: Living Blues 1971, Nr 6, S. 30ff. (Chicago); W. R. BASCOM in: Yearbook of the International Folk Music Council IV, 1972, S. 146ff.; A. P. MERRIAM in: Ethnomusicology XVII, 1974, S. 72ff. (mit Schriftenverz.).

al-Wāṯiq bi-llāh (vollständiger Name Hārūn ibn Muḥammad al-Mu'taṣim ibn Hārūn ar-Rašīd, Abū Ǧa'far), * um 813 zu Bagdad, † 10. 8. 847 zu Samarra; 9. 'Abbāsidenkalif, war Mäzen der schönen Künste und ausübender Musiker. Seine Regierungszeit (842–847) war durch Aufstände und Unruhen gekennzeichnet, denen er weniger Interesse entgegenbrachte als der Poesie und Musik. Er sang zur Laute und komponierte; auch förderte er seine zahlreichen Hofmusiker, vor allem den privilegierten Isḥāq al-Mauṣilī, dem er wiederum seine Kompositionen zur Begutachtung vorlegte. Seine ca. 100 Lieder wurden in einer schriftlichen Sammlung (der Texte mit Vortragsangaben) niedergelegt; eine Auswahl daraus stellte Isḥāq al-Mauṣilī zusammen.
Lit.: ABU L-FARAǦ AL-IṢFAHĀNĪ, Kitāb al-Aġānī al-kabīr (»Großes Buch d. Lieder«), Bd IX, Kairo ³1936 u. ö.; H. G. FARMER, A Hist. of Arabian Music to the XIIIᵗʰ Cent., London 1929, Nachdr. 1967; DERS., The Sources of Arabian Music, Bearsden 1940, revidiert Leiden 1965, Nr 15; K. v. ZETTERSTÉEN, al-W., EI IV, 1934; S. ŠAIḪĀNĪ, Ašhar al-muġannīn 'inda l-'arab (»Die berühmtesten Sänger bei d. alten Arabern«), Beirut 1962; A. TAIMŪR, al-Mūsīqī wa-l-ġinā' 'inda l-'arab, Kairo 1963 (Text-Slg zur arabischen Mg.); E. NEUBAUER, Musiker am Hof d. frühen 'Abbāsiden, Diss. Ffm. 1965.

Watson (w'ɔtsən), Claire, * 3. 2. 1928 zu New York; amerikanische Sängerin (Sopran), war Schülerin von Elisabeth Schumann und Sergius Kagen. Ihrem Debüt in Graz (1951) als Desdemona folgte 1956–58 ein Engagement an den Frankfurter Städtischen Bühnen. Seit 1958 ist sie Mitglied der Bayerischen Staatsoper München (1961 Kammersängerin). Gastspiele führten sie an die großen Opernhäuser Europas (Mailand, Wien, Berlin, London) und 1969 erstmals in die USA. 1966 debütierte sie bei den Salzburger Festspielen.
Lit.: GR. ROTHER in: Opera XXI, (London) 1970, S. 1004ff.

+**Watson,** Thomas, * um 1557 und † 1592 zu London [del. bzw. erg. frühere Angaben].
Lit.: J. KERMAN, The Elizabethan Madrigal, = Studies and Documents IV, NY 1962.

Watts (wɔts), André, * 20. 6. 1946 zu Nürnberg; amerikanischer Pianist, studierte in Philadelphia und trat 1963 bei einem von L. Bernsteins Young People's Concerts auf. Seitdem gibt er Konzerte und Klavierabende in den USA, Südamerika, Europa und Japan. 1973 erhielt er den Dr. h. c. der Yale University in New Haven (Conn.).

Watts (wɔts), Helen Josephine, * Dezember 1927 zu Milford Haven (Pembrokeshire); britische Konzertsängerin (Alt), studierte an der Royal Academy of Music in London (Caroline Hatchard, Frederick Jackson) und sang 1953 in einer Aufnahme der BBC die Titelpartie in Glucks Orfeo ed Euridice. Es folgten Engagements zu Konzerten mit Werken von J. S. Bach für das 3. Programm der BBC sowie 1966 ihr USA-Debüt in der New Yorker Philharmonic Hall (A Mass of Life von Delius). In ihrem Repertoire nehmen die Werke Händels einen breiten Raum ein (Sosarme, Semele, Theodora). H. W. ist auch als Liedsängerin hervorgetreten.

+**Watzke,** Rudolf, * 5. 4. 1892 zu Niemes (Böhmen), [erg.:] † 18. 12. 1972 zu Wuppertal.
Lehrer für Stimmbildung am Konservatorium in Dortmund war er 1956–69. – Seine Frau Liliana [erg.: Dobreva] Christova (* 16./29. [nicht: 20.] 7. 1904 zu Varna, Bulgarien) konzertierte bis 1955, übernahm dann eine Meisterklasse für Klavier am Bergischen Landeskonservatorium in Wuppertal und lebt seit 1970 im Ruhestand.

Waxel, Platon Lwowitsch, * 14.(26.) 8. 1844 zu Strelna (bei St. Petersburg), † Anfang Januar 1919 zu Petrograd; russischer Musikkritiker, studierte in St. Petersburg, lebte 1862–70 in Portugal (Mitarbeiter bei der »Gazeta da Madeira« und »A arte musical«), 1870–74 in Leipzig und danach in St. Petersburg (verantwortlicher Leiter des Musikfeuilletons des »Journal de St. Petersbourg«). Er schrieb u. a.: M. de Glinka. Esboço biographico (Funchal 1862); R. Wagner e Fr. Liszt (Lissabon 1875); Abriß der Geschichte der portugiesischen Musik (Bln 1888).

Waxman (w'æksmən), Franz (ursprünglich Wachsmann), * 24. 12. 1906 zu Königshütte (Oberschlesien), † 27. 2. 1967 zu Los Angeles; amerikanischer Komponist und Dirigent deutscher Herkunft, studierte in Dresden und Berlin. Er wandte sich schon früh der Filmmusik zu (Das Kabinett des Dr. Larifari, mit R. Stolz und Max Hansen, 1930; Der Mann, der seinen Mörder sucht, mit Fr. Hollaender, 1931; Liliom, 1933). W. emigrierte 1934 über Frankreich in die USA, wo er sich in Hollywood niederließ und bei Schönberg studierte. Er schrieb in den folgenden Jahrzehnten Musik für zahlreiche amerikanische Filme; genannt seien: Bride of Frankenstein (1935); Remember Last Night (1935); The Adventures of Huckleberry Finn (1939); Dr. Jekyll and Mr. Hyde (1941); Objective, Burma! (1945); Sunset Boulevard (1950, Academy Award); A Place in the Sun (1951, Academy Award); Come Back, Little Sheba (1953); The Silver Chalice (1955); Run Silent, Run Deep (1958); Hemingway's Adventures of a Young Man (1962); The Lost Command (1966). W. komponierte auch Orchesterwerke (Symphonie für Streichorch. und Pk., 1955), das Oratorium Joshua für Erzähler, Chor und Orch. (1959) sowie Fernsehmusik. Als Gastdirigent trat er in den USA, in Europa und Israel auf.

Waydowa-Korolewicz (wajd'ɔvakorɔl'ɛvitʃ), Janina, * 3. 1. 1876 und † 20. 6. 1955 zu Warschau; polnische Sängerin (dramatischer Koloratursopran), studierte am Konservatorium in Lemberg, debütierte dort 1898 in Moniuszkos Straszny dwór (»Das Gespensterschloß«) und gehörte bis 1902 zum Ensemble der Warschauer Oper. Gastspiele führten sie an die großen Bühnen Europas (1904–06), der USA (1910 Metropolitan Opera in New York) und Australiens. 1917–19 und 1934–36 leitete J. W.-K. die Warschauer Oper. Zu ihren wichtigsten Partien gehörten Traviata, Gilda, Margarethe, Carmen und Halka.

+**Wayenberg,** Daniel [erg.:] Ernest Joseph Carel, * 11. 10. 1929 zu Paris.
W., der weiterhin im europäischen wie außereuropäischen Ausland konzertiert, lebt heute in La-Celle-St-Cloud (bei Paris). An weiteren Kompositionen entstanden u. a. ein Konzert für 5 Blasinstr. und Kl. (1966), eine Violinsonate (1968), die Symphonie Capella (1973) sowie ein Konzert für 3 Kl. und Orch. (1974).

Weathers (w'eðəz), Felicia (verheiratete Bakonyi), * 13. 8. 1937 zu St. Louis (Mo.); amerikanische Sängerin (Sopran), studierte ab 1957 an der Indiana University in Bloomington (Dorothée Manski, Kullman und Frank St. Leger), debütierte 1961 als Salome am Stadttheater in Kiel und war 1963–70 Mitglied der Hamburgischen Staatsoper. 1965 trat sie erstmals an der Metropolitan Opera in New York und 1970 an der Covent Garden Opera in London auf. Zu ihren weiteren Partien zählen Donna Anna, Elisabeth (Don Carlos), Aida und Butterfly. F. W. hat sich auch als Konzert- und Liedsängerin einen Namen gemacht. 1971 erhielt sie ein Ehrendoktorat der Washington University in St. Louis (Mo.).

+Weaver, John, 1673–1760.
Lit.: S. J. COHEN, Theory and Practice of Theatrical Dancing in England in the Restoration and Early 18th Cent., Bull. of the NY Public Library LXIV, 1960.

+Webb, Chick (William), [erg.:] 10. 2. 1902 [nicht: 1909] – [erg.: 16. 6.] 1939.
W., der sein Orchester (mit Johnny Hodges, Jimmy Harrison, später auch Benny Carter) 1926 gründete, machte Schallplattenaufnahmen ab 1931 (1935–39: *The Golden Swing Years,* International Polydor 423 248; 1940: *Stompin' at the Savoy,* CC 17).

Webb, Daniel, * 1718/19 zu Maidstown (Irland), † 2. 8. 1798 zu Bath(?); englischer Musikästhetiker, studierte ab 1735 in Oxford und lebte später in Bath. Unter seinen ästhetischen Schriften behandeln die *Observations on the Correspondence Between Poetry and Music* (London 1769, deutsch von J.J.Eschenburg als *Betrachtungen über die Verwandtschaft der Poesie und Musik,* Lpz. 1771) die Wirkungen der Musik auf den Menschen und vertreten eine nicht mehr assoziative Nachahmungs- und Ausdruckslehre.
Lit.: H. HECHT, D. W., Ein Beitr. zur engl. Ästhetik d. 18. Jh., Diss. Hbg 1920; W. SERAUKY, Die mus. Nachahmungsästhetik im Zeitraum v. 1700 bis 1850, = Universitas-Arch. XVII, Münster (Westf.) 1929; K. H. DARENBERG, Studien zur engl. Musikästhetik d. 18. Jh., = Britannica et Americana, N. F. VI, Hbg 1960.

Weber (vebˈɛ:r), Alain, * 8. 12. 1930 zu Château-Thierry (Aisne); französischer Komponist, studierte ab 1941 am Pariser Conservatoire (Aubin, N. Gallon, Messiaen) und erhielt 1952 den Grand prix de Rome. Er schrieb die Kammeroper *La voie unique* (1958), das Ballett *Le petit jeu* (Paris 1953), Orchesterwerke (*Suite pour une pièce vue,* 1954; Symphonie, 1957; Symphonische Dichtung *Midjaay,* 1963; Variationen für Streicher, 1965; *5 poèmes* für V. und Orch., 1953; Hornkonzert, 1954; Concertino für Kl., 1961; Konzert für Trp., 1965; *Commentaires concertants* für Fl., 1967; *Strophes* für Trp., Streicher und Schlagzeug, 1966), Kammermusik (Variationen für Kl., 10 Instr. und Schlagzeug, 1965; *Solipsisme* für Streichquartett, Kl. und Schlagzeug, 1968; Bläserquintett, 1954; Holzbläsertrio, 1959; *Variantes* für 2 Kl. und Schlagzeug, 1964; Thema und Variationen für V. und Kl., 1952; Sonate für Ob. und Hf., 1960; *Palindromes* für Fag. und Kl., 1967; Sonate für Va und Kl., 1968; *Synecdoque* für Ob. solo, 1968) sowie Lieder.

Weber (wˈebə), Ben, * 23. 7. 1916 zu St. Louis (Mo.); amerikanischer Komponist, studierte Gesang und Klavier an der DePaul University School of Music in Chicago und Medizin an der University of Illinois in Urbana. Als Komponist ist er Autodidakt. W. lehrte an der University of Wisconsin in Milwaukee (1963), am Oberlin College/O. (1963) und am New York College of Music (1966). Er komponierte u. a. das Ballett *The Pool of Darkness* für Fl., Fag., Trp., V., Vc. und Kl. op. 26 (NY 1951), *Sinfonia* für Vc. und Orch. (bzw. Kl.) op. 21 (1945), Praeludium und Passacaglia für Orch. op. 42 (1954), Konzerte für V. op. 41 (1954) und für Kl. op. 52 (1961) sowie *Concert Poem* für V. op. 61 (1970) mit Orch., 2 Stücke für Streichorch. op. 34 (1951), Serenade für Streicher op. 46 (1956, auch für Streichquintett), *Rapsodie concertante* für Va und kleines Orch. op. 47 (1957), *Dolmen,* Elegie für Bläser und Streicher op. 58 (1964), Kammermusik (*Pastorale and Scherzo* für 9 Bläser op. 3, 1939; 2 Streichquartette, op. 12, 1942, und op. 35, 1952; Notturno für Fl., Vc.

und Celesta op. 55, 1962), Klavier- und Orgelstücke sowie Vokalwerke (Konzertarie für S., Fl., Ob., Klar., Horn, Fag., V., Vc. und Kl. op. 29, 1950; Symphonie in 4 Sätzen für Bar. und Kammerorch. op. 33, auf Gedichte von William Blake, 1951; 3 Lieder für S. und Streichorch. ohne Kb. oder Streichquartett op. 48, 1959; Liederzyklus *The Ways* für hohe Singst. und Kl. op. 54, 1964).
Lit.: Werkverz. in: Composers of the Americas IX, Washington (D. C.) 1963.

+Weber, Bernhard, * 30. 11. 1912 zu Osnabrück, [erg.:] † 25. 3. 1974 zu Linz am Rhein.
W. war weiterhin als Chorleiter in Linz und Düsseldorf tätig. – Neuere Werke: 2 Quartette für 4 Hörner (1967, 1972); *Chinesische Gesänge* für gem. Chor und Kl. (1963); *Es ward ein Stern entzündet* für gem. Chor und Streicher (1963); *Komm nun wieder, stille Zeit* für 3st. Oberchor, 4st. Männerchor und Org. (1964); *Die Zeit geht wie ein Rad herum* für S., Bar., Männerchor und Orch. (1964); *Gar lustig ist die Jägerei* für Männerchor und 4 Hörner (1968); Liederzyklus *Immerwährender Liebeskalender* für Bar. und Kl. (1968).

+Weber, Bernhard Anselm, 1764 [nicht: 1766] – 1821.

Weber, Carl, * 9. 8. 1834 zu Frankenberg (bei Chemnitz), † Mitte Juli 1913 zu Tambow; deutsch-russischer Pianist und Musikpädagoge, absolvierte 1849 das Leipziger Konservatorium als Kompositionsschüler von Mendelssohn Bartholdy und Hauptmann und als Klavierschüler von M. Moszkowski. 1854–58 lehrte er Klavier in Minsk, 1858–65 in Riga sowie 1866–70 am Moskauer Konservatorium und war 1877–81 Direktor der Musikschule in Saratow. 1881 ließ er sich in Tambow nieder. Er schrieb u. a.: *Kratkij otscherk sowremennowo sostojanija musykalnowo obrasowanija w Rossii* (»Kurzer Abriß über die reale zeitgenössische Musikausbildung in Rußland«, Moskau 1855); *Rukowodstwo dlja sistematitscheskowo obutschenija na fortepiano* (»Anleitung zum systematischen Klavierunterricht«, ebd. 1868, ³1900); *Putewoditel pri obutschenii igre na fortepiano* (»Ein Wegweiser für den Klavierunterricht«, ebd. 1876, ⁴1909).

+Weber, Carl Maria Friedrich Ernst von, 18. [erg.: oder 19. (getauft 20.)] 11. 1786 – 1826.
Sein Vater Franz Anton (von) W., 1734(?) [erg.:] zu Zell im Wiesental (Schwarzwald) – 1812; dessen Bruder [erg.: Franz] Fridolin, 1733(?) – [erg.:] 23. 10. 1779 zu Wien; seine Mutter Genovefa (geborene Brenner), 2. 1. [nicht: 13. 3.] 1764 – 1798; sein Stiefbruder Fritz [erg.:] (Fridolin) Stephan Johann Nepomuk Andreas Maria, [erg.: 29. 11.] 1761 [erg.:] zu Hildesheim – [erg.:] 11. 3. 1833.
Die Gesänge aus Th. Körners +*Leyer und Schwerdt* entstanden zwischen 1814 und 1816 (3 H., op. 41 und op. 43 für Singst. und Kl., op. 42 für 4st. Männerchor); das Textbuch zur Oper +*Der Freischütz* stammt von Fr. →Kind (nach dem *Gespensterbuch* I, hrsg. von J. A. Apel und Fr. Laun, Lpz. 1811). – +*Jubelkantate* für S., A., T., B., gem. Chor und Orch. op. 58 (1818) [del. frühere Angaben]. – Konzertwerke mit Orch. für Va (*Andante e Rondo ungarese* C moll, 1809, umgearbeitet für Fag., op. 35, 1813), Vc. (*Grand pot-pourri* D dur op. 20, 1808), Fl. (*Romanza siciliana* G moll, 1805), Fag. (Konzert F dur op. 75, 1811, revidiert 1822), Horn (Concertino E moll op. 45, 1806, revidiert 1815) sowie für Harmonichord oder Harmonium (Adagio und Rondo F dur, 1811). – *Grand duo concertant* für Klar. und Kl. [del.: 6 Variationen für Klaviertrio und Klar.] op. 48 (1816); 6 +*Sonatinen* für V. [erg.: und Kl.] op. 10

(1810). – *Rondeau brillant* Es dur op. 62 [nicht: op. 26] (1819).
Ausg.: Mus. Werke. Erste kritische +GA, hrsg. unter d. Leitung v. H. J. MOSER, = Akad. zur Erforschung u. zur Pflege d. Deutschtums (Deutsche Akad.) III, B: Abt. Musik, Augsburg bzw. Braunschweig (Bd III) 1926–39, nur 3 Bde erschienen (seitdem nicht mehr weitergeführt): Reihe II (Dramatische Werke), Bd I (A. LORENZ, 1926), Das stumme Waldmädchen u. P. Schmoll u. seine Nachbarn, Bd II (W. KAEHLER, 1933), Rübezahl u. Silvana, Bd III (L. K. MAYER, 1939), Preziosa. – Der Freischütz, Nachdr. d. Ausg. Bln 1848, Farnborough 1969; Euryanthe, Nachdr. d. Ausg. Bln 1866, Farnborough 1969; Oberon, Nachdr. d. Ausg. Bln 1872, Farnborough 1969; Abu Hassan, hrsg. v. W. W. GÖTTIG (mit Vorw. v. J. Kapp), Offenbach 1925, Nachdr. Farnborough 1968. – Concertino Es dur f. Klar. u. Orch. op. 26, hrsg. v. G. HAUSSWALD, Lpz. 1953, Neuaufl. 1973, auch Wiesbaden 1964; Klar.-Konzert Nr 1 F moll op. 73 u. Nr 2 Es dur op. 74, hrsg. v. DEMS., 2 H., Lpz. 1954, auch Wiesbaden 1966; 6 Sonaten f. Kl. u. V. op. 10(b), hrsg. v. E. ZIMMERMANN, München 1965; Konzert (»Grand pot-pourri«) f. Vc. u. Orch. op. 20, hrsg. v. FR. BEYER, = Ed. Eulenburg Nr 1282, London 1969; Grand duo concertant f. Klar. u. Kl. op. 48, hrsg. v. E. SIMON, NY 1969; Adagio u. Rondo f. 2 Klar., 2 Hörner u. 2 Fag., hrsg. v. G. DOBRÉE, London 1970; dass., hrsg. v. W. SANDNER, Mainz 1973; 12 leichte Stücke f. Kl. zu 4 Händen op. 3 u. op. 10, hrsg. v. J. KINDERMANN, = Das 19. Jh. o. Nr, Kassel 1970; Symphonie Nr 2 C dur, hrsg. v. H.-H. SCHÖNZELER, = Ed. Eulenburg Nr 592, London 1970; Divertimento f. Git. u. Kl. op. 38, hrsg. v. K. SCHEIT, = Musik f. Git. o. Nr, Wien 1973. – Kunstansichten. Ausgew. Schriften, hrsg. v. K. LAUX, = Reclams Universal-Bibl. Bd 423, Lpz. 1969; C. M. v. W.s Briefe an Gottfried W., hrsg. v. W. BOLLERT u. A. LEMKE, Jb. d. Staatl. Inst. f. Musikforschung ... 1972 (Anm. dazu ebd. 1973, S. 72ff.).
Lit.: +FR. W. JÄHNS, C. M. v. W. in seinen Werken. Chronologisch-thematisches Verz. ... (1871), Nachdr. Bln-Lichterfelde 1967 (unverändert); +H. DÜNNEBEIL, Schrifttum über C. M. v. W. (1947), Bln 41957 (mit Schallplattenverz.). – C. M. v. W. in seinen Schriften u. in zeitgenössischen Dokumenten, hrsg. v. M. HÜRLIMANN, Zürich 1973. – Aufsatzfolge in: MuG XI, 1961, S. 663ff. – +M. M. v. WEBER, C. M. v. W. (1864–66), Nachdr. d. +engl. Ausg. (1865) = Studies in Music o. Nr, NY 1968, auch Westport (Conn.) 1970; +H. ABERT, Gesammelte Schriften u. Vorträge (1929), Tutzing 21968 (unverändert); +W. S. SAUNDERS, W. (1940), Nachdr. NY 1970 (mit neuer Bibliogr. v. Fr. Freedman); +H. SCHNOOR,W. auf d. Welttheater. Ein Freischützbuch (1942), Hbg 41963. – E. KROLL, C. M. v. W., = Die großen Meister d. Musik o. Nr, Potsdam 1934; DERS., C. M. v. W. in Schlesien, in: Aurora XXIV, 1964, auch in: Schlesien IX, 1964; H. KAISER, C. M. v. W. (nebst einem Essay v. W.: Musik in Darmstadt), in: Vom Geist einer Stadt, Darmstadt 1956; BR. SCHÖNFELDT, C. M. v. W. u. Eutin, Eutin 1956; H. DÜNNEBEIL, C. M. v. W. u. d. Musikalienverlag u. Musikalienhandel, in: Musikhandel VIII, 1957; K.-H. KÖHLER, C. M. v. W.s Beziehungen zu Bln. Studien am Berliner W.-Nachlaß, Fs. H. Besseler, Lpz. 1961; H. W. HAMANN, Eine Eingabe K. M. v. W.s an d. Salzburger Theaterhofkommission, Mf XV, 1962; A. K. KENIGSBERG, K.-M. W., ... (»Kurze Skizze d. Lebens u. Schaffens«), = Knischka dlja junoschestwa o. Nr, Leningrad 1965; A. NEMETH, C. M. W., = Kis zenei könyvtár XXXII, Budapest 1965; K. LAUX, C. M. v. W., = Reclams Universal-Bibl. Bd 252, Lpz. 1966, rumänisch Bukarest 1968; DERS., C. M. v. W. u. d. Gründung d. »Deutschen Oper« in Dresden, in: 300 Jahre Dresdner Staatstheater, bearb. v. W. Höntsch u. U. Püschel, Bln 1967; J. WARRACK, C. M. v. W., = NY u. London 1968, deutsch = Claassen-Musikbibl. o. Nr, Hbg 1972; K. VL. BURIAN, C. M. v. W., = Hudební profily XIX, Prag 1970.
H. BECKER, Meyerbeers Ergänzungsarbeit an W.s nachgelassener Oper »Die drei Pintos«, Mf VII, 1954; L. RONGA, L'»Agnese di Hohenstaufen« di Spontini e l'»Euryanthe« di W., RMI LVI, 1954; E. SANDERS, »Oberon« and »Zar u. Zimmermann«, MQ XL, 1954; J. BERKOVEC,

Neznámy menuet K. M. W.a? (»Ein unbekanntes Menuett v. C. M. v. W.?«), in: Miscellanea musicologica I, 1956; M. K. WARD, W. and the Clarinet, MMR LXXXVI, 1957; J. WARRACK, W. and »Oberon«, Opera Annual IV, 1957/58; FR. BOSE, W.s »Max-Walzer«. Ein Autographenschicksal, in: Musica XIII, 1959; G. MAYERHOFER, »Abermals v. Freischützen«. Der Münchener »Freischütze« v. 1812, = Forschungsbeitr. zur Mw. VII, Regensburg 1959; H. OSTHOFF, Die Gestaltwerdung d. »Freischütz«, in: Musik u. Szene V, 1960/61; W. BECKER, Die deutsche Oper in Dresden unter d. Leitung v. C. M. v. W., 1817–26, = Theater u. Drama XXII, Bln 1962; H. WIRTH, Natur u. Märchen in d. W.s »Oberon«, Mendelssohns »Ein Sommernachtstraum« u. Nicolais »Die lustigen Weiber v. Windsor«, Fs. Fr. Blume, Kassel 1963; TH. W. ADORNO, Bilderwelt d. Freischütz, in: Moments mus., = Ed. Suhrkamp LIV, Ffm. 1964 (= Wiederabdruck aus: Programm d. Hamburger Staatsoper 1961/62, H. 5); K. LAUX, C. M. v. W.s Münchner Beitr. zur deutschen Oper, Fs. H. Engel, Kassel 1964; DERS., Das Beethoven-Bild C. M. v. W.s, Beethoven-Kgr.-Ber. Bln 1970; D. MENSTELL HSU, C. M. v. W.'s »Preciosa«. Incidental Music on a Span. Theme, MR XXVI, 1965; DIES., W. on Opera. A Challenge to 18th-Cent. Tradition, in: Studies in 18th-Cent. Music, Fs. K. Geiringer, London 1970; J. SACHER JR., The Vocal and Choral Music of C. M. v. W., Diss. Columbia Univ. (N. Y.) 1965; G. BINKAU, Appoggiaturen in W.s »Freischütz«, in: Musikerziehung XIX, 1965/66; A. A. ABERT, W.s »Euryanthe« u. Spohrs »Jessonda« als große Opern, Fs. W. Wiora, Kassel 1967; H. HEUER, Untersuchungen zur Struktur, Tonart u. zum Begleitpart d. Sololieder C. M. v. W.s, Diss. Graz 1967; A. H. GRAS, A Study of »Der Freischütz« by C. M. v. W., Diss. Northwestern Univ. (Ill.) 1968; W. S. NEWMAN, The Sonata Since Beethoven, Chapel Hill (N. C.) 1969, revidiert NY u. London 1972 (Paperbackausg.); W. SANDNER, Die Klar. bei C. M. v. W., = Neue mg. Forschungen VII, Wiesbaden 1971; H.-J. IRMER, Der Minister u. d. Eremit. Zum deus ex machina bei Beethoven u. bei W., in: Sinn u. Form XXIV, 1972; H. KÜHN, Von deutscher Nationaloper. W.s Freischütz u. d. Fall Woyzeck, NZfM CXXXIII, 1972; R. LEIBOWITZ, Un opéra maudit: »Euryanthe«, in: Les fantômes de l'opéra, = Bibl. des idées o. Nr, Paris 1972. – E. BRONFIN, K. M. W. musikalnyj kritik, SM XXVI, 1962; K. LAUX, Was ist ein Musikschriftsteller? C. M. v. W. u. R. Schumann als Vorbild, Sammelbände d. R.-Schumann-Ges. II, Lpz. 1966; G. ABRAHAM, W. as Novelist and Critic, in: Slavonic and Romantic Music, London 1968 (= Wiederabdruck aus: MQ XX, 1934).

Weber (veb'ɛ:r), Edith, * 31. 10. 1925 zu Straßburg; französische Musikforscherin, studierte an der Universität ihrer Heimatstadt, an der sie 1971 mit einer Dissertation über *La musique mesurée à l'antique en Allemagne* promovierte. Sie gründete 1966 die französische Abteilung der Internationalen H.-Schütz-Gesellschaft. 1972–74 war sie Direktor der Unité d'Enseignement et de Recherches de Musicologie der Universität Paris IV–Sorbonne, an der sie als Professor lehrt. Sie veröffentlichte u. a.: *L'Allemagne à la recherche d'un opéra nationale* (Bull. de la Faculté des lettres de Strasbourg XXXVI, 1958); *L'enseignement de la musicologie en France* (Annales de l'Université de Paris XXX, 1960). Sie gab heraus die Sammelschriften *Debussy et l'évolution de la musique au XXᵉ s.* (Paris 1965) und *L'interprétation de la musique française aux XVIIᵉ et XVIIIᵉ s.* (ebd. 1974). Ferner schrieb sie lexikalische Beiträge.

Weber, Friedrich August, * 24. 1. 1753 und † 21. 1. 1806 zu Heilbronn; deutscher Komponist und Musikschriftsteller, von Beruf Arzt, studierte 1770–73 Medizin in Jena und wurde 1785 Stadtarzt in Heilbronn; Musikunterricht erhielt er u. a. bei Schubart. Seine in E. L. Gerbers Lexika verzeichneten Kompositionen (Oratorien, Kantaten, Sinfonien, Konzerte, Kammermusik) sind seit dem 2. Weltkrieg verschollen. In seinen Aufsätzen (*Charakteristik der Singstimmen und eini-*

ger gebräuchlicher Instrumente, Speierische musikalische Realzeitung I, 1788; *Von der Singstimme, ihren Krankheiten und Mitteln dagegen*, Leipziger musikalische Zeitung II, 1799; *Von dem Einfluß der Musik auf den menschlichen Körper und ihrer medizinischen Anwendung*, ebd. IV, 1801/02) behandelt er physiologisch-akustische Probleme vornehmlich der Singstimme.
Lit.: K. HERMANN in: Veröff. d. Hist. Ver. Heilbronn XXIII, 1960, S. 229ff.

+**Weber,** Friedrich Dionys, 1766–1842.
Ausg.: 3 Quartette f. 4 Waldhörner, hrsg. v. K. JANETZKY, Lpz. 1953.
Lit.: V. J. SÝKORA, Pražská konzervatoř za ředitelů W.a a Kittla (»Das Prager Konservatorium unter d. Direktoren W. u. Kittl«), in: Sborník Pedagogické faculty Univ. Karlovy, Fs. J. Plavec, Prag 1966.

+**Weber,** [erg.: Jacob] Gottfried, 1779 – 21. [nicht: 12.] 9. 1839.
Nach einem juristischen Praktikum und einer Abschlußprüfung am Reichskammergericht in Wetzlar (1802) war W. Advokat in Mannheim (ab 1802) und Richter in Mainz (ab 1814) [del. bzw. erg. frühere Angaben dazu]. – In Mannheim gründete er 1806 die musikalische Vereinigung »Conservatorium« (später »Museum«) und gab dem dortigen Musikleben wesentliche Impulse durch regelmäßige Veranstaltungen der »Liebhaberkonzerte« (lediglich 1807–09 »Hofmusikakademie« genannt), für die er 1804–14 tätig war [del. frühere Angaben dazu]. C. M. v. Weber war alleiniger Gründer des »Harmonischen Vereins« in Mannheim (G. Meyerbeer, Johann Gänsbacher und W. waren lediglich Mitglieder). A. v. Dusch war W.s Schwager [nicht: Vetter].
Lit.: C. M. v. W.s Briefe an G. W., hrsg. v. W. BOLLERT u. A. LEMKE, Jb. d. Staatl. Inst. f. Musikforschung ... 1972 (Anm. dazu ebd. 1973, S. 72ff.). – K. HAHN, Die Anfänge d. allgemeinen Musiklehre, in: Die vielspältige Musik u. d. allgemeine Musiklehre, = Mus. Zeitfragen IX, Kassel 1960; A. LEMKE, J. G. W., Leben u. Werk, = Beitr. zur mittelrheinischen Mg. IX, Mainz 1968; R. FRISIUS, Untersuchungen über d. Akkordbegriff, Diss. Göttingen 1970; L. U. ABRAHAM, Die Allgemeine Musiklehre v. G. W. im Lichte heutiger Musikdidaktik, Fs. A. Volk, Köln 1974.

+**Weber,** Heinrich, * 9. 10. 1901 zu Köln, [erg.:] † 6. 1. 1970 zu Stoßdorf (bei Siegburg).
Am Konservatorium in Düsseldorf unterrichtete er bis 1955, wirkte bis 1959 als Konzertorganist und beendete seine Tätigkeit an der Herz-Jesu-Kirche in Mülheim a. d. Ruhr 1963. Danach lebte W., der sich besonders auch mit der zeitgenössischen französischen Orgelmusik auseinandergesetzt hat, in Stoßdorf seinem kompositorischen Schaffen. – Neuere Werke: *Kölner-Dom-Messe* (1963); 2 Orgelkonzerte (1967, 1968); *Choral, variations et fantaisie* für Org. (1963); Streichquartett (1968).
Lit.: H. LEMACHER in: Musica sacra LXXXIV, 1964, S. 309ff.

+**Weber,** Ludwig, 1891 – 1947 zu Essen(-Werden) [nicht: Borken].
W. unterrichtete bis zu seinem Tode [nicht: bis 1933] an der Folkwangschule in Essen; er war niemals Leiter des Städtischen Chores in Mülheim. – Der +*Totentanz* (unvollendet) war nur als szenisches Werk, nicht aber als Oper geplant; das Werk +*Heilige Namen* ist ein Teil der +*10 Chorgemeinschaften*; ein +*Te Deum* ist nicht nachweisbar.
Lit.: L. W. Jb. 1961, hrsg. v. A. HARDÖRFER u. L. RITTER v. RUDOLPH, Wolfenbüttel 1961 (mit Werkverz.). – E. KRIEGER, L. W., =Deutsche Musiker d. Zeit o. Nr, Bln 1933; R. LITTERSCHEID, L. W., in: MuK XIX, 1949; H. ECKERT, Gemeinsame Grundlagen d. kompositorischen Schaffens v. L. W., E. Sehlbach u. S. Reda, in: Beitr. zur

Mg. d. Stadt Essen, hrsg. v. K. G. Fellerer, = Beitr. zur rheinischen Mg. VIII, Köln 1955; A. HARDÖRFER in: Rheinische Musiker IV, hrsg. v. dems., ebd. LXIV, 1966, S. 192ff.

+**Weber,** Ludwig, * 29. 7. 1899 und [erg.:] † 9. 12. 1974 zu Wien.
W., Bayerischer, Deutscher und Österreichischer Kammersänger, wurde 1966 zum Ehrenmitglied der Wiener Staatsoper ernannt. Bis 1961 hatte er wiederholt bei den Bayreuther Festspielen mitgewirkt. Ab 1961 unterrichtete er am Mozarteum in Salzburg (1963 Professor).

Weber, Margrit, * 24. 2. 1924 zu Ebnat (St. Gallen); Schweizer Pianistin, studierte bei Egger am Konservatorium in Zürich und wirkte dann als Konzertsolistin in Europa, ab 1956 auch in den USA und in Kanada. Sie tritt besonders für zeitgenössische Musik ein (Uraufführung von Werken Fortners, W. Langs, Martinůs, Schiblers und A. Tscherepnins). Strawinsky widmete ihr die *Movements* für Kl. und Orch., die sie 1960 in der New Yorker Town Hall unter seiner Leitung zur Uraufführung brachte.

Weber, Max, * 21. 4. 1864 zu Erfurt, † 14. 6. 1920 zu München; deutscher Soziologe, Jurist und Nationalökonom, war Professor in Berlin, Freiburg i. Br., Heidelberg und zuletzt in München. Seine methodologischen Schriften sowie seine Untersuchungen zur Religionssoziologie haben unverminderte Aktualität. Mit Musik befaßte sich W. u. a. in den Schriften *Die rationalen und soziologischen Grundlagen der Musik* (hrsg. von Th. Kroyer, München 1921, ²1924, abgedruckt in: Wirtschaft und Gesellschaft, Bd I, 2, Tübingen ⁴1956, Nachdr. der 1. Aufl. ebd. 1972, engl. Carbondale/Ill. 1958, Paperbackausg. ebd. 1969), *Der Sinn der »Wertfreiheit« der soziologischen und ökonomischen Wissenschaften* (in: Logos VII, 1917), *Gesammelte Aufsätze zur Religionssoziologie* (Bd I, Tübingen 1920, Vorbemerkung) und *Einleitung in die Wirtschaftsethik der Weltreligionen* (ebd.).
Lit.: TH. W. ADORNO, Ideen zur Musiksoziologie, in: Mus. Schriften, Bd I: Klangfiguren, Ffm. 1959; A. SILBERMANN, M. W.s mus. Exkurs. Ein Kommentar zu seiner Studie, Kölner Zs. f. Soziologie u. Sozialpsychologie XVI, 1964; T. KNEIF, Gegenwartsfragen d. Musiksoziologie, AMl XXXVIII, 1966; K. BLAUKOPF, Tonsysteme u. ihre gesellschaftliche Geltung im M. W.s Musiksoziologie, The International Rev. of Music Aesthetics and Sociology I, 1970.

Weber, Roland, * 27. 10. 1925 zu Freiburg im Breisgau; deutscher Komponist, studierte ab 1946 an der Freiburger Musikhochschule Komposition, Klavier und Dirigieren (1952 Staatsexamen als Lehrer für Musiktheorie). Sein kompositorisches Schaffen begann 1941 mit spätromantischen Versuchen bei J. Weismann und wurde 1946 nach einem Studium bei Genzmer durch tonale Werke Hindemithscher Prägung abgelöst. 1951 wandte sich W. der Zwölfton- und seriellen Technik zu. Er ist heute Dozent für Komposition an der Badischen Hochschule für Musik in Karlsruhe. – Werke (Auswahl): *Ballett über altdeutsche Volkslieder* (Gelsenkirchen 1951); Konzerte für Vc. (1963) und V. (1969) mit Orch.; Klaviertrio (1968); Klavierzyklus (1968); Lieder nach Texten von Rilke (1966) und Hölderlin (1967).

+**Webern,** Anton [erg.:] Friedrich Wilhelm (von), 1883–1945.
W. promovierte 1906 mit der Edition von H. Isaacs *Choralis Constantinus II* (= DTÖ XVI, 1, Wien 1906). Am österreichischen Rundfunk war er als Dirigent und Fachberater für Neue Musik ab 1930 [nicht: 1927] tä-

tig. W. war zwar bis an sein Lebensende bei der Universal-Edition in Wien als Lektor beschäftigt, lebte während der Zeit des Nationalsozialismus aber überwiegend von musikalischem Privatunterricht (u. a. K. A. Hartmann, Searle und P. Stadlen). – W.s kompositorisches Schaffen erstreckt sich im wesentlichen auf die Gattungen Lied und Chorkomposition, Kammer- und Orchestermusik; dabei steht die Textvertonung, besonders das Lied, im Mittelpunkt. Bereits die frühen, von W. nicht veröffentlichten Kompositionen, die zum großen Teil vor seiner Schülerzeit bei Schönberg entstanden, sind vornehmlich Lieder. Überblickt man das von ihm zur Veröffentlichung vorgesehene Gesamtopus, so wird das Übergewicht der Textvertonungen unmittelbar deutlich. Die einzelnen Schaffensphasen werden jeweils durch Textvertonungen eingeleitet. – Während Passacaglia op. 1 und Doppelkanon op. 2 sich noch in den Bereichen der (wenn auch stark erweiterten) Tonalität bewegen, wird diese in den Liedern op. 3 nach Gedichten von George endgültig aufgegeben. In ihnen verfestigt sich W.s Komponieren zu jenem unverwechselbaren Stil, der seine Werke von denen Schönbergs und Bergs prinzipiell unterscheidet. Seine George-Lieder sind der Inbegriff musikalischer Lyrik. – Es ist nicht so sehr die kleine Form und die Zurücknahme der musikalischen Diktion bis an die Grenze des Verstummens, die W.s Kompositionen auszeichnet, als vielmehr die Insistenz, die Totalität der musikalischen Erscheinungsformen aufgrund der ihnen eigenen Bedingungen und Tendenzen in einem Punkt zusammenzuziehen; erst diese Insistenz ermöglicht W. die scheinbar widersprüchliche Verschränkung von lyrischer Subjektivität und objektiver Komposition. Während in den Liedern op. 3 und den 5 Sätzen für Streichquartett op. 5 noch thematisch-motivische Ansätze im traditionellen Sinne auftreten, werden diese in den späteren Kompositionen zunehmend in übergeordneten Klangkonstellationen aufgehoben, aus denen umgekehrt die einzelnen melodischen Figuren und Charaktere abgeleitet sind; indessen hält W. in allen seinen Kompositionen an den tradierten syntaktischen Formmustern fest. – Zwischen 1915 und 1926 wendet sich W. wiederum der Textkomposition zu. In den aus dieser Zeit veröffentlichten Werken (op. 12 bis op. 19) lassen sich zwei Schaffensphasen unterscheiden. Die erste, die bis op. 15 reicht, kulminiert in den Trakl-Liedern op. 14 (1917–21); die zweite ist durch die Auseinandersetzung mit Schönbergs Zwölftontechnik gekennzeichnet. Das Streichtrio op. 20 (1927) ist die erste von W. veröffentlichte Instrumentalkomposition, die sich der Reihentechnik bedient. Die Reihe bildet jedoch nicht (wie bei Schönberg und Berg) die Basis für Themen und Motivgestalten, sie ist vielmehr in ihrer Intervallstruktur die Grundlage von Klang- und Motivkonstellationen: Reihenstruktur und Motivstruktur fallen zusammen. – W. hat in allen seinen späteren Zwölftonkompositionen die Reihen nach Gesichtspunkten strukturiert, die sich unmittelbar aus der Idee der Komposition herleiten lassen. »Reihen sind meist dadurch entstanden, daß ein Einfall in Verbindung mit dem intuitiv vorgestellten ganzen Werk gekommen ist, der dann sorgfältiger Überlegung unterzogen wurde« (Wege ... [s. u. Ausg.], S. 58). Es wäre verfehlt, W.s Reihenkonstruktivismus unter rein mechanistischen Gesichtspunkten zu betrachten; er ist vielmehr Ergebnis einer Musikanschauung, in der sich ein Höchstmaß an handwerklichem Können mit Goetheschem Gedankengut, mystischem Zahlenspekulationen und subjektiver Innerlichkeit seltsam durchkreuzen. »Es ist immer Dasselbe, und nur die Erscheinungsformen sind immer

andere. – Das hat etwas Nahverwandtes mit der Auffassung Goethes von den Gesetzmäßigkeiten und dem Sinn, der in allem Naturgeschehen liegt und sich darin aufspüren läßt. In der ,Metamorphose der Pflanze' findet sich der Gedanke ganz klar, daß alles ganz ähnlich sein muß wie in der Natur, weil wir auch hier die Natur dies in den besonderen Form des Menschen aussprechen sehen« (Wege ... [s. u. Ausg.], S. 42f.). – Stockhausen, Boulez, Nono u. a., die im Anschluß an Schönberg die Idee der Zwölftontechnik auf alle Parameter der Komposition auszuweiten suchten, um eine widerspruchsfreie Musik zu schreiben, sahen ihre Intentionen in den Reihenkompositionen W.s vorgebildet: W. wurde zum Ahnherrn der Seriellen Musik. **EB**

Werke: Passacaglia für Orch. op. 1 (1908); Doppelkanon *Entflieht auf leichten Kähnen* für gem. Chor a cappella op. 2 (George, 1908, auch mit V., Va, Vc., Harmonium und Kl.); 5 Lieder für mittlere St. und Kl. op. 3 (aus Georges *Der siebente Ring*, 1907–08); 5 Lieder für hohe St. und Kl. op. 4 (George, 1908–09); 5 Sätze für Streichquartett op. 5 (1909, Fassung für Streichorch. 1929); 6 Stücke für Orch. op. 6 (1909–10, Fassung für reduziertes Orch. 1928, auch für Kammerorch.); 4 Stücke für V. und Kl. op. 7 (1910); 2 Lieder für mittlere St., Klar./Baßklar., Horn, Trp., Celesta, Hf., V., Va und Vc. op. 8 (Rilke, 1910); 6 Bagatellen für Streichquartett op. 9 (1913); 5 Stücke für Orch. op. 10 (1911–13); 3 kleine Stücke für Vc. und Kl. op. 11 (1914); 4 Lieder für hohe St. und Kl. op. 12 (Volksliedtext, H. Bethge nach Li-Tai-Po, A. Strindberg und Goethe, 1915–17); 4 Lieder für S. und Orch. op. 13 (K. Kraus, H. Bethge nach Wang-Seng-Yu und Li-Tai-Po sowie G. Trakl, 1914–18, auch mit Kl.); 6 Lieder für hohe St., Klar., Baßklar., V. und Vc. op. 14 (G. Trakl, 1917–21, auch mit Kl.); 5 geistliche Lieder für S., Fl., Klar./Baßklar., Trp., Hf. und V./Va op. 15 (1917–22); 5 Kanons für hohen S., Klar. und Baßklar. op. 16 (lateinischer Text, 1923–24); 3 Volkstexte für Singst., V./Va, Klar. und Baßklar. op. 17 (1924); 3 Lieder für Singst., Klar. und Git. op. 18 (1925); 2 Lieder für gem. Chor, Klar., Baßklar., Celesta, Git. und V. op. 19 (aus Goethes *Chinesisch-deutsche Jahres- und Tageszeiten*, 1926, Fassung mit Kl. 1928); Streichtrio op. 20 (1927); Symphonie für Klar., Baßklar., 2 Hörner, Hf., 2 V., Va und Vc. op. 21 (1928); Quartett für Klar., Tenorsax., V. und Kl. op. 22 (1930, zu A. Loos' 60. Geburtstag); 3 Gesänge für mittlere St. und Kl. op. 23 (aus Hildegard Jones *Viae inviae*, 1934); Konzert für Fl., Ob., Klar., Horn, Trp., Pos., V., Va und Kl. op. 24 (1934, zu Schönbergs 60. Geburtstag); 3 Lieder für hohe St. und Kl. op. 25 (Jone, 1934–35); *Das Augenlicht* für gem. Chor und Orch. op. 26 (1935); Variationen für Kl. op. 27 (1936, E. Steuermann gewidmet); Streichquartett op. 28 (1937–38); 1. Kantate für S., gem. Chor und Orch. op. 29 (Jone, 1938–39); Variationen für Orch. op. 30 (1940); 2. Kantate für S., B., gem. Chor und Orch. op. 31 (Jone, 1941–43).

Werke ohne op.-Zahl: 2 Stücke für Vc. und Kl. (1899); 2 Lieder (F. Avenarius, 1900–01) und 3 Gedichte (ders., R. Dehmel und G. Falke, 1899–1903) für Singst. und Kl.; Ballade *Siegfrieds Schwert* für Singst. und Orch. (Uhland, 1903); 8 frühe Lieder (u. a. Dehmel, Goethe, Nietzsche und Claudius, 1901–04) und 3 Lieder (Avenarius, 1903–04) für Singst. und Kl.; Idyll *Im Sommerwind* für Orch. (1904); Quartett (einsätzig, 1905), langsamer Satz (1905) und ein Rondo (um 1906) für Streichquartett; Sonatensatz (Rondo) für Kl. (um 1906); Klavierquintett (1906); 5 Lieder (Dehmel, 1906–08) und 4 Lieder (George, 1908–09) für Singst. und Kl.; 4 Stücke für Orch. (um 1910–13); *O sanftes Glühn der*

Berge (1913) und 2 Lieder (1914) für Singst. und Orch.; 1. Satz einer Sonate für Vc. und Kl. (1914); Stück (1924) und *Kinderstück* (1924) für Kl.; Satz für Streichtrio (1925); ferner Skizzen (u. a. zu einer Oper nach Maeterlincks »Alladine und Palomides«, 1908) sowie Bearbeitungen u. a. nach Bach (6st. Ricercar aus dem »Musikalischen Opfer« für Orch., 1935), Schönberg (6 Orchesterlieder op. 8 Nr 1, 2 und 6 für Singst. und Kl.; 1. Kammersymphonie op. 9 für Fl. [oder V.], Klar. [oder Va], V., Vc. und Kl., 1922; 5 Orchesterstücke op. 16 für 2 Kl.; Vorspiel zu den »Gurreliedern« für 2 Kl. 8händig, 1910), Schubert (Deutsche Tänze von 1824 für Orch.; Romanze aus »Rosamunde«, *Ihr Bild, Der Wegweiser, Du bist die Ruh'* und *Tränenregen* für Singst. und Orch.; Sätze aus den Klaviersonaten op. 42, 122 und 147 für Orch.) und H. Wolf (*Lebewohl, Der Knabe und das Immelein* und *Denk es, o Seele!* für Singst. und Orch.).

Ausg.: Skizzen, 1926–45, Faks. mit Kommentar v. E. Krenek u. Vorw. v. H. Moldenhauer, NY 1968. – +Wege zur neuen Musik (1960), Neuaufl. als: Der Weg..., Wien 1963, engl. Bryn Mawr (Pa.) u. London 1963, ital. = Portico XLII, Mailand 1963 (mit d. Briefen an H. Jone u. J. Humplik), Auszüge daraus tschechisch in: Nové cesty hudby, hrsg. v. M. Černohorská u. V. Dolanská, Prag 1964, S. 74ff., bzw. polnisch in: Res facta I, (Krakau) 1967, S. 68ff., u. VI, 1972, S. 14ff.
+Briefe an H. Jone u. J. Humplik (1959), engl. Bryn Mawr (Pa.) 1967. – weitere Briefe in: SMZ XCIII, 1953, S. 49ff. (v. Berg); The Score 1958, Nr 24, S. 36ff. (an R. Gerhard); Sinn u. Form. Sonder-H. Eisler, 1964, S. 108f. (an Eisler); Miscellanea musicologica XVIII, (Prag) 1965, S. 31ff. (an E. Schulhoff); ÖMZ XX, 1965, S. 407ff., XXVII, 1972, S. 663f., u. (an A. Loos) XXX, 1975, S. 110ff.; Melos XXXIII, 1966, S. 225ff. (an H. Scherchen); TVer XXII, 1971–72, S. 201ff. (an Ruyneman). – W. Reich in: SMZ CVII, 1967, S. 149, u. in: Melos XXXVI, 1969, S. 9 (2 Texte v. W.).
Lit.: A. Ph. Basart, Serial Music. A Classified Bibliogr. of Writings on Twelve-Tone and Electronic Music, = Univ. of Calif. Bibliogr. Guides o. Nr, Berkeley (Calif.) 1961; M. Fink, A. W., Suppl. to a Basic Bibliogr., in: Current Musicology 1973, Nr 16. – Schönberg, W., Berg. Bilder, Partituren, Dokumente, = Museum d. 20. Jh. Wien, Kat. XXXVI, Wien 1969; A. Schönberg, Ausstellungskat. hrsg. v. E. Hilmar, ebd. 1974 (mit Briefen v. Schönberg an W., S. 44ff.). – A. W., Dokumente, Bekenntnis, Erkenntnisse, Analysen, hrsg. v. H. Eimert u. K. Stockhausen = +die Reihe II (1955), engl. Philadelphia (Pa.) 1958; A. v. W. Perspectives, hrsg. v. H. Moldenhauer u. D. Irvine, Seattle (Wash.) 1966, London 1967; Beitr. 1972/73, Kassel 1973 (W.-Kgr.-Ber.). – Sonder-H. u. Aufsatzfolgen: Journal of Music Theory VI, 1962, S. 109ff.; ÖMZ XXVII, 1972, H. 3. – J. Beale in: Melos XXXI, 1964, S. 297ff.; H. Moldenhauer in: ÖMZ XX, 1965, S. 422ff. u. MT CIX, 1968, S. 122ff. sowie E. T. Cone in: MQ LIII, 1967, S. 39ff. (zum Nachlaß).
A. W., Weg u. Gestalt. Selbstzeugnisse u. Worte d. Freunde, hrsg. v. W. Reich, = Slg Horizont o. Nr, Zürich 1961. – Fr. Wildgans, G. Mahler u. A. v. W., ÖMZ XV, 1960 (mit Briefen u. Tagebuchnotizen); L. Dallapiccola in: Melos XXXII, 1965, S. 115ff., erweitert in: Tempo 1972, Nr 99, S. 2ff. (Erinnerungen an W.); K. A. Hartmann, Kleine Schriften, hrsg. v. E. Thomas, Mainz 1965 (Erinnerungen an W.); A. Waller, Mein Vater A. v. W., ÖMZ XXIII, 1968. – H. Schmidt-Garre, W. als Angry Young Man, NZfM CXXV, 1964 (aus zeitgenössischen Kritiken).
R. Craft in: The Score 1955, Nr 13, S. 9ff.; L. Pestalozza, Storicità di A. W., Rass. mus. XXVIII, 1958; Chr. Hampton, A. W. and the Consciousness of the Time, MR XX, 1959; W. Zillig, Variationen über neue Musik, München 1959 u. 1964 = List-Taschenbücher Nr 271, auch als: Die neue Musik. Linien u. Porträts, ebd. 1963; J. C. Paz, A. W., E. Varèse y el nuevo espíritu mus., in: Cultura universitaria 1960, Nr 70/71; M. Rubin, W. u. d. Folgen,

MuG X, 1960; I. Cappelli, Storiografia w.iana dal dopoguerra ad oggi, Rass. mus. XXXI, 1961, deutsch in: Melos XXIX, 1962, S. 377ff.; A. Gerbes in: Cultura universitaria 1961, Nr 74/75, S. 87ff.; W. Kolneder in: Stilporträts d. Neuen Musik, = Veröff. d. Inst. f. Neue Musik u. Musikerziehung Darmstadt II, Bln 1961, ²1965, S. 56ff.; Ders. in: Beitr. 1970/71, Kassel 1971, S. 55ff.; H. Moldenhauer, The Death of A. W., A Drama in Documents, NY 1961, London 1962, deutsch als: Der Tod A. v. W.s ..., Wiesbaden 1970; Ders., W.'s Death, MT CXI, 1970 (mit W.s letztem Brief); Ders., W.s letzte Gedanken, in: Melos XXXVIII, 1971; P. A. Pisk in: The Texas Quarterly V, 1962, H. 4, S. 114ff.; W. Austin, Quelques connaissances et opinions de Schoenberg et W. sur Debussy, in: Debussy et l'évolution de la musique au XXᵉ s., hrsg. v. E. Weber, Paris 1965; B. Dimov, W. u. d. Tradition, ÖMZ XX, 1965; St. Niculescu in: Muzica XV, (Bukarest) 1965, Nr 4, S. 29ff.; H. Strobel, So sehe ich W., in: Melos XXXII, 1965; C. Bresgen in: Musikerziehung XIX, 1965/66, S. 55ff.; S. Borris in: Musik im Unterricht (Allgemeine Ausg.) LVII, 1966, S. 293ff.; B. Schäffer, W kręgu nowej muzyki (»Im Banne d. Neuen Musik«), Krakau 1967; Fr. Wildgans, A. W., Tübingen 1967, zuvor engl. London 1966, NY 1967, Nachdr. 1969; Ju. A. Kremljow, A. W. i obrasnyj mir jewo muzyki (»A. W. u. d. bildliche Welt seiner Musik«), in: Woprossy teorii i estetiki musyki VIII, Leningrad 1968, auch in: Otscherki twortschestwa i estetiki nowoj wenskoj schkoly (»Abriß d. Schaffens u. d. Ästhetik d. neuen Wiener Schule«), ebd. 1970; L. Somfai, A. W., = Kis zenei könyvtár XL, Budapest 1968; Cl. Rostand, A. W., = Musiciens de tous les temps XL, Paris 1969; R. Schollum, Die Wiener Schule. Schönberg, Berg, W., Entwicklung u. Ergebnis, Wien 1969; G. A. Bianca, I presupposti estetici della dodecafonia, Padua 1970; T. A. Zieliński, Ekspresjonizm Schönberga i W.a, in: Ruch muzyczny XIV, 1970; G. Poné u. L. Nono, The Genesis of a New Compositional Morphology and Syntax, in: Perspectives of New Music X, 1971/72; D. Schnebel, Konzept über W., in: Denkbare Musik, hrsg. v. H. R. Zeller, = DuMont Dokumente o. Nr, Köln 1972; M. Druskin, O narodno-jewropejskoj musyke XX weka (»Über d. volkstümlich-europäische Musik im 20. Jh.«), Moskau 1973, d. Kap. über W. deutsch in: BzMw XVI, 1974, H. 1, S. 31ff.; H. Kühn, Versuch über W.s Geschichtsbegriff, in: Zwischen Tradition u. Fortschritt, hrsg. v. R. Stephan, = Veröff. d. Inst. f. Neue Musik u. Musikerziehung Darmstadt XIII, Mainz 1973.
+R. Leibowitz, Schœnberg et son école (= La fl. de Pan o. Nr, 1947), engl. NY 1949, Nachdr. 1970. – Ders., Introduction à la musique de douze sons. Les variations pour orch. op. 31 d'A. Schoenberg, Paris 1949; R. Stephan, Über einige geistliche Kompositionen A. v. W.s, MuK XXIV, 1954; R. Vlad, A. v. W. e la composizione atematica, Rass. mus. II, 1955; H. Pousseur, Da Schoenberg a W., Una mutazione, in: Incontri mus. 1956, Nr 1; Ders., W. u. d. Theorie, in: Darmstädter Beitr. zur Neuen Musik I, Mainz 1958; C. Mason, W.'s Later Chamber Music, ML XXXVIII, 1957 (zu op. 22, 24 u. 28); E. Karkoschka, Studien zur Entwicklung d. Kompositionstechnik im Frühwerk A. W.s, Diss. Tübingen 1959; H. Mayer, De liedkunst v. A. W., in: Mens en melodie XIV, 1959; W. Kolneder, Klangtechnik u. Motivbildung bei W., Fs. J. Müller-Blattau, = Annales Univ. Saraviensis, Philosophische Fakultät IX, 1, Saarbrücken 1960, ²1962; Ders., A. W., Einführung in Werk u. Stil, = Kontrapunkte V, Rodenkirchen 1961, engl. London u. Berkeley (Calif.) 1968 (vgl. dazu u. a. R. Stephan in: NZfM CXXII, 1961, S. 536ff., u. E. Karkoschka in: Melos XXIX, 1962, S. 13ff.); G. Ligeti, W.s Stil, in: gehört–gelesen 1960, Nr 3; Ders., Die Komposition mit Reihen u. ihre Konsequenzen bei A. W., ÖMZ XVI, 1961; Ders., W.s Melodik, in: Melos XXXIII, 1966; W. Ch. McKenzie, The Music of A. W., Diss. North Texas State College 1960; E. J. Reid, The Music of A. W., Diss. Aberdeen 1961/62; M. K. Bradshaw, Tonal Structure in the Early Works of A. W., Diss. Univ. of Illinois 1962 (zu op. 1–5); A. J. Broekema, A Stylistic Analysis and Comparison of the Solo Vocal Works of A. Schoenberg, A. Berg and A. W., Diss. Univ. of Texas 1962; G. Perle,

Serial Composition and Atonality. An Introduction to the Music of Schoenberg, Berg and W., Berkeley u. London 1962, ²1968, revidiert ³1972; DERS., W.'s Twelve-Tone Sketches, MQ LVII, 1971; J. VYSLOUŽIL in: Hudební rozhledy XV, 1962, S. 938ff. (zum mus. Stil); TH. W. ADORNO, Der getreue Korrepetitor, Ffm. 1963 (zu op. 3, 7, 9 u. 12); J. A. HOFFMANN, A Study of Tripartite Forms in the Compositions of A. W., Diss. Univ. of Illinois 1963; BJ. KORTSEN, Some Remarks on the Instrumentation of A. W., Oslo 1963; FR. DÖHL, Die Welt d. Dichtung in W.s Musik, in: Melos XXXI, 1964; DERS., W.s Beitr. zur Stilwende d. Neuen Musik. Studien über Voraussetzung, Technik u. Ästhetik d.»Komposition mit 12 nur aufeinander bezogenen Tönen«, Diss. Göttingen 1967; G. MOSCHETTI, Postromanticismo ed espressionismo nelle prime opere di A. W., in: Il convegno mus. I, 1964; G. FANT in: Nutida musik VIII, 1964/65, S. 25ff.; H.-E. BACH, Struktur u. Ausdruck im geistlichen Liedschaffen A. W.s, in: Musica sacra LXXXV, 1965; R. B. BROWN, The Early Atonal Music of A. W., Sound Material and Structure, Diss. Brandeis Univ. (Mass.) 1965; K. H. EHRENFORT, Schönberg u. W., Das XIV. Lied aus Schönbergs Georgeliedern op. 15, NZfM CXXVI, 1965; E. KRENEK, A. W.s magisches Quadrat, in: Forvm XII, 1965; H. SCHILLER in: Muzyka X, (Warschau) 1965, H. 3, S. 63ff. (zur Chorfaktur); R. SM. BRINDLE, Serial Composition, London 1966; E. KLEMM, Zur Theorie einiger Reihen-Kombinationen, AfMw XXIII, 1966; R. U. RINGGER, Sprach-mus. Chiffern in A. W.s Klavierliedern, SMZ CVI, 1966; DERS., Reihenelemente in A. W.s Klavierliedern, SMZ CVII, 1967; DERS., A. W.s Klavierlieder, Zürich 1968; D. VENUS, Vergleichende Untersuchungen zur melischen Struktur d. Singst. in d. Liedern v. A. Schönberg, A. Berg, A. W. u. P. Hindemith, Diss. Göttingen 1966; DERS., Zum Problem d. Schlußbildung im Liedwerk v. Schönberg, Berg u. W., in: Musik u. Bildung IV, 1972; H. NIELSEN, Zentraltonprinzipien bei'A. W., Dansk aarbog f. musikforskning (V), 1966/67; K. HUPFER, W. greift in d. Reihenmechanik ein, in: Melos XXXIV, 1967; D. BR. ANTHONY, A General Concept of Mus. Time with Special Reference to Certain Developments in the Music of A. W., Diss. Stanford Univ. (Calif.) 1968; PH. K. BRACANIN, Analysis of W.'s 12-Note Music. Fact and Fantasy, in: Studies in Music II, 1968; DERS., The Palindrome. Its Application in the Music of A. W., in: Miscellanea musicologica VI, (Adelaide) 1972; W. PÜTZ, Studien zum Streichquartettschaffen bei Hindemith, Bartók, Schönberg u. W., = Kölner Beitr. zur Musikforschung XXXVI, Regensburg 1968; R. U. NELSON, W.'s Path to the Serial Variation, in: Perspectives of New Music VII, 1968/69 (vgl. dazu H. W. Hitchcock, ebd. VIII, 1969/70, Nr 2, S. 123ff., u. M. Starr, W.'s Palindrome, ebd.); D. BECKMANN, Sprache u. Musik im Vokalwerk A. W.s. Die Konstruktion d. Ausdrucks, = Kölner Beitr. zur Musikforschung LVII, Regensburg 1970; W. BURDE, A. v. W.s instr. Miniaturen, in: Mw. Kolloquien d. internationalen Musikfestspiele in Brno III, Brünn 1970, revidiert in: NZfM CXXXII, 1971; R. FULLER, Toward a Theory of W.ian Harmony, Via Analysis with a Digital Computer, in: The Computer and Music, hrsg. v. H. B. Lincoln, Ithaca (N. Y.) 1970; W. M. STROH, Über d. Bedeutung v. W.s Kompositionsskizzen, NZfM CXXXI, 1970; DERS., A. W., Hist. Legitimation als kompositorisches Problem, = Göppinger Akademische Beitr. LXIII, Göppingen 1973; Schoenberg, Berg, W., Die Streichquartette d. Wiener Schule. Eine Dokumentation, hrsg. v. U. v. RAUCHHAUPT, München u. Hbg 1971; H. DEPPERT, Studien zur Kompositionstechnik im zeitr. Spätwerk A. W.s, Darmstadt 1972; K. BAILEY, The Evolution of Variation Form in the Music of W., in: Current Musicology 1973, Nr 16; T. OLAH, W.s vorserielles Tonsystem, in: Melos/NZfM I, 1975; R. SMALLEY, W.'s Sketches, in: Tempo 1975, Nr 112ff.

zu op. 3: R. U. RINGGER in: SMZ CIII, 1963, S. 330ff. (zu Nr 1); E. BUDDE, A. W.s Lieder op. 3. Untersuchungen zur frühen Atonalität bei W., = BzAfMw IX, Wiesbaden 1971. – zu op. 5: F. RABE in: Nutida musik V, 1961/62, H. 1, S. 21ff.; BR. ARCHIBALD in: Perspectives of New Music X, 1971/72, Nr 2, S. 159ff. (zu Nr 2); E. BUDDE in: Fs. E. Doflein, Mainz 1972, S. 58ff. (zu Nr 4);

ST. PERSKY in: Current Musicology 1972, Nr 13, S. 68ff. (zu Nr 1). – zu op. 6: Aufsatzfolge in: Perspectives of New Music VI, 1967/68, Nr 1, S. 63ff. (zu Nr 1). – zu op. 9: J. BAUR in: Neue Wege d. mus. Analyse, hrsg. v. R. Stephan, = Veröff. d. Inst. f. Neue Musik u. Musikerziehung Darmstadt VI, Bln 1967, S. 62ff.; H. KAUFMANN, ebd. S. 69ff., Wiederabdruck in: Spurlinien, Wien 1969, S. 159ff. (zu Nr 1); H.-P. RAISS in: Versuche mus. Analysen, = Veröff. ... [s. o.] VIII, 1967, S. 50ff., u. in: Zs. f. Musiktheorie I, 1970, H. 2, S. 12ff. (zu Nr 5); J. HAUSBERGER in: Musica XXIII, 1969, S. 236ff. (zu Nr 4); L. SOMFAI in: Magyar zene XIV, 1973, S. 9ff. (zu Nr 5). – zu op. 10: W. GRUHN in: Perspektiven neuer Musik, hrsg. v. D. Zimmerschied, Mainz 1974, S. 13ff. – zu op. 11: G. E. WITTLICH, An Examination of Some Set-Theoretic Applications in the Analysis of Non-Serial Music, Diss. Univ. of Iowa 1969. – zu op. 13: R. GERLACH in: AfMw XXX, 1973, S. 44ff. (zu Nr 4). – zu op. 14: H. KAUFMANN in: Spurlinien, Wien 1969, S. 65ff. (zu Nr 1). – zu op. 21: W. F. GOEBEL in: Melos XXVIII, 1961, S. 359ff.; S. BORRIS in: Kgr.-Ber. Kassel 1962, S. 253ff., auch in: Musik u. Bildung V, 1973, S. 324ff., engl. in: Essays ..., Fs. P. A. Pisk, Austin (Tex.) 1966, S. 231; R. C. FULLER, An Information Theory Analysis of A. W.s »Symphonie« op. 21 ..., Diss. Univ. of Illinois 1965; L. HILLER u. DERS. in: Journal of Music Theory XI, 1967, S. 60ff.; Sc. GOLDTHWAITE in: Essays in Musicology, Fs. Dr. Plamenac, Pittsburgh (Pa.) 1969, S. 65ff.; W. GRUHN in: Zs. f. Musiktheorie II, 1971, H. 2, S. 31ff. (zum 2. Satz); H. VOGT in: Neue Musik seit 1945, Stuttgart 1972, S. 199ff. (mit Analyse v. H.-P. Raiß zum 2. Satz). – zu op. 22: A. ELSTON in: MQ XLII, 1956, S. 318ff.; BR. FENNELLY in: Journal of Music Theory X, 1966, S. 300ff.; H. GRÜSS in: BzMw VIII, 1966, S. 241ff. – zu op. 23: R. U. RINGGER in: SMZ CV, 1965, S. 20ff. – zu op. 24: R. LEIBOWITZ, Qu'est-ce que la musique de douze sons? Le concerto pour 9 instr., op. 24, d'A. W., Lüttich 1948; K. STOCKHAUSEN in: Melos XX, 1953, S. 343ff., auch in: Texte zur elektronischen u. instr. Musik I, Köln 1963, S. 24ff.; A. WHITALL in: Soundings I, 1970/71, S. 54ff. (zum 3. Satz); D. CHITTUM in: Current Musicology 1971, Nr 12, S. 96ff. – zu op. 26: H. SCHILLER in: Ruch muzyczny II, 1958, Nr 19, S. 20ff. – zu op. 27: W. L. OGDON, Series and Structure. An Investigation into the Purpose of the Twelve-Note Row in Selected Works of Schoenberg, W., Křenek and Leibowitz, Diss. Indiana Univ. 1955; DERS. in: Journal of Music Theory VI, 1962, S. 133ff.; P. WESTERGAARD in: Perspectives of New Music I, 1962/63, Nr 1, S. 180ff.; DERS., ebd. Nr 2, S. 107ff. (zum 2. Satz); FR. DÖHL in: Melos XXX, 1963, S. 400ff.; W. KOLNEDER in: Vergleichende Interpretationskunde, = Veröff. d. Inst. f. Neue Musik u. Musikerziehung Darmstadt IV, Bln 1963, S. 49ff.; R. TRAVIS in: Perspectives of New Music IV, 1965/66, Nr 2, S. 85ff. (zum 2. Satz); H. RILEY in: MR XXVII, 1966, S. 207ff. (zum 1. Satz); P. BRÖMSE in: Der Einfluß d. technischen Mittler auf d. Musikerziehung unserer Zeit, hrsg. v. E. Kraus, Mainz 1968, S. 278ff.; O. R. POP in: Lucrări de muzicologie IV, 1968, S. 157ff.; J. R. JONES in: Perspectives of New Music VII, 1968/69, Nr 1, S. 103ff. (zum 3. Satz); M. E. FIORE in: The Computer and Music, hrsg. v. H. B. Lincoln, Ithaca (N. Y.) 1970, S. 115ff.; N. A. HUBER in: Zs. f. Musiktheorie I, 1970, H. 2, S. 22ff. (zum 2. Satz); E. DENISOW in: Res facta VI, (Krakau) 1972, S. 75ff.; D. SCHNEBEL in: Denkbare Musik, hrsg. v. H. R. Zeller, = DuMont Dokumente o. Nr, Köln 1972, S. 156ff.; J. CHOLOPOV in: AfMw XXX, 1973, S. 26ff.; L. SOMFAI in: Magyar zene XIV, 1973, S. 165ff. – zu op. 28: J. A. HUFF in: MR XXXI, 1970, S. 255ff. (zum 3. Satz). – zu op. 29: G. LIGETI in: Darmstädter Beitr. zur Neuen Musik III, Mainz 1960, S. 49ff.; E. KLEMM in: DJbMw XI, 1966, S. 107ff.; D. H. SATUREN in: Perspectives of New Music VI, 1967/68, Nr 1, S. 142f.; J. D. KRAMER in: Journal of Music Theory XV, 1971, S. 158ff. (zum 1. Satz). – zu op. 30: L. NONO in: Darmstädter Beitr. zur Neuen Musik I, Mainz 1958, S. 31ff.; H. DEPPERT in: Fs. K. Marx, Stuttgart 1967, S. 84ff. – zu op. 31: N. CASTIGLIONI in: Incontri mus. 1959, Nr 3, S. 112ff.; L. SPINNER in: SMZ CI, 1961, S. 303ff. (zum 4. Satz).

H. MOLDENHAUER, W.'s Projected op. 32, MT CXI, 1970. – J. POLNAUER in: ÖMZ XXIV, 1969, S. 292ff. (zum Kl.-Quintett v. 1906). – R. GERLACH in: Jb. d. Staatl. Inst. f. Musikforschung ... 1970, S. 45ff., u. in: AfMw XXIX, 1972, S. 93ff. (zu d. Dehmel-Liedern v. 1906–08). – C. TWITTENHOFF in: Musik im Unterricht (Ausg. B) LIX, 1968, S. 172ff., C. DAHLHAUS in: Bach-Interpretationen, hrsg. v. M. Geck, = Kleine Vandenhoeck-Reihe 291S, Göttingen 1969, S. 197ff., u. H.-J. BAUER in: NZfM CXXXV, 1974, S. 3ff. (zur Orchestrierung v. Bachs 6st. Ricercar). – FR. D. DORIAN in: Melos XXVII, 1960, S. 101ff., A. BRINER in: SMZ CI, 1961, S. 15ff., R. GERHARD, in: The Score 1961, Nr 28, S. 25ff., u. H. MOLDENHAUER in: Music Educators Journal LVII, 1970, S. 30ff. u. 101ff. (W. als Lehrer).

Webersinke, Amadeus, * 1. 11. 1920 zu Braunau/Broumov (Tschechoslowakei); deutscher Organist und Pianist, studierte 1938–40 am Kirchenmusikalischen Institut des Leipziger Landeskonservatoriums (Straube, J. N. David, Martienssen) und wurde dort 1946 Dozent für Klavier in der Abteilung Kirchenmusik der Musikhochschule (1953 Professor). 1950 erhielt er zusammen mit K. Richter den 1. Preis für Orgel beim 1. Internationalen Bach-Wettbewerb in Leipzig. Seit 1966 ist er Leiter der Klavierabteilung der Musikhochschule in Dresden. W. hat seit 1948 als Organist und Pianist in Ost- und Westeuropa, Afrika und Japan konzertiert.

Webster, Ben (Benjamin) Francis, * 27. 2. 1909 zu Kansas City, † 20. 9. 1973 zu Kopenhagen; amerikanischer Jazzmusiker (Tenorsaxophon), spielte zunächst Violine und Klavier, lernte danach als Autodidakt Saxophon. Er spielte ab 1932 in den Gruppen von Bennie Moten, Benny Carter, Fletcher Henderson, Cab Calloway und Stuff Smith sowie 1935–43 und 1948 in der Big band von Duke Ellington. Ab 1943 besaß er eigene Gruppen. 1965–66 unternahm er Tourneen durch Europa (Berliner Jazztage 1965). W., der stilistisch an Coleman Hawkins und Benny Carter anknüpft, gehört zu den bedeutendsten Tenorsaxophonisten des Swing. Charakteristisch für sein Spiel, besonders in den bevorzugten lyrischen Balladen, ist ein starkes Vibrato und deutlich gehauchter Ton. – Aufnahmen: *Verve Jazz No 4* (Metronome 2356075); *Cottontail* (ebd. 2356019); *Live at the Renaissance of Los Angeles* (AM 6064); *Les rois du jazz* (30 CV 969 Musidisc); *Atmosphere for Lovers and Thieves* (28413-3 U Inter-Black).

+Wecker, Georg Kaspar, getauft [del.: *] 2. 4. 1632 – 1695.
Lit.: +A. G. RITTER, Zur Gesch. d. Orgelspiels (1884), Nachdr. Hildesheim 1969 (2 Bde in 1). – H. E. SAMUEL, The Cantata in Nuremberg During the 17th Cent., Diss. Cornell Univ. (N. Y.) 1963; DERS. in: MGG XIV, 1968, Sp. 349ff.

+Weckerlin, Jean-Baptiste Théodore, 9. [nicht: 29.] 11. 1821 – 1910 zu Buhl [nicht: Trottberg] (Gebweiler, Elsaß).
+*Echos du temps passé* (2 Bde, 1853–57, 2. Aufl. in 3 Bden, Paris o. J. [del. frühere Angaben hierzu]). – +*Chansons populaires de l'Alsace* (1883), Nachdr. = Les littératures populaires de toutes les nations XVII–XVIII, Paris 1969; +Katalog der *Bibliothèque du Conservatoire national de musique et de déclamation* (1885), Nachdr. Hildesheim 1971.

+Weckmann, Matthias, 1621 [nicht: kurz vor 1619] – 1674.
Ausg.: +6 Geistliche Konzerte (M. SEIFFERT, 1900), d. darin enthaltene Psalmkomposition »Wenn d. Herr d. Gefangenen zu Zion erlösen wird« wird v. Fr. Krummacher (s. u. Lit.) erneut M. W. zugeschrieben.

Lit.: FR. KRUMMACHER, Zur Quellenlage v. M. W.s geistlichen Vokalwerken, in: Gemeinde Gottes in dieser Welt, Fs. Fr.-W. Krummacher, Bln 1961; B. ROTH, Zur Echtheitsfrage d. M. W. zugeschriebenen Klavierwerke ohne C. f., AMl XXXVI, 1964; M. PH. WHALUM, Selected Choral Works by M. W., »Weine nicht«, »Der Tod ist verschlungen in d. Sieg«, »Es erhub sich ein Streit«, and a Motet by J. W. »Wenn d. Herr d. Gefangenen zu Zion«, 2 Bde (I Kommentar, II Ausg.), Diss. Univ. of Iowa 1965; M. GECK in: MGG XIV, 1968, Sp. 354ff.; G. B. SHARP in: MT CXV, 1974, S. 1039ff.

+Wedekind, [erg.: Frieda Marianne] Erika (Erica, verheiratete Oschwald), 13. [nicht: 3.] 11. 1868 – [erg.: 10.] 10. 1944.
E. W. lebte ab 1930 zurückgezogen in Zürich.

Weder, Ulrich, * 9. 5. 1934 zu Bremen; deutscher Dirigent, studierte 1951–56 an der Nordwestdeutschen Musikakademie in Detmold (K. Thomas), 1956–58 an der Akademie Mozarteum in Salzburg (Wimberger) und 1957–59 am Salzburger Opernstudio (Paumgartner). Er nahm an Dirigierkursen bei Markevitch, bei Ferrara an Radio Hilversum sowie bei Previtali an der Accademia Nazionale di S. Cecilia in Rom teil. 1962–65 war er Kapellmeister am Stadttheater Bonn, 1965–68 Kapellmeister und Assistent von Maazel an der Deutschen Oper Berlin sowie 1968–71 1. Kapellmeister am Staatstheater am Gärtnerplatz in München, dessen Chefdirigent er 1971–73 war. 1975 wurde er als GMD an das Stadttheater Bremerhaven berufen. W. dirigierte bei zahlreichen Konzerten (Serenaden bei den Salzburger Festspielen ab 1967) und leitete Uraufführungen von Růžička und I. Yun.

Wedernikow, Alexandr Filippowitsch, * 23. 12. 1927 zu Mokino (Ural); russisch-sowjetischer Opernsänger (Baß), studierte 1949–55 am Moskauer Konservatorium und erhielt 1956 1. Preise beim sowjetischen Allunionswettbewerb »Interpreten sowjetischer Komponisten« sowie beim internationalen R.-Schumann-Wettbewerb in Berlin. 1955–58 war er Solist am Kirow-Operntheater in Leningrad und debütierte 1957 am Bolschoj Teatr, an das er 1958 engagiert wurde. Gastspielreisen führten ihn u. a. nach Frankreich, England, Italien (1961 Debüt an der Mailänder Scala) und Kanada. Zu seinen Partien zählten Don Basilio (*Il barbiere di Siviglia*), Daland, Ramphis, König Philipp und Boris Godunow. W. sang in Uraufführungen von Werken von Swiridow und von anderen sowjetischen Komponisten.
Lit.: T. GRUM-GRSCHIMAJLO, Naslednik ducha prawdy (»Erbschaft d. Geistes d. Wahrheit«), in: Golos rodiny 1970, Nr 3.

+Wedig, Hans Josef, * 28. 7. 1898 zu Essen.
W. war Chordirektor der Städtischen Bühnen und Dirigent des Musikvereins in Dortmund bis 1964. Neuere Werke: Musik für Akkordeonorch. (1969) und Suite für Streichorch. (1970) mit Schlagzeug; Kantate für S., Chor und Orch. (1968).

+Weelkes, Thomas, [erg.: um] 1575 – 1623.
+*The Madrigals to 3, 4, 5 & 6 Voyces* erschienen 1597 [nicht: 1957].
Ausg.: +GA d. Madrigale (E. H. FELLOWES, 1916 [nicht: 1913–24]), in d. Reihe »The Engl. Madrigalists«, Bd IX–XIII, revidiert hrsg. v. +TH. DART, London 1965ff. [del.: 21956ff.], bisher erschienen: IX (1967), Madrigals to 3, 4, 5 and 6 V. (1597); X (1968), Balletts and Madrigals (1598, 1608); XI (1968), Madrigals of 5 and 6 Parts (1600); XIII (1965), Airs or Fantastic Spirits (1608). – Collected Anthems, hrsg. v. D. BROWN, W. COLLINS u. P. LE HURAY, = Mus. Brit. XXIII, ebd. 1966; Short Service »Morning Canticles« f. 4st. Chor u. Org. ad libitum, hrsg. v. D. BROWN,

ebd. 1969; Magnificat u. Nunc dimittis f. 6st. Chor, hrsg. v. DEMS., ebd. 1974.
Lit.: +E. H. FELLOWES, The Engl. Madrigal Composers (1921, 21948), Nachdr. London 1958; +DERS., The Engl. Madrigal (1925), ebd. 31947. – DERS., Engl. Madrigal Verse, 1588–1632, ebd. 1920, 21929, 3. Aufl. revidiert hrsg. v. Fr. W. Sternfeld u. D. Greer, Oxford 1967; FR. B. ZIMMERMAN, Features of Ital. Style in Elizabethan Part Songs and Madrigals, Thesis (B. Litt.) ebd. 1955/56; CH. E. WELCH, Two Cathedral Organists. Th. W. (1601–23) and Th. Kelway (1720–44), = Chichester Papers VIII, Chichester 1957; W. ST. COLLINS, The Anthems of Th. W., 2 Bde (I Kommentar, II Übertragung), Diss. Univ. of Michigan 1960; DERS., Recent Discoveries Concerning the Biogr. of Th. W., ML XLIV, 1963; D. J. MORSE, Word-Painting and Symbolism in the Secular Choral Works by Th. W., Diss. NY Univ. 1961; J. KERMAN, The Elizabethan Madrigal, = Studies and Documents IV, NY 1962; D. BROWN, The Anthems of Th. W., Proc. R. Mus. Ass. XCI, 1964/65; DERS., Th. W., A Biogr. and Critical Study, London u. NY 1969; V. DUCKLES, The Engl. Mus. Elegy of the Late Renaissance, in: Aspects of Medieval and Renaissance Music, Fs. G. Reese, NY 1966; P. LE HURAY, Music and the Reformation in England, 1549–1660, = Studies in Church Music o. Nr, London 1967; PH. BRETT, The Two Mus. Personalities of Th. W., ML LIII, 1972; J. G. C. MILNE, On the Identity of W.' »Fogo«, R. M. A. Research Chronicle X, 1972; CR. MONSON, Th. W., A New Fa-la, MT CXIII, 1972 (mit Ausg. d. Satzes); T. J. McCANN, The Death of Th.W. in 1623, ML LV, 1974.

Wegelin, Arthur Willem, * 5. 3. 1908 zu Nimwegen; niederländisch-südafrikanischer Violinist und Musiktheoretiker, studierte 1928–31 am Amsterdamer Musiklyzeum Violine und Theorie. 1933–42 war er Mitglied des Stadtorchesters in Utrecht, wurde Dozent am dortigen Konservatorium und schloß seine theoretischen Studien unter Badings und Mulder ab. Seit 1947 lebt er in Südafrika, wo er 1948–50 am College of Music von Kapstadt tätig war und 1951–66 als Musikdozent an der Universität von Potchefstroom (Transvaal) wirkte (1962 Seniorlektor). 1966 erfolgte seine Ernennung zum Leiter der Musikabteilung der University of Port Elizabeth (Kapprovinz) und 1967 zum Professor. W. schrieb mehrere Kompositionen, u. a. ein Adagio für Streichorch., ein Konzert für V. und Orch. und eine *Aria sinfonica*, und veröffentlichte *Praktiese harmonieleer van die diatoniek* (Kapstadt 1963, 21967) sowie *Die Musieklewe in Potchefstroom 1838–1925* (ebd. 1965).

Wegener, Siegfried, * 7. 12. 1916 zu Ringenwalde (Kreis Templin); deutscher Komponist, studierte 1936–39 am Konservatorium in Dortmund (Klavier, Trompete, Komposition, Dirigieren), unterhielt nach dem Kriege eine eigene Big band, war 1948–50 Komponist und Abteilungsleiter beim Sender Nürnberg und danach bis 1955 freiberuflich als Komponist in Berlin tätig, wo er 1955–57 Hauptabteilungsleiter Tanzmusik sowie Programmchef von Rias Berlin war. Seit 1961 arbeitet er als freischaffender Komponist und Arrangeur für Film, Fernsehen, Rundfunk und Schallplattenfirmen in München. W. komponierte nahezu 2000 Einzelwerke auf dem Gebiet des Jazz und der gehobenen Unterhaltungsmusik und schrieb zahlreiche Film- und Fernsehmusiken.

+Wegner, Walburga, * 25. 8. 1908 [nicht: 1913] zu Köln.
Als Gast sang sie u. a. an der Metropolitan Opera in New York und an der Mailänder Scala; auch wirkte sie bei verschiedenen Festspielen mit (Edinburgh, Glyndebourne, Florenz). Ab 1961 gehörte W. W. erneut dem Ensemble der Kölner Oper an, bis sie sich 1968 von der Bühne zurückzog. Zu ihren großen Partien zählten Donna Anna, Leonore (Beethoven und

Verdi), Tosca, Senta, Elisabeth, Kundry, Marta (*Tiefland*) und die Salome.

+Wehle, Gerhard Fürchtegott, * 11. 10. 1884 zu Paramaribo (Niederländisch Guayana), [erg.:] † 15. 10. 1973 zu Berlin.
Er verfaßte des weiteren einen (sehr populären) »Lebensroman in Tatsachen« *A. Bruckner im Spiegel seiner Zeitgenossen* (Garmisch-Partenkirchen 1964). An neueren Kompositionen von W., der auch ein Oratorium (op. 52, 1934) und insgesamt 26 symphonische Kantaten schrieb, seien genannt ein Konzert für Kl., Vc. und Orch. op. 103 (1961), Passacaglia und Fuge *Turmbau zu Babel* für Orch. op. 107 (1963), 3. Symphonie op. 109 (*Norwegische*, 1965), *Fröhliche Passacaglia* für 12 Bläser op. 110 Nr 2 (1966) und ein Quintett *Bremer Stadtmusikanten* für V., Vc., Ob., Fag. und Kl. op. 111 (1966).

Wehle, Peter, * 9. 5. 1914 zu Wien; österreichischer Komponist und Textdichter, studierte in Wien Musik privat und am Konservatorium sowie Rechtswissenschaft an der Universität (Dr. jur.), war ab 1944 als Kabarettist Mitglied der Truppe »die kleinen Vier« (Fred Kraus, Gunther Philipp, Hilde Berndt) und ist seit 1955 in Wien freischaffend, vor allem für Rundfunk und Fernsehen, tätig. Er komponierte zahlreiche Chansons und Wienerlieder, Tanzschlager, Filmmusik und außerdem Musik zu Lustspielen und Revuen.

+Wehrli, Werner [erg.:] Hugo, 1892–1944.
Lit.: K. MEULI in: Lebensbilder aus d. Aargau (1803–1953), Aarau 1953; W. SCHUH in: Schweizer musikpädagogische Blätter XLII, 1954, S. 131ff.; CH. TSCHOPP, W. W. . . . u. Kepler, Aarauer Neujahrsblätter II, 35, 1961; H. LEUENBERGER, Glückliche Jahre. Persönliche Erinnerungen . . ., ebd. 38, 1964.

Weichenberger, Johann Georg (Weichenperger), getauft 11. 12. 1676 zu Graz, † 2. 1. 1740 zu Wien; österreichischer Lautenspieler und Komponist, war sehr wahrscheinlich Berufsmusiker, bevor er Beamter der kaiserlichen Hofkammer in Wien wurde. Daß er als Lautenist geschätzt war, zeigt die Erwähnung seines Namens bei E. G. Baron (*Untersuchung des Instruments der Lauten*, Nürnberg 1727) und die Verbreitung seiner Kompositionen. Erhalten sind Lautenkonzerte mit Violine und Baß, Partiten und andere Lautenstücke; eine *Partita à liuto solo* ist bei Breitkopf & Härtel angezeigt.
Ausg.: Lautenkonzert mit V. u. B., in: Österreichische Lautenmusik zwischen 1650 u. 1720, hrsg. v. A. KOCZIRZ, = DTÖ XXV, 2 (Bd 50), Wien 1918; Fantasia u. Courante in: Wiener Lautenmusik im 18. Jh., hrsg. v. DEMS., = LD Alpen- u. Donaugaue I, Wien 1941 (Partie G dur u. Presto C dur tragen hier irrtümlich d. Autorenbezeichnung W., d. Stücke stammen v. S. L. Weiß); 7 Praeludien, 3 Partiten u. eine Fantasie, hrsg. v. H. RADKE, = Musik alter Meister XXV/XXVI, Graz 1970.

Weidman (w'aidmən), Charles, * 22. 7. 1901 zu Lincoln (Nebr.); amerikanischer Tänzer und Choreograph, studierte an der Denishawn School in Los Angeles und war dann Mitglied von deren Kompanie. 1927 gründete er seine eigene Schule und unternahm mit seiner Gruppe, der sich auch Doris Humphrey anschloß, zahlreiche Tourneen. Zu seinen besten Arbeiten dieser Zeit gehören satirische oder gesellschaftskritische Sketches wie *And Daddy Was a Fireman* (1943). W. choreographierte Tänze für mehrere erfolgreiche Musicals, trennte sich von Doris Humphrey, gründete 1945 eine neue Schule und 1948 wieder eine eigene Kompanie, für die er sein berühmtestes Werk *Fables for Our Time* (1947) schuf, das ebenso wie das spätere *The War Between Men and Women* (1954) auf Fabeln von James Thurber zurückgeht. Seit Anfang der 60er Jahre leitet W. in New York zusammen mit Mikhail Santaro das Expression of Two Arts Theatre, dessen Vorstellungen sich um eine Synthese des Tanzes mit den bildenden Künsten bemühen.

Weigel, deutsche Familie von Buch- und Musikdruckern, Verlegern und Kunsthändlern. –1) Christoph (der Ältere), getauft 30. 11. 1654 zu Marktredwitz (Oberfranken), † 5. 2. 1725 zu Nürnberg, lernte als Goldschmied in Hof (Vogtland) und 1673–81 als Kupferstecher in Augsburg, war danach in Wien (1681–83, 1688–91), Frankfurt a. M. (1683–88), Augsburg (1691) und Regensburg (1696) tätig und kam 1698 nach Nürnberg. Sein Hauptwerk *Abbildung der Gemein-Nützlichen Haupt-Stände* (Regensburg 1698) enthält wichtige Bemerkungen zu Instrumentenbau und Musikpraxis der Zeit. In seinem Verlag, der 1748 auf seinen Schwiegersohn Martin Tyroff und 1794 auf die Erben des Musikdruckers Johann Michael Schmidt überging, erschienen u. a. Musikalien von Wolfgang Christoph Deßler, Johann Philipp Eisel und von Rheineck. –2) Johann Christoph, getauft 15. 7. 1661 zu Marktredwitz, begraben 3. 9. 1726 zu Nürnberg, Bruder des vorigen, ließ sich 1699 als Kupferstecher und Kunsthändler in Nürnberg nieder. Neben Kompositionen von Badia und J. Pachelbel verlegte er das sozialgeschichtlich und instrumentenkundlich bemerkenswerte Bildtafelwerk *Musicalisches Theatrum* (um 1723) mit der ältesten Abbildung eines Klarinettisten. –3) Christoph (der Jüngere), * 1702, begraben 19. 6. 1777 zu Nürnberg, Sohn und Nachfolger von Johann Christoph W., besorgte 1735 Notenstich, Druck und Verlag von J. S. Bachs *Zweytem Theil der Clavier Übung* (BWV 971 und 831).
Ausg.: zu –1): Abb. ... (1698), hrsg. v. CHR. G. HOTTINGER als: Die Hauptstände, Straßburg 1891 (nur Abb., ohne Text) bzw. v. FR. HELBIG als: Ständebuch v. 1698, Ebenhausen 1936. – zu –2): Mus. Theatrum, Faks. hrsg. v. A. BERNER, = DMI I, 22, Kassel 1961.
Lit.: G. KINSKY, Die Originalausg. d. Werke J. S. Bachs, Wien 1937 (mit Irrtümern); FR. KRAUTWURST in: MGG XIV, 1968, Sp. 373ff.

Weigel, Hans, * 27. 5. 1908 zu Wien; österreichischer Schriftsteller, Dramatiker und Übersetzer, trat ab 1934 in Wien zunächst als Verfasser von satirischen Kurzszenen, Chansontexten und parodistischen Reportagen für Kleinkunstbühnen (»Literatur am Naschmarkt«, »Die Stachelbeere«, »Der Regenbogen«) und als Autor von am Theater an der Wien aufgeführten musikalischen Bühnenstücken hervor (*Axel an der Himmelstür*, mit P. Morgan und A. Schütz, Musik Benatzky, 1936; *Madame Sans-Gêne*, Musik Bernhard Grün, 1937; *Roxy und ihr Wunderteam*, mit A. Grünwald, Musik P. Abraham, 1937). 1938 emigrierte W. in die Schweiz. 1945 nach Wien zurückgekehrt, betätigte er sich bis 1952 als Kulturkritiker der Zeitung »Welt am Montag« und bis 1962 als Theaterkritiker. Daneben schrieb er für das Kleine Haus des Theaters in der Josefstadt u. a. die Musik von Steinbrecher *Seitensprünge* (1947) und *Entweder – oder* (1949). Außer Romanen, Theaterstücken und Bearbeitungen englischer und französischer Bühnenwerke (darunter Molière-Übersetzungen) veröffentlichte W. *Flucht vor der Größe* (Salzburg 1960, Nachdr. 1970, mit Essays über Schubert, Raimund, Nestroy und J. Strauß), *Das kleine Walzerbuch* (Salzburg 1965, schwedisch Stockholm 1968), *Apropos Musik* (Zürich 1965) und *Das Buch der Wiener Philharmoniker* (Salzburg 1967). Er gab K. Böhms Autobiographie *Ich erinnere mich ganz genau* (Zürich 1968) heraus.

+Weigl [–1) Joseph Franz], –2) Joseph, 1766–1846. –3) Thaddäus, [erg.: 8. 4.] 1776 – 29. [nicht: 10.] 2. 1844.

Ausg.: zu –2): 1. Satz aus d. Concertino f. Fl., Ob., Klar., Fag. u. Hf. (um 1815), in: H. UNVERRICHT, Die Kammermusik, = Das Musikwerk XLVI, Köln 1972, auch engl.
Lit.: FR. GRASBERGER in: MGG XIV, 1968, Sp. 367ff. – zu –2): W. BOLLERT in: NZfM CXIX, 1958, S. 507ff.; H. H. HAUSNER in: Mitt. d. Internationalen Stiftung Mozarteum XIV, 1966, H. 3/4, S. 9ff.

+Weigl, –1) Karl, 1881–1949. Seine +1. Symphonie hat die Tonart E dur [nicht: D dur], seine +2. Symphonie entstand 1922 [nicht: 1912].
–2) Vally, * 11. 9. 1894 [nicht: 1899] zu Wien. Sie ← d war 1954–64 als Musiktherapeutin am New York Dec. 25 Medical College tätig und leitete anschließend musik- 1982 therapeutische Forschungsprogramme u. a. für die UNESCO. – Weitere Werke: *Moodsketches* für Bläserquintett (1964); *Peace Is a Shelter* für 4st. Chor, Soli und Kl. oder Org. (1970) sowie Chorwerke und Lieder (darunter 3 Lieder *Fear No More* für gem. Chor nach Shakespeare).
Lit.: H. MOLDENHAUER in: MGG XIV, 1968, Sp. 384f.

+Friedrich Weigle.
Fritz W. (* 25. 1. 1925 [erg.:] zu Stuttgart) übernahm nach dem Tode seines Vaters Friedrich W. (* 9. 9. 1882 [erg.:] zu Stuttgart, [erg.:] † 25. 9. 1958 zu Echterdingen bei Stuttgart) die Leitung des Betriebes und ist nunmehr nach dem Tode seiner Mutter († 1968) Alleininhaber der Firma. – Nach Ausbau und durchgreifender Modernisierung des Betriebes (1964–67) stellte die Firma bisher über 1200 Orgelwerke her (darunter Werke für die Konkordienkirche in Mannheim, 1958, 51 St., und die Aula der Universität in Heidelberg, 1966, 54 St.).

Weikert, Ralf, * 10. 11. 1940 zu St. Florian (bei Linz); österreichischer Dirigent, erhielt seine musikalische Ausbildung am Bruckner-Konservatorium in Linz (Klavier, Tonsatz und Dirigieren) und studierte ab 1960 an der Wiener Musikakademie Tonsatz bei Jelinek sowie Dirigiertechnik und Werkanalyse bei Swarowsky. Er erhielt 1965 beim internationalen N. Malko-Wettbewerb in Kopenhagen den 1. Preis und wurde 1966 1. Kapellmeister an der Oper der Stadt Bonn, deren Chefdirigent er seit 1968 ist. Als Gastdirigent trat er in verschiedenen europäischen Ländern auf; 1972 erhielt er einen Gastvertrag für die königliche Oper in Kopenhagen.

Weikl, Bernd, * 29. 7. 1942 zu Wien; deutscher Sänger (Bariton), studierte am Konservatorium in Mainz (1962–65) sowie an der Musikhochschule in Hannover (1965–67) und erhielt sein erstes Engagement 1968 am Staatstheater in Hannover (im gleichen Jahr Preisträger des Gesangswettbewerbs in Berlin). 1970–73 trat er an der Deutschen Oper am Rhein in Düsseldorf–Duisburg auf und wurde 1973 Mitglied der Hamburgischen Staatsoper. Er gastierte an den großen Bühnen Europas, bei den Bayreuther Festspielen (1973–75), den Salzburger Osterfestspielen (1972 und 1973) und wirkte bei Funk- und Fernsehaufnahmen (Lopakal in Sutermeisters *Flaschenteufel*, Kalif in *Der Barbier von Bagdad*, Jochanaan in *Salome*). Von seinen Partien seien noch erwähnt Figaro (*Il barbiere di Siviglia*), Don Giovanni, Eugen Onegin, Wolfram (*Tannhäuser*), Amfortas (*Parsifal*), Graf Luna (*Il trovatore*), Ford (*Falstaff*) und Morone (*Palestrina*). W. hat sich auch als Konzertsänger einen Namen gemacht.

+Weill, Kurt, 1900–50.
Berichtigungen zum früheren Werkverzeichnis: Oper *Na und?* (1926–27, nicht aufgeführt); Komödie mit Musik *Happy End* (Bln 1929); *Marie galante* (Paris

1934); *Lady in the Dark* (Buch M. Hart, Lyrics I. Gershwin, NY 1940); Pantomime *Zaubernacht* (Bln 1922).
Lit.: Über K. W., hrsg. v. D. DREW, = Suhrkamp Taschenbuch Bd 237, Ffm. 1975. – DERS., Topicality and the Universal. The Strange Case of W.'s »Die Bürgschaft«, ML XXXIX, 1958; DERS., Mus. Theatre in the Weimar Republic, Proc. R. Mus. Ass. LXXXVIII, 1961/62; DERS., The Hist. of Mahagonny, MT CIV, 1963; DERS., W.'s School Opera, MT CVI, 1965; E. BLOCH, Lied d. Seeräuberjenny in d. »Dreigroschenoper«, in: Verfremdungen I, = Bibl. Suhrkamp LXXXV, Ffm. 1962; H. KOTSCHENREUTHER, K. W., Bln 1962; R. LEYDI, Precisazioni su »Mahagonny« e altre questioni a proposito di K. W., Rass. mus. XXXII, 1962; O. LEONTJEWA in: SM XXVII, 1963, S. 114ff.; TH. W. ADORNO, Mahagonny, in: Moments mus., = Ed. Suhrkamp LIV, Ffm. 1964; E. J. AUFRICHT, Die Moritat v. Macki Messer, in: Melos XXXIII, 1966; R. D. SNYDER, The Use of the Comic Idea in Selected Works of Contemporary Opera, Diss. Indiana Univ. 1968; H. CURJEL in: NZfM CXXXIII, 1972, S. 432ff., 503ff. u. 576ff.; E. PADMORE in: Music and Musicians XXI, 1972/73, Nr 2, S. 34ff.

Weinberg (wʹainbə:g), Henry, * 7. 6. 1931 zu Philadelphia (Pa.); amerikanischer Komponist, studierte privat bei Rochberg in Philadelphia sowie 1959–61 bei Sessions und Babbitt an der Princeton University (N. J.), an der er 1966 mit einer Dissertation über *A Method of Transferring the Pitch Organization of a Twelve Tone Set Through All Layers of a Composition* zum Ph. D. promovierte. 1961–62 war er Schüler von Dallapiccola in Florenz, 1965 wurde er Associate Professor am Queens College der City University of New York. Von seinen Kompositionen seien genannt: *Vox in rama* für gem. Chor a cappella (1956); *Five Haiku* für Singst. und 5 Instr. (1958); *Movement* für Streichquartett (1959); *Song Cycle* für S. und Kl. (1960); Streichquartett Nr 2 (1964); *Cantus commemorabilis I* für 10 Instr. und 2 Schlagzeuger (1966); *Double Solo* für V. und Singst. (1969).

Weinberg, Moissej Samuilowitsch, * 8. 12. 1919 zu Warschau; russisch-sowjetischer Komponist, studierte bis 1939 bei J. Turcziński (Klavier) am Warschauer Konservatorium sowie 1939–41 bei Solotarjow (Komposition) am Konservatorium in Minsk. Seit 1943 lebt er als freischaffender Komponist in Moskau. Er schrieb u. a. die Opern *Metsch Usbekistana* (»Das Schwert von Usbekistan«, zusammen mit einem Komponistenteam, Taschkent 1942), *Passaschirka* (»Die Reisende«, 1968), *Sosia* (1970) und *Ljubow d'Artanjana* (»d'Artanjans Liebe«, nach *Les trois mousquetaires* von Alexandre Dumas père, 1972), die Ballette *Solotoj kljutschik* (»Das goldene Schlüsselchen«, 1955, 2. Fassung Moskau 1962) und *Belaja chrisantema* (»Weiße Chrysantheme«, 1958), Orchesterwerke (11 Symphonien, Nr 1, 1942, Nr 2 für Streichorch., 1946, Nr 3, 1949, 2. Fassung 1956, Nr 4, 1957, Nr 5, 1962, Nr 6 mit Knabenchor, 1963, Nr 7 für Streicher und Cemb., 1964, Nr 8 *Zwety Polschi*, »Polens Blumen«, für T., Chor und Orch., 1964, Nr 9 *Uzelewschije stroki*, »Unversehrte Zeilen«, für Vorleser, gem. Chor und Orch., 1967, Nr 10 für Streichorch., 1968, und Nr 11 *Torschestwennaja simfonia*, »Die Feierliche«, für gem. Chor und Orch., 1969; 2 Sinfonietten, 1948 und 1960; Konzerte für Vc., 1956, V., 1960, und Trp., 1967, mit Orch., sowie für Fl., 1961, und Klar., 1970, mit Streichorch.), Kammermusik (12 Streichquartette, 1937–70; Klavierquintett, 1944; Klaviertrio, 1945; Streichtrio, 1951; Sonate für Vc. solo, 1963), Klavierstücke, Vokalwerke (Kantate *Dnewnik ljubwi*, »Tagebuch der Liebe«, 1965; Requiem, 1967; fast 100 Romanzen) sowie Bühnen- und Filmmusik, u. a. zu dem Film *Kogda letajut schurawli* (»Wenn die Kraniche ziehn«, 1957).

Lit.: A. NIKOLAJEW, O twortschestwe M. W.a (»Über M. W.s Schaffen«), SM XXIV, 1960; G. SKUDINA in: Ruch muzyczny XV, 1971, Nr 16, S. 14ff. (zu »Passaschirka«); L. NIKITINA, Simfonii M. W.a, Moskau 1972.

+Weinberger, Jaromír, * 8. 1. 1896 zu Prag, [erg.:] † 8. 8. 1967 zu St. Petersburg (Fla.).
W., der 1939 von Frankreich aus [nicht: London] in die USA ging, wurde 1948 amerikanischer Staatsbürger und ließ sich 1949 [nicht: 1939] in St. Petersburg (Fla.) nieder. – Weitere Werke: 4 Operetten, darunter *Na růzích ustláno* (»In einem Rosenbett«, Brünn 1933 [del. frühere Angabe dazu]); Symphonie *Aus Tirol* (1961); Walzerouvertüre für Orch. (1960), Konzert für Altsax. und Orch. (1967); Rhapsodie *Ave* für gem. Chor und Orch. (1962); 5 Lieder aus *Des Knaben Wunderhorn* für S. und Kl. (1961).

+Weinberger, Josef, [erg.:] 6. 5. 1855 – 1928.
Die Zweigverlage in London und Frankfurt a. M. sind heute eigene Firmen, deren Inhaber Dr. Otto Blau ist; die Konzernleitung liegt in Händen von Johann Michel und Richard Thoeman. Seit 1963 betreibt der (Frankfurter) Musikverlag Josef Weinberger GmbH das Management des Glocken Verlags (Verlag der Werke von Fr. Lehár). Zum Katalog gehören neuerdings auch Kompositionen von Fr. Gulda.

+Weiner, Leó, 1885–1960.
Weitere Werke: +Variationen über ein ungarisches Volkslied op. 30 (1950), *Prélude, nocturne et scherzo diabolico* op. 31 (1950), Divertimenti op. 38 und op. 39 (beide 1951), +*Toldi* op. 43 (1952, auch als Suiten op. 43a–b, 1954–55) und Passacaglia op. 44 (1955) für Orch. – Die +Bearbeitungen der Werke von Bach, Beethoven, Liszt, Schubert und Bartók sind für Orch. [nicht: Kl.]. – W. gab Klavier- und Violinsonaten von Beethoven heraus (Budapest 1959 bzw. 1962).
Lit.: GY. S. GÁL, W. L. életműve (»Das Lebenswerk v. L. W.«), Budapest 1959; A. MOLNÁR, Emlékeéze W. L. (»L. W. zum Gedächtnis«), in: Magyar zene I, 1960; B. HORVÁTH, W. L. archépe Berény R.töl (»Ein Porträt L. W.s v. R. Berény«), in: Müvészettörténeti értesitő XVI, 1967.

Weiner (wʹainə), Stanley Milton, * 27. 1. 1925 zu Baltimore (Md.); amerikanischer Komponist, Violinist und Dirigent, studierte in seiner Heimatstadt am Peabody Conservatory sowie in New York an der D. Mannes Music School und der Manhattan School of Music (M. Piastro). 1947 wurde er Konzertmeister der New York City Symphony, später der Indianapolis Symphony. Ab 1953 konzertierte er als Violinist und Dirigent eigener Werke in Europa, Nordafrika, den USA und in Kanada. W. schrieb das Ballett *Amelia* (Antwerpen 1973), Orchesterwerke (2 Symphonien, 1967 und 1975; Konzert für Streichorch., 1967; 4 Violinkonzerte, 1961, 1963, 1964 und 1970; Konzert für 2 V., 1974; 2 Trompetenkonzerte, 1972 und 1974; Hornkonzert, 1965; Oboenkonzert, 1966; Fagottkonzert, 1969), Kammermusik (Serenade für Bläserquintett, 1971; 2 Streichquartette, Nr 1, 1968, 2. Fassung 1973, und Nr 2, 1974; Trios für Klar., V. und Kl., 1972, und für Fl., V. und Kl., 1972; Serenade für Fl., Git. und Fag., 1973; Streichtrio, 1974; Klaviertrio, 1974; Suite für 3 Git., 1975; 4 Sonaten für V. und Kl., 1955, 1958, 1959 und 1971; *Caprices*, 1959, Sonate, 1970, und Partita, 1973, für V. solo; Solosonaten für Fl., Vc., und Fag., alle 1970) sowie *Songs of the Elisabethan Age* für 3 Frauen-St. (1969) und *Rhapsodie* für S., V., Vc. und Kl. (1974).

+Weingartner, Felix Paul von, Edler von Münzberg, 1863–1942.
+*Über das Dirigieren* (1896 [nicht: 1895]; Lpz. ⁵1920, engl. nach der 3. Aufl. Lpz. 1905, London 1906 und

Lpz. ²1925, polnisch = Lektorat języka niemieckiego-przekłady koła naukowego I, Kattowitz 1961) und ⁺*Die Symphonie nach Beethoven* (1897; Lpz. ⁴1926, engl. auch als *The Symphony Writers Since Beethoven*, London 1925, Nachdr. Westport/Conn. 1969) sowie ⁺*Ratschläge für Aufführungen der Symphonien Beethovens* (1906; engl. London 1907, russ. Moskau 1965) erschienen zusammen in einer einbändigen Paperbackausg. engl. als *W. on Music and Conducting* (NY 1969, London 1970; Teil I: *On Conducting*, nach der 4. Aufl. von 1913 ergänzter Nachdr. der engl. Ausg. von 1925, II: *On the Performance of Beethoven's Symphonies*, nach der 3. Aufl. von 1928 ergänzter Nachdr. der engl. Ausg. von 1907, und III: *The Symphony Since Beethoven*, neu übers. nach der 4. Aufl. von 1926).
Lit.: I. MAHAIM, La »Version d'orch.« de la Grande Fugue, op. 133, de Beethoven. Un désaveu de W., SMZ XCIX, 1959; H. OESCH, Die Musik-Akad. d. Stadt Basel, Basel 1967; H. C. SCHONBERG, The Great Conductors, NY 1967, London 1968, deutsch als: Die großen Dirigenten, Bern 1970, auch = List Taschenbücher Bd 391, München 1973; R. LEIBOWITZ, I guai del wagnerismo. Riflessioni sull'interpretazione delle opere di Wagner, nRMI II, 1968; D. MACK, Von d. Christianisierung d. »Parsifal« in Bayreuth. Ein Brief F. W.s an H. Levi, NZfM CXXX, 1969.

Weinhöppel, Hans Richard (Pseudonym Hannes Ruch), * 29. 9. 1867 und † 10. 7. 1928 zu München; deutscher Komponist und Pädagoge, studierte an der Königlichen Musikschule in München (Rheinberger), war anfänglich Opernsänger, ab 1892 Theaterkapellmeister in New Orleans, 1901–06 musikalischer Leiter des Münchner Kabaretts »Die elf Scharfrichter« und dann bis 1927 Professor für Sologesang und mimische Darstellung in Köln. Das Gastspiel der »Elf Scharfrichter« 1906 im Wiener Kabarett »Nachtlicht« (Ballhausgasse 6) gab unter der Leitung von Marc Henry mit Marya Delvard und Frank Wedekind Impulse für eine moderne Wiener Kleinkunst. W.s Kompositionen (Kammermusik, Lieder) sind vergessen, nicht jedoch die Stücke des Kabarettkomponisten Hannes Ruch. Als Hauskomponist der »Elf Scharfrichter« schrieb er Lieder und Couplets mit Klavier oder zur Laute zu singen mit Texten, die heute als »schwarzer Humor« bezeichnet würden und ihm einen wichtigen Platz in der Geschichte der literarisch-musikalischen Kabarettkunst sichern. Sehr populär wurden *Der alte Kakadu* (Text F. J. Stein) und *Der Arbeitsmann* (Richard Dehmel). – Das einsilbige Pseudonym »Ruch« ist im Sinne der ebenso kurzen Horror-Decknamen der anderen 10 Gründer der »Elf Scharfrichter« gebildet: Balthasar Starr = Marc Henry (eigentlich Georges d'Ailly-Vaucheret), Journalist und Chansonsänger; Dionysius Tod = Leo Greiner, Kritiker und Dichter; Peter Luft = Otto Falckenberg, Schriftsteller und Regisseur; Max Knax = Max Langheinrich, Architekt; Frigidius Strang = R. →Kothe [Personenteil], Rechtsanwalt und Lautensänger; Kaspar Beil = Ernst Neumann, Maler und Graphiker; Till Blut = Wilhelm Hüsgen, Bildhauer; Willibaldus Rost = Willy Rath, Schriftsteller; Serapion Grab = Willi Örtel, Maler; Gottfried Still = Viktor Frisch, Maler und Graphiker.
Lit.: W. RÖSLER, Zeitkritik in d. Musik d. Kabaretts (1901–33), BzMw VII, 1965; DERS., Der mus. »Scharfrichter«, H. R. W. . . ., in: Melodie u. Rhythmus 1967, H. 22.

Weinkop, Julian Jakowlewitsch, * 15.(28.) 7. 1901 zu Witebsk (Weißrußland), † 26. 4. 1974 zu Leningrad; russisch-sowjetischer Musikforscher, studierte 1918–20 Komposition am Konservatorium seiner Heimatstadt

und absolvierte 1929 das Leningrader kunstgeschichtliche Institut bei Assafjew und M. Steinberg. Er war 1928–37 Abteilungsleiter am Leningrader Musikverlag Triton und lehrte 1943–49 Musikgeschichte am Theaterinstitut »A. N. Ostrowskij«. Neben einer Reihe von Kurzbiographien über verschiedene Komponisten veröffentlichte er u. a.: Tschto nado snat ob opere (»Was man über die Oper wissen muß«, Leningrad 1963, ²1967); *Simfonitscheskije i chorowyje konzerty* (in: Musykalnaja kultura Leningrada sa 50 let, hrsg. von W. M. Bogdanow-Beresowskij, Moskau 1967); *Kratkij biografitscheskij slowar kompositorow* (»Kurzes biographisches Komponistenlexikon«, Leningrad 1968, ²1971).

⁺**Weinlig,** –1) Christian Ehregott, 1743 – 14. [nicht: 7.] 3. 1813. –2) Christian Theodor, 1780 – 7. [nicht: 6.] 3. 1842.
Lit.: D. HÄRTWIG in: MGG XIV, 1968, Sp. 411ff.

Weinlin, Josaphat, * 30. 11. 1601 zu Schwäbisch Hall, † 25. 2. 1662 zu Rothenburg ob der Tauber; deutscher Arzt und Musikophile, studierte in Tübingen, wurde 1623 Stadtphysikus in Crailsheim (Württemberg) und 1626 in Rothenburg. Er veröffentlichte unter dem Pseudonym Johann Pulsitiva 3- und 4st. Lieder als *Neues Geistliches Musicalisches Wein-Gärtlein* (Rothenburg 1633). Das Rothenburger Gesangbuch von 1672 enthält 2 Texte und Liedsätze W.s.
Ausg.: 2 Liedsätze in: E. SCHMIDT, Die Gesch. d. ev. Gesangbuches d. ehemaligen freien Reichsstadt Rothenburg ob d. Tauber, Rothenburg 1928.
Lit.: TH. WOHNHAAS, J. W., Medicus et musicus Rotenburgo-Tuberanus, Jb. f. fränkische Landesforschung XXIV, 1964.

Weinmann, Alexander, * 20. 2. 1901 zu Wien; österreichischer Musikforscher, studierte 1920–22 Musikwissenschaft und Geschichte in Wien, gleichzeitig 1920–24 Flöte an der Akademie für Musik und darstellende Kunst Wien und betätigte sich 1922–61 als praktischer Musiker und Kapellmeister. 1954 nahm er das Studium der Musikwissenschaft an der Universität Innsbruck wieder auf und promovierte 1955 mit der Arbeit *Vollständiges Verlagsverzeichnis Artaria und Companie*. Heute ist W. hauptamtlich für RISM, Landesleitung Österreich, tätig. – Publikationen (Auswahl): In den von ihm veröffentlichten *Beiträgen zur Geschichte des Alt-Wiener Musikverlages* (Wien 1950ff.) erschienen als Reihe I (Komponisten) Werkverzeichnisse von *J. Lanner* (= I, 1, 1956), *J. Strauß Vater und Sohn* (I, 2, 1956) sowie *Josef und E. Strauß* (I, 3, 1966) und als Reihe II (Verleger) die Verlagsverzeichnisse *Musikalisches Magazin in Wien 1784–1802*, L. Kozeluch (= II, 1, 1950), *Artaria & Comp.* (II, 2, 1952), *Kunst- und Industrie Comptoirs in Wien 1801–19* (II, 3, in: StMw XXII, 1955), *Wiener Musikverleger und Musikalienhändler von Mozarts Zeit bis gegen 1890* (II, 5, 1956), *K. K. Hoftheater-Musik-Verlag* (II, 6, 1961), *A. Huberty (Wien) und Chr. Torricella* (II, 7, 1962), *Fr. A. Hoffmeister* (II, 8, 1964), *Tr. Mollo* (II, 9, 1964), *P. Mechetti quondam Carlo* (II, 10, 1966), *G. Cappi bis A. O. Witzendorf* (II, 11, 1967), *J. Eder–J. Bermann* (II, 12, 1968), *Wiener Musikverlag »am Rande«* (II, 13, 1970), *Maisch, Sprenger, Artaria*. Mit 2 Supplementen (II, 14, 1970) und *I. Sauer* (II, 15, 1972). – Weitere Veröffentlichungen: *A. Bruckner und seine Verleger* (in: Bruckner-Studien, Fs. L. Nowak, Wien 1964); *Verzeichnis der Musikalien des Verlages J. Traeg in Wien 1794–1818* (StMw XXVI, 1964); *Zwei unechte Mozart-Lieder* (Mf XX, 1967); *Magyar zene a bécsi zeneműpiacon (1770–1850)* (»Ungarische Musik auf dem Wiener Musikalienmarkt«, Fs. B. Szabolcsi, = Magyar zenetörténeti tanulmányok II,

Budapest 1969). Ferner edierte er von J. A. Steffan *Capricci für Kl.* (München 1971) sowie von Fr. Schubert *Sämtliche Tänze für Kl.* (2 Bde, Wien 1973).

+Weinmann, Karl, 1873–1929.
+*J. Tinctoris und sein unbekannter Traktat »De inventione et usu musicae«* (1917), neu hrsg. von W. Fischer, Tutzing 1961; +Festschrift P. Wagner (Lpz. 1926), Nachdr. Farnborough 1969.

Weinmüller, Karl Friedrich, * 8. 11. 1763 zu Dillingen a. d. Donau, † 16. 3. 1828 zu Oberdöbling (Wien); deutscher Sänger, studierte in Wien Jura, war Bassist am Kärntnertortheater, sang dann an Provinzbühnen und Adelshöfen, an der Oper in Budapest (hier auch Regisseur und Musikdirektor) und ab etwa 1800 an den beiden Hofbühnen in Wien (K. K. Hof-Kammersänger). Neben J. M. Vogl war er der berühmteste Sänger der Wiener Klassik. Den mit ihm befreundeten Beethoven regte er zur Neubearbeitung des *Fidelio* an. Lit.: A. LAYER, K. Fr. W., Jb. d. Hist. Ver. Dillingen LXIV/LXV, 1962/63.

+Weinrich, Carl, * 2. 7. 1904 zu Paterson (N. J.). W., der sich um die Einführung und Verbreitung des alten Orgeltyps (im Sinne der Orgelbewegung) in den USA verdient gemacht hat, ist weiterhin Musikdirektor der Princeton University Chapel (N. J.).

+Weinstock, Herbert, * 16. 11. 1905 zu Milwaukee (Wis.), [erg.:] † 21. 10. 1971 zu New York.
+*Tchaikovsky* (1943), frz. Paris 1947, port. Rio de Janeiro 1945, span. Mexico/D. F. 1945, ²1957 [erg. frühere Angaben]; +*Music as an Art* (1953), als *What Music Is,* NY ²1966, Paperbackausg. Garden City (N. Y.) 1968, ital. Mailand 1969; +*Men of Music* (1939), Neuaufl. London 1958; +*The Opera* (1941), NY ²1962, London 1963, NY 1966 = The Modern Library of the World's Best Books o. Nr. – Weitere Schriften: *Donizetti and the World of Opera in Italy, Paris and Vienna in the First Half of the 19th Cent.* (NY 1963, London 1964); *Rossini* (NY und London 1968); *V. Bellini* (NY 1971, London 1972).

Weinzweig, John Jacob, * 11. 3. 1913 zu Toronto; kanadischer Komponist, studierte ab 1934 an der University of Toronto (Mus. B. 1937) sowie 1937–38 an der Eastman School of Music der University of Rochester/N. Y. (M. M. 1938). Er lehrt in Toronto seit 1939 Komposition und Orchestration am Royal Conservatory sowie an der Universität (1952 Professor). W. war Mitgründer und 1. Präsident der Canadian League of Composers und gilt als der erste Zwölftonkomponist (Klaviersuite *Dirgeling*, 1939) in Kanada. Er schrieb das Ballett *Red Ear of Corn* (Toronto 1949), Orchesterwerke (Symphonie, 1940; Rhapsodie, 1941; *Edge of the World*, 1946; *Symphonic Ode*, 1958; *Dummiyah*, »Ruhe«, 1969; Violinkonzert, 1954; Klavierkonzert, 1966; Harfenkonzert, 1967; Kammermusik (5 Divertimenti, Nr 1 für Fl., 1946, Nr 2 für Ob., 1948, Nr 3 für Fag., 1959, und Nr 4 für Klar., 1968, mit Streichern, sowie Nr 5 für Trp., Pos. und Bläserensemble, 1968; 3 Streichquartette, 1937, 1947 und 1962; Klarinettenquartett, 1965; Violoncellosonate *Israel*, 1950), Vokalwerke (*Wine of Peace* für S. und Orch., 1957; *Dance of the Massadah* für Bar. und Kl., 1951; *To the Lands Over Yonder* für gem. Chor a cappella, 1945), Klavierstücke (Sonate, 1950) sowie *Around the Stage in 25 Minutes During Which a Number of Instruments Are Struck* für einen Schlagzeuger (1970). Lit.: Werkverz. in: Composers of the Americas V, Washington (D. C.) 1959, Nachdr. 1964, u. in: Musicanada 1968, Nr 9. – U. KASEMETS, J. W., The Canadian Music Journal IV, 1960.

+Weirich, –1) August, 1858–1921. –2) Rudolf [erg.:] Johannes Paul, * 30. 9. 1886 und [erg.] † 12. 9. 1963 zu Wien.
Lit.: zu –1): M. CUDERMAN, Der Cäcilianismus in Wien u. sein erster Repräsentant am Dom zu St. Stephan, 2 Bde, Diss. Wien 1960 (mit thematischem Kat.).

+Weis, Carl Flemming, * 15. 4. 1898 zu Kopenhagen.
W. war Vizepräsident des dänischen Komponistenvereins bis 1967, dessen Präsident er dann wurde. 1952–61 war er bei »Dagens nyheder«, seit 1963 ist er bei »Politiken« als Musikkritiker tätig. – Weitere Werke: Serenade für Bläserquintett (1937); +*Fantasia seria* (1956); *Femdelt form III* (»5teilige Form«, 1963) und *Sine nomine* (1973) für Orch.; Concerto für Streichorch. (1960); *Femdelt form II* für Streichquintett (1962), 5 *Epigrammer* für Streichquartett (1960), Serenade für Fl., V. und Vc. (1961), Thema mit Variationen (1962) und *Rapsodisk suite* (1966) für V. und *Tre søstre* für Vc. solo (»3 Schwestern«, 1973); *Femdelt form I* (1962) und 6 *Limitations* (1964) für Kl., »Für die Orgel« (1969); Chorwerke.

+Weis-Ostborn, Rudolf von, * 8. 11. 1876 und [erg.:] † 18. 12. 1962 zu Graz.
Lit.: W. SUPPAN in: Mitt. d. Steirischen Tonkünstlerbundes 1960, Nr 1; DERS., Schubert-Autographe im Nachlaß W.-O., Graz, StMl VI, 1964; K. STEKL, Die Tätigkeit eines steirischen Musikdirektors. R. W.-O., Mitt. d. Steirischen Tonkünstlerbundes 1971, Sonder-H. (Steirische Musikjubiläen 1971).

+Weisbach, Hans, * 19. 7. 1885 zu Glogau (Niederschlesien), [erg.:] † 23. 4. 1961 zu Wuppertal.
Lit.: M. HÜBSCHER in: Rheinische Musiker VI, hrsg. v. D. Kämper, = Beitr. zur rheinischen Mg. LXXXIII, Köln 1969, S. 220ff.

+Weise, Christian, 1642–1708.
Von Einfluß auf die musikalische Mit- und Nachwelt waren auch W.s Liedersammlungen (Vertonungen u. a. von J. Krieger) und Romane (Liedeinlagen, musikbezogene Passagen). R. →+Keisers *Masagniello furioso* (Hbg 1706) und Auberts *La muette de Portici* (Paris 1828) greifen den Stoff von W.s Trauer-Spiel von dem neapolitanischen Haupt-Rebellen Masaniello (Zittau 1682) auf. Ausg.: Sämtliche Werke, hrsg. v. J. D. LINDBERG, Bln 1971ff. (bisher 4 d. auf 20 Bde angelegte Ausw.-Ausg. erschienen). Lit.: M. FRIEDLAENDER, Das deutsche Lied im 18. Jh., 2 Bde (3 Abt.), Stuttgart 1902, Nachdr. Hildesheim 1962 (2 Bde); H. KRETZSCHMAR, Gesch. d. neuen deutschen Liedes I, = Kleine Hdb. d. Mg. nach Gattungen IV, Lpz. 1911, Nachdr. Hildesheim u. Wiesbaden 1966; K. WESSELER, Untersuchungen zur Darstellung d. Singspiels auf d. deutschen Bühne d. 18. Jh., Diss. Köln 1955; U. HÄRTWIG in: MGG XIV, 1968, Sp. 425ff.

Weise, Dagmar → Busch-Weise, D. von.

Weisgall (wʼaisgɔl), Hugo, * 13. 10. 1912 zu Eibenschitz/Ivančice (Mähren); amerikanischer Komponist tschechischer Herkunft, studierte 1927–32 am Peabody Conservatory sowie 1929–35 und 1937–40 an der John Hopkins University (1940 Ph. D. in Germanistik) in Baltimore, 1936–39 am Curtis Institute of Music in Philadelphia bei Scalero und Fr. Reiner und 1932–41 privat bei Sessions. Er dirigierte die Baltimore String Symphony (1936–38) und das Maryland N. Y. A. Orchestra (1940–41), war 1948–51 Instructor in Composition an der Cummington School of Arts und Director des Baltimore Institute of Musical Arts sowie 1951–55 Lecturer an der John Hopkins University. Gegenwärtig ist er in New York Chairman of Faculty am Cantors Institute and Seminary College of Jewish Music (seit 1952), Instructor in Composition an der Juilliard School of Music (seit 1957), Professor of Music am Queens College (seit 1961) und Präsident des American Music Center (seit 1963). Von seinen Kompositionen seien genannt die Opern *The Tenor* (nach Frank Wedekind, Baltimore 1952), *The Stronger* (nach August Strindberg, Westport/Conn. 1952), *6 Characters in Search of an Author* (nach Luigi Pirandello, NY 1960), *Purgatory* (Washington 1961), *Athaliah* (nach Racine, NY 1964) und *Nine Rivers from Jordan* (NY 1968), die Ballette *Quest* (Baltimore 1937), *One Thing Is Certain* (ebd. 1939) und *Outpost* (1947), eine Ouvertüre in F für Orch. (1942), *Graven Images* für verschiedene Instrumentenkombinationen (1966), eine Hymne für Chor und Orch. (1941), *Soldiers Songs* für Bar. und Orch. (1946) und *A Garden Eastward* für hohe St. und Orch. (1952) sowie Chorstücke und Lieder. W. verfaßte zahlreiche Aufsätze, u. a. für MQ, Notes und die Juilliard Rev.

Lit.: A. BALKIN, The Operas of H. W., Diss. Columbia Univ. (N. Y.) 1968; J. A. BROOKS JR., Technical Aspects of the Music in the Major Operas of H. W., Diss. Washington Univ. (Mo.) 1971; BR. SAYLOR, The Music of H. W., MQ LIX, 1973 (mit Werkverz.).

Weishappel, Rudolf, * 25. 3. 1921 zu Graz; österreichischer Komponist und Journalist, studierte an den Universitäten in Graz und Wien (Germanistik, Anglistik, Musikwissenschaft) sowie bei Robert Wagner (Komposition) und lebte 1945–52 als freischaffender Komponist und Musikkritiker in Graz. 1952–54 war er Kulturkorrespondent in West-Berlin. Seitdem widmet er sich wieder seiner kompositorischen Tätigkeit und arbeitet in der Kulturabteilung des »Kurier« in Wien; daneben ist er Filmkonsulent der ORF. W. schrieb die Opern *Elga* (nach Gerhart Hauptmann, Funkfassung Salzburg 1952, Fernsehfassung österreichisches Fernsehen 1965, Bühnenfassung Linz 1967), *Die Lederköpfe* (nach Georg Kaiser, Graz 1970) und *König Nicolo* (nach Frank Wedekind, Wien 1972), das Ballett *Die sieben Todsünden* (Graz 1948), 2 Symphonien (1947 und 1949), 2 Streichquartette, eine Violinsonate, die Kantate *Von der ungeordneten Verlassenschaft* für S., Bar. und Kammerensemble (1957), den Liederzyklus *Drei Gesänge an den Tod* für Bar. und Orch. (1946) sowie Bühnen- und Hörspielmusik.

+Weismann, Julius, 1879–1950.
Lit.: A. Strindberg – J. W., hrsg. v. W. FALCKE, = Jahresgabe 1956 d. J. W.-Arch., Duisburg 1956; J. W., hrsg. v. J. W.-Arch., ebd. 1960; O. ZUR NEDDEN, J. W.s Beziehungen zur Musikstadt Duisburg, in: Duisburger Forschungen III, 1960; FR. GOEBELS, Das Klavierwerk v. J. W. in neuer Sicht, Duisburg 1968.

+Weismann, Wilhelm, * 20. 9. 1900 zu Alfdorf (Württemberg [nicht: Thüringen]).
Lektor im Musikverlag C. F. Peters in Leipzig war W. bis 1965. 1961 wurde er erneut Lehrer (1948 Professor) für Tonsatz an der Leipziger Musikhochschule. – Weitere Kompositionen: Suite H moll für Kl. (1960); Tanzkantate *Die Hochzeit der Tiere* für Soli, gem. Chor und kleines Orch. (1962); 3 *Hölderlin-Madrigale* für Chor a cappella (1964); *Busch-Kantate* für Soli, gem. Chor und Kl. (1968); *Der 126. Psalm* für 8st. Chor mit T.-Solo (1968); *Ode an das Leben* für Singst. u. Orch. (nach P. Neruda, 1968). – Größere Abhandlungen schrieb er vor allem für DJbMw (II, 1957: *Ein verkannter Madrigalzyklus Monteverdis*; V, 1960: *Die Madrigale des Carlo Gesualdo Principe di Venosa*; VII, 1962: *Der Deus ex machina in Glucks »Iphigenie in Aulis«*; X, 1965: *Ist Komponieren lehrbar?*). W. gab ferner *Sämtliche Madrigale* von →+Gesualdo heraus.

Lit.: S. KÖHLER in: MuG VI, 1956, S. 442ff. (zur Vokalmusik); H. WEGENER, A. Knab u. W. W. in ihrem Briefwechsel, in: Musa–Mens–Musici, Gedenkschrift W. Vetter, Lpz. 1970 (22 Briefe); DERS. in: MuG XX, 1970, S. 645f.

Weiss, Adolph, * 12. 9. 1891 zu Baltimore (Md.), † 21. 2. 1971 zu Van Nuys (Calif.); amerikanischer Komponist, Fagottist und Dirigent, wirkte ab 1907 in New York als 1. Fagottist des Russian Symphonic Orchestra sowie der New York Philharmonic. 1916–24 spielte er im Chicago Symphonic Orchestra und in der Rochester Symphony. Nach Theoriestudien bei Rübner an der Columbia University (N. Y.) vervollkommnete er seine Ausbildung 1924–27 in Berlin bei Schönberg an der Akademie der Künste. W. war auch Leiter des Opernorchesters in San Francisco und des Los Angeles Philharmonic Orchestra. Er schrieb Orchesterwerke (*I segreti*, 1923; Kammersymphonie, 1927; *American Life*, 1928; Thema und Variationen, 1933; Suite, 1938; Trompetenkonzert, 1952; *Tone Poem* für Blechblasinstr. und Schlagzeug, 1957; *Vade mecum* für eine Gruppe von Holzblasinstr., 1958), Kammermusik (Sextett für Holzblasinstr. und Kl., 1947; Bläserquintett, 1931; Konzert für Fag. und Streichquartett, 1949; 3 Streichquartette, 1925, 1926 und 1932; Rhapsodie für 4 Hörner, 1957; Trios für Klar., Va und Vc., 1948, und für Fl., V. und Kl., 1955; *Sonata da camera* für Fl. und Va, 1929; Violinsonate, 1941; Passacaglia für Horn und Va, 1942), Klavierstücke (Sonate, 1932; Etüde *Pulse of the Sea*, 1950; *Protest*, Tanzpartitur für 2 Kl., 1945), Vokalwerke (*The Libation Bearers*, Choreographische Kantate für Soli, Chor und Orch., 1930; 7 Lieder für S. und Streichquartett, 1928; *Ode to the West Wind* für Bar., Va und Kl., 1945).

Lit.: W. B. GEORGE, A. W., Diss. Univ. of Iowa 1971.

Weiß, Paul, * 17. 5. 1905 zu Neudorf (Nordböhmen); russisch-sowjetischer Musikpädagoge deutscher Herkunft, absolvierte 1928 an der Hochschule für Musik in Berlin ein Kompositionsstudium bei P. Hindemith und 1929 ein Seminar für Musikpädagogik und lehrte 1928–30 am Klindworth-Scharwenka-Konservatorium in Berlin. 1930 übersiedelte er nach Moskau und wurde Redakteur im Musikverlag Musgis. Ab 1937 lebte er in Uchta (Komi-Republik, Nordpolargebiet) und war dort ab 1951 Klavierpädagoge an der Kindermusikschule. 1968 erhielt er für seine Dissertation *Absoljutnaja i otnositelnaja solmisazija* (»Absolute und relative Solmisation«) den Titel »Kandidat der Kunstwissenschaft«. Er schrieb u. a.: *Klassowaja borba na musykalnom fronte Germanija* (»Klassenkampf am Musikfront Deutschland«, Moskau 1931); *Otnositelnaja solmisazija i sowjetskaja musykalnaja pedagogika* (»Relative Solmisation und sowjetische Pädagogik«, Leningrad 1967); Aufsätze in SM.

+Weiß, Silvius Leopold (Weis), 1686 – 16. [nicht: 15.] 10. 1750.
Ausg.: Lautenmusik d. 17./18. Jh., +Ausgew. Werke v. E. Reusner u. S. L. W. [erg. früheren Titel] (H. NEEMANN, 1939), 2. Aufl. = EDM XII, Abt. Org., Kl., Laute II, Ffm. 1961; +Tänze (Menuet, Sarabande, Menuet; K. SCHEIT, 1952), Neuaufl. Wien 1970; +Tombeau (DERS., 1952), Neuaufl. ebd. – Suiten Nr 4 u. 16 (aus einer hs. Tabulatur d. British Museum), f. Git. hrsg. v. D. KENNARD, London 1962; 1. Sonate (Suite) D moll, hrsg. v. S. BEHREND, = Git.-Bibl. I, 8, Bln 1969; Fantasie E moll, hrsg. v. DEMS., ebd. I, 74, 1970; Fantasie, hrsg. v. K. SCHEIT, = Musik f. Git. o. Nr, Wien 1969; Fantasie u. Capriccio, f. Git. bearb. v. E. WENSIECKI, Hofheim a. Ts. 1970; Fantasia, Fuga, Tombeau u. Capriccio, f. Git. hrsg. v. G. OLTREMARI, Padua 1972.
Lit.: W. E. MASON, The Lute Music of S. L. W., Diss. Univ. of North Carolina 1949; H.-J. SCHULZE, Ein unbekannter Brief v. S. L. W., Mf XXI, 1968.

+Weiße, Christian Felix, 1726 – 16. 12. [nicht: 2.] 1804.
Ausg.: Scherzhafte Lieder, Faks. d. Ausg. Lpz. 1758, = Deutsche Neudr., Reihe Texte d. 18. Jh. o. Nr, Stuttgart 1965; Der Kinderfreund, Bd I, Lpz. 1775, Nachdr. Reutlingen 1966.
Lit.: M. FRIEDLAENDER, Das deutsche Lied im 18. Jh., 2 Bde (3 Abt.), Stuttgart 1902, Nachdr. Hildesheim 1962; H. KRETZSCHMAR, Gesch. d. neuen deutschen Liedes I, = Kleine Hdb. d. Mg. nach Gattungen IV, Lpz. 1911, Nachdr. Hildesheim u. Wiesbaden 1966; DERS., Gesch. d. Oper, = ebd. VI, 1919, Nachdr. Wiesbaden 1970; A. MAGER, Chr. F. W. u. d. Wiener Theater, Diss. Wien 1914; CL.-G. ZANDER, Chr. F. W. u. d. Bühne, Diss. Mainz 1949; K. WESSELER, Untersuchungen zur Darstellung d. Singspiels auf d. deutschen Bühne d. 18. Jh., Diss. Köln 1955; H. CHR. WOLFF in: MGG XIV, 1968, Sp. 442ff.; K. KAWADA, Studien zu d. Singspielen v. J. A. Hiller, Diss. Marburg 1969.

+Weissenbäck, Franz Andreas, OSA, * 26. 11. 1880 zu St. Lorenzen am Wechsel (Steiermark), [erg.:] † 14. 3. 1960 zu Wien.
Seine Dissertation (1912) trägt den Titel +J. G. Albrechtsberger als Kirchenkomponist (Teildruck in: StMw XIV, 1927, S. 143ff., und als Thematisches Verzeichnis der Kirchenkompositionen von J. G. Albrechtsberger, in: Jb. des Stiftes Klosterneuburg 1914). – Weitere Schrift: Tönendes Erz. Die abendländische Glocke als Toninstrument und die historischen Glocken in Österreich (mit J. Pfundner, Graz 1961).
Lit.: G. MOISSL in: Singende Kirche VII, 1959, S. 173ff.; DERS., ebd. VIII, 1960, S. 36f. (Werkverz.).

Weissenberg, Alexis, * 26. 7. 1929 zu Sofia; französischer Pianist bulgarischer Herkunft, studierte am Konservatorium seiner Heimatstadt (Wladigeroff) und ab 1946 an der Juilliard School of Music in New York (Olga Samaroff) sowie bei Wanda Landowska und A. Schnabel. Er konzertiert in den USA, der UdSSR, Italien, Deutschland und Japan. Von der Universität in Padua erhielt er ein Ehrendoktorat.

+Weißenborn, Günther Albert Friedrich, * 2. 6. 1911 zu Coburg.
W. ist weiterhin besonders als Liedbegleiter namhafter Sänger hervorgetreten. An der Nordwestdeutschen Musikakademie Detmold unterrichtet er (als Professor) [erg.:] seit 1960 Liedgestaltung und Kammermusik. Zugleich ist W. künstlerischer Leiter der Göttinger Händel-Gesellschaft, seit 1972 zusätzlich auch der Sommerlichen Musiktage Hitzacker (Elbe).

Weißenborn, Hermann, * 10. 9. 1876 und † 20. 11. 1959 zu Berlin; deutscher Gesangspädagoge und Konzertsänger (Bariton), studierte bei R. v. Zur Mühlen, trat als Oratorien- und Liedsänger auf, lehrte ab 1920 an der Berliner Musikhochschule (1922 Professor und Leiter der Gesangsabteilung) und widmete sich ab 1925 ausschließlich der Gesangspädagogik. Von seinen Schülern sind zu nennen Elisabeth Hoengen, Marga Höffgen, Josef Schmidt, Stolze und Fischer-Dieskau. W. hinterließ keine abgeschlossenen Aufzeichnungen, so daß seine Methode nur rekonstruiert werden kann.

+Weissensteiner, Raimund, * 14. 8. 1905 zu Hoheneich (Niederösterreich).
Professor für Musiktheorie an der Akademie für Musik und darstellende Kunst, Abteilung Kirchenmusik, in Wien war W. bis 1968. – Weitere Werke: 10. und 11. Symphonie (1967, 1970), symphonisches Konzert (1960), Symphonische Variationen über die Pindarode (1965), Choral-Chaconne über die Antiphon »O mors« (1966), Konzertsuite (1968) und symphonische Rhapsodie (1969) für Orch.; Sinfonietta (1969) und Threnos

auf den Tod eines Mäzens (1969) für Streichorch.; Kammermusik; Werke für Kl. und Org.; Oratorien Kein Mensch kennt seine Zeit (1958) und Was toben die Heiden (1963, beide nach Bibeltexten); Gesangszyklen für St. und Orch. bzw. Kl. (darunter Was seine Liebe ist, das ist der Mensch für S. und Kl., 1973); a cappella-Chöre.

+Weißheimer, Wendelin, 1838–1910.
Lit.: H. SCHILLY, W. W.s Weg zur Musik. Ein Beitr. zur Biogr. d. rheinhessischen Kapellmeisters u. Komponisten. Mit unveröff. Dokumenten aus d. Familienbesitz, in: Der Wonnegau I, 1962; H. WEISSHEIMER, Gesch. d. Familie Weißheimer, Neuwied 1962.

+Weitzmann, Carl Friedrich, 1808–80.
Als Nachdrucke erschienen die englische Übersetzung seiner Schrift +Geschichte des Klavierspiels (1863, ²1879) als A History of Pianoforte-Playing and Pianoforte-Literature (NY 1893, Nachdr. 1969) und die von M. Seiffert als Geschichte der Klaviermusik herausgegebene 3. Aufl. (Hildesheim 1966).
Lit.: G. GABRY, Neuere Liszt-Dokumente, StMl X, 1968.

+Welcker.
Lit.: CH. HUMPHRIES u. W. C. SMITH, Music Publishing in the British Isles, London 1954 u. 1965.

+Welcker von Gontershausen, Heinrich (eigentlich H. Welker), [erg.: 23. 4.] 1811 – 1873 zu Darmstadt [nicht: Gontershausen].
Schriften [del. frühere Angaben]: Der Flügel oder die Beschaffenheit des Pianos in allen Formen (Ffm. 1852, erweitert ²1856, vermehrt und umgearbeitet ³1864 als Der Clavierbau in seiner Theorie, Technik und Geschichte ..., ⁴1870 mit dem auch separat erschienenen Nachtrag Über den Bau der Saiteninstrumente und deren Akustik ...); Die technischen Hölzer ... mit Einschluss der brauchbarsten Horn- und Beinarten (Ffm. 1854); Neueröffnetes Magazin musikalischer Tonwerkzeuge (Ffm. 1855); Der Ratgeber für Ankauf, Behandlung und Erhaltung der Pianoforte (Darmstadt 1857).
Lit.: D. KRICKEBERG in: MGG XIV, 1968, Sp. 452f

+Weldon, John, 1676–1736.
Lit.: M. LAURIE, Did Purcell Set »The Tempest«?, Proc. R. Mus. Ass. XL, 1963/64; J. BUTTREY in: MGG XIV, 1968, Sp. 453ff.

+Welgorskij (Wielgorskij), –1) Michail Jurjewitsch, Graf, 31. 10. (11. 11.) 1788 zu St. Petersburg [nicht: in Wolhynien] – 28. 8. (9. 9.) 1856. Er komponierte neben 2 Symphonien, anderen Orchesterstücken und einem Streichquartett auch eine (nicht vollständig instrumentierte) Oper Zygany (»Zigeuner«, 1838).
–2) Matwej Jurjewitsch, Graf, 15.(26.) 4. 1794 – 1866.
–3) Joseph, Graf, um 1816 zu Rosinów(?) (Wolhynien) – 1892 zu San Remo [del. bzw. erg. frühere Angaben]. Er war ein entfernter Verwandter [nicht: Bruder] der Vorigen.
Lit.: zu –1): B. STEINPRESS, M. J. W., Moskau 1946; DERS., M. J. W., blagoschelatel Glinki (»M. J. W., ein Gönner Glinkas«): in: M. I. Glinka, hrsg. v. Je. M. Gordejewa, ebd. 1958. – zu –2): L. S. GINSBURG, Istorija wiolontschelnowo iskusstwa (»Gesch. d. Kunst d. Vc.-Spiels«), Bd II, ebd. 1957.

Welin, Karl-Erik Vilhelm, * 31. 5. 1934 zu Genarp (Schonen); schwedischer Organist, Pianist und Komponist, studierte 1955–56 an der Hochschule für Musik in Berlin, 1956–61 an der Kungl. Musikhögskolan in Stockholm (Bo Wallner, Brandel) sowie 1958–60 privat bei Bucht und 1960–64 bei Lidholm (Komposition) und 1960–62 in Darmstadt bei Tudor (Klavier). 1958 wurde er Mitglied der Stockholmer Gruppe Fylkingen für experimentelle Kunst. Seit 1962 konzertiert er

als Pianist und Organist vorwiegend avantgardistischer Musik in Europa, den USA und Japan. 1960–68 war er in der Musikabteilung des schwedischen Rundfunks tätig und 1964 außerdem Gastprofessor an den Universitäten in Freiburg i. Br. und Utrecht. Von seinen Werken seien genannt: *Fyra kinesiska dikter* (»4 chinesische Gedichte«) für gem. Chor a cappella (1956); *Sermo modulatus* für Fl. und Klar. (1959); *Renovationes* für S., Fl., Mandoline, Celesta und Schlagzeug (1960); *No 3* für Kammerensemble (1961); *Manzit* für Klar., Pos., Vc. und Kl. (1962); *Warum nicht?* für Kammerensemble (1963); *Pereo* für 36 Streicher (1964); *Etwas für ...* für Bläserquintett (1966); *Eigentlich nicht ...* für Streichquartett (1967); *Ben fatto* für 1–100 Instr. (1967); *Visoka 12* für Streichsextett (1967); *Glazba* für S., 3 Fl. und Fag. (1969); *Ancora* für Piccolo-Fl., Fl., Alt-Fl. und Baß-Fl. (1969); *Hommage à ...* und *Improvisation* für Org. (beide 1969); Streichquartett Nr 2 *PC–132* (1970); *Helg* für gem. Chor a cappella (1971); *Drottning Jag* für Soli, Chor und Orch. (1972); *Aver la forza di ...* für gem. Chor und Streichorch. (1972); Streichquartett Nr 3 *Recidivans* (1972); *Frammenti* für Vc. solo (1972). – W. schrieb u. a. *Bemerkungen zu Komposition, Notation und Interpretation heute* (in: Orgel u. Orgelmusik heute, hrsg. von H. H. Eggebrecht, = Veröff. der Walcker-Stiftung für orgelwissenschaftliche Forschung II, Stuttgart 1968).
Lit.: K. LINDER, Sex unga tonsättare (»6 junge Komponisten«), in: Nutida musik VI, 1962/63; F. HÄHNEL, Pereo. Dramatik med durtersen (»Pereo. Dramatik mit Durterzen«), ebd. IX, 1965/66; ST. ANDERSSON, Theseus i transistorernas värld (»Theseus u. d. Welt d. Transistoren«), ebd. X, 1966/67; B. E. JOHNSON, ebd. XVI, 1972/73, H. 4, S. 31f. (zu »Aver la forza di ...«). – H. CONNOR, Samtal med tonsättare (»Gespräch mit Komponisten«), Stockholm 1971; G. BERGENDAL, 33 svenska komponister, ebd. 1972.

+**Welitsch,** Ljuba (eigentlich Veličkova), * 10. 7. 1913 zu Borisovo (Pleven).
Stationen ihrer internationalen Karriere waren des weiteren die Mailänder Scala, die Covent Garden Opera in London, die Metropolitan Opera in New York sowie die Festspiele von Edinburgh, Glyndebourne und Salzburg. 1947 wurde sie zur (österreichischen) Kammersängerin, 1962 (nach Beendigung ihrer Laufbahn als Opern- und Konzertsängerin) zum Ehrenmitglied der Wiener Staatsoper ernannt. L. W. wurde auch als Filmschauspielerin bekannt.

+**Wellek,** Albert [erg.:] Josef Oskar, * 16. 10. 1904 zu Wien, [erg.:] † 27. 8. 1972 zu Mainz.
An den Universitäten Prag und Wien studierte W. Musikwissenschaft und Philosophie [nicht: Psychologie], erst ab 1929 wandte er sich in Wien und Leipzig der Psychologie zu. – W. war 1961–62 stellvertretender Leiter des Musikwissenschaftlichen Instituts der J. Gutenberg-Universität in Mainz, an der er bis zu seinem Tode als Professor für Psychologie (zeitweise auch Direktor des Psychologischen Instituts) wirkte. Zu seinem 60. Geburtstag wurde ihm ein Festheft gewidmet (= Arch. für die gesamte Psychologie CXVI, 1964, H. 3/4; mit Schriftenverz.). – +*Typologie der Musikbegabung im deutschen Volke* (1939), Bern ²1970 (als Nachtrag *Gegenwartsprobleme der Musikpsychologie und -ästhetik*); +*Das Absolute Gehör und seine Typen* (1938), 2. vermehrte Aufl. ebd. – Neuere Veröffentlichungen zur Musikpsychologie und -ästhetik: *Musikpsychologie und Musikästhetik. Grundriß der systematischen Musikwissenschaft* (Ffm. 1963; vgl. dazu W. Wiora in: Mf XIX, 1966, S. 247ff.); *Über das Verhältnis von Musik und Poesie* (Fs. E. Schenk, = StMw XXV, 1962, engl. in: The Jour-

nal of Aesthetics and Art Criticism XXI, 1962/63); *Musik als Bekenntniskunst und die Überwindung des programmatischen Denkens* (Fs. J. Racek, = Sborník prací filosofické fakulty brněnské university XIV, F 9, 1965); *Expériences comparées sur la perception de la musique tonale et de la musique dodécaphonique* (in: Sciences de l'art III, 1966); *La démonstration phénoménologique de l'expression de la mélancolie dans la musique à partir du XVIIᵉ s.* (ebd. V, 1968); *Gegenwartsprobleme systematischer Musikwissenschaft* (AMl XLI, 1969); *Tonale und dodekaphonische Musik im experimentellen Vergleich* (mit H. Federhofer, Mf XXIV, 1971; vgl. dazu C. Dahlhaus, ebd. S. 437ff., sowie [weiteres] XXV, 1972, S. 59ff., 187ff. und 333ff.); lexikalische Beiträge.
Lit.: O. EWERT in: Arch. f. Psychologie CXXIV, 1972, S. 85ff. (mit Verz. d. wiss. Veröff.); G. ALBERSHEIM in: Mf XXVI, 1973, S. 1f.

Weller, Walter, * 30. 11. 1939 zu Wien; österreichischer Dirigent und Violinist, studierte Violine an der Wiener Musikakademie (Samohyl) sowie Dirigieren bei K. Böhm und H. Stein. Er war ab 1958 Mitglied der Wiener Philharmoniker (1962 Konzertmeister) sowie des Staatsopernorchesters und Primarius des von ihm im gleichen Jahr gegründeten W.-Quartetts, mit dem er im In- und Ausland gastierte. Ab 1969 war er an die Staatsoper und Volksoper in Wien gebunden. 1971–72 wirkte er als GMD der Stadt Duisburg. 1975 wurde W. künstlerischer Leiter des Niederösterreichischen Tonkünstlerorchesters.

+**Wellesz,** Egon Joseph, * 21. 10. 1885 zu Wien, [erg.:] † 9. 11. 1974 zu Oxford.
Zu seinem 80. Geburtstag wurde W. mit der Festschrift *Essays Presented to E. W.* geehrt (hrsg. von J. A. Westrup, Oxford 1966). In der +New Oxford History of Music erschienen von ihm ediert *Ancient and Oriental Music* (= Bd I, London 1957) und *The Age of Enlightenment 1745–90* (mit F. Sternfeld, = VII, ebd. 1973). W. gab ferner die *Studies in Eastern Chant* heraus (mit M. Velimirović, 2 Bde, 1966–71). – Weitere Werke: 6.–9. Symphonie (op. 95, 1965; op. 102, 1968; op. 110, 1971; op. 111, 1971); Divertimento für Kammerorch. op. 107 (1971); 9. Streichquartett op. 97 (1966); 4 Stücke für Streichquartett op. 109 (1970); *Triptychon* op. 98 (1967) und *Studien in Grau* op. 106 (1970) für Kl., *Partita in honorem J. S. Bach* für Org. op. 96 (1967); *Mirabile Mysterium* für Soli op. 101 (1967), *Duineser Elegie* für S. op. 90 (Rilke, 1963) und *Canticum sapientiae* für Bar. op. 104 (1969) mit Chor und Orch.; *Vision* für S. und Orch. op. 99 (1966). – Neuere Veröffentlichungen über byzantinische Musik: +*Eastern Elements in Western Chant* (1947), Kopenhagen ²1967; +*A History of Byzantine Music and Hymnography* (1949), Oxford ³1962; *Byzantinische Musik* [nicht: *Die Musik der Byzantinischen Kirche*] (1959), engl. als *The Music of the Byzantine Church*, = Anth. of Music XV, London 1959; *Zum Stil der Melodien der Kontakia* (in: Miscelánea ..., Fs. H. Anglés II, Barcelona 1958–61); *Die Hymnen der Ostkirche* (= Basiliensis de musica orationes I, Basel 1962); *Melody Construction in Byzantine Chant* (Kgr.-Ber. Belgrad 1963, Bd I). – Weitere Veröffentlichungen: +*A. Schönberg* (1921), Nachdr. der +engl. Ausg. (1925) NY 1969; *The Origins of Schönberg's Twelve-Tone System* (Washington/D. C. 1958, Nachdr. in: Lectures on the History and Art of Music, hrsg. von I. Lowens, NY 1968); *Fux* (= Oxford Studies of Composers I, London 1965); *Erinnerungen an G. Mahler und A. Schönberg* (in: Orbis musicae I, 1971).
Lit.: Aufsatzfolge in: ÖMZ XV, 1960, S. 460ff. – H. A. FIECHTNER, Heroische Trilogie. Weg u. Werk v. E. W., in: Musica XV, 1961; M. SCHAFER in: British Composers in

Interview, London 1963, S. 36ff.; R. Schollum, E. W., = Österreichische Komponisten d. XX. Jh. II, Wien 1964; ders., Die neuesten Werke v. E. W., ÖMZ XXIII, 1968; F. Haberl in: Musica sacra LXXXVI, 1966, S. 18ff.; D. Symon, E. W. and Early 20th-Cent. Tonality, in: Studies in Music V, 1972; Fr. Sternfeld in: ML LVI, 1975, S. 147ff.

+Welte, Michael, 1807 zu Vöhrenbach (Schwarzwald) [nicht: Unterkirnach] – 1880.
Die Firma Welte & Söhne erlosch 1954. – Die 1874 von Daniel Imhof (1825 – [erg.: 25. 5.] 1900) und dessen Sohn Albert zusammen mit Mukle in Vöhrenbach gegründete Orchestrionfabrik Imhof & Mukle erlosch um 1920.
Lit.: H. Oesch, Klingende Vergangenheit. Das Reproduktions-Kl. v. W.-Mignon, ÖMZ XIV, 1959; Fr. J. Furtwängler, Vöhrenbach, eine Schwarzwaldgemeinde im Industriezeitalter, Vöhrenbach 1961; Q. D. Bowers, »Put Another Nickel in«. A Hist. of Coin-Operated Pianos and Orchestrions, Vestal (N. Y.) 1966; A Guidebook of Automatic Mus. Instr., hrsg. v. dems., 2 Bde, ebd. 1967; K. Bormann, Org.- u. Spieluhrenbau. Kommentierte Aufzeichnung d. Org.- u. Musikwerkmachers I. Bruder (1829) u. d. Entwicklung d. Walzenorg., = Veröff. d. Ges. d. Orgelfreunde XXXIV, Zürich 1968.

+Weman, Nils Henry Paul, * 19. 8. 1897 zu N. Solberga (Jönköpings län).
W. trat 1965 in den Ruhestand. Er ist Mitglied der Kungl. Musikaliska akademien in Stockholm seit 1947. Die Universität Uppsala ernannte ihn 1960 zum Dr. theol. h. c. W. komponierte des weiteren 2 Messen (1968 und 1969) und veröffentlichte *African Music and the Church in Africa* (= Studia missionalia Upsaliensia III, Uppsala 1960).

Wendel, Heinrich Ernst, * 9. 3. 1923 zu Bremen; deutscher Bühnenbildner, war nach seiner Ausbildung an der Berliner Kunstakademie und der Hamburger Kunsthochschule Bühnenbildner und Ausstattungsleiter 1941–43 an den Städtischen Bühnen in Wuppertal, 1943–44 am Stadttheater Nürnberg, 1945–48 an den Württembergischen Staatstheatern in Stuttgart und 1951–64 wieder in Wuppertal (Dallapiccola, *Job*, 1956; Mozart, *Die Zauberflöte*, 1957; P. Hindemith, *Cardillac*, 1960; Monteverdi, *L'Orfeo*, 1961; Gluck, *Don Juan*, 1962; Busoni, *Doktor Faust*, 1962). Seit 1964 ist er Ausstattungsleiter und Chefbühnenbildner an der Deutschen Oper am Rhein in Düsseldorf–Duisburg (Monteverdi, *L'incoronazione di Poppea*, 1965; Schönberg, *Moses und Aron*, 1968, und *Pelleas und Melisande*, 1969; Strawinsky, *Le sacre du printemps*, 1970; B. A. Zimmermann, *Die Soldaten*, 1971). W. gastierte u. a. an der Wiener Staatsoper (Holst, »Die Planeten«, 1961; R. Wagner, *Tannhäuser*, 1963), der Städtischen Oper Berlin (Pfitzner, *Palestrina*, 1962), bei den Salzburger Festspielen (J. Haydn, »Die Welt auf dem Monde«, 1959; Mozart, *La finta semplice*, 1960; *L'Orfeo*, 1971) und an der Mailänder Scala (*Job*, 1969).

+Wendling, [erg.: Jakob] Carl (Karl), * 10. 8. 1875 zu Straßburg, [erg.:] † 27. 3. 1962 zu Stuttgart(-Untertürkheim).

+Wendling, –1) Johann Baptist, 17. 6. 1723 zu Rappoltsweiler (Elsaß) – 1797. –2) Dorothea, 21. 3. 1736 – 1811. –3) Elisabeth Augusta, 4. 10. 1752 zu Mannheim – 18. 2. 1794 zu München. –4) Elisabeth Augusta (geborene Sarselli), 20. 2. 1746 zu Mannheim – 10. 1. 1786; ihr Mann hieß Franz Anton W. (1729–86). [del. bzw. erg. frühere Angaben.]
Lit.: +Fr. Walter, Gesch. d. Theaters u. d. Musik am kurpfälzischen Hofe (= Forschungen zur Gesch. Mannheims u. d. Pfalz I, 1898), Nachdr. Hildesheim 1971. – R. Münster in: MGG XIV, 1968, Sp. 465ff.

Wenick, Georges, * 1718 zu Visé (Lüttich), † 1760(?) zu Montecassino(?); belgischer Komponist und Organist, war Chorknabe an der Maîtrise der Kollegialkirche St-Denis in Lüttich, Organist in Aachen und Maître de chant an der Kollegialkirche St-Denis in Lüttich, begab sich 1751 nach Italien und hielt sich am Collège Liégeois in Rom auf. Er soll darauf Organist an der Abtei von Montecassino geworden sein. W. schrieb kirchenmusikalische Werke; eine Motette (*Ecce panis*, 1740) und 2 kleine Messen für 4 St., 2 V. und B. c. (1742) sind im Fonds Terry des Konservatoriums in Lüttich aufbewahrt.
Lit.: J. Quitin, Les maîtres de chant et la maîtrise de la collégiale St-Denis, à Liège, au temps de Grétry, = Acad. royale de Belgique, Bruxelles, Classe des beaux-arts, Mémoires, 2. Serie, Bd XIII, 3, Brüssel 1964 (darin Ed. v. Symphonia, Kyrie, Christe, Kyrie einer Messe B dur u. Laudamus einer Messe D dur).

Wenneis, Fritz Wilhelm, * 30. 9. 1889 zu Mannheim, † 4. 7. 1969 zu Garmisch-Partenkirchen; deutscher Filmkomponist, studierte an der Akademie der Tonkunst in München, begann als Theaterdirigent, wurde Kapellmeister bei der Ufa (Stummfilm), war 1930–33 als Lehrer an der Hochschule für Musik in Berlin und von da an freischaffend tätig. Von seinen zahlreichen Filmmusiken seien genannt: *Schatten der Unterwelt* (1931); *Artisten* (1935); *Der rote Reiter* (1935); *Sein bester Freund* (1937); *Stärker als die Liebe* (1938); *Parkstraße 13* (1939); *Die Sterne lügen nicht* (1950); *Die verschwundene Stadt – Dresden* (mit Eisbrenner und Horst Dempwolff, 1955).

+Wennerberg, Gunnar, 1817 – 1901 auf Läckö Kungsgård (Skaraborg).
Lit.: F. Bohlin in: Sångartidningen LIV, 1967, H. 4, S. 12f.

+Wense, Hans Jürgen von der, * 10. 11. 1894 zu Ortelsburg (Ostpreußen), [erg.:] † 9. 11. 1966 zu Göttingen.

+Wenzel, [erg.: Günther Joachim] Eberhard, * 22. 4. 1896 zu Pollnow (Pommern).
W. war Direktor der Kirchenmusikschule in Halle (Saale) bis 1965. Die Theologische Fakultät der Universität Heidelberg verlieh ihm 1962 den Grad eines Dr. h. c. Er lebt jetzt im Ruhestand in Schwaigern (bei Heilbronn). – Neuere Werke: Praeludium und Chaconne für Orch. (1969); Magnificat für Org., 2 Trp. und 3 Pos. (1969); die geistlichen Konzerte *Worte des Propheten Jeremia* für 3–4st. gem. Chor a cappella, Bar. und 5 Bläser (1960) und *O welch eine Tiefe des Reichtums* für S. (T.) und konzertierende Org. (1966), Messe *Komm Heiliger Geist, Herre Gott* für gem. Chor, Gemeindegesang und Org. (1960), *Missa alternatim cantata* für gem. Chor, 1st. Chor (mit Gemeinde), Streichorch. und Bläser (1963), Adventsmusik *Er kommt* für Vorsänger, 3st. gem. Chor, Ob., Va und Vc. (Xylophon und Kb. ad libitum; 1965), Requiem *Media vita in morte sumus* für Chor und Org. (1968, 2. Fassung für Chor und Kammerorch., 1969). Von G. Fr. Händel gab er das *Dixit Dominus* heraus (= Hallische Händel-Ausg. III, 1, Kassel 1960).
Lit.: Porträt E. W., in: Der Kirchenchor XVII, 1957, S. 53ff.; O. Riemer in: Der Kirchenmusiker VIII, 1957, S. 109ff.; E. Schmidt in: MuK XXXI, 1961, S. 49f.; H. Gadsch, Zwischen großer Kirchenmusik u. Gebrauchsmusik, in: Credo mus., Fs. R. Mauersberger, Kassel 1969.

+Wenzel, Léopold [erg.:] Vincent François, 23. [nicht: 31.] 1. 1847 – [erg.: 21.] 8. 1925.

+Wenzinger, August, * 14. 11. 1905 zu Basel.
Als Solist sowie mit dem Gamben-Trio, dem Gamben-Quartett und der unter seiner Leitung stehenden

Konzertgruppe der (von ihm mitbegründeten) Schola Cantorum Basiliensis entfaltet W. weiterhin eine rege Konzerttätigkeit (auch im europäischen und außereuropäischen Ausland). 1. Solocellist der Allgemeinen Musikgesellschaft Basel und Lehrer an der dortigen Musik-Akademie (ehemals Konservatorium) bzw. der Schola Cantorum Basiliensis war er bis 1970. Die Cappella Coloniensis des WDR stand bis 1958 unter seiner Leitung. 1958–66 war er ferner Dirigent der während der Sommerspielzeit Herrenhausen in Hannover(-Herrenhausen) stattfindenden Aufführungen barocker Opern. Er verfaßte u. a. den Beitrag *Der Ausdruck in der Barockmusik und seine Interpretation* (in: Alte Musik in unserer Zeit, = Musikalische Zeitfragen XIII, Kassel 1968). W., der 1960 von der Basler Universität zum Ehrendoktor und 1965 von der Kungl. Musikaliska akademiem zum (auswärtigen) Mitglied ernannt wurde, lebt heute in Bottmingen (bei Basel).

+Weprik, Alexandr Moissejewitsch, * 11.(23.) 6. 1899 zu Balta (Podolien), [erg.:] † 13. 10. 1958 zu Moskau.
Von W.s theoretischen Schriften sind zu nennen: *O metodach prepodawanija instrumentowki* (»Über die Methode des Instrumentationsunterrichts«, Moskau 1931); *Traktowka instrumentow orkestra* (»Die Behandlung der Orchesterinstrumente«, ebd. 1948, ²1961); *Prinzipy orkestrowki J. S. Bacha* (in: Woprossy musykosnanija II, hrsg. von A. S. Ogolewez, ebd. 1955); *Otscherki po woprossam orkestrowych stilej* (»Beiträge zu Fragen der Orchesterstile«, ebd. 1961).
Lit.: W. BOGDANOW-BERESOWSKIJ, A. M. W., Moskau 1964; DERS., Kompositor i utschonyj (»Komponist u. Gelehrter«), SM XXXIII, 1969; D. GOJOWY, Moderne Musik in d. Sowjetunion, Diss. Göttingen 1966.

Werba, Erik, * 23. 5. 1918 zu Baden (Niederösterreich); österreichischer Pianist, Musikschriftsteller und Komponist, studierte in Wien an der Akademie für Musik und darstellende Kunst (Klavier bei Oskar Dachs, Komposition bei J. Marx) und an der Universität, wo er 1940 mit der Dissertation *Die Rolle des Sängers (Aiodós) bei Homer, Hesiod und Pindar* promovierte. Seit 1949 ist er Professor für Lied und Oratorium an der Wiener Musikakademie (1965 ordentlicher Hochschulprofessor), 1964–71 war außerdem Gastprofessor an der Musikakademie in Graz. W. wirkt als Liedbegleiter namhafter Sänger und leitet Liedkurse u. a. in Salzburg, Gent, Stockholm, Tokio und Helsinki. 1950 wurde er Redakteur der Zeitschrift »Musikerziehung«, 1953 auch der ÖMZ, für die er zahlreiche Aufsätze verfaßte. – Veröffentlichungen (Auswahl): *J. Marx* (= Österreichische Komponisten des XX. Jh. I, Wien 1964); *H. Wolf* ... (= Glanz und Elend der Meister IX, ebd. 1971); *E. Marckhl* (= Österreichische Komponisten des XX. Jh. XX, ebd. 1972). – Kompositionen: Singspiel *Trauben für die Kaiserin* (Wien 1949); *Drei Dialoge* für 2 Singst. (S. und A.) nach Worten von Ingeborg Bachmann (Grave mit Vc. und Kl., Allegro rubato mit Cemb. und Allegretto a cappella, 1968); *Nur dieses eine Leben*, Zyklus für mittlere St., Kammerchor, Streichquartett, Fl., Fag. und Kl. (1969); *Sonata notturna* für Fag. und Kl. (1969).

+Werckmeister, Andreas, 1645–1706.
Ausg.: +Erweiterte u. verbesserte Orgel-Probe ... 1698 ... (1927), Faks.-NA hrsg. v. D.-R. MOSER, = DMl I, 30, Kassel 1970, in frz. Übers. (nach H. Cellier) hrsg. v. N. DUFOURCQ, in: L'orgue 1961ff.; dass., Faks. d. nld. Übers. v. J. W. Lustig (Amsterdam 1755) hrsg. v. A. BOUMAN, Baarn 1968. – Musicae mathematicae hodegus curiosus (1686/87), Nachdr. Hildesheim 1971; Hypomnemata musica (1697), zusammen mit Erweiterte u. verbesserte Or-

gel-Probe (1698), Cribrum musicum (1700), Harmonologia musica (1702) u. Musicalische Paradoxal-Discourse (1707), Nachdr. ebd. 1970 (5 Teile in 1 Bd).
Lit.: FR. TH. ARNOLD, The Art of Accompaniment from a Thorough-B., London 1931, Nachdr. 1961, sowie (mit neuer Einleitung v. D. Stevens) = American Musicological Soc., Music Library Ass. Reprint Series o. Nr, NY 1965 u. 1966 (2 Bde); H. KELLETAT, Zur mus. Temperatur, insbesondere bei J. S. Bach, Kassel 1960; P. BENARY, Die deutsche Kompositionslehre d. 18. Jh., = Jenaer Beitr. zur Musikforschung III, Lpz. 1961; G. FAULHABER, A. W., Nordharzer Jb. VII, 1964; R. DAMMANN, Der Musikbegriff im deutschen Barock, Köln 1967; DERS. in: MGG XIV, 1968, Sp. 476ff.; D.-R. MOSER, Mg. d. Stadt Quedlinburg v. d. Reformation bis zur Auflösung d. Stiftes (1539–1802), Diss. Göttingen 1967.

Werder (wˈɔːdə), Felix, * 24. 2. 1922 zu Berlin; australischer Komponist deutscher Herkunft, studierte bei seinem Vater Boas Bischofs W., einem jüdischen Kantor, und bei Nadel in Berlin. Er emigrierte zunächst 1934 nach England, wo er seine Studien am Shoreditch Polytechnicum in London fortsetzte, und 1940 nach Australien. W. ist in Melbourne als Dozent beim Council of Adult Education und seit 1960 als Kritiker der Tageszeitung »The Age« tätig. Seine Kompositionen umfassen u. a. die Opern *Kisses for a Quid* (Melbourne 1962), *The General* (1964), *Agamemnon* (1967), *The Affair* (1968) und *Private* (ABC Fernsehen Sydney 1970), das Ballett *En passant* (1964), Orchesterwerke (4 Symphonien, 1948, 1959, 1965, 1970; *Sinfonia in the Italian Style*, 1956; *Hexastrophe*, 1961, *Monostrophe*, 1961, *Tristrophe*, 1964, und *Strophe*, 1968; Konzerte für Fl., 1954, Kl., 1955, V., 1956, und Git., 1968, sowie *Concertmusic* für 10 Solisten, 1964, und Orch.), Kammermusik (Septett für Fl., Kl., Hf. und Streichquartett, 1963; Quintette für Fl. und Streichquartett, 1958, Kl., Horn und Streichtrio, 1959, sowie Klar. und Streichquartett, 1965; *Apostrophe* für Bläserquintett, 1966; 10 Streichquartette, Nr 1–3 verbrannt, Nr 4–10, 1955–70), Klavierwerke, Chormusik und Lieder.
Lit.: R. D. COVELL, Australia's Music, Melbourne 1967, S. 182ff.; A. D. McCREDIE, Mus. Composition in Australia, Canberra 1969, S. 17f.

+Werdin, Eberhard, * 19. 10. 1911 zu Spenge (Westfalen).
W. war 1955–69 Dozent am Konservatorium in Düsseldorf und bis 1973 Leiter der Städtischen Musikschule Leverkusen (1973 Professor). – Neuere Werke: die Singspiele für Kinder *Der gestiefelte Kater* (1961), *Das Märchen von den tanzenden Schweinen* (1963) und *Zirkus Troll* (1968); szenische Kantate *Das Spiel von Leben und Tod* (1962); kleines Konzert für 2 Trp. und Pk. (1963) und Doppelkonzert für Fl. und Git. (1969) mit Streichorch.; Sonatine für Trp. und Kl. (1967); *König Midas* für gem. Chor, Bar., Sprecher, 2 Kl. und Schlagzeug (1969); weitere Spielmusiken, Werke für Schulorch. und Chorwerke. Neben zahlreichen musikpädagogischen Aufsätzen veröffentlichte er *Rhythmisch musikalische Übung* (= Beitr. zur Schulmusik IV, Wolfenbüttel 1959) und *Musikalische Grundausbildung am Lied* (ebd. XX, 1967).
Lit.: H. BRAUN in: Studien zur Mg. d. Rheinlandes III, Fs. H. Hüschen, = Beitr. zur rheinischen Mg. LXII, Köln 1965, S. 139ff.

Werfel, Franz, * 10. 9. 1890 zu Prag, † 26. 8. 1945 zu Beverly Hills (Calif.); österreichischer Dichter, studierte in Prag und lebte als freier Schriftsteller in Wien, Hamburg, Leipzig, nach dem 1. Weltkrieg in Berlin und dann wieder in Wien. 1917 lernte er Alma, die Witwe G. Mahlers und Frau des Architekten Walter

Gropius, kennen, die er 1929 heiratete. 1938 emigrierte er mit ihr nach Frankreich und von dort über Spanien und Portugal in die USA. – W., dessen zunächst subjektiv-emotionelle Neigung zur Musik in den von A. Neumann veranstalteten Opernaufführungen früh gefördert wurde, kam erst durch die Beziehung zu seiner späteren Frau Alma und die daraus sich ergebenden Bekanntschaften mit führenden Komponisten zu einer nicht nur erfühlten, sondern auch reflektierten Musikauffassung. Die frühen Gedichtsammlungen (*Weltfreund*, 1911; *Wir sind*, 1913; *Einander*, 1915; *Gerichtstag*, 1919), die mit der Lyrik des »Expressionismus« das Thema der Weltverbrüderung teilen, feiern Musik als Urgrund der Schöpfung und entwerfen in »musikalischem Pantheismus« (A. D. Klarmann, 1931) die Utopie eines »Weltorchesters«, dessen »Kapellmeister« Gott ist. Die in den zwanziger Jahren systematisch einsetzende Beschäftigung mit Verdi führt zu einem eher kritischen Musikverständnis, das sich vor allem in der Dialektik Wagner–Verdi ausprägt: etwa in der polaren Zuordnung von Klangdämonie und rhetorischer Massensuggestion einerseits, musikalischer Ordnung und artikulierter, rationaler Rede andererseits. Der »Roman der Oper« *Verdi* (Bln 1924, Nachdr. 1957, Ffm. 1962, engl. NY 1972 und 1973), die »Nachdichtungen« von Libretti (*Die Macht des Schicksals*, Erstaufführung Dresden 1926; *Macbeth*, ebd. 1928; *Simon Boccanegra*, Wien 1929; *Don Carlos*, mit Wallerstein, ebd. 1932) und mehrere Aufsätze – u. a. die Einleitung zu den von ihm herausgegebenen *Briefen* Verdis (übers. von P. Stefan, Bln, 1926, engl. NY 1942, Nachdr. 1973) – sind wichtige Beiträge zur Verdi-Rezeption im deutschsprachigen Raum. Eine nach dem Tode H. v. Hofmannsthals sich anbahnende Zusammenarbeit mit R. Strauss führte zu keinem Ergebnis. – Das Thema Musik hat wesentlichen Anteil auch an den *Erzählungen aus zwei Welten* und an dem lehrhaft-utopischen »Reiseroman« *Stern der Ungeborenen* (1945). – Kompositionen zu Texten von W. schrieben: Orff, Gedicht *Des Turmes Auferstehung* für Solo, Chor und Orch. (1920) und Kantaten *Veni creator*, *Der gute Mensch* und *Fremde sind wir* (1921); Grosz, Musik zu dem Drama *Der Spiegelmensch*, op. 12; Křenek, Oper *Die Zwingburg* (Bln 1924); Milhaud, Oper *Maximilien* (Libretto von Lunel nach *Juarez und Maximilian*, Bln 1930, Paris 1932); Weill, Musik zu dem Drama *Der Weg der Verheißung* (»The Eternal Road«, NY 1937); Henze, Arie *Der Vorwurf* für Bar., Trp., Pos. und Streicher (1948); Klebe, Oper *Jakobowsky und der Oberst* (Hbg 1965).

Ausg.: Gesammelte Werke, hrsg. v. A. D. KLARMANN, Bln u. Stockholm 1948ff., Ffm. 1950–59.
Lit.: A. D. KLARMANN, Musikalität bei W., Diss. Univ. of Philadelphia 1931; A. MAHLER-WERFEL, And the Bridge Is Love, NY 1958, London 1959, deutsch als: Mein Leben, Ffm. 1960 u. Stuttgart 1962, auch = Fischer-Bücherei Bd 545, Ffm. 1963; H. FÄHNRICH, Verdi in d. Deutung Fr. W.s, NZfM CXX, 1959; DERS., Die beiden Fassungen v. Fr. W.s »Verdi-Roman« (1924–30), SMZ CIII, 1963; DERS., Fr. W.s Anteil an d. Verdi-Renaissance, NZfM CXXIV, 1963; DERS. in: MGG XIV, 1968, Sp. 480f.; H. KÜHNER, Fr. W. u. G. Verdi, in: Verdi I, 1961, auch engl. u. ital.; J. MITTENZWEI, W.s Bedürfnis nach einer mus. »unio mystica«, in: Das Mus. in d. Lit., Halle (Saale) 1962. **KDG**

WERGO Schallplatten GmbH Mainz, gegründet 1962 in Baden-Baden von dem Kunsthistoriker Werner Goldschmidt († 13. 6. 1975), nach dessen Namen die Firma mit dem Kryptonym WERGO benannt wurde. 1967 übernahm der Verlag B. Schott's Söhne Anteile der Firma, die 1971 ganz in seinen Besitz überging. Schwerpunkte des ausschließlich Musik des 20. Jh. veröffentlichenden Schallplattenunternehmens bilden die Serien *Studioreihe neuer Musik* (mit Werken von Bartók, Berio, Blacher, Boulez, Bussotti, Debussy, Eisler, Fortner, Cr. Halffter, K. A. Hartmann, P. Hindemith, Holliger, Kl. Huber, Kagel, Killmayer, Ligeti, Lutosławski, Maderna, Nono, Penderecki, A. Reimann, Riedl, P. Ruzicka, Schönberg, K. Stockhausen, Webern, Chr. Wolff, B. A. Zimmermann u. a.) sowie *Große Interpreten neuer Musik* (Cathy Berberian, Gazzelloni, Gisela May, Nicolet, Palm, Roswitha Trexler u. a.). Seit 1971 ist Wolfgang Sandner (* 3. 7. 1942 zu Osek, ČSSR) für Programm und Produktion verantwortlich.

Werikowskij, Michail Iwanowitsch (Michajlo Werikiwskij), * 9. (21.) 11. 1896 zu Kremenez (Gouvernement Wolynsk), † 14. 6. 1962 zu Kiew; ukrainisch-sowjetischer Komponist, Dirigent und Musikpädagoge, studierte in Kiew am Konservatorium (bis 1923), war Dirigent am dortigen Operntheater (1926–28) und am Charkower Operntheater (1928–35). Danach lehrte er Dirigieren am Kiewer Konservatorium (1946 Professor). Er schrieb u. a. die Opern *Sotnik* (»Der Hauptmann«, Odessa 1939) und *Najmitschka* (Irkutsk 1943), die Opernetüde *Beglezy* (»Die Flüchtlinge«, Radio Kiew 1957), das erste ukrainische Ballett *Pan Kanjowskij* (Charkow 1931), Orchesterwerke (Suite *Wesnjanki*, 1924, 2. Fassung 1956; *Tatarskaja sjuita*, 1928; symphonische Variationen, 1940; *Sakarpatskaja rapsodija*, 1945; symphonisches Panorama *Sportiwnyj prasdnik w Berschadi*, »Das Sportfest in Berschade«, 1951; »Ukrainische Suite« für V. und Orch., 1946), Vokalwerke (Kantaten *Perwomajskij gimn*, »Die 1. Mai-Hymne«, 1928; *Oktjabrskaja*, »Die Oktoberkantate«, 1936; vokalsymphonischer Zyklus *Warschawskij zikl*, 1952; Chorpoem *Gajdamaki*, 1919; Duette, Lieder und Romanzen) sowie Bühnen- und Filmmusik. W. veröffentlichte zahlreiche musiktheoretische und musikgeschichtliche Beiträge in sowjetischen Fachzeitschriften.
Lit.: N. GERASSIMOWA-PERSIDSKA, M. I. W., Kiew 1959; N. GORDEJTSCHUK, Ukraïnskaja rjadanska simfonitschna musika (»Die ukrainisch-sowjetische symphonische Musik«), ebd. 1969; N. SCHUROWA, M. W., ebd. 1972.

Werjowka, Grigorij Gurjewitsch, * 13. (25.) 12. 1895 zu Beresna (Gouvernement Tschernigow), † 21. 10. 1963 zu Kiew; ukrainisch-sowjetischer Chordirigent, studierte 1910–16 am theologischen Seminar sowie bis 1933 als Externer am musikdramatischen Institut in Kiew (Dirigieren, Komposition). 1923–34 lehrte er an verschiedenen Musikschulen und wurde 1934 Dozent für Dirigieren am Konservatorium in Kiew (1947 Professor). 1943 gründete er den staatlichen ukrainischen Volkschor, dessen Leitung er auch innehatte. Daneben war er Mitarbeiter am Institut für Kunstwissenschaft, Folklore und Ethnographie der Akademie der Wissenschaften der UdSSR (1941–45). Er veröffentlichte Beiträge zu Sammelschriften und komponierte Chor- und Sololieder sowie Instrumentalwerke.

+Werker, Wilhelm, [erg.:] * 15. 5. 1873 zu Breslau, † 20. 12. 1948 zu Moritzburg (bei Dresden).
W. war Schüler von Fr. Wüllner, A. Mendelssohn und Othegraven am Kölner Konservatorium und wirkte 1902–35 als Kantor der Stadtschule in Königstein an der Elbe. – *Studien über Symmetrie im Bau der Fugen . . . des »Wohltemperierten Klaviers« von J. S. Bach* (1922), Nachdr. Wiesbaden 1969.
Lit.: W. GURLITT in: Mf XIV, 1961, S. 329f.

Werle, Lars Johan, * 23. 5. 1926 zu Gävle; schwedischer Komponist, studierte 1948–51 an der Universi-

tät Uppsala Musikgeschichte bei Moberg, daneben 1950 privat Kontrapunkt bei Bäck. Seit 1958 ist er Produzent, seit 1968 auch Leiter der Kammermusikabteilung beim schwedischen Rundfunk. – Werke: Opern *Drömmen om Thérèse* (»Der Traum von Thérèse«, nach Zola, Stockholm 1964), *Resan* (»Die Reise«, nach Per Christian Jersild, Hbg 1969) und *Tintomara* (nach C.J. L.Almquist, Stockholm 1973); Ballett *Zodiak* (ebd. 1967); *Sinfonia da camera* (1961); *Summer Music* für Streicher und Kl. (1965); *Pentagram* für Streichquartett (1960); Streichquartett (1971); *Canzone 126 di Francesco Petrarca* für gem. Chor (1967); *Nautical Preludes* für gem. Chor a cappella und Solisten (1970); ferner Bühnen- und Filmmusik.
Lit.: G. BERGENDAL in: Nutida musik XII, 1968/69, Nr 4, S. 34ff. (zu »Resan«); DERS., 33 svenska komponister, Stockholm 1972; H. CONNOR, Samtal med tonsättare (»Gespräch mit d. Komponisten«), ebd. 1971.

Werly, C. → Czernik, Willy.

Wermińska (vɛrmˈiːŋska), Wanda, * 18. 11. 1900 zu Błaszczyńce (Wolhynien); polnische Sängerin (dramatischer Sopran), studierte bei Helena Zboińska-Ruszkowska und debütierte 1925 an der Oper in Warschau. Ab 1930 trat sie in Budapest, Wien und Bayreuth auf. 1940–44 unternahm sie eine Südamerikatournee. Seit 1950 lebt W. W. als Gesangspädagogin in Warschau. In ihrem Repertoire dominierten die großen Verdi- und Wagner-Partien.

+Werner, Arno, 1865–1955.
+Geschichte der Kantorei-Gesellschaften ... (= BIMG I, 9, 1902), Nachdr. Wiesbaden 1969.
Lit.: W. SERAUKY in: Mf VIII, 1955, S. 318f.

+Werner, Eric, * 1. 8. 1901 zu Wien.
W. wurde 1967 am Hebrew Union College in Cincinnati (O.) emeritiert und war dann als Ordinarius am musikwissenschaftlichen Institut der Universität in Tel Aviv tätig. Er ist Mitherausgeber von *Orbis musicae. Studies in Musicology* (Tel Aviv 1971ff.). Eine Sammlung früherer Aufsätze von ihm erschien als *From Generation to Generation. Studies on Jewish Musical Tradition* (NY 1968). – *+The Sacred Bridge* (1958), Paperbackausg. NY 1970. – Weitere Veröffentlichungen: *Hebräische Musik* (= Das Musikwerk XX, Köln 1961, auch engl.); *Mendelssohn. A New Image of the Composer and His Age* (NY und London 1963); *Grundsätzliche Betrachtungen über Symmetrie in der Musik des Westens* (StMl XI, 1969); *Nature and Function of the Sequence in Bruckner's Symphonies* (in: Essays in Musicology, Fs. Dr.Plamenac, Pittsburgh/Pa. 1969); *Die jüdischen Wurzeln der christlichen Kirchenmusik* (in: Geschichte der katholischen Kirchenmusik, hrsg. von K.G. Fellerer, Bd I, Kassel 1972); *Mendelssohn–Wagner. Eine alte Kontroverse in neuer Sicht* (in: Musicae scientiae collectanea, Fs. K. G.Fellerer, Köln 1973).
Lit.: J. COHEN, Bibliogr. of the Publ. of E. W., Tel Aviv 1968.

Werner, Fritz Eugen Heinrich, * 15. 12. 1898 zu Berlin; deutscher Komponist, studierte ab 1920 in Berlin bei Egidi (Tonsatz, Orgel), Heitmann (Orgel), K. Schubert (Klavier), Seiffert und J.Wolf (Stilkunde, Musikgeschichte) sowie 1932–35 bei G.A.Schumann (Komposition) an der Preußischen Akademie der Künste. 1935 erhielt er den Mendelssohn-Preis für Komposition. Er war ab 1936 in Berlin und Potsdam als Kirchenmusiker tätig (1938 KMD), ließ sich nach Kriegsende in Heilbronn nieder und wirkte dort 1946–64 als Organist an St.Kilian. Mit seinem 1947 gegründeten Heinrich-Schütz-Chor Heilbronn unternahm er aus-

gedehnte Konzertreisen. 1954 wurde ihm vom Land Baden-Württemberg der Titel Professor verliehen, 1974 ernannte ihn das französische Kultusministerium zum Chevalier de l'Ordre des Arts et des Lettres. W. komponierte Orchesterwerke (Klavierkonzert op. 12, 1938; Variationen über ein bretonisches Volkslied op. 22, 1954; Symphonie op. 36, 1954; Violinkonzert op. 47, 1968; *Suite concertante* für Trp. und Streichorch. op. 48, 1969; Konzert für Horn und Streichorch. op. 54, 1974), Kammermusik (2 Streichquartette, op. 11, 1953, und op. 40, 1959; Streichtrio op. 26, 1948; Sonate für Va und Org. op. 49, 1970; Duo für Trp. und Org. op. 53, 1973), Orgelwerke (Toccata und Fuge op. 32, 1952), Klavierstücke (6 Miniaturen op. 56, 1974) sowie zahlreiche geistliche und weltliche Vokalwerke (*Apfelkantate* nach Worten von Hermann Claudius op. 1, 1939; Kantate *Trauermusik* für Bar., Chor und Kammerorch. op. 10, 1935; Pfingstoratorium *Veni, sancte spiritus* für S., Bar., Chor und Orch. op. 44, 1964; *Psalmentriptychon* für Soli, Chor und Orch. op. 50, 1972; *3 Paulusmotetten* für gem. Chor a cappella op. 51, 1973; 4 Lieder für S. und Kl. op. 55, 1974).
Lit.: H. FRANKE, Fr. W., in: Baden-Württemberg (Südwestdeutsche Monatsschrift f. Kultur) 1956, H. 8; P. ERDMANN in: Württembergische Blätter f. Kirchenmusik XXXV, 1968, S. 116ff.

+Werner, Gregorius (Gregor) Joseph, [erg.:] getauft 29. 1. 1693 [nicht: * 1695; erg.:] zu Ybbs an der Donau (Niederösterreich) – 1766.
Ausg.: Wienerischer Tandlmarkt, hrsg. v. R. MODER, = Diletto mus. Nr 81, Wien 1961; Die Bauern-Richters-Wahl f. 5 Singst., 2 V. u. B. c., hrsg. v. DEMS., ebd. Nr 171, 1969; Concerto a tre G dur f. Fl. (V.), V. u. B. c., Concerto a quattro A dur f. Fl., 2 V. u. B. c. bzw. Symphonia Nr 1 C dur u. Sonata Nr 1 A moll (aus Symphoniae sex senaeque sonatae) f. 2 V. u. B. c., hrsg. v. DEMS., 3 H., ebd. Nr 398–399 bzw. 401, 1971; 6 Fugen f. Streichquartett, nach d. Erstveröff. v. J. Haydn hrsg. v. W. HÖCKNER, Wilhelmshaven 1963; konzertierende Stücke f. Cemb. (Org.) u. Kammerorch., hrsg. v. J. VÉCSEY, = Musica rinata V, Budapest 1964, ²1973; 6 Oratorienvorspiele, hrsg. v. DEMS., 2 H., ebd. XII–XIII, 1968; Te Deum C dur f. Soli, Chor u. Orch., hrsg. v. I. SULYOK, ebd. 1968; Requiem G moll f. Soli, Chor, Streicher u. Org., hrsg. v. DEMS., Wien u. ebd. 1969; Symphonia da chiesa D dur f. Streicher u. B. c., hrsg. v. DEMS., Budapest 1969, auch = Diletto mus. Nr 315, Wien 1969; Weihnachtslied, Kantate f. Soli, Chor, Streicher u. Org. (1757), hrsg. v. Z. FALVY, = Ed. Eulenburg Nr 1084, London 1969; Sonatinen G moll u. B dur f. 2 V., Vc. u. Continuo, hrsg. v. P. GOMBÁS, 2 H., = Diletto mus. Nr 389–390, Wien 1970; 4 Sonatinen f. 2 V., Vc. u. Continuo, je 2 hrsg. v. M. KOVÁCS bzw. I. MEZÖ, 2 H., ebd. Nr 391–394, 1970; Sonatina G dur f. 2 V., Vc. u. Continuo, hrsg. v. L. TARDY, ebd. Nr 395.
Lit.: +C. F. POHL, J. Haydn (1878–82), Nachdr. Wiesbaden 1970–71; +H. J. MOSER, Corydon (1933), Nachdr. Hildesheim 1966, Braunschweig ²1956. – H. DOPF, Die Messenkompositionen Gr. J. W.s, Diss. Innsbruck 1956; FR. STEIN, Der mus. Instrumentalkalender, in: Musica XI, 1957, auch in: Hausmusik XXII, 1958; R. MODER, Gr. J. W., ein Meister d. ausgehenden mus. Barock in Eisenstadt, in: J. Haydn u. seine Zeit, = Burgenländische Heimatblätter XXI, 1959, H. 2; L. SOMFAI, Haydns Tribut an seinen Vorgänger W., Das Haydn-Jb. II, 1963/64; W. DEUTSCH, Ein »Wienerischer Tändlmarkt« v. 1803 u. seine Vorbilder im Wien d. XVII. u. XVIII. Jh., Jb. d. österreichischen Volksliedwerkes XIV, 1965; CH. J. WARNER, A Study of Selected Works of Gr. J. W., Diss. Catholic Univ. of America (Washington/D. C.) 1965; H. UNVERRICHT in: MGG XIV, 1968, Sp. 489ff.

+Werner, Heinrich, 1800–33.
Lit.: W. STEINMETZ, »Das Große läßt sich nicht niederdrücken«. Zum 125. Todestag d. »Heideröslein«-Komponisten H. W., in: Musik in d. Schule IX, 1959.

+Werrekoren, Hermann Matthias (auch Hermann Verrecorensis Matthias, Mathia Flamengo, Matthias de Hermann), † um 1558(?).
Als Domkapellmeister in Mailand wirkte W. 1522–52 [nicht: 1523–58].
Ausg.: Motette »Surge, propera, amica mea«, in: P. Attaingnant, Treize livres de motets, 1534 et 1535, hrsg. v. A. SMIJERS, Bd IV, Paris 1960.
Lit.: G. TINTORI in: MGG VIII, 1960, Sp. 1815f.

+Werstowskij, Alexej Nikolajewitsch, 1799–1862.
Lit.: A. A. GOSENPUD, Musykalnyj teatr w Rossii ot istokow do Glinki (»Musiktheater in Rußland v. d. Anfängen bis Glinka«), Leningrad 1959; DERS., Russkij opernyj teatr XIX weka (»Das russ. Operntheater d. 19. Jh.«), ebd. 1969; G. SEAMAN, Verstovsky and »Askold's Tomb«, MMR XL, 1960; B. DOBROCHOTOW, A. N. W. i jewo opera »Askoldowa mogila« (»A. N. W. u. seine Oper ‚Askolds Grab'«), Moskau 1962.

+Wert, Giaches de, 1535–96.
Um 1549/50 ging W. nach Ferrara, wo er bei C. de Rore studierte und wahrscheinlich bis 1555 blieb. Vor 1558 wurde er Kapellmeister am Hofe zu Novellara (bei Modena).
Ausg.: Opera omnia, hrsg. v. C. MacCLINTOCK u. M. BERNSTEIN, = CMM XXIV, (Rom) 1961ff., bisher erschienen: Bd I (1961), Madrigali a 5 v., Libro 1 (1558); II (1962), Madrigali a 5 v., Libro 2 (1561); IV (1965), Madrigali a 5 v., Libro 4 (1567); V (1966), Il 5. libro de madrigali a 5, 6 e 7 v. (1571); VI (1966), Il 6. libro de madrigali a 5 v. (1577); VII (1968), Il 7. libro de madrigali a 5 v. (1581); VIII (1968), 8. libro de madrigali a 5 v. (1586); IX (1970), Il 9. libro de madrigali a 5 e 6 v. (1588); X (1970), Il 10. libro de madrigali a 5 v. (1591); XI (1969), Motectorum 5 v. (1566); XII (1972), Il 11. libro de madrigali a 5 v. (1595); XIII (1971), Il 2. libro de motetti a 5 v. (1581); XIV (1973), Il 1. libro delle canzonette, villanelle a 5 v. (1589) sowie Madrigale aus Slgen (1564–1616); XV (1972), Il 1. libro de madrigali a 4 v. (1561); XVI (1973), Modulationem cum 6 v., Liber 1 (1581). – 2 Madrigale in: Vier Madrigale v. Mantuaner Komponisten, 5- u. 8st., hrsg. v. D. ARNOLD, = Chw. LXXX, Wolfenbüttel 1961; 3 Motetten (Egressus Jesus, Hoc est praecetum meum u. Quiescat vox tua), hrsg. v. B. B. DE SURCY, = Penn State Music Series XIX, Univ. Park (Pa.) 1969; 4 Madrigale u. 3 Kanzonetten zu 5 St., hrsg. v. C. MacCLINTOCK, = Chw. CIX, Wolfenbüttel 1970.
Lit.: +A. BERTOLOTTI, Musici [nicht: La musica] alla corte dei Gonzaga in Mantova . . . (1890), Nachdr. = Bibl. musica Bononiensis III, 17, Bologna 1969; +A. EINSTEIN, The Ital. Madrigal (1949), Nachdr. Princeton (N. J.) 1970. – M. BERNSTEIN, The Sacred Vocal Music of G. de W., 2 Bde, Diss. Univ. of North Carolina 1965; DERS., The Hymns of G. de W., in: Studies in Musicology, Gedenkschrift Gl. Haydon, Chapel Hill (N. C.) 1969; C. MacCLINTOCK, G. de W. (1535–96), = MSD XVII, Rom 1966; DIES., New Light on G. de W., in: Aspects of Medieval and Renaissance Music, Fs. G. Reese, NY 1966; DIES., The »Giaches Fantasias« in MS Chigi Q VIII 206. A Problem in Identification, JAMS XIX, 1966; DIES., Two Lute Intabulations of W.'s »Cara la vita«, in: Essays in Musicology, Fs. W. Apel, Bloomington (Ind.) 1968; D. ARNOLD, Monteverdi and His Teachers, in: The Monteverdi Companion, hrsg. v. dems. u. N. Fortune, London 1968; P. PETROBELLI, »Ah, dolente partita«. Marenzio, W., Monteverdi, in: Cl. Monteverdi e il suo tempo, Kgr.-Ber. Venedig u. a. 1968; M. CAANITZ, Petrarca in d. Gesch. d. Musik, Freiburg i. Br. 1969.

Werzlau, Joachim, * 5. 8. 1913 zu Leipzig; deutscher Komponist, studierte Klavier bei Teichmüller, besuchte Seminare für Komposition und war 1928–31 Klavierbaulehrling bei J. Blüthner. Er wirkte in Leipzig als Ballettrepetitor, u. a. bei Mary Wigman, und Liedbegleiter (1936–41), war Schauspielkapellmeister, Hauskomponist des politischen Kabaretts »Die Rampe« (1945–49) und Musikreferent am Berliner Rundfunk (ab 1949). Seit 1952 lebt er freischaffend in Berlin. W.

ist Gründungsmitglied des Komponistenverbands und Mitglied der Akademie der Künste der DDR. Er schrieb die Oper *Roland und Regine* (1964), Orchesterwerke (Tanzsuite Nr 2 und *Suite für die Jugend*, 1952; Turmmusik, 1961; 5 Orchesterstücke *Episoden*, 1962), Vokalwerke (Kantaten *Unser Leben im Lied*, 1959; *Gesang an die Heimat*, 1960; *Vom neuen Menschen*, 1962; Chorliederzyklus *Schönes Land*) sowie Bühnen-, Hörspiel- und Filmmusik.
Lit.: E. KRAUSE in: MuG XXIII, 1973, S. 465f.

+Wesendonck [nicht: Wesendonk], –1) Otto, 1815–96. –2) Mathilde, 23. [nicht: 22.] 12. 1828 – 1902.
Lit.: A. ZINSSTAG, Die Briefsammlungen d. R. Wagner-Museums in Tribschen bei Luzern, Basel 1961; J. BERGFELD, O. u. M. W.s Bedeutung f. d. Leben u. Schaffen R. Wagners, Bayreuth 1968. – zu –2): +R. Wagner an M. W. . . . (W. GOLTHER, 1904), Nachdr. d. +engl. Ausg. (1905) NY 1972.

+Wesley, –1) Charles, 1757–1834. –2) Samuel, 1766–1837. –3) Samuel Sebastian, 1810–76.
Ausg.: The W.s, hrsg. v. G. PHILLIPS, 2 Bde, = Tallis to W. V u. XXIV, London 1960–61. – zu –1): Streichquartette Nr 1, 2 u. 5, hrsg. v. G. FINZI, ebd. 1953; Kl.-Konzert Nr 4 C dur, hrsg. v. DEMS., 1956, ³1961. – zu –2): 12 kurze Stücke f. Org. (Cemb.), hrsg. v. G. PHILLIPS, 2 H., = Tallis to W. VII, ebd. 1957; 3 Org.-Fugen (v. W. u. Mendelssohn), hrsg. v. DEMS. u. L. ALTMANN, ebd. XIV, 1962 (darin: M. Hinrichsen, W. and Mendelssohn); je 2 kurze Stücke A moll u. F dur, hrsg. v. B. RAMSEY, 2 H., = Early Org. Music III u. X, ebd. 1961; Trio f. 2 Fl. u. Kl., hrsg. v. H. COBBE, ebd. 1973; Motetten, hrsg. v. J. MARSH, Sevenoaks (Kent) 1974. – zu –3): Andante E moll, hrsg. v. B. TAYLOR, = Tallis to W. XIII, London 1958.
Lit.: TH. ARMSTRONG, The W.s Evangelists and Musicians, in: Org. and Choral Aspects and Prospects, = Hinrichsen's 10ᵗʰ Music Book 1959; E. ROUTLEY, The Mus. W.s, = Studies in Church Music o. Nr, London u. NY 1968. – zu –1): W. A. SCALES, Selected Unpubl. Anthems of Ch. W. jr., Diss. Univ. of Southern California 1969; B. MATTHEWS, Ch. W. on Org., MT CXII, 1971. – zu –2): +Letters of S. W. to Mr. Jacobs . . . (E. WESLEY, 1875), Nachdr. = Facsimile Reprints I, London 1958; +J. TH. LIGHTWOOD, S. W. (1937), Nachdr. NY 1972; P. F. WILLIAMS, J. S. Bach and Engl. Org. Music, ML XLIV, 1963; P. HOLMAN, The Instr. and Orchestral Music of S. W., in: The Consort XXIII, 1966; A. HOLMES, The Anglican Anthems and Roman Catholic Motets of S. W., 2 Bde, Diss. Boston Univ. (Mass.) 1969; J. I. SCHWARZ JR., The Orchestral Music of S. W., 3 Bde, Diss. Univ. of Maryland 1971; J. MARSH, S. W.'s »Confiteor«, MT CXIII, 1972; B. MATTHEWS, W.'s Finances and Handel's Hymns, MT CXIV, 1973; FR. ROUTH, Early Engl. Org. Music from the Middle Ages to 1837, London 1973. – zu –2) u. –3): J. I. SCHWARZ JR., S. and S. S. W., The Engl. »Doppelmeister«, MQ LIX, 1973.

Wessel-Therhorn, Helmut, * 3. 5. 1927 zu Münster (Westf.); deutscher Dirigent, Schüler der Westfälischen Schule für Musik in Münster, studierte Musikwissenschaft an der dortigen Universität und dann (bis 1951) Dirigieren und Klavier an der Nordwestdeutschen Musikakademie in Detmold (Diplomprüfung). 1952–61 war W.-Th. Kapellmeister an den Städtischen Bühnen in Münster, 1961–64 1. Kapellmeister am Staatstheater Wiesbaden, 1964–67 Musikalischer Oberleiter des Landestheaters Coburg und 1967–74 GMD der Stadt Mainz. Seit 1974 ist er als Professor an der Detmolder Musikakademie und als Gastdirigent (Deutsche Oper am Rhein in Düsseldorf–Duisburg) tätig.

+Wessely, Johann [erg.:] Paul (Jan Pavel Veselý), 24. [nicht: 27.] 6. 1762 – [erg.:] 1. 6. 1810 [nicht: 1814].

+Wessely, Othmar, * 31. 10. 1922 zu Linz.
W. war Assistent und Dozent am Musikwissenschaftlichen Institut der Universität Wien bis 1963 und 1963–

71 Professor und Vorstand des Musikwissenschaftlichen Instituts der Universität Graz. Seit 1971 lehrt er als Ordinarius an der Universität Wien. 1974 wurde er Präsident der »Gesellschaft zur Herausgabe von Denkmälern der Tonkunst in Österreich«. Er ist seit 1963 Editionsleiter der →+Fux-GA. In der von ihm begründeten Reihe von Faksimile-Nachdrucken *Die großen Darstellungen der Musikgeschichte in Barock und Aufklärung* (Graz 1964ff.) edierte er die Bände W.C.Printz, *Historische Beschreibung der edelen Sing- und Kling-Kunst (1690)* (Bd I, 1964), P.Bourdelot und P.Bonnet, *Histoire de la musique et de ses effets* sowie J.-L.Lecerf de la Viéville, *Comparaison de la musique italienne et de la musique françoise (1725)* (II, 1–2, 1966), G.B.Martini, *Storia della musica (1757–81)* (III, 1967), M.Gerbert, *De cantu et musica sacra ... (1774)* (IV, 1968), J.Hawkins, *A General History of the Science and Practice of Music (1875)* (V, 1–2, 1969) sowie J.N.Forkel, *Allgemeine Geschichte der Musik (1788–1801)* (VIII, 1967). Ferner edierte W. *Sämtliche lateinische Motetten und andere unedierte Werke* von A.v.Bruck (= DTÖ XCIX, Graz 1961) und gab E.L. →+Gerbers Werke im Nachdruck heraus. – Weitere Veröffentlichungen: *J.J.Fux und J.Mattheson* (= Jahresgabe der J.J.Fux-Gesellschaft 1964, Graz 1965); *Beiträge zur Geschichte der Hofkapelle Lajos' II.Jagello Königs von Böhmen und Ungarn* (Fs. Br.Stäblein, Kassel 1967); *Beiträge zur Lebensgeschichte von P.Maessins* (in: Gestalt und Wirklichkeit, Fs. F.Weinhandl, Bln 1967); *J.J.Fux und Fr.A.Vallotti* (= Jahresgabe der J.J.Fux-Gesellschaft 1966, Graz 1967); *P.Pariatis Libretto zu J.J.Fuxens »Constanza e fortezza«* (= ebd. 1967, 1969); *Hofkapellenmitglieder und andere Musiker in den Preces-Registern Ferdinands I.* (in: Speculum musicae artis, Fs. H.Husmann, München 1970); *Zur Geschichte des Equals* (in: Beethoven-Studien, = Österreichische Akademie der Wissenschaften CCLXX, Veröff. der Kommission für Musikforschung XI, Wien 1970); *Aus römischen Bibliotheken und Archiven* (in: Symbolae historiae musicae, Fs. H.Federhofer, Mainz 1971); *Die Musiker im Hofstaat der Königin Anna, Gemahlin Ferdinands I.* (in: Musicae scientiae collectanea, Fs. K.G.Fellerer, Köln 1973); *Musik* (= Das Wissen der Gegenwart, Geisteswissenschaften o. Nr, Darmstadt 1973).

Weßling, Berndt Wilhelm Karl Alexander, * 25. 7. 1935 zu Bremen; deutscher Musikschriftsteller, studierte Musikwissenschaft, Gesang (Bockelmann) und Klavier, war 1962–63 im diplomatischen Dienst in Brüssel, 1964 Redakteur bei der dpa in Hamburg und 1965–69 Redakteur beim NDR-Fernsehen. Seitdem er es freischaffend für verschiedene Fernsehanstalten und Zeitungen tätig. Außer schöngeistiger Literatur schrieb W. die Biographien *Verachtet mir die Meister nicht!* (über R.Bockelmann, Celle 1963), *A.Varnay* (Bremen 1965), *H.Hotter* (ebd. 1966), *W.Windgassen* (ebd. 1967), *L.Ludwig* (ebd. 1968), *Lotte Lehmann* (Salzburg 1969) und *M.Brod* (Stuttgart 1969), ferner Opernlibretti zu *Cosenza* (1961) und *Plautus im Nonnenkloster* für Einfeldt (1965). Er war Autor und Regisseur der NDR-Fernsehfilme über Wieland Wagner (1966), Fortner (1967), Frank Martin (1967) und H.Schröder (1967).

West (west), Lucretia, * 13. 11. 1922 zu Virginia (Minn.); amerikanische Sängerin (Alt), studierte an der Howard University in Washington (D. C.) und privat bei Mae Browner in New York sowie in Paris und Wien (1951–52). 1952 erhielt sie ein Engagement an die City Opera in New York. Seit ihrem Debüt mit dem Minneapolis Symphony Orchestra (1953) tritt sie in Konzerten und Soloabenden in den amerikanischen und europäischen Musikzentren auf. Sie hat sich vor allem durch die Interpretation der Werke von Brahms (*Altrhapsodie, Vier ernste Gesänge*), Mahlers (*Kindertotenlieder*) und Reger (*An die Hoffnung*) einen Namen gemacht.

Westerberg, Stig Evald Börje, * 26. 11. 1918 zu Malmö; schwedischer Dirigent, studierte nach einer Ausbildung als Kirchenmusiker am Konservatorium in Stockholm sowie in Frankreich, Italien, der Schweiz und den USA. Er debütierte in Stockholm (1945), war Dirigent der Gävleborgs läns Orkesterförening in Gävle (1949–53) sowie der Oper in Stockholm (1953–57) und wurde 1959 Leiter des Symphonieorchesters von Sveriges Radio Television. W. dirigierte zahlreiche schwedische Uraufführungen und gastierte u. a. in Frankreich und in der Bundesrepublik.
Lit.: G. PERCY in: Musikrevy XXV, 1970, S. 320ff.

Westergaard (w'estəga:d), Peter, * 28. 5. 1931 zu Champaign (Ill.); amerikanischer Komponist, studierte 1949–53 an der Harvard University in Cambridge (Mass.) bei Piston (A. B. 1953) und ab 1955 an der Princeton University (N. J.) bei Sessions (M. F. A. 1956). Ferner war er Schüler von Fortner in Detmold (1956) und Freiburg i. Br. (1957). W. wirkte als Instructor (1958–63) und Assistant Professor (1963–66) an der Columbia University in New York. 1968 wurde er Associate Professor an der Princeton University. Er ist ständiger Mitarbeiter im Editorial Board der *Perspectives of New Music*. – Kompositionen: Kammeropern *Charivari* (Cambridge/Mass. 1953) und *Mr. und Mrs. Discobbolos* (NY 1966); *Symphonic Movement* (1954), *Five Movements* für kleines Orch. (1958); Invention für Fl. und Kl. (1955), Quartett für V., Vibraphon, Klar. und Vc. (1961), Trio für Fl., Vc. und Kl. (1962), Variationen für 6 Instrumentalisten (1964), *Divertimento on Discobbolic Fragments* für Fl. und Kl. (1967), *Noises, Sounds, and Sweet Airs* für Fl., Klar., Horn, Trp., Celesta, Cemb., Schlagzeug, V., Va, Vc. und Kb. (1968); Kantaten *The Plot Against the Giant* für kleinen Frauenchor, Klar., Vc. und Hf. (1956), *A Refusal to Mourn the Death, by Fire, of a Child in London* für B. und 10 Instr. (Dylan Thomas, 1958) und *Leda and the Swan* für Mezzo-S., Klar., Va, Vibraphon und Marimba (1961), *Spring and Fall: to a Young Child* für St. und Kl. (1960). – Aufsätze: *Some Problems in Rhythmic Theory and Analysis* (in: Perspectives of New Music I, 1962/63); *Webern and »Total Organization«. An Analysis of the Second Movement of the Piano Variations, op. 27* (ebd.); *Some Problems Raised by the Rhythmic Procedures in M. Babbitt's Composition for Twelve Instruments* (ebd. IV, 1965/66); *Toward a Twelve-Tone Polyphony* (ebd.); *Conversations with W.Piston* (ebd. VII, 1968/69); *Sung Language* (Proceedings of the American Society of University Composers II, 1967).
Lit.: G. CRUMB in: Perspectives of New Music III, 1964/ 65, Nr 2, S. 152ff. (zu d. Variationen f. 6 Instrumentalisten).

+Westergaard, Svend, * 8. 10. 1922 zu Kopenhagen. W. wurde 1965 zum Professor und 1967 zum Rektor am Kongelige Danske Musikkonservatorium in Kopenhagen ernannt. – Weitere Werke: 2 Symphonien (1956, 1968); Konzert für Vc. und Orch. (1961); 2. Streichquartett op. 28 (1966); ferner Kompositionen für Kammerorch. und Chorwerke. W. verfaßte eine *Harmonilære* (2 Bde, Kopenhagen 1961).

+Westerman, Gerhart von, * 19. 9. 1894 zu Riga, [erg.:] † 14. 2. 1963 zu Berlin.
Seine Dissertation trägt den Titel *G.Porta als Opernkomponist* (München 1921). – +*Knaurs Konzertführer*

903

(1951), München und Zürich ⁶1960, revidiert und ergänzt von K. Schumann, = Knaur Taschenbücher Bd 240, ebd. 1969, engl. London 1963; +*Knaurs Opernführer* (1951), München und Zürich ¹¹1958, neue ergänzte Ausg. ebd. 1967, Taschenbuchausg. von K. Schumann, = Knaur Taschenbücher Bd 216, ebd. 1969, engl. London 1964, NY 1965.
Lit.: G. v. W., Bln u. Wiesbaden 1959 (mit Schriftenverz.).

+**Westhoff,** Johann Paul von, 1656 – [erg.: 14./15.] 4. 1705.
Lit.: R. Aschmann, Das deutsche polyphone Violinspiel im 17. Jh., Diss. Zürich 1962; P. P. Várnai, Ein unbekanntes Werk v. J. P. v. W., Mf XXIV, 1971.

+**Westphal,** Kurt, * 9. 10. 1904 zu Bublitz (Pommern).
W. war 1949–62 Musikkritiker der Berliner Zeitung »Der Kurier«, 1962–66 Direktor des Städtischen Konservatoriums Berlin und ist seit 1967 Musikkritiker des Berliner »Telegraf«. – +*Der Begriff der musikalischen Form in der Wiener Klassik* (1935), Neudr. = Schriften zur Musik XI, Giebing über Prien am Chiemsee ²1971. – Weitere Veröffentlichungen: *Vom Einfall zur Symphonie. Einblick in Beethovens Schaffensweise* (Bln 1965); *Erzählende und malende Musik* (= Beitr. zur Schulmusik XVIII, Wolfenbüttel 1965); *Mozart und Boccherini* (Acta Mozartiana XII, 1965).

+**Westphal,** Georg Hermann Rudolf, 1826 – 10. [nicht: 11.] 7. 1892.
+*Metrik der griechischen Dramatiker und Lyriker* ... (mit A. [nicht: O.] Roßbach, 2 Bde, 1854–63[nicht: 1865], in 3 Bden mit dems. und H. Gleditsch als +*Theorie der musischen Künste der Hellenen*, ³1885–89), in dieser (3.) Aufl. fand in Bd I Aufnahme +*Die Fragmente und Lehrsätze der griechischen Rhythmiker* (1861), und Bd II stellt die 3. Aufl. (1886) der +*Harmonik und Melopöie der Griechen* (1863) dar [del. bzw. erg. frühere Angaben dazu]. – +*Allgemeine Theorie der musikalischen Rhythmik seit J. S. Bach* (1880), Nachdr. Wiesbaden 1968; *Aristoxenos von Tarent. Melik und Rhythmik des classischen Hellenentums* (1883–93, deutsch und griech.), Nachdr. Hildesheim 1965.
Lit.: O. [nicht: A.] +Rossbach, A. [nicht: O.] Roßbach (²1908), Erstaufl. Königsberg 1900.

+**Westrup,** Sir Jack Allan, * 26. 7. 1904 zu London, [erg.:] † 21. 4. 1975 zu Headley (Hampshire).
(Heather) Professor of Music an der University of Oxford war W. bis 1971. Die Zeitschrift *Music & Letters* (ML; 1975 im 56. Jg.) edierte er bis zu seinem Tode. – W. ist auch als Dirigent hervorgetreten: 1947–62 leitete er die jährlichen Aufführungen des Oxford University Opera Club (1951 Uraufführung von E. Wellesz' Oper *Incognita*), 1954–63 das Oxford University Orchestra sowie 1970–71 den Oxford Bach Choir und die Oxford Orchestral Society. Er war u. a. 1958–63 Präsident der Royal Musical Association. 1954 wurde er in die British Academy aufgenommen und 1961 geadelt. – +*Purcell* (= The Master Musicians Series o. Nr, 1937 bzw. 1949), London u. NY ⁵1965 (Nachdr.), auch = Great Composers Series BS 114X, NY 1962, frz. Paris 1947; +*An Introduction to* [nicht: *The Meaning of*] *Musical History* (= Hutchinson's University Library Series o. Nr, 1955), auch NY 1964, Paperbackausg. London und NY 1967 u. ö. – Weitere Schriften und Aufsätze: *The Meaning of Musical History* (London 1946); *Collins Music Encyclopedia* (mit Fr. Ll. Harrison, ebd. 1959, amerikanische Ausg. als *The New College Encyclopedia of Music*, NY 1960, Paperbackausg. ebd.); *Music. Its Past and Its Present* (= L. Ch. Elson Memorial Lecture o. Nr, Washington/D. C. 1964, Wiederabdruck in: Lectures on the History and Art of Music, hrsg. von I. Lowens, NY 1968); *Bach Cantatas* (= BBC Music Guides III, London 1966, Seattle/Wash. 1969); *Schubert Chamber Music* (ebd. V, London und Seattle/Wash. 1969); *Musical Interpretation* (London 1971); *Elgar's Enigma* (Proc. R. Mus. Ass. LXXXVI, 1959/60); *Die Musik von 1830 bis 1914 in England* (Kgr.-Ber. Kassel 1962); *The Cadence in Baroque Recitative* (in: Natalicia musicologica, Fs. Kn. Jeppesen, Kopenhagen 1962); *Bizet's »La jolie fille de Perth«* (in: Essays ..., Fs. E. Wellesz, Oxford 1966); *A. Scarlatti's »Il Mitridate Eupatore« (1707)* (in: New Looks at Italian Opera, Fs. D. J. Grout, Ithaca/N. Y. 1968); *The Continuo in Monteverdi* (in: Cl. Monteverdi e il suo tempo, Kgr.-Ber. Venedig u. a. 1968); *Bach's Adaptations* (StMl XI, 1969); *The Paradox of 18th-Cent. Music* (in: Studies in Musicology, Gedenkschrift Gl. Haydon, Chapel Hill/N. C. 1969); *The Significance of Melody in Medieval and Renaissance Music* (in: Renaissance-muziek 1400–1600, Fs. R. B. Lenaerts, = Musicologica Lovaniensia I, Löwen 1969). – W. gab das weiteren u. a. E. H. Fellowes' *English Cathedral Music* (1941, ⁴1949) in revidierter (5.) Aufl. neu heraus (London 1968). In der von ihm als Chairman of the Editorial Board geleiteten +*New Oxford History of Music* (London 1954ff.) sind von 11 geplanten bislang 6 Bde erschienen (zuletzt Bd X, 1974: The Modern Age, *1890–1960*).
Lit.: (A. T. Luper), A Selected Bibliogr. of the Publ. Writings of J. A. W., Iowa City 1957. – P. Dennison in: MT CXVI, 1975, H. 6.

+**Wettling,** George (Rider), * 28. 11. 1905 [nicht: 1906] zu Topeka (Kan.), [erg.:] † 6. 6. 1968 zu New York.
R. W. spielte Mitte der 50er Jahre gelegentlich bei Eddie Condon, ferner 1964 bei dessen Carnegie Hall Concert und auf dem Newport Jazz Festival.
Lit.: L. Linderoth, G. W., Orkesterjournalen XXXVI, 1968.

+**Wetzel,** Justus Hermann, * 11. 3. 1879 zu Kyritz (Brandenburg), [erg.:] † 6. 12. 1973 zu Überlingen (Bodensee).
Lit.: M. Lothar in: NZfM CXXX, 1969, S. 137.

Wetzelsberger, Bertil, * 7. 5. 1892 zu Ried im Innkreis, † 28. 11. 1967 zu Stuttgart; österreichischer Dirigent, studierte an der Universität in Wien (Dr. phil.) sowie bei Schalk und Schönberg und begann seine Laufbahn 1921 als Assistent von R. Strauss an der Wiener Staatsoper. Er war Kapellmeister am Opernhaus in Düsseldorf, GMD in Nürnberg (1925–33) sowie Opernchef, Leiter der Museumskonzerte und des Dr. Hoch'schen Konservatoriums in Frankfurt a. M. (1933–36). 1938–43 wirkte er an der Bayerischen Staatsoper in München. 1946–50 war er Intendant der Württembergischen Staatstheater in Stuttgart. W., der sich besonders für die zeitgenössische Musik einsetzte, leitete u. a. die Uraufführungen von Orffs *Carmina burana*, *Der Mond* und *Die Bernauerin*, Egks *Zaubergeige* und *Joan von Zarissa* sowie Reutters *Don Juan und Faust*.

Weutz → Viozzi, Giulio.

Wewerka, Hans → Edition modern.

Weyrauch, Johannes, * 20. 2. 1897 zu Leipzig; deutscher Komponist und Organist, studierte ab 1919 in seiner Heimatstadt am Konservatorium (Högner, Karg-Elert) sowie an der Universität (H. Abert, H. Riemann, Schering) und war 1922–23 Lektor in Litolff's Verlag in Braunschweig. Er wirkte in Leipzig als Privatmusiklehrer (1924–36) und Kantor (1936–61). 1946 wurde er Dozent für Tonsatz an der Hochschule für Musik in

Leipzig (1953 Professor, seit 1962 Emeritus mit Lehrauftrag). Er schrieb ein Doppelkonzert für Fl., Ob. und Streichorch. (1964), Kammermusik (4 Streichquartette, 1958–67; Violinsonate, 1928; *Passionssonate* für Va und Org., 1932), Orgelwerke (*Sieben Partiten auf das Kirchenjahr*, 1937–40; *Missa per organum*, 1952; Sonate, 1954), eine Klaviersonate (1959) und Vokalwerke (*Auferstehungsmusik* für gem. Chor, 2 Fl., Streicher und Org., 1944; *Missa pauperum* für gem. Chor, Org., Gemeindegesang und Streicher ad libitum, 1952; *Johannespassion* für gem. Chor, Org. und Streicher ad libitum, 1958; *Vier Evangelienmotetten*, Nr 1, 1950, Nr 2, 1956, und Nr 4, 1964, a cappella, sowie Nr 3, 1961, mit 2 Solo-St. und Org.; *Befiehl du deine Wege* für Solo und gem. Chor, 1945; Liederzyklus auf Texte von Morgenstern, 1946, sowie Lieder nach Matthias Claudius, Theodor Storm und Gottfried Keller).
Lit.: G. KAPPNER, Zum Schaffen J. W.s, in: Der Kirchenmusiker IX, 1958; W. ORF, J. W., Biogr. u. Untersuchungen über d. Einflüsse traditioneller u. zeitgenössischer Musik auf seinen Personalstil, Diss. Lpz. 1969; DERS., Die Johannespassion v. J. W., Ihre Stellung u. Aufgabe in d. zeitgenössischen Musica sacra, Muk XLI, 1971; DERS. in: Muk XLII, 1972, S. 82ff.

+**Weyse,** Christopher Ernst Friedrich, 1774–1842.
Lit.: Breve (»Briefe«), hrsg. v. SV. LUNN u. E. REITZEL-NIELSEN, 2 Bde, = Det danske sprog- og litteraturselskap LXIV, Kopenhagen 1964. – R. PAULLI, Witwe Mozart og W., in: Fund og forskning III, 1956; N. M. JENSEN, Den danske romance 1800–50 og dens mus. forudsætninger, Kopenhagen 1964 (mit deutscher Zusammenfassung); K. A. BRUUN, Dansk musiks hist. fra Holbergtiden til C. Nielsen, ebd. 1969, Bd I.

Weyssenburger, Hans (Johannes), * um 1465 zu Nürnberg, † vermutlich 1536 zu Passau; deutscher Theologe und Buchdrucker, studierte ab 1480 an der Universität Ingolstadt und eröffnete um 1500 in Nürnberg als Vikar an der Marienkirche mit Nikolaus Fleischmann eine Druckerei, die er 1513 nach Landshut und 1534 nach Passau verlegte, wo er jeweils als Kaplan tätig war. Er druckte die Erstauflage von Chochlaeus' Musiktraktat in seiner 2. Fassung als *Tetrachordum musicae* (1511) und 3 Auflagen von S. de Quercus *Opusculum musices* (Nürnberg ²1513, Landshut ³1516, ⁴1518).
Lit.: K. STEIFF, Artikel J. W., ADB XLII, 1897; P. COHEN, Musikdruck u. Musikdrucker zu Nürnberg im 16. Jh., Nürnberg 1927; K. SCHOTTENLOHER, Die Landshuter Buchdrucker d. 16. Jh., = Veröff. d. Gutenberg-Ges. XXI, Mainz 1930; R. WAGNER, Nachträge zur Gesch. d. Nürnberger Musikdrucker im 16. Jh., Mitt. d. Ver. f. Gesch. d. Stadt Nürnberg XXX, 1931.

Whettam (wˈetəm), Graham Dudley, * 7. 9. 1927 zu Swindon (Wiltshire); englischer Komponist, lebt freischaffend in Coventry und ist seit 1971 Vorsitzender des Komponistenverbands von Großbritannien sowie seit 1972 stellvertretender Vorsitzender des British Copyright Council. Er komponierte u. a. Orchesterwerke (*Introduction and Scherzo Impetuoso »Benvenuto Cellini«*, 1960; 4. Symphonie, 1962; *Sinfonietta stravagante*, 1964; Sinfonia concertante, 1966; *The Masque of the Read Death*, 1968; Concertino für Ob. und Streicher, 1952; Klarinettenkonzert, 1959; Variationen für Ob., Fag. und Streicher, 1961), Kammermusik (Sextett für Fl., Ob., Klar., Fag., Horn und Kl., 1970; 2 Oboenquartette, 1960 und 1973; Streichquartett, 1967; *Prelude, Allegro and Postlude* für Fl., Ob. und Kl., 1969; Duo für Ob. und Vc., 1974; Sonate für V. solo Nr 2, 1972; Sonatine für Klar. und Kl., 1965), *Prelude and Scherzo Impetuoso* (1967) und *Night Music* (1969) für Kl. sowie eine Partita für Org. (1962).

+**Whistling,** Karl Friedrich, [erg.:] * 1788 zu Kelbra (Thüringen).
Wh., der ab 1811 in Leipzig als Musikalienhändler tätig war, machte sich 1821 durch den Kauf der Musikhandlung A. Meysel selbständig, bis er 1830 sein Geschäft an Fr. Hofmeister übergab. Über Hamburg (1832) kam Wh. 1835 nach Wien, wo er noch 1849 als Musikalienhändler gewirkt haben soll. – Zu +*Handbuch der musikalischen Literatur* ... (1817) und +*Musikalisch-literarischer Monatsbericht* (1829) →+Hofmeister.
Lit.: H. DEHNHARD in: MGG XIV, 1968, Sp. 548f.; R. ELVERS u. C. HOPKINSON, A Survey of the Music Cat. of Wh. and Hofmeister, FAM XIX, 1972.

+**White,** Alice Mary, 1839–84.
Ihr Mann Frederick Meadows Wh., 1829 [nicht: 1833] – 1898.

+**White,** Clarence Cameron, * 10. 8. 1880 zu Clarksville (Tenn.), [erg.:] † 30. 6. 1960 zu New York.

White (vit), José, * 17. 1. 1836 zu Matanzas (Kuba), † 15. 3. 1918 zu Paris; französischer Violinist und Pädagoge kubanischer Herkunft, studierte bei Alard am Pariser Conservatoire (1856 1. Preis für Violine). Als Konzertsolist bereiste er zahlreiche Länder, war bis 1889 Virtuose am Hofe Kaiser Pedros II. in Rio de Janeiro und gründete dort mit Napoleão die Sociedade de Conciertos Clásicos. In seinen letzten 30 Lebensjahren wirkte er in Paris, wo er eine Meisterklasse am Conservatoire leitete. Er komponierte u. a. ein Violinkonzert, ein Streichquartett, *Seis grandes estudios de violín*, Stücke für Gesang und Klavier sowie Kirchenmusik.

White (wait), Michael, * 6. 3. 1931 zu Chicago; amerikanischer Komponist, studierte 1953–58 an der Juilliard School of Music in New York (Mennin, Bergsma), an der er nach seinem Absolutorium Theorie lehrte. 1964–66 war er am Oberlin Conservatory of Music (O.) tätig. Seitdem wirkt er an der Philadelphia Musical Academy. Er schrieb u. a. die Opern *The Dybbuk* (Seattle/Wash. 1963), *Alice* (1964) und *Metamorphosis* (nach Kafka, 1968), das Ballett *Nommez-le* (Seattle, 1959), Orchesterwerke (Fantasie, 1957; Suite, 1959; Elegie, 1960; *Tensions*, 1968; *Requiem* für Streichorch., 1960), eine Klaviersonate (1956) und Vokalwerke (*The Diary of Anne Frank* für S. und Orch., 1960; Gloria für Chor und Orch., 1960; *Songs of Love* für hohe St. und Kl., 1964; *My Lady Jessica*, Lieder und Tänze der Renaissance für T. und Kammerorch., 1969; *The Trial and Death of Jesus Christ* für Chor, Blechbläser, Schlagzeug und Tonband, 1970; *A Child's Garden* für Mezzo-S., Va und Kl., 1970; a cappella-Chöre und Lieder).
Lit.: Werkverz. in: Composers of the Americas IX, Washington (D. C.) 1963; D. CHITTUM in: MQ LV, 1969, S. 91ff. (zu »Metamorphosis«).

+**White,** Paul T., * 22. 8. 1895 zu Bangor (Me.), [erg.:] † 31. 5. 1973 zu Henrietta (N. Y.).
Wh. lebte ab 1965 im Ruhestand.

+**White,** Robert, um 1535 [del.: um 1530] – [erg.: begraben 11.] 11. 1574.
Ausg.: R. Wh., +Vokalwerke (P. C. BUCK, E. H. FELLOWES, A. RAMSBOTHAM u. S. T. WARNER, = Tudor Church Music V, London 1926), Nachdr. NY 1963; The Mulliner Book (+D. STEVENS, 1951), revidiert London ²1954, Nachdr. 1966. – d. +In nomine auch in: In nomine. Altengl. Kammermusik f. 4 u. 5 St., hrsg. v. DEMS., = HM CXXIV, Kassel 1956, ²1967; d. Instrumentalmusik hrsg. v. I. SPECTOR, = Recent Researches in the Music of the Renaissance XI, Madison (Wis.) 1969.
Lit.: I. SPECTOR, R. Wh., Composer Between Two Eras, Diss. NY Univ. 1952; DERS., The Music of R. Wh., in:

The Consort XXIII, 1966; Fr. Hudson in: MGG XIV, 1968, Sp. 552ff.; J. Blezzard in: MT CXV, 1974, S. 977ff.; D. Mateer, Further Light on Preston and Whyte, ebd. S. 1074ff.

+**Whiteman,** Paul, * 28. 3. 1890 zu Denver (Colo.), [erg.:] † 29. 12. 1967 zu Doylestown (Pa.).
Lit.: S. Marx, P. Wh., Girard (Kan.) 1929; P. Wh., Jimmy Dorsey . . . and Duke Ellington Give Their Secrets of Dance Band Success, hrsg. v. D. K. Antrim, NY 1936.

+**Whittaker,** William Gillies, 1876–1944.
+*Collected Essays* (1940), Nachdr. Freeport (N. Y.) 1970.
Lit.: G. Holst. Letters to W. G. Wh., hrsg. v. M. Short, Glasgow 1974.

Whittenberg (w′itənbə:g), Charles, * 6. 7. 1927 zu St. Louis (Mo.); amerikanischer Komponist, studierte an der Eastman School of Music der University of Rochester/N. Y. bei B. Phillips und Bernard Rogers Komposition (B. Mus. 1948). Seit 1962 hält Wh. Gastvorlesungen an verschiedenen amerikanischen Universitäten; er gehört dem Columbia-Princeton Electronic Music Center an und ist Assistant Professor of Music an der University of Connecticut in Storrs. – Kompositionen (Auswahl): Bühnenwerk *The Run Off,* elektronische Collagen (Robert Shure); *Event* für Kammerorch. (1963); Kammerkonzert für V. und 7 Instr.; Sextett für Piccolo-Fl., Klar., Fag., V., Vc. und Kb.; *Triptych* für Blechbläserquintett (1967); Streichquartett in einem Satz; *Vocalise* für S., Va und Schlagzeug (1963); Dialog und Arie für Fl. und Kl. (1959); Sonate für Vc. und Kl. (1964); *Electronic Study II with Contrabass* (1962); ferner Chormusik a cappella und Werke für Soloinstrumente.
Lit.: Werkverz. in: Composers of the Americas XV, Washington (D. C.) 1969.

Whyte, Ian, * 13. 8. 1901 zu Dunfermline (Fife), † 27. 3. 1960 zu Glasgow; schottischer Komponist und Dirigent, studierte ab 1918 am Royal College of Music in London (Stanford, Vaughan Williams), war ab 1923 Musikdirektor bei Lord Glentanar in Aboyne (Aberdeenshire) und wurde 1930 Direktor der BBC in Glasgow (1946 Generaldirektor). Daneben wirkte er als Dirigent im In- und Ausland, u. a. auch bei den Festspielen in Edinburgh (1947–57). 1952 erhielt er den Titel Officer of the British Empire (O. B. E.), 1958 den Dr. h. c. der University of Edinburgh. Seine Kompositionen umfassen u. a. die Oper *Comala* (nach Ossian), die Operetten *The Forge* und *The Tale of the Shepherd,* das Ballett *Donald of the Burthens* (London 1951), Orchesterwerke (Symphonie Nr 1, 1947; Symphonische Dichtung *Edinburgh,* 1946; *Morrison's Fling,* 1952; *Scottish Dance Eightsome Reel,* 1957; *Crimond* für Streichorch., 1959; Klavierkonzert, 1946), Kammermusik (Klavierquintett; Streichquartett; Violinsonate), *Sonnet XXX of W. Shakespeare* für S., Chor und Streicher sowie Chöre und Lieder.

Whythorne (w′aiθə:n), Thomas, * 1528, † August 1595; englischer Komponist und Schriftsteller, Sohn eines Kaufmanns aus Somerset, studierte an der Oxford University und lehrte später Musik am Trinity College in Cambridge sowie in London. Um 1553 reiste er durch Europa, u. a. durch Flandern, Deutschland, Österreich und Italien. Neben *Songes, for three, fower and five voyces* (London 1571), die, der englischen Tradition des Consort-song angehörend, auch italienische Einflüsse aufweisen, schrieb Wh. als Übungsstücke *Duos or Songs for Two Voices* (London 1590) und eine Autobiographie, die wegen ihrer Darstellung von Zuständen des späten 16. Jh. von Interesse ist.
Ausg.: mehrere Lieder, hrsg. v. P. Warlock, in: Oxford Choral Songs from the Old Masters, Oxford 1927; 15

kanonische Duette (1590), f. Block-Fl. hrsg. v. W. Bergmann, London 1955. – The Autobiogr. of Th. Wh., hrsg. v. J. M. Osborn, Oxford 1961.
Lit.: P. Warlock, Th. Wh., an Unknown Elizabethan Composer, London 1925.

+**Wibergh,** Johan Olof, * 29. 12. 1890 und [erg.:] † 7. 4. 1962 zu Stockholm.

Wiblé (vibl′e), Michel, * 24. 2. 1923 zu Genf; Schweizer Komponist, studierte ab 1941 in seiner Heimatstadt am Konservatorium (Chaix) und bei Frank Martin sowie 1947–48 in Paris bei Messiaen. Seit 1949 ist er 1. Englisch Hornist des Orchestre de la Suisse Romande, dem er 1944–49 als Oboist angehörte. Er schrieb Orchesterwerke (Ouvertüre, 1946, und *Passacaille,* 1950, für Blasinstr., Kl. und Schlagzeug; *Ouverture de fête,* 1958; Concerto grosso für Kammerorch., 1959; Partita, 1960; Ballade für Englisch Horn und Kammerorch., 1955; *Cinque ricercari* für Streichorch. mit obligatem Horn, 1960; Konzert für Ob. und Orch., 1960), Kammermusik (Quartett für Ob., V., Va und Vc., 1954; *Intermède,* 1956, und *Rondo varié,* 1959, für Ob. und Kl.; Rhapsodie für Englisch Horn und Schlagzeug, 1962), Vokalwerke (Oratorium *Le septième jour* für S., A., Bar., Kinderchor, gem. Chor und Orch., 1961; *Mystère de Noël* für Sprecher, S., A., Chor und Orch., 1944; *Cantate de Pâques* für A., Chor, 4 Blasinstr. und Org., 1951; Kantate *Lauda Sion Salvatorem* für S., A., Chor, Orch. und Org., 1956; *Liturgie de Noël* für Sprecher, Bar., Kinderchor, Fag., Schlagzeug, Org. und Orch., 1957).

+**Wich,** Günther, * 23. 5. 1928 zu Bamberg. 1965 wurde W. GMD der Deutschen Oper am Rhein Düsseldorf–Duisburg. Daneben ist er als Gastdirigent (Oper und Konzert) im In- und Ausland (u. a. 1973 Verpflichtung für mehrere Konzerte des NHK-Orchesters in Tokio) hervorgetreten. Seit 1969 (Professor 1970) leitet er eine Dirigentenklasse an der Folkwang-Hochschule in Essen.

Wichęrek, Antoni, * 18. 2. 1929 zu Sohrau/Żory (Schlesien); polnischer Dirigent, studierte in Breslau/Wrocław 1949–52 Jura an der Universität sowie 1951–54 Dirigieren an der Hochschule für Musik (K. Wiłkomirski) und war 1954–57 Assistent der dortigen Oper. 1957–62 wirkte er als Kapellmeister am Opernhaus in Posen. 1962 wurde er Dirigent der Warschauer Nationaloper (1973 GMD).

+**Wicke,** Paul Richard, 1884–1961.
W. wirkte 1949–56 als Dozent (1953 Professor) für Musikerziehung und Musikpsychologie an der Musikhochschule in Leipzig.
Lit.: F. Lorenz in: Musik in d. Schule XII, 1961, S. 278ff.; M. Wehnert in: Musica XV, 1961, S. 145f.

+**Wicks,** Camilla, * 9. 8. 1928 zu Long Beach (Calif.).
C. W., die bis 1958 internationalen Konzertverpflichtungen nachkam und ab 1966 erneut Konzerttourneen unternahm, beendete 1968 ihre künstlerische Laufbahn. Sie lebt heute am Lake Chelan (Wash.).

Widhalm (Wiedhalm, Witthalm), weitverzweigte deutsche Lauten- und Geigenmacherfamilie. –1) Leopold, * wahrscheinlich 2. 10. 1722 zu Horn (Niederösterreich), † 11. 6. 1776 zu Nürnberg, kam um 1742 als Geselle seines späteren Schwiegervaters Sebastian Schelle nach Nürnberg und machte sich 1746 in Nürnberg-Gostenhof selbständig. Seine nach dem Modell Jakob Stainers geschaffenen, häufig mit einem Löwen- oder Frauenkopf (anstelle der Schnecke) geschmückten Violinen gehören in bezug auf Bauart und Klang nächst denen von Stainer, Mathias Alban und Mathias Klotz zu den hochwertigsten deutschen Geigeninstrumenten der Barockzeit. Er baute mit gleicher Meisterschaft auch Bratschen, Gamben, Violoncelli, Kontrabässe, Lauten, Theorben und Harfen. –2) M a r t i n L e o p o l d, getauft 3. 6. 1747 und † 12. 3. 1806 zu Nürnberg, Sohn und Schüler von Leopold W., fertigte hauptsächlich Geigen nach väterlichem Vorbild; er verwendete jedoch nach eigenen Verfahren zubereitete, meist granatrote Lacke. –3) G a l l u s I g n a t i u s, * 19. 3. 1752 und † 29. 9. 1822 zu Nürnberg, Sohn, Schüler und (gemeinsam mit Martin Leopold) Werkstattnachfolger von Leopold W., bildete sich in Italien weiter und wurde 1781 in Nürnberg-Gostenhof seßhaft. Seine Violinen gleichen anfangs denen des Vaters, dessen Geigenzettel und Brandmarke er gebrauchte; später baute er nach flacherem, an G. B. Guadagnini(II) angelehntem Modell. –4) V e i t A n t o n, * 16. 1. 1756 zu Nürnberg, † wahrscheinlich 1801 zu Stadtamhof (bei Regensburg), Sohn und Schüler von Leopold W., wurde um 1774 Gehilfe von Joseph Buchstetter in Stadtamhof, wo er sich später selbständig machte. Er wechselte öfter sein Modell, war aber besonders mit einem länglichen, nach Stradivari gearbeiteten Instrument erfolgreich. – 5) J o h a n n M a r t i n L e o p o l d, * 3. 3. 1799 zu Nürnberg, † nach 1825, Sohn und Schüler von Gallus Ignatius W., übernahm 1822 dessen Werkstatt.

Lit.: W. L. v. LÜTGENDORFF, Die Geigen- u. Lautenmacher v. MA bis zur Gegenwart, 2 Bde, Ffm. ⁵–⁶1922, Nachdr. Tutzing 1968; FR. HAMMA, Meister deutscher Geigenbaukunst, Stuttgart 1948, ²1961, engl. London 1961; K. JALOVEC, Enzyklopädie d. Geigenbaues, 2 Bde, Prag 1965, engl. London 1968; W. SENN in: MGG XIV, 1968, Sp. 575ff. FKR

+Widmann, E r a s m u s, 1572–1634.

Ausg.: Kanzonen, Intraden u. Gagliarden (1618), hrsg. v. H. MÖNKEMEYER, = Consortium o. Nr, Wilhelmshaven 1963; Intrada à 5 in: G. REICHERT, Der Tanz, = Das Musikwerk XXVII, Köln 1965, auch engl.

Lit.: E. HESS, Vokale Unterhaltungsmusik d. 17. Jh., = 132. Neujahrsblatt d. Allgemeinen Musikges. Zürich, Zürich 1943; D. HÄRTWIG in: MGG XIV, 1968, Sp. 577ff.

+Widmann, J o s e f V i k t o r, 1842–1911.

Ausg.: J. V. W., Feuilletons, Ausw. hrsg. v. J. FRÄNKL, Bern 1964. – Briefwechsel mit H. Feuerbach u. R. Huch, hrsg. v. CH. v. DACH, Zürich 1965 (vgl. dazu R. Sietz in: Mf XXI, 1968, S. 250f.).

Widmer, E r n s t, * 25. 4. 1927 zu Aarau (Schweiz); brasilianischer Komponist Schweizer Herkunft, studierte bis 1950 am Zürcher Konservatorium bei W. Frey (Klavier) und W. Burkhard (Komposition). 1956 übersiedelte er nach Bahia (Brasilien) und lehrte dort an den von Koellreutter geleiteten Musikseminaren der Universität. 1959–65 und 1967–69 hatte er die Leitung dieser Seminare inne. Seine Kompositionen umfassen u. a. Orchesterwerke (*Bahia-concerto* op. 17, 1958; *Hommages à Frank Martin, Béla Bartók et Igor Stravinsky* op. 18, 1959; *Diuturno* op. 61, 1969; *Quasars* op. 69, 1970; Violoncellokonzert Nr 1 op. 53, 1968, und Nr 2, 1971), Kammermusik (*Pulsars* für Kammerensemble op. 62, 1969; *Eclosão* für Fl., Klar., Trp., Pos., Tuba, elektrisches Kl., 2 Schlagzeuger, V., Va, Vc. und Kb., 1974; 2 Bläserquintette, Nr 1 op. 12, 1954, und Nr 2 op. 63, 1969; 3 Streichquartette, Nr 1, *Le zodiaque* op. 26, 1962, Nr 2 op. 49, 1967, und Nr 3, *Convergenzia* op. 78, 1974; *Partita I* für Ob. solo op. 19, 1959, und *II* für Fl. und Cemb. op. 23, 1961; Sonate für V. solo op. 8, 1953; Variationen für 2 Kl. op. 16, 1958; 162 Stücke *Ludus Brasiliensis* für Kl. op. 37, 1966, 5 H.) und Chorwerke (Requiem, Trilogie 1. Teil, op. 71, 1966, und Te Deum, Trilogie 3. Teil, op. 31,

1963, für Chor und Orch.; *Divertimento I, Struwwelpeter*, für gem. Chor, 2 Kl. und Schlagzeug op. 30, 1963; *Messe V* für gem. Chor, Instrumente und Org. op. 65, 1970, und *VI* für T., gem. Chor, Fl., Trp., Vc. und Org. op. 73, 1971; *Rumos* für Sprecher, gem. Chor, Orch. und Tonband op. 72, 1971; *Ceremony After a Fire Raid*, nach Dylan Thomas, op. 28, 1962, und *Trilemma* op. 80, 1974, für gem. Chor a cappella), *Der Verrat*, Kantate zur Passion Christi für B. oder A. und Org. (1971), Lieder mit Klavier-, Gitarre- und Orgelbegleitung sowie Werke für Blasorchester.

Widmer, K u r t, * 28. 12. 1940 zu Wil (St. Gallen); Schweizer Konzertsänger (Bariton), studierte am Konservatorium in Zürich sowie bei Franziska Martienssen-Lohmann, Paul Lohmann und Burga Schwarzbach. Seit 1967 konzertiert er in Westeuropa, den USA und in Israel (Festspiele in Montreux, English Bach Festival in London). Neben Oratorienpartien vom Barock bis zur zeitgenössischen Musik interpretiert er Lieder von Schubert, Schumann, H. Wolf und Schoeck. Seit 1968 lehrt W. an der Musik-Akademie der Stadt Basel.

Lit.: P. BENARY in: SMZ CXIV, 1974, S. 93ff.

+Widor, C h a r l e s - M a r i e Jean Albert, 1844–1937.

Lit.: E. MARHEFKA, W.s Orgelkompositionen, MuK XXIX, 1959, auch in: Musica sacra LXXIX, 1959; DERS. in: Ars org. XXXI, 1967, S. 1102ff.; M. DUPRÉ, Souvenirs sur Ch.-M. W., in: Acad. des beaux-arts 1959/60; J. BRUYR in: SMZ CIII, 1963, S. 141ff.; J. PICCAND in: SMZ CIV, 1964, S. 297ff.; R. WILSON, The Org. Symphonies of Ch. M. W., Diss. Florida State Univ. 1966.

+Wiechowicz, S t a n i s ł a w, * 27. 11. 1893 zu Kroczyce (bei Kielce), [erg.:] † 12. 5. 1963 zu Krakau.

W. war als Professor für Komposition an der Hochschule für Musik in Krakau (ab 1945) u. a. Lehrer von Penderecki. – *Symphonisches Scherzo Chmiel* für Orch. (1926). – Weitere Werke: dramatische Rhapsodie *List do Marc Chagalla* für Soli und Sprecher (»Brief an M. Chagall«, 1961) und Kantate *Gołębica* für S. (»Taube«, 1962) mit gem. Chor und Orch.; Passacaglia und Fuge für gem. Chor (1959). W. gab heraus *Antologia muzyki chóralnej renesansu na chor mieszany a cappella* (»Anthologie der Renaissancemusik für gem. Chor a cappella«, Krakau 1965).

Lit.: J. M. CHOMIŃSKI, Kujawak-ballada St. W.a, in: Studia muzykologiczne V, 1956; ST. KIESIELEWSKI in: Ruch muzyczny VII, 1963, Nr 12, S. 3f.

+Wieck, [erg.: Johann Gottlob] F r i e d r i c h, 1785–1873.

Ausg.: Piano-Studies, ausgew. u. hrsg. v. J. CHING, Evanston (Ill.) 1964.

Lit.: Briefe aus d. Jahren 1830–38, hrsg. v. K. WALCH-SCHUMANN, = Beitr. zur rheinischen Mg. LXXIV, Köln 1968. – J. MAHR, Fr. W., Ausbildungsmethoden eines »alten Musikmachers«, NZfM CXXVIII, 1967.

+Wiedeburg, Michael Johann Friedrich (Wideburg), 3. 10. 1720 zu Hamburg [del. frühere Angaben] – [erg.:] 14. 1. 1800.

Wiedenfeld, K a r l (Pseudonym Michael Cord), * 25. 11. 1908 zu Köln; deutscher Komponist und Arrangeur von Unterhaltungs- und Tanzmusik, studierte am Konservatorium Engelbert Haas in Köln, war 1930–40 Pianist in Unterhaltungsorchestern, 1945–48 Bearbeiter beim WDR und ist seitdem freischaffend in Köln tätig.

Wieder, H a n n e, * 8. 5. 1929 zu Hannover; deutsche Chansonsängerin und Kabarettistin, trat nach dem Studium an einer Schauspielschule an Theatern in Stuttgart und Tübingen, im »Kom(m)ödchen« und bei den »Amnestierten« in Düsseldorf, im »Rendezvous« in

Hamburg und am Theater »Die kleine Freiheit« in München (*Hoppla, auf's Sofa*, Revue von Friedrich Hollaender) auf. Sie machte sich einen Namen vor allem durch den Vortrag von Chansons auf Texte von Kurt Tucholsky, Klabund und Mleinek mit Musik von Breuer, Nick und Fr. Hollaender, von amerikanischen Titeln wie *That Old Feeling* in Übersetzung und von Liedern von Grasshoff und Musik von Olias. H. W. tritt auch in Filmen und Fernsehshows auf und ist als Gastdozentin für Chansongesang (1971 Berliner Musikhochschule) tätig.

Wieland, Christoph Martin, * 5. 9. 1733 zu Oberholzheim (bei Biberach an der Riß), † 20. 1. 1813 zu Weimar; deutscher Dichter und Schriftsteller, wurde 1769 als Professor der Philosophie nach Erfurt berufen, ließ sich 1772, einem Ruf als Prinzenerzieher folgend, in Weimar nieder, wo er, ab 1775 als Hofrat in Pension, eine reiche literarische Tätigkeit entfalten konnte. Nach dem Vorbild des *Mercure de France* gab er 1773 die literarische Zeitschrift *Der deutsche Merkur* (ab 1774 *Der teutsche Merkur,* 1790–1810 *Der neue teutsche Merkur*) heraus. Zu den wichtigen Werken der Weimarer Zeit gehören seine deutschen Singspiele, der Roman *Die Abderiten* (1774) und das Versepos *Oberon* (1780). Seine Bedeutung für die Musikgeschichte ist vor allem in seinen Bemühungen um das deutsche Singspiel begründet, mit denen er an der Leipziger Singspieltradition Weißes und J. A. Hillers anknüpfte. Er schrieb die Texte von *Aurora* (Musik Anton Schweitzer, Weimar 1772), *Alceste* (ders., ebd. 1773), *Die Wahl des Herkules* (ders., ebd. 1773), *Das Urtheil des Midas* (1775), *Pandora* (1779) und *Rosamund* (Schweitzer, Mannheim 1780) sowie die Abhandlungen *Briefe an einen Freund über das deutsche Singspiel Alceste* (1773), *Ueber einige ältere teutsche Singspiele, welche den Nahmen Alceste führen* (1773) und *Versuch über das Teutsche Singspiel und einige dahin einschlagende Gegenstände* (1775). Die von ihm herausgegebene Sammlung *Dschinnistan oder Auserlesene Feen- und Geistermährchen* (1786–89) beeinflußte das Alt-Wiener Volkstheater nachhaltig, auch Mozarts *Zauberflöte.* Zahlreiche Opern und Singspiele wurden durch W.s Werke angeregt: E. W. Wolf, *Alceste* (Weimar 1780); Friedrich Benda, *Alceste* (Bln 1785); Danzi, *Der Triumph der Treue* (nach *Oberon,* München 1786); Fr. L. A. Kunzen, *Holger Danske* (nach *Oberon,* Kopenhagen 1789); P. Wranizky, *Oberon, König der Elfen* (Wien 1789); Grosheim, *Titania oder Liebe durch Zauberey* (Kassel 1792); Hanke, *Hyon und Amande* (nach *Oberon,* Flensburg 1794); Süßmayr, *Idris und Zenide* (Wien 1795); Eberl, *Die Königin der schwarzen Inseln* (nach *Das Wintermärchen,* Wien 1801); J. v. Blumenthal, *Don Sylvio von Rosalva, der Feenritter* (ebd. 1810); Wenzel Müller, *Don Sylvio* (Prag 1811); Lindpaintner, *Pervonte oder die Wünsche* (Text Kotzebue, München 1816); Kuhlau, *Lulu* (nach *Dschinnistan,* Kopenhagen 1824); C. M. v. Weber, *Oberon* (London 1826); Freudenberg, *Der St. Katharinentag von St. Palermo* (nach *Clelia und Sinibald,* Augsburg 1883); R. Strauss, *Des Esels Schatten* (nach *Die Abderiten,* Ettal 1964). Nach dem Roman *Geheime Geschichte des Philosophen Peregrinus Proteus* (1788/89) entwarf Alfred Kerr ein Operettenszenario für R. Strauss. Gesänge nach Dichtungen W.s schrieben C. Ph. E. Bach, Knecht und Reichardt.

Ausg.: Chr. M. W.s sämtliche Werke, hrsg. v. J. G. GRUBER, 53 Bde, Lpz. 1818–28, NA, 36 Bde, 1853–58; Werke, hrsg. v. FR. MARTINI u. H. W. SEIFFERT, 5 Bde, München 1964–68. Lit.: (E. C. DRESSLER), Gedanken, d. Vorstellung d. Alceste, Ein deutsches ernsthaftes Singspiel, betreffend,

Ffm. u. Lpz. 1774; B. SEUFFERT, W.s höfische Dichtungen, in: Euphorion I, 1894; E. STILGEBAUER, W. als Dramatiker, Zs. f. vergleichende Litteraturgesch., N. F. X, 1896; FR. WALTER, Gesch. d. Theaters u. d. Musik am kurpfälzischen Hofe, = Forschungen zur Gesch. Mannheims u. d. Pfalz I, Lpz. 1898, S. 277ff.; F. MUNCKER, Dramatische Bearb. d. Pervonte v. W., Sitzungsber. d. philosophisch-philologischen u. d. hist. Klasse d. Kgl. Bayerischen Akad. d. Wiss. zu München 1904; G. BOBRIK, W.s Don Sylvio u. Oberon auf d. deutschen Singspielbühne, Königsberg 1909; E. MARX, W. u. d. Drama, Straßburg 1912; J. MAURER, A. Schweitzer als dramatischer Komponist, = BIMG II, 11, Lpz. 1912; A. GELOSI, W.s Verhältnis zu Metastasio, Arch. f. d. Studium d. neueren Sprachen u. Lit. LXXXI (Bd 151), 1927; A. FUCHS, W. et l'esthétique de l'opéra, Rev. de littérature comparée X, 1930; F. PETERS-MARQUARDT, W.'s u. Schweitzer's »Alceste« (1773, Weimar), ZfM CV, 1938; FR. SENGLE, W., Stuttgart 1949; E. KOMORZYNSKI, E. Schikaneder, Wien 1951; O. ROMMEL, Die Alt-Wiener Volkskomödie, ebd. 1952, S. 487ff.; A. A. ABERT, Der Geschmackswandel auf d. Opernbühne, am Alkestis-Stoff dargestellt, Mf VI, 1953; L. J. PARKER, Chr. M. W.s dramatische Tätigkeit, Bern 1961; E. VALENTIN, »... er kennt mich aber noch nicht so«. Mozart-Spuren bei W., Acta Mozartiana VIII, 1961; A. ANGERER, Literarisches Rokoko, = Slg Metzler XXV, Stuttgart 1962, ²1968; E. THURNHER, Raimund u. W., in: Sprachkunst als Weltgestaltung, Fs. H. Seidler, Salzburg 1966; C. SOMMER, Chr. M. W., = Slg Metzler XCV, Stuttgart 1971; H.-A. KOCH, Das deutsche Singspiel, ebd. CXXXIII, 1974. AKG

Wielhorski, Aleksander, * 26. 11. 1889 zu Złobycze (Wolhynien), † 25. 9. 1952 zu Białystok; polnischer Pianist und Komponist, studierte bis 1913 am Moskauer Konservatorium (S. Tanejew) und konzertierte danach in ganz Europa und den USA. Er gründete 1922 das erste Konservatorium in Toruń/Thorn und wirkte ab 1929 als Professor für Klavier am Warschauer Konservatorium. W. schrieb u. a. eine *Fantazja polska* (»Polnische Fantasie«) für Kl. und Orch. op. 10 (1922) sowie zahlreiche Klavierstücke und Lieder.

Wiemann, Ernst Friedrich Wilhelm, * 21. 12. 1919 zu Stapelburg (Harz); deutscher Sänger (Baß), studierte 1937–40 in Bremen, Hamburg und München und debütierte 1940 am Stadttheater in Stralsund. Nach Engagements in Gelsenkirchen (1950–55) und Nürnberg (1955–57) wurde er 1957 an die Hamburgische Staatsoper verpflichtet (1965 Kammersänger). Seit 1961 ist er wiederholt an der Metropolitan Opera in New York aufgetreten. W. hat sich auch als Konzertsänger einen Namen gemacht. Zu seinem Repertoire zählen neben einschlägigen Wagner- und Verdi-Partien Sarastro, Rocco, Abul Hassan (*Der Barbier von Bagdad* von Cornelius) und Ochs von Lerchenau.

+Wiemann, Robert [erg.:] Oskar Richard, * 4. 11. [nicht: 10.] 1870 zu Frankenhausen (Thüringen), [erg.:] † 24. 11. 1965 zu Bremerhaven.

Wiener, Gustav Adolf, * 4. 9. 1812 und † 13. 2. 1892 zu Regensburg; deutscher Theologe und Hymnologe, studierte ab 1829 in München, Erlangen (1839 Dr. phil., 1840 Lic. theol.) und Leipzig, wurde 1837 Vikar in Passau, 1839 Repetent und Privatdozent in Erlangen und wirkte als Pfarrer ab 1844 in Kurzenaltheim (Mittelfranken), ab 1851 in Fürth (Bayern) und ab 1860 in Regensburg (1885 Kirchenrat). Er trat entschieden für die ursprüngliche, »rhythmische« (d. h. nichtisometrische) Form der Gemeindeliedweisen ein und hatte wesentlichen Anteil an der Gesangbuchreform der lutherischen Kirche in Bayern. Von seinen Veröffentlichungen seien genannt: *Eine Abhandlung über den rhythmischen Choralgesang* (Nördlingen 1847); *Das Gesangbuch* (in: Kirchliche Zeitfragen II, 1849 – III, 1850); *Geistliches Gesangbuch mit D. M. Luthers und an-*

dern ... Liedern nebst den Singweisen (Nürnberg 1851); *Geistliches Gesangbüchlein* (ebd. 1852); *Über den Gebrauch des neuen Gesangbuchs in der Schule* (Evangelisch-lutherische Kirchen-Zeitung in Bayern III, 1855). Lit.: R. Dollinger, Das Evangelium in Regensburg, Regensburg 1959.

Wiener, Hugo, * 16. 2. 1904 zu Wien; österreichischer Komponist, Textdichter und Librettist, studierte am Neuen Wiener Konservatorium (C. Horn, Zádor), war Korrepetitor am Raimundtheater sowie Kapellmeister am Opernhaus in Bratislava und an den Wiener Operettenbühnen »Apollo« und »Ronacher«. Während seiner Tätigkeit als Klavierbegleiter an den Kleinkunst- bzw. Revuebühnen »Die Hölle« und »Femina« wurde seine Begabung als Textautor entdeckt (1928–38 über 60 Revuen). 1950–65 war er zusammen mit K. →Farkas Autor der »Simpl«-Produktionen; seit Farkas' Tod ist er deren alleiniger Autor. Ab 1928 trat er auch als Librettist von Operetten für Jara Beneš, Jessel und R. Stolz, später als Bearbeiter von Operetten für das Raimundtheater und in neuerer Zeit für die Bregenzer Festspiele und für das Fernsehen hervor: für den WDR Köln bearbeitete er u. a. *Der fidele Bauer* und *Die Kaiserin* von L. Fall sowie *Eine Nacht in Venedig* von Johann Strauß, für ORF und ZDF *Wiener Blut* von Johann Strauß, *Wenn die kleinen Veilchen blüh'n* von R. Stolz und *Der Graf von Luxemburg* von Lehár. W. komponierte zahlreiche Spielfilmmusiken sowie Musik für Fernsehen und Rundfunk. Von einigen hundert Chansons hat er die meisten für seine Frau Cissy Kraner (* zu Wien) geschrieben; zu den bekanntesten Chansons zählen *Der Nowak läßt mich nicht verkommen, Ich kann den Nowotny nicht leiden* und *Ich muß einmal aus dem Milieu heraus*. W. unternahm mit seiner Frau Tourneen nach Deutschland, in die Schweiz, nach Kolumbien, Venezuela und Mexiko; zu den Gastspielreise nach Israel wurde dem israelischen Rundfunk zum ersten Male die Erlaubnis gegeben, Chansons in deutscher Sprache zu senden. W. hat auch heitere Bücher (*Doppelconference*; *Krokodile fliegen nicht*) und Beiträge für Anthologien geschrieben. 1972 wurde ihm der Titel Professor verliehen.

Wiéner (wjen'ɛ:r), Jean, * 19. 3. 1896 zu Paris; französischer Pianist und Komponist österreichischer Herkunft, studierte bei Gédalge. Nach dem 1. Weltkrieg setzte er sich als einer der ersten in Frankreich für die Verbreitung des Jazz ein. 1920–24 veranstaltete er die »Concerts Jean Wiéner«, die die Uraufführung zahlreicher Werke von Milhaud, de Falla, Poulenc und Strawinsky sowie die Verbreitung der Kompositionen von Schönberg, Berg und Webern ermöglichten. 1925–39 bildete er mit Clément Doucet ein Klavierduo, das sowohl klassische Musik als auch Jazz interpretierte. – Kompositionen: Operette *Olive chez les nègres ou Le village blanc* (1926); *Concerto franco-américain* für Kl. und Streicher (1923); Konzert für Akkordeon (1957); Konzerte für 2 Git. (1966) und für Kl. (1970) mit Kammerorch.; Chansons und Lieder sowie über 200 Bühnen-, Rundfunk-, Film- und Fernsehmusiken.

+Wiener, Otto, * [erg.: 13. 2. 1913] zu Wien. W., Mitglied der Bayerischen Staatsoper bis 1970, gehört weiterhin dem Ensemble der Wiener Staatsoper an. Daneben sang er bei den Bayreuther Festspielen (erstmals 1957) sowie als Gast u. a. an der Mailänder Scala und der Metropolitan Opera in New York (erstmals 1963). W. ist Bayerischer (1962) und Österreichischer Kammersänger (1964).

+Wieniawski, –1) Henri (Henryk), 1835 – 19.(31.) 3. 1880 [del. früheres Sterbedatum]. – Konzerte mit sei-

nem Bruder Joseph gab er 1850–55 [nicht: 1851–53]. Stilistisch gehörte H. W., der viel zur Entwicklung der Bogentechnik beigetragen hat, zur französisch-belgischen Schule. Zu seinen Schülern zählte E. Ysaye. – Der 1935 von Adam W. in Warschau begründete Internationale H. W.-Violinwettbewerb findet seit 1952 alle 5 Jahre in Posen statt (seit 1962 unter Leitung der 1961 gegründeten W.-Gesellschaft). –2) Joseph (Józef), 1837–1912. –3) Adam Tadeusz, 1879 – 21. [nicht: 27.] 4. 1950. Ausg.: zu –1): Œuvres, unter d. Leitung v. A. Walaciński hrsg. v. I. Dubiska u. E. Umińska, Krakau 1962ff., bisher erschienen: Bd I–II (1962), V.-Konzert Nr 1 Fis moll op. 14 u. V.-Konzert Nr 2 D moll op. 22. – Etiudykaprysy op. 18, hrsg. v. I. Dubiska u. E. Umińska, ebd. 1967. Lit.: zu –1): +J. Wł. Reiss, W. (1931), Neuaufl. Krakau 1963, 21970. – G. Jantarski, Ch. Venjavskij, Sofia 1958; L. S. Ginsburg, G. W. w Rossii (»H. W. in Rußland«), in: Russko-polskije musykalnyje swjasi, hrsg. v. I. F. Belsa, Moskau 1963, Wiederabdruck in: Issledowanija, statji, otscherki, ebd. 1971; W. Grigorjew, G. Wenjawski, ebd. 1966; Wł. Dulęba, H. W., Kronika życia (»Chronik d. Lebens«), Krakau 1967 (mit Werkverz. u. Diskographie); L. Raaben, Schisn sametschatelnych skripatschej (»Das Leben berühmter Geiger«), Moskau 1967. – N. Karaskiewicz, Les concours internationaux H. W. 1935, 1952, 1957, 1962, Posen 1962; E. Grabowski, The International H. W. Competitions, ebd. 1971. – zu –2): H. Harley, Z korespondencji J. W.ego (»Aus J. W.s Korrespondenz«), in: Muzyka VIII, 1963.

Wienke, Gerhard, * 5. 2. 1928 zu Berlin; deutscher Rundfunkredakteur, studierte 1946–47 am Kirchenmusikalischen Institut in Heidelberg sowie ab 1947 bei W. Gurlitt und Zenck an der Universität in Freiburg i. Br., an der er 1953 mit der Arbeit *Voraussetzungen der »Musikalischen Logik« bei H. Riemann* promovierte. Seit 1954 ist er Redakteur und Programmgestalter beim Süddeutschen Rundfunk in Stuttgart (1961 Redaktionsleiter »musik aktuell«, seit 1972 auch Leiter der Abteilung Kammermusik).

+Wiese, Christian Ludwig Gustav, Freiherr von (im Taufeintrag St. Gumbertus, Ansbach: Wieße), [erg.: 27. 6.] 1732 – 1800.

Wiesenthal, Grete, * 9. 12. 1885 und † 22. 6. 1970 zu Wien; österreichische Tänzerin und Choreographin, studierte in ihrer Heimatstadt an der Ballettschule der Hofoper und war an dieser Bühne 1901–07 als Corpstänzerin tätig. Sie trat zunächst zusammen mit ihren Schwestern Elsa und Bertha W. auf, gab dann aber bald eigene Soloabende, in denen sie den Wiener Walzer in den Mittelpunkt ihrer Darbietungen stellte. Zu ihren bekanntesten Tänzen gehören *Frühlingsstimmenwalzer, An der schönen blauen Donau* sowie die 2. *Ungarische Rhapsodie* von Liszt. 1930 choreographierte sie Salmhofers Ballett *Der Taugenichts in Wien* für die Wiener Staatsoper und war 1930–59 ständige Mitarbeiterin der Salzburger Festspiele (1952–59 *Jedermann*-Choreographie). Sie schrieb die Autobiographie *Der Aufstieg* (Bln 1919). Lit.: R. Huber-W., Die Schwestern W., Wien 1934; F. Klingenbeck, Das Walzerbuch, ebd. 1952.

Wigbert von Solothurn → +Wipo.

Wigglesworth (w'iglzwɔ:θ), Frank, * 3. 3. 1918 zu Boston (Mass.); amerikanischer Komponist, studierte bis 1942 in New York am Bard College, an der Columbia University und am Converse College in Spartanburg (S. C.) sowie bei Cowell und Luening Komposition. 1947–51 lehrte er in New York an der Columbia University und am Barnard College. Daneben war er Chefredakteur der »New Music Edition«. Er schrieb

Wigman

Orchesterwerke (2 Symphonien, 1957 und 1958; *Music* für Streicher und Schlagzeug, 1941; Suite, 1942, *Music*, 1946, und *Screws*, 1947, für Streichorch.; *New England Concerto* für V. und Kammerorch., 1941; *Telesis* für Schlagzeug und Kammerorch., 1949); Kammermusik (Quintett für Blechblasinstr., 1957; *2 Movements* für Streichquartett, 1943; Trios für Fl., Ob. und Klar., 1942, für Fl., Banjo und Hf., 1942, sowie für Klar., Va und Vc., 1948; *Music* für 2 Fl. und Schlagzeug, 1949; *Serenata* für Fl., Va und Git., 1952; Duos für V. und Va, 1943) und Vokalwerke (*Jeremiah* für Bar., Chor und Orch., 1942; *Sleep Becalmed* für Chor und Orch., 1948; *Creation* für Chor und kleines Orch., 1940; *The Plunger* für S., V., Va, Vc. und Kl., 1941; *Trilogy* für S. und Streichtrio, 1943).

Wigman, Mary (eigentlich Marie Wiegmann), * 13. 11. 1886 zu Hannover, † 19. 9. 1973 zu Berlin; deutsche Tänzerin, Choreographin und Pädagogin, studierte bei Jaques Dalcroze und in Ascona bei R. v. Laban, dessen Assistentin sie wurde. Sie gab 1919 ihre ersten Soloabende in der Schweiz und in Deutschland und gründete 1920 in Dresden eine eigene Schule, die bald zum Zentrum des deutschen Ausdruckstanzes wurde und aus deren Absolventinnen sie ihre Tanzgruppe bildete. Mit ihr bereiste sie ganz Europa und Amerika, wo ihr Erfolg sie zur Gründung einer Filialschule veranlaßte, die zunächst von Hanya Holm geleitet wurde. Zu ihren Meisterschülern gehören u. a. Yvonne Georgi, Gret Palucca und Kreutzberg. Später verlegte sie ihre Schule nach Leipzig, wo sie auch nach 1945 neu begann, bevor sie 1949 nach West-Berlin ging. Sie hat nach dem Krieg verschiedentlich auch Opern und Oratorien inszeniert (Glucks »Orpheus und Eurydike«, Lpz. 1947; Händels *Saul*, Mannheim 1954; Orffs *Catulli Carmina* und *Carmina Burana*, ebd. 1955; Glucks »Alkestis«, ebd. 1958) sowie 1957 Strawinskys *Sacre du printemps* an der Städtischen Oper in Berlin choreographiert. M. W. schrieb *Die Sprache des Tanzes* (Stuttgart 1963, engl. Middletown/Conn. 1966).
Lit.: G. ZIVIER, Harmonie u. Ekstase, Bln 1956; H. KOEGLER, Tanz schafft Rhythmus. Zum Tode v. M. W., in: Musica XXVII, 1973; H. SCHMIDT-GARRE in: NZfM CXXXIV, 1973, S. 743f.

+Wihan, Hanuš, 5. 6. [nicht: 1.] 1855 – 1. [nicht: 3.] 5. 1920.
Lit.: L. S. GINSBURG, G. W. i tscheschskij kwartet (»H. W. u. d. Böhmische Quartett«), Moskau 1955; M. LÁNĚK, H. W., pedagog a zakladatel Českého kvarteta (»H. W., Pädagoge u. Gründer d. Böhmischen Quartetts«), Diplomarbeit Prag 1955, Abriß in: Miscellanea musicologica II, 1957, S. 73ff.

+Wihtol, Joseph (Jāzeps Vītols), 1863–1948.
Von W.s Schriften erschienen u. a. *Raksti* (»Werke«, hrsg. und kommentiert von V. Muschke, Riga 1964) und *Wospominanija, statji, pisma* (»Erinnerungen, Aufsätze, Briefe«, Leningrad 1969) sowie *J. Vītols memuari* (»Die Memoiren von J. W.«, in: Latviešu muzika II, hrsg. von S. Stumbre, Riga 1962).
Lit.: Komponists J. Vītols, hrsg. v. K. EGLE, Riga 1963 (Bibliogr.). – O. E. GRAVĪTIS, J. Vītols un latviešu tautas dziesma (»J. W. u. d. lettische Volkslied«), ebd. 1958, russ. Moskau 1966 (mit Werkverz.); L. S. GINSBURG, Musykalnaja literatura narodow SSSR (»Die Musiklit. d. Völker d. UdSSR«), Leningrad 1963.

+Wiklund, –1) Victor, 1874 – [erg.: 1. 10.] 1933 [erg.:] zu Stockholm. –2) Adolf, 1879 – 2. [nicht: 3.] 4. 1950.
Lit.: zu –2): G. BRODIN in: Konsertnytt V, 1969/70, H. 7, S. 13ff.

+Wikmanson, Johannes (Johan Wickmansson), 1753 – 10. [nicht: 16.] 1. 1800.

910

Ausg.: Streichquartette op. 1 Nr 1–3, hrsg. v. B. HAMMAR u. E. LOMNÄS, = Monumenta musicae Svecicae VI, Stockholm 1970.
Lit.: H. EPPSTEIN, Om W.s stråkkvartetter, STfM LII, 1971.

+Wilbye, John, 1574–1638.
Ausg.: Second Set of Madrigals, 1609 (+E. H. FELLOWES, = EMS VII, London 1913), revidiert hrsg. v. TH. DART, = The Engl. Madrigalists VII, ebd. 1966. – ein Satz in: Consort Songs, hrsg. v. PH. BRETT, = Mus. Brit. XXII, ebd. 1967; 2 Sätze in: The Tears or Lamentations of a Sorrowful Soul (1614), hrsg. v. C. HILL, = Early Engl. Church Music XI, ebd. 1970.
Lit.: +E. H. FELLOWES, The Engl. Madrigal Composers (1921, 21948), Nachdr. London 1958; [del.:] DERS., The Engl. Madrigalists, neu hrsg. v. Th. Dart, ebd. 1956. – DERS., Engl. Madrigal Verse, 1588–1632, ebd. 1920, 21929, 3. Aufl. revidiert hrsg. v. Fr. W. Sternfeld u. D. Greer, Oxford 1967; J. KERMAN, The Elizabethan Madrigal. A Comparative Study, = Studies and Documents IV, NY 1962; W. MELLERS, J. W. and the Serenity of Disillusion, in: Harmonious Meeting, London 1965; D. BROWN, W., = Oxford Studies of Composers XI, ebd. 1974; DERS. in: MT CXV, 1974, S. 214ff.

+Wilckens, Friedrich, * 13. 4. 1899 zu Liezen (Steiermark).
W. lebt seit 1960 zurückgezogen in Seefeld (Tirol). – Weitere Ballette: *Karussellfahrt* (Lpz. 1929); *Angle of Faith* (NY 1932); *Die neidischen Mädchen* (Bln 1940); *Ewiger Kreis* (Remscheid 1953); *Moira* (Athen 1956).

+Wildberger, Jacques, * 3. 1. 1922 zu Basel.
W. leitete die Kompositions- und Instrumentationsklassen an der Badischen Hochschule für Musik in Karlsruhe 1959–66. Seit 1966 ist er Theorielehrer an der Musik-Akademie der Stadt Basel. – Neuere Werke: »Action documentée« +*Epitaphe pour Evariste Galois* für S., Bar., Sprecher, Sprechchor, Lautsprecher und Orch. (1962, Basel 1964); *Mouvements* für Orch. (1964), Musik für 22 Solostreicher (1960), Oboenkonzert (1963) und *Contratempi* für Fl. und 4 Instrumentalgruppen (1971); 2 Quartette für Fl., Klar., V. und Vc. (1952) bzw. Fl., Ob., Hf. und Kl. (1967), *Double Refrain* für Fl., Englisch Horn, Git. und Tonband (1973); Stücke für Soloinstr., u. a. *Pour les neuf doigts* für Ob., *Retrospective 1* für Fl., *Studie* für Vc., *Vision fugitive* für Kl. (alle 1973); Kantaten *Nur solange Dasein ist* für S. und 4 Instr. (nach T. S. Eliot und M. Heidegger, 1956) und *In My End Is My Beginning* für S., T. und Kammerorch. (nach T. S. Eliot, 1964); Triptychen *La notte* für Tonband, Mezzo-S. und 5 Instr. (nach Texten von H. M. Enzensberger und Michelangelo Buonarotti, 1967) und *... die Stimme, die alte, schwächer werdende Stimme ...* für S., Vc., Tonband und Orch. (1974). – Aufsätze: R. Suter, Schweizer Komponist (SMZ CVII, 1967); *Verschiedene Schichten der musikalischen Wortdeutung in den Liedern Fr. Schuberts* (ebd. CIX, 1969); *Versuch über Beethovens späte Streichquartette* (SMZ CX, 1970, leicht verändert in: Beethoven '70, Ffm. 1970, ital. in: Lo spettatore musicale V, 1970, Nr 3, S. 3ff.); ferner ein Beitrag zu *Contratempi* (SMZ CXI, 1971, S. 139ff.).
Lit.: H. PAULI u. E. MOHR in: SMZ C, 1960, S. 5ff.; R. SUTER in: SMZ CVIII, 1968, S. 157ff.; H. PAULI, »Für wen komponieren Sie eigentlich?«, = Reihe Fischer XVI, Ffm. 1971.

+Wildbrunn, Helene [erg.:] Marie (eigentlich Schmaus geborene Wehrenfennig), * 8. 4. 1882 und [erg.:] † 10. 4. 1972 zu Wien.
Sie war ab 1918 Württembergische, ab 1929 Österreichische Kammersängerin.

Wilde (waild), Oscar Fingal O'Flahertie Wills, * 16. 10. 1854 zu Dublin, † 30. 11. 1900 zu Paris; anglo-

irischer Dichter und Dramatiker, studierte 1871–78 in Dublin und Oxford, reiste 1877 nach Griechenland und Rom und lebte ab 1879 als ästhetizistischer Dandy in London. Von dort aus unternahm er 1882 eine einjährige Vortragsreise durch Nordamerika, besuchte anschließend Paris und begann 1883 eine Vortragstournee durch die englischen Provinzen. Er schrieb Erzählungen und Märchen, errang 1892–95 Erfolge als Dramatiker, wurde 1895 wegen Homosexualität zu zwei Jahren Zuchthaus verurteilt, lebte nach seiner Entlassung in Berneval-sur-Mer (Seine-Inférieure) und zuletzt in Paris. – W. war ein Meister der Konversation und der Gesellschaftskomödie. Er vertrat einen formalen Ästhetizismus, der die Kunst über das Leben und die Natur stellt, bei dem Ästhetik höher steht als Ethik und dem Form alles ist. Anregungen für musikalische Kompositionen gaben vor allem seine 1891 in französischer Sprache geschriebene Tragödie *Salomé* (Paris 1896) und die Märchen. So entstanden die Opern *Salome* (Dresden 1905) von R. Strauss, *Eine florentinische Tragödie* (Stuttgart 1917) und *Der Zwerg* (Köln 1923) von A. v. Zemlinsky, *Il principe felice* (Funkoper 1950) von R. Bossi, *Das Gespenst von Canterville* (Fernsehoper, ZDF 1964) von Sutermeister und *Bunbury* (Basel 1966) von P. Burkhard, die Ballettkompositionen *La tragédie de Salomé* (Paris 1907) von Fl. Schmitt, *Der Zwerg und die Infantin* (Ffm. 1913) von Sekles, *The Birthday of the Infanta* (1919) von Carpenter, *La ballade de la geôle de Reading* (Paris 1922) von Ibert und *Die weiße Rose* (nach *The Birthday of the Infanta*, Bln 1951) von Fortner, die Tanzsuite *Der Geburtstag der Infantin* (Wien 1908) von Schreker sowie die Musik zu *Salome* (1909) von Glasunow. In Sullivans Operette *Patience* (London 1881) erscheint W. als Bühnenfigur.
Lit.: Bibliogr. of O. W., hrsg. v. St. Mason, London 1914, NA 1967. – R. Schaffner, Die Salome-Dichtungen v. Flaubert, Laforgue, W. u. Mallarmé, Würzburg 1966; P. Funke, O. W., = rowohlts monographien Bd 148, Reinbek bei Hbg 1969. → †Strauss, R.   AKG

Wilden, Gert → Wychodil, G.

†Wilderer, Johann Hugo von, 1670 oder 1671 – [erg.: begraben 7. 6.] 1724.
Lit.: †Fr. Walter, Gesch. d. Theaters u. d. Musik am kurpfälzischen Hofe (= Forschungen zur Gesch. Mannheims u. d. Pfalz I, 1898), Nachdr. Hildesheim 1968. – Kl. Weiler in: Mitt. d. Arbeitsgemeinschaft f. rheinische Mg. I, 1955–57, Nr 4, S. 51ff.; G. Steffen in: Rheinische Musiker II, hrsg. v. K. G. Fellerer, = Beitr. zur rheinischen Mg. LIII, Köln 1962, S. 108ff.; Ders., Ein Beitr. zur Stilkritik über J. H. v. W.s kirchenmus. Werke, Mitt. d. Arbeitsgemeinschaft f. rheinische Mg. III, 1962–66; Chr. Wolff, Zur mus. Vorgesch. d. Kyrie aus J. S. Bachs Messe in h-moll, Fs. Br. Stäblein, Kassel 1967.

†Wildgans, Friedrich, * 5. 6. 1913 zu Wien, [erg.:] † 7. 11. 1965 zu Mödling (bei Wien).
W. gab Beethovens Trio op. 87 für Oboen und Englisch Horn heraus (= Diletto mus. Nr 476, Wien 1970) und veröffentlichte ferner *A. Webern* (Tübingen 1967, zuvor engl. London 1966, NY 1967, Nachdr. 1969).
Lit.: Fr. W. in memoriam, ÖMZ XX, 1965, S. 662f.

Wilfflingseder, Ambrosius → †Wilphlingseder, A.

†Wilhelm von Hirsau (Guilelmus Hirsaugensis), [erg.:] kurz vor 1030 – 1091.
Der Traktat †*De musica et tonis* stammt nicht von W. v. H.; zuzuschreiben dagegen sind ihm die zwei kurzen Traktate über die Orgelpfeifenmensuren *Nova fistularum mensura* und *Alia regula Domni W.i de fistulis* in den Schriften von Aribo scholasticus (GS II, 222–24;

dass. auch in: CSM II, Rom 1951, S. 40ff.) bzw. von Eberhard von Freising (GS II, 280–82).
Lit.: K. G. Fellerer, Untersuchungen zur »Musica« d. W. v. H., in: Miscelánea …, Fs. H. Anglés I, Barcelona 1958–61; H. Hüschen in: MGG XIV, 1968, Sp. 653ff.

†Wilhelm, Carl [erg.:] Friedrich, 1815–73.
Lit.: R. Sietz in: Rheinische Musiker I, hrsg. v. K. G. Fellerer, = Beitr. zur rheinischen Mg. XLIII, Köln 1960, S. 264ff.

Wilhelm, Rolf Alexander, * 23. 6. 1927 zu München; deutscher Komponist, studierte 1941–44 an der Wiener Musikakademie (Komposition bei J. Marx) und 1946–48 an der Münchner Musikhochschule (Komposition bei J. Haas, Dirigieren bei Rosbaud). Er schrieb außer zahlreichen Bühnen- und etwa 300 Hörspielmusiken die Musik zu über 50 Filmen, darunter die *08/15*-Trilogie (1954–56), *Und ewig singen die Wälder* (1959), *Via Mala* (1961), *Grieche sucht Griechin* (1966), *Wälsungenblut* (1966) und *Die Nibelungen* (1967) sowie Musik zu einer Reihe von Fernsehspielen (*Radetzky-Marsch*, 1965; *Julius Caesar*, 1969). Er veröffentlichte *Die Donau. Fragment einer sinfonischen Dichtung* (R. Strauss-Jb. I, 1954).

†Wilhelmj [–1) August], –2) Maria, 1851 [nicht: 1856] – 27. 2. 1930 zu Wiesbaden(-Biebrich) [erg. frühere Angabe].

†Wilke, Christian Friedrich Gottlob (Wilcke), 1769 – 1. 8. [nicht: 31. 7.] 1848.

†Wilkes, Josué Teófilo, * 8. 1. 1883 und [erg.:] † 10. 1. 1968 zu Buenos Aires.
An der Universidad de Litoral in Santa Fé trat er 1956 in den Ruhestand. Als neuerer größerer Aufsatz sei genannt *Contrarréplica a una crítica par demás tardía* (Rev. musical chilena XIX, 1965).

Wilkinson (w'ilkinsən), Marc, * 27. 7. 1929 zu Neuilly-sur-Seine; australischer Komponist und Dirigent, studierte an der Columbia University in New York (M. A.) und an der Princeton University/N. J. (M. F. A.) sowie am Pariser Conservatoire bei Messiaen und privat bei Varèse in New York. Seit 1964 ist er Director of Music am Theatre of Great Britain in London. Neben Bühnen-, Film- und Fernsehmusik komponierte er u. a.: *Aliquant* für Orch.; *Variants of Glass* für 5 Instr.; *Three Pieces* für Vc. und Kl.; *Adagio with Variations* für Klar. solo; Kammerkantate *Voices* für A. und 4 Instr. nach *Waiting for Godot* von Beckett; *Chants dediés* für S., 2 Klar. und Hf.; *Two Songs from Shakespeare.* – W. veröffentlichte u. a.: *An Introduction to the Music of E. Varèse* (in: The Score 1957, Nr 19, mit Analyse von »Density 21.5«; deutsch als *E. Varèse, Pionier und Prophet*, in: Melos XXVIII, 1961); *P. Boulez' »structure Ias. Bemerkungen zur Zwölfton-Technik* (Gravesaner Blätter IV, 1958, auch engl.).

Wiłkomirska (viųkəm'irska), Maria * 3. 4. 1904 zu Moskau; polnische Pianistin, Tochter von A. Wiłkomirski, studierte 1913–17 in Moskau bei Nadeschda Brjussowa und Boleslaw Jaworski sowie 1920 in Warschau bei J. Turczyński. Sie konzertiert als Solistin und mit dem Wiłkomirski-Trio in ganz Europa, in China und Japan. M. W. war Klavierpädagogin in Kalisch (ab 1922) und Danzig (1934–39). 1945 wurde sie Professor für Klavier an der Hochschule für Musik in Łódź, 1951 an der Warschauer Musikhochschule.

Wiłkomirska (viųkəm'irska), Wanda, * 11. 1. 1929 zu Warschau; polnische Violinistin, Tochter von A. Wiłkomirski, studierte bei Irena Dubiska an der Musikhochschule in Łódź (Diplom 1947), bei Zathureczky in Budapest (1947–50) sowie bei Szeryng in Paris (1960). Sie konzertiert als Solistin sowie zusammen mit ihren Geschwistern Maria und Kazimierz als Mitglied des Wiłkomirski-Trios in ganz Europa und Amerika. W. W., 2. Preisträgerin des Concours international d'exécution musicale in Genf (1946) und des internationalen Musikwettbewerbes in Budapest (1948), brachte das Capriccio von Penderecki zur Uraufführung.

Lit.: L. KYDRYŃSKI, W. W., Krakau 1960.

Wiłkomirski (viŋkəm'irski), Alfred, * 3. 1. 1873 zu Asow am Don, † 31. 7. 1950 zu Łódź; polnischer Violinist und Musikpädagoge, studierte ab 1918 am Moskauer Konservatorium (J. Hřimaly) und lehrte an Musikschulen in Kalisch (1920–26) und Łódź (1929–39). 1945–50 wirkte er als Professor für Violine an der Musikhochschule in Łódź.

Wiłkomirski (viŋkəm'irski) Józef, * 15. 5. 1926 zu Kalisch; polnischer Dirigent, Komponist und Violoncellist, Sohn von Alfred W., war ab 1946 Violoncellist im philharmonischen Orchester von Łódź sowie im Orchester der Warschauer Oper und studierte 1946–50 Dirigieren an den Musikhochschulen in Łódź (K. Wiłkomirski, Górzyński) und Warschau (Faustin Kulczycki). Er war Dirigent der Krakauer Philharmonie (1950–51), der Posener Philharmonie (1954–57) und der Philharmonie von Stettin/Szczecin (1957–71). Seitdem wirkt er als Gastdirigent in Ost- und Westeuropa und ist als freischaffender Komponist tätig. Er schrieb *Pieśń żony wojownika* (»Das Lied der Frau eines Kriegers«) für rezitierende St. und Orch. (1968), ein Konzert für Hf. und Orch. (1969), 2 Sinfonietten (1969 und 1970), *Stela 70* für Orch. (1970), die Ballettpantomime *Baśń o księciu jasnym* (»Märchen vom lichten Prinzen«, Danzig 1973) und *Poemat żałobny* für Orch. (»Trauerdichtung«, 1973).

+Wiłkomirski, Kazimierz, * 1. 9. 1900 zu Moskau. W., Sohn von Alfred W., war GMD und Intendant der Breslauer Oper bis 1962. Konzerte als Violoncellist, Dirigent und mit dem von ihm und seinen beiden Schwestern Maria und Wanda gebildeten Klaviertrio führten ihn ins europäische und außereuropäische Ausland. 1958–65 war er Professor an der Hochschule für Musik in Breslau/Wrocław, seit 1963 unterrichtet er (als Professor) an der Warschauer Musikhochschule. Von ihm erschienen (alles Krakau) 12 Etüden (1950, ⁴1969) und Übungen für die linke Hand (1955) für Vc., eine Urtextausgabe der 6 Cellosuiten von J. S. Bach (1965, ²1967, NA 1972), ferner *Technika wiolonczelowa a zagadnienia wykonawstwa* (»Die Technik des Violoncellos und die Probleme der Interpretation«, 1965) und die autobiographische Schrift *Wospomnenia* (»Erinnerungen«, =Źródła pamiętnikarsko-literackie do dziejów muzyki polskiej XII, 1971).

Lit.: J. MŁODZIEJOWSKI, »Kantata Wrocławska« K. W.ego (»Die ‚Breslauer Kantate' v. K. W.«), in: Muzyka V, 1954.

+Willaert, Adrian, 1480/90–1562.
Die Edition der *+Musica nova* erschien 1559 [nicht: 1599].
Ausg.: +Sämtliche Werke I (H. ZENCK, 1937 [nicht: 1927]); +Opera omnia, begonnen v. DEMS., fortgeführt v. W. GERSTENBERG, = CMM III, (Rom) 1950ff., bisher erschienen: Bd I–IV (1950–52), Motetten zu 4–6 St.; V (1957), Motetten aus »Musica nova« (1559); VII (1959), Hymnorum musica (1542); XIII (1966), Madrigale aus »Musica nova«. – [weitere] Motetten in: P. Attaingnant, Treize livres de motets ..., Bd IV, VII–VIII u. XI–XII, hrsg. v. A. SMIJERS bzw. (ab Bd VIII) T. A. MERRITT, Monaco 1960–63; 2 Chansons in: Theatrical Chansons of

the 15ᵗʰ and Early 16ᵗʰ Cent., hrsg. v. H. M. BROWN, Cambridge (Mass.) 1963; 3 Ricercar-Sätze in: Musica nova ... (Venedig 1540), hrsg. v. H. C. SLIM, = Monuments of Renaissance Music I, Chicago 1964; 7 Motetten in: The Medici Cod. of 1518, hrsg. v. E. E. LOWINSKY, 3 Bde, ebd. III–V, 1968; Memento Domine David, hrsg. v. J. LONG, = Penn State Music Series XX, Univ. Park (Pa.) 1969; 5 Madrigale venezianischer Komponisten um A. W., hrsg. v. H. MEIER, = Chw. CV, Wolfenbüttel 1969.

Lit.: +C. v. WINTERFELD, J. Gabrieli u. sein Zeitalter (1834), Nachdr. Hildesheim 1965; +E. VAN DER STRAETEN, La musique aux Pays-Bas ... (I u. VI, 1867–82), Nachdr. Hilversum 1965, sowie (mit neuer Einführung v. E. E. Lowinsky), = Mus. Library Ass. Reprint Series o. Nr, NY 1969; +A. W. AMBROS, Gesch. d. Musik (III, ²1893), Nachdr. Hildesheim 1968; +TH. KROYER, Die Anfänge d. Chromatik im ital. Madrigal d. 16. Jh. (1902), Nachdr. Farnborough 1968; +E. HERTZMANN, A. W. in d. weltlichen Vokalmusik seiner Zeit (1931), Nachdr. Niederwalluf (bei Wiesbaden) 1973; +E. E. LOWINSKY, Secret Chromatic Art in the Netherlands Motet (1946), Nachdr. = Columbia Univ. Studies in Musicology VI, NY 1967; +A. EINSTEIN, The Ital. Madrigal (1949), Nachdr. Princeton (N. J.) 1970.
G. PISTARINO, Ritratto di A. W., RMI LVI, 1954; H. BECK, A. W.s Motette »Mittit ad virginem« u. seine gleichnamige Parodiemesse, AfMw XVIII, 1961; DERS., A. W.s 5st. Missa sine nomine aus 's-Hertogenbosch Ms. 72 A, KmJb XLVII, 1963; DERS., Grundlagen d. venezianischen Stils bei A. W. u. C. de Rore, in: Renaissance-muziek 1400–1600, Fs. R. B. Lenaerts, = Musicologica Lovaniensia I, Löwen 1969; E. E. LOWINSKY, A Treatise on Text Underlay by a German Disciple of Fr. de Salinas, Fs. H. Besseler, Lpz. 1961; DERS., Problems in A. W.'s Iconography, in: Aspects of Medieval and Renaissance Music, Fs. G. Reese, NY 1966; DERS., Echoes of A. W.'s Chromatik»duo« in 16ᵗʰ- and 17ᵗʰ-Cent. Compositions, in: Studies in Music Hist., Fs. O. Strunk, Princeton (N. J.) 1968; O. MISCHIATI, Tornano alla luce i ricercari della »Musica nova« del 1540, in: L'org. II, 1961; Chanson and Madrigal, 1480–1530. Studies in Comparison and Contrast, hrsg. v. J. HAAR, = Isham Library Papers II, Cambridge (Mass.) 1964; DERS., A Diatonic Duo by W., TVer XXI, 2, 1969; W. ELDERS, Studien zur Symbolik in d. Musik d. alten Niederländer, = Utrechtse bijdragen tot de mw. IV, Bilthoven 1968; L. LOCKWOOD, A Sample Problem of »musica ficta«. A. W.'s »Pater noster«, in: Studies in Music Hist., Fs. O. Strunk, Princeton (N. J.) 1968; W. GERSTENBERG, Um d. Begriff einer Venezianischen Schule, in: Renaissance-muziek 1400–1600, Fs. R. B. Lenaerts, = Musicologica Lovaniensia I, Löwen 1969; W. OSTHOFF, Theatergesang u. darstellende Musik in d. ital. Renaissance, 2 Bde, = Münchner Veröff. zur Mg. XIV, Tutzing 1969; A. DUNNING, Die Staatsmotette 1480–1555, Utrecht 1970; J. A. LONG, The Motets, Psalms and Hymns of A. W., A Liturgico-mus. Study, Diss. Columbia Univ. (N. Y.) 1971; L. M. RUFF in: The Consort XXVII, 1971, S. 2ff.; L. F. BERNSTEIN, »La Courone et fleur des chansons a troys«. A Mirror of the French Chanson in Italy in the Years Between O. Petrucci and A. Gardano, JAMS XXVI, 1973; H. MEIER, Zur Chronologie d. »Musica nova« A. W.s: Analecta musicologica XII, 1973; A. NEWCOMB, Ed. of W.'s »Musica Nova«. New Evidence, New Speculations, JAMS XXVI, 1973.

+Willan, Healy, * 12. 10. 1880 zu Balham (bei London), [erg.:] † 16. 2. 1968 zu Toronto.
Organist und Musikdirektor an St. Mary Magdalene (Toronto) war W. bis zu seinem Tode und Universitätsorganist bis 1964. Er gründete die Gregorian Association of Toronto und war Präsident des Canadian College of Organists. – +Funkoper *Deirdre* (1946), szenisch Toronto 1965.

Lit.: Werkverz. in: Bol. interamericano de música 1960, Nr 18, S. 13ff.; G. BRYANT, H. W. Cat., Ottawa 1972. – L. G. MCCREADY, Famous Musicians. McMillan, Johnson, Pelletier, W., = Canadian Portraits o. Nr, Toronto 1957; G. RIDOUT, H. W., The Canadian Music Journal

1959; W. E. MARWICK, The Sacred Choral Music of H. W., Diss. Michigan State Univ. 1970.

+Williams, Alberto, 1862–1952.
Lit.: Werkverz. in: Compositores de América II, Washington (D. C.) 1956, Nachdr. 1962.

+Williams, Charles Francis Abdy, 1855–1923.
+The Story of Notation (1903), Nachdr. Detroit (Mich.) 1968 und NY 1969; *+The Story of Organ Music* (1905), Nachdr. Detroit 1968.

+Williams, Cootie (Charles Melvin), * 24. 7. 1908 zu Mobile (Ala.).
W. spielte 1962–66 erneut im Orchester Duke Ellington.
– Aufnahme: *Olympia Concert* (1959; Decca 153931).

+Williams, Grace, * 19. 2. 1906 zu Barry (Glamorganshire).
Weitere Werke: Oper *The Parlour* (nach G. de Maupassants *En famille*, 1961, Cardiff 1966); 2 Symphonien (1943, 1956), *Fantasia on Welsh Nursery Tunes* (1940), *Penillion* (1955), *Processional* (1963), *Ballads* (1969) und *Castel Caernarfon* (zur Investitur des Prince of Wales, 1969) für Orch.; *Sea Sketches* für Streichorch. (1944); Konzert für Trp. (1963) und *Carillons* für Ob. (1965) mit Orch.; *Benedicite* für Jugendchor und Orch. (1964); Gesangszyklus *The Billows of the Sea* (1969).
Lit.: A. F. L. THOMAS in: MT XCVII, 1956, S. 240ff.

Williamson (wʼiliəmsən), Malcolm Benjamin Graham Christopher, * 21. 11. 1931 zu Sydney; australischer Komponist, lebt in England. Er begann seine Studien mit 11 Jahren am N. S. W. State Conservatorium of Music in Sydney (E. Goossens) und setzte sie ab 1953 in London bei Elizabeth Lutyens und Erwin Stein fort. W. tritt auch als Pianist und Organist auf. Sein Schaffen umfaßt u. a. die Opern *Our Man in Havana* (nach Graham Greene, London 1963), *The English Eccentrics* (1964), *The Violins of St-Jacques* (London 1966), *The Moonrakers* (1967), *St-Dunstan and the Devil* (1967), *The Growing Castle* (nach Strindbergs »Traumspiel«, Dynevor Festival/Wales 1968) und *Lucky Peter's Journey* (nach Strindberg, London 1969), die beiden Kinderopern *The Happy Prince* (nach Wilde, Farnham Festival 1965) und *Julius Caesar Jones* (London 1965), die Ballette *The Display* (Tanzsymphonie in 4 Sätzen, Adelaide Festival of Arts 1964) und *Sun Into Darkness* (London 1966), Orchesterwerke (symphonische Variationen, 1965; Symphonie Nr 2, 1969; Orgelkonzert, 1961; Klavierkonzert Nr 3 Es dur, 1964; Violinkonzert, 1965; *Sinfonietta*, 1967) sowie Kammermusik (Klavierquintett, 1968), Orgelwerke (Symphonie, 1960; *Vision of Christ-Phoenix*, 1961; *2 Organ Epitaphs for Edith Sitwell*, 1966), Klavierstücke (*Concerto* für 2 Kl., 1967), zahlreiche Vokalwerke (dramatische Kantate *The Brilliant and the Dark* für Soli, Frauenchor und Orch., 1966; Lieder) und Filmmusik.
Lit.: E. GREENFIELD in: Tempo 1964, Nr 70, S. 22ff. (zu »The English Eccentrics«); ST. WALSH in: Opera XVII, (London) 1966, S. 851ff. (zu »The V. of St-Jacques«); DERS. in: MT CXII, 1971, S. 1108f. (zur Symphonie f. Org.); A. D. McCREDIE, Cat. of 46 Australian Composers and Selected Works, Canberra 1969, S. 20; DERS., Mus. Composition in Australia, ebd. 1969, S. 14; E. TRACEY in: Opera XX, 1969, S. 1016ff. (zu »Lucky Peter's Journey«); A. PAYNE in: Tempo 1969/70, Nr 91, S. 22ff. (zur 2. Symphonie).

+Willmann, –1) Johann Ignaz, [erg.:] 2. 11. 1739 zu Wolfach (Schwarzwald) [del.: Wien(?)] – 28. 5. [nicht: 3.] 1815.
–2) Max (Maximilian) [erg.:] Friedrich Ludwig, [erg.:] 21. 9. 1767 zu Bonn [nicht: 1768 zu Forchtenberg] – 1813. Madame Tribolet (eigentlich Anna Maria Antonetta de Tribolet, genannt Marianne) war als 2. Frau seines Vaters Ignaz seine Stiefmutter [del. frühere Angabe dazu].
–3) [erg.:] Maximiliana Valentina Walpurga [nicht: Marianne] W.-Huber, [erg.:] 18. 5. 1769 [nicht: 1770] zu Bonn – 27. 6. 1835 zu Mainz. –4) [erg.: Johanna] Magdalena W.-Galvani, 13. 9. 1771 zu Bonn – 23. 12. 1801 [del. bzw. erg. frühere Angaben]. –5) Karl [erg.:] Johann, [erg.:] 10. 10. 1773 zu Bonn – 9. 5. 1811 zu Wien [del. frühere Angaben].
Lit.: +C. F. POHL, J. Haydn (1878–82 bzw. 1927), Nachdr. Wiesbaden 1970–71. – K. M. PISAROWITZ in: MGG XIV, 1968, Sp. 692ff.

Willner, Alfred Maria, * 11. 7. 1859 und † 27. 10. 1929 zu Wien; österreichischer Librettist, studierte Rechtswissenschaft in Wien (Dr. jur.) und war zunächst als Feuilletonjournalist (»Wiener Salonblatt«) tätig. Er trat an der Wiener Hofoper als Ballettkomponist (*Der Vater der Debutantin*, 1884; *Die Ballettprobe*, 1886) und -librettist (*Ein Mädchen aus der Champagne*, Musik Brüll, 1886), *Rund um Wien* (J. Bayer nach Johann Strauß, 1894) und *Amor auf Reisen* (Berté, 1895) sowie mit Libretti zu K. Goldmarks *Das Heimchen am Herd* (Wien 1896), *Berlichingen Götz* (Budapest 1902) und *Ein Wintermärchen* (Wien 1908) hervor. Nach den durchschlagenden Erfolgen seiner Textbücher zu L. Falls *Die Dollarprinzessin* (mit Grünbaum, 1907) und Lehárs *Der Graf von Luxemburg* (mit R. Bodanzky, 1909) widmete sich W. ganz der Wiener Operette. Für Lehár schrieb er mit Bodanzky die Libretti *Zigeunerliebe* (1910), *Eva* (1911), *Endlich allein* (1914) und mit H. Reichert *Wo die Lerche singt* (1918) und *Frasquita* (1922), für L. Fall mit Bodanzky *Die schöne Risette* (1910), mit Leo Stein *Das Puppenmädel* (1910) und mit Reichert *Rosen aus Florida* (1919), ferner mit Rudolf Oesterreicher für E. Kálmán *Die Faschingsfee* (1917). Außergewöhnlichen Erfolg errang seinerzeit das zusammen mit Reichert geschriebene Singspiel *Das Dreimäderlhaus* (1916, Musik nach Schubert von Berté).

+Willner, Arthur, * 5. 3. 1881 zu Turn (bei Teplitz, Nordböhmen), [erg.:] † 6. 4. 1959 zu London.

Willson (wʼilsən), Meredith, * 18. 5. 1902 zu Mason City (Ia.); amerikanischer Komponist, Schriftsteller, Textdichter und Dirigent, studierte in New York bei Barrère, H. K. Hadley, M. Wilson und B. Wagenaar, wurde 1921 Flötist in der John Philip Sousa Band, war 1923–28 Mitglied der New York Philharmonic und ging 1929 zur Radiostation KFRC in San Francisco als Musikdirektor, danach zur National Broadcasting Company. Er komponierte Orchesterwerke (2 Symphonien, 1937 und 1940), Unterhaltungsmusik und Songs (Hits *You and I* und *I See the Moon*). 1957 debütierte er mit großem Erfolg am Broadway in New York mit dem Musical *The Music Man* (nach einer eigenen Novelle, auch Buch und Songtexte von ihm selbst), 1960 startete sein zweiter Erfolg, das Musical *The Unsinkable Molly Brown*, und 1963 die Show *Here's Love*. Er veröffentlichte *And There I Stood with My Piccolo* (NY 1948), *Eggs I Have Laid* (NY 1955) und *Doesn't Know the Territory* (NY 1959).

+Wilms, Johann Wilhelm (Jan Willem), 1772–1847.
Lit.: TH. ZART in: Beitr. zur Gesch. d. Musik am Niederrhein, hrsg. v. K. G. Fellerer, = Beitr. zur rheinischen Mg. XIV, Köln 1956, S. 58ff.; DERS. in: Rheinische Musiker IV, hrsg. v. K. G. Fellerer, ebd. Bd. LXIV, 1966, S. 194ff.; E. A. KLUSEN, J. W. W., Diss. ebd. 1971.

+Wilphlingseder, Ambrosius (Wilfflingseder, Wilflingsöder), 1. Hälfte 16. Jh. – 1563.

Die +*Erotemata musices practicae* (1563 [del.: 1583]) sind eine wesentlich erweiterte Fassung, nicht eine lateinische Übersetzung der +*Musica Teutsch*, ... (1561).
Lit.: KL. W. NIEMÖLLER, Untersuchungen zu Musikpflege u. Musikunterricht an d. deutschen Lateinschulen v. ausgehenden MA bis um 1600, = Kölner Beitr. zur Musikforschung LIV, Regensburg 1969.

Wilson (wʹilsən), Charles M., * 8. 5. 1931 zu Toronto; kanadischer Komponist und Musikpädagoge, studierte an der Universität seiner Heimatstadt (B. A. und Ph. D.) und bei Ridout sowie an der Tanglewood Music School (Mass.) bei L. Foss und Chávez. Er war in Guelph Gründer und Direktor der Oper und der Concert Singers, Präsident der Ontario Choral Federation sowie 10 Jahre lang Organist und Chorleiter an der Chalmers Church. Gegenwärtig wirkt er als freischaffender Komponist. Seine Kompositionen umfassen u. a. die Opern *Phrases from Orpheus* (Guelph 1971), *Héloise and Abelard* (1973) und *The Summoning of Everyman* (Halifax 1973), Orchesterwerke (Symphonie in A, 1953; *Theme and Evolutions*, 1955; *Sinfonia* für Doppelorch., 1972), Kammermusik (*Concerto 5×4×3* für Streichquintett oder Holzbläserquartett oder Blechbläsertrio oder eine Kombination von diesen, 1970; 2 Streichquartette, 1952 und 1968; Streichtrio, 1963), Vokalwerke (Kantate *On the Morning of Christ Nativity* für S., T., B., Chor und Orch., 1965; *The Angels of the Earth* für S., B., 2 Erzähler, Chor und Orch., 1966; Liederzyklus *Image Out of Season* für Chor und Blechbläserquintett, 1973; a cappella-Chöre und Sololieder) und Ballettmusik.
Lit.: Werkverz. in: Composers of the Americas XVIII, Washington (D. C.) 1972.

Wilson, (wʹilsən), James Walter, * 27. 9. 1922 zu London; englischer Komponist, studierte am Trinity College of Music in London (Rowley) und bildete sich autodidaktisch fort. Er war zunächst Beamter der Zivilverwaltung in London (1939–48) und übersiedelte dann nach Dublin, wo er als Komponist lebt. W. schrieb Ballette (*The Island King* op. 2, 1955; *Cynara*, 1957), die Kinderoper *The Hunting of the Snark* (Dublin 1965), Werke für Orchester (u. a. Symphonie op. 4, 1960; Klavierkonzert op. 3, 1960; Violinkonzert op. 5, 1961), Kammermusik (Streichquartett, 1956; Quintett op. 22, 1967), ferner Klavierwerke (u. a. *Thermagistris* op. 29, 1968), Kantaten, Choräle sowie Werke für Singst. mit Begleitung (u. a. *Ode to Autumn* für S., Fl. und Kl., 1968).

+**Wilson,** John, 1595–1674.
Ausg.: 12 Theaterlieder in: La musique de scène de la troupe de Shakespeare, hrsg. v. J. P. CUTTS, = Le chœur des muses o. Turm, Paris 1959; Poèmes de Donne, Herbert et Crashaw, mis en musique par leurs contemporains ..., hrsg. v. A. SOURIS, = ebd., 1961; 11 Sätze in: Engl. Songs, 1625–60, hrsg. v. I. SPINK, = Mus. Brit. XXXIII, London u. NY 1971.
Lit.: J. P. CUTTS, J. W. and Lovelace's »The Rose«, in: Notes and Queries CXCVIII, 1953; DERS., Th. Heywood's »The Gentry to the King's Head« in »The Rape of Lucrece« and J. W.'s Setting, ebd., N. S. VIII, 1961; H. PL. HENDERSON, The Vocal Music of J. W., Diss. Univ. of North Carolina 1962 (mit Ausg. v. 35 Liedern); V. DUCKLES in: MGG XIV, 1968, Sp. 701ff.

Wilson (wʹilsən), Olly W., * 7. 9. 1937 zu St. Louis (Mo.); amerikanischer Komponist, studierte bei Wykes an der Washington University in St. Louis (B. Mus. 1959), bei Robert Kelley an der University of Illinois in Urbana (M. Mus. 1960) und bei Philip Bezanson an der University of Iowa in Iowa City (Ph. D. 1964). Er lehrte ab 1960 an der Florida A & M University (1964 Associate Professor) sowie an der University of Iowa

und wurde 1964 Assistant Professor of Music am Oberlin Conservatory of Music (O.) Von seinen Kompositionen seien genannt: *Prelude and Line Study* für Bläserquartett (1959); Trio für Fl., Vc. und Kl. (1959); Streichquartett (1960); *Wry Fragments* (1961) und *And Death Shall Have No Dominion* (1963) für T. und Schlagzeugensemble; *Dance Suite* für Bläserensemble (1962); *Dance Music I* für Bläserensemble (1963) und *II* für Ensemble (1965); Sextett (1963); *Three Movements* für Orch. (1964); *Piece for Four* für Fl., Trp., Va da Gamba und Kl. (1966); *In memoriam Martin Luther King* für Chor und elektronische Klänge (1969).

+**Wilson,** Teddy (Theodore), * 24. 11. 1912 zu Austin (Tex.).
W., der seit 1960 auch in großen amerikanischen Fernsehsendungen mitwirkt, reiste 1962 mit Benny Goodman durch die UdSSR und spielte 1965 auch auf europäischen Jazzfestivals. – Aufnahmen: *Benny Goodman in Moscow* und *Together Again* (mit Mitgliedern von Goodmans Sextett).
Lit.: R. WANG, Jazz circa 1945. A Confluence of Styles, MQ LIX, 1973.

Wilson (wʹilsən), Thomas Brendan, * 10. 10. 1927 zu Trinidad (Colo.); schottischer Komponist, studierte 1948–54 an der University of Glasgow (M. A., 1951, B. Mus., 1954). Seit 1957 ist er Dozent an der University of Glasgow. Seine Kompositionen umfassen Orchesterwerke (2 Symphonien, 1959 und 1965; Variationen, 1962; *Pas de quoi*, 1964; Portrait *Touchstone*, 1967; Konzert, 1967), Kammermusik (*Sinfonia* für 7 Instr., 1968; Streichquartett Nr 3, 1959; Klaviertrio, 1967; Fantasie für Vc. solo, 1965), Klavierstücke (Sonate, 1964) und Vokalwerke (*Carmina sacra* für S. und Streichorch., 1964).

+**Wimberger,** Gerhard, * 30. 8. 1923 zu Wien.
W. leitet heute Dirigenten- und Kompositionsklassen am Mozarteum Salzburg. 1967 erhielt er den Österreichischen Staatspreis für Komposition. – Neuere Werke: musikalische Komödie *Dame Kobold* (Ffm. 1964), Kammermusical für Schauspieler *Das Opfer Helena* (nach W. Hildesheimer, Ffm. 1968), »Katechismus mit Musik« *Lebensregeln* (München 1972); Tanzdrama *Hero und Leander* (Wiesbaden 1963); *Etude dramatique* (1961) und *Chronique* (1969) für Orch., *Risonanze* für 3 Orchestergruppen (1966), *Partita giocosa* für kleines Orch. (1960), kanonische Reflexionen *Multiplay* für 23 Spieler (1974); *Stories* für Bläser und Schlagzeug (1962); 4 Songs für St. und Orch. (1973), Kantate *Ars amatoria* für S., Bar., Chor, Combo und Kammerorch. (nach Ovid, 1967).

+**Winckel,** Fritz, * 20. 6. 1907 zu Bregenz.
Gastvorlesungen hielt W. 1961 auch in Cleveland (O.) und 1967 am Massachusetts Institute of Technology in Cambridge (Mass.). Er ist Initiator der »Internationalen Woche der experimentellen Musik« (Bln 1964 und 1968) und unterhält ein Studio für elektronische Musik an der Technischen Universität Berlin. W. gab heraus *Experimentelle Musik* (= Schriftenreihe der Akademie der Künste VII, Bln 1970). – +*Phänomene des musikalischen Hörens* (1959), engl. NY 1967 und 1969, auch Magnolia (Mass.) 1968; +O. Möckel, *Die Kunst des Geigenbaues* (²1954), Hbg ³1967. – Weitere Veröffentlichungen: *Die Grenzen der musikalischen Rezeption unter besonderer Berücksichtigung der elektronischen Musik* (AfMw XV, 1958, frz. als *Limites de la musique électronique*, in: Musique expérimentale, = RBM XIII, 1959, ital. als *Limiti fisio-acustici della musica elettronica*, Rass. mus. XXXI, 1961; *I criteri acustici dello spazio* (in: Incontri musicali 1960, Nr 4); *Die psychophysischen*

Bedingungen des Musikhörens (in: Stilkriterien der Neuen Musik, = Veröff. des Instituts für Neue Musik und Musikerziehung Darmstadt I, Bln 1961); *Organische und anorganische Musik* (in: Die Natur der Musik als Problem der Wissenschaft, = Musikalische Zeitfragen X, Kassel 1962); *The Psycho-Acoustical Analysis of Music as Applied to Electronic Music* (Journal of Music Theory VII, 1963); *Die informationstheoretische Analyse musikalischer Strukturen* (Mf XVII, 1964); *Neue Wege der mathematischen Analyse von Musikstrukturen* (Fs. »1817–1967, Akademie für Musik und darstellende Kunst in Wien«, Wien 1967).
Lit.: M. KRAUSE in: Das Musikinstr. XXI, 1972, S. 1324f. – V. RAHLFS, Psychophysik u. Musik. Bemerkungen zu Fr. W.s »Phänomene d. mus. Hörens«, Mf XIX, 1966, vgl. dazu auch W.s Entgegnung, Mf XX, 1967, S. 61ff.

+**Windgassen,** Wolfgang [erg.:] Fritz Hermann, * 26. 6. 1914 zu Annemasse (Haute-Savoie), [erg.:] † 8. 9. 1974 zu Stuttgart.
W., 1964 auch zum Österreichischen Kammersänger ernannt, war über fast zwei Jahrzehnte der führende Wagner-Tenor; besonders die Bayreuther Festspiele, bei denen er 1951–70 regelmäßig sang, hat er durch seine überragende künstlerische Leistung entscheidend mitgetragen (so als Tristan in der Wieland Wagner-Inszenierung von 1962). Neben seinen zahlreichen Verpflichtungen an internationalen Musikzentren (u. a. Covent Garden Opera in London erstmals 1955, Metropolitan Opera in New York erstmals 1956) wirkte W. bis zu seinem Tode im Ensemble der Stuttgarter Staatsoper (dort u. a. auch Othello, Eisenstein in *Die Fledermaus* und Odysseus in Monteverdis *Il ritorno d'Ulisse*), deren Operndirektor er 1970 wurde. Ab 1969 war er (auch im europäischen Ausland) als Opernregisseur hervorgetreten.
Lit.: O.-E. SCHILLING in: Opernwelt I, 1960, H. 3, S. 25ff.; K. HONOLKA in: Opera VIII, (London) 1962, S. 590ff.; G. GUALERZI in: Le grandi v., hrsg. v. R. Celletti, = Scenario I, Rom 1964, Sp. 900ff. (mit Diskographie v. R. Vegeto); B. W. WESSLING, W. W., Bremen 1967.

+**Winding,** Kai Chresten, * 18. 5. 1922 zu Aarhus.
W. stellte 1956 ein Septett (4 Posaunen und Rhythmusgruppe) zusammen, das bis Anfang der 60er Jahre bestand. 1962–67 war er Musical Director des Playboy Clubs in New York, spielte 1969–70 in Merv Griffins TV-Orchestra und machte erneut Aufnahmen mit J. J. Johnson. Seit 1970 ist W. als Freelance-Musiker tätig (1971 Welt-Tournee, 1972 Mitwirkung beim Newport Festival, Einspielungen für Film, Funk und und Fernsehen, Auftritte in Night-Clubs mit eigenem Quartett) und organisierte 1974 die Schallplattengesellschaft »Wintel Production«. – Aufnahmen: *Kai Olé* (1961, Verve 6–8427), *More Brass* (1966, ebd. V 6–8657), *Dirty Dog* (1966, ebd. V 6–8661), *Giants of Jazz* (1972, Atlantic Records).

+**Windsperger,** Lothar, 1885 – 30. [nicht: 29.] 5. 1935.
W. war ab 1933 Direktor der Mainzer Städtischen Musikschule.

Windt, Herbert, * 15. 9. 1894 zu Senftenberg (Niederlausitz), † 22. 11. 1965 zu Deisenhofen (bei München); deutscher Komponist, studierte in Berlin 1910–14 am Stern'schen Konservatorium bei Klatte und ab 1921 an der Musikhochschule bei Schreker. 1923 erhielt er den Mendelssohn-Preis und 1936 den Olympischen Kunstpreis für *Marathon 1936.* Er schrieb u. a. eine Kantate für A. und großes Orch. (Text Richard Dehmel, 1921), die Kammersinfonie *Andante religioso* für Singst. und 35 Soloinstr. (Hans Schwarz, 1921) und die Oper *Andromache* (auf ein eigenes Libretto, Bln 1932). Ab 1932 komponierte er vor allem Musik

für den Rundfunk (Kantate *Flug zum Niederwald,* 1935; *Marathon 1936,* Originalübertragung des Marathonlaufs der Olympischen Spiele in Berlin 1936) und Film (*Morgenrot,* 1933; *Hermine und die sieben Aufrechten,* 1935; *Fährmann Maria,* 1936; Olympiafilme, mit Walter Gronostay, 1938; *Friedrich Schiller,* 1939; *Heldentum nach Ladenschluß,* mit Majewski, 1955; *Rose Bernd,* 1957; *Hunde, wollt ihr ewig leben,* 1959; *Im Namen einer Mutter,* 1960).
Lit.: H. A. THOMAS, Die deutsche Tonfilmmusik, = Neue Beitr. zur Film- u. Fernsehforschung III, Gütersloh 1962.

+**Winge,** Per Carl, 1858 – [erg.: 7. 9.] 1935.

+**Winkler,** Alexandr Adolfowitsch, * 19. 2. (3. 3.) 1865 zu Charkow, † 6. 8. 1935 zu Besançon [del. frühere Sterbeangaben].
1890–96 war W. Lehrer an der höheren Töchterschule in Charkow, 1896–1924 gab er Klavierunterricht am St. Petersburger Konservatorium (1909 Professor). Zu seinen Schülern gehörte auch Prokofjew. 1924 emigrierte W. nach Besançon, wo er als Lehrer am Konservatorium wirkte. [del. bzw. erg. frühere Angaben dazu.] – Weitere Werke: +Streichquintett E Dur [nicht: Es Dur] op. 11 (1906); Sonaten für Vc. D moll op. 19 (beendet von A. Glasunow, 1936) bzw. für V. C dur op. 20 (1930) und Kl.; *Variations et fugue sur un thème de J. S. Bach* op. 12 (1906) und Passacaglia op. 23 (1931) für Kl.; ferner zahlreiche Transkriptionen für Kl. (Werke von Glinka, Rimskij-Korsakow und Glasunow).

+**Winkler,** Gerhard (Pseudonym Ben Bern), * 12. 9. 1906 zu Berlin.
W. lebt heute in Zollikon (bei Zürich). Zu seinen Schlagererfolgen zählen des weiteren *Schütt die Sorgen in ein Gläschen Wein* und *Schenk mir ein Bild von Dir.*

Winkler, Martin → Belwin-Mills Publ. Corp.

+**Winkler,** Otto, * 27. 1. 1908 zu Berlin.
W., GMD in Regensburg bis 1965, wurde 1967 Lehrer für Dirigieren an der Münchner Musikhochschule und lebt seitdem in Tutzing (Starnberger See).

+**Winnington-Ingram,** Reginald Pepys, * 22. 1. 1904 zu Sherborne (Dorset) [nicht: London].
W.-I. wurde 1953 [nicht: 1935] Professor am King's College der University of London. Er gab →+Aristeides Quintilianus' Schrift *De musica* heraus und schrieb des weiteren u. a.: *Die Enharmonik der Griechen* (Mf XVIII, 1965); *Lute-Players in Greek Art* (The Journal of Hellenic Studies LXXXV, 1965).

Winogradow, Wiktor Sergejewitsch, * 26. 2. (10. 3.) 1899 zu Istik (Koselsk, Gouvernement Kaluga); russisch-sowjetischer Musikforscher und Ethnograph, absolvierte 1929 in den Fächern Musikwissenschaft und Komposition das Moskauer Konservatorium, an dem er 1923 die musikalische Rabfak (Musykalnyj rabotschij fakultet, »Musikalische Arbeiterfakultät«) mitgründete und anschließend leitete. 1929–33 war er Chefredakteur des Musikverlages »Musgis«. – Von seinen Veröffentlichungen seien genannt (Erscheinungsort, wenn nicht anders angegeben, Moskau): *U. Gadschibekow i aserbajdschanskaja musyka* (»... und die aserbeidschanische Musik«, 1938); *Musyka sowjetskoj Kirgisii* (»Die Musik der Kirgisischen SSR«, 1939); *Sprawotschnik-putewoditel po simfonijam N. Ja. Mjaskowskowo* (»Nachschlagewerk und Führer durch die Symphonien von N. Ja. Mjaskowskij«, 1954); *Kirgisskaja narodnaja musyka* (»Kirgisische Volksmusik«, Frunse 1958); *Musyka w Kitajskoj Narodnoj Respublike* (»Die Musik in der Chinesischen Volksrepublik«, 1959); *Musyka sowjetskowo wostoka ...* (»Die Musik des sowjetischen Ostens. Von der Einstimmigkeit zur Mehrstimmigkeit«, 1968); *Kirgisskije narodnyje musykanty i pewzy* (»Kirgisische Volksmusiker und -sänger«, 1972). – Aufsätze: *Problema etnogenesa Kirgisow w swete nekotorych dannych ich musykalnowo folklora* (in: Woprossy musykosnanija III, hrsg. von Ju. W. Keldysch und A. S. Ogolewez, 1960, deutsch als *Zum Problem der Ethnogenese der Kirgisen im Zusammenhang mit einigen Wesenszügen ihrer Volksmusik*, in: Sowjetische Volkslied- und Volksmusikforschung, hrsg. von E. Stockmann u. a., = Deutsche Akademie der Wissenschaften zu Berlin, Veröff. des Instituts für deutsche Volkskunde XXXVII, Bln 1967); *The Study of Folk Music in the U. S. S. R.* (JIFMC XII, 1960); *Die musikalische Entwicklung im sowjetischen Osten* (BzMw IX, 1967); *O musykalnoj archeologii* (SM XXXV, 1971); *Ujstokow nowoj musyki w respublikach sowjetskowo wostoka* (»An den Quellen neuer Musik in den Republiken des sowjetischen Ostens«, ebd.).

+Winschermann, Helmut, * 22. 3. 1920 zu Mülheim a. d. Ruhr.
1960 baute W., weiterhin einer der führenden Konzertoboisten, das Kammerorchester Deutsche Bachsolisten auf, das seitdem im In- und Ausland (u. a. mehrere Welttourneen) hervortritt.

+Winter, Hans Adolf, * 30. 1. 1892 zu München.
W. lebt heute im Ruhestand in Breitbrunn (am Ammersee).

Winter, Paul Erwin Balthasar, * 29. 1. 1894 zu Neuburg a. d. Donau, † 1. 3. 1970 zu München; deutscher Komponist und Musikforscher, studierte an den Universitäten in Erlangen und München sowie bei Pfitzner an der Akademie der Künste in Berlin (1925–28). 1948–58 wirkte er als Dozent für Theorie und Musikgeschichte an der Städtischen Berufsschule für Musiker in München. Er war Herausgeber von mehrchöriger Musik des 16. und 17. Jh. Daneben veröffentlichte er *Goethe erlebt Kirchenmusik in Italien* (Hbg 1949) und *Der mehrchörige Stil* (Ffm. 1964); postum erschien *Das mehrchörige Musizieren in Bayern* (in: Musik in Bayern I, hrsg. von R. Münster und H. Schmid, Tutzing 1972). Seine Kompositionen umfassen u. a. die Märchenoper *Falada* (1937), das Singspiel *Das steinerne Herz* (1950), Orchestervariationen (1927), ein Streichquartett D moll (1929), Olympiafanfaren (1936) sowie zahlreiche Turmmusiken, Festfanfaren und Lieder. Zu seinem 70. Geburtstag wurde er mit einer Festschrift (Neuburg 9164) geehrt.
Lit.: G. Nebinger, Die väterlichen Ahnen P. W.s, Neuburg 1964; E. Valentin in: Mitt. d. H. Pfitzner-Ges. 1970, H. 26, S. 19f.; A. Ott, ebd. 1971, H. 27, S. 28ff.

+Winter, Peter von, 1754–1825.
Ausg.: 10 Divertimenti f. Streichorch. (Streichquartett), hrsg. v. R. Münster, Zürich 1965; Klar.-Quartett Es dur, hrsg. v. D. Klöcker, London 1969.
Lit.: A. Würz in: MGG XIV, 1968, Sp. 714ff.

Winter, Richard, * 3. 3. 1902 zu Wien; österreichischer Komponist und Gesangspädagoge, studierte an der Wiener Musikakademie (Fr. Schmidt, Fr. Schütz, Cornelia de Kuyper, Heger), leitete 1927 eine Opernklasse und 1935 den Chor der Musikakademie und war 1949–67 dort Lehrer für Gesang. Seit 1967 widmet er sich ausschließlich der Komposition. Er schrieb zahlreiche Lieder (Eichendorff, Petőfi, Morgenstern), daneben Chöre sowie Klavier- und Orgelwerke (2 Fantasien für Kl.; Praeludium und Tripelfuge für Org.).

+Winterfeld, Carl Georg August Vivigens von, 1784–1852.
Von seinen Schriften erschienen im Nachdruck (alle Hildesheim): *+J. Gabrieli und sein Zeitalter* (1834), 1965;

+Dr. M. Luthers deutsche geistliche Lieder (1840), 1966; *+Der evangelische Kirchengesang* [erg.:] *und sein Verhältnis zur Kunst des Tonsatzes* (1843–47), 1966; *+Zur Geschichte heiliger Tonkunst* (1850–52), 1966.
Lit.: B. Stockmann, C. v. W., Ein Beitr. zur Gesch. d. Musikhistoriographie im 19. Jh., Diss. Kiel 1958; Ders., Bach im Urteil C. v. W.s, Mf XIII, 1960; B. Meier, C. v. W. u. d. Tonarten d. 16. Jh., MJb L, 1966; Ders., Zur Musikhistoriographie d. 19. Jh., in: Die Ausbreitung d. Historismus über d. Musik, hrsg. v. W. Wiora, = Studien zur Mg. d. 19. Jh. XIV, Regensburg 1969; K. G. Fellerer, Zum Gabrieli-Bild C. v. W.s, Fs. L. Brandt, Köln-Upladen 1968.

Winterfeldt, Margarete von, * 23. 1. 1902 zu Berlin; deutsche Konzertsängerin (Alt) und Gesangspädagogin, studierte bei Maria Spieß und Josephine Strackosch (Gesang) sowie bei Kahn (Klavier und Komposition) und konzertierte (trotz Blindheit) im In- und Ausland, u. a. mit dem Kammermusikkreis Scheck-Wenzinger. 1946–65 war M. v. W. Professor für Gesang an der Musikhochschule in Freiburg i. Br. Seit 1965 unterrichtet sie privat in Berlin. Von ihren Schülern seien Fr. Wunderlich, Hildegard Hillebrecht und L. Driscoll genannt.

+Winternitz, Emanuel, * 4. 8. 1898 zu Wien.
Aus seinem Wirken am Metropolitan Museum of Art in New York ist auch die Gründung der Museumskonzerte (1941) zu erwähnen, die er dann 18 Jahre hindurch leitete. An der Yale University (Conn.) lehrte er 1949–60. Als Sammlung verstreuter Aufsätze (z. T. ins Englische übers.) erschien *Musical Instruments and Their Symbolism in Western Art* (NY und London 1967). – *Instruments de musique étranges chez F. Lippi, P. di Cosimo et L. Costa* (in: Les fêtes de la Renaissance, hrsg. v. J. Jacquot, Bd I, Paris 1956) [del. bzw. erg. früheren Titel]. – Neuere Bücher und Aufsätze: *+Musical Autographs …* (1955), erweiterte Neuaufl. NY und London 1965; *Keyboard Instruments in the Metropolitan Museum of Art* (NY 1961); *Die schönsten Musikinstrumente des Abendlandes* (München 1966, engl. als *Musical Instruments of the Western World*, London und NY 1967, frz. = Les imaginaires o. Nr, Paris 1972[?]); *G. Ferrari, His School and the Early History of the Violin* (Varallo Sesia 1967, engl. und ital., zuerst nur engl. in: The Commonwealth of Music, Gedenkschrift C. Sachs, NY u. London 1965); *Mozarts Raumgefühl* (Kgr.-Ber. Wien Mozartjahr 1956); *Gnagflow Trazom. An Essay on Mozart's Script, Pastimes, and Nonsense Letters* (JAMS XI, 1958); *Keyboards for Wind Instruments Invented by L. da Vinci* (in: Aspects of Medieval and Renaissance Music, Fs. G. Reese, NY 1966); *A Spinettina for the Duchess of Urbino* (The Metropolitan Museum Journal I, 1968); *Strange Musical Instruments in the Madrid Notebooks of L. da Vinci* (ebd. II, 1969); *A Homage of Piccini to Gluck* (in: Studies in 18th-Cent. Music, Fs. K. Geiringer, London 1970); *The Crosby Brown Collection of Musical Instruments. Its Origin and Development* (The Metropolitan Museum Journal III, 1970, separat NY 1971); *The Iconology of Music. Potentials and Pitfalls* (in: Perspectives in Musicology, hrsg. v. B. S. Brook u. a., NY u. Toronto 1972).

+Winters, Lawrence ([erg.:] eigentlich Whisonant), * 15. [nicht: 12.] 11. 1915 zu Kings Creek (Cherokee County, S. C.), [erg.:] † 24. 9. 1965 zu Hamburg.
W., der zuletzt in Hamburg lebte, war von 1952 bis zu seinem Tode Ensemblemitglied der Hamburgischen Staatsoper.

+Wiora, Walter, * 30. 12. 1906 zu Kattowitz.
W. war 1962–63 Gastprofessor an der Columbia Uni-

versity in New York und wechselte 1964 als Ordinarius für Musikwissenschaft an die Universität des Saarlandes (Saarbrücken), an der er 1972 emeritiert wurde. Leiter des Herder-Instituts für Musikgeschichte war er 1956–62, Mitglied der Deutschen Unesco-Kommission 1961–64, stellvertretender Vorsitzender des Deutschen Musikrats 1956–65 und Vizepräsident der Gesellschaft für Musikforschung 1962–65; seit 1955 ist er Vorstandsmitglied des International Folk Music Council. W. gibt die *Saarbrücker Studien zur Musikwissenschaft* heraus (bisher 3 Bde, 1966–74). 1966 wurde er mit einer Festschrift geehrt (hrsg. von L. Finscher und Chr.-H. Mahling, Kassel 1967, mit Bibliogr. bis 1966). Die Reihe +*Musikalische Zeitfragen* umfaßt insgesamt 13 Bde (1956–68). Ausgewählte Aufsätze erschienen unter dem Titel *Historische und systematische Musikwissenschaft* (hrsg. von H. Kühn und Chr.-H. Mahling, Tutzing 1972). – Weitere Bücher und Aufsätze: +*Das echte Volkslied* (1950), Heidelberg ²1962; +*Die vier Weltalter der Musik* (1961), frz. = Edition Payot XLII, Paris 1963, engl. NY 1965 und London 1966; *Das deutsche Lied. Zur Geschichte der Gattung und zum Verständnis der Werke* (Wolfenbüttel 1971); *In lucem edere* (in: Musik und Verlag, Fs. K. Vötterle, Kassel 1968); *Josquin und »des Finken Gesang«* (DJbMw XIII, 1968); *Zur Fundierung allgemeiner Thesen über das »Volkslied« durch historische Untersuchungen* (Jb. für Volksliedforschung XIV, 1969); *Das Altern des Begriffs Volkslied* (Mf XXIII, 1970); *Das vermeintliche Zeugnis des Johannes Eriugena für die Anfänge der abendländischen Mehrstimmigkeit* (AMl XLIII, 1971); *Zeitgeist und Gedankenfreiheit* (Mf XXVI, 1973); *Der musikalische Ausdruck von Ständen und Klassen in eigenen Stilen* (International Rev. of the Aesthetics and Sociology of Music V, 1974). – W. gab ferner u. a. heraus: *Herder-Studien* (mit H. D. Irmscher, = Marburger Ostforschungen X, Würzburg 1960); *Deutsche Volkslieder. Eine Dokumentation des Deutschen Musikrates* (Schallplattenkassetten mit Begleitheften I–II, II mit G. Wolters, Wolfenbüttel 1962); *Musikberufe und ihr Nachwuchs. Statistische Erhebungen 1960/61 des Deutschen Musikrates* (mit H. Saß, Mainz 1963); *Norddeutsche und nordeuropäische Musik* (mit C. Dahlhaus, = Kieler Schriften zur Musikwissenschaft XVI, Kassel 1965); *Musikerziehung in Schleswig-Holstein* (mit dems., ebd. XVII); *European Folk Song* (Köln 1966); *Die Ausbreitung des Historismus über die Musik* (= Studien zur Mg. des 19. Jh. XIV, Regensburg 1969); *Methoden der Kunst- und Musikwissenschaft* (mit M. Gosebruch, = Enzyklopädie der geisteswissenschaftlichen Arbeitsmethoden VI, München 1970).

+**Wipo** (Wigbert von Solothurn), um 995 wahrscheinlich zu Solothurn – um 1050 im Bayerischen Wald [erg. frühere Angaben].
→ Victimae paschali laudes.
Ausg. u. Lit.: Die Werke W.s, hrsg. v. H. Bresslau, = Monumenta Germaniae hist. scriptores III, Hannover ³1915, Nachdr. 1956; S. Fornaçon, W. – fortan: Wigbert v. Solothurn, in: Musik u. Gottesdienst XVII, 1963; Ders. in: MGG XIV, 1968, Sp. 728f.

+**Wirén**, Dag Ivar, * 15. 10. 1905 zu Striberg.
W. war 1947–63 Vizepräsident des schwedischen Komponistenverbandes. – Weitere Werke: Fernsehballett *Den elaka drottningen* (»Die böse Königin«, schwedisches Fernsehen 1960); 5. Symphonie op. 38 (1964) und Divertimento op. 29 (1957) für Orch., *Triptyk* für kleines Orch. op. 33 (1958), Serenade op. 11 (1937) und Musik op. 40 (1966) für Streichorch.; Concertino für Fl. und kleines Orch. op. 44 (1972); Bläserquintett op.

42 (1971), 5 Streichquartette (1930; op. 9, 1935; op. 18, 1941–45; op. 28, 1953, vgl. dazu: Modern nordisk musik, hrsg. von I. Bengtsson, Stockholm 1957, S. 76ff.; op. 41, 1970), 2. Klaviertrio op. 36 (1961); kleine Suite für Kl. op. 43 (1971). Er verfaßte u. a. einen Beitrag für »Musikalske selvportraretter« (hrsg. von T. Meyer, Kopenhagen 1966, S. 312ff.).
Lit.: P.-A. Hellquist in: Nutida musik V, 1961/62, H. 1, S. 1ff. (zu »Den elaka drottningen«); H. Connor, Samtal med tonsättere (»Gespräch mit Komponisten«), Stockholm 1971; G. Bergendal, 33 svenska komponister, ebd. 1972.

Wirsta, Aristide, * 22. 3. 1922 zu Barbești (Bukowina); französischer Violinist und Musikforscher ukrainischer Abstammung, studierte an der Wiener Universität (1945–47) und absolvierte 1947 das Pariser Conservatoire im Hauptfach Violine. Nach praktischer musikalischer Tätigkeit (2. Konzertmeister des Symphonieorchesters von Belo Horizonte, Brasilien, 1950–51; Mitglied des Kammerorchesters »Maurice Hewitt« und Arcangelo Corelli« sowie des Orchestre de chambre de Paris) promovierte er 1955 an der Pariser Universität mit der Thesis *Ecoles de violon au 18ᵉ s. d'après les ouvrages didactiques*. 1956 wurde er Mitarbeiter am Centre National de la Recherche Scientifique. Neben lexikalischen Beiträgen veröffentlichte er eine Faks.-Ausg. von L'Abbé le fils' *Principes de violon* (Paris 1961).

+**Wirth**, Helmut [erg.:] Richard Adolf Friedrich Karl, * 10. 10. 1912 zu Kiel.
In der Reger-GA edierte er Werke für Kl. 2händig (Bd IX, Wiesbaden 1957), in der Haydn-GA *Lo speziale* (Reihe XXV, Bd 3, München 1959) und *L'incontro improvviso* (XXV, Bd 6, ebd. 1962–63) und in der neuen Schubert-GA Werke für Kl. und ein Instr. (Serie VI, Bd 8, Kassel 1970). – Weitere Veröffentlichungen: *C. Goldoni und die deutsche Oper* (in: H. Albrecht in memoriam, ebd. 1962); *Natur und Märchen in Webers »Oberon«, Mendelssohns »Ein Sommernachtstraum« und Nicolais »Die lustigen Weiber von Windsor«* (Fs. Fr. Blume, ebd. 1963); *M. Reger in Selbstzeugnissen und Bilddokumenten* (= rowohlts monographien Bd 206, Reinbek bei Hbg 1973).

+**Wirth**, Herrmann Felix, * 6. 5. 1885 zu Utrecht.
Er wurde 1918 Dozent [nicht: Professor] am Brüsseler Conservatoire (Antrittsvortrag am 8. 4.), flüchtete aber spätestens am 11. 11. 1918 aus Belgien. Nach den ersten Weltkrieg wandte er sich dann der Ursymbolkunde zu. 1933–38 war er in Berlin außerordentlicher Professor an der Universität und Leiter des Ahnenerbe-Museums für Urreligionsgeschichte und Volksaltglauben. Seit 1955 betreibt er in Marburg (Lahn) eine Sammlung für Urreligionsgeschichte (später umbenannt in Europäische Sammlung für Urgemeinschaftskunde). Als neuere Veröffentlichung liegt eine Schrift *Um den Ursinn des Menschseins* (Wien 1960) vor.

Wischnewskaja, Galina Pawlowna, * 25. 10. 1926 zu Leningrad; russisch-sowjetische Sängerin (dramatischer Sopran); studierte bei Wera Garina und debütierte 1944 am Leningrader Teatr Maloj Operetty sowie 1952 als Leonore (*Fidelio*) am Bolschoj Teatr in Moskau, wo sie sich vor allem dem russischen Repertoire (Natascha in *Wojna i mir* von Prokofjew; Katharina in *Ukroschtschenije stroptiwoj* von Schebalin, Uraufführung 1957) gewidmet hat. Sie ist in den Musikzentren der ganzen Welt aufgetreten. Eine Reihe von Komponisten, darunter Britten und Dm. Schostakowitsch, hat ihr Werke gewidmet. 1966 stellte sie die Titelrolle in der Filmoper *Katerina Ismajlowa* von Schostakowitsch dar. Zusammen mit ihrem Mann Mst. Rostropowitsch, der sie am Klavier begleitet, gibt

sie Liederabende. Sie leben beide seit 1974 außerhalb der UdSSR.
Lit.: L. POLJAKOWA, G. W., SM XXV, 1961.

Wishart (w'izhɑ:t), Peter, * 25. 6. 1921 zu Sussex; englischer Komponist, studierte an der Birmingham University (B. Mus.) sowie bei Nadia Boulanger in Paris. Er lehrte in Birmingham an der School of Music (1949–50) und an der Universität (1950–59). Gegenwärtig ist er in London Professor an der Guildhall School of Music and Drama (seit 1961) sowie Dozent am King's College (seit 1972). Seine Kompositionen umfassen u. a. die Opern *Two in the Bush* (Birmingham 1959), *The Captive* (ebd. 1960) und *The Clandestine Marriage* (Cambridge 1971), Orchesterwerke (2 Symphonien, 1953 und 1972; *Ecossaises*, 1953; *Concerto*, 1957; 2 Violinkonzerte, 1951 und 1968; Klavierkonzert, 1958), Kammermusik (2 Streichquartette, 1951 und 1954; *Concert Profane* für Fl., Ob. und Cemb., 1962), Klavierwerke (Partita, 1950; *Opheis kai klimakes*, 1959), Vokalwerke (Te Deum für S., B., Chor und Orch., 1952; 7 *Songs* für T. und Kammerorch., 1952; *The Nativity* für Chor und Orch., 1964; 5 *Psalms* für B. und Streicher, 1968) und Bühnenmusik.

Wisłocki (visụ'ɔtski), Leszek, * 15. 12. 1931 zu Chorzów (Kattowitz); polnischer Komponist und Musikpädagoge, studierte ab 1951 bei Melania Sacewicz (Klavier), Perkowski (Komposition) und Adam Kopyciński (Dirigieren) an der Musikhochschule in Breslau/Wrocław, an der er seit 1959 als Dozent tätig ist. Er schrieb die Ballettsymphonie *Żywe rzeźby mistrza Andrzeja* (»Lebende Skulpturen des Meisters Andreas«, 1962), eine Improvisation für Kl. und Orch. (1964), Kammermusik (2 Bläserquintette, 1967; Quintett und Quartett für Blechbläser, 1971; 3 Streichquartette 1955, 1957 und 1967; 3 Klaviertrios, 1965–66; Miniaturen für Marimbaphon und Kl., 1966), Klavierwerke sowie Chöre und Lieder.

+Wisłocki, Stanisław, * 7. 7. 1921 zu Rzeszów. W. war nicht Schüler der Schola Cantorum in Paris. Während seines Aufenthaltes in Rumänien studierte er u. a. bei G.Enescu. – Die staatliche Philharmonie in Posen dirigierte er bis 1958; von 1961–67 war er dann Dirigent der Nationalphilharmonie in Warschau. Als Gastdirigent leitet er ständig bedeutende Orchester in Europa, Amerika und Japan. Auch wirkt er bei Festspielveranstaltungen mit (u. a. »Warschauer Herbst«). Er unterrichtete 1948–51 an der staatlichen Opernschule in Posen, war 1951–58 Professor an der dortigen Musikhochschule und lehrt (als Professor) seit 1955 Orchesterdirigieren an der Hochschule für Musik in Warschau. W., der ferner auch Bühnen- und Filmmusik geschrieben hat, komponiert seit 1955 nicht mehr.

+Wismeyer, –1) Heinrich, *12.7.1898 zu München, wo er heute im Ruhestand lebt.
–2) Ludwig [erg.:] Anton, * 5. 10. 1904 und [erg.:] † 9. 12. 1968 zu München. Gastdozent an der Frankfurter Musikhochschule wurde er 1959 [nicht: 1949]. Seit 1956 schrieb er als Musikkritiker für den »Münchner Merkur«. Er war Chefredakteur der Zeitschrift *Musikalische Jugend* bis zu seinem Tode. An neueren Miszellen seien genannt *Das Orff-Schulwerk* (in: E. Valentin, Hdb. der Schulmusik, Regensburg 1962) und *»Wenn alle Brünnlein fließen« und das Lied der Groß-Stadt 1963* (in: 50 Jahre G.Bosse Verlag, hrsg. von dems., ebd. 1963).

+Wissig, Otto, * 9. 4. 1886 zu Rodheim vor der Höhe (Taunus), [erg.:] † 10. 10. 1970 zu Oldenburg.

W. wirkte bis 1960 als Landeskirchenmusikdirektor von Oldenburg.

+Wissmann, Lore, * 22. 6. 1922 zu Neckartailfingen (Württemberg).
Sie beendete 1969 ihre sängerische Laufbahn, die sie neben ihrem Engagement an der Stuttgarter Staatsoper als Gast u. a. auch an die Pariser Opéra, die Covent Garden Opera in London, die Wiener Staatsoper sowie zu den Festspielen von Bayreuth, Edinburgh und Luzern führte. 1971 wurde sie zum Ehrenmitglied der Württembergischen Staatstheater in Stuttgart ernannt. L. W. war ab 1961 mit W.Windgassen verheiratet.

+Wissmer, (vism'ɛr), Pierre, * 30. 10. 1915 zu Genf. 1962 wurde W. Direktor und 1963 Directeur honoraire der Schola Cantorum in Paris. – Neuere Werke: Opera buffa *Léonidas ou La cruauté mentale* (Verdun 1958); Ballette *Alerte, puits 21* (Genf 1964) und *Christina et les chimères* (französisches Fernsehen 1967); 5. Symphonie (1969), symphonische Variationen *L'enfant et la rose* (1956), symphonisches Triptychon *Clamavi* (1957) und *Concerto valcrosiano* (1966) für Orch.; *Stèle* für Streichorch. (1969); Konzerte für Klar. (1960) und Ob. (1963) mit Orch., *Concertino-Croisière* für Fl., Streichorch. und Kl. (1966); Bläserquintett (1966), *Quadrige* für Fl., V., Vc. und Kl. (1961); 3 Etüden für Kl. (1968); Oratorium *Le quatrième mage für* S., T., Bar., gem. Chor, Kinderchir, Sprecher und Orch. (1965); *Cantique en L'ounour dou grand santlouis, rei de franco et patroun de vaucros de cuers* für Chor (auch mit Kl., Org. oder Harmonium, 1971).
Lit.: CL. CHAMFRAY in: Le courrier mus. de France 1969, Nr 27 (Werkverz. u. Biogr.).

Wiszniewski (viʃni'ɛfski), Zbigniew, * 30. 7. 1922 zu Lwow/Lemberg; polnischer Komponist, studierte in Łódź an der Universität (Philologie und Archäologie, 1947–51) sowie an der dortigen Hochschule für Musik bei K. Sikorski (1948–52) und an der Warschauer Musikhochschule (1952–54). Er schrieb Musik zu Dokumentarfilmen, lehrte an der Hochschule für Musik in Warschau (1954) und war als Violinist im Polnischen Tanzensemble (1955–57) tätig. Seit 1957 ist er Mitglied der Hörspielabteilung des polnischen Rundfunks in Warschau. W. war Mitarbeiter an den vorliegenden Ergänzungsbänden des »Riemann Musiklexikons« (1966–68 auch Lektor des Verlages B. Schott's Söhne) und lieferte Beiträge für deutsche Musikzeitschriften (»Musica«, »Das Musikinstrument«). Er schrieb die Funkopern *Neffru* (Warschau 1959), *Tak jakby ...* (»Als ob ...«, ebd. 1970) und *Paternoster* (ebd. 1972), die Ballette *Obywatel walc* (»Bürgerwalzer«, 1955) und *Ad hominem* (mit Chor, 1962), Orchesterwerke (Symphonie, 1954; 2 Suiten nach polnischen Tänzen, 1950 und 1952; Oboenkonzert, 1951; Konzert für Klar. und Streichorch., 1970), Kammermusik (2 Streichquartette, 1954 und 1957; Kammermusik Nr 1 für Ob., Ob. d'amore Englisch Horn und Fag., 1965; Trio für Ob., Hf. und Va, 1963; Kadenzen für 3 Schlagzeuger, 1972; Duo für Fl. und Va, 1966; Sonate für V. solo, 1963), Klavierstücke (2 Suiten *Rinascimento* und *Barocca*, 1953), Vokalwerke (Fernsehoratorien *Genesis* für T., Bar., Chor und Kammerorch., 1967; *Die Brüder*, 1973; Kantaten *Aubade*, 1960, und *Sichel versäumter Stunden*, 1971; 3 *pezzi della tradizione* für Chor und Kammerorch., 1964), Elektronische Musik (*Dz, Hz, S*, 1962; 3 *postludia electrone*, 1962; *Burleska*, 1963) sowie Bühnenmusik. W. veröffentlichte *Drobiazgi z podróży muzycznej po NRF* (»Kleinigkeiten aus einer musikalischen Reise durch die Bundesrepublik«, in: Ruch muzyczny II, 1958) und O *kryteriach ocen instrumentów lutniczych* (»Über die Kriterien der Beurteilung von Saiteninstrumenten«, ebd.).

Witeschnik, Alexander, * 3. 3. 1909 zu Wien; österreichischer Musikschriftsteller, studierte an der Wiener Universität, wo er 1933 über das Thema *Die deutsche Sage als Stoff deutscher Opern- und Singspiele bis auf R. Wagner* promovierte, und betrieb daneben praktische Musik- und Theaterstudien. Er war dann im Verlagswesen tätig und wirkte 1950–65 als Kulturredakteur und erster Musikkritiker der »Österreichischen Neuen Tageszeitung«. 1965 wurde er Pressechef der Wiener Staatsoper. W. lebt heute als freier Schriftsteller in Wien. 1958 erhielt er den Titel Professor h. c. – Bücher (Auswahl): *Die Dynastie Strauß* (= Kleinbuchreihe Südösterreich XX, Wien 1944, ³1958 = Österreich-Reihe LIV); *Musik aus Wien* (ebd. 1949, München ⁴1958); *Wiener Opernkunst* (Wien 1959, ³1963); *A. Uhl. Eine biographische Studie* (= Österreichische Komponisten des XX. Jh. VIII, ebd. 1966); *Die Wiener Sängerknaben* (Salzburg 1968).

+Witt, Franz Xaver, 1834–88.
Der Allgemeine deutsche Cäcilienverein, den W. 1868 [nicht: 1867] in Bamberg gründete, wurde 1870 von Papst Pius IX. approbiert und zur kirchenamtlichen Vereinigung erhoben. Die Zeitschrift *+Musica sacra* gab W. ab 1868 [nicht: 1866] heraus.
Lit.: FR. A. STEIN, Fr. X. W. u. seine Messe in honorem S. Raphaelis Archangeli quinque v. op. 33, in: Musicae sacrae ministerium, Fs. K. G. Fellerer, = Schriftenreihe d. Allgemeinen Cäcilien-Verbandes ... V, Köln 1962; S. AIGNER in: Der Regenkreis 1964, S. 13ff.; R. W. STERL in: Musica sacra LXXXVIII, 1968, S. 299ff.; H. HUCKE, Die Anfänge d. Cäcilienver., in: Musik u. Altar XXII, 1970; K. G. FELLERER, Grundlagen u. Anfänge d. kirchenmus. Organisation Fr. X. W.s, KmJb LV, 1971.

+Witt, Friedrich, 1770 zu Haltenbergstetten (seit 1806 Niederstetten, bei Bad Mergentheim) – [erg.:] 3. 1. 1836 [nicht: 1837].
Ausg.: Sinfonia A dur, hrsg. v. G. STAAR, = Das kleine Konzert II, Lpz. 1963; Sinfonia B dur, hrsg. v. FR. ZOBELEY, Wiesbaden 1968.
Lit.: +H. C. R. LANDON, The »Jena« Symphony (1957), Wiederabdruck in: Essays on the Viennese Class. Style, London 1970; R. LEAVIS, Die »Beethovenianismen« d. Jenaer Symphonie, Mf XXIII, 1970.

+Witt, Josef, * 17. 5. 1901 zu München.
W., der seine Tätigkeit an der Wiener Staatsoper 1969 beendete, wurde 1971 zu deren Ehrenmitglied ernannt.

+Witt, Wilhelm de, * 14. 11. 1882 zu Rönnebeck (bei Bremen), [erg.:] † 29. 4. 1965 zu Lübbecke (Westfalen).

+Wittassek, Johann Nepomuk August (Jan August Vitásek), 1770–1839.
Ausg.: Taneční rej. La danza f. Kl., in: Čeští klasikové, hrsg. v. J. RACEK u. V. J. SÝKORA, = MAB XIV, Prag 1953; 3 Vortragsstücke f. Kl., hrsg. v. V. MILLEROVÁ, = Musica viva hist. IV, ebd. 1961.
Lit.: Z. CULKA, Skladatel J. V. a sadští hudebníci (»Der Komponist u. Musiker J. W.«), in: Musejny zprávy pražského kraje II, 1957; M. TARANTOVÁ, Český zpěv v životě a díle J. N. A. Vitáska (»Der tschechische Gesang in J. N. A. W.s Leben u. Werk«), in: Zprávy Bertramky 1960, Nr 23; DIES., Životopis J. N. A. Vitáska z pozůstalosti Dr. J. T. Helda (»J. N. A. W.s Biogr. aus d. Nachlaß v. Dr. J. T. Held«), ebd. 1961, Nr 28.

Witte, Erich, * 19. 3. 1911 zu Graudenz (Bromberg); deutscher Opernsänger (Tenor) und Regisseur, begann seine Sängerlaufbahn 1934 in Bremen, trat danach am Staatstheater in Wiesbaden (1937–38) sowie an der Metropolitan Opera in New York (1938–39) auf und gehörte 1945–60 der Staatsoper Berlin an (Kammer-

sänger). Er gastierte als Sänger an der Covent Garden Opera in London (1954–59), wo er auch die *Meistersinger* inszenierte, bei den Bayreuther Festspielen (1943 und 1952–55) und an der Wiener Staatsoper (1938 und 1940). Er war ursprünglich Tenorbuffo und Spieltenor, später Heldentenor (Florestan, Othello). 1961–64 war er Oberspielleiter der Oper in Frankfurt a. M. Seitdem ist er als Gastspielregisseur tätig.

+Wittelsbach, Rudolf, * 30. 4. 1902 zu Konstantinopel, [erg.:] † 18. 1. 1972 zu Zollikon (Zürich).
1971 trat er von seiner Stellung als Direktor des Konservatoriums und der Musikhochschule Zürich zurück. Eine weitere Neufassung seines +Klavierkonzerts (1941) entstand 1969. Er schrieb ferner: *Zum Problem der Tonsprache im Theorieunterricht* (in: Musikerkenntnis und Musikerziehung, Fs. H. Mersmann, Kassel 1957, darin auch bereits erstmals sein Beitr. +*Zur Kritik der Musiklehre*); *Zur Frage der musikalischen Allgemeinbildung* (SMZ CII, 1962); *M. Ravel. Zum 25. Todestag* (SMZ CIII, 1963); *P. Müller. Zum 70. Geburtstag* (SMZ CVIII, 1968).
Lit.: H. ROGNER in: SMZ CXII, 1972, S. 96f.

+Wittgenstein, Paul, 1887–1961.
Prokofjew schrieb für ihn sein 4. Klavierkonzert B dur op. 53 (1931). – Die *School for the Left Hand* (+»Schule für die linke Hand«) erschien London 1957 (3 Bde).
Lit.: R. KLEIN in: ÖMZ XII, 1957, S. 494f.; E. FR. FLINDELL, Dokumente aus d. Slg P. W., Mf XXIV, 1971; DERS. in: MR XXXII, 1971, S. 107ff.

Wittinger, Róbert, * 10. 4. 1945 zu Knittelfeld (Steiermark); ungarischer Komponist, studierte in Budapest bei Durkó sowie am Studio für Elektronische Musik in München (1965) und war Stipendiat der Ferienkurse für Neue Musik in Darmstadt (1965–67). Seitdem lebt er als freischaffender Komponist in Bernhausen (bei Stuttgart). – Kompositionen: *Symphonie – à la mémoire d'A. Honegger* op. 1 (1963); Ballettmusik *Espressioni* op. 2b (1966); Streichquartett op. 3 (1964); *Dissoziazioni* für Orch. op. 4 (1964); *Consonante* für Englisch Horn und Orch. op. 5 (1965); *Concentrazione* für Orch. op. 6 (1966); Bläserquartett *Concentrazioni* op. 7 (1965); Streichquartett *Costruzioni* op. 8 (1966); *Compensazioni* für kleines Orch. op. 9 (1967); *Irreversibilitazione* für Vc. und Orch. op. 10 (1967); *Introspezione* für Fag. solo op. 11 (1967); *Om* op. 12 (1968) und *Divergenti* op. 13 (1970) für Orch.; *Tendenze* für Kammerensemble op. 14 (1970); Bläserquintett *Tensioni* op. 15 (1970); *Tolleranza* für Ob., Celesta und Schlagzeug op. 16 (1970); *Strutture simmetriche* op. 17 Nr 1 für Fl., Nr 2 für Vc., Nr 3 für Pos., Nr 4 für V., Nr 5 für Klar. und Nr 6 für Ob. (1970); *Sinfonia* für Streichorch. op. 18 (1970); *Catalizzazioni* für 24 Vokalisten und 7 Instrumentalisten op. 19 (1972); 3. Streichquartett op. 20 (1970); *Costellazioni* für Orch. (1971); *Montaggio*, Konzert Nr 1 für kleines Orch. op. 21 (1972); *Relazioni* für 7 Solisten und Orch. op. 23 (1972); Konzert für Ob., Hf. und Streichorch. op. 24 (1972); *Sillogismo* für V. und Schlagzeug op. 28 (1974).

+Wittmayer, Kurt, * 22. 11. 1917 zu Hermannstadt (Siebenbürgen).
Seine Werkstätte in Wolfratshausen (Oberbayern) befaßt sich neben der Herstellung von Kopien vorwiegend mit der Restaurierung historischer Instrumente (Cembali, Hammerflügel, Tafelklaviere).

+Wittmer, Eberhard Ludwig, * 20. 4. 1905 zu Freiburg im Breisgau.
W. trat 1970 als Schulrektor in Freiburg in den Ruhestand. Neuere Werke: *Deutsche Kantate* (1959), *Circulus vitae* (1964) und *Gesang in der Frühe* (1969).

Wittrisch

Lit.: BR. STÜRMER, E. L. W., ein süddeutscher Meister, Deutsche Sängerbundeszeitung XLIV, 1955.

+Wittrisch, [erg.: Hermann] Marcel, * 1. 10. 1903 zu Antwerpen [nicht: Leipzig], [erg.:] † 3. 6. 1955 zu Stuttgart.

Wittstadt, Hans (Pseudonym Hans Halger), * 18. 4. 1923 zu Hannover; deutscher Komponist von Unterhaltungs- und Schlagermusik, studierte in Hannover, bildete sich nach dem Krieg autodidaktisch weiter und war dann in Berlin als Assistent und Arrangeur Gazes tätig. Für das Titellied (deutscher Text Pinelli) des Columbia-Films *Pepe* erhielt er 1961 die »Goldene Schallplatte«, für das Lied *Die Wege der Liebe sind wunderbar* (Text Schwenn) 1962 den 2. Preis beim deutschen Schlagerfestival in Baden-Baden.

Wixell, Ingvar, * 1931 zu Luleå(?); schwedischer Sänger (Bariton), studierte an der Kungl. Musikhögskolan in Stockholm (Dagmar Gustafsson) und debütierte 1952 als Konzertsänger in Gävle. Ab 1956 Ensemblemitglied der königlichen Oper in Stockholm, war er daneben ständiger Gast der Deutschen Oper Berlin und der Hamburgischen Staatsoper (ab 1970). Außerdem trat er bei den Salzburger und den Bayreuther Festspielen sowie an der Mailänder Scala, der Covent Garden Opera in London und der Metropolitan Opera in New York auf. Von seinen Partien sind zu nennen Graf Almaviva (*Le nozze di Figaro*), Don Giovanni, Rigoletto, Simon Boccanegra, Scarpia (*Tosca*) und Amfortas (*Parsifal*).

+Wizlaw III., Fürst von Rügen, 1265/68–1325.
Ausg.: +Die Jenaer Liederhandschrift (G. HOLZ, FR. SARAN u. E. BERNOULLI, 2 [nicht: 3] Bde, 1901), Nachdr. Hildesheim 1966. – dass., Faks.-Ausg. ihrer Melodien, hrsg. v. FR. GENNRICH, = Summa musicae medii aevi XI, Langen 1963; ein Lied in: R. J. TAYLOR, Die Melodien d. weltlichen Lieder d. MA, Bd II, = Slg Metzler XXXV, Stuttgart 1964; 7 Lieder in: Deutsche Lieder d. MA, hrsg. v. H. MOSER u. J. MÜLLER-BLATTAU, ebd. 1968; The Songs of the Minnesinger Prince W. of R., hrsg. v. J. W. THOMAS u. B. A. G. SEAGRAVE, = Univ. of North Carolina Studies in the Germanic Languages and Lit. LIX, Chapel Hill 1968.
Lit.: R. WH. LINKER, Music of the Minnesinger and Early Meistersinger. A Bibliogr., = Univ. of North Carolina Studies in the Germanic Languages and Lit. XXXII, Chapel Hill (N. C.) 1962. – R. J. TAYLOR, Die Melodien d. weltlichen Lieder d. MA, Bd I, = Slg Metzler XXXIV, Stuttgart 1964; S. WERG, Die Sprüche u. Lieder W.s v. R., Diss. Hbg 1969 (mit Ausg. d. Gedichte); E. JAMMERS, Anm. zur Musik W.s v. R., in: Quellenstudien zur Musik, Fs. W. Schmieder, Ffm. 1972.

+Wladigeroff, Pantscho (Pančo [erg.: Charalanov] Vladigerov), * 13. 3. 1899 zu Zürich.
Werke: die Oper *Car Kalojan* op. 30 (Sofia 1936), Ballett *Legenda za ezeroto* op. 40 (»Die Legende vom See«, 1946, ebd. 1962, daraus 2 Suiten, 1947 und 1953); 2 Symphonien (op. 33, 1939; *Majska*, »Mai«-Symphonie für Streichorch. op. 44, 1949), *Legende* op. 8 (1919), bulgarische Suite op. 21 (1927), 7 bulgarische Tänze op. 23 (1931), Konzertouvertüre *Zemja* op. 27 (»Die Erde«, 1933), 4 rumänische Tänze op. 38 (1942), 2 rumänische Skizzen op. 39 (1943), heroische Ouvertüre *Deveti septemvri* op. 45 (»9. September«, 1949), *Evrejska poema* op. 47 (»Hebräisches Poem«, 1951) und *Dramatična poema* op. 52 (1956) für Orch.; 5 Konzerte für Kl. (op. 6, 1918; op. 22, 1930; op. 31, 1937; op. 48, 1953; op. 58, 1963), eine Burleske op. 14 (1922) und 2 Konzerte (op. 11, 1921; op. 61, 1968) für V. sowie eine Konzertfantasie für Vc. op. 35 (1941) und Orch.; Streichquartett op. 34 (1940), Klaviertrio op. 4 (1916), Sonate op. 1 (1914) und Stücke (2 *Improvisationen* op. 7, 1919; 4 op. 12,

1920; bulgarische Rhapsodie *Vardar* op. 16, 1922, für Orch. 1928; 2 bulgarische Paraphrasen op. 18, 1925, Nr 1 auch mit Orch.; 2 op. 20) für V. und Kl.; für Kl. 4 Stücke op. 2, 11 Variationen op. 3 (über ein bulgarisches Volkslied, 1916), *10 Impressionen* op. 9 (1920, daraus 3 für Orch.), 4 Stücke op. 10 (1920), 3 Stücke op. 15 (1922, daraus *Herbstelegie* für Orch.), *6 Exotische Praeludien* op. 17 (1924, für Orch. 1938–55), *Klassisch und Romantisch* op. 24 (7 Stücke, 1931, auch für Kammerorch.), bulgarische Lieder und Tänze op. 25 (1932, auch für Kammerorch.), *Sonatina concertante* op. 28 (1934), 6 bulgarische Miniaturen *Šumen* op. 29 (1934, auch für Kammerorch.), 5 *Epizodi* op. 36 (1941, daraus *Improvisation* und Toccata für Orch., 1942), 6 *Akvareli* op. 37 (1942), 3 *Kartini* op. 46 (»Bilder«, 1950, daraus *Balkanski tanc* für Orch.), Suite op. 51 (5 Stücke, 1954), 3 Stücke op. 53 (1957, daraus *Pârviček tanc*, »Erster Tanz«, für Orch.), 3 Konzertstücke op. 57 (1959, für Orch. 1960), 5 *Noveleti* op. 59 (1965, auch für Orch.) und 5 Stücke op. 60 (1965); Volksliedbearbeitungen für Singst. und Orch. (oder Kl.; je 6 op. 32, 41–43, 54–56 und 62); Bühnenmusik.
Lit.: Wl.-Sonder-H., = Bâlgarska muzika XX, 1969, Nr 3. – E. PAVLOV, P. Vl., = Bâlgarski kompozitori o. Nr, Sofia 1961, russ. Moskau 1964; K. GANEW, P. Wl. i jewo fortepiannoje twortschestwo (»P. Wl. u. sein Kl.-Schaffen«), ebd. 1962; T. JANKOVA, Izpâlnitelski problemi ... (»Interpretationsfragen zu d. Kl.-Stücken ,Improvisation' u. ,Toccata'«), in: Bâlgarska muzika XVIII, 1967; ST. LAZAROV, ebd. XXI, 1970, H. 8, S. 11ff.; Ž. GÂLÂBOVA, P. Vl., = Bulgarische Musik I, Sofia 1971, deutsch; D. SCHESTAKOWA in: MuG XXIV, 1974, S. 153ff.

+Wlassow, Wladimir Alexandrowitsch, * 25. 12. 1902 [nicht: 1903] (7. 1. 1903) zu Moskau.
Die Moskauer Philharmonie leitete Wl. bis 1949. – Werke: die Opern (bis 1966 zusammen mit Wl. Fere und z. T. mit A. Maldybajew, Uraufführungsort Frunse): *Altyn Kys* (»Das goldene Mädchen«, 1937), *Adschal orduna* (»Nicht Tod, sondern Leben«, 1938), *Ajtschurek* (»Die Mondschönheit«, 1939), *Sa stschastje naroda* (»Für des Volkes Glück«, 1941), *Patrioty* (1941), *Manas* (1946, 2. Fassung 1966), *Syn naroda* (»Ein Sohn des Volkes«, 1946), *Na beregach Issyk-Kulja* (»An den Ufern des Issyk-Kul«, 1951, 2. Fassung 1952), *Toktogul* (1958), *Wedma* (»Die Hexe«, Fernsehen 1961, szenisch 1966), *Sa tschas do rassweta* (»Eine Stunde vor Morgengrauen«, 1969) und *Solotaja dewuschka* (»Das goldene Mädchen«, 1972); Operette *Pjat millionow frankow* (»5 Millionen Franken«, Leningrad 1965); die Ballette (bis 1955 mit Wl. Fere, Uraufführungsort Frunse): *Anar* (1940, 2. Fassung 1951), *Selkintschek* (»Die Schaukeln«, 1943), *Wesna w Ala-Too* (»Frühling in Ala-Too«, 1955), *Assel* (Moskau 1967), *Sotworenije Jewy* (»Die Erschaffung Evas«, 1968), *Prinzessa i saposchnik* (»Die Prinzessin und der Schuster«, 1971); die symphonischen Dichtungen *Toktogul* (1952) und *Akyn pojot o Lenine* (»Akyn besingt Lenin«, 1957), *Prasdnitschnaja uwertjura* (»Festouvertüre«, 1957), symphonische Suite *Tschitaja Tagora* (»Beim Lesen von Tagore«, 1958), Suite *Priglaschenije k tanzam* für Orch. (»Aufforderung zum Tanz«, 1973), Suite für Streichorch. (1970); 2 Cellokonzerte (1963; *Patetitscheskaja rapsodija*, 1969); 3 Streichquartette (*Kirgisskij*, 1953; *Tschechoslowazkije kartiny*, »Tschechoslowakische Bilder«, 1955; *Preljudi*, 1960), Ballade für Vc. und Kl. (1970); das Oratorium *Skasanije o stschastje* (»Erzählung vom Glück«, mit Wl. Fere und A. Maldybajew, 1949); Kantaten (*K Leninu*, »An Lenin«, 1970); Romanzen, Lieder, Bühnenmusiken. Wl. veröffentlichte ferner zahlreiche Artikel (vor allem in SM).
Lit.: R. GLESER in: SM XX, 1956, H. 10, S. 43ff. (zum Quartett »Tschechoslowazkije kartiny«); A. GRETSCHA-

NINOW in: SM XXII, 1958, H. 8, S. 92ff. (4 Briefe v. Gretschaninow an Wl.); W. S. WINOGRADOW, A. Maldybajew, Wl. Wl. i Wl. Fere, Moskau 1958; I. MARTYNOW in: SM XXVII, 1963, H. 1, S. 136ff.; L. GINSBURG in: SM XXXVII, 1973, H. 1, S. 28ff.

Wockenfuß, Petrus Laurentius, * 17. 3. 1675 zu Groß-Brüskow (Pommern), † August(?) 1721 zu Husum; deutscher Kantor und Komponist, studierte in Regensburg und kam spätestens 1700 nach Norddeutschland. 1708 wurde er Kantor an St. Nikolai in Kiel. Seine (unveröffentlichten) Kirchenkantaten sind ein Bindeglied zwischen altem und neuem Kantatentypus.
Ausg.: 4 geistliche Lieder f. S. u. B. c. in: M. H. Elmenhorsts ... Geistreiche Lieder, hrsg. v. J. KROMOLICKI u. W. KRABBE, = DDT XLV, Lpz. 1911.
Lit.: TH. VOSS, P. L. W., Der Mann u. sein Werk im Lichte d. Schleswig-Holsteinschen Kultusgesch., Mitt. d. Ges. f. Kieler Stadtgesch. XXXIII, 1926; W. ORTHMANN, P. L. W., Ein Kantor an St. Nikolai in Kiel v. 1708–21, Schleswig-Holsteinische Schulzeitung LXXXV, 1937; FR. KRUMMACHER, Die Überlieferung d. Choralbearb. in d. frühen ev. Kantaten, = Berliner Studien zur Mw. X, Bln 1965.

+Wodiczka, Wenzeslaus (Václav Vodička), um 1715 [erg.:] oder um 1720 in Böhmen (oder Wien?) – 1774.
Ausg.: Sei sonate per v. e cemb., hrsg. v. J. RACEK u. C. SCHOENBAUM, = MAB LIV, Prag 1962 u. 1964; Sinfonia C dur, hrsg. v. H. KNIPKA u. J. SNÍŽKOVÁ, = Musica viva hist. XIII, ebd. 1963.
Lit.: +A. SANDBERGER, Ausgew. Aufsätze zur Mg. (I, 1921), Nachdr. Hildesheim 1970.

Wodiczko (vəd'itʃkə), Bohdan, * 5. 7. 1912 zu Warschau; polnischer Dirigent, studierte in Prag und 1936–39 am Warschauer Konservatorium bei Rytel (Komposition) und Bierdiajew. Er wurde 1949 künstlerischer Leiter und 1. Dirigent der staatlichen Philharmonie in Łódź, 1952 Chefdirigent der staatlichen Philharmonie in Krakau und war 1955–58 in gleicher Stellung bei der Nationalphilharmonie in Warschau tätig. 1960–61 (und wieder 1965–68) leitete er das philharmonische Orchester in Reykjavík. 1961–65 war er Direktor und 1. Dirigent der Warschauer Staatsoper. Dem Symphonieorchester des polnischen Rundfunks in Kattowitz stand er 1968–69 als Chefdirigent vor. Seitdem tritt W. als Gastdirigent auf. Er hat sich besondere Verdienste um die Aufführung zeitgenössischer Musik in Polen erworben und eine Reihe Dirigenten herangebildet. Er war Professor an den Musikhochschulen in Łódź, Posen, Krakau und Warschau.
Lit.: B. POCIEJ, B. W., Krakau 1964.

+Wöldike, Mogens, * 5. 7. 1897 zu Kopenhagen.
W. war 1959–72 Organist am Dom in Kopenhagen, daneben wirkt er bis heute als Kapellmeister am dänischen Rundfunk. Seit 1950 ist er Mitglied der Kungl. Musikaliska akademien in Stockholm, 1965 ernannte ihn die Kopenhagener Universität zum Ehrendoktor. Er schrieb weitere Orgelchoräle (1960), veröffentlichte Den danske koralbog (mit J. P. Larsen, Kopenhagen 1954) sowie Korsange til kirkeåret (mit N. Møller, Egtved 1965) und verfaßte den Beitrag Erindringer om Th. Laub og C. Nielsen (Dansk kirkesangs årsskrift 1967).

+Wölfl, Joseph, 1773–1812.
1798 [nicht: 1788] heiratete W. die Schauspielerin Therese Klemm.
Ausg.: eine Kl.-Sonate in: 13 Keyboard Sonatas of the 18th and 19th Cent., hrsg. v. W. S. NEWMAN, Chapel Hill (N. C.) 1947.
Lit.: W. S. NEWMAN, The Sonata in the Class. Era, Chapel Hill (N. C.) 1963, revidiert NY u. London 1972 (Paperbackausg.); H. W. HAMANN in: MGG XIV, 1968, Sp. 757ff.

+Wörner, Karl Heinrich, * 6. 1. 1910 zu Walldorf (bei Heidelberg), [erg.:] † 11. 8. 1969 zu Heiligenkirchen (bei Detmold).
W. arbeitete zwar ab 1954 in der Zeitschriftenabteilung des Verlages B. Schott's Söhne Mainz, wurde aber erst 1956 deren Leiter. – Als Dozent an der Folkwangschule in Essen wirkte er bis 1961, anschließend an der Nordwestdeutschen Musikakademie in Detmold (1966 Professor). – +Geschichte der Musik. Ein Studien- und Nachschlagebuch (1954, ²1956), Göttingen ³1961, Neufassung ⁴1965, erweitert ⁵1972, engl. London und NY 1973, nld. Utrecht 1974; +Neue Musik in der Entscheidung (1954, ²1956) ist eine Neufassung von +Musik der Gegenwart (1949). – Neuere Bücher und Aufsätze: Gotteswort und Magie. Die Oper »Moses und Aron« von A. Schönberg (Heidelberg 1959, erweitert engl. London 1963, NY 1964, mit dem Libretto deutsch und engl.); Musiker-Worte. Aus Schriften, Briefen und Tagebüchern ausgewählt (Heidelberg 1961); K. Stockhausen. Werk und Wollen, 1950–62 (= Kontrapunkte VI, Rodenkirchen/ Rhein 1963, erweitert engl. London und Berkeley/Calif. 1973); Hedendaagse muziek in de westerse wereld (= Aulaboeken Bd 242, Utrecht 1966); Das Zeitalter der thematischen Prozesse in der Geschichte der Musik (= Studien zur Musikgeschichte des 19. Jh. XVIII, Regensburg 1969); Die Musik in der Geistesgeschichte. Studien zur Situation der Jahre um 1910 (= Abh. zur Kunst-, Musik- und Literaturwissenschaft XCII, Bonn 1970); Schönbergs Oratorium »Die Jakobsleiter«. Musik zwischen Theologie und Weltanschauung (SMZ CVI, 1965); Schumanns »Kreisleriana« (Sammelbände der R.-Schumann-Gesellschaft II, Lpz. 1966); Prima la serie, dopo la musica? (in: Aspekte der Neuen Musik, Fs. H. H. Stuckenschmidt, Kassel 1968; zu A. Schönberg).

+Wöß, Josef Venantius von, 1863–1943.
Lit.: E. ROMANOVSKY in: Musica sacra LXXXIII, 1963, S. 142ff.

+Wöss, Kurt, * 2. 5. 1914 zu Linz (Oberösterreich).
Er war Chefdirigent des Victorian Symphony Orchestra in Melbourne und Dirigent der australischen Nationaloper bis 1960, ging 1961 als Operndirektor nach Linz und übernahm dort 1966 als Chefdirigent das Bruckner-Orchester. 1974 wurde ihm die Leitung der Fumiwara-Oper in Tokio übertragen; zugleich ist er künstlerischer Direktor der dortigen philharmonischen Orchester. Er veröffentlichte Ratschläge zur Aufführung der Symphonien A. Bruckners (Linz 1974).

Woestijne van de, David → +van de Woestijne, D.

+Wohlfahrt, Frank [erg.:] Barnim Robert, * 15. 4. 1894 zu Bremen, [erg.:] † 3. 10. 1971 zu Hamburg.
Von seinen letzten Werken seien genannt: konzertante Sinfonie (1966); Konzert für Cemb. und Kammerorch. (1966); Sancta Trinitas für gem. Chor, Kl., Bläser, Vc. und Kb. – W. veröffentlichte ferner: Drei Meister der Tonkunst. Bach, Mozart, Schumann (Hbg 1959); C. Schuricht (Hbg 1960); Geschichte der Sinfonie (Hbg 1966).
Lit.: K. GREBE, Fr. W., Jb. d. Freien Akad. d. Künste in Hbg 1957 (mit Werkverz.); PH. JARNACH, ebd. 1964, S. 155ff.

+Wohlfart [nicht: Wohlfahrt], Karl [erg.:] Adrian, 1874 – 30. [nicht: 29.] 4. 1943.

+Wohlgemuth, Gerhard, * 16. 3. 1920 zu Frankfurt am Main.
Neuere Werke: Metamorphosen (über ein Thema von Händel, 1959), Telemann-Variationen (1964), Musica giocosa (1970) und Sinfonische Musik (1971) für Orch.;

Violinkonzert (1963); 2 Streichquartette (1960, 1968); Oratorium *Jahre der Wandlung* (1960) und Kantate *Genossen, der Sieg ist errungen* für 4 Soli, gem. Chor und Orch. (1971); ferner Filmmusiken, Massenlieder und Volksmusikwerke.

Lit.: W. Siegmund-Schultze, Neue Kammermusik v. G. W., MuG VI, 1956; ders., Technik – weder gut noch böse (zum 1. Streichquartett), bzw. »Jahre d. Wandlung«, MuG XI, 1961; ders. in: MuG XX, 1970, S. 181ff.; G. Fleischhauer in: MuG XV, 1965, S. 727ff. (zu d. Telemann-Variationen).

Wohlmann, Boris Lwowitsch (Wolman), * 3.(15.) 11. 1895 zu St.Petersburg und † 8. 5. 1971 zu Leningrad; russischer Musikforscher und Pianist, studierte bis 1924 Klavier bei Maria Barinowa am Leningrader Konservatorium, leitete 1938–45 die Klavierklasse des Konservatoriums in Taschkent (1942 Dozent) und lehrte 1945–56 am Leningrader Konservatorium. 1947 erhielt er für seine Arbeit *Fortepiannoje twortschestwo P.I. Tschajkowskowo* (»P.I.Tschaikowskys Klavierwerk«) den Titel »Kandidat der Kunstwissenschaft«. Er veröffentlichte u.a.: *Russkije petschatnyje noty XVIII weka* (»Der russische Notendruck des 18. Jh.«, Leningrad 1957); *Gitara w Rossii* (»Die Gitarre in Rußland«, ebd. 1961); *S.M.Majkapar* (ebd. 1963); *Gitara i gitaristy* (»Gitarre und Gitarristen«, ebd. 1968); *Russkije notnyje isdanija XIX – natschala XX weka* (»Die russischen Notenausgaben des 19. bis zum Anfang des 20. Jh.«, ebd. 1970); *Gitara* (Moskau 1972); Aufsätze in SM.

Wohnhaas, Theodor, * 4. 7. 1922 zu Kirchheimbolanden (Pfalz); deutscher Musikforscher, studierte 1946–49 und ab 1955 Medizin und Musikwissenschaft in Erlangen, wo er 1959 mit einer Dissertation über *Studien zur musikalischen Interpretationsfrage* promovierte. 1958 wurde er Assistent am Musikwissenschaftlichen Seminar der Universität Erlangen, dort 1965 Konservator, 1968 Oberkonservator und 1972 Akademischer Direktor. Er schrieb: *Leistungen der Reichsstadt zur Ratsmusik* (in: H.Zirnbauer, Der Notenbestand der reichsstädtisch nürnbergischen Ratsmusik, = Veröff. der Stadtbibliothek Nürnberg I, Nürnberg 1959); *J.Weinlein, Medicus et Musicus Rothenburgo-Tuberanus* (Jb. für fränkische Landesforschung XXIV, 1964); *Der Augsburger Orgelstreit von 1612–14* (Zs. für bayerische Kirchengeschichte XXXVI, 1967); *Der Orgelbau in Franken* (mit H.Fischer, KmJb LI, 1967); *Nürnberger Gesangbuchdrucker und -verleger im 17.Jh.* (Fs. Br.Stäblein, Kassel 1967); *Die Orgelbauer Schonat in Franken und den Niederlanden* (mit H.Fischer, Mainfränkisches Jb. für Geschichte und Kunst XX, 1968); *Über Leben und Werk des Augsburger Domkapellmeisters Fr. Bühler, 1760–1823* (Jb. des Vereins für Augsburger Bistumsgeschichte IV, 1970); *Die Endter in Nürnberg als Musikdrucker und Musikverleger* (in: Quellenstudien zur Musik, Fs. W.Schmieder, Ffm. 1972); *Süddeutsche Orgeln aus der Zeit vor 1900* (mit H.Fischer, = Beitr. zum Orgelbau in Süddeutschland I, Ffm. 1973).

+Wójciḱówna, Bronisława (Wójcik-Keuprulian), 1890 – [erg.]: 11. 4. 1938 [nicht: 1934].
1934 habilitierte sie sich mit der Arbeit *Stanowisko muzykologii w systemie nauk* (»Die Stellung der Musikwissenschaft im System der Wissenschaften«, in: Rozprawy i notatki muzykologiczne I, Krakau 1934) an der Universität Krakau.

Wolansky, Raymond, * 15. 2. 1926 zu Cleveland (O.); amerikanischer Sänger (Bariton), studierte in seiner Heimatstadt und wurde 1952 Ensemblemitglied der Württembergischen Staatsoper in Stuttgart. Ab 1960 war er ständiger Gast der Hamburgischen Staatsoper

und trat daneben an der Covent Garden Opera in London (1955 und 1973), am Teatro Colón in Buenos Aires (1962) sowie bei den Festspielen in Edinburgh (1966) auf. Zu seinen wichtigsten Partien gehören Graf Almaviva (*Le nozze di Figaro*), Graf Luna (*Il trovatore*), Amfortas (*Parsifal*) und Mandryka (*Arabella*).

+Woldemar, Michel, 17. 6. [nicht: 9.] (getauft 21. 9.) 1750 – 1815.
Lit.: N. K. Nunamaker, The Virtuoso V. Concerto Before Paganini, Diss. Indiana Univ. 1968.

+Wolf, Hans Bodo Friedrich [erg. Vornamen], * 19. 10. 1888 und [erg.:] † 9. 6. 1965 zu Frankfurt am Main.
Der Autor der in seiner Dissertation +*H.V. Beck, ein vergessener Meister der Tonkunst* (1911) behandelten Kantaten ist nicht Beck, sondern Telemann. – W. komponierte des weiteren die Oper *Die Heiratskanone* (Gießen 1960).
Lit.: W. Menke, H. V. Beck, ein zu Unrecht vergessener Meister d. Tonkunst?, AfMf VII, 1942.

+Wolf, Endre, * 6. 11. 1913 zu Budapest.
1954 wurde W. Professor für Violine am Royal Manchester College of Music, gab diese Stellung jedoch wegen zunehmender solistischer Verpflichtungen sowie seiner Mitarbeit beim schwedischen Rundfunk in Stockholm, wo er seit 1956 Kurse für Violine und Kammermusik leitet, 1964 auf und lebt seitdem in Stockholm.

Wolf, Erich, * 9. 9. 1929 zu Heidelberg; deutscher Musikpädagoge und Pianist, studierte in Heidelberg (1947–50) und Detmold (1953–57) Komposition bei Fortner und W.Petersen, Klavier bei Richter-Haaser. 1957–64 war er als Chorleiter und Klavierlehrer in Paderborn tätig. Seit 1962 ist W. Dozent für Klavier und Tonsatz an der Nordwestdeutschen Musikakademie in Detmold und tritt als Konzertpianist auf. Er veröffentlichte *Der Klavierunterricht* (Wiesbaden 1963), *Der vierstimmige homophone Satz* (ebd. 1965), *Allgemeine Musiklehre* (ebd. 1967) und *Die Musikausbildung* (3 Bde, ebd. 1967–73).

+Wolf, Ernst Wilhelm, 1735–92.
Ausg.: 2 leichte Kl.-Sonaten, hrsg. v. H. Albrecht, = Organum V, 25, Lippstadt 1958; eine Sonate in: Six Keyboard Sonatas from the Class. Era, hrsg. v. W. S. Newman, Evanston (Ill.) 1965; 2 Fantasien in: P. Schleuning, Die Fantasie, Teil II, = Das Musikwerk XLIII, Köln 1971, auch engl.
Lit.: D. Härtwig in: MGG XIV, 1968, Sp. 770ff.

+Wolf, Georg Friedrich, [erg.:] 12. 9. 1761 [nicht: 1762] – [erg.: 23.] 1. 1814.

+Wolf, Hugo [erg.:] Philipp Jakob, 1860–1903.
Ausg.: +*Nachgelassene Werke* (R. Haas u. H. Schultz), Lpz. 1936–40, erschienen sind: I. Folge (Lieder mit Kl.-Begleitung), 4 H., hrsg. v. H. Schultz, 1936 (Jugendlieder, 11 Lieder nach Gedichten v. Heine u. Lenau, 8 Lieder nach Gedichten v. Mörike u. Eichendorff sowie 7 Lieder nach Gedichten v. R. Reinick); III. Folge (Instrumentalwerke), Teil 2 (R. Haas, 1937), Penthesilea, Teil 3 (H. Schultz, 1940), Scherzo u. Finale f. großes Orch. (mit d. Entwürfen f. Orch. bzw. f. Kl.). – Sämtliche Werke. Kritische GA hrsg. v. d. Internationalen H.-W.-Ges. unter Leitung v. H. Jancik, Wien 1960ff., bisher erschienen: Bd I (1963), Gedichte v. E. Mörike; II (1970), Gedichte v. J. v. Eichendorff; IV (1967), Span. Liederbuch (Heyse u. Geibel) 1889–90; V (1972), Ital. Liederbuch I u. II (P. Heyse) 1890/91 u. 1896; VII, 2 (1969), Nachgelassene Lieder; X (1974), Kleine Chöre a cappella oder mit Klavierbegleitung; XV (1960), Kammermusik (Streichquartett D moll, 1878–84, Intermezzo Es dur, 1882–86, u. Serenade G dur, 1887, f. Streichquartett); XVI (1971), Penthesilea (nach d. Ausg. v. R. Haas [s. o.]); XVII, 2 (1965), Ital.

Serenade f. kleines Orch. – Das Mausfallen-Sprüchlein, Faks. hrsg. v. Fr. Grasberger, Tutzing 1968. Lit.: +Fr. Walker, H. W. (1951), revidiert NY u. London 1968, London ²1974. – Briefe an M. Köchert, hrsg. v. Fr. Grasberger, Tutzing 1964; Ungedruckte Briefe v. H. W., hrsg. v. R. Schaal, DJbMw XIII, 1968 (an K. Mayr); W. Schuh, H. W. i, Spiegel eines Tagebuchs, SMZ CXII, 1972; E. Werba, Briefe H. W.s an seine Schwester Adrienne, ÖMZ XXVII, 1972. – H. W., Persönlichkeit u. Werk, hrsg. v. Fr. Grasberger, = Biblos-Schriften XXV, Wien 1960 (Ausstellungskat.). – W.-Sonder-H., = ÖMZ XV, 1960, H. 2; H. W., Werk u. Wiedergabe, = ÖMZ XXVIII, 1973, H. 10. – +E. Newman, H. W. (1907), Neuaufl. NY u. London 1963, auch NY 1966; +N. Loeser, W. (1955), Neuaufl. = Gottmer-muziek-pockets XIX, Haarlem 1958. – D. Lindner, H. W., Leben, Lied, Leiden, = Österreich-Reihe XCVI/XCVII, Wien 1960; H. Rosendorfer, H. W. als Wegelagerer, in: Forvm VII, 1960; Fr. Walker, Conversations with H. W., ML XLI, 1960, deutsch in: SMZ C, 1960, S. 218ff.; P. Wulfius in: SM XXIV, 1960, H. 4, S. 96ff.; R. Braun, Der schwierige H. W., NZfM CXXII, 1961; S. Martinotti, H. W., musicista mediterraneo, in: Musica d'oggi IV, 1961; Fr. Grasberger, H. W. u. M. Köchert, ÖMZ XIX, 1964; L. Füredi, H. W., Bukarest 1966; M. Reinhardt, Jean-Christophe et H. W., SMZ CVI, 1966; H. Pleasants, Who's Afraid of H. W.?, HiFi Stereo Rev. XVIII, 1967; Cl. Rostand, H. W., = Musiciens de tous les temps XXXVI, Paris 1967; E. Werba, H. W.s Lebens- u. Schaffensstationen in Niederösterreich, ÖMZ XXV, 1970; Ders., H. W. oder Der zornige Romantiker, = Glanz u. Elend d. Meister IX, Wien 1971. H. Brauer, Goethes Lieddichtung bei Fr. Schubert u. H. W., Diss. Gießen 1942; P. Hamburger, The Interpretation of Picturesque Elements in W.'s Songs, in: Tempo 1958, Nr 48; R. U. Ringger, Zur formbildenden Kraft d. vertonten Wortes. Analytische Untersuchungen an Liedern v. H. W. u. A. Berg, SMZ XCIX, 1959; W. Bollert, H. W.s »Corregidor«, in: Musica XIV, 1960; G. Werker, H. W. als muziekcriticus, in: Mens en melodie XV, 1960; Ders., ebd. XXII, 1967, S. 293ff. (zum Streichquartett D moll); E. Sams, The Songs of H. W., London 1961, NY 1962; J. L. Broeckx, De liedkunst v. H. W., = Leren luisteren IV, Antwerpen 1962; R. Egger, Die Deklamationsrhythmik H. W.s in hist. Sicht, Tutzing 1963; M. J. Shott, H. W.'s Music Criticisms. Translation and Analysis According to Pepper's Four World Hypotheses, Diss. Indiana Univ. 1964; R. Strehl, Die mus. Form bei H. W., Diss. Göttingen 1964; V. Levi, L'»Ital. Liederbuch« di H. W., RIdM I, 1966; J. M. Stein, Poem and Music in H. W.'s Mörike Songs, MQ LIII, 1967; Ders., Poem and Music in the German Lied from Gluck to H. W., Cambridge (Mass.) 1971; P. Ch. Boylan, The Lieder of H. W., Zenith of the German Art Song, Diss. Univ. of Michigan 1968; Fr. Grasberger, Wie H. W.s »Epiphanias« entstand, ÖMZ XXIII, 1968; B. Kinsey, Mörike Poems Set by Brahms, Schumann and W., MR XXIX, 1968; B. Böschenstein, Zum Verhältnis v. Dichtung u. Musik in H. W.s Mörikeliedern, in: Wirkendes Wort XIX, 1969; B. Sm. Campbell, The Solo Sacred Lieder of H. W., The Interrelationship of Music and Text, Diss. Columbia Univ. (N. Y.) 1969; H. E. Seelig, Goethe's »Buch Suleika« und H. W., A Mus.-Literary Study, Diss. Univ. of Kansas 1969; P. G. Langevin, H. W., L'œuvre posthume, in: Musicalia I, (Genua) 1970; H. Thürmer, Die Melodik in d. Lieder v. H. W., = Schriften zur Musik II, Giebing (Obb.) 1970; E. Werba, Ital. Liederbücher v. H. W. u. J. Marx, ÖMZ XXV, 1970; P. Wulfius, H. W. i jewo »Stichotworenija Eichendorfa« (»H. W. u. seine ‚Eichendorff-Gedichte'«), = W pomoschtsch pedagogumusykantu o. Nr, Moskau 1970; G. Baum, Zur Vor- u. Entstehungsgesch. d. Mörike-Liederbuches v. H. W., NZfM CXXXII, 1971; E. Brody u. R. A. Fowkes, The German Lied and Its Poetry, NY 1971; I. Fellinger, Die Oper im kompositorischen Schaffen v. H. W., Jb. d. Staatl. Inst. f. Musikforschung ... 1971; W. Wiora, Das deutsche Lied. Zur Gesch. u. Ästhetik einer Musikgattung, Wolfenbüttel 1971; E. Busse, Die Eichendorff-Rezeption im Kunstlied. Versuch einer Typologie an-

hand v. Kompositionen Schumanns, W.s u. Pfitzners, Diss. Marburg 1973.

+**Wolf,** Johannes, 1869–1947. +*Geschichte der Mensural-Notation* ... (1904), Nachdr. Hildesheim und Wiesbaden 1965 (3 Bde in 1); +*Handbuch der Notationskunde* (1913–19), Nachdr. ebd. 1963; +*Geschichte der Musik* ... (1925–29), 5. Aufl. d. +span. Ausg. (1934, ⁴1957) Barcelona 1965. Lit.: P. Wackernagel, Aus glücklichen Zeiten d. Preußischen Staatsbibl., Fs. Fr. Smend, Bln 1963.

Wolf, Winfried, * 19. 6. 1900 zu Wien; deutscher Komponist und Pianist, studierte in Wien Komposition bei Fr. E. Koch und Klavier bei E. Sauer. Als Pianist debütierte er 1924; mit einem Zyklus »10 Klavierkonzerte von Haydn bis Strauss« mit den Berliner Philharmonikern gelang ihm der »Durchbruch«. Konzertreisen führten ihn in verschiedene europäische Länder, nach Nord- und Südamerika, Afrika und Asien. 1934–40 war er Professor an der Berliner Musikhochschule und lebte dann in Portugal. 1961 wurde er Professor am Mozarteum Salzburg. W. komponierte auf eigene Texte die Opern *Amati* (Oldenburg 1952), *Das glückliche Ende* (Nürnberg 1954) und *Isabel* (Braunschweig 1967), ferner Orchesterwerke (Variationen über ein Thema von Poglietti op. 8, 1936; 2. Klavierkonzert op. 13, 1954) und Kammermusik.

+**Wolf-Ferrari,** Ermanno, 1876–1948. Lit.: In memoria di E. W.-F., = Quaderni dell'Accad. Chigiana XVII, Siena 1948; A. Lualdi in: L'opera IV, 1968, S. 65ff.; E. W.-F. an K. Straube. 5 Briefe aus d. Jahren 1901 u. 1902, in: Musica XXIII, 1969, S. 338ff.

+**Wolff,** Albert [erg.:] Louis, * 19. 1. 1884 und [erg.:] † 20. 2. 1970 zu Paris. 1938–46 lebte W. auch in Buenos Aires und dirigierte am Teatro Colón; 1945 wurde er Directeur général der Opéra-Comique in Paris. Als Dirigent trat W. besonders für die neuere französische Musik ein (u. a. Debussy, Dukas, Ibert, Milhaud, Fl. Schmitt). – +*L'oiseau bleu* (NY 1919); +*Sœur Béatrice* (1911, Nizza 1948). Lit.: P. Le Flem in: Musica (Disques) 1962, H. 95, S. 38ff.

Wolff, Charles Johannes de, * 19. 6. 1932 zu Onstwedde (Groningen); niederländischer Dirigent, Organist und Cembalist, studierte am Konservatorium in Amsterdam (A. van der Horst) sowie bei Jeanne Demessieux in Paris und nahm an Dirigierkursen bei Franco Ferrara an der Nederlandse Radio Unie teil. Er ist Dirigent des Noordelijk Filharmonisch Orkest in Groningen, des Tonkunstchors »Bekker« sowie der Nederlandse Bachvereeniging in Naarden. Als Organist hat er sich besonders durch die Interpretation der Werke J. S. Bachs einen Namen gemacht.

Wolff, Christian, * 24. 1. 1679 zu Breslau, † 9. 4. 1754 zu Halle (Saale); deutscher Philosoph, habilitierte sich 1703 in Leipzig, erhielt 1706 eine Professur (zunächst für Mathematik) in Halle, nach seiner Absetzung (1723) in Marburg. Kurz nach der Thronbesteigung von Friedrich II. wurde er nach Halle zurückberufen (1740). Durch Alexander Gottlieb Baumgarten, den Begründer der Ästhetik, gewann W. Einfluß auf das nachfolgende Musikdenken. Lit.: A. Schering, Bach u. d. Symbol, in: Das Symbol in d. Musik, Lpz. 1941; J. Birke, Chr. W.s Metaphysik u. d. zeitgenössische Lit.- u. Musiktheorie. Gottsched, Scheibe, Mizler, Bln 1966.

Wolff (wulf), Christian, * 8. 3. 1934 zu Nizza; amerikanischer Komponist, begann 1949 als Autodidakt zu komponieren, arbeitete 1950–51 mit Cage, Tudor und Feldman zusammen, unter deren Einfluß er sich

musikalisch entwickelte. 1962–69 lehrte er klassische Philologie an der Harvard University in Cambridge (Mass.) und ist nunmehr Associate Professor für klassische Philologie und Musik am Dartmouth College in Hanover (N. H.). Seit 1956 tritt er in teilweise von ihm organisierten Konzerten Neuer Musik in den USA und Europa auf. W. dienen Kompositionen vor allem als Material zur Aufführung. Den Interpreten werden innerhalb des Zeitablaufs eines Stückes verschiedene Grade von Freiheit eingeräumt, wofür W. neue Notationsformen entwickelt hat. Wichtig erscheint ihm, im Werk ein dauerhaftes Moment der Überraschung für Zuhörer, Interpreten und den Komponisten gleichermaßen zu etablieren. – Werke: *Burdocks* für ein oder mehrere Orch. (1970–71). – Für beliebige Instr.: *For 5 or 10 Players* (1962); *In Between Pieces* für 3 Spieler (1963); *For 1, 2 or 3 People* (1964); Septett für 7 Spieler und einen Dirigenten (1964); *Pairs* für 2, 4, 6 oder 8 Spieler (1968); *Toss* für 8 oder mehr Instr. (1968); *Edges* (1968), *Prose Collection* (1969), *Tilbury 2 & 3* (1969), *Drinks* (1969), *Groundspace* (1969) und *Fits and Starts* (1971) für beliebig viele Instr.; *Crazy Mad Love* für Stimmen und Instrumente (1971). – Kammermusik: *Nine* für Fl., Klar., Trp., Horn, Pos., Celesta, Kl. und 2 Vc.; *For 6 or 7 Players* für Fl., Trp., Pos., V., Va, Kb. und Kl. (1959); *For 6 Players* für Piccolo-Fl., Klar., Fag., Trp., Va und Kb. (1959); *Summer* (1961) und *Lines* (1972) für Streichquartett; Quartett für 4 Hörner (1966); *Electric Spring 1* für Horn, elektrische Git., Baßgit. und Kb. (1966), *2* für Block-Fl., Pos., elektrische Git. und Baßgit. (1967–69) und *3* für V., Horn, elektrische Git. und Baßgit. (1968); Trio I für Fl., V. und Vc. (1951), Trio II für Kl. 4händig und Schlagzeug (1961); Duo für V. (1950); Suite II (1960) und Duett II (1961) für Horn und Kl.; *Duo for Violinist and Pianist* (1961). – Klavierwerke: *Duo for Pianists I* (1957) und *II* (1958); Duett I für Kl. 4händig (1960); *For Prepared Piano* (1951); *For Piano I* (1952) und *II* (1953); Suite (I) für Prepared piano (1954); *For Piano with Preparations* (1955); *For Pianist* (1959); *Tilbury 1* für ein Tasteninstr. (1969); *Snowdrop* für Cemb. (1970). – *For Magnetic Tape* (1952). – *You Blew It* für Stimmen (1971). – W. verfaßte u. a. *Über Form* (in: Form/Raum, hrsg. von H. Eimert und K. Stockhausen, = die Reihe VII, Wien 1960, engl. Bryn Mawr/Pa. 1965), *Questions* (in: Collage 1964, Nr 3/4 [Palermo]) und *Electricity and Music* (ebd. 1968, Nr 8).
Lit.: M. NYMAN, Experimental Music. Cage and Beyond, London 1974.

Wolff, Christoph, * 24. 5. 1940 zu Solingen; deutscher Musikforscher, studierte ab 1960 Kirchenmusik an den Musikhochschulen in Berlin und Freiburg i. Br. (Neumeyer) und daneben Musikwissenschaft an den Universitäten in Berlin und Erlangen, wo er 1966 über das Thema *Der stile antico in der Musik J. S. Bachs* promovierte (= BzAfMw VI, Wiesbaden 1968; vgl. dazu A. Dürr in: Mf XXIII, 1970, S. 124ff.). 1965–66 war er an der Universität Erlangen–Nürnberg Universitätsmusiklehrer am Institut für Kirchenmusik und 1966–69 Lektor am Musikwissenschaftlichen Seminar sowie 1968–69 Visiting Professor an der University of Toronto, an deren Graduate Department of Music er 1969 als Professor of Music and Literature berufen wurde. Seit 1970 lehrt er an der Columbia University in New York. – Veröffentlichungen (Auswahl): *Die Rastrierungen in den Originalhandschriften J. S. Bachs und ihre Bedeutung für die diplomatische Quellenkritik* (Fs. Fr. Smend, Bln 1963); *Der Terminus »Ricercar« in Bachs Musikalischem Opfer* (Bach-Jb. LIII, 1967); *Zur musikalischen*

Vorgeschichte des Kyrie aus J. S. Bachs Messe in h-moll (Fs. Br. Stäblein, Kassel 1967); *C. Paumanns Fundamentum organisandi und seine verschiedenen Fassungen* (AfMw XXV, 1968); *Ordnungsprinzipien in den Originaldrucken Bachscher Werke* (in: Bach-Interpretationen, hrsg. von M. Geck, = Kleine Vandenhoeck-Reihe Bd 291S, Göttingen 1969); *Die Architektur von Bachs Passacaglia* (Acta organologica III, 1969); *Die Gestalt alter und neuer Orgeln im niedersächsischen Raum* (ebd. IV, 1970); *Publikationen liturgischer Orgelmusik vom 16. bis ins 18. Jh.* (in: Kerygma und Melos, Fs. Chr. Mahrenholz, Kassel 1970); *New Research on Bach's Musical Offering* (MQ LVII, 1971). Er gab gesammelte Reden und Aufsätze von Fr. Smend als *Bach-Studien* (Kassel 1969) heraus. W. ist Mitarbeiter der Neuen Bach-Ausgabe, der Neuen Mozart-Ausgabe und des »Handwörterbuchs der musikalischen Terminologie« (hrsg. von H. H. Eggebrecht, Wiesbaden 1972ff.).

Wolff, Ernst Wilhelm, * 12. 4. 1861 zu Karthaus (bei Danzig), † 10. 5. 1935 zu Köln; deutscher Musikforscher und Gesangspädagoge, studierte in Berlin, Straßburg und München Jura und besuchte 1880–83 die Hochschule für Musik in Berlin. Zunächst betätigte er sich als Konzertsänger (Bariton) und Begleiter (u. a. von Hermine Spies), bis er 1894 an das Kölner Konservatorium als Lehrer für Gesang berufen wurde (1910 Professor, 1917 stellvertretender Direktor); 1926 trat er in den Ruhestand. – Veröffentlichungen (Auswahl): *F. Mendelssohn Bartholdy* (= Berühmte Musiker XVII, Bln 1906, ²1909); *R. Schumann* (= Die Musik XIX, Lpz. 1906); *Die Pflege der Musik* (in: Die Stadt Cöln im ersten Jh. unter preußischer Herrschaft, 1815–1915, Bd II, Köln 1915); *Das musikalische Leben in Köln* (ebd. 1917); *Das Konservatorium der Musik in Köln 1850–1925* (ebd. 1925); *Fr. Wüllner* in: Westfälische Lebensbilder II, 2, Münster 1931). – Ausgaben: *Meister-Briefe. F. Mendelssohn Bartholdy* (Bln 1907); *J. Brahms im Briefwechsel mit Fr. Wüllner* (= J. Brahms, Briefwechsel XV, Bln 1922). W. schrieb auch Kammermusik (6 Streichquartette), Klavierwerke, Chöre und Lieder.

Wolff, Ernst, * 1. 3. 1905 zu Baden-Baden; amerikanischer Dirigent, Pianist und Sänger deutscher Herkunft, lebt in New York und Breganzona (Tessin). Er studierte in Frankfurt a. M. bei Eduard Jung, v. Schmeidel und Sekles, wurde Assistent von Cl. Krauss und W. Steinberg am dortigen Opernhaus und wirkte bei den Musiktagen zur Förderung zeitgenössischer Musik in Baden-Baden mit. 1933 emigrierte er in die USA, wo ihm 1951 von der Hamline University in St. Paul (Minn.) der Dr. h. c. verliehen wurde. 1962 ehrte ihn die Stadt Frankfurt mit dem Professorentitel. W. ist der Gründer der Serate Musicali Breganzonesi.

+Wolff, Hellmuth Christian, * 23. 5. 1906 zu Zürich.
An der Leipziger Universität war W. bereits ab 1947 tätig (1960 Professor mit vollem Lehrauftrag); seit 1967 ist er vorwiegend mit Forschungsaufgaben beauftragt. Von 1956 an tritt er auch als Maler hervor (Ausstellungen in Leipzig 1961, 1963 und 1966 sowie im Düsseldorfer Kunstverein 1966). Er ist Leiter der Kommission zur Herausgabe eines *Répertoire iconographique de l'opéra* (RICO; vgl. dazu seine Beiträge u. a. in: FAM XV, 1968, S. 50f., Maske und Kothurn XVIII, 1972, S. 246ff., und Hudební věda X, 1973, S. 151ff.). – Von seinen Büchern und Aufsätzen seien an neueren genannt: *Oper. Szene und Darstellung von 1600 bis 1900* (= Musikgeschichte in Bildern IV, 1, Lpz. 1968); *Die Oper* (3 Bde, = Das Musikwerk XXXVIII–XL, Köln

1971–72, auch engl.); *Originale Gesangsimprovisationen des 16. bis 18. Jh.* (ebd. XLI, 1972, auch engl.); *Bononcini oder die Relativität historischer Urteile* (RBM XI, 1957); *Orientalische Einflüsse in den Improvisationen des 16. und 17. Jh.* (Kgr.-Ber. Köln 1958); *Die ästhetische Auffassung der Parodiemesse des 16. Jh.* (in: Miscelánea ..., Fs. H. Anglés II, Barcelona 1958–61); *Mendelssohn and Handel* (MQ XLV, 1959); *Die Sprachmelodie im alten Opernrezitativ* (Händel-Jb. IX, 1963); *Der Manierismus in der barocken und romantischen Oper* (Mf XIX, 1966); *Melodische Urform und Gestaltvariation bei Debussy* (DJbMw XI, 1966); *Rameaus »Les Indes galantes« als musikethnologische Quelle* (Jb. für musikalische Volks- und Völkerkunde III, 1967); *Bühnenbild und Inszenierung der italienischen Oper 1600–1700* (in: Cl. Monteverdi e il suo tempo, Kgr.-Ber. Venedig u. a. 1968); *Die Geschichte der Musikwissenschaft an den Universitäten Leipzig und Berlin* (in: Sborník prací filosofické fakulty brněnské university XVIII, H 4, 1969); *Das Märchen von der neapolitanischen Oper und Metastasio* (in: Analecta musicologica IX, 1970); *Manierismus und Musikgeschichte* (Mf XXIV, 1971); *L.Leo's Oper »L'Andromaca« (1742)* (in: Studi musicali I, 1972); *Un oratorio sconosciuto di L.Leo* (RIdM VII, 1972); *Halévy als Kunst- und Musikschriftsteller* (in: Musicae scientiae collectanea, Fs. K.G. Fellerer, Köln 1973); *L'opera comica nel XVII s. a Venezia e l'»Agrippina« di Händel (1709)* (nRMI VII, 1973); *Typologie der Musik der italienischen Oper 1600–1750* (in: Opera w dawnej Polsce na dworze Władysława IV i Urólów saskich, hrsg. von J. Lewański, = Studia staropolskie XXXV, Wrocław 1973). – W. gab in der Leipziger → +Mendelssohn Bartholdy-GA die Jugendsinfonien heraus (vgl. dazu seinen Aufsatz in: DJbMw XIII, 1968, S. 96ff.).

+Wolff, Henny, * 3. 2. 1896 zu Köln, [erg.:] † 29. 1. 1965 zu Hamburg.
1962 beendete sie ihre sängerische Laufbahn. An der Hamburger Musikhochschule wirkte sie bis zu ihrem Tode als Professor für Gesang.
Lit.: J. MÜLLER-MAREIN u. H. REINHARDT, Das mus. Selbstporträt, Hbg 1963.

+Wolff [–1) Hermann], –2) W e r n e r , * 2. 10. 1883 zu Berlin, [erg.:] † 23. 11. 1961 zu Rüschlikon (Zürich).
Er zog sich 1959 von der Chattanooga Opera Association (Tenn.) zurück.

+Wolff, [erg.: Julius] Leonhard, 1848 – 17. [nicht: 18.] 2. 1934.
Lit.: P. MIES in: Rheinische Musiker I, hrsg. v. K. G. Fellerer, = Beitr. zur rheinischen Mg. XLIII, Köln 1960, S. 266ff.

Wolff, R o b e r t → Gebethner, Gustav A.

+Wolfrum, Philipp, 1854–1919.
+Die Entstehung und erste Entwicklung des [erg.: deutschen] *evangelischen Kirchenliedes ...* (1890), Nachdr. Walluf bei Wiesbaden 1972.
Lit.: W. EGGERT, Der Reformator d. Konzertsaals, in: Musikblätter VIII, 1955.

Wolkenstein, D a v i d , * 19. 11. 1534 zu Breslau, † 11. 9. 1592 zu Straßburg; deutscher Komponist und Musiktheoretiker, studierte an den Universitäten in Frankfurt/Oder (1553–54) sowie Wittenberg (ab 1554) und war 1568–92 Professor mathematicae et musicae am Gymnasium und der Akademie in Straßburg. Er schrieb ein 3bändiges Werk für den Musikunterricht *Primum musicum volumen scholarum Argentoratensium* (Straßburg ³1585) und gab heraus *Psalmen mit 4 Stimmen zu singen in den Kirchen und Schulen zu Straßburg* (ebd. 1577) sowie *Psalmen für Kirchen und Schulen auf*

die gemeinen Melodeien syllaben weiss zu 4 Stimmen gesetzt (ebd. 1583).
Lit.: C. J. A. HOFFMANN, Die Tonkünstler Schlesiens, Breslau 1830; C. v. WINTERFELD, Der ev. Kirchengesang u. sein Verhältnis zur Kunst d. Tonsatzes, Bd I, Lpz. 1843, Nachdr. Hildesheim 1963; J. ZAHN, Die Melodien d. deutschen ev. Kirchenlieder, 6 Bde, Gütersloh 1888–93, Nachdr. Hildesheim 1963; S. KÜMMERLE, Enzyklopädie d. ev. Kirchenmusik, Bd IV, Gütersloh 1895; M. VOGELEIS, Quellen u. Bausteine zu einer Gesch. d. Musik im Elsaß, Straßburg 1911; G. PIETZSCH in: AfMf VII, 1942; L. FINSCHER, Das Kantional d. Georg Weber aus Weißenfels, Jb. f. Liturgik u. Hymnologie III, 1957; FR. BLUME, Gesch. d. ev. Kirchenmusik, Kassel ²1965; KL. W. NIEMÖLLER, Untersuchungen zu Musikpflege u. Musikunterricht an d. deutschen Lateinschulen v. ausgehenden MA bis um 1600, = Kölner Beitr. zur Musikforschung LIV, Regensburg 1969.

+Wolkenstein, O s w a l d von, um 1377 – 2. 8. 1445 zu Meran [del. bzw. erg. frühere Angabe].
Ausg.: O. v. W., Abb. zur Überlieferung, Bd I: Die Innsbrucker W.-Hs. B, hrsg. v. H.(ANS) MOSER u. U. MÜLLER, Bd II: Die Innsbrucker W.-Hs. c, hrsg. v. DENS. u. FR. V. SPECHTLER, = Litterae XII bzw. XVI, Göppingen 1972–73 (d. Hs. A, hrsg. v. U. MÜLLER u. FR. V. SPECHTLER, erschien Stuttgart 1974 als Privatdruck). – +Geistliche u. weltliche Lieder (J. SCHATZ [Text] u. O. KOLLER [Musik], 1902), d. Textausg. v. Schatz als: +Die Gedichte O.s v. W., 2. verbesserte Ausg. Göttingen 1904 [del. früherer Titel unter Lit.]; +J. WOLF, Gesch. d. Mensural-Notation (1904), Nachdr. Hildesheim u. Wiesbaden 1965 (3 Bde in 1); +FR. GENNRICH, Troubadours, Trouvères, Minne- u. Meistergesang (1951), Neuaufl. Köln 1960. – Die Lieder O.s v. W., hrsg. v. K. K. KLEIN (mit W. Weiß u. N.[otburga] Wolf, Musikanh. v. W. Salmen), = Altdeutsche Textbibl. LV, Tübingen 1962, 2. Aufl. bearb. v. H.(ans) Moser, N. R. u. N.(otburga) Wolf, ebd. 1975; 12 Lieder in: E. JAMMERS, Ausgew. Melodien d. Minnesangs, = ebd., Ergänzungsreihe I, 1963; ein Lied (Kl 101) in: R. TAYLOR, Die Melodien d. weltlichen Lieder d. MA, Bd II, = Slg Metzler XXXV, Stuttgart 1964; 11 Lieder in: Deutsche Lieder d. MA, hrsg. v. H.(UGO) MOSER u. J. MÜLLER-BLATTAU, ebd. 1968; ein Lied (Kl 101) in: Das Lochamer Liederbuch, hrsg. v. CHR. PETZSCH u. W. SALMEN, = DTB, N. F., Sonder-Bd II, Wiesbaden 1972. – Textausg.: O. v. W., Eine Ausw. aus seinen Liedern, hrsg. (mit nhd. Übers.) v. B. WACHINGER, Ebenhausen bei München 1964, dass. als: O. v. W., Lieder, = Reclams Universal-Bibl. Bd 2839/40, Stuttgart 1967, ²1972. – zu d. (v. Fr. Delbono, W. Röll, E. Timm u. H. Lomnitzer) geplanten kritischen GA d. Texte (einschließlich d. Briefe) u. Melodien siehe d. (unter Lit. genannten) Tagungsber. »O. v. W.« (1973).
Lit.: L. FR. TOWNSLEY, A Glossary to the Songs of O. v. W., Diss. Univ. of Maryland 1972; Verskonkordanz zu d. Liedern O.s v. W. (Hss. A u. B), hrsg. v. G. F. JONES, H.-D. MÜCK u. U. MÜLLER, 2 Bde = Göppinger Arbeiten zur Germanistik XL–XLI, Göppingen 1973. – R. WH. LINKER, Music of the Minnesinger and Early Meistersinger. A Bibliogr., = Univ. of North Carolina Studies in the Germanic Languages and Lit. XXXII, Chapel Hill (N. C.) 1962. – K. K. KLEIN, O. v. W., ein Dichter, Komponist u. Sänger d. Spätmittelalters. Forschungsergebnisse u. Aufgaben, in: Wirkendes Wort XIII, 1963; R. TAYLOR, Die Melodien d. weltlichen Lieder d. MA, Bd I, = Slg Metzler XXXIV, Stuttgart 1964; FR. DELBONO, Premesse critico-bibliogr. per uno studio della personalità e dell'opera di O. v. W., in: Siculorum gymnasium XVIII, (Catania) 1965; J. JANOTA, Neue Forschungen zur deutschen Dichtung d. Spätmittelalters, 1957–68, DVjs. XLV, 1971, Sonder-H. – O. v. W., Beitr. d. philologisch-mw. Tagung in Neustift bei Brixen 1973, hrsg. v. E. KÜHEBACHER, = Innsbrucker Beitr. zur Kulturwiss., Germanistische Reihe I, Innsbruck 1974 (mit Bibliogr. 1801–1974).
+F. BRAVI, La vita di Osvaldo W. poeta atesino del Quattrocento (1955), Fortführung in: Arch. per l'Alto Adige L, 1956, S. 385ff.; DERS., Mito e realtà in Osvaldo di W., = Centro di documentazione stor. per l'Alto Adige III, Bozen 1970; W. SENN, Wo starb O. v. W.?, in: Der

Schlern XXXIV, 1960; N. Mayr, Die Reiselieder u. Reisen O.s v. W., = Schlern-Schriften CCXV, Innsbruck 1961; U. Müller, »Dichtung« u. »Wahrheit« in d. Liedern O.s v. W., = Göppinger Arbeiten zur Germanistik I, Göppingen 1968; A. Th. Robertshaw, The Life and the Autobiogr. Poetry of O. v. W., Diss. Univ. of Durham 1973. – +Fr. Maurer, Beitr. zur Sprache O.s v. W. (= Gießener Beitr. zur deutschen Philologie III, 1922), Nachdr. Amsterdam 1968; +Fr. Ranke, Lieder O.s v. W. auf d. Wanderung (1934), Wiederabdruck in: Kleinere Schriften, = Bibl. Germanica XII, Bern 1971. – Fr. Gennrich, Liedkontrafaktur in mhd. u. ahd. Zeit, Zs. f. deutsches Altertum u. deutsche Lit. LXXXII, 1948/50, überarbeitet in: Der deutsche Minnesang, hrsg. v. H. Fromm, = Wege d. Forschung XV, Darmstadt 1961, ⁵1972; ders., Die Kontrafaktur im Liedschaffen d. MA, = Summa musicae medii aevi XII, Langen bei Ffm. 1965; Chr. Petzsch, Eine als unvollständig geltende Melodie O.s v. W., AfMw XIX/XX, 1962/63; ders., Text- u. Melodietypenveränderung bei O. v. W., DVjs. XXXVIII, 1964; ders., Text-Form-Korrespondenzen im ma. Strophenlied, DVjs. XLI, 1967; ders., Die Bergwaldpastourelle O.s v. W., Zs. f. deutsche Philologie LXXXVII, 1968 (Nachtrag dazu in: Mf XXII, 1969, S. 315f.); ders., Kontrafaktur u. Melodietypus, Mf XXI, 1968; ders., Reimpaare Freidanks bei O. v. W., in: Werk-Typ-Situation, Fs. H. Kuhn, Stuttgart 1969; ders., Zum Freidank-Cento O.s v. W., AfMw XXVI, 1969; ders., O. v. W. Nr. 105.»Es komen neue mer gerant«. Text-Form-Korrespondenz als Kriterium bei Fragen d. Datierung u. Überlieferung, Zs. f. deutsche Philologie XCI, 1972; J. Wendler, Studien zur Melodiebildung bei O. v. W., Tutzing 1963; ders. in: MGG XIV, 1968, Sp. 830ff.; Th. Göllner, Landinis »Questa fanciulla« bei O. v. W., Mf XVII, 1964; Dr. Plamenac, Faventina, in: Liber amicorum, Fs. Ch. Van den Borren, Antwerpen 1964; H. Rupp u. K. Bertau in: Germanistik in Forschung u. Lehre, hrsg. v. R. Henß u. H. Moser, Bln 1965, S. 149f. bzw. 151ff. (zu Kl 19); Fr. V. Spechtler, Der Mönch v. Salzburg u. O. v. W. in d. Hss., Mit einem bisher unbekannten Lied O.s v. W., DVjs. XL, 1966; S. Beyschlag, Zu d. mehrstimmigen Liedern O.s v. W., in: Lit. u. Geistesgesch., Fs. H. O. Burger, Bln 1968; W. Röll, O. v. W. u. Graf Peter v. Arberg, Zs. f. deutsches Altertum u. deutsche Lit. XCVII, 1968; ders., Vom Hof zur Singschule, Habil.-Schrift Hbg 1969 (zu Kl 42); H. Treichler, Studien zu d. Tageliedern, Diss. Zürich 1968; H.(ans) Moser, Durch Barbarei, Arabia. Zur Klangphantasie O.s v. W., in: Germanistische Studien, hrsg. v. J. Erben u. E. Thurnher, = Innsbrucker Beitr. zur Kulturwiss. XV, Innsbruck 1969; Br. Stäblein, Das Verhältnis v. textlich-mus. Gestalt zum Inhalt bei O. v. W., in: Formen ma. Lit., Fs. S. Beyschlag, = Göppinger Arbeiten zur Germanistik XXV, Göppingen 1970; ders., O. v. W., d. Schöpfer d. Individualliedes, DVjs. XLVI, 1972; E. Timm, Die Überlieferung d. Lieder O.s v. W., = Germanische Studien Bd 242, Lübeck 1972; G. F. Jones, O. v. W., = Twayne's World Authors Series Bd 236, NY 1973.

Wolkonskij, Andrej Michajlowitsch → Volkonsky, André.

+Wollick, Nicolaus, [erg.: um] 1480 – 1541 [erg.:] zu Nancy.
Ausg.: Enchiridion musices …, Faks. d. Ausg. Paris 1512, Genf 1972.
Lit.: Kl. W. Niemöller in: Rheinische Musiker I, hrsg. v. K. G. Fellerer, = Beitr. zur rheinischen Mg. XLIII, Köln 1960, S. 268ff.; K. G. Fellerer, Die Kölner musiktheoretische Schule d. 16. Jh., in: Renaissance-muziek 1400–1600, Fs. R. B. Lenaerts, = Musicologica Lovaniensia I, Löwen 1969.

+Wolpe, Stefan, * 25. 8. 1902 zu Berlin, [erg.:] † 4. 4. 1972 zu New York.
W. lehrte in New York ab 1957 [nicht: 1951] als Professor am C. W. Post College der Long Island University, daneben 1957–63 an der Chatham Square Music School und ab 1968 am Mannes College of Music. – Weitere Werke: +Passion eines Menschen für Tänzer,

Sänger, Chor und Orch. (Bln 1930); Konzert für Trp. und Kammerensemble (1969), Stück für Kl. und 16 Instr. (1960); 2 Chamber Pieces für 14 Instr. (1965), Piece in Two Parts für 6 Spieler (1962), Streichquartett (1968), Quartett für Ob., V., Schlagzeug und Kl.; Konzert für Kb., Klar. und Kl. (1969); 2 Stücke für Fl., Vc. und Kl. (1964), Piece in Two Parts für Fl. und Kl. (1960); Stücke für V. (1964, 1966), Trp. (1966) und Va (1970) solo; Form IV: Broken Sequences für Kl. (1970).
Lit.: E. Levy in: Perspectives of New Music II, 1963/64, H. 1, S. 51ff., Wiederabdruck in: Perspectives on American Composers, hrsg. v. B. Boretz u. E. T. Cone, = The »Perspectives of New Music« Series o. Nr, NY 1971, S. 184ff.; E. Carter in: Tempo 1972, Nr 102, S. 17f.

+Wolpert, Franz Alfons, * 11. 10. 1917 zu Wiesentheid (Bayern).
W. lebt in Überlingen (Bodensee). – Neuere Werke: Commedia per musica Der eingebildete Kranke (nach Molière, 1963, Wien 1975), Singspiel Pechvogel (ARD 1967); Konzerte für Vc. und Kl. (1961) sowie für V. (revidiert 1968) mit Orch.; 2. Sonate für Vc. (1966) und 2. Sonate für Va (1966) mit Kl.; Kantaten Urworte. Orphisch für S. und Bar. (Goethe, 1959) sowie Das Göttliche für S. (Goethe, 1961), gem. Chor und Orch.; 15 Shakespeare-Sonette für Baßbar. und Kl. (1949–68). – +Neue Harmonik (Regensburg [nicht: Bln] 1952), erweiterte NA = Taschenbücher zur Musikwissenschaft XIV, Wilhelmshaven 1972.

Wolter, Detlef Franz Emil, * 11. 3. 1933 zu Berlin; deutscher Komponist, studierte 1951–55 an der Berliner Musikhochschule bei Tiessen, Blacher und Otto Rausch sowie 1955–58 an der Münchner Musikhochschule bei Orff, Höller und Genzmer. Seitdem lebt er als freischaffender Komponist in München. Er schrieb Orchesterwerke (Divertimenti: II in B-lydisch, 1956, III in C-jonisch, 1962, und IV in Es-lydisch, 1971; Cassation Nr 1 in F-lydisch, 1974), Kammermusik (Thema mit Variationen für 5 Bläser, 1959; Serenade für Streichquartett, 1974; Divertimenti: I für Vc. und Kl., 1954, II, 1954, und III, 1967, für V. und Kl., Sonatine für Fl. und Kl., 1953; Drei Miniaturen für Electronium und Kl., 1958), Klavierwerke (Drei weltpolitische Miniaturen aus der Tierwelt, 1963, und Sechs Miniaturen, 1970), Vokalwerke (Vier Morgenstern-Chöre für Chor a cappella, 1969; Joachim-Ringelnatz-Capricen für Bar. und Kl., 1955) sowie Film-, Hörspiel- und Fernsehmusik.

+Wolters, Gottfried, * 8. 4. 1910 zu Emmerich (Niederrhein).
W., der weiterhin als Lektor im Möseler Verlag in Wolfenbüttel tätig ist, leitete den Norddeutschen Singkreis bis 1967. Er war Mitbegründer der »Europäischen Föderation Junger Chöre« (1961) und wirkte bei den von dieser Organisation veranstalteten Chorwochen und Chorfesten mit. – +W. A. Mozart, Kanons … ([nicht: 2 Bde] = Finken-Bücherei I/II, Wolfenbüttel 1956]; +Cl. Monteverdis Vesperae … 1610 (hrsg. mit M. Siedel und W. Lipphardt) und +J. S. Bachs Motetten … erschienen gesammelt ebd. 1967 bzw. 1968 [erg. frühere Angaben]. – Er gab des weiteren einzelne Werke u. a. von G. Carissimi, G. Gabrieli, A. Hammerschmidt u. H. Schütz heraus (alle ebd.) und edierte Musikbücher für die Schule.

+Woltz, Johann, 2. Hälfte 16. Jh. – [erg.:] 10. 9. 1618 zu Heilbronn.
Vermutlich 1572 wurde W. Organist in Heilbronn und war dort ab 1592 als Pfarrverweser tätig.
Ausg.: Nova musices organicae tabulatura (1617), Faks.-Ausg. = Bibl. musica Bononiensis IV, 53, Bologna 1970.

– Intavolatur v. Gr. Aichingers Motette »Suscepimus Deus« in: Orgelmusik in Benediktinerklöstern II, hrsg. v. E. KRAUS, = Cantantibus org. VII, Regensburg 1962. Lit.: M. HUG, J. W. u. seine Orgeltabulatur, 2 Bde, Diss. Tübingen 1960.

+**Wolzogen** [–1) Alfred von], –2) **Hans Paul, Freiherr von W.** und Neuhaus, 1848–1938.

–3) **Ernst** [erg.: Ludwig], **Freiherr von,** 1855–1934. Er heiratete 1902 (geschieden 1918 [nicht: 1923]) Elsa Laura, geborene Seemann von Mangern, * 5. 8. 1876 zu Dresden, [erg.:] † 25. 4. 1945 zu Admont (Steiermark). Lit.: zu –2): M. VOGEL, Nietzsche u. d. Bayreuther Blätter, in: Beitr. zur Gesch. d. Musikkritik, hrsg. v. H. Becker, = Studien zur Mg. d. 19. Jh. V, Regensburg 1965; W. SCHÜLER, Der Bayreuther Kreis, v. seiner Entstehung bis zum Ausgang d. wilhelminischen Ära. Wagnerkult u. Kulturreform im Geiste völkischer Weltanschauung, Münster (Westf.) 1971. – zu –3): E. KÖNIG, Das Überbrettl E. v. W.s u. d. Berliner Überbrettl-Bewegung, 2 Bde, Diss. Kiel 1956.

+**Wood, Charles,** 1866–1926. Lit.: I. A. COPLEY u. M. H. NOSEK in: MT CVII, 1966, S. 489ff. bzw. 492f.

+**Wood, Haydn,** * 25. 3. 1882 zu Slaithwaite, [erg.:] † 11. 3. 1959 zu London.

+**Wood, Sir Henry Joseph,** 1869–1944. +*About Conducting* (1945), Nachdr. St.Clair Shores (Mich.) 1972. Lit.: R. ELKIN in: MT CI, 1960, S. 488ff.; H. G. FARMER in: MT CII, 1961, S. 560f.; R. POUND, Sir H. W., London 1969 (vgl. dazu J. A. Westrup in: ML LI, 1970, S. 73ff.); H. REINOLD, Music f. Sixpence. Sir H. W. u. d. Londoner Promenadenkonzerte, NZfM CXXXI, 1970, auch in: Das Orch. XVIII, 1970.

Wood (wud), **Hugh,** * 27. 6. 1932 zu Parbold (Lancashire); englischer Komponist, studierte 1951–54 am New College in Oxford (B. A.) sowie bei W. S. Lloyd Webber (1954–56), I. Hamilton (1956–58) und Seiber (1958–60). 1962–65 war er Professor für Harmonielehre an der Royal Academy of Music in London. 1966–70 wirkte er an der University of Glasgow und 1971–73 an der University of Liverpool. Seit 1973 lebt er als freischaffender Komponist in Liverpool und hält Gastvorlesungen an der dortigen Universität. – Kompositionen: Variationen für Va und Kl. op. 1 (1959); Lieder nach Gedichten von Christopher Logue für A., V., Klar. und Vc. op. 2 (1961); Trio für Fl., Va und Kl. op. 3 (1961); Streichquartette Nr 1 op. 4 (1962) und Nr 2 op. 13 (1970); 3 Klavierstücke op. 5 (1963); *Scenes from Comus* für S., T. und Orch. op. 6 (1965); 3 Chöre für gem. Chor a cappella op. 7 (1966); Capriccio für Org. op. 8 (1967); Quintett für Klar., Horn, V., Vc. und Kl. op. 9 (1967); *The Horses* op. 10 (1967) und *The Rider Victory* op. 11 (1968) für hohe St. und Kl.; Violoncellokonzert op. 12 (1969); Lieder nach Gedichten von D. H. Lawrence für hohe St. und Kl. op. 14 (1970); Kammerkonzert op. 15 (1971); 2 a cappella-Chöre op. 16 (W. B. Yeats, 1971); Violinkonzert op. 17 (1972) und Lieder nach Gedichten von Robert Graves für hohe St. und Kl. op. 18 (1972). Lit.: L. BLACK, The Music of H. W., MT CXV, 1974.

+**Wood, Ralph Walter,** * 31. [nicht: 5.] 5. 1902 zu Plumstead (Kent). Weitere Werke: Oper *The Demand Boys* (1959); 3. Symphonie (1966); *Disegno* für Blasorch. (1959); *Seguenza* für 10 Bläser (1967); Sonate für Kl. (1967).

Woodworth (w'udwǝ:θ), **George Wallace,** * 6. 11. 1902 zu Boston (Mass.), † 18. 7. 1969 zu Cambridge (Mass.); amerikanischer Musikforscher und Chordiri-gent, Absolvent der Harvard University in Cambridge (B. A. 1924, M. A. 1926), lehrte dort ab 1926 (Professor of Music 1948) und war Dirigent der Radcliffe Choral Society (1926–58) und des Harvard Glee Club (1933–58) sowie Organist der Universität (1940–58). W. erhielt Ehrengrade der Miami University in Oxford/O. (Litt. D. 1955), des New England Conservatory of Music in Boston (Mus. Doc. 1958) und der University of Hartford/Conn. (Mus. Doc. 1963). Er veröffentlichte u. a.: *Texture Versus Mass in the Music of G. Gabrieli* (in: Essays on Music, Fs. A. Th. Davison, Cambridge/Mass. 1957); *The World of Music* (ebd. 1964). Lit.: E. FORBES in: JAMS XXIII, 1970, S. 543f.

+**Wooldridge, Harry Ellis,** 1845–1917. +W. Chappell, *Old English Popular Music* (1893), Nachdr. NY 1961; +Bd I–II ([erg.:] *The Polyphonic Period*) der »Oxford History of Music« (1901–05, ²1929–32 [nicht: 1938]), Nachdr. NY 1973.

Woollett (vul'ε), **Henry,** * 13. 8. 1864 und † 9. 10. 1936 zu Le Havre; französischer Komponist, studierte Klavier bei Pugno und Komposition bei Massenet, leitete in Le Havre die Société philharmonique de Ste-Cécile und war als Musikpädagoge tätig; zu seinen Schülern zählen Caplet, A. Honegger und Loucheur. Er schrieb u. a. das Bühnengedicht *La rose de Saron* (1895), Orchesterstücke (*Sentier couvert*, 1914; *Petite suite*, 1930; *Maures et gitanes*, 1931; Konzertstück für Vc. und Orch., 1911), Kammermusik (Streichquartett, 1929; Sonaten für V., 1908 und 1922, für Va, für Fl., 1908, und für Vc., 1908, sowie *Chanson matinale* für Ob. und Pastorale für Fl., 1932, mit Kl.), Klavierstücke (*Pièces intimes*, 1888; *Nocturnes et pastorales*, 1895; *Pièces d'étude*, 1910; *Au jardin de France*, 3 Stücke, 1913; *Croquis de route*, 13 Stücke, 1924; *Préludes et valses*) und Lieder (*Coin de parc à l'automne*, 1927; *Pièce héroïque*). Von seinen didaktischen Schriften seien *Histoire de la musique* (4 Bde, Paris 1909–25) und *Histoire de l'orchestration* (mit G. Pierné, in: Encyclopédie de la musique et dictionnaire du Conservatoire, hrsg. von A. Lavignac und L. de La Laurencie, Teil II, ebd. 1926) genannt.

Worbs, Hans Christoph, * 13. 1. 1927 zu Guben (Bezirk Cottbus); deutscher Musikforscher und -kritiker, studierte an den Universitäten in Greifswald und Berlin (HU), wo er 1952 mit einer Dissertation über *Soziologische Studien an der Instrumentalmusik Haydns* promovierte und 1953–58 Wissenschaftlicher Aspirant und Lehrbeauftragter war. 1964–66 war er Leiter der Programmabteilung Klassik bei der Philips-Ton-Gesellschaft. Er ist heute freiberuflich in Hamburg tätig. Von seinen Veröffentlichungen seien genannt: *Komponist, Publikum und Auftraggeber. Eine Untersuchung an Mozarts Klavierkonzerten* (Kgr.-Ber. Wien Mozartjahr 1956); *F. Mendelssohn Bartholdy* (Lpz. 1958, russ. Moskau 1966); *Die Schichtung des deutschen Liedgutes in der zweiten Hälfte des 17. Jh.* (AfMw XVII, 1960); *G. Mahler* (= Hesses kleine Bücherei VI, Bln 1960, Den Haag 1960); *Der Schlager* (= Schünemann-Leitfaden o. Nr, Bremen 1963); *Große Pianisten einst und jetzt* (= Rembrandt-Reihe Bd 48, Bln 1964); *Salonmusik* (in: Studien zur Trivialmusik des 19. Jh., hrsg. von C. Dahlhaus, = Studien zur Musikgeschichte des 19. Jh. VIII, Regensburg 1967); *Welterfolge der modernen Oper* (Bln 1967); *Das große Buch vom deutschen Volkslied* (Hannover 1969); *Komponisten als Kritiker* (in: Musica XXVI, 1972).

+**Wordsworth,** William Brocklesby, * 17. 12. 1908 zu London.

An der Universität Edinburgh studierte er bis 1938 [nicht: 1936]. Seit 1961 lebt er in Kincraig (Inverness). – Neuere Werke: 5. Symphonie op. 68 (1960), *A Highland Overture* op. 76 (1964), *Jubilation* op. 78 (1965) und *Conflict* op. 86 (1968) für Orch., Sinfonietta op. 62 (1957) und 2 *Scottish Sketches* op. 83 (1967) für Kammerorch.; Cellokonzert op. 73 (1963); Quintett für V., Va, Vc., Kb. und Kl. op. 65 (1959), 6. Streichquartett op. 75 (1964), *Concerto da famiglia* für Fl., Ob., Hf. und Cemb. op. 81 (1966), *Conversation* für 2 Vc. und Kl. op. 74 (1962), Werke mit Kl. für V. (3. Sonate op. 84, 1967), Va (Sonatine op. 71, 1961), Vc. (2. Sonate op. 66, 1959), Ob. (*Elegy* op. 88, 1969) und Horn (*Dialogue* op. 77, 1965), Sonate für Vc. solo op. 70 (1961); 2. Sonate op. 70 (1961) und *Valediction* op. 82 (1967, auch für Orch., 1969) für Kl., Fantasie für Org. op. 67 (1960); *A Pattern of Love* für tiefe St. und Streicher op. 89 (Donne, 1970), *Matinsong* für hohe St. und 2 V. op. 80 (1966), *Ariel's Songs* für mittlere St. und Kl. op. 85 (Shakespeare, 1968); *Adonais* für Stimmen (1974); Musiken für Bühne, Funk und Schule.
Lit.: G. Scott in: MT CV, 1964, S. 732ff.

+**Woronoff,** Wladimir, 5. 1. 1903 zu St. Petersburg.
W. lebt seit 1922 in Brüssel. Weitere Werke: epische Suite +*La foule* für B. (Bar.), gem. Chor und Orch. (1934, Neufassung 1965); dramatische Erzählung *Annas et le lépreux* für tiefe St. (1946) und *D'une fontaine* für Singst. (1948) mit Kl.; *Sonnet pour Dallapiccola* (1948) und »Inventions autour d'un schème azerbaïdjanais« *Azerbaïdjan* für Kl. (1954); *Les trois »jours« pour orgue du ballet »Genèse«* (1962); *Les douze* für Singst. und Kl. (nach A. Blok, 1921–63); *Strophes concertantes* für Kl. und Orch. (1964); *Souvenir de Châtelet* für Org. (1966); Sequenzen *Lueur tournante* für Singst., Sprech-St. und Orch. (1966); *Tripartita* für Va und Orch. (1970); *Vallées* für Kl. (1971).

+**Wotquenne,** Alfred[erg.:]-Camille, 1867–1939.
+*Catalogue thématique des œuvres de Chr. W. Gluck* (1904), Nachdr. Hildesheim und Wiesbaden 1967; +*Catalogue thématique des œuvres de Ph. E. Bach* (1905), Nachdr. der +deutschen Ausg. (*Thematisches Verzeichnis der Werke von C. Ph. E. Bach*) Wiesbaden 1964 und 1972.

+**Woyrsch,** Felix, 1860–1944.
Zu seinem Werkverzeichnis gehört eine weitere (6.) Symphonie op. 77.

+**Woytowicz,** Bolesław, * 5. 12. 1899 zu Dunajowce (Podolien).
W. lehrte ab 1945 an den Konservatorien Kattowitz und Krakau als Professor für Klavier und Komposition. Seit 1964 konzertiert und komponiert er nicht mehr. – Weitere Werke: 3. Symphonie mit konzertantem Kl. (1963); 2 Streichquartette (1932, 1953), Sonate für Fl. und Kl. (1952), Etüden für Kl. (12, 1948; 10, 1960); Kantate *Prorok* (nach Puschkin, 1950).
Lit.: W. Rudziński in: Muzyka V, 1954, Nr 5/6, S. 12ff., russ. in: Isbrannyje statji polskich musykowedow II, Moskau 1959, S. 121ff. (zu »Prorok«); Kr. Wilkowska-Chomińska, Etiudy fortepianowe B. W. a, in: Studia muzykologiczne V, 1956.

Woytowicz (vojt'ovitʃ), Stefania, * 8. 10. 1925 zu Orynin (Podolien); polnische Konzertsängerin (Sopran), Schwester von Bolesław W., studierte 1945– 51 an der Musikhochschule in Krakau und erhielt 1954 den 1. Preis beim internationalen Musikwettbewerb des Prager Frühlings. Seit 1954 konzertiert St. W. in ganz Europa, China und den USA. In ihrem Repertoire bevorzugt sie Werke der Barockzeit sowie zeitgenössische Kompositionen.

+**Wranizky** (Vranicky; Wraniczky, Wraniszky, Wranzky), –1) Paul (Pavel), 1756 – 26. [nicht: 28.] 9. 1808. Er stand in Diensten des Grafen Johann Nepomuk Esterházy von Golantha und wurde etwa 1785 dessen Musikdirektor. Gegen 1790 übernahm er die Leitung des Wiener Hofopernorchesters, der italienischen Oper (bis 1796) und dann der deutschen Oper. [del. bzw. erg. frühere Angaben dazu.]
–2) Anton (Antonín), 1761–1820.
Lit.: M. Poštolka in: MGG XIV, 1968, Sp. 881ff. – zu –1): J. LaRue, A »Hail and Farewell« Quodlibet Symphony, ML XXXVII, 1956; A. Němec, Nakladatelé a tisky skladeb P. Vranického (»Die Verleger u. d. Drucke v. P. Wr.«), in: Zprávy Bertramky 1957, H. 11; M. Poštolka, Thematisches Verz. d. Sinfonien P. Vranickýs, in: Miscellanea musicologica XX, 1967; P. Heerenová, Zpěvohra Oberon P. Vranického a její libreto (»Das Singspiel Oberon v. P. Wr. u. sein Libretto«), in: Opus musicum IV, 1972. – zu –2): V. J. Sýkora in: Zprávy Bertramky 1961, H. 28, S. 10ff.

Wróbel, Feliks, * 15. 5. 1894 zu Włocławek (Bromberg), † 15. 4. 1954 zu Krakau; polnischer Komponist und Theoretiker, studierte am Warschauer Konservatorium (Grz. Fitelberg, Rytel) und lehrte danach am Konservatorium in Łódź. Ab 1945 war er in Krakau Lektor bei PWM (Polskie Wydawnictwo Muzyczne) und Dozent für Komposition und Dirigieren an der dortigen Hochschule für Musik. Wr. schrieb Orchesterwerke (3 Symphonische Dichtungen, 1931, 1936 und 1937; Sinfonietta, 1937; Konzert für Kb. und Orch., 1939), Kammermusik (*Huei Lan Ki*, chinesische Suite für 2 Fl., Ob., 3 Schlaginstr., Va und Kl., 1951; *Pittoresque* für Bläserquintett, 1950; Impromptu für Kb. und Kl., 1936) sowie Klavierwerke und Ballettmusik. Er veröffentlichte u. a. *Partytura dzisiejsza na tle techniki wsółpczesnej orkiestracji* (»Zeitgenössische Partitur mit Bezug auf die moderne Orchestrierungstechnik«, Krakau 1954) und schrieb zahlreiche Beiträge für polnische Musikzeitschriften.

Wroński (vr'ɔɲski), Tadeusz, * 1. 4. 1915 zu Warschau; polnischer Violinist und Violinpädagoge, studierte am Warschauer Konservatorium bei Józef Jarzębski (1934–39) und später am Conservatoire Royal de Musique in Brüssel bei Gertler (1947–48). 1949 wurde er Professor am Warschauer Konservatorium und war 1966–72 Professor für Violine an der Indiana University in Bloomington. Konzertreisen führten ihn als Solisten bzw. als Mitglied des Warschauer Quintetts in zahlreiche europäische Länder und nach Übersee. Wr. veröffentlichte neben Ausgaben von Soloviolinwerken (J. S. Bach, Paganini) *Zagadnienia gry skrzypcowej* (»Probleme des Violinspiels«, 4 Bde, Krakau 1957–70) und *Studium edytorsko wykonawcze. Sonaty i partity J. S. Bacha* (»Editorisches und interpretatorisches Studium …«, ebd. 1970).

+**Wührer,** Friedrich, * 29. 6. 1900 zu Wien.
Er unterrichtete an der Mannheimer Musikhochschule bis 1957 und an der Münchner (als Professor) bis 1968. Bei der Internationalen Sommerakademie des Mozarteums in Salzburg leitet er alljährlich eine Meisterklasse. Auch gab er Meisterkurse an verschiedenen Universitäten in den USA und am Musashino College of Music in Tokio. Er lebt heute in Mannheim. W., der bevorzugt Klaviermusik der Romantik (u. a. Schubert und Schumann), Spätromantik (Reger, Pfitzner und Fr. Schmidt, sein Lehrer), der Wiener Schule und auch Werke von Bartók, Hindemith, Prokofjew, Strawinsky u. a. spielt, unternimmt weiterhin zahlreiche Konzertreisen durch europäische Länder sowie nach Ame-

rika, Asien und Afrika. Er schrieb *Meisterwerke der Klaviermusik* (Wilhelmshaven 1966).
Lit.: KL. UMBACH in: NZfM CXVIII, 1957, S. 592.

+Wüllner, –1) F r a n z, 1832–1902.
Lit.: R. Strauss u. Fr. W. im Briefwechsel, hrsg. v. D.
KÄMPER, = Beitr. zur rheinischen Mg. LI, Köln 1963. –
R. SIETZ in: Rheinische Musiker I, hrsg. v. K. G. Fellerer,
ebd. XLIII, 1960, S. 271ff.; D. KÄMPER, Fr. W., ebd. LV,
1963; DERS., Ein unbekanntes Brahms-Studienblatt aus d.
Briefwechsel mit Fr. W., Mf XVII, 1964; DERS., Über d.
Uraufführung v. »Rheingold« u. »Walküre«, in: R. Wagner, hrsg. v. C. Dahlhaus, = Studien zur Mg. d. 19. Jh.
XXVI, Regensburg 1971; DERS., »Anbahnung einer Verständigung«. Das Tonkünstlerfest 1887 d. Allgemeinen
deutschen Musikver. in Köln, in: Musicae scientiae collectanea, Fs. K. G. Fellerer, Köln 1973; J. BITTNER, Die
Klaviersonaten E. Francks (1817–93) u. anderer Kleinmeister seiner Zeit, 2 Bde, Diss. Hbg 1968.

Wünsch, W a l t h e r, * 23. 7. 1908 zu Gablonz an der
Neiße; österreichischer Musikforscher, studierte Volkskunde, Musik und Musikwissenschaft (Becking) in
Prag, wo er 1932 mit der Dissertation *Die Geigentechnik
der jugoslawischen Guslaren* (Brünn 1934) promovierte.
1932–35 war er Assistent am musikwissenschaftlichen
Institut und Lehrer der deutschen Pestalozzi-Akademie
in Prag. 1935–38 wirkte er am Institut für Lautfor-
schung der Universität Berlin und wurde danach als
Dozent an die Hochschule für Musikerziehung in Graz-
Eggenberg berufen. 1943 habilitierte er sich an der Universität Wien, war ab 1945 vorwiegend als Orchester-
und Kammermusiker tätig und lehrte am Steiermärkischen Landeskonservatorium. 1960 erneuerte er seine
Habilitation an der Universität Graz mit *Der Brautzug
des Banović Michael. Ein episches Fragment* (Stuttgart
1958). W. leitet das Institut für Musikethnologie an der
Hochschule für Musik und darstellende Kunst in Graz
(seit 1968 als ordentlicher Professor). Er gab heraus
Volksmusik Südosteuropas (= Südosteuropa-Schriften
VII, München 1966) und *Grazer und Münchener balkanologische Studien* (mit H. J. Kissling, = Beitr. zur
Kenntnis Südosteuropas und des Nahen Orients II,
ebd. 1967). – Veröffentlichungen (Auswahl): *Helden-
sänger in Südosteuropa* (Lpz. 1937); *Geschichte und Namen der volkstümlichen Streichinstrumente des Balkan* (Zs.
für Balkanologie II, 1964); *Über alte Musiktradition am
Balkan* (in: Die Kultur Südosteuropas, = Südosteuropa-Schriften VI, Wiesbaden 1964); *Abnützungserschei-
nungen oder Intonationsveränderungen im Bereiche balka-
nischer Volksliedtraditionen* (in: Musik als Gestalt und
Erlebnis, Fs. W. Graf, = Wiener musikwissenschaftliche
Beitr. IX, Wien 1970); *Das Volkslied als Thema der Zeit
von J. Haydn* (in: Der junge Haydn, hrsg. von V.
Schwarz, = Beitr. zur Aufführungspraxis I, Graz 1972).

+Wünschmann, T h e o d o r, * 6. 4. 1901 zu Leipzig.
Er war musikalischer Oberleiter am Stadttheater in
Teplitz-Schönau ab 1930 und ab 1935 an den Städtischen Bühnen Mönchen-Gladbach und Rheydt, wo er
ab 1948 erneut als 1. Opernkapellmeister wirkte. 1959
übernahm er eine Dozentur (Opernschule) an der
Nordwestdeutschen Musikakademie Detmold. W.
lebt seit 1967 in Detmold im Ruhestand. – Kompositionen: +*Julian der Gastfreie* op. 10 (nach Flaubert, konzertant Mönchen-Gladbach 1938); 1. Symphonie op.
16 (1951); 4. Streichquartett op. 19 (1961); Klarinettenquartett op. 20 (1962); Bläsertrio op. 21 (1962); Fa-
gottquartett op. 22 (1963); Stücke für Cemb. op. 23
(1963); *Gesang der Sirenen* für 3st. Frauenchor und
Kammerorch. op. 24 (1963); Bläserseptett op. 25
(1964); Klaviersonate op. 26 (1964); 4 Chansons op. 27
(nach Ronsard, Verlaine, Villon und Charles d'Orléans, 1966); 2.–4. Symphonie op. 28–30 (1966, 1966,

1968); konzertante Symphonie op. 31 (1968); Serena-
de für Streichorch. op. 34 (1970).
Lit.: H.-J. IRMEN in: Rheinische Musiker V, hrsg. v. K. G.
Fellerer, = Beitr. zur rheinischen Mg. LXIX, Köln 1967,
S. 134ff.

+Würfel, [erg.: Wenzel] W i l h e l m (Václav Vilém),
6. 5. 1790 zu Pláňany (bei Kolín, Böhmen) – 23. 4.
1832 zu Wien [del. frühere Lebensdaten].
W., der Chopins Orgellehrer in Warschau war, wurde
1826 4. Vizekapellmeister [nicht: Musikdirektor] am
Kärntnertortheater in Wien. – Seinerzeit beliebt war
die Märchenoper *Rübezahl* (Prag 1824).

Würthner, R u d o l f → +S c h i t t e n h e l m, Hermann.

+Würz, A n t o n, * 14. 7. 1903 zu München.
W. schrieb weitere Kammermusik, Klavier- und Vokalwerke. – +*Reclams Operettenführer* (1951 u. ö.) liegt
in *Reclams Opern- und Operettenführer* (hrsg. mit W.
Zentner) in 12. Aufl. vor (= Reclams Universal-Bibl.
Bd 6892–96c/7354–55b, Stuttgart 1969). Mit R. Schim-
kat gab er *L. v. Beethoven in Briefen und Lebensdokumen-
ten* (ebd. Bd 8648/50, 1961) heraus. – Weitere Aufsätze: *Münchner Opern- und Konzertleben im 19. Jh.
vor Ludwig II.* und *Die Münchner Schule. Gestalten und
Wege* (in: Musik in Bayern I, hrsg. von R. Münster
und H. Schmid, Tutzing 1972).

+Würz, R i c h a r d, * 15. 2. 1885 und [erg.:] † 2. 2.
1965 zu München.

Würzl, E b e r h a r d, * 1. 11. 1915 zu Wien; österreichischer Musikpädagoge, war nach Musikstudien in
Wien (Orgel, Komposition, Kirchen- und Schulmusik) 1939–61 Musikerzieher an höheren Schulen, danach bis 1972 Fachinspektor für Musikerziehung und
Lehrbeauftragter für Didaktik und Praxis der Musikerziehung an der Hochschule für Musik und darstellende Kunst in Wien, wo er seither als außerordentlicher
Hochschulprofessor und stellvertretender Rektor eine
Lehrkanzel für Musikpädagogik innehat. Seit 1961 ist
W. Chefredakteur der in Wien erscheinenden Zeitschrift *Musikerziehung*.

+Wüst, P h i l i p p, * 3. 5. 1894 zu Ludwigshafen(-Op-
pau). *(handschriftlich am Rand: d. Oct. 3 1975)*
Seit 1965 ist W. nur noch als Gastdirigent tätig. 1958
wurde er zum Professor an der Saarbrücker Musikhochschule, 1969 zum Ehrenmitglied des dortigen
Stadttheaters ernannt.

Wüsthoff, K l a u s (Pseudonym für Popmusik Milt
Jupiter), * 1. 7. 1922 zu Berlin; deutscher Komponist,
studierte 1949–52 Dirigieren und Komposition an der
Hochschule für Musik in Berlin, wurde 1956 Abteilungsleiter für Tanzmusik beim RIAS Berlin, lebte ab
1958 freischaffend und war 1967–68 Hauskomponist
am Schloßparktheater in Berlin. Er ist vorwiegend als
Komponist von Dokumentar- und Fernsehfilmmusik
sowie mit Popmusik hervorgetreten. Seine Kompositionen umfassen u. a. auch die Kammeroper *Carné*,
Ballette (*Der unruhige Garten*, NY 1965), Musicals,
Kammermusik, Chöre und Bühnenmusik.

+Wunderlich, F r i t z (Friedrich) Karl Otto, * 26. 9.
1930 zu Kusel (Pfalz), [erg.:] † 17. 9. 1966 zu Heidelberg.
Gastverpflichtungen führten ihn u. a. an die Städtische
Oper Berlin, die Wiener Staatsoper und die Covent
Garden Opera in London. Auch wirkte er bei zahlreichen Festspielen mit (Salzburg, Aix-en-Provence,
Florenz, Edinburgh, Ansbach). W., der einer der
großen lyrischen Operntenöre war (Partien von
Monteverdi, Mozart, Rossini, Wagner, Strauss, Pfitzner, Strawinsky, Orff, Egk) und sich auch als Kon-

zert- und Liedsänger einen Namen gemacht hat, wurde 1962 zum Bayerischen Kammersänger ernannt.

Wunderlich, Hans-Joachim, * 6. 12. 1918 zu Kassel; deutscher Dirigent, studierte 1936–41 an der Berliner Musikhochschule (H. Distler, Gmeindl, Schmalstich, Grabner). Er war Kapellmeister am Staatstheater Kassel (1945–51) sowie Chefdirigent des »Berliner Orchesters« (heute Symphonisches Orchester Berlin, 1952–66) und des Senders Reykjavík (1957–58). Seit 1971 ist er Musikdirektor des Symphonie- und Kurorchesters Baden-Baden. Seine Kompositionen umfassen Orchestersuiten, Lieder sowie Bühnen- und Filmmusik.

Wunderlich, Heinz, * 25. 4. 1919 zu Leipzig; deutscher Organist, studierte bis 1940 am Kirchenmusikalischen Institut der Staatlichen Hochschule für Musik in Leipzig Orgel bei K. Straube und Komposition bei J. N. David, war 1943–58 Kirchenmusikdirektor für die Stadt Halle/Saale (Moritzkirche) und lehrte daneben Orgel und Cembalo an der Evangelischen Kirchenmusikschule Halle und an der Staatlichen Hochschule für Musik. 1958 wurde er als Kirchenmusikdirektor an die Hauptkirche St. Jacobi in Hamburg berufen. W. ist außerdem Professor für Orgel an der Hamburger Musikhochschule und konzertiert als Organist und Cembalist im In- und Ausland, vor allem in den USA. An St. Jacobi gründete er die Kantorei St. Jacobi, die mit Oratorien-, Kantaten- und Motettenaufführungen hervortritt. Er komponierte das szenische Osteroratorium *Maranatha »Unser Herr kommt«* (Halle 1953), *Die Weihnachtsgeschichte nach Lukas* (1946), Kantaten (*Es kommt ein Schiff, geladen*, 1944) und Orgelwerke.

+Wunderlich, Johann Georg, [erg.:] 2. 2. 1756 [nicht: 1755] – 1819.

Wuorinen, Charles, * 9. 6. 1938 zu New York; amerikanischer Komponist und Pianist, studierte in New York Komposition bei Luening, Beeson und Ussachevsky an der Columbia University (B. A. 1961, M. A. 1963), war 1964–71 Instructor of Music an der Columbia University und wurde 1971 Dozent an der Mannes Music School; 1962 gründete er mit Sollberger die Group for Contemporary Music, deren Co-Director er ist. Er komponierte Orchesterwerke (Symphonie Nr 3, 1959; *Concertone* für Blechbläserquintett und Orch., 1960; *Evolutio transcripta* für Kammerorch., 1961; *Orchestral and Electronic Exchanges*, 1965; Klavierkonzert, 1966; *Contrafactum*, 1969), Kammermusik (*Turetzky Pieces* für Fl., Klar. und Kb., 1960; Oktett für Ob., Klar., Horn, Pos., V., Vc., Kb. und Kl., 1962; *Invention* für Schlagzeugquintett, 1962; *Chamber Concertos* für Vc., 1963, für Fl., 1964, und für Ob., 1965, mit 10 Spielern; Komposition für V. und 10 Instr., 1964; *Chamber Concerto* für Tuba, 12 Holzbläser und 12 Trommeln, 1970; Duo für V. und Kl., 1966; Streichtrio, 1968; Variationen für Vc., 1969; Streichquartett, 1971), Klavierwerke (Variationen, 1963; Sonate, 1969), ferner Vokalmusik und Elektronische Musik (*Time's Encomium*, 1969). W. schrieb u. a. *The Outlook for Young Composers* (in: Perspectives of New Music I, 1962/63) und *Notes on the Performance of Contemporary Music* (ebd. III, 1964/65).

+Wustmann, Rudolf, 1872–1916.
+*J. S. Bachs Kantatentexte* (1913), zusammen mit den weltlichen Kantatentexten neu hrsg. von W. Neumann als *J. S. Bach. Sämtliche Kantatentexte* (Lpz. 1956, NA Lpz. und Wiesbaden 1967).

Wychodil, Gert (Pseudonym Gert Wilden), * 15. 4. 1921 zu Mährisch-Trübau; deutscher Komponist, Arrangeur und Dirigent für Film, Fernsehen, Rundfunk und Schallplatte, lebt freischaffend in Tutzing. Er studierte in Prag Komposition bei F. F. Finke und Dirigieren bei Szell. 1939–40 war er Leiter des Tanzorchesters des Senders Böhmen und 1962–65 Dirigent des Rundfunk-Tanzorchesters des Bayerischen Rundfunks. W. komponierte über 50 Spielfilmmusiken.

Wyckoff (w'ikəf), Lou Ann, * 20. 7. 1942 zu Berkeley (Calif.); amerikanische Sängerin (lyrischer Sopran), hatte 1967 ihr Europadebüt als Donna Elvira (*Don Giovanni*) beim Festival in Spoleto und trat 1968 erstmals an der Mailänder Scala auf. Seit 1969 gehört sie zum Ensemble der Deutschen Oper Berlin. Von ihren Partien sind zu nennen Dido, Gräfin (*Le nozze di Figaro*), Gilda, Amelia (*Un ballo in maschera*), Agathe (*Freischütz*), Eva (*Meistersinger*), Rusalka, Lisa (»Pique Dame«), Marina (*Boris Godunow*). L. A. W. ist auch als Konzertsängerin hervorgetreten.

+Wyk, (weik), Arnold [erg.: Christiaan] van, * 26. 4. 1916 zu Calvinia (Kapprovinz). Seit 1961 lehrt W. an der Universität Stellenbosch. – Neuere Werke: symphonische Suite *Primavera* (1960) und symphonische Variationen *Masquerade* (über ein südafrikanisches Volkslied, 1964) für Orch.; Duo concertante für Va. und Kl. (1962); 4 Klavierstücke (1965); *Die Ou Paradys* für Chor a cappella (1964). Lit.: J. Bouws, Afrikaanse komponiste v. vandag en gister, Kapstadt 1957; H. Ferguson, A. v. W., Recently Publ. Works, in: Tempo 1958, Nr 48; J. H. Potgieter, 'n analitiese oorsig v. d. afrikaanse kunslied, Diss. Pretoria 1967.

Wykes (waiks), Robert Arthur, * 19. 5. 1926 zu Aliquippa (Pa.); amerikanischer Komponist und Flötist, studierte an der Eastman School of Music der University of Rochester/N. Y. (B. Mus. und M. Mus. 1949) und an der School of Music der University of Illinois in Urbana, an der er 1955 mit einer Arbeit über *Tonal Movement in the Polyphonic Ballades, Rondeaux, and Virelais of G. de Machaut* zum D. M. A. promovierte. 1955 wurde er Assistant Professor an der Washington University in St. Louis/Mo. (1965 Professor). Als Flötist trat er mit der St. Louis Symphony (1963–67) und mit dem von ihm gegründeten Studio for New Music auf (ab 1966). – Kompositionen (Auswahl): *Sinfonia* (1951); Kammeroper *The Prankster* (Bowling Green/O. 1952); Streichsextett (1958); Klavierquintett (1961); *Wave Forms and Pulses* für Orch. (1964); *The Shape of Time* für Orch. (1965); *Letter to an Alto Man* für Bar., Kl. und Vorleser (1965, 2. Fassung für Kammerensemble 1967, auch für Orch. 1967); *In Common Cause* für Streicher, Trp., Englischhorn und Schlagzeug (1966); *Man Against Machine* für Kammerensemble (1966); ferner Klavier- und Vokalwerke sowie Filmmusik.

Wylde (waild), John, englischer Musiktheoretiker des 15. Jh., war Praecentor von Waltham Abbey (bei London). Er ist Kopist der Handschrift *London BM Lansdowne 763* und wahrscheinlich Verfasser des 1. Traktats *Musica Gwydonis Monachi*, der als Quelle vornehmlich Guy de Charlieu benutzt. Der 1. Teil *Musica manualis* behandelt die Grundlehre, der 2. Teil *Tonale* die Intervalle und Kirchentöne, wobei er den ausgiebigen Gebrauch von b als Musica falsa bemängelt. Für die Terz als Konsonanz und die Erweiterung des kirchentonalen Ambitus auf 11 Töne führt er 2 Notre-Dame-Conductus an. Lit.: J. Hawkins, A General Hist. of Science and Practice of Music, Bd I, London ³1875, S. 240ff.; G. Reaney, J. W.

and the Notre Dame Conductus, in: Speculum musicae artis, Fs. H. Husmann, München 1970.

Wyler, Tom → Leutwiler, Toni.

Wyner (w'ainə), Ychudi, * 1. 6. 1929 zu Calgary (Alberta); amerikanischer Komponist und Pianist, studierte an der Juilliard School of Music in New York (Klavierdiplom 1946), der Yale University in New Haven/Conn. (B. Mus. 1951, M. Mus. 1953) sowie an der Harvard University in Cambridge/Mass. (M. A. 1952) und war Schüler von Qu. Porter, P. Hindemith und Piston. 1964 wurde er Mitglied der School of Music an der Yale University, an der er heute Leiter der Kompositionsabteilung ist. Er schrieb *Da Camera* für Kl. und Orch. (1967), Kammermusik (*Dance Variations* für Bläseroktett, 1953; Serenade für 7 Instr., 1958; Sonate für Klar. und Kl., 1949; Konzertduo für V. und Kl., 1957; *3 Informal Pieces* für V. und Kl., 1961, 2. Fassung 1969; *Cadenza* für Klar. und Cemb., 1969), Klavierstücke (Partita, 1952; Sonate, 1954; *Short Fantasies*, 1966) und Vokalwerke (*Friday Evening Service* für Vorsänger, Chor und Org., 1963; *Torah Service* für Chor und 5 Instr., 1966; Psalm 143 für Chor a cappella, 1952, sowie Lieder für Singst. und Kl., 1956).

Wynne (win), David (eigentlich David Wynne Thomas), * 2. 6. 1900 zu Hirwaun (Glamorganshire, Wales); britischer Komponist, studierte 1925–28 am University College of South Wales und Monmouthshire der University of Wales in Cardiff sowie 1928–29 an der University of Bristol und promovierte 1938 an der University of Wales zum D. Mus. 1929–61 war er Musiklehrer an der Lewis Grammar School in Pengam und 1961–72 Composition Tutor am Welsh College of Music and Drama in Cardiff. Er wirkte dann als Lecturer of Music am Department des University College of South Wales und Monmouthshire. Seine Kompositionen umfassen u. a. Orchesterwerke (3 Symphonien, 1952, 1955 und 1963; *Cymric Rhapsody* Nr 1, 1965, und Nr 2, 1968; *Rhapsody Concerto* Nr 1 für V. und Orch., 1950, und Nr 2 für Va und Orch., 1964; Konzert für 2 Kl. 3händig, und Orch., 1962), Kammermusik (Septett für Fl., Klar., Fag., 2 V., Va und Vc., 1961; Klarinettenquintett, 1959; 4 Streichquartette, 1944, 1949, 1963 und 1972; Klavierquartett, 1971; Sonaten für V., 1948 und 1952, Va, 1951, und Trp., 1956, mit Kl., sowie für V. und Hf., 1957; *Cymric Dance* für Vc. und Kl., 1970), *Prelude and Dance* für Hf. (1963), 4 Sonaten für Kl. (1947, 1956, 1966 und 1969), eine Sonate für Org. (1969) sowie Chormusik (*Night Watch* für T., B., gem. Chor und Orch., 1957; *Owain ab Urien* für Männerchor, Blechbläser und Schlagzeug, 1967) und Liederzyklen (*Coming Forth by Day*, 1964, und *Evening Shadows*, 1971, für S. und Kl.).

Wyschnegradsky, Ivan, * 4.(16.) 5. 1893 zu St. Petersburg; russisch-französischer Komponist, studierte am Konservatorium seiner Heimatstadt. 1918 verließ er Rußland und ließ sich 1919 in Paris nieder. Angeregt durch Skrjabin, erfand er, unabhängig von A. Hába, ein System von Mikrointervallen (Viertel-, gelegentlich auch Sechstel- und Zwölfteltöne), das er konsequent bis zu einer »Pantonalität« erweiterte. Die Klavierbaufirma Pleyel konstruierte ein dreimanualiges Vierteltonklavier, für das er zahlreiche Kompositionen schrieb. – Halbtonwerke: *Deux préludes* op. 2 (1917), *Quatre fragments* op. 5 (1918, auch als Vierteltonversion), *Etude sur le carré magique sonore* op. 40 (1956) und *Deux préludes* op. 41 (1956) für Kl.; *La journée de l'existence* für Sprecher, Chor ad libitum und Orch. (Text vom Komponisten, 1917, Neufassungen 1927 und 1940);

L'automne op. 1 (Nietzsche, 1917), *Le soleil décline* op. 3 (ders., 1918) und *L'Evangile rouge* op. 8 (1918–20, auch als Vierteltonversion) für Baßbar. und Kl.; *Le scintillement lointain des étoiles* für S. und Kl. op. 4 (1918). – Vierteltonwerke: *Acte chorégraphique* op. 27 (1937–46) und *L'éternel étranger* op. 50 (1939–68) für Solisten, gem. Chor, 4 Kl. und Schlagzeug (Texte vom Komponisten); *Cinq variations sans thème et conclusion* für Orch. op. 34 (1952); *Chant funèbre* für Streicher und 2 Hf. op. 9 (1922); Streichquartett Nr 1 op. 13 (1924) und Nr 2 op. 18 (1931), *Prélude et fugue sur un chant de l'Evangile rouge* op. 15 (1927) und *Composition* op. 43 (1960) für Streichquartett; *Sonate en un mouvement* für Va und 2 Kl. op. 35 (1956); *Transparences I* op. 36 (1956) und *II* op. 47 (1963) für Ondes Martenot und 2 Kl.; *Quatre fragments* op. 5 (1918, auch als Halbtonversion), *Six variations sur la note DO* op. 10 (1918–20), *Prélude et danse* op. 16 (1928), *Deux études de concert* op. 19 (1932), *Etude en forme de scherzo* op. 20 (1932), *Prélude et fugue* op. 21 (1933), *24 préludes dans tous les tons de l'échelle chromatique diatonisée à 13 sons* op. 22 (1934, Neufassung 1958–60), *Deux fugues* op. 33 (1951), Nr 2 aus *Deux compositions* op. 46 (1962) und *Intégrations* op. 49 (1967) für 2 Kl.; *Etude sur les mouvements rotatoires* für 2 Kl. zu je 4 Händen op. 45 (1961, Fassung für Kammerorch. 1965); Symphonie *Ainsi parlait Zarathoustra* op. 17 (1930), *Premier fragment symphonique* op. 23 (1934, für Orch. 1967), *Deuxième fragment symphonique* op. 24 (1937), *Cosmos* op. 28 (1940), *Troisième fragment symphonique* op. 32 (1946) und *Quatrième fragment symphonique* op. 38 (1956) für 4 Kl.; *Deux chœurs* für gem. Chor und 4 Kl. op. 14 (1926); Mimodram *Linnite* für 3 Frauen-St. und 4 Kl. op. 25 (1937); *L'Evangile rouge* op. 8 (1918–20, auch als Halbtonversion), *Deux chants* op. 11 (Nietzsche, 1923), *An Richard Wagner* op. 26 (ders., 1934) und *Deux chants russes* op. 29 (1940) für Baßbar. und 2 Kl. – Andere ultrachromatische Werke: *Chant douloureux et etude* für V. und Kl. op. 6 (1918); *Méditation sur deux thèmes de La journée de l'existence* für Vc. und Kl. op. 7 (1918); *Chant nocturne* für V. und 2 Kl. op. 12 (1921, Neufassung 1971); *Prélude et fugue* für 3 Kl. op. 30 (1945); *Arc-en-ciel* für 6 Kl. op. 37 (1959); *Etude tricesimoprimal* für Fokker-Org. op. 42 (1959); *Deux pièces* für Mikrointervall-Kl. op. 44 (1959); Nr 1 für 3 Kl. aus *Deux compositions* op. 46 (1946); *Prélude et étude* für Mikrointervall-Kl. op. 48 (1966).

Lit.: L. GAYDEN, I. W., Ffm. 1973; G. EBERLE in: NZfM CXXXV, 1974, S. 549ff.

+Wyssozkij, Michail Timofejewitsch (Wyssotskij), 1791 – 16.[nicht: 18.](28.) 12. 1837.
Kurz vor seinem Tode erschien die praktische +Schule für die 7saitige Gitarre *Praktitscheskaja schkola semistrunnoj gitary* (Moskau 1836), erweitert als *Teoretitscheskaja i praktitscheskaja schkola ...* (St. Petersburg o. J.), Neuaufl. als *Schkola dlja semistrunnoj gitary* (»Schule für die 7saitige Gitarre«, Moskau 1927).

Lit.: B. L. WOLMAN, Gitara w Rossii, Leningrad 1961.

Wyttenbach, Jürg, * 2. 12. 1935 zu Bern; Schweizer Komponist und Pianist, studierte am Konservatorium seiner Heimatstadt (K. v. Fischer, Veress), am Pariser Conservatoire (Yvonne Lefébure, Calvet) sowie an der Musikhochschule in Hannover (Karl Engel). Seit 1962 lehrt er am Konservatorium in Bern und leitet eine Klavierklasse an der Musik-Akademie der Stadt Basel. Zusammen mit Ursula und H. Holliger sowie Nicolet bildet er ein Kammermusikensemble für zeitgenössische Musik. Daneben hat er sich als Interpret neuer Klaviermusik einen Namen gemacht. Von seinen Kompositionen seien genannt: *3 Liebeslieder* für A., Fl. und Kl. (auf Gedichte von Else Lasker-Schüler, 1963); Sonate für Ob. (1963); 3 Sätze für Ob., Hf. und Kl. (1963); *Divisions* für Kl. und 9 Solostreicher (1964); *4 Kanzonen* für S. und Vc. (1965); *Two Nonsense Verses, an Epigram and a Madrigal* für S. und Vc. (1965); Klavierkonzert (1966); *De metalli* für Bar. und Orch. (aus den *Profezie* des L. da Vinci, 1965, revidiert 1966); *Sutil und Laar*, 10 Scherzlieder für gem. Chor und Kl. 4händig (1966); *Anrufungen und Ausbruch für* Holz- und Blechbläser (1966); *Nachspiel* für 2 Kl. (1967); *Paraphrase* für einen Sprecher, einen Flötisten und einen Pianisten (Text Günter Grass, 1967); *Con-*teste für Kammerorch. (1969); 3 Klavierstücke (1969); *Ad libitum* für eine oder 2 Fl. (1969); *Exécution ajournée I*, Gesten für 13 Musiker (1970), *II*, Gesten für Musiker (1970) und *III*, für Streichquartett (1973).

Lit.: K. H. KELLER, Schweizer Komponisten d. Gegenwart, J. W. = Der kleine Bund Bd 183, Bern 1970.

+Wyzewa, Théodore de, 1862 – 7. [nicht: 17.] 4.1917. W. schrieb +*W.-A. Mozart* ... (1912, ²1936) zusammen mit G. de Saint-Foix, der das Werk nach W.s Tod fortführte (3 Bde, Paris 1936–46) [erg. frühere Angaben dazu].

Lit.: N. DI GIROLAMO, Th. de W., Dal simbolismo al tradizionalismo (1885–87), Bologna 1969.

X/Y

+Xenakis, Iannis (Yannis), 1. 5. 1922 zu Brăila (Galatz, Rumänien) [nicht: Athen] als Sohn griechischer Eltern.
X., der seit 1965 die französische Staatsbürgerschaft besitzt, kam 1932 mit seiner Familie nach Griechenland, begann ab 1934 erste musikalische Studien (A. Koundourof) sowie ab 1940 ein Studium am Polytechnikum in Athen (1947 Diplom als Ingenieur) und ging dann nach Paris, wo er 1949 an der Ecole normale de musique (Honegger, Milhaud) und 1950–53 am Conservatoire (Messiaen) studierte; er besuchte außerdem die Kurse bei Scherchen in Gravesano. 1948–60 war er Assistent von Le Corbusier (Mitarbeit an dessen Buch *Modulor* und an zahlreichen Architekturprojekten, u. a. am Kloster La Tourette; nach eigenen Entwürfen, die übrigens auf den gleichen Berechnungsgrundlagen beruhen wie *Metastaseis*, wurde der Philips-Pavillon für die Weltausstellung 1958 in Brüssel gebaut). Seitdem widmet er sich überwiegend der Musik. 1966 gründete er die Equipe de mathématique et d'automatique musicales im Rahmen der Ecole pratique des hautes études an der Sorbonne und 1967 ein Zentrum für mathematische und automatische Musik an der Indiana University, an dem er seitdem halbjährlich als Associate Professor für Komposition lehrt. – Seine frühen Kompositionen auf der Basis griechischer Volksmusik wurden 1952 von ihm vernichtet. Nach theoretischen Auseinandersetzungen mit den Grundlagen der Musik (Klangerzeugung, Komponieren u. a.) und zeitgenössischen Strömungen (Serielle Musik) verwendete er seit 1955 gezielt mathematische Methoden bei seinen Kompositionen, etwa Gesetze der Wahrscheinlichkeitsrechnung (musique stochastique), der Spieltheorie (stratégie musicale) und der Theorie von Einheiten und mathematischer Logik (musique symbolique). – Werke: *Metastaseis* für 61 Instr. (1954); *Pithoprakta* für 50 Instr. (1956); *Achorripsis* für 21 Instr. (1957); elektronische Musik *Diamorphoses* (1957) und *Concret PH* (1958, für den Philips-Pavillon in Brüssel; 2 Fassungen); »Jeu musical pour deux chefs et deux orch.« *Duel* (1959); *Analogique A* und *B* für 9 Streicher und Tonband (beide 1959); *Syrmos* für 18 Streicher (1959); elektronische Musik *Orient–Occident* (1960, für den UNESCO-Film); *Herma* für Kl. (1961); *ST/10* (1956–62, Version für Streichquartett als *ST/4*), *Morsima–Amorsima* (1956–62, auch für V., Vc., Kb. und Kl.) und *Atrées* (1958–62) für 10 Instr. sowie *ST/48* für 48 Instr. (1959–62; alle auf dem gleichen stochastischen Programm beruhend); »Jeu musical . . . « (s. o.) *Stratégie* (1959–62, nach dem Modell *Duel*); elektronische Musik *Bohor* (1962); *Polla ta dhina* für Kinderchor und kleines Orch. (1962); *Eonta* für Kl. und 5 Blechbläser (1964); Bühnenmusik *Hiketides* für 50 A. (oder Mezzo-S.) mit Schlagzeug und 10 Instr. (Aischylos, Athen 1964); *Akrata* für 16 Bläser (1965); *Terretektorh* für 88 Musiker »éparpillés dans le public« (1966); *Nomos alpha* für Vc. solo (1966); Bühnenmusik *Oresteia* für gem. Chor und Kammerorch. (Aischylos, Ypsilanti/Mich. 1966); Son et lumière *Polytope* für 4 Orch. (1967, für den französischen Pavillon der Weltausstellung in Montreal); Bühnenmusik *Medea* für Männerchor mit Kieselsteinen und Orch. (1967, Bloomington/Ind. 1969); *Nuits* für je 3 S., A., T. und B. (»dediée aux prisonniers politiques du monde entier«, 1967); *Nomos gamma* für 98 Spieler »éparpillés dans le public« (1968); Ballett *Kranergon* für 23 Instr. und Tonband (1969); *Anaktoria* für 8 Instr. (1969); *Perséphassa* für 6 Schlagzeuger »disposés autour du public« (1969); »Connexities« *Synaphaï* für ein (oder 2) Kl. und Orch. (1969); Son et lumière *Hibiki Hana Ma* für Orch. auf Tonband (1970, für den Pavillon der Japan Steel Federation der Weltausstellung in Osaka); *Charisma* für Klar. und Vc. (1971); *Aroura* für 12 Streicher (1971); Son et lumière *Persepolis* (1971, für das 5. Festival in Schiras/Persepolis); *Antikhthon* für Orch. (1971); *Linaia agon* für Horn, Pos. und Tuba (1972); Son et lumière *Polytope de Cluny* (1972, für das Festival d'automne, Paris, Musée de Cluny); *Mikka* für V. solo (1972); *Evryali* für Kl. (1973); *Eridanos* für Instrumentalensemble (1973); *Erikthon* für Kl. und Orch. (1974); *Cendrées* für Chor und Orch. (1974); *Gmeeoorh* für Org. (1974). – Seine Aufsätze (vor allem für die »Gravesaner Blätter« 1955, Nr 1 – 1965, Nr 29) erschienen gesammelt als *Musiques formelles. Nouveaux principes formels de composition musicale* (= RM 1963, Nr 253/254, engl. als *Formalized Music,* Bloomington/Ind. 1971) und als *Musique. Architecture* (= Collection »M. O.« [Mutations. Orientations] XI, Paris 1971); ferner schrieb er *Le dossier de l'Equipe de mathématique et automatique musicales (E. M. A. Mu.)* (in: Colóquio artes XIII, 1971).
Lit.: I. X., The Man and His Music, London 1967, deutsch Bonn 1968 (Interview mit M. Bois u. Werkverz.). – X.-Sonder-H.: I. X. et la musique stochastique, = RM 1963, Nr 257; Nutida musik X, 1966/67, H. 5; Varèse, X., Berio, P. Henry, = RM 1969, Nr 265/266. – L. M. CROSS, A Bibliogr. of Electronic Music, Toronto 1967. – D. CHARLES in: Rev. d'esthétique XVIII, 1965, S. 406ff.; DERS., Entr'acte. »Formal« or »Informal« Music?, MQ LI, 1965; DERS., La pensée de X., Paris 1968; F. RUIZ COCA, El pensamiento mus. de I. X., in: Atlántida III, 1965; N. KAY in: Tempo 1967, Nr 80, S. 21ff. (zu »Pithoprakta«); CHR. BUTCHERS, The Random Arts. X., Mathematics and Music, in: Tempo 1968, Nr 85; T. SOUSTER, ebd., S. 5ff. (zu »Nuits«); R. E. WALTEROVÁ, X. a zrození hudební řeči (»X. u. d. Geburt d. mus. Sprache«), in: Hudební rozhledy XII, 1968; F. VANDENBOGAERDE in: Sonda V, 1969, April-H., S. 19ff. (zu »Nomos alpha«); H. R. ZELLER in: Melos XXXVI, 1969, S. 410ff.; J. O. ULLÉN in: Nutida musik XIII, 1969/70, H. 1, S. 12ff.; I. X., Entretien avec J. BOURGEOIS, Paris 1970; D. DURNEY u. D. JAMEUX in: La musique aujourd'hui?, = Musique en jeu 1970, Nr 1, S. 46ff. (Interview); M. FLEURET, X., A Music f. the Future, in: Music and Musicians XX, 1971/72; E. NAPOLITANO u. T. TONIETTI, X. tra medioevo e illuminismo, in: Aspetti della musica d'oggi, = Quaderni della Rass. mus. V, Turin 1972; H. SABBE in: Vlaams muziektijdschrift XXIV, 1972, S. 136ff.; O. REVAULT D'ALLONNES, La création artistique et les promesses de la liberté, = Collection d'esthétique XV, Paris 1973.

Yaḥiā ibn al-Munaǧǧim → +al-Munaǧǧim.

+Yamada, Kōsaku, * 9. 6. 1886 und [erg.:] † 29. 12. 1965 zu Tokio.
Werke: 2 Opern *Ayame* (»Schwertlilie«, Paris 1931)

und *Kurofune* (»Die schwarzen Schiffe«, Tokio 1939, frühere Fassung als *Yoake*, »Tagesanbruch«), 2 Musikdramen *Ochitaru Tennyo* (»Der gefallene Engel«, 1912, Tokio 1929) und *Hsiang Fei* (1946, Osaka 1971), 3 Butoshi (»Tanzpoesien«) *Aoi Honoo* (»Blaue Flamme«), *Meian* (»Hell und dunkel«) und *Yajin Sōzō* (»Schöpfung der wilden Menschen«; alle 1916); 5 Symphonien (darunter *Shōwa Shōka*, »Hymne an Shōwa«, 1938); 4 symphonische Dichtungen (1913, 1913, 1916, 1944), 2 symphonische Dichtungen mit Chor (1940, 1956); ferner Kammermusik, Klavierstücke, Chöre und Lieder.

Yamaha Organ Manufacturing Co., Ltd., japanische Instrumentenbaufirma, gegründet 1889 in Tokio von Torakusu Yamaha. Das Unternehmen exportierte bereits 1890 etwa 80 Orgeln. 1897 wurde die Firma in →Nippon Gakki Manufacturing Co. umbenannt; sie begann ab 1899 die Produktion von Klavieren, ab 1914 von Harmonika- und ab 1933 von Akkordeoninstrumenten.

Yampolsky, Israil Markowitsch (Jampolskij), * 8.(21.) 11. 1905 zu Kiew; russisch-sowjetischer Musikforscher, studierte bis 1930 am Moskauer Konservatorium (Mjaskowskij, Glière, Kusnezow), an dem er 1931–49 Violine lehrte und ab 1938 Kurse in Geschichte und Theorie einrichtete und leitete (1940 Dozent); er ist Kandidat der Kunstwissenschaft. 1952–59 war er wissenschaftlicher Schriftleiter der Theater-, Musik- und Filmabteilung des Verlages Sowjetskaja enzyklopedija und wurde 1967 stellvertretender Chefredakteur der *Musykalnaja enziklopedija*. Von seinen Veröffentlichungen seien genannt (Erscheinungsort, wenn nicht anders angegeben, Moskau): *Osnowy skripitschnoj applikatury* (»Grundlagen des Fingersatzes beim Violinspiel«, 1933, ²1936, erweitert ³1955, rumänisch Bukarest 1964, engl. London 1967, japanisch Tokio 1975); *Russkoje skripitschnoje iskusstwo* (»RussischeViolinkunst«, Bd I, 1951); *A.Corelli* (mit K.Kusnezow, 1953, rumänisch Bukarest 1959); *G.Wenjawskij* (»H.Wieniawski«, 1955); *Dsch.Enescu* (1956, rumänisch Bukarest 1959); *Musyka Jugoslawii* (»Die Musik Jugoslawiens«, 1958); *N.Paganini* (1961, ²1968); *Enziklopeditscheskij musykalnyj slowar* (»Musikenzyklopädie«, mit B.S.Steinpress, 1959, erweitert ²1966); *Kapritschtschi N.Paganini* (»N.Paganinis Capricci«, 1962); *Skripitschnyje konzerty Mozarta* (»Mozarts Violinkonzerte«, 1962); *Sonaty i partity dlja skripki solo J.S.Bacha* (»J.S.Bachs Sonaten und Partiten für V. solo«, 1963); *D.Oistrach* (1964, ²1968); *Krylow i musyka, 1769–1969* (1970); *Kto pisal o musyke* (»Wer über Musik schrieb«, mit G.B.Bernandt, bislang 2 Bde, 1971–74); *D.Schafran* (1974); *Fr.Kreisler* (1975); ferner zahlreiche Zeitschriftaufsätze und lexikalische Beiträge.

Yang Yin-liu, * 1. Hälfte 20. Jh. n. Chr.; chinesischer Musikforscher, ist Direktor des nationalen Instituts für Musikforschung in Peking. – Veröffentlichungen: *Recovering Ancient Chinese Music* (in: People's China 1956, Nr 1/2); »Über die Kung-ch'e und Wu-t'ai-Notationen« (in: Min-tsu yin-yüeh yen-chiu lun-wen chi 1956, H. 1, chinesisch); »Studie über die Geschichte des Kuch'in-Stückes *Yangkuan san tieh*« (ebd., chinesisch); »Studie über das Ku-ch'in-Stück *Tieh-meng yu*« (ebd. 1957, H. 1, chinesisch); *Ku-ch'in ch'ü hui-pien* (»Tabulatur und Transkription von 17 wohlbekannten Kuch'in-[Zither-]Stücken«, mit Hou Tso-wu, Peking 1957); »Studie über die Frühlings- und Herbstopferriten in einem konfuzianischen Tempel« (in: Yin-yüeh yen-chiu 1958, H. 1, chinesisch); »Über die Bünde Nr 7 und 11 der Laute P'i-p'a sowie die aus ihrer Plazierung resultierenden Intervallvarianten« (in: Min-tsu yin-yüeh yen-chiu lun-wen chi 1958, H. 3, chinesisch);

»Historische Studie über 5- und 7tönige Leitern« (ebd. 1959, H. 3, chinesisch, übers. und bearb. von G. Schönfelder als *Zur gleichen Existenz pentatonischer und heptatonischer Leitern in der chinesischen Musik*, BzMw I, 1964); »Die Stimmung eines Satzes von 14 Glocken aus dem Jahre 525 v. Chr.« (in: Yin-yüeh yen-chiu 1959, H. 1, chinesisch, deutsch von dems. als *Die Tonskalen des in Xinyang [Hsin-yang] ausgegrabenen Glockenspiels aus der Frühlings- und Herbstperiode*, BzMw II, 1965); *Chinese Drums* (in: Chinese Literature IV, 1964); *Erste Untersuchungen zum »Dreistrophenliede von Yangguan«* (deutsch von G. Schönfelder, BzMw II, 1965). – Englische Zusammenfassungen der genannten chinesischen Arbeiten finden sich in: Rev. bibliographique de sinologie III, 1957 – V, 1959.

Yanguas, Antonio de, * 1682 zu Medinaceli (Soria), † 1754 zu Salamanca; spanischer Komponist, war Chorknabe an der Maîtrise der Kollegialkirche in Medinaceli, Kaplan an der Kollegialkirche in Alcalá de Henares (Madrid) und Maestro de capilla an der Kirche S.Cayetano in Madrid, an der Metropolitanbasilika in Santiago de Compostela, dann an der Kathedrale in Salamanca. An der dortigen Universität wirkte er auch als Professor für Musik. Er komponierte zahlreiche kirchenmusikalische Werke, die im Archiv der Kathedrale von Salamanca aufbewahrt sind.
Lit.: J. ARTERO, Grandes maestros ignorados, in: España sacro mus. I, 1930.

Yaniewicz, Feliks →Janiewicz, F.

Yannai, Yehuda, * 26. 5. 1937 zu Timişoara (Banat); israelischer Komponist, studierte 1960–64 an der Israel Academy of Music in Tel Aviv (Boskovitch, Seter), 1964–66 an der Brandeis University in Waltham/Mass. (Křenek, Shapero) sowie 1968–70 an der University of Illinois in Urbana und war 1966–68 Leiter des Israel Conservatory of Music in Tel Aviv. Er schrieb: *Spheres* für S., Fl., Klar., Baßklar., Hf., Prepared piano und 5 Schlaginstr. (1963); *Permutations* für einen Schlagzeuger (1964); *Incantations* für mittlere St. und Kl. (Text W.H.Auden, 1964); *Continuum* für Kl. (1965); *Phonomontage pour Thérèse* für Tonband (1966); *Mirkamim* für Orch. (1966); Theaterstücke *Wraphap* für 5 Teilnehmer, Amplified aluminum sheet und Yannachord, und *Houdini's Ninth* für Kb., Escape artist, 2 Hospital orderlies und Record-player manipulator (1969); *Coheleth* für mobilen Chor und elektronische Apparatur (1970).

Yashiro, Akio, * 10. 9. 1929 zu Tokio; japanischer Komponist, studierte bis 1951 an der Musikhochschule in Tokio (Leonid Kreutzer, S.Moroi) sowie 1951–54 in Paris am Conservatoire (N.Gallon) und privat bei Nadia Boulanger. Neben Miyoshi gilt er als Repräsentant der französischen Kompositionsschule in Japan. Er schrieb u. a. ein Streichquartett (1955), eine Sonate für 2 Fl. und Kl. (1957), eine Symphonie (1958), ein Violoncellokonzert (1960), eine Klaviersonate (1961) und ein Klavierkonzert (1967).

+Yasser (j'æsə), Joseph, * 16. 4. 1893 zu Łódź. Er war 1930 Mitbegründer der New York Musicological Society, aus der 1934 die American Musicological Society hervorgegangen ist. – Am Temple Rodeph Sholom in New York wirkte Y. bis 1959. Als Abstract-Bibliographie erschien *Selected Writings and Lectures of J. Y.* (hrsg. von A.Weisser, NY 1970). An Aufsätzen seien hier genannt: *The Variation Form and Synthesis of Arts* (The Journal of Aesthetics and Art Criticism XIV, 1955/56); *The Magrepha of the Herodian Temple* (Fs. O.Kinkeldey, =JAMS XIII, 1960); *The*

Opening Theme of Rachmaninoff's Third Piano Concerto and Its Liturgical Prototype (MQ LV, 1969).
Lit.: W. J. MITCHELL in: MGG XIV, 1968, Sp. 928f.

Yasukawa, Kazuo, * 24. 2. 1922 zu Kobe; japanische Pianistin, studierte bis 1937 am Pariser Conservatoire Klavier bei Lazare Lévy und Harmonielehre bei J. Gallon und galt nach ihrer Rückkehr nach Japan (1939) als die bedeutendste Repräsentantin der französischen Pianistenschule in Japan. Seit 1946 lehrt sie an der Musikhochschule in Tokio.

Yazdī, Ibrāhīm ibn Kāšifaddīn Muḥammad, persischer Musiktheoretiker, vermutlich Sohn eines ṣafawidischen Hofarztes, lebte um 1600 wahrscheinlich in Isfahan. Für Šāh ʿAbbās I. (1581–1628) verfaßte er *Anīs al-arwāḥ* (»Vertrauter der Seelen«), eine 5teilige Abhandlung über Theorie und Praxis der Musik, von der nur die Einleitung erhalten zu sein scheint. Deren reichhaltige musikalische Terminologie läßt auf gründliche Bildung des Verfassers schließen und bildet eine nicht unbedeutende Quelle für die musikalische Fachsprache zur Zeit der Ṣafawiden.
Ausg.: Anīs al-arwāḥ, Einleitung mit Kommentar hrsg. v. GULČĪN MAʿĀNĪ als: Šarḥ-i dībāča-i Anīs al-arwāḥ, in: Maǧalla-i dāniškada-i adabīyāt-i Mašhad IV, 1969 (Zs. d. philosophischen Fakultät Meshed).
Lit.: M. T. DĀNIŠPAŽŪH, Ṣad wa-sī wa-and aṯar-i fārsī dar mūsīqī (»130 u. mehr persische Werke über Musik«), in: Hunar wa-mardum 1971, Nr 96f., abgedruckt in: Maǧalla-i mūsīqī (»Zs. f. Musik«) 1973, Nr 137 (Teheran).

Yazīd Ḥaurāʾ, Abū Ḫālid, * zu Medina, † um 800 zu Bagdad; arabischer Sänger, Freigelassener eines Stammes aus dem Ḥiǧāz, lernte in Medina, ging um 775 mit einer Gruppe ḥiǧāzischer Musiker nach Bagdad und wurde Hofsänger unter den Kalifen al-Mahdī (775–785), al-Hādī (785–786) und Hārūn ar-Rašīd (786–809), bei dem er in hoher Gunst stand. Er wird unter die in Kleidung und Auftreten modisch kultivierten »Raffinés« (zurafāʾ) gerechnet, unterstützte die traditionelle arabische Schule von Ibrāhīm → +al-Mauṣilī gegen Ibn Ǧāmiʿ und dessen Anhänger und machte sich insbesondere durch seinen eigenwilligen Gesangsstil einen Namen. Zu seinen Schülern zählte Isḥāq al-Mauṣilī.
Lit.: ABU L-FARAǦ AL-IṢFAHĀNĪ († 976), Kitāb al-Aġānī al-kabīr (»Großes Buch d. Lieder«), Bd III, Kairo ³1929; AḤMAD AN-NUWAIRĪ († 1333), Nihāyat al-arab fī funūn al-adab, Bd IV, ebd. 1924 (arabische Enzyklopädie schöngeistiger Bildung); J. RIBERA, La música de las cantigas, Madrid 1922, gekürzte engl. Übers. v. E. Hague u. M. Leffingwell als: Music in Ancient Arabia and Spain, Stanford (Calif.) 1929, Nachdr. NY 1970; H. G. FARMER, A Hist. of Arabian Music to the XIIIth Cent., London 1929, Nachdr. 1967; Ḫ. AZ-ZIRIKLĪ, al-Aʿlām, Bd IX, Damaskus ²1957 (arabisches bio-bibliogr. Lexikon); E. NEUBAUER, Musiker am Hof d. frühen ʿAbbāsiden, Diss. Ffm. 1965.

Yazīd ibn Muʿāwiya, * um 642, † 11. 11. 683 zu Ḥūwārīn (Syrien); zweiter Umaiyadenkalif in Damaskus (680–683), bemühte sich in seiner durch innenpolitische Spannungen erschütterten Regierungszeit um Verwaltungsreformen und sozialen Ausgleich zwischen Muslimen und christlichen Syrern. Trotz unorthodoxer Neigungen zu Wein und Musik genoß er große Anerkennung und Zuneigung vor allem seiner syrischen Untertanen. Dichterische Begabung hatte er von seiner Mutter geerbt; er war Mäzen von Dichtern (auch christlichen) und der erste Kalif, der nach sasanidischem und byzantinischem Vorbild, Musiker bei Hof auftreten ließ, so den Sänger Nāfiʿ al-Ḫair und den Sänger und Lautenisten persischer Herkunft Sāʾib Ḫāṯir († 683), einen Lehrer von →Maʿbad ibn Wahb. Arabi-

sche Historiker betrachten die Zeit seines Kalifats als den Beginn der institutionalisierten Hofmusik.
Lit.: AL-MASʿŪDĪ († 957), Murūǧ aḏ-ḏahab, Ed. u. frz. Übers. v. C. Barbier de Meynard als: Les prairies d'or, Bd V, Paris 1869, Nachdr. Teheran 1970; ABU L-FARAǦ AL-IṢFAHĀNĪ († 976), Kitāb al-Aġānī al-kabīr (»Großes Buch d. Lieder«), verstreute Nachrichten zusammengestellt v. Ibn Manẓūr († 1311) in: Muḥtār al-Aġānī fi l-aḫbār wa-t-tahānī (»Ausw. aus d. Kitāb al-Aġānī an hist. u. ergötzlichen Begebenheiten«), Bd VIII, Kairo 1966; J. RIBERA, La música de las cantigas, Madrid 1922, gekürzte engl. Übers. v. E. Hague u. M. Leffingwell als: Music in Ancient Arabia and Spain, Stanford (Calif.) 1929, Nachdr. NY 1970; H. G. FARMER, A Hist. of Arabian Music to the XIIIth Cent., London 1929, Nachdr. 1967; H. LAMMENS, Y. ibn M., EI IV, 1934 (mit weiterer Lit.).

+Ycaert, Bernardus (Bernhard), * um 1440.
Ausg.: ein Satz in: Mehrstimmige Lamentationen aus d. ersten Hälfte d. 16. Jh., hrsg. v. G. MASSENKEIL, = MMD VI, Mainz 1965.

Yekta, Rauf (Raʾūf Yektā), * 1871, † 8. 1. 1935 zu Istanbul; türkischer Musikforscher, war nach Gymnasialausbildung und Sprachstudien (orientalische und westliche Sprachen) 1883–1923 Beamter in verschiedenen Stellungen. Musikunterricht erhielt er ab 1887 u. a. von →Zekâi Dede und Sâlih Bey. Langjährige Zusammenarbeit verband ihn mit → Suphi und Sâdettin Arel. Er veröffentlichte Artikel über türkische Musik in Zeitschriften wie »Iqdâm« (ab 1898), »Šehbâl« (ab 1907), RM (ab 1908), »Millî tetebbüʿler meǧmūʿası« (1913) und »Dār ül-elḥān meǧmūʿası« (ab 1917). Als Leiter der »Kommission für Studien und Veröffentlichung türkischer Musik« am Istanbuler Konservatorium war er an deren Ausgaben türkischer Kunst-, Volks- und geistlicher Musik maßgebend beteiligt. Er schrieb *La musique turque* für A. Lavignacs »Encyclopédie de la musique . . .« (I, 5, Paris ²1922) und in türkischer Sprache Biographien über Dede Efendi, ʿAbdalqādir al-Marāġī und Zekâi Dede in der Reihe »Asātīd ül-elḥān« (,Meister der Melodien', Istanbul 1900ff.), *Šarq mūsīqīsi taʾrīhi* (»Geschichte der orientalischen Musik«, ebd. 1924) und *Türk mūsīqīsi naẓarīyāti* (»Theorie der türkischen Musik«, ebd.). Als Angehöriger des Mevlevî-Ordens wurde er gegen Ende seines Lebens Neyzenbaşı (Flötenmeister, Leiter der Instrumentalgruppe) am Yenikapı-Kloster in Istanbul. Etwa 30 seiner Kompositionen sind bekannt geworden.
Lit.: Sonder-H. R. Y., = Musiki mecmuası 1965, Nr 203 (Istanbul). – E. BORREL, Contribution à la bibliogr. de la musique turque au XXᵉ s., Rev. des études islamiques IV, 1928; DERS., La musique en Turquie. Quelques mots sur l'œuvre de R. Y. Bey, in: Le guide mus. 1938, Januar/Februar-H. (Brüssel); Mevlevî âyinleri (»Geistliche Kompositionen d. Mevlevî«), Nr 34, hrsg. v. Z. AHMET, SUPHI (EZGI) u. M. CEMIL, Istanbul 1939 (Veröff. d. Istanbuler Konservatoriums); SUPHI (EZGI), Nazarî ve amelî türk musikisi (»Die türkische Musik in Theorie u. Praxis«), Bd IV, ebd. 1940; S. N. ERGUN, Türk musikisi antolojisi (»Anth. d. türkischen Musik«), Bd I–II: Dinî eserler (»Geistliche Werke«), ebd. 1942–43; A. KUTZ, MG. u. Tonsystematik, = Neue deutsche Forschungen, Abt. Mw. XI, Bln 1943, S. 555ff.; R. D'ERLANGER, La musique arabe, Bd V, Paris 1949; K. BATANAY, R. Y. Bey, in: Türk musikisi dergisi (»Türkische Musik-Zs.«) 1950, Nr 27 (Istanbul); Y. ÖZTUNA, Türk musikisi lûgati (»Lexikon d. türkischen Musik«), in: Musiki mecmuası 1952, Nr 57, sowie 1955, Nr 83 u. 87 (ebd.); DERS., Türk bestecileri ansiklopedisi (»Enzyklopädie türkischer Komponisten«), Istanbul 1969; I. M. K. INAL, Hoş sadâ, ebd. 1958 (über türkische Musiker d. 19. u. frühen 20. Jh.); L. MANIK, Das arabische Tonsystem im MA, Leiden 1969, S. 128ff.; M. RONA, Yirminci yüzyıl türk musikisi (»Türkische Musik im 20. Jh.«), Istanbul 1970, S. 206ff.; K. REINHARD, Die Türkei im 19. Jh., in: Musikkulturen

Asiens, Afrikas u. Ozeaniens im 19. Jh., hrsg. v. R. Günther, = Studien zur Mg. d. 19. Jh. XXXI, Regensburg 1973.
ENᴇ

Yellin (j'elin), Vɪᴄᴛᴏʀ Fell, * 14. 12. 1924 zu Boston (Mass.); amerikanischer Komponist, studierte an der Harvard University in Cambridge/Mass. (A. B. 1949, A. M. 1952), an der er 1957 mit einer Dissertation über *The Life and Operatic Works of G. Wh.Chadwick* zum Ph. D. promovierte. Er war Assistant Professor of Music an der New York University (1956–58) sowie Associate Professor of Music an der Ohio State University in Columbus (1960–61). 1961 wurde er Associate Professor an der New York University. Y. veröffentlichte u. a. *Musical Activity in Virginia Before 1620* (JAMS XXII, 1969) sowie *The Operas of V. Thomson* (in: V. Thomson, American Music Since 1900, = Twentieth Cent. Composers I, NY 1970, London 1971) und komponierte die Oper *Prescription for Judy* (Boston 1952), das Ballett *The Bear That Wasn't* (1953) sowie Kammermusik, Klavierstücke, Chöre und Lieder.

Yepes (j'epes), Aɴᴛᴏɴɪᴏ, * 12. 2. 1910 zu Buenos Aires; argentinischer Schlagzeuger, absolvierte 1938 die Fakultät für Philosophie und Literatur an der Universidad de Buenos Aires und spezialisierte sich dann als Schlagzeuger. 1948–64 war er Pauker im Orchester des Teatro Colón. Er unterrichtete am städtischen Konservatorium in Buenos Aires (1956–64) und an der Hochschule für lyrische Kunst des Teatro Colón (1960–64). Er schrieb Schulwerke für Schlagzeug und komponierte eine Passacaglia für 5 Pk. (1961), ein Quartett für Pk. und Schlagzeug (1962) und *Batucada* für 8 Pk., Marimba und brasilianische Schlaginstr. (1963).

Yepes (j'epes), Nᴀʀᴄɪsᴏ, * 14. 11. 1927 zu Lorca (Murcia); spanischer Gitarrist, studierte am Konservatorium in Valencia bei dem Pianisten V. Asencio und debütierte 1947 mit dem spanischen Nationalorchester. Konzerttourneen führten ihn ab 1948 durch ganz Europa, nach Nord- und Südamerika sowie nach Japan (1960–69). Er schrieb die Musik zu den Filmen *Jeux interdits* (1952) und *La fille aux yeux d'or* (1961).

Yin Fa-lu, * 1. Hälfte 20. Jh. n. Chr.; chinesischer Musikforscher, arbeitet am nationalen Institut für Musikforschung in Peking. – Veröffentlichungen: *Chinese Music. Its Past and Its Promise* (mit Yang Yin-Liu, in: People's China 1957, Nr 14/18); »Über Musikkulturbeziehungen zwischen Indien und China« (in: Min-tsu yin-yüeh yen-chiu lun-wen chi 1956, H. 1, chinesisch); »Über die Panflöte Hsiao« (ebd. 1957, H. 2, chinesisch); »Über Musikkulturbeziehungen zwischen China und Japan von der T'ang- bis zur Ch'ing-Dynastie« (ebd. 1958, H. 3, chinesisch). – Englische Zusammenfassung der chinesischen Arbeiten finden sich in: Rev. bibliographique de sinologie III, 1957 – IV, 1958.

+Yon, [erg.: Felice] Aʟᴇssᴀɴᴅʀᴏ Pɪᴇᴛʀᴏ, 1886–1943.
Lit.: V. B. Hᴀᴍᴍᴀɴɴ u. M. C. Yᴏɴ, The Heavens Heard Him. A Novel Based on the Life of P. Y., NY 1963.

+Yonge, Nɪᴄʜᴏʟᴀs, † 1619.
Lit.: E. H. Fᴇʟʟᴏᴡᴇs, Engl. Madrigal Verse, 1588–1632, London 1920, ²1929, 3. Aufl. revidiert hrsg. v. Fr. W. Sternfeld u. D. Gʀᴇᴇʀ, Oxford 1967; J. Kᴇʀᴍᴀɴ, The Elizabethan Madrigal, = Studies and Documents IV, NY 1962; P. M. Yᴏᴜɴɢ in: MGG XIV, 1968, Sp. 934ff.

Yoshida, Hɪᴅᴇᴋᴀᴢᴜ, * 23. 9. 1913 zu Tokio; japanischer Musikforscher und -pädagoge, studierte Romanistik an der Universität Tokio sowie privat Musiktheorie. Mit Saitō und Iguchi rief er 1948 die »Musikklassen für Kinder« ins Leben und schuf dadurch die

Grundlage für eine moderne Musikpädagogik in Japan. 1950–69 lehrte er Musikgeschichte an der Chuo-Universität in Tokio. Y. gründete 1953 die private Tōhō-Musikschule, an der er 1955–60 als Lehrer für Musikgeschichte wirkte, und 1957 das Institut für Musik des 20. Jh., dessen Präsident er auch ist. Seit 1953 hat Y. mehrmals Europa und die USA bereist. Durch seine Tätigkeit als Kritiker, Essayist, Buchautor und Übersetzer (R.Craft, Rolland, R.Schumann, Stuckenschmidt) aus dem Englischen, Französischen und Deutschen hat er einen wichtigen Beitrag für die kulturelle Verständigung zwischen Japan und der westlichen Welt geleistet. Er veröffentlichte: *Shudai to hensō* (»Themen und Variationen«, Tokio 1954); *Nijusseiki no ongaku* (»Musik im 20. Jh.«, ebd. 1959); *Ongaku kikō* (»Musikalische Reisetagebücher«, ebd.); *Watashi no ongakushitsu* (»300 Meisterwerke der Musik«, ebd. 1963); *Gendai no ensō* (»Aufführungen in unserer Zeit«, ebd. 1967); *Blick auf die japanische Musik der Gegenwart* (in: Melos XXIX, 1962); *Über die Musikentwicklung Japans in den letzten hundert Jahren* (in: Aspekte der Neuen Musik, Fs. H.H.Stuckenschmidt, Kassel 1968). Y. war Mitarbeiter (Japan) an den vorliegenden Ergänzungsbänden dieses Lexikons.

+Youmans, Vɪɴᴄᴇɴᴛ [erg.:] Millie, 1898–1946.
+*No, No, Nanette* (1925) ist das erste amerikanische Musical, das in Deutschland verfilmt wurde (ZDF 1971).
Lit.: L. A. Pᴀʀɪs, Men and Melodies, NY 1954; Sᴛ. Gʀᴇᴇɴ, The World of Mus. Comedy, NY 1960; D. Eᴡᴇɴ, Great Men of American Popular Song, Englewood Cliffs (N. J.) 1970.

Young (jʌŋ), Aʟᴇxᴀɴᴅᴇʀ, * 18. 10. 1920 zu London; englischer Sänger (Tenor), studierte am Royal College of Music in London, an der Wiener Musikakademie sowie privat Gesang bei Stefan Pollmann und debütierte 1950 als Scaramuccio (*Ariadne auf Naxos*) beim Edinburgh Festival. 1951 trat er erstmals in Glyndebourne auf, 1955 an der Covent Garden Opera in London; seitdem gastiert er als Opern- und Konzertsänger in den europäischen Musikzentren. Von seinen Partien seien genannt Jupiter in Händels *Semele*, Tamino (*Zauberflöte*), Graf Almaviva (*Il barbiere di Siviglia*), Eisenstein (*Fledermaus*), Matteo (*Arabella*), Lysander (*A Midsummer Night's Dream* von Britten) und Dionysus (*Die Bassariden* von Henze).

Young (jʌŋ), Lᴀ Mᴏɴᴛᴇ, * 14. 10. 1935 zu Bern (Ida.); amerikanischer Komponist, studierte 1957–60 Theorie, Komposition und Musikethnologie an der University of California in Los Angeles und Berkeley, daneben privat Saxophon und Klarinette (William Green) sowie Kontrapunkt und Komposition (Leonard Stein). 1959 nahm er an den Darmstädter Ferienkursen für Neue Musik teil und studierte 1960–61 Elektronische Musik an der New School for Social Research in New York (Maxfield). 1963 heiratete er die Künstlerin Marian Zazeela, unter deren Mitwirkung seitdem zahlreiche »Sound/Light Environments« entstanden (u. a. ein *Dream House* für die Documenta V 1972 in Kassel). Seit 1970 studiert er klassischen indischen Kunstgesang (Kirana-Stil) bei Pandit Pran Nath. – Y., der in der Schönbergschen Zwölftontradition zu komponieren begann, wandte sich 1960 der Fluxus-Bewegung zu (*Composition 1990 No. 2* bzw. *No. 5* bestehen z. B. daraus, ein Feuer vor dem Publikum anzuzünden bzw. Schmetterlinge im Konzertsaal fliegen zu lassen). Seitdem setzt er sich, später auch durch indisches Gedankengut beeinflußt, vor allem mit dem Phänomen der Zeit auseinander (»Ich betrachte die Zeit als mein Medium«) und schuf, ähnlich wie Phil Glass, St.Reich und

T. Riley, umfangreiche »statische« Kompositionen aus hauptsächlich elektronisch erzeugten Tönen (Intervall- und Akkordverbindungen, vielfach mit Bordunen) von teilweise extremer Dauer (»This music may play without stopping for thousands of years ...«). In seinem Bestreben nach totaler Kontrolle der harmonischen Struktur entwickelte er eine Kompositionstheorie, die er erstmals in »*The Two Systems* ...« verwirklichte. – Werke: Variationen (1955) und 5 kleine Stücke (1956) für Streichquartett; *For Brass* für je 2 Trp., Hörner, Pos. und Tuben (1957); *For Guitar* (1958); Streichtrio (1958, auch für Streichorch.); *Vision* für 11 Instr. (1959); Improvisationen *Untitled Works* (Reibegeräusche durch Gong auf Zement, Gong auf Holzboden, Metall an Wänden, seit 1959); *Poem for Chairs, Tables, Benches, etc.* (auch für andere Geräuschquellen, seit 1960); *2 Sounds* für 2 Tonbänder (1960, danach *Winterbranch* von Cunningham, 1964); *Arabic Numeral (any Integer)* für Gong oder Kl. (1960); *Compositions 1960, No. 1–15* und *1961, No. 1–29* (z. T. abgedruckt in *An Anthology* ... [s. u.]); Improvisationen *Untitled Works* für Kl. (1959–62); *The Second Dream of the High-Tension Line Stepdown Tarnsformer* für »bowed strings or other sustained-tone instr. that can be precisely tuned« (1962); *Studies in the Bowed Disc* für einen (von Robert Morris entworfenen 1,20 m großen) Gong (1963); Improvisationen *Untitled Works* für Sopransax./Kl./Gong, vokale Brummtöne, Git./V./Laute und Va (1962–64); *The Well-Tuned Piano* für speziell gestimmtes Kl. (1964); »A continuing performance work« *The Tortoise, His Dreams and Journeys* für ein oder mehrere St., Streicher und Brummtöne sowie Mikrophone, Mischgeräte, Verstärker, Lautsprecher und Lichtprojektion (sein umfangreichstes Werk, seit 1964 verschiedene Teilaufführungen, ein neuer Abschnitt seit 1966 als *Map of 49's Dream the Two Systems of Eleven Sets of Galactic Intervals Ornamental Lightyears Tracery*); »*The Two Systems of Eleven Categories 1: 07: 40 AM 3 X 67 –*«, *First Revision of »2–3 PM 12 XI 66 – 3: 43 AM 28 XII 66 for John Cage«* from »*Vertical Hearing or Hearing in the Present Tense*« für beliebige Instr. – Y. veröffentlichte *An Anthology of Chance Operations, Concept Art, Anti-Art* ... (mit J. MacLow, o. Ort 1963, ²1970) und *Selected Writings* (mit M. Zazeela, München 1969).

Lit.: R. KOSTELANETZ, Intervista con La M. Y., in: Lo spettatore mus. 1969; D. SCHNEBEL in: Denkbare Musik, hrsg. v. H. R. Zeller, = DuMont Dokumente o. Nr, Köln 1972, S. 20ff., frz. in: Musique en jeu 1973, Nr 11, S. 7ff.; N. GLIGO, Ich sprach mit La M. Y. u. M. Zazeela, in: Melos XL, 1973; M. NYMAN, Experimental Music. Cage and Beyond, London 1974.

+**Young**, Lester Willis, 1909 zu Woodville (Miss.) [nicht: New Orleans] – 1959.

Lit.: J. GR. JEPSEN, A Discography of L. Y., Brande (Dänemark) 1959, ²1960, Kopenhagen ³1968. – +J. E. BERENDT, Das neue Jazzbuch (1959), ital. Florenz 1960, engl. NY 1962, London 1964, frz. = Petite bibl. Payot XLIX, Paris 1963, auch japanisch u. tschechisch. – J. GR. JEPSEN, L. Y., Kopenhagen 1957; W. BURKHARDT u. J. GERTH, L. Y., = Jazz Bücherei II, Wetzlar 1959; R. G. REISNER, The Last Sad Days of L. W. Y., in: down beat XXVI, 1959; DERS., The Jazz Titans, Garden City (N. Y.) 1960; V. FRANCHINI, L. Y., = Kings of Jazz o. Nr, Mailand 1961; A. MATZNER u. I. WASSERBERGER, Jazzové profily, Prag 1969; R. BLESH, Combo U. S. A., Eight Lives in Jazz, Philadelphia (Pa.) 1971; R. RUSSELL, Jazz Style in Kansas City and the Southwest, Berkeley (Calif.) 1971.

Young (jʌŋ), Percy Marshall, * 17. 5. 1912 zu Northwich (Cheshire); englischer Musikforscher, Organist, Komponist und Dirigent, studierte am Christ's Hospital und an der Cambridge University (Orgelstudium am Selwyn College; B. A. 1933) und absolvierte 1937 das Trinity College in Dublin (M. A., B. Mus., Mus. D.). Danach vervollständigte er seine Studien bei C. B. Rootham und E. J. Dent. 1934–37 war er Director of Music am Stranmillis College for Teachers in Belfast, 1937–44 Music Advisor der Stadt Stoke-on-Trent und 1944–66 Director of Music am College of Technology in Wolverhampton. Seitdem widmet er sich ganz der Forschung und der Konzerttätigkeit. Von seinen zahlreichen Veröffentlichungen seien genannt: *Handel* (= Master Musicians o. Nr, London 1947, revidiert ebd. und NY 1965); *The Oratorios of Handel* (ebd. 1950); *Vaughan Williams* (London 1953); *A Critical Dictionary of Composers and Their Music* (ebd. 1954); *Elgar, O. M.* (ebd. 1955, revidiert 1973); *Concerto* (= Phoenix Music Guides I, ebd. 1957); *Tragic Muse. The Life and Works of R. Schumann* (ebd., erweitert 1961 und 1967, deutsch als *R. Schumann*, Lpz. 1968, ²1971); *Music Makers of Today* (London und NY 1958); *The Choral Tradition* (ebd. 1962, NA 1971); *Z. Kodály* (ebd. 1964, deutsch Budapest 1964); *Britten* (= Masters of Music Series o. Nr, London 1966, NY 1968); *A History of British Music* (London und NY 1967); *Great Ideas in Music* (= Great Ideas Series II, ebd. 1967); *Keyboard Musicians of the World* (London 1967); *Debussy* (ebd. und NY 1968); *The Bachs, 1500–1850* (ebd. 1970); *Sir A. Sullivan* (London 1971, NY 1972); *A Concise History of Music* (London und NY 1974). – Ausgaben: *Sir E. Elgar. Letters ... and Other Writings* (London 1956); *Letters to Nimrod. E. Elgar to A. Jaeger, 1897–1908* (ebd. 1965); *E. Elgar. A Future for English Music and Other Lectures* (ebd. und NY 1968); G. Fr. Händel, *Saul* (= Hallische Händel-Ausg. I, 13, Kassel 1962). – Y. ist auch als Komponist u. a. mit Variationen über *Three Bags Full* für 2 Kl. (1941), *Fugal Concerto* für Kl. und Streichorch. (1954), *In the Beginning Was the Word* für 4st. Chor a cappella (1960), *A Pageant of Carols* für Unisonochor, 3st. Frauenchor, Knabenchor und Orch. (1961), einem Konzert für Streicher, Hf. und Schlagzeug (1972) und zahlreichen Liedern hervorgetreten.

Young (jʌŋ), Victor, * 8. 8. 1900 zu Chicago, † 10. 11. 1956 zu Palm Springs (Calif.); amerikanischer Violinist und Komponist, studierte Violine am Konservatorium in Warschau (Lotto) und unternahm nach seinem Debüt bei den Warschauer Philharmonikern Konzerttourneen durch Europa. 1914 kehrte er in die USA zurück, war in Chicago und Los Angeles als Konzertmeister und später bei Rundfunkgesellschaften tätig. 1935 ließ er sich in Hollywood nieder. Er komponierte zahlreiche Filmmusiken, darunter *Golden Earrings, Love Letters* und *Around the World in Eighty Days* (1956). Von seinen Songs seien genannt: *Sweet Sue; Street of Dreams; Any Time, Any Day, Anywhere; Love Me; When I Fall in Love.*

+**Young**, William (Joung, Jough), † [erg.: vor dem] 21. 12. 1671.

Laut Senn (s. u. Lit.) soll die +*Sonate a 3, 4 e 5 v.* ... (1653) ein am 23. 4. 1662 zu Innsbruck verstorbener gleichnamiger englischer Komponist und Gambenvirtuose, der ebenfalls ab 1652 Kammermusiker am Hof in Innsbruck war, jedoch nicht mit obigem ab 1660 wieder in London wirkenden Flötisten identisch ist, geschrieben haben. – Y. ist der erste englische Komponist, der als »Sonate« betitelte Werke veröffentlicht hat.

Ausg.: Triosonate D dur f. V., Va da gamba u. B. c., hrsg. v. P. EVANS, London 1956.

Lit.: W. SENN, Musik u. Theater am Hof zu Innsbruck, Innsbruck 1954; P. M. YOUNG in: MGG XIV, 1968, Sp. 944f.

+Ysaye (Ysaÿe), –1) Eugène[erg.:]-Auguste, 1858–1931.

Y. war vor allem Schüler von H. Vieuxtemps in Paris (1876–79), über den er den Beitrag *H. Vieuxtemps, mon maître* schrieb (hrsg. von P. André, = Le cahiers Y. I, Brüssel 1968). Zahlreiche Komponisten widmeten ihm Werke, darunter C. Franck (Violinsonate A dur, 1886) und Cl. Debussy (Streichquartett G moll op. 10, 1893; Y. und seinem Quartett gewidmet). – 1937 wurde in Brüssel der Concours international E. Y. gegründet (später übergegangen in den Concours Reine Élisabeth de Belgique); in Brüssel besteht seit 1961 auch eine Fondation E. Y. (geleitet von Y.s Sohn Antoine), die sich durch Editionen und Publikationen (*Les cahiers Y.*; Bulletin) um Werk und Wirkung Y.s bemüht.
–2) Théo (Théophile) [erg.:] Antoine, 1865–1918.
Lit.: M. BRUNFAUT, J. Laforge, les Y. et leur temps, Brüssel 1961. – zu –1): +A. YSAŸE, E. Y., ebd. 1947, engl. v. +B. Ratcliffe, London 1948 (gekürzt) [del. frühere Angaben]. – L. M. GUADAGNINO in: RBM X, 1956, S. 57ff.; G. KARSKI in: Ruch muzyczny II, 1958, Nr 2, S. 9ff.; I. MAHAIM, E. Y. et les »derniers quatuors« de Beethoven, in: La liberté 1958, Nr 153 u. 159, separat Paris 1958; L. GINSBURG, E. Isai, Moskau 1959; DERS. in: Issledowanija, statji, otscherki, ebd. 1971, S. 300ff. (= Wiederabdruck aus: Musykalnaja schisn 1958, Nr 11); A. YSAŸE, Historique des six sonates pour v. seul op. 27 d'E. Y., Brüssel 1967 (mit Lebenschronologie, Werkverz. u. Diskographie); DERS., E. Y., ebd. 1972; B. GREENSPAN, The Six Sonatas f. Unaccompanied V. and Mus. Legacy of E. Y., The Sextets by Brahms. An Analysis, Diss. Indiana Univ. 1969; P. TINEL, E. Y., Bull. de la Classe des beaux-arts de l'Acad. royale de Belgique LI, 1969; G. MANOLIU, E. Y., violoniste et compositeur, Rev. roumaine d'hist. de l'art, Série Théâtre, musique, cinéma VII, 1970, Wiederabdruck in: Rev. générale 1971, Nr 4; A. VANDER LINDEN, E. Y. et O. Maus, Bull. de la Classe des beaux-arts de l'Acad. royale de Belgique LII, 1970. – zu –2): M. KUNEL, Th. Y., in: La vie wallonne XXXVIII, 1964.

Yun, Isang, * 17. 9. 1917 zu Tong Young; koreanischer Komponist, erhielt 1935–43 eine westeuropäisch-traditionelle Ausbildung in Korea und Japan, lehrte 1946–52 an Oberschulen in Tong Young und Pusan und war 1952–56 Dozent für Komposition an den Universitäten in Pusan und Seoul. 1955 wurde Y. der Kulturpreis der Stadt Seoul verliehen, der ihm die Übersiedlung nach Europa ermöglichte. 1956–57 studierte er am Pariser Conservatoire (Aubin), 1957–59 an der Berliner Hochschule für Musik (Blacher, Rufer, Schwarz-Schilling) und nahm mehrmals an den Darmstädter Ferienkursen für Neue Musik teil. Als Stipendiat der Ford-Foundation wohnte er ab 1964 in West-Berlin. 1967 wurde er vom südkoreanischen Geheimdienst nach Seoul verschleppt und zu lebenslanger Haft verurteilt. Nach seiner Begnadigung (1969) kehrte er nach Berlin zurück, übernahm eine Kompositionsklasse an der Musikhochschule in Hannover und erhielt im gleichen Jahr den Kulturpreis der Stadt Kiel. Seit 1970 lehrt er Komposition an der Berliner Musikhochschule (1974 Professor). – Die spezifische musikalische Sprache Y.s resultiert aus der Auseinandersetzung westlich avantgardistischer Stilmittel mit den Traditionen chinesisch-koreanischer Kunstmusik; eine Vielzahl von Annäherungs- und Verschmelzungsmöglichkeiten erlaubt eine Synthese ohne exotisierendes Zitieren. Besondere Bedeutung kommt der Verwendung von »Haupttönen«, wesentlichen Bauprinzipien der chinesisch-koreanischen Kunstmusik, zu: Einzeltöne, aber auch Akkorde, Klangflächen und Geräuschkomplexe, in meist nur ähnlicher, nicht identischer Gestalt wiederholt, erhalten im Bereich akzidenteller Klangkomplexe die Funktion von Orientierungspunkten, wirken in formaler Dimension abschnittsbildend; »Haupttöne« neuer formaler Sektoren können zu vorhergehenden kontrastieren, ebenso jedoch aus ihnen abgeleitet sein. Haltetöne, umspielt von glissando- und verzierungsreichen Linien, dazu Formen des Sprechgesangs kennzeichnen Y.s Vokalstil. – Er schrieb die Opern *Der Traum des Liu-Tung* (nach einem taoistischen Lehrstück von Ma-Chi-Yüan, Bln 1965), *Die Witwe des Schmetterlings* (Libretto Harald Kunz nach einer altchinesischen Novelle, Bonn 1967, mit dem *Traum des Liu-Tung* zu dem Diptychon *Träume* zusammengefaßt, Nürnberg 1969), *Geliebte Füchsin* (Kunz, Kiel 1970), *Geisterliebe* (ebd. 1971) und *Sim Tjong* (München 1972), Orchesterwerke (*Bara*, 1960; *Symphonische Szene*, 1961; *Fluktuationen*, 1963; *Réak*, 1966; *Dimensionen*, 1971; Ouvertüre, 1973; *Konzertante Figuren*, 1973; *Colloïdes sonores* für Streichorch., 1961), Kammermusik (*Loyang* für Fl., Ob., Klar., Fag., Hf., Schlagzeug, Vibraphon, V. und Vc., 1962; *Musik für 7 Instr.*, 1959; Streichquartett Nr 3, 1959; *Images* für Fl., Ob., V. und Vc., 1968; Trio für Fl., Ob. und V., 1973; *Gasa* für V., 1963, *Garak* für Fl., 1963, *Nore* für Vc., 1964, Neufassung 1966, und *Riul* für Klar., 1968, mit Kl.; *Glissées* für Vc. solo, 1970; Etüden für Fl., 1974), Werke für Tasteninstrumente (5 Stücke für Kl., 1958; *Shao Yang Yin* für Cemb., 1966; *Tuyaux sonores* für Org., 1967) und Vokalwerke (Oratorium *Om mani padme hum* für S., Bar., Chor und Orch., nach Texten von Buddha, 1965; *Namo* für 3 S. und Orch., nach buddhistischen Gebetsformeln, 1971, und *Memory*, Vokalisen nach einem altchinesischen Grabspruch für Mezzo-S., Bar., Sprech-St. und Schlagzeug, 1974; *An der Schwelle*, Sonette für Bar., Frauenchor, Org. und andere Instr., 1974).
Lit.: Gespräch mit I. Y., in: Ford Foundation – Bln Confrontation, Bln 1965; I. Y., in: Aus unserem Tagebuch (Hausmitt. d. Musikverlages Bote & Bock) XXIV, 1965 u. XXVII, 1968 – XXVIII, 1969; H. KUNZ, I. Y., in: Begegnungen, = Sonder-H. f. d. Donaueschinger Musiktage 1966; W. BECKER, Ritratto di I. Y., nRMI II, 1968.

Yūnus al-Kātib → +al-Kātib.

+Yvain, Maurice [erg.:] Pierre Paul, * 12. 2. 1891 und [erg.:] † 28. 7. 1965 zu Paris.
Er veröffentlichte die autobiographische Schrift *Ma belle opérette* (= Quelques pas en arrière o. Nr, Paris 1962).
Lit.: J. BRUYR in: Musica (Disques) 1965, Nr 139, S. 23ff.

Z

+Zabaleta, Nicanor, * 7. 1. 1907 zu San Sebastián. Seine Lehrtätigkeit an der Accademia musicale Chigiana in Siena beendete er 1962.
Lit.: Cinq minutes avec N. Z., in: Musica (Disques) 1966, Nr 148/49, S. 11ff.

Zaccaria, Nicola, * 9. 3. 1923 zu Piräus; griechischer Sänger (Baß), studierte am königlichen Konservatorium in Athen, debütierte 1949 an der dortigen Oper als Raimondo in *Lucia di Lammermoor* und machte sich zunächst durch Gastspiele in Italien einen Namen. Ab 1953 (Sparafucile in *Rigoletto*) war er ständiger Gast der Mailänder Scala, der Oper in Rom sowie ab 1956 der Wiener Staatsoper und trat bei den Festspielen in Salzburg und Edinburgh auf.

+Zacconi, Lodovico (Ludovico), 11. [nicht: 4.] 6. 1555 – 1627 zu Fiorenzuola [erg.:] di Focara (bei Pesaro).
Nach theologischen Studien in Pavia und Mantua und einem längeren Aufenthalt in Graz (ab 1585) ging Z. 1591 als Hofkaplan und Tenorist nach München an den Hof Wilhelms V. von Bayern. Zuletzt war er Prior in Pesaro. – In seiner *+Prattica di musica* hält Z. am Stilideal der alten Vokalpolyphonie fest und ignoriert die Neuerungen der Zeit (Monodie). Die in seiner Autobiographie *Vita con le cose avvenute al P.Bacc. L. Z. da Pessa* genannten musiktheoretischen Werke sind z. T. verschollen. Z. schrieb ferner *Paradigma musicale* sowie zahlreiche historische und theologische Abhandlungen.
Ausg.: Prattica di musica, Faks. d. Ausg. Venedig 1592, 2 Bde, = Bibl. musica Bononiensis II, 1–2, Bologna 1967.
Lit.: +FR. VATIELLI, Un musicista pesarese nel s. XVI (Bologna [nicht: Pesaro] 1904), Nachdr. = Bibl. musica Bononiensis III, 15, Bologna 1968 (darin auch: I »Canoni mus.« di L. Z., 1905, u. [erg.: Di L. Z., Ulteriori] +notizie su la vita e su le opere, 1912). – E. T. FERAND, Improvised Vocal Counterpoint in the Late Renaissance and Early Baroque, Ann. mus. IV, 1956; E. FR. SCHMID, Musik an d. schwäbischen Zollernhöfen d. Renaissance, Kassel 1962; H. FEDERHOFER, Musikpflege u. Musiker am Grazer Habsburgerhof d. Erzherzöge Karl u. Ferdinand v. Innerösterreich (1564–1619), Mainz 1967; G. SINGER, L. Z.'s Treatment of the »Suitability and Classification of All Mus. Instr.« in the »Prattica di musica« of 1592, Diss. Univ. of Southern California 1968; G. GRUBER, L. Z. als Musiktheoretiker. Studien zur praxisbezogenen Theorie seiner Zeit, Habil.-Schrift Wien 1973.

+Zach, Jan, 1699 – [erg.: 24. 5.] 1773 zu Ellwangen (Jagst) [del.: vielleicht zu Bruchsal].
Lit.: Miszellen v. A. GOTTRON in: Mitt. d. Arbeitsgemeinschaft f. mittelrheinische Mg. 1964, Nr 8, S. 59ff. (Z.s Reisen 1756–73; tschechisch in: Hudební věda III, 1966, S. 597f.), 1965, Nr 10, S. 82f. (Datierung v. Werken; tschechisch ebd., S. 598f.), 1968, Nr 16, S. 154 (zu 1940 verbrannten Werken aus d. Darmstädter Bibl.), 1968, Nr 17, S. 163 (Todesdatum), u. 1970, Nr 20, S. 202 (Z.s Grab). – A. NĚMEC in: Zprávy Bertramky 1959, Nr 17, S. 5f. (zum Sextett f. Blasinstr.); R. MÜNSTER, Das Tantum ergo KV 142, eine Bearb. nach J. Z.?, Acta Mozartiana XII, 1965; W. SENN, J. Z., Reisen u. Aufenthalte in Tirol, Fs. J. Racek, = Sborník prací filosofické fakulty brněnské univ. XIV, F 9, 1965; A. GOTTRON, Ein Offertorium v. J. Z. im Trierer Domarch., Fs. A. Thomas, Trier 1967; DERS. in: Hudební věda VI, 1969, S. 323ff. (zur Biogr.).

+Zachariä, Justus Friedrich Wilhelm, 1726–77.
+Die Pilgrime auf Golgatha (1756) ist nicht ein von Z. in Musik gesetztes musikalisches Drama, sondern eine in den *+Poetischen Schriften* (1763–65) enthaltene und in der damaligen Zeit geschätzte Dichtung, die u. a. von G. Albrechtsberger, J. B. Kehl und G. A. Schneider vertont wurde.
Lit.: FR. MEYEN, Bremer Beiträger am Collegium Carolinum in Braunschweig, = Braunschweiger Werkstücke XXVI, Braunschweig 1962.

+Zacharias (Zacara, Zachara), 14./15. Jh.
Ausg. u. Lit.: +J. WOLF, Gesch. d. Mensural-Notation (1904), Nachdr. Hildesheim u. Wiesbaden 1965 (3 Bde in 1). – F. GHISI, Ital. Ars-Nova Music, Journal of Renaissance and Baroque Music I, 1946/47 (nebst 3 Ballate v. Antonio Z.); N. PIRROTTA u. E. LiGOTTI, Il cod. di Lucca, MD IV, 1950 (darin mehrere Texte u. 1 Ballata v. A. Z.); DR. PLAMENAC, New Light on Cod. Faenza 117, Kgr.-Ber. Utrecht 1952 (darin 1 Ballata v. A. Z.); K. v. FISCHER, Kontrafakturen u. Parodien ital. Werke d. Trecento u. frühen Quattrocento, Ann. mus. V, 1957; DERS., Neue Quellen zur Musik d. 13., 14., u. 15. Jh., AMl XXXVI, 1964. – G. REANEY in: MGG XIV, 1968, Sp. 960ff.

Zacharias, Helmut (Pseudonym Charly Thomas), * 27. 1. 1920 zu Berlin; deutscher Violinist und Komponist von Unterhaltungsmusik, lebt in Ascona (Tessin). Er war Schüler von Havemann an der Berliner Musikhochschule und gehörte 1939–41 dem Berliner Kammerorchester unter H. v. Benda an. Seitdem ist er freiberuflich tätig, auch als Dirigent und als Produzent von Schallplatten. Z. entwickelte einen eigenen Jazzstil auf der Violine. Er komponierte über 400 Stücke (darunter: *Fantasie über 3 eigene Themen*; *Rhapsodie in Jazz*; *Tokyo-Melody*; *Mexico-Melody*) und veröffentlichte das Lehrwerk *Die Jazz-Violine* (Mainz 1950).

Zachariassen → +Marcussen & Søn.

+Zachariis, Cesare de, 2. Hälfte 16. Jh.
Ausg.: Ingressus f. d. Vesper »Eile, Gott, mich zu erretten«, = Geistliche Chormusik I, 127, Stuttgart 1959; 6 Falsibordoni (mit deutschen Psalmtexten) u. ein Ingressus (mit deutscher Übers.) in: Introiten u. Motetten zum Kirchenjahr, hrsg. v. D. HELLMANN, ebd. II, 5.

Zacher, Gerd, * 6. 7. 1929 zu Meppen (Emsland); deutscher Organist und Komponist, studierte 1949–52 an der Detmolder Musikakademie Orgel bei H. Heintze und Michael Schneider, Komposition bei Bialas und Dirigieren bei K. Thomas sowie 1952–54 privat bei Theodor Kaufmann in Hamburg. Starke Anregungen erfuhr er durch Messiaen. Er war 1954–57 Kantor und Organist an der deutschen evangelischen Kirche in Santiago de Chile, 1957–70 an der Luther-Kirche in Hamburg-Wellingsbüttel (1968 Kirchenmusikdirektor) und außerdem Dozent an der Musikakademie in Lübeck. 1970 erhielt er eine Professur an der Folkwang-Hochschule in Essen und zugleich die Leitung der Kirchenmusikabteilung. Als Organist war er daneben bis 1973 in Wuppertal-Oberbarmen tätig. Z. gilt als einer der führenden Interpreten moderner Orgelmusik: Konzertreisen führten ihn in verschiedene europäische Länder. Komponisten wie Allende-Blin,

Bussotti, Kagel, Ligeti, Stiebler, Yun und andere verdanken ihm die Anregung zu Werken und deren Durchsetzung in Konzerten und auf Schallplatten. Seine Kompositionen umfassen: Kammerkantate *Prière pour aller au paradis avec les ânes* (Text Francis Jammes, 1952); *5 Transformationen* für Kl. (1954); *Diferencias* für Org. (1961); *Das Gebet Jonas' im Bauch des Fisches* für S. und Org. (1963); *Text* (1963), *Szmaty* (1968), *Ré* (1969) und *Orumambel 1972* für Org.; *700.000 Tage später*, Passionsmusik nach Lukas für gem. Chor (1968); ferner 2 Realisationen der *Variations I* von Cage (1966 und 1967) und *Die Kunst einer Fuge*, 10 Interpretationen von J.S.Bachs »Contrapunctus I« (1969) für Org. Von seinen Aufsätzen seien genannt: *Zur Orgelmusik seit 1960* (in: Orgel und Orgelmusik heute, hrsg. von H.H.Eggebrecht, = Veröff. der Walcker-Stiftung für orgelwissenschaftliche Forschung II, Stuttgart 1968); *L'orgue outil* und *Compositeur, interprète, commanditaire* (in: L'interprète = Musique en jeu 1971, Nr 3); *Von der Neuentdeckung der Orgel* (in: R.Lück, Werkstattgespräche mit Interpreten Neuer Musik, Köln 1971); *Analyse der Orgel. Ein Interpretationskurs* (in: Ferienkurse '72, hrsg. von E.Thomas, = Darmstädter Beitr. zur Neuen Musik XIII, Mainz 1973); *Über eine vergessene Tradition des Legatospiels* (MuK XLIII, 1973). Lit.: A. MANZ in: Musica sacra XC, 1970, S. 118ff.; W. MERTEN in: MuK XLIII, 1973, S. 78ff. (zu »700.000 Tage später«).

+**Zachow,** Friedrich Wilhelm, getauft 14. [nicht: * 19.] 11. 1663 – 1712.
Von ihm sind 33 [nicht: 12] Kirchenkantaten erhalten.
Ausg.: Gesammelte Werke f. Tasteninstr., hrsg. v. H. LOHMANN, Wiesbaden 1966.
Lit.: +G. FROTSCHER, Gesch. d. Orgelspiels ... (I, 1935, ²1959), Bln ³1966 (im Beispiel-Bd ein Praeludium C dur). – B. BASELT, Fr. W. Z. u. d. protestantische Kirchenkantate, in: 11. Händelfestspiele Halle (Saale) 1962; G. THOMAS, Fr. W. Z., = Kölner Beitr. zur Musikforschung XXXVIII, Regensburg 1966.

+**Zack,** Oskar Viktor, * 2. 1. 1882 zu Gießen, [erg.:] † 18. 12. 1963 zu Schiers (Graubünden).

+**Zack,** Viktor, 1854 – 26. 1. [nicht: 13. 4.] 1939.
Lit.: V. v. GERAMB, Prof. V. Z. zum Gedächtnis, in: Das Joanneum III, (Graz) 1940.

+**Zadek,** Hilde, * 15. 12. 1917 [nicht: 1921] zu Bromberg (Bydgoszcz).
H. Z., 1951 zur österreichischen Kammersängerin ernannt, war Mitglied der Wiener Staatsoper bis 1971. Seit 1964 ist sie Gesangslehrerin am Konservatorium der Stadt Wien (1971 Professor).

+**Zádor,** Eugen(e) (eigentlich Z.-Zucker), * 5. 11. 1894 zu Bátaszék (Ungarn).
Weitere Werke: die Opern *X-mal +Rembrandt* (einaktig, Gera 1930) und *+Christoph Columbus* (einaktig, NY 1939) [del. bzw. erg. frühere Angaben], *Dornröschens Erwachen* (Saarbrücken 1931), *Der Revisor* (nach Gogol, 1935, revidiert 1952), *The Virgin and the Fawn* (einaktig, Los Angeles 1964), *The Magic Chair* (einaktig, Baton Rouge/La. 1966) und *The Scarlett Mill* (1965–67, NY 1968); *Fugue-fantasia* (1958), Rhapsodie (1961), *Festival Ouverture* (1964), *Variations on a Merry Theme* (1965), 5 *Contrasts* (1965), *Aria and Allegro* (1967) und Orchesterstudien (1970) für Orch.; Konzert für Pos. (1967) und Rhapsodie für Cimbalom (1969) mit Orch.; *The Remarkable Adventures of Henry Bold* für Sprecher und Orch. (1963).

Zafred, Mario, * 21. 2. 1922 zu Triest; italienischer Komponist und Dirigent, studierte in Rom bis 1946 am Conservatorio di Musica S. Cecilia (Pizzetti) und wirk-

te dort als Musikkritiker der Zeitungen »Unità« (1949–56) und »Giustizia« (1956–63). 1966 wurde er künstlerischer Leiter des Teatro Comunale G. Verdi in Triest. Seit 1968 ist er in der gleichen Stellung am Teatro dell'Opera in Rom sowie am Teatro Lirico Sperimentale in Spoleto tätig. Er schrieb die Opern *Amleto* (Rom 1961) und *Wallenstein* (ebd. 1965), Orchesterwerke (7 Symphonien, 1943, 1944, 1949, 1950, 1954, 1958 und 1970; *Sinfonia breve* für Streichorch., 1955; Konzert für Fl. und Orch., 1951; *Concerto lirico* für V. und Orch., 1953; Tripelkonzert für V., Vc., Kl. und Orch., 1954; Konzerte für Hf., 1956, Va, 1957, Vc., 1958, Kl., 1960, und 2 Kl., 1961, mit Orch.; *Metamorfosi*, 1964, und *Variazioni concertanti su l'introduzione dell'op. 111 di Beethoven*, 1966, für Kl. und Orch.; *Concerto per archi*, 1969), Kammermusik (Streichsextett, 1967; Bläserquintett, 1952; 4 Streichquartette, 1941, 1947, 1948 und 1953; 3 Klaviertrios, 1942, 1945 und 1954), Klavierwerke (4 Sonaten, 1941, 1943, 1950 und 1960) und Vokalwerke (*Epitaphe en forme de ballade* für Bar. und kleines Orch., nach François Villon, 1966; zahlreiche Lieder).
Lit.: J. S. WEISSMANN, Z. e il problema dell'accessibilità, in: Musica d'oggi, N. S. VI, 1963; FR. AGOSTINI, Poetica di contrasti und »Sestetto per archi« di Z., in: Chigiana XXIV, N. S. IV, 1967.

+**Zagiba,** Franz (František), * 20. 10. 1912 zu Rosenau (Rožňava, Ostslowakei).
1973 wurde er zum ordentlichen Professor an der Universität Wien ernannt. Das von ihm herausgegebene +*Chopin-Jb.* liegt in 2 weiteren Folgen vor (1963 und 1970; darin von ihm selbst u. a.: *Zur Errichtung einer Chopin-Gedächtnisstätte in Wien*, 1970). – Der Titel seiner Bratislaver Dissertation (1937) lautet *Musikdenkmäler in den ostslowakischen Klöstern im 18. und 19. Jh.* (= seine Wiener Habil.-Schrift (1944) +*Geschichte der slowakischen Musik* (erschienen als *Dejiny slovenskej hudby*, = Spisy Slovenskej akadémie vied a umení IV, Bratislava 1943); +»Sowjetisches Musikschaffen« (1947) ist gedruckt als *Tvorba sovietskych komponistov* (»Das Schaffen der sowjetischen Komponisten«) [del. bzw. erg. frühere Angaben dazu]. – Weitere (musikbezogene) Schriften: *Begriff, Aufbau und Methode einer strukturalistischen musikwissenschaftlichen Arbeit* (Mf VIII, 1955); *Der Cantus Romanus in lateinischer, griechischer und slavischer Kultsprache in der karolingischen Ostmark* (KmJb XLIV, 1960); *Die Messe in griechischer bzw. in slawischer Sprache* (MGG IX, 1961, Sp. 158ff.); *Einige grundlegende Fragen des Cyrillomethodianischen liturgischen Gesanges* (Fs. J.Racek, = Sborník prací filosofické fakulty brněnské university XIV, F 9, 1965).

+**Zagwijn,** Henri, 1878–1954.
Lit.: W. PAAP in: Mens en melodie IV, 1949, S. 263ff., u. IX, 1954, S. 349ff.

+**Zahn,** Johannes, 1817 – 17. [nicht: 7.] 2. 1895.
Das Manuskript von +*Die Melodien der deutschen evangelischen Kirchenlieder* (1889–93, Nachdr. Hildesheim 1963), im Besitz des Germanischen Nationalmuseums Nürnberg, enthält zahlreiche weitere Weisen und Melodiefassungen.
Lit.: W. EHMANN, J. Z. an E. Kuhlo. Ein Brief, Jb. f. Liturgik u. Hymnologie IV, 1958/59.

Zajc, Ivan → +Zaytz, Giovanni.

Zaliouk, Yuval, * 10. 2. 1939 zu Haifa; israelisch-englischer Dirigent, studierte Posaune und Schlagzeug, spielte im Symphonieorchester seiner Heimatstadt, begann 1962 ein Dirigierstudium und erhielt 1967 in Besançon den 1. Preis beim Concours international de jeunes chefs d'orchestre. Im selben Jahr wurde er Dirigent am Royal Ballet Covent Garden in London. 1969 debütierte er in den USA mit dem Detroit Symphony Orchestra und war 1970 Preisträger des Mitropoulos-Dirigentenwettbewerbs in New York. Seit 1971 hat er zahlreiche Konzertreisen in verschiedene europäische Länder und die USA unternommen und u. a. das Israel Philharmonic Orchestra und das BBC Symphony Orchestra dirigiert.

+Zallinger, Meinhard von, * 25. 2. 1897 zu Wien. Er war 1. Staatskapellmeister an der Bayerischen Staatsoper in München bis 1973 und unterrichtete am Mozarteum in Salzburg bis 1968.

Zalzal (eigentlicher Name Manṣūr ibn Ǧaʿfar aḍ-Ḍārib, der Lauten-»Schläger«, * zu Kufa(?), † 791(?) zu Bagdad(?); arabischer Lautenist, stammte nach Isḥāq →+al-Mauṣilī aus einem Armenviertel von Kufa, war nach dem persischen Dichter Manūčihrī († um 1040) persischer Herkunft. Ibrāhīm al-Mauṣilī soll ihn nach Bagdad geholt, ihn in »traditioneller arabischer Musik« (al-ġināʾ al-ʿarabī) unterrichtet und bei Hof eingeführt haben. Sein gutes Lautenspiel wurde sprichwörtlich, und seinen Unterricht ließ er sich ungewöhnlich hoch bezahlen. Unter Hārūn ar-Rašīd (786–809) errichtete er die erste der nach sasanidisch-persischem Vorbild eingerichteten »Sängerklassen« (ṭabaqāt), der Musiker wie Ibrāhīm al-Mauṣilī und Ibn Ǧāmiʿ angehörten. Er fiel in Ungnade und soll längere Zeit im Gefängnis verbracht haben. Sein in einer späteren Quelle überliefertes Todesdatum könnte zu früh angesetzt sein, doch scheint er auf jeden Fall vor 809 gestorben zu sein. – Ihm wurde die Konstruktion des dickbauchigen, nach dem Steinbutt benannten Lautentyps (al-ʿūd aš-šabbūṭ) und die Einführung der dem ġināʾ-System der Mauṣilī-Schule fremden »neutralen Terz« der persischen rāst-Leiter zugeschrieben, die auf dem »Zalzal-Mittelfingerbund« der Laute (wusṭā Zalzal) zu greifen ist und zuerst von →+al-Fārābī berechnet wurde (27:22 = 355 Cent bei al-Fārābī, 39:32 = 343 Cent bei Avicenna).

Lit.: PSEUDO-AL-ǦĀḤIẒ († 869), Kitāb at-Tāǧ fī aḫlāq al-mulūk, frz. Übers. v. Ch. Pellat als: Le livre de la couronne, Paris 1954; IBN ʿABD RABBIH († 940), al-ʿIqd al-farīd (»Die einzigartige Perlenkette«), Bd VI, Kairo 1949, S. 31 u. 37; ABU L-FARAǦ AL-IṢFAHĀNĪ († 976), Kitāb al-Aġānī al-kabīr (»Großes Buch d. Lieder«), Bd V, ebd. ³1932 u. ö.; J. P. N. LAND, Remarks on the Earliest Development of Arabic Music, Transactions of the 9th International Congress of Orientalists, Bd II, London 1892, Nachdr. Nendeln (Liechtenstein) 1968, S. 155ff. (mit Lit. bis dahin); J. RIBERA, La música de las cantigas, Madrid 1922, gekürzte engl. Übers. v. E. Hague u. M. Leffingwell als: Music in Ancient Arabia and Spain, Stanford (Calif.) 1929, Nachdr. NY 1970; H. G. FARMER, A Hist. of Arabian Music to the XIIIth Cent., London 1929, Nachdr. 1967; DERS., Studies in Oriental Mus. Instr., Bd I, ebd. 1931, S. 96, u. Bd II, 1939, S. 54ff.; DERS., Artikel Z., EI Suppl. 1938 (mit weiteren Quellen u. Bibliogr.); ʿALĪ MAẒĀHIRĪ, Z.-i Rāzī, in: Maǧalla-i mūsīqī (»Zs. f. Musik«) 1941, Nr 13 (Teheran), Wiederabdruck in: Hunarhā-i millī (»Nationale Künste«) 1955, Nr 1 (persisch); A. KUTZ, Mg. u. Tonsystematik, = Neue deutsche Forschungen, Abt. Mw. XI, Bln 1943, S. 343, 345 u. 525ff.; M. BARKECHLI, La gamme de la musique iranienne, Annales de télécommunications V, 1950; M. A. AL-ḤIFNĪ, al-Mūsīqā al-ʿarabīya wa-aʿlāmuhā (»Die arabische Musik u. ihre bekanntesten Vertreter«), Kairo 1951, ²1955; ḤALĪL MARDAM, Ǧamharat al-muġannīn (»Slg [arabischer] Musiker[-Biogr.]«), Damaskus 1964; E. NEUBAUER, Musiker am Hof d. frühen ʿAbbāsiden, Diss. Ffm. 1965 (mit weiteren Quellen u. Bibliogr.); L. MANIK, Das arabische Tonsystem im MA, Leiden 1969.   ENE

Zamacois (θamʾakɔʾis) Soler, Joaquín, * 15. 12. 1894 zu Santiago de Chile; spanischer Komponist,

studierte bis 1912 am Konservatorium des Liceo in Barcelona, an dem er 1914–40 als Professor für Komposition wirkte. 1940–65 war er in Barcelona Direktor der Escuela Municipal Superior de Música. Er schrieb die Zarzuelas *Margariíiña* (Barcelona 1925), *El aguilón* (Bilbao 1928) und *El caballero del mar* (Barcelona 1931), Orchesterwerke (Symphonische Dichtungen *Los ojos verdes* für V. und Orch., 1920, *La siega*, 1928, *Suite poemática*, 1955), Kammermusik (Streichquartett, 1922; Violinsonate, 1918; *Allegro appassionato* für V. und Kl.), Chorwerke (*Cant de joia*, 1932; *Per Sant Joan*) sowie Sammlungen katalanischer Volkslieder und veröffentlichte didaktische Werke (alle Barcelona): *Método de solfeo* (1941); *Tratado de armonia* (3 Bde, 1945–49, ²1959); *Teoría de la música dividida en cursos* (2 Bde, = Labor V, 450 und 469, 1949–54, ⁴1963, ⁸1972); *Curso de formas musicales* (1960); *Temas de pedagogia musical* (1974); *Temas de estetica y de historia de la música* (1975).

+Zaminer [nicht: Zaminer], Frieder, * 31. 10. 1927 zu Kronstadt (Braşov).
Assistent am musikwissenschaftlichen Seminar der Universität München war Z. 1958–61. Er wurde 1968 Leiter der musikhistorischen Abteilung am Staatlichen Institut für Musikforschung Preußischer Kulturbesitz in Berlin, wo er eine neue Gesamtdarstellung der Geschichte der Musiktheorie erarbeitete (vgl. dazu das Jb. des Staatlichen Instituts ... 1973). Z. veröffentlichte weiter *»Ad organum faciendum«. Lehrschriften der Mehrstimmigkeit in nachguidonischer Zeit* (mit H.H.Eggebrecht, = Neue Studien zur Musikwissenschaft III, Mainz 1970) sowie den Beitrag *Griechische Musikaufzeichnungen* (in: Musikalische Edition im Wandel des historischen Bewußtseins, hrsg. von Thr. G. Georgiades, = Musikwissenschaftliche Arbeiten XXIII, Kassel 1971) und edierte die Sammelschrift *Über Musiktheorie* (= Veröff. des Staatlichen Instituts für Musikforschung ... V, Köln 1970).

Zampieri, Giuseppe, * 24. 5. 1921 zu Verona; italienischer Sänger (Tenor), studierte ab 1948 bei Gina Cigna und debütierte 1951 am Teatro Lirico in Mailand. 1955 sang er bei einem Gastspiel der Mailänder Scala in Berlin den Edgardo (*Lucia di Lammermoor*) und war ab 1957 ständiger Gast der Wiener Staatsoper. Nach einer Israel-Tournee (1959) trat er 1961 als Cavaradossi (*Tosca*) erstmals an der Metropolitan Opera in New York auf. Daneben gastierte Z. bei den Salzburger Festspielen, beim Holland Festival und an der Covent Garden Opera in London. Sein Repertoire umfaßt die Fachpartien der Opern von Verdi und Puccini sowie den Florestan (*Fidelio*).

Zander, Hans (Pseudonym Hans Graetsch), * 20. 2. 1905 zu Danzig; deutscher Komponist von Unterhaltungsmusik, studierte am Konservatorium in Danzig und privat Komposition in Berlin, war Ensemblepianist und Kapellenleiter und ist seit 1936 freischaffender Komponist. Er schrieb Konzertwalzer, Ouvertüren, Suiten und Instrumentalsoli sowie (unter seinem Pseudonym) zahlreiche Stücke für Blasmusik.

Zander, Helmut G. (Pseudonym Helmut Hartel), * 21. 10. 1924 zu Berlin; deutscher Komponist und Dirigent, war 1946–48 Theaterkapellmeister und ist seit 1949 freischaffend als Komponist und Dirigent tätig. Außer Orchesterstücken (*Adveniat*, 1967), Kammermusik, Liedern und Unterhaltungsmusik schrieb er Filmmusik, Musik zu Fernsehspielen, Fernsehmusicals (*Die unentschuldigte Stunde*, 1957), Popmusik (*Musik klingt durch die Nacht*) sowie zahlreiche Bearbeitungen und Arrangements.

d...
Nov. 11
1981

Zander (zĕnd'ɛr), Oscar Armando, * 25. 5. 1928 zu Cêrro Largo (Rio Grande do Sul); brasilianischer Komponist und Dirigent, studierte ab 1946 am Instituto de Belas Artes der Universidade Federal do Rio Grande do Sul und ab 1954 an der Hamburger Musikhochschule. Ab 1957 unterrichtete er Theorie und Dirigieren am Instituto Central der Universidade do Rio Grande do Sul, an der er 1965 mit der Arbeit *Da relatividade do conceito de dissonância e consonância* promovierte. 1971 wurde er Organisator der Escola Superior de Música e Artes Cênicas in Blumenau. Daneben wirkt er als Musikkritiker der Zeitung »Correio do pôvo« in Pôrto Alegre. Z. komponierte szenische Werke (*A mãe de ouro* über ein Gaúcho-Thema und *O negrinho do pastoreio* für Soli, Chor und Orch.), Orchesterwerke (Passacaglia; Concerto grosso für Fl., V., Kl. und Orch.; Konzerte für V. bzw. Vc. und Orch.), Kammermusik (Sonate für Klar. und Kl.), Klavierwerke und Vokalwerke (*Cantata de Natal* für mehrere Sprecher, Doppelchor, Schlagzeug und Orch.; weltliche Kantate *O pai do mato*, Text M. de Andrade; *Paixão segundo São João*, *Symphonia pro Ressurectione Jesu Christi* und *4 fabulas de La Fontaine* für Soli, Chor und Orch.; *Triptych* für Soli und Chor a cappella über 3 Gedichte von Paulo Ribeiro; Suite *Madrigais brasileiros*, *Cantatas sacras* und *Missa brevis trium v.* für Chor a cappella).

+Zandonai, Riccardo, 30. [nicht: 28.] 5. 1883 – 1944. Lit.: G. BARBLAN, R. Z. e la fede nel melodramma, in: Ricordiana, N. S. II, 1956; B. BECHERINI, Dal teatro alla produzione sinfonica di R. Z., in: Immagini esotiche nella musica ital., hrsg. v. A. Damerini u. G. Roncaglia, = Accad. mus. Chigiana (XIV), Siena 1957; L. MIORAN-DI SORGENTI, Commemorazione a Rovereto di R. Z. nel XXVᵒ anniversario della morte, Calliano 1971; G. BASTIANELLI, R. Z., nRMI VI, 1972 (= Wiederabdruck aus: Il convegno 1921, Nr 11/12).

+Zanella, Amilcare [erg.:] Castore, 1873–1949. Lit.: FR. BUSSI, Piacenza. La musica, in: Fenarete XVIII, Mailand 1966; DERS., A. Z., ... emulo di Busoni e paladino di Rossini, in: Studi stor. ..., Fs. E. Nasalli Rocca, Piacenza 1971.

+Zanetti, Emilia, * 4. 12. [nicht: 3.] 1915 zu Florenz. E. Z. war bis 1957 Redaktionsmitglied der »Enciclopedia dello spettacolo« (9 Bde, Rom 1954–64). – Weitere Aufsätze: *Gli ultimi anni* (in: A. Casella, hrsg. von F. D'Amico und G. M. Gatti, = Symposium ... I, Mailand 1958); *La critica di Ravel* (in: Musica d'oggi, N. S. I, 1958); *Roma città di Haendel* (ebd. II, 1959); *A proposito di tre sconosciute cantate inglesi* (Rass. mus. XXIX, 1959); *Haendel in Italia* (in: L'approdo musicale III, 1960); *Antologia degli scritti di Prokofiev* (ebd. IV, 1961). Lit.: V. CUNNINGHAM, From Schmidt-Phiseldeck to Z., in: Notes XXIII, 1966/67.

Zanetti, Francesco (Zannetti), * 28. 3. 1737 zu Volterra (Toskana), † 31. 1. 1788 zu Perugia; italienischer Komponist, Violinist und Sänger, studierte in Pisa bei Clari und war als Kapellmeister am Dom in Volterra (1754–60) und am Dom in Perugia (ab 1760) tätig. Zahlreiche Konzerttourneen führten ihn durch ganz Italien sowie nach London. Z. war Mitglied der Accademie musicali in Bologna, Perugia und Rimini. Er schrieb die Opern *Antigono* (Livorno 1765), *Le lavanderine* (Rom 1772), *Sismano nel Mogol* (Florenz 1776), *Le cognate in contesa* (Venedig 1780) und *Artaserse* (Treviso 1782), die Oratorien *Il sagrifizio di Griefte* (1764) und *Salomone esaltato al trono e destinato edificatore del tempio di Gerosolima* (1775), die Kantate *La giustizia e la pace concordi* (1765), die *Passione secondo Matteo* und *secondo Giovanni* (1768?) und veröffentlichte: *6 trii* für

2 V. und B. (Paris 1761); *6 quintetti* für 3 V., obligates Vc. und B. op. 2 (London 1763); *6 Sonatas for 2 V. and a B.* op. 3 (ebd. 1764); *6 trii* für 2 V. und Vc. op. 1 (Paris und Florenz 1767); *6 Sonatas for 2 V. and a B. ... for the Harpsichord* op. 4 (London 1770); *6 Trios for 2 German Fl. or V. and a B.* (ebd. 1771); *6 quartetti* (Perugia 1781); *6 trii* für V., Va und Vc. op. 2 (ebd. 1782). Lit.: M. FABBRI, Fr. Z., musicista volterrano »dall'estro divino«, in: Musiche ital. rare e vive ..., hrsg. v. A. Damerini u. G. Roncaglia, = Accad. mus. Chigiana (XIX), Siena 1962; H. UNVERRICHT, Fr. Z.s Streichtrios, Fs. J. Schmidt-Görg, Bonn 1967.

+Zang, Johann Heinrich, 13. [erg.: oder 16.] 4. 1733 – 1811 wahrscheinlich zu Würzburg [del.: Mainstockheim].

+Zangius, Nicolaus, um 1570 – vor 1620 [erg.:] vermutlich zu Berlin. Z. war bereits 1599–1602 Organist an der Marienkirche in Danzig, weilte anschließend bis 1605 in Prag, wohin er 1607, nach einem kurzen Zwischenaufenthalt in Danzig, erneut zurückkehrte [del. frühere Angaben dazu]. Ausg.: Geistliche u. weltliche Lieder mit 5 St. (Köln 1597), hrsg. v. FR. BOSE, = Veröff. d. Inst. f. Musikforschung Bln o. Nr, Bln 1960.

Zanni (θ'ani), Rodolfo, * 11. 11. 1901 zu Buenos Aires, † 12. 12. 1927 zu Córdoba; argentinischer Dirigent und Komponist, studierte in Buenos Aires, war Musikkritiker bei den Zeitungen »Crítica« in Buenos Aires und »El orden« in Tucumán und gehörte dem Direktorium des Teatro Colón in Buenos Aires an. Er schrieb u. a. die lyrische Tragödie *Rosmunda*, das Ballett *Las ninfas*, Symphonische Dichtungen *La aurora*, *L'uragano*, *En la selva* und *Argentina*, Kammermusik (Streichquartett; Serenata für Vc. und Kl.), Chorwerke (*Mystica animae* für Chor und Orch.) sowie Lieder mit Orchester- und Klavierbegleitung.

Zanon, Sante, * 2. 2. 1899 zu Fonte d'Asolo (Treviso), † 2. 2. 1965 zu Venedig; italienischer Komponist und Chordirigent, studierte ab 1924 in Venedig am Conservatorio di Musica B. Marcello (Fr. de Guarnieri, G. Fr. Malipiero) und war dort Dozent für Chorgesang (später auch Vizedirektor). Er komponierte u. a. die Oper *La matrona di Efeso* (Venedig 1946), das Mysterienspiel *S. Caterina da Siena* (Bergamo 1939), Orchesterwerke (Symphonie, 1935; *3 tempi mistici*, 1950; *Canti asolani* für Streicher, 1952; Klavierkonzert, 1960), Kammermusik (Streichquartett, 1935; Ricercare, Toccata und Fuge für 4 Trp., 1958), Vokalwerke (Oratorien *Il perdono del Signore*, 1936, *Trittico di Pasqua*, 1936, und *Il Natale*, 1939; *Il cantico di S. Francesco* für Bar. und Orch., 1940; Te Deum für Chor und Orch., 1940; Chöre und Lieder) und Bühnenmusik.

+Zanotelli, Hans, * 23. 8. 1927 zu Wuppertal. GMD in Darmstadt war Z. bis 1963, anschließend bis 1972 GMD und stellvertretender Intendant in Augsburg. Seit 1971 ist er Chefdirigent der Stuttgarter Philharmoniker und Dirigent an der Württembergischen Staatsoper in Stuttgart, darüber hinaus seit 1962 ständiger Dirigent an der Deutschen Oper Berlin. Neben zahlreichen Gastverpflichtungen im In- und Ausland verband ihn 1964–67 ein fester Gastvertrag mit der Dresdner Staatskapelle sowie 1968–71 mit der Bayerischen Staatsoper München. Z. lebt heute in Stuttgart.

Zappa (z'æpə), Frank Vincent, * 21. 12. 1940 zu Baltimore (Md.); amerikanischer Rockmusiker (Gitarre, Klavier, Gesang, Komposition), Gründer (1964) und Leiter der »Mothers of Invention«, einer Rockband, die

mit ihrer Mischung aus Rock 'n' Roll, sogenannter ernster Musik, Jazz, gesprochenem Material des absurden Theaters, elektronischen Effekten, Verzerrungen, Übersteuerung und Varèse-Adaptionen »musikalische Müllskulpturen« entwarf, welche in Verbindung mit politischen und sozial-kritischen Texten sowie kabarettistischen Einlagen als »Gegenkultur« zum hygienischen »American way of life« gedeutet wurde. 1969 löste Z. seine Gruppe auf und gründete eine eigene Schallplattenfirma »Bizarre Records«. Nach Aufnahmen mit Jazzmusikern (Jean-Luc Ponty) und verschiedenen Rockformationen erneuerte er später die »Mothers of Invention«. – Aufnahmen mit den »Mothers of Invention« (wenn nicht anders vermerkt WEA): *Freak Out!* (1966; Verve 710003); *Absolutely Free* (1967; Verve 710006); *We're Only In It for the Money* (1967; Verve 710012); *Cruisin' with Ruben & The Jets* (1968; Verve 710020); *Uncle Meat* (1968; REP 64005); *Burnt Weeny Sandwich* (1970; REP 44083); *Weasles Ripped My Flesh* (1970; REP 44019); *Fillmore East June 71* (1971; REP 44150); *Just Another Band from L. A.* (1972; REP 44179); *Over Nite Sensation* (1973; DIS 41000). – Aufnahmen unter eigenem Namen: *Lumpy Gravy* (1967; Verve V 68741 amerikanisch); *Hot Rats* (1970; REP 44078); *Chunga's Revenge* (1970; REP 44020); *200 Motels* (1971; United Artist UAS 29218 XD); *Waka Jawaka* (1972; REP 44203); *The Grand Wazoo* (1972; REP 44209).
Lit.: D. WALLEY, No Commercial Potential. The Saga of Fr. Z. and the Mothers of Invention, NY 1972.

Zarębski (zar'ẽpski), Juliusz (Jules), * 28. 2. 1854 und † 15. 9. 1885 zu Schitomir (Ukraine); polnischer Pianist und Komponist, studierte an den Konservatorien in Wien (ab 1872) und St. Petersburg (Diplom 1874) sowie bei Liszt (1875). Ab 1880 war er Professor und Leiter der Meisterklasse für Klavier am Conservatoire in Brüssel. Daneben konzertierte er als Pianist in ganz Europa. Er schrieb ein Klavierquintett G moll op. 34 sowie zahlreiche, seinerzeit viel gespielte Klavierstücke, von denen genannt seien: *Trois études de concert* op. 7 (1881); *Fantaisie polonaise* op. 9 und *Polonaise mélancolique* op. 10 (1882); *Les roses et les épines* op. 13 (1883); Berceuse op. 22 (1884); *A travers la Pologne* 4händig op. 23 (1884).
Lit.: T. STRUMIŁŁO, J. Z., Krakau 1954.

Zariņš (z'ariŋ), Margeris, * 24. 5. 1910 zu Jaunpiebalga (Livland); lettisch-sowjetischer Komponist, studierte 1930–35 in Riga Klavier, Orgel und Komposition (Wihtol) und war musikalischer Leiter des dortigen Theaters (1940–50) sowie Vorsitzender des lettischen Komponistenverbandes (1951–68). Er schrieb die Opern *Kungs un spēlmanītis* (»Der König und der kleine Spielmann«, 1939), *Uz jauno krastu* (»Zu neuen Ufern«, Riga 1955), *Zaļās dzirnavas* (»Die grüne Mühle«, ebd. 1958), *Beggar's Story* (ebd. 1964) und *Svētā Mauricija brīnumdarbs* (»Das Wunder des hl. Mauritius«, 1964), ein Klavierkonzert (1936), *Grieķu vāzes* (»Griechische Vasen«) für Kl. und Orch. (1946, Neufassung 1960), die Oratorien *Valmieras varoņi* (»Die Helden von Valmiera«, 1950), *Ciņa ar velna purvu* (»Der Kampf mit dem Teufelsmoor«, 1951) und *Mahagoni* (»Mahagonny«, 1964) sowie Instrumentalstücke, a cappella-Chöre, Lieder, Bühnen- und Filmmusik.
Lit.: L. KRASINSKA, M. Z., Riga 1960; D. LUNSLAWIETE, Oratorija M. Sarinja »Machagoni«, Leningrad 1967; T. KURYSCHEWA, Wokalnyje zikly M. Sarinja, Riga 1969; DIES. in: SM XXXVIII, 1974, H. 3, S. 20ff.

⁺Zarlino, Gioseffo, wahrscheinlich vor dem 22. 4. [del.: * 22. 3.] 1517 – 1590.
Die ⁺4st. Messe (früher in der Bibliothek des Liceo filarmonico in Bologna) ist verschollen. Die GA ⁺*Tutte l'opere* ..., hrsg. 1588–89 [nicht: 1788–89].
Ausg.: ⁺Istituzioni harmoniche (1558, 1562 u. 1573), Rochester (N. Y.) 1954, Mikrofilm [nicht: Neudr.]. – Le istituzioni harmoniche, Faks. d. Ausg. v. 1558, = MMMLF II, 1, NY 1965; dass., Faks. d. Ausg. v. 1573, Ridgewood (N. J.) 1966; Dimostrationi harmoniche, Faks. d. Ausg. v. 1571, = MMMLF II, 2, NY 1965; dass., Ridgewood (N. J.) 1966; Sopplimenti mus., Faks. d. Ausg. v. 1588, = MMMLF II, 15, NY 1966; dass., Ridgewood (N. J.) 1966. – The Art of Counterpoint (= Teil 3 v. »Le istitutioni ...«, 1558), übers. v. G. A. MARCO u. CL. V. PALISCA, = Music Theory Translation Series II, New Haven (Conn.) 1968. – Nove madrigali a cinque v., hrsg. v. G. FR. MALIPIERO, = Collana di musiche veneziane ined. o rare III, Venedig 1963.
Lit.: ⁺KN. JEPPESEN, Kontrapunkt (1935), Lpz. ³1962, auch Wiesbaden 1965, rumänisch Bukarest 1967; ⁺A. EINSTEIN, The Ital. Madrigal (1949), Nachdr. Princeton (N. J.) 1970. – E. T. FERAND, Improvised Vocal Counterpoint in the Late Renaissance and Early Baroque, Ann. mus. IV, 1956; R. W. WIENPAHL, Z., the Senario, and Tonality, JAMS XII, 1959; R. FLURY, G. Z. als Komponist, Winterthur 1962; G. A. MARCO, Z.'s Rules of Counterpoint in the Light of Modern Pedagogy, MR XXII, 1962; O. STRUNK, A Cypriote in Venice, in: Natalicia musicologica, Fs. Kn. Jeppesen, Kopenhagen 1962; R. MONTEROSSO, L'estetica di G. Z., in: Chigiana XXIV, N. S. IV, 1967; R. L. CROCKER, Perché Z. diede una nuova numerazione ai modi?, RIdM III, 1968; C. DAHLHAUS, Untersuchungen über d. Entstehung d. Harmonischen Tonalität, = Saarbrücker Studien zur Mw. II, Kassel 1968; J. HAAR, Z.'s Definition of Fugue and Imitation, JAMS XXIV, 1971; H. SCHNEIDER, Die frz. Kompositionslehre in d. ersten Hälfte d. 17. Jh., = Mainzer Studien zur Mw. III, Tutzing 1972; D. HARRÁN, New Light on the Question of Text Underlay Prior to Z., AMl XLV, 1973.

Zarth, Georg → ⁺Tzarth, G.

Zarzebski, Adam → Jarzębski, A.

Zarzycki (zarz'itski), Aleksander, 26. 2. 1834 zu Lemberg, † 1. 9. 1895 zu Warschau; polnischer Pianist, Komponist und Musikpädagoge, studierte in Berlin, Krakau und Paris (Reber), war 1871–75 Direktor der von ihm mitgegründeten Warschauer Musikgesellschaft und 1879–88 Direktor des Warschauer Musikinstituts. Er schrieb Kompositionen für V. und Kl., von denen heute noch gespielt werden: Andante und Polonaise; Romanze E dur op. 16; Mazurka G dur op. 26; Introduktion und Krakowiak D dur op. 35; Mazurka E dur op. 39.

⁺Zathureczky, Ede, * 24. 8. 1903 zu Igló (Neudorf, slowakisch Spišská Nová Ves, Ostslowakei), [erg.:] † 31. 5. 1959 zu Bloomington (Ind.).
Z. emigrierte 1956 in die USA und unterrichtete ab 1957 als Professor an der Indiana University in Bloomington.
Lit.: I. HOMOLYA, Z. E., Budapest 1973(?).

⁺Zaun, Fritz [erg.:] (Gottfried) Karl, * 19. 6. 1893 zu Köln, [erg.:] † 17. 1. 1966 zu Düsseldorf.
An der Deutschen Oper am Rhein Düsseldorf–Duisburg wirkte Z. bis zu seinem Tode.

⁺Záviš von Zap, um 1350 [del.: um 1335] – [erg.:] Anfang 15. Jh.
Baccalaureus des Carolinum in Prag war er 1379 [nicht: 1371], Canonicus in Olmütz ca. 1394–1402 und danach in Prag, wo er zuletzt 1411 als Doktor der Theologie erwähnt wird.

⁺Zaytz, Giovanni von (Ivan Zajc), 3. 8. 1832 [del. frühere Angabe] – 16. [nicht: 17.] 12. 1914.
Lit.: L. ŽUPANOVIĆ, Iz korespondencije Zajca, in: Muzikološki zbornik III, 1967 (aus Z.' Briefwechsel); DR.

CVETKO, Iz korespondencije između I. Zajca i Ljubljanske glasbene matice, in: Arti musices II, 1971 (aus d. Korrespondenz zwischen Z. u. d. Laibacher Musikges.; mit engl. Zusammenfassung). – I. Z., Gedenkschrift, Rijeka 1954. – B. SAKAČ, Zajceva muzička ostavština u obiteljskom arhivu u Lovranu (»Die im Familienarch. in Lovran erhaltene Musik v. Z.«), in: Muzičke novine 1952, Nr 10f.; K. Mos, Mjesto solo-pjesme u stvaralaštvu I. Zajca (»Die Bedeutung d. Sololieder im Werk v. I. Z.«), in: Arti musices III, 1972 (mit engl. Zusammenfassung); BR. POLIĆ in: Muzika XVIII, N. S. II, (Zagreb) 1973, S. 261ff. (zur Oper »Ban Leget«).

Zbar (zbar), Michel, * 24. 4. 1942 zu Clermont-Ferrand; französischer Komponist, studierte bis 1967 am Pariser Conservatoire (Messiaen, Aubin) und wurde danach Mitglied in Schaeffers Groupe de Recherches de Musique Concrète des ORTF. Für seine *Tragédie d'Hamlet* erhielt er 1968 den Prix de Rome. Von seinen Werken seien *Tropismes* für V. und Orch. (1969), *Incandescences* für S., Sprecher und Orch. (1970) sowie *Apex II* für Kammerorch. (1971) genannt.

+Zbinden, Julien-François, * 11. 11. 1917 zu Rolle (Waadt [nicht: Wallis]).
Zb. ist seit 1965 stellvertretender Direktor der Musikabteilung von Radio Suisse Romande in Lausanne. 1973 wurde er Präsident des Schweizerischen Tonkünstlervereins. – Weitere Werke: Oper *Fait divers* op. 31 (einaktig, 1960, Nantes 1969); *Ouverture Lemanic 70* für Orch. op. 48 (1970); *Orchalau-Concerto* für Kammerorch. op. 38 (1962); *Jazzific 59–16* für Jazzband und Streichorch. op. 28 (1957); *Concerto breve* für Vc. op. 36 (1962) und Konzert für V. op. 37 (1962–64) mit Orch.; Capriccio für Fl., Englisch Horn, Fag., V. und Cemb. op. 43 (1968), *Sonate en trio* für 2 Va da gamba und Cemb. op. 46 (1969), *Dialogue* für Trp. und Org. op. 50 (1974), *Introduction et Scherzo-Valse* für Fl. und Hf. op. 52 (1974), *Pianostinato* für Kl. op. 45 (1969); Oratorium *Terra Dei* für Soli op. 41 (1967) und Konzert *Espéranto* für Sprech-St. und S. op. 34 (1961) mit gem. Chor und Orch.; Suite *Jardins* für Bar. und S. op. 53 (1974) sowie *Ethiopiques* für Sprecher op. 49 (L. S. Senghor, 1973) mit Orch.; *Monophrases* für gem. Chor, 2 Kl. und 6 Schlagzeuger op. 47 (1970); *7 Proverbes sur l'amour* für Frauenchor op. 40 (1965).
Lit.: H. JACCARD, Initiation à la musique contemporaine. Trois compositeurs vaudois: R. d'Alessandro, C. Regamey, J.-Fr. Zb., Lausanne 1955; R.-A. MOOSER, J.-Fr. Zb., in: Aspects de la musique contemporaine, Genf 1957; DERS., J.-Fr. Zb., in: Visage de la musique contemporaine, Paris 1962.

Zdravković (zdr'afkəvitç), Gika Živojin (Zdravkovitch), * 24. 11. 1914 zu Belgrad; jugoslawischer Dirigent, studierte an der Musikakademie seiner Heimatstadt und vervollkommnete sich 1948 an der Meisterschule des Prager Konservatoriums (Talich). Er debütierte mit dem Prager Kammerorchester und leitete ab 1948 das Orchester von Radio Belgrad. 1951 wurde er ständiger Dirigent sowie 1960 künstlerischer Leiter der Belgrader Philharmonie und ist daneben als Professor für Dirigieren an der Musikakademie in Belgrad tätig. Gastspiele führten ihn in die europäischen Musikzentren, die USA sowie nach Mittel- und Südamerika.

Zeani, Virginia, * 21. 10. 1928 zu Bukarest; italienische Sängerin rumänischer Herkunft (lyrischer und Koloratursopran), studierte in ihrer Heimatstadt bei Lydia Lipkowska und ab 1947 in Italien, debütierte 1948 am Teatro Comunale in Bologna, war 1956–58 an der Mailänder Scala engagiert und ist seit 1958 Mitglied der Metropolitan Opera in New York. In der Uraufführung von Poulencs *Les dialogues des Carmélites* an der Mailänder Scala (1957) kreierte sie die Partie der Blanche. Sie ist verheiratet mit N.→ +Rossi Lemeni.

Žebré (ʒɛbr'ɛ), Demetrij, * 22. 12. 1912 und † 15. 3. 1970 zu Laibach/Ljubljana; jugoslawischer Komponist und Dirigent, studierte am Konservatorium seiner Heimatstadt (Österc) sowie am Prager Konservatorium (A. Hába, J. Suk) und war Kapellmeister an den Opernhäusern in Ljubljana und Maribor (1949–52) sowie in Zagreb (1952–59). Ab 1959 war er Direktor der Oper in Ljubljana. Er schrieb u. a. eine Toccata für Orch. (1936), ein Concertino für Kl. und Orch. (1936), ein Streichquartett (1935), ein Trio für Fl., Klar. und Fag. (1934), *Caprice* für V. und Kl., die Viertelton-Kompositionen *Intermezzo saxofonico* für Sax. und Kl. und Duo für V. und Vc. sowie Klavierstücke, Chorwerke, Lieder und Bühnenmusik.

+Zecchi, Adone, * 23. 7. 1904 zu Bologna.
Z. leitete die Corale Euridice 1927–43 und den von ihm gegründeten Madrigalchor G. B. Martini 1950–59. Am Konservatorium in Bologna lehrt er seit 1942 (1966 Professor). – Neuere Werke: *Musiche per un balletto immaginario* für Hf. (1960); *Caleidofonia* für V., Kl. und Orch. (1963); *Trattenimento musicale* für 11 Streichergruppen (1969). – Veröffentlichungen: *Il coro nella storia e dizionario dei nomi e dei termini* (Bologna 1960, ²1961); *Il coro nel »Ballo in maschera«* (in: Verdi I, 1960, auch engl. und deutsch); *Il coro nella »Forza del destino«* (ebd. III, 1962, auch engl. und deutsch); *La musica nelle scuole* (Fs. E. Desderi, Bologna 1963); *La Romagna e il suo canto* (in: Conservatorio di musica »G. B. Martini« Bologna, Annuario 1963–64); *Il direttore di coro* (Mailand 1965); *Canti popolari emiliani e romagnoli* (ebd. 1967). – Schriften mit R. Allorto (alle Mailand): *Educazione musicale* (1962); *Canti natalizi di altri paesi* (1965); *Canti natalizi italiani* (1965); *Canti della vecchia America* (1966); *Il mondo della musica* (1969).
Lit.: T. GOTTI, A. Z., 5 anni di direzione, in: Conservatorio di musica »G. B. Martini« Bologna, Annuario 1965–70.

+Zecchi, Carlo, * 8. 7. 1903 zu Rom.
Z. ist als Gastdirigent namhafter Orchester hervorgetreten (Wiener Philharmoniker und Symphoniker, Concertgebouworkest in Amsterdam, London Philharmonic Orchestra, Leningrader Philharmoniker). Tourneen führten ihn auch in die USA, nach Südamerika und Japan.

Zechlin, Dieter, * 30. 10. 1926 zu Goslar; deutscher Pianist, studierte 1941–43 privat bei O. Weinreich in Leipzig und 1946–49 an der Musikhochschule in Weimar bei Karl Weiß. Seit 1950 hat er ausgedehnte Konzertreisen durch Europa, Mittel- und Südamerika und nach Japan unternommen; seit 1951 ist er Dozent (1959 Professor) für Klavierspiel an der Deutschen Hochschule für Musik H. Eisler in Berlin und seit 1971 deren Rektor. 1965 wurde er ordentliches Mitglied der Deutschen Akademie der Künste in Berlin. Z. ist verheiratet mit Ruth Z.

Zechlin, Ruth (geborene Oschatz), * 22. 6. 1926 zu Großhartmannsdorf (bei Freiberg, Sachsen); deutsche Komponistin, studierte 1943–49 an der Hochschule für Musik in Leipzig (J. N. David, W. Weismann). Seit 1950 ist sie Dozentin für Tonsatz an der Deutschen Hochschule für Musik H. Eisler in Berlin. Z. hat sich auch als Cembalistin einen Namen gemacht. Sie schrieb die Oper für Schauspieler *Reineke Fuchs* (Bln 1968), Orchesterwerke (3 Symphonien, 1965, 1966 und 1972; Kammersymphonie Nr 1, 1968, und Nr 2, 1974; *Thema mit 5 Veränderungen*, 1971; *Emotionen*, 1974; *Li-*

neare Meditationen und *Polyphone Meditationen* für Streichorch., beide 1969; Violinkonzert, 1963; *Gedanken über ein Klavierstück von Prokofjew* für Kl. und 10 Soloinstr., 1968), Kammermusik (*Amor und Psyche*, Kammermusik mit Cemb., 1966; *Stationen* für Bläserquintett und Tasteninstr., 1974; 5 Streichquartette, 1959, 1965, 1971, 1971 und 1974; Trio für Ob., Va und Vc., 1957; *Exercitien* für Fl. und Cemb., 1974; *Kontrapunkte*, 1971, und *Epitaph*, 1974, für Cemb.), Vokalwerke (Oratorium *Wenn der Wacholder blüht*, 1961; *Lidice-Kantate*, 1958; *Ode an die Luft* für S. und Orch., 1962) sowie Klavierstücke.

Lit.: L. MARKOWSKI, Werkstattgespräch mit R. Z., in: MuG XXII, 1972.

Zeerleder, Niklaus, * 5. 7. 1628 zu Bern, † 5. 7. 1691 zu Kirchberg (Bern); Schweizer Musiktheoretiker, war ab 1649 in Bern Provisor der Lateinschule, 1655–60 Kantor am Münster und danach Pfarrer in Kirchberg. Er veröffentlichte in Dialogform eine *Musica Figuralis oder Kurtze, gründliche und verständliche Underweysung der Sing Kunst* (1658 Bern), in der er wie →Hitzler eine 7. Solmisationssilbe einführt. Z. gab vermutlich die Ausgabe des Berner Gesangbuchs von 1655 heraus.

Lit.: M. ZULAUF, Die Musica Figuralis d. Kantors N. Z., SJbMw IV, 1929; DERS., Der Musikunterricht in d. Gesch. d. bernischen Schulwesens, = Berner Veröff. zur Musikforschung III, Bern 1934; A.-E. CHERBULIEZ, Gesch. d. Musikpädagogik in d. Schweiz, Zürich 1944.

Zeffirelli, Franco, * 12. 2. 1923 zu Florenz; italienischer Regisseur und Bühnenbildner, studierte Architektur in Florenz und arbeitete mit Visconti als Regieassistent und Schauspieler. Als Opernregisseur ist Z. seit seiner Inszenierung von Rossinis *La Cenerentola* (Mailand 1953) in Italien und international bekannt geworden. Von seinen Inszenierungen, zu denen er meist selbst auch die Bühnenbilder und Kostüme entwirft, sind hervorzuheben: *L'elisir d'amore* von Donizetti (Mailand 1955, Glyndebourne 1961), *Falstaff* (Holland Festival 1956, Tel Aviv 1959, Palermo und London 1961), *Rigoletto* (Genua 1957, Palermo und Dallas/Tex. 1961), *Don Giovanni* (Neapel 1958, Dallas und London 1961), *Orfeo* von Monteverdi (Rom 1960), *Euridice* von Peri (Florenz, Maggio musicale 1960) sowie die gemeinsam mit H. v. Karajan geschaffene Inszenierung von *La Bohème* von Puccini (Mailand 1962, Wien 1963; auch verfilmt). Z., der sich als Schauspielregisseur besonders durch Shakespeare-Aufführungen (auch -Verfilmungen) einen Namen gemacht hat, legt seine Inszenierungen auf poetisch-realistische Details und atmosphärische Dichte an.

+Zeggert, Gerhard, * 21. 10. 1896 zu Pasewalk (Pommern).
Z., der seit 1962 in Lahr (Baden) lebt, trat 1966 in den Ruhestand. Er schrieb die Monographie *Theogerus* (mit Übers. der *Musica* des Theogerus von Metz, St.Georgen 1954).

Zehm, Friedrich, * 22. 1. 1923 zu Neusalz (Oder); deutscher Komponist, studierte 1941 und 1943–44 am Mozarteum in Salzburg sowie 1948–51 an der Musikhochschule in Freiburg i. Br. (Genzmer, Edith Picht-Axenfeld). Seit 1963 ist er als Lektor und Redakteur im Verlag B. Schott's Söhne in Mainz tätig. Er schrieb Orchesterwerke (*Allegro concertante*, 1960; Klavierkonzert, 1962; Konzert für Fl. und kleines Orch., 1962; Concertino für Kleinorg. oder Cemb. und Streichorch., 1965; Capriccio für Schlagzeug und Kammerorch., 1968; *Concerto in Pop*, 1973), Kammermusik (Sonate für Ob. und Kl., 1954; Bläserquintett, 1955;

3 Bläsertrios, 1958, 1970 und 1973; Klaviertrio, 1959; Streichtrio, 1962; *Duo concertant* für Vc. und Kl., 1964; Fantasie für Englisch Horn oder Va und Org., 1965; Konzertstück für 10 Blasinstr., 1969; *Movimenti* für Streichquartett, 1972; *Tripelmusik* für V., Tasteninstr. und Schlagzeug mit Tonband, 1974; *Schwierigkeiten & Unfälle mit 1 Choral* für Bläserensemble, 1974; *Triade* für 3 Schlagzeuger, 1975), Klavier-, Cembalo- und Orgelwerke (6 Gesänge nach Gedichten von Georg Trakl für Gesang und Kl., 1954; 148. Psalm für T. und Hf., 1959; *La belle cordière*, 6 Sonette der Louise Labé für S., Git., Klar. und Streichtrio, 1960; *Lyrische Kantate* für Bar. und Orch., 1967; *Deutsche Messe mit Einheitsliedern* für gem. Chor, Blechbläser oder Org. und Gemeindegesang, 1968) sowie Bühnen- und Hörspielmusik.

Zehnder, Max, * 17. 11. 1901 zu Turgi (Aargau), † 16. 7. 1972 zu |St. Gallen; Schweizer Komponist, studierte am Zürcher Konservatorium (Andreae) und war 1927–30 als Dirigent in Biel, Brugg und Zürich tätig. Ab 1931 war er Dozent für Gesang, Theorie und Kirchenmusik am Lehrerseminar in Rorschach. – Werke (Auswahl): *Media vita* (1942) und Toccata (1946) für Orch.; Praeludium und Chaconne (1941) und 4 Stücke (1954) für Streicher; Konzert für Fl., Ob. und Streicher (1945); 4 kleine Stücke für Streichquartett (1928); *Spielmusik* für Streichtrio (1933); 9 Gesänge mit Orch. (George, 1928); Kantate *Von der Liebe* für S., Chor und Orch. (Novalis, 1929); *Terzinen* für A. und Orch. (1929); *Der 150. Psalm* für Chor, Blechbläser, Streicher und Org. (1937); Kantaten für A. und kleines Orch. (Rilke, 1947) und für S., B., Chor, Kinderchor und Orch. (1961); *Der 66. Psalm* für Chor, Streicher und Org. (1963).

Zeisl, Eric, * 18. 5. 1905 zu Wien, † 18. 2. 1959 zu Los Angeles; österreichisch-amerikanischer Komponist, studierte an der Wiener Musikakademie sowie bei Stöhr und Kauder und erhielt 1934 für sein *Requiem concertante* den Österreichischen Staatspreis. 1938 in die USA emigriert, lehrte er in Los Angeles als Professor für Komposition an der Southern California School of Music (1948–49) und am City College (1949–59). Er schrieb die Opern *Die Fahrt ins Wunderland* (Kinderoper, Wien 1934), *Leonce und Lena* (nach Georg Büchner, Prag 1937) und *Hiob* (unvollendet, nach Joseph Roth, Paris 1939), die Ballette *Pierrot in der Flasche* (Radio Wien 1935), *Uranium 235* (1946), *Der Weinberg* (1953) und *Jakob und Rahel* (1954), Orchesterwerke (kleine Sinfonie, nach Bildern von Roswitha Bitterlich, 1935; Passacaglia-Fantasie, 1933; *November*, 6 Stücke für kleines Orch., 1938; Suite *Rückkehr des Odysseus* für Kammerorch., 1948; *Variations and Fugue on Christmas Carols*, 1950; Klavierkonzert, 1951; Concerto grosso für Vc. und Orch., 1956), Kammermusik (Trio für Fl., Va und Hf., 1956; Violinsonate, 1950; Bratschensonate, 1950, und Violoncellosonate, 1951), Vokalwerke (*Requiem ebraico* für S., Chor und Orch., 1945; *Mondbilder* für Bar. und Orch., nach Texten von H. Chr. Morgenstern, 1928; *4 Gesänge ohne Worte* für Frauenchor a cappella, 1948; Sololieder auf Texte von Lessing, Goethe, Mörike, Eichendorff und Richard Dehmel) und Filmmusik.

Zeitlin, Zvi, * 21. 2. 1923 zu Dubrowna (Gouvernement Mogilew); amerikanischer Violinist, studierte an der Juilliard School of Music in New York und debütierte 1939 bei der Israeli Philharmonic. Seit 1967 ist er Professor für Violine an der Eastman School of Music der University of Rochester (N. Y.). Er gab zahlreiche Konzerte mit den führenden amerikanischen und europäischen Orchestern, spielte in Israel die Uraufführung des Violinkonzertes von Ben-Haim (1962) und in Buenos Aires mit der New York Philharmonic die Erstaufführung von Schönbergs Violinkonzert.

Zekâi (Zekâ'ī) **Dede** (vollständiger Name Hafız Hoca Mehmed Zekâi Dede Efendi), * 1825, † 24. 11. 1897 zu Eyüp (Eyyûb, bei Istanbul); türkischer Komponist, wurde nach Koran- und Kalligraphiestudien Schüler von Eyyûbi Mehmed Bey und dessen Lehrer, dem »Klassiker« Dede Efendi († 1846). 1845–51 und 1852–58 hielt er sich in Ägypten auf. Dort ließ er sich auch von Muḥammad Šihābaddīn in die arabische Musik einführen. 1864 trat er in Istanbul dem Mevlevî-Orden bei, wirkte ab 1868 als Komponist und Musiker an verschiedenen Klöstern und von 1885 bis zu seinem Tode als Kudümzenbaşı (Leiter der Paukenspieler) am Bahâriye-Kloster zu Eyüp. 1883 wurde er zudem Musiklehrer an der Istanbuler Waisenschule. Zu seinen Schülern gehörten sein Sohn Ahmed Irsoy († 1943), → Suphi, Kâzım Uz († 1943) und kurze Zeit auch Rauf → Yekta. Von seinen rund 500 Werken sind etwa 260, zur Hälfte weltliche und zur Hälfte geistliche Vokalkompositionen, bekannt geblieben, darunter 5 mehrsätzige *mevlevî âyinleri*. Z. D. gilt nach Itrî ('Iṭrī) Efendi († 1712) und seinem Lehrer Dede Efendi als einer der bedeutendsten Vertreter der traditionellen türkischen Kunstmusik.
Ausg.: Hafız Mehmed Z. D. Efendi külliyatı (GA), hrsg. v. ZEKÂI DEDE ZADE AHMED (IRSOY) u. SUPHI (EZGI), 3 H., = Istanbul konservatuvarı neşriyatı, Türk musikisi klâsiklerinden I–III, Istanbul 1940–43 (enthält 117 weltliche Vokalkompositionen). – Mevlevî âyinleri (»Geistliche Kompositionen d. Mevlevî«), 2 H., ebd. XV–XVI, 1938 (Z. D.s 5 Mevlevî âyini). – einzelne Stücke in weiteren Veröff. d. Istanbuler Konservatoriums sowie in: SUPHI (EZGI), Nazarî ve amelî Türk musikisi (»Die türkische Musik in Theorie u. Praxis«), Bd I–III, ebd. 1933–38, u. in: Türk musîkisi klasikleri (»Klassiker d. türkischen Musik«), = Millî Eğitim Bakanlığı ... (»Nationales Erziehungsministerium, Veröff. d. Kommission zur Erforschung u. Auswertung d. türkischen Musik«), Bd I, ebd. 1972.
Lit.: RA'ÛF YEKTÂ, Ḥwāǧe Z. D. Efendi, = Asātīd ülelḥān I, Istanbul 1900 (grundlegend); SUPHI (EZGI), Nazarî ve amelî türk musikisi (»Die türkische Musik in Theorie u. Praxis«), Bd II, ebd. 1935, S· 184; S. N. ERGUN, Türk musikisi antolojisi (»Anth. d. türkischen Musik«), Bd I: Dinî eserler (»Geistliche Werke«), ebd. 1943, S. 446ff. (mit weiteren Quellen, korrigiert R. YEKTÂ); Y. ÖZTUNA, Türk musikisi lûgati (»Lexikon d. türkischen Musik«), in: Musiki mecmuası 1954, Nr 71, u. 1955, Nr 90; DERS., Türk bestecileri ansiklopedisi (»Enzyklopädie türkischer Komponisten«), Istanbul 1969; DERS., Z. D. Efendi, in: Türk musîkisi klasikleri ... 1972 (mit Werkverz.; s. o. unter Ausg.); I. M. K. INAL, Hoş sadâ, Istanbul 1958 (über türkische Musiker d. 19. u. frühen 20. Jh.); H. YENIGÜN, Z. D., in: Musiki mecmuası 1958, Nr 121f.; B. S. EDIBOĞLU, Ünlü türk bestekârları (»Bekannte türkische Komponisten«), Istanbul 1962; S. K. AKSÜT, 500 yıllık türk musikisi (»500 Jahre türkische Musik«), Ankara 1967, S. 33ff.　　　ENE

Zelenka, István, * 30. 7. 1936 zu Budapest; österreichischer Komponist ungarischer Herkunft, studierte an der Musikakademie in Budapest sowie 1956–62 an der Wiener Musikakademie bei Schiske und Jelinek (Komposition), Ratz (Formenlehre), E. Chr. Scholz (Klavier) und Hans Reznicek (Flöte). 1962 wurde Z. Toningenieur und Assistent des künstlerischen Direktors der Guilde internationale du disque in Genf. Er komponierte als Bühnenwerke u. a. die Kammeroper *Ein Zwischenspiel* für 2 Sänger, Kammerorch. und Tonband (Wien 1960), das Ballett *Re-création* für mehrere Schauspieler und Kammerorch. (1964), *Un Faust-digest*

(1969), *Dove, dove, signore, signori?* für einen Singschauspieler (Baßbar.), eine Singschauspielerin, Piccolo-Fl., Klar./Schauspieler, Pos./Schlagzeug, Kl. (Minipiano »Bontempi«) und Tonband (Como 1972), Orchesterwerke (*Vols*, 1961; *Dictionnaire*, 1967; *A propos Fafner*, 1971; *Biais*, 1963, und *Précipièce*, 1965, für Kammerorch.; *Gué* für Hf., Cemb., Git. und Kammerorch., 1966), Kammermusik (*Conversionen* für 3 Streichquartette, Kl., Cemb. und Harmonium, 1961; *Chronologie* für Bläserquintett, 1965; *Prétexte II* für Va, Pos., elektrische Org. und Git., 1969; Trio für Horn, V. und Kl., 1958), Klavierwerke (*Mouvements*, 1960; *Réduction*, 1967; *und man fühlt, daß eine geläuterte Schriftsprache, so gewandt sie in allem übrigen sein mag, heller und durchsichtiger, aber auch schmackloser geworden ist und nicht mehr so fest dem Kerne sich anschließt* nach den Gebrüdern Grimm, für 2 Kl. mit Verstärkeranlage ad libitum, 1971), *Requiem pro viventibus* für S. und Streichtrio (1957), Musik für Tonband (*Deux études de musique concrète*, 1958; *Quinzaine de l'art moderne de la Fondation Simon I.*, 1970) und Filmmusik.

+Zelenka, Jan Dismas, 1679 – [erg.: in der Nacht vom 22. zum 23.] 12. 1745.
Ausg.: 6 +Triosonaten (F dur, G moll, B dur, G moll, F dur u. C moll), hrsg. v. C. SCHOENBAUM, 6 H., = HM Nr 126, 188, 177, 147, 157 u. 132, Kassel 1955–65 (Sonate Nr 1 revidiert 1969) [erg. frühere Angaben] (vgl. dazu ders. u. H. Unverricht in: Mf XXII, 1969, S. 209ff. bzw. 340ff., sowie XXIII, 1970, S. 184ff.). – Concerto in sol à 8 certanti, hrsg. v. DEMS, Wien 1960; Ouverture à 7 concertanti, hrsg. v. DEMS., ebd. 1961; Composizioni per orch., Bd I, hrsg. v. J. RACEK u. DEMS., = MAB LXI, Prag 1963; Lamentationes Jeremiae Prophetae, hrsg. v. J. RACEK u. VR. BĚLSKÝ, ebd., 2. Folge, IV, 1969; Psalmi et magnificat, hrsg. v. DENS., ebd. V, 1971.
Lit.: N. SCHULZ, J. D. Z., Diss. Bln 1944; FR. W. RIEDEL, Quellenkundliche Beitr. zur Gesch. d. Musik f. Tasteninstr., = Schriften d. Landesinst. f. Musikforschung Kiel X, Kassel 1960; DERS., J. J. Fux u. d. römische Palestrina-Tradition, Mf XIV, 1961; H. UNVERRICHT, Einige Bemerkungen zur 4. Sonate v. J. D. Z., Mf XIII, 1960; DERS., Zur Datierung d. Bläsersonaten v. J. D. Z., Mf XV, 1962; DERS. in: MGG XIV, 1968, Sp. 1192ff.; VL. NOVÁK, K počátkům dramatické tvorby J. D. Zelenky (»Zu d. Anfängen d. dramatischen Schaffens v. J. D. Z.«), in: Hudební věda IV, 1967.

+Żeleński, Władysław, 1837–1921.
Ż. komponierte 3 [nicht: 2] Messen. Die [erg.: mit G. Roguski verfaßte] Harmonielehre +*Nauka harmonii i pierwszych zasad kompozycji* (»Harmonielehre und Anfangsregeln der Komposition«) erschien Warschau 1877 [nicht: 1897] (²1899).
Lit.: ZDZ. JACHIMECKI, Wł. Ż., ... (»Leben u. Werk«), = Bibl. słuchacza koncertowego, Seria biogr. V, Krakau 1959; J. HOESICK-PODOLSKA, Wspomnienia o Wł. Ż.m (»Erinnerungen an Wł. Ż.«), in: Ruch muzyczny V, 1961.

+Zelinka, Jan Evangelista, * 13. 1. 1893 und [erg.:] † 30. 6. 1969 zu Prag.
Uraufführungen der [früher genannten] Bühnenwerke: *Dceruška hostinského* (Prag 1925), *Devátá louka* (ebd. 1931), *Paličatý švec* (ebd. 1944), *Meluzina* (Pilsen 1950), Ballett *Skleněná panna* (Prag 1928). – Neuere Werke: die Opern *Škola pro ženy* (»Die Schule der Frauen«, nach Molière, ebd. 1959) und *Dřevěný kůň* (»Das Holzpferd«, 1963); *Slovenské léto* (»Slowakischer Sommer«, 1959), eine Tanzrhapsodie (1960), Shakespeare-Suite *Veliký stín* (»Der große Schatten«, 1963) und Suite *Satiricon* (1964) für Orch.; *Musichetta primaverale* für Kammerorch. (1962); *Sonata leggera* für Sax. und Kl. (1962); Bühnen- und Filmmusik.

Zeljenka (z'ɛʌɛɲka), Ilja (Zeljienka), * 21. 12. 1932 zu Bratislava; slowakischer Komponist, absolvierte 1956 die Musikakademie in Bratislava als Schüler Cikkers und war Dramaturg 1957–61 bei der Slowakischen Philharmonie sowie 1961–68 beim Rundfunk. Seitdem ist er freischaffend tätig. 1961 gründete er mit Ivan Statdrucker beim tschechischen Rundfunk in Bratislava ein Studio für Elektronische Musik, das erste in der ČSSR. – Werke (Auswahl): 1. Symphonie (1954); Klaviersonate (1958); Klaviersuite (1958); Kantate *Oswiecim* (»Auschwitz«) für Soli, Chor, Rezitator, Tonband und Orch. (1959); 2. Klavierquintett (1959); 2. Symphonie für Streicher (1961); 7 Orchesterstücke (1962); Streichquartett (1963); 3 Klavierstücke (1964); *Hudba pre sbor a orch.* (»Musik für Chor und Orch.«, 1964); *Štruktúry* für Orch. (1964); *Metamorphoses XV* für Sprecher und 9 Instr. (nach Ovid, 1964); Klavierkonzert (1966); *Zaklínadlá* (»Beschwörungen«) für Chor und Orch. (auf lateinische Texte, 1968); *Hudba pre 13 spevakov a bicie* (»Musik für 13 Sänger und Schlagzeug«, 1969); Psalm für 4 Streichquintette (1970); *Meditation* für Orch. (1971); ferner das Ballett *Kosmos* (1963), Bühnenmusik und Musik zu über 200 Filmen. Lit.: R. BERGER in: Slovenská hudba VI, 1962, S. 36ff. (zur 2. Symphonie).

Zell, Friedrich → Walzel, C.

+Zellbell, –1) Ferdinand (der Ältere), [erg.: 14.(15.?) 4.] 1689 – 6. 7. [nicht: 6.] 1765. Mitglied der Hofkapelle in Stockholm war er bis 1751 [nicht: 1765]. –2) Ferdinand (der Jüngere), [erg.: getauft 3. 9.] 1719 – 1780. Lit.: I. BENGTSSON in: MGG XIV, 1968, Sp. 1201ff. – zu –1): G. MORIN, F. Z. d. ä., Liv och verk, StMf XLIII, 1961 (mit deutscher Zusammenfassung).

+Zelle, Friedrich [erg.:] Reinhold Ernst Julius, 1845 – 9. [nicht: 10.] 9. 1927.
+*Ein feste Burg ist unser Gott* (I: *Zur Entwicklung des evangelischen Choralgesangs*, II: *Die ältesten Bearbeitungen des Liedes*, III: *Die späteren Bearbeitungen*, = Wissenschaftliche Beilage zum Jahresber. der Zehnten Realschule zu Berlin 1895–97) [del. bzw. erg. frühere Angaben dazu].

Zeller, Wolfgang, * 12. 9. 1893 zu Biesenrode (Harz), † 11. 1. 1967 zu Berlin; deutscher Komponist von Filmmusik, studierte in Berlin und München (Violine bei Berber) und war 1921–29 als Tiessens Nachfolger Komponist und Dirigent der Schauspielmusik der Berliner Volksbühne, für die er über 80 Bühnenmusiken schrieb. 1929 komponierte er die Musik zu dem ersten abendfüllenden deutschen Tonfilm *Melodie der Welt* (Regisseur Walter Ruttmann) und in den folgenden Jahrzehnten zahlreiche weitere Filmmusiken (*Das Land ohne Frauen*, 1929; *Die Herrin von Atlantis*, 1932; *Fahrendes Volk*, 1938; *Robert Koch*, 1939; *Morituri*, 1948; *Zwei Menschen*, 1952; *Die Landärztin*, 1958; Musik zu Kulturfilmen). Z. komponierte auch Orchesterstücke, Kammermusik und Lieder. Lit.: H. A. THOMAS, Die deutsche Tonfilmmusik, = Neue Beitr. zur Film- u. Fernsehforschung III, Gütersloh 1962.

Zellner, Leopold Alexander, * 23. 9. 1823 zu Zagreb, † 24. 11. 1894 zu Wien; österreichischer Musikpädagoge und Komponist, bis 1840 Militärbeamter, dann Musiklehrer in Wien, wurde 1868 Sechters Nachfolger als Lehrer für Musiktheorie am Konservatorium und Generalsekretär der Gesellschaft der Musikfreunde. 1859–66 veranstaltete er »Historische Konzerte«, die großen Beifall fanden. 1855–68 redigierte er die von ihm begründeten *Blätter für Theater, Musik und Kunst*. Z. war ein virtuoser Harmoniumspieler, gab eine Schule für Harmonium heraus und erfand Verbesserungen für dieses Instrument. Seine Komposti-

nen umfassen Kammermusik, Klavierwerke (*Ein Abend im »Ronacher«. Großes Potpourri*; Märsche; auch 4händige Stücke) und Chorlieder. Ferner schrieb er *Über Liszts Graner Festmesse* (Wien 1858), *Vorträge über Akustik* (ebd. 1892) und *Vorträge über Orgelbau* (ebd. 1893).

+Zelter, Carl Friedrich, 1758–1832.
Ausg.: Va-Konzert Es dur, hrsg. v. F. BEYER, Zürich 1970.
+*Briefwechsel zwischen Goethe u. Z.* (M. HECKER, 1913–18), Nachdr. Bern 1970 (4 Bde in 3). – E. PREUSSNER, K. Fr. Z. zum 200. Geburtstag, Bln 1958 (Auszüge aus d. Briefwechsel mit Goethe); K.-H. TAUBERT, C. Fr. Z., Ein Leben durch d. Handwerk f. d. Musik. Aus Aufzeichnungen u. Briefen zusammengefaßt, Bln 1958; R. ELVERS, Ein nicht abgesandter Brief Z.s an Haydn, in: Musik u. Verlag, Fs. K. Vötterle, Kassel 1968. – Gespräche mit Komponisten, hrsg. v. W. REICH, = Manesse Bibl. d. Weltlit. o. Nr, Zürich 1965, S. 36ff. (Gespräch zwischen J. Ph. Kirnberger u. Z. »Eine harte Gardinenpredigt«, aus Z.s Selbstbiogr. v. 1808). Lit.: Ausstellung zum 200. Geburtstag, Kat. hrsg. v. I. GÖRES u. I. KRÄUPL, Düsseldorf 1958; I. KRÄUPL, Die Z.-Bildnisse im Goethe-Museum zu Düsseldorf, Jb. d. Slg Kippenberg, N. F. I, 1963 (mit Verz. sämtlicher nachweisbaren Porträts). – +M. FRIEDLAENDER, Das deutsche Lied im 18. Jh. (1902), Nachdr. Hildesheim 1962 (3 Bde in 2); +H. KRETZSCHMAR, Gesch. d. neuen deutschen Liedes (1911), Nachdr. ebd. u. Wiesbaden 1966. – M. L. BLUMENTHAL, Die Freundschaft zwischen Goethe u. Z., in: Die Slg XII, 1957; J. MÜLLER-BLATTAU, K. Fr. Z., Maurermeister u. Musiker, DJbMw II, 1957, umgearbeitet als: Z. u. Rochlitz, in: Von d. Vielfalt d. Musik, Freiburg i. Br. 1966; DERS., Goethes Kantate zur Jubelfeier d. Reformation (1817). Ein Beitr. zur Religiosität d. späten Goethe, Fs. W. Wiora, Kassel 1967; DERS., Goethes Weg zum Schaffen J. S. Bachs, in: Speculum musicae artis, Fs. H. Husmann, München 1970; C. SCHRÖDER, C. Fr. Z., Maurermeister u. Musikprofessor, in: Musik in d. Schule IX, 1958; W. VETTER in: MuG VIII, 1958, S. 691ff.; FR. MÜLLER, K. Fr. Z.s Verdienste f. d. Wiederentdeckung Bachscher Tonwerke, in: Der Kirchenmusiker X, 1959; W. VICTOR, C. Fr. Z. u. seine Freundschaft mit Goethe, Bln 1960, Neuaufl. 1970; D. WAHL, Goethe u. Z. »damals in Wiesbaden«, Jb. d. Slg Kippenberg, N. F. I, 1963; R. G. RUETZ, A Comparative Analysis of Goethe's »Der Erlkönig, Der Fischer, Nachtgesang« and »Trost in Tränen« in the Mus. Settings by Reichardt, Z., Schubert, and Loewe, Diss. Indiana Univ. 1964; H. W. SCHWAB, Sangbarkeit, Popularität u. Kunstlied. Studien zu Lied u. Liedästhetik d. mittleren Goethezeit, 1770–1814, = Studien zur Mg. d. 19. Jh. III, Regensburg 1965; M. GECK, Die Wiederentdeckung d. Matthäuspassion im 19. Jh., ebd. IX, 1967; DERS., Bachs »Matthäuspassion« als Symbol d. Fortschritts, NZfM CXXIX, 1968; THR. G. GEORGIADES, Schubert. Musik u. Lyrik, Göttingen 1967; R. M. GRACE, C. Fr. Z.'s Mus. Settings of J. W. Goethe's Poems, Diss. Univ. of Iowa 1967; W. FR. KÜMMEL, Die Anfänge d. Mg. an d. deutschsprachigen Univ., Ein Beitr. zur Gesch. d. Mw. als Hochschuldisziplin, Mf XX, 1967; R. A. BARR, C. Fr. Z., A Study of the Lied in Bln During the Late 18th and Early 19th Cent., Diss. Univ. of Wisconsin 1968; R. HÜBNER, Ein unbekanntes Gutachten Z.s über d. Musikpflege, Goethe Almanach 1970; G. SOWA, Anfänge institutioneller Musikerziehung in Deutschland (1800–43), = Studien zur Mg. d. 19. Jh. XXXIII, Regensburg 1973. – Sing-Akad. zu Bln. Fs. zum 175jährigen Bestehen, hrsg. v. W. BOLLERT, Bln 1966.

Zelzer, Hugo, * 26. 1. 1904 zu Wien; österreichischer Komponist, Pianist und Musikforscher, studierte in Wien privat Klavier und Komposition bei Wunderer, Fr. Schmidt und Kanitz (1922–35) sowie Musikwissenschaft an der Universität, an der er 1952 über *Grundlagen einer Strukturanalyse der europäischen Instrumentalmusik* promovierte. Er war an der Universität in Wien Lektor für Musiktheorie am Musikwissenschaftlichen Institut (1945–61) und Professor für Musikgeschichte und -theorie am Internationalen Institut (1947–61).

Daneben wirkte er ab 1928 als Pianist und Klavierbegleiter. Seit 1961 ist er Direktor des Österreichischen Kulturinstituts London. 1963 wurde er zum Professor und 1969 zum Hofrat ernannt. Er schrieb Orchesterwerke (*Symphonie aus den steirischen Bergen*, 1938; Variationen über ein Barockthema, 1950), Kammermusik (Quintett für Ob., Klar., V., Vc. und Kl., 1933; Quintett für 4 Vc. und Kl., 1949; Praeludium und Fuge für Streichtrio, 1931), Klavierwerke (Sonate, 1933) sowie *Drei Gesänge aus drei Zeitaltern* (nach Anakreon, Gregor von Nazianz und Thérèse de Lisieux) für S. und Bläserquintett (1967) und veröffentlichte *Zur Satztechnik Chopins* (Chopin-Jb. 1956) und *50 Jahre Musik in Österreich* (Wien 1968); ferner gab er von J.J.Fux *La fede sacrilega* heraus (= Fux-GA IV, 1, Kassel und Graz 1959).

+**Zemlinsky,** Alexander von (Zemlinszky), 14. [nicht: 4.] 10. 1871 [nicht: 1872] – 15. [nicht: 16.] 3. 1942. Z. wirkte ab 1899 als Kapellmeister am Carltheater in Wien und 1904–11 als 1. Kapellmeister an der Wiener Volksoper, abgesehen von 1907/08, als er von Mahler an der Wiener Hofoper verpflichtet war [del. frühere Angaben dazu]. Ab 1920 war er Leiter der [erg.: Meisterklasse für Komposition an der] Deutschen Musikakademie in Prag (1920 und 1926 auch Rektor), 1927–30[nicht: 1932] Kapellmeister an der Berliner Krolloper und 1930–33 Gastdirigent u. a. an der Berliner Staatsoper Unter den Linden und Lehrer an der Berliner Musikhochschule. – Z. stand Brahms und Mahler nahe (von Mahlers 7. Symphonie fertigte er den Kl.-A. an), war eng mit Schönberg befreundet und als Komponist im Kreis um Schönberg hoch angesehen. – Von seinen etwa 52 Kompositionen (davon 27 mit op.-Zahlen) seien genannt: die Opern *Sarema* (Text von Z.s Vater Adolf v. Zemlinszky [nicht: von Schönberg, der den Kl.-A. anfertigte], vor 1895, München 1897), *Es war einmal* (1897–1900, Wien 1900), *Der Traumgörge* (1904–06), *Kleider machen Leute* (nach G.Keller, 1906–10, Wien 1910, 2. Fassung Prag 1922), *Eine florentinische Tragödie* op. 16 (einaktig, nach Wilde, Stuttgart 1917), tragisches Märchen *Der Zwerg* op. 17 (einaktig, nach Wildes *The Birthday of the Infanta*, Köln 1922), *Der Kreidekreis* (nach Klabund, Zürich 1933) und *König Kandaules* (nach A. Gide, um 1934, Instrumentation nicht beendet); Ballett *Das gläserne Herz* (nach Hofmannsthals *Triumph der Zeit*, 1901–04); Symphonien D moll (1891), B dur (1896?) und *Lyrische Symphonie* für S., Bar. und Orch. op. 18 (7 Gesänge nach Gedichten von Tagore, 1923), Sinfonietta op. 23 (1934), Lustspielouvertüre zu *Der Ring des Ofterdingen* (1895), Suite (1895) und Fantasie *Die Seejungfrau* (nach H.Chr.Andersen, 1905) für Orch.; Streichquintett D moll (1896), 4 Streichquartette (op. 4, 1896; op. 15, 1911; op. 19, 1924; op. 25, um 1935), Klavierquartett D dur (1893), Trio für Klar., Vc. und Kl. op. 3 (1896), Sonate für Vc. (1894) und Suite für V. (1896) mit Kl.; Walzerzyklus *Ländliche Tänze* op. 1 (1892) und Fantasien op. 9 (nach Gedichten von R.Dehmel) für Kl.; *Frühlingsbegräbnis* für 4 Soli, gem. Chor und Orch. (Heyse, 1896), 83. Psalm (1900), 23. Psalm op. 14 (1910) und 13. Psalm op. 24 (um 1935) für gem. Chor und Orch., *Frühlingsglaube* für gem. Chor und Streicher (Uhland, 1896), symphonische Gesänge für mittlere St. und Orch. op. 20 (afrikanische Gedichte, 1929), Ballade *Waldgespräch* für S., Streicher, Hf. und 2 Hörner (Eichendorff, 1895), Klavierlieder (13 op. 2, 1897; 8 op. 5, 1898; *Walzergesänge* op. 6, 1898; 5 op. 7, 1901; *Turmwächterlied* u. a. für tiefere St. op. 8, 1901; *Ehetanzlied* u. a. op. 10; 6 für mittlere St. und Kl. op. 13, Maeter-

linck, auch mit Orch., 1910–14; 6 für hohe St. op. 22, 1935; 12 op. 27); ferner Streichquartett E moll, *Jagdstück* für 2 Hörner und Kl., Serenade für V. und Kl., *Der alte Garten* und *Die Riesen* für mittlere St. und Orch. (Eichendorff); Opernpläne.

Lit.: Z.-Sonder-H., = +*Der Auftakt* I, (Prag) 1921, Nr 14/15. – R. St. Hoffmann in: Der Merkur II, (Wien) 1910/11, S. 193ff.; H. Lindlar in: NZfM CXXIII, 1962, S. 452ff.; Th. W. Adorno in: Quasi una fantasia. Mus. Schriften II, Ffm. 1963, S. 155ff.; M. Voicana, Z., Un camarade viennois de G. Enesco, Rev. roumaine d'hist. de l'art V, 1968; A. Mahler in: Mf XXIV, 1971, S. 250ff., u. ÖMZ XXVI, 1971, S. 586ff.; ders., A. Z.s Prager Jahre, in: Hudební věda IX, 1972; P. Skála, Skladatelský odkaz A. Z.ého (»A. Z.s kompositorisches Vermächtnis«), in: Hudební rozhledy XXIV, 1971; H. Weber, Z. in Wien 1871–1911, AfMw XXVIII, 1971; ders., Z.s Maeterlinck-Gesänge, AfMw XXIX, 1972; P. Fiebig in: NZfM CXXXIV, 1973, S. 147ff. (zur »Lyrischen Symphonie«); St. Stompor, A. Z. v Praze (»A. Z. in Prag«), in: Hudební rozhledy XXVI, 1973; A. Schönberg, Ausstellungskat. hrsg. v. E. Hilmar, Wien 1974.

+**Zenatello,** Giovanni, 1876–1949. Die Festspiele in der Arena von Verona, die Z. initiierte und mitbegründete (bei der Eröffnungsvorstellung 1913 sang er den Radames), standen mehrere Jahre unter seiner Leitung. Zu den bekanntesten Schülern seiner späten wirkten mit M.Gay in New York geführten Gesangschule gehörten Lily Pons und N.Martini.
Lit.: Le grandi v., hrsg. v. R. Celletti, = Scenario I, Rom 1964, Sp. 906f. (mit Diskographie v. R. Vegeto).

+**Zenck,** Hermann, 1898–1950. In der +neuen →+Willaert-GA zeichnet Z. bis Bd IV (1952) als alleiniger Herausgeber und ab Bd V (1957) W.Gerstenberg als Mitherausgeber.

Zender, Hans, * 22. 11. 1936 zu Wiesbaden; deutscher Dirigent und Komponist, studierte 1956–59 an den Musikhochschulen in Frankfurt a. M. sowie in Freiburg i. Br. (Fortner, Edith Picht-Axenfeld) und war dort 1959–63 Kapellmeister an den Städtischen Bühnen. Er wirkte als Chefdirigent des Theaters der Stadt Bonn (1964–68) und als GMD der Stadt Kiel (1969–71). Seit 1971 leitet er das Symphonieorchester des Saarländischen Rundfunks in Saarbrücken. Er schrieb *Stücke* für Streichorch. (1951), ein Saxophonkonzert (1952), *3 Orchesterstücke* (1955), ein Klavierkonzert (1956), *Schachspiel* für 2 Orchestergruppen (1970), *Zeitströme* für Orch. (1974), Kammermusik (Konzert für Fl. und Soloinstrumente, 1959; *3 pezzi* für Ob., 1963; Quartett für Fl., Vc., Kl. und Schlagzeug, 1964; *Trifolium* für Fl., Vc. und Kl., 1960), *Schachspiel* für 2 Kl. (1967) und Vokalwerke (*Proprium missae*, 1954; *Exercitien* für Chor und Git., 1960; *3 rondeaux* für A., Fl. und Va, nach Mallarmé, 1961; *Vexilla regis* für S., Fl., Trp., Bläser, Pk. und Org., 1964; *Les sirènes chantent quand la raison s'endort* für S. und 5 Instr., 1966; *Canto I* für S. und Kammerorch., 1965, *II* für S., Chor und Orch., 1967, *III, Der Mann von La Mancha* für S., T., Bar. und Instrumente mit Moog-Synthesizer, 1969, *IV*, 4 Aspekte für Chor und 16 Instr., 1971, Neufassung für 16 St. und 16 Instr., 1973, und *V*, *Kontinuum und Fragmente* für Stimmen, 1973).
Lit.: H. Vogt, Neue Musik seit 1945, Stuttgart 1972; W. Konold, Kristallines Gebilde im mus. Material, in: Musica XXVIII, 1973.

+**Zeno,** Apostolo, 1668–1750. Ausg.: 4 Libretti in: Drammi per musica dal Rinuccini allo Z., 2 Bde, hrsg. v. A. Della Corte, = Classici ital. LVII, Turin 1958.
Lit.: +O. G. Sonneck, Cat. of Opera Librettos . . . (1914), Nachdr. NY 1967; +R. Giazotto, A. Z. . . ., RMI

XLVIII, 1946 – [erg.:] XLIX, 1947 u. LI, 1949. – W. PIETZSCH, A. Z. in seiner Abhängigkeit v. d. frz. Tragödie, Diss. Lpz. 1907; A. MICHIELI, La poesie drammatiche di A. Z., Giornale stor. della letteratura ital. XCV, 1930; R. GIAZOTTO, Poesia melodrammatica e pensiero critico nel Settecento, = Storia della musica II, 4, Mailand 1952; R. FREEMAN, Opera Without Drama. Currents of Change in Ital. Opera, 1675 to 1725 . . ., 2 Bde, Diss. Princeton Univ. (N. J.) 1967; DERS., A. Z.'s Reform of the Libretto, JAMS XXI, 1968; ST. KUNZE, Die Entstehung eines Buffo-Librettos. Don Quijote-Bearb., DJbMw XII, 1967; A. A. ABERT in: MGG XIV, 1968, Sp. 1220ff.; N. BURT, Plus ça change, in: Studies in Music Hist., Fs. O. Strunk, Princeton (N. J.) 1968; D. J. GROUT, La »Griselda« di Z. e il libretto dell'opera di Scarlatti, nRMI II, 1968; S. MARTINOTTI, Un nuovo incontro con A. Z., in: Chigiana XXV, N. S. V, 1968; M. F. ROBINSON, Naples and Neapolitan Opera, London 1972.

+Zentner, Wilhelm, * 21. 1. 1893 zu Pforzheim.

Z. übt seine Tätigkeit als Dozent für Operngeschichte und Operndramaturgie an der Musikhochschule in München weiterhin aus. – +*Reclams Opern- und Operettenführer* (2 Teile in 1 Bd, hrsg. von W. Z. und A. Würz, Stuttgart ²⁵1969 = Reclams Universal-Bibl. Bd 6892–96c/7354–55b). – Weitere Veröffentlichungen: *K. Maendler, ein Meister des Instrumentenbaus* (Jb. des Orff-Instituts I, 1962); *M. Lothars Liedschaffen* und *M. Lothars »Schneider Wibbel«* (in: M. Lothar, hrsg. von A. Ott, München 1968); *Mozart und die Opera seria* (in: 18. Deutsches Mozartfest Brühl/Köln 1969).

+Zernick, Helmut [erg.:] Traugott, * 15. 1. 1913 zu Potsdam, [erg.:] † 14. 9. 1970 zu Mutlangen (bei Schwäbisch Gmünd).

Z. war 1. Konzertmeister des Kölner Rundfunk-Sinfonie-Orchesters bis zu seinem Tode.

Zerwitzky, Adam → Jarzębski, A.

Zetterquist, Lars Johan, * 25. 3. 1860 zu Tösse (Dalsland), † 17. 3. 1946 zu Arvika (Värmlands län); schwedischer Violinist und Violinpädagoge, studierte am Konservatorium in Stockholm sowie bei Léonard in Paris, debütierte 1880 in Stockholm, war 1882–1914 an der Hofkapelle (ab 1886 als Konzertmeister) sowie 1915–25 (ebenfalls als Konzertmeister) bei der Konsertföreningen in Stockholm engagiert und wirkte daneben lange Jahre als Militärkapellmeister; als Lehrer war er 1903–25 am Konservatorium in Stockholm (1914 Professor) und ab 1926 an der Folkliga Musikskolan in Arvika tätig. 1892 wurde er Mitglied der Kungl. Musikaliska akademien.

Zeumer, Gerti, * 1943 zu Braunschweig; deutsche Sängerin (lyrischer Sopran), studierte an den Staatlichen Hochschulen für Musik in Hannover und Hamburg (Henny Wolff) und debütierte am Staatstheater Braunschweig. Seit 1970 gehört sie zum Ensemble der Deutschen Oper Berlin. Daneben gastiert sie an den Opernhäusern in Hamburg, Düsseldorf, Frankfurt a. M., Barcelona und Brüssel und wirkte bei den Berliner Festwochen (1972) und beim Holland Festival (1973) mit. Von ihren Partien sind zu nennen Fiordiligi (*Così fan tutte*), Baronin Freimann (*Wildschütz*), Octavian und Lucile (*Dantons Tod*).

+Zeuner, Martin (Marinus; Zeyner), [erg.:] wahrscheinlich 1554 zu Mupperg (Thüringen) – begraben 13. 12. 1619 zu Ansbach.
Z. war Organist in Ansbach 1579–1616.

Zeutschner, Tobias, * 13. 6. 1615 oder 1621 zu Neurode (Schlesien), † 15. 9. 1675 zu Breslau; deutscher Kirchenmusiker und Komponist, war vermutlich Schüler des Apelles von Löwenstern, wirkte 1643 in Oels, dann ab 1649 in Breslau als Organist und wurde 1654 »No-

tarius Caesareus Publicus«. Neben zahlreichen Gelegenheitswerken wurden von Z. gedruckt die Sammlung geistlicher Konzerte *Decas prima ... mit 3, 4, 5 vnd 7 St. mit vnd ohne V.* (Breslau 1652) und *Musicalische Kirchen- und Haus-Freude ... mit 4, 5 und 6 Vocal-St. und 2 V. ... 3 Trombonen und in etzlichen 2 Clarin* (Lpz. 1661).

Ausg.: 12 Melodien in: J. ZAHN, Die Melodien d. deutschen ev. Kirchenlieder, 6 Bde, Gütersloh 1888–93, Nachdr. Hildesheim 1963.
Lit.: WaltherL; FR. BLUME, Gesch. d. ev. Kirchenmusik, Kassel ²1965, S. 120, 146 u. 149; W. BRAUN in: MGG XIV, 1968, Sp. 1251ff.

Zfassmann, Alexandr Naumowitsch (Zfasman), * 1.(14.) 12. 1906 zu Alexandrowsk (Saporoschje), † 25. 1. 1971 zu Leningrad; russisch-sowjetischer Komponist und Pianist, absolvierte 1930 das Moskauer Konservatorium in der Klavierklasse von Blumenfeld. Ab 1926 wirkte als Dirigent, Pianist und Arrangeur des von ihm gebildeten Jazzorchesters, der ersten Jazzband der UdSSR. 1939–46 war er künstlerischer Leiter des Jazzorchesters des sowjetischen Allunionsrundfunks. Er schrieb u. a. ein Konzert (1941) sowie Konzertstücke (*Sneschinki*, »Schneeflocken«; *Liritscheskij wals*; *Konzertnaja polka*; *Serenada*; *Galop*) für Kl. und Jazzorch., daneben Instrumentalstücke, Massenlieder sowie Bühnen- und Filmmusik.

Žganec (ʒgʹanɛts), Vinko, * 22. 1. 1890 zu Vratišinci (Kroatien); jugoslawischer Musikethnologe, wirkte zuerst als Jurist (Dr. jur.) und studierte dann privat Musik. In Zagreb war er 1945–48 am ethnographischen Museum tätig, dann bis 1964 Mitarbeiter (bis 1952 Direktor) des dortigen Instituts für Volkskunst und 1967 daneben auch Dozent für Musikethnologie an der Zagreber Musikakademie. Žg. ist vor allem mit Sammlungen kroatischer Volkslieder und Volksweisen hervorgetreten (Erscheinungsort Zagreb: *Zbornik svjetovnih hrvatskih pučkih popijevaka iz Međimurja*, »Sammlung kroatischer Volkslieder aus Međimurje«, 1924; *Narodne popijevke hrvatskog Zagorja*, »Volksweisen aus kroatisch Zagorien«, 1950ff., 3 Bde geplant; *Hrvatske narodne pjesme i plesovi*, »Kroatische Volkslieder und Volkstänze«, 1951, mit engl. Übers.; *Hrvatske narodne popijevke iz Koprivnice i okoline*, »Kroatische Volksweisen aus Koprivnica und Umgebung«, = Zbornik jugoslavenskih narodnih popjevaka VII, 1962). – Weitere Veröffentlichungen: *Kroatische Volksweisen und Volkstänze* (Zagreb 1944); *Folklore Elements in the Yugoslav Orthodox and Roman Catholic Liturgical Chant* (JIFMC VIII, 1956); *Die Elemente der jugoslawischen Folklore-Tonleitern im serbischen liturgischen Gesange* (in: Studia memoriae B. Bártok sacra, Budapest 1957); *The Tonal and Modal Structure of Yugoslav Folk Music* (JIFMC X, 1958); *Mužički folklor*, Bd I: *Uvodne teme i tonske osnove* (»Einleitende Themen und tonale Grundzüge«, Zagreb 1962); *La gamme istrienne dans la musique populaire yougoslave* (StMl IV, 1963); *Mužičke skale i ritmovi u Gradišćanskim narodnim pjesmama* (»Tonleitern und Rhythmen in den Volksliedern von Gradišča«, in: Narodna umjetnost III, 1964/65); *Über das Redigieren der Volksliedersammlungen* (in: Volksmusik Südosteuropas, hrsg. von W. Wünsch, = Südosteuropa-Schriften VII, München 1966); ferner gab Žg. den Sammelband über Volksleben und Volksbräuche *Zbornik za narodni život i običaje* heraus (= Etnomuzikološka serija o. Nr, Zagreb 1971, mit deutscher Zusammenfassung) sowie mehrere Bände kroatischer Volkslieder in Bearbeitung für Chor (oder Singst.) und Kl.
Lit.: J. BEZIĆ in: Folklor VII, 1968, S. 1ff.; DERS. in: Zvuk 1970, Nr 108, S. 366ff. (Interview).

+Ziani, –1) Pietro Andrea, um 1620 – 1684. Er wurde 1663 Kapellmeister am Habsburger Hof in Wien; 1665 hielt er sich in Innsbruck und 1666/67 in Dresden auf. Nach Venedig kehrte er 1669 zurück. –2) Marc'Antonio, [erg.: um] 1653 – 1715. Ausg.: zu –1): eine Fuga in: Orgelmusik an europäischen Kathedralen III, hrsg. v. E. KRAUS, = Cantantibus org. XI, Regensburg 1963; 3 Arien aus d. Oper »Il Candaule« in: H. CHR. WOLFF, Die Oper I, = Das Musikwerk XXXVIII, Köln 1971, auch engl. – zu –2): 5 geistliche Sätze in: Geistliche Solomotetten d. 18. Jh., hrsg. v. C. SCHOENBAUM, = DTÖ CI/CII, Graz 1962. Lit.: TH. ANTONICEK in: MGG XIV, 1968, Sp. 1253ff.; J. BARTELS, Die Instrumentalstücke in Oper u. Oratorium d. frühvenezianischen Zeit, Diss. Wien 1971.

+Zich, Otakar, 1879-1934. Z. promovierte 1902 an der Universität Prag mit der Arbeit *O integrálech singulárních* (»Über Singularintegrale«) und habilitierte sich dort 1906 mit der Schrift *+Estetické vnímání hudby*. – *Píseň a +tanec »do kolečka«* (»Lied und Tanz ,Am Geigenwirbel'«, in: Český lid 1908/09) [del. früherer Titel]. Lit.: J. FIALA, Dílo O. Z.a (»Das Werk v. O. Z.«), Prag 1935; J. PLAVEC, O. Z., ebd. 1941; J. ZICH, Hudební svět O. Z.a (»O. Z.s mus. Welt«), in: Živá hudba I, 1953 (mit deutscher u. russ. Zusammenfassung); O. SUS, Sémantický problém »významové představy« u O. Z.a a J. Volkelta (»Das semantische Problem d. Bedeutungsvorstellung bei O. Z. u. J. Volkelt«), in: Sborník prací filosofické fakulty brněnské univ. (Řada uměnovědná) VII, 1958; DERS., Poetry and Music in the Psychological Semantics of O. Z., ebd. XVIII, H 4, 1969 Α. MÖBIOVÁ, O. Z., dramatik, Diplomarbeit Prag 1959, Abriß in: Miscellanea musicologica XIV, 1960, S. 126ff.; J. BURJANEK, Estetika a kritika moderní opery v článcích O. Z.a v Vlčkové Osvětě 1912–16 (»Die Ästhetik u. Kritik d. modernen Oper in O. Z.s Aufsätzen in Vlčkova Osvěta 1912–16«), Fs. J. Racek, = Sborník prací filosofické fakulty brněnské univ. XIV, F 9, 1965; DERS., O. Z., ... (»Studie über d. Entwicklung d. tschechoslowakischen mw. Denkens im 1. Drittel unseres Jh.«), = Spisy Janáčkovy Akad. múzických umění v Brně IV, Brünn 1966; DERS. in: Hudební věda VI, 1969, S. 255ff.; J. MUKAŘOVSKY, Studie z estetiky, hrsg. v. Kv. Chvatík, = Estetická knihovna III, Prag 1966.

+Zichy, Géza, Graf Vasony-Keő, 22. [nicht: 23.] 7. 1849 – 1924.

Žídek (ʒ'i:dɛk), Ivo, * 4. 6. 1926 zu Kravaře (Böhmen); tschechischer Sänger (lyrischer Tenor), Schüler von Rudolf Vašek, debütierte 1945 an der Oper in Ostrau und ist seit 1948 Mitglied des Prager Nationaltheaters. Er gastierte an zahlreichen europäischen Bühnen (Staatsopern Wien und Berlin) und trat in New York und Buenos Aires auf. Sein Repertoire umfaßt neben einschlägigen Partien slawischer Opern Don Ottavio, Hoffmann, Don Carlos und Lohengrin. Er machte sich auch als Konzertsänger einen Namen.

+Ziegfeld, Florenz, [erg.: 10. 6.] 1841 – 1923. Sein Sohn Florenz Ziegf(i)eld, 1869-1932. Die erste Aufführung der »Ziegfield Follies« fand 1907 statt. Lit.: zum Sohn: M. FARNSWORTH, The Z. Follies. A Hist. in Text and Pictures, NY 1956; D. EWEN, Complete Book of the American Mus. Theater, NY 1958, NA als: New Complete Book of the American Mus. Theater, NY 1970; R. BARAL, Revue. A Nostalgic Reprise of the Great Broadway Period, NY 1962, revidiert als: Revue. The Great Broadway Period, 1970; S. SCHMIDT-JOOS, Das Musical, = dtv Bd 319, München 1965.

+Ziegler, Benno, * 16. 12. 1891 und [erg.:] † 22. 1. 1965 zu München.

Ziegler, Klaus Martin, * 23. 2. 1929 zu Freiburg im Breisgau; deutscher Organist und Chordirigent, studierte an der Badischen Hochschule für Musik in Karlsruhe (1948–50) sowie am Evangelischen kirchen-

musikalischen Institut in Heidelberg (1950–52) und wirkte als Kantor in Karlsruhe (1952–60). 1957–60 war er Leiter der Kirchenmusikabteilung der Badischen Hochschule für Musik in Karlsruhe, 1968–70 künstlerischer Leiter der Kirchenmusikschule in Schlüchtern. Gegenwärtig ist er Kantor an St. Martin in Kassel (1967 Kirchenmusikdirektor), Dozent für Chorleitung an der Kirchenmusikschule in Herford (seit 1970) sowie Leiter des »Vocalensemble Kassel« und der Westfälischen Kantorei. Z. rief die »Internationalen Wochen für geistliche Musik der Gegenwart« ins Leben und lieferte zahlreiche Beiträge über neue geistliche Musik für Fachzeitschriften.

+Ziehrer, Carl Michael, 1843–1922. Lit.: M. SCHÖNHERR, Inventar d. C. M. Z.-Arch. in d. Musiksammlung u. Theatersammlung d. Österreichischen Nationalbibl. in Wien, Wien 1969; DERS., C. M. Z. ... Dokumentation, Analysen u. Kommentare, Diss. Wien 1973.

+Zieleński, Mikołaj, um 1550–1615. Ausg. (Erscheinungsort Krakau): Dzieła (»Werke«), hrsg. v. Wł. MALINOWSKI, = Monumenta musicae in Polonia, Serie A, Bd Iff., 1966ff., bisher erschienen: Bd I (1966), Offertorium totius anni. Communiones totius anni. – +Vox in Rama (A. CHYBIŃSKI, 1933), 2. Aufl. revidiert hrsg. v. Z. M. SZWEYKOWSKI, 1964, ³1971. – ein Laetatur coeli u. ein Magnificat in: Muzyka polskiego odrodzenia, hrsg. v. J. M. CHOMIŃSKI u. Z. LISSA, 1953, engl. als: Music of the Polish Renaissance, 1955; Communiones, hrsg. v. M. SZCZEPAŃSKA, 3 H., = Wydawnictwo dawnej muzyki polskiej XXXI, XXXVI u. XLV, 1956, ³1966, bzw. 1957 u. 1961; Justus ut palma florebit (1611), hrsg. v. ZDZ. JACHIMECKI, ebd. XLI, 1960, ²1966; In monte Oliveti (1611), hrsg. v. Z. M. SZWEYKOWSKI, ebd. LIII, 1964; 3 Offertorien in: Muzyka staropolska, hrsg. v. H. FEICHT, 1966; 3 Fantasien f. Streicher oder Bläser u. Org., = Florilegium musicae antiquae XX, 1967. Lit.: Wł. MALINOWSKI, Partitura pro org. in offertoriach M. Z.ego (»Der Orgelpart in M. Z.s Offertorien«), in: Prace naukowe Instytutu muzykologii uniwersytetu warszawskiego 1961; Z. M. SZWEYKOWSKI, Problem przełomu stylistycznego między Renesansem i Barokiem w muzyce polskiej (»Das Problem d. stilistischen Krise in d. polnischen Musik zwischen Renaissance u. Barock«), in: Musica antiqua II, Kgr.-Ber. Bydgoszcz 1969.

+Zieritz, Grete von, * 10. 3. 1899 zu Wien. Sie besitzt neben der österreichischen auch die deutsche Staatsbürgerschaft. Von ihren Kompositionen (13 Werke für Orch., 39 Kammermusikwerke, 150 Lieder und Gesänge, 28 Chöre) seien genannt: Tripelkonzert für Fl., Klar., Fag. (1950) und Konzertstück *Sizilianische Rhapsodie* für V. (1965) mit Orch.; Divertimento für 12 Solisten oder Kammerorch. (1962); 7 Chöre *Kosmische Wanderung* für gem. Chor, Pk. und Schlagzeug (1968); 4 altaztekische Gesänge, 7 Gesänge *Moderne Negerlyrik* sowie 5 portugiesische und spanische Gesänge für 8st. gem. Chor (1966). Lit.: Gr. v. Z., Werkverz., = Mitt. zur Musiker-Epistolographie o. Nr, Bln 1963. – U. STÜRZBECHER, Werkstattgespräche mit Komponisten, Köln 1971 (mit Werkverz.).

Ziese, Christa-Maria (verheiratete Lüdeke), * 13. 7. 1924 zu Aschersleben (Harz); deutsche Sängerin (hochdramatischer Sopran), studierte 1942–48 an der Hochschule für Musik in Leipzig bei Gottfried Zeithammer und J. M. Hauschild (Gesang) sowie bei Oswin Keller (Klavier) und debütierte 1947 als Altistin am Opernhaus in Leipzig. 1951–54 war sie (nun im Sopranfach) Mitglied des Weimarer Nationaltheaters. 1954 wurde ihr der 1. Preis beim internationalen Musikwettbewerb des Prager Frühlings zuerkannt. Seitdem tritt sie am Opernhaus in Leipzig auf (1956 Kammersängerin). Chr.-M. Z. ist ständiger Gast der Staats-

opern in Dresden und Berlin und unternahm Tourneen durch Ost- und Westeuropa sowie nach China. Von ihren Partien seien Leonore (*Fidelio*), Senta, Eva (*Meistersinger*), Octavian, Salome, Aida, Tosca, Turandot und Jenufa genannt.
Lit.: W. WOLF in: Opernsänger, hrsg. v. E. Krause, Bln 1963, S. 144ff.

+Ziino, Ottavio, * 11. 11. 1909 zu Palermo.
Z. wurde 1966 Direktor des Konservatoriums in Palermo, 1969 auch ständiger Dirigent des sizilianischen Symphonieorchesters. Seit 1973 leitet er das Konservatorium S. Pietro a Majella in Neapel. – Neuere Werke: *Ouverture giocosa* (1967) sowie Thema, 7 Variationen und Fuge (1968) für Orch.; Klaviertrio (1970); *Melos per Faja* für Fl. (1969).

Zikmundová (zʼikmundəvɑ:), Eva, * 4. 5. 1932 zu Kremsier/Kroměříž (Südmähren); tschechische Sängerin (Sopran), studierte an den Musikakademien in Brünn und Prag und wurde 1957 an das Prager Nationaltheater engagiert. Seit 1966 gehört sie auch dem Ensemble der Berliner Staatsoper an. Daneben gastiert sie an anderen deutschen sowie an italienischen Bühnen. E. Z. interpretiert Partien aus tschechischen, deutschen und italienischen Opern und ist auch als Konzertsängerin hervorgetreten.

Ziková (zʼikəvɑ:), Zdenka, * 6. 2. 1905 zu Prag; tschechische Sängerin (dramatischer Sopran), studierte in Prag (Bohumila Rosenkrancová), debütierte 1922 an der Oper in Ljubljana, war an den Opern in Zagreb (1925–28) und Prag (1928–32) sowie an der Wiener Staatsoper (1932–37) engagiert und gehörte 1940–59 als 1. Sopranistin der Belgrader Oper an. Gastspiele führten sie an die Pariser Opéra und an die Opern in Kopenhagen und Chicago. Zu ihren Partien gehörten u. a. Aida, Mimi, Elsa (*Lohengrin*), Tatjana (*Eugen Onegin*), Rusalka und Salome. Sie ist auch als Konzertsängerin hervorgetreten.

+Zilcher [–1) Paul], –2) Karl Hermann Josef, 18. 8. [nicht: 4.] 1881 – 1948. Das 2. Violinkonzert trägt die op.-Zahl 92 [nicht: 12].

Žilevičius (ʒilɛvʼitʃius), Juozas, * 4.(16.) 3. 1891 zu Jerubaičiai (Kreis Telšiai); litauischer Komponist und Musikforscher, lebt in Chicago. Er studierte Komposition und Orgel in Warschau (1910) sowie bei Glasunow und A. Tscherepnin am Konservatorium in St. Petersburg (Diplom 1919) und wirkte ab 1920 bei der Organisation des kulturellen Lebens in Litauen entscheidend mit. Er war 2. Dirigent der Oper in Kaunas, verfaßte Lehrbücher für Musikschulen und lehrte ab 1924 Theorie und Musikgeschichte am Konservatorium in Kleipėda (1926–27 Direktor). 1929–61 hatte er eine Organistenstelle in Elizabeth (N. J.) inne. Seine in Kaunas als *Lietuvių muzikologijos archyvas* begonnene Sammlung litauischer Musikgeschichte und Bibliographie ist seit 1961 im Jesuitenkloster in Chicago untergebracht. Er komponierte u. a. eine Symphonie F moll, ein Nonett, ein Oktett, ein Streichquartett, Klavier- und Orgelwerke, die Kantate *Vytauto didžiojo* (»Vytautas der Große«) für Bar., Solistenquartett, gem. Chor, 3 Trp. und Kl. (1933), 4 Messen sowie Chor- und Sololieder. Z. veröffentlichte *Č. Sasnauskas* (1935, 21951) und lexikalische Beiträge.

Žilinskis (ʒilʼinski), Arvīds, * 18.(31.) 3. 1905 zu Sauka (Kurland); lettisch-sowjetischer Komponist und Pianist, absolvierte am lettischen Konservatorium in Riga 1927 die Klavierklasse und 1933 bei Wihtol die Kompositionsklasse, war Lehrer am dortigen Volkskonservatorium (ab 1927) und begann 1937 seine Tätigkeit als Dozent (später Professor) für Klavier am lettischen Konservatorium. Seine Kompositionen umfassen u. a. die Oper *Zelta zirgs* (»Das goldene Pferd«, Riga 1965), das Ballett *Sprīdītis* (ebd. 1968), die Operette *Zilo ezern zemē* (»Im Land der blauen Seen«, ebd. 1954), Klavierwerke, Chöre, Solo- und Kinderlieder.
Lit.: J. VĪTOLIŅŠ, A. Ž., in: Latviešu mūzikas hrestomātija, Bd III, Riga 1957.

+Zillig, Winfried [erg.:] Petrus Ignatius, * 1. 4. 1905 zu Würzburg, [erg.:] † 18. 12. 1963 zu Hamburg.
Weitere Werke: Opern +*Das Opfer* (Hbg 1937 [nicht: 1957]) und *Das Verlöbnis* (Linz 1963); Fantasie, Passacaglia und Fuge über den Meistersingerchoral für Orch. (1963); Violinkonzert (1955); Sonate für Vc. solo (1958); Liederzyklus *Vergessene Weisen* (Verlaine, 1958), *Lieder des Herbstes* (Rilke, 1959) und 10 Lieder (Goethe, 1960). – Schriften: +*Variationen über neue Musik* (München 1959, bearb. Ausg. = List-Taschenbücher Nr 271, ebd. 1964, auch als *Die neue Musik. Linien und Porträts*, ebd. 1963); *Von Wagner bis Strauss. Wegbereiter der modernen Musik* (ebd. 1966).
Lit.: U. DIBELIUS in: Musica XII, 1958, S. 651ff.; TH. W. ADORNO, Z.s Verlaine-Lieder in: Moments mus., = Ed. Suhrkamp LIV, Ffm. 1964; G. SCHUHMACHER, Fortschritt, hist. betrachtet. Zu einigen Schriften aus d. Nachlaß v. W. Z., in: Musica XXVI, 1972; H. FEDERHOFER, W. Z.s Einführung in d. Zwölftonmusik, Fs. »10 Jahre Hochschule f. Musik ... Graz«, Wien 1973; A. Schönberg, Ausstellungskat. hrsg. v. E. HILMAR, Wien 1974.

+Zillinger, [erg.: Gerhard Hermann] Erwin, * 1. 6. 1893 zu Dresden, [erg.:] † 24. 8. 1974 zu Lübeck.
Z. war Domorganist in Lübeck und Leiter der Kirchenmusikabteilung der Fachhochschule für Musik (früher Musikakademie Schleswig-Holstein) in Lübeck 1939–69. An neueren Chorwerken entstanden eine *Psalmenkantate* für Soli, 3 Chöre und Orch. (1961) und ein *Lyrisches Requiem* (1968).

Zillner, Emmerich, * 30. 4. 1900 zu Brunn am Gebirge (Niederösterreich), † 23. 9. 1971 zu Wien; österreichischer Komponist, absolvierte in Wien die Lehrerbildungsanstalt, studierte an der Universität (Musik und Physik) und war dann als Kapellmeister, Filmillustrator, Schallplattenaufnahmeleiter (Kalliope, Telefunken) und ab 1930 als selbständiger Schallplattenproduzent tätig. 1945–49 war er Abteilungsleiter am Sender Rot-Weiß-Rot Salzburg, 1949–50 Musikdirektor in Linz und ab 1950 Abteilungsleiter bei Radio Wien. Die Kompositionen Z.s gehören zum festen Bestand der Wienerlieder (Texte H. Werner und J. Hochmuth), darunter *Goldenes Wienerherz* (1940), *Es steht ein alter Nußbaum* (1940), *Das ist die Wiener Spezialität* (1941), *Ein Wienerlied braucht keine Worte* (1941), *Ja, wenn Wienerisch einmal Weltsprach' wird* (1942), *Eine kleine Wiener Melodie* (1942) und *Sonntag im Prater* (1943).

+Zimbalist, Efrem (Jefrem [erg.:] Alexandrowitsch), * 9.(21.) 4. 1889 zu Rostow am Don.
Z., der seine Konzertlaufbahn Anfang der 50er Jahre beendete, war bis 1968 Direktor des von seiner zweiten Frau Mary Louise →+Curtis gegründeten Curtis Institute of Music in Philadelphia. An neueren Kompositionen entstand u. a. ein Cellokonzert (1969). Z. lebt heute in Reno (Nev.).
Lit.: D. OISTRACH in: SM XXIX, 1965, H. 4, S. 67ff.

+Zimmer, –1) [erg.: Karl] Friedrich August, 26. [nicht: 16.] 2. 1826 – 1899. –2) [erg.: Karl] Friedrich, 1855–1919.
Lit.: D. HÄRTWIG in: MGG XIV, 1968, Sp. 1289ff.

Zimmer, Ján, * 16. 5. 1926 zu Ružomberok (Slowakei); tschechoslowakischer Komponist und Pianist, studierte bis 1948 am Konservatorium in Bratislava (Suchoň) sowie 1948–49 an der Musikakademie in Budapest und war 1948–52 Dozent für Musiktheorie und Klavier am Konservatorium in Bratislava. Seit 1952 ist Z. als freischaffender Komponist tätig. Er schrieb die Oper *Oedipus* (Bratislava 1964), Orchesterwerke (7 Symphonien, op. 21, 1955, op. 26, 1958, op. 34, 1959, Nr 4 mit Chor, op. 37, 1959, op. 44, 1961, *Improvisata* op. 51, 1965, und Nr 7, 1967; *Lieder ohne Worte* für Streichorch. op. 66, 1970; 5 Klavierkonzerte, op. 5, 1949, op. 10, 1952, op. 29, 1958, op. 36, 1960, und für die linke Hand op. 50, 1964; Concerto grosso für 2 Kl., 2 Streichorch. und Schlagzeug op. 7, 1951; Rhapsodie für Kl. und Orch. op. 18, 1964; Concertino für Kl. und Streichorch. op. 19, 1955; Konzert für 2 Kl. und Orch. op. 57, 1967; Violinkonzert op. 15, 1953; Orgelkonzert op. 27, 1957; Kammerkonzert für Ob. und Streicher op. 47, 1962), Kammermusik (Klavierquintett op. 6, 1949; Bläserquintett op. 61, 1968; Streichquartett op. 39, 1960; Suite für V. und Kl. op. 30, 1958; Sonate für Va und Kl. op. 31, 1958), Klavierwerke (3 Sonaten op. 4, 1948, op. 45, 1965, und op. 55, 1966; *Tatry*, 2 Suiten, op. 11, 1952, und op. 25, 1956; 3 Sonaten für 2 Kl., op. 16, 1954, op. 35, 1959, und op. 53, 1965; 2 Stücke für 2 Kl. zu 8 Händen op. 63, 1969), Fantasie und Toccata für Org. op. 32 (1958) und Vokalwerke (Oratorium *Mrtví sa nevrátia*, »Die Toten kehren nicht zurück«, op. 62, 1968; *Holubica pokoja*, »Friedenstaube«, für Männerchor, Hf. und Streicher op. 41, 1960; Kantate *Povstanie*, »Aufstand«, für Chor und Orch. op. 17, 1954; 4 Motetten auf lateinische Texte op. 58, 1968; *Smaragd*, Liederzyklus für S. und Kl. op. 64, 1970) sowie Filmmusik.

Zimmerman (z′imɘmɘn), Franklin Bershir, * 20. 6. 1923 zu Waneta (Kan.); amerikanischer Musikforscher, studierte an der University of Southern California in Los Angeles (B. A. 1949, M. A. 1952), an der er 1958 mit einer Dissertation über *Purcell's Musical Heritage. A Study of Musical Styles in Seventeenth-Cent. England* zum Ph. D. promovierte, sowie an der University of Oxford (B. Litt. 1956). Er war ab 1960 Visiting Associate Professor an der School of Music der University of Southern California (1960–64 Associate Professor und Chairman des Department of Music), 1964–66 Professor am Dartmouth College in Hanover (N. H.) und 1967–68 an der University of Kentucky in Lexington. 1968 wurde er Chairman des Department of Music und Professor an der University of Pennsylvania in Philadelphia. Er veröffentlichte: *H. Purcell …, An Analytical Catalogue of His Music* (London und NY 1963); *H. Purcell* (ebd. 1967); *The Anthems of H. Purcell* (NY 1971); ferner *Words to Music. Papers on English 17th-Cent. Song* (mit V. Duckles, Los Angeles 1967). – Aufsätze: *Handel's Purcellian Borrowings in His Later Operas and Oratorios* (Fs. O. E. Deutsch, Kassel 1963); *Purcell's »Service Anthem« ,O God, Thou Art My God' and the B-Flat Major Service* (MQ L, 1964); *Melodic Indexing for General and Specialized Use* (in: Notes XXII, 1965/66); *Musical Borrowings in the English Baroque* (MQ LII, 1966); *Anthems of Purcell and Contemporaries in a Newly Rediscovered »Gostling Manuscript«* (AMl XLI, 1969); *Musical Biography and Thematic Cataloguing. Two Opposing Aspects of Musicology in the 21st Cent.* (in: Musicology and the Computer, hrsg. von B. S. Brook, = American Musicological Society … Publ. II, NY 1970). Außerdem gab er verschiedene kleinere Werke von Purcell sowie Madrigale des 16. Jh. heraus und besorgte eine Faks.-Ausg. der 12. Aufl. (London 1694) von J. Playfords *An Introduction to the Skill of Music* (NY 1972).

⁺**Zimmermann,** Anton, [erg.: um] 1741 – 16. [nicht: 8.] 10. 1781.
Ausg.: Sinfonie C dur, hrsg. v. A. SANDBERGER (als Werk v. J. Haydn), in: Münchner Haydn-Renaissance, München 1934, 2. Aufl. hrsg. v. Z. Fekete, Wien 1950; Tance (6 Ländler f. Streicher), hrsg. v. P. POLÁK, Bratislava 1966. Lit.: H. C. R. LANDON, The Symphonies of J. Haydn, London 1955, NY 1956, Suppl. London u. NY 1961.

⁺**Zimmermann,** Bernd (Bernhard) Alois, * 20. 3. 1918 zu Bliesheim (bei Köln), [erg.:] † 10. 8. 1970 zu Königsdorf (Gemeinde Lövenich, bei Köln).
Von 1949 bis etwa 1960 war Z. als freier Mitarbeiter am WDR und anderen Rundfunkanstalten (Hörspiel-, Schulfunk- und Volksmusikabteilung) sowie für Schauspielhäuser tätig, wo er mit Schauspielern, Sängern, Sprechern und Regisseuren zusammenarbeitete und die Möglichkeiten zum Experimentieren nutzte (so werden in der Bühnenmusik zu W. Saroyans Schauspiel *Sam Ego's Haus*, 1953, R. Schumanns Klavierkonzert, Musik von Duke Ellington und ein Boogie-Woogie aus konkreten Klängen miteinander kombiniert). In dieser Zeit arrangierte Z. auch Unterhaltungsmusik für das Orchester H. Hagestedt, wobei er verschiedene Besetzungsmöglichkeiten erprobte. An der Musikhochschule in Köln leitete er von 1957 (1961 Professor) bis zu seinem Tode eine Kompositionsklasse und ein Seminar für Hörspiel-, Film- und Bühnenmusik. – 1957 und 1963 war Z. Stipendiat der Villa Massimo in Rom; 1965 wurde er in die Berliner Akademie der Künste aufgenommen.
Entscheidend für sein kompositorisches Denken ist der Begriff der Zeit. Für Z. nimmt die Zeit eine »Kugelgestalt« an, in der Vergangenheit, Gegenwart und Zukunft sich gegenseitig durchdringen. Aus dieser Zwangssituation des austauschbar gewordenen Gestern, Heute und Morgen (dies ist die Situation der Oper *Die Soldaten*) gibt es kein Entrinnen mehr; selbst die Utopie einer Überwindung der Zeit kraft musikalischer Organisation (wie Simultaneität der Zeit innerhalb eines Proportionsgefüges verschiedener musikalischer Zeitschichten und Collagen oder Einbeziehung sämtlicher musikalischer, technischer und szenischer Möglichkeiten in der Vielfalt ihrer wechselseitigen Beziehungen) vermag aus diesem Kreis nicht auszubrechen. – Eine Berichterstattung über den eigenen Standort stellen Z.s gesammelte Aufsätze und Schriften zum Werk dar, die unter dem Titel *Intervall und Zeit* (hrsg. von Chr. Bitter, Mainz 1974, mit Werkverz.) erschienen sind. Zu seiner Oper *Die Soldaten* schrieb Z. den Beitrag *J. M. R. Lenz und neue Aspekte der Oper. Libretto, Vorwand oder Anlaß?* (in: Theater und Zeit VIII, 1960/61).
Werke: *Alagoana (Caprichos brasileiros)* für Orch. (1940–43, instrumentiert 1947–50, als Ballett Essen 1955); burleske Kantate *Lob der Torheit* für Koloratur-S., T. (Vorsänger), B., gem. Chor und Orch. (nach Goethe, 1948); Konzert für Streichorch. (1948, Bearb. eines Streichtrios von 1942–43); Violinkonzert (1949–50, Instrumentierung einer zur gleichen Zeit entstandenen Sonate für V. und Kl., mit wesentlich erweitertem Mittelsatz); *Rheinische Kirmestänze* für 13 Bläser (1950, neu instrumentiert 1962); Sonate für V. solo (1951); Sinfonie für Orch. (einsätzig, 1947–52, 2. Fassung 1953); kleine Stücke *Enchiridion* für Kl. (1949–52); Konzert für Ob. und kleines Orch. (1952); Musik zu einem imaginären Ballett *Kontraste* für Orch. (nach einer Idee von Fr. Schneckenburger, Bielefeld 1954); Konzert *Nobody Knows the Trouble I See* für Trp. und Orch. (1954); Sonate für Va solo (1955); 8 Stücke *Konfigurationen* für Kl. (1954–56); Musik zu einem imagi-

nären Ballett *Perspektiven* für 2 Kl. (1955–56, Düsseldorf 1957); »Kantate« *Canto di speranza* für Vc. und kleines Orch. (1952–57); Kantate *Omnia tempus habent* für S. und 17 Soloinstr. (auf Texte der Vulgata, 1957); Impromptu für Orch. (1958); *Vokal-Sinfonie* für Koloratur-S., Mezzo-S., 2 T., B. und Orch. (1959, nach Szenen aus *Die Soldaten*); Oper *Die Soldaten* (nach J. M. R. Lenz, 1958–60, Umarbeitung 1963–64, Köln 1965. In der ersten Fassung sollten die Musiker in verschiedenen Zeitschichten bzw. Takteinheiten spielen; aus aufführungspraktischen Gründen wurde in der neuen Fassung wieder der für alle Musiker verbindliche Taktstrich eingeführt, ferner wurde eine andere Akteinteilung vorgenommen und zu den einzelnen Akten Vor- und Zwischenspiele hinzugefügt.); Sonate für Vc. solo (1959–60); *Dialoge* für 2 Kl. und Orch. (»Hommage à Cl. Debussy«, 1960, revidiert 1965; das musikalische Material basiert auf den Zwischenspielen aus der Oper *Die Soldaten*, ähnlich wie dort sollten auch hier in der Originalfassung die Musiker in verschiedenen Zeitschichten und Takteinheiten spielen, ferner sollte der Abstand zwischen den einzelnen Musikern mindestens 4–5 m im Umkreis betragen); »Ballet blanc en cinq scènes« *Présence* für Klaviertrio (mit Wortemblemen von P. Pörtner, 1961, Schwetzingen 1968, Choreographie von J. Cranko); *Antiphonen* für Va und 25 Instrumentalisten (1961, mit Texten aus: J. Joyce, *Ulysses*; Vulgata, Liber ecclesiastes IV, 1; Apokalypse V, 1; Dante, *Divina commedia. Paradiso*; Buch Hiob IX, 25; F. Dostojewskij, »Die Brüder Karamasow«; A. Camus, *Caligula*; Novalis, *Hymnen an die Nacht*. Die Texte, in den Sprachen Englisch, Latein, Griechisch, Italienisch, Hebräisch, Russisch, Französisch und Deutsch, werden von den Instrumentalisten zusätzlich vorgetragen.); alte Tänze verschiedener Meister *Giostra genovese* für kleines Orch. (1962); *Cinque capricci di G. Frescobaldi* »La Frescobalda« für 3 Block-Fl., Ob. d'amore, 3 Va da gamba, Laute, 3 Trp. und 3 Pos. (1962); *Tempus loquendi* . . ., »Pezzi ellittici per fl. grande, fl. in sol e fl. b. solo« (1963); *Monologe* für 2 Kl. (in der Substanz wesentlich erweiterte Fassung der *Dialoge*, 1960–64); *Concerto pour vc. et orch. en forme de »pas de trois«* (1965–66, Wuppertal 1968); *Tratto I* für elektronische Klänge (in Form einer choreographischen Studie, 1966, ausschließlich Sinustöne); »Ballet noir en sept parties et une entrée« *Musique pour les soupers du Roi Ubu* für Orch. (1966, Düsseldorf 1968); *Intercomunicazione* für Vc. und Kl. (1967); »Ode an Eleutheria in Form eines Totentanzes« *Die Befristeten* für Jazzquintett (aus der Musik zu E. Canettis gleichnamigem Hörspiel, 1967); *Prélude Photoptosis* für Orch. (1968); *Tratto II* für elektronische Klänge (1968, für die Weltausstellung 1970 in Osaka, ausschließlich Sinustöne); »Lingual« *Requiem für einen jungen Dichter* für Sprecher, S., Bar., 3 Chöre, elektronische Klänge, Orch., Jazzcombo und Org. (nach Texten verschiedener Dichter, Berichten und Reportagen, 1967–69; vgl. dazu die Übers. Wiedergabe der Texte durch H. v. Lüttwitz in: NZfM CXXXV, 1974, S. 12ff.); 4 kurze Studien für Vc. solo (1970); Orchesterskizzen *Stille und Umkehr* (1970); »ekklesiastische Aktion« *Ich wandte mich und sah an alles Unrecht, das geschah unter der Sonne* für 2 Sprecher, B. und Orch. (1970); Bühnen- und Hörspielmusik. — Pläne zur unvollendet gebliebenen Oper *Medea* (nach der Tragödie von H. H. Jahnn) gehen auf die Jahre 1965–66 zurück; realisiert wurden, neben der Konzeption des Orchesterapparates und weiterer Medien, die Einrichtung des Textbuches und die Niederschrift bzw. der Beginn von filmischen Szenen (Szene mit den beiden Söhnen der Medea).

Lit.: R. Schubert in: Junge Komponisten, hrsg. v. H. Eimert u. K. Stockhausen, = die Reihe IV, Wien 1958, S. 103ff., engl. Philadelphia (Pa.) 1960 (zu »Perspektiven«); K.-R. Danler, Gespräch mit B. A. Z., in: Musica XXI, 1967; M. Rothärmel, Der pluralistische Z., in: Melos XXXV, 1968; H. J. Herbort, Kugelgestaltige Zeit. B. A. Z., d. Komponist d. »Soldaten«, in: Musica XXIII, 1969; ders., B. A. Z., »Die Soldaten«, in: Musik u. Bildung III, 1971; U. Stürzbecher in: Werkstattgespräche mit Komponisten, Köln 1971, S. 152ff., auch in: Melos XXXVII, 1970, S. 446ff.; A. Seipt in: H. Vogt, Neue Musik seit 1945, Stuttgart 1972, S. 360ff. (zu »Die Soldaten«); H. Halbreich, Requiem f. a Suicide, in: Music and Musicians XXI, 1972/73, deutsch als: B. A. Z., Fs. f. einen Verleger (L. Strecker), Mainz 1973; J. Häusler, B. A. Z. u. sein Werk f. d. zeitgenössische Musik, in: Universitas XXVIII, 1973; A. v. Imhoff, Warum Z. in seinen letzten drei Klavierwerken f. zwei Kl. schrieb, in: Melos XL, 1973; Kl. Kirchberg, Z.s Instr. d. musikdenkenden Geistes, ebd. XLI, 1974; Cl. Kühn, B. A. Z., »Photoptosis«. Ein Blick auf d. Zitat in d. Kunst d. Gegenwart, in: Musik u. Bildung VI, 1974; K.-J. Müller in: Perspektiven neuer Musik, hrsg. v. D. Zimmerschied, Mainz 1974, S. 309ff. (zu »Photoptosis«); M. Karbaum, Zur Verfahrensweise im Werk B. A. Z.s, in: De ratione in musica, Fs. E. Schenk, Kassel 1975.

+Zimmermann, Heinz Werner, * 11. 8. 1930 zu Freiburg im Breisgau.
Z., ab 1963 Direktor und Lehrer für Komposition an der Berliner Kirchenmusikschule in Spandau, wurde 1975 zum Professor für Komposition und Musiktheorie an die Frankfurter Musikhochschule berufen. – Neuere Werke: Vesper für Chor, Vibraphon, Cemb. und Kb. (1962); Choralvariationen über ein Thema von H. Distler für S. und gem. Chor a cappella (1964); 3 Spirituals für 6–12st. Chor a cappella (1968); *Missa profana* für Soli, Chor, Jazzensemble und Orch. (1973); 4 *Collagen* für Kammerchor und Kl. (1973). – Weitere Schriften: +*Die Möglichkeiten und Grenzen des Jazz* . . . (1960), Wiederabdruck in: Musica XVI, 1962; *Geistliche und Chormusik* (in: W. Fortner, hrsg. von H. Lindlar, = Kontrapunkte IV, Rodenkirchen/Rhein 1960); *Neue Musik und neues Kirchenlied* (MuK XXXIII, 1963); *Über homogene und polystilistische Polyphonie* (MuK XLI, 1971); *Die neuen geistlichen Melodien der sechziger Jahre* (MuK XLII, 1972).

Lit.: O. Riemer, Ausbruch oder Aufbruch?, Zum Schaffen v. H. W. Z., MuK XXIX, 1959; M. Ziegler in: Gottesdienst u. Kirchenmusik 1964, S. 3ff.; A. Davidson, I Will Sing a New Song Unto the Lord. The Works of H. W. Z., = Contemporary Composers of Church Music I, Springfield (O.) 1969; H.-G. Oertel, Kirchenmusik u. Jazz, in: Credo mus., Fs. R. Mauersberger, Kassel 1969.

+Zimmermann, Julius Heinrich, 1851–1922.
Der als »Musikverlag Zimmermann« weiterhin in Frankfurt a. M. firmierende Verlag stand 1974 unter der Leitung von Edith Z. (geborene Kriechler, verwitwete Hart, * 12. 9. 1900 und † 12. 3. 1975 zu Frankfurt, der Frau von Wilhelm Z. (* 9. 4. 1891 und † 24. 3. 1946 zu Leipzig), und seiner Tochter Maja Maria Reis (* 1. 2. 1929 zu Berlin). Das Verlagsschaffen wurde in neuester Zeit besonders um Musik für Schlagzeug und Orgel erweitert.

Zimmermann, Udo, * 6. 10. 1943 zu Dresden; deutscher Komponist, war 1954–62 Schüler der Kreuzschule in Dresden, studierte 1962–68 an der dortigen Hochschule für Musik (Thilmann) sowie 1962–68 an der Deutschen Akademie der Künste in Berlin (Kochan). Seit 1970 ist er Dramaturg und Komponist an der Staatsoper in Dresden. Er schrieb die Opern *Weiße Rose* (Dresden 1967), *Die zweite Entscheidung* (Magdeburg 1970) und *Levins Mühle* (Dresden 1973), Orchesterwerke (*Borchert-Orchester-Gesänge*, 1965; *L'homme,*

4 Meditationen, 1972; *Mutazioni*, 1973; Musik für Streicher, 1967; *Siehe, meine Augen*, Reflexionen nach Ernst Barlach, 1972, und *Choreografien nach Edgar Degas*, 1973, für Kammerorch.; *Dramatische Impression auf den Tod von J. F. Kennedy* für Vc. und Orch., 1963), ein Streichquartett (1974) und Vokalwerke (*Ode an das Leben* für A., Chor und Orch., nach Pablo Neruda, 1974; *Ein Zeuge der Liebe besingt den Tod*, nach Tadeusz Rożewicz, für S. und Kammerorch., 1972; *Sonetti amorosi* für A., Fl. und Streichquartett, 1967).
Lit.: H.-G. Otto in: Theater d. Zeit XXVII, 1972, H. 2, S. 27ff. (Gespräch); H. Gerlach in: MuG XXIII, 1973, S. 455ff. (zu »L'homme«); W. Lange u. E. Schmidt in: Theater d. Zeit XXVIII, 1973, S. 13ff. bzw. 17f. (zu »Levins Mühle«).

+**Zinck,** Harnack (Hardenack, Hartnack) Otto Conrad, 1746–1832.
Ausg.: 6 Kl.-Sonaten nebst Ode »Kain am Ufer d. Meeres« v. F. L. Graf Stolberg f. Singst. mit Kl., hrsg. v. A. Kranz, = Ed. Pro musica CVII, Lpz. 1954.
Lit.: D. Härtwig in: MGG XIV, 1968, Sp. 1298ff.

+**Zingarelli,** Nicola Antonio, 1752–1837.
Ausg.: Sinfonia Nr 7 (op. 22 Nr 3), hrsg. v. R. Maione, Padua 1959.

+**Zingel** [–1) Rudolf Ewald], –2) Hans Joachim, * 21. 11. 1904 [nicht: 1902] zu Frankfurt (Oder).
Z. war Mitglied des Gürzenichorchesters der Stadt Köln bis 1969 und des Bayreuther Festspielorchesters bis 1956. An der Kölner Musikhochschule unterrichtete er [erg.:] ab 1947. Er schrieb des weiteren die Lehrwerke *Neue Harfenlehre* (4 Bde, Lpz. 1960–69) und *Orchesterstudien für Harfe aus Orchesterwerken des 20. Jh.* (mit R. Schmidt, Köln 1972), stellte ein »Verzeichnis der gedruckten und zur Zeit greifbaren Literatur für Pedalharfe« unter dem Titel *Harfenmusik* zusammen (Hofheim a. Ts. 1965), verfaßte die Jubiläumsschrift *Das Kölner Gürzenichorchester* (Köln 1963) und die Darstellung *König Davids Harfe in der abendländischen Kunst* (ebd. 1968), ferner weitere Beiträge zur Harfenforschung (*Theorie und Praxis in der zeitgenössischen Notation für Harfe*, in: Das Orchester IX, 1961; *Zur Geschichte der Volksharfe*, in: Musicae scientiae collectanea, Fs. K. G. Fellerer, Köln 1973; verschiedene Miszellen in: Mitt. der Arbeitsgemeinschaft für rheinische Musikgeschichte III, 1962–66, IV, 1967–72 und V, 1973ff.). Neuere Editionen von Harfenmusik umfassen Werke u. a. von C. Ph. E. Bach, Fr. A. Rösler, L. Spohr und G. Chr. Wagenseil.

+**Zingerle,** Hans von, * 22. 8. 1902 zu Brixen (Südtirol), [erg.:] † 14. 7. 1970 zu Innsbruck.
Seine Schrift +*Tonalität und Melodieführung in den Klauseln der Troubadour- und Trouvèreslieder* erschien Tutzing 1956. Er verfaßte ferner *Chromatische Harmonik bei Brahms und Reger* (StMw XXVII, 1966).
Lit.: D. Lindner, W. Graf, Fr. Zagiba, H. Z., ÖMZ XIII, 1958.

Zinman (z'inmən), David Joel, * 9. 7. 1936 zu New York; amerikanischer Dirigent, studierte am Oberlin Conservatory of Music/O. (B. M. 1958), an der University of Minnesota in Minneapolis (M. A. in Komposition 1963) sowie bei Monteux (1958–62), dessen Assistent er 1961–64 war. Er gab 1962 sein europäisches Debüt mit dem dänischen Radioorchester und 1967 sein amerikanisches mit dem Philadelphia Orchestra. Z. war 1964–69 ständiger Dirigent des Nederlands Kamerorkest. Als Gastdirigent tritt er in Europa, den USA, in Japan und Südafrika auf.

Zinzadse, Sulchan Fjodorowitsch, * 23. 8. 1925 zu Gori; grusinisch-sowjetischer Komponist und Violon-

cellist, studierte bis 1942 Violoncello in Tiflis, war 1944–46 Mitglied des Quartetts der Philharmonie der Grusinischen SSR und setzte dann am Moskauer Konservatorium seine Studien in Violoncello (bis 1950) und Komposition (bis 1953) fort. 1965 wurde er Direktor des Konservatoriums in Tiflis. Er schrieb u. a. die Oper *Solotoje runo* (»Das goldene Vlies«, 1953), die Operette *Pautina* (»Das Spinnennetz«, 1964), die Ballette *Sokrowischtsche goluboj gory* (»Der Schatz des blauen Berges«, 1956) und *Demon* (1961), 2 Symphonien (1953 und 1957), 3 Suiten für Streichorch. (1948, 1950 und 1955), Konzerte für V. (1947), Vc. (1947) und Kl. (1954) mit Orch., 5 Streichquartette (1947, 1948, 1955, 1955 und 1962), Lieder, Bühnen- und Filmmusik sowie Volksliedbearbeitungen.
Lit.: E. Meschischwili, S. Z., Moskau 1970.

+**Zipoli,** Domenico, 1688–1726.
Den [nach früherer Angabe] von ihm herausgegebenen Traktat +*Principia seu elementa* ... (1716) hat es nie gegeben: der Irrtum beruht auf einem Übersetzungsfehler eines Titelabschnittes seiner +*Sonate d'intavolatura* ... (1716).
Lit.: +L. Ayestarán, D. Z. (1941), revidiert u. stark erweitert = Museo hist. nacional, Sección de musicología II, Montevideo 1962, auch = Lecturas musicológicas I, Buenos Aires 1962; ders., D. Z. y el barroco mus. sudamericano, Rev. mus. chilena XVI, 1962; G. Furlong, D. Z., músico eximio en Europa y América, in: Arch. hist. Soc. Jesu XXIV, 1955; Fr. C. Lange, Der Fall D. Z., Verlauf u. Stand einer Berichtigung, in: Musicae scientiae collectanea, Fs. K. G. Fellerer, Köln 1973.

+**Zipp,** Friedrich, * 20. 6. 1914 zu Frankfurt am Main.
Z. wurde an der Frankfurter Musikhochschule 1962 zum Professor ernannt. – Neuere Werke: 5 Stücke *Kirchensuite* für Streichorch. (Holzbläser ad libitum, 1962); Variationen *Au clair de la lune* für Ob. (Klar.) und Kl. (1963); Choralmusik *Befiehl du deine Wege* für Streicher (1966, auch für Ob., V. und Va); Choralkonzert *Sonne der Gerechtigkeit* für Org. und Blechbläser (1966); Choralkantate für Gemeindegesang, gem. Chor, Blechbläser und Org. (1970); ferner Orgel- und Chorwerke, Lieder, Kirchenliedbearbeitungen. – Veröffentlichungen: *Zur Situation der zeitgenössischen Kirchenmusik* (in: Gottesdienst und Kirchenmusik 1965); *Vom Wesen der Musik* (Heidelberg 1974).
Lit.: O. Riemer, Im Dienste d. C. f., in: Gottesdienst u. Kirchenmusik 1964.

+**Zirler,** Stephan, um 1520 – [erg.:] Ende Juli 1568 zu Heidelberg [del.: vor 1576].
Ausg.: 3 Sätze in: 10 weltliche Lieder aus G. Forster, Frische teutsche Liedlein (III–V), hrsg. v. K. Gudewill, = Chw. LXIII, Wolfenbüttel 1956.
Lit.: G. Pietzsch, Quellen u. Forschungen zur Gesch. d. Musik am kurpfälzischen Hof zu Heidelberg bis 1622, = Akad. d. Wiss. u. d. Lit. in Mainz, Abh. d. geistes- u. sozialwiss. Klasse, Jg. 1963, Nr 6; S. Hermelink in: Mf XXI, 1968, S. 42.

Zirra (z'ira), Alexandru, * 14. 6. 1883 zu Roman (Moldau), † 26. 3. 1946 zu Sibiu; rumänischer Komponist und Musikpädagoge, studierte am Konservatorium von Iaşi (1902–05) sowie bei C. Gatti in Mailand (1905–07 und 1909–11). 1907–09 und 1911–25 lehrte er Musiktheorie am Konservatorium in Iaşi (1922–24 Direktor). 1925 gründete er in Cernănţi ein Institut für Musik und Theater, an dem er Harmonielehre und Gesang unterrichtete und dessen Leitung er bis 1931 innehatte. 1931–40 wirkte er wieder als Dozent am Konservatorium von Iaşi und war 1940–41 Direktor der rumänischen Staatsoper in Bukarest. Er schrieb die Oper *Alexandru Lăpuşneanu* (Bukarest 1941, 2. Fassung

1945), die Kinderoper *Capra cu trei iezi* (»Die Ziege mit den drei Zicklein«, ebd. 1941), Orchesterwerke (3 Symphonien, Nr 1, *Tărăneasca*, Nr 2, *Rustica*, 1921, Nr 3, *Descriptiva*, 1922; Symphonische Dichtungen *Tîndală și Păcală*, 1925, *Țiganii*, »Die Zigeuner«, 1929, *Uriel Acosta*, 1930, *Povești moldovenești*, »Moldauische Erzählungen«, 1933, und *Cetatea Neamțului*, »Die Neamțul-Burg«, 1936), Kammermusik (Bläserquartett, 1930; 2 Streichquartette; Violinsonate, 1928), Vokalwerke (*Luceafărul*, »Der Abendstern«, für Soli, Chor und Orch., 1912; 4 Lieder für S., T. und Orch., 1936; Chöre und Lieder) und veröffentlichte *Tratat de armonie* (Craiova 1928) sowie zahlreiche Artikel in Zeitschriften.

Lit.: A. SCHMIDT, A. Z., ... (»Leben in Bildern«), Bukarest 1967; DERS. in: Muzica XVII, 1967, Nr 2, S. 26ff.

Ziryāb (eigentlicher Name ʿAlī ibn Nāfiʿ, Abu l-Ḥasan), † um 850 zu Cordova (Córdoba); arabischer Musiker, möglicherweise persischer Herkunft. Er war Freigelassener (maulā) des Kalifen al-Mahdī (775–785), Schüler von Ibrāhīm → +al-Mauṣilī, wurde von dessen Sohn Isḥāq bei Hārūn ar-Rašīd (786–809) eingeführt und soll durch sein Spiel auf einer selbstgefertigten, überdurchschnittlich resonanzstarken und klangreinen Laute des Kalifen Begeisterung und Isḥāq al-Mauṣilīs Neid hervorgerufen haben. Unter dem Druck des letzteren verließ er Bagdad und fand nach verschiedenen Stationen, u. a. beim Aġlabiden Ziyādatallāh (817–838) in Qairawān, großzügige Aufnahme bei ʿAbdarraḥmān II. (822–852) in Cordova. Dort führte der vielseitig gebildete Gesellschafter (nadīm) Z. die verfeinerten Sitten (Kleidung, Speisen u. ä.) der Bagdader »Raffinés« (ẓurafāʾ) ein und gründete eine Musikschule, in der er Theorie und Praxis der Mauṣilī-Schule lehrte. Er »schrieb Musik nieder«, besaß Kenntnisse in spätantik-synkretistischer Ethos- und Temperamentenlehre, die durch Übersetzungen zu Beginn des 9. Jh. in Bagdad bekannt waren, und beachtete sie bei Konstruktion und Besaitung der Laute (5 statt normalerweise 4 Saiten) auf ähnliche Weise, wie es → +al-Kindī in seinen Traktaten beschrieben hat.

Lit.: IBN ḤURDĀḎBIH († 911), Muḥtār min Kitāb al-Lahw wa-l-malāhī (Fragment seines »Buches d. Vergnügungen u. d. Musikinstr.«), Beirut 1961, S. 53; IBN ʿABD RABBIH († 940), al-ʿIqd al-farīd (»Die einzigartige Perlenkette«), Bd VI, Kairo 1949, S. 34; IBN ḤAZM († nach 1027), Tauq al-ḥamāma, deutsche Übers. v. M. Weisweiler als: Halsband d. Taube, Leiden 1941, S. 179f.; IBN AṬ-ṬAḤḤĀN († um 1050), Ḥāwī al-funūn wa-salwat al-maḥzūn (»Umfassende Darstellung d. [mus.] Künste u. Trost d. Betrübten«), Ms. Kairo, Dār al-Kutub f. ǧ. 539, f. 48; IBN ḤAIYĀN († 1076), Kitāb al-Muqtabis, zitiert v. al-Maqqarī († 1631) in: Nafḥ aṭ-ṭīb, engl. Übers. v. P. de Gayanos, London 1840, Nachdr. NY 1964, Bd I, S. 121 u. 410ff.; IBN ḤALDŪN († 1406), al-Muqaddima, engl. Übers. v. F. Rosenthal, Bd II, NY 1958, S. 405; R. DOZY, Hist. des Musulmans d'Espagne ..., deutsche Ausg. als: Gesch. d. Mauren in Spanien ..., Lpz. 1874, Nachdr. Darmstadt 1965, Bd I, S. 302ff.; J. RIBERA, La música de las cantigas, Madrid 1922, gekürzte engl. Übers. v. E. Hague u. M. Leffingwell als: Music in Ancient Arabia and Spain, Stanford (Calif.) 1929, Nachdr. NY 1970; H. G. FARMER, A Hist. of Arabian Music to the XIII th Cent., London 1929, Nachdr. 1967; DERS., Hist. Facts f. the Arabian Mus. Influence, ebd. 1930, Nachdr. Hildesheim u. NY 1970; DERS., Artikel Z., EI Suppl. 1938; A. KUTZ, Mg. u. Tonsystematik, = Neue deutsche Forschungen, Abt. Mw. XI, Bln 1943, S. 345 u. 347; A. R. NYKL, Hispano-Arabic Poetry, Baltimore (Mass.) 1946; R. D'ERLANGER, La musique arabe, Bd V, Paris 1949, S. 388ff.; M. A. AL-ḤIFNĪ, al-Mūsīqā al-ʿarabīya wa-aʿlāmuhā (»Die arabische Musik u. ihre bekanntesten Vertreter«), Kairo 1951, ²1955; DERS., Z. mūsīqār al-andalus (»Z., d. Musiker d. arabischen Andalusien«), = Aʿlām al-ʿarab Nr 54, ebd. 1966; H.

PÉRÈS, La poésie andalouse en arabe class. au XIe s., Paris ²1953; Ḥ. AZ-ZIRIKLĪ, al-Aʿlām, Bd V, Damaskus ²1955 (arabisches bio-bibliogr. Lexikon); ḤALDŪN AL-WAHHĀBĪ, Marāǧiʿ tarāǧim al-udabāʾ al-ʿarab (»Quellen zur Biogr. arabischer Literaten«), Bd III, Naǧaf 1958, S. 128f.; E. NEUBAUER, Musiker am Hof d. frühen ʿAbbāsiden, Diss. Ffm. 1965, S. 169f.; SALAH EL MAHDI (Ṣalāḥ al-Mahdī), La musique arabe, Paris 1972, S. 9f. ENE

+Zisterzienser (OCist).

Lit.: +L. JANAUSCHEK, Bibliogr. Bernardina (1891), Nachdr. Hildesheim 1959. – H. HÜSCHEN in: MGG XIV, 1968, Sp. 1322ff. – Nomasticon Cisterciense seu antiquiores Ordinis Cisterciensis constitutiones (1664), neu hrsg. v. H. SÉJALON, Solesmes 1892; F. SCHNEIDER, L'ancienne messe cistercienne, Tilburg 1929; CANTOR, L'ordre de Cîteaux et le chant cistercien, in: Collectanea Ordinis Cisterciensium Reformatorium IX, 1947 u. XI, 1949; J.-M. CANIVEZ, Le rite cistercien, in: Ephemerides liturgicae LXIII, 1949; F. KOVÁCS, Fragments du chant cistercien primitif, in: Analecta Sacri Ordinis Cisterciensis VI, 1950; R. STIEGER, Monumenta liturgica Sacri Ordinis Cisterciensis, in: Cistercienser-Chronik LVII, 1950; J. HOURLIER, Les réformes du chant cistercien, Rev. grégorienne XXXI, 1952; M. COCHERIL, Le »Tonale S. Bernardi« et la définition du »ton«, in: Cîteaux XIII, 1962 (zu +K. W. Gümpel, Zur Interpretation d. Tonus-Definition ..., 1959); J. MORAWSKI, Ze studiów nad sekwencjami cysterskini w Polsce (»Aus Studien über d. Z.-Sequenzen in Polen«), in: Musica medii aevi I, Krakau 1965; DERS., Polska liryka muzyczna w średniowieczu ... (»Polnische mus. Lyrik im MA. Repertoire d. Z.-Sequenzen«), Warschau 1973; ST. HOLZHAUSER, Die Melodie eines Klosters. Zur Mg. d. Zisterzienserabtei Zwettl, in: Singende Kirche, 1965/66; H.-G. HAMMER, Das Zisterziensergraduale v. Kamp, Mitt. d. Arbeitsgemeinschaft f. rheinische Mg. IV, 1967–72, Nr 36; DERS., Die Allelujagesänge in d. Choralüberlieferung d. Abtei Altenberg. Beitr. zur Gesch. d. Zisterzienserchorals, = Beitr. zur rheinischen Mg. LXXVI, Köln 1968; T. MACIEJEWSKI, Kyriale cysterskie w najstarszych rękopisach polskich (XIII i XIV wiek) (»Das Z.-Kyriale in d. ältesten polnischen Hss. [13. u. 14. Jh.]«), in: Musica medii aevi III, hrsg. v. J. Morawski, Krakau 1969 (mit engl. Zusammenfassung); W. LIPPHARDT, Deutsche Kirchenlieder in einem niedersächsischen Zisterzienserinnenkloster d. MA, in: Kerygma u. Melos, Fs. Chr. Mahrenholz, Kassel u. Bln 1970; DERS., Die liturgische Funktion deutscher Kirchenlieder in d. Klöstern niedersächsischer Z.innen d. MA, Zs. f. kath. Theologie XCIV, 1972; J. PATRICIA, Un processional cistercien du XVe s., in: Etudes grégoriennes XI, 1970; F. POKORNÝ in: Studie o rukopisech IX, 1970, S. 125ff. (über ein Z.-Antiphonar aus d. 15. Jh. in d. staatl. wiss. Bibl. in Olmütz); M. HUGLO, Les tonaires. Inventaire, analyse, comparaison, = Publ. de la Soc. frç. de musicologie III, 2, Paris 1971; M. SCHULER, Org., Orgelmacher im Zisterzienserkloster Salem bis 1600, KmJb LV, 1971; G. GÖLLER, Die Gesänge d. Ordensliturgien, in: Gesch. d. kath. Kirchenmusik, hrsg. v. K. G. Fellerer, Bd I, Kassel 1972.

+Zítek, Otakar, * 5. 11. 1892 zu Prag, [erg.:] † 28. 4. 1955 zu Bratislava.

1947–48 und wieder ab 1952 war Z. Professor an der Musikakademie in Brünn und ab 1953 gleichzeitig an der Musikhochschule in Bratislava. Er übersetzte die Texte zu Werken von Křenek, Mahler, Mozart, Puccini, Ravel und Schönberg ins Tschechische.

Zítek (zʹiːtɛk), Vilém, * 9. 9. 1890 und † 11. 8. 1956 zu Prag; tschechischer Sänger (Baß), studierte 1909–11 in Prag am Institut Pivoda und wurde 1912 Ensemblemitglied des Prager Nationaltheaters. Er gastierte an der Mailänder Scala, der Städtischen Oper Berlin-Charlottenburg sowie an den Opernhäusern in Moskau und Leningrad. Zu seinen Partien zählten Don Giovanni, Figaro, Kezal (»Die verkaufte Braut«), Boris Godunow, König Philipp und Daland.

Lit.: Korespondence O. Ostrčila a V. Zítka, hrsg. v. A. REKTORYS, Prag 1951. – Č. GARDAVSKÝ in: Divadlo VII,

1956, S. 900ff.; F. Pujman in: Hudební rozhledy IX, 1956, S. 643f.

+**Zitzmann,** Hermann [erg.:] Heinrich Friedrich Theodor Peter, * 2. 5. 1891 zu Mainz, [erg.:] † 7. 3. 1965 zu Köln.

Živković (ʒ′ifkəvitç), Milenko, * 25. 5. 1901 und † 29. 6. 1965 zu Belgrad; jugoslawischer Komponist, studierte am Leipziger Konservatorium und 1929–31 an der Schola Cantorum in Paris (d'Indy). 1931–47 war er Professor für Komposition an der Musikschule »Stanković« und 1945–64 an der Musikakademie in Belgrad, deren Präsident er 1957–60 war. Z. trat auch als Chordirigent und Musikkritiker hervor und gehörte der serbischen Akademie der Wissenschaften und der Kunst an. – Werke: Kinderoper *Dečja soba* (»Das Kinderzimmer«, Belgrad 1941); Ballett-Kantate *Rodjenje Vesne* (»Die Geburt der Venus«, 1934); *Simfonijski prolog* (1932), *Igre iz Makedonije* (»Mazedonische Tänze«, 1946) und *Svita iz Rugova* (»Rugova-Suite«, 1957) für Orch.; *Klasična svita* für Fl. und Streicher (1930); *Epikon 1945* für Vc. und Kl. (1945); 6 Suiten *Južnoslovenske seljačke igre* für Kl. (»Bauerntänze aus Jugoslawien«); ferner Chöre, Lieder und Filmmusik. Er schrieb: *Umetnost horskog pevanja* (»Kunst des Chorgesangs«, Novi Sad 1946); *Nauka o harmoniji* (»Harmonielehre«, 2 Bde, Belgrad 1953).

+**Zmeskáll,** Nikolaus [erg.:] Paul (Miklós Zmeskál), 1759 [erg.:] zu Lestine (getauft 20. 11.) – 1833.
Lit.: L. Zolnay, L. Beethoven magyar barátja, in: Új zenei szemle VII, 1956, deutsch erweitert als: Beethovens ungarischer Freund, StMl VIII, 1966; ders., Zur Biogr. d. Komponisten N. Zm., StMl XIII, 1971 (vgl. dazu K. Vörös in: StMl XV, 1973, S. 375f.); K. Vörös, Beitr. zur Lebensgesch. v. N. Zm., StMl IV, 1963.

+**Zoder,** Raimund (Pseudonym Zeno Drudmair), * 20. 8. 1882 und [erg.:] † 26. 3. 1963 zu Wien.
Neuere Veröffentlichungen: *Alte Volkstanzmelodien aus Kärnten* (in: Tanz und Brauch, Fs. R. Maier, = Kärntner Museumsschriften XIX, Klagenfurt 1959); *Das Volkslied ...* (mit E. Zoder, in: Österreich und die angelsächsische Welt, hrsg. von O. Hietsch, Wien 1961); *Vom Tanz im alten Wien* (ÖMZ XXIII, 1968); *Eine österreichische Volksliedsammlung aus dem Jahre 1819* (ebd. XXIV, 1969). Er gab ferner *Österreichische Volkstänze* heraus (3 Bde, NA, Wien 1958).
Lit.: M. Kundegraber, R. Z.-Bibliogr. 1950–56, Jb. d. österreichischen Volksliedwerkes VI, 1957. – R. Szerelmes, Drei österreichische Volksliedforscher, in: Musikerziehung XI, 1957/58; W. Deutsch, ebd. XVI, 1962/63, S. 209f.; W. Szmolyan, Vier österreichische Volksliedforscher, ÖMZ XVIII, 1963; H. Commenda in: Jb. d. österreichischen Volksliedwerkes XVI, 1967, S. 108ff.; K. Gradwohl in: Fs. »40 Jahre Volksliedforschung ... im Burgenland«, Eisenstadt 1968, S. 16f.

Zöbeley, Hans Rudolf, * 27. 5. 1931 zu Mannheim; deutscher Kirchenmusiker, studierte Komposition und Orgel bei Fortner und Poppen sowie Musikwissenschaft bei Georgiades an der Münchner Universität, an der er mit der Dissertation *Die Musik des Buxheimer Orgelbuchs* (= Münchner Veröff. zur Musikgeschichte X, Tutzing 1964) promovierte. Seit 1965 ist er erster Organist an St. Matthäus in München (1969 Kirchenmusikdirektor), leitet den Münchner Motettenchor St. Matthäus, den Philharmonischen Chor der Stadt München und dirigiert bei den Münchner Philharmonikern. Daneben lehrt er als Dozent am R.-Strauss-Konservatorium (Chor und Chorleitung) sowie an der Pädagogischen Hochschule München-Pasing (evangelische Kirchenmusik).

Zöller, Karlheinz, * 24. 8. 1928 zu Höhr-Grenzhausen (Westerwald); deutscher Flötist, studierte an der Detmolder Musikakademie (Reifeprüfung 1950). Er war Soloflötist des Berliner Philharmonischen Orchesters (1960–69) und daneben Dozent (später Professor) an der Hochschule für Musik in Berlin. Seit 1968 hat er eine Professur an der Musikhochschule in Hamburg inne. Z. unternahm als Solist und zusammen mit dem Ensemble »Philharmonische Solisten Berlin« Konzertreisen durch Europa, den Vorderen Orient sowie nach Nord- und Südamerika.

+**Zöllner,** –1) Carl Friedrich, 1800–60. –2) Heinrich, 1854–1941.
Lit.: P. Hauschild in: MGG XIV, 1968, Sp. 1382ff. (mit falschem Sterbedatum zu –2).

+**Zoellner,** Richard [erg.:] Eduard Martin, * 16. 3. 1896 zu Metz, [erg.:] † 15. 4. 1954 zu Konstanz; deutscher Komponist und Stimmbildner, nicht identisch mit dem Pianisten Richard Zöllner (* 15. 5. 1892 zu Seidenberg, Niederschlesien, heute Zawidów, † 1. 4. 1960 zu Berlin; ab 1932 verheiratet mit der Violinistin Margarete Zöllner geborene Hecker).
Z., der ab 1912 in München lebte, studierte an der dortigen Akademie der Tonkunst Komposition (P. Graener), Klavier (M. Raucheisen) und Korrepetition (Fr. Rau). Ab 1919 wirkte er als freischaffender Komponist. Zu Beginn der 30er Jahre verlegte er seinen Wohnsitz nach S. Margherita Ligure, später nach Como und Stresa; 1936 ließ er sich in Konstanz als Stimmbildner nieder. Z.s kompositorisches Œuvre, das sich nach der noch tonalen *Kleinen Kammersymphonie* op. 4 dem Stil des jungen P. Hindemith und dem von E. Křenek nähert, ist nur z. T. erhalten: zahlreiche Werke besonders aus der Zeit vor 1926 sind verschollen, Gelegenheitswerke aus der Konstanzer Zeit hat Z. selbst vernichtet. An uraufgeführten Werken sind bekannt (mit Angabe des Uraufführungsjahres): 6 *Freie Variationen über ein eigenes Thema* op. 3 (1920), *Symphonische Musik* op. 6 (1920), *Symphonische Wandlungen eines eigenen Themas* op. 11 (1921) und eine kleine Suite (1932) für Orch., *Liebesode* op. 10 (1920) und eine Tanzsuite op. 35 (1925) für Kammerorch., *Kleine Kammersymphonie* op. 4 (1920, als Streichquartett A moll op. 7, 1922) und *Symphonische Musik* op. 30 (1926) für Streichorch.; Violinkonzert (1929); Quintett für Klar., 2 V. und 2 Vc. op. 15bis (1922), 2. Streichquartett op. 8 (einsätzig, 1924) und 4. op. 27 (1924; von einem 2. [recte: 3.] op. 22 ist die Uraufführung nicht nachgewiesen), Quartett für Fl., Ob., Klar. und Fag. op. 39 (1926), Violinsonate op. 38 (1927, um einen 3. Satz erweiterte Fassung 1928), Suite für Trp. und Kl. (1928); *Der Berg* für Sprecher, Chor und Orch. (1930), *Missa brevis* (Kyrie und Gloria) für gem. Chor a cappella (1931). Z.s Nachlaß befindet sich in Konstanzer Privatbesitz.   WLE

Zoff, Jutta-Gertrud, * 14. 1. 1928 zu Bautzen; deutsche Harfenistin, Schülerin von Heinrich Schlie in Dresden und Eduard Niedermayer in München sowie des Gitarristen Angel Iglesia in Spanien. Sie ist 1. Soloharfenistin an der Staatsoper Dresden und konzertiert als Solistin seit 1950 im In- und Ausland. J.-G. Z. tritt auch als Gitarristin, Dudelsack- und Balalaikaspielerin auf.

+**Zoilo,** Annibale, um 1537 – [erg.: 30. 6.] 1592.
Ausg.: ein Satz in: The Madrigal Collection »L'amorosa Ero« (Brescia 1588), hrsg. v. H. B. Lincoln, Albany (N. Y.) 1968.
Lit.: G. Tebaldini, L'arch. mus. della Cappella Lauretana, Loreto 1921; H. B. Lincoln, A. Z., The Life and

Works of a 16th-Cent. Ital. Composer, Diss. Northwestern Univ. (Ill.) 1951; DERS. in: MGG XIV, 1968, Sp. 1386ff.; H. W. FREY, Die Kapellmeister an d. frz. Nationalkirche S. Luigi dei Francesi in Rom im 16. Jh., 1. Teil, AfMw XXII, 1965.

+Zoll, Paul, * 27. 11. 1907 zu Eifa (Oberhessen).
Neuere Werke: Rameau-Suite für Streicher, Holzbläser und Continuo (1961); Kantate *Der Main* für B., gem. Chor, Kinderchor und kleines Orch. (1958), *Vater unser* für Baßbar. (Grillparzer, 1961) und *Herr der Welten, Herr der Menschen* für A. (oder Bar., 1967) und Männerchor, Knabenchor, Bläser, Pk. und Org., Kalenderzyklus *Ewige Wiederkehr* für Männerchor (instrumentale Ritornelle ad libitum, 1966), Zyklus *Klinge, mein Pandero* für Frauen-, Männerchor und Kl. (1968), Liederspiele (*Nordisches Volksliederspiel* für S., Bar., Männerchor und kleines Orch., 1964), Volksliedbearbeitungen.
Lit.: G. SCHWEIZER in: Deutsche Sängerbundeszeitung XLIV, 1955, S. 115f.

Zoller, Attila Cornelius, * 13. 6. 1927 zu Visegrád (Donau); ungarischer Jazzgitarrist, hatte zunächst ab 1931 Geigen-, später Trompetenunterricht (1936) und begann erst nach 1945 Gitarre zu spielen. 1948 ging er nach Wien und war in Österreich und Deutschland in den Bands von Vera Auer (1948–54), Jutta Hipp (1954–55) und Hans Koller (1956–59) tätig, wirkte auch in den Ensembles amerikanischer Jazzmusiker auf Europa-Tourneen mit (Bud Shank, Bob Cooper, Tony Scott u. a.). 1959 wanderte er in die USA aus und studierte an der School of Jazz in Lenox (Mass.), bevor er in der Gruppe von Herbie Mann (1962–65) und mit einem eigenen Quartett auftrat. Z., vom lyrischen Stil Tal Farlows und vom Cool Jazz (Lennie Tristano) beeinflußt, hat sich später auch mit dem Free Jazz auseinandergesetzt. Er schrieb eine *Anleitung zur Improvisation für Gitarre* (Mainz 1971). – Aufnahmen (alle MPS): *Zoller–Koller–Solal* (1965; 2120610); *Original Filmmusik »Katz & Maus«* (1966; SB 15112); *Metamorphosis* (7488); *Zo–Ko–Ma* (1968; 2120664); *A Path Through Haze* (mit dem Masahiko Sato Trio, 1971; 2121284); *We'll Remember Komeda* (1972; 2121657).

Zoras (z'oras), Leonidas, * 23. 2. 1905 zu Sparta; griechischer Dirigent und Komponist, studierte in Athen an der Universität Jura und am Odeon Musik (Kalomiris) sowie Dirigieren bei Mitropoulos und Komposition bei Lavrangas und Riadis. 1926–38 war er Lehrer für Musiktheorie am Odeon, lebte 1938–40 in Berlin (Studien an der Hochschule für Musik bei Gmeindl, Schmalstich, Fr. Stein, Grabner, Höffer und Blacher) und war 1940–58 Dirigent am Opernhaus in Athen. 1958 ließ er sich in Berlin nieder. Seine Kompositionen umfassen u. a. die Oper Ἠλέκτρα (1969), das Ballett Βιολάντω (1931, daraus symphonische Skizze, 1934), Orchesterwerke (Νυχτιατικὸ τραγούδι, »Nachtgesang«, für Kammerorch. mit Vc. solo, 1927, auch für Vc. und Kl., 1928; Θρῦλος, »Legende«, 1936; Symphonie, 1947, Neufassung 1950; Στοὺς ἀγρούς, »In den Wiesen«, symphonische Suite, 1947; Concertino für V. und 11 Holzbläser, 1950), Kammermusik (Streichquartett, 1969; Νανούρισμα, »Wiegenlied«, 1927, und Sonate, 1950, für V. und Kl.; Capriccio für Trp. und Kl., 1928), Klavierwerke (Παιδιχστικά, »Kinderstücke«, 1928, Neufassung 1936, Orchesterfassung 1947; Ἀκαριαῖα, »Augenblickliches«, 1950; Sonate, 1956), Chöre, Lieder und Bühnenmusik.

Zorzi (θ'ɔrθi), Juan Carlos, * 11. 11. 1935 zu Buenos Aires; argentinischer Komponist und Dirigent, studierte in Buenos Aires Klavier am Conservatorio Municipal und Komposition am Conservatorio Nacional de Música y Arte Escénico sowie Dirigieren an der Escuela de Bellas Artes der Universidad Nacional de La Plata. 1967 studierte er in Rom bei Petrassi Komposition und bei Ferrara Dirigieren. 1968 wurde er zum Dirigenten des Orquesta Sinfónica Nacional in Buenos Aires ernannt. – Kompositionen (Auswahl): Klavierquintett (1955); Ballettmusik *Danza para ahuyentar la pena* (1956); Requiem für Soli, Chor und Orch. (1957); *Danza orgiástica* für Kl. (1958); *3 piezas* für Streichquartett (1960); *Adagio elegíaco, »in memoriam Gilardo Gilardi«* für Streichorch. (1964); *Variaciones enigmáticas* für Orch. (1965); *Ludus* für 6 Instrumentalgruppen (1966); *Espejos* für Kammerensemble (1967).

Zouhar (z'ɔuhɑr), Zdeněk, * 8. 2. 1927 zu Kotvrdovice (Mähren); tschechischer Komponist und Musikforscher, studierte 1948–51 in Bratislava Komposition bei J. Kunc und A. Moyzes sowie 1946–50 in Brünn Musikwissenschaft an der Universität (B. Štědroň), an der er 1967 mit der Dissertation *Skladatel J. Kunc* (»Der Komponist J. Kunc«, = Publikace vědeckých knihoven o. Nr, Prag 1960, mit russ. und deutscher Zusammenfassung) promovierte. Er war Leiter der Musikabteilung der Universitätsbibliothek in Brünn (1953–61) und Redakteur bei Radio Brünn (1961–62). Seit 1962 lehrt er an der Janáček-Musikakademie in Brünn. Er schrieb Orchesterwerke (*Sportovní stránky*, »Sport-Suite«, 1959; *Triptych*, 1967; Musik für Streicher, 1966; Tripelkonzert für Klar., Trp., Pos. und Orch., 1972), Kammermusik (*151*, 1958, und Musik, 1968, für Bläserquintett; 2 Streichquartette, 1966 und 1972; 3 Etüden für 4 Hörner, 1963; Trio für Fl., Klar. und Baßklar., 1961; Variationen für Ob. und Kl., 1969) sowie Klavierstücke, Kantaten, Chöre und Lieder. Außerdem redigierte er den Sammelband *B. Martinů. Sborník vzpomínek a studii* (»Sammlung von Erinnerungen und Studien«, Brünn 1957) und gab bibliographische Studien heraus, u. a. *Fr. V. Křamář 1759–1959. Výběrová bibliografie. Životopisný nástin* (»Auswahlbibliographie. Biographische Skizze«, mit K. Padrta, = Výběrové seznamy universitní knihovni v Brně XXXI, ebd. 1959).

+Zsigmondy (ʒ'igmɔndi), Dénes, * 9. 4. 1922 zu Budapest.
Zs., der sich als Bartók-Interpret einen Namen gemacht hat, brachte inzwischen weitere Violinwerke zur Uraufführung (die Violinkonzerte von Eder und Büchtger, 1964 bzw. 1965, und von R. Gerhard das Duo concertante *Gemini* für V. und Kl., 1969). Zs. hat seinen Wohnsitz in Eching (Ammersee).

+Zuccalmaglio, Anton Wilhelm Florentin von, 1803–69.
Z. kehrte 1840 [nicht: 1838] nach Deutschland zurück. – *+Deutsche Volkslieder ...* (1838–40), Nachdr. Hildesheim 1969.
Lit.: A. W. Z., W. v. Waldbrühl. Beitr. zu einer Biogr., hrsg. v. Arbeitskreis Z. u. d. Stadt Waldbröl, Düsseldorf 1962; R. GÜNTHER in: Rheinische Musiker V, hrsg. v. K. G. Fellerer, = Beitr. zur rheinischen Mg. LXIX, Köln 1967, S. 138ff.; S. HELMS, Die Melodiebildung in Liedern v. J. Brahms u. ihr Verhältnis zu Volksliedern u. volkstümlichen Weisen, Diss. Bln 1968 (FU). – zu Z.s Vater: H. PAFFRATH, J. S. v. Z. (1775–1838), d. Begründer d. bergischen Musiklebens, in: Beitr. zur Mg. d. Stadt Solingen u. d. Bergischen Lands, hrsg. v. K. G. Fellerer, = Beitr. zur rheinischen Mg. XXVI, Köln 1958.

+Zuckmayer, Eduard, * 3. 8. 1890 zu Nackenheim (Rheinhessen), [erg.:] † 2. 7. 1972 zu Ankara.
Z. wirkte auch als Pianist und Dirigent und machte in der Türkei die Werke von Bach, Händel, Haydn, Mozart, Beethoven und Brahms bekannt. Er zog sich von

der Leitung der Musikabteilung des Gazi-Instituts 1970 zurück. Z. übertrug zahlreiche Musikerbiographien sowie P. Hindemiths Oper *Cardillac* ins Türkische. Seine eigenen Kompositionen sind in der Türkei mit wenigen Ausnahmen (u. a. »Kanons über türkische Sprichwörter«, Istanbul 1949) ungedruckt geblieben. – Neuere Veröffentlichungen: *Der Kreis um Fr. Jöde* (in: Fr. Jöde, hrsg. von R. Stapelberg, Trossingen und Wolfenbüttel 1957); *P. Hindemith* (Mitt. der Deutsch-türkischen Gesellschaft 1962, H. 44).
Lit.: K. Sydow in: Musik im Unterricht (Allgemeine Ausg.) LI, 1960, S. 264f.; C. Zuckmayer, Als wär's ein Stück von mir, Bln 1966.

Žukas (ʒ'ukɑs), Jonas, * 12. 11. 1907 zu Švėkšna (Tauragė); amerikanischer Organist litauischer Herkunft, studierte 1926–33 am Konservatorium in Kaunas (Naujalis) sowie 1933–37 in Paris am Conservatoire (Dupré) und an der Ecole Normale de Musique. Er lehrte Orgel, Improvisation und Klavier am Konservatorium in Kaunas (1937–44) und war Organist in Ottersweier (Baden) und Heidelberg (1944–49). Seit 1949 lebt er in New York. Z. gab zahlreiche Orgelkonzerte, u. a. in New York und Chicago.

Zukerman, Pinchas, * 16. 7. 1948 zu Tel Aviv; israelischer Violinist, wurde vom 6. Lebensjahr an am Israel Conservatory (Ilona Feher) ausgebildet und studierte, gefördert von I. Stern und Casals, 1962–67 an der Juilliard School of Music in New York (Galamian). 1967 gewann er den Leventritt-Preis; seitdem konzertiert er in den USA, Europa und in Israel sowie bei zahlreichen bedeutenden Festspielen. Er ist mit der Flötistin Eugenia Z. verheiratet.

+Zulauf, Ernst, * 15. 2. 1876 [nicht: 1878] zu Kassel, [erg.:] † 28. 1. 1963 zu Wiesbaden.

Żuławski (ʒuṷ'afski),), Wawrzyniec Jerzy, * 14. 2. 1916 zu Zakopane, † 18. 8. 1957 (abgestürzt am Mont Blanc du Tacul); polnischer Komponist und Musikkritiker, studierte 1921–26 am Konservatorium in Thorn/ Toruń sowie in Warschau bis 1937 am Konservatorium (K. Sikorski) und 1934–37 an der philosophischen Fakultät der Universität. 1947 vervollkommnete er seine Studien bei Nadia Boulanger in Paris. Er lehrte an den Musikhochschulen in Łódź (1945–49) und Warschau (ab 1950) und war Sekretär des polnischen Komponistenverbandes (1951–54). Daneben lieferte er Beiträge u. a. für »Ruch muzyczny« und »Muzyka«. Z. schrieb Orchesterwerke (*Cztery kolędy polskie*, »4 polnische Weihnachtslieder«, 1947; *Suita hiszpańska w starym stylu*, »Spanische Suite im alten Stil«, 1957), Kammermusik (Klavierquintett, 1943; Praeludium und Fuge für Streichquartett, 1942; Violinsonate, 1952), Klavierwerke (Partita, 1941; 3 Stücke, 1950, und 4 Mazurken, 1952).

Zulueta (θulũ'eta), Jorge, * 9. 1. 1934 zu Buenos Aires; argentinischer Pianist, studierte bei Lalewicz und Ginastera sowie in Paris bei Marguerite Long, J. Février und Leibowitz. 1954–56 konzertierte er in Paris, Madrid, London und Berlin, wo er bei Roloff auch die Klavierwerke von Schönberg studierte. 1957 spielte er in Buenos Aires die Erstaufführung von Schönbergs Klavierkonzert op. 42. 1958–62 lebte er in Berlin. Nach einer Südamerikatournee (1962–63) wurde er Professor an der Universidad Nacional de Tucumán und 1967 an der Universidad Nacional del Litoral in Santa Fé. Seine ausgedehnte Konzerttätigkeit hat ihn seit 1964 auch in die USA geführt. Er veröffentlichte (mit J. Romano) *A. Schoenberg. La obra completa para piano* (Madrid 1965) und *Cl. Debussy. La obra completa para piano (análisis y*

manuscritos) (= Universidad Nacional de Tucumán, Publ. Bd 926, Buenos Aires 1966).

Zumaya, Manuel → Sumaya, M.

+Zumpe, [erg.: Gustav] Hermann, 1850–1903. Z.s Fragment gebliebene Oper +*Sâwitri* (1907) vollendete G. Rössler.
Lit.: H. Erdmann, Schwerin als Stadt d. Musik, Lübeck 1967; D. Härtwig in: MGG XIV, 1968, Sp. 1424ff.

+Zumsteeg (eigentlich Zum Steeg), –1) Johann Rudolf, 1760–1802.
Ausg.: Kleine Balladen u. Lieder, Faks. d. Ausg. Lpz. 1815–18, Farnborough 1969 (7 Bde in 1). – Cellosonate B dur, hrsg. v. F. Längin, Ffm. 1961; 3 Balladen in: Balladen v. G. A. Bürger in Musik gesetzt v. André, Kunzen, Z., Tomaschek u. Reichardt, 2 Bde, hrsg. v. D. Manicke, = EDM XLV–XLVI, Abt. Oper u. Sologesang VI–VII, Mainz 1970.
Lit.: +A. Sandberger, Ausgew. Aufsätze zur Mg. (I, 1921), Nachdr. Hildesheim 1970. – E. G. Porter, Z.'s Songs, MMR LXXXVIII, 1958; G. Maier, Die Lieder J. R. Z.s u. ihr Verhältnis zu Schubert, = Göppinger akademische Beitr. XXVIII, Göppingen 1971.

Zunām az-Zāmir, † um 869; arabischer Flötist, spielte bereits gegen Ende der Regierungszeit von Hārūn ar-Rašīd (786–809) in Hofkonzerten, gehörte von etwa 830 an zu den geachtetsten Instrumentalisten der 'Abbāsiden in Samarra und Bagdad und wurde, gebrechlich und an Gicht leidend, noch vom Kalifen al-Mu'tazz (866–869) seinen Gästen vorgeführt. – Das nach ihm benannte Holzblasinstrument an-nāiy az-zunāmī (später volkssprachlich az-zulāmī) soll er »erfunden« haben. Frühe Beschreibungen des Instrumentes fehlen, doch ist einem poetischen Vergleich herabhängender Haarsträhnen mit zunāmī-Flöten bei dem Damaszener Dichter al-Wa'wā' († um 990) zu entnehmen, daß es abwärts gehalten und demnach durch ein Mundstück angeblasen wurde. Ein gleichnamiges Instrument (das spanische xelami[?]) war im 13. Jh. in Spanien und im 14. Jh. in Nordafrika bekannt. Ibn Ḥaldūn († 1406) beschreibt es als ovales, aus zwei halbrunden Holzrohren zusammengesetztes Instrument mit einem »kleinen Rohr« als Mundstück und »hohem Ton«, also wohl eine Doppelrohrblattschalmei.
Lit.: Ibn Ḥurdāḍbih († 911), Muḥtār min Kitāb al-lahw wa-l-malāhī (Fragment seines »Buches d. Vergnügungen u. d. Musikinstr.«), Beirut 1961, S. 15; al-Wa'wā', Dīwān, hrsg. v. I. Kratschkowskij, Petrograd 1914, Gedicht Nr 3, Vers 22; Ibn Ḥaldūn, Muqaddima, engl. Übers. v. F. Rosenthal als: The Muqaddimah, Bd II, NY 1958, S. 353; SachsL (s. u. Zulāmîy); J. Ribera, La música de las cantigas, Madrid 1922, gekürzte engl. Übers. v. E. Hague u. M. Leffingwell als: Music in Ancient Arabia and Spain, Stanford (Calif.) 1929, Nachdr. NY 1970; H. G. Farmer, A Hist. of Arabian Music to the XIIIth Cent., London 1929, Nachdr. 1967; ders., Hist. Facts f. the Arabian Mus. Influence, ebd. 1930, Nachdr. Hildesheim u. NY 1970; ders., Studies in Oriental Mus. Instr., Bd I, London 1931, S. 79 u. 82; in: EI III, 1936 u. Mizmār); 'Alī Mazāhirī, Zalzal-i Rāzī, in: Maġalla-i mūsīqī (»Zs. f. Musik«) 1941, Nr 13 (Teheran), Wiederabdruck in: Hunarhā-i millī (»Nationale Künste«) 1955, Nr 1 (persisch); H. 'A. Maḥfūẓ, Mu'ǧam al-mūsīqā al-'arabīya (»Lexikon d. arabischen Musik«), Bagdad 1964, S. 35 u. 52; E. Neubauer, Musiker am Hof d. frühen 'Abbāsiden, Diss. Ffm. 1965. ENe

Żurawlew (ʒur'avlɛf), Jerzy, * 21. 1. 1887 zu Rostow am Don; polnischer Pianist und Musikpädagoge, studierte bei A. Michałowski am Warschauer Musikinstitut und debütierte 1907 als Pianist. Er war Professor für Klavier am Konservatorium in Warschau (1913–16), gründete 1916 das Konservatorium in Minsk und lehrte 1923–39 an der Chopin-Musikhochschule in

Warschau, wo er seit 1949 als Professor an der Musikhochschule tätig ist. 1927 organisierte er dort den 1. internationalen Fr.-Chopin-Klavierwettbewerb.
Lit.: J. Jaroszewicz in: Ruch muzyczny XV, 1971, Nr 24, S. 12ff. (Gespräch).

+Zur Mühlen, Raimund von, 1854–1931.
Lit.: D. v. Zur Mühlen, Der Sänger R. v. Zur M., Hannover-Döhren 1969.

+Zuschneid, Karl, 1854 – 1. [nicht: 18.] 8. 1926.

+Zweig, Fritz, * 8. 9. 1893 zu Olmütz (Nordmähren). Er lebt seit 1947 [nicht: 1942] als Privatmusiklehrer in Hollywood (Calif.).

Zweig, Stefan, * 28. 11. 1881 zu Wien, † (Freitod) 22. 2. 1942 zu Petrópolis (Brasilien); österreichischer Schriftsteller, studierte Philosophie, Germanistik und Romanistik in Berlin und Wien, wo er mit der Dissertation *Die Philosophie des H. Taine* promovierte. Er bereiste Europa, Indien, Nordafrika, Nord- und Mittelamerika, lebte 1917–18 als Kriegsgegner in Zürich, 1919–34 in Salzburg und emigrierte dann nach England, 1940 nach New York und 1941 nach Petrópolis. Zw. schrieb Aufsätze über Br. Walter, Toscanini, Busoni, G. Mahler und R. Strauss, biographische Romane, Dramen, die historischen Miniaturen *Sternstunden der Menschheit* (1927; darin *G. Fr. Händels Auferstehung*) sowie die Autobiographie *Die Welt von Gestern* (1942). 1932 begann seine Zusammenarbeit mit R. Strauss, für den er das Libretto zu *Die schweigsame Frau* (nach Ben Jonsons *Epicoene, or the Silent Women*, Dresden 1935) schrieb, *Friedenstag* (München 1938) entwarf und *Capriccio* (ebd. 1942) anregte. Lieder nach Gedichten von Zw. schrieben Reger, Loeffler, J. Marx, Johannes Röntgen, Jolles und Demuth. Seiber schrieb eine Bühnenmusik zu Zw.s Bearbeitung von Ben Jonsons *Volpone*, Szélényi das Oratorium *Virata* (nach der Legende *Die Augen des ewigen Bruders*, 1935) und Lendvai den 4st. Männerchor *Brügge* (1921).
Lit.: A. Mathis, St. Zw. as Librettist and R. Strauss, ML XXV, 1944; Fr. M. Zweig, St. Zw., wie ich ihn erlebte, Stockholm 1947, Bln 1948; dies., St. Zw., Eine Bildbiogr., München 1961; dies., Spiegelungen eines Lebens, Zürich 1964; H. Arens, St. Zw., Sein Leben, sein Werk, Esslingen a. N. 1949, erweitert als: Der große Europäer St. Zw., München 1956, neuerdings erweitert als: St. Zw. im Zeugnis seiner Freunde, ebd. 1968; ders., St. Zw. u. d. Musik, in: Musica VI, 1952, auch in: Acta Mozartiana V, 1958, erweitert als: St. Zw. zum Gedenken, ebd. VIII, 1961; H. Zohn u. J. P. Barricelli, Music in St. Zw.'s Last Years. Some Unpubl. Letters, Juilliard Rev. III, 1956; H. E. Mutzenbecher, R. Strauss u. St. Zw. korrespondieren, Mitt. d. Internationalen R.-Strauss-Ges. 1957, Nr 15; R. Strauss, St. Zw., Briefwechsel, hrsg. v. W. Schuh, Ffm. 1957; H. Joachim, »Europäisch u. wahrhaft universal . . .«. Aus d. Briefwechsel v. R. Strauss u. St. Zw., NZfM CXIX, 1958, auch in: Das Orch. VI, 1958; L. Truding, St. Zw. u. d. Musik, NZfM CXIX, 1958 (aus unveröff. Briefen); L. Mazzuchetti, R. Strauss e St. Zw., in: L'approdo mus. II, 1959; A. A. Abert, St. Zw.s Bedeutung f. d. Alterswerk v. R. Strauss, Fs. Fr. Blume, Kassel 1963; R. J. Klawiter, St. Zw., A Bibliogr., Chapel Hill (N. C.) 1964; H. Oesterheld, M. Reger u. St. Zw., in: Neue Beitr. zur Regerforschung u. Mg. Meiningen, Meiningen 1970; E. Allday, St. Zw., A Critical Biogr., London 1972; D. A. Prater, European of Yesterday. A Biogr. of St. Zw., Oxford 1972; K. W. Birkin, Strauss, Zw., and Gregor. Unpubl. Letters, ML LVI, 1975.   AKG

+Zwick, Johannes, um 1496 – 1542.
Lit.: +M. Jenny, Gesch. d. deutsch-schweizerischen Gesangbuchs im 16. Jh. (1962 [nicht: 1958]). – B. Moeller, J. Zw. u. d. Reformation in Konstanz, = Quellen u. Forschungen zur Reformationsgesch. XXVIII, Gütersloh

1961; H. Nitsche, J. Zw. u. d. »Nüw gsangbüchle v. 1540«, Württembergische Blätter f. Kirchenmusik XXX, 1963.

Zwijs → Svijs.

+Zwingli, Huldrych (Ulrich), 1484–1531.
Ausg.: +Liedtexte in: Ph. Wackernagel, Das deutsche Kirchenlied . . . (III, 1870), Nachdr. Hildesheim 1964. 2 Sätze (Zw.s Autorschaft ungesichert) in: Die Orgeltabulatur d. Cl. Hör, hrsg. v. H. J. Marx, = Schweizerische Musikdenkmäler VII, Basel 1970.
Lit.: Zw.ana (Beitr. zur Gesch. Zw.s, d. Reformation u. d. Protestantismus in d. Schweiz), Jg. Iff., (Zürich) 1897ff., darin u. a.: M. Jenny, Zw.s mehrstimmige Kompositionen. Ein Basler Zw.-Fund (XI, 1959–63); ders., Ergänzungen zur Liste d. Zürcher Gesangbuchdrucke, u. Das Zw.-Lied in Königsberg (XIII, 1969–73). – O. Farner, H. Zw., 4 Bde, Zürich 1943–60. – Ch. Garside, Zw. and the Arts, = Yale Hist. Publ. Miscellany LXXXIII, New Haven (Conn.) 1966; M. Jenny, Zw.s Stellung zur Musik im Gottesdienst, = Schriftenreihe d. Arbeitskreises f. ev. Kirchenmusik III, Zürich 1966; ders., The Hymns of Zw. and Luther, in: Cantors at the Crossroads, Fs. W. E. Buszin, St. Louis (Mo.) u. London 1967; ders., Die Lieder Zw.s, Jb. f. Liturgik u. Hymnologie XIV, 1969; ders., Gesch. u. Verbreitung d. Lieder Zw.s, in: Kerygma u. Melos, Fs. Chr. Mahrenholz, Kassel u. Bln 1970; O. Söhngen, Theologie d. Musik, Kassel 1967; ders., Zw.s Stellung zur Musik im Gottesdienst, Fs. W. Ellinger, Witten 1968; ders., Die Musikanschauung d. Reformation u. d. Überwindung d. ma. Musiktheologie, in: Musa – Mens – Musici, Gedenkschrift W. Vetter, Lpz. 1970; Fr. Schmidt-Clausing, Die Neudatierung d. liturgischen Schriften Zw.s, Theologische Zs. XXV, 1969.

+Zwissler, Karl Maria, * 12. 8. 1900 zu Ludwigshafen.
Zw. trat als Mainzer GMD 1967 in den Ruhestand, ist aber weiterhin als Gastdirigent und als Professor an der Frankfurter Musikhochschule tätig.

Zwolle, Henri-Arnault de (Arnault de Zw.), * zu Zwolle, † 6. 9. 1466 zu Paris; niederländischer Astronom, Arzt und Ingenieur, lebte zunächst am burgundischen Hof Philipps des Guten, ging dann nach Frankreich und wurde Astrologe und Arzt am Hof Karls VII. und Ludwigs XI. Für die Musik bedeutend sind seine Traktate über den Instrumentenbau (Paris, Bibl. Nat., Ms. lat. 7295) mit detaillierten Angaben (Beschreibung und Abbildung) über die Konstruktion von Orgeln, Lauten, Harfen, Cembali, Clavichorden und eines als »dulcemelos« bezeichneten Instruments.
Ausg.: Instr. de musique du XVe s., Faks. v. Ms. lat. 7295 u. kommentierte Übertragung hrsg. v. G. Le Cerf u. E. R. Labande, Paris 1932, NA als: Les traités d'H.-A. de Zw. et de divers anon., hrsg. v. Fr. Lesure, = DMI II, 4, Kassel 1972.

+Zwyssig, Alberik (Alberich, Albert), 1808–54.
1961 wurde der +Schweizer Psalm zur provisorischen Schweizer Nationalhymne erklärt.
Ausg.: Messe »Diligam te Domine«, f. gem. Chor u. Org. bearb. v. J. Helbling, Innsbruck 1954.
Lit.: A. Geering in: MGG XIV, 1968, Sp. 1540ff.

Zyganow, Dmitrij Michajlowitsch, * 27. 2. (12. 3.) 1903 zu Saratow; russisch-sowjetischer Violinist und Pädagoge, studierte am Konservatorium in Saratow und absolvierte 1922 als Schüler von Alexandr Mogilewskij und Catoir das Moskauer Konservatorium. Mit W. Schirinskij, Wadim Borissowskij und S. Schirinskij gründete er 1923 das Moskauer Konservatoriums-Streichquartett (1930 umbenannt in ,Staatliches Beethoven-Streichquartett'), dem er bis heute als Primarius angehört.
Lit.: W. Wlassow, Skripatsch Dm. Z. (»Der Violinist Dm. Z.«), SM I, 1933; W. Jusefowitsch in: SM XXXVII,

1973, H. 3, S. 30ff.; DM. SCHOSTAKOWITSCH, Talant schirokowo prisnanija (»Ein weithin anerkanntes Talent«), in: Sowjetskaja kultura v. 13. 3. 1973.

Zykan, Otto, * 12. 8. 1902 zu Wien; österreichischer Komponist, studierte ab 1921 in seiner Heimatstadt am Neuen Konservatorium Gitarre und an der Akademie für Musik und darstellende Kunst bei J. Marx Komposition (Diplom 1935). Er war 1937–44 Gitarrist am Burgtheater und lehrte 1945–67 an den Musiklehranstalten der Stadt Wien (1962 Professor). Z. schrieb u. a. Lehrwerke für Gitarre und war auch kompositorisch tätig.

Zykan, Otto J. M., * 29. 4. 1935 zu Wien; österreichischer Komponist und Pianist, Sohn von Otto Z., studierte an der Akademie für Musik und darstellende Kunst in Wien und gewann 1958 den Darmstädter Klavierwettbewerb für Neue Musik. Er komponierte u. a. *Inscene 1* für 5 St. (1965) und *2* für 4 St. (1966), *Kryptomnenie* für Bläser, Schlagzeug und Kl. (1965), *6 Chansons (. . . die keine sind)* für Kl. (1965), *Singers Nähmaschine ist die beste,* Opernode (1. Fassung Wien 1966, 2. Fassung ebd. 1973), *O, santa Caecilia und andere Pusztavögel* für Fl. und Kl. (1966), *Kammermusik für 12 Instr. und was daraus wird* (1967) und *Polemische Arie* für 4 St. (1970) sowie Musik für Fernsehfilme (*Staatsmusik,* 1972; *Orsolics – Schmidinger. Eine Passion,* 1974).

Zylis-Gara (z'ilisg'ara), Teresa, * 23. 1. 1936 zu Wilna; polnische Sängerin (lyrischer Sopran), studierte in Łódź an der Musikschule (1950–52) sowie an der Musikakademie (1952–57) und debütierte 1957 am Opernhaus in Krakau in der Titelpartie von Moniuszkos *Halka.* 1966–70 gehörte sie zum Ensemble der Deutschen Oper am Rhein Düsseldorf–Duisburg. 1969 sang sie bei den Salzburger Festspielen die Donna Elvira (*Don Giovanni*) und trat im gleichen Jahr erstmals an der Metropolitan Opera in New York auf. Seit 1972 ist sie an der Wiener Staatsoper und der Deutschen Oper Berlin engagiert. Zu ihren Partien zählen Gräfin, Pamina, Leonore (*Il trovatore*), Violetta, Octavian und Komponist (*Ariadne auf Naxos*). T. Z.-G. ist auch als Konzertsängerin hervorgetreten.

Zytowitsch, Wladimir Iwanowitsch, * 6. 8. 1931 zu Leningrad; russisch-sowjetischer Komponist, absolvierte 1958 das Leningrader Konservatorium und wurde noch im selben Jahr durch eine Sinfonietta bekannt. Seine weiteren Kompositionen umfassen u. a. eine Symphonie, die symphonischen Bilder *Pochoschdenije brawowo soldata Schwejka* (»Das Abenteuer des braven Soldaten Schwejk«), ein Klavierkonzert, ein Bratschenkonzert, *Triptich* für Va und Kl., eine Klaviersuite, Romanzen auf Gedichte von Alexandr Blok, Lieder und Bühnenmusik.

+Abendroth, Fedor Georg Walter, * 29. 5. 1896 zu Hannover, † 30. 9. 1973 zu Hausham (Kreis Miesbach, Bayern).

+Absil, Jean, * 23. 10. 1893 zu Bonsecours (bei Péruwelz, Hennegau), † 2. 2. 1974 zu Brüssel.

+Adamus, Henryk Konrad, * 19. 2. 1880 und † 13. 10. 1950 zu Warschau.

+Adrio, Adam Johann, * 4. 4. 1901 zu Essen, † 18. 9. 1973 zu Ritten/Renon (Bozen).

Advis Vitalić, Luis, * 10. 2. 1935 zu Iquique (Chile), † 1973/74(?).

+Albert, Otto Herbert, * 26. 12. 1903 zu Lausick (Sachsen), † 15. 9. 1973 zu Bad Reichenhall.

Alt, Michael, * 15. 2. 1905 zu Aachen, † 20. 12. 1973 zu Dortmund.

+Ančerl, Karel, * 11. 4. 1908 zu Tučapy (Tschechoslowakei), † 3. 7. 1973 zu Toronto.

+Anderberg, Carl-Olof, * 13. 4. 1914 zu Stockholm, † 4. 1. 1972 zu Malmö.

Andersen, Lale (eigentlich Lise-Lotte Helene Berta Beul geborene Bunnenberg), * 23. 3. 1905 [nicht: 1908] zu Lehe (Bremerhaven), † 29. 8. 1972 zu Wien.

Anderson, Leroy, * 29. 6. 1908 zu Cambridge (Mass.), † 18. 5. 1975 zu Woodbury (Conn.).

+André, Franz, * 10. 6. 1893 zu Brüssel, † 20. 1. 1975 zu Woluwé St-Lambert (Brabant).

+Andricu, Mihaïl Gheorge, * 22. 12. 1894 und † 4. 2. 1974 zu Bukarest.

+Apostel, Hans Erich Heinrich, * 22. 1. 1901 zu Karlsruhe, † 30. 11. 1972 zu Wien.

Aristona.
Wigbert Valentin Behringer, * 14. 8. 1919 zu Würzburg, † 14. 12. 1972 zu Allensbach (Bodensee).

+Armitage, Merle, * 12. 2. 1893 zu Mason City (Ia.), † 15. 3. 1975 zu Yucca Valley (Calif.).

+Atterberg, Kurt Magnus, * 12. 12. 1887 zu Göteborg, † 15. 2. 1974 zu Stockholm.

Auden, Wystan Hugh, * 21. 2. 1907 zu York, † 29. 9. 1973 zu Wien.

Babin, Victor, * 13. 12. 1908 zu Moskau, † 1. 3. 1972 zu Cleveland (O.).

+Bachem, Hans (Johannes) Dienegott Matthias, * 2. 1. 1897 und † 10. 3. 1973 zu Köln.

Bachmann, Ingeborg, * 25. 6. 1926 [nicht: 1925] zu Klagenfurt, † 17. 10. 1973 zu Rom.

+Baker, Josephine, * 3. 6. 1906 zu St. Louis (Mo.), † 12. 4. 1975 zu Paris.

+Barkel, Charles Alvinus, * 6. 2. 1898 zu Stugun (Jämtland), † 7. 3. 1973 zu Stockholm.

+Barlow, Howard, * 1. 5. 1892 zu Plain City (O.), † 31. 1. 1972 zu Bethel (Conn.).

Barraqué, Jean, * 17. 1. 1928 und † 17. 8. 1973 zu Paris.

Bárta, Lubor, * 8. 8. 1928 zu Lubná, † 5. 11. 1972 zu Prag.

Bartoš, František, * 13. 6. 1905 zu Brněnec (bei Polička, Böhmen), † 21. 5. 1973 zu Prag.

+Bayle, Theo (Theodorus Baijlé), * 29. 5. 1912 zu Laren (Nordholland), † 30. 4. 1971 zu Zwolle.

Becce, Giuseppe, * 3. 2. 1887 zu Lonigo [nicht: Longino] (Vicenza), † 5. 10. 1973 zu Berlin.

+Behrend, Gustav Fritz, * 3. 3. 1889 und † 29. 12. 1972 zu Berlin.

+Bella [–1) Johann Leopold], –2) Rudolf Friedrich Martin, * 7. 12. 1890 zu Hermannstadt (Siebenbürgen), † 14. 7. 1973 zu Romanshorn (Thurgau).

+Benda, Hans Robert Gustav von, * 22. 11. 1888 zu Straßburg, † 13. 8. 1972 zu Berlin.

+Bernard, Robert Victor, * 10. 10. 1900 zu Genf, † 2. 5. 1971 zu Mazamet (Tarn).

+Bernet Kempers, Karel Philippus, * 20. 9. 1897 zu Nijkerk (Gelderland), † 30. 9. 1974 zu Amsterdam.

Bianchi, Renzo, * 29. 7. 1887 zu Maggianico (Como), † 27. 12. 1972 zu Genua.

+Blacher, Boris, * 6.(19.) 1. 1903 zu Newchwang (Mandschurei), † 30. 1. 1975 zu Berlin.

+Bliss, Sir Arthur Edward Drummond, * 2. 8. 1891 und † 27. 3. 1975 zu London.

+Bořkovec, Pavel, * 10. 6. 1894 und † 22. 7. 1972 zu Prag.

+Branzell Reinshagen, Karin Maria, * 24. 9. 1891 zu Stockholm, † 14. 12. 1974 zu Altadena (Calif.).

+Breitkopf & Härtel.
Martin von Hase, * 6. 12. 1901 zu Leipzig, † 15. 10. 1971 zu Wiesbaden.

Brelet, Gisèle Marie Jeanne Noémie, * 6. 3. 1915 zu Fontenay-le-Comte (Vendée), † 21. 6. 1973 zu La Tranche-sur-mer (Vendée).

+Bresser, Johannes Gijsbertus, * 7. 10. 1899 zu Arnheim, † 4. 1. 1973 zu Renkum (Geldern).

+Breteuil, François Marcel Henri Joseph, Marquis de, * 21. 2. 1892 zu Paris, † 5. 1. 1972 zu Lugano.

+Brian, William Havergal, * 29. 1. 1876 zu Dresden (Staffordshire), † 28. 11. 1972 zu Shoreham-by-Sea (Sussex).

+Brown, Eddy, * 15. 7. 1895 zu Chicago, † 14. 6. 1974 zu Abano Terme (Venetien).

Budapest String Quartet.
Joseph Dawidowitsch Roisman, * 3.(16.) 7. 1900 zu Odessa, † 9. 11. 1974 zu Washington (D. C.); Boris Josefowitsch Kroyt, * 3.(15.) 6. 1898 zu Odessa, † 15. 11. 1969 zu New York.

+Busch [–1) Fritz], –3) Herman(n), * 24. 6. 1897 zu Siegen, † 3. 6. 1975 zu Bryn Mawr (Pa.).

+Busser, Henri Paul, * 16. 1. 1872 zu Toulouse, † 30. 12. 1973 zu Paris.

+Buszin, Walter Edwin, * 4. 12. 1899 zu Milwaukee (Wis.), † 2. 7. 1973 zu Omaha (Nebr.).

+Cape, Safford, * 28. 6. 1906 zu Denver (Colo.), † 26. 3. 1973 zu Uccle (Brüssel).

Cardus, Sir Neville, * 2. 4. 1889 zu Manchester, † 28. 2. 1975 zu London.

+Casadesus [–1) Francis], –4) Robert Marcel, * 7. 4. 1899 und † 19. 9. 1972 zu Paris.

Casadesus, Jean Claude Michel, * 7. 7. 1927 zu Paris, † 20. 1. 1972 zu Ross (bei Renfrew, Ontario).

+Casals, Pablo (Pau) Carlos Salvador, * 29. 12. 1876 zu Vendrell (Katalonien), † 22. 10. 1973 zu San Juan (Puerto Rico).

+Černý, Ladislav, * 13. 4. 1891 zu Pilsen, † 13. 7. 1975 zu Dobříš (Mittelböhmen).

+Chaix, Charles, * 26. 3. 1885 zu Paris, † 16. 2. 1973 zu Thônex (Genf).

Chevalier, Maurice Auguste, * 12. 9. 1888 und † 1. 1. 1972 zu Paris.

+Chlubna, Osvald, * 22. 7. 1893 und † 30. 10. 1971 zu Brünn.

Ciani, Dino, * 16. 6. 1941 zu Fiume (Rijeka), † 27. 3. 1974 zu Rom.

Clausen, Karl Søren, * 15. 8. 1904 zu Åbenrå (Apenrade, Nordschleswig), † 5. 12. 1972 zu Århus.

Collier, Marie Elisabeth (eigentlich Vorwerg), * 16. 4. 1926 zu Ballarat (Australien), † 8. 12. 1971 zu London.

+Confalonieri, Giulio, * 23. 5. 1896 und † 29. 6. 1972 zu Mailand.

Corbin de Mangoux, Solange, * 5. 4. 1903 zu Vorly (Cher), † 17. 9. 1973 zu Bourges (Cher).

Coward, Noël, * 16. 12. 1899 zu Teddington (England), † 26. 3. 1973 zu Port Maria (Jamaika).

Cranko, John Cyril, * 15. 8. 1927 zu Rustenburg (Rhodesien), † 26. 6. 1973 zu Dublin.

+Crooks, Richard Alexander, * 26. 6. 1900 zu Trenton (N. J.), † 29. 9. 1972 zu Portola Valley (Calif.).

Curci.
Alberto C., * 5. 12. 1886 und † 3. 6. 1973 zu Neapel.

Curjel, Hans Richard, * 1. 5. 1896 zu Karlsruhe, † 3. 1. 1974 zu Zürich.

+Dahms, Walter, * 9. 6. 1887 zu Berlin, † 5. 10. 1973 zu Lissabon.

Dalla Libera, Sandro (Alessandro), * 28. 3. 1912 zu Zovencedo (Vicenza), † 6. 10. 1974 zu Venedig.

+Dallapiccola, Luigi, * 3. 2. 1904 zu Pisino (heute Pazin, Istrien), † 19. 2. 1975 zu Florenz.

+Dal Monte, Toti (eigentlich Antonietta Meneghel), * 27. 6. 1893 zu Mogliano Veneto (Treviso), † 26. 1. 1975 zu Pieve di Soligo (Treviso).

D'Andurain, Pedro, * 18. 10. 1926 und † 27. 5. 1974 zu Santiago de Chile.

Daus, Abraham, * 22. 6. 1902 zu Berlin, † 25. 6. 1974 zu Tel Aviv.

+Davisson, Adolf-Walther, * 15. 12. 1885 zu Frankfurt am Main, † 18. 7. 1973 zu Bad Homburg vor der Höhe.

+Delgadillo, Luis Abraham, * 25. 8. 1887 und † 20. 12. 1961 zu Managua (Nicaragua).

Del Grande, Carlo, * 11. 1. 1899 zu Neapel, † 18. 2. 1970 zu Bologna.

+Denzler, Robert Heinrich Friedrich, * 19. 3. 1892 und † 25. 8. 1972 zu Zürich.

+Desderi, Ettore, * 10. 12. 1892 zu Asti (Piemont), † 23. 11. 1974 zu Florenz.

+Devreese, –1) Godfried, * 22. 1. 1893 zu Kortrijk (Courtrai), † 4. 6. 1972 zu Brüssel.

+Dité, Louis (Alois) Johann, * 26. 3. 1891 und † 18. 11. 1969 zu Wien.

Dołżycki, Adam, * 24. 12. 1886 zu Lemberg, † 9. 9. 1972 zu Marktredwitz (Oberfranken).

+Donati, Pino, * 9. 5. 1907 zu Verona, † 24. 2. 1975 zu Rom.

+Dressel, Erwin Herbert Alfred, * 10. 6. 1909 und † 16./17. 12. 1972 zu Berlin.

Drolc-Quartett.
Eduard Josef Drolc, * 29. 8. 1919 zu Lünen (bei Dortmund), † 5. 6. 1973 zu Berlin.

+Drzewiecki, Zbigniew, * 8. 4. 1890 und † 11. 4. 1971 zu Warschau.

+Dusch, Phons (Alphons) Maria Willem Johannes, * 13. 7. 1895 zu Zutphen (Geldern), † 17. 12. 1973 zu Rotterdam.

Dvarionas, Balys, * 6.(19.) 6. 1904 zu Libau (Liepāja, Kurland), † 23. 8. 1972 zu Wilna.

[+Ebel] Sosen, Otto Ebel von (standesamtlicher Namenseintrag im Sterberegister: Otto Ernst Hans Ludwig Ebel), * 26. 2. 1899 zu Rendsburg, † 6. 2. 1974 zu Bad Pyrmont (Niedersachsen).

+Eckhardt(-Gramatté), Sophie-Carmen (geborene de Fridman-Kotschewskoj, bis 1939 bekannt als Sonia Friedman[-Gramatté]), * 24. 12. 1901 (6. 1. 1902) zu Moskau, † 2. 12. 1974 zu Stuttgart.

+Edler, Hans (Johannes), * 16. 1. 1889 zu Frankfurt am Main, † 19. 10. 1974 zu München.

+Eimert, Eugen Otto Herbert, * 8. 4. 1897 zu Bad Kreuznach, † 15. 12. 1972 zu Düsseldorf.

+Eisenberg, Maurice, * 24. 2. 1902 zu Königsberg, † 13. 12. 1972 zu New York.

+Ellington, Duke (Edward Kennedy), * 29. 4. 1899 zu Washington (D. C.), † 24. 5. 1974 zu New York. Harry Carney, * 1. 4. 1910 zu Boston, † 8. 10. 1974 zu New York.

+Emery, Walter Henry James, * 14. 6. 1909 zu Tilshead (Wiltshire), † 23. 6. 1974 zu Salisbury (Wiltshire).

+Erdlen, Hermann, * 16. 7. 1893 und † 30. 6. 1972 zu Hamburg.

Etler, Alvin Derald, * 19. 2. 1913 zu Battle Creek (Ia.), † 13. 6. 1973 zu Northampton (Mass.).

+Ewens, Franz Josef, * 17. 2. 1899 zu Köln(-Mülheim), † 13. 9. 1974 zu Bad Münstereifel.

+Farnadi, Edith (geborene Sugar), * 25. 9. 1921 zu Budapest, † 14. 12. 1973 zu Graz.

+Felumb, Svend Christian, * 25. 12. 1898 und † 16. 12. 1972 zu Kopenhagen.

+Ferand, Ernest Thomas, * 5. 3. 1887 zu Budapest, † 29. 5. 1972 zu Basel.

+Fere, Wladimir Georgijewitsch, * 7.(20.) 5. 1902 zu Kamyschin (Gouvernement Saratow), † 2. 9. 1971 zu Moskau.

Fischer, Ernst, * 10. 4. 1900 zu Magdeburg, † 10. 7. 1975 zu Locarno (Tessin).

+Fischer, Maria Res (Theresia), * 8. 11. 1896 zu Berlin, † 3. 10. 1974 zu Ruit auf den Fildern (Kreis Esslingen).

+Flipse, –1) Eduard, * 26. 2. 1896 zu Wissekerke (Seeland), † 11. 9. 1972 zu Breda (Nordbrabant).

Flores, José Asunción, * 27. 8. 1904 zu Asunción (Paraguay), † 16. 5. 1972 zu Buenos Aires.

+Foch, Dirk (eigentlich Fock), * 18. 6. 1886 zu Batavia, † 24. 5. 1973 zu Locarno (Tessin).

+Fock, Gustav Hinrich, * 18. 11. 1893 zu Hamburg(-Neuenfelde), † 12. 3. 1974 zu Hamburg.

Förstemann, Martin Günther, * 15. 4. 1908 zu Nordhausen (Harz), † 27. 2. 1973 zu Hamburg.

+Fokker, Adriaan Daniël, * 17. 8. 1887 zu Buitenzorg (heute Bogor, Java), † 24. 9. 1972 zu Apeldoorn (Geldern).

Forest, Jean Kurt, * 2. 4. 1909 zu Darmstadt, † 2. 3. 1975 zu Berlin.

Forti, Hermes, * 21. 9. 1906 zu Triest, † 12. 1. 1972 zu Buenos Aires.

Fourie, Joanna Everdina (geborene La Rivière), * 17. 9. 1884 zu Zwolle (Niederlande), † 12. 3. 1973 zu Pretoria (Südafrika).

+Frankel, Benjamin, * 31. 1. 1906 und † 12. 2. 1973 zu London.

+Friis, Niels, * 4. 11. 1904 und † 24. 1. 1973 zu Kopenhagen.

+Friml, Rudolf, * 2. 12. 1879 zu Prag, † 12. 11. 1972 zu Los Angeles.

+Fuchs, Marta Emilie Mina, * 1. 1. 1898 und † 22. 9. 1974 zu Stuttgart.

+Gaillard, Marius François, * 13. 10. 1900 zu Paris, † 23. 7. 1973 zu Evecquemont (Yvelines).

+Gajard, Dom Joseph-Georges-Marie, OSB, * 25. 6. 1885 zu Sonzay (Indre-et-Loire), † 25. 4. 1972 in der Abtei Solesmes (Sablé-sur-Sarthe).

+Ganz, Rudolph, * 24. 2. 1877 zu Zürich, † 2. 8. 1972 zu Chicago.

García Matos, Manuel, * 4. [nicht: 2.] 1. 1912 zu Plasencia (Cáceres), † 26. 8. 1974 zu Madrid.

Gargiulo, Terenzio, * 23. 9. 1905 zu Torre Annunziata (Neapel), † 13. 11. 1972 zu San Sebastiano al Vesuvio.

+Gatti, Guido Maggiorino, * 30. 5. 1892 zu Chieti (bei Pescara), † 10. 5. 1973 zu Grottaferrata (Latium).

+Gauthier [nicht: Gauthiez], Henriette Cécile, * 7. 9. [nicht: 8. 3.] 1873 und † 20. 8. 1946 zu Paris.

+Gebhard [-1) Max], -2) Hans (Johann) Joseph, * 18. 8. 1897 zu Dinkelsbühl, † 2. 10. 1974 zu Augsburg.

+Georgi, Emilie Hortense Felixine Yvonne (verwitwete Arntzenius), * 29. 10. 1903 [nicht: 1904] zu Leipzig, † 25. 1. 1975 zu Hannover.

Giesbert, Franz Julius, * 16. 8. 1896 zu Neuwied (Mittelrhein), † 8. 3. 1972 zu Köln.

+Gillmann, Kurt, * 22. 11. 1889 zu Berlin(-Wannsee), † 21. 3. 1975 zu Hannover.

Gombau Guerra, Gerardo, * 3. 8. 1906 zu Salamanca, † 13. 12. 1971 zu Madrid.

+Gómez García, Domingo Julio, * 20. 12. 1886 und † 22. 12. 1973 zu Madrid.

+Graf [-1) Max], -2) Herbert, * 10. 4. 1903 zu Wien, † 5. 4. 1973 zu Genf.

+Grandjany, Marcel, * 3. 9. 1891 zu Paris, † 24. 2. 1975 zu New York.

+Grofé, Ferde, * 27. 3. 1892 zu New York, † 3. 4. 1972 zu Santa Monica (Calif.).

+Grüner-Hegge, Odd Ragnar, * 23. 9. 1899 und † 11. 5. 1973 zu Oslo.

+Güldenstein, Gustav, * 23. 6. 1888 zu München, † 21. 1. 1972 zu Basel.

+Gümmer, Paul, * 11. 6. 1895 zu Hannover, † 24. 8. 1974 zu Lauterecken (Pfalz).

+Gurlitt, Manfred, * 6. 9. 1890 zu Berlin, † 29. 4. 1972 zu Tokio.

+Gurvin, Olav, * 24. 12. 1893 zu Tysnes (Hordaland), † 31. 10. 1974 zu Oslo(?).

Gutzeit, Erich (Pseudonym Jams Honky), * 10. 10. 1898 und † 24. 5. 1973 zu Berlin.

+Gyurkovics, Mária, * 19. 6. 1913 und † 28. 10. 1973 zu Budapest.

+Hába, −1) Alois, * 21. 6. 1893 zu Vizovice (Wisowitz, Mähren), † 18. 11. 1973 zu Prag. −2) Karel, * 21. 5. 1898 zu Vizovice, † 21. 11. 1972 zu Prag.

+Hadley, Patrick Arthur Sheldon, * 5. 3. 1899 zu Cambridge, † 17. 12. 1973 zu King's Lynn (Norfolk).

Hamburger, Povl, * 22. 6. 1901 und † 20. 11. 1972 zu Kopenhagen.

Hammond, Laurens, * 11. 1. 1895 zu Evanston (Ill.), † 1. 7. 1973 zu Cornwall (Conn.).

+Hardörfer, Anton Andreas, * 12. 6. 1890 zu Fürth, † 21. 6. 1971 zu Holzweiler (Kreis Erkelenz, Nordrhein-Westfalen).

+Harris, Sir William Henry, * 28. 3. 1883 zu London, † 6. 9. 1973 zu Petersfield (Hampshire).

+Hartmann, Karl Amadeus, 1905 − 5. 12. [nicht: 2.] 1963.

+Haußwald, Günter, * 11. 3. 1908 zu Rochlitz (Sachsen), † 23. 4. 1974 zu Stuttgart.

+Heckel, Johann Adam, 1812−77.
Franz Karl Groffy, * 3. 3. 1896 zu Boppard (Rhein), † 13. 10. 1972 zu Wiesbaden.

el-Hefny, Maḥmūd Aḥmad (al-Hifnī), * 14. 4. 1896 zu Dandiet (Provinz Dakahlieh), † 29. 3. 1973 zu Kairo.

Heldy, Fanny (eigentlich Marguerite Virginie Deceuninck), * 29. 2. 1888 zu Ath (Hennegau), † 13. 12. 1973 zu Neuilly-sur-Seine.

+Herberigs, Robert (Robertus-Henricus-Maria-Josephus-Georgius), * 19. 6. 1886 zu Gent, † 20. 9. 1974 zu Oudenaarde (Ostflandern).

Hernández Gonzalo, Gisela, * 15. 9. 1912 zu Cárdenas (Provinz Matánzas), † 23. 8. 1971 zu La Habana.

+Herrmann, Karl Josef, * 23. 8. 1882 und † 30. 1. 1973 zu Wien.

+Hilber, Georg Johann Baptist, * 2. 1. 1891 zu Wil (St. Gallen), † 30. 8. 1973 zu Luzern.

Holenia, Hanns (Johann) Baptist Emil Othmar, * 5. 7. 1890 und † 8. 11. 1972 zu Graz.

+Uribe Holguín, Guillermo, 1880 − 18. [nicht: 26.] 6. 1971.

+Holler, Karl Heinz, * 15. 9. 1919 zu Friedberg (Hessen), † 3. 12. 1972 zu Mainz.

+Horenstein, Jascha, * 24. 4. (6. 5.) 1898 zu Kiew, † 2. 4. 1973 zu London.

+Howes, Frank Stewart, * 2. 4. 1891 zu Oxford, † 28. 9. 1974 zu Standlake (bei Witney, Oxford).

+Hughes, Dom Anselm (Taufnamen Humphrey Vaughan), OSB, * 15. 4. 1889 zu London, † 8. 10. 1974 in der Nashdom Abbey (Burnham, Buckinghamshire).

Ikonomov, Bojan Georgiev, * 1.(14.) 12. 1900 zu Nikopol (Pleven), † 27. 3. 1973 zu Sofia.

Ingarden, Roman, * 5. 2. 1893 und † 14. 6. 1970 zu Krakau.

+Isamitt Alarcón, Carlos, * 13. 3. 1887 zu Rengo (Colchagua, Chile), † 2. 7. 1974 zu Santiago de Chile.

+Jacobi, Karl Theodor Franz Wolfgang, * 25. 10. 1894 zu Bergen auf Rügen, † 15. 12. 1972 zu München.

Janáčkovo kvarteto (Janáček-Quartett). Jiří Trávníček, * 10. 12. 1925 zu Vlaštovičky (bei Opava), † 16. 6. 1973 zu Brünn.

Janeček, Karel, * 20. 2. 1903 zu Częstochowa (Tschenstochau), † 4. 1. 1974 zu Prag.

Janota, Fritz (Friedrich) Gernot, * 15. 12. 1933 zu Linz, † 5. 12. 1973 zu Kirchlindach (Bern).

+Jeppesen, Knud Christian, * 15. 8. 1892 zu Kopenhagen, † 14. 6. 1974 zu Århus.

Jewlachow, Orest Alexandrowitsch, * 4.(17.) 1. 1912 zu Warschau, † 15. 12. 1973 zu Leningrad.

+Jirák, Karel Boleslav, * 28. 1. 1891 zu Prag, † 30. 1. 1972 zu Chicago.

+Johnson, Thor, * 10. 6. 1913 zu Wisconsin Rapids (Wis.), † 16. 1. 1975 zu Nashville (Tenn.).

+Jolivet, André, * 8. 8. 1905 und † 20. 12. 1974 zu Paris.

+Jordan, Sverre Rjarbye, * 25. 5. 1889 und † 10. 1. 1972 zu Bergen.

+Jurowskij, Wladimir Michajlowitsch, * 7.(20.) 3. 1915 zu Taraschtscha (Ukraine), † 26. 1. 1972 zu Moskau.

Kabos, Ilona, * 7. 12. 1898 zu Budapest, † 27. 5. 1973 zu London.

Kalaš, Julius (Luis Kassal), * 18. 8. 1902 und † 12. 5. 1967 zu Prag.

Kallman, Chester Simon, * 7. 1. 1921 zu Brooklyn (N. Y.), † 17. 1. 1975 zu Athen.

Kaminski, Josef, * 17. 11. 1903 zu Odessa, † 14. 10. 1972 zu Gedera (Israel).

+Katz, Erich, * 31. 7. 1900 zu Posen, † 30. 7. 1973 zu Santa Barbara (Calif.).

+Kauder, Hugo, * 9. 6. 1888 zu Tobitschau (Tovačov, Mähren), † 22. 7. 1972 zu Bussum (Nordholland).

+Kellermann [–1) Berthold], –2) Hellmut(h) Gottlieb Martin, * 10. 2. 1891 zu München, † 27. 1. 1973 zu Wiesbaden.

Kertész, István, * 28. 8. 1929 zu Budapest, † 16. 4. 1973 zu Kfar Saba (Israel).

+Klecki, Paul (Paweł Kletzki), * 21. 3. 1900 zu Łódź, † 5. 3. 1973 zu Liverpool.

+Klemperer, Otto, * 14. 5. 1885 zu Breslau, † 6. 7. 1973 zu Zürich.

+Kloiber, Rudolf Johann Nepomuk, * 14. 11. 1899 und † 12. 12. 1973 zu München.

+Klussmann, Ernst Gernot, * 25. 4. 1901 und † 21. 1. 1975 zu Hamburg.

+Knipper, Lew Konstantinowitsch, * 21. 11. (3. 12.) 1898 zu Tiflis, † 30. 7. 1974 zu Moskau.

+Knorr, Ernst-Lothar Carl von, * 2. 1. 1896 zu Eitorf (Rheinland), † 30. 10. 1973 zu Heidelberg.

+Koch, Helmut, * 5. 4. 1908 zu (Wuppertal-)Barmen, † 26. 1. 1975 zu Berlin.

+Konoye, Hidemaro, * 18. 11. 1898 und † 2. 6. 1973 zu Tokio.

+Krausz, Michael (Krasznai Mihály), * 11. 4. 1897 zu Pancsova (Ungarn), † 3. 11. 1940 zu Budapest.

+Krips, Josef Alois, * 8. 4. 1902 zu Wien, † 13. 10. 1974 zu Genf.

+Krogh, Torben Thorberg, * 21. 4. 1895 und † 10. 2. 1970 zu Kopenhagen.

+Krupa, Gene, * 15. 1. 1909 zu Chicago, † 16. 10. 1973 zu Yonkers (N. Y.).

Kundera, Ludvík, * 17. 8. 1891 und † 12. 5. 1971 zu Brünn.

+Labunski, Wiktor (Łabuński), * 14. 4. 1895 zu St. Petersburg, † 26. 1. 1974 zu Kansas City.

Landgrebe, Karl, * 28. 5. 1889 zu Hoof (bei Kassel), † 13. 8. 1974 zu Herborn (Hessen).

Legrand, Michel, * 24. 2. 1932 zu Paris. Raymond L., * 23. 5. 1908 zu Paris, † 25. 11. 1974 zu Nanterre (Hauts-de-Seine).

+Leider, Frida Anna (verheiratete Deman), * 18. 4. 1888 und † 4. 6. 1975 zu Berlin.

+Leimer, Kurt, * 7. 9. 1920 zu Wiesbaden, † 20. 11. 1974 zu Vaduz (Liechtenstein).

+Leinert, Friedrich Otto, * 10. 5. 1908 zu Oppeln (Oberschlesien), † 6. 5. 1975 zu Freiburg im Breisgau.

+Leng Haygus, Alfonso, * 11. 2. 1884 und † 7. 11. 1974 zu Santiago de Chile.

Leuchter, Erwin, * 10. 10. 1902 zu Berlin, † 4. 7. 1973 zu Buenos Aires.

+Robert Lienau. Wilhelm Friedrich L., * 6. 1. 1875 zu Berlin, † 15. 11. 1973 zu Wien.

Lind, Gitta (eigentlich Rita Maria Brown geborene Gracher), * 17. 4. 1925 zu Trier, † 9. 11. 1974 zu Tutzing (Starnberger See).

Lippe, Anton, * 28. 4. 1905 zu St. Anna am Aigen (Steiermark), † 19. 2. 1974 zu Berlin.

+Lorenz, Max (eigentlich Sülzenfuß), * 17. 5. 1901 zu Düsseldorf, † 11. 1. 1975 zu Salzburg.

+Lorenzi, Sergio, * 21. 4. 1914 zu Lonigo (Vicenza), † 16. 3. 1974 zu Venedig.

Lyons, James H., * 24. 11. 1925 zu Peabody (Mass.), † 13. 11. 1973 zu New York.

+Martin, Frank (Franck) Théodore, * 15. 9. 1890 zu Eaux Vives (heute Genf), † 21. 11. 1974 zu Naarden (Nordholland).

Maxakowa, Marija Petrowna, * 26. 3. (8. 4.) 1902 zu Astrachan, † 11. 8. 1974 zu Moskau.

+Merzdorf, Walter Gustav, * 4. 4. 1896 zu Merseburg (Saale), † 19. 2. 1975 zu Karlsruhe(-Grötzingen).

Meylan, Pierre, * 22. 10. 1908 zu Lucens (Vaud), † 7. 5. 1974 zu Lausanne.

Müller, Karl Ferdinand, * 21. 2. 1911 zu Stettin, † 26. 8. 1974 zu Vence (Alpes-Maritimes).

+Musulin, Branka (verheiratete Kreft), * 6. 8. 1920 zu Zagreb, † 1. 1. 1975 zu Schmallenberg (Sauerland).

+Ochlewski, Tadeusz, * 10.(22.) 3. 1894 zu Olszana (Ukraine), † 26. 1. 1975 zu Warschau.

+Ripper, Alice, * 23. 3. 1883 [nicht: 1887] zu Budapest, † 19. 1. 1961 zu Salzburg.

+Samuel, Léopold, * 5. 5. 1883 und † vor Mai 1975 zu Brüssel(?).

Shuard, Amy, * 19. 7. 1924 und † 18. 4. 1975 zu London.